岩波
古語辞典
補訂版

大野　晋
佐竹昭広編
前田金五郎

岩波書店

目次

補訂版の序 一
序にかえて 二
凡例 五
「用語」について 九
出典について 一五
本文 一
基本助動詞・助詞解説 一四六七
活用表（動詞・助動詞・形容詞） 一五〇八
官職制度の概観 一五一〇
内裏・大内裏図 一五二四
日本の時刻制度 一五二六
紋所 一五二八
万葉がな要覧 一五二九
歴史的かなづかい要覧 一五三〇
年号表 一五三四

補訂版の序

我々三人が二十年にわたって精根を注いで成った本書の初版がはじめて世に送り出されてから、はや十五年の歳月が経過した。小さいながら、古典語の意味を真剣に解明しようと努めた辞書として、学界の評価をうけ、世に迎えられて来たことを、我々は光栄に思い、嬉しく胸に刻んでいる。

単に言葉の訳語と文例とを挙げるだけであった古語辞典の慣例に対し、我々は個々の基本語の意味の特性を、文章によって記述して利用者の理解に役立てようとした。この我が国最初の試みは、古語辞典の世界に大きな影響を与え、今では多くの辞書が、単語の意味について解説的文章を添えるようになっている。また我々が中世・近世の単語について広汎に用例を求め、確実な古例と精確な説明を与えたことは、古典文学の愛好者・研究者に新しい拠りどころを提供したと考えている。

しかしこの十五年の間には、研究の進展した部面もある。それに鑑みて各時代にわたる新項目約五百を加え、用例を、新たに見出した適切なものに差し換え、語源説についても再検討の結果に従って修訂した。これらによって、本書が古典理解のために小型ではあっても大きく役立つことを願っている。

なお今回の補訂において、特に語彙・用例の編集・整理について立川美彦氏の助力を得たことを記しておきたい。

平成元年十二月

編　者

序にかえて

長いこと力を注いで来た古語辞典の世に出る日が近づいた。その仕上りの形を見ると、まことに小さい一冊である。しかし、このささやかな辞書にもそれなりにこれを世に送る志があり、成立の経過がある。今そのおよそのことを記しておこう。

だれしも、日本人であれば、知的世界に目覚めたとき、眼前にヨーロッパ・アメリカの学芸と技術とを見るであろう。それを学び取ることが日本の将来をきりひらくと多くの人は考える。しかし、ヨーロッパ・アメリカに学ぼうとする主体である日本とは一体何であろうか。日本の思想や文化の源流を尋ねるには、さまざまの道がある。しかし、その中で私は、日本語を明らかにすることによって、日本を知るという行き方を選んだ。日本語の根源を明らかに知るために、私は古代日本語を学び、その展開として、日本語の系統あるいは成立を知ることを重要な課題と考えた。そこで私は日本語とアジアの言語との比較を試みたことがあったが、その際に、基礎語なるものが実に重要であることを身にしみて感じた。基礎語は、日本人の物の判断の仕方を根本的に規制している。また、それは長い年月にわたって使われ、変化することが少ない。日本を理解するために、基礎語の個々の意味を明確に把握することは、一つの大事な仕事である。

その考えによってこの研究に進み入ろうとしていた私は、たまたま「広辞苑」(初版)の基礎語項目約一千の執筆を委嘱され、それに没頭した。ところが「広辞苑」刊行のお祝いの席上、当時の編集部長稲沼瑞穂氏から「古語辞典」を作るつもりはないかという思いがけない言葉があった。それがこの辞書の具体的な出発である。

由来わが国では「字引き」という。不明の漢字の字形・字音・和訓を手軽に知ればそれで終りである。ヨーロッパ語についての辞書もその習慣を引きついでいる。意味不明の語を辞書に求め、当面の文脈にとって適当と思われる訳語が安直に知られれば足れりとする。しかし、辞書はそれでよいものなのか。

言語社会における単語は、人間社会における個人に比せられる。人間は、生まれ、成長し、活動し、老化し、死去するという経過を歩む。単語も一つの役割を負ってその言語社会に誕生し、多くの単語の力関係の中で活動し、やがて老化して意味が片寄り、衰えて去るという一生を持つ。広く使われて豪華に生きる単語、全く異なる意味に変身して世を渡る単語、ひそやかに言語社会の片隅に生きる単語がある。児が親の性格をうけつぐように、単語も親の語の意味の血筋をひく。その親の語も、さらにさかのぼれば古い二つの親の語の結合として分析できることが多い。本当は、辞書は単に文脈にかなう訳語を探す場であってはならないものである。辞書は一語一語の出生、活動、老化、死という語の生涯の記録を読み取る場でなければならない。

殊に日本人の思考の根幹をなす基礎語のごときは、簡単な訳語の羅列によってはその意味を十分には示し得ない。文章を以てその単語の意味を記述し、時に類義語の意味まで併せ記して、その語の個性を明確に弁別する必要がある。それによってはじめて単語の意味の根源を読者に伝えることが可能となり、単語の意味を別の単語で置き換えるという従来の方式を脱した新しい古語辞典とすることができるだろう。

私はこの辞書に着手するに際して、日本語の種々の特質がこの辞書の使い手によって、出来る限り理解されるようにしたいと思った。それがためには、語の見出しの立て方を改めるのも一つの重要な事柄であると考えた。それは動詞の項目の見出しに関することである。今日では、動詞は終止形を見出し項目として配列するのが普通である。しかし、終止形は実は全活用形の中で、わずか一割前後の使用度数しか持たない。最も多いのは六割に達する使用度数を持つ連用形である。連用形は名詞形(遊び・歩き)でもあり、複合語を作るにもそのまま前項となる(遊びくらす・歩きまわる)。古典語の終止形は現代語では形の異なるものがあるが(起く→起きる・受く→受ける)、しかし、連用形ならば古典語も現代語も同形である(起きて→起きて・受けて→受けて)。従って、動詞を連用形(起き・受け)で見出しとすれば、文献に出てくるままの形で語を検索できる割合が高い。動詞と名詞との関連も把握しやすい。そして、終止形を求め出す困難なしに動詞項目を引くことができるであろう。これは、連用形が動詞の基本形であるという国語史的事実の反映である。

以上のような考えをもってこの辞書に臨んだのであるが、これを実際に具体化することは至難のわざである。到底私一人のよくなし得るところではない。幸いに前田金五郎・佐竹昭広両氏の参加を得て、三人の協力によってこの辞書の編纂に当ることとなった。古代を大野、中世を佐竹氏、近世を前田氏が主として分担することとした。

はじめは長くとも数年にしてこれを完成できるであろうと考えていた。しかし進むほどに、これは、大海の波濤の中を小舟で漕ぎ渡ろうとするに似た困難な仕事であることを悟らねばならなかった。行けども行けども波は押し寄せて来た。単語に対して誠意をもって努力すればするほど進行は遅くなった。一応の原稿が出来上って、訳語・例文の検討の会合が重ねられるようになってからは、白熱した応酬が交された。主張が分れ議論の激することも屢〻あったが、それも、よい辞書を作りたいという三人に共通の情熱から出たものであった。私はこれらの議論を通じて少なからぬ啓発をうけた。

中世・近世の文献は、数も膨大であり、内容も多岐にわたる。未翻刻の写本あるいは板本の類の、見るべきものも多い。しかもこれらの資料を的確に掌握しなければ、語史を一貫したものとして記述することは不可能である。本書はつとめてここに力を注いだ。それによって、基礎語はもとより、中世・近世の多くの語について、新しい見解に到達したところが少なくないと思うが、これはまさに佐竹・前田両氏の努力の成果である。

振り返ってみれば、この二十年は私の壮年の時期のすべてに当る。私としては、ほぼ力の限りをつくしてここに到達したように感じる。おそらく前田・佐竹両氏も同じ思いであるに相違ない。しかも、果してこれは所期の内容を十分に実現したのかと問われれば、ただ、かなり誠実に奮励しつづけて来たとしか申しようはない。力及ばず、行きとどかなかった所も多々あると思う。それについて博雅のお教えを心から願う。

なお、ここまで内容を整え得たについては、多数の方々に長い間にわたってお世話になった。

朝尾直弘　石田瑞麿　伊藤正義　上横手雅敬　金岡　孝　木下正俊　久保田　淳　今野　達
鈴木　博　須山名保子　高橋喜一　高橋正治　高橋貞一　立平幾三郎　土田直鎮　中村義雄
林　勉　柊　源一　広瀬秀雄　福山敏男　松崎　仁　松田　修　宮地敦子　望月郁子
安田　章　山口明穂　山田珠子　山中　裕　山辺知行　（五十音順）

特に右の諸氏には、或いは専門の事項について御校閲を仰ぎ、或いは原稿の作成、内容の整理について御助力をいただいた。

また、覆刻本・校訂本・索引・研究書など公刊された先学の業績に負うところが多いのはもちろんであるが、特にこの仕事のために愛蔵の貴重な資料を使わせて下さり、また直接間接に御教示を賜わった方々も数多い。

なお、昭和三十年初夏の着手以来、遅々たる仕事の歩みにもかかわらず、岩波書店は辛抱強く見守ってくれた。編者と書店編集部との緊密な協力なしには、現代において辞書をつくる事はできない。殊に最近の数年、辞典編集部は、原稿の整備のみならず、時に適例を示し、語釈の不備を指摘するなど、援助を惜しまれなかった。

以上を記して、編纂の責任を共に負う前田・佐竹両氏とともども厚く感謝の意を表したい。

昭和四十九年初秋

大　野　　晋

凡　例

一、この辞典には、上代(奈良時代)から近世(江戸時代は前半期を主とする)に至る、日本の古典にあらわれる主要な語彙を収めた。見出し項目の数は四万余であるが、語源を同じくする語は原則として一つの見出しの下にまとめて解説したので、収録語の実数は約四万三千である。

二、この辞典を使用されるに際し、あらかじめ次の事柄をご承知おきいただきたい。

1　動詞および動詞を作る接尾語の類は、項目をかかげるにあたって、終止形ではなく、連用形を見出しとした。動詞の連用形は、そのまま転成して名詞としても使われることが多いので、一括して解説しうるなどの利便があるからであるが、詳しくは「序にかえて」に述べた。

2　欧米語のように動詞を自動詞と他動詞とに判然と区別することは、日本語の場合には無理があるので、一つ一つの語についてその区別を示すことはしなかった。

3　品詞の一つとして形容動詞を立てる学説もあるが、本書ではこの説によらず、その語幹に相当する語を名詞として扱った。また、擬態語・擬声語の類も名詞とした。

4　この辞典が採用した歴史的かなづかい、特に字音かなづかいは最近の研究に従い、通説と異なるものがある。個々の語については「歴史的かなづかい要覧」を参考していただきたい。

三、助詞・助動詞は、その機能や使われ方などによって分類し、まとめて説明する方が、その文法的役割を理解しやすい。基本的な助詞および助動詞については本文末尾に一括し、大野晋が概説した。

四、付録として、平安時代における官制の実態について土田直鎮氏に「官職制度の概観」を、また広瀬秀雄氏に「日本の時刻制度」を執筆していただいた。「内裏・大内裏図」は福山敏男氏の監修のもとに作製した。

見出し語

一、見出しは、歴史的かなづかいにより、太字で掲げた。和語・漢語には平がなを、外来語には片かなを用い、拗音・促音は小字とした。

(例)　**あづま**【東・東国】　**ちうしう**(チユウシユウ)【中秋】
　　　きゃうざう(キヨウゾウ)【経蔵】　**タバコ**【煙草】

二、動詞・形容詞・助動詞など、語尾が活用して変化する語は、その変化する部分と、しない部分との間を「・」でくぎった。

(例)　**い・き**【行き・往き】『四段』　**あらまほ・し**『連語』
　　　たづ・ね【尋ね】『下二』　**ら・む**『助動』
　　　はや・し【速し・早し】『形ク』　**ば・み**『接尾』

三、動詞・助動詞で、見出し語が一音節の場合は、当然のこととして「・」は付けないが、他の語の下に付いて複合語(句)をつくる時は、左の通りとした。

(例)　**いで・ゐ**【出で居】『上一』
　　　あれかにもあら・ず『連語』

四、見出しのかなに相当する漢字の表記形を、【　】内に示した。

五、【　】内には、もっとも標準的と思われるものを掲げ、特殊な異体字や無理な当て字の類を掲げることは避けた。必要と認められる場合は解説・用例中などに示した。

(例)　**とかく**『副』《「兎角」は当て字。…》
　　　あせらか・し『四段』……。「黒猫を愛堪(あせらか)し」
　　　じゃうき(ジョウ)【常器】《「定器」とも書く》

排　列

一、見出し語は、五十音順に排列した。

1　清音・濁音・半濁音の順とした。

(例)　**くひつ・き**【食ひ付き】　**さんばい**【散配】
　　　くひつぎ【食継ぎ】　**さんぱい**【三拝】
　　　くびつき【頸着き】

2　促音・拗音は、直音の後に置いた。

(例)　**かつて**【曾て・嘗て】『副』　**きよう**【器用】
　　　かって【勝手】　**きょう**【興】

二、見出しのかな表記が全く同じである場合は、順次、左の基準に従って排列した。
1　品詞の順
(イ)　自立語のうち活用しないもの――代名詞・名詞・副詞・連体詞・接続詞・感動詞
(ロ)　自立語のうち活用するもの――動詞・形容詞
(ハ)　付属語――助詞・助動詞
2　和語・漢語（字音語）・外来語の順
3　【　】内の字数の少ないものから多いものへ、首字の字画数の少ないものから多いものへ、の順
(例)　**か**【彼】『代』　**かっぱ**【河童】（和語）　**あざ**
か【処】（和語）　**カッパ**【合羽】（外来語）　**あざ**【交】
か【荷】（漢語）　**あざ**【痣】
か『接頭』　**あざ**【青虫】
か『接尾』

三、複合語は、その前項に相当する語が見出し語として掲げてある場合には、それを親項目として、その下に五十音順にまとめ、追込項目とした。ただし、一語意識の強い語は、独立の項目とした。
1　追込項目の見出し表記は一般の見出しの場合と同じだが、その親項目に相当する部分を「━」で略示した。
2　親項目とする語は、見出しのかなが三字以上のものに限った。
(例)　**かた・り**【語り】㊀『四段』……。㊁『名』……。**━な・し**【語り成し】『四段』……。**━べ**【語部】……。

ただし、漢字一字の字音語は親項目としなかった。

(例)　**きょく**【曲】に、「曲水」「曲乗り」「曲(きょ)り」は追い込まない。

また、形容詞は、その語幹を親項目としてこれに追い込むことをせず、独立の項目とした。

(例)　**あたら**【可惜】《アタラシの語幹》

あたら・し【惜し・新し】『形シク』

四、諺・成句などは、親項目の見出しのかなの字数にかかわりなく、これに追い込んだ。この場合、漢字・平がなまじりで見出しを立て、親項目に相当する部分を「━」で略示した。親項目が活用語の場合や漢字表記が異なる場合などは、「━」で略さなかった。
(例)　**おに**【鬼】……。**━の念仏**……。**━の目に涙**……。
あい【愛】……。**━をな・す**……。
く・ひ(イク)【食ひ】『四段』……。**食はぬ殺生**(せっしやう)……。**食ふや食はず**……。
あさま・し【浅まし】『形シク』……。**浅ましくな・る**……。

五、便宜上、仮に親項目を立てて、これに追い込んだ場合もある。
(例)　**いきうま**【生馬】**━の目を抜・く**

読み方の表記

一、見出しのかなづかいが現代かなづかいと一致しないものには、見出しの下に片かなで小さく割書きし、現代の慣用的な読み方を示した。異同のない部分は「：」で略した。
二、ただし、次のかなには示さなかった。
(イ)「ぢ」「づ」「ゐ」「ゑ」「を」
(ロ)「くぁ」「ぐぁ」「くゎ」「ぐゎ」「ぢゃ」「ぢゅ」「ぢょ」
＊「くゎん」の類は示さなかったが、「くゎう」「ぢゃう」「ゑう」の類は示した。
(例)　**あきな・ひ**(アキナイ)【商ひ】　**はなゑみ**【花咲み】
あひたう(アイトウ)【相当】　**しふちゃく**(シュウ：)【執着】
かふおつ(コウ：)【甲乙】　**がふくゎん**(ゴウ：)【合巻】
みやづかへ(：ヅカエ)【宮仕へ】　**ぢゃうばん**(ジョウ：)【定番】
三、追込項目では、親項目に当る部分をはぶいた。
四、連声音は示したが、カ行音の連続によって生ずる促音は示さなかった。
(例)　**くゎんおん**(：ノン)【観音】
あくき【悪鬼】（アッキとしない）

品詞および活用の表示

一、品詞などの別、および活用の種類を、『　』内に略語で示した。
（「記号・略語表」参照）
二、名詞のみの項目では、品詞の表示を省略した。
三、枕詞でもなく諺・成句でもなく、また一単語とも見られぬもの

を、連語として扱ったが、体言型の連語では、その表示を省略した。

（例）　**あな・り**【有なり】《連語》　**あがおもと**【吾が御許】
あえぬがに《連語》　**あきのくるかた**【秋の来る方】

語義解説

一、解説文は、現代かなづかいに従った。

二、読みにくい漢字には、（　）でかこんで読みがなを付けた。特に歴史的かなづかいで示す場合は、〈　〉でかこんだ。

三、外来語や動植物名、特殊な用語などのほか、語の発音や語形を特に示す場合は、片かなを用いた。

四、語源・語史・語法、類義語・対義語、位相など、その語についての概括的な説明を、解説の冒頭に《　》でかこんで述べた。

五、補足的な説明には、▽を付した。また、音韻変化の推移、外来語の原綴などを示す場合も同様とした。

六、術語・位相については、必要に応じて、解説の始めに〔　〕でかこんで示した。

（例）　**けしゃう**【化生】〔仏〕（仏＝仏教語）
ひさかたの【久方の】〔枕詞〕
あんも【餅】〔小児語〕
こぼ・し【覆し・零し】…　③〔連俳用語〕

七、上代特殊仮名遣に関係のある語は、その項の末尾に†を付し、ローマ字綴りでその発音を示した。なお、ローマ字綴りに＊を付したものは、その推定形であることを示す。（「用語」について―上代特殊仮名遣の甲類・乙類―参照）

用　例

一、語義の理解を助け、また典拠を明らかにするために、かならず用例を掲げた。用例は比較的古いものから適例を選び、かならずしも初出にこだわらなかった。

二、用例を二例以上掲げる場合はおおむね時代順としたが、古辞書の類は、末尾に置いた。また、古辞書本文の引用は省略して、その書名のみを掲げたものもある。

三、用例は、読解の便を考慮して、左の方針のもとに整理を加えた。

1　読みにくい漢字をかなに改め、かなの多い文には適宜漢字を当て、句読点・濁点・読みがな・送りがなを補い、また拗音・促音を小書きにするなどして、読みやすくした。かなは古辞書類を除いて平がなとし、かなづかいは、近世後期の特異例のほかは、歴史的かなづかいとした。また、用例においては、（　）内の読みがなも歴史的かなづかいに従った。

2　古辞書類は必要な部分を抄出し、清濁については編者の判断によったものもある。日葡辞書などは片かなにうつした。

3　原典が漢文体である場合は、これを読み下し、または返り点を施した。

4　見出し語に相当する部分は「―」で略示した。活用語の場合は、変化しない部分を「―・」で示し、活用語尾をその下に記した。

5　見出し語と形の異なる場合、または、連用形が一音節の動詞などは、「―」で略さず、また、原典の表記形を特に示したい場合も「―」で略さなかった。

6　わかりにくい語には（　）でかこんで注を施し、または、〔　〕でかこんで語句を補い、文脈として理解できるようにした。この補注・補記は、現代かなづかいによる漢字まじり片かなとした。

（例）　**もてな・し**【持て成し】㊀《四段》……。③物事に対処する。「〔薫ハ〕例の、事にふれて、すさまじげに世（男女ノ仲）を―・すと、〔匂宮ハ〕憎くおぼす」〈源氏総角〉
ひとはぶね【一葉舟】……。「木隠れに浮かべる秋の―誘ふ嵐を川長（かはをさ＝船長）にして」〈廻国雑記〉
あまつそで【天つ袖】……。「をとめ子も神さびぬらし―ふる（振ル・古）き世の友齢（よはひ）経ぬれば」〈源氏少女〉

7　連歌・俳諧を付合の形で引く時は、前句と付句との界を「／」でくぎった。雑俳の冠付などの題との界も同様とした。

（例）　**はまをぎ**【浜荻】……。「草の名も所によりてかはるなり／難波のあしは伊勢の―」〈菟玖波集一四〉
ひゃくだんな【百檀那・百旦那】……。「粗相也／薄茶一服―」〈雑俳・紅葉笠〉

出典

一、用例の末尾に〈 〉でかこんで出典名を示した。

二、出典名の下に、必要に応じて巻名(巻数)・章段名(章段数)などを小字で示した。

万葉集および古今和歌集以下の勅撰・準勅撰の和歌集の歌に国歌大観番号を付したほか、記紀歌謡・梁塵秘抄などでは歌謡番号を、日本霊異記・宇治拾遺物語などでは説話番号を付した。古文書・古記録の類には日付を示した。また、訓点資料には、「法華義疏長保点」のように、その訓点の施された時期を添えた。

三、出典名は略称としたものもある。「和歌集」「物語」「日記」などの文字を略して掲げたものが多い。

四、室町・江戸時代の文学作品のうち、御伽草子には「伽」、浄瑠璃には「浄」などと略号を冠して、その作品の属するジャンルを示した。

＊「伽」は狭義の御伽草子(渋川板二十三篇)のほか、広く室町時代物語に冠した。それらの個々の作品は、書名や体裁を異にし、本文に相違・異同のあるものが少なくないが、出典名としては、まま代表的な呼称に統一し、細かい区別をしなかった。

五、同一作品で本文に異同のある二種以上の本を用いた場合、出典名としては、その区別をしなかったものがある。また、仮名抄の類のように、書名は同一でありながら内容の異なるものを共に用いた場合も、その区別をかならずしもことわらなかった。

六、出典名・ジャンル名などの略語については「出典について」に表示した。

記号・略語表

記号

【 】	見出し語の漢字表記
［ ］	名詞を活用させてできた動詞の語幹語尾を示す
〖 〗	品詞または活用の種類
「 」	位相注記
≪ ≫	語源・語史・語法などに関する概括的解説
( )	解説・用例中の注記
［ ］	用例中の補記
〈 〉	出典名。読みがな(歴史的仮名遣)
━	追込項目の親項目に相当する部分
━・	同右(親項目が活用語の場合)
─	用例中の見出しに相当する部分
─・	同右(見出しが活用語の場合)
：	読み方表示の省略部分
⇒	…を見よ
→	…を参照せよ
▽	補足的説明
†	上代特殊仮名遣
＊	推定形
⇀	音韻変化などの推移
〜	母音交替形
／	連俳用例の前句と付句との区切り
㊀㊁㊂…(一)(二)(三)	品詞による分類
❶❷❸…(1)(2)(3)	左より上位の分類
①②③…(1)(2)(3)	一般の語義分類
㋑㋺㋩…(イ)(ロ)(ハ)	右より下位の分類

品詞・活用の種類

代	代名詞
名	名詞
副	副詞
連体	連体詞
接続	接続詞
感	感動詞
動詞	動詞(活用の種類不明のもの)
四段	動詞四段活用
上一	動詞上一段活用
上二	動詞上二段活用
下一	動詞下一段活用
下二	動詞下二段活用
カ変	動詞カ行変格活用
サ変	動詞サ行変格活用
ナ変	動詞ナ行変格活用
ラ変	動詞ラ行変格活用
形	形容詞(口語形)
形ク	形容詞ク活用
形シク	形容詞シク活用
連語	連語
接頭	接頭語
接尾	接尾語
助	助詞
助動	助動詞

「用語」について

上代特殊仮名遣の甲類・乙類 ——奈良時代の発音——

平安時代以後の日本語と奈良時代の日本語とを比較して最も大きい相違は、平安時代以後には母音がａｉｕｅｏの五つであるのに、奈良時代には母音がａｉｕｅｏの他にïëöという三つがあって、合計八個あったという点である。これは単語の意味を考えたり、語源を推定したりする場合に是非心得ていなければならないことである。それでこの辞典では、奈良時代にその母音の区別のある音節を含む語について、その項目の末尾にローマ字で注記をつけた。そこで、録音機もない古代の発音がどうして推定できるのか、それはどんな影響を与える事柄かということの大体をここに説明しておくこととする。

奈良時代に母音が八つ区別されていたことは万葉仮名の用法の分析の結果判明した。今、コの音に例をとってみよう。記紀万葉以下の奈良時代の文献には、古・故・姑・孤・許・虚・挙・居・去などの万葉仮名があって、これらはみなコにあたる万葉仮名と思われていた。ところが詳しく調べてみると、次のような事実が分った。

例えば「古」の仮名について、それを用いて書く語をあげてみると、恋ひ、恋ほし、男、子、越す、畏し、彦、都、石竹花(なでしこ)などである。これと同じようにして「故」「姑」以下の万葉仮名で書いてある単語を実例について調べ上げ、それを整理すると次のような一覧表を得る。

古—	恋ひ	恋ほし	男	子		畏し	彦		…	
故—	恋ひ	恋ほし	男	子		畏し	彦		…	
姑—	恋ひ	恋ほし					山彦		…	
孤—	恋ひ	恋ほし	男	呼子鳥					…	
許—	こそ(助詞)	事	此の	心	衣	言	来(こ)		…	
虚—	こそ(助詞)	事	此の	心	衣		来		…	
挙—	こそ(助詞)		此の			言			…	
居—		事		心					…	
去—	こそ(助詞)			心	衣	言	来		…	

右の表で、古・故・姑・孤の四字は、恋ひ、恋ほしのコを共通に書いているから、この四つの万葉仮名は同じ音を表わしていたものと考えられる。更に調べると、ヲトコ(男)のコを書くのは古・故・孤であり、ヒコ(彦)のコを書くのは古・故・姑である。このように、多くの語例について調べてみても、これら四字の万葉仮名が同一の音を表わす一群であることはたしかである。そこでこれをコの甲類と名づける。次に許・虚・挙・去について調べると、助詞「こそ」のコを書く点でこの四字は共通である。また、許・虚・居は、コト(事)のコを書く点で共通である。従って、許・虚・挙・居・去は同一の音を表わす一群と推定できる。以下多くの単語の例を見ても、これら五字が共通の音を表わす一群であることは確かである。しかも、この群の中へは先のコの甲類の仮名は一字として入っていない。従って、この群はコの甲類とは別であり、これをコの乙類とする。

コの甲類とコの乙類とに使われている漢字を一見すると、古・故・姑・孤は現代ではコの音であり、許・虚・挙・居・去はキョの音である。これによれば甲類と乙類との間に発音上の相違のあったことが想像される。その実際を明らかにするには、七世紀、八世紀頃のシナ語の発音を研究し、古・故・姑・孤・許・虚・挙・居・去などの文字の発音を確かめれば、奈良時代のコの甲類とコの乙類との音を知ることができる。その研究の結果、現在のところ、コの甲類はko、コの乙類はköと考えるのが学界の趨勢である。

こうした甲類・乙類が区別される音節はコだけではない。キギヒビミケゲヘベメコゴソゾトドノヨロの十九に及ぶ。古事記ではさらにモの音節を加える。また、ア行のエeとヤ行のエyeとの間にも区別があって、この区別だけは平安時代はじめ約百年の間は保たれていた。以上を一覧すると次のようになる。

甲類	ki	gi	Fi	bi	mi	ke	ge	Fe	be	me	ko	go	so	zo	to	do	no	(mo)	yo	ro
乙類	kï	gï	Fï	bï	mï	kë	gë	Fë	bë	më	kö	gö	sö	zö	tö	dö	nö	(mö)	yö	rö

こうした事実が奈良時代に存在したことがどんな意味を持っているかについて二三記しておこう。まず、語源の研究に影響する。例えば、神(かみ)は上(かみ)にいますものだからカミというのだという説がある。ところが「神」について万葉仮名を調べてみると、方言以外では加微・迦微・伽未・可未・可尾などと書いてある。微・未・尾などはミの乙類mïの音と推定されているから、神はkamïであったことになる。ところが「上」は可美・賀美などと書いてあり、美はミの甲類miの音と推定されている。従って上はkamiであった。kamïとkamiとでは発音が別であるから、この二語は関係ない語であると判断される。それ故、上(かみ)にいますから神(かみ)というとする語源説は、平安時代以後の五母音の

時代についてならばともかく、奈良時代には通用しないということになった。

解釈の上でも種々の影響がある。例えば、「許久波(こくは)」とあるものを、従来、小鍬(こくは)と解釈して来た。しかし「小(こ)」はコ甲類 ko の音の語であるのに、原文にある「許久波」の「許」は、コ乙類 kö に属する万葉仮名である。従って、これを小鍬と解釈するのは誤りとなる。そこで kö の音にあたる語を探すと、木(こ)の葉、木(こ)の間、木立(こだち)などの「木(こ)」がコ乙類 kö である。そこで「許久波」とは小鍬ならぬ木鍬(こくは)であろうと推定する。事実、正倉院にはすべて木製の鍬がある。

この八母音の区別は、動詞の活用との間にも種々の注意すべき関係がある。例えば咲カ・咲キ・咲ク・咲ク・咲ケ・咲ケのような四段活用の動詞の已然形と命令形とは、従来同一の音だと思われて来た。ところが奈良時代の万葉仮名を調べてみると、已然形の咲ケは sakë で、命令形の咲ケは sake である。つまり、奈良時代には、四段活用の已然形と命令形とは別の音であったことが判明した。また、四段活用の連用形と、上二段活用の連用形とは同音であると思われて来た。しかし、四段活用の連用形は、例えば咲キ、交ヒ、組ミについて見ると、saki, kaFi, kumi でイ列の甲類が必ず現われる。それに対して上二段活用の連用形は、例えば尽キ、恋ヒ、廻(た)ミについて見ると、tukï, koFï, tamï でイ列の乙類が必ず現われる。つまり、四段活用動詞の連用形にはイ列甲類 i が規則的に現われるに対し、上二段活用動詞の連用形にはイ列乙類 ï が規則的に現われる。このように文法との関係も深いのである。こうした重要性に鑑みて、この辞典では、甲類乙類に関係ある音節を含む単語をローマ字表記して、その甲乙類の区別を示すこととした。

なお、奈良時代の発音には、現代と異なる点がいくつかある。その主な点をあげると次の如くである。

今日ではハヒフヘホの音を ha hi hu he ho と発音するが、奈良時代には上下の唇を近づけてファフィフフェフォのように発音したと推定されている。それは英語の f とも相違するもので、Φという記号で書くこともあるが、本書ではそれを F で書くこととした。

ワ行音は、ワヰウヱヲで wa wi u we wo の音であったと推定されるが、現在では唇の運動の退化によって、wa だけが残り、wi we wo の音の頭子音 w は脱落してしまった。

サ行音は、今日では sa ʃi su se so となっているが、室町時代には sa ʃi su ʃe so の音であったことが種々の資料によって判明している。奈良時代のサは tsa であったとする説もあり、ス、ソも tsu, tso ではないかと考えられるが、種々の説があり定説を得ないので、サ行子音はすべて s で表記することとした。

タ行音は、今日では ta tʃi tsu te to となっているが、鎌倉時代には ta ti tu te to であったことが証明されている。万葉仮名の漢字音から見ても奈良時代のタ行子音はすべて t で、ta ti tu te to であったと推定される。

なお、このように奈良時代の発音がこまかく分ってくると、オは奈良時代には o でなく ö だったと推定される。そしてコ乙類 kö、ソ乙類 sö などの母音の ö は、一つの語根の中で ö とは結合するが、o とは仲が悪く共存しないことが分った。例えばソヨグ(戦)、ソソク(注)、コロス(殺)などは söyögu, sösöku, körösu と、ö だけで連続している如くである。そこで、コヲロ、トヲヲなどの擬態語や、トホシ(遠)、ノボル(登)などの場合に、ホ、ボ、ヲには普通 Fö, bö, wö と Fo, bo, wo との区別はないのだけれども、推定形のしるし(*)をつけずに köwörö, töwöwö, töFösi, nöböru のように ö を用いて表記することとした。また、モに関しては、古事記および上のような音韻の法則によって確定できるものは甲乙類を区別したが、その他は甲類の表記とした。

同根・同源

日本語には何万という単語があるが、その多くは複合語である。たとえばキハ(際)という語があると、それと複合して多くの単語が作られている。キハギハ(際々)、キハコト(際異)、キハズミ(際隅)、キハタカシ(際高し)、キハタケシ(際猛し)、キハドシ(際利し)、キハヤカ(際やか)、セトギハ(瀬戸際)、ナミウチギハ(波打際)などである。キハという語は、先が切り落されているような、断崖絶壁の所をいうのがもとの意味で、そこから、ぎりぎりの所、極限、どたんばなどの意味が展開して来たものと思われる。右にあげた単語の他に、キハマリ(極まり)、キハミ(極み)、キハメ(極め)という語がある。これは漢字では普通「極」という字をあてるので、キハ(際)とは別の語と思われやすいが、本来の日本語(やまとことば)では、キハ(際)とキハ(極)とは同じなので、キハマリ、キハミ、キハメという単語は、キハという基(もと)をもって発展した一つ仲間の単語であり、単語を作るもとになっているキハは、いわば一つの樹の根のようなもので、そこから多くの幹を分出させている。

キハと多少異なる様相を示すものにツブ(粒)という語がある。丸い小さい立体をいう。ツブツブとは丸く太ったさまであり、ツブラとは丸丸した目などの形容にいう。ツブテとは丸い小石。ツブリとは丸丸した頭。ツブフシ、ツブナギとは足のくるぶしをいう。これも丸い突起による命名である。ツブレシとは丸い石のことであり、動詞のツブレは筆先などの丸くなることが古い意味である。してみるとこれらの語群からツブという語根が考えられ、これらは皆、丸い形という共通点をもつ。ところがこれが副詞に拡大して使われると、多少、意味が広がってくる。ツブニといえば、すっかり、すべて、ツブトもすっかり、すべての意。ツブサニといえば、すべて、みんな、あるいは周到に、の意を表わす。これは語根ツブが丸丸としたものという意を表わす所から発展して欠けたところなくの意を表わすように広がったものである。してみると、ツブト、ツブニ、ツブサニも、ツブツブ以下の先の語群の一員である。これだけでなく、多少語形が相違しても、同じ語根の発展と見えるものがある。ツビという語がある。巻貝という意味である。また動詞ツビは、筆の穂先の丸くすりきれることをいう(後世ではチビタという)。ツビは、音形がそのままにはツブとは一致しないが、意味の上から見て、ツブの転じた形に相違ない。従って、ツビもまた、ツブと語根を同じくする語と見ることができる。このような語群を同根であるという。

同根の関係は次のような単語の間にも想定できる。例えばイシ(石)、イソ(磯)、イサゴ(砂)、イスノカミ(石の上、地名)。イソとは海浜の岩石の多いところをいう語であり、イサゴとはイサのコ(石の子)の意、イサコ(石子)の転であるに相違ない。これらをローマ字で書けば isi, iso, isago, isunökami であるから、これらの語の語根としては is が想定できるであろう。こういう例はアサ(朝)、アサテ(明後日)、アス(明日)、アシタ(朝・明朝)の間にも認められよう。これらは皆夜が明けるという観念を含んでおり、asa, asate, asu, asita に共通な as という形が、これらの語根であると見ることができる。従ってアサ(朝)とアス(明日)などを同根の語という。

これに似た用語として「同源」という語をこの辞典では使用した。それは主に古代日本語と朝鮮語との間に類似する単語の見出される場合である。例えば、コト(事・言)というやまとことばがあるが、朝鮮語にも köt(事)という語がある。また、日本語でサデアミという川魚をすくう網があるが、朝鮮語にも sadul という方言があって、手に持つ網の意である。これらの場合、日本語と朝鮮語とが系統論上同系と決定していれば、右の kötö と köt などを同系の語といえるが、日本語と朝鮮語との系統関係はまだ十分証明されていないので、これは朝鮮語から日本語が借り入れたかもしれないし、日本語から朝鮮語へ広まった場合もあるかもしれない。あるいは同系語かもしれない。この事情を考慮して、それらを一括した概念として「同源」という語を用いることとした。

ク語法

今日「いわく」「恐らく」などというが、これは、奈良時代には極めて活溌に行なわれていた造語法の、化石的な残りである。奈良時代には「有らく」「語らく」「来(く)らく」「為(す)らく」「老ゆらく」「散らく」などがあり、ク語法と呼ばれる。これは前後の意味から、有ルコト、語ルコト、来ルコト、スルコト、年老イルコト、散ルトコロの意味を表わしていたことが分る。従ってクは、コトとかトコロの意味だということは分っている。コトとかトコロとかの意ならば、クは名詞だから、活用語の連体形を承けそうなものであるのに、「有ら」「語ら」などと未然形を承けている。その上、「来(く)ら」「為(す)ら」「老ゆら」などという活用形は他に例がない。そこで、単純にクを名詞としにくくなった。

奈良時代の日本語には、一つの特色として、母音が二つ連続することを極度に嫌う発音上の習慣があった。だから、もしも母音が二つ連続すると、(イ)その

有　ル(連体形)　aru+aku → aruaku → araku　アラク
散　ル(連体形)　tiru+aku → tiruaku → tiraku　チラク
来　ル(連体形)　kuru+aku → kuruaku → kuraku　クラク
為　ル(連体形)　suru+aku → suruaku → suraku　スラク
見　ル(連体形)　miru+aku → miruaku → miraku　ミラク
恋フル(連体形)　koFuru+aku → koFuruaku → koFuraku　コフラク
告グル(連体形)　tuguru+aku → tuguruaku → tuguraku　ツグラク
知レル(連体形)　sireru+aku → sireruaku → sireraku　シレラク
恋ヒム(連体形)　koFïmu+aku → koFïmuaku → koFïmaku　コヒマク
有ラヌ(連体形)　aranu+aku → aranuaku → aranaku　アラナク
通ヒケム(連体形)　kemu+aku → kemuaku → kemaku　カヨヒケマク
更ケヌル(連体形)　nuru+aku → nuruaku → nuraku　フケヌラク
有リケル(連体形)　keru+aku → keruaku → keraku　アリケラク
明カシツル(連体形)　turu+aku → turuaku → turaku　アカシツラク

――・――

寒　キ(連体形)　samuki+aku → samukiaku → samukeku　サムケク
悲シキ(連体形)　kanasiki+aku → kanasikiaku → kanasikeku　カナシケク

一方が脱落する。多くの場合、前の母音が脱落して後の母音が残る。(ロ)二つの母音が融合して別の母音をつくる。例えばiとaという母音が連続する場合には、二つが融合してia→eという変化を起す。この(イ)(ロ)のどちらかであった。

ところで、アクガルという古い動詞がある。居る所を離れて浮かれ出るとか、物事から心が離れてさまようとかいう意味の語である。これはアクとカルとの複合語で、カルは「離(か)る」という動詞であろうから、アクは「所」とか「事」とかいう意味の名詞と見られる。アクという名詞はこの複合語に残った他は亡びてしまって、単独に用いられた例は、文献に見えない。しかし、これが活用する語の連体形を承けたものと考えるなら、ク語法は統一的に説明される。

例えば「来(く)」という動詞に例をとれば、

クル(連体形)kuru+aku→kuruaku→kuraku

右の例で分るように、クルという連体形にアクという名詞が続くと、kuruakuとなる。ここにuaという母音連続が起る。このような場合は、先に記した(イ)にあたるので、前の母音のuが脱落して、後の母音のaが残るのが奈良時代の例である。だからkuruakuという形が変ってkurakuとなるのは極めて自然だと思われる。このクラクという形が、文献に見える形である。この見方によると、ただ一つの例外を除いて、他は全部きれいに説明できる。ことに、助動詞・形容詞のク語法の場合も統一的に理解出来る(上表参照)。

ただ一つの例外というのは、回想の助動詞キの連体形シにアクの接続した場合である。この場合は、他の例にならえばsi+aku→siaku→sekuすなわちセクという形になりそうだが、シクという形になる。この場合のシは連体形であるから、イヅク(何処)のク(意味はやはり、所とか事にあたる)がついて、アクはつかなかったものと考えられる。何故アクがつかないかといえば、シの母音の性質が、たぶんイ列甲類の母音iとは異なって、ïというイ列乙類の母音であったからだろうと思われる。ïという母音の下にはaは続かないのである。

こうした唯一の例外があるけれども、右に述べたakuの説は、これまでの説のうち最も合理的であると認められる。

母音交替・子音交替

日本語で新しい語を作るには、二つの語を複合させる方法によることが多い。例えばトコヤミ、トコヨ、トコミヤは、トコ(常)と、ヤミ(闇)、ヨ(世)、ミヤ(宮)とを重ねた語である。これらのことは一目で分ることである。これに対し、トキハという語は一見トコと関係がないように見える。しかしこれはトコ(常)イハ(磐)の約(tököira→tökira)であり、これもまた二つの語の複合による造語である。こうした造語の仕方が日本語では普通であるが、日本語の造語法にはこれとは別の、母音の交替によるものがある。例えば、サヤグに対してソヨグがあり、タナビクに対してトノビクがある。これは音の形は相違するが、表わす意味はほぼ同じである。しかもこの場合、奈良時代にはソヨとかトノとかの母音は大体オ列乙類の音で、saya〜söyö, tana〜tönöという対立の関係になるのが普通である。こういうa〜öという対立(つまり母音の交替)による語としては次のようなものをあげることができる。

ana(已)〜önö(已), asa(浅)〜ösö(遅・愚), kata(片)〜kötö(片), kawara(擬音語)〜köwörö(擬音語), tanagumori(たな曇り)〜tönögumori(との曇り), tawawa(撓わ)〜töwöwö(撓を), agari(上り)〜ögöri(奢り), tamari(溜り)〜tömari(止り)

こうした関係を方式化してa〜öの母音交替による造語法として確認すれば、四yöと八yaとの関係は前より一層確実なものと理解できよう。つまり、母音の交替によって、倍数関係を構成したと見るのである。また、タダヨヒという動詞と、トドメという動詞の根源的な関係も推定できるようになる。tada-yori, tödömëにおけるtadaとtödöとは形の上ではa〜öの母音交替である。そこで意味を調べると、tadayoriとは、静止せず、多少の動きはありながら全体として一つの方向へは動かずに浮遊した状態であり、tödömëも、全然動かさないのではなく、多少の動き(馬ならば足だけばたばたさせるなど)は許しても、全体としては進行させない状態をいう。こう見るならば右の二つの語の語幹である、tadaとtödöとは根源的に同一であることが分る。つまりtadaとtödöとは、同一の語の母音交替形である。

また、タタヘ(湛)とトトミ(潮満)との二語の間には普通には語源的関係が認められていないが、tatarëとtötömiとではtata, tötöと母音交替をなしている。この両者はともに水などが満ちて一杯にふくれるさまをいう。従って両者は同一の語源から二形に分れたもので、意味は語尾によって多少の相違を来したものと見られよう。

こういう擬音語・擬態語を中心とする母音交替だけでなく、日本語の代名詞には、この母音交替という造語法によって微妙な差異を区別するものがある。

are(我)〜öre(已), ka(彼)〜kö(此), sa(其・然)〜sö(其), na(汝)〜önö(已)

この母音交替による造語法はa〜öだけでなく、少数ながらö〜ïの間などにも見られる。例えば、ソ(其)とシ(其)とか、ノル(似)とニル(似)とかである。この場合のソ(其)やノ(似)は母音がöで、シやニのïと交替している。

köru(樵)〜kiru(切), nöru(似)〜niru(似), ökö(息)〜iki(息), kö(此)〜ki(此), nö(荷)〜ni(荷), nögare(逃)〜nigë(逃)

これらの例は $\ddot{o}\sim i$ の母音交替による造語法である。このような方式が確認されると、例えばオコス(起)、オコル(興)の語源を考える上に一つの示唆を受けることができる。つまりこれらの ökö が iki(息)の母音交替形であるとすれば、オコルとは、息づきはじめる、オコスとは息をつかせ活動力に目ざめさせる意と考えることができよう。

なお、母音の交替だけでなく、子音の交替の例がある。例えばニラとミラ(韮)、ニホドリとミホドリ(鳰鳥)における、ni と mi のようなものである。nira ～mira, niɾodöri～miɾodöri においては n と m とが交替している。これは、語頭だけでなく、語中にも現われることがある。トニ(頓)をトミとするごときである。toni～tomi とはつまり ni～mi の交替が、語中においても起っているわけである。

漢文訓読語と女流文学語

漢文の訓読は奈良時代から始まったと見られるが、訓読にはシナ語と日本語とにわたる広く深い学識が必要である。訓読すべき文献も多い。そこで誰かが句読をつけて訓読すると、弟子はそれを原本に書き込むようになった。現代の学生がヨーロッパ語の教科書に、教師の翻訳を書き込むのと似た事情である。また、弟子たちに正しい訓読を教えるために、丁寧に訓法を書き込んだ経典も作られた。訓読は、はじめのうちは原文の意味がこなれた日本語になるように、翻訳の仕方の上で種々の工夫が比較的自由に行なわれたらしい。しかし平安時代初期に、遣唐使の派遣もやみ、海外からの文化的な刺激が減り、一方藤原氏の専権も顕著になって、社会に一種の停滞が起ると、それに応じて漢文の訓読も先人の型式を守り保つ、固定が起った。

一方、平安時代には女性は一般に漢文を読まず、漢字を書かなかった。そして私的な文字として女手(おんなで)が工夫され、書簡や、私的な遊びである歌合せなどに使われていた。ところが、九〇五年に古今集撰進の命が下った。その古今集が女手で書かれたことから、女手が社会的に公認された形になり、女手で文章を書く道が開けた。そこで、宮廷や貴族の女性層に対して、比較的下級の官僚や学者たちが読み物を女手で書いて献上した。土佐日記や竹取物語などがそれである。これには絵まで添えたものも作られて好評だったらしく、大いに読まれ、やがて女性自身の中から執筆者が現われるようになった。それがかげろふの日記や枕草子、源氏物語などである。

このことはすでによく知られたことであるが、ここにいう漢文訓読の文体と、女流文学の文体との間には、種々の相違が見出される。漢文訓読体は、もともと漢文なのであるから、訓読文にも当然漢語が極めて多い。その漢語の大部分は漢字の音のままでよむ。この点でまず女流文学語と根本的に相違する。平安女流文学の言語では、漢語は多くても一割前後で、他はすべて和語である。しかし、漢語の多少という点を除いても、両文体で用いる和語について、やはり異なる点がある。このことは、最近の研究によってかなり分るようになって来た。

大体日本語の文章では、文体の特徴は、接続詞、助動詞、副詞の上に顕著にあらわれるものである。例えば、現代の文章語では、少し改まって書くと「しかしながら」とか、「従って」などの接続詞を使う。それに対し、同じ意味を口語では「だけど」とか、「それだから」などという。「しかし」とか「しかしながら」を使う文章の中へ「だけど」という接続詞を混入させることはない。また「…なのである」などという文の終止の形は、口語では使わない。これと類似の事実が漢文訓読体と平安女流文学語との間に見られるのである。

	右側(訓読語)	左側(女流文学語)
副詞	カツテ	つゆ
	ハナハダ	いと
	モシクハ	もしは
	ヒソカニ	みそかに
	シバラク	しばし
	コモゴモ	かたみに
	ミダリニ	みだりがはしく
	ツトニ	はやく
	スミヤカニ	はやく・とく
接続詞	カルガユヘニ・カレ・ココヲモッテ	されば
	シカウシテ	さて
	シカルニ シカルヲ	されど
助動詞の役をするもの	ゴトシ	やうなり
	シム	す・さす
	ザル	ぬ
	ザレ	ね

右側の訓読語と左側の女流文学語は、意味上ほぼ等しいにかかわらず、右側の語は女流文学語で使わず、左側の語は漢文訓読体で使わない。この差違は、単に特定の単語を一方の文体だけで使うということだけでなく、同一の語を用いても、二つの文体の間では意味に相違のあることさえある。例えば、ウルハシという語は漢文訓読体では美人の形容に多く使われるが、女流文学語では「うるはし」は、きちんと整っているというのが基本の意味である。また、タケシは訓読体では勇猛の意であるが、女流文学語では世間体が立派だの意をもっている。また、「ものす」というような動詞は漢文訓読語としては全然用いられない。

こうした語彙上の対立を心得ておくことは、まれに女流文学の文章の中に混用される漢文訓読語にこめられている特殊なニュアンスなどを読み取ったり、あるいは、女房によって書かれた平安女流文学の特殊性を理解する上で、極めて重要なことと思われる。そこでこの辞典ではできるだけこの差違を指示した。

アクセント

現代日本語の各地のアクセントは、ほとんど残るくまなく調べられている。京都式それは京都式と東京式と、一型アクセント地域との三つに分けられる。京都式と東京式とでは単語によって全く逆のアクセントになることなどは人々によく知られている。

このアクセントは、京都の言葉については、時代的にさかのぼって、江戸時代、室町時代、鎌倉時代それぞれの記録があり、院政時代頃までは各々の単語について、各音節ごとに知ることのできる資料がある。例えば院政時代に成立した類聚名義抄という漢和字典があるが、これには次のような形でアクセントがつけてある。

降　ノソク　クタス　オル　オトス

片仮名の左下につけられた点は平（低く平らな調子）、片仮名の左上につけられた点は上（高く平らな調子）、一点は清音、二点は濁音のしるしである。このようにして当時の単語のアクセントと清濁を知ることができる。古くは日本語のアクセント符号は六つ区別され、平（低く平らな調子）、東（下降する調子）、上（高く平らな調子）、去（上昇する調子）、徳（上声に促音を加えたもの）、入（平声に促音を加えたもの）の六声であったというのが最近の研究である。

このアクセントを考慮に入れると、次のような事実がある。例えば、イタス（致）、イタダキ（頂）、イタダク（戴）、イタル（極）は、頂上・極点を表わすイタという語根による語と見られるが、これらの語のアクセントはすべて高くはじまる点で共通である。ところが、イタム（傷）、イタシ（烈）、イタツキ（病）、イタハシ（労）、イタハル（労）など、イタ（痛）を語根とする語群は、アクセントがすべて低くはじまる点で共通である。

このように、多くの場合において語根を同じくする語のはじめのアクセントの高さは同一である。これには多少例外と思われるものもあるが、このことは大体において言いうることである。従ってこれは、語源を考える上で利用できることがある。

例えばアザ（痣）とは人の気持や状態にかまわず、所きらわず顕著に現われるものであるが、アザワラフとか、アザケル、アザムクというのは、いずれも相手かまわず勝手に笑い、大声を出すという共通の意味をもち、かつ、アクセントが共に高くはじまるという共通点がある。そこで、これらの動詞にアザという共通の語根が推定できる。かような考慮にもとづく語源説を、この辞典で取り入れたところがある。

出典について

出典のジャンル

謡	謡曲
幸若	幸若舞曲
説経	説経浄瑠璃
浄	浄瑠璃
俳	俳諧
雑俳	雑俳
伽	御伽草子
仮	仮名草子
咄	咄本
評判	遊女評判記・役者評判記
浮	浮世草子
黄	黄表紙
洒	洒落本
滑	滑稽本
合巻	合巻
人情	人情本
伎	歌舞伎
西鶴	井原西鶴の浮世草子
近松	近松門左衛門の浄瑠璃・歌舞伎

出典略称（五十音順）

宇津保	宇津保物語（前田家本）
落窪	落窪物語
かげろふ	かげろふ日記
記	古事記
紀	日本書紀
記歌謡	古事記歌謡
紀歌謡	日本書紀歌謡
玉葉	玉葉和歌集
金葉	金葉和歌集
源氏	源氏物語
後紀	日本後紀
古今	古今和歌集
古今六帖	古今和歌六帖
後拾遺	後拾遺和歌集
後撰	後撰和歌集
古本説話	古本説話集
今昔	今昔物語集
狭衣	狭衣物語
更級	更級日記
詞花	詞花和歌集
拾遺	拾遺和歌集
盛衰記	源平盛衰記
続紀	続日本紀
続後紀	続日本後紀
続古今	続古今和歌集
続後拾遺	続後拾遺和歌集
続後撰	続後撰和歌集
続拾遺	続拾遺和歌集
続千載	続千載和歌集
新古今	新古今和歌集
新後拾遺	新後拾遺和歌集
新後撰	新後撰和歌集
新拾遺	新拾遺和歌集
新続古今	新続古今和歌集
新千載	新千載和歌集
新勅撰	新勅撰和歌集
新葉	新葉和歌集
住吉	住吉物語
千載	千載和歌集
曾我	曾我物語（大山寺本）
竹取	竹取物語
著聞	古今著聞集
堤中納言	堤中納言物語
徒然	徒然草
土佐	土佐日記
浜松中納言	浜松中納言物語
風雅	風雅和歌集
夫木抄	夫木和歌抄
平家	平家物語
平治	平治物語
平中	平中物語
保元	保元物語
枕	枕草子（三巻本）
万	万葉集
大和	大和物語

出典要覧

主として中世・近世の出典のうち、一般にはなじみが薄いかと思われる文献名を便宜類別し、五十音順に列挙しておく。

仏書・法語

阿彌陀経見聞私
一休水鏡
一遍縁起
一遍上人語録
一遍聖絵
雲居和尚往生要歌
栄玄記
塩山仮名法語
塩山和泥合水集
改邪鈔
覚海法語
帰命本願鈔
行者用心集
孝養集（きょうようしゅう）
禁断日蓮義
空善記
倶舎論頌疏釈疏抄
口伝鈔
月庵法語
見聞愚案記
西方発心集
西要鈔
実悟記
実悟旧記
拾遺語燈録
宗門葛藤集
正源明義抄
聖財集
浄土真宗小僧指南集
諸神本懐集
真宗教要鈔
説法式要
存覚法語
他阿上人法語
沢庵法語
他力領解鈔
妻鏡
東海夜話
道元法語
盤珪禅師御示聞書
百座法談聞書抄
百法問答聞書
父子相迎
普通唱導集
仏通禅師枯木集
父母恩重和談抄
反故集
法然上人行状絵図
法華経直談鈔
発心直入路
本願寺作法
本福寺跡書
万法蔵讃鈔
夢中問答
盲安杖（もうあんじょう）
横川法語（よかわほうご）
蓮淳記
驢鞍橋
和語燈録

仮名抄

室町時代から江戸時代にかけて行なわれた仏書・漢籍・国書などの講義・注釈の記録。本辞典では、室町・江戸時代初期の国語資料として用いた。

永平録抄
格致余論抄
寒山詩抄
漢書竺桃抄
漢書抄
観音経鈔
管蠡鈔(かんれいしょう)
玉塵抄
清原宣賢式目抄
錦繍段鈔
襟帯集
句双紙抄
継天筆語
黄鳥鉢抄
江湖風月集聞書
江湖風月集註抄
江湖風月集略註抄
巨海代抄
狐媚鈔
湖鏡集
御書抄
古文真宝講述
古文真宝抄
金頌抄
左伝春秋抄
左伝聴塵
山谷詩抄
三社託宣鈔
三社託宣略鈔
三体詩抄
三体詩絶句抄
三百集
三百則抄
三略講議
三略抄
三略捷抄
詩学大成鈔
四河入海(しかにっかい)
史記抄
巵言抄(しげんしょう)
七書評判
四部録抄
周易集註鈔
周易秘抄
周易抄
朱子家訓私抄
春鑑抄
春秋抄
貞永式目抄
勝国和尚再吟
尚書抄
職原鈔私記
真歇拈古鈔
神代紀環翠抄
神代紀桃源抄
性理字義抄
禅儀外文盲象鈔
荘子抄
孫子私抄
大恵書抄
大恵長書抄
大淵和尚再吟
大淵代抄
大学抄
大智禅師偈頌抄
中華若木詩抄
中庸鈔
長恨歌聞書
長恨歌抄
庭訓抄
庭訓之抄
燈前夜話
杜詩抄
杜律五言鈔
杜律私記
杜律七言鈔
杜律集解詳説
日本書紀抄
人天眼目鈔
八卦抄
百丈清規抄
扶桑再吟
碧岩抄
簠簋抄(ほきしょう)
卜筮元亀鈔
法華大意抄
本則抄
無門関私抄
無門関抄
蒙求抄
蒙求聴塵
毛詩国風篇聞書
毛詩抄
湯山聯句鈔
臨済録抄
蠡測集(れいそくしゅう)
朗詠鈔
老子経抄
六物採摘抄
六物図抄
論語抄

私家集

明日香井集
粟田口別当入道集
郁芳三品集
今川氏真詠草
聞書集
再昌草
信生法師集
禅林瘀葉集
草根集
唯心房集
柳葉和歌集

歌学書

奥義抄
兼載雑談
古来風体抄
言塵集
耳底記(じていき)
正徹物語
俊頼髄脳
能因歌枕
野守鏡
袋草紙
筆のまよひ
毎月抄
無名抄
八雲口伝
八雲御抄
和歌初学抄

連歌集

宇良葉
老耳(おいのみみ)
下草
春夢草
心玉集
園塵(そののちり)
竹林抄
那智籠(なちごもり)
老葉(わかば)
萱草(わすれぐさ)

連歌書

吾妻問答
老のくりごと
老のすさび
九州問答
景感道
撃蒙抄
古今連談集
ささめごと
至宝抄
十問最秘抄
匠材集
私用抄
肖柏伝書
初心求詠集
砌塵抄(ぜいじんしょう)
宗祇袖下
宗祇発句判詞
長短抄
長六文(ちょうろくぶみ)
知連抄
筑波問答
当風連歌秘事
二根集
梅薫抄
筆のすさび
僻連抄
梵燈庵袖下集
無言抄
用心抄
連歌初学抄
連歌比況集
連珠合璧集
連証集
連理秘抄
和歌集心体抄抽肝要

雅楽・能楽書

教訓抄
近代四座役者目録
胡琴教録
猿轡(さるぐつわ)
神事能評判
禅鳳雑談
続教訓抄
舞正語磨(ぶしょうごま)
反古裏の書
毛端私珍抄
わらんべ草

歌謡集

伊勢参宮
落葉集
閑吟集
宗安小歌集
田植草紙

中古雑唱集
松の落葉
松の葉
万葉歌集
吉原流行小歌
隆達小歌
若緑

狂歌・道歌集

玉吟抄
金言和歌集
銀葉夷歌集
見咲(けんしょう)三百首和歌
吾吟我集(ごぎんわがしゅう)
古今夷曲集
古今馬歌集
後撰夷曲集
西明寺殿百首
新撰狂歌集
菅原光高百首和歌
児教訓(ちごきょうくん)
兵法道歌
堀河狂歌集
雄長老狂歌集
義経百首

幕府法・家法・家訓

朝倉英林壁書
今川仮名目録
大内氏掟書
建武式目
甲州法度の次第
極楽寺殿御消息
相良氏法度
沙汰未練書
貞永式目
塵芥集
早雲寺殿二十一箇条
多胡辰敬家訓
長宗我部氏掟書
武政軌範
結城氏新法度
六角氏式目
六波羅殿御家訓

記録・日記

亜相公御夜話
池田光政日記
榎本氏覚書
鸚鵡籠中記
大和田重清日記
隔蓂記
鎌倉大草紙
河内屋可正旧記
北野目代日記
江源武鑑
策彦和尚初渡集
鈴鹿家記
鈴木修理日記
宗静日記
朝鮮日日記
本城惣右衛門覚書
松平大和守日記
室町殿日記
森田久右衛門日記

戦国軍記

赤羽記
赤松記
浅井三代記
吾妻記
安宅(あたぎ)一乱記
石見軍記
陰徳記
陰徳太平記
雲陽軍実記
岡本記
加沢記
河越記
慶長治乱誌
兼山記
江濃記
江北記
甲乱記
寿斎記
末森記
藤葉栄衰記
中村一氏記
沼田根源記
籾井家日記

茶書

今井宗久日記
江岑夏書
草人木
宗達自会記
宗達他会記
宗湛日記
宗凡他会記
長闇堂記
久重茶会記
久政茶会記
久好茶会記
山上宗二記

キリシタン書など外国文献

改修捷解新語
ぎやどぺかどる
コリャード懺悔録
こんてむつすむん地
さるばとるむんぢ
サントスの御作業
捷解新語
どちりなきりしたん
日本風土記
バレト写本
ヒイデスの導師
平家難語句解
ロザリオの経

辞書・事彙

小字は成立時期を示す。

壒嚢鈔(あいのうしょう) 室町
いろは字 室町
色葉字類抄 院政
易林本節用集 室町
漢語大和故事 江戸
訓蒙図彙(きんもうずい) 江戸
華厳音義私記 奈良
合類節用集 江戸
古今和漢万法全書 江戸
御書音義 江戸
金光明最勝王経音義 平安
色道大鏡 江戸
邇言便蒙抄 江戸
戯場(しばい)訓蒙図彙 江戸
志不可起(しぶかき) 江戸
詞葉新雅 江戸
書言字考 江戸
書言俗解 江戸
塵芥 室町
新撰大阪詞大全 江戸
新撰字鏡 平安
塵添壒嚢鈔 室町
人倫訓蒙図彙 江戸
齊東俗談 江戸
続無名抄 江戸
譬喩尽(たとえづくし) 江戸
塵袋(ちりぶくろ) 鎌倉
天正十八年本節用集 室町
浪花聞書 江戸
浜荻 江戸
万金産業袋 江戸
病名彙解 江戸
物類称呼 江戸
文明本節用集 室町
本朝俗談正誤 江戸
饅頭屋本節用集 室町
名義抄(類聚名義抄) 院政
名語記 鎌倉
和漢新撰下学集 江戸
和漢船用集 江戸
和漢通用集 室町
和名抄 平安

＊訓点資料に関しては、春日政治・遠藤嘉基・大坪併治・中田祝夫・築島裕・小林芳規の諸氏の公刊された訓読文を資料として使わせて頂いた。

また、石川真弘・小池章太郎・曾根研三・鈴木勝忠・豊田武・津田秀夫・藤井富太郎・山田忠雄・横山三郎・横山重の諸氏には、愛蔵の貴重な資料などの閲覧・利用の便宜を与えて頂いた。

あ

あ【吾・我】㊀『代』《一人称》わたし。あたし。「汝(な)こそは男(を)にいませば…ーはもよ女(め)にしあれば」〈記歌謡五〉。「独りや寝(ぬ)らむーを待ちかねて」〈万三五六二東歌〉 ▽アは、すでに奈良時代から類義語ワ(我)よりも例が少なく、用法も狭い。平安時代になると、「あが」という形のいくつかを残すだけで、アは主格や目的格などの場合には使われない。アとワとは、「あが衣(ころも)」「わが衣(きぬ)」などと、似た対象についても使ったが、アは、多くの場合「あが君」「あが主(ぬし)」など親密感を示したい相手に対して使い、ワは「わが大君」「わが父母」など改まった気持で向う相手に対して用いた。㊁『接頭』相手を親しんで呼ぶ時に冠する語。転じて、軽蔑の意も表わす。「ー僧は術なき者かな」〈雑談集七〉

あ【彼】『代』遠くにあるものを指す。あれ。「雲立つ山をーはとこそ見れ」〈大和一四五〉 ▽用例は少なく、主として「あは」の形で使われた。

あ【足】あし。「ーの音せず行かむ駒もが」〈万三三八七下総東歌〉 ▽「足占(あうら)」「足結(あゆひ)」など、多く下に他の語をともなって複合語をつくる。

あ【畔】たんぼの境界。あぜ。「営田(みつくだ)のーをはなち、その溝を埋む」〈記神代〉

あ【網】奈良時代以前にアミ(網)が他の語と複合してできたアゴ(網子)・アジロ(網代)などのア。アミのmiの狭い母音iが脱落し、mが次の音節の始めの子音と融合した結果、アだけが独立した語のように見える形。アゴ(網子amiko→amko→ango→aⁿgo)・アジロ(網代amisirö→amsirö→anzirö→aⁿzirö)・アビキ(網引amiFiki→amFiki→ambiki→aᵐbiki)など。

あ【案】字音「あん」の「ん」を表記しない形。「ーの如く桐壺の御かたより伝へて」〈源氏若菜下〉

あ『感』①驚き・感動・嘆きの時に発する声。「一度飲みて、ーと言ひければ、いかによかるらん、感ずる音かと聞くほどに」〈沙石集六ノ六〉。「ーとも、そとも言はば、一定(いちぢやう)事も出で来なん」〈義経記三〉。「肝をつぶいてーと云ふ」〈天理本狂言六義・首引〉。「噫、ナゲク・ア」〈名義抄〉 ②呼びかける声。「主人ーと言はば郎等さと出づべき体なりけり」〈盛衰記六〉 ③答える声。「いかがはせむとて、ただーと、こたうけをしゐたり」〈古本説話六七〉 ④不服の意を示す返事の声。「太郎冠者『ー』シテ『ーー』とは、おのれ憎いやつの」〈虎寛本狂言・末広がり〉

ああ『感』①驚き・感動・嘆きの時に発する声。「ー御辺(ごへん)は以ての外に心広き人かな」〈盛衰記一九〉。「ーいたはしや」〈漢書笠二桃抄〉。「ーとは嘆ずることばなり」〈成簣堂本論語抄一〇〉 ②呼びかける声。「ーしばらく。あわてて事をし損ずな」〈謡・安宅〉 ③答える声。「『やい、おのれは武悪めではないか』『ー武悪でござる』」〈虎明本狂言・武悪〉 ④かけ声・はやし言葉の一。「鼓打、『ー官』『やあ官』とはやし」〈咄・醒睡笑七〉

ああしやどしや『連語』《アアシヤアゴ(吾子)シヤの約か。アアは感動詞、シヤは掛声》あざけりわらう語。「ー、こはあざわらふぞ」〈記歌謡九〉 †aasiyagosiya

ああら『感』「あら」を強めていった形。「ーありがたや」〈バレト写本〉。「ー無慙(むざん)の若どもよ」〈伽・いづみが城〉

あい【鮎】「あゆ」の転。「鮎白干、アイノシラボシ」〈運歩色葉集〉

あい【愛】《相手を好いて強く執着し、心にかかって忘れ離れ得ない心持を表わす語》①親兄弟などの情愛。「母、ーによりて悲しみて〔子ノ出家ヲ〕許さずして」〈今昔一ノ二一〉。「親にも超えてむつましきは同気兄弟のーなり」〈太平記二九・師直師泰〉 ②広く、人間・生物に対する思いやり。いつくしみ。「仁、動植に及び…孔周の風、尤も仁とーとを先にし、李釈の教、深く殺生を禁ず」〈続紀養老五・七・二五〉。「その君の…勝つことを求むる時はーを兵にいたす」〈保元上・官軍勢汰へ〉 ③愛着。執着。愛執。「ーを移されたる妾(こなみ)の、人の前に哭くに似たり」〈菅家文草四〉。「ーに纏はるること葛(かづら)の施(はびこ)るが如し」〈性霊集一〉 ④愛欲。色欲。「〔女ノ〕形端正なるを見て、たちまちにーの心をおこして妻(め)とせむと思ひて」〈今昔二ノ一五〉 ⑤気に入って大切にすること。愛玩。「慈照院殿ーに思し召さるる壺あり」〈咄・醒睡笑八〉 ⑥人あしらいのよいこと。あいそ。「若君は何時ものーと思するにや」〈浄・伊豆日記三〉 ▽儒教的には親子の情などのように相手をいたわり、生かそうとする心持をいい、仏教的には自分を中心にして相手への自分の執着を貫こうとする心持をいう。仏教では「愛」を必ずしもよいこととは見ていない。また、概して優位にあるものが弱少のものをいとおしみ、もてあそぶ意の使い方が多かったので、キリスト教が伝来したとき、キリシタンはキリストの愛を「愛」と訳さず、多く「ご大切」といった。→愛し。

ーをな・す①愛好する。「〔囲碁ハ〕仙人もー・し」〈仮・悔草中〉 ②かわいがる。「己(おのれ)より幼きをばいとほしみ、ー・し」〈伽・七草草紙〉 ③愛想よくする。愛嬌よく応答する。「石亀は巌(いはほ)の鶴にー・し」〈俳・花月千句下〉

あい『感』女の返事をする声。「『此の脇差を隠して懐に差して来い』『ー』」〈評判・難波鉦一〉

あいあい・し【愛愛し】『形シク』愛嬌がある。愛想がよい。「御びんぐきより始めて、気高くー・しくて」〈盛衰記一三〉

あいぎやう【愛敬】《中世以降、アイキャウ・アイギャウと二つの読み方が行なわれた。「敬」はキャウ・ケイの音であるから、アイキャウが古形で、アイギャウは仏語「愛行(あいぎやう)」あるいは「愛形(あいぎやう)」との混同によって生じたものか》①一方に尊敬の心をもって、愛好すること。「一切衆生のために、歓喜してーせられむ」〈倭点法華経法師功徳品〉。「いかなる上手なりとも、衆人ー欠けたる所あらむをば、寿福増長の為手(して)とは申し難し」〈風姿花伝〉 ②相手に好感を与える魅力。顔つき・そぶり・物言い・応対の仕方にこぼれ出る魅力。「〔阿彌陀如来ノ〕ーの相は歯の光にあり」〈栄花玉台〉。「〔紫上ノ〕ーは匂ひ散りて」〈源氏野分〉。「〔匂宮ノ〕うち乱れ給へるーよ」〈源氏浮舟〉 ▽現在の「愛嬌」のもととなる。③《「愛行」の意か》夫婦の和合。「げに、ーのはじめ(新婚)は、日選(え)りして」〈源氏葵〉

ーづ・き【愛敬づき】『四段』《「愛敬おくれ」の対》表情や態度に魅力がある。「まみ、口つきー・き、はなやかなるかたち(顔ダチ)なり」〈源氏空蟬〉。「ー・き。愛形付(あいぎやうづき)、愛敬とも」〈仙源抄〉

ーな・し【愛敬なし】『形ク』しゃくだ。感じがわるい。「愛敬なの雨や」〈落窪一〉。「〔浮気ナアナタヲ〕見れば憎し。聞けばー・し。見捨てて死なむはうしろめたし(気ニカカル)」〈源氏夕霧〉

ーのまもり【愛敬の守り】近世、婚礼の夜、新婦が襟にかけた守り袋。愛染(あいぜん)明王の守り札を雌雄の二つに作り、中に入れた。「幸の守り」とも。「ー取りかはすなど」〈西鶴・諸艶大鑑四〉

あいくろ・し【愛くろし】『形シク』《クロシはクルシの転か》愛嬌があってかわいらしい。「あなたの親御なら偏意(かたぎも)にて小面憎からうと思うたが、利根(ねと)様と違うて—・しい御人ぢゃ」〈伎・傾城浅間嶽上〉

あいげう(ギョウ)【愛楽】〔仏〕①愛し求めること。「心経を誦する声甚だ微妙にして、諸〻の道俗の為に—せらる」〈霊異記中一九〉。「人に—せられずして衆にまじはるは恥なり」〈徒然一三四〉②欲望。「微微に—を抛(なげう)つ」〈菅家後集〉

あいさ『感』神楽歌の拍子の言葉の一。「あいし」とも。「春日すら、春日すら。(本方)——。(末方)——」〈神楽歌五二〉

あいさう(ソウ)【愛相・愛想】《アイソウ(愛崇)の転》(人に対する)柔和で愛情のこもった面持・態度・辞儀。また、愛らしい様子。「—しげんげの目もとやなう」〈虎明本狂言・花子〉。「愛相、アイサウ」〈落葉集〉。「無愛相、アイサウナシ」〈書言字考〉 **—らし・い**【愛相らしい】『形』「あいそうらし」に同じ。「アイサウラシイコトバヲカクル」〈日葡〉

あいざかり【愛盛り】子供のかわいらしい盛り。「手打ち・あわわの—も過ぎ行き」〈浮・潤色栄花娘一〉

あいさつ【挨拶】《字義は互いに押し合う意》①相手の言に応答・応対すること。「人はいさ心も知らず、…〔コノ〕歌は当意〔ノ〕—也」〈古今私秘聞〉。「〔相手ガ〕狐なる事を知れども、よく—して帰す」〈狐媚鈔〉②相手に祝意・謝意・敬意などを表わすために述べることば。「〔香盆ヲ〕左の座上の人の前におく。『右の座上の人の前へ』と—す。右の人『なほそれより』といふ」〈五月雨日記〉。「かやうなるこそは数寄(すき)とは申すべけれと—申されて」〈室町殿日記九〉③連歌・俳諧の発句・脇句などで、亭主・客人への敬意・謝意をこめた句作りをすること。「—の発句。—を心に懸けて一句の分別をうしなふ事あることに候」〈連歌初心抄〉。「さる方にて発句つかうまつりけるに、其の家の紋梅鉢なれば、…梅鉢を—にし侍りぬ」〈仮・仕方咄三〉④関係。間柄。交際。仲。「とかく此の城に籠りあり候へば、双方の—、何ともむつかしく御座候により」〈室町殿日記六〉⑤仲裁。調停。「人はまづ、公事(訴訟)をせぬがよし。…何事も衆人の—に任すべし」〈仮・子孫鑑中〉 **—切・る** 関係を断つ。「染之介が—・りしも、強すぎたる力みなり」〈仮・恋慕水鏡三〉

あい・し【愛し】『サ変』①親が子を、夫が妻を、男が女をなどのように、相手を大切にし、かわいがる。「世間(よのなか)の蒼生(あをひとくさ)の、誰かは子を—・せずあらめや」〈万八〇三題詞〉。「己が妻を—・せずして、他の女を犯すことを喜ぶるを婬となす」〈続紀天平宝字三・六・二三〉。「三蔵〔法師〕特に〔弟子ノ道照和尚ヲ〕—・して同房に住せしむ」〈続紀文武四・三・一〇〉②広く人間をいつくしみ、いたわる。「倉を開きて優給す。…まことにこれ、哲王の民を—・するか」〈続紀延暦二・四・一九〉③気に入り、大切にする。愛好する。「汝もし学を—・せずは、誰か能く〔コノ表文ヲ〕解読せむ」〈続紀延暦九・七・一七〉④愛着する。執着する。「〔母ハ〕すでにかぎりの時までも〔子ノ〕名を呼びなんどして—・せしが」〈平家一二・副将〉。「事にふれて執心なかれとなり。いま草庵を—・するも科(とが)とす」〈方丈記〉⑤愛欲にふける。「今夜(こよひ)正しく女のかの許に行きて、二人臥して—・しつる顔よ」〈今昔三一ノ一〇〉⑥賞美する。めでる。「花を—・し、月を—・し」〈日蓮遺文千日尼御返事〉。「露をかなしぶ。…かなしむは、面白く—・したる心也」〈古今私秘聞〉⑦惜しむ。「我、身をも命をも—・せず、ただ無上道を惜しむ」〈田多民治集〉⑧適当にあしらう。「これ程の大勢の中へ唯二人入たらば、〔強敵トイエドモ〕何程の事をかし出すべき。よしよし暫し—・せよ」〈平家九・二度之懸〉⑨幼児などの機嫌を取る。あやす。「咲く花を蝶—・してや舞の曲」〈俳・夢見草二〉▽名義抄に、寵・嬖・恵・恩・寛などの字をアイスと読んでいるから、この語形はかなり早くから広く使われていたと見られる。→あい(愛)

あいしふ(シュウ)【愛執】〔仏〕強く愛着すること。かわいくて思いきれないこと。「—の罪をはるかし聞えたまひて」〈源氏夢浮橋〉

あいしゃう(ショウ)【哀傷】①(人の死や、今はないものに対する)悲しみ。「昔よりなほし残れるものを見そこなはし、すなはち感愛の情を起す。そゑに歌詠を作りて—し給ふといへり」〈万八左注〉②和歌・連歌・俳諧などの部類の一。哀傷の心を表わしたもの。「—歌」〈古今巻一六〉

あいす【愛洲】⇒あいすぐすり。「照高院様の—七包み、これを賜ふ」〈鹿苑日録慶長五・一・二〇〉。「—を酒にて与へんと用意すれば」〈咄・醒睡笑五〉 **—ぐすり**【愛洲薬】室町後期、赤小豆・人参等を粉末にして調合した黒い薬。産後・金瘡(きんそう)・打ち身などに酒で飲んだ。近世、瓢箪を焼いた黒い粉末をも用い、これを「あいす」といった。「—一包遣はし了んぬ」〈言継卿記天文一七・二・一一〉

あいぜん【愛染】〔仏〕①愛欲の心に染まること。「この婆羅門(ばらもん)の妻の美麗なるを見て、—の心を発(おこ)して」〈今昔二ノ二九〉②「愛染明王」の略。「—開帳の間、奉拝し了んぬ」〈多聞院日記天文八・八・二四〉 **—みゃうわう**(ミョウオウ)【愛染明王】大日如来もしくは金剛薩埵(さった)を本地とする明王。外は三面六臂(ろっぴ)、忿怒(ふんぬ)の相をあらわし、内は愛の心で衆生を解脱させるという。のちに愛欲をつかさどる仏として信仰された。「—百体を造り初める」〈中右記大治三・一一・一四〉。「天にあらば比翼の鳥、地にあらば連理の枝、神ならば結ぶの神、仏ならば—、と契らせ給へば」〈伽・厳島〉

あいそ【愛憎・愛相】「愛崇(あいそう)」の転。「気(け)憎う、—もなく、遣り放ったる捌き、ちかごろ邪見とも驕慢とも候なり」〈本福寺跡書〉。「ヒトノアイソニイウ」〈日葡〉。「愛憎、アイソ」〈枳園本節用集〉。「愛相、アイソ」〈運歩色葉集〉 **—もこそも尽・く** すっかりいやになる。「情知らぬは—・くるものなり」〈伊勢参宮〉 **—ら・し**【愛相らし】『形シク』「あいそうらし」に同じ。「—・しき事が百(も)しなばかりも出でくるなり」〈長恨歌聞書〉。「アイソラシュウ」〈日葡〉

あいそ『感』神楽歌の拍子の言葉の一。「天にます、や、豊岡姫の、や、—、その贄人(にへびと)ぞ」〈神楽歌四五〉

あいそう【愛崇】①人に接するときに示す好意と敬意。愛敬。「明日(みゃうにち)門外に候事御覧じ候ひなば、義経が〔義経ニ対スル〕—も尽きて思しめされんずる」〈義経記六〉。「愛崇尽、アイソウツキル、無愛崇、アイソウナシ」〈いろは字〉②言葉づかいや物腰に感じられる情趣・風情。「歌の風体は人の好み好みなるにや、…詞の—はもし天性なるべきか」〈愚問賢注〉 **—ら・し**【愛崇らし】『形シク』人に接する態度が好意や敬意のこもった様子である。情がある風である。「—・しう云うて大夫をなつけたは」〈碧岩抄四〉。「ヒトヲアイソウラシュウアイシラウ」〈日葡〉。「愛相敷、アイソウラシキ」〈俳・反故集下〉

あいたしこ【あ痛しこ】『連語』ああ痛い。「恋しとは更にも言はじ—」〈俳・昼網上〉

あいだちな・し【愛立ち無し】『形ク』《愛立チは、愛らしさが外に現われる意》①相手に対して愛らしさがない。不愛想だ。「〔妻ヲ〕心よからず—・き者に思ひ給へる〔ハ〕わりなしや(仕方ガナイ)」〈源氏夕霧〉②遠慮がない。気がねがない。「…と〔苦衷ヲ〕—・くぞうれへ(訴エ)たまふ」〈源氏宿木〉▽「間(あひ)立ち無し」の意と見る説もあるが、源氏物語の古写本に「あい」とあるに従う。

あいだてな・し【愛立て無し】『形ク』《アイダチナシの転》常軌を逸している。無分別である。「間(あひ)立て無し」とも。「我が子を食へば、あまり愛立て無さに、互ひに人の子に換へて食ふぞ」〈漢書抄〉

あいたどころ【朝所】《アシタドコロの音便形》太政官庁の東北にあった建物。儀式の際の会食に使い、また、政務も行なった。「あいたんどころ」とも。「官の司(つかさ)の—に渡らせたまへり」〈枕一六二〉。〈色葉字類抄〉

あいだ・れ『下二』《「愛垂れ」の意という》なよやかすぎる様子を呈する。一説、愛嬌のこぼれるような様子である。「〔柏木ハ〕いと若やかになまめき—・れてものし給ひ」〈源氏柏木〉。「—・れたり。かどかどしきけもなく、なよびすぎたる気色なり」〈仙源抄〉。「嫿、アイダレ」〈説文に「嫿、嫣也」とある〉〈名義抄〉

あいたんどころ【朝所】⇒あいたどころ。「〔神鏡ガ〕飛び移らせ給ひけり。すなはち御袖につつんで太政官の—へ渡し奉らせ給ふ」〈平家二・鏡〉▽アイタドコロのドの前にあるわたり音のnを独立させて書いたもの。aitaⁿdokoro→aitandokoro

あいつ【彼奴】『代』《アヤツの転》第三者を軽蔑していう語。「—もうれしからう程に」〈虎明本狂言・鈍太郎〉

あいづかは・し【愛づかはし】『形シク』魅力がある。おもしろみがある。「〔弟君ハ〕みめなどは似通ひたまへりけるが、いますこし匂ひありて—・しきやうにぞおはしける」〈今鏡六〉

あいな・し『形ク』《古写本には「あいなし」「あひなし」の二つの表記があるが、おそらく語源は「あひ(合)なし(無)」であろう。はじめは、本来何も関係がない、筋ちがいである、という意で使われたが、筋ちがいで気持がよくない、違和感があっていやな気持である、など微妙な感情をこめて使われるようになり、副詞的には、本来何の関係もないのに、の意から、ひとごとながら、よそながら、などの意に発展した。平安時代末期にはすでに「愛無し」とも書かれ、鎌倉時代には「愛無し」「間(あひ)無し」という二つの言葉が合流したものかと考えられたほど意味が不分明になっていた》❶①(本来)何の関係もない。「〔ソノ後雪ガ降ッテ〕うれしうもまた積みつるかなと見るに、『これは—・し、はじめの際をおきて今のは搔き捨てよ』と仰せらる」〈枕八七〉。「ことわり得たる方(本妻ノ方)にこそ、—・きおほよその人も心を寄するわざなめれば」〈源氏竹河〉②筋ちがいである。「〔今更、気ニ入ッタ女ヲ引キ離スノハ〕人のため、いとほしう(気ノ毒デ)—・し」〈源氏真木柱〉。「まだきにさわぎて、—・きもの恨みし給ふな」〈源氏若菜上〉。「〔權ノ斎院モ源氏ヘノ未練ガ断チ切レナイノハ〕すこし—・き事なりかし」〈源氏賢木〉❷①(本来の筋にはずれて)本意でない。「かたがた(オ二人カラ)心置かれ奉らむも—・し」〈源氏藤裏葉〉。「しか限りある御行ひの程を、紛らはし聞えさせむに—・し」〈源氏橋姫〉②ばつがわるい。「〔源氏ノ青海波ヲ帝ガ賞揚シタノデ藤壺ハ〕—・う御いらへ聞えにくくて」〈源氏紅葉賀〉。「〔声ナド立テルト〕この近き人(侍女タチ)の思はむことの—・くて、〔女ハ〕さりげなくもてなし給へり」〈源氏宿木〉③違和感があって、いやな気持である。「〔老人ガ〕衆にまじはりたるも—・く見苦し」〈徒然一五二〉④かわいげが無い。「〔邪慳ナ夫ガ妻ニ向ッテ〕汝が目の極めて愛无(な)く醜きに抜き代へむと云ふ」〈今昔四ノ三二〉❸《副詞的に用いて》①(本来何の)関係もないのに。「〔源氏ガ〕かくておはすと聞けば、—・う好いたる若き娘たちは…心化粧せらる」〈源氏須磨〉②筋ちがいにも。「〔紫上ハ女三宮ニ〕睦びきこえてあらまほしきを、—・く、隔てあるさまに人人や取りなさむとすらむ」〈源氏若菜上〉③ひとごとながら。「〔夕霧ト女二宮ノコトハ〕いづ方にもいとほしけれと、〔源氏ハ〕—・く聞こし召し嘆く」〈源氏夕霧〉。「大方の世の人も—・く嬉しきことに喜び聞えける」〈源氏澪標〉④よそながら。「〔常陸トイウ言葉ヲ聞イテ、浮舟ハ〕わが親の名と—・く耳とまれるに」〈源氏手習〉。「〔源氏ガ〕謡ひたまへるに、〔供ノ〕人人おどろきて(目ヲ覚マシテ)めでたう覚ゆるに、忍ばれで—・う起き居つつ、洟(はな)を忍びやかにかみ渡す」〈源氏須磨〉

あいなだのみ【あいな頼み】頼む根拠のない頼み。筋ちがいの頼み。「世ごもりて過ぐす年月こそ—に行末心にくく思ふらめ」〈源氏明石〉→あいなし

あいべつりく【愛別離苦】〔仏〕八苦の一。愛する親・兄弟・妻子などと生別・死別する苦しみ。「一切衆生の—を皆解脱(げだつ)せしめむか」〈今昔一ノ四〉。「—とは、いとうしい人に離るるを云ふ也」〈首楞厳経鈔七〉

あいや 足または歩行の意の幼児語。あんよ。「当らんと—して行く炬燵(こたつ)かな」〈俳・鸚鵡集八〉 **—のぼろぼろ**《ボロボロは調子を取るために添えた語》幼児が歩行する時あやす囃子詞。「あんよは上手」の意か。「あいやぼろぼろ」「あいやぶらぶら」なども。「世俗、童(わらはべ)を愛して、—と言ふ」〈俳・馬鹿集三〉

あいや『感』《感動詞アとイヤとの複合語》打消の意を表わす。いやいや(違う)。「『ふん、して供をせまいと言ふ事か』『—、参りまする』」〈狂言記・富士松〉

あいら【彼等】『代』《アレラの転》他人を卑しめていう語。「—ふぜいを相手にして、言うて埒(らち)のあくことか」〈近松・用明天皇四〉

あいら・し【愛らし】『形シク』①(小さいもの、幼いものなどが)かわいらしい。「姫君は御みめうつくしく、御目は細細として—・しくおはするぞや」〈沙石集一ノ一〇〉②愛すべくやさしい。「左〔ノ歌〕尤も—・しく聞ゆ」〈玉吟抄〉。「ココロノアイラシイヒト」〈日葡〉

あいろ【文色】《アヤイロの転》①模様。様子。「空暗くして、敵の—も見えざりける」〈浅井三代記三〉②区別。けじめ。「この時、いまだ敵味方の—もなかりし時なれば」〈丹州三家物語〉

あう(ウオ)『感』①驚いたときや感動したときなどに発する声。「—、そちはよい人ぞ」〈碧岩抄三〉②応答する声。「—、その人の事ならば我等がよく存じたよ」〈三体詩抄一ノ三〉

あうい・き(オウ)【奥行き】『四段』《アウは「奥」の字音》なお先へ行く。「—・かむことこそ、いとすさまじけれ」〈枕九九〉

あうぎ(オウ)【奥義】学問・宗教・芸能・武芸などの極意。おくぎ。「一宗の—残る所なく伝へられたりとぞ」〈神皇正統記嵯峨〉

あうだ(オウダ)【箯輿】「あみいた(編板)」の転。「あをだ」「あんだ」とも。「死人の首もなきが、—に舁(か)かれて通るを見れば」〈盛衰記一五〉

あうな・し(オウ)【奥無し】『形ク』《アウは「奥」の字音》深い考えがない。「あやしく—・く、人の思はむところも知らぬ人にて、言ひ散らしゐたり」〈源氏東屋〉▽古写本には「あふなし」と書いてあるものが極めて多いので、「あぶなし(危)」と解く説もある。

あうむ(オウ)【鸚鵡】①オウム科の鳥。西域の霊鳥といわれ、日本には大化年間に新羅(しらぎ)から贈られた。近世には、貴人の翫物や見せ物になった。「こと所(異国)のものなれ

どーいとあはれなり。人の言ふらむことをまねぶらむよ(マネスルトイウ)」〈枕四一〉 ②「鸚鵡盃(はい)」の略。「曲水に浮かむーは」〈謡・養老〉 **ーがひ**イガ【鸚鵡貝】南洋産の軟体動物。貝殻が美しく、さかずきや釣花生けに作り、また螺鈿(らでん)の材料にする。「行く水にーの盃を流し」〈西鶴・男色大鑑四〉 **ーがへし**ガエシ【鸚鵡返し】《鸚鵡が人の言葉をそのまま言い返すことから》①相手のよこした和歌を、その意味も表現も変えずに、逆に自分の歌として返歌すること。「歌の返しにーと申す事あり。…本の歌の心詞を変へずして、同じ詞を言へるなり」〈俊頼髄脳〉 ②人から言いかけられた言葉をそっくりそのまま返答すること。「ーの拗言(すねごと)」〈咄・戯言養気集下〉 **ーはい**【鸚鵡盃】鸚鵡貝で作ったさかずき。曲水の宴に用いられたという。「鸚鵡さかづき」とも。「新豊〔産〕の酒の色は、ーの中に清冷たり」〈和漢朗詠集酒〉 **ーほん**【鸚鵡本】逐語訳の本。直訳本。「ーには、やはらげずといへども」〈サントスの御作業二ノ一〉

あうよ・りオウ【奥寄り】『四段』《アウは「奥」の字音》①奥の方に寄る。「ー・りて三四人さしつどひて絵など見るもあり」〈枕一八四〉 ②老齢にいたる。ふける。「今めかしうもあらぬうちに齢(よはひ)などもー・りにたべければ」〈かげろふ下〉 ③昔にさかのぼる。「ー・りての名は、かう殊の外にてぞありける」〈栄花殿上花見〉 ④古風になる。「御手の筋(筆ヅカイ)、殊にー・りにたり」〈源氏玉鬘〉

あうら【足占】上代の占法。歩いて行って、右足・左足のどちらで目標の地点につくかによって吉凶を定めるものらしい。「あしうら」とも。「月夜(つくよ)よみ(月ガヨイノデ)門に出で立ちーして」〈万三〇〇六〉

あうん【阿吽】《「阿」は口を開いて発する音で、すべての音のはじめ、「吽」は口を閉じる音で、すべての音の終りを表わす》①出る息と入る息と。仏教では、この二字に万物の発生と帰着の理を説く。「出で入る息にーの二字を唱へ」〈謡・安宅〉 ②寺院山門の仁王や狛犬(こまいぬ)などの相。一は口を開き、他は口を閉じる。「門に立ちたまふ金剛力士の二王はーの二王なり」〈御書抄三〉 ③お互いの呼吸がぴたりと合うこと。「〔謡曲ノ〕論議を謡ふに…是れもーの心得あると申し侍りし也」〈永正十八年元安伝書〉

あ・え『下二』《アヤシ(落)の自動詞形。アヤフシ(危)・アヤブミのアヤと同根》①こぼれ落ちる。「〔橘ノ〕ー・ゆる実は玉に貫きつつ」〈万四一一一〉 ②(血・汗・乳などが)したたる。「久しく待つも苦しく、汗などもー・えしを」〈枕二三二〉 †aye

あ・え【肖え】『下二』《アヤ(文・綾)の動詞化》①形がそっくり似る。「肖、これをば阿叡(あえ)といふ」〈紀応神即位前〉。「肖、似也、アユ・アエタリ」〈色葉字類抄〉 ②あやかる。或る物に似て、それの持つ幸福・幸運をうける。「〔棚機ノ〕長き契りにぞー・えまし」〈源氏帚木〉 †aye

あえか《こぼれ落ちる意のアエと同根》さわれば落ちそうなさま。かよわいさま。「折らば落ちぬべき萩の露、拾はば消えなむと見る玉笹の上の霰(あられ)などの〔ヨウナ〕艶にーなるすきずきしさ」〈源氏帚木〉。「〔女三宮ハ〕いと御衣(おんぞ)がちに身もなくーなり」〈源氏若菜上〉

あえ・し『四段』《アヤシ(落)の転》したたらす。流す。「社壇に血をー・さんも神慮の恐れあり」〈義経記三〉

あえぬがに『連語』こぼれ落ちてしまいそうに。「ー花咲きにけり」〈万一五〇七〉 ▽動詞アエに完了の助動詞ヌの終止形がつき、さらに推量の助詞ガニの加わった形。†aye-nugani

あえもの【肖物】《アエは形がそっくり似る意。アエモノはそれに似るようにと目ざす対象》①お手本。「〔夕霧ノ誠実サハ〕世のためしにしつべき御心ばへと…めやすきーにし給へるを」〈源氏夕霧〉。「〔私ノ早口ハ、アノ早口ノ〕妙法寺の別当大徳の産屋(うぶや)に侍りける〔ガ〕ー〔ダッタ〕となむ嘆き侍り」〈源氏常夏〉 ②幸福にあやかるためのもの。「年頃持たせ給へりける〔袋ヲ〕取り出でさせ給ひて、やがてーにもとて〔息子ニ〕奉らせ給ふを」〈大鏡師輔〉

あか【赤】①赤色。「人を愛する眼は青く、人を悪(にく)む眼はーなり」〈法華経直談鈔一本〉。「幼童の屛風の絵なんどを見る時は…分別はせざれども、ーよ青よなんどと見るなり」〈百法問答聞書一〉 ②〔女房詞〕赤小豆(あかあずき)。「あかあか」とも。〈大上臈御名之事〉 ③血。「手の〔疵ノ〕ーを拭ひ」〈三壺聞書三〉 ④「赤米(あかごめ)」の略。「飯はー交りのひね臭いをすっくりと焚かせ」〈近松・宵庚申上〉 ⑤むき出しで、隠す所のないこと。まるっきり。「ーの野暮助なれば」〈評判・野郎大仏師〉。「離るればーの他人」〈近松・本朝三国志三〉

あか【垢】①皮膚のあぶら・汗などのよごれ。「妹(いも)が衣のーつく見れば」〈万三六六七〉 ②けがれ。「ー付ききたなき身なれども、仏になるとぞ説いたまふ」〈梁塵秘抄一一九〉。「心のーはすすぐ世もなし」〈行尊大僧正集〉。「娘のー(汚名)が抜けぬ」〈近松・万年草中〉 ③余計な付着物。「能に嵩(かさ)も出で来、ーも落ちて」〈風姿花伝〉 ④垢を流すこと。「御ーに参りければ」〈平治下・義朝内海下向〉 **ーの抜けた** よごれやけがれが落ちた。さっぱりしてよい。「アカノヌケタテ(筆跡)」〈日葡〉

あか【閼伽】〔仏〕《梵語の音訳。価値あるもの、供え物の意》①仏に供えるもの。また、それを盛る器。「花ども奉る。行香(ぎやうがう)の人人とりつぎてーに加へさせ給ふ」〈源氏胡蝶〉 ②特に、仏に供える水。「樒(しきみ)も摘まずーも汲まれず」〈拾玉集一〉 ③【淦】舟底にたまった水。ゆ。「波なほ高くうち入るほどに、船のーを換ゆる事、ただ手も置かず」〈奇異雑談集三〉

あかあか【明明】①明るいさま。「大殿油近く参らせてーとあり」〈讃岐典侍日記〉。「人の懐をゆるゆるとしたる時は、面色ーとするぞ」〈大恵書抄一〉 ②赤いさま。「炉内で煉りすました真金ーと一槌下した」〈本則鈔一〉

あかいしんにょ【赤い信女】《亡夫の墓石に生きている妻の戒名を刻むには朱を入れるので》後家。未亡人。「石塔のーがまた妊(はら)み」〈雑俳・折句式大成〉

あかいとをどし【赤糸縅】赤い糸で札(さね)を綴った鎧。「敷目(しきめ)に巻きたるーの究竟(くっきゃう)の鎧を取り出し」〈義経記八〉

あかいろ【赤色】①染色の名。緋・紅・朱色などの総称。「其の鍾(かね)撃(つ)かむ吏(つかさ)は赤(あかいろ)の巾(ちきり=頭巾)を前に垂れよ」〈紀孝徳、大化三年〉 ②織色の名。経(たて)は紫、緯(よこ)は赤。「ーの織物の、ただの綾の裳に綿入れて」〈宇津保蔵開中〉 ③襲(かさね)の色目の名。「藤宰相の童はー着せて」〈紫式部日記〉 ④「赤色の袍(はう)」の略。「召ありて太政大臣参り給ふ。おなじーを着給へれば」〈源氏少女〉 **ーのはう**ホウ【赤色の袍】太上天皇常用の袍。染料は黄櫨(はじ)と茜(あかね)など。文様は窠(か)中に竹桐、あるいは菊唐草、八葉菊など。時には天皇や摂関も用いた。「ーを用ふる時、先例多く織物を用ふ」〈後照念院殿装束抄〉

あかいわし【赤鰯】①塩漬または乾した、赤茶けた色のイワシ。粗末な副食物。また、追儺(ついな)の時、ヒイラギに添えて戸口に插した。「戸に插すや信仰からのー」〈俳・身楽

千句〉 ②赤く錆びた鈍刀をあざけっていう語。さびいわし。「鞘走る刀を見ればー」〈俳・一幅半上〉

あかえぼし【赤烏帽子】 赤塗りの烏帽子。物好きのたとえ。将軍足利義教の家臣松浦肥前守が赤塗りの烏帽子を愛好した故事によるという。「好きに赤烏帽子」「亭主の好きな赤烏帽子」などとも。「物好きの囲ひのうちに入りぬらし／ーをや着たる客人」〈俳・寛永十三年熱田万句追加一〉

あがおもと【吾が御許】 (同輩の)女性を親しんで呼ぶ語。「〔乳母ガ女房ニ向ッテ〕ー、早くよきさまに導ききこえ給へ」〈源氏玉鬘〉

あかかう(ウ:コ)【赤香】 染色の名。香色(黄色みを帯びた薄赤色)の濃いもの。「ーのかみしもに蓑笠を着て」〈宇治拾遺一〇〇〉

あかかがち【赤酸醤】 ホオズキの古名。その赤い実。「その〔大蛇ノ〕目はーのごとくありて」〈記神代〉。「赤酸醤、此れをば阿箇箇鵝知(あかかがち)といふ」〈紀神代上〉 ▽日本紀私記に「是れ今の保々都岐(ほほつき)なり」とある。

あかかき【垢掻き】 浴場で客の垢をこすり流す女。私娼の一種。「湯女(ゆな)」「猿」「風呂屋者」「呂衆」などとも。「煩悩(ぼんなう)のー、兵庫風呂屋者の事」〈西鶴・一代男二〉

あかがしら【赤頭】 ①油をつけない、赤茶けた頭髪。「髪赤くちぢみあがりたる小童…〔ソノ〕ーの童は見えず」〈発心集五〉 ②兜の頂飾につける赤牝牛の尾。〈日葡〉 ③能・歌舞伎などで、鬼神・猩猩などに扮する際に用いる赤毛の鬘(かづら)。「〔猿楽ノ鬼ノ姿トナルタメニ〕彼の半切(はんぎり)取って著け、ー冠り、打杖とって忍び出で」〈伽・磯崎〉 ④頭赤く、額に淡赤色の筋がある鴨。緋鳥(ひどり)。〈日葡〉

あがかに【足掻かに】『副』 足で地面をかくように。いらだち、くやしがって。「足もーねたみたまひき」〈記仁徳〉

あかがね【銅】《赤金の意》 銅(どう)。「六丈のーの柱」〈三宝絵中〉。「銅、アカガネ」〈名義抄〉 **―こしらへ**(コシラエ)【銅拵へ】 刀剣の縁・頭・目貫(めぬき)・栗形・切羽(せっぱ)・鐺(こじり)などの金具に銅を使ったもの。「関和泉守〔作ノ〕ー、巻龍(まきりよう)の鉄鍔」〈西鶴・五人女三〉

あかがはをどし(ワ:ガ…)【赤革縅】 赤い革の紐で札(さね)を綴った鎧。「ーの鎧の袖、流るる涙にすすがれて、洗革(あらひがは)とやなりぬらん」〈保元下・義朝幼少の弟〉

あかがり【皹】 あかぎれ。「夏も冬も手足に大きなるーひまなくわれければ」〈平家八・緒環〉。「皹、阿加々利(あかがり)、手足拆裂也」〈和名抄〉

あかぎ ①【明木】 皮をけずりとった木。白木(しらき)。「よしある黒木・ーの笆(ませ)を結ひまぜつつ」〈源氏野分〉 ②【赤木】 南方産の花梨(かりん)のような、材質の赤い木。硬くてしっかりしているので重んぜられた。「小磯の浜にこそ、紫檀ーは寄らずして」〈梁塵秘抄三四七〉 **―づか**【赤木柄】 花梨などの赤木で作った、刀の柄(つか)。「懐よりーの胴金入れたる刀一腰取り出し」〈曾我四〉

あが・き【足掻き】 ㊀『四段』 ①(馬などが)足で地面を掻いて進む。「赤駒のー・くたぎち(シブキ)にぬれにけるかも」〈万二四二〉。「踠、馬奔走貌、阿加久(あがく)」〈新撰字鏡〉 ②(いらだって)手や足を動かす。「疾(と)く入れと手をー・き候ひしかば、早く入り候ひしに」〈著聞四四一〉 ③あくせくする。気をもむ。「夜昼ー・いて、三百は儲けかねるに」〈近松・淀鯉上〉 ④あばれる。存分に遊ぶ。「〔子供ハ〕早く寝せて疾く起し、昼ー・かせたが万病円」〈近松・鑓権三上〉 ㊁『名』 足掻くこと。「青駒のーを速み雲居にそ妹があたりを過ぎて来にける」〈万一三六〉 †agaki

あかぎぬ【赤衣】 ①緋色(ひいろ)の袍(はう)。五位の官人が着用。「おどろおどろしきー姿いと清げなり」〈源氏澪標〉 ②赤色の狩衣(かりぎぬ)。検非違使(けびゐし)の下官や人夫などが着用。「御社(やしろ)のかたよりーうち着たる者ども…〔斎院ノ〕御輿(みこし)など持て帰る」〈枕三三〉 ③赤色の浄衣。真言宗で軍荼利(ぐんだり)を本尊として修法を行なう時などに僧が着用。「五大尊の御修法行なはせ給ふ。…心誉阿闍梨は、軍陀利の法なるべし。ー着たり」〈栄花初花〉

あかきひと【赤き人】 赤衣(あかぎぬ)姿の人。五位の官人。「車のもとにはー黒き人(四位以上ノ官人)おしこりて」〈かげろふ下〉

あがきみ【吾が君】 相手を親しみ敬っていう語。「〔在京ノ母ニ対シテ〕栄えいまさね尊きー」〈万四一六九〉。「〔源氏ガ夕顔ニ向ッテ〕ー、生き出で給へ」〈源氏夕顔〉。「女『ー、ー』と、〔男ニ〕向ひて手をするに」〈源氏紅葉賀〉 ▽平安時代以後の会話では、親しい相手に呼びかけて懇願する場合が多い。「わがきみ」より少し敬意がうすい。 †agakimi

あかくちば【赤朽葉】 染色の名。朽葉色の赤みを帯びたもの。「ーの薄物の汗衫(かざみ)」〈源氏少女〉

あがこころ【吾が心】〔枕詞〕 心が明るい、心が清い、心を尽すの意で、地名「明石(あかし)」「清澄」「筑紫」にかかる。「ー明石の浦に」〈万三六二七〉 †agakökörö

あかごま【赤駒】 赤みがかった毛色の馬。「ーを厩(うまや)に立て、黒駒を厩に立てて其(そ)を飼ひ」〈万三二七八〉 †akagoma

あかごめ【赤米】 米の一種。中国渡来で、籾(もみ)が赤く、炊いてよく増えるので、下層民が食用にした。大唐米(だいとうごめ)。古くは「しゃくまい」「あかよね」とも。「ーの実入り時分に風吹きて」〈俳・伊勢俳諧長帳一〉。〈日葡〉

あかざ【藜】 山野に生える雑草の一。若葉は食用。葉を焼いて灰として染物に用い、茎を乾して杖にする。「藜、阿加佐(あかざ)、蓬蒿之類也」〈和名抄〉 **―のあつもの**【藜の羹】 アカザの葉の吸い物。粗末な料理にいう。「紙の衾(ふすま)、麻の衣、一鉢のまうけ、ー」〈徒然五四〉 **―のつゑ**【藜の杖】 アカザの茎を乾して作った杖。これを用いると中気にならぬというので老人の持物とされた。「いかでかはこの世の闇も照らさまし光ーなかりせば」〈散木奇歌集雑上〉

あかさかやっこ【赤坂奴】 近世、多く江戸山手(やまのて)の赤坂辺に住んだ大名・旗本に仕え、槍・挾箱(はさみばこ)などを持ってお供した若党(わかたう)・中間(ちうげん)。鎌髭(かまひげ)そのほか特異な風俗が人目をひいた。「こりゃ、大名のお通りだ。先退(の)けろ。振り込むさ。ー・鬚奴(ひげやつこ)」〈近松・双生隅田川四〉

あか・し【明かし】 ㊀『四段』《明るくする意》 ①寝ずに一夜をすごし、夜明けに至る。「暮し」の対。「君が目に恋ひやー・さむ長きこの夜を」〈万三四八〉 ②明るくする。また、火を明るくともす。「〔沖辺デ〕漁(いさ)る火はー・してともせ」〈万三六四八〉。「家家の門にともし火をー・し」〈奇異雑談集六〉 ③隠しごとを明るみに出す。打ち明ける。「〔過失ヲ〕まほにそのことはー・し給はねど」〈源氏若菜下〉 ④分らない物事を明らかにする。説明する。「この殿より次、さまざまー・したれば、こまかに申さじ」〈大鏡藤氏物語〉。「あるほどの物知りを寄せて御読ませ候へども、さらにこれをー・す者なし」〈咄・昨日は今日上〉 ↓あきらめ(明) ㊁『名』 ①【燈】 あかり。燈火。「み(御)」を冠して仏前の燈明にいうことが多い。「〔初瀬参詣〕御ーの事どもしたため果てて」〈源氏玉鬘〉 ②【証】 証明すること。「金を盗んだと云ふをーもせいで」〈史記抄一三〉 **―くら・し**【明かし暮し】『四段』夜をあかし日をくらす。日日をすごす。「涙にひぢて―・させ給へば、見奉る人さへ露けき秋なり」〈源氏桐壺〉 **―ぶみ**【明かし文・証文】本意を打ち明けて神仏に願を立てる趣旨をあらわした文。願文。「御―など書きたる心ばへ」〈源氏玉鬘〉

あか・し【赤し】『形ク』《アカシ(明)と同根。「赤色」の感覚は「明」の感覚から生れた》 赤色である。「白き鳥の嘴(はし)と脚と―・き、鴫の大いさなる、水の上に遊びつつ」〈伊勢九〉。「白妙の白き月をも紅の色をもなどか―・し(明シ・赤シ)と言ふらむ」〈拾遺五一八〉

あか・し【明し】『形ク』《アケ(明)・アカシ(赤)と同根。「暗し」の対》 ①明るい。「日月は―・しと言へど」〈万八九二〉。「秋の夜の月の光し―・ければ暗部(くらぶ)の山も越えぬべらなり」〈古今一九五〉 ②(心に)曇りがない。「隠さはぬ―・き心を」〈万四四六五〉 ▽「あかき心」は、「赤心」「丹心」の翻訳語か。 ③《副詞的に用いて》 日のあるうちに。明るいうちに。「―・く大路など渡るがよかるべきにやと思ふに」〈大鏡伊尹〉。「少将鳥羽へ―・うぞ着き給ふ」〈平家三・少将都帰〉

あかしちぢみ【明石縮】播磨国明石で生産した、経(たて)に生糸、緯(よこ)に強撚りの練糸を用いて織った、横縞・皺縮のある織物。夏物に仕立てる。「須磨の海士(あま)の頭も―かな」〈俳・時勢粧三〉

あかそぶ【赤そぶ】《ソブは水錆(みずさび)の意》 水の赤いさび。「人も忘れし―の水」〈俳・猿蓑下〉

あがた【県】①大和朝廷の直領地。国の下級の地方行政組織であるともいう。大化改新で廃止されたが、大和の六つの御県(みあがた)は律令時代まで残った。「茅渟(ちぬ)の―の陶邑(すゑむら)」〈紀崇神七年〉 ②地方官の任地。「淡海―の物語りせむ」〈万一三八七〉。「むかし、―へ行く人に、むまのはなむけせむとて」〈伊勢四四〉 ③いなか。「田面(たづら)なるわら屋の軒のこもすだれこれや―のしるしなるらむ」〈弘長百首〉 **―ありき**【県ありき】いなかまわり。令制下の地方官勤務をさすことが多い。「―の所にわたる」〈かげろふ中〉 **―ぬし**【県主】①大和朝廷時代の県(あがた)の首長。「大県小県の―を定めたまひき」〈記成務〉 ②大化改新によって県が廃された後も、その氏の姓(かばね)として残ったもの。「鴨―」〈新撰姓氏録〉 **―み**【県見】いなか見物。「―にはえ出で立たじや」〈古今九三八詞書〉 **―みこ**【県御子・県巫】祈禱・占い・口寄せ・竈祓(かまばらい)などを業として、主に地方をまわる巫女(みこ)。売色もした。「―・傾城・白拍子・遊女」〈庭訓往来四月五日〉。「県神女、アガタミコ」〈運歩色葉集〉 **―めし**【県召】「県召の除目」の略。「あらたまの年たちかへる春の―にかずまへとどめ」〈栄花駒競〉 **―めしのぢもく**【県召の除目】平安時代以降、国司などの地方官を任命した儀式。多くは正月から二月中に三日間行なわれ、「春の除目」ともいう。「―に三ケ夜出仕せさせ給ひて」〈著聞一〇二〉 →除目

あかだな【閼伽棚】閼伽を置くための棚。「―の下に花柄(はながら)多く積みたり」〈今昔二〇ノ三九〉

あかだま【赤玉】①赤い色の玉。「―は緒さへ光れど」〈記歌謡七〉 ②琥珀(こはく)。「虎魄、阿加多末(あかだま)」〈本草和名〉

あかだんご【赤団子】灸(きゅう)の隠語。「よい物ぢゃ／―から坊(ぼん)が無事(まめ)」〈雑俳・軽口頓作〉

あか・ち【班ち】『四段』(ひと所にあるものを)方方に分配する。分ける。「伴の部(部下)を―・ち遣はし」〈万九七一〉。「供の人、手を―・ちて求め騒ぎけり」〈大和一四八〉。「班・頒・散、アカツ」〈名義抄〉 **―だ**【班田】令制のもとで、朝廷から公民に分け与えた田。はんでん。「―収授之法(をさめさづくるのり)」〈紀孝徳、大化二年〉

あかぢのにしき【赤地の錦】赤い織地の錦。「もみぢ葉に月の光をさしそへてこれや―なるらむ」〈千載三五九〉 **―のひたたれ**【赤地の錦の直垂】赤地の錦で作った直垂。主に大将級の人が鎧(よろい)の下に着用した。「左衛門佐重盛は生年二十三、今日のいくさの大将なれば、―に櫨(はじ)の匂ひの鎧」〈古活字本平治中・待賢門軍〉

あかつき【暁】《アカトキの転》 夜が明けようとして、まだ暗いうち。夜を中心にした時間の区分ユフベ→ヨヒ→ヨナカ→アカツキ→アシタの第四番目の部分の名。ヨヒに女の家に通って来て泊まった男が、女の許を離れて自分の家へ帰る刻限。夜の白んでくる時刻はアケボノという。「―ばかり憂きものはなし」〈古今六二五〉。「〔都へ〕たち給ふ―は夜深う出で給ひて」〈源氏明石〉。「夜更けて大殿ごもりぬる―がたより胸をなやみ給ふ」〈源氏若菜下〉 **―づくよ**【暁月夜】暁にまだ月の見える空の状態。また、その月。「―いとおもしろければ」〈土佐一月十七日〉 ▽陰暦十七、八日以後は月の出がおそく、暁に月が残っている。それで夕闇(ゆふやみ)・暁月夜という。これに対して、陰暦十二、三日以前は月の出が早く、暁には月は沈んでいる。それで夕月夜・暁闇という。 **―のわかれ**【暁の別れ】夜を共にした男女が、暗いうちに起きて別れること。「更け行く鐘、明け行く鳥の声を聞くにも、いとど心惑ひて睦言(むつごと)つきせざるを―と申すなり」〈宝物集中〉 **―やみ**【暁闇】暁に月がなくまっ暗なこと。月が早く没する陰暦十三日頃まで。「頃は七月十日の夜なりければ、月は夜半に入りはて、―の空なるに」〈保元上・官軍勢汰へ〉

あかつき【閼伽杯】閼伽の水を入れて仏に供える器。多く銅製。「花奉るとて鳴らす―の音」〈源氏鈴虫〉

あかで【赤手】 **―を擦(す)・る** 何も持たない両手を擦り合わせて謝罪する。「―・って降参せらるる間、免(ゆる)し給ひけり」〈信長記六〉

あかとき【暁】《「明時(あかとき)」の意》「あかつき」の古形。「―のかはたれ時に」〈万四三八四〉 †akatöki **―つき**【暁月】夜明け頃に空に残る月。「さ夜ふけて―に影見えて」〈万四一八一〉 **―つくよ**【暁月夜】「あかつきづくよ」に同じ。「しぐれ降る―紐とかず恋ふらむ君と居らましものを」〈万二三〇六〉 **―つゆ**【暁露】明けがたの露。「我が背子を大和へやるとさ夜ふけて―に我が立ちぬれし」〈万一〇五〉 **―やみ**【暁闇】「あかつきやみ」に同じ。「夕月夜(ゆふづくよ)―の朝影に」〈万二六六四〉

あかなくに【飽かなくに】『連語』《飽カナクは飽カヌのク語法》 満ち足りないものを。十分と思わないのに。それにもかかわらず事態の変る時にいう。「明けぬべく千鳥しば鳴く白栲(しろたへ)の君が手枕(たまくら)いまだ―」〈万二八〇七〉

あがなせ【吾が汝夫】自分の夫や恋人を親しんで呼ぶ称。「吾夫君、此れをば阿我儺勢(あがなせ)といふ」〈紀神代上〉 ▽ナは文献以前の時代には「我」という意味で、ナセで我が夫の意だったが、ナはその後二人称に使われるように変ったので、その上に、新たに一人称のアガを加えた語。

あがな・ひ(アガナイ)【贖ひ】『四段』《アガはアガヒのアガと同根》 代償を出して買い取る。金品などでつぐなう。「これはただ重宝をもって命を―・うたるものなり」〈御書抄一六〉。「贖、アガナフ」〈和玉篇〉

あかに【赤土・赤丹】《赤い土の意》 赤っぽい粘土。「―を含(ふ)みて唾(はっ)き出したまへば」〈記神代〉 **―のほ**【赤丹の穂】《ホは表面にあらわれること》 赤く色に出ること。

酒を飲んでほんのり赤みを帯びるさま。「〔天皇ガ〕—に聞こし食す(召シ上ガル)が故に」〈祝詞祈年祭〉

あかね【茜】《赤根の意》野山や道ばたの草むらなどに生える蔓草の一。根から赤色の染料をとった。「茜、阿加禰(あかね)、可ニ以染ㇾ緋者也」〈和名抄〉 **—さし** あかね色に美しく色が現われる。一説に枕詞という。「—照れる月夜」〈万五六五〉 **—さす**【茜さす】〔枕詞〕東の空があかね色に映える意から昇る太陽を連想し、美しく輝くのをほめて、「日」「昼」「紫」「君」にかかる。「—日は照らせれど」〈万一六九〉。「—昼は物思(も)ひ」〈万三七三二〉。「—紫野行き」〈万二〇〉。「—君が心し忘れかねつも」〈万三八五七〉 **—べり**【茜縁】下級の蚊帳(かや)についているあかね染めの木綿の縁。「—の蚊屋(かや)」〈西鶴・五人女二〉

あかのめし【赤の飯】赤小豆(あずき)を米にまぜて炊(た)いた飯。祝儀の時につくる。「あかのまんま」「あかめし」「せきはん」とも。「—など奉り侍る」〈俳・山の井四〉

あかはた【赤幡・赤旗】赤地の旗。天皇に関係のある印として使うことが多かった。平安末期、平氏の旗印として有名。「白旗、—、二町ばかりをへだててゆらへたり」〈平家二・志度合戦〉

あかはだ【赤肌】《アカは隠すところのない意》肌がまる出し。まるはだか。あかはだか。「—なる兎伏せりき」〈記神代〉。「裸伴、此れをば阿箇播娜我等母(あかはだがとも)といふ」〈紀垂仁三十九年〉。「—の山は身をこそ隠さざりけれ」〈古今六帖二〉

あかはだか【赤裸】まっぱだか。「我—になりなむとす。極めてはづかし」〈今昔一ノ三〉。「裸、アカハダカナリ」〈名義抄(図書寮本)〉

あかはぢ【赤恥】多くの人の面前でかく恥。「必ず—をかくべし」〈仮・可笑記一〉

あかばな【赤花】紅花(べにばな)色の染料・絵具。また、その色。「〔自分ノ鼻ニ〕この—を書きつけにほはして見給ふに」〈源氏末摘花〉

あかば・り【赤張り】『四段』赤く色づく。赤茶ける。「—・りて牡丹うごくよ秋の朝」〈俳・ひこばえ〉

あが・ひ【贖ひ】㊀『四段』《奈良・平安時代ではアカヒと清音》①金品を差し出して罪をつぐなう。「中臣の太祝詞(ふとのりとごと)言祓へ—・ふ命も誰(た)がために汝(なれ)」〈万四〇三一〉。「救贖、出ㇾ金而贖ㇾ罪也、倭云阿可布(あかふ)」〈華厳音義私記〉②買う。「亀の命を—・ひて放生し」〈霊異記上七〉 ㊁『名』つぐない。賠償。「青常の君と呼びたらん者をば、酒・くだものなど取りいださせて—せん」〈宇治拾遺一二四〉 †akaFi

あかひも【赤紐】小忌衣(をみごろも)の右肩につけて、前後に垂らす飾り紐。上代は赤色、のちには濃紫と蘇芳(すはう)色の絹に蝶・鳥を白くえがいた二本の紐。「〔大嘗会ノ御神楽〕みな人たち小忌の姿にて—かけ」〈讃岐典侍日記〉

あかべた【赤下手】全くの下手。「よき団(うちは)にあしき絵の有るを見て。—の月ぞまろ絵の柿団」〈俳・鷹筑波五〉

あかほし【明星】明けの明星。暁方にはっきりみえる金星。「—は、明星(みやうじやう)は」〈神楽歌七〇〉 **—の**【明星の】〔枕詞〕「明け」に、また同音から「飽かぬ」などにかかる。「—明くる朝(あした)は」〈万九〇四〉。「—あかぬ心に」〈古今六帖一〉

あがほとけ【吾が仏】①自分の崇拝する仏や僧を直接呼んでいう語。「祈りせし大徳宗慶召して『—の御徳に…』」〈宇津保藤原君〉②自分の大切に思う人を呼んでいう語。「〔翁ガカグヤ姫ニ向ッテ〕—、何事思ひたまふぞ」〈竹取〉

あかぼん【赤本】《赤い表紙だったのでいう》草双紙の一種。延宝頃の幼童向きの小形の絵本に始まる。宝永頃から美濃(みの)紙四つ折り大の丹色表紙の形式に一定し、延享・宝暦頃、黒本・青本と代った。内容は、御伽噺や古浄瑠璃の金平(きんぴら)などの筋書を簡略に記した絵本で、作者は近藤清春・羽川珍重などの画工が多かった。「—の内を彩色(いろど)る恋なれや」〈俳・江戸筏上〉

あかまなこ【赤眼】「猿眼(さるまなこ)」に同じ。また、赤くただれた眼をいう。「赤目」とも。「—とは…猿の眼に似たり。故に世俗に猿眼と云ふ。…一〔義〕には、眼赤くただれて陥り、血常にこみて、眼明らかならざるを云ふなり」〈善悪因果経亀鑑五〉

あがま・へ【崇まへ】『下二』《アガメの派生語》尊びうやまう。「近郷の人民(にんみん)、長者殿と—・へ」〈伽・梅津長者物語〉。「事触を烏帽子の殿と—・へて」〈俳・せみの小川〉

あかまへだれ【赤前垂】茶屋・料理屋・女郎屋・宿屋などの客に応対する女がつけた、紅木綿の前垂。また、それをつけた女。「三十四五の女房の—を垂れ下げて」〈評判・露殿物語〉

あか・み【赤み】㊀『四段』赤くなる。赤らむ。「女御も御おもて—・みて、わりなう見苦しとおぼしたり」〈源氏行幸〉 ㊁『名』赤い色あい。「小桜は、白きうちに少し—のさしたるなり」〈庭訓抄下〉 **—じゃうど**【赤み上戸】飲むと顔色の赤らむ上戸。「紅葉する山の面を見わたせば—の龍田姫かな」〈玉吟抄〉 **—ばし・り**【赤み走り】『四段』赤みがさす。赤ばむ。「上髭ありて—・り」〈西鶴・一代女六〉

あがみ【吾が身】相手を親しんでよぶ語。そなた。「わがみ」とも。「さてまた—の親たちの嘆きも思ひやられたが」〈伊勢参宮〉

あかみづ【閼伽水】「閼伽」⑵に同じ。「—汲みて、途(みち)に、思ひかけず桜の咲きたるを見て」〈行尊大僧正集〉

あかめ【赤女】赤い色の鯛。「—は赤鯛なり」〈紀神代下〉。「—や茅渟(ちぬ)鯛・黒鯛まで」〈伽・かくれ里〉 †akame

あかめ【赤目】 **—を張・る** 眼に血筋を張る。怒った時や恥じ入った時の形容。「赤目釣る」とも。「知らぬことを知ったふりして、後に—・らんよりは」〈碧岩抄六〉

あか・め【赤め】『下二』赤くする。赤らめる。「胸つぶれておもて—・め給へるもいと愛敬づき」〈源氏手習〉。「何程に鉄(かね)を—・めてとらせたるぞ」〈信長公記首巻〉

あが・め【崇め・奉め】『下二』《アガはアガリ(上)のアガと同根。相手を自分と違う、一段と高い所にあるものとする気持で尊ぶ意》尊敬して大切にする。「昨日まで高き親の家に—・められかしづかれし人の娘の、今日は…すき者どもに名を立ち欺かれて」〈源氏若菜上〉。「この宮には仏法をさへ—・め給ひて、朝ごとの御念誦欠かせ給はず」〈大鏡師輔〉。「奉・寵、アガム」〈名義抄〉

あかも【赤裳】赤色の裳。古くは赤土または茜(あかね)などで染めた。「ますらをは御狩(みかり)に立たしをとめらは—裾引く清き浜廻(はまび)を」〈万一〇〇一〉

あかもがさ【赤疱瘡】病名の一。はしかのことか。「今年は—といふもの出できて、上・中・下わかず病みののしるに、はじめのたび病まぬ人の、このたび病むなりけり」〈栄花嶺月〉

あから【赤ら】①赤みが目立って見えるさま。「—少女(をとめ)を誘(いざ)ささば」〈記歌謡四三〉。「わが插せる—橘」〈万四〇六〇〉。「唇口は—に、好きこと頻黎(はり)の如し」〈金光明最勝王経平安初期点〉②《飲めば顔が赤らむので》酒。「先祖より酒の家に生れ、—呑めと言はれて」〈西鶴・二十不孝五〉 **—か**【赤らか】赤みが目立つさま。「紅(べに)といふ

ものいと―にかいつけて」〈源氏常夏〉。「酡、アカラカナリ」(「酡」は酒に酔って鮮かに赤い顔の意)〈名義抄〉

―がしは【赤ら柏】柏の一種。葉の赤みがかったもの。広い大きな葉で、古く神事に使った。「―は時はあれど(時節ガキマッテイルガ)」〈万四三〇一〉

―・び【赤らび】『四段』赤赤と輝く。「赤玉の〔ヨウニ〕み―・びいまし(顔色ガ良クテ)」〈祝詞 神賀詞〉 †akarabi

―ひく【赤ら引く】①赤い色を帯びる。赤みがさす。「―膚も触れずて」〈万二三九九〉②〔枕詞〕「日」「朝」にかかる。「―日も暮るるまで」〈万六一九〉。「―朝行く君を待たば苦しも」〈万二三八九〉 †akaraFiku

―・み【赤らみ・熟らみ】『四段』赤くなる。赤く色づく。熟する。「―・める稲、始めて見ゆ」〈紀皇極一年〉

あからけみ【赤らけみ】『連語』《アカラケシの語幹アカラケに理由をあらわす助詞ミのついた形》赤みを帯びているので。「はつに(上ノ方ノ土)は膚(はだ)―」〈記歌謡四二〉 †akarakëmi

あからさま《アカラはアカレ(散)の古形。サマは漠然と方向を示す。(本来の居どころから)ちょっと離れて、あらぬ方へというのが原義。そこから、ついちょっととか、ちょっとかりそめになどの意に転じた》①ちょっとの間。たちまち。「急須(あからさまに)斬るべし」(「須」は僅かの間の意)〈紀皇極四年〉。「倫閑・暫・儵、アカラサマ」〈名義抄〉②(すぐやめて、もとの状態に戻るつもりで)ついちょっと。さしあたり。かりそめ。「内にも院にも―に参り給へる程だに静心無く(若妻ガ恋シイ)」〈源氏葵〉。「をかしげなるちごの、―に抱きて遊ばしうつくしむ程に、かいつきて寝たる、いとらうたし」〈枕一五一〉。「この所に住みはじめし時は―と思ひしかども今すでに五年」〈方丈記〉。「白地、アカラサマ」〈名義抄〉③《「―にも」の形で、下に打消を伴って》ほんのちょっとでも。かりそめにも。「御忌みにこもり給ひて―にもまかで給はず」〈源氏御法〉。「―にもあどなき事をばすまじき事なり」〈著聞六九六〉④軽率。うちつけ。「此れ猶、秘する事なれば、―には申し難し」〈謡・鵜祭〉。「卒爾、アカラサマ」〈色葉字類抄〉⑤初めて。「―の人に見せば、七年の瘧(おこり)も…落ち侍るべき」〈仮・是楽物語上〉。「―、…初めての義也」〈俳・言葉寄六〉⑥あらわ。むきだし。「女は妖淫(うつくし)き肌を―になし」〈西鶴・一代女四〉

あから・し【慇し】『形シク』①痛切である。「何ぞ悲しきことの―・しき」〈紀欽明十六年〉。「慇、カナシブ・アカラシ」〈名義抄〉②ひどい。「などか来ぬ、問はぬ。憎し。―・しとて」〈かげろふ下〉。「可憎、アカラシ」〈色葉字類抄〉 **―・び**【慇しび】『上二』痛切に悲しむ。「〔赤児ヲ鷲ニトラレタ親ハ〕―・びて」〈霊異記上九〉

あからしまかぜ【暴風】《アカラシマはアカラサマ(急)の転》さっと吹く風。はやて。「海の中にして、にはかに―にあひぬ」〈紀神武即位前〉。「暴風、安加良之末加世(あからしまかぜ)」〈日本紀私記〉

あから・へ(アカラエ)【明らへ】『下二』《アカリ(明)アヘ(合)の約》(十分に)心を明るく晴らす。たのしむ。「山川の浄き所をば孰(たれ)と倶(とも)にかも見そこなはし(御覧ニナリ)―・へたまはむと」〈続紀宣命五一〉 †akaraFë

あからめ【傍目】《アカラはアカレ(散)の古形》①ちらっと目をそらすこと。わき見。「師子は前に猿の二の子を置きて、―もせず護り居たるほどに」〈今昔五ノ一四〉。「売眼、アカラメ」〈名義抄〉②ちょっと他に心を移すこと。「〔私ハ妻ニ〕―せさせ侍りなむや。…〔妻ハ私ニ〕ほか目せさせ侍らぬをや」〈大鏡昔物語〉 **―さ・し**【傍目さし】『四段』ちょっと目をそらす間に、急に身を見えなくする。忽然と姿をくらます。「何の禍ひそも、何の罪そも、不意之間(ゆくりもなく)あが子を―・すこと」〈紀景行四十年〉。「―・す事のごとく…年も高くなりたる朕をおきて罷りましぬ(死ンデシマッタ)」〈続紀宣命五八〉 †akaramësasi

あか・り【赤り】『四段』《赤シの自動詞形。アカリ(明)と同根》①(顔色などが)赤くなる。赤みを帯びる。「―・れるをとめ」〈紀歌謡三五〉。「豊の明り(酒宴)に―・りまさむ」〈祝詞大嘗祭〉②(果実などが)赤く熟する。「―・る橘」〈万四二六六〉

あか・り【明り】[一]『四段』《アカリ(赤)と同根》明るくなる。「やうやう白くなりゆく山際少し―・りて」〈枕一〉▽この例、赤くなる意ともいう。[二]『名』①明るさ。光。「蔭くらき槇の繁山つれづれといつを月日の―とも見ず」〈新撰六帖六〉。「戸の跡より―のさしければ」〈二根集五〉②明るい所。表立った所。「馴染(なじみ)なき契りに、―に肌を見せて、やがてうとまるるもあり」〈浮・好色産毛三〉③【燈】ともしび。燈火。「夜は松の―をともして、皆皆遊びくるひぬ」〈梁塵秘抄口伝集一四〉④潔白であることの証明。あかし。「姫の―は立つも、常盤〔ノ之介〕めが心底不義者」〈伎・紅梅隅田川三〉 **―しゃうじ**(ショウジ)【明り障子】外の明りをとるために紙を一重に張った障子。今の障子。「持仏堂の―、護摩(ごま)の煙にふすぼりて」〈愚管抄四〉 **―を走・る** 明白である。また、あざやかである。「月の船―・る光かな」〈俳・鸚鵡集七〉。「何〔ノ役〕をさしても、〔コノ役者ノ〕―・る速い事、静かな事」〈評判・難波の顔三〉

あがり【殯】上代、人の死後、正式の葬までのあいだ、しばらく棺をおさめ置くこと。また、その所。「火(ほ)なし―をなす」〈紀仲哀九年〉→もがり

あが・り【上がり・揚がり・騰り】[一]『四段』《「下がり」の対。下から上に一気に高くなる意が原義。その結果、その物が目立ち、性質・状態が変り、下との関係が切れなどすることが多い。類義語ノボリは線条的に上に行く意で、その物自身の性質には変化がない》❶位置が高くなる。①低い所から高い所へと移る。地上から空中へ、水中から陸上へなど。「うらうらに照れる春日にひばり―・り」〈万四二九二〉。「魚の陸(くが)に―・れるが如く」〈平家灌頂・女院出家〉②高さ・位置が高まる。「御座(おまし)の奥の少し―・りたる所を」〈源氏夕霧〉③馬が前足を高くしてはねる。「馬の―・りさわぐに」〈枕三〉④ぴんと立つ。「〔恥ズカシサニ〕髪なども―・りやしたらんとおぼゆ」〈枕二七八〉⑤姿勢が高くなる。「尼君も起き―・りて」〈源氏夕顔〉⑥京都で、北(内裏のある方角)へ行く。大阪では、大阪城の方向へ近寄るのをいう。「室町通…三条―・る役(えん)の行者の町」〈仮・京雀三〉。「阿波座を上(かみ)へ―・り、新町を西へ下がる」〈浮・好色万金丹四〉⑦(時代が)さかのぼる。「―・りたる世」〈源氏若菜下〉❷程度が高くなる。①物価が騰貴する。「米麦踊貴(あがり)て車馬不通」〈金剛般若経集験記平安初期訓〉②地位が高くなる。昇進する。「内大臣〔ハ太政大臣ニ〕―・り給ひて」〈源氏藤裏葉〉③色がよく染まる。「紫の初しほ染めの新(にひ)ごろもほどなく色の―・れとぞ思ふ」〈清輔集〉④気持がたかぶる。のぼせる。「さまざまに思すには気ぞ―・りける」〈源氏夕霧〉⑤高くなって目に立つ。名声がぱっと立つ。「名の―・らむこと」〈大鏡頼忠〉⑥技能が進歩する。上達する。「おろかにも野辺の雲雀にことよせて―・らぬ道をなにまなびけん」〈草根集七〉❸高位の者の手許に達する。①献上される。奉納される。「身御供(みごく)が―・りて候か」〈伽・小夜姫草子〉②《貴人が差し上げられた物をとる意から》召し上がる。「則ち秀吉公御

立寄りなされ湯漬を—・り」〈細川忠興軍功記〉③官に取り上げられる。没収される。「羽柴壱岐守殿の屋敷—・りさうに御座候由」〈本光国師日記元和一・三・二〉❹極点にまで至る。完了する。①（乗り移っていた神霊が離れて）昇天する。神がかりからさめる。「権現託して—・らせ給ひぬ」〈保元上・法皇熊野御参詣〉②事が済んで外へ出る。「御湯より—・らせ給ひて」〈夜の寝覚一〉③実る。成熟する。「当年はことのほか竹の子が—・った」〈虎明本狂言・竹の子〉④雨などがやむ。天気が晴れてよくなる。「嵐吹き霧晴れ—・る山のはに猶ほのかなる夕月夜かな」〈明日香井集上〉。「山風の雲吹く声もあらくなりて五月雨—・る夕立の空」〈草根集八〉⑤完成する。仕上がる。「フシン（普請）ガアガル」〈日葡〉⑥終りになる。撤去される。片付けられる。「めでたい御世なれば、国国の関さへ—・ったが」〈天理本狂言六義・伊文字〉。「御稚児様の御膳も—・り、我が飯も無し」〈咄・昨日は今日下〉⑦（魚などが）死ぬ。「惣じて—・るといふ詞は魚の死してはたらかざるかたちをいふ」〈色道大鏡一〉❺《動詞の連用形について多く命令形で用い、たっぷり…せよと、相手の動作を罵る》…やがる。…くさる。「身共は隠れもない人買の大将なり。おのれを連れて本手にする。うせ—・れ」〈浄・信田小太郎二〉 ㊁《名》①上昇すること。高くなること。「あまり高き—をした程に人に憎まれて」〈周易抄〉②上。上位。上席。「武家は左より右が—なり」〈見聞愚案記一三〉③値段の高騰すること。「江戸小判〔ノ〕—さがりの売買に」〈俳・昼網下〉④終りになること。出来上がること。「明日諒闇—也」〈言継卿記大永七・四・一九〉 ㊂《接尾》①名詞・形容詞語幹について、上昇する意をあらわす。「次第次第に爪先—になるやうなぞ」〈四河入海四上〉。「小人の身でこのやうに高—をせば」〈周易抄〉②名詞について、前にその職業・身分・状態だった者の意をあらわす。「四条の川原者、さる芸子—の人なりしが」〈西鶴・一代女六〉 —うま【上り馬】前足をはねあげて後足で立つくせのある馬。騂馬(かんば)。「兼時は宮城といふ高名の—にぞ乗りたりける」〈今昔二三ノ二六〉 —ざしき【揚座敷】近世、御目見(おめみえ)以上五百石以下の直参の未決囚を入れた牢屋。「壱人善的…—に入る」〈御仕置裁許帳一、元禄三・四・一〇〉 —なまづ【上り鯰】〔遊里語〕遊蕩に金銭をつかい果した者。「—となる事、目の前なり」〈評判・難波物語〉 —ば【上り場】①上陸する所。また、船着き場。「向ふの—のよしあしをよく見きはめて乗り入るべし」〈大友記〉。〈日葡〉②浴場で、脱衣する板の間。脱衣場。「あがりや」「あがりま」とも。「俄かに温殿(ゆどの)をぞ作られける。その—に板を一間踏めば落つるやうに構へて」〈太平記一三・北山殿〉 —まち【上りまち】いばること。えらぶること。「わが空と—なる雲雀かな」〈俳・犬筑波〉。「妾が奢って、本夫人のやうに—になったぞ」〈玉塵抄一八〉 —もの【上り物】①神仏への供物。「—の大脇差」〈評判・吉原こまざらい〉②官に没収されたもの。「長左衛門死罪の由、子共女（妻）ども—に成り候也」〈宗静日記万治三・一〇・晦〉 —や【揚り屋】近世、御目見(おめみえ)以下の直参・陪臣・僧侶・山伏・医師などの未決囚を入れた牢屋。「老（牢ト掛ケル）とは聞えぬ、せめて—ともなうてと、ののしる」〈仮・仕方咄一〉 —やしき【上り屋敷】官に没収された屋敷。「御勘気(ごかんき)謀叛(むほん)の輩の—の明き地多し」〈近松・最明寺殿上〉 —を請・く 安価な商品を買い込み、価の上がったとき売って儲ける。「あがりを得る」とも。「米の—・け、万の買置」〈西鶴・諸艶大鑑六〉

あかるたへ エ…タ【明る妙】色美しくつやのある織物。「たへ」をほめていう語。「御服(みそ)は—・照妙(てるたへ)・和妙(にきたへ)・荒妙に称辞(たたへごと)竟(を)へまつらむ」〈祝詞 祈年祭〉 †akarutafë

あか・れ【散れ・分れ】㊀《下二》《ひと所に集まっていた人が、そこから散り散りになる意。→ちり・わかれ》①散り散りになる。「王と大臣と…各々分れ散(あか)れて、処に随ひて求覓したまふ」〈金光明最勝王経平安初期点〉。「碁打ち果てつるにやあらむ…人人—・るるけはひなどすなり」〈源氏空蟬〉②分散する。「〔猫ノ〕同胞(はらから)どもの所所に—・れて、この宮にも参れるが」〈源氏若菜下〉。「分、アカル」〈名義抄〉 ㊁《名》①別別。「をとこ君たちの御母、みな—におはしましき」〈大鏡為光〉②分派。分。「〔随行者ノ車ハ〕女御殿の五つ、明石の御—の三つ」〈源氏若菜下〉 ▽アカラサマ・アカラメのアカラはアカレの古形。

あかゑ【赤絵】陶磁器の赤色を主とした上絵つけ。「—染付け唐鉢一箇」〈隔蓂記寛永二一・三・二五〉

あかをどし【赤縅】赤糸縅・赤皮縅などの総称。緋(ひ)縅より赤色が濃く暗い。「萌黄・緋縅・—、色色の鎧の」〈平家四・宮御最期〉

あき【秋】①四季の第三。陰暦七月から九月まで。稲作の収穫期。「野辺みれば撫子の花咲きにけりわが待つ—は近づくらしも」〈万一九七二〉。「鳴く鹿の声聞くときぞ—はかなしき」〈古今二一五〉。「人の心の—し憂ければ」〈古今八〇四〉 ▽秋を悲しい季節とうたう歌は万葉集には無く、古今集以後の宮廷和歌から。「秋」を「厭き」に掛けて、男女の心の別離をほのめかすのも古今集以後。②収穫。みのり。「正月・二月は人の隙時(ひまどき)、八・九・十月は—の紛れに」〈本福寺跡書〉。「諸国の—を積みのせて」〈浄・烏帽子折二〉 ▽万葉集で秋に「金」の字をあてるのは五行説による。「白」の字は西方を指し、季節ではやはり秋を指す。「金野(あきのの)」〈万七〉。「金風(あきかぜ)」〈万一七〇〇〉。「白芽子(あきはぎ)」〈万二〇一四〉 †aki

あき【商】《アキ（秋）と同根。アキナヒ・アキビトのアキに同じ》あきなうこと。稲を交換の具としたのでいう。「商、アキ」〈名義抄〉 †aki

あき【安芸】旧国名の一。山陽道八国の一で、今の広島県の一部。芸州。「東は遠江を限り、西は—を限りて」〈紀皇極一年〉 ▽「藝（芸）」は万葉仮名でギに当るから、古くはアギと言ったと思われる。 †agi

あ・き【開き・空き】《四段》①閉じふさがれていた所に、切れ目・すきまが出来る。「たてこめたる所の戸、すなはち、ただ—・きに—・きぬ」〈竹取〉。「胸—・かぬ（フサイダ）心地」〈源氏総角〉 ↓ひらき。②空白になる。官職・地位に欠員ができる。「内侍のかみ—・かば、なにがしらこそ望まむと思ふを」〈源氏行幸〉③禁止・勤めなどが終る。解除される。「今日は六日の御物忌み—・く日にて」〈源氏松風〉。「方(かた)も—・きぬれば…帰る」〈源氏手習〉

あ・き【飽き】《四段》①もうこれでいいと満足する。「つらつらに見れども—・かず」〈万五六〉②（満足の度が過ぎて）嫌気がさす。「少し心に癖ありては、人に—・かれぬべきこととなむおのづから出で来ぬべきを」〈源氏胡蝶〉③《動詞連用形について》十分に…する。いやになるほど…する。「かみなかしも酔ひ—・きて…あざれあへり」〈土佐十二月二十二日〉 †aki

あぎ【顎・腮】①「あご」の古形。「腭、阿岐(あぎ)、口中上腭也」〈和名抄〉。「腭、アギ」〈名義抄〉②【鰓】魚のえら。「鰓、魚乃安支(あぎ)」〈新撰字鏡〉 †*agi

あぎ【吾君】《アギミの約という》相手を親しんで呼ぶ称。わ

がきみ。あなた。「いざ―、野に蒜(ひる)摘みに」〈紀歌謡三五〉　†agi

あきあ・ひ（イ・ア）【開き合ひ】『四段』①ちょうどその時、すきまが出来る。「妻戸の細目なるより障子の―・ひたるを見入れ給ふ」〈源氏常夏〉②ちょうどその地位が欠員になる。「時にあひ給へりしかば〔大臣ニ〕なり給ふべかりしに、折節―・ふ事なくて」〈今鏡七〉

あきいへ（エ・イ）【明き家・空き家】人の住んでいない家。あきや。「虚家(からいへ)」とも。「〔禁制〕一、―に入り諸道具に手を掛くる事」〈北条五代記七〉。〈運歩色葉集〉

あきうど【商人】《アキビトの音便形》商人。あきんど。〈天正十八年本節用集〉

あきかしは（カ・シワ）【秋柏】〔枕詞〕秋、紅葉した柏。うるわしい意から、「潤和(うるわ)川」にかかる。「―潤和川辺の小竹(しの)の芽の」〈万二四七八〉　†akikasiFa

あきかぜ【秋風】秋の風。平安時代以後、「秋」を「厭き」にかけて、愛情のさめるのをほのめかす。「―吹きて花は散りつつ」〈万四四五三〉。「忘れじの言の葉いかになりにけむ頼めし暮れは―ぞ吹く」〈新古今一三〇三〉　†akikaze

あきがた【厭き方】厭きる時分。厭きる様子。「色好みける女、―になる男のもとに」〈伊勢一三一〉

あきかへし（カ・エシ）【商変】売買契約の後に、その取消し変更をすること。アキガハリとも訓んだ語。「―領(し)らす(認メル)との御法(みのり)あらばこそわが下衣返し賜らめ」〈万三八〇九〉▽「悔」または「悔還」ともいい、奈良時代には認められていなかった。　†akikaFesi

あきき【秋葱】秋のネギ。一つの皮に二つの茎がつつまれたネギがあることから、男女の親しい間柄のたとえにする。「―のいや二ごもり思ふべし」〈紀仁賢六年〉　†akiki

あきくさの【秋草の】〔枕詞〕草結びをする意から、「結び」にかかる。「―結びし紐を解くは悲しも」〈万一六一三〉　†akikusanö

あきさ【秋沙】アイサガモの古名。雁鴨目の渡り鳥。「山の際(ま)に渡る―のゆきて居むその川の瀬に波立つなゆめ」〈万一一二二〉▽秋早く渡って来る鴨、「秋早(あきさ)鴨」の意か。　†akisa

あきさ・び【秋さび】『上二』《サビは、そのものらしい様子をする意》いかにも秋らしくなる。めっきり秋めく。「夕日さす外山の梢―・びて」〈風雅五五九〉

あきさめ【秋雨】秋の長雨。「思ひやれ都ながらも一人憂き身に―の晴れやらぬ空」〈言継卿記天文一三・九・九〉。「小雨(こさめ)・―、〔連歌デハ〕庶幾(そき)せず候ふ言葉也」〈砌塵抄〉

あきさ・り【秋さり】『四段』《サリは移動する意》秋になる。秋がめぐり来る。「―・らばもみちの時に、春さらば花の盛りに」〈万三六二九〉　†akisari

あきざれ【秋ざれ】《アキサレとも。サレは「秋されば」（秋になるとの意）のサレ》①秋になること。「雲かかる遠山畑の―は思ひやるだに悲しきものを」〈新古今一五六〇〉。「春され・―・冬され、面白き言葉也」〈砌塵抄〉②《去る意に誤って》秋の暮。晩秋。「―や霜枯れ果てし紫に」〈近松・佐々木大鑑三〉

あきじこり【商じこり】《アキは商ヒのアキ。ジは動詞シ(為)の連用形の連濁。コリは懲りの意》買いそこない。「眼並べず買ひてし絹の―かも」〈万一二六四〉　†akizikōri

あきしひ（イ・シ）【明き癈ひ】《シヒは感覚を失うこと。シビレと同根》あきめくら。「二つの眼、精盲(あきしひ)なり。観音に帰敬し、…眼の闇を明かさむとす」〈霊異記下一二〉

あきしょ【明き所】残された、または、明いている場所。「あきど」「あきどころ」とも。「まづ―に小屋掛け仕り候て、罷り移るべしと存じ候」〈本光国師日記元和四・九・一三〉。〈日葡〉

あきた【秋田】秋、稲の実った田。「―刈る仮廬(かりほ)もいまだこぼたねば」〈万一五五六〉　†akita

あきた・し【飽きたし】『形ク』《タシはイタシ(甚)》ひどく嫌気がさす。あきあきする。「事の乱れ出で来ぬるのち、我も人も憎げに―・しや」〈源氏夕霧〉

あきだ・り【飽き足り】㊀『四段』十分に満足する。多く打消・反語を伴う。「ほととぎすいや懐かしく聞けど―・らず」〈万四一七六〉。「不知足とは財に―・らぬ事なり」〈沙石集四ノ二〉。「タカラニアキダラヌ」〈日葡〉㊁『名』堪能(たんのう)すること。のちには「飽き足れ」とも。「この年まで聴聞申し候へども、これまでと存じたる事なし。―もなき事なりと申され候」〈昔物語記〉　†akidari

あきつ【秋津】　**―くに**【秋津国】日本国の異称。あきづしま。「島のほかも波をさまれる―に道有る君が恵みをぞ知る」〈夫木抄三〇・国〉。「―。日本也」〈匠材集三〉　**―しま**【秋津洲】⇒あきづしま。　**―す**【秋津洲】《中世、「秋津洲(あきづしま)」を誤読したもの》「あきづしま」に同じ。「―のほかにも空や晴れぬらん大和島根は月ぞさやけき」〈前長門守時朝入京田舎打聞集〉。「―に心もおかぬ霞哉」〈秋津洲千句〉。「秋津島、アキツシマ、日本総名也。島或作洲云秋津洲(す)」〈文明本節用集〉

あきづ【蜻蛉】トンボの古名。「その虻(あむ)を―早咋(ぐ)ひ」〈記歌謡九七〉。「蛚、阿支豆(あきづ)」〈新撰字鏡〉　†akidu　**―しま**【秋津洲・蜻蛉島】《平安時代以後はアキツシマと清音。大和の一地名アキヅが広がって日本全国をいうようになったもの》①大和。また、本州。また、日本の異称。「そらみつ大和の国を―とふ」〈記歌謡九七〉。「頼朝と宗盛が、七年―にたたかひし」〈開目抄〉②〔枕詞〕地名「やまと(大和・日本)」にかかる。「―やまとの国に」〈紀歌謡六三〉　**―は**【蜻蛉羽】トンボの羽。薄くすき透って美しいものとされた。「―の〔ヨウナ〕袖振る妹(いも)を」〈万三七六〉　**―ひれ**【蜻蛉領巾】トンボの羽のように薄いひれ。上代婦人の装身具。「わが持てる真澄鏡(まそみかがみ)に―負ひ並(な)め(添エテ)持ちて」〈万三三一四〉

あきついり【秋梅雨・秋黴雨】秋の長雨。「果てもなく瀬の鳴る音や―」〈俳・猿蓑上〉↓ついり

あきつかみ【現つ神】《現世に姿を現わしている神の意。古代では神は普通に、形の見えないものであった》天皇を尊んでいった語。あきつみかみ。「―我ご大君の、天の下八島の中に」〈万一〇五〇〉　†akitukami

あきづ・き【秋づき】『四段』秋らしくなる。秋めく。「庭草に村雨降りて蟋蟀(こほろぎ)の鳴く声聞けば―・きにけり」〈万二一六〇〉　†akiduki

あきつは【秋つ葉】秋の葉。もみじ。「―に(ノヨウニ)にほへる衣我は着じ」〈万二三〇四〉　†akituFa

あぎと【顎・腮】《顎(あぎ)門(と)の意》①下あご。「首を掻き切って、―を喉(のんど)へ貫き、取っ付けに付けて馳せて行く」〈太平記二九・師直以下被誅〉②魚のえら。「草刈鎌といふものを持ちて、〔魚ノ〕―を掻き切りて」〈宇治拾遺一六八〉。「鰓、阿木止(あぎと)、魚頬也」〈和名抄〉　**―に懸・く**（恐ろしい魚や獣に）食わせる。餌食(えじき)にする。「海底に沈まん事を痛まずして、屍(かばね)を鯨鯢(げいい)の―・く」〈平家二・腰越〉

あぎと・ひ（アギ・トイ）㊀『四段』①魚が水面で口を開閉する。「魚皆浮き出で、水のまにまに噞喁(あぎと)ふ」〈紀神武即位前〉

②小児などが片言でものを言う。「皇子の鵠(くぐひ)を見て言(こと)とふこと得たりと知ろしめして」〈紀垂仁二十三年〉 ③小児が声を立てて笑う。「咳、小児笑、アギトフ」〈名義抄〉 ㊁『名』(顎を動かして)ものを言うこと。「鵠(くぐひ)の音(こゑ)を聞きて、始めて―したまひき」〈記垂仁〉 ▽アギ(顎)とトヒ(問)との複合語か。 †agitöri

あきな・ひ(アキナイ)【商ひ】㊀『四段』《アキは秋と同根。収穫物の交換期の意。ナヒは行なう意の接尾語。ウラナヒ・トモナヒのナヒの類》売買をする。「これを貿(あきな)ひて直(あたひ)を取れ」〈金光明最勝王経平安初期点〉。「估、商也、交易也、阿支奈不(あきなふ)」〈新撰字鏡〉 ㊁『名』売買。商売。「交易、アキナヒ」〈名義抄〉 †akinaFi **―がみ**【商ひ神】商人が祭る神。夷(えびす)の称。「―に御初穂(はつほ)」〈仮・是楽物語上〉 **―ぐち**【商ひ口】商人の客に対する口上手な話し方。「口説き寄り―よ懸想文(けさうぶみ)」〈俳・筑紫琴二〉 **―こうしゃ**【商ひ功者】商売に巧みなこと。また、その人。「あれでこそ―花の種」〈俳・大坂一日独吟千句〉 **―は牛の涎**(よだれ) 牛のよだれが長く続くように、商売は気長に営んで、利得にあせってはいけない、の意。「―、万事せかぬが大器なり」〈浮・新永代蔵三〉 **―は吉相**(きつさう) 商売は愛想が第一の意。「惣じて―と言ふが」〈虎寛本狂言・河原太郎〉 **―びゃうし**(ビョウシ)【商ひ拍子】商売が調子よく行くこと。「段段儲けの―、千両にするは三つ羽の征矢(そや)」〈近松・寿門松上〉 **―みゃうが**(ミョウガ)【商ひ冥加】①商売上で神仏から受ける加護。「某(それがし)が―のあるやうに、行衛繁昌と売ったらば、太刀を返さう」〈虎明本狂言・昆布売〉 ②自誓の語。商人として、この身が偽りをすれば、神仏の加護を受けないぞ、という意。「商ひ冥利」とも。「―浪の夜昼(波ノ絶エズ寄セルヨウニ、不断ニ働クト誓イマスヨ)」〈俳・大矢数一〉

あきのあふぎ(アキノオウギ)【秋の扇】《「秋扇」の訓読語》秋になると扇は不用になることから、厭きられて捨てられた女のたとえ。前漢成帝の宮女班婕妤(はんしようよ)の詩から出た語。「夏果てて誰が山の端におき捨つる―と見ゆる月影」〈壬二集中〉

あきのくるかた【秋の来る方】《五行説で西を秋に配するので》西の方。内裏の西方にある右衛門府にいう。「近き守り(近衛)の身なりしを誰かは―(右衛門府)にあざむきいでて」〈古今一〇〇三〉。「―、右衛門也」〈八雲御抄三〉

あきのくれ【秋の暮】①秋の終り。暮秋。「おく露や花の色ごとに染めわきて―とは人に見すらん」〈貫之集四〉。「水田のおしね冬ぞ刈らなん/たへてやは憂き身のあらん―」〈竹林抄三〉 ②秋の夕暮。「折節―、松虫も鳴くものを」〈謡・松虫〉。「さぞな明石の浦の朝霧/風つらき北山もとの―」〈宗祇独吟名所百韻〉

あきのしらべ【秋の調べ】秋の調子。琴では平調(ひやうでう)。「松の音(ね)は―に聞ゆなり」〈拾遺三七〇〉。「―に琴柱(ことぢ)立つなり」〈六百番歌合秋上〉 ↓春の調べ

あきのそら【秋の空】秋の頃の空。秋の空模様は変りやすいので、人の心の変りやすいことのたとえにも使う。「大方の―だにわびしきに物思ひ添ふる君にもあるかな」〈後撰四三三〉

あきのちぎり【秋の契り】①秋に逢おうという約束。「天の河―の深ければ」〈続後拾遺二五一〉 ②《「秋」に「厭き」を掛けて》さめて来た異性間の交情。「閨(ねや)の扇の色殊に、互ひに―とはなさざりし」〈謡・夕顔〉

あきのつかさめし【秋の司召】⇒つかさめし。「―にかうぶり得て、侍従になり給ひぬ」〈源氏少女〉

あきのとなり【秋の隣】秋の直前・直後の日。「こよひしもいなばの露のおきしくは―になればなりけり」〈古今六帖一〉

あきのなぬか【秋の七日】七月七日。七夕(たなばた)。「―の今日をしぞ待つ」〈後撰二四〇〉

あきのは【秋の葉】秋の草木の葉。「春花のにほえ栄えて、―のにほひに照れる」〈万四二一一〉。「―の冬の嵐に類はずば風も紅葉もかひなからまし」〈拾玉集四〉 ▽万葉集では春の花に匹敵する紅葉の美しさにいう。平安時代以後、枯れ葉のわびしさにもいう。

あきのはう(ホウ)【明きの方】陰陽道の用語で、その年の歳徳神(としとくじん)の方角。「その正月の―より掃初(はきぞめ)候ふなり」〈山科家礼記長禄一・一三・六〉。「世に此の方を恵方(ゑはう)と名づく。また―と名づく。門出等にもっとも良き方なり」〈仮・安倍晴明記五〉 ↓えはう

あきのふるさと【秋の故郷】秋の去った跡。「霜やこれ変らぬ色をおきあかし月に枯野の―」〈千五百番歌合一三〉 ↓春の故郷

あきのみや【秋の宮】《「秋宮」の訓読語。秋宮は「長秋宮」の略。漢代に皇后の宮殿をいった。転じては皇后》皇后の宮殿。また、皇后。「―にて眺むれば」〈栄花御裳着〉

あきのももよ【秋の百夜】秋の長夜を百も重ねたような長い夜。長い夜のたとえ。「―を願ひつるかも」〈万五四八〉 †akinömomoyo

あきはぎ【秋萩】ハギの花。歌に使われる語。「秋の野に咲ける―」〈万一五九七〉 †akiFagi

あきび【明き日】遊女に客のない暇な日。「此の利発を感じ、―を争ひ此の人(遊女)忍ぶ事」〈西鶴・一代男六〉

あきびと【商人】商売をする人。「文屋康秀はことばは巧みにて、そのさま身におはず。いはば―のよき衣(きぬ)着たらむが如し」〈古今序〉。「あやしき市女―の中にて」〈源氏玉鬘〉。「賈、アキビト」〈名義抄〉 **―の空誓文**(そらせいもん) 商人は駆引きのために、いくらでもうそを言うの意。「商人の空値」とも。「―のたぐひかなまだ寝もせざる君がかねごと」〈吾吟我集六〉

あきふね【秋舟】近世、毎年秋季、長崎に渡来する中国・オランダの貿易船。他の季節に入港したものは、それぞれ春舟・夏舟・冬舟と呼んだ。「―も入れば、此の津、糸錦の山をなし」〈西鶴・諸艶大鑑五〉

あきほところ【空き懐】《ホトコロはフトコロの訛》抱いて守りをすべき子のない女のふところ。「昨日までは子を抱きし姥(ばう)の―になりて」〈西鶴・諸艶大鑑一〉

あきま【明き間・空き間】空いている部分。すきま。「(沢山ノ蜂ガ)目鼻ともわかず、物の具の―を刺しつめけり」〈十訓抄一ノ六〉 **―かぞへ**(カゾエ)【透き間数へ】敵の甲冑のすきまを探し、狙って射当てる名手。転じて、人の弱身につけこむ抜け目ない人。のちに「すきま数へ」という。「―の悪七別当」〈保元上・新院御所〉

あきみ・ち【飽き満ち】『四段』①腹一杯になる。「―・ちて舟子どもは腹鼓をうちて」〈土佐一月七日〉 ②充満している。「金銀米銭―・ちて、栄花に栄ゆる事も」〈伽・聖徳太子本地〉

あきめくら【明き盲】①文字の読めない人。文盲。「文月を眺めぬ人や―」〈俳・鷹筑波三〉 ②物事の善悪の見分けがつかない者をののしっていう語。「世上に、人の善悪を見分くる事なき者を、名付けそしりて、―と云へる事あり」〈三国塵滴問答三〉

あきやしき【明き屋敷】人の住んでいない家。「山さび候故か、又火事故か、方方―御座候」〈梅津政景日記慶長一七・三・二九〉

あきやま【秋山】秋の山。「―の木の葉を見ては黄葉(もみち)をば取りてそしのふ(賞美スル)」〈万一六〉 †akiyama

—の【秋山の】〔枕詞〕秋の山が紅葉することから、赤く色づく意の「したひ」などにかかる。「—したへる妹(いも)」〈万二一七〉

あきらか【明らか】《はっきりと、曇りなく、物事の筋目がこまかい所まで正しく見え、知られるさま。アカシ(明)は明るいだけの意。→さやか》①曇りなく、明確に見えるさま。「夜深き月の—にさし出でて」〈源氏椎本〉。「—なる火影」〈源氏横笛〉②事情にくわしいさま。「旧き本に已に有るをば今更に詳(あきらか)に明(あか)め」〈地蔵十輪経序・元慶点〉。「それをなむ取り申さむと思ひ侍りつれど、〔事情ニ〕—ならぬ心のままに〔ヤメマシタ〕」〈源氏若菜下〉③条理・筋道を正しく知っているさま。「前の世の報いか此の世の犯しか、神仏—にましまさば、このうれへやすめ給へ」〈源氏明石〉④明瞭。明白。「その旨、諸家の録に—なり」〈正法眼蔵嗣書〉。「仏語—にかくの如し」〈正法眼蔵発菩提心〉

—なる所 浄土。「—にて、また対面はありなむ」〈源氏若菜上〉

あきらけ・し【明らけし】『形ク』《アキラカの形容詞形》①曇りがない。「—・き名に負ふ伴(とも)の緒」〈万四四六六〉。「—・き鏡に向へば」〈大鏡後一条〉②正しく道理をわきまえている。「末の世の—・き君(明君)」〈源氏若菜上〉③明瞭である。明白である。「—・く我が知る事を」〈万三八八六〉。「申す所すでに—・し」〈三宝絵中〉 †akirakësi

あきら・め【明らめ】『下二』①(心の)曇りを無くさせる。「心(した)悩ますに…黄金ありと申し給へれ(言上シタノデ)御心を—・め給ひ」〈万四〇九四〉②明瞭にこまかい所までよく見る。「物ごとに栄ゆる時と見(め)し給ひ—・め給ひ」〈万四三六〇〉③(理にしたがって)はっきり認識する。判別する。「古へより、人の分きかねたる事を、末の世に下れる人の、え—・め果つまじくこそ」〈源氏若菜下〉。「その道理—・めやすかるべし」〈正法眼蔵菩提分法〉④事の筋、事情を明瞭に知らせる。弁明する。「〔自分ノ罪ヲ源氏ニ〕よろしう—・め申させ給へ」〈源氏柏木〉⑤片をつける。処理する。「ただし此の檀那において、違乱わづらひ候とも、此方より—・め申し候べく候」〈米良文書一、康正三・一・二七〉⑥【諦め】断念する。「仏に誓言立てし故、是非なき事と—・め給へ」〈近松・蟬丸一〉 †akiramë

あき・れ【呆れ】『下二』どうしようもなく茫然とする。途方にくれる。「〔大君ヲ荼毘ニ付シテ薫ハ〕—・れて帰り給ひぬ」〈源氏総角〉。「御産もとみに成りやらず。入道相国・二位殿、胸に手を置いて『こはいかにせん、いかにせん』とぞ—・れ給ふ」〈平家三・御産〉▽古くは驚きの感情はあまり込められていない。

—いた・し【呆れ甚し】『形ク』全く途方もない。「—・きまで思ひ喜びたる事限りなし」〈浜松中納言三〉

—もせ・ず 呆れはてて言いようもない。「呆れる」を強めた言い方。「『なかなか—・ぬ事ぢゃ、いやはや〳〵』と言ひて立ちのいた」〈咄・戯言養気集上〉

あきをさめ【秋収め・秋納め】秋の収穫。また、その時期。「—の時に、小内人、祝部等を率ゐて、太神の御田の稲を抜穂に抜きて」〈皇太神宮儀式帳〉

あきんど【商人】「あきびと」の転。「身どもは—ぢゃ」〈虎明本狂言・鍋八撥〉。〈文明本節用集〉 **—は張り物** 商人は、うわべをつくろって、はでに見せるの意。「—にて候へば」〈浮・御伽人形一〉

あく (本来居る)所、または事の意を持つ古語。単独の用例はなく、アクガレ(憧)に含まれている。また、いわゆるク語法の曰ハク・恋フラクのク・ラクの語根。→「用語」について(ク語法)

あく【悪】㊀『名』《「善」の対》道にはずれ、法にそむくこと。また、人に害を与えるような強さ、醜さにもいう。「汝が—量(はか)りなし。定めて地獄を免(がの)るべからず」〈今昔六ノ二一〉㊁『接頭』たけだけしく荒荒しい意。「—源太」「—左大臣殿」など。「〔感状ニ〕芥田—六兵衛と、悪の字を付けて書かれしとこそ聞えける」〈大友記〉

あく【灰汁】灰を水にひたして取った上澄みの汁(しる)。洗濯・染物などに使った。「灰汁、阿久(あく)」〈和名抄〉 **—の垂滓**(たれかす) 取るに足らぬ物の意。「それその黒犬—」〈俳・蛇之助〉

あくえん【悪縁】①前世の悪い因縁(いんねん)。「—にひかれて、御運すでに尽きさせ給ひぬ」〈平家一一・先帝身投〉②結んでは悪い結果になる男女の縁。不幸な運命になる夫婦の縁。「とても此の世で添はれぬ—なれば、夫のために死にて、二世の縁を結ばんと思ひ極め」〈安宅一乱記三〉

あくがた【悪方】歌舞伎で、悪人の役を演じる者。敵役(かたきやく)。「悪人方」とも。「—は〔女相手ノ〕油見世〔ノ開店〕など思ひ切り」〈雑俳・柳多留三〉

あくが・れ【憧れ】『下二』《所または事を意味する古語アクとカレ(離)との複合語。心身が何かにひかれて、もともと居るべき所を離れてさまよう意。後には、対象にひかれる心持を強調するようになり、現在のアコガレに転じる》①本来いるはずの場所からふらふらと離れる。さまよい出る。「〔男ノ言葉ニ乗ッテ〕この山里を—・れ給ふな」〈源氏椎本〉②離れる。「〔夫婦ノ〕御中も—・れて程経にけれど」〈源氏真木柱〉③(何かにさそわれて)心がからだから抜け出てゆく。宙にさまよう。「物思ふ人の魂は、げに—・るるものになむありける」〈源氏葵〉。「—・るる心はさても山桜散りなむ後や身に還るべき」〈山家集上〉④うわの空になる。「〔恥ズカシサニ〕心も—・れにけり」〈源氏東屋〉。「憧、オロカナリ・アクカル」〈名義抄〉⑤浮かれる。「花に—・るる昔を思ひ出して」〈延慶本平家二・判官為平家追討〉

あくぎゃく【悪逆】①とくに、親など尊属を殺す罪。律令制の罪名の一。八虐の第四。〈名例律〉②人の道に反する、ひどい悪事。「朝廷全成に高爵重禄を賜ふ。何ぞ敢へて天に違ひて—の事を発せんや」〈続紀天平宝字一・七・四〉。「—をしづめんがために義兵を発(おこ)す処に」〈平家七・木曾山門牒状〉③いたずら。乱暴。「若き鼠どもに異見をなすといへども…なほなほ—仕らん」〈伽・猫の草子〉

—ぶたう【悪逆無道】邪悪で放埒(ほうらつ)なこと。悪いことのし放題。「親父入道相国の体(てい)を見るに、—にして」〈平家三・医師問答〉

あくぎん【悪銀】質の悪い銀貨。また、にせ銀貨。「わるがね」とも。「先ほどの利銀の内、三匁五分の豆板(まめいた)〔ハ〕—」〈西鶴・永代蔵五〉

あくごふ【悪業】報いとして悪の果を招くような一切の行い。「『この人に、憂し、つらし』と、思ひ入り給ひけん人の御—の、離れ給ひぬべきしるべとなりなんかし」〈狭衣三〉

あくさう【悪相】①不吉な兆候。まがまがしい様相。「天より悪事の物降り、さまざまの—を現ず」〈今昔一ノ一三〉②死後、悪趣(あくしゅ)に落ちるべき凶相。まがまがしい顔つき。「老に臨みて身に病を受けて、死する刻(きざみ)に—を現じて」〈今昔一九ノ二八〉。「正(まさ)しく終らむ時、この—をあらはさば」〈孝養集上〉

あくじ【悪事】①よくない事。悪行。「あさましき—を申し行ひ給へりし罪により」〈大鏡時平〉。「四重・五逆にもまされる—」〈徒然一一一〉②不吉な事。不幸な出来事。「よい時に友にせぬ人をば、—の時も伴ふことはなるまい」〈天草本伊曾保〉

—おひのびくに【悪事負ひの比丘

尼】良家の若嫁・娘などに仕え、過失があれば、その罪を自分に引き受ける役の尼。「科(がと)負ひ比丘尼」「屁(へ)負ひ比丘尼」とも。「相取（相棒）に―を連れ」〈西鶴・三所世帯中〉 **―千里** 悪いことをすれば、そのうわさは千里も遠くまですぐに伝わる意。伝燈録に「好事不レ出レ門、悪事行二千里一」とあるのにもとづく。「白昼のわざなれば、―に走りて、此の世に隠れあるべからず」〈明徳記中〉

あくしゃう(ヨウ)【悪性】①悪い性質。悪い心。「諸悪は、善性・―・無記性のなかに―あり」〈正法眼蔵諸悪莫作〉②酒色にふけること。また、その人。「―。…いたづらなる者を言ふ」〈色道大鏡一〉③異性に対して多情なこと。不身持ち。「歴歴の親類動く―に」〈俳・信徳十百韻〉 **―がね**【悪性銀】遊蕩に費やす金銀。「悪性ぎん」とも。「あいつが此の前、親旦那の―を十四貫目横取りして、曲事に逢ふ筈を」〈近松・淀鯉上〉 **―がみ**【悪性神】遊蕩の守護神。「―も御照覧あれよ」〈浮・遊色控柱一〉 **―ぎ**【悪性気】浮気。「―のつかぬ中、妻に定めおかば」〈浮・御前義経記七〉 **―ぐるひ**(イ)【悪性狂ひ】遊蕩にふけること。「誰が許して―、まあなりますまい」〈浮・御前義経記三〉 **―どころ**【悪性所】遊蕩する場所。遊里。「金借って―の払ひして」〈近松・油地獄下〉 **―ばなし**【悪性話】色事に関する話。いろばなし。「―とりどりに」〈近松・艶狩二〉 **―もの**【悪性者】①根性の悪い者。「世間の女郎までも、―なりと申すぞやいの」〈評判・朱雀遠目鏡上〉②道楽者。浮気者。「わぬしも―ぞと町所にも知りたれば」〈色道大鏡五〉 **―やど**【悪性宿】悪所銀(あくしよがね)(2)の貸付けを営む家。「げに思ふ草の庵の―」〈俳・大矢数二〉 **―をとこ**【悪性男】浮気な男。「いかなる―も終には止む例多し」〈評判・長崎土産三〉

あくしゅ【悪趣】〔仏〕《「趣」は世界、またはそこでの生存の状態の意》悪事の結果、死後行かねばならぬ地獄道・餓鬼道・畜生道などの世界。また、その世界での生存の状態。悪道。「いかなる―に堕(お)ちて、はかりなき苦を受くらむ」〈今昔二〇ノ三四〉

あくしょ【悪所・悪処】①地形の悪い所。険阻な所。「これは聞ゆる―で有んなり」〈平家九・老馬〉②地味の悪い所。やせた土地。「〔知行ヲ〕拝領仕り候を仕合せ悪く、わづか五百石の地、しかも―と三右衛門語り候」〈慶長記中〉③〔仏〕「悪趣」に同じ。「善処」の対。「善所も―も共に所化(けしょ)の国とす」〈西方発心集下〉④遊里。遊廓。近世後期には、芝居町・料理茶屋をもいった。「父祖の命日にて、廟参(べうさん)とさへ言へば、―に至ると思はず」〈色道大鏡一八〉 **―おち**【悪所落ち】途中から抜け出して遊里へ行くこと。「礼場よりすぐに―の内談」〈西鶴・一代女三〉 **―おとし**【悪所落し】切り立った岩の上から、馬に乗ったままで馳せ下ること。「〔巴御前ハ〕究竟(くきやう)の荒馬乗り・―」〈平家九・木曾最期〉 **―かご**【悪所駕籠】遊里へ通う駕籠。「提婆(だいば)〔ノヨウナ悪人〕めが―やる折節に」〈俳・遠舟千句付〉 **―がね**【悪所銀】①悪所通いの銀。遊興費。「悪所ぎん」とも。「せめて兄達の今まで遣ひ捨てし程―給はれば」〈西鶴・好色盛衰記三〉②遊興費としての貸金。高利の上、貸付けの時、世話料・聞出し代・申入れ代などの名目をつけて、手数料を多く取った。「大臣銀」とも。「―貸す人絶えて」〈西鶴・諸艶大鑑七〉 **―ぐるひ**(イ)【悪所狂ひ】遊里にいりびたって遊蕩にふけること。「―にもよい程を知るべし」〈西鶴・諸艶大鑑二〉 **―ぶね**【悪所船】遊里に通う船。「浅草川の―の乗場に」〈西鶴・諸艶大鑑三〉 **―やど**【悪所宿】遊女・若衆を呼んで遊興する家。女郎屋・野郎宿・色茶屋など。「人のせぬ事をするこそ―の自由なれ」〈西鶴・好色盛衰記一〉

あくしょ【悪書】悪所(4)への手引書。諸分(しよわけ)評判記の類。「太夫前巾着と云ふ―も、見分(けんぶん)ばかりにて、をかしからず」〈西鶴・諸艶大鑑一〉

あくせ【悪世】煩悩の世。「この―に生れ給ひにければにや」〈狭衣二〉 **―のえん**【悪世の縁】前世から持って生れて来た悪因縁。「悪世の契り」とも。「時の座興の深ざれも、過去の―ならめ」〈近松・鑓権三上〉

あくせん【悪銭】材質が粗悪な銭貨。また、きずもののぜに。「京畿及び近江の国の売買の輩、―を択棄することを禁じて曰く」〈三代実録貞観七・六・一〇〉。「こころ(日本)に―に朝鮮・洪武・永楽の三の銭あり」〈玉塵抄二六〉

あくそう【悪僧】①仏の教えを守らず、悪事を行なう僧。「あまたの―ありて、一人の正法を行(ぎやう)ずる僧をそねみて、さまざまに悪をなす」〈夢中問答上〉②武芸にひいでた獰猛(どうもう)な僧。荒法師。「落ち行く衆徒(しゆと)のなかに坂四郎永覚といふ―あり」〈平家五・奈良炎上〉

あくぞもくぞ 「あくたもくた」(2)に同じ。「お配合(つれあひ)の―、言ふ所へ行(い)て申すぢゃまで」〈浄・釜淵双級巴中〉

あくた【芥】ごみ。くず。「か黒き髪に―し着くも」〈万三三七〉。「―（ワラクズ）を以て人長(ひとだけ)に人形を二三十作って」〈太平記七・千剣破城軍〉。「糞・芥、アクタ」〈名義抄〉 **芥火(あくたび)の** 海岸で海士(あま)がごみを焼く火のように。同音の「飽く」を導く序詞。「ほのかにも我を三島（見ルト掛ケル）の―飽くとや人のおとづれもせぬ」〈拾遺九七六〉 **―もくた**【芥もくた】①ちりあくた。ごみ。不要のもの。「ただ―を掻き流せ。後には必ず水澄むものなり」〈戴恩記上〉②人の欠点短所。あら。「あくぞもくぞ」とも。「賤(しづ)の女の悋気(りんき)に男ふすぶる〔言葉〕は―に何やかやり火」〈後撰夷曲集七〉

あくたう(トウ)【悪党】①悪人の仲間。悪に与(くみ)する者。「鋳銭の―、多く奸詐を肆(ほしいまま)にして」〈続紀霊亀二・五・二〉。「―の侍りけるが、時宗の尼を取らむとしけるに」〈一遍聖絵五〉②中世、荘園領主や幕府の権力支配に反抗する地頭・名主などにひきいられた集団。「―楠兵衛尉、当所を押妨(あふばう)せるの由、風聞の説に依って」〈臨川寺文書正慶一・六〉

あくだう(ドウ)【悪道】①〔仏〕「悪趣」に同じ。「いかにか図らむ、―に落ちて劇しき苦を受くる事を」〈霊異記下三七〉②遊蕩。「人の小息子をそそのかし、―に引き入れるの」〈近松・生玉心中上〉

あくだま【悪玉】①草双紙の挿絵の人の顔に、円形の中に「悪」の字を書いて悪人を表わしたもの。「今一番先生お株（得意）の―の作を願はねばならぬ」〈黄・堪忍袋緒〆善玉上〉②《転じて》悪人。「あの―が来てをりんすから、わたしが心づかひは一倍でおざんす」〈洒・青楼五ツ雁金〉

あくたらう(ロウ)【悪太郎】①乱暴者の擬人名。「古への名は―と申して、酒に酔うては、悪逆仕りたるが」〈虎明本狂言・悪太郎〉②いたずらする子供をののしる語。「風に花の（花ガ）名付けば散りや―」〈俳・鸚鵡集二〉

あくち【黄口】①まだ巣にいる幼鳥の黄色いくちばし。〈日葡〉②幼児の口のあたりにできる腫物。「山口の―か白きはだれ雪」〈俳・鷹筑波二〉。〈日葡〉 **―も切れぬ** ①幼鳥のまだ巣立ちせぬさま。「―小雀の漸く春に巣立ちして」〈仮・ひそめ草下〉②年少で世間知らずを嘲っていうたとえ。「その〔若〕旦那の未だ―衆」〈仮・他我身之上五〉

あくちだか【開口高】《アクチは足袋・沓(くつ)・臑当(すねあて)などの足をさし入れる口》開口を高く引き上げて履いている

さま。「―に踏ん込うだり」〈幸若・高館〉

あくぢょ【悪女】①容貌のみにくい女。「美女」の対。「―に幸あり、美女に幸なし」〈見聞愚案記五〉②身持ちの悪い女。「この女、元来、心立て不敵にして…―なりければ」〈安宅一乱記五〉。〈日葡〉

あくにち【悪日】《「吉日」の対》暦の上で悪いとされる日。「五日は西塞(ふさが)り、六日は―」〈盛衰記三六〉

あくにんがた【悪人方】「悪方(あくがた)」に同じ。「敵役。…―とも言ふ」〈人倫訓蒙図彙七〉

あくばう【悪坊】乱暴者の擬人名。「あれは六角殿の同朋に、―と云ひて、隠れも無い酔狂人ぢゃ」〈虎明本狂言・悪坊〉

あく・び【欠び】㊀『四段』あくびをする。「辰の時ばかりにこもちの御前いたううち―・ばせ給ひて」〈栄花楚王夢〉㊁『名』あくび。「見ならひするもの。―」〈枕三〇四〉。「吹呿、開口出気之白也、阿久比須(あくびす)」〈新撰字鏡〉

あくふう【悪風】海上などで、わざわいをもたらす風。暴風・逆風など。「―にはかに出で来て、船を海の底へ巻き入る」〈今昔四ノ一三〉

あくべた【悪下手】「下手」を更に強めていう語。「名人の子にも名誉の―有りて」〈舞正語磨下〉

あくべな・し『形ク』待遠しくてじりじりする。「―・しや／頭の病める写し物」〈雑俳・夏木立〉。〈名語記一〇〉

あくま【悪魔】①〔仏〕仏道をさまたげる悪神の総称。「不動明王恐ろしや…前には―寄せじとて降魔(まが)の相(さう)」〈梁塵秘抄二八四〉②天狗(てんぐ)。「うちに―のあることも」〈近松・卯月紅葉中〉

あくまで【飽くまで】『副』飽きていやになるまで。思う存分。どこまでも。「―に相見て行かな」〈万三九九九〉。「女御のけはひはねびにたれど(年ハ老ケテイルガ)―用意あり、あてにらうたげなり」〈源氏花散里〉。「恣(ほしいまま)に帝位を進退し、―国郡を掠領す」〈平家七・木曾山門牒状〉▽万葉集ではすべて「―に」の形で使っている。

あぐ・み『四段』困難な事にであって、いや気がさす。事を遂行しかねて、うんざりする。「この大勢を見て、敵もさすがに―・んでや思ひけん」〈太平記八・持明院殿〉。「〔貧乏神ドモガ〕梅津の里へ入れ奉らざる故に夷殿(えびすどの)―・み給ひて」〈伽・梅津かもむ物語〉

あぐ・み【足組み・趺み】『四段』足を組む。あぐらをかく。「その剣の前(さき)に―・み坐(ま)して」〈記神代〉

あくみやう【悪名】①悪い評判。「人に指をさされ給はんずる頭(かう)の殿の御―こそ心憂けれ」〈保元中・為義最後〉②汚名。「沓手(くつて)盗人の御―、いかなる謂れにて候やらん」〈伽・鴉鷺合戦物語〉③悪事をした者。「女方(女官ノ中ニ)―有るに依り、召し取るべきの旨、侍所所司代に仰せ付けられ」〈康富記応永元・五・二〇〉④犯人。「牛殺し御せんさくにつき、刑左使こす、…主より使あり、右の―の事談合の為也」〈大和田重清日記文祿二・七・三〉

あくめ 刀身にほられた血流しの溝。「相模刀の―多さよ」〈俳・犬筑波〉

あくめ【悪目】欠点。おちど。「腕もない者が大なる事をすれば、必ず―があるもの也」〈三体詩絶句抄四〉

あくめ【悪馬】癖の強い荒馬。「高名のなにがしといひし御むま、いみじかりし―なり」〈大鏡道長〉

あぐら【呉床・胡床】《アは足。クラはタカミクラ(高御座)・クラヰ(位)などのクラに同じ、クラ(倉・鞍)と同根》①足のついた高い座。高位の者が坐って、その権力・威儀を示した。「やすみししわが大君のしし待つと―にいまし」〈記歌謡九七〉②交叉した脚のついた折畳式の椅子。楽人が奏楽の際に用いた。「かりに―どもを召したり」〈源氏胡蝶〉③材木を組んだ、高い所へのぼるための足場。間架。「―をゆひあげてうかがはせんに」〈竹取〉④足を組んですわること。胡坐。「加助殿、―でっかくかきめさろ」〈雑兵物語下〉

―ゐ【胡床居】胡床(1)の上にすわること。「―の神の御手もち弾く琴に」〈記歌謡九六〉

あぐり【阿久里】女児ばかり生れて、男児が欲しい時、末の女児に付け、あるいは、もう子が欲しくない時に、生れた子に付ける名。「田二町・在家一宇、―御前に譲る所也」〈岩松新田文書弘安一・一〇・三〉

あくりやう【悪霊】たたりをする霊。怨霊(をんりやう)。「―は執念(しふね)きやうなれど、業障にまとはれたるはかなものなり」〈源氏夕霧〉

あくる【明くる】『連体』夜や年などが明けての。つぎの。翌日・翌月・翌年の。「―卯の剋に押し寄せて」〈平家一・鵜川軍〉

―ひ【明くる日】夜が明けて次の日。翌日。「御修法・読経、―より始めさせ給はむとて」〈源氏総角〉

あくをけ【灰汁桶】水と灰を入れ、下の栓口から灰汁がしたたり落ちるように仕掛けた桶。「―の雫(しづく)止みけりきりぎりす」〈俳・猿蓑下〉

あけ【朱】《アカ(赤)の転。アケ(明)と同根》①赤。赤色。「―の蘰(かづら)を額(ぬか)に着け」〈霊異記上一〉。「或は腕うち斬られ、或は肘うち落されて、一谷の汀(みぎは)に―になってぞ並み臥したる」〈平家九・坂落〉②《「あけごろも」の略》五位の称。「たまくしげふたとせ逢はぬ君が身を―ながらやはあらむと思ひし」〈後撰一一二四〉 †akë

あ・け【明け・開け】㊀『下二』《アカ(明・赤)と同根。明るくなる、ものを明るみに出す意。類義語ヒラキは、合せ目を広げて中が見えるようにする意》❶①明るくなる。「雨間―・けて」〈万一九七一〉②朝になる。「愛(は)しけくもいまだ言はずて―・けにけり」〈紀歌謡九六〉。「―・くるまで月見ありく」〈徒然三二〉③日や年が変る。「年の―・けて浮世の夢のさむべくは」〈新古今六九九〉❷①すきまを作る。「粉浜(こはま)のしじみ―・けも見ず」〈万九九七〉。「道―・け侍りなんよ」〈源氏蜻蛉〉②ふたを取る。「御硯―・けて見給へど」〈源氏葵〉③閉じてある戸を引く。「朝戸―・けてもの思ふ時に」〈万一五七九〉④封を切る。「泣く泣くこの文を―・けたれば」〈源氏蜻蛉〉⑤穴をうがつ。「大きなる器に水を入れて穴を―・けたらんに」〈徒然一三七〉⑥からにする。「今呑みたる盃中一つづつ―・けて」〈証如上人日記天文一三・一・二〉㊁『名』①夜明け。「床の辺には一の香の籢(はこ)を置きて、天の暁(あけ)に至らむ毎に、其の籢の中に所求の物獲たりやと観よかし」〈金光明最勝王経平安初期点〉②明朝。「今旦(さけ)は楽を受け、明(あけ)に菩薩のところに詣りて」〈法華経玄賛平安初期点〉③年が明けること。「惜しかるべきは身の盛り、―三十を一期とし」〈説経・かるかや〉。「寛永や―七歳の午(うま)の年」〈俳・犬子集一〉 †akë

あ・げ【上げ・挙げ・揚げ】㊀『下二』《アガリ(上)の他動詞形。力や手を加えて、物の位置や状態を高くする意。高くした結果、その物の性質が変ったり、下との関係が切れたりする。類義語ノボセは、線条的に物を高くして行く意で、その物自身の性質や状態は異なったものになることがない》❶位置を高くする。①低い所から高い所へとうつす。「佐保川の水をせき―・げて植ゑし田を」〈万一六三五〉。「格子を―・げたりつれど」〈源氏帚木〉②下げていた髪を高く結う。「童女(うなゐ)放髪(はなり)に髪―・げつらむか」〈万三八二二〉③芸者や遊女を(座敷へ)呼び寄せて遊興する。「―・げられたる女郎の、座敷の首尾わろしとて帰らんとする事」〈色道大鏡四〉 ④寺子屋に入れて修学させる。「寺に―・げて手ならひをさすれども」〈仮・浮世物語一〉 ❷程度を高くする。①声(調子)を大きく高くする。「漢詩(からうた)、声―・げていひけり」〈土佐十二月二十六日〉 ②官位を高くする。昇進させる。「上達部には…なし―・げてむ」〈源氏東屋〉 ③価格を高くする。「銭小判俵物の相場商、―・げうと下げうと」〈近松・油地獄中〉 ④高くして目立つようにする。㋑高くかかげ示す。「烽火(ほうくわ)を―・げたりければ」〈平家二・烽火〉 ㋺個個に取り上げる。「心をなやますこと―・げて数ふべからず」〈方丈記〉 ㋩ほめる。「他を誇(うは)じ、自らを―・げなば」〈他阿上人法語三〉。「称、アグ・ホム」〈名義抄〉 ㋥名声を広く知らせる。「後代に名を―・げたりし者にて候」〈平家五・五節〉 ⑤目立つように事を起す。「周武王、殷紂を討たむがために、義兵を―・げてかの国へ向ひ給ひし時」〈十訓抄六ノ一〉 ❸高位の者の手許に達せしめる。①㋑神仏にそなえる。奉納する。「法華経一部…を―・げさせ給ひて」〈栄花鶴林〉 ㋺身分の低い者から高い者に差し上げる。献上する。「宣旨にてあるぞ。その花筐を参らせ―・げ候へ」〈謡・花筐〉 ②都へ送る。「京に〔玉鬘ヲ〕―・げ奉りてむ」〈源氏玉鬘〉。「国へくだり着きて、いつしかと文―・げむと思ふに」〈古本説話二八〉 ③官に取り上げる。没収する。「彼が知行の所領を―・げて、我等半分づつ知行せん」〈伽・諏訪の本地〉 ❹極点にまで至らせる。①仕上げる。完成する。「わが門の早稲田もいまだ刈り―・げぬに」〈古今六帖三〉。「フシン(普請)ヲアグル」〈日葡〉 ②育てあげる。「片輪者なりとてその子を遂に―・げずして棄てつ」〈今昔九ノ二六〉 ③刀身を短く仕立て直す。「大脇差弐尺一寸を一尺八寸〔ニ〕―・げ候ひて」〈宗静日記慶安四〉 ④熱い油で料理する。「油糍は、米の粉の餅を油にて―・げたるを云ふ」〈碧岩抄一〉 ⑤事を終らせる。撤去する。片付ける。「セキ(関)ヲアグル」〈日葡〉。「膳は五・四・三・二と―・げ候事、本式にて候」〈伊勢備後守貞明覚悟記〉 [二]『名』①高いところ。また、高い場所にあって水はけのよい田。「上げ田」とも。「水を多み―に種まき稗(ひえ)を多み」〈万二九九九〉 ②客が遊女・芸者を呼び寄せること。「今日は六月朔日の、正月納めの紋日ぞと、思ひ思ひの―の客」〈近松・氷の朔日中〉 ③油で料理したもの。「上上の若鼠を―にして置いた」〈天理本狂言六義・釣狐〉 ④【櫓】こたつやぐら。「塞ぎぬる火燵の―も夕詠め」〈俳・両吟一日千句〉 †agë

あげあし【挙足・揚足】①馬が静止している時など、上にあげ浮かしている一本の前足。「―を、言ふに及ばず、かいつかって(ツカンデ)うち伏せうち伏せ」〈伽・明石三郎〉 ②片足を他の足の膝の上に乗せること。また、その乗せた足。「アゲアシヲウツ」〈日葡〉。「〔亭主〕時宜(じぎ)も言はず―してゐける」〈咄・当世軽口男三〉 **―を取・る** 人の言い誤りや言葉尻をとらえてやりこめる。「―・らう取らうと姑(しうと)婆」〈雑俳・柳多留拾遺一〇〉

あげうた【挙歌・上歌】上代歌謡で、調子を上げてうたう歌。「此の贈答二首を号(なづ)けて―といふ」〈紀神代下〉 †agëuta

あげおとし【上げ落し】①上げることと落すこと。「起伏と抑揚とは、いづれも詞に―があるぞ」〈古文真宝抄三〉 ②ほめたりけなしたりすること。あげおろし。「これ趙州〔禅師〕を托上したのか、また、―にしたのかな」〈鉄笛倒吹抄上〉

あげおとり【上げ劣り】《「あげまさり」の対》元服して髪を結い上げてみると、思ったより劣って見えること。のちには「元服劣り」とも。「きびは(幼稚)なる程は―やと疑はしく思されつるを」〈源氏桐壺〉

あけがた【明け方】夜が明けようとする頃。「はかなく―になりにけり」〈源氏総角〉

あげく【挙句・揚句】①連歌・俳諧の、最後の七七の句。「―を書き、懐紙をば綴づるべし」〈長短抄下〉。「連歌の―は、付かぬが手柄なり」〈耳底記〉。「―にも二度吟ずるぞ時鳥」〈俳・時勢粧三〉 ②終り。終局。はて。「春雨の強う降ったる―に」〈三体詩抄一ノ三〉 **―のはて**【挙句の果】終り。とどのつまり。「―は何とならうぞ」〈臨済録抄四〉

あけくら・し【明け暮らし】『四段』日を送る。時を過ごす。「さてもあさましうて―・さるるは月日なりけり」〈源氏椎本〉

あけく・れ【明け暮れ】[一]『下二』夜が明け、日が暮れる。日が経(た)つ。「〔悲シミニ〕―・るるも思し分かねど」〈源氏夕霧〉 [二]『名』朝夕。始終。「やがて御精進にて―行なひておはす」〈源氏須磨〉。「―世の中の人のやうならぬを嘆きつつ」〈かげろふ上〉

あけぐれ【明け暗】もうすぐ夜明けだと待っているのに、まだ暗い頃。なかなか明けない夜明けを待ち切れなく思う気持から、「惑ふ」「迷ふ」「知らぬ」などと共に使われ、晴れない気分を表わすことが多い。「吾妹子に恋ひつつをれば―の朝霧がくり鳴く鶴(たづ)のねのみし泣かゆ」〈万五〇九〉。「女の許よりくらきに帰りてつかはしける。―の空にぞわれはまどひぬる思ふ心の行かぬまにまに」〈拾遺七三六〉 †akëgure

あげごたつ【揚げ炬燵】上に櫓(やぐら)を置き、覆いまたは蒲団を掛けてあたる火鉢。置きごたつ。「埋み火の花垣なれや―」〈俳・崑山集一三〉。〈日葡〉

あけごろも【緋袍】《アケはアカ(赤)の転》①緋(ひ)色の袍(はう)。五位の人が着た。「―色をそへにし紫の今一しほやましてうれしき」〈頼政集〉 ②〔枕詞〕「あけ」にかかる。「うばたまの今宵(こよひ)ばかりぞ―明けなば人をよそにこそ見め」〈後撰一一七〉

あげさげ【上げ下げ】①ほめたりけなしたりすること。「おのしらに―をされるものけい」〈咄・聞上手〉 ②物事をとやかくと処置すること。「さま恐ろしき野原なりしを、―の功積りて〔吉原遊廓ヲ開キ〕」〈滑・花菖蒲待乳問答三〉 ③質物を出したり入れたりして、やりくりすること。「―の時節と〔四月八日ニ〕御釈迦手で知らせ」〈雑俳・柳多留一〇四〉 **―を取・る** うまく調子をあわせて、その場を取りつくろう。適当にあしらって、うまく処置する。「何んだ、うぬらまで―・るな」〈洒・辰巳之園〉

あげざま【上げ様】上向きの方向。「―にこみさしに三刀刺いて、えいやっと突きのけたり」〈保元中・白河殿攻め落す〉

あけさ・り【明けさり】『四段』《サリは移動する意》夜が明けてゆく。「―・れば潮を干しむる」〈万三八八〉 †akësari

あけす・ぎ【明け過ぎ】『上二』寝過ごして、すっかり明るくなる。「―・ぎたらむを、人の咎むべきにもあらぬに」〈源氏宿木〉

あけすけ【明け透け】『副』包み隠すことなく。「此所へ売らるるか、また、流れを立つるか、―このめ(ドチラカハッキリ選択ナサイ)」〈説経・小栗〉

あけずのもん【開けずの門】特別の時以外は開けずに、閉めておく門。「堀川院の春日行幸に、興福寺の―にて伶人(れいじん)立舞を奏しけるに」〈教訓抄六〉。「これはまた―とて、開けてはつひに見せぬなり」〈伽・浦島〉

あげせん【上銭・揚銭・挙銭】①品物の代金。また、費用。あるいは、労賃。「―を取りて、まづ寺家に進納せしめて後」〈吾妻鏡延応一・五・二六〉 ②遊女を呼ぶ代金。揚代。「恋し

やと見にこそ来たれ―の金は持たずもなりにけるかな」〈仮・仁勢物語下〉

あげた【上げ田・高田】《「くぼ田」の対》高い場所にあり、水はけのよい田。あげ。「兄、―を作らば、汝、溝田(くぼた)を作りませ」〈紀神代下〉 †agëta

あけた・ち【明け立ち】『四段』夜が明けて来始める。空が白んでくる。「―・たば松の小枝に、夕去らば月に向ひて」〈万四一七七〉 †akëtati

あけちがてんか【明智が天下】《明智光秀は主君織田信長を攻め殺し天下を取ったが、十二日間で豊臣秀吉に滅ぼされたことから》はかなく短いことのたとえ。「三日天下」とも。「夏の夜は寝ぬに―かな」〈俳・鷹筑波一〉

あげぢょらうウ:ロ【揚女郎】揚屋に呼ばれて客に逢う高級な遊女。即ち、太夫・格子。「揚屋女郎」とも。「―格子へは出でず」〈色道大鏡三〉

あけつげどり【明け告げ鳥】ニワトリの異名。「すもりこのかへらぬ事もありなまし―の声なかりせば」〈夫木抄二七・鶏〉

あげつち【上土】塀の上に積み上げてある土。「山の如くなる―、壁と共に崩れて堀は平地に成りにけり」〈太平記九・六波羅攻〉　**―もん**【上土門】板張りの屋根の上に粘土を置いて固めた門。鎌倉時代、武家の邸宅などに用いられた。「平門(ひらもん)・―・薬医門の間に於てこれを相ひ計るべし」〈庭訓往来三月七日〉

あげづめ【揚げ詰め】遊女を連日揚げ続けること。「数は六つ(六人)の女郎―」〈俳・飛梅千句〉

あげつら・ひライ:ツ【論ひ】『四段』《アゲはコトアゲ(言挙)のアゲ、ツラヒはイヒヅラヒ・ヒコヅラヒのツラヒに同じ》あれこれと言い合う。論じる。「必ず衆(もろもろ)と―・ふべし」〈紀推古十二年〉。「論、アゲツラフ」〈名義抄(図書寮本)〉 †*agëturaFi

あげとうろう【揚燈籠・上燈籠】《アゲドウロウとも》近世前期まで、七月中、三回忌ないし七回忌の法事のある家の庭、または寺院の門前に柱を立て、毎夜精霊を慰めるために、上げて燈した燈籠。高燈籠。揚燈炉。「あっそこなる燈は―なれば、縄にすがって、するすると上がるぞ」〈四河入海三ノ一〉

あげどころ【上所】人に差し上げる手紙の、名宛ての所。「ゐなかへやる文の―に」〈小大君集〉

あけのはる【明けの春】年の始め。新春。「天が下や夜深し箱を―」〈俳・花見車二〉

あけのひ【明けの日】あくる日。翌日。「その―、かの童(わらは)…などをになひ、持ちきたる」〈奇異雑談集二〉

あげば【揚場】船荷を陸揚げする場所。「ちらはらと米の―の行き戻り」〈俳・炭俵下〉

あけはな・れ【明け放れ】『下二』夜が白んで、天地が分れて見えるようになる。「―・るる程の黒き雲のやうやう消えて」〈枕二五五〉。「―・るる程をば、しののめといふ」〈能因歌枕〉

あげはま【揚浜】囲碁で、攻め取って盤面から取り上げた相手の石。はま。あげいし。「帰る雁―あらばまづ待ちゃれ」〈俳・飛梅千句〉。「―そっと十目盗み取り」〈浄・安倍宗任松浦簦三〉

あげばり【幄】《「揚げ張り」の意》臨時に庭上に設けた仮屋。中央に柱を立てて棟を作り、幕を張ったもの。「色色の錦の―に」〈枕二七八〉。「幄、阿計波利(あげばり)」〈和名抄〉 →平張(ひらばり)

あげぶ【揚麩】生(なま)麩を油で揚げたもの。「〔精進料理ニ用イル品ハ〕―・こんにゃく・しめじ・岩茸」〈俳・二葉集〉

あげぼし【揚げ干し】客が遊女を揚げると約束しながら、すっぽかすこと。遊女への面(つら)あてに行なったいたずら。上方では「揚げ捨て」といった。「いきる(イキマク)女郎の―〔ハ痛快ダ〕」〈評判・讃嘲記〉

あけぼの【曙】《ボノはホノカのホノと同根》夜がほのかに明けようとして、次第に物の見分けられるようになる頃。アカツキの次の段階。「まだ―のほどに渡りたまひぬ。かくしもあるまじき夜深さぞかし」〈源氏初音〉。「―やうやう物の色わかるるに」〈源氏橋姫〉。「春は―。…秋は夕ぐれ」〈枕一〉。「未明、アケボノ」〈名義抄〉 →あさぼらけ。　**―じま**【曙縞】曙染のような、ぼかしになった縞模様。「〔模様ハ〕御所散らし・千筋・山尽し〔ノ〕―」〈西鶴・男色大鑑八〉　**―ぞめ**【曙染】近世前期、特に貞享・元禄頃に流行した染模様。曙の空のように、上を紅または紫にし、だんだん薄くぼかし、裾(すそ)三寸ないし五寸は白地に友禅模様を描いたもの。寛文頃、京都の紺屋新右衛門の工夫という。「朧染(おぼろぞめ)。―の裏を貝の口にくけあはし」〈西鶴・諸艶大鑑五〉

あげまき【総角・揚巻】《上げて巻く意》①髪の結い方の一。髫髪(うなゐ)にしていた童子の髪を、十三、四歳を過ぎてから両分し、頭上の左右にあげて巻き、輪を作ったもの。「はなり」とも。「古の俗、年少児の年、十五六の間は束髪於額(ひさごはな)す。十七八の間は、分けて―にす。今また然り」〈紀崇峻即位前〉 ②(1)に結った若者。「―を早稲田(わさだ)にやりて」〈神楽歌五三〉。「〔二宮ハ〕―の御時より妙法院の門跡に御入室有りて」〈太平記一・儲王〉 ③紐の結び方の名。①左右に輪を作り、中を結んで、房を垂れたもの。文箱・簾(すだれ)などの飾り。「―に長き契りを結びこめ」〈源氏総角〉 ②鎧の背の逆板(さかいた)の中央の環につけて垂らすもの。「鎧の―を摑んで」〈太平記八・四月三日〉 ④芝居で、女方の使う鬘(かつら)の一種。〈歌舞妓事始二〉 †agëmaki

あげまく【揚幕】①能舞台で、橋掛りの出入口に掛ける幕。「翁(おきな)、―の内へ入りて」〈猿楽伝記上〉 ②歌舞伎劇場で花道の出入口に掛ける幕。また、上手下手の出入口に掛けることもあった。「―のうちより半畳売りが声高金高に応じて諸声に誉むるもをかし」〈評判・野郎にぎりこぶし序〉

あげまさり【上げ勝り】《「あげおとり」の対》元服して髪を結い上げてみると、童形の時より美しさがまさること。「一の宮の御―のゆゆしさは」〈狭衣四〉

あげまり【上鞠】蹴鞠(けまり)で、最初にまりを蹴上げること。貴人・名人の役とされた。「後鳥羽の院建仁のころの例(ためし)とて、新院御―なり」〈問はず語り三〉

あげみづ【揚水】高い所へ導き上げる水。「この―を止められて後、城中に水乏しうして」〈太平記六・赤坂合戦〉

あけむつ【明六つ】明け方の六つ時、即ち卯の刻。また、その時鳴らす鐘の音。「―の鐘つくねんと端居(はしゐ)して」〈俳・紅梅千句〉

あげもの【上げ物】砥(と)・様(ためし)の一通りすんだ刀剣。「菖蒲刀―にする軒端哉」〈俳・毛吹草五〉。「―の焼刃乱るる有馬鍛冶」〈俳・両吟一日千句〉

あげや【揚屋】女郎屋から遊女を招いて客の遊ぶ家。「宿屋」とも。「―を見物し、大門のほとりに立ち出づれば」〈評判・吾妻物語〉　**―あそび**【揚屋遊び】太夫・天神(てんじん)などの高級の遊女を揚屋に招いて遊興すること。「―も止まり時の有る事」〈西鶴・諸艶大鑑四〉　**―いり**【揚屋入り】太夫が客に招かれて揚屋に行くこと。また、その儀式。前帯・裲襠(うちかけ)の盛装に高下駄をはき、八文字をふみ、若い衆・新造・禿(かむろ)等を従え、はでな行列をしてねり歩いた。太夫道中。「―其の物語を筆に任す(ハデニ書ク)」〈俳・談林三百韻〉 **―さしがみ**【揚屋差紙】江戸吉原遊廓で、揚屋が、客の指名した遊女を女郎屋に呼びにやる時、その名前を記して持参する紙片。「古へは、十八楼の揚屋より、名指しの女郎の名を記し、奥に御法度の客に御座無く候といふ文言をしたためるを、―と名付けたりとぞ」〈洒・阿千代の伝〉 **―すずり**【揚屋硯】揚屋に置いてある書院用の大硯。「―の安墨を摺り流し」〈西鶴・浮世栄花三〉 **揚屋柄(あげやづか)も握・る** 揚屋での遊興に年季を入れ、女郎買いにもよく通じている。「京の太夫にも相応にかはゆがられて、―・る者が」〈浮・禁短気五〉 **―まち**【揚屋町】遊廓の内で、とくに揚屋の集まっている町。「心神妙にして、―を嫌へり」〈評判・難波物語〉

あけらほん 口を開けてぼんやりしたさま。ぽかんとしたさま。「あけらかん」「あけらこん」とも。「待ち待ちて夜や―時鳥〔ガ鳴カナカッタノデ〕」〈俳・伊勢踊三〉

あげわた・し【上げ渡し】〘四段〙①一面に引きあげる。「半蔀(はじとみ)四五間ばかり―・して」〈源氏夕顔〉②都へ物を送りとどける。「さるべきもの(費用)は―・さむ」〈源氏松風〉

あげを【上緒】冠を髻(もとどり)の所で括(くく)り結ぶための緒。後には形式化して、緒の形を固着させた。「冠の―の長かりければ」〈今昔二六ノ一三〉

あこ【吾子】《奈良時代にはアゴと濁音》①子、または子同様に庇護しかわいがっている人を親しんでよぶ語。二人称にも三人称にも使う。「〔伯母ガ甥ヲ〕この―を唐国へ遣る斎(いは)へ神たち」〈万四二四〇〉。「〔父ガ娘ノコトヲ〕―の御宿世」〈源氏須磨〉。「〔源氏ガ小君ニ〕―は我が子にてをあれよ」〈源氏帚木〉②中世以後、小児の自称。「児、アコ、小児之自称也」〈天正十八年本節用集〉 †ago

あこ【下火】《唐音》禅宗で、火葬に際し、導師がたいまつを取って点火する作法。「等持院の長老旨別源、葬礼を取り営みて、―の仏事をし給ひけるに」〈太平記三〇・将軍御兄弟〉。〈文明本節用集〉

あご【顎・腮】①あご。「上帯を頤(おとがひ)より頭へ懸け、からげて臥せば、明ければ―がするがる」〈三河物語上〉。「腮、アゲ・アゴ」〈俳・反故集下〉②食事。また、食費持ち。賄(まかない)。「―の無い寄合ひ不参だらけなり」〈雑俳・万句合安永二〉。「切見世(吉原ノ安女郎)へ手前の―で泊まるなり」〈雑俳・万句合明和七〉 **―が食ひ違・ふ** あてがはずれるたとえ。「顎を食ひ違ふ」とも。「女郎の云ふ事を当てにしてゐると、いつでも―・ふよ」〈洒・角鶏卵〉

あご【網子】《アミコの約。→あ(網)》網を引く人。「大宮の内まで聞ゆ網引(あびき)すと―ととのふる海人(あま)の呼び声」〈万二三八〉 †ago

あごえ【距】《アは足、コエは蹴る意の動詞コエの名詞形》鳥の蹴爪。「所拒、安後延(あごえ)」〈華厳音義私記〉。「距、雞雉脛有岐也、アゴエ」〈名義抄(図書寮本)〉 †agoye

あこが・れ【憧れ】〘下二〙《アクガレの転》①ふらふらと行く。「五条の東へ―・れゆき給ふに」〈伽・扇流し〉②気をもむ。「〔父ガ〕打たんともがく杖の下、母は―・れ〔娘ヲカバウ〕」〈近松・大経師中〉

あこぎ【阿漕】①《古歌「伊勢の海の阿漕が浦に曳く網も度かさなれば人もこそ知れ」を踏まえたことば。「阿漕が浦」は伊勢神宮に供える神饌を捕るための禁漁地だった》隠れて行なうことも、度が重なれば危うい意。「―、たび重なればあらはるるなり」〈匠材集三〉②《禁を犯して漁をする意から》限りなくむさぼること。飽くを知らないこと。「賤の男が牛を引きて通りしに、道のほとりの稲葉を食(は)みて通る事たびたびに及べり。かの牛の主、『―なる牛かな』とてさんざんに打ちにける」〈仮・薄雪物語上〉

あごた【顎】あご。近世、関西地方でいう。「―の開きたるまに〔勝手ナ熱ヲ吹イテ〕」〈俳・猿鶏下〉

あこだうり【阿古陀瓜】ウリの一種。果実は円く皮は赤い。西瓜が作られるようになってからすたれた。金冬瓜(きんとうが)。紅南瓜。「―、千千(ちぢ)に枝させ生瓢(なりひさご)」〈梁塵秘抄三七一〉

あごたたき【顎叩き】おしゃべり。饒舌家。「水浴びて水鶏(くひな)や口を―」〈俳・伊勢踊三〉

あこめ【衵】①男子の束帯の時、下襲(したがさね)の下、単(ひとえ)の上に着る衣服。表は綾、裏は平絹。一般に表裏ともに紅。納言は薄色、大臣は赤、老人は白を用いることもあった。冬は綿を入れて着たが、小袖を下着にするようになってから袷(あわせ)になり、一枚だけ着る。「紅深き―の袂の」〈源氏若菜下〉②童女が膚に近く着た服。「青丹に柳の汗衫(かざみ)、葡萄染(えびぞめ)の―など、ことに好ましく」〈源氏若菜下〉▽単と下襲の間に着たところから、アヒコメ(間籠)の約という説もある。 **―すがた**【衵姿】童女が上に上衣を着ないで衵だけでいる姿。「わらはべなどのをかしき―うちとけて」〈源氏野分〉

あこや【阿古屋】「阿古屋の玉」の略。「―とるい貝の殻(から)を積みおきて」〈山家集下〉 **―のたま**【阿古屋の玉】アコヤガイから取れる玉。真珠。「―の大なる豆ばかりありけるを」〈宇治拾遺一八〇〉

あどら【胡床】《アグラの転》「あぐら」(1)に同じ。「玉纏(ま)きの―に立たし」〈紀歌謡七五〉 †agora

あさ【麻】クワ科の一年草。皮から繊維を取る。麻の衣は喪服として用いた。「麻衣着(け)ればなつかし紀の国の妹背の山に―蒔く吾妹(わぎも)」〈万一一九五〉▽朝鮮語sam(麻)と同源か。 **―の中の蓬(よもぎ)**《荀子、勧学篇に「蓬生ニ麻中ニ、不レ扶而自直」とある》曲がりくねるヨモギも、まっすぐな麻の中では同化されてまっすぐにそだつ。人も、よい人に交われば良い感化を受けるということ。「―は矯(た)めざるにみづから直(なほ)しといふ譬(たとへ)あり」〈十訓抄五序〉

あさ【朝】《「宵(よひ)」「夕(ゆふ)」の対》上代には昼を中心にした時間のいい方と、夜を中心にした時間のいい方とがあり、アサは昼を中心にした時間の区分の、アサ―ヒル―ユフの最初の部分の名。夜の時間の区分の最終部分の名であるアシタと実際上は同じ時を指した。「蒔(ま)きし畑も―ごとにしぼみ枯れ行く」〈万四一二二〉。「―よひに見つつ行かむを」〈万四〇〇六〉。「―ゆふに泣くねを立つる小野山は」〈源氏夕霧〉▽中世以後まで、独立した名詞として使われることは稀で、アサギリ(朝霧)・アサグモリ(朝曇)など、複合語や副詞に使われることが多かった。朝鮮語a'tʃəm(朝)と同源か。→あした・あす

あざ 波の浸蝕によって生じた洞穴をいうか。現在の方言にその例がある。田のあぜ・断崖と見る説もある。「さざなみの波越す―に降る小雨」〈万三〇四六〉

あざ【交】《アザナヒ・アザナハリ・アザハリ・アザへなどのアザ》「あぜ(校)」の古形。棒状・線状のものが組み合う意。「糺縄、アザハレルナハ」〈名義抄〉

あざ【痣】①皮膚にできる斑点。「疵、師説阿佐(あざ)」〈和名抄〉②あばた・ほくろ・こぶなど。「瘤、アザ、肉起」〈文明本節用集〉▽アザアザ・アザワラヒ・アザケリ・アザムキ・ア

ザヤカなどと同根。

あざ【青虫・蟎】カルタの札の一種。青札の一。最も重い役札。虫の形を描いてある。「女はー持つ、男はそうた(カルタノ役札ノ一)持てり」〈仮・仁勢物語下〉 **ーの持ち殺し** カルタで、「あざ」を持っていながら活用しないこと。手中の宝をむざむざすたらせてしまうことのたとえ。「あざの持ち腐らかし」とも。「さりとは、あったらものを只置くことかな。丁度(ちやうど)ー」〈浮・連三味線一〉 **ーを握・る** 有利な地位にたつ。「ー・って押せ押せ(積極的ニ勝負セヨ)」〈近松・雪女中〉

あさあけ【浅緋】うすい緋色。五位の袍(はう)の色。「深緑松にもあらぬーの衣さへにぞ沈みそめけむ」〈源順集〉

あさあけ【朝明け】朝、空の明るくなること。また、朝朱(あけ)の意で、朝焼けのことともいう。「いかならん日の時にかも我妹子が裳引きの姿ーに見ん」〈古今六帖五〉

あさあさ【浅浅】①あっさりとしたさま。薄いさま。「薄墨をもってーと書いた花を」〈中華若木詩抄下〉 ②深みがないさま。「定家はさうなき者なり。さしも殊勝なりし父の詠をだにもーと思ひたりし上は、まして余人の歌、沙汰にも及ばず」〈後鳥羽院御口伝〉 ③軽くさらっとしたさま。「つれの三段は、ーとかたぎばかりに舞ふものなり」〈神事能評判〉

あざあざ【鮮鮮】はっきりしたさま。明瞭。「〔卒都婆ニ刻ミツケタ文字ハ〕波にも洗はれず、ーとしてぞ見えける」〈平家二・卒都婆流〉

あさあさ・し【浅浅し】《形シク》いかにも浅薄である。いかにも軽薄である。「かかる捨聖(すてひじり)のもとへ来臨して法談あらば、人もー・しくや思ひ侍らむ」〈一遍縁起七〉

あざあざ・し【鮮鮮し】《形シク》むきだしである。あらわである。「総じて神の御事をー・しくは申さねども」〈謡・賀茂〉

あさい【朝寝】あさね。「ほととぎす今朝の朝明(あさけ)に鳴きつるは君聞きけむかーか寝けむ」〈万一九四九〉

あさいはひ(…ワイ)【朝祝ひ】朝、その日一日の幸運をあらかじめ祝福しておくこと。「入りやらしましてーさしませ」〈虎寛本狂言・比丘貞〉

あさうたひ(…ウタイ)【朝謡】朝、謡をうたうこと。「ーは謡はぬ事とも、またーは貧乏の相とも言ひ伝へたり」〈咄・醒睡笑一〉

あさえびす【朝夷・朝恵比須】《夷神は商いの神、また福の神》①朝早く夷の宮に参詣すること。「ーに参り給ふに」〈西鶴・永代蔵二〉。〈俳・世話尽二〉 ②朝、その日の商いや大漁を夷神に祈願すること。「今朝、ーを祝ひそこなひ、買ひ負けたるだにも腹の立つに」〈説経・さんせう太夫〉 ③早朝の客を夷神に見立ててその日一日の縁起を祝う語。「ー今日の仕合せ良し」〈浮・御前義経記一〉

あさかう(…コウ)【朝講】法華八講などのときの朝の講座。「ーはてなば、なほ、いかで出でなむと」〈枕三五〉

あさがき【朝書き】朝の手習い。「ーに行くかあらぬか夏(げ)参りか」〈俳・信徳十百韻〉

あさかげ【朝影】①朝、鏡や水にうつる姿。「ー見つつ少女らが手に取り持てるまそ鏡」〈万四一九二〉 ②朝、のぼりはじめたばかりの太陽の光をうけてできる、ものの細長い影。身がやせ細り、恋にやつれる形容。「ーに我が身はなりぬ汝を思ひかねて」〈万二六六四〉 ③朝日の光。「ーにはるかに見れば」〈宇津保春日詣〉 ④朝、日のさして来ない涼しい時分。「七月ばかりに京になすべきことありて、ーに大宮の大路を南ざまへおはしけるに」〈発心集七〉

あさがけ【朝懸け・朝駆け】《「夜懸け」の対》早朝、不意に敵陣を襲撃すること。「神呪寺より富松町へーして責め落して」〈細川両家記〉 **ーの駄賃(だちん)** 物事の容易であることのたとえ。「気遣ひなさるな。五人や十人はーぞと」〈近松・天智天皇五〉

あさかしは(…ガシワ)【朝柏】〔枕詞〕「閏八川(うるはがは)」にかかる。朝の柏の葉が濡れ、うるおう意からとも、朝柏がうるわしい意からともいう。「ー閏八川辺の小竹(しの)の芽の」〈万二七五四〉

あさがすみ【朝霞】①朝立つ霞。「ーたなびく野辺に」〈万一九四〇〉 ②〔枕詞〕幾重にもふかい意から「八重」に、その時季に立つ意から「春日(はるひ)」に、その煙のたなびく様子が似ていることから「鹿火(かひ)」にかかる。「ー八重山越えて」〈万一九四一〉。「ー春日の暮れば」〈万一八七六〉。「ー鹿火屋(かひや)の下に」〈万二二六五〉 †asagasumi

あさかぜ【朝風】①朝の風。陸から海へ、峰から谷へ吹く。「ーに浦浪騒き」〈万一〇六五〉 ②ハヤブサの異称。「冬山の雪にたまらぬ峰のー」〈西園寺鷹百首〉

あさかは(…カワ)【朝川】朝の川。「船並めてー渡り、舟競ひ夕河渡る」〈万三六〉

あざかへ・し(…カエシ)【糾返し】《四段》《アザ(交)カヘシ(返)の意》くり返しさがす。何度も何度も綿密にしらべる。「すべて二千首に及べるを、そこら御覧じー・させ給へれば」〈源家長日記〉。「薤、アザカヘス」〈名義抄〉

あさがへり(…ガエリ)【朝帰り】①前夜、女のもとを訪れた男が、翌朝帰ってゆくこと。「ーする男の…狩衣の頸かみに針を刺し」〈平家八・緒環〉 ②遊廓から朝帰ること。「憂きー人は知るまい」〈俳・藤枝集上〉

あさがほ(…ガオ)【朝顔】①朝の寝起きの顔。「寝くたれの御ー見るかひありかし」〈源氏藤裏葉〉 ②朝、美しく咲いた花の様子。「わが園へいざ帰りなんーの一花桜花散りにけり」〈宇多院物名歌合〉 ③草木の名。古くは何の花であったか諸説がある。㋑今のキキョウ。秋の七草の一。「萩が花・尾花・葛花・撫子の花・女郎花(をみなへし)また藤袴・ーの花」〈万一五三八〉。「桔梗、阿佐加保(あさがほ)」〈新撰字鏡〉 ㋺今のムクゲ。輸入植物で美しかったので、それ以前にキキョウにつけられていた「あさがほ」の名を奪ったという。「蕣、キバチス・アサガホ」〈名義抄〉 ㋩今のアサガオ。平安時代に中国から渡来した。もとの名は牽牛子(けにごし)。その実を薬用にした。ムクゲより一層美しかったので、「あさがほ」の名を奪った。種種の色や大きな花の観賞が盛んになったのは江戸時代以後。「ーのこれかれはひまつはれて」〈源氏槿〉。「夕顔は花の形もーに似て」〈枕六七〉。「牽牛子、アサガホ」〈名義抄〉 ④上方に開き下方がすぼんだ、朝顔の花の形をした茶碗や盃。「徳利・ー等持ち来る」〈言継卿記永祿二・九・三〇〉 ⑤「麩(ふ)の焼き」の別名。「加藤の妻鈴、ー一盆等これを送らる」〈言継卿記永祿一一・五・二三〉 **ーぞめ**【朝顔染】紺、または紫などで所所ぼかし染めにした染め模様。「ーの大振袖、ぬき鮫(めき)の大小」〈西鶴・男色大鑑三〉 **ーの**【朝顔の】〔枕詞〕「咲き」と同音の「さき(離)」にかかる。「ー年さへこごと(幾年デモ)吾(わ)はさかるがへ(仲ヲ裂カレルモノカ)」〈万三五〇二東歌〉 **ーのちゃのゆ**【朝顔の茶の湯】朝顔の花を観賞しながら、早朝行なう茶の湯。〈俳・大海集五〉 **ーのつゆ**【朝顔の露】はかないことのたとえ。「ーの水か花の露」〈俳・大海集五〉 —

あさがみ【朝髪】朝起きたばかりの乱れた髪。「ーの思ひ乱れて」〈万七二四〉 †asagami

あさがみしも【麻上下】麻の布で作った裃(かみしも)。近世、武士や平民の通常礼服。普通は薄鼠色の無地に白く小紋を染め出し、紋所をつけたもの。そのうち、肩衣も袴も単(ひとえ)の麻布で作ったものが恭礼、裏付(うらつき)や肩衣と袴が色の異なっているのは常礼、肩衣の代りに羽織を着るのはもっとも略式。「浅黄の—に茶小紋の着る物」〈西鶴・一代男七〉

あさかやま【浅香山】《陸奥国安積(あさか)地方の山》①万葉集巻十六にある「浅香山影さへ見えて山の井の浅き心をわが思はなくに」の歌をいう。平安時代のはじめ頃、手習いの手本としてこの歌を用いて平仮名を覚えた。「難波津(なにはづ)の歌…—のことば…このふた歌は、歌の父母のやうにてぞ、手習ふ人のはじめにもしける」〈古今序〉②〔枕詞〕万葉集の歌の故事によって、また、同音から「浅く」にかかる。「—あさくも人をおもはぬに」〈源氏若紫〉

あさがら【麻幹・麻殻】大麻の皮をはいだ茎。白くて軽く、盂蘭盆(うらぼん)の箸や燈心に使い、また、焼いて火口(ほくち)の炭や画工の焼き筆、火薬の合せ薬などに使う。「をがら」「あさぎ」とも。「重き石、軽き—を一つ舟に入れて」〈和語燈録一〉

あさがらす【朝烏】夜明けに鳴く烏。あけがらす。「—早くな鳴きそ」〈万三〇九五〉

あさかり【朝狩】朝の狩。「—に今立たすらし、夕狩に今立たすらし」〈万三〉

あさがれひ(ガレイ)【朝餉】《カレヒはカレイヒ(乾飯)の約》①天皇が召し上がる朝食の膳。粥が普通。また、必ずしも朝食だけでなく一般に天皇の召し上がる略式の膳もいう。正式の食事(大床子の御膳)は殿上人などの陪膳で召し上がるが、朝餉は女房の陪膳で内内に召し上がる。「—のけしきばかり触れさせ給ひて大床子のおものなどは、いとはるかに思し召したれば」〈源氏桐壺〉②「朝餉の間」の略。「—の御障子」〈源氏絵合〉。「—の壺(前庭)」〈大鏡伊尹〉

—のま【朝餉の間】清涼殿の中、台盤所の北の部屋。朝餉を召し上がる所。「—に上はおはしますに」〈枕(能因本)上にさぶらふ御猫は〉

あさき【浅木】節の多い雑木。「取りかぬる—の宮木(みやき)節しげみさもわれにくく人のいふかな」〈宝治百首〉

あさぎ【浅葱・浅黄】《アサは、うすい意。キは、葱(き)の葉の色の意。「浅黄」は後世の当て字》①薄藍色。平安朝では六位の袍(うへ)の色で、「あさみどり」とも。「—(六位ノ袍)にて殿上に帰り給ふ」〈源氏少女〉②あっさりと、ひかえめなこと。「—にざっと書き置くなり」〈浮・茶屋調方記〉③「浅黄裏」(2)の略。「女郎も本は素人なり、粋も本は—なり」〈風俗問答〉④「あさぎごき」「あさぎわん」の略。「御器(ごき)いづれも—」〈鹿苑日録慶長二・三・二八〉

—うら【浅黄裏】①浅黄色の衣服の裏地。「黒羽二重の大紋付の—」〈咄・座敷咄二〉②《着用する羽織の裏が多く浅黄木綿であったから》江戸の遊里で、江戸勤番の野暮(やぼ)な田舎侍を嘲っていう語。「—手をこまぬいて〔遊女ノ来ルノヲ〕待って居る」〈雑俳・柳多留二三〉

—かたびら【浅黄帷子】浅黄色の帷子。近世前期、四・五・六月に着た。「御装束には…、—を上にぞ着せ奉る」〈義経物語七〉。「一人奥の間より出で、帯も致し申さず、刀抜き、—にて出で申し候」〈本城惣右衛門覚書〉

—帷子(かたびら)黒小袖(くろこそで) 上品な服装の意。「—、庵(いほり)の内に木瓜の定紋付けて」〈浮・諸分姥桜五〉

—ごき【浅黄合器・浅黄御器】漆塗りの粗製の木椀。あさぎわん。あさぎかぐ。「青き物の品品…—」〈仮・尤の草紙上〉。〈日葡〉

—こもん【浅黄小紋】浅黄色で小模様を地一面に染め出したもの。「—の上下(かみしも)」〈浮・御前義経記五〉

—ぞめ【浅黄染】浅黄色に染めること。また、染めたもの。「春草や残んの雪の—」〈俳・小町踊一〉。〈日葡〉

—に黒餅(こくもち) 浅黄小紋に黒餅の紋をつけた肩衣または羽織。もっともありふれた礼服。「—七夕の布」〈俳・大矢数三〉

—ぼうし【浅黄帽子】浅黄染の帽子。後家または尼のかぶり物。はなのぼうし。はなだぼうし。「—思ひに乱す風の月」〈俳・桜千句〉

—わん【浅黄椀】「あさぎごき」に同じ。特に、近世、京都二条南北新町で作った、黒漆塗りの椀に浅黄色・赤・白の漆で花鳥の文様を画いたものをもいう。「また口切り〔ノ茶ノ湯〕に出し申し候ふ—」〈貞徳文集下〉。〈俳・毛吹草四〉

あさきた【朝北】朝吹く北風。「み船より仰せたぶなり—のいでこぬさきに綱手はや引け」〈土佐二月五日〉

あさぎぬ【麻衣】①麻布で作った着物。粗末な衣。「—に青衿(くび)つけ」〈万一八〇七〉②喪中に着る麻の着物。「—着(け)れば夢かも現(うつつ)かもと」〈万三三二四〉†*asaginu

あさきよめ【朝浄め】朝の掃除。「散りつみてはべりける花を見て。…この春ばかり—すな」〈拾遺一〇五五〉。「アサギヨメ、よりよくは、アサキヨメ」〈日葡〉

あさぎり【朝霧】朝立つ霧。「高円(たかまと)の秋野の上の—に」〈万四三一九〉†asagïri

あさくさじま【浅草縞】武蔵八王子辺で織った縞織物。経(たて)に屑生糸、緯(よこ)に木綿糸を使った女縞で、地質弱く粗品。「—二端〔ノ〕音信(贈物)有り」〈隔蓂記寛永一四・二・一八〉

あさぐつ【浅沓】公卿・殿上人が指貫(さしぬき)着用の時に用いた木製のくつ。古くは革製であったが、後に桐の木を浅くくりぬいて黒漆で塗り、内側に絹を張った。「西廊に於て—を着け、朝所に着す」〈九暦天慶八・二・一三〉

あさぐも【朝雲】朝、空に立つ雲。「—に鶴(たづ)は乱れ」〈万三三二四〉†*asagumo

あさぐもり【朝曇り】①朝、空の曇ること。「—日の入りぬれば」〈万一八八〉②朝、靄(もや)のかかること。「露もひぬ槙(まき)の葉涼し—」〈竹林抄一〇〉†asagumori

あさくらざんせう(ザンシヨウ)【朝倉山椒】山椒の一種。香気が強い大きな実がなる。もと、但馬(たじま)朝倉谷から多く産したのでいう。「土産に…若狭の—一包み、一段大粒にて辛き事無双」〈多聞院日記永祿一三・三・一二〉

あさくゎんおん(カンノン)【朝観音】毎月十八日の縁日の朝方、観音に参詣すること。「—と志す袖」〈俳・絵合下〉

—に夕薬師(ゆふやくし) 近世、観音には縁日の早朝、薬師には夕方参詣する風習をいう。「生臭き—」〈俳・宇陀法師〉

あさけ【朝明】《アサアケの約》早朝。夜のあける頃。「けさの—秋風さむし」〈万三九四七〉†asakë

—のすがた【朝明の姿】朝の光のなかに見える姿。女の許から、起きて帰る男の姿をいうことが多い。「わが背子が—よく見ずて今日の間を恋ひ暮すかも」〈万二八四一〉。「つとめて少し寝過ぐし給ひて、日さし出づる程に出で給ふ—は」〈源氏夕顔〉

あさげ【朝食】《室町時代までアサケと清音》朝の食事。朝飯。「昔は寺寺ただ一食(いちじき)にて、—一度しけり」〈雑談集三〉。「朝食、アサケ」〈饅頭屋本節用集〉

あざけ・り【嘲り】[一]〔四段〕《アザはアザ(痣)・アザヤカ・アザムキ・アザワラヒのアザと同根》①好き勝手な言葉を口にする。あたりかまわず勝手な口をきく。「月に—・り風にあざむく」〈後拾遺序〉。「加持を参るに…侍女忽ちに狂ひて哭(な)き—・る。侍女に神つきて走り叫ぶ」〈今昔二〇ノ七〉②言葉に出して馬鹿にする。相手を見下して物を言う。

「〔私ヲ〕さかしらに迎へ給ひて〔置キナガラ〕、かろめ―・り給ふ」〈源氏行幸〉。「〔酔漢ヲ〕各〻―・りて過ぎぬ」〈徒然八七〉 ㊁『名』ことばなどに出して馬鹿にすること。軽蔑し、罵倒すること。「後賢の―を恥ぢざるにあらず」〈孝養集中〉

あさこぎ【朝漕ぎ】朝、舟をこぐこと。「―しつつ歌ふ船人」〈万四一五〇〉 †asakögi

あさこち【朝東風】朝、東寄りから吹く風。「―に井堤(ゐで)越す浪の」〈万二七一七〉 ▽上代、コチのコは kö か kō か不明。

あさごみ【朝込み】《「夜込み」の対》 ①早朝、敵陣を急襲すること。「朝がけ」とも。「天正十二年正月元日に、根来雑賀方より岸和田へ―」〈中村一氏記〉 ②前夜差支えのあった時、早朝遊廓の開門を待って入り込み遊ぶこと。「よい機嫌とて―に行く」〈俳・飛梅千句〉。〈色道大鏡一〉

あさごろも【麻衣】 ①麻の粗末な着物。「―着(け)ればなつかし」〈万一一九五〉 ②喪中に着る麻の着物。「使はしし御門の人も白たへの―着」〈万一九九〉 †asagörömö

あさざ【朝座】《「夕座」の対》 法華八講などで、朝の読経または説経。「―の講師清範」〈枕三五〉。「―・夕座果てて」〈栄花駒競〉

あざさ【莕菜】リンドウ科の多年生水草。夏秋の頃、葉の付け根に黄色の可憐な花をつける。髪飾りなどにつかった。ハナジュンサイ。「か黒き髪に真木綿(まゆふ)もち―結ひ垂れ」〈万三二九五〉。「荇、阿佐々(あざさ)」〈和名抄〉

あささらず【朝さらず】『連語』《「夕さらず」の対。サリは移動してなくなってしまう意。ズは打消》 毎朝。「―霧立ち渡り」〈万四〇〇三〉

あささ・り【朝さり】『四段』《「夕さり」の対。サリは移動する意》 朝になる。「―・れば妹(いも)が手に巻く鏡なす御津の浜びに」〈万三六二七〉

あさ・し【浅し】『形ク』《「深し」の対。アセ(褪)と同根。深さが少ない、薄い、低い意》 ①《空間的に》 ㋑表面から垂直に底・奥までの距離が近い。「広瀬川袖つくばかり―・きをや」〈万一三八一〉 ㋺平面的に奥までの距離が近い。「ことごとしからぬ旅の御しつらひ―・きやうなる御座(おまし)のほどにて」〈源氏夕霧〉 ②《時間的に》 はじめからの時の経過が少ない。「春―・きすずのまがきに風さえてまだ雪消えぬしがらきの里」〈山家集中〉 ③社会的な位置が低い。「位―・く何となき身の程」〈源氏梅枝〉 ④心の至りつくところが深くない。㋑智恵が未熟である。至り少ない。「阿難は有学の人にて智恵―・し」〈今昔三ノ六〉 ㋺情がうすい。情があつくない。「―・からぬほど、しるく見ゆれば」〈源氏葵〉 ㋩思慮がうすい。浅はかである。「亡き人に少し―・きとがはおほせて」〈源氏(河内本)夕霧〉 ㊁趣きが少ない。「よろづのこと昔には劣りざまに―・くなり行く世の末なれど」〈源氏梅枝〉 ㋭経験が乏しい。「〔法花経ノ〕持者も徳行―・し」〈今昔一三ノ四一〉 ⑤色や香がうすい。「〔香ヲ〕―・からずしめたる紫の紙に」〈源氏明石〉。「限りあれば薄墨衣―・けれど涙ぞ袖を淵となしける」〈源氏葵〉 ⑥縁がうすい。「あながちなりける契りを思すにも―・からずあはれなり」〈源氏明石〉

あさじ【朝時・朝勤】真宗で、早朝に勤行(ごんぎよう)すること。「あだし世は明日も―の月なれや」〈俳・投盃〉 **―まゐり**【朝時参り】真宗の信者が、朝時に参詣すること。「起きまどひたる立ち君(夜鷹)は、―にかきまぎれぬる」〈俳・分外集下〉

あさじのはら【浅篠原】まばらに篠の生えている原。また、短い篠の生えている原。「―〔デ〕腰なづむ(難渋スル)」〈記歌謡三五〉 †asazinoFara

あさしもの【朝霜の】〔枕詞〕朝の霜は消えやすいので「消(け)」にかかる。また、「御木(みけ)」にかかる。「―消やすき命」〈万一三七五〉。「―御木のさ小橋」〈紀歌謡二四〉 †asasi-mönö

あさしゃうじん【朝精進】毎朝なまぐさ物を食べず、精進物を食べること。「御恩を受けたる者ども、―するも、やさしく見えける」〈西鶴・好色盛衰記二〉

あさすき【朝数寄】早朝催す茶会。朝会(あさかい)。「鳥より前は夜数寄也。鳥鳴きては―なり」〈利休台子かざり様之記〉

あさすずみ【朝涼み】 ①夏の朝の涼しい時。「まだ―の程に渡り給はむとて、とく起き給ふ」〈源氏若菜下〉 ②朝のうち涼しさを味うこと。「秋を引け袖も夏麻(なつそ)の―」〈竹林抄一〇〉

あさせ【浅瀬】川の、水の浅い所。また、浅くて水の流れのはやい所。「天の河―白浪たどりつつ渡りはてねば明けぞしにける」〈古今一七七〉 **―を渡・る** 物事の表面しか分らず、真実を知らないたとえ。「これは―・る人、此の里の恋の淵を知らず」〈西鶴・一代男六〉

あさたか【朝鷹】早朝の鷹狩。前夜、雉子(きじ)の鳴く声でその居所の見当をつけておく。鳴鳥狩(ないとがり)。朝鳥狩(あさとがり)。「鳴く鳥を夜聞き臥するーに鈴の子さして出づる狩人」〈鷹三百首和歌〉

あさだ・ち【朝立ち】『四段』 朝早く旅に立つ。「群(むら)鳥の―・ち去(い)なば」〈万四〇〇八〉

あさぢ【浅茅】一面に生えた、丈の低いチガヤ。万葉集・古今集では叙景や恋の歌にも使われるが、源氏物語以後はヨモギ・ムグラと共に淋しい荒廃した場所の象徴とすることが多い。「印南野(いなみの)の―おしなべさ寝る夜の」〈万九四〇〉。「―は庭の面(おも)も見えず、繁き蓬は軒をあらそひて生ひのぼる」〈源氏蓬生〉 **―がはな**【浅茅が花】短いチガヤの花。ツバナの伸びて穂になったもの。「わが屋戸(家ノ庭)の―の散りゆく見れば」〈万一五一四〉 **―がはら**【浅茅が原】 ①浅茅の一面に生えている所。平安朝以後は、人も来ず荒れはてた邸の形容に多く使う。「茅花(つばな)ぬく―のつぼすみれ」〈万一四四九〉。「〔荒レタ末摘花邸ノ〕かかる―を移ろひ給はで」〈源氏蓬生〉 ②江戸浅草総泉寺門前の原。「―・小塚原、名所の野三つあるに付けて三野(さんや)と申し侍り」〈西鶴・一代男七〉 **―がやど**【浅茅が宿】浅茅の生い茂っている荒れた家。「―に昔をしのぶこそ、色好むとはいはめ」〈徒然一三七〉 **―はら**【浅茅原】 ①浅茅の原。「―刈り標(しめ)刺して」〈万二七五五〉 ②〔枕詞〕 ㋑「つばら(委)」にかかる。茅花をツバナというように、浅茅原をアサツバラともいった結果、同音の「つばら」にかかったものであろう。「―つばらつばらに物思へば」〈万三三三〉 ㋺「小野」にかかる。転じて「小(を)」にかかる。「―小谷を過ぎて」〈記歌謡一一二〉 **―ふ**【浅茅生】《フは生えた所》 浅茅の生えている所。荒れた場所。「いとどしく虫の音しげき―に露おき添ふる雲の上びと」〈源氏桐壺〉 **―ふの**【浅茅生の】〔枕詞〕 浅茅の生える小野の意で「小野」にかかる。転じて「おの(己)」などにかけて用いる。「露まがふ日影になびく―おのづから吹く夏の夕風」〈続拾遺二〇九〉 **―ふのやど**【浅茅生の宿】「浅茅が宿」に同じ。「いかで住むらむ―」〈源氏桐壺〉

あさぢざけ【麻地酒・朝生酒・朝茅酒】豊後・肥後産の酒の一種。夏季の飲物。「土かぶり」とも。「名酒には加賀の菊酒・―」〈太閤記一六〉

あさぢゃ【朝茶】①朝食前に飲む茶。「―飲む人の命はいつまでぞ北野の神のあらむ限りは」〈伽・御茶物語〉。〈日葡〉②「朝数寄(きす)」に同じ。朝茶の湯。「二十六日の―申すべきの由申し遣はす」〈本光国師日記元和三・二三・二四〉③「朝茶の子」の略。「煎り米も花かうばしき―かな」〈俳・塵塚(成之編)一〉 **―のこ**【朝茶の子】朝茶を飲む前に取る少量の食物。「浅井が城は小さい城や、ああよい茶の子、―」〈浅井三代記一四〉→茶の子

あさつき【浅葱】ユリ科の多年草。ネギより細く、ニラに比べて臭気が少ない。食用。「島蒜、阿佐豆木(あさつき)」〈和名抄〉

あさづくひ【朝づく日】①《「夕づく日」の対。ツクはその状態になってゆくこと》朝日。「―さすや岡辺の草の葉に」〈拾玉集一〉②〔枕詞〕「向ひ」にかかる。朝のぼる日に向う意からという。「―向ひの山に月立てり見ゆ」〈万一二九四〉 †asadukuFi

あさづくよ【朝月夜】《「夕月夜」の対》明けがたに月の残っている下旬の夜。また、その月。「―明けまく惜しみ」〈万一七六一〉→あかつきづくよ。 †asadukuyo

あさって【明後日】「あさて」の促音化。「明後日、アサッテ」〈温故知新書〉。〈日葡〉

あさつばら【浅茅原】《ツバラのツはチ(茅)の古形》⇒あさぢはら

あさづまぶね【朝妻船】琵琶湖東岸、坂田郡朝妻と大津の間を往来する渡船。東山道筋の通行上、欠くことのできないものとして繁栄した。中には遊女を乗せて旅客を慰める舟もあった。「おぼつかな伊吹颪(いぶきおろし)の風先(かざさき)に―は会ひやしぬらん」〈山家集中〉

あさつゆ【朝露】朝、降りている露。消えやすく、草葉の上におくので、「消え」「置き」の形容とする。「―に裳の裾ひづち(泥デヨゴレ)夕霧に衣手(ころもで)濡れて」〈万三六九一〉。「―の消(け)やすき命」〈万一八〇四〉

あさて【麻手】《テはニキテ(和幣)のテと同じ》麻。「庭に立つ―刈り干し」〈万五二一〉 **―こぶすま**【麻手小衾】麻布で作った夜具。「庭に立つ―こよひだに夫(つま)寄しこせね(寄セテオクレ)―」〈万三四五四〉

あさて【明後日】あすの次の日。あさって。「〔出発ガ〕―ばかりになりて」〈源氏明石〉

あさで【浅手】①底の浅いもの。深みがなく、浅薄なもの。「手浅(てあさ)」とも。「―なものこそ、ちゃっと人も知れ」〈四河入海三ノ二〉②軽い負傷。「深手・―負はぬ者もなかりければ」〈太平記二六・楠正行最期〉

あざてんか【青虫天下】カルタの札の「あざ」。また、その札の強さを称する語。「―用ひられぬは虫(カルタノ絵札ノ一)の声」〈俳・江戸広小路下〉→あざ(青虫)

あさと【朝戸】朝起きてあける戸。「―開かむ」〈万一四九九〉 †asato **―で**【朝戸出】朝、戸をあけて家を出ること。「―の君が足結(あゆひ)をぬらす露原」〈万二三五七〉

あさどこ【朝床】朝まだ起き出ないでいる寝床。朝の寝床。「―に聞けば遙(はろ)けし射水川朝漕ぎしつつ歌ふ船人」〈万四一五〇〉 †asadökö

あざと・し《形ク》無知浅薄だ。小利口だ。また、大人が子供っぽい浅はかな言動をする形容。「―・いことが悪いぞ。また、疑ふが悪いぞ」〈三略講義〉。「なま才覚あるを―・しと云ふ」〈志不可起六上〉

あさとりの【朝鳥の】〔枕詞〕朝の鳥が巣などから飛び立ち、飛び通い、鳴くことから「朝立ち」「通ひ」「音(ね)泣き」にかかる。「―朝立ちしつつ」〈万一七八五〉。「―通はす君が」〈万一九六〉。「―音のみ泣きつつ」〈万四八一〉 †asatörinö

あさな【朝菜】朝飯の副食物とする海藻・野菜の類。「白妙の袖さへぬれて―摘みてむ」〈万九五七〉

あざな【字】①実名のほかの名。「女郎―を大名児といふ」〈万一一〇題詞〉②中国で、元服の時に実名の他につける名。その風にならって、わが国で、一人前の男子が人との応答に名乗る名。平安時代、学生〈がくしやう〉の入学の時、これを名簿に書く儀式があった。「〔夕霧ノ〕―つくる事は、東の院にてし給ふ」〈源氏少女〉。「学生元真、―清用みまかりて後」〈源順集〉③呼び名。あだな。「『何者ぞ』と問へば『―袴垂となむ言はれ候』」〈宇治拾遺二八〉

あさなあさな【朝な朝な】《副》朝ごと。毎朝。後には「あさあさ」とも。「―立つ川霧の空にのみうきて思ひのある世なりけり」〈古今五一三〉 ▽ナの意味は未詳。

あさなぎ【朝凪】《「夕凪」の対》朝、陸風と海風が変るとき、一時風がやんで海がしずかであること。「―に船出をせむと」〈万三六二七〉 †asanagi

あさなけに【朝な日に】《連語》「あさにけに」に同じ。「―見べき君とし頼まねば」〈古今三七六〉

あさなさな【朝な朝な】《副》《アサナアサナの約》毎朝毎朝。「―あがるひばりになりてしか都に行きてはや帰り来む」〈万四四三三〉

あざなは・り(アザナワリ)【糾はり】《四段》《アザナヒの自動詞形》より合わされる。「摎、アザナハレリ」〈名義抄〉

あざな・ひ(アザナイ)【糾ひ】《四段》《アザ(交)ナヒ(綯)の意》より合わせる。「吉凶―・へる縄の如しといふ本文あり」〈平治上・信西出家の由来〉

あさなゆふな(ウ：ユ)【朝な夕な】《連語》朝に夕に。「―に潜(かづ)くとふあはびの貝の」〈万二七九八〉。「大概に書かば手習ひよりも先づ―に文字をたしなめ」〈多胡辰敬家訓〉

あさにけに【朝に日に】《連語》朝に昼に。いつも。「―常に見れども」〈万三七七〉 ▽ケは「日(ひ)」の複数名詞でkëの音。「日に異(け)に」の場合はケはkeの音で別語。日ごとの意。 †asanikëni

あさには(ワ：ニ)【朝庭】朝の庭。「萩の花にほへるやど(庭先)を―に出で立ち平(なら)し、夕庭に踏み平(たひら)げず」〈万三九五七〉

あさね【朝寝】朝、遅くまで寝ていること。「ある時、―をして、遅く掃きけるを」〈沙石集一ノ七〉 **―がみ**【朝寝髪】朝寝をして起きたときの乱れ髪。「―我は梳(けづ)らじ」〈万二五七八〉 †asanegami **―昼寝夕惑ひ時時起きて物狂ひ** どうにも手のつけられない怠け者の形容。「朝寝の宵惑ひ」とも。「大食上戸の餅食らひと世話に云ふぞ。…また、このつれ(同類)に云ひ続けたことあり、―とやら云ひ続けたぞ」〈玉塵抄四六〉

あさの【浅野】草のまばらに生えた野。「遠方の―の雉(きぎし)響(とよ)もさず我は寝しかど人ぞ響す」〈紀歌謡一一〇〉 †asano

あさはか【浅はか】《アサは浅。ハは端の意か。浅く、はずれているさま》①奥行や深さがなく、浅くて端に近い感じであるさま。「―なる廂(ひさし)の軒は、程も無き心地すれば」〈源氏夕霧〉②心遣い・考え・愛情などが浅い感じであるさま。「あだに打ち見る人の―なる語らひだに見なれそなれて」〈源氏松風〉

あさばかま【麻袴】近世、武士・平民の礼服の一。これに麻肩衣をつけるのが常礼服。「次第に長くなる―」〈俳・藤枝集上〉

あさばち【朝鉢】朝来る托鉢(たくはつ)。また、その僧。「―にし

げき小篠(こざさ)を分け分けて」〈俳・桜千句〉

あさはなだ【浅縹】薄い縹色。「うすはなだ」とも。「―の海賦(かいぶ)の織物」〈源氏玉鬘〉

あさはふる【朝羽振る】『連語』朝、鳥が羽を振るように風や波が立つさまの形容。「―風こそ寄せめ、夕羽振る浪こそ来寄せ」〈万一三一〉

あさはら【朝腹】《促音が入って、アサッパラともなる》①朝食前のお腹(なか)。「―の事なれば、吐却すれども、痰(たん)よりほかは別に吐きださなんだ」〈天草本伊曾保〉②極めてたやすいことのたとえ。あさめしまえ。「行くは―松原の陰」〈俳・夢見草五〉　**―の丸薬**(ぐわんやく)　朝の空腹に丸薬を呑むように、非常にたやすいことのたとえ。「朝腹の茶の子」「朝飯前の茶漬」とも。「いで打ち潰さんと思はば、なんのその、鉄門の五十や百、打ち潰さんは―」〈浄・大伽藍宝物鏡二〉

あざは・り(アザワリ)【糾はり】『四段』《アザヘ(叉)の自動詞形》からみあう。「手抱(ただ)き―・り」〈紀歌謡九六〉。「糾、アザハレリ」〈名義抄〉

あさひ【朝日】朝の太陽。「―の直刺(たださ)す国、夕日の日照る国」〈記神代〉　†asaFi　**―かげ**【朝日影】朝日の光。また、朝日。「―にほへる山に」〈万四九五〉。「はなやかにさし出でたる―に」〈源氏東屋〉　**―こ**【朝日子】《コは親しみをあらわす接尾語》朝日。「―がさすや岡辺の」〈神楽歌七四〉。「―。ただ朝日の異名なり」〈匠材集三〉　**―さす**【朝日さす】〔枕詞〕朝日がかすかにさす意から「春日(かすが)」にかかる。「冬過ぎて春来るらし―春日の山に霞たなびく」〈万一八四四〉　**―で**【朝日手】山城宇治朝日山の麓で作った陶器。慶長頃に創まり、正保年中小堀遠州の指図で茶器を焼いた。朝日焼。「大服(おほぶく)は先づ―の茶碗かな」〈俳・堺絹〉

あさびらき【朝開き】泊まっていた舟が、夜明けを待ってこぎ出すこと。朝の船出。「珠洲(すす)の海に―してこぎ来れば長浜の浦に月照りにけり」〈万四〇二九〉。「泊りの船の―して」〈和歌集心体抄抽肝要中〉

あさぶさ【朝ぶさ】〔女性語〕朝食前に食う菓子。「―や朝(あした)の原の萩の花」〈俳・続山の井三〉。〈拉葡日〉

あさぶすま【麻衾】麻布で作った夜具。粗末な寝具。「寒くしあれば―引きかがふり」〈万八九二〉

あさぶせり【朝臥せり】朝おそくまで寝ていること。あさね。「あさぶし」とも。「昼顔や夕寝惑ひの―」〈俳・小町踊二〉

あさ・へ(アサエ)【浅へ】『下二』《「―・へたる」の形で使われ、意味はアサシに近い》①(官位などが)低い段階にある。「まだ位なども―・へたる程を」〈源氏竹河〉②(思慮が)浅い状態にある。分別に欠ける。「さやうに―・へたる事は、かへりてかるがるしきもどかしさなども立ち出でて」〈源氏幻〉

あざ・へ(アザエ)【叉へ】『下二』《アザ(交)アヘ(合)の約》組みあわせる。交叉させる。「手を挙げ、足を―・ふる」〈遊仙窟(醍醐寺本)鎌倉期点〉。「そぞろなる草の汁、虫の糸などを以て織り―・へ」〈孝養集上〉。「叉、アザフ」〈名義抄〉

あさぼらけ【朝ぼらけ】夜がほんのりと明けて、物がほのかに見える状態。また、その頃。多く秋や冬に使う。春は多くアケボノという。「―有明けの月と見るまでに吉野の里に降れる白雪」〈古今三三二〉。「夜明けぬ。ほのぼのとをかしき―に」〈源氏真木柱〉▽朝ホロ明ケの約か。asaForoake→asaborake

あさま【浅ま】《浅シの語幹アサに接尾語マが添えられた形。深さや奥行きのない状態》①奥深くないこと。「端(はし)近く―に閨(やね)をしつらひて空行く月を入れぬ夜ぞなき」〈為忠後百首〉②浅薄。「聊爾(れうじ)に沙汰するによりて、当流を人の―に思ふなり」〈御文章〉③あらわ。あからさま。「安達が原の黒塚に隠れ住みしも―になりぬ」〈謡・黒塚〉④むきだしで見苦しいさま。簡略で粗末なこと。「―なる柴の庵(いほり)を結び、竹の柱に竹の垣」〈伽・神代小町巻〉⑤興ざめ。「楽屋をば見れば花さへ―にて」〈俳・大坂一日独吟千句〉

あさま・し【浅まし】『形シク』《見下げる意の動詞アサミの形容詞形。あまりのことにあきれ、嫌悪し不快になる気持。転じて、驚くようなすばらしさにいい、副詞的には甚だしくという程度をあらわす》①(事の善悪によらず)あきれる気持だ。㋑意外で興ざめだ。「―・しきもの。車のうちかへりたる。…〔寝坊シテ〕鳥のかかと鳴くにうち見あげたれば、昼になりにける、いみじう―・し。見すまじき人に外(ほか)へ持ていく文見せたる。…物うちこぼしたる心地いと―・し」〈枕九七〉㋺不快である。「心憂き名をのみ流して―・しき身の有様を」〈源氏賢木〉㋩ただ驚くばかりだ。「〔出家ノ志ヲ聞イテ〕大将の御心も動きて―・しと思す」〈源氏賢木〉㊁すばらしくて驚くばかりだ。「―・しきまであてにかをり、えも言はざりし御さまかな」〈源氏蜻蛉〉②見下げたくなるようにひどい。「―・しき悪事を申し行なひ給へりし罪により」〈大鏡時平〉③いたましい。「わづかに十七年の春秋を送りかねてかやうにかくれさせ給ふぞ―・しき」〈保元上・後白河院御即位〉④見苦しい。「世をむさぼる心のみ深く、もののあはれも知らずなり行くなむ―・しき」〈徒然七〉⑤《副詞的に用いて》ひどく。甚だしく。ずいぶん。「月日へておこせたる文に、―・しく対面せで月日の経にけること」〈伊勢四六〉

浅ましくな・る《情けない状態になる意》死ぬ。「中将なくなりなむとして、二日三日ばかり兼ねて物も言はず、やがてあさましうなり給ひにけり」〈道信朝臣集〉

あさまだき【朝まだき】『副』朝早く。「―起きてぞ見つる梅の花夜の間の風のうしろめたさに」〈奈良御集〉

あさまつりごと【朝政】①朝、天皇が正殿に出て政務をとること。また、朝廷の政務。「―は怠らせ給ひぬべかめり」〈源氏桐壺〉。「〔建礼門院ハ十六歳カラ〕君王の傍に候はせ給ひて、あしたには―をすすめ、よるは夜を専らにし給へり」〈平家灌頂・女院出家〉②百官が各官省で朝から執務すること。「今は昔、官の司に―と云ふ事行なひけり」〈今昔二七ノ九〉

あさまもり【朝守り】朝、宮門を守ること。「―夕の守りに大君の御門(みかど)の守り」〈万四〇九四〉

あさ・み【浅み】㊀『四段』①人の行動を浅い、情けないと見下げる。軽蔑する。ばかにする。「〔物見ノ日ニ初瀬詣ヲスル一行ヲ〕―・み笑ひ、嘲る者どももあり」〈更級〉②あまりの出来事を見る人あざけり―・みて」〈徒然四一〉。「これとあきれる。「〔鉢ガ蔵ヲ乗セテ飛ブノヲ〕人人見ののしり、―・み、さわぎあひたり」〈古本説話六五〉㊁『名』(水の)浅い所。「―にや人は下り立つ」〈源氏葵〉

あさみち【浅道】歩いて渡れるような浅瀬。「―をば我ばかりこそ知りたれ、すぐにはえ渡り給はじ」〈宇治拾遺一二八〉

あさみどり【浅緑】①うすみどり。新芽の色にいう。「―染め懸けたりと見るまでに」〈万一八四七〉②あさぎ。空の色、六位の袍(うへ)の色などにいう。「花ざかり過ぎて―なる空に」〈源氏梅枝〉→みどり。†asamidöri

あさみや【朝宮】①朝の御殿。「―を忘れ給ふや、夕宮を背き給ふや」〈万一九六〉②朝の宮仕え。「―に仕へ奉りて」〈万三二三〇〉　†asamiya

あさみゃく【朝脈】①朝の脈搏(みやくはく)。「―取らんとや、早朝より来たり」〈仮・あだ物語下〉②朝、医者が病人の脈

を見ること。また、病家へ診察に廻ること。「只今はそんじゃうそこへ―にまかる」〈仮・竹斎狂歌物語上〉

あざむ・き【欺き】『四段』《アザはアザ(痣)・アザヤカ・アザケリのアザと同根。人の気持にかまわずどぎつく現われるものの意。ムキはブキ(吹)の転。吹キは、自分の気持のままに、口から出まかせをいう意。→いつはり》①自分の気分のままに歌などを口ずさむ。「月にあざけり、風に―・くこと絶えず」〈後拾遺序〉②見くびって自分の思うままにする。だます。「布施置きて我は乞ひ祈(の)む〔我ガ子ヲ〕―・かず直(ただ)に率(ゐ)行きて天路知らしめ」〈万九〇六〉。「女こそ物うるさがりせず、人(男)に―・かれむと生れたるものなれ」〈源氏螢〉。「―・く。たぶらかしたる事なり」〈匠材集三〉③相手を、ものの数ともしない。「義貞朝臣も正成も、大敵を見ては―・き、小敵を見ては侮らざる…勇者なれば」〈太平記一六・兵庫海陸〉④小馬鹿にする。相手をないがしろにする。「この虚言の本意をはじめより心得て、少しも―・かず」〈徒然一九四〉⑤小馬鹿にして笑う。あざわらって言う。「『あはれ運強き足利殿や』と、高らかに―・いて」〈太平記三一・笛吹峠軍〉⑥相手をしのぐ。相手にひけをとらない。「鬼を―・く人びとも」〈伽・酒呑童子〉。「雪を―・く御顔をもたげさせ給ひ」〈伽・のせ猿草紙〉 †azamuki

あさ・め【諫め】『下二』《イサメの母音交替形》⇒いさめ。「独り進みて―・めていはく」〈紀天智一年〉

あさめよく【朝目吉く】『連語』朝目ざめて(縁起の)よいものを見て。「―汝(なれ)取り持ちて天つ神のみ子に献(たてまつ)れ」〈記神武〉 †asamëyöku

あさもよし【麻裳よし】〔枕詞〕麻の裳の良い産地の意から、「紀」にかかる。また、その同音をもつ地名「城上(きのへ)」にかかる。「―紀へ行く君が」〈万一六八〇〉。「―城上の宮を」〈万一九九〉 ▽麻裳を着る意から「紀」にかかるともいうが、着ルのキはkiの音、万葉仮名の「紀」はkïの音だから、その説は成立困難。 †asamoyösi

あさもよひ(:モ ヨイ)【朝催ひ】①朝の支度。特に、朝食の用意。また、朝食どき。「朝食(あさけ)の煙の―」〈宴曲集朝〉。「―とは、朝(つとめて)物食ふ時を云ふなり」〈今昔三〇ノ一四〉②朝食。「かのいぶせき所にて、―気味よく食べ侍るも」〈仮・是楽物語下〉

あさもよひ(:モ ヨイ)〔枕詞〕《アサモヨシの誤伝》「紀」にかかる。「―紀の川ゆすり行く水の」〈今昔三〇ノ一四〉

あざやか【鮮やか】《アザはアザ(痣)・アザケリ・アザムキ・アザワラヒのアザと同根。人の気持にかまわず、際立って鮮明であるさま。類義語ケザヤカはケ(界)サヤカ(冴)で、二つの対比がはっきりし、物事のけじめがきっぱりしているさま》①色が水際立ってはっきりしているさま。「板の端近う―なる畳一ひらうち敷きて」〈枕三六〉②線がくっきりしているさま。「鼻なども―なる所なうねびれて」〈源氏空蟬〉③人の姿・態度・行為などがくっきりと目立つさま。耳に立つさま。「例は心強う―に誇りかなる御気色名残りなく、人わろし(ミットモナイ)」〈源氏柏木〉

あざや・ぎ【鮮やぎ】『四段』《あざやかになる意》①色がはっきり目立つ。「白き単衣の、いと情けなく―・ぎたるに」〈源氏手習〉②態度・性質がどぎつく目立つ。きつくてしなやかでない。「物物しく―・ぎて、心ばへもたをやかなる方はなく」〈源氏宿木〉

あざや・げ【鮮やげ】『下二』《アザヤギの他動詞形》はっきり目立たせる。「宮達の御衣ばかりをぞ―・げさせ給ひて」〈栄花ゆふしで〉

あさやま【朝山】朝の山狩。「さんぬる二十日の―に、御馬屋の徳竹が手負ひ猪に追立てられ」〈近松・世継曾我二〉

あさゆふ(:ユ ウ)【朝夕】①朝と夕方。日常。「―の言種(ことくさ)に」〈源氏桐壺〉②朝夕の食事。また、暮し。生活。「―さへなりかぬるなり(状態)で」〈虎明本狂言・連歌盗人〉

あさよひ(:ヨ イ)【朝宵】《「あさゆふ」よりも古い複合語》朝夕。朝晩。「―ごとに立つ霧の」〈万四〇〇〇〉 †asayoFi

あさら【浅ら】《ラは形容詞語幹について状態をあらわす接尾語》色浅いさま。「桃花染(つきそめ)の―の衣浅らかに思ひて妹に逢はむものかも」〈万二九七〇〉 **―か**【浅らか】浅いさま。うすいさま。深くないさま。「―に相見し人に恋ふるころかも」〈万二九六六〉 →あさはか

あざらか【鮮らか】(殺した動物の肉の)新鮮で生き生きしているさま。「〔髑髏ノ舌ノ状態ガ〕生(あざらか)にして」〈霊異記下一〉。「―なる物(魚肉)持て来たり」〈土佐二月八日〉。「熊の膾(なます)純(あざらか)なる」〈遊仙窟(真福寺本)鎌倉期点〉

あざらけ・し【鮮らけし】『形ク』《アザラカの形容詞形》(肉などが)新鮮である。「鮮(あざらけ)き鱠(なます)」〈遊仙窟(真福寺本)鎌倉期点〉。「この人は、乱世の祿をはまずして、―・き〔魚〕をはんで世を渡るよ」〈三体詩抄二ノ四〉。「鮮、アザラケシ」〈名義抄〉

あさり【浅り】浅い所。浅み。「地はさながら白浪にて、いささかの―だになし」〈発心集四〉。「雪の―に食(く)はんとて、丹波の鹿(し)が一の谷へ渡り」〈盛衰記三六〉

あさ・り【漁り】㊀『四段』①人間や動物が、山野・水辺で食物を得ようと探しまわる。「春の野に―・る鴙(きぎし)の妻恋に己があたりを人に知れつつ」〈万一四四六〉②あちこち、つつきまわすようにして物を探す。「〔物語ノ本ヲ〕―・らせ給ひて」〈紫式部日記〉 ㊁『名』漁ること。「―しに出でむと鶴(たづ)は今ぞ鳴くなる」〈万四〇三四〉

あざり【阿闍梨】《梵語の音訳。軌範・正行と訳す。「闍」の呉音はシャ、またジャ。ザはその直音化》①弟子に正しい法式を教える僧。師。「弘仁の廃皇太子、入道して僧と為(な)る。真言宗の―と作(な)す。其の名、真如」〈三代実録貞観九・七・一三〉。「―などにもなるべき者にこそあなれ」〈源氏若紫〉②天台宗・真言宗で宣旨によって補せられる僧の称号。「故座主円仁―誓ふに国を護ることを以てす」〈三代実録貞観八・六・三〉③修法や儀式の導師。「山の座主よりはじめて御忌むことの―三人」〈源氏若菜上〉

あざ・り『四段』《アは足、ザリは移動する意のサリか》動きまわる。また、さわぎくるう意ともいう。「立ち―・り我れ乞ひ祈(の)めど」〈万九〇四〉

あざ・り『四段』①連俳の会席で、自己の付句(つけく)すべき時に案じ煩っている場合に、前句の作者が代って続けて付ける。「連歌なんどに、―・ると云ふ詞あるは、文字何ぞ」〈壒嚢鈔六〉。「『算用状をかきながす人』玄旨。『森下の稲やあまたに作るらん』…予が心に付けたり。『瘡(かさ)に血の余れるほどの蔵法師』と〔玄旨〕―・られたり」〈耳底記〉。〈日葡〉②続けてする。継続する。「さりながら、今一季―・らうか知らぬ」〈咄・醒睡笑四〉

あざ・り【戯り】『四段』《アザレの転》ふざける。冗談などを言ってからかう。「あじゃり」とも。「ああ、おとなしきあしや殿やと、―・って申せば」〈浄・今川物語四〉

あざ・れ【鯘れ・戯れ】『下二』❶(肉の)鮮度が落ちてくずれる。腐敗する。「―・るとは、久しくして、やぶれ、臭きなり。かくの如くの肉をば食らはず」〈成簣堂本論語抄五〉。「餲、魚肉爛也、阿佐礼太利(あざれたり)」〈新撰字鏡〉。「鯘、アザル」〈名義抄〉 ❷《転じて、人間の振舞にいう》①くだけ

た振舞をする。「〔源氏ハ〕公け様は少したはれて—・れたる方なりし」〈源氏藤裏葉〉 ②ふざける。「〔匂宮ハ六君ノ所デ〕いと—・れてとみにも出で給はず」〈源氏宿木〉。「さらぬ人だに—・れたる物のぞきはいと便なき事にするを」〈大鏡藤氏物語〉 ③正式でない。略式である。「—・れたる袿(うちき)姿にて」〈源氏紅葉賀〉 ④しゃれている。「返しはつかうまつりけがさじ。〔アナタノ歌ハ〕—・れたり」〈枕八七〉 **—ばみ**【戯ればみ】『四段』男女の間で、たしなみにはずれた様子をする。「例はかやうに長居して—・みたる気色も見え給はぬを」〈源氏夕霧〉

あざわら・ひ【嘲笑ひ】『四段』《アザはアザ(痣)・アザヤカ・アザケリ・アザムキのアザと同根》他人の気持にかまわず大笑する。「われがしこにうち—・ひて語るを、尼君などはかたはらいたしとおぼす」〈源氏手習〉。「翁二人見交して—・ふ」〈大鏡序〉

あさゐで【朝井堤】朝の堰(ゐせき)。一説、「朝戸出」の誤。「—に来鳴く貌鳥(かほとり)」〈万一八二三〉

あさを【麻苧】①麻の繊維から取った糸。あさいと。「—らを麻笥(をけ)にふすさに(タクサン)績(う)まずとも」〈万三四八四東歌〉 ②麻。「我がまきし—の種を」〈曾丹集〉

あし【足・脚】㊀『名』①動物の胴体をささえ、歩くのに用いる部分。腿(もも)から下すべてをいうが、特に、くるぶしの下。「刈株(かりばね)に—踏ましなむ」〈万三三九九〉。「—は十文字に踏みてぞあそぶ」〈土佐十二月二十四日〉 ②物の下部から突き出し、その本体をささえるもの。「—(車輪)よわき車」〈源氏行幸〉。「東の門は四つ—になして」〈枕八〉 ③脚のように見えるもの。「やうやう風なほり、雨の—しめり星の光も見ゆるに」〈源氏明石〉 ④歩くこと。「少し—馴れたる人」〈源氏玉鬘〉 ⑤船体の水面下に沈む部分。喫水。「潮干なれども小船なり。—は浅し」〈義経記四〉 ⑥旗の末端の、風になびく部分。「旗の—の風に吹かれて騒ぐに似たるなり」〈俊頼髄脳〉 ⑦《晉書、隠逸伝に「無レ足而走」とあるのによるという》銭。おあし。「何よりも重宝たる—、…日蓮が身には時に当りて大切に候」〈日蓮遺文経王殿御返事〉 ㊁『接尾』石高・金貨の数量を示す語に付けて、…くらいだけの意をあらわす。「百五十石—返し進(まゐ)らせ候」〈相良家文書天文一四・一〇・二五〉。「金〔デ評価スル〕ならば息子誉めたは十両—」〈雑俳・日本国〉 **—が上が・る** 職を失う。頼る所がなくなる。あがったりになる。「おのれがやうな奴生けて置きゃ、仲間の者の—・る」〈浄・夏祭二〉 **—が付・く** ①関係ができる。手掛りがつく。「—・いたが最後、主にゃあ何も隠しいせんと、内兜(うちかぶと)を見せかけて」〈洒・阿千代の伝〉 ②たちの良くない情夫ができる。「芸子にゃ、又しても—・く」〈滑・膝栗毛八下〉 ③逃亡者の足取りがわかる。「山越しに逃げなすったらうが、姉さんが一所だから、—・かにゃあいいが」〈伎・小袖曾我薊色縫二ノ三〉 **—が弱・い** 飲食物が腐りやすい。「足が強い」の対。「この酒は—・い。夏まではもつまい」〈評判・難波鉦六〉 **—立た・ず** イザナキ・イザナミ二神の間の子が蛭(ひる)の子のように三年間足が立たなかったということをいうことば。生れて三年。また、不遇の三年間などを指す。「蛭の子は三年(みとせ)になりぬ—・ずして」〈日本紀竟宴歌〉。「蛭の子の—・ざりし年(三年間)は経にけり」〈源氏明石〉 **—に任・す** 行く先も知らず、ただ足のおもむくに従う。「涙にくれ、—・せて落ち行けば」〈保元中・新院左大臣殿〉 **—は擂粉木(すりこぎ)** 足が疲れて感覚がなくなること。足が棒になる。「足は切匙(せっかい)」とも。「春山暮し—西鶴」〈俳・大矢数五〉 **—参・る** 貴人の足をもみ、さする。「女の音(あこ)にて『御—・れ』と候へば、参り候ひつる」〈今昔二六ノ一七〉 **—を洗・ふ** いやしい身分や職業から抜け出して、より上の境遇になる。近世後期には、非人仲間から再び平民に復することや、遊び人・芸娼妓などが堅気(かたぎ)になることに多く用いた。「下司(げす)〔ノ農民〕が侍に—・うて、上臈(じゃうらふ)交りをするぞ」〈玉塵抄一六〉。「非人—・ふに作法あり」〈観延政命談四〉 **—を括(くく)ら・る** 束縛されて自由に行動できない。「四年以来、百両の敷銀に、あったら—・れ」〈浮・好色十二人男三〉 **—を喰(く)は・る** 履き物で、足の皮をすりむいたりして痛める。のちには「足を喰ふ」とも。「藁沓(わらうづ)に—・れて紙を巻きたりけるを見て」〈金葉七〇三詞書〉 **—を空** 足が地につかぬこと。浮き立って落ちつかないさま。あわてるさま。「波いといかめしう立ち来て、人人の—なり」〈源氏須磨〉 **—を溜・む** 足を留める。「敵に—・めさせじとて…二百余騎の勢をさし遣はす」〈鎌倉大草紙〉 **—を付・く** 関係をつける。手掛りをつける。「守り(子守り娘)に惚れあやめ団子で—・け」〈雑俳・末摘花三〉 **—をはかりに** 足の続く限り。脚力の及ぶだけ。「—何方へなりとも参らう」〈虎明本狂言・磁石〉

あし【葦・蘆】イネ科の多年草。水辺に生える。茎は屋根をふき、また垣・簾(すだれ)を作るのに使う。奈良時代には難波のアシが有名だった。「—刈ると海士(あま)の小舟は」〈万四〇〇六〉。「—を伊勢には浜荻(はまをぎ)と云ふ也。摂津国には—といひ、東(あづま)にはよしといふなど云へり」〈仙覚抄四〉 **—が散る** アシの花が散る。地名「難波(なには)」にかかる修飾語。一説、枕詞。「—難波に来居て」〈万四三九八〉

あ・し『四段』みたす。いっぱいにする。「献(まつ)り来し御酒(みき)ぞ—・さず(満タシテオカズニ)飲(を)せ」〈記歌謡三九〉。「賓、アス、満也」〈名義抄〉

あ・し【悪し】『形シク』《「よし」「よろし」の対。シク活用の形容詞は本来情意を表わすものなので、アシは、ひどく不快である、嫌悪されるという感覚・情意を表現するのが本来の意味。多くの人人が不快の念をいだくような害がある意から凶・邪・悪の意を表わした。 ①本性が不良で嫌悪される。性質が人に不快を与える。「人よりも妹そ—・しき恋ひも無くあらましものを思はしめつつ」〈万三七三七〉。「—・しかる咎(とが)もさね見えなくに」〈万三三九一〉 ②《吉に対して》運・縁起などが凶だ。「日—・しければ舟いださず」〈土佐一月十九日〉。「例の所には方(かた)—・しとてとどまりぬ」〈かげろふ中〉 ③《正・善に対して》よくない。正しくない。「正法を聞かず、菩提を遠ざかる。この故に今—・しき心を起すべからず」〈三宝絵上〉 ④《気分・技術・状態などについて》㋑気分がよくない。快くない。「翁心地—・しく苦しき時も、この子を見れば」〈竹取〉 ㋺下手である。拙い。「—・しくさぐれば無きなり」〈竹取〉。「手は—・しげなるを、まぎらはしざれみて書いたるさま品なし」〈源氏夕顔〉 ㋩粗末である。「かく—・しきものして、〔食〕物を参れば、いといたく痩せ給ふ」〈かげろふ中〉 ㋥貧しい。「いかにしてあらむ。—・しうてやあらむ、よくてやあらむ」〈大和一四八〉 ㋭醜い。「御声も惜しませ給はずいとさま—・しきまで泣かせ給ふ」〈栄花花山〉 ㋬不適当である。「されどそれ(オマエ)、参るに—・しからず」〈大鏡藤氏物語〉 ㋣間違っている。「むげに口惜しくはありけれ…と宣ふに、さは、—・しく思ひけりと心地騒ぎて思ゆべし」〈増鏡三〉 ⑤《動詞連用形を承けて》…することが不愉快だ。…することが嫌で、しにくい。「他国(ひとくに)は住み—・しとそいふ」〈万三七四八〉。「うるはしと我が思ふ妹を思ひつつ行けばかもとな行き—・しかるらむ」〈万三七二九〉

あじ【阿字】 梵語(ぼん)(ご)の第一字母。一切のことばの根本とされる。また宇宙一切は、本来、不生のものだから不滅でもあるという仏教の深い教えをこの一字があらわすとされる。「一切の法は、ーを離れたる事なきが故に」〈和語燈録二〉 **ーの一刀**(いっ)(たう) 阿字の深い道理をよく悟れば一切の煩悩を断ち切るので、これを鋭い刀にたとえていう。「法然上人の御法を受け、ーを引っさげ、恩愛の絆(きづ)(な)をばふっつふっつと切り払い」〈浄・念仏往生記三〉

あしあし【足足】 足並みのそろわぬさま。隊伍をみだすさま。「アシアシニミユル」〈日葡〉。「駿河衆もーにして引きしりぞく」〈三河物語中〉

あしあらひ ライ:: アフ【足洗ひ】 ①足で踏んで、物を洗うこと。「賤(し)(こ)の女(め)も大道(おほ)(ち)ゐづつに夕涼み古帷子(ふるか)(たびら)のーして」〈拾玉集三〉 ②足を洗いきよめること。洗足(せん)(ぞく)。「湯などもてきてーなどして後」〈伽・鶴草子〉 ③卑しい身分から成り上がること。足を洗うこと。「ー〔ノ侍〕のうちには彦一が上にてあるべく候」〈小早川弘景置文〉

あしうち【足打】 底の左右に板製の足のついている折敷(をし)(き)。足打折敷。足付折敷。「本膳〔八〕…土器(かは)(らけ)の時はー〔デ出ス〕也」〈山内料理書〉

あしおと【足音】 歩く音。「御膳(おも)(の)まゐる〔女房ノ〕ー高し」〈枕二三〉

あしか【海鹿・海驢】《近世、アシカはよく眠る動物と信じられていたので》(いつもねむたがる)新造〈しん〉(ざう)の異名。「ー四五疋連れて出るいい女郎」〈雑俳・川傍柳三〉 **ーを使ふ** 眠るふりをする。「夜もすがらー・ひ」〈評判・吉原雀上〉

あじか【簣】 竹・葦などで編んだ籠(か)(ご)。土・草・野菜などを入れて運搬する。「肘(ひ)(ぢ)にかけたるーには、白黒の慈姑(く)(わ)(ゐ)あり」〈謡・卒都婆小町〉。「篅、阿自加(あじ)(か)」〈新撰字鏡〉

あしがき【葦垣】《奈良時代にはアシカキと清音》 ①葦で作った粗末な垣。「ー越しにただ一目あひ見し児ゆゑ」〈万二五六五〉 ②催馬楽の曲の名。「声いとなつかしくてーを歌ふ」〈源氏藤裏葉〉 †asikaki **ーの**【葦垣の】〔枕詞〕葦の垣はすぐ古びて乱れやすく、また、間を詰めて作ることから、「古り」「乱れ」「間ぢか」にかかる。また、葦の一名ヨシと同音をもつ地名「吉野」にかかる。「ー古りにし郷(さ)(と)と」〈万九二八〉。「ー思ひ乱れて」〈万一八〇四〉。「ーまぢかけれども」〈古今五〇六〉。「ー吉野の山の」〈続後撰七八〉

あしかけ【足掛け・足懸け】 ①年月日などを数える場合、前後の端数をそれぞれ一つと数える時にいう語。「ー三年たらずに」〈西鶴・諸艶大鑑八〉 ②妾(めか)(け)。てかけ。「手掛け・ー・道の者」〈伽・子安物語〉

あしがし【足枷】 二枚の厚板の端にそれぞれ半円形の穴を作り、罪人の足を前後から合わせ挟んで、自由に動けないようにする刑具。「民私に銭を鋳るもの前後相つぐ。鋳銭司に配して駈役す。ともに皆、鈴をその鈦(あし)(がし)に著けて、以て逃走に備ふ。鳴るを聴きて追捕す」〈続紀天平神護二・三〉。「くろがねの手枷・ーをかけて」〈伽・富士の人穴の草子〉。「梏、アシガシ」〈名義抄〉

あしがせ【足枷】「あしがし」の転。「械、アシガセ」〈運歩色葉集〉

あしかた ①【屧・屐】 はきものの名。下駄(げ)(た)の類。「屐、屩也、有歯也、阿志加太(あし)(かた)」〈新撰字鏡〉 ②【足形】 足跡。「かかる雨にのぼり侍らば、ーつきていと不便に汚くなり侍りなむ」〈枕一〇三〉

あしがなへ ナエ::ガ【足鼎】 食物を煮る三本足の金属製の器。「かたはらなるーを取りて、頭(かし)(ら)にかづきたれば」〈徒然五三〉。「鼎、阿之賀奈倍(あしが)(なへ)」〈和名抄〉

あしがに【葦蟹】 葦辺にすむカニ。「難波の小江(を)(え)にいほ(仮小屋)作り隠(な)(ま)りて居るーを」〈万三八八六〉

あしかは ワ::カ【足革】 狩の時に鷹の足につけ、大緒・経緒・招緒などにつなぐ革の緒。足緒。「脚絆(あし)(かは)を著くるの法」〈新修鷹経中〉

あしかび【葦牙】 葦の芽。「ーの如く萌(も)えあがる物」〈記神代〉 †asikabi

あしがも【葦鴨】 ①葦辺に群がっている鴨。「ーのすだく(多ク集マッテサワグ)池水」〈万二八三三〉 ②《「ーの」の形で》「群れ」にかかる序。「ーのうちむれてこそ我は来にけれ」〈土佐十二月二十七日〉 †asigamo

あしがらをぶね【足柄小舟】 相模国足柄地方で作られた小舟。舟足が軽く早かったといわれる。「ーあるき多み(歩キ寄ル所ガ多イノデ)」〈万三三六七東歌〉

あしかり【葦刈】 葦を刈ること。また、その人。「ーに堀江漕ぐなる楫(か)(ぢ)の音は」〈万四四五九〉

あしがる【足軽】 ①歩行が軽快なさま。「軽兵とは…ーに走りあるくぞ」〈史記抄二二〉 ②中世、軽武装で敏捷に行動し、放火・掠奪、敵後方の攪乱などに従事した兵。また、その役に従事すること。次第に集団として組織化された。従来の武士の倫理を踏まえず、恐怖・軽蔑の目で見られる面があった。「ーども四五百人先立てて、白川の在家に火を懸け焼き上げば」〈平家四・南都牒状〉。「このたび初めて出で来たれるーは〔平家ノカブロニ〕超過したる悪党也。その故は、洛中洛外の諸社諸寺・五山十刹・公家門跡の滅亡は彼等が所行也」〈樵談治要〉 ③近世初期以降、郷村から徴用され、槍・弓・鉄砲など武器別に編成された歩卒。江戸幕府・諸大名家では、武士の最下層に組み入れられた。「かくの如く御敵入れ替へ候へども、御人数(騎馬隊)一首(ひとか)(しら)も御出しなく、鉄砲ばかりを相加へ、ーにて会釈(あひ)(しら)ひ」〈信長公記八〉。「御鑓(や)(り)ー壱組・御鉄砲ー弐組」〈梅津政景日記寛永六・九・二二〉 **ーまち**【足軽町】 足軽(3)が密集して住んでいる町。「虫の音もーの竹垂木(たけた)(るき)」〈俳・紀子大矢数下〉

あしぎぬ【絁】《「悪し絹」の意》 粗製の絹布。「ーはさげかがみてぞ人は着る」〈拾遺四〇八〉。「絁、アシギヌ」〈名義抄〉

あしきみち【悪しき道】《仏語「悪道」の訓読語》 悪行の結果、死後行かねばならぬ境界。地獄・餓鬼・畜生の三道。「なまうかびにては却りてーにも漂ひぬべく」〈源氏帚木〉

あじくゎん【阿字観】 密教で、あらゆる事象が「阿」の字に含まれているという理を観想すること。阿字本不生(あじほ)(んふし)(やう)を観ずること。「年来(とし)(ごろ)ーをしけるが」〈梵舜本沙石集一〇末ノ三〉

あしげ【葦毛】 馬の毛色の名。白い毛に青・黒・濃褐色等の毛がまじる。「ーの馬の嘶(い)(ば)え声」〈万三三二八〉 †asigë

あしけく【悪しけく】《悪シのク語法》 悪いこと。「ーも良けくも見むと」〈万九〇四〉 †asikeku

あしこ【彼処】『代』「あそこ」の古形。「ーに籠りなむ後」〈源氏若菜上〉。「『ー、ー』とて関山も過ぎぬ。『ここぞ、ここぞ』とて三井寺に」〈宇治拾遺一八〉

あしざま【悪し様】 悪いよう。悪いふう。「いみじき吉相の夢もーにあはせつればたがふ」〈大鏡師輔〉

あししろ【足代】 ①建築などの際、足場とするために、材木を組んで作ったもの。「半作の家なれば、ーと云ふ物に、上に大きなる木どもを横ざまに結ひつけて置きたりけるが」〈今昔一九ノ三九〉。「足代、アシシロ、仮屋義也」〈文明本節用集〉②《比喩的に》足がかり。「仏一切経を説き給ひし事は、法華経を説かせ給はんための—也」〈日蓮遺文上野殿母尼御前御返事〉

あしじろのたち【足白の太刀】革緒を通すために鞘につけた金具(足)が銀でできている太刀。「萌黄威の鎧(よろひ)着て、—をはき」〈平家一一・那須与一〉

あしすだれ【葦簾】葦の茎を糸で編んだすだれ。にび色の布で縁(へり)をつけたもの。諒闇の時に天皇の座にかける。「内のうへ御服たてまつる。天下一つに染めわたして、—とか、いとまがまがしき物ども懸け渡したるも」〈増鏡一三〉

あしずまひ【足相撲】腰をおろして向い合い、互いに片足をつかって相手を倒す遊び。「すね萩や転ばす雨の—」〈俳・夢見草三〉

あしずり【足摺り】足を地にすって、はげしく悲しみ嘆くこと。「立ち走り叫び袖振り、反側(こいまろ)び—しつつ」〈万一七四〇〉。「手を打ちて妬(ねた)がり、—をしていみじげなる顔に貝をつくりて泣きければ」〈今昔二四ノ八〉

あしぞろへ【足揃へ】①五月五日の賀茂祭の競べ馬に先立って、五月一日に馬に試乗すること。「足ぞろひ」とも。「〔五月〕朔(ついたち)は競馬の—いとなみて」〈四季物語〉②〔歌舞伎用語〉京阪の芝居で顔見世の前に行なった儀式。一座の俳優が麻上下(かみしも)で太夫本方または舞台に勢揃いし、祝儀の盃をやりとりし、併せておのおの一芸を演じたこと。「太夫本の—、いづれもうれしき物の揃なり」〈評判・難波の顔二〉

あした【朝・明日】《「夕(ゆふべ)」の対。上代には昼を中心にした時間の言い方と、夜を中心にした時間の言い方とがあり、アシタは夜を中心にした時間の区分のユフベ→ヨヒ→ヨナカ→アカツキ→アシタの最後の部分の名。昼の時間の区分の最初の名であるアサと実際上は同じ時間を指した。ただ、「夜が明けて」という気持が常についている点でアサと相違する。夜が中心であるから、夜中に何か事があっての明けの朝という意に多く使う。従ってアクルアシタ(翌朝)ということが多く、そこから中世以後に、アシタは明日の意味へと変化しはじめた》①(暗い夜が明けて行くという気持をこめた)朝。「—には門に出で立ち、ゆふべには谷を見渡し」〈万四二〇九〉。「秋のゆふべ、…春の—」〈古今序〉。「—の間(ま)雨降る」〈土佐二月一日〉。「—の程、…夕つ方」〈源氏初音〉②(何か夜に事のあった)翌朝。「物語の姫君の盗まれたらむ—のやうなれば」〈源氏蜻蛉〉。「かの野分の—の御朝顔」〈源氏藤袴〉③(今晩が明けての)明日の朝。「いと—に参り侍らむ。今宵は堪へがたく身もすくみて侍り」〈紫式部日記〉。「今宵は疾く疾く帰れ。…—は急ぎ参れ」〈平家二・副将〉④【明日】あす。「諸事は—と言ひ残し、立別れては立留り」〈浄・新版歌祭文下〉⑤《「朝」をアシタと訓読するところから》朝廷。「今年八十五歳、—に杖つく齢(よはひ)を越へ」〈浄・賢女手習一〉▽アシタは奈良時代から独立した名詞としても使われ、また漢字「朝」の単独の訓としても使われた。室町時代に至るまで漢字の訓としてはアサは現われない。asita の as は、asa(朝)・asu(明日)の as と共通で、夜明けを意味した語根であろう。　**—どころ**【朝所】⇒あいたどころ。「—の南向に勾当(こうたう)もさぶらへば」〈中務内侍日記〉　**—のつゆ**【朝の露】草の葉などに置く朝露。消えやすいので、はかない人生・人命のたとえ。歌語としては「あさつゆ」を使うことが多い。「—に異ならぬ世を」〈源氏夕顔〉　**—ゆふべ**【朝夕】朝な夕な。いつも。「魂は—にたまふれど吾が胸痛し恋の繁きに」〈万三七六七〉

あしだ【足駄】雨の路に使う木造りの高い履物。古くは共木造りのくりぬきだったが、平安時代から歯をはめて使うようになった。鎌倉時代には漆ぬりの足駄もできた。「履(は)きたる—」〈今昔二〇ノ九〉。「屐、アシダ」〈名義抄〉　**—ぐら**【足駄蔵】鼠害・湿気を防ぐため、足駄をはいたように、床下を高く造った蔵。「足駄造り」とも。「煤掃(すすはき)に開きたつるや—」〈俳・破枕集中〉

あしだか【足高】①(立っているものの)脚の長いこと。「白き鳥どもの—にて立てるも」〈栄花根合〉②高い足のついている器物。「二つの首を—に入れて、曾我の里へぞ送りける」〈妙本寺本曾我一〇〉

あしたづ【葦鶴】葦の生えている所に住む鶴。「潮干(ふ)れば葦辺に騒く—の」〈万一〇六四〉

あしだま【足玉】《「手玉(ただま)」の対》上代、足の飾りとした玉。「—も手玉もゆらに」〈万二〇六五〉

あしだまり【足溜り】①ちょっと足を留める所。「しる谷(ジメジメシタ谷)や木の葉の雨の—」〈俳・崑山集一三〉②足をかける所。足がかり。足場。「先なる人の楯の算を踏まへ、甲(かぶと)の鉢を—にして」〈太平記三四・平石城軍〉③戦陣で、攻防の足場とする拠点。「敵に—をこしらへさせては叶はじとて」〈浅井三代記一〉

あしつき【足付・脚付】①足のついた器。「山からこくる(コロゲル)—の盆」〈俳・鷹筑波四〉②足のついた折敷(をしき)。「あしうち」「あしつけ」とも。〈名語記四〉「御湯漬は—にて候。また御肴は平折敷にて候」〈天正年中御対面記〉

あしつき【葦付】清流の葦や石につく海苔(のり)のような緑色の藻。食用。あしつきのり。「少女らし—取ると瀬に立たすらし」〈万四〇二一〉　†asituki

あしつ・き【足突き・足衝き】『四段』しくじる。へまをする。「悪う(下手ニ)うろたへ—・くなと、八方を睨(ね)め廻し」〈近松・今川了俊三〉

あしつぎ【足継・足次】踏み台。「榻(しぢ)とは、車の—也」〈古今集註〉

あしづの【葦角】《葦の芽は角のように細くとがっているので》葦の新芽。あしかび。「—の生(お)ひ出でし時に天地(あめつち)と人との品は定まりにけり」〈古今六帖六〉

あしづひやし【足費し】無駄足。「先に仙人があるやらないやら当(あて)もなき—」〈近松・浦島年代記三〉

あして【足手】　**—かぎり**【足手限り】足と手との力の続く限り。「蛇に綱をつけたりとも—と広言吐き」〈浄・惟喬惟仁二〉　**—かげ**【足手影】すがた。おもかげ。「都の人の—もなつかしう候へば」〈謡・隅田川〉　**—そくさい**【足手息災】身体壮健。「此の君の—に〔ト〕かしづき給へ」〈評判・役者評判蚰蜒〉　**—まとひ**【足手纏ひ】手足にまつわりついて身の自由を妨げること。また、そのもの。「あしてがらみ」「あしてまぎれ」「あしまとひ」とも。「武士も、これ(上臈女房タチ)が—にて、進退さらに自在ならず」〈古活字本保元中・白河殿攻め落す〉

あしで【葦手】①平安時代に行なわれた文字の戯れ書き。水を絵に書き、傍に歌などを草仮名で葦が乱れたように細長く書いたもの。「—の冊子どもぞ心心に、はかなうをかしき。宰相中将のは、水のいきほひゆたかに書きなし、そそけたる葦の生ひざまなど難波の浦にかよひて、こなたかなたいきまじり、いたうすみたる所あり。又、いといかめしう、ひきかへて、文字やう石などのたたずまひ、好み書き給へる人もあり」〈源氏梅枝〉②紅などで葦の形を下絵に書いた紙。「夕まぐれ難波わたりを行く雁や—の上に書ける玉づさ」〈拾玉集一〉

あしど【足処】足で立つところ。足場。「切所(せつしよ)の橋を

引くの由承り、諸軍勢―悪(あ)しく候へども」〈伊達日記上〉。〈日葡〉

あしなか【足半・足中】 足の裏の半分までしかない短い藁草履(わらぞうり)。駆けるのに便利なところから、室町時代、戦陣で盛んに用いられた。「その少しあとに、中間(ちゅうげん)…手鑓(てやり)をかたげ、―にて行けり」〈奇異雑談集一〉。〈日葡〉

あしなが【足長】 ①足の非常に長い想像上の動物。清涼殿の荒海障子に手長(てなが)と共に描かれている。「手長・―などをぞかきたる」〈枕三三〉 ②遠方まで足をのばすこと。「諸葛が吾が国よりはるばる―に出て、陣を取るなり」〈蒙求聴塵下〉

あしなへ(エ:ナ)**【蹇】** 足が悪くて歩行が自由でないこと。また、そのような人。びっこ・いざりの類。「躄、アシナヘ」〈霊異記下二〇〉。「癖、足奈戸(あしなへ)」〈新撰字鏡〉

あしなべ【足鍋】 三足(みつあし)の鍋で、鼎(かなへ)の小さいもの。「せめては、ただ―一、長むしろ一、つらたらひ一なむいるべき」〈堤中納言よしなしごと〉

あしに【葦荷】（刈り取った）葦の荷。「大船に―刈り積み」〈万二七四八〉

あしぬき【足抜き】 ①足を抜いて、そこから脱すること。「霊山の葛藤の樹は倒れてもあれ、別に―のせられぬ葛藤があると見えた」〈大淵代抄七〉 ②抜くように足をあげること。また、そうして音をしのばせて歩くこと。ぬきあし。「そっそっと―して、初の処へ来るぞ」〈周易抄五〉 ③当人の置かれている環境や身分などから抜け出すこと。「はや世尊の〔教エノ〕圏圚裡(けんえり)＝範囲内)に落ちて…―のせられぬことだ」〈大淵代抄八〉

あしねはふ(ウ:ハ)**【葦根這ふ】**〔枕詞〕「した」「うき(泥)」などにかかる。「―下にのみこそ沈みけれ」〈拾遺五七一〉。「―うき(ウキ・憂キ)身のほどや」〈新勅撰一三四六〉

あしのけ【脚の気】 脚気(かっけ)。また、脚の血がのぼって頭や顔がほてる症状ともいう。「病ひは。胸、もののけ、―」〈枕一八八〉。「―ののぼりたる心地す」〈源氏夕霧〉

あしのねの【葦の根の】〔枕詞〕葦の根はこまかくからみ合ってかたまっているので、「根も凝(こ)ろ」の意から「懇(ねもころ)」に、それを解き分けることから、「別(わ)けて」に、節(よ)の間が短いことから「世」「夜」「短し」にかかる。「―ねもころ思(も)ひて」〈万一三二四〉。「―わけても人にあはむとぞ思ふ」〈後撰六八一〉。「―よの短くて明くるわびしさ」〈後撰八八八〉。「―みじかき夜半の」〈続後撰二〇九〉 †asinönenö

あしののりもの【足の乗物】 足という乗物。自分の足を使って歩くのにいう。「手の奴(やっこ)・―、よく我が心に叶へり」〈方丈記〉

あしのほわた【葦の穂綿】 葦の穂の細毛がほほけたのをいう。綿の代用にした。「二十四孝」の閔子騫(びんけん)の故事で名高い。「冬の着る衣は―かな」〈大発句帳一〇〉

あしのや【葦の矢】 葦の茎で作った矢。朝廷の十二月晦日(みそか)の追儺(ついな)に、方相氏(ほうさうし)が桃の木で作った弓にこの矢をつがえて鬼を射た。「中務省、侍従・内舎人・大舎人たちに、各〻桃の弓・―を持たしむ」〈内裏式十二月大儺式〉

あしのや【葦の屋】 葦で屋根を葺(ふ)いた、粗末な小屋。あしや。「八重葺(やへぶき)の隙(ひま)だにあらば―に音せぬ風はあらじとを知れ」〈後拾遺九五七〉

あしはら【葦原】 ①葦のいっぱい生えた原。「―のしけしき小屋(をや)に」〈記歌謡一九〉 ②「葦原の国」の略。「―はもとより神の国なればいづくもいかで恵みなからん」〈草根集七〉 ―よとて―へ立ちにしいさをなりけり」〈日本紀竟宴歌〉 **―のなかつくに【葦原の中つ国】** 日本神話で、高天原(天上界)に対する現実の地上の世界。また地下の黄泉(よみ)国に対する地上の世界。「天上(あめ)に住むべからず。―にも居るべからず、宜(べう)すみやかに底つ根の国に適(い)ね」〈紀神代上〉 **―のくに【葦原の国】** 日本の古称。「草木みなことやめよとて―へ立ちにしいさをなりけり」〈日本紀竟宴歌〉 **―のみづほのくに【葦原の瑞穂の国】** 日本国の異称。「―を天降(だく)り知らしめしける天皇(すめろき)の」〈万四〇九四〉

あしひ【葦火】 葦を薪としてたく火。「―たく屋の煤(す)して(ススケテ)あれど」〈万二六五一〉 †asifi

あしび【馬酔木】 野山に生え、庭園に植える常緑の灌木。春、白い小さい壺状の花を多くつける。葉に毒素があり、牛馬が食べると中毒を起す。「磯の上(岩ノホトリ)に生ふる―を手折らめど見すべき君がありといはなくに」〈万一六六〉 †asibi

あしびきの〔枕詞〕《奈良時代にはアシヒキノと清音》「山」「峰(を)」などにかかる。かかり方は未詳。「―山行きしかば」〈万四二九三〉。「―峰(を)の上(へ)の桜」〈万四一五一〉 ▽アシヒキのキは万葉仮名では ki の音の仮名で書いてあるから、四段活用の「引き」ではなく、ひきつる意をあらわす上二段活用の「ひき」であろう。医心方の傍訓には、「攣」の字をアシナヘともヒキとも読んだ例がある。なお、平安時代のアクセントによると、平安時代の歌人たちは、アシヒキのアシを「葦」の意に解していたらしい。 †asifikinö

あしふ【葦火】「あしひ」の上代東国方言。「―焚けども住み良けを」〈万四四一九防人〉

あしふいご【足鞴】 足で柄を動かして風を起すふいご。「横座に直って―、地鉄(ぢがね)打ちくべ吹き立て吹き立て」〈近松・氷の朔日上〉

あしぶち【足斑】 ひざ下の毛の白い馬。「―の、や、森の、森の下なる若駒率て来(こ)」〈神楽歌八三〉

あしぶね【葦船】 ①葦を編んでつくった船。神話に、蛭児(ひるこ)を入れて流したとある。「先づ蛭児を生む。すなはち―にのせて流しやる」〈紀神代上〉 ②葦を積んだ船。あしかり小船。「難波に―あり」〈忠見集〉

あしぶみ【足踏み】 足のふみ方。足の使い方。「同じ舞の―・おももち、世に見えぬさまなり」〈源氏紅葉賀〉。「―をも少し高く踏み」〈風姿花伝〉

あしべ【葦辺】 葦の生えている岸辺。「―行く鴨の羽交ひ(ツバサ)に」〈万六四〉 †asibe

あじほんふしょう(ヨウ:シ)**【阿字本不生】**〔仏〕密教の根本の教え。万法はその本初において不生不滅であることを、万法の根源である「阿」という文字が象徴しているとする思想。「真言の入我我入(にふがにふ)―の観」〈和語燈録一〉 ↓阿字

あしま【葦間】 葦のしげみのあいだ。「―になづむ舟」〈源氏若紫〉

あしもと【足下・足元】 ①立っている足の下。脚下。「遠き所もいで立つ―より始まりて」〈古今序〉。「主人の―にひれふし」〈天草本伊曾保〉 ②立ったり、歩いたりするばあいの足つき。「懸想(けさう)人のいとものげなき―を」〈源氏夕顔〉。「―はよろよろと」〈謡・猩猩〉 ③ごく近い所。間近(まぢか)。「まことなるかや、下人は―の敵とやらん」〈吾妻記〉 ④素姓(すじやう)。「良き貴公子を、―の良き人と云ふが如きぞ」〈四河入海一八下〉 **―から鳥の立つごと・し** 突然意外なことが起るたとえ。〈俳・毛吹草二〉 **―しらず【足元知らず】** 足もとをよく見ない、うかうかした者。「月に行く人は―かな」〈俳・佐夜中山一〉 **―の明(あか)い時** 日が暮れぬうち。転じて、運命の尽きぬ前のたとえ。「足元

の明いうち」とも。「どちへも—に行かばよからうぞ」〈周易抄六〉 **—を・見る** 駕籠舁(かごかき)などが、客の足の疲れぐあいを見て賃銭を吹きかけてとる。転じて、相手の弱味につけこむたとえ。「跡付ける—・みて駕籠の賃」〈俳・大矢数二〉

あしゃう【亜相】《「亜」は次ぐ意。「相」は丞相(じょうしょう)》。大臣に次ぐ官の意》 大納言の唐名。「故都督源—(経信)は、久しく鑽仰を好みて、兼ねて文章を知れり」〈本朝続文粋二一〉

あしやがま【芦屋釜】 筑前遠賀郡芦屋村で鋳造した茶の湯の釜。表面に松・竹・梅などの絵模様を鋳出し、雪舟・土佐光信・狩野元信などが下絵の筆を取ったという。室町時代が最盛で、特に永正以前の作を古芦屋と呼び珍重する。後、各地で模倣され、越前芦屋・播州芦屋・伊勢芦屋などがある。「〔一慶和尚参り、…—一・蠟燭一進(まゐ)らせらる」〈看聞御記嘉吉三・一・三〉

あじゃら 《アザレ(戯)の転》 ①からかい、なぶること。ふざけること。「主人あれば—にならぬぞ」〈句双紙抄〉 ②冗談。「アジャラヲイウ」〈日葡〉 **—・け**『下一』 ふざける。「〔コノ役者ノ〕太刀打など—・けて見にくし」〈評判・役者大鑑〉

あじゃり【阿闍梨】 ⇒あざり。「長者を以て—とし、定額を以て住僧とするなり」〈壒嚢鈔八〉

あじゃ・り『四段』 ⇒あざり(戯)。「秦を曲(きょく)りー・って云ふなり」〈三体詩絶句抄六〉

あしゅくぶつ【阿閦仏】《「阿閦」は、梵語の音訳「阿閦婆」の略で、不動・無怒と訳す》 東方に善快浄土を建てて、そこで説法する仏。密教では金剛界五智如来の一。阿閦如来。直音化して「あしくぶつ」とも。「—像一軀」〈安祥寺伽藍縁起資財帳貞観一三・八・一七〉

あしゆひのくみ【足結ひの組】 机や台の四つの足に結びつけた組み紐。机の敝いの取れないようにするためとも、装飾のためともいう。「浅香の下机、打敷(うちしき)は青地の高麗(こま)の錦、—、花足(けそく)の心ばへ今めきたり」〈源氏絵合〉

あしゅら【阿修羅】〔仏〕《梵語の音訳》 ①常に帝釈天(たいしゃくてん)と敵対・抗争している悪神。阿修羅王。「—、山を動かして、鳥の子を振ひ落して取り食はむとす」〈今昔三ノ一〇〉 ②六道(ろくだう)の一。阿修羅が住み、怒りや争いに明け暮れしている所。阿修羅道。「次に—と申すは、須彌山(しゅみせん)の北、大海の底にもありけり。闘諍(とうじやう)合戦して、疵(きず)をかうぶる事、たとへを取るに物無し」〈伽・天神〉 ③八部衆の一。仏法を護持する善神。「日ごろ信じ奉る普門品の天龍八部、—・加楼羅(かるら)・緊那羅(きんなら)…」〈近松・曾我会稽山四〉

あしよし【悪し良し】 悪いことと良いこと。「車の—、ほめそしり」〈枕三二〉 ↓修羅

あしよわぐるま【足弱車】 ①車輪のしっかりしていない車。引く力が弱く、頼りない車。「今までは—と見えつるが、牛もなく人も引かぬに、やすやすと飛ぶ車とぞ成りたりける」〈謡・車僧〉。「—、ただ輪の弱きなり」〈匠材集三〉 ②足もとに力のない、よろよろしたさまの形容。「未だ習はぬ旅の路、—のよろよろと」〈伽・朝顔の露の宮〉

あしらか・し『四段』「あせらかし」に同じ。「夏痩せや猫—・す帯の先」〈雑俳・高天鴬〉

あしら・ひ 〔一〕『四段』《アヘシラヒ・アヒシラヒの転》 ①応対する。もてなす。「悪しく—・ひて、声を立てては叶ふまじ」〈謡・隠岐院〉 ②とり合わせる。つけ合わせる。「〔前句ノ山ニ〕松を—・ひ付けのけて行く」〈俳・大句数上〉 〔二〕『名』 ①応対。もてなし。「出家と申す者は、朝夕の勤行(ごんぎやう)の、旦那—のと申して」〈虎寛本狂言・惣八〉 ②とりあわせ。配合。「—続く浪の夜昼」〈俳・大矢数二〉

あしりこぎ【足漕】《アシコギの転》 片足をあげて片手でその足を握り、他の片足で跳ぶこと。また、それで競争する子供の遊び。あしなご。「もみぢ葉を踏まじと人の—」〈俳・油糟〉。〈日葡〉

あじろ【網代】《アミシロ(網代)の約。↓あ》 ①魚をとる仕掛け。川の流れを横切って杭を並べて立て、杭の間を、竹や木で細かく編んで魚が通れなくする。その一部分を開けて簀(す)を網の代りに水面に平らに置く。流水と共に来た魚は、簀の上にかかる。宇治川・田上川のが有名。冬期に、氷魚(ひを)・鮎などを取ったが、弘安七年に宇治の網代は停止された。「宇治人のたとへの—」〈万一一三七〉。「十月ついたち頃—もをかしき程ならむ」〈源氏総角〉。「すさまじきもの。昼ほゆる犬、春の—」〈枕二五〉 ②竹・葦・檜などを細く削って編んだもの。垣・屛風・天井・牛車(ぎっしゃ)の屋形などに使う。「ただの檳榔毛(びらうげ)〔ノ車〕二十、—〔ノ車〕二」〈源氏宿木〉 ③《「網代形」の略》 (2)の目の形をしたもの。「其時はやればとて、孔雀織、—、舛形」〈西鶴・諸艶大鑑八〉 †azirö **—うちは**【網代団扇】 竹を細く割り、編んで作った団扇。特に、両面に渋を塗ったものを渋団扇という。「川辺より涼しき—かな」〈俳・遠近集三〉 **—がさ**【網代笠】 薄く削った檜や竹を網代(2)に編んだ笠。「坊主の着るは—」〈評判・おもはく哥合〉 **—き**【網代木】 網代(1)に打ってある杭(くひ)。「—にいさよふ浪の」〈万二六四〉 **—ぐるま**【網代車】 牛車の一。車の屋形と左右の脇に網代(2)を張った車。四・五位以下が用い、大臣・納言・大将などは略儀や遠出の際に用いる。檳榔毛(びらうげ)の車に比べて格式も低く構造も簡単。「今は御位もなき定(ぢやう)なればとて—に乗せ奉りて」〈栄花月宴〉 **—ごし**【網代輿】 網代(2)を屋根や両脇に張った輿。「鳳輦(ほうれん)にはあらぬ—のあやしきにぞ奉れる」〈増鏡一五〉 **—ひと**【網代人】 網代(1)で魚をとる人。「—舟呼ばふ声」〈万一一三五〉 **—びゃうぶ**【網代屛風】 網代(2)で張った屛風。「山里びたる—などの」〈源氏椎本〉

あしわか【葦若】 葦の若芽。若葦。歌で「わかの浦」にかけていうことが多い。「—(和歌ト掛ケル)の浦にみるめ(海松布・見ル目)はかたくとも」〈源氏若紫〉

あしわけ【葦分け】 舟などがしげった葦を押し分けて進むこと。転じて、支障・障害のたとえにいう。「—なる事やありけむ、久しうまからざりしかば」〈頼政集〉 **—をぶね**【葦分け小舟】 葦を分け分けしながら進む小舟。「みなと入りの—〔ノヨウニ〕さはり多み」〈万二七四五〉 †asiwakëwobune

あしを【足緒】 ①狩につかう鷹の足につけるひも。「をしかは(ナメシ革)の—を以ちてその(鷹ノ)足につけ」〈紀仁徳四十三年〉。「韝、阿之乎(あしを)、所ニ以綴ニ鷹狗ー也」〈和名抄〉 ②太刀を腰に吊り佩(は)く緒。「あしかは」とも。「黄金作りの太刀に白紅の下緒(さげを)、—長に結んで下げ」〈栗栖野物語〉

あす【明日】 今夜が明けて迎える日。あすのひ。また、ごく近い将来。「をとつひもきのふもけふも見つれども—さへ見まくほしき君かも」〈万一〇一四〉。「おのがかくけふ—に覚ゆる命をば何とも思したらで」〈源氏若紫〉。「もはや正月といふも—の事ぢや」〈虎明本狂言・米市〉 ▽アスは、中世以後次第にアシタと併用されるようになった。asa(朝)・asita

(朝)・asu(明日)・asate(明後日)に共通するasは「夜明け」を意味した語根であろう。　**—逢はう**　近世前期、別れの挨拶。「しゃも、—とて立ち帰れば」〈仮・よだれかけ六〉　**—の事言へば鬼が笑・ふ**　未来は予知できないの意。「来年の事を言へば鬼が笑ふ」とも。「—・ふ、それも今から請け合はれぬ」〈近松・曾我扇八景上〉　**—は疾(と)うから**　明日は早朝からお出で下さい、という意。芝居の終った時鳴らす櫓(やぐら)太鼓の音が、このように聞えるという。「隠れ家を—御見物」〈俳・四人法師〉

あず　がけのくずれた所。「—の上に駒をつなぎて危ほかど人妻児ろを息にわがする」〈万三五三九東歌〉。「坍、崩岸也、久豆礼、又阿須(あず)」〈新撰字鏡〉

あすか【明日香・飛鳥】《「飛鳥」の用字は枕詞「飛ぶ鳥の」の表記をそのまま使ったもの》①大和国高市郡明日香を中心に、飛鳥川上流の地。上代、帰化人が住み、特に推古朝以後都となり、藤原京遷都以後「古き京(みやこ)」「故郷(ふるさと)」とよばれ、奈良末期以後滅びた。「—の旧(ふる)き京師(みやこ)は山高み河とほしろし(雄大ダ)」〈万三二四〉②奈良の新元興寺のある地。平城京遷都後、飛鳥から元興寺を移した。元興寺の里。「平城(なら)の—を見らくし好しも」〈万九九二〉　**—かぜ**【明日香風】明日香地方を吹く風。「釆女(うねめ)の袖吹き反す—」〈万五一〉　**—がは**【飛鳥川】①明日香地方を流れて大和川に注ぐ川。流れが変りやすかったので、平安時代には変転するものの例にされた。「世の中は何か常なる—昨日の淵ぞ今日は瀬になる」〈古今九三三〉②〔枕詞〕同音から「明日」にかかる。「—明日も渡らむ石橋(いはばし)の」〈万二七〇一〉

あすかゐ【飛鳥井】①京都にある地名。また、そこにある井戸の名。「井は。…—は『みもひも寒し』とほめたるこそをかしけれ」〈枕一六八〉②催馬楽の曲名。「—少しうたひて」〈源氏須磨〉

あすのひ【明日の日】《「明日の夜」の対》明日の昼間。「—はその門行かむ」〈万二九四八〉　†asunöFi

あすはひのき【明日は檜】《明日は檜になろうの意》檜に似て深山陰湿の地に生える木。アスナロウ。アスワイ。ヒバ。「—この世にちかくも見えきこえず」〈枕四〇〉

あずへ《へは上、付近の意》がけくずれの上。がけくずれのあたり。「—から駒の行ごのす(行クヨウニ)危(あや)はとも」〈万三五四一東歌〉　†azuFë

あすら【阿修羅】⇒あしゅら。「—おほきにおどろきて、俊蔭を七たび伏し拝む」〈宇津保俊蔭〉

あせ【汗】①あせ。「熱けくに—かきなげ」〈万一七五三〉②《斎宮の忌詞》血。「血を阿世(あせ)と称す」〈延喜式斎宮寮〉③物から滲出したり、結露したりする水滴。「又みづからが身の上に悪しい事のある折は、表も裏もかき曇り、裏にて—をお掻きある、かやうな鏡で御座あるが」〈伽・小栗絵巻〉

あ・せ【浅せ・褪せ】『下二』《アサ(浅)を活用させた語。フカ(深)・フケ(更)、タカ(高)・タケ(闌)の類》①水深が浅くなる。「神名火の淵は—・せにて瀬にか成るらむ」〈万九六九〉②色が、前よりも薄くなる。色がさめる。「結びつる心も深き元結に濃き紫の色し—・せずは」〈源氏桐壺〉③茂みがすけて疎(まば)らになる。山野が荒涼となる。「昔見し里を見れば、山なりし所も—・せて野となり」〈古今集註〉。「—・せたるとは、山・川・里などの荒れたる也」〈言塵集三〉④住みかなどが損なわれ、荒廃する。「臥所(ふしど)—・せぬと鹿思ふらん」〈山家集上〉。「—・せたる村の春さむき陰」〈宇良葉〉。「—・せたる。色の変り損ずる也。又庭・家・池などの時は、荒れたる儀也」〈源氏物語千鳥抄〉⑤盛んだったものの勢いが衰える。「〔京極殿ノ子孫ガ〕かばかり—・せはてむとはおぼしてんや」〈徒然二五〉

あぜ【校】《アザ(交)の転》校倉(あぜくら)造。「内にいま一重(ひとへ)—して」〈宇津保蔵開上〉

あぜ【畔】田のくろ。古くは「あ」とも。「畔、田界也。和名久呂、一云、阿世(あぜ)」〈和名抄〉

あぜ『副』〔上代東国方言〕①どうして。なぜ。「夕占(ゆふけ)にも今夜と告(の)らろ我がせなは—そも今宵寄しろ(寄ッテ)来まさぬ」〈万三四六九東歌〉②どう。いかに。「白雲の絶えにし妹を—せろと心に乗りて許多(ここば)悲しけ」〈万三五一七東歌〉

あぜかへ・し【交ぜ返し】『四段』かきまぜる。まぜ返す。「—・せ声も深田(ふけた)の鶉狩」〈俳・口真似草三〉

あせぐ・み【汗ぐみ】『四段』汗ばむ。「御馬の数つかうまつりにければ—・みにけり」〈著聞三六三〉

あぜくら【校倉】《アゼはアザ(交)の転》床を高くし、断面を三角形に削った材木を井の字形に積み重ね、屋根をかけた古代の倉庫。奈良の正倉院、唐招提寺の宝蔵など。「其の家の内に大なる—有りけり」〈今昔二七ノ七〉。「校倉、阿世久良(あぜくら)」〈和名抄〉

あぜち【按察使】《アンサツシの転》地方官の治績、民情を視察する令外官。奈良時代に諸国に置かれたが、のちには陸奥・出羽のみになり、有名無実化した。「はじめて—を置く」〈続紀養老三・七・一三〉。「かの—かくれてのち」〈源氏若紫〉▽アンサツシの訓みは色葉字類抄に「按察使府、アンサツシフ」の例がある。ansatusi→ansetti→anzetti→azeti　**—のだいなごん**【按察使の大納言】按察使を兼官した大納言。「—の娘なり」〈源氏須磨〉

あぜなは【絡縄】《アゼはアザ(交)の転》縒り合わせた縄。「秋は穀(たなつもの)すでに成りぬれば—をひきわたす」〈紀神代上〉

あせみどろ【汗みどろ】汗にまみれること。「足も手も—なる田植かな」〈俳・伊勢踊三〉

あせらか・し『四段』巧みに機嫌をとる。あやす。また、相手となって遊ぶ。「さすが有得な人の子ぢゃと云うて、ほめて後に—・す」〈天理本狂言六義・子盗人〉

あせ・り【焦り】『四段』①気がはやって、足をばたばたさせる。「法師の、—・る跳(あが)り馬に乗りて」〈梁塵秘抄三八四〉②気がせいてもがく。「その時女房、うしろよりいろいろ手招きして身を—・り、男を呼ぶ」〈天理本狂言六義・塗師〉

あせを『連語』《アは吾、セは兄、ヲは間投助詞》はやしことば。「あご(吾子)よ」と同じく、歌の場で一緒に歌っている男子に呼びかけて歌をはやし立てるところからおこったらしい。「脇几(わきづき)が下の板にもが、—」〈記歌謡一〇四〉

あそ【吾兄】男子を親しんで呼ぶ語。「内の—、汝(な)こそは世の長人」〈記歌謡七一〉。「池田の—が」〈万三八四一〉▽アは吾(あ)。ソは兄(せ)の古形か。ソ(背)とセ、ウツソミとウツセミなどの例がある。　†asö

あそうぎ【阿僧祇】《梵語の音訳。数えることのできない意》インドから中国を経由して日本に輸入された命数の一で、一から、十進法で五十二番目の数。また、無数の意にも用いる。「十の十を百、百の十は千、千の十は万、万の十は億と此の如く次第して六十度数挙して、この六十の内に第十二が—なり。…されば—をば无数と云ふなり」〈法華経直談鈔二末〉　**—こふ**【阿僧祇劫】「阿僧祇」の「劫」、すなわち、無限に長い時間。「過去の無量—に国王ありき」〈今昔二ノ三〉

あそこ【彼処】『代』《「ここ」の対。遠称。アシコの転。中世以降の形》あの所。「—の峰、ここの洞(ほら)」〈平家六・横田河原〉。「三百余騎、—ここに押し寄せからめとる」〈平家二・西光被斬〉。「—に美しげなる殿のおはするが」〈平家公達草紙〉。「あしこ。—也」〈源氏物語千鳥抄〉

あそそ《アサアサ(浅浅)の転か》うすうす。「—には、かつは(一方デハ)知れども」〈万五四三〉 †asoso

あそばか・し【遊ばかし】『四段』遊ばせる。「若君を—・し奉りつる程に」〈今昔二七ノ二九〉

あそば・し【遊ばし】『四段』《アソビの未然形に尊敬の助動詞シのついたもの。貴人が音楽の演奏・狩り・遠出などをなさる意。転じて、広く貴人の行為の尊敬語として使う》①㋑演奏なさる。「かしこしわが大君、なほしその大御琴—・せ」〈記仲哀〉 ㋺狩りや遠出をなさる。「わが大君の—・しし猪(い)の」〈記歌謡九八〉 ②㋑「する」という意の尊敬語。なさる。「登らして国見—・し」〈万三三四〉。「御手跡美しう—・し(字ヲ上手ニオ書キニナリ)」〈平家四・源氏揃〉 ㋺《多く「お」を冠した動詞連用形、「御(ご)」を冠した名詞をうけて》尊敬の意をあらわす。…なさる。「まづあれへお帰り—・しませ」〈評判・難波鉦五〉。「もはや気遣ひ—・すな」〈近松・氷の朔日中〉 †asobasi

あそ・び【遊び】㊀『四段』《日常的な生活から別の世界に身心を解放し、その中で熱中もしくは陶酔すること。宗教的な諸行事・狩猟・酒宴・音楽・遊楽などについて、広範囲に用いる》①神遊び、すなわち神楽(かぐら)を演じる。「瑞垣(みづかき)の神の御代よりささの葉を手(た)ぶさに取りて—・びけらしも」〈神楽歌一五〉 ②音楽を奏し歌を歌う。「安名尊(あなたふと)[ヲ]—・びて次に桜人」〈源氏少女〉。「ひとわたり—・びて琵琶弾き止みたるほどに」〈枕八二〉 ③宴会をする。「楊(やなぎ)かづらき楽しく—・ばめ」〈万四〇七一〉。「各—・ぶ事ありけるに、酔ひて興に入るあまり」〈徒然五三〉 ④狩りをする。「猟弓(さつゆみ)を手握り持ちて、赤駒に…はひ乗りて—・びあるきし」〈万八〇四〉 ⑤舟遊びをする。「思ふどち斯(か)くし—・ばむ」〈万三九九一〉 ⑥勝負事をする。「囲碁双六など—・びて」〈徒然一三七〉 ⑦子供や動物が気楽に動きまわる。「鴨鳥の—・ぶ此の池」〈万七一一〉。「ちご—・ばする所の前わたる」〈枕二九〉 ⑧気晴らしに遠出をする。遊山する。「この両三人と共に洞庭へ—・びての詩なり」〈三百集坤〉 ⑨遊興する。「只の事(酒宴ダケ)にて—・びかねたる若盛り、此の分にては埒(らち)あかず」〈西鶴・三所世帯下〉 ⑩仕事などしないでぶらぶらしている。「—・ばして置かう程に、急いで[病気ヲ]直せ」〈狂言記・緡縄〉 ㊁『名』❶①神遊び。(神前の)舞や音楽。「打橋の頭(つめ)の—」〈紀歌謡一二四〉。「豊竈(とよへつひ)み—すらしも久方の天の河原に瓠(ひさ)の声する」〈神楽歌八四〉 ②管絃の演奏。「—は夜。人のかほ見えぬほど」〈枕二一四〉 ③宴会。「今日の—に相見つるかも」〈万八三五〉 ④狩猟。「遊鳥(とりのあそび)を楽(わざ)とす」(一書にこのことを射鳥遨遊とある)〈紀神代下〉。「田猟、アソビ」〈色葉字類抄〉 ⑤漫然とする楽しみごと。「世の中の—の道に」〈万三四七〉。「万の—をぞしける」〈竹取〉。「よろづの—にも勝負を好む人は」〈徒然一三〇〉 ⑥遊興。「その座敷に、昼よりの—に我が身は日暮れて行く時は」〈評判・秘伝書〉 ❷「遊び」を行なうための女性。集団で移動するものもあり、後世の白拍子などもこれの系統をひく。「遊行女婦、蒲生娘子の歌一首」〈万四二三二題詞〉。「—三人いづくよりともなく出で来たり…めでたく歌をうたふ」〈更級〉。「—の好むもの」〈梁塵秘抄三八〇〉。「遊行女児、和名宇加礼女、又云阿曾比(あそび)」〈和名抄〉。「遊女、アソビ」〈色葉字類抄〉 †asobi ―**がたき**【遊び敵】遊び相手。「上(帝)も[女御ヲ]よき御—におぼいたり」〈源氏澪標〉 ―**ぐさ**【遊び種】遊びの材料。遊び相手。「うちとけぬ—」〈源氏桐壺〉 ―**こ**【遊び子】色を売る少年。陰間(かげま)。陰子(かげこ)。「刷毛(はけ)と申す[草履取]は—の供」〈俳・西鶴五百韻〉 ―**でら**【遊び寺】人が信仰でなく遊楽に来る寺。「遊行の柳[ノアル寺ハ]今—」〈俳・桜千句〉 ―**どころ**【遊び所】①競技その他遊びをする場所。「馬場のおとど造り、埒(らち)ゆひて、五月の御—にて」〈源氏少女〉 ②遊女のいる所。遊廓。遊里。「興さます—の夜が更けて」〈俳・大矢数三〉 ―**びと**【遊び人】①演奏者。楽人。「こよひ斯く—手(伎倆)を尽して、めづらしき物の音(ね)そはりてめでたきに」〈宇津保俊蔭〉 ②遊女。あそびもの。「遊君[トハ]、白拍子の事也。—也」〈謡抄山姥〉 ―**ひろ・げ**【遊び広げ】『下二』広く場所をとって遊ぶ。「所せきまで—・げ給へり」〈源氏紅葉賀〉 ―**ぶね**【遊び舟】舟遊びの舟。遊山舟。「此の夜は諸人—を仕立てて新堀より乗り浮かれて」〈西鶴・男色大鑑四〉 ―**べ**【遊部】天皇崩御の際、棺や祭器を作り、霊前で歌舞をする部民。「—、幽顕の境を隔てて凶癘の魂を鎮むる氏也」〈令集解喪葬〉 ―**ほふし**(ホウ)【遊び法師】歌舞音曲を専門とする僧。遊僧(ゆうそう)。「能ある—どもなど語らひて」〈徒然五四〉 ―**もの**【遊び物】①管絃の楽器。「多くの—の音、拍子を整へとりたる」〈源氏常夏〉 ②おもちゃ。「はかなき御—まですこし故ある限りをば」〈源氏若菜上〉 ―**もの**【遊び者】やとわれて歌舞で宴に興を添える女。あそびおんな。「白女といふ—召して」〈大鏡昔物語〉。「—の推参は常の習ひでこそ候へ」〈平家一・祇王〉 ―**やど**【遊び宿】揚屋・色茶屋など遊興する家。「あそびや」とも。「胸休め[ノタメ]通ひ馴れたる—」〈俳・伊勢宮笥〉 ―**よね**【遊び娼】遊女。「金の光、銀のうつりにて、何時なりとも—」〈西鶴・三所世帯下〉 ↓よね。 ―**わざ**【遊び業】小弓・碁・篇付など、技量をくらべ争う競技。勝負事。「—は小弓。碁。さま悪しけれど、鞠もをかし」〈枕二一五〉 ―**をんな**【遊び女】「遊び者」に同じ。「同じ—とならば、誰も皆あのやうでこそありたけれ」〈平家一・祇王〉。〈日葡〉

あそみ【朝臣】《アセ(吾兄)の古形アソとオミ(臣)との複合語か》姓(かばね)の一種。「二に曰く—」〈紀天武十三年〉。「阿曾美(あそみ)を朝臣と為す」〈続紀宝亀四・五・七〉 ↓あそん。 ▽asömi→†asömi

あそん【朝臣】《アソミの転。中世、促音化してアッソンとも》①姓(かばね)の一種。天武天皇十三年に定めた八等の姓の第二位。また、貴族男子の称。「右大将藤原—の四十賀しける時」〈古今三五七詞書〉 ▽平安時代に位署の法が定まり、位によってその呼び方も異なった。たとえば三位以上は「藤原朝臣」「橘朝臣」のように、氏に姓(かばね)をつけ、敬意を表して名を言わない。四位の人には、「業平朝臣」のように名に姓をつける。五位は「藤原朝臣某」のように、氏・姓・名の順にする。六位以下は「藤原某」などと、氏・名を言い、姓を言わない。②貴族男子を親しんでよぶ語。「その姉君は、—の弟や持たる」〈源氏帚木〉 ▽asömi→asom→ason

あた【仇・敵】《ぴたりと向き合って敵対するものの意。江戸時代以後アダと濁音化した》①敵。「筑紫の国は—守る押への城(き)そと」〈万四三三一〉 ②自分に害をなすもの。「局(つぼね)の前を渡りけるに、何の—にか思ひけん」〈伊勢三一〉 ③害。「丹波国大江山には鬼神がすみて—をなす」〈伽・酒呑童子〉 ④うらみ。「必ず此の—を報ずべし」〈今昔二ノ二八〉。「怨、アタ」〈名義抄〉 ▽アタは、アタナヒ(寇)・アタヒ(能)・アタヒ(価)・アタヘ(与)・アタラ(可惜)・アタラシ(可惜)・アタリ(当)などに共通の語根。**―を結・ぶ** 敵意をいだく。復讐心をもつ。「この者、わがために―・ばむずる者なり」〈平治上・信頼信西不快〉

あた【咫】 上代の長さの単位。親指と中指とを開いた長さ。「八尺鏡、八尺を訓みて八阿多(やあた)といふ」〈記神代〉

あた『接頭』《悪い意味の語に冠して》 嫌悪の気持を含めて、程度の甚だしいことを表わす語。「―舌たるい」「―吝(じわ)い」「―贅(ぜい)ばる」「―ぶの悪い」「―軽薄な」など。「かやうに―辛き風味をば、他家の残客に留めて与ふべきぞ」〈禅儀外文盲象鈔七〉

あだ【徒・不実】 ①花が実を結ばないこと。「―なる花」〈源氏藤裏葉〉 ②実意・誠意のないこと。浮気。「男、ねんごろにいかでと思ふ女ありけり。されどこの男を―なりと聞きてつれなさのみまさりつつ」〈伊勢四七〉。「―なる方に進み移りやすなる人は女のためのみにもあらず頼もしげなく」〈源氏宿木〉。「アダノナサケ」〈日葡〉 ③いいかげんなこと。粗末にすること。おろそか。「御枕上に参らすべき祝のものに侍る。あなかしこ―にな」〈源氏葵〉 ④無用。無駄。「[蚕モ]蝶になりぬれば…―になりぬるをや」〈堤中納言虫めづる〉 ⑤はかないさま。「久しかれ―に散るなと桜花かめにさせれど移ろひにけり」〈後撰八二〉

あだ【婀娜】 ①(女の容姿の)たおやかに美しいさま。文選の洛神賦に「華容婀娜」とある。「―とさまたれたる腰支(こしはせ)楊柳の春の嵐に乱るるかと誤つ」〈玉造小町壮衰書〉。「翡翠の髪(かん)ざし(ミドリノ黒髪)は、―とたをやかにして」〈謡・卒都婆小町〉 ②色っぽくなまめかしいさま。「―につくりかけて出たの」〈洒・玉の牒〉

あたあた 《アタはアツシ(熱)の語幹アツと同根か》 熱に苦しんで発する声。「ただのたまふ事とては『―』とばかりなり」〈平家六・入道死去〉

あだあだ・し【徒徒し】『形シク』 ①いかにも実意がない。浮気である。「―・しき筋など、疑はしき御心ばへにあらず」〈源氏澪標〉 ②いいかげんである。おろそかである。「唐土(もろこし)・日本(やまと)の事よくよく深く知りたる人の詠(よ)まれたれば、―・しき事はあらじ」〈袖中抄四〉

あたう(ウ‥ト)**【阿党】** おもねって仲間になること。転じて、悪事・陰謀などにくみするやから。「たちまちに芳恩を忘れて、還って―をなし」〈盛衰記一九〉。〈色葉字類抄〉

あだおろそか【徒疎か】《似た意味の語を重ねたもの》 いいかげんなこと。かりそめ。「私親子に御命を下さるる御恩徳、―には思はねども」〈近松・本朝三国志三〉。〈文明本節用集〉

あたか『副』《アタは動詞アタリ(当)のアタと同根。カは接尾語》 まさしく。さながら。「宛、アタカ・アタカモ」〈色葉字類抄〉 **―も【恰も】**『副』《モは助詞》 ①さながら。まるで。「わが背子が捧げて持てるほほがしは―似るか青き蓋(きぬがさ)」〈万四二〇四〉。「恰、アタカモ・タトヘハ」〈名義抄(図書寮本)〉 ②十中八九。ほぼ。「唖の物を乞ふ侍り。みれば天台山の静円供奉なり。ひがめかとみれば―まぎるべくもなし」〈撰集抄三ノ二〉。「―と云ふは、十の物、七、八と云ふ意と云ふぞ」〈策彦和尚初渡集下ノ下〉 †atakamö

あたかたき【仇敵】《似た意味の語を重ねたもの》 害をなす敵。「いかばかりの昔の―にかおはしけむ」〈源氏真木柱〉。〈日葡〉

あだかね【徒銀】 無駄遣いのかね。「損銀(そんぎん)―年年相積りて」〈西鶴・織留一〉

あたき 猪などの獣が、吠え、唸ること。また、その声。「品太(ほむだ)の天皇、この野に御狩りし給ひしに一つの猪、矢を負ひて―しき。かれ、阿多賀野といふ」〈播磨風土記〉

あだくち【徒口】 実意のない言葉。むだ口。「―な利(き)きそ」〈宗門葛藤集〉 **―ねんぶつ【徒口念仏】** 口先だけの念仏。「南無阿彌豆腐なまいだ、ああ南無あいだ―」〈近松・孕常盤三〉

あだぐも【徒雲】 はかなくただよう雲。浮き雲。「―もなき冬の夜の空なれば月の行くこそ遠く見えけれ」〈夫木抄一六・冬月〉

あだくらべ【徒競べ】 ①互いにきそって不実、移り気であるかのようにふるまうこと。「―かたみにしける男女」〈伊勢五〇〉 ②もろさ、はかなさを競い合うこと。「いづれ先(さき)花と老との―」〈石山百韻〉

あだくらべ【婀娜競べ】《伊勢物語の「徒(あだ)競べ」の「あだ」を「婀娜」の意に用いたもの》 互いに美しさ、なまめかしさをきそうこと。競艶。「妓衆(よねしゅ)とあれば、舞うつ歌うつ―」〈松の葉二〉

あだぐるひ(‥ルイ‥グ)**【徒狂ひ】** 情欲に溺れること。「[オチブレテ末ハ]箱屋が弟子となる―」〈俳・昼網下〉

あたけ【安宅・阿武】 「安宅船」の略。「大―小―数百艘」〈黒田家文書三、慶長三・一〇・一五〉 **―ぶね【安宅船・阿武船】** 近世初期に使われた、装甲した大軍船。矢倉造りで、鉄砲・大砲を備えた。「九鬼右馬允―、滝川左近・伊藤三丞・水野監物、是等も―」〈信長公記七〉 **―まる【安宅丸・阿武丸】** 寛永十二年将軍家光が建造させた安宅船様式の軍艦。長さ約三十尋(ひろ)。外側を銅で包み、三重の矢倉、櫓数二百梃、水夫(かこ)四百人。米一万俵を積んだ。天和二年解体。「天下丸」とも。「新造の―御覧のため品川にならせらる」〈大猷院殿御実記寛永一二・六・二〉

あた・け『下一』 騒ぎ暴れる。乱暴する。「一屋に猫児無ければ、老鼠白日(昼日中)に―・ける」〈宗門葛藤集下〉

あだ・け【徒け】 [一]『下二』《アダを活用させた語》 浮気な行いをする。「まいてうち―・け、すきたる人の、年積もりゆくままに、いかにくやしき事多からむ」〈源氏椎〉 [二]『名』 浮気な行為。「いでその古りせぬ―こそは、いとうしろめたけれ」〈源氏若菜上〉

あたご【愛宕】 ①京都の西北方、山城と丹波との境にある山の名。「―になむ清滝になど」〈かげろふ中〉。「都までうち散りけりな春寒み花の―の峰の白雪」〈再昌草三一〉 ②愛宕山に鎮座する愛宕神社に祀られる神の俗称。祭神はカグツチノカミ・スサノヲノミコト・勝軍地蔵で、防火の守護神、また軍神として信仰された。愛宕権現。「―詣でのしげきこの頃／なべて世に火事(ひごと)恐れぬ人もなし」〈俳・紅梅千句〉。「八幡、―、九万八千の軍神も御照覧」〈大友記〉 **―ちまき【愛宕粽】** 愛宕参りする人が土産に買う笹粽。「―、参詣の道者土産に是れを用ふ」〈俳・毛吹草四〉 **―のふだ【愛宕の札】** 愛宕神社から出す火除けの御札。「脇の後の柱に―を押す」〈甲陽軍鑑七〉 **―はくさん【愛宕白山】** 山城の愛宕山、加賀の白山に鎮座する神に呼びかけて自ら誓う詞。「ただ世に流行(はや)る物とては、―[ト誓ッタ]空誓文」〈仮・目ざまし草上〉。〈ロドリゲス大文典〉 **―はちまん【愛宕八幡】** 愛宕権現・石清水八幡も照覧あれ、と呼びかけて自ら誓う詞。「拙者をおなぶりか。―人こそよれ、少し物が違ひ申さん」〈浄・当麻中将姫一〉 **―まゐり【愛宕参り】** 愛宕権現に参詣すること。特に六月二十四日に参れば千日の参詣に当るといって千日詣の名があり賑わった。帰りの土産品は火除けの御札・樒(しきみ)・粽。愛宕詣で。「せめてただ樒をつんで

奉れ/―に何も持たざる」〈俳・紅梅千句〉

あだごころ【徒心】浮わついた、不実な気持。「―つきなば後くやしき事もあるべきを」〈竹取〉

あだこと ❶【徒言】①冗談。「たはぶれにても、人の御―など聞え給ふべくなむあらぬ」〈宇津保藤原君〉②むだな言葉。「君子の一言は、一つも―が無いほどに…掟となるなり」〈宗門葛藤集下〉❷【徒事】《「まめごと」の対》①ほんのちょっとしたたわむれ事。「折ふしにし出でむわざの―にもまめごとにも」〈源氏帚木〉②浮気な行為。色事。「世の常の―」〈源氏絵合〉③ちょっとした余技。「絵はなほ筆のついでにすさびさせ給ふ―とこそ思ひ給へしか」〈源氏絵合〉

あた・し【敵し】『サ変』《アタは仇》敵対する。はむかう。「王は外道(げだう)に党(かたは)へり(味方シタ)。それ―・すべけむや」〈大唐西域記五・長寛点〉

あだ・し『四段』《アラシ(荒)の子音交替形。イクダとイクラ、ココダとココラの類》荒らす。「天雲(あまくも)をほろ(バラバラ)に踏み―・し」〈万四二三五〉

あだ・し【他し】『形シク』《古くはアタシと清音》他のものである。「逢ひがたき君に逢へる夜ほととぎす―時ゆは今こそ鳴かめ」〈万一九四七〉。「他(あたし)も皆此に放(なら)へ」〈紀継体一年〉。「他、アタシ」〈名義抄〉 **―くに**【他し国】他の国。「異県(ことなるさかひ)他山(あたしくに)」〈三蔵法師伝序・院政期点〉。「遙なる―まで従ひて」〈文祿二年六月四日何人百韻〉 **―こころ**【他し心】別の心。他人に向く心。「君をおきて―をわが持たば末の松山波も越えなむ」〈古今一〇九三〉 **―の**【他し野】他の野。他の男の意の比喩。「―の風になびくな女郎花(をみなへし)われしめ結はむ道遠くとも」〈源氏手習〉

あだし【徒し】《意味上はアダ(不実)の形容詞形と考えられるが、常に名詞と複合した形で使われる。アタシ(他)とアダ(不実)との意味と形の近似による混交の結果生じた語であろう。中世以後の例が多い》 **―ことのは**【徒し言の葉】その場限りの口先だけの言葉。あてにならない言葉。「なほざりの―頼まじと思ふものからまたぞ慰む」〈玉葉一五三七〉 **―ちぎり**【徒し契り】実意のない約束。その場限りの約束。「結びけむ―ぞ憂かりける終に絶えぬる仲となるにも」〈続千載一五九〇〉 **―の**【徒野】京都嵯峨野の火葬場のある野。鳥部野とともに有名。無常の象徴として使われる語。「―の露消ゆる時無く、鳥部山の煙、立ちさらでのみ住みはつるならひならば」〈徒然七〉 **―よ**【徒し世】かりそめの世。はかない世の中。「かくつらき別れも知らで―の習ひとばかり何思ふらむ」〈新後撰一五一六〉

あたじけな・い『形』けちである。「木戸番は―・いと首を振り(木戸銭ヲ値切ッタ客ニ)」〈雑俳・万句合宝暦一三〉

あだじゃうるり〔アダジョウ…〕【徒浄瑠璃】口から出まかせの浄瑠璃。「うかれぞめきの―、役者物真似、納屋(なや)端歌(はうた)」〈近松・天網島上〉

あたた〔小児語〕灸。「逃尻に―をするふられけるほどに」〈俳・仙台大矢数下〉

あたた『感』ああ本当に。全く。「―浮世は生木に鉈(なた)ぢやとなう。思ひ廻せば木の毒(気ノ毒)やなう」〈阿国歌舞伎歌〉

あたたか【暖か・温か】《アタアタカの約。アタはアツ(熱)と同根。物や外界の空気から受ける熱感の強すぎず弱すぎず、快い状態》①ほのかに熱が感じられるさま。ほのかにぬくもりのある感じ。「薨(う)せさせ給ひぬるやうなる。されど御胸よりかみはまだ同じやうに―におはします」〈栄花鶴林〉②なまぬるいこと。いいかげんなこと。安易。「余り―な早い印可だな」〈勝国和尚再吟一〉③自分にとって都合のよいこと。うまいこと。「―な事―な事/帯解いて銀遣ふ後家と逢うて有り」〈雑俳・よせだいこ〉④金持であること。「俗には手前宜しき人をも、―さうなと云ふ」〈俳・蝿打二〉⑤ずうずうしいこと。ずぶといこと。「後に委しく尋ね聞きければ、―なる嘘なり」〈正事記三〉⑥阿呆。馬鹿なこと。「―さうな野暮介(やぼすけ)」〈評判・吉原こまざらい〉⑦《漢文の訓読で》熱のあるさま。「腹熱(あたたか)なること焼くるが如し」〈遊仙窟(真福寺本)鎌倉期点〉 **―まんぢう**〔…ジュウ〕【温か饅頭】《出来たてのほやほやの饅頭の意から》①経済的に豊かであること。「御内証―に暮さるる事、其の隠れなし」〈評判・役者大鑑〉。〈俳・世話尽二〉②ぬっくりとうまくやること。また、ずうずうしい仕方。「二年―の味(ヲ味ワウ)」〈浮・色道大鼓二〉

あたたけ ①あたたかい餅。「―・梨子、人別分これを居(す)ゆ」〈醍醐雑事記上〉。「温餅、アタ、ケ」〈色葉字類抄〉②鏡餅。「御後見より―これを進(まゐ)らす」〈大乗院雑事記長祿一・二・二六〉

あたたけ・し【暖けし】『形ク』《アタタカ(暖)の形容詞形》触れて、あつからずつめたからず快い。「しらぬひ筑紫の綿は身につけて未だは着ねど―・く見ゆ」〈万三三六〉。「暑・暄、アタ、ケシ」〈名義抄〉 †atatakësi

あただに『副』突然に。直ちに。俄かに。〈日葡〉

あたたま・り【暖まり・温まり】『四段』①暖かになる。「こよなく―・りて寒さも忘れ侍りにき」〈大鏡昔物語〉②熱を帯びる。「身を捜れば、火の様に―・りたり」〈今昔二八ノ三二〉③儲ける。「私等まで、つらりっと三百づつ―・った」〈近松・堀川波鼓下〉

あたた・め【暖め・温め】『下二』あたたかくする。「重ねずは朱(あけ)の衣も何ならし身を―・めよ麻手小衾(あさでこぶすま)」〈六百番歌合冬下〉。「煖、阿太々牟(あたたむ)」〈新撰字鏡〉

あだたらまゆみ【安太多良真弓】陸奥国安太多良地方で産した真弓。「みちのくの―」〈万一三二九〉 †adatara-mayumi

あだちのまゆみ【安達の真弓】《地名を好字二字で書くために、adaに安(an)、taraに達(tat)をあてたものを字音のままにアダチと読んで生じた語》⇒あだたらまゆみ。「みちのくの―我がひかば末さへ寄り来(こ)忍び忍びに」〈古今一〇七八〉。「かひなしやはや七十ぢにみちのくの―はる(張ル・春)に逢へども」〈新続古今七四二〉 ▽弓の縁で「引く」「押す」「はる」などの序詞として使われることが多い。

あだつかひ〔…ヅカイ〕【徒遣ひ】浪費すること。「―親は空にて血の泪(なみだ)」〈俳・二葉集〉

あだつ・き【徒つき】『四段』浮気心を起す。「―・いた客は階子(段)で(遊女ニ)どうづかれ」〈雑俳・万句合宝暦一三〉

あたて【藍蓼】染草の名。タデアイの古名。「山県にまきし―春(つ)き」〈記歌謡四〉 ▽原文「阿多尼」とあるが、「尼」は「弖」の誤りという。

あだて 目当て。あて。あてど。「あては―也。当也。中也」〈名語記五〉。「我を養ふ―なく」〈浮・色道懺悔男六〉

あだな【徒名】①浮気だという評判。浮いた噂。「またも―は立ちぬべき御心のすさびなめり」〈源氏夕顔〉。「しのばば目でしめよ、言葉なかけそ、―の立つに」〈閑吟集〉②無実の噂。「―立つるは怖い鰐口(わにぐち)」〈俳・俳諧三部抄中〉

あだな・い【徒ない】『形』①はかない。「人間世の―・いに喩ふぞ」〈古文真宝抄一下〉②あどけない。「―・いと名にこそ立てれ児桜(ちござくら)」〈俳・懐子二〉

あたな・ひ〔アタナイ〕【寇なひ】『四段』《アタは仇。ナヒはその行為を

する意の接尾語。アキナヒ・アザナヒのナヒに同じ》害をする。「姧賊之心(あたなふこころ)」〈紀神代上〉 †atanaFi

あだなみ【徒波】いたずらに立ち騒ぐ波。恋の歌で相手のうわついた心によそえていう事が多い。「浅き瀬にこそ—は立て」〈古今 七二三〉

あだね【徒寝】①相手なしに一人寝ること。「旅にして—する夜の恋しくは我が家の方に枕せよ君」〈古今六帖五〉②はかない添い臥(ぶ)し。かりそめのちぎり。あだぶし。「その予言(かねごと)もいつしかに—の夢の博労町」〈近松・今宮心中下〉

あだねぶり【徒眠り】うたたね。かりね。「袖も心もくづをれて、とろりとろりの—」〈浄・津戸三郎四〉

あたは・しアタワシ『四段』⇒みとあたはし

あだばな【徒花】①むだに咲く花。咲いても実を結ばない花。「一旦は枝葉もきざし、—なんどの咲くことはありとも、つひには朽木となるべし」〈夢中問答中〉。「英、アダバナ、栄而不レ実、曰レ英」〈色葉字類抄〉②季節はずれに咲く花。〈日葡〉③遊女などに紙花(かみばな)だけやって、あとで現金を与えないこと。「外聞ばかりの—を出し」〈西鶴・椀久二世上〉

あたばら《アタは急の意。古くはアタハラと清音》①急な腹痛。「疝、阿太波良(あたはら)、腹急痛也」〈和名抄〉。「疝、アタハラ」〈名義抄〉②急激な立腹。「アタバラヲタツル」〈日葡〉

あたひアタイ【直・費・費直】上代の姓(かばね)の一。大化改新前、大和朝廷の力が強く支配した地域の国造(くにのみやつこ)に与えられ、改新後の郡司家とその一族に多い。「山代直(やましろのあたひ)等が祖(おや)なり」〈紀神代上〉。「開中費直(かふちのあたひ)…を遣して」〈隅田八幡宮鏡銘〉▽アタヒ(値)と同根。匹敵するものの意。天皇と同じ力を持って地方政治を行なう国造をアタヒと呼んだところに起源があるという。「費直」は、アタヒとよむ語を重ねて書いたもの。†ataFi **—え**【直】《姓の名の直(あたひ)に敬称の兄(え)をそえたものか》⇒あたひ(直)。「東漢坂上(やまとのあやのさかのうへの)—」〈紀(前田本)敏達一年〉

あたひアタイ【価・値】《動詞アタヒ(適・能)の名詞形。物の価値に相等しいものの意》①売買する物に見合う価格、金額。代価。ねだん。「羆(しぐま)の皮一枚(ひとひら)を持ちてその—を称(かは)りて曰はく『綿六十斤なり』といふ」〈紀齊明五年〉②物の価値に見合う金銭、また代物。「餌香(ゑか)の市に—以て買はぬ」〈紀顕宗即位前〉 †ataFi **—なきから**【価無き宝】《仏典の「無価宝珠」の訓読語》評価できないほど尊い宝。「—といふとも一坏(ひとつき)の濁れる酒にあに益(ま)さめやも」〈万三四五〉

あた・ひアタイ【適ひ・能ひ】『四段』《アタアヒ(合)の約。アタは、アタ(仇)・アタリ(当)のアタと同根。事と能力とが、ちょうどぴったりと相応する意。多く打消の形で使われている》①適する。ふさわしい。「さ寝床も—・はぬかもよ」〈紀歌謡四〉。「—・はぬ事なり。はや返し奉れ」〈竹取〉。「聖は能く物を救ふと雖も、受くるに—・はずとなり」〈法華義疏長保点〉②合点がゆく。「いと—・はぬさまの気色にて」〈大鏡伊尹〉③《「…こと—・はず」「…に—・はず」の形で》可能である。できる。「天人大衆も皆その量の深浅を測ること—・はず」〈地蔵十輪経一・元慶点〉。「病者苦しく、また舌の根こはくなりぬれば、最後の時に〔十念ヲ〕申すに—・はず」〈孝養集下〉 †ataFi

あだびと【徒人】不実な人。特に、男女の間柄でいう。「植ゑてみる我は忘れで—にまず忘らるる花にぞありける」〈後撰五五三〉

あだぶし【徒臥し】①一人さみしく寝ること。ひとりね。「ゆきとまる草のかりほの—は月にもられて明すなりけり」〈夫木抄三六・言語〉②かりそめのちぎり。あだね。あだまくら。「かの—の因果めが煩悩(ぼんなう)を起させます」〈近松・薩摩歌中〉③甲斐のない添い臥し。「女同士の—や」〈近松・百日曾我四〉

あた・へアタエ【与へ】『下二』《アタ(当)アヘ(合)の約》ぴったり相当するように、相手に物をやる。「みどり児の乞ひ泣くごとに取り—・ふる物しなければ」〈万二一〇〉。「但し来たれ。我当(まさ)に食を—・へむ」〈願経四分律平安初期点〉。「仏法を—・へしむるに堪(かな)へり」〈地蔵十輪経三・元慶点〉。「彼に苦しみを—・へ、命を奪はむ」〈徒然一二八〉▽平安時代、漢文訓読語に用い、女流の和文には使わない。†ataFë

あだ・へアダエ【徒へ】『下二』《アダ(徒)の動詞化》ふざける。「〔大事ナ手紙ヲ〕すずろに、斯く—・へ隠して」〈源氏夕霧〉。「若やかなる人こそ…—・へたるも罪許され」〈紫式部日記〉

あだぼれ【徒惚れ】浮気心からの恋。「女に移りやすく—し、…大事の本性をうしなひ」〈仮・可笑記跡追四〉

あたま【頭】《古くは頭の前頂、乳児のひよめき。頭部全体は古くはカシラといったが、中世以後、アタマともいうようになり、カシラはだんだん文語的に使われるようになった》①ひよめき。「顖会、一云天窓、阿太万(あたま)」〈和名抄〉②頭部。かしら。つぶり。「—が痛い」〈コリヤード懺悔録〉③物の上部。「奴豆腐に唐がらし、—からかっかじる」〈浮・御前義経記三〉④物事の始め。最初。「—から悪ざれを云ひ」〈評判・難波鉦一〉⑤大げさなさま。「誕伯は、誕は大なりで、おほきな事を言ふ。—な事を言ふぞ」〈蒙求抄五〉 **—おし**【頭押し】おどしておしつけること。「すぐならぬ世の道くらく、ゆがみながらも—、家役棟役にかけて犬扶持を運ばする」〈近松・相模入道三〉 **—がくし**【頭隠し】頭巾の一種。近世前期、比丘尼(びくに)のかぶったもの。「比丘尼は大方…黒羽二重の—」〈西鶴・一代女三〉 **—かず**【頭数】人かず。人数。「—二十五人の踞供養(ねりくやう)」〈俳・物種集〉 **—がち**【頭勝ち】①頭だけ前へ出て、からだ全体の平衡がくずれた体勢。「腰弱く負くる相撲や—」〈俳・鸚鵡集六〉②自分勝手でえらぶること。傲慢(ごうまん)。また、そのような人。「アタマガチナヒト」〈日葡〉③初めは盛んで、あとがそれに相応しないこと。また、初めは盛んで終りの振わぬこと。龍頭蛇尾。「頭づり」とも。「龍頭蛇尾〔トハ〕…余りに—でも後に尾細(をぼそ)であらうぞと云ふ心だ」〈勝国和尚再吟一〉。「—。…始め巨大なる事の終りは小になるをも言ふ」〈俚言集覧〉 **—くだし**【頭下し】①(水などを)頭からあびせかけるさま。「悪水の—〔ニ〕うっかけやうぢゃ」〈碧岩抄一〉②歌を初句からなだらかに詠み下すこと。「今程は、—によまぬ歌をば、かやうに難ずるなり」〈東野州聞書一〉③他人の言うことの理非も考えずに最初から圧しつぶすこと。あたまごなし。「づくだし」とも。「—〔ニ〕罵(の)り、打っ扣(た)いつ色色したぞ」〈人天眼目鈔一〉 **—つき**【頭付き】髪形。「—人に替り」〈西鶴・一代男四〉 **—に口が明いた** 遠慮会釈もなく、勝手放題にしゃべりちらすたとえ。「—と思うて、いかい事云ふ」〈天理本狂言六義・酢薑〉 **—の黒い鼠** 家の中の物をかすめとる者を鼠に擬していう。「妊ますは—すら」〈俳・大坂独吟集下〉 **—のさら**【頭の皿】①脳天。頭蓋骨。あたまのはち。「—がこな微塵に打ち割れた」〈近松・博多小女郎上〉②かっぱの頭にあるという皿。「—は子供友達／この国に住む河太郎根を絶えて」〈俳・独吟一日千句〉 **―はり**【頭張り】「あたまわり」に同じ。「飯蛸(いひだこ)や己が手盛りの―」〈俳・桜川一〉 **―へし**【頭抑し】「あたまくだし」(3)に同じ。「―になりて、仕へけり」〈仮・智恵鑑一〉 **―もの**【頭者】①夢中でのぼせあがっている者。「母なむ―に心つけたりける」〈仮・仁勢物語上〉②生意気で軽はずみな者。おっちょこちょい。「―の出づるは辻の踊かな」〈俳・続山の井三〉 **―やく**【頭役】頭割りの負担。人頭税。「道橋〔修理ノ費用〕も掛り物とて―」〈俳・独吟一日千句〉 **―わり**【頭割り】人数に応じて割り当てること。「初鰹ふん込みの衆が―」〈雑俳・万句合宝暦三〉 **―を割・る** 苦心する。色色と思案する。「この返事の仕様(しやう)はと―・らして」〈西鶴・伝来記六〉

あだまくら【徒枕】「あだぶし」に同じ。「老いらくの床隙入りて―」〈俳・みつがしら〉

あた・み【仇み】『四段』《アタ(仇)と思う意》敵視する。「この監に―・まれてはいささかの身じろぎせむも所せく」〈源氏玉鬘〉。「日蓮ほど、あまねく人に―・まれたる者候はず」〈日蓮遺文国府尼御前御書〉

あだめ・き【徒めき】『四段』浮気らしい様子をする。不実な様子をする。「人がらまめやかに、―・きたる所なくおはすれば」〈源氏少女〉

あだめ・き【婀娜めき】『四段』あでやかにふるまう。なまめく。「―・くも齢(よはひ)の末の落髪に」〈天正三年四月十九日紹巴等山何百韻〉

あだもの【徒物】はかない物。「命やは何ぞは露の―を逢ふにしかへば惜しからなくに」〈古今六一五〉

あだや【徒矢】むだになる矢。的にはずれた矢。「―一つも射ざりけり」〈保元中・白河殿攻め落す〉

あたゆまひ【あた病】《アタは急の意。ユマヒはヤマヒの上代東国方言》急病。「―我がする時に防人にさす」〈万四三八二防人〉 †atayumaFi

あたら【可惜】《アタラシ(可惜)の語幹の独立用法。立派なものが、その価値相当に扱われないことを惜しむ意》㊀『副』折角、ねうちがあるのに。もったいないことに。「船木伐り樹に(普通ノ材木トシテ)伐り行きつ―船材を」〈万三九一〉。「玉匣明けまくも惜し―夜を袖(ころもで)離(か)れて独りかも寝む」〈万一六九三〉。「―人の文をこそ思ひやりなく書きけれ」〈源氏若菜下〉 ㊁『連体』《平安時代に入ってからの用法らしい》立派な。もったいない。「―夜の月と花とを同じくは心知れらむ人に見せばや」〈後撰一〇三〉。「いみじき―つはもの一人失ひつ」〈源氏浮舟〉 **―物を** 折角のものを。もったいないことだ。「見るごとに―とおぼゆるは鹿立つ野辺の萩の花かな」〈和泉式部集一〉

あたら・し【惜し・新し】『形シク』《アタリ(当)と同根。アタリ(当)・アタラシの関係はユキ(行)・ユカシ(奥に行きたい、奥ゆかしい)と同じ。対象を傍から見て、立派だ、すばらしいと思い、それが、その立派さに相当する状態にあればよいのにと思う気持をいう。平安時代以後アラタシ(新)と混同が起り、アラタシは亡びて、アタラシが新の意をもっぱら表わすようになった。類義語ヲシ(惜)は自分の手の中にあるものの失われるのを愛惜する意》①立派だ。すばらしい。「―・しき猪名部(ゐなべ)の工匠(たくみ)」〈紀歌謡八〇〉。「―・しき清きその名ぞ」〈万四四六五〉。「生ひととのほりていと―・しくめでたし」〈源氏玉鬘〉②(折角の立派なものが)もったいない。「溝を埋むるは、地を―・しとこそ」〈記神代〉。「ただ人にはいと―・しけれど」〈源氏桐壺〉③新しい。「―・しき年の始めにかくしこそ千年をかねて楽しきをつめ」〈古今一〇六九〉。「古きも―・しきも、絵ども入りたる御厨子ども」〈源氏絵合〉。「新、アタラシ・アラタシキ」〈名義抄〉 ▽新の意になると、アタラシのアクセントは、アラタシ(新)と同じ平平平平となり、可惜の意のアタラの上上上とは異なっていた。

あたり【辺】《動詞アタリ(当)と同根。見当をつけた場所の意。上代には、自分の家、妻の家などを遠くから見当をつけていう場合に多く使う。平安時代には、人を婉曲に指すのにも使う。類義語へ(辺)は、はずれた所、はしの所の意。ホトリは山や水のそばをいい、ワタリは、「六条わたり」など、地名を承けて漠然と広い地域をいう》①見当。見当をつけた場所。「明石の門より家の―見ゆ」〈万三六〇八〉。「神の社の―をまかりける時に」〈古今三六二詞書〉②(見当をつけた場所の)近く。「―は人繁くはべれど」〈源氏夕顔〉③近くの人人。「〔源氏ノ〕御光を見奉る―は…女をつかうまつらせばやと願ひ」〈源氏夕顔〉④方(かた)。人を婉曲にいう。「母女御も、いと重く、心にくくものし給ふ―にて」〈源氏匂宮〉 **―あたり**【辺辺】①そのあたり、このあたり。あちこち。「小柴垣を大垣にて―いとかりそめなり」〈源氏賢木〉②身辺の人人。「―にあるべき程程過ぐさせ給はず御かへりみあり」〈大鏡師輔〉 **―けんばい**【辺げんばい】《ケンバイは「結界」の訛》近くに寄せつけないで、追い払うこと。「ふすぶれば―そは蚊かな」〈俳・伊勢踊三〉 ↓七里結界。 **―を払・ふ** 勢いのはげしさで周囲のものを追い払う。そばへ寄せつけない。「〔ソノ悪馬ハ〕まことに大きに高くして、―・ひてはねまはりけり」〈著聞三六四〉。「浮雲の立ちやはいづる照る月の―・ふ夜はのけしきに」〈中宮亮重家朝臣家歌合〉

あた・り【当り】㊀『四段』《アタはアタ(敵・仇)・アタヘ(与)・アタヒ(値)などのアタと同根。物が直進して、(これという急所に)ぴたりとぶつかる意。「はづれ」の対》❶進んで対象にぶつかる。①(ここという所に)ぶつかる。「梶に―・る浪のしづくを」〈古今四五七〉。「向ひなる石をまぼりてはじくは―・らず」〈徒然一七一〉②光がぴたりと射す。「月の洩り来て、ちごの顔に―・りたるが」〈更級〉③まさにその方向・順序にある。「藤はこなたのつまに―・りてあれば」〈源氏花宴〉④(或る態度で)人に接する。「この人人に常によき物を供養して、丁寧に―・れ」〈孝養集下〉⑤手触りで感じる。「髪をさぐれば…冷やかにて―・る」〈今昔三〇ノ一〉⑥かかわり合う。ためしに接触する。「田舎者と見えて、わっぱと申す。これに―・って見うと存ずる」〈虎明本狂言・末広がり〉⑦こたえる。まさしく反応がある。「胸に―・りけるにや」〈徒然四一〉⑧予想・期待どおりになる。「クジガアタル」〈日葡〉⑨さわる。いじる。「前栽・菜園・竹木等に―・るべからざること」〈上杉家文書三、寛永一一・六・二四〉⑩からだにさわって害をなす。「妙法院宮、両三日以前毒に―・らるる歟、吐血以ての外煩はる云云」〈言継卿記天文一三・三・二〇〉❷進んで来るものを受ける。①身に受ける。「春の日の光に―・る我なれど」〈古今八〉。「風に―・りて」〈源氏須磨〉②(罪や任務を)身に負う。該当・担当する。「罪に―・りて流されおはしたらむ人」〈源氏須磨〉。「いと苦しき判者にも―・りて侍るかな」〈源氏梅枝〉❸相互にぶつかりあう。①相当する。「類なき御身にこそ―・らざらめ」〈源氏若菜上〉。「三日に―・る夜」〈源氏総角〉②一つに重なる。「くちをしきもの。節会などに、さるべき御物忌の―・りたる」〈枕九八〉。「言ひもて行けば、ひとつ旨(むね)に―・りて」〈源氏螢〉 ㊁『名』①ぶつかること。「〔縄ニ石ヲククリツケテ打ット〕―がよきとなり」〈本則鈔一〉②担当。「この事かの事――の事ども家司どもなど申す」〈源氏東屋〉③返報。しかえし。

「さきに行綱に謀られたる—とぞいひける」〈宇治拾遺七四〉 ④応対のしかた。人あたり。「閻魔王—のきつい者ぢゃ」〈虎明本狂言・朝比奈〉 ⑤感触。「髪をさぐれば…ひややかにて—めでたきこと」〈宇治拾遺五〇〉 ⑥あてつけ。「茂兵衛殿への—は、皆悋気(りんき)から起った事」〈近松・大経師上〉 ⑦食物に傷や腐りのあること。「—のある桃」〈滑・浮世風呂四中〉 —あひ【当り合ひ】 ①その場にある物。ありあわせ。有りあい。「—の枕引き寄せ」〈西鶴・俗徒然一〉 ②船の衝突。「沖走りの時〔ノ〕—の事」〈船法〉 —きゃうげん【当り狂言】〔歌舞伎用語〕上演して大当りした狂言。「篠塚〔次郎左衛門〕が—、四十八人の敵討の咄」〈浮・禁短気三〉 —げい【当り芸】 ①演じて大当りした芸。「年年—多く」〈役者用文章直指箱〉 ②ある芸人または俳優が演じて常に大当りする芸。「とんと外に仕人(して)のない—なり」〈役者用文章直指箱〉 —ことば【当り言葉】 あてこする言葉。「館(やかた)の首尾もあしく、物ごと—に聞えて」〈浮・傾城辻談義三〉 —どし【当り年】 祭・豊作など、ある物事にぴたりと出合う年。「未だ嫁せざる女を、いけにへに備へ奉る、則ち当年—」〈浄・十六夜物語二〉 —び【当り日】《事に当る日の意》 瘧(おこり)のおこる日。「わらはやみをして—に侍りつれば」〈大鏡序〉 —まなこ【当り眼】 あてつけて見る眼、また、態度。「一つ一つ、天に其の事を—に咎(とが)めらるるとは無けれども」〈仮・他我身之上三〉 —まへ【当り前】 そうあるべきこと。当然。「夏は人に扇の風や—」〈俳・細少石三〉 当るを幸ひ 手に当るのを幸いとして。手あたり次第。「苔(こけ)むし瘦(す)たりたる石どもを—に取るほどに」〈江源武鑑一四〉

あたるとつき【当る十月】 臨月(りんげつ)。「—と申すには、御産の紐を解き給ふ」〈塩竈大明神御本地〉

あだわざ【徒業】 行なっても意味のないこと。無益なこと。「聞きにくし。念仏よりほかの—なせそ」〈源氏手習〉。「—、いたづら事の心なり」〈匠材集三〉

あたん【仇】《アタミ(仇)の転》 むくいて晴らすべき怨み。「—をば恩にて報ぜよと申す譬へのござあるぞ」〈説経・小栗〉

あち【彼方】『代』《「此方(こち)」の対》 ①あちら。あっち。「つどひたる者ども、こち押し—押しひしめきあひたり」〈宇治拾遺一三〉 ②外国。特に中国をさす場合が多い。「—は鳳凰、こちは鶩〔ヲ尊ブ〕」〈宗静日記寛文二・一・四〉

あぢ 水鳥の名。晩秋初冬、北方から来、晩春初夏、北方へ帰る渡り鳥。群をなしてすみ、騒がしく鳴く。アジガモ。トモエガモ。「—のすむ須佐の入江の」〈万二七五一〉

あぢ【味】 ①飲食物の味覚。「その—甘露の如くにて」〈伽・酒呑童子〉 ②物事の趣。「幽斎の咄に程拍子あり。筆のまはるを待つやうなる—あり」〈耳底記〉 ③趣ありげなこと。気の利いていること。おつ。「黒き帽子にて頭を—に包みたれば」〈仮・東海道名所記二〉 ④うまいこと。上手。「これより遣らんと思ふ文に、まづ—を書きたがる物なり」〈評判・吉原雀上〉 ⑤色事。「若旦那と—有る由」〈評判・難波物語〉 ▽万葉集にアヂサヰを「味狭藍」と書いているから、古くからアヂという言葉はあったのだろうが、室町時代ころまで、字書類の訓にもアヂの例は見えない。アヂハヒはある。 —を遣(や)・る ①気のきいたやり方をする。手際よくやる。「位詰めにして—・らんとする内に、男はや退屈して退く気質(かたぎ)也」〈評判・まさり草〉 ②生意気なことをする。小積(こしやく)なことをする。「座敷つき〔ハ〕…—・りたがる」〈評判・まさり草〉

あちかをし 〔枕詞〕 意味未詳。地名「値嘉(ちか)」にかかる。アチカのチカが同音だからであろう。ヲシは感動詞。「—値嘉の岬より」〈万八九四〉

あぢきな・し 『形ク』《アヅキナシの転。漢文の「無道」「無状」の訓にあてられ、秩序にはずれてひどい状態が原義。他人の行為を規範にはずれていると批判したり、相手に道理を説いてたしなめたりする意。間投詞的にも使う。また、自分自身の行動や心の動きが、常軌を逸しているのに自分で規制できないことを自嘲したり、男女の関係の不調について失望・絶望の気持を表わす》 ①人の行為が倫理を逸脱して、どうにもならないほどひどい。無礼である。「素戔嗚尊の為行(ふるまひ)甚だ無状(あぢきな)し」〈紀神代上〉 ②愚かしくひどい、しかしどうにもならない。「碁はこれ日を送る戯れど勝ち負けのいとなみ無端(あぢきな)し」〈三宝絵序〉。「—!きもの。わざと思ひ立ちて宮仕に出で立ちたる人の、物憂がり、うるさげに思ひたる。…〔娘が〕しぶしぶに思ひたる人を、しひて婿取りて、思ふさまならずとなげく」〈枕七九〉 ③《間投詞的に》 何をおっしゃる。いけません。とんでもない。「—!し。〔姫君ヲ〕見奉らざらんことは胸痛かりぬべけれど、つひにこの御ため、よかるべからんことをこそ思はめ」〈源氏薄雲〉 ④自分あるいは相手の行為が常識にはずれるので、にがにがしい、なさけない。「—・なや恋てふ山は茂くとも人の入るにや我がまどふべき」〈一条摂政集〉 ⑤《運命的なものとして》苦しいがどうにもできない。仕方がない。「すべて世にふることかひなく—・きここち、いとする頃なり」〈かげろふ中〉。「身に重き病を受けて日頃煩ひけるに、世の中を—・しと思ひ取りて出家しけり」〈今昔三一ノ四〉 ⑥《漢文訓読の用法から副詞的に》 思いがけず。わけもなく。「—・く見奉るわが顔にも移りくるやうに愛敬はにほひ散りて」〈源氏野分〉

あぢさはふ 〔枕詞〕「目」「妹が目」「夜昼知らず」にかかる。サハフは障ハフで、アヂガモが夜昼網の目にかかるという意から、「目」や「夜昼」にかかるというが、未詳。「—目には飽けども」〈万二九三四〉。「—妹が目離(か)れて」〈万九四二〉。「—夜昼知らず」〈万一八〇四〉

あぢさゐ【紫陽花】 ユキノシタ科の落葉灌木。梅雨の頃、茎の先に小さな四弁の花が群がり咲く。花の色が白から碧、紫、淡紅に変るので七変化の名があり、変りやすい心の比喩に使う。てまりばな。「—の八重咲くごとく」〈万四四四八〉 ▽名義抄には「紫陽花、アヅサヰ」とある。

あぢすき【味鋤】 よいすき。「味耜、此をば婀膩須岐(あぢすき)といふ」〈紀神代下〉 †adisuki

あぢづく【味尽く】 できるだけおつに振舞うこと。趣向の限りを尽すこと。「二階座敷の—の中」〈俳・談林三百韻〉

あぢは・ひ【味はひ】 ㊀『四段』《アヂ(味)を活用させた語。サキ(幸)・サキハヒの類》 ①食物の味を舌で感じとる。「藕醤(すひしほ)を—・ふに由らずして」〈三蔵法師伝八・院政期点〉。「酢に合はせたる苦き物を参らせければ—・ひ給ひ」〈バレト写本〉 ②意義や持ち味を深く感じとる。「〔ヨイ歌ヲ〕腹に—・ひて」〈伊勢四四〉。「今太子に逢ひ奉りて無上の法味を—・ひ」〈諸神本懐集末〉。「その理をよくよく—・ひ申すべし」〈バレト写本〉 ㊁『名』 ①飲食物の味。「—ある喜(よろこ)ぼしき餚(さかな)を共にし」〈地蔵十輪経三・元慶点〉 ②物事の趣。「〔勅勘ノ人ハ〕この世の—をだに知る事かたうこそあなれ」〈源氏須磨〉 ③《比喩的に》 食物。「我が身は今は苔の衣にやつれて、松の葉を—にて過すやうなるに」〈浜松中納言三〉

あぢまさ【檳榔】 蒲葵(ほき)の古名。シュロ科の常緑喬木。沖縄や九州・四国の南端の島島に自生する。古く南紀州・瀬戸内海にも生育したという。シュロに似る。檳榔樹

（びんろうじゅ）とは別。「―の島も見ゆ」〈記歌謡五三〉

あぢまやか【味まやか】手際よくすること。上手に取りつくろうこと。「―に取り持ち、跡にて不足言はぬやうに埒(ちら)を明けぬれば」〈西鶴・桜陰比事五〉

あぢむら【あぢ群】アジガモの群。騒がしく鳴き、動くので「騒き」「通ひ」の形容に使う。「なぎさには―騒き」〈万三九九一〉

あちめ『感』神楽(かぐら)を奏する時に唱えることば。「(本方)―、おおおお。(末方)おけ」〈神楽歌一〉

あちもの【彼方者】死ぬにきまった病人。また、死んだ人。あっち者。「医師(くすし)も茶匙(さじ)を捨てければ、もはや―に打ち着け(決定シ)」〈仮・石山寺入相鐘下〉

あぢもの【味者】魅力満点の美人。「(遊女)妻木…―なり」〈評判・難波物語〉

あぢよく【味良く】『副』うまく。手ぎわよく。「あぢよう」とも。「嫌と思ふ心も出来たらば、―(縁ヲ)御切りなさるべく候」〈仮・催情記〉

あちら【彼方】《代名詞アチに接尾語ラのついた形》①《場所・方角の指示》むこうの方。「―に」〈ロドリゲス大文典〉。「ぐっと―へ突き通すやうなる連歌なり」〈耳底記〉②《人に用いて》第三者をさす。あの方。「その三味線箱、―へ上げてくんなんし」〈洒・遊子方言〉

あっ『感』①感嘆・驚きなどのときに発する声。「『わが子ながらも悪源太はよく駆けつるものかな。―駆けたり。―駆けたり』とてほめられける」〈平治中・待賢門軍〉。「―といひてや立ちしさるらん」〈俳・犬筑波〉。「噫、アッ」〈名義抄〉②応答の声。はっ。はい。「『やいやい、ゐたかやい』『―』『あるか』『―』」〈虎明本狂言・鼻取相撲〉。「皆皆―と領掌す」〈里見軍記〉

あつあつ【厚厚】《厚シの語幹を重ねて、厚さを強調した語》いかにも厚いさま。「太き糸して、―とこまかに強げにしたるを持(も)てきたり」〈宇治拾遺一〇一〉

あつ・い【篤い】『動詞』《アツエの転。連用形しか文献に見えない》容態が重くなる。「大宮も頼もしげなきさまに悩み―・い給へば」〈源氏澪標〉。「頼もしげなくのみ―・い給へば」〈源氏御法〉 ▽中世にはすでに難解な語だったらしく、古写本の本文をアツカヒと訂している本もある。

あついた【厚板】①生糸の経(たていと)と緯(よこいと)とで地を平らに織り、練糸の絵緯糸(えぬきいと)で文様を織り出した絹織物。厚板織。「―物二端」〈上井覚兼日記天正三・九・二八〉。〈日葡〉②能装束の一。鬼・天狗・武士などが着る詰袖の装束。もと、厚板織を使ったのでいう。「頼政は前の着付小格子―着て苦しからず」〈隣忠秘抄〉

あついもの【羹】⇒あつもの。「―どきはまだ過ぎ侍らざりける」〈宇津保蔵開中〉

あつえひと【篤癃】《アツエはアツ(篤)に自発のエ(見エ・肥エ・映エなどのエ)のついた語。おのずと病があつくなる意。「癃」は病の重い意》病あつい人。「年八十以上及び―、貧しくして自ら存(わ)らふこと能はぬ者に絁綿(ふとぎぬわた)賜ふ」〈紀持統一年〉

あつかは【厚皮】面の皮の厚いこと。恥を恥とも思わないこと。鉄面皮。「厚皮面(らづ)」とも。「袖岡政之助…古きお政(先代政之助)に一倍の―」〈評判・難波立聞昔語荒木座〉

あつかは・し【扱はし】『形シク』《アツカヒの形容詞形》①面倒を見ずにいられない。「(中君ヲ幸セニシタイト)人知れず―・しう覚え侍れば」〈源氏総角〉②(受ける方が)うるさく感じる。くどいと感じる。「あまり―・しき御もてなしなり」〈源氏螢〉③むすぼれてうるさい。「―・しき五月雨の髪の乱るるをも知らず」〈源氏螢〉。「心中結繚(あつかはし)」(「繚」は結ぼれてまつわりつく意)〈遊仙窟(醍醐寺本)鎌倉期点〉④むさくるしい感じがする。「(大殿油ハ)けぢかくて―・しや」〈源氏常夏〉。「薄物の単衣(ひとへ)を着給ひて臥し給へるさま、―・しくは見えず、いとらうたげにささやかなり」〈源氏常夏〉

あつか・ひ【扱ひ】㊀『四段』①丁寧に日常の世話をする。よく面倒を見る。「(光源氏ハ)―・ふべき人(子供)も無ければ、さうざうしきを(モノサビシイガ)」〈源氏澪標〉②病人を看護・介抱する。「月頃はいろいろの病者を見―・ひ、心のいとま無きほどに」〈源氏若菜下〉③もてあます。処置に窮する。「(屋久貝ノ酒ヲ)多く取らむとさわぐ者は、なかなか(カエッテ)うちこぼし―・ふほどに」〈枕一四三〉④(立ち入って)噂をする。「人人も思ひの外なる事かなと―・ふめるを」〈源氏紅葉賀〉⑤よくはからって用いる。とりあつかう。「鵜の魚を取る姿、鵜飼の手縄を―・ふ体(てい)など、今日はじめて見侍れば」〈藤河の記〉⑥仲裁する。調停する。「いざこの軍(いくさ)を―・はん」〈伽・酒茶論〉㊁『名』①世話。「御湯殿の―など仕うまつり給ふ」〈源氏若菜上〉②看護。介抱。「対の方の煩ひける頃には、なほその―にと聞こし召してだになま安からざりしを」〈源氏若菜下〉③よくはからって物を用いること。とりあつかい。「硯の―、墨を摺り、筆を取る様(やう)に至るまで」〈十花千句注〉④調停すること。調停する人。「急ぎ―を入れて和談したり」〈三好軍記下〉⑤示談。「(姦通ヲ見ツケテモ)さもしくも金銀の欲にふけて―にして済し」〈西鶴・五人女二〉

―ぐさ【扱ひ種】①面倒を見る相手。「わざとがましきみ―に思され給へり」〈源氏匂宮〉②話題。噂の種。「まづこの君だちの御事を―にし給ふ」〈源氏椎本〉

あつか・ひ【暑かひ】『四段』熱さに苦しむ。「悶熱懊悩(あつかひくるしむ)」〈紀神代上〉。「地に伏して汗流(あつかふ)」〈紀安閑一年〉 †atukaFi

あつがみ【厚紙】「鳥の子」(2)に同じ。「厚様(あつやう)」とも。「―を懸物につつまれたりけるに」〈著聞三二一〉

あづか・り【預かり・与り】㊀『四段』《アヅケ(預)の自動詞形》❶《助詞ニをうける。他人の物事の一部に自分も加わり、関係をもつ意》①分前をいただく。「宝に―・り」〈源氏若菜下〉②(目上の人から)受ける。「叡感に―・っし上は」〈平家一・殿上闇討〉③関係する。責任を分担する。「苦しげなるもの。…こはき物怪に―・りたる験者」〈枕一五七〉。「ことに―・らずして心を安くせむこそ」〈徒然七五〉❷《助詞ヲをうける。他人の所有物、或いは他人と関係のある人を、その所有・人倫の関係はそのままに、一時的に自分の下に引き受け、責任を持つ意》①保管する。管理する。「一つ家のやうなれば望みて―・れるなり」〈土佐二月十六日〉。「この宮を―・りてはぐくまむ人もがな」〈源氏若菜上〉②受け持つ。担当する。「験者(一人ズツ物怪ヲ)―・り―・りののしりゐたり」〈紫式部日記〉㊁『名』①物事を引き受けること。「惟光が―の垣間見」〈源氏夕顔〉②管理する人。「(女三宮ノタメニ)さるべき御―を定めおかせ給ふべきになむ侍なる」〈源氏若菜上〉③留守番。「御庄の―の名告りをせさせ給へれば」〈源氏東屋〉④その役所の事務を総管する職の名。「御書の所の―紀貫之」〈古今序〉

―がね【預り銀】近世、貸主の要求があれば、いつでも返す約束の借金。幕府の法令では無利子の借金をこういい、普通の借金と違って、債権を厚く保護した。しかし実際には利子付きで、中には期限付きのものもあった。「あづけぎん」とも。「―の出入り(訴訟)に付いて…

せんさく致し候へば」〈梅津政景日記寛永九・四・二六〉 **—てがた**【預り手形】預り銀の借用証書。「あづけ手形」とも。「小判百両にても二百両にてもの—を男の方より取り」〈評判・難波鉦一〉 **—物は半分の主**(ぬし) 物を預かれば、半分は預り主に所有権があること。「預り主は半分とも。〈俳・毛吹草二〉

あづき【小豆】マメ科の一年草。古代から食用として栽培。「陰(ほと)に麦と大豆(まめ)と—と生(な)れり」〈紀神代上〉 †aduki **—がゆ**【小豆粥】米・大豆・赤小豆・粟など七種を炊きこんで作った粥。正月十五日にこれを食うと年中の邪気が避けられるという。「今日—煮ず」〈土佐一月十五日〉 **—じま**【小豆縞】赤と藍との小さい格子縞。「腰に—の巾着(きんちゃく)」〈浮・三代男五〉

あづきな・し『形ク』《後にアヂキナシに転ずる》 ①どうにもできないほど、事態がひどい。「素戔嗚尊(すさのをのみこと)に勅(ことよさ)したまはく、汝、甚だ無道(あづきな)し」〈紀神代上〉 ②自分ながらどうにもできずに、にがにがしい。「—・く何の枉言(たはこと)」〈万三五八二〉 †*adukinasi

あつけ【暑気】①暑さのために身体が弱ること。暑さあたり。「〔食欲ノナイノハ〕かたへは—などにやとて見給へはべる」〈宇津保国譲中〉 ②暑さ。暑気(しょき)。「—にいたう涼みすぐして」〈夜の寝覚五〉

あづ・け【預け】『下二』物や人の管理を一時他の人にゆだねる。「むすめをばさるべき人に—・けて」〈源氏夕顔〉。「武蔵の国を—・け取らせて」〈更級〉

あつけく【熱けく】《熱シのク語法》熱いこと。熱い時。「—に汗掻きなげ(ハラッテ)」〈万一七五三〉 †atukeku

あつご・え【厚肥え】『下二』厚くふくらんでいる。布・紙などにいう。「萎えたる衣どもの—・えたる」〈源氏帚木〉。「胡桃色といふ色紙の—・えたるを怪しと思ひて」〈枕一三八〉

あづさ【梓】①カバノキ科の落葉喬木。山地に自生。古くは呪力のある木とされた。「—の弓の弓束(ゆづか)にもがも」〈万三五六七防人〉。「梓、阿豆佐(あづさ)、楸之属也」〈和名抄〉 ②神降しに用いる梓弓。「その頃はべりし巫女(みこ)のありけるを召して、—に〔死人ノ霊ヲ〕寄せさせ聞きにけり」〈伽・鼠草子〉 ③梓の弓をはじきながら、死霊や生霊を呼び出して行なう口寄せ。「弓の絃(つる)を打つものならば、その音につきて浄土より来りて、弓の絃より伝ひて己れが口に入りて、人の問はんと思はん事を言はせむ…〔カクテ〕—いふ事をし始めてありければ」〈耀天記〉 **—に懸・く** 巫女が梓の弓をかき鳴らして、死霊や生霊を招き寄せる。「生霊死霊の境を—・けさせ申さばやと存じ候」〈謡・葵上〉 **—みこ**【梓巫女】「あづさ」(3)を行なう巫女。「煎じ茶にしばしめづるや—」〈俳・底抜臼上〉 **—ゆみ**【梓弓】①梓で作った弓。「信濃国—一千二十張を献ず。もちて大宰府に充つ」〈続紀大宝二・三・二七〉 ②〔枕詞〕弓の縁語から「音」「引き」「はる」「する」「い」「いる」「はず」「つる」「かへる」「や」などにかかり、弓(ゆ)と音の類似から「よ」にかかる。「—音に聞きて」〈万二〇七〉。「—引きて許さず」〈万二五〇五〉。「—春山近く」〈万一八二九〉。「—末(将来)は寄り寝む」〈万三四九〇東歌〉。「—いそべのこまつ」〈古今九〇七〉。「—いるさの山は」〈後撰三七九〉。「—思はずにして」〈拾遺五六八〉。「—鶴の命も」〈古今六帖四〉。「—かへるあしたの」〈金葉五一三〉。「—矢野の神山」〈続拾遺二七〉。「—欲良(よら)の山辺の」〈万三四八九東歌〉

あっさり 《アサリの促音化。アサはアサアサ(浅浅)のアサと同根。リは接尾語》軽くさらっとしているさま。さっぱりしているさま。「—として情が深う」〈天草本金句集〉

あつ・し【厚し】『形ク』《「うすし」の対。アツシ(暑)とは別》 ①布・紙・板などの表面から裏面までの距離が、他と比較して大きい。「みちのくに紙のすこし年経(へ)、—・きが」〈源氏玉鬘〉 ②布・紙・板などが多く重なって、表面から底までの距離が大きい。「五重〔重ネノ扇〕はあまり—・くなりて、もとなど憎げなり」〈枕八九〉 ③(恩恵・情愛・感謝・交際が)深い。「〔天皇ノ〕貴き高き広き—・き大命」〈続紀文武一・八・一七〉 ④恥を恥とも思わない。あつかましい。「—・い顔月は出でさせ給ひけり」〈俳・両吟一日千句〉 ⑤金持だ。財産家だ。「これは薄き人人の傾城狂ひの事也。至って—・き御身上の御方は如何侍らん」〈仮・東海道名所記六〉

あつ・し【熱し・暑し】『形ク』 ①空気の温度が高くて耐えがたいと全身で感じる状態である。また、物に触れてみると、その温度が高く、強い刺激をうける状態である。「寒きこともあらず—・きこともあらず」〈地蔵十輪経一・元慶点〉 ②体の熱が高い。「御頭(みぐし)も痛く、身も—・き心地して」〈源氏夕顔〉 **熱くな・る** 人に負けまいと、むきになる。のぼせあがる。〈洒・胡蝶の夢〉

あつ・し【篤し】『形シク』病弱である。衰弱がひどい。「虚惙、ウツケアツシク」〈金剛般若経集験記平安初期訓〉。「いと—・しく成り行き」〈源氏桐壺〉 ▽三蔵法師伝院政期点に「尩、アヅシ」、名義抄に「支離、アヅシ」とある。その頃、アヅシの形もあった。 **—さ**【篤しさ】病弱。「年ごろ常の—になり給へれば、御目馴れて」〈源氏桐壺〉

あつし・れ【篤しれ】『下二』《シレは痴(しれ)の意》 ①病が重くなる。「天皇始めて体不安(あつしれ)たまふ」〈紀天武、朱鳥一年〉 ②やつれる。老衰する。「老嫗(おみな)さすらへ(ヨボヨボシテ)—・れて」〈紀顕宗一年〉

あった『接頭』「あた」を強めた形。「やれやれありさまたち(アナタ方)は—ぼこしゅもない(馬鹿馬鹿シイ)」〈近松・丹波与作上〉

あったら【惜ら】『副』「あたら」の促音化。「—武者、刑部討たすな、者ども」〈平治中・義朝六波羅に寄せらる〉。「—虎の毛こそはげたれ」〈俳・犬筑波〉

あつ・ち【跳ち】『動詞』《活用は四段か上二段か未詳》はね廻る。はね狂う。「其の人毒虫に刺されて、をめき、さけび、かなしび、のび、かがまり、—・ちて死にけり」〈塵袋八〉。「跳、アツチハタラク」〈名義抄〉 **—じに**【跳死】もだえ狂い跳ね廻って死ぬこと。「〔清盛ハ〕悶絶躃地して、遂に—ぞし給ひける」〈平家六・入道死去〉

あっち【彼方】『代』《アチの促音化。「こっち」の対》 ①あちら。「—へ失せをれ」〈虎明本狂言・宝の槌〉 ②以前。「その親の親のつっとの—の代にて有りしに」〈虎明本狂言・二千石〉 ③外国。多くは中国をさす。「我はまた—の月思ひやりつる」〈西鶴・一代男八〉 ④あの世。冥途。「生き別れ—の沙汰が聞きたいの」〈俳・大矢数四〉 **—おり**【彼方織】外国産の織物。多くは唐織。「—の中幅(ちゅうはば)前に結び」〈西鶴・一代男二〉 **—くに**【彼方国】外国。また、あの世。「—飛びそこなひの胡蝶あり」〈俳・大矢数二〉 **—もの**【彼方物・彼方者】①外国産、多くは中国産の物品、また、人。「唐絵ならで外山の花や—」〈俳・木玉集二〉 ②死ぬときまった者。また、死んだ人。あっちの者。「最早玉の緒も絶え果てて、—となられけんぞいとしき」〈浮・好色万金丹三〉

あづち【垜・堋】《アムツチの転》弓の的を立てる所。土を山形に盛って作った。「漸く—を射た」〈本則鈔三〉。「堋・垜・垜、アヅチ」〈文明本節用集〉 ▽amtuti→amtuti→amduti→anduti→aduti

あつつか・へ(アツツカエ)【倍へ】㊀『下二』倍にする。「〔不当二〕己が身に入れむ物をば—・へて徴(はた)れ」〈紀孝徳、大化二年〉㊁『名』倍。「倍、アツツカへ、一倍也」〈色葉字類抄〉

あってす・ぎ【有って過ぎ】『上二』ずっと以前にあってもう過ぎ去る。とっくに昔になる。「—・ぎた事を云ひ悔むな」〈天草本金句集〉

あってな・い【有って無い】『形』有るように見えて実際は無い。「人の内証(財産)—・い物」〈俳・通し馬下〉

あづなひ(アヅナイ) 未詳。親しい男性二人を一所に葬ること、また、男性の同性愛をいうか。「かかる咎(しるし)をば、—の罪といふ」〈紀神功摂政一年〉 †adunaFi

あっぱれ『感』《アハレの促音化。「天晴れ」と書くのは後世の当て字》深く感動して発する声。讃美・驚嘆などの気持をあらわす。「—大将軍や」〈保元中・白河殿攻め落す〉。「露霜は消えかへりてもありぬべしあはれ命をまつ虫の鳴く。…このあはれは—と云ふ心也」〈桂林集注秋〉

あつびん【厚鬢】頭の中央から額にかけてせまく剃り落し、両方の鬢髪を広く残し、鬢つきをふさふさと結った男の髪型。上品だが地味で古風な髪風で、神主・能太夫などがよく結った。「柳の髪や—の先」〈俳・物種集〉。「糸鬢—剃刀(かみそり)次第」〈近松・国性爺三〉

あづま【東・東国】①東国。文化的・言語的に西部日本と相違が大きく、後進地域と見なされていたので、畿内の人人から侮蔑の目で見られることが多かった。古代の「あづま」の範囲については、三つの場合があった。㋑万葉集以前の時代には、碓日峠(うすいとうげ)と足柄山とから東の地域。関東・東北地方の総称。「古は相模国足柄岳より東(ひむがし)の諸県、すべて吾姫(あづま)の国といふ」〈常陸風土記〉㋺信濃・遠江国より東の国国をいう。「—歌(信濃・遠江ヨリ東ノ国国ノ歌)」〈万巻一四〉㋩近江国の逢坂山より東の国国をいう。「鳥が鳴く—の国の御軍(美濃ノ国ノ軍勢)を」〈万一九九〉。「—歌(伊勢ノ歌ヲ含ム)」〈古今巻二〇〉②鎌倉、あるいは鎌倉幕府をさしていう。「—の主になし聞えむ」〈増鏡五〉③「東琴」の略。「—をおとどの前に参りて」〈源氏若菜下〉 **—あそび**【東遊】祭祀に用いる歌舞の一種。東国の風俗歌に合わせてする舞楽。舞い手十人、歌い手四人で奏し、伴奏は歌と和琴(わごん)と笏拍子とを主とし、狛笛(こまぶえ)・篳篥(ひちりき)などの楽器を従とする。平安時代より行なわれ、しばしば神事に用いられた。「東舞(あづままひ)」とも。「十月、中の十日なれば…ことごとしき高麗(こま)・唐土(もろこし)の楽よりも、—の耳なれたるは、なつかしく、おもしろく」〈源氏若菜下〉 **—うた**【東歌】東国の歌。万葉集巻十四・古今集巻二十等にのっている。東国方言でよまれた、素朴な歌が多い。防人歌も広くみてこれに入る。→あづま⑴㋺㋩ **—うと**【東人】「あづまひと」の転。「—の歌いみじう好みよみけるが」〈宇治拾遺一五〇〉。「辺鄙、アヅマウト、東人同、俗用之」〈色葉字類抄〉 **—えびす**【東夷】東国の人、または、江戸の人の無骨さをののしる語。「—少しや扶持を与ふらん 季吟」〈俳・紅梅千句〉 **—からげ**【東絡げ】衣の裾をはしょって帯にはさむこと。「東折り」「ぢんぢんばしょり」とも。「—の塩ごろも、汲めば月をも袖に持ち」〈謡・融〉 **—ぎぬ**【東絹】東国で産するあらい絹織物。「造宮卿正四位下智努王に東絁(あづまぎぬ)六十疋を賚(お)くる」〈続紀天平一四・一・七〉。「あららかなる—ども」〈源氏東屋〉 **—くだり**【東下り】京都から東国へ下向(げこう)すること。海道下り。「かの大納言—の後」〈増鏡一三〉 **—ごと**【東琴・吾妻琴】「和琴(わごん)」に同じ。「昔は—をこそは事もなく弾きはべりしかど」〈源氏手習〉 **—ことば**【東言葉】東国方言。「おそろしきとは、そらごとといふこと也。—也」〈仙覚抄四〉 **—ごゑ**【東声】東国風の発音。都の人には下品に聞えた。「いやしき—したる者共ばかりのみ出で入り」〈源氏東屋〉 **—ぢ**【東路】都(大和・京都)から東国へ行く道筋。主として東海道をさす。「—の手児の呼び坂」〈万三四四二東歌〉。「—のみちの果てよりも、なほ奥つかたに生(お)ひ出でたる人」〈更級〉 **—つ**【東人】「あづまひと」の転。「—とは、坂東の人をいふなり」〈仙覚抄三〉。「辺鄙、アヅマツ」〈名義抄(図書寮本)〉 **—っこ**【東っ子】江戸っ子。「これんばかしもいざあ(イザコザハ)云った事のねへ—だ」〈滑・浮世風呂前下〉 **—にしきゑ**【東錦絵・吾妻錦絵】⇒にしきゑ。「忽ち—と移ってより、一枚の紅摺沽(う)れざる時」〈寝惚先生文集初篇〉 **—ひと**【東人】《転じてアヅマウトとも》東国人。「〔防人ノ〕欠くる所を計りて—を差点し、もちて三千に填(み)てむ」〈続紀天平神護二・四・八〉。「—を、あづまつといふが如し」〈仙覚抄五〉 **—ひゃくくゎん**【東百官】安土・桃山時代以後、関東の武士が京都の官名に擬して用いた通称。伊織・多門・蔵人・左膳など。「春の屋形の—」〈俳・元禄四年歳旦集〉 **—まひ**(マイ)【東舞】「あづまあそび」に同じ。「先づ内舎人端貌の者二十人をして倭舞を供せしむ。次に近衛壮歯の者二十人、—」〈三代実録貞観三・三・一四〉 **—むし**【東虫】虱(しらみ)の異名。「大徳のにっことひねる—」〈雑俳・俳諧けい三〉 **—や**【東屋】《東国風の粗末な家の意》①棟を設けず、屋根を四方に葺きおろした簡素な建物。「—の真屋のあまりのその雨そそき」〈催馬楽東屋〉。「屋は。まろ屋、—」〈枕二八九〉②催馬楽の曲名。「—をしのびやかに歌ひて寄り給へるに」〈源氏紅葉賀〉 **—わらは**(ワラワ)【東豎子・東孺】内侍所(ないしどころ)の女官。行幸の時、騎馬で供奉(ぐぶ)する。「姫松」とも。「—四人の装束料、人別緋絁四疋、帛二疋、綿四屯」〈延喜式中務省〉 **—をとこ**【東男】①東国の男子。古くは荒荒しい低級な者とされ、江戸時代の中頃以後から気っぷのよい者とされた。「とりがなく—の妻別れ」〈万四三三三〉。「荒ましき—の」〈源氏宿木〉②伊勢物語の主人公、在原業平の異名。「—・まめ男…むかし男、いづれも業平の名也」〈梵燈庵袖下集〉③江戸生れの男。「京女」の対。「—に惚れられる京〔女〕」〈雑俳・俳諧けい八〉 **—男に京女** 威勢のよい東男と、やさしい京女とは、よい取り合せだということ。「江戸の男に京女郎」とも。「初舞台—」〈雑俳・雲鼓評万句合延享三〉 **—をのこ**【東男】東国の勇ましい男子。「とりがなく—は出で向ひ顧みせずて」〈万四三三一〉 **—をみな**【東女】東国の女。奈良平安時代、都の人からは特別な目で低くみられた。「布さらす—を忘れたまふな」〈万五二一〉

あづま【吾妻】私の妻。「—はや」〈記景行〉

あつま・り【集まり】『四段』《アツメ(集)の自動詞形》自然に物が重なり、濃くなり、集中する。「〔人人〕—・りて疾く下ろさんとて、綱を引きすぐして」〈竹取〉

あつむぎ【熱麦】熱く料理して食べる麺(めん)類。「—を出す。この時、幽斎、雑談をしさして、まづ箸を取り給ふ」〈耳底記〉

あつ・め【集め】㊀『下二』散らばっている同質のものを一つ中心に寄せる。一つにまとめる。「人民を召し—・めて」〈地蔵十輪経三・元慶点〉。「これよりさきの歌を—・めてなむ、万葉集と名づけ」〈古今序〉 ▽類義語ツドヘは、統率するために集合させる意。㊁『名』集めること。集めたもの。「やまと歌の道は昔より代代の—に、伊勢の海の渚の玉の数数をみがき」〈ささめごと上〉。「和歌の―に始めてぞ入る」〈俳・毛吹草七〉 **―じる**【集め汁】魚・鳥・青物をいろいろ取り合わせ、小さく切って煮立てた、味噌または醤油仕立ての汁。「御献立…〔二ノ膳八〕ひばり・すし・松茸汁・にし・―」〈浅井備前守宿所饗応記〉

あつもの【羹】《熱物の意》吸物。「あついもの」とも。「羹、阿豆毛乃(あつもの)」〈和名抄〉

あつらか【厚らか】見るからに厚みのあるさま。厚ぼったいさま。「練色の衣(ぬき)の、綿―なる」〈宇治拾遺一八〉

あつら・へ(アツラエ)【誂へ】㊀『下二』《アトラへの転》頼んで、自分の思う通りのものや行動を人に求める。注文する。「人に―・へても祈れ」〈孝養集下〉。「新しき鑵子(くわんす)のふたを―・へて」〈俳・犬筑波〉。「嘱・勧、アツラフ」〈名義抄〉㊁『名』注文。「姫君の御―にことつけて物語は捨てがたくおぼしたり」〈源氏螢〉 **―つ・け**【誂へ付け】『下二』注文をつける。「吹く風に―・くる物ならばこのひともとはよぎよと言はまし」〈古今九九〉

あつ・れ【暑れ】『下二』暑気や熱気のため活力を失う。「夏来れば繁る草葉の―・れつつ」〈為忠前百首〉

あて【父】《貴(てあ)の意か。あるいはア(吾)テ(父)の意か》父上。「これいかで―のもとに奉らん。…―は麿(まろ)をば恋しとは思ひ給はぬか」〈栄花ゆふしで〉

あて【貴】《「いやし」の対。高い血筋にふさわしい上品さ。必ずしもヤンゴトナシのような第一級の尊貴をさすものではない》①身分が高いこと。「―なる人は〔光源氏ヤ夕霧ノヨウニ〕皆物清げに、けはひ殊なんべい物とのみ目馴れ給へるを」〈源氏行幸〉。「賤しう―なる品に随ひて、容貌(かたち)も心もあるべきものなりけり」〈源氏東屋〉。「貴、アテナリ」〈色葉字類抄〉②上品。「〔尼君八〕よしある手(第二流ノ雅趣アル筆跡)のいと―なるを打ち捨て書き給へり」〈源氏若紫〉。「―なるもの。薄色に白襲(しらがさね)の汗衫(かざみ)。削り氷にあまづら入れて、あたらしき金鋺(かなまり)に入れたる。水晶の数珠。藤の花。梅の花に雪のふりかかりたる」〈枕四二〉

あ・て【当て・宛て・充て】㊀『下二』《アタ(仇・敵)と同根》❶①物を狙った物や所にぶつからせる。「柳の葉を百たび射―・てつべき舎人ども」〈源氏若菜下〉。「鞭(ぶち)を―・つれば、犬が畏って申したは」〈天草本伊曾保〉②その場所にぴったり触れる。「額に手を―・てて喜ぶ事二つなし」〈土佐二月六日〉③(風・露・火などに)あたらせる。「真火(まひ)には―・てず」〈記歌謡四二〉。「吹く風の荒きかたには―・てじとて」〈拾遺五七四〉。「焚き火をして―・て申したくは候へども」〈謡・鉢木〉④見当をつける。「大将の君の御通ひどころ、ここかしことおぼし―・つるに」〈源氏葵〉⑤ぴったり向ける。「見たる人の、『御顔はかはらで。目も―・てられぬ』などいふが、心うく」〈建礼門院右京大夫集〉⑥位置させる。置く。「もとより究竟の城郭なり。…山をうしろにし、山を前に―・つ」〈平家七・火打合戦〉⑦飲食物・寒暑などが、体に害を与える。「毒薬に中(あ)てらるること」〈地蔵十輪経一・元慶点〉❷①割り当てる。「四季に―・てつつし給ふ御念仏を」〈源氏橋姫〉②あてはめる。「罪に―・てむ」〈宇津保俊蔭〉。「九体はこれ九品往生に―・てて造らせ給へるなるべし」〈栄花玉台〉③あてがう。「食物(じきもつ)などー・てて哀れめば」〈今昔一五ノ四二〉④あてつける。「アテテ、または、アテッケテイウ」〈日葡〉㊁『名』①あてがう物。「石を以て質(てあ)と為て、斧を揮(と)りて材を斲(けづ)るに」〈紀雄略十三年〉②目あて。心あて。たのみ。「返り忠の人人を―にして大崩れをとられけりと、笑はぬ者はなかりける」〈雲陽軍実記二〉。「諺に、―違うたと云ふ心ぞ」〈寒山詩抄二〉㊂『接尾』《割当ての数を示す語について》…ずつ。「漬豆を一さや―に出だすとも、十五(とをまり いつつ)なり」〈宇津保藤原君〉

あてあて【当て当て】割当て。「女房の曹司町ども―の細別(こま け)ぞ」〈源氏少女〉

あてあて・し【宛宛し】『形シク』あてつけたようだ。あてつけがましい。「あまり―・しき言ひ事であるぞ」〈四河入海一八上〉

あておこな・ひ(‥オコナイ)【宛て行なひ】『四段』わりあてる。あてがい授ける。「反別に兵粮米(ひやうらうまい)を―・ふべき由」〈平家三・吉田大納言〉。「ヤクヲアテヲコナウ」〈日葡〉

あてが・ひ(‥ガイ)【宛ひ・宛行ひ】㊀『四段』《「当て交(か)ひ」の意》①入用のものを、あれにはこれ、それにはどれと、おのおのに用意する。「宮の御装束、女房の事など、繁うおぼし―・ふ」〈栄花玉飾〉②さしあてる。振り当てる。「一念となふるを一度の往生に―・ひて」〈和語燈録四〉。「汝に―・はれざる事にかかはる事なかれ」〈こんてむつすむん地三〉③割り当て与える。「諸大名をただ置くまじと思はば、それぞれの役を―・ふぞ」〈孫子私抄〉㊁『名』①それに向けてさしあてること。一方的に振り当てること。「我が方より仏に成らうと思ふは、凡夫のはからひ―にてはなきか」〈栄玄記〉②割り当て与えること。「われわれ飯米をも御―なく」〈咄・昨日は今日下〉 **―ぜたい**【宛行世帯】一定の生活費を与えられて暮す世帯。あてがいぶちの生活。「―銀かすかなり」〈俳・誹諧如何〉 **―ぶち**【宛行扶持】主人の心まかせに物を与えること。また、その物。宛(てあ)扶持。「―の庫裏(くり)犬」〈俳・行脚文集六〉

あてかをし 〔枕詞〕《万葉集の「阿遅可遠志(あぢかをし)」という枕詞を「阿庭可遠志」と誤って伝えた本文による語》⇒あちかをし

あてこと【当て言・当て事】①あて推量。「たとひ大師先徳の釈の中より出でたりとも、且つは観心の釈か、且つは―かなんど心得べし」〈日蓮遺文題目彌陀名号勝劣事〉②他の事にかこつけて、その人に当て付け、悪く言うこと。また、その言葉。あてこすり。「当て口」「当て言葉」とも。「恥づかしやなど―の言の葉ぞ面目なくも思ひけるかな」〈仮・仁勢物語下〉。〈日葡〉③それとなく遠廻しに言って悟らせること。「命助けよと云ふ―、合点せぬ御主でなし」〈近松・寿門松中〉 **―も無・し** とんでもない。「―・き夕月夜かな」〈俳・曠野下〉

あてじまひ(‥ジマイ)【当て仕舞】①謡の文句に付き過ぎた仕舞。「狂言のやうに―なる事どもは数あまた侍れども」〈舞正語磨上〉②あてはめ過ぎたようなこと。「牛を牛の声、法螺貝を法螺貝のやうに、むさと真似て節を付くる事、―とて嫌ふ事也」〈貞享四年義太夫段物集序〉③いいかげんなこと。「家名・実名―なる空人(うつじん)」〈浮・男色歌書羽織三〉

あてど【当て処】①当てる所。当てるべき箇所。「太刀の―も覚えねば、押へて掻き首にぞしてんげる」〈平治中・信頼降参〉②目あて。見当(けんとう)。「墳の有り所が、どこども―が無いぞ」〈三体詩抄二ノ三〉

あてどころ【当て所・宛て所】①目あてとするところ。目的。「あてど」とも。「たがひの―黒白(こくびやく)の違ひなり」〈至花道〉。「これを万事の―とするなり」〈こんてむつすむん地三〉②手紙などの宛て書。宛て名。「郡山へ喜光寺補任〔状〕持ち下る。…―同前」〈二条宴乗記元亀二・九・三〉

あてのみ【当飲み】他人のふところを当てにして酒を飲むこと。「―の筈(はず)が違うた女方」〈俳・雲喰ひ下〉

あてはか【貴はか】《アテは貴。ハは端か。一見アテであるが本当のアテよりは浅い度合。アテヤカよりも一層低い段階の上品さ》品がよいさま。「〔明石上ハ〕すぐれたる容貌(かたち)ならねど、なつかしうーに、心ばせあるさまなどぞ、げにやんごとなき(第一流ノ)人に劣るまじかりける」〈源氏須磨〉

あてば・み【貴ばみ】『四段』《バミは、その様相を示す意の接尾語》上品で美しい様子である。「川に沿ひたる山のふもとなる家の、くちをしからぬ、ー・みたるさまして」〈浜松中納言一〉

あて・び【貴び】『上二』貴人らしくふるまう。「〔少将ハ〕若き君だちとて(トハ言ッテモ)すきずきしくー・びてもおはしまさず」〈源氏東屋〉

あてびと【貴人】高い身分の人。「斯かる筋の物憎み(嫉妬)はーもなきものなり(身分ノ高下ヲ問ワヌ)」〈源氏東屋〉

あてみ【当て身】柔術で、こぶし・ひじ・足先などで相手の急所を突き、または打つ技。「あなたよりー出づるとも、やはらかにあへしらふべし」〈評判・吉原雀上〉

あてやか【貴やか】《アテそのものではなく、アテな感じのあるさま。アテな身分にふさわしい上品さ、アテといってもよい品のよさ。姿・気配・声・筆跡などにいう。アテより下、アテハカよりも品格が上である形容》上品な感じ。「〔女三宮ハ〕匂ひやかなる方はおくれて、ただ、いとーに、をかしく」〈源氏若菜下〉。「〔末摘花ノ〕ひたぶるに物づつみしたるけはひの、さすがにーなるも心にくく」〈源氏蓬生〉。「紫苑の衣のいとーなるを引きかけて」〈枕一八八〉

あと【跡・後】《語源はア(足)ト(所)か。足の踏んだ所。足のある方。足もと。転じて、物事の起って経過したるし。特に居住・往来・書き記したあと。そこから痕跡・前例・故実の意を表わし、跡目・家督の意にもなる。また、物のアトが時間へと用法が広がり、物事の直後、のちの意。近世に入ってからアトとサキ(先)とを混同して、以前の意にも使う》❶【跡】①㋑足の踏む所。踏んだ所。「人の踏みしーどころ」〈仏足石歌〉。「わが背子がー踏み求め追ひ行かば」〈万五四五〉㋺足の方。足もと。「妻子どもはーの方に」〈万八九三〉。「君のー近く臥しぬ」〈源氏浮舟〉㋩後足。「〔馬ハ〕竿立ちに立ってーばかりにて渡る」〈大友記〉㊁背後。「ーにつきてうかがひけり」〈源氏末摘花〉②㋑行動・存在の残した印。痕跡。「漕ぎ去にし船のーなきがごと」〈万三五一〉。「深き山山求めてやー絶えなまし」〈源氏明石〉㋺遺跡。「昔のーをしのびつつ須磨より明石の浦づたひ」〈平家五・月見〉㋩前例。故実。「〔琴ノ奏法ニツイテ〕ーのままにたづねとりたる昔の人は」〈源氏若菜下〉。「臨時のもてあそびものの、そのものとーも定まらぬは」〈源氏帚木〉㊁往来。「浅茅わくる人もー絶えたるに」〈源氏末摘花〉③㋑跡目。遺産。「兄弟あまたありて親のーを配分し」〈極楽寺殿御消息〉。「ーをつぐべき子なければ」〈伽・万寿の前〉㋺後継者。あとつぎ。「その子(源実朝)は彼(頼朝)がーなれば、大臣大将になりてやがて亡びぬ。更にーといふものなし」〈神皇正統記醍醐〉。「不孝に三あり。ーなきを大なりとす。ーなしとは子孫なきを云ふなり」〈儒門思問録一上〉❷【後】《時間の世界へ意味が広がって》①のち。「亡きーにも世の覚え重くものしたまひける」〈源氏横笛〉②死後。また、出家の後。「〔出家ノ〕空しき御ーにとまりて、悲しび思ふ人人なむ多く侍る」〈源氏若菜上〉③直後。「そのーよりあらはるる(露顕スル)を知らず」〈徒然一〇七〉④以後。「月の入るーは小倉の山かげにひとりさやけきさを鹿の声」〈新千載一七八七〉⑤以前。「此の二三年ーの事にてや候ふらん、哀れなる事うけたまはり候」〈評判・露殿物語〉 †ato, atö

ーの祭 ①祭の翌日。後宴(ごえん)が行なわれる。「らくさく」とも。「氷上(ひがみ)詣でーの肴舞 西鶴」〈俳・熱田宮雀上〉②祭のすんだ後の意で、日時におくれること。「七夕のーか今日の暮 立圃」〈俳・小町踊三〉。〈俳・毛吹草三〉

ーを暗く・す 行くえをくらます。行くえをわからなくする。「ひとり深き山に入りてー・して失せにけり」〈今昔一七ノ八〉

ーを暗・む 「跡を暗くす」に同じ。「兼弘ー・みて失せにけり」〈著聞三五八〉

ーを黒・む 戦いにおいて、味方の背後を守る。後方から援助する。「いざさらば今度は我らが一門先を駆けて軍を始めうずる。各〻ー・めさせられい」〈天草本伊曾保〉

ーを差・す 《アトは足先》二人が同じ蒲団で足を向け合わせて寝る。「アトヲツガウ、または、アトヲサス」〈日葡〉

ーを垂・る 《「垂迹(すいじゃく)」の訓読語》仏が仮に神の姿となって現われる。「住吉の神。…まことにー・れ給ふ神ならば助け給へ」〈源氏明石〉。「つひにこの石清水にー・れましまして」〈今昔一三ノ一〇〉

ーを詰・む ①控え勢となる。後詰めとなる。「裏壁かやしてー・めんと思ひ」〈近松・用明天皇五〉②後後の約束をかためておく。「際(はき)の商ひー・めやと、よそよそしう口には言ひて」〈近松・重井筒中〉③〔遊里語〕翌朝まで遊女を買切りにする。「花車(くわしゃ)を呼びて〔遊女〕小さつがー・めて貰ひ」〈浮・禁短気三〉

あど ①相手の話に調子を合わせた受け答え。あいづち。「殿のめづらしう興ありげにおぼしてーをよくうたせたまふにはやされたてまつりて」〈大鏡昔物語〉②狂言で、脇役。主役であるシテに対する語。「ー、狐がかかったと云ひて引っこむ時」〈天理本狂言六義・釣狐〉。「ー、首の縄をはづいて、皆皆打ち倒いて入る」〈虎明本狂言・首引〉

あど『副』《上代東国で多くつかう》いかに。何と。「高麗錦(こまにしき)紐解き放(さ)けて寝(ぬ)るが上(へ)にー為(せ)ろとかも(ナントセヨトテ)あやに愛(かな)しき」〈万三四六五東歌〉 †adö

あとあがり【跡上がり】鬢(びん)の形が後ろ上がりになるように月代(さかやき)を剃るもの。貞享・元禄頃には流行後れで野暮な鬢つきとされた。「あとだか」「うしろだか」とも。「才覚らしき男、鬢付ーにして、上髭(うはひげ)子細らしく置きて」〈西鶴・二十不孝三〉 →あとさがり

あどうがたり【あどう語り】①「あどがたり」に同じ。「ーの心をとりて」〈後撰一二六〇詞書〉②なぞ。「ーとは、なぞなぞ語りの事也」〈宗祇袖下〉

あとがた【後肩】輿・駕籠などの後方の棒をかつぐ者。「後棒」とも。「をのれ先肩かけ、ーは此の法眼」〈近松・冷泉節上〉

あとかたな・し【跡形無し】『形ク』①全く形跡をとどめない。「庵室はくだけてー・し」〈沙石集九ノ一〉②なんの根拠もない。事実無根である。「両人共にー・き由陳じ申す」〈保元下・新院讃州〉

あどがたり【あど語り】互いにあいづちを打つ会話。親しい話合い。「さて物語らひも打ち聞えんか。知れるどちこそーもすなれ」〈宇津保藤原君〉

あとかばね【後姓】子孫。後裔(こうえい)。「兼輔の中納言、衆樹の宰相も、今までーだにいませず」〈大鏡道長〉

あとげつ【跡月】先月。前月。「その新助はー自害をしられましたと言ふ」〈咄・口伝咄下〉

あとさがり【後下がり・跡下がり】①後の方に行くに従って高さが落ちること。「そのうちに亭主が声漸漸(ぜんぜん)に聞ゆるがごとくーになる」〈仮・御伽物語三〉②鬢(びん)の形が後ろ下がりになるように月代(さかやき)を剃るもの。万治頃、貞

亨・元祿頃、正徳・享保頃流行した。「うしろさがり」とも。「厚鬢—に剃りなし」〈西鶴・懐硯五〉

あとさき【後先・跡先】 ①あととさきと。前と後と。「—に連るる霞の沖つ舟」〈河越千句〉 ②前後の事情。一部始終。「—の事をば語り申す也」〈仮・竹斎上〉 **—締・む** 前後の事情をよく考えて慎重に行動する。「尼公めが—・めぬ訴人ゆゑ、かどって(気付イテ)落ちしと覚えたり」〈浄・牛若千人切三〉

あとしき【跡職・跡式】 先代の家督。広くは遺産全部をいい、狭くは不動産だけをさす。また、それを相続すること。跡目。「父の—、嫡子相続す可きの事は勿論也」〈今川仮名目録〉

あとしざり【後退り】 前を向いたまま後へひきさがること。跡尻しざり。「あとじさり」とも。「—に退きし間」〈神事能評判〉 →しさり

あとじより【後じより】「あとしざり」に同じ。「跡じょうり」「あとぜり」とも。「おお辛気(しんき)、—さんすは早や秋風か」〈近松・吉野都女楠二〉

あとだか【跡高】「あとあがり」に同じ。「鬢付(びんつき)—に剃りて」〈浮・遊君花軍二〉

あとづけ【跡付】 ①客を乗せた伝馬の後に載せる箱。道中身の廻りの品を入れる。「—の〔伝馬ガ〕箱根の山を別れ行き」〈俳・両吟一日千句〉 ②後から付き添って来ること。また、その人。「笠に木の葉の重き—」〈俳・宗因七百韻〉 ③歌舞伎若衆の草履取。「野郎に付ける金剛、—とも、又は合羽箱とも申しまする」〈評判・難波の顔二〉 ④食事に添える酒。「さあびしい／ゑゝ—は無いかいの」〈雑俳・軽口頓作〉

あとどころ【跡所】 足で踏んだあと。「ももしきの大宮人の踏みし—沖つ波来寄せざりせば失せざらましを」〈万一二六七〉 †atodökörö

あとと・ひ【跡訪ひ】《四段》①古人の住んでいた跡に行ってみる。「宇治山の昔の庵(いほ)の—・へば都のたつみ名ぞ古りにける」〈玉葉二四六〉 ②死後をとむらう。「孝子なく—・ふことなければ」〈日蓮遺文回向功徳鈔〉

あとな・し【跡無し】『形ク』①あとかたもない。何の痕跡もとどめない。「年ごろありしこぶ、—・く、かいのごひたるやうに、つやつやなかりければ」〈宇治拾遺三〉 ②根拠がない。事実無根である。「—・き事はよも侍らじと覚え候」〈教訓抄二〉 **—もの【跡無者】** 住所不定の浮浪人。「いかなる—の態(わざ)にかありけん」〈盛衰記三〉

あどな・し『形ク』無邪気である。子供っぽい。あどけない。「あからさまにも—・き事をばすまじき事なり」〈著聞六九六〉

あとにぎはし【跡賑はし】 親類・友人などが集まり、不在の人、旅に出た人の無事を祈って酒宴などして祝うこと。「あとにぎはひ」「あとにぎやかし」とも。「行く春の—か餅躑躅(もちつつじ)」〈俳・発句帳一〉。〈日葡〉

あとぬし【跡主】 足跡の主。「—の玉のよそほひ思ほゆるかも」〈仏足石歌〉 †atönusi

あとはかな・し【後はかなし】『形ク』《アトはものごとが起り去来した痕跡。ハカはハカリ(計)のハカか》①痕跡のほどを推し量りようもない。(行くえの)手がかりすらつかめない。「僧都の御もとにも〔紫上ノコトヲ〕たづね聞え給へど—・くて」〈源氏若紫〉 ②はっきりしない。頼りない。「いとかう—・いやうにはかばかしからぬ心地に、夢に見るやう」〈更級〉

あとはら【跡腹】 ①産後の腹痛。後陣痛。「しりはら」とも。「—のかぶりける(激シク痛ンダ)は冷えかと存じ候」〈仮・似我蜂物語中〉。「産後痛・児枕痛、アトバラ」〈書言字考〉 ②後妻の子。「先腹・—の子は、互ひにいどみあふ事とぞ」〈俳・類船集四〉 **—病・む** 事後の出費などの苦痛に悩むたとえ。「—・まずに、仕切銀の内、弐貫目出してつくばはれける(謝マッタ)」〈西鶴・一代女五〉

あとばり【跡張り】 後になるほど増大すること。「鶯の豊かなる音は—に」〈俳・名取川五〉

あとび【跡火】 葬式を送り出したあとでたく火。送り火。「—の火ばしといふこと」〈枕一四一〉

あとふところ【跡懐】 実の親に代って、大切に養育すること。「中にも小殿は、入道殿の御—にて育てられ参らせて、御よしみ深き人ぞかし」〈保元中・為義最後〉

あとへ【足辺】《「枕辺(まくらべ)」の対》足のあたり。すその方。「脚辺、此をば阿度陛(あとへ)といふ」〈紀神代上〉 †atore

あと・へ【誂へ・聘へ】『下二』①誘う。「武彦を廬城(いほき)河に—・へ率(みたし)て」〈紀雄略三年〉 ②結婚を申し入れる。妻に迎える。「妃とせむと思ほして—・ふることの既にをはりて」〈紀履中即位前〉 ③あつらえる。注文する。「ほととぎす春を鳴けとも—・ふとも」〈古今六帖四〉

あとへん【足偏・跡偏】 ①足(あし)偏。「足、アトヘン」〈運歩色葉集〉 ②《「跡」の字が足偏であるところから》事のすんだ後。手後れ。「み吉野や—になる花の滝」〈俳・山の端千句下〉

あとまくら【跡枕】 寝た時の足もとと枕もと。「—に女房たち居並みて」〈今昔一六ノ三三〉 **—べ【跡枕べ】** 臥した時の身のたけ。頭の先から足・尾の先まで。「—は十四五丈もあるらむと覚ゆる大蛇にて」〈平家八・緒環〉 **—も知らず** 前後不覚に寝ているさま。「かの頼基入道も病づきて、—まどひながら」〈増鏡一三〉

あとめ【跡目】 ①家督。「親父蓮仏の—」〈相良家文書寛元四・三・五〉 ②家督相続人。家のあとつぎ。「人は子を一人持ちてだに—を思ふ習ひなるに」〈清原宣賢式目抄〉。「御子供衆の中一人を申し受け、亮政卿の—とし」〈浅井三代記八〉。「嫡、アトメ」〈文明本節用集〉

あども・ひ【率ひ】『四段』声をかけて誘いつれだつ。「み軍(いくさ)を—・ひたまひ」〈万一九九〉 †adömöri

あとら・へ【誂へ】『下二』《アトへに同じか。ナゾへとナゾラへの類》頼んで自分の思うようにさせる。あつらえる。「—・へてのたまはく、『我が為に皇子を殺しまつれ…』とのたまふ」〈紀履中即位前〉。「馮、タノム・アトラフ」〈名義抄〉

あとり【獦子鳥】 スズメ科の小鳥。秋、北方から渡り、春、北に帰る。野原・森に住み、大群をなして飛び渡る。「国めぐる—鴨(かま)鳧(けり)行きめぐり帰り来までに斎(いは)ひて待たね」〈万四三三九防人〉 †atöri

あな【己】《オノ(己)の母音交替形。アナガチニのアナに同じ》自分。日本書紀神代巻に、「大己貴」を「於褒婀娜武智(おほあなむち)」と訓注しており、「己」をアナと訓む。母音アが脱落するとナ(我)となる。

あな【穴】 ①ものの少部分をえぐって、向う側まで貫いてあけた所。「盗人の穿(ほ)れる—より入りて見えけむ」〈万三二八〉。「かいまみせし障子の—も思ひ出でらるれば」〈源氏早蕨〉 ②掘って作ったくぼみ。また、自然に出来たくぼみ。「わが死なむ日は—(墓穴)を同じくして共に埋むべし」〈今昔二ノ二〉 ③人の過失・欠点・癖・内情、世間の裏面などをひねっていう語。宝暦・明和・安永頃、江戸で流行語となり、戯作にも取り上げられた。「世界の—を捜す騒人(さうじん=風流人)」〈俳・万国燕〉。「まことに今、人の抜け目なき世に、人の仕落ちしたる事を、唐名(からな=異名)に—と唱ふ」〈滑・教訓不弁舌一〉 **—の端(はた)近・し**《「穴の端」は墓穴のへりの意》老人の死が近い。余命いくばくもな

い。「穴の端のぞく」とも。「―・き無常観じ行くに」〈西鶴・一代女四〉

あな『感』《広く喜怒哀楽の感情の高まりに発する声。多く下に形容詞の語幹だけが来る。中世以後、次第に「あら」にとって代られた》ああ。「阿那於茂志呂(あなおもしろ)、古語事之甚切、皆阿那(あな)といふ」〈古語拾遺〉。「―息づかし」〈万一四五四〉。「年月をあはれ―憂(う)と過ぐしつるかな」〈古今八九七〉。「―うつくし」〈源氏夢浮橋〉。「―愛敬な」〈大鏡師輔〉。「―苦し」〈古事談三〉。「―尊(たふと)、あらたっときなり」〈匠材集三〉

あない あのよう。あんなふう。上方でいう。「飛ぶ螢(ほたる)―な尻は生れ付き」〈俳・西鶴五百韻〉

あない【案内】「あんない」の「ん」を表記しない形。「参りたまはむほどの―」〈源氏藤袴〉

あないち【穴一・穴市】《「穴打」の訛》地面に線を引き、一文銭数枚を投げ打ち、別の一文銭で相手の指す銭に打ちつけ、あたれば勝ちとする子供の遊び。また、別に地面に小穴を掘り、銭を投げて穴に入った者を勝ちとするのもある。「寺寺の草履取りなどと打ちまじはりて、―をぞして遊びにける」〈義残後覚六〉

あなうら【蹠】《「足(あ)な裏」の意。ナは連体助詞》足の裏。「首より始めて―に至るまで」〈今昔一六ノ三〉。「蹠、和名阿奈宇良(あなうら)、足下也」〈和名抄〉

あなかしこ ㊀『連語』《アナは感動詞。カシコは畏シの語幹》①ああ、おそろしい。ああ、恐縮である。「『少少の人は、え立てるまじき殿の内かな、――』としりへざまにゐざりしぞきて」〈源氏行幸〉 ②ああ、おそれ多い。ああ、もったいない。「―や、一日(ひとひ)召しはべりしにやおはしますらむ」〈源氏若紫〉 ③《呼びかける前などにいうことば》ああ、おそれ入ります。恐縮ですが。「―、このわたりに若紫やさぶらふ」〈紫式部日記〉 ④《手紙などの末に書きつけることば》恐惶謹言。「あなかしく」とも。「『ほど経(ふ)る頃は、げにことなるつれづれもはべりけり。―』とゐやゐやしく書きなしたまへり」〈源氏真木柱〉。「ことごとく筆端に尽しがたし。――」〈和語燈録四〉 ㊁『副』《下に続く文の終りを禁止や命令の語で結ぶ》決して。必ず。絶対に。「―、もののついでにいはけなくうちいで聞えさせたまふな」〈源氏若紫〉。「―、近くな寄りそ」〈今昔二五ノ一一〉。「―、おろかにすべからず」〈今昔二〇ノ三六〉。「――、後生の御勤めせさせ給へ」〈上野君消息〉

あながち【強ち】『名・副』《アナは自己、カチは勝ちか。自分の内部的な衝動を止め得ず、やむにやまれないさま、相手の迷惑や他人の批評などに、かまうゆとりを持たないさまをいうのが原義。自分勝手の意から、むやみに程度をはずれて、の意。→せめて・しひて》❶①身勝手。いい気。「―なる好き心は更にならはぬを」〈源氏帚木〉。「―なる(独リ合点ノ)御言かな」〈源氏末摘花〉。「〔美シク見エルガ〕―なる見なし(ヒイキ目)なるべき」〈源氏松風〉 ②衝動を止め得ぬさま。「稀には、―にひきたがへ(人ノ予想ニ反シ)心づくしなることを御心におぼしとどむる癖なむあやにくにて」〈源氏帚木〉 ③やむにやまれないさま。人の思惑など構っていられないさま。「にくきもの。…―なる所に隠しふせたる人(男)の、いびきしたる」〈枕二八〉 ④一途。ひたむき。「―に心ざしを見え(見セ)ありく」〈竹取〉。「など斯くこの御学問の―ならむ」〈源氏少女〉 ⑤殊に際立ったさま。むやみ。「―に丈高き心地ぞする」〈源氏夕顔〉。「―にあやしき姿にて」〈源氏明石〉 ❷《打消・禁止・反語を導く》①必ずしも(…でない)。「〔飢エタ兵士ガ〕時時入取(いりどり)せむは何か―僻事ならむ」〈平家八・鼓判官〉 ②決して。「範頼・義経が申状、―御許容あるべからず」〈平家一〇・首渡〉

あなかま『感』《アナは感動詞。カマはカシカマシ・カマビスシのカマに同じ。人の話し声のうるささや、話の内容の不快さが神経にさわった時、話を止めさせようとすることば。大体同輩か目下に使う》ああ、うるさい。「夜の声(泣声)はおどろおどろし。―」〈源氏夕顔〉。「〔妻ノ愚痴ニ〕―や」〈源氏明石〉 **―たまへ**《「たまへ」は丁寧な命令を表わす。同輩か目下にいう》静かになさい。黙りなさい。「―。夜声はささめくしもぞかしかましき」〈源氏浮舟〉

あなぐら【穴蔵】地を掘り、木または石で囲んだ蔵。火災予防のため、よく利用された。「今夜火事有り。…具足等―に収納し畢んぬ」〈親長卿記文明一〇・一二・二五〉

あなぐ・り【探り】『四段』《穴を刳(く)る意》①穴の中のものを手探りで求める。転じて、さがし求める。「〔逃ゲタ人ヲ求メテ〕山を―・る」〈紀舒明即位前〉。「捜、サグル・アナグル・モトム」〈名義抄〉 ②詮索する。「〔黒イ子牛ニ何ヤラ文字ラシイ斑ガ見エルノデ〕斑文を―・るに」〈霊異記中九〉。「覈、阿奈久留(あなぐる)」〈新撰字鏡〉

あなし《アナジとも。シは風の意》だしぬけに強く吹き出す西北の季節風。古来、舟人などが航海に際し注意した。「あなぜ」とも。「―吹く瀬戸の潮合に船出して」〈後拾遺五三二〉。「アナジヲコノムアカシナダ」〈日葡〉

あなすゑ【足末】《「足(あ)な末」の意。ナは連体助詞》①足の先。「足端(あなすゑ)のあしきらひ物(罪ヲハラウタメニ差シ出ス足ノ爪)」〈紀神代上〉 ②《転じて》子孫。「市辺の天皇が御―、奴僕らま」〈播磨風土記〉。「その同じ帝の母后(きさい)の御―にて」〈平中一〉

あなた【彼方・貴方】『代』《「此方(こなた)」の対。遠称》❶【彼方】①(隔てるものがあって手のとどかない)向うの方。「雲の―は春にやあるらむ」〈古今三三〇〉。「障子の―に人のけはひするを」〈源氏帚木〉。「逢坂の関の―もまだ見ねば」〈古本説話四〉 ②(話し手の心の中にある境界の)遠方。あちら。「―の御まへを見やり給へば」〈源氏槿〉。「こちから行かねど、―から来るぞ」〈周易秘抄上〉 ③あちらの人。向うの方(かた)。「わがもとにあれかし。―もて離るべくやは」〈源氏蜻蛉〉 ④あのおかた。「もし―より、重ねも薄し、いざ共に寝ん、これへなどあるか」〈評判・吉原雀上〉 ⑤(時間的に、現在から見て)むこう。㋑《過去にいう》以前。「きのふ今日とおぼすほどに三十年の―にもなりにける世かな」〈源氏槿〉。「以往、アナタ・イニシヘ」〈名義抄〉 ㋺《未来にいう》将来。「目の前に見えぬ―の事はおぼつかなくこそ思ひわたりつれ」〈源氏若菜上〉 ❷【貴方】《室町時代にはコナタは目上に言い、ソナタは同等もしくは幾分目下に使う。江戸時代になるとコナタも敬意が薄くなり、代ってアナタが敬意の高い二人称として現われた》あなたさま。「―にさう思し召さば、―次第よ、おれが心にそっとも如在がないものを」〈沢庵書簡寛永一五・七・二〉 **―おもて**【彼方面】(何かの)向うがわ。あちらの面。「あかずして月のかくる山もとは―ぞ恋しかりける」〈古今八八三〉 **―がた** ❶【彼方方】①あちらがわ。向うがた。「宮の辺には〔私ノコトヲ〕ただ―(道長側)に言ひなして、そらごとなども出で来(く)べし」〈枕一四三〉 ②あのかたたち。「いや―は古へのお主筋ぢゃ」〈近松・傾城若紫中〉 ❷【貴方方】あなたたち。「―は、お泊りでござりますか」〈滑・膝栗毛初〉 **―がち**【彼方勝ち】向うにいる時間が多いこと。「昼など渡らせ給ふことは―におはします」〈源氏絵合〉 **―となた**【彼方此方】あちらこちら。「―物思ひとて」〈源氏若菜下〉。「湖上を―遊覧すれば」〈中華若木詩抄中〉 **―まかせ**【貴方任せ】何事も阿彌陀仏にお任せすること。「ともかくも

—の年の暮」〈俳・おらが春〉 ▽浄土宗・真宗で、阿彌陀仏を「あなた」といった。

あなたふと【安名尊】 催馬楽の曲名。「—あそび給ふ」〈源氏胡蝶〉

あなだま【穴玉】 穴のあいている玉。「玉の御統(みすまる)の—はや」〈紀歌謡二〉

あなづらは・し【侮はし】『形シク』《アナヅリの派生語》見下げたい気持になる。「えせさいはひなど見てゐたらむ人は、いぶせく—・しく」〈枕二四〉。「さだ(年ノ頃)過ぎにたる有様も—・しく」〈源氏若菜下〉

あなづ・り【侮り】『四段』 劣っているとして、見くびり馬鹿にする。「人に—・らるるもの。築土のくづれ。あまり心よしと人に知られぬる人」〈枕二七〉。「慢、アナヅル」〈名義抄(図書寮本)〉

あなど・り【侮り】『四段』《アナヅリの母音交替形》⇓あなづり。「慢、アナトル」〈東大寺諷誦文稿〉。「さあれば、女子・小人が—・る事がないぞ」〈論語抄泰伯〉

あなな・ひ ㊀『四段』《ア(足)ニナヒ(荷)の転か。人の足をかつぐ意》 助ける。「すめらがみかど(朝廷)を—・ひ扶(たす)けまつりて」〈続紀宣命五〉 ㊁『名』 足がかり。足場。「麻柱、阿奈奈比(あなひ)」〈和名抄〉 †ananaFi

あなに『感』《アナは感動詞。ニは間投助詞》 強い感動を表わす語。ああ、ほんとうに。あやに。「桜の花のにほひ(色ノ映エ)は—」〈万一四二九〉 **—やし**《ヤシは間投助詞》ほんとにまあ。「—、え男を」〈記神代〉 **—ゑや**《ヱ・ヤは間投助詞》「あなにやし」に同じ。「妍哉、此れをば阿那而恵夜(あなにゑや)といふ」〈紀神代上〉

あなもん【穴門】 築地(ついじ)・石垣などを切り明けてつくった、低く小さい門。「東方の—開き、これより内に入る」〈隔蓂記万治二・六・二〉

あなや『感』《アナは感動詞。ヤは間投助詞》 ああまあ。あらら。「鬼はや一口にくひてけり。『—』と言ひけれど」〈伊勢六〉。「—、あらやと云ふ心なり」〈匠材集三〉

あなゆ・み【足悩み】『四段』《アナヤミの上代東国方言》難儀して歩く。歩きなやむ。「人の児のかなしけ時(だし)は浜渚鳥(はますどり)—・む駒の惜しけくもなし」〈万三五三三東歌〉 †anayumi

あな・り【有なり】『連語』《有リに伝聞・推定の助動詞ナリの連なったアリナリの音便形アンナリのンを表記しない形》①…であるそうだ。噂によると…のようだ。「大納言の朝臣の、家司〔ノ役ヲ〕望むなる、さる方に物まめやかなるべき事には—・れど」〈源氏若菜上〉 ②(あの様子では)…であるようだ。「中将のこわづくる(咳払イスル)にぞ—・る」〈源氏野分〉

あに【兄】《「おとうと」の対》 ①(弟に対して)兄。「—おとと、友だちひきゐて」〈伊勢六六〉。「惟光が—の阿闍梨」〈源氏夕顔〉。「同じ父が子で、先に生るるを—とし、のちに生るるを弟(おとと)とするばかりなり」〈平家一一・腰越〉 ②(男の)年長者。「〔八十一歳デ崩御ノ天皇ハ八十歳デ入滅ノ〕釈迦如来の一年の—」〈大鏡陽成〉 ③男色の兄分。念者(ねんじゃ)。「死に臨む雇はれ—の男道(武士道)」〈雑俳・昼礫〉 ↓このかみ

あに【豈】『副』《打消・反語と呼応する。朝鮮語の打消の副詞 ani と同源であろう》 ①決して。「—よくもあらず」〈紀歌謡四九〉 ②どうして。「酒飲みてこころをやるに—しかめやも」〈万三四六〉 ▽平安時代以後、女流仮名文学には使われず、漢文訓読体に使われ、反語となるものがほとんどすべてである。

あにおや【兄親】 親代りの兄。親のように尊敬すべき兄。「—の事なれば、随分御心に随ひ」〈西鶴・二十不孝二〉

あにき【兄貴】「あにご」に同じ。「野と山の花の—や腹がはり」〈俳・玉海集一〉

あにご【兄御】 兄の敬称。兄上。「何を思ひ給へば、—は向ひの山を見てさのみ泣かせ給ふぞや」〈古活字本曾我三〉。「なういかに—さま」〈伽・ゆみつき〉

あにごぜ【兄御前】《アニゴゼンの転》 兄の敬称。あにご。「いかに—聞こしめせ」〈謡・望月〉

あにぢゃひと【兄ぢゃ人】《兄である人の意》 兄の敬称。兄様。「兄ぢゃ者」とも。「親ぢゃ人・てでぢゃ人・母ぢゃ人・—」〈俳・かたこと三〉

あにぶん【兄分】 男色関係で年上の男の称。念者(ねんじゃ)。「—に梅を頼むや児(ちご)桜」〈俳・貝おほひ〉

あね【姉】《古くは「おとうと」、後には「いもうと」の対》 ①㋑(妹に対して)姉。「尼になりて、—の、先立ちて〔尼ニ〕なりたる所へ行くを」〈伊勢一〇六〉。「北の方は紫の上の御—ぞかし」〈源氏藤袴〉 ㋺(弟に対して)姉。「〔小君ノ〕—なる人〈空蟬〉」〈源氏帚木〉 ②女の年長者。「御母后、〔夫ノ〕清和帝よりは九年の御—なり」〈大鏡陽成〉

あねおとと【姉弟】 姉妹。「〔猫ハ〕—の中に、つと、まとはれて」〈更級〉 ▽「あねいもと」というようになるのは後。 ↓おとうと

あねご【姉御】 ①姉の敬称。姉上。お姉さん。「—の御方へ我を連れて行け」〈伽・扇流し〉 ②親分・兄分の妻や女親分に対する敬称。「ここの—は女だて(俠客)で、いろいろ人の世話をしなさるが」〈人情・梅暦五ノ九〉

あねごぜ【姉御前】《アネゴゼンの転》 姉の敬称。「母上も—も思ひは長松の風、身にしむばかり更くる夜の」〈謡・竹雪〉

あねぢゃひと【姉ぢゃ人】《姉である人の意》 姉の敬称。姉様。「—・叔父ぢゃ人・伯母ぢゃ人などとは云ふべきか」〈俳・かたこと三〉

あねぢょらう【姉女郎】 遊女仲間で姉分とする古参の女郎。「姉上郎(あねじゃうらう)」とも。「懼懼(おぢおぢ)も—が引いてゆく」〈俳・大矢数二〉

あの【彼の】 ㊀『連体』《「この」の対。平安中期から用いられ始め、専ら会話に使われて、次第にカノに取って代った。平安時代末期から感動詞にも使う》 ①遠くの人・物・事などを指す。「花もなければ、『あなあさまし、—花どもはいづちいぬるぞ』」〈枕二七八〉。「—つらき人のあながちに名をつつむもいとほしければ」〈源氏空蟬〉。「—事こそ遂にえせずなりぬれ」〈大鏡道隆〉 ②正体のよくわからない者、心理的にへだてを置く相手をさす。「このをのこのかく独りごつを、…〔帝ノ御娘ハ〕いみじうゆかしくおぼされければ御簾(みす)を押し上げて『—をのこ、こち寄れ』と召しければ」〈更級〉。「『—男。しばし候へ。…』と言へば『承りぬ』とて居たる程に」〈宇治拾遺九六〉 ㊁『感』 ①歌謡のはやし詞。「二十八品其の中に、—、読まれたまふ、説かれたまふ、寿量品ばかり、あはれに尊きものは無し」〈梁塵秘抄二二七〉。「あはれ賢き御代なれば、—、風も枝を鳴らさず」〈宴曲集花〉 ②話中のつなぎ詞。「今度のお医者さまは、—それ、豕(ぶた)右衛門さん」〈滑・浮世風呂三下〉

あのくたらさんみゃくさんぼだい【阿耨多羅三藐三菩提】《梵語の音訳。無上正等正覚などと訳す》 仏の智徳がこの上なく優れ、正しく、平等円満であることをたたえたことば。「—の仏たち我が立つ杣に冥加あらせ給へ」〈新古今一九二一〉

あのこ【彼の子】《相手に呼びかけていう語》①そこの子。「こう―、団子が二つ余った。それ食ひな」〈滑・膝栗毛二下〉②江戸吉原で、おいらんや女郎屋の亭主が禿(かむろ)を呼ぶ時にいう語。「―や、そこに進ぜろ」〈洒・錦之裏〉

あのさん《近世、遊里の女が用いた語》あの御方。「聞くより梅川はっとして、『これこれ、―には逢ひともない』」〈近松・冥途飛脚中〉

あのと【足の音】《ア(足)ノオト(音)の約》あしおと。「誰が乗れる馬の―そ」〈万三六五四〉 †anötö

あのよ【彼の世】《「此の世」の対。古くは「かの世」といった》この世から見てあちらの世。死後の世。「〔借財ヲ返サナイタメニ〕―にて責めらるる」〈沙石集六ノ一三〉。「宗鑑はいづくへ行くと人問はばちと用ありて―へと言へ」〈新撰狂歌集下〉 **―此の世の堺(さかひ)** 生死のさかいめ。「―をも見る程の大河なり」〈仮・東海道名所記三〉。「―は死際の事とかや」〈俳・類船集六〉

あは【淡】色や味がうすいこと。心浅く素気ないこと。「待ちつけ奉りたるかひもなく―の御ことわりや」〈源氏竹河〉 ▽この語は上代からあったことが、「淡海(あふみ)」という地名によって知られる。

あは【粟】イネ科の一年草。五穀の一で、上代から栽培された。「ちはやぶる神の社しなかりせば春日の野辺に―まかましを」〈万四〇四〉。「禾・粟、アハ」〈名義抄〉

あは【安房】旧国名の一。東海道十五国の一で、今の千葉県南部。奈良時代に上総(かづさ)の国から分立した。房州。「しなが鳥―に継ぎたる、梓弓周淮(すゑ)の珠名(たまな)＝女子ノ名)は」〈万一七三八〉

あは【阿波】旧国名の一。南海道六国の一で、今の徳島県。阿州。「夜中ばかりに船を出して、―の水門(みと)を渡る」〈土佐一月三十日〉

あは【彼は】㊀『連語』あれは。古くは「―と見る」という慣用句の中に使われ、遠いものの高いものを望み見ていう。「―と見る道だにあるを」〈貫之集四〉。「雲立つ山を―とこそ見れ」〈大和一四五〉 ↓かは。 ㊁『感』はっと気がついたり、驚き、感服した時などに発する声。ああ、さては。「―、これらが内内はかりし事の漏れにけるよ」〈平家二・西光被斬〉

あはあは・し【淡淡し】『形シク』いかにも色や味がうすい。いかにも心が軽軽しく浅い感じだ。さげすむ気持で用いる。「皇女たちの世づきたる有様(内親王ノ結婚)は、うたて―・しきやうにもあり」〈源氏若菜上〉。「薄淡、阿波々々志(あはあはし)」〈新撰字鏡〉

あはう【阿房・阿呆】愚か者。ばか。「いやいや、死んだらばいよいよ―ぢゃと云うて笑はれうず」〈虎明本狂言・鈍太郎〉。「アハウ、即ち、ウツケ」〈日葡〉 **―ぐち**【阿房口】くだらないことをしゃべること。ばか口。「―言ひ続くるを」〈浮・新竹斎二〉 **―ぐるひ**【阿房狂ひ】女遊びにこること。放蕩。「悪所狂ひ」とも。「―霧重って友達〔ガ悪イ〕ゆゑ」〈俳・大矢数三〉 **―ばらひ**【阿房払ひ】近世、武士の刑罰の一。両刀を取り上げて追放すること。また一般に、着の身着のままで追放すること。「知行召し上げられ、―に追放せられ」〈仮・可笑記三〉

あはうらせつ【阿傍羅刹】《アバウラセツとも》地獄で罪人を責める獄卒鬼。「阿傍」は牛頭(ごづ)の鬼、「羅刹」は牛頭馬頭(ごづめづ)ほか、さまざまな形の鬼。「冥土にて娑婆世界の罪人を…罪の軽重に任せつつ、―が呵責すらんも」〈平家二・小教訓〉

あはき【檍】木の名。橿(かし)とも、梓(あづさ)の一種ともいう。「檍、此をば阿波岐(あはき)といふ」〈紀神代上〉 †aFaki

あば・き【発き】『四段』《アバケの他動詞形》①土を掘りくずして埋れていた物を取り出す。「若し彼の墳隴(かつ)の―・き掘らるるものは」〈続紀和銅二・一〇・二〉②まとまっているものをばらばらにくずす。「厥(その)風、屋を―・き木を折る」〈文明本節用集〉③他人の秘密を探り出して公表する。暴露する。「訐(あば)いて以て直とする者を悪(にく)む」〈論語一七・建武四年点〉④はねのける。打ち払う。「早く縛らむとするにこそと思ひて、剣を抜きてこれを―・くに、かづら皆切られてのきにけり」〈著聞六〇四〉 ▽古くはアハキと清音か。名義抄に「訐」などをアハクと清音にし、「撥」をアバクとしている。

あば・け【発け】『下二』①はげてくずれる。「褫落、アハケ」〈彌勒上生経賛平安初期点〉。「塗れる金、皆―・けて落ちたり」〈今昔一六ノ一三〉②腫物が自然に開いたり、はじけたりする。「ハレモノガアバクル」〈日葡〉③気を許す。油断する。「船も通はじなんど思ひて、打ち解け―・けたらん所へ、するりと渡りてこそ敵をば誅すれ」〈盛衰記四三〉④あばれる。また、ふざける。「邪邪(じゃじゃ)を吐きちらし、さまざまに―・けしが」〈玉滴隠見二八〉

あはざ【阿波座】大阪新町遊廓北部の通り筋。端傾城(はしけいせい)の多い女郎町。「その身をば―とやらに任せたり」〈俳・大矢数三〉 **―がらす**【阿波座烏】阿波座通りをひやかして歩く客。「―は、かはいかはいと鳴きけるに」〈浮・浮世色算用中〉

あは・し【醂し】『四段』《アハ(淡)と同根》渋柿の渋を抜く。「さはし」とも。「譬へば、柿を―・す時、しぶ悉く抜けて無しといへども、柿の躰(てい)はそのまま有るが如きなり」〈百法問答聞書四〉 **―がき**【醂し柿】渋柿を石灰やそばがらの灰汁(あく)に浸して、渋味を抜いたもの。「あはせ柿」「さはし柿」とも。「漬柿、アハシガキ」〈易林本節用集〉

あは・し【淡し】『形ク』①(雪などが)いまにも消えそうである。「淡雪…必ずしも春の雪ならねども、雪の性は―・ければ」〈古今集註〉②淡白である。転じて、情愛や関心がうすい。「すこし―・きかたに寄りぬるは心とどむるたよりもなきものを」〈源氏澪標〉。「老いぬる人は精神おとろへ―・くおろそかにして感じ動くところなし」〈徒然一七二〉 ↓あはあはし

あはしま【淡島・粟島】⇒あはしまどの。「―の勧進には、惜しげもなう〔銀貨ヲ〕包んで投げしは」〈浮・好色貝合下〉 **―どの**【淡島殿・阿波島殿】紀伊国名草郡加太神社の祭神、少彦名神。俗に住吉明神の妃で婦人病の守り神といい、その功徳を勧進する乞食もあった。淡島。淡島の神。「咲く花や―に捧げまし」〈俳・独吟集上〉

あはずまに【逢はずまに】『連語』《マニはマニマニと同じか》逢わないままで。「ぬばたまの夜見し君を明くるあした―して今そ悔しき」〈万三七六九〉

あばずれ 悪く人ずれがして厚かましいこと。また、その者。近世前期には男をいい、後期には女にもいう。「大勢の子の親になりけるは、またも―者」〈西鶴・浮世栄花二〉

あは・せ【合はせ】㊀『下二』《アヒ(合)の他動詞形》❶二つのものをぴったりと寄りつかせる。①出会わせる。「〔夫ヲ〕荒き浪風に―・せず」〈万一〇二二〉②対抗させる。たたかわせる。「竹取の翁に宇津保の俊蔭を―・せて争ふ」〈源氏絵合〉③(その方向へ)向わせる。ねらいをつける。「をちこちに鳥踏み立て、〔鷹ヲ〕白塗りの小鈴もゆらに―・せやり」〈万四〇一一〉。「雉の立ちたりけるに、かの鷹を―・せたりければ」〈今昔二九ノ三四〉 ❷二つのものの間をしっくりさせる。①調和させる。ととのえる。「声―・せて舞ふ」〈枕一四二〉。「〔香ヲ〕二種(ふたくさ)づつ―・せさせ給へ」〈源氏梅枝〉②相応す

るようにする。つりあわせる。「五十余騎にて馳せ参りて関(とき)をつくるに—・する声聞えければ」〈増鏡二〉③結婚させる。「よき人に—・せんと思ひはかれど」〈竹取〉④夢合せをする。夢の吉凶を判断する。「さま異なる夢を見給ひて—・する者を召し」〈源氏若紫〉⑤合算する。「六衛のつかさ—・せて二千人」〈竹取〉⑥砥石にすり合わせて刃をつける。とぐ。「〔剃刀ヲ〕—・するごとにひちめきぞする」〈俳・犬筑波〉㊁〘名〙①副食物。「御粥の—、魚の四種(くさ)、精進の四種」〈宇津保蔵開上〉。「くだもの・おもの・酒・—どもなど」〈古本説話五六〉②【袷】表裏をあわせて作った衣服類。「黒き—一かさね」〈源氏椎本〉。「昔の人のめでたうしける—の袴一具」〈源氏行幸〉 **—がき**【合せ柿】「あはしがき」に同じ。「大野へ—持て参り候」〈高野山文書八、応永二九・一〇〉 **—たきもの**【合せ薫物】沈香・丁子香・薫陸・貝香・白檀・麝香の六種の香の粉末に蜜をあえて煉り合わせたもの。ねり香。「宮より種松が女君、—を山の形に作りて」〈宇津保吹上上〉 **—ど**【合せ砥】刀剣などをとぐ時、仕上げに使う緻密(ちみ)な卵色の砥石。山城の鳴滝産が有名。「—の山路の月や減りぬらん」〈俳・生玉万句〉。〈日葡〉 **—びん**【合せ鬢】鬢を髻(もとどり)の下に送り込み、後頭で合わせ、太い元結でくくった、男の髪の結い方。「髪付よそに変って—」〈浮・太平色番匠三〉

あはそか ：アワ《アハは淡の意。ソカはオゴソカ・タケソカなどのソカ、状態を示す接尾語》心浅いさま。軽軽しいさま。「—に申すべきに侍らず」〈大鏡昔物語〉

あはた アワタ【臏】「あはたこ」に同じ。「臏、膝之骨、比佐加美乃阿波太(ひざかみのあはた)」〈新撰字鏡〉

あはたこ アワタコ【臏】ひざの骨。ひざのさら。「あはた」とも。「王の—筋(すぢ)を抜きて」〈紀神功摂政前〉。「臏、阿波太古(あはたこ)、俗云阿波太(あはた)、膝骨也」〈和名抄〉 †*aFata-ko

あはた・し アワタシ〘四段〙《アハは淡の意。アハチに尊敬のシのついた形》軽んじなさる。はずかしめなさる。「吾を見—・したまひつ」〈祝詞鎮火祭〉。「淡、アハタス」〈名義抄〉

あはただ・し アワタダシ【慌し】〘形シク〙⇒あわただし

あはた・ち ：アワ〘四段〙《アハはサハに同じ。→あはに》(雲が)沢山立つ。「雲の—・つ山の麓に」〈古今二〇五〉

あはたやま ：アワ【粟田山】山城国愛宕郡粟田辺にある山。京都から志賀に出る時に越える。東山の北半分の総称にもいう。「いきもてゆけば、—といふ所にぞ、京より松(タイマツ)もちて人来たる」〈かげろふ中〉

あはぢ ：アワ【淡路】旧国名の一。南海道六国の一で、今の兵庫県淡路島全島。淡州。「—の野島がさきの浜風に妹が結びし紐吹きかへす」〈万三五一〉

あはつか ：アワ《アハは淡の意》心の浅く、至らないこと。分別の浅いこと。「〔コチラノ独言ニ〕『何事ぞ』など—にさし仰ぎゐたらむ〔女〕は、いかがは口惜しからぬ」〈源氏帚木〉

あはつけ・し ：アワ〘形ク〙《アハツカの形容詞形》①浅薄である。「宣ふけはひの舌疾に(早口デ)—・きを」〈源氏賢木〉②分別が足りず軽率である。「〔女ガ忍ビ事ヲスルノハ〕ただ人の中らひにてだに—・く、心づきなき事なり」〈源氏若菜上〉③軽くてつまらぬことである。「〔内侍所ノ事務ナドヲ〕したため知らむ事は、はかばかしからず、—・きやうに覚えたれど」〈源氏行幸〉

あはつけびと ：アワ【あはつけ人】分別の浅い人。「〔景色ガ〕艶なる程なれば、ただありの—だに寝ざめしぬべき」〈源氏夕霧〉

あは・て アワテ【周章て・慌て】〘下二〙⇒あわて

あはなち【畔放】天つ罪の一。田のあぜをこわして稲作を妨害すること。「—・溝埋(みぞうめ)・樋放(ひはなち)・頻蒔(しきまき)」〈祝詞大祓詞〉。「毀畔、古語阿波那知(あはなち)」〈古語拾遺〉

あはに ：アワ〘副〙《サハニのサ行頭子音のないもの。アハとサハは、イ・シ(助詞)、ウヱ(植)・スヱ(据)などの関係と同じ》たくさん。深く。「降る雪は—な降りそ」〈万二〇三〉

あはに ：アワ【淡に】〘副〙淡く。もろく。はかなく。平安時代の歌などで多く「泡(あわ)」にかけてよむ。「うはごほり—むすべるひもなれば」〈枕九〇〉

あはは アワワ ①幼児の遊戯。開いた口を手のひらで軽く叩きながら「あわわ」の声を出す。「蕨手(わらびて)の—をするか谷の口」〈俳・崑山集三〉②馬鹿。おろか者。「あははの三太郎」とも。「〔囲イ女ガ〕雲を霞と逃げ行けば、跡に和尚は—の三年忌」〈浮・潤色栄花娘四〉

あはひ アワイ《アヒ(合)アヒ(合)の約。相向う物と物との間の空間。転じて、二つのものの関係。→あひだ》①向いあった二つのもののあいだの空間。「伊勢・尾張の—の海づらを行くに」〈伊勢七〉。「〔寝殿ト〕御念誦堂の—に廊をつづけて」〈源氏宿木〉②二つ(またはそれ以上)のものの相互の関係。㋑配色。釣合い。衣裳の色合いなどにいう。「袖口の—わろう重ねたる人」〈紫式部日記〉㋺人と人との関係。仲。多く、一対の男女の釣合いにいう。「〔源氏ト紫上ハ〕げにめでたき御—どもなり」〈源氏初音〉。「〔源氏ト源内侍トハ〕似つかはしからぬ—かな」〈源氏紅葉賀〉③間隔。「—一町ばかりに追付きて」〈平家八・妹尾最期〉④《「—に」の形で》間間(まま)。時折。「後撰〔集〕には、こびたる歌—にあるなり」〈耳底記〉

あはび アワビ【鮑・鰒】巻貝の一種。のしを作り、食用にし、真珠をとる。貝殻が一片のように見えるので片恋・片想いの比喩に使われた。「—の貝の片思ひにして」〈万二七九八〉 †aFabi **—たま**【鰒珠】アワビからとれる真珠。昔の真珠は主にアワビからとった。あわびしらたま。「—さはに(沢山ニ)潜(かづ)き出」〈万九三三〉

あば・ひ アバイ〘四段〙かばう。「我が身を惜しむにはあらず、我はこれ仏法の器物(うつはもの)なり、あやまつ事なかれと、錫杖にて—・へりければ」〈撰集抄六ノ一〉

あはふ ：アワ【粟生】《フは植物の生えている所》粟畑。「—には、かみら(ニラ)一本(ひともと)」〈記歌謡一一〉。「粟田、安八不(あはふ)」〈和名抄〉

あは・め ：アワ【淡め】〘下二〙《相手を「淡し」と思う意》相手を厚い深い心が無い人だと思い取って軽蔑する。「『幼かりけり』と—・め給ひて」〈源氏空蟬〉

あはや【足速】速力の大きいこと。「島づたふ—の小舟」〈万一四〇〇〉

あはや ：アワ〘感〙《感動詞アハに間投助詞ヤがついた語》①ああまあ。さてはまあ。「御口は心よく笑ませ給ひて『—、宣旨くだりぬ』とこそ申させ給ひけれ」〈大鏡道長〉②ああっ。あれっ。すわ。切迫した場面で、物を見つけて驚き、緊張した時に使う。「『—あやしき物かな』と肝魂を消して思ひける程に」〈平家二・副将〉。「内冑(うちかぶと)へ太刀の切先を入れたりけり。『—』と見ゆる処に」〈義経記五〉

あはゆき ：アワ【淡雪】《春に降る溶けやすい雪》奈良時代のアワユキ(泡雪)と同意だが、平安時代には、アハシ(淡)の感覚からとらえられていた》①うっすらと積った雪。じきに消えてしまう雪。「—のたまればかてにくだけつつわが物思ひのしげきころかな」〈古今五五〇〉②近世後期、豆腐料理の一。辛めに煮た豆腐に摺薯(すりいも)を掛けた料理。また、柔らかく軽くて、舌に載せると淡雪のように消える上等な豆

腐。淡雪豆腐。「—の塩からく、幾世餅の甘たるく」〈滑・根南志具佐四〉

あばら【粗】 ①目のあらいこと。粗末で隙間の多いこと。「月のかたぶくまで、—なる板敷きに臥せりて詠める」〈古今七四七詞書〉。「処処に—に板うちつけたるを薄板といふ心あり」〈老子経抄〉 ②壁のない粗末な家。「客亭、無レ壁之屋也。客人屋。阿波良(あばら)」〈新撰字鏡〉 ③手薄なこと。「心はたけく思へども、うしろは—になりければ、力及ばで引退く」〈平家七・篠原合戦〉 ④大ざっぱでいい加減なこと。「八郎は聞きしに似ず、手こそ—なれ」〈保元中・白河殿攻め落す〉 **—ほね【骼】** 肋骨(ろっこつ)。「骼、アバラホネ」〈天正十八年本節用集〉 **—や【亭】** 壁のない粗末な家。「亭、アバラヤ」〈名義抄〉

あはれ アワレ ㊀《感》《事柄を傍から見て讃嘆・喜びの気持を表わす際に発する声。それが相手や事態に対する自分の愛情・愛惜の気持を表わすようになり、平安時代以後は、多く悲しみやしみじみした情感あるいは仏の慈悲を表わす。その後、力強い讃嘆は促音化してアッパレという形をとるに至った》 ①讃嘆・喜びの気持を表わす声。「あな—、布当(ふたぎ)の原、いと貴(たふと)、大宮処」〈万一〇五〇〉。「—、あな面白」〈古語拾遺〉 ②賞美の気持を表わす声。「ほととぎす鳴きて行くなり—その鳥」〈万一七五六〉 ③愛情・愛惜の気持を表わす声。「門(かど)ささず—吾妹子(わぎもこ)待ちつつあらむ」〈万三五九四〉。「〔死人ヲ見テ〕旅に臥(こや)せるこの旅人—」〈万四一五〉。「〔家ガ〕みな荒れにたれば—とぞ人人言ふ」〈土佐二月十六日〉 ④悲しみを表わす声。「形見に…対の御方ばかりこそは、—などのたまへど」〈源氏蜻蛉〉 ⑤感慨・嘆息の声。「—いと寒しや」〈源氏夕顔〉。「怖ろしや。—〔去年ノ〕此頃ぞかし」〈源氏賢木〉 ⑥《願望・命令を表わす語と共に用いて》ああ何とかして。是非にも。「—昔の恋しさを…歌ひていざや遊ばん」〈謡・江口〉 ⑦掛声に用いる語。「いで吾が駒早く行きこせ、待乳山(まつちやま)—、待乳山はれ」〈催馬楽我が駒〉 ㊁《名》①情感。また、心惹かれる風情。「春雨の—」〈正倉院文書奈良朝〉。「空の気色も—少なからぬに」〈源氏葵〉。「〔昔ノ人ノ歌ハ〕姿も清げに—も深く見ゆ」〈徒然一四〉 ②立派だと感心させられること。「—なるもの。孝(けう)ある人の子。よき男の若きが御嶽精進(さうじ)したる」〈枕一一九〉 ③共感。愛情。「—絶えざりしも、やくなき片思ひなりけり」〈源氏帚木〉。「うちとけず、—をかはし給ふ御中なれば」〈源氏藤裏葉〉。「昔かやうにあひおぼし、—をも見せ給はましかば」〈源氏須磨〉 ④気の毒。かわいそう。「うちとけ頼み聞え給へる御さま—なり」〈源氏初音〉。「思ひわびたるを、いとど—と御覧じて」〈源氏桐壺〉 ⑤慈悲。「如来の—の余りには」〈孝養集中〉 ⑥悲しいこと。さびしいこと。はかないこと。「おぼつかなくてのみ年月の過ぐるなむ—なりける」〈源氏若菜下〉 ⑦切なる思い。「心深しやなどほめ立てられて、—進みぬればやがて尼になりぬかし」〈源氏帚木〉 ⑧しみじみとした情趣。「心なき身にも—は知られけり鴫立つ沢の秋の夕暮」〈新古今三六二〉。「釈阿はやさしく艶に、心も深く、—なる所もありき」〈後鳥羽院御口伝〉 **—が・り【哀れがり】**《四段》《アハレと思う気持を言葉や様子に出す》①感動を表にあらわす。「〔文ヲ〕広げて御覧じていと—・らせ給ひて」〈竹取〉。「この歌をこれかれ—・れども一人も返しせず」〈土佐一月七日〉 ②同情・愛情を示す。「〔大宮ノ淋シサヲ〕—・り聞え給ひて」〈源氏野分〉 **—・び【憐れび】** ㊀《四段》①感動・共感の喜びをあらわす。「霞を—・び、露をかなしぶ心ことば多く」〈古今序〉 ②慈悲の心で救う。「止むごとなき権者の、人を—・ばむとて築き給へる池」〈今昔三一ノ二二〉 ㊁《名》傍から、共感を以て包み、手を貸すような気持。慈悲。「つゆばかりの慈悲無くて…—の心はゆめゆめ無かりけり」〈今昔二九ノ二七〉 **—・み【憐れみ】** ㊀《四段》①しみじみと感動する。「女は春を—・む」〈源氏若菜下〉 ②同情する。「〔年ユカヌ法師ヲ〕姫君—・みて」〈古本説話六〇〉 ③慈悲の心をかける。慈悲の心で救う。「女人をば殊にかく—・み給ふなり」〈孝養集中〉 ④(目下の者に)情をかける。「仁は愛の理にて、国民をことごとく—・むが仁ぞ」〈春鑑抄〉 ㊁《名》①「あはれ」と思うこと。心が痛むこと。「鐘声を聞きて、無常の—が出で来、悲しきばかりぞ」〈三体詩抄一ノ四〉 ②慈悲。「〔念仏ノ〕他におくふかき事を存せば、二尊(釈迦ト阿彌陀)の—にはづれ、本願にもれ候べし」〈一枚起請文〉 ③(目下のものに)情をかけること。不憫に思うこと。「敵(かたき)の阿闍世王に—の心をいたして返しやる」〈今昔一ノ二九〉。「仁義の道は、まづ人を愛して—をかくるを云ふぞ」〈春鑑抄〉

あば・れ【荒れ・暴れ】《下二》《アバラ(粗)と同根》①(住居などが)粗略で不完全である。「〔コノ家ハ造リカケデ〕かく—・れて、あやふげなる所なめり」〈源氏東屋〉 ②(住居などが)荒れて不完全になる。荒れてこわれた所がある。「いとどうち—・れて、未申(ひつじさる)の方のくづれたるを」〈源氏夕霧〉。「主(ぬし)うかれぬれば家—・れ」〈孝養集上〉 ③はめがはずれる。放埒・粗暴にふるまう。「アバレタヒト」〈日葡〉。「ネズミガアバルル」〈日葡〉。「古へより—・れてなん食らひける」〈仮・仁勢物語上〉 **—ぐひ** イグ **【暴れ食ひ】** むやみに食うこと。乱暴に食うこと。「あぶれぐひ」とも。「物食ひ酒飲むにも、むさと—すべからず」〈評判・秘伝書〉 **—のみ【暴れ飲み】** 無茶苦茶に酒を飲むこと。あばれ酒。「人ごとに取って殺すや—」〈俳・言之羽織二〉

あひ イア **【間】** ①物と物との中間・間隙。あいだ。ま。「この鹿の目の—の、例の鹿の目のあはひよりも近くて」〈宇治拾遺七〉。「—五町ばかりぞ隔てける」〈義経記七〉 ②人と人との仲。「フタリノアイガワルウゴザル」〈日葡〉 ③「間狂言(あひきやうげん)」に同じ。「葛城〔ノ能ハ〕…—の者心得あり。山伏より語りて聞かする也」〈禅鳳雑談〉 ④〔女房詞〕間食。「あひの物。—」〈大上﨟御名之事〉 ⑤将棋で、王手がかけられたときの防ぎにおく駒。間駒。「成り込み成り込み—も利かせず攻め入れども」〈近松・将棋経四〉 ⑥他の者同士が酒を飲んでいる間に入って、杯の受け差しをすること。「—をなどとて人出る事あるべし」〈評判・秘伝書〉

あ・ひ イア **【合ひ・会ひ・逢ひ】** ㊀《四段》❶二つのものが互いに寄って行き、ぴったりとぶつかる。①対面する。「昔の人にまたも—・はめやも」〈万三一〉 ②(偶然)出あう。めぐりあう。「天地の栄ゆる時に—・へらく思へば」〈万九九六〉 ③立ちむかう。たたかう。「香具山と耳成(みみなし)山と—・ひし時」〈万一四〉。「月のあかきに屋形なき車の—・ひたる」〈枕四五〉 ④向う。「傍(かたへ)に—・ひて」〈徒然一四三〉。「闘、タ、カフ・アフ」〈名義抄〉 ❷二つのものが近寄って、しっくりと一つになる。①調和する。「折に—・ひたる羅(うすもの)の裳(も)あざやかに」〈源氏夕顔〉 ②適合する。釣り合う。「人の程に—・はねば咎むるなり」〈土佐一月二十一日〉。「国中の者が守護の気に—・はうとて」〈山谷詩抄一〉 ③ぴったり一つになる。符合する。「大唐と新羅と隔ったれども拍子がちゃうど—・うた」〈碧岩抄三〉 ④理にかなう。「—・はぬは君の仰せ」〈伽・物くさ太郎〉 ⑤契りを結ぶ。結婚する。「男は女に—・ふことをす」〈竹取〉。「逢ひて(顔ヲ合ワセテモ)—・はぬ恋といへることをよめる」〈金葉四三三詞書〉 ⑥《他の動詞の連用形について》一緒に…する。たがいに…する。「紐の緒のいつがり—・ひて、にほ鳥の二人並び居」〈万四一〇六〉。「〔薫物ノ香ニ〕大将の御にほひさへかをり—・ひて」〈源氏賢木〉 ㊁『名』【逢・相】①出会い。「夢の—は苦しかりけり覚(おどろ)きて掻きさぐれども手にも触れねば」〈万七四一〉 ②二人で杙(くい)を打ち合う時に用いる大きな槌(つち)。かけや。相槌。「椓撃、阿比(あひ)」〈和名抄〉 ③相手と組んで作業すること。また、その相手。「二人—に一人〔役〕を勤め候」〈高野山文書五、文永一一・二・七〉 ④悪事の仲間。同類。ぐる。「むむ、さては—ぢゃの」〈近松・吉野都女楠四〉 ㊂『接頭』【相】①互いに、の意を添える。「—思ひ」「—寄り」「—あらそひ」「—飲み」「—向き立ち」など。「人をとはで久しうありける折に、—恨みければ」〈古今九七七詞書〉。「清水に—知れる僧のあるに」〈今昔一三ノ二四〉。「いかがしたりけん、馬—退(の)きに退きければ」〈保元中・白河殿攻め落す〉 ②一緒に、ともどもに、の意を添える。「—栄え」「—寝」「—乗り」など。「この人の中に、因果善悪—まじりて」〈愚管抄三〉。「中の院の右大臣は左大将、徳大寺の左大臣は右大将にて、—並び給ひける程に」〈著聞四八六〉 ③しっかりと、たしかに、まさに、の意を添える。「—定め」「—届き」「—成り」など。「—はからひて仕うまつるべし」〈著聞三四八〉 †afi **逢うた時笠を脱げ** 人に逢えば笠を脱いで礼するように、物事の機会を逸するな。「逢うた所で笠を脱げ」とも。「—かし望月夜」〈俳・鷹筑波三〉 **—にあ・ふ** ①ちょうど合う。よく似合う。「—・ひて物思ふころの我が袖にやどる月さへ濡るる顔なる」〈古今七五六〉 ②逢う機会を得て逢う。「—・ひぬ姨捨山(をばすてやま)に秋の月」〈老葉〉「—・はば二見の浦にねもしなむ荒磯波の枕なりとも」〈郁芳三品集〉。「—・ひぬその二月(きさらぎ)の花の春」〈宗長手記下〉

あび【阿鼻】〔仏〕《梵語の音訳。無間(むけん)と訳す》八大地獄のうち最も恐ろしい地獄。五逆などの極重罪人が、死後たえまなく剣樹・刀山・鑊湯(かくとう)などの苦しみを受ける地獄。阿鼻地獄。阿鼻叫喚地獄。「よろづを有漏(うろ)と知りぬれば、—の焔も心から」〈梁塵秘抄二四一〉

あ・び【浴び】『上二』湯や水を体にかぶる。「寝起きて—・ぶる湯は、はらだたしうさへぞおぼゆる」〈枕二三五〉。「天よりくだる雨露を産湯と定めて—・び給へ」〈伽・熊野本地〉

あひあひ アイアイ【相合】物事を一緒にすること。一つの物を二人以上で共有または共用すること。「もやひは、舟の—のことも也」〈太平記聞書〉。「—は祇園会顔(笑顔ト掛ケル)の女郎かな」〈俳・雀子集三〉 **—うし**【相合牛】二人以上の百姓が一頭の牛を共有共用すること。また、その牛。二人の場合は半月ずつ使用した。「—の痩せるかはゆさ」〈俳・若狐下〉 **—かご**【相合駕籠】二人で一つの駕籠に乗ること。相駕籠。「忠兵衛・梅川—」〈近松・冥途飛脚下〉

あひうち アイ【相打ち・相討ち】①二人で同時に物を打つこと。「今度は—にいたさう」〈虎明本狂言・鍋八撥〉 ②二人以上が一緒になって同時に一人の敵を討ち取ること。昔の戦法では禁ぜられていた。「合戦競合(せりあひ)に、—は非儀なり」〈甲陽軍鑑一九〉 ③剣術などで、双方が同時に打ち合うこと。「二人共に戦ひ労れ、—に切り込まれ切り込みて」〈西鶴・伝来記一〉

あひえんきえん アイ【合縁機縁・合縁奇縁】人が、互いに気心の合う合わぬがあるのも、皆不思議な因縁によるものだ、の意。「すねものや—松の藤」〈俳・伊勢正直集一〉

あひおひ アイオイ【相生ひ】一つの根から二つの幹が生え成長すること。また、並んで育つこと。高砂や住吉の松の相生いは二人が一緒に成長することのたとえ。謡曲では「相老い」の意にも解して用いた。「高砂住の江の松も—のやうにおぼえ」〈古今序〉。「天降る現人神の—を思へば久し住吉の松」〈拾遺五八九〉。「松は非情の物だにも—の名はあるぞかし、ましてや生ある人として…松もろともにこの年まで相老いの夫婦となるものを」〈謡・高砂〉

あひがかり アイ【相懸り】両側あるいは各方面から一挙に攻めかかること。「東西より—に懸かって」〈太平記三一・武蔵野合戦〉

あひがさ アイ【相傘】一本の傘を二人でさすこと。多く、男女の場合にいう。相合傘。「—やさすが別れのかなしぐれ」〈俳・伊勢踊五〉

あひかしや アイ【相借屋】一つ棟の下で共に借家すること。同じ家主から借家すること。また、その借家人同士。「あひじゃくや」「あひだな」とも。「振分け髪より—衆」〈俳・大坂独吟集上〉

あひかた アイ【相方・合方】①遊興の相手。遊客にも遊女にもいう。近世後期には主として遊女の意に用いた。「直ぐに起きるに—の男と、『念仏講の掛銭が寄らぬ…』と辰巳(たつみ)上りの咄し声して」〈浮・三代男一〉 ②㋑〔能楽用語〕謡と囃子(はやし)のリズムを合致させるためのきまり。「なんぼ謡がようても、—に合はぬ謡は役に立たぬものぢゃ」〈伎・心中鬼門角下〉 ㋺〔歌舞伎用語〕下座(げざ)の三味線音楽で歌のないもの。「是より大太鼓入りの—になり」〈伎・御摂勧進帳六〉

あひかた アイ【相肩】物を二人でかつぐ時、その一方の人。相棒。「かくて出駕籠を頼む—」〈俳・絵合上〉

あひかまへて アイカマエテ【相構へて】㊀『連語』①心をいたして。じゅうぶん気をつけて。「夜、弓箭を持ちて、彼の塔に行きて、—戸を開きて入りぬ」〈今昔三ノ一九〉 ②心を砕いて。無理に努力して。「〔貧シイ女ハ〕香花ならびに油を—買ひ求めて」〈今昔三ノ一五〉。「〔下痢デ〕参るにあたはず候ひつれども…—参り候ひつる」〈今昔一九ノ一八〉 ㊁『副』《下に命令・禁止の表現を伴って》必ず。きっと。決して。「—我が後世とぶらへ」〈平家二・大納言死去〉。「—念仏怠り給ふな」〈平家一・祇王〉

あびき【網引】魚をとるために網を引くこと。「—する海子(あま)とか見らむ」〈万一一八七〉 →あ(網) †abiki

あひきゃうげん アイキョウ【間狂言】一番の能の中に、狂言方が登場し演技すること。大別して、前ジテの中入後に行なわれる「語り間(あひ)」「末社間」「早打ち間」の類と、能の登場人物の一人に加わって劇の進行にあずかる「あしらひ間」「教へ間」「口開け間」の類に分れる。「惣じて—によらず、一番一番に、少づゝにても習なき事はなし」〈わらんべ草五〉

あひぎん アイ【間銀】手数料。口銭。「毎年の暮に借し入れの肝煎(きもいり)して、この—を取り」〈西鶴・胸算用四〉

あひぐ・し アイ【相具し】『サ変』①一緒に伴う。同行する。「たちまちに—・して京に帰りて」〈今昔一六ノ三〉 ②つれ添う。夫婦となる。「一人は七条修理大夫信隆卿に—・し給へり」〈平家一・吾身栄花〉

あひぐすり アイ【相薬・合薬】その人の体質に合って、よく利く薬。「そろそろと/験気(げん)を見せる—」〈雑俳・鳥おどし〉

あひくち アイ【相口・合口】①鍔(つば)をつけず、柄口と鞘口とがよく合うように作った短刀。匕首。「九寸五分」とも。「九寸五分の朱鞘の—」〈仮・是楽物語上〉 ②互いに気に入って話が合うこと。「御—の人をして言はせられければども」〈評判・露殿物語〉

あひけん：アイ【相見】示し合わせた上のこと。馴れ合い。ぐる。共謀。「おのれ、―にて奪はせたるに紛れなし」〈浄・ゑがらの平太五〉

あひごと：アイ【相言】《「ひとり言」の対》二人で語り合うこと。「夜一夜酒飲みしければ、もはら―もえせで」〈伊勢六九〉

あひことば：アイ【合言葉・合詞】①戦場などで、味方同士が互いに交換する合図のことば。「同士打ちなきやうにと…相印(あひじるし)に紙をつけさせ、―を定め候」〈沼田根元記〉。②符牒。「〔毛見ノ等級ノ〕―、いろはにほ五段〔階〕にて候也」〈宗静日記貞享一・八・二六〉

あひし：アイ【相仕】盗人・騙(かた)りなどの仲間。「其の様子によって、其の方と―にいたし」〈浮・今川当世状六〉

あひしゃう：アイショウ【相性・合性・相生】人の生年を木・火・土・金・水の五行にあわせ考えて、男女・主従・朋友などの間柄の合うのをいう。木と火、火と土、土と金、金と水、水と木を相性とする。合わないのを「相剋(しゃうこく)」とする。「よきほどの御年に、御―もよく見させ給ふべし」〈伽・おようの尼〉。「相生、アイシャウ、縁」〈文明本節用集〉

あひじゃく：アイ【相酌】給仕が居なくて、互いに酌をしあって酒を飲むこと。仲が悪くなる飲み方といわれた。「思ふ事ただ―の戯れは」〈俳・投盃〉

あひしら・ひ アイシライ ㊀《四段》《アシラヒの古形》①調子を合わせて相手をする。応対する。「いと深からずとも、なだらかなる程に―・はむ人もがな」〈源氏末摘花〉②応戦する。「官人どもしばらく―・ひて、打ち破りて」〈平家四・信連〉③とり合わせる。つけ合わせる。「夢にまた見る人もめづらし／東路(あづまぢ)の小夜(さよ)のなかばの宇津の山。…夢には小夜と―・ふ」〈撃蒙抄〉④適当に処理する。「ウマノクチヲアイシラウ」〈日葡〉㊁《名》①応対。うけこたえ。「その折、とありし、かかりし、我が言ひしことの―、何かと〔反古ニ〕見ゆるが」〈建礼門院右京大夫集〉②能楽で、シテに応対するもの。ワキ・ツレなどをさしていう。「―を目がけて、こまかに手足を使ひて」〈風姿花伝〉③とり合わせ。つけ合わせ。「葛城(かづらき)山と申す句に、〔付句デ〕よそと云ふ―侍るはいかに」〈連証集〉

あひし・り：アイ【相知り】《四段》①互いに知り合う。「いと尊き老僧の―・りて侍るに」〈源氏夕顔〉。「―・りて侍る人人、さるべきこれかれ」〈源氏須磨〉②男女が言いかわす。「昔、男、宮仕へしける女のかたに、御達(ごたち)なりける人を―・りたりける、程もなく離(か)れにけり」〈伊勢一九〉

あひじるし：アイ【合印・相印】①戦陣で敵とまぎれぬため味方につけた標識。「この一族皆皆―をして」〈明徳記中〉②他とまぎれぬよう、入れ物の合せ目などにつけておく目印。「皮子(かはご)…―これ在り」〈言国卿記文明七・四・二〇〉

あひずみ：アイ【相住み】一つ家に住んで生活すること。また、その人。「―も忍びやかに心よく物し給ふ御方なれば」〈源氏玉鬘〉

あひずり：アイ【相盗】悪事をする仲間。共犯。ぐる。泥棒仲間。「百性の物を商人と相取(あひどり)して、―に盗みとる」〈浅草物語〉→すり

あび・せ【浴せ】《下二》《アビの他動詞形》①水・湯などを他の人の体に注ぎかける。「うぶ湯を―・するまねをするを云ふぞ」〈三体詩抄一ノ一〉②相手に痛棒をくわせる。手痛い打撃を下す。「なぜに三十棒―・せぬぞ」〈永平録抄中〉→あむせ

あひせん：アイ【間銭】①中世、質屋が取った利子。「諸土倉・酒屋・日銭屋等―の事」〈建武式目追加長祿一・三・五〉②口銭。手数料。「十文で五文づつの―」〈西鶴・一代女六〉

あひそ・ひ アイソイ【相添ひ】《四段》男女が一緒に暮す。「悪しくもよくも―・ひて」〈源氏帚木〉

あひだ アイダ【間】《空間について、二つの物が近接して存在する場合、それにはさまれた中間の、物の欠けて脱(ぬ)けているところをいうのが原義。例えば緒に通した玉と玉との中間の玉のない部分。時間に転じては、鳴く鳥の声、波・雨の音などの中断する時。人間生活では休日、恋人と逢えずにいる時など。ついで、ある限られた持続的な時間・期間をいい、ホド(程)に接近した。平安時代、この意味では多く漢文訓読体に使われた。院政期頃から、間柄の意味から関係をいうに至り、理由を示す接続助詞のような用法を展開した。→ほど・ま》❶《空間について》①近接する物と物との中間の、物の欠けた所。「白玉の―開けつつ貫ける緒も」〈万二四四八〉。「立蔀(たてじとみ)の―に陰にそひて立ちて」〈枕一八〇〉②自分と相手の住み家の途中。「己妻(おのづま)を他(ひと)の里に置きおぼほしく見つつそ来ぬるこの道の―」〈万三五七一〉③距離。「二千余里の―を一時に飛びて渡る」〈今昔七ノ一五〉❷《時間について》①連続している動きのとだえる時。休み。「ほととぎす―しまし置け」〈万三七八五〉。「飛鳥川みなぎらひつつ行く水の―も無くも思ほゆるかも」〈紀歌謡一一八〉②《動きのとだえの持続そのものに注意を集中する所から》ある時間中。ある期間中ずっと。「今日の―は楽しくあるべし」〈万八三二〉。「心ゆも思はぬ―に」〈万七九四〉。「世の―も〔命アル間中ダケデモ〕続ぎて見に来む」〈万三九九四〉③時の経過のうち。「君待つと居りし―に月傾きぬ」〈万二六六七〉。「いたくつなびきて見せし―に、…はかなくなり侍りにしかば」〈源氏帚木〉❸《抽象的に。平安時代以後》①間柄。仲。「宮(中宮ト春宮)の―のこと」〈源氏賢木〉。「貞盛は此の僧と…いみじく親しく語らひたりける―なりければ」〈今昔二九ノ五〉②ある範囲の中。中のどれか。「九品蓮台の―には、下品(げほん)といふとも足りぬべし」〈和漢朗詠集仏事〉。「佐理・行成の―疑ひありて」〈徒然二三八〉③関係。「念仏の―のことによりて」〈親鸞上人御消息集〉④《時間的にも空間的にも》ところ。「〔女車ガ男ヲ〕待つ。〔男ガ〕来ける―に、〔女ノ〕車よりかかることぞ言ひたる」〈平中三五〉❹《接続助詞のように用いて》①ところ。「共に世の政をせしめ給ひし―、右大臣は才世にすぐれ…、左大臣は才もことにおとり給へるにより」〈大鏡時平〉②《目的にいう》ため。「〔犯人ヲ〕尋ね求むる―、大和の国に下るに、…といふ所の辺に男さし合ひたり」〈今昔二九ノ八〉③ゆえ。「梶原殿の申されけるにも御許されないと承る―、まして高綱が申すとも、よも給はらじ」〈平家九・生食〉 †aFida **―・み**【間み】《四段》あいまを置く。休憩する。「年の緒落ちず―・むことなく仕へ奉り来る業(わざ)となも念(おも)ほしめす」〈続紀宣命五七〉。「世尊を頂礼したてまつり…悲しび泣き涙を流すこと、情に―・むこと無くして」〈金光明最勝王経平安初期点〉 †aFida-mi **―よ**【間夜】会う夜と会う夜との間。「―ははさはだ(多ク)なりのを(ナッタガ)」〈万三三九五東歌〉

あひたい：アイ【相対】①互いに面と向い合うこと。「これは筆に見え難し。―しての口伝なり」〈風姿花伝〉②当事者同士が相談し、納得の上で事を行なうこと。「その方皆皆―にて、親仁世にまします時、よくよく合点して」〈西鶴・二十不孝二〉 **―じに**【相対死】相愛の男女が申し合わせて自殺すること。情死。心中。〈律令要略〉▽享保七年、将軍吉宗が「心中」の語を嫌ってこの語を使わせた。 **―づく**【相対尽く】互いに承知してすること。「星

と星—の〔七夕ノ〕今宵かな」〈俳・詞林金玉集一〇〉

あひたう アイトウ【相当】①一緒に当番をつとめること。また、当番相手。「身ども一人にてもござらぬ。—がござる程に、あれへ参って談合いたさうと存ずる」〈虎明本狂言・連歌盗人〉②相手になること。「或(ある)は〔喧嘩ノ〕—せしめ、或は兵具を帯びて寄せ懸け、御法に背く族(やから)」〈六角氏式目〉

あひたけ：アイ【合竹・相竹】笙の吹き方。十七本の竹管のうち五本または六本を同時に吹くこと。「今ぞ御法(みのり)に—の、すぐにみちびく彌陀の教へ」〈謡・遊行柳〉

あひたげひと：アイ【共食者】《タゲは食わせる意》宴会で外国の客などと食事をいっしょにする人。饗応の相伴をする人。「—に誰かよけむ」〈紀雄略十四年〉。「凡そ蕃客(外国カラノ使ガ)入朝せば…—二人をつかはせ」〈延喜式治部省〉 †aFitagëFitö

あひだちな・し：アイ【間立ち無し】『形ク』⇩あいだちなし。「—・き(不遠慮ナ)心を詠めるにや」〈魚の歌合〉

あひだてな・し：アイ【間立て無し】『形ク』⇩あいだてなし。「さてもさても—・い事を書き入れて置かれたは」〈狂言記・荷文〉

あびぢごく【阿鼻地獄】⇩あび。「〔ココハ〕師を煎らむが為の—なり」〈霊異記中七〉

あひづ：アイ【会津】《陸奥国の地名》 **—ぼん**【会津盆】会津地方産の漆器。春慶塗の上に黒漆で刷毛書きの乱れ描きをしたもの。「形なき絵を習ひたる—」〈俳・猿蓑下〉 **—らふそく**：ロウ【会津蠟燭】会津地方産の良質の蠟燭。会津蠟。「—拾挺恵まる」〈隔蓂記寛文七・三・一〉

あひづ：アイ【相図・合図】仲間同士であらかじめ決めておく約束や信号。「七条河原にて一つになれと、—を定めて出で立ちけり」〈平家八・鼓判官〉。「なに時を知る—の鼓(つづみ)とや」〈謡・籠太鼓〉。「相図、アイヅ、兼約義也」〈黒本本節用集〉

あひつくり：アイ【相作り】《一緒につくる人の意》手伝い。助手。「物部の人等・酒造児(さかつこ)・酒波(さかなみ)・粉走(こばしり)・灰焼・薪採(かまぎこり)・—(酒波ニ属スル女ノ助手)・稲実公(いなのみのきみ)等」〈中臣寿詞〉 †aFitukuri

あひづち：アイ【相鎚・相槌】①鍛冶が鉄を打つ時、向い側に立った弟子が、主人と交互に打つ鎚。「其の名を得たる宗近が—打つべき者のなきとは心得がたし」〈伽・雪女物語〉。〈塵袋八〉②大工の使う大きな槌。「あひ」とも。「椓撃の二字を—とよむ。大槌の名と云云」〈塵袋八〉。「椓撃、アイツチ」〈塵芥〉。「アイヅチ」〈日葡〉

あひて：アイ【相手】相対して事を行なう者。対抗者。競争者。「人こそ多かるに、〔私ガ〕上の御—にしも取りあたりて」〈沙石集六ノ一八〉 **—くみ**【相手組み】①対すべき相手。「韓信を—にせられたは、こはものでぞあっつらうぞ」〈史記抄四〉②対(つい)となるもの。「—といふ事あり。詩文の法に対句といふ類なり」〈浄土真宗小僧指南集〉 **—しょうぶ**【相手勝負】当事者同士だけで争うこと。「扱ひ手(仲裁人)なき—」〈近松・油地獄上〉 **—づく**【相手尽く】相手次第。相手の出ようでどうにでもなること。「—の勝負の時は、鑓長(やりたけ)にて矢を放すべし」〈諸家評定八〉 **—の持たする心** 相手の出よう次第で、こちらの気持も変化すること。「—にて、そなたがさする悋気(りんき)ぞや」〈浄・弁慶京土産四〉。〈俳・毛吹草三〉 **—むかひ** カムイ【相手向ひ】①「相対(あひたい)」(1)に同じ。「人を—で刺殺なんどするには、勇んでするぞ」〈史記抄一八〉②「相対」(2)に同じ。「喧嘩仕出すの輩に於ては…—に申し付くべきの事」〈毛利家文書三、元亀三・一三・一〉

あひどこ：アイ【相床】一間(ひとま)に並べ敷く床。遊里などで屛風でしきって設ける。また、隣室の床をもいう。「—をきけば伊賀の上野の米屋」〈西鶴・一代男三〉

あひどの：アイ【相殿】同じ社殿に、二柱以上の神を合祀すること。「天孫瓊瓊杵(ににぎ)の尊、此の宮(外宮)の—にまします」〈神皇正統記雄略〉

あひどほ アイドオ【間遠】間が遠いこと。隔たっていること。「此処は—にしておもしろからず。よき所にて見せ参らせん」〈室町殿日記一〇〉。〈文明本節用集〉

あひどり：アイ【相取り】①一つの物事を、共にわかち合うこと。「いづれをも人人—に誦しけり」〈著聞三〇三〉②共謀して人をだましたり盗んだりすること。また、その共謀者。「これを一人語らうて—をさせう」〈虎明本狂言・禁野〉

あひな・し：アイ『形ク』⇩あいなし

あひなめのまつり：アイ【相嘗祭】《アヒナメは、アヒニヘとも アヒンベともいう》天皇が神神に新穀をさし上げ、その相伴をする祭。天武朝に始まり、十月に行なわれたが、平安時代には十一月のはじめの卯(う)の日に行なわれた。後世、賀茂社の斎院などに限られた。「仲冬上卯、—」〈神祇令〉

あひにへ アイニエ【相嘗】食事を一緒にすること。相伴(しょうばん)。「—にあひうづのひまつり(一緒ニ賞美シ申シ上ゲ)」〈中臣寿詞〉 †aFiniFë

あひのきゃうげん アイ…キョウ…【間の狂言】近世、人形浄瑠璃その他の芸能の、段と段または出し物と出し物の間に演じた短い演劇。「七八歳の子あり。—に出でて芸を尽す」〈鸚鵡籠中記元祿八・八・八〉

あひのしゅく：アイ【間の宿】街道の宿場と宿場の中間に位置し、旅人の休息する茶店などのあった村。「間の村」とも。「—にて〔人馬ヲ〕御借り御召し下され候やうにと、歎き訴訟して」〈民間省要中三〉

あひのて：アイ【間の手・相の手】三味線の曲で、唄と唄との間に弾かれる部分。長いのは「合ひ方」「手事(てごと)」という。「三味線の…糸を調べて甲(かん)を取り、—を弾かせらる」〈仮・恨の介上〉

あひのまくら：アイ【相の枕】①男女の共寝。「十四と申す春の頃、若一人まうけ給ひ、—の睦言に、恥づかしとや思ひけん、五条の橋に捨てにけり」〈伽・和泉式部〉②巫女のことばで、配偶者のこと。「枕添ひ」とも。「鴛鴦(あんあう)の—のわが夫(つま)よ」〈近松・三世相三〉

あひのまたあひおほあひ アイ…アイオオアイ【間の又間大間】酒興を添えるために遊里に始まった、酒盃献酬の作法。主客相対して飲む時、接待の係の者がその他の客に盃をさすこと。後には単に主客のいずれかが接待の者に盃をさす意になった。「間の又間孫間」とも。「—と申出して…呑む程に」〈西鶴・諸艶大鑑二〉

あひのもの：アイ【間の物】①「間狂言」に同じ。「〔コノ能ニ〕—あるべし」〈富士の能〉②四度入りの土器(かわらけ)。「四(し)」の音が「死」と通ずるのを忌み、普通の大きさの三度入りと大きな五度入りとの中間という意味で呼んだ。「—で十杯、三度入りで十四杯」〈天理本狂言六義・地蔵舞〉

あひのやま：アイ【間の山】①伊勢神宮の古市・内宮間の坂。近世、お杉・お玉などという女乞食が小屋掛して、篦(ささら)・三味線を伴奏に投げ銭を巧みに避けて間の山節をうたい、また子供の乞食が殿中踊りをした。「—急ぐ事にて候はず 西鶴」〈俳・飛梅千句〉②「間の山節」の略。「—弾く春の入相」〈俳・ひさご〉 **—ぶし**【間の山節】間の山でお杉・お玉などのうたい始めた、哀調に富んだ俗謡。「―とて、三味線・胡弓を、いとをかしく引いて唄ふ者有り」〈浮・好色増鏡一〉

あひばらみ ：アイ【相孕み】一家に二人以上の妊婦のあること。いずれか勝ち負けを生じるといって忌む。「―苦しからぬや萩薄 長頭丸」〈俳・崑山集八〉

あひばん ：アイ【相判】保証人として判を押すこと。また、その保証人。加判人。「―の事、加州(人名)固辞す」〈十輪院内府記文明一四・九・二〉

あひばん ：アイ【相番】共に番を勤めること。また、その勤番の人。「頭弁今夜―也」〈建内記嘉吉二・四・六〉

あひび ：アイ【相火】禁忌の一種。死亡・出産などの穢れのある家の火や、獣などの不浄な物を煮焚きした火を用いるのを忌み嫌うこと。「猪鹿食ひたる人五十日、―の人三十日…過ぎて〔社ニ〕参るべし」〈御霊社服忌令〉

あひびき ：アイ【相引き】①敵味方が互いに弓を引きあうこと。敵に応じて、こちらからも弓を射ること。「敵射るとも―すな」〈平家四・橋合戦〉②戦場で、敵味方がともに後方へ退くこと。「船は沖へ、陸(がく)は陣にと―に引く潮の」〈謡・八島〉③よろいの胸板の上部の左右につけた、胴をつる紐。相引きの緒。古くは「たかひも」といった。「〔亀井ノ放ツ矢ハ〕肝の束ね(腹)するりと通し、―かけて裏をかけ、くっと抜けて」〈幸若・高館〉④《「合引」とも書く》袴(はかま)の両脇の下部の前後を縫い合わせた所。ここをつまみ上げ、股立(ももだち)を取る。「袴の―しっかと取り」〈近松・雪女中〉⑤髷の内側につけた紐。後頭部に掛けて締める。「髷をかけさっし。―さへしっかり締めればいいわ」〈滑・八笑人三追加上〉⑥〔歌舞伎用語〕㋑鳥・星などを釣って操る細い紐。「日覆(ひおほひ)より―付きの鳥あまた群がって」〈伎・平家評判記三〉㋺引抜きの衣裳などに使う仕掛けの細紐。「―の糸を引くと鳥の羽根の縫ひになるっ(刺繍ノアル着物ニ変ル)」〈滑・浮世床初中〉

あひふ ：アイ【合夫】ウズラの雌。体小さく足短く、囀らない。雄を捕るおとりにする。「―、鶉捕る囮(おとり)なり」〈俳・誹諧初学抄〉

あひふくちう アイチュウ【相腹中】考えや気持が一致すること。同心。「〔脇坂モ〕事の外落涙仕りたる由に候。是れ程も―にて候哉」〈細川忠興文書寛永九・六・二四〉

あひぶん ：アイ【相分】対等であること。五分五分。「兄弟―の器量なり」〈三河物語上〉

あひまこま ：アイ【合間小間】合間合間。ひまひま。「―御針に来ます傭人(やとひにん)」〈俳・信徳十百韻〉

あひまぜ ：アイ【相交ぜ】まぜあわせること。また、そのもの。「食(しめ)の食ひやうは、先づ飯を三箸食ひ、その後汁、又その後飯、その次―なるべし」〈大諸礼集五〉

あひまひ アイマイ【相舞】二人で一緒に舞を舞うこと。「あはれ我が子の幸寿があらば美女御前と―せさせ」〈謡・満仲〉

あひ・み ：アイ【相見】『上一』①互いに見る。顔を合わせる。対面する。「昔の人を―・みる如し」〈万三〇九〉②男と女が逢う。契りを結ぶ。「我が背子を―・見しその日今日までにわが衣手は乾る時もなし」〈万七〇三〉 †aFimi

あひみたがひ アイミタガイ【相身互ひ】おたがいに同じような身の上・境遇で、同情しあうべき仲であること。「侍は―の事ならずや」〈吾妻記〉

あひむこ ：アイ【相婿】妻の姉妹の夫。「―なりける者と双六を打ちけり。其の人きはめて心猛くして…―はただ有る者なりけり」〈今昔二六ノ二三〉。〈和名抄〉

あひむしろ ：アイ【相筵】男女の共寝。同衾(どうきん)。「露ほどの瘡(かさ)はよしよし―」〈俳・佐夜中山二〉 **―踏・む** 同衾する。床入する。「嬉しくも星―・み(踏ミ・文)月夜」〈俳・続境海草三〉。「和朝俗語に申す時は、床入とも、―・むとも」〈浮・御入部伽羅女三〉

あひもの ：アイ【合物・相物・四十物】塩魚・乾魚など、塩で処理した海産物の総称。塩合物。「干魚(ひを)を売り候ふ物を―と申し候。……―とは、商ひ物と云ふ事かと存じ候」〈康富記文安六・三・一〉

あひもん ：アイ【合紋・合文】①符牒。割符(わりふ)。また、隠語。「〔皮籠ニ〕小袖一・紬一入れて柳屋へ預け、札の―✡」〈多聞院日記永禄一〇・八・二九〉②符合すること。「何心なき咄しの―、一々胸にこたゆる十兵衛」〈浄・伊賀越六〉

あひやけ ：アイ【相舅・相親家】婿と嫁の両親同士の関係。「山城守広綱と伊賀の判官光季とは―なりければ」〈慈光寺本承久記上〉。「大宮司殿の―と言はれん事のうれしさよ」〈伽・文正草紙〉

あひやど ：アイ【相宿】同じ宿屋または部屋に泊まり合わせること。また、その人。同宿。「あひやどり」「あひじゅく」とも。「―もござらぬ」〈仮・東海道名所記四〉

あひやどり ：アイ【相宿り】一緒に泊まること。「わがやどに―して住む蛙夜になればや物は悲しき」〈後撰一三五一〉。「庵には月ばかりこそ―すれ」〈頼政集〉

あひやひ アイヤイ【相合】「あひあひ」の転。「二三人して―に借り切りたると見えて」〈浮・魂膽色遊懐男三〉 **―ギセル**【相合煙管】二人で同時に吸えるように、火皿は一つで、羅宇が二つあるキセル。比翼煙管。「一把の火縄に火を付けて、―思ひ草(タバコノ異名)」〈近松・丹波与作下〉

あひよみ ：アイ【相読み】①一緒に読むこと。読み合せ。また、その人。「―せう。いざこれへ寄らせませ」〈狂言記・文山立〉②証人。「何事をか作りて、ほしいままに云ふやらん。全く―も無き事なり」〈禁断日蓮義三〉。〈日葡〉

あひよめ ：アイ【相嫁】息子兄弟の妻同士にいう。「兄弟之妻相呼為妯娌、阿比与女(あひよめ)」〈和名抄〉

あびらうんけん【阿毘羅吽欠】《梵語の音訳》大日如来を祈るときの呪文。この五字に地・水・火・風・空の一切の諸法をふくむという。「手を握りては―」〈俳・犬筑波〉

あひ・ゐ ：アイ【相居】『上一』(大勢のものが)いっしょにいる。同座する。「便悪しくせばき所にあまた―・ゐて」〈徒然三〇〉

あひんべ アインベ【相嘗】「あひにへ」の音便形。「相嘗、アヒムベ」〈名義抄〉

あぶあぶ ①溺れかかって水を呑んだり吐いたりするさま。あっぷあっぷ。「水を喰うて―と浮き上れば」〈近松・天神記二〉②危ぶみ恐れるさま。ひやひや。「明け暮れ―と底なき舟に乗る心」〈近松・虎が磨中〉

あふ・ぎ アオギ【仰ぎ】『四段』①首を上に向けて上の方を見る。あお向く。「君が御門を天のごと―・ぎて見つつ」〈万三二三四〉②敬意をもって見る。(地位の高い者や偉大なものを見上げて)頼みにする。「末の世の儲(まうけ)の君と、天の下の頼み所に―・ぎ聞えさするを」〈源氏若菜上〉。「〔信仰ノ形式ノ面モ〕―・ぎて是を尊むべし」〈徒然一五七〉③(力あるものの恩恵を)請う。求める。「偏へに冥助を―・ぐ」〈平家三・医師問答〉 †aFugi

あふ・ぎ アオギ【扇ぎ】㊀『四段』物を動かして風を送る。「けぶたきまで―・ぎ散らせば」〈源氏鈴虫〉 ㊁『名』《オウギとよむ》①今の扇子(せんす)・うちわに似たもの。竹や木の骨に地紙を張って作る。夏扇とも。「とこしへに夏冬行けや〔冬ノ〕裘(かはごろも)〔夏ノ〕―放たぬ山に住む人(仙人)」〈万一六八三〉。「—の骨は朴(ほほ)、色は赤き、紫、緑」〈枕二六五〉 ②「檜扇(ひあふぎ)」に同じ。「—ばかりをしるしに取りかへて出で給ひぬ。…しるしの—は桜重ねにて」〈源氏花宴〉 ▽名義抄には名詞はアフキと清音。動詞はアフグと濁音。「あふぎ(扇)」は「あふ(逢)」に通じるので、餞別に贈ることが多い。†*aɸuki **—あはせ**(アワセ)【扇合せ】平安時代、貴族の間に流行した物合せの一。判者の審判の下に、扇の良否、扇面に書いた詩歌・書風の優劣を、左右にわかれて競う。「殿上にて—といふ事ありけるに」〈十訓抄一〇ノ六八〉 **—うり**【扇売】①夏五月、扇の地紙箱を持って、町中を呼び売りし、客の注文に応じて、その場で折って売った行商人。「吹く風に我身をなすや—」〈俳・埋草三〉。〈七十一番歌合〉 ②近世、元旦早暁から触れ声高く売り歩いた、年玉用の扇の行商人。「—が招いてや来る今朝の春」〈俳・三つ物揃〉 **—ぐるま**【扇車】扇を三つ組み合わせて車輪の形にした玩具の風車。「要(かなめ)こそ—の両くさび」〈俳・詞林金玉集九〉。〈俳・毛吹草三〉 **—ずまひ**(マズイ)【扇相撲】畳んだ扇の両端を親指と人差指とでつまんで引き合う遊戯。「扇引き」「扇ずまふ」とも。「秋立ちて取らぬは—かな」〈俳・毛吹草六〉 **—だけ**【扇長・扇丈】一尺二寸の長さ。普通の扇の丈(たけ)は一尺二寸なのでいう。「—ほどの木なりとも、松杉或いは竹・雑木にても、何十本植ゑたるぞ」〈中興和尚法度〉 **—たるき**【扇棰・扇垂木】扇骨のように、中心から放射状に配置した棰。「鋲釘(びやうくぎ)は—の要(かなめ)かな」〈俳・玉江草三〉 **—ながし**【扇流し】①種種の美しい扇を川・池などに流す、風流な遊び。「月影は—の川瀬かな」〈俳・山の井三〉 ②水面に扇が流れるさまに扇面を貼り、または描いた模様。「屛風召し寄せ、一覧す。源氏絵—也」〈看聞御記嘉吉三・九・二三〉 **—ばら**【扇腹】近世、武家の刑罰の一。切腹と斬罪との中間の刑で、三方に載せた扇を受刑者が戴(いただ)く時に、介錯(かいしやく)人が背後から斬首する。「切腹迄はあらずとも、縄目を許し、—」〈浄・曾我姿富士五〉 **—びき**【扇引き】①くじを引いて、扇を引きあてる遊び。「—など人人にせさせむなどありし、御扇ども設けて」〈讃岐典侍日記〉 ②「あふぎずまひ」に同じ。「指の骨の力試しや—」〈俳・智恵袋三〉。〈俳・毛吹草二〉 **—びゃうし**(ビョウシ)【扇拍子】扇で掌をうち鳴らして拍子を取ること。「見渡せば—で唄ふらん」〈俳・鷹筑波三〉 **—ぼし**【扇子星・扇星】《末広に尾を引いた形が扇に似ているので》 彗星(すいせい)。「世は末広—にや明けの春」〈俳・三つ物揃〉 **—を置・く** 秋、涼しくなって扇を使わなくなる。「初秋〔ノ季語〕…—・く」〈至宝抄〉 **—を鳴ら・す** 人を呼ぶ時、歌の拍子をとる時などに、扇をぱちぱちと鳴らす。「戸口に寄りて—・し給へば弁も参りて導き聞ゆ」〈源氏総角〉 **—をり**【扇折り】扇の地紙折りの女。ひそかに売色もした。「〔京都五条〕御影堂の—、骨身をくだきかせげども」〈近松・百日曾我三〉。〈日葡〉

あふ・げ(アオゲ)【仰げ】〘下二〙《アフギ(仰)の他動詞形》上の方へ向ける。あお向ける。「大相国禅門の御流れには、琵琶を—・ぐるやうに持ちてこれを弾く」〈胡琴教録上〉。「歌会などには、硯の蓋—・げて〔文台ニ〕置き侍り」〈私用抄〉

あふご(オウゴ)【朸】《室町時代まで清音》物をになう棒。てんびん。和歌では多く「逢ふ期(ご)」にかけていう。「人恋ふることを重荷とになひもて—なきこそわびしかりけれ」〈古今一〇五八〉。「朸、和名阿布古(あふご)、杖名也」〈和名抄〉

あふさか(オウ)【逢坂】⇒あふさかやま。「—を打ち出でて見れば」〈万三二三八〉。「—にて人を別れける時」〈古今三七四詞書〉 **—のせき**【逢坂の関】逢坂山にあった関所。大化二年に置かれ、桓武天皇の時に一旦廃絶、文徳天皇の時に改めて置かれたが、間もなくまた廃絶したという。「—やいかなる関なればしげきなげきの中を分くらむ」〈源氏関屋〉 **—やま**【逢坂山】山城と近江との国境にある山。都を出て逢坂山を越えると東路(あづまぢ)となる。東国は西国より辺境の感じが強かった。名の意味から「逢ふ」の懸詞に用い、歌の世界でも愛用された。逢坂。「近江路の—に手向けして」〈万三二四〇〉。「名にし負はば—のさねかづら人に知られで来るよしもがな」〈後撰七〇一〉

あふさきるさ(アウ)【合ふさきるさ】《サはカヘルサ(帰)・クサ(来)・ユクサ(行)のサと同じで、進退の方向の意から転じて、…の場合の意》一方がつく状態だと他方が離れる状態になる、一方がよければ他方が悪い、というように、物事がくいちがったり、どうどうめぐりしたりしてうまく運ばぬ状態。「そゑにとてとすればかかりかくすればあな言ひしらず—に」〈古今一〇六〇〉。「心のいとまなく—に思ひ乱れ」〈徒然三〉

あぶさはず(アブサワズ)【遺さはず】〘連語〙《アブシ(溢)の反復・継続形アブサヒの未然形アブサハに打消の助動詞ズのついたもの》残さず。「食国(をすくに)の四方の人をも—恵みたまへば」〈万四二五四〉

あふさわに(アウ)〘副〙会うとすぐに。会うとたちまち。すぐさま。軽率に。「さ男鹿の萩に貫きおける露の白珠—誰の人かも手にまかむちふ」〈万一五四七〉 ▽アフサ(逢う時)とアワニ(アワテ・アワタタシのアワを語幹とする副詞。急にの意)との複合語か。

あぶ・し【溢し】〘四段〙《アブレ(溢)の他動詞形》(定量・員数から)はみ出させる。余す。残す。「さしも深き御志なかりけるをだにおとし—・さず取りしたため給ふ」〈源氏玉鬘〉。「遺、アブス」〈名義抄〉

あぶ・し【浴ぶし】〘四段〙湯水などをからだにそそぎかける。「あむし」とも。「喜びながら湯を—・して見るにただ人と見えず」〈今昔二ノ二六〉

あふじゃう(オウジョウ)【圧状】人を脅迫して無理に書かせた証文。「有恒妻を強責して取り進(まゐ)らする所の—也」〈小右記万寿二・七・二〉

あふせ(アウ)【逢ふ瀬】(愛し合う男女の)あう機会。「たなばたの—は雲のよそに見て」〈源氏幻〉 →瀬

あふち(オウチ)【樗・楝】①センダンの古名。初夏に碧紫の小花を梢の先につける。「妹が見し—の花は散りぬべし」〈万七九八〉。「木のさま憎げなれど—の花いとをかし。…必ず五月五日にあふもをかし」〈枕三七〉。「〔宗盛親子ノ首ハ〕大路を渡して左の獄門の—の木にぞかけたりける」〈平家一一・大臣殿被斬〉 ②襲(かさね)の色目の名。「五月五日になりぬれば人人菖蒲(さうぶ)・—などの唐衣」〈栄花輝く藤壺〉

あふ・ち(アオチ)【煽ち】㊀〘四段〙あおる。「半岩の石鏡の上の雲を—・ち破って」〈四河入海二四下〉 ㊁〘名〙吹きあおる風。「はためく門(かど)の幟(のぼり)の音、—に売場の火も消えて」〈近松・油地獄下〉 **—かぜ**【煽ち風】吹きあおる風。「又は—など人に当らぬやうにせよ」〈百丈清規抄一三〉 **—びんぼふ**(ボウ)【煽ち貧乏】稼いでも稼いでも抜けられぬ貧乏。働けば働くほど貧乏になる生活。「心を砕けども、—のただ中にて」〈仮・秋の夜の友四〉

あぶつけ【鐙付】宿場の乗掛け馬の両脇につける小荷物。「—(虻ト掛ケル)のあるによりてや馬の蝿」〈俳・沙金袋三〉

あふどこ・び(アウドコビ)【跨び】〘上二〙①またがる。「巖翠に—・び枕(よ)りて、林泉を縈帯(けいたい)せり」〈三蔵法師伝三・院政期点〉 ②越える。「蒼海(あをうなばら)を渡り、万里(とほきみち)を—・びて」〈紀舒明九年〉 ▽この語は次の例によって上二

段活用と推定される。「奢跨、ヲゴリアフドコビント」〈金沢文庫本春秋経伝集解三・鎌倉期点〉。「跨者、アフドコブルモノ」〈老子康応点〉。また、アフドコミ・アフツクミ・アドコビの例もある。アドコビはアッドコビの促音を書かない形。「蹘跨齊足而踊貌、又越也、阿不止己牟(あふどこむ)、又乎止留(をどる)」〈新撰字鏡〉。「千古に跨(あふつく)むで、以て名を飛ばし」〈玄奘法師表啓平安初期点〉。「任那(みまな)に跨(あどこ)び拠りて」〈紀顕宗三年〉

あふなあふな（アウナアウナ）【副】分相応に。「—思ひはすべしなぞへなく高き卑しき苦しかりけり」〈伊勢九三〉 ▽真名本伊勢物語に「随分」とある。しかし、「あふなあふな」をアブナアブナと見て、恐る恐る、慎重に、と解する説もある。「おふなおふな」とは別語。

あぶな・し【危し】『形ク』《無考えに行動して、人に迷惑をかけそうだの意。類義語アヤフシは、周囲の状況から推察して、物事自身が壊れ、そこなわれそうだの意。中世以後アブナシ・アヤフシの意味は混同された》①無考えで、人に迷惑をかけそうである。「〔入水シタ浮舟ニ〕などかく—・きことはせさせ給ふ」〈源氏手習〉。「—・きことや宣ひ出でむ」〈源氏真木柱〉 ②危険がある。危険である。「内裏近き火の事ありて、すでに—・かりしかば」〈建礼門院右京大夫集〉。「あやふきことを—・しはよしと云へり。浮雲とも書くとかや」〈俳・かたこと三〉。「浮雲、アブナシ」〈易林本節用集〉

あふの・き（アオノキ）【仰き】㊀『四段』（頭や体などが）上の方を向く。あおむく。「—・きたるをば正念なく見ゆと云ひ、落首(おちくび)なるをば物を求むるかと笑ふ」〈教訓抄七〉 ㊁『名』（頭や体などが）上の方を向くこと。あおむき。「起きむも心もとなくて、—に寝ながら」〈宇治拾遺一五九〉

あふの・け（アオノケ）【仰け】『下二』（頭や体などを）上向けにする。あおむける。「大の法師を取って—・け、胸を踏まへ」〈義経記六〉

あふばう（オウボウ）【押妨】《アフハウと清音にも》力ずくで他の正当な権利を妨げること。「すみやかに先例に任せて、入部(にふぶ)の—をとどめよ」〈平家一・鵜川軍〉

あふひ（アオイ）【葵】草の名。歌では「逢ふ日」にかけて用いることが多い。①蔬菜のフユアオイのことという。「梨(なし)棗(なつめ)黍(きみ)に粟嗣ぎ延ふ田葛(くず)の後も逢はむと—花咲く」〈万三八三四〉 ②今のタチアオイ。梅雨前に咲く花を観賞する。「心もて日影に向ふ—だに」〈源氏藤袴〉 ↓からあふひ。③フタバアオイ。賀茂祭の日に、社前・牛車、また柱・簾・几帳などにつけ、插頭(かざし)にもした。「祭の日…—をかたはらに置きたりけるを」〈源氏幻〉。「—いとをかし。神代よりして、さるかざしとなりけむ」〈枕六六〉。「祭過ぎぬれば、後の—不用なりとて」〈徒然一三八〉 †aFuFi **—かつら**【葵桂】賀茂祭に人人が衣冠や簾などに插す物。葵と桂とを組み合わせて作る。「祭のかへさ、いとをかし。…立てる車ども、—どももうちなびきて見ゆる」〈枕二二三〉 **—ぐさ**【葵草】「あふひ」に同じ。歌語として多く使われた。「祭の日…葵を見たまひて『くやしくぞつみ(摘ミ・罪)をかしける—神の許せるかざしならぬに』」〈源氏若菜下〉 **—まつり**【葵祭】「賀茂の祭」に同じ。「四月中の酉の日、—あり」〈仮・狂歌咄五〉。「賀茂の—に葵鬘を懸くる事あり。是を取りて還り、軒の棲に掛け、または几帳に是を掛くれば、雷の難無しと云ふ」〈説法式要一〇〉。〈書言字考〉

あふみ（オウミ）【淡海】《「潮海(しほうみ)」の対。アハウミの約。ウミは湖や大きな池についてもいう》①淡水の湖。「新治(にひばり)の鳥羽の—も秋風に白波立ちぬ」〈万一七五七〉 ②【近江】㋑《「近つ淡海(あはうみ)」の略。「遠つ淡海(あはうみ)」である遠江の浜名湖に対していう》琵琶湖。「みるめかるかたぞ—に無しと聞く玉藻をさへやあまはかづかぬ」〈後撰七七三〉 ㋺旧国名の一。東山道八国の一で、今の滋賀県。江州。「—のや矢橋の小竹(しの)を矢着(は)かずて」〈万一三五〇〉 †aFumi **—さるがく**【近江猿楽】南北朝・室町時代にわたって近江国に栄えた猿楽。日吉神社をめぐる上三座と、多賀神社をめぐる下三座とがあった。「あまりに、—は身を持ち下げて、近江なんどにては山法師の若党のやうなり」〈申楽談儀〉 **—じま**【近江縞・近江島】近江国高宮産の帷子(かたびら)地・袴(はかま)地。麻に絹糸入りで縞模様を織り出した見事な生地。高宮縞・春日縞・大内縞ともいう。「七度まで汗の干潟(ひがた)や—」〈俳・各盞〉 **—すげがさ**【近江菅笠】近江から産出した菅笠。古くは信楽(しがらき)から産し、近世は菅宮(すげのみや)で製造した。「—を着たるもあり」〈仮・東海道名所記一〉 **—ぬの**【近江布】近世、近江国高宮で生産した麻布。生平・蚊帳地・袴地・帷子地等があった。「—の蚊屋に、赤根染の乳縁(ちべり)付けしを」〈西鶴・織留一〉 **—のうみ**【近江の海】琵琶湖の古称。「—夕浪千鳥汝が鳴けば心もしのにいにしへ思ほゆ」〈万二六六〉

あぶみ【鐙】《「足(あ)踏み」の意》馬具の一。鞍の下の両側で、乗り手の脚をささえるもの。鉄または木で作る。「川の渡り瀬—漬(つ)かすも」〈万四〇二四〉 †abumi **—がしら**【鐙頭】後頭部の張り出た頭。さいづち頭。「頭の—なりければ、首は背につかずして」〈今昔二八ノ二一〉 **—を外・す** 武士の礼法の一。馬上の武士が道中(みちなか)で出逢った徒歩の武士への挨拶として、鐙から片足を外す。「馬に乗りたる者が—・せば、徒歩(かち)なるものは笠を脱ぐ」〈浄・常盤物語八〉

あぶら【油・脂】①植物性動物性の脂肪の総称。「風病には油膩(あぶら)つけるものを服(き)せよ」〈金光明最勝王経平安初期点〉。「うごまを—にしぼりて売るに」〈宇津保藤原君〉。「油、阿布良(あぶら)」〈和名抄〉 ②勤労。また、その産物。「つとめて民の—をしぼり取り臣下に祿をくはせらるるぞ」〈毛詩抄一八〉 ③他人にたかって無銭で飲食などをすること。また、その者の隠語。「—とは、物によくしみつくこと」〈評判・吉原人たばね〉 ④おせじ。うれしがらせ。「—といふ語は、艶(つや)といふに同じ。戴詞(のせことば)なり」〈譬喩尽六〉 **—うり**【油売り】点燈用種油の行商人。近世には、油をいれた丸桶を天秤棒でかつぎ、藍色の木綿服・渋染の胸前垂をつけ、油手を拭く打藁を持ち歩いた。「宵ごとに都に出る—更けてのみ見る山崎の月」〈七十一番歌合〉 **—ぎ・り**【脂ぎり】『四段』《アブラキリとも》脂でぎらぎらする。「膏は—・った味のうまい心か」〈玉塵抄四五〉 **—ぐち**【油口】すらすらとよくしゃべる口。口上手。「—のすべるに任せて」〈仮・可笑記三〉 **—こぼさず**【油零さず】才能はないが、おとなしくまじめな者。「燈明の—身を過ぎて」〈俳・独吟一日千句〉 **—つき**【油坏・燈盞】燈油を入れて火をともすのに用いる小さい皿。油皿。燈蓋(とうがい)。「燈盞、阿布良都岐(あぶらつき)」〈和名抄〉 **—づき**【油月】月光が水蒸気のためうるんで、ちょうどその周囲に油を流したようににぶく見える月。「—はあんどんげなる光かな」〈俳・犬子集五〉 **—づ・き**【脂づき】『四段』脂肪がつく。脂が乗る。「手・足・はだへなどの清らに肥え—・きたらんは」〈徒然八〉。「脂、アブラヅク」〈文明本節用集〉 **油壺(あぶらつぼ)から出すやう** つやつやしく美しいさまの形容。「御姿を見申すに、—な男」〈浮・元禄曾我物語一〉 **—ねずみ**【油鼠】油であげた鼠。狐を釣る餌にする。「野狐がーの餌に釣らるる類」〈近松・女夫池三〉 **ーび**【油火】燈心を燈油(とぼしゆ)にひたしてともす燈火。近世では、菜種油・綿実油の上級品および下等な鯨油が使用された。「ーの光に見ゆる我が鬘(かづら)さ百合の花の笑まはしきかも」〈万四〇八六〉 †aburabi **ーひかず**【油引かず】①油を塗ってないこと。「若後家やーの髪の露」〈俳・談林十百韻上〉②煙草の葉面に油を引かないで手刻みにした上等品。粗製品は刻み易いように油を引くので臭気があった。「吉野・服部〔産〕のー」〈浮・世の昼狐下〉③《坊主頭で髪油を使わないから》売色の比丘尼(びくに)の隠語。「〔比丘尼ヲ〕またーとも云ひ」〈浮・傾城新色三味線四〉 **ーむし**【油虫】①〔遊里語〕張見世(はりみせ)の遊女を見歩くだけで登楼せぬ者。ひやかし。素見(すけん)。「憎きもの。…ーのから騒ぎ」〈評判・讃嘲記〉②他人につきまとって、遊興・飲食などを無銭でする者。「宿屋のーにならんも…口惜しく侍れば」〈評判・讃嘲記〉 **ーわた**【油綿】髪につける香油をしみこませた綿。「〔馬ノ〕髪を短く切りて、ーをぬられたりければ」〈著聞五三〇〉。「脂綿、阿布良和太(あぶらわた)」〈和名抄〉 **ーを乗・す** ①一生懸命に努力する。より積極的に物事をする。「めっきりと諸芸にー・せられ」〈評判・二挺三味線大坂〉②お世辞をいう。機嫌をとる。おだてる。「上上客と言ふを聞きて、いよいよー・するもをかし」〈浮・傾城武道桜一〉

あふり アオリ【障泥】鞍の下から馬の両脇腹に垂らし、泥のはねを防ぐ毛皮または革製の馬具。のち装飾品となり晴天にも用い、野外で敷物の代用にもした。「ーといふものを敷きておろし奉る」〈源氏浮舟〉

あふ・り アオリ【煽り】『四段』①あぶみで馬の腹を蹴って進ませる。「〔馬ハ〕ー・れども、ー・れども、打てども打てどもはたらかず」〈平家九・木曾最期〉②風などが吹き動かす。「北風頻りにー・るの間…火を放たしむ」〈吾妻鏡治承四・九・一三〉③人をおだててやらせる。「思入れー・り付けて、おごらせてやろうではねへか」〈滑・八笑人二下〉

あぶ・り【炙り】『四段』物の表面だけを、炎や熱気にあてる。「ー・り干す人もあれやも濡衣を家には遣らな旅のしるしに」〈万一六八八〉。「火の勢高く燃え上がりぬれば痛くー・られて皆死にぬ」〈今昔四ノ一〉。「焚、物入火之貌、保須・阿夫留(あぶる)・也久」〈新撰字鏡〉 **ーどうふ**【炙り豆腐】方形に切り、串に刺して炙った豆腐。「中酒三返、肴一種、ー也」〈隔蓂記正保二・四・晦〉。〈日葡〉

あふりゃう オウリョウ【押領】①監督。統率者。「司兵晏子欽ーに宛つるに堪へたり」〈続紀天平宝字六・五・一九〉②自分の所領ではない地を無理に犯し取ること。「一国を打ち取るといふともそのとが過ぎじ。然れば同じく坂東をーしてその気色を見給へ」〈今昔二五ノ一〉③他人のものを力ずくで奪い取ること。「隣境遠境数国を掠領して、土宜土貢(とぎとこう)=地方ノ産物トソノ献上物)万物をーす」〈平家七・平家山門連署〉 **ーし**【押領使】諸国の凶漢を鎮定するために朝廷から任命された官。天平宝字三年に始まる。「上野ー権大掾南淵秋郷」〈三代実録元慶三・七・一〇〉

あぶ・れ【溢れ・散れ】『下二』《アブシ(溢)の自動詞形。一定の入れ物や枠に入りきれないではみ出し、はみ出たものは使いものにならなくなる意》①あまってこぼれる。「葦鴨のすだく池水ー・るとも」〈万二八三三〉。「手のほかに余し落し、ー・れ散らして水を早く失ふ事なかれ」〈正法眼蔵洗浄〉。「溢、アブル」〈名義抄(図書寮本)〉②脱落して散らばる。失格してはみ出す。「見苦しきさまにて世にー・れむも」〈源氏東屋〉。「ー・れたる兵共…あわてさわいで馳(は)せまゐる」〈平家二・烽火〉 ▽清音の例は室町時代以後に見える。 **ーもの**【溢れ者】①(本道から)はずれた者。わきまえを知らぬ者。「『まろをまづ集まりて打て。さらばこそおのれらも子は設けん』…『いとど今はさやうなるー出て来(く)まじげなる世にこそ』」〈狭衣四〉②支配秩序から逸脱した者。また、浮浪無頼の徒。「真木・葛葉のーどもを加へて、その勢都合三千余騎」〈太平記八・四月三日〉。「諸方牢牢のーども、京都に徘徊し、ここかしこに隠住せしめ、徒党をくみ」〈室町殿日記一〇〉

あ・へ アエ【合へ】㊀『下二』《合ヒの他動詞形》①合わせる。一つにする。「白玉を包みて遣らばあやめ草花橘にー・へも貫(ぬ)くがね」〈万四一〇二〉②(相手に)合わせる。承知する。了承する。「人の相引くことを覓(もと)むるに一(ひと)りもー・ふる者なし」〈三蔵法師伝二・院政期点〉③(櫓などを)そろえる。「いざ子どもー・へて榜(こ)ぎ出む」〈万三八八〉④交尾する。「まなばしら(セキレイ)尾行きー・へ」〈記雄略〉⑤【和へ】野菜や魚などを塩・みそ・ごまなどでまぜあわせる。「其の突き懸けたる物(ヘド)を鮨鮎(すしあゆ)にこそー・へたりけれ」〈今昔三一ノ三二〉。「調和、塩安不(しほあふ)」〈新撰字鏡〉⑥【饗へ】食物を作ってもてなす。「葉盤(ひらで)八枚(やつ)を作(な)して食(くらひもの)を盛りてー・ふ」〈紀神武即位前〉㊁『名』【饗】もてなし。饗応。馳走。「装ひせしむること、ーせし時の如くして」〈紀雄略十四年〉。「佐客、饗於他、人爾阿戸須(ひとにあへす)」〈新撰字鏡〉 ▽この語はまた、多くの動詞連用形に加わって融合し、新しい動詞を形成する。みな、相手の状態にぴったり合わせる意に起る。例えば、オサヘ(押)は押シ合への約(osiaꜰë→ösaꜰë)、カカヘ(抱)は懸キ合への約(kakiaꜰë→kakaꜰë)、ツカヘ(仕)は突キ合への約(tukiaꜰë→tukaꜰë)、トラヘ(捕)は取リ合への約(töriaꜰë→töraꜰë)。 †aꜰë

あ・へ アエ【敢へ】『下二』《合へと同根。事の成行きや、相手・対象の動き・要求などに合わせる。転じて、ことを全うし、堪えきる意》①(事態に対処して)どうにかやりきる。どうにか持ちこたえる。「かく恋ひば老いづく吾が身けだしー・へむかも」〈万四二二〇〉。「〔京ニ出ルノハ無理ダロウガ〕ここまではー・へなむ」〈源氏手習〉②こらえきる。「秋されば置く露霜にー・へずして都の山は色づきぬらむ」〈万三六九九〉。「悲しび泣くこと堪忍(あ)へずして」〈金光明最勝王経平安初期点〉③差支えない。…してよろしい。「山伏の蓑代衣(みのしろごろも)にゆづり給ひてー・へなむ」〈源氏初音〉④《動詞連用形に続いて》㋑…しきれる。「人の心は守りー・へぬもの」〈万二六五七〉㋺すっかり…する。「織る機(はた)を君が御衣(みけし)に縫ひー・へむかも」〈万二〇六五〉。「つつみもー・へず(辛抱しきれず)泣かれて」〈源氏御法〉 †aꜰë

あべかこ 下まぶたを指で引き下げて、拒絶の意を示す動作。あかんべい。「あべかこう」「べかこう」とも。「訳もない、放さんせ。…まあなりますまい、ー」〈浮・新色五巻書四〉

あべかはかみこ ‥ワ‥カ【安倍川紙子】駿河安倍川地方名産の紙子。縮緬皺(ちりめんじわ)やいろいろの小紋を付けてあった。賤機(しずはた)紙子。「土産として、杉原拾帖、ー壱面これを恵まるる也」〈隔蓂記寛永一九・九・一三〉

あへ・ぎ アエギ【喘ぎ】『四段』《平安時代まではアヘキと清音。室町時代には清濁両形ある》はげしく息をする。息を切らす。「ー・きつつ我が漕ぎゆけば」〈万三六六六〉。「喘、アヘク」〈名義抄〉。「喘、アエグ」〈文明本節用集〉 †aꜰëki

あべ・し【有べし】『連語』《動詞有リに助動詞ベシが連なったアルベシの音便形アンベシのンを表記しない形》①大体こうのはずだ。「世のー・きさま、人の心の良きも悪しきも、過ぎたるも後れたるも、みな御覧じ知りて」〈紫式部日記〉

②あるのが当然だ。必要だ。「儀式など、—・い限りにまた過ぎて(規定以上ニ)珍しきさまにしなさせ給へり」〈源氏行幸〉

あへしら・ひ アエッライ ㊀〘四段〙《アシラヒの古形。相手に合わせて応対する意》①相手をする。「ことずくなに言ひて、をさをさ—・はず」〈源氏若紫〉②(巧みに)応答する。「これをさまざまに—・ひ、そぞろごとにつれづれをば慰めつつ」〈紫式部日記〉③取り合わせる。付け合わせる。「物の汁して—・ひて」〈かげろふ上〉㊁〘名〙①応答。挨拶。「殊なることなき—ばかりを慰めにてはいかが過ぐさむ」〈源氏若菜下〉②取り合わせ。付け合わせ。「勿論、十三夜〔ノ歌ハ〕、月の—なき事もあれども、同じくはあるがよきなり」〈耳底記〉

あべたちばな【阿倍橘】柑橘類の一種。ダイダイ・ミカン・クネンボ・タチバナ等の説がある。「吾妹子に逢はなく久しうましもの—のこけむすまでに」〈万二七五〇〉。「橙、安倍太知波奈(あべたちばな)、似ㇾ柚而小者也」〈和名抄〉。「橙、アベタチバナ」〈名義抄〉 †abëtatibana

あべちゃ【安倍茶】駿河国安倍川流域に産する煎茶。特に足久保村産が上等品とされた。「—問屋して、江戸麹町に〔身代〕よろしき者あり」〈西鶴・諸国咄五〉

あへて ：アエ【敢へて】〘副〙《アヘ(敢)に助詞テがついて副詞化した語》①押し切って。強引に。「由良の崎潮干にけらし白神の磯の浦みを—漕ぐなり」〈万一六七一〉②少しも。全然。「我今命を帰(よ)せて諸仏の前に対したてまつりて、皆悉く発露す。—覆蔵せず」〈金光明最勝王経平安初期点〉。「—惜む所に非ず」〈今昔六ノ六〉。「かへって御感に預りし上は—勅勘なかりけり」〈平家六・紅葉〉 †aɾëte

あへて・り ：アエ【合へ照り】〘四段〙《アヘは一緒にの意》照りはえる。照りあう。「消(け)残りの雪に—・るあしひきの山橘を裏(つと)に摘み来な」〈万四四七一〉 †aɾëteri

あへな・し ：アエ〘形ク〙《「合へ無し」の意。死・出家・失踪・焼失など、もはやとりかえしのつかない結果に対して、手の打ちようもなく、がっくりした気持にいうことが多い》①(今となっては)どうしようもない。「〔尼ニナッテ〕みづから額髪をかきさぐりて、—・く心ぼそければうちひそみぬかし」〈源氏帚木〉。「十一日、御葬送せさせ給ふ。かへすがへす—・う、いみじう心憂し」〈栄花見はてぬ夢〉②(対処しようにも手ごたえもなく)はりあいがない。あっけない。「—・きまで、〔簡単ニ〕御前ゆるされたるは」〈枕一八四〉。「前ざまへ強く引きたるに、うつぶしにまろびぬ。—・きこと限りもなし」〈著聞三八二〉③もろくはかない。おもに死に関していう。「ここにて切られたらば、—・く討たれたるとぞ言はれんずる」〈義経記五〉

あへなむ ：アエ【敢へなむ】〘連語〙《動詞敢へに、完了の助動詞ヌの未然形ナと、推量の助動詞ムの終止形のついたもの》かまわない。よいとしよう。「我が御咎ある事は—」〈源氏柏木〉。「〔絵具ガツイテ〕赤からむは—とたはぶれ給ふさま」〈源氏末摘花〉

あへぬ・き ：アエ【合へ貫き】〘四段〙合わせてつらぬき通す。「霍公鳥(ほととぎす)いたくな鳴きそ汝が声を五月(さつき)の玉に—・くまでに」〈万一四六五〉 †aɾënuki

あへまぜ ：アエ【和へ交ぜ】干物などを削り、精進物を交ぜ、煎酒(いりざけ)・水・酢であえたもの。「御献立、…御湯漬・塩引・ふくめ鯛・焼物・—・飯」〈浅井備前守宿所饗応記〉

あへもの ：アエ【韲物・和物】野菜・魚貝類を酢味噌・胡麻などであえてつくった料理。「つみためて—にする鬼あざみ」〈俳・犬筑波〉。「韲、阿倍毛乃(あへもの)」〈和名抄〉

あへらく ：アエ【会へらく】《会へりのク語法》会っていること。「御民(みたみ)われ生ける験(しるし)あり天地の栄ゆる時に—思へば」〈万九九六〉 †aɾeraku

あへんど《アヒヘンタフ(相返答)の訛》応答すること。また、会釈(えしやく)。「請け返答」とも。「頤(おとがひ)のかひだるいほど詫びれども、—も打たれぬは、侮っての儀か」〈浄・二つ腹帯三〉

あほ【会ほ】動詞「会ひ」の連体形「会ふ」の上代東国方言。「—時(だし)も会はのへ時も」〈万三四七八東歌〉

あま【天】「あめ」の古形。「—飛ぶ鳥も使そ」〈記歌謡八五〉▽「天つ」「天の」の形で他の語に冠する。アマは、何もないという意のソラ(空)とは異なり、奈良時代及びそれ以前には、天上にある一つの世界の意。天上で生活を営んでいると信じられた神神の住む所をさした。天皇家の祖先はアマから降下して来たと建国の神話にあり、万葉集などにも歌われている。それでアマは、天上・宮廷・天空に関する語につけて使う。

あま【尼】《梵語の音訳。母の意》仏道に入った女。平安時代には髪を肩のあたりで切り揃えた。「昔、ことなることなくて—になれる人あり」〈伊勢一〇四〉。「髪もかき垂れなどしてみれば—のほどにふさふさとかかりたり」〈とりかへばや中〉

—に削(そ)・ぐ 尼のように髪の先を切り揃える。「—・ぎたる稚子(ちご)」〈枕(能因本)うつくしきもの〉→あまそぎ

あま【雨】《「天(あま)」と同根》「あめ」の古形。複合語の中だけに残っている。「—ごもり」「—つつみ」など。「—間あけて国見もせむを故郷の花橘は散りにけむかも」〈万一九七一〉

あま【海人・蜑】海で漁業に従事する人。魚貝を捕り藻を刈り塩をつくったりなどする。「潜(かづ)きする—は告るとも」〈万一三〇三〉。「これや—の塩焼くならむ」〈源氏須磨〉▽「白水郎」とも書く。白水は中国鄮県の地名。白水郎は、海上交通の役を司った者、あるいは白水の漁夫の意。鄮県の白水郎の名に親しんだ日本の留学生が、それをアマの表記に用いたものであろうという。

あま【案摩】雅楽の曲名。もと天竺楽であったが、仁明帝のときより改作して用いるようになった。舞う人は二人。巻纓(けんえい)・老懸(おいかけ)・笏(しゃく)の装束で面をかぶって舞う。答舞には番舞(つがひまひ)と二舞(にのまひ)とがある。「沙陀調、案摩」〈和名抄〉

あまうち【雨打ち】「あまおち」に同じ。「御前の—の石に尻かけて並(な)み居たり」〈盛衰記四〉

あまうへ ：エウ【尼上】尼になった、貴人の正妻。また一般に、尼の敬称。「—とう帰らせ給はなむ」〈源氏手習〉

あま・え【甘え】〘下二〙①甘いにおいをただよわす。「いと—・えたる薫物の香を返す返すたきしめ居給へり」〈源氏常夏〉②(人の好意に)いい気でよりかかる。「罪侍りとも思し捨つまじきを頼みにて—・えて侍るなるべし」〈源氏賢木〉。「七十になるまで…父母の前で—・ゆるぞ」〈山谷詩抄二〉③なれなれしい態度を示す。「若びたる声の殊に重りかならぬを、人づてにはあらぬやうに聞えなせば、程(姫君トイウ身分)よりは—・えてと聞き給へど」〈源氏末摘花〉④きまり悪い思いをする。てれくさく感ずる。「〔女ノ家デ出会ッタ男二人ハ〕おのおの、契れるかたにも—・えて、え行きわかれ給はず」〈源氏末摘花〉。「何者の家ぞと尋ねさせ給ひければ、貫之の主のみ娘の住む所なりけり。遺恨のわざをもしたりけるかなとて—・えおはしましける」〈大鏡昔物語〉

—いた・し【甘え甚し】〘形ク〙人の好意に甘え過ぎてきまりがわるい。「御里住み心やすく…かくておはしますも、さすがに—・くや思されけむ」〈栄花見はてぬ夢〉

あまおち【雨落ち】①雨だれの落ちる所。「あまうち」とも。

「―の石たたきにどうど落つ」〈義経記三〉 ②歌舞伎劇場で、舞台の最前面で見物席に接したところ。「舞台前―へ浪板(浪ヲ描イタ張物)せり上げ」〈伎・戻橋背御摂二ノ口〉

あまおほひ (:オ/オイ)【雨蔽ひ】 鳥の翼の風切羽の根もとを蔽う短い羽毛。「―の毛を散らすことは」〈徒然六六〉

あまがくれ【雨隠れ】 物かげに雨を避けること。雨やどり。「道行く人の木蔭に―したる様に」〈今昔二一ノ三〉

あまがけ・り【天翔り】『四段』(神霊や、昇天した人の魂が)空を飛び走る。「天地の大御神たち、倭の大国霊、久方の天の御空ゆ―・り」〈万八九四〉 †amagakëri

あまかぜ【雨風】 雨気を含んだ風。雨を伴った風。「うちしめりて雨気(あまけ)ありと人人のさわぐに…あわたたしき―に皆ちりぢりにきほひ帰りたまひぬ」〈源氏藤裏葉〉。「風は。嵐。三月ばかりの夕暮にゆるく吹きたる―」〈枕一九七〉

あまがたりうた【天語歌】 上代、伊勢の海人(あま)出身の海人語部(あまがたりべ)が語り伝えた歌謡の名。「ことの語りごともこをば」という終りの句を持つ。「この三歌は―なり」〈記雄略〉 ▽伝誦者の名によってよばれたもの。久米部が伝えた久米歌の類。

あまがつ【天児】 子供の形をした人形。幼児の身辺に置き、幼児の災難の身代りにした。「児(ちご)うつくしみし給ふ御心にて―など御手づから作り」〈源氏若菜上〉

あまがは (:ガ/ワ)【雨皮】 ①輿(こし)や牛車の屋形にかける雨覆い。油をひいた絹や、油紙などで作った。「―、公卿以上の車、これを張る」〈西宮記臨時八〉 ②厚紙に桐油(とうゆ)をひいたカッパ。「油単(ゆたん)―五枚」〈ロドリゲス大文典〉

あまがべに【天が紅】 赤い夕焼雲。夕やけ。「下紅葉空にうつすや―」〈俳・玉海集三〉

あまがべに【尼が紅】 尼の頬紅。隠し夫を持った尼が、頬紅をつけて親に叱られたという言伝えによる語。のちに「天が紅」と混用された。「―付けて稲妻待つ夜かな」〈俳・崑山集七〉。「明日も良き天気知らする―」〈俳・絵合上〉

あまぎぬ【雨衣】 装束の上にはおって雨などを防ぐ衣。油をひいた絹で作る。あまごろも。「雨衣、阿万岐沼(あまぎぬ)、一云、油衣」〈和名抄〉

あまぎみ【尼君】 尼の敬称。また、尼を親しんでよぶ語。「―はこなたにか」〈源氏松風〉。「尼四人、弁の尼…少将の―」〈栄花殿上花見〉

あまぎら・し【天霧らし】『四段』《天霧リの他動詞形》 天を霧でおおう。「―・し降り来る雪の消ぬべく思ほゆ」〈万二三四〇〉 †amagirasi

あまぎら・ひ (:ギ/ライ)【天霧らひ】『四段』《天霧リに反復・継続の接尾語ヒのついた形。→ひ》 天が一面に曇っている。「―・ひ降り来る雪の消えぬとも君に逢はむとながらへ渡る」〈万二三四五〉 †amagirafi

あまぎり【雨霧】 小雨のような霧。「思ひ出づる時はすべ無み佐保山に立つ―の消ぬべく思ほゆ」〈万三〇三六〉 †ama-kiri

あまぎ・り【天霧り】『四段』(雲や霧などで)空が一面に曇る。「梅の花それとも見えず久方の―・る雪のなべて降れれば」〈古今三三四〉

あまくだ・り【天降り】『四段』 神やその子孫である天皇などが、天界から下りて来る。「瑞穂(みづほ)の国を―・り領(し)らしめしける天皇(すめろき)の」〈万四〇九四〉 **―びと**【天降り人】 天界から地上に降りて来た人。天人。「〔大臣家デ勅使ヲ〕もてなし、やむごとながり給へるさまは、いづこなりし(何処ノ)―ならむとこそ見ゆれ」〈枕八八〉

あまくち【甘口】 ①甘味の勝っていること。「菊の露(菊酒)―辛口とりどりに」〈俳・見花数寄〉 ②てぬるいこと。なまやさしいこと。「つがもない、また―なことは嫌です。何ぞ豪儀な事が書いてもらひたうごんす」〈咄・鹿の子餅〉 ③おろか者。うすのろ。愚鈍。「糟谷宇左衛門が掛け声は、こちの息子に似ましたとは、よっぽど―」〈浮・諸道聴耳世間猿二〉

あまくも【天雲】 天の雲。雲。大空遙か遠くにみえ、おぼつかなくただよってゆく意で用いられることが多い。「思はぬに時雨(しぐれ)の雨は降りたれど―晴れて月夜さやけし」〈万二二二七〉。「―の奥処(おくか)も知らず恋ひつつぞ居る」〈万三〇三〇〉。「―のたゆたふ心」〈万二八一六〉 †amakumo

あまぐも【雨雲】《奈良時代にはアマクモと清音》 雨気を含んだ雲。「忽ちに―の気を見る」〈万四一二三題詞〉 †ama-kumo

あまぐりのつかひ (:ツ/カイ)【甘栗の使】 新任の大臣の催す大饗に、甘栗などを御下賜になるための勅使。六位蔵人の役。「大饗のをりの―などに参りたる」〈枕八八〉

あまけ【雨気】 雨の降りそうな気配。「いとどうちしめりて―ありと人人のさわぐに」〈源氏藤裏葉〉

あまごぜ【尼御前】「あまごぜん」の転。「―、何事をかくはのたまふぞ」〈徒然四七〉

あまごぜん【尼御前】《「御前」は、婦人に対する敬称》 尼君。「―の生きてもおはしませ、もしは草のかげにても御覧あれ」〈日蓮遺文妙一尼御前御消息〉

あまごひ (:ゴ/イ)【雨乞ひ】 日でりの時、降雨を神仏に祈ること。お籠り・踊・貰い水・千駄焚き、あるいは水神を怒らせるなどの仕方があった。「この月(七月)より始めて八月に至るまでに旱(ひでり)す。百済の僧道蔵雩(あまごひ)して雨を得たり」〈紀天武十二年〉。「日でりのしければ―の歌よむべき宣旨あり」〈小大君集〉

あまごもり【雨隠り】 ①雨で家にこもっていること。「―心いぶせみ(ウットウシイノデ)出で見れば春日の山は色づきにけり」〈万一五六八〉 ②〔枕詞〕「笠」にかかる。「―三笠の山を高みかも」〈万九八〇〉 †amagömöri

あまごろも【尼衣】 尼の着る衣。また、それを着た姿。「―かはれる身にやありし世のかたみに袖をかけてしのばん」〈源氏手習〉。「しほしほと泣き給ふ―はげに心ことなりけり」〈源氏行幸〉

あまごろも【雨衣】 ①「あまぎぬ」に同じ。「しぐれに濡るる袖のうらに、しほたれまさる―、あはれをかけて問ふ人も」〈千載二六〇〉 ②〔枕詞〕雨具の縁で「みの」にかかる。「―たみのの島に鶴(たづ)鳴きわたる」〈古今九一三〉

あまごろも【海人衣】 海人の着る衣。「言問はん野島が崎の―浪と月とにいかがしをるる」〈新古今四〇三〉

あまさかさま【天逆様】 理非の逆さまなこと。不合理。「てんさかさま」とも。「如何なる―の仰せなりとも、違へじとこそ存ずれども」〈古活字本平治下・頼朝遠流に宥めらる〉

あまさがる【天下がる】〔枕詞〕「ひな(夷)」にかかる。「天離(かざ)る」の意であったのを「天下がる」の意と考え、「ひな」に続くと解したもの。「天佐我留(あまさがる)夷の国辺に」〈万五〇九〉。「田舎は行く末はるかなれば、空の低(ひき)く見ゆれば―といふ」〈仙覚抄一〉

あまざかる【天離る】〔枕詞〕空遠く離れているの意から、「向ひ」「ひな(夷)」にかかる。「―向津媛命(むかひつめのみこと)」〈紀神功摂政前〉。「―ひなにはあれど」〈万二九〉 ▽アマザカルの例が多いが、日本書紀神代巻下の歌謡には、アマサカルとしたものがある。 →あまさがる

あまさはり (:サ/ワリ)【雨障り】 雨にさまたげられること。雨のため

外出できないこと。「あまつつみ」とも。「―出でゆかねば恋ひつつぞ居る」〈万一五七〇〉

あまさへ（エサ）【剰へ】〘副〙「あまっさへ」の促音を表記しない形。「主上の御まねしかるべからず。―食事狂狂なり」〈著聞一〇五〉

あま・し【余し】〘四段〙《余りの他動詞形。アマタ(数多)と同根》①あまらせる。のこす。「築くや玉垣、斎(つ)き―・し」〈記歌謡九四〉②余計・余分なものとする。もてあます。「[予定ヨリ多ク人ガ集マッタタメニ]―・されまるらせて帰り下らむ事かなしき事なり」〈著聞一九〉。「世に―・されたるいたづら者」〈平家一・禿髪〉③洩らす。逸する。とり逃がす。「大勢の中にとりこめて、―・すな、洩らすなとて攻め給へば」〈平家六・祇園女御〉④勢いで外にほうり出す。「馬は屛風を倒すごとく、がはと倒るれば、主は前へぞ―・されける」〈古活字本保元中・白河殿攻め落す〉

あま・し【甘し】〘形ク〙①甘みがある。あまくておいしい。「母の甜(あま)き乳を捨てて我死なむか」〈霊異記中三〉。「もろもろの酸(す)く、―・く、いみじからん薬」〈孝養集下〉②人を誘惑したりする上で、ことばが巧みである。「貞盛は人口の―・きにより、本意にあらずといへども、暗に同類となりて」〈将門記〉③刃物などの鍛えが、ゆるい。にぶい。なまくらである。「我が恋はなまし刀のかねあまみ思ひ切れども切られざりけり」〈東北院職人歌合〉④手ぬるい。「尋常、僕は―・くゆるく使へば喜び、苦くきぶく使へば慍(いか)るなり」〈見聞愚案記一六〉⑤人間がしっかりしていない。だまされやすい。愚かだ。「武士に似合はぬ―・い事」〈近松・百日曾我三〉

あましただり【雨滴り】雨のしずく。あまだれ。「花園よりまうでくる盲法師の、極楽の―の音とて、弾き侍るは尊きものを」〈十訓抄一〇・七三〉

あましだり【霤】《アマ(雨)とシダリ(垂)との複合》あまだれ。「年を経て後は、―の石は、そのおもてくぼむものなり」〈真宗教要鈔上〉。「霤、屋簷前雨流下也、阿万之太利(あましだり)」〈和名抄〉

あましょうじ（ウ…ショ）【雨障子】雨を防ぐために油紙を張った障子。油障子。「雷か夕立掛かる―」〈俳・続山の井三〉

あまぜ【尼前】《「尼御前(あまごぜ)」の略》尼に対する軽い敬称。「―、我をばいづちへ具して行かんとするぞ」〈平家一一・先帝身投〉

あまそぎ【尼削ぎ】尼のように垂れ髪の先を頸・肩のあたりで切りそろえた髪。「この春(姫君三歳)より生ほす御髪(ぐし)、―の程にて、ゆらゆらとめでたく」〈源氏薄雲〉

あまそそぎ【雨注ぎ】《中世までアマソソキと清音》①雨のしずく。雨だれ。「東屋(あづまや)の真屋のあまり(軒ノツキ出シタ先)の―」〈催馬楽東屋〉②小雨。「袖はよも乾すまであらじ―」〈知連抄上〉。「流れそふ水嵩(みかさ)や春の―」〈源氏物語竟宴記〉。「―、そと降る雨なり」〈匠材集三〉。「アマソソキガスル」〈日葡〉

あまそそ・り【天聳り】〘四段〙天にそそり立つ。天に高くそびえ立つ。「白雲の千重を押し分け―・り高き立山」〈万四〇〇三〉 †amasösöri

あまた【数・数多】〘名・副〙《アマリ(余)と同根。余ると思われるほどの数量の意が原義。度合・程度についても用いる。数量は三か四程度をもいい、必ずしも数えきれないほど多くを指すものではない》①《数量について》多数。多く。「―は寝ずにただ一夜のみ」〈紀歌謡六六〉。「女三宮を―(姉妹四人)の御中に、すぐれてかなしきものに思ひかしづき」〈源氏若菜上〉。「―さし続きて生まれ給ひて…大方男宮九人女宮十人ぞおはしけり」〈栄花月宴〉②《度合・程度について》非常に。はなはだ。「人目多み袖振らずして―くやしも」〈万三一八四〉③《打消と呼応して》たいして。「―あらぬ名をしも惜しみ」〈万三七三〉 **―かへり**（カエリ）【数多返り】数度。「御文は明くる日ごとに―づつ奉らせ給ふ」〈源氏総角〉 **―くだり** ①【数多領】幾そろえ。「[装束ヲ]―いと清らに仕立て給へるを」〈源氏少女〉②【数多行】幾行。「人の破りすてたる文を継ぎて見るに、同じ続きを―見続けたる」〈枕二七六〉 **―たび**【数多度】数度。「大御酒―順(ず)ん流れて(順グリニ飲ンデ)」〈源氏松風〉

あまだいまつ【雨松明】明礬(みょうばん)・松脂・焔硝・樟脳など八種を粉末にして竹筒に詰め込み、口薬でともす松明。雨風・水中でも消えないが高い音を立てる。水松明。「大雨大風にて篝(かがり)焼きにくき其の時は、…―〔等ヲ用イル〕」〈軍法極秘伝書四〉

あまだぶり【天田振り】上代歌謡の一。初句に「天飛(だ)む」とあるのによる。「この三歌は―なり」〈記允恭〉

あまだむ【天飛む】〘枕詞〙《アマトブの転》天を飛ぶ雁(かり)と音の似た、地名「軽(かる)」にかかる。「―軽のをとめ」〈記歌謡八三〉 →あまとぶや

あまたら・し【天足らし】〘四段〙《シは尊敬・親愛の助動詞》天界に満ち満ちておられる。「天の原振り放(さ)け見れば大君の御命は長く―・したり」〈万一四七〉

あまだり【雨垂り】①軒からしたたり落ちる雨のしずく。あまだれ。「夕立おびたたしくして、―の音に、何事も聞えぬほど」〈米沢本沙石集五末〉②雨だれの落ちる所。「『あたらしき不動尊、しばし―におはしませ』といひて」〈宇治拾遺一七〉

あまぢ【天道】①天界に上ってゆく道。「ひさかたの―は遠し」〈万八〇一〉②天界にある道。「夕つづ(宵ノ明星)も通ふ―を何時までか仰ぎて待たむ月人壮士(をとこ)」〈万二〇一〇〉

あまちゃ【甘茶】①ユキノシタ科の落葉灌木。また、その葉あるいはウリ科の多年草アマチャヅルの葉を原料にして製した甘味のある飲料。四月八日の灌仏会に、甘露(かんろ)になぞらえて釈迦像に灌(そそ)ぐ。「―一袋、之を引く(引出物トスル)」〈多聞院日記天正一七・二・二四〉。〈日葡〉②手ぬるいこと。甘いこと。安易。あまくち。「甘茶茶」とも。「よろづ今頃に比べて、昔を思へば、―な事なり」〈浮・棠大門屋敷二〉

あまつ【天つ】〘連語〙《ツは連体助詞。「天つ」は「天の」よりも古い語と認められる。天界の、天界にある、の意。平安時代に入っては、大空の意にも用いる。→あま(天)》 **―かぜ**【天つ風】空を吹く風。「―雲の通ひ路吹きとぢよ」〈古今八七二〉 **―かみ**【天つ神】《「国つ神」の対》天界の神。また、天界から下ってくる神。「―の御子天降(あも)りますと聞きつる故に」〈記神代〉 **―くに**【天つ国】天界の国。高天原(たかまがはら)。「―に照らし臨み給ふこと」〈紀神代上〉 **―しるし** ①【天つ印】天界にある目じるし。牽牛星と織女星とが互いにこえてはならない境界線とされた天の河をさす。「―と定めてし天の河原に」〈万二〇九二〉②【天つ璽・天表】㋑天つ神の子であるしるし。「長髄彦(ながすねひこ)その―を見て」〈紀神武即位前〉㋺天皇の御位の証拠となるもの。三種の神器をさす。「―の鏡剣を捧げ持ち賜ひて」〈祝詞大殿祭〉 **―すがそ**【天つ菅麻】祓(はら)への具。菅(すげ)を細くさいて、けがれをはらうに使うもの。「―を…八針(多クノ針)にとりさきて」〈祝詞大祓詞〉 **―そで**【天つ袖】天女の衣の袖。五節の舞姫の袖をいう。「をとめ子も

神さびぬらし—ふる(振ル・古)き世の友齢(よはひ)経ぬれば」〈源氏少女〉 **—そら【天つ空】** ①天空。空。「—にも例にたがへる月日、星の光も見え」〈源氏薄雲〉 ②手のとどかぬ高い所、遠い所。「—なる人を恋ふとて」〈古今四八四〉 ③雲居。宮中。「身はしもながら言の葉を—まで聞え上げ」〈古今一〇〇三〉 ④心がそらなこと。うわのそら。こころそら。「わが心—なり土は踏めども」〈万二八八七〉 **—つみ【天つ罪】** ①《「国つ罪」の対》天界でスサノヲノミコトが犯した罪。農耕に関する妨害行為がその中心をなしている。「天の益人らが過ち犯しけむ雑(くさぐさ)の罪事は、—と〔シテ〕畔放(あはなち)・溝埋(みぞうみ)・樋放(ひはなち)・頻蒔(しきまき)・串刺(くしさし)・生剝(いけはぎ)・逆剝(さかはぎ)・屎戸(くそへ)、ここだくの罪を—とのりわけて」〈祝詞大祓詞〉 ②天つ神の罰。天皇による処罰。「王師(みいくさ)を以ちて薄(せ)め伐ちて、—をもつつしみ行なへ」〈紀雄略九年〉 **—のりと【天つ祝詞】** 祝詞の美称。神聖な祝詞。「—の太祝詞言を宣(の)れ」〈祝詞大祓詞〉 **—ひと【天津日高】**《ヒコは立派な男性の意》日の御子(みこ)の尊称。「この人は—の御子、虚空津日高(そらつひこ)ぞ」〈記神代〉 **—ひつぎ【天つ日嗣】** アマテラスオホミカミの系統をうけつぐこと。天皇の位。皇位。「天皇初め—知らしめさむ(ウケツゴウ)とせし時」〈記允恭〉 ▽ヒツギのヒはFiの音。「火」はFiの音で別音。従って火嗣の意に解するのは誤り。 †amatuFitugi **—ひれ【天つ領巾】** 天女が首から肩にかけて垂らしている長い布。あまひれ。「白雲は織女(たなばたつめ)の—かも」〈万二〇四一〉 **—みおや【天つ御祖】**(天界におられる)天皇の遠い祖先。「我が—」〈紀神武即位前〉 **—みかど【天つ御門】** 天界の宮殿。転じて、天皇の御殿。「—をかしこくも定めたまひて」〈万一九九〉 **—みづ【天つ水】** 天の水。雨。一説に、「仰ぎ」にかかる枕詞にもつかう。「—仰ぎてそ待つ」〈万四一二二〉 **—みや【天つ宮】** ①天界にある宮殿。上代、天皇や皇子が死ぬと天界に戻って住むと考えられた。「ひさかたの—に神ながら神といませば」〈万二〇四〉 ②山上など高い地につくられた宮殿。「嶺(みね)の上のふたつの槻の樹の辺に観(たかどの)をたつ。…または—といふ」〈紀齊明二年〉 **—みやこと【天つ宮事】** 高天原(たかまがはら)でおこなわれた行事、儀式。「—もちて大中臣、天つ金木を本うち切り末うち断ちて」〈祝詞大祓詞〉 †amatumiyakötö **—やしろ【天つ社】**《「国つ社」の対》天界の神をまつった神社。また、神そのものをいう。「—、国つ社、また神地(かむところ)神戸(かむべ)を定む」〈紀崇神七年〉 **—をとめ【天つ少女】** 天女。また五節の舞姫をさしていう。「くやしくぞ—となりにける雲路尋ぬる人も無き世に」〈後撰一一〇三〉

あまっさへ(エ)【剰へ】『副』《アマリサへの音便形》その上に加えて。そればかりか。「—京へ出でさせ給ふべき由仰せ事ありければ」〈保元上・新院御謀叛並びに調伏〉。「—深く御憐みを垂れ給ふ上は」〈バレト写本〉。「剰、アマッサへ」〈文明本節用集〉 ▽今日のアマッサエという発音は文字にひかれたよみ方。表記を「あまさへ」とするものがあるが、それは、促音便を表記しない形。

あまつた・ひ(タイ)【天伝ひ】『四段』 天を伝わる。大空を太陽が渡ることや、雪が降ることの形容につかう。「—・ふ入日射しぬれ」〈万一三五〉。「—・ひ来る雪じもの(ノヨウニ)行き通ひつつ」〈万二六一〉 †amatutaFi

あまつたふ(タウ)【天伝ふ】〔枕詞〕 天を伝わる意から、「日」にかかる。「—日笠の浦に」〈万一一七八〉

あまつつみ【雨障み】 雨に降られて家にとじこもっていること。「あまさはり」とも。「ひさかたの雨も降らぬか—君にたぐひて(ヨリソッテ)この日暮らさむ」〈万五二〇〉 †amatutumi

あまづつみ【雨包み】 雨に濡れないための身じたく。「都をば—して行く袖の越路の雪をいかにはらはん」〈再昌草二九〉。「—、雨ごしらへなり」〈匠材集三〉

あまづら【甘葛】 ①《甘蔓(あまつる)の意》蔓草の一。今のアマチャヅルまたはツタか。〈新撰字鏡〉 ②(1)の汁を煮つめて作った甘味料。「野老(ところ)・合せ薫(たきもの)を—にひちくりて(調合シテ)」〈今昔三〇ノ一〉

あまでら【尼寺】 尼の住む寺。「—の瓦舎(かはらや)に逃げかくる」〈紀舒明即位前〉

あまてら・し【天照らし】『四段』《奈良時代にはアマデラシと濁音。シは尊敬・親愛の助動詞》 ①天でお照らしになる。「—・す神の御代より」〈万四一二五〉 ②天の下をお治めになる。「朕(わ)が食国(をすくに)を平らけく安らけく—・し治めきこしめす故は」〈三代実録元慶四・一二・四〉

あまてるや【天照るや】『連語』《ヤは間投助詞》大空に照る。一説、「日」にかかる枕詞。「—日の気(日光)に干し」〈万三八八六〉

あまとひ(イ)【雨とひ】《「雨桐油(あまとうゆ)」の訛》 雨よけ用の桐油を塗った紙。「駕籠の—打ち明けて」〈近松・生玉心中上〉

あまと・び【天飛び】『四段』 大空を飛ぶ。「—・ぶ鳥も使そ」〈記歌謡八五〉 †amatöbi

あまとぶや【天飛ぶや】〔枕詞〕 天を飛ぶことから「鳥」「雁(かり)」に、その音の似た地名「軽(かる)」に、また、空を飛ぶのに使うといわれた「領巾(ひれ)」にかかる。「—鳥にもがもや」〈万八七六〉。「—雁を使に」〈万三六七六〉。「—軽の路は」〈万二〇七〉。「—領巾片敷き」〈万一五二〇〉 †amatöbuya

あまな【甘菜】 味のあまい菜。アオナ・ナズナの類。「大野の原に生ふる物は、—・辛菜」〈祝詞祈年祭〉

あまな・ひ(アマナイ)【和ひ】『四段』《ナヒは罪ナヒ・アキナヒのナヒに同じ》 ①(仕事の上で)協調する。「〔欠勤者ノアルトキハ〕—・ふことむかしより識れるごとくにせよ」〈紀推古十二年〉。「甘・和・適、アマナフ」〈名義抄〉 ②甘んじて受け入れる。「寸(きだきだ)に斬らるとも亦甘心(あまな)びなむ」〈遊仙窟(醍醐寺本)鎌倉期点〉。「病人は知命ぞ。我と—・ふぞ」〈山谷詩抄一三〉 ▽遊仙窟醍醐寺本には「アマナビナム」と濁点がある。古くは濁音の場合もあったものか。 †amanaFi

あまね・し【普し・遍し】『形ク』 作用や状態が、ある範囲に余すところなく行きわたっている。余すところなく及んでいる。一帯に…している。「時雨の雨間なくし降れば三笠山木末—・く色づきにけり」〈万一五五三〉。「—・きおほんうつくしみ(仁慈)の波、やしまのほかまで流れ」〈古今序〉。「—・く紅なる中に、風に堪へず、吹き切られたる焔」〈方丈記〉 →さまねし

あまねは・し(アマネワシ)【遍はし】『四段』 四方八方に満遍なく及ぼす。「〔仏教ヲ〕流通(ひとにあまねはし)し、礼拝(みづからをがみ)む功徳(のりのわざ)を」〈紀欽明十三年〉。「仏は…功徳具したまひたれば、示現して能く十方に周(あまねは)したまふ」〈金光明最勝王経平安初期点〉

あまねは・り(アマネワリ)【遍り】『四段』 満遍なく及ぶ。「正税を下(また)ひて百姓に—・る」〈霊異記下三〉。「普遍(あまねはり)」〈金光明最勝王経(唐招提寺本)平安初期点〉

あまの【天の】『連語』《「天つ」よりも新しい語と認められる。平安時代以後に記紀の神話を訓じた場合などに使われることが多い。天の、天にある、の意。→あま(天)》 **—いのち【天の命】**《「天命」の訓読語か》 天からさずかった

大事な命。「行家、―生きて摂津へ落ちにけり」〈延慶本平家八・室山合戦〉 **―いはたて**:イワ【天の石楯】天界の、石製の楯、または石のように丈夫な楯。「布都努志命(ふつぬしのみこと)の―を縫ひ置き給ひき。かれ楯縫といふ」〈出雲風土記〉 **―いはと**:イワ【天の岩戸】「あまのいはやと」に同じ。「天磐戸(あまのいはと)を引き開け、天八重雲を排分(おしわけ)て、降(あまくだ)しまつる」〈紀神代下〉 †amanöiFato **―いはや**:イワ【天の岩屋】高天原(たかまがはら)の入口にあるという岩室。アマテラスオホミカミがこもったという。東南アジアなどの冬至または日食の神話にも、日神が洞穴などにかくれる例がある。「―に入りまして岩戸を閉(さ)して幽(こも)りましぬ」〈紀神代上〉 **―いはやと**:イワ【天の岩屋戸】天の岩屋の戸。あまの岩戸。「―を開きてさしこもりましき」〈記神代〉 †amanöiFayato **―いはゆき**:イワ【天の磐靫】《イハは堅固さをほめる語》天界で使うような堅牢な靫。「背(そびら)には―を負ひ」〈紀神代下〉 **―うきはし**【天の浮橋】《ハシは、はしごの意》天界と地上との間にかかり、天つ神の地上への通路にしたという梯(はしご)。イザナキ・イザナミ二神がこの浮橋から矛(ほこ)で海原をかきまわしてオノゴロ島を得たとつたえる。よく似た神話が太平洋地域・北方アジアなどにあり、虹をさしている。「二柱の神、―に立たして」〈記神代〉 **―かがみぶね**【天の羅摩船】カガミはガガイモ。その実を二つにわってつくった舟。神話に見える、小さな細長い舟で、スクナビコナノカミが乗って出雲に渡ってきたという。「―に乗りて…より来る神あり」〈記神代〉 †*amanökagamibune **―かきた**【天の垣田】天界にある、垣をめぐらして獣を防いだ田。「―を以ちてみ田としたまふ」〈紀神代上〉 †amanökakita **―かはよりだ**:カワ【天の川依田】天界にある、川に寄った田。雨の害をうけやすいよくない田。「―、…雨ふれば流れぬ」〈紀神代上〉 †amanökaFayörida **―かほ**:カオ【天の垢】《「つちのかほ」の対》天界に住むものの持つ、くもり・よごれ。「天より降れらば―あるべし」〈紀神代下〉 **―くちとだ**【天の口鋭田】天界にある、水口が急で、水の流入流出が急な田。「―といふ。こは皆、磽地(やせどころ)なり」〈紀神代上〉 †amanökutitoda **―くひだ**:クイ【天の織田】天界にある、切株の多い田。「―…、こは皆、磽地(やせどころ)なり」〈紀神代上〉 †amanökuFida **―さかて**【天の逆手】まじないをする時にうつ拍手。物事をなしとげるためや人をのろう時にうつ。「―を青柴垣(ふしがき)に打ち成して」〈伊勢九六〉 **―さかほこ**【天の逆鉾】天界のほこの名。さかさに立てたものか。「その土(に)を―にぬりて」〈播磨風土記逸文〉 **―たりよ**【天の足夜】《アマは美称》満ち足りた夜。一晩たっぷり。「うつつには君には逢はず夢(いめ)にだに会ふと見えこそ―を」〈万三八〇〉 **―と**【天の門】《トは両方から接近して狭くなった所、そこを渡って通る所の意》①天界の門。天界の入口にある門。「―開き高千穂の嶽(たけ)に天降(あも)りし」〈万四四六五〉 ②天界にある船の通い路。「秋風に声をほにあげて来る船は―渡る雁にぞありける」〈古今二一二〉 **―のりごと**【天の詔琴】《神のお告げをきくときにひく琴の意》和琴(わごん)。やまとごと。「―樹にふれて地(つち)とよみ鳴りき」〈記神武〉 †amanönörigötö **―はごろも**【天の羽衣】①天人が着て空を飛ぶという衣服。「―を盗み取らしむるに弟(いろと)の衣を得て隠しき。…その弟一人はえ飛び去らず」〈近江風土記逸文〉。「もろもろの天人、ことごとく来りて、―の袖につつみて」〈法然上人行状絵図〉 ②天皇が祭事に沐浴(もくよく)するときに着る浴衣。「天皇―を著(め)して浴みすること常の如し」〈西宮記臨時四〉 **―はとふね**【天の鴿船】鳩(はと)のように軽く早く行く天界の船。一名、熊野の諸手(もろた)船。「またの名は―といふ」〈紀神代下〉 †*amanöFatoFune **―はへきりのつるぎ**:ハエ【天の蝿斫りの剣】《ハヘはハハ(大蛇)の転》スサノヲノミコトが大蛇を斬った剣。あまのははきり。「―を以ちて、その大蛇(をろち)を斬りたまふ」〈紀神代上〉 †amanöFaFëkirinöturugi **―はら**【天の原】①天つ神のすむと想像された天上の世界。たかまがはら。「吾が隠(こも)りますによりて―自(おのづか)ら闇(くら)く」〈記神代〉 ②ひろびろとした大空。「―振り放(さ)け見れば」〈万一四七〉 ③〔枕詞〕大空に高くそびえ立つさまから、「富士」にかかる。「―富士の柴山」〈万三三五五東歌〉 **―ひつぎ**【天の日嗣】「あまつひつぎ」に同じ。「―と継ぎて来る君のみ代み代」〈万四四六五〉 **―ぶちこま**【天の斑駒】天界にいる、毛色のまだらな馬。「―を逆剝(さかはぎ)に剝ぎて」〈紀神代上〉 ▽名義抄に「駮、ブチムマ」とあり、ブチは古くから語頭が濁音。 †*amanöbutikoma **―ますひと**【天の益人】《神の恵みをうけてふえて行く人の意。一説に、マスはすぐれたの意》人間の美称。蒼生。「成り出でむ―」〈祝詞 大祓詞〉 †amanömasuFitö **―まなぐひ**:グイ【天の真魚咋】《ナは副食物。マナはそのうちの、魚の美称》りっぱな魚料理。「―たてまつる」〈記神代〉 †amanömanaguFi **―みかわ**【天の瓺わ】《ワは輪の意か》神聖な甕(かめ)。「―に斎(い)みこもりて」〈祝詞神賀詞〉 **―みしろた**【天の御領田】天つ神の領地である田。「―の長(をさ)」〈出雲風土記〉 †amanömisiröta **―みはしら**【天の御柱】イザナキ・イザナミ二神がオノゴロ島に下って立てた御殿の柱。「吾(あれ)と汝(いまし)とこの―を行きめぐり逢ひて」〈記神代〉 ▽この柱めぐりをして結婚の儀礼をおこなった。よく似た神話が中国南部・東南アジアなどにある。 †amanömiFasira **―むらくものつるぎ**【天の叢雲剣】スサノヲノミコトが出雲国簸川(ひのかわ)上で八岐大蛇(やまたのおろち)を退治して得た剣。一名、つむがりのたち。後に、草薙(くさなぎ)の剣。「草薙剣、…本の名は―といふ。蓋(けだ)し大蛇(をろち)居る上に常に雲気(くも)あり。故、以ちて名づくるか」〈紀神代上〉 ▽出雲は上代の主要な鉄の産地。天の叢雲の剣の神話は農耕金属器文化と関係している。 †amanömurakumonöturugi **―やすのかは**:カワ【天の安の河】《ヤスはヤセの転か。ヤセは瀬の多い意》天界にある川の名。川原で神神が集会をした。「―の河原に神集(かむつど)へに集へて」〈記神代〉 **―やそのかはら**:カワラ【天の八十の河原】《ヤソはヤスの転》天の安の河の河原。「―にある五百(いほ)つ岩群」〈紀神代上〉 †amanöyasonökaFara **―やゐ**【天の八井】神聖な多くの井。「その下より―出でむ」〈中臣寿詞〉 **―やをとめ**【天の八女】《アマは高天原でなく天上の神仙境》八人の仙女。「―、ともに白鳥となりて天より降りて」〈近江風土記逸文〉 **―よさづら**【天の匏葛】天界のひさご。あまのよそづら。「天吉葛、此をば阿摩能与佐図羅(あまのよさづら)といふ。一に与曾豆羅(よそづら)といふ」〈紀神代上〉

あまのおもて【案摩の面】矢羽の一種。案摩の舞に用いる面のような、斑(ふ)のはいった矢羽。「蒔絵の平鞘の太刀を佩(は)き、―の羽付きたる平胡簶(ひらやなぐひ)の箙(えびら)を負ひ」〈太平記一三・藤房卿〉

あまのがは:ガワ【天の河】銀河。「―橋渡せらばその上(へ)ゆもい渡らさむを秋にあらずとも」〈万四一二六〉。「―を渡りても、かかる彦星の光をこそ待ちつけさせめ」〈源氏東屋〉 ▽天の河を渡って、牽牛星と織女星とが一年に一度逢うという中国の伝説は奈良時代頃から広まったらしい。 **ーをかき流・す** よどみなく話しまくるさまのたとえ。「ぬしのたぶ(オッシャル)事も、ー・すやうに侍れど、折折かかるひが事のまじりたる」〈大鏡藤氏物語〉

あまのかるも【海人の刈藻】 海人が刈り取る海藻。乱れたもののたとえ。「いく世しもあらじ我が身をなぞもかくーに思ひ乱るる」〈古今九三四〉

あまのこ【海人の子】 ①海人の娘。「あさりするーどもと人は言へど」〈万八五三〉 ②《浮寝をするからとも、実際に船上で世を過ごすことが多いからともいう》 遊女。また、住所の定まらない賤しい者。「ーなれば宿も定めず」〈和漢朗詠集遊女〉 †amanöko

あまのさぐめ【天探女】 ①隠したものを探る力を持った女の名。天孫降臨神話で、アメワカヒコにすすめて、高天原から派遣されたキジを射殺させたといわれる。「ー此の鳥の言ふことを聞きて」〈記神代〉 ②「あまのじゃく」(1)に同じ。「むかしより、よろづの事にさはりわづらひなすーといふくせものあり」〈伽・瓜姫物語〉 †amanösagume

あまのざけ【天野酒】 河内国錦部郡天野山腹の金剛寺の僧が中世以来造った名酒。略して「天野」とも。その入れ物の角樽(つのだる)を天野樽といった。「盃中の物は、数日前菅里よりこれを贈る、謂はゆるー也」〈蔭涼軒日録文明一八・七・七〉

あまのさへづり【海人の囀り】 海人のことばが鳥のさえずりのように聞えること。聞き分けにくいことばのたとえ。「鵜飼(うかひ)ども召したるに、ーおぼし出でらる」〈源氏松風〉

あまのじゃく【天探・天邪鬼】 ①神代の天探女(あまのさぐめ)の流れを引く神。人にさからい、人の邪魔をする悪い精霊。「ーと云ふ事、未だ知らず。日本記に天探女(あまのさいめ)と云ふ事あり」〈壒囊鈔一〇〉 ②《転じて》 でしゃばり。おしゃべり。「また、御所中に、これもものにさしいで、よしなく口さがなき女房ありけるを、ーとぞ人びと云ひける」〈伽・乳母草紙〉 ③四天王の像や庚申塔の石像が足の下にふみつけている醜い鬼の名。「四天王はーを踏みつけて居給ふ」〈驢鞍橋上〉 ▽「あまのさく」「あまのざこ」「あまのじゃこ」などとも。

あまばおり【雨羽織】 雨天に着る、ラシャ・木綿などで作った羽織。雨胴服(あまどうぶく)。「春の今日着たる霞やー」〈俳・毛吹草五〉

あまはこ【篋】 竹で編んだ箱。「担ふーの、樹上に在るを見るに」〈霊異記上三五〉。「簁篋、笥也、箱也、阿万波古(あまはこ)」〈新撰字鏡〉 †amaFako

あまはし【天橋】《ハシは、はしごの意》 天にのぼるはしご。「ーも長くもがも」〈万三二四五〉

あまはせづかひ【天馳使】 天空を飛んでゆく使。一説、海人部(あまべ)出身の、走り使をする者。「いしたふや(枕詞)ー、事の語り言もこをば」〈記歌謡二〉 †amaFase-dukaFi

あまはり【雨晴】 雨後の晴れた天候。「あまばれ」とも。「日の出でてなほ荒海の舟の上／行く足はやきーの雲」〈称名院追善千句〉。「ー、雨晴也」〈奥義抄〉。「雨ばれ、ーとも云ふ也」〈言塵集四〉

あまひ《花が咲き散るしばらくの間の意》 命の非常に短いこと。はかないこと。「み子のみ命は、木の花のーのみまさむ」〈記神代〉 †amaFi

あまびこ【天彦】 虚空のひびき。やまびこ。こだま。天人とする説もある。「逢ふことのーにしてそらならば人目も我はよぎずぞあらまし」〈貫之集五〉。〈日葡〉 **ーの**【天彦の】(枕詞)「おと」にかかる。「ー音羽の山の春霞」〈古今一〇〇二〉

あまびこ【雨彦】 虫の名。今のヤスデ。雨後に出るのでいう。「〔少年達ニ〕いなごまろ、ーなど名をつけて召使ひ」〈堤中納言虫めづる〉。「百足、アマビコ」〈名義抄〉

あまびたひ【尼額】 受戒して尼になる時に切りそろえた短い前髪。また、その額つき。「御ーひきつくろひ」〈源氏少女〉。「さだ過ぎたるーの見つかぬに」〈源氏手習〉 →あまそぎ

あまびと【海人・蜑人】「あま」に同じ。「ーの焼くや藻塩の立ちそへば」〈公任集〉

あまひれ【天領巾】「あまつひれ」に同じ。「白妙のー隠り」〈万二一〇〉 †amaFire

あまぶね【海人舟】 海人の乗る舟。「しび釣るとーさわき」〈万九三八〉

あまほふし【尼法師】 尼僧。尼。「ー多かるなかに、心あるかぎり四五人契りて」〈栄花玉台〉

あまま【雨間】 雨が止んでいる間。「神無月ーも置かず降りにせば」〈万三二一四〉

あまみつかみ【天満神】《「天満神」の訓読語》 天満天神。「ーの宮寺に、歩みを運ぶ御値遇(ちぐう)」〈謡・道明寺〉

あまみつつき【天満つ月】 空に満ちかがやく月。満月。「ーもみち潮のみるめをいざや刈らうよ」〈謡・海士〉

あまみや【尼宮】 尼となった女宮。「故朱雀院のとりわきてこのーの御事をば聞えおかせ給ひしかば」〈源氏宿木〉

あまもの【甘物】 新生児に飲ませる甘葛(あまづら)の湯。「しょぼ降るはーならし児(ご)ち桜」〈俳・鸚鵡集二〉

あまもよひ【雨催ひ】 雨の降りそうな空の景色。雨模様。「ー、雨降らんとする事なり」〈匠材集三〉

あまよ【雨夜】 雨の降る夜。「ただひとり逢へりしーの葬(はぶ)りをそ思ふ」〈万三八八九〉 †amayo **ーのしなさだめ**【雨夜の品定め】 源氏物語帚木巻で、男たちが夏の雨夜に行なった、さまざまの女性の品評。「ありしーの後」〈源氏夕顔〉

あま・り【余り・剰り】 ㊀〘四段〙《アマタ(数多)と同根。物事の分量や程度が一定の枠の中におさまりきらず、外にはみ出る意。多く、処置に困る場合に使う。類義語アブレは物が一定の枠を越えてしまい、はみ出たものが使いものにならなくなる意》 ①(中におさまりきれず)外にはみ出る。「思ふにしー・りにしかば」〈万二四九二〉。「こよなうー・れる髪の末」〈源氏槿〉 ②区切りや限度をすぎる。「翁、年七十にー・りぬ」〈竹取〉。「十にー・りぬる人は、雛遊びは忌み侍るものを」〈源氏紅葉賀〉 ③分に過ぎる。程度を越える。「田舎人の歌にてはー・れりや、足らずや」〈伊勢八七〉。「身にー・るまでの御心ざしの」〈源氏桐壺〉 ④能力の限界を超える。「法師ばら牛若殿の手にー・り」〈俳・犬筑波〉 ⑤勢いがとまらない。「冑の星を射けづりてー・る矢が」〈古活字本保元中・白河殿攻め落す〉 ㊁〘名〙 ①余分。残余。「〔舟ヲ〕塩に焼き、其(し)がー琴に作り」〈記歌謡七四〉 ②程度を越えていること。「〔顔ノ〕色あひーなるまで匂ひて」〈源氏宿木〉。「ーなれば心憂くて」〈源氏夕霧〉。「ーの事にてあさましかりけり」〈沙石集六ノ九〉 ③過度の…の結果。「わりなくまつはさせ給ふーに」〈源氏桐壺〉。「僧、にくさのーにいと荒らかに」〈今昔三一ノ二八〉 ㊂〘副〙 ①《ある状態を認めながらも、その度の過ぎた点を批判・非難する気持をいう》 程度を超えて。…しすぎるので。「今の世の〔筆ノ〕上手におはすれど、ーそぼれて(気取ッテイテ)癖ぞ添ひためる」〈源氏梅枝〉。「ー問ふを苦しと思したれば、えさ問はず」〈源氏手習〉 ②《打消を伴って》 たいして。「さす

がに—卑下してもあらで、いとよき程に物などもきこゆ」〈源氏蜻蛉〉 四『接尾』《数詞について、その数よりも余分のあることを示す》①漠然とした余分を示す。…ぐらい。「三十文字(みそもじ)—、本末あはぬ歌」〈源氏常夏〉 ②数のはっきりした余分を示す。二けたの数をいう時には十位の数と一位の数の間におく。「三十(みそち)—二つの相(かたち)そなはれる」〈仏足石歌〉。「しはすの二十日(はつか)—一日(ひとひ)の日の戌(いぬ)のときに、門出す」〈土佐十二月二十一日〉

—ごと【余事】分に過ぎたこと。身分不相応なこと。「象ばかりに乗りて、いとよかりつるを、師子(しし)に乗るが—にてあるなり」〈今昔五ノ三〇〉 —さへ(エサ)【剰へ】『副』《「あまっさへ」の原形》⇒あまっさへ。「[函ノ]中に仏牙有り。長さ余(あまり)さへ寸半。殊光異色朝に変り夕に改る」〈大唐西域記五・長寛点〉。「—疫癘うちそひて」〈方丈記〉。「剰、アマリサヘ」〈名義抄〉 —ちゃ【余り茶】鑵子(くわんす)などに余っている茶。これを飲めば福があるとも、年が寄るともいう。「大服(おほぶく)の—飲までや若夷(わかえびす)」〈俳・沙金袋一〉。「跡に飲むは—に福徳左衛門」〈浄・善光寺三〉 —べ【余戸】令制では五十戸を一里としたが、それにみたない端数の戸の一群。「—は四」〈出雲風土記〉

あまをとめ【天少女】天界に住んでいる少女。「常世の国の—かも」〈万八六五〉 †amawötöme

あまをとめ【海人少女】海人の少女。「楫の音そほのかにすなる—沖つ藻刈りに舟出すらしも」〈万一一五二〉 †amawötöme

あまをぶね【海人小舟】①漁夫の乗る小舟。「—はららに浮きて」〈万四三六〇〉 ②〔枕詞〕舟が「泊(は)つ」と同音から「泊瀬(はつせ)の山」「はつか(僅・二十日)」「初雪」に、舟に「乗り」の意から仏法の意の「法(のり)」にかかる。「—泊瀬の山に」〈万三四七〉。「—二十日の月の」〈新勅撰九六七〉。「うきよをし渡すと聞けば—のりに心をかけぬ日ぞなき」〈金葉六八二〉

あまん・じ【甘んじ】『サ変』《アマミシの音便形》①甘いものと思う。よいものとして味わう。「食するときは味を—・ぜず」〈文明本節用集〉。「まのあたり奇景を—・ず」〈俳・奥の細道〉 ②(不満でも)良しとして受け入れる。「甘、アマムズ・クツログ」〈名義抄〉 ▽漢文訓読体の語には形容詞語幹にミを加えたものを語幹としたサ変動詞が多い。ウトンジ・ヤスンジなど。

あ・み【編み】一『四段』①繊維を組み合わせて布状の物を作る。「畳薦(たたみこも)重ね—・む数夢にし見えむ」〈万二九九五〉 ②書物などを編集する。「集を—・むに古詩を一番に置くものぢゃ程に」〈三体詩絶句抄一〉 二『名』【網】麻糸などを編んで作ったもの。魚鳥などを捕えるのに使う。「二上(ふたかみ)のをてもこのもに—さして吾が待つ鷹を夢につげつも」〈万四〇一一〉 †ami

あ・み【浴み】『上二』水や湯を体にかける。「筑紫へ湯—・みむとてまかりける時」〈古今三八七詞書〉。「湯槽(ゆぶね)の湯わかして、僧二三十人—・みのしる」〈栄花玉台〉

あみいた【編板・箯輿】長方形の板を台にし、竹で編んだ縁をつけた輿(こし)。罪人や死傷者を乗せて運ぶのに用いた。「あんだ」「あうだ」とも。「箯輿、阿美以太(あみいた)、編二竹木一為レ輿也」〈和名抄〉。「箯輿、アミイタ・アウタ」〈名義抄〉

あみがさ【編笠】菅(すげ)・藺(い)・麦わらで編んだかぶり笠。「ただの直垂上下に—きたるのぼり人」〈著聞六七八〉 —ぢゃや【編笠茶屋】遊廓に通う人に、顔を隠すための、焼印を捺(お)した大編笠を貸した水茶屋。京都島原丹波口の一貫町や、江戸吉原の大門外の田町(泥町とも)にあった。「泥町の—」〈西鶴・諸艶大鑑二〉

あみごころ【網心】したごころ。魚心。「精を出す/骨惜しまぬは—」〈雑俳・軽口頓作〉

あみじゃくし【網杓子】金網で作った、汁の実などを掬うのに使う杓子。「唐物屋七左衛門—一柄持ち来る」〈隔蓂記慶安四・一・一〉

あみだ【阿彌陀】①《梵語の音訳。無量の意》往生を願う衆生すべてを救おうとの本願を立てて修行し、西方に極楽を成就した仏。その名号を唱えれば、人人は死後、極楽浄土に生れるという。平安時代には大小さまざまの阿彌陀の像をつくって供養し、臨終の際、阿彌陀像の手に五色の糸をかけてその端を持ち、念仏すればそのまま極楽往生すると信じられた。普通、観音と勢至とを脇侍として左右に従えている。「各国分尼寺に於て、—丈六の像一軀、脇侍菩薩の像二軀を造り奉らしむ」〈続紀天平宝字五・六・七〉 ②「阿彌陀の光」に同じ。「肴(さかな)喰ひ/—になって銭出さず」〈雑俳・宝船〉 —がさ【阿彌陀笠】阿彌陀仏が光背を負ったように、後頭部に傾けてかぶった笠。「首に頭陀(づだ)を懸け菅笠を—にかぶり」〈驢鞍橋下〉 —きゃう(キョウ)【阿彌陀経】浄土三部経の一。阿彌陀の名号を唱えるものは極楽に生れると説き、特に浄土教系でよりどころとする。「さては—、…御心とどめていそぎ書かせ給へるかひありて」〈源氏鈴虫〉 —にょらい【阿彌陀如来】「阿彌陀」(1)に同じ。「金色等身[ノ]釈迦像、—像、彌勒慈尊像各一軀」〈権記寛弘八・六・二五〉 —のひかり【阿彌陀の光】阿彌陀を画き、その後光の端に金額を記した延紙(のべがみ)を引き裂いて揉みくじとし、くじに当った者はその銭高を出し、阿彌陀像のくじを引いた者は銭は出さずに、物を買いに行く遊び。近世前期は田楽を食べる時に、よくこれをした。あみだくじ。ひかり。「番衆所にて、…各番衆—を興行、酒これ在り」〈言国卿記文明六・七・二〉 —のひじり【阿彌陀の聖】阿彌陀の名号を唱え、世の人に念仏を勧めて歩く僧。特に、空也上人をさすことがある。「其の寺に—といふ事してあるく法師ありけり。鹿の角を付けたる杖を…突きて、金鼓(こんぐ)をたたきて」〈今昔二九ノ九〉 —ぶ【阿彌陀仏】「あみだぶつ」の転。「—は今日御狩野の人をさへつひに導く御法(みのり)なりけり」〈拾玉集四〉 —ぶつ【阿彌陀仏】「阿彌陀」(1)に同じ。「—、彌勒仏、観音菩薩等の像を雕(ゑ)り造る事」〈霊異記中二六〉 —ほとけ【阿彌陀仏】「阿彌陀」(1)に同じ。「—を心にかけて念じたてまつり給ふ」〈源氏椎〉 —も銭程光・る 阿彌陀仏は賽銭(さいせん)を多く奉る者に多く利益を与える。万事金次第の意。「釈迦も銭ほど光る」とも。「貧は諸道の妨げ、—・る故なり」〈仮・竹斎下〉

あみだれ【編垂】戸口や窓の前に垂らす荒むしろ。「坊主の道具を見まはすに、…古うすべりに、破れいなばき、薦(こも)の—ばかりなり」〈伽・おようの尼〉。〈運歩色葉集〉

あみど【編戸】竹・藤づる・柴などを編んで作った粗末な戸。「たそがれ時も過ぎぬれば、竹の—を閉ぢふさぎ」〈平家一・祇王〉

あみとり【網取り】網を張って鳥を取ること。「ほととぎす聞けども飽かず—に取りて懐(なつ)けな離(か)れず鳴くがね」〈万四一八二〉 †amitöri

あみのりもの【網乗物】近世、士分以上の重罪人を護送するのに用いた、青く染めた網をかぶせた乗物。「塩冶判官は閉門仰せ付けられ、—にてたった今帰られし」〈浄・忠臣蔵三〉

あみぶね【網船】網を引く船。また、網を打つ船。「網子

(あご)ととのふる―の、えいやえいやと寄せきたるぞや」〈謡・蘆刈〉

あみめ【網目・編目】網や編んだ物のすきま。「あらたまの伎倍(きへ)が竹垣―ゆも妹(いも)し見えなば我恋ひめやも」〈万二五三〇〉 †amimë

あみを【編緒】編み糸。また、組みひも。「御簾(みす)の―の見ゆるなどもおほせられ」〈大鏡三条〉

あむ【虻】アブの古名。「たこむら(腕ノフクラミ)に―かき着き」〈記歌謡九七〉

あむ・し【浴むし】『四段』あびせる。「あぶし」とも。「〔湯ヲ〕狐(きつ)に―・さむ」〈万三八二四〉。「浴、アムス」〈名義抄〉

あむ・せ【浴むせ】『下二』あびせる。「あぶせ」とも。「念仏の僧に湯わかして―・せ奉らんとて」〈宇治拾遺一六九〉

あむつち【垜】土を山形に盛って弓の的を立てる所。後に「あづち」という。「―立てて射(ゆみ)たまひし処なり」〈出雲風土記〉。「垜、世間云、阿無豆知(あむつち)」〈和名抄〉

あめ【天】《アマ(天)の転。天つ神の住む天上の世界。古くは地上の「くに」の対。後にアメが天界の意から単なる空の意と解されるに至って「つち」の対》天上の世界にある国。転じて、大空。「天国押波流岐広庭命(あめくにおしはるきひろにはのみこと)」〈記継体〉。「―へ行かば汝(な)がまにまに地(つち)ならば大君います」〈万八〇〇〉 †amë

あめ【雨】《「天(あめ)」と同根》降雨。「とのぐもり―の降る日を」〈万四〇一一〉 †amë **―は土くれを破らず**《塩鉄論、水旱篇に「天下太平、…当二此之時一、雨不レ破レ塊、風不レ鳴レ条」とある》降る雨はしっとりと地面をうるおして土くれの形をくずさないという意で、天下太平のさまを表わす。「雨土くれを動かさず」とも。「風は枝をならさず、―、世の中もたのしければ」〈兼盛集〉 **―降りて地固まる** 雨の降った後、かえって地面が以前より固まることから、事変が有った後、かえって物事が落ち着くたとえ。「世俗に―と言ふ事あり」〈俳・淀川〉

あめ【飴】米などを煮て糖化した柔らかいもの。「阿米。糧料米壱升、充稲弐把」〈但馬国正税帳天平九年〉 †amë **―を舐(ねぶ)ら・せる** ①甘言で人を騙す。「飴を食はす」「飴をくれる」とも。「飴ねぶらせて振らうだましか」〈俳・宗因七百韻〉。〈漢語大和故事四〉 ②より大きな利益を得る手段として相手に小利を与える。「〔将棋ヲ〕一番、―・せると本気で勝ったつもりで居る」〈滑・浮世風呂前下〉

あめ【胡鷰子】鳥の名。アマツバメの古名か。あまとり。「―、鶺鴒(つつ)、千鳥、ま鵐(しとと)」〈記歌謡一七〉 †amë

あめうじ【飴牛・黄牛】《飴色の牛の意》①赤味を帯びた黄色の牛。上等の牛として尊重された。「にげなきもの。…〔屋形ノナイ車ニ〕―かけたる」〈枕四五〉。「黄牛、阿米宇之(あめうじ)」〈和名抄〉。「アメウジ、または、アカウジ」〈日葡〉 ②牝牛。「あめうじ、または、めうじ」〈ロドリゲス大文典〉

あめうり【飴売】近世、道のほとりに傘を立てて荷を下ろし、覗機関(のぞきからくり)を見せて飴を売り歩いた者。「銭も取りあへぬ辻の―」〈俳・塵塚(重徳編)下〉

あめがした【天が下】「あめのした」に同じ。「さなへとる安良(やすら)の村のさみだれに―こそにぎはひにけれ」〈夫木抄三一・村〉。「天下、アメガシタ」〈運歩色葉集〉

あめかなばた【天金機】金属をつかった、りっぱな機織(はたおり)道具。「ひさかたの―」〈紀歌謡五九〉 †amëkanabata

あめ・き『四段』わめく。叫ぶ。「にくきもの。…また、酒のみて―・き、口をさぐり」〈枕二八〉

あめしら・し【天知らし】『四段』《シラシは、支配する意の「領(し)り」の尊敬語》死んで天にもどり、天界をお治めになる。貴人の死にいう。「ひさかたの―・しぬる君ゆゑに日月も知らず恋ひわたるかも」〈万二〇〇〉 †amësirasi

あめしるや【天知るや】〔枕詞〕《シルは支配する意。ヤは間投助詞》天を領することから「日」にかかる。「―日の御蔭(御殿)の水こそばとこしへにあらめ」〈万五二〉 †amësiru-ya

あめつし【天地】「あめつち」の上代東国方言。「―のいづれの神を祈らばか」〈万四三九二下総防人〉 †amëtusi

あめつち【天地】《「天地」の訓読語か。古くは、アメは天界の意で、地上の「くに」の対。→あめ(天)》①天と地と。乾坤。「―の神を乞ひつつ」〈万三六八二〉。「力をも入れずして―を動かし」〈古今序〉 ②天つ神と国つ神と。天神地祇。「―を嘆き乞ひ禱(の)み」〈万三二四一〉 ③平安時代初期に伊呂波歌よりも先に作られ、使われていた手習いのことば。「あめつちほしそらやまかはみねたにくもきりむろこけひといぬうへすゑゆわさるおふせよえのえをなれゐて(天地星空山川峰谷雲霧室苔人犬上末硫黄猿生ふせよ榎の枝を馴れ居て)」の四十八字からなる。いろは四十七文字全部が一回ずつ使われ、「え」だけ二回使われているのは、当時、ア行のeとヤ行のyeとの区別が行なわれていて、単語の上でも、語によって区別して発音されていたからである。「卯の花につけたるは仮名、初めには男〔文字〕にてもあらず、女〔文字〕にてもあらず、―そ」〈宇津保国譲上〉 †amëtuti **―のふくろ**【天地の袋】新年の祝いに縫ってつくった袋。幸せをたくさん取り入れて逃がさないようにと、上下を縫い合わせたもの。「―の数し多かれば思ふ事なき今日にもあるかな」〈一条大納言歌合〉 ▽かげろふ日記に「天地を袋に縫ひて幸をいれてもたれば思ふことなし」という歌を年頭の言寿(ことほぎ)歌にしたらしい記述がある。

あめの【天の】『連語』《天の。アメはアマよりも新しい形なので、アメノを冠する語は、奈良時代以後の新しい翻訳語などに多い》 **―うみ**【天の海】ひろびろとした天を海にたとえた語。「―に雲の波立ち」〈万一〇六八〉 †amënöumi **―した**【天の下】《天つ神の住む天界の国の下。つまり地上全体の意が原義。一般に漢語「天下」「国家」の和訳として使われる。国全体の意。転じて、あたりに隠れもなく知れ渡っている事実の形容に使う》①地上全体。「―すでにおほひて降る雪の」〈万三九二三〉。「宇、アメノシタ」〈名義抄〉 ②国土。また、国事。国政。「百姓(おほみたから)礼(ゐや)ある時は―自づからに治まる」〈紀推古十二年〉。「―を御心にかけ給へる大臣」〈源氏玉鬘〉 ③《「―の」の形で》世間に隠れもないこと。たぐいないこと。まぎれもないこと。「―の色好み」〈伊勢三九〉。「―の験者」〈源氏手習〉。「―のそらごと」〈かげろふ中〉 **―ひ**【天の火】天の火。「君が行く道の長手を繰り畳ね焼きほろぼさむ―もがも」〈万三七二四〉 ▽漢語で、自然に起きて原因のわからぬ火を「天火」という。その訓読語か。 †amënöFï **―みかど**【天の御門・天の帝】天皇の尊称。天皇を直接指さず、皇居の御門を言って、天皇を指す。「畏きや―を懸けつれば(オ慕イシタノデ)」〈万四四八〇〉

あめのあし【雨の脚】《「雨脚」の訓読語か》筋を引いたように見える降雨。「あめあし」とも。「―いとのどかにて」〈かげろふ中〉。「内裏よりの御使―よりもけに繁し」〈源氏夕顔〉

あめのみや【雨の宮】雨の神オカミノカミを祭る神社。「―に申し子なれや伊勢椿」〈俳・毛吹草五〉 **―かぜのみや**【雨の宮風の宮】①伊勢皇太神宮の末社。風の宮は実在するが、雨の宮は未詳。「中にも荒神と見えさせ給ふ―」〈虎明本狂言・禰宜山伏〉 ②いろいろと手数がかかり面倒なこと。また、あれこれと何かにつけて出費の重なるこ

と。「—のと云ふて、〔娘ヲ身売リシタ〕親の取り銀僅かならでは無し」〈浮・茶屋調方記〉

あめひと【天人】《「天人」の訓読語》①天界の人。「—の妻問ふ宵ぞ」〈万二〇九〇〉②都の人。「ひなの奴に—しかく恋ひすらば」〈万四〇八二〉③《「賊(にしもの)」の対》天つ神の血をひく人。天皇の統治下にある人。「もし—の煙ならば、来て我が上をおほへ」〈常陸風土記〉 †amëritö

あめまだら【黄斑・飴斑】 牛の毛色。水飴色(暗黄色)のまだらのあるもの。「その時に、その河内の禅師がもとに—の牛あり」〈今昔二七ノ二六〉

あめみま【天孫】「すめみま」に同じ。「汝(いまし)の国を—にたてまつらむや」〈伊勢風土記逸文〉

あめもよに【雨もよに】『連語』《モヨは、催シのモヨに通じるか。一説に、ヨは夜とも。歌では、「夜に」と「よに(決シテ・マサカ)」をかけて使うことが多い》雨が降る中に。「木幡の山の程も—いとおそろしげなれど…いたく濡れて参りたれば祿賜ふ」〈源氏椎本〉。「ありありて雨のふる夜…。月にだに待つほど多く過ぎぬれば—来じと思ほゆるかな」〈後撰一〇一二〉 →ゆきもよに

あめやま【天山・雨山】 ①空と山と。はかり知れないほど大きいこと、また、多大なことのたとえにいう。「平家の御恩を—と蒙ったれば」〈平家四・源氏揃〉。「くちをしき事は—なり」〈伽・さごろも〉②《副詞的に用いて》大いに。はなはだ。この上なく。「—かたじけなく存じ候」〈伽・彌兵衛鼠〉

あめ・り『連語』《有リに推量の助動詞メリがついたものの音便形アンメリの撥音ンを表記しない形。平安女流文学の古写本では、多くこの形で書いている》あるようだ。あるらしく思われる。「およすげたる方は、父おとどにもまさりざまにこそ—・れ」〈源氏藤裏葉〉

あも【母】《「しし(父)」の対》「おも」の上代東国方言。はは。「津の国の海のなぎさに船装ひ立し出も時に〔見テクレル〕—が目もがも」〈万四三八三下野防人〉

あも【餅】 もち。あんも。「蓬(よもぎ)の—搗(つ)く事は、唐の文にもあめると見ゆれば」〈俳・山の井一〉。〈日葡〉

あもしし【母父】「おもちち」の上代東国方言。母と父。父母。「—に言申さずて今ぞくやしけ」〈万四三七六下野防人〉

あもと【足元】 人の生れや住居。また、氏素性。「—正しき聟や取るらん」〈俳・正章千句上〉。〈日葡〉 **—しゅじゃう【足元種性】** 出所家柄。「あもとすじゃう」とも。「いかにも有得にして、—気高き者を」〈虎明本狂言・夷毘沙門〉 **—ふもと【足元踏元】** 氏素性。「あもとこもと」とも。「—なしと見えたる今参り」〈俳・油糟〉。〈日葡〉

あもとじ【母刀自】《アモはオモの上代東国方言》家の主である母。「—も玉にもがもや頂きてみづらの中にあへ纏(ま)かまくも」〈万四三七七下野防人〉 †amotozi

あも・り【天降り】『上二』《アマオリの約》①天上からくだる。あまくだる。「天の戸開き高千穂の嶽に—・りしすめろきの神の御代より」〈万四四六五〉②行幸する。「行宮(かりみや)に—・りいまして」〈万一九九〉 ▽amaöri→†amöri **—つく【天降りつく】**〔枕詞〕香具山が天から降下したという伝説によって、「香具山」にかかる。「—天の香具山霞立つ春に至れば」〈万二五七〉

あや ①【文】物の表面のはっきりした線や形の模様。事物の筋目。「薪を折るに其の木の理(あや)に随ふ」〈法華経玄賛平安初期点〉。「水の上に—織りみだる春の雨や山の緑をなべて染むらむ」〈新撰万葉集上〉。「絧、掌内文理也、手乃阿也(てのあや)」〈新撰字鏡〉②【綾】「綾織物」に同じ。「錦—の中につつめる斎(い)き児も妹にしかめや」〈万一八〇七〉。「御几帳よりはじめて、ここ(我国)の—・錦をまぜさせ給はず」〈源氏若菜上〉③技巧としてほどこす変化。また、表現上の技巧。「秋来れば野もせに虫のおりみだる声の—をばたれか着るらむ」〈後撰二六三〉。「緑の薄様(うすやう)に筆の—清げに書きて」〈伽・伊香物語〉

あや【漢】 漢人。「—の直(あたへ)の祖」〈記応神〉。「漢部(あやべ)を聚(つど)へて、其の伴造(とものみやつこ)の者を定めよ」〈紀雄略十四年〉 ▽漢人が文字に関することを扱い、文をアヤと訓んだので、中国からの帰化人をアヤといったらしい。→あやはとり(漢織)

あや『感』《感動詞アとヤとの複合》驚嘆の声。「手並みの程は見しかば、—と肝を消す。さもあれ、手にもたまらぬ人かなと思ひけり」〈義経記三〉 ▽古事記にある神の名「阿夜訶志古泥(あやかしこね)」のアヤもこれにあたる。

あやおり【綾織】 ①綾を織ること。また、それを仕事とするひと。「件の男は、これ—と云云」〈御堂関白記長和二・一二・二七〉。「—召して仰せ侍りぬ」〈栄花若水〉②放下師(はうかし)の曲芸の一。数本の竹管・手鞠・小刀を上に投げて、もてあそぶ技。「芦野宿へ—呼び、近習小性(こしやう)見、予も脇より見る」〈松平大和守日記寛文七・五・一六〉 **—もの【綾織物・文織物】** 多色織物の錦に対して、単色で斜めに織り筋を出す織り方の変化で種種の模様、即ち文(あや)をあらわす絹織物。朝服の場合、五位以上にかぎり許され、蔵人だけは六位でも許された。衣服類のほかに調度の蔽い、几帳、屏風などにも使った。「めでたきもの。…いみじき君達なれど、えしも着給はぬ—を〔六位ノ蔵人ガ〕心にまかせて着たる」〈枕八八〉 →あや

あやか 際立って美しいさま。「字の点画—になうて」〈玉塵抄一三〉。「その息の呼吸、しかしながら念仏の声と聞えつれば、耳も—に、目もめづらかに覚えて」〈万法蔵讃鈔上〉。〈日葡〉

あやかき【綾垣】 綾織物のとばり。上代に室内のへだてにつかった。「—のふはやが下に」〈記歌謡五〉 †ayakaki

あやかし ①海の妖怪。海上で死んだ者の魂が仲間をとるために現われるという。舟幽霊。「なうなう、この舟には—が憑(つ)いて候」〈謡・舟弁慶〉②《転じて一般に》あやしいもの。妖怪。変化。「いづれも—のつきたる勝頼公〔ノ〕御備へなり」〈甲陽軍鑑一九〉。「物の—、かやうの事ぞと、皆人に安堵させて」〈西鶴・武家義理一〉③愚か者。馬鹿。「これを—かなと孔子の仰せられたらば」〈論語抄述而〉

あやか・り【肖り】 ㊀『四段』①不安定にゆれ動く。動揺し変化する。「風早み峰の葛葉のともすれば—・りやすき人の心か」〈拾遺一二五一〉②影響をうけて変化する。「—・りて白斑(しらふ)になれとはし鷹に雪を砕きて餌にやかはまし」〈鷹三百首和歌〉③影響をうけてそれに似る。また特に、仕合せのよい人に自分も似て、同じようになる。「弁慶もその〔二人ノ〕法師に—・らうとて、西塔の武蔵坊とは名のりけるとかや」〈伽・じぞり弁慶〉。「せめて毛一筋—・りたやと、うらやまぬ人こそなかりけれ」〈伽・彌兵衛鼠〉。「—・るとは、その物に似たるやうの事なり」〈堀河院百首聞書〉④人まねをする。「乏少が腹くせをやがて—・りつるにやと覚ゆる」〈伽・福富長者物語〉㊁『名』①影響を受けてそれに似ること。また、影響を受けて変化すること。「樽前にては梅花落の失寵曲をばし歌ふな。—がせうずらう。いまいましきなり」〈三体詩絶句鈔五〉②愚かな者。まぬけ。「山人やらんのやうに—げに見え候」〈伽・乳母草紙〉。「人の気を取って、うつけのやうに—になすことか」〈玉塵抄五一〉 **—もの【肖り物・肖り者】** ①自分もぜひそれに似たいと思うような物。また、そのように幸せな人。果報者。「年寄の—の

摘む若菜わが黒髪に雪は降りつつ」〈玉吟抄〉。「あらうらやましの内侍の身や、—にせばや」〈伽・新蔵人物語〉②馬鹿者。「〔落チ目ノ主君ノモトニ留マッタ〕—どもこそ…千万心憎く存じ候」〈三河物語上〉

あやぎれ【紋切】発音が明瞭で、区切りがはっきりすること。「言葉の—せぬ事のみ多し」〈西鶴・一代女二〉

あやけん【綾絹】綾織の絹。「肌に—の巾着はなさず」〈西鶴・一代男六〉

あや・し【落し・零し】『四段』《アエの他動詞形》こぼす。落す。したたらす。「うみ血を—・したる乞食」〈宝物集下〉

あや・し【怪し・奇し】『形シク』《感動詞アヤを形容詞化した語か。自分の解釈し得ず、不思議と感じる異常なものに心をひかれて、アヤと声を立てたい気持をいうのが原義。類義語クスシは不思議に思うことを畏敬する気持をいう》①不思議さに引きつけられ、引込まれるような気持になる。「〔立山ハ〕岩の神さび…立ちてゐて見れども—・し」〈万四〇〇三〉。「男こそなほいとありがたく、—・しき心地したるものはあれ」〈枕二六八〉②異常だ。「函には舎利有り。色妙にして異常(やあ)し」〈金光明最勝王経平安初期点〉③何だか変だ。不審だ。「何ぞ、—・しと御覧ずるに、院の御文なりけり」〈源氏横笛〉。「もし痴者の所に—・しきもの顕はれて見えば」〈孝養集下〉④よくない。理や礼儀にはずれている。「ここかしこの道に〔汚物ヲ撒クナド〕—・しきわざをしつつ」〈源氏桐壺〉⑤《宮廷の女性にとって庶民の生活や姿態が奇異でよく分らず、それを見下げる気持が働いたところから》見苦しい。聞きぐるしい。賤しい。「—・しき垣根」〈源氏夕顔〉。「—・しき東国声(あづまごゑ)」〈源氏(河内本)東屋〉。「—・しき海人(あま)」〈源氏明石〉 **—が・り**【怪しがり】『四段』《ガリは、その状態らしく様子に表わす意》不審に思う気持を様子に出す。「光る竹なむ一筋ありける。—・りて寄りて見るに」〈竹取〉 **—ば・み**【怪しばみ】『四段』怪しげに見える。「六道辻に人待つとおぼしくて、—・みたる輩侍るなり」〈古事談四〉。「この辺に—・うだる旅人のとどまったる所やある」〈平家三・泊瀬六代〉 **—・び**【怪しび】『上二』不思議に思う。いぶかしく思う。「〔七色ニ輝ク霊雲ノ立チ昇ルノヲ〕侍(さもら)ふ諸人等も共に見て、—・び喜びつつある間に」〈続紀宣命四二〉 †ayasibi **—・み**【怪しみ】㊀『四段』①霊妙だと思う。霊異だと思う。「母の復明せるを見て慶びて問ひて曰く、我去りていくばくぞ斯の祥感(あやしむこと)有る」〈大唐西域記三・長寛点〉②不思議に思う。変に思う。「俄かにふしまろびて泣く。母—・みて問ふ」〈三宝絵中〉㊁『名』①不審に思うこと。「人いよいよ—をなし奉る」〈保元上・新院御謀叛並びに調伏〉。「—を見てあやしまざる時は、—かへりて破るといへり」〈徒然二〇六〉②とがめだてすること。「貫首以下—をなし、…布衣(ほうい)の者の候ふは何者ぞ。狼藉なり。まかりいでよと六位をもって言はせければ」〈平家一・殿上闇討〉 **—・め**【怪しめ】『下二』怪しく思う。変に思う。「当時御中陰の最中にて候。折節出御あらん事、人さだめて—・め申すべし」〈保元上・新院御謀叛並びに調伏〉

あやし・め『下二』傷つける。そこなう。あやめる。「身を—・めけるぞ」〈西鶴・二十不孝二〉

あやすぎ【綾杉】杉の一種。神事にも使われたらしい。「平野の原の—よ」〈拾遺五九二〉。「ちはやぶる香椎の宮の—は神のみそぎにたてるなりけり」〈新古今一八八六〉

あやすげがさ【綾菅笠】菅を斜めにうち違え、綾に編んでつくった笠。「—にて顔をかくし」〈謡・安宅〉

あやたけ【綾竹】「綾織」(2)に用いる竹片。また、綾織の曲芸。「三味線・胡弓に—や、調べ添へたる其の中に」〈仮・竹斎上〉

あやつ【彼奴】『代』第三者を軽蔑していう語。あいつ。「—ばら捕へよ」〈十訓抄一ノ四二〉

あやつ・り【操り】㊀『四段』①道具などを思いのままに巧みに使う。発声などにもいう。「三郎主は細工(さいく)幷びに木の道の者なり。…故に十指の撒(あやつり)に因(よ)りて一家の稔(にぎはひ)を致す」〈新猿楽記〉。「玉笛を吹いてみづから雅音(がいん)を—・り給ふ」〈平家四・源氏揃〉②人にとり入って自分の思うままに動かす。「ヒトヲアヤツル」〈日葡〉㊁『名』①思いのままに動かすこと。操作。「息の—絶えぬれば、この身に残る功能なし」〈一遍聖絵九〉②仕掛け。機構。「罠の—のはづるる時は」〈仙覚抄八〉。「大かた人の身は骨肉(ほねしし)の—、朽ちたる家の如し」〈発心集四〉。「機、アヤツリ」〈名義抄〉③三味線を伴奏に浄瑠璃を語るのに合わせて、手遣いの人形を動かす芝居。操芝居。人形芝居。浄瑠璃と傀儡(くぐつ)の結びつきによって慶長頃成立。「—の始まりにけり寄太鼓／時を定めて弾くは三味線」〈俳・寛永十三年熱田万句三八〉 **—きゃうげん**(キョウ)【操狂言】人形浄瑠璃を歌舞伎に直した狂言。丸本物。浄瑠璃狂言。「菅原〔伝授手習鑑〕の—、七月より相始め」〈歌舞伎年代記六〉 **—しばゐ**【操芝居】「あやつり」㊁(3)に同じ。「銀元(かねもと)の付く—」〈俳・大句数上〉

あやど・り【文どり】『四段』美しくいろどる。いろいろと変化をつける。「物を—・るといふもこの心なり。いろいろにするなり」〈毛詩国風篇聞書〉。「岩が根に流るる水に流泉の曲を—・る」〈延徳本方丈記〉

あやな・し【文なし】『四段』「あやどり」に同じ。「笛竹の声の—・す御遊びに」〈賦初何連歌延宝二年正月吉日〉。〈日葡〉

あやな・し【文無し】『形ク』《アヤは模様、筋目の意》①模様がない。無紋である。「縵、無文也。阿也奈支太々支奴(あやなきただぎぬ)」〈新撰字鏡〉②筋が通らない。わけが分らない。「—・くも鷗さへだに〔ドウシテ〕波と見ゆらむ」〈土佐二月五日〉。「紅の花ぞ—・くうとまるる」〈源氏末摘花〉③意味がない。とるに足りない。「—・きすさびごと」〈源氏明石〉④無考えである。わきまえがない。「人聞くばかりののしらむは—・きを」〈源氏総角〉。「御事覚えず、—・く申して候なり」〈伽・文正草紙〉

あやに『副』《アヤは、アヤシ(奇)と同根》①霊妙ふしぎに。言いようもなく。「是(こ)しも—かしこし、高光る日のみ子」〈記歌謡一〇〇〉②ひどく。むしょうに。「—な恋ひ聞こし」〈記歌謡三〉

あやにく《アヤは感動詞。ニクは憎シの語幹。程度の甚しさとか、物事の潮時とかが、自分の思いを阻害して、憎らしく思われること。今の「あいにく」の古語》①(傍から)憎らしいと思われるほど、事の度合が甚しいこと。「〔桐壺更衣ハ〕人も許し聞えざりしに、〔帝ノ〕御志の—なりしぞかし」〈源氏桐壺〉。「—なる短夜」〈源氏若紫〉。「院の御おきて、きはめて—に(キビシク)おはしませば」〈大鏡時平〉②(自分ながら)どうにもならず憎らしいこと。「〔中君ヲ〕見ではえあるまじく覚え給ふも、返す返す—なる心なりや」〈源氏宿木〉③折がわるいこと。「—に殿の御使のあらむ時」〈源氏浮舟〉。「〔外出ニハ〕—なめる雪」〈源氏真木柱〉 **—が・り**『四段』気持や情況にうまく合わなくて迷惑だ、全く憎らしく思っているという様子をする。「冬など…〔男ニ対シテ〕—・りつる程こそ〔女ハ〕寒さも知らざりつれ」〈枕三五〉 **—どころ**【あやにく心】どうにもならず憎らしく思われる心。「いとけしからぬ御—なりかし」〈源氏行幸〉 **—**

だ・ち『四段』憎らしく思われる振舞をする。「〔女ニ対シテ〕―・ち給へりし人の御けはひもさすがに思ひ出でられて」〈源氏東屋〉。「人の子の四つ五つなるは、―・ちて、もの取り散らしそこなふを」〈枕一五二〉

あやのし【文師・綾師】織部司(おりべつかさ)に属し、錦・綾などを織ることをつかさどった工人。「あやとりのし(挑文師)」とも。「始めて大宰府に―を置く」〈続紀景雲三・八・二〉 †ayanösi

あやはとも【危はとも】『連語』〔上代東国方言〕あやうくても。「あずへ(崩レタ崖ノ上)から駒の行ごのす(行クヨウニ)―」〈万三五四一東歌〉 †ayaFatömö

あやはとり【漢織】《ハトリはハタオリの約》中国から来た機織女。「呉(くれ)の献れる…―・呉織(くれはとり)…を将(ゐ)て」〈紀雄略十四年〉 †ayaFatöri

あやふぐさ【あやふ草】未詳。絶壁など危い場所に生えた草か。「―は、岸の額に生ふらむも、げに頼もしからず」〈枕六六〉

あやふ・し(アヤウシ)【危し】『形ク』《アヤは、こぼれ落ちる意の動詞アエの語根アヤと同じ。物や事が崩れ去りそうで、はらはらさせられる状態であるの意。類義語アブナシは、無考えで他に迷惑をかけそうで気がかりである意。中世以後、アヤフシ・アブナシは意味が混同された》①(崩れそうで)心にかかる。「道路―・く険(がさ)し」〈大唐西域記四・長寛点〉。「〔雨デ〕家(やか)の巽(東南)の隅のくづれ、いと―・し」〈源氏東屋〉②(病気などで)生命が気づかわれる。「〔難産デ〕いと―・く聞えしを」〈源氏葵〉③成否が案じられる。「世のうけひくまじき事なりければ、なかなか―・くおぼし憚りて」〈源氏桐壺〉

あやぶ・み【危ぶみ】㊀『四段』《アヤフシの動詞形》①物事がこわれ、崩れ去りそうだと懸念する。「宇治橋の長き契りは朽ちせじを―・む方に心騒ぐな」〈源氏浮舟〉②疑う。「ヒトノココロヲアヤブム」〈日葡〉。「彌陀の本願を軽しめ、釈迦の金言を―・む程に」〈万法蔵讃鈔中〉㊁『名』危惧。懸念。「田畑あれば公につけて―あり」〈長享本方丈記〉

あやぶ・め【危ぶめ】『下二』あやうくする。あぶない状態にする。「社稷(くに)を―・めむとす」〈紀垂仁四年〉。「軍(さいく)を起し国家を―・め奉らんと謀りけるが」〈盛衰記三二〉

あやほかど【危ほかど】『連語』《アヤフケドの上代東国方言》あぶないけれど。「あず(崩レタ崖)の上に駒をつなぎて―人妻児ろを息にわがする」〈万三五三九東歌〉 †ayaFoka-dö

あやま・ち【過ち】㊀『四段』《アヤマリ(誤)の他動詞形》①道にはずれた行動をする。道徳・法律などを犯す。「帝の御妻(め)をも―・つたぐひ昔もありけれど」〈源氏若菜下〉②し損じる。とりちがえる。「誤錯、安夜末覩(あやまつ)」〈華厳音義私記〉。「やど近く梅の花植ゑじあぢきなく待つ人の香に―・たれけり」〈古今三四〉③殺人をおかす。「この―・ちたるも良き郎党なれど…国の内も追ひ払はれぬ」〈源氏浮舟〉。「このたびはわれは―・たれなんず。神仏助け給へ」〈宇治拾遺一三二〉④体をそこなう。「一夜の御山風に―・ち給へるなやましさなり」〈源氏夕霧〉⑤言葉をたがえる。「故大納言の遺言―・たず宮仕への本意(ほい)深くものしたりし喜びは」〈源氏桐壺〉㊁『名』①道をはずして咎(とが)となる行為。「正身(ただみ)かも―しけむ」〈万三六八〉。「咎・非・愆、アヤマチ」〈伊京集〉②まちがいを犯すこと。「御坂道さがしく恐しければ、―せじとて横目もせず守りゆくなり」〈仙覚抄一〇〉③殺人。「かかる―したる者をいかでか使はむ」〈源氏浮舟〉④けが。「近う寄って―すな」〈平家四・信連〉。「寺中の稚児・法師、数をつくして―す」〈浄・酒典童子若壮一〉

あやま・り【誤り・謝り】㊀『四段』❶①道理・筋道にはずれる。狂いを生じる。「ここをもって陰陽(ふゆなつ)―・りたがひて、寒さ暑さついでを失へり」〈紀崇神十二年〉。「達人の人を見る目は少しも―・る所あるべからず」〈徒然一九四〉②普通の状態からはずれる。ふだんと変る。「おそりておもへり(顔色)―・りぬ」〈紀継体即位前〉。「いとど御心地も―・りてうちはへ臥しわづらひ」〈源氏真木柱〉③約束にたがう。心変りする。「男、ちぎれること―・れる人(女)に」〈伊勢一二二〉④まちがえる。「もし錯(あやま)れる字有るか」〈金剛般若経集験記平安初期訓〉⑤ごまかす。「根性に魔がさいて大分人の銀を―・り」〈近松・冥途飛脚下〉⑥危害を加える。「その山に多くの獅子ありといへども、姫宮を―・り申すことなく」〈伽・戒言〉。「ひた打ちに打つ太刀に、半之丞〔ノ〕右の肩先を―・り」〈西鶴・伝来記三〉❷①《間違っていることを認め、それを相手に表明することから》過失に対して許しを請う。わびる。「まっぴら―・った」〈虎寛本狂言・鬮罪人〉②おそれいる。閉口する。「〔迷惑ナ大金ヲ押シツケラレテ〕こんな―・ることはない」〈黄・孔子縞于時藍染上〉㊁『名』❶①正しさにはずれる行為。特に、男女の間のことにいう。「いささかの事の―もあらば、かろがろしきそしりをや負はむ」〈源氏梅枝〉②過失。粗相(そそう)。「〔幼児ヲ〕女房の中にいだき入れ奉るに何ごとの―にか泣きののしり給ふ」〈枕二七八〉。「誤・過・錯、アヤマリ」〈伊京集〉③とりちがえ。まちがい。「わが道を人の知らざるを見て、おのれすぐれたりと思はんこと大きなる―なるべし」〈徒然一九三〉④普通でないこと。異常。「御心地の―にこそはありけれ」〈源氏蜻蛉〉❷過失に対する許しの願い。「アヤマリヲコウ」〈日葡〉

あやむしろ【綾席】綾織のむしろ。「独り寝(ぬ)と薦朽ちめやも―緒になるまでに君をし待たむ」〈万二五三八〉 †aya-musirö

あやめ【文目】①(織目・木目などの)模様。「めづらしき―」〈源氏若菜上〉②見分け、聞き分けられる区別。「今朝ぞ物の―見ゆるほどにて、人人のぞきて見奉る」〈源氏総角〉③考え分けられる筋目。条理。事情。「―も知らぬ恋もするかな」〈古今四六九〉

あやめ【菖蒲】①⇒あやめぐさ。「五月五日になりぬれば…軒の―もひまなく葺かれて」〈栄花輝く藤壺〉②ハナショウブ・カキツバタの類の称。「花あやめ…今は只―と云ふ。…古歌にあやめと読めるは菖蒲なり」〈大和本草七〉 **―ぐさ**【菖蒲草】《漢女(あやめ)の姿のたおやかさに似る花の意。文目(あやめ)草の意と見るのは誤り》今のショウブ。水辺に生え、香気が強く、邪気を払うものとして五月五日に軒にさし、身につけた。平安時代の歌では「あやめも知らぬ」「あやなき身」の序詞として使われ、また、「刈り」と同音の「仮り」、「根」と同音を持つ「ねたし」などを導く。「ほととぎす鳴く五月(さつき)には、―花橘を玉に貫き鬘(かづら)にせむと」〈万四二三〉。「ほととぎす鳴くや五月の―あやめも知らぬ恋もするかな」〈古今四六九〉。「―あやなき身にも」〈拾遺五七二〉。「―ねたくも君が仮りにも人の来ぬがわびしき」〈拾遺七六〉 †ayamegusa **―ざけ**【菖蒲酒】ショウブの根を刻んで浸した酒。端午の節句に邪気を払うとして飲んだ。しょうぶ酒。「酔を醒ます安部茶を呑めや―」〈俳・晴小袖三〉 **―のかづら**【菖蒲の鬘】ショウブで作った鬘。邪気を払うとして五月五日の節会につけた。「花橘の匂ひ移る―」〈謡・杜若〉 **―のくらうど**

【菖蒲蔵人】五月五日の節会に下賜されるショウブで飾った薬玉を、親王・公卿たちに取り伝えた女蔵人(にょくらうど)。「なまめかしきもの。…五月の節の―」〈枕八九〉 ―のねあはせ(ワセ)【菖蒲の根合せ】端午の節句の日、宮中で、左右に分れてショウブの根の長短をくらべて勝負を争った遊び。「菖蒲合せ」とも。「五月の五日、殿上の―させ給ひき」〈今鏡一〉 ―のまくら【菖蒲の枕】ショウブの葉を敷いた枕。五月五日の夜、これを使うと邪気を払うと信じられた。「橘に―かをる夜ぞ昔をしのぶかぎりなりける」〈千五百番歌合六〉

あやめ【漢女】帰化してきた漢人の女。機織・裁縫が巧みだった。「―をすゑて縫へる衣ぞ」〈万一二七三〉 →あやはとり。 †ayame

あや・め【危め】『下二』人を殺傷する。「人を―・めて苦しう無くは、是非に及ばぬ」〈虎明本狂言・胸突〉

あや・め【怪め】『下二』《アヤシの語幹を動詞として活用させた語》疑いをかける。不審がる。「渡しも果てぬ岩橋を立ち渡るらん霞は、げに昔の人も―・むべかりけることを」〈無名歌合〉

あやゐがさ【綾藺笠】藺(い)を綾に編んで作り、裏に絹をはった笠。武士の旅行、流鏑馬(やぶさめ)などにかぶった。「―を着て節黒(ふしぐろ)なる大胡籙(おほやなぐひ)を負ひて」〈今昔一九ノ一二〉

あゆ【鮎】淡水魚の一。主に日本にいる魚で、古くから好まれた。「年魚」と書くのは、普通一年で死ぬからだという。氷魚(ひお)はその稚魚。「紅の裳の裾ぬれて―か釣るらむ」〈万八六一〉。「西川(桂川)より奉れる―」〈源氏常夏〉

あゆ【東風】北ないし東の風。あゆのかぜ。「越の俗語、東風を安由(あゆ)の風といふ」〈万四〇一七〉 ▽今、「あい」「あいのかぜ」という。

あゆか・し【揺かし】『四段』《アユキ(揺)の他動詞形》ゆり動かす。「おし(ネズミ取リ)―・すな鼠取るべく」〈拾遺四二〇〉

あゆ・き【揺き】『四段』《アヨキ(揺)の母音交替形》動揺する。ゆらぐ。「葛(くず)の葉の―・ける我を夜ひとり寝よとや」〈神楽歌九四〉。「雲迷ひ星の―・くと見えつるは螢の空に飛ぶにぞありける」〈拾遺四〇九〉

あゆこ【鮎子】若い鮎。鮎の子。コは単なる接尾語ともいう。「河瀬には―さ走り」〈万四七五〉 †ayuko

あゆ・ひ(アユイ)【足結ひ】[一]『四段』「あゆひ」をする。「斎種(ゆたね)蒔く新墾(あらき)の小田を求めむと―・ひ出で濡れぬこの川の瀬に」〈万二一一〇〉 [二]『名』武装・旅行・労働などのために、はかまをかかげてひざの下で結ぶこと。また、そのひも。「あよひ」とも。「宮人の―の小鈴落ちにきと」〈記歌謡八二〉 †ayuFi

あゆ・び【歩び】『四段』「あゆみ」に同じ。「まことに遙かなる道を―・びつかれたるにや」〈今昔四ノ二五〉

あゆまひ(アユマイ)【歩まひ】歩の運びぶり。「面もち―など大臣といはむに足らひ給へり」〈源氏行幸〉

あゆ・み【歩み】[一]『四段』《馬や人が一歩一歩足を運んでゆく意。類義語アリキ・アルキは乗物を使うこともあり、あちこち動きまわる意》①歩を運ぶ。「妹が家に早く至らむ―・め黒駒」〈万一二七一〉 ②徒歩で出かける。「ありくべきこと(アチコチ外出スベキコト)あれば、みづから―・む」〈方丈記〉 [二]『名』①足のはこび。「馬の―押さへとどめよ」〈万一〇〇三〉。「―を運びて来しかども」〈梁塵秘抄一七三〉 ②歌舞伎劇場の客席内の通路。客席後方にあって東西の両花道をつなぐ通路、および両花道。「幕がしまると―をあちこちとぶらつき」〈滑・客者評判記中〉 †ayumi ―**あり・き**【歩み歩き】『四段』あちこち歩きまわる。「〔病気ノ時〕思ふ事なげにて―・く人見るこそ、いみじう羨ましけれ」〈枕一五八〉 ―**いた**【歩み板】①物の上にわたして歩み渡る板。「みちのくの小川の橋の―の」〈夫木抄三一・橋〉 ②船具の名。船から陸へ、または、船から船へ掛けて人が渡る板。あゆみのいた。〈和漢船用集一一〉

あよ・き【揺き】『四段』《平安時代以後はアユキ》動揺する。ゆらぐ。「妹(いも)が心は―・くなめかも(ダロウカ)」〈万四三九〇下総防人〉。「竹の葉―・けり。その時〔鬼ニ〕食(く)はるる男、動動(あよあよ)といひき。故(かれ)、〔ソコヲ〕阿欲(あよ)といふ」〈出雲風土記〉 †ayoki

あよひ(アヨイ)【足結ひ】「あゆひ」に同じ。「大和の忍(おし)の広瀬を渡らむと―た作り腰作らふも」〈紀歌謡一〇六〉 †ayoFi

あよ・び【歩び】『四段』《アユビの母音交替形》「あゆみ」に同じ。「鬼は―・び帰りぬ」〈宇治拾遺一一三〉。「尻の皮の破れた者は、痛うて―・ばれぬぞ」〈周易抄五〉

あよ・み【歩み】[一]『四段』《アユミ(歩)の母音交替形》「あゆみ」に同じ。「ただ我が跡に付き―・まれ候へ」〈神田本太平記二七・山門釈迦堂〉 [二]『名』「あゆみ」に同じ。「―をはこび給ふ人を」〈謡・竹生島〉

あら ①【粗】《「こまか(濃・密)」の対》アラアラ(略・粗)・アラケ(散)・アライミ(粗忌)・アラキ(粗棺)などのアラ。物が、ばらばらで、粗略・粗大である意を表わす。母音交替によってオロと転じ、オロカ・オロソカの形でも使われる。②【荒】《「にき・にこ(和)」の対》アラカネ(鉄)・アラタマ(璞)・アラト(礪)などのアラで、物が生硬・剛堅で、烈しい意を表わす。 ▽(1)と(2)とは、起源的に別であったかと思われるが、後に混用され、次第に「荒」一字で両方の意味を示すようになった。

あら《アラ(粗)と同根》①あらぬか。ぬか。「糠、アラ・ヌカ」〈名義抄〉 ②魚などの、料理したあとの切屑。「―なりと名にこそ立てれ桜鯛年にまれなる人の(珍客ヘノ)振舞」〈古今夷曲集八〉 ③人に指摘されるような弱点。また、欠点。「人に交はりて益はなくして妨げになるやうなるを―になると云ふ」〈志不可起六上〉。「―の出る長口上は〔方広寺ノ〕鐘の銘」〈雑俳・万句合明和八〉

あら『感』《アナに代って使われはじめ、中世以後一般的になった。「あら…や」「あら…かな」などの形をとる例が多い》驚き、感動の時などに発する声。「―、おのれは…〔他ノ女ト〕臥したりけるは」〈今昔三一ノ一〇〉。「―いとほし」〈十訓抄一ノ七〉。「―かたはらいた」〈沙石集九ノ九〉。「―うれしや」〈雑談集三〉。「―面白の所や候」〈謡・頼政〉

あらあら【粗粗】『副』ざっと。だいたい。「先に―申しつるが如し」〈孝養集中〉。「―三年のあひだ」〈伽・頼朝最後の記〉

あらあら『感』「あら」を重ねて強調した形。「君達『―』と云ひて問ひ聞けば」〈今昔三三ノ一五〉。「―面白の地主の桜や」〈伽・鼠草子〉

あらあら・し【荒荒し】『形シク』いかにも荒っぽい。ひどくはげしい。「風などの吹き、―・しき夜〔男ガ〕来たるは、たのもしくて、うれしうもありなん」〈枕二九二〉

あらあら・し【粗粗し】『形シク』①いかにも粗雑、粗野である。「はかなく造りたる家なりけり。〔未完成デ〕まだいと―・しきに」〈源氏浮舟〉。「この聖、声うちゆがみ、―・しくて、聖教のこまやかなる理、いとわきまへずもやと思ひしに」〈徒然一四一〉 ②いかにも粗末である。「布の帽額(もかう)―・しく、御調度どもおろそかに」〈徒然三八〉

あらあらと【荒荒と】『副』①荒っぽく。はげしく。「舟の追

手…にはかにー吹きて」〈宗長連歌自註〉 ②ごつごつと。「足の筋骨ーたくましうて」〈伽・弁慶物語〉

あらいみ【粗忌・散斎】《「真忌(まいみ)」の対》 祭祀のとき神事にあずかる者などが、真忌に先立って行なう斎戒。真忌ほど厳重でない。「大忌(おほみ)」とも。「契りしを違ふべしやはいつくしきーまいみ清まはるとも」〈和泉式部集二〉

あらうこと【有らう事】『連語』《「有らう事か、有るまい事か」の略》 とんでもないこと。「ー前度つかったあまを買ひ」〈雑俳・柳多留一〇〉

あらうみのしゃうじ【荒海の障子】 清涼殿の東の広廂(ひろびさし)の、北の端に立てられた衝立(ついたて)。枕草子二十三段に「北のへだてなる御障子(みさうじ)は…手長・足長などをぞかきたる」とあるのがそれである。「金岡が書けるー」〈盛衰記三〉

あらえびす【荒夷】《エビスは蝦夷人》 ①都の人が東国人をさげすんで呼んだ語。転じて、えびすのように荒荒しい人間。「あるーの恐しげなるが」〈徒然一四二〉。「いかなる無慙のーも、袖をしぼらずといふことなし」〈伽・為人びくに〉 ②日吉(ひえ)山王の小社である夷社をいう。一説、石清水八幡宮の末社の一。「神の駆者(みさき=サキバライ)の現ずるは…八幡(やはた)に松童善神、ここにはー」〈梁塵秘抄二四五〉

あらえむ『連語』 あるであろう所のすべての。「汝等、彼の諸の如来の前にして…当来に所有(あらえむ)罪咎を防護すべし」〈地蔵十輪経七・元慶点〉 ▽アラは有。エは自然・可能の助動詞ユの未然形。ムは推量の助動詞の連体形。

あらおこし【粗起し】 水田の土を大きな塊のまま掘り起すこと。稲作の最初の作業で多くは早春にする。「今ーの時分に候へども」〈細川忠興文書寛永一〇・二・五〉

あらか【舎・殿】 宮殿。「みーを高知りまして(立派ニオ作リニナッテ)」〈万一六七〉

あらがき【粗垣・荒垣】 神社などの外まわりにめぐらす目の粗い垣。「あさき名をいひ流しける川口はいかがもらしし関のー。あさましとのたまふさま、いとこめきたり」〈源氏藤裏葉〉 **ーの**【粗垣の】〔枕詞〕 神社の垣の内に入り難い意から、「ほか」にかかる。「里人の言寄せ妻をー外(ほか)にやわが見む憎くあらなくに」〈万二五六二〉 †aragakinö

あらが・き【粗掻き】『四段』 田の土を起して、くわなどで土のかたまりをかきくだく。田植の前にする代掻(しろかき)の第一段階。これを粗代(あらしろ)ともいい、中代(なかしろ)・植代(うゑしろ)とつづく。「かなと田(門前ノ田)をー・きま斎(ゆ)み」〈万三五六一東歌〉 †aragaki

あらかじめ【予め】『副』《奈良時代に使われ、平安時代以後は漢文訓読系に使う》 前もって。かねて。「ー君来まさむと知らませば」〈万一〇一三〉。「豫・宿・逆、アラカジメ」〈文明本節用集〉 †*arakazimë

あらかた【粗方】 大まかなこと。また、大体。「ほめもそしりもせまい、ーの人ぞ」〈論語抄公冶長〉。「アラカタトノエタ」〈日葡〉

あらがね【粗金・鉱】《室町時代までアラカネと清音》 ①山から掘り出したままで、まだ精錬していない金属。「ー一籠」〈紀持統五年〉 ②鉄の異称。「鉄、アラカネ」〈名義抄〉 **ーの**【粗金の】〔枕詞〕「つち」にかかる。「ーつちにしては(地上デイエバ)すさのをのみことよりぞ」〈古今序〉。「世はー土となる末」〈秋津洲千句〉

あらが・ひ【諍ひ・争ひ】 ㊀『四段』《事の成否・有無などについて相手の言葉を否定したり拒否したりする意。類義語アラソヒは、互いに自分の気持や判断を通すために相手を押しのけて頑張る意》 ①相手の見解を否定してあれこれいう。「〔妻ニ対シテ自分ト女二宮ノ恋ヲ〕殊にー・はず」〈源氏夕霧〉。「我がため面目あるやうに言はれぬる虚言は、人いたくー・はず」〈徒然七三〉 ②相手の行為を拒否して受け入れない。「北の方の御思ひやりを、強ちにもー・ひ聞え給はず」〈源氏夕霧〉 ③《出来る、出来ないと口論するところから》 賭けの約束をする。「いひそめてむことはとてかたうー・ひつ」〈枕八七〉 ㊁『名』 ①言葉による争い。言い合い。「興あるーなり。同じくは、御前にて争はるべし」〈徒然二三五〉 ②勝負事。賭け事。「すべてーをこの(バカゲタ)ことなり」〈著聞五三五〉 **ー木登り川渡り** いずれも危険な行為で、避けなければならないとされるもの。「ー、これは人のせぬものぢゃ」〈虎明本狂言・遣子〉 **ーごと**【諍ひ事】 ①言いあらそいごと。「常に試みごとをし、ーをしておそり給ひけるに」〈枕二四四〉 ②賭け事。「この帥殿は花山院とー申させ給へり」〈大鏡道隆〉

あらかん【阿羅漢】〔仏〕《梵語の音訳。応供(おうぐ)と訳す》 一切の煩悩を断ち切り、修行を完成して、人人の供養・尊敬を受けるべき地位に到達したもの。小乗の聖者を示す。四果のうち、最高の境地。羅漢。「うはら華比丘尼六神道をえ、ーとなり」〈三宝絵下〉

あらき【殯】《アラはアライミ(粗忌)のアラと同根。略式の意。キは棺》 人の死後、遺体を棺におさめ、埋葬までの間、略式に安置すること。「大君の命かしこみ大ーの時にはあらねど雲がくります」〈万四四一〉 †araki **ーのみや**【殯宮】「あらき」の仮宮。「驚き懼(お)ぢてーに坐(ま)せて」〈記仲哀〉

あらき【新木・荒木】 新しい、強い木材。また、切り出したばかりの、あまり加工してない木材。「葛城(かづらき)の襲津彦真弓(そつひこまゆみ)ーにも頼めや(頼リニスルカラカ)君が我が名告りけむ」〈万二六三九〉。「樸、阿良木(あらき)」〈新撰字鏡〉 †araki

あらき【新墾】 新しく開墾した土のこまかくない地。「ゆ種(清浄ナ種)まくーの小田を求めむと」〈万一一一〇〉 †araki **ーだ**【新墾田】 新しく開墾した田。「ーのしし田(猪ガ出テ荒ラス山田)の稲を」〈万三八四八〉 **ーはり**【新墾墾り】《ハリは開墾すること》 新しく開墾すること。「ここをーする辛労に、筋力もほとんど尽くるぞ」〈四河入海四上〉。「畬、アラキハリ」〈名義抄〉

アラキ【阿刺吉】 近世、オランダ渡来の酒。焼酎に丁子・肉桂・茴香(ういきやう)などで香気をつけた酒。アラキ酒。「花に嵐ーチンタを暖めて」〈俳・桃青三百韻〉 ▽アラビア araq・オランダ arak

あらぎ【荒儀】 荒っぽいしわざ。粗暴なふるまい。「この条ーなり。臆持なし(問題ニナラナイ)。若気のいたす所か」〈保元上・新院御所〉

あらぎも【荒肝】《どぎも・きもだまの意》 **ー取ら・る** びっくりぎょうてんする。「左衛門は最前ー・れ候へば」〈浄・諏訪の本地兼家二〉

あらぎゃう【荒行】 僧や修験者などが行なう、きびしい苛酷な修業・鍛練。「文覚のー」〈平家五・文覚荒行〉

あらぎり【荒切り】 ①大まかに切ること。戦いの始まった時、最初に敵中に切り込んで、ひと暴れすること。「味方の勢は休み給へ。この法師がーせん」〈伽・弁慶物語〉 ②粗く五分切りに刻んだ煙草。上等品にも下等品にもいう。「ーは一夜(ひとよ)さぎりの晴に買ひ」〈雑俳・万句合明和一〉

あらく【有らく】《有りのク語法》 有ること。「直(ただ)にあはずーも多く」〈万八〇九〉

あらくさ【荒草】 ①荒地に生える草。雑草。「草蔭の安努(あの)な行かむと墾(は)りし道安努は行かずてー立ちぬ」〈万

三四七東歌〉②刈りとったままの草。「—をいつの(厳粛ナ)むしろと苅り敷きて」〈祝詞神賀詞〉

あらくま・し【荒くまし】『形シク』荒荒しい。甚だ乱暴だ。室町時代以降には「あらこまし」「あらくもし」とも。「枝ざしなどはいと手ふれにくげに—・しけれど」〈枕四〇〉。「燕山の—・しい石に玉を替へたと云ふぞ」〈玉塵抄五一〉

あら・け【荒け】『下一』乱暴する。「花の顔—・ける風や疱(もがさ)の神」〈俳・伊勢踊三〉

あら・け【散け・疎け】『下二』①そこを離れてばらばらになる。離散する。「—・けたるいくさ(兵卒)更に聚(つど)ひて」〈紀舒明九年〉②間をあける。間隔を取る。「蟹(かに)の大爪を—・けぬるが如し」〈真如観〉。「散居[ヲ]—・けをると読むぞ。—・くるとは、一所に無うて、あちこちまばらなことぞ」〈玉塵抄一〇〉 †arakë

あらけ・し【荒気し】『形ク』荒荒しい。「樵夫(きこり)は怖しや、—・き姿に鎌を持ち」〈梁塵秘抄三九九〉

あらけな・し【荒気なし】『形ク』《ナシは程度のはなはだしい意》①荒荒しい。「大男の眼を据ゑ、面魂まことに—・かるが」〈保元上・官軍手分け〉。「不動などのやうな—・い形にて」〈碧岩抄九〉②頑丈である。がっちりとしている。「空堀には水をしかけ、門木戸を—・くこしらへ」〈説経・小栗〉③ごつごつしている。ざらざらしている。「木の実の珠数の—・きをつまぐりて」〈伽・三人さんげ〉

あらこ【粗籠】編目のあらい籠。「一節竹(ひとよだけ)を取りて八目の(目ガタクサンアル)—を作り」〈記応神〉 †arako

あらごと【荒事】[歌舞伎用語]《「和事(わごと)」の対》鬼神・豪傑などの荒荒しさ・勇ましさを誇張して表わす演技。また、それを中心とする劇。「[市川団十郎ハ]—ならぶ人なし」〈評判・二挺三味線江戸〉 **—し**【荒事師・荒事仕】[歌舞伎用語]《「和事師」の対》①荒事を得意とする俳優。「故団十郎・幸四郎などを—と部を分け」〈古今役者大全二〉②荒事を演ずる役柄。「—ははだしでなければ強く見えぬ」〈賀久屋寿々免〉

あらこも【粗薦】あらく編んだむしろ。多く祭礼神事に用いる。「日の装束して、庭に—をしきて」〈宇治拾遺二一四〉

あらさか【新栄】新しくて精のつよいこと。神酒をほめていう語。一説、サカはサケの古形で、新しい酒。「—の神の御酒(みき)を」〈常陸風土記〉

あらざらん【有らざらん】『連語』①生きていないであろう。「—この世のほかの思ひ出に今ひとたびの逢ふこともがな」〈後拾遺七六三〉②無実の。とんでもない。「由なき事に人の口とて、—沙汰し侍る」〈西鶴・一代男二〉

あらし【嵐】物を吹き散らす、はげしい風。「大海に—な吹きそ」〈万一一八九〉

あら・し【荒らし】『四段』①(家や路などを手入れせず)放っておいてばらばらにする。損なわれるままにする。「佐保路をば—・しやしてむ見るよしを無み」〈万四四七七〉。「[宇治ノ家ヲ]—・さじと思ほす」〈源氏宿木〉②傷つけ、損ねてばらばらにする。「獣来り御屍をば—・しつるなり」〈伽・熊野本地〉③堕胎する。おろす。「子を—・し捨てたる女」〈伽・富士の人穴の草子〉 **—こ**【荒し子】堕胎。子堕(こおろし)。「さいさい—をなさるる」〈評判・吉原呼子鳥〉

あら・し【産らし】『四段』お生みになる。「大泊瀬天皇(おほはつせのすめらみこと)を—・します」〈紀允恭七年〉

あら・し【荒し】『形ク』①堅い。ごつごつしている。「岩が根の—・き島根に宿りする君」〈万三六八八〉②乱暴である。「遣戸(やりど)を—・く閉(た)て開くるもいとあやし」〈枕二八〉③(波・風などが)烈しい。「—・き風、波にあはせず、平らけく率て帰りませ」〈万四二四五〉。「暴(あら)き雨、非時に下し」〈金光明最勝王経平安初期点〉。「もし次第に[病人ノ]気色(きしよく)たがひ、息—・き様にならば」〈孝養集下〉④たけだけしい。「この地山林にて、—・き獣ある所なれば」〈狐媚鈔〉 **—を**【荒し男】強い男。「—すらに嘆き伏せらむ」〈万三九六二〉 ▽アラシは終止形。ク活用形容詞の終止形が連体形の役目を兼ねることは、奈良時代だけの現象。形容詞の連体形が未発達であった時代の用法の名残と見られる。「か黒し髪」など。

あら・し【粗し】『形ク』①粗雑で心が行きとどかない。「蕪(あら)き辞(ことば)を截(す)てて」〈玄奘法師表啓平安初期点〉②こまかでない。緻密でない。大まかである。「須磨のあまの塩焼き衣筬(をさ)をあらみ間どほにあれや君が来まさぬ」〈古今七五八〉

あらし【有らし】『連語』《アルラシの約》あるらしい。…であるようだ。「我が旅は久しく—この吾(あ)が着(け)る妹が衣の垢づく見れば」〈万三六六七〉

あらしこ《「荒し子」とも書く》武家の中間・小者の中で、主に力仕事・炊事などの雑用をする最も賤しい者。後には農家の下男などもいった。「—の子ども集めて組み合ひて」〈児教訓〉。「—・家の子には情なく当り」〈百姓伝記三〉

あらしほ オ:シ【荒潮】はげしい潮流。「—の潮の八百道(やほぢ)の」〈祝詞大祓詞〉

あらじゃうりゃう :ジョウ リョウ【新精霊】新盆(にいぼん)に祭る死者の霊。新仏。「三十五日の—」〈近松・卯月潤色中〉

あらず『感』《相手の言葉に否定的な態度で応ずる時にいう語》①違う。そうではない。いや。「[ナゼ歩クノカト言ワレテ]—。ここもとへ出づるぞ」〈源氏空蟬〉。「否、アラズ・イナヤ」〈名義抄〉②いいえ何でもない。「いかにと人人聞ゆれば、—といひまぎらはし給へり」〈栄花浦浦別〉 **—や**『感』①《ヤは詠嘆の助詞》そうではないよ。「『…』と慰め給ふに『いで、—』」〈源氏葵〉②《ヤは質問の助詞》そうではないのか。「[相手ニ問ウテ]—」〈源氏宿木〉

あらすみ【荒炭】《「和炭(にこずみ)」の対》堅い質の木炭。堅炭。「未だ曾て炭(あらすみ)を飲まず」〈遊仙窟(醍醐寺本)鎌倉期点〉

あらそ・ひ アラソイ【争ひ】㊀『四段』《自分の気持や判断を是非にも通そうと、きつく相手を押しのける意。類義語アラガヒは相手の言葉を否定したり拒否したりする意。キホヒは相手に先んじようとせり合う意》①(我を張って)押しのけ合う。「いやしき我がゆゑ丈夫(ますらを)の—・ふ見れば生けりとも逢ふべくあれや」〈万一八〇九〉。「香具山は、畝火[山ガ]雄雄しと、耳梨と相—・ひき」〈万一三〉②強情をはる。さからう。抵抗する。「道の後(しり)こはだ少女(をとめ)—・はず[私ト一緒ニ]寝しくを(寝タコトヲ)しぞうるはしみ思(も)ふ」〈紀歌謡三八〉③(自分のものにしようと)頑張り、張り合う。「蓬(よもぎ)は軒を—・ひて生ひのぼる」〈源氏蓬生〉④(自説を通そうと)議論する。「またひとり、露こそあはれなれと—・ひしこそをかしかりけれ」〈徒然二一〉 ㊁『名』①あらそうこと。「ながき恨を結ぶたぐひ多し。これみな—をこのむ失也」〈徒然一三〇〉②(自分の主張を通そうとの)議論。「春秋[ノ優劣]の—に、昔より秋に心寄する人は数まさりけるを」〈源氏野分〉 †arasoFi **争ふ物をば中から取る** 二者が対立して争う時は、第三者が利をしめる。〈四河入海八ノ三〉

あらた【新】新しいこと。「年月は——に相見れど」〈万四二九九〉。「今宵の—なる月の色には」〈源氏鈴虫〉 **—よ**【新世・新代】改まった世。新時代。「ふみ負へるあやしき亀も—と[感ジテ出現スル]」〈万五〇〉 †aratayö **—よ**【新夜】あらたあらたにめぐってくる夜。毎夜あらたまってゆく夜。「―の一夜もおちず(カカサズ)夢(いめ)に見えこそ」〈万二八四二〉　†aratayo

あらた【験】《アラハレ(現)のアラと同根》神仏の霊験・力がはっきり現われるさま。「『十三日に―なるしるし見せむ…』と重ねて〔夢ニ〕示すことの侍りしかば」〈源氏明石〉。「昔はかく―なる陰陽師の有りけるとなむ語り伝へたるとや」〈今昔二四ノ一四〉

あらた【荒田】 耕さないので荒れている田。「―に生ふる富草(稲)の花」〈風俗歌荒田〉

あらた【新田】 開墾したばかりの土の粒の粗い田。「福原の所所歴覧ありけり。池の中納言頼盛卿の山庄、―まで御覧ぜらる」〈平家四・還御〉。「畄、アラタ」〈名義抄〉

あらだうぐ(ウ…ド)【荒道具】 雑多な道具。荒物のたぐい。「無常の風の―身蓋揃はぬ離れ物」〈近松・卯月潤色下〉

あらたか【荒鷹・新鷹】 七月の巣立ちの後、網で捕えられ、まだ人馴れない若鷹。「攀(へを)つきて山に入りにし―の」〈古今六帖二〉

あらた・し【新し】『形シク』《アラタ(新)の形容詞形》あたらしい。「―・しき年のはじめにかくしこそ千歳(ちとせ)をかねて楽しきを経め」〈琴歌譜〉。「新、アタラシ・アラタシキ」〈名義抄〉▽平安時代以後アタラシ(可惜)と混同を起したらしく、アタラシという形に変った。ただし、可惜の意のアタラシと新の意のアタラシとのアクセントは別で、アタラシ(新)の第一アクセントはアラタ(新)の第一アクセントと一致していた。

あらだ・ち【荒立ち】『四段』あらあらしい動きをあらわす。急に暴れ出す。「鬼神も―・つまじき御けはひなれば」〈源氏帚木〉。「この馬―・ちて、女さかさまに落ちぬ」〈宇治拾遺一七五〉

あらだ・て【荒立て】『下二』①ことさらに波乱を起す。「このごろ(コノ際)―・ててはいみじきこと出で来なむ」〈源氏真木柱〉②怒らせる。「かくの如き人をば敬ひをなして遠ざけよ。―・つれば害をなすものなり」〈童蒙抄中〉

あらたへ(エ…タ)【荒栲・荒妙】《「和栲(にきたへ)」の対》①織目のごつごつした織物。藤などの繊維でつくる。「―の布衣をだに着せがてに」〈万九〇一〉②特に、麻の布。「御服(みそ)は明るたへ・照るたへ・和たへ・―に」〈祝詞祈年祭〉†aratafë

―の【荒栲の】〔枕詞〕藤の繊維でつくった布を荒栲ということから、「藤井」「藤江」「藤原」などの地名にかかる。「―藤井が原に」〈万五三〉。「―藤江の浦に」〈万二五二〉。「―藤原が上(アタリ)に」〈万五〇〉

あらたま【粗玉・荒玉・新玉・璞】①掘り出したままで、堅くてまだ磨かないごつごつした玉。「璞、阿良太万(あらたま)、玉未レ理也」〈和名抄〉②新年。新春。正月。枕詞「あらたまの」が、「年」「春」などに冠せられ、「あらたまの年」「あらたまの春」と用いられているうちに、「あらたま」だけで「春」や「年」の意を表わすに至ったもの。「その年も過ぎ、―、二月もたち、三月と申すには」〈伽・木幡狐〉

―の【荒玉の・新玉の】〔枕詞〕「年」「月」「月日」「春」にかかる。かかり方は未詳。「―年が来経(ふ)れば、―月は来経ゆく」〈記歌謡二八〉。「―春をも知らで」〈忠見集〉▽アラタマは動詞アラタマリの語幹と一致するので、あらたまる年、さらに月・春の意もかねてつかわれたとも見られる。荒玉を磨(と)ぐ意から「年(とし)」にかかるとする説があるが、磨ギのトはtöの音、年のトはtoの音なので、成立困難。

あらたま・り【改まり】㊀『四段』《アラタメの自動詞形。新年を迎えるなど、ものごとが新段階に入る意。類義語カハリは今までと趣や質が異なる意》①(年月などが)新しくなる。「年―・りては何事かおはしまするらむ」〈源氏早蕨〉②のぞましい状態に直る。「今よりのちの御心―・らむは、かひなかるべく思ひしみて」〈源氏総角〉㊁『名』ものごとが新しくなり変ること。昇進。「御位―などするを」〈源氏蓬生〉

あらた・め【改め】『下二』《アラタ(新)と同根》①新しくする。「いにしへの野中古道―・めばあらたまらむや野中古道」〈類聚国史延暦一四・四・一一〉。「大臣も宮も今日のけしきに、また悲しさ―・めておぼさる」〈源氏葵〉②新しくやり直す。直す。「返し給ひける位を、世の中変りてまた―・め給はむ」〈源氏澪標〉。「思ふ心を―・めずして」〈正法眼蔵礼拝得髄〉③着かえる。「御装束ども、直衣、狩の御よそほひなどに―・め給ふ」〈源氏行幸〉④吟味する。調べる。「漢唐に伝はれることを―・めて」〈正法眼蔵伝衣〉

あらち【新血・荒血】①出産の時に出る血。「その時、産の―をこぼさせ給ひけるによりて、愛発(あらち)の山とは申し候へ」〈義経記七〉②刀傷・腫物(はれもの)などの出血。「神前へ〔刃傷ノ〕―こぼし申し候」〈北野社家日記元和四・五・二八〉

あらちを【荒ち男】「あらしを」の転。「―の狩る矢のさきに立つ鹿の」〈拾遺九五四〉

あらづくり【粗作り】①ざっと作ること。下ごしらえのままで、仕上げをしてないこと。また、そのもの。「〔関寺ノ〕丈六の仏のいまだ―におはするが」〈更級〉②荒荒しい作り。「いかなる四天八天の―といふとも、これには過ぎじとぞ見えたりける」〈伽・弁慶物語〉

あらて【新手】 まだ戦わず、疲れていない新しい軍勢。「悪源太の勢は今朝よりの疲れ武者、平家の勢は、今の―なり」〈平治中・待賢門軍〉

あらどこ【荒床】 硬い寝床。「波の音の繁き浜べを敷栲の枕になして―にころ伏す君が」〈万二二〇〉　†aradökö

あらぬ『連体』①違った。「ものにおそはるるかと、せめて見上げ給へれば、―人なりけり」〈源氏若菜下〉②異様な。「いとかく―さまに思し呆れたる御気色」〈源氏幻〉③不適当な。のぞましくない。「―さまなるよそほひ(武装)に罷り成りて候へば、はばかり存じ候」〈平家七・経正都落〉

―よ【あらぬ世】 別世界。来世。「―に生れたらむ人は」〈源氏手習〉

あらぬの【荒布】 科(しな)の木または楮(こうぞ)の樹皮の繊維を紡いで織った、織目のあらい粗末な布。太布(たふ)。「丹波通ひしてその戻りには竹の皮―に肩替へて」〈西鶴・男色大鑑七〉

あらの【荒野】 荒れた野。人気(ひとけ)の遠い野。「ま草刈る―にはあれどもみち葉の過ぎにし君が形見とぞ来し」〈万四七〉†arano

―ら【荒野ら】《ラは接尾語》荒野。「―に里はあれども大君の敷き坐(ま)す時は都となりぬ」〈万九二九〉。「曠野、アラノラ」〈名義抄〉

あらは(アラ/ワ)【顕】《アラハレ(現)と同根。内部にかくれているものがむき出しになっているさま》①目に見える現世のこと。目に見えない神事の対。「汝が治(しら)す顕露(あらは)の事は、是(これ)吾孫治すべし。汝は以て神の事を治すべし」〈紀神代下〉。「顕露、此をば阿羅幡弐(あらはに)と云ふ」〈紀神代下〉②まる見え。「御格子おろしてよ。…―にもこそあれ」〈源氏野分〉③人目につく所。表。外。「私は人に見知られたる身なれば、―にはあらじ。谷の方の藪(やぶ)に隠れて居たらむ」〈今昔三〇ノ二〉。「岩屋の―に立ち出でて見れば」〈問はず語り四〉④露骨。「世の中の物憂くなりまさるよしを、―には言ひなさで、かすめ訴(うれ)へ給ふ」〈源氏東屋〉⑤はだか。「我が衣をぬぎて親に着せ、わが身は―にして蚊に食はせたらば」〈伽・二十四孝〉▽アラは朝鮮語 al(卵)と関係があろう。

あらは・し(アラワシ)【顕はし・現はし・著はし】『四段』《アラハ(顕)にする意》①出現させる。示現する。「〔神ガ、昔ノ祥事ヲ再ビ〕わが御世に—・してあれば」〈万四〇九四〉。「〔聖ノ〕しるし—・さぬ時」〈源氏若紫〉②隠していることを表に出す。明らかにする。「玉島のこの川上に家はあれど君をやさしみ—・さずありき」〈万八五四〉。「人の過(とが)を—・して云ふべからず」〈孝養集中〉③広く知られるようにする。「名を—・す」〈徒然八〇〉④書きあらわす。書きしるす。「書き落す事、申したき事の多さは、これを書く人の心にだに残ることは多く、—・す事は少なくこそ侍れば」〈愚管抄二〉 **—ぎぬ**【顕はし衣】「あらはしごろも」に同じ。「はや我が姿は—の、日も夕暮の道しるべせし人は」〈謡・遊行柳〉 **—ごろも**【顕はし衣】喪中であることをあらわす衣。喪服。「この御—の色」〈源氏藤袴〉

あらばしり【新走り・荒走り】①暴風のなかを航海すること。「浮きたる舟の—せり」〈俳・続境海草五〉。〈日葡〉②陰暦八月ごろの、その年最も早くできた新酒。「酒舟や乗り遅れじと—」〈俳・筑紫の海三〉。〈日葡〉

あらはひ(アラワイ)【洗はひ】洗うこと。洗濯。「山に住むあひだに、—などする人のなかりければ」〈大和二七〉

あらは・れ(アラワレ)【顕はれ・現はれ】『下二』《アラハ(顕)になる意》①出現する。「仏の—・れたまへるやうに」〈枕一八六〉②(隠していることが)自然に表立つ。「健男(ますらを)の思ひ乱れて隠せるその妻天地に徹り照るとも—・れめやも」〈万二三五四〉。「—・れても、忍びても、乱りがはしきこといと多かり」〈源氏薄雲〉③発覚する。「謀反(みかどかたぶ)けむとして発覚(あらは)れぬ」〈紀持統称制前〉 **—て**【顕はれて】『副』表立って。公然と。はっきりと。「我が思ひかけたる人を、—人の妻(め)とするをそねみて」〈古今集註〉。〈日葡〉

あらはろ(アラワロ)【顕はろ】動詞「顕はれ」の連体形「顕はる」の上代東国方言。「立っ虹(のじ)の—(人目ニツク)までも」〈万三四一四上野東歌〉 †araFaro

あら・ひ(アライ)【洗ひ】『四段』水につけてこすり、物の汚れをとり去る。「河上に—・ふ若菜の」〈万二八三八〉 †araFi **—がき**【洗ひ柿】染色の名。薄い黄赤色。薄柑子(うすこうじ)。「袖涼し夕日を返す—」〈俳・富士石三〉 **—がのこ**【洗ひ鹿子】鹿子絞りを染め上げてすぐに、括り糸を解いて水洗いし、模様の白地に染料をにじみ出させてぼかしたもの。「—の虫づくし」〈西鶴・諸艶大鑑四〉 **—がは**(ワガ)【洗ひ革】洗って白くなめした鹿の皮。一説、薄紅のなめし皮。「—料鹿皮五張」〈正倉院文書周防国正税帳天平十年〉 **—きぬ**【洗ひ衣】〔枕詞〕洗った衣と取り替える意から、同音の「鳥飼川」にかかる。「—とりかひ川の川淀の」〈万三〇一九〉 **—こ**【洗ひ粉】髪や皮膚を洗う粉。近世は専ら赤小豆あるいは緑豆の粉を用いた。「手水(てうづ)の粉」とも。「身は—絶えさず」〈西鶴・一代男三〉 **—ごひ**(イゴ)【洗ひ鯉】鯉の生身を薄くへぎ、冷水や氷で洗い縮ませた料理。「鯉これを切る。—」〈言継卿記天文三・六・八〉 **—はり**【洗ひ張り】解いて洗った着物を、糊付けして板などに張って干すこと。「鳥恨み茂りに頭陀の—」〈俳・紀行誹談〉

あら・び『上二』①【荒び】乱暴する。あれている。「悉に—・ぶる蝦夷(えみし)どもをことむけ」〈記景行〉▽奈良時代の末には上一段活用に転じたらしく、続日本紀宣命六二に「陸奥の国の荒備流(あらびる)蝦夷(えみし)」という例がある。②【粗び】うとうとしくなる。疎遠になる。「—・ぶる妹に恋ひつつそ居る」〈万二八二二〉 †arabi

あらひじり【荒聖】荒行(あらぎょう)をする僧。荒っぽい僧。「文覚は天性不敵第一の—なり」〈平家五・勧進帳〉

あらひとがみ【現人神】《アラは出現の意。→あらは》①人として現われる神。㋑住吉の神など。「住吉の—、船の舳(へ)にうしはき給ひ」〈万一〇二一〉㋺天皇。「吾は是れ—の子(みこ)なり」〈紀景行四十年〉②名ある人が、死後、神となって世に現じたもの。「思ひ出づや無き名立つ身はうかりきと—になりし昔を」〈十訓抄一〇ノ一六〉。「過にし三歳(とせ)さきに、流されさせ給ふ菅丞相の尊霊—と現じて、ただ今都へ入らせ給ふ」〈伽・天神〉③たたりをなす恐ろしい神。「—もかくやらんと、貴賤上下おしなべて怖れぬこそなかりけれ」〈説経・鎌田兵衛正清〉 †araFitögami

あらぶるかみ【荒ぶる神】人間に害をする神。「その国の—どもをことむけやはせ(平定セヨ)」〈記神代〉。「柏(かしは)の渡りの—を殺しつ」〈紀景行二十七年〉 †araburukami

あらぶるにしもの【荒賊】乱暴な賊。「荒賊、俗に阿良夫流爾斯母乃(あらぶるにしもの)といふ」〈常陸風土記〉 †ara-burunisimönö

あらほふし(‥ホウ‥)【荒法師】あらあらしい法師。「天狗、京に知識を催ほす(仏道ノタメニ布施スル人ヲ勧誘スル)—のかたちとなりて行きけるを」〈今昔二〇ノ一一〉

あらまき【苞苴・荒巻】わら・竹・葦などで魚などをあらく巻きこんだもの。「鯛の—を多く奉りたりけるを」〈今昔二八ノ三〇〉

あらま・し【有らまし】㊀『四段』こうありたいと願う。かねて思いもうける。「若き程は諸事につけて…行末久しく—・す事ども心にはかけながら」〈徒然一八八〉。「たとひかねて—・すといふとも」〈口伝鈔下〉㊁『名』《「有増」「荒猿」などとも表記》①こうありたいという願い。「但し、これしかしながら調(ととの)ふべき事難し。—の事なり」〈孝養集下〉。「日来(ひごろ)の—違はずして、今日往生すべき故に」〈法然上人行状絵図〉②心づもり。計画。予定。「湖に船一艘儲けて置かれたりけれども、〔渡シ守ニナルコトハ〕—ばかりにて」〈古事談三〉。「尽きせぬ—に心をなぐさめて過しければ」〈発心集五〉③概要。要約。「三塔の来歴—御物がたり候へ」〈伽・じぞり弁慶〉 **—ごと** 前もってこうありたいと願っていること。「『とあらば、かからば』など行末の—にとりまぜて〔遺言ヲ〕宣ひおくこともなかりしかば」〈源氏総角〉

あらま・し【荒まし】『形シク』いかにも荒荒しく感じられる。物怖ろしく感じられる。「—・しきあづま男の」〈源氏宿木〉。「いと—・しき水の音、波の響に」〈源氏橋姫〉

あらまほ・し【有らまほし】『形シク』理想的である。申し分がない。「御直衣(なほし)に、えならぬ御衣(ぞ)いだしうちきにし給へる、—・しう見ゆ」〈和泉式部日記〉

あらみ【新身】新しく鍛え打った刀。「両人へ—刀脇指くれ申し候」〈鈴鹿家記宝徳一・四・一三〉

あらみさき【荒御先】①軍の先鋒をつとめる荒御魂(あらみたま)。神功皇后が三韓を攻めた時、住吉・諏訪の二神が先鋒となって進攻したという伝説がある。「昔、神功皇后、新羅を攻め給ひし時、伊勢大神宮より、二神の—をさし添へさせ給ひけり」〈平家一一・志度合戦〉②男女の仲を裂くという神。「—といふもの放たぬ者(ハライ除ケナイ者)は、かくぞある」〈狭衣一〉。「—とは人の中をさくる神を云ふ。さくる神とも」〈能因歌枕〉

あらみたま【荒御魂】《「和御魂(にきみたま)」の対》物事に対して激しく活動する神霊。「—は先鋒(さき)として師船(みいくさのふね)を導かむ」〈紀神功摂政前〉 †aramitama

あらむしゃ【荒武者】荒荒しい武士。「いみじう身の力強く、心たけく、むくつけき—の」〈宇治拾遺二一九〉

あらめ【荒目】①大ざっぱなこと。粗雑なこと。「連歌には良きと思ふことばも、歌ではーに聞ゆるなり」〈耳底記〉②荒っぽいこと。粗暴であること。「アラメナヒト」〈日葡〉

あらめ【荒布・荒和布】《「和布(にきめ)」の対》海藻の名。食用にする。「いもじ・ーも歯固めもなし」〈土佐一月一日〉。「滑海藻、阿良米(あらめ)、俗用二荒布一」〈和名抄〉 **ーのしゃくし**【荒布の杓子】アラメ製の杓子。京都寺町通大炊道場の寺宝。一遍上人が廻国の際持ち歩いて衆生を救ったという。「煮さましにー春見えて」〈俳・桜千句〉

あらもの【荒者】乱暴者。「およそこの為朝、幼少より以ての外のーにて」〈保元上・新院御所〉

あらやま【荒山】人気(ひと)のない山。「ーも人し寄すれば寄そる(引キヨセラレル)とぞいふ」〈万三三〇五〉

あらゆ【新湯】沸かしたてで、まだ誰もはいらない風呂の湯。さら湯。「ーは人の身に毒なり」〈西鶴・二十不孝三〉

あらゆる《連体》《動詞有リの未然形に自発の助動詞ユの連体形がついたもの》あるところのすべての。あるかぎりの。「葦原の中つ国にーうつしき(現実ノ)青人草(人民)の」〈記神代〉。「瞻部洲にー睡眠せるひとを、皆悉く覚悟せしむ」〈金光明最勝王経平安初期点〉 →あらえむ

あらら【粗ら・疎ら】《アラアラの約。アラは粗略・粗大の意》まばらなさま。「をちかたのー松原」〈紀歌謡三八〉。「粗、保々(ほほ)、又、阿良良(あらら)」〈新撰字鏡〉 **ーか**【粗らか・疎らか】①おおざっぱなさま。「文して〔子ノ病気ヲ〕告げたれば、返りごといとーにてあり」〈かげろふ下〉。「屏風…所所に寄せかけ、何かのーなるさまにし放ちたり」〈源氏東屋〉②疎略な作りであるさま。「ーなる東絹どもを押しまろがして」〈源氏東屋〉③(毛など)ばらばらであるさま。「牛飼は、大きにて髪ーなるが」〈枕五五〉

あららか【荒らか】(風の音、人の言動などが)いかにもはげしいさま。「ーなる振舞など見るもゆゆしく覚ゆ」〈源氏玉鬘〉

あららぎ《斎宮の忌詞》塔。「塔を阿良良岐(あららぎ)と称す」〈延喜式斎宮寮〉

あららぎ【蘭】ノビルの古名。「いで刀自、そのー一茎(ひともと)」〈紀允恭二年〉。「蘭蒿、阿良々木(あららぎ)」〈和名抄〉 ▽アララ(粗)キ(葱)の意か。 †*araragi

あら・る【有らる・在らる】《連語》《アリの未然形に可能の助動詞ルのついた形》①所有している。「王にー・れむ自利善根をば…我等に施し及せ」〈金光明最勝王経平安初期点〉②生きていられる。「逢ふ事の絶えば命も絶えなむと思ひしかどもー・れける身を」〈続古今一三五五〉

あられ【霰】①雲中の水分が氷結して降るもの。古くは雹(ひょう)をも含めたらしい。「霜の上にーたばしり」〈万四二九八〉。「雹、アラレ」〈名義抄〉②「あられぢ」の略。「ーに窠(わ)の紫の御指貫(さしぬき)」〈増鏡一〇〉 **ー打つ** あられがふる。一説、同音で地名「あられ」にかかる枕詞。「ーあられ松原」〈万六五〉 **ーがま**【霰釜】霰形のこまかな突起を外面に鋳出した茶の湯の釜。「囲炉裏(ゐるり)、ー五徳に〔掛ケ〕」〈宗達他会記永祿二・二・三〉 **ーこもん**【霰小紋】織物に霰の小玉模様を一面に染め出したもの。「ふりよしやーの袖の雪」〈俳・鸚鵡集八〉 **ーとんとん**【霰こんこん】《「霰来む来む」で、霰降れ降れの意》子供が霰の降るのを興じていうことば。「餅も酒もーの馳走かな」〈俳・一本草四〉 **ーざけ**【霰酒】奈良名産の混成酒。水に漬けた蒸(む)し米と米の麹(こうじ)とを入れた味醂(みりん)酒。麹が霰のように浮いて見えるのでいう。「ー樽一つ調へ下す可きの由申し上げられ了んぬ」〈多聞院日記天正三・三・一八〉 **ーぢ**【霰地】織紋の名。石畳の模様を織り出したもの。「綾の紋は、葵、かたばみ、ー」〈枕一本二一〉 **ーふり**【霰降り】〔枕詞〕霰が降って音を立てる意から「囂(かしま)し」を連想して「鹿島」に、霰の降る音トホトホから「遠つ」に、キシキシから「吉志美」などにかかる。「ー鹿島の神を祈りつつ」〈万四三七〇常陸防人〉。「ー遠つ大浦に」〈万二七二九〉。「ー吉志美が嶽を険(さが)しみと」〈万三八五〉 **ーふる**【霰降る】〔枕詞〕⇒あられふり。「風俗(くにぶり)の説(ことば)にー香島の国といふ」〈常陸風土記〉

あられぬ【有られぬ】《連語》あってはならぬ。不都合な。よくない。「左様にー事をして、妻子眷属をはごくみ」〈三河物語上〉

あらればしり【阿良礼走】踏歌節会(たふかのせちゑ)に京中の歌舞に巧みな者が召され、年始の祝詞を歌に作って舞踏すること。その歌曲の終りに必ず「万年(よろづとせ)あられ、万年あられ」と折りかえし囃して早足に入るのでいう。「この日に漢人(あやひと)らー奏(つかへまつ)る」〈紀持統七年〉

あられもな・い【有られも無い】《連語》そうあってはならない。「ー・い事、誰がさう言はんすぞ」〈評判・難波鉦三〉

あらをだ【新小田・荒小田】新しく開墾した田。新田。また、春になってこれから耕そうとする田。一説、荒れた田。「ーをあらすき返し」〈古今八一七〉。「〔苗代水トシテ〕ーに引かする水もゆたかなる」〈新千載一七三五〉 **ーを**【新小田を】〔枕詞〕田を鋤(す)き返す意から、「かへす」にかかる。「春にのみ年はあらなむーかへすがへすも花を見るべく」〈新古今八九〉

あり【蛾】蚕の蛾(が)。「ひひる」とも。「蛾、蝗也、安利(あり)、又、比比留(ひひる)」〈新撰字鏡〉

あり【蟻】アリ科の昆虫。「大きなるーをとらへて」〈枕二四四〉 **ーといふ虫の物詣り** 蟻が列を作って行くさまを、神仏参詣にぞろぞろとくり出す人の列にたとえた表現。後には、多人数群集するさまのたとえに用いた。「蟻の伊勢詣り」「蟻の熊野詣り」「蟻の観音詣り」などとも。「馬車にて馳せ違ふさま、ーとかやするにこそよう似て侍りしか」〈源家長日記〉 **ーの塔を組む如し** 少しずつ事をなすたとえ。〈俳・毛吹草二〉 **ーの茶臼を廻(めぐ)る** 物事の果てしのないたとえ。「蟻磨(ま)を旋(めぐ)る」とも。「此れもまた理(ことわり)過してーに異ならざりき」〈仮・芥物語下〉

あ・り【有り・在り】[一]《ラ変》❶空間的・時間的に存在する。あるいは他から存在が認識される。いる。①生物・無生物が(そこに)存在する。「陸奥(みちのく)の小田なる山に黄金ー・りと」〈万四〇九四〉。「葦鴨(あしがも)のすだく古江に〔鷹ハ〕一昨日(をとつひ)も昨日もー・りつ」〈万四〇一一〉②この世に生きている。生きながらえる。「はしきやし妹がー・りせば」〈万四六六〉。「ー・りけむさまなども、更に覚え侍らず」〈源氏手習〉③その場に居合わせる。「上(うへ)につとさぶらはせ給ひて夜昼おはしますめれば、ー・る人人も心ゆるびせず」〈源氏少女〉④(このまま)時間が経過する。時がたつ。「玉の緒を沫(あわ)緒によりて結べらばー・りて後にも会はざらめやも」〈万七六三〉。「今一年二年ー・らばおとろへまさりなむ」〈源氏総角〉⑤住む。生活する。暮す。「天ざかる鄙(ひな)にー・るわれを」〈万三九四九〉。「かの筑紫に親はらからなどー・りければ」〈大和一四一〉⑥《「世にー・り」の形で》存在がきわだっている。時めいて暮す。立派な生活をする。「われら世にだにもー・らばこれほどの家一日に一つづつも造りけん」〈義経記五〉⑦(才能などが)ぬきんでている。すぐれている。「御供に声ー・る人して歌はせ給ふ」〈源氏若紫〉。「采女(うねべ)女蔵人などをもかたち心ー・るをばことにもてはやし」〈源氏紅葉賀〉⑧事が起る。行なわれる。「南殿にてー・りし儀式」〈源氏桐壺〉。「御心より起りてー・りし事ならず」〈源氏蜻

蛉〉 ❷陳述を表わす。①《主に形容詞の連用形及びそれに準ずる連用修飾格の語について》 その状態が存在または存続していることを表わす。…である。…している。「諸人(もろひと)は今日の間(あひだ)はたのしく—・るべし」〈万八三二〉。「八重の柴垣〔ニ〕入り立たず—・り」〈記歌謡一〇七〉。「橋だにも渡して—・らば」〈万四一二五〉。「闇にや妹が恋ひつつ—・るらむ」〈万三六九九〉。「はちす葉はかくこそ—・るもの」〈万三八二六〉 ②《指定する意を表わす助詞ニやトをうけて》断定を表わす。…である。…だ。「一つ松人に—・りせば」〈紀歌謡二七〉。「世の中は空(むな)しきものと—・らむとぞこの照る月は満ち欠けしける」〈万四四二〉 ③《断定の転義として》よい。かまわない。さしつかえない。「三つが一つにても—・らむかし」〈源氏葵〉 ▽空間的・時間的に存在し持続する意が根本で、それから転じて、…ニアリ、…トアリの形で、…であるという陳述を表わす点では英語の be 動詞に似ている。ニアリは後に指定の助動詞ナリとなり、トアリは指定の助動詞タリとなった。また、完了を表わすツの連用形テとアリとの結合から助動詞タリ、動詞連用形にアリが結合して(例えば咲キアリ→咲ケリ)完了・持続の助動詞リ、またナリ・ナシ(鳴)の語根ナ(音)とアリとの結合によって伝聞の助動詞ナリが派生した。❸他の動詞の代行をする。①《助詞トを受けて引用の意を表わす》…と言う。「『われは海道を攻めのぼるべし』と—・りしかば」〈古活字本平治中・義朝青墓に落ち着く〉 ②《自然のまま存在するということは、人為を加えていないという点で、対象を尊敬する意になるので、敬語の名詞について》…なさる。あそばす。「七条院御幸—・りけり」〈愚管抄六〉。「種種に詫びらるれども、遂にお聞き—・らぬによって」〈天草本伊曾保〉 ㈡『接頭』《動詞の上について》 継続の意をあらわす。引きつづいて、ずっとそのままの意。「—通ひ」「—立ち」など。「春日野にいつく三諸の梅の花栄え—・り待て還り来るまで」〈万四二四一〉 ▽アリは奈良・平安時代にはラ行変格活用をしていたが、鎌倉時代頃から四段活用と同じになった。アリは語形上、アレ(生)・アラハレ(現)などと関係があり、それらと共通な ar という語根を持つ。ar は出生・出現を意味する語根。日本人の物の考え方では物の存在することを、成り出でる、出現するという意味で把える傾向が古代にさかのぼるほど強いので、アリの語根も、その ar であろうと考えられ、朝鮮語の al(卵)という語と、これは関係があるかと思われる。朝鮮語の名詞で日本語に入って動詞として使われている例としては、朝鮮語 ip(口)→日本語 ipu(言フの古形)などいくつもある。↓あらは(顕)・あれ(生)

有らばこそ あるものか。ありはしない。「日暮れなば、春暮れなんずるに、夏は花が—と云ふ也」〈古今集註〉 **在るが中に** そこにある中で(特に)。沢山ある中に(とりわけ)。「翁びとひとり、たうめひとり、—心地あしみして、ものものしたまはでひそまりぬ」〈土佐一月九日〉 **有るか無きか** ①存在が定かでないさま。はかないさま。「昔だに—なりし中門など」〈源氏蓬生〉 ②生きているのかいないのか解らないさま。衰弱しきっているさま。「いたう弱りそこなはれて、—の気色にて臥し給へるさま」〈源氏葵〉 **在るにもあら・ず** ①無いも同じである。あるとはいえない。「かたち(容貌)とても人にも似ず、心たましひも—・で」〈かげろふ上〉。「—・ぬ讒奏を申しける」〈伽・万寿の前〉 ②無意識である。「〔コロンデ〕起きあがりたるに、—・ず手に握られたる物を見れば」〈宇治拾遺九六〉

あり『感』 蹴鞠のとき、自分が蹴るという意思表示に発するかけ声。「ありあり」と続けてもいう。「—といふ声より外にいふ事は鞠のかかりにせぬとこそ聞け」〈蹴鞠百首和歌〉

ありあかし【有明かし】 有明けまでともしておく燈火、または、行燈(あんどん)。「ありあけ」とも。「旅の馳走に—置く」〈俳・猿蓑下〉

ありあけ【有明け】 ①月が空に残っていながら、夜が明けかけること。また、その頃の月。陰暦十五日以後、特に二十日以後にいう。「九月(ながつき)の—の月夜見れど飽かぬかも」〈万二二二九〉。「八月二十よ日の—なれば」〈源氏葵〉。「—の月は十五日以後をいふよし、〔大江〕匡房往生伝に在り」〈八雲御抄三〉 ②「有明かし」に同じ。「夜詰め已後、—の外、燈(ともしび)立て置く事、過料銀二枚」〈上杉家文書三、元和八・二・一五〉 ③京都の造酒屋富田屋醸造の銘酒。後水尾院の命名。「御所へも上る—が酒」〈俳・延命冠者〉 †ariakë

ありあ・ひ イ・ア【在り合ひ】『四段』 ①居あわせる。「京より下りし時に、皆人子どもなかりき。到れりし国にてぞ、子生める者ども—・へる」〈土佐二月九日〉 ②出会う。めぐりあう。「〔明ケ暮レオ通イニナル〕路のほどなどに、〔百鬼〕夜行の夜などもおのづから—・ふらん」〈栄花初花〉 ③たまたまその場にある。「手もとに棒が—・はざるによって」〈臨済録抄〉

ありあり・し【在り在りし】『形シク』 ①いかにも事実そのままらしい。「心深く大人のやうにおはすれば—・しうは世にのたまはじ」〈宇津保楼上下〉 ②当然そうあるべき状態にある。「奉公の次第—・しくて、御室(おむろ)も不便(ふびん)に思し召されけり」〈参語集一〉 ③もっともらしい。「—・しく云へば、若気ゆゑ実(まこと)と思ひ」〈信長公記一三〉

ありありて【在り在りて】『副』 ①同じ状態のまま時がたって。「—後も逢はむと言のみを堅め言ひつつ逢ふとはなしに」〈万三一一三〉 ②揚句の果てに。とどのつまり。「打解けゆく末に—斯く世の聞耳もなのめならぬ事の出で来ぬるよ」〈源氏若菜上〉

ありありと『副』 実在するように、あざやかに。また、真実であるように、もっともらしく。「炎のうちには〔若君ノ幻ガ〕—見えて」〈伽・為人びくに〉。「和誘とは、いかにも人を—すかしこしらへて勾引(かどはか)す事を云ふ也」〈清原宣賢式目抄〉

ありか【在り所・在り処】《カはスミカ(住処)・オクカ(奥処)のカに同じ。ずっと引き続いて住む所、定着する所。類義語アリドコロは、そのものが現に存在する場所の意》 ①落ち着いている所。「風の上に—定めぬ塵の身は」〈古今九八九〉 ②(じっとそこに)ある場所。「魂の—尋ねには」〈源氏宿木〉 ▽古今訓点抄(鎌倉時代)にアリガとあり、その頃濁音に発音したらしい。日葡辞書にはアリカと清音。

ありが【在り香】 ①漂う匂い。着物などにしみこんだ薫物(たきもの)の匂いなど。軒ちかき梅の—を袖にしめてひとりふせやと人にいはれし」〈拾玉集二〉 ②臭気。いやな臭い。「血どころどころにつきたる衣(きぬ)の—、まことにくさく」〈閑居友下〉 ③わきが。「葛城の神はよるとも契りけり/しらず—をつつむならひは」〈伽・四十二の物あらそひ〉

ありかず【有り数】 ①有り経る数。(人が此の世に)生きる年の数。「わたつうみの浜のまさごを数へつつ君がちとせの—にせむ」〈古今三四四〉 ②人や物の存在する数。「大宮人のけさの—」〈洞院摂政家百首〉

ありがた・し【有難し】『形ク』《有ることを欲しても、なかなか困難で実際には少ない、無いの意。稀なことを喜び尊ぶ気持から、今日の「ありがたい」という感謝の意に移る》 ①ありそうもない。「これをおきて、または—・し」〈万四〇一一〉 ②めったにない。めずらしい。「—・きもの。舅(しうと)にほめらるる婿(むこ)。姑(しうとめ)に思はるる嫁の君」〈枕七五〉。『世に―・き物には侍りけれ』と、いよいよ秘蔵しけり」〈徒然八八〉 ③(平穏に)生きて行くことが困難だ。「世の中は―・くむつかしげなるものかな」〈源氏東屋〉。「此く―・き命を助け聞えつ」〈今昔三ノ一四〉 ④なしがたい。むつかしい。「さるべきついでなくては、対面も―・ければ」〈源氏行幸〉 ⑤尊い。かたじけない。「〔法華経ノ〕二十八品ことごとく織り入れ給ふ御声耳に聞えて―・く」〈伽・蛤の草紙〉 ⑥感謝したい気持である。「露殿、喜び給ひつつ、『あう、―・う候。さらば御供申さん』とて」〈評判・露殿物語〉

ありか・て【有りかて】『下二』《アリはそのまま、いつもの意。カテは耐える意》そのままで耐えている。「ひと日こそ人も待ちよき長き日(け)をかくのみ待たば―・つましじ」〈万四八四〉

ありがほ【有り顔】①…であるように見える顔つき・態度。そうありげな様子。「心寄せ―にもてなして」〈源氏竹河〉 ②まことらしい顔つき。「『いとうつくしうおはす』と―に聞えなして」〈栄花衣珠〉

ありがほ・し【有りが欲し】『形シク』《「有ること欲し」の意》そこにいたい。住んでいたい。「―・し住みよき里の荒るらく惜しも」〈万一〇五九〉

ありがよ・ひ【有り通ひ】『四段』いつも通う。常に通う。「千歳に闕くることなく万代(よろづよ)に―・はむと」〈万三三六〉 †arigayofi

あり・き【歩き】㊀『四段』《あちこち動きまわる意。犬猫の歩きまわること、人が乗物で方方に出かけてまわることにもいう。平安女流文学で多く使い、万葉集や漢文訓読体ではアルキを使う。類義語アユミは一歩一歩足を運ぶ意》①あちこち動きまわる。「〔猫ガ〕いとをかしげにて―・くを見るに」〈源氏若菜下〉 ②あちこち訪問する。「よろこびに所所―・き給ひて」〈源氏宿木〉 ③あれこれと日を送る。「大臣になずらふる宣旨かぶらせ給ひて―・き給ひし御ありさまも、いと落ちゐても覚え侍らざりき」〈大鏡道隆〉 ④《動詞の連用形について》㋑…してまわる。あちこち…する。動きまわって…する。「よろづの所、求め―・きて」〈源氏帚木〉。「中納言のとざまかうざまに言ひ―・き給ふも」〈源氏総角〉 ㋺絶えずあれこれと…する。…して月日を送る。「故宮の御のちの世をさへ、思ひやり深く後見―・き給ふめる」〈源氏東屋〉。「つれなくて、常に親がり―・き給ふ」〈源氏薄雲〉 ㊁『名』①(寺社の参詣、女の所へなど)歩きまわること。「夜深き御―」〈源氏夕顔〉。「都の外の―」〈源氏若菜下〉 ②あちこち出歩くこと。外出。「―を好むべからず」〈正法眼蔵重雲堂式〉。「今日を限りの御―、あさましうあはれなり」〈増鏡三〉 **―がみ**【歩き神】「あるき神」に同じ。「花のころ誰にも付くや―」〈俳・夢見草一〉 **―ぞめ**【歩き初め】誕生後はじめて外出する祝いの儀式。「八月、御子の御―とて」〈増鏡一〇〉 **―みこ**【歩き巫】祈禱・うらない・神降しなどを業として、各地を漂泊してまわる巫女。盲目の者も少なくない。「―の、髪肩にかかりて、色白くたけたかきが、齢二十二三ばかりなる」〈沙石集三ノ一〉

あり・き【有り来】『カ変』変らずに、年月を経て来る。「白妙に雪は降り置きて、古ゆ―・きにければ」〈万四〇〇三〉 †ariki

ありきた・り【有り来り】『四段』前から続いてある。「古へより―・るを立てさせ給ふ事もっともなり」〈太閤記一〇〉

ありきぬの【蚕衣の】〔枕詞〕《アリは蚕の蛾》絹布を重ねて着る意から「三重」に、貴いものの意から「宝」に、同音から「在りて」にかかる。また、絹ずれの音から「さゑさゑ」にかかるという。「―三重の子(ウネメ)が」〈記歌謡一〇〇〉。「―宝の子らが」〈万三七九一〉。「―ありて後にも」〈万三七四一〉。「―さゑさゑしづみ」〈万三四八一〉 †arikinuö

ありぎり【有限・有切】ある限り。全部。「この酒の―に遊ぶなれば」〈西鶴・一代女三〉

ありくること【由来】《日本書紀特有の訓読語》由来。「百済の国は日本の国の宮家(みやけ)として―遠久(ひさ)し」〈紀雄略二十年〉

ありける【在りける】『連体』前述の。先程の。「―女童(をんなわらは)なん、この歌をよめる」〈土佐一月十一日〉

ありどし【蟻腰】細い腰の形容。蟻の腰はくびれているのでいう。「『腰こそは細けれ』『―で候もの』」〈虎明本狂言・今参〉

ありこ・せ【有りこせ】『下二』《コセはよこすなどの意のオコセの最初の母音が脱落した形》(こちらに対して)そうあってくれる。「吉野川逝(ゆ)く瀬の早みしましくも淀むことなく―・せぬかも」〈万一一九〉 †ariköse

ありさま【あり様】『代』《下賤の者が敬意をこめて相手を呼ぶ称》おまえさま。あなたさま。あれさま。「―にきん玉が有るか」〈西鶴・五人女一〉

ありさま【有様】《アリは現われて持続していること。サマは漠然と方向をいう語。転じて、状態や姿をやわらかにいう。アリサマは景色・態度・身分・境遇などを持続的・全体的な様子としてとらえ、それを大まかにいう語》①全体の様子。全景。「家に至りて門(かど)に入るに月明かければいとよく―見ゆ」〈土佐二月十六日〉 ②《「御―」の形で》貴人を指す。貴人をあからさまに指すことを避け、ぼかしてとらえた表現。「いでや、この御―、一所こそめでたけれ」〈源氏若菜上〉 ③姿。風采。「形・―衰へて、泣く事限りなくして」〈今昔九ノ一七〉。「腰かがまり眉白く誠に徳たけたる―にて」〈徒然一五二〉 ④様子。生活。「世(夫婦ノ間)の―を人は知らねば」〈伊勢二一〉。「あやしき―をもし給はば亡き世なりとも必ず恨みきこえんずるぞと」〈大鏡道隆〉 ⑤具合。程あい。加減。「声の―聞ゆべうだにあらぬ程に」〈枕二〇一〉 ⑥人柄。性格。「女君の御―の思ふやうなることも語り給ふ」〈源氏薄雲〉 ▽アリサマは意味が大まかなためか、日本書紀の傍訓にはほとんど使われず、「行状」「情状」「消息」「情之委曲」などに対してはアルカタチという明確な内容を示す訓がつけられている。ただし、平安末期の名義抄には、「消息」「挙動」をアリサマと訓み、室町末期の節用集には「有様」「行状」にアリサマをあてている。

ありさ・り【在り去り】『四段』このまま時がたつ。「―・りて後もあはむと思へこそ露の命も継ぎつつ渡れ」〈万三九三三〉

ありし『連体』以前の。例の。「―けはひよりは物物しくおぼゆれど」〈源氏空蟬〉 ↓ありつる。 **―ながら** 以前のまま。もとのまま。「―の我が身ならば」〈源氏空蟬〉 **―よ**【ありし世】①生きていた時。また、(位などに)在った時。「―にしばしも見ではなかりしを」〈新古今八四五〉 ②その昔。往時。主として、はなやかだった昔を追憶する場合にいう。「―の名残りだになき浦島に立ち寄る波の珍らしきかな」〈源氏賢木〉

ありしょ【在所】人のいるところ。物のあるところ。ありか。「姫の―へ帰りければ、括り付けたる姫は見えず」〈伽・藤袋〉

ありすぐ・し【在り過ぐし】『四段』そういう状態で日日を送る。「世に従ふ御心にて、さて―・し給ふ程に」〈栄花花山〉

ありそ【荒磯】《現石(あらいそ)の意》海中や海岸に露頭している岩。また、庭の泉水の石。「みさご居る沖の―に寄する波」〈万二七三九〉。「み立たしの島〔ノ宮〕の—を今見れば」〈万一八一〉 †ariso **—うみ**【荒磯海】荒磯のある海。「—の浜の真砂(まさご)とたのめしは」〈古今八一八〉 **—み**【荒磯廻】荒磯をめぐって行くこと。「—に我が衣手はぬれにけるかも」〈万三一六三〉 **—も**【荒磯面】荒磯の上。「名くはし狭岑の島の—にいほりて(仮住居ヲ作ッテ)みれば」〈万二三〇〉

ありそ・め【有りそめ】『下二』消えない状態になる。深い間柄になる。「今始めたる事ならばこそあらめ、—・めにける事なれば」〈源氏賢木〉。「宮の御ことよ、いつより—・めけむ」〈源氏蜻蛉〉

ありたきまま【在りたきまま】気まま。「人の心をとるは苦しきに、我が身をせめて—にせよとなり」〈三島千句注〉

ありたけ【有り丈】あるだけ全部。「ありのたけ」とも。「忠は我が心—尽して少しもいつはりなきをいふ」〈大学抄〉 **—こたけ**【有丈小丈】あるかぎり。すべて。「ありたけはだけ」「ありたけさんぼう」とも。「伸びにけり—今年生え〔ノ竹ハ〕」〈俳・続境海草二〉

ありた・ち【在り立ち】『四段』《アリは、ずっとの意》ずっと立ちつづけている。「—・てる花橘を」〈万三三三九〉

ありちがた【在千潟】〔枕詞〕未詳。同音の「在り」にかかる。「—在りなぐさめて行かめども」〈万三一六一〉

ありつ・き【在り付き】㊀『四段』①生れついている。「もとより—・きたる、さやうの並並の〔階級ノ〕人は」〈源氏蓬生〉 ②慣れきる。「〔貧乏ニ〕—・きたりしあなたの年頃は」〈源氏蓬生〉 ③ぴったり板につく。似合う。「〔尼姿ガ〕まだ—・かぬ御かたはら目」〈源氏柏木〉 ④ずっとそこに定着する。そこに落ち着く。「国に大水出で、人を流し里を失ふ。然れば民—・く事かたし」〈今昔一〇ノ三三〉。「その根のいまだ—・かぬ故なりと知りて、土をかひ水をそそきて」〈夢中問答中〉 ⑤結婚して住みつく。「わざと—・きたる男となくて、ただ時時かよふ人などぞありける」〈宇治拾遺四七〉 ⑥生活の道を得る。「年ごろ身貧しくして、世に—・く方もなかりける程に」〈今昔二七ノ二四〉 ⑦奉公・勤務する。就職する。「長島〔城〕と申す所に、数年—・き候足軽共」〈毛利家文書三、天正二一・五・一五〉。「一季半季居の出替りの者、来たる二月十五日前に—・き申すべく候」〈正宝事録承応二・一・二八〉 ㊁『名』①住居の落ち着いていること。「新しく人なども参らず、—めやすし」〈栄花晩待星〉 ②就職すること。「武士の欠落者(かけおちもの)は—にとけしなく(奉公ノ口ガナカナカナク)」〈浮・新色五巻書三〉 **—がほ**(ガオ)【在り付き顔】(そこに)住みついているようすを見せること。「いと安らかに—に、別るる御心もなきを」〈浜松中納言三〉

ありつ・け【在り付け】『下二』①落ち着かせる。安住させる。慣れさせる。「稚子どもの初めてのぼりて、ありもつかぬには、絵なんど見せ、遊び戯れて—・けるままに」〈沙石集五ノ四〉。〈日葡〉 ②結婚して落ち着かせる。「わ殿ばらを今まで—・けざりし事こそ、まことに心にかかれ」〈曾我四〉。「この姫君たち…御覚えのめでたき御かたへ—・けまゐらせてとのみ思ひ」〈伽・唐崎物語〉

ありつつも【在りつつも】『連語』①このままで。「—君をば待たむ」〈万八七〉 ②ひきつづいて。いつでも。「—君が来まさむ避道(よきみち)にせむ」〈万三三六三〉

ありつる『連体』さっきの。例の。「—人いかがなりぬると問ひ給ふ」〈源氏手習〉 →ありし

ありてい【有躰】①ありのまま。いつわりのないこと。ありよう。「—をば御耳に立て申し候間」〈沢庵書簡寛永一九・七・一八〉 ②世間並み。通り一遍。「—の礼儀」〈西鶴・置土産三〉

ありとある【有りと有る】『連語』《有るものとしてそこに存在する、の意》ある限りの。すべての。「わが家に—人召し集めて」〈竹取〉

ありどころ【在り所・有り所】今いる所。物のある所。「いもうとの—申せ、申せ」〈枕八五〉。「ここなる男こそ水の—は知りたるらめ」〈宇治拾遺九六〉

ありとしある【有りとし有る】『連語』ある限りすべての。ありとあらゆる。「—人は皆浮雲の思ひをなせり」〈方丈記〉 ▽シは強めの助詞。 →ありとある

ありなぐさ・め【在り慰め】『下二』いつも心を慰める。「在千潟(ありちがた)—・めて行かめども家なる妹いおぼぼしみせむ」〈万三一六一〉 †arinagusamë

ありなし【有り無し】①有るか無いか。「つらき心の—を見む」〈和泉式部日記〉 ②健在であるかどうか。「男は今の妻の許に居て、すべて本の妻の—をも知らざりければ」〈今昔二四ノ五〇〉 ③有るか無いかわからないようなさま。かすかなさま。「小山田の庵にたく火の—にたつ煙もや雲となるらむ」〈千載一〇八八〉 **—ぐも**【有り無し雲】あるかないかという程のかすかな雲。「浮かれゆく—も晴れのきてかかる限なき秋の夜の月」〈長承三年中宮亮顕輔歌合〉

ありな・み ㊀『四段』《アリイナミの約か》否定しつづける。「—・み得ずぞ〔ウワサヲ〕言はえにし我が身」〈万三三〇〇〉 ㊁『名』否定しつづけること。「言ひづらひ(アレコレ言ッテ)—すれど」〈万三三〇〇〉 †arinami

ありな・む【有りなむ】『連語』《ナムは完了の助動詞ヌの未然形と推量の助動詞ム》①きっとあるだろう。「慰むやうも—・むかしと」〈栄花楚王夢〉 ②…であり得る。「国王の仰言を…承はり給はで—・むや」〈竹取〉 ③…である方がよい。「法師は人にうとくて—・む」〈徒然七六〉

ありなら・ひ(ライ)【在り習ひ・在り慣らひ】『四段』①暮らすことに馴れる。住み慣れる。「本の妻なむ、〔後妻ト〕もろともに—・ひにければ」〈大和一四一〉。「〔宇治ニ〕—・はぬ人」〈源氏蜻蛉〉 ②習慣となる。「遊びの心のみ—・ひにければ」〈栄花ゆふしで〉

ありな・れ【在り馴れ】『下二』日頃、なれ親しんでいる。長年なじむ。「—・れし契りは絶えで」〈大鏡道長〉

ありにく・し【在りにくし】『形ク』生きているのがつらい。「帥殿、いかにか世を—・く憂きものになん思し乱れければにや」〈栄花初花〉

ありねよし【在り峰よし】〔枕詞〕《アリは存在する、目につく意。ヨシは良しの意》朝鮮との往来などに、舟の目標になる、目につく峰があることから、「対馬」にかかる。「—対馬の渡り」〈万六二〉 †arineyösi

ありのくだり【有りの件】前にあったことの一部始終。「—の事申してけり」〈宇治拾遺一二四〉

ありのすさび【有りの遊び】成り行きに身をゆだねて、いい気になっていること。「ある時は—に語らはで恋しきものと別れてぞ知る」〈古今六帖五〉 →すさび

ありのまま【在りの儘】①事実のとおり。あるがまま。「—に、『はや出でさせ給ひぬ。これかれも追ひてなむ参りぬる』と言ひつれば」〈かげろふ中〉 ②あるもの全部。ありたけ。「子どもを—引き具して、夫婦もろともに左衛門殿へ御礼にぞ参り給ひける」〈伽・彌兵衛鼠〉

ありのみ【有りの実】《「梨(なし)」が「無し」に通じるのをきらって言う》①梨の実。「おきかへし露ばかりなる梨なれど千代—と人は言ふなり」〈相模集〉。「三つ成りの—を給はるなり」〈伽・小栗絵巻〉 ②《「鹿梨」「悪梨実」などとも表記》山梨の実。至って小さく、食用にならない。聖霊(しょうりょう)棚

に供えるので聖霊梨ともいう。「もてなしや―に知る玉祭」〈俳・破枕集中〉。〈俳・世話尽三〉

ありは・て【在り果て】〘下二〙①終りまで生き通す。天寿を全うする。「―・てぬ命待つまの」〈古今九六五〉。「世の中に、え―・つまじきさま」〈源氏須磨〉②ずっとそこに、つづけて居る。「〔仕エテイル〕人人もえしも―・てでや行き散らむ」〈源氏浮舟〉③その同じ状態で最後まで通す。「心清くも―・つべき」〈源氏藤袴〉④事が最後まで続いて行って結果に至る。「かうも―・てなむと心寄せわたる事なれば」〈源氏藤裏葉〉

ありひし【南】みなみ。「新羅(しらき)に破られし―の加羅」〈紀継体二十一年〉▽アリヒは、前・南の意の古代朝鮮語 arp を日本語の仮名で写した語。シは方角をあらわす接尾語。ヒムカシ・ニシのシに同じ。

あり・へ【在り経】〘下二〙生きて月日を送る。「―・ふるにつけても、いとはしたなく堪へがたき事多かる世」〈源氏橋姫〉

ありべいがかり【有りべい懸かり】《有ルベキ懸カリの訛》型通り。紋切型。通り一ぺん。「ありべがかり」「あるべがかり」とも。「―をつい書きて」〈西鶴・一代男七〉

ありますげ【有間菅】摂津国有馬に産するスゲ。かさすげ。葉を乾かして笠などを作る。歌では多く同音の「在り」を導くのに使う。「人皆の笠に縫ふとふ―ありて後にもあはむとぞ思ふ」〈万三〇六四〉　†arimasugë

ありま・ち【在り待ち】〘四段〙そのままずっと待つ。「白崎は幸(さき)く―・て大船に真楫(まかぢ)繁(しじ)貫きまたかへり見む」〈万一六六八〉

ありまふで【有馬筆】摂津国有馬名産の人形筆。五色の糸で軸を巻き、筆を立てると軸端から人形が出て、倒せば引っ込む。「花に便忘れやはする―」〈俳・通し馬上〉

ありめぐ・り【在り廻り】〘四段〙①ずっとまわりつづける。遍歴する。「島づたひい漕ぎ渡りて―・り我が来るまでに」〈万四四〇八〉②生きながらえて日日を送る。「物覚えぬ追従をなし、名簿(みやうぶ)うちしなどせば、世に片時―・らせじ」〈栄花初花〉　†arimëguri

ありもつか・ず【有りも付かず】〘連語〙落ちつかない。「―・ずいみじうもの騒がしけれども」〈更級〉

ありやうウ:ヨ【有様】①ぐあい。状況。「〔暗イノデ〕海の―も見えず」〈土佐一月十一日〉②成り行き。「すべて―にしたがはん」〈かげろふ下〉③いつわりや飾りのない実態。ありのまま。ありてい。「まづ篤昌が―をうけたまはらん」〈宇治拾遺六二〉。「阿含経には、一切世間の相を、―に、山は山、川は川、柳は緑、花は紅と説き述べられたぞ」〈玉塵抄四四〉

ありよ・し【在り良し】〘形ク〙《「ありにくし」の対》生きているのが快い。住みやすい。「院の内を心につけて、住み良く―・く思ふべく」〈源氏匂宮〉

ありわた・り【在り渡り】〘四段〙ずっと変らずに時をすごす。「生きても我は―・るかも」〈万三三〇四〉

ありわづら・ひライ:ワズ【在り煩ひ】〘四段〙生きているのを苦しく思う。「世に―・ひ、…世に従ひ、物覚えぬ追従をなし」〈栄花初花〉

ありわ・び【在り侘び】〘上二〙暮す気力も失い、思案にあまる。「京に―・びてあづまに行きけるに」〈伊勢七〉。「世に―・ぶる女」〈徒然二四〇〉

ありを【在り尾】目につく山の稜線。また、岡。「我が逃げ登りし―の榛(はり)の木の枝」〈記歌謡九八〉

ありをり【有り居り】あたりまえ。普通。「頼うだる人のやうに―に仰せらるる所で、え答へまらせぬ」〈虎明本狂言・今参〉

ありんす〘連語〙《江戸吉原の遊里語》「ありますの意。「―を通ひ御針もちっと言ひ」〈雑俳・万句合明和四〉　**―こく**【ありんす国】吉原遊廓の異名。「―の月を見る痛い(ヒドク金ガ掛ル)事」〈雑俳・万句合安永八〉

ある【有・或】〘連体〙《アリ(有)の連体形。漢文の訓読で形容語の「有」「或」をアルと訓んだ所から起った語》不確定の一点(時・物・人など)を指示する語。「彼の貧人い、或(あるとき)には王家に、或(あるとき)には大臣の舎に詣りて」〈金光明最勝王経平安初期点〉。「―歌に曰はく」〈万二六九七〉

あるい【有るい】《有リの連体形アルに、名詞を造る接尾語イのついた形》有る者。体言として主格に使う。「大力もあり勇健なることも―、皆来て是の人を護らむ」〈金光明最勝王経平安初期点〉　**―は**【有るいは・或いは】《アルイに係助詞ハのついた形。もと、「有るひとは」の意。ついで、平安初期には主格としてのみ使用され、後に副詞として用いるように用法が広まった》㊀〘連語〙①…の有る人は。「神通もあり、大力も―、…常に来て此の人を護らむ」〈金光明最勝王経平安初期点〉②ある人は。ある場合は。「―四无量を修し、―四摂法に住し、―四弁才を得、―順忍に安住す」〈地蔵十輪経一・元慶点〉。「―一処に居せりといへども、昇ると沈むと有りて、―上り、―下りて、身に遍(あまね)かれども」〈金光明最勝王経平安初期点〉㊁〘副・接続〙《二つ以上の場合をあげる際に、並べて用いる。この用法は漢文訓読体の中で平安初期頃から広まった》①あるときには。「―仰(あふのけ)、―覆(うつぶ)せて」〈法華経玄賛平安初期点〉。「大便乍(あるいは)難く、乍(あるいは)易く、時(とき)微熱有り」〈医心方院政期点〉。「―その方に振舞を受け、―身が宿にそれを呼び寄せ」〈コリヤード懺悔録〉②例えば。「―朽ち、―虫食(は)み、―盗賊に奪ひ取らるる財を」〈バレト写本〉③もしくは。「―ペトロ、―ジュアン」〈コリヤード文典〉。「―病が起るか、又は急ぎの文来たるか」〈コリヤード文典〉▽アルイハは、平安女流仮名文学では使わない。アルハの形を使う。しかし、中世以後、アルイハが広く一般に使われるようになり、アルハの形はあまり使われなくなった。「あるひは」と書くのは後世の習慣。

あるが〘接続〙けれども。「青雲天上までも上らうとは思うたぞ。―、今はもう三公の貴も千金の富も何とも思はぬ」〈蒙求抄四〉

あるかぎり【有る限り】①ありったけ。全部。また、全員。「絹・綿・銭(ぜに)など―とり出でて」〈竹取〉。「渡殿(わたどの)へ―行くほど」〈枕二七八〉②生存しているあいだ中。「さ言ふ言ふも女親といふ人―は〔トモカクモ〕ありけれど」〈かげろふ上〉

あるかたち【行跡】《カタチは明確な外郭・外見》様子。ありさま。事情。人の行状や社会の状態。日本書紀の傍訓に使われる。「その―を問はしむ」〈紀皇極一年〉。「―、ありさま也」〈匠材集三〉　→ありさま

ある・き【歩き】㊀〘四段〙「ありき」に同じ。「赤駒に倭文(しつ)鞍うち置きはひ乗りて遊び―・きし」〈万八〇四〉。「東西南北求め行(あ)るけども、更に求め得たる物无し」〈今昔五ノ一三〉。「―・く時は馬で―・くぞ。諸徒弟どもを引き従へて―・くぞ」〈古文真宝抄三〉。「行、アリク・アルク」〈名義抄〉㊁〘名〙町村の役所で、走り使いをした者。「ありき」とも。「―助三郎」〈石清水文書天正三・一〇〉　†aruki　**―がみ**【歩き神】人に憑(つ)いて出歩かせようとする神。「隣の大子(おほいこ)が祀る神は、…指の先なる手づつ神、足の裏なる―」〈梁塵秘抄四〇二〉　**―みこ**【歩き巫】「ありきみこ」に同じ。「猿楽・歩き白拍子・―・鐘叩き・鉢叩き」〈大

乗院雑事記寛正四・一一・二三〉

あるじ【主】《アロジの母音交替形》①主人。「せばき家の―とすべき人」〈源氏帚木〉。「ただ迷ひを―として」〈徒然一〇七〉②《「まらうど」の対》客を招待した人。「―もまらうども」〈土佐十二月二十六日〉③【饗】「あるじ」(2)となって客をもてなすこと。饗応。「この人の家、喜べるやうにて―したり」〈土佐二月十五日〉④《比喩的に用いて》㋑第一人者。かしら。「管絃の―として、ひそかに叡慮の中には捨て果て給はざりけり」〈教訓抄八〉。「かばかりの匂ひはあらじ菊の花むべこそ草の―なりけれ」〈堀河百首〉㋺第一の事。肝要の事。「煩悩をば心の客人(まらうど)とし、念仏をば心の―としつれば、あながちに往生はさへぬ也」〈和語燈録一〉。「春を―の曙の色」〈新撰菟玖波集一〉 **―がほ**オガ【主顔】主人らしい顔つき。主人ぶった様子。「住み馴れし人はかへりてたどれども清水は宿の―なる」〈源氏松風〉 **―が・り**【主がり】『四段』主人気取りになる。主人ぶる。「常陸守(ひたちのかみ)来て―・りをるなんあやしと人人見ける」〈源氏蜻蛉〉 **―くゎんばく**【主関白】家にあっては、関白のように最高の存在である主人。亭主関白。「―と申す事の候へば、まづ飲み候べしとて、三度飲みて後に」〈伽・文正草紙〉 **―まうけ**ケモウ【饗設け】饗応。御馳走。「あるじ」とも。「良近といふをなむ、まらうどざね(正客)にてその日は―したりける」〈伊勢一〇一〉

あるでうヂヨウ【有る条】ある限り。ありたけ。「すねごとの―」〈近松・今宮心中中〉

あるな【有る名】本名。「―は仰せられいで、有様(ありやう)か、有様来たかなど仰せらるる事でござる」〈虎寛本狂言・居杭〉

あるは【或は】『副・接続』《アル(有・或)とハ(係助詞)との複合。→あるいは》①あるときには。「―林藪に隠れむとすとも、―宝珠を造らむとすとも、―衆人に愛寵せられむと欲ふとも、―金銀等の物を求むとも…心に称(かな)はずといふこと無からしめむ」〈金光明最勝王経平安初期点〉②ある者は。「―笛をふき、―歌をうたひ、―唱歌をし、―うそをふき」〈竹取〉。「―狩衣など乱れて…物狂ほしきまで見えし公達の」〈枕二三三〉 ▽アルハは平安時代の仮名文学系の文体にも使われたが、中世以後亡びて、アルイハが用法を広げてこれに代った。

アルヘイたうウトー【有平糖】砂糖を煮つめて飴(あめ)のようにした、胡桃(くるみ)状で筋のある菓子。織豊時代に渡来した南蛮菓子の一。「下戸には…―・こんぺい糖などをもてなし」〈太閤記或問〉 ▽ポルトガル alfeloa(砂糖菓子)から。

あるべうもなしウ…ビヨ【有るべうもなし】『連語』《アルベクモナシの音便形。制止するときのことば》そんなことはすべきでない。とんでもない。「君の御大事これに限るまじ。―と制せられて」〈平家九・二之懸〉

あるべか・し【有るべかし】『形シク』あるべき状態である。ちょうど良い。理想的だ。「今の世のやうとては、皆ほがらかに、―・しくて」〈源氏若菜上〉

あるべき【有るべき】『連語』適当な。相応な。「おほやけ様の公事作法ばかりには―程にふるまひ」〈大鏡道長〉

あるみ【荒海】《アラウミの約》荒れた海。荒波の立つ海。「白波の高き―を島伝ひい別れ行かば」〈万一四五三〉 †arumi

あるやうウヨ【有る様】①様子。状態。「旅の宿りの―など」〈源氏総角〉。「やうやう人のありさま、世の中の―を見知り給へば」〈源氏胡蝶〉②(そうあるべき)事情。「―ありて、しばし旅なる所にあるに」〈かげろふ上〉

あるらく【荒るらく】《荒レのク語法》荒れること。「奈良の都の―惜しも」〈万一六〇四〉

あれ【吾】『代』《一人称》われ。私。「―は苦しゑ」〈記歌謡一二六〉。「わが宿の松の葉見つつ―待たむ」〈万三七四七〉。「―は舞はじ」〈大鏡道兼〉 ▽ワレ(ware)の語頭のwが脱落した形か。平安時代以後はほとんど使われず、わずかに慣用句の中に残存する。

あれ【彼】『代』《「これ」の対。奈良・平安時代に多く使われた遠称の代名詞カレの転。話し手に属さない遠い、また不明の、明示すべからざる物事・所・時・人などを指す。平安中期に会話に使われ始め、中世に、次第にカレに取って代った。後世、意外の気持を表明する感動詞にも使う》①遠くにある人・物・所・時などを指す。「〔老イハ〕わが身にては、未だいと―が程にはあらず」〈源氏総角〉。「―より四日」〈かげろふ中〉。「―見せよ」〈枕一五二〉。「―にひかへたる〔ハ〕頼政ならむ」〈平治中・義朝六波羅に寄せらる〉②近くにあっても、話し手に正体不明な物・人を指す。「御几帳にはたかくれて侍ふを『―は今参りか』」〈枕一四三〉。「年五十ばかりなる男の…来たれり。尊恵『―はいづくよりの人ぞ』と問ひければ『閻魔王宮よりの御使なり。宣旨候』とて、立文(たてぶみ)を尊恵にわたす」〈平家六・慈心房〉③近くにあっても高貴であるため、近しい人・物とは扱えない人や物などを指す。「御ぐしを熊手にかけて〔海カラ〕引きあげ奉る。女房たち『あなあさまし。―は女院にてわたらせ給ふぞ』と声声口口に申されければ」〈平家一一・能登殿最期〉。「武士ども内侍所のじゃうねぢきって、既に御ふたを開かんとすれば…平大納言…『―は内侍所のわたらせ給ふぞ。凡夫は見奉らぬ事ぞ』」〈平家一一・能登殿最期〉 →あれ〔感〕

あれ【村】むら。「―に長(ひとごのかみ)あり」〈紀神武即位前〉 ▽地名の「石村」〈万二八二〉をイハレと訓むのは、「村」にアレの訓があったため(iFaare→iFare)。

あれ【阿礼】《アレ(生)の名詞形。出現の意》祭神の出現の縁となる物。榊(さかき)の木など。それに種種の色の木綿(ゆふ)を垂らして使う。賀茂・松尾の各社のが知られている。「下の社上の社、…―の料、五色の帛(きぬ)各六疋」〈延喜式内蔵寮〉 →阿礼引き・み阿礼

あ・れ【生れ】『下二』神や人が形をなして(忽然と)出現して、存在する。「天先づ成りて地後に定まる。然して後に神聖(かみ)その中に―・れます」〈紀神代上〉 ▽アレ(阿礼)およびミアレなどと起源を同じくするもので、朝鮮語 al(卵)とも関係があろう。類義語ウマレは母胎から胎生する意。

あ・れ【荒れ】㊀『下二』《アラ(荒)の動詞形。激しくなって行く天候、さびれて行く家邸など、神の守護から見放され、状態が次第に荒廃して行く意》①波風が激しくなる。「海(わた)の底しづく白玉風吹きて海は―・るとも取らずは止まじ」〈万一三一七〉②さびれる。「大江殿といひける所はいたく―・れて」〈源氏須磨〉③(すさんだ状態の)収拾がつかなくなる。「御遊もはや―・れにけり。院中の騒動なのめならず」〈平家五・文覚被流〉㊁『名』風雨の烈しい天候。荒れ模様の天気。「風吹き、夜に入りて雨下る。二月堂〔修二会ノ〕―か」〈多聞院日記天正一七・一・三〇〉

あ・れ【離れ・散れ】『下二』《アラ(粗)の動詞形》①はなれる。「其(し)が―・れば、うら恋ほしけむ」〈記歌謡一〇〉。「〔二十人の人の上(のぼ)りて侍れば、〔燕ハ〕―・れて寄りまうで来ず」〈竹取〉②(人の気持が)すさみ、離れる。「家にあづけたりつる人の心も―・れたるなりけり」〈土佐二月十六日〉

あれ『感』《代名詞「あれ(彼)」の転用》話し手の驚きなどをあらわす声。あれえ。あら。「そばを採れども、おはせざりけれ

ば『―よ、―』とぞ呆れける」〈平家九・小宰相〉。「―、ひょんな事を言ひ出して又泣かしやる」〈近松・天網島下〉

あれかにもあら・ず【吾かにもあらず】『連語』《「あれかひとか」と「あれにもあらず」との混淆か》自分・他人の区別もつかない。無我夢中である。「御色真青(まあを)にならせ給ひて―・ぬ御けしきなり」〈大鏡 道兼〉。「〔ハジメテノ宮仕ヱニ〕―・ず、うつつとも覚えで」〈更級〉

あれかひとか【吾か人か】『連語』自分か他人か。呆然自失の状態。「心ちは、あきれて―にてあれば」〈かげろふ中〉

あれく【荒れ句】連歌で、秀逸とは程遠い、粗雑な句をいう。「思ひもよらぬ―どもに長点などのあることも、常の習ひなり」〈初心求詠集〉

あれつ・ぎ【生れ継ぎ】『四段』つぎつぎに生れる。生れつづける。「神代より―・ぎ来れば、人多(さは)に国には満ちて」〈万四八五〉 †aretugi

あれてい【彼体】あんなふう。あのよう。卑しみさげすんだ気持で用いる。「や、聴きたまへ。僧は―にのたまへども、ま少し腹は悪しくおはするぞ」〈雑談集四〉

あれど【有れど】『連語』ともかくとして。どうでもよいが。「〔夜ガ〕明けて〔アナタガ帰ッテ〕行かば君が名(評判)は―我が名し惜しも」〈万九三〉。「みちのくはいづく〔ガ良イトイウ事〕は―塩釜の浦こぐ船の綱手かなしも」〈古今一〇八八〉

あれに『代』《代名詞アレと助詞ニとの複合》敬意を含んだ二人称。あなた。「―と雑談(ざふたん)申さうよりは、御子息と雑談申したいぞ」〈蒙求抄一〉。「―は上手ぢゃ」〈虎明本狂言・居杭〉

あれにもあら・ず【吾にもあらず】『連語』(驚き・怖れ・惑いのために)人ごこちもない。夢中で、何が何だか分らない。「―・ずながら降りぬ」〈かげろふ中〉。「―・ねば、返し(返事ヲ)すべくも思はねど」〈源氏玉鬘〉

あれはいかに【彼は如何に】『連語』一体どうしたことだ。予期しない事態に驚いたときのことば。「法皇『―』と仰せければ、大納言立ちかへりて『平氏(瓶子ト掛ケル)たふれ候ひぬ』とぞ申されける」〈平家一・鹿谷〉

あれはたれどき【彼は誰時】《うすぐらくなって人の顔が見分けにくく、「あれは誰」といぶかる頃の意》夕暮れどき。「あれはたそどき」とも。「夕風のどかにうち吹き…―なるに」〈源氏(横山本)初音〉

あれ・び【荒び】『上二』《アラビの転》乱暴をする。「―・びますを言(こと)直し和(やは)し」〈祝詞大殿祭〉 †arebi

あれびき【阿礼引き】阿礼につけた引き綱を引いて多幸を祈願すること。引き綱には鈴をつけた。「―に引き連れてこそ千早ぶる賀茂の川波立ち渡りけれ」〈貫之集三〉 ▽もとは、祭の終りに阿礼をわが方へ引き倒して、一年の田畑の多産を占う行事であったらしい。

あれま・し【生れ坐し】『四段』《アレイマシの約》おうまれになる。「―・さむ御子(みこ)のつぎつぎ」〈万一〇四七〉

あれや『連語』《アレは動詞有リの已然形》①《ヤは質問の助詞。下は連体形で終止する》…であるからか。「ももしきの大宮人は暇―梅をかざしてここに集へる」〈万一八八三〉 ②《ヤは反語の助詞》㋑…でないのに。「いにしへの人に我―ささなみの古き京(みやこ)を見れば悲しき」〈万三二〉 ㋺…であろうか…であるはずはあるまいに。「後(ゆり)もあはむと慰むる心し無くは天離(あまざか)る鄙(ひな)に一日(ひとひ)もあるべくも―」〈万四一一三〉 ③《ヤは詠嘆の助詞で、下にかからず、ここで切れる。主として平安中期以降の語法》…であることだなあ。「ももしきの大宮人は暇―桜かざして今日も暮しつ」〈新古今一〇四〉

あれら【彼等】『代』あの人びと。かれら。「―のやうに声たてられぬはとぞ思ひ知らるる」〈讃岐典侍日記〉

あれをとめ【阿礼少女】「賀茂のみあれ」の祭に奉仕する少女。賀茂斎王の別称。「敦子内親王を卜(うら)へ定めて―に進(たてまつ)る」〈三代実録元慶一・二・二四〉

あろ【有ろ】動詞「有り」の連体形「有る」の上代東国方言。「子らがおそき(着物)の―こそ良(え)しも」〈万三五〇九東歌〉 †aro

あろじ【主】主人。「はしきよし(親愛ナ)今日の―は磯松の常にいまさね」〈万四四九八〉 →あるじ。 †arozi

あわ【沫・泡】水のあわ。とけやすいもの、消えやすいものにいう。「―をか玉の消ゆと見つらむ」〈古今四三一〉。「―の消え入るやうにて失せ給ひぬ」〈源氏柏木〉 **―吹か・す** 相手の不意をついて驚きあわてさせる。「見よ見よ平家に―・せ」〈近松・女護島五〉

あわしほォ…シ【沫塩】《「堅塩」の対》食塩の古称。「白塩、阿和之保(あわしほ)、人常所レ食也」〈和名抄〉

あわただ・し【慌し】『形シク』《アワテと同根。江戸初期までアワタタシと清音》①(あたりの状況や人の動きがはげしくて)落ち着いていられない。「―・しき風なめり。御格子おろしてよ」〈源氏野分〉 ②せわしい。「書読み手習ひなど、さまざまにいと―・し」〈源氏夕霧〉 ③そわそわと、いそがしい。「和泉式部、はづかしく思ひて―・しく鰯を隠し給へば」〈伽・猿源氏草紙〉

あわ・て【慌て・周章て】『下二』即座になすべきことが分らずうろたえる。「火をかけたれば、女わらはべの―・て迷ひ出でけるを」〈平治上・三条殿へ発向〉。「忙怕、阿和弖於比江(あわておびえ)」〈新撰字鏡〉。「狼狽、安和豆(あわつ)」〈金剛般若集験記平安初期訓〉

あわゆき【沫雪・泡雪】とけやすい雪。「十二月(しはす)には―降ると知らねかも梅の花咲く含(ふふ)めらずして」〈万一六四八〉。「堅き巌も―になし給うつべき御けしき」〈源氏行幸〉 →あはゆき

あわわ ⇒あはは(1) 「てうち、てうち、てうちや、―や―」〈虎清本狂言・薬水〉

あわを【沫緒】ほどけやすいようによった緒。「玉の緒を―によりて」〈万七六三〉

あゐ【藍】《アヲ(青)と同根》藍草から作る染料。藍草はわが国に古くから野生のものがある。薬用のために外国産も入れたが、これは蓼(たで)の葉に似るので蓼藍という。「藍、染草也、蓼藍、多天阿井(たであゐ)」〈和名抄〉

あゐかはワ…カ【藍皮】藍色に染めた皮。「いろいろの錦皮・―・藍白地」〈増鏡一〇〉

あゐざめ【藍鮫】伊豆・駿河の近海産の小形の鮫の皮。薄藍色の小点があり刀の鞘の外装に用いた。「研がするは花見の晴れの腰刀／御幸と春やあひに―」〈俳・守武独吟百韻〉

あゐずり【藍摺り】布地に山藍で模様を摺り出したもの。「―の水干の袴着たる男の、笠を頸(くび)にかけたる」〈今昔二七ノ二三〉

あを【青】㊀『名』《アヰ(藍)と同根》①青色。「如来も一切衆生を憐れみ御座(おはしま)す御慈悲の眼なれば―なり」〈法華経直談鈔一本〉。「幼童の屏風の絵なんどを見る時は…分別はせざれども、赤よ―よなんどと見るなり」〈百法問答聞書一〉 ②六位の袍(うは)の色。「うす―の狩衣」〈平家四・信連〉 ③馬の毛色の名。「騧(あを)」〈新撰類聚往来上〉 ④ウンスンカルタの青棒をしるした札の名。四十八枚の札を十二組に分け、その各組の最高の札。一の札の青はアザ、以下青二・青三などといい、青十は釈迦十、十一

・十二は青馬・青キリという。「加番見れども―もなく」〈近松・大職冠四〉 ㊁『接頭』年が若かったり、未熟であることをあらわす。「―男」「―二才」など。「末も通らぬ―道心」〈義経記四〉

あを【襖】《「襖」の字音アウをアヲと日本語化したもの》①武官の礼服。両腋(りょうわき)を縫い合わせず、後を長く仕立てたもの。位階によって色にきまりがあった。「位襖(ゐあを)」とも。「武官礼服、…位襖」〈衣服令〉 ②狩衣(かりぎぬ)に裏をつけたもの。表は多くは布、裏は絹。「狩襖(かりあを)」とも。「旅姿どもの色色の―つきづきしき縫ひ物、くくり染めのさまも」〈源氏関屋〉。「紺の―着たるが、夏毛の行縢(むかばき)はきて」〈宇治拾遺八九〉 ③表が布の冬用の衣服。綿を入れることもある。庶民の服。貴人も防寒用に用いた。「襖子(あをじ)」とも。「山ごもりの御料に…布の―綿厚く入れて」〈宇津保国譲下〉 **―に衣(ころも)を引き重・ぬ** 《襖の上に衣を重ね着する意から》物事を重ねるたとえ。「襖に衣を重ぬ」とも。「三人の子供は、―・ねて、一周忌の父母孝養(けうやう)には此の御堂を造りつつ、第三箇年の孝養も過ぎ候て」〈神道集一〇〉

あをあらし【青嵐】青葉の時節に吹くやや強い風。「―。六月に吹く嵐を申す也」〈梵燈庵袖下集〉

あをいき【青息】①青い顔をしてつくため息。「―をつきてあきれきったる風情なり」〈室町殿日記一〇〉 ②激しい息。「くだんの象、虎を見ると等しく、牙(きば)嚙み鳴らし、―吹き掛け、狙ひ寄る」〈浄・祇園の御本地二〉

あをいろ【青色】染色や襲(かさね)の色目の名。青・緑・麴塵(きくぢん)・山鳩色などの総称。麴塵の袍(はう)は平安中期以後天皇の常服。六位の蔵人、近臣などは拝領の意味で着用した。また、天皇が赤色の袍を着用する晴れの時、臣下はすべて青色の袍を着ることもあった。「六位のなかにも蔵人は―しるく見えて」〈源氏澪標〉。「色ゆるされたるは―・赤色の唐衣」〈栄花初花〉 **―すがた**【青色姿】麴塵の袍をつけた姿。「六位の蔵人。…心にまかせて着たる―」〈枕八六〉 **―のうへのきぬ** …ウエ…【青色の袍】天皇の常服である麴塵の袍のこと。「青白橡(あをしらつるばみ)の御衣」とも。「―、葡萄染(えびぞめ)の下襲(したがさね)を殿上人、五位六位まで着たり」〈源氏行幸〉

あをうなばら【青海原】《奈良時代、アヲウナハラと清音》青青と広くみえる海。「―風波なびき」〈万四五一四〉

あをうま【青馬・白馬】①純白でなく、また、黒毛・栗毛などでもない灰色のような色の馬をいったらしい。後世、その灰色を白と見て、表記だけを「白馬」と変えたのであろう。「水鳥の鴨羽の色の―を」〈万四四九四〉 ②白または葦毛の馬。「降る雪に色も変らでひくものをたが―と名づけそめけむ」〈兼盛集〉 ③「白馬節会(あをうまのせちゑ)」の略。「けふは―を思へどかひなし。ただ波の白きのみぞ見ゆる」〈土佐一月七日〉 **―のせちゑ**【白馬節会】正月七日、天皇が左右馬寮(めれう)の引く「あをうま」を見る儀式。はじめは豊楽院(ぶらくゐん)で、後には紫宸殿で行なわれた。弘仁二年、嵯峨天皇の時から儀式として整うようになったという。馬は陽の獣で、青は青陽、春の色は青であるから、この日に青馬を見れば年中の邪気を避けるという大陸の行事を輸入したもの。古くは「青馬」と書き、延長年間頃から「白馬」と書くようになった。平安末期から、古い儀式の衰亡に伴って馬の数も、古式の二十一頭から減少し、応仁の乱以後途絶え、代って七草の節句が盛んになった。「延喜御時、女蔵人内匠(にょくらうどのたくみ)―見けるに、車よりくれなゐのきぬをいだしたりけるを」〈新古今一七四三詞書〉

あをがうやく …ゴウ…【青膏薬】煙草の葉の汁を入れて煉った青色の膏薬。「夏の野は―やねり雲雀(ひばり)」〈俳・崑山集六〉

あをかき【青垣】青い垣。青青とした山が垣のようにめぐっているさま。「たたなづく―」〈記歌謡三〇〉 †awokaki **―隠(こも)り** 青い垣のような山山にかこまれる。「たたなづく―」〈万九二三〉 **―やま**【青垣山】青青とした垣のようにかこんでいる山山。「たたなづく―こもれる大和しうるはし」〈紀歌謡二二〉

あをかへで …カエデ【青楓】青葉の頃の楓。まだ青い楓。「秋の葉のあらましなれや―」〈初心求詠集〉。「赤嘘よ紅葉も夏は―」〈俳・大海集三〉

あをきおぼの【青飯】《オボノはオモノの転。召上り物の意》肉類を入れない、精進の食物。殯宮(もがりのみや)に供える。「これを―と曰(い)ふ」〈紀(北野本)持統一年〉 †awokiöbönö

あをくちば【青朽葉】①染色の名。青味のある朽葉色。織色では縦糸が青、横糸が黄の織物。「汗衫(かざみ)は。…夏は―。朽葉」〈枕一本九〉 ②襲(かさね)の色目の名。「薄色のも―などを〔着セタ〕。とかく〔喪中デアルコトヲ〕まぎらはして」〈源氏夕霧〉

あをくび【青衿】青いえり。「麻衣に―つけ」〈万一八〇七〉 †awokubi

あをくむ【青雲】「あをくも」の上代東国方言。「―のとのびく(タナビク)山を」〈万四四〇三信濃防人〉

あをくも【青雲】うす青く白い雲。灰色の雲。「―のたなびく日すら」〈万三八八三〉 †awokumo **―の**【青雲の】〔枕詞〕「出づ」にかかり、また、その白みがかった色から、地名「白肩」にかかる。「―出で来(こ)わぎもこ」〈万三五一九東歌〉。「―白肩の津」〈紀神武即位前〉

あをげ【青毛】牛馬など獣の毛色で、つやがあり、青みがかって見える黒色。「―なる犬の小さきを飼ひけり」〈著聞七一二〉

あをこだち【青木立】青青と茂った木立。「柞原(ははそはら)涼みし夏の―色かはりても猶ならすかな。…右方申して云く、―聞きにくし」〈六百番歌合秋下〉。「吹け嵐華なき春の―」〈連歌手爾葉口伝〉。「見し花の顔(おもかげ)残る―」〈和歌集心体抄抽肝要中〉

あをこま【青駒】「あをうま」(1)に同じ。「―の足搔(あがき)を早み」〈万一三六〉 †awokoma

あをさぎ【青鷺】①大形で、頭や腹面は白色、背・尾などが青灰色の鷺。最も美味で夏季食用とする。みとさぎ。「四膳〔八〕、数の子・百菊焼・―汁」〈天正十年安土御献立〉 ②馬の毛色の名。「あをうま」(1)と同じような毛色をいうらしい。「見渡せばみな―のけつるめ(毛深クテ、タテガミノ長イ馬)をひきつらねたる馬づかさかな」〈新撰六帖二〉

あをざし【青差】《サシは映(さ)しの意。青みがある意》菓子の名。青麦のもやしを煎(い)って作る。「―といふ物をもてきたるを」〈枕二三九〉

あをざし【青緡】青苧(あをそ)でよった緡の銭さし。また、それにさし貫いた銭。「麦のみか―に繫ぐ銭もがな」〈俳・塵塚誹諧集上〉

あをさぶらひ …サブライ【青侍】①《六位の着用する袍(はう)が青色だったので》貴族の家に仕える六位の侍。「田舎(ゐなか)より上りたる兵士、…―を呼びて」〈十訓抄三ノ四〉 ②《転じて》身分の低い若侍。「今は昔、父も母も主も妻も子もなくて、ただ一人ある―ありけり」〈古本説話五八〉

あをさむらひ …サムライ【青侍】「あをさぶらひ」に同じ。〈日葡〉

あを・し【青し】『形ク』《アヲはアヰ(藍)と同根。もと「顕(しる)し」と相対する概念で、ぼんやりとした色を指し示す語であったらしい。そのぼんやりとした、「蒼白」の感じから、「青色」の意が生れたと思われる》①蒼白である。青白い。「人魂のさを(サアヲノ約)なる君がただ独り逢へる雨夜の葬(はぶ)りをそ思ふ」〈万三八八九〉 ②青い。「そに鳥の―・き御衣(みけし)を、まつぶさに取り装ひ」〈記歌謡四〉 ③未熟だ。無知だ。「境界のなましい者が、修行も―・く、家風も暖(あた)かな(ナマヌルイ)ものだ」〈大淵代抄三〉

あをじ【青瓷・青磁】《古くはアヲシと清音》⇒せいじ。「一人には、―の瓶に酒を入れて、青き薄様(うすやう)を以て口をつつみて持たせたり」〈今昔二六ノ二〉。「青瓷、アヲシ」〈色葉字類抄〉

あをじ【襖子】⇒あを(襖)(3)「よき童四人、―、袷(あはせ)の袴、濃き袙(あこめ)など着て出で入り」〈宇津保春日詣〉。〈名義抄〉

あをすがやま【青菅山】菅の青青と生えた山。一説、青く繁ったすがすがしい山。「耳成(みみなし)の―は」〈万五二〉

あをずり【青摺】①山藍で摺染めにした衣。「蔵人の少将など、小忌(みを)にて―の姿ども、清げに目やすく」〈源氏幻〉 ②青い紙に模様を摺ったもの。「―の紙よく取りあへて、まぎらはし書いたる濃墨薄墨、草がちに」〈源氏少女〉

あをそ【青苧】麻の茎皮を灰汁(あく)出しし、白皮を晒して細く裂いたもの。奈良晒(ざらし)・越後布などの原料にした。出羽国最上地方の名産。奈良苧。真苧〈まを〉。綱苧(なつそ)。「―商人、越後の国に於いて荷物割符を請け取りながら、料足其の沙汰を致さず」〈親元日記別録文明五・一〇・一五〉

あをだうしん【青道心】①未熟な考えや、いいかげんな気持で起した発心。「されば花山院―起し給ひけむも皆推しはからる」〈愚管抄三〉 ②僧となったばかりで、まだ仏の道にうといもの。「今道心」とも。「落ちたるは―か梅法師」〈俳・夢見草三〉。「ええ、吐(ぬ)かすまい―ばら」〈浄・三世相四〉

あをちゃ【青茶】①鮮青色の茶。灰汁(あく)に一夜漬けて蒸したもので、下等品。「上揃(うはぞろへ)」とも。「〔茶ノ湯ノ〕口切りに時雨を知らぬ―かな」〈俳・犬子集六〉。〈日葡〉 ②緑黄色。「―小紋の細帯」〈西鶴・諸艶大鑑三〉。〈日葡〉

あをつづら【青葛】山野に生え、蔓(つる)でからみつく灌木類。「山がつの垣ほにはへる―人はくれどもことづてもなし」〈古今七四二〉

あをとり【青鳥】未熟者。青二才。「心と口と、抜群相違の―ども」〈浄・誓願寺本地三〉

あをに【青土・青丹】《ニは土の意》①岩緑青(いわろくしやう)の古名。顔料とした。「あらゆる土は色、青き紺(はなだ)のごとく、画に用ゐて麗し。俗(くにひと)―といふ」〈常陸風土記〉 ②染色の名。濃青に黄を加えた色。「打敷は―の高麗(こま)の錦」〈源氏絵合〉 ③襲(かさね)の色目の名。「―〔ノ上衣〕に柳の汗衫(かざみ)」〈源氏若菜下〉 **―よし**【青丹よし】〔枕詞〕《ヨシは良い意》美しい青土を産する意が原義で「奈良」にかかる。また、青く、赤くうつくしいことをほめて「国内(くぬち)」にかける。「―奈良の山の」〈万一七〉。「―国内ことごと見せましものを」〈万七九七〉 †awoniyösi

あをにぎて【青和幣】《「白和幣(しらにぎて)」の対。ニギテは奈良時代にはニキテと清音。室町時代にはニキデとも。ニキはニコ(和)と同根。テは手でそなえるものの意》麻でつくった純白でない幣帛。「白にきて・―を取り垂(し)でて」〈記神代〉。「青和幣、アヲニキデ」〈運歩色葉集〉 †awoniki-te

あをにび【青鈍】①染色の名。青味ある薄墨色。また、やや黒味のある縹(はなだ)色ともいう。多く仏事の衣服・調度・紙に使う。「空蟬の尼君に―の織物」〈源氏玉鬘〉 ②襲(かさね)の色目の名。「―の狩衣・指貫(さしぬき)うちやつれて」〈源氏須磨〉

あをにょうばう【青女房】①青侍〈あをさぶらひ〉の妻。「或る所の―を相かたらひて」〈古事談三〉 ②身分の低い若女房。「―と覚しき人の牛もなき車のながえに取りつき」〈謡・葵上〉

あをねろ【青嶺ろ】《ロは接尾語。上代東国方言》青青とした山。「―にたなびく雲の」〈万三五一二東歌〉 †awonerö

あをのうれん【青暖簾】近世、遊廓で端女郎(はしじよろう)のいる局見世(つぼねみせ)の入口に掛けた青色ののれん。また、局見世の称。「暖かな―の垣間見に」〈俳・正章千句下〉

あをば【青羽】青色をした鳥の羽。「秋の露は移しにありけり水鳥の―(青葉ト掛ケル)の山の色づく見れば」〈万一五四三〉

あをばかま【襖袴】狩襖〈かりあを〉の袴。指貫(さしぬき)のこと。「はなだの一重狩衣に―着て、引入烏帽子したる男」〈著聞三一五五〉

あをはたの【青旗の】〔枕詞〕「木幡(こはた)」「葛城(かつらき)山」「忍坂(おさか)の山」にかかる。木の繁ったさまが青い旗を立てたようにみえることからという。「―木幡の上(アタリ)を」〈万一四八〉。「―葛城山にたなびける」〈万五〇九〉。「―忍坂の山は」〈万三三三一〉 †awoFatano

あをば・み【青ばみ】『四段』《バミは接尾語》青みを呈する。青色がかる。「―・みたる衣着たる女房の裾取りたるが」〈今昔二七ノ二〇〉

あをばもの【青葉者・白歯者】雑兵。若党。「―を一人討ちては」〈甲陽軍鑑九上〉

あをひとくさ【青人草】《人のふえるのを草の生い茂るのにたとえた語。また、「蒼生」の訓読語という》人民。たみくさ。「葦原の中つ国にあらゆるうつしき(現実ノ)―」〈記神代〉 †awoFitökusa

あをび・れ【青びれ】『下二』青味を帯びる。青くなる。青ざめる。「古子持などは、髪のすそ細う、色―・れなどしたれば」〈栄花蒼花〉。「唇は―・れて、紙のごとく薄薄となりたる」〈雑談集四〉

あをひゑ【青竹刀】《ヒヱは、へぐ、切り取る意の動詞ヒエの名詞形》青竹でつくった小刀。赤児のへその緒を切るのに使う。また、金銀箔などを切るのに使った。「―を以ちてそのみ子の臍(ほその)を截(き)る」〈紀神代下〉。「竹刀、阿乎比恵(あをひゑ)、言以ニ竹刀一箭ニ金銀薄一也」〈和名抄〉 †awoFiwe

あをふしかき【青柴垣】青葉の柴でつくった垣。「八重―を造りて」〈紀神代下〉 †awoFusikaki

あをぶち【青淵】青青と水をたたえた深いふち。「―にみずち(龍)とり来む」〈万三八三三〉。「碧潭、アヲブチ」〈名義抄(図書寮本)〉 **―じる**【青淵汁】とろろ汁。「―、とろろ汁を云ふ」〈合類節用集〉

あをぼん【青本】《もえぎ色の表紙だったのでいう》草双紙の一種。赤本に次いで黒本と共に延享・安永初期に刊行された。当代の世相や流行物に材を取ったものが多い。黄表紙や合巻〈がふくわん〉まで含めて言うこともある。「近年―はやり」〈黄・御存商売物上〉

あをまめうり【青豆売・青大豆売】近世、京の町を夜明けごろ、青豆を行商した農婦。「青豆ざう」とも。「〔朝早イノハ〕髪結ひと―と白露と」〈俳・江戸蛇の鮓〉

あを・み【青み】㊀『四段』①青い色をおびる。「いたく痩せ瘦せに—・みて」〈源氏若菜下〉 ②草木が芽をふく。「木木みな—・みわたりて緑なり」〈梁塵秘抄口伝集〉 ㊁〘名〙吸物・刺身などのあしらいに使う野菜。「—は、食ふ物の草木の葉にてさへ候はば、何も苦しからず」〈大草殿より相伝之聞書〉 **—じゃうど**【青み上戸】 飲めば飲むほど顔色の青くなる酒飲み。「我が恋は—の飲み盛り色にも出でじ取りも乱さじ」〈貞徳百首〉

あをみづら【青みづら】〔枕詞〕「あをみつうら(碧海浦)」の意で三河国碧海郡にある「依網(よさみ)」にかかるという。「—依網の原に」〈万一二八七〉 †awomidura

あをめじま【青梅縞】 武蔵国青梅・八王子産の木綿縞織物。〈万金産業袋四〉

あをや【青屋】 藍汁による染物を職業とした下層民。近世には、礫(はりつけ)・晒し首など死刑の執行にもたずさわった。藍屋。「紺の染賃、—にて〔糸〕一文目〔ニツキ銭〕二文づつの通りにて」〈多聞院日記天正四・一一・二三〉。「—が手にかけて首(かうべ)を刎(は)ねて」〈三河物語下〉

あをやか【青やか】 いかにも青青と見えるさま。「若楓(わかかへで)、柏木(かしはぎ)などの—に」〈源氏胡蝶〉

あをやぎ【青柳】 ①春さきに芽ぶきはじめた柳。「梅の花咲きたる園の—を」〈万八二五〉 ②催馬楽の曲名。「兵部卿の宮—をりかへしおもしろくうたひ給ふ」〈源氏胡蝶〉 †awoyagi **—の**【青柳の】〔枕詞〕 青柳を糸にたとえるので、同音の副詞「いと」に、青柳を鬘(かづら)にするので、同音をもつ地名「葛城(かづらき)」にかかる。「—いとつれなくもなりゆくか」〈後撰六〇七〉。「—葛城山に」〈新古今七四〉

あをやま【青山】 草木の茂って青青とした山。「—にぬえ(鳥ノ名)は鳴きぬ」〈記歌謡三〉

あをわらは【青童】 幼少未熟な童。女童もふくむ。「或は—の貌(かほ)、或は内侍の形にて、日夜に便宜を伺ひ奉りき」〈盛衰記一六〉

あををとこ【青男】 年若い未熟な男。「あの—、常常の有様から生ぬるく」〈西鶴・伝来記六〉

あん【何】〘代〙《ナンの訛》なに。関東方言。「—とすべい。や、思ひ出した」〈雑兵物語上〉

あん【案】 ①机。「此の経の—の前に立ちて」〈今昔六ノ四五〉 ②役所の文書の控え。「—を写して進上す」〈続紀宝亀一〇・一〇・九〉 ③考え。推量。「—にたがはず蛇いでて」〈著聞六九九〉 ④思案。思慮。「いかにもして—をめぐらし、わが女房にせばや」〈伽・一寸法師〉。「当腹の泰衡を嫡子に立てける入道の心こそ、思へば—なかりけれ」〈義経物語八〉 **—に落・つ** 予測のとおりになる。「かく人のおしはかる—・つる事もあらましかば」〈源氏藤袴〉 **—の如く** 案の定。はたして。「—、維行(これゆき)引き設けたる事なれば、内甲(うちかぶと)を志してひゃうど射る」〈保元中・白河殿へ義朝夜討ち〉。「果哉とは—と云ふ義ぞ」〈論語抄憲問〉

あんあみのさく【安阿彌の作】《鎌倉時代の仏師安阿彌作の仏像が美麗であることから》 美少年をほめる語。「—ぢゃ笑顔ぢゃ空の月」〈俳・宗因五百句〉

あんか【晏駕】《「晏」は遅い意》 おそい出御。天子の崩御を婉曲にいう。「されども鳥羽院御—の後は、兵革うちつづき」〈平家一・二代后〉。「晏駕、アンカ、曰天子御崩御也」〈運歩色葉集〉

あんかう【暗向】《アンガウとも》 馬鹿。阿呆。「鵜か鵜かと使ふ—鳥かな」〈俳・詞林金玉集八〉。〈易林本節用集〉 **—づら**【暗向面・暗向頬】 馬鹿面。「—してぬらりめく、鰻・泥鰌に鯰など」〈鳥の歌合〉 **—むしゃ**【暗向武者】 阿呆な武士。「—とて、何の役に立たぬ者」〈近松・最明寺殿上〉

あんかうのつるしぎり【鮟鱇の吊し切り】 鮟鱇の料理法。縄で下唇を貫いて吊し、五、六升の水を口に注ぎ入れ、外皮を剝ぎ、つぎに肉を削ぎ、胆・腸を取り、骨を切り、胃を刺して水を出す。「—…といふものに、片端から料理するが」〈近松・傾城若紫下〉

あんかん【安閑】 ①やすらかで静かなさま。「一日(いちじつ)の—は万金(ばんきん)に直(あた)る」〈文明本節用集〉 ②気抜けしてぼんやりとしたさま。あっけにとられるさま。「あきれはて、—としておはせしが」〈浄・舎利五〉

あんぎゃ【行脚】《唐音》 ①僧が諸国をめぐって修行すること。また、その僧。「—の年月にいくばくの草鞋(さうあい)をか踏破し来れる」〈正法眼蔵仏性〉。〈文明本節用集〉 ②芸道などの修行のために、諸国を旅行すること。「上方—を致す可くの外、他無く候」〈上杉家文書一、長尾顕景書状〉

あんぐう【行宮】《アンは唐音》 天皇が行幸の時、仮に設けられるすまい。かりみや。行在所(あんざいしょ)。「後鳥羽の禅定上皇の遠島の—にして宸襟をいたましめ」〈存覚法語〉

あんぐゎい【案外】 無礼。慮外。「—吐かば一人も生けて帰さぬ、合点か」〈浄・当流小栗一〉

あんけつだう【闇穴道・暗穴道】 罪人を流す果羅国(西域にあった国か)へ通ずる三つの道の中の一。最も罪の重い者が通らされるという暗黒の道。「—とて重科の者をつかはす道なり」〈平家二・一行阿闍梨〉

あんご【安居】 一般に夏の間の三か月、僧が外出せず、一か所に籠って修行すること。「夏安居(げあんご)」「雨安居(うあんご)」とも。「衆僧を屈請(くっしゃう)して、—を行はしむ」〈霊異記上三三〉

あんざい【行在】《アンは唐音》「あんぐう」に同じ。「天子—の外までも、〔八幡大菩薩八〕さだめて擁護の御眸(まなじり)をぞめぐらさるらん」〈太平記四・先帝遷幸〉 **—しょ**【行在所】「あんぐう」に同じ。「杭州といふ所に都を立てて—とす」〈神皇正統記崇徳〉。〈天正十八年本節用集〉

あん・じ【按じ】〘サ変〙 手で押えてとめる。(琴の絃を)指で押える。「なほ一度もゆし(絃ヲユスブリ)—・ずるいとまも、心あわたたしければ」〈源氏若菜下〉

あん・じ【案じ】〘サ変〙 ①思いめぐらす。考える。工夫する。「これを、この頃—・ずるに」〈竹取〉 ②心配する。思い煩う。「頼朝またいかなる憂き目にか会はむずらむと思はじ事なう—・じ続けて」〈平家五・福原院宣〉 **—おき**【案じ置き】 将来のことを、あれやこれやと考えて置くこと。「身を悔みたり又—〔ヲシタリ〕」〈俳・身楽千句〉

あんじち【庵室】《シチは呉音》⇒あんじつ。「ここかしこめぐりて見れば、—ども二三百ばかり、おのが思ひ思ひにしたるさまもいとをかし」〈いほぬし〉。「庵室、俗云、アムジチ」〈名義抄〉

あんじつ【庵室】 世を捨てた人が住む仮のいおり。「方丈の—を造りて、その中にして日夜に法花経を読誦し」〈今昔一三ノ五〉

あんじゃ【行者】《アンは唐音》 禅宗で、まだ得度(とくど)しないまま寺の雑用に従う者。「—を召して蠟燭(らふそく)をともしなんどして」〈正法眼蔵随聞記三〉。「鐘つきは寺の—なれば下法師なり」〈世鏡抄下〉

あんじゃ【案者】 思案の深い人。思慮ある人。「—、口利き、寄り合ひて内談すといへども」〈曾我一〉

あんじゅ【案主】《アンズともよむ》 文書記録の保管・作成にあたる職の名。奈良・平安・鎌倉時代、太政官厨家(みくりや)・院・摂関大臣家・衛府・検非違使庁・国・郡や社寺

・幕府の政所(まんどころ)・荘園などにおかれた。「郡毎に―二人」〈類聚三代格六〉。「前右大将家政所下す。…―藤井」〈吾妻鏡建久三・六・二〇〉

あんしょう【暗證・闇證】坐禅工夫(くふう)ばかりに打ちこんで、教理の方面に暗いこと。禅宗・禅僧をあざけっていう。「まことに端拱(たんきよう)=手ヲコマヌイテナニモシナイ)にして、世を蔑(あなど)り、―にして人を軽んず」〈日蓮遺文念仏者令追放宣旨御教書集〉　**―のぜんじ**【暗證の禅師】禅坊主。軽蔑した気持でいう語。「―は智恵無く、文字の法師は定無し」〈雑談集一〉

あんじろくるま【網代車】⇩あじろぐるま。「〔源氏ハ〕―のうちやつれたるにて、女車のやうにて隠ろへ入り給ふも」〈源氏須磨〉

あんじん【安心】〔仏〕聖道門では、自分の心のありかたを洞察して、心の安定した不動の境地をいう。浄土門では、阿彌陀仏に帰依して、極楽往生疑いないと信ずる心。「世の常の行者は、…念仏の行をおろかにし、才覚に携って―を忘るるなり」〈妻鏡〉。「まづその―といっぱ、観無量寿経に説いていはく」〈和語燈録一〉

あんだ【箯輿】《アミイタ(編板)の転》「あうだ」に同じ。また、近世中期以降、上方で町駕籠の称。「宿へ―をつかはし、うち乗せて帰りぬ」〈遠近草下〉。「―の事、天井なく、棒を突きとほしに致し、いかにも粗相に仕るべき事」〈正宝事録慶安一・二・二八〉。「箯輿、アミイタ・アムタ」〈色葉字類抄〉

あんだ『連体』《ナンダの訛》なんでもない。「国国より学文のために上り集へる、―坊主共は」〈評判・野郎虫〉　**―弁慶**《弁慶何者ぞの意》何ともない。屁(へ)とも思わぬ。「あんだ樊噲(はんくわい)」「なんだ弁慶」とも。「飯の盛切は五杯七杯―」〈仮・けんさい物語中〉

あんだら【暗太郎】愚かなこと、また、愚か者の擬人名。「あんだ」とも。「おのれが親の―、なんにも知らぬやつめなり」〈若輩抄〉

あんたる【何たる】『連体』《ナンタルの訛》なんという。「さてこりゃ―事だもさ」〈評判・吉原こまざらい〉

あんぢょ【暗女】淫売婦。「暗物(くらもの)」とも。「―は昼の化物」〈西鶴・一代女六〉

あんど【安堵・案堵】《「堵」は、家のまわりのかき》①そこに安住すること。「それより八幡(やはた)にも―せずなりて、かかる身と成りにけるとぞ」〈著聞四四一〉②安心すること。「血も流れず、疵(ずき)もなし。心少し―して」〈保元中・白河殿攻め落す〉③鎌倉時代以後、武士や寺社の所領に対して与えられた法的確認・保証。「或は本領を―し、或は新恩に浴せしむ」〈吾妻鏡治承四・一〇・二三〉

あんどん【行燈】《唐音》①木などの框(くわ)に紙をはり、中に油皿を据えて燈火をともし、上に把手(とって)があって提げて行くもの。「衆僧に―ともさせ」〈伽・もろかど物語〉。「燈呂(とうろ)を―、ちゃうちんなんどと云ふ」〈壒嚢鈔三〉②近世、(1)に長い足をつけ、中央に蜘蛛手を設けて油皿を置き、室内の燈火としたもの。「あんどう」「あんど」とも。「―の仕懸直しを工(たく)んだり」〈俳・大矢数四〉　**―べや**【行燈部屋】①行燈を片付けて置く、階段の下などの薄暗い部屋。「下女の髪―の匂ひがし」〈雑俳・万句合明和四〉②遊里で、遊興費が払えぬ客を、支払いが済むまで押し込めて置いた部屋。多く(1)を用いたのでいう。「大方、女郎屋か―へ〔遊女タチガ〕おっ固まって〔イテ〕」〈洒・辰巳婦言〉

あんない【案内】《「案(官府の文書の控)の内」が原義か》①官府の文書の内容。「養老二年六月四日の―を検するに、曰はく」〈続紀養老四・三・一七〉②文案の内容。「頭の弁して―は奏せさせ給ふめり」〈紫式部日記〉③内情。「宵過ぐる程におはしましぬ。…―よく知れるかの殿の人に問ひ聞きたりければ」〈源氏浮舟〉。「進退に迷ひて―を啓する所也」〈平家七・木曾山門牒状〉④土地や家の詳細。「浦の者ども多う候へども―知ったるは稀に候」〈平家一〇・藤戸〉⑤内情・意向を伺うこと。「…と尋ね聞きて―するも」〈源氏蓬生〉。「〔誰ガ呉レタノカ〕宮の辺に―しにまゐらまほしけれど」〈枕二七七〉⑥訪問して、取次ぎを申し入れること。「門外に立ちて―を申さんとし給ふ所に」〈宇治拾遺一三八〉。「いかにこのうちへ―申し候」〈謡・松風〉⑦地理や事情に明るくない人を、その所へ導くこと。「―のためどこへなりとも」〈俳・大矢数四〉　**―しゃ**【案内者】①其処の案内をよく知っている人。その地の様子にくわしい人。「敵は―、我らは無案内なり、取りこめられては叶ふまじ」〈平家七・願書〉②先導。導きする人。「さらば汝、瀬尾を―にしてまづ下れ」〈平家八・妹尾最期〉　**―まう**《「案内申す」の略》人の家を訪問し、取次ぎを求めることば。ごめんください。「もの申(まう)―」〈虎明本狂言・塗師〉

あんな・り【有んなり】『連語』《アリに伝聞・推定の意を表わす助動詞ナリのついたアリナリの音便形。→あなり》あるという。あるそうだ。あるようだ。「『信濃に―・る木曾路河』といふ今様(いまやう)を、これは見給ひたりし間、『信濃にありし木曾路河』と歌はれけるぞ、時に取っての高名なる」〈平家六・嗄声〉

あんのうち【案の内】①思案の内。思いのまま。「平家を亡ぼさん事は―に候へども」〈平家一〇・千手前〉②思いもうけている通り。はじめからわかっていること。「合戦の庭に出でて、死ぬるは―の事、生きるは存の外の事なり」〈保元上・官軍勢汰へ〉

あんのほか【案の外】思いのほか。意外。「今日の内に寄りて責めむこそかの奴は―にてまどはめ」〈今昔二五ノ九〉

あんばい【塩梅】《エンバイの転》①料理の味加減。「それがしは料理の―上手(じやうず)にて候」〈伽・鼠草子〉②物事のほどあい。かげん。「―も今やと告げて鳴く雉子(きぎす)」〈俳・わたし船〉　**―よし**【塩梅好し】①味のよいこと。美味。「汝は柿本でも、御所柿・木練りの―では有るまい」〈近松・百夜小町一〉②田楽売りの呼び声。転じて、豆腐田楽。「蒟蒻(こんにやく)豆腐の―とぞ売り歩く」〈近松・孕常盤三〉

あんぺい【安平】《アンベイとも》①安らかで平らかなこと。平穏。「西国はことごとく―なほどに」〈三体詩絶句抄三〉②たやすいこと。容易。「さては―ごさんなれ」〈平家五・文覚荒行〉③心安いこと。安直。「人を―に云ふ時、おれがと云ふは、われらがと云ふ心か」〈塵袋一〇〉

あんべ・し【有んべし】『連語』⇩あべし。「漏り聞かせたらん時もなのめならずいみじくこそ―・けれ」〈源氏(大島本)浮舟〉

アンペラ　カヤツリグサ科の多年草。茎を裂き、網代(あじろ)に編んで筵(むしろ)とし、敷物や枕とした。アンペル。「別れの泪(なみだ)―の露」〈俳・談林三百韻〉　▽マレ ampela

あんぽつ　江戸で用いた町駕籠の一種。竹製で、左右に垂れが掛けてあった。上方では「あんだ」といった。「―に致しませうと若い者」〈雑俳・柳多留拾遺七〉

あんま【按摩】漢方療法の一。身体の要所をもんだりさすったりして、痛みや凝りを治すもの。また、それを業とする人。近世、盲人の職業となった。「―を頼み、摩(な)で候へば」〈梅津政景日記寛永一〇・一・七〉　**―とり**【按摩取】按摩を業とする人。「咲く花も香にや知るらん—」〈俳・絵合上〉。「—町中を按摩取らう按摩取らうと云うてありき候ゆゑ、呼び入れ、取らせ」〈宗静日記元祿八・二・二五〉

あんめ・り【有んめり】『連語』⇒あめり。「これ横さまの死にをすべきものにこそ—・れ」〈源氏手習〉

あんも【餅】〔小児語〕もち。「下総はおかべ(淡雪豆腐)武蔵は—(幾世餅)なり〔両国橋両岸ノ名物〕」〈雑俳・柳多留二三〉

あんやうヨウ【安養】《連声してアンニョウとも》「安養浄土」に同じ。「—といふは安楽浄土なり」〈尊号真像銘文〉 **—かい**【安養界】「安養浄土」に同じ。「聖真子(しやうじんし)は、九品(くほん)—の化主(けしゆ)、八幡大菩薩の分身」〈太平記一八・比叡山〉 **—じゃうど**ジョウ【安養浄土】《彌陀の仏土に往生すれば、心を養い身を安んじて、速やかに仏のようになるからいう》極楽浄土。「『南无(なも)西方日想—彌陀仏』と唱ふ」〈今昔一五ノ四九〉 **—せかい**【安養世界】「安養浄土」に同じ。「ただ願はしきは—」〈説経・伍太力菩薩〉

あんら【菴羅】《梵語の音訳》仏典に見えるインドの喬木の名。今のマンゴーの樹という。仏道に志す人は多いが、成功するものは少ないたとえに使われる。「法文聖教の中にもたとへるなるは、魚子多かれど、まことの魚となること難し。—といふ植樹あれど、この実を結ぶこと難し」〈大鏡後一条〉

あんらく【安楽】①安らかで楽しいこと。「—なる事、毘沙門(びしやもん)・帝釈(たいしやく)にもまさりたり」〈宇治拾遺八五〉②「安楽国」の略。「みづからのために—の往生を願ひ給ふ」〈諸神本懐集末〉 **—こく**【安楽国】極楽浄土。「安養国」とも。「彌陀の願力に乗じなば—に生るべし」〈拾遺語燈録下〉 **—じゃうど**ジョウ【安楽浄土】「安養浄土」に同じ。「極楽と申すはかの—なり」〈唯信鈔文意〉 **—せかい**【安楽世界】「安養浄土」に同じ。「—へ迎へ取り給へ」〈曾我九〉

あんり【行履】〔仏〕《アンは唐音》日常の行為の一切をいう語。「仏祖の—にまかせて身儀を修むれば」〈正法眼蔵随聞記一〉。「アンリ、即ち、シンダイ(進退)、または、タタズマイ」〈日葡〉

い

い【爾・汝】『代』《代名詞シ(其)と同根という。下に助詞の続く形だけがある》相手を軽んじていう。おまえ。「—が造れる屋」〈紀神武即位前〉。「—がいのち」〈紀皇極二年〉

い【五・五十】①五。他の語の上につけて使う。「五十(いそ)」「五百(いほ)」など。②五十。他の語の上につけて使う。「五十日(いか)」「五十鈴(いすず)」など。▽もともとイ(五)とイ(五十)とは同語。ポリネシア語などに、一つ単語で四と四十とを表わすものがあるのと同類。

い【胆】胆嚢の古名。「肺脯、上訓支毛(きも)、下訓伊(い)」〈霊異記上二〉。「胆、以(い)、為₂中精之府₁」〈和名抄〉▽上代にも、「生駒山」を「胆駒山」と書いた例があるから、古くから「胆」をイと言ったことが分る。

い【斎】《イミ(斎・忌)と同根》神聖であること。タブーであること。複合語だけに残っている。「斎垣」「斎串」「斎杭」「斎槻」など。▽ユユシなどのユの母音交替形。イとユとの交替の例は、イキ・ユキ(行)、イツキ・ユツキ(斎槻)など。

い【寝・睡眠】《人間の生理的な睡眠。類義語ネ(寝)は体を横たえること。ネブリ(眠)は時・所・形にかまわずする居ねむり》睡眠。「朝寝(あさい)」「熟寝(うまい)」「安寝(やすい)」などの熟語となるか、「—を寝(ぬ)」「—も寝ず」など句として使っている。「股(もも)長に—は寝(な)さむを」〈記歌謡三〉。「妹を思ひ—の寝らえぬに」〈万三六七八〉。「夜は安き—も寝ず」〈竹取〉→いね(寝)

い【網】蜘蛛の巣。「網、イ、蛛網」〈色葉字類抄〉

い【医】医師。「醫、イ、クスシ」〈色葉字類抄〉

い【移】直属官司を同じくする同級の諸役所間で取り交す公文書。うつしぶみ。「下総国言(まを)さく、…常陸国の—を得るに曰く」〈続紀神護景雲二・八・一九〉→てふ(牒)

い『接頭』動詞につく。奈良時代の例から推しても、すでに意味不明。「—及(し)き」「—這ひ」「—行き」「—渡り」など。「をとめの—隠る岡を」〈記歌謡九九〉

い【沃】『上二』注ぐ。あびせる。「これを治せむやうは、面に水なむ沃るべきとみる」〈かげろふ中〉。「雨は沃に沃て(注ギニ注イデ)降る」〈平家六・祇園女御〉。「沃、イル」〈名義抄〉

い【射】『上一』矢を発射する。「さつ矢手挾み立ち向ひ射る的方は」〈万六一〉

い【鋳】『上一』金属を溶かして型に流し、固める。「一尺の鏡を鋳させ」〈更級〉

い ㊀『助』もともとはコト・モノを意味する体言であったらしい。それは、「此を持(も)たつ—は称(ほま)れを致し、捨つる—は謗(そし)りを招きつ」〈続紀宣命四五〉のような用例から推測される。これが接尾語として使われた例として「頭椎(くぶつつい)」「石椎(いしつつい)持ち、打ちてし止まむ」〈記神武〉などにおけるイがある。また、動詞連用形(例えば、「遊び」「嘆き」「恋ひ」など)は、語幹に i が付着して成立したものと推定されるが、その i は接尾語のイと本質的には同じものであった。従って、動詞の連用形はそのまま名詞ともなり得た。イは、このように本来は体言で、それから、体言を示す接尾語として使われたから、動詞・助動詞の連体格を明示する場合にも使われ、「花待つ—間に嘆きつるかも」〈万一三五九〉などの例がある。その後イは用法が拡がり、助詞として多く主格の語の下に使われた。平安時代に入ると主に法相宗関係の仏典の訓読に主格を示す助詞として残存し、やがて一般には衰亡した。朝鮮語の主格の助詞 i は、日本語のこのイと同源のものと推定される。①連体格を示す。「春風に乱れぬ—間に見せむ子もがも」〈万一八五一〉。「玉の緒の絶えじ—妹と」〈万四八一〉②主格を示す。「追ひ行かば紀の関守—とどめてむかも」〈万五四五〉。「彼—既に聞き已(を)はりて」〈金光明最勝王経平安初期点〉③補格を示す。「君—(君ニハ)かならず逢はざらめやも」〈万三三八七〉㊁『接尾』コト・モノの意を表わす。「子は、祖(おや)の心なす—し(祖ノ心ノゴトキ心ヲ持ツモノコソ)子にはあるべし」〈続紀宣命一三〉

い『助』《ヨの転》室町時代以降の終助詞。動詞・助動詞の命令形について、語勢を強める。「とかくそれを止(や)めー」〈コリヤード懺悔録〉。「ああ、許させられ—」〈天理本狂言六義・首引〉

い『助動』《助動詞ルの命令形レの転かともいうが未詳。四段動詞の未然形に接し、軽い敬意のこもった命令の意をあらわす。室町時代に特有の語法》…なさい。「御酌に参ら—との御諚なり」〈伽・小栗絵巻〉。「退(の)かー、放さ—、帯がとくる」〈隆達小歌〉

いう(ユウ)【優】《「優」は漢字としては、(一)「わざをぎ」、(二)同音の「裕」に通用して「ゆたか」の二義がある。(一)は奈良時代(日本書紀)の「俳優」の例や、平安時代の、たわむれごとの意に見え、(二)は、奈良時代に、物をにぎわわしく与える、優遇するの意で使われた。平安時代の和文脈の文学では、ゆたかの意から発展して、まさっている、すぐれている、立派だの意。武士の擡頭した鎌倉時代以後になって、優美・上品・やさしいという意に多く使われる。これは武骨な風が社会の各方面に力を得て来たその頃、上品でやさしいものが即ちすぐれた立派なものと思われるようになったからであろう》❶たわむれごと。「夢の事は虚誑(イツワリ)にして―なることを知りぬ」〈性霊集一〇〉。「優、タハブレ」〈名義抄〉 ❷①優遇すること。物をゆたかに与えること。「従五位下紀朝臣清人に穀一百斛を賜ふ、学士を―するなり」〈続紀養老一・七・二三〉 ②ゆたかであること。「優、ユタカナリ」〈名義抄〉 ③比較してまさっていること。「常よりも―にも書い給へるかな」〈源氏葵〉 ④すぐれて立派であること。「かぐや姫のかたち(容貌)―におはすなり」〈竹取〉。「取る方なくくち惜しき際と、―なりとおぼゆばかりすぐれたるとは数ひとしくこそ侍らめ」〈源氏帚木〉。「〔盗人ニ物ヲ与エタ〕家あるじのあはれみ、又―なり」〈著聞四四〇〉 ⑤殊勝であること。「味方の御勢は皆落ち候ふにただ一騎残らせ給ひたるこそ―なれ。名乗らせ給へ」〈平家七・実盛〉 ⑥優美であること。「桜の花は―なるに、枝さしのこはごはしく、もと(幹)の様などもにくし」〈大鏡伊尹〉 ⑦上品でやさしいこと。「いかに恐ろしき物なれども、歌に詠みつれば―に聞きなさるるたぐひぞ侍る」〈毎月抄〉

いういう・し(ユウユウシ)【優優し】『形シク』いかにもすぐれている感じである。「物言ひたるも、らうたきものの―・しく聞ゆ」〈堤中納言花桜をる〉

いうかうぢょふ(ユウコウ)【遊行女婦】奈良時代に、定住することなく、宴席で歌を作ったり、楽器を奏して歌舞などをした遊女。「卿を送る府吏の中に―有り。其の字(あざな)を児島と曰ふ」〈万九六六左注〉

いうくん(ユウ)【遊君】遊女。傾城(けいせい)。「―遊女ども召し集めて、遊び戯れ酒もりけるが」〈平家六・飛脚〉

いうげん(ユウ)【幽玄】《「幽」は遥か・かすか・深しの意。「玄」は遥か・黒しの意。中国で後漢時代には、遠い冥界を指す。「逝きて、まさに汝を去りて―に適(ゆ)かむとす」〈後漢書何皇后紀〉。六朝・唐の時代には、仏教や老子・荘子の思想の本質が深遠で微妙なことをいう。「〔仏法ノ〕微妙を究竟し、―に洞達す」〈六朝、王筠〉。「性命を―に委(ゆだ)ね、物理を推遷に任す」〈唐、駱賓王、螢火賦〉。日本に輸入されて、平安時代中頃から、宗教的哲学的な意味よりも美の趣や姿を形容するのに用いた。歌論・能楽論・連歌論で重い位置を占め、かすかで奥深く縹渺(ひょうびょう)とした情趣や、優雅な余情、また、柔和な美をいう》①仏法などの深遠微妙なこと。奥深くて、底まで知り尽せない趣あること。「諸法―の妙を得て、金剛不壊の戒を証す」〈一心金剛戒体決〉。「僧と談じて漸く―の理を知る」〈本朝無題詩八〉 ②はっきり分らないこと。「承平・天慶の例―の間」〈百錬抄治承四・九・二三〉 ③奥深く神秘的であること。「太神宮はあまり―也」〈古事談五〉 ④微妙な味わい。「語(談話)和漢に渉り、興―に入る」〈中右記永長一・五・三〉。「天性無骨なる者に候ふ間、―の所をえ舞ひ候はず」〈古事談六〉 ⑤優しいこと。「仁体(じんてい)心ざま―にましましければ」〈明徳記中〉 ⑥〔歌論用語〕㋑深く微妙なところ。「此の体(てい)、詞(ことば)は凡流なりといへども義(こころ)は―に入る。諸歌の上科(うへのしな)となす」〈和歌体十種〉 ㋺微妙な余情。「打ち寄する磯辺の波の白木綿(しらゆふ)は花散る里の遠目なりけり。〔藤原俊成判詞〕風体は―調、義は凡俗にあらず」〈中宮亮重家朝臣家歌合〉 ㋩俗でなく、姿さびていること。「心なき身にもあはれは知られけり鴫(しぎ)立つ沢の秋の夕暮。〔俊成判詞〕鴫立つ沢のといへる、こころ―に、姿およびがたし」〈御裳濯川歌合〉。「冬枯れの梢にあたる山風のまた吹くたびに雪の天霧る。…心詞―の風体なり」〈慈鎮和尚自歌合〉 ㊁艶雅の美しさのあること。「―と云ふ物は、心に有りて詞にいはれぬもの也。月に薄雲のおほひたるや、山の紅葉に秋の霧のかかれる風情を―の姿とする也」〈正徹物語下〉 ⑦《能楽論・連歌論の用語》やさしく、柔らかな感じのあることを指す語。「公家の御ただずまひの位高く、人望、余に変る御有様、これ―なる位と申すべきやらん。然らば、ただ、美しく、柔和なる体(てい)、―の本体なり」〈花鏡〉。「女の能に長谷山(ちやうこくさん)と書ける、言葉こはきよし仰せけるなり。されば女の能などをば『大和初瀬の寺』などと―に書くべし」〈申楽談儀〉。「―の景物を荒蕪(くわうぶ)の詞にてけがすこと、もっともいたましきことなり」〈連理秘抄〉 **―たい**【幽玄体】〔歌論用語〕言外に奥深い情趣を持つ歌体。室町時代頃から、柔和な美しさを持つ歌を指すようになる。無名抄に「更に古風に帰りて幽玄の体を学ぶ事の出来る也」とある。「やさしく類なき女の姿を見る様ならん歌は―なるべし」〈愚秘抄〉

いうし(ユウ)【猶子】①兄弟の子。「―の義は礼家の貴ぶ所なり」〈性霊集四〉 ②養子(やしなひご)。「かの信西入道と申すは、南家の博士、長門守高階経俊が―なり」〈平治上・信西出家の由来〉。「他人の子を養ふを養子と云ふ。親類の子を養ふを―と云へり」〈御成敗式目注〉。〈文明本節用集〉

いうしょく(ユウ)【有職】⇒いうそく。〈色葉字類抄〉

いうぜん(ユウ)【友禅・幽禅・祐善】「友禅染」の略。「―の蝶よ娘の後(うしろ)帯」〈雑俳・雪の虎〉 **―ぞめ**【友禅染】染物の名。絹布に花鳥・風景などの華やかな絵模様を染め出したもの。元禄頃の京都の絵師宮崎友禅の絵模様にもとづく。友禅模様。「―を真黒な衣に着替へらるる事は」〈浮・好色貝合上〉。〈世話字節用集〉 **―ゑ**【友禅絵】宮崎友禅の描いた絵模様。また、その染模様。「―〔ノ扇〕も古され(スタレ)」〈西鶴・一代女五〉

いうそう(ユウ)【遊僧】延年舞などの芸能を行なう僧。「もとより弁慶は三塔の―」〈謡・安宅〉

いうそく(ユウ)【有識・有職】《イウショクとも。知識の有ること。のちに、官職などについてよく知っていることをいうようになって、「有職」とも書いた》①㋑学問のあること。「百済に使して有識の者を捜聘せしむ。…以て皇太子の師とす」〈続紀延暦九・七・一七〉 ㋺学者。知識ある人。「天の下の―にものし給ふめるを」〈源氏藤裏葉〉 ㋩音楽・書道など芸能方面にすぐれること。また、その人。「〔歌声ヲホメテ〕―ども生ひ出づる頃ほひにこそあれ」〈源氏初音〉 ㊁一般に、教養がすぐれていること。また、その人。「人の御有様―におはしまして」〈大鏡昔物語〉 ②とくに官職・故実・典礼などにくわしいこと。「また―に、公事(くじ)の方、人の鏡ならむこそいみじかるべけれ」〈徒然一〉 ③(容姿の)すぐれた女。「いかでか、さる―をば、ものげなき若人にてはとりこめられしぞ」〈大鏡昔物語〉

いうちゃう(ユウチョウ)【優長】すぐれ秀でていること。「かの輩は才学―なり」〈十訓抄七ノ九〉

いうぢょ(ユウ)【遊女】①歌舞を技とし、また枕席にも侍った女の称。中世では、貴人の邸宅に出入りして歌を聞かせたり、海道の旅宿を訪れて慰めた「うかれめ」、今様を歌う「白拍子」、人形を舞わせながら巡遊した「傀儡女(くぐつめ)」、江口・神崎・室津など港や宿場に群居する者など、いろいろの種類があった。「あそび」「あそびめ」「あそびをんな」「遊君(いうくん)」とも。「今日東三条院淀河に遷御の間、ー群参す。米百石を給ふ」〈日本紀略長保二・三・二六〉 ②近世、都市に設けられた官許の遊廓にかかえられた女と、公けには禁じられていたが各所に存在した私娼との総称。「吉原町の外、傾城ーの類、抱へ置き申すまじく候」〈正宝事録慶安一・三・二八〉 ③《「優女」の意》美しく優れた女。「さても我、王法を傾けんと、仮にーの姿となって、玉体に近づき奉れば」〈謡・殺生石〉。「姿・かかり・みめ・かたち、人にすぐれたるーなり」〈伽・あやめのまへ〉

いうても【言うても】『副』なんと言っても。「憂き衆道(しゆだう)ー主の御意(ぎよい)なれば」〈俳・山の端千句上〉

いうねん ユウ【遊年】陰陽道で、人人の年齢によって諸事を忌み避ける方角。「八卦忌事、いはゆるー・禍害・絶命への方等なり」〈拾芥抄下〉

いうひつ ユウ【右筆・祐筆】①文書を書くこと。また、その役に従う者。書き役。「今日の儀、…委しく記さず。…灸跡爛れ、ーに堪へざるの故也」〈兵範記嘉応一・三・一〇〉。「伏見冠者藤原広綱、初めて武衛に参ず。是ーなり」〈吾妻鏡寿永一・五・一三〉。「右をば、とると読む。ーは筆をとる也」〈塵袋五〉 ②広く文官を指す。「我ーの身にあらず、武勇の家に生れて、今不慮の恥に逢はむ事」〈平家一・殿上闇討〉

いうれい ユウ【幽霊】①死んだ人の魂。亡魂。「ーの追善に申す念仏は、亡者の悪道の苦を除き、楽を与ふべき行業なり」〈他阿上人法語七〉 ②死後、祭を受けず、或いは、この世に怨みを残して他界に安住できない霊が、生前のままの姿で特定の人の前に出現するもの。「不思議やな、ー顕はれ給ふぞや」〈謡・舟橋〉

い・え【癒え】『下二』①きずがふさがり、病がなおる。治癒する。「種種の方薬をもちて治むともー・えざらむ」〈金光明最勝王経平安初期点〉 ②破れたり割れたりしたものが、もとの通りになる。「われたる石は再びー・ゆるとも」〈伽・為人びくに〉 ③損失がうまる。「百貫文はやがてー・ゆべし」〈奇異雑談集三〉 †iye

いえ『感』①不意のことに驚いて発する声。おや。まあ。「案内とは誰(た)そ。ー伯蔵主様で御座るか」〈虎寛本狂言・釣狐〉 ②人に呼びかける声。やあ。もし。「ー御聖人様、どれへ御出でなされまする」〈虎寛本狂言・若市〉 ③打消を表わす声。いいえ。いえいえ。「ー、左様に貯への有る事では御座りませぬ」〈伎・月盞長者二〉

いえぐすり【癒え薬】きずや腫物につける塗り薬。「先刻腫物の根抜け云云、則ち薬を付け了んぬ。ー也」〈言経卿記文禄一・八・二六〉

いか ①【烏賊】軟体動物の一。「伊加麻川…ー此の川に在りき。故烏賊間川といふ」〈播磨風土記〉。〈和名抄〉 ②【紙鳶・凧】上方で、凧(たこ)のこと。烏賊(いか)の形に作ったのでいう。いかのぼり。「ーのぼせし空をも見ず」〈西鶴・一代男一〉

いか【如何】上代、状態についての疑いをあらわす語。類義語イクは量、ナニは質についての疑念・疑問をあらわす。「ーばかり恋ほしくありけむ」〈万八七五〉 ↓いかに・いかにか・いかなる・いかが

いか【五十日】《イは五十。カは日(ひ)の複数形》①五十日。「春の日を四十日(よそか)ーまで我は経にけり」〈土佐二月一日〉 ②子が生れて五十日目。また、その日の祝い。「御ーに餅(もちひ)参らせ給はむとて」〈源氏柏木〉 ↓いかのもちひ・ももか。③「いかのもちひ」の略。「本院のおはします富の小路殿にて、今上の若宮、御ーきこしめす」〈増鏡八〉

いが【伊賀】旧国名の一。東海道十五国の一で、今の三重県の西部。賀州。伊州。「伊勢ーの二国蝗(いなご)あり」〈続紀慶雲二・八・五〉

いがいが 赤子の泣く声。おぎゃあおぎゃあ。「弦打ちしつつ、声づくりゐ給へるに、寅の時ばかりにーと泣く」〈宇津保国譲下〉

いかう コウ【已講】三会已講師(さんゑいかうじ)のこと。「三会」(2)の講師を勤め上げた者の称。「三会講師しつればーと名付けて」〈大鏡藤氏物語〉

いかうに コウ【一向に】『副』《イッカウニの促音を表記しない形》一意専心に。「故大宮の宣ひつけたりしかばーさるべきこと今に承る所なれど」〈源氏夕霧〉

いかが【如何】《イカニカの転。平安時代以後にあらわれた語。不安・危惧・非難の気持をこめていう場合が多い。疑問の助詞カを含んでいるから、下にカを伴わずに使う》①疑問。どう…か。どのように…か。「つひにはーなると知るべく」〈古今一〇六四〉。「ーせむずる(ドウショウ)」〈古本説話五一〉 ②《反語として》どうして…か(そんなはずはない)。「ーつらしと思はざるべき」〈古今四三三〉 ③《断定の気持をこめて》どうしてどうして。「ーめでたからぬはなし」〈枕一〇四〉 ④どうか。どうであろうか。「ー御ここちは」〈源氏柏木〉。「さて閤下はー」〈大鏡序〉 ⑤どうかしら。考えものだ。「たやすくうち出でむもーとためらひけるを」〈徒然二三一〉 ▷ikanika→ikanka→ikanga→ikaga　**ーは** ①どういうわけで…か。「あま舟にー思ひおくれけむ」〈源氏若菜下〉 ②《程度の甚だしさを暗示して》どれほど…か。「もろともに帰らねばー悲しき」〈土佐二月十六日〉 ③《反語として》どうして…か(そんなはずはない)。「すこし物の心思ひ知るはーおろか(オロソカ)に思ひきこえん」〈源氏夕顔〉　**ーはせむ**《困惑または諦めをあらわす》まあどうしよう。しかたがない。「ーとて〔鏡ヲ海ニ投ゲ入レル〕」〈土佐二月五日〉。「さがなきえびす心を見てはーは」〈伊勢一五〉

いかが・し【如何し】『形シク』①どうかと思われる。あまりいいとは思えない。「心には若菜賞翫の心なるべけれども、余りなる句なり。ー・しく聞えたり」〈二根集五〉 ②おぼつかない。「いかにも御首尾もー・しく思し召しますも」〈評判・難波鉦四〉

いかか・り【い懸かり】『四段』《イは接頭語》かかる。かぶさる。「岩の上(へ)にー・る雲の」〈万三五一八東歌〉

いかき【笊籬】竹で編んで造ったかご。ざる。「活命(くわつみやう)のためにはーを作りて売って過ぎけり」〈正法眼蔵随聞記四〉。〈色葉字類抄〉

いか・き【い掻き】『四段』《イは接頭語》(水を)かく。「朝なぎにー・き渡り」〈万一五三〇〉 †ikaki

いがき【斎垣】《イはイミ(斎・忌)のイに同じ》神聖な垣。みだりに越えてはならない、神社の垣。「神のーも越えぬべし」〈万二六六三〉 †igaki

いか・け【沃掛け】『下二』液体や粉状のものをあびせかける。「火取を取り寄せて鬢黒のうしろに寄りて、さとー・け給ふほど」〈源氏真木柱〉　**ーぢ**【沃懸地】漆地の上に金粉または銀粉をまぶし、更に漆をぬり重ね、研ぎ出して金地としたもの。鞍や厨子(づし)などに使う。「ーに蒔(ま)きたる硯の様もいつくしく」〈今昔一九ノ九〉

いかさま【如何様】㊀『名』①どのよう。不審・困惑の気

持をこめて使うことが多い。「—におもほしめせか」〈万二九〉。「これを—にもてなさむ」〈源氏宿木〉 ②まやかしもの。まがいもの。いんちき。「—にかけて佐々木〔高綱〕は〔宇治川ノ先陣ニ〕高名し」〈雑俳・東月評万句合宝暦二〉 □二『副』①どう見ても。きっと。十中八九。自分の判断・推量の確かさを強調する語。「—、事の出で来たるべきにこそ」〈古活字本保元上・新院御謀叛思し召し〉 ②たしかに。なるほど。「—面白さうにはあれども」〈碧岩抄三〉 ③なんとかして。ぜひとも。事を行なおうとする意志や強い願望をあらわす。「—取りて帰り、古き人にも見せ、家の宝ともなさばや」〈謡・羽衣〉 □三『感』相手の言葉に同意していう語。いかにも。なるほど。「—、知らぬ人が見たらばさう思ふであろ」〈狂言記・止動方角〉 **—にか** ①どのように…か。「宮の渡らせ給はむには、—聞えやらむ」〈源氏若紫〉 ②《「いかさまにせむか」の意》どうしよう。どうしたらよいか。「〔病人ハ〕我かの気色にて〔意識モウスレテ〕臥したれば、—と思し召し惑はる」〈源氏桐壺〉 **—にも** ①どう見ても。きっと。「右歌は—秋雨をよめり」〈六百番歌合秋中〉。「—今夜失はれなんず」〈平家三・法皇被流〉 ②どのようにでも。「—御声の出づべう候」〈平家二・小教訓〉

いか・し【厳し・重し・茂し】《イカは内部の力が充実していてその力が外形に角ばって現われている状態。イカメシ・イカラシ・イカリなどの語根。奈良時代にはシク活用。平安時代以後ク活用》□一『形シク』《語幹の名詞用法が多い》①勢いが盛んである。植物の繁茂にいうことが多い。「八束穂の—・し穂に皇神たちの依さし奉らば」〈祝詞祈年祭〉。「—・し御世の足らし御世に田永の御世とさきはへ奉る」〈祝詞大殿祭〉 ②立派でおごそかである。「重日、此れをば伊柯之比(いかしひ)といふ」〈紀皇極即位前〉 ③鋭く強い。力強い。「厳矛、此れをば伊箇之倍虚(いかしほこ)といふ」〈紀舒明即位前〉 ④はなはだしくて大変である。「朕を助け奉り仕へ奉る事の—・しき労(いた)はしき事を念ほし坐す御意(みこころ)まします」〈続紀宣命二〉 □二『形ク』①鋭く強い。はげしい。「たけく—・きひたぶる心出で来て、うちかなぐるなど見え給ふ」〈源氏葵〉 ②はなはだしい。大層である。「結句—・いさまたげなる事でござるを」〈バレト写本〉。「さればこそ—・う重うなってござる」〈虎明本狂言・釣針〉 ③大きい。「大いなることを五畿内近国共にゑらいといひ又—・いと云ふ」〈物類称呼五〉 **いかい御世話** 大層な御世話になりますという挨拶のことば。「嗅(かか)様—」〈近松・鑓権三上〉 **—やくはえ**【茂彌木栄】《ヤは彌。クは木(く)。ハエは栄》いよいよさかんに木が茂り栄えること。「天皇(すめら)が朝廷(みかど)に—の如く仕へまつり」〈祝詞春日祭〉

いかず【行かず】①縁遠い老嬢。「旦那は脇にして、皆—の姉御をこはがり」〈浮・曲三味線二〉 ②意地悪。根性悪。いけず。「この里(遊里)の恋と情と花車(きゃしゃ)としゃれとを丸めし中にも、あんな—もありける」〈西鶴・好色盛衰記五〉 ③全然役に立たないこと。「奈良の都に—の念者を見限り」〈西鶴・男色大鑑一〉

いかだ【筏・桴】木材・竹などを運搬するため、つなぎ合わせて水に浮かべたもの。舟としても用いる。「木折(こ)り来て—に作り」〈万三三三〉 **—し**【筏師・筏士】筏を乗り操り、運送する業の人。「—の心のすきは杣山の川の日暮もよそにこそ見め」〈本院侍従集〉。「—。…都鄙にこれある中にも、嵯峨の大井川の筏、歌によめり」〈人倫訓蒙図彙三〉。「筏人、イカダシ」〈合類節用集〉

いがたうめ…トウメ【伊賀専女】《不詳。「たうめ」は老女とも狐ともいわれる》媒(なかだち)の人の意。媒をする人の言葉は、狐が人をばかすようなものだという気持をこめて使われる。「さかしらめきて…今更に—にやとつつましくてなむ」〈源氏東屋〉

いかたてまつ・り【厳献り】『四段』《イカはイカシのイカ。茂く盛んな意。タテマツリは飲食する意の尊敬語》盛大にめしあがる。「〔天皇ガ〕この豊御酒(とよみき)を—・る」〈続紀歌謡三〉

いかつ【厳つ】いかめしいさま。たけだけしいさま。「心も鬼なれば、いづれも—の見風にて、面白き粧ひ少し」〈三曲三体絵図〉 **—がま・し**【厳つがまし】『形シク』傲慢(ごうまん)である。いたけだかである。「兄駆け来たって、『何者が叩いたぞ、誰に叩かれ』とて、—・しく言へば」〈咄・鹿の巻筆五〉

いかづち【雷】《「厳(いか)つ霊(ち)」の意。ツは連体助詞》猛烈な威力のあるもの。かみなり。「頭には大—居り、胸には火の—居り」〈記神代〉。「鼓の音は—のおとと聞くまで」〈万一九九〉

いかで【如何で】『副』《イカニテの転。平安時代から使われ、初め願望をあらわすことが多かったが、方法・原因・理由を疑う場合にも使われるように広まり、イカニシテに取って代った。文末を推量の助動詞で終ることが多い》①《下に願望・意志をあらわす語を伴って》どうかして。何とか。「—、とく京へもがな(京へ行キタイ)」〈土佐一月十一日〉。「我—七月(ふづき)・九月(ながつき)に死にせじ(死ニタクナイ)」〈大鏡昔物語〉 ②どのようにして。「—世におはせむとすらむ」〈源氏若紫〉 ③どういうわけで。「—、はた、かかりけむ」〈源氏帚木〉 ④《反語として》どうして…か(そんなことはない)。「鶯の声なかりせば雪消えぬ山里—春を知らまし」〈拾遺一〇〉 ▽ikanite→ikante→ikande→ikade **—か**《多く反語として》①どうして…だろうか。「かさとりの山は—もみぢそめけむ」〈古今二六一〉 ②どうして…か(そんなはずはない)。「—さは侍らむ」〈源氏空蟬〉 ③どうかして。何とか。是非。「—と思ふ心のある時はおぼめくさへぞうれしかりける」〈拾遺六九三〉 **—かは** ①どうして…だろうか。「思ひ(火ト掛ケル)あらば干(ひ)なましものを—返す衣のたれも濡るらむ」〈かげろふ上〉 ②どうして…か(そんなはずはない)。「うちとけても—弾き合はせたまはむ」〈源氏椎本〉 ③どうかして。何とか。是非。「—おくれじと泣き沈みたまへど」〈源氏椎本〉 **—も如何でも** どうでもこうでも。是非。「—、御方方に数まへ知ろしめされむことをなむ、寝ても覚めても〔願ッテイマス〕」〈源氏常夏〉

いかてい【如何体】どんなふう。どのよう。「何色の狩衣に、—なる馬にか乗りたる」〈著聞五一二〉

いかといかとある『連語』《イカはイカシ(厳)のイカと同根。巨大の意》大きく広広とした。「—我がやど(家ノ庭先)に」〈万一五〇七〉 †ikatöikatöaru

いかな【如何な】□一『連体』《イカナルの約。近世、促音化してイッカナとも》どんな(…でも)。「—類なき君様なりと」〈宗安小歌集〉。「—ものくさき者も立つぞ」〈古文真宝抄四〉 □二『副』どうしても。なんとしても。「〔仏像ヲ〕鋳崩して売り払ふに、—この銅を買ふ人なし」〈浮・新永代蔵二〉 **—如何な**《下に打消を伴って》どうしてどうして。「—申さるる事ではござらぬ」〈虎寛本狂言・連歌盗人〉 **—事** ①《不審・困惑・心外な気持をあらわす》一体どうしたことだ。「これは—」〈虎明本狂言・武悪〉 ②どんなことがあっても。「さもないうちは—、ならぬならぬ」〈近松・国性爺二〉

いかなる【如何なる】『連体』《イカニアルの約》①どのような。どういう。「面忘れ—人のするものぞ」〈万二五三三〉 ②《下に仮定条件句を伴って》どんな(…でも)。「—金銀(こんごん)

瑠璃(るり)硨磲(しゃこ)碼碯(めなう)をもって作りたる家なりとも」〈伽・蛤の草紙〉

いかに【如何に】㊀『副』❶《状態・方法・理由についての疑念》①どのように。どう。「わぎもこが━思へか」〈万三六四七〉②どういうわけで。すでに起った事柄に対して不審の気持を表わすことが多い。平安時代以後現われた用法。「━言ひつる事ぞ」〈源氏夕霧〉。「あやにくに焦がるる胸もあるものを━乾かぬ袂なるらむ」〈金葉四四〇〉❷《下に来る形容語の、程度についての疑念》①どんなに(…だろうか)。どれほど(…だろうか)。程度の甚だしさを暗示することが多い。「━短き心なるらむ」〈伊勢一一三〉②いかにも。何とも。実に。程度の甚だしさに対して感動をこめていう。「━うつくしき君の御され心なり」〈源氏少女〉。「言の葉のふかきは━あはれなりけり」〈後撰六〇二〉③《(1)からの転用。仮定条件句と共に反語・打消の気持をあらわす。中世以後の用法》どんなに(…であっても)。「末は皆出来て五文字が━案ぜられけれども、なかりし程に」〈正徹物語下〉❸《述語として、ものの状態・正体などを問う》どういう様子だ。どうしたことだ。「都人━と問はば」〈古今九三七〉。「『こは━』と聞ゆ」〈源氏若紫〉㊁『感』《㊀❶(3)から派生して、相手に呼びかける時に使う》なんと。「━、貞能。引出物せよ」〈平家三・無文〉。「━、世尊へ申し奉る」〈見聞愚案記一五〉 **━いはむや** 《「何況」の漢文訓読語》まして。いわんや。「少なき物だになほし施す。━多くあらむをば」〈善戒経平安初期点〉。「見るにそら(見ルダケデモ)目くるる心地して物おぼえず。━、渡らむ事をや」〈今昔五ノ四〉 **━か** 《上代では状態や方法についての疑問をあらわした。平安時代の仮名文では、音韻が転化してイカガとなり、不審や詰問もあらわした》①どのように…か。「━吾がせむ」〈万七九五〉②《反語として》どうして…か(そうはいかない)。「今日の日に━及(し)かむ」〈万一七五四〉③どういうわけか。「━妹に逢ふ時もなき」〈風雅一三二八〉 **━して** 《イカデより古い語》①どのようにして。「━忘れむものぞ恋といふものを」〈万一六二九〉②どうしたわけで。なぜ。「━かかる事ぞ」〈源氏空蟬〉③《願望・意志の語を伴って》どうかして。「━都の高き人に奉らむ」〈源氏明石〉④《反語として》どうして…か(そんなはずはない)。「━かやうの大礼も行なはるべきなれども」〈平家一〇・藤戸〉⑤どうしても。どうも。いかにしても。「━昼は見る事迷惑して」〈西鶴・好色盛衰記二〉 **━しても** ①《手段を求める願望の強調》何とかして。何としてでも。「━死ぬるわざもがな」〈狭衣一〉②《打消の強調として》どうあろうとも。絶対に。「イカニシテモナラヌ」〈日葡〉 **━ぞ** ①《様子を問いただす語》どうだ。「『━』など問ひたまひて」〈源氏末摘花〉②《原因・事情を問うて》どうしたことか。どういうわけなのか。「紅の袴に赤き色紙の物忌〔札〕いと広きつけて、土とひとしう下げられたりしかば、━〔ト〕物見よりは、それをこそ人見るめりしか」〈大鏡兼家〉③《歌合の判詞として》賛成できない意に用いる。「右歌、末の句━聞ゆ。左を以て勝つとす」〈二十四番歌合〉 **━ぞや** ①どんなぐあいか。「━。事なりぬや(ウマク行ッタカ)」〈枕三三〉②どういうわけか。「━、古代のことなれど頼もしくぞ思ひ給へける」〈源氏藤袴〉③《状態に対する不満・非難を婉曲にあらわして》どうかと思われる。「━もある世かな」〈源氏葵〉④《歌合の判詞として》あまり賛成できない意。「左歌、初五字━聞ゆ」〈六百番歌合秋中〉 **━申し候** 相手に呼びかける言葉。もしもし。「『━』『何事にて候ぞ』」〈謡・蟻通〉 **━も** ①どのようにも。どのようにでも。「━さるべきさまになさせ給はば」〈源氏宿木〉②《下に打消の語を伴って》どうにも。「━物を思ひはべらず」〈源氏真木柱〉③《下に願望の語を伴って》どうかして。ぜひとも。「━━我があらむ世に見おく事もがな」〈更級〉④《程度の甚だしいのにいう》何ともはや。ほんに。「顔━愛らしい〔犬〕をくれた」〈ロドリゲス大文典〉⑤《相手の言葉を肯定して、いかなる点においてもの意から》その通り。たしかに。「『こちのことでござるか、何事でござるぞ』『━、わごりょの事ぢゃ』」〈虎寛本狂言・末広がり〉⑥《万一の場合を想定して、婉曲に死を指す》もしもどうか。「ここに日蓮、進退わづらひて、この事を申すならば、我が身━なるべし」〈日蓮遺文高橋入道殿御返事〉

いかのぼり【烏賊幟・紙鳶】①上方で、凧(たこ)のこと。「童部どものもてあそび━とやらん云ふ物をこしらへ」〈破提宇子〉→いか(紙鳶)②〔遊里語〕金銭を使い果して巾着(きんちゃく)が空っぽのこと。「巾着の烏賊幟」とも。「若しも━と見ると、後ろから花車(くわしゃ=茶屋ノ主婦)に目はじきして、いらぬ者と言ふ事を知らせば」〈浮・茶屋調方記〉

いかのもちひ【五十日の餅】子が生れて五十日目に餅を作って祝うこと。また、その餅。親や祖父などが赤子の口に餅を含ませた。「御━、殿上に出ださせ給へるに」〈大鏡醍醐〉

いかばかり【如何ばかり】『副』①どれほど。どのくらい。「行く船を振り留(とど)みかね━恋(こほ)しくありけむ松浦佐用比売(まつらさよひめ)」〈万八七五〉②たいそう。非常に。「今は天(あめ)の下を御心にかけ給へる大臣にて━いつかしき御中に」〈源氏玉鬘〉

いかへ・し【射返し】『四段』①矢を射て敵を追い返す。「天つ神の御子の使を━・し」〈記神武〉②敵の射た矢を取って、逆に敵を射る。「奥(おき)よりこの矢を射て候が、━・せとまねき候」〈平家一一・遠矢〉③敵が矢を射かけてきたのに対し、こちらからも射る。応射する。「源氏三十騎を出いて射さすれば、平家三十騎を出いて三十の鏑を━・す」〈平家七・倶梨迦羅落〉 †ikaFesi

いがへ・り【い帰り】『四段』《イは接頭語》帰る。「━・り来むぞ」〈記歌謡八六〉 †igaFeri

いかほかぜ【伊香保風】伊香保の山(榛名山)の神が吹かせる風。「━吹く日吹かぬ日」〈万三四二二上野東歌〉

いかほど【如何程】『副』《分量・程度の疑問。鎌倉以後に使われた》どれほど。どのくらい。「源氏が勢━あるぞ」〈平家二・嗣信最期〉。「われ買はむ。代は━」〈伽・蛤の草紙〉

いが・み【嘷み・啀み】『四段』①犬などが牙をむきだしてほえたてる。「この犬五つの子の中に一つを悪(に)みて、乳を飲ませずして、━・みくひければ」〈沙石集七ノ二四〉。「嘷、イガム」〈黒本本節用集〉②かみつくように言う。くってかかる。「『うぬめ乗れ』と━・みかかれば」〈近松・女護島三〉

いが・め【歪め】『下二』《ユガメの転》①いじめる。ひどい目にあわせる。「この婆が━・めてやる」〈近松・聖徳太子一〉②盗み取る。くすねる。ちょろまかす。「法師の念力、きゃつ(女)を━・めずには置くまい」〈浮・新色五巻書五〉

いかめ・し【厳めし】㊀『形シク』《イカシ(厳)と同根。外に内部のエネルギーが見えるさま。見るからに巨大で、角張り、盛んなさま》①姿・形が大きく立派である。巨大である。「━・しき楊桃(やまもも)、姫桃など中島よりとり出でて」〈宇津保祭使〉②強く威圧的である。「御先追ふ声の━・しきにぞ」〈源氏少女〉③盛大である。大がかりである。「儀式いと━・しう二なくて参り給ふ」〈源氏真木柱〉④耳目を驚かすようである。大変である。「━・しき雨風いかづちの驚かし侍りつれば」〈源氏明石〉⑤威儀を正している。「━・しくも(エラク改マッテ)尋ね給ふものかな」〈ささめごと上〉 [二]『形ク』程度の甚だしいさまをあらわす。すごい。大変である。「天下の険難がいかめしいといふ心ぞ。天下の水が流るれども、みたぬぞ。―・い深い谷ぞ」〈周易抄三〉

いかものづくり【厳物作・怒物作・嗔物造】《イカモノは、形が大きく堂堂としているもの》見るからにいかめしく作った太刀。「鍬形打ったる甲の緒をしめ、―の太刀を佩き」〈平治上・源氏勢汰へ〉

いかやう ヨウ【如何様】どのよう。「御袴着のことは―にか」〈源氏薄雲〉。「〔ソノ扇ノ骨ハ〕―にかある」〈枕一〇三〉

いかよ・ひ ヨイ カ【い通ひ】『四段』《イは接頭語》行き来する。「君待つと―・ふほとに」〈万一五二八〉 †ikayoFi

いからか・し【怒らかし】『四段』(怒りや敵意を表明して)肩・目・声などを、ぐっと大きく張って荒荒しくする。かどを立たせる。「眼を―・して」〈今昔一四ノ二九〉。「音(こゑ)を―・して」〈今昔二三ノ一九〉

いから・し【怒らし】『四段』かどを立てる。「大蛇(おろち)有りて、目を発瞋(いから)して墓より出でて咋(く)ふ」〈紀仁徳五十七年〉

いから・し【厳らし】『形シク』強くはげしい。「甚、イカラシ」〈名義抄〉

いかり【碇・錨】《イカシ(厳)と同根》①船を一定の場所にとどめて置くためのおもし。石などを、綱や鎖で水中に沈めた。「大船の香取の海に―おろし」〈万二四三六〉 ②綱の先に、ものを引っかけるために結びつける、かぎのようなおもり。「〔猫ガ〕村濃(むらご)の綱長う引きて、―の緒(オモリノツイタ紐)、組(組糸)の長きなどつけて」〈枕八九〉 ―を下ろ・す 身を落ち着ける。尻をすえる。「口舌(くぜつ)に―・して」〈西鶴・好色盛衰記二〉

いか・り【怒り】[一]『四段』《イカシ(厳)と同根。体を角立てて大きく張るかっこうをする意》①かど張る。かど立つ。「はねかづら今する妹がうら若み笑みみ―・りみ(ホホエンダリ堅クナッタリシテ)着けし紐解く」〈万二六二七〉。「いと草がちに―・れる手」〈源氏常夏〉。「頬骨―・りて、髭(ひげ)赤く」〈三国伝記四〉 ②激しい勢いを現わしておこる。「天皇大きに―・りたまひて、刀(たち)を抜きて」〈紀雄略二年〉 ③水面が盛り上がる。あふれ出る。「少しの水にも国中へ―・るなり」〈川角太閤記三〉。「頂、イカル」〈文明本節用集〉 [二]『名』おこること。「人の御―出で来なば」〈源氏夕霧〉 ―げ【怒り毛】昂奮した獣の逆立つ毛。「頭の髪上にあがりて冑の鉢をおひ貫き、獅子の―の如く巻いて」〈太平記二六・慧源禅巷〉

いか・り【い刈り】『四段』《イは接頭語》刈る。「遠智(をち)の小菅(ヲ)編まなくに―・り持ち来」〈万三三三三〉

いかるが【斑鳩】小鳥の名。スズメ科で最も大きく、全身灰色で頭は黒い。秋、渡来して山林にすみ、冬は群集し、初夏にかけて北に帰る。イカル。「末枝(ほつえ)にもち引き懸け、中つ枝に―懸け、下枝(しづえ)にひめを懸け」〈万三三三九〉

いかん【如何】『副』《イカニの転》どのよう。(相手に質して)どうか。「この道理―」〈正法眼蔵嗣書〉。「如何、イカン」〈名義抄〉 ―が【如何が】『副』《イカニカの転》①どのようにして。いかに。「ここに利益の地をたのまずんば、―歩を嶮難の路にはこばん」〈平家二・康頼祝〉 ②《反語として》どうして…か。「―〔神ヲ〕捨てて彌陀を念じ奉らざらん」〈諸神本懐集本〉

いき【息】《生キと同根》①呼気。呼吸。「君が行く海辺の宿に霧立たば吾(あ)が立ち嘆く―と知りませ」〈万三五八〇〉。「―もせず」〈源氏夕顔〉 ②気力。活力。「子等(みこたち)また倫(ひと)に超(すぐ)れたる気(いき)有ることを明かさむと欲(おも)ふ」〈紀神代下〉 ③茶の香気。「〔飲ミ口ヲ〕向うへなしぬれば、…茶の―も上へ上がり、よく―も聞え候」〈利休客之次第〉 ▽息と生キとを同根とする言語は、世界に例が少なくない。例えばラテン語 spiritus は息・生命・活力・魂、ギリシャ語 anemos は空気・息・生命、ヘブライ語 ruah は風・息・生命の根源の意。日本の神話でも「息吹(いぶき)のさ霧」によって生れ出る神神があるのは、息が生命を意味したからである。 †iki

いき【壱岐・壱伎】旧国名の一。西海道十一国の一で、今の長崎県壱岐島。壱州。「大宰府をして始めて―対馬の醫師を補せしむ」〈続紀天平三・三・二一〉

いき【意気】①気概。意志と勇気。「―青雲の上に揚がるといへども、身体猶(なほ)し塵俗の中に在り」〈万八〇〇題詞〉。「将門は、士卒を励まし―を起し」〈将門記〉 ②自分の思うことを通そうとする気力。「此の―の口説(くぜつ)」〈評判・吉原雀上〉。「―、いき路(ぢ)ともいふ。…心の清きを―よしといひ、心のむさきを―のわるきなどいふ。又、心のたけたると、初心なるをいふにも通ふ也」〈色道大鏡一〉 ③近世中期頃から江戸の町人に主に発達した美意識の一。嫌味なくさっぱりした態度、垢抜けした色気、洗練された媚態(びたい)などを意味した。「どうぞ形(なり)や何かを、―にさっしゃい」〈洒・遊子方言〉。「―。洒落を云ふ。褒めたる事なり」〈洒・胡蝶の夢〉。「『薄紫といふやうなあんばいで―だねへ』『いっかう粋(すい)ぢゃ。こちゃ江戸紫なら大好き』」〈滑・浮世風呂二上〉。「眉毛を落して丸髷に結って、さぞ―な年増になるだろう」〈人情・春色辰巳園七ノ一〉

い・き【生き】[一]『四段・上二・上一』《イキ(息)と同根。奈良・平安時代では四段活用。鎌倉時代以後上二段活用の例が現われた。さらに上一段活用へと転じるに至って、四段活用は亡びた》①生命がある。生命を保つ。生きながらえる。㋑《四段の例》「ひな(田舎)にしをれば―・けるともなし」〈万四二七〇〉。「―・かまほしきは命なりけり」〈源氏桐壺〉。「―・けらんほどは武にほこるべからず」〈徒然八〇〉。「南陽県の菊の酒、飲めば命も―・く薬」〈閑吟集〉 ㋺《上二段の例》「死ぬるは案の内の事、―・くるは存の外の事なり」〈松井本保元上・官軍勢汰へ〉。「万歳―・くるとも」〈ロドリゲス大文典〉 ㋩《上一段の例》「軍兵が勝てば、大将も―・きるぞ」〈三河物語上〉。「生、イキル」〈文明本節用集〉 ②生きかえる。「逕(ふ)ること三日すなはち蘇(さ)め、甦(い)きたり」〈霊異記上五〉 [二]『名』生きること。「死にも―も君がまにまに」〈万一七八五〉 [三]『接頭』名詞に冠して、ののしる意を添える。「―づくしゃう(畜生)め、死にづくしゃうめ、―だはけ、死にだはけ…など、いとさもしく冷(すさま)じう言ふ事なかれとぞ」〈俳・かたこと五〉 †i-ki

い・き【行き・往き】『四段』《意味上はユキ(行)に同じ。実際的に、心理的に、その人の現在地を離れて、或いは現在地を経過点として移動するのが原義。キ(来)は反対に現在地を終着点として移動する意。イキ(行)は、すでに奈良時代から例があるにはあるが、ユキ(行)の形の方がはるかに多く使われ、平安時代に入ってからも、漢文訓読体ではほとんどすべてユキを使い、女流文学でもユキを使う方が多かった。イとユとの母音交替はイキ・ユキ(壱岐)、イミ・ユユシ(忌)などがある。イキ(行)は平安時代の歌では、イキ(生)と懸詞で使われる例が少なくない》①(現在地を離れて)目的地の方へ移動する。「筑紫の島を指して―・く我は」〈万四三七四〉 ②離れ去る。「置きて―・かば惜し」〈万四〇〇六〉 ③通り過ぎる。「龍田の山を何時か越え―・かむ」〈万三七二二〉 ④筋が通る。「両点(両方ノ解釈)どち(ドチラ)も理は

—・くぞ」〈玉塵抄三七〉 ⑤成り出る。生ずる。できる。「乱が—・けば、必ず飢饉も—・くげに候」〈蒙求抄七〉。「下(もし)十五日は、小の月に一日の損が—・く」〈天理本狂言六義・鈍太郎〉。「そなた、よう合点(がてん)の—・くやうにおしゃれ」〈虎明本狂言・薬水〉 †iki

いきあが・り【生き上がり】『四段』 生きかえる。息をふきかえす。「この男うち伏せられて絶入(ぜつにふ)したりけるが、—・りて」〈沙石集七ノ一三〉

いきあひ イ:ア【息合】 ①喧嘩や仕合などで相対する両者の呼吸の調子。気合。「〔敵ニ〕当る事、—拍子にてはづむ心に入るべし」〈五輪書〉 ②疲れた馬に飲ませて元気を付ける薬。「馬の—の薬、石花(かき)の殻、雉の足、右二条黒焼にして」〈親俊日記聞書条条〉

いきあ・ひ イ:ア【行き合ひ・行き会ひ】『四段』 出あう。めぐりあう。「翁二人嫗と—・ひて」〈大鏡序〉 **—きゃうだい** キョウ:【行合ひ兄弟】 異父同母の兄弟。「ゆきあひ兄弟」とも。〈日葡〉

いきいかず【生き生かず】『連語』 生きるか死ぬか。生死。「我が身の—は知らず。必ずかれをば射とり侍りなん」〈宇治拾遺一五五〉

いきいき【生き生き】 生きているかのように新鮮なさま。また、生気や活気の満ちているさま。「御覧候へ。この魚はいまだ—と候」〈謡・国栖〉。「立ち振舞ふ風情をも、人の目に立つやうに—とすべし」〈風姿花伝〉

いきい・で【生き出で】『下二』 生きかえる。息を吹きかえす。「呼ばひののしる程にやうやう—・で給ふ」〈源氏若菜下〉

いきう・し【行き憂し】『形ク』 行くことがつらい。「人やりの道ならなくにおほかたは—・しと言ひていざかへりなん」〈古今三八八〉

いきうじ【生牛】 **—の目を抜・く** 「生馬の目を抜く」に同じ。「生牛の目をくじる」とも。「馬引く野人を招き、—・き」〈西鶴・二十不孝四〉

いきうま【生馬】 **—の目を抜・く** 物事にすばしこく、悪賢いたとえ。「南無三宝、盗まれし。昼強盗め、—・きをった」〈近松・融大臣四〉

いきかく・れ【行き隠れ】『下二』 行くえが分らなくなる。どこかに行ってしまう。「とり残されたる人も、心とみなかきけち—・るるほどに」〈増鏡一五〉

いきかた【行き方】 相手をあしらう仕方。取扱い方。やりかた。「女郎と云ふ者は、金(かね)でなづむ者にて無し。—一つのものなるに」〈浮・遊色控柱三〉

いきがたり【生騙り】《イキは接頭語》 人をののしっていう語。「ここな女め、—」〈浄・都の富士三〉

いきがね【生金】 現金。「—百両只取る事がと申せし」〈西鶴・桜陰比事一〉

いきかへ・り :カエリ【生き返り】『四段』 息をふきかえす。「怪しくて—・りける程に」〈源氏手習〉

いきがほ :ガオ【生顔】 生きているときの顔。「今一度—見では」〈空善記〉

いきき【生木】 生きている木。「〔生ケ花ハ〕少しの水に養はれて、—のごとくなる」〈九十箇条制法〉

いきぎ・み【背み】『四段』 歯をむく。「背、波尓加美(はにかみ)、又云伊岐々美(いきぎみ)」〈霊異記上三〉

いきぎも【生肝】 生きている動物から取った肝。薬用として特効があるとされた。「猿の—を願ひければ」〈沙石集五ノ八〉

いきぐち【生口】 巫女(みこ)の口寄せによって、生きている人の霊が巫女に乗り移って語ること。「『御用のこと有りとは、—か死口か』と言へば」〈近松・卯月紅葉上〉

いきくび【生首】 生きている人の首。「入道が—を貫かんとする」〈応仁記上〉

いきざし【息差し】 息づかい。息のしかた。「其の辞(ことば)(いきざし)はげし」〈紀神代下〉

いきしに【生死】 生と死と。「—を君にまかする我身とならば」〈源氏竹河〉

いきす・ぎ【行き過ぎ】『上二』 ①通りすぎる。「からうじて—・ぎて」〈かげろふ中〉 ②度を過ごす。大げさな振舞をする。「余り—・ぎた作りやうぞ」〈玉塵抄三三〉。「芸も—・ぎて打ち着かず(シックリシナイ)」〈評判・野良立役舞台大鏡〉

いきす・ぎ【意気過ぎ】『連語』 意気・張りが有り過ぎる。「—・ぎて男振る程の女郎」〈西鶴・一代男五〉

いきずたま【生霊】《スタマは物の精》 生きている人の霊魂が肉体をはなれ、他の人に取りつくもの。「物怪(もののけ)・—などいふもの多く出で来て」〈源氏葵〉。「窮鬼、イキズタマ」〈名義抄〉

いきすぢ【息筋】 **—を張・る** 一生懸命に力を出す。努力して物事をする。「風口の—・る氷かな」〈俳・寛伍集四〉

いきずり【生掏摸】《イキは接頭語》 人を「すり」呼ばわりして卑しめののしる語。「悪口になりて、昼強盗よ、—めなどとて、とよみになってぞ別れにけり」〈仮・杉楊枝三〉

いきせい【息精】 **—引っ張・る** 力をこめ気を張って物事をする。「いきせい張る」「いきせを張る」とも。「そのもんじゃくも出来ると、—・って高声」〈浮・好色染下地四〉

いきせき【息急】 息をはずますこと。ひどく急ぐこと。「—して戻った」〈近松・吉野都女楠二〉

いきたけ【裄丈】 **—知れたる** 《着物の裄丈(ゆきたけ)の寸法が知れている意から》 高が知れている。軽蔑を含んでいう語。「—漁師一人」〈近松・浦島年代記四〉

いぎたな・し【寝汚し】『形ク』 ①《他人の眠った様子を嫌悪する気持で》 眠りこけて、なかなか目が覚めない。「〔軒端荻ノ〕—・きさまなど〔空蝉トハ〕あやしく変りて」〈源氏空蝉〉 ②《自分について》 前後不覚に、ぐっすり眠るさまにいう。「人人起き出でて『いと—・かりける夜かな』」〈源氏帚木〉

いきだは・し :ダワシ【息だはし】『形シク』 呼吸がせわしい。息切れがする。「鼻の裏(うち)痠癘(いきだは)し」〈遊仙窟(醍醐寺本)鎌倉期点〉。「〔病気デ〕腹ふくれて—・しきとて、物言はるるも分明ならざりけるが」〈著聞三九一〉 ▽室町時代「いきだうし」、近世「いきどし」ともいう。

いきぢ【意気地】 自分の思うことを立て通そうとする気がまえ。「無理な—の短気の悔み」〈評判・吉原呼子鳥〉 ▽古くは、「意気路」「意気知」と書くのが普通。→意気・意地

いきづか・し【息吐かし】『形シク』《動詞息ヅキの形容詞形》 ため息をつきたい気持である。「あな—・し相別れなば」〈万一四五四〉 †ikidukasi

いきつ・き【行き着き】『四段』 ①目的地に着く。「その所と—・くべき古里もなし」〈源氏玉鬘〉 ②精力・資力などが尽き果てる。すっからかんになる。「十郎めが—・いて」〈近松・加増曾我三〉 ③すっかり惚れこむ。ぞっこんまいる。「私はとんとあの御方へ—・いた」〈伎・傾城暁の鐘中〉 ④死ぬ。「酒飲ましゃ／親仁がやああ—・いたア」〈雑俳・軽口頓作〉

いきづ・き【息吐き】『四段』《ツキは吐(は)く意》 ①苦しい息をする。あえぐ。「鳰鳥の潜(かづ)き—・き」〈記歌謡四二〉。「昼は も嘆かひ暮し、夜はも—・き明かし」〈万八九七〉。「喘、イキヅク」〈名義抄〉 ②息をふきかえす。「活、イキック」

〈色葉字類抄〉 †ikiduki ―あま・り【息吐き余り】《四段》ため息をついているにとどまらない。「水隠(みごも)りに―・り早川の瀬には立つとも〔恋ヲ〕人に言はめやも」〈万一一三八四〉

いきづく【意気尽く】互いに意地を張り通して負けまいとすること。「意地づく」とも。「葎(むぐら)生ふる宿〔ニ住ンデ〕もらうたき(イジラシイ)―に」〈俳・身楽千句〉

いきづく・し【息吐くし】《形シク》「息吐かし」の上代東国方言。「我が行き(旅)の―・しかば(嘆カレルナラバ)」〈万四四二一武蔵防人〉 †ikidukusi

いきづ・み【息詰み】《四段》息をはりつめて腹に力を入れる。いきむ。「尿(しと)を―・まば、〔屁モ〕一定もろともに出ぬべくて」〈著聞五四六〉

いきづゑ【息杖】天秤棒で荷物を運ぶ人などが一休みする時、肩の上の荷を支える杖。「―長く楽しみ、前後も知らず有りける」〈西鶴・五人女一〉

いきど・し【息どし】《形シク》《イキダハシの転》呼吸がせわしい。「中戸にて―・しさうに蛙鳴く」〈俳・当流籠抜〉

いきとしいけるもの【生きとし生けるもの】《トは列挙する意の助詞。シは強めの助詞》世に生きている程のすべてのもの。あらゆる生物。「―、いづれか歌をよまざりける」〈古今序〉

いきどほ・り(イキドオリ)【憤り】㊀《四段》①息がつまる。思いが胸につかえる。「―・る心のうちを思ひ伸べ」〈万四一五四〉。「怫悁、意不ニ舒泄一也、伊支止保留(いきどほる)」〈新撰字鏡〉。「悶、イキドホル」〈名義抄〉 ②怒り・恨みをいだく。恨みを含む。「はじめ召し上げられざりしを安からず―・り思ひて」〈宇治拾遺一九三〉 ③腹を立てる。「山門―・って世上静かなるべからず」〈平家三・頼豪〉 ㊁《名》胸のつかえ。また、胸につかえる怒り。忿懣(ふんまん)。「いかばかり世も恨めしく、御―も深かりけめども」〈著聞一三七〉 †ikidörori

いきどほろ・し(イキドオロシ)【憤ろし】《形シク》《動詞イキドホリの形容詞形》怒りが胸につかえて晴れない。「潜(かづ)く鳥目にし見えねば―・しも」〈紀歌謡三〇〉 †ikidörörösi

いきとま・り【生き止まり】《四段》生きてこの世に留まる。「物はかなく見えし人の―・りて」〈源氏槿〉

いきね【息音】声。音声。「いきぼね」とも。「だまれ女め、―立たば許さぬぞ」〈近松・日本武尊四〉

いきのばは・り(イキノバワリ)【生き延ばはり】《四段》生き延びる。「七十五日は、ゆるりと―・らんと嬉しくこそ」〈俳・渋団〉

いきの・び【生き延び】《上二》①生きながらえる。長生きする。「ただ今生をば何時までも―・びんずるやうに」〈御文章〉 ②死なずに逃げのがれる。「御―・びさせ給ひて、御遁世めされ」〈伽・もろかど物語〉

いきのを【息の緒】《ヲは紐(ひも)状に長く続いているもの。息の続く限りの意。古くは常に助詞ニを伴い、思ヒ・恋ヒなどの語と共に使われた》①命の綱。命の限り。「白雪の降りしく山を越え行かむ君をそもとな―に思(も)ふ」〈万四二八一〉 ②息。「いきのを、気也」〈八雲御抄四〉

いきは【行き端】ゆくえ。行った所。「四百目は何にした、―を聞かう」〈近松・重井筒上〉

いきはだたち【生膚断ち】《「死膚(しにはだ)断ち」の対》国つ罪の一。生きているものの皮膚を傷つけて、血のけがれにふれさせ、苦しめること。「国つ罪と、―・死膚断ち…ここだくの罪出でむ」〈祝詞大祓詞〉 †ikiFadatati

いきはぢ【生恥】生きながら受ける堪えがたい恥。「たちまち―を曝(さら)して、敵陣の堺にさまよひぬる事」〈太平記三八・畠山兄弟〉

いきはり【意気張り】思いこんだことを立て通すこと。「ちとと奴(やっこ)風あり。―強し」〈評判・吉原新鑑〉

いきぶれ【行触れ】出かけた途中で何かのけがれに出会うこと。「いかなる―にかからせ給ふぞや」〈源氏夕顔〉

いきぼとけ【生仏】①生き身の仏。「―のやうなりける人どもに合はせて、かく老いたる腰を踏み折られぬる事」〈今昔二〇ノ二〉 ②高徳の僧。「生如来」「生菩薩」とも。「この二人、おのおの貴くて―なり」〈宇治拾遺七八〉 ③徳のある人。「大百姓は―なり」〈俳・物種集〉 ④美貌の男女。「生如来」とも。「若衆共の舞ひ踊る有様に…―よなど、只口も無くわめく」〈仮・浮世物語一〉 ⑤生きながら極楽浄土のような楽しい生活をする人。「世に―と言ふは、あの人様の身なり」〈西鶴・三所世帯上〉

いきぼね【息骨】息の音(ね)。声。「おとぼね」「いきね」とも。「腕かなはずは、など―でも立てざるぞ」〈近松・出世景清四〉

いきほ・ひ(イキオイ)【勢ひ】㊀《四段》《そのものの発するイキ(活力)が、盛んに活動してあたりを覆う意》①(勢力・活力が)あたりを圧する。「この国の守(かみ)の北の方もまうでたりけり。いかめしく―・ひたるを羨みて」〈源氏玉鬘〉 ②勇み立つ。「もの騒がしきまで人多く―・ひたり」〈更級日記〉 ㊁《名》①威勢。「所有(あらゆ)る衆生類は力少なくして勇める―無く」〈金光明最勝王経平安初期点〉。「布衣・衣冠なる御前したる車の、いみじく人はらひなべてならぬ―なる来れば」〈大鏡昔物語〉 ②気勢。迫力。気迫。「水の―ゆたかに書きなし」〈源氏梅枝〉。「一矢と思ひける顔魂(かほたましひ)現はれたり。義村は五郎が―を見て」〈曾我四〉 ③筆力。「上手はいと―殊に」〈源氏帚木〉 ④形勢。「大方世ゆすりて所せき御いそぎの―なり」〈源氏少女〉

いきま・き【息まき】《四段》《「息撒(ま)き」の意か。あたりに気力・勢力をまきちらす意》①威勢をふるう。「大后の坊の初めの女御にて―・き給ひしかど」〈源氏若菜上〉 ②言動などに激しい勢いを示す。気焔をあげる。「親孝を〔ニ対シテ〕言ひつるやうには得―・かずして、伏し目になりて」〈今昔二五ノ一一〉 ③いきり立つ。「上人なほ―・きて『何といふぞ、非修非学の男』と、荒らかに言ひて」〈徒然一〇六〉

いきみ【生身】生きているからだ。なまみ。「それも―なれば、嘆きながらも過さんずらん」〈平家三・僧都死去〉 ―に餌食(あじき) 世の中はよくしたもので、人には必ず食が与えられて餓死することはないという意。「蓮の飯や―〔ノ諺ドオリニ〕生見玉(いきみたま)〔ニササゲル〕」〈俳・糸瓜草五〉 ―は死身(しにみ) 生きている者は必ず一度は死ぬということ。生者必滅。「今宵鳴け―郭公(ほととぎす)」〈俳・詞林金玉集七〉

いきみたま【生御霊・生見玉】七月八日から十三日までの吉日を選び、児女が父母・尊長者に蓮飯・刺鯖(さしさば)などの祝物を贈ったり、ごちそうしたりする行事。生盆(いきぼん)。「世俗―と号す。源〔ハ〕盂蘭盆(うらぼん)経より起る也」〈建内記嘉吉一・七・一〇〉

いきみつき【生御調】動物を生きたまま朝廷に奉ること。また、その献上物。「白鵠(しらとり)の―」〈祝詞神賀詞〉 †ikimituki

いきみんたん【いきみん丹】《「行き」に「みん丹」を添えて売薬名めかした語》相手に惚れこむ意の隠語。「不侫(わっち)は足下(おまへ)に通心丹(いきみんたん)」〈洒・新吾左出放題盲牛〉

いきめ【生目】生きる目あて。「門破られては―が無い」〈近松・唐船噺下〉

いきめぐら・ひ(イキメグライ)【生き廻らひ】《四段》《生キメグリに反復・継続の接尾語ヒのついたもの。→ひ》長いこと生きて、何とか世をわたっていく。「けぢかき人のおくれ奉りて―・ふ

は」〈源氏紅梅〉

いきゃう【異香】世の常とは違った良い匂い。極楽浄土の芳香。「―寺の内に満ちたり」〈今昔六ノ四〇〉

いぎゃう【易行】〔仏〕《「難行」の対》阿彌陀仏の本願を信じて念仏を唱えることにより、容易に浄土に往生できるとする浄土教の思想。「〔ドウシテ〕この―をば不信にして、かの沈淪を好むや」〈西方発心集上〉

いぎゃう【異形】普通ではない形。怪しい姿。「―の鬼どもの極めて怖しげなる者どもの行(ある)くなりけり」〈今昔六ノ六〉

いきやくし【生薬師】《生きてこの世にいる薬師如来の意》すぐれた医者。名医。「南無―来迎の時」〈俳・桃青三百韻〉

いきよ【生世】この世に生きている間。生存。存命。「母様―の折ならば」〈近松・卯月紅葉上〉

いき・り【熱り】『四段』①熱くなる。ほてる。「眼花(かかや)き、耳熱(いき)り」〈遊仙窟(醍醐寺本)鎌倉期点〉。「熱、イキル・アツシ・ホトボル」〈名義抄〉②勢いづく。りきむ。「―・り廻りて御供しけるに」〈仮・智恵鑑九〉③息が荒くなるほど怒る。「腹悪しく―・らるる所へ」〈評判・難波の顔二〉④激しく言い立てる。「かくの如くと―・る内に」〈西鶴・俗徒然三〉

いき・り【い切り】『四段』《イは接頭語》切る。「梓弓檀(まゆみ)―・らむと心は思へど」〈記歌謡五一〉 †ikiri

いき・り【射切り】『四段』弓を射て、物を切断する。「誤たず扇のかなめぎは一寸ばかり置いて、ひふっとぞ―・ったる」〈平家一一・那須与一〉

いぎりす 近世前期、江戸で用いた小形の川船。「―とや言ふ小船に簾垂れこめ」〈俳・鱗形〉

いきりゃう【生霊】《「死霊」の対》生きている人間の怨霊で、他人にたたりをするもの。いきずたま。「此の暁方に、『其の―現はれたる気色有り』など云ひつる程に」〈今昔二七ノ二〇〉

いき・れ【熱れ】『下二』熱くなる。ほてる。「〔天文三年〕五月より八月まで―・るること限り無し」〈妙法寺記〉

いきわか・れ【行き別れ】『下二』相手をその場に残して別れて行く。「見捨てて―・れにけり」〈源氏夕顔〉

いく【幾】数量についての疑いを表わす語。「いくか(幾日)」「いくよ(幾夜)」など。もともと、イクは数量、イカは状態、ナニは質についての疑問・疑念をあらわしたが、助数詞をつけていう場合、中世以降ではナンビキ(何匹)などと、ナニ(何)の系統の語が、イク(幾)に代って多く使われるようになった。

いく【生】『接頭』生命力の盛んなのをほめる語。「―大刀(たち)」「―日(ひ)」「―魂(むすひ)」など。「―島の御巫(みかむなぎ)」〈祝詞祈年祭〉

いくいく【幾幾】『副』いくつもいくつも。「〔白米ヲ種種ノ容器ニ〕―と置きて食はせさせ給ひければ」〈宇治拾遺一九〉

いくか【幾日】いくにち。何日。日付についてもいう。「相見ては(会ッテカラ)―も経ぬを」〈万七五一〉。「―のにてもあれ、空の真中にある月は、皆、停午の月也」〈正徹物語下〉

いくかへり【幾返り】なんべん。「大空をめぐる月日の―今日行末にあはむとすらむ」〈かげろふ上〉▽年・月・季節など、めぐって来るものに多くいう。イクタビは物事の度重なるものに多くいう。

いくくすり【生薬】①不老不死の霊薬。「龜山に―のみありければ留むる方もなき別れかな」〈拾遺三三一〉②《①の誤解に基づく用法。「幾薬」と書く》たくさんの薬。幾つもの薬。「―あらずは老の一坂もこえてあふべき今日の春かは」〈再昌草一八〉

いくくに【生国】生気にみちた国。「―、足る国」〈祝詞祈年祭〉

いくさ【軍・戦】《イクはイクタチ(生大刀)・イクタマ(生魂)・イクヒ(生日)などのイクに同じ、力の盛んなことをたたえる語。サはサチ(矢)と同根、矢の意。はじめ、武器として力のある強い矢の意。転じて、その矢を射ること、射る人(兵卒・軍勢)、さらに「軍立ち」などの用例を通して矢を射かわす戦いの意に展開》①矢を射ること。「左右京職及び諸国司に詔して射(いくさ)習ふ所を築かしむ」〈紀持統三年〉②矢を射る人。軍卒。「勇みたる猛き―と」〈万四三三一〉③軍勢。「千万(ちよろづ)の―なりとも」〈万九七二〉④戦争。戦陣。「昔、唐(もろこし)の帝の―に負け給ひぬべかりける時」〈宇津保内侍のかみ〉。「筆を棄てて戎(いくさ)に従ひき」〈遊仙窟(醍醐寺本)鎌倉期点〉 **―がみ**【軍神】武運をつかさどる神。「関より東の―、鹿島・香取・諏訪の宮」〈梁塵秘抄二四八〉 **―だいしゃう**【軍大将】主将から委任されて、臨時にその日の合戦の駆引を指揮する人。「その日の―せし難波田が」〈河越記〉 **―だち**【軍立ち】①軍勢が戦争に出かけること。出陣。「那羅山に登りて―す」〈紀崇神十年〉②戦いぶり。「これほど―はげしき敵にいまだあはず候」〈古活字本保元中・白河殿攻め落す〉 **―だて**【軍立て】軍勢の配置。陣立て。「上総之介信長の―を見届くべしとて」〈浅井三代記一五〉 **―のきみ**【将軍】《キミは長の意》将軍(しょうぐん)。「敵(あた)の―を陣(いくさ)の中に斬る」〈紀雄略九年〉。「戦将、イクサノキミ」〈名義抄〉 **―ひと**【軍人・兵士】兵。軍人。「―・兵器(つはもの)を聚(つど)へて」〈紀継体八年〉 **―ぶぎゃう**【軍奉行】軍事全般の総指揮官。鎌倉・室町幕府の臨時の職で、侍所の別当・所司をこれに任じた。「その日の―上木平九郎」〈太平記三〇・義貞馬属強〉 **―ぶね**【軍船】兵船。軍艦。「―一百七十艘を率て」〈紀天智二年〉。「艨艟、イクサブネ」〈名義抄〉 **―よばひ**【軍喚ばひ】戦場で発する鬨(とき)の声。「明けても暮れても―の声たえざりし事」〈平家灌頂・六道之沙汰〉 **―よほろ**【軍丁】兵役に従う壮丁。兵士。「―…筑紫に還(まう)至れり」〈紀持統四年〉→よほろ

いくし【斎串】《イはイミ(斎・忌)と同根》神聖な串。若竹・篠などをつかい、捧げ物の麻・木綿(ゆふ)などをかけ、神にたてまつる串。「―立て神酒(みわ)すゑ奉る」〈万三二二九〉

いくそ【幾そ】いくら。どのくらい多く。「―の人の影を見つらむ」〈拾遺八二一〉▽ソは十(そ)で、幾十の意か。 **―たび**【幾そ度】何十度。度数の多いのについていう。「棚なし小舟―行きかへるらむ」〈伊勢九二〉 **―ばく**【幾そばく】《バはココバ・ソコバのバに同じ。量・程度についていう接尾語。クは副詞語尾》①《数量について》何十。どのくらい。「松の数―、幾千年(いくちとせ)経たりと知らず」〈土佐一月九日〉②《程度について》どれほど。「―我が憂しとかは思ふ」〈古今四六四〉。「神明、悲しみを含み給はん事―ぞや」〈諸神本懐集末〉

いくだ【幾許】《数量について》いくら。なにほど。「さ寝し夜は―もあらず」〈万一三五〉▽上代にはイクラ・イクダ両形あった。類例、ココラ・ココダ。ラ・ダは接尾語。

いくたち【生大刀】生命力の満ちている刀。「大神の―生弓矢を取り持ちて」〈記神代〉

いくたび【幾度】何度。「『無量寿院には―参りて拝み奉り給ひつ』と言へば」〈大鏡藤氏物語〉

いぐち【兎唇】みつくち。「悪八郎とて―なる大力あり」〈太

平記三・畑六郎〉。「まことに縁あれば、―もゐくぼに見ゆる習ひかな」〈伽・をこぜ〉 **―の嘯(そう)も心慰み** みつくちの人が吹く口笛でも当人には慰みとなる意で、下手な芸能も当人には慰めになるたとえ。「兎唇の嘯も心をかし」とも。「よくも有らねど、―と言ふ事の有れば申し侍り」〈仮・東海道名所記一〉

いくつ【幾つ】《ツは数詞の下に添える語》 どれほどの数。「―夏鳴きかへるらむあしひきの山ほととぎす老いも死なずて」〈新撰万葉 上〉。「年は―にかものし給ひし」〈源氏 夕顔〉

いくとせ【幾年】 なんねん。「―その程と限りある道にもあらず」〈源氏 須磨〉

いくは【的】 弓のまと。「餅(もちひ)をもちて―となしき」〈豊後風土記〉

いくはうもん ウ…ホ【郁芳門】 平安京大内裏の外郭門の一。東面の南端にある。大炊(おほゐ)門ともいう。「―、的(いくは)氏これを造る。大炊御門(おほゐのみかど)と号(なづ)く」〈拾芥抄 中〉 ▽イクハ(的)に「郁(い)芳(は)」の漢字をあてたもの。「芳」はハの万葉仮名として使った例がある。

いくばく【幾ばく】《バはココバ・ソコバのバに同じ。量・程度についていう接尾語。クは副詞語尾》 どれほど。「世尊、―の因縁を以てか菩提と心とを得る」〈金光明最勝王経 平安初期点〉。「―の田を作ればか」〈古今 一〇一三〉。「人のそしり、また―ぞ」〈十訓抄 一〇ノ七四〉。「無多、イクバク・スコシハカリ」〈名義抄〉 ▽平安中期以後の歌では殆ど使わない。→いくほど。 **―も** 《下に打消の語を伴って》 どれほども(…ない)。たいして(…でない)。「―降らぬ雨ゆゑ(雨ダノニ)」〈万 二八四〇〉。「[此ノ世ニ]いま―おはせじ」〈源氏 野分〉 ▽平安時代では、時間についていうことが多い。→いくらも

いくはな【幾端】 幾組。幾群。「弁才天に参り(参詣者)―」〈俳・望一千句〉

いくひ【生日】 生命力に満ちたよい日。「今日の―の足る日に」〈祝詞 神賀詞〉 †ikuFi

いくひ イ…ク【斎杭】《イはイミ(斎・忌)と同根》 神聖な杭。触れるのはタブーである杭。「―には鏡をかけ」〈記歌謡 九〇〉 †ikuFi

いく・ひ【射くひ】『四段』 射る。「祿(もの)を置きて西の門の庭(おほば)に―・ふ」〈紀(鈴鹿本)天武五年〉

いくひさ【幾久】《形容詞イクヒサシの語幹》 はやしことば。幾世までも久しく栄えよの意。「大物主(神ノ名)の醸(か)みしみ酒、―」〈紀歌謡 一五〉 †ikuFisa

いくびささ【幾久さ】 どれほどの長い時間。「相見ぬは―にもあらなくに」〈万 六六六〉。「久如、伊久比左々安利天可(いくびささありてか)」〈華厳音義私記〉。「久如、イクビササ」〈名義抄〉

いくほど【幾程】 どれほど。何程。「大きなる男三人を―も隔てず切り伏せたる」〈今昔 三ノ一五〉。「―かながらへて見む山桜花よりもろき命と思へば」〈玉葉 三九八〉 ▽イクバクに代って使われるようになった語。

いく・み【い組み】『四段』《イは接頭語》 組む。互いに抱き合う。「―・みは寝ず」〈記歌謡 九一〉 †ikumi **―だけ** 【い組み竹】 密生した竹。「葉広熊橿(くまかし)、本には―生ひ」〈記歌謡 九一〉

いく・み【射組み】『四段』 両軍が互いに射かわす。「各(おのおの)楯を寄せて、今は―・みなむとする程に」〈今昔 二五ノ三〉

いくむすひ【生魂】 活発に物を産む霊力。人間の生命を栄えさせる霊力。「―、足る魂(むすひ)」〈祝詞 祈年祭〉 †ikumusuFi

いくやなぎ【生柳】 活発な生命力を持った柳。「さきつかひ、さきつかひ、―」〈琴歌譜〉 †ikuyanagï

いくゆみや【生弓矢】 生命力の満ちている弓矢。「汝(いまし)が持てる生大刀・―」〈記神代〉 †ikuyumiya

いくよ【幾世】 どれほどの時代。どれほどの時。「志都の石屋(いはや)は―経ぬらむ」〈万 三五五〉 †ikuyö

いくよ【幾夜】 幾晩。「ぬばたまの夜渡る月を―経(ふ)と数(よ)みつつ妹はわれ待つらむそ」〈万 四〇七二〉 †ikuyo

いくよもち【幾世餅・幾代餅】 江戸西両国の名物餅。餅をあぶって小豆餡を付けたもの。元祿頃、餅屋小松屋喜兵衛の妻幾世の創製という。後、浅草その他に同種の店ができた。「―の店を出してゐる所へ」〈伎・中将姫京雛 五〉

いくら【幾ら】《ラはココラ・ソコラのラに同じ。数や量や程度をあらわす接尾語》 ①《不確定の数量についていう。イクダに同じ》 なにほど。どれほど。「年月も―もあらぬに」〈万 三九六二〉。「―とも見えぬ錦のもみぢかな」〈詞花 一三九〉 ②《売買の価格をたずねる語》(値段は)どれくらい(か)。「『これは―』と問ひければ、『絹二十疋』といひければ」〈宇治拾遺 一八〇〉 ③たくさん。「この程―の殺生をして」〈伽・蛤の草紙〉 **―か** 不確定だが、数量の多いさま。たくさん。「―おける道の辺の露/草葉にや別るる涙かずも見ん」〈老耳〉 **―ともなく** 数えきれないほどたくさん。「大なる蜂一二百・二三百うち群れて―入りあつまるさま」〈十訓抄 一ノ六〉 **―も** ①《下に打消の語を伴って》 どれほども(…ない)。たいして(…でない)。「年月も―あらぬに」〈万 三九六三〉。「[闇ノ中ノ現実ハ]さだかなる夢に―まさらざりけり」〈古今 六四七〉 ②いくつでも。たくさんに。多数。「『召しつべくは、―召せ』といへば」〈宇治拾遺 一九〉

いくり【海石】 ①海中にある岩。暗礁。「門(と=海峡)中の―に」〈記歌謡 七四〉 ②石。「―、石なり、俗に小石をくりしといふ」〈匠材集 一〉

いくるみ【矰繳】 鳥を捕えるため、矢の先に網をつけて射ること。また、その仕掛け。「繳射は―と云ふ物ぞ。矢の先に繒(あみ)を結(ゆ)ひつけて射るなり」〈論語抄 述而〉

いくゎん【衣冠】 公卿の略式の公服。正式の束帯から、半臂(はんぴ)・下襲(したがさね)・衵(あこめ)・石帯(せきたい)・靴を脱し、袍・単(ひとへ)・指貫(さしぬき)に浅沓(あさぐつ)をはき、笏(しやく)の代りに蝙蝠扇(かはほりあふぎ)を持つ。初めは宿衣(とのゐぎぬ)であったが、平安中期ごろから参朝の際にも用いられた。「布衣・―なる御前(おんさき=サキバライ)したる車の」〈大鏡 昔物語〉。「大殿若君元服、束帯を着けて参るべき由を申さる。其後、―の由申さるる也」〈中右記 大治五・四・一九〉

いくゐ【生井】 生命力にみちた井。水のかれない井。「―、栄井(さくゐ)、つ(ツルベノ)長井」〈祝詞 祈年祭〉

いけ【池】《「生け」の意》 魚などを生かしておく所。養魚・灌漑(かんがい)用、のちには鑑賞用などに作られた。「君が家の―の白浪」〈万 四五〇三〉 †ikë

いけ【生】『接頭』「いき」の訛。「いけしゃあしゃあ」「いけどうずり」など。「―年寄の推参者」〈近松・大職冠 一〉

い・け【生け・活け】『下二』《イキ(生)の他動詞形。生かす意、また、生かしておく意》 ①(死んだものを)生き返らせる。「この人を―・け果ててみまほしう」〈源氏 手習〉。「[死ンダ]この馬を―・けて給はらん」〈宇治拾遺 九六〉 ②生かしておく。命を保たせる。「よく鳴くをば―・け、鳴かざるをば殺しつ」〈十訓抄 二ノ二〉。「命ばかり―・け申さん」〈盛衰記 二〇〉 ③魚や植物を生かしておくために、水入りの容器に入れる。「岩舟にもろもろの魚を―・けたり。…水瓶に松を―・け給ふ」〈伽・鶴の翁〉 ④炭火を消さぬように、灰の中に埋める。「灰の中に―・けて置いた炭が、知らずして消尽する」

〈四河入海一五ノ一〉 ⑤野菜などを保存するために、土や砂の中に埋める。「クリ・ミカンナドヲイクル」〈日葡〉

いげ【以下・已下】 それより下。以下(かい)。「大納言隆季卿―十余人」〈平家三・公卿揃〉

いけくち【生口】《捕虜を意味する漢語「生口」の訓読から》中世の刑事訴訟において、被害者が加害者の一人を捕縛・連行して、事件の証人とするもの。「―を相具し、参洛せらるべきの状、件の如し」〈青方文書一、文永三・九・二九〉

いけ・し【い消し】『四段』《イは接頭語》 消す。「火ともしたるに、―・させて、おりたれば、いと暗うて」〈かげろふ上〉

いけす【生簀・池簀】 池や川の一画に、竹で編んだ簀を立てめぐらして、魚を生かしておく所。「籞、和名以介須(けいす)」〈和名抄〉

いけず【行けず】 ①根性悪。意地悪。いかず。「秋風は吹けど―の娘達」〈俳・霜の光下〉 ②悪者。不良。ならず者。「今も今とて、―たちがわっぱさっぱ、連れ合ひは其の出入に行かれました」〈浄・夏祭六〉

いけだひ ィ:ダ【生鯛】 生かしたまま貯えておく鯛。江戸で進物用として需要が多かった。「―や浪に浮かめて上り船」〈俳・絵合下〉

いげちな・し【意気地無し】『形ク』《近世、上方でいう語》 ①いたわしい。かわいそうだ。「共に寝る御座ともおぼせ苔筵／野辺の闇路に―・き中」〈俳・身楽千句〉 ②情けない。むごい。むごたらしい。「―・くもさみせられじ(軽蔑サレマイ)と枕持ち上げ」〈浮・宇津山小蝶六〉 ③貪欲だ。厚かましい。「―・し／〔桜デナク〕卯の花植ゑる吉野者」〈雑俳・不二の高根〉 ▽後に、「いげつない」「えげつない」と転じた。

いけどうずり【生どう掏盗】《イケは接頭語》 人をののしっていう語。「女房子供の身の皮剝ぎ、其の手でお山(遊女)狂ひ、―め」〈近松・天網島中〉

いけど・り【生け捕り】 □一『四段』 生かしたままで捕える。「北国のやつばらに―・られむをば心憂しとは思はずや」〈平家八・水島合戦〉 □二『名』 ①生かしたまま捕えること。「虎とふ神を―に」〈万三八八五〉 ②生かしたまま捕えた人。捕虜。「度度(どど)の間に―千人の首を打ち」〈平治上・源氏勢汰へ〉 †ikëdöri

いけながら【生けながら】『連語』 生かしたままで。「―大族を擒(らと)へて」〈大唐西域記四・長寛点〉

いけにへ エ:ニ【生贄・犠牲】 動物を生かしたままで捧げる、神への供物。「この国に験じ給ふ神のおはするが、人を―に食ふなり」〈今昔二六ノ八〉。「犠、イケニヘ」〈名義抄〉

いけぬ『連語』 一人前に通用しない。役に立たない。「いかん」「いけん」とも。「―浄瑠璃」〈浮・人倫糸屑下〉

いけのかがみ【池の鏡】《白氏文集の「柳似舞腰池似鏡」などの発想にしたがったものか》 鏡のように物の姿を映す池。「〔四月〕七日の夕月夜の影ほのかなるに―のどかに澄みわたれり」〈源氏藤裏葉〉

いけはぎ【生剝】 天つ罪の一。牛馬など、生かしたまま皮を剝ぐこと。「天つ罪と…―・逆剝ぎ・屎戸(くそへ)、ここだくの罪を」〈祝詞大祓詞〉 †ikëfagi

いけばな【生花・活花】 花をいけること。立花。「釣り花瓶〔二生ケテモ〕…―とも云ふ」〈仙伝抄〉

いけぶね【生舟】 魚を生かして貯えておく水槽。船の形にこしらえ、水中に入れておくのもある。水舟。生簀船。「さて台所には―に鯲(どぢやう)を放ち」〈西鶴・一代男八〉

いけみころしみ【生けみ殺しみ】『連語』《生かしたり殺したりの意から》 長所をほめたり短所をけなしたりして。「―誠めおはする御さま」〈源氏螢〉 →み〔接尾〕

いけもせぬ『連語』 てんで駄目だ。ひどい。やりきれない。「―声で浄瑠璃を語ると言うて」〈伎・金岡筆三〉 ▽上方で多く使われた。

いけもの【活物】 生花。「はて、えい(善イ)―」〈狂言記・酢薑〉

いけもり【生盛】 魚鳥の肉、大根、人参を細く刻み、煎り酒・酢を掛けた料理。「刺身―とは鯉の刺身に同前なり」〈江戸料理集三〉

いけん【意見】 ①自分の考え。自分の見解。「官人惣(す)べて四十五人を内裏に召して、―を陳べしむ」〈続紀天平九・二・一五〉。「意見、イケン」〈色葉字類抄〉 ②《「異見」とも書く》 自分の考えを述べて諫めること。忠告。「かほど苦しき恋は無用と―せうずもの」〈宗安小歌集〉。「異見、イケン、異は意と同じ」〈天正十八年本節用集〉

いげん【異言】《インゲンとも》 「威言(ゐげん)」に同じ。「我我が手柄―のやうに申さるる事に候」〈吉川家文書一、元和三・九・二八〉。「異言、イゲン、自ら誉むる也」〈合類節用集〉

いこ・ぎ【い漕ぎ】『四段』《イは接頭語》 舟をこぐ。「海原のかしこき道を島伝ひ―・ぎ渡りて」〈万四四〇八〉 †iköġi

いごころ【医心】 医術の心得。「少し―有りて」〈西鶴・椀久二世上〉

いこ・じ【い掘じ】『動詞』《イは接頭語。活用の種類は不明。→こじ》 掘りとる。「―・じて植ゑしわが屋戸(家ノ庭)の若木の梅は」〈万一四三三〉 †iközi

いこつ【医骨】 医者としての心得・経験。「この僧―もなかりければ、万の病に藤の疣(ぼい)を煎じて召せとぞ教へける」〈沙石集三ノ一〉。〈文明本節用集〉

いこ・ひ イコ イ【憩ひ】『四段』《イキ(息)と同根》 息をつぐ。やすむ。「―・ふ時なく恋ひわたるかも」〈万二六四五〉。「憩、伊己不(いこふ)」〈新撰字鏡〉。「息・休・憩・活・慰、イコフ」〈名義抄〉 †iköfi

いこ・へ イコ エ【息へ・憩へ】『下二』《イコヒの他動詞形》 いこわせる。やすませる。「課役を除(や)めて百姓の苦を―・へよ」〈紀仁徳四年〉 †iköfë

いこも・り【斎籠り】『四段』 けがれを避け、潔斎して内にこもる。「ほととぎす卯月の忌に―・るを思ひ知りても来鳴くなるかな」〈山家集上〉。「斎籠、イコモル」〈名義抄〉

いこよか【岐嶷】《イコはイカシ(厳)のイカの母音交替形》 きびしく立派なさま。人にすぐれているさま。「大王(きみ)は風姿(みやびすがた)―にまします」〈紀仁徳即位前〉 ▽ikö〜ika のような ö と a との母音交替は、iyö(愈)〜iya(彌)、kikösi(聞こし)〜kikasi(聞かし)など例が多い。

いさ【鯨】 クジラの古名。いさな。「俗(くにひと)、鯨を云ひて伊佐(いさ)となす」〈壱岐風土記逸文〉

いさ【否・不知】『感』《イサカヒ・イサチ・イサヒ・イサメ(禁)・イサヨヒなどと同根。相手に対する拒否・抑制の気持を表わす語》 ①相手の言葉に対して、「さあ…知らない」「さあ…分らない」と否定的な応答をするに使う語。「―とを聞こせ(知ラヌトオッシャイ)わが名告(の)らすな」〈万二七一〇〉。「人は―我はなき名の惜しければ」〈古今六三〇〉 ②「いや」「いやなに」「ええと」などと、相手をはぐらかしたりするに使う語。「―、『〔源氏ヲ〕見しかば心地の悪しさ慰みき』と宣ひしかばぞかし」〈源氏若紫〉

いざ『感』 さあ。人を誘う時や自分が思い立った時など、行動を起すはずみをつけるのに言う。「馬並めて―うち行かな」〈万三九五四〉。「―もろともに若菜摘みてむ」〈後撰一〇〉

いさう ウ:ソ【異相】 ①普通の人とは異なった人相。「この法然上人と申すは…生れて―あり」〈盛衰記三九〉 ②普通とは違った様子、または姿。「二曲三体の本道よりは入門せ

ずして、あらゆる物真似、—の風をのみ習へば」〈至花道〉

—じん【異相人】風変りな人相・態度の人。近世初期には嘲る意に用いられた。「異相者」とも。「異相と云ふを、今の世にむさと心得るぞ。—などとて嘲るは、をかしきことぞ」〈東海夜話上〉。〈日葡〉

いざうれ〖感〗《イザは人を誘う感動詞。ウレは代名詞、相手に対する呼びかけ》相手を誘うことば。さあ。いざ。「『弓矢取りは懸くるも引くも折にこそよれ。—、源太』とて」〈平家九・二度之懸〉。「『いさうれ、おのれら能登が最後の供せよ』と」〈近松・女護島五〉 ▽江戸時代には、もとの意味が分らなくなり、浄瑠璃で「いさうれ」と清音に発音され、また、「いそうれ」ともいわれた。

いざかし〖連語〗《「いざ給へかし」などの略》さあ(行きましょう)ね。「〔少女ガ乳母ニ〕—。ねぶたきに」〈源氏若紫〉

いさか・ひ(イサカイ)【諍ひ】㊀〖四段〗《イサは相手の気持・行為を抑制・拒否する意。カヒは交ヒで、交互になす意》互いに相手を拒否して言い争う。喧嘩する。「かの殿には〔夫婦ガ〕今日もいみじく—・ひ給ひけり」〈源氏東屋〉。「闘、イサカフ」〈名義抄〉 ㊁〖名〗喧嘩。口論。「人の—する音のしければ」〈大和一四七〉 **—じし**【諍ひじし】喧嘩腰。「喧嘩じし」とも。「遣手ども少し—に言ひおこする」〈評判・難波物語〉 **—果てのちぎり木** 喧嘩がすんだあとから持ち出す棒切れ。時機に遅れて何の役にも立たないことのたとえ。「諍ひ過ぎての棒ちぎり木」とも。「『…会(あ)に逢はぬ花、六日の菖蒲、—かな』とぞ笑ひける」〈平家二・志度合戦〉

いさか・り【い離り】〖四段〗《イは接頭語》遠ざかる。「道のくま(曲り角)—・るまでに」〈万一七〉

いさきめぐ・り【い開き廻り】〖四段〗《イは接頭語》波が周囲一面に花の咲くように美しくうちよせる。「白波の—・れる」〈万九三一〉 †isakimëguri

いさぎよ・し【潔し】〖形ク〗《イサは勇ミのイサと同根で、積極果敢なこと。キヨシは汚れがない意。積極的で清浄という男性的感覚が根本の意味。日本書紀の古訓には、「清」「明」「潔」などにイサギヨシとあり、漢文の訓読にも例があるが、平安朝の女流文学では普通この語を使わない》①きれいに澄んでいる。清浄である。「淵の水清冷(いさぎよ)し」〈紀崇神六十一年〉。「玻璃の鏡の—・き面前に」〈謡・松山鏡〉。「清冷、イサギヨク」〈名義抄(図書寮本)〉 ②潔白である。廉直である。「汝は盗人なれども賢者なり。心の底—・し」〈発心集八〉 ③気分がすがすがしい。さわやかだ。「汲むや心も—・き賀茂の河瀬の水上は」〈謡・矢立鴨〉 ④思い切りがよい。さっぱりしている。淡淡としている。「実に心を発せる人は、かやうに…—・く名利をば捨てて失するなり」〈発心集一〉 †*isagiyosi

いさご【砂・砂子】《「石子」の意》微小な石。すな。すなご。「腹内(はらぬち)は—あれや」〈紀歌謡二八〉。「磣、石微細而随ㇾ風飛也、伊佐古(いさご)、又須奈古(すなご)」〈新撰字鏡〉 †isago **—に金(こがね)** 優れたものは粗悪なものに混っても、そのよさを失わないたとえ。「—、泥(いで)に蓮(はちす)、濁りに染まぬも人の心によるものを」〈謡・阿古屋松〉

いささ【細小・細少】〖接頭〗ほんの小さなの意。「うしろは山、前は野辺、—小笹(をざさ)に風騒ぎ」〈平家灌頂・大原御幸〉。「木の間行く—小川にもみち葉の深くも色を映しつるかな」〈新千載五八三〉 ▽ササは小さいものに愛着を感じている場合などに用いる。→いささか・ささやか。 **—むらたけ**【細小叢竹】ほんの少し群生した竹。「我が屋戸の—吹く風の」〈万四二九一〉

いささか【些・聊】〖名・副〗《平安初期までは多く「—に」の形で使った。量や程度の少なさを強調する語。→ささやか・すくなし》①たいしたことはないさま。ほんの少し。ほんのちょっと。「—に思ひて来(こ)しを」〈万四二〇一〉。「そのよし—に物に書きつく」〈土佐十二月二十一日〉。「—なる御風邪におはしましければ」〈源氏宿木〉 ②《下に打消の語を伴って》ほんの少しも。「まだ—変りたる所なし」〈源氏夕顔〉。「—まどろまで」〈和泉式部日記〉

いささけ・し【聊けし】〖形ク〗《イササカの形容詞形。平安時代漢文訓読で用いた語》ほんのわずかである。少しばかりである。「—・き事により」〈紀雄略九年〉

いささけわざ【些け業】ほんの少しのこと。「—せさす。〔ヨイ〕物もなし」〈土佐一月四日〉

いざささば〖連語〗《イザサはイザシ(誘)の未然形、いざと誘う意。サは尊敬の助動詞スの未然形》お誘いになったらば。「赤ら少女を—良らしな」〈記歌謡四三〉

いざさせたまへ(…タマエ)【いざさせ給へ】〖連語〗さあ、おいで下さい。さあ、やってごらん下さい。人に誘いかけることば。「いざ給へ」より敬意の厚い表現。「少し由あらむ御衣(おんぞ)奉り(オ召シニナリ)、見所あらむ御容貌(かたち)見出でて、—」〈宇津保内侍のかみ〉。「—、鏡に映して影を見ん」〈謡・昭君〉

いささめに〖副〗《イササはイササカと同根》かりそめに。いいかげんに。「真木柱作るそま人—仮廬のためと造りけめやも(造ッタノデハナイ)」〈万一三五五〉。「—吹く風にやは靡くべき」〈大和一七〇〉 †isasamëni

いざ・し【誘し】〖四段〗「いざ」と誘う。「〔私ヲ〕—・せ小床に」〈万三四八四東歌〉

いさしらず【いさ知らず】〖連語〗《室町時代以後イザシラズとも》①さあ、知らない。「東大寺のわたりを尋ねければ、『—』とのみ言ふなる」〈古本説話六五〉。「不知、イザシラズ」〈文明本節用集〉 ②それとも。あるいは。「遞鐘は別(べ)して琴とは見えぬぞ。—また琴の名かぞ」〈古文真宝抄六〉

いざたべ【いざ給べ】〖連語〗「いざたまへ」の転。「—、隣どの、大津の西の浦へ雑魚(ざこ)食(す)きに」〈梁塵秘抄三九六〉

いざたまへ(…タマエ)【いざ給へ】〖連語〗同行するように人を誘っていう語。さあ、一緒にいらっしゃい。さあ、どうぞ。「『さらば—。…』といざなふ」〈源氏浮舟〉

いさ・ち〖上二〗《イサはイサ(否)・イサヒ(叱)・イサカヒなどのイサと同根。相手の気持や行為を拒否・抑制する意》人の言うことを聞かず、勝手にわめく。「何しかも…国を治(し)らずして泣き—・ちる」〈記神代〉。「黠、イサチタリ」(「黠」は、わるがしこい意)〈名義抄〉 ▽平安時代に入ってからは上二段活用と認められたらしい。「泣(い)つること児のごとし」〈紀垂仁二十三年〉。「哭泣、ナキイサヅル」〈名義抄(図書寮本)〉

いざと・し【寝聡し】〖形ク〗(小さな刺激にも)目がさめやすい。「うたて—・き心地する夜のさまなり」〈源氏末摘花〉

いさとよ〖感〗《イサはイサ(不知)。トは助詞。ヨは間投助詞。自信のないこと、疑わしいことについて、ためらいながら応じる言葉》いえね。さあ、それがね。「〔手紙ハオ隠シニナッタカト女房ニ言ワレテ〕—。…〔敷物ノ下ニ〕さしはさみしを忘れにけり」〈源氏若菜下〉。「〔流人俊寛ノコトヲ尋ネラレテ〕—。さやうの人は三人これにありしが」〈平家三・有王〉

いざなきいざなみ【伊奘諾伊奘冉】神話の中で日本の島島や神神を生んだ神。後世、男女の結婚の始まりの神と信じられた。イザは相手を誘(いざな)って結婚したことによる名。キはオキナ(翁)のキに同じ、男性を示す語。ミはオミナ(嫗)のミに同じ、女性を示す語。「諾」をナキとよむのは、

「諾」の漢代の発音 nak による当て字。「冉」の漢代の音は ńam。転じてナミに当てた。「冉」は、かよわく、しなやかの意。よって女性を示すに使った。「国常立(くにのとこたちの)尊より伊奘諾尊・伊奘冉尊にいたるまで、これを神世七代といふ」〈紀神代上〉 †izanaki izanami

いさなとり【勇魚取り・鯨取り】〔枕詞〕《イサナは鯨》鯨を取る所の意から、「海」「浜」「灘(なだ)」にかかる。「—海の浜藻の」〈紀歌謡六八〉。「—浜辺を清み」〈万九三二〉。「—比治奇(ひぢき)の灘を」〈万三八九三〉 †isanatöri

いざな・ひイザナイ【誘ひ】『四段』《イザは感動詞。ナヒはアキナヒ(商)・ツミナヒ(罪)などのナヒ。行なう意。積極的に相手に働きかけ、自分の目指す方向へと伴う意。類義語サソヒは、相手が自然にその気持になるようにしむける意》呼びかけて伴う。連れ出す。導く。「丈夫(ますらを)の友—・ひて」〈万四〇一一〉。「月あかき方に—・ひ聞ゆるも」〈源氏夕霧〉 †izanaFi

いさ・ひイサイ【叱ひ】『四段』《イサはイサ(不知)・イサメ(禁)のイサと同根。相手を抑制・拒否する意》叱る。「み仏のために呵(さい)はれたてまつる」〈法華義疏長保点〉

いさま・し【勇まし】『形シク』《動詞イサミの形容詞形》①気乗りがする。熱心にはげむ気になる。「—・しくうれしきいそぎにてあらむ」〈讃岐典侍日記〉。「かく思へば忍びがたきことも易く忍ばれて、後世のつとめも—・しきなり」〈一言芳談〉 ②勇気がある。勇敢である。「あっぱれ武者振り—・しし」〈浄・絵本太功記一〇〉

いさ・み【勇み】㊀『四段』①(戦いや争いにのぞんで)気持がふるい立つ。「—・みたる猛きいくさ(軍勢)と」〈万四三三一〉 ②元気一杯になる。「過ぎぬる方よりは—・みさかえて、物をもよく食ひたりければ」〈今昔二六ノ八〉 ㊁『名』①積極的で元気な気持。「悲しびは余りありと言へども、まねびつかうまつる—は無し」〈宇津保俊蔭〉 ②張合い。はげみ。「何の—あってか朝敵をも追討すべき」〈保元中・朝敵の宿所〉 ③任侠の気概に富み、言動の威勢がよいこと。また、そのような人。男伊達(だて)。勇み肌。「顔ににきびのできてゐる—な客人」〈洒・部屋三味線〉。「出刃庖丁は—の魂だ」〈滑・浮世床初中〉 †isami

いさ・め【勇め】『下二』《イサミの他動詞形》勇気づける。はげます。「父の敵を討ち首斬らんと言ひてこそ、多くの人をば—・めしか」〈曾我四〉

いさ・め【禁め・諫め】㊀『下二』《イサ(不知)を活用させた語。相手の行動を拒否し、抑制する意。類義語イマシメは、タブーに触れることと教えて、相手に行動を思いとまらせるのが原義》①禁止する。「此の山をうしはく神の昔より—・めぬわざぞ」〈万一七五九〉 ②おさえとめる。訓戒する。「人人—・め聞ゆれど、強ひておはしましぬ」〈源氏夕霧〉 ③下の者が上の者の非に対して直言してとめる。諫言(かんげん)する。「教長、見参らせて、…と—・め申しければ」〈保元上・新院御所〉 ㊁『名』①禁制。神仏の禁止。「—の式(のり)九十二条を立つ」〈紀天武十年〉。「〔アナタト〕あふみちは神の—にさはらねど」〈和泉式部日記〉 ②訓戒。意見。「人の—をも自らの心にもしたがはぬやうに」〈源氏夕霧〉。「—、教訓なり」〈匠材集二〉 ③諫言。「—をも思ひ入れず、天下の乱れむ事をさとらずして」〈平家一・祇園精舎〉 †isamë

いざめ【寝覚め】《イは眠り》ねざめ。「我のみと思ふは山のいざめ里—に君を恋ひあかしつる」〈古今六帖五〉

いさや『感』《イサはイサ(不知)。ヤは質問の助詞》①さあ(どうでしょうか)ね。相手に問いかえす語。「淵瀬とも—白浪(知ラナイノ意ニ掛ケル)立ち騒ぐ」〈後撰五二七〉。「歌の道のみ古へに変らぬなどいふこともあれど、—」〈徒然一四〉 ②いえね。いやどうもね。「『さてその文の言葉は』と問ひ給へば、『—、異(こと)なる事もなかりきや』」〈源氏帚木〉

いざや『感』さあ。どれ。他を誘うときや、自分が思い立ったときに発する語。「—子ら…朝菜摘みてむ」〈新勅撰四四〉。「判官殿の御行方をば、この人こそ知りたるらめ。—止めて聞かん」〈義経記五〉

いざよ・ひイザヨイ ㊀『四段』《上代ではイサヨヒと清音。鎌倉時代以後イザヨヒと濁音。イサはイサ(否)・イサカヒ(諍)・イサヒ(叱)と同根。前進を抑制する意。ヨヒはタダヨヒ(漂)のヨヒに同じ》(波・雲・月・心などが)ぐずぐずして早く進まない。動かず停滞している。「山の端に—・ふ月を」〈万一〇八四〉。「もののふの八十氏河の網代木に—・ふ波の行方知らずも」〈万二六四〉 ㊁『名』①いざようこと。ためらい。「君や来む我や行かむの—に」〈古今六九〇〉 ②【十六夜】《月の出を早くと待っても、月がいざようという気持から》陰暦十六日の夜の月。また、その夜。「かの—のさやかならざりし事など」〈源氏葵〉 †isayoFi, isayöFi

いさら『接頭』水に関して、少し、小さいの意。歌語。「門ちかき—小川の朝わたり。…—は浅き也」〈三島千句注〉

—がはワガ【いさら川】細く水の少ない川。「いさ(不知)」と掛けて用いることもある。「漏らし給ふなよ。ゆめゆめ。—なども馴れ馴れしや」〈源氏槿〉 **—なみ**【いさら波】霧をさざ波に見立てていう語。「—晴れにけらしな」〈関白内大臣家歌合〉 **—みづ**【いさら水】少しの出水。「雨下(ふ)りて—庭に溢(はい)めり」〈紀皇極四年〉 **—ゐ**【いさら井】ささやかな湧水。また、ちょっとした遺水。「亡き人の影だに見えずつれなくて心をやれる—の水」〈源氏藤裏葉〉

いざらへイザラエ【鋳浚へ・鋳掫へ】鋳造した目貫(めぬき)の型に鏨(たがね)目をいれ、模様を彫り込んで仕上げること。また、そのもの。下等品。「—の目貫」〈西鶴・一代女六〉

いざ・り【漁り】㊀『四段』①海で漁をする。「海人(あま)小舟はららに浮きて…遠近(をちこち)に—・り釣りけり」〈万四三六〇〉 ②夜、魚を集めるために火を焚いて漁をする。「海人少女(あまをとめ)—・り焚く火の」〈万三八九九〉 ㊁『名』①海で漁をすること。「—する海士(あま)の釣船波の上ゆ見ゆ」〈万三六〇九〉 ②漁の時、魚を集めるために焚く火。漁り火。「海士の—はともしあへり見ゆ」〈万三六七二〉 ▽後世イサリと清音化した。「イサリヲスル」〈日葡〉 **—び**【漁り火】沖に出て漁をする時焚く火。魚を誘うためのもの。「鮪(しび)つくと海人(あま)のともせる—の」〈万四二一八〉。「イサリビ」〈日葡〉 **—ぶね**【漁り舟】漁船。「藻屑火の磯間を分くる—」〈千載六四四〉。「イサリブネ」〈日葡〉

いざれ『感』《イザウレの約か》さあ、いらっしゃい。さあ、おいで。「—独楽(こまつぶり)、鳥羽の城南寺の祭見に」〈梁塵秘抄四三九〉。「—高雄へ、かい餅くれう」〈著聞五三〇〉

いざわ『感』《イザは人を誘う感動詞。ワも感動詞》さあ。いざや。「天つ神のみ子、汝(いまし)を召す。—」〈紀神武即位前〉。「小子(わくご)ども—出で見む」〈万三三四六〉

いさを【渠帥】《イサはイサミ(勇)のイサと同根。「勇(いさ)男(を)」の意》勇者。「この両人は熊襲(くまそ)の—なり」〈紀景行十二年〉

いさを・し ㊀『形シク』《イサヲの形容詞化》①勇者らしい。雄雄しい。「里坊の百姓(おほみたから)の清く正しく—・しき者を取りて充(あ)てよ」〈紀孝徳、大化二年〉 ②誠実勤勉である。「〔藤原鎌足ハ〕—・しき誠を懐く」〈紀孝徳即位前〉 ③功績がある。「—・しきを定め賞(たまもの)を行なひたまふ」〈紀神武二年〉 ㊁『名』功績。「—の神とす」〈紀神代上〉。

「―、帝に忠あるなり」〈八雲御抄四〉

いし【石】 ①広く岩石をいう。類義語イソは水中・水辺の石。イハは大きな石をいうことが多い。「ま玉なす二つの―を」〈万八一三〉。「―高きわたりは苦しきものをとて〔女ヲ〕抱き給へり」〈源氏東屋〉 ②墓石。「―卒都婆かさなり立てる鳥辺野をなどはかなしと人のいふらむ」〈拾玉集四〉 ③「石御器(ごき)」の略。「この―で〔酒ヲ〕きゅっとやらんせ」〈浄・妹背山四〉 ④《木石の意で、無情の意から》 全くだめなこと。不能。また、他の語に冠して、全く、からっきしの意をあらわす。「濡れ事かいもく―ぢゃ」〈評判・役者大鑑〉。「―下戸(げこ)もかくなる物か花に酒〔ヲ飲ム〕」〈俳・それぞれ草下〉 ▽イサゴ(砂=石子)・イソ(磯)・イスノカミ(石の上)・イシ(石)の isago, iso, isu, isi に共通な is という形が、「石」の意の語根であろう。 **―に灸(きう)据ゆ** 少しも効果のないことのたとえ。石に針。「いかなる金言申し聞かするとも、蛙に水掛け、―・ゆるが如く」〈浮・諸分姥桜一〉 **―に口** 密談の漏れやすいことのたとえ。「石の物言ふ」とも。「壁に耳、―といふ事あり」〈義経記七〉 **―に立つ矢** 《漢の李広が石を虎に見誤って射た矢がその石に立ったという史記の話による》 一心にやれば何事でもできることのたとえ。「思ひの末は、―たけ(彌猛ト掛ケル)の心あらはれて」〈謡・咸陽宮〉 **―に根継(ねつぎ)** 物事を一層確実にすることのたとえ。「あのもののと、―する如く吟味して」〈浮・茶屋調方記〉 **―に花咲・く** あり得ないことのたとえ。「石に花」とも。「―・く例(ためし)かや岩躑躅(じつつじ)」〈俳・発句帳一〉 **―の上にも三年居(ゐ)れば暖ま・る** 物事は辛抱すれば必ず成功するというたとえ。「石の上にも三年」とも。「―・ると言ひ習はせし世話も、今は人の気も短く」〈浮・男色子鑑三〉。〈俳・毛吹草二〉 **―の中の蜘蛛(くも)** 身の自由にならないことのたとえ。「都には平氏の輩、権威を取って守殿は―とやらむのやうにておはしませば」〈古活字本保元中・為義最後〉

いし【医師】 ①医術を行なうことを業とする人。医者。「五十斤の金(こがね)を―に与へながら、遂に治(ぢ)せざりき」〈平家三・医師問答〉。〈文明本節用集〉 ②令制による典薬寮の下級職員。大宰府や諸国にも置かれた。「―、禅師、官人各一人を左右京四畿内に遣して疹疾の徒を救療せしむ」〈続紀天平勝宝八・四・二九〉 ③江戸幕府の職名。診療をつかさどる。典薬頭以下、奥医師・番医師・寄合医師・小普請医師などがあり、その官位は僧侶に準じて法印・法眼(ほうげん)・法橋(ほっきょう)などが定められていた。「―…典薬頭半井内匠」〈江戸鹿子六〉

いし【倚子】 《「倚」はよりかかる意》 腰掛け。奈良時代の胡床(あぐら)が平安時代に入って倚子となった。四角で四脚。左右に肱掛(ひじかけ)があり、後ろに鳥居形を立て、よりかかれる。茵(しとね)を敷く。紫宸殿・清涼殿の御帳台や、清涼殿の殿上の間に、天皇着座のために置かれた。鎌倉時代以後、禅僧が多く使い、「椅子」と書き、唐音によってイスと発音するようになった。「寝殿の放出(はなちいで)を例のしつらひにて、螺鈿(らでん)の―立てたり」〈源氏若菜上〉。「大―一脚、高一尺三寸、長二尺、広一尺五寸。小―一脚、高一尺三寸、長一尺五寸、広一尺三寸」〈延喜式木工寮〉

い・し 『形シク』《技能・細工の巧みなこと、転じて、味わいのよさを形容する語》 ①技能がすぐれている。仕上げが巧みである。「吾は是乃(いまし)の兄なれども、懦(つた)く弱くして、不能致果(いしきな)からむ(巧ミナコトハナイダロウ)」〈紀綏靖即位前〉。「彼の歌ならねど、かくもとりなしてむと、―・しげによめるところこそ見えたれ」〈無名抄〉 ②見事である。立派だ。「一二町を作り満てたる家とても是を―・しと思ひならはせる人目こそあれ(他人ノ目ハトモカク)、まことにはわが身の起き伏す所は、一二間にすぎず」〈発心集五〉 ③殊勝である。けなげだ。「子ながらも―・しくも申したるものかな」〈曾我一〉 ④(程度が)ひどい。甚だしい。すごい。「―・しい悪口仕りて候」〈梵舜本沙石集八ノ一七〉。「何となく―・しう甲の重きは、水のまさりか、身の弱りかと思ひて」〈長門本平家一六〉 ⑤美味である。おいしい。「―・しかりし斎(とき)は夢窓に喰らはれて」〈太平記三三・土岐頼遠〉。「女の和らかなる詞遣ひといふは…むまい(ウマイ)といふを―・しい」〈女重宝記一〉。〈日葡〉 ▽後に丁寧を示す接頭語オをつけて今日のオイシイとなる。

いしいし 〔女性語〕《形容詞イシを重ねた語》 だんご。「あしたの御祝ひ、御強(おこは)供御、御―」〈御湯殿上日記文明一〇・一・二〉

いしいし 『副』《「以次(い)」を重ねた語か》 順を追って。つぎつぎに。「御堂―御供養あり」〈問はず語り五〉。「御灸―とひしめきけれども、さしたる御しるしもなく」〈問はず語り一〉

いしうすげい【石臼芸】 多芸ではあるが、特にすぐれた芸が一つもないこと。「芸に―と云ふあり。…石臼は、万事の用を達する物なれど、公界(くがい)へ出でぬ物なり。かるが故にしか云ふ」〈わらんべ草三〉

いしうち【石打】 ①石を投げること。「ある時は石を拾ひて―を一人したまひけり」〈明恵伝記下〉 ②近世、婚礼の夜、近所の者などが、その家の中に石を投げ打ち罵りさわぐ風習。「祝言の夜の―は打ち固めるとてめでたけれども」〈近松・井筒業平二〉 ③鷹・鳶などの尾羽の左右の羽。強いので矢羽根として珍重された。「―の矢の、その日のいくさに射て少少残ったるを」〈平家九・木曾最期〉 **―のそや【石打の征矢】** 「石打の矢」に同じ。「―の二十四差したるを頭高に負ひなして」〈義経記五〉 **―のや【石打の矢】** 「いしうち」(3)で矧(は)いで作った矢。主に大将軍の用いる矢とした。「〔悪源太義平ハ〕石切といふ太刀を帯き、―負ひ、ところ籐の弓持って」〈平治上・源氏勢汰へ〉

いしうら【石占】 上代のうらないの一。石の軽重や数、または蹴った結果などで吉凶をうらなう。「夕占(ゆふけ)問ひ―もちて」〈万四二〇〉

いしがきまち【石垣町】 京都四条大橋より南の賀茂川岸沿いの町。寛文十年の護岸工事からこの名がついた。東・西の二町があり色茶屋が多かった。「いしがけまち」「いしがけ」とも。「広広とした川原の内も、十二街中の―も」〈評判・可盃〉

いしがみ【石神】 石を神として祭ったもの。特別の石に霊力の存在を信じ、祈願したり、神意をうかがったりする習俗があった。「逢ふ事を問ふ―のつれなきに我が心のみ動きぬるかな」〈金葉五四一〉。「―も引けば上がりぬ辻社」〈宗砌句〉

いしがめ【石亀】 **―も地団太(ぢだんだ)** むやみに人真似をしてもがくこと。身の程を知らないさまのたとえ。「薄き身上の者なれども、―とかや、巾着を探して、金銀を出し」〈仮・東海道名所記一〉 ↓雁(がん)が飛べば石亀も地団太

いし・き【い及き】 『四段』《イは接頭語》 追いつく。およぶ。「あが愛(は)し妻に―・きあはむかも」〈記歌謡五九〉 †isiki

いしきり【石切】 ①山から石を切り出すこと。また、それを業とする者。「―、鶴の嘴をもって高き所を切り平らげ」〈伽・浜出草紙〉 ②石材を加工する者。石工。「曲谷(まがりだに)の―に申しつけ、石塔を切り寄せられ」〈浅井三代記一五〉。〈日葡〉

いしきを・り【い布き折り】『四段』《イは接頭語》〈飲食物を盛るために草木の葉などを〉平らにして折る。広げて折る。一説、何枚か重ねて折る。「―・り酒(き)飲みきといふそ此の厚朴(ほほがしは)」〈万四二〇五〉 †isikiwori

いしぐるま【石車】①大石を運ぶ車体のひくい四輪車。「庭の者を召し、水門二掘らしむ。―三輛引き寄せ」〈実隆公記享祿五・三・二四〉 ②坂道などで踏んだ小石がころりと動いて、人がすべったりころんだりすること。「―。小石の崩るるを云ふ」〈俳・御傘五〉 ③《⑴が動かしにくいところから》後へも先へも行かず、どうにもならないことのたとえ。「書置きにこれまでのする― 西鶴」〈俳・物種集〉 **―に乗・る** 小石を踏んですべる。「そのまま引立てられて河原を走れば、おのづから―・りてこけたるは」〈伽・弁慶物語〉

いしごき【石御器】茶碗。「郷父(がう)=田舎親父)は―に月を酌む」〈俳・行脚文集六〉

いしこづみ【石子積】戦国時代に多く行なわれた刑罰の一。穴に入れた罪人を小石で埋め殺す刑。「いしこづめ」とも。「前代未聞の曲事(くせごと)なれば、―にや行なはれん、柴漬(ふしづけ)にや失はれんと僉議をぞなしにける」〈伽・ささやき竹〉

いしざら【石皿】粗製の焼物皿。「―に塩鰯をすゑて持て来たり」〈玉滴隠見一〇〉

いしずり【石摺・石磨】石碑などの字を紙に摺り出すこと。また、書・画を板に刻み、油墨などで紙に摺り取ったもの。地が黒く、書・画が白く出る。後には、その摺り方の法帖類をもいった。「万竹山房集帖一冊(八)…宋・元・明三朝の能書―の本也」〈実隆公記長享二・三・九〉

いしずゑ【礎】《「石据ゑ」の意》①建物の柱の下に石を据えること。また、その土台石。「廊のあとの―などあり」〈更級〉「礩、イシズヱ」〈名義抄〉〈和名抄〉 ②物事の基礎。また、礎となる人。柱石。「誠に国の―ぞや」〈浄・伽羅先代萩六〉

いしだ【石田】石の多い、悪い田。「―は己男(おの)作ればかわらとゆらと鳴る、―はいなゐ(イヤダナア)」〈琴歌譜〉

いしだか【石高】石がおおく、でこぼこなこと。「悪い―な路は、車の輪がとどろき響いて」〈玉塵抄二六〉

いしたたき【石敲】①《尾を上下に振り動かす習性から》セキレイの異称。「されば―を稲負鳥(いなおほせどり)とは云ふなるべし」〈古今集註〉 ②雨垂れを受けるために置く石。「夕まぐれ苔ふる庭の―おつるは風ぞ荻に声する」〈草根集七〉

いしだたみ【石畳】①平らな石を敷きつめること。また、そのもの。石敷。「―をばよき(ヨケ)て…泥をふみこみて候つれば」〈大鏡忠平〉 ②方形を縦横に並べ、一つ置きに白・黒などの二色に分けた模様。織物・筵などの地紋にする。市松模様。「綾の小袖一貫二百文に買ひ了んぬ。文(模様)桐の薹(うた)、一方は小紋・―なんどあり」〈多聞院日記永祿八・九・八〉

いしだて【石立て】庭園に石を配置すること。「琳賢といひて、心たくみにて、―、飾り車の風流などするもの侍りき」〈今鏡一〇〉

いしたふや〔枕詞〕《イは接頭語。シタフは下経の意。ヤは間投助詞》水底を泳ぐ「海人(あま)」とつづく。一説、「石飛(た)ぶや」の意で、石の飛ぶように早い「天駈使(あまはせづかひ)」にかかるという。「―海人駈使(あまはせづかひ)」〈記歌謡二〉

いしづき【石突】①槍・長刀・棒などの地に突き立てる部分を包む金具。「櫟(いち)の棒の一丈二尺ありけるに、鉄(くろがね)伏せて上に蛭巻したるに、―したるを」〈義経記四〉 ②太刀の鞘尻を包む金具。こじり。「御太刀の―をとらへたりければ」〈大鏡忠平〉 ③《「石築」とも書く》石を突きこめて土台を固めること。また、その土台。「―相仕舞ふまで、人足遣はすべきの筈」〈隔蓂記寛永一八・六・二六〉 ④きのこの根。「松茸の―妾に得させけり」〈俳・孤松三〉。〈日葡〉

いしつつい【石椎】《ツツはツチの古形。イは接尾語》石でできた槌形の道具。農具にも武器にも使う。「―もち打ちてし止まむ」〈記歌謡一〇〉

いしなど【石投】女児の遊戯。地上に石をまいて、その中の一つを空中に投げあげ、落ちない先に、他の石を拾っていっしょに手にうけ、早く拾い尽すことを競うもの。いしなどり。「―の玉の落ちくる程なさに過ぐる月日は変りやはする」〈聞書集〉

いしなどり【石などり】「いしなご」に同じ。「碁すご六うたせ、偏をつがせ、―をせさせて」〈栄花月宴〉

いしのおび【石の帯】「しゃくたい(石帯)」に同じ。「貞信公の―いとかしこきなり」〈宇津保蔵開中〉

いしのち【石の乳・鐘乳】鐘乳石(しょうにゅうせき)の古名。「郷の南に窟(いはや)あり。―、また木蘭あり」〈肥前風土記〉。「石鐘乳、イシノチ」〈名義抄〉 †isinoti

いしのひ【石の火】①火打石で打ち出す火。また、石から出ると想像された火。「―に解くる氷」〈宇津保春日詣〉 ②電光石火。ごく短い時間や、はかないことにたとえる。「―にこの身をよせて世の中の常ならずさを思ひ知るかな」〈千五百番歌合二〇〉

いしのまくら【石の枕】①石を枕とすること。旅寝のたとえ。いしまくら。「伏猪(ゐ)の床に―や苔筵」〈近松・世継曾我三〉 ②老婆が旅人を泊めて石の枕に寝させ、打ち殺して所持品を盗んだという伝説。江戸浅草の一つ家(や)を始め全国所所にある。「白河の院の御製に、武蔵には霞の関や一つ屋の―や野寺あるてふ、と詠じ給ひける」〈仮・江戸名所記三〉

いしはし【石階】石で畳みあげた階段。石段。「一町のほどを―おりのぼりなどすれば」〈かげろふ中〉

いしはじき【石弾】①上代の武具の一。石をはじきとばすしかけ。「弩(おほゆみ)・―の類は私の家に置くべからず」〈紀天武十四年〉 ②指先で相手の小石をはじき、あたれば取る遊戯。「〔庚申ノ夜〕男、女かた分きて、―し給ふ」〈宇津保祭使〉

いしばひ イ:バ【石灰】石灰(せっかい)。我が国では古くから建築用や薬用(消毒など)に使われた。近世、牡蠣(かき)や蜆貝の貝殻を焼いて粉末にした物をも、俗に「いしばひ」と称して、壁塗りに用いた。「室原山(むろふやま)、…人参・独活・藍漆・升麻・白朮・―を生(だ)す」〈播磨風土記〉 **―のだん**【石灰の壇】清涼殿東廂(ひさし)の南にあった壇。床を土で築き上げて板敷と同じ高さにし、石灰で塗りかためてある。天皇がここに立って伊勢大神宮や内侍所を遙拝する。「―を塗る事」〈侍中群要一〇〉 **―のま**【石灰の間】「石灰の壇」に同じ。「日ごろ降る雪さえとほりたるに(冷エキッテイル時ニ)、―に返り立ち」〈弁内侍日記〉

いしひと【石人】石で人の形をきざんだもの。北九州で古墳のまわりに立てた。埴輪(はに)と同性質のもの。「―と石盾(たて)と…四面(よ)にめぐれり」〈筑後風土記逸文〉 †isiFitö

いしびや【石火矢】近世初期、西洋伝来の大砲。弾丸の重さ四、五百匁から四、五貫目。「佐竹陣場の高処より―数張打たしめ給ふ」〈駿府記慶長一九・一二・一七〉

いしふし 恨みに思う事柄。また、恨む心。「御親子の間―なくおさまるは、大慶とは思はぬか」〈浄・七小町四〉

いしぶし【石伏・鮖】《石の間に伏している意》ハゼに似た

川魚。今のカワカジカ。「西川（桂川）より奉れる鮎、近き川（賀茂川）の—やうのもの御前にて調じて参らす」〈源氏常夏〉。「鮔、伊師布之（いしぶし）」〈和名抄〉

いしぶみ【碑】《石文の意》石碑。平安時代には、陸奥国壺村にあったという石碑が有名だった。「—や津軽の遠（ほと）にありと聞くえぞ世の中を思ひ離れぬ」〈清輔集〉

いしぶろ【石風呂】蒸風呂の一種。竈内で石を焼き、その上に敷いた塩俵から立ちのぼる蒸気に浴する。「—候ひて、入り候ひ了んぬ」〈言継卿記大永八・三・一八〉

いしべきんきち【石部金吉】《石と金との堅い物二つを並べて擬人名としたもの》極めて物堅い男のたとえ。石部金吉鉄兜（かなかぶと）。「この恋かなひさうにして〔相手ガ〕—〔デ、カナイ〕難し」〈浮・好色通変歌占上〉。〈俳・世話尽一〉

いしま 器物などにあるゆがみ。「河浜に陶（すゑもの）づくり）するに、器（うつはもの）、苦（ゆが）み・—あらず」〈太平記三・直冬与吉野殿〉。「窳・窪、イシマ」（「窳」は、ゆがむ意）〈名義抄〉

いしみ【畚】ざる。「—ゆすりて洗ふ根芹ぞ」〈散木奇歌集春〉。「畚、イシミ」〈名義抄〉。「笥、イシミ・ケ」〈名義抄〉

いしむら【石群】たくさんの石。イハムラは大きい石にいう。「—を手（た）越し（手渡シ）に越さば」〈紀歌謡一九〉

いしゃ【医者】医師。くすし。「仕合せが悪うて、—がはやりませぬによって」〈天理本狂言六義・雷〉。〈文明本節用集〉　**—ぼん**【医者坊】《医者は坊主頭であったから》①医者を軽蔑した言い方。「慶庵」「たいこ医者」とも。「薬はないか—」〈浄・義経東六法上〉②元禄後期の流行語で、不可能の意。「今は—とおぼしめして」〈咄・露新軽口咄三〉

いしゃう（シヨウ）【衣裳】①衣（ころも）と裳（も）と。衣服。衣類。「潮水船に満つ。…—を脱却して、裸身にして懸坐す。米水口に入らざることすでに六日を経」〈続紀宝亀九・一一・一三〉　**—だんす**【衣裳簞笥】衣服を納めて置く簞笥。小袖簞笥。「—〔ハ〕桐の立ち木の模様かな西鶴」〈俳・糸屑三〉　**—つき**【衣裳付】衣裳の着こなし方。「衣裳づけ」とも。「女郎も—しゃれて」〈西鶴・一代男六〉　**—づくし**【衣裳尽し】美しい衣裳の限りを着飾ること。「袖重ねの—」〈西鶴・懐硯五〉　**—にんぎゃう**（ギヨウ）【衣裳人形】衣裳をつけた人形。木彫と押絵とがある。「何とやらん、—を見るやうにて、様子びらめいたり」〈評判・吉原新鑑〉　**—はっと**【衣裳法度】近世前期、衣服材料・加工・代金・販売等に制限を加えた法令。身分階層の明確化、奢侈（しゃし）禁制、倹約奨励のため、しばしば発令された。「その頃いまだ世に—も無き時ぞかし」〈西鶴・椀久一世上〉　**—まく**【衣裳幕】花見などの時に、樹間に縄を張り、女衣裳を掛け連ねて幕としたもの。「—の内には、小歌交りの女中姿」〈西鶴・諸国咄四〉　**—ゑ**【衣裳絵】衣裳の上絵（うはゑ）。白小袖に墨で源氏絵などを描く。「—浮世人形、越前屋庄七くるる」〈松平大和守日記寛文三・七・二五〉

いじゃう（ジヨウ）【以上】㊀《名》①これから上。また、合計。「教長卿…成澄…家長…盛憲…経憲—五人」〈保元中・謀叛人〉②「御目見（おめみえ）以上」の略。「検校の娘—へ遣る気なり」〈雑俳・万句合明和五〉㊁《接続》或る事が起ったその結果。「親類皆梟（うけ）せられ、—義朝一人に罷りなり候へば」〈古活字本平治上・信頼信西を亡ぼさる〉

いしやま【石山】①近江国石山にある寺。石山寺。奈良時代に開基。本尊の観音は、初瀬の観音とともに有名。「—に詣でける時」〈古今三五六〉。「初瀬、—などに願（ぐわん）をなむ立ててはべる」〈源氏浮舟〉②「石山詣で」の略。「—もとまり給ひにきかし」〈源氏浮舟〉　**—まうで**（モウデ）【石山詣で】近江の石山寺にまいること。陰暦十月甲子の日の参詣が有名。「故女院の御—に」〈大鏡道長〉

いしゅ【意趣】①意向。見解。考え。「聖人—をつぶさに語り給ふ」〈今昔六ノ五〉②心に含むところ。恨み。「さしも御—深かりし故にや」〈保元下・新院御経沈め〉。「何の—かありけむ…無実を申しつけたりけり」〈十訓抄四ノ七〉③意地。「従者一人失ひてんずることは損なれども—なればと思ひて」〈著聞三四七〉④恨みを返すこと。意趣返し。「昨日の—に一番参ろか。ヲヲ望みならやりかけふ」〈浄・矢口渡二〉

いしゆみ【石弓】高所から大石をはじき落して、敵を圧殺する装置。「岡には大石を並べて—を張る」〈盛衰記九〉

いしらまか・し【射白まかし】《四段》「射白まし」を強めていう語。「敵魚鱗にかけ破らんとすれば、味方鶴翼につらなって—・す」〈古活字本保元中・白河殿攻め落す〉

いしらま・し【射白まし】《四段》矢をはげしく射て、敵の気勢をくじく。「楯も鎧もこらへずして、散散に—・さる」〈平家二・鶏合〉

いしわりせきだ【石割席駄】踵に鉄片を付けた雪駄（せった）。小石をも割るほど丈夫なもの。「石割雪駄」「大津せきだ」とも。「紫皮の足袋に—」〈浮・色道懺悔男二〉

いしゐ【石井】石で囲った井戸。また、岩間の清水にもいう。「いはゐ」とも。「志賀の山越えにて—のもとにて…。むすぶ手の雫ににごる山の井の」〈古今四〇四〉

いしんぢょ【石千代】《石のように堅固な人の意》①身体強健な人。「それから先は—になる」〈俳・大矢数四〉②意志強固な人。頑固者。片意地者。「父御様は隠れもない—なり」〈近松・寿門松上〉

いす【椅子】《スは唐音》禅寺などで用いた腰掛け。「上人も—よりころび落ち、流涕こがれ給ひけり」〈伽・小敦盛〉。「倚子、イス、倚或作レ椅」〈文明本節用集〉↓いし（倚子）

いすか【鶍】スズメくらいの大きさの渡り鳥。秋に日本に渡来する。くちばしの先が交叉している。〈文明本節用集〉　**—のはし**【鶍の嘴】ものごとが行きちがいになること。イスカのくちばしが上下くいちがっているのでいう。「人は曲がり、我は直ならば、—にて気にあふことあるべからず」〈応永二十七年本論語抄一八〉

いすか・し【佷し】《形シク》《イスカ（鶍）の派生語。イスカのようだの意》心が人と合わない。心がねじけている。「人となり傲（とも）り（傲慢デ）—・しくして」〈紀継体二十四年〉

いすくはし（クワシ）〔枕詞〕「勇細し」で勇ましくすぐれた意などから「鯨（くぢら）」に、また、「磯細し」の意で「鯨」にかかるという。「—くぢら障（さや）る」〈記歌謡九〉

いすく・め【射竦め】《下二》矢を射て敵をすくませる。「只遠矢に—・めけれ」〈太平記五・大塔宮〉

いずし【貽貝鮨】貽貝（いがひ）の鮨。「老海鼠（ほや）のつまの—、鮨鮑（すしあはび）」〈土佐一月十三日〉

いすす・き ㊀《四段》《ウススキの母音交替形》そわそわする。おろおろする。「その美人（をとめ）驚きて、立ち走り—・きき」〈記神武〉㊁《名》きょろきょろ落ち着かないこと。「夜目の—、いづつしきこと（恐ロシイコト）無く」〈祝詞大殿祭〉　†isusuki

いすのかみ【石の上】⇩いそのかみ。「—布留を過ぎて」〈紀歌謡九四〉　†isunökami

いすろこ・ひ《四段》未詳。荒れすさぶの意か。「神たちの—・ひあれびますを」〈祝詞大殿祭〉　†isurököFi

いせ【伊勢】①旧国名の一。東海道十五国の一で、今の三重県の一部。勢州。「神風の—の国にもあらましを」〈万一六三〉②伊勢皇大神宮のこと。「さることならば、—にはことに祭月とすべきに、その例もなし」〈徒然二〇二〉 **—の浜荻**(はまをぎ) 俗に、アシの異名。「草の名も所によりて変るなり／難波の蘆(あし)は—」〈菟玖波集一四〉 ▽万葉集によまれた伊勢の浜荻(伊勢国の浜地に生える荻)をアシと誤る俗説が古くからあり、住吉社歌合の俊成の判詞にも「伊勢島には浜荻と名付くれど、難波わたりには蘆とのみ言ひ、吾妻の方には葭(よし)といふなる」とある。 **—へ七度**(ななたび)**熊野へ三度**(さんど) 伊勢参り熊野参りは何度してもよい。信心は熱心なほどよいという意。「思ひの余り—愛宕(あたご)様へは足を空になし」〈浮・男色比翼鳥四〉 **—や日向**(ひうが) 物事の内容が食いちがって、まちがっていること。「伊勢や日向の物語」とも。「げにげに—のことは、たれかは定めあるべき」〈謡・雲林院〉

いせ【五十瀬】 多くの瀬。「—渡る川は袖より流るれば問ふに問はれぬ身は浮きぬめり」〈後撰一二五七〉

いせあみがさ【伊勢編笠】 伊勢国多気郡から産出した編笠。藺(い)草を用いて編目を密に作ってある。「繻子の袖細に—は召す気ぢゃとの」〈宗安小歌集〉

いせおしろい【伊勢白粉】 伊勢国射和(いざわ)村産の、水銀と丹土(にっち)とを合わせて造った白粉。水銀白粉。「白き物。…—や雲母(きら)・石灰」〈仮・尤の草紙上〉

いせかう(…コウ)【伊勢講】 伊勢皇大神宮信仰者の講。掛け銭をして団体で神宮参詣を目的とするもので、毎月十六日頃、一度ずつ当番の家で宴会を行なう。室町時代以降盛んに行なわれた。「結解(けっげ)をやするーの銭」〈俳・犬筑波〉

いせかぐら【伊勢神楽】「代神楽(だいかぐら)」に同じ。「—の勧進禰宜」〈西鶴・織留四〉

いせごよみ【伊勢暦】 京都の陰陽家土御門家の暦の稿本によって、伊勢の暦師が刊行した細長い折本の暦。御師(おし)が大麻(たいま)と共に全国に配って歩いた。「年徳の神秘や開く—」〈俳・小町踊一〉

いせじま【伊勢縞・伊勢島】 ①伊勢松坂産の菅縞(すがじま)木綿。紺地に白・赤の菅糸を入れ、きれいな縞模様を織り出す。多くは女用。松坂木綿。「—の木綿着物(きるもの)の女房」〈西鶴・新吉原常常草上〉 ②伊勢の津・神戸・白子付近産の紺地の縞木綿。多く商家の奉公人用とされたので、丁稚・小僧の異名となった。「—の内は閻魔(えんま)を尊がり」〈雑俳・万句合宝暦九〉

いせぜに【伊勢銭】 伊勢参宮をする者が賽銭用に買った鉛製の薄い小銭。六十文を一緡(さし)にして百文として通用した。「鳩の目銭」「伊勢の宮銭」とも。「六十繫(つな)ぎの—」〈西鶴・三所世帯中〉

いせぢゃわん【伊勢茶碗】《伊勢で多く用いたのでいう》美濃国瀬戸で焼いた茶碗。近世初期茶道によく用いられた。伊勢天目(てんもく)。「床〔ニ〕開山墨跡、茶の後に—」〈宗達他会記永祿四・三・二三〉

いせびくに【伊勢比丘尼】 伊勢大神宮寺のため諸国を勧進し、かたわら色をも売った比丘尼。「—〔ノ勧進ノ声ヲ〕舌疾く写せ(真似ヨ)時鳥」〈俳・金剛砂上〉

いせぶし【伊勢節】「あひのやまぶし」に同じ。「—や山田に唄ふ早苗歌」〈俳・木玉集三〉

いせへいじ【伊勢瓶子】 伊勢産の瓶子。酢を入れるのに用いた。「—(伊勢平氏ト掛ケル)はすがめ(酢甕・眇)なりけりとぞはやされける」〈平家一・殿上闇討〉

いせまゐり【伊勢参り】 伊勢神宮に参詣すること。伊勢参宮。中世後期から盛んになり、近世では、一生に一度は参詣するものとされ、春が殊に多かった。「国国の数限りなき—銭やたまるの関路なるらん」〈玉吟抄〉

いせや【伊勢屋】 伊勢出身の商家。多く倹約家だったので、「けち」の隠語となった。また、伊勢出身の商家の屋号。「—は固く三河屋は大ふざけ」〈雑俳・万句合安永七〉

いせをどり【伊勢踊】 近世初期、伊勢に起り諸国に流行した踊。「これはどこ踊、松坂越えて伊勢踊…」などという歌に合わせて踊る。「今日より府中〔デ〕—と号し、諸人在在所所風流を致す」〈駿府記慶長二〇・三・二五〉

いせをのあま【伊勢をの海女】《ヲは強めの助詞》 伊勢の海女。その衣の袖は、いつも潮にぬれて、乾す暇もないものとされていた。「—の塩なれて」〈源氏空蟬〉。「塩たるる—の袖だにも乾すなる隙(ひま)はありとこそ聞け」〈千載八一四〉

いそ【磯】《イシ(石)・イサゴ(砂・砂子)と同根》 ①水中、水辺の岩石。「—の間(ま)ゆたぎつ山川絶えずあらば」〈万三六一九〉 ②岩の多い水辺。「—ごとに海人(あま)の釣舟泊てにけり」〈万三八九二〉 ③《沖に対して、⑵の浅近なことから》物事の未熟卑近な意。「〔剣術ハ〕千手万手にくだき、神を尽し妙を極むるも、〔精神ガ鍛錬サレテイナケレバ〕未だ—なり」〈沢庵垂示〉 ④《「富士は磯」の略》 比較にならぬこと。言うに足らぬこと。「見物(みもの)やと申すも—よ月の舟(月ニマサル見モノハナイ)」〈俳・小町踊三〉 †iso

いそ【五十】《イは五、ソは十》 五十。また、多数。「いそぢ」とも。「ふる雪は—かへり降れ」〈古今六帖一〉 →い(五・五十)

いそいそ《イソギのイソと同根》 勇み立つさま。かいがいしいさま。「履物(はきもの)のものくさげには見ゆれども—とこそ導きはせめ」〈一遍聖絵八〉

いそがく・り【磯隠り】『四段』《平安時代以後は下二段活用》 海辺の石のかげに隠れる。「—・りかがよふ(チラチラ光ル)珠を取らずは止まじ」〈万九五一〉 †isogakuri

いそがく・れ【磯隠れ】『下二』 海辺の石のかげに隠れる。人目につかぬ所に隠れるたとえ。隠棲する。「—・れける海人(あま)の心よ」〈源氏行幸〉

いそかげ【磯影】(水にうつった)岸の岩のかげ。「—の見ゆる池水」〈万四五一三〉 †isokagë

いそが・し【忙し】『形シク』《イソギ(急)・イソシ(勤)などと同根》 短い時間ですべき仕事が多くある時の緊張した気持をいう》 ①心せくさまである。急がずにはいられない。「例の〔ノンビリシタ〕心の癖なれば、—・しくしも覚えず」〈源氏宿木〉 ②すべき仕事が多い。「年の暮れつ方は対などには—・しく」〈源氏若菜下〉

いそがは・し(イソガワシ)【忙はし】『形シク』 ①気がせいて、先を急いでいる。「出家〔シタコトハ〕—・しといへども、忠節の志、ともに感ずるに堪へたり」〈十訓抄六ノ一七〉 ②気ぜわしい。気が気でない。「走りて—・しく、ほれて忘れたる事、人皆かくのごとし」〈徒然七五〉。「夜もあけなばと—・しく思ひて」〈伽・扇流し〉

いそがひ(…ガイ)【磯貝】 磯辺に寄せて見棄てられている貝。一枚ずつに離れているので、「磯貝の」で「片」にかかる枕詞になる。「玉にまじれる—の片恋のみに年は経につつ」〈万二七九六〉 †isogaFi

いそ・ぎ【急ぎ】 □一『四段』《イソヒ(勤)・イソイソなどと同根。仕事に積極的にはげむ意》 ①短い時間に事を仕上げようとする。「年の内にと—・がせ給ふ」〈源氏賢木〉 ②支度する。準備する。「かかる方の御営みも、もろ共に—・がむものとは思ひ寄らざりし事なり」〈源氏鈴虫〉 □二『名』 ①急ぐ状態。急なこと。「水鳥の立ちの—に」〈万四三三七〉。「あらぬ—先づ出で来て」〈徒然一八九〉 ②支度。用意。「御わ

ざの法服、御装束、何くれの—をも」〈源氏柏木〉 †iso-gi

急がば廻れ 危険な近道よりも安全な本道を廻った方が、結局早く目的地につくという意。「武夫(もののふ)のやばせの舟は早くとも—瀬田の長橋」〈雲玉和歌抄〉

—あり・き【急ぎ歩き】『四段』支度を整えるためにあれこれと立ちはたらく。「主人も肴(さかな)求むと…—・くほど」〈源氏帚木〉

—た・ち【急ぎ立ち】『四段』①事をせく。「右の大い殿には—・ちて八月ばかりにときこえ給ひけり」〈源氏宿木〉②支度にかかる。「人知れず—・ちて人人の装束せさせ」〈源氏東屋〉

—ののし・り【急ぎ罵り】『四段』大騒ぎして準備する。「女房達数多く—・る」〈栄花鳥辺野〉

—は・て【急ぎ果て】『下二』すっかり準備をすます。「その物どもを九月つごもりに皆—・ててけり」〈大和三〉

—み・ち【急ぎ満ち】『四段』誰もかれも忙しくする。「十月十六日御禊とて世の中—・ちたり」〈栄花布引滝〉

いそぐるひ(ルイ・グ)【磯狂ひ】素人女や下等な売女を相手にしての女道楽。「いそぜせり」とも。「惜しきは、あたら銀にて、—〔ト八〕何とぞ」〈西鶴・置土産三〉

いそ・し【勤し】『形シク』《イソヒ(勤)・イソギ(急)と同根》勤勉だ。かいがいしい。「黒木取り草も刈りつつ仕へめど—・しき奴(わけ)と誉めむともあらず」〈万七八〇〉。「いとか易く—・しく…立ち走り」〈源氏行幸〉 †isosi

—・み【勤しみ】『四段』①精を出す。よく勤める。「—・みて怠らざりしを」〈紀持統六年〉②「勤(いそ)し」と認める。勤勉である。働きがあると思う。「—・みうむがしみ(満足ニ思イ)忘れ給はずとして」〈続紀宣命一三〉 †isosimi

いそぜせり【磯ぜせり】「磯狂ひ」に同じ。「太夫や花お敵の浦は—」〈俳・太夫桜〉。「今諸大尽衰へ、せんかた波の—すれば」〈浮・三代男二〉

いそたる【五十足る】十分に足り整っている意で、「宮」をほめていう語。「—天の日栖(ひすみ)の宮」〈出雲風土記〉 †isotaru

いそぢ【五十】《イは五。ソは十。ヂは数詞の下に添える語で、一ッ二ッのツに同じ。ただし、後世、ヂを路(ち)の意に解して、五十歳の人生行路の意に使う例が多い》五十。五十歳。「たへなる歌、百(もも)ち余り—」〈後拾遺序〉。「—の春を迎へて家を出で世を背けり」〈方丈記〉

—のが【五十歳の賀】五十歳の祝い。「貞保のみこの后(きさい)の宮の—奉りける御屏風に」〈古今三五一詞書〉

いそな【磯菜】磯にあって食用になる海藻。「—摘むめざし(子供)濡らすな沖にをれ波」〈古今一〇九四〉

いそのかみ【石の上】①大和国布留(ふる)一帯の地名。「いすのかみ」とも。「—布留の山なる杉むらの」〈万四二二〉②〔枕詞〕布留の地名なので「旧る」「降る」にかかる。「—ふるとも雨に障らめや」〈万六六四〉③転じて、古いことをほのめかすのにいう。「—の世世経(へ)たる御願」〈源氏御法〉 †isonökami

いそば・ひ(バイ・ッ)『四段』《イは接頭語》たわむれる。「己(な)が父を取らくを知らに(知ラナイデ)—・ひ居るよ」〈万三三三九〉 →そばへ。 †isobaFi

いそ・ひ(イッ)【勤ひ・競ひ】『四段』《イソシ(勤)・イソギ(急)と同根》①一心にする。つとめはげむ。「筏に作り泝(のぼ)すらむ、〔人民ノ〕いそはく見れば」〈万五〇〉②先を争う。「頻の上に花開きて、春を—・ふに似たり」〈遊仙窟(醍醐寺本)鎌倉期点〉 →きそひ。 †isoFi

いそ・ひ(イッ)【い添ひ】『四段』《イは接頭語》添う。「向ひ居るかも、—・ひ居るかも」〈記歌謡四二〉 †isoFi

いそふり【磯触・磯振】磯辺にうちよせる波。「つねに速き浪ありて石を崩す。国人名づけて—と号(なづ)く」〈相模風土記逸文〉 †isoFuri

いそま【磯ま】《万葉集のイソミ(磯廻)のミにあたる万葉仮名「未」を「末」と写し誤り、それをマと読んだ結果生じた語》「いそみ」に同じ。「白波の寄する—を漕ぐ舟の」〈伊勢集〉

いそまくら【磯枕】川・海・池など、水辺の石を枕にすること。「織女の天の岩舟ふな出して今宵やいかに—する」〈堀河百首〉

いそまつ【磯松】石のある水辺に生える松。庭の池のほとりの松にもいう。「—の〔ヨウニ〕常にいまさね」〈万四四九八〉 †isomatu

いそみ【磯廻】《ミは湾曲すること、また、湾曲した所》①磯の曲がって入り込んだ所。「潮早み—に居れば」〈万一二三四〉②磯づたいにめぐって行くこと。「大君の命(みこと)かしこみ—するかも」〈万三六八〉 †isomi

いそめ・き【急めき】[一]『四段』急いだ動きを示す。「御扇出され候へと面面—・きあひて」〈参語集一〉 [二]『名』忙しく動くこと。怱劇。「この男の親にはかに死にたりとて、外より告げたりければ、その—に来ざりければ」〈古今集註〉

いそもじ【急文字】《文字詞》忙しいこと。「神の御身さへ、アア—の、まして流れの〔身ノ〕憂き節や」〈近松・生玉心中上〉

いそもと【磯もと】岸辺の岩のもと。「大海の—ゆすり立つ波の」〈万一二三九〉 †isomötö

いそもの【磯物】①磯で採れる物。「—などのはしばしも、いささか摘み集めて」〈十六夜日記〉②磯で獲れる小魚。「海近き此所には—にて埒を明けける」〈西鶴・胸算用三〉

いそや【磯屋】海辺にある漁師などの家。「玉藻葺く—がしたに漏るしぐれ」〈千載五二六〉

いそわ【磯廻】《万葉集のイソミ(磯廻)を誤読して平安時代以後に生れた語。→うらわ》磯の湾曲部。「波につきて—にいます荒神は汐ふむ巫覡(ねき)を待つにやあるらむ」〈山家集中〉

いた【板】①薄く平らに削った木材。「脇几(わきづき)が下の—にもがあせを」〈記歌謡一〇四〉。「漏る版(たい)を以て其の上におくべし」〈金光明最勝王経平安初期点〉②「いたじき」に同じ。「つややかなる—の端近う、あざやかなる畳一ひらうち敷きて」〈枕三六〉③俎板(まないた)。「白鷺を—に載せ出しければ」〈咄・昨日は今日下〉④板前。「こう、—は誰だ」〈滑・四十八癖二〉⑤丁銀(ちゃうぎん)。「銭屋が—をちゃんちゃんちゃん〔ト叩イテ鑑定スル〕」〈雑俳・軽口頓作〉⑥板状に固めたびんつけ油。板びんつけ。「—を一本と襟つけと」〈洒・錦之裏〉

いた【甚】『副』《極限・頂点の意。イタシ(致)・イタリ(至)・イタダキ(頂)と同根。イト(甚・全)は、これの母音交替形》甚だしく。ひどく。はげしく。「—泣かば人知りぬべみ」〈記歌謡八三〉

いたいけ《イタキ(痛)ケの音便形。ケは様子。見ると心が痛むほどに愛らしく思われる意》かわいらしいさま。可憐な様子。「門を細目に開け、—したる小女房、顔ばかりさし出して」〈平家六・小督〉。「この瓜の美しさよ。あはれこれほど—なる幼いものを持ちたらば、いかばかり嬉しかりなん」〈伽・瓜姫物語〉

—ら・し『形シク』いかにもかわいらしい。「上方衆のやうに—・しき声遣ひして…軽薄を云ふ事は」〈三河物語下〉

いたいた・し【痛痛し】『形シク』いかにもいたましい。ひどくかわいそうである。「—・しく父母を泣かしむる事なかれ」〈三体詩抄三ノ三〉

いたか 尊大なこと。高慢なこと。「よい位な人なれども—にない程によいぞ」〈周易抄〉。「尊、イタカ」〈温故知新書〉▽「異高」「異端」など漢字表記した例があるが、語源未詳。仮名遣いも「いたか」か「ゐたか」か未詳。

いたか【板書・移他家】《「板書き」の略という》供養のため、卒塔婆(そとば)に追善の文字を書いて川に流す「流れ灌頂」をすすめて歩いた乞食僧。「—。流れ灌頂流させ給へ」〈七十一番歌合〉

いたがき【板垣】 板で造った垣。板塀。「〔荒レタ邸ノ〕めぐりの見苦しきに、—といふもの、うちかため繕はせ給ふ」〈源氏蓬生〉

いだか・へ(イダカエ)**【抱かへ】**『下二』《抱キ合への約。合へは、相手の重み・大きさに、こちらの力を合わせる意》抱きかかえる。「女塗籠(ぬりごめ)の内に、かぐや姫を—・へてをり」〈竹取〉

いたがへし(イタガエシ)**【板返し・翻板】** ①板葺屋根の屋根板を裏返して葺き替えること。「不捨院いまだ—なくて、時雨・霰いかなるらむと思ふ夜に」〈宗長手記下〉②《転じて》かわりばえのしないこと。陳腐。「俳諧の道は数多に瓦葺き同じ小家の—何〔タル事ダ〕」〈俳・佐夜中山四〉。「たれもたれも云ひなれ聞きふれたる—の秀句」〈俳・かたこと五〉

いたかほつき(イタカオツキ)**【いた顔付】**《イタは「行った」の意》すっかり惚れたような顔付。ぞっこん参ったという顔付。「—をして見せたれば」〈西鶴・諸艶大鑑三〉

いたが・り【痛がり】『四段』①見事だと感心した様子をする。「一人も返しせず。…これ(コノ歌)をのみ—・り物をのみ食ひて夜更けぬ」〈土佐一月七日〉②痛い感じを様子にあらわす。「今や物突き迷ひ、頭を—・り狂ふ」〈今昔二八ノ一八〉

いだ・き【抱き】『四段』《ウダキ(抱)の転。ウダキはムダキの転。ムは身の古形。タキは腕をはたらかして何かをする意。従って、ムダキは相手の体を両手でかかえて締める意。ウダキは平安時代の漢文訓読語に多くの例があるが、平安女流文学ではイダキだけが使われた。その後ウダキは亡びてイダキだけが使われるようになった》①両手で相手をかかえる。「子を—・きつつ下(お)り乗りす」〈土佐二月九日〉②心の中に考えや感情を保つ。「深く慙恨(はぢうらみまつること)を—・く」〈紀神代下〉▽mudaki→udaki→idaki

いたけく【痛けく】《痛シのク語法》痛いこと。「—し(痛サガ)日にけに(日ゴトニ)まさる」〈万三九六二〉†itakeku

いたど【板子】 舟の舳(へさき)や艫(とも)で、板を横渡しして棚とし、船人が、その上に乗って舵を取り、櫓を押しなどする所。ふみたて板。ふだて板。「舟に—を入ると言ふ事有り。舟の上に板を置き、其の上に乗る事也」〈浮・誰袖の海三〉

いたどし【板輿】 屋形を白木の板で張り、前方に簾を垂らした輿。「ここかしこ物詣でし侍りし。新しき—始めて乗用す」〈再昌草一八〉

いた・し【致し】『四段』《イタは極限・頂点の意。イタリ(至)・イタダキ(頂)と同根》①極限まで行き着かせる。とどかせる。「一切の諸仏は自他を利益して究竟に—・したまへり」〈金光明最勝王経平安初期点〉。「水田四町賜ふ。その水田は曾孫に—・せ」〈紀持統四年〉②力の限りをつくす。つとめてする。「心ざしは—・しけれど」〈伊勢四一〉。「御心いとうるはしくおはします人の、信(信仰)を—・させ給ひしかば大菩薩のうけ申させ給へりけるにこそ」〈大鏡昔物語〉③結果としてもたらす。「我、愚癡にして知らざるが故に、羅漢の為に年来(としごろ)無礼を—・せり」〈今昔三ノ一八〉④「為(し)」「なし」の謙譲語。㋑《相手の行為に関して》し申し上げる。「その方(うは)のうち、誰(た)そ—・いたか」〈ロドリゲス大文典〉㋺《自己の行為に関して》する意の謙譲語。「罷り出たる者は、このあたりに住居—・す者でござる」〈虎明本狂言・張蛸〉㋩《他人の行為に関して》する意の丁寧語。「かの舞人は…この君に向ひ奉り、深く礼儀を—・し」〈伽・若みどり〉▽イタシ(致)は漢文訓読体に多く使われ、平安女流文学ではほとんど使わない。

いた・し【甚し】『形ク』①甚だしい。ひどい。「水穂の国は—・くさやぎてありなり」〈記神代〉②《下に打消の語を伴って副詞的に》たいして。「本歌に—・くかはらずや候らん」〈土御門院御集家隆批点〉

いた・し【痛し】『形ク』《神経に強い刺激を受けたときの感じで、生理的にも心理的にもいう》①苦しさを感ずる。「いとのきて(格別ニ)—・き傷には」〈万八九七〉。「秋といへば心ぞ—・き」〈万四三〇七〉②見る(聞く)に堪えない。「川隈のくそ鮒喫(は)める—・き女奴(めやつこ)」〈万三八二八〉③感に耐えない。なかなか見事である。「女(むすめ)かしづきたる家、いと—・しかし」〈源氏若紫〉。「〔男女ガ〕程程につけては、かたみに(互イニ)—・しなど思ふべかめり」〈堤中納言ほどほどの〉

いだ・し【出し】『四段』《イデ(出)の他動詞形。本来、境界の内にあるものに力を加え、それを境界の外から見えるようにする意》①外に行かせる。追い出す。「僧などしばし—・し給ひて〔客ヲ〕入れ奉り給ふ」〈源氏柏木〉。「はやはや暇をたふで—・させおはしませ」〈平家一・祇王〉②出発させる。つかわす。「大船を荒海(あるみ)に—・しいます君」〈万三五八二〉。「わが君をば、まして恵み給ひてむと、〔初瀬ニ〕—・し奉る」〈源氏玉鬘〉③人を帰す。「こしらへて—・してむ(帰ソウ)」〈源氏総角〉④人前におもむかせる。「宮仕に—・し給へりしに」〈源氏須磨〉⑤人に渡す。「〔歌ヲ書キ〕押包みて〔童ニ〕—・しつ」〈源氏常夏〉⑥提示する。さし出す。「深山花といふ題を—・されたりけるを」〈平家一・御輿振〉⑦見えるように外に表わす。「世の人聞きに、しばしこのこと—・さじと、せちにこめ給へど」〈源氏行幸〉。「衵(あこめ)のくれなゐならずは、おどろおどろしき山吹〔襲(がさね)〕を—・して(出シ衵ニ着テ)」〈枕二四七〉⑧㋑顔色に表わす。「降魔(まが)の相(怒リノ相)を—・して、つと見奉りつれば」〈源氏東屋〉㋺声に表わす。歌う。吟じる。「高砂を—・して謡ふ」〈源氏賢木〉⑨発する。はじめて…する。「又、火を—・されたりければ、風たちまちに異賊の方へ吹きおほひ」〈平家二・剣〉 **—あこめ【出衵】** 衵の裾を外から見えるように出して着ること。「直衣の長やかにめでたき裾より、青き打ちたる—して」〈宇治拾遺三二四〉 **—い・れ【出し入れ】**『下二』(家に)出入りさせる。「斯からむ人を〔婿トシテ〕—・れて見むに」〈源氏紅葉賀〉 **—うちき【出袿】** 袿の裾を外から見えるように出して着ること。「桜の直衣に—して」〈枕四〉 **—ぐるま【出車】** 簾の下から女房の衣の袖口や裾先を押し出して飾りとした牛車。「御迎への—ども十二、本所の人人乗せてなむありける」〈源氏宿木〉 **—た・て【出し立て】**『下二』①出立させる。出発させる。「京へ人—・て給ふ」〈源氏須磨〉②目立つ場に出す。「宮仕に—・てむと漏らし奏せしを」〈源氏帚木〉③歌い出す。「頭の中将、心づかひして—・てがたうす」〈源氏篝火〉 **—ぬ・き【出し抜き】**『四段』「だしぬき」に同じ。「此の事を聞きたらばよも参らじとて、—・きたるなり」〈春のみやまぢ〉

いたじき【板敷】 板を敷いた所。縁側にも室内の床(ゆか)にもいう。「いた」とも。「あばらなる—にふせりて」〈古今七四七詞書〉

いただ・き【頂き・戴き】 ㊀『四段』《イタはイタリ(至)・イタ

シ(致)のイタと同根。極限・頂点の意。ダキは「縮(た)き」で、腕を使って仕事をする意。頭のてっぺんを両手であれこれする意》①頭にのせる。「—・きてみづらの中に合へ巻かまくも」〈万四三七七〉②大切な物として崇め扱う。「勅旨(おおみこと)—・き持ちて」〈万八九四〉③(よい物を)授かる。「その力にて、人に生れ侍るべき功徳の近くなり侍れば、いよいよ悦びを—・きて、かくて参りたるなり」〈宇治拾遺五七〉④《「もらひ」の謙譲語。くれる人に対してへりくだっていう》頂戴する。「訴訟ことごとく叶うて、安堵の御教書を—・いて下(くだ)った」〈虎明本狂言・鏡男〉㊁『名』①頭の頂上。「私の君と思ひ申して—になむ捧げ奉るべき」〈源氏玉鬘〉②すべて、物の一番上の所。頂上。「駿河の国にあなる山の—」〈竹取〉③「いただきもちひ」の略。「幼子の春の初の—に官位は供へ上げつつ」〈新撰六帖四〉 †itadaki

—もちひ(イモチ)【戴き餅】幼児の頭に餅をいただかせてその前途を祝う言葉を述べる儀式。元日または正月の吉日に行なう。「今年正月三日まで、宮たちの御—に、日日にまうのぼらせ給ふ」〈紫式部日記〉

いたち【鼬】イタチ科の食肉獣。夜行性。俗信・諺などに使われることが多い。「—とかいふなるものがさるわざする、額に手をあてて」〈源氏手習〉。「鼬鼠、イタチ、状似レ鼠、能食レ鼠」〈色葉字類抄〉 **—の無き間の貂(てん)誇り** 自分より強い者の居ない所で得意になることのたとえ。「鼬無き間の鼠」とも。「十郎蔵人殿こそ—とかやのやうに、院の切人(きりびと)して院宣を給はり」〈盛衰記三三〉 **—の間(ま)** 「鼬の無き間の貂誇り」に同じ。「やむごとなき人あまた候ひ給ふと承れば—無き心ちしてなむ」〈宇津保菊宴〉 **—の道切り** イタチが前を横切ると、交際が絶えたり、音信が絶えたりするといって忌む俗信。また、往来・交際の絶えることのたとえ。「鼬の道」とも。「雀の小踊り、—」〈近松・百合若四〉 **—眉目(みめ)良し** イタチが出た時の呪文。イタチの顔は醜いので、反対に言って凶事を避ける。「—ま一度来い顔見う(見ヨウ)と、世話に云ふ」〈咄・醒睡笑八〉

いた・ち【い立ち】『四段』《イは接頭語》立つ。「行き寄りて—・ち嘆かひ」〈万一八〇一〉

いたつ【已達・異達】その道に通達していること。「—の後なほ憚(はばかり)あり。況んや初心に於てをや」〈初心求詠集〉。「已達、イタツ、堪其道也」〈塵芥〉

いたつかは・し(イタツカワシ)【労かはし】『形シク』《動詞イタツキから派生。室町時代以後はイタヅガハシと濁音》わずらわしい。いかにも骨折りである。面倒である。「『身にいたつきの』と詠みたるは、花を惜しと思ふ心なむ、堪へがたく、—・しう、苦しう、煩はしう、悩ましきといへるなるべし」〈古今序注〉。「ただ世の—・しきをいとひて衣を墨に染め」〈伽・為人びくに〉。「煩・労、イタツカハシ」〈名義抄〉。「労・煩、イタヅガワシ」〈文明本節用集〉

いたつき【板付】①屋内の板を敷いた所。板の間。「独り小風呂の槙(まき)の—」〈俳・投盃〉②歌舞伎で、幕が開いた時すでに役者が舞台で位置についていること。また、その役者。主に少年役者。「蒲鉾(かまぼこ)」とも。「—は多聞〔天〕増長〔天ニ扮シテ〕ただならぬ〔姿ダ〕」〈俳・遠舟千句付〉

いたつき【平題箭】先のとがっていない練習用の矢じり。「雉羽、伊多都伎(いたつき)七隻」〈正倉院文書天平勝宝八年〉。「はやく左の目に—立ちにけり」〈宇治拾遺一八九〉

いたつ・き【病き・労き】㊀『四段』《イタはイタミ(痛)・イタハリ(労)などのイタと同根。痛みの加わる意。身心を煩わす意。室町時代以後イタヅキと濁音》①病気になる。「一時(もろとき)に—・きぬ」〈紀雄略二十三年〉。「イタヅキマイラセソロ」〈日葡〉②骨を折る。気を配る。「〔葬儀ノコトナド〕—・く人多くて皆し果てつ」〈かげろふ上〉③力を労する。「帆船波に随ふ。檝楫(かぢかい)を—・かずして、便(すなは)ち新羅に到る」〈紀神功摂政前〉④世話をする。「かくて、〔女ハ男ヲ〕ねむごろに—・きけり」〈伊勢九六〉㊁『名』①病気。「咲く花におもひつくみのあぢきなさ身に—の入るも知らずて」〈古今序〉②苦労。骨折り。「その—限りなし」〈大和一四七〉 †itatuki

いたづら【徒ら】《当然の期待に反して、無為・無用で、何の役にも立たないことが原義》①なにもすることがない状態。ひま。「時の盛りを—に過ぐしやりつれ(スゴシタノデ)」〈万三九六九〉。「船も出さで—なれば〔歌ヲヨム〕」〈土佐一月十八日〉。「又—に、いとまありげなる博士ども召し集めて〔文作リナドスル〕」〈源氏賢木〉②あいている状態。「南の町には—なる対どもなどもなし」〈源氏玉鬘〉③役に立たない状態。「秋の草をも掘り移して〔誰モ聞カナイカラ〕—なる野辺の虫をも住ませて」〈源氏薄雲〉④期待しただけのこともない状態。むだ。「〔眉ヲ搔クト恋人ニ逢ウトイワレルノニ〕いとのきて薄き眉根を—に搔かしめつつも逢はぬ人かも」〈万二九〇三〉。「かく濡れ濡れ〔恋シイ人ノモトヘ〕参りて—に帰らむ愁へを」〈源氏橋姫〉⑤(役にも立たぬことをする)よくない性質。「そなたは—な人ぢゃ」〈虎寛本狂言・比丘貞〉⑥ふしだら。不品行。淫奔(いんぽん)。また、浮気、好色。「かやうの—なる者は」〈どちりなきりしたん一一〉 **—ぐるひ**(イグルイ)【徒ら狂ひ】情事に耽ること。「大酒・—致す間敷き事」〈上杉家文書三、慶長一七・八・一三〉 **—ごと**【徒ら言】無意味なことば。言ってみてもはじまらないこと。「つれづれと—をかき集(こ)めて」〈千載一一五七〉 **—ごと**【徒ら事】①無意味なこと。つまらないこと。「源空もはじめはさる—したりき」〈一言芳談〉②みだらなこと。うわついたこと。「それに引きかへわたくしは—の心から」〈人情・娘節用五〉 **—じに**【徒ら死】無駄死。犬死。「敵(かたき)ある者に行きつれて、—する者はなきやはある」〈今昔二六ノ七〉 **—にな・る** むなしく終る。死ぬことなどにいう。「—・る人多かる水(宇治川)に侍り」〈源氏浮舟〉 **—ね**【徒ら寝】寝るかいのない一人寝。「人待ちて泣きつつ明かす夜な夜なは—にもなりぬべきかな」〈伊勢集〉 **—びと**【徒ら人】①役や地位を離れて無為な人。用のない人。「—をばゆゆしき者にこそ思ひ捨て給ふらめと」〈源氏明石〉②ろくでなし。「武帝の兄でおりやったぞ。うでこきだてをめさるる人で—であったぞ」〈蒙求抄六〉③廃人。「かのさうじみはとてもかくても—と見え給へば」〈源氏真木柱〉④死んだ人。「只今は又—に見なし奉るべきにやと」〈源氏夕霧〉⑤「いたづらもの」(4)に同じ。「都の—須磨に流され」〈西鶴・男色大鑑二〉 **—ぶし**【徒ら臥し】「いたづらね」に同じ。「いかなりし時くれ竹の一よだに—を苦しといふらむ」〈拾遺八〇四〉 **—もの**【徒ら物・徒ら者】①無用のもの。無益のもの。「余仏余教みな—なりとて」〈沙石集一ノ一〇〉②役に立たぬもの。また、怠け者。「又、生得の—もあり」〈筑波問答〉。「我は無能が幸で—なれば、いつも閑(しづか)なぞ」〈三体詩抄一ノ三〉③不心得者。ろくでなし。ならず者。「酒を好み、博奕に心を入るる程に、取り所なき—に生ひ立つなり」〈十訓抄七序〉。「—の無法をおこす事は叶はぬぞ」〈天草本金句集〉④悪ふざけをする者。「さる—の云ふ…『目の細きが難ぢゃ。…目尻を剃刀にて切りひろげ』」〈咄・昨日は今日下〉⑤ふしだらな者。淫奔な者。また、浮気。好色。「廓(くるわ)第一の—なり」〈評判・難波物語〉 **—や**【徒ら屋】何にも使っていない建物。あきや。「平野は、—のありしを、

『なにするところぞ』と問ひしに」〈枕二八七〉

いた・て【射立て】『下二』①矢を命中させ、突き立たせる。「よく引きて〔相手ノ〕背に矢を―・てたりけり」〈雑談集六〉②続けざまに矢を射て攻める。「小林が兵―・てられ、馬の足を立てかねて」〈明徳記上〉

いたで【痛手】《上代ではイタテと清音。「薄手(うすで)」の対》重傷。「―負はずは」〈記歌謡三八〉。「薄手負うて戦ふもあり、―負うて討死するものもあり」〈平家九・坂落〉↓ふかで

いたてんじん【板天神】《板で作った天神像の意から》人の姿のしなやかでないことのたとえ。「板ぼとけ」とも。「絵馬(ゑま)にて―よ梅の花」〈俳・晴小袖一〉

いたと【板戸】板張りの戸。「をとめの寝(な)すや―を押そぶらひ我が立たせれば」〈記歌謡二〉 †itato

いたどり【虎杖】山野に自生するタデ科の多年草。花は白色または淡紅色の穂状。「―はまいて虎の杖(つゑ)と書きたるとか。杖なくともありぬべきかほつきを」〈枕一五四〉。「虎杖、イタドリ」〈名義抄〉

いたど・り【い辿り】『四段』《イは接頭語》たどる。「をとめらがさ寝(な)す(オヤスミノ)板戸を押し開き―・り寄りて」〈万八〇四〉 †itadori

いたのもの【板の物】板を芯(しん)にして、平たく畳んだ絹織物。綾・練り縞・紋縞などを厚板、纐(しじら)・片色(かたいろ)などを薄板という。「織物には、金襴・緞子・綾錦…巻絹・―に至るまで」〈伽・花世の姫〉

いたは・し【労はし】(イタワシ)『形シク』《イタは痛。イタハリと同根。いたわりたいという気持》①(病気だから)大事にしたい。「己が身し―・しければ…うち臥(こ)い伏して」〈万八八六〉②大切に世話したい。「親などのかなしうする子は〔他人カラモ〕目たて耳たてられて、―・しうこそおぼゆれ」〈枕二六七〉。「〔藤壺ノ生ンダ我ガ子ガ〕ゆゆしううつくしきに…〔源氏ハ〕いみじう―・しう覚え給ふぞあながちなるや(勝手ナモノダ)」〈源氏紅葉賀〉③もったいない。惜しい。「愚かに医療を―・しうせむや(惜シミハシナイ)」〈平家三・医師問答〉④気の毒である。かわいそうだ。「世を捨つる御身といひながら御―・しうこそ」〈平家灌頂・大原御幸〉 **―・み**【労しみ】『四段』気にかける。大事に思う。「誰が言(こと)を―・みかも」〈万三三三九〉 †itaFasimi

いたは・り【労はり】(イタワリ) ㊀『四段』《相手をいたわしく思って、大切にする意。↓いたはし》①(気を配って)世話をする。大切にする。「諸の種子を以て荒田に植ゑて…勤め―・り務(さを)め」〈地蔵十輪経一・元慶点〉。「〔親ガ〕この人よく―・れといひやれりければ…〔娘ハ〕いとねむごろに―・りけり」〈伊勢六九〉②(気を配って)養う。(心にかけて)役職の世話をする。「『内侍のすけ、あきたるに〔私ノ娘ヲドウゾ〕』と申させたれば、〔源氏ハ〕『さもや―・らまし』と」〈源氏少女〉。「かの常陸の子どもは…わが御つかさの将監になしなど〔薫ハ〕―・り給ひけり」〈源氏手習〉③休養する。「さる馬は…此のほど余りに乗り損じて候ひつる間、しばらく―・らせ候はんとて田舎へつかはして候」〈平家四・競〉④介抱する。看病する。「やがて馳せ帰りて、相具して、さまざまに―・り」〈沙石集三ノ四〉⑤病気になる。「父にて侍り候ひし者、―・る事候ひしかば、看病なんど仕るとて」〈沙石集一〇ノ一〉 ㊁『名』①(傷みはしないかと)大切に扱うこと。「さてこの―なき(破レテ惜シクナイ)白妙の衣は」〈源氏初音〉②(心を配ってする)就職の世話。(目をかけてする)引き立て。「君だちも―望み給ふことありて」〈源氏葵〉。「殿上人、蔵人などぞ、これかれ御―にて皆なりぬ」〈宇津保国譲下〉③工夫。造作。「何の―もなく建てたる寝殿の、事そぎたるさま」〈源氏松風〉④つくろい。作為。「事事しうかしこげなる筋をのみ好みて書きたれど、筆のおきて(筆法)澄まぬ心地して、―加へたる気色なり」〈源氏梅枝〉⑤病気。「今は〔出家ノ作法ハ〕かばかりにして〔浮舟ノ〕―やめ奉り給へ」〈源氏手習〉⑥《天皇のために、心を配って勤め労する意から》功績。「〔大三輪ノ神イワク〕吾が在るに由りての故に、汝其の大きに造る績(いたはり)をなすこと得たり」〈紀神代上〉。「壬申の年の功(いたはり)を以て、大錦中位を贈(おひたま)ふ」〈紀天武十二年〉 ▽(6)は書紀の傍訓だけに見える。

いたび【木蓮子】クワ科の常緑灌木。暖かい地方の山地に自生する。イチジクに似た小さい卵形の実がなり、熟すると黒くなり食べられる。「木蓮子、此をば伊梅寐(いたび)といふ」〈紀安閑一年〉 †itabi

いたびさし【板廂】板で作ったひさし。「播磨路や須磨の関屋の―月漏れとてやまばらなるらむ」〈千載四九八〉

いたふき【板葺】板で屋根を葺くこと。また、その屋根。「―の黒木の屋根は」〈万七七九〉 †*itaFuki

いたぶら・し【甚振らし】『形シク』《イタブリの形容詞形》ひどくゆれて、おちつかない。「波の穂の〔ヨウニ〕―・しもよ昨夜(そき)独り寝て」〈万三五五〇東歌〉

いたぶ・り【甚振り】『四段』①ひどくゆれる。「風をいたみ(風ガハゲシイノデ)―・る波の」〈万二七三六〉②おどしてせびる。ゆする。「言はうかと下女を―・る樽拾ひ」〈雑俳・万句合安永二〉

いたま【板間】板と板とのすきま。多く、粗末な家、荒れた家の板屋根で月光などの漏れるのにいう。「―あらみ降る春雨の漏りやしぬらむ」〈古今一〇〇二〉。「ふるき軒の―より漏る月影」〈平家三・少将都帰〉

いたま・し【痛まし】『形シク』①(我が身が痛むほどに、相手が)かわいそうである。「子なき人をば―・しき事とす」〈今昔一ノ一五〉②つらい。迷惑である。「―・しうするものから(迷惑ソウニシナガラモ)下戸ならぬこそ男はよけれ」〈徒然一〉

いたまへ【板前】(エ:マ)料理場。また、料理人。「板」「板元」とも。「かう云っちゃあ―でも働いたやうだが」〈洒・遊僊窟烟の花〉

いた・み【痛み】㊀『四段』①痛いと感じる。「五瀬命の矢の瘡―・みますこと甚だし」〈紀神武即位前〉。「傷、イタム」〈名義抄〉②強く悲しむ。心痛する。「慈の心を起して悽(なか)しび―・み愍み念ひて」〈金光明最勝王経平安初期点〉。「怛、イタム」〈名義抄〉③苦痛・難儀とする。「海底に沈まん事を―・まずして、屍を鯨鯢(げいけい)の鰓(あぎと)にかく」〈平家二・腰越〉④迷惑に思う。「いたう―・む人の、強ひられて少し飲みたるもいとよし」〈徒然一七五〉⑤物にきずがつく。そこなわれる。「再び実なる木は、其の根必ず―・むと見えて候」〈平家二・烽火〉⑥飲食物などが腐る。「コノサケガイタウダ」〈日葡〉⑦費用がかかる。損をする。「借し損しても―・まぬ程の〔身代〕」〈西鶴・好色盛衰記五〉 ㊁『名』①苦痛。心痛。「死生の巨(おほ)きなる―有り」〈地蔵十輪経序・元慶点〉。「我が身に病を受くる時には、―たへがたくして」〈孝養集上〉②心配。苦労。骨折り。「この人を奪ひ取らむ事、何の―か侍るべき」〈伽・鶴の翁〉③失費。「話の種に〔夢ヲ買ッテ〕南一(二朱銀)―と出ようか」〈黄・見徳一炊夢上〉 †itami **―い・り**【痛み入り】『四段』相手の親切・好意などに恐縮する。恐れいる。「大人数、寺家の煩ひ―・る」〈看聞御記永享六・一・三〉

いた・み【い廻み】『上二』《イは接頭語》めぐる。「丘の岬(さき)―・むるごとに」〈万四〇八〉 †itami

いたみざけ【伊丹酒】銘酒として有名な、摂津国伊丹地方産の清酒。伊丹諸白(もろはく)。「奈良諸白・―」〈伽・かくれ里〉

いため【板目】①板と板との合せ目。「葺(ふ)ける―の合はざらば」〈万二六五〇〉②《「柾目(まさめ)」の対》板の木目の平行に通っていないもの。「御笏の上吉と仰せ有るは、皆―也」〈富家語〉　†itamë

いた・め【痛め】『下二』心身に苦痛を与える。「愚老の心を―・むべからず」〈雑談集七〉

いためがはワ:ガ【撓革】膠(にかわ)水に浸した後、鉄鎚で打ち固め乾した革。「面面に持楯をはがせ、その面に―を当て、輒(たやす)く打ち破られぬ様にこしらへて」〈太平記三・赤坂城軍〉

いためじほオ:ジ【炒塩】焼き塩。「文字(漢字)に書きてあるやう(理由)あらめど心得ぬもの。―、衵、帷子」〈枕一本四〉

いためつ・け『下二』いかめしくする。固苦しくする。「髭(面デ)十面(渋面)切り、声の―・けたる使者男」〈浄・源氏長久移徙悦一〉

いたも【甚も】『副』はなはだしくも。全く。「思ひあまり―すべなみ」〈万一三三五〉　†itamö

いたもと【板元・板本】①料理場。また、料理人。「板」「板前」とも。「仙洞より、―一人、御料理の諸具、御里坊に遣はさるる也」〈隔蓂記万治一・三・一〇〉②江戸の岡場所で、頭だった遊女。「板頭(いたがしら)」とも。「女郎おとま。ここの内の―なり」〈洒・辰巳婦言〉

いたや【板屋】屋根を板で葺いた建物。また、その屋根。「くまなき月影、ひま多かる―残りなく漏り来て」〈源氏夕顔〉

いたやき【板焼】魚・鳥の肉を薄く切り、味をつけ、杉の薄板に並べて焼いた料理。「杉焼」「へぎ焼」とも。「鳫の―に赤鰯を置き合はせ」〈西鶴・一代男八〉

いたやぐし【痛矢串】《クシはさすもの》痛くつきささった矢。「―を負ひたまひき」〈記神武〉

いたら・せ【至らせ】『下二』《セは使役の助動詞。極限をきわめる意から》気取る。上品ぶる。転じて「至らし」とも。「大坂の色町(デハ局女郎ノ区分ヲ)月・影・汐と云ふ事、少し―・せける」〈西鶴・新吉原常常草上〉

いた・り【至り・達り・及り】㊀『四段』《イタは、イタシ(致)・イタダキ(頂)・イタ(甚)と同根、極限・頂点の意。時間・程度・道程などについて、出発点から徐徐に進んで最高の度合に達し、きわまる意》①極限に達する。きわまる。「天地の―・れるまでに杖つきもつかずも行きて」〈万四三〇〉。「これは徳―・りたる翁どもにて候」〈大鏡道長〉②届く。行きつく。「渡守舟渡せをと呼ぶ声の―・らねばかも楫の音のせぬ」〈万二〇七二〉③及ぶ。足りる。「天地に少し―・らぬ大夫(ますらを)と思ひしわれや(恋ノタメニ)雄心も無き」〈万二八七五〉④隅隅まで行きわたる。「嘉(よ)き名、あまねく―・り、衆に欽仰せられむ」〈金光明最勝王経平安初期点〉⑤(ある時・程度・位などに)達する。「露霜の秋に―・れば」〈万四〇一一〉。「幼きより長(ひとと)なるに―・り」〈霊異記上一一〉▽「…より…に至り」の形で多く使われた。院政時代頃から「…へ至り」の形が見られる。平安女流文学ではあまりこの語を使わない。漢文訓読体の語とされていたらしい。㊁『名』①きわまったところ。この上ないこと。「天にのぼりてその誠(まこと)の―を申す」〈紀神代下〉。「これを知らざるは、疎学の―なり」〈正法眼蔵深信因果〉②隅隅までとどかせること。行きとどいていること。心づかい・学問などの深さにいう。「心の―少なからむ絵師はえ書き及ぶまじ」〈源氏明石〉③致せるわざ。結果。「真田が子供にてあるならば、若気の―さし置き給へ」〈吾妻記〉㊂『接頭』至極の。最上の。「―遊び」「―上戸」「―染め」「―大臣」「―者」「―後家」など。「―床(こと)に仕掛け」〈西鶴・男色大鑑八〉

―ぜんさく【至り穿鑿】贅沢を極めた好み。「人の心、よろづにつけて―」〈西鶴・男色大鑑四〉　**―ぢゃや**【至り茶屋】最上の色茶屋。「南江(道頓堀)の―に遊んで」〈西鶴・置土産五〉　**―て**【至りて】『副』甚だしく。きわめて。いたって。「我が小子の偏(ひとへ)に―愛(め)ぐいまししは」〈金光明最勝王経平安初期点〉。「しかれども、慈悲―深きが故に」〈著聞三七〉。「紅は赤の―の色、緑は露草色なり」〈古今私秘聞〉　**―ものがたり**【至り物語】風流至極な話。「―二つ三つ」〈西鶴・一代女一〉　**―れうり**リョウ:【至り料理】贅沢至極の料理。「今日ぞ月―の隈も無く」〈俳・七百五十韻〉

いたゐ【板井】板で囲った井戸。「わがかどの―の清水」〈古今一〇七九〉

いたをしき【板折敷】食器をのせる四角な盆の一種。「露さむき不破の関屋の―」〈俳・犬筑波〉

いち【一】㊀『名』①(順位や序列の)第一。最高。「一二三にては死ぬともあらじ。―にてをあらむ」〈枕一〇一〉②(順番の)一番。最初。「―の舞いとうるはしう」〈枕一四二〉③最もすぐれていること。「人に―に思はれずは何にかはせん」〈枕一〇一〉④《主として漢語の助数詞を伴って数の基本を表わす》ひとつ。ひと…。「大王用し給はばこの菓子(くだもの)を―駄奉らむ」〈今昔五ノ一六〉⑤髷(まげ)の、髻(もとどり)を後へ折り曲げて前へ折り返した部分。「―が上がり過ぎたじゃアないかネ」〈滑・浮世風呂三上〉㊁『副』いちばん。最も。「いっち」とも。「十二諸侯の中には、―、齊(せい)をこはがったぞ」〈史記抄一〇〉。「心の上手になりたるが、―わろき也」〈正徹物語下〉。「上着とは、―上に着られ候小袖の事にて候」〈諸大名出仕記〉　**―の裏は六**　さいころの一の目の裏は六の目であるように、凶あれば吉あり、善あれば悪ありのたとえ。「―、悪の裏は善なり」〈仮・竹斎上〉

いち【市】①人が多く集まって物の交換や歌垣などを行なう場所。藤原京や平城京・平安京には物の売買・交換のために東西の市が設けられ、市司(いちのつかさ)が置かれて監督に当った。平安時代以降、地方では寺社の門前や交通の要所に、定めた干支(えと)の日に開かれる辰市(たついち)・酉市(とりいち)などが発達し、後に、三の日、八の日など、月に三度開かれる定期市ができた。「西の―にただ一人出でて」〈万一二六四〉。「なかごろは、よき人人―に行きてなむ色好むわざはしける」〈大和一〇三〉②まち。市井。「―にありて経を聞く」〈正法眼蔵恁麼〉　**―に立・つ**　市場で物を売る。「牢人の姿を変へて―・ち」〈俳・懐子一〇〉　**―を為(な)・す**　人が多く群れ集まる。「京中の人―・して集まりて」〈今昔二四ノ二〉

いち【逸】すばやく、ほしいままに行動する意。「心―にておはせし殿にて」〈大鏡兼通〉。「逸、イチナリ」〈色葉字類抄〉

いち【五千】五千。「食封(へひと)―戸(こ)」〈続紀宣命二〉

いぢ【意地】《「意」は思量、「地」は存在する場所。いろいろな思量・情意のはたらく所の意》①(根本的な)性格。根本。「天性―が悪きぞ」〈古活字本論語抄一六〉②感受性の根本。歌人としての根本的な力。「骨(こつ=勘ノ働キ)のある人は、―によりて句がらの面白きなり」〈連理秘抄〉。「定家は俊成のかかりに似ず。為家は定家のかかりに似ず。されどもみな天下一の堪能なり。―はゆるぐことなし」〈十問最秘抄〉③我意。わがまま。「われわれ累年―を張って長慶にしたがはず」〈室町殿日記七〉　**―に掛か・る**　是非とも自分の意志を通そうとする。意地を張る。いこじになる。

「見たがるは—・るや月の雲」〈俳・後撰犬筑波三〉

いちあし【逸足】はや足。馬についていう。「駿足、イチアシ、馬」〈文明本節用集〉 **—を出(だい)・す** 馬をはや足で走らせる。「頼光を先に立てて—・し駒にむちを打ち添へ」〈伽・羅生門〉

いちいち【一一】①ひとつひとつ。「はべりし様(ちゃう)しかじかと—に申させたまへば」〈栄花若ばえ〉②ひとりひとり。それぞれ。「仰せごと、侍ひの人人、或いは刀自・ひすましなど—に言ひわたす」〈栄花若ばえ〉

いちう【一宇】《「宇」は家の意》一軒。「坊舎—も残さず焼払ふ」〈平家一・鵜川軍〉

いちえ【一衣】一枚の衣。特に、僧衣にいう。「僧は—一鉢の外は財宝を持たず」〈正法眼蔵随聞記四〉

いちえいいちらく【一栄一落】《草木が春に花咲き、秋に落葉することから》栄える時があれば衰える時がある、この世のさだめ。「—是れ春秋」〈菅家後集〉

いちがい【一概】①一様。ひとしなみ。「それを—に信ずるが悪い事なり」〈御書抄三〉②勝手。頑固。「イチガイヲタツル」〈日葡〉。「昔、—なる人ありて、言ふやうは」〈咄・日待咄上〉

いちがう(ウ:ゴ)【一毫】毛一筋。ほんのすこし。「まして滅度の後、—の煩悩をも断ぜず」〈日蓮遺文主師親御書〉。「如来の本誓は—も誤まり給はずと云へり」〈西方発心集下〉

いちがのながれ【一河の流れ】仏教のたとえで、見知らぬ旅人同士がたまたま同じ川の流れの水を汲むというような、現世におけるかりそめの間がら。「まことに—を汲んで他生の縁ある旅人に」〈謡・田村〉

いちがんのかめ【一眼の亀】「浮き木の亀」に同じ。「—の浮き木の穴にあへるが如し」〈日蓮遺文聖愚問答鈔上〉

いちぎ【一義】一つの意味。また、一通りの意義。「あらあら〔ザット〕—を顕すべし」〈謡・賀茂〉

いちぎ【一儀】①一つの事柄。「もっぱらなる—とは何事ぞと申すに」〈バレト写本〉②例の事。あの事。「かくして、—を頼む由、ひそかに仰せ出されける」〈室町殿日記一〇〉。「嫌なる物。…—の後、添ひ寝の女」〈仮・犬枕〉

いちぎ【一議】①ただ一度の評議。「二十余人の侍共、—にも及ばず、『皆御定に随ふべし』とぞ申しける」〈太平記一〇・亀寿殿〉②一言。一意見。「—も申さず畏って領掌す」〈太平記三・広有〉

いちぐ【一具】①道具のひとそろい。「物を必ず—に整へむとするは、つたなき者のする事なり。不具なるこそよけれ」〈徒然八二〉②同列。ひとしなみ。「—に言ひなして平懐する事、すこぶるいはれなし」〈後鳥羽院御口伝〉

いぢくさり【意地腐】心がねじけていて他人を苦しめる者。意地悪。「いぢくっさり」とも。「—待つに来ぬこそ時鳥」〈俳・敝帚三〉

いぢくね【意地拗】心がねじけていること。ひねくれた性格。「梶原(景時)が—に似ぬ箙梅(えびらうめ)(箙ニ梅ヲサシテ戦ッタ)」〈雑俳・よせだいこ〉

いちぐら【肆】《クラはアメノイハクラ(天磐座)・ネグラ(塒)・アグラ(胡床)などのクラと同じく地面から離れて高くなった場所》市で、交換・売買するために物を並べる台。「市肆、伊知久良(いちぐら)」〈華厳音義私記〉。「廛、イチグラ」〈名義抄〉▽平安時代に入ってから濁音化したものか。

いちげ【一夏】一期間の夏安居(げあんご)。「—の間を勤めつつ、昼夜に信心怠らず」〈梁塵秘抄四八〉→あんご

いちげん【一見】①初めて対面すること。初対面。「大方人間の心は、—にて見ゆるなり」〈仮・若衆物語下〉②遊里で、初めてその遊女を相手に遊ぶこと。初会。「揚屋も—にして」〈浮・傾城武道桜三〉

いちこ【降巫】《イチは巫女をあらわす語、コは子》巫女。「あづさみこ」「あがたみこ」などもその一つ。「白き千早(ちはや)を着、鈴うち振りて、あら面白の竈神(かまがみ)やと、東歌を歌ひ舞ふ女巫子を、—とも、竈払ひとも言へり」〈咄・初音草咄大鑑三〉。「降巫、イチコ、又云、県神子(あがたみこ)」〈書言字考〉

いちご【苺】バラ科の小灌木、または多年草。実は食用。実の形がとがった盆を伏せたようであるところから、古くは「覆盆子」をイチゴと訓む。「見るにことなることなきものの、文字に書きてことごとしきもの。—」〈枕一五四〉。「覆盆子、イチゴ」〈名義抄〉

いちご【一期】①生きている間。一生。「僧都—の間、身に用ゐる所」〈平家三・有王〉②死ぬまで。「その時より高田の顕智は、—舟に乗らず、くさびら食はずといふなり」〈空善記〉。「今までせぬほどに、もはや—すまじきなり」〈耳底記〉③死ぬ時。臨終。「〔鈴木三郎重家ハ〕藤代(ふぢしろ=地名)出ては—と定むる」〈俳・投盃〉

いちこつでう(ヨウ:ヂ)【壱越調】《イチコチデウとも》雅楽の六調子の一。壱越(今日の洋楽のニに近い音)を基音とする音階。「—の心に『桜人』あそび給ふ」〈源氏椎本〉

いちごふ(ウ:ゴ)【一業】一つの業因。「御菩提をもとぶらひ奉り、—をもうかび給ふかと思ふにこそ」〈平治下・頼朝遠流に宥めらる〉→ごふ(業) **—しょかん**【一業所感】前世の業因を同じくする人人が、現世で同じ報いを受けること。「—の御事なれば、よも叶ひ候はじ」〈平家三・六代〉

いちこゑにふし【一声二節】「一声二節三臓」に同じ。「三命の事、只声・只節・只拍子これ也。—と申すもこの心也」〈宗筠袖下〉 **—さんざう**(ウ:ツ)【一声二節三臓】歌の上手に必要な条件をいう。第一に声のよいこと、第二に節廻しに巧みなこと、第三に肺臓が強く息の長く続くこと。「—(馬方ノ名三蔵ニ掛ケテ)やい」〈落葉集四〉

いちざ【一座】①第一の上席。「さて諸僧、—より次第に鉢を飛ばせて物を受く」〈宇治拾遺一七三〉②一つの興行を行なう役者たちの一団体。「—建立の棟梁」〈風姿花伝〉③説法・講演などのための一回の集り。一席。「大仏の御供養に、—の御説法は、すげなき御事にこそ候はんずれ」〈伽・大仏供養物語〉④連歌・俳諧を興行する座。また、その座で詠んだ作品一巻。「すべて—の連歌に、いたく同事の多かるは悪き事也」〈八雲御抄一〉。「—を張行(興行)せんと思はば、先づ時分を選び、眺望を尋ぬべし」〈連理秘抄〉⑤同席。同座。「〔中国ノ美人〕韓娥(かんが)・虞公に—したる心地す」〈仮・東海道名所記一〉 **—あそび**【一座遊び】遊里で、二人以上の客が、各〻の相方(あひかた)を連れて、一座に参会して遊興すること。「—は如法(によほふ=尋常)めく」〈近松・油地獄下〉 **—いっくもの**【一座一句物】〔連俳用語〕一座、すなわち連句一巻の中で一句しか使えない言葉。「—、若菜・藤・山吹・杜若」〈連理秘抄〉 **—きり**【一座切り】その場その時限り。「—に興をあらせ」〈西鶴・男色大鑑五〉 **—ながれ**【一座流れ】その時その場限り。「二三度は—の御遊び」〈近松・賀古教信一〉

いちさかき【柃】ヒサカキの古名か。ツバキ科の常緑小喬木。赤黒い小さな実がたくさんなる。一説、イチはイツ(厳)で、普通の榊(さかき)をいう。「—実の多けくを」〈記歌謡九〉 †itisakaki

いちし【壱師】タデ科の植物「ぎしぎし(羊蹄)」の古名かという。「道の辺の—の花のいちしろく」〈万二四八〇〉。「羊蹄、イ

チシ」〈書言字考節用集〉

いちじ【一字】 ①一つの文字。「もし南無阿彌陀仏と六字まで唱ふる事あたはずは、阿彌陀の阿といふ―を唱へ給へ」〈孝養集下〉 ②諱(いみな)の一字。主君から一字を賜わって自分の諱につけることを一字拝領という。「特に御―御筆を染められ候事、御面目の至り」〈伊達家文書二、永正一四・三・九〉 ③《一文銭の面に文字が四つあるところから》一文銭の四分の一。二分五厘。「医方に薬の軽重を言ふに、―と書きし所あり。銭一文を四つに分けて其の一つなり。一銭に四字有る時は、二分五厘を一と知るべし」〈一時随筆二〉 **―いってん【一字一点】** 些細な点。一点一画。「其の間、一切経を説き給ひき。…―もおろかなるべからず」〈日蓮遺文女人往生鈔〉 **―さんらい【一字三礼】** 経文を書写するとき、一字書くたびに、うやうやしく三度仏を礼拝すること。一字三拝。「―の自筆の阿彌陀経」〈法然上人行状絵図〉 **―せんきん【一字千金】** ①一字が千金にも相当するほどねうちの高いこと。「『秋ならねども』とあるべきを、『秋にはあらねど』と一字余せる所に、歌の程拍子あるべきか。―とはかやうの事なるべし」〈細川幽斎聞書上〉。〈漢語大和故事二〉 ②転じて、恩恵の深さのたとえ。「―の高恩を報ぜんと」〈伽・弁慶物語〉

いちしちにち【一七日】 七日間。加持・祈禱や修行などの期間にいうことが多い。「〔加持ノ〕しるし見えず。かくて―過ぎぬ。いま七日延べさせたまへるに」〈栄花玉村菊〉

いちしちや【一七夜】 人が死んでから七日目の夜。「轟(とどろき)の御坊にて、―は通夜申し」〈近松・出世景清二〉

いちじつへんし【一日片時】 ほんの僅かの間。ちょっとの間。「一時(いちじ)片時」とも。「心に任せぬ世間の習ひなれば―もつれなく命ながらへて、積らむ罪こそ怖ろしけれ」〈保元下・為義の北の方〉

いちじふさいじふ :ジュウ :ジュウ **【一入再入】**《漢音》 ひとしお、ふたしおと、何度も布を染める意で、色の濃いこと。「枝を染め浪を染む、表裏―の紅(くれなゐ)」〈和漢朗詠集花〉

いちじゅのかげ【一樹の蔭】 仏教のたとえで、見知らぬ旅人同士がたまたま同じ木の陰に宿るというような、現世におけるかりそめの間がら。「―に宿るも先世(せんぜ)の契り浅からず」〈平家七・福原落〉

いちじゅん【一巡・一順】〔連俳用語〕 連歌の一座に列席した人が、発句以下順次に一句ずつ付けて行くこと。晴れの座などでは、予め相談することがあった。「既に将軍御発句を出されければ、それより次第におのおの遊ばし、―もすぐる折節に」〈伽・猿源氏草紙〉。「昨日、―談合に吉田にまかる」〈耳底記〉 **―ばこ【一順箱】** 俳諧の席で一順する時、懐紙を入れて廻す箱。「狂句漢和の御―を持参せしめ」〈隔蓂記慶安五・一三・二八〉

いちじょう【一乗】〔仏〕《唯一の乗物の意》 衆生を悟りの彼岸に運ぶ唯一の乗物。すなわち、仏の比較を絶した唯一最高の教え。主に、法華経をさしていう。「深信功を積み、―の経を写す」〈霊異記下一〇〉

いちじる・し【著し】『形ク』《室町時代まで清音。イチはイツ(稜威)の転。シルシは、はっきり、かくれもないの意》 ①神威がはっきり目に見える。霊験あらたかである。「―・き山口(下社)ならば〔上社マデ行カズトモ〕ここながら神のけしきを見せよとぞ思ふ」〈かげろふ上〉。「はふり子が木綿(ゆふ)打ちまがひ置く霜はげに―・き神のしるしか」〈源氏若菜下〉。「明神、納受し給はずといふ事掲焉(いちじるし)」〈延慶本平家四・都遷〉 ②(思いあたるところが)はっきりとあらわれている。「〔密通ノ結果生レタ子ガ〕あやにくに―・き顔つき(本当ノ親ニ似タ顔ツキ)にてさし出で給へらむこそ苦しかるべけれ」〈源氏柏木〉 ③思った通りである。「女は…―・くいとほしげなる(カワイソウナモノダトノ)よそのもどき負はざらむなんよかるべき」〈源氏椎本〉 ④思ったことや感情をはげしくむき出しにする性質である。「入道もとより―・き人にて、涙をはらはらと流し給へり」〈盛衰記三〉

いちしろ・し【著し】『形ク』《イチシルシの古形》 ①神威がはっきり目に見える。「天霧らし雪も降らぬか(降レバイイ)―・くこのいつ柴に降らまくを見む(雪ノ降リ具合デ恋ノ成就スルカドウカ神意ヲハッキリ知リタイ)」〈万一六四三〉 ②(思いあたるところが)はっきりあらわれている。「〔恋シテイルナト〕―・く人の知るべく嘆きせむかも」〈万三一三三〉 ③特別に。とりわけ。「―・く、論一切…を研(みが)き究めたり」〈大唐西域記四・長寛点〉 ④《下に打消を伴って》 たいして。「―・く時雨(しぐれ)の雨は降らなくに」〈万二一九七〉 ＋itisi-rosi

いちじん【一人】《天下に只一人の意》 天皇の別称。「太政大臣は―に師範として四海に儀刑せり」〈平家一・鱸〉

いちぜんもり【一膳盛】 一膳飯(めし)。「どうしたことやら、このごろは―の客さへない」〈近松・丹波与作中〉

いちだ【一駄】 ①馬・牛などの一頭に付ける荷物。「大王用し給はば、この菓子(くだもの)を―奉らむ」〈今昔五ノ一六〉 ②「一駄荷」の略。「―四拾貫目たるべし」〈正宝事録万治三・八・二〉 **―に【一駄荷】** 近世、宿駅の駄馬に積む荷物の分量。本馬(ほんま)一駄四十貫目、軽尻(からじり)一駄二十貫目と定められていた。「舟賃は、―の乗掛けは料足十五疋なり」〈仮・東海道名所記二〉

いちだい【一代】 ①人の一生。「〔大嘗会ハ〕―に一度の見ものにて」〈更級〉 ②一人の天皇の御在世中。「御―のうちに、またかかることは如何なりけるにや」〈梅松論下〉 ③一人が家長をつとめる期間。「わづかにその身―の幸にて、子孫かやうにまかりなるべしや」〈平家一〇・千手前〉 ④一代限り。また、一生をある状態のままで過ごすこと。「両腰取られて阿呆払ひ、涙諸共―牢人」〈浮・諸分姥桜四〉 **―どけ【一代後家】** 一生嫁に行かない女。行かず後家。「―を詮索(せんさく)して〔婿入リシ〕」〈西鶴・永代蔵五〉 **―ぶんげん【一代分限】** 自分一代で金持になったもの。「これらは各別の―、親よりゆづりなくては」〈西鶴・永代蔵六〉 **―をとこ【一代男】** 一生定まる妻なく、子がなくて、一代限りで終る男。「〔後藤又兵衛ノ嫡子隠岐守ノ帰参ヲ、主君〕長政かつて承引無し。又兵衛これを不足に思ひ、我は―也。何も望み無しと常常申しける」〈武隠叢話一五〉 **―をんな【一代女】** 一生定まる夫も子もない、一代限りの女。「我は―なれば何をか隠して益なし」〈西鶴・一代女六〉

いちだいさんぜんせかい【一大三千世界】「三千大千世界」に同じ。「―の恒沙(ごうじゃ)の龍王」〈謡・道成寺〉

いちだいじ【一大事】 ①〔仏〕《法華経、方便品の「諸仏世尊は唯(ただ)一大事の因縁を以ての故に世に出現し給ふ」から出た語》 仏の、永遠絶対の真実を明らかにするという仕事。「この出現、すなはち―なるが故に」〈正法眼蔵法華転法華〉 ②重大事。「道念ある族(ともがら)、生死の―を嘆き」〈妻鏡〉。「この―を思ひ立ち、祈禱の一を兼ねたるなり」〈明徳記上〉 ③重大事件。「ここにまた―こそ出で来にけれ」〈伽・強盗鬼神〉 ④一番大切なこと。「後生を―に思ひて善根をせよ」〈伽・富士の人穴の草子〉 **―のいんねん【一大事の因縁】** 衆生に悟りを開かせるため、仏がこの世に出現するという重大事の根本。「総じては諸仏出世の本意、―を破るにあらずや」〈日蓮遺文星名五郎

太郎殿御返事〉

いちだち【市立ち】市に出て物を売ること。また、その商人。「銭儲けしようと思うて—する老漁の翁の有様」〈従容録抄二〉

いちだん【一段】㊀『名』①文章・語り物などのひとくぎり。「睦言(むつごと)を語り詰めてはま(モウ)—」〈俳・飛梅千句〉②ある事柄。一件。「草履の緒をたつる事…裏へ出す緒の先を切るなり。彼の—(凶事)の時は切らぬなり」〈京極大草紙〉③ひときわ飛びぬけていること。「人をも人とせず、—の曲者なり」〈伽・あきみち〉。「今の様子、—にて候ふ間」〈虎明本狂言・賽の目〉㊁『副』①ひときわ。大変に。「—うれしい」〈天理本狂言六義・二九十八〉。「—機嫌にて罷り帰る」〈舜旧記慶長二・六・二〇〉②《「—と」の形で》いっそう。「心の中には—と深い御大切(愛情)のほどを」〈天草本伊曾保〉

いちだんな【一旦那・一檀那】もっとも有力な檀家(だんか)。「—の一人子、金銀をつかひすごし」〈西鶴・胸算用五〉

いちぢ【市道】市へゆく道。「阿倍の—に逢ひし児らはも」〈万二八四〉

いちちごにさんわう【一稚子二山王】中世、比叡山の衆徒が、地主神の日吉山王権現よりも、美少年の稚子の方を大切にしたことをいう語。「—と申す事は、世常に児(ちご)を賞玩せん為にあらず。甚深の秘事有り」〈諸国一見聖物語〉。「—と申して、御ちごをば神よりも崇め申すことなるを」〈伽・じぞり弁慶〉

いちぢゃう【一定】㊀『名』確実なこと。まちがいないこと。「季武が河を渡らむ—を見むと思ひて」〈今昔二七ノ四三〉。「いかさまにも御出家(すけ)は—げに候」〈問はず語り三〉㊁『副』確かに。きっと。必ず。「〔光明真言ハ〕やすくして、しかも—人の後世たすかる法なり」〈孝養集上〉。「奴を都に置きては—僻事(ひがこと)しいだしてんず」〈保元上・新院御所〉

いちぢん【一陣】①(陣立ての)第一の陣。「—破れぬれば残党全からず」〈平家九・河原合戦〉②さきがけ。先陣。一番乗り。「後日に関東にて—二陣の諍(あらそ)ひありけるに」〈盛衰記三七〉

いちづ【一途】筋道が通ること。一筋。「評定—に定まって」〈太平記三・長崎新左衛門〉

いぢづく【意地尽く】意地を張り通すこと。意地はり。「三方論議の—は、危くも晴がまし」〈近松・百日曾我一〉

いちどう【一同】《イットウとも》①同じであること。同一。「諸卿僉議(せんぎ)—なりければ」〈盛衰記三〉②同じ状態になること。一様。「此の舞、天下—の大旱魃の時、雨請(あまごひ)のためにこれを舞ふ」〈教訓抄五〉③心を一つにすること。同心。「などか又、おのおの見継がざりつるぞ。—せられけるにや」〈問はず語り三〉④《「—に」の形で副詞的に》揃って。一緒に。一度に。「関白殿下・太政大臣以下、堂上堂下の人人、—に『あ』とのたまひ合はれける声」〈盛衰記一〇〉。「五百の連弩の石弓を—に放ちたれば」〈伽・蓬萊物語〉

いちどの【一殿】神楽の舞姫。「八乙女」「神楽乙女」とも。「又、—も呼び出し、御神楽をも参らせらるるやうに同道致して参らう」〈虎明本狂言・祝禱神楽〉

いちなん【一男】第一番目の男子。長男。「このおとど(実頼)は忠平のおとどの—におはします」〈大鏡忠平〉

いちにち【一日】 **—いちや**【一日一夜】一昼夜。「—忌むことのしるしこそは空しからずは侍るなれ」〈源氏御法〉 **—がひ**【一日買】遊女の一部または全部を、一日または昼夜買い切ること。「『格子の女郎一人も残さず—』と触れをなし」〈西鶴・一代男五〉。「越後の竹六(ちくろく)といふ男、かりそめにも小構へなる事は嫌ひなり。六条(京都島原遊廓ノ前身)の—と申すも、この人初めての都上りにせしとかや」〈西鶴・諸艶大鑑三〉 **—きゃう**【一日経】供養のために、大勢の人が集まって一日のうちに一部の経を書写し終えること。「一日頓写(とんしゃ)の経」とも。「手負の唯今落ち入るに、—書いて弔へ」〈平家二・嗣信最期〉 **—はざみ**【一日挟み】一日おき。隔日。「ヒマゼ、即ち、イチニチハザミ」〈日葡〉 **—へんし**【一日片時】わずかの時間。ちょっとの間。「—もこころ安く暮すべき方もなくて」〈義経記六〉

いちにづけ【一二付】①一、二の番号を記して順位を示すこと。「名も知らぬ花や数へて—」〈俳・塵塚(重徳編)下〉②連歌・俳諧で、懐紙に句主の名の代りに番号だけ記すこと。「当社にて法楽連歌、—」〈家忠日記文禄三・六・一五〉

いちにょ【一如】《「如」は助辞。そのようなものの意》一つであること。仏教では、唯一の真理。「—、理に合(かな)うて」〈三教指帰下〉

いちにんたうぜん【一人当千】一人の強さが千人分にもあたるほど強いこと。「将門が—の兵ありて、暗に夜討の気色を知り」〈将門記〉

いちねん【一念】①一筋に思いつめた心。ひたすらな思い。「この世にて数に思ひ入れぬことも、かの今はのとぢめに—のうらめしきにも」〈源氏横笛〉②〔仏〕㋑きわめて短い時間の単位。六十刹那(せつな)、あるいは九十刹那、または一刹那のことという。「—うらやみたる事そら既にかくの如し」〈今昔三ノ一六〉㋺一瞬の心。また、その思い。「何ぞ、ただ今の—においてただちにする事の甚だ難き」〈徒然九二〉㋩心中にひとたび仏を念ずること。また、念仏を一度唱えること。「—といへども必ず感応す」〈和漢朗詠集仏事〉 **—けしゃう**【一念化生】執心の一念によって、姿を変えて生れること。「仮に自性を変化して—の鬼女となって」〈謡・山姥〉 **—ごひゃくしゃう**【一念五百生】僅か一瞬でも妄想を抱くと、五百生の長い間その報いを受けること。「—、繫念無量劫の業なれば」〈太平記二一・越前牛原〉 **—さんぜん**【一念三千】日常の一瞬の心の中に宇宙一切の事象がそなわっているということ。天台宗の重要な教義。「—の法門なんどを胸中に学し入れて持ったるを道心といふなり」〈正法眼蔵随聞記三〉 **—じふねん**【一念十念】一回の念仏と十回の念仏。観無量寿経に、十悪五逆の罪人も、臨終に際して唱える一回の念仏で八十億劫の罪が消え、十回の念仏で十八十億劫の罪が消え、往生することができるとある。「功徳少なければとて望みを断つべからず。—の心をいたせば来迎(らいかう)す」〈平家一〇・戒文〉 **—しょうみゃう**【一念称名】弥陀(だみ)の名を一声唱えること。「—の声のうちには、摂取の光明を待ち」〈謡・柏崎〉 **—ふしゃう**【一念不生】一瞬の妄心も生じない境地。「—なれば、衆生則是仏なり。一念生せば、仏もまた衆生なり」〈道元法語〉 **—ほっき**【一念発起】①仏を信じ、仏に帰依する一心が起ること。「—するとき、金剛の信心をたまはりぬれば」〈歎異抄〉②今までの迷いから目覚めること。「徳兵衛—して、『はっあ、ああ誤った誤った』」〈近松・重井筒上〉

いちの【一の】『連体』①第一番目の。「うち、春宮、—院、后の宮、次次の御ゆかりいつくしき程」〈源氏若菜上〉②最もすぐれた。一番よい。「—黒とて秘蔵したりける馬を」〈平治上・源氏勢汰へ〉 **—いた**【一の板】兜の錏(しころ)、鎧の草摺(くさずり)・袖などの一番上の板。「草摺ならば—とも二の板とも、矢つぼをたしかに承って、二の矢を仕らん」〈古活字本保元中・白河殿攻め落す〉 **—かみ【一の上】** 太政官の第一として政務を総裁する、左大臣の異称。左大臣が摂政・関白であるときは、右大臣をいう。いちのおとど。「—の怠状を下につたへん事、家のめんぼくにはあらずや」〈保元上・新院御謀叛思し召し〉 **—きさき【一の后】** 皇后の異称。「—の父、一の大臣」〈浜松中納言二〉 **—きど【一の城戸】** 最も外側にある城門。外から数えて第一番目にある。「生田の森を—と定めて、三方に堀をほり」〈盛衰記三七〉 **—ざえ【一の才】** 身につけた学芸の中で一番すぐれたもの。「琴(きん)ひかせ給ふことなむ—にて、次には横笛」〈源氏絵合〉 **—だいなごん【一の大納言】** 首席の大納言。「—なれば、大臣にならんとかまへけることの」〈宇治拾遺二四〉 **—どう【一の胴】** 胴体の上部で両腋より少し下の所。「手枕は—まで打ち込みて」〈俳・天満千句〉 **—ところ【一の所】** 摂関家をいう。「世の中の—も何とも思ひはべらず」〈源氏手習〉 →いちのひと。 **—とみ【一の富】** 富籤(とみくじ)の一番の当り。以下二の富、三の富という。「たまたまに／一枚入れて—」〈雑俳・奈良土産〉 **—ひと【一の人】** ①摂政・関白、また、太政大臣をいう。朝廷の儀式で第一の席につく。「めでたきもの。…—の御ありき」〈枕八八〉 ②(世の中で)第一の人。最高の人。「これこそは—におはすめれと見奉るに…〔上ニハ上ガアッテ〕なほ国王こそ日本第一の事なりけれ」〈大鏡藤氏物語〉 **—ふで【一の筆】** ①一番首の殊勲を、首帳の最初に記入されること。「その日の高名の—にぞ付きにける」〈平家九・越中前司最期〉 ②最初。第一。筆頭。一番筆。「—に載せん肴やつくづくし 貞徳」〈俳・犬子集一〉 **—まつ【一の松】** 能舞台で、橋掛りにそって白洲に植えてある三本の松のうち、最も舞台に近い松。また、橋掛りのその位置。要(かなめ)の松。「〔仕手ハ〕—のもとに待つ」〈虎明本狂言・二九十八〉 **—まひ** イマ**【一の舞】** 舞の中で最初に舞う舞。また、特に左舞(さまい)をさすともいう。「—には関白殿、君とこそはせさせ給ひしか」〈大鏡昔物語〉 **—みこ【一の御子】** 第一番目の皇子。「—は右大臣の女御の御腹にて」〈源氏桐壺〉 **—みや【一の宮】** ①第一番目の皇子・皇女。「—、坊に居給ひぬ」〈源氏若菜下〉 ②その国第一の社。「上総の国—の御託宣に」〈著聞一〇〉 **—もの【一の物】** ただ一つの物。絶品。「古き世の—と名あるかぎり」〈源氏若菜上〉 **—や【一の矢】** たばさんだ二本の矢のうち、第一に放つ矢。「—を射損じて、二の矢をつがふ」〈古活字本保元中・白河殿へ義朝夜討ち〉 **—をり【一の折】** 連歌の懐紙で、最初の一折(ひとをり)。百韻ならば表に八句、裏に十四句書く。一の懐紙。初折(しょをり)。「—の裏にかかるまでは早早とすべし」〈片端〉

いちのしん【一之進】 近世前期の歯磨売り。居合抜きをして客寄せをした。「—が磨き砂も六七年は歯に当てず」〈浮・男色今鑑三〉

いちのつかさ【市司】 令制で、京の市や店を監督した役所。左右両京におかれたが、平安京では右京の西市司が早くすたれ、鎌倉時代には左京の東市司も名前だけのものになった。「その価を称(はか)りて『綿六十斤なり』といふ。—咲(わら)ひて避去(さ)りぬ」〈紀齊明五年〉

いちばい【一倍】 ①もう一倍分を加えた数量、すなわち今日の二倍のこと。「一年を経たるに、借れる所の銭—しぬ」〈今昔一四ノ三八〉 ②一層。一段と。「落日の時分に、笛を吹く声が一声、この水閣のもの淋しげなる所に聞えたぞ。これを聞きて—憂ひがましたとぞ」〈三体詩抄三ノ三〉

いちはなか・け【一端駆け】 □一『下二』 一番はじめに駆ける。一番がけをする。「—・る」〈俳・毛吹草二〉。「明けばまづ—・けん桜人」〈俳・懐子三〉 □二『名』 一番最初。まっ先。

いちはや・し【いち速し】『形ク』《イチはイツ(神威・霊威)の転。神威が、さっと恐ろしくはたらくのが古い意味。転じて、とっさに手向いのできないような激しい力がはたらき、反応がさっと現われ、恐ろしく、不安に感じられる意》 ①神威が早く恐ろしく示される。「熱田の神—・くおはしまして…無礼を致す者をば、やがて、たちどころに罰せさせおはしましければ」〈宇治拾遺四六〉。「〔宝剣ノ〕御霊威—・うましまます」〈平家一一・剣〉 ②反応がきびしく、さっと現われる。「〔験者ハ〕験だに—・からばよかるべきを」〈枕一五七〉。「〔政情ノ変化ニ対シテ〕—・き世を思ひ憚りて」〈源氏須磨〉 ③すばやい。「昔人は、かく—・きみやびをなんしける」〈伊勢一〉 ④(不安になるほど)事の進行が速い。「〔結婚ノ日取ニツイテ〕ここにはいと—・き心地すれば」〈かげろふ下〉 ⑤(恐ろしいほど)きつく速くはげしい。「〔本妻ガ〕—・く言ひ〔責メ〕ければ〔愛人ノ〕近くだにえ寄らで」〈大和六四〉 ⑥気性がはげしい。「よき上達部にておはしけるに、あまり—・くて世のものいひにてぞおはしける」〈今鏡六〉

いちはや・び【いち速び】『上二』《形容詞イチハヤシの動詞化》 恐ろしくはげしい神威をふるう。「皇御孫(すめみま)の朝廷(みかど)に〔火ノ神ガ〕御心—・び給はじとして進(たてまつ)る物は」〈祝詞鎮火祭〉 ✝itiFayabi

いちばん【一番】 ①一組。「鼓吹戸(つづみふえべ)…十人を以て—となす。番別に三十日更代教習す」〈延喜式兵庫寮〉 ②今様・能楽・狂言などの一曲。「舞も定めてよかるらん。—見ばや」〈平家一・祇王〉 ③囲碁・相撲などの勝負一回。「百年の久しき世上の事も、わづかに碁・双六—うつ程のことぞ」〈錦繡段鈔五〉 ④最初。第一。「—の手合(あて)に、宮〔ヲ〕取り逃がし参らせたり」〈盛衰記一三〉 ⑤同種の物のうちで、最も勝れたもの。または、最大のもの。以下、二番、三番という。「魚にも大なるを—と云ひ、次なるを二番と云ふ」〈俳・類船集一〉 **—いっとく【一番一得】** ただ一回だけで決する勝負。一番勝負。「—にて、どなたなりとも出で給へ」〈浄・平仮名太平記五〉 **一番牛の寝た程** 《「一番牛」は、一番大型の牛》 金銭などが多量にあることの形容。「牛の寝た程」とも。「木綿(きわた)売りける銀子を溜めて、固めてみば、—譲り渡しぬ」〈西鶴・置土産二〉 **—きり【一番切り】** ①ひときわすぐれているもの。「深谷の岨(そば)を通り候に、—の熊とびいでて、左馬介をつかまんと懸かり候を」〈義残後覚六〉 ②一回限り。一番だけ。「数ばかりの勝負づく、—に突いて見て八貫を済ますか、十六貫負ふものか」〈近松・丹波与作中〉 **—ご【一番子】** 最初に生れた子。長子。「楽しき〔金持ノ〕庄屋殿、—を一人まうけられ」〈仮・他我身之上三〉 **—だいこ【一番太鼓】** ①⇒かぎりのたいこ。「—を打ちお客立たじゃりませいの声せはしく」〈西鶴・諸艶大鑑一〉 ②歌舞伎で、顔見世興行の開始を知らせる最初の太鼓。初日の八つ時に打つ。「顔見世や—二番雞(どり)」〈劇場新話上〉 **—て【一番手】** 戦陣で、最初に出る軍隊。「東軍—〔源〕九郎〔義経ノ〕軍兵」〈玉葉寿永三・一・二〇〉 **—にょうばう** ウ:ボ**【一番女房】** 極めてからだの大きい女。大女。一番女。「人に勝れたるを一番男・—と云ひ馴れたるか」〈俳・類船集一〉 **—やり【一番鑓】** 第一番に敵陣に槍を突き込むこと。また、その人。「—高名、太刀打ち・鑓下・長刀打ち高名、右の外手柄、其の時節見合ひを以て、加増、或は褒美申し付くべき事」〈長宗我部氏掟書〉 **―ゆ**【一番湯】疱瘡(ほうそう)がなおった子供に、最初に浴びさせる酒湯(ささゆ)。「―〔ハ疱瘡ノオ守リヲ出ス〕湯の尾峠の雪間かな」〈俳・延命冠者〉 **―をとこ**【一番男】極めてからだの大きい男。大男。「―の六尺(下男)揃へて」〈西鶴・文反古三〉。〈俳・乳母四〉

いちひ(イチイ)【石櫧・櫟】イチイガシ。ブナ科。材質堅く道具の材料に適し、実は食用。今の常緑喬木のイチイとは別種。「この片山に二つ立つ―が本に」〈万三八八五〉 †itiFi

いちびこ【蓬虆】イチゴ。また、木イチゴの古名。「蓬虆、此れをば伊致寐姑(いちびこ)といふ」〈紀雄略九年〉 †itibiko

いちびと【市人】市で商いをする人。「その時に―等来たり集まりて」〈今昔一三ノ一七〉。「市郭児、和名伊知比止(いちびと)、一云市人」〈和名抄〉

いちびはばき【菡麻脛巾】アオイ科の植物イチビの皮で編んだ脛巾。近衛府の役人や舞人などが着用。「顕文紗の狩袴、―を着、狩胡籙(かりやなぐひ)を帯ぶ」〈明月記 治承四・六・二〉

いちひめ【市姫】市場にまつられ、人人に市の幸を与えると信じられた女神。神体は市杵島姫命(いちきしまひめのみこと)といわれ、後に弁才天に付会された。「―の神の斎垣の如何なれや商物に千代を積むらん」〈夫木抄三一・市〉

いちび・り『四段』調子づいてさわぎ立てる。調子に乗る。「花車(くわしや)が―・る体相(ていさう)を見んため」〈浮・野白内証鑑二〉

いちぶ【一分・一歩】①一割の十分の一。「一割―」〈ロドリゲス大文典〉 ②一寸の十分の一の長さ。「いちぶん」とも。「―十(とを)合はせて一寸」〈ロドリゲス大文典〉 ③室町・江戸時代の金貨幣の単位。一両の四分の一。一朱の四倍。「黄金〔ヲ数エル〕には、〔発音ヲ〕―・二分と濁る」〈見聞愚案記五〉 ④「一分金」「一分銀」の略。「〔遊女ニ〕何がな遣りたや。文や玉章昔の事とよ、今の当世は―や小判」〈万葉歌集〉 **―いちりん**【一分一厘】極めて僅かなこと。「一分一点」とも。「金銀―跡に残すべからず」〈川角太閤記一〉 **―きん**【一分金】近世、金貨の一。長方形で、一両小判の四分の一に当る。江戸で小粒、上方で分判(ぶはん)といった。一分判金。一分判。一分。丹尺(たんじゃく)一歩。「―十切れ」〈梅津政景日記慶長一九・一・一九〉 **―こばん**【一分小判・一歩小判】「一分金」に同じ。「―を取らすれば」〈評判・野郎虫〉 **―じまん**【一分自慢】《イチブは「いちぶん」の意》自身の面目を立てたと自慢すること。「巾着(きんちゃく)の―は無い中に」〈俳・続独吟集上〉。「これほどの美景、―の京にさへ、あまた所は見え侍らぬに」〈仮・石山寺入相鐘上〉 **―だめし**【一分試し】ずたずたに試し斬りにすること。「髪頭より爪先まで―に試されても」〈近松・丹波与作下〉 **―はん**【一分判】「一分金」に同じ。「―拾粒受け取り」〈梅津政景日記慶長二〇・一一・三〉 **―はんきん**【一分判金・一歩判金】「一分金」に同じ。「同上(慶長)―重さ壱匁二分」〈金銀図録三〉

いちぶ【一部】①経巻・書籍のひとそろい。全巻。「心を至して〔法華〕経を誦(じゅ)するに、―を誦しをはる時に」〈今昔一三ノ三五〉。「〔古今集〕四季奏覧以後、又―の奏覧あり」〈古今私秘聞〉 ②平曲の全曲。「日数を定め、高座にあがり、―を語る儀式は」〈西海余滴集〉 **―しじゅう**【一部始終】①一部の書物の始めから終りまで。「―を心得わたし、文文句句分明に存知せんなどいふ心ざしは」〈一言芳談〉 ②物事の始めから終りまで。「―を聞いてたも」〈近松・曾根崎心中〉

いちふじ【一富士】一番よい吉夢は富士を見ることという意。以下、「二鷹(たか)・三茄子(なすび)」という。「夢のみか見るに―雪の景」〈俳・伊勢正直集六〉

いちぶつ【一仏】ひとりの仏。一体の仏。「すでに―の護念を被(かぶ)らむに、何の願ひか満たざらむ」〈孝養集下〉 **―じゃうだう**(ジョウドウ)【一仏成道】一仏が仏道を成就すると、その徳を受けて一切衆生がみな成仏するということ。中陰経から出たと伝えられる文句。「―観見法界、草木国土悉皆成仏」〈謡・鵺〉 **―じゃうど**(ジョウド)【一仏浄土】ある一仏の浄土。主に彌陀の浄土をさしていう。極楽浄土。「―に生れたるにやあらんと覚ゆ」〈落窪二〉 **―せかい**【一仏世界】ある一仏の浄土。「東西南北の御堂御堂、経蔵、鐘楼まで影うつりて、―と見えたり」〈栄花音楽〉 **―ど**【一仏土】「一仏浄土」に同じ。「死期の時は必ず―へむかへさせ給へ」〈平家七・一門都落〉

いちぶつ【逸物・一物】とくにすぐれたもの。「この太刀寸こそ短けれども、身に於いては―にてあるぞ」〈義経記五〉。「逸物、イチブツ、人也」〈色葉字類抄〉。「逸物、イチブツ」〈伊京集〉

いちぶつじょう【一仏乗】〔仏〕「一乗」に同じ。「昔の大王妙荘厳、いにしへ〔法華経ノ〕行なひせし故に、浄蔵・浄眼もろともに、―とぞ聞き給ふ」〈梁塵秘抄一六五〉 **―のみね**【一仏乗の嶺】比叡山の称。「〔比叡山ヲ〕―と申すは、伝へ聞く鷲の御山をかたどれり」〈謡・兼平〉

いちぶん【一分】①分割したものの一つ。些少なもののたとえにもいう。「窮子みなこれ(財宝)を預りて守護すといへども、―も我が物の思ひなかりけり」〈雑談集一〇〉。「疾(と)く疾く―の慈悲を垂れ給へ」〈盛衰記一八〉 ②「いちぶ」(2)に同じ。〈ロドリゲス大文典〉 ③その人一個の分際。また、その人の体面、職責。「国を横領し給ふは、御身―の勲功をぬきんで横領し給ふか」〈伽・万寿の前〉 ④それと同等の身分・分際。同然の身。「愚老もかの門弟―なれば子細を述懐申して」〈落書露顕〉。「十六の年、近習(きんじゅ)―にて朝夕召し仕はるる間」〈伽・三人さんげ〉 ⑤一つ。「仏法震旦に渡らぬさきは、良くも悪くも儒道―なれば」〈内外明鑑下〉 **―廃(すた)・る** 面目をつぶす。「こなたも―・る事」〈近松・生玉心中上〉 **―立・つ** 面目が立つ。また、職責が果せる。「両人ともに―・ち難し」〈西鶴・新可笑記一〉 **―のくゎん**【一分の官】国府の史生(ししやう)の別称。諸国には守(かみ)・介(すけ)・掾(じょう)・目(さかん)・史生の五等の官人があり、公廨稲(くがいとう)の配当をそれぞれ六・四・三・二・一の率で分けた。史生はその一に当る分を所得としたのでこの名がある。諸国の史生を任ずることを「一分召し」という。「自今以後、毎年二分官一人、一分一人給ふ」〈三代実録 貞観八・一・一三〉 **―を捌(さば)・く** 独立して、りっぱに自分の仕事をやってのける。「皆賢く、其の―・きかねつるは独りもなし」〈西鶴・永代蔵二〉 **―を捨・つ** 一身の面目を丸つぶしにする。「女の―・てたる事の悔しや」〈浮・禁短気四〉

いちべゑ【市兵衛】都会に市が立つ時、田舎から出て来る男をいう。「精出して/―自慢の綿の出来」〈雑俳・西国船〉

いちまい【一枚】《マイ(枚)は平たいものを数える語》①大判(おほばん)・丁銀(ちやうぎん)を数える単位。「金―」〈ロドリゲス大文典〉。「銀―来る」〈本光国師日記元和五・一・一三〉 ②同じ平面上にある状態。ひとしなみ。一様。「今は天下太平にて、呉楚の辺地まで―になったほどに」〈三体詩抄三ノ二〉 **―かんばん**【一枚看板】①歌舞伎で、一座の立女形(たておやま)の名を記した看板。後には、主要な役者の名を記した看板。名題(なだい)看板。庵(いほり)看板。「思ひ積もって―〔二出世シタ〕」〈俳・両吟一日千句〉②一座の役者・芸人または一団の人人のうちの主だった者。「根本元祖掛け値なし、―の御道化(だうけ)」〈評判・古今四場居百人一首上〉③その道の大立者。随一の人。「色に逢うては、―の野暮(やぼ)太郎」〈浮・野白内証鑑一〉 **―きしゃう**…シヨウ【一枚起請】一枚だけの紙に書いた起請文。「―、二枚起請、三枚起請まで書き置かれたり」〈驢鞍橋上〉 **―だて**【一枚楯】一枚の板で作った軽便な楯。「矢たばね解いて押しくつろげ、―の陰より引きつめ引きつめ散散に射けるが」〈太平記八・三月十二日〉 **―たな**【一枚棚】両側と底を各〻一枚板で作った上棚のない小舟。通い舟・耕作舟に用いる。棚無し小舟。〈和漢三才図会三四〉 **―まぜ**【一枚交ぜ】鎧の小札(こざね)の、鉄と革とを交互にまぜてとじたもの。「〔鎧ハ〕草摺を一枚づつ射させて、通らぬ札(さね)を―にこしらへて」〈太平記三・菊池合戦〉

いちまき【一巻】一切。一部始終。全体。「新しき事〔ダケデ〕―ぞ初連歌」〈俳・山下水三〉

いちまち【市町】①平安京の東西市の外にあった市人(いちびと)の居住地区。「凡そ―は市裏に准へて本司勘糺を加へ、犯に随ひて科責せよ」〈延喜式東西市司〉②店を構えて物を売る所。市場。「―に売る物も販婦(ひさぎめ)の売る物もきはめてきたなきなり」〈今昔三一ノ三二〉③ちまた。町なか。「喧嘩に人の逃げる―」〈俳・寛永十三年熱田万句四八〉

いちまつ【市松】①幼児の通名。「―がわるさ言ふを楽しみ」〈浮・茶屋調方記〉②「市松染」の略。「元祖佐野川市松といふ役者が好んで着たさうさ。それで石畳とは言はずに、――と言ふさうさ」〈滑・大千世界楽屋探初上〉 **―ぞめ**【市松染】《元文頃の役者佐野川市松が、この模様の袴をはいたのがもとで流行したことから》二種の色違いの方形を、互い違いに並べた染模様。「石畳」とも。「昔からありふれし石畳も、―といへば新しく」〈咄・軽口瓢金苗序〉

いちまんど【一万度】①中臣祓(なかとみのはらへ)を一万回読誦する祈禱。「一万度祓」とも。百度・千度・五千度の祈禱もあった。「今日、北野社に於いて―を修せらる」〈師守記貞和二・五・二〉②「一万度の御祓」の略。「―大きく守り給ふなり」〈雑俳・万句合宝暦一三〉 **―のおはらひ**…ハライ【一万度の御祓】一万度の読誦回数を記した大麻を入れた祓い箱。伊勢神宮の御師が毎年末檀家に配って歩いたのが有名。略して、「万度」とも。「又、―を戴き」〈浄・三社託宣一〉

いちみ【一味】《味を同じくすること》①〔仏〕仏の教えが平等無差別であること。「すでに―なるが故に三宝なり」〈正法眼蔵 発菩提心〉→いちみのあめ。②同じであること。ひとしいこと。「尽十方の無碍の光明に―にして」〈歎異抄〉③心を同じくして荷担・協力すること。味方すること。また、その仲間。「居を近国に卜すと雖も、偏に関東―の儀を存じ」〈吾妻鏡 治承四・三・一〉。「よき士どもが―して戦ふ程ならば」〈孫子私抄〉 **―どうしん**【一味同心】心を同じくすること。「山門の衆徒は三千人候。必ず―なる事は候はず、皆思ひ思ひ心心に候也」〈平家七・木曾山門牒状〉 **―のあめ**【一味の雨】仏の教えが衆生の上にあまねく平等であることのたとえ。法華経、薬草喩品に、「仏の平等の説は一味の雨の如し」とある。「世にふれば君に引かれてありがたき―に千度ぬれぬる」〈周防内侍集〉

いぢむぢ ぐずぐずいうこと。悶着を起すこと。「意地無地」とも書く。「いぢぶぢ」とも。「―言ふ人」〈近松・万年草中〉

いちめ【市女】市で物売りなどをする女。女商人。「あやしき―商人(あきびと)の中にて」〈源氏 玉鬘〉 **―がさ**【市女笠】菅で編み、漆を塗った凸字形の笠。初めは名の通り市女がかぶったが、平安の中頃からは上流婦人の外出用にも愛用された。「なかんづく女等―を以て形を隠し、功徳所に参る」〈小右記治安三・五・一三〉

いちもち【逸物】特にすぐれたもの。牛・馬・犬など家畜や、鷹にいうことが多い。「輪つよき御車に―の御車牛かけて」〈大鏡道隆〉

いちもつ【一物】①一つの物。「―に私せず」〈文明本節用集〉②一つのたくらみ。一計。「何ぞ―無うては、富貴にはなり難きに」〈西鶴・胸算用四〉③例の物。あの物。「かやうにせねば、―損ぬるものでござんす」〈評判・難波鉦三〉

いちもつ【逸物】⇒いちもち。「あはれ―や、いみじの乗る馬かな」〈今昔二六ノ三七〉。「逸物、イチモツ、馬也」〈色葉字類抄〉

いちもん【一文】①一つの文字。〈日葡〉②銭一個の称。また、その単位。一銭。「御扶持の外に―半銭にても〔望メバ〕」〈八坂神社文書上、延徳三・二〉③つまらないこと。また、安っぽいこと。「―餅(もちひ)も菓子であらざらんや」〈評判・吉原こまざらい〉 **―えり**【一文選り】「一文より」に同じ。「良き花は―か金銭花」〈俳・鸚鵡集三〉 **―ぞり**【一文剃り】近世初期、銭一文で男の月代(さかやき)などを剃り、髪を結った業者。一銭職。一銭剃り。「江戸の始め…その頃、これ(髪結イ)を―と云ふ」〈我衣〉 **―給はれ** 乞食が通行人に呼びかけることば。「『古銭が有らば―』とぞ言ひける」〈仮・智恵鑑三〉 **―の銭(ぜに)に爪を放・す** わずかな金のために自分の身体を傷つける、けちな人間のたとえ。「一文銭か生爪か」とも。「―・さんと言ふ事は、古来より言ひ来る言葉ゆゑ」〈俳・談林俳諧批判下〉 **―は無文(むもん)の師** 少しでもすぐれた者は師とするがよい。「―と世話にも申すぞかし」〈仮・祇園物語上〉→無文(4) **―ふち**【一文不知】一字も読み書き出来ないこと。無学文盲。「―の愚鈍の身になして」〈一枚起請文〉 **―ふつう**【一文不通】「一文不知」に同じ。「〔藤原〕好親は―なり」〈小右記長和三・三・六〉 **―より**【一文選り】良質の一文銭を選り取ること。一文えり。「銭を―に耳白(みみじろ=良質ノ銭)に選したは、千度万度選れども同じ物ぞ」〈玉塵抄三八〉 **―惜しみの百知らず** 目先の僅かな銭を惜しんで、後に大損するのに気がつかないこと。「一文惜しみ(の百損)」「一文儲(まう)けの百失ひ」とも。「これらも―、小利大損にてあらんか」〈仮・いな物下〉

いちもん【一門】①同族。一家。「この―にあらざらむ人は皆人非人なるべし」〈平家一・禿髪〉②同じ法門。同じ宗派。「その後、―の僧相継ぎて居住して」〈著聞四一〉 **―がき**【一門書】一門親族の名を記した書付。親類書。「―に洩れたれば」〈近松・傾城吉岡染上〉 **―がひ**…イガ【一門甲斐】一家・一族の間柄であるよしみ。「―に聞き逃しにもせられんに」〈浄・頼朝浜出一〉 **―ぶるまひ**…イマ【一門振舞】冠婚葬祭の時などに、同姓の一族を集めて酒食すること。「毎年―をする」〈狂言記・張蛸〉

いちもんじ【一文字】①一つの文字。〈日葡〉②「一」の字。「朱砂にて―を土器に書けり」〈十訓抄七ノ二二〉③(一の字のように)まっすぐなさま。まっしぐらなこと。「宇治川はやしといへども、―にざっと渡いて」〈平家九・宇治川〉④掛物の表装の紙や絹の上下に横に細くつけたきれ。綾・錦・金襴などを用いる。「波の画〔ノ〕…上下白地金襴、中萌黄金襴、―風帯鳥だすき紅也」〈久政茶会記天文二一・四・三〉 ⑤編笠の一種。頂が一文字のように平たくなった女用の藺笠。同じ形の菅笠は男用であった。一文字笠。「無筆さへ知る編笠の―」〈雑俳・千代見草上〉

いちもんめ【一匁】 **―つなぎ【一匁繋ぎ】** 銀一匁に相当する銭を銭緡(ぜにさし)につなぐこと。また、その銭緡。「―の銭五つ、細銀十八匁もあらうか」〈西鶴・五人女三〉 **―どり【一匁取・壱匁取】** 揚げ代銀一匁の局女郎。「一匁蔵(ざう)」とも。「―は、其の時の作り小歌唄ひながら」〈西鶴・一代女三〉

いちや【一夜】 **―けんげう(ギョウ)【一夜検校】** ①千両納めるなどして、にわかに盲官の最高位の検校になった者。「御意(ぎょい)に入らば―になされんこと案の内ぞと申されければ」〈義残後覚五〉 ②にわかに金持になること。また、その金持。一夜長者。「人の気や―〔ノヨウニウキウキシテイル〕今朝の春(元旦)」〈俳・続山の井一〉 **―ずし【一夜鮨】** 生魚の腹に飯を詰め、火にあぶり、または重石(おもし)をかけて、一夜のうちになれさせた鮨。「早鮨」「なまなり」とも。「―の仕やう」〈料理物語〉 **―づけ【一夜漬】** ①一晩で漬けた漬物。早漬。「―の香の物」〈仮・尤の草紙上〉 ②〔歌舞伎用語〕《「一夜付」とも書く》世間を騒がせた事件などを、すぐに脚色して上演すること。「―。心中狂言、又は人殺しなど有りしを、其の日に作して、翌日早朝より看板を出す故に、―の外題、―の狂言と云ふ」〈戯場楽屋図会下〉 **―づま【一夜妻】** 「一夜(ひとよ)妻」に同じ。「七夕や流れ立てねど(遊女デハナイガ)―」〈俳・伊勢踊四〉 **―ながれ【一夜流れ】** 遊女が一夜だけ契りを結ぶこと。「一夜切り」とも。「―の軒端の梅の、あだな袂(たもと)に香を留めて」〈近松・生玉心中上〉 **―白髪(はくはつ)** 極度の心配・恐怖などのため、黒髪が一夜のうちに白髪に変ること。「―とさへ云ふに、況んや、これは三年の間なれば、白髪になりたるも理(ことわり)なり」〈長恨歌抄〉 **―ひゃくしゅ【一夜百首】** 詩歌などを一晩に百首作ること。「―・一日千首」〈正徹物語下〉

いちゃ ①若い女の通名。「新内侍御女房―」〈言継卿記大永七・六・二〉 ②子守・乳母・下女などの名。貴人などの子弟に付き添い、その過失の責任を取った。「下女―置き了んぬ」〈言経卿記文禄三・八・一三〉。「咎(とが)をばーが負ひや参らせん」〈俳・遠近集序〉

いちゃう(イチョウ)【銀杏】 《室町時代以後に字書類などに見え、イチャウと振仮名がある。「銀杏」の宋時代の発音インキャウの訛がイチャウとなったものであろう。「いてふ」と書くのは、語源を「一葉(いちえふ)」と考えたからで、イチエフがつまってイテフとなる。「鴨脚」とも書くので、その唐音ヤチャオの転と見る説もあるが、疑わしい》①植物の名。「銀杏、イチャウ、異名鴨脚、葉形如二鴨脚一也」〈文明本節用集〉 ②「銀杏頭(がしら)」の略。「当世は直(す)ぐなる鬢(びん)に大額(おほびたひ)髷(わげ)目―に巻くは少なし」〈玉滴隠見一〇〉 **―がしら【銀杏頭】** ①近世、男の髷(まげ)の一種。髻(もとどり)を上に折り返し、根の部で結び、刷毛先(はけさき)が銀杏の葉形に拡がったもの。「髪の結ひ様は、立髪・―・太元結、これ六方向き陽気者の好む処也」〈色道大鏡三〉 ②近世、女の髷の一種。刷毛先が銀杏の葉形のもの。「立兵庫の―は、昔の傾城おしなべて是れを好めり」〈色道大鏡三〉 **―わげ【銀杏曲・銀杏髷】** 「銀杏頭(がしら)」(1)に同じ。「いちゃうまげ」とも。「落髪は世を秋に散る―」〈雑俳・雪みどり〉

いちらふ(ロウ)【一﨟・一臘】 《「﨟」は「臘」の俗字。僧侶が得度してからの年数をあらわす》①法臘(得度して、夏安居(げあんご)を修めた年数)一歳のこと。また、法臘を積んだ最長老の僧をさすことがある。極﨟(ごくらふ)。「―なる老いたる僧、別当にてありけるに」〈今昔二六ノ一八〉 ②官位・官職などで、最古参・最上席の者。「―の判官藤原康光いひけるは」〈著聞六三五〉

いちり【一里】 **―がね【一里鐘】** 入相(いりあい)の鐘を、日の暮より少し前に撞くこと。また、その鐘。この鐘から日の暮までにはまだ一里歩けるからいう。「山寺や道さへ花も―」〈俳・新続犬筑波一〉 **―づか【一里塚】** 街道の一里ごとに土を盛り、松・榎を植えて里程の目標とした塚。一里松。一里山。「東海道及び越後海道・奥州海道に、各―を築(つ)かしめ給ふ」〈家忠日記増補追加一八〉 **―やま【一里山】** 「一里塚」に同じ。「鳴いて今ほととぎすぎる(時鳥ガ過ギル)―」〈俳・諸国独吟集上〉

いぢ・り【弄り】 『四段』①もてあそぶ。「揺、イジル」〈俳・反故集下〉 ②弱い者を苦しめる。いじめる。なぶる。「何にても芸をせよと―・る」〈西鶴・一代男四〉 **―やき【弄焼き】** せかせかと物をせせり動かしながら焼くこと。「埋火や土器(かはらけ)掛けて―」〈俳・句兄弟上〉

いちれん【一蓮】 「一蓮托生」の略。「夫婦親子―の示しの時刻延ばされず」〈近松・万年草下〉 **―たくしゃう(ショウ)【一蓮托生】** 死後、極楽浄土で、共に同じ蓮台の上に生れること。「一蓮生」とも。「あけくれ―の事をのみ祈りつるに」〈伽・多田満仲〉

いちろく【一六】 ①双六(すごろく)や博奕(ばくち)で、二つの賽(さい)を振って、一と六の目が出ること。「五六がへし―の賽や」〈催馬楽大芹〉 ②賽。「―もあはれ昔は鹿の角」〈俳・二葉集〉 **―や【一六屋】** 《一と六とで七(しち)だから》質屋。「紙帳・帷(かたびら)・綴れ・紙子・褌(ふんどし)まではづして、皆―に預けて」〈仮・竹斎はなし上〉

いちゐん【一院】 院(上皇・法皇)が二名以上あるとき、上位の院をいう。「本院」とも。「先帝を新院と申し、上皇を―とぞ申しける」〈保元上・後白河院御即位〉

いちゑん【一円】 ㊀『名』①中世、荘園制のもとに、一領主が単独で支配し、本所・領家・地頭・預所などの権利が入りまじらない土地。一円地。一円の地。「而(しか)るに関東御口入の地をもって、一向本所―と為すの由」〈新田八幡宮文書二、正応二・一〇〉 ②全域。全部。「―本所に返付す可し」〈建武式目追加観応三・七・二四〉 ㊁『副』①全面的に。ひたすら。「ただ―に人の物を取り給ひしも、今はかなはず」〈伽・三人法師〉。「総じて翁より脇能までは、略義を―嫌ふなり」〈舞正語磨上〉 ②《下に打消の語を伴って》全然。ちっとも。「取りわけ山中なれば、往来の人は―なきぞ」〈三体詩抄三ノ三〉

いつ【何時】 『代』①どの時。「―来まさむと問ひし児らはも」〈万三八九七〉。「―の間か霜の降りけむ」〈万八〇四〉 ②《「より」という助詞と共に》常。いつも。「―よりも殊に今日は尊くおぼえはべりつる」〈徒然二三五〉 **―とな・し** 《いつと限ることもないの意》①いつという当てもない。見込みが立たない。「逢ふことの―・きには織女(たなばた)の別るるさへぞ羨まれける」〈後拾遺六二九〉。「四位したまひて、さきの少納言にて―・くおはしければ」〈今鏡六〉 ②いつも。常に。「行ひをのみしつつ―・くしめやかなり」〈源氏手習〉 **―のまさかも** 《マサカは目前・現在の意》どのひとときも。いつでも。「言(こと)こそは―常忘らえね」〈万二九九六〉 **―を何時とて** いつを限りの時と思って。「思ひ知る人もありける世の中を―過ぐすなるらむ」〈拾遺一三三五〉

いつ【稜威・厳】 《自然・神・(神がこの世に姿を現わした)天皇が本来持つ、盛んで激しく恐ろしい威力。激しい雷光のような威力。イチシロシ・イチハヤシのイチは、このイツの転》①神霊の威光・威力。「稜威、此をば伊都(つ)といふ」〈紀神代上〉②強く激しい威力のあること。「淡雪なす(ノヨウニ)蹴散(くゑはらら)かして、—の雄誥(をたけび)ふみたけびて」〈記神代〉③自然の勢威の盛んなこと。植物などが激しく生長すること。イツカシ・イツシバなどのように複合語となる。「天霧らし雪も降らぬかいちしろくこの—柴に降らまくを見む」〈万一六四三〉④神聖であること。「—幣(ぬさ)の緒結び」〈祝詞神賀詞〉 **—の道(ち)別き道別きて**《チは道。ワキは分ける意》神の威力をもって、ゆくての道をかっきり分けて進むさま。さえぎるものなく神威あふれて行進するさま。「天(あめ)の八重たな雲を押し分けて—天降(くだ)ります」〈紀神代下〉▽チは、風などの勢力あるものをいう場合があるので、「風沸きかえり風沸きかえりしつつ」の意とも解される。

いづ【何・何処】『代』《不定の場所・方向・方角を示すイヅク・イヅチ・イヅカタなどの語根》どこ。「—ゆかもかなしき背ろが吾許(わがり)通はむ」〈万三五四九東歌〉▽イヅが単独で使われたのは右例のみ。イヅク(何処)に対応する上代東国方言か。

いづ【伊豆】旧国名の一。東海道十五国の一で、今の静岡県伊豆地方。豆州。「一人の子をば—の島に流す」〈紀天武四年〉

いついつ【何時何時】①しかじかの日。しかじかの時。「—、公達(きんだち)の嫁くらべあるべし」〈伽・鉢かづき〉②つねづね。「当年は—よりめでたう存じ」〈狂言記・松の精〉

いつか【五日】 **—がへり**(ガエリ)【五日帰り】結婚五日後に里帰りすること。「盛りだちたる娘の—と見えて」〈浮・色道大鼓四〉 **—のせちゑ**【五日の節会】「五月節(さつきのせち)」に同じ。〈公事根源〉

いつか【何時か】『副』①いつになったら…か。待ち望む気持をこめて使うことが多い。「妹が家に—到らむ歩め吾が駒」〈万三四四一〉。「この女御は—后にたち給ふらむ」〈大鏡師尹〉②いつのまに…か。いつのまにか。いぶかしむ気持をこめていう。「—千年(ちとせ)を我は経(へ)にけむ」〈古今二七三〉。「深く思ひ染めつといひし言の葉は—秋風吹きて散りぬる」〈後撰九三四〉③《反語として》一体いつ…か(そんなはずはない)。「沖の藻屑を—忘れむ」〈後撰一二四九〉。「飽かぬ心は—絶ゆべき」〈後拾遺一三三〉

いっか【一荷】天秤棒で前後にかつぐ二つの荷物。「鵜—といふは、一籠に四つづつ入れて荷へば、—は八つにてあるなり」〈仙覚抄七〉。「いつも諸俵(もろだはら)下さるるによって—に仕るが、これは片荷(かたに)ぢゃ」〈天理本狂言六義・米市〉 **—あきなひ**(アキナイ)【一荷商ひ】天秤棒で荷物を担いで売り歩く商人。行商。「振り売り」とも。「—するこそいたましけれ」〈西鶴・好色盛衰記三〉

いっかい【一階】①官位一階級。「五品(五位)の—を加へられける」〈十訓抄一〇ノ三四〉②最下級の官位。最低の位階。「昔を思ふに—の下臈たりしぞかし」〈赤木文庫本神道集九〉 **—そうじゃう**(ソウジョウ)【一階僧正】定まった昇進の順序を経ずに、下位から一躍僧正の位に特進すること。また、その者。「われは〔頼豪ガ〕—なんどをも申するかとこそおぼしめしつれ」〈屋代本平家三・頼豪〉

いっかう(コウ)【一行】①ひとつらなり。一列。「—の斜雁雲端に滅し、二月の余花野外に飛ぶ」〈江談抄四〉②一通の書状・文書。一札。「微官浅位の上は、敢て武家の御—(推挙状)に及ぶべからずや」〈尺素往来〉。「一松に—(誓紙)をさせ置き申し候」〈北野社家日記文禄三・二・二〉

いっかう(コウ)【一向】㊀『名』①ひたすらなこと。純粋なこと。「—の(本式ノ)禅院の儀式、時至りて仏法房の上人深草にて、大唐の如く広牀(くわうしゃう)の坐禅始めて行ず」〈雑談集八〉②「一向宗」の略。「三郡の—坊主、我が檀方どもに触れければ」〈浅井三代記一四〉㊁『副』①ひたすら。いちずに。「—庁務を停めて後世の事を営むなり」〈著聞四一〉。「発心して—に極楽を願ひけり」〈一遍聖絵五〉。「永(ひたぶる)と云ふは、—にと云ふも同じぞ」〈神代紀桃源抄下〉②すべて。ことごとく。「〔叙位・除目ハ〕—平家のままにてありしかば」〈平家一・鹿谷〉③《下に打消の語を伴って》全く。全然。「〔マズイ食物モ〕—食(じき)せぬよりは身命を助くべし」〈雑談集七〉 **—しゅう**【一向宗】浄土真宗の俗称。「当流を皆世間に流布して—と名づけ候ふは、いかやうなる子細に候ふやらん」〈御文章〉

いっかう(コウ)【一更】⇒かう(更)。「夜—に至るとき…讃歎供養して仏を繞(めぐ)ること三匝(さんさふ=三周)せしむ」〈続紀天平一八・一〇・六〉

いっかく【一角】一分金の異称。長方形なのでいう。「—ばかり取らせて、酒など進めければ」〈西鶴・一代男三〉 **—せんにん**【一角仙人】《仙人の名に掛けて》一分金をしゃれていった語。「〔遊女ノ〕小歌の一節に濡れかけられて、たまらぬ(使ワズニイラレヌ)—とは、よくは〔ソノ名ヲ〕付けられたぞ」〈評判・三幅一対〉

いつかし【稜威樫・厳樫】《イツは神や自然の勢威》自然の勢いが盛んで、繁茂している樫の木。「御諸(みもろ)の—が本、樫が本」〈記歌謡九二〉

いつか・し『形シク』《イツキ(斎)の形容詞形。斎き仕えたい心持になる意。イツクシとは別語》潔斎してお仕えしたいと思われるほど(儀式とか人品とかが)おごそかで立派である。「〔光源氏ハ〕いにしへの例になずらへて白馬引き、節会の日は内の儀式をうつして、昔のためしよりも事添へて、—・しき御有様なり」〈源氏少女〉。「大極殿の—・しかりし儀式に、ゆゆしきまで見え給ひし〔斎宮ノ〕御かたちを忘れがたう」〈源氏澪標〉。「〔紫上ヲ火葬シテ源氏ハ〕空を歩む心地して人にかかりてぞおはしけるを、見奉る人も、〔イツモハ〕さばかり—・しき御身をと…泣かぬはなかりけり」〈源氏御法〉▽「いつかし」を、仮名字形の類似から「はつかし(恥)」と混淆した平安女流文学の写本が少なくない。

いづかた【何方】『代』《もとは不定の方角。さらに人や事柄についてもいう》どの方。どちら。「方(かた)は—かふたがる」〈かげろふ中〉。「知らず、生れ死ぬる人—より来たりて—へか去る」〈方丈記〉→いづち・いづへ

いっかど【一廉】『名・副』ひときわすぐれているさま。ひとかど。「あれは—の女ぢゃ」〈虎清本狂言・猿座頭〉

いっかに【如何に】『副』「いかに」の促音化。「—心に思へばとて、親に向って利口だて」〈浄・東山殿子日遊三〉

いつが・り【い繋り】『四段』《イは接頭語。ツガリは、ツガヒ(番)・ツギ(次・継)と同根》自然につながる。自然につながり合う。「紐の緒の—・り合ひて」〈万四一〇六〉

いつき【斎槻】神聖な槻の木。「百(も)足らず—が枝に、瑞枝(みづえ)さす秋の紅葉」〈万三二二三〉→い(斎) †ituki

いつ・き【斎き】㊀『四段』《イツ(稜威)の派生語。神や天皇などの威勢・威光を畏敬し、汚さぬように潔斎して、これを護り奉仕する意。後に転じて、主人の子を大切にして、仕え育てる意》①畏敬し、潔斎して大切に護り仕える。「此の鏡は、専ら我が御魂として、吾が前を拝むが如く—・き奉れ」〈記神代〉。「その女の家の内に忌籬(いがき)を立てて—・く」〈霊異記下三一〉②敬って大切にする。「わたつみの神の命(みこと)のみ櫛笥にたくはひ置きて—・くとふ珠にまさりて思へりし吾が子にはあれど」〈万四二二〇〉。「皆人は袍衣

(うへのきぬ)なるに、あざれたる大君姿のなまめきたるにて―・かれて入り給へる御さま」〈源氏花宴〉③(人を)汚れにふれさせないように大事に仕え育てる。「帳のうちよりも出さず―・き養ふ」〈竹取〉□二『名』潔斎してこもり、神事に仕えること。その場所。また、その人(特に斎宮・斎院にいう)。「隼(はやぶさ)は天に上り飛び翔(かけ)り―(斎場)が上のさざき取らさね」〈紀歌謡六〇〉。「賀茂の―(斎院)には、孫王の居給ふ例多くもあらざりけれど」〈源氏賢木〉 †itukiー**ど**【斎児】みだりに他人に触れさせないようにして育てている子。大事に育てている子。「錦綾の中につつめる―も」〈万一八〇七〉 ―**のひめみこ**【斎皇女】伊勢大神宮・賀茂神社などに、天皇の名代として奉仕する未婚の内親王または女王。天皇一代ごとに改定するのが原則。斎宮。斎院。「いつきのみこ」とも。「今奉る―は常の例(ためし)によりて三年いはひ清まはりて、御杖代(みつゑしろ)と定めて奉り給ふことは」〈祝詞伊勢大神宮〉 ―**のみや**【斎宮】①大嘗祭の時の悠紀(ゆき)・主基(すき)の両神殿の称。「神楯を―の南北二門に立つ」〈続紀神亀一・一一・二三〉②斎皇女(いつきのひめみこ)の居所。また、その皇女。「大来(おほく)の皇女伊勢の―より京に上る時」〈万一六三題詞〉。「かの伊勢の―なりける人の親」〈伊勢六九〉③《斎宮が原則として伊勢にあったことから》伊勢神宮。「わたらひの―ゆ神風にい吹きまとはし」〈万一九九〉 ―**むすめ**【斎娘】かるがるしく人中になど出さず、大切に養育している娘。秘蔵娘。「限りなき帝の御―もおのづからあやまつためし」〈源氏少女〉

いっき【一気】すぐさま。じき。「―、ぢき也。すぐ也」〈浪花聞書〉 ―**に**【一気に】『副』すぐに。じきに。「ぢきにと云ふ事を、大坂及び尾州辺、又は土佐にて―と言ふ。その意は、休まずして一息(ひといき)に物をする事也。関東にて、すぐさまにと言ふも、これに等し」〈物類称呼五〉 ―**のみ**【一気飲み】一息に飲むこと。「酒数寄(すずき)や舛(ますます)傾けて―」〈雑俳・高天鶯〉

いっき【一季】近世、奉公人の一年間の奉公期間。半年間のを半季という。「奉公人―の約束の内」〈南禅寺文書寛永八・一〇・二〉 ―**ゐ**【一季居】一年間奉公すること。また、その奉公人。「一季をり」とも。「―〔八〕…其の所に相留まるべきの事」〈毛利家文書三、元和五・六・一二〉

いっき【一紀】十二年の称。「空しく―を歴たり」〈続紀天応一・一・一〉

いっき【一揆】《「揆」は法則の意》①法則を同じくすること。同一の原理。「陰陽の理、寔(まこと)はすなはち千端、変化の義、もとより―にあらず」〈経国集二〇〉②心を同じくしてまとまること。また、その団体。「天下の勇士―の力を合はせ奉るべし」〈吾妻鏡治承四・一一・八〉。「自他―の始終、将来の長久を約せんと欲す」〈太平記二四・依山門嗷訴〉③中世における武士の族縁的または地縁的な結合体。「伊賀の服部・河合の―馳せ加はりて」〈太平記三五・尾張小河東〉④室町後期以後、在地の小豪族・農民・一向宗信徒などが生活や宗門を守るため、守護・大名・領主に反抗して起した共同行動。また、その集団。「―打ち負けて中賀茂の林間に引き退きける」〈長祿寛正記〉

いっき【一騎】ひとりの騎乗者。ひとりの騎馬武者。「楯を離れてただ―いできたりて」〈今昔二五ノ三〉 ―**あひ**(イア)【一騎合ひ】「いっきうち」(2)に同じ。「―の勝負は叶はじとや思はれけん」〈太平記三五・住吉合戦〉 ―**うち**【一騎打ち】①一騎ずつ進むこと。「浮橋(うきはし)を―に越えて」〈明徳記上〉②敵味方一騎ずつ、または一人ずつで戦うこと。「一騎合ひ」とも。「我と思はん人あらば、―の勝負を致し、両陣の息を休め申さばや」〈堂洞軍記〉 ―**がけ**【一騎駆け】一騎だけで馬を走らせ進むこと。単騎突進。「氏郷(うぢさと)―に馳せ向ひ」〈勢州四家記〉 ―**たうぜん**(トウ)【一騎当千】一騎で千騎の敵を相手にできるほど武勇がすぐれていること。「只―の兵を勝(すぐ)って敵の大勢を懸け破り」〈太平記三三・義助朝臣病死〉

いつ・ぎ【い次ぎ】『四段』《イは接頭語》あとからあとから続く。「さ男鹿の声―・ぎ―・ぎ恋こそまされ」〈万二一四五〉 †itugi

いっきと『副』《イキトの促音化》いきいきと。「朝(あした)は必ず花が―して自持するものぞ」〈四河入海一四ノ一〉

いっきょ【一挙】《イッコとも》①一つの事を起すこと。一つの行動または企て。「此の―の兵を以て、早く万全の計を成せ」〈都氏文集四〉②一気にするさま。ひといき。「―に百重(ももへ)の囲(みかこ)を解いて」〈太平記一七・京都両度軍〉

いっきょう【一興】①一度の遊興。「かかる事をば歌にこそ秘蔵して詠むべきに、連歌は当座の―ばかりの事に用ゐる事しかるべからず」〈落書露顕〉②ちょっとおもしろいこと。「これは近頃―ある聞き事にて候べし」〈伽・花鳥風月〉③《反語的に意外・奇怪の意をあらわす》あきれたこと。また、とんでもないこと。「乙月(十二月)に咲くや―花の兄(梅花)」〈俳・夢見草四〉

いっきょう【逸興】おもしろさがぬきんでていること。「左歌、させるすぐれたる義なしといへども、頗(すこぶる)―ある」〈奈良花林院歌合〉。〈下学集〉

いっく【一句】①詩歌や文章・楽曲のひとまとまり。「野煙の春の光に嘯(うそぶ)いて各(おのおの)―を吟じ」〈新撰朗詠集子日〉。「座頭…慇懃に琵琶を弾じて、平家を―打ち上げて語る」〈驢鞍橋下〉②〔連俳用語〕前句とのかかわりを離れた、付句(つけく)独自の意味・味わいを言うのに用いる。「富士のねも年は越えける霞哉／末遠く立つ武蔵野の春。この『立つ』は、前に付き候ときは霞のことに候。―は立春の心を…仕り候」〈宗祇独吟名所百韻〉 ―**づけ**【一句付け】同一の前句に対して、多数の者が一句ずつ付ける連歌。稽古または座興のためにする。前句に密接に付くものが評価された。「救済・周阿―なり。…春夏秋に風ぞ変れる〔トイウ前句ニ〕、雪の時さていかならむ峰の松、侍公(救済)。花ののち青葉なりしが紅葉して、周阿」〈長短抄中〉

いづく【何処】『代』《クは場所を示す。朝鮮語 kot(所)と同源か》どこ。「梅の花散らくは―」〈万八二三〉。「若君は―におはしますならむ」〈源氏空蟬〉。「紅顔―へか去りにし」〈正法眼蔵恁麼〉 ▽上代では専らイヅクが使われ、平安時代以降はイヅク・イヅコが併用された。 ―**ともなく**どこと も知れず。「鳥の飛ぶが如くにて―うち失せぬ」〈平治中・義朝奥波賀に落ち着く〉 ―**にそ**『副』⇒いづくんぞ。「焉(いづくにぞ)、肯(あ)へて勤めて行なはむや」〈金剛般若経集験記平安初期訓〉 ―**はあれど**《イヅクハは、どこということとはの意。アレドは、ともかくもの意》どこが一番よいかということは別として、その中でも。「みちのくは―塩釜の浦こぐ船の綱手かなしも」〈古今一〇八八〉。「子の日する―亀の尾の岩根の松をためしにぞ引く」〈新千載一九〉 ―**へ**【何処辺】どこのあたり。どのへん。「眠(い)をも寝ずわが思ふ君は―に今宵誰とか待てど来まさぬ」〈万三二七七〉

いつくさ【五種】五つの種類。「大儺の公(みき)小儺の公、五(いつくさ)の兵(つはもの＝武器)を持ちて追ひ走り」〈祝詞儺祭詞〉 ―**のたなつもの**【五穀物】《タナはタネ(種)の古形》稲・粟・稗(ひえ)・麦・豆の五穀。一説に、稗の代りに黍(きび)を挙げる。「いつつのたなつもの」とも。「―を始めて、

天の下の公民の作る物を」〈祝詞龍田風神祭〉

いつく・し【い尽くし】『四段』《イは接頭語》使い果す。すっかりなくしてしまう。「馬の蹄(つめ)―・す極み」〈万四一二二〉

いつく・し【厳し】『形シク』《イツ(稜威)クシ(奇)が原義。神や天皇の霊威・威光が勢い盛んで、鋭く、激しい意。転じて、威厳があり、荘厳である意。また、気性や容姿が神の子のように凜(りん)とした気品にあふれて人並と異なっている意。従って、粗末にすると罰(ばち)があたるというような気持がこめられていた。イツカシとは別語》①神威がはげしく発揮される。「大和の国は皇神(すめかみ)の―・しき国、言霊の幸(さき)はふ国と」〈万八九四〉②威厳がある。おごそかで立派だ。「―・しき神宝をもてつづけたり」〈源氏 澪標〉。「仏事尊く―・しくして」〈三蔵法師伝九・院政期点〉③きびしい。厳重である。「いと―・しうはもてなし(監督シ)たまはず。今めかしくをかしきやうに物好みせさせて」〈源氏匂宮〉④粗末にできない感じだ。「(紫上ヨリモ)―・しく、かたじけなきものに(女三宮ヲ)思ひはぐくまむ」〈源氏 若菜下〉⑤ただならず美しい。「珍しき事を聞き、―・しき事を見んと願ひ」〈こんてむつすむん地四〉。「美、いつくし」〈ぎやどぺかどる字集〉▽この語は、平安鎌倉時代頃まで、「慈」にあたる意味をもたない。→いつくしみ

いづく・し『形シク』こまかく丁寧である。「頭を廻らして熟(いづく)下官を視る」〈遊仙窟(醍醐寺本)鎌倉期点〉

いつくし・み【慈しみ】□一『四段』肉親的な愛情をこめて、人と対する。年の行かないものに心を使い、いとしむ。「郭巨(くわくきよ)が老母、かの孫を―・み、わが食事を分けあたへけり」〈伽・二十四孝〉。「父母に仕うまつる道は愛と敬との二つなり。愛は―・み愛する心なり。敬はつつしみ敬ふ心なり」〈都鄙問答二〉□二『名』慈愛。「慈、イツクシミ」〈文明本節用集〉。「仁・恩、イツクシミ」〈和玉篇〉▽もともと、慈愛の意はウツクシミといったが、形容詞ウツクシが、肉親的愛情のある意から、美しいという意を表わすように転じたため、ウツクシミと慈愛との結びつきがむつかしくなった。そこへ、イツキという語が、斎戒・奉仕する意から、大切に養育する意に転じて来た結果、ウツクシミとイツキが混合して、イツクシミという語が室町時代に生じた。

いっくゎ【一花・一過】①一時はでに振舞うこと。また、一時の栄え。「淡飯粗茶にてもてなしては、我(モテナシタ者)が心には、―一ふりの御馳走申し上げたるやうに思へども」〈仮・小盃四〉。「俗、始めありて終りなき事を一花(いっくわ・ひとはな)と云ふ」〈齊東俗談五〉②しばらくの間。一時。かりそめ。「俗に、かりそめなる事を―と云ふ」〈諺草一〉。「ざっと、これで重荷が下りましたと、―は騒ぐやうなれども」〈浮・傾城色三味線三〉

いづくんぞ【安・焉】『副』《イヅク(何処)ニ(助詞)ソ(古い指定の助動詞。口語のダにあたる)の転。どこにあろうかの意》どうして。なぜ。反語を導く副詞。漢文訓読体にだけ使う。古くは撥音の表記が固定していなかったので、平安前期からイツクソと表記した。平安時代には、ソは清音であったかもしれないが不明。室町時代にはイヅクンゾと濁音。「焉(いつくそ)八龍の委蛇たるに覩せむや」〈漢書、楊雄伝天暦二年点〉。「朕安(いつく)そ能く致さむや」〈三蔵法師伝六・院政期点〉。「何・曷・安・悪・焉、イヅクンゾ」〈名義抄〉。「安・悪・焉、イヅクンゾ」〈文明本節用集〉

いつ・け【射付け】『下二』①射て当てる。矢を命中させる。「いみじく弓勢(ゆんぜい)射る者なりとも、―・けずして矢は道に落つべきなり」〈今昔二五ノ六〉②射通して身動きならぬようにする。「大きなる野猪(くさゐなぎ)木に―・けられてぞ死にてありける」〈今昔二七ノ三四〉

いっけ【一家】《イッカとも》①家系をおなじくするもの。一族。「この大納言殿、入道殿とは―にて睦ましき御仲ぞかし」〈栄花衣珠〉。「田園ことごとく―の進止たり」〈平家二・教訓状〉②家全体。家族全部。「『殿おはしましにたり』とて、―ののしり合ひて」〈今昔二六ノ一八〉

いっこ【一挙】《コは呉音》⇒いっきょ。「―に死を軽くして攻め破らんと欲すれども」〈応仁記下〉

いづこ【何処】『代』《不定の場所。さらに、人や事柄についていう》どこ。「この杖は―の杖ぞ」〈神楽歌八〉。「―にもおぼつかなからず聞えかはし給ふ」〈源氏 須磨〉▽イヅクよりおくれて平安時代に現われた語。**―を面(おもて)にて** どういう点を面目として。どの顔さげて。「―かは、またも見え奉らむ」〈源氏賢木〉

いっこく【一刻】一時(とき)の四分の一。また、ごく短い時間をもいう。〈日葡〉 **―ぜめ**【一刻攻め】一気にはげしく攻め立てること。「近日、三万ばかりの軍勢を率して、―にすべき由」〈室町殿日記八〉 **―のみ**【一刻飲み】一息に飲むこと。「いっきのみ」とも。「―に(盃ヲ)さらりと明け」〈浄・一心五戒魂五〉

いっこん【一献】①酒・肴(さかな)を重ねない一席の酒宴。小酒宴。「未だ御飯を供せざる前に、―を召す」〈御堂関白記寛仁二・一・六〉②(一献・三献と酒・肴を重ねる酒宴で)最初の酒席。「―にうちあはび、二献にえび、三献にかいもちひにてやみぬ」〈徒然二一六〉

いっさい【一切】□一『名』あらゆるもの。すべてのもの。全部。「―の人のために(人カラ)尊敬せられむ」〈東大寺諷誦文稿〉□二『副』《下に打消の語を伴い、時に「―に」の形をとって》全く。全然。「―行事に障りなし」〈雑談集六〉。「日比(ひごろ)―にかかる武士ども人に見えざりけり」〈十訓抄一ノ三四〉→いっせつ。 **―うじゃう**【一切有情】〔仏〕「一切衆生」に同じ。「(経文ノ一句ヲ)―に唱へてなむ聞かせ給ひける」〈百座法談聞書抄〉 **―きゃう**【一切経】《一切の経典の意》仏教の経・律・論の三蔵とそれらの注釈書すべてにわたる仏典の総称。大蔵経。「―一千五百九十七巻」〈大安寺伽藍縁起天平一九〉 **―きゃうくやう**【一切経供養】一切経を書き写してこれを供養する法会。「積善寺といふ御堂にて、―せさせ給ふ」〈枕二六二〉 **―きゃうゑ**【一切経会】一切経を供養・読誦する法会。経の全部を読むのではなく、多くその首題を読誦するにとどまる。「仁和寺の―に、狛光時(こまのみつとき)颯踏(さっとう)急声(きふしゃう)二反を舞ひ」〈著聞二〇〉 **―しゅじゃう**【一切衆生】〔仏〕この世にあるすべての生物。特にすべての人間。「―、煩悩の身」〈菅家文草四〉 **―は外聞(ぐわいぶん)** 世の中のすべては、外聞をとりつくろっているだけだの意。「―とは俗語にも云へり」〈俳・類船集一〉

いっさう【一双】①二つそろって一組になっているもの。一対(いっつい)。「法師は前に台―に銀(しろかね)の器(うつはもの)どもに物食ひ散らして」〈今昔一六ノ二〇〉。「この池に遊び給ふに、明珠―を得たり」〈唐鏡五〉②相並ぶすぐれた二人。双璧。「興福寺の智光・頼光は、―の尊(たっと)き人にて」〈十訓抄五ノ五〉

いっさう【一左右】一度のたより。一報。「いかさま今―にしたがひて、重ねて申し入れ候ふべく候」〈看聞御記紙背文書巻一八・貞成親王書状案〉

いっさつ【一札】書状・証書・手形などの一通。「去月六日―を進(まゐ)らせ候処、同二十一日の返札、昨日酉の刻に到来す」〈伊達家文書一、上杉常泰書状〉

いっさん【一山】《「山」は大寺の意》大寺全体。寺内全

部。「此れ唐の天台大師の忌日なり。―の営みとして今に絶えず」〈今昔一一ノ二六〉

いっさん【一三・一参】 ①《三つのものを一つにする意》鞍・鐙(あぶみ)・手綱を三者一体にさばいて、巧みに馬に乗ること。特に馬を停止させる場合の技術という。「雪の朝(あした)の火打形、―の馬場渡り、是ぞ犬追ふ武士(もののふ)の事芸は類ひなや」〈謡・丸馬〉 ②早く走ること。駆け足。「―と云ふ事、当世人のかけ足を云ふなり」〈弓張記〉

いづし【何方】『代』「いづち」の上代東国方言。「―向きてか妹が嘆かむ」〈万三四七四東歌〉

いつしか【何時しか】《シは強意の助詞》㊀『副』①いつ…か。いつになったら…か。早く。待ち望む気持をこめて使う。「春の花―君と手折りかざさむ」〈万三九六六〉。「―その月日になれかし」〈古本説話六三〉 ②いつのまにか。「―とのみ待ちわたるべき」〈古今一八三〉。「―雛(ひいな)をしするて、そそきるたまへる」〈源氏紅葉賀〉 ③早くも。「思ふより―濡るる袂かな涙ぞ恋のしるべなりける」〈千載六四三〉。「昨日法皇崩御なりしに、―けふかかる事のいで来ぬるはいかなることにか」〈保元上・新院御謀叛思し召し〉 ④いつだったか。「―まゐりつる神のやしろも、今年は〔喪中デ〕かなはぬことなれば」〈問はず語り一〉 ㊁『名』いかにも早すぎるさま。時機尚早。「新帝今年三歳。あはれ―なる譲り(譲位)かな」〈平家四・厳島御幸〉

いっしき【一色・一職・一式】 ①一つの色。ひといろ。「小袴は袱紗(ふくさ)紫に染めたる―を着せしむる也」〈山槐記永暦二・四・二五〉 ②純一。「これ―の正修行なり」〈正法眼蔵谿声山色〉 ③一品。ひとつ。「吝(しわ)い人で、つひに孫どもに何を―くれられた事が御座らぬ」〈虎寛本狂言・財宝〉 ④あらゆる法式。すべてのやり方。「八省・豊楽院(ぶらくゐん)の本図を伝へ、造殿・造宮等の式法―を鑒(かんが)みる」〈新猿楽記〉 ⑤すべて。全部。すっかり。「―にとる」〈ロドリゲス大文典〉。「紅葉する山は―錦かな」〈俳・山の井三〉

いっしく【一支具】 ㊀『名』鎧・具足の一揃い。「或は一縮と書き、或は―と書く。これをよしとす」〈壒嚢鈔一〉↓いっしゅく(一縮) ㊁『副』常に。いつでも。「不断来る、常住来るなどと云ふことを、〔京都祇園デハ〕―にお出でると云ふ」〈羇旅漫録中〉。「―。ひたと也」〈浪花聞書〉

いっしさうでん【一子相伝】(ソウ) 歌学・武術・芸道などで、秘法をわが子ひとりにしか伝授しないこと。「春日龍神〔ノ曲〕の間(あひ)は我家代代、―也」〈わらんべ草五〉

いつしば【いつ柴】《イツは稜威。神や自然の勢威》 勢い盛んに茂った小木。「天霧らし雪も降らぬかいちしろくこの―に降らまくを見む」〈万一六四三〉 **―はら【いつ柴原】**「いつしば」の原。「いつもいつも」の序として使われる。「道の辺の―のいつもいつも人の許さむ言をし待たむ」〈万二七七〇〉

いっしはんせん【一紙半銭】《紙一枚と銭半文の意》 仏家で寄進の額のわずかなことをたとえていう語。「況んや―の宝財においてをや」〈平家五・勧進帳〉

いっしゃう【一生】(ショウ)《生れてから死ぬまで、生命のある間の意。生き続けているところに重きをおく。類義語「一期(いちご)」は、生涯をただ一回そこまで、と限って考えるところに基本の意がある》 生きている間。終生。「―の恥これに過ぐるはあらじ。女を得ずなりぬるのみにあらず、天の下の人の見思はむことの恥づかしきこと」〈竹取〉。「―はいくばくに侍らぬに」〈栄花ゆふしで〉 **―ふぼん【一生不犯】** 一生、僧としての戒律を守って異性と接しないこと。「次郎は―の大験者、三業相応の真言師なり」〈新猿楽記〉

いっしゃくはっすん【一尺八寸】 ①江戸幕府の制限した大脇差の最大限の長さ。正確には、一尺八寸九分まで。また、その大脇差。「―の黄金作りの刀をさし」〈虎明本狂言・文蔵〉 ②《笠の直径が一尺八寸であるのにちなんでいう》 笠雲(層積雲の一種)の異名。暴風雨の前兆とされた。「―〔ガ出現シタノデ〕風や吹くらん」〈俳・山の端千句下〉 ③囲(かこひ)女郎の異名。「鹿恋(かこひ)〔女郎ハ〕…天神〔女郎〕より又一段さがりて、―とも…八寸とも…鹿とも云へり」〈浮・好色床談義五〉

いっしゅきん【一朱金】 近世後期、文政七年鋳造された小型の正方形の一朱の金貨。表面中央に桐の花の極印、その下に「一朱」の二字を横書してあり、「一朱判」「小二朱」ともいった。「―咄しで〔コレヲ薬礼ニ使ワレテハ小銭ト間違ウノデ困ルト〕医者は苦い顔」〈雑俳・柳多留〈〇〉 →銖(しゅ)

いっしゅく【一縮】 ①鎧・具足などの一揃い。「具足―とは、胴・袖・兜〔ノ〕事か」〈山科家礼記康正三・八・五〉。「一縮、イッシュク、具足」〈運歩色葉集〉 ②鎧・具足などを身につけること。「中門に席皮(しきかは)敷いて、冑(よろひ)―し」〈太平記三・大森彦七〉。「一縮、イッシュク、鎧兵具を着る義也」〈文明本節用集〉

いっしゅん【一瞬】 一生。また、臨終。一期(いちご)。「御所様御老病の間、御―以後の事、御領等御安堵の事申さるる也」〈看聞御記応永三一・三・三〉。「一瞬、一期ヲ云」〈塵芥〉

いっしょ【一所】 ①一つの場所。一か所。同じ場所。「住む所を定めずして、―に二宿することなし」〈今昔三ノ二四〉 ②一つになること。共にあること。「後陣の御方(みかた)と―にならんと」〈太平記二五・住吉合戦〉 **―けんめい【一所懸命】** ①一か所の領地に命をかけること。「今は定めて―の領地もよもあらじ」〈古活字本保元下・義朝幼少の弟〉 ②全力をあげて生命・職責などを守ること。必死。近世中期頃から、「一生懸命」とも書く。「鷹に逢ふや―雉の声」〈俳・鸚鵡集三〉 **―ぢう【一所住】**(ジュウ) 住居を同じくすること。また、その人人。「その外―とて、衆徒八百余人早尾に群集して」〈太平記一七・山門牒〉

いっしょう【一升】 **―入る壺には一升入る** 物にはそれぞれ一定の限界があるたとえ。「一升桝(ます)には一升入る」「一升入る袋は海川でも一升」などとも。「冬の夜の寝酒も―とや」〈西鶴・好色盛衰記三〉 **―は夢のごとし**《「一生は夢のごとし」をしゃれて》 上戸が酒の酔いが早く醒めるのを嘆いていうことば。また、早く飲み尽す意ともいう。「一升は夢の間」とも。「―や花見酒」〈俳・塵塚(成之編)一〉。「げに、―、五合は幻の如しとは、上戸のはかなく醒ることを嘆きたる言葉なるべし」〈咄・初音草咄大鑑三〉

いっしょう【一称】 仏の名号を一度となえること。「―も一念も、阿彌陀仏に知られ参らせずといふ事なし」〈拾遺語燈録中〉 **―いちらい【一称一礼】** 一度仏の名号をとなえては一度仏を礼拝すること。「この仏を―せむ人は、必ず兜率天(とそってん)の内院に生れて」〈今昔一一ノ一五〉

いっしん【一心】 ①一つの心。心一つ。「この正伝せる―を教外別伝といふ」〈正法眼蔵仏教〉 ②心を一つに集中・統一すること。専心。「―に法花経を誦(じゅ)す」〈今昔一三ノ四〇〉 **―ふらん【一心不乱】**《イッシンプランとも。「一心散乱」に対する語で、古くは、雑念を去ってひたすら仏に帰依することの意に多く用いられた》 心が一つの事に集中して、他の事に乱れないこと。「阿彌陀仏の名号を聞き持(たも)ちて、若しは三日乃至(ないし)七日―ならば」〈三宝絵下〉。「口に名号を唱へて心を仏にかくるを―といふ」〈八幡宮巡拝記下〉

いっしん【一身】①身一つ。わが身ひとり。「われ―の修善、その功徳なし」〈正法眼蔵三時業〉②からだ中。全身。「―ゆふゆふ(ブョブョ)と腫れたる者」〈今昔二四ノ七〉 **―あじゃり【一身阿闍梨】**その身一代限りの阿闍梨。名門のものに与えられた。「―真性を以て法眼に叙す」〈天台座主記〉 **―でん【一身田】**古代の土地制度で、その人一代に限って与えられた田地。後には死後も収公せず、私有地化し、地名化して残った。「いしんでん」とも表記。「勅して参河国播豆郡荒廃田一百町を以て孟子内親王に賜ひ、―と為す」〈三代実録元慶二・六・二〉

いっすもの【一種物】《イッシュモノとも》①各人が酒の肴(さかな)を一品ずつ持ち寄って催す酒宴。また、それに持ち寄る各人の酒肴(しゅこう)。「上達部・殿上人―を随身(ずいじん＝携帯)し、若宮の侍所(さぶらひどころ)に会合す」〈御堂関白記寛弘六・一〇・四〉②《中世の俗説に、銭二十文を重ねた厚さが一寸あることから「一寸物」と当てて》各人が銭二十文ずつを出し合うこと。また、そうして催す酒宴。「常に鳥目(てうもく)二十文の厚さ一寸ある故に、二十文おのおの出すを―と云へり」〈壒嚢鈔二〉

いっすん【一寸】①一尺の十分の一。「平(たひら)なる板の一尺ばかりなるが、広さ(幅)―ばかりなるを」〈今昔二六ノ二〇〉②少しのもの、わずかなもののたとえ。少量。「―の暇(いとま)を惜しみて法華経を読誦し」〈今昔一五ノ四五〉。「―の懺悔の紙燭(しそく)を差し入るれば、千里の闇晴れ」〈壒嚢鈔九〉③銀一匁の異名。「ようはする／―五分で此の旅籠(はたご＝料理)」〈雑俳・軽口頓作〉 **―さき【一寸先】**《ごくわずかの時間・距離などの形容》すぐ目の前。極めて近い将来。「―を鼠徘徊するといへども」〈伽・猫の草子〉 **―先は闇** 前途は予知できないということのたとえ。「一寸先は知れぬ世」「一寸先は闇の夜」とも。「当世の流行言葉に―といふ」〈伽・蓬萊物語〉。〈俳・毛吹草二〉 **―ぬけ【一寸抜け】**その当座をごまかすこと。「一寸のべ」「一寸のがれ」とも。「やあ―は言はせぬ」〈近松・三世相四〉 **―延ぶれば尋(ひろ)延ぶる** 当座の困難を辛抱すれば、将来は楽になることのたとえ。〈俳・毛吹草二〉 **―の虫には五分の魂** どんな弱小な者にも、それなりの意志や意地があるということのたとえ。「たとへにも、―とて、あやしの虫けらも命をば惜しむ事」〈極楽寺殿御消息〉 **―はちぶ【一寸八分】**最小の仏像の身長。「―の十一面守り本尊」〈西鶴・一代男四〉 **―ぼふし(ボウ)【一寸法師】**背たけの非常に低い人。小男。小人。「せい一寸ありぬれば、やがてその名を―とぞ名づけられたり」〈伽・一寸法師〉

いっせ【一世】①〔仏〕前世・現世・来世の三世のうちの一つ。「これ―の縁にあらじ。定めて多劫の契りなるべし」〈孝養集下〉②一生。一生涯。「親子恩愛の道、今生―の契り、今を限りと思ひければ」〈保元中・為義降参〉 **―いちだい【一世一代】**①一生に一度。一世一度。「―奈良山の月〔ヲ見ルノハ〕」〈俳・六日飛脚〉②能・歌舞伎役者などが、一生に一度限りの晴れの舞台。「正保の頃、喜多七大夫京都に於いて、―の勧進能の御免を蒙(かうむ)り」〈玉滴隠見一〇〉 **―のげんじ【一世の源氏】**天皇の子で「源」の姓を賜わり臣籍にくだった人の称。嵯峨天皇の皇子源信が最初という。これに対し、親王の子で「源」の姓を賜わった人を「二世の源氏」という。「―、また納言・大臣になりて後に更に親王(みこ)にもなり位にもつき給へるもあまたの例ありけり」〈源氏薄雲〉

いっせい【一声】①ひとこえ。「塞角(さいかく＝万里ノ長城デ聞エル胡人ノ角笛ノ音)―老将の心」〈本朝無題詩三〉②〔能楽用語〕シテが登場して最初にうたう短い謡の一種。七五調三句を基本形式とする叙景的・抒情的な詞章が上音でうたわれる。「時を得て出でて、―をも上ぐれば」〈風姿花伝〉③〔歌舞伎用語〕下座音楽の一。大小鼓を中心に笛をあしらう能がかりの囃子。所作事、大海深山の場の幕開きなどに用いる。「船の場、明き、一、―、波の音」〈博多小女郎波枕下座付帳〉

いっせかい【一世界】〔仏〕全世界。世界中。「国師はこれ一代の古仏なり、―の如来なり」〈正法眼蔵佗心通〉 ▽仏家では「三千世界」と同意とする。

いっせき【一跡】①家系。血統。また、跡目。「其の上大家の―、此の時断亡せん事もったいなく候」〈太平記三五・北野通夜〉。「―をも継がせばや」〈謡・藍染川〉②跡目を継ぐ者に譲渡すべき物すべて。遺産。全財産。身代。「相模入道の―をば、内裏の供御料所に置かる」〈太平記一三・公家一統〉。「身どもが―は娘に譲りまらする」〈虎明本狂言・眉目よし〉③《「―に」の形で》ありったけ。全部。「―に一人ある子を、さんざん折檻して」〈仮・石山寺入相鐘下〉。「―に一つの鍋釜」〈西鶴・永代蔵二〉

いっせつ【一切】『副』全く。全然。いっさい。「―下馬の礼儀にも及ばず」〈平家一・殿下乗合〉

いっせつたしゃう(シヨウ)【一殺多生】〔仏〕ひとりを殺して多数の命を救うこと。少数者の犠牲において多数者を助けること。「―の理にまかせ、彼を殺せと言ひあへり」〈謡・鵜飼〉

いっせん【一銭】 ―ぎり【一銭切り】戦国時代の刑罰。一銭を盗んでも死罪に行なう意から転じ、わずかな違犯も逃さず斬罪とすること。また一説に、一銭も残さず財産を没収することともいう。「―と堅く成敗の間」〈鹿苑日録天文七・一〇・一二〉。「盗賊の輩(ともがら)―たるべき事」〈金剛寺文書二、天正一三・四〉 **―ぞり【一銭剃り】**《もと料金が一銭であったからいう》髪結いのこと。「一銭職」とも。「―の僧…小児連れて来たる」〈言経卿記天正一七・八・二三〉

いっせんいちらい【一瞻一礼】一度仏を仰ぎ見ては一度仏を礼拝すること。「その所は特に観音利生の道場として、―の者、悉く益に預る」〈長谷寺験記上〉

いっそ『副』①むしろ。かえって。「親族よりは潰しと定め、除け者にすると見るからは、俗語に云ふなる―といふものに〔本人ハ〕なりて、また奢り甚だしく」〈色道大鏡五〉。「名月や―更けては下戸ばかり」〈俳・熊野烏〉②〔江戸語〕ほんとうに。非常に。たいそう。「どふも―痛そうだの」〈洒・深川手習草紙〉

いっそく【一束】①ひとにぎり。「〔矢ノ〕沓巻(くつまき)より―ばかり置いて」〈平家一一・遠矢〉②ひとたば。ひとつかね。「稲を刈るに一把二把―二束と謂ふなり」〈庭訓抄上〉③紙十帖。「杉原〔紙〕―・扇一本英音持参し了んぬ」〈大乗院雑事記康正三・三・一八〉④百個。魚・野菜・果物などにいう。「〔茄子ヲ〕―も算へようかね」〈滑・浮世風呂四中〉 **―の事** むしろ。かえって。「―こんな憂き身はあだし野(火葬場)へ」〈俳・伊勢宮笥〉 **―いっぽん【一束一本】**杉原紙十帖と扇一本。武家時代の献上物。「―と申すは扇・杉原を申す也」〈常照愚草〉 **―ぎり【一束切り】**「散切(ざんぎり)」に同じ。「今夜、愛千代丸部屋に於いて、髪を―にはやす(切ル)」〈大乗院雑事記文明一三・一〇・二九〉

いったい【一体】①一つの身体。同一のもの。「この御本尊も上人もただ同じ御誓願寺とぞ、仏と上人を―に拝み申すなり」〈謡・誓願寺〉②仏像一つの称。「地蔵菩薩を―造り奉りたりけるを」〈宇治拾遺七〇〉③一つの体裁。一つの様式。「いづれの時かと疑ひたは、また、文の―にておもしろきぞ」〈杜律五言鈔四〉 **―ふんじん【一体分身】** 衆生済度のため、仏が一つの体から数多くの化身に分れて、この世に現われること。中世、本地垂迹説の用語として盛んに用いられた。「一体異名」とも。「思へば伊勢と三輪の神、―の御事」〈謡・三輪〉

いったう ウ‥ト【一到】『副』全く。全然。「―世間に用いられぬ閑人と見えたぞ」〈三体詩抄一ノ四〉

いったうさんらい ウ‥ト【一刀三礼】仏像を刻む時、一刀を入れるごとに三度礼拝すること。「因幡堂の薬師、釈迦の御作、―に作り給ふ」〈兼載雑談〉

いったん【一旦】 ①一朝。ある朝。「況(いは)むや―薨じてより已後(のち)はや」〈菅家文草二〉 ②一時。しばし。「生を殺し、盗みすれば―の益もあり。法をそしり、人をそしる事、何の益かある」〈孝養集中〉。「或いは―の身命を延べんがため」〈平家四・南都牒状〉 ③一度。ひとたび。「―恥ぢ恐るる事あれば、必ず汗を流すは」〈徒然一二九〉 ④一往。ひととおり。「久我尼上が申し状、―そのいはれなきにあらず」〈問はず語り二〉

いっち『副』《イチ(一)の促音化》第一。一番。最も。「雑餉(ざつしやう)の仕立て(御馳走ノ味付ケ)はいづれの人の口にもよきやうなる心也。―真中(まなか)(=中庸)なる味はひがある也」〈禅鳳雑談〉。「いちと言ふべきを―」〈俳・かたこと三〉

いづち【何方】『代』《チは方角。コチ・ヲチなどのチ。イヅチはイヅクより漠然と方角を指す》どちらの方角。どの方向。「たらちしの母が目見ずておぼぼしく―向きてか吾(あ)が別るらむ」〈万八八七〉。「女は『男を捨てては―か行かむ』とのみ言ひわたりけるを」〈大和一四八〉 **―もいづちも** どっちへも。「―足の向きたらむ方へ往なむず」〈竹取〉

いっちうぶし ウ‥チュ【一中節】浄瑠璃節の一派。京都の都太夫一中が延宝ごろ始め、宝永・正徳ごろ盛んに行なわれた。「当世小歌―の名人」〈浮・野白内証鑑三〉

いっちゃう ‥チョウ【一町】 **―に九所(くところ)** 数の多いことをいう。至る所で。「―の喧嘩」〈西鶴・一代男五〉 **―三所(みところ)** 数のまばらなことをいう。「一町に三所」とも。「―棹の〔形デ空ヲ飛ブ〕雁金」〈俳・独吟一日千句〉

いっちゃうら ウ‥チョ【一挺蠟】 ①たった一本で、ともし替えのない蠟燭(ろうそく)。「一挺蠟燭(らつそく)」とも。「〔好キナ同士デ〕逢ふ夜は―」〈俳・独吟集下〉 ②《「一張羅」とも書く》たった一枚の晴着。訛って「いっちょら」「いっちゃうらい」とも。「―を取り出して」〈西鶴・男色大鑑六〉

いっちゃくしゅ【一搩手】 手の親指と中指を伸ばした長さ。「戯(たはぶれ)に砂(いさご)の塔を造りつ。高さ―なり」〈三宝絵下〉。「―は、高高指(たかたかゆび)・大拇指とを張りての事なり。仏手にては二尺なり。常の人は一尺なり」〈六物図抄〉 **―はん【一搩手半】** 一搩手の一・五倍の長さ。仏像の高さの一規格とされた。「七郎は大仏師なり。丈六・等身・―…等の上手なり」〈新猿楽記〉

いつつ【五つ】 ①五。「四つの蛇(へみ)―の鬼(もの)の集まれる」〈仏足石歌〉 ②昔の時刻の名。辰(たつ)の刻と戌(いぬ)の刻。五つ時。「夕には―以前に寝静まるべし」〈早雲寺殿二十一箇条〉 ▽もとイだけで五の意。イツのツは、ミツ・ヨツにならったものであったが、ヒトツ・フタツなどにひかれて、さらにツが加わり、イツツの形になったものであろう。 **―ぎぬ【五つ衣】** 五枚がさねの袿(うちき)。「柳の―に、紅の袴着て」〈平家一一・那須与一〉 **―のかりもの【五つの借物】** 人の肉体。仏説に、人体も万物と同じように地・水・火・風・空の五つから成り、死ねばこの五つに還るという。「この土(ど)より娑婆へ生れし時、―あり」〈伽・天狗の内裏〉 **―のさはり** ‥サワリ【五つの障り】「五障(ごしやう)」の訓読語。「女人―あり」〈梁塵秘抄二六〉 **―のたなつもの【五つの種つ物】** 「五穀」の訓読語。⇒いつくさのたなつもの。「五穀、以都々乃太奈豆毛乃(いつつのたなつもの)、禾(あは)・稷(きび)・菽(まめ)・麦・稲也」〈和名抄〉 **―のとを【五つの十】** 五十。「経にける年を数ふれば―になりにけり」〈千載一一五七〉 **―のなにがし【五つの何某】** 五つのなんとか。女の「五障(ごしやう)」をさす。「―も、なほ、うしろめたきを」〈源氏匂宮〉 **―のにごり【五つの濁り】** 「五濁(ごぢよく)」の訓読語。「仏・菩薩(ぼさつ)の変化(へんげ)の身にこそものし給ふめれ。―深き世になどて生れ給ひけむ」〈源氏蓬生〉 **―のむつ【五つの六つ】** 三十。「積れる年をしるせれば―になりにけり」〈古今一〇〇三〉 **―のもの【五つの鬼】** 「五蘊(ごうん)」の訓読語。「四つの蛇(へみ)―の集まれるきたなき身をばいとひすつべし」〈仏足石歌〉 **―を【五つ緒】** 牛車(ぎつしや)の簾の上部に垂れる五筋の革緒。「―の車、薄衵(うすあこめ)、二重織り物、許(ゆ)り候ひぬ」〈問はず語り一〉

いづつ・し『形シク』《イツイツシ(稜威)の約か》いかにも恐ろしい。夜目に恐ろしいものがふっと見えるような恐怖をいうらしい。「夜女(よめ)の…―・しき事なく」〈祝詞大殿祭〉

いってう ‥チョウ【一調】 ①〔能楽用語〕小鼓・大鼓・太鼓のうちの一つと、通常一人の謡い手とをもって、一曲の一部を演奏すること。まれに謡が助吟を伴う場合や、謡を欠く場合もある。これに笛の加わるものを「一調一管」といい、また鼓一つで一声(いつせい)の囃子を打つものを「一調一声」という。「只―の心得をよく工夫に入れて謡ひ候はば」〈永正十八年元安伝書〉 ②〔歌舞伎用語〕武将・大名などの出入りや所作事に用いる小鼓の囃子。出入りには通常三味線を併用。「陣立合方、ねり来る。皆皆出で、―」〈仮名手本忠臣蔵下座付帳〉 **―にきさんせい【一調二機三声】** 謡の発声の順序についての心掛けをいう。謡い出しの正しい調子をはかり、それを機に合わせて声を出すこと。「調子をば機にこめて声を出すがゆゑに、―とは定むる也」〈花鏡〉

いってき【一滴】 **―七十五粒(しちじふごつぶ)** 酒一滴は米七十五粒を費やしてできる意。また、酒の称。「二年半に大盃が身体(しんだい)飲み上げて、―の〔代金ノ〕細金(こまがね)さへ無い身となりて」〈浮・傾城色三味線二〉

いづてぶね【伊豆手船】 伊豆国で作られる型の船。「防人(さきもり)の堀江漕ぎ出(づ)る―」〈万四三三六〉 ▽テは、工匠の意。

いってん【一天】 ①空一面。「―かくれて月日の光を失ひ」〈保元上・法皇崩御〉 ②「一天下」に同じ。「―を静め、四海を澄ます」〈平家三・土佐房〉 **―しかい【一天四海】** 一天下と四海と。全世界。「―を掌の内に握られし上は」〈平家一・鱸〉 **―のきみ【一天の君】** 「一天下の君」に同じ。「同じくは―の宣旨にこそ従ひ給はめ」〈保元上・官軍手分け〉

いってん【一点】 ①一つの点。一つ。「―孤(ひと)り浮かぶ江上の船」〈文華秀麗集下〉 ②漏刻で、一時(いつとき)を四つに分けた、その第一の時間。「節会常の如し。申(さる)の―、小朝拝。三点、御出」〈御堂関白記長保六・一・一〉

いってんか【一天下】 天下全部。国中。「一天」とも。「―をまつりごちておはします」〈大鏡後一条〉。〈日葡〉 **―のきみ【一天下の君】** 一天下の主。天皇。「かしらだに堅くおはしまさば―にこそはおはしますめれ」〈栄花浦浦別〉

いっとう【一同】 ⇒いちどう。「一同、いっとう、各同心」

〈和漢通用集〉

いっとう【一統】①一つに統合すること。「君御―の御時に、尤も忠賞あるべし」〈太平記七・先帝船上〉②同一。一様。一同。「只年臘の同じをも同年と云へども、それは―〔二〕云はぬぞ。それをば同庚とも、同甲とも云ふぞ」〈四河入海一七ノ三〉

いっとき【一時】①ちょっとの間。寸刻。「―も急げとて、駒を早めて打つ程に」〈曾我七〉②今の二時間。ひととき。「海道三十五里の間を―が内に歩ませ給ひし屐(あしだ)なり」〈太平記二・書写山〉。「三人の内、二人は臥して、壱人づつ―代りに寝ずの番」〈西鶴・伝来記五〉③同時。「男一『そんなら白酒が落ち着くと』七兵衛『惚れられるのが―ぢゃ』」〈伎・助六〉　**―三里犬走り**　一時(二時間)に三里歩くには、犬のように小走りに歩いてちょうどよい。「一時三里」とも。「鷹狩や―」〈俳・難波草四〉　**―ぜめ**【一時攻め】「一刻(いっこく)攻め」に同じ。「―は良将のきらふところなり」〈兵法問答〉　**―だいく**【一時大工】時間ぎめで、ちょっとした修繕などに働く大工。「―〔ノ賃銀八〕六分」〈西鶴・二十不孝一〉

いつところもん【五所紋】着物・羽織の背筋の上、左右の表袖、胸の左右におのおの一つずつ、合計五か所に家紋を表わしたもの。「五所」「五つ紋」とも。「御小姓衆の羽織。但し紬、裏は丹田山紬、地あさぎ、―」〈室町殿日記四〉

いっとろ《「一統(いっとう)」の訛》同一。また、一齊。「―に袷(あはせ)になるや黒木売り」〈俳・韻塞上〉

いづな【飯綱】「飯綱の法」の略。「此の山伏―とやらん鄙法を覚えて」〈仮・御伽物語三〉　**―つかひ**【飯綱遣ひ】飯綱の法。また、その術者。「あの子は―ではござらぬかと…横手を打たれぬ」〈浮・浮世親仁形気三〉　**―のほふ**【飯綱の法】《信濃国飯綱山の修験者が始めたのでいう》管狐(くだぎつね)を使って行なう妖術。「日本にても、俗に、茶枳尼(だきに)の法なれ、―なれ、よく修習せる者はまれにて、身を亡ぼす事は多かりき」〈狐媚鈔〉

いつぬさ【厳幣】神聖なささげ物。また、神事に使う木綿鬘(ゆふかづら)。「―の緒結び」〈祝詞神賀詞〉

いづの【厳の】『連語』《イツノの転》霊威ある、厳粛な、神聖な。「―真屋に麁草(あらくさ)を…刈り敷きて」〈祝詞神賀詞〉

いつは【五葉】⇒ごえふ。「―の松のいつはあれど」〈雪玉集〉

いっぱ【言っぱ】『連語』《言ふハの転。「…といっぱ」という形で使われる》…(と)いうのは。「六義(りくぎ)は則ち毛詩より出でたり。その六義と―、詩序に曰く」〈古今集註〉。「呪文と―別なる事でもない」〈虎明本狂言・釣針〉

いっぱい【一杯・一盃】㊀『名』①盃や椀に入れて一つ。「日食粥―なるゆゑに」〈正法眼蔵行持下〉②金一両。「祝儀は女郎へ一分を二三十粒、宿へ三歩あるいは―」〈浮・元祿大平記五〉③ある限り。ぎりぎりの範囲。「足の甲に―に当るやうに〔鞠ヲ〕蹴(け)べし」〈蹴鞠百五十箇条〉。「玉川の里―に水出でて」〈俳・寛永十三年熱田万句六〉㊁『副』ぎりぎりの限度まで。じゅうぶんに。「持満は、弓を―引きふくらめてぞ」〈漢書竺桃抄〉　**―喰はす**　人をだます。「一杯さす」「一杯させる」とも。「―・せて腹立たせよ」〈浄・甲子祭四〉　**―なるくち**【一杯なる口】ちょっと酒が呑めること。「はったりとして(十分注イダ盃ヲ持ッテ)―」〈俳・胴骨〉　**―参・る**　うまくだまされる。一杯食う。「さてさてとろりと―・らせた」〈近松・大経師下〉

いつばかり【何時許】『副』いつごろ。「万葉集は―作れるぞ」〈古今九九七詞書〉。「さても―に思し立つべきにか」〈源氏宿木〉

いっぱし【一端】『名・副』①ひととおり。一往。「さても我ら思ひ立つ事、母に―知らせ奉るべし」〈曾我七〉②一人前。人並み。ひとかど。「―言はんと思ふ気なれば」〈咄・正直咄大鑑四〉

いつは・り【偽り】㊀『四段』①虚偽を行なう。「我を害せむが為の故に…為(いつは)りて牀座を敷き」〈地蔵十輪経三・元慶点〉。「誠の蓬萊の深き心も知りながら、―・りて玉の枝に瑕(きず)をつけたるを」〈源氏絵合〉②虚偽を言う。「詐(いつは)りて大乗と号せるもまたかくのごとし」〈地蔵十輪経七・元慶点〉㊁『名』《「まこと」の対》①虚偽。「―も似つきてぞする」〈万七七一〉。「―の涙なりせば」〈古今五七六〉。「人の情―雑(まじ)し」〈大唐西域記三・長寛点〉②虚構。つくりごと。「さてもこの〔物語ノ〕―どもの中に」〈源氏螢〉

いっぴき【一匹・一疋】①一頭。古くは馬についてのみいったらしい。「馬三匹引かる。―に鞍置いたり」〈平家八・征夷将軍〉②絹布二反。「東絹(あづまぎぬ)―」〈将門記〉③銭十文。「十文を―と云ひ、一貫を百疋と云ふ」〈運言便蒙抄下〉。〈日葡〉④一人を強調していう語。「容色悪しからず、大夫―なり」〈評判・難波物語〉　**―の馬狂へば千疋の馬狂ふ**　一人の言動で、他の多くの者を混乱させることのたとえ。「俗にも申す如く、―」〈浄・自然居士三〉

いっぴつけいじゃう【一筆啓上】つつしんで手紙を書き送ること。男子が書状の冒頭に書く慣用語。「などや御音づれにも預からざらんと、―せしめ候」〈謡・鞍馬天狗〉

いっぷく【一服】茶・薬などを一回飲むこと。また、その一回分。「茶―、薬―」〈文明本節用集〉　**―いっせん**【一服一銭】①室町時代、道ばたで茶を点(た)て、一服を一文で飲ませたこと。「―〔東寺〕南大門前〔ニ〕預け置く可からず」〈東寺百合文書を、応永一五・二・三〉②近世初期、道ばたで、煙草一服を一文で吸わせたこと。「長崎煙草を前に置き、―さあござれござれとて」〈評判・露殿物語〉

いっぷく【一腹】同じ腹から生れること。同腹。「頼義と御随身兼武は―也」〈古事談四〉　**―いっしゃう**【一腹一生】同じ父母から生れた兄弟姉妹。「一腹一種」とも。「―の兄弟として思ひ合ひたりし中なれば」〈承久記下〉

いっぷん【一分】量目の単位の一。一匁の十分の一、一厘の十倍。また、秤量貨幣である銀貨の単位(銀目)としても使用された。「銀〔ヲ数エル〕には〔発音ヲ〕―と清(す)む」〈見聞愚案記五〉。〈文明本節用集〉　**―どりん**【一分五厘】軽少の銀高の意から、物事を軽くいいかげんに見るたとえ。「〔世ノ中ヲ〕―に住めば、への字なり(ドウニカコウニカ)の身体(しんだい)」〈浮・好色十二人男三〉

いつへ【五重】①物を五つ重ねること。五枚重ね。「大宮はえび染めの―の御衣(おんぞ)」〈紫式部日記〉②「五重の扇」の略。「―はあまり厚くなりて、もとなどにくげなり」〈枕八九〉③「五重襲(がさね)」の略。「表着(うはぎ)は菊の―」〈紫式部日記〉　**―がさね**【五重襲】袿(うちぎ)を五枚重ねること。また、地紋の上に五種の色糸で模様を織り出したものともいう。「葡萄染(えびぞめ)の―の織物に、赤色の唐の御衣」〈枕二七八〉　**―のあふぎ**【五重の扇】板数三十五枚ほどの、大きく広がるように美しく仕立てた檜扇(ひあふぎ)。「髪は―をひろげたるやうにこちたき末つきなり」〈源氏手習〉▽「ひとへの扇」は、骨の数七本前後のものをいう。

―のからぎぬ【五重の唐衣】表地と裏地との間に中倍(なかべ)三枚を加えた、五枚がさねの唐衣。「左京は青地に無紋の唐衣、筑前は菊の―」〈紫式部日記〉

いつへ【厳瓮】《イツは稜威の意》祭事に使い、酒を入れる土器。「いはひべ」とも。「厳瓮、此をば怡途背(いつへ)といふ」〈紀神武即位前〉 †iturë

いづへ【何処辺】『代』どちらの方向。どのへん。一説、イツヘとよみ、いつごろの意。「―の方に我が恋止まむ」〈万八八〉 †idure

いっぺい【一瓶】《「瓶」は酒を入れる瓶子》酒のこと。「おのおの一種―(肴ト酒)して祝ひ給へ、殿ばら」〈平家一一・逆櫓〉

いっぺん【一片】①ひとひら。「―(ノ)秋雲(しうん)細し」〈菅家文草三〉②《「南鐐(なんれう)一片」の略》二朱銀一枚のこと。「一角(一分金)と―(吉原入口ノ)土手で仲間割れ」〈雑俳・万句合天明二〉

いっぺん【一偏・一遍】①一つの傾向にかたよること。ひたすら一つのことをすること。「古集の中に様様の姿・詞、―ならず」〈無名抄〉。「―に後生一大事を願うて念仏すべし」〈極楽寺殿御消息〉②ひととおり。「同じくは今様(いまやう)を―承りて、今一度(盃ヲ)聞こし召すべし」〈問はず語り三〉③一部始終。「かの―を語って」〈天草本伊曾保〉

―しゃうにん【一遍上人】《一遍に掛けた洒落》情事の相手をせいぜい一遍くらいでたえず変える浮気者。「惣別―と喩へたる者とは御話しあるまじく候」〈仮・催情記〉

いっぽん【一本】①木・竹・草など、一つ。ひともと。「岩のそばに桜の木―あり」〈問はず語り四〉②細長いもの、一つ。「千本の卒都婆の中に―、安芸国厳島の大明神の御前のなぎさに打ち上げたり」〈平家二・卒都婆流〉。「針を―刺いてみまらしたい」〈天理本狂言六義・雷〉③同じ仲間。一味。同類。「今までおのれら―と思ひしに」〈近松・卯月紅葉上〉④銭緡(ぜにさし)一つの称。一文銭なら百文、四文銭なら四百文になる。「四文銭―さらうたる咎(とが)」〈黄・即席耳学問中〉⑤百両の称。「―(ハ)金百両」〈南水漫遊拾遺四〉 **―担(かた)・ぐ** 一本打ち込まれる。やりこめられる。「怪我して女郎に振られ、―・げ笑はれさんす」〈近松・阿波鳴門一〉 **―さ・す** やりこめる。へこます。「蚊柱に―・する嵐かな」〈俳・毛吹草五〉 **―だち**【一本立ち】①樹木が広い所に一本だけ立っていること。「山の枯木の―」〈近松・卯月潤色中〉②自分一人で仲間のないこと。孤立。「親王は―、誰かしづく者もなく」〈近松・用明天皇二〉③自分一人の力で生活すること。独立。 **―のごしょどころ**【一本の御書所】《「一本」は世の中でただ一つの珍しい書籍の意という》宮中で、世に行なわれている書物を天覧用として一本書写させて納めて置いた所。「上皇はいづくにおはしますぞ。―に」〈平治上・光頼卿〉 **―やり**【一本鑓】①槍の一突きで勝負をきめること。「―を突きたるほどに言ひ廻れども」〈甲陽軍鑑三〉②ほかには目もくれず、ただ一つの業(わざ)や事で押し通すこと。「日本橋―に霧晴れて」〈俳・当世男下〉

いっぽん【一品】品等によっていくつかに区分した、その一つ。また、その第一の区分。「―の宮の御方に」〈源氏浮舟〉 ↓品(ほん) **―きゃう**【一品経】法華経二十八品を一品ずつ一巻にしたてた経巻。「―供養せられける時(第十六品ノ)寿量品の心をよめる」〈千載一二〇四詞書〉

いづま【暇】「いとま」の上代東国方言。「我が妻を絵にかきとらむ―もが(暇ガホシイ)」〈万四三二七防人〉

いつまきのひ【五巻の日】⇒ごくゎんのひ

いつまでぐさ【何時まで草】木蔦(きづた)の異名。壁に生える草として歌に詠まれた。「何時まで」の序詞となる。「―は、またはかなくあはれなり。…まことの石灰(ノ壁)などには、え生ひずやあらむと思ふぞわろき」〈枕六六〉

いづみ【泉】《出水の意》地中から湧き出た水。平安女流文学では庭の泉水にいうことが多い。「見おろしたれば、麓にある―は鏡のごと見えたり」〈かげろふ中〉。「人人渡殿より出でたる―にのぞきゐて酒飲む」〈源氏帚木〉 †idumi **―どの**【泉殿】寝殿造の東西の対屋から南の池に臨む所まで伸びた廊の端にある一室。東の端を泉殿、西の端を釣殿と一般にいうが、必ずしも東西に二殿が相対して作られたものではなく、その一つを便宜に釣殿または泉殿と称したらしい。泉殿は四方に壁のないのが特徴で、簀子に高欄があった。「こなたかなたの人は―に出でて(琴ノ演奏ヲ)聞く」〈宇津保楼上下〉

いづみ【和泉】旧国名の一。畿内五国の一で、今の大阪府南部。泉州。「行き還りて―国、取石の頓宮に至る」〈続紀神亀一・一〇・二一〉 †idumi

いつも【いつ藻】《イツは神威をうけて盛んであること。イツ柴などのイツと同じ》盛んに茂った藻。「河の上(へ)の―の花の」〈万四九一〉

いづも【出雲】旧国名の一。山陰道八国の一で、今の島根県東部。雲州。「―…讃岐・伊予十七国、蝗あり。大風百姓の廬舎を壊(やぶ)り、秋稼を損ず」〈続紀大宝一・八・二二〉 **―ぐつわ**【出雲轡】馬の口もとに当る部分を、十文字に彫り透かしたくつわ。十文字轡。「―の大きなるに手綱二筋より合はせてぞ乗ったりける」〈盛衰記三〇〉 **―ぢ**【出雲路】《京都から出雲へ行く路の意》京都北辺の地名。この地の道祖神は縁結びの神として知られた。「これは都の賀茂の河原の西、一条の北の辺におはする―の道祖神の女(むすめ)なりけるを」〈盛衰記七〉 **―のかみ**【出雲の神】出雲大社の神。民間では、縁結びの神として信仰されていた。「一夜の契りといひながら、―の御誓ひかなと頼もしくぞ思しめしける」〈伽・みなつる〉 **―むしろ**【出雲筵】出雲国より織り出す筵。「いやしげなるもの。…まことの―の畳」〈枕一四九〉

いつもつ【逸物】⇒いちもち。「―の猫といへども老い果てて」〈俳・油糟〉。「逸物、イツモツ、好(よ)き鷹・犬」〈文明本節用集〉

いつもとやなき【五本柳】五本の柳。「いつもいつも」の序詞となる。「わが門(かど)の―いつもいつも母(おも)が恋ひすす業(な)りましつつも」〈万四三八六防人〉 †itumötöyanaki(方言音)

いつも・り【い積もり】『四段』《イは接頭語》積み重なる。「道の隈(くま)―・るまでに(多クノ曲リ角ゴトニ)つばらにも見つつ行かむを」〈万一七〉

いづら【何在】㊀『代』《イヅコは不定ではあるが場所であることを明示し、イヅレは二つ以上の中から選択することを示すに対する。ラは、場所・方向を漠然と示す接尾語。所在や状態を問うときに多く使う》どこ。どちら。「(死ンダアナタニツイテ)家人の―と我を問はば如何に言はむ」〈万三六八九〉。「『―、宮は』と聞え給へば『こなたに』」〈栄花月宴〉。「―なる山にかあらむ」〈躬恒集下〉 ㊁『感』①どうしたか。さあ。相手に促していうことが多い。「(笛ヲ)いとをかしう吹きて『―、さらば(琴ヲオ弾キナサイ)』と宣ふ」〈源氏手習〉。「―、これをや、かれをや奉るべき」〈狭衣三〉②《「―は」の形で》どこに行ったか。どうしたのか。見えないではないかと

責める意。「睦言もまだ尽きなくに明けぬめり―は秋の長してふ夜は」〈古今一〇一五〉

いづれ【何れ】㊀《代》《時・場所・物事などについて不定であるものを指す。二つ以上の中から一つを選び出す時に使う》どれ。どちら。「―の日まで吾恋ひをらむ」〈万三七四二〉。「〔色色ナ鳥ノ声ノ〕―をか分きて偲はむ」〈万四〇八九〉。「北の方は―ぞ」〈源氏手習〉 ㊁《副》①いずれにせよ。どのみち。どうせ。「―そのやうなものぢゃが」〈虎明本狂言・武悪〉 ②なんだか。どうやら。「―力が付いたやら、ちっと眼が見えます」〈浄・八百屋お七下〉 **―とな・し** どれがどうと優劣をきめることができない。「四人ながら―・く、高き家の子にて」〈源氏若菜下〉 **―も**【何れも】《代》《複数の人を指していう》だれも。みなみな。御一同。「某(それがし)も明日は―を御茶で申し入れうと存ずる」〈虎寛本狂言・清水〉。「江戸御屋敷も無事、―様御息災の由」〈浅野家文書正保三・九・一三〉

いて【射手】弓を射る人。特に、弓の名手。「―いとあやしうとりたり(選択ガマズカッタ)」〈かげろふ中〉

い・て【凍て・冱て】㊀《下二》氷る。氷りつく。「冬寒み―・てし氷を埋み置きてはや氷室(ひむろ)とはいふにぞありける」〈堀河百首〉 ㊁《名》氷ること。氷結。「しみ」とも。「雲水の―も解けてや春の雨」〈俳・毛吹草五〉

い・で【出で】《下二》❶《内や奥にもともと存在するのに外から見えず、存在しないように思われたものが、表や外から見えるようになるのが原義。類義語アラハレは、内・外に関係なく、全く無かったものが、そこに形をとってぽかっと生れる意。漢字「出」をイデと訓むようになって、「出」は上にも下にも突き出る意なので、脱出・超越の意に使われる例を生じた》①湧く。「足柄の土肥のかふちに―・づる湯の」〈万三三六八〉 ②生れる。「かかる人も世に―・でおはするものなりけり」〈源氏桐壺〉 ③(音が)発せられる。「ねもいと二なう―・づる琴ども」〈源氏明石〉 ④(内から外へ、奥から表へ)姿を見せる。「あしひきの山より―・づる月待つと」〈万三〇〇二〉 ⑤外に出て行く。「武庫の泊りゆ―・づる船人」〈万二八三〉。「修法の壇こぼちてほろほろと―・づるに」〈源氏夕霧〉 ⑥(人の注目する場所に)出て行く。「お前に―・づるに」〈源氏若菜下〉 ⑦(流れて)広い所へ出る。「わたつみの海に―・でたる飾磨川(しかまがは)」〈万三六〇五〉 ⑧離れる。出家する。「―・で給ひて法師になり給ひにけり」〈栄花月宴〉 ⑨超越する。「この世をはかなみ、必ず生死(しやうじ)を―・でんと思はんに」〈徒然五八〉 ❷《他動詞として》内や奥にあって見えないものを、外や表から見えるようにする。①あらわす。「言に―・でて言はばゆゆしみ」〈万四〇〇八〉 ②生み出す。「一万恒沙の宝を―・づべき木なり」〈宇津保俊蔭〉 ③外に出す。「かかる道に率(ゐ)て、―・で奉るべきかは(オ出シスベキデナイ)」〈源氏夕顔〉 **出づる息入る息を待たず** 吐く息は、必ずしも次に吸う息を保証しない。人の命はまことに頼みがたいものだということのたとえ。「昨日見し人今日はなく、今日有る人も明日はいかがとあやふく、―」〈極楽寺殿御消息〉

いで《感》①《自分が思い立った時にいう》どれ。「―吾は行かな」〈万三四九六〉。「―、おのれ祈り殺いてくれう」〈虎明本狂言・柿山伏〉 ②《相手に誘い求めていう》さあ。「―君も書き給へ」〈源氏若紫〉。「―聞き給へや」〈大鏡後一条〉 ③《感動をあらわしていう》いやもう。「―、あな悲し」〈源氏帚木〉。「―、興ありのわざや」〈大鏡後一条〉 ④《承服しにくい時や反発する時にいう》いや。さあ。「―あらずや」〈源氏葵〉 ⑤《改まった態度で話をはじめる時にいう》さて。「―、またいみじくはべりし事は」〈大鏡昔物語〉。「―、その頃は元暦元年三月十八日の事なりしに」〈謡・八島〉 ▽動詞イデ(出)の古い命令形イデが起源で、用法の広まり、転じたものであろう。

いで《助》接続助詞。動詞・助動詞の未然形につき、「…ないで」「…ずに」の意を表わす。室町時代に現われた。「犬は恩を忘れ―打てども門を去らぬ程に」〈古活字本日本書紀抄下〉。「何もえ致しまらせ―今までこの分に罷り居るが」〈コリヤード懺悔録〉 ▽打消の助詞デ(^{n}de)のわたり音の^{n}を鼻母音のイと聞きとって成立した形であろう。

いであ・ひ イ‥ア【出で逢ひ】《四段》①出て対面する。出て向き合う。「御使に竹取―・ひて」〈竹取〉 ②出くわす。行き合う。「そこにて知らぬ男に―・ひ」〈紫式部日記〉 ③出て敵対する。立ち向う。「『山だちあり』とののしりければ、里人起りて―・へば」〈徒然八七〉

いであ・へ エ‥ア【出で敢へ】《下二》間にあうように出る。出おおせる。「病しけるが、俄かにえ―・へで亡くなりにけるを」〈源氏夕顔〉

いてい【異体】異様な風体。見苦しく賤しい身なりに変装するような場合にいうことが多い。「我は―の様を作りて」〈今昔一〇ノ三二〉。「―は、偏下(ひよくか)＝身分ノ高イ者ガ賤シイ服装ヲスルコト)の貌なり」〈庭訓往来鈔〉

いでいで《感》①《自発の気持、決意などをあらわす》さあでは。どれどれ。「―止めて見せんとて」〈愚管抄四〉。「―語って聞かせ申さん」〈謡・田村〉 ②《誘いかける語》さあさあ。「―と我三杯飲みて、弟子にさす」〈雑談集三〉 ③《感動をあらわす》いやもう。「―、いといみじうめでたしや」〈大鏡後一条〉

いでいり【出入り】①出はいり。「心あわただしき―に」〈源氏末摘花〉 ②訴訟事件。「でいり」とも。「山公事(くじ)やただ果てぬ―」〈俳・塵塚誹諧集下〉

いで・き【出で来】《カ変》《手もとに出現する意》①(建物から)出て来る。「―・こ吾妹子(わぎもこ)あひ見て行かむ」〈万三五一九〉 ②事態や現象がおこる。「例の風―・きて」〈源氏明石〉。「宿所より火―・きたり」〈平家四・競〉 ③めぐって来る。「三月のついたちに―・きたる巳の日」〈源氏須磨〉 ④生れる。「未だ皇子も姫宮も―・きさせ給はず」〈平家三・赦文〉 ⑤世に現われる。「白拍子の上手一人―・きたり」〈平家一・祇王〉 ⑥可能である。「よき能を上手のせん事、などか―・こざらんと、皆人思ひ馴れたれども、不思議に―・こぬことある物也」〈風姿花伝〉 ▽「でき」の古形。†ideki

いできえ【出消え】《「出映え」の対》いざ人前に出ると、普段の巧みさや魅力が発揮されないこと。「かかる折節の歌、例の上手めき給ふ男達もなかなか―して」〈源氏若菜下〉

いでしほ オ‥シ【出潮】《「入り潮」の対》満ちてくる潮。満ち潮。「さししほ」「でしほ」とも。「月もろともに―の、波の淡路の島かげや」〈謡・高砂〉

いでそ・め【出で初め】《下二》出場しはじめる。「―・めて、度度になりて」〈栄花駒競〉

いでた・ち【出で立ち】㊀《四段》《人前に出て目立つ意》①(人前に)姿を見せる。「朝(あした)には門に―・ち」〈万四三〇九〉 ②出かける。出発する。「大君の醜の御楯と―・つ我は」〈万四三七三〉。「内へ参らむと思しつれど―・たれず」〈源氏橋姫〉 ③晴れがましい地位につく。「宮仕へに―・ちて」〈源氏帚木〉。「世にも―・たむと思ひて」〈源氏少女〉 ④装う。身をかざる。「各々鎧・甲より始めて弓箭・馬鞍かかやくばかり―・ちたりければ、見る人目を驚かす」〈盛衰記二三〉 ㊁《名》①姿を現わしている様子。たたずまい。「こもりくの泊瀬の山は—の宜しき山」〈紀歌謡七七〉 ②出立(しゅったつ)。また、その作法。「宰相の中将—の所にさへとぶらひ給へり」〈源氏藤裏葉〉 ③立身出世。「—もすべかりける人の」〈源氏若紫〉 ④出立の用意。「いでたちいそぎ」とも。「ただ京の—をすれど」〈源氏玉鬘〉 ⑤身ごしらえ。扮装。「ただ肝要〔ナノハ〕、—なるべし」〈風姿花伝〉 ⑥出立の時の食事。「既に七つの鐘鳴れば、御—を参らせて」〈浄・むらまつ三〉。〈日葡〉 **—いそぎ**【出立ち急ぎ】出立の用意。「このころ—を見れど」〈土佐十二月二十七日〉

いでどころ【出所】 それがもとあった場所。その物の出所(しゅっしょ)。「これはいづくよりの月影ぞや、—おぼつかなし」〈平家一・鱸〉

いでは(イデワ)【出羽】 ⇒では。「むねとほが—の守にて下りしに遣はしし」〈元輔集〉。「出羽、以天波(いでは)」〈和名抄〉

いでばえ【出映え】《「出消え」の対》 人前に出ると、いっそう引きたつ様子。見ばえ。「目もあやなる御さまかたちのいとどしう、—を見ざらましかばと思さる」〈源氏葵〉

いてふ(イチヨウ)【銀杏】《「いてう」とも表記》 ⇒いちょう

いでま・し【出でまし】 〔一〕《四段》 ①《「出で」の尊敬語》 お出になる。行幸になる。「君と時時—・して」〈万一九六〉 ②《「来(き)」の尊敬語》 こちらにいらっしゃる。「梅の花咲ける月夜(つくよ)に—・さじとや」〈万一四五二〉 ③《「居り」の尊敬語》 いらっしゃる。「百代(ももよ)—・せ我が来(き)たるまで」〈万四三六防人〉 ▽平安時代の漢文訓読で、「行」「去」「来」「往」「詣」「駕幸」などの読みに用いられたが、仮名文学ではこれの代りにオハシが使われ、イデマシは使われなかった。「時に世尊、阿難と倶(とも)に行(い)でます」〈願経四分律平安初期点〉 〔二〕《名》 ①お出になること。おでまし。「—の悔(くい)はあらじぞ」〈紀歌謡一二四〉 ②行幸。みゆき。「我ご大君の—の山越す風の」〈万五〉。「行、イデマシ・ミユキ」〈名義抄〉 **—どころ**【行幸所】 行幸のある所。「我ご大君の—」〈万二九五〉 **—のみや**【行幸の宮】 行幸のある宮殿。離宮。「万代(よろづよ)に変らずあらむ—」〈万三一五〉

いでむか・ひ(ムカイ)【出で向ひ】《四段》 出迎える。出て対面する。「物よりおはすれば、先づ—・ひて」〈源氏若紫〉

いでもの・し【出で物し】《サ変》 子が生れる意を婉曲にいう語。「この人の—・し給ふべき契りにて」〈源氏横笛〉

いでや《感》 ①《反発して》 いやあ。「—さいふとも田舎びたらむ」〈源氏若紫〉 ②《文章の書きはじめに》 いやもう。さてさて。「—この世に生れては、願はしかるべき事こそ多かめれ」〈徒然一〉。「先、イデヤ」〈和漢新撰下学集〉

いでや・り【出で遣り】《四段》 かまわずに出て行ってしまう。「あはれなるにえも—・らず」〈源氏柏木〉

いでゆ【出湯】 温泉。「その谷に百千の—あり」〈今昔一四ノ七〉。「温泉・出湯、イデユ」〈色葉字類抄〉

いて・ゐ【行て居】《上一》 すっかり惚れこんでいる。恋慕している。「—・ゐぬ男に是がなる物かと、黒髪、跡は見苦しきほど切って」〈西鶴・諸艶大鑑四〉

いで・ゐ【出で居】 〔一〕《上一》 ①出てすわっている。「朝には—・ゐて嘆き、夕には入り居てしのひ」〈万三二七四〉 ②出て居を構える。「さる海面(うみづら)に—・ゐたる」〈源氏若紫〉 〔二〕《名》《「でゐ」とも。内から進み出てすわることから転じて、外に近い明るい室、すなわち客間の意》 ①部屋の端に出てすわっていること。「—もよし…遠見も怜(おもしろ)し」〈東大寺諷誦文稿〉。「例は殊に端近なる—などもせぬを」〈源氏薄雲〉 ②端近の場所。寝殿造で中央の母屋の外、廂(ひさし)の間の明るい所にある一室。客間。「こなたに入らせ給へとあれば大臣の御—の方へ入り給へり」〈源氏柏木〉 ③《「出居の座」の略》 宮中で競射や相撲(すまひ)などの儀式の時、庭に臨時に設ける座。「—につきて〔褒美ノ〕懸物取りてまかでたり」〈かげろふ中〉

いと【糸】 ①極めて細い繊維をのばして、よりをかけたもの。「わが妹児がしぬひにせよと付けし紐—になるとも吾(わ)は解かじとよ」〈万四四〇五〉。「我が柳緑の—になるまでに見なく概(うれた)み」〈歌経標式〉 ②細く長く、糸のようなもの。「蜘蛛のかく—ぞあやしき風吹けば空に乱るるものと知る知る」〈かげろふ下〉。「御髪は左右よりこぼれかかりて柳の—のさましたり」〈源氏若菜下〉 ③絃楽器の絃。また、絃楽器の称。「唱ふ声は、稽古に郢曲うたふ時は、まづ琴にても琵琶にても、—にその音をうつして」〈郢曲抄〉。「生得(しやうとく＝生レツキ)声—にうつらざる所ありて」〈音曲猿口轡〉 †*itö

いと【甚】《副》《極限・頂点を意味するイタの母音交替形》 ①非常に。ひどく。「梅の花未だ咲かなく(咲カナイノハ)—若みかも(若イカラカナア)」〈万七八六〉 ②全く。ほんとうに。「—あつしくなり行き、物心細げに」〈源氏桐壺〉。「別れなば—もすべ無み(仕方ナイノデ)八度袖振る」〈万四三七九〉。「太・最、イト」〈名義抄〉 ③《打消を伴って》 たいして。「天の川—河波は立たねどもさもらひがたし近きこの瀬を」〈万一五二四〉 ▽奈良時代には ito, itö 両形あるが、その間の意味の相違は、明らかには認められない。

いと 〔一〕《接頭》《イトコ(従父兄弟)・イトケナシなどの語根か》 幼少・年少の意。「姫君(十歳)の少納言のめのと、—姫君(二歳)の小式部のめのと」〈紫式部日記〉 〔二〕《名》《上方で》 幼児。愛児。天明頃までは男・女共にいい、寛政頃から女児・娘にのみ用い、男児・息子は「ぼん」というようになった。「久七を今度は若様(いと)が馬に召す」〈雑俳・へらず口〉。「—。小女也」〈浪花聞書〉

いとあやつり【糸操り】 操りの一種。遣い手が釣り下げた人形を、数本の糸で操るもの。「—のからくりは、この時よりも始まれり」〈浄・誓願寺本地三〉

いという(ユウ)【糸遊】 ⇒いとゆふ。「春の暮、三月の時分に、日ののどかなる頃に、野外などへ出て見れば、空中にちろちろと日に輝いて糸のやうなる物が見ゆるぞ。…本邦にて、—と云ふ物ぞ」〈三体詩抄一ノ三〉

いといと《副》《イトを重ねた形》 まったく。ほんとうに。「—ありがたくかなしかりし御ことよ」〈大鏡師輔〉

いといり【糸入り】《絹糸入りの意》 木綿糸に絹糸を交ぜて織った織物。「模様赤—の縦縞を、俗に奥縞と言へり」〈万金産業袋四〉

いときな・し《形ク》《イトケナシの転》 年少である。年がゆかない。「内にもさこそ大人びさせ給ひたれど、—・き御よはひにおはします」〈源氏澪標〉。「老いたる親、—・き子」〈徒然五九〉

いときり【糸切】 形が出来上がった陶器を轆轤(ろくろ)から離す時に、糸で切った跡が陶器の底に残ったもの。また、その部分。これで出産地の区別をし、また、鑑賞の一要点とする。「富士茄子〔ノ茶壺ノ底ハ〕…—」〈久政茶会記永禄一・五・一〉

いとぐつ【糸鞋】 糸で編んで作ったくつ。「いとのくつ」とも。「〔採桑老〕靴(くわ)には—に似たる物を履く。それが名たしかならず」〈龍鳴抄下〉

いとげ【糸毛】 ①「いとげのくるま」の略。「廂(ひさし)なき—三つ」〈源氏宿木〉 ②鎧を糸でおどしたもの。「—の御腹巻、御重代の鬚切(刀ノ名)抜きて」〈曾我九〉 **—のくるま**【糸毛の車】 車の箱を色染の糸で飾った牛車(ぎっしゃ)。主に婦人用。「—。糸にてかざる車也」〈匠材集一〉

いとけな・し《形ク》《イトは幼少の意。ケは気。ナシは甚の意》①幼い。年少である。「幼(いとけなう)して珪璋(けいしやう)特に達して聴悟群せず」〈三蔵法師伝一・院政期点〉。「これはいと—・けれども、心強くて、女人に近づかず」〈宇治拾遺一七五〉。「幼、イトケナシ」〈名義抄〉 ②幼稚である。頑是(がんぜ)ない。「幼き子どもは—・し」〈梁塵秘抄七三〉 →いはけなし

いとこ【愛子】 結婚の相手となる親愛な人。「—やの妹(いも)の命(みこと)」〈記歌謡四〉。「—吾背(なせ)の君」〈万三八八五〉 †itoko **—せ【愛子夫】** 愛する夫。「—に、ま、—にせむや(シテクレマセンカ)」〈神楽歌四九〉 **—やの** 《ヤは間投助詞、ノは連体助詞》 いとしい人である。「—妹(いも)の命(みこと)」〈記歌謡四〉

いとこ【従父兄弟】 《イトは、イトケナシの語根イトと同根か》 父母の兄弟の子。「古記云、従父兄弟…俗云伊止古波良加良(いとこはらから)也」〈喪葬令〉。「二条の后の〔マダ若カッタ頃〕—の女御の御もとに仕うまつるやうにてゐ給へりけるを」〈伊勢六〉。「提婆達多(だいばだった)と云ふ人有りけり。此は仏の御父方の従父(いとこ)なり」〈今昔一ノ一〇〉。「従子、イトコ」〈文明本節用集〉。「従父、父方乃伊止古(いとこ)」〈新撰字鏡〉 †itöko **—どち【従兄弟どち】** 互いにいとこであること。いとこどうし。「かの御方の侍従の君、対の御方の少将の君とは—なれば」〈宇津保楼上上〉 **—に【従兄煮】** 小豆・牛蒡(ごぼう)・芋・大根・豆腐・焼栗・慈姑(くわい)などを、硬いものから順順に入れて煮こみ、中味噌で味付けした料理。「—〔ノ〕煮物」〈隔蓂記寛永二一・七・二九〉。〈伊京集〉

いどこ【何処】『代』《イヅクの転。ドコの古形》 どこ。「吾が兄王(いろせのおほきみ)、何処(いどこ)にか去りましけむ」〈紀履中六年〉。「ここや—」〈土佐一月二十九日〉。「此の海の水をば—にか汲み移さむとする」〈三宝絵上〉。「阿彌陀仏よや。おいおい。—におはします」〈今昔一九ノ一四〉 ▽平安時代以後、イヅク・イヅコとともに、漢文訓読体で使われた。和文では殆ど使われなかった。

いとざくら【糸桜】 シダレザクラの別称。彼岸桜の変種。枝先が下の方に長く垂れている。「露おもみ梢垂れたる—柳が枝に咲くかとぞ見る」〈玉葉一五六〉

いとさなだ【糸真田】 平打(ひらうち)の真田紐。薬籠(やくろう)をくくる紐などに使われた。「—と言ふは、ただ一枚に織りたる物」〈万金産業袋四〉

いとさま【いと様】「いと」の敬称。「選り分けて／—〔二〕誰か乳参れ」〈雑俳・住吉踊〉

いと・し【愛し】『形シク』《イトホシの転》 ①かわいそうだ。不憫(ふびん)だ。「—・しい事を致いた」〈虎明本狂言・鈍太郎〉 ②かわいい。「御身(おみ)—・しにはきりがない」〈宗安小歌集〉

いとしぼ・し『形ク』 いたわしい。かわいそうだ。「御—・く候ふなり」〈浄・十二段三〉

いとしぼなげに『連語』 いたわしそうに。不憫そうに。「—、小姫様、こちへこちへと抱き上げ」〈近松・賀古教信一〉

いとしも『連語』《下に打消の語を伴って》 たいして。「年頃は—あらぬ御志(愛情)を」〈源氏葵〉 →いとも(2)

いとしゃうばい【糸商売】 近世、長崎へ輸入する生糸を売買すること。また、その商人。京・堺・長崎・江戸・大阪五か所の指定商人に専買権を与え、輸入生糸分配の割当をした。これを白糸割符(わっぷ)・糸割符といった。「京の細元手(ほそもとで)＝小資本)なる—の人」〈西鶴・胸算用四〉

いとじり【糸尻】「糸切り」に同じ。「無底とは—の無きを云ふ」〈六物採摘抄下〉

いとすすき【糸薄】 穂が糸のように見えるススキ。秋の景物として、和歌に多くよまれた。のちには葉や茎の特に細い、一変種をさすようになった。「庭もせに玉とき散らす白露をみだれてぬける—かな。…左歌—と詠める、不審也。証歌を奉るべし」〈関白内大臣家歌合〉

いとすぢ【糸筋】 ①糸の筋。糸目。「緒正は、物を—の乱れたをただすやうにするぞ」〈漢書竺桃抄〉。「線、以度須知(いとすぢ)、糸縷也」〈和名抄〉 ②ほそいものを糸に見立てていう語。クモの巣・春雨、後に琴・三味線の絃など。「秋の野に置く白露は玉なれや貫きかくる蜘蛛の—」〈古今二二五〉

いとぞこ【糸底】「糸切り」に同じ。「縁(ふち)外黒き折敷(をしき)、—黒き碗」〈久政茶会記天正七・四・一〇〉

いとたけ【糸竹】《「糸」は琴・琵琶などの絃楽器。「竹」は笙・笛などの管楽器》 絃楽器と管楽器。楽器の総称。「ある時には—の声調べをととのへ」〈千載序〉。「先帝の御いみとて、—声をやめたるころほひ」〈松浦宮物語三〉

いとづくり【糸作り】 魚肉を糸のように細く切って、刺身に作ること。また、その刺身。「鯉の—」〈西鶴・諸艶大鑑三〉

いとづつみ【糸裹】 弓の一種。籐のかわりに本弭(もとはず)から末弭(うらはず)まで全体を細い麻糸で巻き、その上を黒漆で塗り、更に籐を巻いた弓。「—の弓の九尺ばかりありける四人張を杖に突き」〈義経記五〉

いとど『副』 ①ひとしお。ますます。「まだほの暗けれど雪の光に〔源氏ノ姿ガ〕—清らに見え給ふ」〈源氏若菜上〉 ②さもなくても…なのに、一層。「〔警戒厳重ナノデ〕いと煩はしく—覚ゆ」〈源氏浮舟〉

いとど・し『形シク』《イトドの形容詞形。ある状態に同じ状態が加わって程度が倍増する意》 ①その上更に甚だしい。一層度合が強い。「道いと露けきに—・しき朝霧に」〈源氏夕顔〉 ②ただでさえ…である。「—・しき(タダデサエツライ)世にあさましうあへなくて」〈源氏橋姫〉 ③《連用形を副詞的に用いて》 そうでなくても…なのに一層。「限なき夕日に—・しく清らに見え給ふを」〈源氏薄雲〉。「主上—・しく(イツモ早イガモット早ク)夜のおとどを出でさせ給ひもあへず、かしこへ行幸なって」〈平家六・紅葉〉

いとどり【糸取】 女児の遊戯の一。あやとり。近世、上方でいう。「風の手の—となる柳かな」〈俳・小町踊一〉

いとな・し【暇無し】『形ク』 休む間がない。たえまがない。「ひぐらしの声も—・く聞ゆるは」〈後撰四三〇〉

いとな・み【営み】 □一『四段』《形容詞イトナシ(暇無)の語幹に動詞を作る接尾語ミのついたもの。暇がないほど忙しくするのが原義。ハカ(量)からハカナシ・ハカナミが派生したのと同類》 ①忙しく仕事をする。せっせと努める。「猟師通夜覓(もと)めて—・みて」〈東大寺諷誦文稿〉。「晦日になりぬれば世の中騒がしう—・む頃なるに」〈栄花鳥辺野〉 ②(食事などの)準備・用意をする。「食ひ物、下人どもに—・ませず夫婦自らして召させけり」〈宇治拾遺一九四〉。「営、イトナム・ツクル」〈名義抄〉 □二『名』 ①忙しいさま。「初に一の大臣有りて忩忙(いとなみ)にして王の所に至りて」〈金光明最勝王経平安初期点〉 ②(行事・食事などの)用事。「公私の—繁き身」〈源氏薄雲〉 ③つとめ。「御堂作らせ給ふ。仏・経の—添へてせさせ給ふめるに」〈源氏絵合〉 ④世を渡るための仕事。「おのがじしの—に起き出でてそそめきさわぐ」〈源氏夕顔〉

いとのきて『副』《イト(甚)ノキ(除)テの意》 特別に。とりわけ。「—短き物を〔サラニソノ〕端(はし)切ると」〈万八九二〉 †itönökite

いとは・しイトワシ【厭はし】『形シク』《イトヒ(厭)の形容詞形》

いやだと（思うものから身を避けたい、身を引きたいと）感じる。「なべての世の—・しく思しなりて」〈源氏鈴虫〉。「常は—・しき夜の長さも、〔今日ハ〕とく明けぬる心地すれば」〈源氏明石〉

いと・ひイイト【厭ひ】『四段』《いやだと思うものに対して、消極的に身を引いて避ける。転じて、有害と思うものから身を守る意。類義語キラヒは、好きでないものを積極的に切りすて排除する意》①（いやなものとして）避ける。「〔老人ハ〕か行けば人に—・はえ（イヤガラレ）かく行けば人に憎まえ」〈万八〇四〉。「いづくにか世をば—・はむ」〈古今九四七〉 ②《「厭世」の訓読から》隠遁する。出家する。「世を—・ひて仏の御許に詣で」〈今昔三ノ三〉 ③避けて身を守る。「乳母の付き添ひて荒き風をも—・ひしに」〈伽・酒呑童子〉 ④かばう。いたわる。大事にする。「小次郎は父を—・ひ、我先にと駈け塞がり」〈浄・念仏往生記一〉 †itöFi **—がほ**オガ【厭ひ顔】さも避けているような様子。「客人（まらうど）の来むと侍りつるを〔留守ニシテハ〕—にもこそ」〈源氏末摘花〉 **厭ふに栄（は）・ゆ** 《ハユは相手の存在によって活気づく意》いやだと思えば思うほど、ますます勢いづく。「あやしくも—・ゆる心かないかにしてかは思ひやむべき」〈後撰六〇九〉。「—・えて延びはべる命のつらく」〈源氏早蕨〉

いとびん【糸鬢】元禄頃流行した髪風。頂を広く剃り下げ、鬢を細く狭く残したもの。奴（やっこ）・俠客（きょうかく）などが結った。「—に作り立つるや柳髪」〈俳・伊勢正直集一〉 **—やっこ**【糸鬢奴】髪を糸鬢に結った奴。「—の剃り立て頭」〈近松・井筒業平五〉

いとほ・しイトオシ『形シク』《イトヒ（厭）と同根。弱い者、劣った者を見て、辛く目をそむけたい気持になるのが原義。自分のことについては、困ると思う意。相手に対しては「気の毒」から「かわいそう」の気持に変り、さらに「かわいい」と思う心を表わすに至る。イトシは、これの転》①困る。いやだ。「人目—・しう（体裁ガワルイ）」〈源氏行幸〉。「人の上を難つけ、落しめざまの事いふ人をば—・しきものにし給へば」〈源氏螢〉 ②見ていてつらい。気の毒だ。「女のかく若きほどにかくて（貧シクテ）あるなむ、いと—・しき」〈大和一四八〉。「〔雷ガ鳴ルト〕左右の大将、中少将などの御格子のもとに侍ひ給ふ、いと—・し」〈枕二九六〉 ③いじらしい。いたいたしい。「〔八宮ノ〕—・しの人ならはし（感化）や」〈源氏宿木〉 ④かわいそうだ。「熊谷あまりに—・しくて、いづくに刀を立つべしとも覚えず」〈平家九・敦盛最期〉 ⑤かわいい。「離して物を言はさいなう。そぞろいとうして、なんとせうぞなう」〈閑吟集〉 →いたはし。 **—・み**『四段』《「いとほし」と思う意》①つらく思う。「朕が劣（をぢな）きに依てし、かく言ふと念ほし召せば、愧（はづか）しみ—・みなも念ほす」〈続紀宣命三七〉 ②不憫（ふびん）に思う。同情する。「我のみぞ我が心をば—・む」〈山家集下〉 †itöFösimi

いとま【暇】《イトはイトナミ（営）・イトナシ（暇無）のイトと同根。休みの時の意。マは間。時間についていうのが原義。類義語ヒマは割れ目・すきまの意から転じて、する仕事がないこと》①休む間。仕事を休んでいる間。「—なく海士（あま）のいざりはともしあへり見ゆ」〈万三六七二〉。「ぬばたまの夜の—に摘める芹（せり）此れ」〈万四四五五〉 ②休暇。「〔太政大臣ハ〕かくれ給ひぬ。…殿の君たち、おとども、御—になり給ひぬれば」〈宇津保国譲上〉。「—さらに許させ給はず」〈源氏桐壺〉 ③休暇をとる挨拶。辞任・離別のことば。「忍びて対の上に御—聞えて、出で給ふ」〈源氏蓬生〉。「又こそ参り候はめとて—申して出でければ」〈平家二・大納言死去〉 ④ゆとり。余裕。「叢林の規範および寺院の格式、今示すに—あらず」〈正法眼蔵辦道話〉 ⑤離縁。「—を文にしたためて、親の方へぞ送りける」〈伽・はもち中将〉。「縁尽きはてて、—の文を取り持ち、うれしからざる道すがら」〈伽・万寿の前〉 ⑥奉公をやめること。「小者与二郎—乞ふの間、遣はし了んぬ」〈言経卿記文禄五・二・一五〉 ⑦《転じて》空間。すきま。「たに柳枝の—も見えぬ春かな」〈堀河中納言家歌合〉 ⑧《「隙」の訓読。ひま・すきまの意から》さけめ。われめ。なかたがい。「もろこしの人は、人を呪ふとては、『—あれ』とこそはいふなれ」〈栄花音楽〉 †itoma **—あ・き**【暇明き】『四段』休暇になる。ひまができる。「この僧ども—・くを待ちて」〈栄花鶴林〉。 **—のじゃう**ジョウ【暇の状】夫から妻に与える離縁状。近世、夫婦関係の断絶と、妻の再嫁の自由を証明する文言を、普通三行半に記した。「短き物。…猿舞、上手の談義、—」〈仮・尤の草紙上〉。「—を取り出し、持ってゆけと云ひ付くる」〈虎明本狂言・引括り〉 **—のひま**【暇の隙】仕事のあいま。「今日のやうならむ—待ちつけて、花の折過ぐさず参れ」〈源氏若菜上〉 **—び**【暇日】（官人の）休日。「きのふは—なりしを」〈源氏橋姫〉 **—ぶみ**【暇文】①休暇願いの書類。賜暇願い。「〔脚病ノタメ〕—奉りて〔宮中ニ〕参らずはべり」〈宇津保嵯峨院〉 ②離縁状。「追出すに返す書なし—」〈雑俳・双子山前集〉 **—まう・し**シモウ【暇申し】『四段』①休暇を願い出る。「おほやけには『筑紫の国に湯浴みに罷らむ』と—・して」〈竹取〉 ②別れの言葉を申し上げる。「天竺へ渡り侍らんと思はれけるころ、春日大明神に—・さんとて」〈著聞六四〉 **—を取・る** 主人・夫に対して、家来・妻が主従・夫婦の縁を切る。「世にこえて物をねたまん女をば急ぎ—・らすべき也」〈西明寺殿百首〉 **—を遣（や）・る** 主人・夫が家来・妻に対して、夫婦・主従の関係を絶つ。「某（それがし）が山の神が身どもをせびらかいて、何ともならぬに依って、—・らうと存ずれども」〈虎明本狂言・引括り〉

いとまき【糸巻】①「糸巻の太刀」の略。「青柳の—なれや夏木立（太刀ト掛ケル）」〈俳・犬筑波〉 ②糸を巻いておくもの。楓葉形の薄い板で、糸を十字に巻きつける。「ぬめる物。鰻・—・なめくじり」〈仮・犬枕〉 **—のたち**【糸巻の太刀】太刀の柄（つか）および帯取の下を、多くは平組の糸で巻いたもの。「—は、柄下〔ヲ〕金襴・錦等にて巻きて、巻き糸は平組み也」〈貞丈雑記一二〉

いどま・し【挑まし】『形シク』《イドミの形容詞形》張り合う気持である。「—・しからぬ（戦意ノオコラナイ）插頭（かざし）争ひかな」〈源氏葵〉。「おのおの—・しく（張リ合ッテ）尽したるよそほひどもあざやかに」〈源氏若菜下〉 **—さ**【挑ましさ】競争意識。「殊更に心心—見えつつなむ」〈源氏柏木〉

いど・み【挑み】[一]『四段』①相手の気持を戦闘へとそそり立てる。挑発する。「各中に河を挾みて対立（むきた）ちて相—・む。故（かれ）其の地を号（なづ）けて伊杼美（いどみ）といふ」〈記崇神〉。「—・むとは、敵をこちへかかれと誘（をび）くを云ふ」〈左伝聴塵三四〉 ②（戦意をもやして）張り合う。「〔歌合デ両側ガ〕いといみじう—・みたるけしきども、いとをかし」〈公任前十五番歌合〉 ③相手の恋心をそそり立て、誘いかける。「なま—・みてものなどいふ人のもとより〔手紙ガ来タ〕」〈平中一〉 [二]『名』①張り合うこと。「〔源氏ト頭中将トノ〕御中どもの—こそ怪しかりしか」〈源氏紅葉賀〉 ②（恋の）誘いかけ。「昔の懸想のをかしき—には」〈源氏玉鬘〉。「挑書、イドミブミ（恋文）」〈色葉字類抄〉 †idömi **—がほ**オガ【挑み顔】競争意識をはっきりと見せる顔つき、ようす。「おのおの―なるもてなし、見所あり」〈源氏螢〉 **―ごころ**【挑み心】競争意識。「年頃はいと斯くしもあらざりし御―を」〈源氏葵〉 **―ごと**【挑み事】競争。勝負ごと。「仏の御弟子達も、かくの如き―をし給ふなりけり。まして末代の僧の智恵・験(げん)を挑(いど)まむは、もとも理(ことわり)なりかし」〈今昔三ノ五〉 **―どころ**【挑み所】競争する場所。互いに張り合う場。「殿上人なども〔姫君ノ方ヲ〕めづらしき―にて」〈源氏藤裏葉〉 **―わざ**【挑み業】「いどみごと」に同じ。「―のやうにてなかなか罪作りに見えたり」〈栄花もとのしづく〉

いとみづ【糸水】糸を引くようにしたたり落ちる雨水。あまだれ。「五月雨の晴れせぬころは葦の屋の軒の―絶えせざりけり」〈堀河百首〉

いとみや【幼宮】幼少な宮。「―の御まかなひは橘の三位」〈紫式部日記〉→いと〔接頭〕

いとみゃく【糸脈】病人の脈所に糸の一端をつなぎ、他の端を次の間で医者が持って糸に伝わる脈搏を計ること。昔、貴婦人などを診察した方法。「―を取るか楓(かへで)の下り蜘(ぐも)」〈俳・夢見草三〉

いと・め【射止め】〘下二〙①射あてる。「後に控へ給ふ我君の御着背長の草摺にはっしと―・む」〈謡・摂待〉②射てしとめる。射ころす。「人ぞと心得て鳴る所をさして射るに、手答へして―・めたり」〈三国伝記二一〉

いとも〘副〙①全く。ほんとうに。「別るを見れば―すべなし」〈万四三八一〉②たいして。「すべて―知らぬ道の物語したる」〈徒然五七〉 ▽下に打消の語を伴って使うことが多い。 †itömö

いとやもの【糸屋者】組糸屋に奉公する女。色を売る者が多かった。「―とは、糸屋の見世にて組物・糸さばきを業とする女也」〈色道大鏡一四〉

いとゆふウ:ユ《漢語「遊糸(陽炎)」の影響をうけた語。「糸遊(いうと)」とも》春、晴れた日にもえる陽炎(かげろふ)。「霞晴れ緑の空ものどけくてあるかなきかに遊ぶ―」〈和漢朗詠集晴〉。「かげろふとは、春になりぬれば、日のうららかにてりたるに、炎のもゆるやうに見ゆるなり。―などいふも同じ事なり」〈仙覚抄六〉

いとゆふウ:ユ【糸結】紐を総角(あげまき)や花形などに結び垂らして飾りとしたもの。几帳や衣服などにつける。「―の御几帳」〈宇津保祭使〉

いとら・し【い取らし】〘四段〙《イは接頭語。シは尊敬・親愛の助動詞》お取りになる。「―・して斎(いは)ひ給ひし真珠(また)なす二つの石を」〈万八一三〉 †itörasi, itörasi

いと・り【い取り】〘四段〙《イは接頭語》取る。「月読の持てるをち水(若返リノ水)―・り来て」〈万三二四五〉 †itöri, itöri

いと・り【射取り】〘四段〙射て取る。射とめる。「柳の葉を百度あてつべき舎人どもの、うけばりて―・る」〈源氏若菜下〉。「あれ、―・れや者ども」〈平家四・橋合戦〉

いとわたのみち【糸綿の道】糸を取り綿を紡ぐ家事。「読み書き・縫ひ針・―も、それでは恥かかず」〈近松・堀川波鼓中〉

いとわっぷ【糸割符】《ワップはワリフの音便形》近世、特定された貿易商人(糸割符仲間)が、輸入生糸を独占的に一括購入し、その利益を仲間に分配した制度。白糸割符。「―御定め成し下され候ふ儀は」〈糸割符由緒書〉

いとをどし【糸縅】鎧の縅の一種。組み糸で札(さね)を綴ったもの。糸の色により、赤糸縅、黒糸縅などという。「―にはあらずして、皮縅なり」〈盛衰記四〇〉

いな【稲】「いね」の古形。多く複合語に残っている。「―葉」「―幹(がら)」「―城(き)」など。「木綿(ゆふ)垂(し)での神の幸田(さきた)に―の穂の」〈神楽歌三六〉

いな【否】〘感〙拒絶・否定を表わす語。いや。「見むと言はば―と言はめや」〈万四四九七〉。「〔玉ヲ取ッテ来タカト聞カレテ〕『―、さもあらず』」〈竹取〉 **―も諾(を)も**《ヲは承諾の返事》いやと言っても、はいと言っても。いやとも応とも。一説、「諾」をウとよむ。「―欲しきまにまに許すべき」〈万三七九六〉 **―をかも**《ヲは間投、カモは疑問の助詞》ちがうだろうか。「相見ては千年(ちとせ)や去(い)ぬる―われや然(しか)思ふ君待ちがてに」〈万二五三九〉

いなうしろ〔枕詞〕「川」にかかる。かかり方は未詳。「―川に向き立ち」〈万一五二〇〉 ▽イナムシロと同語とも、ウはムの誤りともいう。 †inausirö

いなおほせどりセ:オオ【稲負鳥】《「稲課(いなおほせ)鳥」の意か》秋、田の面に来て鳴く鳥。古今伝授の三鳥〈さんてう〉の一。近世ではセキレイとするのが通説。鳥のほかに、牛や馬とする説もあった。「わが門(かど)に―の鳴くなべにけさ吹く風に雁は来にけり」〈古今二〇八〉。「稲負鳥、以奈於保世度里(いなおほせどり)」〈和名抄〉

いながら【稲幹】稲の茎。「―に這ひ廻(もとほ)ろふところづら(トコロイモノツル)」〈記歌謡三四〉

いなき【稲城】戦争の時、稲を積み重ねて急の防備にしたもの。「忽(たちまち)に稲を積みて城に作る。それ堅くして破るべからず。これを―といふ」〈紀垂仁五年〉 †inaki

いなき【稲置・稲寸】①大化改新以前の地方官。国造(くにのみやつこ)の下で人民を支配したとも、屯倉の稲などを管理収納したともいう。「国郡に造(みやつこ)長(をさ)を立て、県(あがた)邑(むら)に―を置(た)つ」〈紀成務五年〉②天武天皇の制定した八色(やくさ)の姓(かばね)の最下位。「諸氏の族姓(かばね)を改めて八色の姓を作りて…八つに曰はく―」〈紀天武十三年〉 ▽貢納の稲を置くところを司る意で「稲置」と書く。inaöki→inakiという音変化を経て成立した語であろう。あるいはキはオキナ・イザナキなどのキで、男の意か。一説、稲をつく女。「家に経(ふ)る(生活スル)―が」〈万三七九一〉 †inaki **―をみな**【稲置女】稲置の姓をもつ女。

いな・き【嘶き】〘四段〙《イナは馬の鳴き声。ヒヒンに当る》いななく。「伊奈加川(いなかがは)、―・く馬有りて此の川に遇ふ故に伊奈加川と曰ふ」〈播磨風土記〉。「嘾、馬伊奈久(うまいなく)」〈新撰字鏡〉 †inaki

いなぎ【稲木】刈り取った稲を干すために竹・木を立てて作った掛け棹。「稲機、イナギ、懸ㇾ稲木也」〈色葉字類抄〉

いなごまろ【稲子麿】稲につく虫。イナゴ。「―といふ虫は、田居に稲のいでくる時、この虫もいでくれば」〈俊頼髄脳〉。「蚱蜢、以奈古末呂(いなごまろ)」〈本草和名〉

いな・し【往なし・去なし】〘四段〙①去らせる。帰らせる。「太郎冠者、〔コノ男ヲ〕―・せい」〈虎明本狂言・賽の目〉②妻を離別する。離縁する。「―・すまいぞ、堪(こら)へい」〈虎明本狂言・折紙聟〉③悪口を言う。ののしる。「『おいらが仲間に、おのれがやうな奴がけつかるが、唐人組の名折れぢゃ』『こりゃ、―・すな―・すな』」〈伎・韓人漢文手管始一〉

いなしき【稲敷】藁などを敷くことという。転じて、田舎。「花の都を出でて―へおもぶく人あり」〈有房集〉。「ひな、田舎なり。―、同」〈八雲御抄三〉

いなせ【否諾】《イナ(否)とセ(諾)と》不承知と承知と。そのはっきりした返事。「―とも言ひ放たれず憂きものは身を心ともせぬよなりけり」〈後撰九三八〉

いなせ【鯔背】〔江戸語〕いきで男気のあること。「当時、万

事ともに侠風意気なるを―と云ふ、方言なり」〈守貞漫稿三〇〉

いなだき【頂】《イタダキの子音交替形。イハツナ・イハツタの類》いただき。てっぺん。「―にきすめる(蔵シテイル)玉は二つなし」〈万四二二〉 †inadaki

いなつび【米粒】こめつぶ。「粒、米都非(いなつび)」〈華厳音義私記〉。「粒、伊奈豆比(いなつび)、米甲也」〈和名抄〉↓つび。 †inatubi

いなづま【稲妻】《「稲の夫(つま)」の意。↓いなつるび》①いなびかり。「秋の田の穂の上を照らす―の光のまにも我や忘るる」〈古今五四八〉②稲妻の光る間。瞬間。「鳴神もさはりとぞ聞く思ふ中／―の間も逢はじとやせむ」〈下草〉。「―ほども夏の月影。…一句は夏の月の短き心也」〈聖廟千句注〉

いなつるび【稲つるび】《稲妻と同じく、雷電と稲とがつるんで(交接して)、稲が穂をはらむという古代の考えによる名であろう》いなびかり。稲妻。「―すること甚だし」〈紀天武九年〉。「電、伊奈比加利(いなびかり)・伊奈豆流比(いなつるび)・伊奈豆万(いなづま)、電之光也」〈和名抄〉

いなとよ『感』《ひとの発言に賛成できず、自分の考えを述べようとして発する語》いやいや。「いやとよ」とも。「〔明日出発シマショウカト言ワレテ、北ノ方ハ〕『―、…はやはや上りなん』と」〈伽・鶴の翁〉

いなな・き【嘶き】『四段』《イナは馬の鳴き声。ヒヒンに当る。ナキは鳴きの意か》馬が鳴く。「嘶、以波由、俗云以奈奈久(いななく)、馬鳴也」〈和名抄〉

いなのみのきみ【稲実の公】大嘗祭のおり、神穀の穂を運ぶために奉仕する男子。「物部の人等、酒造児(さかつこ)・酒波(さかなみ)…―ら大嘗会の斎場(ゆには)に持ち斎(ゆま)はり参(ま)ゐ来て」〈中臣寿詞〉 †inanömiinökimi

いなのめの〔枕詞〕「あけ」にかかる。かかり方未詳。「いな」は「寝(ない)」に通じるので、「寝(い)の目の開(あ)け」の意か。「―明けさりにけり」〈万二〇三二〉 †inanöme̋nö

いなば【因幡】旧国名の一。山陰道八国の一で、今の鳥取県東部。因州。「―国、銅鉱を献ず」〈続紀文武二・三・五〉

いなば【稲場】田畑の中にあって稲を干したり刈り入れ作業をしたりする場所。稲寄せ場。「―の庵(いほ)や荒れまさらん」〈那智籠下〉。〈運歩色葉集〉

いなばき【稲莚】《イナマキの転》稲の籾(もみ)を干す荒筵。いなばきむしろ。「古うすべりに破(や)れ―、薦(こも)の編垂ればかりなり」〈伽・およう の尼〉

いな・び【否び・辞び】㊀『上二』《イナ(否)に接尾語ビの加わった語》相手の望みに対して「いな」と言う。辞退する。ことわる。「〔位ヲ昇スコトヲ〕進みも知らに退くも知らにと伊奈備(いなび)奏せり」〈続紀宣命二五〉。「人の言ふことは強うも―・びぬ御心にて」〈源氏末摘花〉 †inabi ㊁『四段』拒否する。ことわる。「蔵人さだめて一切は―・ばむずらむと思ひつるに」〈今昔二六ノ三五〉 **―どころ**【否び所】拒絶する根拠。「いとど―なからむ」〈源氏行幸〉 **―は・て**【辞び果て】『下二』すっかりことわりきる。「身にかへていみじく思ひ宣ふを、え―・てで」〈源氏若菜下〉

いなびかり【稲光】「いなづま」⑴に同じ。「夕暮に―のするを見て『稲妻の影をもよそに見るものを…』」〈宇津保俊蔭〉

いなぶね【稲舟】刈り取った稲を積む舟。また、最上川特有の運送船かという。「最上川のぼればくだる―の否(いな)にはあらずこの月ばかり〔待ッテ下サイ〕」〈古今一〇九二〉

いなほ【稲穂】稲の穂。「斎庭(ゆには)の―」〈紀神代下〉

いな・み【否み・辞み】『四段』拒否する。ことわる。「尊慧―・み申すべき事ならねば」〈平家六・慈心房〉

いなむしろ【稲筵・稲席】①稲のわらで編んだ筵。「秋の田のかりねの床の―」〈新古今四三〇〉②田の稲が実って倒れ伏したもの。また、そのように乱れたものを筵に見なしていう。「―といへる事は、稲の穂の出でとのほりて田に波寄りたるなむ、筵を敷き並べたるに似たると云ふなり」〈俊頼髄脳〉③田舎。「田舎を稲敷(いなしき)とも云ひ、―とも云ふなり」〈袖中抄五〉④〔枕詞〕「川」にかかる。かかり方は未詳。また、筵の上に伏すことから地名「伏見」、筵を敷くことから「しき」、地名「敷津」にかかる。「―川副楊(かはそひやなぎ)」〈万一七二三〉。「―しきても君を見むよしもがも」〈万二六四三〉。「―伏見の里は月のみぞすむ」〈秋篠月清集三〉。「―敷津の浦の松風は」〈住吉歌合〉 †inamusirö

いなや【否や】㊀『感』①いやもう。いやいや。「思へども思はずとのみ言ふなれば―思はじ思ふかひなし」〈古今一〇三九〉。「『今日は留り給へ』と申し給ふに〔仏ハ〕『―(トンデモナイ)、汝等は極めて愚かなり』」〈今昔二ノ五〉②多く問いかけの時にいう発語。いやさ。「―、物は知り給はぬか」〈栄花初花〉。「―、こは誰ぞ」〈堤中納言花桜をる〉 ㊁『副』と同時に。すぐに。「…といなや」「…やいなや」の形で用いられる。「胎内を下(お)るるや―に池のみぎはに立ち寄りて」〈伽・橋弁慶〉 ㊂『名』《下に打消の語を伴って》不承知・異議・非難などの意。「何事もよく知りたる人は、人の―は言はぬものなり」〈和論語七〉

いなり【稲荷】《イナナリ(稲生)の約という》五穀の神、宇迦之御魂(うかのみたま)を祀ったもの。農耕に関する神で、古くから狐を使いとして信仰する慣わしがあった。中世以降、商工業が発達し貨幣経済が発展するとともに、町人に繁栄をもたらす福徳の神としても厚く信仰された。京都伏見の稲荷神社が最も古く有名。「―に思ひおこして詣でたるに」〈枕一五八〉。「我も福の神たちを語らふべしと思し召し、…―殿を頼ませ給ふに」〈伽・梅津かもむ物語〉。「中頃のことにやありけん。山城国木幡の里に、年を経て久しき狐あり。―の明神の御使者たるによって、何事も心に任せずといふことなし」〈伽・木幡狐〉 **―の鳥居を越・える** 狐が劫(こう)を経たという意で、人が世の中の色色な経験を積んで、海千山千のしたたか者になるたとえ。「稲荷の鳥居を七たび越える」とも。「なんぼ―・えても、粋(すい)仲間の連中にならぬよし」〈浮・魂鍛金衣鳥五〉

いな・り『四段』①怒ってうなり声を出す。「八十(やそ)たける(多クノ勇猛ナ者)、其の室(むろ)にありて、待ち―・る」〈記神武〉②大声を出す。どなる。「御末を通られけるとき、『旁(かたがた)は敵を指し置きて、爰(ここ)には』と―・り―・り出でらる」〈応仁別記〉。「『我と思はん者あらば、寄れ、組まん』と―・りけるに」〈信長記四〉

い・に【往に・去に】『ナ変』《その場に居たものが、姿を消して、見えなくなる意。類義語サリ(去)は、こちらの立場にかかわりなく、天然自然の運行のように、ものが移動して行ったり、移動して来たりする意。マカリ(罷)は、誰かの許可・承認のもとに往来する意》①その場から消えて行ってしまう。「鶯(うぐひす)そ鳴きて―・ぬなる梅が下枝に」〈万八二七〉。「家刀自…〔男ニ〕つきて人の国へ―・にけり」〈伊勢六〇〉②(年月が)過ぎ去る。「相見ては千年や―・ぬる」〈万三四七〇〉。「―・ぬる十よ日の程より、わらは病みに煩ひ侍る」〈源氏若紫〉③帰る。戻る。「もはや―・なう」〈虎明本狂言・釣狐〉。「来たる九日には我等も堺へ―・に申し候」〈利休書状〉 ▽イヌが、動詞の連用形の下について、はじめの母音iを脱落したのが、完了の助動詞ヌである。

いにがけのだちん【往掛けの駄賃】《問屋へ駄馬を引いて行くついでに、荷物を運び、その駄賃を自分の儲けとすることから》事のついでに他の仕事をして一儲けすること。「一人死のより、人斬れば―ぢゃ」〈近松・丹波与作中〉

いにし【往にし・去にし】『連体』⇩いんじ。「―承久三年の秋のころ」〈東関紀行〉　**―かた**【去にし方】過去。前世。いにしえ。「―〔ノ〕千代の罪さへ亡ぶとぞいふ」〈仏足石歌〉　**―とし**【往にし年】往年。先年。「―根こじて植ゑしわが宿の若木の梅は花咲きにけり」〈拾遺一〇〇八〉

いにしへ(イニシエ)【古】《イニ(往)シ(回想の助動詞キの連体形)へ(方)の意。過ぎ去って遠くへ消え入ってしまったことが確実だと思われるあたり、の意。奈良・平安時代には、主として、遠くて自分が実地に知らない遙かな過去、忘れられた過去などの意に多く使われたが、鎌倉時代以後、ムカシがこの意味に広まって来て、イニシへは古語的・文語的になり、あまり使われなくなった。→むかし・むかしへ》①過ぎ去ってしまった遠い過去。「吾妻の国に―にありけることと今までに絶えず言ひ来る…遠き世にありける事を昨日しも見けむがごとも」〈万一八〇七〉。「小野の小町は―の衣通姫の流れなり」〈古今序〉②(近い過去だが)過ぎて行って取り返し得ない過去。「―に妹とわが見しぬばたまの黒牛潟を見ればさぶしも」〈万一七九八〉③古式。「―の倭文機織(しつはた)帯を結びたれ」〈万二六二八〉④《「むかし」と区別を失って》昔。以前。「保元の昔を思へば、祖父為義があた、平治の―を案ずれば、父義朝がかたき也」〈平家一〇・首渡〉。「それがしも―相撲を取った事がござる。近年は取った事がござらねども」〈虎明本狂言・蚊相撲〉　†inisiFe　**―いま**【古今】いにしえと今と。「―の御物語」〈源氏若菜上〉　**―がたり**【古語り】思い出ばなし。「そこはかとなき―にのみ紛らはさせ給ひて」〈源氏横笛〉　**―ざま**【古様】往時。また、往時のありさま。源氏物語では亡くなった人について婉曲にいうのに使う。「心のうちには、なほ忘れがたき―のみ覚えて」〈源氏宿木〉　**―のひと**【古の人】①昔の人。「―の植ゑけむ杉が枝に」〈万一八一四〉②古風な人。「母北の方なむ―のよしあるにて」〈源氏桐壺〉　**―ひと**【古人】昔、知り合って、交際した人。昔なじみ。「―を相見つるかも」〈万二六一四〉。「ただいまの蘆売りつる人は、わらはが―にて候」〈謡・蘆刈〉

いぬ【犬】㊀『名』①イヌ科の獣。すでに縄文時代から家畜として番をさせ、また狩などに使った。「我が待つ君を―な吠えそね」〈万三三七八〉②密偵。間者。「神保津幡に―を付けしに」〈前田出雲覚書〉。「〔用間ト〕―を付け、横目を付くる心なり」〈孫子私抄〉③忠実な者のたとえ。「日本国の武士の中に、源平二家と申して、王の門守の―二疋候」〈日蓮遺文上野殿御返事〉 ㊁『接頭』他の名詞に冠して、似ているが実は違うものをあらわす。また、いやしめ軽んずる気持をあらわす。「我は是―侍者也、かたちは似て実に非ざる故に、猶―辛夷(こぶし)の如し」〈雑談集三〉　**―に伽羅(きゃら)聞か・す** さっぱり価値がわからない、また、少しも反応がないたとえ。「犬に小判」「犬に論語」とも。「―・すごとく、一つも埒(らち)はあかず」〈西鶴・一代女五〉　**―の歯にも蚤(のみ)** まぐれ当りはあっても、めったにないことのたとえ。「犬の蚤で嚙み当てた」「犬の蚤の嚙み当て」「猫の歯に蚤」とも。〈俳・世話尽三〉

いぬ【戌】十二支の第十一。年・日・時、また方角などの名に当てる。①時刻の名。いまの午後七時から午後九時まで。「―の時に門出す」〈土佐十二月二十一日〉②方角の名。西北西。〈色葉字類抄〉

いぬあはせ(イヌアワセ)【犬合】犬をかみあわせて勝負をさせる催し。「月に十二度―の日とて定められしかば」〈太平記五・相模入道〉

いぬおふもの(イヌオウモノ)【犬追物】鎌倉時代、武技として行なわれた騎射の一。竹垣をめぐらした馬場の中央で犬を放し、騎馬武者が縦横に追い回してこれを射る。三十六騎の射手を三手に分け、更に十二騎を三組に分けた四騎を単位とする。「南庭に於いて―有り。…犬二十疋、射手四騎なり」〈吾妻鏡貞応一・二・六〉。「犬追物、イヌヲウモノ」〈伊京集〉

いぬかひ(イヌカイ)【犬飼】鷹狩の際、獲物を追い立てるために使う犬を飼う者。後には、「犬引き」「犬使ひ」とも。「―は杖を以て藪を打ち、多くの犬どもを以て嗅がす」〈今昔一九ノ八〉　**―ぼし**【犬飼星】牽牛星。彦星。「―は、なんどき候ぞ」〈閑吟集〉。「牽牛、和名比古保之(ひこぼし)、又以奴加比保之(いぬかひぼし)」〈和名抄〉

いぬがみ【犬神】中国・四国・九州地方に伝わっていた俗信上の、眼に見えない小動物。犬神筋の家系の者に使われ、他人に憑いてはさまざまの害を与えるという。「九州九箇国の内は、猶(なほ)以て―の事を占ふべし」〈八卦抄一〉　**―つかひ**(イヌガミヅカイ)【犬神使ひ】犬神を使って害を与える者。「―同然になって」〈浮・御伽名題紙衣二〉

いぬくひ(イヌクイ)【犬喰】闘犬。「いぬあはせ」とも。「〔相模守高時ハ〕朝夕好む事とては、―・田楽などをぞ愛しける」〈増鏡一五〉

いぬざむらひ(イヌザムライ)【犬侍】武士をののしっていう語。「逃げ吠えの―」〈浄・烏帽子折一〉

いぬじに【犬死】無駄死。「さては―せんずるにこそ」〈保元中・為義最後〉

いぬじにん【犬神人】《ジニンはジンニンの転》京都建仁寺門前に住んでいた神人(じんにん)の称。皮沓・弓弦づくりを業とし、祇園会に神幸(しんかう)の前路を清め、また、京都市中の死体の始末、墓所の掃除などをした。「つるめさう」とも。「洛東祇園の神祠これを感神院(かんじんゐん)と云ふ。―はこれに事(つか)ふる僕従なり。今の世に弦召(つるめさう)と云ふ者これなり」〈御書音義上〉　→じんにん

いぬじもの【犬じもの】『副』犬と似たかっこうをして。「―道に伏してや命過ぎなむ」〈万八八六〉　→じもの。　†inuzi-mönö

いぬつくばひ(イヌツクバイ)【犬蹲ひ】犬のうずくまったかっこう。「―して休む事があり」〈虎明本狂言・釣狐〉

いぬつり【犬釣】犬を捕えて皮を剝いで売ること。また、それを業とする者。「さて地を走る―に行く」〈俳・ぬれがらす〉

いぬばしり【犬走り】①城または築地などの壁外と堀・溝との間の狭い空き地。「崩れそふ破れ築地の―踏まへ所も無き我が身かな」〈新撰六帖三〉②犬のように小走りに駆けること。「―三里隔たる斎(とき)旦那〔ノ所へ行ク〕」〈雑俳・うたたね下〉

いぬはりこ【犬張子】犬の立ち姿の形に作り、絵模様をあしらった張子。小児の傍に置いて魔除けとする。犬が伏した形のものは「犬箱」という。「大方殿へ、御書並びに―拝受せしめ候」〈証如上人日記天文五・五・二七〉

いぬびと【狗人】《犬のようにほえて門を守る人の意》隼人(はやと)の異称。「汝(いまし)命(みこと)の俳人(わざひと)たらむ。一にいはく、―といふ」〈紀神代下〉　†inubitö

いぬふせぎ【犬防】低い格子のついたて。多く仏堂の内陣と外陣を仕切るのに使う。「御前のかたの―は皆金の漆のやうに塗りて」〈栄花玉台〉

いぬめ【犬目】涙の出ない目。「何事にもすべて泣かざりけれ

ば、―の少将と言はれけるぞ」〈十訓抄一〇ノ六一〉

いぬやま【犬山】山で犬を使って獣をとる猟法。「この人―といふ事をして、あまたの犬を飼ひて山に入りて、猪鹿を犬に噉（く）ひ殺さしめてとる事をわざとしける人なり」〈今昔二六ノ七〉

いぬる【去ぬる】『連体』去る。先頃の。「―年の十五夜に」〈宇津保蔵開中〉。「―ついたちの日」〈源氏明石〉

いぬゐ【犬居】犬がすわっている姿勢。尻をついて、両手を地につくさま。「童が腹巻の引合せをあなたへつと射ぬかれて、―に倒れぬ」〈平家一一・嗣信最期〉

いぬゐ【戌亥・乾】十二支による方角の名。戌と亥の間。ほぼ西北。神聖な方角、また特に、めでたい方角とされた。「―の町は明石の御方」〈源氏少女〉。「―の方にすぐれたる所あり」〈三宝絵下〉。「［鞍馬デ授カッタ］かの百足（むかで）、此方―の方へ納め畢んぬ」〈言国卿記明応七・六・二五〉。「取れど減らぬは―の隅の俵よ」〈田植草紙〉 **―ばり**【乾張り】家屋敷の西北方が、張り出していること。よい家相という。「人の屋敷は―なるが良しとかや」〈俳・類船集一〉

いね【稲】《古形イナの転》弥生式時代以後、西日本から始めて広く栽培された禾本科の植物。その実（み）、米は日本人の日常の食用。「―つけばかかる（ヒビガキレル）吾が手を」〈万三四五九〉

い・ね【寝ね】『下二』《イは睡眠、ネは横になる意》横になって眠る。「大原の古りにし里に妹をおきて我―・ねかねつ夢に見えこそ」〈万二五八七〉 →ね・ねぶり

いねつきこまろ【稲舂子麿】今のキリギリスという。「螽蟖、以禰豆木古万呂（いねつきこまろ）」〈和名抄〉

いねのとの【稲の殿】秋の電光。俗に稲を実らせるという。「稲筵敷きて待つらし―」〈俳・玉海集三〉 →いなつるび

いのど・ひ【剋期ひ】『四段』《「剋」は刻む、「期」は限る意。「剋期」で期限を定める意。従って相手に正確に刻刻とせまるのが原義か》（しかとねらいを定めて）じりじりと近寄る。攻め近づく。「ええしやごしや、こは―・ふぞ」〈記歌謡九〉。「その犬の子、常に家室（いへのとじ）に向ひて期尅（いのご）ひ睚（にら）み皆（はにか）み嘷吠（ほ）ゆ」〈霊異記上二〉 †inögöfi

いのち【命】《イは息（いき）、チは勢力。したがって、「息の勢い」が原義。古代人は、生きる根源の力を眼に見えない勢いのはたらきと見たらしい。だからイノチも、きめられた運命・寿命・生涯・一生と解すべきものが少なくない。→ち（霊）》①生命力。「―のまたけむ人は…くまがしが葉をうずに插せ」〈記歌謡三一〉 ②寿命。「ちはやぶる神の持たせる―をば誰（た）がためにかも長く欲（ほ）りせむ」〈万二四一六〉 ③一生。生涯。「長からぬ―の程に忘るるはいかに短き心なるらむ」〈伊勢一二三〉 ④運命。「春ごとに花の盛りはありなめど相見むことは―なりけり」〈古今九七〉 ⑤死期。「ありはてぬ―待つ間のほどばかり憂き事繁く思はずもがな」〈古今九六五〉。「これを申さば、必ず日蓮が―となるべしと存知せしかども」〈日蓮遺文清澄寺大衆中〉 †inöti **―げ**【命毛】①筆の穂先の毛。字を書くのに最も大切なのでいう。「霜の剣―切るな筆っ虫」〈俳・崑山集九〉 ②《「寿毛」と書く》長い眉毛。「眉毛の長きを、俗に―と云ふ」〈世説故事苑三〉 **―どひ**【命乞】①長寿を祈ること。「世の固めにておはしませば、いづれの民も、ただ殿の御―をのみ申し思へり」〈栄花楚王夢〉 ②殺されそうな人の助命を乞い願うこと。「先例の―」〈西鶴・新可笑記一〉 **―さま**【命様】《命のように大切な人の意》惚れこんでいる恋人を呼ぶ称。「命め様」とも。「逢ひ見ん事を何時（いつ）―」〈俳・続独吟集上〉 **―しょうぶ**【命勝負】命がけの勝負。「―しては損なり」〈古活字本曾我四〉 **―しらず**【命不知】①危険に身をさらし、一命をかえりみないこと。また、そのような人。「―とよし言はば言へ」〈俳・犬筑波〉 ②丈夫でいつまでも永持ちするもの。「―の麻の手拭ひ」〈俳・大坂独吟集下〉 **―とり**【命取り】生命を奪うほどのもの。相手を悩殺するような美男・美女などに対する誉めことば。「―め、何の産れ替り、あの美しさ」〈西鶴・椀久二世下〉 **―に向・ふ** 命に匹敵する。「たまきはる―・ふわが恋止め」〈万六七八〉 **―ぬすびと**【命盗人】①いたずらに長生きする人。「生き盗人」とも。「―と申すべき婆あり」〈西鶴・一代男三〉 ②「いのちとり」に同じ。「斯様の若衆は人の―なり」〈浮・男色十寸鏡下〉

いの・り【祈り】㊀『四段』《イはイミ（斎・忌）・イクシ（斎串）などのイと同じく、神聖なものの意。ノリはノリ（法）・ノリ（告）などと同根か。みだりに口にすべきでない言葉を口に出す意》①神や仏の名を呼び、幸福を求める。古くは「神・仏を祈る」と使う。「天地のいづれの神を―・らばか」〈万四三九二〉。「神仏を―・る」〈土佐二月二日〉。「弥陀の名号を唱へて臨終正念をぞ―・られける」〈平家三・僧都死去〉 ②《転じて》のろう。呪詛する。「―・り殺して帰りたるにて」〈愚管抄六〉 ㊁『名』声を出して神に幸福を願うこと。祈禱。「［姫ヲ欲シイトイウ］人人家に帰りて物を思ひ、―をし、願をたつ」〈竹取〉 ▽類義語ノロヒは呪（まじ）ないをして禍を招くように祈る意。トナヘは呪文や経文を口にする意。ネガヒは、神を慰め、その心を安らかにして、自分の望みをかなえてくれるような取計らいを期待する意。 †inöri

いは ワイ【石・岩・磐】①石の巨大なもの。岩石。「筑波嶺の岩もとどろに落つる水」〈万三三九二〉 ②（石などの）おもり。碇（いかり）。「―おろす方こそなけれ伊勢の海の塩瀬にかかるあまの釣舟」〈千載一〇四〇〉 **―に花** めったにないことのたとえ。「岩に花さく」「石に花」とも。「千年に一度の遊山、―一代（花代ト掛ケル）ぞかし」〈西鶴・一代女五〉 **―の物言ふ世の中** 漏れないと思って言ったり行なったりした事が、とかく漏れやすいこの世間。「壁に耳、―に、もしこの事漏れ聞えて」〈伽・はもち中将〉

いは ワイ【家】「いへ」の上代東国方言。武蔵など関東地方でいう。「―なる妹（いも）は」〈万四四二三防人〉

いば・え【嘶え】『下二』《イはイナキと同根。ハエはホエの母音交替形》いななく。「何しかも葦毛の馬の―・え立ちつる」〈万三三二七〉 ▽イ・イナは馬の鳴き声。現代のヒヒンにあたる。古代日本語にはhの音が無かったから、日本人は馬の声を i または ina の音で聞きとった。 †ibaye

いはがき イワ【岩垣】《上代はイハカキと清音》岩が垣根のようにめぐりかこんだもの。のちには人工の石垣にもいう。「見し人もなき山里の―に」〈源氏総角〉 †iFakaki **―ぬま**【岩垣沼】石でかこまれた沼。「青山の―の水隠（みこも）りに」〈万二七〇七〉 **―ふち**【岩垣淵】岩が垣のようにめぐっている淵。「―の隠（こも）りのみ」〈万二〇七〉 **―もみぢ**【岩垣紅葉】岩垣のほとりの紅葉。「いはかげもみぢ」とも。「奥山の―ちりぬべし」〈古今二八二〉

いはがく・り イワ【岩隠り】『四段』亡くなる。岩で作った陵墓の陰に入ることから、貴人の死をいう。「神さぶと（神ラシクフルマワレルトテ）―・ります」〈万一九九〉

いはかど イワ【石門・岩門】石の門。堅固な門。「またさしまさる（一層カタク閉ジル）関の―」〈源氏夕霧〉

いはがね イワ【岩が根】《ネは大地にしっかりくいこんだもの》土の中に根をすえた岩。いわね。「―のこごしき（ゴツゴツシタ）山を越えかねて」〈万三〇一〉

いはき：イワ【石城】岩でつくった墓。上下四方を岩で囲み、中に棺を入れる。「—にも隠(こも)らば共に」〈万三八〇六〉†iFaki

いはき：イワ【岩木】岩と木と。非情なもののたとえ。「—より成り出し人か」〈万八〇〇〉†iFaki

いはく イワク【曰く】《言ヒのク語法》①言うこと。「たわや女(め)と—も著(しる)く」〈万六二九〉②《副詞的に》㋑言うことには。「婆羅門の—『善哉童子、此の金光明は甚深なり、最上なり…』といふ」〈金光明最勝王経平安初期点〉▽「いはく…といふ」と呼応する形で使われることが平安初期には多い。㋺上の文を下に説明するつなぎをする。すなわち。「四句とは—、所問に於て四句の答を作(な)すぞ」〈雑集論平安初期点〉③理由。事情。因縁。「どうした—ぢゃ、気遣ひな、万事此方を頼んで置く」〈近松・氷の朔日上〉

いはくえ：イワ【岩崩え】岩のくずれ。「鎌倉の見越(みご)しの崎の—の君が悔ゆべき心は持たじ」〈万三三六五東歌〉→くえ。†iFakuye

いはくすぶね：イワ【磐櫲樟船】《イハは堅固さをほめた語》クスの木でつくった堅固な船。「天(あま)の—」〈紀神代上〉

いはぐみ：イワ【岩組】①庭などの岩の配置。「流れ興ある—の滝」〈俳・あだ花千句〉②岩石の重なっているけわしい岩山。「後にあらけなき—ありて」〈西鶴・五人女五〉

いはくら：イワ【磐座】《イハは堅固さをほめた語》神のすわる堅固な座席。「天(あま)の—」〈紀神代下〉

いは・け イワケ『下二』《この語の歴史的仮名遣は「いはけ」か「いわけ」か未詳》子供っぽくて頼りない。「まだ—・けたる雛遊び」〈源氏螢〉。「なほいと—・けて強き御心おきて(心構へ)の無かりけること」〈源氏夕霧〉▽イハケがもと名詞であったのを、動詞のように使ったのであろう。類例オヨスゲ・ワラハゲ。　**—な・し**『形ク』《ナシは甚だしい意。年はが行かず、頼りない感じ。類義語イトケナシは、ただ年少であること》①物心がつかない。「—・き程より学問に心を入れて」〈源氏絵合〉②年が行かず心が幼稚で頼りない。「あないはけな。かかるもの(手紙)を散らし給ひて」〈源氏若菜下〉③何の邪心も無い。「—・くかいやりたる額つきかんざし」〈源氏若紫〉

いはこすげ：イワ【岩小菅】岩間に生えているスゲ。「見渡しのみもろの山の—」〈万二四七二〉†iFakosugë

いはざ：イワ【岩座】岩組みの形をした仏像の台座。「—に壺有りて、其の中に鯲(どぢやう)を生け置きける」〈西鶴・胸算用二〉

いはさか：イワ【磐境】《イハは堅固さをほめた語》神の鎮座する区域。「天(あま)つ—」〈紀神代下〉

いはさ・く：イワ【岩裂く】『連語』岩を裂きやぶる。岩石を破壊する。「磐裂、此をば以簸娑羃(いはさく)といふ」〈紀神代下〉

いはしみづ：イワ【石清水】①岩間からわき出る清水。「逢坂の関に流るる—」〈古今五三七〉②「石清水八幡宮」の略。貞観二年創建。応神天皇などをまつる。朝廷の尊敬あつく、三月午(うま)の日の臨時の祭を南祭という。賀茂の祭の北祭に対する。「—・賀茂の臨時の祭などに召す人人の」〈源氏若菜下〉

いはせ：イワ【石瀬】石の多い渡り瀬。「—ふみ〔アナタヲ〕求(と)めぞ我が来し恋ひてすべなみ」〈万三三一〇〉

いはそそ・き：イワ【石灑き】『四段』岩に激しく水が打ちあたる。「—・く岸の浦廻(うらみ)に寄する波」〈万一三八八〉→そそぎ(注)　†iFasosöki

いはたたす：イワ【石立たす】〔枕詞〕石神として祭られた「少名御神(すくなみかみ)」にかかる。「—少名御神の」〈記歌謡三九〉

いはたたみ：イワ【岩畳】岩が重なっていること。また、その所。「—かしこき(オソロシイ)山と知りつつも」〈万一三三一〉†iFatatami

いはつつじ：イワ【岩躑躅】岩のあたりに咲くツツジ。「水伝ふ磯の浦廻(うらみ)の—」〈万一八五〉

いはつな：イワ【石綱・石葛】《ツナはツタと同根。nとtとの子音交替。イタダキ・イナダキの類》岩に這うツタ。「—の〔ツルヲ〕延(は)へてしあらば」〈万三〇六七〉　**—の**【石綱の】〔枕詞〕岩に這うツタが、のびてもまたもとに這い戻ることから「かへり」にかかる。「—またをちかへり(若返ッテ)」〈万一〇四六〉

いはつぼ：イワ【岩壺】岩がくぼんで壺のようになった所。「この滝の落ち入る—より」〈今昔一四ノ四三〉

いは・て【い泊て】『下二』《イは接頭語》船が港に泊まる。「船の舳(へ)の—・つるまでに」〈万四一二二〉

いはと：イワ【岩戸】①岩の戸。岩の門。「天の原—を開き」〈万一六七〉②石城(いはき)の戸。古墳の石室に通じる道の入口の戸。「—立て隠(こも)りにけらし」〈万四一八〉。「磐戸、イハト」〈名義抄(図書寮本)〉†iFato

いはとび：イワ【岩飛び】高い岩の上から水に飛びこんで見せる術。琵琶湖の「いはとび」は有名であった。「ここに〔竹生島ノ〕常住等、聖の参詣を感嘆して、—などいふ水練して見せ奉りければ」〈一遍縁起九〉

いはなし：イワ【岩梨】①今のコケモモという。果実は食用になる。「或いは茅花を抜き、—を採り」〈方丈記〉②古くはニレ科の喬木をいうか。「伊和の大神、国占めましし時に、御志(みしるし)を此処に植(た)てたまふに、遂に楡(いはなし)の樹生ひき。故(かれ)名を談奈志(いはなし)といふ」〈播磨風土記〉

いはなみ：イワ【石並】川の浅瀬に石を並べて橋にしたもの。いわばし。「上つ瀬に—渡し、下つ瀬に打橋渡す、—に生ひなびける玉藻もぞ」〈万一九六〉†iFanami

いはなみ：イワ【岩波】岩にあたって立つ川波。「吉野川—高く行く水の」〈古今四七一〉

いはぬいろ イワヌ【言はぬ色】《クチナシ(梔子)を「口無し」と解したところから生れた語》クチナシの実の色。濃い黄色。「九重にあらで八重咲く山吹の—をば知る人もなし」〈円融院御集〉。「—。山ぶきの花の色也」〈匠材集一〉

いはね：イワ【岩根】岩。しっかりと大地に食い込んだ岩。「—踏み、山越え野ゆき」〈万四二六〉▽イハホは高くそびえた岩。ただし、両者ほぼ同じに使う。

いはば イワバ【言はば】『副』言ってみれば。言うならば。「宇治山の僧喜撰はことばかすかにして始め終りたしかならず。—秋の月を見るにあかつきの雲に会へるが如し」〈古今序〉

いはばし：イワ【石橋】①川の浅瀬に飛石を並べた橋。「明日香川瀬瀬ゆ渡しし—も無し」〈万一一二六〉②役行者(えんのぎようじや)の命によって葛城〈かづらき〉のヒトコトヌシノカミがかけようとして途中で止めた石の橋。転じて、男女の仲が中途で絶えるたとえ。「—の夜のちぎりもたえぬべし」〈拾遺一二〇一〉。「磴、石ハシ・イハヾシ」〈名義抄〉　**—の**【石橋の】〔枕詞〕飛石の間隔の意から、「ま」「なか」「遠し」などにかかる。「—崖(ま)に生ひたる貌花(かほばな)の」〈万三二八八〉。「—中中にても」〈後撰九八六〉。「—遠き心は」〈万二七〇一〉

いはばし・り：イワ【石走り】『四段』水が石の上を走って激しく流れる。「—・り激(たぎ)ち流るる泊瀬川」〈万九九一〉

いはばしる：イワ【石走る】〔枕詞〕地名「近江(あふみ)」にかかる。石の上を激しく流れる「溢水(あふみ)」に通じるからという。「—近江の国の」〈万二九〉

いははな：イワ【岩端・岩鼻】岩のはし。岩の出張った所。「象

の首筋に食ひつき、一振り振って、―に、どうどうと振り当つれば」〈浄・七夕之本地五〉

いは・ひ イハ【祝ひ・斎ひ】㊀〘四段〙《吉事・安全・幸福を求めて、吉言をのべ、吉(よ)い行いや呪(まじない)をする意が原義。類義語イツキは、神聖なものを大切に護り、それに仕える意》①将来の幸福・安全が護られるように、よい行いをする。わるいとされる行為をしない。「まさきくて妹が―・はば沖つ波千重に立つとも障りあらめやも」〈万三五八三〉。「櫛も見じ家中も掃かじ草枕旅行く君を―・ふと思ひて」〈万四二六三〉②呪として、求める仕合せに類似する行為をする。「〔アナタト結バレルヨウニ〕紐の結びも解き放(さ)けず―・ひて待てどしるし無きかも」〈万二九七五〉。「〔胎児ガ胎内ニ止マルヨウニ〕鎮め給ふと、い取らして―・ひ給ひし真珠なす二つの石を」〈万八一三〉③吉事を求める呪言をのべ、神事を行なう。「石(し)づく珠―・ひて取らむ風な吹きそね」〈万一三一九〉。「祝(はふ)りらが―・ふ社(やしろ)のもみち葉もしめ縄こえて散るといふものを」〈万二三〇九〉④将来の幸福をねがい、めでたいことばをのべる。「千年の光(かげ)にしるき年の内の祝言(いはひごと)どもして…乱れたる事どもすこしうちまぜつつ―・ひ聞え給ふ」〈源氏初音〉⑤神の祭礼をする。「〔酒デ〕前後も知らずたふれ伏す。―・ふべき日（祭ノ日）などは浅ましかりぬべし」〈徒然一七五〉⑥神として祭る。「あれに見ゆる森はいかなる所ぞとのたまへば、建部(たけべ)の宮とて八幡を―・ひまゐらせて候」〈平治下・頼朝遠流〉。「〔伊勢〕大神宮は…下つ岩根に大宮柱を太敷きたて、―・ひそめたてまってよりこのかた…無双なり」〈平家七・還亡〉⑦神聖・高貴な地位につかせ、尊崇する。「金剛女は…功徳の故に、現身に后(きさき)に―・はれたりき」〈宝物集六〉㊁〘名〙①呪術の祭式を行なう所。また、その人。「斎主、此をば伊播毗(いはひ)といふ」〈紀神代下〉②まじない。「御枕上に参らすべき―のものに侍る」〈源氏葵〉③呪術の力のこめられた儀式。「〔春宮践祚ノ〕めでたき―の中に〔老人達ハ〕涙を流し、心をいたましむ」〈平家四・厳島御幸〉④慶祝すべきこと。祝儀。祝言。「―の御酒なれば、九献参れとすすめられ」〈伽・天狗の内裏〉 †iFaFi **―うた**【祝歌】漢詩の六義(りくぎ)になぞらえて設けた和歌の一体。詩の頌(しょう)にあたる。「頌」は、ほめたたえる意。「六つには―、『此の殿はむべも富みけりさきくさの三つば四つばに殿造りせり』」〈古今序〉 **―つき**【斎槻】神木の槻の木。「天飛ぶや軽の社の―幾世まであらむ隠妻そも」〈万二六五六〉 **―づき**【祝月】正月・五月・九月の称。不吉な月として忌むのでこういい、寺社に参詣などして善根を積む。「水掛け〔ノ行事〕や久しき世より―〔ノ正月ニ行ナウコトダ〕」〈俳・小町踊二〉。〈俳・毛吹草二〉 **―づま**【斎妻】夫が外出している間、潔斎(けっさい)して夫の安全と成功を待っている妻。「鹿(し)待つ君が―かも」〈万二三六二〉 **―のつゑ**【祝の杖】「卯杖(うづゑ)」に同じ。「斧の響をたづぬれば―の音にぞありける」〈枕八七〉 **―のみや**【斎の宮】呪術の祭儀を行なう宮。特に、伊勢神宮。「―を五十鈴(いすず)の川上に興(た)つ」〈紀垂仁二十五年〉 **―べ**【斎瓮】枕辺・床辺に掘ってすえ、木綿(ゆふ)をたれる神聖な瓶(かめ)。神にまつる酒を盛る。「旅行く君を幸(さき)くあれと―すゑつ」〈万三九二七〉

いは・ひ イハ【い匍ひ】〘四段〙《イは接頭語》はらばう。「鹿(しし)じもの（ノヨウニ）―・ひ伏しつつ」〈万一九九〉 †iFaFi

いば・ひ イバ【嘶ひ】〘四段〙《イバエの転。もとは下二段活用》馬がいななく。「この馬、北へ向くたびごとに黄なる涙を流して―・ひければ」〈本門寺本曾我七〉。「バビロニャの駒が―・へば、必ずこの国の雑役がはらむことがある」〈天草本伊曾保〉。「嘶、イバフ、馬鳴也」〈伊呂波字類抄〉

いはふち イワ【岩淵】岩にかこまれた淵。「―の〔ヨウニ〕隠(こも)りてのみやわが恋ひ居らむ」〈万二七一五〉

いはふね イワ【岩船】①《岩のように堅固な船の意》神話にいう、空中を飛行する船。「ひさかたの天の探女(さぐめ)が―の泊(は)てし高津は浅せにけるかも」〈万二九二〉②岩石で作った槽(けお)状のもの。「―にもろもろの魚(をう)を活けたり」〈伽・鶴の翁〉

いはほ イワオ【巌】《イハは岩。ホは、波のホ・稲のホのように突き出て目立つもの》高く大きな岩。「高山の―に生ふる菅の根の」〈万四四五四〉。「さざれ石の―となりて苔のむすまで」〈古今三四三〉→いはね。 **―すげ**【巌菅】岩のほとりのスゲ。いわもとすげ。「〔神ヲマツル〕三室の山の―」〈万二四七二〉 **―のなか**【巌の中】《漢語「巌穴」などの影響を受けた語か》俗世間をはなれた住みにくい所。「いかならむ―に住まばかは世の憂き事の聞え来(こ)ざらむ」〈古今九五二〉

いはま イワ【岩間】岩と岩とのあいだ。「ともかくも―の水のむすぼほれ」〈源氏真木柱〉

いはまく イワマク【言はまく】《言ハムのク語法》口に出して言うこと。「もし口に出して言うならば、その言うことは」の意。「―もあやに(マコトニ)かしこき」〈万一九九〉

いはまくら イワ【岩枕】岩の枕。岩を枕に寝ること。「天の河原に―まく」〈万二〇〇三〉

いはましごと イワ【言はましごと】もし言えるなら言いたいと思っていること。「生けるかひなきや。〔ソノ言葉ハ〕誰が―にか」〈源氏夕顔〉

いはみ イワ【石見】旧国名の一。山陰道八国の一で、今の島根県西部。石州。「柿本朝臣人麿、―国より妻に別れて上り来る時の歌」〈万一三一題詞〉 **―ぎんざん**【石見銀山】近世後期、石見の銀山で産出した砒石(ひせき)で作った殺鼠剤。「猫いらず鼠取り薬」、「いたづら者は居ないかな」などと呼び声して売り歩いた。「―もこれが為に御冷飯を喰ふ（使ワレナイ）」〈洒・一騎夜行三〉

いは・み イワミ【聚み】〘四段〙多くあつまる。「屯聚居、此をば怡波瀰萎(いはみゐ)といふ」〈紀神武即位前〉 †iFami

いはむや イワンヤ【況】〘副〙《奈良時代の反語の語法イハメヤから転じて、平安初期に成立した語。漢文訓読体で使われ、後には女流の仮名文学にも用いられた。はじめは、「なほし…いはむや…は」の形で使われることが多かったが、平安中期ごろから「いはむや…をや」という形が多くなった》まして、いうまでもなく（以下のことは）明白である。「善を行なはぬだに、なほし大なる失となす、―悪業を起さむは」〈成実論天長点〉。「下賤の人身をすらなほし得べきこと難し。―まさに能く二乗の菩提无上の大乗を證せむや」〈地蔵十輪経三・元慶点〉。「更に一の小城を造て諸の城の中にすらなほ大なりとす。―本の〔大キナ〕王舎城をや」〈法華義疏長保点〉。「この玉たはやすくえ取らじを、―龍の首の玉は」〈竹取〉。「調べ一つに手を弾きつくさむ事だにはかりもなきものななり。―多くの調べ煩はしき曲多かるを」〈源氏若菜下〉

いはむら イワ【岩群】《ムラはムレの古形》岩の群。「河上のゆつ（神聖ナ力ニミチタ）―に草生(む)さず」〈万二二〉

いはもと イワ【岩本】岩の根もと。「高山の―たぎち（ハゲシク流レテ）ゆく水の」〈万二七一八〉 †iFamötö

いはや イワ【岩屋・石室】洞穴。古代人の住居にも使われた。「ときはなる―は今もありけれど」〈万三〇八〉 **―と**【岩屋戸】岩屋の戸口。「―に立てる松の木」〈万三〇九〉 †iFayato

いはゆき イワ【磐靫】《イハは堅固さをほめた語》しっかりし

た較。「背(そびら)には天(まあ)の―を負ひ」〈紀神代下〉 † iFayuki

いはゆる イワユル【所謂】『連体』《「言はるる」の意。ユルは受身の助動詞ユの連体形》(世間で)言われている。「謂(い)は所(ゆ)る一切の有漏(ろう)」〈彌勒上生経賛平安初期点〉。「光る源氏の―御盛りの大将などにおはせし頃」〈源氏紅梅〉。「所謂、イハユル」〈名義抄〉

いばらぐろ【茨畔・茨叢】茨のたくさん生えている所。茨の茂み。「裏は―ぢゃ」〈虎明本狂言・文山立〉

いはらじ イワラジ【家主】《イヘアルジの転という》主婦。妻女。後には専ら百姓の女房の意。「ゆわらじ」「いわうじ」とも。「安く産(よろこ)ぶ(安産スル)これの―」〈俳・正章千句上〉

いばり【尿】《ユバリの転》①尿。小便。近世では、普通、牛・馬・犬などについていい、下層の語としては、人の場合にもいう。「世俗の詞に敵の―を呑ても本意を達すると云ふ事」〈庭訓抄上〉。〈日葡〉②遺尿の俗称。「遺溺又遺尿とも云へり、小便自ら出て知らざるなり、俗に云ふ―なり」〈病名彙解一〉

いはる イワル【言はる】『連語』《言ヘルの上代東国方言》言っている。「一嶺(ね)ろに―ものから」〈万三五一二東歌〉

いはれ イワレ【謂】理由。わけ。「一旦恨み申させまします旨、その―候」〈平家三・法印問答〉 **―な・し**【謂無し】『形ク』①しかるべき理由がない。「貞方、妓女の舞を奏する事―き事なれども」〈著聞六九〇〉 ②わけがわからない。無法である。「あらいはれなの事を申す者どもやな」〈謡・夜討曾我〉

いはれざる イワ…【言はれざる】『連語』いわれのない。不当な。また、必要もない。「―御心付にてと、かへって恨みられた」〈咄・昨日は今日下〉

いはれたり イワ…【言はれたり】『連語』言いも言った。うまく言いあてた。「〔コノ歌ノ〕ふるさととは、ただ古くなれる家をいふか。さらば―」〈難後拾遺抄〉。「この義も、一旦―とおぼゆれども」〈古今集註〉 →さもいはれたり

いはれぬ イワ…【言はれぬ】『連語』わけの分らぬ。不当な。「国王の仰せごとを…〔聞カナイヨウナ〕―事なし給ひそ」〈竹取〉。「この難(非難)は―事なり」〈無名抄〉

いはゐ イワ…【石井】岩間からわく泉の井戸。「掘りし井の―の水は飲めど飽かぬかも」〈万一一二八〉

いはゐつら【いはゐ蔓】未詳。「い這ひ蔓」の上代東国方言か。また、つる草の名という。「―引かばぬるぬる(ズルズルトユルンデ抜ケテ)」〈万三三七八東歌〉

いひ イイ【家】「いへ」の上代東国方言。「―にして子持(め)ち瘦すらむ我が妻(み)かなしも」〈万四三四三駿河防人〉 →いは。 † iFi

いひ イイ【飯】《イヒ(言)と同根。口にするものの意》米などを蒸したもの。のちには炊いた飯にもいう。「玉笥(たまけ)には―さへ盛り」〈紀歌謡九四〉。「白米一石とりいでて―にして食はせ」〈宇治拾遺一九〉 →かゆ。 † iFi

いひ イイ【樋】地中に埋めた板の箱。池の水などを流すのに用いる。歌で「言ひ」とかけていうことが多い。「否(いな)とも言ひ放ちてよと言ひはべりければ。小山田の苗代水は絶えぬとも心の池の―は放たじ」〈後撰七九二〉。「池には―といふものを立てて、打樋(うちひ)を構へて水をば出せばこそ、池はたもつ事にてはあるに」〈今昔三一ノ二三〉

い・ひ イイ【言ひ】㊀『四段』《声を出し、言葉を口にする意。類義語カタリ(語)は、事件の成り行きを始めから終りまで秩序だてて話す意。ノリ(告)は、タブーに触れることを公然と口にすることで、占の結果や名などについて用いる。ツゲ(告)は、中に人を置いて言う意。マヲシ(申)は、支配者に向って実状を打ち明ける意》①思うことを口にする。「筑波峰(つくはね)に逢はむと―・ひし子は」〈常陸風土記〉②世間でいい慣らわす。「青馬を今日見る人は〔幸ガ〕限り無しと―・ふ」〈万四四九四〉③名づける。呼ぶ。「花咲(ゑ)みに咲みしがからに妻と―・ふべしや」〈万一二五七〉④噂する。「百(もも)に千(ち)に人は―・ふとも月草の移ろふ心われ持ためやも」〈万三〇五九〉⑤求婚する。「人妻に―・ふは誰(た)がこと」〈万二八六六〉⑥約束する。「吾妹子が待たむと―・ひし時ぞ来にける」〈万三七〇一〉⑦口ずさむ。「歌を―・ひてぞ慰めける」〈古今序〉⑧(動物が)鳴く。「怪しき声するを『こは何ぞ』と問ひたれば『鹿の―・ふなり』と」〈かげろふ中〉㊁『名』①言うこと。「それをよろづに―のままにせさせ給ひし程に」〈栄花後悔大将〉②意味。「其れ斯(こ)の謂(ひい)か」〈三蔵法師伝七・院政期点〉③いわれ。「訴へ申す旨、その―無き由を」〈著聞四九九〉 † iFi **言はせも果てず** 言わせ切らずに。言うのも待たずに。「この僧、かいかしこまりて『…』と言ふを、僧正―『…』と言はれけるに」〈著聞三九六〉 **言ふにや及ぶ** 言うまでもないことだ。もちろんだ。「―、かかる事やは〔アルベキ〕とも」〈問はず語り一〉。「―、もっとも庶幾する所なり」〈太平記八・山徒寄京都〉 **言へばえに**《エは得(え)。できるの意。ニは打消の助動詞ズの古い連用形》言うに言われず。「―悲しう思へる様を」〈源氏須磨〉 **言へばおろか**《オロカはオロソカの意》いまさら口にするのもまがぬける。言うまでもない。また、言いつくせない。「心細しと―なり」〈源氏明石〉

い・ひ イイ【食ひ】『四段』《イヒ(飯)・イヒ(言)と同根か》口にする。食う。「手づから―・ふばかりにして食(く)ひては」〈宇治拾遺一〇八〉。「啖噉、クラフ・ハム・イフ」〈名義抄〉 →くひ・はみ

いひあが・り イイ…【言ひ昂り】『四段』激して次第に声高になる。言いつのる。「隣に公重の少将ゐられたりけるが、この殿の侍と物を―・りて」〈十訓抄八ノ二〉

いひあつか・ひ イイアツカイ【言ひ扱ひ】『四段』①あれこれ言って世話をやく。「かの遺言はたがへじと思ひ給へて、ただかく―・ひ侍るなり」〈源氏夕霧〉②うわさする。「〔世間デハ〕かばかりになりぬるあたりの事(先妻・後妻ノコト)は―・ふものなれば」〈源氏若菜上〉

いひあつ・め イイ…【言ひ集め】『下二』歌や話を書き集める。「女房など〔歌ヲ〕多く―・めたれど、とどめつ」〈源氏幻〉。「珍らかなる人の上などを、誠にや偽りにや―・めたるなかにも」〈源氏螢〉

いひあは・せ イイアワセ【言ひ合はせ】『下二』①口をそろえて話す。「乳母・母君など〔入道ノ〕ひがめる心を―・せつつ」〈源氏明石〉②申し合わせる。口約束をする。「返りごと書かんと―・せ、かたらふどちは見せかはしなどするもいとをかし」〈枕三九〉③相談する。「この人人にも殊に―・せず返りごと書く」〈源氏浮舟〉④言葉をかわす。「別して鼠と蛙いかにも親しう―・せた」〈天草本伊曾保〉

いひあ・ひ イイアイ【言ひ合ひ】『四段』一つのことについて、口口に皆で話をする。「〔紫上逝去ノ事ヲ〕―・へるを聞くにも胸うちつぶれて」〈源氏若菜下〉。「〔鬼ガ〕ただ今はそこそこになど―・へり」〈徒然五〇〉

いひあ・へ イイアエ【言ひ敢へ】『下二』気持をすっかり言いきる。「『…』ともえ―・へず…出でたまひぬ」〈源氏花宴〉

いひあらは・し イイアラワシ【言ひ顕はし・言ひ表はし】『四段』①つつみ隠しておかず、白状する。「好色事どもをかたみに、隈なく―・し給ふ」〈源氏葵〉②言葉にあらわす。表現する。「いかにして―・さむ法(のり)の道とにもかくにも違(たが)ふ言の

葉」〈新千載八五一〉

いひあり・き ::イイ【言ひ歩き】『四段』常にあれこれと言葉をかける。あれこれと言い寄る。「この中将の〔姫君ニ対シテ〕―・きけるを言(こと)多く言ひ馴れたらむ方にぞなびかむかし」〈源氏末摘花〉。「中納言のとざまかうざま(アアモコウモト)―・き給ふも人(私)の心を見んとなりけり」〈源氏総角〉

いひいだ・し ::イイ【言ひ出し】『四段』《言葉を外に出す意。「言ひ入れ」の対》①家や部屋の内から外の人に向って言う。「『さらばこなたに』と―・し給へり」〈源氏総角〉②口に出す。「そらごとをよくしなれたる口つきよりぞ―・すらむ」〈源氏蛍〉③言いはじめる。「〔灸ガ〕神事にけがれありといふこと、近く人の―・せるなり」〈徒然一四七〉

いひい・で ::イイ【言ひ出で】『下二』①言葉に出す。「片なりなる(子供ッポイ)御心にまかせて―・で給へるもらうたければ」〈源氏若菜下〉②口を出す。「〔皆デ人ノ批評ヲシテイル時ニ〕おのが身をひきかけて―・でたる、いとわびし」〈徒然五六〉

いひい・れ ::イイ【言ひ入れ】㊀『下二』《言葉をいれる意。「言ひいだし」の対》①外から屋内・室内の人へ言う。案内を乞う場合が多い。「『山より僧都の御消息にて参りたる人なむある』と―・れたり」〈源氏夢浮橋〉。「南の大門に立ちて、人を以て―・れしむ」〈今昔一四ノ二一〉②念を入れて言い聞かせる。言いふくめる。「〔男ガ〕夜言ひつることの名残、女の耳に―・れて」〈枕六三〉㊁『名』①結婚の申込み。「彼方此方の―も合点せず」〈西鶴・諸国咄三〉②結納(ゆいのう)。「御―の引出物、それぞれに飾らせて」〈浄・赤染衛門一〉

いひうゑ ::イイ【飯飢・飢饉】《飯に飢える意》ききん。「―を療(いや)すべからず」〈紀宣化一年〉 †iFiuwe

いひお・き ::イイ【言ひ置き】『四段』①言いすてる。「〔ミノムシノ親ハ〕…と―・きて逃げていにけるも」〈枕四三〉②言い残す。「〔冬ノ月ヲ〕すさまじきためしに―・きけむ人の心浅さよ」〈源氏槿〉

いひおく・り ::イイ【言ひ送り】『四段』ことづけする。「今日と―・れりける時に」〈古今九六九詞書〉

いひおこ・せ ::イイ【言ひおこせ】『下二』言ってよこす。言ってくる。「女いと久しくありて念じわびてにやありけん、―・せたる」〈伊勢二一〉

いひおち ::イイ【言ひ落ち】言えば言うほどかえって悪くなること。「申し訳いたす程皆―にて候へども」〈近松・出世景清四〉

いひおと・し ::イイ【言ひおとし】『四段』見下げて言う。くさす。けなす。「かたはなるものに―・すなる〔近江君ノ〕かたち」〈源氏常夏〉

いひおり ::イイ【言ひ下り】代代言い継ぐこと。のちのちまでの語り草。「〔伊勢ノ〕太太(だいだい)〔神楽〕で―になる恥を搔き」〈雑俳・柳多留八〉

いひかか・り ::イイ【言ひ掛かり】㊀『四段』①言葉をかけて相手と関係をつけようとする。「家の人どもに物をだに言はんとて―・れどもこととせず」〈竹取〉②ひとたび言いはじめる。「注文―・り給ひては、常に時の移るを忘れ給ふ事、かくぞありける」〈明恵伝記下〉③言い出してあとに引けなくなる。「それがしも―・った事ぢゃによって、どうあっても連れて行かねばならぬ」〈虎寛本狂言・胸突〉㊁『名』①無実の事を言って相手を責め困らすこと。因縁をつけること。「いや、おのれは最前から色色の―をする」〈虎寛本狂言・居杭〉②一度言い出したために引くに引かれぬこと。「此方も引かれぬ―」〈近松・丹波与作中〉

いひかく・し ::イイ【言ひ隠し】『四段』言うことを隠す。隠して口にしない。「おくれたるかた(不得意ナ面)をば―・し」〈源氏帚木〉

いひか・け ::イイ【言ひ掛け】㊀『下二』①きっかけとなる言葉をかける。「〔妻ニシタイ〕心ばへのありながら、うちつけにも―・け給はず」〈源氏東屋〉②言いさす。言い残す。「―・けて前句に〔曲ノ心ヲ〕ゆづり侍り」〈ささめごと上〉③言いがかりをつける。因縁をつける。「むつかしき事を非分(ひぶん)に―・けて」〈庭訓抄下〉㊁『名』①きっかけとなる言葉をかけること。また、その言葉。「里離れ遠き所は、間(あひ)よりかかるべし。かかるとは、此方よりの―なり」〈わらんべ草一〉②因縁をつけること。言いがかり。「かへって―のやうに申しなし候へば」〈西鶴・文反古三〉

いひかす・め ::イイ【言ひ掠め】『下二』①言いまぎらす。ことば巧みにごまかす。「源氏の物語にいつまでぐさと―・め、頼朝が身の上を調伏するとおぼえたり」〈幸若・静〉②事実無根のことを言って人をあざむく。「少しも咎なき者に咎をつけて人を―・むる輩」〈朗詠鈔六〉

いひかた・め ::イイ【言ひ固め】『下二』《言葉を十分に確認する意》①かたく言いつける。「葬り儲けをせよと―・めつ」〈今昔二九ノ二五〉②かたく口約束する。「『…酒・菓物など取り出させて贖ひせん』と―・めて、起請して後」〈宇治拾遺三四〉

いひかな・へ イイカナエ【言ひ適へ】『下二』うまく表現する。「この頃の歌は、一ふしをかしく―・へたりと見ゆるはあれど」〈徒然一四〉

いひかは・し イイカワシ【言ひ交はし】『四段』《言葉をかわす意》①言葉のやりとりをする。「女もただに〔手紙デ〕―・すことは」〈枕一六〇〉②かわるがわる詩や歌を作る。「〔姉妹デ歌ノ〕もと末(上ノ句・下ノ句)を取りて―・し」〈源氏早蕨〉③約束する。「『いっそ死んでくれぬか』『ああ死にましょ』と、引くに引かれぬ義理づめにふっと―・し」〈近松・天網島上〉

いひがひ イイガイ【飯匙】飯を器に盛るのに使う杓子(しゃくし)。しゃもじ。「手づから―とりて」〈伊勢二三〉

いひがひな・し ::イイガイ【言ひがひ無し】『形ク』《平安時代にはイフカヒナシ》❶絶望やあきらめや、愛想をつかした気持。①言ってもしようがない。言ってもはじまらない。「驚きて尋ね求むれど更になし。―・くて偏に亡き人になしつつ」〈発心集一〉②言っても話がわからない。語るに足りない。「この僧伽多は―・き者かな」〈宇治拾遺九一〉❷軽蔑や卑下の気持。①言うねうちがない。とるに足りない。つまらない。「―・き奴ばらに押へて首をとられん事の口惜しさよ」〈保元中・白河殿攻め落す〉②ふがいない。「ただ一人候ひける信連に追ひ立てられ、度度(どど)逃げ出で逃げ出でしけるも―・し」〈盛衰記一三〉

いひかぶせ ::イイ【言被せ】言い立てて罪などを他人にかぶせること。「咎(とが)もない伝三郎に―しやるな」〈近松・卯月紅葉上〉

いひかへ・し イイカエシ【言ひ返し】『四段』言葉をかえして相手の言い分を受け入れない。いなむ。こばむ。「〔柏木ノ申入レヲ〕いとあるまじきことに―・しけれ」〈源氏若菜下〉

いひかま・へ イイカマエ【言ひ構へ】『下二』うまく口実をつくる。「かどかどしき人にてとかく―・へて」〈源氏浮舟〉

いびき【鼾】睡眠中の呼吸が、鼻やのどでおこすひびき。「おどろおどろしき―しつつ」〈源氏手習〉。「鼾、伊比支(いびき)」〈新撰字鏡〉

いひき・し ::イイ【言ひ期し】『サ変』先のことを口約束する。「殿上にて―・しつる本意もなくては」〈枕一三七〉

いひくた・し：イイ【言ひ貶し】『四段』けちをつける。「〔秋ニ〕紅葉を一・さむは、立田姫の思はむこともあるを」〈源氏少女〉

いひくだ・し：イイ【言ひ下し】『四段』すらすらと言う。とどこおることなく言い表わす。「右歌は、一・したるやうに亭主を祝へり。いかでか勝たざるべき」〈文治二年十月二十二日歌合〉

いひくろ・め：イイ【言ひくろめ】『下二』うまく言って、ごまかす。「身の科を一・めんと」〈近松・女腹切上〉

いひけ・ち：イイ【言ひ消ち】『四段』《「言ひ」すなわち言葉を消す、口先に出て来る言葉を押えて、沈黙を守る意と、口に出して消す、つまり言葉で気持や行動を否定する意との二つがある。類義語イヒサシは途中で言葉を止める意》①（さしさわりのあることなどについて）口にすることをひかえる。言葉を飲んで、口に出さない。「『はつるる糸は』と、末は一・ちて、いといみじく忍びがたきけはひにて入り給ひぬなり」〈源氏椎本〉。「光源氏名のみことごとしう、〔人カラ〕一・たれ給ふ咎(とが)多かんなるに」〈源氏帚木〉②（相手の）心持や行動を消し去ってしまいたい気持を口にする。非難する。言いくさす。「〔尼ガ〕わざとはなくて〔歌デ〕一・つさま、みやびかに、よしと〔源氏ハ〕聞き給ふ」〈源氏松風〉。「をこにも見え、人にも一・たれ、わざはひをも招くは、ただこの慢心なり」〈徒然一六七〉

いひけらく：イイ【言ひけらく】《言ヒケリのク語法》言ったこと。「親王(みこ)の一、『…』と言ひければ」〈古今四一八詞書〉。「そが一、『…』といひて、よめるうた」〈土佐一月二十九日〉

いひごと：イイ【言ひ事・言ひ言】①㋑言う事。言葉。「何を〔碁ノ〕賭物(のりもの)にかせむ。…一を賭(か)けむ」〈宇津保内侍のかみ〉。「頼めおきし其の一やあだなりし」〈山家集下〉㋺（台本などの）文言。「一の文字にまかせて心を遣るべし」〈風姿花伝〉②㋑口癖にする話題。「『いみじう宣はせたり』と興じ奉りて、その頃の一にこそし侍りしか」〈大鏡伊尹〉㋺言い分。「愚かの人の一や」〈謡・松風〉③口論。口喧嘩。「先にちと一をしてあれば」〈謡・竹雪〉

いひさ・し：イイ【言ひさし】『四段』皆まで言わず、途中で話をやめる。「心もなき事啓してけりと思ひて、くはしくもその程の事をば一・しつ」〈源氏手習〉

いひさだ・め：イイ【言ひ定め】『下二』口約束する。「然れば一・めし様に、速かに…其の事贖ふべしと」〈今昔二八ノ二〉

いひさま：イイ【言ひ様】『連語』《サマは「直ちに」「時に」の意》言うや否や。「『ただ行け』と一に、取るものも取りあへず走りぢだめいて家に帰り」〈天草本伊曾保〉

いひじらけ：イイ【言白け】興がさめて話を中途で止めること。「寒さにや雪の話も一」〈俳・夢見草四〉

いひしら・ず：イイ【言ひ知らず】『連語』《言葉を知らない意》①どう言ってよいか分らない。②何とも言えない。形容のしようがない。よいにもわるいにもいう。「などー・ぬ思ひ添ふらむ」〈古今六三八〉。「白き布の一・ず煤(すす)けたるに」〈源氏末摘花〉

いひし・り：イイ【言ひ知り】『四段』言い表わし方を心得ている。「〔マダ〕若ければ、文もをさをさしからず、ことばも一・らず」〈伊勢一〇七〉。「すき者なれば、一・りためり」〈落窪三〉。「左、ことばつづき一・りてやすらかに聞こゆ」〈中宮亮重家朝臣家歌合〉

いひしろ・ひ：イイイッ ロイ【言ひしろひ】『四段』自分の意見を強く主張し合う。言い合う。「〔女ト〕一・ひ侍りしかど、まことには変るべきこととも（縁ヲ切ロウトイウ事トモ）思う給へず」〈源氏帚木〉。「老いしらへる〔女房タチ〕は『…いと目もあやにこそ清らに物し給ひしか』などー・ふを」〈源氏若菜上〉→しろひ

いひしを・り：イイ【言ひしをり】『四段』相手をしおれさせるように言う。「くれなゐの涙に深き袖の色を浅みどりとや一・るべき」〈源氏少女〉

いひすさ・び：イイ【言ひ荒び】『上二』言いたいことを気ままに言う。「『誰と聞ゆる人のかかることはし給ふぞ』などー・びて入りぬ」〈大和一七二〉

いひす・て：イイ【言ひ捨て】□一『下二』①言い放しにして、後をかまわない。「『まかり入りぬ』と一・てて入り給ひぬ」〈源氏藤裏葉〉②無造作に言う。深い気持も持たずに言う。「昔の人はただいかに一・てたる言種(ことくさ)も皆いみじく聞ゆるにや」〈徒然一四〉③記録せずに句を詠む。「連歌など一・てて、よもすがら遊ぶ」〈都路のわかれ〉□二『名』①記録に取らない、その場限りの即興の句。「阿彌陀仏連歌〔ヲ〕…一ならんこそ念無けれ。少将おぼえよ（記録セヨ）」〈弁内侍日記〉。「和漢聯句一有り」〈看聞御記応永二四・二・二四〉②点を取らない俳諧、または、詠句。「一もこれのみを〔詠モウト〕待つ時鳥」〈俳・信徳十百韻〉

いひそ・し：イイ【言ひそし】『四段』度を過ごして言う。強く言う。「〔女ニ〕かしこく教へ立つるかなと〔我ナガラ〕思ひ給へてわれたけく一・し侍るに」〈源氏帚木〉

いひそ・め：イイ【言ひそめ】『下二』①はじめて口をきくようになる。「何しか（ドウシテ）妹に相一・めけむ」〈万三三〇〉②いったん口にしたら取り消せないようにはっきり言う。「一・めてむ事はとて、かたうあらがひつ」〈枕八七〉→そめ。†ifi-sömë

いひた・ち：イイ【言ひ立ち】『四段』①言い出す。言いはじめる。「木曾は張魂(はりだましひ)の男にて、一・ちぬる事をひるがへらぬ者なり」〈盛衰記三四〉②評判が立つ。うわさが立つ。「『この岩のある故ぞ』と一・ちにけり」〈宇治拾遺二〉

いひた・て：イイ【言ひ立て】□一『下二』①特に取りあげて問題にし、とやかく言う。「着給へるものどもをさへ一・つるも物いひさがなきやうなれど」〈源氏末摘花〉②強く主張する。力説する。「これ真実の心より仏法の道理を一・てける故に、かかる悪人も発心しけるにこそ」〈沙石集六ノ一〉③悪口を言う。「我が〔日蓮〕宗の所以を一・てんために…当宗の立義偏立也と云ふ事を難じたり」〈御書抄二〇〉□二『名』①特に申し述べること。強く主張すること。「『よく物をおまゐりあっておりさうへ。ただいま禍ができさうらはうぞ』と言うて一にするぞ」〈史記抄一四〉②口実。また、名目。「太鼓よく打ち申し候故、太鼓を一に仕り…二百石にて在り付き申し候」〈中村一氏記〉③口上。特に、能楽で、狂言による開口(かいこう)のことば。「一のある脇能に、置鼓(おきつづみ)打ち候へば、間(あひ)へ断り有り」〈わらんべ草四〉④宣伝の口上。「『餅もいろいろござります』と言うて、いろいろ餅の一あり」〈伎・好色伝授下〉

いひちら・し：イイ【言ひ散らし】『四段』《言葉を散らす意》①あたりかまわず言う。結果など顧慮せずに言う。「いよいよ腹立ちてまがまがしき事などを一・し給ふ」〈源氏真木柱〉②あたりに言いふらす。「『いみじくなむ才(ざえ)ある』と、殿上人などに一・して、日本紀の御局(つぼね)とぞつけたりける」〈紫式部日記〉

いびつ【飯櫃】《イヒビツの約》めしびつ。また、その形。円形のゆがんだもの。楕円形。「のし餅の跡一なり月の影」〈俳・猿舞師〉。〈日葡〉

いひつか・ひ：イイイッ カイ【言ひ使ひ】『四段』用事を言いつけて使う。「この人、国にかならずしも一・ふ者にもあらざなり」〈土佐十二月二十三日〉

いひつが・ひ イイツガイ【言ひ継がひ】『四段』《言ヒ継ギに反復・継続の接尾語ヒのついたもの。→ひ》 言いつぎ言いつぎする。次次に言いつたえる。「言霊(ことたま)の幸(さき)はふ国と語り継ぎー・ひけり」〈万八九四〉 †iFitugaFi

いひつ・き イイ【言ひ付き】『四段』 ①言い寄る。「人の車に物をー・きてわかれける所にてよめる」〈古今四〇五詞書〉 ②言い寄って相手に近づく。いい仲になる。「その武蔵なむのちはかへりごとはしてー・きにける」〈大和一〇三〉

いひつ・ぎ イイ【言ひ継ぎ】㊀『四段』 ①次次に言いおくって行く。「万代(よろづよ)にー・ぎ行かむ」〈万四〇〇三〉 ②言葉で取りつぐ。「局に前前ー・ぎし女(め)の童を呼びて」〈今昔三〇ノ一〉 ㊁『名』 ①言い送りにして行くこと。 ②取りつぐこと。取りつぎ役。「ーの侍、…と聞えければ」〈十訓抄七ノ二九〉 ③近世、奉公人の勤め先を世話する人。請人(うけにん)を兼ねることも多かった。「ーまで御出入の家の塞がるを恨み」〈浮・禁短気三〉 →いひつたへ。 †iFitugi

いひつ・け イイ【言ひ付け】『下二』 ①何何をせよと言葉で仕事を託す。何何してくれと頼む。「かの人のー・けし事など染め急ぐを」〈源氏手習〉 ②告げ口する。「人に恥ぢがましきことー・けたり」〈枕一六二〉 ③名づける。呼びなす。「〔則光ト清少納言ノコトヲ〕妹背(いもせ)などー・けて」〈後拾遺一一五六詞書〉 ④いつも口にする。言い馴れる。「ここもとにー・けたることくさ、物の名など」〈徒然七八〉

いひつた・へ イイツタエ【言ひ伝へ】㊀『下二』《先へ先へと言葉をつたわらせる意。類義語イヒツギは、前の人の言葉を次に受ける人がいて受けとり、それをまたその次の人が受けとるようにして渡して行く意》 ①言葉で後後に伝える。語り伝える。「のちの世に人のー・へむ」〈源氏松風〉。「女のはけるあしだにて作れる笛には、秋の鹿必ず寄るとぞー・へ侍る」〈徒然九〉 ②取りつぐ。「幼き人のかかる事ー・ふるは」〈源氏帚木〉 ㊁『名』 取次。「〔薫ノ気持ノ〕ーなどすめる老人の思はむ所もかろがろしく」〈源氏総角〉

いひつ・め イイ【言ひ詰め】『下二』 ①相手が言い逃れできぬように問いせまる。「…とー・められける程に、その時言葉につまりて」〈伽・あきみち〉 ②言い残さずに言う。「これも、ものをー・むる事を嫌はるる心なり」〈耳底記〉 ③断定して言う。「今朝だにも都は恋し関越えて。かやうにー・めたる『し』は『て』と留むるにも煩ひ無し」〈長短抄下〉

いひづら・ひ イイヅライ【言ひづらひ】『四段』《ツラヒはアゲツラヒ・ヒコヅラヒのツラヒと同じ》 あれこれ言う。「ー・ひありなみ(否定)すれど」〈万三三〇〇〉 †iFiduraFi

いひとぢ・め イイ【言ひ閉ぢめ】『下二』 言い切る。「ー・めつることは、さてこそあらめ」〈枕一〇一〉

いひとほ・り イイトオリ【言ひ徹り】『四段』 筋の通ったことを言う。「世のすきものにて、物よくー・れるを」〈源氏帚木〉

いひどよ イイ【鵂鶹】 フクロウの古名。「休留(いひどよ)…倉に子を産めり」〈紀皇極三年〉。「鵂鶹、イヒドヨ・フクロフ」〈名義抄〉

いひな・し イイ【言ひ成し】㊀『四段』《ナシは意識的に技巧を用いてする意》 ①巧みに言う。つくろって言う。「心をやりて『あらぬ事』とだにー・されよ」〈源氏少女〉 ②何でもないことをことさらに言う。ありもしないことをあるかのように言う。「殿上人などの来るをも安からずぞ人人ー・すなる」〈枕四〉 ㊁『名』 ①もっともらしく言うこと。こしらえて言うこと。「あしひきの義、ー一つにあらず」〈仙覚抄二〉。「中立ちのーからと怨みわび」〈白山万句慶長一三・六・一五〉 ②とりなし。「とんと桶なもの打明けたやうなお心、皆此方様のー故と」〈近松・宵庚申下〉

いひなづ・け イイ【言ひ名づけ】㊀『下二』 婚約する。「已に人にー・けて事定まりぬる中を」〈神田本太平記一八・一宮御息所〉 ㊁『名』 双方の親の合意で、幼少の子女の婚約をしておくこと。また、その当人どうし。「徳大寺の大将にーはありと承り候へど」〈伽・中書王物語〉

いひな・れ イイ【言ひ馴れ】『下二』 ①言い寄ってなれ親しむ。「こと多くー・れたらむかたにぞ靡かむかし」〈源氏末摘花〉 ②呼びなれる。「若くてよろしき男の、げす女の名をー・れて呼びたるこそ、いと憎けれ」〈枕(能因本)若くてよろしき男の〉

いひはげま・し イイ【言ひ励まし】『四段』 ①(はげしい口調で)言って相手の気持を刺激する。「腹立たしくなりて、憎げなることどもをー・し侍るに、女もえをさめぬ筋にて〔指ニカミツイタ〕」〈源氏帚木〉 ②言葉で相手の気持をふるい立たせる。「常にこの小侍従という御乳主(ちぬし)をもー・して」〈源氏若菜上〉

いひは・て イイ【言ひ果て】『下二』 はっきり終りまで言う。「ことならば思はずとやはー・てぬ(愛シテイナイトドウシテ言イキラナイノカ)」〈古今一〇三七〉

いひはな・ち イイ【言ひ放ち】『四段』(思ったことを)人にはばからず言う。「あるまじきさまに(反対ダト)ー・ち給ひしかど」〈源氏夕霧〉

いひはや・し イイ【言ひはやし】『四段』 応援するように言う。言いそやす。「『さあるにより〔妻ノ選択ハ〕難き世ぞとは定めかねたるぞや』とー・し給ふ」〈源氏帚木〉

いひびつ イイ【飯櫃】 めしびつ。おはち。古くは楕円形。転じて「いびつ」とも。〈文明本節用集〉 **ーなり【飯櫃形】** 楕円形。小判形。また、小判をさしていう。「いびつなり」とも。「ー桶〔二〕鰻・胡桃(くるみ)あへ」〈久政茶会記天正一三・二・八〉

いひひら・き イイ【言ひ開き】『四段』 事情・理由を挙げて説明する。「彼の所に疾く行きてありつる有様もー・きなむと思ふ程に」〈今昔三〇ノ二〉

いひひろ・げ イイ【言ひ広げ】『下二』 言いふらす。「あはあはしうなどはー・げずとも」〈源氏椎本〉

いひひろ・め イイ【言ひ広め】『下二』「いひひろげ」に同じ。「今様の事どもの珍しきをー・めもてなすこそ、又うけられね」〈徒然七八〉

いひふら・し イイ【言ひ触らし】『四段』 世間に言い広める。「男も女も、人にも語り伝へ、世にー・すばかりのもの思はざらんは、いとなさけなく、本意なかるべきわざなり」〈無名草子〉

いひふ・れ イイ【言ひ触れ】『下二』 ①ちょっと言葉をかける。話しかける。「かかるついでに、ものー・れむとおぼすに」〈源氏宿木〉 ②世間に言い広める。「浅草の観音堂に化け物あるとー・れりしに」〈仮・御伽物語一〉

いひぶん イイ【言ひ分】 ①言いぐさ。主張のことば。「両のーを、内で稽古に沙汰しておみやれかし」〈天理本狂言六義・内沙汰〉。「いやはや、かたはら痛きーや」〈説経・鎌田兵衛正清〉 ②口論。「双方ーとなる」〈天正日記天正一八・九・二九〉

いひぼ イイ【粒】 ①めしつぶ。「揖保里(いひぼのさと)。…口より粒を落す。故、粒丘(いひぼのをか)と号(な)づく」〈播磨風土記〉 ▽ボは奈良時代には清音か。 †*iFiFö ②皮膚にできる「いぼ」の古形。飯粒に似ているからいう。「疣、イヒボ」〈名義抄〉。「肬目、イヒホ」〈名義抄〉 ▽清濁両形ある。

いひまが・へ イイマガエ【言ひ紛へ】『下二』 言いまちがえる。「人の常にー・へ侍れば」〈徒然六六七〉

いひまぎらか・し【言ひ紛らかし】〘四段〙本筋からはぐらかし、ごまかして言う。「『熊野参り』と聞けば、『いとのどかに、この度の下向に』など—・して立ちぬ」〈問はず語り五〉

いひまぎらは・し【言ひ紛らはし】〘四段〙「いひまぎらかし」に同じ。「他事に—・して、おのおの別れぬ」〈源氏若菜上〉

いひまは・し【言ひ廻し】〘四段〙①巧みに言葉をあやつって言う。「消息文にも仮名といふものを書きまぜず、うべうべしく—・し侍るに」〈源氏帚木〉②広く告げ知らせる。「同類どもにかかる所こそあれと—・して」〈宇治拾遺三〉

いひみだ・り【言ひ乱り】〘四段〙他からあれこれ言って乱す。口出しして動揺させる。「〔浮舟ガ出家ヲ〕かばかりにしそめつるを、—・るも物し」〈源氏手習〉

いひむか・へ【言ひ迎へ】〘下二〙話題にしてからむ。「〔頭中将ガ〕事のついでごとに〔源氏ニ対シ〕—・ふる種(さくひ)なるを」〈源氏紅葉賀〉

いひめぐらか・し【言ひ廻らかし】〘四段〙「言ひまはし」(2)に同じ。「守(みか)の言はく『…』と—・し、国人ども此れを聞きて〔喜ブ〕」〈今昔二〇ノ四六〉

いひもら・し【言ひ漏らし】〘四段〙そっと内内のことをしゃべる。秘密を他にもらす。「籠め給へど口さがなき物は世の人なりけり。じねんに—・しつつ」〈源氏行幸〉

いひやぶ・り【言ひ傷り・言ひ破り】〘四段〙①（他人を）傷つけるように言う。「例の〔ヨウニ恋敵ヲ〕—・り給へど」〈源氏蜻蛉〉②言いまかす。「内儀立出て右の段段うらみの旨を—・って、是非のいとまを乞ひけるに」〈西鶴・新可笑記五〉

いひや・り【言ひ遣り】〘四段〙《言葉をやる意。遣りは、物の状態や事の結果を顧慮せずに、人や物を遣(つか)わす意》①（一方的に）人をつかわして言いつける。「阿闍梨ものせよ（コチラヘ来ルヨウニ）と—・りつるは」〈源氏夕顔〉②手紙の使いを出す。「いと面白き〔枝〕を折りて女のもとに道より—・る」〈伊勢二〇〉③すらすらと言う。「道守の問はむ答を—・らむすべを知らにと」〈万五四三〉。「消え入りつつ〔返歌ヲ〕えも—・らねば」〈枕九〇〉†iɸiyari

いひよ・り【言ひ寄り】〘四段〙①物を言いながら近寄る。「『ここなる物とり侍らむ』など—・りて〔粥杖デ女ノ尻ヲ〕走り打ちて逃ぐれば」〈枕三〉②（異性に）物を言いかけて接近する。結婚を申し込む。「〔幼イノデ〕—・りがたき事にもあるかな」〈源氏若紫〉③申し込む。頼み込む。「長恨歌といふ文を…いみじくゆかしけれど、え—・らぬに」〈更級〉

いひり・ひ【い拾ひ】〘四段〙《イは接頭語》ひろう。「小螺(しただみ)を—・ひ持ち来て」〈万三八八〇〉†iɸiriɸi

いひわ・き【言ひ分き】〘四段〙①話をつけて手もとから分けて遣わす。「尼君のわが人（召使）にしたりける二人をのみぞ、この御方に—・きたりける」〈源氏手習〉②事をわけて説明する。「我が領ずる庄庄、はた多かれど、誰かは—・く人あらむ」〈宇津保俊蔭〉

いひわ・け【言ひ分け】㈠〘下二〙事をわけて言う。事情をはっきり説明する。「こは如何なる事ぞと問ひけれども、朦朧として—・くる事もなし」〈伽・狐草紙〉㈡〘名〙理由・事情などの説明。釈明。「…と、やうやう—をせられた」〈碧岩抄三〉

いひわた・り【言ひ渡り】〘四段〙①言いつづけて月日を経過する。「年ごろ、さばかり忘れがたく、恨み—・り給ひしかど」〈源氏若菜下〉②長い間、言い寄る。「左近の少将とて…いとねんごろに—・りけり」〈源氏東屋〉

いひわづら・ひ【言ひ煩ひ】〘四段〙うまく言えないで苦しむ。「—・ひて消息などするこそをかしけれ」〈枕二三七〉

いひわ・び【言ひ侘び】〘上二〙物を言う気力をなくす。「男—・びて、ものもいはざりければ」〈平中一五〉

いひをか・し【言ひ犯し】〘四段〙言い寄って無理に女に通じる。「〔浮舟ヲ宇治ニ〕放ち置きたるに、心やすくて人（匂宮）も—・し給ふなりけむかし」〈源氏蜻蛉〉

いひを・り【言ひ折り】〘四段〙言い負かす。「ただ人をも—・らず、我が僻事にも言ひおほせず」〈正法眼蔵随聞記三〉

いふいふ【言ふ言ふ】〘連語〙言い言いして。物を言いながら。「—寝入りていびきなど傍痛く」〈源氏総角〉

いふう【異風】風変わりなこと。一般と異なった奇抜な風体。「愚身、貞和最初の御百首は、為兼卿—を詠み侍りしなり」〈今来風体抄〉。「—なる心持ちたる者は、異風体(てい)好く者也」〈わらんべ草四〉。「政宗の羽織の型は—にて」〈俳・寛永十三年熱田万句三八〉

いぶか・し【訝し】〘形シク〙《上代ではイフカシと清音。どうしたのか変だから、そのわけ・事情が知りたいの意。平安時代になって、様子がよく分らないから見たい、知りたい、聞きたいの意。類義語ユカシは、見たい、聞きたい、知りたいという点ではイブカシに同じだが、既に知っていることがあって、それをよしとして更に深く知りたいという場合が多い》①わけが知りたい。「眉根掻き下—・しみ思へりし妹が姿を今日見つるかも」〈万二六一四〉②様子や事情が知りたい。「この頃は如何に好去(さき)くや（御無事カ）—・し吾妹」〈万六四八〉。「ほの聞き給ひしこと（出生ノ秘密）の、—・しうおぼつかなく（不安ニ）思ひ渡れど、問ふ人もなし」〈源氏匂宮〉③見たい。「上達部・殿上人〔ソノ儀式ヲ〕珍しく、—・しき事にして、われもわれもとつどひ参り給へり」〈源氏少女〉④逢いたい。「院も常に—・しう思ひ聞え給ひしに、御対面の稀に」〈源氏鈴虫〉⑤聞きたい。「御さきに競はむ〔笛ノ〕声なむ、よそながらも—・しう侍る」〈源氏横笛〉⑥《中世、「いぶせし」と混用して》うっとうしい。胸ふさがる思いである。「我が思ひの—・しく晴れがたきを、かふ蚕(こ)のこもりゐたるになぞらへたるなり」〈古今私秘聞〉。「鬱悒、イフカシ」〈和歌集心体抄抽肝要下〉▽奈良時代から平安時代にかけて語中では一般には F→w と変化したが、F→b という変化の起った類例には、tukuFa→tukuba（筑波）などがある。

いふかたな・し【言ふ方なし】〘形ク〙言いようがない。表現する言葉がない。「—・う心ぼそげなるに」〈かげろふ下〉

いふかひ【言ふかひ】《カヒは相応の効果の意》言うだけの効果。「斯ばかりの—だにあれかしと」〈源氏初音〉—**な・し**【言ふかひ無し】〘形ク〙①言っても効果がない。言ってもはじまらない。「〔スデニ〕使の無ければ—・くて」〈枕二七七〉。「—・きこと（死ンダコト）をば、さるものにて（ソレハソレトシテ）」〈源氏総角〉②言うに足りない。とるに足りない。賤しい。「をかしと思ふ歌を草子などに書きて置きたるに、—・き下衆のうち歌ひたるこそ、いと心憂けれ」〈枕三一〇〉③みっともない。ふがいない。「物語などこそ、あしう書きなしつれば、—・く、作り人さへいとほしけれ」〈枕一九四〉

いぶか・り【訝り】〘四段〙《上代はイフカリと清音、平安時代は清濁両形ある》どうなのか事情を知りたく思う。様子を見たいと思う。「—・りし国のまほら（絶景）をつばらかに（コマカク）示したまへば」〈万一七五三〉。「謗、イフカル。訝、イブカル」〈名義抄〉

いふ・き【い吹き】〘四段〙《イは接頭語》吹く。「神風に—・き惑(まと)はし」〈万一九九〉†iɸuki

いぶ・き【息吹き】㈠〘四段〙《イは息。上代はイフキと清音》息を吹く。呼吸する。「―・く気息(いき)朝霧に似たり」〈紀雄略即位前〉 二『名』息を吹くこと。息。「吹き棄(う)つる―のさ霧に成りませる神の御名は」〈紀神代上〉 ▽古代では、息吹は即ち生命であり、生命の誕生と息・霧・風などは深い関係があった。→いき(息) †iFuki **―と**【息吹戸】《トは門(と)・瀬戸・喉(のみと)のト、両側からせまった出入口》神が罪やけがれを息で吹きはらう出入口。「―にます―主(ぬし)といふ神、根の国・底の国に息吹き放ちてむ」〈祝詞大祓詞〉

いふ・せ【射伏せ】『下二』射あてて倒す。「敵には右近衛中将なむある。おほなおほな―・せられぬ」〈かげろふ中〉

いぶせさ【鬱悒さ】①うっとうしさ。気のふさぎ。憂鬱。「なほ―を限りなく宣はせつるを」〈源氏桐壺〉。「夕霧の晴るる気色もまだ見ぬに―添ふる宵の雨かな」〈源氏末摘花〉 ②見苦しさ。「猫間殿は合子(蓋ノアル椀)の―に(食物ヲ)召さざりければ」〈平家八・猫間〉 ③(かわいそうで)胸のふさがる思い。「馬に力を付けて落す。余りの―に目を塞いで落しける」〈平家九・坂落〉

いぶせ・し【鬱悒し】『形ク』《セシは狭しの意。憂鬱な気持の晴らし所がなく、胸のふさがる思いである、の意》①うっとうしい。気持が晴れない。「―・くもあるか妹に逢はずして」〈万二九九一〉。「―・き吾が胸誰を見ば止まむ」〈万三三六三〉 ②胸にむせかえるようである。不快である。「他人なりともこれ(病人ノ大小便ノ世話)を―・く思はざれ」〈孝養集下〉。「(不具者ヲ見テ)其の興つきて醜く―・く覚えければ」〈徒然一五四〉。「―・きにほひぞや」〈伽・福富長者物語〉 ③(胸が苦しくなるほど)恐ろしい。「是を見ける万人、まことに目覚ましく―・きこと限りなし」〈室町殿日記一〇〉。「―・き。…又、物恐ろしきやうなる事をも云ふにや」〈分葉集〉。「イブセイ」〈日葡〉 ④《中世、「いぶかし」と混用して》気がかりである。不審である。「さやうの人のいかなる事にてか(越路へ)出で給ふらめと、―・く侍りしかば」〈撰集抄四ノ六〉。「さだめてよし侍らむ、―・く侍る」〈教訓抄五〉。「―・きとは、心もとなき也」〈十代抄出〉。「―・きは、ゆかしき心也」〈堀河院百首聞書〉

いぶせ・み【鬱悒み】『四段』心の中で苦しく思う。「見てしか(見タイモノダ)と―・む時の」〈万一八〇九〉 †ibusemi

いふぢゃう イウジヨウ【言ふ定】『連語』《「定」は、程度をあらわす。格助詞「と」を受けて使われる》…とはいうものの。…とはいっても。「小兵と―、十二束(じふにそく)三伏(みつぶせ)、弓は強し」〈平家一一・那須与一〉

いふならく イウ【言ふならく】《言フナリのク語法。ナリは伝聞の助動詞》聞く所によると。「―奈落の底に入りぬれば刹利(せつり)も首陀(すだ)も分れざりけり」〈袋草紙上〉。「聞道・従道、イフナラク」(「道」は「言う」の意)〈名義抄〉

いふはかりな・し イウ【言ふ計なし】『連語』(程度・規模・量など)たとえようもない。何とも言いようがない。「おもしろくいかめしきこと―・し」〈宇津保沖つ白波〉

いふやう イウヨウ【言ふ様】『連語』《話し手のこれから話し始める言葉を導くのに用いる》言うには。言う内容は。「翁、かぐや姫に―『我子の仏』」〈竹取〉

いぶり ①残忍。「(スサノヲノミコトハ)勇み悍(たけ)くして―なることあり」〈紀神代上〉。「呉起が生れつき、―にしてむごきものなり」〈儒門思問録一下〉 ②不平や不満があって、すねること。「人にはすねて―にて、人せせりして口ききて」〈見教訓〉

いぶ・り『四段』ゆすぶる。ゆり動かす。「孫は―・られて何心なく笑ふ」〈伽・福富長者物語〉 →ゆぶり

いふ・れ【い触れ】『下二』《イは接頭語》手を触れる。ちょっとさわる。「―・れけむ磯の草根の枯れまく惜しも」〈万四三五〉

いへ エイ【家】《家族の住むところ、家庭・家族・家柄・家系をいうのが原義。類義語ヤ(屋)は、家の建物だけをいう。イヘはイホ(廬)と同根か》①家族生活の本拠とするところ。「(ソノ男ノ)面(おもて)も知らず―も知らずも」〈紀歌謡一一一〉 ②家族。家人。特に、妻。「(旅先デ)春雨にわれ立ち濡ると―思ふらむか」〈万一六九六〉 ③家柄。家系。「高き―に生れたまひて」〈源氏少女〉 ④立派な家柄。「舞のさま、手づかひなむ―の子はことなる」〈源氏紅葉賀〉。「おろかに拙(つたな)き人も、―に生れ、時に逢へば」〈徒然三八〉 ⑤(学芸・武術などにすぐれた)家すじ。「此の保昌朝臣は―を継ぎたる兵(つはもの)にも非ず」〈今昔二五ノ七〉。「此の別紙の口伝、当芸に於いて、―の大事、一代一人の相伝なり」〈風姿花伝〉 ⑥家(の建物)。「玉敷ける―も何せむ」〈万二八二五〉 ⑦巣。「或いは蜘蛛(くも)の―にかかりて身を滅ぼす」〈宝物集上〉。「葛籠(つづら)の中へ取りこもりて―を作り」〈伽・猫の草子〉。「蟷螂(たうらう)の―ある柴を折り焼(た)きて」〈俳・油糟〉 ⑧調度などの容器。「鏡の―」〈玉塵抄二一〉。「太鼓の―」〈奇異雑談集三〉。「秤(はかり)の―」〈仮・杉楊枝三〉 †iFe **―広・し** 一門が栄える。「宝ゆたかに―・き人にぞおはしける」〈竹取〉 **―を出・づ** 出家する。仏道に入る。「ひとたび―・で給ひなば、かりにもこの世を顧みむとはおぼしおきてず」〈源氏御法〉

いへあるじ ：イエ【家主】①家の主人。男女共にいう。「―の法師」〈源氏玉鬘〉。「この―ぞ西の京のめのとのむすめなりける」〈源氏夕顔〉 ②主婦。「いはらじ」とも。「いへどうじとは―を云ふ。女房の事也」〈呉竹集一〉 ⇒いへとうじ

いへうけ ：イエ【家請】借家人の身元保証人。店賃の支払い、店立てなどの保証もした。家請人。「―や中頃確かに見えぬらん」〈俳・昼網下〉

いへうつり ：イエ【家移り】引越し。「三月つごもりの日―するに」〈貫之集九〉

いへかぜ ：イエ【家風】①わが家の方から吹いて来る風。「―は日に日に吹けど」〈万四三五三上総防人〉 ②「いへのかぜ」に同じ。「―絶えずことにすぐれたる由聞え侍」〈源家長日記〉。「―。家家の作法也」〈匠材集一〉 †iFëkaze(方言音)

いへごと ：イエ【家言】わが家からの伝言・たより。「―持ちて来る人もなし」〈万四三五三上総防人〉 †iFëgötö(方言音)

いへざくら ：イエ【家桜】《「山桜」の対》人家に植えてある桜。里の桜。「垣越しに見るあだ人の―」〈新古今一四五〇〉

いへじち ：イエ【家質】家屋とその敷地を抵当にして借金をすること。質入れ主は、名主・五人組の加判のある家屋売渡証文と借屋請状とを質取り主に渡し、その家屋に住むことができた。低い利率の利子を払う場合と、家賃を払う場合とがあった。「かじち」とも。「ひそかに首尾を頼む―」〈俳・信徳十百韻〉

いへたか ：イエ【家高】高い家柄。良家。「良家は―と云ふ心ぞ」〈山谷詩抄九〉

いへだち ：イエ【家立ち・家建ち】家の建ち方。家屋の構造。また、家屋。「又田舎とは違うて―までも格別な」〈虎寛本狂言・末広がり〉

いへぢ ：イエ【家路】家への道。「妹が―近くありせば」〈万三六三五〉。「思ひめぐらせばなほ―と思はむ方はまたなかりけり」〈源氏帚木〉 †iFedi

いへづかさ ：イエ【家司】⇒けいし。「大納言の朝臣の、―望むなる」〈源氏若菜上〉

いへつくり ：イエ【家造り】家の造作。「この受領どもの、おも

しろき—好むが」〈源氏蓬生〉

いへづと ::イエ【家苞】自分の家へのみやげ。「—に貝を拾(ひり)ふと」〈万三七〇九〉　†iređuto

いへつとり ::イエ【家つ鳥】〔枕詞〕家の鳥の意で「かけ(鶏)」にかかる。「—かけも鳴く」〈万三三一〇〉　†iretutöri

いへで ::イエ【家出】①家を出て他に行くこと。外出。「さびしさに—しぬべき山里を」〈詞花二九四〉②僧になること。出家。「世の中を憂しと思ひて—せし」〈万三二六五〉③ひそかに家をぬけ出て帰らないこと。出奔。「無理に去ぬると申して—を仕った」〈虎明本狂言・石神〉　†irede

いへとうじ ::イエ【家刀自】《トウジはトジ(刀自)の転。近世ではイヘドウジと濁って、「家童子」とも書いた》一家の主婦。「いへとじ」とも。「美相なき—のひとへにうちとけたる後見(身辺ノ世話)ばかりをして」〈源氏帚木〉↓いへあるじ・とじ

いへどころ ::イエ【家所】家の場所。すみか。「浦島の子が—見ゆ」〈万一七四〇〉。「宇、イヘドコロ」〈名義抄〉　†iredökörö

いへとじ ::イエ【家刀自】⇩いへとうじ。「家室(いへとじ)、家長(いへみき)に告げて曰く」〈霊異記中一六〉。「娘子既に是れ主人母(いへとじ)なり」〈遊仙窟(醍醐寺本)鎌倉期点〉

いへども ::イエ【言へども・雖も】『連語』《イヒ(言)の已然形と、逆接の助詞ドモとの複合。後に漢文の「雖」の訓読語として「といへども」の形で固定した》…ではあっても。「法身は常住なりと—常見に堕せず」〈金光明最勝王経平安初期点〉。「心に知ると—詞にあらはれて申す者なし」〈平家一・禿髪〉

いへなみ ::イエ【家並】①家家の並び。「—こそ多きに」〈伽・万寿の前〉②軒並み。家ごと。「吉野へ樋(ひと)の木取りに、奈良中—に各(おのおの)出で了んぬ」〈多聞院日記天正一四・三・二八〉③普通で珍しくないこと。「学者は万人に一人、愚者は—なれば」〈伽・一尼公〉

いへぬし ::イエ【家主】①一家の主人。「—笑みて」〈宇治拾遺七七〉②主婦。「やれ、そこな若衆めよ。最早そのままこれの—になれ。明日からおだいがひ(杓子)を渡さうぞ」〈咄・醒睡笑六〉③貸家の持主。上方でいう。江戸では、持主の代理として貸家の世話をする人。「隣なる—の女房居合はせて」〈咄・醒睡笑四〉。「公事仕り候者…棚衆(借家人)は—に届け申す可き事」〈正宝事録慶安一・六・一二〉

いへのかぜ ::イエ【家の風】《「家風」の訓読語》その家代代の作法・風儀・習慣。近世では、家業の意にも用いられた。「いへかぜ」とも。「久方の月の桂も折るばかり—をも吹かせてしがな」〈拾遺四七三〉。「はかばかしき方には、ぬるく侍る—のさしも吹きつたへ侍らんに」〈源氏若菜上〉。「商売はやめず、其の—を手代にさばかせ」〈西鶴・諸艶大鑑六〉

いへのぐ ::イエ【家の具】家具。生活に必要な道具。「家の具足」「家の物の具」などとも。「馬歯(うまぐは)・辛鋤・鎌・鍬・斧・鐇(たつき)など云ふ物に至るまで、—を船に取り入れて」〈今昔二六ノ一〇〉

いへのこ ::イエ【家の子】①由緒正しい血統の家に生れた子。「天(あめ)の下奉(をさ)し給ひし(天下ヲ治メラレタ)—とえらび給ひて」〈万八九四〉。「舞のさま、手づかひなむ—はことなる」〈源氏紅葉賀〉②貴族の邸に仕える者。「〔私ガ大将家ノ〕—にて〔少将殿ヲ〕見奉りしに」〈源氏東屋〉③平安後期・鎌倉時代、自己の所領を持ち、独立の生計を営みながら、惣領と主従関係で結ばれていた武家の一族。「これよりさき、越前の方へ—どもやりたりけれど、散散に追ひかへされて止みにけり」〈愚管抄五〉。「院宣の御使泰定は、—二人、郎等十人具したり」〈平家八・征夷将軍〉④《転じて》家来。家臣。「—。家来の人也」〈匠材集二〉⑤農家などで、長子に従属する二・三男以下の者。「義理に達する士民は…妻子・—もろともに、命限りに御用を達し」〈百姓伝記三〉　†irenöko　**—らうどう** ::ロウ【家子郎等】「家の子」(3)と郎等と。一族および従者。「我が身は上らず、—さしつかはす」〈保元上・官軍勢汰へ〉

いへのしふ ::イエ シュウ【家の集】個人の和歌集。私歌集。家集。「この歌よみはべりて程なく亡くなりにけるとなむ—に書きてはべる」〈拾遺一三三詞書〉

いへのつたへ ::イエ ツタエ【家の伝へ】《「家伝」の訓読語》功臣の没後、伝記をその人の家から式部省に提出したもの。また、一般にその家に伝わる記録。「—などに書きとどめ入れたらむこそ興はあらめ」〈源氏若菜上〉

いへのも ::イエ【家の妹】《イヘノイモの約》家にのこっている妻。「—が着せし衣に」〈万四三八八防人〉　†irenömo

いへばと ::イエ【家鳩】土鳩(どばと)のことという。「竹の中に—といふ鳥のふつつかに鳴くを」〈源氏夕顔〉

いへびと ::イエ【家人】①一家内の人。家族。「—は待ち恋ふらむに」〈万三六八八〉②《「家人(けにん)」の訓読語か》⇩けにん(1)「—は路もしみみに通へども」〈万二五二九〉③家来筋の人。貴族の家に出入りする人。「昔のやうにこそあらねど、なほ親しき—のうちには数へ給ひけり」〈源氏関屋〉

いへむら ::イエ【家群】人家の群がっている所。「かぎろひの燃ゆる—」〈記歌謡七六〉　†iremura

いへもち ::イエ【家持】近世、自己所有の土地に家を建てて住む町人。町人としてのあらゆる権利・義務を負担していた。「牢人かかへ候はば、町中—請人に立ち候はば、苦しからず候」〈梅津政景日記元和五・三・二三〉。「〔大阪平野ノ〕家数二百八軒、内…百二十一軒—、八十六軒借屋」〈宗静日記寛文七・一〇〉

いへもり ::イエ【家守】①家の番人。「白河院…かく書きて、—にとらせておはしぬ」〈和泉式部集一〉②「やもり」(2)に同じ。「—・五人組まで、座敷披露目(ひろめ)の夜食振舞」〈浮・棠大門屋敷四〉

いへやく ::イエ【家役】家ごとに割り当てて課す税。「彌三人夫—〔二〕出で了んぬ」〈多聞院日記天正一五・八・二〉

いへらく ::イエ【言へらく】《言ヘリのク語法》言ったことには。「妹(いも)が—…今のごと逢はむとならばこの篋(くしげ)開くなゆめとそこらくに堅めしことを」〈万一七四〇〉　†irerakü

いへゐ ::イエ【家居】①家に住むこと。「山かたつきて—せる君」〈万一八四二〉②すまい。住居。「山里のをかしき—など心心に世の有様かきたるを」〈源氏総角〉　†irewi

いほ ::オイ【庵・廬】草木を結んで作った仮の小屋。農事のための仮小屋。世を遁(のが)れた者の仮住居。また、自分の家を卑しめていう。「難波の小江に—作り」〈万三八八六〉。「わが—は都の巽(たつみ)」〈古今九八三〉。「廬、農人作レ廬以便二田事一、和名、伊保(いほ)」〈和名抄〉▽イヘ(家)と同根か。**—さ・す** 庵を結ぶ。庵を作る。「秋の田に—・す賤(しづ)の」〈新古今四三二〉

いほ ::オイ【五百】《イは五。ホは百の意》①五百(ごひやく)。「海にただよひて—日(か)といふ辰(たつ)の時ばかりに」〈竹取〉②数多いこと。「—枝(え)」「—年(とせ)」「—名」「—引き」「—機(はた)」など。「こよひの長さ—夜継ぎこそ(五百夜モツヅイテ下サイ)」〈万九八五〉

いほあひもち ::イ ア【抂相持ち】互いに助け合う間柄であること。持ちつ持たれつ。〈俳・毛吹草三〉

いぼうじり【蝗螂】《イヒボ(飯粒)ムシリの転》カマキリの異称。「いぼじり」とも。「囃せば舞ひ出づる—、かたつぶり」

〈梁塵秘抄三二〉。「イボムシリ」〈名義抄〉。「螳螂、イホウシリ」〈伊呂波字類抄〉

いほえ :イオ【五百枝】 多くの枝。「—さし(萌ェ出テ)繁(しじ)に生ひたるつがの木の」〈万三三四〉 †iFoye

いほしろをだ :イオ【五百代小田】《シロは上代の田の面積の単位。五十代で一段》十段の田。「しかとあらぬ(ワズカバカリノ)—を刈り乱り」〈万一五九三〉。「なほ心澄む山陰の—の夕嵐」〈宴曲集夕〉 †iFosiröwoda

いほち :イオ【五百箇】《チは数詞の下に添える語》 五百。多数。「あはび玉、—もがも」〈万四一〇一〉 ▽イホツは複合語に使うが、イホチは独立して用いる。

いほちから :イオ【五百税】 多くの租税。「千税(ちぢから)余り—を横山の如く置き足らはして」〈祝詞伊勢大神宮〉 ↓ちから(税)

いほつ :イオ【五百箇】《名詞の上について数の多いことを表わす。特に五百と数を限定しているわけではない。「千(ち)」と対になって使われることが多い》 五百ほどもあること。数多いこと。「朝狩に—鳥立て、夕狩に千鳥踏み立て」〈万四〇一一〉。「白玉の—集(どつ)ひを」〈万二〇一三〉。「天(まあ)にはも—綱延ふ」〈万四二七四〉 ▽五・五十・五百を神話などでしばしば使ったり、多数の意に使ったりするのは、満洲族・ツングース族の慣習の系統を引く。↓い(五)

いほのり :イオ【五百入・五百箭】《ノリはノイリ(箆入)の約か》 靫(ゆき)の中に多くの矢が入るもの。「—の靫を付け」〈記神代〉 †iFonöri

いほはた :イオ【五百機】 数多くの機(はた)。「たなばたの—立てて織る布の」〈万二〇三四〉 **—ごろも**【五百機衣】 七夕の織女が、「いほはた」で織った衣。「たなばたの—をりしもあれなどかは秋を契りそめけむ」〈続後拾遺三五三〉

いぼ・ひ イボ『四段』 灸をすえた跡がただれる。いぼる。「灸していでざれば、其の病癒え難し」〈全九集七〉。〈日葡〉 瘡を発し、うみ潰(つ)えて、病即ち癒ゆ。もし瘡—・はず、膿

いほひきいは イオイワ :【五百引岩】 大勢でひっぱらなければ動かないほどの大きな岩。「—をその室の戸に取り塞(さ)へて」〈記神代〉 †iFoFikiiFa

いほへ イオエ【五百重】 いくえにも重なっていること。「白雲の—隠りて遠けども」〈万二〇二六〉 †iFoFe

いほよろづ :イオ【五百万】 きわめて数の多いこと。「天降(あも)りましけむ—千万(ちよろづ)神の」〈万三二二七〉 †iFoyörödu

いほ・り イオリ【廬り】㊀『四段』 仮のすまいをつくってやどる。「筑波嶺に—・りて」〈常陸風土記〉。「野辺に—・りて夜のふれば」〈万一〇三九〉 ㊁『名』①仮のやどりをすること。また、そのための仮小屋。自分の家をへりくだっていうことが多い。「いほ」とも。「野島が崎に—す吾は」〈万三六〇六〉。「年ごろだに同じ—に住まず」〈源氏松風〉 ②軍隊が一時宿営するところ。「営、伊保利(いほり)、軍営也」〈和名抄〉 **—さ・す** 庵を結ぶ。庵を作る。「—・す草の枕に伴ひて」〈山家集下〉

いま【今】㊀『名・副』①現在。まのあたり。「のちにも逢はむ—ならずとも」〈万六九九〉。「むかしを—になすよしもがな」〈伊勢三二〉 ②(今度)あらたに加わる意。㋑新しいこと。「信濃道は—の墾道(はりみち)」〈万三三九九〉 ㋺さらに。もう。「—二日あらば散りなむ」〈万一六二二〉。「—すこし寄りたまへ」〈源氏若紫〉 ③今すぐ。「—助(す)けに来(こ)ね」〈記歌謡一四〉。「まつとし聞かば—帰り来む」〈古今三六五〉 ④今しがた。「太郎冠者、—の物を出せ」〈虎明本狂言・岡太夫〉 ㊁『接頭』①《同種のものが既にあるところへ、さらに新しく現われたものにいう。多く、人をあらわす名詞につく》 新しい。今度の。「—来(いまき)」「—后」「—宮」など。「その—姫君は、ようせずは、実(じち)の御子にもあらじかし」〈源氏常夏〉 ②現在の。当世の。「—業平」「—小町」「—道心」「—西行」「—浄瑠璃」など。「—長者と申すなり」〈咄・昨日は今日上〉 **—は斯(か)う** 今となっては、もはやこれまで。「息の下に申しけるは『—と存じ候』」〈平家二・嗣信最期〉 **—は限り** ①今となっては、もうこれっきり。「〔訪レテクレナイ人ニ〕雁がねの雲居はるかに聞えしは—の声にぞありける」〈後撰七七八〉 ②臨終。「—のさま、いとかなしう心ぼそし。所所の御とぶらひ(弔問)いつのまにかと見ゆ」〈源氏夕霧〉 **—は昔** 今となってはもう昔。物語や説話の冒頭に使われる慣用句。「—、竹取の翁といふものありけり」〈竹取〉

いまいで【今出で】 新参(しんざん)。「いまで」とも。「近頃七八年より以来、—の若人たち時時談ずるなり」〈正法眼蔵随聞記二〉

いまいま【今今】『名・副』《「今」を強めていう》 ①今か今か。危ぶむ気持、待つ気持にいう。「にはかに病(やまひ)をして—となりにければ」〈古今八六二詞書〉。「—と我が待つ妹(いも)は」〈古今六帖五〉 ②今すぐ。おっつけ。「『…』とて呼び給ふ。『—』とてあるほどに」〈かげろふ下〉 ③新参。「忠節疎略なき輩(ともがら)には似合ひの御恩賞宛行(あてが)はれず、—のさしたる者にもあらざるには御扶持を加へられ候」〈信長公記六〉

いまいま・し【忌ま忌まし】『形シク』《イミ(忌)の派生語。非常に不吉なもの、穢(けが)れたものだから、それを避けたいと感じる意。後世、縁起が悪い、いやなことだと感じながら、どうにもできない気持。類義語ユユシは、タブーだから触れられないと思う意》 ①いかにも不吉だ(から避けたい)。「〔服喪ノ〕色異なる御しつらひも〔婚姻ニハ〕—・しきやうなれば」〈源氏夕霧〉 ②いかにも穢れているから慎んでいるべきである。「〔娘ニ死ナレタバカリノ〕—・しき身」〈源氏桐壺〉 ③けがらわしい。「渓水の清き音を聞きて、爽やかになりつる耳の、富貴尊栄の—・しきを聞きて汚れたる心地しければ」〈西源院本太平記三二・許由巣父〉。「それ兵道は—・しき道具なり。天道もいやに思し召すぞ」〈三略鈔〉 ④(非常に)縁起が悪い。「不吉なる歌かなと—・しく思ひけれども、ただ『目出たき歌どもにてこそ候へ』と会釈せぬ人は無かりけり」〈西源院本太平記二九・武蔵守〉 ⑤癪(しゃく)だ。いやな感じだ。「遊君遊女ども、『あな—・し、討手の大将軍の矢一つだにも射ずして逃げ上り給ふうたてさよ』」〈平家五・五節〉

いまいり【今入り】 新しくはいって来ること。また、その人。「勤行の結衆、金山の手始め、杣(そま)山などやうの事に、遅参の者を皆—と申すべきか」〈俳・類船集一〉

いまおり【今織】 近世初期、中国製をまねて、京都西陣で織り出した金襴(きんらん)地。「—・金襴の切れ、これを買ふもの也」〈隔蓂記寛永一七・六・二六〉

いまき【今来】 新来。新参。特に、韓人・漢人の新たに帰化したもの。「新漢人(いまきのあやひと)大圀」〈紀推古十六年〉 †imaki

いまき【湯巻】「ゆまき」の転。「御湯殿の—など皆おなじことなり」〈栄花初花〉

いま・き【い巻き】『四段』《イは接頭語》 巻く。「つむじかも—・き渡ると思ふまで」〈万一九九〉 †imaki

いまきさき【今后】 今度新たに皇后・皇太后などになった方。既に后の位にある方に対していう。「〔后宮ノ藤壺ガ〕ただ人のやうにて〔桐壺院ニ〕添ひおはしますを—(弘徽殿)は心やましうおぼすにや」〈源氏葵〉

いまぎはめ …ギワメ【今極め】新鋳の金・銀貨や秤などに極印を打つこと。また、その打った物。「天下皆―なり〔京都秤座神豊後掾極印ノ秤ト〕豊後梅〔ハ〕」〈俳・堺絹〉。「―〔同然ノ〕一歩・銭などは砂のごとくにして」〈西鶴・五人女五〉

いまさう・じ イマソウ…【坐さうじ】『サ変』《イマサヒシの音便形。主語は通常複数》いらっしゃる。「いと良く参りたる御ばう達も―・じけり」〈大鏡昔物語〉

いまさ・ひ イマサイ【坐さひ】『四段』《坐シに反復・継続の接尾語ヒのついたもの。→ひ》ずっとおいでになる。「理(ことわり)の如く勤めて―・ひ」〈続紀宣命四三〉 †imasaFi

いまさら【今更】『名・副』《イマ(今)サラ(新)の意》①《もう時期おくれだから駄目だ、今や不必要だという気持でいうことが多い》今あらたに。わざわざ。「―なり(モウ遅イ)」。「―の齢の末に(トリスギノ年齢ナノニ)心安きさまにてこそ(アキラメヨウ)」〈源氏浮舟〉。「―なる身の恥」〈源氏紅葉賀〉②この期(ご)に及んで。事新しく。「あはれあだなる憂き世かなと、―驚くばかりなり」〈太平記二七・上杉畠山〉③今はじめて。「―の人などのある時に」〈徒然七八〉 **―に**【今更に】『副』今あらたに。「遠き山関も越え来(き)ぬ―逢ふべき由の無きが淋しさ」〈万三七三四〉。「―山へ帰るな時鳥」〈古今一五一〉 **―め・き**【今更めき】『四段』事新しく何をという感じがする。「はるばると見やらるる海の眺望、『二千里の外』も残りなき心ちする、―・きたり」〈増鏡三〉

いまし【汝】『代』《イマシ(坐)の名詞形。目前においでになるものの意》あなた。「―をたのみ母〔ノ意見〕に違(たが)ひぬ」〈万三三五九東歌〉。「你、汝也、伊万志(いまし)・支三(みき)也」〈新撰字鏡〉

いまし【今し・乃】『副』《シは強めの助詞》①たった今。今まさに。「ほととぎす―来鳴かば」〈万三九一四〉。「―はねといふ所に来ぬ」〈土佐一月十一日〉。「長時に苦を受け、業尽きて―出づ」〈法華経玄賛平安初期点〉②今となって。「背向(そがひ)に寝しく―くやしも」〈万三五七七〉 ▽平安時代には漢文訓読体に使う。 **―は** 今となっては(もう)。「あらたまの年の経ぬれば―〔モウヨカロウ〕とゆめよ我が背子我が名告らすな」〈万五九〇〉。「―〔モウダメダ〕とわびにしものを」〈古今七七三〉

いま・し【坐し】㊀『四段』《奈良時代には、「あり」「居り」「行き」「来(き)」の尊敬語。平安時代になると、仮名文学ではオハシがこれに代って多く使われ、イマシは、多く漢文訓読体の中に「あり」「居り」の意味の尊敬語として使われた。四段活用であったが、平安中期頃からはサ変に活用した。イマシ(汝)は、これの名詞形》①《「あり」「居り」の尊敬語》㋑いらっしゃる。「平らけく親は―・さね」〈万四四〇八〉。「君はしも多く―・せど」〈万三三二四〉 ㋺おありになる。「如来は慈悲―・す」〈願経四分律平安初期点〉②《「行き」「来(き)」の尊敬語》おいでになる。「鳥じもの朝立ち―・して」〈万二一〇〉。「栲衾(たくぶすま)新羅へ―・す君が目を今日か明日かと斎(いは)ひて待たむ」〈万三五八七〉③《「に」「にて」を受けて》…でいらっしゃる。「汝こそは男に―・せば」〈記歌謡五〉 ㊁『サ変』意味は㊀に同じ。①㋑「鼻すすりうちして、行なひ―・したり」〈源氏松風〉。「―・せぬあと(死後)なれど」〈大鏡円融院〉 ㋺「もしこの社―・せざりせば八講をも行なはざらまし」〈三宝絵下〉②「右大将の宇治へ―・することなほ絶え果てずや」〈源氏浮舟〉。「かかる道はいかでか―・する」〈伊勢六〉

いま・し【今し】『形シク』《イマを形容詞化した語。トコシ(常)・コキダシ(許多)の類》ここしばらくである。当分のことである。「―・しくは(当分ハ)見めやと思ひしみ吉野の大川淀を今日見つるかも」〈万一一〇三〉。「―・しき(シバラク)の間は念ひ見定めむ」〈続紀宣命三二〉

いまし・め【戒め】㊀『下二』《忌ましめの意で、謹慎させるのが原義》①禁止されていることを教えさとして、慎ませる。「〔結婚ヲ〕人の―・むる五月は去(い)ぬ。今はかのこと成し給へ」〈宇津保藤原君〉②注意を与える。「必ずその志、御覧ぜられよ(オ見セシナサイ)と―・め侍り」〈源氏竹河〉③警戒する。用心する。「自ら―・めておそるべく慎むべきはこの(女ニツイテノ)まどひなり」〈徒然九〉④自由にさせないため、縛ったり閉じこめたりする。「鬼同丸、究竟の者にて、―・めたる縄金鏁(なはかなぐさり)ふみ切りてのがれ出でぬ」〈著聞三三五〉。「孟嘗君召し―・められたりしに…逃げ免れ」〈平家四・大衆揃〉⑤罰する。「罪にまかせて重く軽く―・むることあり」〈古本説話四四〉 ㊁『名』①(触れないようにという)警戒。「〔雪ヲ崩サナイヨウニ〕すまし・長女(をさめ)などして絶えず―にやる」〈枕八七〉②訓戒。「宇多の帝の御―あれば」〈源氏桐壺〉③警告。「〔霊験ヲ示ストイウ〕この―の日を過ぐさず」〈源氏明石〉④禁制。「人食ふ犬をば養ひ飼ふべからず。是皆咎有り。律の―なり」〈徒然一八三〉⑤自由にさせないため、閉じこめたり縛ったりすること。「燕の太子丹といふ者、秦の始皇に捕はれて―を蒙(かうぶ)る事十二年」〈平家五・咸陽宮〉。「其の―にあひながら某(それがし)をつかまんとは、腕無しのふりづんばい片腹痛し」〈近松・出世景清四〉⑥刑罰。「是は、されば、君の御―にもあらず」〈平家二・大納言流罪〉 **―もの**【戒め者】警備する者。番人。「さてもねたく見つけられにけるかな。…かかる―のあるこそ」〈枕二七八〉

いますがら・ひ イマスガライ【坐すがらひ】『四段』《イマスガリを再活用させた語》おいでになる。「官位をば何とも思はずすぐし―・ふや」〈源氏竹河〉

いますが・り【坐すがり・在すがり】『ラ変』《イマス(坐)カ(処)アリの約》おいで遊ばす。いらっしゃる。「おほかたは父おとどの―・ればぞ、かくあなづり給ふ。―・らずは何かつつまむ」〈宇津保忠乙〉。「〔僧正〕俗にて―・りける時の子どもありけり」〈大和一六八〉

いま・せ【坐せ】『下二』《イマシ(坐)の他動詞形》居させ申し上げる。お行かせする。「天雲(あまくも)の八重かき別きて神(かむ)下(くだ)し―・せまつりし」〈万一六七〉。「他国(ひとくに)に君を―・せていつまでか吾(あ)が恋ひをらむ時の知らなく」〈万三七四九〉

いまそが・り【坐そがり】『ラ変』「いますがり」の転。「帝の御子、たかい子と申す―・りけり」〈伊勢三九〉

いまだ【未だ】『副』《事態が予想される段階に達しない意》①《多く打消を伴って》まだ。「わが泣く涙―乾(ひ)なくに」〈万七九八〉②依然として。今なお。「み雪残れり―冬かも」〈万一六九五〉。「そのままに―精進にて」〈源氏宿木〉 ▽平安女流文学ではイマダよりもマダを多く使う。

いまだいり【今内裏】内裏が焼失した時などの仮の皇居。摂関政治が盛んになってからは、摂関の子女が中宮となったので、摂関家の邸が今内裏になることが多かった。村上天皇の藤原師輔邸、円融天皇の兼通邸をはじめ、一条・三条・後一条天皇の道長邸などが著名。「内裏(うち)も焼けにしかば帝は―におはします」〈栄花初花〉

いまだ・し【未だし】『形シク』ある段階に達していない。未熟である。「実教も―・しかりしかど、歌の会に入りにしかば」〈梁塵秘抄口伝集〉。「未、イマダシ」〈名義抄〉 →まだし

いまで【今出】①新参。「―の太夫殿を枕に呼びて」〈西鶴・浮世栄花三〉②今勤めていること。現役(げんえき)。また、現存していること。「―の太夫の品定め」〈西鶴・一代男六〉

いまに【今に】『連語』①いまだに。今もって。「まま(乳母)も―恋ひ泣きはべるは罪深くこそ見たまふれ」〈源氏浮舟〉②そのうちに。やがて。「―見をれ。この罠(なわ)にかけて、そのまま打ち殺いてくれう」〈虎寛本狂言・釣狐〉

いまのほど【今の程】①こうしている間。今のうち。「―にうちに参り侍りて、夕つ方迎へにまゐり侍らん」〈源氏少女〉②これほど。これくらい。「人の事さへもって、―に言うた物をば」〈狂言記・内沙汰〉

いまのま【今の間】さしあたって今。ちょっとの間。「―いかに」〈源氏夕霧〉。「―も恋しきぞわりなかりける」〈源氏宿木〉

いまのよ【今の世】①当世。現代。「―に絶えず言ひつつ」〈万四三六〇〉②(特に)今上の御代。当代。「―のこと繁きにまぎれて」〈徒然二七〉

いまは【今は】《命が「今となっては」という時の意》臨終。「故大納言―となるまで」〈源氏桐壺〉 **―のきざみ**【今はの刻み】臨終の際。「いまはのきは」とも。「故院の上の―にあまたの御遺言ありし中に」〈源氏若菜上〉 **―のきは**【今はの際】「いまはのきざみ」に同じ。「―まで持たせ給ひける桐の御数珠なども」〈増鏡三〉 **―のこと**【今はの事】臨終の際の作法。「〔受戒ナド〕―どもするに」〈源氏総角〉 **―のとぢめ**【今はの閉ぢめ】今は限りのこの世のおさめ。臨終。「―にとどめし一言(ひとこと)を」〈源氏横笛〉

いまは・し【忌まはし】『形シク』《イマヒ(忌)の形容詞形》不吉で忌むべきである。「死といふ事、恐ろしく―・しき故に」〈沙石集九ノ七〉

いま・ひ【忌まひ】『四段』《忌ミに反復・継続の接尾語ヒのついた形。→ひ》不吉なものとして避け嫌う。「ただ一人妹背の山を行く時ぞ―・ひし宿も恋しかりける」〈行尊大僧正集〉

いまふう【今風】当世風。近頃の風。今様。「―の女出立(でたち)」〈西鶴・五人女三〉

いまぶき【今吹き】新しく貨幣を鋳造すること。また、その貨幣。「山吹や―と言はん黄金色」〈俳・山下水二〉

いまほど【今程】近頃。この頃。「―人のもてあそび候は、放下(はうか)ならではなく候ほどに」〈謡・放下僧〉

いままゐり【今参り】①今度新しく勤めに来た者。新参者。「『―の心知らぬやある』と問へば」〈源氏蜻蛉〉②新参者として加わること。「―したりける越後の中太家光といふものあり」〈平家九・河原合戦〉 **―二十日**(はつか)新しく来た奉公人は当初二十日ほどはまじめに勤めるが、だんだん怠けてくる意。「今参り七十五日」「今参り百日」とも。〈俳・毛吹草二〉

いまみや【今宮】①今度お生れになった皇子・皇女。「このたびの宮、女にぞおはしましける。…―は、侍従の命婦〔ガオ世話スル〕」〈栄花月宴〉②今度できた神社。分社。若宮。「紫野に疫神を祭りて御霊会と号(い)ふ。…―と号ふ」〈日本紀略長保三・五・九〉

いまめか・し【今めかし】『形シク』①現代風だ。目新しい。「装束時にしたがひ、裳・唐衣など―・しくてありかせばや」〈枕四七〉②派手である。賑やかである。「月花やかにさし出づる程、大御遊び(奏楽)始まりていと―・し」〈源氏松風〉③今更わざとらしい。妙に改まっていて変である。「これは―・しき御諚にて候」〈謡・夜討曾我〉

いまめ・き【今めき】『四段』①現代風に振舞う。「『住吉の明神は例の神ぞかし。欲しき物ぞおはすらむ』とは―・くものか(現代風ニ欲ガ深イナ)」〈土佐二月五日〉②派手に振舞う。「古りがたくも―・くかなと憎きに」〈源氏葵〉③派手な感じがする。「律の調べは…―・きたる物の声なれば」〈源氏帚木〉

いまやう【今様】①現代風。近頃よくある風。「さかしきもの(シッカリシタモノ)。―の三歳児」〈枕三五九〉。「―の心浅からむ人をば」〈源氏椎本〉②「今様歌」の略。「落つる涙を押へて、―一つぞ歌うたる。『仏も昔は凡夫なり、我らもつひには仏なり。何れも仏性具せる身を隔つるのみこそ悲しけれ』と」〈平家一・祇王〉 **―いろ**【今様色】現代風のはやりの色。紅色をさすという。「〔尼宮ハ〕すぎすぎ見ゆる鈍色(にびいろ)ども、黄がちなる―など着給ひて」〈源氏柏木〉 **―うた**【今様歌】神楽歌・催馬楽・朗詠などの古典形式の歌に対して、平安時代に新しく流行しだした歌謡。七五調四句のものが多く、白拍子・遊女などによって宮中の節会・宴会にまで謡われた。「―は長うてくせづいたり」〈枕二八〇〉

いまゆくすゑ【今行く末】これから先。今後。「―のあらましごとを思すに」〈源氏澪標〉

いまわたり【今渡り】《近頃渡来したものの意》近世初期輸入された陶器・唐紙などの称。「―てふ銭(永楽銭)ぞ請け取る」〈俳・鷹筑波二〉

いまゐずし【今井鮨】大和国高市郡今井村産の鯖鮨(さばずし)。のち一般に、鯖鮨の異称。「此の秋より喰ひ止まったる―」〈俳・大矢数四〉

いまゐぶね【今井船】《今井道伴が創始したのでいう》近世、大阪・伏見間を往復した三十石積の早船。「いまゐせん」とも。「借切りて波路遙かに―」〈俳・大矢数三〉

い・み【忌み・斎み】㊀『四段』《イはユユシのユの母音交替形。タブーの意。つまり、神聖なもの・死・穢(けが)れたものなど、古代人にとって、はげしい威力をもつ、触れてはならないものの意。従ってイミは、タブーと思う、タブーとして対処するの意》①(口に出すことがタブーだから)決して言葉にしない。「隠沼(こもりぬ)の下ゆ恋ふればすべを無み妹が名告りつ―・むべきものを」〈万二四四一〉②(触れてはならぬと)避ける。「心ざしありて〔食べロト〕言はんを、―・みたらんやうに、口をふたぎ」〈枕一九六〉。「深く生死のけがれを―・むは」〈諸神本懐集末〉③(ある定まった行為を)してはならぬものとする。「今の世の人、夜、一片の火を―・む。また、夜、擲櫛(なげぐし)を―・む」〈紀神代上〉④相容れないもの、受けいれがたいものとして嫌う。「コノクスリカネヲイム」〈日葡〉㊁『名』①神聖で触れてはならないものの意。複合語の中に残っている。「斎蔵(いみくら)」〈古語拾遺〉。「忌火(いみび)」〈高橋氏文〉②穢(けが)れ。不浄。「御息所の―(服喪ノ期間)果てぬらむな」〈源氏夕霧〉。「『産の―いく日(か)にて候ふぞ…』答『仏教には、―といふ事候はず…』」〈和語燈録五〉③さしさわり。はばかり。特に、日取りや方角などについていう。「〔祝言ハ正月五月九月ヲ避ケルカラ〕月立たばなほ〔宮中ニ〕参り給はんこと、―あるべし。十月ばかりに〔ショウ〕」〈源氏藤袴〉。「さるべき方の―待ち出で給ひて(ソノ方角ノフサガリノ日ヲワザト待ッテ)」〈源氏帚木〉

†imi

いみあき【忌明き】①産後の忌みの期間が終ること。上方では、その日に氏神へ参ることにもいう。「いみあけ」とも。「今日御産所御祝ひ。世俗―と称す」〈実隆公記永正一・五・二〇〉②喪の期間の終ること。また、その日。「―にも精

進堅めにも、しくものなしと、これを翫ぶぞかし」〈浮・艶道通鑑五〉

いみあ・へ【忌み敢へ】〖下二〗喪に服しきる。「―・へさせ給ふまじき御気色になむ」〈源氏蜻蛉〉

いみき【伊美吉・忌寸】八色(やくさ)の姓(かばね)の第四位。主として国造や帰化人の系統の氏に与えられた。「諸氏の族姓(かばね)を改めて八色の姓を作り…四つに曰はく―」〈紀天武十三年〉 ▽イミは忌ミ。キは男性の意。イザナキ・オキナ(翁)のキに同じであろう。 †imiki

いみくら【斎蔵】三蔵の一。大和朝廷の神物を入れた蔵。斎部(いむべ)氏が管理した。「宮の内に蔵を立てて―と号(なづ)け」〈古語拾遺〉 †imikura

いみことば【忌詞】忌みはばかって使うのを避けることば。その代りに使う別の語のことも「いみことば」という。「凡そ―、内七言、仏を中子(なかご)と称(い)ふ。経を染紙と称ふ。塔を阿良良伎(あららぎ)と称ふ。寺を瓦葺(かはらぶき)と称ふ。僧を髪長と称ふ。尼を女髪長と称ふ。斎を片膳(かたしき)と称ふ。外七言、死を奈保留(なほる)と称ふ。病を夜須美(やすみ)と称ふ。哭(なく)を塩垂(しほたれ)と称ふ。血を阿世(あせ)と称ふ。打(うつ)を撫(なづ)と称ふ。宍(しし)を菌(くさびら)と称ふ。墓を壌(つちくれ)と称ふ。又別に―、堂を香燃(こりたき)と称ふ。優婆塞(うばそく)を角筈(つのはず)と称ふ」〈延喜式斎宮寮〉

いみ・じ〖形シク〗《イミ(忌)の形容詞形。神聖、不浄、穢れであるから、決して触れてはならないと感じられる意。転じて、極度に甚だしい意。特に死などにいう。↓いみ・ゆゆし》①はなはだ忌むべきである。「かかるを見捨てては、―・じき道なりともおもむき難く」〈源氏紅葉賀〉②不吉なほどひどい。「―・じき御心惑ひども、いと怖ろしきまで見え給ふ」〈源氏葵〉③《悲しい、ふびんだ、困った、辛い、あわれだなど、文脈によって指す内容がさまざまになる》ひどい。「女もいと―・じと見奉りて」〈源氏桐壺〉。「人に言ひ騒がれ侍らむが―・じきこと」〈源氏夕顔〉④大変立派である。すばらしい。「―・じき絵師」〈源氏桐壺〉。「いと―・じき花の蔭に」〈源氏若紫〉。「世の人、―・じき孝子なりと言ひて、世覚え出で来にけり」〈十訓抄六ノ二〇〉⑤《連用形を副詞的に用いて》たいそう。はなはだ。「匠(たくみ)ら―・じく喜びて」〈竹取〉 ▽この語は、平安朝では女流仮名文学に使われ、漢文訓読体では使わず、軍記物語でも殆ど用いない。

いみすき【斎鉏】神聖な鉏(すき)。神事などで地を掘るのに使う。「―をもちて斎柱立てて」〈祝詞大殿祭〉 †imisuki

いみたがへ【忌違】自分にかかっている物忌みを他にうつすために、自分の居所から他のところへしばらく移ること。「このごろは四十五日の―せさせたまふとて、御いとこの三位の家におはします」〈和泉式部日記〉

いみな【諱・謚】《「忌み名」の意。魔がとりつくことを恐れて生存中は呼ぶのを避ける名の意》①貴人の生前の実名。「御―の字を犯して敵を欺き、御命にかはり進(まゐ)らせ候はん」〈太平記七・吉野城軍〉②生前の行状などによって別に定めておくる称号。謚(おくりな)。「のちのいみな」とも。「太政大臣になり給ひぬる人は、失せ給ひてのち必ず―と申すものあり」〈大鏡大臣序説〉。「―の宣旨を下して、此より大織冠と申す。実の御名をば鎌足と申す」〈今昔一一ノ一〉

いみはたどの【斎服殿】神の衣を織る神聖な御殿。「―にまして神の御服(みそ)を織りたまふ」〈紀神代上〉 †imiFatadönö

いみはたや【斎服屋】神の衣を織る神聖な家。「―にまして、神御衣(かむみそ)織らしめたまひ」〈記神代〉 †imiFataya

いみび【忌火・斎火】神に供える物を煮たきするために火鑽(ひきり)によって得た神聖清浄な火。「豊日連をして火を鑽(き)らしめて、これを―として」〈高橋氏文〉 †imibï

いみもん【忌門】死者・罪人など不浄のものを送り出す武家屋敷などの裏門。不浄門。「裏の―より連れまして」〈西鶴・伝来記一〉

いみゃう【異名】別名。あだ名。「七徳の舞をふたつ忘れたりければ、五徳の冠者と―つきにけるを」〈徒然二二六〉

いむ【妹】「いも」の上代東国方言。「草(かえ)がむた寝む―無しにして」〈万四三二一防人〉

いむか・ひ【い向ひ】〖四段〗《イは接頭語》①向き合う。「天の河―・ひ立ちて」〈万二〇一一〉②敵対する。「―・ふ神」〈記神代〉。「下流の類は僧の命に拒逆(いむかひ)す」〈四分律行事抄平安初期点〉 †imukaFi

いむけのそで【射向の袖】《弓を射る時、左側を敵に向けるから》鎧の左の袖。右袖より大きい。「―を揺りかざし、錣を傾けて」〈保元上・官軍手分け〉

いむこと【忌事・戒事】仏教の戒(かい)。「かしら剃り、―受けなどして」〈源氏夕顔〉

いむさき【曾・往前】《イニ(去)サキ(前)の音便形、インサキをイムサキと表記した》昔。かつて。往時。「影媛、―に真鳥大臣の男、鮪(しび)に奸(をか)されたり」〈紀武烈即位前〉

いむ・れ【い群れ】〖下二〗《イは接頭語》群がっている。集まっている。「新(あら)たしき年の初めに思ふどち―・れて居ればうれしくもあるか」〈万四二八四〉

いめ【夢】《イは寝。メは目。眠っていて見るものの意》ゆめ。「遠けども心し行けば―に見えけり」〈万三九八一〉 †imë

いめ【射目】《メは、そこから獲物をうかがって射る所の意》柴などを立てて射手が隠れて獲物をねらう設備。「―立ててしし(猪ャ鹿)待つがごと」〈万三二七八〉 ▽「射部」(射る人たち)とする説は誤り。 †imë

いめたてて【射目立てて】〔枕詞〕射目を立てて、狙う獲物の足跡を調べることを跡見(とみ)というので、同音の地名「跡見」にかかる。「―跡見の岡辺の」〈万一五四九〉 †imëtatete

いめひと【射目人】射目にかくれて獣を射る人。「―を射目前(さき)に立ててみ狩したまひき」〈播磨風土記〉 †imëFitö　**―の**【射目人の】〔枕詞〕射目で待ちかまえる人が、伏して見ることから、地名「伏見」にかかる。「―伏見が田居に」〈万一六九九〉

いも【芋】《ウモの転》①古く、山芋・里芋をさす。江戸時代中頃からさつま芋、末期からジャガ芋をもいう。「―(山芋)を掘らしむ」〈紀武烈三年〉。「蕷・芋、伊母(いも)」〈新撰字鏡〉②天然痘。また、その結果のあばた。いもかさ。「阿茶々―の由申し候」〈言継卿記天文一七・二・三〉。「疱瘡、イモ」〈運歩色葉集〉③「芋助」の略。「籠馴れず、ふける(鳴く)すべを知らず、一向―のやうなる鳥なり」〈咄・続一休咄四〉④名詞に冠して、全く無器用の意をあらわす。「三線(さみせん)に月を乗せたり―浄瑠璃」〈俳・安楽音一〉 †imo

いも【妹】《「せ(兄)」の対》①兄弟から見た姉妹。年上にも年下にもいう。「古は兄弟、長幼を言はず、女は男を以て兄(せ)と言ふ。男は女を以て妹(いも)と称ふ」〈紀仁賢六年〉。「言(こと)とはぬ木すら―と兄(せ)ありとふをただ独り子にあるが苦しさ」〈万一〇〇七〉 ▽平安時代以後はイモウトが多く使われ、この意味のイモは歌語・熟語の中に残った。②《転じて》結婚の相手としてきまった女。妻。妻問い婚の時代に、男が訪問して結婚することを許した女を、その男が呼ぶ称。「―は忘らじ」〈記歌謡八〉。「―と言はば無礼(めな)し恐(かし)ししかすがに懸けまく欲しき言(こと)にもあるかも」〈万二九一五〉。「旅にあれば―夢に見ゆ」〈新古今九七六〉 ③《たわむれに、女から女を呼ぶ場合もある》いとしい女(ひと)。「山吹の花取り持ちてつれもなく離れにし―(義姉)を偲ひつるかも。右は四月五日に、留れる女郎より送れり」〈万四一八四〉 †imo

いもうと【妹人】《イモヒトの音便形》①「せうと」の対。年齢の上下に関係なく、兄弟から見て姉妹をいう。「せうと」は姉妹から見て兄弟をいう。「〔小君ニ対シテ〕―の君(姉ノ空蟬)の事もくはしく問ひ給ふ」〈源氏帚木〉。「この―・せうとといふことは」〈枕八三〉 →いも(妹) ②年下の女のきょうだい。「姉は『―に問へ』と言ふ。―は『姉に問へ』と言ふ」〈平家三・泊瀬六代〉。「妹、女子後生為ㇾ妹。以毛宇止(いもうと)」〈和名抄〉 →あね・おとうと。 ▽imoFitö→imowito→imouto **―ぢょらう**【妹女郎】後輩の女郎。「いもと女郎」とも。「―。久しく勤むる女郎を姉と云ひ、遅く出るを妹と云ふとぞ。恋ひ里の詞なり」〈浮・好色伊勢三〉 **―むこ**【妹婿】妹の夫。「いもとむこ」とも。「北白河に世に越えたる者あり。法眼には―なり」〈義経記二〉

いもがうむ【妹が績む】〔枕詞〕妹(いも)がつむぐ苧〈を〉の意から、「を」にかかる。「―小津(をづ)の浦なる岸の松原」〈土佐二月五日〉

いもがきる【妹が着る】〔枕詞〕妹(いも)が着る御笠(みかさ)の意から、同音の地名「三笠」にかかる。「―三笠の山に」〈万九八七〉 †imogakiru

いもかさ 天然痘。いも。「皰瘡、イモカサ」〈色葉字類抄〉

いもがしら【芋頭】①里芋の親芋。「不動といふ物と―といふ物とを持て来たりて食はすれば」〈今昔三一ノ一六〉 ②《形が似ているのでいう》茶の湯で用いる水指(みずさし)の一種。「一枚板〔三〕、真の釜、―二つ置く」〈宗達他会記天文一八・四・六〉

いもがそで【妹が袖】〔枕詞〕妹(いも)が袖を巻きからめる意から、同音の地名「巻来(まき)」にかかる。「―巻来の山の朝露に」〈万二一八七〉 †imogasode

いもがてを【妹が手を】〔枕詞〕妹(いも)の手を取る意から、同音の地名「取石(とろし)」にかかる。「―取石の池の波の間ゆ」〈万二一六六〉 †imogatewo

いもがひも【妹が紐】①妻の下紐。「―解くと結びて」〈万三二一一〉 ②〔枕詞〕妻や恋人の下紐を結ぶ意から、同音の「ゆふやかは」にかかる。「―ゆふや川内(かふち)を」〈万一一一五〉 †imogaFimo

いもがめを【妹が目を】〔枕詞〕妹(いも)の目を見そめる意から、同音の地名「始見(みそめ)」にかかる。「―始見の崎の秋萩は」〈万一五六〇〉 †imogamëwo

いもがゆ【芋粥】薄く切った山の芋を甘葛〈あまづら〉の汁で煮た粥。貴人の食べものとして、宮中で宴の果てた後などに供したという。「この五位、その座にて―を飲みて」〈今昔二六ノ一七〉

いもがり【妹許】妹(いも)のいる所(へ)。「心のみ―遣(や)りて吾(わ)は此処にして」〈万三五三八〉 †imogari

いもくし あばた。「むしくし」とも。「―の名を立つるいさかひ」〈俳・継尾集下〉

いもこ【妹子】《コは親しみの語》「いも(妹)」に同じ。「わが―がしぬひ(思イ出スヨスガ)にせよと着けし紐」〈万四四〇五防人〉 †imoko

いもざけ【芋酒・薯蕷酒】山の芋をすりまぜた薬酒。精力増強薬として使われた。「寒きにとて、風防ぎに―これ有り」〈言国卿記明応三・一二・五〉

いもざし【芋刺】芋を串で刺し貫くように、人を突き殺すこと。くしざし。田楽ざし。「馬人をいはず、―にしたりけり」〈室町殿日記八〉

いもし【芋茎】《のちにイモジと濁音》里芋の茎を乾したもの。いもがら。「―、荒布(あらめ)も、歯固めもなし」〈土佐一月一日〉。「芋の茎をば、あの大な男、いもじと言ふほどに」〈仮・籠耳一〉。「莖、芋茎也、以毛加良(いもがら)、一云、以毛之(いもし)」〈和名抄〉 ▽名義抄に清点があるので、鎌倉初期には清音。

いもじ【鋳物師】「いものし」の転。「―を以て鐘を鋳させたりけるに」〈今昔三一ノ一九〉。「たとへば、―のふいがうをもって物を鋳出すやうなぞ」〈山谷詩抄九〉

いもすけ【芋助】物事に無器用・無能な者の擬人名。また、農民の蔑称。「いも」とも。「―、凡そ技芸・事業に於いて其の一事に甚だ不案内なるを云ふ」〈諺苑〉

いもせ【妹背】《イモ(妹)とセ(背)と》①兄と妹と。また、弟と姉と。「むつましき―の山の中にさへ隔つる雲のはれずもあるかな」〈後撰一三一五〉 ②夫婦。「神いざなき・いざなみの命、―二柱婚(こと)ぎたまひて」〈祝詞鎮火祭〉。「夫妻、イモセ」〈文明本節用集〉 †imose **―どり**【妹背鳥】ホトトギスの異名。「筒井筒声くらべこせ―」〈俳・吉野山独案内三〉 **―むすび**【妹背結び】夫婦の縁を結ぶこと。結婚。「一世一度の―」〈近松・曾我会稽山三〉

いもと【妹】「いもうと」の転。「兵衛佐殿の―、奥波賀の夜叉御前」〈平治下・頼朝生捕らる〉。〈色葉字類抄〉

いもなね【妹なね】妹や姉。「―が作り着せけむ白妙の」〈万一八〇〇〉 →なね。 †imonane

いもなろ【妹なろ】〔上代東国方言〕《ナロは親愛の意の接尾語》妹(いも)を親しんでよぶ語。「―がつかふ川津(川辺ノ洗イ場)のささら荻」〈万三四四六東歌〉 †imonarö

いものこ【芋の子】①子芋。「―も泣くかずいきの露涙」〈俳・犬子集五〉 ②瀬戸焼茶入の一種。「掘出しはげに―の茶入かな」〈俳・鷹筑波一〉

いものし【鋳物師】《イモノジとも》金属を溶かして鋳型に流しこみ、鋳物を作る職人。「鍛冶・―・巧匠・番匠」〈庭訓往来四月五日〉。「鋳物師、イモノジ」〈明応本節用集〉。「鋳物師、イモノシ」〈文明本節用集〉

いものら【妹のら】〔上代東国方言〕《ノラはナロの母音交替形》⇒いもなろ。「―に物いはず来にて」〈万三五二八東歌〉 †imonöra

いもひ イモイ《忌マヒの転か》①【斎】ものいみ。精進潔斎。「湯あみ・―してもろもろのよき事を行なへ」〈三宝絵下〉 ②【斎食】ものいみの食事。法会(ほふゑ)の時の食事。とき。「〔斎食ヲ〕―と云ふ事は、ものいみの心なるべし」〈雑談集六〉

いもひと【妹人】「いもうと」の古形。「妹、伊毛人(いもひと)」〈新撰字鏡〉

いもぶり【芋振り】《「芋」は芋虫の意。芋虫を怒り易い人にたとえる》大いに怒って相手をはねつけること。「しかしか御挨拶もなく、―に振り散らし」〈評判・家計夢三〉

いもほりそう【芋掘僧】無学無能の僧を卑しめていう語。「芋掘」「芋掘坊主」とも。「時を得し秋のなかばの古寺に―や月をこそ見れ」〈玉吟抄〉

いもむし【芋虫】①蝶や蛾の幼虫。つまらないもののたとえにもいう。「人を―に羽の生えたやうにも覚し召さぬか」〈評判・難波の顔三〉 ②怒り易い人。「―は何にいぶりの名に

は立つ」〈俳・其袋下〉

いもめいげつ【芋名月・芋明月】《里芋を供え、または食べるのでいう》陰暦八月十五夜の月。「雲霧や一のきぬかづき」〈俳・犬子集五〉

いもら まぶたにできる伝染性の小さな腫物(はれもの)。ものもらい。めいぼ。「名月を見る目のはたも一かな」〈俳・下主智恵三〉。〈俳・初本結五〉

いもらがり【妹ら許】①いとしい妻の所(へ)。「一わが行く道の細竹(しの)すすきわれし通はば靡け細竹原」〈万一一二一〉②〔枕詞〕妻の所へ今来る意から音の近い「いまき」にかかる。「一今木の嶺に」〈万一七九五〉　†imoragari

いや【嫌・否】㊀『名』①このましくないこと。よくないこと。悪いこと。「法に過ぎ情(なさけ)深くて目を見せん人にむつばむそのほかは一」〈沙石集三ノ二〉。「あるも一なり、成るも又一」〈宗安小歌集〉②ある語に冠して、いとわしい意を表わす。「一気質(かたぎ)」「一風(ふう)」など。「ごぞんじの一男に逢ひ申し候」〈西鶴・一代男七〉㊁『感』否定する時に発する声。「一、田におきては、はやはや取られぬ」〈著聞五三九〉。「一、存ぜぬ」〈虎明本狂言・磁石〉↓いな

いや【彌・最】『副』《イヨ(愈)の母音交替形。物ごとの状態が無限であるさま。転じて、物ごとの状態が甚だしく、激しくつのる意》①無限に。「一継ぎ継ぎに天の下知らしめしを」〈万二九〉。「天地と〔トモニ〕一遠長に、万代に〔コウアリタイ〕」〈万四七八〉②極度に。非常に。「吾が心し一愚(こ)にして」〈紀歌謡三六〉。「菅畳一清(さや)敷きて」〈記歌謡一九〉③最も。「一先立てる兄(え)をし枕(ま)かむ」〈記歌謡一六〉。「一端(はし)に伏せりし鰐(わに)」〈記神代〉④ますます。「一懐かしき梅の花かも」〈万八四六〉⑤《名詞に冠して》再度付け加えられる意を添える。「〔小弓ノ〕御妬みには御勝ちあり。…なほ名残惜しとて一妬みまで遊ばして」〈問はず語り三〉。「再従兄弟、イヤイトコ」〈色葉字類抄〉▽イヤ・イヨのような母音交替形は、サヤギ・ソヨギ、タワワ・トヲヲ、アサ(浅)・オソ(遅)など例が多い。イヤは、ヤという形でも使われ、起源的には数詞の「八(や)」も、このイヤあるいはヤと同根。→や(八)・よ(四)

いや『感』①はっと気付いた時、感嘆した時などに発する声。「『然然の事や承り給ひし』…『一、然る事あり』」〈今昔二六ノ一〇〉。「一、思ひ出いた」〈虎明本狂言・止動方角〉②言いかける時に発する声。「一、まうし、あれに雉が居まらする」〈虎清本狂言・禁野〉

いやいや【彌彌】『副』①ますます。いよいよ。「源氏の勢一につきて」〈盛衰記三三〉。「頻、イヤイヤ」〈名義抄〉②ずっとはるか。「わが身は一の弟(末弟)なり」〈保元中・白河殿攻め落す〉

いやいや『感』感嘆し、称讃して発する声。「一、事の外痛いものぢゃよ」〈虎明本狂言・雷〉。「イヤイヤミゴトナコト」〈日葡〉

いやいや【否否】『感』否定する時に発する声。「一いかにも延ぶべくも覚えぬぞ」〈著聞四三九〉　**一三盃** 酒をすすめられて、否否といいながらも三ばいも飲むこと。「草の餅は一ぞ桃の酒」〈俳・細少石三〉。〈俳・世話尽一〉

いやおう【否応】不承知と承知と。諾否。「我は一の返事を、やうやうするより外の事は無いぞ」〈蒙求抄一〇〉

いやがうへに【彌が上に】『副』なおその上に。「人馬一死に重なりて」〈明徳記中〉

いやがき【彌書】重複して書くこと。「武家の書状に、何殿と書いて御宿所と書くは一なれども」〈清原宣賢式目抄〉

いやさ【否さ】『感』①相手の言を軽く押えて言う語。「一、なんぼう急(せ)かうと儘(勝手ニシロ)」〈近松・世継曾我一〉②途中で言い直す場合に、勢いこんで発する語。「ヤイ、それ程に俺が、一詮議が厭かい」〈伎・幼稚子敵討一〉

いやさかはえに【彌栄映えに】『連語』いよいよ栄えかがやいて。「〔タチバナハ〕その葉も枯れず、ときはなす一」〈万四一一一〉　†iyasakaFayeni

いや・し【癒し】『四段』《イエの他動詞形》(傷や病気を)回復させる。治癒させる。「沙糖と蜜と蘇と乳とも、此は能く衆の病を一・す」〈金光明最勝王経平安初期点〉

いや・し【卑し・賤し】『形シク』①ひどく汚く貧しい。みすぼらしい。「むぐらふの一・しき宿に」〈万七五九〉②ひどく身分が低い。「一人〔ノ女〕は一・しき男の貧しき、一人はあてなる男持ちたりけり」〈伊勢四一〉③とるに足りない。「〔自分ノ〕一・しきいさめ(諫言)」〈源氏帚木〉④下品である。「一・しき言もわろき言も、さと知りながらことさらに言ひたるは、あしうもあらず」〈枕一九五〉⑤心が汚い。さもしい。「一・しく物惜しみせさせ給ふ宮」〈枕二七八〉⑥けがれている。「平高遠が一・しき名(汚名)とりて人の国へまかりけるに…。忘るなといふに流るる涙川憂き名をすすぐ瀬ともならなむ」〈後撰一三三五〉　**一・び**【卑しび・賤しび】『四段』いやしいと見る。さげすむ。「一・び、蔑(あな)づられなむ」〈今昔三ノ二一〉。「下、イヤシブ」〈名義抄〉　**一・み**【卑しみ・賤しみ】『四段』「いやしび」に同じ。「〔精進持戒ノ人ニ〕少分の物、布施にして、しかもそれを疑ひ、一・み、あざけりたる人」〈孝養集上〉。「蔑、伊也志牟(いやしむ)」〈新撰字鏡〉

いやしくも【苟も・偸も】『副』《卑シクモが原義。下賤で取るに足りない者であるが、と謙遜する意。過分で不当なのだがと謙遜する気持から進んで、真実ではないが、仮であるがの意となり、仮にもの意となる。漢文訓読体で使う語》①身分不相応にも。「いやしくことやうならむ某(なにがし)らが女子(をんなご)をこそいやしうも尋ね宣ふめれ」〈源氏東屋〉。「〔義仲〕一勅命をふくんで頻りに征罰を企つ」〈平家七・平家山門連署〉②かりそめにも。「夫に別れたる妻室は一二夫に嫁せむことを悲しんで」〈太平記二一・金剛山寄手〉

いやぜるの『連語』〔上代東国方言〕「彌(いや)著(しる)の」の意という。一説、地名。「一安是(あぜ)の小松に」〈常陸風土記〉

いやた・て【彌立て】『下二』いよいよはっきりと言い立てる。「我をおきて(サシオイテ)人はあらじと一・て」〈万四〇九四〉

いやち【嫌地・彌地・忌地】《イヤヂとも》同じ土地に毎年煙草・茄子などを作ると、生育が悪く収穫の少なくなること。「とかく一の茄子(なすび)ひねたり」〈俳・砂川下〉

いやちこ【灼然】《イヤは彌(いや)の意。チコはチカ(近)の母音交替形か》いちじるしいこと。きわだっていること。はっきりしていること。神仏の霊験などのすぐ著われるにいう。「灼然、此をば以耶知挙(いやちこ)といふ」〈紀景行五十一年〉　†iyatikö

いやとも【否とも】『副』いやでも。いやでもなんでも。いやでもおうでも。「いやともに」とも。「只今〔ノ〕呉三桂の言ひ分にては、一両国権を争ひ合戦に及ぶ折」〈近松・国性爺一〉

いやとよ【否とよ】『感』《イヤに助詞ト・ヨのついた形。相手のことばを強く打ち消して言う。下に否定の文を伴うことが多い》いや、とんでもない。いやいや違う。「一、心のかはるにあらず」〈伽・七夕〉

いやはて【彌終】一番のはて。最後。「一に来たりし大穴牟遅の神」〈記神代〉

いやはや【彌早】いよいよ早いさま。いよいよ急ぐさま。「浜行く風の〔ヨウニ〕一に早事なさば」〈万二四五九〉

いやはや『感』驚きあきれて発する語。いやもう。「一、これも

よっぽどの系図でおぢゃる」〈狂言記・酢薑〉

いやひけに【彌日異に】『連語』いよいよ日ましに。「―来ませ我がせこ」〈万四〇四〉。「―変らふ見れば」〈万四七八〉 †iyaFikeni

いやひにけに【彌日に異に】『連語』「いやひけに」に同じ。「―は思ひますとも」〈万五九五〉 †iyaFinikeni

いやまうしウシ::モ【いや申し】『感』人に呼び掛ける語。ええ、もしもし。「―と云ふ言葉つき」〈西鶴・男色大鑑七〉

いやま・し【否まし】『形シク』《動詞イヤミ(否)の形容詞形》いやに思われる。いとわしい。「書き落す事の多さこそ猶―・しく侍れ」〈愚管抄六〉

いやましに【彌増しに】『副』いよいよますます。いっそうの って。「満ち来る潮の―恋はまされど」〈万三一五九〉

いやみ【嫌味】①人に不快を感じさせる言葉や態度。あてこすり。「嫌ならば嫌といやれは―也」〈雑俳・万句合明和七〉②悪く気取って嫌らしい言葉や態度。わざとらしく品をつくるさま。きざ。「わが衆に深く嫌ふことは、―、うぬぼれ」〈洒・大通法語〉③いやがらせ。「年寄は気が短い。返答次第で着る物剝(は)がうか、さあ、どうぢゃと、―の言葉」〈浮・三千世界色修行四〉

いや・み【否み】『四段』いやがる。きらう。「国司むつかりて『…』とて―・み思ひて」〈宇治拾遺四六〉

いやめ【いや眼】泣きそうな眼つき。「なぞ斯く―なると憎く」〈源氏東屋〉

いや・り【言やり】『四段』《言ヒアリの転》「言ひ」の尊敬語。おっしゃる。「是れはさて、知らぬ人の茶をくれうと―・る」〈狂言記・薩摩守〉

いゆ・き【い行き】『四段』《イは接頭語》ゆく。「山の辺に―・く猟夫(さつを)は多かれど」〈万二一四七〉 †iyuki **―あ・ひ**イア【い行き合ひ】㊀『四段』行って出会う。「さわたりの手児(てご)に―・ひ」〈万三五四〇東歌〉㊁『名』人が行きあうこと。また、その所。峠など。「―の坂のふもとに」〈万一七五二〉 †iyukiaFi

いゆしし【射ゆ猪鹿】射られた猪や鹿。「―をつなぐ(アトヲツケル)川辺の」〈紀歌謡一一七〉▽普通の語法ならば、イユルシシとなるはずであるが、連体形と終止形との形の区別のない古代の語法の残存かという。 **―の** 射られた猪や鹿のように。一説、「心を痛み」「行き死ぬ」にかかる枕詞。「―心を痛み」〈万一八〇四〉。「―行きも死なむと」〈万三三四四〉

いよ【伊予】旧国名の一。南海道六国の一で、今の愛媛県。予州。「島山のよろしき国と…こごしかも―の高嶺(たかね)の」〈万三二二〉

いよいよ【愈】『副』《イヤ(彌・最)の母音交替形イヨを重ねた語。上代にはイヨヨの形で使われた。すでに現在或る状態になっているところへ、何かのきっかけ(原因や理由)で、その状態の度合が極度に進むさま。類義語イトドは、「ひとしお…である」「さもなくても…なのに一層」の意で、平安女流文学にだけ使うのに対し、イヨイヨは漢文訓読体にも使う》①ますます。「梵語を用ゐること是れ猶彌(いよ)善なり」〈蘇悉地羯羅経略疏天暦点〉。「幽(くら)き室(むろ)に坐り、相思ひて転(いよ)疾(やまひ)を成す」〈遊仙窟(醍醐寺本)鎌倉期点〉②確かに。きっと。「―それで御座りました」〈狂言記・絹粥〉

いよし【彌し】『副』いよいよ。ますます。「―も愛敬深ければ」〈浄・舎利三〉 **―どげん**【彌し御見】いよいよ数多く御目にかかりたいの意。遊女の手紙の常套句。「いよよごげん」とも。「―と書いたるはほだしの種か、花すすき」〈松の落葉三〉

いよす【伊予簾】「いよすだれ」に同じ。「格子のひまあるを見つけて寄りたまふに―はさらさらと鳴るもつつまし」〈源氏浮舟〉

いよすだれ【伊予簾】伊予国浮穴(うけな)郡の山中に産する篠の茎で編んだ簾。上等の簾とされた。「逢ふことはまばらに編める―」〈詞花三四二〉

いよた・ち【竪ち】『四段』《イヨは、イヨヨ・イヨヨカ・イヨヤカのイヨと同根。鎌倉時代以後ヨダチとなる》寒さや怖れで毛が逆立つ。「心驚き、毛―・つ」〈地蔵十輪経三・元慶点〉。「魔、これを聞きて心に怖れを成し、身の毛―・つ」〈今昔一ノ六〉。「竪、イヨタツ」〈名義抄〉

いよやか【森・矗】《イヨは、イヨヨ・イヨヨカ・イヨタチのイヨと同根》①「いよよか」に同じ。「〔生イシゲッタ柳ノ〕かげが十万軍営の路をさしはさんで―なるぞ」〈三体詩抄一ノ三〉②はっきりしていること。歴然としているさま。「〔信長ノ〕武威―に長じ」〈太閤記二〇〉。「イヨヤカニ、即ち、キラリト、マギレモナウ」〈日葡〉

いよよ【愈】『副』《イヨイヨの約》いっそう。「世の中は空しきものと知る時し―ますます悲しかりけり」〈万七九三〉。「剣太刀―とぐべし」〈万四四六七〉▽イヨはイヤ(彌・最)の母音交替形。イヨタチ・イヨヤカ・イヨヨカのイヨと同根。もとは無限・極限の意。 †iyöyö

いよよか【森・巍】《イヨは、イヨヨ・イヨヤカ・イヨタチのイヨと同根》樹木などが高いさま。そびえるさま。「森森、伊与与加爾(いよよかに)」〈新撰字鏡〉。「森・巍、イヨヨカ」〈色葉字類抄〉

いよよ・し【逾し】『形シク』《イヨは、イヨイヨ・イヨヨ・イヨヤカのイヨと同根》はるかに遠い、高い。「森、イヨヨシ」〈色葉字類抄〉

いよ・り【い寄り】『四段』《イは接頭語》寄る。「我が大君の朝と(朝)には―・り立(だ)たし」〈記歌謡一〇四〉 †iyöri

いら【莿】草や木のとげ。「莿、伊良(らい)」〈新撰字鏡〉▽イラカ(甍)・イラチ(苛)・イラナシ・イララゲ(苛)などの語根。

いらいら【莿莿・苛苛】①とげの立ったさま。「いろこ(鱗)―とあり」〈渡唐方進貢物諸色注文〉②心が騒いで落ち着かないさま。「心得といふは、さあればとて―とまはる物にはあらず、うはべことばずくなにして、とりまはししとやかなるよし」〈色道大鏡四〉

いらいら・し【苛苛し】『形シク』《イライラの形容詞形》心がいらだつ。じれったい。「未だ来たらざらむ報を、―・しく願ひ求めて、聞出で事などすべからず」〈十訓抄七序〉。「苛々敷、イラ〳〵シキ」〈易林本節用集〉

いらか【甍】①屋根の背。家の上棟(うはむね)。「海神(わたつみ)の殿の―に」〈万三七九一〉。「屋脊曰レ甍、伊良賀(いらか)」〈和名抄〉②(瓦の)屋根。「扉は風に倒れて落葉の下に朽ち、―は雨露にをかされて仏壇さらにあらはなり」〈平家五・勧進帳〉

いらくら 気がいらだつさま。いらいら。また、せっかちな人。「心―月の〔出ソウナ〕山本」〈俳・徳元千句〉

いら・し【貸し】『四段』(利息をつけることを前提として)貸す。「その薬料の物を岡田村主の姑女が家に寄せ、酒を作り利を―・す」〈霊異記中三二〉。「貸、伊良須(いらす)」〈新撰字鏡〉 **―のいね**【貸稲】上代、利息つきで貸した稲。「処処の―を罷(や)むべし」〈紀孝徳、大化二年〉 **―もの**【息利】利息。「息利、伊良之毛乃那里(いらしものなり)」〈霊異記下二六〉

いらたか【苛高・刺高】《イラはイラ(莿)と同根》角のとがったもの。「いらたかじゅず」をさしていうことが多い。「赤木の数珠の―を」〈謡・葵上〉 **―じゅず**【苛高数珠】玉が平たく角ばっている数珠。揉むと高い音を発する。修験者の持物の一。「沖行く舟に立ち向って、—をさらさらと押し揉みて」〈太平記三・長崎新左衛門〉。「今時、—とて平(ひら)めなるを用ゆるは、山伏の法に似たるなり」〈念珠略註〉

いら・ち【苛ち】『四段』いらだつ。あせる。「—・ったる若者ども、乱れかかって鎬(しのぎ)をけづり、鍔(つば)をわり」〈信長公記首巻〉

いらつこ【郎子】《「郎女(いらつめ)」の対。イラは、イロ(同母)の母音交替形。また、イリビコ・イリビメのイリと同根か。ツは連体助詞。コは男子》①天皇または皇族を父とし、皇族に関係ある女を母とした男子の称か。系譜の上で応神天皇に関係ある男子に少数見える語。「宮主矢河枝比売(みやぬしやがはえひめ)…を娶して生みませる御子、宇遅能和紀郎子(うぢのわきいらつこ)」〈記応神〉②男子の敬称。「大伴佐提比古郎子(おほとものさでひこのいらつこ)、特(ひと)り朝命を被(かが)ふり、使を藩国に奉(うけたま)はる」〈万八七一題詞〉▽もと、イラツメに対して作られた語らしく、イラツメに比して例が極めて少ない。†iratuko

いらつめ【郎女】《「郎子(いらつこ)」の対。イラは、イロ(同母)の母音交替形。また、イリビコ・イリビメのイリと同根か。ツは連体助詞。メは女》①天皇または皇族を父とし、皇族に関係ある女を母とした女子をいうことが多い。記紀の景行以後、殊に応神以後にみえる語。「針間の伊那毘能大郎女(いなびのおほいらつめ)を娶して生みませる御子、櫛角別王」〈記景行〉。「郎姫、此をば異羅菟咩(いらつめ)といふ」〈紀景行二年〉②女子の愛称。「久米禅師、石川の—を娉(よば)ふ時の歌五首」〈万九六題詞〉▽「郎女」という表記は中国に無い。「郎子(いらつこ)」と対にして、日本語のイラの音を表わすためにラウの音の「郎」を使ったものと見られる。†iratume

いら・て【苛て】『下二』《イラチの他動詞形》いらだたす。心をせかす。催促する。「『何者ぞ、狼藉なり。御出(ぎよしゆつ)のなるに、乗物よりおり候へ〳〵』と—・てけれども」〈平家一・殿下乗合〉

いらなけく《イラナシのク語法》苦痛なこと。「悲しけく此処に思ひ出、—其処に思ひ出」〈万三九六九〉†iranakeku

いらな・し『形ク』《イラは草や木の刺(とげ)。ナシは甚だしい意。刺が鋭い、また、刺が突きさして痛いことが原義》①心が痛い。「父公が楚(いらなき)目は見じとし給ひし」〈東大寺諷誦文稿〉②心痛むほどみじめである。「わがさまのいと—・くなりにたるを思ひけるに、いとはしたなくて」〈大和一四八〉③とげとげしい。かくばっている。「文刺に文はさみて—・くふるまひて」〈大鏡時平〉④するどい。強い。「天の下の—・き軍士(いくさ)なりとも」〈宇津保藤原君〉。「—・き太刀を磨き」〈宇治拾遺二九〉⑤目に刺さるようにきわだっている。「むしり綿を着たるやうに—・く白き〔猿〕が」〈宇治拾遺二九〉

いら・ひ【弄ひ】『四段』《イロヒの転》いじる。もてあそぶ。「人の具足見ること…手にてゆめゆめ—・ふべからず」〈今川大双紙〉

いら・へ【借へ】『下二』《イラシと同根》借りる。「稲と貨財(たから)を—・へし者は」〈紀天武、朱鳥一年〉。「貣、借取ニ於人ー、伊良不(いらふ)」〈新撰字鏡〉

いら・へ【応答へ】[一]『下二』適当に返事をする。一往の返事をする。「〔女ノ話ニ対シテ〕二人の子は情なく—・へて止みぬ」〈伊勢六三〉。「煩らはしくて『まろぞ』と—・ふ」〈源氏空蟬〉[二]『名』①適当なあしらい。適当に相手をつとめること。「折節の—心得てうちしなどばかりは随分によろしき〔女〕も多かり」〈源氏帚木〉②一往の返事。「汗あえていみじきには、何事をかは—も聞えむ」〈枕一八四〉

いらめ・き【莿めき】『四段』とがってみえる。「胸骨は殊にさし出でて—・き」〈宇治拾遺一三四〉

いららか・し【莿らかし】『四段』とがらせる。「鼻を—・し、さし仰ぎてゐたるを」〈落窪三〉

いらら・き【苛らき】『四段』《イラは刺の意》①角立つ。とがる。「こはごはしう—・きたる物ども着給へるしも」〈源氏手習〉②鳥肌立つ。「寒げに—・きたる顔して」〈源氏橋姫〉

いらら・げ【苛らげ】『下二』とがらせる。角立てる。「目を—・げ歯がみをして」〈太平記二六・四条縄手〉。「三鈷を拳(にぎ)って臂(ひぢ)を—・げ」〈太平記二六・吉野炎上〉

いら・れ【苛れ】『下二』気をもむ。じりじりする。「なほなほとうちつけに—・れむもさま悪しければ」〈源氏夢浮橋〉 **—がま・し**【苛れがまし】『形シク』いらいらしているさまがうるさい。「—・しきわびごとどもを書き集め」〈源氏胡蝶〉

い・り【入り】[一]『四段』《「出で」の対。外と内とを実際的に、また心理的に区別している枠(わく)の外から内へ、すっぽりと移動する意》①外部から内部へ移動する。㋑中へ進む。はいる。「—・りてかつ寝むこの戸開かせ」〈万三三一〇〉㋺(日や月などが)物かげに没する。すっかり沈む。「出づる日の—・る別(わき)知らぬ吾し苦しも」〈万二九四〇〉②ある範囲の中に含まれる。㋑選などにはいる。「万葉集に—・らぬ古き歌」〈古今序〉㋺仏門・宮中などにはいる。「同じ道にも—・りなむとおぼせど、一度家を出で給ひなば」〈源氏御法〉③中身が充実する。「稲うるわしく実も—・り侍る」〈問はず語り四〉④内部にわたって、窪みや裂け目が生じる。「天目ほどな黶(あくぼ)が両の頰(ほ)に七八十、百ばかり—・って」〈虎明本狂言・枕物狂〉⑤【要り】《必要物の中に入る意》入り用である。必要である。「暇—・るわざなれば教へ奉らず」〈源氏若菜下〉。「今さるべき物は奉らむ。白き物ども—・るわざを」〈栄花鶴林〉⑥㋑ある状態になりきる。完全にある状態になる。「節会果てて夜に—・りて」〈源氏末摘花〉。「さすがにむつかしう寝も—・らず」〈源氏若紫〉㋺《動詞連用形を承けて》すっかり…する。全く…する。…の状態にひたっている。「死に—・りたりければ」〈伊勢五九〉。「身を失ひてばやなど泣き—・り給ひし折折の有様」〈源氏蜻蛉〉。「恐れ—・りたる申しごとにて候へども」〈曾我七〉。「とかくの言葉も出でやらず…感に堪(た)へ—・り」〈伽・小式部〉⑦《「御入り」の形で》居る、来るの意の尊敬語。いらっしゃる。おいでになる。「はやと申すところに、印地の大将して御—・り候が」〈義経記三〉。「あれに修業者の御—・り候」〈謡・鉢木〉[二]『名』①外から中にはいること。「且(かつ)は祝ひの京—なればとて」〈盛衰記三三〉②特定の期間に入る最初の日。第一日。「今日、彼岸の—なり」〈言国卿記文明七・二・一〇〉③物かげに全くかくれて見えなくなること。また、没すること。「松のこずゑにうつる日の—」〈俳・続連珠四〉④客などの入り具合。「—は落ちたかと柏莚(二代目市川団十郎)土用干し」〈雑俳・万句合安永一〉⑤入用。費用。「内外の費(つひえ)、客人の用、膠(にかは)・漆(うるし)の—」〈孫子私抄〉

い・り【煮り・煎り・炮り】『四段』水気がなくなるまで火にかける。じりじりと熱する。「王是如き説を聞きてますます憂への火に—・られ」〈金光明最勝王経平安初期点〉

いりあひ【入相】①日没。太陽がちょうど沈む時。「今日の—ばかりに〔息ガ〕絶え入りて」〈伊勢四〇〉。「日没、イリアヒ」〈名義抄〉②入相の鐘。「山寺の—の声声」〈源氏澪標〉 **—のかね**【入相の鐘】日没時につく寺の鐘。

晩鐘。「―に音(ね)を添へむとは」〈かげろふ中〉

いりあや【入綾】《入り際のあやの意》舞い終って退場する直前にひきかえして舞うこと。また、舞いながら楽屋に退くこと。入舞(いりまい)。「―をほのかに舞ひて、もみぢの蔭に入りぬる名残(なごり)」〈源氏若菜上〉

いりえ【入江】海や湖が陸に入りこんだ所。湾よりも小さいものにいう。「葦鶴(あしたづ)のさわく―の白菅の」〈万二七六八〉 †iriye

いりえ【入縁】《「入家」とも書く》入り聟。いりうと。入夫。「一門より似合はしき―取る事、心玉に乗りて」〈西鶴・五人女五〉

いりがた【入り方】今入ろうとするところ。日月の没するにいう。「月は―の空清う澄みわたれるに」〈源氏桐壺〉

いりかど【入門】①家へ入るところ。入り口。「堀川おもてに蔀(しとみ)長長として―の心細げに暑げなるなりけり」〈狭衣一〉 ②仏道・学芸の道などに入ること。入門。「〔仏法ノ〕門門不同なれば、―をば争へども、入理は一なり」〈日蓮遺文顕謗法鈔〉 ③いりくんだ事情。内情。「かくの如きの―のある事とは知ろしめされず」〈親長卿記文明一九・六・二九〉

いりくみ【入組】①未解決のもめごと。出入り。紛争。「チギヤウノイリクミ」〈日葡〉 ②入り交って複雑になっていること。「此の両所の―の山にして」〈西鶴・桜陰比事一〉

いりこ【海参・煎海鼠】海鼠(なまこ)の腸をとり去り、煮乾しにしたもの。串に刺したもの、藤蔓にからげたものを、それぞれ「くしこ」「ふじこ」という。「削り物には干鰹・円鮑・干鮹・魚の躬(み)・―」〈庭訓往来五月日〉。「煎海鼠、イリコ、干肉也」〈文明本節用集〉

いりごみ【入込み・入籠み】①差別なくまじっていること。「奈良中〔ノ〕男女―に見物の間に、惣の見物衆へ、瓜・饅頭・豆飯出し下され了んぬ」〈多聞院日記文祿三・六・八〉 ②大勢が一緒に入る劇場の大衆席。「追ひ込み」とも。「舞台の近所…の外は―也」〈隔蓂記正保三・一〇・一六〉 ③誰でも一緒に入浴すること。公衆風呂。「夕月〔マデ〕も―の湯は是非もなし」〈俳・大句数上〉

いりざけ【煎酒】古くなった酒に鰹節・煎り塩・醬油などを入れて煮つめたもの。刺身・膾(なます)などの味付けとする。「盃に花や―桜鯛」〈俳・発句帳一〉

いりしほ オ:シ【入潮】①満ち潮。さし潮。「朝には―にて、魚にあらずは泳ぐべからず、昼は潮干潟、馬を早めて急ぎ行く」〈海道記〉 ②《「出で潮」の対》引き潮。「―の干潟に来居るみと鷺のあさりに出づるあまかとや見む」〈夫木抄二七・鷺〉

いりずみ【いり炭】《「煎り炭」の意という》あぶって湿気を除き、火つきをよくした炭。「心もとなきもの。…とみにて―おこすも、いと久し」〈枕一六〇〉

いりだいく【入大工】手間賃で雇われる大工。「―行きては帰り帰りては」〈俳・桜千句〉

いりた・ち【入り立ち】㊀《四段》①すっかり入る。入りこむ。「麻裳よし紀路に―・ち」〈万五四三〉。「都にはまだ―・たぬ秋の気色を」〈源氏椎本〉 ②家の中まで入りこんでつきあう。親しく交際する。「御中らひのさすがにけ遠からず―・ちて」〈源氏総角〉 ③深入りする。隅隅まで知っている。「―・ちたる魚鳥の名などは、若からむ人などは返す返す〔連歌ニ〕すべからず」〈八雲御抄一〉。「何事も―・たぬさましたるぞ良き」〈徒然七九〉 ㊁《名》①入りこむこと。「さしも〔六条院ニ〕―など し給はぬほどにて」〈源氏蜻蛉〉 ②出入りを許されること。また、その身分。「いづかたにも御―なりとて、御酌に参る」〈問はず語り一〉

いりちゃう ヂ:チョウ【入帳】商家で、金銭の一切の出納を記す帳面。「太夫様―・遣ひ帳ひろげて見れば」〈西鶴・諸艶大鑑八〉

いりとり【煎鳥】雁・鴨の肉を鍋で煎り、醬油・酒・塩で調味した料理。「白鳥。汁・―・ゆで鳥〔ニ用イル〕」〈料理物語〉

いりどり【入取り】人家に押し入って物をかすめ取ること。また、その者。「兵粮米もなければ…時時―せむは、何かあながち僻事(ひがごと)ならむ」〈平家八・鼓判官〉

いりは【入端・入破】退場のしおどき。「親に逢ひ、夫婦・兄弟などに尋ね逢ふ所を結びて、―にして入る事あり」〈能作書〉

いりひ【入日】落日。斜陽。「わたつみの豊旗雲に―見し」〈万一五〉。「やうやう―になる程」〈源氏花宴〉 †irifi **―なす** 入日のように。「隠る」(死)を修飾する。「―隠りにしかば」〈万二一〇〉

いりびと【入彦】崇神・垂仁・景行の三代に現われる名。多くイリビメと一対で、兄妹の間の名に使われる。いずれも父は天皇・皇族、母は皇族・豪族の娘で、イリビコの中には天皇の位についた者があり、イリビメは祭祀に携わる巫女と思われる者がある。イリは同腹を表わす語であったとも考えられる。「御真木入日子印恵命(みまきいりびこいにゑのみこと)…尾張連(むらじ)の祖、意富阿麻比売(おほあまひめ)を娶して生みませる御子、大入杵命(おほいりきのみこと)、次に八坂之入日子命(やさかのいりびこのみこと)、次に沼名木之入日売命(ぬなきのいりびめのみこと)」〈記崇神〉 †iribiko

いりびめ【入日売】⇒いりびこ。 †iribime

いりふ・し【入り臥し】《四段》①入りこんで横になる。「夜行し細殿などに―・したる」〈枕三二三〉 ②はいりこむ。すっかり入りきる。「心をすまして、その一境に―・してこそ」〈毎月抄〉

いりほが【入りほが】穿鑿(せんさく)が過ぎること。穿鑿や吟味が過ぎてうるさいこと。うがちすぎ。「やすく谷川の水といふべきを、谷川の波と詠み、木枯(こがらし)の風にてありぬべきを、木枯の声などいふ事、もっとも由なし。―といふべし」〈八雲御抄六〉。「若きころ連歌は器用なりしが、中ごろ―になりて、句凝(こ)りてせられぬ由を歎きて」〈兼載雑談〉

いりまひ イ:マ【入舞】①「入綾(いりあや)」に同じ。「いりあや、舞の―也」〈源氏物語抄〉 ②物事の終り。おしまい。「世すでに至極せり。―にや」〈盛衰記三八〉 ③入費。生活費。「せめて老いの―にと、金子五十両残し申し候」〈浮・傾城武道桜四〉

いりまへ エ:マ【入前】「入舞(いりまひ)」(2)(3)に同じ。「―も良しや老木の門の春」〈俳・蛙井集一〉

いりまめ【煎豆】大豆を煎ったもの。節分の夜の豆撒きにも用いる。「柑子橘(かうじたちばな)…―などやうのものたまはせよ」〈堤中納言よしなしごと〉 **―に花** めったにないことのたとえ。「―の例(ため)し)か除夜の雪」〈俳・毛吹草六〉

いりみ【入り身】相手に接近して攻撃する身構え、また、技(わざ)。「〔剣術ノ〕漆膠(しっかう)とは、―によく付きて離れぬ心也」〈五輪書〉

いりむこ【入聟】妻の家に入って聟となること。また、その人。聟養子。「疲労しつれば、―になって、舅(しうと)の所へ入って居るぞ」〈漢書竺桃抄〉

いりめ【入目】①費用。入費。「笈(おひ)をすすぐ清めの―、受け給ふべし」〈義経物語七〉 ②控え目。内気。「―にもなく、また、さし出でても見えぬやうに」〈吾妻問答〉。「求は謙退にして―なる者なり」〈古活字本論語抄一一〉

いりめ・き【炒りめき】『四段』物を炒った時のように、上を下へと大騒ぎする。「…など、口口に―・く程に」〈今昔二八ノ三八〉

いりもの【熬物】汁気を少なく煮つけた料理。「〔鹿八〕―にても甘し、焼物にしてもうまき奴ぞかし」〈今昔三〇ノ一三〉。「膅、和名以利毛乃(いりもの)、少汁臛也」〈和名抄〉

いりも・み【いり揉み】『四段』①風がはげしく吹きあれる。「ひねもすに―・みつる風のさわぎに」〈源氏明石〉②身をもみぬく。「この人を妻にせばやと―・み思ひければ」〈古本説話二〇〉③強く欲しておがむ。執拗に願う。「人知れぬ額(ぬか)をつき、仏を―・み奉る」〈栄花鶴林〉

いりわけ【入訳】入り組んだわけ。こみいった事情。内情。「心には思へども、さやうの―をえ申さぬなり」〈中華若木詩抄上〉

いりわり【入割】入り組んだ事情。仔細。「生きてゐては御為にならぬ義理合の―を、書置に認め」〈浮・風流杉盃一〉

いる【沃る】『上一』⇒い(沃)

いる【射る】『上一』⇒い(射)

いる【鋳る】『上一』⇒い(鋳)

いるい【異類】①種類の違うもの。「諸仏と菩薩と―にあらず」〈正法眼蔵諸法実相〉②類の異なったもの。尋常でないもの。畜生や鬼など、人間でないものをさしていう。「さまざまの―の形なる鬼神ども来たる。或いは馬のかしら、或いは牛のかしら、或いは鳥のかしら、或いは鹿の形、かくのごとくの多くの鬼神出で来たりて」〈今昔一三ノ一〉

いるかせ【忽】なおざり。おろそか。「三蔵の梵本零落して忽緒(いるかせ)になりなむとす」〈三蔵法師伝七・院政期点〉。「―に思ふべからず」〈雑談集五〉。「忽・軽、イルカセ」〈名義抄〉▽江戸時代以降イルガセと濁音。

いるさ【入るさ】入りぎわ。入る時。「月の―の山の端をそなたの空とや思はれけん」〈平家九・小宰相〉

いるまやう(ウ:ヨ)【入間様】武蔵国、入間地方の言葉と言い伝えられていた。入間言葉。逆(さか)言葉。「内内聞き及うだは、―とて、逆(さか)言葉を使ふと聞いたによって」〈虎明本狂言・入間川〉

イルマン【伊留満・以留満】《ポルトガル語で「兄弟」の意》修道士。修士。パアテレ(司祭・神父)でない修道会員。「有馬寺中のパアデレ、―、おのおの袖をつらね」〈バレト写本〉▽ポルトガル irmão

い・れ【入れ】『下二』《「出(だ)し」の対。イリの他動詞形》①内部として区別している所へ外部から移す。㋑収める。「〔珠ヲ〕妹にやらむと拾ひ取り袖には―・れて」〈万三六二七〉。「船舶(ふね)に諸の財宝を盛(い)れ満て」〈金光明最勝王経平安初期点〉㋺物かげに引っ込ませる。「あかなくにまだきも月のかくるるか山のはにげて―・れずもあらなん」〈古今八八四〉②ある範囲の中に加える。含める。「しもつけの花・葦の花、これに薄を―・れぬ」〈枕六七〉③(気持や力を)こめる。「奥山に心を―・れてたづねずは」〈古今序〉「力をも―・れずして天地を動かし」〈大和四七〉。④(表面から内部へと)筋・裂け目・くぼみなどをつける。「骨に蒔絵をし、あるは金・銀・沈(ぢん)・紫檀の骨になん筋を―・れ、ほり物をし」〈大鏡伊尹〉⑤《すっぽりと中に入れる意から》うけいれる。認容する。「奏せさせ給ふことなどは必ず聞こし召し―・れ」〈源氏宿木〉

いれあは・せ(:ア ワセ)【入れ合はせ】『下二』埋め合わせる。「おのれが損は―・せ、今は金もいらぬといふ」〈近松・五十年忌中〉

いれかたびら【入帷子】今の風呂敷のようなもの。それに衣を包んで箱の中に入れる。「御衣・御襁褓・衣筥の折立・―・包・覆したる机など同じ白さなれど、しざま人の心心見えてしつくしたり」〈栄花初花〉

いれぎん【入銀】契約の証拠として、相手に金銭を渡すこと。また、その金銭。証拠金。内金(うちきん)。或いは、代金の一部を前払いすること。また、その金銭。「にふぎん」「いれきん」「いれがね」とも。「袖に彼の家普請の―持ちながら」〈西鶴・椀久一世上〉

いれくち【入れ口】周旋。口入(くちいれ)。「諸方を駈け廻りて―を聞き出し」〈仮・都風俗鑑三〉。「中間奉公人の―する駿河屋の仁兵衛を頼み」〈教訓世諦鑑一〉

いれこ【入れ子】箱・鉢などを大小数個、小さいものから順に重ねて大きいものに組み入れるようにしたもの。「荷ひ持つ笊器(きき)の―町足駄世を行く道の者とこそ見れ」〈拾玉集三〉。「鉢といひて十ひらくだに過ぎつるに何を―の重ね重ねぞ」〈再昌草一三〉 ―**ばち**【入れ子鉢】入れ子にした鉢。数は七個が普通。「たたき入る薺(なづな)や七つ―」〈俳・遠近集一〉 ―**まくら**【入れ子枕】五つか七つ入れ子にした箱枕。夢想枕。「―寝られぬ野辺の雪消えて」〈俳・難波千句〉

いれし・め【入れ染め】『下二』(香など)よく中までしみこませる。「唐の色紙かうばしき香に―・めつつ」〈源氏玉鬘〉

いれじゃうね(ジョ ウ:)【入れ性根】他人に知恵をつけること。また、そのつけ知恵。入れ知恵。「品変る接ぎ木の花や―」〈俳・毛吹草五〉。「入性念、イレジャウネ」〈文明本節用集〉

いれずみ【入墨】①皮膚に施すほりもの。刺青(いせ)。はやく、魏志倭人伝に、「男子皆黥面文身」と見える。「ほりいれ」とも。「皆、二の腕に何氏何某行年何十歳何月何の日討ち死と―してありけるとかや」〈陰徳太平記七三〉②近世、身体刑の一。主として盗犯の刑に用いた。腕または額に入墨を施し、その形式によって、どこで処刑されたか分るようにした。入墨された前科者を「入墨者」といった。「―致し追放申し付け候ふ者」〈御触書寛保集成四三、享保六・三〉

いれぞこ【入れ底】あげぞこ。「桝(ます)に―もなし」〈雑俳・うたたね上〉

いれた・て【入れ立て】㊀『下二』①立ち入らせる。「〔先妻ノ子ヲ室ノ〕内にも―・てず」〈枕三一五〉②自分で費用を負担する。自弁する。また、弁償する。「もしこの田に仔細候はば、この田ほどに候はんずる名田の〔ヲ〕―・て候べし」〈大徳寺文書三、文保二・三・二〉㊁『名』自弁。「イレタテヲスル」〈日葡〉。「足駄・雪駄に至るまで、仕着せの外は、身の―との定めなり」〈近松・百日曾我三〉

いれつぶ【入粒】刀の柄(つか)を巻く鮫皮(さめがわ)の大きな粒を、鹿の角で作ってはめこんだ偽造品。「南の海の鮫の―」〈俳・四人法師〉

いれにっき【入日記】物品を入れた容器に同封する内容明細書。「甲箱―、大日経七巻…三教指帰二巻」〈金沢文庫古文書八、徳治三・五・一〇〉

いれのこし【入残し】大阪船場北渡辺町の有名な目薬屋。また、その薬屋で売った目薬。蛤貝に入れた膏薬(こうやく)のようなもので、よく効いて一貝使いきらぬうちに治るのでこの名があるという。入残し膏。「目医師所望に。良峰に有明の月や―」〈俳・続境海草三〉

いればな【入花】湯をさしたばかりの煎茶。でばな。「跡へはんなり―の」〈近松・今宮心中上〉

いれひも【入紐】結び玉にした紐(雄紐)を、輪にした紐(雌紐)にさし入れて、離れないようにしたもの。狩衣・直衣

・袍など、装束の首・裾の部分についている紐にいう。「よそにして恋ふればくるし―の同じ心にいざ結びてむ」〈古今五四〇〉

いれふだ【入札】 売買・請負などの値段をきめる時、または物事を選ぼうとする時、各人が札にその見込みを書き、密封して箱などに入れること。入札(にゅうさつ)。「〔建築ヲ〕―にて、大工に渡し候へ」〈梅津政景日記元和五・八・七〉

いれぶつじ【入仏事・入仏寺】 ①費用を檀那寺に提供して、そこで法事を行なうこと。よその家で行なう法事にもいう。「盧山寺へ―云云」〈言継卿記天文九・八・一〇〉。「三七日に、我等〔本家ノ〕彌三右衛門所にて―仕り申し候」〈宗静日記寛文二・六・八〉 ②《寺がもうけすぎるので》無駄な出費。また、骨折り損。「海へ降る雨〔ハ〕雨乞ひの―」〈雑俳・百傷〉

いれふで【入れ筆】 後から筆を加えること。書き入れ。「この万葉に―したりと覚えたり」〈謡・草子洗〉

いれぼくろ【入黒子】 心中だてのために、情人の名などを、その望む所に入墨すること。また、その入墨。「若衆の肌(はだ)に入らぬ―」〈俳・犬子集一七〉

いろ【色】《色彩、顔色の意。転じて、美しい色彩、女の容色。それにひきつけられる性質の意から色情、その対象となる異性、遊女、情人。また色彩の意から心のつや、趣、様子、きざしの意に使う。別に仏教語「色(しき)」(形相の意)の翻訳語としての「いろ」の用例も見られる》❶①色彩。「雪の―をうばひて咲ける梅の花」〈万八五〇〉 ②顔色。「ねには泣くとも―に出でめやも」〈万三〇一〉 ❷①美しい色彩。「しぼめる花の―なくて、にほひ残れるがごとし」〈古今序〉 ②華美。はで。「今の世の中―につき、人の心花になりにけるより」〈古今序〉 ③艶のある美。特に髪にいう。翡翠(わかみせ)の緑の羽毛のように艶があって美しい髪。「〔髪ノ〕末すこし細りて『―なり』とかいふめる翡翠(ひすい)だちて、いとをかしげに〔美シク〕」〈源氏椎本〉。「髪は少し―にて」〈狭衣三〉 ④(女の)美しい容色。「〔女ノ〕絵にかきたりし形にだに御心を悩まされし御事也。まして実の―を御覧ぜられて、いかにせんと恋しのばせ給ふも理(ことわり)かな」〈太平記一八・春宮還御〉。「―と云ふは女房のみめの良いを―と云ふぞ」〈玉塵抄四三〉 ❸色情。①美しい容色にひきつけられやすい性質。「この宮(匂宮)の、いとさわがしきまで―におはしますなれば、心ばせあらむ若き人(侍女タチ)侍ひにくげになむ」〈源氏浮舟〉。「いと―なる御心ぐせにて」〈大鏡師輔〉 ②色情の逸楽。色欲。「道命阿闍梨とて…―にふけりたる僧ありけり」〈宇治拾遺一〉 ③色情の対象となる異性。「御心に染む―(女)も無かりけるにや、これをと思召されたる御気色もなく」〈太平記一八・春宮還御〉。「―と俗の云ふは女のことぞ」〈玉塵抄二一〉 ④遊女。「山州(やましゅう)と言ひ、―などと云うて嬉しがるなり」〈仮・都風俗鑑四〉 ⑤情人。「今は只どうしているぞ江戸の―」〈雑俳・大和のかまど〉 ⑥情事。「うぬが―をしていることを誰(た)が知る物だ」〈咄・無事志有意〉 ⑦色気。「女形は―がもとなり」〈あやめぐさ〉 ❹特定の場合の衣服の色彩。①位階によって定められた服の色。当色(とうじき)。禁色(きんじき)。「―ゆるされたる〔女〕ありけり」〈伊勢六五〉。「〔重雅ガ、禁色デアル紫ニ似タ〕葡萄染(えびぞめ)の織物の指貫を着たれば『重雅は―ゆるされにけり』など…わらひ給ふ」〈枕二七八〉 ②喪服。また、その色(にび色・白など)。「親宗(ちかむね)の中納言うせて後、―なる人の袖の上もおしはかられて」〈建礼門院右京大夫集〉。「ひとへに―のごとく見えければ…いまはしく見えさせおはしまし候」〈平家三・医師問答〉 ❺表にあらわれて何とない感じを与えるもの。①けはい。「春の―のいたりいたらぬ里はあらじ」〈古今九三〉 ②心のつや。情趣。「世に―もなき入道殿かな」〈八幡宮巡拝記下〉 ③おもむき。匂い。「『…昔の人の心地こそすれ』など、やうやうに―を添へて言はる」〈嵯峨のかよひ路〉 ④ようす。きざし。「勝つ―見せたる梅が枝の」〈謡・田村〉 ❻種類。しな。はじめは目で見分けられる種類。後には耳で聞き、考えて分ける種類もいう。「目に見ゆる鳥けだもの―をもきらはず殺し食へば」〈宇津保俊蔭〉。「皮でこそ女男の―はあれ骨となりてはかはらざりけり」〈西明寺百首〉 ❼《形あるものの意の梵語の漢訳「色」を、イロと訓んで》形相。有形の万物。「仏の相好にあらずより外の―を見むとおぼしめさず」〈栄花鶴林〉 †irö

―改まる 着物の色がわかる。喪が明けて白・にび色の喪服の色が平常の服の色にもどる。「宮の御はても過ぎぬれば世中―・りて」〈源氏少女〉 **―に出・づ** ①顔色・そぶりにあらわれる。「恋はまされど―・でば人知りぬべみ」〈万一七八七〉 ②表立つ。「―・でて咎め仰せられずなりにしも」〈大鏡公季〉 **―を直・す** 安心したり、機嫌を直したりして、正常の顔色をとりもどす。「皆人―・して…我先にとぞ進みける」〈平治上・六波羅より紀州へ〉 **―を見て灰汁(あく)を差せ** 染色の加減を見て、時機を失せず、仕上げに灰汁を差し加えるように、物事の様子をよく見て、機会をのがさず処置せよというたとえ。〈俳・毛吹草二〉

いろ【同母】《イラ(同母)の母音交替形》母を同じくする(同腹である)ことを示す語。「同母兄弟(いろせ)」「同母弟(いろど)」「同母姉妹(いろも)」などと使う。崇神天皇の系統の人名に見えるイリビコ・イリビメのイリも、このイロと関係ある語であろう。従来、このイロの語を、親愛を表わすと見る説が多かったが、それは根拠がうすい。蒙古語 el は、腹・母方の親戚の意を持つが、語形と意味の類似によって注意される。「其の兄(いろえ)神櫛皇子は、是讃岐国造の始祖(はじめのおや)なり」〈紀景行四年〉 †irö

いろ【倚廬】 諒闇(りょうあん)の期間、天子がこもる仮の屋。「―の御所のさまなど」〈徒然二八〉

いろあそび【色遊び】 遊女・野郎を相手として遊ぶこと。「―盛になって、あとなくつかひ捨てしとかや」〈西鶴・諸艶大鑑二〉

いろあひ イ:ア【色合】 ①色のぐあい。色調。多く顔色・染色にいう。「〔顔ノ〕―心ちよげに、声いとかれて」〈源氏玉鬘〉 ②顔色。機嫌。「目と目を見合はし、その―を頼めにて、見ぬ振りしながら尻目に掛け」〈浄・牛若千人切二〉

いろいと【色糸】 ①種種の色に染めた糸。「―の細工美し花の枝」〈俳・花月十八番句合〉 ②三味線の糸。また、三味線。「美をかざりての女酒盛、撥音(ばちおと)の―」〈西鶴・懐硯五〉

いろいろ【色色】 ①あの色この色。さまざまの色彩。「秋の花しが―に」〈万四二五四〉。「―の紙なる文ども」〈源氏帚木〉 ②種種。さまざま。あれこれ。「夜一夜―の事をせさせ給ふ」〈源氏澪標〉 †iroiro

いろいろ・し【色色し】『形シク』①女色にひきつけられやすい性分である。「―・しき者にて、よきあしきをきらはず、女といへば心をうごかしけり」〈著聞五五四〉 ②けばけばしい。派手である。「同じ程の人に差し出で―・しき物着給ふべからず」〈極楽寺殿御消息〉

いろえ【同母兄】 同母の兄。「我(やつがれ)が―の二(ふたはしら)の天皇(すめらみこと)」〈紀允恭即位前〉 →いろ(同母) †iroye

いろか【色香】 ①色と香りと。「梅の花あかぬ―は」〈古今三七〉 ②色気。あでやかな容色。妖艶(ようえん)。「―を飾る玉衣の」〈謡・仏原〉

いろかご【色駕籠】遊女を送迎する駕籠。「送り迎ひの—も、しばし途絶えはいづくにも」〈近松・重井筒下〉

いろかたち【色形】顔色。「—も無くなりて…走(は)せ行く」〈今昔一九ノ二六〉。「色、イロカタチ」〈名義抄〉

いろがはら〔ガワラ〕【色河原】近世、京都の四条河原をさす。劇場があって色子が多くいたのでいう。「京にて—、色里にて一座せし人人」〈西鶴・一代男八〉

いろがみ【色神】男女の恋をとりもつ神。「これこそ—の引き合はせと喜び」〈浮・傾城色三味線三〉

いろぎぬ【色衣】「いろごろも」に同じ。「取る袖も三重がさね、その—の」〈謡・班女〉

いろくさ【色草】いろいろの秋草。「—をみながら霜の花野かな」〈再昌草三五〉。「色色の秋ぞ見えまし苑(その)のうち。苑の垣根の—なるべし」〈宗長連歌自註〉

いろくさ【色種】色の種類。また、さまざまの種類。「秋の花を植ゑさせ給へること…—をつくして」〈源氏野分〉

いろくづ【鱗】①(魚や虫などの)うろこ。「鱗、以呂久都(いろくづ)、俗云、伊呂古、魚甲也」〈和名抄〉 ②転じて、魚の総称。「うろくづ」とも。「宇治河の底にしづめる—を網ならねどもすくひつるかな」〈栄花御裳着〉

いろぐるひ〔グルイ〕【色狂ひ】色遊びにふけること。「心ばかりは人がましく、身に応ぜぬ—」〈仮・好色袖鑑下〉

いろこ【鱗】①うろこ。転じて、魚。「—のごと造れる宮」〈記神代〉。「鱗、以呂久都、俗云、伊呂古(いろこ)、魚甲也」〈和名抄〉 ②《魚のうろこに似ているので》頭のふけ。「頭垢、謂二之雲脂一、加之良乃安加、一云、伊呂古(いろこ)」〈和名抄〉 **—だ・ち**【鱗だち】『四段』(形・模様などが)うろこ風である。うろこのようである。「蛇(くちなは)の形(かた)をいみじく似せて…—・ちたる懸袋(かけぶくろ)に入れて」〈堤中納言虫めづる〉

いろこ【色子】色を売る歌舞伎若衆。「酒の相手に—ども」〈西鶴・胸算用三〉

いろこ・し【色濃し】㊀『連語』色が濃い。「紫の—・き時は」〈古今八六八〉。「雨晴れて—・き山の裾野より」〈風雅一六八六〉 ㊁『形ク』①趣が深く豊かである。「白妙の梅に—・き匂ひ哉」〈自然斎発句春〉 ②しつこい。くどい。「片田舎の人こそ—・く、よろづはもて興ずれ」〈徒然一三七〉

いろこそで【色小袖】色染の小袖。「—大形ずぶに染めらるる」〈俳・大坂一日独吟千句〉

いろごと【色事】①情事。「—があぢなもつれで墨衣〔ヲ着ル身トナル〕」〈雑俳・表若葉〉 ②情人。愛人。「あの花紫は幡随長兵衛が—だとの事」〈伎・傾城吾嬬鑑序幕〉 ③〔歌舞伎用語〕濡れ場の演技。濡れ事。「舞台へ出て、—をする時」〈あやめぐさ〉 **—し**【色事師・色事仕】歌舞伎で、色事の演技を得意とする役者。後、女たらしの異名にも用いられた。「〔女形ガ〕—の立役と並びて、むさむさと物を喰ひ」〈あやめぐさ〉

いろごの・み【色好み】㊀『四段』《イロは美しい容色。また、色情の意。コノミは、生来、特に或るものが好きである意。また、好きなものを求める意》気にいる好い女を求めて、あれこれとはたらきかける。「平中が—・みけるさかりに市へ行きけり。なかごろは、よき人人市にいきてなむ—・むわざはしける。…〔故后ノ宮ノ御達ニ〕平中—・みかかりてになう懸想しけり」〈大和一〇三〉 ㊁『名』《イロゴノミと濁音。平安時代から見える語》①生れつき特に異性を好む性分。「昔、男、—(男好キ)なりける女に逢へりけり。〔女ヲ〕うしろめたく(気ガカリニ)や思ひけむ、『我ならで下紐解くな…』」〈伊勢三七〉。「良少将といふ人…いと—(女好キ)になむありける。忍びて時時逢ひける女、同じ内裏にありけり」〈大和一六八〉 ②㋑異性との関係を好む人人。「〔今ノ世ノ中デハ〕あだなる歌、はかなきことのみ出でくれば、〔歌ハ〕—の家に埋れ木の人知れぬこととなりて、まめなる所には、花すすき穂にいだすべきことにもあらずなりにたり」〈古今序〉。「昔覚えで(昔ニ似ズ)不用なるもの。…—の老いくづほれたる」〈枕一六三〉 ㋺女あさりをする男。「あだ(不実)なる男、—、二心ある人にかかづらひたる女」〈源氏若菜下〉 ㋩男好きな女。「娘をいみじうかしづき、めでたうあらせけるほどに、あまりすきずきしうなりて、—になりにけるとなむ」〈栄花様様悦〉 ③㋑女にとって魅力のある美男。色男。「忠こそ十三四になりぬ。かたち清らに…こともなき—にて生ひでて」〈宇津保忠乞〉 ㋺男にとって魅力のある美女。「〔業平ノ言葉〕われも…—は数を知らず逢ひ馴れしかども、思ひとめしはわづかなり。以上十三人」〈伽・小町草紙〉 ④《中世以後に》通人。風流人。「世に二人三人の賢き—出でて盛りにもてはやし侍るより〔歌ノ〕道ひろき事になれるとなむ」〈ささめごと上〉。「つねは岩の間にて花を見、秋は木の梢にては月を眺め、よろづの木の実を愛し、いとやさしき—にておはしける」〈伽・のせ猿草紙〉 ⑤遊女。「—尋ねて呼べかし」〈伽・物くさ太郎〉 ▽この語は漢語「好色」の訓読からおこった語か。大学に「悪臭を悪(にく)み好色を好むが如し」とあり、好色は美しい容色、美人の意。また論語には「徳を好むこと色を好むが如き者を見ず」とあり、これは女色を好む意。これら当時の学生必修の漢文にある「好色」がイロコノミの成立に関係があるか。

いろごろも【色衣】美しい色の衣。晴れの衣服。「あまた年けふ(元日)改めし—」〈源氏葵〉

いろごゑ【色声】色めかしい声。色気の籠った声。「簾(すだれ)越しに—掛けて『よらしゃりませい』といふもよしなや」〈西鶴・一代女五〉

いろざうし〔ゾウ〕【色草紙】好色本。浮世草紙。濡れ草紙。「其の外の—にて、かうした事とは知れども」〈浮・好色文伝授一〉

いろざかり【色盛り】女子の容色の最も美しい年頃。「十六にて殿珍しき—」〈近松・佐々木大鑑一〉

いろざし【色差し】(顔などの)色のようす。「御—まことにめでたく、御心地よげに見えさせ給ひけるが」〈沙石集一ノ七〉

いろざと【色里】遊女のいる所。遊里。遊廓。「難波の—に帰りぬ」〈西鶴・一代男七〉

いろさま【色様】器量の美しい人の敬称。「花をあざむく—の御顔も見たし」〈近松・本領曾我三〉

いろさみせん【色三味線】遊女の引く三味線。「色じゃみせん」とも。「—引き掛けて、突節(つきぶし)の小歌(こうた)に日をかたぶけ」〈西鶴・三所世帯下〉

いろしな【色品】①いろいろな品物。しなじな。品数(しなかず)。「御年貢の—を申せと仰せ出されたれども」〈虎明本狂言・筑紫の奥〉 ②さまざまな手段・方法。「科(とが)送りとして難行苦行の—を尽されけるによって」〈ロザリオの経〉 ③色っぽい愛敬。「—をつけて、しどもなく、そそりかけて言はんするは、結局浅うなります」〈評判・朱雀諸分鑑上〉

いろじゃうど〔ジョウ〕【色上戸】①飲めばすぐ顔の赤くなる酒飲み。「我は我にあらぬ(前後不覚ニナル)や桃〔色〕の—」〈俳・懐子三〉 ②飲めば好色になる酒飲み。「つがもない大物喰(ものくひ)の—」〈俳・正風集六〉

いろしり【色知り】人情の機微に通じた人。わけしり。通人。「人の中をにっことなすべし。然れば—にてなくは、住する時節あるべし」〈申楽談儀〉

いろせ【同母兄弟】母を同じくする姉妹からいう兄、また

弟。「吾は天照大御神の―なり」〈記神代〉 →いろ(同母)・せ(兄) †iröse

いろだ・ち【色立ち】『四段』 ①緊張した様子があらわれる。「十市内衆―・ち、柳本へ寄せ了んぬ」〈多聞院日記永祿九・九・一八〉 ②怒って顔色が変わる。「番衆―・って、やあ無礼者狼藉者、さがれすされとざわめけば」〈近松・関八州三〉

いろぢゃや【色茶屋】 色を売る女を抱えて置く茶屋。「中の地蔵の―にて」〈西鶴・三所世帯中〉

いろづか【色柄・傾城柄】 遊里での遊興をよく心得ている。遊興の通人である。略して「色柄」とも。「―・るほどの者、讃を付けぬはなし」〈浮・野白内証鑑一〉 **―握・る**

いろづか・ひ【色づかひ】《色ヅキに反復・継続の接尾語ヒのついたもの。→ひ》 だんだん色がつく。紅葉してゆく。「〔葉ガ〕―・ふ秋の露霜」〈万三三五三〉 †iröduka̋ri

いろづ・き【色づき】『四段』 葉や花や実が秋色・春色を帯びる。古くはモミジにいうことが多い。「秋されば置く露霜にあへずして都の山は―・きぬらむ」〈万三六九九〉。「紅梅いと疾く咲く花にて―・きにけり」〈源氏末摘花〉 †iröduki

いろど【同母弟・同母妹】《イロ(同母)オト(下)の約。「いろね」の対》 母を同じくする兄からいう弟。また、母を同じくする姉からいう妹。「此の王(みこ)、ふたりの女(むすめ)有りき。兄(いろね)の名は蠅伊呂泥(はへいろね)。…―の名は蠅伊呂杼(はへいろど)なり」〈記安寧〉 →いろ(同母)・おと(弟) †irödö

いろとり【色鳥】 秋渡って来るいろいろの小鳥。「―に山や紅葉の初時雨」〈実隆公記永正四・九・一〇〉。「此の―、いろいろの鳥と言ふ心也」〈伊勢千句注〉

いろど・り【色取り・彩り】『四段』《色彩をほどこしてものを飾る意》 ①美しい色をほどこす。「鴨頭草(つきくさ)に衣―・り摺らめども」〈万一三三九〉 ②色をぬって飾る。「胡粉・朱砂など―・りたる絵ども画きたる」〈枕一四九〉 ③紅白粉(べにおしろい)や黛(まゆずみ)などを顔につける。化粧する。「〔口紅ヤ頬紅デ〕―・りたる顔づくりをよくして」〈源氏総角〉 ④声などに色合いをつける。「総じて、呂律(りよりつ)をもて―・り謡ふべきなり」〈音曲事〉 ⑤しなをつくる。色っぽい様子をする。「鼻歌唄うて―・る所を」〈近松・虎が磨上〉 †irödöri

いろなほし【色直し】 ①祝言の後、新婦が白小袖を色模様の小袖に着替えること。「〔祝言〕三日目には、―とて色ある物を着候」〈宗五大双紙〉 ②子供の生後、初めて産婦・産児が色小袖を着ること。「孫女百日也、―・食始等也」〈十輪院内府記文明一九・四・二二〉

いろね【同母兄・同母姉】《「いろど」の対》 同母の弟からいう兄。また、同母の妹からいう姉。「諸(もろもろ)の兄(いろね)及び子等(みこたち)に謂(かた)りて」〈紀神武即位前〉。「吾が姉(いろね)磐長姫」〈紀神代下〉 →いろ(同母) †iröne

いろは【母】 生みの母。生母。「父(かそ)・―、二神(ふたはしらのかみ)」〈紀神代上〉。「母、イロハ、俗云、ハハ」〈名義抄〉 ▽イロは本来、同母、同腹を示す語であったが、後に単に母の意と見られて、ハハ(母)のハと複合してイロハと使われたものであろう。 †iröfa

いろは【伊呂波】 ①「いろは歌」に同じ。また、その平仮名四十七文字の総称。「権者(弘法大師)の製作として、真名(まな)の極草の字を―に縮めなして」〈行阿仮名文字遣〉。「―、弘法大師の作なり。故に小児まづこれを習ふなり」〈神代紀環翠抄上〉。「京の字は―の内にあらず。百千万等を書き添へたる如くに、童子に習はせん為に、書き加へたる也」〈見聞愚案記四〉 ②《手習いの最初に「いろは」を習うので》 物事の手はじめ。初歩。「日本国の―は、天台山の慧心の往生要集これなり」〈日蓮遺文浄蓮房御書〉。「―と云ふは、物を書きそむる時習ふ物なり。故に最初と云ふ心にて―と遊ばすなり」〈御書抄一八〉 ③《「いろは」は「京」までいれて四十八字あるから》 他の語に冠して、四十八個有る意を表わす。「居宅の外に、四拾八ケ所の屋敷を買得す。所謂江戸屋の―屋敷と名付けて」〈浮・棠大門屋敷一〉 **―うた**【伊呂波歌・色葉歌】 ①平仮名四十七文字を全部一回だけ使って作った今様歌。「諸行無常、是生滅法、生滅滅已、寂滅為楽」の意を和訳したという。平安中期以後の作だが、弘法大師が作ったものと鎌倉時代から俗に伝えられる。手習いのはじめにこれの順で仮名を習った。「打ち向ひ読むや紅葉の―(色葉ト掛ケル)」〈俳・毛吹草六〉 ②いろは四十八文字(四十七文字に「京」「ん」、あるいは一から十までの数字を加える)を句頭において作った教訓歌。「―の中に。十分に至りて見れば何もなし仏と言ひて底を付きけり」〈古今夷曲集一〇〉 **―たんか**【伊呂波短歌】《短歌は今でいう長歌の意》 いろは四十七音の各音節を句頭に持つ、滑稽または教訓の意の長歌。「―にて返事をしはんべりぬ」〈伊呂波短歌〉 **―ぢゃや**【伊呂波茶屋】 ①四十八軒ある茶屋の総称。近世、各地に見られたが、特に大阪道頓堀のが名高い。「音羽町―」〈浮・和気の裏甲五〉 ②特に江戸谷中(やなか)感応寺(後に天王寺と改名)門前の私娼のいた茶屋。主に寛永寺の坊主を客にした。「―〔坊主ガ変装シテ〕医者〔ノ姿〕で行くほど間(あひ=距離)はなし」〈雑俳・万句合明和二〉 **―づけ**【伊呂波付】 番号をいろは順につけること。また、そのつけたもの。いろは番付。「金色の文字―なり」〈俳・塵取下〉

いろ・ひ【色ひ】 ㊀『四段』《入リ追ヒの約か。事に入りこんで追う意》 ①口を出す。干渉する。「惟光の朝臣、例の忍ぶる道は、いつとなく―・ひ仕うまつる人なれば」〈源氏松風〉 ②かかわる。関係する。「我知らぬ事なり。―・ふに及ばず」〈一遍聖絵五〉 ③手をふれる。いじる。「かやうのもの(死人ノ入ッテイル棺)をば―・はぬ事なりとて逃げにけり」〈伽・むらまつ物語〉 ㊁『名』 口出し。干渉。「現在の謀反人の跡の外は、地頭の―を停止せしむべきの状」〈吾妻鏡文治二・二二・二四〉。「惣座中の得分・配分に―有るべからず」〈円満井座壁書〉

いろ・ひ【色ひ・綺ひ】『四段』 ①色が美しくなる。「いかばかり思ひ置くとも見えざりし露に―・へる撫子の花」〈和泉式部集五〉 ②色合で目がまどわされる。色合で視覚が混乱する。「かざしの花の色色は、秋の草に異なるけぢめ分れで何事にも目のみまがひ―・ふ」〈源氏若菜下〉

いろびと【色人】 ①美しくなまめかしい人。「その名も月の―は」〈謡・羽衣〉 ②色道の粋人。通人。「―のつらつら〔遊興ノ〕もめ(費用)を数ふれば」〈俳・七百五十韻〉

いろぶか・し【色深し】『形ク』 色が濃い。また、美しい。「紅(くれなゐ)の濃染めの衣―・く染(し)みにしかばか忘れかねつる」〈万二六二四〉。「艶、以呂布加志(いろぶかし)、又美也」〈新撰字鏡〉 †iröbukasi

いろふし【色節】 ①晴れの場。「〔夫ノ参内ニ〕下仕(しもづかへ)、手振(てぶり)などが具しいけば―に出でたらむここちして」〈かげろふ上〉 ②光栄。「〔源氏ニ〕仕うまつるを―に思ひたるに」〈源氏澪標〉 ③色彩。光彩。「よろづの物のきらかざり―も夜のみこそめでたけれ」〈徒然一九〉

いろ・へ【色へ・綺へ】『下二』《イロを動詞化した語》 ①色彩を浮き出させる。色をとりまぜて飾る。「文(あや)―・へ画けるに同じ」〈彌勒上生経賛平安初期点〉。「褐(かちん)に赤地の錦を以て大領(おほくび)端袖(はたそで)―・へたる直垂に」〈平家一一・那須与一〉 ②ことばなどに彩りを添える。修飾

する。「我、今仕る狂言は、昔よりも少し―・へて致し候」〈わらんべ草三〉

いろまち【色町】色を売る女のいる町。色里。遊廓。「―に此の人知らぬ者なし」〈西鶴・一代男四〉

いろめ【色目】①衣服などの色合。「雲鳥の綾の―も思ほえず人をあひ見て程の経(へ)ぬれば」〈続後拾遺八七七〉②目につくしるし。兆候。「今はその―も見えねども、時節到来してつひには吉凶の効(しるし)を見る如し」〈夢中問答中〉③様子。気色。「いよいよ思ひ極めて舌喰ひ切る―の時」〈西鶴・五人女四〉④思いを目つきにあらわすこと。また、流し目。「病人の―を遣ふけちな事」〈雑俳・万句合安永七〉

いろめか・し【色めかし】『形シク』①色情を動かしやすい。「―・しき御心」〈源氏宿木〉②色がけばけばしい。派手である。「此曲味、花紅葉の―・しき風色にはあらず」〈五音三曲集〉

いろめ・き【色めき】『四段』《色の動きがおのずと現われて、外から見える意》①目に立つように、色がはっきり現われる。「折りて見ばいと匂ひもまさるやと少し―・け梅の初花」〈源氏竹河〉②(異性に対して)気のあるさまが、ほかから見える。「[召使ノ童女ハ]―・きて、この珍しき男の艶だち居たる方に帰りいにけり」〈源氏手習〉③気分の動きが様子ではっきりと見える。「[大蛇]腰のもとに這ひ来て、舌をいだして―・く」〈古今集註〉

いろも【同母妹】母を同じくする男兄弟からいう妹。「いろせ」の対。「その―に問ひていひけらく、『夫(を)と兄(いろせ)といづれか愛(は)しき』といへば」〈記垂仁〉→いろ(同母)・いも(妹)。 ✝irömo

いろやど【色宿】色遊びする時の宿。女郎屋。また、色茶屋。色屋。「四条の―にて硯紙取出し」〈西鶴・二十不孝一〉。「御油・赤坂・金川・品川なんどは、押し出しての―」〈浮・好色床談義四〉

いろよ・し【色良し】『形ク』①色具合・音色などが良い。「貝の音の―・く鳴るは吉事なり詰り鳴らずはつつしみをなせ」〈義経百首〉②容色が美しい。「―・き人を見そめて」〈仮・好色袖鑑上〉

いろゑ【色絵】①彩色を施した絵。「霞しく春や―の紙屋川」〈再昌草三〉②濡れ場。「―。通言にて立役・女形色情の事を云ふ」〈皇都午睡三上〉

いろをとこ【色男】①美男。好男子。「千代に変らぬ―」〈浄・大原御幸四〉②好色な男。「―はしたにばかり産をさせ」〈雑俳・万句合宝暦三〉③情夫。間夫(まぶ)。「―連れて退くのか殺すのか」〈雑俳・替狂言〉

いわう【医王】薬師如来の別称。特に比叡山延暦寺根本中堂の本尊をさすこともある。「―、山王に憚り奉りて」〈平家七・木曾山門牒状〉

いわうじ「いはらじ」の訛。「家家の―」〈俳・堀河之水三〉

いわか・れ【い別れ】『下二』《イは接頭語》別れる。「島伝ひ―・れ行かば」〈万一四五三〉

いわ・け『下二』⇒いはけ。 **―な・し**『形ク』⇒いはけなし

いわ・け『下二』おどろきあわてる。「―・けあわてて、せむすべを解(し)らず」〈紀雄略即位前〉▽仮名遣が「いはけ」か否か不明の語。

いわし【鰯】魚の一。「鰯、以和之(いわし)」〈和名抄〉 **鰯網(いわしあみ)で鯨を取・る** 意外な幸運のたとえ。「思ひもよらぬ拾ひ物、―・るとは此の事」〈近松・国性爺四〉 **―で精進落・ちる** つまらぬことで禁戒を破るたとえ。「―・ちようとした」〈近松・堀川波鼓上〉 **―の頭も信心から** 鰯の頭も信仰の対象となる資格がある意で、信心によっては、つまらぬものも神仏に見えるたとえ。「鰯の頭も信心がら」「鰯の頭も信じがら」「鰯の頭」とも。〈俳・毛吹草二〉

いわた・し【射渡し】『四段』こちらから、遠く向うまで矢を射る。「投矢(なぐや)もち千尋(ひろ)―・し」〈万四一六四〉

いわた・り【い渡り】『四段』《イは接頭語》渡る。「―・りて潜(かづ)き取るといふあはび玉」〈万四一〇一〉

いわらじ【家主】⇒いはらじ。「町屋の―」〈仮・女五経五〉

いを【魚】うお。さかな。「けふ節忌(せちみ)すれば―不用」〈土佐二月八日〉。「池におよぐ―、山に鳴く鹿」〈源氏手習〉。「魚、ウヲ、俗云、イヲ」〈名義抄〉

いをさ【い小箭】《イは接頭語。サはサツ矢のサ》小さい矢。「荒し男の―手(だ)はさみ向ひ立ち」〈万四四三〇防人〉

いん【印】①印章。しるし。「沙頭に―を刻む鷗(かもめ)の遊ぶ処」〈和漢朗詠集水〉②仏・菩薩などの悟りや誓願を手の指でいろいろと形に結んで表わすもの。真言宗の僧が陀羅尼を唱える時行なう。「不動の陀羅尼よみて―作りてゐたらむも憎し」〈源氏常夏〉

いん【因】〔仏〕《「果(か)」の対》果の報いを生ずる原因となるもの。「善悪因果経に云はく、過去の―を知らむと欲(ほ)はば、其の現在の果を見よ」〈霊異記上一八〉

いん【陰】⇒いんやう。「陽の気に陽とし、―の気に―とせば、和する所あるまじければ成就もあるまじ」〈風姿花伝〉

いんえん【因縁】①〔仏〕因と縁と。結果をもたらす内的な直接原因と、外からこれを促進する間接的な原因。また、その両者の関係や力。「―を以(も)ての故に、汝、我に値(あ)へり」〈霊異記下一〉②事物の由来。来歴。「此の楽の―は、大唐に王昭君と申す后ありけり」〈教訓抄六〉

いんか【印可】①師僧が弟子の得た悟りを証明認可すること。「六祖つひに―す」〈正法眼蔵深信因果〉②芸道で、師が弟子の熟達を証明すること。また、その証明書。「はやはや御能に安堵の分は―申し候也」〈世阿彌書状〉

いんき【陰気】《「陽気」の対》①万物の形成において、消極面を代表する「陰」の気。「陽気・―とてあり。されば陽気を得る花は早く開くなり。―とて日陰の花は遅く咲くなり」〈蓮如上人御一代聞書末〉②気分などが晴れ晴れしないこと。うっとうしいこと。「キガインキシタ」〈日葡〉。「南(みなみ)の空に―な雲たちて」〈俳・正章千句上〉

いんぎふ【引汲・引級】贔屓(ひいき)すること。弁護支援すること。味方すること。「汲引」とも。「去夜、右府左府に諂で、即ち帰る云云。人人云はく、―の人に依りての事歟云云。世の人甘心せず」〈小右記寛弘三・一・二五〉。「是れ全く平氏を―するには非ず」〈玉葉寿永三・一・二六〉

いんきょ【隠居】①戸主が生存中、家名と家産を相続人に譲り渡し表向きから退くこと。また、その人。「僧[ノ]死去・遠行・―・[忌]服等は早く注進す可きの由」〈小右記寛仁一・一〇・一〉②隠居した人の住む家。多く母屋(おもや)の後ろに建てた。隠居屋。「晩[ニ]、正休様御―へ御移り遊ばされ候」〈宗静日記万治三・八・二九〉 **―がね**【隠居銀】隠居の生活費として、相続財産から分けられた資産。隠居料。隠居ぎん。「―十百貫目も夢なれや」〈俳・信徳十百韻〉 **―れう**【隠居料】隠居所有の財産。隠居分。隠居免。隠居領。「―とてうれし野の春」〈俳・江戸両吟〉

いんきょくわどう【陰虚火動】漢方の病名。心労や性生活の過度のため、心身が衰弱する病気。陰虚。腎虚。「水無月は[水ガナイノデ]―の螢かな」〈俳・玉海集三〉。「―の気色に極まり」〈西鶴・諸国咄三〉

いんぎん【慇懃】丁寧なこと。礼儀正しいこと。「誠心に住して、―に洗ふべし」〈正法眼蔵洗浄〉。「恭とは―なを云ふぞ」〈論語抄述而〉 **―かう**【慇懃講】礼儀を重んじておこなう集会。「無礼講」の対。「春の野に―の始まりて」〈俳・犬筑波〉 **―びろう**【慇懃尾籠】慇懃過ぎて却って無礼なこと。慇懃無礼。「卑下過ぎたる詞は、かへりて―になるなり」〈細川幽斎聞書五〉 **―ぶくろ**【慇懃袋】《礼服に着用するのでいう》袴。「苔むこそ―藤袴」〈俳・続山の井三〉

いんぐゎ【因果】〔仏〕①一切の現象を支配する原因と結果の法則。「―を信(う)け、五戒十善を受持し」〈霊異記中三〉 ②前世の行いが因となって、この世に現われた果の現象。前世の悪行による報いをいうことが多い。これに対して、善行の報いを「果報(くゎほう)」という。「―とは、吾が身の当時の有様をもって、来し方行く末を知る理なり」〈孝養集上〉。「今時も悪い事をして―ぢゃなどと云ふつれぞ」〈大恵書抄一〉 **―が蹲(つくば)・ふ** 前世の悪報が、その人の前途にうずくまって待ちかまえる。「―・うて、〔不幸ニモ〕これにて頼うだ人に逢うた」〈虎明本狂言・武悪〉 **―含・める** 説得して、しかたがないと諦めさせる。「―・めて〔名木ノ〕松に歌彫る」〈俳・稲筵下〉 **―もの**【因果者】前世の悪報をこの世で受けている不幸な人。「かやうの―は、せめて三七日も祈り加持してこそはあるべけれ」〈伽・ささやき竹〉

いんげん 「ゐげん(威言)」の転。「其の時、謀久原(むくはら)―に申す。『今日は組打に仕りたる』と申し上げければ」〈三河物語中〉

いんげん【隠元】《「院家(ゐんげ)」の訛》僧侶。または、住職。「―らしき御法師」〈西鶴・男色大鑑三〉

いんさう【印相】①仏・菩薩が手に結んでいる印の形。「この仏、昔より―定まり給はぬよし」〈著聞六三〉 ②仏の顔つき。仏の面相。「物欲しさうな御―で気に入らぬ」〈虎寛本狂言・仏師〉

いんじ【婬奼】遊女。「―の平生(へいぜい)きよらを見するは、渡世のためなり」〈西鶴・永代蔵一〉

いんじ【去んじ・往んじ】㊀『連体』《イニシの音便形。「去し」と表記されていて、イニシかインジか分らない例が多い》過ぎ去った。「義仲、―年の秋、宿意を達せんが為に、旗をあげ剣をとって」〈平家七・木曾山門牒状〉。「―安元三年四月二十八日かとよ」〈兼良本方丈記〉 ㊁『名』過ぎ去ったこと。往時。「―をとがめずと申す事候へば、御憤り今は是までにてこそ候へ」〈太平記三八・細川相模守〉

いんじゃ【隠者】世を捨て、俗界との交わりを断ち、ひっそりとかくれ住む人。隠遁者。隠士。「白米・和布等…西山の―良命に施与す」〈小右記長和二・七・一〉 **―かたぎ**【隠者形気】引込み思案で、世間の人と交際することを好まぬ性質。「葉隠れや―の園の菊」〈俳・誹諧師手鑑〉

いんじゃう【引声】声に高低・伸縮の曲調をつけて仏文を唱えること。「是、極楽の聖衆(しゃうじゅ)の阿彌陀如来を讃め奉る音なり。―といふ是なり」〈今昔一一ノ二七〉

いんしん【音信】①おとずれ。たより。音問(いんもん)。「其の後―なくて七十日に及びぬ」〈沙石集六ノ一九〉 ②贈り物。進物。音信物。「銭百文もちて礼に来たりて候。以後は―せず候」〈本福寺門徒記〉

いんす【印子】①氷柱(つらら)形の黄金の天然の塊(かたまり)。「咲く色はかな山吹の―かな」〈俳・犬子集三〉 ②よく精錬した舶来の純金。「近代、―などの渡り候ふは」〈妙貞問答下〉

いんぜふ【引摂・引接】〔仏〕阿彌陀仏が来迎して、衆生を極楽浄土へ導くこと。「一度御名を唱ふれば、来迎―疑はず」〈梁塵秘抄三〇〉

いんだう【引導】①手引きすること。導くこと。「三位阿闍梨房、先年参詣の時、鵜山入道殿と申す人―申して候」〈米良文書一、貞和五・三・二九〉 ②〔仏〕迷っている衆生を導いて仏道に入らせること。「ただ願はくは大徳(たいとこ)後世を―し給へ」〈三宝絵中〉 ③〔仏〕葬式の時、導師の僧が、死者を彼岸の浄土に導くために、転迷開悟の法語を与えること。「葬礼これ在り。…―は西大寺長老出で了んぬ」〈多聞院日記天正二・八・一六〉

いんぢ【印地】①石合戦。つぶて打ち。「しゃつも―をこそ為習うて候らめ」〈義経記二〉 ②石合戦を得意とした無頼の徒。「公卿殿上人の召されける勢と申すは、向へ礫、―、云ふ甲斐なき辻冠者ばら、乞食法師どもなりけり」〈平家八・鼓判官〉 ③五月五日に子供たちが行なった川原での石合戦。室町時代に流行した。「五月五日は端午の節句…京白河の童ども、作り刀や作り太刀、菖蒲兜を結構し、四条五条の河原に出でて、手頃の石をおっ取って、打っつ打たれつ、追っつ追はれつ、入り乱れたる―の体、さながら見せたき遊びなり」〈謡・浜ならし〉。〈文明本節用集〉 **―うち**【印地打】「いんぢ」(3)に同じ。「玉にあらず石と見ながら―」〈俳・天満千句〉

いんでん【印伝】《もと印伝(インド)から伝来したのでいう》鹿または羊のなめし革。染料や漆で模様を描き、袋物などに作る。いんでん皮。「上上―巾着四つ分…求むる」〈松平大和守日記万治二・九・二〉 ▽ポルトガル Indian・オランダ indiën

いんねん【因縁】⇒いんえん。〈ロドリゲス大文典〉

いんのこ【犬の子】《イヌノコの音便形》①邪を防ぐために、小児の額に宝珠の印または「犬」の字を臙脂(えんじ)で捺(お)すまじない。「百歳を暮せと祝ふ―に」〈俳・油糟〉 ②小児がおびえた時に、撫でて唱える呪文(じゅもん)。「めいよう(奇妙)ぢゃ／―と言(い)やすうやすや〔ト眠ル〕」〈雑俳・軽口頓作〉

いんばん【印判】印。印形。「治定(ぢぢゃう)再治して―を押し」〈日蓮遺文彼岸鈔〉。〈文明本節用集〉 ↓判(はん)(2)

いんぶつ【引物・音物】《「音物」は近世の用字。インモツとも》贈り物。引出物。「里里より衣裳―、取り添へ取り添へ送りしに」〈曾我九〉。「引物、インブツ」〈文明本節用集〉

インヘルノ《キリシタン用語》地獄。「大地の底に…第一の深き底は―といひて…科(とが)にて死したる罪人等のゐる所なり」〈どちりなきりしたん六〉 ▽ポルトガル・スペイン inferno

いんみゃう【因明】古代インドの論理学。五明の一。物事の正邪・真偽を考察論証する法。「五明(ごみゃう)の中の―に宗・因・喩の三を立て」〈雑談集三〉。「―、南都にのみ残れり」〈実隆公記長享二・一一・二六〉

いんも【恁麼】《宋代の俗語。禅語として普及した》どんな。いかなる。いかに。「喚(よ)んで―の人とか名づくる」〈道元法語〉

いんもつ【音物・引物】⇒いんぶつ。「これは当座の―なり」〈浄・山中常盤六〉。「―。これは引出物と言ふに同じ。人に遣はす物を、振舞盃の上などにて、坐したる人に出し遣はすを言ふ也。使に持ち遣はすをば言はざる也」〈新撰用文章明鑑中〉

いんもん【印文】守り札。護符。「善光寺の御―」〈浄・弱法師三〉

いんやう【陰陽】易学で、万物の根源とされている二つの相反する気。一を陰、一を陽と称する。万物はこの二気の交感・消長によって生成・変化・消滅するという。地・月・水・女などは陰、天・日・火・男などは陽の気を有するという。「―和(わ)する心なり」〈風姿花伝〉→おんやう。

―のかみ【陰陽の神】男女の仲を取り持つ神。「本覚真如の身を分け、―と言はれしもただ業平の事ぞかし」〈謡・杜若〉

いんやく【印鑰・印鎰】①印(いん)と鎰(かぎ)と。特に役所の正印と蔵のかぎ。「諸国の―を奪(ば)ひ取りて受領を京に追ひのぼせむ」〈今昔二五ノ一〉②天台座主の職印と宝蔵のかぎ。「明雲は法皇の御気色あしかりければ、―を返し奉って、座主を辞し申さる」〈平家二・座主流〉

いんろう【印籠】印・印肉や応急薬を入れる楕円形の小さな重ね箱。緒締(おじめ)・根付(ねつけ)をつけ、帯にはさみ腰に下げる。「―より練薬(ねりやく)を取り出し」〈仮・因果物語中〉。〈文明本節用集〉

う

う【卯】十二支の第四。年・日・時、また方角の名などに当てる。①時刻の名。今の午前五時から午前七時まで。「―の時ばかりに船いだす」〈土佐 一月二十一日〉②方角の名。東。「歳刑(暦ノ八将神ノ一)―に在り」〈長保二年具注暦〉

う【兎】ウサギ。「露に臥す―の毛もいかにしをるらん」〈夫木抄二七・兎〉 **―の毛で突いた程** 極めて小さいことのたとえ。「兎(う)の毛の先」とも。「〔手紙ヲ〕日限刻付けにして〔送リ〕―の事までも知れる子細は」〈西鶴・浮世栄花三〉

う【鵜】海や海に近い湖に群がってすむ水鳥。鴨より少し大きく、黒色。鵜飼につかう。古く、鵜の羽で産屋の屋根をふく風習もあった。「早き瀬に―を潜(かづ)けつつ」〈万四一八九〉 **―の真似する烏** 自分の能力や状態を顧みず、むやみに人のまねをする愚人を、川に入って魚をとる鵜をまねる愚かな烏にたとえたもの。「―のやうなる事にてやあらんずらん」〈極楽寺殿御消息〉 **―の目鷹の目** 鵜が魚を、鷹が鳥をねらうように、一所懸命に物を探し出そうとするさま。

また、その鋭い目付きのたとえ。「こころ(日本)にも―と云ふぞ。目に角(かど)を立てて、物の誤りを見出さうとするを云うたぞ」〈玉塵抄一六〉

う【宇】《軒の意》建物を数える語。「其の上に屋を起てたる事数十―なり」〈今昔九ノ四六〉

う【居・坐】動詞「居(ゐ)」が、古く上二段活用をした場合の終止形。「急居、此をば菟岐于(うき)といふ」〈紀崇神十年〉。「立つとも―とも君がまにまに」〈万一九一二〉

う【得】『下二』⇩え(得)

う『感』①承諾の意をあらわす声。「今日のうちに否とも―とも言ひ果てよ人頼めなる事なせられそ」〈信明集〉②うめいたり、むせび泣きしたりする時、発する声。「―といひて、うしろざまにこそ臥しかへりたれ」〈宇治拾遺三五〉

う『助動』《「む」の転》①話し手の意志・意図をあらわす。「その血をすすって誓ひをなさ―ぞ」〈玉塵抄四六〉。「牢人を八千ばかり置か―」〈天正本狂言・今参〉②話し手による勧誘・命令をあらわす。「さらば身どもと勝負をせ―」〈虎明本狂言・首引〉。「少しの間、心をとめて、よくよく聴聞あら―」〈万法蔵讃鈔下〉③話し手による推量をあらわす。「後には運を開か―ぞ」〈周易抄〉。「定めて夜も更け―程に」〈虎明本狂言・眉目よし〉

うい【羽衣】はごろも。天人や仙人が、これを着て空を飛ぶと考えられていた。「仙客の―を施すや星槎に乗りて帰らんとす」〈本朝続文粋八〉

ういらう ウ:ロ【外郎】《唐音》元(げん)人、礼部員外郎陳宗敬が応安年中帰化して、博多で創製した薬。後、京都でも作り、近世、小田原で売り出した。痰の妙薬で、口の臭気止めにも用いた。外郎薬。透頂香(とうちんかう)。また、それを売り歩く者。「―を〔将軍ノ〕御目に掛け候て」〈長祿二年以来申次記〉。〈運歩色葉集〉 **―うり**【外郎売り】外郎を売り歩く者。長い口上をよどみなく早口にしゃべるので名高く、享保三年、二代目市川団十郎が「言ひ立て」の舌口芸として取り入れ、歌舞伎十八番の一となった。「宿の左に―〔ノ家〕」〈浮・好色旅日記五〉。「顔見せは、―の台詞(せりふ)、まづ珍しく、大入りにて」〈佐渡島日記〉 **―つ・む**《ツムは前歯でかじる意》外郎薬を噛んで口中の臭気を去る。うぶな若者のたしなみとされた。「―・めと、ざはめきて」〈近松・兼好法師上〉

うう『感』①肯定・納得・承諾の意をあらわす声。「―、さては心得たり」〈謡・葛城天狗〉②うめいて発する声。「山守、返し(返歌)せむと思ひて、――とうめきけれど」〈古本説話一八〉

うえん【有縁】〔仏〕①《「無縁」の対》仏に救われる縁のあること。また、仏道に縁があること。「―無縁、現界他界、無始以来、あらゆる群類」〈本朝文粋一三〉②因縁があること。関係が深いこと。「―の所に此の木を運び寄せて」〈今昔二三ノ一〉

うがい【有涯】〔仏〕《「涯」は果て・限りの意》限りある事物。人生をもいう。「―の生を謝し…長く無常の別れに臨む」〈本朝文粋一四〉。「―は秋の月、雲に伴って隠れやすし」〈平家灌頂・大原入〉

うかうか 心がおちついていないさま。また、はっきりした思慮の働いていないさま。「暗さは暗し、雨は降り、敵は何処にあるぞとて、―と走(は)せめぐる所を」〈曾我九〉

うかうか・し『形シク』いかにもうかうかしている。軽薄である。軽率である。「あだなりといふも同じ。心浮かれたれば、―・しなどいふも同じことなり」〈仙覚抄二〉。「若き殿ばらたちは、―・しく町中へ出給ふべからず」〈室町殿日記一〇〉

うかかはく ウカカワク【窺はく】《動詞窺ヒのク語法》うかがうこと。「―知らにと(知ラナイデ)」〈記歌謡二三〉

うかが・ひ ウカガイ【伺ひ・窺ひ】㊀『四段』《奈良時代にはウカカヒと清音》他人に知られないように周囲に心を配りながら、相手の真意や、事の真相をつかもうとする意》①すきをねらう。攻撃の好機をさぐる。「大き戸より―・ひて殺さむとすらくを知らに」〈紀歌謡一八〉。「悪源太、平家を―・ふとて」〈平治下・悪源太誅せらる〉②相手に働きかける好機を求める。「慎みおはしますひまを―・ひて」〈源氏賢木〉③周囲に気を配りながら様子をさぐる。「よろづに―・ひ給へど、え見つけ給はず」〈源氏夕霧〉。「世間のやうを―・ひ引きこもりて候」〈保元上・新院為義を召さる〉④一応知っておく。「次に弓射、馬に乗る事、六芸に出せり。必ず是を―・ふべし」〈徒然一二二〉⑤神仏や貴人などの指図や言葉を頂く。「院宣―・はうに一日が逗留ぞあらんずる」〈平家五・福原院宣〉⑥問う、たずねる意の謙譲語。「誰に問ひ申すべき由、―・ひ申しければ」〈実悟旧記〉㊁『名』ひそかにさぐる者。「諜、伊久佐乃宇加加比(いくさのうかかひ)」〈新撰字鏡〉 †ukakaFi **―つ・け**【窺ひ付け】『下二』うまくねらって好機をつかまえる。「さるべき折―・けて、消息しお

こせたり」〈源氏若菜下〉

うか・し【浮かし】『四段』《ウキの他動詞形》①浮くようにする。浮かせる。「引き抜かんと身ー・しけれども」〈十訓抄三ノ九〉②心を浮き立たせる。陽気にさせる。「御地蔵をちとー・しませう」〈虎寛本狂言・金津〉

うか・せ【浮かせ】『下二』「うかし」に同じ。「ー・する。気をー・する也。沈みたる気を引き立てて陽気にするかたち也」〈色道大鏡一〉

うが・ち【穿ち】㊀『四段』《ウゲ(穿)の他動詞形。奈良時代にはウカチと清音。平安末期には濁音化した》①穴をあける。突きさす。「穿邑、此れをば于介知能務羅(うかちのむら)と云ふ」〈紀神武即位前〉。「棹はー・つ、浪の上の月を」〈土佐一月十七日〉。〈名義抄〉②人や物の癖や欠陥を鋭く軽妙に指摘する。物事の裏面や人情の機微をからかい気味にあばく。「穴の穴をー・ちて」〈洒・通神蔵〉㊁『名』傍観的で無責任な気楽な態度で、対象の癖や欠陥を軽く指摘すること。近世後期の文学理念の一。明和・安永・天明期の文学作品に共通した発想法、または対象のとらえ方。「ーに当りを言はずして、只始めは失ひたる愛敬を取り」〈洒・南門鼠帰〉

うかと『副』ぼんやりと。ぼうっと。うっかと。「肝をつぶしてーしてゐるなり」〈蒙求聴塵中〉

うかねら・ひウカネライ【窺狙ひ】『四段』《ウカはウカミ(窺見)・ウカヒのウカと同根》相手の様子を見て、よい時機をねらう。「この丘に小牡鹿(をしか)ふみ立てー・ひ」〈万一五七六〉 †ukaneraFi

うかねらふウカネラウ【窺狙ふ】〔枕詞〕うかがいねらう意で、地名「跡見(とみ)」にかかる。「ー跡見山雪のいちしろく」〈万二三四六〉 →とみ(跡見)

うかのかみ【宇賀の神】五穀の豊饒をつかさどる福神。蛇に姿を変ずると信じられたところから、特に弁才天女の別称ともなった。宇賀。宇賀神(うかじん)。「このー、福神にて、翁(おきな)が家も程なく楽しくなりにけるなるべし」〈塵袋一〉。「天津児屋根尊…本地は地蔵菩薩、或は弁才天女、ー也」〈大乗院雑事記応仁三・一〇・一三〉 →うかのみたま

うかのみたま【稲魂】《ウカはウケの古形で、食物の意》食物、特に稲など穀物の霊。女神で、後世「うかのかみ」と転じて福の神の意となった。「倉稲魂、此をば宇介能美柂磨(うかのみたま)といふ」〈紀神代上〉。「是は稲の霊(みたま)なり。俗の詞にーといふ」〈祝詞大殿祭〉 †ukanömitama

うかはウカワ【鵜川】鵜を使って魚を捕ること。また、その設備。「上つ瀬にーを立ち」〈万三八〉。「ーをよみはべりける。鵜飼舟あはれとぞ見るもののふの八十宇治川の夕やみの空」〈新古今二五一〉

うかひウカイ【鵜飼】《室町時代以後ウガヒとも》鵜を飼いならして魚を捕らせること。また、それを職とする者。「ーが伴〔ヨ〕。今助(す)けに来(こ)ね」〈記歌謡一四〉。「〔桂川ノ〕ーども召したるに、〔須磨ノ〕海人(あま)のさへづり思ひ出でらる」〈源氏松風〉。「鵜飼、ウガイ、即ち鵜匠也」〈文明本節用集〉 †ukaFi **ーぶね**【鵜飼舟】鵜飼の舟。「大堰川篝(かがり)さし行くー」〈新古今二五三〉

うか・び【浮かび】『四段』《浮カベの自動詞形。古くはウカヒと清音。水面に、沈むことなく浮いている意が原義。類義語浮キは、空中・水中・水面にあって上下に動くが底に沈まない意》①水面に浮いている。「あしひきの山の黄葉(もみぢ)今夜(こよひ)もかー・び行くらむ山川の瀬に」〈万一五八七〉②水の表面にあるように揺れ動いている。不安定である。不確かである。「女の宿世はー・びたるなむあはれに侍る」〈源氏帚木〉③表面に出る。「涙のー・びてあはれにものおぼゆれば」〈かげろふ中〉④思い起される。自然と心にきざす。「そらにおぼえー・ぶを」〈更級〉。「我等が心に念念の欲しきままに来たりー・ぶも」〈徒然二三五〉⑤苦境を脱する。救われる。「御子どもなど沈むやうに物し給へるを、皆ー・び給ふ」〈源氏澪標〉 †ukaFi

うがひウガイ【嗽】口をすすぐこと。「能因法師は、歌をもーして申し、草子などをも手洗ひて取りもひろげける」〈俊頼髄脳〉。「嗽、クチススグ・ウガヒス」〈名義抄〉。「鵜飼、うがい、嗽(くちすす)ぐ也」〈和漢通用集〉

うかぶせ【浮かぶ瀬】①成仏する機縁。「空也上人の歌に、大水の先に流るる橡殻(とちがら)も身を捨ててこそーもあれ」〈法華経直談鈔七本〉②苦しい境遇から抜け出る機会。「もののふのやたけ心の一筋に身を捨ててこそーもあれ」〈仮・尤の草紙上〉

うか・べ【浮かべ】『下二』《ウキ(浮)アヘ(合)の転。アヘは、ぴったり…する意。沈まないように水面に浮かせる意》①沈まないように、物を、水面におく。「梅の花誰かー・べし盃の上に」〈万八四〇〉。「舟を南台江にー・べて」〈正法眼蔵一顆明珠〉②(沈まないように)世間に出してやる。「沈めるともがらをこそ多くー・べ給ひしか」〈源氏明石〉③意識の表面に置く。暗記する。「古今ー・べ給へり」〈大鏡師尹〉④よく心得る。「傍に居たる禅門、ー・べたる体(てい)をなし」〈咄・醒睡笑三〉 †ukaFë **ーしづ・め**【浮かべ沈め】『下二』人を引き立てたり、逆境に落したりする。「ー・め、いとかしこくこそは思ひわたい給ふめれ」〈源氏真木柱〉

うかみ【窺見・斥候】《ウカはウカネラヒのウカと同根。うかがう意》敵のようすをさぐること。また、その人。「状見(みけ)」とも。「処処にーを置けり」〈紀天武一年〉。「間諜、ウカミス、伺見」〈名義抄〉 †ukami

うか・み【浮かみ】『四段』「浮かび」に同じ。「世をうみに沈みも果てで海人(あま)小舟ー・み出でぬと聞くはまことか」〈重家集〉

うかむせ【浮かむ瀬】①「うかぶせ」に同じ。「一度地獄に落ちてはーが無いと仏典に説くぞ」〈寒山詩抄一〉②近世、大阪天王寺の西にあった料理屋。また、そこで秘蔵した鮑(あわび)の殻で作ったという七合五勺入り大盃の名。「ーと音に聞く大貝の硨磲(しゃこ)盃」〈近松・鎌田兵衛下〉

うか・め【浮かめ】『下二』「浮かべ」に同じ。「海上には数万艘の舟をー・めて」〈盛衰記三六〉

うがら【親族】《カラは血縁の集団》血のつづいた人。しんぞく。「問ひ放(さ)くるー兄弟(はらから)なき国に渡り来まして」〈万四六〇〉

うからか・し【浮からかし】『四段』あおって興奮させる。陽気にする。浮かれさせる。「うからし」とも。「ー・いたよ、よしなの人の心や」〈閑吟集〉。「遊女といふものいできて、人の心をー・し」〈評判・露殿物語〉

うかりひょん【浮かりひょん】気抜けがしてぼんやりしているさま。うっかり。ぽかん。「夕顔に見とるるや身もー」〈俳・続山の井三〉

うか・れ【浮かれ】『下二』《定まった居所から浮いて、流浪するのが原義》①浮きただよう。「〔アナタノ所ニ〕ー・れか行かむ恋ひつつあらずは」〈万三六四六〉②(拠り所から)離れてさすらう。流浪する。「年ごろ仕へける所をも其の事となくー・れて、寄りつく所もなく成りにければ」〈今昔一六ノ三〇〉。「浮浪、ウカレタリ」〈色葉字類抄〉③心が落ちつかない。心がうきうきする。「ひとふしにおぼしー・れにし心、静まりがたうおぼさるるけにや」〈源氏葵〉 **ーがらす**【浮かれ烏】①月夜にあざむかれ、巣から浮かれ出て鳴く烏。「月さえて山は

梢の静けきに—のよただ鳴くらん」〈新撰六帖六〉 ②夜浮かれて遊び歩く人。「—も揚屋出でつつ」〈俳・見花数寄〉 **—ぞめき**【浮かれ騒き】 遊廓の店先をひやかして歩き廻ること。「—のあだ浄瑠璃」〈近松・天網島上〉 **—づま**【浮かれ妻】 遊女。「遊女の心を。一夜逢ふゆききの人の—いくたびかはる契りなるらむ」〈続千載一九八三〉 **—びくに**【浮かれ比丘尼】 色を売る歌比丘尼。尼姿の売笑婦。「大坂川口の—」〈西鶴・一代女三〉 **—ひと**【浮浪人】 (租税・課役の苦しさなどが原因で)戸籍をはなれ他郷に流浪する人。「戸籍(へふみた)を造りて、盗賊(ぬすびと)と—とを断(や)む」〈紀天智九年〉。「浮浪人、宇加礼比止(うかれひと)」〈霊異記下一四〉 **—め**【浮かれ女】 遊女。「—二十人ばかり、琴ひき、歌うたひて、御衣(おんぞ)賜はれり」〈宇津保藤原君〉。「遊行女児、宇加礼女(うかれめ)、一云、阿曾比(あそび)」〈和名抄〉

うかれんばう【浮かれん坊】 浮かれて遊び歩く人。うかれ者。うかれ坊。「待ち設けたる—、見るより心も浮かれ出で」〈評判・吉原恋の道引〉

うき【埿】 水分を多く含んだ泥の深い地。沼地。「蘆根這ふ—は上こそつれなけれ」〈拾遺八九三〉。「人も住まぬ—のゆうゆうとする一町余ばかりあり」〈今昔二六ノ三〉

うき【盞】 さかずき。「俗の語に酒盞をいひて宇枳(うき)となす」〈筑後風土記逸文〉 †uki

う・き【浮き】『四段』《物が、空中・水中・水面にあって、底につかず、不安定な状態でいる意。「心が浮く」とは、平安時代には不安な感じを伴い、室町時代以降は陽気な感じを表わした》 ①地をはなれて空中にただよう。「雲の—・きて漂ふを」〈大鏡時平〉 ②中から表面へ出てくる。「瑞玉盞(みづたまうき)に—・きし脂」〈記歌謡一〇〇〉。「涙の—・かぬ時なし」〈かげろふ中〉 ③模様や織目が地(じ)から高く離れて出ているように見える。「紅梅のいと文(あや)—・きたる葡萄(えび)染の御小袿(こうちき)」〈源氏玉鬘〉 ④よりどころなく不安である。中途半端で落ちつかない。「たぎつ瀬に根ざしとどめぬ浮き草の—・きたる恋も我はするかな」〈古今五九三〉。「御心地も—・きたる様に思されて」〈栄花見はてぬ夢〉 ⑤不誠実である。「—・きたる心わが思はなくに」〈万七一一〉。「この—・きたる御名(評判)をぞ聞こし召したるべき」〈源氏夕霧〉 ⑥不確かである。「天雲の—・きたることと聞きしかど猶ぞ心は空になりにし」〈後撰一二四三〉 ⑦ふらふらと固定していない。「歯—・き候て」〈細川忠興文書寛永六・四・一三〉。〈日葡〉 ⑧心がうきうきとはずむ。浮かれる。「何とやらん、—・かざるの間、朦朧(もうもう)とある由申して罷らざるなり」〈言国卿記文明六・六・一三〉。「心の—・いたお地蔵と見えた程に、はやし物で申さう」〈天理本狂言六義・金津地蔵〉 †uki **—にな・る** 水・酒など液体がこぼれて流れるほどになる。「伊丹諸白の呑み口抜けて、畳〔ノ表〕は—・るを」〈浮・好色染下地三〉

うきあし【浮足】 ①足が地についていないこと。また、その足。「生涯ただ—で、実地に踏み得ず」〈勝国和尚再吟一〉 ②心が動揺して逃げ腰になること。「敵の近づくを見て、皆—になり」〈播州佐用軍記〉 ③水泳術の一。足を浮かせて泳ぐこと。「抜き手・—たゆみなく、泳ぎ上れば」〈近松・双生隅田川三〉

うきあゆみ【浮歩み】 爪先で軽くしとやかに歩くこと。「うけあゆみ」とも。「繰り出しの—」〈浮・好色通変歌占下〉

うきうき【浮き浮き】 ①うわついたさま。落ちつかないさま。「よろづ—と、我も人もあきれいたくて」〈増鏡一五〉 ②ふわふわしたさま。力の入らないさま。「身重く、力—として弱りにければ」〈十訓抄七ノ一〉 ③軽軽とはずんださま。「公方様御馬〔ハ〕…乗りの良きが肝要に候。乗りは—と歩(あよ)みたる〔ガ良シ〕」〈親元日記寛正六・四・一一〉

うきうた【盞歌】 歌曲の名。さかずきを挙げる時の寿歌。一説、浮き歌。歌詞は古事記・琴歌譜に見える。「こは—なり」〈記雄略〉 →うき(盞) †ukiuta

うきかはたけ【浮川竹・憂き川竹】《川辺の竹が水に浮き沈みする意の「浮き」に「憂き」を掛けた語》 浮き沈み定まりない遊女の身の上。「身を切り砕く思ひより—の憂き節を」〈近松・用明天皇三〉

うきき【浮木】 ①水に浮かんでいる木ぎれ。「劫(こふ)つくす御手洗川の亀なれば法(のり)の—に会はぬなりけり」〈拾遺一三三七〉 ②舟。「いくかへり行きかふ秋を過ぐしつつ—に乗りてわれ帰るらむ」〈源氏松風〉 **—のかめ**【浮木の亀】《「仏にはあふを得ること難し…又一眼の亀の浮木の孔にあふが如し」という法華経の言葉から》 遇うことの容易でないことのたとえ。「盲亀(まうき)の浮木(ふぼく)」とも。「浮かぶてふ—に逢ひぬれば劫(こふ)の罪こそ心やすけれ」〈夫木抄二七・亀〉

うきくさ【浮草】 水面または水中に漂う草。たよりなく定めない状態にいうことが多い。「たぎつせに根ざしとどめぬ—のうきたる恋も我はするかな」〈古今五九二〉。「—とは、あだに浮きたる事にたとふ」〈能因歌枕〉

うきぐつ【浮沓】 ①馬にはかせる水上歩行の靴。「—履かせたる馬」〈伽・御曹子島渡〉 ②水練に用いる浮袋。近世、布袋や麻網に、なめし皮の袋や木の筒または瓢箪を入れたもの。「古への武者は、—と言ふ物をもって、水上の働き自由なり」〈諸家評定八〉

うきぐも【浮雲】《室町時代まではウキクモと清音》 ①空に浮く雲。「雨となりしぐるる空の—を」〈源氏葵〉 ②定めないもののたとえに使う。「〔維摩経ニ、此ノ身ハ〕浮かべる雲の如しといへる心を。定めなき身は—によそへつつはてはそれにぞなりはてぬべき」〈千載一二〇〇〉

うきざうす【浮蔵主】 浮気な僧。浮かれたおどけ坊主。「浮坊主」「浮法師」とも。「禅寺の花に心や—」〈俳・毛吹草五〉

うきしま【浮島】 浮洲(うきす)の大きなもの。「きぬばこに—のかた押しはべりて」〈拾遺四五八詞書〉

うきじまり《ウキシマアリの転》 浮洲(うきす)があるの意。一説、浮島、また、島。「浮渚在…、此をば羽企爾磨梨(うきじまり)…といふ」〈紀神代下〉 †ukizimari

うきす【浮洲】 水面に浮いているように見える洲。「浦わの—に流れかかって」〈謡・鵜〉

うきす【浮巣】 鳰鳥(にほどり)の巣。波の上に浮かんでいるのでいう。「子を思ふ鳰の—のゆられ来て捨てじとすれや水隠れもせぬ」〈建春門院北面歌合〉

うきすけ【浮助】 浮かれ男の擬人名。「—や小姓見に行く桜寺 其角」〈俳・東日記上〉

うきぜい【浮勢】 本隊とは別に待機し、戦況に応じて出動する軍勢。遊軍。「浮備へ」とも。「敵の近づかん所へ懸け合はせんと、—になりて控へたり」〈太平記三六・山名伊豆守〉

うきたから【浮宝】 船の美称。「うくたから」とも。「杉と樟(くす)、此のふたつの樹は—とすべし」〈紀神代上〉 †ukitakara

うきた・ち【浮き立ち】『四段』 ①浮き上がる。「秋風に—・つ雲はまどへども」〈風雅一五三五〉 ②落ち着かず、そわそわとする。「心も空に—・ちて、いかで出でなむと思すに」〈源氏真木柱〉。「〔涅槃経ハ冒頭カラ既ニ〕心も皆—・ちて、何

のあやめも覚えず」〈閑居友〉

うきつ【浮津】天の川にあるという港。「天の河―の波音(みなと)騒くなり」〈万一五二九〉 †ukitu

うきつち【浮土】「うきひぢ」に同じ。「水の浅みの濁る―」〈白川千句〉

うきな【憂き名・浮名】《もとは「憂き名」。多く恋に関していう。次第に「浮き名」と意識され、浮いたうわさの意》①いやな名。「人古(ふ)る)す里をいとひて来しかども奈良の都も〔古京トイッテ〕―なりけり」〈古今九八六〉 ②いやな評判。わるいうわさ。「いやしき名(ワルイ評判)とりて人の国へまかりけるに…。忘るなといふに流るる涙川―をすすぐ瀬ともならなむ」〈後撰一三三五〉。「―のある程は流しはてて」〈明徳記下〉 ③(恋に関する)つらい評判。また、浮いたうわさ。「あはで―の名取川」〈閑吟集〉。「人の―や芝居〔デ上演〕争ひ」〈俳・大坂一日独吟千句〉

うきぬ【うき沼】《ウキは湿(うき)、泥深い地の意》泥深い沼。「君がため―の池の菱とると」〈万一二四九〉 †ukinu

うきね【浮寝】①水に浮いたまま寝ること。「船とめて―をしつつ」〈万三六三七〉 ②不安な思いで、身を横たえること。「敷栲(しきたへ)の枕ゆくくる涙にぞ―をしける恋の繁きに」〈万五〇七〉 ③男女が仮りの契りをむすぶこと。「かりなる―のほどを思ひはべるに」〈源氏帚木〉 ④寝所が一定しないこと。「宿はあまたに変れども、同じ―の美濃・尾張(身ノ終リト掛ケル)、三河の国に着きにけり」〈謡・杜若〉 †ukine

うきね【湿根】水中に生ずる草の泥の中の根。多くアヤメグサにいう。「憂き音」に掛けていうことが多い。「あやめ草―を見ても涙のみかからむ袖を思ひこそやれ」〈千載五七二〉

うきはし【浮橋】水上に筏(いかだ)や船を並べて繩でつなぎ、上に板などを載せて、橋の代りにしたもの。「上つ瀬に打橋渡し淀瀬には―渡し」〈万三九〇七〉 †ukiFasi

うきばらし【憂き晴らし・浮晴らし】ふさいだ気分を晴らすこと。気晴らし。憂さ晴らし。「雨舎(あまやどり)の―に」〈西鶴・武家義理五〉

うきひぢ【湿泥】《共に泥を意味する「うき(湿)」と「ひぢ」との複合語》どろ。「五月雨に小田の早苗やいかならむ畔の―洗ひ漉(こ)されて」〈山家集上〉

うきひと【憂き人】自分につらい思いをさせる人。多くつれない恋人にいう。「秋風の―よりもつらきかな恋せよとては吹かざらめども」〈千載八七五〉。「―(亡夫ヲサス)の後世をも誰かとぶらふべき」〈伽・小敦盛〉

うきふし【憂き節】心のしこりになる、つらい悲しいこと、いやなこと。「竹のこの―しげき世とは知らずや」〈古今九五七〉。「これ一つやは君が―」〈源氏帚木〉

うきふね【浮舟】水上に浮かんだ舟。「この―ぞゆくへ知られぬ」〈源氏浮舟〉

うきまくら【浮枕】①水辺・舟・筏(いかだ)などで寝ること。「杣川の筏のとこの―夏は涼しきふしどなりけり」〈詞花七四〉 ②「浮き」と「憂き」をかけ、涙に枕が浮くほどつらい独り寝をいう。「せきかぬる涙の川の―うきてみなはのよるぞけぬべき」〈続後撰七六〇〉

うきまなど【浮沙】《マナゴはマサゴ(真砂)に同じ》水に浮くようなこまかい砂。「恋ひ乱れつつ―〔ノヨウニハカナク〕生きてもわれはあり渡るかも」〈万三五〇四〉 †ukimanago

うきみ ①【憂き身】辛いことの多い自分の身の上。「―世にやがて消えなば」〈源氏花宴〉 ②【浮身】越前・越後の遊女の一種。旅商人などの滞在中、同居して身の回りの世話をする。「―は越後に有り」〈俳・花見車一〉 **―をやつ・す** 労苦もいとわず、一つの事に熱中する。夢中になる。「能囃子に明け暮れ―・し」〈仮・このごろ草〉

うきむしゃ【浮武者】遊軍として、戦況に応じ、臨機の行動をとる武士。「弁慶は―にて、大手の櫓に上り、軍の下知をぞしたりける」〈幸若・高館〉

うきめ【浮海布】水の上に浮いて見える海藻。歌では「憂き目」と掛けていうことが多い。「―(憂キ目ト掛ケル)のみ生ひてなが(流・泣)るる浦なれば」〈古今七五五〉。「―刈る伊勢をの海人(あま)を思ひやれ」〈源氏須磨〉

うきめ【憂き目】①つらい目。いやな経験。「世の―見えぬ山路へ入らむには」〈古今九五五〉 ②(他人の目に映る)なさけない、わが身の有様。「いざ桜われも散りなむひと盛りありなば人に―見えなむ」〈古今七七〉

うきもん【浮紋】綾の地の上に、糸を浮き出すように織った模様。また、その模様のある衣服。後には、「うけ紋」とも。「紅梅の御衣(おんぞ)のあまた重なりたるに、同じ色の―の御直衣着給ひて」〈栄花若水〉

うきゃう(ウキョウ)【右京】《「左京」の対》平城京・平安京のうち、大内裏から南へ向いて右の方、すなわち西半分の地域。「禅院を新京に徙(うつ)し建つ。今の平城―の禅院是なり」〈続紀文武四・三・一〇〉 **―しき**【右京職】令制で、右京を管轄した役所。〈職員令〉 →京職。 **―のだいぶ**【右京大夫】右京職の長官。「正五位上猪名真人石前(いはさき)を―と為す」〈続紀和銅一・三・一三〉

うきやか【浮きやか】軽快なさま。「いつよりも御心も―に悦び給ふよそほひなり」〈伽・鶴草子〉。「敵、静かにかかる時、我が身―に、少し早くかかりて」〈五輪書〉

うきゆひ(イユ)【盞結ひ】さかずきを取り交して互いの誠意を結び固めること。誓約。「即ち―して、うながけりて今に至るまで鎮まり坐(ま)す」〈記神代〉 †ukiyuFi

うきよ【憂き世・浮世】《平安時代には「憂き世」で、生きることの苦しい此の世、つらい男女の仲、また、定めない現世。のちには単に此の世の中、人間社会をいう。「憂き」が同音の「浮き」と意識されるようになって、室町時代末頃から、うきうきと浮かれ遊ぶ此の世の意にも使うようになった》①無常の現世。はかない此の世。つらい世の中。「散ればこそいとど桜はめでたけれ―に何か久しかるべき」〈伊勢八二〉。「生死無常の習ひ、―の坂とは知りながら」〈神道集一〇〉 ②この世。人の世。現実の人間社会。また、人生。「ただ―の何でもないことにたづさはって」〈コリヤード懺悔録〉 ③浮かれ遊ぶべき世。享楽の世の中。「心の慰みは―ばかりとうちしげる(浮カレ狂ウ)」〈仮・恨の介上〉 ④当世。今様。「若竹や―がかりの伊達男 立圃」〈俳・小町踊三〉 ⑤他の名詞に冠して、当世流行している、または、享楽的な、の意を表わす。「―妻爪先軽し更衣(ころもがへ)」〈俳・金剛砂上〉 **―あそび**【浮世遊び】色遊び。「これ変ったる―」〈西鶴・諸艶大鑑三〉 **―うた**【浮世歌】当世風の歌。流行歌。「水の上に蛙の声や―」〈俳・幕繁集一〉 **―がさ**【浮世笠】当世流行の笠。「―跡より持たせて」〈西鶴・五人女三〉 **―がたり**【憂き世語り】苦しみの多い人間世界に関する話。俗世間の話題。世間話。「我が身の上に成りぬべき―も恥づかしや」〈謡・山姥〉 **―かな** この世は思う通りにならぬものだと嘆く意の慣用句。「―吉野の花に春の風時雨るる空に秋の夜の月」〈拾玉集三〉。「―年たけの子の生えどまり」〈耳底記〉 **―がは**(ワガ)【浮世川】川の流れのようにたえず流転している世の中。「水に画を描く―」〈近松・忠度四〉 **―ぐるひ**(グルイ)【浮世狂ひ】女色に耽ること。「三途河の姥と女夫(めをと)になり、やくたいもなき―と言ふ」〈咄・醒睡笑六〉 **―ござ**【浮世茣蓙】石畳の模様を織り出した藺のござ。夏蒲団の上敷きにした。近世前期、備後・近江産。「敷くは又―なり夏座敷」〈俳・洛陽集上〉 **―ともん**【浮世小紋】当世流行の小形の模様。「―の模様」〈西鶴・永代蔵一〉 **―ざうし**【浮世草子】近世小説の一種。遊里を中心として町人の情意生活の描写を主眼とした作品。西鶴の好色一代男(天和二年跋)以後、安永頃まで約八十年間、主として上方で行なわれた。西鶴の作や八文字屋本が有名。「浮世本」とも。「―など売り歩き」〈浮・男色比翼鳥五〉 **―ぞめ**【浮世染】当世流行の染模様。「散らし小紋地―」〈近松・融大臣二〉 **―ぢゃや**【浮世茶屋】遊女を抱えておく茶屋。色茶屋。「―様子が有って立ち破り」〈俳・大矢数三〉 **―でら**【浮世寺】好色破戒の僧の住む寺。「―のをかしさ、…手前(自分ノ寺)に女の置き所(ヲコシラエ)」〈西鶴・一代女三〉 **―にんぎゃう**【浮世人形】若衆や女の風俗をあらわした人形。「―にさへ僅かの思ひど(欠点)は有る事なり」〈西鶴・新吉原常常草下〉 **―ねんぶつ**【浮世念仏】当世流行の調子で唱える念仏。「―南無阿彌陀」〈万葉歌集〉 **―のちり**【憂き世の塵】俗世間のわずらわしさ・きたなさなどを塵にたとえていう語。俗塵。「このままにすまばすむべき山水よ―に濁らずもがな」〈新続古今一八三六〉 **―の隙(ひま)を明・く** 死んでしまう。「その儀ならばいかなる淵瀬へも身を投げて―・けんと泣き給へば」〈伽・唐糸さうし〉 **―は一分五厘(いつぷんごりん)**《後にはイチブゴリンとも》世間を軽く見て、のんきに暮すたとえ。「浮世一分四厘」とも。「―、一寸先は闇」〈仮・ふしんせき下〉 **―は牛の小車(をぐるま)** 人の世は牛の牽く小車のようにめぐってやむことがない。「牛」は「憂し」の懸詞。「―の、廻るや酬(むくい)なるらん」〈謡・葵上〉 **―ばうず**【浮世坊主】好色破戒の不品行な坊主。生臭坊主。世間僧。「―定めなきかな神無月」〈俳・糸屑四〉 **―は車の輪の如し** 人の世のすべては、車輪のようにめぐってやむことがない。「―、めぐりあひ申さぬ事はあるまじと」〈伽・むらまつ物語〉 **―ばなし**【浮世話・浮世咄】世間話。雑談。「次の間にて―」〈西鶴・織留一〉 **―びくに**【浮世比丘尼】色を売る歌比丘尼。「この所も売子(売色ノ若衆)・―の集まり」〈西鶴・一代男三〉 **―ぶくろ**【浮世袋】三角形の掛香(かけがう)の袋。匂袋。花袋。「花花の蕾(つぼみ)は―かな」〈俳・発句帳一〉 **―ぶし**【浮世節】流行の歌。また、語り物特有の節廻し。「色道に首だけ沈み、そそりかけての―」〈浮・好色貝合上〉 **―まち**【浮世町】遊里。色里。「銀箱(かねばこ)やあだし行方(ゆくへ)の―」〈俳・信徳十百韻〉 **―もの**【浮世者】色恋の道に通じた人。通人。浮世人(うきよびと)。また、特に遊女・若衆。「恋に沈み水(上ノ世界)には鴛(をし)や―」〈俳・破枕集中〉 **―やうじ**【浮世楊枝】元祿頃に流行した、歌舞伎若衆の定紋を打ち付け置きしに」〈西鶴・男色大鑑七〉 **―ゑ**【浮世絵】①近世風俗画の一流派。寛文頃の菱川師宣・吉田半兵衛などから盛んになり、幕末まで行なわれた。遊女・役者・美人・遊里・芝居・風景などを肉筆や版画であらわした。「―や下に生へたる思ひ草」〈俳・それぞれ草下〉。「扇も十二本(骨デ模様ハ)祐善が―」〈西鶴・一代男七〉 ②春画。「菱川(師宣)が筆にて―の草紙を見るに」〈西鶴・三所世帯下〉 **―をとこ**【浮世男】好色の男。遊冶郎(ゆうやろう)。「―そぼつ(濡レル)小鹿の身なりけり」〈俳・富士石三〉 **―を盗・む** いたずらに長生きしていることをあざけっていう語。「―・みたる男、頭は夏の夜の霜をいただき」〈西鶴・武家義理二〉

うきをけ【浮桶】網綱などに付ける桶形の浮子(うき)。「うけをけ」とも。「―の絵五、忍禅房へこれを誂ふ」〈多聞院日記永祿一三・一・一九〉

うきをとこ【浮男】浮かれ男。「後先知らずの―」〈浮・真実伊勢二〉

うぐつ・き【駻き】《四段》①(馬が)はねるようにして、早く走る。「雪に―・く朝(あした)楽しも」〈万二六二三〉。「駻は、むまの早くあゆむ体を言うたぞ。虫の―・くと言ふ、同じ心ぞ」〈毛詩抄九〉。「駻、ウグツク」〈名義抄〉 ②《転じて》早口でしゃべる。言葉が多く、発音が不正確だ。「讋、多言也。…言語不正。宇久川久(うぐつく)」〈新撰字鏡〉 †ugutuki

うぐ・ひ【熉ひ】《四段》灸のあとが腫れ、膿(う)みただれる。「ちりけのそばに両脇〔二〕…―・はし、弐百灸治仕り候」〈宗静日記寛文一一・四・一一〉。〈日葡〉

うぐひす【鶯】①小鳥の名。春鳴く美しい声が古来賞美される。「わが園の竹の林に―鳴くも」〈万八二四〉 ②〔女房詞〕④切匙(せつかひ)のこと。「せっかひは―〔トイウ〕」〈女重宝記一〉 ⑤袷小袖(あはせこそで)のこと。「袷小袖をば―といふ」〈女房躾書〉 ▽スは鳥を表わす語。カケス・キギス・ホトトギスなど。 †uguFisu **―あはせ**【鶯合】小鳥合せの一種。鶯を持ち寄って、その鳴き声の優劣をきそう遊び。「早朝、―。一方は鳴かず、興無き也」〈看聞御記永享七・五・一〉 **―そで**【鶯袖】子供の着物の脇のあいた袖。脇明けの袖。「―、脇抜いたる衣の袖なり」〈蔵玉集〉 **―ぶえ**【鶯笛】鶯の鳴き声を笛にたとえていう語。「今日ははや―も子日(ねのび)哉」〈俳・犬子集一〉

うぐろも・ち ㈠《四段》(土などが)もりあがる。「隆、ウクロモツ」〈名義抄〉 ㈡《名》【土豹】モグラ。「うぐらもち」「うごろもち」とも。「西門行幸の道〔ヲ〕…―切る」〈小右記長和三・三・四〉。「鼴鼠、ウグロモチ」〈名義抄〉

うくゎつ【迂闊】①まわり遠いこと。「是より当世に合はぬ事を―と云ふなり。まはり遠き事なり」〈古文真宝講述三下〉 ②事情にうといこと。不注意なこと。「―に物を云ふが悪きぞ」〈古文真宝抄五上〉

うくゎん【有官】本官がありながら他の職を兼ねるもの。特に、蔵人所の所衆(ところのしゆう)を兼ねる者をいうことが多い。「御誦経の御使は、宮の侍の中に―の輩是をつとむ」〈平家三・御産〉 **―のべったう**【有官の別当】太政官の弁官で、藤原氏出身の者が兼任する勧学院の政所(まんどころ)の長官。「―忠成を御使に下されたりければ」〈平家五・奈良炎上〉

うけ【食】《ウカの転》くいもの。食物。「保食神、此云宇気母知能加微(うけもちのかみ)」〈紀神代上〉

うけ【槽】《ケは笥の意か》穀物を入れておくいれもの。祭儀の時、これを伏せてたたき、霊魂(たま)に活力を与える。「―を伏せてふみとどろこし(トドロカセ)」〈記神代〉。「―を衝くは神遊の儀なり」〈江家次第一〇・鎮魂祭〉 †ukë

うけ【有卦】陰陽道の用語。人の生年を干支(えと)に配して五行相生相剋の理によって定めた、吉事が七年間続くという年まわり。「祝ふなる―の年月考へて」〈俳・花月千句下〉。〈運歩色葉集〉 ↓無卦(むけ) **―に入・る** ①有卦の年まわりになる。「来年より有卦に御入り候て、万事思ふ事相叶ひ」〈貞徳文集下〉 ②幸運に廻り合う。「釣り取るや―・りたる桜鯛」〈俳・夢見草一〉

う・け【受け・請け】㈠《下二》《自分に向って来るものを、心構えして迎え入れる意が原義》①物を収め入れる。「風に散る花橘を袖に―・けて君が御為(みため)と思ひつるかも」〈万一九六六〉 ②人が行なうこと、さずけることなどに応じる。

「今は寮試ー・けさせむとて」〈源氏少女〉③人の言葉・命令・頼み・誓いなどに応じる。承諾する。引き受ける。「参り来て御言(みこと)ー・くれば」〈万三八六〉。「恋せじとみたらし河にせしみそぎ神はー・けずぞなりにけらしも」〈古今五〇一〉④人柄や、物のあり方を認める。受け入れる。「守(かみ)にもをさをさー・けられぬさまにて」〈源氏東屋〉⑤《多く受身の形で》好意を持つ。信頼する。「身に敵も無くよろづの人にー・けられてなむありける」〈今昔二五ノ五〉⑥自然の作用や、ふりかかって来る疑い・報いなどを、こうむる。「いみじき報いをもー・くるものなる」〈源氏夕霧〉。「はからざるに病をー・けて」〈徒然四九〉⑦天から授かる。「生をー・くるもの、誰か父の命をそむかん」〈平家二・重衡被斬〉⑧伝統をつぐ。「ただ言葉賤しからずして姿幽玄ならんをー・けたる達人とは申すべきか」〈風姿花伝〉⑨僧や修験者を、祈禱のために迎える。「ー・け奉りて、験者一座せさせ奉りて見ばや」〈義経記七〉⑩代金を出して自分の手に引き取る。質物の受け出しや芸妓・娼妓の身請けなどにいう。「この代にて質ー・け候ふなり」〈山科家礼記文明二・九・五〉。⑪好評を得る。「今日もー・けたる所作をくり返し」〈俳・桜千句〉 ㊁『名』①承知して応じること。「たちまち(即座)のーはせねど」〈狭衣一〉②保証人。請人。「借屋のーになるはむつかし」〈俳・貞徳独吟〉。〈日葡〉③生花で、心(しん)の枝を受ける枝。受け枝。「名人や心の花のー〔ト〕流し」〈俳・渡奉公下〉④評判。人望。気請け。「とんだ世辞が能(い)いはな。それだから方方でーが能いよ」〈滑・浮世風呂三下〉⑤もてなし。あしらい。待遇。「茶屋の初夜は、宿の夜半と心得、早う戻ることそーよかるべけれ」〈洒・徒然睟が川三〉 †ukë **ーに立・つ** 請人(うけにん)になる。「請人に立つ」とも。「任レ人とは、人のー・つやうな心ぞ」〈史記抄二〉。〈文明本節用集〉

う・け【浮け】㊀『下二』《ウキ(浮)の他動詞形》水面や物の表面に物を浮かせる。「ふせの海に船ー・け据ゑて」〈万三九九一〉。「涙をー・けて宣へば」〈源氏若菜下〉 ㊁『名』①【泛子】漁具の一。釣糸や網につけて波のまにまに浮かしてある木片。うき。「住吉の津守網引(あびき)のーの緒の」〈万二六四六〉。「伊勢の海に釣する海人(あま)のーなれや心ひとつを定めかねつる」〈古今五〇九〉②水泳用・救命用などの具。浮沓(うきぐつ)の類。「さて又、布嚢とは、ぬのぶくろと読む。是はーと云ふ物にて、水を泳ぐ器なり」〈清原宣賢式目抄〉 †ukë

う・げ【穿げ】『下二』《ウガチ(穿)の自動詞形。奈良時代はウケと清音》①穴があく。「眼はー・げなんとすとも」〈正法眼蔵諸法実相〉。「寘、ハナウケタル」〈伊呂波字類抄〉②かさぶたがとれる。「カサ(瘡)ガウゲタ」〈日葡〉 †ukë

うけあゆみ【浮け歩み】「うきあゆみ」に同じ。「素足道中繰出しのー」〈西鶴・一代女二〉

うけいだ・し【請け出し】『四段』《ウケダシとも》①金を払って、質物を取り戻す。「予、具足ー・す。山門尊林坊に置く質なり。本六貫文、利一貫八百文なり」〈山科家礼記応仁二・四・二三〉②抱え主に前借金を払って、遊女・芸妓などを、その商売から身を引かせる。身請けする。「身不祥なれば、ー・す事難し」〈色道大鏡一五〉

うけうり【請売り】①製造元または問屋から品物を買い受けて小売すること。「材木ーの事」〈貞永式目追加延応二・三・一八〉②他人の学説・意見などを、そのまま自説のように述べ伝えること。「学文にもーの人こそ多く候へ」〈仮・清水物語上〉

うけおり【浮け織】模様を織り出したよこ糸を、模様以外の所では浮かしたままにしてある織物。「うきおり」とも。「蔓は糸水やー菱紬(ひしつむぎ)」〈俳・夢見草二〉。「汎織、ウケオリ」〈易林本節用集〉

うけが・ひ(ウケガイ)【肯ひ】『四段』「うけがへ」の転。「兄(このかみ)の御子たちー・ひ給はざりしを、この天皇ひとりー・ひ給ひしによりて」〈神皇正統記仁徳〉

うけが・へ(ウケガエ)【肯へ】㊀『下二』《ウケ(受)カヘ(交・易)の意》相手の言うところを受けて、こちらの賛意を伝える。承諾する。肯定する。「不肯受、ウケガヘズ」〈名義抄〉 ↓かへにす・がへんず。㊁『名』肯定。承諾。「肯、ウケガヘ」〈名義抄〉

うけき【浮け木】舟の異称。「うきき」とも。「まなしかたま(目ノナイカゴ)をーにつくりて」〈紀神代下〉 †ukëki

うけく【憂けく】《憂シのク語法》いやなこと。「世間(よのなか)のーつらけく」〈万八九七〉 †ukeku

うけぐつ【穿沓】穴のあいた靴。「ーを脱(ぬ)き棄(つ)る如く」〈万八〇〇〉 →うげ(穿) †ukëgutu

うけど・ひ(ウケゴイ)【肯ひ】『四段』「うけがひ」の転。「阿難これを覚りて『大毒蛇なり』とー・ひ給ひぬ」〈宝物集上〉

うけこ・み【請け込み】『四段』請け入れる。引き受ける。「七夕は人の歌をばー・みてつひに返歌は聞かぬなりけり」〈遠近草中〉。「諸国の旧里切られ(勘当サレタ者)をー・み、首尾よく帰宅せぬもなし」〈西鶴・二十不孝五〉

うけざけ【請酒】醸造元または問屋から仕入れて、小売する酒。「町町所所ーの事」〈蜷川家文書永正八・三・二三〉

うけじゃう(ウケジョウ)【請状】①「請文(うけぶみ)」に同じ。「願主の時のー」〈多聞院日記天文二一・一〇・一〉②請人(うけにん)の記した、奉公人・借家人などの身元引受け証書。「ーをまた書き直し取り直し」〈俳・昼網下〉

うけす・ゑ【浮け据ゑ】『下二』しっかり浮かべる。「夕潮に船をー・ゑ」〈万四三九八〉 †ukësuwe

うけだち【受太刀】①太刀打ちにおいて受身になること。「うけがたな」とも。「堂衆八人ーになって引きけるを」〈盛衰記九〉②議論などで受身になること。守勢に立つこと。「ーになりて返事をせられたぞ」〈論語抄陽貨〉

うけたまは・り(ウケタマワリ)【承り】㊀『四段』《ウケは相手の命令・頼み・勧め・話し掛けなどを、心構えして自分の所におさめ入れる意。タマハリは、目上の人が下の人に物を下賜するタマヒという動作が自然に成立する意》❶《「受け」の謙譲語》①お受けする。いただく。「内に入(まゐ)るものならば、必ず恩をー・りなむ」〈白氏文集三・天永点〉。「かしこき仰せ言をたびたびー・りながら」〈源氏桐壺〉②つつしんで承引する。「神主・祝部等ー・りて…と宣る」〈祝詞祈年祭〉③拝見する。「『ー・りぬ。いと悩ましくてえ聞えさせず』とばかり書きつけ給へるを」〈源氏宿木〉④《「ー・る」の形で》上からの命令に応ずる承諾のことば。はい、かしこまりました。「『めでたくみ酒(き)を参らせよ』『ー・る』と申して女房お酌に立ち」〈伽・天狗の内裏〉❷《「聞き」の謙譲語》拝聴する。うかがう。「我今この経を聞き奉ること親(まのあた)り仏前にしてー・りぬ」〈金光明最勝王経平安初期点〉。「今宵ー・る物の音どもの耳おどろき侍るは」〈源氏若菜下〉㊁『名』(命令を)受け、それを執行すること。また、その役。奉行(ぶぎやう)。「〔源為義ハ〕頭殿の御ーにて政清が太刀取りにて、昨日の暁、七条西の朱雀にて討たれさせ給ひ候ひぬ」〈保元下・義朝幼少の弟〉。「今日、予ーにて、広橋・勧修寺を召し」〈言国卿記文明六・七・四〉 †ukëtamaFari

うけと・り【受け取り・請け取り】㊀『四段』①(外部から渡されるもの、働きかけられるものを)取り入れる。「そののち物など多く—りてなむ急ぎ造りけむ」〈源氏松風〉②身に受ける。こうむる。「さばかり重き病(やまひ)を—り給ひてければ、御色もたがひて」〈大鏡道兼〉③(依頼を)責任をもって引き受ける。「その御後見の事をば—り聞えむ」〈源氏若菜上〉。「地蔵[ノ注文]を一体—った」〈天理本狂言六義・金津地蔵〉④納得する。信じる。「そんな風俗にては殊に堺といふ所—り申さず候」〈西鶴・文反古五〉[二]〘名〙①取り入れること。引き受けること。また、その者、その仕事。担当。「院宣—は誰人ぞ」〈米沢本平家八・征夷将軍〉②「請取手形」に同じ。「—三、出し候」〈山科家礼記長禄一・三・六〉 **—てがた【請取手形】** 金銭・物品を請け取った証拠に記す文書。「八十貫の—」〈仮・棠陰比事物語五〉 **—ぶしん【請取普請】** 建築工事で、日限・経費などの条件を契約して普請すること。また、その請負工事。請負普請。「約束堅き—」〈俳・宗因七百韻〉

うけなが・し【受け流し・請け流し】〘四段〙①相手の刀を軽く受けて他へかわす。「切先にて—し、逆手(さかて)に取って、えいやと云うて突いたりけり」〈室町殿日記一〇〉②程よくあしらう。うまくそらす。「孔子の—いて不可なりと仰せられたを、よいぞと心得て云ふぞ」〈論語抄陽貨〉

うけにん【請人】 債務または賠償責任を保証する人。保証人。近世には金請・人請・地請・店請などの別があった。「もし相違の事あらば、—あひかかりて、明らめ沙汰すべく候」〈東寺百合文書ツ、建武五・閏七・二五〉 **—や【請人屋】** 近世、大都市にあった、奉公人の請人となり奉公先を世話した口入れ屋。人宿(ひとやど)。「—の九助」〈西鶴・二十不孝五〉

うけはしげ(ウケハシゲ)《ウケヒと同根》(神意にかけて)のろいたいような様子。「式部卿の宮の大北の方、常に—なる事どもを宣ひ出でつつ」〈源氏若菜上〉

うけば・り【受け張り】〘四段〙《「憚(はばか)り」の対。ウケは、これでよいと心構えする意。ハリは、勝手に振舞う意》①人に憚らず振舞う。「—りたる親ざまには聞こし召されじ」と〈源氏絵合〉②自信をもって振舞う。出しゃばる。「さるべき方には卑下して憎らかにも—らぬなどを」〈源氏若菜上〉

うけはん【請判】 ①受け取った文書に、了承・承諾の意を表して押す判。「御意いかでか背かんとて、いづれも御—をぞいたしける」〈浅井三代記四〉②請人(うけにん)が保証のために押す判。加判。加印。「借銀四枚の代[米]十五石一斗…返し了んぬ。…則ち—取り返し了んぬ」〈多聞院日記天正六・一・二七〉

うけ・ひ(ウケイ)**【祈誓ひ】**〘四段〙《上代に行なわれた占いの一法。判断・推測・証拠の当否、または正邪を決定するために神意をうかがう法。前もって甲と乙という対立した事態を予想しておき、神意の所在が甲にあれば実際に甲が起り、神意の所在が乙にあれば乙が起るとして、神意をうかがう。後に、神に祈る意となり、平安時代には呪(のろ)う意に転じた。→いのり・ちかひ・のろひ》①神に対して条件をきめてから実際の現象を見る。「[心ガ清明ナラバ女子ヲ生ムト]各〻—ひて子を生まむ。[ソノ結果女子ヲ得タ]」〈記神代〉②神意があるか否かを示す証拠として、或ることが起る。「誠に験あらば、この鷺巣池(さぎすのいけ)の樹に住む鷺や—ひ落ちよ[コノ結果実際ニ落チタ]」〈記垂仁〉③神に祈る。「[夢ニ相手ガ見エレバコノ恋ハ有望ト]—ひて寝れど夢に見え来ぬ」〈万七六七〉④人の不幸を祈る。のろう。「罪もなき人を—へば」〈伊勢三一〉 †ukëri **—がり【祈狩】** 吉凶の神意を獲物によってうかがう狩。「祈狩、此をば于気比餓利(うけひがり)といふ」〈紀神功摂政一年〉 **—ざけ【祈酒・盟酒】** 神意をうかがうための祭儀に具える酒。「父なくしてみ児を生みましき。[ソコデ父神ヲ知ルタメニ]—を醸(か)まむとして」〈播磨風土記〉

うけひ・き【承け引き】〘四段〙《ウケは、相手の誘いや頼みを認める意。ヒキは、そのことに責任を持つ意》①乗り気で承諾する。ひきうける。「用意殊にして、さる心ばへ見すなれど、更に—かず」〈源氏若紫〉②異議なく承認する。「世の—くまじき事なれば」〈源氏桐壺〉。「『もはら—かず』と頭(かしら)振りて」〈源氏夕霧〉

うけふぐゎ(ウ‥キョ)**【右脇臥】** 右脇を下にして横たわること。釈迦(しゃか)入滅の時の姿勢とされ、後に、僧や死人の臥床法となった。「我は釈尊入滅の儀に任せて、—の儀にて臨終すべし」〈明恵伝記下〉

うけぶみ【請文】 受けた文書に対して、その内容を了承・承諾した旨をしたためて出す文書。また、ある事を発意して、その履行を請け合う文書。「否み申すべき事ならねば、領状(りやうじやう)の—書きて奉る」〈著聞五六〉

うけへんたふ(ウ‥ト)**【受け返答】** 質問に答えること。うけこたえ。応答。「女中が—を召されう」〈近松・薩摩歌上〉

うけまへ(‥エ)**【浮け前】** 船が出帆する予定になっていること。「今日もだらつく—の船」〈俳・炭俵下〉

うけやま【受山・請山】 近世、幕府または諸藩が、運上金を納めさせて、鉱山の採掘販売権または山林の伐採権を商人に与えた制度。また、各藩領の山林を村民に貸与し、伐木・採草などを許した制度をもいった。「山師ども—に持ち候へば、万事せはしき事しかけられ、迷惑し候まま、公儀山に致し」〈梅津政景日記元和三・四・一〉

うけら【朮】 オケラの古名。野山に生えるキク科の多年草。夏から秋、アザミに似た白または薄紅の花が茎の頂に咲く。「武蔵野の—が花の[ヨウニ恋心ヲ顔ノ]色に出(づ)なゆめ(決シテ)」〈万三三七六東歌〉 †ukëra

うげん【有験】 加持・祈禱などの効験あらたかなこと。「それより—の名は高く広まりけるとか」〈宇治拾遺一四一〉

うげん【繧繝】 ①⇒うんげん(1)〈名目抄〉②⇒うんげん(2)「錦はし・高麗はし—・紫はしの畳」〈堤中納言よしなしごと〉。「—二帖の上に御しとねよそひて」〈中務内侍日記〉 **—ばし【繧繝縁・繧繝端】** ⇒うんげんべり。「昔おぼえて不用なるもの。—の畳の、ふし出で来たる」〈枕一六三〉

うこ【愚】《ヲコ(烏滸)の母音交替形》⇒をこ。「吾(あ)が心し、いや—にして」〈紀歌謡三六〉 †uko

うごうご【蠢蠢】 ①少しずつ動くさま。うごめくさま。「今年も時節来れば、[老梅樹ハ]同じ色に—と開いた」〈勝国和尚再吟三〉②ろくに身動きもできぬほど貧乏たらしいさま。「大坂の—とした殿達の体を見れば」〈評判・古銀買下〉

うごか・し【動かし】〘四段〙《ウゴキの他動詞形》①動くようにする。「君待つとわが恋ひをれば我が宿の簾—し秋の風吹く」〈万四八八〉②動揺させる。「朝夕の宮仕へにつけても人の心を—し」〈源氏桐壺〉

うご・き【動き】[一]〘四段〙《ウゴは擬態語。ウゴメキ・ウゴナハリのウゴと同根。静止していないで、もぞもぞとする意。類義語ハタラキは、ばたばたと身体を動かす意》①じっとしていない。位置・状態をわずかに変える。「しきたへの枕—きて夜も寝ず」〈万二六二五〉。「物は少し覚ゆれども腰なむ—かれぬ」〈竹取〉。「例の執念き御物怪一つ更に—かず」〈源氏葵〉②平静でなくなる。動揺する。「何が故ぞ…遍く身をのゝき、掉(こ)きつつ、安穏にあらぬ」〈金光明最勝王経平安初期点〉 ㊁『名』①動くこと。じっとしていないこと。「寝たるやうにて—もし給はず」〈源氏少女〉 ②動揺。地位や気持にいう。「母宮をだに—なきさまにし置き奉りて」〈源氏紅葉賀〉。「更に—なき御心なればあさましうつらしと」〈源氏橿〉 ③変化。「みかどのあまたびく変らせ給へど、この斎院は—なくておはしましけり」〈古本説話一〉 †ugoki —もの【動物】連俳の分類用語。動物(うどぶつ)。生類。「一座一句物。鹿・猿・鶯・郭公・螢・蟬…かくのごとき—の類」〈連理秘抄〉。「鶉衣、—にあらず」〈連歌初学抄〉

うごつ・き【蠢き】『四段』動きまわる。うごめく。「横槌を枕として、目ばかり—・き」〈西鶴・二十不孝五〉

うごなは・り【集り】ウゴナワリ『四段』《ウゴはウゴキ・ウゴメキのウゴと同根》群がり集まる。「—・れる神主・祝部(はふり)等」〈祝詞祈年祭〉 †ugonaFari

うごま【胡麻】草の名。ゴマ。「—は油にしぼりて」〈宇津保藤原君〉。「胡麻、五万、訛云、宇古末(うごま)」〈和名抄〉 ▽奈良時代には濁音で始まる和語は極めて少なかったので、gomaと発音しにくかったため、前に母音uをつけてugomaとしたものであろう。

うごめ・き【蠢き】『四段』《ウゴはウゴキ・ウゴナハリのウゴと同根》虫などがごそごそ動く。「小蟹ども、おのが穴穴より出でて—・き遊ぶ」〈海道記〉

うごも・ち【墳ち】『四段』土などがもりあがる。土饅頭をつくる。「墳、ウゴモル・ウゴモツ」〈色葉字類抄〉。「墳、ウゴモテリ」〈文明本節用集〉

うごろもち【土豹】モグラ。「うぐろもち」とも。「岸の下の土うごもてるを見て、—ありとて」〈奇異雑談集三〉。「鼹鼠、和名宇古呂毛知(うごろもち)」〈和名抄〉 ▽近世には、手足を切り取って乾燥したもので痘疹(とうしん)や疥癬(かいせん)を搔くと、かゆみがすぐ直ると信じられた。

うこん【右近】《「左近」の対》「右近衛府(うこんゑふ)」の略。また、そこに勤める人。「—、左の馬寮(むまづかさ)見つけて、崩れ下りぬ」〈宇津保祭使〉 **—のうまば**【右近の馬場】右近衛府に属する馬場。今の北野神社の東南にあった。「—のひをりの日(五月六日、競馬・騎射ノ行ナワレル晴レノ日)」〈古今四七六詞書〉 **—のくらうど**【右近蔵人】右近衛府の役人で蔵人を兼任するもの。例えば頭中将など。「—をして后の宮に…と聞え給へれば」〈宇津保祭使〉 **—のくらうどのぞう**【右近蔵人将監】右近将監で蔵人を兼ねたもの。「うこんのぞうのくらうど」とも。「けふは〔随身トシテ〕—仕うまつれり」〈源氏葵〉 **—のさうくゎん**ソウカン【右近将曹】右近衛府の佐官すなわち第四等官。「—、みつ何とかやいふ者」〈枕一六〇〉 **—のじょう**【右近将監】右近衛府の第三等官。右近衛将監(うこんゑのしょうげん)。「うこんのぞう」とも。「—も靫負(ゆげひ)になりて」〈源氏澪標〉 **—のぞう**【右近将監】⇒うこんのじょう。「—なる人」〈源氏藤裏葉〉 **—のたいふ**【右近大夫】右近将監の、五位にすすんだもの。「御供なる—を召して、ともしつけさせ給ふ」〈源氏篝火〉 **—のたちばな**【右近の橘】紫宸殿の南の階の右に植えられた橘。朝廷の儀式のとき、右近衛府の官人がこの橘の側に並ぶからいう。「左近の桜、—を七八度まで追ひまはして」〈平治中・待賢門軍〉 **—のちうじゃう**チュウジョウ【右近中将】右近衛府の次官。右近衛中将。「藤原利基朝臣の—にて住みはべりける曹司の」〈古今八五三〉 **—のぢん**【右近の陣】右近衛府の役人の詰所。紫宸殿からみて右方の月華門内にある。「—のみかは水のほとりになずらへて」〈源氏梅枝〉 **—のつかさ**【右近の司】右近衛府。また、右近衛府の将曹〈さくわん〉以下の武官。「—の宿直奏(とのゐまうし)の声聞ゆるは丑〔ノ時〕になりぬるなるべし」〈源氏桐壺〉 **—ゑふ**【右近衛府】六衛府の一。右近衛。「—、犬死穢有り、大原野祭を停む」〈三代実録貞観六・二・一七〉 ↓近衛府〈こんゑふ〉

うこん【鬱金】①南洋原産のショウガ科の多年草。根茎を止血薬・香料・黄色染料とする。近世、シャム・広東・福州や琉球から取り寄せ、また栽培もした。「—。…この香はさまざまあり。熟—といふは、紫海苔の朽ちたるやうにていと香ばし。…青—といふは、蕫(はじかみ)をほしたるさまにて、わりたれば黄朽葉の深くつしみたるやうにぞある」〈薫集類抄下〉 ②⑴で染めた鮮濃黄色。鬱金色。「まがひ染—・黄—・薄浅黄」〈近松・融大臣三〉。〈俳・類船集一〉

うさ【憂さ】不満の晴れない気持。その状態・度合。「思ひ尽きせぬ世の中の—」〈古今九三五〉。「古への〔冷淡ニ扱ワレタ〕—も慰み侍る」〈源氏東屋〉

うざいがき【有財餓鬼】①〔仏〕「無財餓鬼」に対し、膿血など不潔なものにありつけたり(小財餓鬼)、残飯やお供えの食物を得ることのできる餓鬼(多財餓鬼)をあわせいう。「—と申すは馬のひづめの水をのむ餓鬼なり。是は今生にて財をしみ、食をかくす故也」〈日蓮遺文四条金吾書〉 ②財貨を多く持ちながら、欲深で、けちな人。「乞ふも無財餓鬼、惜しむも—なり」〈三国伝記三〉

うざうウゾウ【有相】〔仏〕《中世ではウサウと清音。「無相」の対》形あるもの。目に見えるもの。「無相の本心に住して還って—に同ず」〈修禅寺相伝私注〉。「有相、ウサウ」〈文明本節用集〉 **—むざう**ウゾウ【有相無相】《中世ではウサウムサウと清音》①〔仏〕形をとってあらわれるものとあらわれないもの。「云ふ所の三昧とは即ち法華の—の二行なり」〈修禅寺相伝私注〉 ②種種雑多な、つまらない連中。「俗〔ニ〕とりまじへたる事を—と云ふ」〈齊東俗談三〉

うざうざ ①小さいものが多数集まってうごめくさま。うじゃうじゃ。うようよ。「ウザウザトスル」〈日葡〉。「千手観音のごとく手の数—として」〈浮・好色兵揃三〉 ②身に迫って痛切に感じ、ぞっとするさま。ぞくぞく。「〔思慕ノ情ガ〕思ひ昂じてあればこそ、ちりけもとより—と、ふるひつきてやところん〔ノ如ク〕、ぶるぶるぶると〔フルエル〕」〈仮・けんさい物語中〉

うさぎ【兎】ウサギ科の動物の総称。「兎、宇佐岐(うさぎ)」〈和名抄〉 ▽朝鮮語 t'o-kki(兎)と同源。 **—うま**【驢】《耳が長いのでいう》ロバ。「うさぎま」とも。「百済(くだら)、…—一匹(ひとつ)…を貢(たてまつ)れり」〈紀推古七年〉 **—のつのろん**【兎の角論】《兎には角がないので》うその話。ほら話。「俗、又、無着の談を—と云ふは、これ(兎角ノ語)に本づけり」〈齊東俗談六〉 **—ののぼりざか**【兎の登り坂】兎は前足が短く坂を登るのが得意なので、物事の素早いたとえ。「卯の年に。早く越ゆる年や—」〈俳・毛吹草五〉 **—へいはふ**ヘイホウ【兎兵法】無益な小細工のたとえ。「世の事業何かと謀むも、皆—となりぬべし」〈仮・愛宕物語〉。「—とは益なき喩へを言ふとかや」〈俳・類船集二〉 **—むま**【驢】⇒うさぎうま。「咲(わら)ひて曰く、僕(やつかれ)驢(うさぎむま)に騎(の)らば」〈遊仙窟(醍醐寺本)鎌倉期点〉。「驢、宇佐岐無麻(うさぎむま)、似ㇾ馬長耳」〈和名抄〉

うさのつかひツカイ【宇佐の使】天皇の即位の時や国家の大事がある時、宇佐八幡宮に幣帛を奉る勅使。即位の奉幣使には和気氏の五位以上の人が任ぜられた。聖武天皇天平三年正月が最初。醍醐天皇昌泰元年八月から三年に一度恒例の使を遣わすこととなった。「蔵人の源

少将、—にさされて下るに」〈宇津保菊宴〉

うさゆづる【設弦】 予備の弦。切れた時の用意にもつ弦。「設弦、一の名をば宇佐由豆留(うさゆづる)といふ」〈記仲哀〉。「—絶えば継がむに」〈紀歌謡四六〉

うさ・り【失さり】『四段』《ウセと同根》なくなる。消え失せる。「昔の風義は—・り」〈西鶴・好色盛衰記三〉

うさん【胡散】《唐音》怪しいこと。不審。「ウサンニヲモウ」〈日葡〉。「使の奴が兎角—な」〈俳・蝿打四〉

うし【牛】 馬と共に代表的な家畜。農耕に使った。平安時代には車を引くものとして重用。縄文時代晩期以後から日本にいた。「—にこそ鼻縄はくれ(鼻縄ヲツケルガ)」〈万三八八六〉。「〔車ヲ〕—ながらひき入れ」〈源氏帚木〉 ▽複合語として下に置かれると、アメウジ(黄牛)・イキウジ(生牛)・オソウジ(遅牛)・メウジ(雌牛)のように、ウジと濁音化するばあいがある。 **—に喰らは・る** だまされる。一杯食わされる。「牛にくはる」とも。「—・れ、閻魔王(えんまわう)が行先きまで、ふ(運)が悪い」〈虎明本狂言・朝比奈〉 **—に引かれて善光寺参り**《信濃の善光寺近くの不信強欲の老婆が、晒した布を隣家の牛が角に引っ掛けて走ったのを追い、知らぬうちに善光寺へ駆け込んで、信心を起したという伝説から》他人に誘われて、偶然に、よい方に導かれるたとえ。〈俳・世話尽二〉 **—の一散** ふだんはのろのろしている牛が、何かのはずみに一散に走り出す意で、のろまな人が、ある場合に急に決断してしまうたとえ。「これぞ此の—年の暮」〈俳・埋草四〉 **—の寝た程** 金銀がうずたかくあるさま。「内証には—金もつくねてゐるげな」〈近松・嵯峨天皇二〉 **—は断(いなな)き馬は哮(ほ)え** 物事の逆さまであるたとえ。「—、理は非に落ちる左縄」〈近松・卯月紅葉上〉 **—は牛連れ** 似た者同士は一緒に連れ立つものというたとえ。「馬は馬連れ、—、僧は僧連れとし」〈周易抄二〉

うし【丑】 十二支の第二。年・日・時、また方角の名などに当てる。①時刻の名。いまの午前一時から午前三時まで。「右近のつかさの宿直奏(とのゐまうし)の声聞ゆるは—になりぬるなるべし」〈源氏桐壺〉 ▽古くは、丑の刻までが前日に属した。「今案ずるに、—を昨日の終りとし、寅は今日の始初とす。故に—寅の両時は昨今の交り也」〈暦林問答集下・昼夜時剋法〉 ②方角の名。北北東。「歳殺(暦ノ八将神ノ一)—に在り」〈長徳四年具注暦〉

うし【大人】 ①領有・支配する人の称。転じて、人の尊称。「大背飯三熊之(おほせいひのみくまの)—(出雲ノ三熊ノ地ヲ領スル主ノ意)」〈紀神代下〉。「瑞歯別皇子(みつはわけのすめみこ)、太子に啓して曰く、『—何ぞ憂へますこと甚しき』」〈紀履中即位前〉 ②師匠または学者の尊称。「宣長、県居(あがたゐ)の—に会ひ奉りしは」〈玉勝間二〉

う・し【憂し】『形ク』《ウミ(倦)と同根。事の応対に疲れ、不満がいつも内攻して、つくづく晴れない気持。類義語ツラシは他人のわが身に対する仕打ちについていう語》①憂鬱だ。いやだ。「世間(よのなか)を—・しとやさしと思へども」〈万八九三〉。「命長きは—・き事にこそありけれ」〈栄花鳥辺野〉 ②《自分に憂い思いをさせる意から》恋愛の相手の態度が無情だ。つれない。「〔女ハ〕ほかにかくれにけり。あり所は聞けど、人の行き通ふべき所にもあらざりければ、〔男ハ〕なほ—・しと思ひつつなんありける」〈伊勢四〉 ③《動詞の連用形について》(やむなくそうせざるを得ないのだが、自分の感情としては)…しづらい、…したくない。「折らで過ぎ—・き今朝の朝顔」〈源氏夕顔〉。「帰り—・くおぼしやすらふ」〈源氏篝火〉 ④《室町時代以後、目下の者をほめて》感心だ。けなげだ。殊勝だ。かわいい。「一段—・い奴ぢゃ」〈狂言記・烏帽子折〉 ▽平安女流文学では、思うままにならない世の中、宿世を憂きものと思う例が多い。

うじ【蛆】 うじ虫。「—たかれ(集マリ)、ころろきて(ゴロゴロ鳴ッテ)」〈記神代〉

う・じ【倦じ】『サ変』《ウンジのンを表記しない形》いやけがさす。気がくじける。「御衣どもに移り香も染みたり。ふすべられける程、あらはに人も—・じ給ひぬべければ」〈源氏真木柱〉

うしおき【牛起き】 牛が起きるように急に立ち上がること。「近近と詰め寄せ、—にかっぱと起き」〈幸若・高館〉

うしおに【牛鬼】 牛のような形をした鬼。地獄閻魔の庁の門番である牛頭(ごづ)の類。「名おそろしきもの。…むばら・からたち・煎炭(いりずみ)・—」〈枕一五三〉。「頼光件(くだん)の太刀を抜いて、—の頭(かうべ)をかけず切って落す」〈太平記三二・直冬上洛〉

うしかひ イ・カ **【牛飼】** 牛を飼って使う人。平安時代以後は「うしかひわらは」をさす。「—は大きにて、髪あららかなるが、顔赤みて、かどかどしげなる〔ノガヨイ〕」〈枕五五〉 **—わらは**(ワラワ)**【牛飼童】** 牛車(ぎっしゃ)の牛を扱う者。少年とは限らないが、子供風の垂れ髪で、烏帽子の類は冠らず、狩衣(かりぎぬ)を着、鞭を持つ。「—、…〔牛ヲ〕いたう走り打つも」〈枕一本二九〉

うしき【有職】 僧の職名。已講(いかう)・内供(ないぐ)・阿闍梨(あじやり)の総称。僧綱(そうがう)に次ぐ。「〔受戒ノ儀式ノ〕御さき(前駆)に、—・僧綱どものやんごとなき候」〈大鏡顕信〉

うしぐるま【牛車】 牛にひかせる屋形車。「ぎっしゃ」「ぎうしゃ」ともいう。平安時代、貴族を中心に多く使われた。普通は四人乗り。榻(しぢ)を踏台として車の後方から乗る。降りるには牛をはずして、前から降りる。唐庇車(からびさしのくるま)は太上天皇・東宮・摂関などが乗り、檳榔の葉で飾った檳榔毛車も同様に使われたが、公卿や僧侶もこれを使った。糸で屋根を美しくふいた糸毛車は后宮・女官などの専用。摂政・関白などが牛車に乗ったまま宮中に出入するのを宣旨によって許可することを、「牛車ゆるす」という。また、運搬用の牛車も奈良時代からあって、奈良・京都などの都市と木津・大津などの外港との間を、米・木材などの物資を積んで往復した。「—〔ニヨル出入〕を梨壺に許さんと申し給へば」〈宇津保国譲下〉

うしとでい【牛健児】《コデイはコンデイのンを表記しない形》牛車の牛を扱う童形の者。「あっぱれ支度や、これは—が計らひか」〈平家八・猫間〉

うしざき【牛裂き】 室町時代頃から行なわれはじめた死刑の方法。罪人の手足に二頭または四頭の牛を縛りつけ、牛を走らせて体を裂く。「水責め・湯責めにして、後は—になすべしとて、牛両方につなぎける」〈伽・万寿の前〉

うしつ【烏瑟】《梵語の音訳「烏瑟膩沙(うしつにしや)」の略。ウシチとも》仏の頭の頂がもりあがって、髻(もとどり)のような形になっているところ。仏の三十二相の一。「金銅十六丈の盧舎那仏(るしやなぶつ)、—高くあらはれて半空(なかぞら)の雲にかくれ」〈平家五・奈良炎上〉

うしつき【牛付】「牛飼(うしかひ)」に同じ。「おとどの御童名をば牛飼と申しき。されば、その御族(ぞう)は牛飼を—とのたまふなり」〈大鏡実頼〉

うしつき【牛突き】 闘牛。「天竺に長者と婆羅門と—を合はす。おのおの金千両をかけたり」〈今昔四ノ三三〉

うしてんじん【丑天神・牛天神】 天満天神の祭日の二十五日が丑の日に当った時をいう。「今日は—也」〈鹿苑日録天正一九・五・二五〉

うしとら【丑寅・艮】十二支による方角の名。丑と寅の間。北東。鬼門とされていた。「〔風ハ〕—のかたより吹きはべれば」〈源氏野分〉。「〔手ヲツカマレタ鬼ハ〕まどひてうち放ちてこそ—の隅ざまにまかりにけれ」〈大鏡忠平〉

うじな【猪】「むじな」の古形。「—ありて人に化(な)りて歌うたふ」〈紀推古三十五年〉

うしな・ひウシナイ【失ひ】《ウスシ(薄)と同根。ナヒは、オコナヒ(行)・アキナヒ(商)のナヒに同じ》①(気づかずに)なくす。「白たへのあが下衣—・はず持てれわが背子直(だた)に逢ふまでに」〈万三七五一〉。②(不本意に)死なす。亡くす。「昨日は栄えおごりて、時を—・ひ」〈古今序〉③捨てる。「ただわが過ちに〔ヨッテ〕—・ひつる人なり」〈源氏蜻蛉〉④殺す。「鬼も何も喰ひて—・ひてよ」〈源氏手習〉 †usinaFi

うしぬすびと【牛盗人】牛泥棒。また、いつも黙っていて、心を他人に明かさない人のたとえ。「たとひ—とは云はるとも」〈改邪鈔〉。「黙る人を—と言ふ」〈仮・籠耳三〉

うしのくるま【牛の車】牛のひく車。火事を知らずに家で遊んでいる子供を救うため、羊車・鹿車・牛車を与えるからと屋外に出させ、大白牛車(だいびゃくごしゃ)を与えたという法華経の文句から、仏の教えをさしていう。「世の中に—のなかりせば思ひの家(火ノ家ト掛ケル)をいかで出でまし」〈拾遺一三二一〉→三(み)つの車

うしのたま【牛の玉】牛の胆石。牛黄(ごわう)といい、薬用にする。また、同様に牛の腹中に生ずる病塊があって宝物とする。「其の〔厨子ノ〕内に納むる所は、—・犀の角・象牙の笛…等なり」〈吾妻鏡文治五・八・二二〉

うしのとき【丑の時・丑の刻】《今の午前一時から午前三時まで》 **—まうで**デモウ【丑の時詣で】「丑の時まゐり」に同じ。「我宿願の子細あって、五条の天神へ—を仕り候」〈謡・橋弁慶〉 **—まゐり**【丑の時参り】女が恨む相手を呪い殺すために、丑の時に神社に参詣すること。蠟燭をともした鉄輪を頭上に乗せ、釘と金鎚とを手にし、相手の人形を神木に釘付けすれば、七日目の満願の日に相手は死ぬと信じられた。「丑の時詣で」とも。「御身は都より—めさるる御方にて候か」〈謡・鉄輪〉

うしのほね【牛の骨】素性の知れない賤しい者。馬の骨。「何処の—やら知らいで、人のかぶる(一杯食ウ)衣装つき」〈西鶴・胸算用三〉

うしは・き【領き】〘四段〙《ウシは主人、ハキは佩く意》(土地などを)あるじとして持っている。領する。「うすはき」とも。「この山を—・く神の昔より禁(いさ)めぬ行事(わざ)ぞ」〈万一七五九〉 †usiFaki

うしばくらうウ:ロ【牛博労】牛の良否を判定し、また、その売買を業とする者。「これはこのあたりの—でござる」〈虎明本狂言・牛馬〉

うしほウシオ【潮】《海(う)塩(しほ)の意》①海水。「—を浴み、風に当りて伏せれ」〈記神代〉②海水が日・月、特に月の引力によって、時をきめて高く、また低くなること。「潮、四声字苑云、海水朝夕来云、波涌也、宇之保(うしほ)」〈和名抄〉③塩。「広く塩(うしほ)を指して詛(ごと)ふ」〈紀武烈即位前〉④魚貝類を塩味だけで調理した吸い物。鯛を主要な材料にする。潮煮。「月を乗せ(映シ)て引くや—の車海老」〈俳・毛吹草一〉 **—に**【潮煮】「うしほ」④に同じ。「〔池ノ〕水車火の車にぞ成りにける池の魚をば—にして」〈看聞御記応永三二・八・一七〉

うしま【牛松】牛使い、また農夫の称。「牛之介」とも。「未だ—の土気離れぬ故、物事初心にして打ち着かぬ所有り」〈評判・野良立役舞台大鏡〉

うしみつ【丑三つ】①丑の第三の時刻。今の午前二時に当る。「子(ね)ひとつより—まで」〈伊勢六九〉→刻(こく)②品物が使い古しであること。「—とも覚しき緋縮緬の下帯」〈洒・客衆肝照子〉

うじもの【鵜じもの】〘副〙鵜のように、頸を低くたれているさま。「—頸根(うなね)衝(つ)き抜きて」〈祝詞祈年祭〉→じもの。 †uzimönö

うじやう:ジョウ【有情】〔仏〕木石などを「非情」というのに対し、一切の人畜をいう。「仏法を住持して—を利益せんがために」〈長講法華経先分発願文〉

うしろ【後ろ】《ミ(身)の古形ムと、シリ(尻・後)の古形シロとの結合したムシロの転。musirö→msirö→usirö 古くは「まへ」「しりへ」、後には「まへ」「うしろ」と対で使われた。→あと》①背後。後方。「—も暗(くれ)に〔子ヲ〕置きてか行かむ」〈紀歌謡一二〇〉。「死は前よりしも来らず、かねて—に迫れり」〈徒然一五九〉→しりへ。②後部。「〔牛車ノ〕—より降りむとしければ」〈平家八・猫間〉③背。背中。「廂の柱に—を当てて、こなた向きにおはします」〈枕一〇四〉④うしろ姿。「左衛門の陣へいきし—なむ常に思し出でらる」〈枕八六〉⑤下襲(したがさね)のしり。「御ぞの—ひきつくろひ」〈源氏紅葉賀〉→しり。⑥(空間的に)見えにくい方。物の陰。裏側。「限りある御位を得給へれど、物の—のここちして」〈源氏若菜下〉。「ないがしろなるもの。…唐絵の革の帯の—」〈枕二五七〉→かげ。⑦(時間的に見えない方の意から)のち。「なき御—に」〈源氏夕顔〉⑧〔歌舞伎用語〕①俳優のしぐさの間に奏する下座音楽。「何か哀れな草笛入りの—で読まうといふ文(ふみ)だっけ」〈洒・通言総籬〉⑩舞台で俳優の着付けなどの世話をする者。後見。また、黒衣(くろこ)を着て、俳優にせりふをつける狂言方。「素人狂言と言ふやつは、舞台よりは—がしっかりしねへでは、うまくいかねへもので御座いやす」〈滑・八笑人四下〉⑨俳優の声色をつかう際、うしろで歌う歌。これをきっかけにして声色を始める。「誰でも—を歌ふ人があると、〔声色ヲ〕すっぱりやって見せるがなあ」〈滑・膝栗毛六上〉 †usirö **—あがり**【後上り】「あとあがり」に同じ。「牢人役となって—の鬢付き」〈評判・役者大鑑〉 **後足(うしろあし)を踏・む** 足をうしろに向けて逃げようとする。「国国の兵共に向って、後足をも踏み、命をも惜しと思はん人人は、是より返り下り給へ」〈盛衰記四二〉 **—あはせ**アワセ【後合せ】①背中あわせ。「烏丸面(おもて)に六角堂の—にぞ住みし」〈今昔二七ノ二七〉②相反すること。正反対。あべこべ。「今は両家相違して、—に舞なり侍るなり」〈教訓抄二〉。「わが大師聖人の御意は、かれに—なり」〈改邪鈔〉 **—うま**【後馬】人を乗せた馬のうしろに乗ること。「当年六歳になり給ふ幼き屋形を抱き、—に乗って北坂口より落ち給ふが」〈江源武鑑一八〉。〈日葡〉 **—おび**【後帯】背後で結んだ帯。近世前期、少年・素人女・娘の地味な風俗。「—を変へて前帯に改む」〈色道大鏡三〉。〈日葡〉 **—かげ**【後影】立ち去ってゆく人のうしろ姿。「その人の—の見え給ふほどは、御前に候て奉公を致す如くに、其の方へ向きて畏まり、礼を致すべし」〈極楽寺殿御消息〉 **—がみ**【後神】うしろに付き添って守る神。後楯(うしろだて)となる神。「〔勘当サレタ時〕親達の堪忍なさるるように—に立ち給ふ宮」〈西鶴・織留四〉 **後髪(うしろがみ)引・く** あとに心が残って去るに去れない気持の形容。「うしろがみのひくばかりにて、心強くぞ帰り給ふ」〈伽・花世の姫〉 **—かろ・し**【後軽し】〘形ク〙あとのことに心がかりがない。「まかりぢ(死出ノ旅)

も—・く」〈続紀宣命五二〉 **—ぐら・し**【後暗し】『形ク』心がやましい。うしろめたい。「入道も多田蔵人行綱が告げ知らせ奉りてより後は、君をも—・き御事に思ひ奉りて」〈盛衰記六〉。「みづからの心には、—・き事はなし」〈説経・しだの小太郎〉 **—ごと**【後言】①過去のくりごと。ぐち。「何と殿は—をばし給ふらむ」〈平治下・悪源太誅せらる〉②かげ口。「人の—、かへすがへす宣(のたま)ふべからず」〈極楽寺殿御消息〉 **—さがり**【後下り】《「うしろあがり」の対》「あとさがり」(2)に同じ。「当世の流行とて、月代(さかやき)を—に剃りなし」〈仮・身の鏡上〉 **—ざま**【後ざま】《室町時代まではウシロサマと清音らしい。→さま》①うしろの方。「月影のはしたなきに—にすべり入るを」〈枕三〇二〉 →しりへざま。②うしろ向き。「『う』と言ひて—にこそ臥し返りたれ」〈宇治拾遺三五〉 **—だう**【後堂】堂のうしろ側。「—の縁の板をだうだうと踏み鳴らし給ふ」〈幸若・文覚〉 **—だて**【後楯・後立て】背後の防ぎとして楯にとる物。転じて、背後から保護するもの。また、後援者。「御志どもこそ哀れに覚え候へ。……—にはなりまゐらすべし」〈曾我五〉 **—ちがひ**【後違ひ】背馳(はいち)すること。くいちがって反対になること。「道と儒とは—なぞ」〈山谷詩抄一九〉。「その心が天理と—になるなり」〈中庸鈔〉 **—つき**【後付き】うしろ姿。「うしろで、俗に—と云ふ心也」〈竹聞〉。「赤染の飽かぬ姿や—」〈俳・正章千句上〉 **—づめ**【後詰】①先陣の後方に待機していること。また、その軍勢。ごづめ。「夜詰(よづめ)・—は陣旅の軍致なり」〈庭訓往来六月十一日〉②敵の後方に回って攻めること。後巻(うしろまき)。「郡山城衆、昨朝より一日一夜ふせぎて、—を待つ」〈明応六年記〉 **—で**【後方・後手】①《デは位置・方向・状態などを示す接尾語》㋑うしろの方。「〔少女ノ〕—は小楯ろかも」〈記歌謡四三〉 ㋺うしろ姿。「〔自分ノ〕—は知らず顔に〔前髪ヲツクロイ、化粧ヲスル〕」〈源氏総角〉。「立ちて行く—を見て」〈宇治拾遺二四〉②手をうしろにまわすこと。「降人は—にしばられて出るなり」〈蒙求聴塵中〉 **—ひぼ**【後紐】《ウシロヒモとも》①幼児の着物の後ろに縫いつけ、前に廻して結ぶ紐。付け紐。「姫瓜の実を巻く蔓(つる)や—」〈俳・鷹筑波三〉〈日葡〉②(1)のついた着物を着る幼時。「祐算法印〔ノ〕弟子—より見馴れ、知音の処」〈多聞院日記天正四・八・一八〉 **—まき**【後巻】「うしろづめ」(2)に同じ。「野村殿様御破れに、—を明宗せぬと、御一家仰せらる」〈本福寺跡書〉 **—・み**【後見】㊀『上二』《相手のうしろについていて心を配り面倒を見る意》①(親子・夫婦・主従の間で日常のことを)こまごまと世話する。「かぎりなき人も親などおはしてあつかひ—・み聞え給ふ程こそ若び給ふもことわりなれ」〈源氏末摘花〉②(位につく人が幼少の場合)輔佐する。助ける。「一の親王をなん東宮とすべけれども、—・み申すべき人のなきにより思ひがけず」〈大鏡後一条〉 ▽平安時代から中世にかけて、上二段の活用形が見られる。「南院の七郎君に—・むべきことなどおほせられける」〈大鏡昔物語〉 ㊁『名』①日常的な世話。また、世話をする人。「なのめなるまじき、人の(夫ニ対スル)—」〈源氏帚木〉。「化粧じ添ふとてさわぎつる—ども」〈源氏少女〉②(公の立場における)輔佐役。後見人。特に近世では、庶民の戸主が幼少または女子の時、手代または親族が戸主の父の代理としてその養育と財産管理に当った。「はかばかしき御—なければ東宮に当代をたて奉るなり」〈大鏡師尹〉。「前腹の男子十四歳なるに—を付け」〈西鶴・桜陰比事四〉 **—みがほ**【後見顔】後見人らしい姿勢。「いとうけばりたる—にうちいらへ聞えて」〈源氏椎本〉 **—みだ・ち**【後見立ち】『四段』目立って後見人らしく振舞う。「もてあがめて—・つに罪隠してなむある」〈源氏東屋〉 **—むすび**【後結び】女の帯を背後で結ぶこと。堅気の女・娘の帯の結び方。「—の帯解けて」〈西鶴・諸国咄三〉 **—めたが・り**【後めたがり】『四段』気がかりだという気持を、顔つきや言葉に出す。「いと幼き御心ばへを見置き給ひて、いたく—・り聞え給ふなりけり」〈源氏若菜下〉 **—めた・し**【後めたし】『形ク』《ウシロメ(後目)イタシ(痛)の約。人を後ろから見守りながら、将来は安全かと胸痛む気持。自分の認識や力の及ばない所で事態がどうなって行くか分らないという不安感を表わす。成り行きに気がゆるせない、気がかりだの意から、転じて、自分の行為について他人の見る目が気にかかる意。「うしろやすし」の対》①成り行きが気がかりである。気づかわしい。「〔娘ガ〕いとはかなう物し給ふこそ、あはれに—・けれ」〈源氏若紫〉。「これ(雪山ノコト)が—・ければ、おほやけ人、すまし・長女(をさめ)などして絶えずいましめ(警戒)にやる」〈枕八七〉②油断がならない。気が許せない。「〔男ニ〕—・き心もやあらむ、…打ち解くまじきは人の心にこそあめれと思ひ寄り給ひて」〈源氏総角〉。「教盛(のりもり)を一向二心ある者と思し召すにこそ。これほど—・う思はれ参らせては世にあっても何にかはし候べき」〈平家二・少将乞請〉③《自分の行為について》他人の気持・目が気にかかる。気がとがめる。「怪しきまで心を合せつつ率てあるきし〔友〕人のために〔恋人ヲ奪ウト〕—・きわざにもあるかな」〈源氏浮舟〉 **—めたなが・り**【後めたながり】『四段』後見していて不安だと、心の中を表明する。「『ここながら命たへずなりぬる事』と〔玉鬘ノ将来ヲ〕—・る」〈源氏玉鬘〉 **—めたな・し**【後めたなし】『形ク』《ナシは甚だしい意》「うしろめたし」に同じ。「火ともしつけよ。いとくらし。さらに—・くはな思しそ」〈かげろふ上〉。「いかにせん—・き人心つらぬく玉のくだけてぞ思ふ」〈中納言俊忠卿集〉 **—や**【後矢】味方をうしろから射る矢。敵に内通すること。「—は射てまゐらせん」〈平家七・火打合戦〉 **—やく**【後厄】厄年の次の年。あとやく。「今日四十三〔歳ニナッテ〕我が—」〈銀葉夷歌集二〉 **—やす・し**【後安し】『形ク』《人の性格・行動から判断して、その将来・行く末などに不安も感じず安心である状態。「うしろめたし」の対》先が安心である。頼もしい。「大方の心用ひなども、いと物物しくまめやかに物し給ふ君なれば、—・くおぼし譲れり」〈源氏螢〉。「公けの御為に—・き事申し出でたりとて」〈栄花浦浦別〉 **—ゆび**【後指】うしろから指さして、あざ笑うこと。「—を指(さ)されば、家の疵なるべし」〈義経記八〉 **—を任・す** 下襲(したがさね)の裾(きよ)を長く引く。「あやしき下﨟どもの、〔貴人ノマネヲシテ〕うしろをうちまかせつつ居並みたりしこそねたかりしか」〈枕一本二八〉 **—を見・す** ①背を見せて逃げる。「源氏の大将軍、雑人(ざふにん)に—・せて落ちさせ給ふか」〈平治中・義朝奥波賀に落ち着く〉②弱みを見せる。「この期に成っても口利口、—・せぬは兵(つはもの)なり」〈近松・生玉心中中〉

うしん【有心】《「無心」の対》❶①思慮のあること。心得のあること。「〔蛇ヲ〕打ち殺すべしと申すを、—の人にて…とてこれを制す」〈雑談集七〉②心を入れること。思いを凝らすこと。「あまり—すぎて、しそこなふな」〈枕三五〉❷①狂歌に対し、伝統的な優雅な和歌をいう。「柿の本はよのつねの歌、是を—と名づく」〈井蛙抄六〉②連歌の名称。鎌倉・室町時代、連歌の持つ伝統的な滑稽性を排し、和歌的な情趣を求めて作られた連歌。有心連歌。「長房卿・宣綱…無心衆と称し、態(わざ)と狂句を出す。…雅経・

旦親…—と称し」〈明月記建永一・八・九〉③中世以後の歌学上の理念の一。和歌・連歌などで、深い意味内容のあること。また、そのような意味内容を巧みに表現した作風。意味内容は恋や述懐などに関するものが多い。「句の様も長(けた)高く—にして…殊勝の事おほく侍りし」〈吾妻問答〉 **—てい**【有心体】藤原定家により唱えられた、和歌十体のうち、最高の姿。対象を風雅と感じさせるように詠んだ歌。連歌・俳諧にもいう。「—に過ぎて歌の本意と存ずる姿は侍らず」〈毎月抄〉

うす【碓・臼】穀物をつき砕いたり精白したりするために使う器物。古くは酒造にも使われて、縦臼と横臼とあった。木製または石製。「この御酒(みき)を醸(か)みけむ人はその鼓—に立てて歌ひつつ醸みけれかも」〈記歌謡四〇〉。「碓、女人舂ㇾ米之器、舂也、築也、宇須(うす)」〈新撰字鏡〉。「茶—は茶磨の義にあらず。団茶するとて—に入れて搗くを云ふなり」〈三体詩絶句鈔六〉 **—から杵(きね)**《「臼」は女の、「杵」は男の象徴》本来男から女に言い寄るのを、女から言い寄る意で、物事が逆になるたとえ。「それは—ぢゃ」〈浮・女大名丹前能三〉

うす【薄】『接頭』どことなく、なんとなく、ぼんやり、の意を示す。「—曇り」「—暗い」など。「—黄ばみたる雲のたなびきたる空は」〈八重むぐら〉。「今は—面目もあるまいぞ」〈史記抄一六〉。「螢とぞ—知りに知る月夜かな」〈俳・思出草二〉

うず【髻華】上代、髪や冠にさした木の葉・花・玉など。もとは植物の生命力を人体に感染させる呪術として使われたが、後には単なる飾りとなった。カシの葉・タチバナ・豹の尾・鳥の尾などをつかい、また金・銀・銅などでつくる。「くまかしが葉を—にさせ」〈記歌謡三一〉→かざし(插頭)

うず【雲珠】《ウンジュとも》馬具の一。宝珠の形をしている。唐鞍(からくら)のしりがいの交わる所につける飾り。〈名義抄〉

う・ず『助動』《ムズの転。ムズは、推量の助動詞ム、助詞ト、サ変動詞ス(為)の結合したムトスの転》①《意志を表わす》…しよう。「若狭みやげの皮草履、おれが履(は)か—・ずと思うたものを」〈宗安小歌集〉。「腕力にて行なは—・ずまでぞ」〈百丈清規抄一五〉②《勧誘・命令を表わす》…しよう。…するがよい。「牡丹を見ば午時に見—・ずるぞ、午を過ぎつれば、ばっさとして花に無き姿程にぞ」〈四河入海一四ノ二〉。「あれへ行たらば盃の挨拶も心得てせ—・ず」〈虎明本狂言・眉目よし〉③《推量の意を表わす》…だろう。

「仏性が此の国に留まりて、当来出世の仏の時は、此の国より仏法が天竺へ出—・ずる間」〈古今序注〉。「『散りもこそすれ』は『散りこそせ—・ずらん』と云ふ心なり」〈桂林集注春〉

うすいた【薄板・羅板】《「厚板」の対》地の薄い絹織物。しじら・片色(かたいろ)などの称。「—物一つ、透素襖(すきすあを)一つ、扇一本進上せしめ候」〈伊達家文書一、永正一五・五・三〉

うすいろ【薄色】①染色の名。薄紫または薄二藍(ふたあい)。また薄紅梅色をいうこともあった。「—なる薄物の裳」〈かげろふ下〉。「山吹・—など花やかなる色あひ」〈源氏総角〉②織色の名。縦糸は紫、横糸は白という。「—の織物の袙(あこめ)」〈源氏若菜下〉③襲(かさね)の色目の名。遠い縁者の喪に服する時に着る軽服(きやうぶく)の色でもある。「—のも青朽葉(襲ノ色目)などを〔着カエサセタ〕。とかく〔喪中ヲ〕まぎらはして」〈源氏夕霧〉

うすうす【薄薄】①いかにも薄いさま。「紙の如く—となりたる」〈雑談集四〉②かすかなさま。ほんのり。「地は—と赤紫に濃き紫、青き柑子(かうじ)とを片身替りに織られたるを」〈問はず語り四〉。「人白(ほか)の—と見えし夕暮」〈西鶴・一代女六〉

うすがき【薄柿】薄い柿色。しぶ色。「〔天目ノ〕薬色、—に濃い柿薬を懸け候」〈宗及他会記永祿三・一・九〉

うすかは(ワ…カ)【薄皮】①女などの白く、きめの細かい皮膚。「ウスカワナヒト」〈日葡〉。「—にして、なるほどきれいなる子なり」〈評判・讃嘲記〉②橙(だいだい)や饅頭(まんじゅう)などの、皮の薄いもの。「菓子〔八〕、—・うち栗」〈久政茶会記弘治二・三・一七〉

うすがみ【薄紙】 **—剝(へ)・ぐ** 病気が日に日に少しずつよくなるたとえ。「—・げば消ゆる浮雲(病気ノ不安)」〈俳・独吟一日千句〉

うすぎぬ ①【薄衣】地の薄い衣服。うすごろも。「かの—は小袿(こうちき)の、いとなつかしき人香にしめるを」〈源氏(三条西家本)空蟬〉。「—のいかにはるとも心よくよりあふべくも見えぬ君かな」〈新続古今二〇六八〉②【薄帛・薄絹】地の薄い絹織物。紗(しゃ)や絽(ろ)など。「—二丈代〔米〕三斗二升」〈多聞院日記天正九・一〇・一〉

うすきりふ【薄切斑】切斑の黒色が薄いもの。「—に鷹の羽はぎまぜたるぬた目の鏑(鹿ノ角ノカブラ矢)をぞ指し副へたる」〈平家一一・那須与一〉

うずくま・り【蹲り・踞り】『四段』しゃがんで丸くなる。「時に有る—・りて乞戒するもの、のけさまに地に倒れて」〈願経四分律平安初期点〉。「〔心戒上人ハ〕静かに、つい(ヒザヲツイテ)ゐけることだになく、常は—・りてのみぞありける」〈徒然四九〉 ▽「踞、ウズクマル」〈名義抄〉、「蹲、ウスクマル」〈色葉字類抄〉など、平安・鎌倉時代まではウズクマリであるが、室町時代後期頃にはウヅクマリに転じた。「蹲踞、ウヅクマル」〈易林本節用集〉

うすこうばい【薄紅梅】①紅梅の花の、色の薄いもの。また、その色。「御手のはつかに見ゆるが、いみじう匂ひたる—なるは」〈枕一八四〉②「薄紅梅襲(がさね)」の略。紅梅襲の色の薄いもの。「いま一所は—〔ノ小袿〕に、御髪(みぐし)、色にて(ツヤツヤト美シクテ)」〈源氏竹河〉

うす・し【薄し】『形ク』《ウシナヒ(失)・ウセ(失)と同根。物の厚さ、気体・液体・色彩の密度・濃度、物事の程度、作用などが少ないこと。「厚し」「濃し」「深し」の対》①物の厚みが少ない。「わが背子が着(け)る衣(きぬ)—・し佐保風はいたくな吹きそ家に至るまで」〈万九七九〉②物の密度・濃度が少ない。㋑まばらである。「畝火山木立—・けど」〈紀歌謡一〇五〉。「稀、宇須志(うすし)、又万礼良尓(まれらに)」〈新撰字鏡〉㋺(雲・霞・霧などが)たちこめていない。稀薄だ。「春の霞も—・く濃くたなびき」〈栄花蕾花〉㋩(色などが)淡い。「さほ山のははその色は—・けれど秋は深くもなりにけるかな」〈古今二六七〉。「紅(くれなゐ)・蘇芳(すはう)の濃き—・き」〈栄花鳥辺野〉③(愛情などが)こまやかでない。薄情である。また、淡泊だ。「薄氷(うすらひ)の—・き心をわが思はなくに」〈万四四七八〉。「日にしたがひて母の恋しさ—・くなりて」〈古今集註〉④手うすである。薄弱である。「次第次第に味方は—・くなり」〈上杉憲実記〉⑤短命・貧乏など、薄幸である。「—・き命、短き事なり。薄命」〈匠材集三〉。「—・き人の持病とて、必ず痩我〔慢〕を起し」〈評判・難波物語〉

うすじほ(オ…ジ)【薄塩】《薄い塩味の意から、転じて》①じれったいこと。もどかしいこと。「〔人ノ恋ヲ〕うらやむも—なり」〈俳・宝蔵五〉②にぶいこと。愚鈍。「おかた腹を立て、『—や、そのつれな事云ふか』とて、さんざんに叱る」〈咄・昨日は今日下〉

うすす・き『四段』《イススキの母音交替形》そわそわする。おろおろする。「御門守(みかどもり)、寒げなるけはひ〔デ〕、—・き出で来て、とみにもえ開けやらず」〈源氏槿〉

うずすま・り『四段』《ウズはウズクマリ・ウズキのウズと同根、しゃがむ意。スマリはスバリ(統)と同じ、集まる意》うずくまり集まる。「大宮人は…庭雀〔ノヨウニ〕―・り居て」〈記歌謡一〇三〉

うすずみ【薄墨】①《「濃墨(こずみ)」の対》墨付きの薄いもの。「まぎらはし書いたる濃墨・―、草がちにうちまぜ乱れたるも」〈源氏少女〉②「薄墨色」の略。「〔尼ノ〕―の裳・袈裟(けさ)・衣(ぬき)」〈枕二七八〉③薄墨色の紙。宿紙(しゅくし)。「―にかく玉づさと見ゆるかな霞める空に帰る雁がね」〈後拾遺七一〉 **―いろ**【薄墨色】墨色の薄いもの。灰色。「御装束は凶服也。―也」〈蔭涼軒日録寛正四・九・二一〉 **―どろも**【薄墨衣】薄墨色の衣。喪服として使用。「〔喪服ノ色ニハ〕限りあれば―〔色ハ〕あさけれど涙ぞ袖をふちとなしける」〈源氏葵〉 **―のどりんし**【薄墨の御綸旨】薄墨紙に書いて賜わる綸旨。綸旨には薄墨紙すなわち宿紙を使うのが正式であった。「五畿内五箇国の―、御判を賜はるなり」〈伽・小栗絵巻〉

うすだん【薄緂】薄紫色の緂。「〔屏風絵〕唐の綾の―に下絵のさまなど、おろかならむやは」〈源氏若菜上〉

うすぢゃ【薄茶】《「濃茶(こいちゃ)」の対》茶の分量を少なくした抹茶のたて方。「種種閑談共過ぎ候うて、―にて候」〈上井覚兼日記天正一一・三・五〉

うすで【薄手】軽い傷。あさで。「―負うて戦ふもあり。痛手負うて討死する者もあり」〈平家九・坂落〉

うすどり【臼取り】餅つきの時、一杵(ねき)ごとに、水に浸した手で餅をひっくり返して、杵に粘着するのを防ぐこと。また、その人。「こねどり」とも。「君がちぎらん餅の―」〈俳・口真似草五〉

うすなか【薄中】親密でないこと。交際がうとうとしいこと。「置く露と―ならぬ紅葉かな 重頼」〈俳・毛吹草六〉

うすにび【薄鈍】鈍色(にびいろ)の薄いもの。軽い喪の喪服や僧尼の衣服などに用いる。「御叔父の服〔喪〕にて―なるも」〈源氏蜻蛉〉

うすば【薄刃】刃の薄い、野菜を切る庖丁。薄庖丁。菜切り庖丁。「―一丁これを恵まるる也」〈隔蓂記承応三・一〇・一八〉

うすは・き【領き】『四段』《ウシハキの転》領有する。「吾が所と―・きいませと進(たてまつ)る幣帛(みてぐら)は」〈祝詞遷却祟神〉 †usuFaki

うすはた【薄機】「うすもの」に同じ。「佐保姫の織りかけさらす―の」〈古今六帖五〉

うすばた【薄端】①薄手の金属製花器。瓶形の胴と薄い皿形の広口とからなる。「―の花をさすがの手際にて」〈俳・寛永十三年熱田万句三〉。「―は立花(りっくわ)の用なり」〈俳・蠅打四〉②杯・皿などの広口で底の浅いもの。「―に盛る春の谷村」〈俳・鷹筑波五〉

うすはなざくら【薄花桜】①白味を帯びて、色の淡い桜の花。また、その色。「紅の―匂はずはみな白雲と見てや過ぎまし」〈詞花一七〉②襲(かさね)の色目の名。「―、表白く裏紅」〈藻塩草一八〉

うすはなぞめ【薄花染】《薄い花染の意》①ツユクサなどで、薄いはなだ色に染めること。その色は落ちやすい。「人心―のかり衣さてだにあらで(ソノママニハアラズシテ)色や変らむ」〈新古今一二五六〉②桜の花色に染めること。また、その色。「紅の―の山桜」〈続拾遺六四〉

うすふたあゐ【薄二藍】染色の名。二藍の薄いもの。「―なる帯」〈源氏賢木〉

うすべう【護田鳥尾・鷹】《護田鳥(うすべ)の尾羽に似ていることからいう》鷲の羽に薄墨色のまだらのあるもの。矢羽に用いる。「うすべを」とも。「射残したる―の矢負うて」〈盛衰記三五〉。「切生(きりふ)・中黒(なかぐろ)の二色は最も極上の品也。…―また上とす」〈武用弁略三〉

うすべり【薄縁】縁をとったござ。「―を…二畳敷きて」〈多聞院日記文明一〇・八・一四〉

うすべを【護田鳥尾】⇒うすべう。「石打・中黒・切符(きりふ)・本白・―などは古代より聞えし物なり。…宇須倍乎(うすべを)また宇須倍布(うすべふ)などいふを世には鷹の字を用ふるにや」〈本朝軍器考四〉

うすめ【碓女】うすで米をつく女。「雀を―とし」〈記神代〉 †usume

うすめ【護田鳥】⇒おすめどり。「鸈鶌、ウスメ」〈名義抄〉

うすもの【薄物】薄い絹織物。蟬の羽のように軽く、薄く織ってある。羅(ら)や紗(しゃ)の類。「―の直衣・単衣を着たまへるに透きたまへる肌つき」〈源氏賢木〉。「夏は―の帷(かたびら)を懸く」〈今昔三一ノ五〉

うすやう【薄様】①《「厚様」の対》紙の名。雁皮(がんぴ)の薄手のもの。今日の雁皮紙にあたる。多く手紙の料紙として、その折折にふさわしい、白・紅・紫・青・緑色などが使われた。「文とりて帰りたるを見れば、紅(くれなゐ)の―ひとかさねにて紅梅につけたり」〈かげろふ下〉。「〔青ザシ(菓子)ヲ贈ルノニ〕青き―をえんなる硯の蓋に敷きて」〈枕二三九〉②染色の名。上方を濃く、下方を薄くぼかし染にしたもの。「袴は赤き―、下ざまに白く重なりたるいとをかし」〈栄花煙後〉 **―だ・ち**【薄様立ち】『四段』(紙質が)薄様と同じに思われる。「高麗の紙の―・ちたるが、せめてなまめかしきを」〈源氏梅枝〉

うすやくそく【薄約束】あいまいな約束。口約束。「薄契約」とも。「しかじかの事ども―して」〈西鶴・一代男一〉〈文明本節用集〉

うすゆき【薄雪】うっすらと積もった雪。「月の曇りなく澄みまさりて、―少し降れる庭のえならぬに」〈源氏初音〉。「ひととせを眺めつくせる朝戸出でに―こほる寂しさの果て」〈拾遺愚草上〉

うすら【薄ら】うすいさま。程度や量が少ないさま。「―憎く思ふぞ」〈春秋抄三〉 **―か**【薄らか】見た目に薄い感じであるさま。うっすらとしているさま。「月さし出でて、―に積れる雪の光にあひて」〈源氏権〉。「鈍色(にびいろ)の直衣・指貫(さしぬき)―に衣がへして」〈源氏葵〉 **―・ぎ**【薄らぎ】『四段』①密度が少なくなる。まばらになる。「所なく立ち混みたりし馬車―・ぎて」〈源氏賢木〉。「〔髪ガ〕すこしさはらかなる程に―・ぎにけるも」〈源氏初音〉②程度や量が少なくなる。はげしくなくなる。「今はつつましさ―・ぎて」〈源氏賢木〉。「いささか心の濁りも―・ぐと見えしかど」〈方丈記〉 **―び**【薄ら氷】薄くはった氷。うすごおり。「佐保川に凍り渡れる―の薄き心を」〈万四四七八〉▽万葉集の原文、「宇須良婢」。「婢」は万葉集では濁音の仮名。†usurabi

うす・れ【薄れ】『下二』薄くなる。薄らぐ。「くたみ山夕居る雲の―・れ行かば」〈万二六七四〉

うすわら・ひ【薄笑ひ】『四段』わずかに笑う。「その時、門部府生―・ひて」〈宇治拾遺一八九〉

うずゐ【端坐・踞】《ウズはウズクマリ・ウズスマリのウズと同根。ヰ(坐)はすわる意》うずくまってじっとしていること。「端坐と―にして」〈遊仙窟(真福寺本)鎌倉期点〉。「踞、ウズヰ」〈名義抄〉

う・せ【失せ・亡せ】『下二』《ウスシ(薄)と同根。うすれる意》①消えてなくなる。いなくなる。「白山にあへば光の―・するか」〈竹取〉。「その国当(まさ)に敗(ほろ)び―・せなむ」〈金光明最勝王経平安初期点〉。「跡もなくこそかき消ちてー・せにしか」〈源氏帚木〉 ②死ぬ。亡くなる。「京にて生れたりし女子、国にて俄かにー・せにしかば」〈土佐十二月二十七日〉

うせもの【失せ物】 失った物。紛失物。「ーでおりゃる」〈虎明本狂言・居杭〉 **ーに立・つ** 占いの卦(け)で、紛失物と出る。また、紛失する。消え失せる。「飛ぶ螢ー・つ月夜かな」〈俳・佐夜中山一〉。「娘の子付ける物(娘ニ持タセル持参金)は、始めからー・つぞかし」〈西鶴・嵐無常上〉

うせ・り【覰り】『四段』 獣が鼻で物を動かす。「覰、ゴツ・ウセル、鼻動レ物也」〈色葉字類抄〉

うそ【嘯・嘘・啌】 ①口をすぼめて出す息。特に、口笛。「今は目をふさぎ、ーを吹きて、〔蜂ニ〕明き間を刺されじと、あわて騒ぐほどに」〈十訓抄一ノ六〉 ②虚言。いつわり。「無き事を、ーをつき、人をたらすが妄語なり」〈伽・天狗の内裏〉。「人はーにて暮らす世に、なんぞよ燕子(えんし)が実相を談じ顔なる」〈閑吟集〉

うそ【鷽】 アトリ科の鳥の名。美しい声で鳴く。〈文明本節用集〉

うそ『接頭』「うす(薄)」の転。「羞渋とはー恥づかしい也」〈杜詩抄六〉。「微笑、ウソワラウ」〈運歩色葉集〉

うそうそ ①空虚なさま。「鼻柱は倒れて、穴のみぞ二つーとしてあきたる」〈雑談集四〉 ②不安そうなさま。落ちつかないさま。「あそここをーとまどひゆく」〈伽・をこぜ〉 ③不確かなさま。はっきりしないさま。「〔大和領主筒井〕順慶法印帰り了んぬ。知行〔安堵ノコト〕はーなり」〈多聞院日記天正一一・五・二六〉 ④「うそうそどき」の略。「ーに提燈釣りて花の興」〈俳・藤の実〉 **ーぐれ**【うそうそ暮】 黄昏(たそがれ)。「火をともせーの年の花」〈俳・音頭集四〉 **ーどき**【うそうそ時】 明暗いずれともつかぬ未明または黄昏(たそがれ)。「口笛か鶯も朝ー」〈俳・糸瓜草一〉

うそのかは(ワ:カ)【嘘の皮】 全くの嘘。「嘘の皮の巾着」「嘘の皮の団袋」とも。「梓弓春の花見の酒迎へやさしやーうつぼかな」〈再昌草三〉

うそのこと【鶯の琴】 鶯の鳴き声。鶯が鳴く時、交互に両足をあげるのが琴を弾く手つきのようなのでいう。「聞きたしな誰が誠よりー」〈俳・小町踊一〉

うそはっぴゃく【嘘八百】 嘘をむやみやたらにのべ立てること。「商人のーや鳥の市」〈俳・糸屑四〉

うそはらだ・ち【うそ腹立ち】『四段』 何となく腹が立つ。ひとりでにむしゃくしゃする。「かまひてー・ちて、飲まずして居るなど云ふぞ」〈四河入海二ノ一〉

うそひめ【鷽姫】 鷽の異名。姿・声が共に美しいのでいう。「ーの宝物とはならずして金銀瑠璃の名をくたす(ケガス)かな」〈仮・あだ物語上〉

うそぶ・き【嘯き】 ㊀『四段』《ウソ(嘯)フキ(吹)の意》 ①口をすぼめて息を吹き、音を出す。「筑波の山を……ー・き登り」〈万一七五三〉 ②ほえる。なく。「虎ー・けば風おこる」〈彌勒上生経賛平安初期点〉。「啾々、ワラハノナクコヱナリ、ウソブク。嘯、ウソムク・ウソブク」〈名義抄〉 ③風が音を立てる。「清風の長松にー・くがごとし」〈三蔵法師伝八・院政期点〉 ④詩歌を口ずさむ。吟誦する。「〔催馬楽ノ〕梅が枝をー・きて」〈源氏竹河〉 ⑤(月や花をながめて)息をつき、あるいは口笛を吹く。「野煙の春の光にー・いて各一句を吟じ」〈新撰朗詠集子日〉 ㊁『名』《ウソフキと清音》 狂言面の一。口笛を吹く時のような口吻で、顔をゆがめたもの。動物(蚊・蟬・蛸など)や植物(野老・果実・松脂など)の精に用いられる。「ー、…登髭(のぼりひげ)と同前なり。飛出(とびで)＝能面ノ一)のくづし」〈わらんべ草四〉 †*usobuki

うぞぶる・ひ(ルイ:ブ)【うぞ震ひ】『四段』《ウゾはオゾの転》 恐れて身ぶるいする。おじけをふるう。「ー・うてぞ詰めにける」〈近松・佐々木大鑑三〉

うそ・み【嘯み】『四段』 うそぶく。「虎ー・んで風起る」〈古文孝経永仁点〉。「嘯、宇曾牟(うそむ)」〈新撰字鏡〉

うそむ・き【嘯き】『四段』「うそぶき」に同じ。「嘯、宇曾牟久(うそむく)」〈新撰字鏡〉。「歗、ウソム・ウソムク・ウソブク」〈名義抄〉 †*usomuki

うそや・ぎ『四段』 おかしくて、または自慢で鼻がむずむずする。「鼻がー・いでをかしきぞと」〈沙石集四ノ一〉。「太鼓(幇間)衆にうちはやされて(オダテラレテ)鼻の先ー・ぎ」〈仮・浮世物語一〉

うた【歌】 ①声を出し、節をつけ、拍子をとって、自分の感情を表現する詞。「拝(をろが)みて仕へ奉らむ、ー献(つ)きまつる」〈紀歌謡一〇二〉。「良清にーうたはせ、大輔笛吹きてあそび給ふ」〈源氏須磨〉 ②語音の拍子の数を整えた詞。詩歌。「大和(やまと)ことのはをも、唐土(もろこし)のーも」〈源氏桐壺〉 ③(三十一音の)和歌。「ー奉れと仰せられし時よみて奉る」〈古今二五詞書〉。「三十文字あまり本末あはぬー」〈源氏常夏〉 ▽「拍子を打つ」のウチの古い名詞形ウタから起った語とする説(類例、ナヒ(綯)・ナハ(縄)、ツキ(築)・ツカ(塚)など)があるが、ウタ(歌)とウチ(打)とは起源が別。ウタガヒ(疑)・ウタタ(転)のウタと同根で、自分の気持をまっすぐに表現する意。 **ーと読み** ①すべて物事には表裏二面があって、一面に利があれば他面に害があるたとえ。「読みと歌」「読みと唱(なと)へ」とも。「あるに甲斐なき身も、ーとあって里ちかき童子経を教へ…年月を送りぬ」〈西鶴・男色大鑑一〉 ②勘定ずくで得のある方に付くこと。「公家衆のゐます都はおのづから喧嘩やめるもーなり」〈滑・膝栗毛六下〉 **ーにばかり歌うて・ゐる** 口先ばかりで、少しも実行しないたとえ。〈俳・毛吹草二〉

うた【転】『副』《ウタタ(転)・ウタガヒ(疑)・ウタ(歌)のウタと同根》 無性に。「此の御酒(みき)の御酒のあやにー楽しささ」〈記歌謡四〇〉

うたあはせ(ワセ:ア)【歌合】 平安・鎌倉時代の文学的遊戯の一。和歌を作る人人を左右に分け、その詠んだ歌を左右一首ずつ組み合わせて、判者が審判して勝負をきめる。平安初期以来宮廷・貴族のあいだに流行し、女手(をんなで)の発達、宮廷和歌の発展に大きい役割を果した。「寛平の御時、后(きさい)の宮のーの歌」〈古今三詞書〉

うだい【有待】〔仏〕《衣食などのたすけを待って生きているものという意》 人の肉体。凡夫の身。「ーの形(かたち)空(むな)しく破れぬ」〈妻鏡〉

うだいしゃう(ヨウ:シ)【右大将】「右近衛大将(うこんゑのたいしやう)」の略。右近衛府の長官。「権中納言、大納言になりてーかけ給へるを」〈源氏薄雲〉

うだいじん【右大臣】 太政官の長官。左大臣に次ぎ、職掌は左大臣に同じ。「左大将、ーになり給ひて」〈源氏若菜下〉

うだいべん【右大弁】 弁官の一。兵部・刑部・大蔵・宮内の四省を管轄する。左大弁に対する。「ーの子のやうに思はせて率て奉るに」〈源氏桐壺〉

うたうら【歌占】 ①巫女(みこ)の口から出る歌を手がかりにして行なう占い。また、その歌。「〔巫女ハ〕ーに、『十万億の国国は、海山隔てて遠けれど、心の道だに直(なほ)ければ、つとめて至るとこそ聞け』と占ひたりければ」〈古事談三〉 ②白木の弓に、歌を書いた多くの短尺を下げ、その一つを当

人に引かせ、出た歌によって神慮をうかがう占い。「いつもこの白山のふもとに出て、往来の人に—を引かせ候」〈謡・歌占〉

うたがき【歌垣・歌場】《歌懸きの意。異性に歌を歌いかけて、求婚すること。懸キは古く四段活用の動詞。「歌垣」は、奈良時代の当て字》①上代、稲の種まきや収穫の後に、神に祭り、飲酒して、男女が舞い、掛合いの歌を歌い、豊作を予祝して性の自由な開放をたのしむ行事。東国では嬥歌〈かがひ〉といった。「嬥歌の会、俗、宇多我岐(うたがき)といひ、又、加我毘(かがひ)といふ」〈常陸風土記〉②《農耕との関係を離れて》歌のやりとりによる男女の求婚の場。「平郡臣(へぐりのおみ)の祖、名は志毘(しび)臣、—に立ちて、その哀祁命(をけのみこと)の婚(め)さむとする美人の手を取りき」〈記顕宗〉③《後に宮廷に取り入れられ》一群の男女が並んで歌舞する風流な遊び。踏歌〈たふか〉の類。「葛井・船・津・文・武生・蔵、六氏の男女二百三十人、—に供奉す。其の服は並に青摺の細布の衣を着け、紅の長紐を垂る。男女相並び、行を分ちて徐(おもむろ)に進む。歌ひて曰く…、歌の曲折毎に袂を挙げて節を為す」〈続紀宝亀一・三・二八〉　†utagaki

うたかた　水の泡。はかなく消えやすいものをたとえる例が多い。「淀みに浮かぶ—はかつ消えかつ結びて、久しく留まりたるためしなし」〈方丈記〉。「—は、水の上につぼのやうにて浮きたる泡なり」〈奥義抄〉

うたがた〘副〙《奈良時代には、真実・本当の意。「うたがたも」の形で使ったが、平安時代以後ウタカタ(水泡)と混淆して、かりそめにもの意でも使われた》①真実に。本当に。「離れ磯に立てる室(むろ)の木—も久しき時を過ぎにけるかも」〈万三六〇〇〉。「鶯の来鳴く山吹—も君が手触れず花散らめやも」〈万三九六八〉②《打消や推量と呼応して》㋑決して。「思ひ川絶えず流るる水の泡の—人に逢はで消えめや」〈後撰五一六〉㋺かりそめにも。何としても。「ながめする軒のしづくに袖ぬれて—人をしのばざらめや」〈源氏真木柱〉　**—も**《打消の語を伴って》必ずしも。「未だ必(うたが)も詩に由りて得むとにはあらず」〈遊仙窟(醍醐寺本)鎌倉期点〉

うたがたり【歌語り】歌とそれに関した話。どんな歌か、どういう事情で詠まれたかなど。これが発展して歌物語となる。「—をするも、声づかひつきづきしくて残り思はせ、本末をしみたるさまにてうちずんじたるは」〈源氏常夏〉

うたがは・し【疑はし】〘形シク〙①眼前の事実に誤りや虚偽があるのではないかと思われる。信じられない。「うちつけ目(チラト見タ目ノ見アヤマリ)かとなほ—・しきに」〈源氏浮舟〉②自分の見込むような、わるい事実があることだろうと思われる。よくない風に想像される。「〔他ニ思ウ男デモイルノカト〕—・はしき事さへ添ひてなむ」〈源氏総角〉

うたが・ひ【疑ひ】㊀〘四段〙《ウタは、ウタ(歌)・ウタタ(転)などと同根。自分の気持をまっすぐに表現する意。カヒは「交ひ」の意。従ってウタガヒは、事態に対して自分の思う所をまげずにさしはさむ意》①相手・対象に虚偽や誤りがあるのではないかと思い込む理由を持っていて、信じない。「大将の御心を—・ひ侍らざりつる」〈源氏賢木〉②対象の中に自分の見込むような事実があるのではないか、などと、悪い方に推量する。「〔二人ノ仲ヲ〕怪し、なほいと斯くのみはあらじかしと—・はるるに」〈源氏宿木〉③もしやかと—・ひ」〈方丈記〉④言い訳をいう。「五嫂が曰はく。娘子分疎(うたがた)ふこと莫(なか)れ」〈遊仙窟(真福寺本)鎌倉期点〉㊁〘名〙①疑惑。あやしみ。不信。「妹が心は—も無し」〈万五三〇〉。「苦しげなるもの。…わりなく物—する男にいみじう思はれたる女」〈枕一五七〉②疑問。疑念。「もし鳩摩羅多尊者に会はずは、その—解け難からん」〈正法眼蔵三時業〉　†utagaFi

うたがま・し【歌がまし】〘形シク〙いかにも気取ってよんだ歌のようだ。「さすがに—・しう、我はと思へるさまに、最初(さいそ)に詠み侍らむ」〈枕九九〉

うたがら【歌柄】その和歌の品格。「—は清げなり」〈天徳四年三月三十日内裏歌合〉

うたガルタ【歌骨牌】カルタの一種。小紙札に五十首の和歌の上・下の句を別別に記し、上の句を並べて置き、一枚ずつ出す下の句の札と合わせて、取った札数の多少により勝負をきめる。元禄頃には、今日の百人一首カルタの形式となった。「合はするや鶯の読む—」〈俳・山の井五〉。〈俳・毛吹草四〉

うた・き【叺き】㊀〘四段〙うなる。ほえる。「その猪(ゐ)、怒りて—・き依り来(く)」〈記雄略〉㊁〘名〙怒りさけぶこと。ほえること。「病み猪(しし)の—かしこみ」〈記歌謡九八〉　†utaki

うだ・き【抱き】〘四段〙《ム(身)タキの転。タキは腕を働かして事をする意》だく。「熱き銅の柱を—・かして立つ」〈霊異記上三〇〉　†udaki

うたぎれ【歌切】古人の書写した歌巻物などを、手鑑(てかがみ)または掛物用に、一首または数首分を適宜の大きさに切り取ったもの。「定家の—」〈西鶴・代男六〉

うたぐち【歌口】①和歌の詠みぶり。「稽古も—もおなじ程の人の、後後にことのほか勝劣の見ゆるともがら多く侍るをや」〈ささめごと下〉②笙(しょう)・笛・尺八などの吹き口。「笛竹の鳴ると鳴らずと—よ留(と)め濡らさば濡れよ—の露」〈伽・朝顔の露の宮〉

うたくづ【歌屑】くだらない歌。「貫之が『糸による物ならなくに』といへるは、古今集の中の—とかや言ひ伝へたれど」〈徒然一四〉

うたぐ・り【疑り】〘四段〙うたがう。「檀那を—・る」〈天正本狂言・居杭〉

うたげ【宴】宴会。さかもり。「新室に—す」〈紀允恭七年〉▽(手を)打チアゲの約という。　†*utagë

うたざいもん【歌祭文】近世俗曲の一。初め、山伏が錫杖(しゃくじょう)を振り、法螺(ほら)貝を吹きながら、神仏の霊験を唱えたものが、後、世俗の事件を面白おかしく歌うようになった。でろれん祭文。「桜尽しの—」〈近松・賀古教信二〉

うたじゃうるり【歌浄瑠璃】近世前期、長歌または端歌風の浄瑠璃。後期は、浄瑠璃風の長歌の意。「砧の巻〔ノ〕—」〈吉原流行小歌〉

うた・せ【打たせ】〘下二〙①乗った馬を進める。「八百余騎…馬を静めて—・せたり」〈太平記六・関東大勢〉②むすびつける。「烏帽子に手綱(ハチマキ)—・せて、鬢もかかずして申しけることは」〈盛衰記三四〉

うたぜっきゃう【歌説経】寛文・元禄頃、操(あやつり)に合わせて仏教の因果を説いた語り物。初めは、ささら・胡弓を使って路傍で語り、後に盛んになって三味線を使うようになった。門付(かどづけ)して歩いたのを「門(かど)説経」といった。「鶯や声の操(あやつり)—」〈俳・一本草二〉

うたた【転・漸】〘名・副〙《ウタウタの約。ウタは、ウタ(歌)・ウタガヒ(疑)のウタと同根。自分の気持をまっすぐに表現する意。副詞としては、事態がまっすぐに進み、度合が甚だしいさま。「うたたあり」の形でも使い、後に「うたて」と転じる》①(事態が甚だしくてどうにもできず)不愉快なさま。

「花と見て折らんとすれど女郎花(をみなへし)〔私ハ僧ダカラ、女ト〕ーあるさまの名にこそありけれ」〈古今一〇一九〉。「思ふこと無ければ濡れぬわが袖はーある野辺の萩の露かな」〈後拾遺三九六〉。「ー、うたて也」〈奥義抄〉 ②いよいよ。ますます。「飛泉ー声を倍(ま)す」〈和漢朗詠集秋晩〉。「ーとは、いよいよと云ふ義ぞ」〈三体詩抄三ノ一〉

うたたね【うたた寝】うとうとと寝ること。仮寝。「ーに恋しき人を見てしより」〈古今五五三〉。「たらちねの親の諫めしーは物思ふ時のわざにぞありける」〈拾遺八九七〉。「仮寝、ウタタネ」〈名義抄〉

うただの・し【転楽し】『形シク』《ウタはウタタと同根》いよいよ楽しい。はなはだ楽しい。「み酒(き)のあやにー・し」〈記歌謡四〇〉 †utadanosi

うだち【梲】梁(はり)の上に立て、棟木をささえる小さな柱。「宇太知(うだち)二枝」〈正倉院文書天平宝字五・一二・二八〉

うだつ【梲】「うだち」の転。〈運歩色葉集〉

うたづかさ【雅楽寮】令制で、治部省に属し、歌舞のことをつかさどった役所。「うたれう」とも。「ーの人召して舟の楽せらる」〈源氏胡蝶〉

うたづ・き【歌付き】『上二』歌を寄せる。「拝(をろが)みて仕へまつらむ、ー・きまつる」〈紀歌謡一〇二〉 ▽上二段活用の付キのキはkïの音、杯のキはkïの音であるので、「歌杯」とする説は誤り。 †utaduki

うたて【転・漸】『名・副』《ウタタの転。平安時代には多くは「うたてあり」の形で使われ、事態のひどい進行をあきらめの気持で眺めている意》 ①度合がとどめようもないさま。ますます。いよいよ甚だしく。「いつはなも恋ひずありとはあらねどもーこの頃恋ししげしも」〈万二八七七〉 ②普通でなく。異様に。「ー物云ふ王子(こ)ぞ。故(かれ)慎しみ給ふべし」〈記安康〉。「このあるじの、またあるじのよきを〔大変ナモテナシヲ〕見るにー思ほゆ」〈土佐二月十五日〉 ③(こちらの気持にかまわずにどんどん進展する事態に出会って)いたたまれないさま。何ともしようがないさま。「ーある主(ぬし)のみもとに仕うまつりて、すずろなる死(しに)をすべかめるかな」〈竹取〉 ④いやで気に染まないさま。なじめず不快で。「鷺はいとみめも見苦し。まなこゐ(目ツキ)などもーよろづになつかしからねど」〈枕四一〉。「この人追従(ついそう)あり、ーある人の心にて」〈源氏東屋〉 ⑤嘆かわしく。なさけなく。「『〔戦場デ逃ゲルヨウナ〕あれ程不覚なる者共を合戦の庭に指しつかはす事ーありや、ーありや』と言って舞ひかなづる者もあり」〈延慶本平家四・宮南都へ〉 ⑥《「あなー」「ーやな」などの形で軽く詠嘆的に》いやだ。「あなー、こはなぞ」〈源氏手習〉。「ーやな、一念彌陀仏即滅無量の罪障を晴さん称名の」〈謡・敦盛〉

うたて・し『形ク』《ウタテの形容詞形。平安後期から使われ始め、中世にはシク活用の例もある》 ①(異常で)心に染まない。いやだ。「殿上には後取(しんとり)といひて、こちたく酔ひののしりて、ー・くらうがはしきことどもさしまじるべし」〈栄花蕃花〉 ②情けない。見るにたえない。「臆病はー・きものなり」〈著聞四三九〉 ③(情けなく)恐ろしい。むごくて気の毒だ。「仏事をばさしおき、一腹の舎弟泉の冠者を夜討にしけるこそー・けれ」〈義経記八〉 ④悲しい。困った。「『われわれは御いとま申し候はん』とのたまへば、母聞きて、『ー・しき御ことかな』」〈伽・蛤の草紙〉

うたぬし【歌主】歌の作者。「ー、いと、けしきあしくて」〈土佐一月十八日〉

うたねんぶつ【歌念仏】《ウタネブツとも》近世初期の門付け芸の一。また、その芸人。初めは念仏に節をつけて歌い、後には浄瑠璃・説経節などを鉦鼓(しょうご)の囃子で歌った。京都の日暮(ひぐらし)林清・林故などが有名。「ーといふ事を覚えて、…民家町家を経廻りなば」〈雲陽軍実記一〉

うたのかみ【雅楽頭】雅楽寮(うたづかさ)の長官。従五位上に相当。「ーなどらは内裏(うち)の召しにも必ずなん侍る」〈宇津保菊宴〉

うだば・れ【うだ腫れ】『下一』むくむ。「あながち太りもせねど、顔ー・れたるやうにて、嫌か」〈評判・まさり草〉

うた・ひ(ウタイ)【歌ひ・唱ひ】㊀『四段』《ウタ(歌)アヒ(合)の約で、もとは唱和する意か》歌の言葉に節をつけ、声をあげてとなえる。「その鼓臼に立ててー・ひつつ醸(か)みけれかも」〈記歌謡四〇〉。「弁の君、扇はかなう打ち鳴らして、『豊浦の寺の西なるや』とー・ふ」〈源氏若紫〉。「御供に声ある人して〔和歌ヲ〕ー・はせ給ふ」〈源氏若紫〉 →誦(ずん)じ・吟じ・詠み。㊁『名』【謡】謡曲。「観世大夫罷り出でーあり」〈北野社家日記永正三・八・一五〉 †utaFi ーうたひ(ウタイ)【謡うたひ】近世、編笠をかぶり扇を手にして謡の門付(かどづけ)をしたり、大道で一人能をした乞食。「島田と申すー」〈池田光政日記慶安五・一二・二三〉 ーかう(ウコ)【謡講・諷講】日を定めて多人数が集まり、素謡(すうたい)を練習する会。後には大規模になり、毎月出費し、広座敷を借りて、技芸を公開する温習会となった。「河村彦左衛門ーの頭(うと)仕り候由」〈親俊日記天文七・一・七〉 ーぞめ【謡初め】毎年正月に行なわれた謡曲のうたいはじめの儀式。室町幕府では正月四日、江戸幕府では正月二日、のち三日となる。「応仁の乱前までは、今日(一月四日)ーとて」〈年中定例記〉 →松拍子(まつはやし) ーはいかい【謡俳諧】俳諧連歌で、句ごとに謡曲の曲名を詠み込むもの。「ある侍衆ーをして、玄旨法印へ点をたのみ給へば」〈室町殿日記一〇〉 ーや【謡屋】謡を教える家。謡宿。また、謡を教える人。「各〻取り立てーにして」〈西鶴・桜陰比事四〉

うたびくに【歌比丘尼】近世、地獄極楽の絵解きをし、歌念仏を唱えて勧進し、熊野牛王を配って歩いた比丘尼。後には、化粧し小歌を便りに色を売った。「ーとて此の津に入り乱れての姿舟」〈西鶴・一代女三〉

うたびと【歌人】①雅楽寮(うたづかさ)で日本古風の歌をうたう役の人。「ー等に袍袴(きぬはかま)を賜ふ」〈紀天武、朱鳥一年〉 ②歌をうまくうたう人。歌うたい。「ーと我(わ)を召らめや」〈万三八八六〉 ③歌を詠(よ)む人。歌よみ。「三条太政大臣の家にて、ー召しあつめて、あまたの題よませ侍りけるに」〈拾遺一〇九七詞書〉 †utabitö

うた・へ(ウタエ)【訴へ】㊀『下二』《ウルタへの転》申し立てる。訴える。「たれにかはー・へ申し候はん」〈宇治拾遺九一〉。「訟、ウタフルコト」〈名義抄(図書寮本)〉 ㊁『名』訴訟。「明らかに訴訟(うたへ)を弁(さだ)めよ」〈紀推古十二年〉。「訴、ウタヘ」〈名義抄〉 →うったへ。 ーただすつかさ【刑部省】《「訴へ糺す司」の意》⇒ぎゃうぶしゃう。「刑部省、宇多倍多々須都加佐(うたへただすつかさ)」〈和名抄〉

うたまくら【歌枕】①《歌をよむための枕言(まくらごと)の意か》和歌によみこむ言葉・異名・地名などを集めて書きしるしたもの。「よろづの草子・ー、よう案内(あない)知り、見尽して」〈源氏玉鬘〉 ②歌に詠みこまれた名所。「ー見て参れとて、陸奥守に任ぜらる」〈古事談二〉

うたまひどころ(…イ…マ)【歌儛所】奈良時代、歌舞を司る役所。雅楽寮(うたづかさ)と同じか、不明。平安初期以後の大歌所に当るか。「ーの諸王臣子等(おほきみたちおみたち)」〈万一〇一二題詞〉 †utamaFidökörö

うたまひのつかさ イ::マ【楽官】《「歌舞の司」の意》雅楽寮(うたづかさ)・大歌所・楽所・内教坊の総称。楽府(がふ)。「―奏楽(うたまひつかへまつる)」〈紀持統一年〉

うため【歌女】①歌をうたう役の女。雅楽寮(うたづかさ)に属する職員にもいう。「歌男(うたを)・―・笛吹く者(ひと)は」〈紀天武十四年〉。「雅楽、―五十人」〈後紀延暦二四・一二〉②歌妓。「倡、ウタウタヒ・ウタメ」〈名義抄〉

うたものがたり【歌物語】「うたがたり」の発展したもの。現代の文学史用語としては、伊勢物語・大和物語など、まとまった作品を指すのに使う。「故殿の―を書き設けて」〈栄花浅緑〉。「人の語り出でたる―の歌、わろきこそ本意なけれ」〈徒然五七〉

うたよみ【歌詠み】①歌を詠(よ)み作ること。「謡、此をば宇哆預瀰(うたよみ)と云ふ」〈紀神武即位前〉。「小さき人には手習ひ・―など教へ」〈かげろふ下〉②歌をよむ人。歌人。「古体の(古風ナ)―」〈源氏玉鬘〉 †utayömi

うたれう ::リヨウ【雅楽寮】⇒うたづかさ

うたろんぎ【歌論議】歌について問答し議論すること。「殿上に―といふ事いできて」〈大鏡伊尹〉

うたゑ【歌絵】和歌の意味を絵にかいたもの。また、その歌にふさわしい絵をかいたもの。「みちの国へまかりける人に、扇調じて―にかかせ侍りける。わかれゆく道の雲居になりゆけばとまる心もそらにこそなれ」〈後撰一三三五〉。「『〔桜花〕心のゆきて』などいふ歌を…―にて桜の咲きこぼれたるかた(絵)をかきたり」〈栄花根合〉

うたを【歌男】雅楽寮(うたづかさ)に属し、古風の歌をうたう男。「諸(もろもろ)の―・歌女(うため)・笛吹く者(ひと)」〈紀天武十四年〉→うたびと

うち【内】《古形ウツ(内)の転。自分を中心にして、自分に親近な区域として、自分から或る距離のところを心理的に仕切った線の手前。また、囲って覆いをした部分。そこは、人に見せず立ち入らせず、その人が自由に動ける領域で、その線の向うの、疎遠と認める区域とは全然別の取り扱いをする。はじめ場所についていい、後に時間や数量についても使うように広まった。ウチは、中心となる人の力で包み込んでいる範囲、という気持が強く、類義語ナカ(中)が、単に上中下の中を意味して、物と物とに挟まれている間のところを指したのと相違していた。古くは「と(外)」と対して使い、中世以後「そと」また「ほか」と対する》①《空間・平面について》㋑仕切った線の手前。囲いをした中。「大宮の―にも外(と)にも光るまで降れる白雪見れどあかぬかも」〈万三九二六〉。「―はほらほら、外はすぶすぶ」〈記神代〉㋺内裏。転じて、天皇。「―へも参らねば」〈かげろふ中〉。「―・東宮・院」〈源氏若菜上〉㋩国内。「外には三国の難あり、―には姦臣あつまれり」〈古活字本保元下・無塩君〉㋥体内。「心、―に動きて、言(こと)ほかにあらはれずといふことなし」〈新古今序〉㋭大きさ・人数などの範囲内。「なほ親しき家人の―には数へ給ひけり」〈源氏関屋〉。「広さはわづかに方丈、高さは七尺が―なり」〈方丈記〉②《時間について》㋑限度内。あいだ。「五年(いつとせ)六年(むとせ)の―に」〈土佐二月十六日〉㋺範囲内。以内。「遠くあらば七日の―は過ぎめやも」〈万四〇一一〉。「二十が―には大納言にもならずなりにきかし」〈源氏若菜上〉㋩持続の間。「笑みの―に刀を抜くは習なり」〈古活字本曾我二〉③《心理的に》㋑内心。「飢渇に苦しび悩みて、心(ちう)に乱りて」〈大般涅槃経平安後期点〉㋺側近。「―つ奴(やつこ)」〈続紀神護景雲三・五・二九〉㋩内儀。妻。「―とはおのれ等が妻(め)を云ふぞと心得て」〈盛衰記三四〉。「和俗にも我が女房を―と言ふ也」〈格致余論抄三〉㋥私生活。私的な面。「―には三綱五常の儀を正しうして…外には万機百司の政、怠り給はず」〈太平記一・後醍醐〉㋭《儒教など仏教以外の教えに対して》仏教。「―には十戒を保ち、外には五常を乱らず」〈平家六・新院崩御〉 **―裸でも外(そと)錦** 世間体は飾らねばならぬというたとえ。「退きも退かれもせぬ中は、―」〈近松・天網島中〉

うち【現】《ウツツ・ウツシ(現)のウツの転》現世。この世。「たまきはる―の限りは平らけく安くもあらむを」〈万八九七〉

う・ち【打ち・撃ち】[一]《四段》《相手・対象の表面に対して、何かを瞬間的に勢いこめてぶつける意。類義語タタキは比較的広い表面を連続して打つ意》①たたきつける。あてる。「風、水を激(う)つがごとく」〈金光明最勝王経平安初期点〉②攻撃する。「石碓(いしつい)い持ち―・ちてしやまむ」〈記歌謡一二〉。「―・てば必ず伏し、攻むれば必ず降(くだ)る」〈平家七・木曾山門牒状〉③ねらってあてる。ねらって飛ばす。「南の御殿より柑子(かうじ)を一つ投げて―・つ人あり」〈宇津保蔵開中〉。「それならば鉄砲は…これもはじくとはいはぬ。―・つといふ物ぢゃ」〈虎寛本狂言・八幡の前〉④(石を強く)ぶつけて火を出す。「〔火打石ヲ〕―・ちてたく火の」〈貫之集七〉。「みづから石のかどを取って火を―・ち出し」〈盛衰記四四〉⑤たたいて音を出す。「時守の―・ち鳴(な)す鼓数(よ)み見れば」〈万二六四一〉⑥(柱・くい・釘などを)打ちこむ。「上つ瀬に斎杙(いくひ)を―・ち」〈記歌謡九一〉。「動かせられては針が―・たれませぬ」〈虎寛本狂言・雷〉⑦(土などを)耕す。掘り返す。「―・つ田には稗(ひえ)はあまたにありといへど」〈万二四七六〉⑧(布を)たたいてつやを出す。「白妙の衣―・つ砧の音も」〈源氏夕顔〉⑨(金属を)たたいて鍛える。「真金あり。鎔(きた)ひ、銷(け)し、冶(う)ち、錬(ねや)す」〈金光明最勝王経平安初期点〉。「うるはしくかねの御器など―・たせ給へりしかば」〈大鏡頼忠〉⑩しっかりつける。「ますますも重き馬荷に表荷(うはに)―・つと」〈万八九七〉。「門に額かくるを『―・つ』といふはよからぬにや」〈徒然一六〇〉⑪馬の尻に鞭をあてる。馬を走らせる。「馬ないたく―・ちてな行きそ」〈万二六三〉⑫木材の面に墨縄でしるしをつける。「飛騨人の―・つ墨縄の」〈万二六四八〉⑬(刃物などで)切りつける。切り落す。「佐野山に―・つや斧音の遠かども」〈万三四七三東歌〉。「この頸―・てといふ」〈著聞四三九〉⑭双六や賭事をする。「双六―・ち給ふ」〈源氏常夏〉。「若きも老いたるも七半(丁半バクチノ一種)を―・ちて毎日にことして」〈著聞四三三〉⑮興行する。披露する。「究竟の相撲五番こそは―・ちにけれ」〈曾我一〉⑯諸寺を巡拝する。「百寺―・つとて、東の山の辺にありきけるに」〈俊頼髄脳〉⑰幕を張る。「然るべきところに幕を御―・たせ候へ」〈謡・夜討曾我〉⑱締める。閉じる。「門を―・ち〔トジコメテ〕、広間より鉄砲五十挺程にてつるべ打ち候へば」〈川角太閤記五〉⑲ものを投げ出す。(水などを)まく。「船頭大きに驚きて、『皆皆荷物―・たれよ』というて…投げ入れたり」〈奇異雑談集三〉。「〔鞠ノ〕懸かりに水を―・つ事」〈今川大双紙〉⑳筵などを編み作る。「むしろに―・つ藺(ゐ)の心によそへ候歌候へば」〈宗祇独吟名所百韻〉㉑(手作りで)物を作る。「うどんを―・つごとくして色色に切りて」〈庖丁聞書〉。「狐〔ノ面〕、是は狐をそばに置き、―・たせ申し候」〈わらんべ草四〉[二]《接頭》《平安時代ごろまでは、打つ動作が勢いよく、瞬間的であるという意味が生きていて、副詞的に、さっと、はっと、ぱっと、ちょっと、ふと、何心なく、ぱったり、軽く、少しなどの意を添える場合が多い。しかし和歌の中の言葉では、単に語調を整えるためだけに使ったものもあり、中世以降は単に形式的な接頭

語になってしまったものが少なくない》①さっと。「—ふき」「—いそぎ」「—おほひ」「—霧らし」など。②はっと。ふと。「—おどろき」など。③ぱっと。「—赤み」「—成し」など。④ちょっと。「—見」「—聞き」「—ささやき」など。⑤何心なく。「—遊び」「—有り」など。⑥ぱったり。「—絶え」など。 **打ったり舞うたり** 一人で色色なことをするたとえ。「打ったり囃したり」とも。「〔正月ニハ〕玉毬打(たまぎちやう)—羽根遊び」〈俳・時勢粧三〉

うぢ【氏】 上代支配層を形成していた豪族の一族。中臣・物部・大伴など職業によるものと、蘇我・紀など地名によるものとがある。氏の有力者が「氏の上(かみ)」「氏の長者」と呼ばれ、氏神をまつり、氏人をひきい、姓(かばね)を定められて天皇氏の政治に参加した。大化改新前は社会政治組織の基礎をなし、改新後も、多くは官僚として特権をもちつづけたが、平安末期から政治上の権力を失うようになった。「大伴の—と名に負へる大夫(ますらを)の伴(とも)」〈万四四六五〉 ▽朝鮮語の ul(族)、蒙古語の uru-g(親戚)、トルコ語キルギス方言 urü(親戚)、ツングース語 ur(子孫)など、男子の系統を表わす語と同源。朝鮮語の l は日本語の d となるものがある。mïl(水)と midu(水)など。↓から(族)

うちあかし【打明し】 未明。夜の明け方。「明旦、—に、重ねて近辺の塚穴、木のうつろを探し求むべき由、評定す」〈伽・十二類絵巻〉。「—より合戦はじまりぬ」〈伽・鴉鷺物語〉

うちあが・り【打ち上がり】『四段』①さっと高い所へあがる。「高き所に—・りて…と下知しければ」〈保元上・親治等生捕らる〉②一段と上達する。「仙右衛門鼓、前とは替り—・り申し候」〈細川忠興文書寛永一〇・四・二六〉③格があがる。気位が高くなる。「古今〔集〕ほど位のゆきたるものなし。—・りたるものなり」〈耳底記〉。「今時、道者と云ふ人、まづ我、能(よ)き者に成りて—・り、人を印可して」〈驢鞍橋上〉

うちあ・け【打ち空け】『下二』すっかりからにする。全部ぶちまける。「そくばくの魚どもを大海へそのまま—・けて」〈伽・鶴の翁〉。「かやうに国を—・け給うて上洛の由を信長聞きて」〈江源武鑑一五下〉

うちあげ【内上げ】 代金の一部を支払うこと。内金。「右(以前)よりの—もなされず候」〈色道大鏡五〉

うちあ・げ【打ち上げ・打ち揚げ】『下二』①手をたたいて高くあげる。酒宴のときにするしぐさ。転じて、酒盛りする。「拍上賜(うちあげたま)ひつ(酒盛リシタ)」〈紀顕宗即位前〉。「酒を飲みて—・げののしる」〈栄花見はてぬ夢〉②さっと投げあげる。「ツブテヲウチアグル」〈日葡〉③さっと乗りあげる。「梶原が乗ったりける摺墨は…遙かの下より〔対岸へ〕—・げたり」〈平家九・宇治川〉④(矢をあてがった弓を)さっと頭上に高くさしあげる。弓をひきしぼる直前の動作。「二の矢をとって交(つが)ひ、—・ぐる所を、よく引きてひゃうど射る」〈義経記四〉⑤声を高く張りあげる。「薬師経読経、まくらがみにてせさせ給ふに、『…』と—・げたるを」〈大鏡時平〉⑥終りにする。「左様の事を存ぜぬ也。能き事有らば習ひ申さんと云ひて、—・げて置くべし」〈驢鞍橋上〉⑦全部提供する。すっかり使いはたす。「博奕〔デ〕…先づ己の勝たん事を思うて、身代を—・げ」〈浮・金玉ねぢぶくさ三〉 †uti-agë

うちあはび(アワビ)**【打鮑】** アワビの肉を薄く長く切り、のばして干したもの。祝儀に用いられる。のしあわび。「白銀の打敷に—を六十七八本が程置かせ給ひ」〈平治下・頼朝遠流〉。「この軍(いくさ)に勝栗(かちぐり)、この敵(かたき)を—とまじなひて」〈伽・鴉鷺合戦物語〉

うちあ・ひ(アイ)**【打ち合ひ】** ㊀『四段』①調和する。ぴったりと釣り合う。「家より外に求めたる装束どもの—・はずかたくなしき姿」〈源氏少女〉②ぴたっとうまくゆく。かなう。「事—・ひ、めやすき御あはひ」〈源氏藤裏葉〉。「世の中の—・はず淋しき事いかなるものとも知り給はぬ」〈源氏宿木〉③拳などでなぐりあう。「—・ひ張り合ひしけるほどに」〈平家一・鵜川軍〉④互いに斬り合う。「さても武蔵は、彼に—・ひ、これに—・ひする程に」〈義経記八〉⑤(博奕・双六などを)相互に打つ。「すぐろくを—・ひにけり」〈古本説話五七〉 ㊁『名』①なぐり合い。「二人の—は常の事なり」〈盛衰記一〉②斬り合い。「—の利といふ事にて、兵法・太刀にて勝利をわきまゆる所なり」〈五輪書〉

うちあ・り【打ち有り・打ち在り】『ラ変』普通にある。何気ないさまである。「いかでかは、わが心の—・る様をも、深う推し量らむと」〈紫式部日記〉。「これ—・る事にはあらず」〈梁塵秘抄口伝集〉。「大方—・らむ人も情をさきとすべし」〈十訓抄一ノ四〉

うちあん・じ【打ち案じ】『サ変』思案する。「この男〔下ノ句ヲ〕付けんずる気色(きそく)にて、しばし—・じけるが」〈著聞五六八〉

うちいた【打板】 地上に坐る時に敷く厚板。陣中では、敷皮の代りとしても用いられた。「小庭に—を敷きて、火をおこす」〈続古事談一〉

うちいだ・し【打ち出だし】『四段』①少し出す。「きぬのつま重なりて—・したるは、色色の錦を枕草子(まくらざうし)に作りてうち置きたらんやうなり」〈栄花若ばえ〉②口に出す。「『…』といふことを、いとゆるるかに—・し給へる」〈枕三三〉③金属を打ち鍛えて、作り出す。「三年鍛うて、雌雄の剣二つ—・せり」〈三国伝記三〉

うちい・で【打ち出で】 ㊀『下二』❶《行動について》①広広した所へ出る。「田子の浦ゆ—・でて見れば真白にそ富士の高嶺に雪は降りける」〈万三一八〉。「左右なう広みへ—・でなば、敵は案内者、我等は無案内なり。とりこめられてはあしかりなん」〈平家七・願書〉②人の前に姿を現わす。「京の程は隠れて〔賀茂川ノ〕堤の辺よりぞ—・で参りける」〈大鏡花山院〉③人前にさし出る。出しゃばる。「あまたの中に—・でて見ることのやうに語りなせば」〈徒然五六〉④(双六の賽(さい)などを)振り出す。「筒をひねりつつ、とみにも〔賽ヲ〕—・でず」〈源氏常夏〉⑤さっとほとばしり出る。「谷風にとくる氷のひまごとに—・づる波や春の初花」〈古今一二〉⑥敵陣へ攻め込む。攻撃をしかける。「明日—・でんとての夜」〈平家九・小宰相〉❷《言葉について》①打ち明ける。「〔事情ヲ〕いかならむついでに—・で聞えさせ、片端をもほのめかし知ろしめさせむ」〈源氏橋姫〉②言い出す。口に出す。「有様のくはしう聞かまほしきを、まほにはえ—・で聞え給はで」〈源氏鈴虫〉③返事する。挨拶する。「一言もかく—・で聞えさせてむさまを、たがへ侍るまじくなむ」〈源氏橋姫〉④歌い出す。「〔催馬楽ノ〕『この殿』—・でたる拍子いと花やかなり」〈源氏初音〉 ㊁『名』①人前に出ること。「—の人数(ひとかず)にと思ふ」〈問はず語り三〉②「おしいだし」に同じ。「うちいでのきぬ」「うちいだし」とも。「えもいはぬ—ども、わざとなくこぼれいでて」〈大鏡(蓬左文庫本)師輔〉 **—すぐ・し【打ち出で過ぐし】**『四段』うっかり余計なことを口にする。「—・す事もこそ侍れ。あなかしこ」〈源氏竹河〉 **—のきぬ【打出での衣】**「うちいで」㊁(2)に同じ。「北の廊の立蔀(たてじとみ)取りのけて、御簾(みす)かけて、后の宮の女房、—さまざま出されたり」〈今鏡二〉 **—の**

たち【打出での太刀】新しく鍛え作った太刀。新作の太刀。一説、金銀を延べ飾った太刀。「枕上(まくらがみ)に―置きたり」〈今昔二五ノ四〉

うちいはひ(‥ワイ)【内祝】①元旦、家族一同が屠蘇(とそ)・大服(おほぶく)で新年を祝うこと。「大服は狭き囲ひの―正章」〈俳・紅梅千句〉②内輪の親しい者ばかりでする祝。「人にも、このささ(酒)を盛り、―にも用ひ」〈俳・山の井一〉

うちいら・へ(‥ラエイ)【打ち応へ】『下二』軽く返事をしてあしらう。「情なからぬ程に―・へて」〈源氏紅葉賀〉

うちいり【内入り】①家に帰って来た時の機嫌。「―に相撲の勝を知る女房」〈雑俳・咲やこの花〉②収入。もうけ。「年中の給銀より―のよき大尽こそと利勘を付けて」〈評判・野良関相撲上〉

うちい・り【討ち入り】㊀『四段』攻め入る。襲撃する。「その家に―・りて、この仏を損じ奉る者を搦(から)めつ」〈今昔三ノ一三〉㊁『名』攻め入ること。〈日葡〉

うちい・れ【打ち入れ】『下二』①ひょいと入れる。さっと入れる。「〔女ノ子ヲ〕手に―・れて、家へ持ちて来ぬ」〈竹取〉。「二万八千余騎、皆〔川ニ馬ヲ〕―・れてわたしけり」〈平家四・宮御最期〉②博奕などに全部をつぎこむ。「身の装束などは皆〔博奕ノ賭ケニ〕―・れて、せん方なくこもりゐたるを」〈宇津保忠乞〉。「〔双六ニ〕多く負けて、身をさへかけて―・れつ」〈古事談三〉③(軍兵などを)まとめて引き上げる。撤収する。「さて其の日、清洲へ御人数(にんじゆ)―・られ、翌日、頸御実検」〈信長公記首巻〉④よく仕込む。「ウチイレタイヌ」〈日葡〉

うちうじゃう(‥チユウジヨウ)【右中将】「右近中将(うこんのちうじやう)」の略。「姫君の御有様を、―はいと深く思ひしみて」〈源氏螢〉

うちうち【内内】㊀『名』①(家屋・家庭の)なか。「屋の上には…、―のしつらひには…」〈竹取〉②内情。「―は知らで『あはれに、忝けなし』と皆言ふ」〈源氏螢〉③内内。非公式。「―の気色も…漏り聞きて」〈源氏藤袴〉㊁『副』内内で。ひそかに。「掻上げの箱などやうのもの、―清らをつくし給へり」〈源氏若菜上〉

うぢうぢ ためらうさま。もじもじ。ぐずぐず。「酒を飲んだこそましなれ。何事を―と思うて愁へんぞ」〈杜律七言鈔一〉

うちうど【内人】常に家の中に居て、世間を知らない人。「五月雨は―ならぬ人も無し」〈俳・毛吹草五〉。〈日葡〉

うちうべん(ウ‥チユ‥)【右中弁】弁官の一。右大弁の下位、右少弁の上位。「四位の少将、―など急ぎ出でて」〈源氏花宴〉

うちえする【打寄する】〔枕詞〕「うちよする」の上代東国方言。「―駿河の嶺(ね)らは」〈万四三四五防人〉 †utiye-suru

うちお・き【打ち置き】『四段』①(ちょっと)置く。「〔氷ヲ〕頭に―・き胸にさし当てなど」〈源氏蜻蛉〉②そのままにしておく。ほうって置く。「なにがしが及ぶべき程ならねば上は―・き侍りぬ」〈源氏帚木〉

うちおとな・ひ(‥オトナイ)【打ちおとなひ】『四段』軽く挨拶する。「忍びやかに〔女房達ニ〕―・ひて歩み出で給へるに」〈源氏野分〉

うちおとり【内劣り】外見は立派だが、内実は劣っていること。みかけだおし。「〔賢臣ノ補佐ノオカゲデ評判ノヨカッタ帝ヲ〕『―の外(と)めでた』とぞ世の人申しし」〈大鏡伊尹〉

うちおどろ・き【打ち驚き】『四段』①ふと目が覚める。「かの御夢に見え給ひければ、―・き給ひて、いかにと心騒がし給ふ」〈源氏若菜上〉②ふと気がつく。「〔其ノ後ハ〕いかならむと、―・かれて」〈源氏総角〉③はっと胸をつかれる。「久しうさしものぞき給はぬに、覚えなき折なれば―・かるれど」〈源氏幻〉

うちおほど・き(‥オオドキ)【打ちおほどき】『四段』軽く、おっとりと振舞う。「何事もただおいらかに―・きたるさまして」〈源氏若菜下〉

うちおほど・け(‥オオドケ)【打ちおほどけ】『下二』間の抜けたようにする。おどける。「扇をとられてからき目を見ると、―・けたる声に言ひなして」〈源氏花宴〉

うちおほ・ひ(‥オオイ)【打ち覆ひ】㊀『四段』①さっとかぶせて隠す。「〔月光ガ〕ちごの顔にあたりたるが、いとゆゆしく覚ゆれば、袖を―・ひて」〈更級〉②上からかぶさるように覆い隠す。「目・眉・額なども腫(は)れまどひて―・ひければ、物も見えず」〈徒然四二〉㊁『名』上から覆いかけるもの。仮の屋根。「土居(つち=土台)を組み、―を葺きて」〈方丈記〉

うちおぼめ・き【打ちおぼめき】『四段』軽く知らぬふりをする。「ところどころ―・き、よく知らぬよしして」〈徒然七三〉

うちおも・ひ(‥オモイ)【打ち思ひ】『四段』ふと心に思う。「〔返歌ガ〕遅くはびんなからむと、ただ―・ひけるままなりけり」〈源氏若菜下〉

うちおろ・し【打ち下ろし】㊀『四段』すっとおろす。「すだれ―・してゐたれば」〈和泉式部日記〉。「轅(ながえ)ほうと―・すを」〈枕三五〉㊁『名』使い立てのもの。新品。「―の小鷹よりも、猶も見事にして」〈三河物語上〉

うちかうぶり(‥コウブリ) 内冠の意で、従五位下の内位(ないゐ)をいうと説かれている。あるいは氏の爵(しやく)を氏冠(うぢかうぶり)といったのかも知れない。氏の爵とは、毎年正月の叙位の際、源・藤原・橘などの氏の長者によって氏人中の適任者が推挙され、その恩典を受けること。「―にあたりたれば、大将殿の御いたはりにて、七日の日―たまはり」〈宇津保嵯峨院〉

うちか・け【打ち掛け】㊀『下二』ひょいと掛ける。さっと掛ける。「大御神たち、船の舳(へ)に御手―・けて」〈万八九四〉。「浪は舟に―・けつつ巻き入れ」〈竹取〉㊁『名』【打懸・裲襠】①《「うちかけよろひ」の略という》朝廷の儀式などの時、武官が装束の上に軽くかける服。袖がなく、胸と背に当てて着るという。「左右近衛射る者各十八人、―を着す」〈日本紀略康保三・五・二四〉。「裲襠、宇知加介(うちかけ)、其一当レ胸其一当レ背也」〈和名抄〉②道中する時、着物の上に羽織って着る服。道服。「蓑の如く、雨降りに召され候うても苦しからず候、御―などやうの物、進上也」〈上井覚兼日記天正一三・二・二七〉③近世、武家・良家の婦女の礼服。上着の上に打ち掛けて着る長小袖。「かいどり」とも。「其の女―して有りけるが」〈諸家評定七〉

うちかこ・み【打ち囲み】『四段』《室町時代以後ウチカゴミとも》ぐるりと包囲する。とりかこむ。「三方より興福寺を―・みてけり」〈著聞一八〉

うちかた【内方】①内部。家の奥の方。『いえ、―にござりまするよ』〈狂言記・相合袴〉②他人の家の尊敬語。おたく。「―のお腰元」〈西鶴・五人女二〉③貴人の妻。他人の妻の尊敬語。「―ならびに若子十一〔歳〕生涯し了んぬ」〈蓮成院記録延徳四・一〇・一〉

うちがたな【打刀】敵を打ち斬るのに用いる鍔付の長刀。「―を抜きて走り出で頼光にかかりけり」〈著聞三三五〉

うちかたぶ・き【打ち傾き】『四段』軽く首をかしげる。納得の行かない様子。「怪しと―・き給へるさまなれば、煩はしくて」〈源氏若菜上〉

うちかは・し(‥カワシ)【打ち交し】『四段』さっと交える。「白雲に

羽―・し飛ぶ雁の数さへ見ゆる秋の夜の月」〈古今一九一〉

うちかひ【打交ひ】軽く合う所。「うちかへ」とも。「韓衣(からころも)裾の―あはねども」〈万三四八二東歌〉 †utikari

うちがひ【打飼ひ】《ウチガヘとも》①えさ。えじき。「あなおそろし、鬼の―になりたりつる」〈古活字本保元上・左大臣殿上洛〉②「打飼ひ袋」の略。「―きっと結ぶ下紐」〈俳・当流籠抜〉。〈俳・世話尽一〉 **―ぶくろ**【打飼ひ袋】筒状の長い袋。もと、狩の時、犬などになげ与える餌の袋であったが、後には、金銭などを入れて腰に巻きつけた。腰袋。「はふ鳥もつかれに立てる犬飼の―かろく見えつつ」〈西園寺鷹百首〉

うちかぶと【内甲】①兜の裏側。額のあたり。「声につけて―をぞ狙ふらん」〈保元中・白河殿へ義朝夜討ち〉②内状。内幕。「―を知りたる者に」〈甲陽軍鑑二〇〉

うちがへ【打飼へ】「うちがひ」(2)に同じ。「うちがへ袋」とも。「何両替への―の紐」〈俳・飛梅千句〉。〈日葡〉

うちかへ・し【打ち返し】㊀『四段』①ぱっと裏をかえす。ひるがえす。「かよれる袖どもの、―・す羽風に…匂ひのさとうち散り渡れるに」〈源氏匂宮〉②ひっくりかえす。「頼光を―・して光頼と名のり給へば」〈平治上・光頼卿〉。「俄かに大風吹き大波立って、すでにこの舟を―・さんとす」〈平家五・文覚被流〉③攻めて来た相手を逆に攻めかえす。「国司の兵―・されて死ぬる者多し」〈今昔二五ノ一三〉④田畑をすきかえす。耕す。「鴫(しぎ)のゐる野沢の小田を―・し種まきてけり」〈金葉七八〉⑤繰り返す。「前の世ゆかしうなむと―・しつつ、御しほたれがちにのみおはします」〈源氏桐壺〉㊁『副』①(考えなどが)はたと一転して。前とは反対に。「〔死ヌトイウコトハ〕さはやかに、よろづ思ひなさるれど、―いと悲し」〈源氏浮舟〉②くりかえし。何度も。「いと心ぐるしければ、―のたまひ明かす」〈源氏薄雲〉

うちかへで【打替へ手】囲碁で、勝敗の態勢を逆転する一手。相手にはそう思わせないでいて、反対の態度に出ること。逆の結果をもたらすこと。訛って「うちかひで」、また「うちかへ」とも。「女郎の方より誓紙せんと云ふはこなたを深く見る故なり。但し―にてする事もあり」〈評判・吉原雀上〉。〈俳・毛吹草二〉

うちかへ・り【打ち返り】『四段』ひっくりかえる。「あさましきもの。…車の―・りたる」〈枕九七〉

うぢがみ【氏神】一氏族の祖先として祭る神。また、氏族に由緒のある神。たとえば藤原氏の春日神社。「昔、二条の后…―に詣で給ひけるに」〈伊勢七六〉▽中世以降、鎮守の神や産土(うぶすな)神と混同されるようになった。

うちき【袿・掛】①婦人の重ね上衣。晴れの儀式などには、この上に唐衣・裳などを着る。「髪―に少し足らぬ程ならむと見えて」〈源氏椎本〉②男子の平服。この上に狩衣・直衣などを着る。「唐綾の指貫、直衣、赤らかなる綾の―一かさね、宮たちもこと人も着給へり」〈宇津保蔵開上〉▽名義抄(図書寮本)にウチキと清音の指示がある。アクセントによると、内着の意ではなく、打ち着(ちょっと着る)の意。 **―すがた**【袿姿】袿だけを着たくつろいだ姿。「―、うちとけ給へるを…いとしどけなき姿なりけりやとて御直衣召し出でて奉る」〈源氏松風〉

うちき【内気】控えめで引っこみがちな性格。「ちと―な人であらうぞ」〈周易抄〉

うちき・き【打ち聞き】㊀『四段』ちらと耳にする。「〔八宮死去ト〕―・き給ふには、あさましく」〈源氏椎本〉㊁『名』《ウチギキとも》①小耳にはさむこと。「深き筋思ひ得ぬ程の―にはをかしかんなりと耳に留るかし」〈源氏常夏〉②ふと耳にしたことの記録。特に、撰集を編むために広く歌を書き集めること。また、私撰集の称。「人と言ひかはしたる歌の聞えて―などに書き入れらるる」〈枕二七六〉。「皇太后宮大夫俊成卿―撰すと聞きしかば」〈粟田口別当入道集〉。「撰集の時、まづ歌を書きあつむるを―と云ふ」〈二根集一〉

うちきた・み【打ち懲み】『四段』うちこらしめる。罰する。「常世(とこよ)の神を―・ますも」〈紀歌謡一一三〉 †utikitami

うちぎぬ【打衣】衣にのりをつけ、砧で打ち、つやを出したもの。平安時代から男子の衣(きぬ)・袙(あこめ)、女子の袿(うちき)などに使う。「紅の―は、なほ制ありとて、山吹の打ちたる黄なる上衣(うはぎ)、龍胆の唐衣なり」〈栄花布引滝〉

うちきら・し【打ち霧らし】『四段』《キラシは霧りの他動詞形》さっと空一面を曇らせる。「―・し雪は降りつつ」〈万一四四一〉 †utikirasi

うちくく・み【打ち含み・打ち銜み】『四段』①口中に含む。「米を―・みて、ことに歯音よげにからからと食ひけり」〈著聞六二五〉②外装を金や銀などで包みかざる。「金(こがね)にて―・んだる腰の刀にて」〈平家一二・泊瀬六代〉

うちく・し【打ち屈し】『サ変』《クシはクッシのツを表記しない形》⇒うちくっし。「かうしも渡り給はずやと、―・して思しけるに」〈源氏須磨〉

うちぐ・し【打ち具し】『サ変』①ちゃんとそなわる。「親―・し」〈源氏桐壺〉②相伴う。「〔妻ヲ〕―・してはつきなからむさまを思ひ返し給ふ」〈源氏須磨〉③持つ。たずさえる。「〔弁当ヲ〕調じて―・して」〈大鏡時平〉

うちくちぶり「をちこちぶり」の転で、あちこちの岸に波が触れる意という。「―の白波の荒磯(ありそ)に寄する」〈万三九九一〉

うちくっ・し【打ち屈し】『サ変』がっくり気落ちする。「侍従・大夫などのあながちに―・したるさま、いと心苦しければ」〈十六夜日記〉

うちくは・せ【打ちくはせ】『下二』矢はずを弓の弦にしっかりくいこませる。「矢を―・せてよく引きて」〈著聞四四一〉。「今度は中差(なかざし)取って―・せ」〈平家一一・弓流〉

うちく・ひ【打ち食ひ】『四段』さっと食べる。「我が前に〔膳ヲ〕すゑぬれば、やがてひとり―・ひて」〈徒然六〇〉

うちくび【打首】①刀で首を打ち斬ること。近世、武家の極刑。「御仕置替って、―に会ひけると也」〈西鶴・武家義理六〉②斬られた首。「かの―、程久しく井の底にありけるなり」〈ロザリオの経〉

うちぐもり【内曇】上下に雲形をすき出した鳥の子紙。普通、上が青、下が紫で、雲の間が曇っているの意。主として懐紙・短冊に用いる。「件の譜、今、蓮花王院の宝蔵にあり。―の色紙にこれを書く」〈胡琴教録上〉。「内曇、ウチグモリ、紙名。或作二打曇・裡陰一」〈文明本節用集〉

うちくら【内蔵・内庫】①大和朝廷の官物を納めた倉庫。三蔵の一。「〔履中天皇ノトキ〕斎蔵(いみくら)の傍に更に―を建てて、官物を分ち収む」〈古語拾遺〉②《ウチグラと濁音》母屋(おもや)続きに建て、座敷から出入りできる蔵。金銀や貴重な家財を入れる。「―の金の扇や使ふらん」〈俳・生玉万句〉

うぢけいづ【氏系図】氏の先祖から代代の血筋を記した系図書。また、その血筋・血統。「こと木より名に橘のにほひ哉／―なく山郭公」〈俳・寛永十三年熱田万句三八〉。〈文明本節用集〉

うちげんくゎん【内玄関】主として家人の出入りする玄関。「懸乞ひと膝詰め〔談判〕になる―」〈俳・二つの竹〉

うぢこ【氏子】①氏神の子。「この山のうちに―捨て置きたり」〈伽・じぞり弁慶〉②氏神の子孫。中世以降、氏神の概念の変化に伴って、産土(うぶすな)神鎮守の地に住む人をいうようになる。「氏神鹿島明神、―を守らんがために…大和国春日郡に跡を垂れ給へば」〈古今集註〉

うちこ・え【打ち越え】『下二』一気に越える。「生駒山―・え来れば」〈万三〇二〉 †utikoye

うちこ・し【打ち越し】㊀『四段』①一挙に越える。「若君を抱きて船の高欄を―・して」〈今昔一九ノ二九〉②反対側に越えさせる。「曹司の隔ての上(かみ)より、餌袋に物いれて、藤の花して結ひて―・し侍りしに」〈元輔集〉㊁『名』①境界をなすものを越えること。また、その越えた向う側。「江尻の南、山の―、久能の城御尋ねなされ」〈信長公記一五〉②物事をするのに、順序に従わず、また中間を飛び越すこと。「せめて―なりとも賜はらんと、連歌には嫌へど、酒盛りには好みて」〈仮・東海道名所記一〉③〔連俳用語〕付句の前前句。付句が打越の趣向と通い合うのを、「打越を嫌ふ」または単に「打越」といって、禁制の一。「隠れ家・岩屋・関戸、以上居所に―を嫌ふべし」〈連理秘抄〉。「て・らんの外、皆てにはは―たるべく候」〈実隆公記明応五・九・二〉

うちこ・み【打ち込み】《ウチゴミとも》㊀『四段』①大勢が入り乱れる。「後ろに三百余騎は―・みてありけり」〈愚管抄六〉②勢いよく、中に叩きこむ。「内冑へ切っ先上がりに―・みければ」〈古活字本保元中・白河殿攻め落す〉。「足に釘を―・む」〈バレト写本〉③投げこむ。「ツブテヲウチコム」〈日葡〉④熱中する。ほれこむ。「内内(ないない)、みどもが眉目吉(みめよし)に―・うであるに」〈虎明本狂言・眉目よし〉⑤全部つぎこむ。「金銀は申すに及ばず、太郎冠者までを―・うで御座る」〈虎寛本狂言・縄綯〉⑥急所をついて言いこめる。「御鼻が危い、お立ちあれと―・まれ」〈浄・都の富士二〉㊁『名』①大勢が入り乱れて行なうこと。また、入りまじること。「―の軍(いくさ)好まぬものなり」〈平家九・一二之懸〉。「介添への衆・中間(ちゅうげん)以下、御輿の跡に―に参るなり」〈信長公記一三〉②熱中すること。ほれこむこと。「主あるを忍び忍びの白浪は立つ名にかへて―ぞする」〈玉吟抄〉③歌舞伎の囃子(はやし)の一。大太鼓を早く打つこと。幕をしめる時に、拍子木につれて囃す。「―、かけり(大小鼓ト笛ノ囃子)になり、弁慶よろしく振って這入る」〈伎・勧進帳〉

うちごろも【裏衣】一般の僧の着る衣。「那智籠りの僧どもも、皆―の袖をぞぬらしける」〈平家一〇・熊野参詣〉

うちざうさく【内造作】室内の内装工事。「内作事」「内作り」とも。「立つ年の―か霜柱」〈俳・鸚鵡集八〉。〈日葡〉

うちざた【内沙汰】《「表(おもて)沙汰」の対》内輪で行なう裁判。「その儀でござるならば、まづ―にして見さっしゃれい」〈狂言記・内沙汰〉

うちさぶらひ【内侍】《内の侍所の意。「外侍(とさぶらひ)」の対》武士の邸宅の寝殿の東西の廊に設けられていた侍たちの詰所。「―には一門の源氏上座して」〈平家八・征夷将軍〉

うちさま【内様】①内の方。「女―へかへり入りぬ」〈高藤公絵詞〉②朝廷方。官軍方。「その上鎮西の者どもをば―にこそ召されしか」〈平家八・太宰府落〉

うちさら・し【打ち曝し】『四段』打ち寄せて洗う。「大伴の三津の浜辺を―・し寄せ来る波の」〈万一一五一〉

うち・し【打ち為】『サ変』(軽く)する。「折節のいらへ心得て―・しなど」〈源氏帚木〉。「いささか御気色変らず、念誦―・して」〈大鏡道長〉

うちしき【打敷】①器物などをのせるために敷く布帛。「敷物には紫地の唐の錦、〔絵ノ箱ノ〕―は葡萄染(えびぞめ)の唐の綺(き)なり」〈源氏絵合〉②寺院の高座または仏壇・仏具などの敷物。死者供養のため、その衣服で作った。「竹下内方より―二大小寄進し了んぬ」〈多聞院日記永祿一二・三・五〉

うちしき・り【打ち頻り】㊀『四段』(人の往来や行事などが)短い時間の中で、ばたばたと重なる。「まうのぼり給ふにも、あまり―・る折折は」〈源氏桐壺〉㊁『副』度重なって。「参り給ふべき御消息―あれど」〈源氏若菜下〉

うちしぐ・れ【打ち時雨れ】『下二』①さっと時雨が降る。「今日ぞ冬立つ日なりけるけはひもしるく、―・れて」〈源氏夕顔〉②涙がこぼれる。「涙はえとどめず…まみのわたり―・れてひそみゐたり」〈源氏若菜上〉

うちしづま・り【打ち静まり】『四段』はたと物音がしなくなる。「悲しかりし騒ぎよりも、―・りていみじく覚ゆ」〈源氏総角〉

うちじに【討死】戦場で敵と戦って死ぬこと。「恥をも思ひ、名をも惜しむ程の者は、奈良坂にて―し、般若寺にて討たれにけり」〈平家五・奈良炎上〉。「討死、ウチジニ」〈文明本節用集〉

うちしの・び【打ち慕び】『四段』《シノビは奈良時代シノヒと清音》①慕うともなく慕う。「敲自努比(うちしのひ)待てど来鳴かぬほととぎすかも」〈万四一九六〉②それとなく思い出す。「斯く人にも少し―・ばれぬべき程にて〔死ニタイ〕」〈源氏柏木〉 †utizinoFi

うちしの・び【打ち忍び】『上二』そっと人目につかぬようにする。「よべは―・びて、かやすかりし御ありき、今朝はあらはれ給ひて」〈源氏鈴虫〉▽後に、四段にも活用。

うちしゅ【内衆】家人(けにん)や召使など。「―皆数日の辛労に夜を臥さず」〈奇異雑談集四〉。〈日葡〉

うちすか・ひ【打ち次ひ】『四段』《スカヒはスキ(次)アヒ(合)の約》すぐ続く。「中の君も〔大君ニ年頃ガ〕―・ひて、あてになまめかしう」〈源氏紅梅〉。「内・中宮・宮達、関白殿のうへ・大将殿など、皆同じ程〔赤瘡ガ〕―・ひなどして出でさせ給へば」〈栄花布引滝〉

うちす・ぎ【打ち過ぎ】『上二』①(馬を鞭で打って)越えて通る。「駒なめて―・ぎ給ふにも」〈源氏澪標〉②(ある基準を)少し越える。「〔コノ〕山里の人こそは身の程にはやや―・ぎ、物の心など得つべけれど」〈源氏槿〉。「夜中―・ぐる程になむ絶え果て給ひぬる」〈源氏桐壺〉

うちすぐ・し【打ち過ぐし】『四段』①度をこす。「柳花苑といふ舞を、これは今すこし―・して」〈源氏花宴〉②年がいっている。「歌頭は―・したる人のさきざきするわざを」〈源氏竹河〉

うちず・し【打ち誦し】『サ変』①軽く詩歌を口ずさむ。「『なぞ越えざらん』と―・し給へるを、身にしみて若き人人思へり」〈源氏若紫〉②経文などをよみ上げる。「君はのどやかに経―・しておはす」〈源氏須磨〉

うちす・て【打ち捨て】㊀『下二』①かまわずに投げ出す。「しどけなく着なし給ひて紐なども―・てて」〈源氏帚木〉②置き去りにする。「老の末に―・てられ(娘ニ死ナレ)たるが辛くも侍るかな」〈源氏葵〉㊁『名』【討捨て】人を斬ってそのままにしておくこと。戦場で敵の首を取らぬのにいう。「あるは討死、あるは―、あるは生捕」〈宗長手記上〉。「首は―と申し候まま、堂の下へ投げ入れ」〈本城惣右衛門覚書〉

うちずみ【内裏住み】《「里住み」の対》①宮中で暮すこと。源氏物語では皇子や后などにいう。「〔源氏ハ〕心やすく里住みもえし給はず…〔藤壺ノ〕御声をなぐさめにて—のみ好ましう覚え給ふ」〈源氏桐壺〉。「上(帝)の今少し物おぼし知る齢(よはひ)にならせ給ひなば〔前斎宮ヲ〕—せさせ奉りて」〈源氏澪標〉②女官として宮中に仕えること。「建礼門院の右京大夫…又—したる事をいふに」〈徒然一六九〉

うちそ【打麻】《ソは麻(あさ)》打ってやわらかくした麻。「—懸け績(う)む時なしに」〈万二九九〇〉 †utiso —**やし**【打麻やし】〔枕詞〕《ヤ・シは間投助詞》打った麻(を)を績(う)むことから、「麻績(をみ)」にかかる。「—麻績の児ら」〈万三七九一〉 —**を**【打麻を】〔枕詞〕《ヲは間投助詞》打った麻(を)を績(う)むことから、同音の人名「麻績王(をみのおほきみ)」にかかる。「—麻績王」〈万二三〉

うちそ・ひ イ…ッ【打ち添ひ】《四段》①ふと加わる。「心に堪へぬ物嘆かしさのみ—・ふや」〈源氏若菜下〉②連れ立つ。「仕立てかしづかれて—・ひて下りしを」〈更級〉③付き添う。「すべらぎの御祖父にて、—・ひつかうまつらせ給へる殿」〈大鏡道長〉

うちた・え【打ち絶え】㊀《下二》ぷっつり切れる。ぷっつり絶える。「〔縁ガ〕—・えきこゆる事はよも侍らじ」〈源氏薄雲〉㊁《副》①《下に打消の語を伴って》全然。まったく。「—頼むべき者なければ」〈平治上・信頼信西不快〉②ただひたすら。「女房なんどの—嘆く事をば」〈平家二・文之沙汰〉。「後の妻は—我が房に置きて」〈沙石集四ノ二〉 —**て**【打ち絶えて】《副》《下に打消の語を伴って》全然。ちっとも。「—思ふばかりは言はねども」〈金槐集雑〉

うちた・ち【打ち立ち】《四段》①打ちはじめる。「御博奕(ばくやう)は—・たせ給ひぬれば、…よなか・あかつきまであそばす」〈大鏡道隆〉②出発する。「すべからく閑(しづか)に座して道理を案じて、終(つひ)に—・たん道を思ひ定むべし」〈正法眼蔵随聞記六〉

うちだち【打太刀】①太刀で打ち込むこと。また、その太刀。「—を推し上げ、むずと懐きつき」〈信長公記首巻〉②敵を打ち斬るのに用いる鍔付きの刀。打刀。「赤銅作りの—」〈近松・絶狩一〉③剣術の練習で、攻撃の役になる者。「女の身ながらも兵法の—し」〈近松・出世景清二〉。〈日葡〉

うちたて【打立て】冒頭。はじめ。「書きさしたると覚ゆる—のことば」〈平家公達草紙〉

うちたへ エ…タ【打栲】打ってつやを出した栲。「打麻(うつそ)やし麻績(をみ)の児ら、あり衣の宝の児らが—は綜(へ)て〔機ニシカケテ〕織る布」〈万三七九一〉 †utitaɸë

うちたゆ・み【打ち弛み】《四段》①勢いがちょっとゆるむ。一時小康を保つ。「〔病ハ〕何ともなく—・みつつ、おもり給へること」〈源氏柏木〉②(安心して)ほっと気がゆるむ。「—・みたる舞人、御前に召すと聞えたるに、物に当るばかりさわぐも」〈枕一四二〉

うちだらひ ライ…ダ【打盥】金属製の盥。金属を打って作るからいう。「まろたらひにまれ、—にもあれ、貸し給へ」〈堤中納言よしなしごと〉

うちたれがみ【打垂髪】結い上げないで垂らした髪。自宅にいる時の貴婦人の普段の髪形。「—の見えつるは」〈源氏手習〉

うちつ【内つ】《ツは連体助詞》 —**おみ**【内臣】大化改新の時、左右大臣のほかに設けられ、特に天皇の信任のあつい大官がなる枢要の官。「大錦冠を中臣鎌子連(なかとみのかまこのむらじ)に授けて—とす」〈紀孝徳即位前〉 —**くに**【内つ国】①地方に対して、都の近くにある国。畿内。「—より諸(もろもろ)の国等(くにぐに)に及(いた)るまでに」〈紀孝徳、大化二年〉②《「外(と)つ国」の対》日本。「〔仏法ヲ〕—に流通(あまねくかよ)はさむ」〈紀欽明十三年〉 —**みや**【内宮】きさきの住む御殿。後宮。「—に納(めし)いれて後宮(きさきのみや)の数(ひとかず)につかひたまへ」〈紀垂仁五年〉 —**みやけ**【内官家】《内つ国にある御料地の意》上代、朝鮮南部におかれた官庁。また、その支配する御料地。「日本国(やまとのくに)にまします神のみ子に—として絶ゆることなく朝貢(みつぎたてまつらむ)」〈紀神功摂政前〉

うちつ・き【うち着き】《四段》「落ち着き」の転。「何れも畠中主光殿へ—・き」〈鈴鹿家記永享二・八・一三〉。「是より女房も御心—・きてこそ見えにける」〈義残後覚七〉。「落着(らくぢやく)を、おちつくと読む。それを—・くと言ふは悪(わろ)し」〈俳・かたこと三〉

うぢつ・き《四段》うごめく。また、気おくれしてぐずぐずする。もじもじする。「手が—・いて気味悪きに」〈浄・柏崎四〉。「日を経つつ帰さ忘れて—・くは宇治の網代にかかる遊興」〈銀葉夷歌集四〉

うちつぎて【打ち次ぎて】《副》ひきつづいて。すぐその次に。「〔胴長トイウ欠点ガ目ニツキ〕—、あなかたはと見ゆるものは御鼻なりけり」〈源氏末摘花〉

うちつ・け【打ち着け・打ち付け】㊀《下二》①うちあてる。「天雲に羽—・けて飛ぶ鶴(たづ)の」〈万二四九〇〉②強く斬りつける。「剣を抜きて女御の御首を給はらんと、—・け参らせけれども、御首切れ給はず」〈伽・熊野本地〉③ぴったり固定する。しっかりと付ける。「釣金(つりがね)どもを—・けむが為に」〈今昔一二ノ二〉。「盗人を捕へて〔見張リヲ〕—・けて置きたりけるが」〈今昔二五ノ一〉④あつらえむきにする。適合させる。「物言ひ—・けたるやうなる声音なり」〈評判・吉原新鑑〉⑤露骨に示す。「其方から賃を御かき(出シ)なされ候はば、嫌ながら〔ソナタノ思イヲ〕かなへてもやるべしと、—・けたる文章」〈西鶴・五人女三〉⑥《オチツケ(落着)の転》かるはずみでないようにする。おちつかせる。「心—・けて」〈仮・尤の草紙上〉㊁《名》《物をぱっと打ちつけるように瞬間的で、深い理由・考えもないさま》①その瞬間、突然。急。「〔鏡ヲ海ニ入レルト〕—に、海は鏡の面のごとくなりぬれば」〈土佐二月五日〉。「—にさびしくもあるかもみぢばも主なき宿は色なかりけり」〈古今八四八〉②思いがけず唐突なさま。「〔以前、薫ノ君ガ〕時時かかる山路わけおはせし時、いとしるかりし随身の声も、〔今〕—に、まじりて聞こゆ」〈源氏夢浮橋〉。「—なる御夢語り」〈源氏若紫〉③(瞬間の)出来心。「目馴れたる—のすきずきしさなどは好ましからぬ御本性にて」〈源氏帚木〉。「世の常の—の懸想びてなども言ひなさず」〈更級〉④浅はかで深い考えも無いさま。「〔下山ヲ早クト〕いと心もとなければ、なほなほと—に苛(い)られむも様悪しければ」〈源氏夢浮橋〉⑤深い理由も背景もないさま。「心殊につくろはれたる遣り水、前栽の—に心地よげなるを見出し給ひても」〈源氏若菜下〉⑥最初。はじまり。「—より人を焼く(オダテル)こと上手也」〈評判・剣野老〉⑦軽蔑。「俗には、人に軽しめらるるを、—にせらると云ふ」〈志不可起四〉 †utitukë —**がき**【打付け書】①書状の上書きに脇付(わきづけ)をしないこと。「披露状と言ふは、—の如く、そば付(脇書)これ無く候」〈大諸礼集一〉②下書きをしないで、すぐに筆を下ろすこと。ぶっつけがき。「直(ぢか)に塗り板に朱にて—にて〔山号ヲ書ク〕」〈沢庵書簡寛永一九・一二〉③手紙で、時候の挨拶などの前文を略し、用件だけを記すこと。「—に言ひ置かれける」〈西鶴・武家義理六〉 —**げさう** ウ…ッ【打付け懸想】軽軽しくいきなり言い寄ること。「かやうの―などはわざと御心にもいらず」〈狭衣一〉 **―ごころ**【打付け心】ふと思い立った心。出来心。「―有りて参り来むにだに山深き道のかごとは聞えつべし」〈源氏手習〉 **―ごと**【打付け言】思いつきのことば。「『〔幸セナ人ガ〕光失ふ日にて、雨はそぼ降るなりけり』と―し給ふ人もあり」〈源氏若菜下〉 **―ばしご**【打付け階子】梯子を釘・かすがいで打ち付けた簡単な階段。「恋責めて―上らする」〈俳・雑巾下〉 **―め**【打付け目】ちょっと見による見間違い。「―かとなほ疑はしきに」〈源氏浮舟〉 **―やき**【打付け焼】魚を、そのまま、または切身にして、じかに火にあぶって焼く料理法。「鯛〔ノ〕―」〈久重茶会記正保四・三・七〉

うちつ・れ【打ち連れ】『下二』(幾人か)連れ立つ。「殿上人・四位五位こちたく―・れ」〈枕二七八〉

うちで・き【打ち出来】『カ変』ふと出かけて来る。「妹が家の門田(たかど)を見むと―・こし」〈万一五九六〉 †utideki

うちてだい【内手代】一家の家計をつかさどる手代。店の経営をつかさどる「表手代」に対していう。内証手代。「父親は―の源十郎に帳を読ませて」〈近松・五十年忌中〉

うちでのこづち【打出の小槌】財宝を何でも思うままに打ち出すことのできる不思議な小槌。蓬萊の鬼・大黒天などが持っていると信じられていた。「されば―といふ物こそいみじき宝なれ。広き野に出て住みよからん家、使ひよからん下部、馬牛・食ひ物・着る物に至るまで打ち出すなり」〈宝物集上〉

うぢでら【氏寺】一氏族が祖先の冥福と現世の利益を祈って建立、帰依(えき)する寺。藤原氏の興福寺、和気氏の神護寺の類。「御家は今の世尊寺ぞかし。御族(うぞ)の―にて」〈大鏡伊尹〉

うちと【内人】《ウチウドの転》家内。家内の人人。「遣ふ銀〔デ〕―の者に煮て喰はす」〈雑俳・よせだいこ〉

うちと【内外】①うちとそとと。平安女流文学では、特に簾の内外にいうことが多い。「―の用意(自分及ビ他人ニ対スル注意)多からず」〈源氏若菜上〉。「すだれ越しに物語しはべりけるに…。―なく馴れもしなまし」〈拾遺八九八〉 ②(仏教の側から)内教と外教と。仏教と仏教以外の教え。「―の道を見給ふるに」〈三宝絵序〉。「何として―のふみ(内典ト外典)を学びけん」〈夫木抄三二・文〉 ③「うちとのみや」の略。「―もおなじ伊勢の宮人」〈御鎮座次第記裏文書連歌断簡〉 ④ほぼそれぐらい。うちそと。内外(ないがい)。「年も皆二十が―なり」〈健寿御前日記〉 **―のみや**【内外の宮】伊勢の内宮と外宮と。「神風や玉串の葉をとりかざし―に君をこそ祈れ」〈新古今一八八三〉 **―のもの**【内外の者】《「外」は単に添えた語》家内の者。内の者。内人(うちと)。「―に至るまで、壱人も怪しき者、置申すまじく候事」〈高野山文書五、寛永一四・一二・一八〉

うちど【打ち所】①刀で打つべき所。「あてど」とも。「膝ふるひて太刀の―も覚えざりければ」〈曾我九〉 ②刀の刃の一部。切先から真ん中にかけての、人を斬るべき部分。〈日葡〉

うちと・け【打ち解け】『下二』①気を許す。「―・くまじきもの。…舟の路」〈枕三〇五〉 ②着物をきちんと着ていない。「唐衣もかざみも着ず、皆―・けたれば、御前とは見たまはぬに」〈源氏蜻蛉〉 ③氷やつららなどがとける。「氷りゐし志賀の唐崎―・けてさざ波寄する春風ぞ吹く」〈詞花一〉 **―ごと**【打解け言】気を許したことば。「近くてのぞき給ふなめりと心得てければ―も語らはずなりぬるなるべし」〈源氏宿木〉 **―すがた**【打解け姿】くつろいだ恰好。「物清げなる―に、花の雪のやうに降りかかれば」〈源氏若菜上〉 **―ぶみ**【打解け文】内輪同士の、気を許して書いた手紙。「何かは、その女どち書き通はしたらん―を御覧ぜん」〈源氏浮舟〉 **―まさり**【打解け勝り】へだてがとれてみると、相手が前よりすぐれたものに思われること。「―のいささかもあらば嬉しからむ」〈源氏末摘花〉

うちとど・め【討ち留め】『下二』うち殺す。「うちとめ」とも。「主(あるじ)起きあひて〔盗人ガ〕帰らん所を―・めんとて」〈著聞四四〇〉

うちとねり【内舎人】⇒うとねり。「中務省内舎人、宇知止禰利(うちとねり)」〈和名抄〉

うちどの【打殿・擣殿】装束の絹や布を砧(きぬた)で打って光沢を出す仕事をする所。「ここかしこの―より参らせたる擣物(うちもの)」〈源氏玉鬘〉

うちとほ・り【打ち通り】㊀『四段』まっすぐ行く。直行する。「打通、ウチトヲル」〈文明本節用集〉 ㊁『名』途中で寄り道しないでまっすぐ目的地に行くこと。直行。「女郎町をも御目にかけんなどとて、―に見するか」〈色道大鏡五〉

うちどめ【打留め】最後。「凡そ二十四番の風は梅花に始まって楝花に終る、…楝花が―に咲く花なり」〈燈前夜話下〉

うちと・り【打ち取り・討ち取り】『四段』①討ってしとめる。首級をあげる。「ここにて射落し―・りたらば」〈保元中・白河殿攻め落す〉 ②攻略する。平定する。「唐土(もろこし)の帝(みかど)、この国の帝をいかで謀りてこの国―・らんと」〈枕二四四〉 ③博奕などを打って賭け取る。「ただ一度に押し出して、―・られなば、さてこそあらめと思ひて」〈著聞四二三〉

うちなが・め【打ち眺め】『下二』①何心なく目に入る物を見やる。「月やうやう出でて、荒れたる籬の程うとましく―・め給ふに」〈源氏末摘花〉 ②何となくぼんやりとしている。「又知る人もなき事なれば人知れず―・めて居たり」〈源氏空蟬〉

うちな・き【打ち泣き】『四段』ふと涙をこぼす。急に泣く。「こぞ(去年)に似るべくもあらず。―・きて」〈伊勢四〉。「いと悲しくてさと―・きたる」〈源氏葵〉

うちなげ・き【打ち嘆き】『四段』①(心配・落胆・悲嘆・不満などで)ふとため息をつく。「―・き語りけまくは」〈万四一〇六〉 ②ため息まじりにせつない気持を言葉に出す。「夢のわたりの浮橋か、とのみ―・かれて」〈源氏薄雲〉 †utinageki

うちなび・き【打ち靡き】『四段』①ゆるやかになびく。ゆらめく。「今更に何をか思はむ―・き心は君に寄りにしものを」〈万五〇五〉。「家の島荒磯の上に―・き繁(しじ)に生ひたるなりそが」〈万五〇九〉 ②横になる。「―・き床に臥伏(こいふ)し」〈万三九六九〉 †utinabiki

うちなびく【打ち靡く】〔枕詞〕草木の枝葉がもえ出、伸びてなびき繁るので「春」に、なびく様子から「草」「黒髪」にかかる。「―春さり来れば」〈万二六〇〉。「―草香の山を」〈万一四二八〉 †utinabiku

うちならし【打鳴・磬】⇒けい(磬)。「磬、宇知奈良之(うちならし)」〈和名抄〉

うちならし【内慣し・内習し】内内の練習。下稽古。「あすの御あそびの―に御琴どもの装束などして」〈源氏梅枝〉

うちにかい【内二階】普通の二階より低く、平屋(ひらや)よりやや高く構えた二階。中(ちゅう)二階。「―より伽羅の追風」〈俳・談林十百韻上〉

うちぬき【打抜き】正直。真実。ありのまま。「少しも表裏、―相違の儀有る間敷く候事」〈上杉家文書三、元亀一・一〇・八〉。「名代借らずに―の太夫本なれば」〈評判・野良立

役舞台大鏡〉

うちねずみ【内鼠】家の中にばかり居て、世間知らずの人。「此の太郎はーにて有りしが」〈仮・他我身之上三〉

うちのうへ【内の上】《「院の上」の対》内裏においでの帝。天皇。「まろはーよりも、宮(中宮)よりも祖母(ばば)をこそまさりて思ひ聞ゆれば」〈源氏御法〉

うちのおとど【内の大臣】内大臣に対する敬称。「ー・権中納言参り給ふ」〈源氏絵合〉

うちのおほいどの【内の大殿】内大臣(家)の敬称。「ーの君たち」〈源氏初音〉

うぢのかみ【氏の上】上代の氏のかしら。氏神をまつり、氏人をひきい、訴訟をきめ、氏を代表して朝廷に仕えた。普通は、氏中の官位第一の者が勅によって任命される。どの氏にもあるのではなく、特定の名門にのみ存した。「うぢのこのかみ」とも。平安時代以後は「氏の長者」という。「祖父兄及びーたる者を拝するを聴(ゆる)す」〈続紀文武一・閏一二・二六〉 †udinökami

うちのごしょどころ【内御書所】平安時代、宮中で天皇の御覧になる書籍を保管した所。「ー、承香殿の東の片庇に在り。延喜の始め勅に依りて作る事有り」〈西宮記臨時五〉

うぢのこのかみ【氏上・氏長】《コノカミは「子の上(かみ)」で、長子、また長の意》⇒うぢのかみ。「己がーを除きて以外(ほか)(この)は拝むこと莫(な)(ま)」〈紀天武八年〉 †udinökonökami

うちのたくみのつかさ【内匠寮】⇒たくみづかさ。〈和名抄〉

うちのたま・ひ【打ち宣ひ】『四段』何気なく軽くおっしゃる。「常にあひ見ぬ恋の苦しさをさまよき程にー・へる、いみじく言ふにはまさりて」〈源氏浮舟〉

うぢのちゃうじゃ【氏の長者】⇒うぢのかみ。「二郎の大臣の御流はーを継ぎて、今に摂政関白として栄え給ふ」〈今昔二二ノ二〉

うぢのはしひめ【宇治の橋姫】⇒はしひめ。「さむしろに衣かた敷き今宵もや我を待つらむー」〈古今六八九〉

うちのひと【内の人】亭主。主人。妻から夫をさしていうことが多い。「恥づかしながら、わらはがーでござる」〈虎寛本狂言・猿座頭〉

うちのへ【内の重】《「中の重」「外(と)の重」の対。へは隔てになるもの》中の隔てとなるもの。大内裏についていえば、外郭の築地が「外の重」、内裏をかこむ築地が「中の重」、さらにその中の、長廊をめぐらした一郭が「内の重」である。「わたつみの神の宮のーの妙なる殿に」〈万一七四〇〉 †utinöfe

うちの・べ【打ち延べ】『下二』①物を打ちたたいて長くのばす。「八大龍王の形を金をもってー・べて」〈保元上・官軍勢汰へ〉 ②声を長くのばす。「『念仏衆生摂取不捨』とー・べて行なひ給へるが」〈源氏賢木〉 ③延期する。「イラザルソショウヲウチノベテヲク」〈日葡〉

うちのぼる【打ち上る】〔枕詞〕川にそってのぼってゆく意で地名「佐保の川」にかかる。「ー佐保の川原の青柳は」〈万一四三三〉 †utinöböru

うちのみかど【内の帝】《「院の帝(みかど)」の対》「内の上(うへ)」に同じ。「ー御位につかせ給ひて十八年にならせ給ひぬ」〈源氏若菜下〉

うちのもの【内の者】①女房。「ここもとで身どもがーを誰見た者もあるまいに」〈虎寛本狂言・鬼瓦〉 ②召使。家来。「いかに主とーぢゃと云うても、無理な事を云はします」〈虎明本狂言・止動方角〉

うちは【団扇・団】①あおいで風を送る具。また、顔を隠すためにかざしたりした。「『あなわびしや、いと暑し』と宣へば『ーも参らせむ』」〈宇津保国譲中〉 ②軍配うちわ。「軍兵はー取りぬる人のただ調義を聞きてとにもかくにも」〈義経百首〉。「団、ウチハ。…相撲奉行」〈俳・俳諧小傘〉

うちば【内端】①控え目。うちわ。「敵の人数は、ーを取って五千もあるべし」〈三河物語中〉 ②内気(うちき)。小心。「ちとーな人であらうぞ」〈周易秘抄〉

うちばか【内墓】《「野墓」の対》寺の境内にある墓地。詣り墓。「『さて、此処はいづくにや』と言へば、長老聞きて、『ーなり』」〈仮・御伽物語四〉

うちばかま【打袴・擣袴】砧(きぬた)で打って、つやを出した袴。後には板引きでつやを出したものをもいう。「御馬副二十人、紫の衣、白絹のー着つつ」〈宇津保吹上上〉

うちはし【打橋】①仮に渡した橋。「上つ瀬にー渡し」〈万一九〇七〉 ②廊下の切れた所に掛け渡した板。とりはずしができる。切馬道(きりめだう)の橋。「ー、渡殿のここかしこの道にあやしきわざをしつつ」〈源氏桐壺〉 **ーだ・ち**【打橋だち】『四段』一見、打橋のようにみえる。「ー・つものを道にてなむかよひ侍る」〈源氏夕顔〉

うちはじ・め【打ち始め】『下二』手はじめとする。「文人擬生(もんにん ぎさう)などいふなる事(試験)どもよりー・め、すがすがしう果て給へれば」〈源氏少女〉

うちはた・し【討ち果し】『四段』①討ち殺す。「ー・して呉れうず」〈狂言記・居杭〉 ②殺しつくす。「皆ー・いてのけられたと申す」〈天草本伊曾保〉

うちはちもんじ【内八文字】太夫道中の歩み方。足の爪先を内側に向けて「八」の字形に歩くこと。「ーに揺取前(かいどりまへ)」〈西鶴・諸艶大鑑二〉

うちはづ・し【打ち外し】『四段』①うちそこなう。「〔双六ノ相手ガ〕賽いみじく呪ふとも、ー・してんや」〈枕一四五〉 ②(機会などを)とりにがす。「こたびだに、げに又ー・しては、いかさまにせむ」〈増鏡七〉

うちはな・ち【打ち放ち】㊀『四段』うち振る。一説、強く打つ。「焼太刀(火デキタエタ刀)の稜(かど)ー・ち」〈万九八九〉 ㊁『名』無愛想。ぶっきらぼう。「あはれとは見奉りながら、若きものにて、ーに申しけるにこそ」〈住吉〉

うちはへ【打ち延へ】『副』ずっと長く、引き続いて。「雨のー降る頃、今日も降るに」〈枕一〇三〉。「桐壺の御方はーえまかで給はず」〈源氏若菜上〉 **ーて**『副』①「うちはへ」に同じ。「ー思ひし小野は」〈万三二七二〉。「ーあつかふ(介抱スル)程に四五月も過ぎぬ」〈源氏手習〉 ②一面に。「ー庭おもしろき初霜に同じ色なる玉の村菊」〈栄花玉村菊〉 †utiFaFete

うちは・め【打ち塡め】『下二』①投げ込む。中に押し込む。「くら谷(深イ谷)に〔身ヲ〕ー・めて焼けは死ぬとも」〈万三九四一〉 ②きっちりとはめこむ。「大の鏑(かぶら)をー・めて、よく引きてひゃうど射る」〈義経記四〉 ③とじこめる。「なほありかせそめじ。ー・めておきたるぞよき」〈落窪一〉 †utiFamë

うちはやし【打囃し】太鼓・鼓(つづみ)などを打って、能の伴奏をすること。また、その芸事。「能は…ー又肝要也」〈毛端私珍抄〉

うぢはや・し『形ク』①事態が危急である。「かくー・き時に身命を惜しまずして…朝廷を護り奉侍(つかへまつ)る人等を」〈続紀宣命三三〉。「劇・難、ウヂハヤシ」〈名義抄〉 ②けわしく危険である。「径途(みち)難阻(うぢはや)く寒風(かぜ)くして雪を飛ばす」〈大唐西域記四・長寛点〉 ▽漢文訓読体で使う語。

うちはや・り【打ち早り】『四段』すぐ調子にのる。「ある上達部の御子、—・りて物怖ぢせず、愛敬づきたるあり」〈堤中納言虫めづる〉

うちはら・ひ（ハ：ライ）【打ち払ひ・打ち掃ひ】『四段』①(ついている塵などを)さっと落して除ける。「白栲の羽さし交へて〔霜ヲ〕—・ひ、さ寝とふものを」〈万三六二五〉②(草など)刈って除く。「駒とめて袖—・ふかげもなし」〈新古今六七一〉「繁う侍りし道の草も少し—・はせ侍らむかし」〈源氏宿木〉③追放する。「いみじき嗚呼(をこ)のものなりとて、奈良—・はれてけるとぞ」〈十訓抄一ノ六〉④消費する。「財宝も皆—・ひ、いよいよあさましき身となりなんこそ笑止なれ」〈仮・ひそめ草中〉 †utiFaraFi

うちばん【打盤】洗濯物を槌で打つための木の台。「—や桜の吉野〔デ〕小夜衣」〈俳・坂東太郎下〉

うちひ【打火】火打ち具で打ち出す火。きりび。「怖ろしや—かかやく鏡の面に」〈謡・野守〉

うちひさす【打ち日さす】〔枕詞〕日があたることから、「宮」「都」にかかる。「—宮(宮仕エ)に行く児を」〈万五三二〉。「—都しみみに(イッパイニ)里家(さといへ)はさはにあれども」〈万四六〇〉 †utiFisasu

うちひさつ【打ち日さつ】〔枕詞〕「打ち日さす」の上代東国方言。「宮」にかかる。同音で「三宅(みやけ)」にもかかる。「—宮の瀬川の」〈万三五〇五東歌〉。「—三宅の原ゆ」〈万三二九五〉 †utiFisatu

うちひそ・み【打ち顰み】『四段』泣き出しそうな顔つきになる。「母君の見えぬを求めて、らうたげに—・み給へば」〈源氏薄雲〉

うちびと【内人】伊勢大神宮に仕える禰宜(ねぎ)の次位。宿直や神饌のことをつかさどる。熱田・鹿島・平野などにもあった。「禰宜・—、唯(を)とまをす」〈祝詞伊勢大神宮〉

うぢびと【氏人】同じ氏に属する人。「もののふの八十(やそ)—も吉野川絶ゆることなく仕へつつ見む」〈万四一〇〇〉 †udibitö

うちひらめ【打平め】①室町時代の悪銭の一種。小形の銭を槌で打って平たく大きく伸ばしたもの。「永楽・宣徳においては撰ぶべからず、さかひ銭と洪武銭…—、此の三色を撰ぶべし」〈大内氏掟書文明一七・四・一五〉②《転じて》句や言葉が俗悪・下品であること。また、そのような句や言葉。「『わがたのむ』は—のやうなれば、直されたるにや」〈古今私秘聞〉。「惣別一順の句は…いかにも軽軽とある句の、さすが又—にてはなきやうにありたき事なりとぞ」〈矢嶋小林庵何木百韻注〉。「長き・長くと云ふべきを、長い・長うなど云ふ類、いづれも詞—なれば、連歌には嫌ふ。皆俳諧に好む詞也」〈一歩下〉

うちぶ【打歩】近世、大判を小判に、小判を一分金に両替する時、両替屋が取った手数料。「〔山伏ノ〕鈴懸衣(すずかけごろも)〔ノ袖ニアルノハ〕—なるらん／立ち出づる旅路の秋の切れ小判」〈俳・桜千句〉

うちふ・き【打ち吹き】『四段』①さっと吹く。「風ひややかに—・きて、やや更け行くほどに」〈源氏紅葉賀〉②軽く吹く。「この笛を—・き給ひつつ」〈源氏横笛〉

うちふく・み【打ち含み】『四段』軽くふくらむ。「〔髪ハ〕つゆばかり—・み、まよふ筋もなくて」〈源氏若菜下〉

うちふ・し【打ち伏し】『四段』軽く横になる。「—・し給へるに…惟光をよびいでさす。君もやがて聞き給ふ」〈源氏若紫〉

うちぶしん【内普請】家の内部を造り直すこと。「—の儀は、大介・虎右衛門仰せ付けられ」〈相良家文書二、慶長三・二・一〇〉

うぢぶみ【氏文】おもに上代における氏の由来、代代の功績を記した文書。中世、武士の家の由来を記したものにもいう。系図とちがい、文章が中心。「うぢもん」とも。「高橋—に云はく」〈政事要略二六〉

うちほう・け【打ち耄け・打ち惚け】『下二』熱中してぼうっとなる。「博打(ばくち)の—・けてゐたるが〔尼君ヲ〕見て」〈宇治拾遺一六〉。「今はこの女(むすめ)に—・けさせ給ひて、いづかたへも出でさせ給はず」〈伽・ささやき竹〉

うちまか・せ【打ち任せ】『下二』①一任する。まかせきる。「さらば一向に世の政をしてたべとて、—・せておはしましけるほどに」〈愚管抄三〉②ありふれる。「—・せたる乞食にはあらざめり」〈古事談三〉 **—て** ごく普通。尋常一通り。「しきたへとは、—は枕にこそ言ひならはして侍れども」〈仙覚抄三〉。「これらの説は、—の舞人は知らぬなり」〈続教訓鈔一〉

うちまき【打撒】①魔物の心をなごめる意味で米をまきちらすこと。また、その米。節分の夜の豆撒きは、これの名残。「〔若君ノ夜泣キニ〕—し散らしなど」〈源氏横笛〉。「〔御湯殿ノ儀式ニ〕—を投げののしり」〈紫式部日記〉②神仏に供える米。「〔鞍馬寺・清水寺・賀茂社ト〕参りありきつるに、ありありて…—のかはりばかり給はりて何にかはせん」〈宇治拾遺八八〉③米。「ある時、みつものの—取り」〈伽・一寸法師〉。「田舎人は、米を—と言ひ習はせり」〈俳・類船集四〉

うちまく【内幕】①軍陣で外幕(とま)の内に張る、やや小さな幕。「—、昔は絹を以て〔作リ〕、色を大方浅黄または紺、或は薄柿など立て交ぜに(縦ニ交ぜ合ワセテ)も作る也。近代は金襴・鈍子(どんす)または布等を用ゆ」〈武用弁略六〉②内情。裏面。「俗に—と云ふ諺有り。凡て内証の、人に見せ難き事を云ふ」〈俚言集覧〉

うちまさ・り【打ち優り】『四段』ちょっとまさっている。「宮のおはしまさずなりにし悲しさよりも、やや—・りて恋しくわびしきに」〈源氏早蕨〉

うちまたがうやく（ウ：ゴ）【内股膏薬】内股に貼った膏薬のように、あちらについたりこちらについたりして、定見・節操のないこと。また、そういう人を嘲っていう語。「進み退く事も、人に付きて—なる臣」〈仮・為人鈔一〇〉。〈日葡〉

うちまつ【打松】たいまつ。「—おどろおどろしからぬほどに置きて」〈源氏篝火〉

うちまね・び【打ち学び】『四段』見聞したままを、軽く人に話す。「一言にても、また異人(他人)に—・び侍らず」〈源氏橋姫〉

うちまは・し（ワシ：マ）【打ち回し】『四段』①馬首をめぐらして、引きかえす。「京極をのぼりに(南カラ北ニ)—・して、下野殿のまへに馳せ来たって」〈保元中・白河殿攻め落す〉②幕を、はりめぐらす。「幕—・し、屛風を立て、酒宴なかばと見えて候程に」〈謡・紅葉狩〉

うちまも・り【打ちまもり】『四段』じっと見つめる。「〔猫ガ〕顔を—・りつつ和(なご)う(ヤサシク)鳴くも」〈更級〉

うちまゐり【内参り】宮中に参ること。参内(さんだい)。入内(じゅだい)。「—にも似ず、聟(むこ)の大君といはむにも事たがひて」〈源氏若菜上〉

うちみ【打身】①魚などのさしみ。「—を食うたと言ふ」〈天正本狂言・打身〉②打撲傷。「—の薬に狸薬といふあり」〈仮・御伽物語三〉

うち・み【打ち見】㊀『上一』一瞬見る。ちらっと見る。「降る雪を梅の花かと—・みつるかも」〈万一六四五〉。「—・みるには、かどかどしく気色だちたれど」〈源氏帚木〉㊁『名』一見。ちょっと見。「〔善通寺〕金堂は二階七間也。…二階に各少し引き入りて裳層(もこし)あるが故に、—は四階大伽藍」〈南海流浪記〉 †utimi

うち・み【打ち廻】『上一』めぐる。めぐりゆく。「—・みる島の崎崎」〈記歌謡五〉 †utimi

うちみ・え【打ち見え】『下二』ちらっと見える。「もののそばより、ただ這ひ渡り給ふ程ぞふと—・えたる」〈源氏野分〉

うちみしゃ・ぎ【打ち拉ぎ】『四段』こなごなに叩きつぶす。「鉄床に—・がるる法もあれ」〈近松・氷の朔日上〉

うちみだりのはこ【打乱の箱】婦人が寝る時にかもじなどを入れたり、結髪の際に使ったりする箱。化粧道具なども入れたという。乱れ箱。「御櫛の箱、—、香壺(かうご)の箱」〈源氏絵合〉。「巾箱、タノゴヒノハコ、一云ウチミダリノハコ」〈名義抄〉

うちみだ・れ【打ち乱れ】『下二』くつろいだ気分や身なり、うちとけた態度でいる。「しどけなく—・れ給へるさまながら、紐ばかりをさし直し給ふ」〈源氏葵〉

うちめ【打目・擣目】つやを出すため、絹布を砧(きぬた)で打った結果生じた模様。「〔衣ヲ水ニ落シテモ〕つゆ、水に濡れたるとも見えで、同じやうに—などもありける。昔は、打ちたる物はかやうになむありける」〈宇治拾遺九七〉

うちもの【打物】①打ち鍛えた物。刀・長刀(なぎなた)の類の総称。「或る時には—を持たせて内にも入れけり」〈今昔二九ノ三〉②打って鳴らす楽器。「管絃の中に笛すぐれたり、—の中には太鼓すぐれたり」〈教訓抄一〉③砧(きぬた)で打ってつやを出した絹布。「〔水ニ濡レテモ打チ目ガ消エナカッタノデ〕これを見る人—をぞ誉め感じける」〈今昔二四ノ三〉④金属を打って作ったもの。「心葉。銀を以て梅を—にしたる也」〈源氏物語千鳥抄〉⑤物物交換。「かへもの」とも。「その儀ならば—に致そ」〈狂言記・富士松〉 **—わざ**【打物業】刀・長刀などを取っての技術・腕前。「—にて叶ふまじ。組んで力の勝負せんとて太刀投げ捨てて」〈謡・烏帽子折〉

うちもら・し【討ち漏らし】『四段』討ち取ることができずに、とり逃がす。「—・されて、今まで生きて侍り」〈日蓮遺文南条兵衛七郎殿御書〉

うぢもん【氏文】⇓うぢぶみ。「—読まんと思ひけるか」〈盛衰記三七〉

うちゃう(ウ:チョウ)【有頂】〔仏〕「有頂天」に同じ。「人は知足(そち)に等しく、寿(寿命)は—に同じからむ」〈性霊集六〉 **—てん**【有頂天】①九天のうちの最上の天。欲界・色界など形ある世界の頂。「有頂」とも。「是の如きの衆類、上、—を絡(めぐ)り、下、無間獄を籠めて」〈三教指帰下〉②熱中して我を忘れること。のぼせて夢中になること。「月を見る人の心や—」〈俳・毛吹草六〉

うちやうじ(ウ:ヨ)【打楊枝】先をたたいて房(ふさ)のようにした歯磨き楊枝。房楊枝。「—袖の秋露ひき別れ」〈俳・信徳十百韻〉。「扇の要(かなめ)…耳掻き・—、七色ありて代三文」〈西鶴・一代男六〉

うぢやしろ【氏社】氏神を祭る社。「藤氏は春日の社・興福寺を以て—・氏寺として」〈平家七・平家山門連署〉

うちや・め【打ち止め】『下二』打ちたたいてやめさせる。「この鳥も〔鳴クノヲ〕—・めこせね(ヤメサセテクレ)」〈記歌謡二〉 †utiyamë

うちや・り【打ち破り】『四段』打ちやぶる。打ちわる。「—・られし頭より」〈伽・福富長者物語〉

うちや・り【打ち遣り】『四段』①(ちょっと)向うへやる。のける。「手洗ふ所に貫簾(ぬきす)を—・りてたらひの影に見えけるを」〈伊勢二七〉②かまわずに放っておく。「〔髪ハ〕けづることもし給はで程経ぬれど、まよふ筋なく—・られて」〈源氏総角〉

うちゆ・き【打ち行き】『四段』ちょっと行く。「関なくは還りにだにも—・きて」〈万一〇三六〉 †utiyuki

うちよする【打ち寄する】〔枕詞〕国名「駿河」にかかる。駿河湾に寄せる白波が鮮やかで、風光がよいからか。あるいは、同音「する」の繰返しか。「—駿河の国と」〈万三一九〉 †utiyösuru

うちろんぎ【内論議】御斎会(ごさいゑ)の結願の日に大極殿に高僧を召し、天皇の御前で経文の意味を討論させる式。「ないろんぎ」とも。「—・三十講などいふ事に出るたびごとに」〈今昔一七ノ三三〉

うちわ【内輪】①親族。また、同じ親方に従う仲間。「堺辺は—の取合ひ、以ての外の事候ひき」〈上杉家文書一、享祿四・二・二七〉。「内輪、ウチワ・ウチワナカ、親類」〈俳・反故集下〉②内部。また、内部の事情。「宮中に奉公して、后妃のあたの言ひ事(口論)などの有って、難の有るを和らげ、平易にしないたぞ。—の宰相と云はれたぞ」〈玉塵抄一三〉 **—やぶれ**【内輪破れ】身内同士あるいは仲間同士が争って分裂すること。「内輪くづれ」「内輪われ」などとも。「細川高国と六郎殿と二つに分れ、—散散(さんざん)になり」〈赤松記〉

うちわす・れ【打ち忘れ】『下二』ふっと忘れる。「さるべき折折は—・れたらん事も驚かし給へかし」〈源氏初音〉

うちわた・し【打ち渡し】㊀『四段』①端から端へずっととどくようにする。「安太人の魚梁(やな)—・す瀬を早み心は思へど直に逢はぬかも」〈万二六九九〉。「平張どもあまた—・したるおはし所」〈大鏡道長〉②(馬に鞭うって)川や原などを越す。「千鳥鳴く佐保の川門の清き瀬を馬—・しいつか通はむ」〈万七一五〉㊁『副』《端から端まで渡す意から》ずっと一貫して。押しなべて。「—長き心は八橋のくもでに思ふことは絶えせじ」〈後撰五七一〉

うちわたり【内辺】内裏。禁中。天皇をさす場合もある。「年もかはりぬれば、—はなやかに内宴・踏歌など聞き給ふも」〈源氏賢木〉。「—にも聞こし召して」〈源氏総角〉

うちわた・り【打ち渡り】『四段』①(何気なく部屋に)入る。「女はまことの親の御あたりにもたはやすく—・り見え奉り給はむこと、ついでなくてあるべきことにあらず」〈源氏真木柱〉②川や橋を渡って行く。「天龍河を—・り小夜の中山越え行けば」〈太平記二・俊基朝臣〉

うちゐ【内居】①自宅に居ること。「衣服は…平生の—の着流しにて」〈色道大鏡一三〉②家族に対する態度。うちづら。「人あひ良くて—の悪しき事」〈仮・悔草下〉

うちゐど【内井戸】屋内にある井戸。「内井」とも。「—や夏のしるしに覗(のぞ)くらん」〈俳・生玉万句〉

うちゑじ【打怨じ】ちょっとした恨み言。「—など憎からず聞え給へ」〈源氏槿〉

うちを・れ【打ち折れ】『下二』ぽっきり折れる。「—・れむ醜(しこ)の醜手(ゴツイ手)を」〈万三二七〇〉

うつ【内】「うち(内)」の古形。「伏(ふ)うつす」「梁(うつはり)」などの複合語だけに残っている。「腿、ウツモモ」〈名義抄〉

うつ【全・空・虚】㊀『接頭』①連用形名詞などについて、すっかり、すっぽり、ごっそりなどの意をあらわす。「—剝(は)ぎ」「—抜き」など。「全剝、此をば宇都播伎(うつはぎ)といふ」〈記神代上〉②名詞について、うつろ・空虚の意をあらわす。「—木」「—蟬」など。「—蟬の身を変へてける木のもとになを人柄のなつかしきかな」〈源氏空蟬〉㊁『名』馬鹿。うつけ。おろかもの。「某とても、秤目(はかりめ)知らぬほどの—で

もなし」〈浮・好色敗毒散四〉

うづ【珍】貴く珍しいこと。尊貴であること。「すめら我が(天皇デアル自分ノ)ーのみ手もち」〈万九七三〉。「ーの広前(神前)にして…一心清浄の誠を致し」〈平家二・康頼祝〉

うづい【夷】《ウズヰ(踞)の意から》①無礼。無作法。「ーなる其の脛を打つ杖にして」〈俳・続独吟集上〉②我がまま。気まま。「(メッタニ鳴カヌカラ)ーなぞどう思うても時鳥」〈俳・それぞれ草下〉

うっかと『副』《ウカトの促音化》うっかりと。ぼんやりと。「恋の中川ー渡るとて袖をぬらいた」〈閑吟集〉

うつから・び【相携び】『四段』手をたずさえる。「天皇、釆女(うねめ)の…手をー・びて後宮に入りましぬ」〈紀雄略二年〉

うっかり《ウカリの促音化》ぼんやりしているさま。うかと。うっかと。「(無聊トハ)酒に酔ひて身の安からず、ーとしたるを云へるなるべし」〈錦繡段鈔一〇〉

うっき【鬱気】心がはればれしないこと。「気鬱(きうつ)」とも。「この頃のーを開かんとて盃数杯傾けたり」〈三好軍記中〉

うつぎ【空木・卯木】《茎が中空なのでいう》ユキノシタ科の落葉灌木。初夏、白い花が穂状に密生。山里の垣根などに使う。うのはな。「楊櫨、宇豆木(うつぎ)」〈和名抄〉

うづき【卯月】陰暦四月の称。「ーに咲ける桜を見てよめる。あはれてふことをあまたにやらじとや春におくれてひとり咲くらむ」〈古今一三六〉 **ーのいみ**【卯月の忌】京都賀茂祭の関係者が、祭の行なわれる陰暦四月になると、ひきこもって精進潔斎すること。「年を経てーをさしてこそ今日にあふひを契り置きけれ」〈拾玉集三〉

うづ・き【疼き】㊀『四段』ずきずき痛む。「はさまれて足はー・き(卯月ト掛ケル)のほととぎす泣きは居れどもとふ人もなし」〈著聞四三八〉㊁『名』疼痛。「痛い処に針を立てて膿血を出いて、ーをやむる如く」〈句双紙抄〉

うっきり鮮明に浮き立っているさま。あざやかなさま。はっきり。「影は水にーと白し波の月」〈俳・鸚鵡集七〉

うつく・し【愛し・美し】『形シク』《親が子を、また、夫婦が互いに、かわいく思い、情愛をそそぐ心持をいうのが最も古い意味。平安時代には、小さいものをかわいいと眺める気持へと移り、梅の花などのように小さくかわいく、美であるものの形容。中世に入って、美しい・綺麗だの意に転じ、中世末から近世にかけて、さっぱりとして、こだわりを残さない意も表わした。類義語ウルハシは端正で立派であると相手を賞美する気持。イツクシは神威が霊妙にはたらき、犯しがたい威厳のある意。ただし、中世以降、ウツクシミはイツクシミと混同した。平安時代、かわいいの意にラウタシがあるが、これは相手をいたわりかわいがってやりたい意》①かわいく思う。いとしい。「ー・しき吾が若き子を置きてか行かむ」〈紀歌謡一二二〉。「父母を見れば尊し、妻子(めこ)見ればめぐしー・し」〈万八〇〇〉②(見た目に小さくて)かわいい。「三寸ばかりなる人いとー・しうてゐたり」〈竹取〉。「何も何も小さきものはみなー・し」〈枕一五一〉③(見た目に)きれいである。美しい。「身にもし疵(きず)などやあらんとて見れど、ここはと見ゆる所なくー・しければ」〈源氏手習〉。「ー・しかりし花のいろいろ」〈健寿御前日記〉④見事である。「かくて大学の君その日の文ー・しう作り給うて進士になり給ひぬ」〈源氏少女〉⑤《副詞的に》思い切りよく。きれいさっぱり。何ごともなく。「今年は茶さへ所持候はで…この程は心ー・しく払底候ひて」〈看聞御記紙背文書応永三〇〉。「ネコガウツクシウクウタ」〈日葡〉 **ーげさ**【愛しげさ】かわいいと感じさせる要素、または度合。「姫君のたすき引き結(ゆ)ひ給へる胸つきぞ、ー添ひて見え給ひつる」〈源氏薄雲〉 **ー・び**【愛しび】㊀『上二』親が子を愛するように人をかわいがる。仁慈を垂れる。「天(あめ)は万の物をよく覆ひ養ひ賜ひ、ー・び愍(あはれ)み賜ふ物にいます」〈続紀宣命四三〉㊁『名』慈愛。恩恵。「ー共に齊(ひと)し」〈紀崇神四十八年〉。「慈、ウツクシビ」〈名義抄(図書寮本)〉 †utu-kusibi **ー・み**【愛しみ】㊀『四段』子供など、小さいもの・弱いものをかわいがる。「(子供ヲ)いだきて遊ばしー・むほどに、かいつきて寝たる」〈枕一五一〉。「若君いだきてー・みおはす」〈源氏東屋〉㊁『名』かわいがること。「紫のゆかり尋ね取り給ひては、そのーに心入り給ひて」〈源氏末摘花〉

うづくま・り【蹲り・踞り】『四段』⇒うずくまり

うつ・け【空け・虚け】㊀『下二』《ウツ(空・虚)を活用させた語》①からっぽになる。うつろになる。「老い耄(ほ)れー・け羸(かつ)れては」〈金光明最勝王経平安初期点〉。「空・虚、ムナシ・ウツケタリ」〈名義抄〉②腑抜けになる。「本心を失ひてー・けたる如くなり」〈尚書抄七〉㊁『名』あほう。馬鹿。「いかにもーさうな者がよう寝入って」〈天理本狂言六義・成上り〉。「ーに薬がないとはまことや」〈咄・醒睡笑一〉。「ーを云ふ。ーを申す。ーを為(す)る。ーに成る」〈文明本節用集〉 **ーもの**【空者・虚者】愚かな者。馬鹿者。「うつけびと」とも。「とかく能作ーにて候間、役者なるまじき」〈北野社家日記天正一九・一・一〉。「虚者、ウツケモノ」〈文明本節用集〉

うつ・し【写し・移し】㊀『四段』《ウツリの他動詞形。物の形や内容そのままを、他の所にあらわれさせる意。ウツはアクセントも考慮すると、ウツシ(顕)・ウツツ(現)のウツと同根。この世にはっきり形を見せ、存在する意》①物や文字の形をそのまま現わす。「釈迦の御足跡(みあと)(ヲ)石にー・し置き行きめぐり敬ひまつり」〈仏足石歌〉②(影や光を)そっくり投影する。「池の水に影をー・したる山吹」〈源氏胡蝶〉③(色や香を)そのまま他のものにつける。「梅が香を袖にー・してとどめてば」〈古今四六〉。「秋の野の花の色色取りすべて我が衣手にー・してしがな」〈拾遺一〇九九〉④模倣する。模造する。「お前の作法をー・して」〈源氏藤裏葉〉。「唐の西明寺の一院を…大安寺にー・さしめ給へるなり」〈大鏡道長〉⑤もののけを「よりまし」につかせる。「人にかりー・し給へる御物怪ども」〈源氏葵〉⑥話をそのままに取りつぐ。「かくなむとー・し語れど」〈源氏夢浮橋〉⑦そっくりそのまま移動させる。置きかえる。「宿近くー・して植ゑしかひもなく待ち遠にのみ見ゆる花(桜)かな」〈大和七四〉⑧そのまま時を過ごす。「無益のことを思惟して時をー・すのみならず」〈徒然一〇八〉⑨人を流罪にする。「いかでかわが山の貫首をば他国へはー・さるべき」〈平家二・一行阿闍梨〉㊁『名』①植物などの色を物に染めつけること。「秋さらばーもせむと我が蒔(ま)きし韓藍(からあゐ)の花を誰か採みけむ」〈万一三六二〉②ツユクサなどの花の汁を染めつけた紙。うつし紙。うつし花。「秋の露はーにありけり水鳥の青葉の山の色づく見れば」〈万一五四三〉③薫物などの香を物にうつしつけること。「九月九日は…菊の露もこちたく、(菊ノ香ヲウツシトルタメニ)おほひたる綿などもいたくぬれ、ーの香ももてはやされて」〈枕一〇〉④「移し馬」「移し鞍」などの略。「中将ーに乗りて」〈宇津保内侍のかみ〉。「御馬屋(みまや)に足疾き御馬にー置きて」〈源氏夕霧〉 **ーいろ**【移色】「うつし」㊁(2)で染めた色。ツユクサの花の色。「色色にこきまぜたる上に、ーなる織物を着たり」〈浜松中納言三〉 **ーうま**【移馬】諸国から馬寮に徴発した馬。また、供奉(ぐ)などの時、乗りかえ用として馬寮から支給された乗馬。

「—ども引き出だして、宿直（ゐとの）にさぶらふ人十人ばかりして参り給ふ」〈源氏東屋〉 **—ぐら**【移鞍】移し馬に用いる鞍。「移しの鞍」とも。「龍蹄五疋、各平文（ひやうもん）の—を置く」〈兵範記仁平二・八・二九〉 **—ごころ**【移し心】他へ移る心。心変り。「くれなゐの—や妹にあはざらむ」〈万二三四三〉。「月草の—は色ことにして」〈古今七一一〉 **—どの**【移殿・遷殿】臨時に神体を安置する仮の社殿。「春日の御榊、—におはします頃にて」〈増鏡一三〉 **—ばな**【移花】藍紙（あゐがみ）の一。ツユクサの花の汁を紙に染めたもの。染料にする。「うつし」「うつし紙」とも。「露草の花をば紙に染めて、又それを移して物を染むれば、—と云ふ也」〈顕注密勘〉 **—もの**【写物】①書き写すこと。書き写したもの。写本。「—・手本の御用…と書きにける看板あまた掛かりけり」〈仮・色音論上〉。〈日葡〉②模造品。「太刀〔八〕楠が名剣に紛れ無く、連歌懐紙は—に極まりぬ」〈西鶴・新可笑記一〉 **—ゑ**【写絵】人物・事物を描き写した絵。肖像画や写生画。「—のにほふ霞や筆の跡」〈宝徳四年千句〉。「飽くとしもなく向ふ—／形見ぞと残す扇はなつかしみ」〈白山万句慶長二二・一〇・二五〉

うつ・し【現し・顕し】『形シク』《ウツリ（映）・ウツシ（写）のウツと同根》①目に見えるように存在する。神の世界ではなく、この人間世界に生きている。「葦原の中つ国にあらゆる（居ルスベテノ）—・しき青人草（人民）」〈記神代〉。「顕、此をば于都斯（うつし）といふ」〈紀神代下〉②正気である。「—・しくもまこと（本気デ真実ニ）吾妹子（わぎもこ）我に恋ひめや」〈万七七一〉 **—いはひ**（イワイ）【顕し斎ひ】現実に見えない神を、この世に見えて存在するように斎（つい）き祭ること。神を祭るに従って、神霊が天皇の身に憑（よ）りついて現われる。「今、高皇産霊尊（たかみむすひのみこと）を以て、朕（われ）みづから—を作（な）さむ」〈紀神武即位前〉。「顕斎、此をば于図詩怡破毗（うつしいはひ）といふ」〈紀神武即位前〉 **—おみ**【現し臣】《オミは人の意》この世の人の姿をして目に見える存在。姿の見えない「神」に対する。「かしこし我が大神、—ましまさむとは覚らざりき」〈記雄略〉 ▽ウツシオミがつづまって、ウツソミ・ウツセミとなる。 **現しき青人草**（あをひとくさ） 現世に生きている人民。「顕見蒼生、此をば宇都志枳阿烏比等久佐（うつしきあをひとくさ）といふ」〈紀神代上〉 **—ごころ**【現し心】正気で理性ある心。「うつせみの—も我はなし妹を相見ずて年の経ぬれば」〈万二九六〇〉。「〔イツモ気ガ変ナ〕北の方は〔チョウド〕—物し給ふほどにて」〈源氏真木柱〉 **—ざま**【現し様】（精神活動・生活・健康などが）正常の状態。「世をもてしづめ給ふ御心みな乱れて—にもあらず」〈源氏賢木〉 **—ひと**【現し人】①《死者に対して》この世の人。「—にてだにむくつけかりし人の御けはひ」〈源氏若菜下〉②《出家した人に対して》在俗の人。「—にては世におはせむもうたてこそあらめ」〈源氏手習〉 **—まこ**【現し真子】《マは美称》ほんとうの子。「夜ごもりに鳴くほととぎす、古ゆ語り継ぎつる鶯の—かも」〈万四一六六〉 **—み**【現し身】「うつせみ」の語源の誤解にもとづいて、江戸時代の国学者の作り出した語。「—は顕（うつ）しき身てふ意にて正しきを、うつそみ・うつせみなどいふは音の転（うつ）ろひし物也」〈冠辞考三〉

うづしほ（オ：シ）【渦潮】せまい海峡などで、潮の満干に、はげしく渦をまいて流れる海流。渦まく潮流。「これやこの名に負ふ鳴門の—に」〈万三六三八〉

うつじん【空人・虚人】間抜け者。「うつすけ」とも。「かの有頂天の—、目もあやなく眺め入り」〈浮・男色十寸鏡上〉

うっすり 薄いさま。かすかなさま。うっすら。「—と白粉（おしろい）塗りし春の山」〈俳・大坂一日独吟千句〉

うつせ【空・虚】①「うつせがひ」に同じ。「〔ナキガラハ〕いかなるさまにて、いづれの底の—にまじりけむ」〈源氏蜻蛉〉②から。うつろ。「そろりと抜け、—になして」〈浄・根元曾我三〉 **—がひ**（イガ）【虚貝】中身の空の貝殻。ルリガイ・アサガオガイなどの巻貝の殻であろうという。実のない、むなしいことのたとえ。「住吉（すみのえ）の浜に寄るとふ—〔ノヨウニ〕実なき言（こと）もちわれ恋ひめやも」〈万二七九七〉。「海人（あま）の拾はぬ—」〈大和八五〉

うつせみ《ウツソミの転》①この世の人。「—と思ひし妹（いも）が玉かぎるほのかにだにも見えぬ思へば」〈万二一〇〉②この世。「いにしへも然（しか）にあれこそ、—も妻を争ふらしき」〈万一三〉③世間。世間の人。「—の八十（やそ）言の葉（へ）はしげくとも」〈万三四五六東歌〉④《万葉集のウツセミを「空蟬」「虚蟬」の意と解したことから》蟬のぬけがら。また、蟬。「—とは、むなしきものにたとふ。蟬のぬけたるかへりがらとも」〈能因歌枕〉。「夏は—鳴きくらし」〈古今一〇〇三〉 †utusemi **—の**〔枕詞〕「世」「世の人」「人」などにかかる。「—世の事なれば」〈万四八二〉 ▽奈良時代には、はかないという意味は必ずしも持っていなかったが、平安時代以後は、蟬のぬけがらの意と解したので、はかないという意味になった。

うつそみ《ウツシ（現）オミ（臣）の約。ウツセミの古形》①この世の人。「—と思ひし時、春べは花折りかざし」〈万一九六〉②この世。「—の人にある我や」〈万一六五〉 ▽「現身」と解する説は誤り。ミ（身）は上代では mï の音、ウツソミのミは mi の音。 †utusömi

うっそり ぬけているさま。うっかり。また、そのような者。「—と跡の板には穴ばかり残る」〈浮・男色木芽漬三〉。「銀（かね）を握って帰られしを、此の—が夢にも知らず」〈近松・曾根崎心中〉

うつた【打っ田】たがやす田。「—には稗（ひえ）はあまたにありといへど」〈万二四七六〉

うったう（ウ：トウ）【鬱陶】心がふさがって楽しまないこと。不快。「—を押へ、光陰を送る間」〈平家四・南都牒状〉

うったう・し（ウ：トウ）【鬱陶し】『形シク』気がふさいではればれとしない。不快である。「酒は胸に—・しい物の有るを押し失ふ為ぞ」〈山谷詩抄一〉

うづたか・し【堆し】『形ク』《平安時代まではウツタカシと清音》①もりあがって高い。「飯（はん）—・くよそひ」〈平家八・猫間〉。「堆、ウツタカシ・タカシ」〈名義抄〉。「堆、ウヅタカシ」〈文明本節用集〉②崇高である。気高い。「崇重と—・く、おもおもしきなりをして居るほどに」〈三体詩抄二ノ四〉

うったへ（：タエ）【打袴】⇒うちたへ

うった・へ（ウッタエ）【訴へ】㊀『下二』《ウルタへの転》①不平や遺恨などを申し立てる。訴訟する。「人に—・へらるる」〈大唐西域記二・長寛点〉②申し出る。言上する。「南都の大仏御再興ましまし、すでに成就と—・ふれば」〈近松・出世景清五〉㊁『名』訴訟。「みだりがはしき—つかまつる事、今にはじめずと申しながら」〈平家二・西光被斬〉 ▽「うたへ」と表記した例もあるが、名義抄（図書寮本）に、「訴・愬、ウタフ」「訟、ウタフルコト」とあり、ウの右下に朱点があって、促音であることが示してあり、ウッタヘと発音されていたことが分る。 uruta$\mathrm{F}$e→urta$\mathrm{F}$e→utta$\mathrm{F}$e

うつたへに（ウッタエニ）『副』①《否定表現と呼応して》決して。「神樹にも手は触るとふを—人妻と言へば触れぬ物かも」〈万五一七〉。「—思ひ寄らで」〈源氏藤袴〉。「必（うつたへに）詩に由て得むとにはあらず」〈遊仙窟（醍醐寺本）鎌倉期点〉②単に。「—秋の山辺をたづね給ふにはあらざりけり」〈かげ

ろふ上〉 †ututaFëni

うづち【卯槌】正月初の卯の日に、糸所から内裏に奉った槌。桃の木などを直方体に作り、五色の糸をたらしたもので、邪鬼を払うという。民間でもこれを贈答した。「若宮のおまへにとて―参らせ給ふ」〈源氏浮舟〉。「五寸ばかりなる―二つ」〈枕八七〉 →うづゑ

うっちゃ・け【打っちゃけ】『下一』《打チ明ケの転》①全部さらけ出す。「柿のさはし(渋ヲ去ッタ実)を―・けて置く」〈俳・乙矢集下〉 ②すっかり棄ててしまう。全く投げやりにする。「内を―・け、手代ぐるめに、〔遊里ニ〕やっちゃア押せ押せ(ドンドン行ケ)」〈浮・当世乙女織一〉

うつつ【現】《ウツシ(顕)の語根ウツを重ねたウツウツの約》①《夢・架空の物語・死などに対して》現実。「―にも夢にも我は思はずき」〈万三六〇一〉。「〔物語ノ女モ〕―の人もさぞあるべかめる」〈源氏螢〉 ②正気。「〔走ル車ノサマヲ〕―の人の乗りたるとなむさらに見えぬ」〈枕九九〉 ③《古今集の時代から「ゆめうつつ」「ゆめかうつつか」などと多く使うので、誤って》夢心地。「一同に皆入興(じゆきよう)して、―の如くになりにけり」〈太平記三五・宮方怨霊〉。「―、夢のやうなる事なり」〈匠材集二〉 **―ごころ**【現心】①正気。「その中の人―あらんや」〈山田本方丈記〉 ②夢心地。夢中。「二三丁が間は―になりて」〈浮・好色小柴垣三〉 **―な・し**【現無し】『形ク』気が狂ったり、物に憑(つ)かれたりして、正気がない。「兵部卿―・し。老のひがみか」〈問はず語り三〉 **―のゆめ**【現の夢】夢のような現実。多くは、逢瀬が夢のように過ぎたのを嘆いていう。「あふとみて覚めにしよりもはかなきは―の名残なりけり」〈続後撰八七九〉 **―を抜か・す** 心を奪われる。夢中になる。「宇津の山〔ノ茶屋ノ女ニ〕―・すたはむれに」〈俳・夢見草五〉

うつつ・い【美い】『形』「うつくしい」の転。「―・い小袖召しながら」〈浮・魂鍛金衣鳥三〉

うっつかっつ 優劣のないこと。互角。「おっつかっつ」とも。「餅梅と―の〔餅〕躑躅(じっっ)かな」〈俳・雀子集三〉

うつ・て【打棄て】『下二』《ウチウテの約》うちすてる。「さばへなす騒く児どもを―・てては死(し)は知らず」〈万八九七〉

うって【討手】敵・罪人などを討伐する者、または、軍勢。「重ねて―を下すべしと」〈平家五・五節〉

うってかは・り(カワリ)【打って変り】『四段』急に一変する。前と正反対になる。「除夜の豆や―・った去年に今日」〈俳・桜川一〉

うってだ・し【打って出し】『四段』検地して表高以上の田地を見出す。「打ち出し」とも。「それ検地―・しても構ふにこそ」〈俳・大矢数四〉

うってつ・け【打って付け】『下二』①こしらえて取り付ける。「土車を作り、この餓鬼阿彌を乗せ申し、め綱・を綱を―・け」〈伽・小栗絵巻〉 ②非常によく当てはまる。適合する。「人を送る詩には―・けた引き事」〈杜詩抄八〉

うっとり 気を奪われてぼんやりするさま。「うっとら」とも。「神明の二字は、―とは見まじき事ぞ」〈三略抄上〉

うつな・し【決し】『形ク』必然である。決定的である。疑いない。「うつむなし」とも。「今を以て之を観るに、彼を破らむこと必(うつな)し」〈大唐西域記八・長寛点〉 ▽漢文訓読に使われた語。また、江戸時代の国学者が擬古文に用いた。

うづな・ひ(ウズナイ)【珍なひ】『四段』《ウヅは珍・貴・重の意。ナヒは、ウラナヒ(占)・アキナヒ(商)のナヒと同じ》貴重なものとしてあつかう。よしとする。「天地の神相―・ひ」〈万四〇九四〉 †udunaFi

うつぬき【全抜き】《ウツはすっぽり、ごっそりの意》まるごとぬきとること。「真男鹿(まをしか)の肩を―に抜きて」〈記神代〉 †utunuki

うづの・ひ(ウズノイ)『四段』《ウヅナヒの転》嘉納する。賞美する。「皇神等のあひ―・ひ奉りて」〈祝詞大嘗祭〉。「皇神等も千秋五百秋の相嘗(あひにへ)にあひ―・ひ奉り」〈中臣寿詞〉 †udunöFi

うつは(ウツワ)【器】「うつはもの」の略。「〔笈ハ〕ただ商売者のためにこしらへたる―とこそ思ひ候ひしに」〈室町殿日記四〉。「型、ケイ、器之法模、ウツハノカタ」〈寛永八年刊大広益会玉篇〉 **―もの**【器】①容器。入れ物。「飯匙(いひかひ)とりて笥子(けこ)の―に〔飯ヲ〕盛りけるを見て」〈伊勢二三〉 ②器具。道具。「呂律の物にかなはざるは人の科(とが)なり。―の失にあらず」〈徒然二一九〉 ③人の器量・才能。また、器量ある人。「齢のほども身の―も及ばず」〈源氏若菜上〉。「世の固めとなるべきも、まことの―となるべきを取り出さむには」〈源氏帚木〉

うつはぎ【全剝ぎ】《ウツはすっぽり、ごっそりの意》そっくりはぎとること。「まな鹿(上等ノ鹿)の皮を―にして」〈紀神代上〉 †utuFagi

うつはた【全服】《ウツはまるごと、すっかりの意》機で織ったままで、裁縫しないで服として着られる織物。「更に裁(た)ち縫ふことなく、―といふ」〈常陸風土記〉

うつばり【梁】《ウツ(内)ハリ(張)の意。平安時代まではウツハリと清音》棟(むね)をうける木。はり。うちばり。「―にむかばきかけて」〈万三八二五〉。「城廓くづれ破れて、ただ朽ちたる柱・―の木ばかりあり」〈今昔四ノ三八〉 **―のつばめ**【梁の燕】梁に巣をつくって子を育てる燕。子を思う親の愛情のたとえ。「―、野の雉(きぎす)、子故に身を忘れ」〈謡・切兼曾我〉

うつぶ・き【俯き】『四段』下を向く。「あふのき」の対。うつむく。「―・きて見るに、弓のかげは見えず」〈宇治拾遺一三〉

うつぶ・け【俯け】『下二』《ウツブキの他動詞形》下に向ける。うつむける。「反覆して、―・けて置くではないぞ」〈論語抄八佾〉 **―に・する** 馬鹿にする。愚弄する。「うつむけにする」とも。「大臣の連れ来たる太鼓また役者風情の者に、大臣を―・して、人目を忍び〔遊女ニ〕会ふもあり」〈評判・けしずみ〉

うつぶさま【俯様】《ウツブシサマの約》うつぶした恰好。「―に伏しければ」〈平治下・義朝内海下向〉

うつぶ・し【俯し】㊀『四段』《ウツはウチ(内)の古形》顔を下にして伏す。「伏し目になりて―・したるに」〈源氏若紫〉 ㊁『名』うつぶした状態。「物に酔ひたる心地して―に伏せり」〈竹取〉

うつぶしぞめ【空五倍子染】《ウツブシはフシ(五倍子)に同じ。中が空(から)であるからという》五倍子で薄墨色に染めること。歌では「俯(うつぶ)し」と掛けて用いることが多い。「世をいとひ木のもとごとに立ち寄りて―の麻の衣なり」〈古今一〇六八〉。「ひとり寝の―のあさのけさ(麻ノ袈裟・朝ノ今朝)なり」〈大和一七三〉

うつぶ・せ【俯せ】㊀『下二』顔や物の表面を下に向ける。「盃の台にうち―・せて置け」〈四河入海一四ノ一〉 ㊁『名』うつぶせること。「〔折櫃ヲ〕―に置きたりければ」〈古事談一〉

うつほ【空】《ウツは、ウツハギ・ウツギのウツと同根。平安後期から近世に至るまでウツオと発音》①中がからであること。「空、ウツホ」〈名義抄〉 ②岩や古木にできた穴。「〔ソノ杉ノ木ハ〕牝熊(めくま)・牡熊(をくま)、子を生みつれてすむ―なりけり」〈宇津保俊蔭〉 ③下に重ねる衣服のないこと。「袖口いたくすすけたるを、―にて打ち掛けたまへり」〈源氏玉鬘〉 **―ぎ**【空木】幹の中が朽ちてうつろになっている

木。「わがゐたる―の前に」〈宇治拾遺三〉 ―ばしら【空柱】中がうつろの柱の意で、清涼殿の南、神仙門の西にある箱形の雨樋(あまどい)をいう。「―より内、鈴の綱の辺に」〈平家一・殿上闇討〉。「―、水落也」〈匠材集三〉 ―ぶね【空船】丸木の内部をえぐって作った舟。「うつぼぶね」とも。「さてかの変化(へんげ)のものをば、―に入れて流されけるとぞ聞えし」〈平家四・鵺〉

うつぼ【空穂・靫】矢を入れて背負う道具。雨露を避けるため、矢全体がかくれるように作られた筒形の容器で、外側を皮で包んだ皮うつぼ、籐で編んだ籠うつぼ、漆塗りの塗りうつぼなどがある。「主従ともに狩装束にて―をぞ負へりける」〈著聞三三八〉

うっぽっぽ のんきに遊びまわるさま。また、その人。「うっぽっぽ」「うっぽっぽう」「うぽっぽ」「おぽっぽ」とも。「〔雷親父ガ〕帰(こ)ぬ内は待つ惣領の―」〈俳・糊飯篦後集五〉

うっぽ・れ【打っ惚れ】『下一』《ウチホレの転》一目で惚れる。「何処でもやたらに―・れ申すな」〈俳・奴俳諧〉

うづ・み【埋み】『四段』①(何かの中に)すっぽりと入れて見えなくする。埋没させる。「―・みたる火起し出でて御火桶参らす」〈源氏幻〉。「敵に首取らすな隠せとて、沙(いさご)の中に掘り―・みて」〈盛衰記三七〉 ②すきまなくおおって隠す。かぶさって見えなくする。「山はくづれて河を―・み、海は傾きて陸地をひたせり」〈方丈記〉。「雪は野原を―・めども老いたる馬ぞ道を知る」〈延慶本平家九・源氏三草山〉 ③(気持を)滅入らせる。「殿の思し召し―・ませ給へるさま、ことわりにいみじ」〈栄花蜘蛛振舞〉 ―がね【埋み金】人に隠して貯えてある金銀。「一升入る壺に―もなし」〈西鶴・男色大鑑八〉 ―び【埋み火】灰の中に埋めた炭火。いけ火。「―の下にこがれし時よりもかく憎まるるをりぞわびしき」〈和漢朗詠集炉火〉 ―び【埋み樋】土中に埋めて水を通す樋(いと)。「埋みとひ」とも。「夏もまた―はよき田地かな」〈俳・細少石三〉

うつむな・し【決し】『形ク』決定的である。疑いもない。「吾、兵を起して入鹿を伐たば、其の勝たむこと定(うつむな)し」〈紀皇極二年〉

うつむろ【無戸室】《ウツ(内)ムロ(室)の意》四面をぬりふさいだ、入口のない室。「―を作り」〈紀神代下〉 †utu-muro

うづ・め【埋め】『下二』①埋没させる。(土の中などに)うめこむ。「黄金を使ひもせず、家にさへも置かいで、山野の土の中に―・むることは」〈天草本伊曾保〉 ②(上からおおって)すきまをなくす。いっぱいにする。「アナヲウヅムル」〈日葡〉

うづも・れ【埋れ】『下二』《ウヅミ(埋)の自動詞形》①物に覆われている。「橘の木の〔雪ニ〕―・れたる、御随身して払はせ給ふ」〈源氏末摘花〉 ②全く黙ったままでいる。「あしき事、よき事を思ひ知りながら、―・れなむも、いふかひなし」〈源氏夕霧〉 ③表立たずに暮している。「かく〔明石ニ〕―・れ過ぐさむを思はむも…心づくしなり」〈源氏澪標〉

うつゆふの ウ::ュ【虚木綿の】〔枕詞〕「まさき(真幸)」「こもり(隠)」にかかる。かかり方未詳。「―真迮(さま)き国」〈紀神武三十一年〉。「―隠りてをれば」〈万一八〇九〉 †utuyuFu-nö

うつら【明】《ウツ(現)に、状態を表わすラの添った語》はっきり見えるさま。「目に験(うつ)ら」、西方より胡地の僧来る」〈南海寄帰内法伝平安後期点〉 ―うつら ①まのあたりはっきりと。「―見まくの欲しき君にもあるかも」〈万四四九〉。「目も―鏡に神の心をこそは見つれ」〈土佐二月五日〉 ②しっかりとしているさま。「甎(かはら)ぶきの室(や)膈然(うつらうつら)にして独存せり」〈大唐西域記六・長寛点〉 ③《「夢うつつ」と同じような気持で》意識のはっきりしないさま。「―と物思ふさま」〈俳・正章千句上〉。「博奕(ばくち)に惚けて物も食はず、―と寝もせず起きもせず」〈仮・浮世物語一〉

うづら【鶉】①キジ科の小鳥。首小さく尾短く、褐色で黒白の斑点がある。さびしい所で鳴くとされていた。「―こそい匍(は)ひもとほれ(ハイマワルガ)」〈万三三九〉。〈新撰字鏡〉 ②〔歌舞伎用語〕《鶉籠に似ているのでいう》東西桟敷(さじき)の階下の見物席。下桟敷。「西の―は興を催す」〈滑・根無草後編四〉 ―ごろも【鶉衣】継ぎはぎだらけの衣。また、破れて短くなった衣。「―ただ単(ひとへ)にして、膚(はだへ)寒く」〈無量寿経鼓吹一八上本〉。「―とは、賤しき者の短き衣也」〈春夢草注秋〉。「―、旅衣やつれたる体(てい)也」〈詞林三知抄上〉 ―だち【鶉立ち】鶉が飛び立つように、不意にすっと立ち上がること。礼法に叶わない無作法な立ち方。「さて立ち様にも、すり膝(ひざ)とて礼法の習ひあれども、―にふっと立ちて」〈神事能評判〉 ―とり【鶉鳥】「うづら」に同じ。「大宮人は―〔ノヨウニ〕領巾(ひれ)取りかけて」〈記歌謡一〇三〉 ―鳴く 鶉は草深い、古びた、さびしい場所で鳴くとされていたので、「古る」「古家(ふるへ)」を修飾する。「―古りにし郷(さと)の秋萩を」〈万一五五八〉 ―め【鶉目】鶉の羽色に似た木目。「うづらもく」とも。「音を高くひけ―の杉の板」〈俳・崑山集九〉。〈日葡〉 ―もち【鶉餅】薄皮で鶉のように丸くふくらみ、塩餡のはいった饅頭。鶉焼き。「―にて御茶給はり了んぬ」〈言継卿記天文三・一〇・二五〉 ―やき【鶉焼】「鶉餅」に同じ。「菓子…銀杏・胡桃…―」〈久好茶会記天正一四・四・二〇〉

うつ・り【映り・移り】㊀『四段』《ウツシ(写・移)の自動詞形。物の形や内容が、そっくりそのまま、他の所にあらわれる意。ウツはウツシ(顕)・ウツツ(現)のウツと同根。類義語カハリ(変)は物の内容(質・状態・資格など)が別のものになる意》①そのままの形が別の所に投影される。「わが御影の鏡台に―・れるが」〈源氏末摘花〉 ②(色や香が)そのまま他のものにつく。「わが顔にも―・り来るやうに〔相手ノ〕愛敬は匂ひ散りて」〈源氏野分〉 ③(もののけなどが)乗り移る。「物怪・生霊などいふもの…人にさらに―・らず、ただ自らの上に、つと添ひたるさまにて」〈源氏葵〉 ④伝染する。飛び火する。「疫癘とて人多く死す。―・るによりて病みもし、死する事にてはなし。ただ因果にて病みもし死にもするなり」〈空善記〉。「吹き切られたる炎飛ぶが如くして、一二町を越えつつ―・りゆく」〈方丈記〉 ⑤居所がかわる。「水尾の帝の染殿より粟田へ―・り給ひける時」〈古今一一〇五詞書〉 ⑥代がかわる。「世の中のこの殿に―・りて」〈大鏡兼家〉 ⑦時がそのまま過ぎて行く。「―・り行く時見るごとに」〈万四四八三〉 ⑧(木の葉などが)落ちる。散る。「秋山にもみつ木の葉の―・りなば」〈万一五一六〉 ⑨(花の色などが)かわる。あせる。「秋果てて…あるかなきかに―・る朝顔」〈源氏槿〉 ⑩心が他の人に寄る。「うちつけにふと―・らむ心地はたせず」〈源氏東屋〉 ⑪よく似合う。ぴったりする。「前垂さしても―・らぬと言ふことなし」〈評判・難波の顔三〉 ㊁『名』①所在がそのまま変ること。「その後―(都ノ移転)ありて、その所人の家になりて」〈今昔二七ノ一〉 ②光または影の映ること。「日の―を見て、夜が明けたと思ひ」〈西鶴・一代男三〉 ③続きあい。つながり。ちなみ。「少将様の―と言ひ」〈近松・百日曾我三〉 ④様子。あんばい。事情。「思ひ参らせの―こそ」〈評判・難波の顔三〉 ⑤色彩の配合。「玉笹の青い―は緑青にて」〈俳・大句数上〉 ⑥俳諧で、前句の余韻が後句へ反映する、または両句が対照呼応する付け方。「只只付け心前句の―を専らに心掛くべし」

〈俳・番匠童〉⑦贈り物の返礼として与える物品。「―はあなたに置かしゃって下さりませ」〈咄・夕涼新話集五〉

―が【移り香】物に移り残った匂い。「蟬のはの夜の衣は薄けれど―濃くも匂ひぬるかな」〈古今八七六〉　**―がさ**【移り瘡】梅毒。「あだめくや心よりして―」〈俳・あだ花千句〉　**―ぎ**【移り気】変りやすい心。落ちつかない心。『是はかたじけなき御志や』と、また―になりて」〈西鶴・五人女五〉。〈日葡〉　**―まひ**(イマ)【移り舞】誰かの舞をまねて、あるいは誰かの身になり変って舞うこと。「今は亡き世に業平の形見の直衣身に触れて、恥づかしや、昔男に―」〈謡・井筒〉　**移れば変・る**　時と共に推移変遷する。「目に近く―・る世の中を」〈源氏若菜上〉

うつろ【空・虚・洞】①中がからなこと。からっぽ。「通る島とは、上に屋の棟のやうなる石―に覆ひたるなか海にて、舟をさし通すなり」〈問はず語り四〉②洞穴。「山の―に木の葉深く積れる上に、常に行きて坐す」〈栂尾明恵上人物語〉③「うつほぶね」に同じ。「―に作りて」〈西鶴・懐硯四〉④一家一門。一族。「惣領と庶子の―より、互ひに所帯(所領)売り買ふべからず」〈塵芥集〉。「洞、ウツロ、倭俗呼ニ其邦内ニ云レ洞」〈文明本節用集〉

うつろは・し(ウツロワシ)【移ろはし】『四段』移転させる。「東の院造り立てて、花散里と聞えし―・し給ふ」〈源氏松風〉

うつろ・ひ(ウツロイ)【移ろひ・映ろひ】『四段』《ウツリに継続・反復の接尾語ヒのついた形。→ひ》①居る位置が他へかわる。「ほととぎす鳴く夜の雨に―・ひぬらむ」〈万三九一六〉。「九月には、やがて野宮に―・ひ給ふべければ」〈源氏葵〉②盛りの時が過ぎる。「世の中を常なきものと今ぞ知る平城(なら)のみやこの―・ふ見れば」〈万一〇四五〉③色が変る。あせる。「紅の色も―・ひ」〈万四一六〇〉④花や葉が散る。「もみち葉は今は―・ふ」〈万三七一三〉⑤人の心が他に動く。「〔他ノ女ニ〕―・ふ方あらむ人を恨みて」〈源氏帚木〉⑥影が映る。「吉野川かげに―・ふ岸の山吹」〈後撰一三一〉。「美しき女房、いろいろの宝物、〔鏡ニ〕―・ひにければ」〈伽・鏡男絵巻〉　†uturoFi

うづゑ【卯杖】邪鬼をはらう杖。正月上の卯の日に、大学寮から、後には諸衛府・大舎人寮から、天皇・中宮・東宮などに献上した。ヒイラギ・ナツメ・桃・梅・椿などを五尺三寸に切り、五色の糸を巻く。持統紀に「乙卯(きのとのうのひ)」に、大学寮、杖八十枚献る」とあり、大陸の風を模倣して、持統三年正月に初めて行なわれ、平安末期には行なわれなくなった。「えせものの所得るをり。…元三の薬子(くすりこ)、―の法師」〈枕一五六〉　**―ほかひ**(イホカ)【卯杖寿ひ】卯杖を禁中に奉るときに奏する寿詞(よごと)。枕草子八〇に「卯杖のことぶき」とあるのと同じであろう。「聞きにくきまで祈り祝ひつづけさせ給ふ事どもを、御前に候ふ人人は…―などいふ心地こそすれとて、忍びやかに笑ふを」〈栄花蕾花〉

う・て【打て】『下二』《打チの受身形》①打たれる。おしつぶされる。「更けし夜のゆきあひの霜に―・てしかどなど身に寒くあたらざりけむ」〈伊勢集〉。「一人も残らず、圧(おし)に―・て死にけり」〈太平記二三・足利殿〉②圧倒される。負ける。「またよりあひて取るに、このたびは壇光―・てにけり」〈著聞五三〇〉③神仏などの罰を受ける。「いかに、わ僧、起請には―・てたるぞ」〈平家二三・土佐房〉④気を呑まれる。気おくれする。「あてに気高う、物に―・てず」〈俳・氷室守三〉⑤合点がゆく。納得する。「人中へ出して―・てぬ御姿」〈浮・好色通変歌占上〉⑥くさる。「橋立の魚荷―・てたる春の日に」〈俳・ひこばえ〉

う・て【棄て】『下二』《捨テに同じで、サ行頭子音のない形。スヱ(据)・ウヱ(植)の類》捨てる。「背(そ)に脱き―・て」〈記歌謡四〉

うで【腕】①肘(ひじ)と手首との間。「肘より下(しも)、―、たなごころあらはなり」〈正法眼蔵洗面〉。「腕、太々無岐、一云宇天(うで)」〈和名抄〉▽「かひな」は、もと、肩から肘までの間。のちに「うで」と混同。「うで」は平安時代女流文学では使わないのが普通。②腕まえ。技倆。「そこが作者の―なり」〈中華若木詩抄上〉　**―をこ・く**　腕力に訴える。暴力をふるう。「孔子は、―・く血気の剛をば云はぬぞ」〈論語抄公治長〉　**―を引・く**　相手に対する愛情のあかしとして刀で腕を引き切る。または、腕を刺して血を出す。「―・きやうやう心を取り直し」〈俳・談林十百韻上〉。

うでおし【腕押し】腕相撲。「〔鬼若ハ〕力も強く骨太なり。児(ちご)・法師原を語らひて…腕取り・―・相撲などぞ好みける」〈義経記三〉

うでがう(ウデゴウ)【腕香】①僧侶・山伏などの荒行(あらぎやう)の一。腕の上で香を焚くこと。「―衆凡そ七員」〈蔭涼軒日録長享二・四・一三〉②近世、⑴の真似をして、腕の上で香を焚き、また、後には小刀を腕に突き刺して物乞いをした乞食。

うでくび【腕首】「腕(かひな)の疵(きず)は凄き―」〈俳・塵塚(重徳編)上〉　**―取・る**　へつらう。追従する。「腕首を握る」とも。「他人の門へ足踏み入れず、―・って追従せず」〈盛衰記三〇〉

うでぐるま【腕車】相手の腕を摑んで身体を振りまわすこと。「―にどうと投げたりけり」〈近松・傾城酒呑童子一〉

うでこき【腕こき】腕力の強い者。「豪強は―なり」〈蒙求聴塵下〉

うてず【打てず】《納得できない言動をする人の意から》野暮(やぼ)。また、まぬけ。「かの田舎の―にせびらかされて、頭(つぶり)が痛い」〈近松・冥途飛脚中〉→うて(打)⑸

うでだて【腕立て】好んで腕力の強さを示すこと。「似合はぬ僧の―、ささそをかしと思すらん」〈謡・熊坂〉

うでつき【腕突き】相手に対する愛情のあかしとして腕を刀で突くこと。「―・股切りも限りなし」〈西鶴・男色大鑑六〉

うでてんがう(ウデテンゴウ)【腕てんがう】腕でするいたずら。「手いたづら」とも。「人の手ずさみに扇などを鳴らし侍るやうのことを、―かくと言へるは、いかなることにや」〈俳・かたこと三〉

うてな【台】①高く作って、見晴しのきく建物。高殿。また、御殿。「堂榭、堂上起屋也、倭云、于天那(うてな)」〈華厳音義私記〉。「物はかなき住まひを、あはれに、いづこかさしてと思ほしなせば、玉の―も同じことなり」〈源氏夕顔〉②上って坐る所。「はちす葉を同じ―と契りおきて露のわかる今日ぞ悲しき」〈源氏鈴虫〉

うでなしのふりづんばい【腕無しの振飄石】腕のない者が振飄石を振って石を投げる意で、不可能のたとえ。「某を摑まんとは―、片腹痛し」〈近松・出世景清四〉

うでぬき【腕貫】刀の柄頭・鍔に輪にしてつける緒。手首を通す。「太刀箱…中に鑞―・太刀これ在り」〈北野社家日記明応二・八・七〉。〈文明本節用集〉

うてのつかひ(ウッテノツカイ)【追討使】《ウテはウチテ(討手)の音便ウッテのツを表記しない形》賊を討つために遣わされる使。「野大弐〔ガ〕純友がさわぎの時、―にさされて」〈大和四〉

うでぼね【腕骨】①腕力。「ぬしが―次第だぞ」〈雑兵物語上〉②腕前。「元来絵書きの名人にて、妙を得たる―なり」〈近松・天智天皇四〉。〈日葡〉

うとう【善知鳥】北海道・本州北部にすむウミスズメ科の海鳥。特に奥州外ヶ浜に伝わる「うとうやすかた」の話によって著名。「まことや承れば、外の浜に住むーといふ鳥は、まさごの中に子をなして、親はーと尋ぬれば、まさごのうちに埋もれて、子はやすかたと答えしと」〈伽・ゆみつき〉 **ーやすかた**【善知鳥安方】ウトウ親子の鳴き声。また、ウトウの異名。「みちのくの外の浜なる呼子鳥なくなる声はー」〈謡・善知鳥〉

うとうと 眠たげなさま。眠りの浅いさま。「夜を寝ぬや目はーの浜千鳥」〈俳・伊勢正直集六〉

うとうと・し【疎疎し】『形シク』いかにも関係がうすいような感じである。いかにも疎遠である。「心寄せ聞え給へば、もて離れてー・しきさまにはもてなし給はざりし」〈源氏藤袴〉。「世界の事にはー・しく、デウスには親しく」〈こんてむつすむん地二〉 →うとし

うとく【有得・有徳】裕福。経済的に豊かなこと。「ーなる人の子を賤しき者の盗みて」〈宝物集下〉 **ーじん**【有得人・有徳人】《ウトクニンとも》有徳の人。金持。「見ればーこの橋をこしらへけるを」〈伽・十本扇〉。〈日葡〉

うと・し【疎し】『形ク』《ム(身)ト(外)シの転か。わが身が対象に対して疎遠な状態にあるの意》①相手との交わりが深くない。結びつき・関係がうすい。「疎、于刀之(いとし)」〈華厳音義私記〉。「ー・き人にあらざりければ、家刀自さかづきささせ」〈伊勢四四〉。「外人、ウトキヒト」〈名義抄〉 ②他人行儀である。しんから親しめない。「かく契り深く物し給ひける人(女)の、などてかはさすがにー・くては過ぎにけむ」〈源氏宿木〉 ③無関心である。冷淡である。「仏法ー・くて世ののしる大法会ならぬにはまかり合ふこともなかりしに」〈大鏡昔物語〉 ④よく知らない。不案内だ。「人ごとにわが身にー・きことをのみぞ好める」〈徒然八〇〉。「日本には音律にー・し。沙汰したるは弘法大師ばかりなり。唐人も細かに知らぬげな」〈毛詩国風篇聞書〉 ⑤愚かである。鈍い。「形(かた)見よけれども、心ー・し」〈西鶴・男色大鑑八〉 →したし(親) †utosi

うとねり【内舎人】《ウチトネリの転》令制で、中務省に属し、帯刀して内裏の宿衛・雑役、行幸の供奉・警護をつとめる官人。後に、源氏・平氏・藤氏で内舎人になったものをそれぞれ源内、平内、藤内といった。「殿上許さるるーなめり」〈枕二七八〉。「ーなどの娘も昔は后に居けり」〈栄花日蔭〉 →とねり。 **ーずいじん**【内舎人随身】内舎人の中からえらばれて、摂政関白の随身となった者。「〔摂政兼家〕准三宮にてー二人、左右近衛兵衛などの御随身仕うまつる」〈栄花様様悦〉

うと・び【疎び】『上二』《形容詞ウトシの動詞形》疎遠に振舞う。「ー・ぶる物(悪魔ノコト)の下より往かば」〈祝詞祈年祭〉。「四方四角よりー・び荒び来む天のまがつひといふ神の」〈祝詞御門祭〉 †utobi

うとま・し【疎まし】『形シク』《嫌な対象に対して、無関係だという気持を示したい意》①縁を絶ちたいと思う。「〔自分ノ〕行末もうしろめたく、ー・しきまで思ひやらる」〈源氏手習〉 ②嫌だから見聞きしたくもない。「あなー・しと思ふ心も恥づかし」〈源氏野分〉 ③気味がわるい。「〔暗ガリデ〕手をたたき給へば、山彦のこたふる声、いとー・し」〈源氏夕顔〉 →うとし・うとみ

うと・み【疎み】『四段』《相手に対して、疎遠である、関係がうすいという態度を示す意。類義語イトヒは、嫌なものから身を避ける意。キラヒは、気に入らぬものを積極的に排除する意》いやがって、そっけなくする。「人ごとにー・まれにける世にこそありけれ」〈大和一〇六〉。「ー・む者はあれども、親しむ者はなし」〈盛衰記一八〉

うと・め【疎め】『下二』《ウトミの他動詞形》うとましく思わせる。嫌いにさせる。「宮の御心ばへ思はずに浅うおはしけりとおぼしく、かつは〔宮ヲ〕言ひもー・め」〈源氏宿木〉

うとろ【虚】「うつろ」の転。「ーなる木木の紅葉や唐(空ト掛ケル)錦」〈俳・山の井五〉

うどん【饂飩】「うんどん」の転。「ーにて酒あり」〈言継卿記大永七・五・二八〉。「饂飩(うんどん)をーと云ふが良しと言へり」〈俳・かたこと四〉 **ーくらひ**【饂飩食ひ】下手な者のたとえ。「世間に下手なる者をーと云ふ事は」〈咄・醒睡笑一〉 **ーどうふ**【饂飩豆腐】うどんのように細く切って、料理して食べる豆腐。八杯豆腐。「ー料理は、常には細く切りて湯煮をして、醤油に山椒・胡椒を入れて吉き也」〈大草家料理書〉

うどんげ【優曇華】《「優曇」は梵語の音訳。祥瑞の意》①インドなどに産するクワ科の喬木。イチジクのように、くぼんだ花托の中に花が咲くので、花がめったに咲かないと信じられ、三千年に一度花が咲くとき、仏が世に出現するという伝説が生れた。「ーの花待ち得たる心ちして」〈源氏若紫〉 ②めったにめぐり会えないような喜ばしいこと。「君、これまでの御下向、一期(いちご)の面目、ーと存じ」〈説経・鎌田兵衛正清〉

うとん・じ【疎んじ】『サ変』《ウトミシの音便形》おろそかにする。嫌い避ける。「さのみさのみに云へばー・ずるぞ」〈論語抄里仁〉

うな【項】首すじ。うなじ。「ー傾(かぶ)し汝が泣かさまく」〈記歌謡四〉 ▽ウナガケリ・ウナジ・ウナダレ・ウナヅキなどの語根。

うな『連語』《ウヌ(汝)ハの転》汝は。おのれは。「ーなぜ失せをった。やれ叩き出されるな」〈落葉集七〉

うな【海】『連語』《ウは海。ナは連体助詞》他の語の上にあって、「海の」の意をあらわす。「ー上(かみ)」「ー界(さか)」「ー原」など。「みなと(川ヤ入江ノ口)のうしほの下り、ー下り」〈紀歌謡一二〇〉

うながけ・り【項がけり】『動詞』《連用形の例だけしかないので、四段活用か上二段活用か不明》首に手をかけあう。恋人同士などが親しくするさま。「ー・りて…鎮まります」〈記神代〉。「携(たづさ)はりー・り居て思ほしきことも語らひ」〈万四一二五〉 †unagakëri

うなが・し【促し】『四段』(事が早く運ぶように)せきたてる。「わが衣(きぬ)を君に着せよとほととぎす我をー・す袖に来居つつ」〈万一九六一〉。「『日も暮れぬべし』とて、『御車ー・してむ』といふに」〈大和一四八〉

うなかみ【海上】海のほとり。一説、地名。「沖つ深江(筑前国ノ地名)のーの子負(こふ)の原に」〈万八一三〉 †una-kami

うなぎ【鰻】「むなぎ」の転。「凡そ変とは、譬へば山の芋が半分ばかりーになったを云ふぞ。化とは、皆ーになったを云ふぞ」〈論語抄泰伯〉。〈伊京集〉 **ーかき**【鰻掻き】長柄の先に曲鉤(まがりかぎ)をつけた漁具で水底のウナギを引っ掻き捕える人。「ー分くる河霧月もなし」〈俳・江戸新道〉 **ーのぼり**【鰻幟】近世、端午の節句に揚げた、ウナギのように長くなびくように作った紙幟。「釣竿と見ゆるはーかな」〈俳・口真似草二〉

うな・ぎ【項ぎ・嬰ぎ】『四段』うなじにかける。「我がー・げる玉の七つ条(を)」〈万三八七五〉 †unagi

うなぎわた【促綿】綿帽子の一種。白・鬱金(うこん)・浅黄色の綿でつくった中・老年向きのもの。「御歯黒を付けぬ〔女〕もかづくーー」〈俳・鷹筑波一〉

うなさか【海界】《サカは坂・境の意》海上の境。海のはて。

「―を過ぎて漕ぎ行くに」〈万一七四〇〉 →うな(海)

うなじ【項】《ウナ(項)とシ(後)の複合という》頸(くび)のうしろ側。「御―の寒げなるも」〈宇津保 俊蔭〉。「項、頸後也、宇奈自(うなじ)」〈新撰字鏡〉。「胆、ウナジ」〈名義抄〉

うなだ・れ【項垂れ】〘下二〙うなじを垂れる。「しばしだにかげにかくれぬ時はなほ―・れぬべき撫子の花」〈拾遺一〇八〇〉

うなつき【項着き】子供の髪がたれて頸(くび)のうしろにつくこと。また、その年齢。「―の童(わらは)が身には」〈万三七九一〉 ▽一説、「くびつき」と読む。 †unatuki

うなづ・き【頷き】〘四段〙《ウナ(項)ツキ(突)の意》承諾の意を表して首をたてに動かす。「『おい、さりさり』と―・きて」〈源氏 玉鬘〉。「『往生極楽必ず引導し給へ』と申しければ、―・かせ給ひけり」〈古事談五〉

うなった【唸った】〘連語〙すばらしい。また、ぎょうさんな。「―、勿体(もったい)也」〈浮・好色訓蒙図彙上〉。「―咄、虚言八百」〈評判・朱雀信夫摺下〉

うなて【溝】田の用水をひくみぞ。「―の流(ながれ)また凝結(こご)れり」〈紀 皇極二年〉

うなね【頸根】首の付け根。首ねっこ。「―つきぬきて」〈祝詞 祈年祭〉

うなばら【海原】《奈良時代はウナハラと清音。ハラは広く平らな面》ひろびろとした海。また、池についてもいう。「―は鷗(かまめ)立ち立つ」〈万二〉 →うな(海)

うな・ひ(ウナイ)【畝ひ】〘四段〙田畑をたがやして畝(うね)をつくる。「水たまる谷のゑごゑご掘り返しわりなく―・ふ小田の苗代」〈為忠前百首〉。「田舎に田のうねをつくる事を―・ふと云ふ事あり」〈実隆公記 長享二・三・六〉

うなみ【卯波】陰暦四月に立つ波。「四月に立つをば―といひ、五月に立つをばさ波となん申し侍る」〈無名抄〉

うなゐ【髫髪】《ウナは項(うな)。ヰは率(ゐ)。髪がうなじにまとめられている意》子供の髪を、垂らしてうなじにまとめた形。また、その髪形をする十二、三歳までの子供。その先、年齢が行くと、髪をあげて「はなり」「あげまき」にした。「―〔ノ子供ハ〕放髪(はなり)に髪あげつらむか」〈万三八二二〉。「〔愛児ヲ求メテ見レバ〕一の人有りて来る。被髪(うなゐ)にして身において血に塗(ぬ)れ」〈金光明最勝王経 平安初期点〉。「髧、髪至レ肩垂貌。宇奈井(うなゐ)」〈新撰字鏡〉。「髫髪、和名宇奈為(うなゐ)、俗用二垂髪二字一。謂二之童子垂髪一也」〈和名抄〉 **―こ**【髫髪子】髪を「うなゐ」にした子供。「―が打ち垂れ髪のさみだれの空」〈拾遺二六〉 **―まつ**【髫髪松】①墓のしるしに植えた松。形が「うなゐ」髪に似ているという。「〔故紫上ノ〕―に覚えたるけはひ」〈源氏 幻〉 ②髪を「うなゐ」にした子供。「髪置き〔ノ儀式〕に齢(よはひ)は譲れ―(千年モ長生キセヨ)」〈俳・時勢粧三〉

ウニコウル《ウニカウルとも》①イルカに似た海獣。その牙を漢方で解熱剤に使った。近世、高価な輸入品なので、白犀の角で代用した。一角。一角獣。「ミイラ・ルザラン―、三種共奇妙の名薬」〈隔蓂記 寛文七・閏二・二三〉 ②《偽物が多かったので》うそ。でたらめ。「踊子の話大きな―」〈雑俳・柳多留一四〉 ▽ポルトガル unicorne

うぬ【汝・己】〘代〙《オノ(己)の転》①自分自身。「女房子供は―が〔シタイ〕ざんまい」〈雑俳・千代見草下〉 ②相手を卑しめていう。おのれ。なんじ。「一本差せば―めも男」〈近松・薩摩歌上〉

うぬし【う主】《オヌシの転》お前。汝。「さて、―は何者ぞ」〈天理本狂言六義・雷〉

うね【畝】畠に作物を植えるため、幾筋も平行に土を盛りあげたもの。「嘉禾(よきいね)を献れり。―異にして、穎(かひ)同じ」〈紀 天武八年〉

うねおび【畝帯】畝刺しの帯。「縫ひ分け縞の―」〈西鶴・男色大鑑八〉

うねく・り〘四段〙うねりくねる。「龍の長長と―・り回るなり」〈碧岩抄八〉

うねざし【畝刺・畝指】綿や心(しん)を入れた晒(さらし)木綿などを畝のようにまっすぐ刺し縫うこと。また、その足袋。「―の踏皮(たび)」〈俳・毛吹草四〉

うねたび【畝足袋】畝刺しにした木綿足袋。刺し足袋。畝刺し足袋。「―の襠のたたくれを直し」〈仮・東海道名所記六〉

うねど・り〘四段〙うねうねと動きながら廻る。「坐りもやらず―・りて」〈近松・松風村雨四〉

うねべ【采女】⇒うねめ。「―・女蔵人など」〈源氏 紅葉賀〉 ▽バ行子音bとマ行子音mとは交替する例が多いので、実際にはunemeと発音されたものであろう。

うねめ【采女】宮中で炊事・食事などをつかさどった女官。大化以前は地方の豪族の子女から選んで奉り、令制では郡司の子女で容姿端正な者をえらんだ。「うねべ」とも。「―の袖吹きかへす飛鳥風」〈万五一〉 †uneme **―づかさ**【采女司】令制で、宮内省に属し、采女を管轄した役所。長官は采女正(うねめのしょう)。〈職員令〉

うのときあめ【卯の時雨】卯の時に降り出す雨。すぐ晴れ上がるという。「―の朝虹に」〈近松・兼好法師中〉

うのはな【卯の花】①ウツギの花。ウツギはユキノシタ科の落葉灌木。初夏に白い五弁の花が穂状に群がり咲く。垣根などにつかう。「藤波は咲きて散りにき―は今ぞ盛りと」〈万三九九三〉 ②襲(かさね)の色目の名。「藤十人、―十人」〈栄花 御裳着〉 †unöFana **―くたし**【卯の花腐し】五月雨(さみだれ)の異称。卯の花を腐らせるのでいう。「時しも―さみだれも降るやとばかり」〈謡・歌占〉 **―づき**【卯の花月】陰暦四月の称。「賤(しづ)の男が団ひませたる垣根こそ―の曇りなりけれ」〈千五百番歌合五〉 **―づくよ**【卯の花月夜】①卯の花が咲いて月の光の美しい夜。「五月(さつき)山―ほととぎす聞けども飽かずまた鳴かぬかも」〈万一九五三〉 ②卯の花が白く咲いて月夜のように見えること。「おのづから心に秋もありぬべし―うち眺めつつ」〈秋篠月清集三〉。「―、卯の花白く月に似たり」〈匠材集三〉 **―の**【卯の花の】〔枕詞〕同音ウをもつ「うき」にかかる。「鶯の通ふ垣根の―うき事あれや君が来まさぬ」〈万一九八八〉 **―もどき**【卯の花もどき】《モドキは似て非なるものの意》豆腐のから。「―〔ヲ〕烏賊(いか)にて〔料理〕」〈久政茶会記 永祿一・八・二九〉 **―をどし**【卯花縅】鎧の縅の一。白糸でおどしたもの。「藍摺の直垂に―の鎧」〈古活字本保元中・白河殿攻め落す〉〈運歩色葉集〉

うのはら【海原】《ノはナの母音交替形》「うなはら」の上代東国方言。「磯に触り―渡る」〈万四三八八防人〉 †unöFara

うは(ワウ)【上・表】《ウへの古形》表面、上部、すでに有るものに後から加わったものなどの意。「―も(表裾)」「―曇り」「―を(後夫)」など複合語だけに残っている。「時雨うちして荻の―風もただならぬ夕暮に」〈源氏 少女〉

うば ❶【祖母】《オホバの転》父母の母。「源氏物語なんどには、―をば、おばと書く也」〈古今集註〉。「祖母、ウバ、父母の母也」〈文明本節用集〉 →おば。 ❷【姥】①老婆。「妻の―、『こは如何なりつる事ぞ』と問へば」〈宇治拾遺三〉 ②「乳母(めのと)」に同じ。「幼き心にあさましくなげきて、―にともすれば訴(うれ)へ怠状(たいじやう)しけれども」〈著聞四九七〉 ③能面の一。前ジテの尉(じょう)に伴って登場する、ツレの姥

に使う。小町物や「姨捨」などの老女物に使うこともある。「―、龍右衛門作」〈金春太夫書上〉

うばい【烏梅】梅の実を干していぶしたもの。染料、また薬用。「丸薬。…烏梅丸」〈和名抄〉

うばい【優婆夷】〔仏〕《梵語の音訳。「優婆塞(うばそく)」の対》在俗のまま仏門に入った女子。「利苅(とかり)の―は河内の国の人なり」〈霊異記中一九〉

うはうは ウワウワ 気が浮いて落ち着かないさま。うかうか。「心も消えて―と」〈浄・千載集一〉

うはおき：ウワ【上置】雑煮・餅・飯などの上にのせた副食物。「〔雑煮ニハ〕串鮑・串海鼠・大根・青菜・花鰹、右の五種を―にするなり」〈庖丁聞書〉

うはおそひ ウワオソイ【上襲】袙(あこめ)や袿(うちき)の上にかけて着るもの。「袙の―(汗衫(かざみ)ヲ指ス)」〈枕八〉。「襠、衣上副、宇波於曾比(うはおそひ)」〈新撰字鏡〉 →おすひ・おそひ(二)

うはおび：ウワ【上帯】①鎧の腰のあたりに締める白布の帯。「鎧をぬがんとしけるが、―しめて解けざりければ」〈著聞三四二〉 ②着物の外側に締める帯。「御参宮の御供などには、中帯に上に十徳着て、白き―をして」〈岡本記〉

うはがき：ウワ【上書】手紙などの上包み、表紙、箱などのおもてに書く文字。「うはぶみ」とも。「〔文ヲ〕書きて―に『むさしあぶみ』と書きて」〈伊勢一三〉

うはがさ：ウワ【上嵩】《ウハカサとも》他より優位に立つこと。また優位なもの。「勇うだ者の、底は無うて―な者を遣るがよいぞ」〈毛詩抄一六〉。「人に勝らんと願ひ、―にかかって力むきざし」〈浮・人倫糸屑下〉。〈文明本節用集〉

うはかぜ：ウワ【上風】《「下風(したかぜ)」の対》荻(をぎ)の上などを吹きわたる風。「時雨うちして荻の―もただならぬ夕暮に」〈源氏少女〉

うはがひ ウワガイ【上交】①着物のおくみ。「衽、袪(そす)裳際也。衣前蔽也。宇波加比(うはがひ)」〈新撰字鏡〉 ②《「下交(したがひ)」の対》着物のうわまえ。「うはがへ」とも。「〔小袖ノ〕―をうち合はせて糸にて綴る」〈反古裏の書一〉

うはかぶき：ウワ【上傾き】①頭でっかち。「此の―のふとり翁…我も足踏みためずして倒れにけり」〈春のみやまぢ〉。〈日葡〉 ②派手で上っ調子なこと。「惣〔軍〕勢―にて」〈三将軍解六〉 →かぶき

うはかぶり：ウワ【上かぶり】「うはかぶき」(2)に同じ。「―になって己を高ぶり」〈評判・難波の顔二〉

うはがへ ウワガエ【上交】《「下交(したがへ)」の対》「うはがひ」(2)に同じ。「脇明けの―の裾を足の頸につかせて、したがへをば一寸ばかり引き上げ」〈雅亮装束抄二〉

うばがもち【姥が餅】近江草津宿の矢倉の茶屋で売った名物の餅。「草津の―」〈仮・東海道名所記五〉

うはが・れ：ウワ【上嗄れ】『下二』声がうわずって枯れる。「小歌も声―・れて、節しゃれたり」〈評判・難波物語〉

うはき：ウワ【上気・浮気】①心がうわついていること。「敵―にして、事を急ぐ心の見ゆる時は」〈五輪書〉 ②派手で陽気なこと。「若かる袖(若者)の―とて、いざやかの君(遊女)の御情又と有るには有らじなどと〔通イ詰メ〕」〈評判・吉原こまざらい〉 ③移り気なこと。多情。「私―にて〔後妻ハ〕持ち申さず」〈西鶴・文反古一〉 **―がらす**【浮気烏】月夜に浮かれ出て鳴く烏の意で、遊里を浮かれ歩く者のたとえ。「―とそやされて、月夜も闇もこの里へ」〈近松・女腹切中〉 **―ざけ**【浮気酒】浮かれて飲む酒。「仁三郎が―、いき倒れては性根つかず」〈近松・淀鯉下〉

うはぎ ヨメナの古名。春の若葉は香りがよく、食用。「のぎく」とも。「をとめらし春野の―摘みて煮らしも」〈万一八七九〉。「莪、宇波支(うはぎ)」〈新撰字鏡〉 †uFagi

うはぎ：ウワ【表着・上着】着物を重ねて着るとき、最も外に着るもの。「なごりなう黒き袿(うちき)かさねて、―には黒貂(ふるき)の皮衣」〈源氏末摘花〉

うはく・ひ ウワクイ【上咋ひ・上咀ひ】『四段』奥歯をぐっとかみ合わせ、下唇を上唇にくいこませる。「鼻を吹きいらかして歯を―・ひて、鬚をいらかして居たり」〈今昔一〇ノ一五〉

うはぐ・み ウワグミ『四段』《ウハは上。グミはツノ(角)グミ・メ(芽)グミのグミに同じ》上気する。心の平衡を失う。「〔隆家ノ荒荒シイ態度ニ〕民部卿殿は―・みて」〈大鏡道隆〉

うはぐも・り：ウワ【上曇り】『四段』表面がくもる。表面のつやが薄れる。「濃き衣の―・りたるに黄朽葉(きくちば)の織物、薄物などの小袿着て」〈枕二〇〇〉

うはげ：ウワ【上毛・表毛】表面の方に生えた毛。鳥や獣の外側を掩う毛。「〔オシドリハ〕夜もすがら―の霜を払ひわび」〈栄花岩蔭〉。「〔鹿ハ〕仏になることいとやすし。おのれが―を整へ筆に結ひ一乗妙法書いたんなる功徳に」〈梁塵秘抄二三九〉

うはさ ウワサ【上左・噂】①話題に取り上げてあれこれ言うこと。「街談・巷説・人上(ひとのうはさ)・愬直口(そぞろすくち)、尽期も無く覚えたり」〈禅林小歌〉。「双林寺の林間に僧どもの語るを聞けば、こなたの―ぞ」〈中華若木詩抄中〉。「今はそなたは幾つにやなる／手直りの―を語る碁の会に」〈俳・鷹筑波一〉。「上左、ウハサ、誅・噂」〈枳園本節用集〉 ②世間の評判。風説。「立聞恋。槿(あさがほ)の露の―を荻の葉の声身にしめし中川の宿」〈草根集六〉。「―をば人目などにつつめども、下(心中)には不断深切に思ふ由也」〈古今秘聞〉 **―づけ**【噂付け】〔連俳用語〕前句の題材に関して敷衍するような付け方。変化のある運びを妨げる恐れがある。「〔刈り残したる葦のひとむら／袖ぬらす我が世の末は短くてノ注〕―也。一句は老後の事也」〈竹聞〉。「打越の輪廻(りんゑ)前句の―ほり句は道の難所なりけり」〈俳・時勢粧五〉

うばざくら【姥桜】《開花の時、葉(歯)がないことからの称》晩春に咲く桜の一種。八重の大形の花が咲く。「つぼみ口あかきは紅粉(べに)か―」〈俳・寛永十三年熱田万句二〇〉

うはざし：ウワ【上刺・表刺】①狩衣(かりぎぬ)・直垂(ひたたれ)などの袖くくりや、袴の裾くくりなどを刺し縫った組紐。「裳の腰も白銀(しろかね)をのべて、―は玉を貫きてぞ飾られ侍りける」〈今鏡三〉 ②布などを太めの糸で碁盤目のように刺して縫うこと。また、その布。「黒丸といふ御中間に、―したる袋持たせて」〈盛衰記一三〉 ③外出に際し、小袖などを入れ従者に持たせて歩いた袋。絹布などを糸で上刺しし、四角形の底板を入れ、口は組糸でかがり、太い糸をそれに通して締める。上刺し袋。「―の御袋を手のひらに直(なほ)らかにして」〈鎌倉年中行事御社参之事〉

うはざし：ウワ【上差】箙(えびら)・胡籙(やなぐひ)を飾るため、また合戦のため、征矢(そや)に添えて二本の鏑矢(かぶらや)を高くさして置くこと。また、その矢。「上矢(うはや)」とも。「征矢三十ばかり、―の雁股(かりまた)二そへ差したる胡籙を負ひて」〈今昔二五ノ五〉 →中差(なかざし)

うはしら・み：ウワ【上白み】『四段』表面の色があせて白っぽくなる。「―・みたる一かさね」〈源氏末摘花〉

うはしる：ウワ【上汁】他人の利益の一部分。うわまえ。「ひさびさで金気に逢うた。まづめでたう一歩(いちぶ)の―吸ひませう」〈近松・二枚絵中〉

うはずんべり：ウワ【上滑り】《ウハスベリの転》表面だけ体裁を繕うこと。「偽の―でも、惚れたやうにせねばならず」〈評

判・難波鉦一〉

うばそく【優婆塞】〔仏〕《梵語の音訳。「優婆夷(うばい)」の対》在俗のまま仏門に入って修行する男子。「―が行なふ道をしるべにて」〈源氏夕顔〉

うばたまの【烏羽玉の】〔枕詞〕《ヌバタマノの転》「黒」「夢」「夜」にかかる。「―夢になにかは慰さまむ」〈古今四四九〉 ▽ヌバタマがnubatama→nbatama→mbatamaと発音されるようになり、最初のmの音がuと混同され、「うばたま」と表記された形。「むばたま」とも書く。

うはつ・き:(ウワ)【うは付き】《四段》気が浮き浮きして落ち着かない。「蝶鳥の―・き立つや花の雲」〈俳・やどりの松下〉

うはつくに:(ウワ)【上つ国】上方の国。黄泉(よみ)・底つ国に対して、現世・地上の国をいう。「―に帰らまくおもほす」〈紀神代下〉

うはづつみ:(ウワ)【上包】手紙の上を包む紙。まず礼紙(らいし)で包み、さらにその上をこれで包む。白紙を横にして使う。「上巻(うはまき)」とも。「〔手紙ノ中身ハ見セナイデ〕―ばかりを見せ奉らせ給ふ」〈源氏澪標〉

うはつゆ:(ウワ)【上露】《「下露(したつゆ)」の対》(草木の葉や花などの)上に置く露。「風に乱るる萩の―」〈源氏御法〉

うはつら:(ウワ)【上面・表面】うわべ。外面。「この人は―甘いやうで底心が苦いぞ」〈周易抄〉

うはて:(ウワ)【上手】《「下手(したて)」の対》①上の方。「強き馬をば―(川上)に立てよ、弱き馬をば下手(川下)になせ」〈平家四・橋合戦〉 ②上位。優位。「心をば―になし、行業を下手になすべきなり」〈一言芳談〉 ③技芸・学識・能力などが他より勝れていること。また、その人。「人を怖(お)どす者も、また―があって、〔ソノ〕頂上を押す(オサエツケル)ぞ」〈四河入海二ノ三〉

うはでうし:(ウワヂョウ)【上調子】三味線の特に高く鋭い調子。「〔遊女〕初山が―の声とも聞え」〈西鶴・諸艶大鑑三〉

うはなり:(ウワ)【後妻・次妻】《「こなみ」の対》①後にめとった妻。第二夫人や妾などをいうことが多い。「―が、な(副食物)乞はさば」〈記歌謡九〉。「ある女房、―をたちまちとり殺さんと思ひ」〈伽・火桶の草紙〉。「後妻、宇波奈利(うはなり)」〈和名抄〉 ②「うはなりねたみ」の略。「嫉妬、ウワナリ」〈文明本節用集〉 ▽ウハは、ウハヲ(後夫)・ウハミ(褶)・ウハ(上)などのウハと同根。あとから加えられるものの意。 ―**うち**【後妻打ち】後妻を迎えるとき、前妻が意趣を晴らそうと、親しい女たちを語らって後妻を襲い、家財などをうち荒すこと。平安時代から見られ、室町時代に多く行なわれた。「〔大中臣〕輔親の家に雑人多く至りて濫行を成す。…女方―と云云」〈御堂関白記寛弘九・二・二五〉。「あらあさましや、六条の御息所ほどの御身にて、―の御振舞ひ」〈謡・葵上〉 ―**ねたみ**【後妻嫉妬・嫉妬】①先に結婚している妻が、後に妻となった女をねたむこと。「嫡后(おほきさき)須勢理毘売命(すせりびめのみこと)、甚(いた)く―したまひき」〈記神代〉。「妬、ウハナリネタミ」〈色葉字類抄〉 ②ねたみ。嫉妬(しっと)。「是(ここ)に一(ひとり)の尼―して」〈紀舒明即位前〉

うはに:(ウワ)【上荷】①うわ積みの荷物。「重き馬荷に―打つ(ツケル)といふことのごと」〈万八九七〉 ②車馬や舟に積み込んだ荷物。「夏の夜は―を取るか月の舟」〈俳・玉海集追加三〉 ③近世、川舟の一。本船と陸揚げ地の間を往復して、荷物を運ぶ二、三十石積みの小舟で、主として大阪付近で用いられた。上荷舟。「―茶舟の浪に月影」〈俳・大坂一日独吟千句〉 ―**さし**【上荷差】船の上荷を運搬する人夫。「中衆(なかしゅ)・―など夫婦となりて」〈西鶴・一代男三〉 ―**刎(は)・ぬ**《近世、風波に遭った廻船が、難破を免れるために上荷を投棄したことから》他人に損害を与える。また、他人の物を横取りする。「〔遊女ヲ〕人の揚げたる時、横を取る(密会スル)を―・ぬると言ふ也」〈評判・吉原雀上〉 ―**ぶね**【上荷舟】「上荷」(3)に同じ。「明けなば―にもと息つぎし」〈浮・好色旅日記二〉

うはぬり:(ウワ)【上塗り】①壁などをぬる際の仕上げぬり。「宮垣(みかき)室屋(おほとの)堊(うはぬり)せず」〈紀仁徳一年〉 ②悪い事の上にさらに悪い事を重ねること。「悪ざれにて、色色の嘘言を巧まんすで、なほなほ―がかかれども」〈評判・朱雀諸分鑑上〉

うはのそら:(ウワ)【上の空】①上空。空中。「はかなくて―にぞ消えぬべき風にただよふ春の淡雪」〈源氏若菜上〉 ②拠り所がなく不安な状態。「いとど心細さまさりて、―なる心地のみしつつ明かし暮すを」〈源氏薄雲〉 ③不確かな状態。あてにならないさま。「中宿りもいとよかりぬべけれど、―にて物したらむこそ、なほいと便(びん)なかるべけれ」〈源氏夢浮橋〉。「げにも―には覚ゆれども、さしあたりて人も欲しかりければ」〈著聞五五一〉 ④心が宙に浮いたような状態。ぼんやり、うっかりしているさま。「―にも恥をこそかけ」〈俳・犬筑波〉。「ウワノソラニモノヲキク」〈日葡〉

うはのり:(ウワ)【上乗】①水先案内人。「堅田〔ノ〕辻殿と申す人、大浦また菅浦〔ノ船ノ〕―たる間」〈菅浦文書文安六・二・一三〉 ②軍船または貨物輸送船に乗り込み、積荷の監督・処分の一切をつかさどること。また、その者。「永岡・維任両人は大船に兵粮積ませ、永岡舟の―松井甚介」〈信長公記一四〉。「買米…船頭木工助手前水手(かこ)衆にて相下し候。此の―桜田彌作」〈伊達家文書三、慶長一五・四・一〇〉

うはは:(ウワ)【上端】《ウハバとも》①上のはし。上端(じょうたん)。「稲見野を朝踏みわたる狩人の笠の―になびく荻原」〈夫木抄二一・荻〉 ②金額や数値のはした。「六十貫の分〔ノウチ〕…只今―八貫文これを上ぐる」〈証如上人日記天文二・一〇・二四〉

うはば:(ウワ)【上葉】《「下葉(したば)」の対》上の方の葉。風がその上をわたる秋草についていうことが多い。院政期ごろから現われた表現。「秋きぬと松吹く風もしらせけり必ず荻の―ならねど」〈新古今三〇六〉

うはばみ:(ウワバミ)【蟒】①大蛇。「疑ひ無き―といふものなりと思ひ」〈三国伝記六〉。「蝮蝎、ウハバミ」〈易林本節用集〉 ②大酒飲みのたとえ。「―が頭痛に月〔ヲ浮カベタ盃〕を傾けて」〈俳・投盃〉 ▽バミはヘビ(蛇)と同根。

うはばり:(ウワ)【上張り】上にはおり着る着物。「―になるや笠松のはだれ雪」〈俳・破枕集中〉。「帷子(かたびら)の―、置き手拭して」〈西鶴・一代男三〉

うば・ひ:(ウバイ)【奪ひ】《四段》①他の大切にして放すまいとするものを、無理に自分の手に取ってしまう。「雪の色を―・ひて咲ける梅の花今盛りなり見む人もがも」〈万八五〇〉。「財宝を豊かに足るままにて受用せしめむときに、相侵し―・はじ」〈金光明最勝王経平安初期点〉。「あこの御懸想人を―・はむとし給ひけるが」〈源氏東屋〉 ②(心を)占める。「心、外の塵に―・はれて惑ひ易く」〈徒然七五〉 ▽平安時代以後、mbaFiとも発音されたので、これを「むばひ」または「ばひ」と書くことがある。 †ubaFi

うはひげ:(ウワ)【上鬚】 ―**食ひ反(そ)ら・す** うぬぼれて威張っているさまにいう。「我はかやうの忠功ある者をと―・し、人を糸瓜(へちま)の皮とも思はず」〈仮・可笑記評判一〇〉

うはぶち:(ウワ)【上扶持】扶持として給与する米。扶持米。「その中に―はね三升四五合」〈西鶴・一代女四〉

うはぶみ：ウワ【上文】手紙の上書き。「御返りに心ぼそく書き書きて、—に『西山より』と書いたるを」〈かげろふ中〉

うはべ：ウワ【上辺】《奈良時代にはウハへと清音》①見える方。表面。外見。「—はいとよき御仲の、昔よりさすが隙(ひま)ありける」〈源氏常夏〉②表面のお愛想。「—なきものかも人(妹)はしかばかり遠き家路を還さく思へば」〈万六三一〉 †uFaFe

うはまい：ウワ【上米】①輸送物資に課する通過税。関銭。上分(じょうぶん)米。運上米。「一葉の舟の—〔ト言ウベキ〕や米柳」〈俳・口真似草三〉。「判金一枚ならしの—あり」〈西鶴・永代蔵四〉②手数料。口銭。「諸国の商人の—を貫うて月日を送り給ふなり」〈伽・かくれ里〉

うはまき：ウワ【上巻】「上包(うはづつみ)」に同じ。「はじめはありとも見えざりし一首の歌〔ガ三日ノ加持ノ後ニハ〕願書の—に出来たり」〈平家七・平家山門連署〉

うはまへ ウワマエ【上前】①着物を着た時、前で合わせて上になる部分。「うはがへ」「うはがひ」とも。「右手にて袍(うは)の—を取るなり」〈教訓抄七〉。②「上米(うはまい)」の転。「—を取楫(とりかぢ)なれや湊舟」〈俳・毛吹草七〉

うはみ ウワミ【褶】裳の一種。男は袴の上に、女は下裳の上に重ねる。「うはも」とも。「褶、宇波美(うはみ)」〈和名抄〉

うはみせ：ウワ【上見世・上店】商家のみせの表の上半分の蔀戸(しとみど)。昼間は釣り上げ、夜間は下ろして下見世と合わせて戸とする。「これはさて／＼—は明け今日も留主(るす)」〈雑俳・田植笠〉

うはむしろ：ウワ【表筵・上蓆】①(帳台の内の)畳の上に敷く物。唐綾で表裏を作り、中に綿を入れ、錦で縁(ふち)どりした高級品もあった。「精進せむとて—ただのむしろのきよきに敷きかへさすれば」〈かげろふ中〉②うすべり。上敷きのござ。「—七文にて買ひ了んぬ」〈多聞院日記天文八・三・二三〉

うはめ：ウワ【上目】①すぐれていること。上位。「よろづ我より—なる人」〈仮・可笑記一〉②秤棹(はかりざお)の上面に記した目盛り。ごく小量を計るためのもの。「〔代金ヲ〕秤の—に掛け」〈西鶴・一代女五〉③勝負事で、よい目。「ひねってもひねっても二寸より—なく」〈近松・吉野都女楠二〉

うはも：ウワ【表裳・上裳】《「下裳(したも)」の対》「褶(うはみ)」に同じ。「—の裾ぬれ、下裳の裾ぬれ」〈催馬楽我が門に〉。「表裙、ウハモ」〈名義抄(図書寮本)〉

うはも・り：ウワ【上盛り】㊀〘四段〙気が高ぶって惑い乱れる。調子はずれにうわずる。「この者共出頭して—・るかと見れば」〈甲陽軍鑑六〉㊁〘名〙最上。第一。「そうじて、かの鼠と申すは、外道(げだう)の—なるべし」〈伽・猫の草子〉。〈文明本節用集〉

うはや：ウワ【上矢・表矢】上差しにしてある矢。「—を抜き、願書にとり具して、大菩薩の御宝殿にこそ納めけれ」〈平家七・願書〉 **—のかぶら**【上矢の鏑】上差しにしてある鏑矢。示威・挑戦のしるしとして用いられる。「十五騎が—を平家の陣へぞ射入れたる」〈平家七・倶梨迦羅落〉

うばら【荆・茨】イバラの古名。「からたちの—」〈万三八三二〉

うばら【姥等】近世、上方で年末に出る女乞食の称。赤前垂をし、手拭をかぶり、いかきを持ち、連れ立って「姥等祝ひませう」と叫びながら、門付けした。「年の暮声やあげろの山—〔山姥ト掛ケル〕」〈俳・新続犬筑波一〇〉

うはゑ：ウワ【上絵】衣類の白く染め抜いた所に、紋や模様を絵具や漆で描いたもの。「浅黄帷子(かたびら)二三度も水に入りて、紋所の—剝(は)げたるに」〈西鶴・文反古五〉

うはを：ウワ【後夫】《ウハは以前あったものに後から加わる意。「下夫(したを)」の対》後の夫。「後夫、宇波乎(うはを)、一云伊万乃乎宇止(いまのをうと)」〈和名抄〉

うひ イウ【初】〘接頭〙事にあたって、初心で、不慣れで、ぎごちない意。「—冠(かうぶり)」「—陣」など。「まだ思ひ知らぬ—事ぞや」〈源氏帚木〉 ▽類義語ニヒ(新)は、まだ誰も手をつけていない、未経験の、…したばかりのの意。「新草」「新嘗(にひなへ)」「新膚(にひはだ)」「新手枕(にひたまくら)」など。ハツ(初)は、起源的にはハツハツ(端端)などのハツと同じく、ちらっとその端だけを示す意が根本。多く、その季節の最初にちらっと現われた自然の現象にいうのが古い用法。「初雁」「初草」「初霜」「初花」など。

うひうひ・し ウイウイシ【初初し】〘形シク〙《いかにも初心で物慣れず、ぎごちない感じであるの意。必ずしも現在のような、好感を示す語ではなかった》①いかにも初心らしい。「〔自分ノ歌ヲホメテ〕うちゑみたるも、世づかず、—・しや」〈源氏玉鬘〉②いかにも不慣れである、物慣れない。「〔世間知ラズノ私タチノ〕手つきも、いかに—・しく、古めきたらむ〔旧式デショウ〕」〈源氏椎本〉。「宮にそそのかし給へば、『〔琴ノ〕柱(ぢ)さすこと、—・しくなりにけりや』と宣へど面白う弾き給ふ」〈源氏少女〉③勝手がわからない。「おほやけに仕ふる人ともなくて〔私ハ〕籠り侍れば、よろづ—・しう、よだけう〔億劫ニ〕なりにて侍り」〈源氏行幸〉④事情を知らず、気がきかない。「〔女タチハ朝寝シテイルダロウニ〕格子妻戸など打ちたたきて、声づくらむこそ、—・しかるべけれ」〈源氏宿木〉⑤初心者らしくてきまりがわるい。「〔年トッタ〕今は、さやうの〔妻迎エノ〕事も、—・しく、すさまじく〔興味ヲヒカレナイ〕」〈源氏若菜上〉→うひ

うひかうぶり ウイコウブリ【初冠・始冠】①元服してはじめて冠をつけること。「昔、男—して」〈伊勢一〉②はじめて位に叙せられ、任官すること。「昔は此のやむごとなき人も、—には内舎人(うどねり)にぞ成りける」〈今昔三〇ノ七〉

うひかぶり：ウイ【初冠・始冠】「うひかうぶり」に同じ。「始冠、ウイカブリ」〈文明本節用集〉

うひご：ウイ【初子】はじめて生れた子。「天の原の—か出づる太郎月」〈俳・犬子集一〉。〈日葡〉

うひごと：ウイ【初琴】初心の人の弾く琴。「いはけなき—習ふ人もあめるを」〈源氏初音〉

うひだ・ち：ウイ【初立ち】㊀〘四段〙はじめて立つ。「ほととぎす—・つ山をさと知らば」〈曾丹集〉㊁〘名〙①(長くひきこもっていた人が)久しぶりに外に出ること。不慣れでぎごちない外出(そとで)。「あまり久しう参りはべらねば、いぶせさに、今日なむ—しはべるを」〈源氏葵〉②子供がはじめて歩きだすこと。また、病人がはじめて床をはなれて歩行したり、外出したりすること。「小児の—するほどなるは、いとけなくていとほしき也」〈名語記四〉。「御乳人、正月より足に腫物出来(しゅったい)。本復し、今日—〔ニ〕内裏へ初めて参る」〈看聞御記永享八・二・一〇〉③物事のはじまり。また、はじめての旅立ち。「日の足も今朝(元旦)—の霞かな」〈俳・発句帳一〉

うひぢ【埿土】どろ。「ひぢ」とも。「埿土、此をば于毗尼(うひぢ)といふ」〈紀神代上〉 †uFidi

うひゃうゑ ウ：ヒョウ：【右兵衛】《右兵衛府、また右兵衛府の兵士》 **—のかみ**【右兵衛督】右兵衛府の長官。「—・右大弁にて、みな非参議なるをうれはしと思へり」〈源氏竹河〉 **—のすけ**【右兵衛佐】右兵衛府の次官。「—頼朝は、たけく思はれけれども、御年十三」〈平治中・義朝奥波賀に落ち着く〉 **—ふ**【右兵衛府】六衛府の一。「—は此れ(左兵衛府)に准ず」〈職員令〉→兵衛府

うふ【右府】右大臣の唐名。「右大臣一人…又—或いは右相府・右僕射と号す」〈職原抄〉

うぶ【産】《ウムの転》①出産・誕生に関することをあらわす語。「産土(うぶすな)」「産湯(うぶゆ)」など。「産(こう)む時に当りて鷦鷯(さざき)産屋(うぶや)に入れり」〈紀仁徳即位前〉②生れたときのままであること。「撫で来けむ—の黒髪」〈兼澄集〉③新鮮で汚れのないこと。「—の印籠、対の珊瑚樹」〈評判・難波立聞昔語嵐座〉

うぶがみ【産神】「うぶすながみ」に同じ。「今宮旅所に参詣す。余の—也」〈十輪院内府記文明一七・五・九〉

うぶぎ【産衣・産着】生れた赤子に初めて着せる、めでたい模様の着物。「その—はこれにて候ふや」〈伽・みしま〉

うぶきぬ【産衣】「うぶぎ」に同じ。「御—のありけるを、まづ取りて御覧ずるに」〈狭衣四〉。〈日葡〉

うぶこゑ【産声】赤子が生れてはじめて泣く声。「生れ給ひて、—に、南無妙法蓮華経と唱(とな)へ給ふか」〈日蓮遺文月満御前御書〉。〈日葡〉

うぶすな【産土】①生れた土地。生地。本居。「葛城の県(あがた)はもと臣(やつがれ)が本居(うぶすな)なり」〈紀推古三十二年〉②「うぶすながみ」の略。「〔紫野今宮ハ〕女院御—也」〈広義門院御産愚記〉。「今の世にひとへに生れたる所におはする神を—とは云ふめり」〈塵袋三〉 **—がみ**【産土神】その人の生れた土地の守護神。「いかに磁石が—も確かに聞き給へ」〈虎寛本狂言・磁石〉 **—まゐり**【産土参り・産土神参り】小児が生後はじめて産土神に参詣すること。古くは百日目、近世は男・女それぞれ三十二日・三十三日目に参詣した。「若君様始めて御—」〈走衆故実〉

うぶね【鵜舟】「鵜飼舟」に同じ。「—に篝(かがり)ともしたるかたを作りて」〈栄花月宴〉

うぶのかみ【産の神】①万物の生成をつかさどる神。産霊(むすぶ)の神。「むすぶの神は—なり。産霊と書けり」〈奥義抄〉②「産土(うぶすな)神」に同じ。「身の種まきし—、熱田の宮居伏し拝み」〈近松・出世景清三〉。〈日葡〉

うぶめ【産女】①産婦。「産女、ウブメ」〈名義抄〉②《「姑獲鳥」とも表記》難産で死んだ女の亡霊。化して怪鳥になると信じられた。「この—といふは、…亦、女の子産まむとて死にたるが霊になりたると云ふ人もあり」〈今昔二七ノ四三〉。「かかる古き墓原には、—といふものありて、かやうの時、鳴くなり。—の人に憑(つ)きたるは、いかにすれども粗忽に落ちずして、とり殺すなり」〈伽・むらまつ物語〉

うぶや【産屋】①出産のために新しく作った建物。「鸕鷀(う)の羽を以て葺きて—を為(つく)る」〈紀神代下〉②出産のための部屋。「すさまじきもの。…ちご亡くなりたる—」〈枕二五〉③出産をいわう行事・儀式。「みこうまれ給へりけり。御—に人人歌よみけり」〈伊勢七九〉 **—のぎしき**【産屋の儀式】出産の時、産室などで行なう儀式。産湯・読書・鳴弦・護身法など、さまざまの作法を行なった。「御—いかめしうおどろおどろし」〈源氏柏木〉

うぶやしなひ(…ヤシナイ)【産養】赤子が生れて三日・五日・七日・九日の夜に行なわれる祝。平安貴族の風習で、親族・縁者から、衣類・餅などを産家に贈った。「七日の夜、内裏(うち)よりも御—の事あり」〈源氏若菜上〉。「この日、中宮より—を給ふ」〈九暦天暦四・閏五・五〉

うへ(エウ)【上】[一]《名》《古形ウハの転。「下(した)」「裏(うら)」の対。稀に「下(しも)」の対。最も古くは、表面の意。そこから、物の上方・高い位置・貴人の意へと展開。また、すでに存在するものの表面に何かが加わる意から、累加・つながり・成行きなどの意を示すようになった。→かみ(上)》❶①(物の)表面。「水の—に数書くごときわが命」〈万二四三三〉。「裏いと濃くて、—は少しかへりたる(色アセタ)」〈枕三六〉→うらうへ。②物の中で、表面に近い所。「水下(みなした)ふ魚(うを)も—に出てなげく」〈紀歌謡九七〉③物の一番外側。「—の衣(きぬ)」「—の袴(はかま)」など。④近接した所。ほとり。あたり。近く。「藤原が—に…都宮(みあらか)は高知らさむと」〈万五〇〉。「父母も—は勿(な)さがり」〈万九〇四〉⑤外見。うわべ。「—はつれなくみさをつくり」〈源氏帚木〉❷①物に接した上。上部。「埴安(はにやす)の堤の—にあり立たし」〈万五二〉②上方。「御井の—より鳴き渡り行く」〈万一一一〉③屋根。「この土御門しも、かう—も無くしそめけむ」〈枕九九〉❸高い所。身分・地位の高い人の居所。また、その人。①天皇または上皇の御座所。その御前。殿上の間をさすことが多い。「—に侍ふをのこども」〈古今一七詞書〉②天皇または上皇。「—も御涙のひまなく流れおはしますを」〈源氏桐壺〉③貴人の座に近い所。「我より〔身分ノ〕高き所にまうでては『こなたへ』となき限りは、—にものぼらで下(しも)に立てる事になむありけるを」〈大鏡伊尹〉④貴人の妻。北の方。「殿(道隆)—・宮(中宮定子)など御覧じわたす」〈枕一〇四〉。「常陸守の—」〈宇治拾遺四一〉⑤将軍。公方(くばう)。「—(北条高時)の御存命の間に」〈太平記一〇・長崎高重〉⑥比較して上位であること。「さまざまに、競ひ散りあかれし—下(しも)の人人」〈源氏蓬生〉❹物事の累加・関係あること・身の上など、形式名詞のようにも使う。①さらに加わること。「山下ひかげ〔ヲ〕かづらける—にやさらに梅を賞(しの)はむ」〈万四二七八〉。「海賊むくいせむといふなることを思ふ—に、海のまた恐ろしければ」〈土佐一月二十一日〉。「みもすそ河の流れ忝くもまします—、七十四代の天津日嗣たゆることなし」〈保元上・将軍塚鳴動〉②…についてのこと。…に関すること。「人人、花の—も忘れて〔蹴鞠ヲ〕心に入れたるを」〈源氏若菜上〉。「おもしろき浦浦・磯の—を言ひつづくるもあり」〈源氏若紫〉③身の上の事。「君が—はさやかに聞きつ」〈万四四七四〉④成行きを見た結果。「軍功のことは命の生きての—のことなり」〈保元中・白河殿へ義朝夜討ち〉❺事の結果を確認して、その後の判断の根拠を示す。①《係助詞「は」を伴って》…であるからには。…である以上は。「天の授け給へる—は、ただ一矢に射落してすてむ」〈保元中・白河殿攻め落す〉。「法皇御政務の—は、力及ばず」〈平家三・行隆沙汰〉②…してから。…した結果。「番頭・裏判など寄り合ひ、相談の—にて、公へ申し上げたき事なり」〈七種宝納記〉[二]《接尾》①平安時代、貴人の妻の呼び名に添える。「北の方は紫の—の御姉ぞかし」〈源氏藤袴〉②目上の人の呼び名に添える。「『とぶらひ物せさせ給へ』と、はは—にも聞え給ふ」〈源氏柏木〉 †uFë **—越・す** ①(物の)上を越える。多く波にいう。「池水は風も音せで蓮葉の—・す玉は螢なりけり」〈風雅三八八〉②(それよりも)まさる。「我が朝六十六ケ国におそらくこの二大師に—・す沙門ましまさず」〈伽・酒呑童子〉 **—・す** 上位に立つ。まさる。「うへをす」とも。「それがしに—・する人や候ふべき」〈伽・じぞり弁慶〉 **—を下に反(かへ)・す** 上下がひっくりかえるほど混乱して大騒ぎする。「上を下へとかへす」、略して「上を下へ」などとも。「御所中の兵ども、—・して周章(あわ)て騒ぐ」〈保元中・白河殿へ義朝夜討ち〉

うへ(エウ)【筌】流れにしかけて魚を捕える、竹で編んだ筒。「山川に—をし伏せて」〈万二八三二〉。「筌、訓于閇(うへ)也」〈華厳音義私記〉。「筌、宇倍(うへ)、捕魚竹筍也、筍、取魚竹器也」〈和名抄〉 †uFë

うべ【宜】《副》《ウは承諾の意のウに同じ。べはアへ(合)の転か。承知する意。事情を受け入れ、納得・肯定する意。類義語ゲニは、所説の真実性を現実にてらして認める意》

なるほど。道理で。もっとも。「逢はず久しみ—恋ひにけり」〈万三〇一〇〉▽平安時代に mbe と発音されたので、「むべ」と書く例が多い。†ubë

うへうへ(ウエウエ)【上上】高貴な身分。また、その人人。「—の上﨟はすぐすぐとして、しかも位高きやうに御入りあるもの也」〈毛端私珍抄〉

うべうべ・し【宜宜し】『形シク』《いかにも納得できることだの意》①いかにも理にかなっている。いかにももっともだ。「いとあはれに—・しく言ひ侍り」〈源氏帚木〉。「—・しきかた(学問ナドノ方面)をばさるものにて、怪しう情を立てたる人にぞ物したまひ」〈源氏柏木〉②格式がきちんと守られている。「かやうに物のはえ—・しき事ども天暦の御時までなり」〈大鏡昔物語〉▽平安時代に mbembesi と発音されたので、「むべむべし」と書く例が多い。

うへさま：(ウエ)【上様】①上の方。「三度、—へ蹴上げ蹴上げして」〈宇治拾遺一五八〉②貴人の尊称。「—には未だ知ろし召され候はずや」〈太平記七・先帝船上〉→うへ㈠③ **—かぜ**【上様風】将軍の威光のたとえ。また、将軍の権威を笠に着て、幕臣が威張ること。「—に梅匂ふ頃」〈俳・懐子一〇〉 **—ぶしん**【上様普請】将軍家の普請のように、費用に構わず贅沢な普請をすること。「三室の岸や—西鶴」〈俳・飛梅千句〉

うべし【宜し】『連語』《シは強めの助詞》なるほどもっとも。まことに当然。「—かも蘇我の子らを大君の使はすらしき」〈紀歌謡一〇三〉→うべ。†ubësi

うへすくな・し：(ウエ)【上少なし】『形ク』酒が盃にいっぱいになっていないさまをいう。「今ひとつ、—・し」〈徒然一七五〉

うへだじま：(ウエ)【上田縞・上田島】近世前期、信濃国上田近辺で織り出した、地質が強く長持ちがする紬(つむぎ)の縞織物。上田紬。後、武蔵国八王子・青梅地方産の物にもいい、「代官縞」ともいった。「心立て強い所は—(ソックリ)」〈評判・難波の顔三〉

うへつかた：(ウエ)【上つ方】高貴の人。身分・官位などの高い人。「—も下下(したじた)までも驚き嘆くばかりなり」〈伽・扇流し〉

うへつぼね：(ウエ)【上局】①女御などが、常の局のほかに、主上の御座所近くに賜わる、控えの部屋。「上の御局(みつぼね)」とも。「後涼殿にもとよりさぶらひ給ふ更衣の曹司をほかに移させ給ひて—に賜はす」〈源氏桐壺〉②貴人の居間近くに設けられた、女房の控えの間。「宰相の君(女房ノ名)など、かりそめに几帳などばかり立てて、うち休む—にしたり」〈源氏蜻蛉〉

うへとう：(ウエ)【上頭】《「地頭」の対》現地に赴かず京都にいる荘園領主。「—へ年貢を上げずはなるまいほどに」〈虎明本狂言・右近左近〉

うべなうべな【諾な諾な】『連語』《ウベに感動の助詞ナがついた形》まったくもってもっともなことに。「やすみしし我が大君は—我れを問はすな」〈紀歌謡六三〉。「—母は知らじ、—父は知らじ」〈万三二九五〉 †ubënaubëna

うへな・し：(ウエ)【上無し】㈠『形ク』この上に立つものがない。無上である。最上である。「あはれ逸物(いちもつ)や、—・きものなり」〈著聞六七八〉 ㈡『名』上を恐れないこと。無遠慮。「—の申し事、沙汰に及ばざる曲事なり」〈今川仮名目録追加〉。「—にかかる狼藉仕ることこそ曲事なれ」〈義残後覚五〉

うべな・ひ(ウベナイ)【諾ひ】『四段』《ウベ(宜)を活用させた語。ナヒは行為にあらわす意の接尾語。アキナヒ・ウラナヒなどのナヒと同じ》①承服する。「此の経典を聞きて信(うべな)はむ心をもちて」〈金剛般若経讃述平安初期点〉②服従する。「その—・はぬ者は」〈紀神代下〉 †ubënaři

うべな・み【諾み】『四段』承服する。「(淳仁廃帝ヲ指シテ)その人は天地の—・み許して授け賜へる人にもあらず」〈続紀宣命三三〉→うべなひ。†ubënami

うへのおんぞ：(ウエ)【上の御衣・表の御衣】「うへのきぬ」の敬語。「(喪中ノタメ)無紋の—、鈍色(にびいろ)の御下襲(したがさね)」〈源氏葵〉

うへのきぬ：(ウエ)【上の衣】朝廷に出仕する時の正服の表衣(うはぎ)。束帯・布袴(ほうこ)・衣冠の時に着用。「袍(はう)」とも。「上達部・殿上人も—の濃き薄きばかりのけぢめにて、白襲(しらがさね)ども同じさまに」〈枕五〉

うへのごせち：(ウエ)【上の五節】殿上人から奉る五節の舞姫。「—には、良清、いまは近江の守にて左中弁なるなむ、奉りける」〈源氏少女〉

うへのさぶらひ(ウエノサブライ)【上の侍】清涼殿の殿上の間。「—にはべりける男(をのこ)ども」〈古今八七四詞書〉

うへのはかま：(ウエ)【表の袴】①男子が束帯の時、大口の袴の上に着用する袴。「御禊の日…下襲(したがさね)の色、—の紋、馬鞍まで皆ととのへたり」〈源氏葵〉②童女が盛装の時、かさねの袴の上に着用する袴。「わらはべは、かたちすぐれたる四人…浮紋の—」〈源氏若菜下〉

うへのをのこ：(ウエ)【上の男】「殿上人(てんじゃうびと)」に同じ。「—ども賀茂の河原に川逍遙しける供にまかりて」〈古今一七〇詞書〉

うへびと：(ウエ)【上人】「殿上人(てんじゃうびと)」に同じ。「上達部(かんだちめ)・—など」〈源氏桐壺〉。「—・女房など」〈源氏桐壺〉

うへぶし：(ウエ)【上臥し】宮中・院中で宿直すること。天皇・上皇のおそばにやすむこと。「院の御所、法住寺殿に—して」〈平家二・少将乞請〉。「(方違エノ行幸ニ)—したる殿上人」〈平家六・紅葉〉

うへみぬわし：(ウエ)【上見ぬ鷲】①一番高い所にいるので、上を見上げる必要のない鷲。「またはよも羽を並ぶる鳥もあらじ—の空の通ひ路」〈夫木抄二七・鷲〉②自分ほどえらい者はないという傲岸不遜なさま。「今ははや心に残る所もなく、—とぞ見えにける」〈室町殿日記二〉

うへみやづかへ(ウエミヤヅカエ)【上宮仕へ】天皇のおそばにいて日常の用を勤めること。「上の宮仕へ」とも。「おしなべての—し給ふべき際(きは)にはあらざりき」〈源氏桐壺〉

うべも【宜も】『連語』まことにもっともなことに。なるほど(…だ)。…とは当然だ。「春なれば—咲きたる梅の花」〈万八三一〉。「やみならば—来まさじ」〈万一四五二〉 †ubëmö

うへわらは(ウエワラワ)【上童】貴人のそば近く仕える子供。侍童。平安時代は少年、鎌倉・室町時代は少女にいうことが多い。「しゃうとう」とも。「ことごとしき御使ひにもあらず、例奉れ給ふ—なり」〈源氏総角〉。「その家の—を語らひて」〈宇治拾遺四一〉

うほうどうじ【雨宝童子】両部神道で、天照大神が日向に現われた姿をいう。左右の手にそれぞれ宝珠・宝棒を捧げる童子像。「本尊明星・—・赤童子・荒神加へて、(米)一石にてこれを書く」〈多聞院日記天正八・一二・六〉

うま【午】十二支の第七。年・日・時、また方角の名などに当てる。①時刻の名。いまの午前十一時から午後一時まで。「—の時よりのちに」〈土佐一月十四日〉②方角の名。南。「大将軍(暦ノ八将神ノ一)—に在り」〈長徳四年具注暦〉。「—は南の方なり」〈盛衰記二六〉

うま【馬】①牛とともに日本の代表的な家畜の一。縄文式時代に小型、彌生式時代には中型の馬の遺骨が出土する。古墳時代以降、騎馬の風が盛んとなった。「—ならば日向の駒」〈紀歌謡一〇三〉。「法性寺のほどまでは御車にて、それよりぞ御―には奉りける」〈源氏浮舟〉 ②すごろくの駒(こま)。「つれづれなるもの。…―おりぬ双六(すごろく)」〈枕一三九〉 ③将棋の駒。「将棋の―を下しあそばさる」〈康富記嘉吉三・八・二〉 ④将棋の駒の一。桂馬。「はあゝ南無三、この―落ちた」〈近松・寿門松中〉 ⑤遊女の異名。「何とて傾城を―にたとふるや」〈評判・吉原雀下〉 ⑥カルタの青札の十一の称。また、めくりカルタの称。「負け口のカルタの―に鞍置いて」〈俳・山の端千句下〉。「すきぢゃとて／夜が明けたのに―なされ」〈雑俳・軽口頓作〉 ⑦「しんこもち」の異名。「索餅(さくべい)の名を、藤の花、また―とも云ふ也」〈俳・貞徳自注百韻〉 ⑧「馬をつなぐ」の略。「馬つなぐ。…下略して―とばかりもいふ」〈色道大鏡一〉 ⑨遊里や料理屋で遊興費の不足した客について行って、代金を取り立てる者。付け馬。「帰る所を知らんとて―を付け」〈雑俳・柳多留四九〉 ▽ウマは古くから mma と発音されたらしく、古写本では「むま」と書くものが多い。語源は朝鮮語 mɐr(馬)、満洲語 morin(馬)などとの関係が考えられる。平安時代以後は歌語には馬を、コマということが多い。 **―が合・ふ** 両方の気持がぴったり合う。「心の底意なく語るこんだと、互いに―・うて」〈評判・役者三世相京〉 **―に乗るまで牛に乗れ** よい地位を得るまでは、現在の不満な境遇に我慢せよ、の意。「さらば、昔からも、―といふ事がある」〈天理本狂言六義・内沙汰〉 **―には乗りて見よ人には添うて見よ** 何事も経験した上で、その良否を判断せよとのたとえ。〈俳・毛吹草二〉 **―の耳に風** 少しも感じないたとえ。「其れはさうでなしと言ひ聞かせても、いかないかな―なり」〈浮・人倫糸屑下〉。〈俳・毛吹草二〉 **―は馬連れ** 同類の者が連れ立つのが、よく和合してうまく行くというたとえ。「牛は牛連れ」とも。「ほめそしる人の振舞見る時は―牛は牛連れ」〈西明寺百首〉 **―を鹿** 馬を鹿と言って押し通す意で、非を理に、理を非に言い曲げるたとえ。「鷺を烏」とも。「恐らくは某(それがし)が―と言ふとても、違背せん者いま日本に覚えず」〈浄・東山殿子日遊二〉。〈俳・毛吹草二〉 **―を繫(つな)・ぐ** 権勢ある人の門前に馬をつなぐ。権勢ある人に服従の意をあらわすために伺候する。「山城が子ども、たはけ(織田信長ヲ指ス)が門外に―・ぐべき事、案の内にて候」〈信長公記首巻〉

うまい【熟寝】 ぐっすりねむること。快眠。「―寝し間(と)に」〈紀歌謡九六〉

うまいかだ【馬筏】 馬を何頭も並べて川などへ乗り入れ、渡る方法。「―をつくりて泳がせけるに、徒人(かちびと)はそれに取りつきて渡りけるなるべし」〈宇治拾遺一八七〉

うまいち【馬市】 馬を売買する市。「―に立て売りたりしに、黄金三枚に取り代へぬ」〈伽・大黒舞〉

うまいひイ・イ**【甘飯・味飯】** 味のよい飯(めし)。「―を水に醸(か)みなし(酒ニ作ッテ)」〈万三八一〇〉 †umaiFi

うまうち【馬打ち】 騎馬を進めること。「―静かに歩ませ給ふ」〈曾我八〉

うまうま・し 『形シク』 いかにも巧みである。如才ない。「…と―・しくも申しければ」〈仮・元の木阿彌下〉。「ウマウマシイ」〈日葡〉

うまうまと 『副』 上手に。巧みに。まんまと。「言ばかりで―人をたらす人ぞ」〈周易抄〉

うまおひイ・オ**【馬追】** ①野馬を柵内に追いこんで捕えること。「御崎野―のため海江田へ越し候」〈上井覚兼日記天正一三・五・一四〉 ②客や荷物を駄馬に乗せて追い行く者。馬方。馬子(まご)。「そこでこの―は為(せ)うことが無うて」〈天草本伊曾保〉 **―船頭お乳(ち)の人** 人の弱みにつけこんで無理ねだりする、わがままな者のたとえ。「馬方船頭お乳の人」とも。「世話に―と云ひて、憎き者の譬へにするを」〈色道大鏡一四〉

うまおり【馬下り】 旅行の目的地に到着し、宿泊する家にひとまず落ち着くこと。また、その時分。「維舟江戸下向―に。待ち得しや古来稀人(まれびと)時鳥」〈俳・玉手箱三〉

うまかた【馬方】 「馬追ひ」(2)に同じ。「駄賃〔ノ折衝〕八―はこれを停止し…問屋と商人衆、談合を以て受用す可き事」〈上杉家文書一、永祿三・五・一三〉

うまがた【馬形】 馬の形を木・紙などで作り、神馬の代りに神に奉るもの。「神服を天下の諸社に奉る。…之に加ふるに―併せて鞍を以てす」〈続紀神護景雲三・二・一六〉

うまガッパ【馬合羽】 乗馬旅行する者の着た、大きい袖なし合羽。丸合羽。「―雪打ち払ふ袖もなし」〈俳・埋草四〉

うまかひイ・カ**【馬飼】** 馬を飼い養い、扱うこと。また、その人。「典馬、此をば于麻柯毗(うまかひ)といふ」〈紀雄略八年〉 †umakaFi

うまき【牧】 《ウマは馬。キは城・柵の意》 柵を立てて馬を放牧する所。「多(はさ)に―を置きて馬を放つ」〈紀天智七年〉 †umaki

うまぎぬ【馬衣】 馬に蔽い着せる布。「馬衣、無麻岐沼(むまぎぬ)、馬被也」〈和名抄〉

うまげた【馬下駄・馬下踏】 馬の蹄(ひづめ)の形をした、庭ばきの木履(ぼくり)。「駒の爪」「駒下駄」とも。「庭の雪に行く―の跡見えて」〈俳・懐子八〉

うまけむり【馬煙】 騎馬群の疾走によっておこる土ほこり。「―東西に靡(なび)き、時の声天地を響かして攻め合ひけれども」〈太平記九・足利殿打越〉

うまご【孫】 ①子孫。「各鰥寡(やもめ)に居りて曾て子息(うまご)無し」〈霊異記中一六〉 ②まご。「その子、―までは」〈徒然一〉 **―めひ**イ・メ**【孫姪】** 甥(おい)の娘。また、ひろく兄弟姉妹の孫娘。「釈名云、甥之子為二離孫一無万古女比(むまごめひ)」〈和名抄〉 **―をひ**イ・オ**【孫甥】** 甥の息子。また、ひろく兄弟姉妹の孫むすこ。「釈名云、甥之子為二離孫一無万古乎比(むまごをひ)」〈和名抄〉 →むまご

うまご【馬子】 馬方。馬追い。まご。「何と言ふ、―たち、具足が駈けると言ふか」〈狂言記・見物左衛門〉

うまこり【味こり】 〔枕詞〕《ウマキ(美)オリ(織)の約》 美しい織物の意から、綾と同音をもつ「あやに」などにかかる。「―あやに(ロニイエナイホドニ)羨(とも)しく」〈万九一三〉 †u-makōri

うまざくり【馬ざくり】 《サクリは掘りうがつこと》 馬の踏んだ足跡。また、そのくぼみ。「うまざかり」「うまじゃくり」とも。「数ならぬ身に知られたる―さのみや同じ跡を踏むらん」〈夫木抄三七・馬〉

うまさけ【味酒】 〔枕詞〕 ①美酒の産地「餌香(ゑか)」「鈴鹿」にかかる。「―餌香の市」〈紀顕宗即位前〉。「―鈴鹿の国」〈皇太神宮儀式帳〉 ②神酒を古くミワといったことから、地名「三輪」「三室」にかかる。「―三輪の山」〈万一七〉。「―三室の山は」〈万一〇九四〉 †umasakë **―の【味酒の】** 〔枕詞〕 三輪の別名「三諸(みもろ)」にかかる。「―三諸の山に」〈万三二三二〉 **―を【味酒を】** 〔枕詞〕「三輪」に、また美酒を醸(か)むから同音で「かむなびやま」にかかる。「―三輪のはふり(神官)が」〈万七一二〉。「―神名備山の」〈万三二六六〉

うまさし【馬差】 近世、宿駅で駄馬・人足の割当・出入などの指図をする役人。「駄賃馬遅く出だし候とて、―にが

さつ(乱暴ナロキキ)仕らず候様に、下下へ能く能く申し付けらる可きの事」〈御当家令条三四、明暦二・四・四〉

うまさへ エ:サ【馬副】「うまぞひ」に同じ。「『—の程こそ』など言へど」〈枕二七八〉

うま・し【甘し・美し・旨し】『形ク』①味がよい。おいしい。「飯(いひ)食(は)めど—・くもあらず」〈万三八五七〉②感じがよい。「可美、此をば于麻時(うまし)といふ」〈紀神代上〉③巧みだ。じょうずだ。「梢の猿や—・い物喰い」〈俳・大坂一日独吟千句〉④よい。好都合だ。「—・いことはなり難く」〈近松・女夫池二〉⑤愚かだ。あまい。「—・い奴等」〈西鶴・五人女二〉 **旨き物は宵に** うまい食物は悪くならぬうちに早く食べるがよい。「今時は—と言ふ事、口近し」〈西鶴・椀久二世上〉

うま・し【美し】『形シク』満ち足りて快い気持だ。「なんでふ心地すれば、かく物を思ひたるさまにて、月を見給ふぞ。—・しき世に」〈竹取〉 **—くに**【美し国】よい国。「—そ、あきづ島(枕詞)やまとの国は」〈万二〉 **—もの**【甘し物・美麗物】①美しくりっぱなもの。「—いづく飽かじを(ドコモ不足ナカロウニ)」〈万三八二一〉②〔枕詞〕味のよい物の意で「あべ橘」にかかる。「—あべ橘のこけ生(む)すまでに」〈万二七五〇〉

うまじもの【馬じもの】『副』馬のように。「—縄取りつけ」〈万一〇一九〉→じもの。†umazimönö

うまじるし【馬印・馬標・馬験】武具の一。戦陣で、大将の所在を示すために、そのそばに立てて目印としたもの。秀吉の千生瓢簞(せんなりひようたん)、家康の金扇などは有名。「人数討ち捕り候。滝川〔ノ〕—も捕り候」〈家忠日記天正三・六・一九〉

うまず【不生・不産】①子を生まぬこと。「一子を与へ授けたまへ、出家させて夫婦—の業(ごふ)を晴らし」〈近松・賀古教信二〉②子を生まない女。不生女(うまずめ)。「しかも—なれば、なほ証跡になる事なし」〈浮・真実伊勢三〉 **—のぢごく**【不生の地獄】不生女(うまずめ)の堕ちる地獄。子を生まない女は、この地獄に堕ちて燈心で竹の根を掘る責苦にあうという。「かの—、両婦(ふため)狂ひの地獄は、たやすく絵説きせぬを」〈仮・籠耳四〉

うますてば【馬捨て場】馬の死体を捨てる場所。近世、山中または郊外などに定められていた。「轡虫(くつわむし)鳴く野の末や—」〈俳・崑山集九〉

うませ【馬柵】馬をかこっておくための木の柵。「赤駒の越ゆる—の」〈万五三〇〉

うまぞひ イ:ソ【馬副】乗馬の人につきそう従者。右脇について馬の口取りをする。「—の細う仕立てたるばかりして」〈枕(能因本)はしたなきもの〉 **—わらは** ワ:ワラ【馬副童】馬副をつとめる童。「—のほど、みなつくり合はせてやう変へて装束きわけたり」〈源氏澪標〉

うまぞろへ ロエ:ソ【馬揃へ】軍馬を集めて、その良し悪しを検分し、かつ威容を示すこと。「五畿内隣国の大名・小名・御家人を召し寄せられ、駿馬を集め、天下において御—をなされ、聖王へ御叡覧に備へられ訖(をは)んぬ」〈信長公記一四〉

うまだ・き【馬だき】『四段』《タキは、腕を働かして事をする意》馬の手綱をあやつる。「石瀬野に—・きゆきて」〈万四二五四〉†umadaki

うまだし【馬出し】①《「馬留(とど)め」の対》馬場で馬を乗り出す場所。馬場本(ばばもと)。「〔五月ノ節会〕—の勅使」〈九暦天慶七・五・五〉②城門の前に造った、半円または四角形の土手。人馬の出入りを敵に知られないためのもの。「—を取らせ、田中の城と名付け」〈甲陽軍鑑二一上〉

うまちゃうちん ウ:チョ【馬提燈】丸提燈に鯨ひげの柄をつけたもの。乗馬の時、腰に差して使用。馬上提燈。馬乗り提燈。「—、鯨の弓〔型ノ柄〕を掛くる」〈万金産業袋一〉

うまづかさ【馬寮・馬司】⇒めれう。「御馬四十匹、左右の—、六衛府の官人、上より次次に引き整ふる程」〈源氏若菜上〉

うまつぎ【馬次・馬継】宿駅で駅馬を乗りつぐこと。また、その場所。宿駅。「—の所にて、若し馬なく候ひて、〔同ジ馬ヲ〕乗り通し申す事候はば」〈伊達家文書三、元和九・五・二三〉

うまづよ【馬強】馬に乗って強いこと。騎馬に長じていること。「あれ、—ならん若党ども、馳せ寄せて蹴散らせ」〈平家一一・弓流〉

うまとがめ【馬咎め】馬に乗ったまま通り過ぎる人の無礼をとがめること。「一とせの慮外の—に射殺し候ひし男の子の小さき男こそ」〈今昔二五ノ四〉

うまとどめ【馬留め】《「馬出し」の対》馬場の行きどまりの所。馬場末(ばばすゑ)。「馬出しより—までひまなく…燈(とも)したり」〈宇津保祭使〉

うまとねり【馬舎人】馬の口取りなどを勤める者。「随身一人、小舎人童(ことねりわらは)一人、—ばかりにて」〈今昔三〇ノ七〉

うまとり【馬取】馬の口取り。馬丁。「奏者・門番・—以下」〈孫子私抄〉

うまに【馬荷】馬につけて送る荷物。「ますますも重き—に上荷打つと」〈万八九七〉

うまのかひ イ:カ【午の貝】午の時(正午)を知らせるために吹きならすほら貝。「今日もまた—こそ吹きつなれ羊の歩み近づきぬらむ」〈千載一二九七〉。「勅使、今日—時分に御下向」〈多聞院日記天文一〇・一二・一六〉

うまのかみ ①【馬頭】馬寮〈めれう〉の長官。「右の—なりける人の詠める」〈伊勢八二〉②【右馬頭】右馬寮〈うまれう〉の長官。「法皇は…—資時ばかり御供にて」〈平家八・山門御幸〉

うまのくち【馬の口】馬の轡(くつわ)。また、馬の口取り。「道にて—をとりて」〈伊勢六三〉。「五位二人なむ御—にぞさぶらひける」〈源氏浮舟〉

うまのくつ【馬の沓】馬にはかせる藁沓。「中間—を買はんとす」〈咄・醒睡笑八〉

うまのすけ【右馬助】右馬寮〈うまれう〉の次官。「またも書いたまうて—に賜へれば」〈源氏野分〉

うまのすそ【馬の裾】馬の脚の下部。また、それを洗うこと。「山陰にして—する」〈俳・談林十百韻上〉

うまのつの【馬の角】①実在しない物のたとえ。「馬に角」とも。「目に見ねば名のみばかりの—」〈俳・嘲哢集下〉②馬の頭に生えた角。寺社の宝物とされた。「〔蔵王堂ノ〕御宝物…〔ノ中ニ〕牛玉白黒二、鹿玉二、—一」〈大乗院雑事記寛正二・六・七〉

うまのつめ【馬の爪】〔枕詞〕遠い地の果てに馬蹄が到り尽す意から、同音の地名「筑紫(つくし)」にかかる。「—筑紫の崎に留(ちま)りゐて」〈万四三七二防人〉

うまのはなむけ【馬の餞】《旅に出る人を送るとき馬の鼻を行先に向けたことからという》旅立つ人に餞別の金品を贈ったり、送別の宴を催したりすること。「講師—しにいでませり」〈土佐十二月二十四日〉。「—をだにせむとて…酒飲ませて詠める」〈伊勢一一五〉。「餞、酒食送レ人也。馬乃鼻牟介(うまのはなむけ)」〈新撰字鏡〉

うまのほね【馬の骨】素性の知れない賤しい者。「牛の骨」

とも。「何処の牛の骨やら―やら知れもせぬ者を抱へなされ」〈伎・武道達者二〉

うまのり【馬乗り】①馬に乗ること。馬に乗る人。「―の一騎来るは何たる人であるらう」〈三体詩抄一ノ四〉②馬に乗ったような形でまたがること。「女房、亭主が腹の上に―にあがりて」〈仮・御伽物語三〉③上衣・羽織などの背の下の少し縫い残してある裂け目。「衣の後をば―に綻(ほころ)ばかして」〈兼宣公記応永三・九・一七〉　**―ごろも【馬乗衣】**馬に乗る時の着物。一説、「馬乗衣」をマダラノコロモとよみ、萩の花をまだらにすった着物。「住吉(すみ)(のえ)の波豆麻(つは)(ま)の君が―さひづらふ漢女(あやめ)をすゑて縫える衣ぞ」〈万三七三〉　†umanörigörömö　**―ばおり【馬乗羽織】**近世、武士の乗馬用羽織。左右の脇に襠(まち)がなく、背筋の縫目の腰下を縫い合わせないもの。「とろめんの―」〈浮・本朝女二十四貞三〉

うまば【馬場】乗馬を練習する広場。ばば。「むかし、右近の―のひをりの日、むかひに立てたりける車に女の顔…ほのかに見えければ」〈伊勢九九〉　**―どの【馬場殿】**「うまばのおとど」に同じ。「巳の時に行幸ありて、まづ―に左右の司の御馬ひきならべて」〈源氏藤裏葉〉　**―のおとど【馬場殿】**端午の日などに競馬や騎射を見るために馬場に面して作られた殿舎。馬見所。「うまばどの」とも。「ひんがし面(おもて)は、わけて、―つくり、埒(らち)ゆひて、五月(さつき)の御遊び所にて」〈源氏少女〉

うまはしウマワシ【利】《ウマヒ(生)の使役形ウマハシの名詞形》利息。「酒を作りて―を息(らい)す」〈霊異記中三二〉

うまは・りウマワリ【殖り】《四段》《ウマヒ(生)の自動詞形》ふえひろがる。「一の氏―・りて更に万の姓(かばね)となれり」〈紀允恭四年〉

うま・ひウマイ【生まひ】《四段》《生ミに反復・継続の接尾語ヒのついた形。→ひ》つぎつぎと生む。いく人も生む。「男餓鬼賜(たば)りてその子―・はむ」〈万三八四〇〉　†umari

うまひと【良人】《ウマはウマシと同根。味のよい意から、賞美していう語》貴人。「〔一目〕見るに知らえぬ(分ッタ)―の子と」〈万八五三〉　†umaritö

うまぶね【馬槽】馬のかいばおけ。「―に入れて」〈記安康〉。〈和名抄〉

うままはりウマワリ【馬廻】①大将の乗った馬の周囲。「―に勝れたる兵を七千余騎囲ませて」〈太平記一四・矢矧鷺坂〉②主君の馬の傍に付き添い、護衛に当った騎馬の武士。戦国時代末より職名となる。馬廻組。「御所様も御―五千余騎にて中御門大宮へ打って出でさせ給ひて」〈明徳記中〉

うまや【駅・駅家】令制の公的な交通機関。諸道三十里ごとに置かれ、往来の人のために継立て用の人馬を備え、宿泊・食糧補給などの求めにも応じた施設。宿駅。えき。「夜半に至りて隠(なば)(り)の郡に至りて隠の駅家(うまや)を焚く」〈紀天武一年〉　**―たち【駅館】**宿駅に設けた建物。「往還(かよ)ふ路の―とし給ふ」〈紀神功摂政四十九年〉　**―ぢ【駅路】**駅(うまや)のある街道。「浮きて世を経る―の傀儡(くぐつ)のたぐひにて」〈古巣物語〉　**―のをさ【駅の長】**駅(うまや)のことを司る者。「―に口詩(くし)とらする人もありけるを」〈源氏須磨〉

うまや【馬屋・厩】馬小屋。内裏では平安時代までは左右馬寮があって、厩馬のことを司った。上皇には院の御厩があった。「赤駒を―に立て」〈万三三七八〉　**―さぶらひ**サブライ【厩侍】武家の邸内で、厩番の者の詰めている控所。馬具を飾ってある。「義盛御―に於て子細を問ふ」〈吾妻鏡正治二・二・二〉　**―のべったう**ベットウ【厩別当】院司・家司(けいし)・国司・郡司の下にあって、馬の飼養を扱った役人。「おのづから出で来ける馬の事どもをばこの人に沙汰せさせなどして、―に仕るべきやうにもてなしければ」〈今昔二六ノ一四〉

うまやくしゃ【馬役者】歌舞伎で、馬の足の役をする者。「顔見世や化したる姿―」〈俳・花道〉

うまやど【馬宿】駅馬・伝馬用の馬を常に備えておく所。「はたごやの宿(しゅく)…これを昔は―と名づけ…出しける伝馬をば駅馬(はいま)と申す」〈仮・東海道名所記一〉

うまやろ【馬遣ろ】《連語》馬方が旅客を呼ぶ言葉。「馬遣らう」「馬遣ろい」「馬を遣りませう」とも。「思ひに響く―の声」〈俳・忘れ貝〉

うまゆみ【馬弓・騎射】《「歩射(かち)(ゆみ)」の対》射芸の一。馬に乗って弓を射ること。特に、五月五日の節会に大内裏武徳殿前で行なわれた騎射および走馬の行事。「五月乙卯朔己未(五日)…射猟(うま)(ゆみ)を観しむ」〈紀皇極一年〉

うまよろひウマヨロイ【馬鎧】馬に着せる鎧。布に銅片・革・くさりなどを縫いつけて作る。「白覆輪の鞍置いて、金鎌(かなぐ)(さり)の―かけてぞ乗ったりける」〈明徳記中〉

うまら【荆・茨】「うばら」の上代東国方言。「道の辺の―の末(うれ)に」〈万四三五二防人〉

うまら【槍】木でできた槍(やり)。「槍、倭言宇末良(うまら)」〈華厳音義私記〉

うまらに【甘らに】《副》《ラは形容詞語幹について状態をあらわす接尾語》おいしく。「大御酒(みき)、―聞こし以(も)ち食(を)せ(召シアガレ)」〈記歌謡四八〉

うま・れ【生れ】《下二》《子供がその母親から胎生して出現する意》①誕生する。「わが中の―・れ出でたる白玉のわが子古日は」〈万九〇四〉②鳥が卵からかえる。「うぐひすの生卵(かひ)(ご)の中にほととぎす独り―・れて」〈万一七五五〉　**―あが・り【生れ上がり】**《四段》《「生れ劣り」の対》より勝れた素質を持って生れる。「〔コノ運ノ人ハ〕いづれも親より―・る人也」〈古今八卦大全一〉　**―あ・ひ**アイ【生れ合ひ】《四段》時や世を同じくして生れる。「契りは朽ちせぬものと申せば、後の世には必ず―・ひ奉らん」〈平家一〇・内裏女房〉　**―生れ**①生れたばかり。生れたて。「―の具足の着初め」〈西鶴・置土産三〉②生れるとすぐに。「―出家にしたやうなものぢゃは」〈西鶴・胸算用四〉③生れつき。「親が盗みを生みつけぬ証拠には、―の盗人はござらぬわいの」〈盤珪禅師御示聞書上〉　**―おち【生れ落ち】**生れたばかり。「―の子が心は無けれども、乳をはしがって泣く」〈首楞厳経鈔二〉　**―かへ・り**カエリ【生れ返り】《四段》再生する。生れ変る。「この世に経んかぎりは更にもいはず、後の世にもかかる中に(夫婦トシテ)―・らむ」〈宇津保嵯峨院〉　**―しゃう**ショウ【生れ性】生れついた性質。生れつき。「汝はいみじき―にて」〈曾我九〉　**―た後(あと)の早め薬**時機におくれて役に立たぬたとえ。「やあ―、口ばかりの広言いふないふな」〈近松・曾我会稽山五〉　**―だち【生れ立ち】**①生れて間もないこと。「ウマレダチノコ」〈日葡〉。「ウマレダチニヤガテヒトニヤシナワセタ」〈日葡〉②生れついた性質。天性。「白黒は其の人の―にもよるぞかし」〈咄・無事志有意〉　**―つ・き【生れ付き】**□一《四段》①生れながら身につく。天性、身にそなわる。「為朝、―・きたる事にや、城を落し、敵を随ふる事、世に越え人にすぐれたりける間」〈保元上・将軍塚鳴動〉②生れて環境になじむ。「山深き里に―・きてある程に、憂きもなきとなり」〈水無瀬三吟何人百韻注〉□二《名》生れながら身にそなわっていること。持って生れたもの。「―の目鼻を取り捨てて」〈二言芳談〉　**―ぬ先の襁褓(むつ)(き)定め**子が生れぬうちにおむつを作る意で、何事も早手まわしすぎることのたとえ。「日もあるに今朝から気(け)がつきて、けふ生るるとて、―、乳母をつれて来るやら」〈西鶴・胸算用三〉。〈俳・毛吹草三〉

うまれう【右馬寮】 右の馬寮(うめれう)。左馬寮の南、諸陵寮の西にあった。「左馬寮。―此れに准ず」〈職員令〉 ↓馬寮

うみ【海】 広広と水をたたえた所。古くは海のほか、大きな池・湖にもいう。今の海を特にシホウミということもあった。「山越えて―渡るとも」〈紀歌謡一一九〉。「比良山風の―(琵琶湖)吹けば」〈万一七一五〉 †umi

う・み【生み・産み】〘四段〙 成熟した卵や子を母胎から出す。「生を訓みて宇牟(うむ)と云ふ」〈記神代〉。「子を―・める者ども」〈土佐二月九日〉 ↓うまれ。 †umi **―のまま** 生れた子が一人も死なないこと。「竹の子は―なる育ちかな」〈俳・夢見草二〉 **産んだやうに** 自分が産んだ子のことのようにの意で、物事を非常に詳細に言うさま。「女郎の身の上知らぬ事なし。…独り独り―言ふ事」〈西鶴・諸艶大鑑三〉

う・み【倦み】〘四段〙《ウシ(憂)と同根》 飽きて疲れ、いやになる。「打麻(うつそ)かけ―・む(倦ム・績ム)時なしに恋ひ渡るかも」〈万二九九〇〉。「聞者の忘れ―・むこと」〈大唐西域記五・長寛点〉 †umi

う・み【埋み】〘四段〙 埋める。「埋溝、古語美曾宇美(みぞうみ)」〈古語拾遺(前田本)〉

う・み【熟み】〘四段〙《ウミ(膿)と同根》 果実が熟する。「―・みたる梅をおこせたりければ」〈金葉六一三詞書〉

う・み【績み】〘四段〙 麻や苧(からむし)の茎を水にひたし、蒸してあら皮をとり、その繊維をつむいで糸による。「麻苧(あさを)らを麻笥(をけ)にふすさに(タクサン)―・まずとも」〈万三四八四東歌〉 †umi

う・み【膿み】 〔一〕〘四段〙 膿汁がたまる。「身死ぬる後のときには…―・み爛(ただ)れき、虫蛆(むし)となり、楽しむべからず」〈金光明最勝王経平安初期点〉 〔二〕〘名〙 膿汁。「湯津爪櫛を取りて…秉炬(たひ)として見しかば―沸き蟲(うじ)たかる」〈紀神代上〉

うみが【海処】《「陸処(くぬが)」の対。ガはスミカ・アリカ・ヲカのカと同じ。所の意》 海。海のほとり。「―行けば腰なづむ(難儀スル)」〈記歌謡三六〉 †umiga

うみさち【海幸】《「山幸」の対。サチはサツヲ・サツヤのサツと同根。もと、矢の意》 海で獲物をとる道具。また、海の獲物。「山幸も己(おの)が(オノオノ)さちさち、―も己がさちさち」〈記神代〉 ↓さち。 †umisati

うみしる【膿汁】 うみ。「臭く穢れ膿(うみしる)流れつつ、愛すべからず」〈金光明最勝王経平安初期点〉

うみす【産み巣】 子をはらむ腹。母胎。「三人までの―とは、難じて云はば子過ぎ腹」〈近松・松風村雨一〉

うみそ【績麻】「うみを」に同じ。「賤が―の夜(撚ルト掛ケル)までも」〈謡・安達原〉

うみぢ【海路】《「陸路(くがぢ)」の対》 海上、船の通う道。船路。「うみつぢ」とも。「いさなとり―に出でてあへきつつ(息ヲ切ラシツツ)わが漕ぎ行けば」〈万三六六六〉 †umidi

うみつぢ【海つ路】《ツは連体助詞》「うみぢ」に同じ。「―の和(な)ぎなむ時も渡らなむ」〈万一七八一〉 †umitudi

うみづら【海面】《ツラは古く曲面、湾曲部の意》 ①海浜の湾曲部に面した所。海辺。「〔琵琶湖ノ〕―にならびて集まりたる屋ども」〈かげろふ中〉 ②海の表面。「ながめ渡せば春の―」〈秋津洲千句〉。〈日葡〉

うみて【海手】《「山手」の対》 海の方。「人数を二手に分ち、―へまはし」〈浅井三代記二〉

うみのこ【生みの子】 ①子孫。「―のいやつぎつぎに」〈万四四六五〉 ②自分が生んだ子。実子。「姪(をひ)にして、これなほ―同前也」〈近松・釈迦誕生会一〉 †uminöko

うみひろ・げ【生み広げ】〘下二〙 生んで、どんどん子の数をふやす。「蜂巣のごとく―・ぐめり」〈宇津保蔵開中〉

うみべ【海辺】 ①海の方向。「浜辺より我がうち行かば―より迎へも来ぬか海人(あま)の釣舟」〈万四〇四四〉 ②海岸。「須磨人の―つね去らず焼く塩の」〈万三九三二〉 †umibe

うみべた【海辺】 海浜。うみべ。「おほかたは我が名もみなと漕ぎ出でなむ世を―にみるめ(海松布・見ル目)少なし」〈古今六六九〉

うみまつ【海松】 ①海辺の松。「―や時ぞともなき陰にゐて」〈源氏澪標〉 ②「海松(みる)」に同じ。「海人(あま)ならば―をだに引かましものを」〈土佐一月二十九日〉

うみやま【海山】 ①海や山。遠いたとえ。「―も隔たらなくに」〈万六八九〉 ②海のように深く、山のように高いこと。はかり知れない程度をあらわす。「返す返す申したき事ども―にて候」〈実隆公記明応六・一・九〉 †umiyama

うみを【績麻】 麻を細くさいて長くより合わせたもの。「をとめらが―懸くとふ」〈万一〇五六〉 †umiwo **―なす**【績麻なす】〔枕詞〕 績んだ麻は糸が長いことから、同音をもつ地名「長門(ながと)」「長柄(ながら)」などにかかる。「―長門の浦に」〈万三六二三〉。「―長柄の宮に」〈万九二八〉

うむ【有無】 ①有ると無いと。「―の二の語も及ばず、―の二の心も及ばず」〈日蓮遺文一生成仏鈔〉 ②諾否。「ウムノヘンジモセズ」〈日葡〉 ③〔仏〕有法と無法と。宇宙・人生の一切は実有であるとする見解と、それと反対に虚無であるとする見解。ともに差別観にとらわれている点で偏見とされる。「有無の見」「有無の邪見」「有無の二見」「有無の二偏」などとも。「光触(くわうそく)かふる(無辺光ガ身ニ触レル)ものはみな、―を離るとのべたまふ」〈浄土和讃〉

うむが・し〘形シク〙《オムガシの転。面を向けていたい意が原義》 よろこばしい。うれしい。「明く浄き心もちて…朝廷助け仕へ奉りたぶ事を―・しみ辱(かたじけ)なみ念ほしめして」〈続紀宣命二六〉 ▽omugasi→umugasi

うむぎ【蛤】 ハマグリの古名。「―を膾(なます)につくりて進(たてま)つる」〈紀景行五十三年〉。「海蛤、宇無木乃加比(うむぎのかひ)」〈和名抄〉

うむに【有無に】〘副〙《有無にかかわらずの意から》 どうであれ。どうしても。「―助くる事はならぬ」〈虎明本狂言・武悪〉

うめ【梅】《「梅」の中国音 muəi を写したもの。平安時代 mme と発音したので、古写本には「むめ」と書くものが多い》 ①バラ科の落葉喬木。上代に華南から渡来した外来植物として、その美しい花が賞美された。「人ごとに折り插頭(かざ)しつつ遊べどもいやめづらしき―の花かも」〈万八二八〉。「―〔ノ実〕くひて酸(す)がりたる」〈枕四五〉 ②襲(かさね)の色目の名。うめがさね。「女房、―どもに濃き打ちたる青摺の裳・唐衣」〈栄花根合〉 ③《「天神」の縁語》 遊女の位、天神の異名。「大夫を松とし、天神を―とし」〈色道大鏡一〉 †umë **―に鶯(うぐひす)** よい取合せのたとえ。画題や模様とする。「定まって―の茶染めも面白からず」〈西鶴・名残の友五〉

う・め【埋め】〘下二〙 ①穴や窪みに物を入れて一杯にする。「さばかり深き谷一つを、平家の勢七万余騎でぞ―・めたりける」〈平家七・倶梨迦羅落〉。「堀一つ死人にて―・めたらんに」〈伽・秋夜長物語〉 ②水を加えて、ぬるくする。また、うすめる。「御湯まゐる。…命婦・播磨、取りつぎて―・

めつつ」〈紫式部日記〉。「サケニミヅヲウムル」〈日葡〉

うめがえ【梅が枝】①梅の枝。「含(ふふ)めりと言ひしー今朝降りし沫雪にあひて咲きぬらむかも」〈万一四三六〉 ②催馬楽の曲名。「御声はいとめでたくてーなど謡ひ給ふ」〈源氏浮舟〉 †umëgaye

うめがか【梅が香】梅の花の匂い。歌語。「うめのか」「うめのにほひ」とも。「ーを袖にうつして留めてば」〈古今四六〉

うめがへし(エシ…ガ)【梅返し】梅染めに灰汁(あく)を掛けて染め返したもの。紅梅色の染色。「葉を秋の色に染むるやー」〈俳・毛吹草六〉

うめ・き【呻き】『四段』うなるような声を出す。「『あな』と高やかにうちいひ、ー・きたるも」〈枕七四〉。「『うう〳〵』とー・きけれど」〈古本説話一八〉 **呻く程** 金銭が多量な形容。「蔵の底にー金銀を持ち」〈仮・ひそめ草上〉

うめくさ【埋草】①攻城の時などに、堀・溝などを埋めるのに使う草。「ーをもって堀をうめ」〈太平記一七・山攻〉 ②前線に出て犠牲となる兵卒。「池田備後守…御先手ーにも罷り成るべきの由」〈駿府記慶長一九・一一・二九〉

うめごよみ【梅暦】梅の花を暦代りにすること。暦のない山中では梅の花の咲くのを見て春を知るのでいう。「ー、梅にて春を知ればなり」〈匠材集三〉

うめこんじゃう(ジ…ヨウ)【梅根性】しつこくて、思いこんだら変えがたい性質。「我から拙きー、煮ても焼いても酸気(すけ)を去らず」〈仮・悔草下〉→柿根性

うめぞめ【梅染】梅の木の幹や根の煎じ汁で染めたもの。赤茶色の赤梅染、黒茶色の黒梅染などがある。「ーの帷(かたびら)つかはすとて。干す間なき五月の雨のーはしほたれながら着ても見よかし」〈再昌草五〉

うめちゃ【埋茶】吉原遊廓で、散茶女郎より一段格下の女郎。元祿初め頃に始まり、揚代一分。「ー或いは汲み茶とも言ふ」〈浮・元祿大平記五〉

うめつぼ【梅壺】《中庭に梅が植えてあるのでいう》内裏五舎の一、凝華舎〈ぎょうくわしゃ〉の別名。飛香舎〈ひぎやうしゃ〉の北にある。「ーより雨に濡れて人のまかり出づるを見て」〈伊勢三一〉

うめのあめ【梅の雨】《「梅雨(ばいう)」の訓読語》つゆ。五月雨。「晴れにけり花の無き名のー」〈九州問答〉。「花に似て匂もあれやー」〈康富記応永二九・五・一一〉

うめのき【梅の木】《成長は早いが大木にはならぬことから》にわか仕込みで不確実な意のたとえ。「梅の木分限」「梅の木学問」など。「ー・楠の木学問と云ふ事思ふべし」〈わらんべ草三〉→楠木分限

うめのはな【梅の花】①双六(すごろく)で、賽の目の五。「さっと散れー」〈俳・世話尽二〉 ②双六。「女房の留守に亭主はー」〈雑俳・万句合宝暦一三〉 **ーがさ**【梅の花笠】梅の花を笠に見たてていう語。「うぐひすの縫ふといふ笠はおけやーや」〈催馬楽青柳〉 **ーがひ**(イガ)【梅の花貝】二枚貝の一種。梅の花びらに似たもので、貝細工などにする。「貝は。…いみじう小さきー」〈枕一本二六〉

うめのみやこ【梅の都】《古今集序に見える伝王仁の「難波津に咲くやこの花冬ごもり今は春べと咲くやこの花」の和歌から》大阪。「ここにーを住所にして」〈西鶴・好色盛衰記五〉

うめぼふし(ウ…ボ)【梅法師】《ウメボシとも》①青梅。梅の実。「ーの梅〔ノ実〕を取るなり」〈山科家礼記文明一三・九・二九〉 ②梅干し。「消梅(梅ノ一種)は汁が多くて、ーにもならぬほどに、青くて食ふ」〈山谷詩抄二〉

うめやしぶ【梅や渋】紅梅の根を煎じ明礬(みようばん)を少し交ぜた、帯黄赤色の染汁。梅染に用いる。「直垂(ひたたれ)をーにて染めさせて」〈浄・道外和田酒盛三〉

うも【芋・薯蕷】イモの古名。今の里芋・山芋。「家にあるものはーの葉にあらし」〈万三八二六〉。「暑預、有毛(うも)、山伊毛(やまいも)」〈新撰字鏡〉

うも・れ【埋れ】㊀『下二』《埋められる状態になる意。類義語ウヅモレは、物にすっぽりと隠れてしまって、外から見えない意》①埋められる。「時に、伊予の湯泉(ゆ)、没(うも)れて出でず」〈紀天武十三年〉 ②表立たない。日蔭者でいる。「〔宇治ノ姫君タチハ〕いともー・れたる身に」〈源氏橋姫〉。「登花殿のー・れたりつるに、〔弘徽殿ニ移ッテ〕晴れ晴れしうなりて」〈源氏賢木〉 ③控え目にしている。引っ込んでいる。「年頃かくー・れて過ぐすに」〈源氏若菜下〉 ④引込み思案である。「重重しとても、いとかうあまりー・れたらむは、心づきなく、わろびたり」〈源氏末摘花〉 ㊁『名』引込み思案。陰気。「などかく〔格子ヲ〕さし固めたる。あなーや」〈源氏横笛〉 **ーいた・し**【埋れ甚し】『形ク』①ひどく引込み思案である。「物の清らもなくやつして、いとー・くもてなし給へるを」〈源氏真木柱〉 ②気持が晴れない。「〔故人愛用ノ絃楽器ノ緒モ〕取り放ちやつされて音(ね)を立てぬも、いとー・きわざなりや」〈源氏柏木〉 **ーぎ**【埋れ木】①樹木が久しく水中や土中に埋れていて石のようになったもの。「真鉋(まかな)持ち弓削の河原のーのあらはるまじき事とあらなくに」〈万一三八五〉 ②世に捨てられて顧みるものもない身の上。「谷の底なるーなれば」〈和泉式部集四〉 **ーぎの**【埋れ木の】〔枕詞〕埋れ木のようにの意から、「人知れぬ」「あらはるまじ」などにかかる。「色好みの家に、ー人知れぬこととなりて」〈古今序〉 **ーみづ**【埋れ水】木や草の陰に隠れて人目につかない流れ。「春日野のおどろの道のー末だに神のしるしあらはせ」〈新古今一八九八〉

うもん【有文】《「無文」の対》①衣服・石帯などに、文様(模様)のあること。「上達部はーの帯、金魚袋を付く」〈助無智秘抄〉 ②和歌・連歌・俳諧で、すぐれた心(着想)や風情(趣向)があるもの。「無文」よりも上とされる。「取り分けて「地の歌」に対し、「文の歌」ということもある。「取り分けて風情のあり、力をも入れたる句をばーと申すべきにや。歌にも秀逸をばーと申す人ありき」〈九州問答〉 ③能楽で、声や節回し、手ぶりなど、表面的にとらえられる芸のあや、美しさ。美を内面的に深く秘めた「無文」には及ばないとされる。「手をなすはー風、舞をなすは無文風なり」〈花鏡〉。「無文音感は、ーともに籠もるが故に、是を第一とす。ー音感は、無得までには極めぬ所の残るが故に、第二とす」〈申楽談儀〉

うや【礼】うやまうこと。礼儀。「ゐや」とも。「男女之礼(うや)」〈遊仙窟(真福寺本)鎌倉期点〉

うやうや・し【恭し】『形シク』礼儀を重んじるさまである。礼儀正しい。「ー・しく相従ふ事は無く」〈続紀宣命二七〉。「恭、ウヤウヤシ・ヰヤヰヤシ」〈名義抄〉

うやか・き【礼かき】『四段』うやうやしくする。かしこまる。「ー・きて、まさしくもありつるものを」〈今鏡六〉

うやか・し【飢やかし】『四段』飢えさせる。「母をー・し殺したりし、その因果に依ってなり」〈太平記三五・北野通夜〉

うや・し【飢やし】『四段』飢えさせる。「人をー・し殺し」〈孝養集上〉。「五百歳の間、食物を得ずして子をー・し」〈宝物集上〉

うやな・し【礼無し】『形ク』無礼である。「昼夜喧譁(なりとよ)きて、出で入りー・し」〈紀景行五十一年〉

うやま・ひ(ウヤ…マイ)【敬ひ】『四段』《ウヤ(礼)マヒ(舞)の意か。マヒは、フルマヒ・タチマヒのマヒに同じ》敬意を表わす動作

をする。「阿闍梨も大威徳を—・ひて」〈紫式部日記〉。

うら【己】『代』身分の低い者、田舎者などが自分を指していう。おれ。おいら。「—と夫婦(めうと)にならうと申して候へば」〈伽・高野物語〉

うら【末】《ウレの古形。「もと」の対》幹に対する先端。はし。すえ。複合語として使われる。「上(ほ)つ枝の枝の—葉は」〈記歌謡一〇〇〉

うら【占】将来の吉凶を卜する作法。古くは鹿の肩の骨を焼き、その亀裂により占う太占(ふとまに)の法が行なわれ、次に、龜の腹甲を焼く龜卜(かめのうら)が行なわれて卜部(うらべ)が奉仕した。令の規定では中務省に陰陽寮を置き、卜筮(ぼくぜい)の事を掌らせた。別に、宿曜師(すくえうし)が占うことも行なわれた。卜は神祇官で卜部が行ない、占は陰陽寮が行なわれた。平安時代、陰陽寮では式盤を使用する式占が行なわれた。その他、星占・夕占(ゆふけ)・夢占・銭占・辻占・足占・歌占・櫛占などがあった。「夕卜(ゆふけ)にも—にも告(の)れる今夜(こよひ)だに来まさぬ君を何時とか待たむ」〈万二六一三〉

うら【浦】海・湖・池などの、湾曲して陸地に入りこんだ所。「ふせの海の—を行きつつ玉藻拾はむ」〈万四〇三八〉。「浦、大川旁曲、諸船隠レ風所也、和名宇良(うら)」〈和名抄〉

うら【裏・心】《平安時代までは「うへ(表面)」の対。院政期以後、次第に「おもて」の対。表に伴って当然存在する見えない部分。→した(下)》❶《「上(うへ)」の対》①(袷仕立ての衣服などの)内側の布。裏地。「針袋取り上げ前に置きかへさへば…—も継ぎたり」〈万四一二九〉。「直衣の—うへひとしう」〈源氏末摘花〉②内側。なか。「天地の極(そこひ)の—に」〈万三七五〇〉③人に見えない内内の心、気持。多く形容詞や動詞と複合する形をとる。類義語シタ(下)は、じっと押えて隠した心。「—もなく我が行く道に青柳の張りて立てれば物思ひ出(づ)つも」〈万三四四三東歌〉❷《「表(おもて)」の対》①表側と対になる面。反対側。「表のかたには楽府をうるはしく真に書き、—には御筆とどめて草にめでたく書きて」〈大鏡伊尹〉。「鴛鴦(をし)のゐる池の氷のますかがみ表に—も見ゆるなりけり」〈夫木抄一七・氷〉②逆。あべこべ。「凶人はその—なれば悪事をするが」〈尚書抄五〉③物事の裏面。裏がえし。「あながちに悪をも嫌ふべからず。善の—なり」〈伽・三人法師〉④〔連俳用語〕句を付けるとき、前句の内面的なあり方を探り、そこに趣向を求めて、うまく転じ変えること。また、本歌・本説取りの場合、その詞を借りず、その心によって付けること。「連歌の—・表とは如何」〈当風連歌秘事〉⑤便所。雪隠(せっちん)。後架。「小用ありとて起き出でて、—へ行きにける」〈義残後覚七〉⑥〔遊里語〕同じ遊女を二度揚げること。「たとへ振られても跡引いて、此の—を仕懸ける身代の器量があれば」〈浮・禁短気三〉 **—の裏を食は・す**《「裏を食はす」の強意》「裏を搔く」(2)に同じ。「—・せしを」〈近松・卯月紅葉上〉 **—を搔(か)・く** ①矢や刃物などが裏まで突き通る。「精兵の射る矢は—・く」〈義経記六〉②相手の計略の逆に出て、だし抜く。「裏を打つ」「裏を食はす」とも。「論は—・かれ」〈西鶴・一代男六〉 **—を返・す** ①裏側を塗る。「南殿の壁の—・す也」〈時慶卿記天正一五・一二・三〉②壁・板などを打ち抜いて、裏まで貫き出ている釘の先を叩き曲げて、抜けぬようにする。「一尺二寸の大釘の—・さず打ったれば、剣(つるぎ)を植ゑたるごとくなり」〈近松・出世景清四〉③同じ遊女を二度揚げる。「とても—・す身にもあらじ」〈評判・吉原こまざらい〉

うらあはせワセ【裏合せ】背中合せ。うしろ合せ。「花卯木(うつぎ)どちら〔ノ家ノ物〕なるべし—」〈雑俳・夏木立〉

うらいた【裏板】屋根裏に張る板。「—に物のすすけて見ゆる所のありければ、梯(はし)にのぼりて見るに」〈大鏡時平〉

うらいちじゅん【裏一巡】〔連俳用語〕名残(なごり)の裏で一座の人人が各一句ずつ付けること。「祝言の時は、上の句に匂ひの心持あり。発句・脇・第三同じ。—同じ」〈連歌教訓〉

うらうつり【裏移り】〔俳諧用語〕懐紙の初折の表から裏へ移る第一句。句体はたけ高く仕立てる。「—引き上げらるる花に風」〈俳・二葉集〉

うらうへエウ【裏表】①裏と表と。「—書きみだりたるを」〈枕二九四〉②両側。左右。「〔人人ヲ〕洞院〔通リ〕の—にひまなく立て並めて」〈大鏡道隆〉。「〔夫ニ別レテカラハ、子供〕二人を—に置きてこそ慰みつるに」〈平家三・六代〉。「—に瘤(こぶ)つきたる翁にこそなりたりけれ」〈宇治拾遺三〉③あべこべ。反対。「祭の日は—の色〔ノ着物〕なり」〈栄花殿上花見〉

うらうら ①柔らかい日ざしがあふれて、明るく静かなさま。「—に照れる春日にひばりあがり」〈万四二九二〉②心のどかなさま。のんびりとしているさま。「—とこそ御堂はおぼしめしけんを」〈愚管抄四〉

うらおき【占置き】易者。うらやさん。「—がろくにも言はず老の果て」〈俳・四国猿〉

うらおも・ひモイオ【心思ひ】『四段』心の中で思う。あれこれと思いためらう。「菅の根のねむごろ妹に恋ひむかも—・ふ心おもほえぬかも」〈古今六帖六〉。「猶予の二字を訓には—・ふと読む」〈壒囊鈔五〉

うらか・き【裏搔き】『四段』矢が裏まで突き通る。「裏をかく」とも。「雨の降る様に射けれども、鎧よければ—・かず」〈平家九・木曾最期〉

うらがき【裏書】文書などの裏面に、表面の記載と関係のある事がら(由来・注釈・承認・保証など)をしたためたもの。「年号月日たしかならねども、古記の—にこれを記したり」〈教訓抄一〉。「即ち御—を遊ばし、御付属ありて」〈本福寺跡書〉

うらがく・り【浦隠り】『四段』入江の中に隠れる。「都太(つだ)の細江に—・り居り」〈万九四五〉

うらが・し『四段』《ウラゲの他動詞形》楽しませる。(むずかる子を)あやす。「その時祖(みおや)の命、御子を船に乗せて八十島を率巡(ゐめぐ)り—・し給へども猶哭くことをやめず」〈出雲風土記〉

うらがしや【裏借屋】路地内の長屋作りの小さな借屋。「此の—に疝気(せんき)の薬」〈俳・昼網下〉

うらかた【占形・卜兆】①占いで、鹿の骨や龜甲にあらわれた形。「その—を奏(まを)す」〈紀敏達十四年〉②占いの結果、あらわれた現象。「この—持って泰親がもとへ行け。きっと勘(かんが)へさせて、勘状を取って参れ」〈平家四・鼬〉③占い。「軍(いくさ)の—にぞ〔舟ノヘサキニ扇ヲ〕立てられたる」〈盛衰記四二〉。「軍の—にあの玉島川にて鮎を釣り給ふ」〈謡・国栖〉④占いを行なう者。「—の言葉に任せつつ、頼光・保昌に仰せつけらる」〈謡・大江山〉

うらかた【裏方】①裏の方。「南郷と云ふ所へ—より人数二百余寄せ来て」〈多聞院日記弘治二・一・六〉②貴人の妻。内室。「隆家の—は元就嫡女なり」〈毛利記〉③《「表方」の対》劇場で、狂言方・囃子(はやし)方および大道具・小道具・衣裳・かつらを扱う係など、舞台の幕の裏側に働く者の総称。ただし俳優を除く。「見物はもちろん、—・楽屋の者どもあきれはて申し候」〈秀鶴日記一〉

うらがな・し【心悲し】『形シク』心の中で悲しく思う。「春

の日の―・しきに」〈万三七五二〉

うらがね【裏鉄】雪駄(せった)など、物の裏に打ち付けた鉄片。「上物の―二千足」〈近松・氷の朔日上〉

うらかべ【裏壁】同じ遊女を二度揚げること。うら。「―の〔時ノ遊女ノ〕和らぎ(愛想ノヨサ)」〈浮・諸分姥桜一〉 **―を返・す** 同じ遊女を二度揚げる。「油断のならぬは此の分里(わけざと=遊里)の仕掛け、皆実事(じつごと)に見せ掛け、―・して取りたがる所なれば」〈浮・当世乙女織一〉

うらがへ・り(:ガエリ)【裏返り】『四段』心変りする。寝がえる。「『思ふにもうしろ合はせになりにけり』。この連歌、こと人付くべからずと申しければ、『―・りたる人の心は』」〈聞書残集〉。「然るに面面―・るによて、残る勢、有馬山をさして散り散りになる」〈東大寺法華堂要録〉

うらが・れ【末枯れ】㊀『下二』草木の枝先や葉先が枯れる。「難波の葦も―・れにけり」〈玉葉八二二〉㊁『名』草木の枝先や葉先が枯れること。「守る山の―せなな(セズニ)常葉(とこは)にもがも」〈万三四三六東歌〉

うらぎく【裏菊】菊の花を裏から見た形。模様・紋所などに用いる。「―も今日や節句の表向き」〈俳・小町踊三〉

うらきって【浦切手】「浦手形」に同じ。「―取らず、奉行も付かず、〔船〕荷物を捨て候と申す共、船頭越度為る可きの事」〈海路諸法度天正二〇・一〉

うらぎり【裏切り】敵方に寝がえること。返り忠。「前田利家―したる故に」〈祖父物語〉

うらくぎ【裏釘】 **―返・す** 打ち込んだ釘の先が裏に突き出たのを折り曲げる意で、念には念を入れるたとえ。駄目を押す。「摺粉木(すりこぎ)〔ヲ用心棒ニシテ〕で―・す裏の口」〈雑俳・よせだいこ〉

うらくづれ【裏崩れ】前方の部隊の敗北により、後続の部隊が混乱し崩れてしまうこと。「肥後が後(あと)に控へし堀が勢、―して色めけば」〈浅井三代記一一〉

うらくは・し(:クワシ)【裏食はし】『四段』相手の意表をつく。裏をかく。「敵に―・せ」〈近松・碁盤太平記〉

うらぐは・し(:グワシ)【心細し】『形シク』心にしみて美しく感じられる。多く風景につかう。「初瀬の山はあやに(タトエヨウモナク)―・し」〈紀歌謡七七〉↓くはし

うらぐはのき(:グワ:)【末桑の木】桑の木の若若しい枝先。一説、桑の木の古名。「川の隈隈(くまくま)、寄ろほひ(アッチニヨリ、コッチニヨリシテ)行くかも、―」〈紀歌謡五六〉 †ura-gurapanöki

うら・げ『下二』心が浮き立つ。ほがらかになる。「献りし大御酒(おほみき)に―・げて御歌よみたまひしく」〈記応神〉→うらがし。▽ウラ(心)アゲ(揚)の約か。 †uragë

うらことば【裏言葉】表面と異なった意義を裏に持つ言葉。「睦月(むつき)やうら珍しの〔ナドト〕―」〈俳・洗朱下〉

うらごひ(:ゴイ)【心恋】心に秘めて恋しく思うこと。「少女らは思ひ乱れて君待つと―すなり」〈万三九七三〉 †uragopi

うらごひ・し(:ゴイシ)【心恋し】『形シク』心の中で恋しく思う。「―・し我がせの君は」〈万四〇一〇〉 †uragopisi

うらごほ・し【心恋し】『形シク』「うらごひし」の古形。「其(し)が離(あ)れば―・しけむ」〈記歌謡一一〇〉 †uragoposi

うらごゑ【裏声】技巧的な声。また、調子はずれの声。「―か友呼び交す浜千鳥」〈俳・毛吹草六〉

うらざし【裏差】小刀・笄(かうがい)を刀の裏に差すこと。また、その物。「―を抜いて、しるしに御やり候」〈咄・昨日は今日上〉

うらざしき【裏座敷】家の裏側にある座敷。人目に付かず、貸座敷などになった。「幽かなり花に隠るる―」〈俳・信徳十百韻〉

うらさ・び【心荒び】『上二』《サビはサビ(錆)と同根》心がさびれ荒れている。荒涼とした気分でいる。「ささなみの国つみ神の―・びて荒れたる都見れば悲しも」〈万三三〉。「〔夜ガ〕明けくれば―・び暮し」〈万一五九〉 †urasabi

うらさび・し【心寂し・心淋し】『形シク』心淋しい。「君まさで煙絶えにししほがまのうら(浦・心)さびしくも見えわたるかな」〈古今八五二〉

うらしまのこ【浦島の子】浦島伝説の主人公。釣った大亀が女になり、相伴って海に入り、美殿に居ること三年、帰って来ると、村里は人も物も遷りかわっていたので、貰って来た箱を開くとたちまち若さが失われたという。雄略紀・万葉集その他に多くの伝承がある。「水の江の―が堅魚(かつを)釣り」〈万一七四〇〉

うらじゃくや【裏借屋】「うらがしや」に同じ。「はやばやと井戸で御慶(元旦ノアイサツ)の―」〈雑俳・大福寿覚帳〉

うらじろ【裏白】《葉の裏が白いのでいう》シダ。新年の飾りに用いる。「―上げ候也」〈山科家礼記文明三・一二・二九〉 **―れんが**【裏白連歌】連歌を懐紙八枚の表にだけ書いて裏には書かぬ方式。京都北野神社で毎年正月三日に行なわれた。「裏白」とも。「今日―一二三付けにて、昼前にすみ申し候」〈北野社家日記大正一九・一・三〉

うらす【浦洲】浦辺にある洲。「―には千鳥妻呼び」〈万一〇六二〉 **―のとり**【浦洲の鳥】浦洲の鳥はいつもおどおどしているので、不安でいるもののたとえ。「わが心―ぞ」〈記歌謡三〉

うらだ・ち【群立ち】『四段』《ウラは、ムラの上代東国方言か》むらがり立つ。一説、浦に立つ、浦波が立つ。「騒(さわ)ゑ(騒イデ)―・ち」〈万三五五二東歌〉

うらだな【裏店】「裏借屋(うらがしや)」に同じ。「出家・山伏〔等〕…―〔ニ〕宿借り候とも」〈正宝事録寛文二・九・一八〉

うらぢ【浦路】浦辺の道。また、浦の方向。「須磨の―のさよ千鳥」〈千載五三五〉

うらちどり【浦千鳥】浦にいる千鳥。中世以後の歌語に多い。「つくづくと思ひあかし(明石ト掛ケル)の―」〈新古今一三三一〉

うらつけ【裏付】①「裏書(うらがき)」に同じ。「借書に―これを沙汰す」〈多聞院日記天正一〇・二・五〉②衣服・草履などの裏の付いたもの。「うらつき」とも。「沙彌両人へ―一足」〈多聞院日記元亀一・四・一九〉 **―ざうり**(:ゾウ:)【裏付草履】近世前期、裏皮の付いた草履。後期、裏を重ね付けた草履。「―雪消ゆる跡」〈俳・難波千句〉

うらて【占手】❶《ウラは先端の意》①相撲の節会の時、最初に手合せをする四尺以下の小童。「最手(ほて)」の対。「相撲は最手、―」〈著聞三七〇〉②歌合せで一番初めの歌。「左方―の菊は」〈寛平菊合〉❷《「兆」とも書く》占いの結果。占い。「さて松明(たいまつ)の―はいかに」〈謡・烏帽子折〉

うらてがた【浦手形】近世、廻船が荷打ち・破船の時、もよりの港に着き次第、浦役人・船頭立合いの上で作った残存貨物・船具の現在目録。浦証文。浦状。浦切手。「船破損或は捨米〔等ノ場合ハ〕…見分の趣、委細―にこれを書き載せ」〈廻船必用三、寛文一三・二〉

うらと・け【心解け】『下二』心がとける。うちとける。「―・けて君し思はば我も頼まむ」〈後撰一〇〇〉。「―・けて。うちとけて」〈匠材集三〉

うらと・ひ(:トイ)【占問ひ】『四段』占いによって吉凶を問う。占う。「―・へど君をあひ見むたどき(手ダテ)知らずも」〈万

三八(三)〉 †uratöFi

うらど・ひイ…ド【心問ひ】『四段』 人の心中を探り尋ねる。わざと尋ねて、先方の返答でその心中を知ろうとする。「『由有る侍と見申したが』と—・へば」〈伎・日本八葉峰三〉

うらな・け【心泣け】『下二』 自然に心の中で泣けてくる。「ぬえこ鳥—・け居れば」〈万五〉 †uranakë

うらなし【裏無し】 藺草(あゐぐさ)や竹の皮などで編んだ裏のない一枚作りの草履。「浜の砂(まさご)に—を脱ぎ置きたる処へ」〈盛衰記三〉

うらな・し【心無し】『形ク』《ウラは人に見えない内情。何の考えもない虚心の状態である意》 ①(気がね・遠慮・心配などがなく)無心である。「〔兄妹ト思エバコソ〕—・く物を思ひけるかな」〈伊勢四九〉 ②腹蔵がない。隠しだてがなく、何でも人にあらわにしてしまう。「うちとくまじきもの。えせもの。さるは、よしと人に言はるる人よりも—・くぞ見ゆる」〈枕三〇五〉。「—・く申さばよも心置き給はじ」〈著聞五四四〉

うらな・ひウラ ナイ【占ひ】『四段』《ナヒは、アキナヒ・ツミナヒのナヒと同じ。事をなす意》 占(うら)によって事の吉凶を判断する。「いと怖ろしく—・ひたる物忌により」〈源氏浮舟〉。「御不審の事あり。—・ひ申せ」〈保元上・法皇熊野御参詣〉 †uranaFi —**よ・り**【占ひ寄り】『四段』 占いの結果にあらわれる。「何の罪とも思し寄らぬに、〔験者ノ〕—・りけむ女の霊こそ」〈源氏柏木〉

うらば【末葉】《ウラはウレの古形》 植物の生長する先端の葉。「上(ほ)つ枝(え)の枝の—は」〈記歌謡一〇〇〉

うらはず【末弭】《「本弭(もとはず)」の対》 弓の上部の弭。「鳴る矢もて鹿とりなびく夏草に—伏せてねらふ猟夫(さつを)か」〈夫木抄三一・箭〉

うらはら【裏腹】 反対。あべこべ。「うら違ひ」とも。「右を一々—に引返へてこそ、男の儀理とは言ふべけれ」〈仮・心友記下〉。〈ロドリゲス大文典〉

うらはん【裏判】 ①文書の表に書かれた事を保証するために、文書の裏に記した署名・捺印。「…と〔願書ヲ〕書きて—にこそせられけれ」〈太平記三六・清氏叛逆〉 ▽民事訴訟で、原告から提出した訴状に奉行所が裏判を押すことによって、起訴の効力が発生した。「上げ目安〔ノ〕—来る」〈隔蓂記寛永一七・二・一三〉 ②実印の一方の端に刻んだ、小さい四角形の認印。「『いやわしは印判持ちませぬ』『そんなら父(とと)が—を』と同じく据ゑて」〈近松・今宮心中上〉

うらびと【浦人】 浦に住む人。海辺に住む漁師など。「—の潮汲む袖に比べみよ」〈源氏須磨〉

うらび・れ『下二』「うらぶれ」の転。「秋萩に—・れ居ればあしひきの山したとよみ鹿の鳴くらむ」〈古今二一六〉

うらぶみ【占文】「占形(うらかた)」(2)の解釈法をあらわした本。「〔巫女ハ〕—あまた取り出し、よく勘(かんが)へて申しけるは」〈伽・花世の姫〉 →せんもん

うらぶ・れ『下二』《ウラアブレの約。ウラは心の中。アブレははみでて、さすらう意》 ①心の寄り所をなくして、力を落す。「君に恋ひしなえ—・れ吾が居れば秋風吹きて月かたぶきぬ」〈万二二九八〉 ②失意にうなだれる。「過ぎにし人の手折らねば—・れ立てり三輪の檜原は」〈万一一一九〉

うら・へウラ エ【占へ】『下二』《ウラ(占)アヘ(合)の約》 占う。占に出た形を判読する意。「時に天つ神、太占(ふとまに)を以ちて—・ふ」〈紀神代上〉 †*uraFë

うらべ【占部・卜部】 卜占を職とする者。神祇官に属する。また、諸国の神社に卜占で奉仕する者。伊豆・壱岐・対馬から出た者が多く、特に伊豆の卜部氏の子孫が栄えた。「—坐(ま)せ亀もな焼きそ」〈万三八一一〉 →うら(占) †urabe

うらべ【浦辺】 浦のほとり。「さみだれはあまの藻塩木朽ちにけり—に煙絶えてほど経(へ)ぬ」〈千載一八五〉

うらぼん【盂蘭盆】《梵語の音訳。釈迦の弟子、目連(もくれん)が、餓鬼道に落ちて苦しんでいる母を供養したのが始まりと盂蘭盆経にいう》 中元すなわち陰暦七月十五日に、先祖・死者の霊を迎え、供物をそなえて供養する行事。盂蘭盆会(ゑ)。「始めて大膳職をして—供養を備へしむ」〈続紀天平五・七・六〉。「—と云ふは何事ぞ。七月十五日を云ふと云云。…本朝に—始めて行なふ事は、聖武天皇天平五年なりと云云」〈壒嚢鈔五〉

うらま【浦末】《万葉集の「宇良末(うらみ)」を、「宇良末」と誤写・誤読して生じた語》 ⇒うらみ(浦廻)。「竹敷(たかしき)の上方山やしぐるらむ—のもみぢ色まさりゆく」〈柳葉和歌集一〉

うらま・ち【心待ち】『四段』《ひとりでに心中で待つ意。類義語シタマチ(下待)は、人に知られまいとする気持で心に待ち受ける意》 心待ちにする。「—・ち居るに月かたぶきぬ」〈万四三一一〉

うらみ【浦廻】《ミは、めぐる意の動詞ミ(廻)と同根、湾曲したところ》 岸の曲がって入りこんだ所。浦のめぐり。「軽の池の—行き廻(み)る鴨すらに」〈万三九〇〉 †urami

うら・み【浦見】『上一』 浦を見る。多く「恨み」に掛けていう。「わたつみのわが身越すなみ立ちかへり海人(あま)の住むて ふ—・みつるかな」〈古今八一六〉

うら・み【恨み・怨み】 ㊀『上二』《相手の仕打ちに不満を持ちながら、表立ってやり返せず、いつまでも執着して、じっと相手の本心や出方をうかがっている意。転じて、その心を行為にあらわす意。類義語エンジ(怨)は、不満をすぐ口に出し、行動で示す場合が多い》 ①いつまでも不満に思って忘れない。相手の気持を不満に思いながらじっと忍ぶ。「逢はずとも我は—・みじ」〈万二六二九〉。「荻の葉のそよぐごとにぞ—・みつる風に移りてつらき〔アナタノ〕心を」〈大和一〇六〉 ②恨みごとを言う。「小君をお前にふせて、よろづに—・み、かつは語らひ給ふ」〈源氏空蟬〉 ③遺恨に思い、仕返しする。報復の刃(やいば)を加える。「〔婿ニ海中ニ投ゲコマレタ〕舅(しうと)これを—・みずして遂に〔ソノ悪事ヲ〕あらはさざりけり」〈今昔一四ノ三八〉。「何さま一刀—・みばやと思ひ、門前に待ちけれども」〈ロザリオの経〉 ▽ウラミのミは、mi音であった。従って、ウラミの語源はウラ(心の中)ミル(見る)と思われる。奈良時代では上一段活用で、平安時代になってから上二段活用に転じたものであろう。なお、近世以降は四段に活用する。㊁『名』 ①仕返しをしたいと思う執念。「〔人ノ〕—を負ふ積りにやありけむ、いとあつしくなりゆき」〈源氏桐壺〉 ②恨みごとを口に出すこと。「『〔私ヲ〕疎くおぼいたること』などうちかすめ、—などする」〈枕三六〉 †urami —**ぐち**【恨み口】 恨みを言う口上。怨言。「かへって此方を—」〈近松・傾城酒呑童子三〉 —**とい**【恨みこい】 互いに恨み合うこと。うらみっこ。「うらみっこい」とも。「あまたの女中を、—のなき程〔ニ〕勤めて廻れども」〈浮・好色酒呑童子五〉 —**ごと**【恨み言】 愚痴。泣き言。「なぞこのおとどの、折折思ひ放たず—はし給ふ」〈源氏真木柱〉 —**つらみ**【恨みつらみ】 あの恨み、この恨み。いろいろな恨み。「今の—より増さった嘆きもあらうかと」〈近松・曾我会稽山三〉 —**よ・り**【恨み寄り】『四段』 あきらめきれず言い寄る。「をこがましう—・りても今はかひなし」〈源氏真木柱〉 —**わ・び**【恨み侘び】『上二』 恨みつづける気力もなくなる。「〔相手ガナカナカ対面シテクレナイノデ〕—・びて、例の人召してよろづに宣ふ」〈源氏総角〉

うらむらさき【うら紫】《ウラは末(うら)か》紫色。「問はぬ間を―(恨ムト掛ケル)に咲く藤の何とて枝にかかりそめけん」〈詞花三五六〉

うらめ・し【恨めし】『形シク』《ウラミ(恨)の形容詞形。相手の態度が不満なのだが、その相手の本当の心持を見たいと思いつづけて、じっとこらえている気持。また、不満を表面には出さず相手に執着しつづけて、いつか執念を晴らしたいと思う気持》①心の底で不満である。「秋山の木の葉を見ては、紅葉をば取りてそしのふ、青きをば置きてそ嘆く、そこし―・し(ソノ点ガ不満ダガ)秋山われは(秋山ガ好キダ)」〈万一六〉②相手の本心を知りたい。「〔匂宮ハ、自分ノ心ヲ浮舟ガ〕―・しう思ふべかりけりと見給ふにも」〈源氏浮舟〉③(心が不満で)何かを求めている。「〔源氏ハ〕物の―・しう覚えける折から〔源内侍ノ琵琶ガ〕いとあはれに聞ゆ」〈源氏紅葉賀〉④執念が消えない。心残りがして思い切れない。「秋風の吹き裏返すくずの葉のうらみてもなほ―・しきかな」〈古今八二三〉。「若うして親に先立つよりも―・しきはなし」〈平家六・小督〉 †uramesi **―み**《ミは連用修飾語をつくる助詞》うらめしく。うらめしがって。「わぎもこを相知らしめし(知リ合ウヨウニサセタ)人をこそ恋のまされば―思へ」〈万四九四〉 †uramesimi

うらめづら・し【心珍し】『形シク』もっと見ていたいと感じる。心ひかれるものがある。「わが背子が衣の裾を吹き返し―・しき秋の初風」〈古今一七一〉

うらもとな・し【心許無し】『形ク』こころもとない。「伊波保ろの岨(そひ)の若松限りとや君が来まさぬ―・くも」〈万三四九五東歌〉 †uramötönasi

うらや【裏屋】「裏借屋(うらがしや)」に同じ。「―・寺屋敷共に…三十三間(軒)これ有る由」〈梅津政景日記寛永六・六・一八〉

うらやか《ウラウラと同根》明るく柔和なさま。おだやかでやさしいさま。「家に久しく有り経ても、おとな顔せず―に」〈宗祇短歌〉

うらやく【浦役】①近世、沿海港村の住民が、遭難した廻船を救助する義務。「―を〔催促スル〕暁掛けし鐘の声」〈俳・宗因千句下〉②港村の役人。浦役人。「此の―の奉行」〈西鶴・新可笑記三〉

うらやさん【占や算】《「算」は、算木による占い》占い。占い者。「神社のあたりには必ず―が多きものぞ」〈三体詩抄一ノ二〉

うらやす【心安・浦安】心の安らかなこと。不安のないこと。「―にさ寝(ぬ)る夜そなき」〈万三五〇四東歌〉 **―のくに**【浦安国】心安らかな国。大和、また、日本の異称。「日本(やまと)は―」〈紀神武三十一年〉

うらやま【浦山】①浦や山。「旅衣、猶たち重ね行く道の、―かけてはるばると」〈謡・鵜羽〉②海ぞいまたは山ぞいの辺鄙の地。「かかる―へ馬の背ばかりにて荷物をとらば、よろづ高直(かうぢき)にして迷惑すべし」〈西鶴・永代蔵三〉

うらやま・し【羨まし】『形シク』《ウラヤミの形容詞形。恵まれた状態にある相手に、ひそかに憧れ、自分が相手の状態になれればいいと遠くから思う意。類義語トモシは、相手の状態が非常に稀で貴重なので、自分もそうありたいと思う気持からくる欠乏感・羨望感。ココロヤマシは、相手の思うままにされて不愉快だ、抵抗もならず自分ながら劣等意識でいやになる、などの不愉快な感情》自分も相手の状態のようにありたいと思う。「良き子ども持たる人、いみじう―・し」〈枕一五八〉。「住みなれし空にいつしか行く雲の―・しき気色かな」〈謡・羽衣〉

うらや・み【羨み】『四段』《ウラ(心)ヤミ(病)が原義。優れている相手のように自分もありたいと憧れ、自分を卑しみ傷つく意。類義語ネタミは優位にある相手を傷つけようと思う意。ソネミは、良い状態の相手を、确(そね)のような石のごつごつした、とがった、嫌なものと思う意》羨望する。「花をめで、鳥を―・み、霞をあはれび」〈古今序〉。「〔子沢山デ〕にぎはしげなるを源氏のおとどは―・み給ふ」〈源氏澪標〉

うらゆき【裏行】家や地面などの、表から奥までの距離。奥行き。「表口(間口)四間壱尺五寸、―拾六間」〈東福寺文書三、延宝三・二・二〉

うらら《ウラウラと同根》天候の明るく柔らかいさま。「春の日の―にさして行く舟は棹の雫も花ぞ散りける」〈源氏胡蝶〉。「月―なる道の行末」〈白川千句〉。「長閑、ウララ」〈温故知新書〉

うららか《ウラウラと同根。明るく柔らかい日ざしがあふれ、晴れやかに静かなさま。類義語ノドカは、眠たげにゆっくりと落ちついたさま》①晴れやかなさま。「正月一日・三月三日はいと―なる。五月五日は曇り暮したる」〈枕一〇〉。「朝ぼらけのただならぬ空に、百千鳥の声もいと―なり」〈源氏若菜上〉②鮮明であるさま。明快。「〔人ニ物ヲ聞カレタラ〕―に言ひ聞かせたらんは」〈徒然二三四〉

うらわ【浦廻】《万葉集の「浦廻(うらみ)」の誤読から生れた語。平安後期・中世以後の歌に使われることが多い》浦のめぐり。「玉寄する―の風に空晴れて」〈千載二六一〉。「光源氏君、左大将を放たれて、須磨の―にしづみ給ひしが」〈紫明抄一〉。「雁かへる―の月に小夜更けて」〈宗長百番連歌合〉

うらわか・し【末若し】『形ク』①木の「うら(枝先)」が若くて未熟だ。「小里なる花橘を引きよぢて折らむとすれどうらわかみこそ」〈万三五七四東歌〉②成熟し切っていない。若くういういしい。「〔結婚予定ノ〕八月近き心ちするに、見る人はなほいと―・くて」〈かげろふ下〉

うらんぼん【盂蘭盆】⇒うらぼん。「―の比(ころ)、勧進に廻りしが」〈西鶴・永代蔵三〉。〈下学集〉

うり【瓜】ウリ。「―はめば子ども思ほゆ」〈万八〇二〉。「北野・賀茂河原につくりたる豆・ささげ・―・なすび」〈大鏡藤氏物語〉 ▽朝鮮語 *ori(瓜)と同源。 **―の蔓に茄子(なすび)はなら・ず** ①全く異種のものは生れようがないことのたとえ。「諺に―・ぬと云ふ是なり」〈無門関私鈔上〉②平凡な親から秀れた子は生れようがないことのたとえ。「―・ずとつぶやくを」〈西鶴・伝来記三〉

う・り【売り】『四段』品物や権利を渡す代りにその価値にあたる代金を受け取る。「家を―・りてよめる。明日香川淵にもあらぬわが宿もせに(瀬ニ・銭)かはりゆく物にぞありける」〈古今九九〇〉 **―ての幸ひ買うての喜び** 売る方も買う方も幸運にめぐまれると、縁起を祝うことば。若夷(わかえびす)売り・帳屋(ちやうや)などの売り口上。「買うての幸ひ売りての仕合せ」とも。「ああ、―、さらば手を打ちて、めでたしめでたしと打ち喜びて」〈浄・初庚申楽遊三〉

うりいへ【売家】人に売るべき家。うりや。「―も無き奥の山里」〈俳・大坂一日独吟千句〉

うりがけ【売掛け】後に代金を受け取る約束で商品を売り渡すこと。また、その代金。「売りがかり」とも。「―・買掛けの事。…徳政の沙汰に及ばず」〈建武式目追加永正一七・三・八〉

うりけん【売券】売渡しの証文。沽券(こけん)。放券(はうけん)。「後日の沙汰の為に―を放つなり」〈高野山文

書三、弘安七・一〇〉

うりこ【売子】①品物を売り歩く商家の奉公人。「其の方はーになるか」〈狂言記・酢薑〉②色を売る若衆。「此の所もー・浮世比丘尼の集まり」〈西鶴・一代男三〉 **ーやど**【売子宿】「売子」⑵を抱えて営業する家。「先づ東方にー」〈西鶴・椀久二世上〉

うりことば【売り言葉】品物を売りつける時に言う言葉。売り口上。「桜鯛や嘘こきまぜてー」〈俳・詞林金玉集五〉 **ーに買ひ言葉** 相手の暴言に対して、負けずに言い返すこと。「世話にー」〈仮・他我身之上三〉

うりざうし【売双紙】世上の事件を簡単に絵入りで説明し、読売りした小冊子。絵双紙。「さて面白きー」〈近松・加増曾我二〉

うりざね【瓜実】①ウリの種。「瓣、ウリザネ」〈天正十八年本節用集〉②「瓜実顔」の略。「顔ーにして、面長に」〈浮・好色訓蒙図彙中〉 **ーがほ**【瓜実顔】色白く中高(なかだか)でやや面長の顔。「月のよきーや十六夜」〈俳・玉海集三〉。「顔なりはー」〈評判・難波鉦六〉

うりしろな・し【売代なし】『四段』物品を売って金に代える。「〔餓エタ鬼ドモハ〕地獄の釜の蓋、斧、まさかりを持ち出し、閻魔王宮の都にてー・し」〈伽・強盗鬼神〉

うりちゃう【売帳】問屋・仲買などが売り渡した品物の個数・価格などを記す帳簿。「御真向きを掛け帳ー小払ひ帳」〈俳・二葉集〉

うりてがた【売手形】売手から買手に、売ったことを証明するために渡す証書。「ーたしかに書きて」〈西鶴・伝来記八〉

うりてほん【売手本】能筆家が書いて人に売る手本。貧乏公家(げく)・浪人などが内職にした。「大橋流(書道ノ一派)のー」〈西鶴・男色大鑑四〉

うりび【売日】遊女が必ず客を取るべき日。「紋日」「物日(ものび)」とも。「物日。毎月傾城のーをいふ」〈色道大鏡一〉

うりへぎ【売剝ぎ】物を売って得た利益。また、口銭。「さのみーもござるまい」〈西鶴・置土産四〉

うりもの【売物】①売るべき品。商品。「ーなど持たせて来て見るに」〈宇治拾遺三〉②遊女。「吟味するはーにする女也」〈西鶴・一代女五〉 **ーには花を飾れ** 商品は人目を引くように、美しく飾り立てよの意。遊女や嫁入り前の娘についてもいう。〈俳・毛吹草二〉

うりわかしゅ【売若衆】「売子」⑵に同じ。「かはるまじーの身なりとも」〈俳・天満千句〉

うりん【羽林】近衛府(こんゑふ)の唐名。「男子、或いは台階(たいか)をかたじけなうし、或いはーにつらなる」〈平家四・南都牒状〉

うるうる 水気を含んでいるさま。「小児の泣かむとする時は、目のーとなりて涙のうかぶ也」〈名語記九〉。「書かれた絵は、まだ墨がーとしたぞ」〈山谷詩抄七〉

うるけぢ《ウルケはオロカの転》おろかな鉤針。よく釣れない駄目な鉤針。「うるぢ」とも。「癡騃鉤、此をば于楼該膩(うるけぢ)といふ」〈紀神代下〉 †urukëdi

うるさ・し『形ク』《ウルはウラ(心)の転、サシは狭しの意で心持が狭く閉鎖的になる意が原義か。やかましい物音や、しつこい仕業など、わかりきった行為や音が何度も繰り返されることに対して、応じるのが面倒で、それをやめてもらいたいくらいに感じる意。転じて、相手のすきがない行為を困ったものと思いながら、一目(いちもく)置いた気持でいる意》①(応対するのが)面倒で、いやだ。「二人臥しぬるのちに、いみじう呼ぶ人のあるをー・しなど言ひ合はせて寝たるやうにてあれば」〈枕二九二〉。「これを弾く人よからずとかいふ難をつけてー・きままに、今はをさをさ伝ふる人なしとか」〈源氏若菜下〉。「悩、ウルサシ」〈名義抄〉②(相手が)よく気が廻るので、気が許せない。「人に心を置かれ、ー・き者に思はれてぞありける程に」〈今昔二五ノ四〉③行き届いている。「禰宜(ねぎ)の大夫がうしろ見つかうまつりて、いとー・くて候ひし宿りにまかりて」〈大鏡昔物語〉 →うるせし

うるし【漆】ウルシの木の汁から作った塗料。乾くと黒褐色になる。「其の姉の曰はく、児小(をさな)き時に、漆(うるし)に恵(かぶ)れて」〈金剛般若経集験記平安初期訓〉 **ーどし**【漆漉】《近世前期ウルシコシとも》漆を漉すとき使う薄い和紙。多く吉野紙を使用。「淵にのぞんでーに水を入れてのまんとすれば」〈虎寛本狂言・塗師〉 **ーづけ**【漆付け】木器・磁器の欠けた所などを漆で継ぐこと。また、その継いだもの。堅く着いてなかなか離れない。「膠漆の交はりとて、物をにかは付け・ーにしたるやうなると云へり」〈応永二十七年本論語抄一四〉 **ーばけ**【漆刷毛】人の髪の毛を結って作った漆用の刷毛。油気のない赤毛が上等品。〈日葡〉 **ーばん**【漆判】近世、奈良晒(ならざらし)の製品検査所で生平(きびら)に押した漆の改め判。「誓紙のー」〈西鶴・一代男二〉

うるし・い【嬉しい】『形』「うれしい」の六方詞。「ー・いこんでは有るでは有るぞ」〈俳・貝おほひ〉

うるしね 今のうるち。粘りの少ない普通の米。後には、「うるしめ」「うる」とも。「秔米、宇流之禰(うるしね)」〈和名抄〉 ▽古代インド語 vrihih(米)が東方に伝わってマレー語、台湾アミ語などでは bras, brats(米)となった。日本語ウルはその流れをくむ。西に伝わって古代ペルシア語では brïzi となり、ラテン語 oryza イタリア語 riso と変化し、英語の rice はその転。

うるせ・し『形ク』《ウルサシと同根。相手の技術が巧みで、こちらの気持が締めつけられるように感じる意》①(演奏などが)達者でみごとだ。巧者だ。「宮の御琴のねはいとー・くなりにけり」〈源氏(三条西家本)若菜下〉②利発だ。才走った感じだ。「花鳥の色にもねにも思ひわきまへ、いふかひあるかたの、いとー・かりしものを」〈源氏(横山本)鈴虫〉。「この童心得てけり。然(さ)だに心得てはー・き奴(やっこ)ぞかし」〈今昔三一ノ一六〉③立派で申し分ない。「才かしこく心ばへもー・かりければ」〈宇治拾遺一三〉 ▽古写本では、「うるさし」とある本文もあり、「うるさし」「うるせし」の区別は難しい。

うるた・へ【訴へ】㊀『下二』《ウッタヘ・ウタヘの古形》内情を述べて、解決や救いを求める。「来たりて県の尉に訴(うるた)ふ」〈金剛般若経集験記平安初期訓〉。「妒、ウルタフ」〈名義抄(高山寺本)〉 ㊁『名』訴訟。「大獄(うるたへ)多し」〈金剛般若経集験記平安初期訓〉

うるぢ ⇒うるけぢ。「『此の鉤(はり)は…ー』といひて、後手(しりへで)に賜へ」〈記神代〉

うるは・し【麗し・美し】『形シク』《奈良時代に、相手を立派だ、端麗だと賞讃する気持から発して、平安時代以後の和文脈では、きちんと整っている、礼儀正しいという意味を濃く保っていた語。漢文訓読体では、「美」「彩」「綺麗」「婉」などの傍訓に使われ、多く仏などの端麗・華麗な美しさをいう。平安女流文学では、ウツクシ(親子・夫婦の情愛をいい、対象を可愛く思う気持)とは異なる意味を表わした。今日のウルワシは漢文訓読体での意味の流れをひいている》①《相手を賞讃していう》立派だ。端麗だ。「山ごもれる大和しー・し」〈記歌謡三〇〉。「ー・しと我

が思ふ君は…来ませわが背子絶ゆる日無しに」〈万四五〇四〉②《(相手の)精神や行動がきちんとしているの意。多く、それを好意的に見ていう》㋑改まっている。儀式ばっている。「―・しきさまして参り給へり」〈源氏総角〉。「精進物にて―・しからず、なまめかしく(ヒカエメニ)せさせ給へり」〈源氏若菜上〉㋺折目正しい。几帳面である。「〔二人ノ女ノ所へ〕夜ごとに十五日づつ―・しう通ひ住み給ひ」〈源氏匂宮〉。「屛風は―・しう引きのべつればたふるる事なし。人のあまりに―・しくなりぬれば、えたもたず。屛風のやうに、ひだあるやうなれど、実に―・しきがたもつなり」〈著聞八二〉㋩間柄に乱れがない。「御仲いと―・しくむつび聞えかはし給ひて、いささかあかぬことなく」〈源氏若菜下〉㊁かたくるしい。「―・しうて物し給へば…御心の隔てもまさるを」〈源氏若紫〉㋭正しい。正式である。「経文などの紐をゆふに…―・しくは、ただくるくると巻きて、上より下へわなの先をさしはさむべし」〈徒然二〇八〉。「せめては名字ばかりをも唱へんと思へども―・しくもいはれず。ただそんそんとぞいひける」〈梵舜本沙石集七ノ一八〉㋬正真正銘である。「故左馬頭(さまのかみ)義朝の―・しきかうべとて、高雄の文覚上人頸(くび)にかけ」〈平家一三・紺掻〉③《漢文訓読体に多く使われる》端麗・華麗である。「〔身ノ〕光の彩(うるわ)しく暎(て)り徹れること瞻部金の如し」〈金光明最勝王経平安初期点〉▽この語は奈良時代には uruwasi と発音されていたが、平安時代に入ると極初期から uruFasi と転じたらしく、当時から「うるはし」「宇留和志」などと表記した例が多い。これは単語の中のハ行子音 F が w に転じた最も早い例の一つ。 ―だ・ち【麗しだち】『四段』①真面目な顔(様子)をする。「すき者どもの、いと―・ちて」〈源氏玉鬘〉②礼儀正しくふるまう。折目正しくふるまう。「うちかしこまりて、かたみに―・ち給へる」〈源氏梅枝〉

うる・ひ ウルイ【潤ひ】『四段』(乾いているものが水気を与えられて)湿る。「閏(うる)ふ月」「閏年」の懸詞にしばしば使う。「たれが袂かただならむ絶えずぞ―・ふ(潤フ・閏)さつきゆゑ」〈かげろふ中〉

うるふ ウルウ【閏】あまりの月。陰暦で、一年のうち十二か月(三百五十四日)以外の余りの日を集め、一か月にして計十三か月とする。その月を「閏月」「のちの月」という。約五年に二度、十九年に七度あって、季節と暦月を調節する。わが国には漢語の「閏(じゅん)」にあたる観念がなかったので、その読みようがなかったが、同音の「潤(じゅん)」の字は、ぬれる・しめるの意で、ウルフと読むから、それを転用して「閏」の読みとした。「…といふほどに―五月(さつき)にもなりぬ」〈かげろふ中〉。「閏、ウルフ」〈名義抄〉 ―づき【閏月】陰暦で、十二か月以外に加わった月。「やよひに―ありける年よみける。桜花春加はれる年だにも人の心にあかれやはせぬ」〈古今六一〉

うる・へ ウルエ【潤へ】『下二』《ウルヒの他動詞形》(乾いたものを水などで)湿らす。「遠国より来たれば、まづ水を飲みて喉(のむど)を―・へよ」〈今昔四ノ二五〉

うるほ・し ウルオシ【潤ほし】『四段』①水気を含ませる。水分をゆきわたらせる。ぬらす。「法雲の百草を濡(うる)ほすことに同じ」〈玄奘法師表啓平安初期点〉。「ひそかに篳篥(ひちりき)を抜き出して、湖水にひたして―・しけり」〈著聞二五二〉。「沾、ウルホス・ヌラス」〈名義抄〉②潤沢にする。豊かにする。「富(みと)家を―・し、徳は身を―・す」〈文明本節用集〉

うるほ・ひ ウルオイ【潤ひ】『四段』《水気を含んでぬれる意から、みずみずしく生気づく意。比喩的に、恵みを受けてそれにひたる意や、豊かに栄える意》①水気を含む。水分がゆきわたる。「澆(うるほ)へり」〈地蔵十輪経序・元慶点〉。「大御田の―・ふばかり堰(せき)きかけて井堰(ゐぜき)に落せ川上の神」〈新古今一八九三〉②水気を含んでみずみずしくなる。「春を迎へてたちまちに―・ふ四方(よも)の草木まで」〈謡・老松〉③恵みを受ける。「一味(いちみ)の雨に―・ひて、などか仏に成らざらん」〈梁塵秘抄八二〉④潤沢になる。豊かになる。「ザイショガウルヲウタ」〈日葡〉

うるま【鬱陵】朝鮮半島の東南海上にある鬱陵島(うつりょうとう)。「新羅の―の島人来て、ここの人のいふことも聞き知らずと聞かせ給ひて」〈公任集〉▽一説、琉球。「―の国、りうきうの事也」〈伊勢千句注〉

うる・み【潤み】『四段』《ものが濁って不透明・不鮮明になる意》①(打たれたり、つねられたりして)皮膚に青黒いあとが残る。青黒くなる。「ある女の、人にいたうつまれて―・みたりしかば」〈江帥集〉。「痏、宇流無(うるむ)、以ㇾ杖撃ㇾ人其膚皮起ㇾ青黒ㇾ也」〈和名抄〉②色・声・輪郭などが不鮮明になる。「其のわけを知っては、いかないかな片時も―・んだ(締マリノナイ)顔をして居られねど、知らぬが仏」〈浮・分里艶行脚五〉 ―しゅ【潤み朱】黒みを帯びた朱の漆塗。「薄霧に―となる紅葉かな」〈俳・毛吹草六〉

うるわし【麗し】⇒うるはし

うれ『代』《上代のオレの転か》多く感動詞「いざ」「や」とともに使われ、相手に呼びかける意を表わす。かならずしも相手をののしる意味を持たない。「やー、おれらよ、召されて参るぞ」〈宇治拾遺七三〉。「いざー、是より…播磨路へ向うて、一の谷のまっさき駆けう」〈平家九・一二之懸〉

うれ【末・若末】《ウラ(末・裏)の転》植物の生長する先端。「垣内楊(かきつやぎ)―摘み枯らし」〈万三四五五東歌〉

う・れ【熟れ】『下二』熟する。「稲や麦やの刈りしほになりたるを、―・れたりと農人の申せる」〈名語記五〉

うれ・し【嬉し】『形シク』《ウラ(心)イシ(良)の約。類義語タノシは食欲などの満足感をいう》晴れ晴れと、いい気持だ。「新しき年の始めに思ふどちい群れて居れば―・しくもあるか」〈万四二八四〉 ▽uraisi→uresi ―がな・し【嬉し悲し】『形シク』うれしいような悲しいような矛盾した気持だ。「〔二人行き合ひて、『いや、そなたは留守ぢゃと云うてあったが』『―・しう御目に掛かった』〈虎明本狂言・八句連歌〉 ―け・く【嬉しけく】《ウレシのク語法》うれしいこと。「―いよよ思ひて」〈万四〇九四〉 †uresikeku ―なみだ【嬉し涙】うれしさの余りに出る涙。「思ひに相違して、―は更なりや」〈古今集註〉 ―・び【嬉しび】『上二』うれしく思う。「いきどほる心のうちを思ひ伸べ―・びながら」〈万四一五四〉 †uresibi ―やみづ【嬉しや水】延年舞の歌詞の一節。歓喜して歌いはやすことばに用いられた。「『―、鳴るは滝の水』といふ拍子を出して舞ひ躍り、どっと笑ふ声しけり」〈平家六・築嶋〉

うれた・し【慨たし】『形ク』《ウラ(心)イタシ(痛)の約》①(相手の)仕打ちがいきどおろしく、いまいましい。「〔寝ティルノニ〕―・くも鳴くなる鳥か」〈記歌謡三〉②無情な行為や態度がつらく、それに対して、不平・不満を言いたい気持がする。「〔四十歳ニナッタト〕数へとり給ひける今日の子(ね)の日こそなほ―・けれ。しばしは老いも忘れて侍るべきを」〈源氏若菜上〉

うれづく 賭(かけ)。賭物。「山河の物を悉(ことごと)に備へ設(ま)けて、―をせむ」〈記応神〉

うれは【末葉】草木の先端の葉。うらば。「初雪の窓のくれ竹ふしながらおもる―の程ぞ聞ゆる」〈拾遺愚草員外上〉

うれは・し ウレワシ【憂はし】『形シク』《ウレヘ(憂)の形容詞形》

①つらい、悲しいと、人に訴えたい気持がする。「〔夢ニ愛子ヲ〕忽に鷹に奪はれて去ぬと見たり。悲しく愁(れう)はしきこと具(つぶさ)にも陳ぶること難し」〈金光明最勝王経平安初期点〉②遺憾だと思う。「しろしめしながら、忍びさせ給へるを—・しく思ひ給へて」〈源氏若紫〉

うれ・ひ(ウレイ)【憂ひ・愁ひ】㊀『上二』《下二段活用のウレヘ〈憂〉から鎌倉時代以後に転じた語》①心配する。憂愁を心にいだく。「浮世の体を—・ひたぞ」〈三体詩抄一ノ三〉②病気になる。病む。「眼—・ひて盲者となり」〈土岐斎藤軍記〉㊁『名』心配。憂愁。「憂、ウレイ」〈法華経音訓南北朝時代訓〉。「父母には唯其れ疾(やまひ)の憂(うれ)いをのみせよ」〈論語一・建武四年点〉。「—の心みな失せぬ」〈宇治拾遺九ノ一〉▽板本の三代実録、貞観八年九月の宣制に「憂礼比(うれひ)」とあるが古写本にはこの三字が無い。後世の誤入である。ureFe→urewe→ureye→urei **—ごと**【憂ひ事】歌舞伎・浄瑠璃で、親子・夫婦の別れなど、愁嘆のさまを演ずること。「〔俳優桜山〕四郎三〔郎〕が—」〈近松・油地獄上〉

うれ・へ(ウレエ)【愁訴へ・憂へ】㊀『下二』《心の苦しみを他人に打ち明け、申し立てるのが原義。平安時代では主に、内心の悩み・不平などを人にもらし、こぼす意。鎌倉時代以後は、そうした悩み・心配を心の中に持つ意。鎌倉時代頃からウレヒという形が漢文訓読の中に見え、これが次第に一般化した。→うれひ》①訴える。「京兆(みさとつかさ)に出でて—・へむ」〈万三八五九〉②こぼす。不平を言う。「—・ふなりつる雪(寒クテ困ルトコボシテイタトイウ雪)」〈源氏末摘花〉③困っていることを打ち明ける。「幼き人惑はしたり(見失ッタ)と中将の—・へしは」〈源氏夕顔〉④頼む。「『宿直所ゆづり給ひてむや』と中将に—・へ給ふ」〈源氏藤裏葉〉⑤心配する。悩む。「憂怖、ウレヘオソル」〈雑集論平安初期点〉。「心に思ふ事なく、—・ふる事なき、これを仏と名付く」〈正法眼蔵生死〉㊁『名』①訴え。愁訴。泣き言。「この姫君の御こと、中将の—にや、とおぼしまはすに」〈源氏行幸〉②悲しみ。嘆き。「—に堪へず」〈源氏行幸〉③災い。「老法師の身には、たとひ—侍りとも、何の悔いか侍らむ」〈源氏薄雲〉†urerë **—がほ**(ガオ)【愁へ顔】何か人に訴えたいような面持。「—なる庭の露きらきらとして」〈源氏野分〉 **—ぶみ**【愁へ文】朝廷や神に窮状を訴える文書。嘆願書。祈願書。「『政(まつりごと)かしこき世にうれへ奉らむ』とて—を作りて」〈宇津保貴宮〉。「神にうれへ侍りける—に」〈兼盛集〉

うれむぞ『副』何ぞ。どうして。「〔干シアワビヲ〕大海(わたつみ)の沖に持ち行きて放つとも—これがよみがへりなむ」〈万三三七〉†uremuzö

うろ【虚】ほら穴。えぐれた穴。「ここに岩のかげに小さき—のあり」〈伽・雪女物語〉

うろ【有漏】〔仏〕《「無漏」の対。「漏」は煩悩(ぼんなう)の意》煩悩を有する者。凡夫(ぼんぷ)。「法華経の力にてこそ—の身の、仏道やうやく近しとか」〈梁塵秘抄一四三〉。「—の身。いまだ煩悩を離れざる身なり。無漏の身は仏なり」〈匠材集三〉

うろうろ 力が抜けて、一点に定まらないさま。落ち着かないさま。「病中の眼なれば、—として燈火がいくつにも見ゆるぞ」〈四河入海三五下〉。「亡魂—として物に取り着きたがるものなり」〈驢鞍橋下〉 **—ちゃぶね**【うろうろ茶船】近世、江戸両国の船遊びなどに、船の間を漕ぎめぐって飲食物を売る小船。「うろうろ船」とも。「—の〔船頭ノ〕与次兵衛」〈評判・讃嘲記〉 **—なみだ**【うろうろ涙】おろおろと取り乱して流す涙。「孟嘗君が—になりて…琴をはらりと引いたほどに」〈史記抄二一〉 **—まなこ**【うろうろ眼】落ち着かない目付き。「どうぞ抜けて帰りたいと—になりければ」〈近松・鑓権三上〉

うろくづ【鱗】うろこ。転じて、魚。「山野の蹄(ひづめ)(=ケダモノ)、江海の—」〈沙石集七ノ三〉→いろくづ

うろこ【鱗】「いろこ」の転。「—さかさまに立て、眼(まなこ)いらけ」〈伽・七夕之本地〉 **—を吹・く** 鱗を刃物で取り去る。「鱗をうつ」とも。「皮をむくとは言はぬ。—・くと申す」〈虎寛本狂言・惣八〉。〈日葡〉

うろた・へ(ウロタエ)【狼狽へ】『下二』戸惑ってうろうろする。あわててまごつく。「—・へた奴ぢゃ、ちとなぶらう」〈虎明本狂言・柿山伏〉

うろぢ【有漏地】〔仏〕《「無漏地」の対》有漏の境地。凡夫の境界。「—より無漏地に通ふ釈迦だにも羅睺羅(らごら)が母はありとこそ聞け」〈法華経直談鈔六本〉

うろめ・き『四段』平静を失って動揺する。まごつく。「敵の—・くきざしを得て」〈五輪書〉。〈日葡〉

うろり うろたえ、気抜けしたさま。「芽ぐまれて(芽ヲ出サレテ)—と立つな花の春」〈俳・山の井一〉。「人の腰元・大小や、ふところなどをさがしつつ、——とするもあり」〈仮・元の木阿彌上〉。「ウロリト」〈日葡〉

うろん【胡乱】《唐音。「胡」はでたらめなこと。「烏乱」とも書く》①みだりなこと。不実なこと。「この人は不忠—にて、人と争ひ訟事を好む人なり」〈尚書抄一〉②怪しいこと。うさんくさいこと。「御身を見参らせ候ふに、—なる人とは思ひ候はぬによって」〈伽・あきみち〉

うゐ【有為】〔仏〕《「無為」の対》因と縁の和合によって生じた現象としての存在。「九種の譬剣(ひけん)、—を破して住すること無からむ」〈性霊集六〉。「人間—の習ひ、愛別離苦、前後相違の理は」〈保元下・為義の北の方〉

うゐてんぺん【有為転変】《有為は常に転じ変るものだという意》世の中の現象の、うつろいやすくはかないこと。「—の世の習ひ、今にはじめぬ事なれども」〈太平記三六・清氏叛逆〉。〈日葡〉

う・ゑ【飢ゑ・饑ゑ】㊀『下二』飲食物が得られず、生理的に苦しむ。「我よりも貧しき人の父母は—・ゑこごゆらむ」〈万八九二〉㊁『名』飢餓。「—に迫られて疲れやせたり」〈三宝絵上〉

う・ゑ【植ゑ】『下二』《スヱ(据)と同根》植物の根を土に埋めて、しっかりと張るようにする。「垣本に—・ゑしはじかみ口ひひく」〈紀歌謡一四〉。「人の—・うる田は—・ゑまさず」〈万三七四六〉▽ウヱ・スヱのようにサ行頭子音の有るなしで同じ意味を表わす語には、ウテ・ステ(棄)、イ・シ(其)などがある。

うゑがみ【植髪】仏像の頭に植え付けた毛髪。「—も白髪と見ゆる雪の暮」〈俳・大句数上〉

うゑき【植木・植樹】①(庭などに)植え付けられた木。「鶯は—の樹間(こま)を鳴き渡らなむ」〈万四四九五〉。「—を植ゑ並めさせ、さるべき御堂御堂さまざまかたがた造りつづけ」〈栄花疑〉②(山野などに)生えている木。「—静かならんと思へども風やまず」〈栄花疑〉③鉢に植えた小さな木。「この間—を好みて、異様に曲折あるを求めて」〈徒然一五四〉†uweki

うゑぐさ【植草】植わっている草。生い茂っている草。「大河原の—」〈記歌謡三六〉

うゑこなぎ【植小水葱】植えた、また自生しているコナギ。「—苗なりと言ひし」〈万四〇七〉†uwekonagi

うゑだけ【植竹】移し植えた竹。「—の本さへ響(とよ)み出で

て去(い)なば」〈万三四七四東歌〉 †uwedakë

うゑめ【植女】田植え女。早乙女〈さをとめ〉。「小山田のおしねの苗のとりどりに見ゆるーの笠姿かな」〈拾玉集二〉

うゑもの【植物】①植物(しょくぶつ)。「草木は皆ーなれば」〈仙覚抄三〉 ②連俳の分類用語。草木をはじめ苔筵・軒菖蒲まで含む。「一座一句物。若菜・藤・款冬(やまぶき)…かくのごときーの類」〈連理秘抄〉。「松虫・木枯し・雑田・草枕…これらの類ーにあらず」〈連理秘抄〉

うゑもん【右衛門】⇒ゑもん

うを【魚】魚類。「いを」とも。「みなしたふーも上に出て嘆く」〈紀歌謡九七〉。「魚、宇乎(うを)、俗云、伊遠(いを)」〈和名抄〉 **ーと水** 仲のよいたとえ。水魚の親しさ。「今日より後はーとの如くにして」〈義経記四〉 **ーは鯛** 魚の中で一番うまいのは鯛だ。「人は武士柱は檜ー小袖は紅梅花は三吉野」〈仮・尤の草紙下〉

うをじまどき【魚島時】陰暦三、四月頃、伊勢湾・瀬戸内海の鯛(たい)の豊漁期で、美味安価の時節。「魚島」とも。「ーに限らず、生船(いけふね)の鯛を、何国(いづく)までも無事に着けやう有り」〈西鶴・永代蔵三〉

うをに【魚荷】水揚地から消費地に急送する魚類の輸送便。近世、特に京都へは、丹波・若狭の魚は籠で背負って、瀬戸内海産は大阪から天秤でかついで急送された。大阪の魚荷は飛脚を兼ね、元禄頃は片便十文、返事取り十五文の駄賃をとった。「五月雨はーも絶ゆる便宜かな」〈俳・藤枝集下〉 **ーかご**【魚荷籠】大阪の魚荷持ちが京へ急送する魚を入れる籠。一つ銀四分の賃銀であった。「食はれては成仏したるー〔ノ魚ダ〕」〈俳・物種集〉 **ーぶね**【魚荷舟】魚荷を運送する早舟。「ーや時雨を急ぐ濡れ走り」〈俳・筑紫の海三〉 **ーもち**【魚荷持ち】魚荷を運送する人足。「やすやすの声(ヤッシャッシノ掛ケ声)のー〔ガ走リ出シタ〕」〈俳・絵合上〉

うをのたな【魚の棚】魚屋。「すぐにーに行きて」〈西鶴・椀久一世下〉

うん【運】運命のめぐりあわせ。また特に、幸運。「もしー侍らば、公卿勅使にてまた参る事も侍りなん」〈著聞一五四〉。「ーにも五運といふ事あり。天運・人運・世運・事運・義運なり」〈雲陽軍実記三〉 **ーを開く** 幸運をものにする。勝利の道をひらく。「十一年の間対陣して、勝元は運をぞ開かれける」〈応仁記下〉

うん『感』うなって発する声。「ーと云うて、築(つ)きたる堤を踏み破って」〈承久記下〉 **ーともすんとも** 否とも応とも。ただ一言も。「ー云ふ事なるまい」〈浮・色茶屋頻卑顔〉

うんか【雲霞】雲やかすみ。多数が群をなしているさまをたとえていう。「上下群をなして見物の者ーの如し」〈保元下・為朝生捕り〉

うんかく【雲客】《公卿を「月卿(げっけい)」と呼ぶのに対する語》「殿上人(てんじゃうびと)」に同じ。「左兵衛督公実、両宰相中将保実・仲実…以下ー五六輩」〈中右記承徳二・一・一〉 →くものうへびと

うんき【温気】①高い体温。熱気。「斎院この三四日ー有り、…これ御疱瘡歟」〈中右記寛治八・二・六〉 ②暖気。暑気。「春にだになれば、彼の地の底にこもりたりつるーが、地の底より天に上がる。其のーの煙が春の霞とはなる也」〈古今集註〉

うんき【雲気】雲の動く様子。雲の色や形で天気・運勢などを判断した。「晩頭西山の上にー有り」〈後二条師通記寛治五・四・二一〉

うんき【運気・運機】《中国の医学で唱えられた、五運六気によって、天地人の諸現象が支配され、変化するという学説から》運命。または、健康状態。或いは、きざし。「雲気」と混同されることもあった。「運に盛衰あり。気に虚実あり。〔コノ現象ノ〕ー互ひに太少勝復の変有りて起る」〈運気論抄私記〉。「書を読んでは、五行相剋相生の妙理、天文地理のーを悟り」〈寒山詩抄三〉。「移り行く月やーを知らすらん」〈俳・宗因千句上〉 **ーを刎(は)ぬ** 首をはねる。「ー・ねて捨つべし」〈幸若・一満箱王〉。「捕へ搦めてー・ねられける」〈庭訓抄上〉

うんきゃく【雲脚】《茶録に「茶少なく湯多ければ則ち雲脚散じ、湯少なく茶多ければ則ち粥面聚まる」とある。中国では、茶の異称》わが国で、粗悪な抹茶の称。泡が雲の脚のように早く消えるからいう。「殿上においてーの順事あり」〈看聞御記応永三三・六・二七〉〈文明本節用集〉

うんげん【繧繝・暈繝・雲錦】《ウゲンとも》①錦の名。赤地に種種の色糸で縦筋を描き、その筋と筋との間に、花形や菱形を織り出したもの。「暈繝、ウンゲン、錦の名なり」〈色葉字類抄〉 ②「うんげんべり」の略。「ー・高麗を敷き満てつつ」〈盛衰記七〉 **ーべり**【繧繝縁】繧繝で作った畳のへり。また、その畳。上等品。「うげん」「うげんばし」とも。「五尺の御屏風三帖立て、その中にーの帖二枚を敷く」〈兵範記仁平二・三・八〉。「畳にとりては、ー・高麗・錦・紫・藍摺縁など」〈伽・天狗の内裏〉

うんざい ①貧乏人。「〔島原デ最下等ノ〕北向きと申す〔女郎ノ客〕は、浮世のーの集りなれば」〈仮・都風俗鑑一〉 ②馬鹿。阿呆。まぬけ。のろま。「月(ぐゎち)とは初心なる人の事、名付けてぢば・ーづらなど云ふ」〈評判・吉原失墜〉 ③人をののしることば。「今まで跡先知らずのーに、身を任せしさへくやしければ」〈評判・もえくゐ〉

うんさいおり【運斎織】美作国津山の人運斎の創製という、粗い斜の織文のある厚地の綿織物。「ーの袋足袋」〈西鶴・一代男七〉

うんざう【温糟・紅糟】(ウンゾウ)「うんざうかゆ」に同じ。「点心は、水煎(すいせん)・ー」〈庭訓往来十月十三日〉 **ーかゆ**【温糟粥】粥の一種。十二月八日夜、禅寺で食したもの。味噌・酒かすを少し入れた粥。近世には、昆布・串柿・大豆粉・菜の葉を入れて製した。「臘八(らふはつ)粥」とも。「それはーと云ふ物の事にてあらうぞ」〈虎明本狂言・文蔵〉

うん・じ【倦んじ】『サ変』《ウミ(倦)シ(為)の転》①気がくじける。ふさぎこむ。「まことにまめやかにー・じ心憂がれば」〈枕七七〉 ②ものごとがいやになって投げ出す。「世の中をー・じて筑紫へくだりける人」〈大和五九〉 ▽umisi→umzi→unzi

うんじゃう【雲上】(ウンジョウ)《近世前期まで、ウンシャウと清音》①雲の上。宮中のたとえとしてもいう。「ーの龍、降(くだ)って海底の魚となり給ふ」〈平家一一・先帝身投〉 →くものうへ。②上品な態度。また、尊大な様子。「女郎ー第一とする身で、何処やら下卑ます」〈評判・古銀買上〉 ③仕方なく諦めること。こりごりしてやめること。「人の難義に遭(あ)ひ懲(こ)りたるていをーしたと云ふ」〈志不可起四〉 ④色色苦労して合点がいくこと。悟りぬいて諦めること。「これでーしねへ事はねへ」〈洒・廻覧奇談〉

うんじゃう【運上】(ウンジョウ)《ウンシャウとも》公物を京都へ運送・上納すること。室町末期、課税の義に用い、近世には、雑税の一種として、営業税・免許手数料などを意味した。「西海ーの米穀」〈盛衰記三六〉。「定めたる年貢・ー・家役(けやく)等、つぶさに沙汰いたすべし」〈真宗教要鈔下〉

うんすい【雲水】①雲と水と。「山河ー何ぞ能く阻(へだ)て

む」〈性霊集一〉 ②宝塔の各層に彫ってある雲と水の模様。この塔を「雲水の塔」という。「仏壇にのぼりて見れば―作」〈俳・紀子大矢数上〉 ③「浮雲流水(ふうんりうすい)」の意。一所にとどまらず、さすらい歩くこと。諸国行脚(あんぎゃ)の僧をさしてもいう。「僧は、もとより―の身なれば」〈三体詩抄二ノ三〉。「凧に加勢か杖の―」〈俳・焦尾琴〉。「―の僧とは旅僧を云へり」〈譬喩尽四〉

ウンスン ウンスンカルタで、一の札ウンと最高の札スン。「花は根から〔切ラレタヨウニ〕平家の―（上カラ下ノ者マデ）悉く〔滅ボサレタ〕」〈俳・太夫桜〉 ▽ポルトガル um sum（um は一、sum（mo）は最高・最上の意） **―カルタ** 近世前期、日本で新案された五組七十五枚からなるカルタ。「春の日影―暮しけり」〈俳・金剛砂上〉

うんすん『感』苦しみうなる声。「痩せ百姓―言ひて刈る田かな」〈俳・詞林金玉集一〉

うんつく【運尽く】知恵のない者をあざけっていう語。のろま。まぬけ。「―が涎(よだれ)」〈評判・雨夜三盃機嫌下〉

うんづく【運尽く】運命に任せること。運次第。「高名は―なれば」〈浄・千載集三〉

うんでい【雲泥】雲と泥と。隔たりのはなはだしさをあらわす。「今は―交りを隔てて」〈平家四・源氏揃〉 **―ばんり**【雲泥万里】天地の差のように物事が非常にかけ離れていること。近世、「雲天万里」「雲天万天」とも。「花月一窓交り昔昵(むつ)じかりき。―眼今窮れり」〈和漢朗詠集慶賀〉

うんどん【饂飩】うどん。〈下学集〉

うんのきはめ【運の極め】運の尽き。「運の極まり」とも。「―の悲しさは、主従二騎に成りにけり」〈盛衰記三五〉

うんの・み『四段』《ウノミ（鵜飲）の転》うのみにする。「生噛(なまがみ)みにして―・うでくれうず」〈四河入海三上〉

うんめいでん【温明殿】平安京内裏殿舎の一。紫宸殿の東南にあった。神鏡を安置する賢所(かしこどころ)があり、常に内侍(ないし)が候していたので、別名「内侍所(ないしどころ)」ともいう。「―のわたりをたたずみありき給へば」〈源氏紅葉賀〉

うんりう【雲龍】《ウンリョウとも》龍が雲に乗って昇天する絵・模様。「義旗―を靡かして」〈太平記二七・左兵衛督〉

え

え【兄・姉】《「弟(おと)」の対》①同母の子のうち年少者から見た同性の年長者。弟から見た兄。また、妹から見た姉。「―比売(ひめ)、弟比売、この二柱の女王」〈記垂仁〉 ▽関連語セは同母の兄弟姉妹のうち姉妹から見た兄弟、イモは兄弟から見た姉妹で、年齢の上下を問わずにいう。②年上の者。「―をし枕(ま)かむ」〈記歌謡一六〉 †ye

え【江】海・湖などの一部分が陸地に入りこんで水をたたえたところ。人工的なものを、堀江という。「くさか―の入り―の蓮(はちす)」〈記歌謡九五〉。「橋をつくり―をほり船をわたし」〈三宝絵中〉 †ye

え【役】夫役。労役に奉仕すること。「甫(はじ)めて―丁(よほろ)に差せり」〈紀仁徳六十年〉。「里長(さとをさ)が―課(つき)徴(はた)らば」〈万三八四七〉 →えつき

え【枝】草木のえだ。歌語として使われ、平安時代以後は「梅が枝」「花の枝」など複合語の中に残った。「幹(もと)も―も同(おや)じ常磐(ときは)に」〈万四〇〇六〉 †ye

え【柄】《エ（枝）と同根》器物についている棒の部分。とって。「柄、器物茎柯也。衣(え)、一云賀良(から)」〈和名抄〉 †ye

え【胞】胎児をつつんでいる膜。えな。「同じ―にして双(ふたご)に生(あ)れませり」〈紀景行二年〉。「膜、子乃兄(え)」〈新撰字鏡〉 †ye

え【榎】ニレ科の落葉喬木。エノキ。「わが門の―の実もり喫(は)む」〈万三八七二〉。「榎、衣(え)」〈和名抄〉 †e

え【疫】悪性の伝染病。疫病。「えのやまひ」「えやみ」とも。「これは世の―にはおはしまさず」〈大鏡道長〉 ▽「疫」の中国北方の字音 yek の k の脱落したもの。

え【縁】《エンの撥音ンを表記しない形》⇒えん。「これを端(はし)にて知りそむる―ともやなり侍らんなど思ひ給ひて」〈閑居友上〉

え『副』《動詞エ（得）の連用形が、副詞として使われたもの》①《肯定表現を伴って》よく（…する）。うまく（…する）。「恋ふと言ふは―も名付けたり」〈万四〇七八〉。「面忘れだにも―すやと（恋人ノ顔ダケデモ忘レ得ルカト）」〈万二五七四〉 ②《打消・反語表現を伴って》よく（…せぬ）。とても（…できない）。「旅寝―せめや長きこの夜を」〈万三一五三〉。「川と見ながら―こそ渡らね」〈古今六五九〉。「―避らぬ（避ケ得ヌ）馬道の戸をさしこめ」〈源氏桐壺〉 †e

え『接頭』名詞について、愛すべきの意をあらわす。「あなにやし（ホントニマア）、―男を（ヨ）」〈記神代〉。「可愛、此をば哀(え)といふ」〈紀神代上〉 ▽エシ（良）のエは ye の音で、この語とは別。 †e

え【得】『下二』①手に入れる。「求めて得(え)し玉かも、拾(ひり)ひて得し玉かも」〈万三二四七〉 ②身につける。体得する。得意とする。「僧正遍昭は歌のさまは得(え)たれどもまこと少なし」〈古今序〉 ③身に負う。「罪得(う)らむかし」〈源氏須磨〉 ④《動詞の連用形や活用語の連体形に「を」または「こと（を）」のついた形をうけて》…できる。…しきれる。「奉る御調(みつき)宝は数へ得(え)ず」〈万四〇九四〉。「一切の大智を現すること得(う)」〈金光明最勝王経平安初期点〉 †e

え『感』感動をあらわす時発する声。ああ。「―、くるしゑ（苦シイナア）」〈紀歌謡一二六〉 †e

え『助』①間投助詞「よ」の上代東国方言。「父母(とちはは)―斎(はい)ひて待たね」〈万四三四〇防人〉 ②文の終りについて、その陳述の意を強める。近世、多く遊女・町娘などが用い、親しみをこめて念を押す。「かまへて各(おのおの)するな―」〈栄玄記〉。「『近い内に―』と、これ暇乞ひ。幾度逢ふとても、これに変る事なし」〈浮・好色貝合上〉 †ye

え『助動』自発・可能・受身の助動詞「ゆ」の未然形・連用形。

えい【詠】①詩歌を朗詠すること。特に、舞楽のとき舞人が詩句を朗詠すること。漢詩を字音のまま棒読みで朗唱し、そのあいだは楽(がく)を止める。「〔青海波ヲ舞ウ源氏ガ〕―など し給へる。―果てて袖うち直し給へるに、待ちとりたる楽のにぎははしきに」〈源氏紅葉賀〉 ②詩歌をつくること。また、その詩歌。「一首の御―をあそばして下されけり」〈平家六・祇園女御〉

えい【影】えすがた。肖像。「汝が為に我が―を此の峒(はら)に留め置かむ」〈今昔三ノ八〉

えい【纓】冠(かんむり)の付属具。両端に骨を入れ羅(うすぎぬ)を張り、巾子(こじ)のうしろにはさんだもの。立纓(りゅうえい)・垂纓・巻

纓(けんえい)・細纓など。「風はやきほどに—吹き上げられつつ立てるさま、絵にかきたるやうなり」〈かげろふ下〉

えい『感』①力を入れたときに発する声。「—と云ひて…鎧の胸板をばぐっと突いて」〈平家九・越中前司最期〉②はっと気づいて発する声。また、応答の声。「無期(むご)の後に—といらへたりければ」〈宇治拾遺一二〉③相手に呼びかける声。「ちと物申さむ、—」〈著聞五五〇〉。「—、いかにこま若よ」〈中尾落草子〉④相手に要求し、念を押していう声。文末につく。「已(で)に寄って、我恨むな—」〈庭訓抄上〉⑤不満を押え、いらいらして発する声。「—、押せども開かぬは切窓の戸」〈宗安小歌集〉

えいいう【英雄】①才能知力あるいは武力の非凡な大人物。「その弊邑に習うて上邦を視ざる者は、いまだ—のやどる所を知らざるなり」〈和漢朗詠集述懐〉。「所能他に勝れ、舎人(とねり)の中の—なる者也」〈中右記寛治七・一二・一八〉②摂家(せっけ)に次ぎ、大臣大将を兼ね、太政大臣にまで昇進できる良い家柄。英雄家(えいゆうけ)。清華(せいが)。「当家はさせる—にはあらざれども」〈古活字本平治上・光頼卿〉

えいえい『感』①力を入れたときに発する声。「大物をひく時に、—といへる」〈名語記九〉。「—、やっとな」〈虎寛本狂言・丼礑〉②笑う声。「仲胤僧都…—と笑ひて」〈宇治拾遺八〇〉③呼びかける声。「いかに海龍王どもはなきか、—とぞ呼うだりける」〈盛衰記一八〉 **—おう**『感』大ぜいが、かけ声・喊声(かんせい)として発する声。「女は髭(ひげ)をさしあげ、—と云ひて入るなり」〈虎明本狂言・髭櫓〉

えいか【詠歌】①詩歌をよみあげること。また、ふしをつけて吟誦すること。「—といひて、ただ読みあげたるにも、うち詠(なが)めたるにも」〈慈鎮和尚自歌合〉②よみあらわした歌。「古人の—、皆わが思ふ方の色を添へ」〈為兼卿和歌抄〉

えいかん【叡感】天子・上皇などの感嘆・賞讃。「主上殊に—あって」〈保元上・親治等生捕らる〉

えいかんぶし【永閑節】江戸浄瑠璃の一。虎屋源太夫の門人虎屋永閑が、寛文・延宝頃創めた金平(きんぴら)浄瑠璃風の曲節。「—の道行」〈西鶴・諸艶大鑑一三〉

えいきょく【郢曲】①中国の春秋時代、楚の都、郢で卑俗な歌曲がはやり、それを郢曲と称したことから、俗曲の意。「—と巴音と響を雑(まじ)へ」〈懐風藻〉②朗詠・今様・神楽・風俗・催馬楽などの謡い物の総称。「今様朗詠うたひ、風俗催馬楽なんどありがたき—どもありけり」〈平家一・徳大寺〉

えいぐ【影供】神仏や故人などの絵姿に供物を上げること。柿本人麿の絵姿をまつって、酒膳を供え、歌会を行なうことが、平安末期から中世にかけて流行した。「三条坊門の亭にて人丸の—せさせ給ひしにも、忍びてたびたび御幸侍りき」〈源家長日記〉

えいぐゎ【栄華・栄花】(草木の花盛りのように)世に時めき栄えること。「おほきおとどの—の盛りに」〈伊勢一〇一〉

えいごゑ【えい声】力を入れた時に発する「えい」というかけ声。「—をいだして、一庭をはしりまはり舞ふ」〈宇治拾遺三〉

えいさ『感』重い物を押し、または、引く時のかけ声。えいさら。「大物をひくには、—といへり」〈名語記五〉

えいさう【詠草】詠歌・詠句などの下書き。「添削の—奉る時」〈幕景集〉

えいざう【影像】絵にあらわした神仏または人のすがた。肖像画。「〔牛仏ノ〕御—を書かせむと急ぎけり」〈古本説話五〇〉

えいさま【永様】手紙の宛名の下に書く「様」の字の書き方の一。「様」の旁(つくり)の下の部分を「永」と楷書(かいしょ)ではっきり書いたもの。「様」の九種の書き方のうち、二番目に丁寧な書き方で、四番目は「美様」、九番目は「平様」といった。「—・美様・平様などとて、字画によりて尊卑を分つ事は、後世の事と見えたり」〈其昔談〉

えいざん【叡山】比叡山の略。「大戒を受け終らば—に住せしめ」〈山家学生式〉

えい・じ【詠じ】『サ変』①詩歌を声に出して吟ずる。「かれを—・じ、これを吟ずるに、老の心ともにまどひぬ」〈奈良花林院歌合〉②詩歌を作る。「〔藤原基俊ガ〕牡鹿なくこの山里と—・じけん嵯峨のあたりの秋のころ」〈平家六・小督〉

えいじつ【永日】①春の日中の永いこと。「竹院に君閑(しづ)かにして—を銷(け)すならん」〈和漢朗詠集三月尽〉②手紙の終りや別れの挨拶に用いる語。「いずれ後日ゆっくり(お目にかかろう)」の意。「猶—中申し承るべく候。恐恐謹言」〈吉川家文書一、天正一五・一・一二〉。「お盃は——」〈近松・雪女上〉

えいしゃく【栄爵】《はじめて五位に叙せられるのを「叙爵」といって、栄誉としたことから》五位の称。「東(あづま)の方より—たづねて買はむと思ひて、京にのぼりたる者ありけり」〈今昔二七ノ一七〉

えいとう『感』①勢いよく進む時の掛け声。「何れも劣らぬ老武者共、鋒(さき)を揃へて掛かりける、——」〈虎明本狂言・老武者〉②芝居の木戸番などの口上の掛け声。「早いが賞翫、——」〈浮・人倫糸屑下〉

えいとな『感』力をこめて動作する時のかけ声。どっこいしょ。よいこらしょ。「これでは行かれまい。まづちっと、や、—」〈狂言記・茶壺〉

えいとも『感』物を引く時などに出す囃子(はやし)声。えいさら。えいや。「『さらば囃させられい』『えいさらえいさら』『——な』」〈虎明本狂言・千鳥〉。〈日葡〉

えいぶん【叡聞】天子・上皇などがお聞きになること。「天聴を驚かし、—に及ぶ」〈保元下・新院讃州〉

えいや『感』力を入れた時に発するかけ声。「甲(かぶと)の天辺(てへん)に熊手(くまで)を打ちかけ、—と引く」〈平治中・待賢門軍〉 **—ごゑ**【えいや声】「えいや」というかけ声。「渚渚(なぎさなぎさ)の波の音、遠近舟(をちこちぶね)の—」〈盛衰記三三〉

えいやっ『感』「えいや」を強めた形。えいやあ。「—と突きのけたり」〈保元中・白河殿攻め落す〉 **—と** 〔一〕『副』力を尽して。辛うじて。「—貰ふや手引石竹(いしのたけ)」〈俳・伊勢踊三〉 〔二〕『名』《かけ声「えいや」と「とう」の複合から》斬り合い。また、剣術。「—をするを芝居事だと思はるるのであるべい」〈浄・鎌倉三代記九〉

えいらく【永楽】中国明朝の永楽年間(日本の応永年間)に鋳造された銅銭。表に「永楽通宝」の文字がある。室町時代わが国に輸入され広く流通。永楽銭。永楽通宝。「—のさしも多きを所持もせで」〈宗祇独吟〉 **—せん**【永楽銭】⇒えいらく。「東堂へ—を百貫布施物に引き給ふ」〈遠近草上〉。〈運歩色葉集〉 **—つうほう**【永楽通宝】⇒えいらく。「遂に〔養源〕老人に命じて、—の四字を書し、之を銅銭に鋳し」〈補庵京華集五〉

えいらん【叡覧】天子・上皇などがご覧になること。「雲井の月を—ありけるに」〈保元上・後白河院御即位〉

えいりょ【叡慮】天子・上皇などの御心・御考え。「法皇も—驚かせましまして」〈保元上・法皇熊野御参詣〉

えう【要】①必要物。いること。「かう物の—にもあらであるも(夫カラ要ラナイモノノヨウニ扱ワレテイルノモ)ことわりと思ひつつ」〈かげろふ上〉②物事のかなめ。大切なところ。

「—を取り、詮を選んで、これをいへば」〈和語燈録一〉

えうえんヨウ:【妖艶】〔歌論用語〕上品な美しさ。やさしくて、あでやかな美しさ。「貫之、歌の心たくみに、たけ及び難く、姿おもしろきさまを好みて、余情—の体をよまず」〈近代秀歌〉。「橋姫の袖の朝霜なほ冴えて霞吹きこす宇治の川風。…〔藤原定家判詞〕橋姫の袖霜、尤も—の体なり」〈石清水若宮歌合貞永一・三・二五〉

えうがいヨウ:【要害】《「用害」とも書く》①地勢がけわしくて、守りやすく攻め難い地。「国内—の地において柵を建てて戍を置きてこれを守らんことを」〈続紀大宝二・一〇・三〉②とりで。城塞。「城壁を築き、—を固め」〈吾妻鏡治承四・二・四〉。「城、ジャウ、—也」〈黒本本節用集〉③用心。そなえ。「きびしく—して、大藪なる惣堀の内に、門門固めて」〈西鶴・伝来記七〉

えうきゃくヨウ:【要脚】《「用脚」とも書く。「脚」は廻り歩くものの意》①銭。「—百貫文」〈蓮成院記録延徳三・閏八・二三〉。「用脚、ヨウキャク、銭也、或作二要脚一」〈文明本節用集〉②費用。「維摩会の—」〈太平記三九・神木入洛〉③税金。分担金。「寺・道場に—を懸け」〈太平記三五・北野通夜〉

えう・じヨウ:【要じ】『サ変』(物や人を)必要とする。是非にと欲しがる。「かぐや姫の—・じ給ふべきなりけり」〈竹取〉。「めでたからむ御娘をば—・ぜさせ給ふ君だちあらじ」〈源氏東屋〉

えうじゅヨウ:【遙授】国司が任地に赴かず、その代官に事務を取り扱わせ、自分は京都に在留することを認められたもの。遙任。「国司権守は、多く是れ—の官なり」〈職原抄下〉

えうな・しヨウ:【要無し】『形ク』必要がない。人から求められない。「その男、身を—・きものに思ひなして」〈伊勢九〉

えうもんヨウ:【要文】経文の中の重要な文句。「念仏を唱へ、諸経の—を誦して」〈今昔一五ノ二〉

えうよヨウ:【腰輿】轅(ながえ)を腰のあたりに持ってふたりで運ぶ輿(こし)。簡素な作りで、天皇・貴人が危急の難を避けるようなときにも用いられた。手輿(たごし)。「駕輿丁も無ければ…主上—にめされけり」〈平家八・太宰府落〉

ええ『感』不満・憤激・驚き・悲しみなどをあらわす声。「—未練なる女かな」〈説経・伍太力菩薩〉

ええうヨウ:【栄耀】《エイエウの約》①栄えかがやくこと。はなやかに栄えること。栄華(えいが)。「夫(それ)—無常、運命限り有り」〈村上天皇御記康保一・四・二九〉②おごり。ぜいたく。また、つまらない事に派手に金を使うこと。「—の振舞つかまつり」〈仮・竹斎下〉　**—ぐひ**イグ【栄耀食ひ】ぜいたくな食べ方をすること。「—にも暴れ食ひにも致したらば」〈仮・浮世物語三〉　**—づかひ**イヅカ【栄耀使ひ】ぜいたくな金使い。無駄使い。「くひこんだか、へこんだか、女夫(めをと)の中の—か」〈近松・重井筒上〉　**—に餅の皮を剝(む)く**　栄耀の生活に馴れると、餅の表皮が堅いといって、むいて食うの意で、ぜいたくに飽きて、いかもの食いをすることをいう。「これは業平(なりひら)—・かるると見えたり」〈浮・真実伊勢一〉

ええしやごしや『連語』《エエは感動詞。シャゴシャはシャ(かけ声)アゴ(吾子)シャ(かけ声)の約》味方を励まし元気づけるかけ声。「—、こは期剋(いのごふ=攻撃ノ気勢ヲアゲル)そ」〈記歌謡九〉　†eesiyagosiya

えかうろヨウ:【柄香炉】仏具の一。柄の付いた金属製の香炉。「講師…—〔ヲ持チ〕」〈多聞院日記文明一〇・六・二〉

えかがみ【柄鏡】鋳金製で柄の付いたうちわ形の鏡。「傘(からかさ)やただ—の今朝の雪」〈俳・守武千句〉

えき【易】中国伝来のうらないの一法。「易経」の思想にもとづき、算木と筮竹(ぜいちく)を使って吉凶を判断する。日本では欽明天皇の頃から行なわれた。「龜の卜(うら)と—の卜との浅深を論じ給ひけり」〈古活字本保元中・左府御最後〉

えき【疫】伝染病。疫病。「えやみ」「えのやまひ」とも。「上野国—あり。薬を給して救ふ」〈続紀大宝三・六・七〉

えき【駅】⇒うまや(駅)。「—を馳せて諸国の国造(くにのみやつこ)等を追(め)して京に入らしむ」〈続紀大宝二・二〉。「駅、エキ・ムマヤ、宿也」〈色葉字類抄〉

えきちゃうヨウ:チ【駅長】宿駅の長。「うまやのをさ」とも。「むまやのをさのいみじく思へるけしきを御覧じて作らしめ給ふ詩…『—莫驚時変改…』」〈大鏡時平〉

えきてい【掖庭】宮中の典殿。後宮(こうきゅう)。「地に曳くを—に嫌ひ」〈本朝文粋一〉

えきでん【駅伝】宿駅から宿駅へと順次に送ること。また、そのための駅馬・伝馬。「凡そ有る所の消息は—奏上せよ」〈続紀宝亀一〇・一〇・九〉。「近江・伊賀・伊勢等国をして—貢進せしむ」〈三代実録元慶六・一〇・二五〉

えきな・し【益なし】『形ク』《エキは漢音。呉音でヤクと訓み、ヤクナシとも》得るものがない。無駄だ。「身の後に名のこりて更に—・し」〈徒然三八〉

えきば【駅馬】令制で、駅(うまや)に備えて官の使の乗継ぎ用とした馬。「駅馬、エキバ」〈温故知新書〉

えきれい【疫癘】疫病。伝染病。「—うちそひて、まさざまに、あとかたなし」〈方丈記〉

えきれい【駅鈴】令制で、官の使が諸国へ向う時に支給された鈴。駅馬を徴発するのに必要であった。「諸道の節度使の請ひに依って—各二口を宛つ」〈続紀天平四・九・二七〉

えきろ【駅路】宿駅の設備がある道路。「うまやぢ」「はゆまぢ」とも。「山陽の—を承けて使命絶えず」〈続紀天平神護二・五・二三〉

えぐそく【得具足】もっとも得意とする武器。「得道具」「得物」とも。「面面(めんめん)の—を持って駆け出づる」〈バレト写本〉

えけ【良け】形容詞「えし」の古い未然形・已然形。「何の伝言(つてこと)(伝言ハ無用)、直(ただ)にし—む(直接言エバヨカロウ)」〈紀歌謡一二八〉　†yeke

えこ【依怙】①依りたのむこと。また、頼りとするもの。「愁恙多くして—無き人等」〈本朝文粋一四〉②一方だけひいきにすること。「実検の節は敢て以て自由の—を存すべからず」〈庭訓往来三月七日〉③自己の利益。収入。「田麦の所当を取るべからず。よろしく農民の—とすべし」〈貞永式目追加文永一・四・二六〉

えこぜぬ『連語』ふさわしくない。不当な。また、変な。異常な。「此の頃は諸国に—神が有り」〈咄・当世口真似笑三〉

えさまさ『感』大勢で重いものを動かす時などのかけ声。やっさもっさ。「大きなる木どもには太き綱をつけて、声を合はせて—と引き上げさわぐ」〈栄花疑〉

えさら・ず【得避らず】『連語』さけられない。なしではすませない。「—・ぬ馬道の戸をさしこめ」〈源氏桐壺〉。「かの山里の御すみかの具は、—・ず取り使ひ給ふべき物ども」〈源氏須磨〉

え・し【良し】『形ク』「よし」の古形。「子ろが(イトシイ子ガクレタ)おそき(着物)の有ろ(アルノ)こそ—・しも」〈万三五〇九東歌〉　†yesi

えしも『連語』《エは副詞、シ・モは助詞。多く下に打消・反語を伴って》どうしても…(できない)。とても…(できな

い)。「憂きながら人をば—忘れねば」〈伊勢二三〉

えず《「えずい」の語幹。感動詞的に用いる》気味悪いこと。厭わしいこと。また、くすぐったく感じること。「扇子〔屋の遊女の口癖〕のああ—」〈西鶴・諸艶大鑑二〉 ▽「ゑづ」「ゑず」とも表記。

えず・い『形』《オズシの転》①恐ろしい。気味が悪い。「〔死人ハ〕—・い汚ない物なれども」〈御書抄一〉 ②《相手の言動に当惑する気分をいう》むずがゆい変な気持だ。くすぐったい。「我が噂を言ふやら、目鼻さてさて—・い事かな」〈評判・吉原こまざらい〉

えせ《平安時代には、実体が劣悪浅薄であることを、侮蔑の気持で形容する語。室町時代以後、悪質の意から転じて、並みはずれた猛烈さ、力の強さなどを、あきれ、畏怖して表現するにも使う》㊀『名』(質や見た目が)ひどく劣ること。出来のわるいこと。「右衛門の尉(ぞう)なりける者の、—なる男親を持たりて、人の見るに面伏せなりとくるしう思ひけるが」〈枕三〇七〉。「先人より功者だてに、—たる事を好むは、世の習ひなり」〈俳・河船付徳万歳〉 ㊁『接頭』①全く形ばかりであること。ひどいまやかしものであること。「生ひ先なく、まめやかに(本気デ)—ざいはひ(形ダケノシアワセ)など見てゐたらん人は、いぶせくあなづらはしく」〈枕二四〉。「いかなる—義を口にいふとも心に思ふとも、名号は義によらず心によらざる法なれば、称すれば必ず往生するぞ」〈一遍上人語録〉 ②(質などが)ひどく悪いこと。「わびしげに見ゆるもの。…きたなげなる車に—牛かけて、ゆるがし行く者」〈枕一二三〉。「みめわろく、人に目も見せられぬ—児(ちご)は」〈雑談集四〉。「かやうにこらへたる太刀を、—太刀と申さるるか」〈曾我九〉 ③強烈でものすごいこと。「我に劣らぬ—方人(かたうど)十四五人語らひて」〈浄・赤染衛門三〉 ▽エセは、オソ(鈍)の母音をエ列に転じたものか。ココロ(心)を、上代の方言にケケレといい、オズシをエズシという類。

えせうた【えせ歌】歌とも思えぬ出来の悪い歌。「—どもに至りては、又いづれも宜しからず」〈無名抄〉

えせじぶん【えせ時分】都合の悪い時期。「とかく—わづらひ候ひて、無念是非に及ばず候」〈伊達家文書三、天正一九・八〉。「エセコト、エセジブン」〈日葡〉

えせずりゃう ‥リョウ【えせ受領】とるに足りない下級の受領。受領の中でくだらない者。「〔源氏ガ〕何とも見入れたまふまじき—の娘などさへ」〈源氏葵〉

えせもの【えせ者】①いいかげんな者。つまらぬもの。「よき人はさらなり、—・下衆(げす)の際だになほゆかし」〈枕一九五〉 ②にせもの。まやかしもの。「但し—にこそ候めれ」〈今昔二七ノ三四〉 ③無法者。わるもの。「兄達をもないがしろにする—」〈古活字本保元中・白河殿へ義朝夜討ち〉 ④滅法強い者。「能登守教経は古今独歩の—、大将の器量あり」〈浄・義経千本桜一〉

えせわら・ひ ‥ワライ【えせ笑ひ】『四段』嘲り笑う。冷笑する。せせら笑う。「耳にも入らぬ諫言は片腹痛や御無用と—・うてぞゐたりける」〈説経・伍太力菩薩〉

えぞ【蝦夷】《エミシの転》①東北地方から北海道にわたって居住した人人の称。「胡沙(こさ)吹かば曇りもぞするみちのくの—には見せじ秋の夜の月」〈夫木抄一三・月〉 ②北海道の古称。〈文明本節用集〉 →えみし・えびす。 ▽emisi→emzi→enju→enjo→ezo

えぞがちしま【蝦夷が千島】蝦夷の住む千島。「たとひ—なりとも、かひなき命だにあらば」〈平家二・腰越〉。「月を思ふ—に秋かけてかつがつこよひ白川の関」〈拾玉集四〉

えた【得た】『連語』得意な。おはこの。「得たる」とも。「人と云ふ者は、中にも—芸が有る物ぢゃが」〈虎寛本狂言・文相撲〉

えだ【枝】《エ(枝)にカラダ(体)のダのついた語》①植物の幹からわかれ出た部分。「榛(はり)が—」〈紀歌謡七六〉 ②胴体からわかれ出た部分。四肢。「〔人体ノ〕四つの—を車四両に結ひつけて」〈漢書竺桃抄〉。「肢、衣太(えだ)」〈和名抄〉 ③本家からわかれ出たもの。一族。子孫。「北家の末、今に—ひろごり給へり」〈大鏡藤氏物語〉 ④他の語に冠して、本体から分派したものの意をあらわす。「—川」「—手形」「—関」など。「安芸の国大朝の本庄大貫の村…—村の内」〈吉川家文書三、正平三・八・四〉 ⑤(木の枝につけた)贈り物を数えるのにいう語。「雉ひと—奉らせたまふ」〈源氏行幸〉。「籠物(こもの)四十(よそ)—」〈源氏若菜上〉 ⑥細長いものを数えるのにいう語。「長持三十—」〈平家一〇・三日平氏〉。「いづくともなく長櫃一—持ち来たり」〈伽・七夕〉。「一柄、ヒトエダ、長刀」〈饅頭屋本節用集〉 †yeda **—の雪を馴ら・す**《孫康が、貧しくて燈火の代りに雪を集めて勉強したという中国の故事による》学問にうちこむことにいう。「窓の螢をむつび、—・し給ふ心ざし」〈源氏少女〉 **—を交は・す**《白楽天の長恨歌の一句「連理の枝」の意訳》二つの枝が一つになって木目がつながる意。男女の契りの深いことのたとえ。「羽をならべ、—・さむと契らせたまひしに」〈源氏桐壺〉 **—を連・ぬ**《漢語「連枝」の訓読。千字文に「同気連枝」とある。兄弟の意》兄弟をたとえていう語。「〔兄〕行幸はべりしに〔弟ノ〕東宮同じく行啓ありて…。いろいろに—・ねて咲きにけり花も我が世もいま盛りかも」〈続古今一八七四〉 **—を鳴らさ・ず**《王充の論衡の「風不レ鳴レ条(枝)、雨不レ破レ塊」による》天下が平和であることのたとえ。「十善の風、四天を扇(あふ)いで—・ず」〈性霊集八〉

えだあふぎ ‥オウギ【枝扇】葉のついた木の枝を、扇に見立てて使うこと。木の枝の扇。「〔梨ノ木ヲ〕もとより打ち切りて定澄僧都の—にせばや」〈枕一二〉

えだうぐ ‥ドウ‥【得道具】「得具足」に同じ。「軍兵は思ひ思ひの—を持ち」〈惟任謀反記〉

えだかし【枝貸・枝借】共同出資で金を貸す場合、その一部を分担すること。「芝居の銀本(かねもと)へ、内証にて—せらるる程のよい身となられぬ」〈浮・舞台三津扇一〉

えだがは ‥ガワ【枝川】支流。「浪にふす萩の下はふ—のみどりも花の色ぞうつろふ」〈草根集一〇〉。「支流とは—なり。大河のそばより水の別れて流るるを云ふ」〈大学抄〉

えださし【枝さし】《サシは物の姿・状態、オモザシのサシに同じ》枝のさし出たかっこう。枝ぶり。「龍胆(りんだう)は—などもむつかしけれど」〈枕六七〉

えださんごじゅ【枝珊瑚珠】木の枝の形をした珊瑚。「—の並木ありつつ」〈俳・独吟廿歌仙上〉

えだ・ち【役立ち】㊀『四段』公けより強制されて兵役や労役などに当る。「堤池に—・ちて百済(くだら)の池を作りき」〈記応神〉 ㊁『名』強制の労役や兵役。「〔陵ヲコワス〕—を罷(や)めしめたまふ」〈紀顕宗二年〉。「兵(つはもの)、前(さき)の—に尽きたり」〈紀齊明六年〉

えだてがた【枝手形】近世、多数が出資して、特定の者の名義で金を貸した場合、名義者が出資者に与える貸金総高・貸先・貸付け利率・期日等を明示した証文。枝証文。枝一札。「—春〔利子ガ〕加はれる銀持ちて」〈俳・敝帚五〉

えだふね【枝船】本船(もとぶね)に従う小船。供船。「本船〔ト〕—〔ガ航行〕の時、—の荷物捨てて、本船恙(つつが)無き時は」〈廻船式目〉

えだぼね【枝骨・肢骨】手足の骨。また、手足。「―が折れたか」〈近松・天智天皇四〉

えだもぎ【枝捥ぎ】果実を枝についたままちぎり取ること。また、その果実。「水物(果物)は留め山の梢、四季折折の―」〈西鶴・俗徒然四〉

えたり【得たり】『感』うまくいった。しめた。「すこし恐るる気色なれば、敵(かたき)は―と斬って掛かれば」〈謡・巴〉 **―かしこし**【得たり賢し】『感』しめた。よい仕合せだ。「―と中巻の勢五百騎、構への内へ切り入れば」〈舟岡山軍記〉。「得賢、エタリカシコシ」〈文明本節用集〉 **―がほ**【得たり顔】得意顔。「〔昇進スルダロウト〕―にいひけるを」〈今鏡一〉 **―やおう**【得たりやおう】『感』《エタリに感動の助詞ヤと感動詞オウの続いた形》うまくいったぞ。しめたぞ。「―とて、十騎の兵、轡(くつわ)を並べて懸けたりければ」〈古活字本保元上・官軍手分け〉

えだる【柄樽・家樽】大きく長い柄を二つ付けた祝儀用の酒樽。手樽。「―をば持たせて出るが嫁は嫌」〈雑俳・万句合明和八〉

えつき【課役】《エ(役)ツキ(貢)の意》「えだち」と「みつぎ」と。「里長(さとをさ)が―はたらば(強制シタラ)汝(いまし)も泣かむ」〈万三八四七〉 ;†yetuki

えっさい【悦哉・鵤】小さな鷹の一種。雄を「えっさい」、雌を「つみ」と呼ぶ。小鷹狩に用いられた。「大鷹・小鷹…つみ・―・このり・野ざれなんどいふさまざまの鷹あり」〈伽・かくれ里〉。「雀鷂、和名悦哉(えっさい)、小鷹也」〈和名抄〉

えつり【棧】屋根のたるきの上に、ササ・ヨシ・オギ等を縄でからげて横に平らにならべ、葺下地(ふきしたじ)にしたもの。「蘆萑、此をば哀都利(えつり)といふ」〈紀顕宗即位前〉。「枌、屋乃衣豆利(やのえつり)」〈新撰字鏡〉 †eturi

えて【得手】①得意とするところ。「もしもし狂ひはたらくわざ―ならば」〈花鏡〉。「―の一刀をひっかざして」〈無門関抄序〉 ②「得手勝手」の略。「人の心は―になる方に引かるるものなれば」〈真宗教要鈔下〉 ③その名を言わずに相手に通じると思われる時にいう語。例の人。例の所。例の物。「―へ行って、ももんぢい(猪鹿ノ料理)で四文二合半(しもんこなから)ときめべい」〈滑・浮世風呂三上〉 ↓得手吉・得手物。 **―に帆** 得意になって調子に乗る。「―を揚ぐ」「―を掛く」「―を引く」とも。「―の船や涼みの戻り掛け」〈俳・小町踊二〉

えて【得て】『副』よく。ともすれば。ややもすれば。えてして。「今時―人の云ふ事也」〈驢鞍橋上〉。〈日葡〉

えてがって【得手勝手】手前勝手。「寒菊や寒さを花の―」〈俳・毛吹草追加中〉

えてきち【得手吉】「得手」(3)の擬人名。例の人。例の物。「大不了簡―(ナジミノ遊女)を息子〔嫁トシテ〕入れ」〈雑俳・万句合天明四〉

えてもの【得手物】①得意なわざ。「この君の―は不粋の三味線なるべし」〈評判・吉原呼子鳥〉 ②「得手」(3)に同じ。「なんだか、いやみな光がさすぜへ。また―(金)ではねへか」〈黄・莫切自根金生木中〉

えと【干支】《陰陽道の語。エ(兄)オト(弟)の約。五行(木・火・土・金・水)を陰陽に分け、陽を兄(え)、陰を弟(と)として名をつけて十干とし、それに十二支を組合わせたもの》①《「干支」は「幹枝」で兄弟の如しという意により、エトと訓む》 十干と十二支と。「―を月に合はすれば」〈春秋抄二〉。「甲乙、エト」〈天正十八年本節用集〉 ②十二支だけを指す。時刻・方角などを示す。「今より―一周(ひとめぐり)を待たば、重盛が命数(よはひ)既に尽きなん」〈雨月一〉。「田舎道問へば―にて方(方角)をいひ」〈雑俳・柳多留五八〉

えど【江戸】①東京の旧称。古くは武蔵豊島郡の郷だったが、平安末期、江戸太郎重長が居住し、室町中期、太田道灌が築城。天正十八年徳川家康が入部して居城とし、慶長八年幕府を開き、政治の中心地となった。「―・豊島・葛西・河越、坂東の八平氏、武蔵の七党を七手になし」〈太平記一〇・三浦大多和〉 ②近世、吉原や本所・深川などから、神田・日本橋など江戸の中心部付近を指していう語。「子供召連れ〔本所カラ〕―へ罷り越し」〈鈴木修理日記寛文一〇・九・一五〉 **―の水飲・む** 江戸の上水道の水を飲むの意で、江戸で生活することをいう。「江戸の水がしみる」とも。「―・んだ男の髭見せむ」〈俳・桜山伏〉

えどあきなひ【江戸商ひ】商品を江戸に出荷して商うこと。「大船を作りて、大廻しの―」〈西鶴・二十不孝二〉

えどかがみ【江戸鑑】近世、万治から貞享頃まで刊行された、将軍・諸大名・旗本などの系譜・紋章・官位・石高・居城・江戸屋敷等を記した本。貞享三年版から「武鑑」と名付けて刊行された。「目覚しに見る夕暮の―」〈俳・大句数上〉

えどがね【江戸金】江戸の出店または取引先から京阪の商店に送って来る為替(かわせ)の金。「江戸銀(ぎん)」とも。「そなたへ渡る―がふらりと上るを」〈近松・冥途飛脚上〉

えどがのこ【江戸鹿子】京阪で「小太夫鹿子」の称。「夕べ夕べ武蔵野行くや―」〈俳・犬子集三〉

えどがらう【江戸家老】近世、大名の江戸の藩邸に勤務した家老。「国家老」に対す。「―また国家老春知りて」〈俳・天満千句〉

えどことば【江戸言葉】江戸の住民の用いる言葉。「水道飲みなれて、―聞きならひ」〈西鶴・三所世帯下〉

えどこばん【江戸小判】江戸で鋳造した慶長小判。「武蔵判」とも。「―百両」〈浅野家文書六、慶長一四・一三・晦〉

えどざいばん【江戸在番】「江戸詰め」に同じ。「これは親源太兵衛一所に―」〈浮・新武道伝来記五〉

えどざけ【江戸酒】上方から江戸へ廻送する酒。下(くだ)り酒。「―や上野の花に〔見トレテイル人人ガ〕払ひ方」〈俳・当世男上〉

えどさんがい【江戸三界】上方から遠く隔たった江戸のあたり。江戸くんだり。「―も〔自分ノ〕心から行く」〈俳・阿蘭陀丸下〉

えどじゃう【江戸状】江戸店との間でやりとりする商用の文書。「―どもをさらへ(整理シテ)、失念したる事どもを見出し」〈西鶴・胸算用二〉

えどじゃうるり【江戸浄瑠璃】江戸で発達・流行した薩摩節・金平(きんぴら)節・土佐節・外記(げき)節・半太夫節・河東(かとう)節などの諸浄瑠璃の総称。「―は干鮭の味」〈雑俳・よりくり〉

えどぞめ【江戸染】《江戸紫染の意から》紫に染めること。また、その染物。「加賀染や―すすぐ橋の下」〈俳・鷹筑波三〉

えどだな【江戸店・江戸棚】京・大阪などの商人が江戸に出している支店。「―や戸鎖(さ)しせぬ〔太平ノ〕世の夕涼み 宗因」〈俳・当世男上〉

えどっこ【江戸っ子】江戸で生れ育った者が自負して称した語。「―の草鞋(わらんぢ)を履く乱(らん)がしさ」〈雑俳・万句合明和八〉

えどづま【江戸褄】《江戸城大奥から始まったので》衣服の前身頃と衽(おくみ)との裏表に染め出した裾模様。江戸褄模様。「―の袖の香高し着衣(きそ)始め」〈俳・富士石一〉

えどづめ【江戸詰】大名が参勤して江戸に居住し、その藩士が江戸屋敷で勤務すること。「御上洛よーよと、毎年毎年に責め使ひ」〈仮・可笑記二〉

えどとも【江戸供】大名が江戸に参勤する時、家来が供をすること。また、その家来。「病気とて、ー許され、在国せしが」〈近松・堀川波鼓上〉

えどなまり【江戸訛】江戸特有の発音・語彙など。「童子月の色を悟れるー」〈俳・見花数寄〉

えどはさみばこ【江戸挟箱】おたふくかぜの異名。「これは此の頃流行るーといふ病也」〈本朝俗談正誤一〉。「ー、頬の腫るる病」〈世話字節用集〉

えどはっぴゃくやちゃう(:チョウ)【江戸八百八町】江戸の町数の俗称。実際は、慶長頃三百余町、正徳三年九百三十三町、延享二年千六百七十八町あったという。「御ーに於いて」〈浮・元祿曾我物語二〉

えどばらひ(:バライ)【江戸払】近世の追放刑の一。品川・板橋・千住・両国橋・四谷大木戸以内、及び本所・深川の町奉行支配地への立ち入りを禁止したもの。〈御定書百箇条〉

えどばん【江戸番】「江戸詰め」に同じ。「其の折しもー、すぐに江戸より牢人あり」〈近松・女腹切上〉

えどびきゃく【江戸飛脚】毎月三度、定期に片道六日で京阪と江戸を往復した町飛脚。三度飛脚。六日飛脚。「今日かけて五日上りやー」〈俳・渡奉公下〉

えどふう【江戸風】江戸の流儀。江戸前。「雪や連れてーになる富士颪(おろし)」〈俳・時勢粧三〉

えどぶし【江戸節】「江戸浄瑠璃」に同じ。「或はさざ波諷(たう)ふーー」〈俳・難波風〉

えどぶね【江戸船】江戸向け貨物を太平洋廻りで輸送する六、七百石積以上の船。江戸廻船。「ーのすはすは動くは湊口」〈俳・喚続集〉

えどほほづき(:ホオズキ)【江戸酸漿・江戸鬼燈】色の殊に赤く、早く色づくホオズキ。「近年ーとて七月に色赤きを求め出して」〈仮・案内者四〉

えどまはし(:マワシ)【江戸廻し】大阪から廻船で貨物を江戸へ輸送すること。また、その貨物。「ーの油樽」〈西鶴・胸算用五〉

えどまへ(:マエ)【江戸前】①江戸の前の意で、芝・品川付近の海(後には中川下流をも)の称。また、そこでとれる魚類。「ーの味は初めて釣り鱠(なます)」〈雑俳・雨の落葉〉②江戸の流儀。江戸風。「ーの根元と覚えてより」〈黄・唫多雁取帳上〉

えどみせ【江戸見世・江戸店】「えどだな」に同じ。「ーで四五年踏ます塩の山(苦労サセル)」〈俳・大句数上〉

えどむらさき【江戸紫】江戸で染め始めた、青味がかった濃い紫色。「ーの袱紗(ふくさ)物」〈隔蓂記寛文三・三・八〉

えどもとゆひ(:ユイ)【江戸元結・江戸本結】もと江戸で造り始めた上等な元結。延宝以後上方でも作って流行した。「若水を結びこめつやー」〈俳・三つ物揃〉

えどわづらひ(:ワズライ)【江戸煩ひ】脚気(かっけ)の異称。江戸に流行し、風土病と見なされて名付けられた。「(脚気ヲ)俗にーと云ふ…故郷に帰るとて、箱根山を越ゆれば、多くは其の病治せずして自ら平服(治癒)す」〈牛山活套上〉

えな【胞衣】胎児を包んでいる膜。古くは「え」。「御ーとどこほる時のまじなひなり」〈徒然六一〉。「胞衣、エナ」〈色葉字類抄〉

えなのもん【胞衣の紋】生れた赤児の胞衣に現われる紋という。胞衣を洗って、父親の紋所が現われ、また蓮の紋が見えれば、その子は成人して有名になるという、近世行なわれた俗信。「染め違ひともなれ君が(情人ノ)ー」〈雑俳・広原海一〉

えなら・ず《連語》《エは副詞》あり得ないほどだ。なみなみでない。情熱のはげしさや、美しい物についていう。「蘆根はふうきは上こそつれなけれ下はー・ず思ふ心を」〈拾遺八九三〉。「桜の御直衣(なほし)にー・ぬ御衣(おんぞ)引き重ねて」〈源氏薄雲〉

えに【縁】〔仏〕《「縁」の字音 yen に母音 i を添えて yeni とした語。シヲニ(紫苑)・ゼニ(銭)の類》因縁。すべてを支配している因果の法則の、果を生ずる因を助成する条件・事情。「めぐりあひけるーは深しな」〈源氏澪標〉。「ーとは縁といふなり。何事も真名にははねたる文字、仮名にはにと書くなり」〈奥義抄〉→えん

えに【得に】《連語》《「言へばえに」の形で慣用表現として使われた。エは動詞エ(得)の未然形。ニは打消の助動詞ズの古い連用形、カテニ(不克)のニと同じ》出来ず。出来ないで。「言へばー言はねば胸に騒がれて」〈伊勢三四〉

えにし【縁】《エニ(縁)という語が歌では多くの場合、シという強めの助詞と共に使われ、エニシアラバ、エニシアレバの形をとった結果、あたかもエニシが一語のように思われるに至った語》⇒えに(縁)。「松山の末越す波のーあらば君が袖にはあともとまらじ」〈後撰九三二〉。「ー、縁の事」〈至宝抄〉

えのき【榎】ニレ科の落葉喬木。「林、衣乃木(えのき)」〈新撰字鏡〉。「坊の傍に大きなるーの有りければ」〈徒然四五〉 †enöki

えはう(:ホウ)【兄方・吉方】陰陽道の用語。吉方神すなわち歳徳神(としとくじん)のいる、その年の最もよい方角。その年の干支(えと)によって定まる。ここへ正月元日などに参詣したので、後に「兄方参り」に発展する。「恵方」とも書く。「十三日雲林院慈雲堂に詣づ。燈明諷誦を修す。是ーに依る也」〈御堂関白記寛弘五・一・一三〉 **ーがみ**【兄方神】「歳徳神(としとくじん)」に同じ。「参り納むる八幡(やはた)山、この難波津(なにはづ)のー」〈近松・淀鯉下〉 **ーだな**【兄方棚】《普通「恵方棚」と書く》その年の兄方に釣って、歳徳神を祭る神棚。「今ここに移すも高しー」〈俳・桜川一〉 **ーまゐり**【兄方参り】年のはじめに、兄方あるいは明きの方(祟り神の巡遊の位置に当らない方角)に当る社寺に参詣して、一年の福徳を祈ること。江戸時代、民間に盛んになった。「よき方…ひんがし〔へ〕ー」〈師守記貞治二・閏一・六紙背文書〉

えはつ【衣鉢】①僧侶の持ち物のうち、最も重要な三衣(さんえ)と鉢と。「参詣せんとすれば更にーなし」〈平家六・慈心房〉②禅宗で、法統を継ぐ者が、そのしるしとして師から伝授される袈裟と鉄鉢。転じて、その道の伝統や奥義。「夜半にーを正伝す」〈正法眼蔵行持上〉

えばやし【江林】入江のほとりの林。「ーにやどる猪鹿(しし)やも」〈万三三九二〉 †yebayasi

えひ【帯】「おび」の上代東国方言。「ーは解かなな(トカナイデ)」〈万四四二八防人〉 †yefi

えひ(イエ)【衣被・裛衣】梅檀(せんだん)の葉や樹皮を材料とした香の名。薫衣香(くぬえかう)にいうことが多い。「ゐざり寄り給へるけはひしのびやかにーの香いとなつかしく薫り出でて」〈源氏末摘花〉

えび【蝦・海老】①甲殻類の節足動物の名。「鰕・蝦、衣比(えび)」〈新撰字鏡〉②「えびかづら」に同じ。「蒲桃(うはた)のえび、甘蔗、糯桑(せんさう)、石榴あり」〈遊仙窟(醍醐寺本)鎌倉期点〉 †ebi

えひかう(エイコウ)【衣被香・裛衣香】「えひ」に同じ。「火桶に侍従〔ノ香〕をくゆらかして物ごとにしめたるに―の香のまがへる、いと艶なり」〈源氏初音〉

えびかづら【蒲陶・葡萄蔓】《つるの巻き具合が、エビのひげに似る故の名か》①ブドウの古名。「伊奘諾尊(いざなきのみこと)剣を抜きて背(しりへで)に揮(ふ)きつつ逃ぐ。因りて黒鬘(くろきみかづら)を投げたまふ。此即ち―に化成(な)る」〈紀神代上〉 ▽蒲陶は漢の武帝のとき西域からもたらされたという。②エビヅルの古名。「紫葛、エビカヅラ」〈名義抄〉 ③かもじ。巻いて髪をつくろうもの。「御髪なども、いたく盛り過ぎにけり…―してぞ繕ひたまふべき」〈源氏初音〉 †ebikadura

えびごし【海老腰・蝦腰】エビのように、背から腰にかけて曲って前屈みになる姿勢。「―に成りてあがめよ伊勢桜」〈俳・崑山集四〉

えびさやまき【海老鞘巻】鞘巻の一種。短刀の鞘にエビの殻のような刻み目をつけ、朱塗りにしたもの。室町後期に流行。「―の刀を差さるる也」〈光源院殿御元服記〉

えびじゃうらふ(ウロウ ジョ)【海老上臈】小児の玩具。エビの目を頭とし、紙の着物を着せて作った雛(ひな)。「網代もや―の鏡の家(すミ鏡箱)」〈俳・沙金袋六〉

えびす【夷・戎】《エミシの転。東国の住民をエビスと称して未開民族視したところから、エビスは「野蛮な」「荒荒しい」「不整の」という意味を表わすようになった。しかし、別にエミシから転成したエゾという語が、エビスに代って多く使われるようになり、また一方、摂津の西宮神社のエビス神の操(あやつり)人形などが、豊漁・繁昌の予祝として広まるにつれ、エビスは福の神と受けとられるようになった。「恵比須」は後世の当て字》①⇒えみし。「蝦夷、衣比須(えびす)」〈霊異記下三〉。「―乱れたりとて陸奥の国へも遣はさむとすなり」〈今昔二九ノ二五〉 ②辺境の人。異民族。中国でいう東夷・南蛮・西戎(せいじゅう)・北狄(ほくてき)をさす。「聖命(おほみこと)を被(かが)ふりて、遠く西の―を誅(つみ)ふに」〈肥前風土記〉。「―ども来りて〔唐ノ〕国を亡ぼす時」〈十訓抄六ノ六〉 ③物のあわれを知らぬ男。東国の武士などをいう。「かかることは―・町女(商イ女)などこそ言へ」〈栄花浦浦別〉。「法師は兵(つはもの)の道を立て、―は弓ひくすべ知らず」〈徒然八〇〉 ④《名詞に冠して》不備・不整なの意。「わがことは奥の郡の―がけ(紐ヲトリチガエニカケルコト)とにもかくにも引きちがへつつ」〈新撰六帖三〉 ⑤福神の一。中世以降、大黒と並んで、民間特に商家に厚く信仰された福徳の神。摂津西宮神社の蛭子命(ひるこのみこと)のことであるという。「世を救ふ―の神の誓ひにはもらさじものを数ならぬ身も」〈広田社歌合〉。「わが朝には、―殿と申して、福の神おはします」〈伽・梅津かもむ物語〉 **―うた**【夷歌】《夷振(ひなぶり)の「夷」をエビスと誤読して生じた語》未開人の不備・不整の歌。「…―なるべし。これらは文字の数も定まらず歌のやうにもあらぬ事どもなり」〈古今序〉 **―かう**(コウ)【夷講】十月二十日、商家で夷神を祭り、一家一門を招いて遊宴すること。上方では「誓文払ひ」ともいう。「―と言ふその日を亥子(ゐのこ)にて(亥子ノ節句ニ重ナッテ)」〈俳・紅梅千句〉 **―かき**【夷舁き】中世以後、夷神の人形を首にかけてこれを舞わせて門付けをし、夷神の御影を配布した者。摂津国西宮を本拠にして近畿を廻った。「夷廻し」とも。「―参り候。四人に能(のう)させらる」〈私心記天文二四・二・一五〉 **―がほ**(ガオ)【夷顔】夷神のように、にこにこと嬉しそうな顔。「詠めてや―する桜鯛」〈俳・鷹筑波五〉 **―がみ**【夷紙】重ねた紙を裁つ時、内へ折れ込んで裁ち残しになったもの。「綴ぢ初むる帳や幅よき―」〈俳・遠近集二〉 **―ぎ**【夷気】温和で気前のいいこと。「殊に頼うだ人は―な人ぢゃほどに」〈虎明本狂言・三本の柱〉 **―ごころ**【夷心】①ひなびた東国の人の心。無神経な心。「さがなき―を見ては、いかがはせんは」〈伊勢一五〉。「東(あづま)の―とかやのやうに、物のあはれをも知らせ給はぬ人は」〈伽・はにふの物語〉 ②無教養な人の荒荒しい心。「細野主膳とて、勇みを先と〔スル人ガ〕…右京を恋ひて、―のやるかたなさに」〈西鶴・男色大鑑三〉 **―さぶらう**(ロウ)【夷三郎】夷神の異名。「かの岳(をか)には―殿と申す神を祝ひ奉り岩殿と名付けたり」〈盛衰記九〉。「蛭子と申し奉るは、―殿の御事なり」〈伽・住吉縁起〉 **―だな**【夷棚】夷と大黒天とを祀る神棚。「正月やめでたい(鯛ト掛ケル)を釣る―」〈俳・鷹筑波五〉 **―ばしら**【夷柱】民家で大黒柱とともに重要な柱。大黒柱よりもやや細い。「町人は大黒柱・―を立て」〈伎・大一大万大吉二〉 **―まはし**(マワシ)【夷廻し】「夷かき」に同じ。「西宮の―」〈西鶴・一代男三〉。〈日葡〉 **―ゆみ**【夷弓】短い弓の一種。「頗る短くして―に似たり」〈吾妻鏡元仁二・二・二九〉 **―をしき**【夷折敷】膳を横向きに人の前に据えること。夷膳。「桜鯛据ゆるは―かな」〈俳・犬子集一〉

えびぞめ【葡萄染】葡萄(えび)色に染めること。また、その染物。やや紅味のある薄い紫という。指貫(さしぬき)・袿(うちき)その他多くに用いられた。「依毗(えび)染紙」〈正倉院文書天平二〇・一・一三〉。「くれなゐに―の織物の袿」〈紫式部日記〉。「―の下がさねは蒲萄の色したるものなり。葡萄(ぶだう)のうみたる色は、紫黒色なるものなり。此の色を―と云ふなり。蒲萄と書きて、えびかづらと読むなり」〈正徹物語上〉 †ebizöme

えひめ【兄姫】《「弟姫(おとひめ)」の対。エは同母の男のきょうだいの兄、また同母の女のきょうだいの姉の意》年上の方の姫。「―期(ちぎ)りし夜、族(やから)に偸(ぬす)まれぬ」〈紀皇極三年〉 †yeFime

えびら【箙】矢をさして背に負う武具。「陸には源氏―を叩いてどよめきけり」〈平家一一・那須与一〉 **―がたな**【箙刀】箙の中にひそめておく小刀。「―、首掻き刀」〈幸若・高館〉

えふ(ヨウ)【葉】葉のまわりにあるようなぎざぎざ。「これは―の入りて、木にて縁(ふち)をしたりければ」〈徒然三三〉

えぶ【閻浮】《エンブのンを表記しない形》⇒えんぶ。「降る雪の消なば消ぬべく思へども―の身なればなほやまず思ひはふかし」〈古今一〇〇二〉

えぶな【江鮒】五、六寸くらいの大きさの鯔(ぼら)。近世、江戸では簀走(すばしり)という。「種漬(つ)くる壺井の水の引く末に―集まる落合の淀(わだ)」〈山家集下〉

えぶり【杁】土をかきならしたり、穀物をかきよせたりする農具。長い柄に横板を打ちつけてある。「―を捧げて頭の上に招き」〈今昔二八ノ七〉。〈和名抄〉

えぼうし【烏帽子】⇒えぼし。「―・直衣(なほし)の姿」〈源氏浮舟〉

えぼし【烏帽子】《エボウシの約》①元服した男子の冠り物。正装の冠に対し、略装用。古くは紗・絹などで作り、後世は主として紙で作り、黒漆を塗る。風折(かざおり)烏帽子・立烏帽子・細烏帽子・引立烏帽子・揉(もみ)烏帽子・折烏帽子など。「七人が―を見廻し給へば、皆右に折りて世の常なり」〈盛衰記三三〉 ②「烏帽子名」の略。「力彌とは殿様のお着せなされし―ぞや」〈近松・碁盤太平記〉。〈日葡〉 **―おや**【烏帽子親】武士の男子の元服に際し、烏帽子を授け、名乗を与える仮の親。「北条殿は―」〈曾我四〉 **―かけ**【烏帽子掛】烏帽子の上からかけてあごの下で結ぶ紐。「頂頭掛(ちやうづかけ)」とも。「一寸まだらの—を強く懸け」〈曾我九〉　**—ぎ**【烏帽子着】元服の異称。「今夕、禅宗子—」〈山科家礼記文明九・一一・一七〉　**—ご**【烏帽子子】元服する者。烏帽子親から烏帽子と烏帽子名を授けられる。「大串次郎は畠山には—にてぞありける」〈平家九・宇治川〉　**—づけ**【烏帽子付】①烏帽子・装束を付けて行なう正式の蹴鞠。「露は鞠(まり)か桜に置くも—」〈俳・鸚鵡集三〉②雑俳で、五文字を題として、それに十二字を付ける形式のもの。五文字付。冠付。笠付。「五文字を仮に—と名付けて」〈雑俳・夏木立〉　**—な**【烏帽子名】元服の時、幼名を改めて、烏帽子親からその名の一字をもらって付ける名。「〔書札ノ裏書ニ八〕無官ならば名字・—たるべし」〈大館常興書札抄〉　**—をり**【烏帽子折】烏帽子を作ること。また、その職人。「—。今時の御烏帽子は、ちと反りて候」〈七十一番歌合〉

えみし【蝦夷】《アイヌが自分たちを呼ぶに使った、男・人という意味の *emichiw を仮名で写しとった語。これが後に変化してエビスとなり、また一方、エゾとも転じた》上代、主に東北地方に居住した人人の称。しばしば大和朝廷に反抗し、異種族視された。アイヌもアイヌ以外の住民も含めて言ったらしい。アイヌ。「—を一人(ひだり)ももな人(百人力ト)人は言へども、たむかひもせず」〈紀歌謡一一〉→えびす・えぞ。†emisi

えむすめ【兄娘・大女】《「おとむすめ(弟娘・少女)」の対。エは男のきょうだいの兄、また女のきょうだいの姉の意》あねむすめ。「事代主神(ことしろぬしのかみ)の—なり」〈紀綏靖即位前〉†yemusume

えも『連語』《エは副詞。モは係助詞》①《下に肯定の表現を伴って》よくも。よく…なものだ。「恋ふといふは—名づけたり」〈万四〇七八〉②《下に打消の表現を伴って》どうも(…出来ない)。「〔雪ダルマヲ作ロウトスルガ〕—押し動かさで侘ぶめり」〈源氏槿〉†emö　**—言は・ず**（よい場合も悪い場合も、程度がはなはだし過ぎて）何とも言いようがない。何とも表現できない。「あさましきまで貴(て)にかをり、—・ざりし御さまかな」〈源氏蜻蛉〉。「南面の桜—・ず咲き乱れたりけるに」〈今昔二七ノ二八〉。「築泥(ついひぢ)・門の下などに向きて、—・ぬ事(嘔吐)どもし散らし」〈徒然一七五〉

えもの【得物】①もっとも得意とする武器。得具足(えぐそく)。得道具(えどうぐ)。「心心の太刀、刀、——をひっさげて」〈説経・伍太力菩薩〉②もっとも得意とすること。得意なわざ。「えてもの」とも。「とりわけ中風の煩ひを直す事が、わたくしの—でござる」〈天理本狂言六義・雷〉③《「獲物」とも書く》猟などで得たもの。「沢にみち山をわたりて御狩する今日の—や雨とふるらん」〈再昌草二六〉。「獲、エモノ」〈名義抄〉

えもん【衣紋・衣文】仕立、着つけ、着こなしなど衣服に関すること。「この大将殿は、ことのほかに—をぞ好みたまひて」〈今鏡八〉　**—つき**【衣紋付】着つけ具合。着こなし方。「召したる衣裳の尋常さ、—の気高さや」〈伽・小男の草子〉　**—ながし**【衣紋流し】蹴鞠の曲鞠の一。立ったまま鞠をうなじの襟に沿って一方の臂(ひじ)から他の臂に渡らせること。独楽(こま)にも同名の芸がある。「大水に渡る掛りは伸べ足や—の鞠子川かな」〈古今夷曲集六〉　**—を繕(つくろ)・ふ**　着つけの乱れを直しととのえる。「布衣に立烏帽子、—・ひ、鬢をなで、花やかなりしをのこ也」〈平家一〇・横笛〉

えやは『連語』《エは副詞。ヤは反語を表わす助詞。ハは強意の助詞》どうしてまた…出来ようか。「思ふ心を—見せける」〈後撰六三二〉

えやみ【疫病】《エは「疫」の字音 yek の ye》①流行病。「疫、衣夜美(えやみ)、一云度岐乃介(ときのけ)、民皆病也」〈和名抄〉②おこり。「瘧、衣夜美(えやみ)、一云和良波夜美(わらはやみ)、寒熱並作、二日一発之病也」〈和名抄〉†ye-yami

えら【鰓】魚など水棲動物の呼吸器。〈日葡〉　**—が過・ぎる**　口が過ぎる。度を過ごしてえらそうにいう。「おのれが口から、世間手代の習ひとは、—・ぎて聞きにくい」〈近松・五十年忌下〉

えら・び【選び】㊀『四段』《エリ(択)アヒ(合)の約であろう。複数の人が、多くの中から基準にかなうものを取り上げるのが原義。奈良時代にはエラヒと清音》①(適・不適を判断して)取り上げる。よいものをさがし出して決める。「天の下奏(をま)し給ひし家の子と—・ひ給ひて」〈万八九四〉。「二十の大象を—・ひ取りて大衆を利益して」〈金光明最勝王経平安初期点〉。「くさぐさの歌をなむ—・ばせ給ひける」〈古今序〉②(すぐれた作品を集めて)書物をつくる。「万葉集を—・ばせ給ふ」〈栄花月宴〉㊁『名』選抜。「取り出でむ—に必ず漏るまじきは」〈源氏帚木〉▽奈良時代にハ行の活用をした動詞は、オモヒ(思)のように、平安中期以後ワ行に発音するのが普通だったが、シノヒ(偲)がシノビと変化したように、稀にバ行に発音したものがある。エラビもその一つ。†eraFi

えらぼね【鰓骨】顎(あご)の骨。口をののしっていう語。「—引裂きくれんず」〈浄・愛染明王影向松一〉

えら・み【選み】『四段』「えらび」に同じ。「先祖の貞盛、将門追討の為に大将軍に—・まれて」〈盛衰記三三〉。「—・まるる身ぞ世には仕ふる／賢きや谷に残らず出でぬらん」〈看聞御記紙背連歌〉

えり【魞】定置漁具の一。魚の通路に、竹の簀(す)を、うずまき状や迷路式に立てまわし、魚を中央部に誘いこむもの。「春ごとに—さす民のしわざならしも」〈曾丹集〉

えり【襟・衽】①衣服の一部分。頸をかこむ所。古くは「くび」、または「ころもくび」といった。「領、エリ」〈下学集〉②《他の語について》衣服の意。「—祝」「—数」など。「今朝、三郎兵衛〔ノ〕子〔ノ〕—裁ち祝ひ〔アリ〕」〈山科家礼記文明三・一〇・一九〉　**—薄・し**　薄着している意で、貧乏のたとえ。「襟付薄し」「襟元薄し」とも。「—・き身には殊更恋風の引き易くして胸ぞせかるる」〈後撰夷曲集七〉　**—に付・く**　富貴の人にこびへつらう。「襟元に付く」とも。「傾城は賢人に飽かず、賢女—・かずと申す本文こそ候へ」〈浄・道外和田酒盛一〉　**—の厚・い**　厚着している意で、富裕のたとえ。「人品と言ふは、身代よく—・い人と言ふにはあらず」〈浮・男色十寸鏡下〉

え・り【択り】『四段』《たくさんある物の中で適・不適を判定し、基準に合うとして取るものと、基準にはずれるとして捨てるものとに分ける意。類義語エラビは、基準に合うものを、複数の人が、取り上げるのが原義》①たくさんの中から取り出して捨てる。「稗(ひえ)を多み〔良クナイ穂ハ〕—・らゆる業(なり)そわが独り寝(ぬ)る」〈万二九九九〉②たくさんの中から取り上げる。候補者の中から残す。「多くいどみたる中に—・られて婿に取られたるも」〈枕(能因本)したり顔なるもの〉†eri

え・り【縒り】『四段』「よ(縒)り」の転。「手綱二筋—・り合はせ」〈曾我一〉

えりあ・へ【択り敢へ】『下二』十分によりぬく。「さる騒ぎに、はかばかしき人をしも—・へ給はざりければ」〈源氏橋姫〉

えりいはひ ヰ・ワイ【襟祝】 衣服の布地を裁つ時の祝儀。「裁祝(たちいはひ)」とも。「―とて銚子、兵衛尉方より出し畢んぬ」〈言国卿記明応三・四・二四〉

えりうち【択り討ち】 強い敵をえらんで討ち取ること。「―などもし候べきに」〈平家四・競〉

えりくりゑんじょ【えりくり遠所】 曲りくねって奥深く入り込んでいるさま。「奥山になる〔栗〕は―かな」〈俳・鸚鵡集七〉

えりすぐ・し【択り過し】『四段』 よくないものとして捨てる。「〔ツマラヌ女ハ〕―・し給ふに」〈源氏若菜上〉

えりぜに【撰銭】 銭貨の授受に際して悪銭を嫌って選り除け、良銭を支払うよう要求すること。室町後期に盛んに行なわれ、貨幣流通の妨害になるので、しばしば禁令が発せられた。「えりせん」「せんせん」ともよむ。「近年恣(ほしいまま)に―の段、太(はなは)だ然るべからず」〈建武式目追加明応九・一〇〉

えりつき【襟付】 ①襟元の様子。「あしたの―は、どうした物であらうぞ」〈狂言記・烏帽子折〉 ②服装。身なり。「―よしや旅籠(はたご)屋の客」〈俳・諸国独吟集上〉 ③《襟付の厚いこと、厚い人の意で》富貴。または、金持。「その方が云へるは、ただ―〔ニヨル恋〕にて、誠の恋路にはあらず」〈仮・是楽物語上〉 **―見立・つ** 服装でその人の貧富・素性を判断する。遊女のたしなみの一つ。「―・てらるるが口惜しい」〈西鶴・一代女五〉

えりもの【選物】 近世、大阪で夏の夕方、堺から行商が売りに来る雑魚(ざこ)類。より物。「涼みしや―値切る下簾」〈俳・熊野鳥〉

えりわり『副』 わざわざ。ことさら。「氷りてや―汲める手水鉢」〈俳・鸚鵡集八〉

えをとこ【愛男】 よい男。愛らしい男。「あなにやし〔ホントニマア〕、―を(ヨ)」〈記神代〉 →え〔接頭〕 †ewötöko

えをとめ【愛少女】 よい女。かわいい少女。「あなにやし〔ホントニマア〕、―を(ヨ)」〈記神代〉 →え〔接頭〕 †ewötöme

えん【宴】 酒食をもうけ歌舞をしてたのしむこと。「王親と侍臣とを引きて西の高殿に―す」〈続紀大宝一・六・一六〉。「―や何やともてさわがるる事は」〈源氏宿木〉

えん【椽】《ふちどりの意》「すのこ」(2)に同じ。「皆人も寝たる夜中ばかりに、―に出でゐて」〈更級〉

えん【縁】 ①〔仏〕因果の法則の直接的原因を助けて結果を生じさせる間接的原因としての補助的条件。またこの二つの原因をあわせて因とも縁ともいう。「〔初瀬観音ハ〕―にしたがひてこそ導きたまはめ」〈源氏手習〉 →因。②かかわりあい。手づる。「―を尋ねつつ参りあつまりて」〈源氏宿木〉 ③夫婦・親子など、人間のつながり。人間の関係。「そなたと我は―こそ尽きつらう、今よりしては夫とも頼みまうすまい」〈天草本伊曾保〉 ④外界とのかかわり。「いまだ誠の〔悟リノ〕道を知らずとも―を離れて身をしづかにし」〈徒然七五〉 ⑤歌学で、意味・用法上、互いに深い関連のあることば。縁語。「―の字を遠のけずといふは、露とあらば、やがて置くとも、かかるとも、また、はらふとも続くべきに」〈悦目抄〉 **―に連(つ)るれば唐(うた)の物を食・ふ** 縁さえ有れば唐の物でも食べる意で、何かの因縁で思わぬ物と関係が生じるたとえ。〈俳・毛吹草二〉 **―は異なもの** 男女の縁は不思議なものである。「縁は知れぬもの」「縁は味なもの」「縁は異なもの味なもの」とも。「―なれや」〈仮・御伽物語三〉 **―を結・ぶ** 《「結縁(けちえん)」の訓読語》①仏道に縁をつける。「〔死人ノ〕額に阿字を書きて、―・ばしむるわざをなんせられける」〈方丈記〉 ②夫婦の関係をむすぶ。「一度―・びて後は、男女ともに離別し、又、余の人と交はる事かつて叶はざるものなり」〈どちりなきりしたん二〉

えん【艶】《漢字としての意味は、美色。奈良時代には、華麗で輝くような男女の美しさにこの字を使う。平安時代の漢詩文では「艶情」「妖艶」など魅惑的な美をいう。女流文学では、ハナヤカナリ・イロフ(彩)などがこれの意味に近い。しかし、それらの和語では表わしきれない、これこそが魅力的な、風情のある情景だ、しゃれて粋(いき)な感じだ、人の気をひく派手な様子だ、という場合の形容にこれを使う。進んでは思わせぶりな男女の振舞をいう。和文脈でこの語を使ったのは清少納言・紫式部など限られた人で、漢文の素養によって、この漢語を、文学語として和文に取り入れたものらしく、人によって異なった状況にこれを用いた。中世になると歌論などで「艶にやさし」と使うことが多く、優美さの一つの姿をいう》 ①(情景や景色を眺めての個人的な印象として)風情があるさま。風流であるさま。「夕闇すぎておぼつかなき空の気色の曇らはしきに、うちしめりたる宮の御けはひも―なり」〈源氏螢〉。「九月にもなりぬ。初霜結ぼほれ―なる朝に」〈源氏藤袴〉 ②(物について)しゃれているさま。粋(いき)なさま。「鈍色の紙のいとかうばしう―なるに」〈源氏澪標〉。「青き薄様〔ノ紙〕を―なる硯のふたに敷きて」〈枕二三九〉 ③魅力があって、人の気持をひくさま。「ほのかなる〔螢ノ〕光、―なることのつまにもしつべく見ゆ」〈源氏螢〉。「ある僧この尼を見て、たへがたく―に覚えけれどもいかがはせむ」〈著聞五五一〉 ④はっきりと目につくさま。はっきり匂うさま。ものの上にはっきり現われていること。「名に立てるまめ人の…〔評判トハ打ッテ変ッテ女方ヘノ〕宵暁の打ち忍び給へる出で入りも、〔今ハ〕―にしなし給へるを、をかしと人人見奉る」〈源氏真木柱〉。「近う呼び寄せ奉り給へるに、かの御移り香の、いみじう―にしみかへり給へれば、をかしの御匂ひや」〈源氏若紫〉 ⑤思わせぶり。「女はいと―に恨みかくるを」〈源氏紅葉賀〉。「『これはいと聞えさせにくくなむ』といたう言こめたれば『例の―なる』と憎み給ふ」〈源氏末摘花〉 ⑥《歌論で》派手であること。「春夏は太く大きに、秋冬は細くからび、恋旅は―にやさしくつかうまつれ」〈無名抄〉。「世の常のよき歌は堅文(かたもん)の織物の如し。よく―すぐれぬる歌は浮文(うきもん)の織物を見るがごとし。空に景気の浮べるなり」〈無名抄〉

えんがく【縁覚】〔仏〕独力で悟りを開いたもの。「独覚」ともいう。また、十二因縁を観察して悟るとも、飛花落葉など天地自然の変化する相を外縁として悟りを開くともいう。師につかず、自ら悟るものなので、開悟の段階としては、菩薩の下、声聞(しやうもん)の上に位する。「八重の無価有り。いはゆる如来と―と声聞と」〈末法燈明記〉

えんが・り【艶がり】『四段』 何となく思わせぶりな態度をとる。「すべてさこそあらめと、人のためし(手本)にしつべき人がらなり。―・りよしめく(勿体ブル)かたはなし」〈紫式部日記〉

えんぎ【縁起】 ①〔仏〕多くの因縁によって万有が生起すること。「諸法の―縁滅をつらつら案ずるに」〈覚海法語〉 ②社寺・仏像などの由来や伝説。また、それを書いたもの。「其の本願の―は、写すに金泥を以てして仏殿に安置す」〈続紀養老六・一三〉。「―に見えたり」〈三宝絵下〉 ③事物の起原・由来。「我国は神代よりの―、此の宗の所説に符合せり」〈神皇正統記嵯峨〉 ④嘉例。「今日当所大人(おとな)・若衆ども…酒飲ませ候。皆皆―にて候」〈山科家礼記文明九・一二・一六〉。「関東にて、嘉例と云ふ事を―とも云ふ」〈志不可起七〉

えんぎしき【延喜式】 ①延喜年間から着手され、延長五年に完成された式(律令の施行細則)。五十巻。「定額の女孺といふ事、―に見えたり」〈徒然一九七〉 ②固苦しいこと。また、固苦しい振舞の人。同じ意味で「古文真宝」などともいう。「ちと礼義をも振舞ひ、極信をも立つる人をば、『あら見られずの―や、あら気詰りの色代(しきたい=挨拶)や』とて、目を引き、あふのきに倒れ笑ひ軽謾す」〈太平記三五・北野通夜〉

えんぎゃうだう(ギョウドウ)**【縁行道】** 経文や念仏をとなえながら、仏堂の縁・長廊下などをぐるぐる回ること。「上人、大谷の庵室に―し給ひけるが」〈盛衰記九〉

えんきょく【宴曲】 中世、貴族・僧侶・武士の間に流行した謡い物。七五調の詞章による中編・長編の歌謡。曲調が郢曲(えいきょく)よりも早いために、古くはもっぱら早歌(さうか)と呼ばれた。正安三年、明空が宴曲集五巻・宴曲抄三巻を撰した。「―、郢曲の一名のやうなれど、朗詠の類にあらず。一種の歌謡にして今の猿楽の謡曲の濫觴ならんか」〈歌儛品目〉

えんげ【艶げ】 人の気をひくような態度。「今様の若人たちのやうに―にもてなさで」〈源氏椎本〉

えんご【縁語】 「えん(縁)」(5)に同じ。「鷗と夢と―なり。妙なる詩なり」〈中華若木詩抄上〉

えんざ【縁座】 犯罪人の家族や近親者が連帯責任によって罰せられること。「長屋王の昆弟姉妹子孫及び妾等の―すべき者は、男女を問はず咸(ことごと)く皆赦除すと」〈続紀天平一・二〉

えんじゃ【縁者】 縁つづきの者。中世武家社会では親族一般を指し、近世では専ら婚姻によって生じた親族すなわち姻族の称。「北条はすでに彼の―たり」〈吾妻鏡治承四・八・九〉。〈文明本節用集〉 **―のしょうこ【縁者の証拠】** 縁者は証人になる資格のない意で、信ずるに足りないことのたとえ。「縁者の証人」とも。「『証拠は弟の光照よ。…』守敏重ねて『いや、それは―』」〈浄・伊呂波物語五〉

えんじゃう(ジョウ)**【艶状】** 「艶書(えんしょ)」に同じ。「一度の―頼まれて書きし、浮名の末の世までも止む事なし」〈西鶴・男色大鑑一〉

えんしょ【艶書】 ①恋文。懸想文(けさうぶみ)。「―の来ることは鋪波(しきなみ)の如し」〈新猿楽記〉。〈色葉字類抄〉 ②「艶書合せ」の略。「堀川院の御時、―の歌を上のをのこどもに詠ませさせ給うて」〈千載七九一詞書〉。「初めに『憂しつらし』とおける、―などにはさも侍りなん、歌合には戯言なるやうにや侍らん」〈六百番歌合恋二〉 **―あはせ**(アワセ)**【艶書合せ】** 左右に分れて、恋文や恋の歌を出し合い、その優劣を争う遊び。「堀河院の―とて、末の世までとどまりて」〈今鏡三〉

えんせう(ショウ)**【焔硝・塩消】** 硝石、又は有煙火薬。「右衛門佐、―五千斤これを献ず」〈駿府記慶長一九・一二・一九〉。〈下学集〉

えんそ【塩酢・塩噌】 ①塩と酢と。「同じく―の類を用ふれども」〈聖財集下〉 ②塩と味噌と。「又―の類もはるかに遠ざかる」〈明恵伝記上〉 ③塩の異称。「大津の浦へ行き、―二百俵買ひ取り候へども」〈浅井三代記四〉

えんだう(ドウ)**【筵道・縁道】** 貴人が車から降りて徒歩で行くとき、裾が汚れるのを防ぐため通路に敷く筵(むしろ)。また、その通路。「檳榔毛の車などは、門ちひさければ、さはりてえ入らねば、例の―しきておるるに」〈枕八〉。「導師は金襴の袈裟・鞋(くつ)著(はい)て、―に進ませ給へば」〈太平記二四・天龍寺供養〉

えんだ・ち【艶立ち】 『四段』 人の気をひくようにふるまう。「―・ち気色ばまむ人は、消えも入りぬべきすまひのさまなめりかし」〈源氏夕顔〉

えんにち【縁日】 《有縁日(うえんにち)の意》 仏や神が衆生と縁を結ぶ日。その日に祈願・供養などを行なえば、霊験が特にいちじるしいと信じられていた。「今日は十八日、観音の御―なり」〈今昔一四ノ七〉

えんねん【延年】 ①寿命をのばすこと。長生きすること。「水を飲みて―す酈北の郷」〈経国集一三〉 ②平安時代末期から鎌倉時代にかけて、寺院で法会の後など、芸能に堪能な者(後には専門の遊僧)によって余興的に演じられた、舞楽・田楽・猿楽その他の遊宴歌舞の総称。特に南都・北嶺の大寺で盛んに行なわれた。「延年の舞」とも。「山門衆徒遊宴、―と称す」〈明月記寛喜一・七・一七〉

えんのざ【宴の座】 大饗(だいきやう)などのときに設ける宴会の座席。二月十一日の列見、二月・八月の釈奠(せきてん)の儀のときなどに主として設けられる。「穏の座」の対。「少納言等に仰せて罰酒を飲ましむ云云、了って―に着す」〈九暦天慶八・二・一三〉

えんばい【塩梅】 ①調味のための塩と梅酢。「まことに道を味ふ―」〈性霊集九〉 ②塩漬けにした梅の汁。調味料として用いた。「炭薪炭―白散」〈和泉往来十二月〉。「―は梅漬けの事なり」〈庭訓抄下〉 ③塩加減。味加減。「食の―知って後」〈成簣堂本論語抄五〉 ④政務などを適切に処理すること。「―真宰に寄る」〈懐風藻〉 →あんばい

えんびき【縁引き】 親類または縁故の関係があること。「江南にての剛の者、佐々木とも―なり」〈浅井三代記一〇〉

えんぶ【閻浮】 《梵語の音訳》「閻浮提(えんぶだい)」の略。「朝(あした)に―を厭ひ、夕に都率を欣(ねが)ふ」〈性霊集八〉 **―じゅ【閻浮樹】** 閻浮提に生えているといわれる想像上の大木。「須彌山の頂、―の露、落ちて金と成る故〔閻浮檀金ト〕云ふ」〈天正十八年本節用集〉 **―だい【閻浮提】** 須彌山(しゆみせん)の南方に位するという大陸の名。住民の受ける楽しみは、東・北の二州におとるが、諸仏が現われ仏法をきくことのできるのは他州にまさるという。「国争ひありし時に―の大地を分けて等しく七分に成しぬ」〈三宝絵上〉 **―だごん【閻浮檀金】** 《エンブダンゴンとも》 閻浮樹林を流れる河から採取されるという金砂。「中の道は―、左の道は瑠璃、右の道は馬脳」〈今昔二ノ二〉 **―のちり【閻浮の塵】** 価値のないもののたとえ。「明日は…―ともならばなれ」〈仮・恨の介下〉 **―のみ【閻浮の身】** 人間世界に生を受けた者。「―貴賤高下ことなる事なく」〈保元上・法皇崩御〉

えんぺん【縁辺】 ①国境。また、辺境。「―の諸国に、各、弩(ど)の師(いくさ)を置くことは、寇賊の来たり犯すを防がむがためなり」〈本朝文粋二〉。「―とは国境也」〈清原宣賢式目抄〉 ②縁つづき。ゆかり。「〔国司ノ兵ハ〕案のごとく武芝が所所の舎宅、―の民家に襲ひ来りて」〈将門記〉 ③婚約。または、結婚。婚姻。縁組。「近年は、越前〔領主〕と―の儀につき、〔ソノ敵トハ〕無言に候」〈証如上人日記天文七・一〇・二〇〉

えんま【閻魔・炎魔】 《梵語の音訳》 冥界の王。死者が生前に犯した罪の軽重をはかって賞罰を定めるという地獄の王。閻魔王。閻魔大王。閻魔法王。閻羅王。「一切の阿修羅・―・鬼神・行疫者を摧伏し」〈長講仁王般若経会式〉 **―がほ**(ガオ)**【閻魔顔】** 閻魔のように恐ろしい顔。「借(か)る時の地蔵顔、済(な)す時の―とは、よう申したものでござる」〈虎寛本狂言・八句連歌〉 **―だう**(ドウ)**【閻魔堂】** 閻魔を祭ってある堂。「かたはらに潰れかかれる―」〈竹馬狂吟集〉 **―てう**(チョウ)**【閻魔鳥】** 寛文年間、江戸の

見世物芝居に出た、からくり仕掛の鳥。「—か冥途を出づる時鳥」〈俳・晴小袖三〉 **—のちゃう**【閻魔の庁】閻魔王が亡者の罪を取り調べるという役所。「冥途に行き向ひて、—に召されぬ」〈宇治拾遺四〉 **—のちゃう**【閻魔の帳】閻魔王の前に備え付け、亡者の生前の善・悪業を記してあるという帳面。「—こそ恐ろしけれ」〈仮・清水物語下〉

えんみゃうそくさい【延命息災】仏に祈願して長寿無事を得ること。「女はおしなべては—をむねとして…祈願せさせ給へ」〈宇津保春日詣〉

えんむすび【縁結び】①男女の名前・年齢を記した紙をこよりにして、社寺の格子や樹木に結び付け、縁が結ばれるように祈ること。「—きれいな顔はまれに来る」〈雑俳・万句合天明一〉 ②女の遊戯の一。多くの男女の名を一人ずつ紙片に書いてこよりにし、それを二本ずつ結んで、縁を占って楽しむ。「客の名と女の名と、ちんこ芝居（子供芝居）の役者まで書きまぜての—」〈洒・虚実柳巷方言中〉

えんら【閻羅】《「閻魔羅社」の略。羅社は王の意》「閻魔」に同じ。「—の闕（みかど）より還り甦（い）き、ますます誓願を発す」〈霊異記中五〉

えんり【厭離】〔仏〕汚れている現世をいとい離れること。「従来（むかしより）この穢土を—す」〈万七九三題詞〉 ▽「厭」の字音はエム。これをオンと読むのは、「遠」などにヱン・ヲン両形あるのに引かれた誤り。 **—ゑど**【厭離穢土】穢土、すなわちけがれたこの世をいとって離れようとすること。「一には—、二には欣求（ごん）浄土」〈往生要集序〉

えんるい【縁類】姻族。「兄弟とても容赦なく、行合ひ次第に打ち果たせ、まして親類・—や、日頃なじみし朋輩などとて、少しもひかゆることなかれ」〈浄・三浦北条軍法比べ三〉

えんれいたん【延齢丹】近世初期、曲直瀬玄朔（まなせげんさく）創製の気付け薬。「久世、—これを恵まる」〈隔蓂記寛永一九・三・二〉

えんわう【閻王】「閻魔王」の略。「—跪き受持の人を礼す」〈秘蔵宝鑰中〉

お

お【御】『接頭』❶奈良時代の尊称・美称の接頭語「おほ（大）」が、下に来る語の語頭の子音mとの間に音韻縮約を起して「お」となり、平安時代、限られた三語の上についているもの。「おほまし（大座）」の約「おまし」、「おほまへ（大前）」の約「おまへ」、「おほもの（大膳）」の約「おもの」。この三語の「お」は源氏物語などで「御」または「おほむ」と書かれることなく、いつも仮名で「お」と書かれた。「端つ方の—ましに仮なるやうにて大殿ごもれば」〈源氏帚木〉。「あながちに—まへ去らずもてなさせ給ひしほどに」〈源氏桐壺〉。「—ものなどこなたに参らせたり」〈源氏紅葉賀〉 ▽音韻変化は、例えば ōFōmasi→oFmasi→ommasi→omasi　なお、この「お」は中世以降、「おん（御）」の省略形から発達した「お」と混同された。❷《「おん（御）」の省略形》①中世以降、「おん（御）」が書き言葉や、荘重な話し言葉に多く使われたのに対して、その省略形として、口語の世界で使われ、尊敬・丁寧の意を表わした。「書写寺の僕の衣のしらみとる昔の—僧今ぞ恋しき」〈雲居和尚往生要歌〉。「堪忍の心をもって—こらへあれ」〈バレト写本〉 ②宮中の女房の間で行なわれていた丁寧語としての用法が、室町時代の将軍家の女房の間にも広まり、食物などを異名で呼ぶ場合、その語に冠するようになった。後に、動詞・形容詞のはじめにもつけるようになり、女性語の特徴の一つとなった。「めでたく—うれしくおぼしめし」〈御湯殿上日記文明一四・一・二五〉。「水、—ひやし、井のなか。うを、—まな。なます、—なま、つめた物」〈大上﨟御名之事〉。「侍（さむらひ）めきたる者の、主に向ひ、—かべ（豆腐ノ女房詞）の汁、—かべの菜（さい）といふを、さやうのことばは女房衆の上にいふ事ぞと叱られ」〈咄・醒睡笑三〉 →おほむ・おん

おあし【御足】〔女房詞〕銭（ぜに）。お金（かね）。「道の程の—も持たせ給ふまじ」〈伽・はもち中将〉。「ぜに、—、ゆくへとも」〈大上﨟御名之事〉 →あし

おあづけ【御預け】近世、容疑者が町村・親族などに預けられること。「一柳監物を…御改易、即ち松平加賀守に—」〈山鹿素行年譜資料寛文五・七・二九〉

おあん【御庵】①尼の住む庵の尊敬語。「総じて御寮（おれう）がゐる所を—と言ひ候ふよ」〈虎明本狂言・比丘貞〉 ②⑴に住む尼の敬称。「—・御比丘尼達御見物あり」〈山科家礼記応永一九・三・一三〉 ③⑴に住む尼の自称。「皆殿達の引出物には、太刀・刀を取らしゃると聞いたれども、—は持たぬほどに」〈虎明本狂言・比丘貞〉

お・い【老い】㊀『上二』①老人となる。「朝露の消（け）やすきわが身—・いぬともまた若（を）ちかへり君をし待たむ」〈万二六八九〉 ②植物などがおとろえる。枯れかかる。「大荒木の森の下草—・いぬれば駒もすさめずかる人もなし」〈古今八九二〉 ㊁『名』年をとること。老年。「雪のうちのみ山よりこそ—は来れ頭の霜となるをまづ見よ」〈新撰万葉集下〉。「さかさまに行かぬ年月よ。—は、えのがれぬ業（わざ）なり」〈源氏若菜下〉 ▽オヨシヲ（老男）・オヨスゲなどのオヨと同根。オヤ（親）も同根。

おい『感』①はっと気がついた時に発する声。おう。「—、この君にこそ」〈枕一三七〉 ②相手のことばを承認してこたえる声。おう。「『—、さり…』とうなづきて」〈源氏玉鬘〉

おいおい『感』①肯定・承認の意を表わす声。おうおう。はいはい。「『—、さなりさなり』と宣ふほど」〈栄花月宴〉 ②呼びかける声。おおいおおい。「阿彌陀仏よや、—、いどこ（何処）におはします」〈今昔一九ノ一四〉 ③泣く声。「辛うじて這ひ乗りにけれど、肱（かひな）つきそこなひて—と泣き給ふ」〈落窪三〉

おいおい・し【老い老いし】『形シク』いかにも年老いて見える。古風である。「御息所（みやすどころ）も清げにおはすれど、もの—・しく」〈栄花月宴〉

おいかけ【老懸・老繫・緌】武官の冠の両耳につける飾り。馬の尾を用いて扇形に作る。「狗（ゐぬ）の耳垂れたるやうなる—をせさせて」〈今昔二八ノ三五〉。〈和名抄〉

おいごゑ【老声】盛りをすぎた声。生気の乏しくなった声。「『鶯ガ』夏秋の末まで—に鳴きて」〈枕四一〉

おいじた【老舌】老人の、歯がおちて、ものを言う時に唇の外に出る舌。「百年に—出でてよよむともわれはいとはじ恋はますとも」〈万七六四〉

おいしら・ひ【老い痴らひ】『四段』《オイシレに反復・継続の接尾語ヒのついた形。→ひ》見るからに老いほうけて、わずかに昔の記憶があるような様子である。「—・へる人人、

うち泣きつつ賞(め)で聞ゆ」〈源氏賢木〉

おいし・れ【老い痴れ】〘下二〙《シレはシリ(占領する意)の受身形。自然に或る状態になりきってしまう意》年寄ってぼける。「我は―・れておぼえもなく成り行く」〈落窪三〉

おいす・げ【老いすげ】〘下二〙《オヨスゲの転か》年が寄る。「高橋は―・げたる大力(だいぢから)なりければ」〈盛衰記二九〉

おいづ・き【老い就き】〘四段〙《ツキは秋ヅキなどのツキと同じ。ある状態に成って行く意》①老年になる。老境にいたる。「かく恋ひば―・く吾が身けだし堪(あ)へむかも」〈万四二二〇〉②老人めく。「陸奥国紙(みちのくにがみ)に―・き書き給ひて」〈源氏総角〉　†öiduki

おいて【於いて】〘連語〙《置キテの音便形。平安時代のはじめから、漢文の訓読に使われた語。「…において」「…におきて」の形で、場所・日時・問題点・関係を示す助詞の役目をする。もともと漢字の「於」は「在」に通用し、物の表面について存在するという意味でオク(置)と読める字であった。そこで、漢文の中で助辞として使われた「於」を、…ニオキテ、…ニオイテと読む習慣が成立した。やがてこれが漢文訓読体の和文の文章の中にも広まり、奈良時代以来使われていた「…にして」という形に取って代り、広く使われるようになった》①動作・作用・存在の場所を示す。「大般涅槃におきて般若は上に在り」〈法華経玄賛平安初期点〉。「学無学の中に―最勝なるが故に」〈法華義疏長保点〉②日時を示す。「此は一年の中に拠(お)いて、三三をもちて別に説くなり」〈金光明最勝王経平安初期点〉。「何ぞ、ただ今の一念に―、直ちにする事の甚だ難き」〈徒然九二〉③問題点・関係を示す。「彼は智恵におきて最も第一なり」〈法華経玄賛平安初期点〉。「事に―忠ありければ」〈盛衰記二六〉④対象を示す。…に対して。「父い(父ハ)子におきて情深く」〈法華経玄賛平安初期点〉。「今は菩薩に―縁有る者は妙光の説を聞く」〈法華義疏長保点〉

―は ①…に関しては。「身に―全く御腹黒(おんばらぐろ)候はず」〈平家一二・土佐房〉②…の場合には。…ならば。「還幸なからんに―、三種の神器いかでか玉体を放ち奉るべきや」〈平家一〇・請文〉

おいなみ【老次・老並】《ナミは年ナミ・月ナミのナミと同じ。ならび・順序の意》老年の段階。老境。「―にかかる恋にも我は会(あ)へるかも」〈万五五九〉　†öinami

おいのいりまひ【老の入舞】晩年に一花咲かせること。「そのまま人の嫌ふ事をも知らで、―をし損ずるなり」〈花鏡〉

おいのいりまへ【老の入前】①晩年。老後。「今―掛かる(頼ル)身無し」〈西鶴・二十不孝四〉②老後の生活費。「―賢く取り置き」〈西鶴・永代蔵三〉

おいのうぐひす【老の鶯】鳴き声に生気の乏しくなった夏の鶯。残鶯。夏鶯。「今年ばかりの花をだに待ちもやせじと、心弱き―」〈謡・熊野〉

おいのかず【老の数】老年の年数。「わたくしの―さへやよければ(イヨイヨ多イノデ)」〈古今一〇〇三〉

おいのなみ【老の波】年の寄るのを波が寄せるのにたとえた語。寄る年波。「―に〔都ニハ〕さらに立ちかへらじ」〈源氏若菜上〉

おいのなみ【老の並】老人の通性。老人の癖。「―に、いひすぐしもぞし侍る」〈大鏡道隆〉

おいのねざめ【老の寝覚】年をとって夜中や夜明けに目のさめがちなこと。「夜や寒き月やすずしき明け方の―に風ぞ身にしむ」〈夫木抄一〇・初秋〉

おいのよ【老の世】老年期。「―に、持(も)給へらぬ女子を、まうけさせたてまつりて」〈源氏少女〉

おいば・み【老いばみ】〘四段〙年寄じみる。「―・みたる者こそ、火桶のはたに、足をさへもたげて」〈枕二八〉

おいびと【老人】年寄。老人(ろうじん)。「古ゆ人の言ひける―の変若(を)つとふ水ぞ」〈万一〇三四〉　†*öibitö

おいへ【御家】①貴人の家の尊敬語。「御心変りも御入り候へば、―のはて候はんずる御事と」〈伊達家文書三、天正一八・三・二六〉②座敷。また特に、居間または客間。「様子聞かうと―のまん中、どっかとすわれば」〈浄・忠臣蔵六〉③良家の主婦の敬称。「呉服所の―になるまじきものにもあらず」〈浮・好色床談義三〉

―さま【御家様】「おいへ」(3)に同じ。「おへさま」とも。「―・かみ様・内儀・内室・内方(ないはう)・口鼻(かか)など、段段各各なるべし」〈浮・好色訓蒙図彙上〉

―りう【御家流】①和様書体の一。伏見天皇の皇子、青蓮院尊円法親王が創始した書風。近世広く行なわれた。御家様(やう)。尊円流。「〔建部〕伝内昌興も、父に継いで入木(じゅぼく)の道に達せしかば…これよりして―と唱へしとぞ」〈東照宮御実紀付録二三〉②三条西実隆が創始した香道の一流。香道諸派の祖。「地下(げぢ)に香の御家の伝来流れ下る故に、後世―と称ふる也」〈香道濫觴伝〉

おいほ・れ【老い惚れ】㊀〘下二〙《ホレは意識・感覚を失う意》年をとってぼける。「〔外出モセズ、万事面倒ナノハ〕―・れたるとだに思ひ定めぬ」〈宇津保蔵開中〉㊁〘名〙年をとってぼけた老人。「老叟(おいほれ)をして独り先名を擅(ほしいまま)にせしむることなかれ」〈大唐西域記四・長寛点〉

おいや〘感〙突然のことにあって驚いたり、ふと思いついたりした時に発する語。おお(そうだ)。ほほう。「『―、聞きし人なり』と思し出でて」〈源氏宿木〉

おいらか《オイは老いの意。ラカは状態を示す接尾語。年老いて感情が淡く、気持の波立ちが少なくなるように、執心が少なく平静なこと。多く人の性質や態度にいう》①感情をとがらせないさま。感情的にならないさま。「〔女ガ〕物怨じをいたくし侍りしかば…―ならましかばと思ひつつ」〈源氏帚木〉。「例の―に、気色ばまぬ花散里ぞ、その夜添ひて移ろひ給ふ」〈源氏少女〉②感情がうすく、物事に対する関心・執着が少ないさま。「〔女三宮ハ〕ただ、ちごの面嫌ひせぬ心地して、心やすく、うつくしきさまし給へり。…などてかく―に生(お)ほし立て給ひけむ」〈源氏若菜上〉③そっけないさま。平静なさま。「〔恋人ノ所へ行コウトスルト、北ノ方ガ〕いと―に、つれなうもてなし給へるさまの、いと心苦しければ」〈源氏真木柱〉④凹凸のないさま。平らなさま。「白き紙の、うはべは―に、すくすくしきに、いとめでたう書い給へり」〈源氏胡蝶〉⑤穏便なさま。波立たないさま。「此処にも彼処にも―に言ひなして、〔女ヲ手許ニ〕渡し給ふなりけり」〈源氏少女〉⑥《「―に」の形で副詞的に》あっさりと。つべこべ言わずに、いっそのこと。「いづこのさる女かあるべき。〔ソンナ女トナラ〕―に鬼とこそ向ひ居たらめ」〈源氏帚木〉。「〔口喧嘩シテ〕何事いふぞとよ。―に死に給ひね。まろも死なん」〈源氏夕霧〉

おいらく【老いらく】《オユラクの転》年老いること。老年。「―の来むと知りせば門さしてなしと答へて会はざらましを」〈古今八九五〉

おいらん【花魁】《吉原遊廓で、新造・禿(かぶろ)などが姉女郎を「己等(おいら)の」と呼んだことから》姉女郎の称。後には上等の遊女の意にも用いた。「姉女郎を―と云ふ」〈古今廓奇談〉。「おかさんに、―で(ガ)おッしゃりんす」〈洒・遊子方言〉

おいりあ・り【御入りあり】〘四段〙①「行き」「来(き)」の尊

敬語。いらっしゃる。「そっとは―・るまい」〈百丈清規抄二〉②「在り」「居(ゐ)」の尊敬語。おられる。「陛下の仰せられうやうにと思ひて―・るぞ」〈漢書笠二桃抄〉。「かう王者の―・るほどに、王も万民も憂へざるぞ」〈周易抄六〉③「在り」「居(ゐ)」の謙譲語。ございます。「公方の上意がよう―・る」〈史記抄五〉④陳述の「あり」の丁寧語。…ございます。「今日、天下仏法、吾が宗門の棟梁で―・るぞ」〈湯山聯句鈔下〉→おりゃり

おいれ【老入れ】《オイイレの約》晩年。「身は駑馬(ばど)の〔ゴトク〕沓箱(くつばこ)持ちよ憂き―」〈雑俳・一息下〉

おうけ《動詞の連用形について》(…するに十分な)量。(使い)で。「おけ」とも。「丹後の生鰤(なまぶり)…殊に切り―のある事、少し薄目にはやせば(切レバ)、片身で六十人のおかず」〈近松・浦島年代記三〉。〈日葡〉

おうげ【応化】《「応現変化」の略》仏・菩薩が、衆生を救うために、その衆生の性質・根性に応じて姿を変えて現われること。「垂迹(すいじゃく)を申せば天満大自在天神の―の身」〈太平記三・大内裏〉

おうご【擁護】仏・菩薩などが衆生の願いに応じて護ってくれること。加護。「諸天も―し給はず」〈平家六・入道死去〉。〈文明本節用集〉

おうさ【応作】《種種に応現して作(な)す意》神・仏が衆生の能力・性質に応じて本身を変えて現われること。「伝へ承はる両所権現はこれ伊奘諾(いざなぎ)・伊奘冊(いざなみ)の―なり」〈太平記五・大塔宮〉

おう・じ【応じ】『サ変』①呼応する。こたえる。従う。「もし召しに―・ぜずんば忽ちに誅罰すべし」〈保元上・官軍手分け〉②相応する。合う。「人は身に―・ぜぬ果報をうらやむまじき事にぞ侍る」〈伽・福富長者物語〉

おうじん【応身】法身(ほっしん)・報身とともに仏の三身の一。衆生を導くため、衆生の能力・性質に応じて姿を変えて現われる身。応化身。「形を見るは―なり。影を浮ぶるは報身なり。空(むな)しきをさとるは法身なり」〈三宝絵下〉

おうて【追手】《オヒテの音便形》敵を正面から攻める軍勢。大手。「山門の大衆―搦手(からめて)二手につくる」〈盛衰記三〉

おうてんもん【応天門】平安京大内裏にある門。八省院(朝堂院)の南面の正門。外郭の朱雀門に対する。栖鳳(せいほう)・翔鸞(しょうらん)の東西二楼を歩廊で結ぶ。「―と会昌門との間を通りけるに」〈今昔二七ノ三三〉

おうな【嫗】《「おきな(翁)」の対。オミナの転》老女を軽く親しんで呼ぶ語。ばあさん。「〔自分ノ妻ヲ〕―とつけて心にも入れず」〈源氏藤袴〉。「うたてげなるおきな二人、―といきあひて、おなじところにゐぬめり」〈大鏡序〉

おうへ ヱ゛ゥ【御上】①畳の上。座敷。また、居間あるいは客間。「門跡へ昨日の御礼に―まで罷り向ひ了んぬ」〈言経卿記慶長三・二・二七〉②良家の主婦の敬称。「いかなれば―にはかくあぢなき御顔のみにて候ふぞや」〈仮・是楽物語下〉

おうら【御裏】①大阪東本願寺難波別院の称。南御堂。西本願寺津村別院(北御堂)を「御表」といった。「尋ねん―表の台所 西鶴」〈俳・西鶴五百韻〉②男色。「―・御表(女色)一物にあらぬ争ひ」〈浮・禁短気三〉③上方で、便所のこと。「尾籠(びろう)ながら、御亭主さん、手水(ちょうず)にゆきたい、―をちょっと」〈滑・膝栗毛七上〉

おお『感』神楽で曲の終った時に唱える声。「〔本方〕あちめ、―、―」〈神楽歌一〉

おおそれながら【御畏れながら】『連語』「畏れながら」の、より丁寧な形。目上に対して畏れ慎む気持でいう。「―直(ぢき)の御返事を給はりて」〈謡・小督〉

おがくづ【鋸屑】 **―も言へば言は・る** どんな事にも道理を付ければ付けられるというたとえ。「鋸屑も言へば言ふ」とも。「―・るるとかや」〈評判・朱雀遠目鏡上〉

おかげまゐり【御蔭参り・御影参り】《オカゲは路銭を持たず沿道の人人の喜捨・同情による意》近世、父兄または主人に断わらず、家を抜け出て、人人が群をなして伊勢参宮をしたこと。六十年目ごとに流行したという。抜け参り。「正休様…伊勢参宮にて候。〔何〕兵衛―仕り候て、道より御供仕り候」〈宗静日記明暦四・三・二五〉

おかた【御方】①嫁・人妻などの居室。「―へ呼ぶほどに行きて見れば」〈奇異雑談集一〉②人の妻に対する敬称。「ただ今、下京の―仰せらるる如く」〈虎明本狂言・鈍太郎〉③他人の敬称。「この難儀を救ひお助けあらう―は」〈天草本伊會保〉④遊女。「見よき―に取り当らせ給はれ」〈西鶴・諸艶大鑑四〉 **―ぐるひ** イグル【御方狂ひ】女郎遊びに夢中になること。遊女狂い。「―も身の毒と聞く季吟」〈俳・漢和俳諧〉 **―さま**【御方様】①人の妻に対する敬称。奥様。「―へ申すやう」〈咄・昨日は今日下〉②相手を敬っていう語。あなたさま。「―ならでは、親しみ申さん頼りもなし」〈幸若・入鹿〉 **―づか**【御方柄】女郎買いの道に通暁していること。女郎柄。「―を買ひ握り」〈評判・吉原六方〉

おかっさま【おかっ様】《オカタサマの転》人の妻の敬称。奥様。「―のよろこび(出産)さっしゃる折に」〈狂言記・伊文字〉。「お方様と言ふべきを―・おかさまは京の言葉也」〈浮世鏡三〉

おかひこ イコ゛カ【御蚕】絹の着物。「下〔着〕には―を放さず」〈浮・色道懺悔男一〉▽いつも絹物を着た、おごった生活を「おかひこぐるみ」という。

おかべ【御壁】〔女房詞〕豆腐。「―も温かに候ふぞ」〈評判・露殿物語〉

おかま【御釜】①下女の俗称。「お鍋」とも。「下女を俗に―と云ふ。また、下種(げす)と言ふ」〈漢語大和故事一〉②妻の異称。「東国の俗、妻(め)を呼んで、―といふ」〈本朝俚諺九〉③男色。また、その稚児(ちご)。「―のばくばくを後家は買ひに来る」〈雑俳・万句合天明三〉 **―を興(おこ)・す** 幸運で一身代作るたとえ。「―・す、家を興す事」〈諺苑〉

おかみ【龗】岡や水辺にすむ龍蛇の神。水を司る神と信じられた。「わが岡の―に言ひてふらしめし雪の摧(くだ)けしそこに散りけむ」〈万一〇四〉▽オカミのミは mï の音、カミ(神)のミは mi の音で、別語。† ökami

おかみ【御上】主君。主人。「―御一人とありしは、この奥様のお事ならん」〈近松・日本西王母五〉 **―け**【御上家】①公家。貴族。「わが恋はただ―の女中」〈西鶴・一代男四〉②公家風なこと。上品。「古今稀なる女、勤め姿去って―なる御所風あり」〈西鶴・諸艶大鑑二〉 **―さま**【御上様】他人の妻の敬称。「お殿様・お若う様・―、何にもおを付くる」〈咄・醒睡笑三〉

おかもじ【御か文字】「かもじ」の丁寧語。「承り候ごとく―様大切と思しめされ候故に」〈金沢文庫古文書九、おむこ書状〉

おか・り【置かり】『ラ変』《置キアリの約》そのままにしておく。「潮船の―・ればかなし(切ナイ)」〈万三五六東歌〉

おかんあげ【御髪上げ・御梳】《カンはカミの音便形》貴婦人の髪を結うこと。また、その役の侍女。「数多の侍婢・―」〈西鶴・男色大鑑四〉

おき【沖】《「へ（辺）」の対。オク（奥）と同根》①海・湖・池などの陸から遠い所。「海原(うなはら)の―ゆく舟を帰れとか領巾(ひれ)振らしけむ松浦佐用比売(まつらさよひめ)」〈万八七四〉。「〔池ノ〕―べは鴨妻よばひ、辺(へ)つ方(へ)にあぢむら騒き」〈万二五七〉 ②ひろびろと遠く広がる田野。「八町の萱野をさして御供ある。…―をきっと御覧ある」〈伽・小栗絵巻〉 †ōki **―を泳・ぐ** 遊里で、本格的な大がかりな遊びをする。豪遊する。「惜しきは、あたら銀(かね)にて磯ぐるひ、何とぞ、その庄屋にすすめて―・がせといふ」〈西鶴・置土産三〉 →磯ぐるひ。 **―を漕・ぐ** ①物事を深く究めて、すばらしいことのたとえ。「月の船―・いだる光かな」〈俳・毛吹草六〉 ②「沖を泳ぐ」に同じ。「乗りかかったる大夫の御船(みふね)=人名)に逢ひ初め、―・いだる大騒ぎ」〈西鶴・好色盛衰記四〉 **―を深めて** 心の奥底から。「海(わた)の底―わが思(も)へる君には逢はむ年は経ぬとも」〈万六七六〉

おき【息】「いき」の母音交替形。「―そ（息嘯）」など、複合語の中だけに見られる。「鳰鳥(にほどり)の―長川は絶えぬとも君に語らむ言尽きめやも」〈万四四五八〉 †ökï

おき【隠岐】 旧国名の一。山陰道八国の一で、今の島根県隠岐島。「―国、霖雨大風、使を遣はして賑恤せしむ」〈続紀和銅一・七・一四〉 †ökï

お・き【置き・措き】『四段』《物に平面上の位置をあたえて、手を放し、そのままにする意。転じて、物事をほったらかしにして、関心を寄せない意。類義語スヱ（据）は、動かないようにしっかりと置きつける意》❶《自動詞として》（露・霜・雪などが）自然に地上についてとどまる。「秋されば―・く露霜に堪(あ)へずして」〈万三六九九〉。「白妙に雪は降り―・きて」〈万四〇〇三〉 ❷事物に位置をあたえ、そのままにする。①手にしたものを離して、ある位置にとどめる。安置する。「をとめの床(とこ)の辺に我が―・きしつるきの太刀」〈記歌謡三三〉。「多麻の浦の沖つ白珠拾(ひり)へれどまたそ―・きつる見る人を無み」〈万三六二八〉 ②（人を）葬る。埋葬する。「衾道(ふすまぢ)を引出の山に妹を―・きて山路を行けば生けりともなし」〈万二一二〉 ③（一緒にあったものを）残しとどめる。あとに残す。「父母を―・きてや長く吾(あ)が別れなむ」〈万八九一〉 ④（何かに）作りつけをする。「かばかりの箱の漆(うるし)つき、蒔絵のさま、くち（縁金）―・かれたりしやうなどのいとめでたかりしなり」〈大鏡伊尹〉 ⑤設置する。もうける。「あらかじめ妹をとどめむ塞(せき)も―・かましを」〈万四〇〇八〉 ⑥（相手に、或る）処置をあたえる。「王聞きて震怒して厳刑に―・かむと欲す」〈大唐西域記一・長寛点〉 ⑦（他へ）あずける。「然(さ)はこの子を質(しち)に―・きたらむ」〈今昔二九ノ二九〉 ⑧家に居させる。雇う。「あまた傾城を―・きて」〈問はず語り五〉 ⑨（時間・距離などを）へだてる。「ほととぎす間(あひだ)しまし―・け汝が鳴けば吾が思ふ心いたもすべなし」〈万三七八五〉 ⑩（気持を、離れないようにそこに）とどめる。注意する。「何がしがいやしきいさめにて、好きたわめらん女に心―・かせ給へ」〈源氏帚木〉 ▽おもに「心―・き」の形で使われ、気がねする、心配するの意にも転じる。⑪占いの道具や算木を置き並べて、占い・計算をする。「夕凪に楫の音しつつ行きし君いつ来まさむと卜(うら)―・きて斎(いは)ひ渡るに」〈万三三三三〉。「人を―・き殺し、―・き生くる術もありと云ひけるを」〈今昔二四ノ三〉。「さあらば一算―・かずは成りまらすまい」〈天理本狂言六義・居杭〉 ❸事物のなりゆきに関心を示さず放置する。①手を加えずにおく。そのままにする。「秋山の木(こ)の葉を見ては黄葉(もみち)をば取りてそしのふ、青きをば―・きてそ嘆く」〈万一六〉 ②そのまま取っておく。保存する。「便りあらば遣らむとて〔歌ヲ〕―・かれぬめり」〈土佐一月七日〉 ③さしおく。見捨てる。除く。「天(そら)にみつ大和(やまと)を―・きてあをによし奈良山を越え」〈万二九〉。「我(あれ)を―・きて〔立派ナ〕人はあらじと誇ろへど」〈万八九二〉 ④（動作を）一時とめる。休める。「タダテヲヲカヌヒト」〈日葡〉。「タダクチヲヲカヌヒト」〈日葡〉 ⑤やめる。ひかえる。「これ程にいうてもそちが出(づ)る事は成らぬか。…よいよい、―・きをれ、頼まぬ」〈虎寛本狂言・右近左近〉 ⑥《「…せねば―・かぬ」の形で》…しないでは済まさない。「どうでもかうでも聞かにゃ―・かぬ、語らせねや―・かぬと、堪忍せぬ顔つきに」〈近松・二枚絵上〉 ❹《動詞の連用形に直接あるいは助詞「て」を介した形に接続して》その動作を前もってする意。あらかじめ…する。前に…する。「見よと思ひ給ひてこそ〔亡父ガ〕し―・かせ給ひけめ」〈源氏蓬生〉。「〔傷ニ〕かの草をもみてつけぬれば、すなはちいゆとなん、見知りて―・くべし」〈徒然九六〉 †ökï **置いて来・た**《知恵を胎内に置いて来たの意》愚かである。また、愚者である。「うつけた者を、―・たと下下のたはぶれ言に言へる」〈俳・渋団〉 **措いて呉れ**《そのままにしておいてくれの意》言うな。止めよ。「―、気遣ひすな」〈近松・冥途飛脚中〉 **置かぬ棚を守(まぶ)・る** 棚に何もないと知りながら見守らずにはいられないの意で、徒労のたとえ。「置かぬ棚を探す」とも。「今からも陰子(かげこ)隙あらんと思ひやられ―・り」〈西鶴・男色大鑑八〉

お・き【起き】『上二』《オコシ（起）・オコリ（起）の語根オコを活用させた語。ヨコ（横）を活用させてヨキ（避）とする類。心の働きを停止して眠っていずに、目を覚まして心を活動させる意。転じて、身を立ち上がらせる意》①（眠らずに）目を覚ましていて神経を働かせる。「―・き居つつ君に恋ふるにいねかてなくに」〈万三二〇〉 ②（眠りから）目を覚ます。「―・きよ―・きよわが一夜夫(づま)」〈万三八七三〉 ③立ち上がる。「川副楊(かはそひやなぎ)水行けば、なびき―・き立ち」〈紀歌謡八三〉 †ökï

お・き【熾き】㊀『上二』《オキ（起）と同根》火気が盛んになる。「おき火、火鉢なんどに―・きたる火なり」〈古今集註〉 ㊁『名』①灰の中でおこっている炭火。「護摩せんとて大土器(おほかはらけ)に―を入れて」〈沙石集八ノ二一〉。「熰煨、オキ」〈名義抄〉 ②薪などが燃えつくして炭火のようになったもの。「―を炭の上に置けば」〈雑談集一〉

おきあか・し【起き明かし】『四段』徹夜する。「いとねぶたし。よべもすずろに―・してき」〈源氏浮舟〉

おきあがりこぼし【起上り小法師】①達磨(だるま)形の土人形の底に錘(おもり)を付け、倒してもすぐに起き直るようにした玩具。「おきかへりこぼふし」とも。「七夕も寝ては―かな」〈俳・鸚鵡集六〉 ②「張り人形」(1)に同じ。「張り人形、世にこれを―と云ふ也」〈俳・毛吹草四〉

おきあげ【置上げ】 彫刻・蒔絵などで、模様や文字を地より高く盛り上げる手法。「何れも四方御張付け、地を金に―なり」〈信長公記一五〉

おきあはせ（…アワセ）**【置合せ】**①諸道具の配置。とりあわせ。「ある人、利休居士に向ひて、道具の―は何と相定め候やと問へば」〈西海余滴集〉。〈日葡〉 ②宴会などの相伴。「かなたこなた人の―になりて、身の程より公界(くがい)する者あり」〈仮・仕方咄三〉。〈日葡〉

おきあふぎ（…オウギ）**【置扇】**①秋になって使わなくなった扇。「金箔や秋より先に―」〈俳・鸚鵡集六〉 ②旅人が宿屋を出る時、礼として扇を与えること。また、その扇。「―旦那(だんな)廻りを志し」〈俳・両吟一日千句〉

おきあ・へ（…アエ）**【置き敢へ】**『下二』場所にうまく置く。うまく仕舞う。「ふとしもえ―・へでさしはさみしを」〈源氏若菜下〉

おきあま・り【置き余り】『四段』多過ぎるほどたくさん（露などが）おく。「―・る露は乱れて浅茅生の小野の篠原秋風ぞ吹く」〈新拾遺三八一〉

おきあみ【置網】網を水中に張って置き、魚がその上に来れば引き上げて捕獲すること。また、その網。「―やしがらみ掛けし紅葉鮒」〈俳・崑山集二一〉 **―を言・ふ** 張った網を引き上げない先に、その漁獲物をあれこれ吹聴する意で、まだ分りもしない将来の事を確定したように言う意。「―・ふや冬から春霞」〈俳・毛吹草六〉

おきおき【起き起き】起きたばかり。起きぬけ。起きたて。「朝―、絶えず〔声ヲ〕使ふ良し」〈わらんべ草四〉

おきがた【置形】布に模様をつけるのに、型紙を置いて絵具を擦りつけたもの。「舞台衣装も唐木綿にさらさの―」〈西鶴・男色大鑑五〉

おきがへ ガエ【置換へ】①質物などを入れ換えて預けること。「―や身の代衣(しろごろも)四知衆生」〈俳・沙金袋三〉②買手から保証金を先に取り立てておき、必要のつど商品を渡し、決算期に過不足を清算する販売法。「西陣の絹織屋へ俵米売り初め、―の約束も年年〔金高ガ〕かさみ」〈西鶴・永代蔵五〉

おきぐち【置口】手箱・硯箱などの箱のふちや婦人の装束の袖口などに金銀などでふちどりをすること。「若き人人は縫物・螺鈿など、袖口に―をし」〈栄花初花〉

おきごひ ゴイ【置鯉】婚礼など祝儀の宴席に、飾り物として置鳥と共に置く雌雄の鯉。「御会所に於いて御賞翫…置鳥・―」〈毛利家文書三、永祿四・三・二八〉

おきざり【置去り】①夫が妻を残したまま家出し、事実上離別すること。「女(め)七夕―に会ふ夜明けかな」〈俳・智恵袋三〉②他の者を見捨てて立ち去ること。「涙も露も袖に―」〈俳・佐夜中山三〉。「―にして、逃ぐるやうに仕掛くるもあり」〈評判・吉原雀上〉

おきずみ【置墨】髪の生えぎわなどに塗ったり、眉を描いたりするのに用いる墨。眉墨。「十川額(そがうびたひ)…―黒くせんよりは勝るべきか」〈色道大鏡三〉

おきぜに【置銭】茶屋・宿屋などで出発の時、客が与える心付けの銭。「旅馴れつつも宿に―」〈俳・巳己巳己千句二〉。〈日葡〉

おきそ【息嘯】《オキ（息）ウソ（嘯）の約》ためいき。嘆息。「我が嘆く―の風に」〈万七九九〉 †ökiso

おきそ・へ ゾエ【置き添へ】『下二』置いている上に、更に（意志的に）置く。「いとどしく虫のね繁き浅茅生に露―・ふる雲の上人」〈源氏桐壺〉

おきつ【沖つ】『連語』《「辺(へ)つ」の対。ツは連体助詞》 **―かい**【沖つ櫂】沖をこぐ舟の櫂。「―いたく（ヒドク水ヲ）な撥(は)ねそ」〈万一五三〉 **―かぜ**【沖つ風】沖を吹く風。「―いたくな吹きそ」〈万三五九二〉 **―かぢ**【沖つ楫】沖をこぐ舟の艫(ろ)。「―やくやくしぶを（ダンダン進ミモ遅クナッテキタガ）」〈万一二〇五〉 **―くに**【沖つ国】沖のかなたの遠い国。死者の住む黄泉(よみ)の国をさすともいう。「―領(うしは)く君が」〈万三八八八〉 **―しまもり**【沖つ島守】沖にある島の番人。「八百日(やほか)行く浜の沙(まなご)〔ノ数〕も我が恋にあにまさらじか―」〈万五九六〉 **―とり**【沖つ鳥】〔枕詞〕沖にいる鳥の意から「鴨」にかかる。また、沖にいる水鳥であるアジガモの意から地名「味経(あぢふ)」にかかる。「―鴨着(ど)く島」〈記歌謡八〉。「―味経の原に」〈万九二八〉 **―なみ**【沖つ波】①沖に立つ波。「―千重(ちへ)に隠りぬ大和島根は」〈万三〇三〉②〔枕詞〕波のうねるさまから「撓(をと)む」、高く立つことから同音の地名「高師」にかかる。また、「頻(し)き」「競(きほ)ひ」にもかかる。「―とをむ眉引(まよびき)」〈万四二二〇〉。「―高師の浜の」〈古今九一五〉 **―みかみ**【沖つ御神】沖または沖の島にすむ神。また、沖または沖の島を神とみていう語。「珠洲(すす)の海人(あま)の―にい渡りて潜(かづ)き採るといふ鰒珠(あはびたま)」〈万四一〇一〉 **―も**【沖つ藻】沖に生えている藻。「楫の音そほのかにすなる海(あま)をとめ―刈りに舟出すらしも」〈万一一五二〉 **―もの**【沖つ藻の】〔枕詞〕沖の藻が生えているさまから「なびく」にかかる。「―なびきし妹(いも)は」〈万二〇七〉

おきつ【奥つ】『連語』《オクツの転。ツは連体助詞》 **―き**【奥つ城】①神の鎮座する所。神の宮居。「―に、すめ神たちを斎(いは)ひ来し」〈神楽歌二四〉②墓。「空しくも過ぎにし妹が―を」〈春雨物語〉 **―みとし**【奥つ御年】《トシは穀物。もっとも遅く実る穀物の意》稲。「皇神等の依さし奉らむ―を」〈祝詞祈年祭〉 †ökitumitösi

おきづきん【置頭巾】袱紗(ふくさ)形の布帛を二つに畳んで頭に載せたもの。また、丸頭巾をいう場合もある。「朝まだき―にて雪見かな」〈俳・時勢粧一〉

おきづと【置苞】置きみやげ。「―とかやいふ事の侍れば、また対面給はるまでの形見に見給はなんうれしかるべし」〈八重むぐら〉

おき・て【掟て】[一]『下二』《オキはオキ（置）と同根。テは方向の意。類義語サダメは、奈良時代には公共の事に関して神意を占って決定する意。オキテは、はじめ私的な心構えの意から、取りきめ、命令の意、さらに社会的な禁制の意となる》①（こうしようと）こころざす。「〔山吹ハ〕品高くなどは―・てざりける花にやあらむ」〈源氏幻〉②（自分で決めて、誰かに…せよと）言いつける。指図する。「〔私ガ死ンダラ〕海の中にもまじり失せねとなむ―・て侍る」〈源氏明石〉。「高名の木登りといひしをのこ、人を―・てて高き木に上せて梢を切らせしに」〈徒然一〇九〉 [二]『名』①意向。「親の―にたがへり」〈源氏帚木〉②もともとの心の持ち方。志すところ。「―広き器(うつはもの)には幸ひもそれに従ひ」〈源氏若菜下〉。③かまえ。物の配置。「水のおもむき、山の―を改めて」〈源氏少女〉④（意図を遂行するための）指図。「経・仏の―なども、左大弁の君せさせ給ふ」〈源氏柏木〉⑤（拘束的な、動かしがたい）処置。「〔菅原道真ニ対スル〕帝の御―きはめてあやにくに」〈大鏡時平〉⑥（法律的な）きまり。規則。法度(はっと)。「詔(みことのり)して賞罰(まつりごと)―事大きなる小さきと無く」〈紀雄略二十三年〉。「古の―の有様を尋ね問はせ」〈大鏡序〉 †ökite **―おぼしめ・し**【掟て思し召し】『四段』意向をお持ちでいらっしゃる。「いかやうにか―・すらむ」〈源氏幻〉 **―おほ・せ** オオセ【掟て仰せ】『下二』意向をきめてお言いつけになる。「よろづの事を―・せられたるなり」〈源氏浮舟〉 **―のたまひ** ノタマイ【掟宣ひ】意向を定めて下の者におっしゃること。「すべき事ども―などして」〈源氏宿木〉

おきて【於きて】『連語』⇨おいて

おきてぬぐひ ヌグイ【置手拭】畳んだ手拭を頭に載せて頭巾代りにすること。また、その手拭。下層の女の風俗。「おきてのごひ」とも。「御讃談―も露涙」〈俳・絵合上〉

おきど【置戸】《ドはタチド（立処）・ネド（寝処）のドと同じ。置く場所の意》罪けがれを祓(はら)い償うものを置く台。また、その上に置く科料の品物。「千座(ちくら)の―を負(おほ)せ」〈記神代〉 †ökido

おきどころ【置き所】置くべき場所。置き場所。「いともかしこきは〔身ノ〕―も侍らず」〈源氏桐壺〉

おきどり【置鳥】 婚礼など祝儀の宴席に飾り物として置く雌雄の鴛鴦(おしどり)。「—の羽のなり、頭のなりは、竹の串(くし)にて直すべし」〈大諸礼集四〉

おきな【翁・老夫】《「おみな」の対。キは男性を示し、ナは人の意。キとミで男女を区別する例は、神名イザナキとイザナミなど。奈良・平安時代を通じて、和文脈では「おきな」は軽侮の対象となっていることが多いが、漢文脈では「翁」は敬意を含んで使われた。中世ではオキナの対語として「うば」が使われることもある》 ①老人。㋑《若人に対して》年寄。おじいさん。「はしきやし—の歌におぼしき九(ここの)の児らや感(まか)けて居らむ」〈万三七九四〉。「昔の若人はさる好ける物思ひをなんしける。今の—まさに死なむや」〈伊勢四〇〉 ㋺《自他共に軽侮をこめて》じじ。老いぼれ。「こよなう年老いうたてげなる—」〈大鏡序〉。「〔内大臣自詞〕—いたう酔ひ進みてむらい(無礼)なればまかり入りぬ」〈源氏藤裏葉〉 ②《漢文で、敬意をこめて》古老。「功名立たず、年も老いず、常に願はくは、名高く年もさらに—たらむことを」〈菅家文草二〉 ▽礼記によれば、年齢六十を耆(おきな)という。③能楽の曲名。古くは「式三番」と呼ばれた。現在の形は、「翁」「千歳」「三番叟」の三部の歌曲より成り、祈禱的な性格をなお強く留めている。儀式的な演能の時など、家元によって最初に演じられる。「—をば昔は宿老次第に舞ひけるを」〈申楽談儀〉 ④能面の名。「翁」の能に用いる老人の面。おきなおもて。「それぞれの面は—や式三番(しきさんば)」〈俳・犬子集一七〉 †ökina **—ぐさ**【翁草】 ①松の異名。「—、松」〈蔵玉集〉 ②菊の異名。「菊をも—と申す也」〈蔵玉集〉 **—ごと**【翁言】 老人らしい言葉。老成した言葉。「弁のおもとはいとけざやかなる—、憎く侍り」〈源氏蜻蛉〉 **—さ・び**【翁さび】『上二』《サビはカム(神)サビのサビと同じく、その者らしくふるまう意》 老人らしくふるまう。「すり袋今は得てしか—・びせむ」〈万四一三三〉。「今朝見ればさながら霜を戴きて—・び行く白菊の花」〈千載三四五〉 †ökinasabi **—・び**【翁び】『上二』 老人らしい状態である。「ただ—・びたる声にぬかづくぞ聞ゆる」〈源氏夕顔〉 **—びと**【翁人】 男の老人。「—一人、たうめ一人」〈土佐一月九日〉。「古老、オキナビト」〈名義抄〉 **—わたし**【翁渡し】 歌舞伎の顔見世及び正月興行に、初め三日間未明に演ずる式三番。「初空や—の朝日影」〈俳・江戸弁慶〉

おぎな・ひ（オギナイ）【補ひ】『四段』「おぎぬひ」の転。「補、おぎなふ」〈ぎやどぺかどる字集〉

おきなます【沖膾】 夏、沖で漁した小魚を、すぐに船中で膾にし、蓼(たで)・紫蘇などを入れた簡単な料理。後には、小魚数種に野菜類を取り合わせた新鮮な膾料理をもいった。「—。鰺・いななどをまろ作りにして、蓼をあらあらと切り入れ候を云ふ也」〈料理物語〉

おきにし【沖西】 南西の風。「二十四日、晴、風—」〈策彦和尚初渡集下ノ下〉

おぎぬ・ひ（オギヌイ）【補ひ】『四段』《平安時代にはオキヌヒと清音。アクセントも考えると、オキは置キで布を破れ目の上に置く意。ヌヒは縫ヒの意。室町時代オギヌヒと濁音化、またオギノヒ・オギナヒという形も現われた》 つぎ布をあててかくす。つくろう。「糞(がね)はくは遺闕(カケテイルトコロ)に—・ふこと有らむ」〈大唐西域記一・長寛点〉。「脱漏字に於て後人、之を—・へと云ふこと尓(しか)り」〈色葉字類抄序〉。「草衣(さう え)、夕の膚(はだへ)を隠さざれども—・ふに便りなし」〈謡・関寺小町〉。「補、オキヌフ・ツヽル・タスク」〈名義抄〉

おきの・り【賖り】『四段』《室町時代にはオギノリとも》 ①信用で買う。代金の支払いをその場ではせずに買う。「布施物をもて一向に(ヒタスラニ)酒を買ひてのみけり。或時—・りて、布施物出で来ればやりけり」〈沙石集六ノ一六〉。「この山人、酒を—・りて樽をして許渾が所へ来たりたぞ」〈三体詩抄二ノ三〉。「賖、於支乃利(おきのり)」〈新撰字鏡〉。「貰、ヲギノル」〈黒本本節用集〉 ②質に入れる。「雪に猶布子—・る酒狂人」〈雑俳・宝船〉 **—わざ**【賖業】 掛買い。「そら言をして—をして銭(ぜに)ももてこず」〈土佐一月九日〉

おきのゐて『連語』 未詳。オキノヰは地名であるともいう。「—身を焼くよりもかなしきは都島べの別れなりけり」〈古今一一〇四〉

おきひ【熾火】 赤く熱した炭火。「煨、熱灰也、於支比(おきひ)」〈新撰字鏡〉

おきふ・し【起き臥し】㊀『四段』 寝起きする。「ただこの御身に添ひて—・し給ふを」〈夜の寝覚一〉 ㊁『名』 寝たり起きたりすること。「—につけて、物のみ恐ろしう思いたるを、宰相も、いとことわりに心苦しけれど…泊り給ふことも難かりけり」〈狭衣四〉 ㊂『副』 寝ても覚めても。始終。「—面影にぞ見え給ふ」〈源氏真木柱〉

おきぶみ【置文】 子孫に対して、自分の意志や戒めを書き残して置く文書。「伽藍等興隆の事…御—を残さるるの処」〈吾妻鏡承元四・五・二五〉

おきへ【沖辺・沖方】《「辺(へ)つへ」の対》 沖のあたり。「海原の—にともし漁(いざ)る火は明かしてともせ大和島みゆ」〈万三六四八〉 †ökiFe

おきまどは・し（マドワシ）【置き惑はし】『四段』 ①他のものと見分けをつかなくするように(露や霜が)置く。降った結果、見分けられなくする。「心あてに折らばや折らむ初霜の—・せる白菊の花」〈古今二七七〉 ②置いて見失う。「かぎを—・し侍りて」〈源氏夕顔〉

おきまよ・ひ（マヨイ）【置き迷ひ】『四段』 ①置いた結果他のものと区別がつかなくなる。「霜を待つ籬(まがき)の菊の宵のまに—・ふ色は山の端の月」〈新古今五〇七〉 ②混乱する程(露や霜が)おりる。ひどくおりる。「—・ふ秋の夜寒の袖の霜はらひもあへず擣(う)つ衣かな」〈新続古今五三八〉

おきめ【置目】 ①きめ定められたこと。おきて。「昨日の—相違あるべからず候」〈高野山文書三、文禄一・八・一六〉 ②仕置き。処刑。「やがて—に逢ふ」〈仮・御伽物語三〉

おきもの【置物】 ①金箔を置きちらしたもの。「これもいろいろの縫物—などいとこまかに艶(なまめか)しくしなしたり」〈増鏡八〉 ②装飾として置いておく物。「—には琵琶一面、琴一ちゃう立てて置きたり」〈伽・むらまつ物語〉

おきや【置屋】 遊女・芸者などを抱えて置く家。揚屋・茶屋・呼び屋からの注文に応じて遊女らをさし向ける。「凡そ妓を畜(か)ふ家を—と曰(い)ふ。妓、—に在りて客をつとめず(取ラナイ)」〈洒・月花余情〉

おぎろ ①広大なこと。「丈六の仏を造りたてまつる。功徳甚大(おぎろ)なり」〈紀欽明六年〉。「銀鎬玉字も亦南宮に浩汗(かうかん)とおぎろなり」〈玄奘法師表啓平安初期点〉 ②甚だしいこと。「一足も引かず討死すべしと神水を飲みてぞ打ち立ちける。事の—まことに思ひ切ったる体かなと」〈太平記二五・住吉合戦〉 †ögirö **—な・し**『形ク』《ナシは甚だしい意》 非常に広大だ。「浜に出でて海原見れば…そきだくも—・きかも、こきばくもゆたけきかも」〈万四三六〇〉

おきわた【置綿】 真綿で作った防寒用のかぶり物。もと老女用であったが、延宝頃から一般の女性も外出時の装飾に用いた。「座敷に入りざまに、—を壁につけ」〈西鶴・一代男二〉

おき・ゐ【起き居】『上一』 起きて坐っている。「昼は日一日

いをのみ寝暮し、夜はすくよかに—・ゐて」〈源氏明石〉

おく【奥】《「外(と)」「端(はし)」「口(くち)」の対。オキ(沖)と同根。空間的には、入口から深く入った所で、人に見せず大事にする所をいうのが原義。そこにとどくには多くの時間が経過するので、時間の意に転ずると、晩(おそ)いこと。また、最後・行く先・将来の意》❶《空間的に場所について》①入口から深く入った所。「—床に母は寝たり、外床(とこ)に父は寝たり」〈万三三一二〉 ②最も深くて人のゆかない、神秘的な所。「—山の岩にこけむしかしこけど」〈万一三三四〉 ③一番終りの所。末尾。「書きておくりける—に、よみて書けりける」〈古今八五四詞書〉。「あさましや暦の—を今日見れば一くだりにもなりにけるかな」〈実国家歌合〉 ④《「道の奥」の意で》奥州。みちのく。「北国にかかって終(ひつ)に—へぞ下られける」〈平家一二・判官都落〉 ⑤奥まった部屋。「—より座敷へ出で、座敷より—へ入り」〈ロドリゲス大文典〉 ❷《心理的に大切にする所の意で》①心の底。「—に思ふを見たまへ我が君」〈万三七六〉 ②芸の秘奥。「心七分動を心得て、なほなほ—を残すやうにすべし」〈花鏡〉 ③貴人の妻の居室。「〔母、娘ノ部屋ヲ〕のぞき見るに、〔男ノ〕人も無かりければ、『おいや』など言ひてぞ—へ入りける」〈平中二七〉 ④㋑貴人の妻。奥方。夫人。「此の—の姿を見るに」〈西鶴・一代女二〉 ㋺梵妻(ぼんさい)。「—と云ふは僧房の女の隠し名といへり」〈俳・貞徳自注百韻〉 ❸《時間に転用して》①晩(おそ)いこと。また、最後。「おくての山田かりそめに」〈古今四二〉 →おくて。②将来。行く先。「しゑやわが背子—もいかにあらめ」〈万六五九〉。「外山吹くあらしの風の音きけばまだきに冬の—ぞ知らるる」〈千載三九五〉 **—聞かんより口を聞け** 人の心の奥底を問いただきなくても、その人のちょっとしたはずみにしゃべる言葉を聞けば、その本心はよくわかるという意。〈俳・毛吹草二〉

おくか【奥処】《カはスミカ・アリカのカと同じ、所の意》①奥まったところ。はて。「常知らぬ国の—を百重(もも)山越えて過ぎ行き」〈万八八六〉 ②将来。「家にてもたゆたふ命波の上に浮きてしをれば—知らずも」〈万三八九六〉 **—な・し**【奥処なし】『形ク』はてしもない。「—・く知らぬ山道を恋ひつつか来む」〈万三一五〇〉

おくがき【奥書】①巻物や書物の末尾の所に、その本の由来、伝書・書写の事情などを書きしるしたもの。「書きおかれける歌の草子どもの—して」〈十六夜日記〉 ②《奥義を授ける文書の意》学問・芸能伝授の時、師から門弟に与える証文。伝授状。「〔琵琶秘曲伝授〕—に云はく、…新上皇に授け奉り畢んぬ。権大納言藤原判」〈後伏見天皇御記延慶二・一〇・三〉 ③奥義。秘伝。「御琵琶の口伝未だ残る間、俄かに御—を申す也」〈言国卿記文明六・七・三〉

おくがた【奥方】①家の奥の方にある部屋。主婦・子女の居間。「やる文は忍び返しの〔塀デ囲マレタ〕—に」〈俳・廿会集上〉 ②貴人の妻の敬称。「照宗公の御—はり奥にめされ」〈義光物語〉 ③奥州地方。奥道(おくみち)。「—に知(し)ろしめしたる人や御入り候」〈義経記一〉

おくがらうウ：ロ【奥家老】武家などで奥向きに勤める老年の家老。表家老に対していう。「—龜井鶴岡松兵衛〔イズレモメデタイ名ダ〕」〈俳・江戸十歌仙〉

おくぎ【奥義】「あうぎ」に同じ。「兵法の—を極め給ひたる人ぞかし」〈伽・弁慶物語〉

おくぐち【奥口】土地の奥の方に通ずる入口。また、家の奥の間に通ずる入口。「紀州—の衆数千騎にて押し寄せ」〈蓮成院記録延徳二・七〉。「—の目代(めしろ)＝目付役)となりて」〈浮・好色産毛五〉 **—せ・ず** 反物の巻き口と末端の方との品質を変えない意。全部同じ質にして、ごまかさない。「唐土(もろこし)人は律義に、云ひ約束のたがはず、絹物に—・ず」〈西鶴・永代蔵四〉 **—に縫・ふ** すり切れた袖口を奥にし、奥切れを口に出して仕立て直す。「着物はふとりを花色にして、幾度か洗濯、袖も—・ひ直し」〈西鶴・諸艶大鑑五〉

おくこふウ：コ【億劫】〔仏〕《「劫」は限りなく長い時間の意》(劫を億倍にした)極めて長い時間。「多生に希(まれ)にうかび出で、—に一度あへり」〈沙石集一ノ六〉

おくさま【奥様】①《サマは漠然とした方向を示すのが原義》奥のほう。「ただ—に向きておはすれば」〈源氏総角〉。「音もせで—へ入りぬ」〈宇治拾遺五〇〉 ②武家または上流町人の妻の敬称。奥方。夫人。「五郎殿—は西馬音内殿息女にて御座候ふが」〈矢島十二頭記〉 **—なり**【奥様成り】奥様となること。また、その披露宴。「本妻に引き上げて、—の御祝儀」〈近松・弘徽殿三〉

おく・し【臆し】『サ変』《「臆」は胸・心の意》気おくれする。「博士どももなかなか—・しぬべし」〈源氏少女〉

おぐし【御髪】〔女房詞〕高貴の方の髪。「おか殿—すまし(洗ウコト)に御いであり」〈御湯殿上日記文明九・四・一九〉 **—あげ**【御髪上げ】貴人の髪を結うこと。また、その役の侍女。「おかんあげ」とも。「—も今宵あり」〈御湯殿上日記文明一四・一二・一三〉

おくじま【奥縞・奥島】赤糸入りの縦縞の木綿織物。サントメ縞。「—の道服をうちかづき」〈仮・東海道名所記六〉

おくじゃうるりウ：ジョ【奥浄瑠璃】仙台地方で行なわれた浄瑠璃。多くは義経関係の事項を題材にし、盲の僧が扇拍子や琵琶に合わせて語った。仙台浄瑠璃。御国浄瑠璃。「—緒絶の橋や古扇」〈俳・誹枕下〉

おくすぢ【奥筋】奥州地方。奥道(おくみち)。「日光…—にてもこれ有り」〈松平大和守日記寛文七・七・一二〉

おくぜい【奥勢】奥州の軍勢。奥州勢。「鬼神の如くに聞えし—、黒地をだにもやぶり得ず」〈太平記一九・青野原軍〉

おくそこな・し【奥底無し】『形ク』何事も包み隠さずうち明ける。少しも秘密にしない。「『むさと口きき過ぐる人』と云へば、『いや、—・き者』と云ふ」〈仮・悔草中〉

おくだか・し【臆高し】『形ク』臆病である。一説に、奥高シで、心の中に自ら高く持する意、誇り高い意ともいう。「〔勅題ヲ賜ワッテ〕—・きもの(学生)どもは、物も覚えず」〈源氏少女〉

おくつ【御沓】江戸で、たいこもちの異名。「沓」「沓持」とも。「—とはいかに。答へて曰く、太鼓持の異名也。取り持つと言ふ心なるべし」〈評判・吉原雀下〉

おくつ【奥つ】『連語』《ツは連体助詞》 **—き**【奥つ城】《キは構えて作ってある所》墓所。墓。「昔こそよそにも見しかわぎもこが—と思へば愛(は)しき佐保山」〈万四七四〉 † ökutuki **—きどころ**【奥つ城処】墓のある、一段高い所。「われも見つ人にも告げむ葛飾の真間のてごな(娘ノ名)が—」〈万四三二〉 **—すたへ**【奥津棄戸】《スタは棄テの意。へは瓮》死人を入れて棄てる瓮(かめ)。「顕(うつ)しき蒼生(あをひとくさ)の—に、将(も)ち臥さむ具にすべし」〈紀神代上〉 **—もの**【奥つ物】〔枕詞〕奥の物はかくれて見えない意から、かくれる意味の地名「隠(なばり)」にかかる。「—隠の山を」〈万四三〉

おくづとめ【奥勤め】大名などの奥向きに勤めること。「—の誓紙」〈西鶴・浮世栄花一〉

おくづま【奥妻】心に大切に思う妻。「愛(は)しけやし吾(あ)が—」〈万三九七八〉

おくて【奥手・晩生】《「早生(わせ)」「中手(なかて)」の対》①おそ咲きの草木。「咲く花もそろ(早咲キ)は飽きぬ―なる長き心になほしかずけり」〈万一五四八〉。「先(わせ)にさく花、中(なかて)にさく花、後(おくて)にさく花有り」〈東大寺諷誦文稿〉②おそく成熟する稲。「晩稲、オクテ」〈名義抄〉 **―だ**【奥手田・晩稲田】晩稲を植える田。「山里さびし衣うつ音／霜になる露の―守る庵(いほ)に」〈白川千句〉。〈日葡〉

おくとこ【奥床】《「外床(とこ)」の対》奥の方にある床。「―に母は寝たり」〈万三三一二〉 †ökutökö

おくに【御国】大名の領地の尊敬語。「―へ下らせられたらば、わらはは何とせう事ぞ」〈虎明本狂言・墨塗〉 **―きゃうだん**(キョウ)【御国郷談】方言。おくにことば。「他国の者には通ぜず、―なり」〈おあむ物語〉 **―ばら**【御国腹】大名の領地に居住する妾の生んだ子。「しらべの姫は―」〈近松・丹波与作上〉

おくにかぶき【阿国歌舞伎】慶長年間、出雲大社の巫女(みこ)と称する阿国が演じた歌舞伎踊。また、近世初期の女歌舞伎の総称。「―といふものを興行致し候。これを念仏踊とも申し、ややこ踊とも申し」〈慶長秘聞録〉

おくのて【奥の手】①左の手。「左手の我が―に巻きて去(い)なましを」〈万一七六六〉 ▽日本では古く左を重んじたので、左をオクといい、右をへ(辺)といった。②琵琶・琴などの秘密の奏法。「是はさてと思ふ時、―を三反弾くなり」〈絲竹口伝〉③容易に人に知らさない技芸。また、最後の手段。「坊主の悪名(あくみやう)をたくみ出して言ひ廻り、もとより誤りのあるを、それを―にかまへ」〈本福寺跡書〉。「待たするや山の―遅桜」〈俳・毛吹草五〉 †ökunöte

おくのゐん【奥の院】神社・仏寺などで、本殿・本堂から一段と奥まった所にあって、開祖の霊などをまつった廟所。「清盛、高野へ登り、大塔拝み、―へ参られたりければ」〈平家三・大塔建立〉

おくび【噯】胃にたまったガスが口から外に出るもの。げっぷ。「ヲクビヲスル」〈日葡〉。「上気、アクヒ・オクヒ」〈名義抄〉 **―にも出さ・ず** それらしい様子も見せない。「武勇の道をば―・ず、…花奢(きやしや)風体をのみ好みて」〈伽・鴉鷺合戦物語〉

おくびゃう(ビョウ)【臆病】少しの事にもおじ怖れること。「―にやがて絶え入り給へば」〈大鏡時平〉 **―かぜ**【臆病風】臆病な心。「―で病んだぞ」〈蒙求抄三〉 **―がみ**【臆病神】人を臆病にさせる神。「―のさめぬ前(さき)に」〈太平記八・摩耶合戦〉 **―ぐち**【臆病口】①能舞台で、囃子座(はやしざ)の横の切り戸口。「苗代(なはしろ)の―か水落し」〈俳・伊勢正直集二〉②歌舞伎芝居で、本舞台の向って右手すなわち上手(かみて)の出入口。「―、一軒目桟敷の上に雲棚をして」〈伎・幼稚子敵討五〉

おくふか・し【奥深し】『形ク』①奥まったところにいる。場所がひっこんでいる。「女ばらの―・きを起しいづるほど、久しくなりて」〈源氏橋姫〉②深みがある。「―・き声なるにいと心とまりて」〈源氏横笛〉

おくま【御供米】《「おくましね」の略。「供米」は当て字》神に供える米の尊敬語。御洗米(ごせんまい)。「観音堂の庭に於いて、白米包み紙切れの物拾ひ取り了んぬ。―と云ふ様〔ノ物〕也」〈康富記文安六・二・二〉

おくまけて【奥まけて】『連語』将来のことをあらかじめ考え、用意して。将来かけて。「おくまへて」とも。「―我が思ふ妹が言の繁けく」〈万二四三九〉 →まけ(設) †ökumakëte

おくまへて(エテ)【奥まへて】『連語』「おくまけて」の転。「―わが思ふ君は千歳にもがも」〈万一〇二四〉 †ökumaɸëte

おくま・り【奥まり】『四段』①奥に位置する。奥に引っ込む。「少し―・りたる山住もせで、さる海面(うみづら)に出で居たる」〈源氏若紫〉②奥に引っ込みがちの気だてである。「わりなく物恥ぢをし給ふ、―・りたる人ざまにて」〈源氏澪標〉

おくめつけ【奥目付】「奥横目」に同じ。「今日密密の祝言有りと、―より聞きたれども」〈近松・反魂香上〉

おくめん【臆面】気おくれした顔つき。けおされた顔色。「秋は扇―したか風の前」〈俳・伊勢踊四〉

おくやま【奥山】人が行かないような奥深い山。「―の磐かげに生ふる菅の根の」〈万七九一〉

おくゆか・し【奥ゆかし】『形シク』《ユカシは、行きたい、知りたいの意》目に見え、耳に聞えたことにさそわれて、さらにその人・その事柄の奥が知りたい。「おぼつかなく思しわたる事の筋を聞ゆれば、いと―・しけれど」〈源氏橋姫〉。「されくつがへる今様のよしばみ(気取ッタ女)よりは、〔古風ナ女ヲ〕こよなう―・しく思しわたるに」〈源氏末摘花〉

おくよとめ【奥横目】大名家の奥勤めの者を監督する役。奥目付。「―〔ガ折ルノヲ〕許さぬ花の恨めしく」〈俳・大坂八五十韻〉

おくら【御蔵】①幕府または大名直轄の領地。「こちらは―の百姓ぞ」〈浄・伊豆日記三〉②江戸幕府または諸藩が年貢米・買上げ米を保管した倉庫。御米蔵。「―ども〔雨〕漏り候はぬやうに御念を入れらるべく候」〈吉川家文書一、文祿四・五・二四〉 **―いり**【御蔵入】幕府または大名の直轄の領地。蔵入地。また、直接幕府・大名の財政収入となること。「御知行割…〔信濃〕木曾郡―」〈太閤さま軍記のうち〉

おくらか・し【後らかし】『四段』《カシは使役の意をあらわす接尾語》①後に残す。「今は限りの道にしも我を―・し」〈源氏蜻蛉〉。「此頃の程に、必ず―・し給ふな(同行シナサイ)」〈源氏総角〉②後廻しにする。おこたる。おろそかにする。「後の世の御勤めも、―・し給はず」〈源氏匂宮〉

おくらご【御座子】伊勢神宮その他の神社に仕える処女の神子(みこ)。おこらご。「美しき娘を、―に備ふべし」〈西鶴・諸国咄一〉

おくら・し【後らし】『四段』《オクレ(後)の他動詞形》残して置きざりにする。「かぎりなき雲井のよそに別るとも人を心に―・さむやは」〈古今三六七〉

おく・り【送り・贈り】㊀『四段』《オクレ(後・遅)と同根。オクリは意志的に後からついて行くのが原義。転じて、後から心をこめて人に物をとどける意。オクリ・オクレの対立は、意志的な解キ・裂キに対する、自然的な成行きを示す解ケ・裂ケの類》❶【送り】①(別れを惜しんで)ついて行く。「都まで―・り申して〔九州へ〕飛びかへるもの」〈万八七六〉②葬送する。「あしひきの荒山中に―・りおきて」〈万一八〇六〉。「野辺へ―・り奉り、煙となし奉る」〈平家六・祇園女御〉③(妻を)離縁して親元へかえす。「この今の妻(め)をば―・りて、もとのごとなん住みわたりける」〈大和一五八〉。「―・りてはまた迎へ、迎へてはまた―・り」〈伽・小栗絵巻〉④時のたつにまかせる。「いたづらに日を―・るたはぶれにても」〈源氏宿木〉❷【贈り】①心をこめて人に物をとどける。「吾妹子(わぎもこ)が下にも着よと―・りたる衣の紐を」〈万三五八五〉②人の死後、追悼の意を以て称号や官位を与える。「三位の位―・り給ふよし」〈源氏桐壺〉③かえす。むくいる。つぐなう。「主、親の恩を―・らずして」〈伽・富士の人穴の草子〉。「心の科(とが)を―・り給はん為には」〈病者を扶くる心得〉 ㊁『名』①見送りについて行くこと。「かれこれ、知る知らぬ、―す」〈土佐十二月二十一日〉②見送りのお供。

「かくかたじけなき御—にとて黒駒奉り給ふ」〈源氏 須磨〉③葬送。「泣きこがれ給ひて、御—の女房の車に慕ひ乗り給ひて」〈源氏 桐壺〉④尾行。「その身に—をつくるために」〈伎・幼稚子敵討六〉⑤浄瑠璃の節の一。人物の登場・退場、情景・気分の変り目に使う。「案じすまし、—、内裏さしてぞ急ぎける」〈浄・源平恋遺恨三〉⑥歌舞伎の下座音楽の一。幕切れ、舞台転換や花道の引込みに使う。「暮六つの—にて、拍子幕」〈伎・お染久松色読販序幕〉

—おほかみ(オオカミ)【送り狼】行く人の跡を追い、隙を見て害しようとする狼。転じて、跡をつけてくる危険な人物。「狼の性(しゃう)は、道を送りて人の気をつひやして食らふと。さてこそ—といふ事あり」〈仮・御伽物語三〉「暮れては誰を—」〈俳・遠山鳥下〉

—じゃう(ジョウ)【送状】物品の輸送の際、荷受人宛て送付する明細書。「粗穀・粗米の—」〈庭訓往来十二月三日〉

—ぜん【送膳】法事などで、出席できない者に送り届ける料理。「旬御供の時は、—と云ひて、当方へ一膳参る也」〈北野社家日記長享三・三・七〉

—な【諡・贈号】①死後にその人の生前の徳や行状をあらわしておくる名。「又、宇多より後、—を奉らず」〈神皇正統記冷泉〉②戒名。「寺院遠ければ—を求むる方(すべ)もなくて」〈雨月二〉

—び【送火】①盂蘭盆(うらぼん)の最終日、七月十六日の宵に、祖先の霊を送るために門前で焚(た)く火。「秋は身を—となす螢かな」〈俳・鷹筑波四〉②嫁入りを送る際、実家の門口で焚く火。「門の右の脇に一緒に焚く火、藁火(わらび)なり。これを—と言ふなり」〈女諸礼集二〉

—ぶみ【送文】「送状」に同じ。「政所(まんどころ)の—添へてあり」〈かげろふ下〉

—もの【贈物】人にとどける物。「片(かたかど)の贈(おくりもの)」〈東大寺諷誦文稿〉。「御—などさらにもいはず、すべて引出物、禄ども、品品につけて」〈源氏行幸〉

おく・れ【後れ・遅れ】□一『下二』《オクリ(送・贈)と同根。自然の結果として、後からついて行くようになるのが原義。転じて、後に残される意。また、つとめても力及ばず間に合わない意》①(一緒に行動していたものから自然に離れて)後からついて行くようになる。とり残される。「ねもころにわが思ふ君は…群鳥(むらとり)の朝立ち去(い)なば、—・れたる我か恋ひなむ」〈万三二九一〉②先をこされる。「—・れたる菟原壮士(うなひをとこ)い天(あめ)仰ぎ叫びおらび…如己男(もころを)に負けてはあらじと」〈万一八〇九〉③先立たれる。先に死なれて、後に残される。「かかるよはひの末(老年)に、若くさかりの子に—・れ奉りて」〈源氏葵〉④(容貌・性情・才能などの面で)すぐれず、にぶくて人におとる。人に及ばない。「〔娘ノ〕—・れたるかたを言ひ隠し」〈源氏帚木〉。「よろづに整ひたまへるに、和歌のかたや少し—・れたまへりけん」〈大鏡伊尹〉⑤気が臆する。「あやしく心—・れても進み出づる涙かな」〈源氏梅枝〉⑥(髪の伸びが)おそい。「—・れたる〔髪ノ毛ノ〕筋の無きやあまり情なからむ」〈源氏葵〉□二『名』①双六で、敵陣へ石を廻して打つこと。「双六の習ひには、—に三つの積り石」〈仮・竹斎上〉②敗北。「大将、武者の使ひやう御存じなき故—をとり恥づかしく御座候」〈浅井三代記一〇〉③気おくれ。「恩愛執着に命を惜しみ、思はぬ—も取ること有り」〈近松・冷泉節下〉④あとから伸びた髪の毛。おくれ髪。「そそけたる御—を改め給へ」〈西鶴・一代男一〉

—がみ【後れ神】人を気おくれさせる神。「世の中の女は武士の—」〈雑俳・塗笠〉

—先立つ習ひ 生き残ったり、先に死んでいったりするこの世のためし。老少不定の習い。「されども—弓矢取る者の子供なれば力及ばざる事どもなり」〈保元下・義朝幼少の弟〉

—・そ・め【後れ初め】『下二』いつのまにか人に及ばぬ状態になっている。「何事にも—・めにけるうちに」〈源氏総角〉

—ばせ【後れ馳せ】おくれて、あとから急いで馳せつけること。「—して来たれりけるが」〈十訓抄四ノ三〉

おけ『感』神楽歌・催馬楽歌などのはやしことば。「あなさやけ、—」〈古語拾遺〉。「うぐひすの縫ふといふ笠は、—や、梅の花笠や」〈催馬楽青柳〉

おけれ【置けれ】『連語』《置ケリの命令形》置いたままにせよ。「秋さらばわが船泊(は)てむ忘れ貝寄せ来て—沖つ白波」〈万三六二九〉 †ökere

おご 紅藻類の海藻。海苔。「海松(みる)、布乃利、—」〈正倉院文書天平勝宝六年〉

おご【御御】①娘または妻の愛称。「おごう」とも。「これの—は、今年二十にこそならるれ」〈咄・醒睡笑四〉②下女。飯たき女。「武家の台所に、飯をはからひ盛り、人に進むる役者を—とは言ふならし」〈咄・醒睡笑一〉。〈日葡〉

おごう【御御】《オゴの転》①妻をさしていう。「いつも—が古着をやるものを」〈虎明本狂言・米市〉②娘をさしていう。「—、来たか」〈虎明本狂言・庖丁聟〉

おどか・し【動かし】『四段』《ウゴカシの母音交替形》⇒うごかし。「ふく風は条(えだ)を—・さず」〈法華義疏長保点〉

おど・き【動き】『四段』《ウゴキの母音交替形》⇒うごき。「動・震、オゴク」〈名義抄〉

おとご【御供御】〔女性語〕《オクゴの訛》昼食。「お児(ちご)様の昼の—は膳棚に置きけるが」〈咄・戯言養気集上〉。「御供御(おくご)…これを誤りて、—と言ふは悪し」〈仮・籠耳一〉

おどど・し『形シク』《オゴオゴシの約。オゴはオゴソカのオゴと同根》おごそかだ。「志尚(みこころざし)沈毅(おごご)し」〈紀綏靖即位前〉

おこ・し【起し】『四段』《オコはイキ(息)の母音交替形。生命の活動の根源である息をすること。オコシは息づくようにさせるのが原義。眠りをさまし、火をかき立て、古びたものを盛んにし、ふるい立たせる意。オコリは自然に息づいて生命の活動が始まり、盛んになる意》❶①(潜在している活力を)活動させる。発火させる。「火など急ぎ—・して」〈枕一〉②眠っているものをゆすぶってさまさせる。「朝狩に鹿猪(しし)踏み—・し」〈万九二六〉。「正盛が寝たりけるを—・して」〈延慶本平家七・頼盛〉③衰えたものを盛んにする。「古のことをも忘れじ。旧りにしことをも—・し給ふとて」〈古今序〉。④新しく事を発する。「身を立て家を—・すべし」〈平家五・福原院宣〉「迦膩色迦王怪しみて問を—・す」〈大唐西域記一・長寛点〉⑤(心中に)意志や願望を新たに持つ。「〔攻撃ノ〕念を興(おこ)さまく」〈金光明最勝王経平安初期点〉。「道心—・す人人には」〈源氏御法〉⑥騒乱を出現させる。大挙して蜂起させる。「戦ひ伐つことを興(おこ)さむとおもひて」〈地蔵十輪経七・元慶点〉。「十八日辰の一点に大衆(だいしゅ)を—・し」〈平家四・南都牒状〉❷①横になっているものを立たせる。「梓弓末振り—・し投矢もち千尋(ちひろ)射わたし」〈万四一六四〉。「君は御衣に纏はれて臥し給へるを、せめて—・して」〈源氏若紫〉②土を掘りかえす。耕す。「雨降りに芋の畠や—・すらん」〈俳・犬筑波〉。「墾、ハル・カヘス・オコス・ホル」〈名義抄〉③板木で摺り出す。印刷する。「ハンニヒラク、スル、キザム、オコス、スリツクル」〈日葡〉。「えびす(若エビスノ御札)の板木を摺る者、いろいろ人の尊むほどの姿を—・して持ちたりしが」〈咄・醒睡笑八〉 ▽ökö~iki のような ö~i の母音交替は sö~si(其)、nöru~niru(似る)、kököda~kökida(幾許)

などの例がある。†ökösi　—ずみ【熾炭】火のおこった炭。また、火をおこすのに使う消し炭。「〔敵ヲ防グタメニ〕墨坂に—を置けり」〈紀神武即位前〉

おこ・し【遣し】『四段』よこす。「あなたから—・したがる者は、私のいやでござる、こなたから欲しいとぞんずるものはくれまらせず」〈虎明本狂言・二九十八〉

おこしごめ【粔米・粔籹】菓子の名。米に蜜をまぜて煎(い)ったもの。おこし。「法性寺殿、元三に皇嘉門院へ参らせ給ひたりけるに、御くだ物を参らせられたりけるに、—を取らせ給ひて参るよしして」〈著聞六三三〉

おこ・せ【遣せ】『下二』届けて来る。よこす。「白玉の五百箇集(いほつつどひ)を手に結び—・せむ海人(あま)はむがしくもあるか」〈万四一〇五〉。「講師、物・酒—・せたり」〈土佐一月二日〉。「文など書きて—・す」〈源氏玉鬘〉　†ököse

おごそか【厳か】《オゴはオゴリ(傲)のオゴと同根。みずからを高いものとして人に対すること。ソカはオロソカ(疎)・アハソカ(淡)のソカと同じ、状態をあらわす接尾語》威容をもって高所から人に対するさま。「世尊の行歩したまふ威容は齊(ひと)しく粛(おごそか)なること獅子王のごとし」〈彌勒上生経賛平安初期点〉。「君子は矜(おご)りて。別訓、君子は矜(おごそか)にして」〈論語八・文永点〉　▽漢文訓読に使い、和文脈では使わない。

おこた・り【怠り】㊀『四段』《オコはオコナヒ(行)のオコと同根。儀式や勤行(ごんぎやう)など、同じ形式や調子で進行する行為。タリは垂リ、中途で低下する意。オコタリは、同じ調子で進む、その調子が落ちる意》①いつも繰り返す儀式や勤行を欠かす。「なほ朝政(あさまつりごと)は—・らせ給ひぬべかめり」〈源氏桐壺〉。「もし念仏物憂く読経まめならぬ時は、みづから休み、みづから—・る」〈方丈記〉②(休みなく続いているものが)とぎれる。途中で休止する。「器(うつはもの)に水を入れて細き穴をあけたらんに、したたること少なしといふとも、—・るまなくもりゆかば」〈徒然一三七〉③病勢がゆるむ。小康を得る。「維摩経供養し給へりけるに御心地ひとたびに—・りて侍りければ」〈大鏡道長〉④無沙汰する。「近きほどはおのづから—・る折も、のどかに頼もしく」〈源氏蓬生〉⑤(ききめなどが)中途で弱まる。「深山に向って宝号を唱ふるに感応—・ることなし」〈平家二・康頼祝〉⑥うっかりして過失をおかす。「身づから—・ると思ひ給ふること侍らねどさるべき身の罪にて」〈栄花浦浦別〉㊁『名』①(世話・勤めなどの)怠慢。「もとよりおれおれしく(ボンヤリシテ行キトドカズ)たゆき心の—に」〈源氏初音〉②(気配り・思慮などの)手ぬかり。「すべてひがひがしき人に従ひにたる心の—ぞ」〈源氏明石〉③無沙汰。「久しかりつる程の—など宣ふも」〈源氏浮舟〉④過失。「わが—にて流され給ふにしもあらず」〈大鏡道隆〉⑤《「—を言ふ」などの形で》過失を詫びること。謝罪。「泣く泣く—を言へどいらへをだにせで泣く事かぎりなし」〈堤中納言はいずみ〉。「さては神の御祟りなりとて—を申す」〈長谷寺験記上〉　—ぶみ【怠り文】謝罪の手紙。あやまり証文。「怠状(たいじやう)」とも。「然らばまづ宣はぬ前(さき)に—を書きて進(まつ)りてむ」〈今昔二八ノ三六〉

おこづ・き『四段』①ぐらつく。また、動転する。「〔足ヲ〕横に右へ引くによって、腰ゆがみて—・く也」〈舞正語磨下〉②ずきずき痛む。うずく。「合戦の疵口—・き、破傷風と云ふ病となり」〈浄・義経千本桜四〉③力む。強がる。「『さは言へ』『とちょっと—・く』」〈伎・韓人漢文手管始四〉

おこと【御事】『代』相手を親しんでいう語。あなた。「それにつけても—は誰そ」〈謡・敦盛〉。「我こそ—の父にて侍れ」〈栗栖野物語〉

おこな・ひ(オコナイ)【行なひ】㊀『四段』《オコはオコタリ(怠)のオコと同根。儀式や勤行(ごんぎやう)など、同じ形式や調子で進行する行為。ナヒはアキナヒ(商)・ツミナヒ(罪)などのナヒと同じ》①(仏事など)法式通りの行事をする。「〔葬送ヲ〕例の作法に—・はせ給ふとぞ」〈大鏡伊尹〉。「仁王会など—・はるべし」〈源氏明石〉②勤行する。「この西面にしも持仏据ゑ奉りて—・ふ、尼なりけり」〈源氏若紫〉③(規則を守って)修行する。徳をおさめる。「愛宕護(あたご)の山に久しく—・ふ持経者の聖人ありけり」〈今昔二〇ノ一三〉④手順・作法など法にのっとってきちんとする。「帝御年いと若くおはします。左右の大臣に世の政を—・ふべきよし宣旨くださしめ給へりしに」〈大鏡時平〉⑤言われたとおりに施行する。「米(よね)魚(いを)など乞へば—・ひつ」〈土佐二月九日〉⑥《上の命令文をうけて》手はずを示す。手順を指令する。「ここになむ物はあるなる。只ここをふみあけて入れと—・ひければ」〈今昔二九ノ五〉⑦(法によって刑罰に)処する。「すみやかに召し取りて死罪に—・ふべし」〈保元上・新院御所〉㊁『名』①段取りのきまった動き。「わがせこが来べき宵なりささがねの蜘蛛の—今宵しるしも」〈紀歌謡六五〉②勤行。「尼君の—の具のみあり」〈源氏宿木〉③仏道の修行。「験方(げんがた)＝加持祈禱ヲスル方面ノコト)の—も捨て忘れて侍るを」〈源氏若紫〉　†ökönaFi　—いだ・し【行なひ出し】『四段』(一定の手順に従って)祈って出現させる。「山寺にはいみじき光(光源氏ノコト)—・し奉れりと仏の面目なりとあやしの法師ばらまで喜びあへり」〈源氏賢木〉　—がち【行ひ勝ち】仏道の勤めに身を入れることが多いこと。「行く末短う、物心細くて、—になりにて侍れば」〈源氏柏木〉　—すま・し【行なひ澄まし】『四段』仏事・修行に専心する。「後には高雄といふ山の奥に—・してぞ居たりける」〈平家五・勧進帳〉　—びと【行ひ人】仏道修行者。修行僧。「なにがし寺といふ所にかしこき—侍る」〈源氏若紫〉　—ま・し【行なひ増し】『四段』勤行して修行の功を増す。「いかに—・して住み給ひにたらむ」〈源氏若菜上〉

おごめ・き【蠢き】『四段』《ウゴメキの母音交替形。オゴキ・ウゴキ(動)、オロ・ウロ(疎)などの類》動くように見える。「心は得ながら、鼻のわたり—・きて語りなす」〈源氏(三条西家本)帚木〉

おこらど【御子良子】伊勢神宮の神饌・神楽に奉仕する少女。神饌を調える子良館(こらのたち)に勤仕するのでいう。「—の一本ゆかし梅の花」〈俳・猿蓑上〉

おこり【瘧】《起りの意》熱病の一。一、二日の間を置いて間歇(かんけつ)的に発熱が起るのでいう。えやみ。わらわやみ。「瘧病(ぎやへい)」とも。「—煩はれ、種種の事にて本復畢んぬ」〈多聞院日記天文一〇・一二・七〉。「瘧(ぎやく)とは、これはこの辺に—と云ふ病なり」〈倶舎論頌疏釈疏抄一三〉　—ごこち【瘧心地】おこりの病気。「瘧気(おこりけ)」とも。「〔弁ノ三位ハ〕—にわづらひて」〈讃岐典侍日記〉　—び【瘧日】おこりの発熱発作の出る日。「聖覚も瘧病の事候ふが、明日は—にて候へども」〈法然上人行状絵図〉

おこ・り【起り】㊀『四段』《オコはイキ(息)の母音交替形。→おこし(起)》①潜在している力が活動しはじめる。「水災の—・る時には」〈地蔵十輪経五・元慶点〉②勢いが盛んになる。(病気などが)勢いをぶりかえす。「皇軍復た振(おこ)ること能はず」〈紀神武即位前〉。「例の御邪気(じやけ)の久しく—・らせ給はざりつるを」〈源氏浮舟〉。「〔痛ミガ〕ある時は—・り、ある時はやむ」〈三蔵法師伝三・院政期点〉③ものごとが新しく始まる。「〔大和歌ハ〕あらがねのつちにしては素戔嗚尊(すさのをのみこと)よりぞ―・りける」〈古今序〉④静まっていたものが立ち上がって行動する。大挙して立つ。「山の人―・りののしりしかば」〈栄花晩待星〉。「その時清水の大衆―・りて」〈十訓抄四ノ三〉⑤意志や願望がわく。「道心なきもののはじめて心―・ることこそ候はざりしか」〈大鏡道長〉 ㊁『名』①そもそものはじまり。「大教の―西土にはじまれり」〈三蔵法師伝六・院政期点〉②生起。発生。「管絃の―、その伝はれる事久し」〈著聞三〇〉。「もろこしにもかかる事の―にこそ世も乱れ」〈源氏桐壺〉

おご・り【傲り・驕り・奢り】㊀『四段』《オゴはアガリ(上)のアガの母音交替形。オソ(遅)・アサ(浅)、コト(片)・カタ(片)、ホドロ(斑)・ハダラ(斑)などの類。アガリは下とは隔絶した高い所へ移る意。低い所にいたときとは、質の変ることがある。オゴリは、自分が下と隔絶した高い所にいるのだと信じていて、自分は低い所にいるものとは質が違うのだと思う意。また、その立場で行動する意》①(自分は)一段上のものだと思う。格別上だと思う。「自ら矜(ご)り高び」〈妙法蓮華経平安初期点〉。「心のままにも―・らず、卑下して」〈源氏若菜上〉②思いあがって勝手なふるまいをする。「―・れる人も久しからず」〈平家一・祇園精舎〉③度をすごしたぜいたくをする。身の程知らずなぜいたくをする。「家室富饒にして競ひて―・り」〈大唐西域記四・長寛点〉。「上の―・りつひやす所をやめ」〈徒然一四二〉④自分の金銭で人に飲食などをさせる。「手めへそれをみんな―・るか」〈滑・膝栗毛四上〉 ㊁『名』思いあがって他を見下したり、分不相応なぜいたくをすること。「三皇五帝の妃も、漢王・周公の妻も、いまだこの―をなさず」〈著聞一八三〉 **―なら・ひ**(イナラ)【驕り馴らひ】『四段』いつもおごった生活をしている。「高き家の子として官位(つかさかうぶり)心にかなひ、世の中盛りに―・ひぬれば」〈源氏少女〉

おざか【小坂・大坂】大阪(おおさか)の古称。古くは「小坂」「尾坂」「大坂」を当て、近世は「大坂」を当てた。「おさか」「おほざか」とも。「難波も近くなりぬらん。九品津・―・郡戸の王子、過ぎ行く方に休らへば」〈宴曲抄熊野参詣〉

おさがり【御降り】正月三が日に降る雨・雪。後には、降雨の意にも用いた。「松の内に降る雨は―と言ひ習はせり」〈俳・山の井一〉

おさき【御先】①行列の先頭。「都まで―続くや江戸桜」〈俳・大井川集上〉②人の手先になること。調子に乗って先に立って騒ぐこと。また、その者。「ナニ、あいつも―な野郎よ」〈洒・自惚鏡〉

おさすり【御擦り・御摩り】下女と妾(めかけ)とを兼ねた奉公人。「―に恋痩せ癒(い)ゆる薬指」〈雑俳・三国志〉

おさと【御里】出どころ。出自。素性(すじやう)。「松づくしを唄ふ上方者なら―が知れるはな」〈滑・浮世風呂三上〉

おさ・へ(オサエ)【抑へ・押へ】㊀『下二』《押シ合への約。相手を動かさないように、相手の力の度合に応じて、こちらの力で押しつづける意》①じっと手を当てて力を加える。「心地悩ましければ、人人〔ヲ局ニ〕さげず〔肩ヤ腰ヲ〕―・へさせてなむ」〈源氏帚木〉。「笏を―・へて立ちければ、はたら(バタン)と折れけるは」〈大鏡伊尹〉②動かないよう、出ないようにおしとどめる。「障子を―・へ給へるは」〈源氏夕霧〉。「猪俣(ゐのまた)を取って―・へてはたらかさず」〈平家九・越中前司最期〉③抑止する。抑制する。「皇太子と定めて先づ君の位にあげ奉り…傍の上(へ)をば宣りたまはむとしてなも―・へてありつる」〈続紀宣命二五〉④こらえる。「鬱陶(陰気ナ心)を―・へ光陰を送る間」〈平家四・南都牒状〉⑤現状を凍結する。差し押える。「件の家地、負ひ物の代に醍醐の借上(かしあげ)―・へたる由申すなり」〈安養院文書建永一・九〉⑥さされた杯を受けずに、重ねて相手に飲ませる。「一度一度に―・へて酒振(さかぶり)かたし」〈西鶴・一代男三〉⑦中世の歌学で、係り結びの結び方をきまりに合わせる。「折りつれば袖こそにほへ…。此歌四所にて切れたり。『こそ』を『へ』と―・へ」〈手爾波大概抄之抄〉▽ただし、この種の「おさへ」の用法は、係り結びの結びだけを指すとは限らず、今日の学問から見ると概念が不明瞭なところがある。㊁『名』①敵の侵入をおしとどめ防ぐこと。防備。「しらぬひ筑紫(つくし)の国は賊(あた)まもる―の城(き)そと」〈万四三三一〉②軍隊や行列の最後にあって乱れを正すこと。また、その役の人。「木下藤吉郎を金が崎の―に残し」〈松原自休手録上〉。「乗物つらせて、―に五十余りの親仁」〈西鶴・男色大鑑八〉③念を押すこと。釘をさすこと。「義朝の―の詞」〈近松・鎌田兵衛上〉④酒宴の最後に、改めて酒の肴を出すこと。また、その肴。花鳥・山水などの作り物の台に盛ったもの。「押へ物」とも。「―の物といふ事、色色の肴出尽して後、前の肴どもを押へて、今一献申したきといふ心なり」〈酌之次第〉 †ösaFë **―だけ**【押へ竹】板葺き屋根のそぎ板を押える竹。「―置く板葺の露」〈俳・大矢数五〉。〈日葡〉 **―て**【抑へて】『副』無理に。強引に。「人のいやがる物を―取りぬるは戒を破るにて候ふべし」〈伽・じぞり弁慶〉

おさん ①飯炊き女。下女。「お清所の供御(くご)炊ぐ―であんす」〈浄・大塔宮曦鎧一〉②お方。お人。「ほんに奇特な―で」〈浄・兜軍記二〉

おし【唖】《オフシの約》口のきけない人。「―・言吃(ことども)とぞ、大乗(法華経)そしりたる罪にも数(かず)へたるかし」〈源氏常夏〉 **―の一声**(ひとこゑ) 唖が一生に一度声を出すということ。「惣じて―と申して、一期に一度は物を言ふと申すが、物を言へばその者の事は申すにおよばず、ところまで富貴いたすと申す」〈虎明本狂言・三人片輪〉

おし【御師】《オンシとも》①祈禱をする役の身分の低い神職、または社僧。「〔石清水〕八幡の―善法寺を召され、御寄進状幷びに御施行仰せ渡され畢んぬ」〈花営三代記応安五・二・三〉②特に、伊勢皇大神宮の下級神職。太夫ともいい、祈禱の委託や参拝者の宿泊・案内を業とし、年末に御祓・暦などを地方の檀家に配って歩いた。「殊に祈請すべきの旨、本宮―幷びに祭主・宮主に仰すべし」〈弘安元年公卿勅使記〉

お・し【押し・捺し・推し】㊀『四段』《面積あるいは量を持つものの、上面または側面に密着して力を加える意》❶(上や横から)圧力をかける。①ぴったりと押えつける。「圧、これをば飫蕕(おす)と云ふ」〈紀神武即位前〉。「或いは剣の輪に轢(お)されて号(おら)び叫び」〈東大寺諷誦文稿〉②(光などが)上から押すように一面に注ぐ。「春日山―・して照りたるこの月は」〈万一〇七四〉③重みをかける。もたれる。「勾欄(こうらん)に背中―・しつつ」〈源氏花宴〉④(ものをしっかりと)はりつける。「あれ(仏像)に箔(はく)―・し奉らむ」〈更級〉。「甲(かぶと)には四天を書きて―・したりけり」〈平家八・鼓判官〉⑤印鑑をつく。書判についてもいう。「印判で―・したやうにぎらりとあるぞ」〈四部録抄〉⑥確かめる。「薬師院より〔屠蘇〕白散来たらず。言語道断也。来年は兼日に〔前モッテ〕相―・す可し」〈証如上人日記天文八・一・三〇〉❷(ものの側面にぴったりついて)前方へ進むように力を加える。①(舟などを)進める。「唐泊(からとまり)より河尻〔櫓ヲ〕―・すほどは」〈源氏玉鬘〉②(ある位置へ)進める。「神武を懼(おそ)れ大位(みかど)に推(お)し尊ぶ」〈大唐西域記三・長寛点〉③(軍勢などを)進める。攻める。「あそこここに—・し寄せ—・し寄せからめ取る」〈平家二・西光被斬〉 ④推量する。〈日葡〉 ❸①（威力をもって）圧迫する。圧倒する。「え御子の君—・し給はじ」〈源氏夕霧〉 ②（論理などが）力をもってせまる。「ただ道理の—・する所を申すばかりなり」〈十訓抄三ノ一〇〉 □二『名』【押機】それを踏んだ人や動物を打って圧し殺すしかけ。「自（おの）れ—を踏みて圧（お）そはれ死ぬ」〈紀神武即位前〉。「鼠弩、於之（おし）」〈和名抄〉 □三『接頭』動詞の上につき、動作がしいて、また勢いこんでなされる意を表わす。無理に…する。しいて…する。ずんずん…する。「—かけ」「—いり」など。「荒らかなる東絹どもを—まろがして」〈源氏東屋〉。「手をいとせちに—もみて」〈源氏常夏〉 **押されぬ** どうしても動かせない。否応（いやおう）なしだ。「なんと位は—ものでないか」〈浄・ふたり静五〉

おし『感』⇒をし

おしあけがた【押明け方】「明けがた」に同じ。「—の月影に」〈源氏賢木〉

おしあて【推当て】当て推量。「何故かと、—にのたまふを」〈源氏花宴〉

おしあゆ【押鮎】塩漬にしておもしをかけた鮎。年のはじめの祝いに食べた。「〔歯固メノ品ガ他ニナイノデ〕ただ—の口をのみぞ吸ふ」〈土佐一月一日〉

おしいた【押板】三具足（みつぐそく）などを飾るため、低い足のついた机状の台の上に敷物をしき、その上に板を置いたもの。のちに、書院などの床の称。「かしこの—には、古今・万葉・伊勢物語その他数の草子を置きたれども」〈曾我一〇〉。「押板、オシイタ、床（とこ）」〈文明本節用集〉

おしいだし【押出し】外から美しく見えるように、女房の衣の裾・袖口などを御簾の下からはみ出させて置くこと。また、その衣。「紅葉がさねの—見ゆ」〈中務内侍日記〉 **—のきぬ**【押出しの衣】「おしいだし」に同じ。「—装ひなき由申して」〈弁内侍日記〉

おしい・り【押し入り】□一『四段』無理に入る。また、不法に侵入する。「あなづりて—・り給へりけるを思ふもねたし」〈源氏東屋〉。「〔怪シゲナ小家ニ〕日も暮れにければ—・りて夜を明かして」〈沙石集五ノ一四〉 □二『名』略奪などのために人家に不法侵入すること。また、その盗賊。「八郎為朝は…打入・—せさせて、明かし暮しける程に」〈保元下・為朝生捕り〉

おしうつ・り【押し移り】『四段』（時や時勢が）ずんずん移り過ぎる。「世の中さながら—・りにたり」〈栄花見はてぬ夢〉

おしおくり【押送り】櫓（ろ）を押して航行する舟。特に、江戸近海から漁獲物を江戸に急送する舟をいった。「—人には告げよ初鰹」〈俳・功用群鑑下〉

おしか・け【押し掛け】『下二』襲いかかる。「利仁、狐を—・くれば、狐、身をなげて逃ぐれども、追いせめられて、え逃げず」〈宇治拾遺一八〉。「猛火はまさしう—・けたり」〈平家五・奈良炎上〉

おしがひ（イ：ガ）【押買】《「押売」の対》売手が望まないのに、無理に買い取ること。「—の事、同じく固く制せらる」〈吾妻鏡建長五・一〇・一一〉

おしかへ・し（エツ：カ）【押し返し】□一『四段』①力を加えて相手の方へもどす。「御車—・させて」〈源氏花散里〉 ②折りかえしすぐさま…する。「さやうなる人見えず。……—・しありし所に人やり給へど…そこに人かげもなし」〈浜松中納言一〉 ③すぐ返歌する。「これ（当方）より—・し給はざらむは、ひがひがしからむ」〈源氏玉鬘〉 ④逆にする。「鏡の敷き〔板〕を—・して書き給ふ」〈落窪三〉 ⑤考え直してみる。逆に考えてみる。「いと、いとほしくもあり、また—・して、隠れ給へらむつらさのまめやかに心憂くねたければ」〈源氏総角〉 ⑥同じことを繰りかえし…する。「寿量品三返ばかり—・し誦するに」〈今昔一三ノ三五〉 □二『副』逆に。反対に。「『〔跡ヲツケテクルト八〕いかにせさせ給はむ』と聞え給ふ。『…やつれたる御ありきは、かるがるしき事もいできなむ』と、—いさめ奉る」〈源氏末摘花〉

おしがみ【押紙】不審や疑問、気のついた事項などを記入して、文書に貼りつけた紙片。「こまかに御覧じて、僻事（ひがごと）ある所所に—をして」〈著聞三九七〉

おしから【押柄】押しの強い性質。「肝太くして—になむありける」〈今昔二八ノ二三〉 **—だ・ち**【押柄立ち】『四段』押しの強い性質をあらわす。「心ばへかしこく、肝太く、—・ちてなんおはしける」〈宇治拾遺九四〉

おしがり【押借】金品を無理強引に借りること。「乱妨に—等致す者も出来（しゅったい）仕るべく」〈岩にむす苔〉

おしきせ【御仕着せ】①主人から奉公人に季節に応じて与える着物。しきせ。「—の袖打ち払ふ影もなし」〈俳・大矢数三〉 ②きまりきったこと。お定まり。「よう御座ったは—の時宜（じぎ＝挨拶）」〈俳・大矢数四〉

おしくく・み【押し含み】□一『四段』ηを加えてつつみこむ。「〔死体ヲ〕上蓆に—・みて」〈源氏夕顔〉 □二『名』つつむもの。おくるみ。「大路に子を捨てはべりける—に」〈金葉六二詞書〉

おしくす・み【押しくすみ】『四段』非常に謹直なきびしい態度でいる。もったいぶってすましている。「行く年の—・む顔の師走かな」〈俳・遠近集六〉

おしけ・ち【押し消ち】『四段』威圧する。押し負かす。「中将は、さらに（決シテ）—・たれ聞えじと、はかなきことにつけても、思ひいどみ聞え給ふ」〈源氏紅葉賀〉

おしこと【押事】無理に強いること。押し付けわざ。「善悪の日見るは昔の道なるに—するな今の人人」〈仮・医世物語〉

おしごと【推し言】当て推量に言うことば。「この人は—する人にこそと沙汰ありて」〈著聞四〇二〉

おしこな・し【押しこなし】『四段』自由自在に扱う。思うままに処理する。「子游は—・して云ふ」〈応永二十七年本論語抄一九〉。「能はただ—・して、達者によくするこそ、見ても心地よけれ」〈舞正語磨下〉

おしこ・み【押し込み】□一『四段』①ぎっしりつまる。「〔女官達ガ〕渡殿の戸口までひまもなく—・みてゐたれば人もえ通りかよはず」〈紫式部日記〉 ②人家などに押し入る。「五人十人づつ〔質屋ニ〕—・み、質物に事寄せて財宝を奪ひ取る」〈室町殿日記一〉 ③とじこめる。「両人共に蔵へ—・うで出うと存ずる」〈虎寛本狂言・樋の酒〉 □二『名』①人家などに押し入り、金品を奪うこと。強盗。「悪き事をも仕り、—・押取り正躰なき由申し候」〈沢庵書簡寛永二〉 ②物をしまっておく戸棚。押込み戸棚。押入れ。「居間より奥の間広く寝道具入れの—」〈西鶴・諸艶大鑑六〉 ③ごちゃまぜ。こみ。「馬代はいか程と限らず、酒肴ともに—なり」〈浮・好色旅日記三〉

おしこ・め【押し込め・押し籠め】□一『下二』①おさえて（心の）内にとどめる。「—・めて物怨じしたる」〈源氏浮舟〉 ②力ずくで中へ入れる。監禁する。「一間（ひとま）なるところに—・めてんげり」〈平家二・西光被斬〉 □二『名』近世の刑罰の一。一定期間、自宅に謹慎させて外出させず、門を閉じさせて置くもの。〈御定書百箇条〉

おしどらう（ロウ：ゴ）【啞五郎】啞の擬人名。「—の夢を見たる

如く、その理を人に語られず」〈無門関私鈔上〉

おしこ・り【押し凝り】『四段』押し合ってかたまる。一団となる。「女房三十人ばかりー・りて」〈源氏葵〉

おしす・ゑ【押し据ゑ】『下二』①しっかりすわらせる。「雛(ひひな)ー・ゑてそそき居給へり」〈源氏紅葉賀〉②動かないように力ずくでおさえつける。「蔵人の頸(くび)に縄をかけてからめ、引き起してー・ゑたり」〈平家三・泊瀬六代〉

おしだいこ【押太鼓】敵陣へ攻め寄せる時に打つ太鼓の調子。また、その太鼓。「一番に山県三郎兵衛ーを打って懸り来り候」〈信長公記八〉

おしだ・し【押し出し】『四段』①押し進める。一段と進める。「風呂屋者をすすめ、是もさもしき所ありとて、ー・して十五(かこひ)女郎を買初め」〈西鶴・織留三〉②目立つように行なう。「主などのそばにゐて、気遣ひをして、時時異見などを云うてゐたがよいぞ。ー・いた奉公は成るまいぞ」〈周易抄〉③〔歌舞伎用語〕舞踊劇などで、山台(やまだい)などを真中から割り、後方から台に乗った俳優を押して出す。「この家体(やたい)を舞台よき所までー・し」〈伎・お染久松色読販中幕〉

おした・ち【押し立ち】『四段』相手を無視して無理に我意をはる。「いとー・ち、かどかどしき所物し給ふ御方にて」〈源氏桐壺〉

おした・て【押し立て】㊀『下二』①押して立てる。押して(戸を)閉ざす。「やをら抱きおろして戸はー・てつ」〈源氏花宴〉②無理に我意を通す。「さやうなる人のー・てて宣はば、聞かではあらじ」〈落窪三〉③あえて立てる。正面に立てる。「不動、火炎前に〔身ヲ〕ー・てて、地蔵を引きて帰り給ふ」〈内閣文庫本沙石集二〉㊁『名』人中へ出たときの姿。また、かっぷく。からだつき。「ーの事は御用捨も有るべく候や」〈毛利家文書二、弘治四・八〉 **ーもん**【押立門】上に横木を渡さず、ただ二本の柱を立て、これに扉をつけた門。「檜牆(ひがき)してーなる家あり」〈今昔二四ノ六〉

おしだま・り【押し黙り】『四段』自分の知っている事を全く隠して沈黙する。「ー・りたるにらみの介が心のうちぞ苦しけれ」〈仮・杉楊枝三〉。〈日葡〉

おしつけ【押し付け】㊀『名』「押付の板」の略。「〔矢八〕重盛の鎧のーにちゃうど当りてとびかへる」〈平治中・待賢門軍〉㊁『副』まもなく。おっつけ。「上使もー帰りたまふ」〈赤羽記〉 **ーのいた**【押付の板】鎧の背の上部、わたがみの下にあり、後の肩にあたる板。染革で包む。おしつけ。「おのれは手塚が郎等にや、余すまじと云ふまま、鎧のーをつかまへ」〈盛衰記三〇〉

おしつつ・み【押し包み】『四段』①ざっと包む。「御返りあり。紅の薄様にあざやかにー・まれたるを」〈源氏若菜上〉②(気力をこめて)つつみこむ。隠す。「さばかり恨みつる気色も言少なにことそぎて、ー・み給へるを」〈源氏総角〉

おして【押手】①《てのひらに朱・墨などを塗って、これを印章としたことから》証拠の印。「その戸には文殿とーさしたり」〈宇津保蔵開上〉。「印、オシテ・シルシ」〈名義抄〉②琵琶・琴などの奏法の一。左手で絃を押して右手で弾くこと。「琵琶はーしづやかなるをよきにするものなるに」〈源氏紅梅〉③《「勝手(かって)」の対》(弓を射るときの)左手。〈日葡〉 **ーぶみ**【押手文】印章のおしてある文書。「朝庭、ーを下したまひて」〈紀崇峻即位前〉

おして【押して】『副』無理に。積極的に。「ー否と(稲ノ序詞)稲はつかねど」〈万三五五〇〉。「いよいよあやふがりてーこの国に越え来ぬ」〈源氏玉鬘〉

おしてや『感』はやしことばの一。「朝日さす豊浦の寺の西なるや、ー、桜井に、ーー、桜井に白玉しづくや吉き玉しづくや、ーー」〈霊異記下三八〉

おして・り【押し照り】『四段』一面に照りつける。「我がやど(庭先)に月ー・れり」〈万一四八〇〉

おしてる【押し照る】〔枕詞〕《オシは上から力を一面に及ぼす意》大和から難波(なには)へ山を越えるとき、大阪湾の海上一面に光が照りつけているのがみえるところから、「難波」にかかる。「ー難波の崎の並び浜」〈紀歌謡四八〉 **ーみや**【押し照る宮】難波の宮。「桜花今さかりなり難波の海ーに聞こしめすなへ」〈万四三六一〉 **ーや**【押し照るや】〔枕詞〕《ヤは詠嘆の助詞》「おしてる」に同じ。「ー難波の崎よ出で立ちて」〈記歌謡五三〉

おしとどとしとど『感』はやしことばの一。「葛城の寺の前なるや豊浦の寺の西なるや、ー、桜井に白璧しづくや好き璧(たま)しづくや、ー、然してば国ぞ栄ゆるや吾家(わぎへ)らぞ栄ゆるや、ー」〈続紀歌謡八〉 ▽実際の発音は、催馬楽「葛城」におけるように、オオシトンドトシトンドであったらしい。

おしと・り【押し取り】『四段』力ずくで取る。無理に奪い取る。「領しける田畠も人に皆ー・られなどして」〈今昔一六ノ八〉

おしな・べ【押し靡べ】『下二』①押してなびかせる。「婦負(めひ)の野のすすきー・べ降る雪に」〈万四〇一六〉②全体に一様にわたる。「秋の野のー・べたるをかしさはすすきこそあれ」〈枕六七〉③(地位・容貌・愛情などが)普通程度である。世間なみである。「御方方の人人、世の中にー・べたらぬを選(え)り整へすぐりて」〈源氏桐壺〉 †ösinabë **ーて**【押し靡べて】『副』①全体にわたって。どこもかしこも。「そらみつ大和の国はー我こそ〔王トシテ〕居れ」〈万一〉。「花の木ども散り果ててー緑になりたる中に」〈枕四〇〉②一様に。「ーありし折は目とどまりても見えざりし織物唐衣どもの」〈栄花輝く藤壺〉③普通程度。世間なみ。軽んじた気持でいう。「はじめよりーの上宮仕へし給ふべき際にはあらざりき」〈源氏桐壺〉。「軽らかにーのさまにも思ひ聞え給はず」〈源氏椎本〉

おしな・み【押し並み】『四段』押し伏せて一面に平らにする。「我が宿のすすきー・み降れる白雪」〈古今三一八〉 **ーに**【押し並みに】『副』なみに。平凡に。普通に。「山城の泉の小菅ー妹(いも)が心を我が思はなくに」〈万二四七一〉 ▽原文「凡浪」の訓には異説もある。 †ösinamini

おしなめて【押し並めて】『副』「おしなべて」に同じ。「見る姿の数数、聞く姿の数数のー美しからんを以(も)て幽玄と知るべし」〈花鏡〉

おしな・り【押し成り】『四段』無理になる。強引に就任する。「院の御厩(うまや)の別当にー・って」〈平家八・法住寺合戦〉

おしね【晩稲】《オソイネの約》おそく成熟する稲。おくて。「ー刈る賤(しづ)の菅笠白妙にはらひもあへず積もる白雪」〈安元元年十月右大臣家歌合〉

おしね・り【押し捻り】『四段』おさえひねる。「焼太刀(やきだち)の手柄(たかみ)ー・り」〈万一八〇九〉

おしはか・り【推し量り】㊀『四段』①(見えるものからたどって見えない部分の)見当をつける。「長さー・られたるに」〈枕三六〉②(人の心の中やはっきり見聞出来ないことなどを)推量する。想像する。「後の御わざなど、あるべき事どもー・りて」〈源氏椎本〉㊁『名』あて推量。「あやしき(合点ノ行カヌ)御ーになむ」〈源氏槿〉

おしはら・ひ【押し払ひ】『四段』①払いやる。追い払う。「押、オス・オシハラフ」〈名義抄〉②切り放つ。切りす

てる。「伐本截末、此をば謨登岐利須衛於玆波羅比(もときりすゑおしはらひ)」といふ」〈紀顕宗即位前〉　†ösiɾaɾi

おしは・り【押し張り】『四段』①張り出す。「簾垂高く―・りて」〈源氏常夏〉②意地を張る。「―・りてのたまはむことを言ひかへすべき上達部(かんだちめ)もおはせず」〈落窪四〉

おしへ【磯辺】「いそへ」の上代東国方言。「駿河の海―に生(お)ふる浜つづら」〈万三三五九東歌〉　†ösiɾe

おしへ・し【押し圧し】『四段』押しつぶす。「二藍・葡萄染(えびぞめ)などのさいで(布切レ)の、―・されて草子の中などにありける見つけたる」〈枕三〇〉

おしま・き【押し巻き】『四段』①ざっと巻く。「浅緑の薄様なる文(ふみ)の―・きたる端見ゆるを」〈源氏若菜下〉②包囲する。攻囲する。「新羅の軍兵、神功皇后宮の御舟の干上がりてあるを見て、―・きて、かちはだしにて中に取り籠めて討たんとせし時」〈古今集註〉

おしまづき【几】脇息(きょうそく)。ひじかけ。「―自(お)のづからに断(を)れぬ」〈紀齊明四年〉。〈和名抄〉

おしまは・し【押し回し】ワシ:マ『四段』①押しうごかしてまわす。「土器(かはらけ)にて―・し、僧どもに飲ましむ」〈沙石集八ノ一〉②周囲をとりまく。「十間口〔ノ家〕を―・す霧」〈俳・独吟廿歌仙上〉③角地(かど)の両側の道に面して家を建てる。「両角を―・したる鼠壁」〈俳・別座鋪〉

おしもつき【御霜月】報恩講(ほうおんかう)の別称。「人の命〔霜ト〕共に消えなん―」〈俳・独吟一日千句〉

おしゃま・す『連語』《オッシャイマスの約》「言ひ」の尊敬語。「お前のさう―・すに何のいやと言はれませう」〈伎・月蓋長者二〉

おしゃ・り『四段』《仰セアリの転》おっしゃる。「上京へ行くと―・ってお帰りやったが」〈虎明本狂言・鈍太郎〉

おしゃん・す『連語』《オシャリマスの転》おっしゃいます。近世、上方でいう語。「高雄様の―・す」〈評判・難波鉦一〉

おしゅう【御主】御主人。「―の名をばくたすまじ」〈謡・海士〉

おしょく【御職】①同職の中で頭(かしら)に立つ人。「手を引きて今は―の家老殿」〈雑俳・夏木立〉②吉原遊廓で、それぞれの女郎屋で上位の遊女。後には岡場所でもいった。御職女郎。「隣座敷〔ノ遊女〕は此の家の―」〈洒・中洲之華美〉

おしょぼからげ【おしょぼ紮げ】着物の裾(すそ)をつまみ上げて帯にはさむこと。「ぢんぢんばしょり」とも。「―の女房も田舎おぼえて殊勝なり」〈近松・浦島年代記二〉

おしらいし【御白石】伊勢神宮正殿の瑞垣(みずがき)御門内に敷く玉砂利。所願成就のお礼として参拝者が寄進した。「伊勢ならぬ国も雪にや―」〈俳・発句帳四〉

おしら・り『四段』⇒おしられ。「皆無事に渡海さしられて、めでたいと―・りまるする」〈捷解新語七〉

おしら・れ『下二』《オホセ(仰)ラレの約オセラレの転。さらに転じてオシャレとなる。室町時代末頃からオシラリと四段活用に移行しつつあったらしい》仰せになる。おっしゃる。「これほど大切がましい―・れずとも」〈捷解新語一〉

おしわたし【押渡し】普通。一般。世間なみ。「おしわたり」とも。「この星、七月七日にあへると、まづ心得るは―の儀也」〈初学用捨抄〉

おしゑ【押絵】①屏風(びょうぶ)・障子などにはり交ぜる書画の小品。「八景―持ち来る」〈実隆公記永正六・閏八・一三〉②人物・花鳥などの形を厚紙で切り、これを布に包んではり付けて作った絵。「紙で手をふいて―を誉めるなり」〈雑俳・川傍柳一〉

おず・し『形ク』《オゾシの母音交替形》強烈で、恐ろしい。「〔荒荒シイ関東デ育ッタカラ、身投ゲトイウ〕すこし―・かるべき事を思ひ寄るなりけむかし」〈源氏浮舟〉

おすひイオス【襲】上着の一種。男女ともに使った。「―をもいまだ解かねば」〈記歌謡二〉　†ösuɸi

おすひ【磯辺】磯のほとり。磯のあたり。「真間(まま)の―に波もとどろに」〈万三三八五東歌〉　▽イソへの上代東国方言であろう。　†ösuɸi

おずま・し『形シク』《オゾマシの母音交替形》①恐ろしい気の強さと、能力を備えている。「かの乳母こそ―・しかりけれ…〔浮舟ヲ離サナイ匂宮ヲ〕引きもかなぐり奉りつべく」〈源氏東屋〉②強情である。我(が)が強い。「〔出家ナドスレバ〕人聞きもうたて―・しかるべきわざを」〈源氏夕霧〉

おすめどり【護田鳥】鳥の名。後に「うすめ」という。「楊氏漢語抄に云はく、護田鳥、於須売止里(おすめどり)…常に沢中に在りて人を見れば輒(すなはち)鳴く。主の官を守るに似たること有り」〈和名抄〉

おするゑ【御末】宮中・将軍家または公家・諸侯の奥向きで、身分の低い女の詰めている部屋。また、その女。「仙洞―の後、炭薪置かるる所燃上す」〈看聞御記永享四・二・二五〉。「源中納言―のあや〻〔人名〕」〈言国卿記文明六・三・一七〉。〈文明本節用集〉　**―をんな**【御末女】「おするゑ」に詰めている女。「お末衆」とも。「―・渡し女にいたるまで、はばかりなく車座に見えわたりし中へ」〈西鶴・一代女三〉

おせくく　未詳。背の少しかがまった意かという。「鮨鮎(しあゆ)の―に、広らかなるが」〈宇治拾遺九四〉

おせく・み『四段』未詳。背が少しまがる意か。「丈高く―・みたる者、赤鬚にて年五十ばかりなる」〈宇治拾遺二一〇〉

おせせ　いらぬ御世話。おせっかい。「傍(かたはら)から異見すれば、―だのと打ち込む。これは入らざる御世話と言ふ心にや」〈滑・当世下手談義五〉

おせち【御節】正月の節振舞(せちぶるまひ)に用いる、野菜・海藻を主とした料理。後には他の節句に用いるものをもいった。「―とばかりするは春〔ノ季語〕なり」〈俳・御傘一〉

おせ・り『ラ変』《押シアリの約。オシは上や横から一面に力や光が及ぶ意》望み見る。見晴らす。「域中(くにのうち)を睠望(おせ)りたまふ」〈紀神武即位前〉

おそ【鈍】にぶいこと。うすいこと。まぬけ。愚鈍。「遊士(みやびを)とわれは聞けるをやど貸さず我を帰せり―の風流士(みやびを)」〈万一二六〉　▽アサ(浅)の母音交替形。　†öső

おそうじ【遅牛】　**―も淀(よど)早牛(はやうじ)も淀**　京を出た牛は、遅いのも早いのも、結局淀に着く。物事に遅速の相違があっても、結果は同じ事になるたとえ。「―といへる事あれば」〈仮・是楽物語上〉

おそき【襲着】《オソはオソヒ(襲)のオソと同根。キは着る物の意》着物。「栲衾(たくぶすま)白山風の寝なへども子ろが―の有ろこそ良(え)しも」〈万三五〇九東歌〉　†ösöki

おそきひ【遅き日】《日の暮れるのが遅い意》のどかな春の日。長い日。遅日。「今朝はまだ枝にこもりし花の色／鳥の音もなほ―や待つ」〈天正三年四月十九日紹巴等山何百韻〉。「首途(かどいで)をたんだ急ぐも―に」〈俳・寛永十三年熱田万句二〉

おぞくれ《オゾオクレの約。オゾはオゾシのオゾと同根。オクレは遅レの意》気が強くて、おろかであるさま。「佐・忔、オゾクレタリ」〈名義抄〉

おそ・し【鈍し・遅し】『形ク』《「はやし(速)」「とし(疾)」の対。生長力・生命力の活動が、にぶく少ない意》①〔頭脳や心の働きが〕にぶい。「山代の石田(いはだ)の社(もり)に心

—・く手向(たむけ)したれや妹に逢ひ難き」〈万二八五六〉②(動作が)のろい。「〔昔〕見給ひし程の〔末摘花ノ〕口おそさも、まだ変らずは」〈源氏蓬生〉③間に合わない。「〔返歌ガ〕—・くは、便なからむ」〈源氏若菜下〉④(時刻が)おくれている。「かりたかの高円山を高みかも出で来る月の—・く照るらむ」〈万九八一〉。「—・く疾(と)く色づく山のもみぢばはおくれ先立つ露やおくらむ」〈後撰三八一〉 †ösösi

おぞ・し『形ク』《オゾはオゾクレ・オゾマシのオゾと同根》①気の強さと能力とを備えている。「〔乳母ハ〕物づつみせず、はやりかに(短気デ)—・き人にて」〈源氏東屋〉②《(1)の性質を傍から見て》強烈で恐ろしい。「〔身投ゲナドトハ〕おどろおどろしく—・きやうなりとて」〈源氏蜻蛉〉。「胡国から来た—・い僧どもは、みな具足などきてあるぞ」〈江湖風月集略註抄〉③品質が悪い。「身が貧なれば、縷褐のやうな—・い物なりとも披(き)るぞ」〈四部録抄〉④悪賢い。ずるい。「楠が—・い事ども工(たく)みては」〈俳・大矢数三〉

おそなは・り オツナワリ【遅なはり】『四段』(時間が)遅くなる。遅れる。「朝に見て夕の—・る程だに紅の涙を落すに」〈宇津保俊蔭〉。「いかに罪人、何とて—・りたるぞ」〈謡・松山鏡〉。「稽、オソナハル」〈名義抄〉

おそば・え『下二』調子にのってふざける。「—・えたる者の、口利(き)ききらきらしく」〈今昔二七ノ一三〉 ↓おそばへ・そばへ

おそばさらず【御側去らず】常に主君の側近にある寵愛の厚い臣。「—の御伽に曾呂里といふものあり」〈仮・曾呂里狂歌咄一〉

おそば・へ オツバエ『下二』《イソバへの母音交替形》ふざける。たわむれる。「—・へて『あれ押しこぼちてん』と腹立ちののしれば」〈落窪一〉 ↓おそばえ

おそはやも【遅早も】『副』おそくても早くても。「—汝(な)をこそ待ため」〈万三四九三東歌〉 †ösöFayamö

おそ・ひ オツイ【襲ひ】㊀『四段』《上から押しつけ、かぶさる意》①のしかかる。「道の中(なか)にして風雨に遭ひ、暫くの間、他(ひと)の倉の下に寄りしに、覆(くつがへ)りて—・ひき」〈霊異記上三九〉。「〔童女ヲ〕罵(の)り—・ひて打つ」〈霊異記上九〉。「舟は—・ふ、海のうちの空を」〈土佐一月十七日〉②(悪霊が押しかぶさるように)とりつく。「あらゆる毒と薬と蠱(まじもの)と魅(くるほすもの)と厭(おそふもの)と禱(をやすもの)と」〈金光明最勝王経平安初期点〉。「内外(うちと)なる人の心ども、物に—・はるるやうにて」〈竹取〉③覆いかぶさるように攻めかかる。「伽藍を—・ひて珍宝を図(はか)らむとす」〈大唐西域記一・長寛点〉④身を覆うように着物を着る。また、着せる。「大象を装(おそ)うて、上に宝帳を施せり」〈三蔵法師伝五・院政期点〉⑤地位・家系などをそっくりうけつぐ。「襲、オソフ・ツグ」〈名義抄〉㊁『名』①おおい。「〔車ノ〕—・棟(むね)などに」〈枕九九〉②上着。「御—はいづれをか奉らむ」〈宇津保内侍のかみ〉③冠。「冠、オソヒ」〈名義抄〉④鞍。「御鞍(おそひ)」〈祝詞龍田風神祭〉 †ösöFi

おそぶら・ひ オソブライ【押そ振らひ】『四段』《オソブリに反復・継続の接尾語ヒのついた形。↓ひ》押しゆさぶり、ゆさぶりする。「をとめの寝(な)すや板戸を—・ひ」〈記歌謡二〉 †ösöburaFi

おそぶ・り【押そ振り】『四段』押してがたがたさせる。「誰そこの屋の戸—・る新嘗(にふなみ)にわが背を遣りて斎(いは)ふこの戸を」〈万三四六〇東歌〉 †ösöburi

おぞま・し『形シク』《オゾはオゾクレ・オゾシのオゾと同根》①おそろしくどぎつい印象である。「先に羅漢あり。かたち偉(おぞま)しく大(おほき)なり」〈大唐西域記三・長寛点〉。「人の骸(ほね)偉大(おぞましげ)にして」〈大唐西域記四・長寛点〉②我(が)が強い。「〔嫉妬深イ女ガ〕腹立ち怨ずるに、かく—・しくは…絶えてまた見じ」〈源氏帚木〉。「大方その宮には心—・しき人(女房)のおはするにや」〈大鏡道長〉 ▽オゾシ・オゾマシに類する型の語は、ツベタシ・ツベタマシ(冷)、アラシ・アラマシ(荒)などがある。

おぞ・み『四段』《オゾはオゾマシのオゾと同根》①恐れる。「皆みな謡を—・み候ひて、はたと〔助音ヲ〕お付け候はぬあひだ」〈禅鳳雑談〉②おどろく。〈日葡〉③目をさます。「目さむるといふ事を、薩摩および肥前にて、—・むと云ふ」〈物類称呼五〉。〈日葡〉

おそらく【恐らく】『副』《「おそらくは」の略》①思うに。多分。きっと。「—脛(すね)をなぐ事はなるまい」〈虎明本狂言・鈍太郎〉②はばかりながら。「—取らすまいぞ」〈虎明本狂言・竹の子〉 **—は**【恐らくは】『副』《オソリ・オソレのク語法オソルラクに助詞ハの添った語の転》①恐れることは。「懼(おそ)らくは吾を傷(そこ)なはむことを」〈二教論勘文院政期点〉②思うに。多分。「—他の官の者、この由を知らずしてまた君を捕へむとせむ」〈今昔七ノ三〇〉。「人の心を推すほどに—と云うたぞ。必定かくあらんとは云ひがたきほどにぞ」〈三体詩抄二ノ四〉③はばかりながら。「—貞敏に授け残しの曲の侍るを授け奉らんと思ふ」〈十訓抄一〇ノ一九〉。「『これこれ御覧ぜよ、—我らでなくては』なんど云ひまはる事ぞ」〈春鑑鈔〉 ▽「恐る」は古く上二段活用であったから、ク語法としては、平安初期には、オソルラク・オソロラクの形があった。「懼ろらくは、空に恩を冒(をか)せりしことに疎にして」〈玄奘法師表啓平安初期点〉

おそ・り【恐り】㊀『上二』《奈良時代から平安初期にかけて上二段活用。平安中期から一般には下二段活用に移ったが、漢文訓読には伝統的に上二段活用も使われた》①憂慮・警戒・恐怖などの心をいだく。「すなはち身を護らむ。懼(おそ)るる所有ること無けむ(イラナイ)」〈金光明最勝王経平安初期点〉。「—・りらると雖も、—・るとすること勿れ」〈群書治要二・鎌倉期点〉。「将に—・りむとするは、これ予(われ)と汝なり」〈群書治要三・鎌倉期点〉②うやまいつつしむ。「〔赤イ袈裟ヲ着タ人ヲ象ガ助ケタト〕王聞こしめして、喜び愕(おそ)りて未曾有なりと嘆ず」〈地蔵十輪経三・元慶点〉 ▽四段活用らしい例が平安初期からあるが、その多くは平安末期の漢文訓読にあらわれる。誤った擬古的な用法であったらしい。「聞くひとはおそらむとせる心を生ず」〈地蔵十輪経一・元慶点〉㊁『名』心配。危険。「春日野の山辺の道を—なく通ひし君が見えぬ頃かも」〈万五一八〉。「このわたり、海賊の—ありといへば」〈土佐一月二十三日〉 †ösöri

おそ・れ【恐れ】㊀『下二』《平安中期頃に、上二段活用のオソリから転じて成立した形》①危険を前もって心配し、警戒する。こわがる。「—・れ怖るるひとは見て安らかになりぬ」〈彌勒上生経賛平安初期点〉。「いかなる仰せ言にかと—・れ申し侍る」〈源氏浮舟〉。「死に臨みて死を—・れば」〈徒然九三〉②うやまいつつしむ。恐懼(きょうく)する。「君のごとく、神のごとく、—・れ尊みて」〈徒然二一七〉。「—・るるといふに心二つあり。尊き我が師匠・主君に—・るるは、いかにも謹しみて—・るるなり」〈御書抄一一〉㊁『名』①不安。心配。「この故に命の—ひまなし」〈孝養集上〉。「財あれば—多く、貧しければうらみ切なり」〈方丈記〉②恐怖。「殺害の狼藉を見るに、—を生ず」〈正法眼蔵四禅比丘〉③目上に対して、恐れ慎むべきこと。「愚僧は一人なりとも、君に一太刀—を申して、後生の訴へに仕り候ふべきものを」〈曾我一〇〉④失礼を詫びる挨拶。「後日に—を申さん」〈曾我六〉 **—がま・し**【恐れがまし】『形シク』恐れが甚

だしい。恐れ多い。「—・しき事なれども」〈伽・御曹子島渡〉 **—ながら** 《相手をうやまっていう》恐れ多い事ですが。「—申して候ひつるなり」〈著聞三六五〉。「—とは、敬ひながらと云ふ心ぞ」〈庭訓之鈔〉

おそろ・し【恐ろし】『形シク』《オソリの形容詞形》自分の身に危害が及びそうで、また無気味で、ぞっとする。「〔死体ハ〕—・しきけも覚えず」〈源氏夕顔〉。「近き火(火事)また—・し」〈枕二六四〉。「像の形異にして、威厳として粛然(おそろしげ)にまします」〈大唐西域記七・長寛点〉

おだい【御台】《「御台盤」の略》①食膳。「—もて参るを見れば」〈宇治拾遺九四〉 ②〔女房詞〕御飯。「白飯(はくはん)山とは白い—の事」〈虎明本狂言・岡太夫〉 **—がひ**(イガ)【御台匙・御飯貝】飯を釜から取り出す杓子(しゃくし)。飯匙(いひがひ)。「明日から—を渡さう(主婦ノ実権ヲ譲リ渡ソウ)ぞ」〈咄・醒睡笑六〉。〈日葡〉 **—びつ**【御台櫃】飯櫃。「雛事(ひなごと)に鄙(ひな)の言葉か—」〈俳・遠近集三〉

おたがじゃくし【御多賀杓子】柄の少し曲がった杓子。「曲がれる物……—」〈仮・尤の草紙下〉 ▽近江多賀神社のお守りとして出す杓子と同じ形なのでいう。現在の「お玉杓子」はこれの転。

おだ・し【穏し】『形シク』《オダヒカ・オダヒシ・オダヤカと同根》①(人の心などが)安定している。安心して落ちついている。「長き御心の程を—・しきものにうちとけ頼み聞え給へる御様」〈源氏初音〉。「やがて心—・しくなりける」〈雑談集一〇〉 ②(世の中などが)平穏である。平和である。「世を—・しう二十余年保ったりしなり」〈平家八・法住寺合戦〉 ③尋常な感じである。おとなしい。「〔句ハ〕おほむねすなほに—・しく侍らん、まことの道なるべし」〈ささめごと上〉

おたづねもの【御尋ね者】お上が捜し求めている犯罪人。「生国薩摩は人改め強く、我等は今に—」〈近松・薩摩歌上〉

おたは・ひ『四段』〔上代東国方言〕未詳。オダヒ(穏)と同根で、静まる意か。またオラビ(叫)と同根で、さけぶ意ともいう。「岩の上(へ)にい懸(かか)る雲のかのまづく人そ—・ふいざ寝しめとら」〈万三五一八東歌〉 †ötaFaFi

おたび【御旅】①神輿が渡御して仮に鎮座すること。「神も—を召さるると聞く」〈俳・寛永十三年熱田万句一九〉 ②「御旅所」の略。「〔コノ所ガ〕—の頃はそのかみぞかし」〈俳・徳元独吟千句〉 **—しょ**【御旅所】祭礼の時、神輿が仮に暫く鎮座する所。旅所。「おたびどころ」「御旅殿(どの)」とも。これのある町を御旅町(まち)という。「行列次第は、—に於いて奉行の料らひ也」〈多聞院日記文明一〇・二・二六〉

おだひ(オダイ)【穏ひ】《オダシと同根》落ち着いて平安であるさま。「心も安く—にあり」〈続紀宣命三二〉。「平けく—にいまさふべしと」〈延喜式陰陽寮〉 †ödaFi **—か**【穏ひか】《後にオダヤカに転じる。漢文訓読体に用いた語》①(気持に乱れがなく)落ち着いているさま。静かであるさま。「季秋(このごろ)薄(やや)に冷(すず)し。尊(かしこどころ)いかに。想ふに清悆(おだひか)にか」〈紀推古十六年〉。「穏・雅、オダヒカナリ」〈名義抄〉 ②平和であるさま。平安であるさま。「東は人主、和暢(くわやう)とおだひかに人多し」〈大唐西域記一・長寛点〉

おだひ・し(オダイシ)【穏ひし】『形シク』《オダヒの形容詞形》おだやかな感じである。世の中が平穏である。「欻(たい)しみ、明けみ、おだひしみ、頼もしみ思ほしつつ」〈続紀宣命五一〉 †ödaFisi

おだ・み【穏み】『四段』《オダシと同根》おだやかになる。「ちっと病の—・む時に」〈論語抄子罕〉

おため【御為】《「為(ため)」の尊敬語》①主人または目上の人のために利を計ること。「どれも天子の—〔ニナル〕事なれば、どれも喜ぶべきぞ」〈四河入海三ノ三〉 ②主君のために重税を課すなど、きびしい政治を行ない、財政を豊かにすること。のちには「お益(えき)」とも。「百姓をせたげ、君の御蔵に財多く集むるを—とし」〈太閤記二〇〉 **—がほ**(ガオ)【御為顔】主人の利益を計るような顔つき。「—で旦那をひづめ、家久しい我らを押しのけ」〈近松・淀鯉上〉 **—じゃ**【御為者】きびしい政治をして主君のために金銀米銭をせめ取る成り上りの家臣。「おためもの」「おためし」とも。「世間いづれの御家にも、—と云ふ出来出頭人(できしゅっとうにん)ありて」〈仮・可笑記一〉 **—づく**【御為尽】ひたすら他人の、特に主人の利益を計ること。「おためぞく」「おためだて」とも。「或は大名・小名の門戸を数へさし入りて、近習の人に這ひかがみ…心に思はぬ—」〈仮・不可得物語上〉

おだやか【穏やか】《オダヒカの転》①静かで落ちついているさま。平安。「天下—なりき」〈沙石集三ノ三〉 ②穏当であるさま。「兵(つはもの)を用ゐん事—ならぬ事なり」〈徒然八三〉

おち【御乳】「御乳(おち)の人」の略。「—や乳母(めのと)や女房たち」〈伽・酒呑童子〉

お・ち【落ち】㊀『上二』《ささえから離れて、下に受けとめる物もなく、物が自然に下方へまっすぐに墜落する意。転じて、物が離れて脱ける、欠ける意、また価値を失う、終りに達する意をも表わす。オトリ(劣)・オトウト(弟)・オトシ(落)のオトと同根。→おり(降)・くだり(降)・さがり(下)》❶ささえを失って、上から下へ位置が急に変る。①落下する。降る。「わが門の片山椿まこと汝(な)れわが手触れなな(触レズニ)土(つち)に—・ちもかも」〈万四四一八〉。「恋は皆わが上(へ)に—・ちぬ」〈霊異記上三〉 ②(日・月が)沈む。没する。「—・ちかかる山のは近き月影は」〈頼政集〉 ③垂れる。ずれ下がる。「枕より〔髪ノ〕—・ちたるきはの、つやつやとめでたうをかしげなるも」〈源氏総角〉 ④勢いよく降りる。「是程の大勢のなかへ鹿の—・ちやうこそあやしけれ」〈平家九・坂落〉 ⑤一気に流れ下る。「魚梁(やな)見物す。鮎事の外—・ち了んぬ」〈言継卿記永禄二・八・二〇〉 ❷物・人が或る所から離れ去る。①ついていたものがとれてなくなる。「足結(あゆひ)の小鈴—・ちにきと」〈記歌謡八二〉 ②一部分が欠ける。ぬける。「一夜も—・ちず夢にし見ゆる」〈万三六四七〉 ③病気などが除かれる。「もし異僧を呼び給ひたらば、たとひ〔ツキモノガ〕—・ちたりとも猶本意にあらず」〈発心集六〉 ④ひそかに逃げて行く。㋑都を離れて地方へ下(くだ)る。「これはそもそもいづちへとて—・ちさせ給ひ候ふやらん。西国へくだらせ給ひたらば」〈平家七・一門都落〉 ㋺戦いに負けて逃げる。敗走する。「その勢皆—・ち失せて、ただ主従二騎になり給ふ」〈平家九・重衡生捕〉 ❸価値や程度が下がる。①おちぶれる。零落する。「やむごとなき筋ながらも、かうまで—・つべき宿世ありければにや」〈源氏蓬生〉 ②衰える。弱まる。「水漸く—・ちて本の河に成りぬ」〈今昔五ノ一九〉 ③(修業者などが)堕落する。「深く愛欲をおこして…互に契りて、遂に始めて—・ちぬ」〈今昔三ノ三〉 ❹終極の段階に行きつく。決着がつく。①迫られてついに相手の手中に入る。㋑問いつめられて白状する。「あながちに問ひければつひに—・ちていはく」〈今昔二四ノ一四〉 ㋺攻め取られる。陥落する。「今宵か明日か、心落ちに—・ちんずる城を」〈太平記二九・光明寺合戦〉 ㋩相手のものになる。「つれなのふりや、すげなの顔や、あのやうな人がはたと—・つる」〈隆達小歌〉 ②決まる。落着する。「かく人の推し量る案に—・つることもあらましかば」〈源氏藤袴〉 ③納得する。「前の句を握り詰めて、飾り振舞はで、諸人の耳に—・つるやうに付くべき也」〈長短抄中〉④終りまで行きつく。死ぬ。「諸の有情類の終に—・ちむとするに臨むを名づけて死時といふ」〈法華経玄賛平安初期点〉 ㊁『名』①手ぬかり。おちど。「小敵も弱敵もただ油断すな侮るゆゑに—をこそ取れ」〈仮・武者物語下〉②落髪(おちがみ)。「人の髪の—」〈仙覚抄六〉③選り残された質の悪いもの。「これ見ねへ、こいらが—だけれど」〈滑・浮世風呂四中〉

おぢ【祖父】《オホヂの転。「おば」の対》①父母の父。「大夫殿、宮の御—におはします」〈古本説話九〉②老年男子。じじい。「—媼(ばう)つき添うて、死なば親子一時に」〈近松・大経師中〉

お・ぢ【懼ぢ】『上二』《オドシ(威)の自動詞形。相手を恐ろしい物だと思い込んでいる結果、相手の前で萎縮して動作がにぶる意》①(恐ろしいもの、いやなものに出会ったと思って)ひるむ。おどおどする。「いかづちの光のごときこれの身は死にの大君常にたぐへり—・づべからずや」〈仏足石歌〉。「をさなき心地にも、いといたうも—・ぢず」〈源氏若紫〉②恐れて遠くにいる。はばかる。遠慮する。「船には紅濃く、よき衣着ず。『それは海の神に—・ぢて』といひて」〈土佐一月十三日〉。「〔浮舟ノ傍ヲ離レナイ匂宮ヲ〕あさましくかたはに誰も誰も思へど、宮は—・ぢ給はず」〈源氏東屋〉

おちあし【落足】①戦いに負けて、逃げて行く足取り。敗走。「—がよければこそ先陣も引き返さざるらめ」〈盛衰記三九〉②川の水が減ずること。「水の—をや待つべき」〈平家九・宇治川〉

おちあ・ひ イ：ア【落ち合ひ】㊀『四段』①一つ所で出合う。合流する。「よもの河は淀の流れに—・ひて一つわたりになりにける哉」〈拾玉集一〉②その場に出て来て加勢する。「高橋が勢は国国の駆り武者なれば、一騎も—・はず」〈平家七・篠原合戦〉③その場に出て来て立ち向う。出合う。「我と思はん平家の侍どもは直実(なほざね)に—・へや、—・へ」〈平家九・一二之懸〉 ㊁『名』川と川との合流する所。「二つの河の—に、大木をもって逆茂木(さかもぎ)に引き」〈平家七・火打合戦〉

おちあゆ【落鮎】秋、産卵のために川を下る鮎。さび鮎。下り鮎。「—、岩田河百瀬の—と云へり」〈藻塩草一三〉

おちい・り【落ち入り】『四段』①落ちこむ。「谷にも—・りぬべくなむ」〈源氏夕顔〉②くぼむ。めりこむ。陥没する。「目皮(まかは)はいたく黒み—・りて」〈源氏紅葉賀〉。「地陥(おちい)りて坑(あな)となる」〈三蔵法師伝二・院政期点〉。「陥、オチイル」〈色葉字類抄〉③息が絶える。絶命する。「手負ひのただ今—・るに、一日経書いて弔へ」〈平家二・嗣信最期〉

おちう・せ【落ち失せ】『下二』敗北して戦いから逃げ去る。「その勢皆—・せて、ただ主従二騎になり給ふ」〈平家九・重衡生捕〉

おちうど【落人】《オチビトの転》戦いに敗れたりして、人目を忍んで逃げてゆく者。「ただ今物の具武者の出で来たるは—にてぞあるらん」〈平治中・信頼降参〉

おちえん【落縁】座敷より一段低く落して作った縁。「—へつっと上り」〈幸若・高館〉

おちがみ【落髪】抜け落ちた頭髪。抜け毛。「朝な朝なけづれば積もる—の乱れて物を思ふころかな」〈拾遺六六九〉

おちくさ【落草】射た鳥や、鷹に襲われた鳥などが落ちた草むら。「御狩する片山陰の—に隠れもあへず立つきぎすかな」〈風雅八六一〉

おちくち【落口】落ちはじめ。「あしひきの山の木の葉の—は色のをしきぞあはれなりける」〈拾遺四一七〉

おちくぼ【落窪】家の中で、普通の床から一段低い所。落ちくぼんだ所。「—なる所の二間なるになむ住ませ給ひける」〈落窪一〉

おちぐり【落栗】染色の名。黒ずんだ濃い紅色。「—とかや、何とかや、昔の人のめでたうしける袷の袴」〈源氏行幸〉

おちしほ オ：シ【落潮】《「上げ潮」の対》引き潮。「もののふのうき名を流す—に舟吹きさそへ和歌の浦風」〈明徳記下〉

おちつ・き【落ち着き】㊀『四段』①落ちて下に着く。「馬の上で二刀、—・く所で一刀、三刀までぞ突かれたる」〈平家九・忠度最期〉②住居を定める。居所が安定する。「あづまに下りし親、からうじて上りて、西山なる所に—・きたれば」〈更級〉③ふらふらせず、安定する。「〔軽薄トハ〕人の軽忽にして、実もなく、—・かぬありさまなり」〈中華若木詩抄下〉④ほっとして心が静まる。「火がともってある。まづ—・いた」〈虎寛本狂言・子盗人〉⑤腑に落ちる。得心する。「根元からとっくりと聞かしゃるれば、よく—・きまする」〈盤珪禅師御示聞書上〉⑥しかるべく落着する。決着がつく。「クジ(公事)ガイッパウニヲチツイタ」〈日葡〉 ㊁『名』①訪問先・宿屋などに到着して、まずとる飲食物。「あづま路や駅駅(うまやうまや)の—に人もすすめぬ君がわりなき」〈新撰六帖二〉②落着。結末。「かかる—は、二季彼岸銭、盆の志を召されつけん御為…なり」〈本福寺跡書〉

おちとま・り【落ち止まり】『四段』①落ちてそのままそこにある。「—・れる御指貫、帯など」〈源氏紅葉賀〉②居残る。「まして—・りぬべくなむおぼえける」〈源氏須磨〉③おちぶれて生き残る。「はかばかしき後見なくて—・れる身どもの」〈源氏総角〉

おぢな・し【怯し】『形ク』《オヂは懼。ナシは甚だしい意》ひどく臆病だ。「舎人、性(ひととなり)懦(おぢな)く弱くして」〈紀雄略五年〉。「劣・怯、オヂナシ」〈名義抄〉▽あるいは、ヲヂナシ(拙劣)と同語か。

おちの・び【落ち延び】『上二』遠くへ逃げてゆく。逃げおおせる。「六波羅へ—・びらる」〈平治中・待賢門軍〉

おちのひと【御乳の人】①貴人の乳母(ばう)。「紀の御とて—と聞えしが男(夫)にて」〈今鏡三〉②乳母。幼児を養育する女。「或る医者の所へ、—、子を連れて行き」〈咄・昨日は今日上〉

おちば【落葉】散り落ちた木の葉。「—のうき(サカズキ)に浮かべるを知らずて」〈記雄略〉

おちひねり【落捻り】落髪を揃えて髢(かもじ)に作ること。また、その女職人。「かづら捻り」とも。「黒髪の長きや稀の—」〈俳・天水抄〉

おちぶ・れ【零落れ】『下二』《オチアブレの約》社会からあぶれてみじめになる。「世に—・れて、受領の北の方になり給へるありけり」〈源氏蓬生〉

おちま【落間】他の部屋より床を一段低く作った所。「広縁(ひろえん)に連雀(れんじやく)おろし、その身は—に腰をかけ」〈説経・しんとく丸〉。〈日葡〉

おちむしゃ【落武者】戦いに敗れて逃げる武士。「—をば斬らぬものぞ」〈碧岩抄一〉

おちゃ【御茶】①茶の丁寧語。茶の湯にもいう。「にぎやかに人の家にはさみだれの降るより多く飲む—ぞよき」〈伽・御茶物語〉②遊女が客がなくてひまなこと。「—で居ますれば」〈評判・難波鉦一〉 **—しょ**【御茶所】真宗寺院の参詣人の休息所。「めっさうに/—を見てもあっ尊と」〈雑俳・軽口頓作〉 **—のこ**【御茶の子】《お茶菓子は腹にたまらぬ意から》たやすくできることのたとえ。「これほどの喧嘩は——茶の子ぞや」〈近松・反魂香中〉 **—のま**【御茶の間】公家・武家方で腰元と下女との中間に位する女奉公人。奥方の外出のお供、祝儀の使い、客膳の取さばきなどをする。「—の水右衛門は、熊谷の中笠きて」〈西鶴・浮世栄花一〉 **—挽(ひ)・く**《大名お抱えの盲芸人が暇な時に茶を臼でひいたことから》遊女や芸者が客がなくて暇で遊んでいることにいう。「御無仕合にして、いつも—き給ふ」〈評判・山茶やぶれ笠〉

おぢゃ《オイデヤの転》おいでなさい。おいで。「今年は縁起を変へて、わが身には〔酒ヲ〕もらぬほどに、重ねて—」〈狂言記・伯母が酒〉

おちゃう【御町】官許の遊廓。「—において皆煙管焼き〔心中立テノタメ肌ヲ焼ク〕」〈俳・談林十百韻上〉

おちゃう【御帳】 **—に付・く** ①帳面に氏名を記す。「〔敵兵生捕ヲ〕権右衛門殿取次にて—き、御褒美として黄金二枚頂戴す」〈土岐累代記〉。「御敷台へ参り、—き申すやうにと仰せられ候」〈森田久右衛門日記延宝七・二・五〉 ②悪事をしたり、勘当されたり、仇討や訴訟を願い出たりしたため、姓名が役所の帳簿に記入される。「終には、—きて所を払はれ」〈評判・吉原雀上〉

おちゃたうてんもく【御茶湯天目】仏前に供える茶を入れる天目茶碗。「—も仮の飯椀となり」〈西鶴・五人女四〉

おちゃっぴい ①《オチャヒキの転》遊女がお茶をひくと同じで、働いたが金にならない意。「命がけの事手伝はせ、御褒美をもらふ時は親方一人であたたまる。この六蔵は—」〈浄・矢口渡四〉 ②ませた小娘をあざけっていう語。「—鼻の穴から煙(けむ)を吹き」〈雑俳・万句合宝暦一三〉

おちゃない【落ちゃない】近世、京都市外の常盤(ときわ)の里から出て、市中を落髪を買って廻り、髢(かもじ)に作って売った女行商人。「おちゃないか」と呼んで歩いたのでいう。「長(たけ)のかつらを持てる—」〈俳・鷹筑波五〉

おぢゃ・り『四段』《オイデアリの約》①「行き」「来(き)」の尊敬語。おいでになる。いらっしゃる。「行きたいやうに—・れ」〈耳底記〉。「して、そなたはどちへ行かうと思うて、これまで—・ったぞ」〈虎明本狂言・磁石〉 ②「あり」「をり」の丁寧語。ございます。補助動詞としても用いる。「おれらが国にて、かかる所は—・らないぞ」〈伽・鼠草子〉。「まづこれほどな大きさで—・る」〈虎明本狂言・察化〉

おぢゃれ《オヂャリの命令形から》客引き女。近世、宿駅の宿屋に奉公し、門口に立って、旅人に「おぢゃれおぢゃれ」と呼びかけたのでいう。飯盛女。出女(でおんな)。「おぢゃれおぢゃれ」とも。「宿宿恋を商はぬ所なし。其の女を出女とも、又は—とも言へり」〈浮・好色床談義四〉

おちょぼ《娘によく付ける「おちょぼ」という名前から》娘のこと。また、近世後期、上方では遊里で十三、四歳ぐらいの女中の通称。「—忍ぶに六つの苦が候ふ」〈松の葉一〉 **—からげ**「おしょぼからげ」に同じ。「着る物の尻を—にして」〈浮・嵐百人鬘上〉

おち・ゐ【落ち居】『上一』①膝をひろげて腰を下ろす。「延び立つも—・ゐるも」〈教訓抄七〉。「—・ゐる。膝をひろげてしづむなり」〈教訓抄七〉 ②落ちつく。安定する。「女の、男につきてひとの国に—・ゐたりけるを」〈後撰一一七三詞書〉。「いと嬉しく心ち—・ゐぬ」〈源氏真木柱〉

おつ【乙】①音楽で、甲(かん)に対して低い音。「覚一初重(しょぢう)の—に収めて歌ひすましたりければ、師直も枕をおしのけ」〈太平記二一・塩冶判官〉 ②気がきいていること。しゃれていること。「三日月は初めを—の光して」〈俳・続都曲〉。「豆腐売る声も—なり後の月(九月十三日ノ月)」〈俳・麻生〉 ③一風変ったこと。妙なこと。異様。「おつりき」とも。「此の女の言葉—に訛(なま)るなり」〈滑・浮世風呂二下〉

おづおづ【怖づ怖づ】『副』《オヅの終止形オヅを重ねたもの》おそるおそる。びくびく。「—内に入りて見れば、東大寺に死にし僧あり」〈今昔一九ノ一九〉

おっかか・り【押っ掛かり】『四段』《オシカカリの音便形》ほとんど近づく。今にもなろうとする。「弟とはいひながら三十に—・り、勘太郎・お末といふ六つと四つの子の親」〈近松・天網島上〉

おっかな・し『形ク』①恐ろしい。こわい。あぶない。「若衆冥利(みやうり)—・し」〈評判・高屏風上〉 ②多い。ぎょうさんだ。「〔都人ハ〕—・いこといとはもじがる」〈俳・新独吟集下〉。「物のおびただしきを…関東には—・いと云ひ」〈不断重宝記〉

おつぎ【御次】「御次の間」の略。「—にて、又御吸物・御酒数返(すへん)」〈沢庵書簡正保一・二・二八〉 **—のま**【御次の間】貴人の居室につづいてある部屋。御次。「浮蔵主(うきざうす)笑ひの種の—」〈俳・大矢数一〉

おつけ【御汁】〔女性語〕汁(しる)。「夕顔を…—にしつつ飯を食はばや」〈仮・出来斎京土産一〉。〈日葡〉

おっけはれた『連語』公然たる。「おっかいはれた」とも。「大臣も乗物並べた、—詮索(せんさく)」〈浮・西鶴伝授車三〉

おっさま【追様】《追ヒサマの音便形》①あとを追いかける状態。「—に義朝の許へさしつかはす」〈平治上・信頼信西を亡ぼさる〉 ②馬の後面、すなわち尻。「軍陣にて馬を見せ申すには…左を御目にかけ、右を見せ申し、其の後、面を御目にかけ申す也。ゆめゆめ—を御目にかけ申さぬ也」〈今川大双紙〉。〈日葡〉

おった・て【追っ立て】『下二』《追ヒ立テの音便形》追いたてる。追いはらう。「ここを打ち散らされ、かしこに—・てられ」〈太平記一七・義貞軍〉 **—じる**【追立て汁】船宿などで、出船間際に食膳に出した飲めないくらい熱い汁。客をせき立ててたくさん食べられないようにしたためという。「敵は糠味噌(ぬかみそ)—」〈近松・双生隅田川三〉 **—のくゎんにん**【追立の官人】「追立の使」に同じ。「—、白河の御坊に向ひ追ひ奉る」〈平家三・座主流〉 **—のつかひ**【追立の使】流罪の罪人を配所まで護送する役目の使者。普通、検非違使が任じられた。「追立の官人」「追立の庁使」とも。「検非違使惟繁・資能二人、—にて」〈古活字本保元下・左府の君達〉 **—ぶ**【追立夫】百姓などを徴発して、強制的に人夫として使うこと。また、その人夫。「〔禁制〕棟別・門別・—の事」〈大泉寺文書弘治三・六・二四〉

おっつけ【追っ付け】『副』①すぐに。ただちに。「—参らせれい。今まで遅うござる」〈虎明本狂言・伊文字〉 ②間もなく。やがて。「—無き身となりて人に見せ奉らん」〈伽・為人びくに〉

おって【追手】《追ヒ手の音便形》後から追ってくる人。討手。「—のもしもかかりやせんと」〈伽・鶴の翁〉

おって【追って】『副』①あとから。のちほど。後日。「—代金なりとも、または米なりとも返金あるべく候ふ間」〈簑輪軍記上〉 ②《書き終えた手紙の追伸のはじめに置いて》付け加えて。なお。「—啓す」〈文明本節用集〉 ▽「追って」以下の文を「追而書(おってがき)」という。

おっとって【押っ取って】『副』①おおよそ。ざっと。まずまず。大略。「〔詩経〕正義には、むつかしう〔解釈〕したを、—はこの分ぞ」〈毛詩抄一〇〉 ②とるものもとりあえず。ただちに。「私にも—使はるるほど金が欲しやと申す」〈西鶴・諸艶大鑑三〉

おっとまかせ【おっと任せ】『連語』気軽に承諾する時の

返事。おいきた。よしきた。「『そこらを早う、こりゃ頼む』とまた一両投げ出す。『—』と足かろく」〈近松・冥途飛脚中〉

おつとめ【御勤め】①仏前で読経すること。勤行(ごんぎやう)。②遊女の揚代。「へ、—〔ト言ッテ払ウ〕」〈洒・多佳余宇辞〉

「朝(あした)の—に寝入り過ごし」〈本福寺跡書〉

おっと・り【押っ取り】『四段』《押シ取リの音便形》①むりに取る。奪い取る。「あなた方へなって、親の跡を—・らうと思ふ者ぞ」〈論語抄学而〉②急にぱっと取る。急いで取り上げる。「長刀ばかりを—・り」〈義経記四〉③「取り」を強めていう語。「飛び掛かり、兜(かぶと)を—・り、えいやと引くほどに」〈謡・景清〉④すぐに反応する。引き取る。「将軍聞こし召し、『鞠(まり)の系図はいづれぞや』。飛鳥井—・って、『それ月卿雲客に、〔鞠ノ〕家は二つましまさず』」〈仮・花山物語〉 **—がたな**【押取り刀】急いで刀を手に取ること。また、その刀。押取り太刀。「『北か西か』と—、我劣らじとぞ走りける」〈近松・堀川波鼓下〉 **—と・め**【押っ取り籠め】『下二』多人数でとり囲む。「真中に—・めんとすれば」〈保元中・白河殿攻め落す〉

おっぱ《連句の懐紙(かいし)の各面ごとにその最後の句であるヲリハ(折端)の転という》物事の最後。終末。「月の—(年末)に勘当を親父付け」〈雑俳・柳多留二〉

おつぼね【御局】禁中・将軍・大名家の奥向きに仕え、個室を持っている婦人の敬称。「—へ〔銭〕五百疋これを上げらる」〈多聞院日記文明一〇・一一・二三〉

おっぽろ「おっぽろ髪」に同じ。「一人は—にて年三十ばかり也」〈多聞院日記天正一〇・三・七〉 **—がみ**【おっぽろ髪】乱れた頭髪。「〔年ガ〕明けて八つの—」〈近松・井筒業平五〉

おつもり【御積り】酒席で、最後の酌(しゃく)。御納め盃。「其の分にて盃を—と、立って止めければ」〈咄・初音草咄大鑑七〉

おて【御手】『感』相撲で、立ち上りの掛け声。「常の相撲の如く、『—』『やっと』『ややや』」〈虎明本狂言・鼻取相撲〉

おていしゃ【御手医者】お抱えの医者。侍医。「御手前医者」とも。「—坂川玄春」〈西鶴・伝来記五〉

おてうぎ(…チョウ…)【御調儀】 **—に乗・る** 他人のおだてに乗せられる。そそのかされて向う見ずなことをする。「—・って、さながら、天へもついて上るべし」〈浄・酒典童子若壮三〉

おてか【御てか】《「おてかけ」の略》御妾(めかけ)。「—を憎み」〈浮・好色訓蒙図彙上〉

おてき【御敵】遊里で相手をさしていう語。遊女にも客にも用いる。「碁の相手をば敵と渾名(あだな)を申し習はす故、太夫たちを—と名付け申すなり」〈評判・濡仏中〉

おてて ①お守り役。保傅(ほふ)。「—〔ト〕宮一若と…あひ互ひにはぐくませられ」〈石清水文書六、永仁五・六〉②乳母の夫。「おち(乳母)と—が聟や春(張ルト掛ケル)の日」〈俳・貞徳独吟〉

おてまへ(…エ…マ)【御手前】『代』《二人称。主として武士が用いた語》そこもと。そなた。「勿論大なる—の費(つひえ)にて御座候」〈沢庵書簡正保一・八・一〇〉 **—いしゃ**【御手前医者】「御手医者」に同じ。「—様様にし奉りし験(げん)もなく」〈西鶴・伝来記五〉

おてもと【御手許】《酒の腕前の意》酒を飲むようす。「見事な—ぢゃ」〈近松・傾城金龍橋一〉

おと【弟・乙】㊀『名』《「え(兄・姉)」の対。オトシ(落)・オトリ(劣)のオトと同根》①同性のきょうだいの年下の者。兄に対する弟、または、姉に対する妹。おとうと。「其の〔石長比売ノ〕—木の花のさくや姫」〈記神代〉。「父母が成(な)しのまにまに(生ンダママニ)箸向ふ—の命は」〈万一八〇四〉▽上代、兄に対する妹はイモ、姉に対する弟はセといった。②一ばん末の子。「乙子(おとご)」とも。「五人は男子にて—は姫にてぞ候らひける」〈伽・いづみが城〉。「娣、ヨメ・オト・メヒ」〈名義抄〉㊁『接頭』《名詞に冠して》①弟・妹・末・次・幼などの意をあらわす。「兄宇迦斯(えうかし)、—宇迦斯の二人有りき」〈記神武〉②《末子を特に可愛がるところから》年若く愛らしい意をあらわす。「天なるや—機織(たなばた)の」〈記歌謡六〉 †ötö

おと【音】《離れていてもはっきり聞えてくる、物のひびきや人の声。転じて、噂や便り。類義語ネ(音)は、意味あるように聞く心に訴えてくる声や音》①響き。「沖辺(おきへ)の方に楫の—すなり」〈万三六二四〉。「風の—、虫のね」〈源氏桐壺〉②(遠くから聞える鳥獣の)声。「ほととぎす鳴く—はるけし」〈万三九八八〉。「鳴く鹿の目には見えずて—のさやけさ」〈古今二七一〉③噂。風聞。「—のみも名のみも聞きて」〈万四〇〇〇〉④たより。音沙汰。「鳥はすだけど君は—もせず」〈万二一七六〉⑤応答。「寄りておとなひけれど—なし」〈宇治拾遺一九四〉 †ötö

おとうと【弟】《オトヒトの転。「あに」「あね」の対。また、「このかみ」の対。同性のきょうだいの年下の者をいう。→おと・おとと》①兄に対する弟。「このかみの坊(皇太子)にておはするには奉らで—の源氏に〔娘ヲ奉ル〕」〈源氏賢木〉②姉に対する妹。「妻(め)の—を〔妻トシテ〕持てはべりける人」〈古今八六八詞書〉。「〔女御ノ〕御—の三の君」〈源氏花散里〉▽イモウトは、もと、年齢に関係なく男からみて姉も妹もいった。ötöFitö→otowito→otouto **—ぶん**【弟分】男色関係で兄分に対して若衆をいう。「おととぶん」とも。「前髪のさては五郎は—」〈俳・大矢数一〉

おとがひ(オト ガイ)【頤】①下顎(したあご)。「—細う、愛敬おくれたる人」〈枕四九〉。「鼻長かりけり。五六寸ばかりなりければ—よりさがりてぞ見えける」〈宇治拾遺三五〉②物を言うことをののしっていう語。へらず口。「踏まれても、あの—」〈近松・天網島上〉▽朝鮮語 t'ŏk(頤)と関係があるか。 **—が落・つ** ①美味であるたとえ。「さてもさてもうまい事かな。—・つるやうな」〈虎寛本狂言・栗焼〉②頤が落ちるほどしゃべりまくるたとえ。「富楼那(ふるな)もどきの上唇、咽(のど)の懸き金、舌の吊り緒、—・つるほど、こっちからもしゃべる、あっちからもしゃべる」〈近松・艶狩二〉 **—で蠅を追・ふ** 体力・精力の衰え果てたさまのたとえ。また、美人の女房を持った男をからかうことば。「あごで蠅追ふ」とも。「浅鍋がござなくは…〔炊事デキズ〕—・はせられうかと存ずる」〈虎明本狂言・鍋八撥〉 **—の雫**(しづく) あごについたしずくが口に入らないと同じように、手近にあるが、自分の思うままにならぬことのたとえ。「—口に入らぬ」〈俳・世話尽三〉 **—養・ふ** 生活する。口を過ごす。「—・ふありがたしと、鬼が島でも龍宮でも、やる所へなぜ失せぬ」〈近松・双生隅田川三〉 **—を利**(き)**・く** 物を言うことをののしっていう言い方。「頤を叩く」とも。「『まだ—・きをるか』と、頬げた三つ四つくらはせて」〈近松・大経師中〉 **—を解・く** あごをはずすほど大笑いする。「満座—・く云云」〈小右記長和五・五・一六〉

おとぎ【御伽】《トギは、相手をする意の動詞トギの名詞形》①お相手をつとめること。お相手をして相手の退屈・無聊などを慰めること。また、その者。「若き、おとなしき添ひゐて、七八人と居並みて、『こよひは—して、やがて居明かさん。月もめづらし』など言ひて」〈無名草子〉。「十二三ばかりなる上童(うへわらは)を一人、—に置きて」〈伽・しぐれ〉②特に、その枕席のお相手をつとめること。寝所に侍ること。また、その者。「ーをもさせられべきなれども、爪の先ほども〔楊貴妃ニ〕似たる者もなし」〈長恨歌抄〉。「夜のーにや身が参らう」〈宗安小歌集〉　**ーこしゃう**【御伽小姓】幼君の遊び相手となる小姓。「ーのぐゎんぜなし、十二三ながら手を揃へ」〈近松・丹波与作上〉　**ーしゅう**【御伽衆】戦国・江戸時代、主君のそばに侍して話相手を勤めた家臣。多く老臣がなり、軍談・世間話などを提供した。「ー、一、小笠原慶安斎、一、板坂法印」〈甲陽軍鑑八〉　**ーばふこ**【御伽婢子・御伽這子】天児(あまがつ)の一種。白絹で小児の形に作り、黒糸を髪とした人形。幼児の枕頭において魔除けとする。「犬張子・入れ子張子・中張子・ーの裸身も」〈近松・本領曾我一〉　**ーびくに**【御伽比丘尼】良家や貴人の子女・若嫁・後家などに付き添って話相手となる老尼。「姉添ひてーの行く事も」〈俳・江戸三吟〉

おときき【音聞き】評判。噂。外聞。「世にたぐひなき御有様のーに、罪許し聞えて」〈源氏末摘花〉

おど・け㊀『下二』《オホドケの転》①のんびりする。おっとり構える。「何事にもあるに従ひて、心を立つる方もなく、ー・けたる人こそ…なかなか心長きためしになるやうもあり」〈源氏椎本〉②ふざける。道化る。「また人のー・け狂ふをも、我を何とぞするかと思はれ、ただ怖ろしき念ばかりなり」〈驢鞍橋下〉㊁『名』ふざけること。また、それをする者。「見分くべしけなげな者とたくらたとー真人(またうど)これぞまぎるる」〈見咲三百首和歌〉　**ーもの**【戯け者】ばかげた者。ふざけた者。滑稽者。「酒飲み・ー・軽薄者ばかり出頭して」〈三好別記〉。〈文明本節用集〉

おとど【弟子・乙子】末に生れた子。末っ子。「まな(可愛イ)ーに火結(ほむすび)の神を生みたまひて」〈祝詞鎮火祭〉 †ötögo　**ーのついたち**【弟子朔日・乙子朔日】《一年中で最後の朔日の意》十二月一日。この日は餅を食べて祝った。「ー、厄払ひの包み銭」〈西鶴・胸算用一〉。〈俳諧初学抄〉

おとごぜ【乙御前】《オトゴゼンの約》①娘の愛称。「主(ぬし)ぞ恋しかりける。ーぞ恋しかりける」〈天正本狂言・恋の祖父〉②醜い顔の女。おたふく。おかめ。「〔女ノ小袖ヲ〕無理に取って見れば、ーなるによって逃ぐる」〈虎明本狂言・二九十八〉

おとごぜん【乙御前】①「おとごぜ」(1)に同じ。「大原の尼上、さま変への折、五条の坊門のーのおほん許より」〈粟田口別当入道集〉②「おとごぜ」(2)に同じ。「寅(とら)の年来る佐保姫やー」〈俳・続連珠三〉

おと・し【落し】㊀『四段』《オチの他動詞形。オトリ(劣)・オト(弟)と同根。オトは低い位置、必要な力の少ししかない状態》❶ささえをはずして、上から下へまっすぐに位置を移動させる。①落下させる。「はしたての熊来のやらに新羅斧(しらきをの)ー・し入れわし」〈万三八七八〉。「みな人、涙ー・し給ふ」〈源氏桐壺〉②勢いよくくだす。馬を乗り降ろす。「此谷の底に道のあるにこそとて、親ー・せば子もー・し、兄ー・せば弟もつづく」〈平家七・倶梨迦羅落〉❷物・人をある所から離れさせる。①(ついていたものを)なくす。「〔琴ノ爪ヲ〕ー・しおはしまして、大事に思し召しけれど、又作らせ給ふべきやうもなかりければ」〈大鏡藤氏物語〉②(憑き物や病気を祈禱などで)とりのぞく。「さるべき験者もー・しかねたりけるを」〈十訓抄一〇ノ一七〉③(必要なものを)うっかりぬかす。もらす。欠かす。「ひとつなー・しそと言へばいかがはせむ」〈枕一〇三〉④ひそかに逃がす。「无為に皆をー・いて静静と後に退(の)くぞ」〈論語抄雍也〉⑤遠方へ追いやる。「我が身はもとは日本の丹後国の者なるが、西風にー・されて、今この国に在りしなり」〈伽・梵天国〉❸価値や程度を下げる。①(身分・位階、また音の調子などを)低くする。「琵琶を引き寄せて、衣更(曲ノ名)をひとわたりー・して」〈狭衣三〉。「慈照院殿は青蓮院の御児であるを、ー・して将軍になしまらせられたぞ」〈玉塵抄四〇〉②(速力や分量を)へらす。「行き歩み給ふこと安平庠序(しゃうじょ)にして過さず減(おと)さざること猶し牛王の如し」〈彌勒上生経賛平安初期点〉。「おもの召す御台の丈ばかりをぞ一寸ー・させ給ひけるを」〈大鏡公季〉③(人を)低いものとして扱う。見下げる。「〔女三宮ノ〕人にー・され給へる御有様」〈源氏若菜下〉④堕落させる。「清僧をー・したる女をばさかさまにしばりつけて」〈東大寺仏之縁起〉❹終極にまで行きつかせる。決着をつける。①相手に迫って自分に従わせる。自分のものにする。「この城を夜討ちにー・して」〈太平記二八・三角入道〉。「初泊に於て、国師(司)方荷物これをー・す」〈大乗院雑事記延徳三・六・三〇〉②落着させる。処断する。「罪の軽重はからひてー・し給へ」〈説経・毘沙門本地〉③おちつかせる。「いまだ安堵しても存じ候はねば、心少しー・し据ゑて」〈平家一〇・三日平氏〉④鳥獣を殺す。「鳥・獣・鶏・豚の類を殺すをー・すといふ」〈両京俚言考〉 †ötösi　㊁『名』落し穴。「ここかしこにーを掘り」〈盛衰記二四〉　**ーがけ**【落し懸け】切りおとしたような急な坂。「山ふかく入るままに…ーの高き所に見つけて」〈源氏東屋〉　**ーご**【落し子】貴人が正妻以外の女に生せた子。おとしだね。落胤(らくいん)。「典侍藤原〔某〕卒す、…是は故二条右大臣のーなり」〈御堂関白記長和一・三・二六〉　**ーざし**【落し差し】鐺(こじり)を下げて刀を腰に差すこと。「軒にさがる菖蒲刀やー」〈俳・口真似草二〉　**ーす・ゑ**【落し居ゑ】『下二』決着する。確定する。「多氏・大神氏〔説ガ〕たがひて候とかや。いまだー・ゑず侍り」〈教訓抄五〉　**ーだね**【落し種】「おとしご」に同じ。「孫王のひがみたりし御子のーなり」〈かげろふ上〉　**ーつ・け**【落し付け】㊀『下二』①決心する。また、確信する。「終りなきグラウリヤを下さるべき事を疑ひなくー・け奉る」〈病者を扶くる心得〉②気持をすっかりしずめる。「はや秋とー・け見る一葉かな」〈俳・口真似草三〉。「万事ー・けて居たる客には、大夫気をのまれて」〈西鶴・一代女一〉㊁『名』決心。確信。「善の道に先へ行かんと思ひ定むる固きー」〈こんてむつすむん地三〉　**ーのはなし**【落しの話・落しの咄】末尾に落(おち)をつけて面白がらせる話。小話。軽口話。落し話。「人も面白からぬー」〈西鶴・諸艶大鑑四〉　**ーぶみ**【落し文】公然と言えないことを匿名で書いて、道などに落しておくもの。落書(らくしょ)。「ーは読むところに咎ありと云ふこと、是より始まるとかや」〈十訓抄七ノ六〉　**ーみづ**【落し水】晩秋、稲の刈入れ時に田から流し出す水。「ぼと鳴の立ち行く方やー」〈俳・西の雲下〉

おど・し【威し】『四段』《オヂ(懼)の他動詞形》こちらは恐ろしいものだぞという態度を示して、相手をこわがらす。「いかで懲(こ)るばかりのわざして、ー・して」〈源氏帚木〉　**ーぐさ**【嚇し種】おどす材料。「たださるべき折のーにせむとぞ思ひける」〈源氏紅葉賀〉

おとし・め【劣しめ】『下二』《オトシ(落)と同根》(血筋など)劣ったものと見下げ、軽蔑する。「〔桐壺更衣ヲ〕めざましきものにー・め、そねみ給ふ」〈源氏桐壺〉。「〔受領ノ妻ニナッタノデ〕おのれをばー・め給ひて、面伏せに思したり」〈源氏蓬生〉　**ーごと**【劣しめ言】悪口。「あいなき御ーになむと、はてはては腹立つを」〈源氏若菜下〉

おとたなばた【弟棚機】若く愛らしい機織り女。「ーのう

ながせる(首ニオカケノ)玉のみすまる(首カザリ)」〈記歌謡六〉 †ötötanabata

おとづ・れ【訪れ】㊀『下二』《音連レの意。相手に声を絶やさずにかける、手紙を絶やさずに出す意が原義。→おとなひ》①(いつも)相手を訪ねる。「物さびしき御つれづれを絶えず—・れ給ふに、慰むことども多かり」〈源氏夕霧〉②音信する。手紙を出す。「—・れ聞え給はず、御とぶらひにだに渡り給はぬを」〈源氏須磨〉③声をかける。音を聞かせる。「雲井に郭公(くわくこう)一声二声—・れてぞ通りける」〈平家四・鵼〉。「鉦鼓—・れ、念仏申して給はれの」〈伽・小栗絵巻〉㊁『名』①音信。たより。「みよしのの山の白雪ふみわけて入りにし人の—もせぬ」〈古今三二七〉②贈り物。「大方にえやは思はん年の暮/爪木(つまき)を今日の雪の—」〈宗長連歌自註〉

おとと【弟】《オトウトの転。もと、同性のきょうだいの年下の者にいう。アニオトトのオトトは弟、アネオトトのオトトは妹をさす。中世以後は、もっぱら兄から見て弟にいうようになりさらに姉から見て弟にもいうようになった》①兄から見た弟。「あに—(兄弟)友だち率ゐて」〈伊勢六六〉。「河原太郎、—の次郎をようで」〈平家九・二度之懸〉②姉から見た妹。「あね—(姉妹)の中に、つとまとはれて」〈更級〉。「みちのくにの染色の宿(しゅく)の千代鶴子が—、みめもよいが、かたちもよいが、人だに振らざ、なほよかるらう」〈閑吟集〉③姉から見た弟。「女子(によし)一人男子(なんし)一人…姉は九つ—は六つ」〈伽・三人法師〉

おとど【大殿・大臣】《オホトノの転か》①貴人の邸宅。「〔源氏中将邸ヲ〕明けゆくままに見渡せば、—のつくりざま、しつらひざま、さらにも言はず」〈源氏若紫〉②大臣・公卿の敬称。「〔源氏ノ病ニ対シテ〕大殿もけいめいし給ひて、—日日に渡り給ひつつ」〈源氏夕顔〉。「—和琴、三の宮琵琶」〈源氏宿木〉 ▽源氏物語では、オトドは大臣個人をさし、オホイドノは大臣その人をさすが、オホイドノノキミは大臣家の姫君をさす。③女主人の敬称。「南の—(紫上)の御心用ゐこそさまざまに有りがたう」〈源氏夕霧〉④女房・乳母などの敬称。「〔女房ガ乳母ヲ〕—はおはすや」〈源氏玉鬘〉。「母—、あけくれ嘆きいとほしがれば」〈源氏玉鬘〉 ▽öFötönö→owotondo→ootodo→otodo

—**のきみ**【大臣の君】大臣である人への敬称。「—渡り給へり」〈源氏横笛〉

おととい 《オトト(弟)エ(兄)の転か》兄弟。または、姉妹。「真名辺四郎・真名辺五郎とて—あり」〈平家九・二度之懸〉。「祇王・祇女とて—あり」〈平家一・祇王〉。「八つになる女子(をんなご)、七つになる男子(をのこご)…持仏堂のうちに—いりて」〈信生法師集〉。「兄弟、ヲトトイ」〈文明本節用集〉

おととけ・し 『形ク』巨大である。「先に羅漢あり。かたち偉(おとけ)く大(おほき)なり」〈大唐西域記三・長寛点〉

おとどろ【音どろ】《オトオドロの約。オドロは、ごろごろと鳴るばかりで意味のよく分らない音響。→おどろおどろし》意味不明の音がひびくさま。「伊勢の海ゆ鳴き来る鶴(たづ)の〔ヨウニ〕—も君が聞こさばわれ恋ひめやも」〈万二八〇五〉 †ötödörö

おとな【大人】《成人式をすませた人の意。オトはオトトケシのオトと同根か。ナはオキナ(翁)・オミナ(嫗)などのナに同じか》①童(わらは)より成長して、男子なら元服をすませた者、女子ならば裳着(もぎ)をすませた者。即ち社会的に一人前の義務と資格とを与えられた者。「—になり給ひて後は、ありしやうに御簾の内にも入れ給はず」〈源氏桐壺〉②精神・肉体ともに成熟した人。「そもそも女は人(男)にもてなされて—にもなり給ふものなれば」〈源氏若紫〉③女房などの頭(かしら)に立つ人。「—・わらは、めやすきかぎりをととのへられたり」〈源氏竹河〉。「我はいと若人にあるべきにもあらず、また—にせらるべき覚えもなく」〈更級〉④長老。宿老。「細川殿—衆会合なされ」〈多聞院日記延徳三・八・二〉。「老名、ヲトナ」〈文明本節用集〉

—**く・れ**【大人くれ】『下一』大人じみる。ませている。「—・れたる年の矢の、射るがごとく立つ月日」〈近松・浦島年代記四〉

—**げな・し**【大人気なし】『形ク』大人らしくない。子供じみている。「—・く彼を打たんとして」〈沙石集六ノ一四〉

—**だ・ち**【大人立ち】『四段』年長者らしさをはっきり示す。「—・ちたる人の、いやしからぬ声の忍びやかなるけはひして」〈枕二三〇〉

—**・び**【大人び】『上二』《ビは接尾語、それらしく行動する意》①成長する。年を加えた態度を示す。「子の—・ぶるに、親の立ち代り痴れ行くことは」〈源氏少女〉。「今の帝の御年なども—・びさせ給ひ」〈栄花花山〉②大人らしさを身につける。「御年の程よりは—・び美しき御さまにて」〈源氏賢木〉③一人前になる。「はじめの腹の二三人は、みなさまざまに配りて(結婚サセテ)—・びさせたり」〈源氏東屋〉

—**やく**【大人役】長老としての役目。また、大人としての資格。「花の兄(梅)こや三春の—」〈俳・遠近集一〉。「年はいかねど、男を持てば—」〈近松・卯月紅葉中〉

おとなおとな・し【大人大人し】『形シク』いかにも年かさらしい。まことに大人らしい。「女房なども—・しきは少なく」〈源氏若菜上〉

おとな・し【音無し】『形ク』①消息がない。「—・きことをなほ驚かしける(相手ニ訴エタノ)もくやしう」〈かげろふ下〉②徴候がない。「御生みが月も過ぎさせ給ひて、いとあやしく—・ければ」〈栄花浦浦別〉

おとな・し【大人し】『形シク』①大人らしい。「少し—・しき程になりぬるよはひながら」〈源氏澪標〉。「三歳にて別れし幼き人、—・しう成って髪結ふ程なり」〈平家三・少将都帰〉②大人っぽい。ませている。「母におくれて侍る子共の、—・しきは泣き、幼きは何とも知らぬさまにて侍るを見ても」〈信生法師集〉③年かさで物の心得がある。おも立っている。「—・しき御乳母ども召し出でて」〈源氏若菜上〉。「—・しき人四五人寄り合ひて」〈伽・物くさ太郎〉

—**やか**【大人しやか】大人らしいさま。「—なる男なり」〈宝物集下〉。「あの宰相の君は成人して候ふものかな。この程は猶—に見え候ふぞや」〈伽・花世の姫〉

おとな・ひ(オトナイ)【音なひ・訪なひ】㊀『四段』《音を立てる動作をするのが原義。ナヒは、アキナヒ(商)・ツミナヒ(罪)・ウベナヒ(諾)などのナヒに同じ。→おとづれ》①音を立てる。「やり水心細く、音細く—・ひたり」〈十訓抄一ノ四三〉②声を立てる。鳴く。「〔鶏モ〕ほのかに—・ふに」〈源氏総角〉③《門口で咳ばらいをしたり扇子を鳴らしたりして音を立て、来訪を知らせるので》訪問する。「—・ひ聞ゆる人もなかりけるを」〈源氏末摘花〉④便りをする。手紙を出す。「かき絶え—・ひ聞えざらむもいとほしく」〈源氏葵〉㊁『名』①音が立つこと。きこえる音。「木の葉の〔散ル〕—につけても」〈源氏椎〉。「浪のたち来る—、風の吹きまどひたるさま」〈更級〉②訪問などの物音。「梅壺女御、まう上り侍りける—をよそに聞き侍りて」〈新勅撰一〇七六詞書〉

おとはやき(オトワ…)【音羽焼】京都清水の五条坂や粟田口付近で造った染付けの焼物。清水焼・粟田焼の総称。「—の茶碗壱ケ」〈隔蓂記寛文六・九・一〇〉

おとひと【弟人】⇒おとうと。「兄(このかみ)―」〈紀雄略二十三年〉 †ötöFitö

おとひめ【弟姫・乙姫】①《「兄姫(えひめ)」の対。↓おと》妹の姫。「―、父(かぞ)の憂ふる色を怪しびて」〈紀皇極三年〉。「―が言ふことは、我はこまごまと宮仕ひえすまじ」〈伽・新蔵人物語〉②龍宮にいたという姫君。「龍宮城の―の変化(へんげ)給ひて」〈伽・はもち中将〉 †ötöFime

おとぼね【音骨】声。音声。「鶯が出す―の聞えきて」〈俳・奴俳諧〉

おとほり(オリ)【御通り】①通ることの尊敬語。「いま少し先へ―あれ」〈謡・蟻通〉②貴人の面前。「出仕の時、御前へ〔スグニ〕参るべからず。御次に祇候(しこう)して、諸傍輩の体(てい)見つくろひ、さて―へ罷り出づべし」〈早雲寺殿二十一箇条〉③貴人の前に召し出されて、手ずから御酒を賜わること。また、その御酒。御通りの盃。「祝言の時は、―とて小さき土器(かはらけ)をあまた積みて、御前に置かるる也」〈京極大草紙〉。「大工一人に盃下さる。次次は―也」〈北野社家日記慶長九・一・二〉

おとま・し『形シク』《ウトマシの訛》好ましくない。いとわしい。「わっと言うて泣く声が夜な夜なしておぢゃった。―・しや―・しや」〈おあむ物語〉

おとまつ【乙松】男の末っ子。また、その末っ子につける名。「―やあぐりに足をさすらせて」〈俳・雀の森〉

おとみづはり(ワリ)【弟見悪阻】乳離れしない子が、母親の次の妊娠の結果起す栄養不良。また、その母親の妊娠をもいう。おとみ。おとみじけ。「移ろふは(花ガ散ルノハ)―かな花の兄(梅)」〈俳・夢見草一〉。「姫宮御方…―の間」〈言継卿記元亀二・七・四〉

おとみや【弟宮】年下の宮。「―の産養(うぶやしなひ)を姉宮のし給ふ見るぞうれしかりける」〈大鏡道長〉

おどもり《オツモリ(積)の訛》積もり積もった最後の結果。「おどまり」「おもり」「おんづもり」とも。「余花(遅咲キノ花)はげに散る―の木末かな」〈俳・沙金袋三〉。「女をなびかせし、其の―、こつこつと咽喉より出づるせきがこうじて」〈浮・風流色図法師一〉

おとや【乙矢】《「甲矢(はや)」の対》一手(ひとて)の矢のうち、第二本目の矢。「―にて又うしろの串を射てけり」〈著聞三五二〉

おとよめ【弟娶】《「おほよめ」の対》第二の嫁。「娣婦、於止与女(おとよめ)」〈和名抄〉

おと・り【劣り】㊀『四段』《「まさり」の対。オトシ(落)・オト(弟)と同根》①(二つのものを比べると、一方が)他より程度が低く、質が悪い。「御袴着の事、一の宮の奉りしに―・らず」〈源氏桐壺〉②他に及ばない。「この人人の深き志は、この海〔ノ深サ〕には―・らざるべし」〈土佐一月九日〉㊁『名』①劣等。「―の〔品〕を、これなむよきとて見すれば」〈源氏東屋〉②下等。「―の下衆(げす)」〈源氏浮舟〉③おちぶれること。零落。「わがかく―のさまにて、あなづらはしく思はれたりしを」〈源氏蓬生〉 **―ざま**【劣り様】劣った様子。「よろづの事、昔には―に浅くなり行く世の末なれど」〈源氏梅枝〉 **―ばら**【劣り腹】身分の低い方の母親から生れた子。「この大将殿の御のちの〔妻〕は、―なるべし」〈源氏手習〉 **―まさり**【劣り勝り】優劣。「〔求婚者達ハ〕いづれも―おはしまさねば」〈竹取〉

おとりこし【御取越】①物事を、繰り上げて行なうこと。「春郭公(ほととぎす)。…春に本尊(ほぞん)掛くると鳴くや―」〈俳・崑山集三上〉②《十一月二十八日の正忌(報恩講)を繰り上げて行なうのでいう》十月に真宗寺院・在家で行なう親鸞忌。「―の折から御殊勝に存じ候」〈俳・大坂独吟集上〉

おどれ『代』《オノレの訛》相手をののしっていう。「うぬ・うぬめ・―・しどれなど云ふことは悪しかるべし」〈俳・かたこと三〉

おどろ【藪・棘】①草木のひどく生い茂っている所。やぶ。「諒(まこと)に知る…多欲は慈施を障(さ)ふる猛き藪(おどろ)なることを」〈霊異記下一五〉。「藪、也夫(やぶ)、又於止呂(おどろ)」〈新撰字鏡〉②乱れた髪の形容。「道芝や―の髪にならされて」〈後拾遺一三一五〉③イバラなど、とげのある草木。「そのはたに―などを植ゑたりけり」〈著聞三三九〉 **―のみち**【棘の路】《「棘路(きょくろ)」の訓読語》公卿の異称。「春日野の―の埋れ水今だに神の験(しるし)あらはせ」〈新古今一八九八〉

おどろおどろ・し『形シク』《擬音語オドロを重ねた語の形容詞形。アクセントもオドロ(藪)とは別》①音がさわがしい。「雨俄かに―・しう降りて」〈源氏手習〉②いかにも人目を驚かすさまである。「―・しき事わざなせそ」〈続紀宣命五六〉。「〔病状ハ〕―・しきいびきしつつ」〈源氏賢木〉。「〔病状ハ〕その事と―・しからぬ御心地なれど」〈源氏御法〉 †ödörö-ödörösi

おどろか・し【驚かし】㊀『四段』《オドロキの他動詞形》①声をかけて目を醒ます。起す。「声、明王の眠りを―・す」〈枕三三〉②はっと気づかせる。注意・関心を呼び起す。「御心ばへありて〔歌ヲ示シテ〕―・させ給ふ」〈源氏桐壺〉。「打ち咳(しはぶ)きて―・い奉り給ひき」〈源氏浮舟〉③よびかける。おとずれる。「さしも―・い給はぬ恨めしさに」〈源氏蓬生〉④びっくりさせる。「海をさへ―・して浪立てつべし」〈土佐一月七日〉⑤《「目を―・し」の形で》見はる。「浅ましきまで目を―・し給ふ」〈源氏桐壺〉㊁『名』《驚かす道具の意》鳴子・案山子(かかし)などの称。「小山田の―にも来ざりしをいとひたぶるに逃げしきみかな」〈後撰一一〇九〉 **―がほ**(オガ)【驚かし顔】はっとさせようという表情・様子。「滝の声は、いとど物思ふ人を―に、耳かしがましう轟き響く」〈源氏夕霧〉

おどろ・き【驚き】『四段』《オドロは、刺激的な物音を感じる意が原義》①はっと目がさめる。「夢(いめ)の逢ひは苦しかりけり―・きて掻き探れども手にも触れねば」〈万七四一〉②にわかに気がつく。「只今なむ人申すに―・きながら(ハット気ヅイタソノ足デ)さぶらふべきを」〈源氏若紫〉③意外なことにびっくりする。「世にかかる光の出でおはしたる事と―・かれ侍りしを」〈源氏槿〉。「水鳥の羽音に―・いて矢一つだにも射ずして」〈平家七・実盛〉 ▽オドロキのオドロは、オドロ(藪)とは別。 †ödöröki

おどろ・し『形シク』「おそろし」の訛。「かけまくも―・しき、空には大梵天王・帝釈天主(でんず)、地には日本の鎮守(ちんず)八幡大菩薩」〈阿蘇家文書下、承元二・一〇・三〉

おとろ・へ(オトロエ)【衰へ】㊀『下二』《オトリ(劣)アヘ(合・敢)の約。アヘは、十分…する意》①生命力・活動力がすっかり劣るようになる。「おのが代(よ)の―・へぬれば白栲の袖のなれにし君をしぞ思ふ」〈万二九五二〉②(容貌などが)悪くなる。「乳母の、くだりし程は―・へたりしかたち(容貌)、〔今ハ〕ねびまさりて」〈源氏松風〉③おちぶれる。「こよなく―・へたる宮仕へ人など」〈源氏澪標〉㊁『名』①勢いの弱ること。衰弱。「かくはかなき世の―を見るには」〈源氏蜻蛉〉②(容貌などの)盛りを失うこと。「いみじの―や。人に見ゆべき有様にもあらず」〈源氏夕霧〉③おちぶれること。「末の―も常の事にて」〈源氏椎本〉 ▽普通の音韻変化ならばオトラヘとなるはずが、先行する ötö という音節の母音に

同化されて ötörö となった語。 †ötöröë

おとをぢ【弟叔父】 父の弟。叔父。「阿叔、父之弟也、乙乎知(おとをぢ)」〈新撰字鏡〉

おなか【御中】〔女性語〕①腹(はら)。「―の痛むに堪へずして」〈伽・福富長者物語〉。〈日葡〉 ②真綿。「菊の―(着せ綿)山科より参る」〈御湯殿上日記文明一〇・九・八〉

おながれ【御流れ】 君公や貴人から賜わる飲み残しの盃の酒。また、貴人から頂戴する酒。「御通り」とも。「―と申すは、かはらけ余多(あまた)おかせられ候て、一人前一つづつ出され、小袖一重宛(づつ)拝領す」〈慶長日件録慶長九・四・五〉「諸大夫百余人―頂戴なさるる也」〈伊勢貞順記〉。

おなじ【同じ】 ㊀『名』 同一であること。位置・形・時間・性質・程度などについていう。「正に此(ここ)と―なり」〈法華経玄賛平安初期点〉 ㊁〔おな・じ〕『形シク』 ①同一である。「君が共(むた)=一緒ニ)行かましものを―・じこと後れて(残ッテ)をれどよき事もなし」〈万三七七三〉。「月見れば―・じき里を心隔てつ」〈万四〇七六〉。「終(つひ)に罪を己れも人も―・じく致しつ」〈続紀宣命四五〉。「松の根にいづる泉の水なれば―・じきものを絶えじとぞ思ふ」〈拾遺二六四〉。「定めて彼と―・じければなり」〈成唯識論五・寛治点〉 ②同時である。「かやうに詠み給ふと―・じやうに、空かきくれて、風吹き、神鳴り」〈源氏大鏡中〉 ▽古形はオヤジ。ヤとナとは交替する例がある。感動詞アヤとアナ、イヤ(否)とイナなど。連体形オナジキの形は、平安時代には漢文訓読体に使われ、和歌や女流文学では源氏物語以前は殆ど使われていない。 **同じくは** 同じことなら。「―け近きほどの立ち聞きせさせよ」〈源氏末摘花〉

おなり【御成り】 皇族・摂家・将軍など貴人の外出すること、または来着することの尊敬語。「新御所(義持)…右兵衛督(教冬)宿所へ―」〈教言卿記応永一三・三・一〉。「御成、ヲナリ、公方の御出」〈文明本節用集〉 **―みち**【御成道】 御成りの時の通路。御成筋。「―、立売より光照院殿御前なり」〈三好筑前守義長朝臣亭江御成之記〉 **―もん**【御成門】 御成りを奉迎するために作った壮麗な門。御成御門。「―は大名竹の飾りかな」〈俳・玉海集一〉

おなんど【御納戸】 ①納戸の尊敬語。「―は三間也」〈鎌倉年中行事〉 ②近世、将軍・諸大名の金銀・衣服・調度の出納をつかさどる役。御納戸衆。「御所様(家康)―の御小性衆也」〈梅津政景日記慶長一七・四・三〉

おに【鬼】 ㊀『名』《「隠」の古い字音 on に、母音 i を添えた語という。ボニ(盆)・ラニ(蘭)の類》 ①恐ろしい形をした怪物。オニということばが文献に現われるのは平安時代に入ってからで、奈良時代の万葉集では「鬼」の字をモノと読ませている。モノは直接いうことを避けなければならない超自然的な恐ろしい存在であるに対し、オニは、本来は形を見せないものであったが、後に異類異形の恐ろしい怪物として想像された。それには、仏教 陰陽道における獄卒鬼・邪鬼の像が強く影響していると思われる。「―のやうなる物、出で来て殺さんとしき」〈竹取〉。「鬼、和名於爾(おに)、或説云、隠字、音於爾訛也、鬼物隠而不ㇾ欲ㇾ顕ㇾ形、故俗呼曰ㇾ隠也、人死魂神也」〈和名抄〉 ②飲食物の毒見をする者。「貴人の御前にて飯の―をする事」〈今川大双紙〉→おにくひ・おにのみ。 ㊁『接頭』 名詞に冠して、勇猛・無慈悲、形の異様なことを表わす。「―葦毛」「―婆」「―胡桃(くるみ)」など。「また―御坊の来たりたり、何とかせん」〈伽・弁慶物語〉。「そのころ世の人、―武蔵と号して恐怖する大将也」〈兼山記〉。「―薊・―野老(ところ)・―百合などは、共に逞しき称たるべし」〈仮・百物語評判一〉 **―に鉄撮棒**(かなさいばう) 鬼に鉄の撮棒を持たせたように、強い者がさらに強さを加えて、対抗・匹敵しうる者がないこと。「鬼に金手棒」「鬼に金棒」とも。「たのしうて勢を得ば―ぞ」〈史記抄八〉 **―に衣**(ころも) 外形は殊勝だが内心は恐ろしいたとえ。「狼(おほかみ)に衣」とも。「衣(きぬ)引き被(づか)きし有様はさながら―也」〈浄・凱陣八島四〉 **―の女房に鬼神がな・る** 鬼のような男には鬼神のような女が連れ添う。似た者夫婦のたとえ。〈俳・毛吹草二〉 **―の念仏** 恐ろしい心の者が表面を慈悲深くよそおうたとえ。大津絵の画題となる。「あらすさまじや、こは如何に、姿は沙門(しゃもん)、頭は鬼神、―嚙みくだく」〈近松・反魂香上〉 **―の目に涙** 無情な者にも時には慈悲心がおこることのたとえ。「いかな不得心な盗人も志に感じて許すぞ。―ぞ」〈蒙求抄三〉 **―は外、福は内** 節分の豆まきに唱える文句。「明日立春、故に昏(くれ)に及び、景富(八)毎室煎り豆を散ず。因って―の四字を唱ふ」〈臥雲日件録抜尤文安四・一二・二三〉 **―も十八** どんなに醜い女でも年頃には魅力があるたとえ。「鬼も十七」「鬼も十八、番茶も出花」などともいう。「―と言ふ事あれば奥ゆかしや」〈咄・醒睡笑五〉

おにおに・し【鬼鬼し】『形シク』 いかにも不粋で、やさしい心が欠けている感じである。「〔雲井雁ハ〕いと―・しう侍るさがなものを」〈源氏夕霧〉

おにがはら ヷラ…ガ【鬼瓦】 ①屋根の棟飾りに置く鬼面の瓦。「―十四枚」〈書陵部蔵壬生文書治承三・六〉 ②醜い女の顔のたとえ。「天人と思ひし人は―」〈蔭涼軒日録明応二・四・三〉

おにかみ【鬼神】 鬼のこと。荒荒しく不粋で、やさしい心が無いもの。「目に見えぬ―をも、あはれと思はせ」〈古今序〉。「―も荒だつまじきけはひなれば」〈源氏帚木〉

おにくひ イ…ク【鬼食ひ】 飲食物の毒見。「薊(あざみ)摘み―にせぬ人もなし」〈俳・雀子集二〉 →おに(2)

おにご【鬼子】 ①鬼を父とするといわれる子。たとえば、生れながら、歯が生え揃っているなど、異常に成育した姿で誕生した赤ん坊を忌み恐れていう。「大野木殿の姫君は―を生み給へり」〈伽・伊吹童子〉 ②親に似ぬ子。「親に似ぬ子は―」〈俳・毛吹草二〉

おにこごめ【鬼ここめ】《オニとココメと。ココメも鬼の一種》 恐ろしい鬼。「―をも物ならず思へる武士は、おそろしきものぞ」〈十訓抄四ノ三〉

おにごころ【鬼心】 鬼のような恐ろしい心。「げにや、天下の―の人も、え憎み奉らじ」〈落窪三〉

おにしゃぐゎん【鬼舎冠・鬼左官】《鬼上官の訛》 朝鮮役で加藤清正のあだ名。「―と大明国までも風説す」〈清正記三〉

おにたけ【鬼嶽】 信濃国木曾の御嶽(おんたけ)の異称。「雪残る―寒き彌生(やよひ)かな」〈俳・曠野中〉

おにのこ【鬼の子】 ミノムシの異名。「―。蓑虫の事也、鬼之子」〈匠材集一〉 ▽枕草子四十三段に、「みの虫、いとあはれなり、鬼の生みたりければ、親に似てこれも恐ろしき心あらんとて」と見える。

おにのしこくさ【鬼の醜草】《万葉集の「鬼(しこ)の醜草」の誤読から生れた語》 シオンの異名という。一説、ランの異名。「―。紫苑なり、蘭とも云ふ也」〈匠材集一〉

おにのま【鬼の間】 御所の清涼殿の西廂(にしびさし)の南端にある部屋。壁に白沢王(はくたくわう)が鬼を切る絵があるのでいう。「内にて―の方に候へば」〈栄花歌合〉

おにのみ【鬼飲み】 酒などを毒見すること。「まづ重忠―仕

らむとてまづ三度召して後」〈妙本寺本曾我九〉 ↓おに(2)

おにび【鬼火】小雨の闇夜などに、湿地などで青く燃え、空中に浮動する火。幽霊火。きつねび。「山谷の巣穴にただ―のみを見る」〈続紀延暦八・七・一七〉。「燐火、於邇比(おにび)」〈和名抄〉

おにひとくち【鬼一口】《伊勢物語の「鬼はや〔女ヲバ〕一口にくひてけり」から出た語》①鬼が大きな口で、人を一口に食うこと。「―に食はんとて、歩み寄る足音」〈謡・黒塚〉②危険なことのたとえ。「さて雨の夜は目に見えぬ―も恐ろしや」〈謡・通小町〉③物事が容易なことにいう。「雪の山も―の春日かな」〈俳・玉海集二〉

おにみそ【鬼味噌】外見は強そうでいて、実際は臆病な者のたとえ。「弱味噌」とも。「唐橋や塩の小路の焼けしこそ桃井殿は―をすれ」〈太平記三三・八幡御託宣〉

おにもぢ【鬼綟・鬼縑】最も目のあらい麻織物。夏の肩衣に用いる。「―の燈籠にともせ金輪の火」〈俳・鸚鵡集六〉

おにやらひ(ヤライ)【鬼遣】節分の夜、禁中で殿上人が桃の弓・葦の矢で悪鬼を追い出す行事。追儺(ついな)。「―来ぬる」〈かげろふ中〉

おにゆり【鬼百合】ユリの一。花を賞し、また、鱗茎は食用とする。「堀出雲守より花を贈らる。花の名を知らず。白色にして―に似たり」〈蔭涼軒日録延徳四・五・一五〉

おぬし【御主】『代』二人称。同輩以下の者に対して用いる。おまえ。そなた。「〔夫ガ妻ニ対シテ〕―がそれ(鏡)を見るによって、―が顔がそれに映り、女の面(つら)が見ゆるやい」〈虎明本狂言・鏡男〉

おねば【大根葉】菜・大根の二葉のやや大きくなったもの。間引き菜。「―を洗ふ賀茂川の水」〈俳・宗因七百韻〉

おの【己】《アナ(己)の母音交替形》㊀『名』自分自身。「橘は―が枝枝生(な)れれども」〈紀歌謡一二五〉。「物部(もの)の八十伴(やそとも)の男も―が負へる―が名負ひて」〈万四〇九八〉㊁『代』①一人称。わたし。「あやしう、―が言ふ事こそあなづられたれ」〈落窪二〉②二人称。おまえ。「いつ法師にはなりしぞ。…、―が娘はいづちか往(い)にし」〈古本説話二八〉 †önö

おの『感』《感動詞アナの母音交替形》驚きあやしんでいう語。「針袋取り上げ前に置きかへさへば―とも―や裏も継ぎたり」〈万四一二九〉。「吁、オノ」〈名義抄〉 †önö

おのおの【各】①自分自分。各自。「草木―茂り」〈地蔵十輪経序・元慶点〉②めいめい。それぞれ。「光を放ちて五百の群賊を―照し給ふ」〈今昔一ノ三八〉。「傍らに琴・琵琶―一張を立つ」〈方丈記〉③《多人数に呼びかけて》皆さん方ひとりひとり。「是御覧ぜよ。―」〈平家三・行隆沙汰〉

おのが【己が】 **―衣衣**(きぬぎぬ) 共寝をした男女が起きて別れること。「しののめのほがらほがらとあけゆけば―なるぞ悲しき」〈古今六三七〉▽共寝には二人の着物をかさねてかけるが、別れる時にはそれぞれ自分の着物を身につける。 **―様様**(さまざま) 自分自分の境遇で。「―年の経(へ)ぬれば」〈伊勢八六〉 **―じし**《「おのが為(し)為(し)」の意か》めいめい。それぞれ。(自分自分の)思うままに。「―人死にすらし」〈万二九二八〉 **―でに** 自分で。みずから。おのずから。「わがでに」「おれがでに」「おのれがでに」「うぬがでに」とも。「狼藉を―する落花かな」〈俳・発句帳一〉 **―どち**《ドチは同士・仲間の意》自分たち同士。自分たちの仲間で。「―あはれなることどもうち語らひて」〈源氏葵〉 **―引き引き**《ヒキは後世のヒイキの意》各自のひいきによって。「人人―此の人を立てて」〈続紀宣命三一〉 **―世世**(よよ) (男女が)めいめい別別の生活をすること。「―になりにければうとくなりにけり」〈伊勢二一〉

おのごろしま【磤馭慮島】神話で、イザナキ・イザナミ二神がはじめて作ったという島。後に日本の国をさす。「矛の末(さき)よりしただり落つる塩、かさなりつもりて島となりき。これ―なり」〈記神代〉。「磤馭盧島(おのころしま)。日本の総名なり」〈下学集〉▽オノは己、ゴロは凝の意。自然にこりかたまった島の意。 †önögörösima

おのさま【己様】『代』〔女性語〕二人称。あなた。おまえさま。「衣(きぬ)に織らせて、―のお小袖にしてまゐらせん」〈浄・京童三〉

おのし【御主】『代』「おぬし」の転。「天下の英雄は―とわれとであるべし」〈蒙求抄九〉

おのづから【自然・自づから】『名・副』《「己(おの)つ柄(から)」の意。ツは連体助詞。カラは生れつきの意》①自然の力。生れつきの力。「山辺(やまのへ)の五十師(いし)の御井(みゐ)は―成れる錦を張れる山かも」〈万三二三五〉。「この言葉の歌のやうなるは、楫取(かぢとり)の―の言葉なり」〈土佐二月五日〉②自然の成り行きで。自然に。(成り行きから)当然に。「あながちに〔更衣ヲ〕お前さらずもてなさせ給ひしほどに―軽きかたにも見えしを」〈源氏桐壺〉③成り行きのままで。「〔娘タチノ〕うつくしう、あらまほしきを明け暮れの御慰めにて―ぞ過ぐし給ふ」〈源氏橋姫〉④たまたま。偶然に。「―来などもする人の簾(す)の内に人人あまたありて物など言ふに、ゐ入りて」〈枕七四〉⑤《仮定条件・推定などの語と共に》ひょっとすると。もしかすると。「〔事情ヲ〕―聞こし召しけむ」〈源氏蜻蛉〉 †önödukara **―に**【自づからに】『副』《漢文訓読体で使う語》①生れつき。「此の羅漢もまた―飲光の事あり」〈法華義疏長保点〉②成り行きのままで。自然に。「忽ちに蹎(たふ)れ仆(ふ)して、因て―斃(し)ぬ」〈大唐西域記三・長寛点〉。「―眷属(けんぞく)多く来たり集まり」〈今昔二ノ二四〉

おのづと【自づと】『副』自然に。ひとりでに。「―仲の悪しくなるやうにすべし」〈孫子私抄〉。「いつも頭を張らせらるるところで、―え参らぬ」〈虎明本狂言・居杭〉。「おのづからと云ふべき時に、―と云ふ人あり。…おのづからのからを下略して云ひたる言葉か。とかく良き言葉とは聞え侍らず」〈俳・かたこと二〉

おのづま【己夫・己妻】①自分の妻。「さし並ぶ隣の君はあらかじめ―離(か)れて」〈万一七三八〉②自分の夫。「他夫(ひとづま)の馬より行くに―し歩(かち)より行けば」〈万三三一四〉 †önöduma

おのともおのや『連語』⇒おの〔感〕

おのもおのも【各面各面】『副』《オノオモオノオモの約》各自面面に。「―貞(さだ)かに明(あか)く」〈続紀宣命三〉 †önömönömö

おのら【己等】『代』①われら。「己等(おのら)が勝流に預らずと哀傷するなり」〈法華義疏長保点〉②おのれら。お前たち。「―一人も残さずうち殺さん」〈伽・強盗鬼神〉

おのれ【己】㊀『名』《オノ(己)にワレ(我)・カレ(彼)のレのついた語》自分自身。「見奉る人もいと悲しくて―もよよと泣きぬ」〈源氏夕顔〉㊁『代』①一人称。卑下していうことが多い。自分。わたくし。「〔母ガ娘ニ〕―に添ひたまへ」〈源氏真木柱〉。「―は荷葉(かせふ)仏なり」〈古本説話七〇〉②二人称。目下の相手にいう。また、相手をいやしめ、ののしっていう。おまえ。てめえ。「―ゆゑ罵(の)らえてをれば」〈万三〇九八〉。「―動(はたら)かば射殺してむ」〈今昔二九ノ二三〉㊂『副』ひとりで。自分で。「雪消えて―松の木の―起きかへりて」〈源氏末摘花〉。「―道ある山の体(てい)」〈梅薫抄〉㊃『感』やい。おい。「さて、季武が云ふなる様、『いで抱かむ、ー』と」〈今昔二七ノ四三〉 †önöre **ーと**【己と】『副』自分から。みずから。また、ひとりでに。「佩(は)き給へる剣(つるぎ)、ー抜けて、御あたりの草を切り捨てつ」〈問はず語り四〉 **ーやれ**【己やれ】『感』自分自身をはげます気持をあらわす語。なにくそ。今に見ていろ。「ー、今一度誠の勝負を決しなば」〈浄・弁慶京土産二〉 **ーら**【己等】『代』①私ども。自分たち。「げにーが見奉るにも」〈源氏若菜上〉②お前ら。お前たち。「ーを打ち殺して手取り組みて落つべしといひて」〈雑談集三〉

おば【祖母】《オホバの転。「おぢ」の対》①祖母(そぼ)。「ーの女のよみ侍りける。親の親と思はましかば問ひてまし」〈拾遺五四五〉。「祖母、オバ、非伯母也」〈易林本節用集〉②老女。ばばあ。「姥・老母、オバ・オウナ」〈名義抄〉 ▽öFö-ba→owoba→ooba→oba

おはぐろ【御歯黒・鉄漿】古鉄を米のとぎ汁などに漬けて生じた褐色の液。また、その液を五倍子(ふし)の粉末と合わせ塗って歯を黒く染めること。公家は男女とも、武家・平民は成年に達した女子が行なった。「ーを参らするなり」〈言国卿記文明六・三・二九〉。「鉄漿、ヲハグロ」〈文明本節用集〉→はぐろめ。 **ーおや**【御歯黒親】初めて歯を染める時、これを世話する人。福徳円満な女子が選ばれ、親分として待遇された。かね親。筆親。楊枝親。「ーの来てはでじゃばる(出シャバル)」〈俳・蘆分船三〉 **ーつぼ**【御歯黒壺】おはぐろを入れておく壺。いつも鉄分を入れておく必要があるので、普通、古釘などを用いた。「ーを八つ並べ置く」〈俳・大坂八百韻下〉

おはさう・じ(オワソウジ)『サ変』《オハサヒシの音便形。主語が複数の場合に使う尊敬語》①(みな)いらっしゃる。「清げにー・ずる御子どもの」〈源氏宿木〉②《動詞の下について》(みな)…していらっしゃる。「〔君達ハ〕うちひそみて泣きー・ず」〈源氏真木柱〉 →おはし

おはさ・ひ(オワサイ)『四段』《オハシ合ヒの約。主語が複数の場合に使う尊敬語》(みな)いらっしゃる。「昔物語してこのー・ふ人人に」〈大鏡序〉

おは・し(オワシ)『サ変』《「有り」「居り」「行き」「来(き)」の尊敬語として、上代に多く使われたイマシに代って、平安時代に多く使われた語。主に皇族・貴族の動作をいう。現在の「いらっしゃる」にほぼ相当する。四段活用・下二段活用の両用あるとされていたが、平安時代の語としては、サ変の活用と見るのが正しい。しかし、平家物語などになるとオハセシ・オハセシカバなどの形が見えるようになる》①「有り」の尊敬語。「欲しきものぞー・すらん」〈土佐二月五日〉。「〔性格ガ〕のどめたる所ー・せぬ大臣にて」〈源氏賢木〉。「内侍が腹に一人ー・せし〔方〕は、後白河法皇へまゐらせ給ひて」〈平家一・吾身栄花〉②「居り」の尊敬語。「御後見し給ふべき人ー・せじ」〈源氏紅葉賀〉。「〔自分ノ〕殿にー・しても月を見つつ」〈源氏夕霧〉。「奥によりて東向きにー・すれば」〈枕一〇四〉。「〔二人ハ〕かたみにそばそばしからでー・せよかし」〈源氏葵〉。「次男宗盛中納言にてー・せしが」〈平家一・鹿谷〉③「行き」の尊敬語。「この御子のおよすげもてー・する御かたち・心ばへ、有りがたく珍しきまで見え給ふ」〈源氏桐壺〉。「人ゐてー・せ」〈和泉式部日記〉④「来(き)」の尊敬語。「ここを人にも知らせず忍びてー・せよ」〈源氏東屋〉。「今日はかくてー・すれば」〈更級〉⑤《動詞の連用形について》…ていらっしゃる。「つくろひー・するさま、親にはあらで」〈源氏螢〉 ▽奈良時代の語、オホ(大)イマシ(坐)の約。öFöimasi→öFömasi→oFowasi→oFasi **ーまさ・ひ**『四段』《オハシマシ合ヒの約。主語が複数の場合に使う》(みな)いらっしゃる。「宮・淑景舎・三四の君・殿の上、その御おとと三所(みところ)立ち並みー・ひ」〈枕二七八〉。「女君たちは、みなかくー・ふ」〈大鏡師輔〉 **ーま・し**『四段』《神仏・上皇・皇族・皇族待遇の人の動作にいう。オハシより一層高い尊敬の意を表わす》①「有り」の尊敬語。「宮のー・さずなりにし悲しさより」〈源氏早蕨〉②「居り」の尊敬語。「いづこにー・す神仏にかは」〈更級〉③「行き」の尊敬語。「強ひてー・しぬ」〈源氏夕霧〉④「来(き)」の尊敬語。「〔院ガ〕かくー・いたるついでに、尼になさせ給ひてよ」〈源氏柏木〉。「如来、悲愍して、又、みづから降臨(おはしま)せり」〈大唐西域記三・長寛点〉⑤《動詞の連用形について》…てあらせられる。…ていらっしゃる。「いとかたじけなく渡りー・いたるになむ」〈源氏少女〉。「まづこの院を出でー・しね」〈源氏夕顔〉

おば・し【帯ばし】『四段』《シは尊敬の助動詞》身におつけになる。「君がー・しし投矢し思ほゆ」〈万三三四五〉

おはした【御半下】貴人の奥向きに奉公する身分の低い下女。「釣ろよ釣ろよ、お腰元を釣ろよ、ーも釣ろよ」〈天理本狂言六義・釣針〉

おばしま【檻】欄干(らんかん)。「ある夕暮に、ーのもとに徘徊しけるに」〈伽・玉だすき〉。「檻、於波之万(おばしま)」〈和名抄〉。「ー。らんかんの事也」〈匠材集一〉

おは・へ(オワエ)【追はへ】『下二』あとを追いつづける。「冠者ばらー・へて搦めてけり」〈沙石集五ノ一三〉

おはまり【お塡り】①夢中になること。耽溺(たんでき)。「情強(じやうごは)=強情)に言ひかかっては〔遊女ニ〕ーぢゃ」〈俳・大矢数二〉②だまされること。または、失敗。「我ひとりして万事を勤めけるは、これ大分のーなり」〈西鶴・置土産一〉

おばらざし【大原志・大原指】丹波大原神社の五月二十八日の祭に詣でること。春(三月二十三日)・秋(九月二十三日)の祭に詣でるのを、春ざし・秋ざしという。「ー、〔五月〕二十八日」〈俳・毛吹草二〉

おはらひ(オハライ)【御祓】《ハラヒはハラヘの転》①六月末に行なう祓の神事。神輿を御旅所に奉還し、祓の儀式があり、夜になって還幸する。その行列に種種仮装した氏子や造り物が参加して見物(みもの)であった。また、行列の通る道筋を御祓筋といった。大阪では、座摩(ざま)・天満・住吉各社が有名。「ー祝儀これを沙汰す」〈多聞院日記永祿一〇・六・二九〉。「ーの〔行列ノ神〕馬引き過ぐる松の風」〈俳・宗因七百韻〉②伊勢神宮などから授与される厄除けの大麻(たいま)。また、それを入れた箱。「林阿伊勢のーを持ちて来る」〈蔭涼軒日録延徳四・一・六〉 **ーくじ**【御祓鬮】神前で神に祈って引く鬮の一種。竹筒に一・二・三を記した串三本を入れ、引き当てた串の数字により吉凶を判断するものと、吉凶または願い事を書いた紙片を畳み丸め、祓の小麻(こぬさ)で撫で、四手(しで)に付いた紙片で判断するものとの二法がある。「ーにて神慮をうかがひ給ふ」〈俳・望一後千句〉 **ーぐし**【御祓串】伊勢神宮などの御祓の串にはさんである大麻(たいま)。「神前にてーを取り〔順位ヲ決メ〕、与三郎二番になる」〈慶長自記慶長七・二・一三〉 **ーだんど**【御祓団子】六月末の御祓祭に氏神に供える団子。「年中につもりて、はきだめの中にすたり行く、破魔弓…氏神のー」〈西鶴・胸算用一〉 **ーばこ**【御祓箱】①伊勢神宮などの御祓を納めた箱。御師が毎年末に諸国の檀那に配って歩いた。「福力伊勢より下向す。恵むにー一箇、椎茸、焼餅十箇を以てす」〈蔭涼軒日録延徳四・九・一四〉②追放。お払い。「気が直る／ーを高手小手」〈雑俳・削かけ〉③使用人などを解雇すること。「御姿の素顔ーと見え」〈雑俳・万句合明和五〉

おばらみこ【大原巫女・大原神子】丹波大原神社のみこ。神楽を奏して勧進に歩いた。のちには、これを似せて勧進のかたわら色を売る門付けをもいった。「政所社参、湯立てす。―一人、申し付く」〈舜旧記慶長五・二・一八〉。「今の―といふは、京の片ほとりに住みて、人の忘れ時分には歩くなり」〈人倫訓蒙図彙七〉

おはらめ【大原女】山城国大原・八瀬(やせ)の村里から薪などを頭にのせて京都へ売りにでてくる行商女。小原女。その薪を「大原木」という。「―。あごぜは参りあひて候ひけるか」〈七十一番歌合〉

おはり【御針】針仕事に雇われる女。お針嚊(かか)。「此の人の内に、憎からぬ―あり」〈評判・難波立聞昔語荒木座〉

おはる【生はる】『連語』「生へる」の上代東国方言。「あはをろのをろ田(山田)に―たはみづら」〈万三五〇一東歌〉

おはれ【御晴れ】①「御成り」に同じ。〈文明本節用集〉②晴着。外出着。「〔シラミガ〕田婢(やまだしをんな)から令室(ごしんぞさま)の絹布(おはれ)へも移る」〈滑・浮世風呂前上〉

お・ひ イオ【負ひ】㊀『四段』①背中にものをのせて保つ。せおう。しょう。「黄泉(したへ)の使〔子供ヲ〕―・ひて通らせ」〈万九〇五〉②身に持つ。名前などをつけられる。「名のみを名児山と―・ひて」〈万九六三〉③かぶる。こうむる。身に受ける。「人の恨みを―・ひし果て果ては」〈源氏桐壺〉。「裸にて、冬は雪霜を―・ひ、雨露に打たれ」〈バレト写本〉④ぴったり合う。ふさわしい。「文屋康秀は、詞はたくみにて、そのさま身に―・はず」〈古今序〉⑤借金する。「〔アナタハ〕おのれが金(こがね)千両を―・ひ給へり」〈宇治拾遺八〉㊁『名』【笈】山伏や行脚(あんぎゃ)僧が、経巻・仏具などを入れて背負って歩く箱形のつづら。「修行者、ただ逃げなむとひとへに思ひ得て、―をも棄て、ただ身ひとつ走り出でて」〈今昔三一ノ一四〉▽朝鮮語 ŏp(負う)と同源。†ŏFi **負はず借らずに子三人** 借金もなく、子も適当の人数で三人(男二人女一人)というのは、幸福な家庭だ。「女房を持たば、夫婦中ようして、―」〈伎・大一大万大吉三〉

お・ひ イオ【追ひ】㊀『四段』《距離をおいた相手を目指して、それにとどこうと後から急ぐ意が原義》①その方へ向って急ぐ。「わが背子が跡ふみ求め―・ひ行かば」〈万五四五〉。「暁に舟をいだして室津を―・ふ」〈土佐一月十一日〉②相手に近づいて、それを追いはらう。追放する。「醜(しこ)ほととぎす…―・へど―・へどなほし来鳴きて」〈万一五〇七〉③人払いする。先払いする。「事事しくさきな―・ひそ」〈源氏野分〉④後からせきたてて先へ進ませる。「さい王丸、御牛を―・ひたりければ」〈徒然一一四〉⑤先に進むにつれて…する。「身の不幸年を―・ひてまさる」〈古本説話四〇〉⑥習い従う。「或いは累代勲功の跡を―・ひ、或いは当時弓馬の芸にまかせて、速やかに賊徒を追討し」〈平家七・平家山門連署〉㊁『名』「追銭(おひせん)」の略。いったん払った上に、またあとから付け足して与える余計な金。「盗人に―と言ふ事は、かかる事をや申すらん」〈虎明本狂言・連歌盗人〉†ŏFi

お・ひ イオ【覆ひ】『四段』《オヒ(負)と同根》かぶせてかくす。おおう。「上(ほ)つ枝は天を―・へり」〈記歌謡一〇〇〉†ŏFi

お・ひ イオ【生ひ】『上二』《オホ(大)を活用させた語。植物などが、大きく育つ意。類義語ハエは芽ばえ生じる意》①(木が)大きく生育する。「百枝さし―・ふる橘」〈万一五〇七〉②長くのびる。「毛はむくむくと―・ひたる手の爪長くて」〈大鏡忠平〉†ŏFi

お・び【帯び】㊀『四段・上二』《上代では四段活用》①腰に巻く。「わが大君の―・ばせる細紋(ささら)のみ帯」〈紀歌謡九七〉②含む。「梨花一枝、春、雨を―・びたり」〈枕三七〉③兼ねる。「国造(くにのみやつこ)にして意宇(おう)の郡(こほり)の大領(おほみやつこ)を―・びたる」〈出雲風土記〉。「帯、オブル」〈文明本節用集〉㊁『名』①衣服を着る時、腰に巻いてしめるもの。「愛(うつ)しみ―は解かななあやにかも寝も」〈万四四二二〉②妊婦が五か月目に腹に巻く帯。岩田帯。「対の君は―などしのびてせさせ奉るにつけても」〈夜の寝覚一〉†ŏbi

おひい・で オイ【生ひ出で】『下二』①大きくのびて表面に出る。「水底に生ふる玉藻の―・でずよしこのころはかくて通はむ」〈万二七七八〉。「御歯の―・づるに食ひあてむとて」〈源氏横笛〉②成長する。「いとあやしき子なり。―・でんやうを見む」〈宇津保俊蔭〉

おひう・て オイ【追ひ棄て】『下二』追い出して捨てる。「親この女を―・つ」〈伊勢四〇〉†ŏFiide

おひえ【御冷え】麻布(後には木綿)の綿入れの衣服。布子(ぬのこ)。「夜寒には碪(きぬた)打つ手も―かな」〈俳・鷹筑波一〉。〈日葡〉

おび・え【怯え】『下二』①恐怖感によって生気を失う。「敵(あた)見たる虎か吼ゆると諸人の―・ゆるまでに」〈万一九九〉。「〔男ノ〕寄り来たるけはひに、―・えて、〔乳母ノ〕おとど色もなくなりぬ」〈源氏玉鬘〉②恐怖によって声を立てる。「物におそはるる心地して、『や』と―・ゆれど」〈源氏帚木〉。「主上夜な夜な―・えたまぎらせ給ふ事ありけり。…黒雲一むら立ちきて御殿の上に掩へば必ず―・えさせ給ひけり」〈平家四・鵼〉▽上代、オビエのビの音は bï か bi か未詳。

おひおと・し オイ【追ひ落し】㊀『四段』①(都から)追い払う。「東海道より上り、平家を―・さんとすなり」〈平家六・廻文〉②追い掛けて奪い取る。路上で強奪する。追剥ぎする。「鈴鹿関にて朝夕山立ちして、年貢・正税―・し」〈盛衰記四三〉㊁『名』追剥ぎ。「路次狼藉とは、路次に於いて人・物を奪ふ事也。―・女捕・刈田・刈畠以下の事也」〈沙汰未練書〉

おひおひ オイオイ【追ひ追ひ】『副』次次に。後から後から。「おのづから―に内の事どもはしてむ」〈源氏松風〉。「その後、―にもろもろの堂舎・宝塔を造り加へ」〈今昔一一ノ一四〉

おひかけ オイ【追懸け】①追剝ぎ。「おっかけ」とも。「野山に引き籠り、博打・―致すべく候間」〈結城氏新法度〉②〔遊里語〕本音を吐かせるため、巧みに相手に誘いをかけること。「―。さきよりこなたへつつむ事あるを聞きあらはさんために、知らぬ事をもよく知りたるやうに言ひかけて返答を聞く謀略をいふなり」〈色道大鏡一〉③木遣(きやり)歌の囃子詞(はやしことば)。「やれ―囃さぬか」〈淋敷座之慰〉

おひかぜ オイ【負風・追風】《「向ひ風」の対》①背後から吹いて来る風。「榊葉や立ちまふ袖の―になびかぬ神はあらじとぞ思ふ」〈金葉三二四〉②舟を行く手へ吹き送る風。順風。「―の吹きぬる時は行く舟のほて打ちてこそうれしかりけれ」〈土佐一月二十六日〉。「順吹、ヲヒカゼニフク」〈伊京集〉③たきしめた香の匂いを吹き送る風。「君の御―いと異(こと)なれば」〈源氏若紫〉▽この語は、室町時代以後、「追ひ風」と解するが、平安時代のアクセントを考慮すれば当時は「負ひ風」の意か。「追風、オヒカゼ」〈文明本節用集〉 **―ようい**【負風用意】通った後によい匂いがただようように、衣服に香をたきしめておくこと。「寝殿より御堂の廊に通ふ女房の―など、人目なき山里ともいはず、心遣ひしたり」〈徒然四四〉

おひかは・り オイカワリ【生ひ更り】『四段』はえ代る。「〔埋メテオイタ〕黄楊小櫛(つげをぐし)―・り生ひてなびきけらしも」〈万四二一二〉†ŏFikaFari

おひがらし オイ【追枯し】役に立たなくなるまで、ひどく使うこと。酷使して駄目にしてしまうこと。「只今―となり、老い

たればとて」〈仮・智恵鑑二〉

おひき【御引き】①祝儀に与える金品。「これは当座の—なり」〈伽・小栗絵巻〉②使いの者への心づけ。お駄賃。「暦配る家によって—が出る」〈近松・大経師上〉

おひぐ・り :オイ【追ひ繰り】㊀『四段』勘定を順順に先送りする。「〔算用ヲ〕一ヶ月—・り候はねば、あとの算用聞き聞かれ間敷く候間」〈島津家文書二、慶長三・五・二三〉㊁『名』追い繰りすること。先(せん)繰り。「先繰り・—となって、不忠の手代世にはびこりぬ」〈浮・手代袖算盤一〉

おひげ【御髭】 **—の塵(ちり)を取・る** 目上の者にこびへつらうたとえ。「御髭の塵を払ふ」「御髭の塵を云ふ」とも。「小人こそ—・りて」〈四河入海一七ノ四〉

おひこみ :オイ【追込み】①多くの人・物などを一所に入れること。「深草の野や—の鶉籠(うづらかご)」〈俳・糸瓜草五〉②劇場で、人数を限らず客を押し詰める安い料金の見物席。追込み桟敷。「—のよき所へ入り、場取り置き申す可く候」〈宗静日記寛文二・九・一四〉

おひこ・り :オイ【生ひ凝り】『四段』生い繁る。密集して繁る。「つくろはせし草なども、わづらひしよりはじめて、うちすてたりければ、—・りて」〈かげろふ上〉

おひさがり :オイ【生ひ下がり】髪が伸びてたれさがっていること。「髪のすぢこまやかにきよらにて、—のするより一尺ばかりあまり給へり」〈紫式部日記〉

おひさき :オイ【生ひ先】①生長して行く将来。「姫君は、きよらにおはしませど、まだかたなりにて(マダ発育ガ不十分デ)、—ぞ推し量られ給ふ」〈源氏玉鬘〉②将来性。進歩発達の可能性。「手(筆跡)はまだいと若けれど、—見えて、いとをかしげに」〈源氏少女〉 **—こも・り**【生ひ先籠り】『四段』将来性が十分ある。年が若くて期待がもてる。「親など立ち添ひもてあがめて、—・れる窓の内なるほどは」〈源氏帚木〉

おひさけ :オイ【追ひ退け】追いはらって向うへやること。撃退。「人人〔犬ヲ〕—などするに」〈源氏浮舟〉

おひさま :オイ【追ひ様】あとから追いかける状態・様子。「—に三四人同じやうなる者の出で来て」〈愚管抄六〉

おひし オイシ【大石】《オホイシの約》大きい石。「—に這(は)ひ廻(もとほ)ろふしただみ」〈記歌謡一三〉 †ŏFisi

おびし【膁・帯し】《「帯しばり」の略》帯をしめる腰の細い所。「膁、オビシバリ・オビシ」〈名義抄〉

おひし・き :オイ【生ひ及き】『四段』あとからあとから生長する。「わが背子にわが恋ふらくは夏草の刈り除(そ)くれども—・くごとし」〈万二七六九〉 †ŏFisiki

おひし・き :オイ【追ひ及き】『四段』追いつく。「後(おく)れ居て恋ひつつあらずは(恋イ慕ッテイズニ)—・かむ道の阿廻(くまみ)に標(しめ)結へわが背」〈万一一五〉 †ŏFisiki

おひすか・ひ オイスカイ【追ひ次ひ】『四段』《スカヒはスキ(次)アヒ(合)の約》追いかけて続く。「さいはひ人の腹の后(きさき)がねこそ、又—・ひぬれ」〈源氏少女〉

おひずり :オイ【笈摺】巡礼が、笈で背中のすれるのを防ぐために着る単衣(ひとえ)の袖なし羽織。「おひずる」とも。「—に花の香しめて中いりの都の人の袖にくらべん」〈三十二番職人歌合〉

おひすゑ :オイ【生ひ末】生長していく将来。行く末。「命あらばそれとも見まし人知れぬ岩根にとめし松の—」〈源氏橋姫〉

おひそや :オイ【負征矢】身に背負った征矢。後、箙(えびら)にさして背負った矢。空穂(うつぼ)につけるものと区別していう。「—のそよと鳴るまで嘆きつるかも」〈万四三九八〉 †ŏFisŏya

おひたき【御火焼】⇒おほたき。「霜月には京童(きやうわらべ)—を催せり」〈俳・類船集二〉

おひだき :オイ【追焼き・追炊き】飯が不足した時、すぐにまた炊くこと。また、その飯。「意地になり/—さする旅籠食(はたごめし)」〈雑俳・鳥おどし〉

おひだし :オイ【追出し・逐出し】①夜明けを告げる鐘。明六つの鐘。追出し鐘。「暁も—より前には出づべからず」〈三上神社文書永祿二・一・二七〉②芝居などが終った時、人を追い出す合図に打つ鳴り物。また、その合図で追い出すこと。「太鼓打つ所に鑓(やり)を出すは、—にてこれ無きしるし也」〈松平大和守日記寛文七・一・二〉③病毒を体外に発散させる薬。追出し薬。「御主様の—が飲みたい」〈浮・好色小柴垣五〉 **—ぢゃ**【追出し茶】色茶屋などで、客が帰るのをせき立てるために出す茶。「ぬるく薄き茶を運ぶも憎し、是れを—とかや合点すれば」〈浮・三代男三〉

おびただ・し【夥し】『形シク』《近世中期頃まではオビタタシ。数量・程度の甚だしい意》①物事の勢いが度を超えてはなはだしい。ものすごい。ひどい。「板敷の鳴る音—・しくして」〈古事談六〉②数が非常に多い。「山門の大衆—・しう下洛すときこえしかば」〈平家一・清水炎上〉③大きさが非常に大きい。「はと一度に笑ひたりし声こそいと—・しかりしか」〈大鏡道隆〉。「あまりに内裏の—・しきを見て」〈平家五・咸陽宮〉④値段などが大変に高い。「是はあまりに—・しく候」〈伽・蛤の草紙〉⑤非常に立派である。壮麗である。「乱声…—・しくめでたし」〈宇津保吹上下〉

おひた・ち :オイ【生ひ立ち】『四段』目立って生長・伸長する。目に見えて育つ。「〔橘ハ〕国も狭(せ)に—・ち栄え春されば孫枝(ひこえ)萌いつつ」〈万四一一一〉 †ŏFitati

おひつ・ぎ :オイ【生ひ継ぎ】『四段』次次に生長・伸長する。「おみ(モミ)の木も—・ぎにけり」〈万三三三〉 †ŏFitugi

おひて :オイ【追手】①後から追ってくる敵。追っ手。「—どもとおぼしき者ども百四五十騎」〈太平記二・長崎新左衛門〉②《テは風の意》後から吹く風。順風。追風。「この風は—にて候へども」〈平家一一・逆櫓〉

おびと【首】《オホヒト(大人)の約》①部民の統率者。首長。「県邑(あがたむら)に—を置く」〈紀成務四年〉。「汝(な)は我が宮の—たれ」〈記神代〉②上代の姓(かばね)の一。地方の県主(あがたぬし)・稲置(いなき)や部民の統率者に与えられた、下級の姓。「志紀—、志紀県主同祖」〈新撰姓氏録〉③人をうやまってよぶ語。「—や、余(あ)忘(わす)れじ」〈紀允恭二年〉 ▽ŏFŏFitŏ→ŏFFitŏ→ŏFitŏ→†ŏbitŏ

おびとけひろ・げ【帯解け広げ】『下二』①帯を解いて前をはだける。「—・げて座敷を追ひ掛けごくら」〈浮・茶屋調方記〉②隠し隔てをしない。「人にも隔心をもせず、有りのままに—・げてぞ」〈山谷詩抄六〉③とりとめなく広がる。「筆は未だ墨付かざるにて、文字を書けば—・げて悪(わろ)し」〈教長口伝〉

おひととのほ・り オイトトノオリ【生ひ整ほり】『四段』成長して立派になる。立派に大人らしい様子になる。「二十ばかりになり給ふままに—・りて」〈源氏玉鬘〉。「毨、オヒトトノホル」(「毨」は羽がぬけ代り、新しい毛で美しく埋まる意)〈名義抄〉

おひとり :オイ【追鳥】「追鳥狩」の略。「身の苦しさも悲しさも忘れ草の—」〈謡・善知鳥〉 **—がり**【追鳥狩】冬、山野で、キジ・ウズラなどを勢子(せこ)に追い立てさせて、馬上から弓・銃・吹矢で狩すること。「入間の久米にて—ぞありける」〈曾我五〉

おびとり【帯取】太刀(たち)を腰に帯びるための紐。「—に鞘(さや)につきたる緒をゆひつけたりける刀にて、片手をその結び

を解かむとしける程に」〈今昔二六ノ二三〉。「鞞韉、於比度利(おびとり)」〈和名抄〉

おひな・し ：オイ【負ひなし】〘四段〙背負うて或る状態をつくる。「切斑(きりふ)の矢の…少少残ったりけるを頭高(かしらだか)に—・し」〈平家一一・那須与一〉

おひなほり オイナオリ【生ひなほり】成長して改まること。「人目には少し—し給ふかなと見ゆるを」〈源氏蜻蛉〉

おひなめも・ち ：オイ【負ひ並め持ち】〘四段〙背負い並べ持つ。「我が持てるまそみ鏡に蜻蛉領巾(あきづひれ)—・ちて馬買へ我が夫(せ)」〈万三三一四〉 †öṙinamëmöti

おひな・り ：オイ【生ひ為り】〘四段〙成長する。成人する。「いとうつくしう—・りにけり」〈更級〉

おひねり【御捻り】銭や米を紙に包み捻ったもの。神前に供え、または祝儀にした。「—や桜に投げる寺の庭」〈俳・忘梅上〉

おひののし・り ：オイ【追ひののしり】〘四段〙大声で先払いする。「かしがましきまで—・りて」〈源氏東屋〉

おひはぎ ：オイ【追剝】通行人・旅人などを脅迫して、身につけている衣類や金品を奪い取ること。また、その者。「槍一本で東寺の前へ出て—をして」〈論語抄泰伯〉

おひばら ：オイ【追腹】主君の死の後を追って腹を切ること。「大将討死したるを聞きては、—を切るも習ひぞかし」〈明徳記中〉

おひまさ・り ：オイ【生ひ勝り】〘四段〙成長するにつれて立派になる。「この君のうつくしう、ゆゆしきまで—・り給ふに」〈源氏横笛〉

おひまどは・し オイマドワシ【追ひ惑はし】〘四段〙追いかけて見失う。逃げられる。「もし又—・したらむ時と」〈源氏玉鬘〉

おひまは・し オイマワシ【追ひ廻し】〘四段〙①逃げるものを後からあちこちと追いかける。「いろいろにして—・して追ひ入るなり」〈天理本狂言六義・二九十八〉②後から追い立てるように激しく使う。容赦なく働かせる。「利発〔ナ〕手代を—・し」〈西鶴・永代蔵一〉

おひめ ：オイ【負目】負債。借金。「正長元年よりさきは、神戸四箇郷に—あるべからず」〈柳生徳政碑文〉。「債、ヲイメ」〈文明本節用集〉

おひも・ち ：オイ【負ひ持ち】〘四段〙背負い持つ。「その名をば大久米主と—・ちて」〈万四〇九四〉 †öṙimöti

おひもの ：オイ【負物】負債。借金。「—の事、明年西収〈秋ノトリ入レ〉に至るまで、これを閣(さしお)くべし」〈貞永式目追加永仁三〉

おひものい ：オイ【追物射】騎馬で獣を追い回し射る射芸。「おんものい」とも。「平家やがて河を渡いて、源氏を—に射て行く」〈平家六・祇園女御〉

おびやか・し【脅かし】〘四段〙《オビエの他動詞形。名義抄にはオビヤシ、日葡辞書にはオビカシの形もある》恐怖感を与えて、生気を失わす。「麁悪(そあく)の言を以て期(かぎ)り剋(ざき)み、迫(せ)め脅(おびや)かさしめき」〈地蔵十輪経七・元慶点〉。「南殿の鬼の、なにがしのおとどを—・しける例(ため)を思し出でて」〈源氏夕顔〉

おひゃくど【御百度】祈願のため、社寺内の一定の距離を百回往復し、そのたびに拝むこと。百度参り。「御香宮に参る。立願の事有りて—せしむ」〈看聞御記応永三三・八・六〉

おひやし【御冷やし】〔女房詞〕水。おひや。「水。—、井のなか」〈大上臈御名之事〉

おひや・り ：オイ【生ひ遣り】〘四段〙(髪など)のび放題にのびる。「〔コノ髪ハ〕いかに—・らむとすらむ」〈源氏葵〉

おひらき【御開き】①退却・逃走の意の忌詞。「ただ先づ京を—有って東山に御陣をめされば、敵利を得て京中へ入るべし」〈明徳記上〉②帰る・去るの意の忌詞。祝宴などの終った時にいう。「知ったぶり下女—をやたら言ひ」〈雑俳・川傍柳一〉

おひる【御昼】①〔女房詞〕《「御夜(およる)」の対》お起きになること。御起床。「—よりさきにと急ぎまゐりたれば」〈中務内侍日記〉②昼御飯。「ここに—が御座りまするが、九つを打ったらば、こしめせ」〈咄・昨日は今日下〉 **—な・り**【御昼成り】〘四段〙〔女房詞〕おめざめになる。お起きになる。「初夜時分…—・りて、眠らるる如くにて御往生」〈後奈良天皇宸記天文四・一・二三〉

おび・れ 〘下二〙《運動・感覚が鈍くなっている状態。オビエと同根か》①動き方がぼんやりしている。のろのろしている。「からうじて寝—・れて起きたりしけしき、いらへのはしたなさ」〈枕八三〉②ぼうっとしていると思えるほど、ゆったりしている。「〔藤壺ハ〕柔らかに—・れたるものから」〈源氏槿〉③おびえる。「この勢いに—・れて、山路にかかって逃ぐるを」〈浮・諸国心中女五〉

おひわけ ：オイ【追分】街道の左右に分れるところ。多く地名となっている。「かの六道の—にて」〈伽・強盗鬼神〉 **—ゑ**【追分絵】「大津絵」に同じ。京都路と伏見路との追分である大津領山科(やましな)で売っていたからいう。「—の鬚奴(ひげやっこ)」〈俳・誹諧破邪顕正〉

おひん【御昼】〔女房詞〕「おひる」(1)の転。「百人の女房たちが—に参れ」〈伽・小栗絵巻〉 **—な・り**【御昼成り】〘四段〙〔女房詞〕「おひるなり」の転。「おひなれは、お昼なれといふ心か。それを—・れとは〔言葉遣イトシテ〕いかが」〈俳・かたこと三〉

おびん 比丘尼(びくに)を親しんで呼ぶ語。「—おりゃるか」〈虎明本狂言・泣尼〉

おびんづる【御賓頭盧】十六羅漢の第一、賓頭盧尊者の俗称。「—のやうに、にっこと笑って」〈雑兵物語下〉

おふく【御福】①福の尊敬語。神仏から授かるめでたい品物。「我にも—を賜(た)び給へ」〈天正本狂言・竹生島詣〉②正月初寅(はつとら)参りに京都鞍馬寺周辺で見かける、生きたムカデ。祭神多聞天の使者といわれ、近世には参詣者に土地の人が立売りした。御福百足(むかで)。「鞍馬下向の時、貴船に於いて百足(むかで)あり、これを取り山椒(さんせう)の挟枝にこれを乗す。…—の条(だえ)は勿論、則ち張り台の内に安置す」〈看聞御記 永享九・八・二〇〉③おたふく。おかめ。「両の頬脹(は)れ、前の姿は少しもなく、—の顔なれば」〈伎・関東小六今様姿二〉

おふくろ【御袋】母の敬称。「今日室町殿姫君御誕生也。—〔ハ〕大館兵庫頭妹也」〈康富記享徳四・一・九〉

おふし オウシ【唖】おし。「瘖瘂、於布之(おふし)、不レ能レ言也」〈和名抄〉

おふしもと ：オウ【生ふ楉】〔枕詞〕《オフは生ヒの古い連体形。あるいはオホ(多)の上代東国方言か》生えている若い雑木の意で、同音から「もと」にかかる。一説、「木(こ)のもと」にかかる。「—この本山の真柴(ましば)にも」〈万三四八八東歌〉 †öṙusimötö

おふ・せ【負せ】〘下二〙「おほせ」の上代東国方言。「にはしく(ニワカニ)も—・せ賜ほか」〈万四三八九防人〉

おふなおふな オウナオウナ〘副〙⇒おほなおほな。「大蔵卿の〔若者ノ中ニ〕—まじりて、さすがに声うち添へむもつつましきにや、しのびやかにてゐたるうしろで」〈紫式部日記〉

おふみ【御文】蓮如上人が浄土真宗の教義を平易にしたためて門徒に与えた書簡。東本願寺派では「御文」、西本願寺派では「御文章(ごぶんしやう)」という。「御心をとめられて、

—をよく御聴聞あらう」〈万法蔵讃鈔〉 **—さま**【御文様】「おふみ」の敬称。「八万宝蔵を読み覚えたりとも、阿彌陀如来〔ノ〕御恩徳を知らぬ者を愚者と名づくと—にも有りと」〈仮・見ぬ京物語上〉

おふれ【御触】 幕府・奉行所などから一般に触れ知らせる公文。「年号承応と改まり候ふ由、末吉孫左衛門殿より—有り」〈宗静日記慶安五・一〇・二三〉

おふをよし オウオ:【大魚よし】〔枕詞〕《ヨシは良い意》 大きい魚である「鮪(しび)」にかかる。「—鮪突く海人(あま)よ」〈記歌謡一一〇〉 ▽ōFoüwoyösi→†ōFuwoyösi

おへこ【御幣子】 ①京都西陣で、織物工の称。「独住みの—も祭れ女七夕 貞室」〈俳・玉海集追加二〉 ②京都今宮神社の氏子。「今宮…御神体は御幣なり。御幣の氏子といふ義にて—といふなり」〈浮・人倫重宝記二〉

おへさま オエ:【御家様】《オイヘサマの約》 中流以上の商家の妻の敬称。おくさま。「おへさん」とも。「女は亭主と座を組みて—顔してゐたりける」〈近松・重井筒上〉

おへや【御部屋】 ①部屋住みの嫁。「嫁〔ヲ〕御新造・—など言ふは子細らし」〈浮・好色訓蒙図彙上〉 ②貴人のめかけ。側室。「御部屋様」とも。「御面(おもて)・御裏・—…に召し仕はれ候御人数」〈毛利家文書四、正保三・六・一四〉 ③女郎屋の主人。また、その居間。「商をたんとなすって、—の御機嫌のよいよふに、なすったがいいのさ」〈洒・南閨雑話〉

おへ・り オエリ【覆へり】『連語』《オヒ(覆)に助動詞リのついた形》 すっかりおおっている。「上(ほ)つ枝は天(あめ)を—・り」〈記歌謡一〇〇〉 †ōFeri

おほ オオ【大】《数・量・質の大きく、すぐれていること》 ①大きいこと。「裏設(ま)けてわがため裁(た)たばやや—に裁て」〈万一二七八〉 ②長幼の長であること。「大伴の田村家の大嬢(おほいらつめ)、妹坂上大嬢に贈る歌四首」〈万七五六題詞〉 ③第一であること。公式・正式であること。「—君の命(みこと)かしこみ大殯(おほあらき)の時にはあらねど雲がくります」〈万四四一〉 ④聖なることとして尊敬する意を表わす。「—まします南の町なる奴をうけよ」〈正倉院文書奈良朝書簡〉

おぼ【凡】《オボロ・オボメキのオボと同根。明瞭でない状態》 ①ほのかなさま。ぼんやりしているさま。「朝霧の—に相見し人ゆゑに命死ぬべく恋ひわたるかも」〈万五九九〉 ②いい加減なさま。おろそかなさま。「自(おの)が命(を)を—にな思ひそ」〈万三五三五〉 ③平凡なさま。「人こそは—にも言はめ我がここだ賞美(しの)ふ川原を標(しめ)ゆふなゆめ」〈万一二五二〉

おほあや オオ:【大綾】 紋様の大きな綾織。「さ丹(に)つかふ色なつかしき紫の—の衣(きぬ)」〈万三七九一〉

おほあらき オオ:【大荒木・大荒城・大殯】 ①「あらき(殯)」の尊敬語。「大君の命かしこみ—の時にはあらねど雲がくります」〈万四四一〉 ②地名。大和国宇智郡荒木神社の森とも、山城国乙訓郡ともいう。「—の森の下草おいぬればこまもすさめずかる人もなし」〈古今八九二〉。「森は。…岩瀬の森、—の森」〈枕二〇七〉 †ōFoaraki

おほあらめ オオ:【大荒目】 よろいの札(さね)の綴じ方の一。幅広い札を太い革緒で荒く綴じたもの。「黒皮縅(をどし)の鎧の—に鉄(かね)まぜたるを」〈平家二・一行阿闍梨〉

おほい オオイ【大】《オホシ(大)の連体形オホキの音便形》⇒おほき。 **—ぎみ**【大君】 長女の敬称。一番目の姫君。第二女を中の君、第三女以下を三の君・四の君という。「内侍は—・三の君・六の君・二郎君・四郎君とぞ、おはしける」〈源氏夕霧〉 **—こ**【大子】 長女の敬称。「故御息所の御姉、—にあたり給ひけるなむ…おとうとたち御息所よりもまさりて」〈大和一四三〉 **—ど**【大御】 年長の婦人に対する敬称。「淡路の島の—」〈土佐二月六日〉 **—どの**【大殿・大臣殿】 ①大臣家の敬称。「—(左大臣家)に二三日など絶え絶えにまかで給へど」〈源氏桐壺〉 ②大臣家の人の敬称。「〔源氏ガ訪レテモ〕—(葵上)には例のふとも対面し給はず、…〔父ノ〕大臣(おとど)渡り給ひて一日の興ありし事聞え給ふ」〈源氏花宴〉 ③大臣その人。「平家は福原の旧里に着いて—然るべき侍老少数百人を召して仰せられけるは」〈平家七・福原落〉 ↓おとど。 **—どのきみ**【大殿の君】 大臣家の人に対する敬称。「—も失せ給ひてのち」〈源氏賢木〉 ▽源氏物語では大臣家の姫君をさす。大臣その人にはオトド又はオトドノキミという。 **—まうちぎみ**【大臣】《オホキマヘツキミの転》⇒だいじん。「河原の—のみまかりての秋」〈古今八四八詞書〉。「大臣、於保伊万宇智岐美(おほいまうちぎみ)」〈和名抄〉 **—まつりごとのつかさ**【太政官】⇒だいじゃうくゎん。「太政官、於保伊万豆利古止乃官(おほいまつりごとのつかさ)」〈和名抄〉 **—ものまうすつかさ** モウス:【大納言】⇒だいなごん。「大納言、於保伊毛乃万宇須豆加佐(おほいものまうすつかさ)」〈和名抄〉

おほいちゃう オオイチョウ【大銀杏】 男の髪形の一。髻(もとどり)を上に折り返し、根の部分で結び、刷毛先を大きく銀杏の葉の形に広げたもの。「立掛(たてかけ)・—は六十年昔〔ノ流行〕」〈浮・好色大神楽三〉

おほいらつめ オオ:【大娘・大嬢】《「弟娘(おといらつめ)」の対》 長女。「大伴坂上(おほとものさかのうへの)—」〈万七二九題詞〉 ↓いらつめ。 †ōFoiratume

おほうた オオ:【大歌】《「大」は「小」に対して公式の意》 古来伝存した宮中の公儀の宴会用の歌。神楽歌(かぐらうた)・催馬楽(さいばら)・風俗歌(ふぞくうた)・琴歌の類。「五位已上を宴して雅楽寮の楽と—とを庭に奏せしむ」〈続紀天応一・一一・一五〉 ▽大宝令で雅楽寮が設けられ和漢の楽舞を管理したが、外来楽に対して、固有の楽を大歌といった。のちには大歌に対して、今様など民間の歌を小歌ということもあった。 **—どころ**【大歌所】 図書寮の東にあって、大歌を教習し管理する役所。「能く和琴を弾く。仍(よ)りて—別当として、常に節会に供奉す」〈文徳実録嘉祥三・一一・六〉

おほうち オオ:【大内】 ①入口が狭く、内が広いこと。「吾(あ)は狭(さ)き地(ところ)とおもひしに、こはすなはち—なるかも」〈播磨風土記〉 ②《オホは美称》 皇居。内裏。「牒(ふみ)を収むる者は、味旦(あけぼの)に牒を執りて内裏(おほうち)に奏(うま)せ」〈紀孝徳、大化一年〉 **—びし**【大内菱】《大内氏の家紋であるところからいう》 模様の一。唐花菱。「—の中幅帯、前に結びて、今でもこのよそひ、さりとては醜からず」〈西鶴・一代女一〉 **—やま**【大内山】 ①京都御室(おむろ)にある山。宇多上皇の隠栖した仁和寺がある。「—に院の帝おはしますにまゐりたまへり」〈大和三五〉 ②皇居。内裏。「もろともに—は出でつれど入るかた見せぬいさよひの月」〈源氏末摘花〉。「—、内裏の事也」〈匠材集三〉

おほうちき オオ:【大袿】 祿などとして人に与えるために、特に大きく作った袿。受けた者は身に合わせて仕立て直して着る。「〔左大臣ヘノ祿ハ〕白き—、御衣(おんぞ)一領(くだり)、例の事なり」〈源氏桐壺〉

おほうへ オオウエ【大上】 貴人の母の称。大北の方。「北の方・—、御心のいたる限りの事ども、残るなうせさせ給ふ」〈栄花様様悦〉

おほうみ オオ:【大海】 ①広大な海。「—に島もあらなくに」〈万一〇八九〉 ②模様の名。白地に大海の有様を藍色で摺り付けたもの。「裳は海賦(かいぶ)を織りて—の摺りめにかたどれり」〈紫式部日記〉 †ōFoümi

おぼ・え【覚え】 ㊀『下二』《オモホエの転》 ①(自然と)思

われる。(おのずと)感じられる。「山の桜は、人麿が心には雲かとのみなむー・えける」〈古今序〉。「〔針八〕痛うー・えさせらるるがよい事でござる。そっとこらへさせられい」〈天理本狂言六義・雷〉②心に思い浮かべられる。思い出される。「母御息所は、影だにー・え給はぬを」〈源氏桐壺〉③そっくりだと感じられる。似る。「伊勢の御息所にいとようー・えたり」〈源氏明石〉④記憶している。感覚がある。「心・肝失せて惣(そ)てー・えず」〈今昔二ノ二一〉⑤思い出して語る。そらんじる。「いと興ある事なり。いでー・え給へ」〈大鏡序〉。「琵琶の音のー・ゆる限り弾きて聞かせむ」〈更級〉

㊁『名』①(自然に人から)思われること。寵愛をうけること。「世の人、光る君と聞ゆ。藤壺並び給ひて、御ーもとりどりなれば、輝く日の宮と聞ゆ」〈源氏桐壺〉。「おそき梅は、桜に咲き合ひてー劣りけおされて」〈徒然一三九〉②評価。信望。「ー心殊なる博士なりけり」〈源氏少女〉③評判。世評。「〔ツムジ曲リダトイウ〕ーまさりて」〈大鏡師尹〉④思いあたること。記憶。「夜やうやう更けぬらんかしと思ふに〔男ガ〕かどを打ちたたく。『あな〔約束ノ〕ー無(な)』と思へど」〈和泉式部日記〉⑤武技などが身についていて、自信があること。「互ひに術のー有りし者にや、切り懸かれば請け流し、互ひにかすり手も負はず」〈飛驒国治乱記〉▽ōmoFöye→omoFöye→omboye→oboye

ーがき【覚書】自分の記憶のために書きとめておくこと。また、その書いたもの。「この驢鞍橋は私のーなり」〈驢鞍橋下〉

ーがら【覚え柄】人望の筋。人気のたち。「やや立ちまさり給へるー…いつくしかりけり」〈源氏匂宮〉

ーず【覚えず】『副』思いがけず。思いもよらず。「ーをかしき世をも見るかな」〈源氏紅葉賀〉

ーちゃうチヨウ【覚帳】①記憶のために記しておく帳面。「忘るなよ我も忘れじー」〈俳・虎渓の橋〉②商家で、売買の金高などを記しておく帳簿。覚え日記。「異国にも本帳や付けしー」〈俳・糸屑一〉

ーなり【覚え為り】『四段』(自然に)思われてくる。「あはれにー・りにしか」〈源氏宿木〉

おほおく：オオ【大奥】江戸城内で、将軍御台所・側室およびその召使の奥女中が住居した区域。奥。「ー幷びに御部屋方女中」〈御触書寛保集成一八、正徳二・七〉

おほおば：オオ【大大母】《オバはオホバ(祖母)の転》曾祖母。ひいばば。「曾祖母、オホオバ」〈名義抄〉

おぼおぼ【朧朧】(行動が)ぼんやりしているさま。「あやしきまで言少なに、ーとのみ物し給ひて」〈源氏蜻蛉〉。「ここもーとほのかに言うたぞ」〈史記抄一〇〉

おぼおぼ・し【朧朧し】『形シク』①見た目にいかにもぼうっと霞んでいる。「雪やうやう積もるが、星の光にー・しきを」〈源氏浮舟〉②ぼんやりとはきはきしない感じである。「朦朧に耳もー・しかりければ」〈源氏若菜上〉。「思し隔ててー・しくもてなさせ給ふには、何事をか聞え侍らむ」〈源氏夢浮橋〉

おほおほぢオオオ：オ【大大父】《オホヂは祖父》曾祖父。ひいじじ。「曾祖父、オホオホヂ」〈名義抄〉

おほおみ：オオ【大臣】大連(おほむらじ)と並んで、大和朝廷における最高執政官。臣(おみ)を姓(かばね)とする諸氏の中の最有力者が任ぜられた。「武内宿禰を以てーと為す」〈紀成務三年〉✝ōFöömi

おほおよび：オオ【大指】おやゆび。「おほゆび」とも。「拇、於保於与比(おほおよび)、大指也」〈和名抄〉

おほがき：オオ【大垣】外がこいの垣。総がこい。「〔野宮ノ〕物はかなげなる小柴垣をーにて」〈源氏賢木〉

ーのけい【大垣の刑】奈良興福寺で行なわれた刑罰。鎌倉時代以降近世初期までは、春日神社の神鹿・僧侶・児童の殺害人を死刑にする時、興福寺の築地塀の周囲を引き廻す儀式をいい、近世前期以後は、神鹿を殺した者が大垣を結い廻した刑場で石子詰(いしこづめ)にされ、鹿の死体と共に塚に葬られた刑をいった。「春日の里の法として、鹿を殺せし科人(とがにん)をば、ーとて」〈浄・三社託宣四〉

おほがさ：オオ【大笠】人のうしろからかざす大きな笠。長い柄の先が曲がり、大きな菅笠の頂を釣ったようなもの。「林の中にーばかりの草の庵有り」〈今昔四ノ九〉。〈和名抄〉

おほがしら：オオ【大頭】①儀式用の旗の一。竿の上端に牛の尾や馬の尾などの黒毛を束ねて切禿(きりかぶろ)のようにしたものを付けた。即位・御禊(ごけい)などの時に立てる。「ーなどいひて例のおそろしげに筋ふとき紙よりかけて、さすがにうるはしくて渡る。馬に乗りて〔ソレヲ〕持たれば、心心にて『やや』といふほどもをかし」〈栄花着るは侘しと〉。「〔大極殿南庭ニ八〕ーなど立てわたしたる。見るも夢のここちぞする」〈讃岐典侍日記〉②大きな頭蓋骨。「かの一つのーに、生きたる人の眼の様に大の眼どもが千万いで来て」〈平家五・物怪〉

おほかた：オオ【大方】㊀『名』①あたり全体。あたり一帯。「ーの皆荒れにたれば、あはれとぞ人人いふ」〈土佐二月十六日〉②大体のところ。「ーの憂きにつけては厭へどもいつかこの世を背きはつべき」〈源氏賢木〉③特別な事情・関係などのないこと。普通。ひと通り。「ーの世につけて(男女ノ仲トシテ)見るには咎なきも」〈源氏帚木〉④世間一般。「いとびんなき睦び(仲)になり行くーの覚えをば苦しと思ひながら」〈源氏蜻蛉〉

㊁『副』①全体として。「書きたる手…ーめやすければ誰ならむと見給ふ」〈源氏蜻蛉〉②全体で。「ー公卿にて三十年、大臣の位にて二十五年ぞおはする」〈大鏡良房〉③総じて。「ーし給ふわざなど、いとさとく大人びたるさまに」〈源氏賢木〉④《打消の語を伴って》全く。少しも。ちっとも。「ー便りなき由など言ひて」〈十訓抄一ノ四六〉

ーどの【大方殿】貴人の母の敬称。「宮王殿の御事は、ーより出家になし申せとの御事にて候ふものを」〈謡・元服曾我〉

ーは【大方は】『副』①普通のことでは。「ー何かも恋ひむ言挙(ことあげ)せず妹に寄り寝む年は近きを」〈万二九一八〉。「ー月をもめでじこれぞこのつもれば人の老いとなるもの」〈古今八七九〉②総じて。大体が。「ねても見ゆねでも見えけりーうつせみの世ぞ夢にはありける」〈古今八三三〉

おほかながひオオ：ガイ【大金貝】《カナガヒはカナガキ(金書)の訛》楊弓で、的矢二百本射て、百八十本以上命中したもの。「楊弓は一中〔流〕がかりにーの看板」〈西鶴・織留二〉→かながき

おほかぶら：オオ【大鏑】大きな鏑矢(かぶらや)。「まづーを取って番(つが)ひ」〈平家四・鵼〉

おほかま：オオ【大鎌】ひどく意地悪く口やかましい者。「ーの犬めらに、こりはてて死ぬる身」〈近松・卯月潤色中〉

おほかみオオカミ【狼】《大神の意》①オオカミ。のちには「おほかめ」とも。「山林をすみかとし熊・ーを友とし」〈宇津保俊蔭〉。「豺狼、オホカミ」〈名義抄〉②堕落した僧の異名。「品川〔遊廓〕へ猪(しし＝薩摩武士)とー毎夜でる」〈雑俳・万句合安永二〉

ーに衣(ころも)表面殊勝に見えて内心恐ろしいたとえ。「ーとは心の恐ろしきを言へり」〈俳・類船集四〉

ーのくろやき【狼の黒焼】近世、疳(かん)や疝気(せんき)・癪(しゃく)などに効き目があるというので、晩秋に黒焼きにして切売りされた狼の肉。また、そのにせ物の犬の黒焼。「霜先(十月頃ノ時節)を考へ、ー売りに〔都へ〕上りしが」〈西鶴・男色大鑑五〉。〈俳・乳母四〉

おほかみ オオ【大神】《オホは俗に対する聖の意。また、立派なものの意》 神様。おおみかみ。「そらみつ大和の国は…—の鎮むる国ぞ」〈万四二六四〉 †öfökami

おほかめ オオカメ【狼】「おほかみ」の転。「狸・豺(さい)・—の類にいたるまで」〈古活字本曾我一〉。〈明応本節用集〉

おほか・り オオカリ【多かり】〘ラ変〙《多クアリの約。平安時代の仮名文学で、オホシ(多)という終止形の代りに、もっぱらこの語を用いた。また、この語の各活用形もそれぞれ多く用いた。しかし、漢文訓読体ではこれを用いない。→おほし》「にくみ給ふ人人—・り」〈源氏桐壺〉。「言葉—・るものにて」〈源氏東屋〉

おほ・き【婪き】《活用は四段か上二か不明》 むさぼり食べる。「饞、貪食、オホク」〈名義抄〉

おほき オオキ【大き】《「すくな(少・小)」の対。もとオホシ(大・多)の連体形として、分量の大きいこと、さらに、質がすぐれ、正式、第一位であることを表わした。また、オホキニとして、程度の甚だしさもいった。平安時代に入ってオホシの形は数の多さだけに用い、量の大きさ、偉大などの意はオホキニ・オホキナルの形で表わし、正式・第一位の意はオホキ・オホイの形で接頭語のように使った。→おほし》 ①数量・容積などの大きいこと。程度の甚だしいこと。「輪王の—なる祚(さいはひ)を棄捨して」〈金剛般若経讃述平安初期点〉。「—なる瓶にさしたるこそ」〈枕四〉。「中御門京極のほどより—なる辻風おこりて」〈方丈記〉 ②身体の大きいこと。「〔年ノ〕程より—に大人しう清らにて」〈源氏澪標〉 ③偉大なこと。広大なこと。「傑、勝二千人一也、オホイ也」〈三蔵法師伝七・院政期点〉。「さこそおいらかに—なる心おきてと見ゆれど」〈源氏藤裏葉〉 ④第一位であること。「この御腹には…おほいぎみ(長女)、中の君」〈源氏夕霧〉 ⑤【正】位の正従の「正」であること。「正四位上、於保伊与豆乃久良井乃加美豆之奈(おほいよつのくらゐのかみつしな)」〈和名抄〉 ⑥官職の大・小または大・中・小の区別あるときの、「大」であること。「職員令云、大外記、於保伊之流須豆加佐(おほいしるすつかさ)」〈和名抄〉。「職員令云、左右大弁、於保伊於保止毛比(おほいおほともひ)」〈和名抄〉 ⑦《「—に」の形で副詞として》 非常に。「其(し)が姉、法均と甚だ—に悪しき奸(かだ)める妄語を作して」〈続紀宣命四四〉。「天衆この事を見已(はを)りて、皆—に歓喜し」〈金光明最勝王経平安初期点〉 ▽平安女流文学では、オホキニ・オホキナルの形は用いるが、オホキナリの形は用いない。 †öföki **—おとど**【大き大臣】 太政大臣の敬称。「—の栄華のさかりにみまそがりて(イラッシャッテ)」〈伊勢一〇一〉 →おとど。 **—おほいどの** オオイ【大き大殿】 太政大臣家の敬称。「—の君たち」〈源氏若菜上〉 **—おほいまうちぎみ** オオイ【太政大臣】 太政大臣の敬称。「堀河の—みまかりける時に」〈古今八三一詞書〉 **—おまへ** オオエマ【大き御前】 上位にある貴人の敬称。「〔匂宮ヲサシテ〕—の御覧ぜざらむほどに」〈源氏浮舟〉 →おまへ。 **—すめらみこと**【太上天皇・太上皇】 譲位した天皇。中国で天子の父を太上皇というのにならった語。日本では持統天皇にはじまる。「—の紀伊国(きのくに)に幸(いでま)しし時」〈万五四題詞〉 **—に・出る** おごって人を侮る。たかぶって無礼な態度を取る。「—・出られて横平なる言葉」〈西鶴・一代女四〉 **—ひじり**【大き聖】 大聖人。「酒の名を聖と負(おほ)せし(ツケタ)いにしへの—の言(こと)のよろしさ」〈万三三九〉 **—みかど**【大き御門】 大きい御門。正門。「東(ひむがし)の—を入りかてぬかも」〈万一八六〉 **—やか**【大きやか】 大きな感じのするさま。「—なる童の」〈源氏少女〉。「緑の薄様なる包み文の—なるに」〈源氏浮舟〉

おほき・い オオキイ【大きい】〘形〙《オホキナリに代って中世末期から使われた語》 量や質について、大である。大変である。「—・い事」〈ロドリゲス大文典〉。「人の太刀に手をかくるとは—・い盗人めぢゃ」〈狂言記・長光〉 →おほき

おほきさい オオ【大后】《オホキサキの音便形》 ⇒おほきさき(2) 「—(弘徽殿大后)の尚侍の督を参らせ奉り給ひて」〈源氏若菜上〉 **—のみや**【大后の宮】 大后の御殿。また、大后の敬称。「東の五条に—(文徳天皇ノ母)おはしましける西の対に住む人ありけり」〈伊勢四〉

おほきさき オオ【大后】 ①天皇の正室。皇后。「その神の—須勢理毘売命、いたく嫉妬(うはなりねたみ)したまひき」〈記神代〉 ▽妃・夫人をキサキと称し、第一のキサキを特に尊称してオホキサキという。 ②皇后・中宮などの名称が広まって後に(平安時代に入ってから)、天皇の母、天皇の祖母をいう。「おほきさい」とも。「—(朱雀帝ノ母、弘徽殿)も参りたまはむとするを、中宮のかく添ひおはするに御心置かれて」〈源氏賢木〉

おほきたのかた オオ【大北の方】 ①北の方の母。大奥様。「式部卿宮の—」〈源氏若菜上〉 ②父の北の方。「左大臣殿—宅、一条左府姑」〈小右記長和一・六・二九〉

おほきたのまんどころ オオ【大北の政所】 摂政・関白の母の敬称。「前坊の御母代の永嘉門院・近衛—などやんごとなきかぎり」〈増鏡一五〉 ▽摂関の妻を「北の政所」といい、母はさらに尊んで「大北の政所」という。北の政所と同じく宣旨を賜わってこれを名のる。

おほきみ オオ【大君・大王・王】《仕える者の側から天皇・諸王などをいう語。類義語スメロキ・スメラミコトは能動的な行為の最高の主体としての天皇をいう》 ①天皇の敬称。「やすみしし吾(わ)が—」〈記歌謡九八〉 ▽奈良時代に、「大皇」「太皇」「皇」「大君」などとある場合は、すべて天皇を指す。 ②親王・諸王の敬称。皇女・女王にもいう。「〔春日王ガ弓削皇子ヲ〕—は千歳(ちとせ)にまさむ」〈万二四三〉。「〔手持女王ガ河内王ヲ〕—の親魄(むつたま)逢へや」〈万四一七〉。「〔仁徳天皇ガ女鳥王ヲ〕女鳥のわが—の織ろす服(はた)」〈記歌謡六六〉 ③諸王の称。「帥(そち)の親王(みこ)よく物し給ふめれど、けはひ劣りて—けしきにぞものし給ひける」〈源氏螢〉 †öfökimi **—すがた**【大君姿】 諸王が、正装せず、直衣(なほし)をくつろいで着ている服装。「皆人は袍(うへのきぬ)なるに〔源氏ハ〕あざれたる—のなまめきたるにて」〈源氏花宴〉。「直衣姿と書きて、—とも、よめり」〈俳・かたこと三〉 **—の**【大君の】〔枕詞〕「大君の御笠(天皇の使うきぬがさ)」から、地名「三笠」にかかる。「—三笠の山の」〈万一一〇二〉 **—をんな**【王女】 皇族の血筋をひく女。「ほのかに京人と名のりける、ふる(オ婆サンノ)—教へ聞えければ」〈源氏常夏〉

おほくかず オオ【大句数】「矢数俳諧」に同じ。「今また俳諧の—初めて我が口拍子にまかせ」〈俳・大句数序〉

おほくち オオ【大口】 ①大きな口。大きくあけた口。「虎—をあきて」〈宇治拾遺一五五〉。「主・親の前にて…物を—に食ひ」〈極楽寺殿御消息〉 ②「大口袴(はかま)」の略。「—また長さより口広ければ」〈枕一三四〉 ③大言壮語。「世界の—云うて空腕(そらうで)こく者ぞ」〈山谷詩抄七〉 ④みだらな話。猥談(わいだん)。「心の浮き立つほど—言ふより外なし」〈西鶴・一代女一〉 **—の**【大口の】〔枕詞〕大きな口のオオカミの意から「真神(まかみ)」にかかる。「—真神の原に」〈万一六三六〉 **—はかま**【大口袴】 下袴の一。裾口の大きく広いもの。束帯の時に表袴(うへのはかま)の下にはき、その他の装束にも下の袴として用いられた。「裩、オホクチハカマ。大口袴、

オホクチノハカマ」〈名義抄〉

おほくにみたま‥オオ【大国霊】国を領し守護する御魂の尊敬語。「やまとの―ひさかたの天つ御空ゆ天翔り見渡し給ひ」〈万八九四〉 †öfökunimitama

おほくび‥オオ【衽・大領】衣の前襟(え)(り)。今のおくみ。「赤地の錦を以て、―・端袖(はたそで)いろえたる直垂(ひたたれ)に」〈平家二・那須与一〉。「衽、於保久比(おほくび)、衣前襟也」〈和名抄〉 ▽オクミはオホクビの転。

おほくら‥オオ【大蔵】①三蔵の一。雄略天皇のとき、斎蔵(いみくら)・内蔵(うちくら)の外に新たに置かれた、官物を納める倉庫。秦氏が出納の任に当ったという。「天下之位(たかみくら)登(し)らむとならば、先づ―の官を取れ」〈紀清寧二十三年〉 ②大きな倉庫。「建てそめてまだ物つまぬ―はもとの修理にもまさらざりけり」〈著聞五一四〉 ―きゃう‥キョウ【大蔵卿】大蔵省の長官。「―ばかり耳とき人はなし」〈枕二七五〉 ―しゃう‥ショウ【大蔵省】令制で、八省の一。諸国から納める調・庸の物の出納をつかさどる役所。「―の双倉、焼かるるときに、大臣私に更に営構して今に存せり」〈続紀宝亀六・一〇・二〉 ―のたいふ【大蔵大夫】大蔵の丞(じょう)で五位に叙せられたもの。「〔薫ハ〕御使には、かの―をぞ賜へりける」〈源氏蜻蛉〉 ―のつかさ【大蔵省】⇒おほくらしゃう。「大蔵省、於保久良乃都加佐(おほくらのつかさ)」〈和名抄〉

おほくれ‥オオ【大塊】《クレは、かたまり。近世ではオホグレとも》①大きなかたまり。「恐ろしやくれ(塊)―の氷ともいふべきものよこの国の川」〈朝鮮日日記〉 ②肝っ玉や体などが大きいさま。「〔大人トイウモノハ〕打ちまかせては、心の―にして、こめかしからず、のさなるを云ひならはせるか」〈塵袋五〉。「風義のっしりとして、―なり」〈評判・吉原新鑑〉

おほぐれ‥オオ【大暮】①季節がすっかり暮れること。「〔九月晦日〕―の秋さへ今日は小暮かな」〈俳・小町踊三〉 ②年末。年の暮。大晦日(おおみそか)。「亭主は八十歳余まで一子に財宝も渡さず、―の勘定を喜び」〈西鶴・桜陰比事一〉

おほけく‥オオケク【多けく】《多シのク語法》多いこと。「柃(いちさかき)実(み)の―を」〈記歌謡九〉 †öfökeku

おほげさ‥オオ【大袈裟】刀の斬り方の一。肩から斜めに大きく斬り下げること。「―といふものに切って落しける」〈浄・ゐしま物語下〉

おほけな・し‥オオ『形ク』①身の程知らずである。身の程もわきまえず、そら恐ろしい。「あながちに有るまじく―・き心ちなどはさらに物し給はず」〈源氏若菜下〉 ②(年など)似合わしくない。「〔男十二歳、女十四歳デ〕―・くいかなる御仲らひにかありけむ」〈源氏少女〉 ③果敢である。不敵である。「〔小男ガ親ノ敵討ヲショウト〕―・く伺ひけるに…やはら寄りて〔敵ノ〕喉笛を掻き切りて」〈今昔二五ノ四〉 ▽「負ふ気甚(な)し」の意という説があるが、古くは「おふけなし」という本文はない。

おほげば‥オオ【大下馬】①将軍の居所の正門前に置かれた、下馬の印の大石または札。「御祝言の祝ひの石を参らせんと、―の道具止め、四尺四面の立石、ゑいやっと引き起し」〈近松・女夫池二〉 ②江戸城大手門外の下馬所。「―の汀(みぎは)の春や龍の口」〈俳・当世男上〉

おぼこ《オボはウブ(初)の母音交替形》①まだ世慣れていない、うぶな幼い者。幼児や処女をいう。「乳を含む―」〈俳・談林俳諧批判上〉。「―、事馴れざる者を云へり」〈邇言便蒙抄中〉 ②鯔(ぼら)の幼魚。「―でもあっぱれおのれ一夜鮨(いちやずし)」〈俳・当世男上〉

おほごしゃう‥オオ‥ショウ【大小姓】小小姓より年齢が上で、使者役をしたり奥勤めなどする小姓。「江戸若殿様御番―の内、田代庄三郎煩ひ気(病気)の由申し上げ候」〈梅津政景日記寛永六・九・二二〉

おほごしょ‥オオ【大御所】①親王の御隠居所。また、その親王の敬称。「―御出座有り」〈康富記嘉吉三・二・二六〉 ②隠退した将軍の居所。また、その人の敬称。「江馬殿折節―に候(こう)せられ」〈吾妻鏡建仁三・九・六〉

おほさいばり‥オオ【大前張】《「小前張(こさいばり)」の対》神楽歌(かぐらうた)の歌曲の一種。採物(とりもの)の次、雑歌の前に歌われる歌。はやしことば・くりかえしなどを除くとたいてい短歌形式となる。〈神楽歌〉 ▽「大」は正式・宮廷風、「小」は通俗・民間風の意。

おほざうりとり‥オオゾウ【大草履取】二十四、五歳以上の成人の草履取。「―に笠杖持たせて」〈西鶴・一代男七〉

おほさか‥オオ【大坂】今の大阪。「当国摂州東成郡生玉の庄内―といふ在所」〈御文章〉 ▽近世前期まではオザカ・オホザカといった。また、近世末期まで「大坂」が慣用字で「大阪」とは通常書かなかった。 ―さんがう‥ゴウ【大坂三郷】近世、大阪は自治行政上、淀川以北を天満組、以南を本町通りで南組と北組に分けたが、それらの総称。「―隠れもない金槌(かなづち)煎餅(せんべい)三郎兵衛」〈近松・氷の朔日上〉 ―つち【大坂土】黄色に赤の交った、壁の上塗り土。大坂さび土。「上塗りの―や蔦紅葉(つたもみぢ)」〈俳・隠蓑上〉

おほさき‥オオ【大前駆・大前】《「小前駆(こさき)」の対》先払いの先を追う声を長く引くこと。「上達部の前駆ども、殿上人のは短ければ―・こさきとつけて聞き騒ぐ」〈枕七八〉

おほさんぢう‥オオジュウ【大三重】浄瑠璃の節の一。ゆったりと荘重に語る三重。時代物初段の第一場面(大序)の終りにある。「今初段〔ノ〕―〔ヲ語ル折〕に雨過ぎて」〈俳・蛇之助〉

おほし‥オオシ【凡し】『副』《オホシ(大)と同根》総じて。全体として。「―、かいもとあるじ(相伴役ノ人人)ははなはだ非常に侍りたうぶ」〈源氏少女〉

おほ・し‥オオシ【生ほし】『四段』《オヒ(生)の他動詞形》①(植物を)大きくする。育てる。「なでしこを屋戸に蒔き―・し」〈万四一一三〉 ②のばす。長くする。「この春より―・す御髪」〈源氏薄雲〉 ③養育する。「一条の大納言は、母もおはせぬ姫君を、わが御ふところにて、―・し奉りたまへれば」〈栄花花山〉 ―た・て【生ほし立て】『下二』育てあげる。「女子(をんなご)を―・てんことよ、いと、難かるべきわざなりけり」〈源氏若菜下〉。「をのこをば女に笑はれぬやうに―・つべしとぞ」〈徒然一〇七〉

おほ・し‥オオシ【大し・多し】『形ク』《オホ(大)の形容詞形。容積的に大きいこと。また、数量的に多いこと。さらに、立派、正式の意。平安時代に入ってオホシは数量的な多さにだけ使い、他の意味にはオホキニ・オホキナルの形を用いるように分化し、中世末期からはオホイ(多)とオホキイ(大)との区別が明確になった。平安時代の仮名文学では、数の多さをいうオホシは連用形オホクの他はオホカリの諸活用形を使い、容積を表わすにもオホキナリという終止形は使わない。おそらく、終止形オホシとオホキナリによって数量と容積とを区別することは漢文訓読体の文体的特徴と見られたので、女性語としてはそれを避けたものと思われる》①容積・面積が大きい。「碩田、此をば於保岐陀(おほきた)といふ」〈紀景行十二年〉。「―・き海の水底(みなそこ)深く思ひつつ」〈万四四九一〉。「御文を面がくしに広げたり。いと―・くて(長文デ)」〈源氏帚木〉 ②《抽象的に》分量が大きい。程度が甚だしい。「所獲の功徳は其の量り甚だ―・けむ」〈金光明最勝王経平安初期点〉 ③数が多い。「思ひ侘ぶれて寝る夜しそー・き」〈万三七五九〉。「飽くまでに相見て行かな、恋ふる日ー・けむ」〈万三九九九〉。「三十一字よりもー・いもあらうず、すくないもあらうまでよ」〈虎明本狂言・萩大名〉 ④立派である。「酒の名を聖(ひじり)とおほせし古のー・き聖の言(こと)のよろしさ」〈万三三九〉 →おほき。▽奈良時代にはオホケという活用形があり、平安初期まで伝承された。

おぼ・し【思し】『四段』《オモホシの転。「思ひ」の尊敬語。「思し召し」より敬意が軽い》①お思いになる。「面影につと添ひてー・さるるも」〈源氏桐壺〉 ②顔つきをなさる。「〔アナタガ〕いと苦しげにー・したりつれば、今もいとおぼつかなくなん」〈かげろふ上〉 ▽ömöfosi→omoFösi→omoFosi→omFosi→ombosi→obosi **―うづも・れ**【思し埋もれ】『下二』ふさぎこまれる。「物も言はでー・れ給ふらむさま」〈源氏末摘花〉 **―・え**【思し得】『下二』おわかりになる。お気づきになる。「〔オカシナ所ニ泊ルノハ〕かやうの人隠し置き給へるなるべしと、ー・うる事もありて」〈源氏浮舟〉 **―お・き**【思し置き】『四段』記憶しておいでになる。忘れずに思っておいでになる。「おとどは憂きものにー・きて、昔のやうにもむつび聞え給はず」〈源氏澪標〉 **―おこ・し**【思し起し】『四段』進まぬ気をお取り直しになる。やっとお思い立ちになる。「人聞き情なくやとー・して、野の宮にまうで給ふ」〈源氏賢木〉 **―おと・し**【思し落し】『四段』人より軽く(低く)お思いになる。「なほかの過ぎにし方(故人)にー・すをば、怨めしげに恨み聞え給ふ」〈源氏夕霧〉 **―きざ・し**【思し萌し】『四段』ある意向が胸中にわきおこっていらっしゃる。「人の娘ども〔春宮ニ〕きほひ参らすべきことを心ざし思すなれど、この殿のー・すさまのいと殊なれば」〈源氏梅枝〉 **―と・り**【思し取り】『四段』①お悟りなさる。会得なさる。「いと心ふかう、世の中を〔無常ト〕ー・れるさまに、なりまさりたまふ」〈源氏鈴虫〉 ②決心なさる。「世のうとましくすぐしがたうおぼさるれば、そむきなむことをー・るに」〈源氏賢木〉 **―な・し**【思しなし】『四段』あれこれ考えた上で判断をおくだしになる。「〔女ノ〕つれなき心はねたけれど、人(ソノ夫)のためは、あはれとー・さる」〈源氏夕顔〉 **―の・き**【思し退き】『四段』気持の上で遠ざけなさる。「昔には少しー・く事あらむと」〈源氏関屋〉 **―は・て**【思し果て】『下二』考えた末、結論にお達しになる。もうこれまでとお思いになる。「限りにこそはとー・つるあさましさに」〈源氏若菜下〉 **―はな・ち**【思し放ち】『四段』心の中で問題にせず、ほうってお置きになる。「宮にはあらねど、又ー・つべうもあらず」〈源氏若紫〉 **―はな・れ**【思し離れ】『下二』(人や物事に対して)気持に距離をお置きになる。「さうじ身は強うー・るとも」〈源氏夕霧〉。「世の中をー・れつつ心ばかりは聖(ひじり)になりはて給ひて」〈源氏橋姫〉 **―へだ・て**【思し隔て】『下二』よそよそしくなさる。「猶のたまはせよ、心憂くー・つること」〈源氏夢浮橋〉 **―まとは・し**(マトワシ)【思し纏はし】『四段』いつも心にかけておいでになる。「いと繁うー・すめりしを時(寵愛)取られて人わろかめり」〈源氏紅梅〉 **―め・し**【思し召し】『四段』《「思し」より厚い尊敬語。帝・中宮・皇后・皇子などの行為に使うことが多い》①お思いあそばす。「〔中宮〕ことわりとー・されなまし」〈枕一二九〉 ②御寵愛になる。「その皇子、女をー・して、いとかしこうめぐみつかう給ひけるを」〈伊勢四三〉 ③お顔つきをなさる。「〔春宮ガ〕心細げにー・したる御気色もいみじく」〈源氏須磨〉 **―めした・ち**【思し召し立ち】『四段』《「思ひ立ち」の最も厚い尊敬語》御決心なされる。「さて東宮はつひに〔退位ヲ〕ー・ちぬ」〈大鏡師尹〉 **―やすら・ひ**(ヤスライ)【思し休らひ】『四段』決心がつきかねておられる。「〔大后ハ〕中宮のかくそひおはするに御心おかれてー・ふほどに」〈源氏賢木〉 **―ゆづ・り**【思し譲り】『四段』一切をゆだねるお気持になる。「かしこは、猶、尊きかたにー・りてよ」〈源氏宿木〉 **―よそ・へ**(ヨソエ)【思し寄そへ】『下二』(そのものに)なぞらえるものとお考えになる。「ー・ふらむ方につけては」〈源氏手習〉 **―よ・り**【思し寄り】『四段』①思い至られる。思いつかれる。「さらぬことだにー・らぬ事なく仕うまつり給ふ」〈源氏賢木〉 ②胸のうちで、近寄りひきつけられていらっしゃる。「六の君の御事をー・らぬに」〈源氏総角〉。「かりにもかくー・りて尋ね給ふ」〈徒然一四六〉 **―わす・れ**【思し忘れ】『下二』念頭からお放しになる。「この憂きふしみなー・れぬべし」〈源氏横笛〉 **―わ・び**【思し侘び】『上二』がっくりとした気持におなりになる。内心気落ちなさる。「〔宮ハ〕いみじうー・ぶれど〔鬚黒ハ〕絶えておとづれず」〈源氏真木柱〉

おぼ・し【思し・覚し】『形シク』《動詞オボシ(思)と同根》①(…と)思われる。(…らしく)見える。「寝殿とー・しき東(ひんがし)の放出(はなちいで)に」〈源氏夕霧〉。「ソレトヲボシイヒト」〈日葡〉 ②(こうありたいと)望まれる。希望している。「ー・しきこといはぬはげにぞ腹ふくるる心地しける」〈大鏡序〉

おほしばゐ(オオ)【大芝居】江戸幕府公許の劇場。櫓(やぐら)が許された。「ー奥も詰まって立つ霞」〈俳・胴骨〉

おほしまの(オオ)【大島の】〔枕詞〕島は鳴門・浦などと関係が深いところから「なると」「うら」などにかかる。「ーなるとはなしに嘆くころかな」〈後撰五九四〉。「ーうらがなしげに声の聞ゆる」〈源氏玉鬘〉

おほじゃうらふ(オオジョウロウ)【大上﨟】宮中の女官の最高位。後、幕府・大名に仕える最上位の奥女中をも称した。「公方様御酌は、女中にもー・小上﨟より外は御取りなく候」〈宗五大双紙〉

おほじょゐん(オオ)【大書院】書院床を付けた、客用の大座敷。近世、万石以上の武家が設けた。「俄かにも建てやなほさんー」〈俳・寛永十三年熱田万句四〇〉

おほすみ(オオ)【大隅】旧国名の一。西海道十一国の一で、今の鹿児島県東部。隅州。「日向国肝坏(きもつき)・贈於(そお)・大隅・姶羅(あひら)四郡を割きて、始めてー国を置く」〈続紀和銅六・四・三〉

おほ・せ(オオセ)【負せ・課せ・仰せ】㊀『下二』《オヒ(負)の古い他動詞形。人に背負わせる意が原義。転じて、人に課し命じる意。さらに転じて貴人が名をつける意》❶①背負わせる。「片思ひを馬にふつまにー・せ持て越辺にやらば人かたはむかも」〈万四〇八一〉 ②(労役を)課する。「俄(はに)しくもー・せ給ほか」〈万四三八九防人〉 ③(罪などを)負わせる。かぶせる。「うぐひすの鳴くをよめる。木伝へばおのが羽風に散る花を誰にー・せてここら鳴くらむ」〈古今一〇九〉。「一方に罪をもえー・せ給はず」〈源氏梅枝〉 ④(傷などを)受けさせる。「あまたして、手ー・せて(怪我ヲサセテ)打ち伏せて」〈徒然八七〉 ⑤金を貸す。「銀子百目ー・せけるものを、ただ今返せと言ひければ」〈バレト写本〉 ⑥《動詞の連用形について》…しとげる。…しこなす。「いとよう書きー・せたり」〈源氏末摘花〉。「此の事しー・せつるものならば国をも庄をも所望によるべし」〈平家一・鵜川軍〉 ❷【仰せ】《命令を相手に背負わせる意》①言いつける。「勅(の)りたまひ於保世(おほせ)給ふ御命を衆諸(もろもろ)聞きたまへよと宣りたまふ」〈続紀宣命四五〉。「『随身も弦打ちして絶えず声づくれ』とー・せよ」〈源氏夕顔〉 ②おっしゃる。「『こと人の言はむやうに、心得ずー・せらる』とて中将にくむ」〈源氏帚木〉

③名づける。「酒の名を聖と—・せし古の大き聖の」〈万三三九〉 [二]『名』御命令。お言いつけ。「御舟より—給(た)ぶなり」〈土佐二月五日〉 —あは・せ(アワセ)【仰せ合はせ】『下二』《「言ひ合はせ」の尊敬語》お話し合いになる。あらかじめ打ち合わされる。相談なさる。「今度の合戦に参向候はぬ…なんど〔ノ人人〕を召し寄せて—・せられ、中坂東に城郭を構へ」〈保元中・為義降参〉。「寛平の御遺誡のままに、時平と天神とに政(まつりごと)を—・せてありけるほどに」〈愚管抄三〉 —がき【仰せ書】貴人のことばを書きとめたもの。御文書。「心にくき所へつかはす—などを」〈枕一五八〉 —かた【負せ方・課せ方】貸し方。債権者。「—の面面、詫言を聞かざる也」〈色道大鏡四〉 —ごと【仰せ言・宣・勅】①(おっしゃった)お言葉。「〔涙デ〕目も見え侍らぬに、かく、かしこき—を光にてなむ」〈源氏桐壺〉②お言いつけ。命令のお言葉。「さぶらひつれど—もなし」〈源氏夕顔〉 —つ・け【仰せ付け】『下二』《「言ひ付け」の尊敬語》お命じになる。「他人に—・けられ候へとて」〈平家一二・六代〉

おほぜっき：オオ【大節季】大晦日(おおみそか)。「—喧嘩まなこ〔ノ借金取リ〕は好かぬ人」〈俳・西鶴五百韻〉

おほそ【御細】〔女房詞〕鰯(いわし)。「いわし。むらさき、—とも、きぬかづきとも」〈大上﨟御名之事〉

おほぞう：オオ ありふれたさま。雑なさま。なみ。尋常。「心やすく立ち出でて—の住まひはせじと思へるを」〈源氏薄雲〉。「見放たぬやうにおぼしたりつる人人も、…いと—にもてなし給ひて」〈源氏幻〉。「〔大切ナ手紙ヲ〕かやうに—なる御厨子などに打ち置き散らし給ふ」〈源氏帚木〉 ▽古写本の本文ではみな「おほぞう」で、「おほざう」ではない。

おほぞら：オオ【大空】①広広とした空。「—ゆ通(かよ)ふ我すら」〈万二〇〇一〉②いいかげんで頼りないさま。「かやうに—なる事を忘れず心にかくる事は」〈発心集六〉③茫然としているさま。「秋の夜に夢見る心地して、—なるけしきにておはしけるが」〈伽・物くさ太郎〉 †öFözora —もの【大空者】頼みにならない者。いいかげんな者。「心あだに思ひさだめず吹く風の—と聞くはまことか」〈平中九〉

おほたか：オオ【大鷹】《「小鷹」の対》①雌のタカ。「—・小鷹・鷂(はいだか)…さまざまの鷹有り」〈伽・かくれ里〉。「雌鷹、謂二之大鷹一也」〈和名抄〉②「大鷹狩」の略。「小鷹によき犬、—に使ひぬれば小鷹にわろくなるといふ」〈徒然一七四〉 —がり【大鷹狩】大鷹による冬の鷹狩。「〔屏風歌〕—。冬草の枯れも果てなでしかすがに今としなれば狩りにのみ来る」〈貫之集四〉

おほたかだんし：オオ【大高檀紙】《「小高檀紙」の対》普通のものより紙幅が大型の高檀紙。大高。大鷹檀紙。「今日の御百首清書、—二十枚にこれを書く」〈看聞御記永享六・四・四〉

おほたき【御火焼・御火焚】十一月、神社の縁日に、神前で庭火を焚く儀式。伏見稲荷の行事は有名で、特に鍛冶屋など金物職人の間で重んじられた。「おひたき」「おほたけ」とも。「霜月〔ノ行事〕…—」〈俳・毛吹草二〉

おほたくみ：オオ【大工匠】大工のかしら。「—をぢなみ(ヘタダカラ)こそ隅(すみ)傾けれ」〈記歌謡一〇六〉 †öFötakumi

おほたち：オオ【大太刀】①大きい太刀。「—を垂れ佩き立ちて」〈紀歌謡八九〉②《オホダチと濁音》中世以後、長さ六、七尺に及ぶ長大な太刀。腰に佩いたり肩に負ったりした。「敵(かたき)は—・大長刀でふるまへども」〈平家四・信連〉。「五尺三寸の—を真向(まっかう)にさしかざし」〈浅井三代記一三〉

おほたてあげ：オオ【大立挙】すねあての一種。全体を鉄でつくり、ひざから上を特に大きく作ったもの。「—の臑当(すねあて)に膝鎧かけて」〈太平記八・四月三日〉

おほたば：オオ【大束・大把】①大きな束。「—の葱(ねぎ)を三把」〈滑・古今百馬鹿下〉②尊大な態度。大風(おおふう)。「穂の上も—に出よ稲の束(そく)」〈俳・貝おほひ〉③おおげさなこと。おおがかりなこと。「何事も—に出て、末末までも喜ばせと」〈西鶴・置土産五〉④おおまか。おおよう。「紀文が人を使ふ—」〈雑俳・俳諧けい三四〉⑤安っぽく扱うさま。ぞんざい。「あんまり其のやうに、—に云っておくんなすな」〈洒・遊子方言〉

おほたぶさ：オオ【大髻】男の髻を大きく結んだもの。「立て懸けの—は、つとの大きなるは似合ひたると似合はぬ人あり」〈浮・男色十寸鏡下〉

おほぢ：オオ【大路】《室町時代まではオホチと清音》幅広い道。立派な道。「あをによし奈良の—は行きよけどこの山道は行きあしかりけり」〈万三七二八〉。「道・—にもゆゆしき物ども多かり」〈栄花見はてぬ夢〉。「路、オホチ」〈名義抄〉 ↓こうぢ(小路)

おほぢ：オオ【祖父】《大父の意。のちには老年男子にもいう》①祖父。「御—がたなりける翁のよめる」〈伊勢七九〉。「〔右大臣ハ〕東宮の御—にて」〈源氏桐壺〉。「祖父、オホヂ」〈名義抄〉②老爺。じじい。「龍女変成と聞く時は姥(ばう)もたのもしや。—は言ふに及ばず」〈謡・通盛〉 —ご【祖父御】「おほぢ」の敬称。「—の御事により」〈曾我三〉

おぼち《オボはオボロカのオボと同根。はっきりしない意》のろまで効能の少ない釣針。それを持つとよい猟ができないと呪っていう語。「この鉤は—…といひて、後手(しりへで)に賜へ」〈記神代〉

おほちゃ：オオ【大茶】たくさんの茶。「旅人に—をたてんと、茶杓(ちゃしゃく)をおっ取り」〈虎明本狂言・通円〉

おほつ：オオ【大津】《近江国琵琶湖西南岸の地名》 —うま【大津馬】大津の宿駅で、馬借(ばしゃく)たちが使用した駄馬。江戸時代は百五匹に定められていた。「—の、雨降りたる日、粟田口の大道を通りけるに」〈著聞七一五〉 —ぐるま【大津車】近世、大津で主として京都へ米を輸送した牛車。「短か夜や—〔ノヤカマシイ音〕を宵時計(よひどけい)」〈俳・空林風葉上〉 —ゑ【大津絵】近世初期、大津領追分・大谷の土地の人が画いて売り出した走りがきの粗画。初めは仏画、後に戯画となった。追分絵。大谷絵。山科(やましな)絵。「—の筆の始めは何仏　芭蕉」〈俳・勧進牒上〉

おぼつかな・し【覚束無し】『形ク』《オボはオボロ(朧)のオボと同根。対象がぼんやりとしていて、はっきり知覚できない状態。またそういう状態に対して抱く不安・不満の感情。→いぶかし・こころもとなし》①ぼんやりしている。様子がはっきり分らない。「春されば樹の木の暗(くれ)の夕月夜—・しも山陰にして」〈万一八七五〉②不安だ。「をちこちのたづきも知らぬ山中に—・くも喚子鳥(よぶこどり)かな」〈古今二九〉③逢いたい。「一夜の程、あしたの間も恋しく—・く、いとどしき御心ざしのまさるを」〈源氏若菜上〉

おほつごもり：オオ【大晦日】一年の最後の月末。おおみそか。「おほつごも」とも。「唐には一年に四度追儺(ついな)がある。ここには—ばかりにするぞ」〈古活字本日本書紀抄上〉

おほつち：オオ【大土】大地。「—も採りつくさめど世の中の尽し得ぬものは恋にしありけり」〈万二四四二〉

おほづつ：オオ【大筒】①酒を入れる大きな竹筒。「瓶子(へいじ)・—捧げ申す事隙もなし」〈伽・花世の姫〉②大砲。

「火矢・―・鉄砲を以て攻められ候」〈信長公記五〉③大うそつき。大ぼらふき。「鉄砲（嘘ツキ）とは飛八が事、作公は―だ」〈滑・浮世風呂四上〉

おほつぼ ：オオ【大壺】陶製の便器。「夜中、暁、―参らせなどし候ひし」〈宇治拾遺七七〉。「褻器、今案俗語、虎子、於保都保(おほつぼ)」〈和名抄〉　**―とり**【大壺取り】便器の始末。「おほみ―にも仕うまつりなむ」〈源氏常夏〉

おほて ：オオ【大手】①城郭あるいは陣所の正面。「勢田の橋へは―なればとて」〈平家九・生食〉②敵の正面を攻撃する軍勢。追手(おうて)。「尾張国より―・搦手(からめて)二手にわかってせめのぼる」〈平家九・宇治川〉

おほてい ：オオ【大体】①大がかり。大げさ。大ざっぱ。「小人は―な事を云ふぞ。大言を発するぞ」〈山谷詩抄一四〉②大規模。豪勢。「この仲間の―なる事、江戸に帰りて、明石が語りぬ」〈西鶴・諸艶大鑑六〉

おほてて ：オオ【大父】祖父。「―がおはしたりけるを知らで」〈栄花衣珠〉→おほぢ(祖父)

おほと ：オオ【大門】《トは狭い通過点の意》大きな海峡。「明石―に入る日にか漕ぎ別れなむ」〈万二五四〉　†öFötö

おほどか オオドカ　おっとりしているさま。のんびりしているさま。「〔姫君ノ〕ただ―に物し給ふをぞうしろやすう…思ひける」〈源氏末摘花〉。「あさましう貴(あて)に―なる女のやうにおはすれば〔財産ヲ失ッタ〕」〈源氏橋姫〉

おほど・き オオドキ『四段』《オホドカの動詞形》性質がおっとりとしている。のんびりしている。「青み痩せて、あさましうはかなげにて打ち臥し給へる〔女三宮ノ〕御さま、―・きうつくしげなれば」〈源氏柏木〉

おほど・け オオドケ『下二』間のびする。のんびりする。「うち―・けたる声に言ひ成して」〈源氏花宴〉

おほどころ ：オオ【大所】①大寺院。「さすがに我が朝には熊野・羽黒とて―にて候ぞかし」〈義経記七〉②手広く商売している家。大家。「おほどこ」とも。「この者も同じ所がら―に使はれなば、それぞれの商人になるべきものを」〈西鶴・永代蔵一〉

おほとじ ：オオ【大刀自】《トジは家政を司る婦人の敬称》天皇に侍し仕える婦人。后に準ずる夫人。「明日香清御原宮に天の下知らしめしし天皇の夫人なり。字を大原の―といへり」〈万一四六五題詞〉　†öFötozi

おほどし ：オオ【大年・大歳】①大晦日(おおみそか)。「みしま野に神の御鷹を引き据ゑて狩らぬ日もなし―の贄(にへ)」〈夫木抄一八・鷹狩〉②豊作。「五十年以来〔ノ〕麦の―なり」〈慶長自記慶長一四・五〉

おほとなぶら ：オオ【大殿油】《オホトノアブラの約》大殿(御殿)でともす油火のあかり。「燈籠(とうろ)に―参れり」〈源氏常夏〉

おほとねり ：オオ【大舎人】宮中で、雑務に従事する下級の職員。中務省に属する。「それ初めて出身(みやつかへ)せむ者をば、先づ―に仕へしめよ」〈紀天武二年〉

おほとの ：オオ【大殿】①宮殿・邸宅の尊敬語。「大宮はここと聞けども、―はここと言へども」〈万二九〉。「―をふりさけ見つつ」〈万一九九〉。②大臣家。また、大臣その人。「二三日内裏に侍ひ、―にもおはする折は〔紫上ガ〕いといたく屈(く)しなどし給へば」〈源氏紅葉賀〉。「―の六の君をおぼしいれぬこと、なま恨めしげにおとども思したり」〈源氏椎本〉③貴人の当主の敬称。「―(為義)は…昨日の暁、斬られさせ給ひ候ひき」〈古活字本保元下・義朝幼少の弟〉④当主の父の敬称。「〔代ガ替ッテモ〕―の如くあひ計らへと承り候ふことの嬉しさよ」〈伽・観音本地〉　†öFötönö　**―あぶら**【大殿油】⇒おほとなぶら。「外(と)は暗うなり、内は―のほのかに」〈源氏澪標〉　**―ども・り**【大殿籠り】『四段』《寝殿にこもる意の尊敬語。次第に、眠るという意味に重きが置かれるようになる》①寝所でお休みになる。「塗籠に御座(おまし)一つ敷かせ給ひて内よりさして―・りにけり」〈源氏夕霧〉②寝ておいでになる。「御おこなひもせで―・りたりければ…などかくては臥し給へる。起きて念誦もせさせ給へかし」〈大鏡師輔〉

おほともの ：オオ【大伴の】〔枕詞〕「大伴の御津(みつ)」という地名(難波の港)があるので同音の「見つ」にかかる。「―見つとは言はじ」〈万五六五〉　†öFötömönö

おほどもひ オオドモイ【弁官】《オホ(大)アドモヒ(率)の約》八省の事務を率いる者の意。弁官(べんくわん)の古い呼び名。「左右大弁、於保伊於保止毛比(おほいおほどもひ)」〈和名抄〉

おほとり ：オオ【大鳥】コウノトリ・ツルなどのような大きな鳥。「―の羽に、やれな霜降れり」〈風俗歌大鳥〉　**―の**【大鳥の】〔枕詞〕「羽(は)」にかかる。「―羽易(はがひ)の山に」〈万二一〇〉

おぼと・り『四段』毛や蔓(つる)などが乱れる。「皂莢(かはらふぢ)に延(は)ひ―・れる屎葛(くそかづら)」〈万三八五五〉→おぼとれ。　†öbötöri

おほとりげ ：オオ【大鳥毛】①鷹などの羽毛を栗の毬(いが)の形に大きく作った、槍の鞘(さや)または馬印(うまじるし)。「重たがり／馬の帆にする―」〈雑俳・よせだいこ〉②〔遊里語〕禿(かぶろ)・遣手(やりて)の隠語。「―とは禿・遣手のこと」〈評判・難波鉦五〉

おぼと・れ『下二』《オボはオボロ(朧)のオボと同根。さだかでない、はっきりしないさま。トレは朝鮮語 t'öl(髪)と同源か。オボトレで乱髪の意が原義》①毛や蔓(つる)などが、からまって乱れている。「〔ススキハ〕冬の末まで頭(かしら)のいと白く―・れたるもしらず」〈枕六七〉。「蓬頭、オボトレガシラ」〈名義抄〉②乱れている。だらしがない。「大路近き所に―・れたる声して、いかにとか聞きも知らぬ名告りして」〈源氏東屋〉　†öbötöre

おほなおほな オオナオオナ『副』未詳。本気になって、真剣に、精一杯に、の意であろうという。「御心につくべき御あそびをし―おぼしいたづく」〈源氏桐壺〉。「かく―思ひこころざして年へ給ひぬるを、あやにくにのがれきこえ給はむもなさけなきやうならむ」〈源氏宿木〉　▽「おふなおふな」が本文であるとする説もあるが、源氏物語青表紙本系統の古写本では、いずれも「おほなおほな」とある。

おほなかぐろ ：オオ【大中黒】《「小中黒」の対》矢羽の名。矢の白い羽の真中に黒い斑(ふ)の大きくあるもの。「二十四差いたる―の矢負ひ」〈平家四・競〉

おほながし ：オオ【大流し】能で、鼓を同じ間隔で連続して長く打ち流すこと。「五月雨や鼓の滝の―」〈俳・毛吹草五〉

おほなほび オオナオビ【大直毘】凶事を吉事に転ずる働きをもつ直毘の神。また、その神の祭。「―の歌」〈古今一〇六九詞書〉

おほなわに『副』未詳。大方に、ねんごろに、すぐさまなどの意という。「我も思ふ人もな忘れ多奈和丹(おほなわに)浦吹く風のやむ時なかれ」〈万六〇六〉

おほには オオニワ【大庭】広い庭。とくに、宮中の紫宸殿の前庭をさすこともある。「昌俊を―に引っ据ゑたり」〈平家一二・土佐房〉

おほにへ オオニエ【大贄】《オホは正式の意》朝廷または神への貢物として奉った産物。御贄。「〔吉野〕国主(くず)等、―を献ず」〈記応神〉　†öFönifë

おほぬさ オオ:【大幣】①大祓の時に使うぬさ。祓いが終ると人人がこれを引きよせて身を撫でて、けがれを移し、川に流すという。「―のひく手あまたになりぬれば」〈古今七〇六〉。「御麻、オホヌサ」〈名義抄〉 ②ひっぱりだこの意。また、あちこちの人に気をひかれることの意。「我をのみ思ふと言はばあるべきをいでや心は―にして」〈古今一〇四〇〉。「―になりぬる人の」〈大和一六〇〉

おほぬし オオ:【大主】主の尊敬語。御主人様。「古(いにしへ)に君が三代経て仕へけり我が―は七世(ななよ)申さね」〈万四三五六〉

おほね オオ:【大根】①ダイコンの古称。「木鍬(こくは)持ち打ちし―」〈記歌謡六一〉。「葍、於保禰(おほね)、俗用二大根二字一」〈和名抄〉 ②根本。「―に弱き所有って」〈浮・諸国心中女三〉

おほねら オオ:【大子等】大きなネズミ。「―・小ねら・二十日鼠、月月十二の子を産む」〈俳・花摘上〉

おほの オオ:【大野】《「小野」の対。ノは山のすそ野、ゆるい傾斜地》平地に接した山の側面。山のふもとつづきの地。「冬ごもり春の―を焼く人は」〈万一三三六〉 †ŏFŏno **―ろ**【大野ろ】《ロは接尾語》「大野」に同じ。「―にたなびく雲を」〈万三五二〇東歌〉

おほのか オオノカ 大規模。おおげさ。「車のうち返りたる。さる―なるものは、所せくやあらんと思ひしに」〈枕九七〉

おほのび オオ:【大伸び】のびのび。ゆたか。「愛(は)しきやし ま近き里の君来むと―にかも月の照りたる」〈万九八六〉 ▽大野辺とする説があるが、「野」はnoの音、原文「能備」はnŏbiの音で、別語。 †ŏFŏnŏbi

おほのりもの オオ:【大乗物】大形の引戸のある上等の駕籠(かご)。「―の戸ざし両方共にうち明けて」〈西鶴・男色大鑑四〉

おほば オオ:【大庭・大場】《オホニハの転》①宮殿前の広場。「南の門(みかど)より入りて―に立てり」〈紀推古十八年〉 ②大きな場所。広場。また、大都会。「さばかりの―なれども」〈虎明本狂言・通円〉。「磯をせせりて、いかがせん。―へ押し出して、一合戦して果すべし」〈三河物語下〉 ③おおまか。「どの国には大山あり、どの国には渡しあり、我が里の辺には大木ありなどと―に覚ゆれば、道を忘れぬ也」〈西海余滴集〉 ④《「小場(こば)」の対》芸などがのびのびとして、こせつかないこと。大ぶり。大がら。「大間(おほま)」とも。「やつし〔ノ芸ガ〕―にして、小場に見えぬ役者」〈評判・役者大鑑〉

おほば オオ:【祖母】《大母の意》⇒おば。「祖母、於保波(おほば)」〈令集解喪葬〉

おほばこ オオ:【大葉子】野生の草。楕円形の葉を地に広げて群生する。葉をちぎって投げると蛙が生きかえるという伝説がある。車前草。「―の神のたすけやなかりけん契りしことを思ひかへるは」〈かげろふ中〉

おほはしりう オオ:リュウ【大橋流】近世初期、大橋重政が松花堂に師事して創始した御家流書風の一派。一族が幕府の右筆となったので武士間に流行。大橋様(やう)。「―の筆をおっ取り」〈俳・大矢数一〉

おほはず オオ:【大筈】口から出まかせの嘘(そう)。大言壮語。「月弓の引くに引かれぬ用ぞとて約の違ふは―ぞかし」〈銀葉夷歌集三〉。〈俳・毛吹草三〉

おほはらへ オオハラエ:【大祓】六月と十二月の晦日に、朱雀門で百官以下万民の罪・穢れを祓によって捨てた儀式。また、大嘗会、斎宮・斎院の卜定、疫病災変のときにも行なわれた。これは臨時の大祓という。「過(あやま)ち犯しけむ雑雑(くさぐさ)の罪を今年の六月(みなづき)の晦(つごもり)の―に祓へ給ひ清め給ふこと」〈祝詞大祓詞〉 †ŏFŏFaraFe

おほばん オオ:【大番】《「大番役」の略》平安末期以降、諸国の武士が交替で上京し、皇居の警固に当ったもの。鎌倉幕府は京都大番役を御家人(ごけにん)役とし、ほかに鎌倉大番役を置いた。「日本の侍ども、昔は三年の―とて、一期の大事と出で立ち、郎従眷属に至るまで、これを晴とて上りしかども」〈承久記上〉。「―のために上洛したりける畠山庄司重能」〈平家七・聖主臨幸〉 **―しゅう**【大番衆】大番勤務の侍たち。「五条の橋に―とおぼしき武士、勢勢として行き逢ひぬ」〈沙石集二ノ四〉 **―やく**【大番役】「大番」に同じ。「―にて、折ふし在京したりけり」〈平家五・大庭早馬〉

おほばんきん オオ:【大判金】金貨の一。楕円形で重さ約四十四匁。表記価格は十両で、小判十枚分に当るが、通用価値は浮動があり、近世初期は八両前後。判金。大判。「―三枚分、但し壱枚に付き〔銀〕五百拾匁替へ」〈高野山文書五、元和三・三・一四〉

おほひ オオイ:【大炊】《オホ(大)イヒ(飯)の約》 **―づかさ**【大炊寮】⇒おほひれう。「―の飯(いひ)炊(かし)く屋の棟に」〈竹取〉 **―どの**【大炊殿】食物の調理をする建物。「―、長さ九丈、広さ五丈」〈西大寺資財流記帳宝亀二・三・二五〉 **―のつかさ**【大炊寮】⇒おほひれう。〈和名抄〉 **―れう** リョウ【大炊寮】令制で、宮内省に属し、諸国の料田や諸司の食料をつかさどる役所。「雷公、―の庁に震す」〈日本紀略寛弘二・五・二三〉 ▽唐名大倉にあたるが、訓読するとオホクラで大蔵と混同するので、大飯(おほいひ)の意で「大炊」としたものであろう。

おほ・ひ オオイ【覆ひ】□一《四段》《一面にすっかりかぶせてしまう意》①(全体を)すっかり隠すようにかぶせる。「天の下すでに―・ひて降る雪の」〈万三九二三〉。「〔袖デ〕口―・ひて居たる」〈源氏真木柱〉 ②ぴったりふたをする。「耳を―・うて三教一致の言を聞くことなかれ」〈正法眼蔵四禅比丘〉 ③かぶせて見えなくする。「少瑕をもって、その功を―・ふことなかれ」〈平家一〇・請文〉 □二《名》上からかぶせるもの。「紫の綾の―ども」〈源氏若菜上〉。「築地はあれども―もなく」〈平家三・少将都帰〉 †ŏFŏFi **―ば**【覆ひ羽】覆うように広げられている羽。雁が群をなして翼をひろげるさまなどにいう。「天飛ぶや雁のつばさの―のいづく漏(も)りてか霜の降りけむ」〈万二二三八〉

おほび オオ:【大火】 **―を打ち消・す** 途方にくれるたとえ。「この事を聞いて―・して、あきれ果てたる事限りなし」〈太平記一〇・三浦大多和〉

おほひがし オオ:【大東】ま東。「江冠者(がうくわんじや)が家の―にある鋳物師(いもじ)が妻を」〈宇治拾遺五〉

おほびたひ オオビタイ【大額】額を広く剃って、鬢(びん)を細く小さくした男の額つき。「武蔵野よりもなほ―」〈俳・守武千句〉

おほひめ オオ:【大姫】貴人の長女。姉姫。「『―御前の、紅は奉りたる』と語りければ」〈宇治拾遺四二〉 **―ぎみ**【大姫君】「おほひめ」に同じ。「―、小姫君涙流し給ふもおろかなり」〈栄花初花〉

おほびら オオ:【大びら】誰にもはばからずにするさま。おおっぴら。「わざと―なる座敷入り」〈浮・傾城武道桜二〉

おほぶく オオ:【大服・大福】元旦、若水の湯に梅ぼしを入れて飲む茶。後には、山椒・昆布なども入れた。大服茶。「あらたまの年のはじめの朝(あした)にもまづ―と祝ふお茶かな」〈伽・御茶物語〉

おほぶくちう オオ:チュウ【大腹中】心の広いこと。大度量。「―

なる事を申さるるものかな」〈仮・浅井物語二〉

おほぶせり ：オオ【大臥せり】深く寝入ること。熟睡。「ただ―ではないぞ」〈碧岩抄四〉。「汝等戦場において斯く―をして」〈浅井三代記六〉

おほぶね ：オオ【大船】大きい船。「―に真楫(まかぢ)繁(しじ)貫き」〈万三六二一〉　**―の**【大船の】〔枕詞〕船のとまることから「津」「渡り」に、海上でゆれるさまから「ゆくらゆくら」「たゆたひ」「ゆたに」に、船の「かぢとり」に音の似ていることから地名「香取」などにかかる。「―津守の占(うら)に」〈万一〇九〉。「―渡の山の」〈万一三五〉。「―ゆくらゆくらに面影にもとな見えつつ」〈万四二二〇〉。「―香取の海に」〈万二四三六〉

おほべしみ ：オオ【大癋見】《ヘシは押す意》能面の一。大きく口を「へ」の字形に結んだ顔の面。「鞍馬天狗」「善界」「大会」などで天狗がかぶる。「―、天神の面、もっぱら観阿よりの重代の面なり」〈申楽談儀〉

おぼほ・し【溺し】『四段』《オボホレの他動詞形》溺れるようにする。溺れさせる。「何為(いかに)ぞ波瀾(なみ)を起(た)て、以て灌溺(おぼほ)・すや」〈紀神武即位前〉

おぼぼ・し『形シク』《オボは、オボロ（朧）・オボメキ・オボロゲのオボと同根。ぼんやりしているさま。奈良時代にはオホホシの形であったかもしれないが、オホ（大）とはアクセントの異なる別語》①ぼんやりして明らかでない。「漁り焚く火の―・しく」〈万三八九九〉。「ぬばたまの夜霧の立ちて―・しく照れる月夜の」〈万九八二〉 ②ぼんやりして不安である。心も晴れない。「―・しく人音もせねばまうら悲しも」〈万一八〇九〉 ③間抜けである。おろかである。「愛(は)しきやし翁(おきな)の歌に―・しき九(ここの)の子らや感(かま)けて居らむ」〈万三七九四〉

おぼほ・れ【溺れ】『下二』《オボ（朧）ホレ（惚）の意。古くはオホホレと清音か。ぼんやりとして気を失った状態になる意》①水におぼれる。「駅船海に沈み大徳(だいとこ)―・れ流れて救ひ取るに便(びん)なし」〈霊異記下四〉。「難波の浦に立つ波の波のしわにや―・れん」〈古今一〇〇三〉 ②物事に耽溺(たんでき)・惑溺(わくでき)する。「酒に耽(おぼ)れたる人を招き誘(たぼろか)して」〈地蔵十輪経三・元慶点〉 ③（感覚がにぶって）ぼうっとなる。ぼんやりする。「こまかなる灰の目鼻にも入りて―・れてものも覚えず」〈源氏真木柱〉 ④とぼける。馬鹿のような様子をする。「世を思ひ知らぬやうに―・れ給ふなむ、いとつらき」〈源氏帚木〉 →おぼれ

おほま ：オオ【大間】①「大間書」の略。「除目の―、殿上に披(ひら)きたるやうに」〈今昔二四ノ三三〉 ②「大場(おほば)」(4)に同じ。「―な芸故、出来ばえする」〈評判・役者談合衝江戸〉　**―がき**【大間書】《行間を広くあけて書く意か》奈良時代以降、任官の時に用いた文書。任ずべき闕官(けっかん)を書き連ね、任官者を定めて、その人名を書き入れた。「―一巻」〈江家次第四・除目〉

おほましま・し ：オオ【大座しまし】『四段』《オハシマシの古形。天皇や仏などについていう最高の尊敬語》おありである。いらっしゃる。「朕は御身疲らしく―・すによりて」〈続紀宣命四五〉。「―・す南の町なる奴を受けよと」〈正倉院文書奈良朝書簡〉 →おまし

おほまつりごとのおほまへつきみ ：オオ…オオマエ…【太政大臣】⇒だいじゃうだいじん。〈名義抄〉

おほまつりごとひと ：オオ【参議】⇒さんぎ。〈和名抄〉

おほまはし ：オオマワシ【大廻し】①遠距離を廻漕すること。また、その船。「大廻り」とも。「〔白川石ヲ〕京より船に積み、大坂へ下り、大坂より―に下れば」〈慶長自記〉 ②大づかみにすること。大概。「―につもり候へば」〈信長公記一三〉 ③〔連俳用語〕切字(きれじ)を使わない発句の作り方。五・七・五の各句に物の名三つを配して意味を完結させる手法。「発句―と云ふ、口伝在り。『山はただ岩木のしづく春の雨』『松風は常葉(ときは)のしぐれ秋の雨』『五月雨は嶺の松風谷の水』」〈長短抄中〉。「―。…三段・三折れ・三名切とも云ふ」〈二根集五〉

おほまへ ：オオマエ【大前】①神または天皇の御前。みまえ。ひろまえ。「天照らす大御神の―に申さく」〈祝詞祈年祭〉 ②神または天皇そのものをいう。「猪鹿(しし)伏すと誰そ―(天皇)に申す」〈記歌謡九七〉　†ŏfŏmaFe

おほまへつきみ ：オオマエ…【大臣】《マヘツキミは「前つ君」の意》天皇の前に仕える者の長。「もののふの―楯立つらしも」〈万七六〉　†ŏfŏmaFetukimi

おほまゐり ：オオ【大参り】大勢の参詣。「今日は清水へ―にてござる程に」〈虎明本狂言・成上り〉

おほみ ：オオ【大忌】《オホイミの約。「をみ（小忌）」「まいみ（真忌）」の対》①「あらいみ」に同じ。「―少納言、公卿を召す」〈江家次第一五・大嘗会〉 ②大忌の役の公卿の着る服。「山藍の色をかさぬる今宵だに―の袖やかはらざらむ」〈新葉四九九〉

おほみ ：オオ【大御】『接頭』神または天皇の事物に冠する尊敬の接頭語ミの上に美称の接頭語オホを加えた、最大級の尊敬の意を表わす。後に音韻変化してオホム・オン・オと変る。†ŏFŏmi→oFom→own→oon→on→o　**―あと**【大御跡】仏・神・天皇の足跡。「於保美阿止(おほみあと)を見に来る人の」〈仏足石歌〉　**―あへ** ：エア【大御饗】天皇のお食事。「―を献らむとするに」〈紀景行十八年〉　**―うた**【大御歌】天皇のお詠みになった歌。御製。「比良の宮に幸(いで)ますときの―といへり」〈万七左注〉。「ならのみかどの―」〈古今（高野切）九〇詞書〉　**―かど**【大御門】①皇居の御門。「大和の青香具山は日の経(たて＝東)の―に春山と繁(しみ)さび立てり」〈万五二〉 ②皇居。「荒たへの藤井が原に―始め給ひて」〈万五二〉 ③総門・大門。「―はさしつや(閉ジタカ)」〈枕一七九〉　**―き**【大御酒】神・天皇などに捧げる酒。「横臼(よくす)に醸(か)みし―」〈記歌謡四八〉　**―け**【大御食】《ケは食物》神・天皇に差し上げる食物。「川の神も―に仕へ奉ると上つ瀬に鵜川を立ち」〈万三八〉　**―こと**【大御言】天皇の御命令。みことのり。「―戴き持ちて」〈万八九四〉　**―た**【大御田】神領の田。「―のうるほふばかりせきかけて」〈新古今一八九三〉　**―たから**【百姓】天皇の民。人民。「―災を蒙る」〈紀崇神十二年〉　**―み**【大御身】天皇の御身。「―に太刀取り帯ばし」〈万一九九〉

おほみこともち ：オオ【大宰】《ミコトモチは勅命を奉じて任地で政務をとる人の意》大宰府(だざいふ)の役人。「追ひて―の時の梅花に和(こた)ふる新しき歌」〈万三九〇一題詞〉　†ŏFŏmikŏtŏmŏti　**―のかみ**【大宰帥】大宰府の長官。だざいのそち。「―に拝(め)す」〈紀孝徳、大化五年〉　**―のつかさ**【大宰府】⇒だざいふ。「筑紫の―奏上(うまを)して言(まう)さく」〈紀推古十七年〉

おほみことらま ：オオ【大命らま】《ラマは接尾語》（天皇の）仰せ。詔旨。「現つ御神と大八島知らしめす天皇が―と詔ふ大命を…諸聞き給へと詔ふ」〈続紀宣命一〉　†ŏFŏmikŏtŏrama

おほみみ ：オオ【大耳】いい加減に聞くこと。また、物事をこせこせと詮索せず、鷹揚(おうよう)に聞きながすこと。「大名は―に大目にあれ」〈論語抄衛霊公〉

おほみめ ：オオ【大眉目】普通以下の容貌。「顔よき〔女〕は面を現はす。―なるは、物にて深く包むもの也」〈色道大鏡一四〉

おほみや オオ【大宮】①皇居・神宮の尊敬語。「―は此処と聞けども」〈万二九〉②宮と呼ばれる方が二人以上あるとき、年長の宮。「姫宮(女一宮)はあなたにわたらせ給ひにけり。―(明石中宮)…と問ひたまふ」〈源氏蜻蛉〉→みや。†öfömiya **―つかへ** エツカ【大宮仕へ】宮廷に奉仕すること。「藤原の―あれつぐや(生レッグ)少女がともは」〈万五三〉 **―どころ**【大宮処】皇居のある所。「ももしきの―見れば悲しも」〈万二九〉 **―ひと**【大宮人】宮中に仕える人。「ももしきの―に語り継ぎてむ」〈万四〇四〇〉

おほみやすんどころ オオ【大御息所】父親に当る天皇の御息所の敬称。「―とていますがりけるいとこなりけり」〈伊勢六五〉

おほみやり オオ【大身鑓】刃渡りの大きな槍。「―の鞘(さや)をはづし」〈西鶴・男色大鑑二〉

おほむ オオン【御】㊀『接頭』《オホミ(大御)の音便形。「おほん」とも》①広く神仏・天皇・皇族・貴人の所有物・行為など、また、それらに向ってする行為などに冠して尊敬の意を表わす。「あまねき―うつくしみ、やしまのほかまでながれ、ひろき―めぐみのかげ、つくば山のふもとよりもしげく」〈古今序〉。「故(こ)惟喬(これたか)のみこのおほんともに」〈土佐二月九日〉。「―さうそう(葬送)のよ(夜)」〈後拾遺(伝源実朝筆)五四八詞書〉②時・方向などについて敬意をこめて丁寧にいう場合に冠する。「かの―ときに」〈古今序〉。「―かた(御方)」〈忠見集〉。「御、オ、ム・オホム」〈色葉字類抄〉 ▽この語は、平安女流文学の日記・物語などには「御」と書かれ、仮名書きの例はまず無いが、歌合や歌集その他の平安時代の仮名書きの本文によれば、「御」にあたる所はすべて「おほむ」「おほん」とあり、院政時代以後に至って、わずかに「おん」と書く例が現われる。従って源氏物語などの時代には、発音はすでにオオンとなっていたかもしれないが、「御」と古写本にあるものは、仮名としては「おほむ」または「おほん」をあてるべきものと思われる。→おん・お・おほみ。㊁『名』《接頭語の転用》「おほむ…」という表現の「…」の部分を略した言い方。「対の上の―(御薫物)は三種(みくさ)ある中に、梅花はなやかに今めかしう」〈源氏梅枝〉。「これも、うちの―(御歌)」〈大和五三〉 **―かた**【御方】①貴人のおいでになる所。「〔十六歳以上ニナルト〕―別(こと)にて」〈源氏少女〉。「宮の君はこの西の対にぞ―したりける」〈源氏蜻蛉〉②貴人・貴婦人に対する敬称。「『きんだち』ともいはず、『―』とはまして言はせ給ふべくもあらず」〈落窪一〉。「大将の―(夫人)などもいみじう嘆き給ふ」〈源氏柏木〉 **―そ**【御衣】天皇・貴人の衣服の尊敬語。「風雨隙に入りて、〔天皇ノ〕衣(おほむそ)・被(おほふすま)を沾(うる)ほす」〈紀(前田本)仁徳四年〉 **―とき**【御時】(天皇治世の)御代。御時代。「ならの―よりぞ、ひろまりにける」〈古今序〉

おほむかし オオ【大昔】はるかな遠い昔。太古。「―日月浄明徳と申す仏出で給へり」〈法華大意抄下〉

おほむすめ オオ【大娘】長女。「―を呼びて言へば」〈伽・天稚彦草子〉

おほむね オオ【大旨・大概・概】①大体の趣意。「されば今日までも―はたがふ事なし」〈愚管抄四〉②およそ。大体のところ。「語言は異なりといへども大(おほむね)に印度に同じ」〈大唐西域記三・長寛点〉。「略・概・大分・大底、オホムネ」〈名義抄〉

おほむべ オオ【大嘗】《オホニヘの音便形》大嘗祭(だいじやうさい)。即位後はじめての新嘗祭で、一代一度の神事。「この歌は承和の―の吉備の国の歌」〈古今一〇八二左注〉

おほむらじ オオ【大連】大臣(おほおみ)と並んで、大和朝廷における最高の執政官。連(むらじ)の姓(かばね)を持つ氏の最有力者が任ぜられた。大伴氏衰退後は物部氏が独占。物部守屋が亡ぼされて後、大化改新で廃止。「大伴連室屋・物部連目(め)を以て―とす」〈紀雄略即位前〉

おほめ オオ【大目】寛大に見ること。細かく詮索しないこと。「金など五枚・十枚ふところへ入れ、盗み候と見及ぶまま、―に見やり申すべし」〈川角太閤記五〉

おぼめか・し【朧めかし】『形シク』《オボメキの形容詞形。状態・知識・記憶・態度などがはっきりしない、曖昧で判断がつけにくい意》①はっきりしない。「事のついでに思ひいでたるやうに―・しうもてなして」〈源氏横笛〉②態度などがはっきりしない(ので判断を下しにくい)。「〔私ニ対シテ〕かく―・しきは、いみじうつらくこそ」〈源氏若菜上〉③記憶が不確実だ。「〔以前逢ッテカラ〕程経にける、―・しくやとつつましけれど」〈源氏花散里〉

おぼめ・き【朧めき】『四段』《オボはオボロ(朧)のオボと同根。メキは、春メキ・秋メキのメキと同じで、それらしい様子を表わす意》①おぼつかなく思う。はっきり分らず、判断しにくいと思う。「〔オ手紙ガ〕いと珍しきは、〔差出人ガ誰カト〕―・くまでなむ」〈かげろふ中〉②ぼんやり表わす。ほのめかす。「いかに聞こしめしたるにか、―・かせ給ふにも」〈かげろふ中〉③よく分らない様子をして、はぐらかす。「思はずにも―・い給ふかな」〈源氏帚木〉

おほめつけ オオ【大目付】江戸幕府の職名。老中の耳目となって、大名・高家の監察、典礼の整理など幕政監察の役に当ったもの。「御奏者番、幷びに御勘定方四人の役人、―、町奉行」〈御触書寛保集成一八、正保三・五〉

おほもと オオ【大許】《オホは第一の、の意。モトは本》天皇の御座所。「天皇の御所(おほもと)に向(まう)でいたる」〈紀仁徳即位前〉→おもと。†öfömötö

おほもの オオ【御膳】《オホは大で、質のすぐれた、第一の、の意。モノは物》神・天皇の召上り物。「〔天皇ノ〕温飯(おほもの)・煖羹(おほむあつもの)、酸(すゆ)り餕(くさ)らずは易(か)へず」〈紀(前田本)仁徳四年〉→おもの。†öfömönö

おほもん オオ【大門】①大きな門。表門。総門。〈下学集〉②特に、遊廓の入口の門。「主(あるじ)の人も上臈(じやうらふ)も―のほとりに出で、名残惜しげに見送り」〈評判・吾妻物語〉 **―打・つ** 遊廓の大門を閉じて人の出入りを禁止する。また、他の客を入れず遊女を全部買い切る。「町中にはかに騒ぎ出し、棒よ熊手よ提燈出せ、―・てとひしめけば」〈近松・寿門松上〉。「本町の角屋敷を投げて―・つは、人の心の花にぞありける」〈洒・通言総籬〉

おほや オオ【大矢】長い矢。また、その矢を射る人。「八郎殿の―を当りて見んと存じ候」〈保元中・白河殿へ義朝夜討ち〉。「さ候へば、君は実盛を―とおぼしめし候ふか」〈平家五・富士川合戦〉

おほやう オオヨウ【大様】①ゆったりと落ちついているさま。悠揚迫らないさま。「重盛卿はゆゆしく―なるものかな」〈平家一・清水炎上〉②大体。おおかた。「―は習ひたる歌はあまたありしに」〈梁塵秘抄口伝集〉。「今案ずるに、桜の花は―白し」〈袖中抄二〉③大まかなさま。大ざっぱなさま。「男の心は浅く―なる習ひにや」〈沙石集七ノ六〉④いい加減であるさま。通り一ぺんであるさま。「その名号を聞くといふは、ただ―に聞くにあらず」〈御文章〉⑤けちけちせず、気の大きいさま。「これらまで―なる事、天下の御城下なればこそと思はれ」〈西鶴・永代蔵三〉

おほやかず オオ【大矢数】①近世、京都三十三間堂などで、四、五月に、日暮れから翌日の暮れまで一昼夜の間行なわれた通し矢の競争。星野勘左衛門（通し矢八千八）・和佐大八（通し矢八千三百三十三）が記録保持者として有名。「〔三十三間〕堂建てて今ぞ栄えん—」〈俳・桜川三〉②「矢数俳諧」に同じ。「今我(が)折れ目に見ぬ富楼那(ふるな)—」〈俳・大矢数一〉

おほやけ オオヤケ【公け】《大宅(おほやけ)、即ち第一の家の意》①天皇家。また、天皇や皇后・中宮。「〔東宮ガ〕—となり給ひ、世のまつりごと御心にかなふべしと言ひながら」〈源氏若菜上〉。「后の宮…おほかたの御心ざま広う、まことの—（皇后）とおはしまし」〈栄花月宴〉。「—（中宮）よりはじめ宮宮」〈栄花音楽〉②朝廷。政府。官庁。「—に相撲のころなり」〈かげろふ中〉。「田舎人(ゐなかびと)も、いみじき—の責めをも捨てて、よろづを欠きて〔上京シテ見物スル〕」〈栄花もとのしづく〉③《「私(わたくし)」の対》個人的でないこと。国家や社会に関すること。「女といはむからに…—わたくしにつけて、むげに知らず至らずしもあらむ」〈源氏帚木〉 **—がた**【公方】公けに関する方。公務など。「〔夕霧〕大将は—はやうやう大人ぶめれど」〈源氏若菜下〉 **—ごと**【公事】①朝廷に関すること。㋑宮中の儀式・行事・政務。「—多く奏しくだす日にて」〈源氏紅葉賀〉。「天事、オホヤケコト」〈名義抄〉㋺朝廷への奉公・年貢・賦役。「生けらむ世のかぎり、武蔵の国を預けとらせて—もなさせじ」〈更級〉→公事(くじ) ②《「私事(わたくしごと)」の対》表むきのこと。㋑公式のこと。私事でないこと。「〔御産養ヲ中宮ノ方カラ〕—に、いかめしうせさせ給へり」〈源氏柏木〉㋺通りいっぺんのお役目仕事。「ことに整へ行なふことも侍らず。ただ—にぞ」〈源氏花宴〉 **—ざま**【公様】①朝廷でする様子、また、ものごと。「布施など—にかはらず、心心にし給へり」〈源氏藤裏葉〉②表向き。「—の折折の御とぶらひなどは聞えならはし給ひて」〈源氏少女〉③普通一般。「女御・御息所(みやすどころ)にもおはせず、—の宮仕へと思しなほり」〈源氏須磨〉→わたくしざま。 **—づかひ** イヅカ【公使】朝廷・政府からの使者。「—にて、あづまの方へまかりけるほどに」〈後撰七一三詞書〉 **—どころ**【公所】①朝廷。官庁。「—に入りたちする男、家の子など」〈枕二六八〉②皇室の領地。官有地。「—なれど、人もなく心安きを」〈源氏手習〉 **—のうしろみ**【公の後見】天皇を輔佐すること。また、その人。「ただ人にて—をするなむ、行先たのもしげなめること」〈源氏桐壺〉 **—の私** 公けに関する事でも、多少は人情で手心が加わるの意。「うたてやな—と云ふ事あるなれば、せめて向ひの地までなりとも、情にのせてたび給へ」〈謡・俊寛〉 **—ばら**【公腹】自分は第三者ながら、人が悪いことをするのを見聞きして腹が立つこと。「すずろに心やましう、—とか、よからぬ人の言ふやうに、憎くこそ思うたまへられしか」〈紫式部日記〉 **—はらだた・し**【公腹立たし】『形シク』自分は第三者ながら、人がすることを見聞きして腹立たしい。「—・しく、心一つに思ひあまる事など多かるを」〈源氏帚木〉 **—ばらだ・ち**【公腹立ち】『四段』自分は第三者ながら、人がすることを見聞きして腹が立つ。「〔相当ナ女ヲ、男ガスゲナク〕見捨てていきなどするは、あさましう、—・ちて」〈枕二六八〉 **—びと**【公人】朝廷に仕える人。宮廷人。官吏。男女いずれにもいう。「〔夕霧〕中将などをば、すくすくしき—にしなしてむ」〈源氏初音〉。「—(女官)、すまし・長女(をさめ)などして絶えずいましめにやる」〈枕八七〉。「〔舎人ニ向ッテ〕おればかり（オ前程度ノ）—を、わが打ちたらむに何事のあるべきぞ」〈宇治拾遺二一四〉→おほみやひと。 **—まつり**【公祭】官祭。「〔吉田明神ハ〕一条院の御時より—にはなりたるなり」〈大鏡藤氏物語〉 **—みやづかへ** ミヤヅカエ【公宮仕へ】宮廷の女房として仕えること。また、その人。「ただ、宮仕へをせさせんと思ひなりて、先帝の御時に—に出し立てたりければ…内侍になさせ給ひて」〈栄花様様悦〉 **—もの**【公物】私有でないもの。官有物。「いまさらに私(わたくし)の領になり侍らんは便なきことなり。—にて候べきなり」〈大鏡三条〉 **—わざ**【公業】宮中の行事・政務。「〔藤ノ宴ハ〕—にて、あるじの宮のつかうまつり給ふにはあらず」〈源氏宿木〉 **—わたくし**【公私】国家的社会的な面と個人的な面と。表向きに関することと内輪に関することと。「元三日のほどは—事繁く」〈栄花もとのしづく〉

おほやけおほやけ・し オオヤケオオヤケシ【公公し】『形シク』いかにも儀式的である。「才(ざえ)なども—・しきかたもおくれずぞおはすべき」〈源氏浮舟〉

おほやけ・し オオヤケシ【公し】『形シク』公的である。儀式ばっている。表だっている。「これはた—・しう、唐めきて」〈枕一〇四〉。「この曲は—・しく気高きものなり」〈続教訓鈔一〉

おほやしま オオ…【大八洲】《オホは美称》日本の古称。「御うつくしみ(御仁慈)—にあまねく」〈源氏明石〉→やしま

おほやしろ オオ…【大社】出雲大社(いずもたいしゃ)。祭神は大国主命。「—を移して、めでたく造れり」〈徒然二三六〉

おほやまつみ オオ…【大山祇】《オホは敬称。ミはカミ(神)よりも古い神格を表わす語》山の神の敬称。「あれは国つ神、—の神の子ぞ」〈記神代〉 †ōöyamatumi

おほやまと オオ…【大倭・大日本】《オホは美称》①日本の古称。「—国に、吾二人に益(まさ)りて建(たけ)き男(を)は坐(ま)しけり」〈記景行〉②大和(やまと)国の古称。「大和、於保夜万止(おほやまと)」〈和名抄〉→やまと。 †ōöyamatö

おほやままゐり オオ…【大山参り】相模大山(雨降山)に鎮座の石尊大権現(阿夫利神社)に参詣すること。陰暦七月朔日前後に登るのを朔日山、同十四日から十七日朝までに登るのを盆山(ぼんやま)といい、先達は大木太刀を担ぎ登山した。大山詣で。「町人、伊勢参り・—の者ども、蒲団を重ね敷き、馬に乗り」〈正宝事録慶安一・三・二五〉

おほやまもり オオ…【大山守り】朝廷のもつ山を守る役。「さざ波の—は誰がためか山に標(しめ)結ふ君もあらなくに」〈万一五四〉

おほやりわたし オオ…【大遣り渡し】おおまか。「大やり」とも。「簡略ぞ、細かになうて—なぞ」〈蒙求抄三〉

おほゆか オオ…【大床】「広廂(ひろびさし)」に同じ。「聖をば—に立て、我が身は庭に立って」〈平家三・紺搔〉。「—に於いて公卿・殿上人、絃管有り」〈教訓抄一〇〉

おほゆび オオ…【大指】《オホオヨビの転》親指。「—の爪を以て額の皮をさし切て」〈打聞集〉

おほよこめ オオ…【大横目】近世、諸藩の職名。家老の下にあって、政務の監督、家臣・諸役人の監察をつかさどった。幕府では、大目付といった。「喧嘩の次第を老中(家老)・—衆まで申し上げて」〈西鶴・男色大鑑一〉

おほよせ オオ…【大寄せ】大勢の客が女郎多数を揚げて遊興すること。「又—などの一座」〈評判・吉原雀上〉

おほよそ オオ…【大凡・凡そ】『名・副』《オホはすべての意。ヨソは寄スの古形。古くはオホヨソニと使う。みな寄せ集めた所で、の意。従って、数についていうのが古例。中世以後つづまってオヨソとなる》①すべてを寄せ算して。「筆を絶たることは—に五十八巻なり」〈玄奘法師表啓平安初期点〉。「〔塔ノ〕層層の中心に皆舎利有り。或は一千二千。—一万余粒」〈三蔵法師伝七・院政期点〉②大体において。—あらまし。「—かの寺より始まりて年に二三度、会(ゑ)を行

なはる」〈大鏡藤氏物語〉③大体そのあたり。特別な状態・関係にないさま。普通。「あいなき(筋チガイノ)—の人も心を寄するわざなめれば」〈源氏竹河〉。「諸、オホヨソ」〈名義抄〉④《発語として》大体。一体全体。「—、老いて子を失ふは、枯木の枝無きに異ならず」〈平家三・法印問答〉 **—びと**【凡人・諸人】特別な関係もない世間一般の人。普通の人。「とやかくやと—の思はむ心さへ思ひめぐらさるる」〈源氏若菜下〉

おほよめ オオ【大娶】《「おとよめ」の対》何人かいる嫁の中の第一の嫁。「姒婦、於保与女(おほよめ)」〈和名抄〉

おほよろひ オオヨロイ【大鎧】平安時代以降、武将の着用した正式の鎧。着背長(きせなが)。式正(しきしやう)の鎧。「ふとりせめたる大男の、—は着たり、馬は大きなり、たやすくも乗りえず」〈平治中・待賢門軍〉

おほらか オオ【大らか】量が多いさま。たくさん。「打蒔(うちまき)の米(ねよ)を—にかきつかみて打ち投げたりければ」〈今昔二七ノ三〇〉。「我も、子共にも、もろともに食はせんとて、—にて食ふに」〈宇治拾遺四八〉

おぼ・れ【溺れ・漂れ】『下二』《オボホレの約》①水の中で泳ぎきれず自失する。「先陣二百余騎押し落され、水に—・れて流れけり」〈平家四・橋合戦〉②物事にふけり惑溺する。「あまりに恋に—・れて、東西かきくれたる義也」〈古今集註〉。「〔欲ニ〕—・るる時は、必ず本心を失ふものなり」〈三社託宣略鈔〉。「耽、オホルル」〈名義抄〉③ぼんやりする。「八年が間、痩せ病ひと申し年と申し、年年に身弱(ゆわ)く、心—・れ候ひつる程に」〈日蓮遺文上野殿母尼御前御返事〉④とぼける。「…と、少し—・れてのたまふに」〈伽・およふの尼〉

おぼろ【朧】《オボはオボホレ(溺)・オボメキのオボと同根。ロは状態を示す接尾語》ぼんやりしているさま。はっきりしないさま。「簀子にすべり出でて、—なる月〔ノ光〕に当てて久しう見て入りぬ」〈かげろふ下〉。「昨日今日といふばかりの事だに、目も耳も—になりにて侍れば」〈増鏡序〉 **—ぞめ**【朧染】裾の白地に友禅模様を描き、上を次第に濃く、春夜の空の色にぼかして染めたもの。寛文の頃、京都の紺屋新右衛門の創始。「帯は当〔世〕風の—にはあらで」〈俳・堀河之水三〉 **—づき**【朧月】(春の夜の)霞んだ月。「梅の花かうばしき夜の—にたたずみ」〈徒然二四〇〉 **—づきよ**【朧月夜】(春の夜の)霞んだ月。のちに、おぼろ月の出ている夜。〈文明本節用集〉 **—づくよ**【朧月夜】「おぼろづきよ」に同じ。「この頃の—に忍びてものせむ」〈源氏末摘花〉 **—どうふ**【朧豆腐】①椀の中で、ごくやわらかく固まらせた豆腐。「今朝は月—の影残る」〈俳・伊勢宮笥〉②豆腐を煮崩し、薄い葛餡(くずあん)を掛け、さらに生卵の身を割り流した料理。おぼろ煮。「—誰が里霞む埋れ水」〈俳・金剛砂上〉

おぼろか《オボは、オボメキ・オボホレ(溺)のオボと同根。ロカは、接尾語ラカに同じ》ぼんやり、不明であるさま。いいかげんなさま。並大抵であるさま。粗略。「磐(はい)の姫が—に聞こさぬうら桑の木」〈紀歌謡五六〉 † öböröka

おぼろげ《オボロ(朧)とケ(様子)との複合。江戸初期までオボロケと清音。大部分が否定表現とともに使われる語》①並大抵。ありきたり。「—ならず忍び給へば」〈源氏須磨〉。「年頃、—ならむ人をば見じ(妻トスルマイ)と宣ひて」〈源氏東屋〉。「御ありきの折は—にて、御前(護衛)使ひ給はず」〈大鏡時平〉。「少、オボロケ」〈名義抄〉②《いつも否定表現と共に使われているうちに、二重の否定形などによって「おぼろけ」と「おぼろけならず」との区別が不明瞭になって》並並ならぬさま。よほど。特別。「—の願によりてにやあらむ、風も吹かず、よき日いで来て」〈土佐一月二十一日〉。「〔薫ハ美人ヲ見ナレテイルガ〕—ならでは目も心もとどまらず」〈源氏宿木〉

おほわきざし オオ【大脇差】大きい脇差。近世、幕府の法令では、最大限一尺八寸九分。長脇差。「一尺八寸のいかもの作りの—を抜いて」〈寒川入道筆記〉

おほわだ オオ【大曲】《ワダは湾入した所。海や湖や川にいう》水面の深く入り込んだ所。入江。「ささなみの志賀の—淀むとも昔の人にまたも逢はめやも」〈万三一〉

おほわち オオ 茅(ちがや)の類。「—を刈り廻(もとほ)して院(かき)となしたまひき」〈播磨風土記〉

おほわらは オオワラワ【大童】髪が解け乱れて、ざんばらになった形。子供のかぶろ頭にたとえていう。「甲(かぶと)も落ちて—になり給ふ」〈平治中・待賢門軍〉

おほわらひ オオワライ【大笑ひ】①大声で笑うこと。「虎溪を出でたれば…—をしたる也」〈謡抄三笑〉②猥談(わいだん)。「世間咄も面白くなって、後家常なき—して、かの牢人をなぶり」〈西鶴・桜陰比事四〉

おほゐぐさ オオ【大藺草】太藺(ふとい)の古名。池や沼に生える。若芽と根を食用にし、茎はむしろに作る。「かみつけの伊奈良の沼の—よそに見しよはいまこそまされ」〈万三四一七東歌〉

おほを オオ【大峰】《「小峰(をを)」の対。ヲは山の高い所》大きい峰。「—には幡(はた)張り立(だ)て」〈記歌謡八九〉

おほをそどり オオ【大軽率鳥】《ヲソはワサ(早熟・軽率)の母音交替形。軽はずみの意》大あわてものの鳥。「烏とふ—の」〈万三五二一東歌〉 † öFöwosödöri

おほをぢ オオ【従祖父】父の伯父または叔父。また、ひろく祖父母の兄弟。「従祖父、於保乎知(おほをぢ)」〈和名抄〉

おほをどり オオ【大踊・大躍】①多人数の踊。「左義長(さぎちやう)を囃し立てたる—」〈俳・鷹筑波三〉②盆踊。「七月十五日の夜…三味線・鼓にて—をはじむるほどに」〈義残後覚一〉③歌舞伎興行で、切(きり)に行なわれる役者の総踊。「猫又も千夜を一夜の—」〈俳・難波千句〉

おほをば オオ【従祖母】祖父母の姉妹。「祖姑、於保乎波(おほをば)」〈和名抄〉

おほん オオン【御】『接頭』⇒おほむ

おほんべ オオ【大嘗】⇒おほむべ

おまうし オモウシ【御申し】おもてなし。饗応。「京には、安芸の毛利宿へ関白殿—とて、事事しき造作」〈多聞院日記天正一八・九・一八〉

おまし【御座し】《オホ(大)マシ(座)の約》貴人の坐臥なさる所。また、坐臥なさる物。しとねなど。「おほかたの御睦びにて—などもことこと(別別)にて大殿籠る」〈源氏螢〉。「御枕がみに—よそひて」〈源氏澪標〉→お〔接頭〕 ▽öFö-masi→oFmasi→ommasi→omasi **—どころ**【御座し所】貴人の居られる場所。「月いとあかうさし入りて、はかなき旅の—奥まで隈なし」〈源氏須磨〉 **—ま・し**【御座しまし】『四段』おいであそばす。「仁和のみかど、みこに—・しける時」〈古今二一詞書〉

おま・せ【御座せ】『下二』《オマラセの転》①さしあげる。してあげる。「好きなやうにして—・せう」〈狂言記・胸突〉②…「何ぞ—・せたい物ぢやが」〈虎寛本狂言・入間川〉

おまはり オマワリ【御廻り】〔女性語〕飯の菜(さい)。おかず。「本所陣屋へ御出で、朝供御(くご)・—・御中酒〔ヲ〕沙汰す」〈山科家礼記応仁二・七・一二〉

おまへ オマエ【御前】㊀『名』《オホ(大)マヘ(前)の約》①神

仏または貴人の前の尊敬語。おそば。「蔵人(くらびと)ども笑ひて瓶を—にもていでて」〈古今八七四詞書〉②貴人を指していう。ごぜん。「—にこそわりなく思さるらめ」〈源氏夕顔〉。③「おいへ」(2)に同じ。〈多聞院日記天文二一・三・二一〉④真宗で、持仏をいう。「—の花を立て、掃除をし」〈九十箇条制法〉 二『代』二人称。相手に敬意をこめていう。あなた。「—のおかげにて我が身代も取り直し申すべし」〈仮・元の木阿彌上〉。「—といふは、貴人ならずは言ふべからざるか」〈俳・かたこと五〉→お〔接頭〕 **—たち**【御前達】宮仕えの女房たち。「—も、かならずさおぼすゆゑ侍らむかし」〈更級〉 **—づいしょう**【御前追従】人の面前でこびへつらうこと。「御前軽薄」とも。「—聞きまがふ人は、その智の浅きゆゑか」〈仮・御伽物語三〉 **—のこころみ**【御前の試み】十一月、中の寅の日、清涼殿で行なわれる五節の試楽。「—の夜の御髪上(みぐしあげ)」〈枕一五六〉 **—ばな**【御前花】仏前に供える花。「斎(とき)前に差せるや春の—」〈俳・絵合下〉 **—まち**【御前町】寺社の門前町。「天神橋と行き通ふ、所も神の—」〈近松・天網島中〉

おまむき【御真向】《常に真正面向きであるところから》仏像。仏の画像。「—の本尊か峰の月の顔」〈俳・難波草三〉

おまら・せ『下二』《オマヰラセの転》「おませ」に同じ。「そなたに—・せうと思うて…一つ求めて下(だく)ってすは」〈虎明本狂言・鏡男〉

おみ【使主】渡来人に多い古代の姓の一つ。「坂本の臣の祖、根の—を遣(また)して」〈紀(北野本)安康元年〉

おみ【御身】『代』二人称。おまえ。そなた。「殿様に—と言はれし我が妹」〈雑俳・二葉の松上〉

おみ【臣】《仕える者の意。古くはカミ(神)に対するもの。ついで、キミ(君)に対するもの》①君主に仕える人。臣下。「もののふの—のをとこは大君のまけのまにまに(御任命ノママニ)」〈万三六九〉②姓(かばね)の一。大和朝廷の中心的な地位にあった上流貴族の姓であるが、のちには、八種の姓の第六位とされる。「—・連(むらじ)・伴造(とものみやつこ)日に日に朝参(みかどまゐり)して」〈紀雄略二十三年〉。「山上—憶良大唐(もろこし)にある時に」〈万六三題詞〉▽この語を、オホミ(大身)の約とする語源説は誤。ミ(身)はmïの音、オミ(臣)のミはmiの音で、別の語。 †ömi

おみな【媼】《「おきな(翁)」の対。ミは女性を示し、ナは人の意。キとミで男女を区別する例は、神名イザナキとイザナミなどがある》成人の女。年のいった女。老女。「古りにし—にしてやかくばかり恋に沈まむたわらはの如」〈万一二九〉▽この語は後にオムナ・オウナとなる。ヲミナ・ヲンナ(女)とは別語。 †ömina

おみのき【臣の木】未詳。モミの木の古名か。「—も生ひつぎにけり」〈万三二〉 †öminökï

おみのこ【臣の子】臣下。家来。「—の八重の柴垣(しばがき)入りたたずあり」〈記歌謡一〇七〉 †öminöko

おみや ①「おみやげ」の略。「法印に—とて、葛一端遣はされ候」〈言継卿記大永七・一〇・一六〉②持参金。「—には判金百枚〔血〕筋は良し」〈俳・絵合上〉

おむが・し『形シク』《オモ(面)ムカシ(向)の転。そちらに面を向けていたい意》よろこばしい。満足である。「功(いさを)しく正しきみちの—・しさ」〈日本紀竟宴歌〉。「偉、オムカシ」〈名義抄〉▽ömömukasi→ömmukasi→omugasi

おむく 柔和で、おっとりと豊かなさま。「〔遊女ノ〕—なるを喜ぶ〔客〕もあり」〈評判・難波物語〉

おむす【御娘】《「おむすめ」の略》娘の愛称。娘さん。お嬢さん。「このあたりに隠れもなき井筒屋の—か」〈西鶴・男色大鑑八〉

おむな【媼】「おみな」の転。「国の内に年老いたる翁・—やあると召し尋ねて」〈大鏡序〉。「嫗、於無奈(おむな)、老女之称也」〈和名抄〉

おむろ【御室】《宇多法皇の居室があり、それを「御室」と称したのでいう》仁和寺(にんなじ)の別称。また、その住職。「いづれの—にか、大法を行なはせ給ひけるに」〈著聞五一五〉 **—やき**【御室焼】近世初期、仁和寺門前で野々村仁清が焼きはじめた陶器。「—の茶碗二つ」〈伊達家文書三、伊達忠宗書状〉

おめ【御目】 **—下さ・る** ひいきにして下さる。御目を掛けられる。「殿の—・れし事を忘れかね」〈俳・廿会集上〉

お・め【臆め】『下二』気おくれする。臆する。「御辺ほどの大将軍の夢物語こそ—・めたる儀にて候へ」〈保元上・新院為義を召さる〉。「臆、をむる・ひるむ」〈落葉集〉

おめいかう【御命講】日蓮宗で、十月十二・十三日(日蓮の忌日)に営む法会。御影(みえい)講。会式(えしき)。「おめいこ」「おめこ」とも。「—ぢゃとて、寺より案内ある」〈咄・昨日は今日上〉

おめおめ【臆め臆め】《動詞オメを重ねた形》恐怖や恥辱に気おくれするさま。また、力及ばずして恥ずかしい思いをしながら相手に屈するさま。「景能(かげよし)—となりて…と怠状(たいじやう＝謝罪)をしければ」〈保元中・白河殿攻め落す〉。「心は猛(たけ)く思へども、—と生け捕られけるぞ無慙(むざん)なる」〈保元下・為朝生捕り〉

おめがね【御眼鏡】眼識の意の尊敬語。「勝之介—を守り(主君ノ御見立通リ忠勤ヲハゲミ)」〈西鶴・伝来記七〉

おめかはり【面変り】「おもがはり」の上代東国方言。「真木柱(まけはしら)ほめて造れる殿のごといませ母とじ—せず」〈万四三四二防人〉 †ömëkaFari

おめなが【御目永・御目長】長い目で見て頂くこと。御気長。「万事不調法者でござるによって、—に使はせられて下されい」〈虎寛本狂言・縄綯〉

おめほど【思ほど】『連語』《オモヘドの上代東国方言》思うけれども。「吾(わろ)旅は旅と—家にして子持ち痩すらむわが妻(み)かなしも」〈万四三四三防人〉 †ömëFödö

おめみえ【御目見・御目見得】①貴人に面会すること。「宗麟公御上洛なされ、秀吉公に—なされ」〈大友記〉②近世、大名・旗本が将軍に、また、家臣が大名に謁見すること。その資格の有無によって、家格の区別を示し、謁見出来るのを御目見得以上、出来ぬのを御目見得以下といった。「江戸に在る諸大名、大御所—のため登城」〈駿府記慶長一六・一〇・一八〉③「めみえ」(2)に同じ。「今日—はなりますまいか」〈浮・世間侍婢気質四〉④〔歌舞伎用語〕俳優がある劇場に初めて、または、久しぶりに出演すること。「一世一代見て来いの、叶眠獅(かなふみんし＝俳優ノ名)が—は」〈眠獅選上〉

おめもじ【御目文字】〔女性語〕御目にかかる意の文字詞。「我身ことも—なりたく存じ候まま」〈評判・難波鉦三〉

おも【母】①はは。「—父も妻も子どもも」〈万三三三七〉②乳母(うば)。めのと。「みどり子のためこそ—は求むといへ乳飲めや君が—求むらむ」〈万二九二五〉。「乳母、米乃止(めのと)、嬭母、知於毛(ちおも)、今案即乳母也」〈和名抄〉▽朝鮮語ömi(母)と同源か。→はは(母) †ömö

おも【面】《上代では顔の正面の意。平安時代以後、独立してはほとんど使われず、「—影」「—変り」「—持」などの複合語に残った》①顔面。「今日見れば—やめづらし」〈万四一一七〉。「しもがちなる—やう(面様)」〈源氏末摘花〉②

平らなものの表面。「水の―に生ふる五月（さつき）の浮草の」〈古今九七六〉。「浅茅は庭の―も見えず繁り」〈源氏蓬生〉③面影。「佐野山に打つや斧音（をの）の遠かども寝もとか子ろが―に見えつる」〈万三四七三〉　†ömö

おも【重・主】㊀《名》中心をなすこと。主（しゅ）たること。「―とある者共をひそかに呼びて」〈室町殿日記八〉㊁《接頭》同じ役に当る者の首席をあらわす。「琵琶引きあまたあらば、その座の上臈、官も高からん人、―琵琶をすべし」〈絲竹口伝〉

おもいれ【思入れ】《思ヒ入レの約》㊀《名》①⇒おもひいれ㊁(4)「小歌よく歌はるるゆゑ、いよいよ―深し」〈評判・野良立役舞台大鏡〉②⇒おもひいれ㊁(5)「主人（ガ）家来にねんごろする風情、―あってひとしほ面白し」〈評判・野良立役舞台大鏡〉㊂《副》⇒おもひいれ㊂「―にふざけて床へ廻れば」〈咄・聞上手〉

おもおも・し【重重し】《形シク》①（心がまえ、性質などが）いかにもどっしりしている。軽軽しくない。「これ（夕霧）は、いとすくよかに―・しく、雄雄しきけはひして」〈源氏柏木〉②おも立っている。重要である。「この御後見どもの中に、―・しき御乳母の兄…ありけり」〈源氏若菜上〉③いかにも社会的地位が高い。「（薫ノヨウナ）―・しくおはする殿の、かくわざとおはしましたること」〈源氏夢浮橋〉④高い社会的地位にふさわしい。「その（女ノ）ほかに尋ねまほしう思さるる人あらば参らせて、―・しくもてなし給へ」〈源氏総角〉

おもがい【面懸・面繫】《オモガキの音便形》馬具の名。馬の頭から轡（くつわ）にかけて飾りにつけた紐。「手綱・―をおしはづして平頸をうちてけり」〈著聞三八七〉

おもかく・し【面隠し】㊀《四段》①（きまりが悪くて）顔を隠す。「相見ては―・さるるものからに」〈万二五五四〉②顔を合わさない。「臨時客の事に紛らはしてぞ―・し給ふ」〈源氏初音〉㊁《名》①顔が隠れるようにすること。「玉かつま逢はむといふは誰なるか逢へる時さへ―する」〈万二九一六〉②恥ずかしさを隠すこと。てれかくし。「―にや…（イロイロト）まめごとをのたまへば」〈源氏宿木〉　†ömökakusi

おもかげ【面影】①現実でなく、想像や思い出の中にありありと現われる顔や姿。また、鏡に写る顔。「夕さればもの思ひまさる見し人の言問ふ姿―にして」〈万六〇二〉。「昼の―心にかかりて恋しければ」〈源氏若紫〉。「天つ風吹飯（ふけひ）の浦にあらねども我が―は浪ぞ立ち添ふ」〈能因法師集下〉→かげ。②それらしい似た姿。「ゆき来の道もさだかならず。青嵐夢を破って、その（主人ノ）―も見えざりけり」〈平家三・有王〉③眼前の姿。容貌。「夢ならでまたも逢ふべき身ならねば見る―に袖朽ちぬべし」〈妙本寺本曾我七〉。「容色無双の美人達、その―花にも月にもたとへがたし」〈慶長見聞集九〉④〔歌論用語〕作品から生れる心像。作品を鑑賞する側で思い描く情景。「この歌ばかり―あるたぐひはなし」〈無名抄〉⑤〔連俳用語〕連句の付合手法の一。故事・古歌などに取材して付句する時、それをはっきり表わさず、ほのかに示す表現で付けること。面影付け。「本歌・本説取りやう…―ばかりを取る（ガヨイ）」〈撃蒙抄〉　†ömökagë

おもが・し《形シク》《オムガシの転》立派でよろこばしい。「偉慶、於毛加志（おもがし）、又、宇礼志」〈新撰字鏡〉

おもかた【面形】かおかたち。「―の忘れてあらばあづきなく男じものや恋ひつつをらむ」〈万二五八〇〉　†ömökata

おもか・ち【面勝ち】《四段》相手に面と向って気おくれしない。「い向ふ神と―・つ神なり」〈記神代〉　†ömökati

おもかぢ【面舵】《「取舵（とりかぢ）」の対》舳（へさき）を右に向ける時にとる舵。「恋ひ恋ひて今日とり向くる―におひてをいそぐ天の川船」〈為重集〉

おもがはり【面変り】①顔つきが変ること。「鏡なす（ノヨウニ）斯（か）くし常見む―せず」〈万四三一六〉②様子が変ること。「―せむ事（尼姿ニナルコト）あはれに思さるれば」〈源氏賢木〉。「久しう参らねば、所も―した」〈天理本狂言六義・鈍太郎〉　†ömögaFari

おもぎらひ【面嫌ひ】顔を見ただけで相手をきらうこと。人見知り。「あやにくに―するほど（年頃）なればこそ」〈かげろふ下〉

おもくろ・し【面黒し】《形ク》①面白くない。つまらない。「（俳諧ノ）句体の高下は、天地黒白に―・くも面白くも聞え侍れ」〈俳・懸懃集〉②「面白し」をたわむれていった語。「こりゃ―・い旦那のしこなし」〈浮・色道懺悔男六〉

おもざし【面差】顔つき。面貌。「眉すぢかひて、物すさまじげなる―なり」〈沙石集九ノ八〉

おも・し【重し】㊀《形ク》《「軽（かろ）し」の対》①目方が多い。「―・き馬荷に」〈万八九七〉②人柄・態度がどっしりしている。慎重だ。「あまりいたくなよびよしめく程に―・き方おくれて」〈源氏若菜上〉③社会の信頼があつい。「時世の覚え―・くて」〈源氏須磨〉。④程度が甚だしい。主としてよくないことにいう。「―・く勘当せしめ給ふべき由」〈源氏浮舟〉。「―・き怪異なりとて」〈徒然二〇六〉㊁《名》①物を上からおさえるもの。「―の石をふみ返し給ひしに助けられて、石のその苦をまぬかれて」〈宇治拾遺五七〉②事のしずめ役となる人。重鎮。「大将も、さる世の―となり給ふべきしたかたなれば」〈源氏若菜下〉③【錘】秤（はかり）のおもり。「衡は秤（はかり）の―ぞ」〈四河入海二ノ二〉。「錘、オモシ・ハカリノヲモシ」〈名義抄〉　†ömösi

おも・じ【母じ】《形シク》《オモは母。ジはシク活用形容詞語尾、まるでそのようにの意を表わす》同じ母親から生れたものではないが、まるで同母兄弟のように親しい。「藤原の卿（まへつきみ）をば掛けまくも畏き聖の天皇が御代重ねて―・じき人の門よりは、慈（うつく）しび賜ひ上げ賜ひける家なり」〈続紀宣命二五〉　†ömözi

おもしゃ・り《四段》《オ申シアリの約》おっしゃる。「仏法の事は、誰が―・るを聞いても、もどかはしきとなり」〈驢鞍橋上〉

おもしろ・し【面白し】《形ク》《オモは面、正面・面前の意。シロシは白し。明るい風景とか明るいものを見て、眼前がぱっと開ける意。また、気分の晴れ晴れとする意。それが音楽・遊宴などの快さをいうようにひろまり、文芸・装飾その他に対する知的感興を一般的にあらわすようになった》①（景色や風物が明るくて）心も晴れ晴れとするようだ。「玉くしげ見諸戸山（みもろとやま）を行きしかば―・くして古（いにしへ）思ほゆ」〈万一二四〇〉。「さて十日余りなれば、月―・し」〈土佐一月十三日〉。「滝殿の心ばへなど劣らず―・き寺なり」〈源氏松風〉②（気持が開放されて）快く楽しい。「年の内の節会（せちゑ）ども―・く興あるを」〈源氏絵合〉③心惹（ひ）かれるさまだ。感興がわくさまだ。「調べ殊なる手二つ三つ―・き大曲どもの」〈源氏若菜下〉。「我等が―・きと思ふ事には、焼亡（せうまう）・辻風・小喧嘩」〈伽・秋夜長物語〉　†ömösirosi

おもしろてい【面白体】《歌論・連歌論で》趣向や表現の面白い歌または連歌。定家十体の一。「面白様（やう）」とも。「濃体、一節有る体、―、此の三は（皮・肉・骨ノ）肉なるべし」〈愚秘抄〉

おもだか【沢瀉】①《葉の紋脈が隆起しているところから、面高という》水田・沼沢に自生する草の一。クワイに似て小さい。「―は、名のをかしきなり」〈枕六六〉。「沢蕮、オモタカ」〈名義抄〉 ②模様の名。オモダカの葉を図案化したもの。「―を一しほ摺ったる直垂(ひたたれ)に」〈平家九・一二之懸〉

―をどし【沢瀉縅】 鎧の縅の名。オモダカの葉にかたどっておどしたもの。上を狭く下を広く、色色の糸で、山形に「―の鎧に、白星の兜(かぶと)を着」〈古活字本保元中・白河殿へ義朝夜討〉

おもたかぶだ【面高夫駄】 未詳。「あを馬の―に乗りて来べしや」〈万三〇九八〉 ▽ブダは夫役につかう駄馬とする説もある。 †ömötakabuda

おもたせ【御持たせ】《「もたせ」の尊敬語》 おみやげ。御持参。「湯沢修理殿へ御成(なり)あり。―には、御小袖五つ、銀子五十枚」〈梅津政景日記元和七・二・七〉

おもだた・し【面立たし】『形シク』《世間に対して顔が立つように感じる意》 ①晴れがましい。「母上のかなしうし給ひて(愛シテ)、―・しうけ高き事(結婚)をせむと、あがめかしづかる」〈源氏東屋〉 ②光栄である。名誉である。「己れまでも恵みあはれびられ奉りて侍る身と、―・しくこそは」〈大鏡昔物語〉 ③世間に対して重きをなしている感じである。「―・しき腹に(正妻ノ腹ニ)…めでたき〔子供〕が物し給はぬは」〈源氏常夏〉

おもだち【面だち】 顔だち。「馬のふるまひ・―・尻ざし・足つき」〈宇治拾遺九七〉

おもちち【母父】 母と父と。父母。「ちはやぶる神の御坂に幣(ぬさ)まつり斎(いは)ふ命は―がため」〈万四四〇二〉 ▽母を先にいうのは母系制時代の呼び方の名残ともいう。奈良時代すでにチチハハが多く使われた。 †ömötiti

おもて【面・表】 ㊀『名』《オモ(面)とテ(方向)の複合。ものの正面、社会に対する正式の顔、表面が原義。↓かほ(顔)・つら(面)》 ❶①顔面。顔。「―も知らず家も知らずもや」〈紀歌謡一一〉。「命婦(みやうぶ)―赤みて見奉る」〈源氏末摘花〉 ②面目。体面。名誉。「亡き親の―を伏せ、名をはづかしむるたぐひ」〈源氏若菜上〉。「日本の―起したる者なり」〈宇治拾遺一五五〉 ③仮面。面(めん)。「二の舞の―のやうに見えけるが」〈徒然四二〉。「鬼の―の恐ろしからんを着て」〈伽・熊野本地〉 ❷《「裏」「奥」の対》 ①表面。「長さ二十丈、広さ五丈ばかりなる石の―、白絹に岩を包めらんやうになむありける」〈伊勢八七〉。「〔扇ノ〕―のかたには楽府をうるはしく真に書き、うらには…草にめでたく書きて」〈大鏡伊尹〉 ②正面。前面。「―に進む寄せ手の兵(つはもの)の首の骨を射通し」〈伽・頼朝最後の記〉 ③表口。「―に物まうとあるが、誰もないか」〈虎清本狂言・泣尼〉 ④表の間。客間。「―に寝させて置いた」〈虎明本狂言・磁石〉 ⑤記載面。文面。「大かたの文の―、よだけく多くなりて見る人もあるまじ」〈愚管抄三〉。「証文の―神妙なり」〈伽・万寿の前〉 ⑥〔連俳用語〕 ㋑【表】 懐紙の一枚目の表をいう。百韻形式ならば八句、歌仙形式ならば六句を記すのが普通。「―の行様(ゆきやう)の事…如何にもかろがろとさはやかに美しく御沙汰候べく候。…―にせぬ物、恋・述懐・神祇・釈教…女・男・をろち・鬼」〈宗祇袖下〉 ㋺【面】 懐紙の表・裏の見通しの句(百韻では十四句、歌仙では十二句)をいう。「〔連歌懐紙ノ〕二の紙の表迄は序也。二の裏・三の紙までは破也。四紙は急也。中五句は破也。末四句は急也」〈当風連歌秘事〉 ㊁『接尾』 ①その方面、その方向をあらわす。「飽かずして月の隠るる山もとはあなた―ぞ恋しかりける」〈古今八八三〉。「山崎―にて合戦これ在り」〈蓮成院記録天正一〇・六・一四〉 ②側。「〔車カラ〕みなみ―におろして」〈源氏桐壺〉 †ömöte

―うた【面歌】 代表的な歌。「〔後拾遺集ノ恋ノ歌ノ中デ〕これを―と思へり」〈無名抄〉

―置かむ方無・し 《恥ずかしくて顔の置き所がない意》 顔向けができない。「―・くぞ覚え給ふや。顔をもて隠して」〈源氏真木柱〉

―おこし【面起し】《「面伏せ」の対》 面目を取り返すこと。名誉の挽回。「〔昔ノ〕あだなる名を取り給ひし―に」〈源氏夕霧〉

―おもて【面面】 それぞれの人。めいめい。「かく―に、とさまかくさまにいひなさるれど」〈かげろふ中〉

―がた【面形】 仮面。めん。「―を取りのけては、人もぞ見知る」〈今昔二八ノ三五〉

―がらう【表家老】《「奥家老」の対》 武家などで、政務の中心となった重臣。「御局又は奥家老なんど、―に相談して」〈浮・男色十寸鏡下〉

―かんばん【表看板】 芝居の表木戸の側に並べた、役者の名前と紋を記した看板。「―より移りて中間の仕組を争ひ」〈評判・難波の顔二〉

―どしゃう【表小姓】 諸侯の表向きに勤める小姓。「―の数数の中にも、鑓の権三とて」〈近松・鑓権三上〉

―だうぐ【面道具】 ①顔の造作。目・鼻・口・耳などをいう。「―一つも不足なく、世にかかる生れ付きのまたあるものかと」〈西鶴・五人女三〉 ②体面を保つに必要な道具。「麻の上下、中脇指一腰は町人の―なれば」〈西鶴・織留五〉

―だな【表店】 表通りの借家。多くは商店用。「―藤の茂りはよい勝手」〈俳・大矢数三〉

―づかひ【表使】 将軍家・大名家などで、表向きの用件を掌る奥女中。「後は―に召し上げられ」〈俳・女歌仙〉

―はっく【表八句】〔連俳用語〕 百韻の場合、懐紙の第一紙の表に記す発句以下の八句。「赤松亭に於いて御連歌―これ在る由」〈満済准后日記永享三・一・二〇〉。「いかにも―をば祝言たるべし。禁忌を嫌ひ侍るべし」〈連通抄上〉

―ぶせ【面伏せ】《「面起し」の対》 名誉を汚すこと。不名誉。つらよごし。「亡き人の―なること言ひ出づるも」〈源氏若菜下〉

―むき【表向き】 ①外面。表面。「―は知らぬ顔して」〈長恨歌聞書〉。「―は人間(ひとあひ)が一段よいかと思へば、底の心には錐の尖ったやうな也」〈句双紙抄〉 ②公然。公式。「これは―の事」〈伽・花世の姫〉 ③公務。また、業務。家業。「〔誰カヨイ人ニ〕跡を預けて―をさばかせ、内證(家事)はおさんが心だすけにもなるべし」〈西鶴・五人女三〉 ④お役所。官辺。「惣じて大名は、―の御勤めしげく」〈西鶴・一代女二〉

―を摺(す)・る 連歌・俳諧の会席で、自分が一句も付け得ないうちに、一面(ひとおもて)が過ぎてしまう。「何とやらん為(し)遅れて―・り侍らん時は、やすやすと付けて、心を取り直すべし。かやうの時、良き句をせんとためらひ侍らば、幾(いく)面をも摺り侍るべし」〈吾妻問答〉 ↓す・り㊁③(2)

―を向・ふ ①顔を向ける。面と向い合う。「―・へ、肩を並ぶる人なし」〈平家一・禿髪〉 ②正面から立ち向う。「いかなる御物のけなりとも、―・ふべしとも見えざりけり」〈平家三・御産〉

おもで【重手】 重傷。致命傷。深手(ふかで)。「宝来衆には、奥、―にて、帰りて死す」〈明応六年記〉

おもてだい【重手代】 業務を総理する古参の手代。「―の頭にばかり智恵のある男を頼み」〈西鶴・一代女五〉

おもと【御許】《オホ(大)モト(許)の約》 ①御座所。「入鹿、御座(おもと)に転就(まろび)きて、叩頭(の)みて曰(まう)さく」〈紀皇極四年〉 ②「おもとびと」の略。「この―さし寄りて」〈源氏空蟬〉 ③《女性の二人称の代名詞的に用いて》 あなた。貴女。「〔女房ガ仲間ニ〕―は今宵うへにやさぶらひ給ひつる」〈源氏空蟬〉。「女房の局なる人をさへ『あの―』『君』などいへば、めづらかにうれしと思ひて」〈枕二六二〉 †

ömötö　──びと【御許人】貴人の側近く仕える者。近習(きんじゅ)の者。「御帳の内にはやむごとなき上﨟の──などさぶらふ」〈宇津保蔵開上〉。「これやもし昨日の児(ちご)の──なるらんと思ひて」〈伽・秋夜長物語〉

おもとじ【母刀自】⇒ははとじ。「かの──をも」〈宇津保春日詣〉

おもなが【面長】①顔が長いこと。「──な顔と言はなん藤の花」〈俳・夢見草一〉②お人好し。間抜け。阿呆。「──な詮議をせずとも」〈浮・傾城洗髪二〉

おもな・し【面無し】『形ク』①臆面もない。厚かましい。「──き事をば、はぢを捨つとは言ひける」〈竹取〉。「〔琴ナド〕──・くて、かれこれに弾き合はせたるなむよき」〈源氏常夏〉②合わせる顔がない。恥ずかしい。面目ない。「やつれを──・く御覧じ咎められぬべき」〈源氏橋姫〉。「──・し。面目なきことなり」〈和漢新撰下学集〉

おもな・れ【面馴れ】『下二』顔を見馴れる。親しむ。「──・れ給ひにたり」〈源氏宿木〉

おもに【重荷】目方の重い荷物。転じて、重い負担。「人恋ふる事を──とになひもて」〈古今一〇五八〉　**──に小付け**　重い負担の上に、さらに負担の加わること。「上代より、──とは申すなり」〈説経・さんせう太夫〉

おもにく・し【面憎し】『形ク』見るのもにくい。「入るまじと戸をおさへて──・きまで言へば」〈枕九二〉

おもね・り【阿り】『四段』《オモ(面)ネリ(練)の意。顔を右に左に向ける意》へつらう。こびる。追従(ついしょう)する。「──・りこびて」〈紀神代下〉。「[illegible]、於母禰利弖(おもねりて)」〈霊異記中二五〉。「阿・阿容、オモネル」〈名義抄〉　†ömöneri

おもの【佩物】《オビモノの転》身に帯びるもの。飾りなど。「帰たる者が舅姑につかゆるに、必ず手のごひを──にするとあるほどに」〈毛詩抄八〉。「珮、オムモノ」〈名義抄〉

おもの【御物】《オホ(大)モノ(物)の約》①天皇・貴人の召上り物。「〔魚鳥ヲ〕調じて──に参る」〈源氏藤裏葉〉②特に、ごはん。「くだもの・──・酒・あはせ(副食物)どもなど」〈古本説話五六〉③お米。「甲斐大和守へ──十俵合力候て」〈上井覚兼日記天正一三・一〇・二〉④貴人の身につけるもの。服飾・衣服。お召し物。〈日葡〉→お〔接頭〕　**──し**【御物師・御物仕】裁縫専門の女奉公人。古くは公家・武家の傭い人のみを称した。「御居間」「針妙(しんみょう)」「御物師女」「御物縫ひ」とも。「──。…縫物を司どる女をいふ」〈色道大鏡一四〉　**──だな**【御物棚】宮中で食膳を納めておく棚。「御厨子所(みづしどころ)の──に沓おきて」〈枕五六〉　**──やどり**【御物宿】宮中の儀式・宴会用の食膳を納めておく所。紫宸殿の西廂(にしのひさし)にあった。「女房は──にむかひたる渡殿(わたどの)にさぶらふべし」〈枕一〇四〉

おもはく(オモワク)【思はく・以為】《思ヒのク語法》①思うこと。「君を──やむ時もなし」〈万三一八九〉②《副詞的に用いて》思うことには。「蝦夷以為(おもはく)、軍衆(いくさびと)猶し多(さは)なりとおもひて」〈紀舒明九年〉。「里見れど里も見かねて、あやしとそこに──、家ゆ出でて三年のほどに、垣も無く家失せめやと」〈万一七四〇〉。「以為・謂、オモハク」〈饅頭屋本節用集〉▽平安初期には、「おもはく」の下に思う内容を記して「…とおもふ」の語を添えることが多い。③考え。「なずらふべくも──はあらねども」〈栄花歌合〉④外部で、あれこれと批判的に思うこと。「福人(金持)にさへなるならば人の──にかまはぬ」〈ロドリゲス大文典〉⑤恋いしたうこと。また、恋人。「──。…男女共に思ひ寄りて、心を掛くるかたちなり」〈色道大鏡一〉。「──阿波座にあれば、太夫などは目も懸けず行きて」〈西鶴・諸艶大鑑三〉　†ömöFaku

おもはざるほか(オモワ…)【思はざる外】『連語』思いがけず。思いの外。意外。「仏道を修業せし間に、此の所に来たりて、──に死にき」〈今昔一三ノ一一〉

おもは・し(オモワシ)【思はし】『四段』《シは尊敬の助動詞》お思いになる。「歌思ひ辞(こと)──・しし」〈万三三三〉　†ömöFasi

おもは・し(オモワシ)【思はし】『形シク』①好意が持てる。「声憎からざらん人のみなむ──・しかるべき」〈枕四九〉②思われてならない。「ほればれしく、物のみ──・しき身になりはてて」〈伽・ちごいま〉

おもはず(オモワ…)【思はず】思いのほか。意外。良い場合でも悪い場合でも使う。「うつくしければにやあらむ、いと──なり」〈土佐一月七日〉。「世の中淋しく──なることありとも忍び過ぐし給へ」〈源氏若菜下〉　**──げ**【思はず気】思いがけない様子。「入道を始め奉て、人人皆──にぞ見給ひける」〈平家二・小教訓〉

おもは・へ(オモワエ)【思はへ】『下二』《思ヒ合への約》思い及ぶ。予期する。「にはしくもおふせ賜ほか(命ジ賜ウカ)──・へなくに」〈万四三八九防人〉。「仮名に物書くことは、歌の序は古今の仮名序を本とす。…物語は源氏に過ぎたるもの無し。皆これらを──・へて書くべきなり」〈無名抄〉　†ömöFaFë

おもはゆ・し【面映し】『形ク』顔を合わせるのがまばゆく、恥ずかしい。「あの姿に腹巻をきて向はむ事──・う辱(はづ)かしうや思はれけん」〈平家二・教訓状〉。「おもなや、──・しや、はづかしや、あさましや」〈謡・葛城〉

おも・ひ(オモイ)【思ひ】㊀『四段』《胸のうちに、心配・恨み・執念・望み・恋・予想などを抱いて、おもてに出さず、じっとたくわえている意が原義。ウラミが、心の中で恨む意から、恨み言を外にいう意をもつに至るように、情念を表わす語は、単に心中に抱くだけでなく、それを外部に形で示す意を表わすようになることが多いが、オモヒも、転義として心の中の感情が顔つきに表われる意を示すことがある。オモヒが内に蔵する点に中心を持つに対し、類義語ココロは、外に向って働く原動力を常に保っている点に相違がある》①胸の中で慕う。恋慕する。「打ちなびき眠(い)も寝(ぬ)らめやも古(いにしへ)──・ふに」〈万四六〉。「──・はぬを──・ふと言はば…神し知らさむ」〈万五六一〉②胸の中で願う。心の中で望む。「天地の神を乞ひ祈(の)み長くとぞ──・ふ」〈万四四九九〉③胸の中で悩む。ひそかに心配する。「今更に何をか──・はむうちなびき心は君に寄りにしものを」〈万五〇五〉。「わが故に──・ひな痩せそ」〈万三五八六〉④心の中で認める。「松の花花数にしも吾が背子が──・へらなくにもとな咲きつつ」〈万三九四二〉⑤胸の中で決心する。「術も無く苦しくあれば出で走り去(い)なと──・へど児らに障(さや)りぬ」〈万八九九〉。「女はこの男をと──・ひつつ」〈伊勢二三〉⑥予期する。予想する。「かくばかり恋ひむものぞと──・はねば妹が手本をまかぬ夜もありき」〈万二五四七〉⑦心の中で考える。「心に──・ふことを…言ひ出せるなり」〈古今序〉⑧(胸の中の感情があらわれて)…の顔つきをする。「頰杖をつきて、いみじうなげかしげに──・ひたり」〈竹取〉▽オモヒをオモシ(重)に関係づける説は、意味の上から成立し難い。㊁『名』①胸の中の思慕の情。「焼く塩の──そ焼くる」〈万五〉②胸の中の願い・望み。「静かなる──をかなへむ」〈源氏若菜上〉③胸の中の苦悩。心配。「かかる〔失恋ノ〕──に会はましものか」〈万六二〇〉。「いとなむ──無く嬉しき」〈源氏若菜上〉④喪。服喪。「御匣(みくしげ)殿は二月に内侍のかみになり給ひぬ。院の御──に、やがて尼になり給へる代りなりけり」〈源氏賢木〉⑤予想。推量。想像。「──のほかに、らうたげならむ人の閉ぢられ」〈源氏帚木〉⑥寵愛。「〔皇太子トシテ〕大方のやんごとなき御──にて」〈源氏桐壺〉　†ömöFi　**思ふ中に**

は垣(かき)**をせよ** 親しい間がらにおいては、却って礼儀を正しくせよ。「―といふ事あり」〈伽・かくれ里〉 **思ふ仲の小諍**(こいさかひ) 男女親しい仲は、却ってちょっとした喧嘩が起りがちであるの意。〈評判・吉原雀上〉

おもひあが・り オモイ:【思ひ上がり】〘四段〙 自分は高い価値ある存在で、低い者とは違うのだと思い込んでいる。気位を高くもつ。「いたう人人懸想しけれど、―・りて、男などもせでなむありける」〈大和一〇三〉。「はじめより我はと―・り給へる御かたがた」〈源氏桐壺〉 →おもひのぼり

おもひあつか・ひ オモイアツカイ【思ひ扱ひ】〘四段〙 心配してあれこれ世話をする。「このかみ心に(年上トシテノ気持デ)―・はれ給ふ」〈源氏東屋〉。「あさましく、いかがすべきと行事〔ノ人〕―・ひて」〈大鏡昔物語〉

おもひあつ・め オモイ:【思ひ集め】〘下二〙 心のうちにいろいろ考え合わせる。「さまざまに―・むる事し多かれば」〈源氏宿木〉

おもひあ・て オモイ:【思ひ当て】〘下二〙 ①推測して当てる。「まだ見ぬ御様なりけれど、いとしるく―・てられ給へる〔光源氏ノ〕御そば目を見過ぐさで」〈源氏夕顔〉 ②考えて割り当てる。「女房の中にも品品に―・てたるきはぎは、おほやけごとにいかめしうせさせ給へり」〈源氏柏木〉

おもひあは・せ オモイアワセ【思ひ合はせ】〘下二〙 ①心の中で事例をひき合わせる。「昔語に人の言ふを聞き、―・するに、いかなりけむ」〈枕三二〉 ②合点がいく。思いあたる。「〔夢ニツイテ〕今日なむ―・せつる」〈源氏若紫〉

おもひあ・へ オモイアエ【思ひ敢へ】〘下二〙 ①思い切る。「玉の緒の短き心―・へず」〈古今一〇〇二〉 ②考え及ぶ。「まだ―・へぬ程なれば」〈源氏東屋〉

おもひあま・り オモイ:【思ひ余り】〘四段〙(事が複雑で多くて)心の中だけで処理し切れない。「―・り甚(たい)もすべ無み(ナントモ仕方ガナイノデ)」〈万一三三五〉。「御文は―・り給ふ折折…聞え給ふ」〈源氏梅枝〉

おもひあり・き オモイ:【思ひ歩き】〘四段〙 心の中であれこれと思いめぐらす。「見奉りし人に似たるは無かりけりと―・く」〈源氏蜻蛉〉

おもひいた・り オモイ:【思ひ至り】㊀〘四段〙 胸のうちの考えが行きとどく。「―・らぬ事なく言ひ置きて」〈源氏浮舟〉 ㊁〘名〙 洞察。「人の親になり給ふままに、―深く」〈源氏横笛〉

おもひい・で オモイ:【思ひ出で】㊀〘下二〙 胸の底にあることを、表面に浮き出させる。思い出す。思い起す。「本辺は君を―・で、末辺は妹を―・で」〈紀歌謡四三〉 ㊁〘名〙 思い出すこと。また、その縁(よすが)となる事物。「やがてその―、恨めしき節あらざらむや」〈源氏帚木〉。「残らむ人の、―にも見よとて、絵をぞかく」〈かげろふ下〉

おもひいど・み オモイ:【思ひ挑み】〘四段〙(相手どって)心の中で張り合う。「はかなき事につけても―・み聞え給ふ」〈源氏紅葉賀〉

おもひい・り オモイ:【思ひ入り】㊀〘四段〙 ①望んで入る。慕って入る。「―・りたらむ山住みの心地し給ふ」〈源氏椎本〉 ②心の底まで思いにひたる。「かぎりなく恋ひて―・りて寝たる夜の」〈後撰一四二詞書〉 ③深く考えこむ。ふさぎこむ。「聖人、流所にして歎き悲しむで、―・りて死にぬ」〈今昔一〇ノ三四〉 ④惚れこむ。思いこむ。「二番目の子を、女房どもが何と―・りましたやら、是非に〔婿ニ〕と望みます」〈西鶴・胸算用三〉 ㊁〘名〙 惚れた相手。思い人。「何処ぞに―がなあるかいの」〈近松・今宮心中上〉

おもひい・れ オモイ:【思ひ入れ】㊀〘下二〙 ①深く心にかける。「辛きも憂きも、かたはらいたきことも―・れたるさまならで」〈源氏夕顔〉 ②しっかりと認める。「この世にて数に―・れぬ事も」〈源氏横笛〉 ③深く思いをめぐらす。考えこむ。「―・れたるさまに、心にくしと見る人も、〔酒ヲ飲ムト〕おもふ所なくわらひののしり」〈徒然一七五〉。「まことに―・れ給へるとおぼしくて、御姿もいたくしほれかへって居給へる御有様を」〈平家一〇・内裏女房〉 ㊁〘名〙 ①志。念願。「ゼン(善)ノミチニヲモイイレノアルヒト」〈日葡〉 ②考え。心底。「いかなる―にや、下人もなしにただ一人、少しの板びさしを借りて住みけるに」〈西鶴・諸国咄三〉 ③見込み。予期。あて。「今年は俵物買ひ年、―はありながら、ない物は銀(かね)にて」〈西鶴・織留一〉 ④愛情や好意・信頼などを寄せること。また、寄せられた愛情・好意・信頼など。「上〔着〕には、卵色の縮緬に―〔ヲ示スタメ〕の数紋」〈西鶴・一代男七〉 ⑤心持を表情に表わすこと。特に、俳優がせりふを言わずに体の動きや顔の表情で心持を表わす演技。「言はずに見物に少しづつの―にて呑み込まさる所」〈評判・役者口三味線京〉 ㊂〘副〙 思う存分。「この一歩で―食はう」〈伎・お染久松色読販序幕〉

おもひ・え オモイ:【思ひ得】〘下二〙 心の中で考えて或る結論を得る。さとる。「あさましと―・うる方もなく」〈源氏空蟬〉

おもひお・き オモイ:【思ひ置き】㊀〘四段〙 ①胸のうちにきめておく。「ひとへに物まめやかにしづかなる心のおもむきならむよるべ(女)をぞ終(つひ)の頼みどころには―・くべかりける」〈源氏帚木〉 ②(心中に)忘れずにいる。「露の命いつとも知らぬ世の中になどかつらしと―・かるる」〈後撰一〇〇九〉 ③あとに心を残す。思い残す。「憂き世に―・くこと候はず」〈平家七・忠度都落〉 ㊁〘名〙 将来に対する思い。かねて思っていること。「―は腹の病」〈仮・浮世物語一〉

おもひおき・て オモイ:【思ひ掟て】〘下二〙 胸の中で先のことを計画する。…しようと思い定める。「同じくは宮仕へやがてせさすべく―・てたり」〈源氏少女〉

おもひおく・れ オモイ:【思ひ後れ】〘下二〙 気持の中では思いながら先を越される。「〔出家ニ〕たどり薄かるべき女がたにだに皆―・れつつ」〈源氏若菜下〉

おもひおこ・し オモイ:【思ひ起し】〘四段〙 気持をふるいたたせる。気を取り直す。「からうじて―・して、弓矢をとりたてむとすれども」〈竹取〉

おもひおこ・せ オモイ:【思ひ遣せ】〘下二〙(遠くから)関心をよせる。「伊勢まで誰か―・せむ」〈源氏賢木〉

おもひおと・し オモイ:【思ひ劣し】〘四段〙 心の中で見くだす。「我よりは下﨟と―・したりしだに」〈源氏少女〉

おもひおと・り オモイ:【思ひ劣り】〘四段〙 心の中で(自分を)一段下のものと感じる。劣等感を抱く。「さりとて―・り卑下せむもかひなかるべし」〈源氏紅梅〉

おもひおもひ オモイオモイ【思ひ思ひ】 各人が内心に思うとおり。「―に書けと宣へば、皆心心にいどむべかめり」〈源氏梅枝〉

おもひおよ・び オモイ:【思ひ及び】〘四段〙《思いが深まって行き、その点にまでとどく意》 ①気づく。思いつく。「〔五十歳ノ賀ヲ〕人よりさだかに数へ奉り、仕うまつるべきよし、致仕の大臣―・び申されしを」〈源氏若菜下〉 ②予期する。推察する。「〔女ノ〕宮仕へは、さるべき筋にて、上も下も〔帝ノ寵愛ヲ〕―・び、出で立つこそ心高きことなれ」〈源氏行幸〉 ③心にかかっている。「大将の君は、この姫宮の御事を―・ばぬにしもあらざりしかば」〈源氏若菜上〉

おもひかか・り オモイ:【思ひ掛かり】〘四段〙 心のうちで思慕の念を寄せる。「めでたしと思はむを、死ぬばかりも―・れかし」〈枕二六八〉

おもひかぎ・り オモイ:【思ひ限り】〘四段〙 決心する。思い切

る。「今は斯かる方に―・りつる有様になむ」〈源氏手習〉

おもひか・け オモイ:【思ひ掛け・思ひ懸け】㊀『下二』①懸想する。「女を―・けて」〈後撰一三詞書〉②《予想を掛ける意》推測する。予想する。「冬ごもり―・けぬを木の間より花と見るまで雪ぞ降りける」〈古今三三一〉。「あり経れば―・けぬことをも見るかな」〈源氏東屋〉㊁『名』《オモヒガケとも》気にかけること。注意。思いより。「斯様になされては、人の―が御座るまい」〈虎明本狂言・腥物〉

おもひがな・し オモイ:【思ひがなし】『形シク』胸の中で切ない。気持が切ない。「家にある妹(いも)し―・しも」〈万三六八六〉

おもひか・ね オモイ:【思ひかね】『下二』①恋慕の情をじっと押え切れない。「秋の野にさ男鹿鳴きつ妻―・ねて」〈万三六七八〉②思案にあまる。「壱岐の島行かむたどき(方法)も―・ねつも」〈万三六九六〉。「力及ばぬ身に、思ひ給へかねてなむ」〈源氏若菜上〉

おもひがは オモイガワ【思ひ川】恋しさのやまないことを、絶えない川の流れになぞらえた語。「―たえず流るる水の泡のうたかた人にあはで消えめや」〈後撰五一六〉

おもひかへ・し オモイカエシ【思ひ返し】㊀『四段』①気持をひるがえす。「〔女ノ態度ヲ〕いとつらうもうれたうもおぼゆるに、強ひて―・せど、心にしも従はず苦しきを」〈源氏空蟬〉②過ぎ去った事を思い起こす。「見ずやいかにかくこそありけれ人の世を―・せば槿(あさがほ)の花」〈再昌草二〉。「垣ほ荒れつつ住み捨てし跡／古を―・せば涙落ち」〈白山万句慶長三・閏四・二〉㊁『名』思いざしの盃を返して差すこと。「助経が盃、―とて、十郎にこそ差したりけれ」〈曾我八〉

おもひかへ・り オモイカエリ【思ひ返り】『四段』気持が元へもどる。「こと人に逢ひはべりてのち…はじめの人に―・りて」〈後撰一〇五七詞書〉

おもひがほ オモイガオ【思ひ顔】内内思っているという表情。「寝(い)ぎたなしと―にひきゆるがしたる、いと憎し」〈枕二八〉。「思はぬ人を―にとりなす」〈源氏総角〉

おもひ・き オモイ:【思ひ来】『カ変』①思いつづけて来る。「あらたまの年の緒長く―・来(こ)し恋を尽さむ」〈万二〇八九〉②思って出て来る。「かりそめのゆきかひぢとぞ―・来(こ)し今は限りの門出なりけり」〈古今八六二〉 †ömöFiki

おもひき・り オモイ:【思ひ切り】『四段』①決心する。覚悟する。「屍(かばね)をば一の谷でさらさんと―・ったる直実(なほざね)ぞや」〈平家九・一二之懸〉②断念する。あきらめる。「世を―・るには、かくこそ心きよからめと」〈十訓抄九ノ六〉③《「思ひ切ったる」の形で》未練がましいところがない。大胆なまでに見事である。徹底している。「殊に当年の月、―・ったる月」〈沢庵書簡〉

おもひぐさ オモイ:【思ひ草・思ひ種】①(首を垂れて)物思いするように見える草。キセルソウのことという。また、ツユクサ・リンドウ・オミナエシ、のちにはススキの別名とも。「道の辺の尾花が下の―今さらになど物か思はむ」〈万二二七〇〉。「撫子をやがて―ともいへり」〈古今集註〉。「―とは、藤袴・紫苑などと記せり」〈心敬連歌自註〉。「―、りんだう也」〈匠材集三〉▽恋の歌に多く使われ、「思ひ種」とかけていうことがある。②物思いの種。また、物思いの相手。思い人。「日を経つつ繁さはまさる―あふ言の葉のなどなかるらん」〈千載六八四〉。「すずむしは、ふりはへて彼の―にたはれて、寝ぬ。明くれば帰しつ」〈嵯峨のかよひ路〉③《「相思草」の訓読語という》タバコの別名。「相合煙管(あひあひギセル)―」〈近松・丹波与作下〉

おもひく・し オモイ:【思ひ屈し】『サ変』《オモヒクッシの促音を表記しなかった形》(がっくりと)気をおとす。「〔自分ノ態度ガ〕いかにうひうひしく(ギゴチナク)古めきたらむなど―・し給へり」〈源氏椎本〉

おもひくだ・き オモイ:【思ひ砕き】『四段』ものをこまかくくだくように、あれこれ思い乱れる。千千に気持が乱れる。「降る雨の脚とも落つる涙かな細かに物を―・けば」〈かげろふ中〉

おもひくた・し オモイ:【思ひ朽たし】『四段』相手を駄目なものだと内心で見下げる。「かくこよなきさまに皆―・すべかめるも安からず」〈源氏葵〉

おもひくだ・り オモイ:【思ひ降り】『四段』望んで、くだる。望んでひっこむ。「〔田舎ニ〕―・りし事」〈源氏松風〉

おもひくづほ・れ オモイ:【思ひくづほれ】『下二』気持や意図がくじける。「我亡くなりぬとて、くち惜しう―・るな」〈源氏桐壺〉

おもひぐまな・し オモイ:【思ひ隈なし】『形ク』《思いに隈(くま)が無い意》①相手に対する思いやりがない。人の気持を顧慮しない。「かどかどしく癖をつけ、愛敬なく人をもて離るる心あるは、いと打ち解けがたく―・きわざになむあるべき」〈源氏若菜上〉②考えが至らない。「などて昔の人の御心おきてを持てたがへて―・かりけんと悔ゆる心のみまさりて」〈源氏宿木〉

おもひぐる・し オモイ:【思ひ苦し】『形シク』胸のうちが苦しい。「家の妹に物言はず来にて―・しも」〈万三四八一東歌〉

おもひくん・じ オモイ:【思ひ屈じ】『サ変』(がっくりと)気をおとす。「今日を限りに思し捨てつる古里と―・じて」〈源氏葵〉。「かくのみ―・じたるを、心も慰めむと」〈更級〉▽古くは促音の表記が不定であったから、「おもひくっし」の促音を「ん」で書いた形。実際はオモヒクッシと読んだもの。しかし、最近は、「ん」と書いてある表記にひかれてオモイクンジと連濁の形で読んでいる。

おもひけ・ち オモイ:【思ひ消ち】『四段』①忘れ難いことをつとめて忘れようとする。「よろづを―・ちつつ、お前にては物思ひなき様を作り」〈源氏宿木〉②内心で無視する。「宮仕への程にも、かたへの人をば―・ち、こよなき心おごりをばしつれ」〈源氏若菜上〉

おもひご オモイ:【思ひ子】最愛の子。愛児。「父母の―にて、かた時も見え給はねば、おぼし騒ぎ給ふ子なり」〈宇津保俊蔭〉

おもひこ・み オモイ:【思ひ込み】『四段』①深く心に思う。「―・うだる滝口に一度逢うて死すべきと」〈浄・滝口横笛四〉②一人ぎめでそうと思ってしまう。「悪(に)くやとばかり―・み、物知らずめと一討ちに」〈西鶴・男色大鑑四〉

おもひこ・め オモイ:【思ひ籠め】『下二』気持を内に秘める。気持を隠す。「恋しきも―・めつつあるものを」〈後撰七一三〉

おもひざ・し オモイ:【思ひ差し】㊀『四段』自分のこれと思う相手に盃をさす。相手を指定して盃をさす。「深く思し召し候はん方へ―・し給へ」〈曾我六〉㊁『名』相手を指定して盃をさすこと。「実兼は傾城(けいせい)の―しつる。うらやましくや」〈問はず語り一〉

おもひさま・し オモイ:【思ひ醒まし】『四段』たかまった気持を冷静にする。気持をしずめる。「強ひてこの事を―・さむと思ふ方にて」〈源氏若菜下〉

おもひしな・え オモイ:【思ひ萎え】『下二』胸のうちの気持がしおれる。「夏草の―・えて偲(しの)ふらむ妹が門見む」〈万一三一〉 †ömöFisinaye

おもひし・に オモイ:【思ひ死に】㊀『ナ変』恋い慕うあまり死ぬ。「くれなゐの色にな出でそ(顔ニ出スナ)―・ぬとも」〈万六八三〉㊁『名』苦悩・愛着のあまり死ぬこと。「―に死にたまひなば、おそろしくもこそ」〈宇津保菊宴〉

おもひし・み オモイ:【思ひ浸み】『四段』心にしみて深く思う。

深い執心を持つ。「〔花ニ八〕いとさしも―・まぬ人だに」〈源氏野分〉。「憂しと―・みにし世も」〈源氏葵〉

おもひし・め 【思ひ浸め】『下二』深く心にしみこませる。忘れさせない。「昔より―・め聞えてし心」〈源氏賢木〉

おもひしら・せ 【思ひ知らせ】『下二』自分の気持を、仕返しなどで相手にさとらせる。「心きたなきするのたがひめに〔仏ガ〕―・するなめり」〈源氏蜻蛉〉

おもひしらぬがほ 【思ひ知らぬ顔】内内の気持など分っていないような顔。素知らぬ顔。「〔志ヲ〕強ひて―に見消つも(無視スルノモ)」〈源氏帚木〉

おもひし・り 【思ひ知り】『四段』①内情や趣をわきまえる。さとる。「散りぬれば後は芥(あくた)になる花を―・らずもまどふてふかな」〈古今四三五〉。「今宵なむ、はじめて憂しと世(男女ノ仲)を―・りぬれ」〈源氏空蟬〉②身にしみて知る。「―・らずや、世の中の情は人の為ならず、我、人の為つらければ、必ず身にも報ふなり」〈謡・葵上〉

おもひす・ぎ 【思ひ過ぎ】『上二』胸の思いが消え去る。忘れる。「あすか河川淀さらず立つ霧の―・ぐべき恋にあらなくに」〈万三三五〉 †ömöFisugï

おもひすぐ・し 【思ひ過ぐし】『四段』①心にとめずやりすごす。「立つ霧の―・さず」〈万四〇〇三〉②考えているうちに時を過ごす。「ただ行方なき事をうち―・すに」〈更級〉

おもひすご・し 【思ひ過ごし】『四段』①心にとめずやりすごす。「あど為為(すす)か愛(かな)しけ児ろを―・さむ」〈万三五六四東歌〉②余計なことまで考える。「今から―・されて、一日も先に往生させて下されと」〈近松・冥途飛脚下〉

おもひす・て 【思ひ捨て】『下二』心の中で見すてる。「更にこの世の事かへりみじと―・つれど」〈源氏若菜下〉

おもひすま・し 【思ひ澄まし】『四段』①じっと考えて心を静める。「古き事どもなど―・し給ひて…書きつくし給ふ」〈源氏梅枝〉②悟り切る。「世を―・したる僧たちなどだに」〈源氏若菜上〉

おもひせ・き 【思ひ塞き】『四段』内心の思いの勢いをせきとめる。「―・く心の内の滝なれや」〈古今九三〇〉

おもひそ・め 【思ひ染め】『下二』(色がつくように)心のうちで思いこむ。「一本のなでしこ植ゑしその心誰に見せむと―・めけむ」〈万四〇七〇〉。「〔コノ子ハ〕さま殊に―・めたるものに侍り」〈源氏東屋〉 †ömöFisömë

おもひた・え 【思ひ絶え】『下二』断念する。あきらめる。「旅なれば―・えてもありつれど」〈万三六八六〉 †ömöFitaye

おもひたが・へ 【思ひ違へ】『下二』思い込みがはずれる。見込みちがいをする。「年頃心づけてあらむを〔自分ガ横取リシテ〕目の前に―・へむもいとほしく」〈源氏明石〉

おもひた・ち 【思ひ立ち】『四段』①考えをおこし、進んでそのことをする。「〔主上ヲ〕めでたしと見奉るとも心もて宮仕へ―・たむこそいとさし過ぎたる心ならめ」〈源氏行幸〉②目的地を心にかけて出発する。「強ひて遙遙(はるばる)と―・つべきにもあらず」〈古今序抄〉。「如月の十日余りの程に、善光寺へ―・つ」〈問はず語り四〉

おもひたは・れ 【思ひ婬れ】『下二』たわむれの心を内に持つ。「秋の野に―・れむ人なとがめそ」〈古今二四六〉

おもひたゆ・み 【思ひ弛み】『四段』はりつめた気がゆるむ。油断する。「〔モウ安心ト〕―・みたりつるに、〔急死シ〕あさましければ」〈源氏葵〉

おもひたらは・し 【思ひ足らはし】『四段』恋慕の情をいっぱいにする。「天地に―・し」〈万三二五八〉

おもひたわ・み 【思ひ撓み】『四段』心の内で力を失う。「ますらをの心はなしに、たわやめの〔ヨウニ〕―・みて」〈万九三五〉 †ömöFitawami

おもひつ・き 【思ひ付き】『四段』①愛慕の情がつく。「若草の―・きにし君が目に」〈万三二四八〉。「〔父ハコノ娘ニ〕もとよりいたう―・き給ふことなくて」〈源氏少女〉②敬慕の心がつく。慕いなつく。「されば人のなつかしく―・くなり」〈六波羅殿御家訓〉③付き従う。一味する。「西国の侍ども―・かぬさきに、腰越に馳せ向ひ候へ」〈義経物語四〉④心配や悩みごとが身に添う。「我さへ―・きぬる心地す」〈源氏若菜下〉⑤気がつく。「鳥刺し、鳥を逃がしたる挙句に、身の裸なる事を―・きて侍る」〈実悟記〉 †ömöFitüki

おもひつづ・け 【思ひ続け】『下二』①慕い続ける。「人一人の御有様を心のうちに―・け給ふ」〈源氏帚木〉②考え続ける。「あさましきことを―・くるに心弱くうち泣かれぬ」〈源氏玉鬘〉③感慨を歌によむ。述懐する。「康頼入道は東山双林寺にわが山荘のありければ、それに落ちついて、まづ―・けけり。『ふる里の軒のいたまに苔むしておもひしほどは漏らぬ月かな』」〈平家三・少将都帰〉

おもひつつ・み 【思ひ包み】『四段』内心につつみ隠す。「物を(夕顔ノ死ヲ)―・み」〈源氏玉鬘〉

おもひづま 【思ひ妻・思ひ夫】胸の中でいとしく思う妻、また夫。心をよせる妻、また夫。「仲さだめる―(妻)あはれ」〈記歌謡八九〉。「―(夫)、〔私ノ〕心に乗りて」〈万三三七八〉

おもひつ・み 【思ひ積み】『四段』心の中にになう。「筑波嶺のよけく長き日(け)に―・み来し憂へはやみぬ」〈万一七五七〉 †ömöFitumi

おもひつ・め 【思ひ詰め】『下二』心の中で思い込む。「かばかり―・めたる片端聞え知らせて」〈源氏若菜下〉

おもひつら・ね 【思ひ連ね】『下二』考えを心の中で次次に並べつづける。「憂き事を―・ねてかりがねの鳴きこそわたれ秋の夜な夜な」〈古今二二三〉

おもひ・で 【思ひ出】㊀『下二』「思ひいで」の約。「君を―・で」〈記歌謡五二〉㊁『名』①思い出す縁(よすが)となる物。「散りぬとも香をだに残せ梅の花恋しき時の―にせむ」〈古今(元永本)四八〉②(深く心にとどまる程の)無上の楽しみ。「よろこびの泪(なみだ)袖をうるほし、人界(にんがい)の―此の時にあり」〈信生法師集〉。「今も世はやすく捨ててむ年経(ふ)とも身の―のあらじと思へば」〈柳葉和歌集一〉

おもひど 【思ひ所・思ひ処】気にかかる所。欠点。「秘蔵すべき物…駿馬の―なき」〈仮・童蒙先習上〉

おもひと・き 【思ひ解き】『四段』①(そういうものだと)割り切る。「―・けば、物なむ恥づかしからぬ(何デモキマリノワルイコトハナイ)」〈堤中納言虫めづる〉②考えて理解する。「よく―・けば、詞かすかに、心こもりて、なほをかしく侍るべし」〈広田社歌合〉

おもひどち 【思ひどち】思いを寄せている者どうし。「上(主上)も〔源氏ト同様、藤壺女御ニ〕限りなき御―にて」〈源氏桐壺〉 →思ふどち

おもひとぢ・め 【思ひ閉ぢめ】『下二』あきらめをつける。「老いの波さらに立ち返らじと―・めて」〈源氏若菜上〉

おもひとど・め 【思ひ止め】『下二』①気持が先に進まないようにする。断念する。「かうまでうち出で給へれば、え―・め給はず」〈源氏浮舟〉②忘れずにいる。愛着を残す。「かくてつどへたる方方のなかにかの折の志ばかり―・むる人なかりしを」〈源氏玉鬘〉③注意している。「人柄のいたう静まりて、物をいたう―・めたりし心に、あはれもまさりて」〈源氏夕霧〉

おもひとま・り 【思ひ止まり】『四段』①一時、断念す

る。「げに折しも便なう—・り侍るに」〈源氏行幸〉②愛情がその人の上にとまって他へ動かない。「見そめつる契ばかりを捨て難く—・る人はものまめやかなりと見え」〈源氏帚木〉

おもひと・り (オモイ:)【思ひ取り】『四段』①さとる。会得する。「世の中をかりそめのことと—・り」〈源氏橋姫〉②胸中に決める。決意する。「ここに世を尽してむと—・り給へ」〈源氏椎本〉

おもひどり (オモイ:)【思ひ取り】この人と思う人から盃を受けること。「遙かに久しき御盃、—申さん」〈曾我六〉

おもひなが・し (オモイ:)【思ひ流し】『四段』①次次に思いを馳せる。「げに、なほ我が世のほかまでこそ、よろづ—・さるれ」〈源氏鈴虫〉②思いあきらめる。断念する。「一年切りの物と—・し」〈西鶴・浮世栄花一〉

おもひな・し (オモイ:)【思ひ為し】㈠『四段』①(心に)受け取る。見なす。「その男、身をえうなきものに—・して」〈伊勢九〉。「かかる折を待ちいでたるも〔二人ノ縁ガ〕更に浅くはあらじと—・し給へ」〈源氏帚木〉②決心する。「いかならむ世にかは〔宮ヲ〕見奉らむ。かかる折にと—・して参りける」〈源氏蜻蛉〉㈡『名』①特に思いをかけること。殊更に愛情をそそぐこと。「—めでたく、人もえおとしめ聞え給はねば」〈源氏桐壺〉②気のせい。…と思って見るせい。「—にや、なほ、いとよう〔実ノ父ニ〕おぼえたりかし」〈源氏柏木〉

おもひなずら・へ (オモイナズラエ)【思ひ擬へ】『下二』①…と同類であると内心思う。「世の憂き目見えぬ山路に—・へて」〈源氏初音〉②心の中でくらべる。「人柄もなべての人に—・ふれば、けはひこよなくおはすれど」〈源氏若菜下〉

おもひなだら・め (オモイ:)【思ひ宥らめ】『下二』寛大に考える。「世(男女)の中をみなさまざまに—・めて」〈源氏若菜上〉

おもひなほ・り (オモイナオリ)【思ひ直り】『四段』気持がもとのようになる。機嫌がよくなる。「いづくを又—・るべき折とか待たむ」〈源氏真木柱〉

おもひなら・ひ (オモイナライ)【思ひ慣らひ】『四段』いつも思う。思う習慣である。「〔父母ハ私ヲ〕取り分きて—・ひたるを」〈源氏若菜下〉

おもひな・り (オモイ:)【思ひ為り】『四段』だんだんそう思うようになる。その気になる。「なべて世の中すさまじう—・りて」〈源氏柏木〉

おもひね (オモイ:)【思ひ寝】①人を恋しく思いながら寝ること。「君をのみ—にねし夢なれば我心からみつるなりけり」〈古今六〇八〉②物事を思いながら寝ること。「今一度起せかしと—に聞けば」〈宇治拾遺二三〉

おもひねん (オモイ:)【思ひ念】強く恋い慕う心。執心。「〔月ノ出ガ遅イノデ〕—残らん月の二十日かな」〈俳・鷹筑波五〉

おもひねん・じ (オモイ:)【思ひ念じ】『サ変』①心でじっと祈る。「命長くとこそ—・ぜめ」〈源氏桐壺〉②心でじっとがまんする。「北の方、この程を見すてて知らざらむもひがみたらむと—・じて」〈源氏東屋〉

おもひのいへ (オモイノイエ)【思ひの家】《オモヒのヒを「火」に掛けていう》「火宅(くわたく)」に同じ。「世の中に牛(憂シト掛ケル)の車のなかりせば—をいかで出でまし」〈拾遺一三二一〉

おもひのこ・し (オモイ:)【思ひ残し】『四段』未練・執心を残す。あれこれの物思いをし残す。「かかる所に住む人、心に—・することはあらじかし」〈源氏若紫〉▽多く打消の語と呼応して使われる。

おもひのどま・り (オモイ:)【思ひ長閑まり】『四段』心がのんびりする。心が落ちつく。「少し—・りて聞えむ」〈源氏総角〉

おもひのど・め (オモイ:)【思ひ長閑め】『下二』①心の内を落ちつかせる。「心ちも騒ぎ惑へど—・めて」〈源氏夕顔〉②のんきにすごす。「知らぬ命の程を—・め侍りけるも」〈源氏柏木〉

おもひの・べ (オモイ:)【思ひ伸べ】『下二』気持をのびのびさせる。「いきどほる心のうちを—・べ」〈万四一五四〉 †ömöFinöbë

おもひのぼ・り (オモイ:)【思ひ上り】『四段』(身分・地位などを)高くと望む。「今一際まさらむと…なのめならず—・りしかど」〈源氏柏木〉

おもひば (オモイ:)【思ひ羽】オシドリ・カモ・キジなどの尾の両脇にある舵形の羽。剣羽。銀杏羽(いちょうば)。「此の鴛鴦(をし)とびあがり、—にて王の首を掻き落し」〈古活字本曾我五〉 ↓おもひあがり

おもひはか・り (オモイ:)【思ひ計り】『四段』ああしようこうしようと考える。「よき人にあはせむと—・れど」〈竹取〉

おもひは・て (オモイ:)【思ひ果て】『下二』①心の中で考えに考えた末、終極的な判断を下す。「憂く—・てにためれば」〈かげろふ中〉②断念する。「今はと世を—・つるほどの憂さ」〈源氏須磨〉③いつまでも愛し通す。「吾子(あこ)はらうたけれど(カワイイガ)、つらきゆかりにこそ、え—・つまじけれ」〈源氏空蝉〉

おもひはな・ち (オモイ:)【思ひ放ち】『四段』無関係だという気持になる。思い切る。「これをもよそのものとはえ—・つまじけれ」〈源氏総角〉

おもひはな・れ (オモイ:)【思ひ離れ】『下二』(相手に対する)気持が離れる。気持に距離が生じる。「心ばへ、かたちを見ればえ—・るまじう、らうたく心苦しきに」〈源氏東屋〉

おもひはらし (オモイ:)【思ひ晴らし】《オモヒバラシとも》悲しみ・心配などの気の塞ぎを晴らすこと。「それなりとも—にと」〈西鶴・五人女四〉

おもひはる・け (オモイ:)【思ひ晴るけ】『下二』気持を晴らす。内心の執着を解消する。「なほ、え—・けず」〈源氏夕霧〉

おもひびと (オモイ:)【思ひ人】慕わしく思う相手。愛人。「たのもしきもの。…心ちなどのむつかしきころ、まことまことしき—の言ひ慰めたる」〈枕二六五〉

おもひへだ・て (オモイ:)【思ひ隔て】『下二』胸の内で隔てをおく。「大人びまさり給へるを、—・てず、かなしと見奉り給ふ」〈源氏若菜上〉

おもひほ・れ (オモイ:)【思ひ惚れ】『下二』物思いでぼんやりする。「堪へがたう悲しければ、夜昼—・れて」〈源氏松風〉

おもひまう・け (オモイモウケ)【思ひ設け】『下二』心の中で準備する。「人に見付けられず出でてゆくべき方を—・けつつ」〈源氏浮舟〉

おもひまが・へ (オモイマガエ)【思ひ紛へ】『下二』似ているので、その物・その人ではないかと心に思う。錯覚する。「あやしう、ただそれかと—・へらるる折折こそあれ」〈源氏胡蝶〉

おもひま・し (オモイ:)【思ひ坐し】『四段』《思ヒイマシの約。「思ひ」の尊敬語》お思いになる。「彦星の—・すらむ心より見るわれ苦し夜の更けゆけば」〈万一五四四〉

おもひま・し (オモイ:)【思ひ増し】『四段』思う心が一層まさる。一層愛する。「何を桜に—・さまし」〈古今七〇〉

おもひまつは・し (オモイマツワシ)【思ひ纏はし】『四段』慕う気持をからませる。「煩はしげに—・す気色見えましかば、かくもあくがらさざらまし」〈源氏帚木〉

おもひまつは・り (オモイマツワリ)【思ひ纏はり】『四段』慕いまつわりついてはなれない。「藤波の〔ヨウニ〕—・り」〈万三二四八〉

おもひまとは・ひ (オモイマトワイ)【思ひ迷はひ】『四段』《思ヒマトヒに反復・継続の接尾語ヒのついた形。↓ひ》思い迷いつづける。「闇夜なす(闇路ヲフミ迷ウヨウニ)—・ひ」〈万一八〇四〉 †ömöFimatoFaFi

おもひまど・ひ (オモイマドイ)【思ひ惑ひ】『四段』《古くはオモヒマトヒと清音》気持が迷う。「朝霧の—・ひて」〈万三三四四〉 †

ömöFimatoFi

おもひ・み (オモイ::)【思ひ見・惟み】『上一』胸のうちになやむ。思いめぐらす。「梓弓引きみゆるへみー・みてすでに心は寄りにしものを」〈万二九八六〉 †ömöFimi

おもひみだ・れ (オモイ::)【思ひ乱れ】『下二』あれこれ思って気持が整理できない。「否(な)(い)といはば強ひめやわが背菅(すが)の根のー・れて恋ひつつもあらむ」〈万六七九〉 †ömöFimi-dare

おもひむすぼほ・れ (オモイムスボオレ)【思ひ結ぼほれ】『下二』「思ひ結ぼれ」に同じ。「わららかに(陽気デ)賑はしくもてなし給ふ本性ももて隠して、いといたうー・れ」〈源氏真木柱〉

おもひむすぼ・れ (オモイ::)【思ひ結ぼれ】『下二』胸のうちが結ばれて、晴れない。気がふさいでいる。「鶴が鳴くなご江の菅のねもころにー・れ嘆きつつ」〈万四一一六〉

おもひむせ・び (オモイ::)【思ひ咽び】『四段』心のうちでむせび泣く。「御直衣姿世になくなまめかしう、まばゆき心地すればー・べる心の闇もはるるやうなり」〈源氏松風〉

おもひもの (オモイ::)【思ひ者】愛人。近世では、男にも女にもいう。「ーあまた有りければ、腹腹(はら)(ばら)の子ども多かりけり」〈保元中・為義最後〉。「妾とはーなり」〈春秋抄五〉

おもひやす・み (オモイ::)【思ひ休み】『四段』思い忘れる。気にかけない。「おしてる難波の国は、葦垣の古(ふ)りにし郷(さと)と人皆のー・みて」〈万九二八〉 †ömöFiyasumi

おもひやすら・ひ (オモイヤスライ)【思ひ休らひ】『四段』決心がつきかねる。ためらう。「いさよふ月にゆくりなくあくがれむことを女はー・ひ」〈源氏夕顔〉

おもひや・み (オモイ::)【思ひ止み】『四段』あきらめる。思いとまる。「おとどの御心のいとつらければ、さはれ、ー・みなむと思へど」〈源氏少女〉

おもひや・み (オモイ::)【思ひ病み】『四段』胸の内になやむ。悶悶とする。「さにつらふ君がみ言と玉づさの使も来ねばー・む我が身ひとりそ」〈万三八一一〉 †ömöFiyami

おもひや・り (オモイ::)【思ひ遣り】㊀『四段』①心配ごとを追いやる。気持を晴らす。「わが背子を見つつし居(を)ればー・る事もありしを」〈万四〇〇八〉 ②(遠くへ)気持を馳せる。「昔をー・りて見れば」〈土佐二月九日〉 ③想像する。推察する。「下(しも)つ方ー・るにあながちに丈高き心地ぞする」〈源氏夕顔〉 ㊁『名』①想像。推察。察し。「よそのーはいつくしく、物馴れて見え奉らむも恥づかしく推し量られ給ふに」〈源氏若菜下〉 ②思慮。「いにしへのすきはー少なきほどのあやまちに仏神も許し給ひけむ」〈源氏薄雲〉

おもひゆる・し (オモイ::)【思ひ許し】『四段』心の内で許す。「こたみはさもありぬべしとー・して帰りぬ」〈源氏手習〉

おもひよ・せ (オモイ::)【思ひ寄せ】『下二』①あれとこれとを引きつけて考える。思い合わせる。「もて離れたる事をもー・せて疑ふもをかし」〈源氏帚木〉 ②当て推量する。「それかかれかなどー・すれば」〈徒然一三七〉

おもひよそ・へ (オモイヨソエ)【思ひ寄そへ】『下二』①思い合わせる。考え合わせる。「着給はむ人の御かたちにー・へつつ〔衣ヲ〕奉れ給へかし」〈源氏玉鬘〉 ②思い較べる。「つれなき人の御けはひにも通ひて、ー・へらるれど、いらへにくくて」〈源氏総角〉 ③(それとは別のものなのに、それであるかのように)心の中で思いなす。なぞらえる。「〔猫ガ〕らうたげに打ち鳴くもなつかしく、〔女三宮ニ〕ー・へらるるぞすきずきしきや」〈源氏若菜上〉

おもひよ・り (オモイ::)【思ひ寄り】『四段』①胸に思って、相手に近寄る。「ー・り見ては寄りにしものにあれば一日の間も忘れて思へや」〈万二四〇四〉 ②心がひかれる。愛着する。「〔姫宮ニ〕ー・り聞ゆるあらば、知らず顔にて許してむ」〈源氏椎本〉 ③それと気づく。思い当る。「うちほほゑみて宣ふ御気色を、心とき者にてふとー・りぬ」〈源氏葵〉 †ömöFiyöri

おもひよわ・り (オモイ::)【思ひ弱り】『四段』我(が)を折る。心弱くなる。「本意ならざりし事とておろかにやはとー・り給ひて」〈源氏総角〉

おもひわ・き (オモイ::)【思ひ分き】『四段』あれとこれとは別だと心の中で考える。区別する。判断する。「さばかりの色もー・かざりけりや」〈源氏野分〉。「夢も現(うつつ)もー・かず」〈平家三・有王〉

おもひわ・け (オモイ::)【思ひ分け】『下二』「思ひ分き」に同じ。「これを他人とー・けたること」〈源氏東屋〉

おもひわす・れ (オモイ::)【思ひ忘れ】『下二』胸の内で忘れる。「昔の事のかくー・れぬも」〈源氏夢浮橋〉

おもひわた・し (オモイ::)【思ひ渡し】『四段』①連想する。「〔光源氏ヲ〕かかるほどより明けくれ見し。さればー・さるるにやあらむ。いとよくこそおぼえたりけれ」〈源氏紅葉賀〉 ②気がつく。「大将にや。かうばしきけはひなどもー・さるるに、いと恥づかしく」〈源氏東屋〉

おもひわた・り (オモイ::)【思ひ渡り】『四段』思い続けて月日を経る。「月頃悔しとー・る心のうちの苦しきまでなりゆくさまを」〈源氏宿木〉

おもひわ・び (オモイ::)【思ひ侘び】『上二』思う気力もなくす。「大夫(ますらを)のー・びつつ度(たび)まねく嘆く嘆きを負はぬものかも」〈万六四六〉。「〔恋ガ〕かなはぬうれはしさをー・びて」〈源氏若菜下〉 †ömöFiwabi

おもひわぶ・れ (オモイ::)【思ひ侘ぶれ】『下二』思う気力も失せる。「たちかへり泣けども吾はしるしなみー・れて寝る夜しそ多き」〈万三七五九〉

おもふおもふ (オモウオモウ)【思ふ思ふ】『副』思いつつ。思いながら。「見ぐるしきわざかなとーゐざりいでて」〈和泉式部日記〉

おもぶ・け【趣け】『下二』《オモムケの子音交替形》①説いて同意させる。「教へ賜ひ、ー・け賜ひ、答へ賜ひ、宣り賜ふまにまに、此の食(を)す国の天の下の政を行なひ賜ひ」〈続紀宣命六〉 ②教化服従させる。「民を導く本は、教へ化(おもぶ)くるにあり」〈紀崇神十年〉 †ömöbuke

おもふこ (オモウ::)【思ふ子】思い者。恋人。「鶯の待ちかてにせし梅が花散らずありこそーがため」〈万八四五〉 †ömöFuko

おもふさま (オモウ::)【思ふ様】①理想どおりの状態。申し分のない様子。「君もかうぶり(元服)せさせて、いとーなり」〈源氏澪標〉 ②思う存分。思うまま。「父親王(みこ)もーに聞え交し給ふ」〈源氏賢木〉

おもふどち (オモウ::)【思ふどち】相思う人人。親しい者どうし。心の合った者どうし。「ーかくし遊ばむ」〈万三九九一〉 †ömöFudoti

おもぶる【従容・徐】ゆっくりと物静かなさま。おもむろ。「ーに語(まを)して」〈紀神代下〉 ▽漢文訓読体で使う語。 †ömöburu

おもふゐに (オモウ::)【思ふゐに】『連語』《思フユヱニの約》思うから。思うので。「ーあふものならばしましくも妹が目離(か)れて吾居らめやも」〈万三七三一〉 †ömöFuweni

おもへらく (オモエ::)【思へらく】《思へりのク語法》思っていることには。「王、以為(おもへらく)、奇特なりと」〈大唐西域記一・長寛点〉 †ömöFeraku

おもへ・り (オモエリ)【面へり】㊀『ラ変』《オモヒアリの約。心の中の情が面にあらわれる意》顔つきをしている。「小金門(をかなと)にもの悲しらにー・りし我が子の刀自(とじ)を」〈万七二三〉 ㊁『名』顔つき。表情。「それ臣下と云ふものは…対(むか)ひては礼(ゐや)なき—なく後には謗る言無く…侍(かつ)へ奉るべきものにあり」〈続紀宣命四四〉 †ömöFeri —しく【面へりしく】《面へリキのク語法》 顔に現わしていたこと。表情。「夜のほどろわが出でてくればわぎも子が—し面影に見ゆ」〈万七五四〉

おもほ・え【思ほえ】〘下二〙《オモヒの自発形。エは自然にそうなる意。普通ならばオモハエとなるはずの所、ömö の母音 ö に同化されて ömöFö となったもの》 自然に、思われる。ひとりでに、思われてくる。「〔死ンダ子供ガ〕間(あひだ)もなくも—・ゆるかも」〈紀歌謡一一八〉。「苦しければ、何ごとも—・えず(感興ガワカナイ)」〈土佐一月十八日〉 †ömöFöye **—ず**【思ほえず】〘副〙 思いがけず。「—来ましし君を佐保川の河蝦(かはづ)聞かせず帰しつるかも」〈万一〇〇四〉

おもほ・し【思ほし】〘四段〙《「思ひ」の尊敬語。普通はオモハシとなる形であるが、前行する ömö の ö という母音に同化されて ömöFö となったもの》 お思いになる。「〔天皇〕黄金(くがね)かもたしけくあらむ(不足ダロウカ)と—して心(した)悩ますに」〈万四〇九四〉。「昔の御志のやうに—・さばいとうれしく」〈源氏東屋〉 †ömöFösi **—む・け**【思ほし向け】〘下二〙 お志しになる。「うち解け給ふさまならぬは、うちうちに、さりとも—・けたる事の様あらむ」〈源氏総角〉 **—め・し**【思ほし召し】〘四段〙《「思ほし」より敬意の厚い尊敬語。→召し》 お思いあそばす。おぼしめす。「いかさまに(ドノヨウニ)—・せか」〈万二九〉

おもほ・し【思ほし】〘形シク〙 心に考えている。願わしい。「—・しき言(こと)伝(つ)てやらず」〈万三九六二〉 †ömöFösi

おもほてり【面火照り】 感情がおのずと表われて顔がほてること。「目つづらかに(キョロキョロト瞳ガオチツカズニ)—して、驚き恐りて隠る」〈霊異記下四〉。「客作色とは、外典には色を作してとよむ也。さて是を、をもほでりとよむことも有る也」〈御書抄一〉

おもほゆらく【思ほゆらく】《思ホエのク語法》 思われること。「長き夜をひとりや寝むと君が言へばすぎにし人の—に」〈万四六三〉 †ömöFöyuraku

おもむ・き【面向き・赴き】㊀〘四段〙《強制されることもなく、顔がそちらに向く意。転じて、心が向く、そちらへ行く、同意する意》 ①(…の方向へ)向く。「〔風ハ〕…良き方に—・きて吹くなり」〈竹取〉 ②(…へ)行く。「彼岸に—・く者(ひと)には、為に船筏を作り給ふ」〈地蔵十輪経一・元慶点〉。「今日を限りの東路に—・かれけむ心の中」〈平家三・六代〉 ③志す。「ひたみちに行ひに—・きなむに」〈源氏御法〉 ④(話合いによって)同意する。従う。「語らふに、二人は—・きにけり」〈源氏玉鬘〉 ㊁〘名〙【意・趣】《それとなく示されている心持。自然に気持の向く方、また、その気持の具体化されたものの意》 ①心のありかた。「人の心のとあるさま、かかる—を見ゆるに」〈源氏若菜上〉 ②意味。趣旨。「仏の教へ給ふ—は」〈方丈記〉 ③様子。調子。「〔強ク〕言ひ出で給ふ事の—より傍(かた)へは臆せられ給ふなんめり」〈大鏡道長〉 ④風情。おもしろみ。「水の—山のおきてを改めて」〈源氏少女〉

おもむ・け【面向け】㊀〘下二〙《相手の面(おもて)を、こちらの意中の方へ向けさせる意》 ①向わせる。行かせる。「〔私ヲ〕本意ならぬ方に—・け給ひしが、ねたく怨めしかりしかば」〈源氏宿木〉 ②とりなして従わせる。説いて同意させる。「とけがたかりし〔御息所ノ〕御気色を—・け聞え給ひてのち」〈源氏夕顔〉 ③(自分の意向に同調させようと)ほのめかす。匂わせる。「思ひ捨てぬものに〔娘ヲ〕数まへ給へなど、—・けつつ聞え給へば」〈源氏椎本〉 ④意向の通りに、それとなく事をはこぶ。「かかる〔婿選ビノ〕御定めども出で来たなる折に、さやうにも—・け奉りて〔自分ノ息子ガ〕召し寄せられたらむ時」〈源氏若菜上〉 ㊁〘名〙 ①意向。気持。「まだはかばかしう人の—をも見知り給はず」〈源氏若紫〉。「御—に随ひ聞えずなりにし」〈源氏総角〉 ②(気持に添う)事の運び。「〔世人ガ〕言ひ出づる事なくてやみぬるばかりの人の御—も…いかが覚し出でざらむ」〈源氏須磨〉 →おもぶけ

おもむろ【徐】 ゆっくりと物静かなさま。「舒、オモフル・オモムロ、徐同」〈色葉字類抄〉 ▽漢文訓読体で使う語。

おももち【面持】《動作に伴う表情の意。類義語オモヤウは生れつきの顔だち》 表情。顔つき。「見返り給へる—、もてなしなど、いとおいらかに」〈源氏若菜上〉。「御使、今日は—など人人しく振舞ふめり」〈源氏藤裏葉〉

おもや【母屋・表屋・面屋】 ①家の中央の部分。ひさし・廊下などに対していう。「—の内には、女ども番に居りて守らす」〈竹取〉 ②屋敷内の主人家族の住む主要な部分。「—借屋の軒の遠山」〈俳・二葉集〉 ③本家(ほんけ)。本店。主家。「帰りに—へ尋ね候て」〈多聞院日記慶長四・九・二八〉 **—づくり**【面屋作・表屋作】 本普請の商家の家屋敷をいう。表の二階作りの見世の奥に平家を建て続けた建て方。「おもてづくり」「おもてやづくり」とも。「此たび—の普請を望めど」〈西鶴・永代蔵六〉

おもや【面や】 未詳。ヤはイヤ(彌)の約で、顔がいよいよの意か。一説オモワ(面輪)の転で、顔面の意。「今日見れば—めづらし都方人(かたひと)」〈万四二一七〉 †ömöya

おもやう【面様】 生れつきの顔だち。「しもがちなる—」〈源氏末摘花〉。「—よき人の」〈枕二九四〉

おもらか【重らか】《「軽(かろ)らか」の対》 ①いかにも重そうなさま。「大の男の—に歩みなして」〈義経記六〉 ②どっしりしているさま。慎重。「惣じて庶人のふるまひは—に詞少なにて」〈十訓抄一ノ二八〉 →おもりか

おも・り【重り】㊀〘四段〙 ①目方が重くなる。「〔雪ガ〕—・る上葉の程ぞ聞ゆる」〈風雅八〇三〉 ②病気が重くなる。重態になる。「—・り給へるよしをも聞き驚き」〈源氏柏木〉 ㊁〘名〙【錘】 重さを加えるためにつけるもの。秤(はかり)の分銅など。「—なしの斗鶏(いけ)」〈駿府記慶長一九・六・四〉。〈日葡〉 **—か**【重りか】 ①目方が重そうなさま。「衣箱の—に」〈源氏末摘花〉 ②軽軽しくないさま。「若びたる声の、殊に—ならぬを」〈源氏末摘花〉 **—づきん**【錘頭巾】 左右の端に錘をつけ、ひらひらしないようにした女用の頭巾。沢之丞帽子。錘帽子。「首筋より上ばかりに入物十六品(しな)あり…際墨(きはずみ)・—・留め針」〈西鶴・好色盛衰記三〉

おもわ【面輪】《ワは輪郭の意》 顔。「望月(もちづき)の満(た)れる—に花のごと笑みて立てれば」〈万一八〇七〉 †ömöwa

おもわすれ【面忘れ】 顔を見忘れること。「—いかなる人のするものそわれはしかねつ継ぎてし思へば」〈万二五三三〉 †ömöwasure

おもん・じ【重んじ】〘サ変〙《奈良時代のオモミシの音便形。漢文訓読体の用語。カロミシ・カロンジ、ウトミシ・ウトンジ、ヤスミシ・ヤスンジの類》 重く見る。大切に扱う。「龍王心に人趣を欣(よろこ)び、情に聖族を重(おも)むず」〈大唐西域記三・長寛点〉。「義を—・ぜぬ主人に対しては命を捨てぬ」〈天草本金句集〉

おもんばか・り【慮り】㊀〘四段〙「おもひはかり」の音便形。「慮、ヲモンバカル」〈天正十八年本節用集〉 ㊁〘名〙 ①思慮。「猟師なれども—ありければ、狸を射害(いころ)し」〈宇治拾遺一〇四〉 ②計画。策略。「請ふ、其の略(おもはかり)を

陳(の)べむ」〈大唐西域記五・長寛点〉

おもん・み【惟み】『上一』《オモヒミの音便形》考えてみる。つくづく思いめぐらす。「但ー・みれば、宿縁をもて慈尊に逢ふ事を得たり」〈八幡宮巡拝記下〉

おや【親】①母親。「香ぐはしきーの御言朝暮に聞かぬ日多(まね)く」〈万四一六九〉②父母。「みさごゐる荒磯に生ふるなのりそのよし名は告(の)らせ父母(おや)は知るとも」〈万三六三〉③祖先。「人の子はーの名絶たず」〈万四〇九四〉④父親。「時時は返り事し給へとーも継母もいひければ」〈大和一四二〉⑤物のはじめ。元祖。「物語のいできはじめのーなる竹取の翁〔ノ物語〕」〈源氏絵合〉⑥上に立つもの。かしら。長。「〔和琴ヲ〕物(楽器)のーとしたるにこそあめれ」〈源氏常夏〉。「世のーとおはします」〈栄花疑〉 ▽オイ(老)と同根。 **ーは無いか**《この子を生んだ親はいないか、その得意な顔を見たいという意》美貌や芸能などの優れているのをほめることば。「親は親は」「親が見たい」なども。「ー舞ふはいたいけな小蝶かな」〈俳・鷹筑波五〉

おやかた【親方】①(血縁ではないが)親のように世話する人。親側の立場の人。「〔薫ハ中君ノ〕ーになりて聞え給ふ」〈源氏総角〉②同族集団の本家。一家・一門の中心となる者。「ーより馬なんどを得ては」〈六波羅殿御家訓〉③《一門の後継者であるところから》長男。長兄。「兄はーなれば親を扶持申さんといふ。弟は次男なればとて」〈伽・十本扇〉④《封建的な主従の関係は親子関係に擬せられたので、奉公人などの方から見て》主人。「奉公をするとも一段よいぞ。…ーから細細(さいさい)物を取るぞ」〈周易抄〉⑤商人の頭(かしら)。領内の市場を管理し、同業者を支配した御用商人など。「簗田、諸商人ーに候間、諸商売の儀簗田に申し付くべきの事」〈簗田文書天正一七・七・一三〉⑥歌舞伎で、老人の役に扮する俳優。親仁方(おやじかた)。「月の烏(月ノ夜ニ烏ノナク演技ヲシテイルノハ)さては子方かーか」〈俳・両吟一日千句〉 **ーがかり**【親方掛り】親方に扶養されている者。奉公人。「町人のー」〈西鶴・諸艶大鑑八〉

おやが・り【親がり】『四段』親だという様子を外に示す。「〔実子・継子ノ〕いづれも分かずー・り給へど」〈源氏紅梅〉。「常よりもー・りありき給ふ」〈源氏薄雲〉

おやげ【親気】親らしい様子。また、親らしいやさしい心。「人のーなくかたはなりや」〈源氏行幸〉。「主は主のやうに、ーを持たでは内の者が使はれまいぞ」〈周易抄〉

おやこ【親子】①親と子と。また、親と子の関係。「一人出で離れて…ーを離れむことは世の中にひがめるものになりぬべし」〈源氏若菜下〉②親戚。親類。「はつ午に女房のー振舞て」〈俳・炭俵上〉

おやごころ【親心】①親としての心づかい。「いとさかしらなる御ーなりかし」〈源氏胡蝶〉②親に対するような心。「〔ドノ人ニ対シテモ〕あまねきーに仕うまつり給ふにも」〈源氏匂宮〉

おやざま【親様】(親ではないが)親のような様子。親のよう。「ーに定めたるにて」〈源氏若菜上〉

おやざめ【親鮫】鮫の皮の粒が大きくて柄(つか)の飾りとなるもの。「其の柄糸のほつれそめ、我ー(父親ヲ指ス)のつれなさを」〈近松・女腹切上〉

おや・じ【同じ】『形シク』「おなじ」の古形。奈良時代には両形とも使われた。「橘は己が枝枝生(な)れれども、玉に貫(ぬ)く時ー・じ緒に貫く」〈紀歌謡一二五〉。「妹もわれも心はー・じ」〈万三九七八〉。「種種に駆使せむこと諸の僕庶にー・じくせむ」〈地蔵十輪経三・元慶点〉 ▽活用の例が少ない。もとは体言であったのだろう。

おやしらず【親不知】①「親不知子不知」に同じ。「ーぢゃと聞くも海際」〈俳・玉江草四〉②最もおそく生える上下左右四枚の奥歯の俗称。第三大臼歯。知歯。「姥桜(うばざくら)生ゆる若葉やー」〈俳・毛吹草五〉 **ーこしらず**【親不知子不知】波の荒い海岸やけわしい山中で、親子でも助け合う暇もないほど危険な道。越後国頸城(くびき)郡市振(いちぶり)・駿河国庵原(いはら)郡興津付近などにこの地名があった。「親知らず」とも。「下(しも)の浜を眺むれば、ーとや」〈伽・万寿の前〉

おやしろ【親代】親に代って、子供を養育する人。「殿の二歳の時より、家安ーとなって、夜は胸にかかへ奉って」〈盛衰記二〇〉

おやぞん【親孫】親の性格・気風を子がよくうけついでいること。親ゆずり。「親の孫(そん)」とも。「声よきはーなれや時鳥(ほととぎす)」〈俳・毛吹草五〉

おやだんな【親旦那】町家で、当主の父親。大旦那。「この銀子(ぎんす)は、隠居の祖母(ばば)への寺参り銀(がね)とて、ーが分け置かれ」〈西鶴・胸算用四〉

おやぢ【親仁・親爺】①父親。「人の親をー・おやぢいなど言ふ」〈俳・かたこと三〉②老人。「隠居のーの取って置き銀」〈西鶴・一代男三〉③親方。頭(かしら)。主人。「傾城屋の亭主をーと云ふ由」〈俳・かたこと三〉

おやぢゃひと【親ぢゃ人】親である人。親。「おやぢゃもの」とも。「してして、ーはなんとしてゐらるるぞ」〈虎明本狂言・武悪〉

おやつ【お八つ】①八つ時。八つ。真宗寺院では、午後二時の勤行の時。また、その勤行。「六条〔ノ本願寺〕へ参りて待つやー時」〈俳・絵合下〉。「ーを欠かさず道場につめ」〈評判・朱雀遠目鏡序〉②気違い。「気違ひを大坂にてはーと云へり」〈譬喩尽六〉

おやつぶ【親粒】鮫の皮にある数珠玉ぐらいの大きな粒。その周囲に小粒が八粒あって九曜星の形をなす。柄(つか)の飾りにするので、形の悪い物は鹿の角で偽造してはめ込む。「ーの大きなるを、取望み申したく候」〈貞徳文集上〉

おやのひ【親の日】親の命日。「今日はーぢゃとて、寺へ参りければ」〈咄・昨日は今日上〉

おやぶん【親分】①かりに親ときめて頼りにする人。「甲州〔殿〕は長門殿のーと云ひ、位階と云ひ、長門より打ち上がって居給ふべき事なるに」〈毛利家記六〉②奉公・縁談などの時、親代りになって世話をし、また、その責任を取る人。「私がーになり、孫太郎を請人(うけにん)にして埒(らち)明けました」〈伎・夕霧七年忌〉③侠客・博徒などの仲間で、頭(かしら)をいう。「ーは美しいの(女房)を阿魔(あま)呼ばり」〈雑俳・万句合明和三〉

おやま【お山】《近世、上方で》①京都製の女人形。「都の人形作りが女体の人形を作り、この名をーと名付くる」〈正事記三〉②あやつり人形の女形(おんながた)。「虎屋(浄瑠璃太夫ノ名)がー」〈評判・美夜古物語〉③歌舞伎の女形。「近代の風俗、ー吉彌が真似(まね)」〈西鶴・男色大鑑六〉④色茶屋などに勤める商売女。また、遊女。「〔茶屋ニ居テ〕人をあしらふ女をーと言ふなり」〈仮・都風俗鑑四〉⑤女。「お染が顔をつくづく見て、『ーは、がいに美しい』と」〈浮・好色年男三〉 **ーぐるひ**【お山狂ひ】遊女に溺れること。遊女狂い。「ーに眼が暗み」〈近松・氷の朔日上〉 **ーぢゃや**【お山茶屋】遊女を抱えている茶屋。色茶屋。「下の茶屋はーなり」〈俳・石車三〉 **ーにんぎゃう**【お山人形】人形浄瑠璃の女方人形。また、女の人形。「ーとて、都に流行(はや)るを持ち歩くなり」〈評判・

美夜古物語〉

おやめ・き【親めき】『四段』①いかにも親であるかのように振舞う。「人の—・きて若宮をつと抱きて」〈源氏若菜上〉②(親が)親らしく心配し、世話をする。「〔父帝ガ〕ただの—・きて」〈源氏東屋〉

おやゆび【親指】第一指。「足は八もん三分に定め、—反ってうらすきて」〈西鶴・一代女二〉

おゆどの【御湯殿】⇩ゆどの。 **—こ**【御湯殿子】御湯殿女に主君の情が掛かって生れた子。「丹波国の一城主由留木(ゆるぎ)殿の—」〈近松・丹波与作上〉 **—のうへ**【御湯殿の上】⇩みゆどののうへ。「昼—にて、源中・甘露寺・綾小路・予に御酒あり」〈言国卿記文明六・三・一七〉 **—をんな**【御湯殿女】「ゆどの」(2)に奉公する女。御湯殿仕(し)。「やり手には—のあらけなきを付け置き」〈西鶴・浮世栄花一〉

おゆび【拇・親指】《オホユビの約》親指。「膏薬(かうやく)を頂香(とうちんかう)ほど取り出し、—の腹にまんまと塗り」〈虎寛本狂言・膏薬煉〉

おゆらく【老ゆらく】《老イのク語法》年とること。「君が日にけに—惜しも」〈万三二四六〉

およが・し【泳がし】『四段』客を次第に遊蕩に深入りさせる。「歴歴の帥中間(すいなかま)も—・されて」〈西鶴・男色大鑑六〉

およ・ぎ【泳ぎ・游ぎ】『四段』《図書寮本名義抄に、オヨキと清点がある。古くは清音か》手足やひれを動かして、水中・水面を進む。「池に—・ぐ魚」〈源氏手習〉

およしを【老し男】《オヨシは上二段動詞オイ(老)から派生した形容詞。シク活用で原形のまま名詞につづく》年老いた男。コヒ(恋)・コホシ、ヨロコビ(喜)・ヨロコボシの類。「か行けば人に厭はえかく行けば人に憎まえ—はかくのみならし」〈万八〇四〉 †öyösiwo

およす・げ『下二』《活用形は連用形だけしかない。オヨスは老イの他動詞形。名義抄に「耆、オヨス」の例がある。ゲは本来、気(け)の意の名詞。したがって、年とった様子の意が原義。それがワラハゲ(童)と同じく、下二段活用の語尾として使われたもの》①大人ぶる。ませる。「いで、—・げたることは言はぬぞよき」〈源氏帚木〉②成長する。発育する。「日日に物を引き延ぶるやうに—・げ給ふ」〈源氏若菜上〉③老成する。「あざやかに抜けいでて—・げたる方は、父おとどにもまさりざまにこそあめれ」〈源氏藤裏葉〉。「昼は事そぎ(簡略デ)—・げたる姿にてもありなむ」〈徒然一九一〉 ▽オヨズケと読むのも、本文をオヨヅケと改めるのも誤。古写本に「およつけ」とあるものはない。

およそ【凡そ】《オホヨソの転》㊀『名』①普通。ひと通り。「—の人だにあり。まして平生の知音(ちいん)ぞ」〈山谷詩抄八〉②通り一遍。いいかげん。「〔アノ狐ハ〕国内通のものなれば—にしては叶はじとて」〈虎明本狂言・釣狐〉㊁『副』大体。一般に。「—忠臣と云ふは、君のため名を惜しみて、命をば惜しまぬなり」〈十訓抄六ノ五〉。「凡、ヲヨソ・ナベテ」〈和漢新撰下学集〉

およづけ ⇩およすげ

およづれ【逆言】人まどわしのことば。「玉梓(たまづさ)の人ぞ言ひつる—か我が聞きつるたはことか」〈万四二〇〉 †öyödure **—こと**【逆言】「およづれ」に同じ。「たはことか—か」〈万一四〇八〉

およば・ず【及ばず】『連語』①(ある程度までにも)達しない。おろかである。つまらない。「—・ぬ心にもいとあはれにかたじけなくさぶらふな」〈大鏡円融〉②…できない。「刀を抜かうどすれども、指はだかって(広ガッテ)、刀の柄握るにも—・ず」〈平家九・越中前司最期〉③…するまでもない。「わが朝は言ふに—・ず」〈平家五・奈良炎上〉

および【指】ゆび。「秋の野に咲きたる花を—折りかき数ふれば七種(ななくさ)の花」〈万一五三七〉。「指、ユビ、俗云オヨビ」〈名義抄〉 ▽上代、ヨビの音の甲乙類未詳。

およ・び【及び】㊀『四段』《足もとの位置はもとのままで、離れた所に届くように、手足・上体をのばすのが原義》①身をのり出してとりつく。「簾垂の下よりやをら—・びて〔相手ノ〕御袖をとらへつ」〈宇津保藤原君〉。②(伸びて)届く。「雲居に—・ぶ枝もありなむ」〈源氏宿木〉。「心の—・ばむに従ひては、何事もうしろみきこえん」〈源氏澪標〉③同じ程度に達する。匹敵する。「なにがしが—・ぶべき程ならねば」〈源氏帚木〉④(度合が昂じて)ついにある状況に立ち至る。ある数量に達する。「寺中へ乱れ入らんとする間、合戦に—・びて」〈著聞一八〉。「快く数献(すこん)に—・びて、興にいられ侍りき」〈徒然二一五〉⑤《動詞の連用形について、その動作を強調する》よく行きとどいて…する。しっかりと…する。「経文を見—・ばねば、何に見えたるぞと重ねて問はせ給はば、いかが申さんと思ひて」〈徒然二三三〉⑥《助詞「に」を受けて》必要である。可能である。「もとすけが不届(ふとどき)か、頼朝の不届か、申すに—・ばず」〈伽・唐糸さうし〉 ▽打消・反語に使われる。→およばず。㊁『接続』…と。ならびに。「まさに使者—制吒迦(せいたか)等の所説の真言を用ゐるべし」〈蘇悉地羯羅経延喜点〉。「色—光、妙(たへ)にして例の花に異(こと)なり」〈今昔七ノ一七〉。「又、父母—子を拝みて」〈三宝絵上〉 ▽奈良時代には、漢文訓読では接続詞の「及」の字はトと訓んで、オヨビと訓まない。平安時代初め百年を経た頃、オヨビと訓む例が見えはじめる。 †öyöbi **—かか・り**【及び掛かり】『四段』①腰を伸ばして寄りかかる。「立ち居、人のうしろにさぶらふは、様悪しくも〔前ノ人ニ〕—・らず」〈徒然一三七〉②もうすこしで届こうとする。届きつつある。「ななそぢに—・れる杖なれば」〈新撰六帖四〉 **—な・し**【及び無し】『形ク』及びもつかない。身分・地位などがいちじるしく隔たっている。「—・からむきはにも〔嫁ガセヨウ〕とこそ思へ」〈源氏少女〉

およぼ・し【及ぼし】『四段』ある状態に立ち至らせる。とどかせる。「後悔無及、乃知久伊矣与保須奈(のちくいおよぼすな)」〈華厳音義私記〉 †öyöbösi

おより【御寄】真宗の信徒が集まって在家で行なう簡単な法事。御寄講。その法事に招かれる坊主を「御寄坊主」という。「—の時に各〻改悔を申され候事、然るべし」〈蓮如上人九十箇条〉

およ・り【御寝り】『四段』《「御夜(およる)」を活用させた語。寝る意の尊敬語》おやすみになる。「月をも御覧ぜで—・るなれば」〈著聞一六二〉。「夢には来て—・れ、それに浮き名はよも立たじ」〈宗安小歌集〉

およる【御夜】〔女房詞〕《「御昼(おひる)」の対》おやすみになること。御就寝。「—の後も、とみに寝られず」〈中務内侍日記〉

おら・び『四段』泣きさけぶ。「天(あめ)仰ぎ、叫び—・び」〈万一八〇九〉 †öräbi

オランダりう【阿蘭陀流】①オランダから伝来した医学の一派。「—金瘡の名人栗崎道有」〈色道大鏡六〉②俳諧流派の一。寛文末、西山宗因を中心とした新俳風(談林風)を貞門俳人が誹謗した異名。西鶴は逆に此の名を、清新奇抜な自己一流の俳諧の名義とした。「賤(やつがれ)も狂句を吐けば、世人—などさみして」〈俳・生玉万句〉

お・り【織り】『四段』機(はた)を使って布をつくる。「棚機の五

百機(いほはた)立てて―・る布の」〈万二〇三四〉

お・り【降り・下り】『上二』《終始注意をはらって下まで行き着く意。類義語クダリは、上から下へ線条的に一気に移動する意》①高い所から低い所へ移る。「ますらをの高円山(たかまどやま)にせめたれば里に―・りけるむささびそこれ」〈万一〇二八〉。「峰へ麓(ふもと)へ―・り登り」〈後撰一〇八〇〉 ②乗っていた乗物から離れる。「人人心して舟より―・り給ふ」〈源氏椎本〉 ③貴人の前から退く。退出する。「曙にしも曹司に―・るる女房なるべし」〈源氏幻〉 ④職をしりぞく。退位する。「十六年おはしまして(在位ナサッテ)後に―・りさせ給ひて」〈栄花月宴〉 ⑤(霧・露・霜などが)地上に生ずる。「天気上上、あした霧―・り候」〈伊達輝宗日記天正三・五・一四〉

おりあ・ひ イ・ア【下り合ひ】『四段』①下りて一緒になる。「御車さし寄せて、人人深沓(ふかぐつ)はきて―・へり」〈十訓抄七ノ三〉 ②加勢などのため、その場に出て行く。「いざや―・ひて助けむ」〈義経記五〉。「大将軍を討たせじと、―・ふ人には誰誰ぞ」〈結城戦場物語〉

おりさ・ひ イ・サ【おり候ひ】『四段』《御入リサヒの転》①「在り」「居(ゐ)」の尊敬語。いらっしゃる。「此方へ―・へと云ひて、金を遣って呼うだぞ」〈蒙求抄七〉 ②「行き」「来(き)」の尊敬語。おいでになる。まいる。「汝はどこから―・うたぞ」〈四河入海一〇ノ一〉 ③陳述の「あり」の丁寧語。…ございます。「よりのきもない孫で―・ふぞ」〈漢書竺桃抄〉

おりた・ち【下り立ち】『四段』①降りて(直接地面に)立つ。「ここに御船に入れたる楯を取りて―・ちたまひき」〈記神武〉 ②直接手を下す。直接身を入れてする。「恋し悲しと―・たねど」〈源氏浮舟〉。「〔薫ハ恋愛ノ道ニ〕―・ち練じたる心ならねば」〈源氏宿木〉

おりつ・ぎ【織り継ぎ】『四段』前につづけて織る。「―・がむ我が機物(はたもの)の白麻ごろも」〈万一三九八〉 †öritugi

おりどめ【織留】織物の最後の部分。織尻。「此の金紗と申すは…四方に―ありて、真中に人形を結構に織り付けたり」〈信長公記一四〉

おりな・い『連語』《御入リナイの約。「おりゃり」の対》①「居ない」の尊敬語。おいでにならない。いらっしゃいません。「全くこれにはさやうの人は―・い」〈天草本平家四ノ一三〉 ②「無い」の丁寧語。ございません。「ここもとは生(まな)な物が―・い所で」〈虎明本狂言・察化〉。「何事も―・いか」〈金頌抄〉 ③陳述の「ない」の丁寧語。…ございません。「いや、それでは―・い」〈虎明本狂言・磁石〉

おりな・し【降り為し】『四段』巧みにおりる。「この人人は〔車カラ〕安らかに―・しつれど」〈源氏宿木〉

おりの・べ【織り延べ】㊀『下二』織って長くする。「糸を取りては績(う)み紡(つむ)ぎ、機(はた)に掛けては―・べて、衣の備へとし」〈仮・三綱行実図七〉 ㊁『名』長く織り上げたもの。「―を一きれも得ぬ我等さへ薄恥をかく数に入るかな」〈平家四・南都牒状〉

おりのぼり【下り上り】①下りることと上ることと。「山へ―するは、足を引くに似たれば、あしひきと云ふなり」〈仙覚抄三〉。〈日葡〉 ②街道を都との間を往復すること。「鎌倉・阪東の―の商人の袖をもひかへ」〈伽・小栗絵巻〉

おりは【下り際・下り端】下りる機会。下りるきっかけ。「鯉も滝へ登りつめ、今ではどうも―がない」〈近松・淀鯉下〉

おりは・へ エ・ハ【織り延へ】『下二』織って長く伸ばす。「旅人のたち野の原の唐錦―・へさらす秋はぎの花」〈夫木抄一一・萩〉

おりひめ【織姫】機(はた)を織る女性。「―は我が左脇の弟子観世音なり」〈著聞三六〉

おりべさかづき【織部盃】極めて浅く開いた小型の盃。織豊時代、古田織部の創製。京盃。織部。「御酒の儀も、一日に―に三つ下され申すべき事」〈毛利家文書四、元和四・三・一七〉

おりみだ・り【織り乱り】『四段』模様を散らすように織る。「藤の折枝おどろおどろしく―・りて」〈枕八三〉

おりもの【織物】織った布。平安時代には、模様を織り出した絹織物で綾(あや)よりは貴重視された。「桜の―の袿(うちき)」〈源氏手習〉。「綺、俗云岐(き)、一云於利毛能(おりもの)、似レ錦薄者也」〈和名抄〉

おりゃ・り ャ・リ『四段』《御入リアリの転》①「行き」「来(き)」の尊敬語。いらっしゃる。おいでになる。「―・れ―・れ、―・りそめて―・らねば、おれが名が立つ」〈閑吟集〉。「いざ―・れ、花を三吉野へ」〈宗安小歌集〉。②「在り」「居り」の尊敬語。おありになる。おられる。「仁愛の心が―・って」〈蒙求抄六〉 ③「在り」「居り」の謙譲語。ございます。「これに過ぎて仏法の義とては別には―・るまじいぞ」〈栄玄記〉 ④陳述の「あり」の丁寧語。…ございます。「その事で―・る」〈本福寺跡書〉。「仰せられて―・ると云ふは、仰せられて御座あると云ふ事なり。故躰(こてい)なり」〈浄土真宗小僧指南集末〉

おりゆ【下り湯】⇒をりゆ。「古き湯屋を借りて、常に―をぞしける」〈古活字本保元下・為朝生捕り〉

おり・ゐ【下り居】㊀『上一』①下りてじっとそこに居る。下りてすわっている。「み立たしの島に―・ゐて嘆きつるかも」〈万一八八〉 ②(天皇や斎院が)位を退く。「斎院も―・ゐ給ひて…女三の宮居給ひぬ」〈源氏葵〉 ㊁『名』(乗物などから)下りてじっとそこに居ること。とくに、「下り居の衣」とつづけ、「降り」と「織り」とを掛けていう。「馬留め、ここより花車―の衣播磨潟(はりまがた)」〈謡・熊野〉 **―のみかど**【下り居の帝】退位した天皇。太上天皇。「〔源氏ハ〕―とひとしく定まりたまへれど、まことの太上天皇の儀式には、うけばり給はず」〈源氏若菜上〉

おれ【汝・己】『代』①《二人称》相手を低く見ていう。おまえ。「〔道臣命ラガ〕兄(え)宇迦斯(うかし)を召して罵言(の)りて云ひけらく、『…大殿の内には―先づ入りて』」〈記神武〉。「爾、此をば飫例(おれ)と云ふ」〈紀神武即位前〉。「ほととぎす…―鳴きてこそ我は田植うれ」〈枕二二六〉。「―は何事を言ふぞ」〈宇治拾遺一二ノ四〉 ②《転じて、一人称》相手が同等または目下の時にいう。わたし。男女ともに使用。「〔男〕―とわごりょは好い仲ながら」〈宗安小歌集〉。「〔女〕―がいつも申すはそれよ」〈伽・乳母草紙〉

お・れ【疎れ・愚れ】『下二』《オロカ(粗)・オロソカ(疎)の語根オロを活用させた語》うっかりする。粗く、ばらばらで、心の緊密でないさまをいう語》うっかりする。愚かになる。放心状態になる。心酔する。「かしこがり給へど、人の親よ。おのづから―・れたる事こそ、出で来べかめれ」〈源氏少女〉。「げに、春の色は、えおとさせ給ふまじかりけりと、花に―・れつつ聞えあへり」〈源氏胡蝶〉

おれう ョ・リ ヨウ【御寮】①尼の住む寮舎の尊敬語。「今日は―へ連れていて、名をつけてもらうてやらうと思ふが」〈虎寛本狂言・比丘貞〉 ②寮舎に住む尼の敬称。「ここに有徳(うとく)なる―様のござあるが」〈虎明本狂言・比丘貞〉 ③寮舎に住む尼の自称。「―はさやうの事は知り候(す)はぬよ」〈虎明本狂言・比丘貞〉 ④比丘尼(2)の親方。山伏を夫に持ち、小比丘尼を抱えて、勧進または売色をさせた。「―の示し(説経デ)澄む胸の月」〈俳・談林十百韻上〉。「〔比丘尼ガ〕功齢(こうりやう)経ては―と号す」〈仮・都風俗

鑑四〉

おれおれ・し【疎疎し】『形シク』いかにも間が抜けている。「もとより—・しくたゆき(ユルンダ)心の怠りに」〈源氏初音〉→おれ(疎)

おれがでに【俺が手に】『副』自分自身で。みずから。「おのがでに」「おのれがでに」とも。「—〔他ノ客カラ遊女ヲ〕貰うて会ふ」〈評判・難波鉦五〉

おれそれ 人と応対する礼儀作法。「〔舟ノ〕乗相(のりあひ)の気散じは、—なしに横に寝て」〈浮・傾城色三味線四〉

おれまど・ひドイマ【疎れ惑ひ】『四段』すっかり愚かになる。「翁のなにがし守りけむやうに、—・ひたれば、いとぞ口惜しき」〈源氏夕霧〉

おれもの【疎れ者】間抜け。「深き労なく見ゆる—も」〈源氏絵合〉

おれら【己等】『代』①おまえたち。「やうれ、—よ、召されて参るぞ」〈宇治拾遺七三〉②われわれ。「黒戸の道を—知らぬに教へよ」〈讃岐典侍日記〉

おろ【疎】『接頭』《オロカ(粗・疎・愚)・オロソカ(疎)と同根。アラ(粗)の母音交替形》動詞・形容詞などに冠して、まばらで間隙が多いこと、不完全・不十分であることをあらわす。「—いえ」「—ねぶり」「—よし」など。「—さかしき人の書きたる本にやあらむ」〈俊頼髄脳〉

おろい・え【疎癒え】『下二』傷があらかたなおる。「三日ばかりを隔てて、杖目—・ゆる程に」〈今昔二九ノ三〉

おろおぼえ【愚覚え】ぼんやりした記憶。うろおぼえ。「それ—ながら今日涼風の吹かぬ事」〈西鶴・諸艶大鑑三〉

おろおろ ①不完全・不十分であるさま。「弟が謡ひ候しは—覚え候ふを、未だ習ひ候はず」〈梁塵秘抄口伝集〉。「このことを書き記すべき由のたまはすれば、—記し侍るなり」〈文治二年十月二十二日歌合〉②不安で為す所を知らない、じっとしていられないさま。おどおど。「—と小諸の宿の昼時分」〈俳・曠野中〉③泣いて目や声がうるんださま。「にらむ目の中—と、女は涙もろかりし」〈近松・鑓権三上〉

おろか【疎か・愚か】《オロ(疎)カ(様子)で、間隙が多く、おざっぱ、いい加減の意。転じてうすのろ、馬鹿だ、馬鹿馬鹿しいさま》①(気持の用意に)欠ける所があるさま。おろそか。「—にぞ我は思ひしをふの浦の荒磯のめぐり見れど飽かずけり」〈万四〇四九〉。「僅かに二つの矢、師の前にて一つを—にせむと思はむや」〈徒然九二〉②至らないさま。手ぬかり。「心心を見たまひて、さかし—なりとしろしめしけむ」〈古今序〉。「ぢきにとらすべけれども、いまだ幼稚なり。いづれも親なれば—あるべからず」〈曾我一〉③間抜け。馬鹿。「兵(つはもの)にては有りけれども、心の後れて—なりけるにこそは有らめ」〈今昔二八ノ三四〉。「魯、オロカナリ」〈名義抄〉④くだらないこと。「—にも問ふかな」〈宇治拾遺一〇三〉⑤下手(へた)。不器用。「芸能所作のみにあらず、大方のふるまひ、心づかひも—にしてつつしめるは得の本也」〈徒然一八七〉⑥《「—ならず」など、否定の形で》いい加減。ひと通り。「—ならず契り給ふこと多かるべし」〈源氏帚木〉。「—ならぬ(タイヘンナ)御事に思ひ参らせ候へども」〈平家七・忠度都落〉⑦《「…と言ふも—なり」など、慣用句として》(…と言っても)まだ言葉が足りないさま。表現し切れないさま。「かへすがへすもすさまじといふは—なり」〈枕二五〉。「おそろしなんども—なり」〈平家一二・大地震〉⑧物の数でないこと。「提燈は月も—と照り渡り」〈近松・女腹切中〉 †öröka

—おひイオ【疎か生ひ】刈りあとからちらほら自生するもの。ひこばえ。「穭、於路加於比(おろかおひ)」〈和名抄〉

—ひと【愚か人】おろかな人。ばかもの。「世の中の—の」〈万一七四〇〉。「愚夫、オロカヒト」〈大唐西域記三・長寛点〉

おろ・け『下二』うつける。ぼっとなる。「—・けて酔(ゑ)へるがごとし」〈紀景行四十年〉。「耗、オロケタリ」〈名義抄〉 †öröke

おろ・し【下ろし】㈠『四段』《オリ(降)の他動詞形。終始注意をはらいながら、物を上から下へ移動させる意。類義語クダシは、上から下まで線条的に一気に物を移動させる意》①上から下へ注意深く物を移す。「大船の香取の海に碇(いかり)—・し」〈万二四三六〉②陸から川・池・海に物を移す。「鵜を—・させ給へり」〈源氏藤裏葉〉③引きさげる。垂らす。「簾—・しつ」〈源氏若紫〉④貴人の前から退出させる。「みな下屋(しもや)に—・し侍りぬるを」〈源氏帚木〉⑤官位を下げる。職を退かせる。「押して—・し奉らんことはばかり思し召しつるに」〈大鏡師尹〉⑥貴人のお古(ふる)をいただく。「なにがしが—・して持てまからむ」〈源氏蜻蛉〉⑦おとしめる。けなす。「あさましう〔欠点〕とがめいでつつ—・す」〈源氏少女〉⑧神霊を呼びおろす。神おろしをする。「御神—・し奉り、若しくは他社に遷し奉る時、新楽乱声を奏す」〈教訓抄一〉⑨肉を切り落とす。肉を切りさく。「猪(ゐ)を捕り、生けながら—・してけるを見て」〈今昔一九ノ二〉⑩髪を削る。仏道に入る意。「遂に御髪(みぐし)—・し給ふ」〈源氏若菜上〉⑪吹きおろす。「みむろ山—・す嵐のさびしきに」〈千載三〇六〉⑫すりつぶす。すりくだく。「〔金ヲ〕—・して見ければきらきらとして」〈宇治拾遺三三〉。「山葵(わさび)・山の芋を—・して盛るべし」〈厨事類記〉。「〔鬱金ヲ〕よく洗ひ、刻み、—・し、篩(ふる)ふ」〈むくさのたね〉⑬新しい品をはじめて使う。「三合の米(よね)—・して食ひつつ」〈宇津保藤原君〉⑭種子を植える。種子をまく。「種—・す苗代水にゐる鷺の小魚(いさな)とるをもたつる里の子」〈草根集一二〉⑮錠(じやう)をかける。「朝顔や昼は錠—・す門の垣」〈俳・炭俵下〉⑯堕胎する。「男の人の国にまかる程に子を—・してける女の」〈元輔集〉㈡『名』①神仏の供物をとりさげたもの。また、貴人の飲食物の残り、衣服などのお古(ふる)。おさがり。「后の宮の御方に大御酒(おほみき)の—と聞えに奉りたりけるを」〈古今八七四詞書〉。「仏の御弟子にさぶらへば御仏供の—たべむ」〈枕八七〉②山の高い所から吹きおろす風。「恨みつつ嘆きのかたき山ならば—の風の早く忘れね」〈元良親王集〉 †örösi

—あゆみ【下し歩み】足を上からまっすぐに踏み下ろすように静かに練り歩くこと。「—の道中は、花の立木のそのままにぬめり出でたるごとくなり」〈近松・反魂香上〉

—こ・め【下ろし籠め】『下二』(簾・格子・蔀などを)引き下げて締める。引き下げて中の人を見えなくする。「はるばると—・めて、人影も見えず」〈源氏夕霧〉

—ごめ【下し米】おさがりの米。「大饗(だいきやう)の—とて、給仕したる恪勤(かくご)の者どもの食ひけるなり」〈宇治拾遺一八〉

—た・て【下ろし立て】『下二』①おろして立たせる。「いと近き御荘(みしやう)の人の家に、いと忍びて宮を—・て奉り給ひて」〈源氏総角〉②下の者の中へおろして、立ちまじらせる。「真人達(まうとたち)のつきづきしく今めきたらむ〔中〕に、—・てむやは」〈源氏帚木〉

—なます【下し鱠・下風鱠】大根おろしを加えた鱠。「料理に—をして出された」〈咄・軽口曲手鞠二〉

おろ・し【織ろし】『四段』《「織り」の尊敬語オラシの転》お織りになる。「我が王(おほきみ)の—・す服(はた)」〈記歌謡六六〉 †örösi

おろす・ゑ【下ろ据ゑ】『下二』《オロシウヱの約》下ろしてすえる。(船を)進水させる。「難波津にみ船—・ゑ八十楫(やそか)貫き今はこぎぬと妹に告げこそ」〈万四三六三常陸防人〉 †örösuwe

おろせ【卸せ】 ①遊廓通いの駕籠(かご)。おろせ駕籠。勘当箱。「―。これも駕(かご)・乗物の事なり」〈色道大鏡一〉 ②駕籠舁(か)き。遊女への文使いもした。こあげ。「乗物をかく匹夫をさして―とも云ふ」〈色道大鏡一〉

おろそか【疎か】《オロはアラ(粗)の母音交替形。ものごとが密でないこと、すきまの多いこと、粗略なこと。ソカはオゴソカのソカと同じ》 ①すきまが多いさま。まばらなさま。「世世に牙歯、疎(おろそか)に欠け」〈霊異記上一九〉 ②雑なさま。ゆきとどいていないさま。「恨むらくはその理、疎(おろそか)に、言(ことば)浅し」〈三蔵法師伝二・院政期点〉 ③粗末なさま。みすぼらしいさま。「石の階(はし)、松の柱―なるものから、めづらかにをかし」〈源氏須磨〉 ④誠意に欠けるさま。通りいっぺんなさま。なおざりなさま。「かづらきの王(おほきみ)をみちのおくへつかはしたりけるに、国の司、事―なりとて」〈古今序〉。「国家を祈り奉ること―ならず」〈平家二・一行阿闍梨〉 ⑤つたないさま。劣るさま。「前生の運―にして身に過ぎたる利生にあづからず」〈宇治拾遺六四〉

おろぬ・き【疎抜き】『四段』 間引く。うろぬく。「松風に砧(きぬた)―・く夕かな」〈俳・蘆分船三〉

おろねぶ・り【疎眠り】『四段』 浅く眠る。「脚をうちひろげて―・りたるを」〈宇治拾遺六〉

おわ『感』《ワはイザワのワと同じ感動詞》 活動を終えた時に発する詠嘆の声。「於和の村といふ。大神、国作り訖(を)へまして以後のりたまひしく、『―…』」〈播磨風土記〉

おゐど【御居処】〔女性語〕尻。「―のあたりに目をぞつくる」〈伽・福富長者物語〉

おゐま【御居間】「御物師(おものし)」に同じ。「物を縫ふ女奉公人を―と言へり」〈仮・都風俗鑑三〉

おゑ『感』《ヱは感動をあらわす助詞、ヨシヱヤシのヱと同じ》 活動を終えた時に発する詠嘆の声。「今は、国は引き訖(を)へつと詔(の)りたまひて、意宇(おう)の社(もり)に御杖衝き立てて、―と詔りたまひき」〈出雲風土記〉

おん【恩】 ①君主・親などの恵み。「仁、動植に及び、―、羽毛に蒙らしめむとす」〈続紀養老五・七・二五〉。「その―は忘れはべらねど」〈源氏帚木〉 ②特に、武家時代、家臣に所領などを給与すること。また、その所領など。「鎌倉の御家人等の御知行、所領の地頭、或は一町二町なれども、皆、故大将家の御―也」〈日蓮遺文妙密上人御消息〉

―を見・す 恩を与える。「少者には恩をも見せてよう引き回すほどに」〈論語抄公冶長〉

おん【御】『接頭』《オホムの約》 貴人の所有物・行為などに冠し、また貴人に向って差し上げる物や、する行為に冠し、また形容詞の上について尊敬の意を表わす。院政時代以後に現われた形。室町時代以後は、書き言葉や、荘重な話し言葉に使われ、日常の会話にはこれの省略形である「お」が使われた。「奉為、ヲムタメニ」〈十七条憲法院政期点〉。「御恩、おんめぐみ」〈ぎやどぺかどる字集〉。「―仲のよかれと文の上書きし」〈俳・犬子集一二〉 →おほむ・お。▽ofom→owon→oon→on

おんい・り【御入り】 ㊀『四段』《連声してオンニリとも発音》「在り」「居(ゐ)る」の尊敬語。おいでになる。いらっしゃる。「誰にて―・り候ぞ」〈謡・鉢木〉。「何の御恨みが―・り候べき」〈伽・三人法師〉 ㊁『名』 お越し。ご来訪。「―をもさらに知り参らせず」〈曾我六〉

おんこと【御事】 ㊀『名』 ①「事」の尊敬語。「これはいかなる―候ぞ」〈太平記二六・四条縄手〉 ②特に、貴人の死去。「大納言入道の―の年の春の暮の日。憂き事の今日にたぐひて尽き果てば春をば今年惜しまざらまし」〈粟田口別当入道集〉 ③「人」の尊敬語。おんかた。おひと。「われらが口ゆゑに花のやうなる―を空しうなし申したるおんこと」〈謡・丹後物狂〉 ㊁『代』 相手を敬っていう語。あなたさま。「空也上人とは―を申すにや…己れは松尾の大明神なり」〈発心集七〉 →おこと

おんざうし【御曹司・御曹子】《「曹司」は部屋の意》 ①貴族の子息で、まだ部屋住みの者に対する敬称。「四番目の御子、宰相殿―と申すは」〈伽・鉢かづき〉 ②特に、源氏の嫡流の子息に対する敬称。「音に聞え給ふ筑紫の―の御前にて」〈保元中・白河殿攻め落す〉 ③なかんずく、源義経に対する敬称。「―は見給へども、弁慶は見つけず」〈義経記三〉

おんじき【飲食】《呉音》 ①飲み物と食べ物と。「百味をそなへたる―になりぬ」〈宇津保俊蔭〉 ②飲むことと食うこと。「病人といふは、耆によりて―すれども癒ゆる事なく」〈今昔一ノ三〉

おんじゅ【飲酒】 酒を飲むこと。仏教では、五戒の一として禁じられていた。「五戒と申すは、殺生・偸盗・邪淫・妄語・―、これなり」〈宝物集下〉。「―は仏の戒めにて候ほどに」〈謡・木賊〉

―かい【飲酒戒】〔仏〕五戒の一。飲酒を禁じること。「さて、―は酒飲むことを戒むる」〈伽・天狗の内裏〉

おんぞ【御衣】《オホムゾの転》 お召し物。「御衣、ヲンゾ」〈文明本節用集〉 ▽源氏物語の古写本では「御そ」と書いてあり、平安時代にはオホムゾとよむ。→おほむ

おんぞろか【恩候か】『連語』 言うまでもないこと。勿論。「此方(こなた)衆づれが、さう申すは―なり」〈耳底記〉

おんたうもの【おんたう者】《「温蕩者」とも書く。近世前期の語》 おろかで無口な者。「今、愚鈍にして無口なる者を―と言へる」〈邇言便蒙抄中〉

おんだらし【御執らし】《ダラシはトラシの転》 貴人の持つ弓。大将の弓。「たとひ千疋万疋に代へさせ給ふべき―なりとも」〈平家一一・弓流〉。「御多羅枝、ヲンダラシ。俗常用ニ此字ニ也」〈文明本節用集〉

おんぢゃ・り『四段』《オヂャリの転》 ござる。田舎ことばと見なされていた。「唐(朝鮮)大唐(中国)にもまこと弐人(ふたり)は―・るまいと、滅法界にほめ申した」〈評判・野郎児桜上〉

おんづもり 物事の度重なった結果。とどのつまり。「おんづまり」「おんづめ」とも。「空に降る雪や寒さの―」〈俳・夢見草四〉

おんでもな・い【恩でもない】『連語』《オンニテモナシの口語形。恩とするに足りない、恩に着るまでもないという気持から》 いうまでもない。あたりまえである。「悪人ならうにはかかる病は―・いぞ」〈論語抄雍也〉。「一度召し還(かや)されたる所領は、―・う当知行の者が本ぞ」〈清原業忠貞永式目聞書〉。「―・い事」〈虎明本狂言・右近左近〉。「―・い。又おんぞろかとも云へり。恩とも思はぬと云ふことなり」〈本朝俚諺九〉

おんでん【隠田】 かくれて耕作し、年貢を納めない田地。荘園領主や幕府はこれを厳禁した。隠地。隠し田。「―幷せて絶戸田(戸口ノ死ニ絶エタ口分田)を顕はし申せ」〈類聚三代格一七〉

おんど【音頭】 ⇒おんどう。「笛ひっと吹きて、太鼓打ち出して―を取る」〈わらんべ草五〉。〈日葡〉

おんどう【音頭】《オンドとも》 ①合奏する時、各楽器の首席奏者。また、合唱する時、先に歌い始める役。「笛の―、景賢」〈教訓抄三〉 ②風流(ふりう)の囃子物(はやしもの)で謡う歌の最初の一節。「囃子物の―とかやいふことを誂へられ

しを、知らずながらあまた書きて」〈草根集二〉

おんな【嫗】《オミナの転》 老女。「皆人人―おきな嫗に手を当てて喜ぶ事二つなし」〈土佐二月六日〉 ▽「をんな」とは別。ömina→omna→omna

おんのじ【御の字】 ①「御」という文字。「〔貴人ノ名ノ代リニ〕ただ―ばかり書くべし」〈私用抄〉 ②最上のもの。一流のもの。「上上―〔ノ〕傾城買ひ」〈仮・このごろ草〉 ③特に、遊女の太夫をいう。「大門口にさし入りて、見よ―の帰るさや」〈評判・吉原こまざらい〉

おんばう(ウ・ボ)**【御坊・御房・陰坊・隠亡】** ①僧の敬称。「当荘の―なんど尋ねまゐらせておはしまさば」〈崎山文書元暦一・二・四〉 ②墓守りに従事する賤しい身分の坊主。三昧坊主(さんまいばうず)。三昧聖(さんまいひじり)。「〔墓地ノ〕そばなる家に立ち寄り、『物申さん』とのたまへば、内より―答へて申すやう」〈伽・さごろも〉 ③死骸火葬を業とする人。「弐貫文、―に遣はす也」〈鹿苑日録慶長四・五・一〉 ④〔遊里語〕《客を焼く(だます)ので》 遊女・遣手(やりて)の異名。「問ひて曰く、―とは如何に。答へて曰く、此れ又遣手の坊号なり」〈評判・吉原雀下〉。「人をめったに焼く故か、傾城の異名を―と名付けたり」〈浮・日本荘子一〉

おんはかせ【音博士】 令制で、大学寮の学生に漢字の発音を教授した官。持統紀に初めて見え、奈良朝では、従来広まっていた呉音に代る漢音を教える役を負っていたと思われる。「こゑのはかせ」とも。「袁晋卿…文選・爾雅(じが)の音を学び得て、大学の―となる」〈続紀宝亀九・三・一八〉

おんばく 大げさ。誇大。「暴虎馮河(ぼうこひょうが)するつれの―な大胆者は、勇なりとも与(くみ)し事はいやぞ」〈論語抄述而〉

おんぼり ぼんやり。「おんぼら」とも。「彷彿(はうふつ)。見聞不知のかたちとあるぞ、―と云ふ心ぞ」〈三体詩絶句抄三〉。「―と月や桂の花曇り」〈俳・新続犬筑波四〉

おんみ【御身】『代』 相手を敬っていう語。あなた。「我が身が鴛鴦(をし)といふ鳥となりて、―の内へ入ると思ひつるが」〈問はず語り三〉

おんみゃうじ(ウ・ミョ)**【陰陽師】**《オンヤウジの連声形》 ⇒おんやうじ。「陰陽師、定家卿幷親行本には、―と之を書く。伊勢物語には、おんやうしとかけり」〈河海抄一四〉

おんめいもん【陰明門】《インメイモンとも》 内裏内郭の十二門の一。内裏西面の正中門で、外郭の宜秋門に対する。「諸卿留りて―南辺に立つ」〈西宮記一・御斎会内論義〉

おんものい【御物射】「おひものい」の転。「立ち上がらんとする所を―にもする候」〈盛衰記三〉

おんものどほ(オ・ド)**【御物遠】** 御便りをしないこと。御無沙汰。御疎遠。手紙に用いる語。「此の中は互ひに―に打ち過ぎ候。さてさて御音問の至り忝く存じ候」〈無量院文書慶長一四・三・二〉

おんやう(ウ・ヨ)**【陰陽】** ①易でいう、互いに反する性質の二種の気。男・夏・東・南などの陽に対し、女・冬・西・北などの陰が対立し、相互に作用して天地の運行を支配するという。「―度を失して炎旱旬を彌(へ)て百姓飢荒す」〈続紀慶雲二・八・二〉 ②「陰陽道」「陰陽師」の略。「―医術と七曜頒暦等の類は国家の要道、廃闕すること得ざれ」〈続紀天平二・三・二七〉。「医療を以て治するにも癒ゆることなし。―を以て祈るといへどもしるしなし」〈今昔四ノ一三〉 **―じ【陰陽師】**《連声してオンミャウジとも発音》 陰陽寮・大宰府などに属し、陰陽道の術に従った職員。後には、一般に占い・祓いなどにたずさわる者にもいう。「〔柏木ノ病気ヲ〕―なども多くは女の霊とのみ占ひ申しければ」〈源氏柏木〉。「鳥は年中の吉凶を知れり。過去に―なりし故」〈開目抄〉 **陰陽師身の上を知らず** 陰陽師は人の吉凶ばかり占うが、自分自身の運命はしらないという意。〈俳・毛吹草三〉 **―だう**(ウ・ド)**【陰陽道】** 古代中国に起った陰陽五行説に基づいて、天文・暦数・卜筮(ぼくぜい)・相地のことを行なう学問。吉を招き禍を避けることを目的とし、多くの禁忌を設け、国家の方策から個人の生活に至るまで広く関与した。「赤舌日(しゃくぜつにち)といふこと、―には沙汰なき事なり」〈徒然九一〉 **―のかみ【陰陽頭】** 陰陽寮の長官。その下に陰陽師がいる。「外従五位下高麦太を―兼陰陽師と為す」〈続紀天平九・一二・二三〉 **―はかせ【陰陽博士】** 陰陽寮に属し、学生の教育に当った官。「―沙門法蔵・道基に銀二十両を賜ふ」〈紀持統六年〉 **―れう**(リ・ョ・ウ)**【陰陽寮】** 令制で、中務省に属し、天文・暦数・占いなどをつかさどる役所。「おんやうのつかさ」とも。「―、陰陽暦数は国家の重んずる所にして、この大事を記す。故に改めて大史局となす」〈続紀天平宝字二・八・二五〉

か

か【彼】 □一『代』《遠いものを指し示す語。「あ」の古形で、用法も「あ」より広い。「こ(此)」の対》 あれ。あの人。あそこ。「あかときの―は誰時に」〈万四三八四〉。「何や―やと…宣へど」〈源氏末摘花〉。「これも―の言はせ給ふならむ」〈枕一六三〉 □二『副』 あのよう。ああ。多く「か…かく…」の形で使う。「―行きかく行き見つれども」〈万三九九一〉

か【日】《ケ(日)の古形》 ひにちを数える語。「幾―」「三十(みそ)―」など。複数のみにいう。「夜には九夜(ここのよ)日には十―を」〈記歌謡二六〉 ↓ひ(日) ▽朝鮮語 hai(日)と同源か。

か【処】 所。場所。「あり―」「住み―」など複合語で用いられる。「大海の奥―も知らず行く我を何時来まさむと問ひし児らはも」〈万三八九七〉 ▽イヅク(何処)・ソコ(其処)のク・コと同根であろう。

か【香】《カギ(嗅)のカと同根。鼻で嗅いで知る物の意。類義語カヲリは、もと、煙・火・霧などが立ってなびく意。転じて、よい匂い、目で感じる美しさにいう。ニホヒは目で感じる美しさから転じて、よい香》 かおり。また、におい。「梅の花―をかぐはしみ」〈万四五〇〇〉。「名香(みやうがう)の―」〈源氏若紫〉。「汗の―」〈枕四四〉

か【蚊】 夏虫の一。「蚊、可(か)」〈華厳音義私記〉。「―の細声にわびしげに名のりて」〈枕二六〉 ▽華厳音義私記には「加安」の形もあり、現在の京都語のカアという長音形の由来の古いことが分る。

か【鹿】 シカの古名。「妻恋ひに―鳴く山辺に」〈万一六〇三〉。「鹿、加(か)」〈和名抄〉

か【楫】《「かぢ」の古形。複合語の中だけに見える》 櫓(ろ)。「―子」「―取」など。「八十(やそ)―かけ島隠りなば吾妹子(わぎもこ)が留まれと振らむ袖見えじかも」〈万三二一二〉

か【髪】《ケ(毛)の古形で複合語だけに見られる》 髪。「白髪生流(しらがおふる)」〈万六二八〉

か【瓮】《ケ(笥)の古形で複合語だけに見られる》 飲食物を盛る器の総称。「ひら―」「み―」

か【荷】 天びん棒などでになう荷物をかぞえる語。「一荷」で、天びん棒の前後二つの荷物をさす。「ひわりご五十—」〈宇津保蔵開上〉

か 『接頭』《アキラカ・サヤカ・ニコヨカなど、接尾語のカと同根》目で見た物の色や性質などを表わす形容詞の上につき、見た目に…のさまが感じとれるという意を表わす。「—青」「—細し」「—易し」「—弱し」など。「みなのわた—黒き髪に」〈万八〇四〉 ▽転じて、ケ(気)となる。

か 『接尾』《カアヲ・カボソシなど、接頭語のカと同根》物の状態・性質を表わす擬態語などの下につき、それが目に見える状態であることを示す。「のど—」「ゆた—」「なだら—」「あざや—」など。後に母音変化を起して「け」となり、「あきらけし」「さやけし」などのケとして用いられ、「さむげ」などのゲに転じる。

か 『助』→基本助詞解説

が【我】 自分を中心にした主張。自我。「—も一つにあらず、慢も多般なり」〈正法眼蔵仏性〉。「せりあふ気味もよきなり。—のある心なり」〈耳底記〉 **—を出(だ)・す** 思いこんで一生懸命になる。片意地に思いつめる。「永代この家退(の)くまじきと—・しける」〈西鶴・二十不孝二〉。〈日葡〉 **—を折・る** ①我意を曲げて、相手に屈伏する。「—・って、近所に何の宗師か有ると問はれた」〈無門関私鈔下〉 ②あきれる。閉口する。「我がへげる」とも。「花守に—・り詫びぬ人も無し」〈俳・毛吹草五〉

が【賀】 ①即位・皇子誕生・新年などの慶事に対し、物を捧げてよろこびを表明すること。また、その祝宴。「百官朝堂に詣でて上表して以て瑞字〔ノ出現〕を—す」〈続紀天平宝字一・四・四〉。「賀歌(がのうた)」〈古今巻七〉 ②特に、長寿の祝賀。四十歳から十年ごとに行なう。巻数(くわんじゆ)を送り、若菜の羹(あつもの)を奉ったりする。賀の祝。「よそぢの—」〈古今三五〇詞書〉

が【雅】 漢詩の六義(りくぎ)の一。朝廷の卿大夫のうたう純正な歌詩をいう。和歌の六義では、古今集仮名序でこれを「ただこと歌」としている。「和歌に六義有り。一に曰く風、…五に曰く—、六に曰く頌」〈古今真名序〉。「—はただこと歌といへり。いつはりのなき世なりせばいかばかり人のことの葉うれしからまし。古今に是はことのととのほりただしきをいふ也」〈八雲御抄一〉

が 『助』→基本助詞解説

かあを【か青】 《カは接頭語》 青。「—なる玉藻沖つ藻」〈万三一〉

かい【櫂】 《カキ(搔)の音便形》 船具の一。船ばたに懸け、水を搔いて船を進めるもの。「このゆふべ降り来る雨は彦星の早漕ぐ船の—の散沫(ちり)かも」〈万二〇五二〉 ▽奈良時代の語で、このようにイ音便となっている語は極めて少ない。

—が廻(ま)・る 物事がうまく進行する。「情の海には弘誓(ぐぜい)の船も—・らず」〈浮・好色万金丹三〉

かい【戒】 〔仏〕 三学(さんがく)の一。身心の悪を防ぎとどめ、善を行なうこと。出家した僧尼のたもつ戒と、在家の信者の守るべき戒とがあり、また大乗戒・小乗戒の差があり、おのずからこれを受ける儀式にも違いがある。「忌むことの中に、やぶる—は多からめど、女の筋につけていまだそしり取らず」〈源氏手習〉 →戒定慧(かいぢやうゑ)

かい【害】 《漢音》 さまたげとなるもの。「由なき物を受くるは、還ってその身の—になる事」〈三社託宣略鈔〉

かい【階】 ①上下の区別のための段。「厨子(づし)・二—(二段ノ棚)などあやしきまでし加へて」〈源氏東屋〉 ②位の上下のきざみ。「秋右近中将になりて、御たうばりの加—などをさへ…いそぎ加へて」〈源氏匂宮〉

かい【蓋】 ①おおい。塔の上部のもの、または、天蓋・きぬがさなど。「一の檀木の塔見付けたり。—の下に一の鍮石(ちうしやく)の仏像在(まし)ます」〈今昔六ノ二六〉。「梵天・四王・龍神八部—を捧げ列を引いて」〈太平記三五・自伊勢進宝剣〉 ②笠などを数えるに用いる語。「竹大笠一—」〈延喜式内蔵寮〉。「巡礼の形見に笠一—あり」〈かさぬ草紙〉。「借らねども月は一—持ち合はせ」〈俳・大矢数一〉

かい【搔い】 『接頭』《「搔き」㊁の音便形》 動詞の上につけて、ひょいと、ちょっと、軽く、などの意を添える。「—連ね」「—はげみ」「—ひそめ」「—まはり」など。「琴(きん)の御琴・琵琶取り寄せ給ひて—調べ給ひつつ」〈源氏若菜上〉。「院の内—しめりて、いみじく物思ひなげきあへり」〈増鏡八〉

がい【雅意・我意】 《「雅」は、もとより・本来の意》 ①平素から抱いている心。素志。「義信朝臣の成敗、尤も民庶の—に叶へるの由」〈吾妻鏡建久六・七・一六〉 ②思い立った心のまま。自分勝手な考え。勝手気まま。「偏(ひとへ)に太政入道の—の所行なり」〈盛衰記三〉。「人の我が心のままなるを—に任(まか)すとは何(いか)なる心ぞ」〈壒囊鈔七〉。「雅意、ガイ、随意の義」〈文明本節用集〉 →がいに

かいえき【改易】 《改め易(か)える意》 ①人を入れかえること。官職をやめさせ、他の者にさし代えること。「公請(くじやう)を停止(ちやうじ)せらるる上…御持僧を—せらる」〈平家二・座主流〉。〈色葉字類抄〉 ②中世、幕府の御家人に対する刑罰の一。所職・所領を没収すること。「例郷に於いては、所帯を—せしむべき也」〈貞永式目追加弘安七・六・二五〉 ③近世、武士に対する刑罰の一。家を断絶し、屋敷を没収し、当主と嫡子を平民とすること。「—の科をば寺入りに仰せ付けられ候」〈甲陽軍鑑一二〉

かいがね【胛】 両肩の後の骨の高くなっている所。肩胛(けんこう)骨。かいがらぼね。「雁俣(かりまた)を以て—より乳の下へ、かけずふつと射とほさるる」〈太平記三三・新田左兵衛佐〉。「胛、和名加伊加禰(かいがね)、肩之下也」〈和名抄〉

かいがふ【開合】 ①開くことと閉じること。「〔屛風八〕—、又西東」〈菅家文草五〉 ②《中国語の音韻学の術語である「開」と「合」との複合による語。「開」は唇の開放・拡張の意、「合」は唇の狭窄・縮小の意》 唇を開いて長音のɔːを発音することと、唇を円くすぼめて長音のoːを発音することとの区別。また、その区別を保つこと。室町時代から江戸時代初期にかけて、カウ・サウ・タウの類から転じたkɔː; sɔː; tɔː などと、コウ・ソウ・トウの類から転じたkoː; soː; toː などとは発音上区別すべきものとされた。従って「開合」とは正しいことを意味した。「開合がよい」とは一般に発音が正しい発音の意となり、「—清濁誤らず、重言重意なく、てには違はず」〈浄土真宗小僧指南集本〉。「クチノカイガウガヨイ」〈日葡〉

かいき【海気・改機】 近世初期輸入された、染めた生糸で織った平織の絹織物。縞・紋織などがある。後、甲斐国郡内地方で産し、「甲斐絹」とも当て字した。「—の萌黄小袖」〈私心記天文二〇・一・一〉

がいき【咳気】 咳の出る病気。気管支カタルの類。風邪。また、肺病にもいう。後には「がいけ」とも。「昨日雪に逢ひ、—養生す」〈蔭涼軒日録延徳三・二・二〇〉

かいぎやう【戒行】 戒律を守って修行すること。「和尚—欠かず」〈続紀文武四・三・一〇〉。「これ即ち昔の—の力」〈孝養集中〉

かいぐ【皆具】 道具一揃い。特に、馬具一式。「黒糸縅(くろいとをどし)の鎧甲(よろひかぶと)—給ひてけり」〈盛衰記一四〉。〈運歩色葉集〉

かいくらみ【掻暗み】《カキクラミの音便形》日の暮れ方。夕暮。「薄暮(はく)は—とも言ふぞ」〈四河入海一ノ二〉 **—どき**【掻暗み時】日暮れ時。「—に、小六条にて相撲(すまひ)とらんとて、ねりあひたるところに」〈著聞六〇五〉

かいく・り【掻い繰り】『四段』《カキクリの音便形》手もとにたぐり寄せる。「〔馬ガ〕はづまば〔手綱ヲ〕—・って泳がせよ」〈平家四・橋合戦〉

かいく・れ【皆暮れ】㊀『下二』《「掻い暮れ」の転か》すっかり暮れる。全く終る。「飛鳥井や霞の籬(まがき)—・れて」〈俳・徳元千句〉 ㊁『名』すっかり暮れること。全く終ること。「今日も程なく—の月」〈俳・時勢粧五〉 ㊂『副』《すっかり暮れて見えぬことから。下に打消の語を伴って》全く。まるで。一向。「行く春の—に見えぬ霞かな」〈俳・埋草一〉

かいげ【掻笥・掻器】水や湯を汲むための小桶、柄杓の類。「船頭、棹かたげて、—を持って出る」〈天理本狂言六義・舟渡聟〉。「掻笥・掻器、かいげ。ひしゃく也」〈和漢通用集〉

かいげん【開眼】①新しくできあがった仏像の眼を入れて仏の霊を迎える儀式。「盧舎那大仏の像成りて、始めて—す」〈続紀天平勝宝四・四・九〉。「—と申すは、本体は、仏師が眼を開き参らせ候を申し候なり」〈和語燈録五〉 ②真髄・精髄をつかむこと。「壁面打坐なり、面壁—なり」〈正法眼蔵 阿羅漢〉。「—とは、その能一番の内に、見風感応の成就の眼(まなこ)をあらはす在所なるべし」〈能作書〉 ③人形・肖像などの仕上げに眼を入れること。「—といふ事、仏のみにあらず。人形・画像等仕立て上げたる上にて、眼玉を入る也」〈譬喩尽二〉

かいこう【戒功】戒律を守った功徳(くどく)。「我、十善の—によって万乗の宝位をたもつ」〈平家一・二代后〉

かいこう【開口】①〔能楽用語〕㋑能がはじまり、舞台で最初にことばを発すること。口あけ。「殊更脇の申楽、本説正しくて、—よりその謂れと、やがて人の知る如くならんずる来歴を書くべし」〈風姿花伝〉 ㋺脇能のワキが、その日の演能の初めにあたって謡う祝言の謡。「—に『又君は武運めでたくましますにより』」〈申楽談儀〉 ②延年(えんねん)芸能において、そのいわれや頌辞などを語るもの。「—は中老にて…文句は、そもそも当山の眺望を拝み奉る等の文句なり」〈小山茗話〉

かいこ・し【掻い越し】『四段』《カキコシの音便形》垂れている髪を前へまわす。「髪、脇より—・して、様態をかしき人なり」〈源氏浮舟〉

かいこ・み【掻い込み】『四段』《カキコミの音便形》脇の下に抱えこむ。「打物(うちもの)小脇に—・んで」〈謡・景清〉

かいこ・め【掻い籠め】『下二』《カキコメの音便形》かこいこむ。「四町—・め、堀掘らせ」〈伽・小栗絵巻〉

かいさい【皆済】⇒かいせい。「様様に調儀して—す」〈仮・智恵鑑三〉。〈運歩色葉集〉

かいさぐ・り【掻い探り】『四段』《カキサグリの音便形》指先で触れて様子を見る。「—・り給ふに、息もせず」〈源氏夕顔〉

かいさま【反様】《カヘサマの転》あべこべ。さかさま。反対。「君臣—なことぞ」〈三略抄下〉

かいさん【開山】①はじめてその地に寺院を創設した人。「かの泉涌寺の—の聖の名を」〈増鏡四〉 ②宗派の開祖。祖師。「当流真実の念仏者といふは、—の定めおき給へる正義(しゃうぎ)をよく存知して」〈御文章〉 ③《一般に》ある物事の創始者。元祖。「文王は…周の—なり」〈玉塵抄四二〉 ④第一人者。日の下開山。「ぬれの—高雄が女郎盛りを見んと」〈西鶴・一代男七〉

がい・し【害し】『サ変』殺す。殺害する。「龍を捕へたらましかば、又こともなく、我は—・せられなまし」〈竹取〉

かいしき【掻敷・皆敷】食物を盛る器に敷く物。多く南天・杉などの木の葉を用い、後には紙も用いた。「—に鏡葉在り、上に浜木綿を重ぬ」〈兵範記仁平三・一・二六〉

かいしき【皆式・皆色】『副』全く。少しも。「船にあやかしといふ物のつく時は、—船が動かずして」〈義残後覚四〉。「皆式、カイシキ」〈文明本節用集〉

かいしゃう(・・ショウ)【海上】《近世中期頃からカイジャウと濁音にも》①海の上。「秋風の—、蘆花に宿る」〈菅家文草一〉 ②航海。海路。「—無事に其の地へ参着の由」〈伊達家文書二、元和一・四・七〉 ③海難。「渡り・帰朝共に—の儀は、我等存ぜず候。後日のために一筆、件の如し」〈島井文書元和三・二・一〉

かいじゃう(・・ジョウ)【開静】〔仏〕《「開」は放、許す意。「静」は静慮、坐禅の意》禅寺で、休息・就寝・食事などの時刻を知らせる響板を打ち鳴らすこと。「毎暁の—の時」〈正法眼蔵伝衣〉 **—どき**【開静時】開静の時刻。「『鶏既に鳴いて忠臣あしたを待つ』、あしたは—」〈虎明本狂言・岡太夫〉

かいしゃく【介錯】①世話をすること。また、その人。「御—の女房たちをも参らせず」〈平家六・小督〉 ②切腹する人の傍らに居て、首を切り落すこと。また、その役の人。「直時も主の—して、続いて腹を切りにけり」〈鎌倉大草紙〉

かいしら・べ【掻い調べ】『下二』《カキシラベの音便形》絃楽器の調子を整える。「夜深きほどの人の気しめりぬるに、心やましく—・べ」〈源氏椎本〉

かいしろ【垣代】《カキシロの音便形。垣の代用の意》①帳(とばり)を垣の代りとして用いるもの。「其の葬らむ時の帷帳(かたびら)帳(かいしろ)のごときには白布を用ゐよ」〈紀(卜部本)孝徳、大化二年〉。「皆はなやかなる貌(かほ)にて、舞台の—に立ち給ひたりし時は」〈盛衰記四〇〉 ②舞楽、特に青海波(せいがいは)の舞のとき、立ちならんで笛を吹き、拍子を取る人人の作る円陣。垣のように舞人をとり囲むからいう。「木高きもみぢの陰に四十人の—、いひ知らず吹きたてたる物の音ども」〈源氏紅葉賀〉

かいせい【皆済】年貢・借金・宿賃などを全部納め払うこと。「奈良屋の宿賃一貫文これを遣はす。—」〈山科家礼記文明三・二・四〉。〈文明本節用集〉

かいせんらく【海仙楽】雅楽の曲名。「海青楽」とも。「もみぢ薄く濃くかざして—といふ物を吹きて」〈源氏総角〉

かいぞく【海賊】海の賊。「唐国擾乱して、—寔(まこと)に繁し」〈続紀天平宝字八・七・一九〉。「—の恐りあり」〈土佐一月二十三日〉

かいそ・ひ(・・ソイ)【掻い添ひ】『四段』《カキソヒの音便形》寄りそう。くっつく。「渡殿の口に—・ひて隠れ立ち給へれば」〈源氏空蝉〉

かいそ・へ(・・ソエ)【掻い添へ】㊀『下二』《カキソヘの音便形》物の脇につける。「御髪長く美しうて、〔身ニ〕—・へて臥させ給へり」〈栄花花山〉 ㊁『名』【介添・介副】《カイゾヘとも》①付き添って世話をする人。「—の侍二人、布衣に上(はう)くくりして右に副ひ」〈西源院本太平記三・藤房卿〉 ②嫁入りの時、花嫁に付き添って行き、いろいろ世話をする女中。介添女房。介添女。「乳母・—・中居」〈西鶴・諸艶大鑑四〉

かいだう(・・ドウ)【海道】①諸国へ通じる道路。古代の海道は大路・中路・小路に分けられ、大路は山陽道、中路は東山道と東海道、小路は北陸道・山陰道・南海道・西海道などであった。「陸奥国言(まう)す。―の蝦夷反(そむ)けり」〈続紀神亀一・三・二五〉。「先年遊行(ゆぎやう)のおん下向の時も、古道とて昔の―をおん通り候ひしなり」〈謡・遊行柳〉②特に、東海道の称。「本海道」とも。「今の―の道、清見が崎を通り、田子の浦などを通るは、中古よりの事なり」〈仙覚抄五〉。「―十万余騎、東山道五万余騎、北陸道四万余騎、十九万余騎を進(まゐ)らせ候」〈承久記上〉　**―いち**【海道一】東海道随一。「―の名人にて候へ」〈平家一〇・海道下〉。「―の名所と申すは理にて候ひける」〈諸国一見聖物語〉　**―くだり**【海道下り】①東海道を通り、京都から関東へ行くこと。「あづまくだり」とも。「面白の―や」〈閑吟集〉②室町時代の謡物の一。⑴の内容を扱った道行の一体。のち、狂言小歌となり、近世初期には、三味線に合わせ歌われた。「貴賤群集(くんじゆ)の言の葉に―をつづけたり」〈伽・唐糸さうし〉　**―タバコ**【海道煙草】通りいっぺんの客に出す安煙草。「百旦那(ひやくだんな)―ばかり飲み」〈雑俳・柳多留二一五〉　**―ゆづけ**【海道湯漬】①街道筋の茶屋などで、旅人に食べさせる簡単な湯漬飯。海道茶漬。「座敷形(ざしきなり)―は身にならず」〈雑俳・一息下〉②近世後期安永頃、江戸浅草に出来た茶漬店で売り出した茶漬食。海道茶漬。「―の約(げび=下卑)を尽し」〈風俗問答〉③《海道湯漬が淡白で腹にたまらなかったことから》口先ばかりの接待。「―の義理一遍の御馳走は、よしにもしやしょふ」〈洒・南閨雑話〉。「―、口先計(ばかり)也」〈譬喩尽三〉

かいだて【掻楯】《カキダテの音便形》楯を立て並べて垣のようにしたもの。「御門のはざまに―などして」〈宇治拾遺七二〉。〈文明本節用集〉

かいたを・り【掻い撓り】㊀『四段』《カキタヲリの音便形》道などがたわみまがる。「粟田口の堀道を南に―・りて逢坂山にかかれば」〈海道記〉㊁『名』道などのまがったところ。「辻の―などをありきまはりて」〈古事談二〉

かいだん【戒壇】僧に出家の戒を授ける儀式を行なう壇。奈良の東大寺に設けられたのが最初で、筑紫の観世音寺、下野の薬師寺の三戒壇があったが、平安初期に延暦寺に作られ、後には唐招提寺にも作られた。「下野国言(まう)す。薬師寺は…大宰府の観音寺に準じて、―の十師の中、智行具足にして衆の推す所たる者を簡択(らえ)びて講師に充任し、便(すなは)ち授戒の阿闍梨とせん」〈続後紀嘉祥一・二・三〉。「我、東大寺を造れるに、―を起て戒律を伝ふべし」〈今昔一一ノ八〉　**―せき**【戒壇石】禅宗・律宗の寺院の門前に建ち、「不許葷酒入山門」の制札を刻んだ石碑。かいだんいし。「―、今、禅・律の寺門にこれを立つ」〈和漢三才図会一九〉

かいちゃう（チヨウ）【開帳】寺院で、厨子の戸帳を開いて、中の仏像を拝ませること。開扉。「醍醐一言観音、今月八日より―す」〈看聞御記応永二七・四・二〇〉

かいぢゃうゑ（ジヨウ）【戒定慧】仏道修行の三大綱目である持戒と禅定と智慧と。「戒」は悪を止めて善を修すること、「定」は心の散乱を静めること、「慧」は惑いを去って理を明らかにすること。これを三学という。「凡そ仏教多しといへども、詮ずる所、―の三学をば過ぎず」〈和語燈録五〉

かいぢん【開陣】《「帰陣」とも書く》①陣を解き、軍勢を引きあげること。「両陣共に今日…―候」〈小早川家文書二、文明七・四・二五〉②戦に勝って自分の陣に帰ること。「かくて皇后は日本の地に―あり」〈伽・武家繁昌〉

かいぢん【凱陣】「開陣(かいぢん)」⑵に同じ。「出羽奥州を治めて鎌倉へ―あり」〈北条五代記一〉

かいつ【彼奴】『代』「かやつ」の転。「―ばらは人にてはよもあらじ」〈伽・みしま〉

かいつ・き【掻い付き】『四段』《カキツキの音便形》とりつく。つかまる。「木の本を引きゆるがすに、危(あや)ふがりて猿のやうに―・きて、をめくもをかし」〈枕一四四〉

かいつくろ・ひ（ツクロイ）【掻い繕ひ・刷ひ】㊀『四段』《カキツクロヒの音便形》乱れを直す。きちんと整える。「馬の腹帯結(ゆ)ひ、胡籙(やなぐひ)など―・ひて」〈今昔二五ノ一〇〉。「整、トヽノフ・カイツクロフ」〈名義抄〉㊁『名』着付けや髪形などの世話をすること。また、その人。「〔舞姫ノ〕―二人・童より他には、すべて入るまじ」〈枕九三〉

かいつのぐ・り【掻い角繰り】『四段』《カキツノグリの音便形》髪を無造作にたばねる。簡単にぐるぐる巻きにする。「『少しも苦しからぬ御事』と申して、〔髪ヲ〕―・りて」〈西鶴・五人女二〉

かいづめ【掻詰】物に押し込んで支える物。つっかえ。「低き軒端の下の―」〈俳・独吟一日千句〉。「〔鼠取リノ〕桝落しの―」〈西鶴・胸算用一〉

かいつら・ね【掻い連ね】『下二』《カキツラネの音便形》次次につらねる。連れ立つ。「逍遙しに、思ふどち―・ねて、和泉の国へ二月(きさらぎ)ばかりに行きけり」〈伊勢六七〉

かいと【垣内】《カキツの転》①居所・屋敷。特定の人名を付すことが多い。かいち。「今中将の―と名付けて侍る」〈無名抄〉②聚落。村の最小自治単位。「―に於いて藤次郎と云ふ物…逃亡せしむ」〈法隆寺衆分成敗引付天正三〉

かいと【垣外】垣の外。屋敷の外。「月移る―に猫のやすらひて」〈俳・望一千句〉

かいともし【掻燈】《カキトモシの音便形》宮中で清涼殿の夜の御殿にともした燈籠の油火。「夜の御殿のをば『―疾(と)うよ』などいふ、まためでたし」〈徒然二三〉

かいと・り【掻い取り】㊀『四段』《カキトリの音便形》①衣服の裾や褄(つま)をからげる。「浄衣(じやうえ)の袴―・って」〈謡・卒都婆小町〉②要点を取り出す。要約する。「此の義はかうなり、此処は此の理と、―・って言ふも有り」〈仮・悔草上〉㊁『名』《カイドリと濁音》①着物の褄・裾をからげること。「―押し下ろし、襟繕うて」〈浄・八百屋お七上〉②「うちかけ」㊁⑶に同じ。「―の薫りさは立つ待ち女郎」〈雑俳・ちゑぶくろ〉　**―すがた**【掻取姿】①褄をつまみあげなどして、裾をからげた姿。「―のうしろで(後姿)、毛生ひたる細脛(ほそはぎ)のほど」〈徒然一七五〉②掻取㊁⑵を着た姿。「御隠居出づる―」〈俳・信徳十百韻〉　**―づま**【掻取褄】衣服の褄を取り上げてかかげること。また、その褄。掻取小褄(こづま)。「只一人―にて行かぬよなう」〈虎寛本狂言・法師が母〉　**―まへ**（エマ）【掻取前】着物の裾をかいどって歩くこと。「―の立姿を思ひやりて」〈評判・難波物語〉

かいどり【鑰取】《カギトリの音便形》院や諸家・寺社などで、倉庫の鍵を管理する役。「院司・―」〈宇津保祭使〉

かいな・で【掻い撫で】㊀『下二』《カキナデの音便形》かきなでる。「〔頭ヲ〕―・でつつ、顧みがちにて出で給ひぬ」〈源氏若紫〉㊁『名』通りいっぺんであること。「よき〔歌〕にはあらねど、〔末摘花ノ歌モ〕かうやうの―にだにあらましかばと、かへすがへすくち惜し」〈源氏末摘花〉

がいに【我意に】『副』①自分勝手に。ほしいままに。「物を云ふに―云はぬぞ」〈論語抄郷党〉②たいへんに。はなはだしく。「官が―成りあがりて」〈山谷詩抄二一〉→雅意(がい)

かいねり【掻練】《カキネリの音便形》練って糊を落し、柔らかにした絹布。多く紅色らしい。また、その襲(かさね)の色目。「さむき霜の朝に―好める鼻の色あひや見えつらむ」〈源氏末摘花〉。「火色、カイネリ、紅也。紅下重ヲ云。カイネリノ下重也」〈色葉字類抄〉

かいのご・ひ(ゴイ)【搔い拭ひ】『四段』《カキノゴヒの音便形》ふき取る。きれいにぬぐい去る。「いみじう〔病ンデ〕おはせしを、―・ひたるやうにやめ奉りたりしかば」〈枕三五九〉

かいば【海馬】タツノオトシゴ。安産のまじないに用いられた。「〔中宮〕御産…儲け置く所の御薬雑物等……―六」〈山槐記治承二・一一・一二〉

かいはう(ウ・ホ)【介抱】《「懐抱(くわいはう)」の転か》①世話をすること。「誠に〔私ハ〕幼少の身なり。全く―する人なし」〈八幡宮巡拝記上〉②看護。看病。介病。「手負(てひ)(ておひ)を―し、雨田谷へ引き退けば」〈安宅一乱記二〉

かいはな・ち【搔い放ち】『四段』《カキハナチの音便形》開け放す。「忍びたれば〔別人トハ〕思ひも寄らず、〔戸ヲ〕―・つ」〈源氏浮舟〉

かいばみ【垣間見】「かいまみ」の転。「ある人の局にいきて、―して」〈枕四九〉

かいひ・き【搔い弾き】『四段』《カキヒキの音便形》絃楽器をかき鳴らす。弾奏する。「箏のことを盤渉調(ばんしきてう)に調べて、今めかしく―・きたる爪音」〈源氏帚木〉

かいひざ【搔い膝】《カキヒザの音便形》片ひざを立て、それをかき抱くようにして坐ること。「思ひ嘆き、―とかいふさまにて」〈栄花見はてぬ夢〉

かいひそ・め【搔い秘め】『下二』《カキヒソメの音便形》目立たないよう心して抑える。「心よく―・めたるものに、女君も思したれど」〈源氏玉鬘〉

かいびゃく【開白】①法会や修法(しゆほふ)の開始を本尊に申すこと。「その十一面観音の像を造り、因りて―供養することすでに訖(はを)りき」〈霊異記下三〇〉②法会の初日。「恒例の最勝講始め行なはる。五月二十四日―なり」〈盛衰記三〉③初め。第一。「千句これあり。例年の如く、―発句予〔ガ詠ム〕」〈大乗院雑事記長享二・三・二三〉

かいびゃく【開闢】《「闢」は呉音ビャク。漢音ヘキ。慣用音ヒャク。室町時代の字書にはカイヒャクとするものが多い》①天地のひらけはじめ。「そもそも―已来」〈保元上・官軍勢汰へ〉②信仰の地として、はじめて山を開くこと。また、その人。「なんぞこの山を惜しみ申すべき。はや―し給へ」〈謡・白鬚〉

かいぶ【海浦・海賦】織物・蒔絵などに海辺の様子をあらわしたもの。大波・海松(みる)・貝などをあしらってある。「浅はなだの―の織物、織りざまなまめきたるに」〈源氏玉鬘〉

かいふ・し【搔い伏し】『四段』《カキフシの音便形》①伏す。横になる。「さらば御やすみ候へとて、御傍に―・し給ひ」〈伽・およう の尼〉②背をかがめる。姿勢を低くする。「―・して逃ぐるを、追ひつけて来れば」〈宇治拾遺一三二〉。「長刀(なぎなた)に叶はじとや思ひけむ、―・いて逃げければ」〈平家一一・弓流〉

がいぶん【涯分】①身の程。分際。分相応。「我が―をはからず、さしもなき身を高く思ひあげ」〈十訓抄二序〉。「―の政道を行なひ、己を責めて徳を施ししかば」〈太平記二七・雲景未来記〉②《副詞的に用いて》自分の限度いっぱい。できる限り。「―御気色をうかがふべし」〈曾我八〉。「これより後は―養生して」〈長恨歌抄〉

かいまがり【皆曲り】急角度に曲がること。また、その曲がった箇所。「頰赤(ほほあか)のちらりと通る―」〈俳・藤の実〉

かいまき【搔巻】薄く綿を入れた小夜着。「御―の御ふく一つ参る」〈御湯殿上日記慶長四・五・一四〉

かいまさぐ・り【搔いまさぐり】『四段』《カキマサグリの音便形》手先で何となくいじる。「よく装束したる数珠(ずず)―・り、手まさぐりにして」〈枕三三〉

かいま・み【垣間見】㊀『上一』《カキマミの音便形》物の透き間から中をのぞき見る。「穴をくじり、―・み惑ひ合へり」〈竹取〉▽四段にも活用。「さて―・めば、…いとあやしきさまなる衣(きぬ)を着て」〈大和一四九〉㊁『名』物の透き間から中をのぞき見ること。「―せし障子の穴も思ひ出でらるれば」〈源氏早蕨〉

かいみゃう(ミ・ョウ)【戒名】①受戒した人につける法名。「もとより法師なれば、御辺(ごへん)たちは―せずとも苦しかるまじ」〈義経記七〉②死者に付ける法号。「―を付け、過去帳に写し、回向して得させん」〈浄・大原問答四〉。〈日葡〉

かいめん【皆免・改免】幕府の命令で、ある期限内の売買・貸借・質入れなどの契約の権利・義務を破棄すること。徳政。「古例にまかせ天下徳政になして―の時」〈西鶴・新可笑記三〉

かいもち【搔餅】「かいもちひ」に同じ。「児(ちご)の―するに空寝(そらね)したる事」〈宇治拾遺一二〉

かいもちひ(チイ・モ)【搔餅】《カキモチヒの音便形》あんころ餅・ぼた餅の類をいう。「いざれ高雄へ、―くれう」〈著聞五三〇〉

かいもと【垣下】《カキモトの音便形》祭や儀式の際の饗宴で正客以外に饗応を受ける人人。相伴(しやうばん)。「ゑんが」「ゑが」とも。「尊者被物・引出物昨の如し。―親王昨に同じ」〈九暦天暦三・一・一三〉 **―あるじ**【垣下饗】「かいもと」の座での相伴の饗応。「―はなはだ非常にはべりたうぶ」〈源氏少女〉

かいや・り【搔い遣り】『四段』《カキヤリの音便形》①搔きのける。「いはけなく〔髪ヲ〕―・りたる額つき、かんざし、いみじううつくし」〈源氏若紫〉②やる。与える。「〔手紙ヲ書イテ〕引き結びて―・り給ひしを」〈西鶴・五人女三〉③帰してやる。「けされて(軽蔑サレテ)これ(扇屋ノ女)も―・りて」〈西鶴・一代男四〉

かいらうどうけつ(ウ・ロ)【偕老同穴】《偕(とも)に老い、死後は同じ穴に葬られる意》夫婦が死ぬまで仲むつまじく連れ添うこと。「―の契(ちぎり)深かりし入道には後れ給ひぬ」〈平治上・信西の首実検〉

かいらぎ【梅花皮・鰄】南方産のサメ類の背の中央部の皮。梅花の形の硬い粒状突起があり、刀剣の鞘(さや)・柄(つか)などを包むのに用いた。また、それを用いた刀剣。「金銀・―等の腰刀、停止すべきの事」〈建武式目追加貞治六・三・二九〉

かいらふ(ウ・ロ)【戒臘・戒﨟】①具足戒を受けて、完全な僧侶となった後の年数。一般に安居(あんご)を区切りとして数える。法臘。夏臘。「寂照は―の浅ければ、最下に着きたるに」〈今昔一九ノ二〉②芸道修行の年功。「二曲三体の功入て、―を経て」〈申楽談儀〉

かいりうわう(ウオウ・リユ)【海龍王】海中に住み海をつかさどる龍王。「―の后になるべき、いつき娘ななり」〈源氏若紫〉

かいりき【戒力】戒律を守ったその功徳(くどく)の力。「先世の―少なくて、畜生と生れたれど」〈十訓抄一ノ六〉

かいりつ【戒律】僧俗ともに守らなければならない仏教の規律。本来、「戒」は自律的、「律」は他律的なものをいうが、それを合成混用した語。「落飾出家、精進苦行、心を―に留む」〈懐風藻〉。「出家の後は―を犯さずして、もはらに善心あり」〈今昔一三ノ三〇〉

かいろ 鹿の鳴き声。「さを鹿は船子のなれる果てやらん―とこがれてぞ鳴く」〈玉吟抄〉 ↓かひよ

かいわぐ・み【搔い綰み】『四段』《カキワグミの音便形》た

ぐりよせて輪にする。たわめまげる。「下の袴を着て、みな―・みて走らるめりし」〈宇津保蔵開上〉

かいわじゃう【戒和尚・戒和上】戒を授ける時の第一の師僧。天台宗では釈迦を戒和尚とする。「あはれ、天台座主、―の一や」〈大鏡道長〉

かう【更】日没から日出までを五等分した時間の単位。一更(初更)・二更・三更・四更・五更に分ける。また、それぞれを甲夜・乙夜・丙夜・丁夜・戊夜ともよぶ。「―闌(た)け夜深(ふ)けて、月入り方になりぬ」〈春のみやまぢ〉

かう【香】①香料。伽羅(きゃら)・白檀(びゃくだん)など天然の香木や、麝香(じゃこう)・龍涎(りゅうぜん)など動物の体の部分の粉末を主に使った。それを焚いて、その香煙を衣類や髪などに浸みこませて用いる。「薫物(たきもの)」とも。種種の香料を混合した「合せ薫物」は朝廷・貴族の間に賞翫され、香合せ・香聞きなどが盛んに行なわれた。「あな、かうばしや。いみじき―の香(か)こそすれ」〈源氏宿木〉。「あさゆふ仏前に花・―を供へ」〈平家一・祇王〉 ②「香染」「香色」の略。「―の紙」〈枕三六〉。「―なる御扇」〈大鏡昔物語〉 ③織色の名。経(たていと)・緯(よこいと)ともに香色、また、経は香色、緯は白色という。「―の直垂(ひたたれ)二人は誰(た)ぞ」〈謡・調伏曾我〉 ④味噌の異称。「凡そ味噌を―と云ふ子細あり」〈庭訓抄下〉

かう【剛】《漢音・呉音ともにカウ》強いこと。勇敢。「力は劣ったれども、心は―なりければ」〈平家九・越中前司最期〉

かう【講】①仏教を講義する会。「維摩会は…内大臣の忌辰に至りて―を為すことを終へ了る」〈続紀天平宝字一・閏八・一七〉。「安祥寺にてみわざしけり。…―の終るほどに、歌よむ人人を召しあつめて、けふのみわざを題にて」〈伊勢七七〉 ②中世、同一の信仰で結ばれている宗教的な共同体。転じて、寺社などへの参詣・寄進を目的として結合している信者の共同体組織。さらには、金銭や労働力などを融通しあう相互扶助の団体。「月並の観音―にて候が」〈盛衰記四三〉。「結解(けっ)をやする伊勢―の銭(ぜに)」〈俳・犬筑波〉

かう【斯う】『副』《カクの音便形》①このように。「―物のやうにもあらであるも」〈かげろふ上〉。「世のなか今は―と見えて候」〈平家一一・先帝身投〉 ②《間接話法などで叙述の内容の代りにいう》これこれ。しかじか。「兵(つはもの)ども、入道に―とも申しも入れず」〈平家二・烽火〉 ③《相手の言動を肯定して》そう。「ただ―なり。この事は」〈宇津保藤原君〉。「―なり、―なり。さらむ折は必ず告げ給ふべきなり」〈大鏡道長〉

がう【郷】①律令制下の地方行政区画の一単位。従来の国・郡・里の「里」を、霊亀元年(七一五)に改称したもの。民戸五十戸を以て一郷とする。「右の件の―の字は、霊亀元年の式に依りて、里を改めて―と為せり」〈出雲風土記〉 ②いなか。故郷。「諸国の役民―に還る」〈続紀和銅五・一・一六〉

かうい【更衣】後宮の女官の一。天皇の寝所に仕える。女御の次位。納言及びそれ以下の家の出身の女から選ばれた。「女御・―みな例のごとさぶらひ給へど」〈源氏澪標〉。「勅して―従五位上藤原朝臣元善を以て、女御と為す。中納言従三位山陰の女也」〈三代実録仁和三・二・一六〉

―**ばら**【更衣腹】更衣の腹から生れること。またその皇子・皇女。「〔女二宮ハ〕下臈の―におはしましければ」〈源氏若菜下〉

かういろ【香色】黄色みのかかった薄赤色。「白き御小袖…―に焦(こ)がしてけり」〈沙石集七ノ一〉。「くるみ色は―なり」〈源氏物語抄〉

かううん【高運】すぐれてよい運。幸運。「道の冥加(みやうが)なり。―なり」〈徒然二三八〉

がうえん【強縁】①強力な縁。頼みがいのある縁故。「仏の願力をもて―として、必ず往生を得ん事」〈和語燈録二〉 ②特に、権力者との縁故関係。「本の妻はありけれども、―を取ると思ひて」〈今昔二六ノ五〉。「大名にもあらず、―も持たぬ人をば」〈夢中問答上〉 ③権力者との縁故を笠に着た横暴なふるまい。また、それを行なう者。「それ政道の為に怨(あた)なる者は…博奕(ばくえき)・―・内奏(ないそう)、さては不直の奉行なり」〈太平記三五・北野通夜〉

かうおく【剛臆】剛勇と臆病と。「命ありてこそ軍(いくさ)をもし、―をもあらはさめ」〈保元中・白河殿へ義朝夜討ち〉

かうがい【笄】《カミカキ(髪掻)の音便形》①頭髪をかき整えるのに用いる道具の一。男女ともに用いた。「鏡おし入れて、沈(ぢん)の櫛、白銀の―など、使の君の鬢かかせ給ふべきけしきをしたり」〈紫式部日記〉 ②刀の鞘の付属具の一。頭をかくのに用いた。「守刀より―ぬきいだして鬢つくろひ」〈十訓抄八ノ一〉 ③近世、婦人の髷(まげ)の装飾品。鯨の鰭(ひれ)、鶴の脛骨、鼈甲、金銀蒔絵などで作った。「びいどろや氷柱(つらら)をかざす―売り」〈俳・坂東太郎下〉。「―…竹・角・象牙・鯨の鰭を以て造る」〈人倫訓蒙図彙五〉

―**わげ**【笄髷】近世、婦人の髪形の一。下髪を巻き上げ、笄で止める。「君が代は―のかみ代より」〈俳・物種集〉

かうかう【斯斯】『副』《カクカクの音便形》このようにして。「―今はとて〔妻ガ〕まかるを、何事も、いささかなることもえせで」〈伊勢一六〉

かうがう・し【神神し】『形シク』《カムカムシの転》いかにもおごそかである。「黒木の鳥居どもはさすがに―・しく見え渡されて」〈源氏賢木〉

かうかつ【交割】①新旧の住持が立ち合って寺物などを引き継ぐこと。「その塔いま本山にあり。庫下(くか)に―す」〈正法眼蔵行持上〉 ②代代の宝物。什物(じふもつ)。交割物。「〔コノ硯ハ〕数百年、寺門の―たり」〈江源武鑑一四〉

かうがふ【香合・香盒】香を入れる容器。香箱。「御―堆紅、返進申す」〈看聞御記永享七・四・一三〉

かうが・へ【勘へ・考へ】『下二』《カムガヘの転》①先例や文書を調べて事を定める。「『近うまた吉き日なし』と―・へ申しけるうちに」〈源氏行幸〉 ②《法律に照らして罰することから》罪を責める。「月ごろの罪は…憎からぬさまにこそ―・へ奉り給はめ」〈源氏総角〉 ▷kamugaFe→ka-mgaFe→kaugaFe

かうがん【向顔】対面。「―をも遂(と)げられざる上は、日頃の忠も益なし」〈義経記四〉。〈運歩色葉集〉

がうき【拷器】拷問の道具。「犯人を笞(しもと)にて打つ時は、―によせてゆひつくるなり」〈徒然二〇四〉

がうぎ【強義・強儀・豪儀】①強引なこと。力ずくの行為。乱暴。「汝は―をいたすよと」〈伽・小栗〉 ②強く荒っぽいこと。強情。「吾が性の―なるを矯(た)めおいての心ぞ」〈蒙求抄一〇〉 ③程度の甚だしいさま。むやみ。「―と男湯が騒騒しいぜ」〈滑・浮世風呂二下〉

がうぎ【嗷儀】多人数が勢をたのんで騒ぎ立てること。多勢で無理を言い張ること。「山門もまた以前の―を例として」〈太平記一五・園城寺〉。〈文明本節用集〉

かうきう【行宮】天皇の行幸の際、旅先に設けられる仮の宿舎。あんぐう。「浪のうへの―はしづかなる時なし」〈平家八・太宰府落〉

がうきう【強弓】強い弓。また、強い弓を引く人。「つよゆみ」とも。「大力の―、矢つぎばやの手ききなり」〈古活字

本保元上・新院御所〉

かうきき(コウ)【香聞き】香を嗅(か)いで判定すること。また、その人。「名誉の—かな」〈西鶴・一代男五〉

かうぎは(コウギワ)【髪際】《カミギハの音便形》髪の生え際。「鬼しわびて、爪を以て—を断て引き抜きて逃げぬ」〈打聞集〉

かうぐ(コウ)【香具】①沈香(じんこう)・丁字(ちょうじ)・白檀(びゃくだん)・麝香(じゃこう)など薫物(たきもの)や匂袋に用いる香の総称。「いづれも、—、こしらへの道具、さじ、はねども、別別にして使ふが能なり」〈むくさのたね〉②香道に用いる器具。〈書言字考〉③「香具売」の略。「野郎・—の玉章を取り出しては」〈天和笑委集四〉 **—うり**【香具売】香類を売り歩く傍ら、色を売った若衆。「—片敷く袖の浪枕」〈俳・通し馬下〉 **—しょ**【香具所】香類・香道具を売る店。香具屋。「—の宇野河内といへる俳友」〈西鶴・名残の友三〉

かうぐゎい(コウ)【香会】香道の集会。「—・茶の湯も、おのづからに覚えて」〈西鶴・永代蔵一〉

かうけ(コウ)【高家・豪家】《「豪」は漢音カウ。近世にはカウゲとも》①家格の高い家。権勢のある家。摂関家や武家の名門にいう。「—あたりおそろしくわづらはしきものに憚り怖(お)ぢ」〈源氏東屋〉。「党も—も七条・朱雀・四塚さまへ馳せ向ふ」〈平家九・樋口被討罰〉▽河海抄に「豪家。有二千人徳一謂レ豪、又高家」とある。②《転じて》頼みどころ。権威をたのむこと。「大将殿をぞ—には思ひ聞ゆらむ」〈源氏葵〉。「誤りどもを片端より問ふに、ただ老を—にして答へ居たり」〈今昔二四ノ五五〉③江戸幕府の職名。儀式典礼・勅使接待などをつかさどる。足利氏以来の名家大沢・吉良などの二十六家が世襲、万石以下であったが位階は大名に準じた。「御追号御贈位の御謝使を—吉良上野介義彌命ぜられ」〈大猷院殿御実紀寛永九・三・七〉 **—がま・し**【高家がまし】『形シク』高家のように権勢を笠に着ている。かさにかかっている。「かこちかかりて、—・しく申してむつかしく侍るなり」〈山家集下〉 **—だ・て**【高家立て】『下二』権門らしくふるまって人に示す。「—・つる我殿も、中納言におはしますや」〈落窪二〉 **—ば・り**【高家張り】『四段』えらぶる。「あら、—・ったる罪人かな」〈虎寛本狂言・八尾〉

かうけち(コウ)【纐纈】《カウケツとも》古代以来の染色法の一。今の絞り染めの類。正倉院に奈良時代の遺品がある。「その血をもって—を染めて」〈今昔一一ノ一一〉。「夾纈、加宇介知(かうけち)、結レ帛為ニ文綵一也」〈和名抄〉

かうけつ(コウ)【纐纈】⇒かうけち。〈下学集〉

かうけん(コウ)《カウケ(高家)の転》威光。権威。「こうげ」「こうげん」なども。「日頃の—に違ひ…鎗(やり)を捨てて帰りたり」〈土佐国滝山物語〉

かうど(コウ)【香壺】香を入れておく壺。「—・薬の箱・御硯…うちうち清らを尽し給へり」〈源氏若菜上〉

がうこ(ゴウ)【江湖】①河川と湖と。「我は河泊神の使に、—へ行くなり」〈宇治拾遺一九六〉②世の中。「—遍散(へんさん)の僧たち」〈明徳記下〉③《禅宗の盛んだった中国の江西・湖南の地をさす》㋑禅宗、特に曹洞宗で、修学・参禅の僧。江湖僧。「—衆、和韻有り」〈再昌草一五〉㋺禅宗、特に曹洞宗で四方の僧侶を集めて安居(あんご)の制を結ぶこと。江湖会。「—も五三度相付かれ候て、よき御出家の由申し候」〈伊達家文書三、寛永三・九〉

かうこじ(コウ)【高巾子】《カウコンジのンを表記しなかった形》冠の巾子(こじ)の部分を高く作ったもの。踏歌のとき六位の舞人は高巾子の冠をつけ、さらに綿の面をかぶったらしい。「—の世離れたるさま」〈源氏(横山本)初音〉

かうざ(コウ)【高座】仏事修法または説法講説の時、導師・講師などがのぼる、一般の席より高く設けた席。後に、口演・演芸などの行なわれる席ともなった。「講師清範、—の上も光りみちたる心ちして」〈枕三五〉。「ましてーにのぼりては、法(のり)の声こそ尊けれ」〈梁塵秘抄三〇四〉。「聴衆を集め、日数を定め、—にあがり、一部〔平家〕を語る儀式は」〈西海余滴集〉

かうさう(コウソウ)【好相・高相】好い事のおこるべき相。特に、高貴な地位にのぼるべき相。「清盛大きに悦びて、『さては—なりけり』とて」〈盛衰記一〉。「汝、やんごとなき—の夢見てけり」〈宇治拾遺四〉

かうさく(コウ)【視告朔・告朔】《「視」字はよまない》百官の勤怠・出勤日数の記録を、毎月朔日(ついたち)に天皇が閲覧する儀式。延喜の頃からは正・四・七・十月の朔日だけに行なった。「諸司の—の文は主典以上弁官に送りて、惣(す)べて中務省に納む」〈続紀大宝二・九・一四〉。「先づ正月には…卯の日の御杖(みつゑ)、—の礼、…四月には朔日の—」〈太平記二四・朝儀年中行事〉

かうざく(コウ)【警策】《カウはキャウの直音化》⇒きゃうざく。「人がらのあたらしく、—に物し給ふ君なれば」〈源氏東屋〉

かうさつ(コウ)【高札】武家時代、法度(はっと)・命令などを書いて往来などに立て、人人に知らせた板札。たかふだ。「—打たれ〔シ〕と見えたり」〈蓮成院記録延徳二・一〇・二〇〉。〈文明本節用集〉

がうさぶらひ(ゴウサブライ)【郷侍】中世末から近世にかけて、農村土着の武士。郷士。地侍。「がうざむらひ」とも。「—衆・外様(とざま)衆の礼を受け給ふに」〈浅井三代記三〉

かうざま(コウ)【斯う様】《カクサマの音便形》①《目の前のものを他と比較して》これと同じ様子・状態。「女一の宮も—にぞおはすべきと」〈源氏椎本〉②この方面。「—のことは親などにも…語り出でがたき事なれど」〈源氏胡蝶〉

かうし(コウ)【格子】《カクシの音便形》①細い角材を一定の間をあけて縦横に組んだもの。窓や出入口に取り付ける建具。寝殿造では、これを黒色に塗り、四面の柱と柱との間にかける。一間ごとに上下二枚を取り付け、上を外方に釣り上げる。「夜ぶかき御月めでに、—もあげられたれば」〈源氏横笛〉②「格子縞」の略。「二藍の—、布の狩袴」〈続古事談五〉③「格子女郎」の略。また、格子女郎のいる座敷。「少し品劣れるを—と名づけ」〈評判・吾妻物語〉。「—に出でて煙草飲めてふ」〈俳・信徳十百韻〉 **—いはひ**(イワイ)【格子祝】近世、大阪の遊廓で、暇な遊女が客の来る呪(まじない)として近辺を散歩すること。「あんまり余所(よそ)が賑やかさに、—に出ました」〈近松・重井筒中〉 **—じま**【格子縞】格子の目のように縦横に織った縞柄。また、その織物。「—風通れとや神の夏」〈俳・坂東太郎上〉 **—ぢょらう**(ジョロウ)【格子女郎】遊女の階級の一。太夫に次ぎ、局(つぼね)女郎の上に位した女郎。「格子を付けたる家に住みける故に、—とかく言ふなり」〈西鶴・新吉原常常草上〉 **—づくり**【格子造】表に格子を設けた家の構え。また、その家。「—の奇麗なる門口(かどぐち)に」〈西鶴・二十不孝一〉

かう・し(コウ)【号し】『サ変』《カウは漢音》名づけ称する。「名を八幡太郎と—・せしよりこのかた」〈平家七・木曾願書〉

かうじ(コウ)【好事】①好い事。「—も不如無(なきにはしかず)」と申す事候へば」〈太平記三四・二度紀伊国軍〉②《「好士」とも書く》風流を好むこと。また、その人。「京にて—七八人ばかり、『月の夜客にあふ』といふ題を詠むに」〈能因法師集下〉 **—門を出で・ず**《伝燈録に「好事不レ出レ門、悪事行二千里一」とあるのにもとづく》 良い事は外へ漏れないが、悪い事は千里もの遠くまで忽ち知れわたる。「―・ず、悪事千里をゆけども」〈謡・藤戸〉 →悪事千里

かうじ(コウ)：【柑子】《カムシの転》 ミカンの類。「はかなき―などをだに触れ給はず」〈源氏若菜下〉 ▽kamsi→kanzi→kauzi

かうじ(コウ)：【勘事】《カムジの転》 ①譴責。処罰。「誠におぼし置きつる事にやあらむ、しばし―し給ふべきにやあらむ」〈源氏真木柱〉 ②不興。「おほやけの―なる人(勅勘ヲウケタ人)は、心にまかせてこの世のあぢはひをだに知ること難うこそあなれ」〈源氏須磨〉 ▽kamzi→kanzi→kauzi

かうじ(コウ)：【講師】 ①「国師」(1)に同じ。延暦年間以後の称。「―、馬のはなむけしに出でませり」〈土佐十二月二十四日〉 ②法会の時などに、高座にのぼって経文の講義をする僧。「―の、いと尊く事の心を申して」〈源氏鈴虫〉。「―・読師の高座」〈栄花音楽〉 ③詩歌の会の時に詩歌をよみあげて披露する人。「ふみ(漢詩)など講ずるにも、源氏の君の御〔詩〕をば―もえよみやらず、句ごとに誦(ず)しののしる」〈源氏花宴〉

かう・じ(コウ)：【拷じ】『サ変』《ガウシとも。「拷」は漢音・呉音カウ。ガウは慣用音》 打つ。打っていためつける。罪人を拷問する。「これ立て籠めて―・ぜむ」〈宇治拾遺二七〉。「拷、カウス」〈色葉字類抄〉

かう・じ(コウ)：【勘じ】『サ変』《カムジの転》 罪人を問いただす。罪を責める。「官(つかさ)皆とどめて、いみじう―・ぜさせ給へば」〈増鏡一三〉

かうじまちのゐど(コウジ)：【麹町の井戸】《麹町は江戸山の手の高台にあって、井戸が深いことから》 深いことのたとえ。「情の深き事、―は磯」〈評判・山茶やぶれ笠〉

かうしやう(コウショウ)：【高声】 高い声。大きな声。「此く―に其の音(こゑ)極めて高くして叫ぶが如くなり」〈今昔一五ノ四一〉

かうじやう(コウジョウ)：【高上】 ①位や身分などが高いこと。「御身はジャコブよりも―なりや否や」〈バレト写本〉 ②おごりたかぶること。えらぶること。「下下の人までも心―になり」〈古文真宝抄一〉

がうじやう(ゴウジョウ)：【強盛】 強く盛んなこと。強健。「勇猛―なる心」〈発心集三〉。〈色葉字類抄〉 →がんじょう

かうしやく(コウ)：【講釈】 ①書物の解釈を口頭で行なうこと。「又、禅録・碧岩等も―あり。歌道には源氏・伊勢物語等も―せらる」〈見聞愚案記一〇〉 ②太平記・太閤記などの軍書をおもしろく通俗的に語った話芸。(1)が芸能化したもの。今の講談の祖。「太平記・曾我物語・好色一代男の―を口にまかせて」〈浮・傾城辻談義三〉

かうじゆさん(コウ)：【香薷散】 香薷・陳皮・甘草など七味を細末にした、素湯または水で飲む散薬。夏、霍乱(くわくらん)・吐瀉・腹痛などに用いた。「沢庵―を進上す」〈実隆公記享祿二・六・五〉

かうしよく(コウ)：【好色】 ①美しい容色。美貌。また、美女。「―の家には此(和歌)を以ちて花鳥の使とし」〈古今真名序〉。「また李夫人は―の花のよそほひ衰へて」〈謡・花筐〉 ②男女間の逸楽を愛すること。色ごのみ。「―の諸女、深く此の事(邪信)を信じ、誠に以て市を成す」〈中右記嘉承一・二・七〉 ③女色を愛すること。また、その男。「たはれ男(を)は遊士と書けり。―と云ふ心なり」〈俊頼髄脳〉。「〔三ツノ戒メ〕―・博奕・大酒」〈風姿花伝〉 ④色ごのみの女。遊女の類をさしていうことが多い。「年ごろ慣れ遊びける―・白拍子(しらびやうし)」〈承久記上〉

かうしん(コウ)：【庚申】 ①干支(えと)の一。かのえさる。「二月なかの十日、年のはじめの―いできたるに」〈宇津保貴宮〉 ②庚申の日に青面金剛(しやうめんこんがう)などを祭り、徹夜で遊びなどして寝ずに過ごすこと。この夜に寝ると、人の体内に住む三尸虫(さんしちう)が天にのぼり、その人の悪事を天帝に告げるという道教の説による。この夜受胎した子は病弱か泥棒になるという俗信があった。庚申待ち。「腰折れたる歌合はせ、物語り、―をし」〈源氏東屋〉。「若き僧綱(そうがう)・有職(いうそく)など―して遊びけるに」〈宇治拾遺一八三〉。「―の夜女と物語りすといふことを。わぎもこと言葉のこりて明けにけりかのとの鳥の声のきこゆる」〈覚綱集〉。「―は鶏鳴(丑時)を限りに待つものなり」〈俳・俳諧之註〉 **―まち**【庚申待ち】「庚申」(2)に同じ。「禁中御―に参り」〈言経卿記天正四・三・二七〉

かうじん(コウ)：【鮫人】 中国で、南海中に住むと想像された、人魚のような魚。常に機(はた)を織り、泣くと玉の涙がこぼれるという。「我は―といへる魚の精なり」〈謡・合浦〉

かうずい(コウ)：【香水】 仏に供える、香を溶かした水。鬱金(うこん)・龍脳・旃檀(せんだん)などを合わせ用いるが、調合の方法は修法の種類によって種種ある。「かの四十九壇の修法に加持したる―を硯の水にて」〈宇津保菊宴〉

かうぜい(コウ)：【行成】 **―がみ**【行成紙】《もと、藤原行成の書いた和歌などの料紙に似せたから》 鳥の子紙を色色に染めて雲母(きら)で模様を型押しした紙。「―に筆試むる」〈俳・時勢粧六〉 **―りう**(リュウ)【行成流】 藤原行成の書風。行成様。「―に筆を動かせ」〈西鶴・男色大鑑六〉

がうせい(ゴウ)：【強勢】 勢いが強いこと。「―の力わざ、馬の達者」〈バレト写本〉。「―にはたらくべき事肝要なり」〈こんてむつすむん地三〉

かうぜち(コウ)：【講説】 講義し説明すること。法会には講説を含むものが多いという。「―の折は、大方の鳴りをしづめて」〈源氏鈴虫〉

かうせん(コウ)：【香煎】 もち米を煎ったものと、陳皮(ちんぴ)・山椒・茴香(ういきやう)とを混合して、粉末にしたもの。素湯(さゆ)に入れて飲む。こがし。「初献、居肴(すゑざかな)…飴・牛房・―・白瓜」〈蓮成院記録天文三・六・一〉

かうそ(コウ)：【高祖】 一宗の開祖の尊称。「弘法―は、紀州に南山を占めて」〈保元上・将軍塚鳴動〉

がうそ(ゴウ)：【嗷訴・強訴】 公けに対し、徒党を組み大挙して訴えて出ること。平安時代中期から院政・鎌倉時代にかけて、比叡山延暦寺・南都興福寺の僧兵が盛んに行なった。「衆徒此の事を聞くや、忽ち以て蜂起し、―に及ばんと擬(はか)る」〈吾妻鏡文治三・一〇・七〉

かうそつ(コウ)：【江帥】 口の達者な者。おしゃべり。「口を利きすごし、―なる女を去る」〈朱子家訓私抄上〉。「〔大江匡房ハ〕物知りにて、口利きなる故に、世に―なる物と云ふ詞も、江帥の字なりと云ひ習はせり」〈徒然草野槌下ノ三〉

かうぞめ(コウ)：【香染】 丁字(ちやうじ)の煮汁で染めたもの。黄味を帯びた薄紅色という。仏事関係の扇・几帳・衣服・袈裟などに用いた。「―の御扇」〈源氏鈴虫〉

かうぞり(コウ)：【剃刀】「かみそり」の転。「御―に御手を切り給ふ」〈殿暦天永二・三・二三〉

かうだい(コウ)：【香台】 ①陶磁器の糸底(いとぞこ)。「此の花瓶…―付き」〈宗及他会記元亀二・三・二三〉。〈文明本節用集〉 ②尻の異名。「―をこなたへ向けるといふ事にて」〈評判・野郎虫〉

かうだん(コウ)：【講談】 ①「講釈」(1)に同じ。「〔儒教ノ〕道を―仕る」〈伽・宝くらべ〉。「源氏物語―ことゆゑ無く終へぬる、喜び思ひ給ふよし」〈再昌草四〉 ②「講釈」(2)に同

じ。「菅原とやらいふ女郎の八島の―するよし、是はめづらしい傾城の物読み」〈浮・御前義経記六〉

かうち コウ【高知】多分の知行〈ちぎやう〉。高禄。「―をも得さすべし、永く奉公せよ」〈小松軍記〉

かうぢう コウジュウ【講中】和親を目的とする宗教的あるいは経済的団体の仲間。「―の悪七兵衛六兵衛〔ガイル〕」〈俳・二葉集〉→講(2)

かうぢき コウ【高直】《呉音。「下直(げぢき)」の対》値段の高いこと。高価。「〔馬ヲ〕―に買ひ取りて、いたはり飼ひければ」〈著聞六七三〉

かうちゃう コウチョウ【綱丁】奈良・平安時代、調・庸などの貢物を諸国から京に運ぶ人夫の長。「さる程に、この鮭の―、『…』と云ふ」〈宇治拾遺一五〉

かうぢゃう コウジョウ【定考】毎年八月、太政官において六位以下の官吏の昇進を定める公事。「自今、定考の日に、上下給することを聴(ゆる)す」〈三代実録元慶八・四・一〉。「〔二月(八月ノ誤カ)官の司にかう定といふことすなる、なにごとにかあらむ」〈枕一三三〉▽もと、中国で用いた語。日本で何故「定考」をカウヂャウと顚読するに至ったか不明。「上皇」と音が同じになるからとする説があるが、「上(じゃう)」「定(ぢゃう)」、「皇(くわう)」「考(かう)」は、平安・鎌倉時代には別音で混同はしない。

かうづか コウ【髪束】《カミツカの転》髪をたばねた部分。もとどり。「みづから―をつかみ、己れが首をうしろへ折りつくる音」〈太平記三三・新田左兵衛佐〉

かうづけ コウ【上野】「かみつけ」の転。〈文明本節用集〉

かうつつみ コウ【香包】香水や薫香を包んだ紙。「―参る」〈御湯殿上日記天正一六・閏五・二〉

かうて コウ【斯うて】『副』「かくて」の音便形。こうして。「―見奉るにつけても」〈源氏玉鬘〉

がうてき ゴウ【強敵】①強い敵。手ごわい敵。「―を取りひしぐ気」〈太平記九・山崎攻〉。「油断―となる」〈俳・毛吹草二〉②勝れていること。すてき。また、程度の甚だしいこと。大変。非常。「おみなも―なやつだよ」〈洒・通言総籬〉

かうでん コウ【香典・香奠】①香を買う代金として、仏前に供える金銭。「禅家の詞には―と云ふ。即ち香の代(かご)なり」〈壒嚢鈔六〉②死者への悔みとし、また、葬儀費の一助として贈る金銭や品物。「―をつかはして、かの亡者を御とぶらひ頼み入り候由」〈奇異雑談集四〉

かうとう コウ【鶴頭】《カクトウの音便形》吸物などの中へ入れる、ユズの皮、フキの薹(とう)、ウド芽などの薬味。「宮方の―になりし湯の河(柚ノ皮ト掛ケル)は都に入りて何の香もせず」〈太平記三五・南方蜂起〉。〈色葉字類抄〉

がうな ゴウナ【寄居子】《カニミナ(蟹蜷)の約カミナの転。古くはカウナと清音》ヤドカリの古名。「―のやうに人の家に尻をさし入れてのみさぶらふ」〈枕三一四〉。〈日葡〉▽kamina→kamna→kauna→gauna

かうながら コウ【斯うながら】『連語』《カクナガラの音便形》このまま。「親に今ひとたび―のさまを見えずなりなむこそ、人やりならずいと悲しけれ」〈源氏手習〉

かうなぎ コウナギ【巫】《カムナギの転》巫女(こみ)。「―をば、御車の口の方に乗せたり」〈栄花後悔大将〉

かうにん コウ【降人】降参した人。「甲(かぶと)をぬぎ、弓をはづいて―に参らせ給へ」〈平家八・鼓判官〉

かうにん コウ【高人】公家・大名など、身分の高貴な人。貴人。「嫁も―の家は格別、民家の女は、琴の代りに真綿を引き」〈西鶴・永代蔵一〉。〈文明本節用集〉

かうねん コウ【行年】年齢。とし。「前左府昨日薨逝…―五十九」〈十輪院内府記文明一五・七・三〉

かうのきみ コウ【かうの君】《カミノキミの音便形》⇩かんのきみ。「―(右馬頭君)いとあざりかかれば」〈かげろふ下〉。「この―(出雲権守君)の御文」〈源氏浮舟〉

かうのづ コウ【香の図】源氏香の図形。「咲く梅の―ならん籬(まがき)かな 重頼」〈俳・毛吹草五〉

かうのとの コウ【かうの殿】《カミノトノの音便形》⇩かんのとの。「たとへ―は退(の)き給ふとも」〈保元中・白河殿へ義朝夜討ち〉

かうのもの コウ【香の物・糠の物】野菜を味噌・酒粕・糠(ぬか)・塩などで漬けた食品。近世、食後に湯を飲む時に必ず用いた。「〔饅頭屋〕宗二・伽藍・―とて、南都に三つ過ぎたる物と世語に云ひ伝ふるなり」〈見聞愚案記一〇〉

―ざい【香の物菜】香の物だけの粗末なおかず。「白米のよきに、味噌・塩・薪をととのへ、常住―」〈西鶴・永代蔵二〉

かうのもの コウ【剛の者】《「剛」は漢音呉音ともにカウ》強く勇敢な者。「聞ゆる―、大力(だいぢから)なりければ」〈平家八・妹尾最期〉。「剛者、カウノモノ」〈運歩色葉集〉

かうばこ コウ【香箱】香を入れる箱。香合〈かうがふ〉。「御硯(すずり)・文台(ぶんだい)・花瓶・―などを奉る」〈竹むきが記〉。「香合、カウバコ」〈文明本節用集〉

かうば・し コウバシ【香ばし・芳し】『形シク』《カグハシの転》①香りがよい。香がよくかおる。「いと―・しき陸奥紙の」〈源氏玉鬘〉②ほまれが高い。りっぱである。「この官は、先祖満仲、最初拝任の官なり。その跡―・しといへども、もと右馬権助(うまのごんのすけ)なり」〈保元中・朝敵の宿所〉

かうばり コウ【強張り】①傾いた建物を支える柱。つっかい棒。「ゆがまぬ家に―をかふが如くなれば」〈見聞愚案記一〇〉②あと押し。支持。ひいき。「座中に口舌(くぜつ)など出でくる時は…脇より―のやうに言ひ出で」〈色道大鏡五〉

かうばん コウ【香盤】「香炉(かうろ)」に同じ。「―の蓋に細き竹の筒をねぢ入れて」〈沙石集八ノ七〉

かうびん コウ【幸便・好便】よいついで。都合のよいたより。手紙書出しの常用語。「―の条、愚札を捧げ候」〈ロドリゲス大文典〉。「幸便・好便、カウビン」〈運歩色葉集〉

かうびん コウ【髪鬢】《カミビンの転》頭の左右側面の髪。「おひげの塵(ちり)を取り、―のふけをはらひ」〈仮・東海道名所記三〉

がうぶく ゴウ【降伏】神仏の法力で悪魔や敵を屈伏させること。「この鬼を―せむ事を、懃(ねむごろ)に祈らせ給ひけるに」〈今昔二〇ノ七〉

かうぶ・り コウブリ【冠り・蒙り】㊀『四段』《カガフリの音便形。後にはカウムリ》①上の人から下されたものを頭上に受ける。上からの恩恵・命令・賞罰などを受ける。「神仏の恵み―・れるに似たり」〈土佐一月三十日〉。「関白の宣旨を―・らせ給ひて」〈大鏡道兼〉。「罪―・り給ふべし」〈宇治拾遺一二四〉②否み得ないものとして受ける。負う。「互ひに疵を―・る者多かりけり」〈著聞八〉㊁『名』①頭にかぶるもの。かんむり。「御―など し給ひて出で給ふとて」〈源氏藤裏葉〉②元服して初めて冠を着けること。「うひかうぶり」とも。「十二歳にて―しつ」〈宇津保俊蔭〉③位階。官位。「高き爵(かうぶり)を賜はらむ」〈紀敏達十二年〉④叙爵。五位に叙せられること。「播磨の守の子の、蔵人より今年―得たるなりけり」〈源氏若紫〉

―を掛・く《「挂冠」の訓読語》官職を辞退する。「年ふかき身の―・けむ、何かをしからむ」〈源氏若菜下〉

かうぶんぼく コウ【好文木】梅の異称。「唐国の御門(みかど)文を好みて読み給ひければ開け、学文怠り給へば散りしぼ

みける梅あり、—とはいひける」〈十訓抄六ノ七〉
かうべ コウベ【頭・首】《カミへ(上辺)の転》頭髪を含めて、頸から上の全体の称。「金宝華鬘をもて其の—を冠(かが)り飾れり」〈地蔵十輪経三・元慶点〉。「足の指よりして—の骨まで」〈孝養集上〉。「—を剃るといへども、心を剃らず」〈空善記〉▽仮名文学では殆ど使われない。類義語カシラは仮名文学でも使い、頭髪をさしてもいう。アタマは、もと、頭頂部のひよめき。クビは、もと、頭と胴とのつなぎ目。**—くだし**【頭下し】「あたまくだし」に同じ。「山山の—や五月雨」〈俳・沙金袋三〉 **—を割ら・す** いろいろ思案工夫する。「渡世を大事に、正直の—・して」〈西鶴・永代蔵四〉

かうみゃう コウミョウ【高名】①高い評判。有名。「陸奥国より伝へたる—の太刀なり」〈今昔二九ノ二三〉②いくさの手柄。特に、敵の首を取る戦功。「その日の—の一の筆にぞ付きにける」〈平家九・越中前司最期〉。「その日の合戦は、『—あるべからず、ただ打捨て』との制法なり」〈義残後覚三〉③手柄。「あに小児の—ならんや」〈法念上人行状絵図〉

かうむ・り コウムリ【冠り・蒙り】『四段』《カウブリの転》①上の人から出されたものを受ける。「恩に浴し徳を—・る類いくそばくぞや」〈保元下・新院御経沈め〉。「勅定を—・りて」〈保元上・新院為義を召さる〉②仕向けられたものを抵抗できずにうける。「讒言を—・りてせんなし」〈保元上・新院御所〉

かうめん コウ:【高免】ゆるすことの尊敬語。おゆるし。御容赦。「—の(ヲ)蒙り」〈一目玉鉾一〉

かうもりばおり コウモリ:【蝙蝠羽織】近世初期流行した、丈短く袂円く、コウモリの羽を拡げたような形の羽織。「かはぼり羽織」とも。「鳥のなき里に—着て」〈俳・続山の井五〉

がうもん ゴウ:【拷問】被疑者に自白を強要して肉体的な責苦を加えること。「靫負庁(ゆげひのちやう)にて—せられけり」〈古活字本保元中・謀叛人〉。〈文明本節用集〉

かうや コウ:【高野】高野山。また、金剛峰寺の俗称。「—の大師(弘法大師)」〈今昔三ノ二三〉 **—がさ**【高野笠】高野聖(ひじり)のかぶった大きな平たい檜笠(ひがさ)。高野檜笠。「夕時雨晴間に脱げや—」〈竹馬狂吟集八〉 **—さん**【高野山】紀伊国にある山。平安初期、空海が金剛峰寺を開いて以来、真言宗の霊場。また、金剛峰寺の山号。「墨染に身を替へて、—へぞ上りける」〈太平記二九・師直師泰〉 **—ひじり**【高野聖】高野山を本拠とする聖。平安中期、高野山復興を目的として、浄土信仰を説きつつ勧進を行なう聖が発生し、鎌倉期以降、専修念仏に統一され、勧進・納骨・唱導などのため廻国した。室町期には時宗に改宗し、薬草・医薬・呉服などの行商人となり、あるいは、地方に定着して芸能人化し、または悪僧化して、その悪行をうたわれたが、近世初期、真言宗に帰属した。「—と聞いて、なつかしく思はれけるにや」〈沙石集一ノ三〉 **高野聖に宿貸すな** 高野聖には悪僧が多いから、油断するな。「殊に哀れなるは—と云へるこそ」〈俳・類船集一〉 **—六十那智八十** 高野山には六十歳、那智山には八十歳の老齢の稚児(ちご)がいるという俗説。「殊に若衆は僧のもてあそぶ道なれば、—と云ふ事あり」〈俳・蠅打三〉

かうやう コウヨウ【斯う様】《カクヤウの音便形》このよう。「—に別れを惜しみ」〈土佐一月二十日〉

かうやがみ コウ:【紙屋紙】《カミヤガミの音便形》⇒かんやがみ。「常陸のみこの書きおき給へりける—の草子」〈源氏玉鬘〉

かうやくうり コウ:【膏薬売】膏薬を商う者。近世、多くは厚鬢(あつびん)・大髻(おおたぶさ)の若者であった。「—の恋をするころ」〈俳・犬筑波〉

かうらい コウ:【高麗】①朝鮮半島にあった国の名。平安時代中頃から南北朝時代まで続いた。「宝亀八年—国使を遣はして聘を修む」〈文徳実録嘉祥三・五・五〉②「高麗縁(べり)」の略。「ことさらに御座(ざ)といふたたみのさまにて、—などいと清らなり」〈枕二七七〉③「高麗焼」の略。「この茶碗は、疑ひもない—であらう」〈虎寛本狂言・子盗人〉 **—こせう** コショウ【高麗胡椒】唐辛子(とうがらし)の別称。「世に—とて、好む人、その辛き事…をよしと思ひたる」〈仮・狂歌咄五〉 **—ぢゃわん**【高麗茶碗】高麗焼の茶碗。「—と薬籠(やろう)と置き合はせて」〈久政茶会記天文六・九・三〉 **—ばし**【高麗縁】畳の縁(へり)の一。白地の綾に雲形・菊花などの模様を黒く織り出したもの。親王や公卿の畳に使う。高麗べり。「—、筵(むしろ)青うこまやかに厚きが、縁(へり)の紋いとあざやかに黒う白う」〈枕二七七〉 **—べり**【高麗縁】⇒かうらいばし。「—の畳二三帖ばかり敷きたり」〈今昔二七ノ三三〉 **—やき**【高麗焼】古渡りの朝鮮製の陶磁器。桃山時代、茶道の道具として特にもてはやされた。「—の小徳利」〈隔蓂記寛文七・八・一〉

かうらん コウ:【高欄】①殿舎のまわりや、廊・階段などの両側に設けた欄干。「—に御車ひきかけて」〈源氏夕顔〉。〈文明本節用集〉②倚子(い)のひじかけ。「業平の中将と相撲とらせ給ひて、—うち折らせたまへるを」〈今鏡四〉

がうりき ゴウ:【強力】①力の強いこと。「心太く、手きき、—にして」〈今昔二五ノ七〉②山伏の従僕。重い笈(おい)を背負って歩くのでいう。「あの—の負ひたる笈を」〈謡・安宅〉

かうりょう コウ:【亢龍】《高くのぼりつめた龍》 **—の悔あ・り** 《易経の句にもとづく》物事は最盛の極まで達すれば、次は必ず下へ落ちてゆくものだというたとえ。「—・りとかやいふこと侍るなり」〈徒然八三〉

かうろ コウ:【香炉】香をたく器具。用途により大別して、居香炉(すえごうろ)・擎香炉(とりこうろ)・釣香炉の三種がある。「—をもてきて、殿の御前の御枕上におきつ」〈栄花鶴林〉

かうろほう コウ:【香炉峰】中国江西省廬山の山峰の一。白楽天の「香炉峰の雪は簾(すだれ)を撥(かか)げて看(み)る」の詩句は、平安時代の日本の知識層によく知られていた。「少納言よ、—の雪いかならん」〈枕二九九〉

かうわか コウ:【幸若】「幸若舞」の略。「—同じく来り歌ふ」〈康富記文安五・一・三〉 **—まひ** マイ【幸若舞】室町時代に、桃井幸若丸直詮(なおあきら)の始めたと伝えられる舞曲。天台声明(しょうみょう)の曲節により、扇拍子または鼓(つづみ)の伴奏で、軍記物語を謡いながら、立烏帽子・大口を着用して舞うもの。その詞章を「舞の本」という。近世前期に能に圧倒されて衰微した。舞。舞舞(まいまい)。曲舞(くせまい)。幸若舞曲。「或る時、三条殿に—の有りしに」〈嘉吉記〉

かえ【茅・草】「かや」の上代東国方言。「—がむた(ト共ニ)寝む妹(いも)無しにして」〈万四三二一防人〉 †kaye

か・え【離え】『下二』「離(か)れ」に同じ。「たしだしに率(ゐ)寝てむ後は人は—・ゆとも」〈記歌謡七九〉 †kaye

かえふ カヨウ【荷葉】《蓮の葉の意》薫物(たきもの)の名。種種の香をねり合わせて、蓮の匂いに擬したもの。夏に用いるという。「青き、白き、紫の蓮をととのへて、—の方を合はせたる名香」〈源氏鈴虫〉

かか ワシ・カラスなどの鳴く声。「鳥のいと近く—と鳴くに、うち見あげたれば昼になりにける」〈枕九七〉 →かかなき

かか【母・嬶】《「とと」の対》①〔小児語〕母を親しんでいう語。かあちゃん。「とと(父)よ—よと朝夕にいふ」〈俳・犬子

集一四〉。〈日葡〉②自分の妻、あるいは遠慮のいらない他人の妻をいう語。おっかあ。「末の—見舞の処、〔病状〕同篇也」〈言継卿記天文一五・一・二四〉③水商売の家の女主人。「揚屋の—に預け置きしを取り寄せ」〈仮・名女情比五〉

かが【利】①利益。「苟(いやしく)も民に—有らば」〈紀神武即位前〉。「利、カガ」〈色葉字類抄〉②利巧。「心—なる人にて渡り候」〈謡・宍戸〉

かが【加賀】旧国名の一。北陸道に所属。今の石川県の南部。加州。賀州。「〔弘仁十四年二月三日〕越前国江沼・加賀の二郡を割きて—国と為す事。中国に准ず」〈類聚三代格五〉

かかい【加階】位階を上げること。位階の昇ること。位階は、大宝令に至って、親王四階・諸王十四階・諸臣三十階と定められた。「つかさも得ず…—などをだにせず」〈源氏賢木〉

かが・え【香がえ・聞がえ】〘下二〙《カギ(嗅)の自発・受身の形。エは、自然にそうなる意》におう。においがする。「あやめの香(か)早う—・えて、いとをかし」〈かげろふ下〉。「夏とほしたる綿衣の—・えたるを」〈枕(前田家本)八九月ばかりに雨にまじりて〉。「身の肉(しし)臭くして、其の香遠く—・ゆ」〈今昔五ノ七〉▽枕草子の例はすべて連用形で、古写本「かかへ」とするものが多いが、「かかえ」の仮名遣の誤りと見られる。

かがさ【加賀笠】加賀国金沢産の、絹糸で刺し綴り、前縁を竹でとめた上等の菅笠。天和から延享頃まで女用に流行。加賀菅笠。「見る人なしと—脱ぎ捨て、女の童に持たせ」〈西鶴・諸艶大鑑六〉

ががく【雅楽】《正しく上品な音楽の意》奈良・平安時代に宮廷を中心にして貴族社会に行なわれた音楽。日本古来の神楽(かぐら)・催馬楽(さいばら)・東遊(あずまあそび)・風俗歌(ふぞくうた)などのほかに、外来の高麗楽(こまがく)・唐楽などがある。「南の浜の望海楼に御して—と雑伎とを奏せしむ」〈続紀天平神護一・一〇・一九〉

かかぐ・り〘四段〙そっと移動する。人目をぬすんで移動する。「いとまだ暗かりければ—・り出でむと思へども」〈大和付載説話三〉。「雪山にのぼりて—・りありきて去(い)ぬる後」〈枕(能因本)職の御曹司におはします頃〉。「柱より—・り降るる者あり」〈宇治拾遺一一・四〉。「攘、カカグル」(「攘」には、ぬすむ意がある)〈名義抄〉

かか・げ【掻上げ・挑げ】〘下二〙《カキアゲの約》①かけて高く上げる。「少女らが織る機の上(へ)を真櫛もち—・げ栲島(たくしま)波の間ゆ見ゆ」〈万一二三三〉②燈心を掻き立てる。「みあかしの火けざやかに—・げさせて」〈源氏総角〉†ka-kagë

—のはこ【掻上の箱】日常の結髪道具などを入れる箱。「古めきたる鏡台の、唐櫛笥(からくしげ)・—など」〈源氏末摘花〉

かか・し【懸かし】〘四段〙《シは尊敬の助動詞》おかけになる。負っておいでになる。「〔明日香皇女ノ〕み名に—・せる明日香河」〈万一九六〉

かがし【彼がし】〘代〙《ガシは接尾語》誰それ。名を知らぬ者を指していう。「一番にはなにがし、二番には—など言ひしかど、その名こそ覚えね」〈大鏡伊尹〉

かがし【鹿驚・案山子】《語源は「嗅がし」か。近世、東日本ではカカシと清音》田畑に鳥獣の近寄らぬよう、焼きこがした獣肉など悪臭のする物を串に刺して、畔に立てるもの。また、広く田畑に立てる、神の依り代としての人形。「おどろかし」とも。「秋の田に立てる—の弓持ちて」〈住吉法楽何船百韻注〉。「—、わら人形なり。…関西より北越辺かがしといふ。関東にてかかしと清みていふ」〈物類称呼四〉

かがそ【加賀苧・苧綱】真苧(まお)で作った船用の大綱。かがす。〈文明本節用集〉

かがぞめ【加賀染】加賀絹の黒無地染め。彩色紋を五か所に、さらに友禅小紋を入れて染め、羽織・衣服などに用いた。「—着物一」〈上井覚兼日記天正三・三・三〉

かがち《カガヨヒと同根》ほおずきの古名。「赤—」〈記神代〉

かかづら・ひ(カカズライ)【拘ひ】㊀〘四段〙《カカ(懸)ツリ(釣)アヒ(合)の約。互いにひっかかり合って離れない意》①からまる。「やをら御帳の内に、—・ひ入りて」〈源氏賢木〉②互いの関係が切れずにいる。「かの親の心を憚りて、さすがに〔女ト〕—・ひ侍りし程に」〈源氏帚木〉③(うまく事が運ばず)難儀する。「耳にも聞き入れざりければ、言ひ—・ひて帰りぬ」〈竹取〉㊁〘名〙(互いの)関連。「この両係(かかづらひ)に縁(よ)りて妄(みだり)に多くの疑ひを起す」〈三蔵法師伝八・院政期点〉

かかづ・り〘四段〙《カカ(懸)ツリ(釣)の意》ひっかかる。「遙なる巖の山を—・り登り」〈今昔四ノ二五〉

かかな・き【かか鳴き】〘四段〙《カカは擬音語》があがあ鳴く。鷲などが声高く鳴くのにいう。「—・く鷲の」〈万三三九〇東歌〉。「嚇、カヽナク」〈名義抄〉†kakanaki

かがなべて【かが並べて】〘連語〙《カガはカガメ(屈)と同根。指を折りかがめて日を数える意》指折り並べ数えて。「—夜には九夜(ここのよ)、日には十日を」〈記歌謡二六〉▽カガを日日の意とする説もあるが、カ(日)は本来複数の日をいう語なので、カガと重ねることに疑問がある。†kaga-nabëte

かかの・み【かか飲み】〘四段〙《カカは擬音語》かっかっと音を立てて飲む。「速開都比咩(はやあきつひめ)といふ神持ち—・みてむ」〈祝詞大祓詞〉†kakanömi

かかはゆ・し〘形ク〙①まぶしい。まばゆい。はずかしい。「こちらが照らされて—・いぞ」〈蒙求抄一〉②恐れ多い。「件(くだん)の者、—・き場にさし出でたる事、越度(をつど)なるかなと赤面して」〈咄・醒睡笑五〉。「—・し。恐れ多きを云ふ」〈志不可起三〉

かかは・り(カカワリ)【拘はり・係はり】〘四段〙《カカヘ(拘)の自動詞形》関与する。かかずらう。「格に—・らずして申しける心、わりなし」〈沙石集一〇ノ一〉

かが・ひ(カガイ)【嬥歌ひ】㊀〘四段〙《カキ(懸)アヒ(合)の約》嬥歌(かがひ)を行なう。男女互いにかけ合いで歌を歌う意。「をとめをとこの行き集(つど)ひ—・ふ嬥歌に」〈万一七五九〉㊁〘名〙「歌垣(うたがき)」の東国での名。「嬥歌の会、俗、宇多我岐(うたがき)といひ、又、加我毗(かがひ)といふ」〈常陸風土記〉▽「嬥歌」は、おどりうたう意。†kagaFi

かかふ ぼろ。「海松(みる)の如(ごと)わわけさがれる—のみ肩にうちかけ」〈万八九二〉。「幓、残帛也、也不礼加々不(やぶれかかふ)」〈新撰字鏡〉

かがふ・り【被り・冠り】㊀〘四段〙①頭などにかぶる。「麻ぶすま引き—・り」〈万八九二〉。「被甲、上…可何布流(かがふる)」〈華厳音義私記〉②上からの仰せつけを受ける。こうむる。「かしこきや命(みこと)—・り」〈万四三二一防人〉③物事を避け得ずに受ける。「種種の毒薬に中(あ)てらるることを—・らむ」〈地蔵十輪経一・元慶点〉▽後に「かうぶり」「かぶり」に転ずる。㊁〘名〙⇒かうぶり。「この頃の我が恋力(こひぢから)記し集め功(く)に申さば五位の—」〈万三八五八〉。「裹頭、加我不利須(かがふりす)」〈新撰字鏡〉

かか・へ(カカエ)【拘へ・抱へ】㊀〘下二〙《カキ(懸)アヘ(合)の

約」①手で抱くように持つ。「〔高所カラ落チタ人ヲ〕人あさましがりて寄りて―・へ奉れり」〈竹取〉②かばう。庇護する。「袖にて髻(もとどり)―・へておはしける処へ」〈盛衰記二六〉。「山門の大衆あげて流罪せられよと公家に申しかども、君―・へ仰せられしを」〈古活字本平治下・頼朝遠流〉③保護・管理の下におく。養う。「かかる徒ら者を手前に―・へて」〈伽・かくれ里〉㊁『名』①特定の語や副詞・係助詞などと、文末との呼応をいう。中世・近世の文法用語。「つれなき事をはげしきといふ時は、嵐の―なり」〈春樹顕秘抄〉②給料を与えて雇うこと。また、その雇われ人。「『都へのぼらば連れて行かいでは』と、―の人に隙(ひま)取りて」〈西鶴・一代男三〉③「抱へ帯」の略。「―をたぐり寄せ、首に罠(なわ)を引き掛くる」〈近松・天網島下〉

―おび【抱へ帯】本帯の下に、着物の裾をたくし上げるようにして、腰で結んだしごき帯。貞享から享保頃は前結びが流行。「露時雨晴れ行く雲の〔模様ノ〕―」〈俳・天満千句〉 **―おや**【抱へ親】年季奉公人を雇っている親方。「此の人の―こそ果報寝て待つ」〈評判・難波の顔三〉 **―こ**【抱へ子】年季奉公して、親方に雇い入れられる子供。「一芸あらば―の内」〈俳・飛梅千句〉

かが・へ【香がへ】『下二』「かがえ」の表記を誤った形。「松の煙の香の、車の内に―・へたるもをかし」〈枕三三四〉

かがまい【加賀米】加賀産の米。味は悪いが、炊きぶえがして安価であった。「加賀」とも。「ひとつ釜の―に、はしらかし汁」〈西鶴・織留二〉

かがまやか【屈まやか】《カガマリと同根》屈んださま。「僂、カヾマヤカニシテ」〈名義抄〉

かがま・り【屈まり】『四段』《カガメ(屈)の自動詞形。カガはクグセ(屈背)のクグの母音交替形》(体など)曲がった状態になる。「腰も―・り目もただれにけり」〈竹取〉

かがみ【鏡】《カガはカゲ(影)の古形。影見の意》①物の姿・形をうつす道具。古くは中国から渡来した。金属製で、円または八稜形。「斎杭(いぐひ)には―を懸け、真杭には真玉を懸け」〈万三二六三〉②鏡にうつった形・姿。「こと人(親子デナイ)と、あらがふべくもあらず、―に思ひあはせられ給ふに」〈源氏常夏〉③《うつして見ることから》手本。模範。鑑(かがみ)。「見る人の語りつぎてて、聞く人の―にせむを」〈万四四六五〉④《まるい形から》㋑鏡餅。「かねてぞ見ゆるなどこそ、―の影にも語らひ侍りつれ」〈源氏初音〉。「淡路の国の者、御―持ちて出る」〈天正本狂言・三人笑百姓〉㋺樽のふた。「樽の―を打ち割り」〈細川忠興文書寛永七・五・三〉 †kagami **―うちは**【鏡団扇】鏡のように円形のうちわ。丸団扇。「奈良で売るは野守の―かな」〈俳・誘心集〉 **―ぐさ**【鏡草】朝顔・山吹・白蔹(びゃくれん)などの異称。「草合せしけるに、朝顔・―など合はせけるに」〈後拾遺三六詞書〉 **―くら**【鏡鞍】前輪・後輪(しずわ)を金銀または赤銅などの薄い延べ金で張った鞍。「鹿毛なる馬のはやり切りたるに、―置かせて」〈平治上・源氏勢汰へ〉 **―じる**【鏡汁】顔がうつるほどの薄い汁。「御鷹野も下(しも)は野守の―」〈雑俳・つづら笠〉 **―てんじゃう**【鏡天井】一枚板で張った天井。「影見ゆるかの―」〈俳・続境海草五〉。〈日葡〉 **―とぎ**【鏡磨】鏡をとぎみがいて曇りを除く職人。「―一人」〈伽・強盗鬼神〉 **―に懸・く** 鏡の面(おもて)にうつし出す。ありありと現出させることのたとえ。「そっとした事も、―・けたやうに隠れがないほどに」〈百丈清規抄八〉。「聖人は、前をも後をも、はるかに―・けて知る者なれば」〈古活字本論語抄七〉 **―のま**【鏡の間】能舞台で、楽屋と橋掛りとの間の揚幕の内にあって、姿見鏡を掛け、役者の装束を整える室。「―野を分け衣打ち払ひ」〈俳・通し馬下〉 **―ばこ**【鏡筥】寝殿に備える調度の一。鏡・汗ふき・領巾(ひれ)などを入れて置く箱。鷺足の台に載せ、二階棚の櫛笥に並べて置く。「世尊の足の下には平満の相有りて…猶し奩(かがみばこ)の底の如し」〈彌勒上生経賛平安初期点〉。〈新撰字鏡〉 **―びらき**【鏡開き】武家の正月行事。正月二十日、承応以後は十一日に、鏡餅を下げて、手または槌で割って食べる。鏡割り。「具足に供ふる所の餅、特に刀を以て截(き)るを忌むの故に、手を以てし、或いは槌にてこれを破り、これを欠いて賞す。これを―と謂ふ」〈日次紀事正月十一日〉 **―ぶくろ**【鏡袋】懐中鏡を入れ、また、金銀も入れる袋。「三日月や―の着せ外し」〈俳・沙金袋四〉。「―より〔金〕一包み取り出して」〈西鶴・一代男四〉 **―もち**【鏡餅】《円鏡の形に似ているのでいう》まるく平たく作った大小二個の餅を重ねたもの。神仏に供え、また、祝事に用いる。〈俳・毛吹草三〉 →もちひかがみ

かが・み【屈み】『四段』(体など)曲がる。曲がった状態になる。「空也上人のひだりの御手の―・めりけるを」〈撰集抄八ノ三〉

かが・み【鑑み】『上一』《カガミ(鏡)の動詞化》規範に照らして考え合わせる。他に照らして考える。かんがみる。「この前後を―・みて」〈仙覚抄三〉。「昔をもて今を―・みるべし」〈正法眼蔵辨道話〉。「鑒、カガミル」〈名義抄〉

かが・め【屈め】『下二』《カガミ(屈)の他動詞形》(体など)曲げる。曲げた状態にする。「指(および)を―・めて…数ふるさま」〈源氏空蟬〉

かかめ・き『四段』《カカは擬音語》鳥や獣が「かか」と鳴きたてる。「〔猿ドモハ〕木に走り登りて、―・きあひたり」〈今昔二六ノ八〉

かがもん【加賀紋】加賀染めで染め込んだ多色の紋所。お国紋。「上に黒羽二重(はぶたへ)の両面、芥子(けし)人形の―」〈西鶴・男色大鑑五〉

かかやか・し【輝かし】『形シク』《カカヤキの形容詞化》きまり悪い様子である。てれくさい。「隠れ忍びず、―・しからずいらへつつ」〈源氏帚木〉

かかや・き【輝き】『四段』《近世前期までカカヤキと清音》①光がきらきらする。「暎(かかや)ける金の軀をば」〈金光明最勝王経平安初期点〉②色や形の美しさが光るようである。「この御屏風の墨つきの―・くさまは」〈源氏若菜上〉③光の刺戟で目がちかちかする。「目も―・き惑ひ給ふ」〈源氏鈴虫〉④《まぶしい意から》てれる。恥ずかしがる。「見苦しげなる人人も―・き隠れぬるほどに」〈源氏総角〉 ▽もとは清音であるから、カガヨヒ・カギロヒ・カガチ・カグヤヒメとは語根が別。

かがよ・ひ『四段』《カギロヒと同根》静止したものが、きらきらと光ってゆれる。「ともし火の影に―・ふうつせみの妹が笑まひし面影に見ゆ」〈万二六四二〉 †kagayoFi

かからは・し『形シク』ひっかかって離れにくい。「黐鳥(もちどり)の〔ヨウニ〕―・しもよ」〈万八〇〇〉

かか・り【輝り】『四段』《アカガリと同根》あかぎれが出来る。「稲つけば―・る吾(あ)が手を今夜(こよ)もか殿の若子(わくご)が取りて嘆かむ」〈万三四五九東歌〉

かか・り【懸かり・掛かり】㊀『四段』《カケ(懸)の自動詞形》❶他のものにひっかかる。①ぶらさがる。「花房の長く咲きたる藤の花の、松に―・りたる」〈枕八八〉②からまる。ひっかかる。「むばら・からたちに―・りて」〈伊勢六三〉。「ある時かの獅子王、山中でわなに―・り」〈天草本伊曾保〉③《量りにぶらさげて計量するので》…の目方がある。「ヒャク

メカカッタ」〈日葡〉④火・水などが、直接身に及ぶ。「御所に火—・り候ひぬ」〈保元中・新院左大臣殿〉。「〔涙ガ〕院の御顔に冷たく—・りけるに」〈著聞五〇〉⑤繋船する。「—・りたる方もなき沖に出でければ」〈宇治拾遺五六〉❷対象に全体がかぶさる。①とりついてかぶさる。覆いかぶさる。「〔子供ハ〕目(ま)なかひにもとな—・りて安眠(やす)し寝(な)さぬ」〈万八〇二〉。「おもへども猶うとまれぬ春霞—・らぬ山のあらじと思へば」〈古今一〇三二〉②攻め襲う。「痴れ者は走り—・りたれば」〈枕九〉。「太刀抜き合はせて—・り給ふに」〈義経記三〉③(相手の思うままに)殺される。「女なりとも敵の手には—・るまじ」〈平家一一・先帝身投〉。「ことごとく矢先に—・って、鬼神は残らず討たれにけり」〈謡・田村〉④神が人間によりつく。「時に、神有(ま)して、また皇后に託(かか)りて」〈紀仲哀八年〉。「顕神明之憑談、此をば歌牟我可梨(かむがかり)と云ふ」〈紀神代下〉⑤とりつかれる。「久しく篤(おも)き病に—・りて歩行くこと能はず」〈紀允恭即位前〉⑥気分が乗る。「—・りたる音曲にて、軽軽と遣りかけて謡ふべし」〈能作書〉❸①寄りかかる。頼る。「杖に—・りて疲れ歩(あゆ)ぶ」〈今昔一ノ三〉。「何に—・りて生くる命ぞ」〈和歌集心体抄抽肝要中〉②養ってもらう。「それ(老尼)に—・りて年月を経けるほどに」〈今昔三〇ノ四〉。「十人の殿ばらたちは、お主に—・り、非法の死の事なれば」〈伽・小栗絵巻〉❹作用が及ぶ。かかわりが出来る。①仕事・活動に手をつける。「酒をのみ飲みつつ大和歌に—・れりけり」〈伊勢八三〉②連坐する。かかわりあいになる。「蘇我山田大臣に坐(かか)りて戮(ころ)さるる者…凡て十四人」〈紀孝徳、大化五年〉。「その尼、多く盗犯の沙汰に—・りたるなり」〈十訓抄七ノ三〉③(ほかの存在・行為の)影響をこうむる。「この兄殿の御ののしりに—・りて」〈大鏡道隆〉④あずかる。「海にます神の助けに—・らずは」〈源氏明石〉⑤(範囲・期間が)及ぶ。さしかかる。「夏に—・りて」〈源氏若菜下〉。「逢坂山に—・れば」〈海道記〉⑥金・時間・人手などが必要とされる。「〔原人論進講ノ〕勅命遁れがたく、是非に及ばず候。当月中—・り申すべく候」〈沢庵書簡寛永一五・一〇・一〇〉⑦「目に」「口に」などに連なって慣用的表現を作る。㋑目に見える。「そこ罷り立ち候へ。向後、義経が目に—・るな」〈義経記四〉。「よい女、目に—・る時も」〈コリヤード懺悔録〉㋺話題になる。問題になる。「ヒトノクチ、または、コトバニカカル」〈日葡〉。「まめなる口には花葛—・らぬ事まで言ひ出す」〈俳・初本結序〉❺《他の動詞の連用形について》①《ある状態・動作が及ぶ意》…し始まる。…しかける。「暮れ—・るとほぢの空の夕立に山の端見せて照らす稲妻」〈玉葉四三二〉②《その状態・行為がある程度まで達成されようという意》…しそうになる。なかば…する。「〔骨ガ小サナ蛇ニ〕半らばかりなり—・りたるもあり」〈沙石集七ノ七〉㊁《名》❶上からおおいかぶさるもの。また、その様子。①(髪やものが)かぶさる形。「少しふくだみたる髪の—などいとをかしげなり」〈源氏幻〉。「それがしまづ着て、具足の—を見申さむ」〈伽・弁慶物語〉②かぶさるように広がった枝ぶり。蹴鞠(けまり)をする庭に植えてある、枝の広がった木。また、その木の植えてある蹴鞠の場。「鞠(まり)持たせ給へりや。誰誰かものしつる。…由ある—のほどをたづねて立ち出づ」〈源氏若菜上〉。「鞠のつぼの—の本に一日一夜ぞ立たりける」〈太平記三七・身子声聞〉③枝ぶり。枝ぶりの良い風情。「枝をため、葉をすかして—あれと植ゑ置きし」〈謡・鉢木〉④構え。「この大門の—などは、誠に今までの寺寺とは格別なものでござる」〈虎寛本狂言・鐘の音〉⑤歌などの語句の掛かりかた。また、詞のすわり。風体。「第二句の—よろしからぬ歌なり」〈源承和歌口伝〉。「ただ—をむねとし、詞を花香(はなが)あるやうに使ひしなり」〈十問最秘抄〉⑥能の音曲・物まね・舞姿などの風情。気分。「体も腰高になれば、—失せて」〈風姿花伝〉。「節—うつくしく下りてなびなびと聞えたらんは、是れ音曲の幽玄なるべし」〈花鏡〉❷他とかかわりあうこと。①関係。かかわり。「燈庵主—の仕手(して)多しといへども、此の抄所持の人少なし」〈長短抄上・奥書〉。「今は仏がゆかり—の者ども、はじめて楽しみ栄えた」〈天草本平家二ノ二〉②職務上の管轄。〈日葡〉③すべてまかせること。養ってもらうこと。「ままならぬ主(しゅう)に—は鳴く雉子」〈俳・飛梅千句〉④入費。経費。「万事—引きて七拾五石で渡し」〈西鶴・諸艶大鑑八〉 **—うど【掛り人】**《カカリビトの音便形》他人に頼って衣食する人。居候。食客。かかり者。「同じ院内に—」〈西鶴・男色大鑑三〉 **—がまし【掛りがまし】**《形シク》干渉しがちだ。差し出がましい。「公事沙汰に—・しき者とて」〈西鶴・二十不孝四〉。「四方山(よもやま)に—・しき霞かな」〈俳・犬子集一〉 **—く【掛り句】**何やかやと言いがかりをつけること。「—、物むつかしく云ひ掛かるを云ふ」〈志不可起三〉 **—ど【掛り子】**①親が老後に頼りとする子。あととり。「老の身の—となる火燵(こたつ)かな」〈俳・続詞友集六〉②人に養われる子。「知った親のもとに—となって居たりしに」〈浮・野白内証鑑四〉 **—どころ【掛り所】**頼りに出来る所。「時移り、さるべき人に立ちおくれて、世衰ふる末には、人にかるめあなづらるるに、—なき事になん侍る」〈源氏少女〉 **—ば【懸り端】**長い髪の垂れかかった具合。また、その髪の末。「頭つき、髪の—しも」〈源氏末摘花〉 **—びと【掛り人】**⇒かかりうど。「—多く候へば」〈池田光政日記慶安三・閏一〇・二二〉 **—もの【掛り物】**①年貢など、お上(かみ)から課せられたもの。近世では、雑税・賦役の意に用いられた。「去年田に—が多て、民が計会(けいくわい)して」〈山谷詩抄一〉②費用。出費。「—を書き立てて」〈浮・禁短気三〉 **—ゆ【掛り湯・懸り湯】**風呂から上がる時、身を清めるために掛ける湯。あがり湯。「をか湯」とも。「夢に取り汲む朝の—」〈雑俳・あるが中〉

かか・り【斯かり】《ラ変》《カクアリの約》このようだ。こうだ。「—・らむとかねて知りせば」〈万三九五九〉。「—・るべしとは誰か思ひし」〈平家一一・一門大路渡〉

かがり【篝】かがり火を盛る鉄のかご。漁業や夜警などの燈火につかう。また、かがり火。「鵜飼ともなへ—さし、なづさひ行けば」〈万四一五六〉。「夜は鵜船(うぶね)して、—に入れてもたせたり」〈亭子院歌合〉 **—び【篝火】**漁業や夜警などのあかりにする火。「かがり」の中で木を焚く。「—の影となる身のわびしきは流れて下にもゆるなりけり」〈古今五三〇〉

かが・り【縢り】㊀《四段》糸や紐を互いちがいに編む。「綴(かが)れる旒(はたあし)の若く然(しか)なり」〈紀雄略八年〉㊁《名》編んで作ったもの。「三蔵親(みづから)簣(あじか)畚(かがり)を負ひて」〈三蔵法師伝七・院政期点〉

がかり《接尾》《風体・風情の意のカカリ(懸)から》或る物事らしい様子の意をあらわす。…風(ふう)。…流。「勅撰—の歌ざまなり」〈落書露顕〉

かかる【斯かる】《連体》《カクアルの約》こんな。こういう。「—恋をも我はするかも」〈万二四一二〉。「—不思議なることを御申し候ふものかな」〈謡・羅生門〉

ががん【鵝眼】銭(ぜに)の異称。鵝鳥の目の形が丸く瞳が四角いことから、穴あき銭をいう。鳥目〈てうもく〉。「庭を掃除しけるに、渠の中より—五十貫を得たる事侍りけり」〈一遍聖絵五〉

かき【柿】①果物の一。「やまーの木」〈古今四三詞書〉。〈名義抄〉②柿渋で染めた柿色。「或はーの直垂(ひたたれ)に詰紐(つめひも)し」〈平家八・妹尾最期〉③柿衣(かきそ)という渋染めの上っ張り。また、それを着た酒屋の奉公人。「ーの皮むいて十六日に出る〔藪入ノ外出〕」〈雑俳・川傍柳初〉

かき【垣】(屋敷や占有地などの)しきり。「ー越ゆる犬呼びこして」〈万三三八九〉 †kaki

かき【陰】「かげ」の上代東国方言。「島ーを漕ぎにし船の」〈万四三八四防人〉

かき【部曲】⇒かきべ。「百八十のーの民」〈紀皇極一年〉

か・き【欠き】『四段』《カケ(欠)の他動詞形》①全体として必要なものの一部分をこわす。けずる。「顔などもー・きて、血打て出で来たりたり」〈今昔二六ノ九〉②必要なことを抜かす。不足にする。つとめを怠る。「朝毎の御念誦ー・かせ給はず」〈大鏡師輔〉。「この程百日の鯉を切り侍るを、今日ー・き侍るべきにあらず」〈徒然二三一〉

か・き【書き】『四段』《搔キの転》線や形をえがく。文字・文章を記す。「水の上に数ー・くごときわが命」〈万二四三三〉。「手本ー・きて」〈源氏紅葉賀〉 †kaki

か・き【搔き】㊀『四段』《爪を立て物の表面に食い込ませてひっかいたり、絃に爪の先をひっかけて弾いたりする意。「懸き」と起源的に同一。動作の類似から、後に「書き」の意に用いる》❶①指や道具で、物をひっかく。「暇(いとま)なく人の眉根を徒らにー・かしめつつも逢はぬ妹かも」〈万五六二〉。「男、頭(かしら)をー・きて妬(ねた)がるといへども」〈今昔一六ノ二一〉②絃を爪ではじく。「琴に作り、ー・き弾くや」〈記歌謡七四〉③ひっかくようにしてつかまる。「梯立(はしたて)の倉梯山を嶮(さが)しみと岩ー・きかねて」〈記歌謡七〇〉④髪に櫛などを入れる。「髪だにもー・きはけづらず」〈万一八〇七〉⑤田を鋤(す)く。「金門田(かなとだ)をあらー・きま斎(ゆ)み」〈万三五六一東歌〉⑥櫂(かい)で水を押しやり、舟を進める。「朝凪(あさなぎ)にいー・き渡り、夕潮にい漕ぎ渡り」〈万一五二〇〉⑦熊手などで掃き寄せる。「玉箒刈り来(こ)鎌麻呂むろの木と棗(なつめ)が本とー・き掃かむため」〈万三八三〇〉⑧手前の方へ引き切る。「竹をー・き刈り」〈記清寧〉。「薄手なれば死なざりけるを取って押へて首をー・かんと」〈平家九・忠度最期〉。「折枝と言ふは、根からはー・かずして、ただ枝なんどを一つさっとー・くを言ふぞ」〈四河入海一二下〉⑨払いやる。押しのける。「恋ひつつも稲葉ー・き分け家居れば」〈万二二三〇〉❷①ひっかくように手先を動かす。「空を搔(か)きて宝を出して」〈金光明最勝王経平安初期点〉②手を動かして合図する。手まねで示す。「『出でさせ給ひね』と手ー・き聞え給ふ」〈源氏柏木〉③かっこんで食べる。「猫殿ただー・き給へ」〈盛衰記三三〉❸《手を動かして目につく動作をする意から》①動作などが外に大きく現われる。「文覚これを事ともせず高鼾ー・いて臥したりけるが」〈平家五・文覚被流〉。「我に過ぎて遠矢(とほや)射る者なしと思ひて、恥ー・いたる憎さよ」〈平家一一・遠矢〉。「衣をぬかず、丈六(ぢやうろく=アグラ)ー・かず」〈実悟記〉②「…する」をののしっていう語。「腕てんがうー・く」〈俳・かたこと三〉㊁『接頭』《音便でカイともなる》①搔きまわしたように、一面に…になる意。主に雲・霧などの気象の急激な変化にいう。「ー曇り」「ー霧らし」「ー暗がり」「ー消ち」など。②手先を働かせ、手を伸ばして動作をする意。「ーかぞへ」「ー結び」など。③相手に取りついて…する意。「ー口説き」「ー添ひ」「かい伏し」など。④表面だけ触れる意。「ー撫で」「かいまさぐり」など。⑤ちょっと、ひょいと、軽くなどの気持を添える。「かいころび」「かいくぐり」など。 †kaki

か・き【懸き・掛き・舁き】『四段』《物の端を対象の一点にくっつけ、そこに食い込ませて、その物の重みを委ねる意。「搔き」と起源的に同一。「搔き」との意味上の分岐に伴って、四段活用から下二段活用「懸け」に移った。すでに奈良時代に、四段・下二段の両形がある》①かける。「甑(こしき)には蜘蛛(くも)の巣ー・きて」〈万八九二〉。「二の矢をー・かむとするほどに」〈今昔二六ノ二四〉②かみ合わせて組む。構築する。「八重の組垣ー・かめども」〈紀歌謡九〇〉。「しがらみを夥しうー・き上げたれば」〈平家七・火打合戦〉。「塀を塗り矢倉をー・きたり」〈伽・むらまつ物語〉③(名を)つける。「天ざかる鄙(ひな)に名ー・かす(有名ナ)越(こし)の中」〈万四〇〇〇〉④かかえたり、かついだりして運ぶ。「御装束も引き乱りて車さし寄せつつ、人にー・かれて乗り給ふをぞいと興あることに」〈大鏡道隆〉。「ー・いて廻る程の偽を言ひ続くるを」〈俳・俳諧蒙求上〉⑤金銭を賭ける。「押し出してー・きたりければ、はやくー・きおほせて一貫になりぬ」〈著聞四三三〉 †kaki

かぎ【鍵】①錠の孔にさし入れて開閉する具。「家にありし櫃(ひつ)にーさし蔵(をさ)めてし」〈万三八一六〉②〔遊里語〕遊女が甘言で客をだますこと。また、その遊女。「少しーにて、客をくるめる事上手なり」〈洒・擲銭青楼占〉 ▽朝鮮語karkuri(鍵)と同源か。

か・ぎ【嗅ぎ】『四段』物のにおいを鼻に感じる。「鼻は…一切の世間の殊妙の香を聞(か)ぎたまふ時に、悉く其の所在をも知ろしめす」〈金光明最勝王経平安初期点〉

がき【餓鬼】①〔仏〕生前の貪欲(とんよく)の報いとして、餓鬼道に住み、飢えや渇きに苦しむ亡者。「大寺のー〔ノ像〕の後(しりへ)に額(ぬか)づくがごと」〈万六〇八〉。「餓鬼、加岐(がき)、其喉如レ針、不レ得レ飲レ水、見レ水則変成レ火」〈和名抄〉。「餓鬼、ガキ」〈名義抄〉②餓鬼道。「地獄・ー・畜生・修羅等のなかにしても」〈正法眼蔵身心学道〉③人をののしっていう語。「がっき」とも。「『ーめ、きたなし』とは云ひながら」〈応仁記下〉④小児を賤しんでいう語。「かしましや/ーめが先へ御十念」〈雑俳・軽口頓作〉 **ーの目に水見えず** 飢渇に苦しんでいる餓鬼は、水をはげしく求めながら、かえって傍にある水に気がつかない。求める事に熱中しすぎると、逆に求める物を見落すことのたとえ。「ーとやらんぢゃぞ」〈碧岩抄六〉 **ーの物をひん・づる** 貧乏な者から物を奪い取るたとえ。「たまたま逢うた男をー・づる、小猿の頰(うは)を押すやうに、あんまり出来ぬ御差配」〈近松・松風村雨三〉 **ーも人数(にんじゅ)** つまらぬ者でも、人数の中に加えられると、多少の役に立つというたとえ。〈俳・毛吹草二〉

かきあ・げ【搔き上げ】『下二』①手で引っぱり上げる。「女の肺(もも)脛(はぎ)まで衣をー・げたるに」〈今昔二一ノ二四〉②燈心をかき立てる。「燈(ともしび)の消えんとするを見て、…火ー・げよといふ」〈沙石集四ノ一〉③積み重ねる。「町屋などは、早や床を高くー・げ」〈太閤記三〉④利息に全部注ぎこむ。「算用のほかの利を得たる事、一年(ひととせ)もなくて、皆、銀の利にー・げ」〈西鶴・胸算用四〉 **ーじろ【搔揚城】**空堀を掘り、その土で土堰(いと)を築いただけの簡略な城塁。かきあげ。「相馬境にて、ーをも預けられて」〈蒲生氏郷記〉

かきあは・せ(ァ・ワセ)**【搔き合はせ】**㊀『下二』①絃楽器を弾いて合わせる。㋑調子を合わせ整える。「箏(さう)の御琴ひきよせて、ー・せすさびて」〈源氏澪標〉㋺合奏する。「入道殿、箏の御こと参れり。おとど琵琶、弁少将横笛、おもしろくー・せて」〈夜の寝覚五〉②手の先で寄せ合わせる。「袖をー・せて、かしこまりて」〈十訓抄三ノ一〇〉③かきまぜる。

「〔米ノ粉ヲ炊イテ〕水の気のなきやうに―・せ―・せ、よくよく搔きて…粥にする也」〈木師抄〉 ㊁『名』①絃楽器を弾いて調子を合わせること。ためしびき。「平調(ひやうでう)におし下して調べ給ふ。―ばかり弾きて、さしやり給へれば」〈源氏紅葉賀〉 ②合奏。「〔笛ヲ〕おもしろう吹きすさび給へるに〔箏ノ〕―、まだ若けれど、拍子たがはず」〈源氏紅葉賀〉

かぎあは・せ【嗅ぎ合はせ】『下二』いくつかの香をかいでくらべる。「人人の御心御心に合はせ給へる〔香ノ〕深さ浅さを―・せ給ふに」〈源氏梅枝〉

がきあみ【餓鬼阿彌】《説経節「小栗判官」の説話で、墓から現われた小栗の死骸を遊行上人が餓鬼阿彌陀仏と呼んだことから》餓鬼のように生気のない者。餓鬼阿彌陀仏。「―も浮かまん時宗の魂祭(たままつり)」〈俳・晴小袖三〉

かきいた【かき板】「搔板」の字をあて、裁縫に使う裁板とする説、元服の時に髪を切るのに用いる柳の板とする説(貞丈雑記)がある。また、「書板」の字をあて、書いた字を拭き消しては何度も使う塗板とする説もある。「人の家につきづきしきもの。…―」〈枕二三五〉

かきいだから・ひ【搔き抱からひ】『四段』互いにとりついて抱き合う。「我が妻、この童と二人―・ひて臥しぬ」〈今昔三一ノ九〉

かきい・で【書き出で】『下二』書き表わす。「御願文作り、経仏供養ぜらるべき心ばへなど―・で給へる硯のついでに」〈源氏総角〉

かきい・れ【書き入れ】㊀『下二』①書き記す。また、書き加える。「悉皆―・れ畢んぬ」〈小右記治安三・一・五〉。「後にさかしき人人―・れたるあひだ、物語多くなれり」〈宇治拾遺序〉 ②利子を先払いし、田畑・人身などを抵当に入れる。鎌倉時代に始まり、江戸時代さかんに行なわれた金銭貸借の一法。「田畠等、方方へ借状に―・るる事、先状を用ふべし」〈甲州法度の次第〉 ㊁『名』①書きこみ。「―等の多く侍るは、草稿の書なればなり」〈俳・続猿蓑奥書〉 ②抵当契約の一。「此の小者を…―に致し、銀を借り候由」〈梅津政景日記慶長一九・二・三〉

かきうち【垣内】農民の家を大きく囲むように垣根をめぐらした畠地。「百性の―に、いささかなる菓物(くだもの)にても…さしたる事なからんに乞ふべからず」〈極楽寺殿御消息〉。「山遠き田中の村の―はしげき木竹のあるぞにぎはふ」〈草根集六〉

かきうちは【柿団扇】柿渋を塗ったうちわ。近世初期、貧乏神の持物とされた。「―には貧乏神の付くと言へば」〈詠百首狂歌〉

がきうちは【餓鬼団扇】骨の細い安物のうちわ。餓鬼骨のうちわ。「夏痩せをする人や使ふ―」〈俳・口真似草三〉

かきおとり【描き劣り】《「かきまさり」の対》絵に書いて見ると思ったより良くないこと。「絵に―するもの。なでしこ、…物語にめでたしといひたる男・女のかたち」〈枕一二六〉

かきお・ひ【舁き負ひ】『四段』かつぎ背負う。「この宮を―・ひ奉りて…武蔵の国に行き着きにけり」〈更級〉

かきおろ・し【舁き下ろし】『四段』手先でささえておろす。「御輿過ぎさせ給ふほど、車の榻(しぢ)ども一たびに―・したりつる」〈枕二七八〉。「ここかしこの杉の下に車ども―・し」〈源氏関屋〉

かきかぞふ【搔き数ふ】〔枕詞〕指折りかぞえる意から、数の「ふた」にかかる。「―二上山(ふたかみやま)に」〈万四〇〇六〉 †kakikazofu

かきかぞ・へ【搔き数へ】『下二』指折りかぞえる。「指(および)折り―・ふれば」〈万一五三七〉 †kakikazofë

かきかたびら【柿帷子】柿渋を塗った、または柿渋色に染めた帷子。「―に縄たすきかけて」〈説経・小栗〉

かきがね【掛き金】「掛け金」(1)に同じ。「―かけまはして」〈雑談集五〉

かきがひ【蠣貝・蠣殻】カキ。また、カキの貝がら。かきがら。「―に足踏ますな」〈記歌謡八七〉 †kakigafi

かきか・へ【書き変へ】『下二』書き改める。「御畳紙に、いたう、あらぬさまに―・へ給ひて」〈源氏夕顔〉

かきかへ・し【搔き返し】『四段』琴爪や撥裏で絃をはねて鳴らす。「―・す撥の音も、物清げにおもしろし」〈源氏橋姫〉

かきがらやね【牡蠣殻屋根】板葺・こけら葺の上に牡蠣殻を敷き詰めた屋根。近世、享保頃まで江戸市中でも多かった。「五月雨に―を海辺かな」〈俳・玉手箱三〉

かききら・し【搔き霧らし】『四段』一面にくもらす。「―・し雨の降る夜を」〈万一七五六〉 †kakikirasi

かきくづ・し【搔き崩し】『四段』①(まとまったもの、固まったものを)片はしからくずす。「十月時雨に紅葉―・し」〈宇津保楼上下〉 ②片はしから少しずつくずすように思い出したり、語ったりする。「身のあること(身ノ上)を―・し言ふにぞ」〈かげろふ中〉。「昔語りも―・すべき人少なうなり行くを」〈源氏花散里〉

かきくど・き【搔き口説き】『四段』くどくどと恨み言を言う。「さめざめと―・きければ」〈平家一・祇王〉

かきくも・り【搔き曇り】『四段』①かきまわしたように一面に曇る。「月夜には来ぬ人待たる―・り雨も降らなんわびつつも寝ん」〈古今七七五〉 ②(涙で)急に目がぼうっとなる。「―・り物見えぬ心ちし給へば」〈源氏椎本〉

かきくやう【書供養】経文を書写して仏に供えること。「山しな寺に金泥寿命経四十巻を―し奉りて」〈拾遺一〇七三詞書〉

かきくら・し【搔き暗し】『四段』①かき乱したように、辺り一面を暗くする。「雪―・し降り積もるあした」〈源氏薄雲〉 ②心をかき乱すように暗くする。「―・す心の闇にまどひにき」〈古今六四六〉

かきく・れ【搔き暗れ】『下二』四辺がかき乱したように暗くなる。「俄に風吹き出でて、空も―・れぬ」〈源氏須磨〉。「文とりいだいて奉る。…水ぐきの跡は涙に―・れて、そこはかとは見えねども」〈平家二〉

かきけ・ち【書き消ち】『四段』いったん書いて、それを消す。「『中空にてぞ我は消(け)ぬべき』と―・ちたり」〈源氏浮舟〉

かきけ・ち【搔き消ち】『四段』ふっと消える。「跡もなくこそ―・ちて失せにしか」〈源氏帚木〉 **搔き消つやうに** 下に「失す」の語を従え、姿や形が完全に見えなくなる意を強調する。「菩薩、経を授け給ふ事終りて、―失せ給ひぬ」〈今昔六ノ六〉

かきこ・し【書き越し】『四段』書いて送って来る。書いてよこす。「女筆心もとなく、開けて見るに、兄嫁が―・しける」〈西鶴・諸国咄三〉。「書越、カキコス」〈文明本節用集〉

かきこ・し【搔き越し】『四段』垂れている髪を前へまわす。「鋏を取り出で給ひて、髪―・して見るに、常よりもこの頃つくろはれてをかしげなるが、さすがに惜しく悲しければ」〈狭衣三〉

かきこも・り【搔き籠り】『四段』引きこもる。「今はとて―・り、さる遙けき山の雲霞にまじり給ひにし」〈源氏若菜上〉

かきこんじゃう【柿根性】柔軟で、すぐ変りやすい性質。「賤しき諺にも、梅根性・―と申す事有り」〈仮・祇園物語上〉

かきしゃなぐ・り【搔きしゃなぐり】『四段』手先でかきむし

る。「摑みつき―・り、ぶてど叩けど」〈近松・曾根崎心中〉

かきすさ・び【書き逸び】〘上二〙気の向くままに書く。慰み半分に書く。「ことごとしく草がちなどにもざえがらず、目安く―・びたり」〈源氏 初音〉。「心ばへあるさまに、まほならず―・び」〈源氏絵合〉

かきすさ・み【書き逸み】〘四段〙「かきすさび」に同じ。「さしはへたる御文にはあらで、ただ手習のやうに―・み給ふ」〈源氏空蟬〉

かきす・ゑ【舁き据ゑ】〘下二〙かついで運び、下ろして置く。「舟に車を―・ゑて」〈枕二一四〉

かきそ・ひイ・ッ【搔き添ひ】〘四段〙ぴたりと寄り添う。「中の御門に入りて柱に―・ひて立ちて」〈今昔三ノ一五〉

かきぞめ【柿染】①柿渋で染めたような赤茶色に染めること。また、その染めた物。「褐(かちん)や浅黄や榛(はり)の木染や―」〈虎明本狂言・吃り〉。〈日葡〉②特に、大和国郡山産の、麻・木綿布を柿渋で染めて擦りはがしたもの。本多柿。大和柿。「―の夏羽織」〈西鶴・永代蔵五〉 **―のれん**【柿染の暖簾】遊里の端局・色茶屋・出合宿などの目印に門口に掛けた柿色ののれん。「何して世を渡るともなく、―掛けて、女の一人暮せり」〈西鶴・一代男三〉

かきぞめ【掛初】近世、七歳になって、男児が初めて褌(ふんどし)を締めること。その時、母方の叔母が紅(もみ)色の褌を贈る習慣であった。「七歳の時、―に絹の褌買うて、中橋の叔母より送り給はりしを」〈西鶴・置土産三〉

がきだうウ・ドー【餓鬼道】〔仏〕六道(ろくだう)の一。亡者が飢えと渇きに苦しむ世界。「凡そ―の苦と申すは」〈孝養集上〉

かきた・え【搔き絶え】〘下二〙ふっつり途切れる。「―・え参らずは、人の御名いかがはいとほしかるべき」〈源氏夕霧〉。「―・えたる男のいかが思ひけむ、来たりけるが」〈詞花三二六詞書〉

かきたく・り【搔きたくり】〘四段〙①ひっかいてむしる。かきむしる。「爪を立て、どこもかしこも搔いて搔いて―・り」〈近松・孕常盤四〉②《「―・る程」の形で》物事の甚だしいさまを表わす。「今の恨みつらみより増った嘆きもあらうかと思ふ故、―・るほど(ムショウニ)気がせくもの」〈近松・曾我会稽山四〉

かきだし【書出し】①文章の書初め。書起し。「まづ―を、扨(さて)も扨もと書いた」〈虎寛本狂言・文山立〉②文書の簡単なもの。書付。「御黒印の御―、先日板〔倉〕防州見せられ候」〈沢庵書簡寛永五・九・望〉③元帳から書き抜いた売上げ品・納入品の代金請求書。「内端(うちば)に掛けて渡す―」〈俳・独吟一日千句〉④〔歌舞伎用語〕番付における冒頭の位置。また、そこに名を書かれる俳優。「大立者は、京摂(かみがた)の顔見世極(きはまり)番付に、―と…留筆(とめふで)とに書く」〈劇場一観顕微鏡上ノ上〉

かきだつ【垣立】和船の左右の船べりに立てる垣。格子造りで内側に苫(とま)を掛け、波よけとする。「文覚少しも騒ぎ給はず、千筋の掛縄押し切って、―に足打ちもたせ」〈浄・伊豆日記二〉

かきた・て【書き立て】□一〘下二〙①はっきりと目立たせて書く。書いて列挙する。「さて平家知行所領―・てて」〈愚管抄五〉②書き終える。「執当あつらへの双紙、―・て遣はし了んぬ」〈言国卿記文明六・三・八〉。〈日葡〉□二〘名〙はっきりと目立たせて書いてあるもの。箇条書の書付。「四人づつ、―に従ひて、『それ、それ(誰ソレ)』と呼び立てて乗せ給ふに」〈枕二七八〉

かきた・て【搔き立て】〘下二〙①派手に弾く。「心にまかせて―・て給へるは、いと殊にものし給へ」〈源氏若菜下〉②燈心などを搔いて(火の)勢いを強くする。「ともし火かすかに―・てて」〈平家一・祇王〉 **―ぎ**【搔立て木】油皿の燈心をおさえ、または、搔き立てるのに用いる棒。燈心抑え。搔立て棒。「―は、薄折敷を広さ二分ばかりに割りて、土器の上に置き申し候」〈宗五大双紙〉 **―じる**【搔立て汁】味噌をすらないままで入れ、搔き交ぜて作った即席の汁。「麦食に―の夕煙」〈俳・敝帚五〉

かきた・り【搔き垂り】〘四段〙櫛目を入れて垂らす。「か黒し髪を真櫛もち、ここに―・り」〈万三七九一〉 †kakitari

かきた・れ【書き垂れ】〘下二〙書いて線の先をたらす。「眉(まよ)画き濃(こ)に―・れ」〈記歌謡四二〉 †kakitare

かきた・れ【搔き垂れ】〘下二〙雨や雪があたり一面に降る。「―・れてのどけき頃の春雨に」〈源氏真木柱〉。「雪の―・れ降るに」〈栄花鳥辺野〉

かきぢ【描地】肉筆で描いた地模様。「てんがう(イタズラ)を―の扇置きやらで」〈俳・新続犬筑波二〉

かぎちゃ【嗅茶・聞茶】茶の香を嗅いで、良否を鑑別すること。また、その茶。「珍しき物の品品…宇治より配る―」〈仮・尤の草紙下〉

かきつ【垣内】《カキウツの転。ウツはウチの古形》①垣で囲まれた土地の中。垣根のうち。「わぎも子が家の―のさゆり花」〈万一五〇三〉②開墾予定の区画の内。「わが背子が―の谷に…はろばろに鳴くほととぎす」〈万四二〇七〉→かいと。†kakitu **―た**【垣内田】垣の内の田。「―の池の堤の」〈万三二三三〉

かきつ・き【搔き付き】〘四段〙①(相手に)取りつく。つかまる。「手腓(たこむら)に虻(あむ)―・き」〈記歌謡九七〉。「冬になり行くままに、いとど―・かむ方なく悲しげにながめ過ごし給ふ」〈源氏蓬生〉②人の物・金銭を無理やりに取る。また、人に金銭的負担を押し付ける。がめつくふるまう。「朋輩の若い者に、絹の脚布(きゃふ)―・き」〈西鶴・一代女五〉 †kakituki

かきつ・け【書き付け】□一〘下二〙書き記す。「―・くる心みえなる跡なれど」〈拾遺二〇〇〉□二〘名〙書き記すこと。書き記したもの。「なにの料の―かは候はむ」〈宇治拾遺三〉

かきつづけ【搔き続け】〘副〙《カキは接頭語》次次と。「古への事ども―思し出でられて」〈源氏薄雲〉

かぎって【限って】〘連語〙《普通、打消の語を伴って》…にさえも。…でさえも。「一門―人に会はず、深く取り籠りてありしに」〈西鶴・伝来記三〉

かきつに「あをに」に同じ。「俗(くにひと)あをにといひ、或(また)―といふ」〈常陸風土記〉 †kakituni

かきつばた【燕子花】《奈良時代はカキツハタと清音》①アヤメ科の宿根草。池沼や湿地に生え、夏、濃紫または白色の大きな花がさく。「かほよばな」とも。「―衣(きぬ)にすりつけ」〈万一三六一〉。「由跋、カキツバタ」〈名義抄〉②襲(かさね)の色目の名。「皇后宮の〔女房ノ装束〕は、菖蒲・楝(あふち)・瞿麦(なでしこ)・―など」〈栄花根合〉 †kakituFata

かきつ・め【書き集め】〘下二〙《カキアツメの約》いろいろ書いて集める。「日記など量りなく―・め給ひて」〈今鏡七〉

かきつ・め【搔き集め】〘下二〙《カキアツメの約》搔いて一所にまとめる。あれこれ一所にする。「―・めてあまの焚く藻の」〈源氏明石〉

かきつやぎ【垣つ柳】垣根の柳。一説、カキツは垣内で、屋敷内の柳。「恋しけば来ませ我がせこ―末(うれ)摘みからし我立ち待たむ」〈万三四五五東歌〉 †kakituyagi

かきともし【搔燈】⇒かいともし。「内に参りて―する人もなし」〈今鏡一〉

かきなぐ・り【書きなぐり】〘四段〙無造作にさっと書く。一

息に書き下す。「直ぐさまと—・りたる扇かな」〈俳・有磯海〉

かきな・し【書き成し】『四段』（意識して）…のように書く。「殊更幼く—・し給へるも」〈源氏若紫〉

かきな・し【搔き鳴し】『四段』①かきまわして鳴らす。「塩こをろこをろに—・して引き上げ給ふ時に」〈記神代〉②絃を指ではじいて音を出す。「秋風に—・す琴のこゑにさへ」〈古今五八六〉 †kakinasi

かきな・で【搔き撫で】㊀『下二』指・手・櫛などで撫でる。「しかとあらぬ髭—・でて」〈万八九二〉。「髪—・でつくろひ」〈源氏夕霧〉㊁『名』物事の表面を撫でるだけのこと。通りいっぺん。「只今世に名を取れる人人、—の心やりばかりにのみあるを」〈源氏明石〉 †kakinade

かきな・り【書き成り】『四段』書きぶりが巧みになる。「手をいみじくも—・られにけるかな」〈源氏藤裏葉〉

かきね【垣根】《ネはしっかりと地に立つものの意》垣。「鶯の通ふ—の卯の花の憂き事あれや君が来まさぬ」〈万一九八八〉。「せばき—のうち」〈源氏薄雲〉 †kakine

かきのころも【柿の衣】山伏の着用する柿渋染の衣。「山伏のまねして—に綾藺笠(あやゐがさ)といふもの着て」〈増鏡一四〉

かきの・せ【舁き乗せ】『下二』かかえ上げて乗物に乗せる。「弾正の宮など—・せ奉らせ給ひて」〈栄花鳥辺野〉

かきのたね【柿の種】金持の意の隠語。「かきのさね」とも。「貯めて置く／得手は出家に—」〈雑俳・軽口頓作〉

かきのもと【柿の本】鎌倉時代、伝統的な和歌、上品な連歌を呼んだ語。有心(うしん)。「—・栗の本の連歌の興、銭を以て懸物となす。尋常の句の時は百文、秀句の時は二百文これを取らす」〈後鳥羽院御記建保三・五・二五〉 ↓栗の本。**—のしゅう**【柿の本の衆】鎌倉時代、有心連歌を詠む作者たちをさして呼んだ語。「よき連歌をば—と名付けられ」〈筑波問答〉

かきのれん【柿暖簾】遊里で端(は)女郎のいる局(つぼね)に掛けた、柿色染めののれん。また、その端局。「青簾哀なる物や—」〈俳・洛陽集上〉

かきは【片葉】一枚の葉。「事問ひし磐根、木の立ち、草の—をも言(こと)止めて」〈祝詞大殿祭〉

かきは【堅磐】《本来は、カタイハの約でカチハとあるべき語。「ときは」のキに引かれて誤ったもの》 ⇒かちは。「ときは—に我が君の御代」〈拾遺愚草上〉

かぎばな【鉤鼻】鉤形に曲がって鷲の嘴(くちばし)のような形をした鼻。「思ふ人の—を直し、思はぬ人の出額(でびたひ)をも見よげに書けば」〈西鶴・男色大鑑五〉。〈日葡〉

かきはら・ひ【搔き払ひ】『四段』①払いのける。「落つる涙を—・ひて」〈源氏薄雲〉②（場ふさぎのものを）除き去る。撤去する。「御前の草のいと繁きを『などか—・はせでこそ』と言ひつれば」〈枕一四三〉。「ひのおましのよそひ取りこぼち、火焼屋など—・ふ程」〈増鏡一四〉③（物や人が）いちどきに失せる。すっかりなくなる。「かく大臣、公卿七八人、二三月のうちに—・ひ給ふこと、希有(けう)なりしわざなり」〈大鏡道長〉。「西の宮は…—・ひ焼けにしかば」〈かげろふ中〉

かきはん【書判】文書で、署名の下に自筆で書く一種の形様化した文字。判(はん)。花押(かおう)。「手形には、—と四角なる印とつき候」〈本光国師日記元和二・九・三〉

かきひ・き【搔き弾き】『四段』弾奏する。「琴に作り—・くや」〈記歌謡七四〉 †kakiFiki

がきびき【餓鬼引き】鉤(かぎ)形に曲げた小指と小指とを引っ掛けて、引き合う遊戯。指引き。鉤引き。「碁・将棋・双六・—・腕押し・力業」〈浄・吹上秀衡入四〉

かきひたし【柿浸し】干柿を搔って酒にひたしたもの。「同じ提子(ひさげ)にて、—まゐらすれば」〈増鏡一〇〉

かきふ・せ【舁き伏せ】『下二』抱きかかえて寝かせる。「人に—・せられ給ふ」〈源氏澪標〉

かきぶね【牡蠣船】冬季、広島から大阪に来て川の橋の下に繋留し、牡蠣一式の料理を営業した船。牡蠣屋。「藻(も)にうづもるる—の、苫(とま)の隙間の燈火の」〈近松・重井筒下〉

かきべ【部曲・民部】大化以前の豪族の私有民。奴婢とちがい、自営で家族生活を営み、氏人に統率された。大化改新により廃止、公民とされた。「大連(おほむらじ)等—広く大きにして」〈紀雄略二十三年〉

かきほ【垣ほ】《ホは上に目立って見えるもの》垣。「山賤(やまがつ)の—に咲ける大和撫子」〈古今六九五〉 †kakiFo **—なす** 垣をめぐらすような。垣のように四方からとりかこんで隙間もない。ひどく噂を立てられるのにいう。「—人言聞きて」〈万七一三〉

がきぼね【餓鬼骨】うちわ・ふすま・屏風などの、安物の細い下骨。「柴刈やよき身の果もあばら屋の—とても終に残らず」〈後撰夷曲集九〉

かきま【垣間】垣の間。垣根のすきま。「我が越えし妹(いも)が—は荒れにけるかも」〈万一八九九〉 †kakima

かきまぎらは・し【書き紛らはし】『四段』表現や筆跡をぼかして書く。「そこはかとなく—・したるも、あてはかに故づきたれば」〈源氏夕顔〉

かきまぎ・れ【搔き紛れ】『下二』（他の中へまざって）他と区別がつかなくなる。目に立たなくなる。「世の常のおぼえに—・れたらば、さるたぐひなくやは」〈源氏薄雲〉。「—・れたる際の人こそ…ともかくも物の際をうかがひつくるやうもあれ」〈源氏若菜上〉

かきまさ・り【描き優り】《「かきおとり」の対》絵に書いて見ると、思ったより良くなること。「—するもの。松の木、秋の野」〈枕一一七〉

かきまし【舁増し】駕籠舁(かごかき)に増し駄賃を与えること。また、その増し駄賃。「二十六文、下向船賃…月迫の間—迄」〈大徳寺文書五、天文七・三・一六〉

かきま・ぜ【書き混ぜ】『下二』別種の物を一つの絵や文に書き入れる。「消息文にも、仮字(かんな)といふものを—・ず〔漢字バカリデ〕」〈源氏帚木〉

かきま・ぜ【搔き混ぜ】㊀『下二』まぜ合わせる。「さまざま御嘆き・御喜び—・ぜたる心ち仕うまつれ」〈大鏡村上〉㊁『名』他のものとごっちゃになる程度のこと。ありきたり。「心つくさざらむ—の程は、かやうに心うつくしう、なよよかならむ〔女〕こそ〔心ヒカレル〕」〈浜松中納言三〉

かきまつ・べ【搔き纏べ】『下二』一つにかき寄せ集める。かきあつめる。「金銀を残らず取って搔き抱き、袖より漏るるを—・べ」〈近松・賀古教信三〉

かきま・み【垣間見】『上一』《カイマミに同じ》物の透き間から中をのぞき見る。「視其私屛、加支末美太末布(かきまみたまふ)」〈日本紀私記〉

かき・み【搔き廻】『上一』水を搔いてめぐる。こぎめぐる。「—・みる磯の埼落ちず(残ラズ)若草の妻持たせらめ」〈記歌謡五〉 †kakimi

かきみだ・り【書き乱り】『四段』①乱れた字や文を書く。「臥しながら、うち休みつつ書い給ふ。『…』など—・りて」〈源氏柏木〉②書き散らす。「葦手書き」をさすばあいもある。「筆にまかせて—・り給へるしも、見どころあり」〈源氏浮舟〉

かきみだ・り【搔き乱り】『四段』（気分が）乱れる。「心ちの

—・るやうなれば」〈源氏紅葉賀〉

かきみだ・れ【掻き乱れ】『下二』(雲などが)一面に乱れる。「雪・霙(みぞれ)—・れ荒るる日に」〈源氏澪標〉

かきむ・け【懸き向け・舁き向け】『下二』向ける。かかえて向ける。「其(し)が鰭(はた)はわれに—・け思ひし思はば」〈万四一九一〉。「御病つきて失せ給ひける時、西に—・け奉りて」〈大鏡道隆〉 †kakimukë

かきむす・び【懸き結び】『四段』たがいに約束する。「—・び常世(とこよ)に至り」〈万一七四〇〉 ▽カキは古い四段活用の「懸き」で、言葉をかける意。 †kakimusubi

かきむだ・き【掻き抱き】『四段』《ムダキはイダキの古形》相手にとりついて抱く。「—・き寝(ぬ)れど飽かぬを」〈万三四〇四東歌〉 †kakimudaki

かきもち【欠餅・掻餅】①正月の鏡餅を手で欠いた小片。「今日、鏡〔餅〕、—する也」〈北野社家日記天正一九・一・五〉 ②餅をうすく切り、乾したもの。「囲碁廻し打ち…懸物—一籠」〈看聞御記永享八・一〇・一二〉 ③「氷餅」の異称。「覚えた通り祝ふ—」〈俳・昼網下〉

かきもと【垣下】垣根のもと。垣根のほとり。「—に植ゑしはじかみ」〈記歌謡一三〉 †kakimötö

かきもの【書物】書いた物。書類・文書・手紙など。「魚の腹を割きわけ、—を中に入れ」〈伽・ふくろふ〉。〈日葡〉

かきもん【描紋】筆で描いた衣服の模様。描模様。「薄椛染(かばぞめ)の小袖に山尽しの—」〈西鶴・男色大鑑六〉

かきやぶり【垣破り】《垣を破って無理に通ろうとする意から》むりやりに常識はずれのことをしようとすること。横紙破り。「—なる事あるは、鼠の如し」〈伽・かくれ里〉

かきや・り【書き遣り】『四段』①書いて先方にわたす。書いて送る。「いかではるばると—・り給ふらむ」〈源氏浮舟〉 ②書き進む。先を書く。「涙の、水茎に先立つ心ちして、—・り給はず」〈源氏夕霧〉

かきや・り【掻き遣り】『四段』手をかけてはらいのける。「帷子(かたびら)を少し—・り給へれば」〈源氏蓬生〉

かぎやり【鉤槍】穂の本に十文字に鉤をつけた槍。敵の槍を搦(から)め落すのに使う。「—をうちかけたるに、運こそ尽きてありけめ」〈浅井三代記一三〉

かぎ・り【限り】㊀『四段』《日限を切るのが原義。伸展して行く時間の先端を、そこまでと定めて切る意。後には空間についてもいう》①日限をいつまでと切る。「—・れることも無かりし御旅居」〈源氏関屋〉。「—・らぬ命(イツ死ヌカハ分ラナイ命)」〈源氏柏木〉 ②日限をいつと定める。「—・りける日たがへず(京ニ)入り給ひぬ」〈源氏松風〉 ③打切りにする。「逢ふことの難きを今日に—・らずは今幾世をか嘆きつつ経む」〈源氏賢木〉 ④《「命を—・る」「世を—・る」の形で》終生の、死ぬまでのつもりでいる。命の終る時を将来の時間の限界とする意。「命を—・りける山ごもり」〈源氏夕霧〉。「世を—・るべきすみか」〈源氏松風〉 ⑤続いて行く時間・空間がそこを最後として断絶する。「瑜珈振鈴の響は其夜を—・り」〈平家三・六代被斬〉。「天地は—・る所なし」〈徒然二一一〉 ⑥限定する。「揚名介(やうめいのすけ)に—・らず、揚名目(やうめいのさくわん)といふものもあり」〈徒然一九八〉。「価(あたひ)も—・らず買はんと申しつるをも」〈古本説話五八〉 ㊁『名』《限界点の意から、最上の状態、数量の全部、選ばれたものだけという制限、また、臨終をいう。↓きは・きはみ・はて・をはり》❶《時間的に》①限度。限界。「来経行く年の—知らずて」〈万八八一〉。「泣きたまふこと—なし」〈源氏浮舟〉 ②ぎりぎりまでの時間。限界までの期間のすべて。「世の—にや恋ひ渡りなむ」〈万四四四一〉。「うち(命)の—は」〈万八九七〉 ③おしまい。最後。「—とや君が来まさぬ」〈万三四九五東歌〉 ④臨終。「消えゆく露のここちして—に見え給へば」〈源氏御法〉 ⑤死後の処置。葬送。「—の有様さへはかなげにて、煙も多くむすぼほれ給はずなりぬるも」〈源氏総角〉 ❷《空間的・心理的に》①距離・気持・行為などの限度・限界。「嬉しきこと—なし」〈土佐二月十一日〉。「わが恋は行方も知らず果ても無し逢ふを—と思ふばかりぞ」〈古今六一一〉 ②《限界点の意から》最高・最上の状態。「秋の夜ぞ物思ふことの—なりける」〈古今一八九〉 ③数量・状態の限界。ありったけ。全部。「罪の—果てぬれば」〈竹取〉。「諸(もろ)の吉からぬ事の—を好みて業とす」〈今昔二〇ノ一五〉 ④限定を表わす。…だけ。…のみ。「色好みと言はるる—五人」〈竹取〉。「〔若君ノ〕御身はいとあらはにて、後ろの—に(着物ガウシロダケニ寄ッテ)着なし給へるは例のことなれど」〈源氏横笛〉 ⑤(これ以上してはいけない、または、これだけはしなくてはいけないという)制限。「—あることに、事を添へ」〈源氏桐壺〉 †kagiri

—な・し【限り無し】『形ク』①終る時がない。際限がない。「青馬を今日見る人は〔寿命ガ〕—・しといふ」〈万四四九四〉。「繋いだる馬に騎(の)って杭をめぐる事—・し」〈平家五・富士川合戦〉 ②程度がはなはだしい。非常である。「—・く遠くも来にけるかな」〈古今四一二詞書〉。「極めて貧しき事—・し」〈今昔一二ノ一九〉 ③この上ない。最高である。「—・き人と聞ゆれど」〈源氏若菜上〉。「小童これを聞きて、悲しみの中に—・く覚えて、涙をのごひつつ、さりげなき様にもてなせり」〈発心集五〉

—のたいこ【限りの太鼓】近世、大阪新町遊廓で、門限の時刻を知らせる太鼓。寛永頃は夜の四つ時。後、次第におくれて九つ時・八つ時になった。一番太鼓。三番太鼓。「名残惜しげに見ゆれども、—もろともに、また我が宿に帰り給ひぬ」〈浮・御前義経記六〉

—のたび【限りの度】①最後の機会。「あやにくに—しも、入れ奉らずなりにしよ」〈源氏蜻蛉〉 ②死の床。臨終。「はかなき御悩と見ゆれど—にもおはしますらむ」〈源氏椎本〉

—のみち【限りの道】最後の旅路。死出の旅路。「今は—にしも、我をおくらかし」〈源氏蜻蛉〉

かき・れ【掻入れ】『下二』《カキイレの約》髪をかきあげ整える。「たけばぬれ(掻キ上ゲレバ弛ミホドケ)たかねば長き妹が髪この頃見ぬに—・れつらむか」〈万一二三〉 †kakire

かぎろひ(カギロイ)《カガヨヒ・カグツチと同根。揺れて光る意。ヒは火》①炎(ほのお)。「—の燃ゆる家群妻が家のあたり」〈記歌謡七六〉 ②立ちのぼる水蒸気に光があたり、光が複雑に屈折してゆらめいて見えるもの。陽炎。「—の燃ゆる荒野に」〈万二一〇〉 ③あけぼのの光。「東(ひむがし)の野に—の立つ見えてかへり見すれば月傾(かたぶ)きぬ」〈万四八〉 ▽「輝き」はカカヤキと清音で、この語とは起源的に別。 †kagiröFi

—の〔枕詞〕陽炎の立つ季節から「春」にかかる。「—春にしなれば」〈万一〇四七〉

かきわた・し【掻き渡し】『四段』(絃楽器を)ずっと弾く。弾きとおす。「をささ心解けても—・さず」〈源氏篝火〉

かきゑ【書絵・描絵】衣服に墨絵を描いたもの。近世前期流行した。「武蔵野の花は紫—にて」〈俳・伊勢俳諧長帳三〉。「紅(もみ)の色こく白地に—の東海道」〈西鶴・男色大鑑八〉

—こそで【書絵小袖】源氏絵・山水画などの模様を墨絵で描いた小袖。「—を仕出し、俄分限(にはかぶげん)となりぬ」〈西鶴・織留三〉

かきをさ・め【書き納め】『下二』書き終える。「文こまごまと—・め」〈謡・夜討曾我〉

かく【角】①物のかど。また、かどのある物。とくに、四角。方形。「—の柱を取り出し」〈伽・はもち中将〉 ②五音(ごいん)

の一。宮・商につぐ三番目の音階。「宮・商・―・徴(ち)・羽(う)の五音あり」〈著聞三〇〉 ③的の中央の黒星。「倭俗…正鵠を―と謂ふ」〈雍州府志八〉 ④将棋の駒の一。角行。「金持ちとは、此の―が眠んでゐる」〈近松・寿門松中〉 **―を入・る** 鐙(あぶみ)の角で馬の脇腹を蹴り、疾走させる。「今、俗に、乗馬―・ると云ふ」〈武用弁略七〉

かく【膈】 食道・胃などの癌。噎膈(いつかく)。膈症。膈病。「熱物にて当座血がやぶれて…連連に血熱しかわきて、―などといふ病とも成る也」〈医説〉。〈日葡〉

かく【斯く】『副』《カは此・彼、クは副詞語尾。目前の状態や、直前に述べたこと、直後に述べることを指していう》こう。このように。「―立つ波に船出すべしや」〈万一七八一〉。「いにしへより―伝はるうちにも」〈古今序〉。「頭(かしら)をもたげて―ぞ言へる『…』」〈土佐二月六日〉

かぐ【下愚】《「上智」の対》 はなはだ愚かなこと。生れつきの愚者。「世俗の事にたづさはりて生涯を暮すは―の人なり」〈徒然一五一〉

かぐ【加供】 供養に加わること。「〔斉会ニ〕藤氏の殿ばら皆―し給ふ」〈大鏡藤氏物語〉

かぐ【家具】 ①日常生活で使う器物や道具。「〔正月ニ八〕衣装・―等にいたるまで、みな新しく」〈伽・付喪神記〉 ②特に、膳・椀などの食器の称。「御―・諸白持参候」〈梅津政景日記寛永三・閏四・二八〉

がく【楽】 ①音楽。「五位已上と〔渤海使〕高齊徳等とを宴す。大射と雅楽寮の―とを賜ふ」〈続紀神亀五・一・一七〉。「―の声、鼓の音」〈源氏紅葉賀〉 ▽平安仮名文では、主に歌以外の器楽をさす。また、打楽器以外の器楽をさすこともある。 ②宮中の式楽である雅楽。「抑(そもそも)、―の中に蘇合と云ふ曲あり」〈無名抄〉 ③能の舞の一。舞楽を意味する舞。「―、二段程、台にて舞ふ」〈童舞抄下〉

がく【額】 文字を書いて、門や軒など人目につく所に掲げる書札。「世尊寺に向ひて、―を書す」〈権記長保五・一〇・四〉 **―を打・つ** 額を打ちつけ掲げる。「東大寺の次、興福寺の上に、延暦寺の―・つ間」〈平家一・額打論〉

かくかく【斯く斯く】『副』 かようかよう。しかじか。「尺八の能に、尺八一手吹き鳴らいて、―と謡ひ」〈申楽談儀〉

かくかのとり【覚賀鳥】「かくか」と鳴く鳥の意。ミサゴを指すという。「―の声聞ゆ」〈紀景行五十三年〉 ▽「覚賀」はkakka と読むべきで、カカという鳴き声を写したものを、後世、カクカと読んだものとも考えられる。

かくご【格勤】《カクゴンの転》 ①⇒かくごん(2) 「―の源八男、出で来て」〈承久記下〉。「格勤、カクゴ」〈下学集〉 ②扶持。扶養。援助。「盗人成敗終ってのち、件の盗人―いたし候ともがら同罪たるべし」〈塵芥集〉

かくご【覚悟】 ①悟ること。道理を知ること。「それより生死の眠りさめ、―の月をぞもてあそぶ」〈梁塵秘抄三四〉 ②知ること。存知。「まづ郎従小庭に祇候の由、全く―つかまつらず」〈平家一・殿上闇討〉 ③前もってする心がまえ。用意。「春夏未来の―をすれば」〈天草本伊曾保〉 ④決意。決心。「たとひ君と共に籠者せられ、死罪に及ぶとも、御伴いたすべき―つかまつる」〈バレト写本〉 ⑤あきらめること。思い切ること。「―なくしては、時に当りて思ひ誤る事も候ふべし」〈仮・清水物語上〉

かくごん【格勤】 ①勤務にはげむこと。「律令…悉く行なふこと能はざるは、まことに諸司怠慢して―を存せざるに由り」〈続紀和銅四・七・一〉 ②《後世、カクゴとも》平安時代、親王・摂関家などに仕え、雑役を勤める侍。また、武家時代、侍所に属し、幕府の雑役を勤める番衆の類。格勤者(かくごしや)。「院の―してさぶらひ給ふ」〈大鏡道隆〉。「その時の一の人の御許に―になむ侍ひける」〈今昔二六ノ一七〉

かぐさ・し【か臭し】『形ク』 ①獣肉・皮などの特有の臭みがする。「獺(うそ)を焼き候時…腸(わた)をとりいだし、腹の内水を打ち候へば、腹の内の―・き事も失せ候」〈大草殿より相伝之聞書〉 ②こげくさい。きなくさい。「俗、物の焦れ臭きを―・きと云ふは」〈齊東俗談一〉

かくさ・ひ(カクサイ)【隠さひ】『四段』《隠シに反復継続の接尾語ヒのついた形。→ひ》 くりかえし隠す。「しばしばも見さけむ山をこころなく雲の―・ふべしや」〈万一七〉 †kakusaFi

かくさま【斯く様】 このよう。「かくやう」「かうやう」とも。「―に言ひけるものを」〈万四〇〇六〉。「―の憂き事はあらましや」〈源氏胡蝶〉

かくさん【各盞】 各自の盃で飲み、応酬をしないこと。各盃。「中酒も、―の時は、上衆次第に受けておかれ候ひて、人数皆受けて後、貴人より盃を御取り候を見て、各も飲み候」〈宗五大双紙〉

かく・し【隠し】『四段』《「あらはし」の対。隠レの他動詞形》 ①物の陰に位置させて、人に見えないようにする。「三輪山を然(しか)も―・すか」〈万一八〉 ②人に知られぬようにする。秘密にする。「真言の深き道をだに、―・しとどむる事なく広め仕り侍り」〈源氏薄雲〉 ③死人を葬る。「頓死せば、三日過ぎて―・すべしと申すは、この故とかや」〈伽・天神〉。「葬、カクス」〈名義抄〉 **―いうぢょ**(ユウジョ)【隠し遊女】 近世、私娼の称。隠し売女。「此の島続きに―ありて」〈西鶴・懐硯一〉 **―いしゃう**(ショウ)【隠し衣裳】 人に隠してこっそり着る衣裳。「小紋羽織―の名残あり」〈俳・大坂一日独吟千句〉 **―うら**【隠し裏】 着物の紅裏(もみうら)の裾だけを別の色の布で継いだもの。隠し紅裏。隠し紅(べに)。「うへに菖蒲(あやめ)八丈に紅(もみ)の―を付けて」〈西鶴・一代女四〉 **―ぜい**【隠し勢】 伏兵(ふくへい)。伏せ勢。「右近が―五百ばかり…面(おもて)もふらず突きかかる」〈浅井三代記一四〉 **―だい**【隠し題】 題として掲げた物の名を、それと分らない形で一首の和歌の中に詠みこむこと。物名(もののな)の歌。物名(ぶつめい)。「又、から萩などいふことを―とて。つらからば岸べの松の浪をいたみ音(ね)にあらはれて泣かむとぞ思ふ」〈今鏡三〉 **―づく**【隠し尽く】 互いに隠し合うこと。「よろづ―なし、贔屓(ひいき)なしに」〈西鶴・一代男六〉 **―づま** ①【隠し夫】 間男。密夫。「―にあふ事、見ゆるして給はれ」〈西鶴・諸国咄三〉 ②【隠し妻】 情婦。隠し女房。隠し女。「夕霧は落葉いづこに―」〈俳・山の井五〉 **―べり**【隠し縁】「隠し裏」の縁に付ける布片。「紅の下着に―取り」〈浮・傾城辻談義三〉 **―まど**【隠し窓】 外から分らないように作った窓。「明り取りの―細く」〈西鶴・一代女三〉 **―むすび**【隠し結び】 元結(もとゆい)を外に見えぬように結ぶこと。また、その元結。隠し元結。「―の浮世髻(うきよもとゆひ)といふ事も、我改めての物好み」〈西鶴・一代女一〉 **―めつけ**【隠し目付】 普通の人に身をやつして、ひそかに探偵する者。隠密(おんみつ)。忍び目付。隠し横目。「左様なる―もこれ有り」〈松平大和守日記寛文七・二・一三〉 **―もん**【隠し紋】 人に正体を知られぬように付けた替紋(かへもん)。「金の―」〈西鶴・五人女三〉 **―よこめ**【隠し横目】「隠し目付」に同じ。「幾重にも―を付け」〈黒田故郷物語〉 **―ゑ**【隠し絵】 絵の中へさらに他の絵を目立たぬように描き込んだもの。探し絵。「―を男も合点」〈西鶴・一代女五〉 **―をとこ**【隠し男】 間男。密夫。「さればよ、―来にけりと思ひて」〈宇治拾遺三九〉

がくし【学士】 令制で、皇太子の侍講役。東宮学士。学者の家から、才智・徳望をそなえた者が選ばれた。「春宮に

は―、内裏(ぢ)の昇殿許されて」〈宇津保菊宴〉

かくしま【斯くしま】このよう。かくさま。「父が―にあれとおもひておもぶけ教へけむ事」〈続紀宣命一三〉 ▽シマはサマの母音交替形。類例、ヨコシマとヨコサマ。

がくしゃう【学生】①大学寮・国学などに在籍して学問する者。「中臣朝臣広見を遣はして、大学寮に就いて勅を宣べ、博士・―を慰労して其の業を勧勉せしむ」〈続紀天平二・二・二〉「わざとの文人も召さず…―十人を召す」〈源氏少女〉 ②諸大寺において、学問修行を専門とする僧。学侶(がくりよ)。「山上には、堂衆(だうじゆ)・―不快の事出で来て」〈平家二・山門滅亡〉 ③すぐれた学者。学匠。「南北二京に、これほどの―あらじものを」〈宇治拾遺六五〉。「世話には、智恵あるを有学(うがく)と云ひ、又は―と云ふ」〈見聞愚案記九〉

がくしゃう【学匠】学に通じて、人の師たる資格のある者。また、すぐれた学者。「―なりければ、ここかしこに文の師してありきけり」〈十訓抄一ノ四〉

かくしゅつ【各出】めいめいが物・銭などを出し合うこと。頭割。割勘。訛って「かくせつ」とも。「―会合の事有りて、興を催し了んぬ」〈康富記応永二七・三・四〉。〈合類節用集〉

がくしょ【楽所】⇒がくそ。「―などおどろおどろしくはせず」〈源氏(肖柏本)藤裏葉〉 ▽平安仮名文では「かく所」「かくそ」と表記されることが多い。

かくじん【膈人】博奕(ばくち)打ち。「しみて(馴染ンデ)悪しきは、―・役者・廓の内の者」〈評判・吉原雀下〉

かくすけ【角助・角介】武家などの下男・六尺(ろくしやく)・仲間(ちゆうげん)の通称。角内(かくない)。「無常の使―も知れ」〈俳・阿蘭陀丸下〉

かくすす【斯くすす】『連語』《ススは、動詞シ(為)の終止形スを重ねて副詞的に用いた形》このようにしながら。「梓弓末に玉巻き―そ寝なななりにし(トウトウ共寝モシナイデシマッタ)奥を兼ぬ兼ぬ」〈万三四八七東歌〉

がくそ【楽所】《ソはショの直音化》①宮中で雅楽をつかさどる所。雅楽寮と並んで天暦二年に設けられた。「後涼殿の東に―の人人召して、暮れ行く程に双調に吹きて」〈源氏宿木〉 ②音楽を演奏する場所。「辰巳の方の釣殿につづきたる廊を―にて」〈源氏若菜下〉

かくそで【角袖】方形の袖。近世前期には伊達(だて)な風俗とされた。「身狭(みせば)―の伊達な小袖」〈浮・好色三人紅一〉

かくだいふぶし【角太夫節】寛文頃、京都の山本角太夫が始めた、優婉(ゆうえん)な曲風の浄瑠璃節の一派。「当時、嘉太夫節・―などとて、洛中に専ら浄瑠璃流行りけり」〈咄・囃物語下〉

かくづきん【角頭巾】角形の頭巾。「すみ頭巾」とも。「角菱もあるにまかする―」〈俳・俳諧蒙求下〉

かぐつち【迦具土・火神】《カグはカガヨヒのカガと同根。光のちらちらする意。ツは連体助詞。チは精霊》火の神。「火の神―の生るるに至りて」〈紀神代上〉

かくて【斯くて】㊀『副』このような状態で。こうして。「よし(ママヨ)このころは―通はむ」〈万二七八八〉 ㊁『接続』こうして。「雨いささかに降りてやみぬ。―さしのぼるに、東のかたに山の横ほれるを見て」〈土佐二月十一日〉

がくと【学徒】「学生(がくしやう)」(2)に同じ。「もとは叡山の―なりけり。多年法華の持者なり」〈著聞五六〉

がくとう【学頭】①勧学院の職名。学生〈がくしやう〉の筆頭として学務に当る。「この隆頼は無双の才人なりけり。―になりたりけり」〈著聞一三三〉 ②一宗の学問や有職故実をつかさどる僧の役名。「比叡の山の―、西堂桜本の僧正」〈義経記三〉

かくない【角内】「角助(かくすけ)」に同じ。「―が背中に乗り移り給ふありさまは」〈西鶴・諸艶大鑑一〉

かくながら【斯くながら】『連語』このまま。このままの状態で。「―見捨てはべりなば」〈源氏明石〉

かくなわ【香菓泡・結果】《カクノアワの約。「角縄」とも表記》①曲がりくねり、紐を結んだような形の揚げ菓子という。「唐菓子二杯、加久縄一杯」〈江家次第二・七日節会装束〉 ②太刀の使い方の一。(1)の形のように太刀をさばき、切り結ぶこと。「蜘蛛手(くもで)・―・十文字・とんばう返り・水車、八方すかさず切ったりけり」〈平家四・橋合戦〉 **―に**「かくなわ」(1)のように。心が乱れ、むすぼおれるさまにいう。「―思ひ乱れて」〈古今一〇〇一〉

がくにん【楽人】雅楽を奏する人。伶人(れいじん)。「陪従せる百官衛士已上、并せて造難波宮司・国郡司・―等に禄を賜ふこと差有り」〈続紀天平六・三・一六〉

かぐぬし【家具塗師】椀・折敷・膳・重箱などの漆細工職人。「―の所へ養子に行きて」〈西鶴・胸算用三〉

かくのあわ【結果】⇒かくなわ。「結果…、加久乃阿和(かくのあわ)」〈和名抄〉

かくのこのみ【香の木の実】《香りのよい果実の意》タチバナの実の古名。「多遅摩毛理(たぢまもり)を常世の国に遣はして、時じくの(イツノ時節ニモアル)―を求めしめたまひき」〈記垂仁〉 †kakunökönömi

がくのま【額の間】紫宸殿(ししんでん)・清涼殿・大極殿などの中央の間。梁(はり)に、その殿の名を書いた額があるのでいう。「紫宸殿の―の長押(なげし)に寄り居給へり」〈平治上・源氏勢汰へ〉

かくばかり【斯くばかり】『連語』これほど。「―恋ひむとかねて知らませば」〈万三七三九〉

かぐは・し【馨し・香し】『形シク』《カ(香)クハシ(細)の意》①香りがよい。かんばしい。「―・しき花橘を」〈万一九六七〉 ②美しい。「―・し君を相見つるかも」〈万四一二〇〉

かくばん【隔番】一度おき、または一日おきに、交代して番をすること。交番。「―に根来〔寺〕で鳴けよ時鳥」〈俳・糸瓜草三〉。〈日葡〉

かくひ《カリクヒ(刈杙)の転》木の切株。また、ほた。〈日葡〉 **―ずみ**【かくひ炭】クヌギ・ツツジなどの根で焼いた炭。香りがよく火持ちもよいので茶会に用いる。〈俳・歌林鋸屑集三〉

かくひち【角筆】象牙または竹で作った、箸に似た六寸程の棒。先を筆の形に削り、後端の穴に紐を通す。漢籍の句読を指すのに使い、私的備忘のため、紙面を押し凹まして字を書くのにも用いる。字突き。「文のて(点図)といふものを取らせたりけるを見れば、―して一首をなん書きたりける」〈篁物語〉

かくびゃう【脚病】「あしのけ」に同じ。「乱り脚病」とも。「例もわづらひ侍る―」〈宇津保菊宴〉

かくべち【各別・格別】⇒かくべつ。〈易林本節用集〉

かくべつ【各別・格別・隔別】《カクベチとも》①各自別別。それぞれ別個であること。「諸仏と衆生と―に思ひ、地獄と浄土と―に思ひ、心と法と―に思ひ」〈道元法語〉 ②根本的に違っていること。特別であること。「蘭曲。これは―の曲聞也」〈五音下〉 **―せかい**【各別世界】別世界。この世の物とも思われぬ物事をほめていう語。「月花の頃は―かな」〈俳・夢見草一〉

かくま・へ【囲まへ・匿まへ】㊀『下二』人をひそかにかく

しておく。また、扶養する。「[破戒僧ガ]大名手かけの戻りを―・へ」〈西鶴・浮世栄花三〉。「―・ふ。拘(かか)へ養(か)ふの義か」〈志不可起三〉 ㊁《名》①人をひそかにかくしておくこと。また、扶養すること。「古朋輩の御誼(よし)に少しの御―を頼み入り、これまで罷り越したる」〈西鶴・浮世栄花四〉 ②準備。心の覚悟や貯蓄などにいう。「金を貯ゆるにのみ心をかけ、牢人―する人」〈仮・ひそめ草中〉

かく・み【囲み】㊀《四段》かこむ。「妻も子どももちこちにさはに―・み居」〈万四〇八〉。「遶、メグル・カクム」〈名義抄〉 ㊁《名》かこみ。包囲。「誤りて王(こみ)死(う)せましたりと謂(おも)ひて―を解きて退き去る」〈紀皇極二年〉 †kakumi

かくもの【角物】横断面の四角な材木。「赤栴檀の―・平物」〈俳・引導集〉

がくもん【学問】《「学門」「学文」とも書く》勉学すること。主に男子の漢学の勉強にいい、広く学芸の修業にもいう。「大学の生徒は…専ら―に精しきを選びて」〈続紀天平二・三・二七〉。「[古今集ノ暗誦ヲ]御―にはせさせ給へ」〈枕二三〉。「学門、ガクモン」〈色葉字類抄〉。「学文、ガクモン」〈文明本節用集〉　**―あがり**【学問上り】初めて学問すること。入門。「御曹子は、御歳七つの春の頃、鞍馬の山へ―と聞えけり」〈浄・常盤物語二〉　**―れう**(リョウ)【学問料】平安時代、大学の学生(がくしやう)に公けから給与した学費。「―を申す」〈本朝文粋六〉。「対策し、及第し、―給はり」〈宇津保藤原君〉

かくや【鹿児矢】《カクはカコ(鹿児)の転。鹿の意》上代、鹿を射るのにつかった矢。かこや。「天の―をもちて、その雉(きぎし)を射殺しき」〈記神代〉

かくや【隔夜】①一晩ごと。毎晩。「当時京中に群盗所処に乱入す。…大略―此の事有り」〈吾妻鏡文治三・八・二〉 ②毎晩寺社に参詣・参籠すること。「百日が間、―する折もあり、夙夜(しゆくや)する時もあり」〈延慶本平家三・基康清水寺籠〉 ③一定期間、一晩ずつ特定の寺社を泊り歩き、参詣修行すること。多くは僧侶の修行法。「本結(もとゆひ)を切って―にお出やったと申したが」〈虎明本狂言・鈍太郎〉 ④隔夜道心。「本結切って―になり」〈虎明本狂言・鈍太郎〉　**―だうしん**(ドウ)【隔夜道心】隔夜(3)の修行をする僧。隔夜上人(しやうにん)。「此の尊い―に、鈍太郎と言ふ名が有る物か」〈虎寛本狂言・鈍太郎〉

がくや【楽屋】①楽人が舞楽を演奏する所。「平張りなどもうつされず、御前に渡れる廊を―のさまにして」〈源氏胡蝶〉 ②能楽・歌舞伎などの舞台の裏にあって、役者が支度・休息などをする部屋。「―の幕には纐纈(かうけち)を張り」〈太平記二七・田楽〉 ③内部の事情。内実。うちわ。「―を見ぬが花」〈浮・禁短気三〉　**―いり**【楽屋入り】役者が出勤して楽屋に入ること。「昔より、物の上手は―より見ゆる物也」〈反古裏の書一〉　**―で声**　楽屋で下稽古して声を嗄(か)らし、役に立たなくなる意。徒労のたとえ。「楽屋で声をからす」とも。「鶯の―か冬の内」〈俳・遠近集六〉

かくやう(ヨウ)【斯く様】このよう。「かくさま」「かうやう」とも。「―にいみじう心ありて」〈大鏡師尹〉 ↓かやう

かぐやひめ【かぐや姫】《カガヨヒ・カギロヒと同根。ヤは状態をいう接尾語》光るように美しい姫。竹取物語の女主人公。「―ののぼりけむ雲居は…誰も知りがたし」〈源氏絵合〉

かくよく【鶴翼】陣立ての一。鶴が翼をひろげたような形に兵を配置すること。「魚鱗(ぎよりん)―の陣を全(まつた)うし」〈保元上・官軍勢汰へ〉

かぐら【神楽】《カミクラ(神座)の約。クラは神おろしをする所。この舞楽に使う榊や篠などに神が降下するので、その榊・篠・杖・弓などをカミクラと称したが、後にこの舞楽全体の名となった》①手に榊などの採物(とりもの)を持ち、そこへ神を招き、歌舞を捧げて、神を楽しませて天に送る舞楽。宮中では夜、庭燎(にはび)をたいて行なう。歌い手・楽人を本方と末方とに分け、人長(にんぢやう)が舞人を指揮し、自分も舞う。天照大神の天の岩戸隠れの時に行なった舞踏をその起源とすると伝える。後には、宮中以外で行なわれるのを「里神楽」といった。「年ごとの春秋の―」〈源氏若菜下〉。「此の里に―やすらん笛の音のさ夜更けがたに聞ゆなりけり」〈永久百首〉。「岩戸の口にて御―をし給ひければ、天照大神感に堪へさせ給はず」〈平家二・鏡〉 ②能で、女体の神が舞う舞。「猿楽―の道は…六十六番の品品なれども、翁式三番に納めて」〈六輪一露秘注〉　**―うた**【神楽歌】「かぐら」(1)の時の歌。宮中の清暑堂、ついで内侍所で行なわれた時にうたわれた歌謡をさすことが多い。「歌は。風俗(ふぞく)、…―もをかし」〈枕二八〇〉　**―だう**(ドウ)【神楽堂】①神社の境内に設けて神楽を奏する殿舎。「鈴虫の声も澄むなり―」〈俳・生玉万句〉 ②神楽を舞う神子(みこ)。近世後期、美女が出演して評判になることが多かった。「―逃げたあしたは母が出る」〈雑俳・万句合宝暦三〉　**―びめ**【神楽姫】神楽を奏する女。かぐらみこ。「陰陽師(おんやうじ)は、事がな笛吹かんと、―をこしらへ」〈西鶴・伝来記一〉

かくらく【隠らく】《隠リのク語法》隠れること。「夜渡る月の―惜しも」〈万一〇六九〉

かくら・ひ(ライ)【隠らひ】《四段》《隠リに反復継続の接尾語ヒのついた形。↓ひ》隠れ隠れする。「渡る日の影も―・ひ、照る月の光も見えず」〈万三一七〉 †kakurafi

かく・り【隠り】《四段》かくれる。「青山に日が―・らば」〈記歌謡三〉 ▽奈良時代には四段・下二段両形があった。

かくりき【脚力】《キャクリキとも》手紙・品物などを運び届ける人夫。飛脚(ひきやく)。「今は昔、西の国より―にて上りける男ありけり」〈今昔二七ノ三六〉。〈色葉字類抄〉

がくりょ【学侶】①学問上の友だち。学友。〈日葡〉 ②「学生(がくしやう)」(2)に同じ。「慈心房尊恵と申しけるは、もとは叡山の―、多年法華の持者なり」〈平家六・慈心房〉 ③特に、高野三方(さんかた)の一。行人(ぎやうにん)・聖(ひじり)の二派に対する学業専修の一派。「右以前条条―一同の評議也」〈高野山文書二、永享四・九・一七〉

かく・れ【隠れ】㊀《下二》《「あらはれ」の対。隠シの自動詞形。奈良時代には四段にも活用した》①物のかげになる。姿が見えなくなる。「筑波山―・れぬ程に」〈万三六東歌〉。「色こそ見えね香やは―・るる」〈古今四一〉 ②外に現われない。「この歌は―・れたる所なむ無き」〈古今序〉 ③おおわれる。「一所の御蔭に―・れて三十余年を過ぐし侍りにければ」〈源氏椎本〉 ④人目につかないようにする。身を隠す。「もろともに同じ所に―・れ居給ひて」〈竹取〉 ⑤《人の死を遠廻しにいう》なくなる。「かの按察(あぜち)―・れて後」〈源氏若紫〉。「侍従が母なりし人も―・れにしかば」〈住吉〉。「海士人(あまびと)も親の―・れし日を知りて」〈密伝抄〉 ㊁《名》①人目につかぬこと。「―あるまじき事なれど」〈源氏少女〉 ②人目につかぬ所。かげ。裏。後かた。「こなたは―の方にて」〈源氏若菜上〉。「平中(へいちう)喜びて、―に持て行きて見れば」〈宇治拾遺五〇〉 ③しり。「尻(かく)(れ)に在るは黒雷といふ」〈紀神代上〉 ④死去。「後嵯峨院御―のをりは」〈問はず語り五〉　**―あそび**【白地蔵】隠れん坊のこと。「御―の程も童げたる心地して」〈栄花蒼花〉。「白地蔵、カクレアソビ」〈文明本節用集〉　**―か**【隠れ架】茶

の湯で使う蓋置(ふたおき)。「―にだに銭を入れけり／新しき鑵子(くゎんす)の蓋をあつらへて」〈俳・犬筑波〉。「隠架、カクレカ」〈易林本節用集〉 **―が【隠れ処・隠れ家】**《ガはオクカ(奥処)・スミカ(住処)などのカに同じ》①人目をさけて隠れ住む場所。また、隠れ住む家。「み吉野の山のあなたに宿もがな世の憂き時の―にせむ」〈古今九五〇〉。「隠家、カクレガ」〈文明本節用集〉 ②隠れている方。表向きでない方。かげ。「〔明石ノ〕御方は、〔明石女御ノ〕―の御後見にて」〈源氏若菜下〉 **―がさ【隠れ笠】** かぶれば自分の姿を隠すことができるという笠。「隠れ蓑―をも得てしがな来たりと人に知られざるべく」〈拾遺一一九二〉 **―ご【隠れ子】**「隠れん坊」に同じ。「隠れごと」とも。「―をするか声せぬ郭公(ほととぎす)」〈俳・夢見草三〉。〈日葡〉 **―ざと【隠れ里】**①世をさけてひっそりと隠れ忍んでいる里。平家の落人部落も、しばしば「隠れ里」と呼ばれた。「命牡鹿(をしか)〈＝惜シト掛ケル〉の―、富士の裾野を狩らうよ」〈謡・小袖曾我〉 ②山奥や地の底などにあるといい伝えられていた理想郷。昔話「鼠の浄土」は、その代表的なもの。「猶もおもしろい所があるらうとて尋ねて見歩くほどに、―の桃源の如くなる所をも見るぞ」〈四河入海九上〉。「この野辺には、鼠の住む―のありといふ」〈伽・かくれ里〉 ③遊里。特に私娼のいる場所をいうことが多い。「傾城歌舞伎菩薩と云ふ君達の住家あり。名付けて此所を―忍び村と申すとかや」〈評判・家計夢一〉 **―どころ【隠れ所】** 世を捨てて隠れすむ所。隠れ家。「世の外の―はなきものを／吉野の奥と聞くも唐(もろこし)」〈看聞御記紙背連歌〉。「山は究竟(くきやう)の―ぞ」〈宗祇畳字百韻〉 **―無・し** ①見えない所がない。人目につかないようにすることが出来ない。「ほどもなき狭(せば)さなれば、とぶらひ人あまた来て、経聞きなどするも―・きに、〔読経スル僧ガ〕目をくばりて」〈枕一九〇〉 ②残るくまもない。「すべらきのあとも次次―・く新たに見ゆる古鏡かも」〈大鏡後一条〉 ③広く知れわたっている。誰知らぬ人もない。「君は―・き道人者なり」〈宝物集下〉 **―ぬ【隠れ沼】** 草などに隠れてよく見えない沼。「―に生ひそめにけり菖蒲草(あやめぐさ)」〈かげろふ下〉 ▽万葉集の「隠沼(こもりぬ)」の誤読から生れた語か。 **―みち【隠れ道】** ぬけ道。間道。「頼時が軍(いくさ)―より出でて、国府を責めて守(かみ)の北の方を取らむとす」〈今昔二五ノ一三〉。「間道、カクレミチ」〈名義抄〉 **―みの【隠れ蓑】** 着れば自分の姿を隠すことができるという蓑。「かいまみの人、―取られたるここちして」〈枕一〇四〉

かぐ・れ『下二』未詳。寄り集まる意か。「水門(みなと)入りに船漕ぐごとく、行き―・れ人のいふ時」〈万一八〇七〉

かくれんばう(ウ…ボ)**【隠れん坊】** 子供の遊戯の一。近世前期には、この遊びの時「樗(あふち)や辛夷(こぶし)や桂(かつら)の葉」、訛って「ちいちゃこもちゃ桂の葉」と唱えた。かくれんぼ。「雲に月―か桂の葉」〈俳・犬子集五〉

かぐろ・し【か黒し】『形ク』《カは接頭語》黒い。「―・き髪にいつの間か霜の降りけむ」〈万八〇四〉 †kaguroſi

かくろ・ひ(カクロイ)**【隠ろひ】**『四段』《隠りの反復・継続形カクラヒの母音交替形。平安時代には下二段活用》「かくらひ」に同じ。「荒磯(ありそ)の玉藻潮干(しほひ)満ちて―・ひゆかば」〈万九一八〉 †＊kakurofi

かくろ・へ(カクロエ)**【隠ろへ】**㊀『下二』《奈良時代には四段活用》隠れる。人目を避ける。表立たずにいる。「中納言は―・へたるかたに入り給ひて、忍びておはす」〈源氏総角〉 ㊁『名』①人目をさけること。秘密。「何事の―あるにか、深く隠し給ふ」〈源氏梅枝〉 ②深い物かげ。「何の頼もしげある木の下の―も侍らざりき」〈源氏総角〉 **―ごと【隠ろへ事】** かげにある事情。秘密。「忍び給ひける―をさへ」〈源氏帚木〉 **―ば・み【隠ろへばみ】**『四段』隠れるようにする。「ここかしこに―・みてをる限りは、集まりつどひけり」〈増鏡一六〉

かくゎん【加冠】 男子が元服して、はじめて冠をつけること。「緒嗣を殿上に喚(め)して―せしむ」〈続後紀承和一〇・七・二三〉

かけ【崖】《後に、ガケと濁音にも》山や岸の絶壁。「せばき道の片方(かたかた)は―にて、海見下ろさるれば」〈春のみやまぢ〉。「峭・圻、カケ」〈塵芥〉。「磯、カケ」〈伊京集〉

かけ【鶏】 ニワトリの古名。鳴き声による名称。「庭つ鳥―は鳴く」〈記歌謡三〉 †kake

か・け【欠け・闕け】㊀『下二』《「満ち」の対。欠キの自動詞形》①全体として必要なものの、一部分がとれてなくなる。「日月も蝕(か)けて光無けむ」〈金光明最勝王経平安初期点〉 ②欠員となる。「〔太政大臣ノ位ハ〕其の人にあらずは、すなはち―・けよ」〈平家一・鱸〉 ③不足する。不自由する。「我等はあきなうて過ぐれば、事も―・けず」〈沙石集六ノ一二〉 ㊁『名』①欠けること。また、満月から月が小さくなってゆくこと。「照る月も満ち―しけり」〈万四一六〇〉 ②かけら。破片。「楊枝(やうじ)使ひけるついでに、飯(いひ)の―を蟻に給(た)びたりけるが」〈雑談集五〉 †kakë

か・け【駆け】㊀『下二』①馬を疾走させる。「馬は―・けんと思はば、左手(ゆんで)へも右手(めて)へも回しやすし」〈平家一一・逆櫓〉 ②馬を疾走させて敵中へ突っこむ。「―・けよや、若者ども」〈保元上・官軍手分け〉 ③疾走して襲う。走りかかる。「〔猪〕大いに猛って―・けまはる」〈曾我八〉 ④《修験道の用語》山伏が山中を疾走する。「大峰の山をあちこち―・けありき」〈俳・正章千句下〉 ⑤疾走する。跋渉する。「ノヤマヲカクル」〈日葡〉 ㊁『名』騎馬で敵中に突入すること。「さてこそ熊谷・平山が一二の―をば争ひけれ」〈平家九・一二之懸〉

か・け【懸け・掛け】㊀『下二』《起源を同じくする四段活用の動詞「搔き」「懸き」が意味分化するにつれて、下二段活用に転じて成立した語。物の端を目ざす対象の（側面の）一点にくっつけ、食い込ませ、あるいは固定して、物の重みのすべてをそこにゆだねる意》❶①ひっかけてさげる。「斎杙(いくひ)には鏡を―・け、真杙(まくひ)には真玉を―・け」〈記歌謡九〇〉。「千引の岩を七ばかり首に―・けむも」〈万七四三〉 ②ぶらさげて目方をはかる。「―・けつれば千千の黄金も数知りぬなぞわが恋の逢ふはかりなき」〈古今六帖五〉 ③ひっかけて、とりつける。「桂梶(かつらかぢ)―・けて漕ぐ見ゆ」〈万三三三〉。「さる車にあめ牛―・けたる」〈枕四五〉。「みちのくの勢は味方に津久毛橋渡して―・けん泰衡が頸(くび)」〈吾妻鏡文治五・八・二一〉 ④離れたり動いたりしないように、固定する。「夜居の僧参りて妻戸あららかに―・けつる音すれば」〈狭衣二〉 ⑤しっかり設ける。設置する。「天の川しがらみ―・けてとどめなむあかず流るる月やよどむと」〈後撰三二九〉。「くくりを―・けて鹿をとりけるほどに」〈著聞五六〇〉 ⑥動けないようにする。「王法に拘(か)けらるること」〈金光明最勝王経平安初期点〉 ⑦一方を固定して他方の端まで渡す。「猪名部の工匠(みたくみ)―・けし墨縄、其(し)が無けば誰か―・けむよ」〈紀歌謡八〇〉 ❷対象に全体をかぶせる。①重みをあずける。寄せかける。「梁(うつばり)にむかはぎ―・けていこふこの君」〈万三八二五〉。「門近き廊の簀(す)の子だつものに尻―・けて」〈源氏帚木〉 ②負わせる。せおわせる。「妹が名に―・けたる(名トシテツケタ)桜花咲かば常にや恋ひむいや年のはに」〈万三七八七〉 ③おおう。かぶせる。「わけゆかん草葉の露をかごとにてなほぬれぎぬを—・けんとや思ふ」〈源氏夕霧〉④思うままにする。殺す。「人手に—・けじと思ふ程に、我が手に—・けんずるぞ」〈承久記上〉⑤押し寄せる。「東の構(かまへ)、敵、猛勢にて—・け了んぬ」〈言国卿記文明六・八・二〇〉⑥先方へ出向いて行って踊る。「亭衆へ小童風流を為して、これを—・く」〈証如上人日記天文三・八・一九〉⑦そそぐ。浴びせる。「火を—・けて多くの人人をほろぼし」〈平家九・樋口被討罰〉⑧(水を)引く。「往古以来—・けし御稲用水、醍醐小野より打ち止めの由也」〈師守記貞和二・五・一五〉⑨(税金などを)課する。「田に物を—・けて」〈山谷詩抄一〉❸目標に心のすべてを託す。①ひたすら心を寄せる。「畏きや天の御門(みかど)を—・けつればねのみし泣かゆ朝夕(よひ)にして」〈万四四八〇〉②すべてを託す。「頼みを—・けたり」〈竹取〉。「たまさかの御なぐさめに—・け侍る〔私ノ〕命のほどもはかなくなむ」〈源氏澪標〉③賭け事をする。「正頼、娘ひとり—・けむ。おもとには何をか—・け給はむずる」〈宇津保内侍のかみ〉④約束する。「逢ふことを今日とな—・けそ」〈馬内侍集〉❹目標と関係をつける。作用を目的のものに及ぼす。①目標にする。「阿波の山—・けて漕ぐ舟泊り知らずも」〈万九九八〉②(相手を目がけて)口に出す。「さやうのたはぶれごとも—・け給はず」〈源氏浮舟〉③対象・目標に加える。とり入れる。「万代を—・けて匂はむ花なれば」〈源氏宿木〉。「おり居の帝を—・け(子孫ノ数ニ入レ)奉らむはかたじけなし」〈源氏匂宮〉。「東の対の西の廂(ひさし)、北—・けてあるに」〈枕八〉④兼任する。かけ持ちする。「権大納言になりて右大将—・け給ふ」〈源氏宿木〉⑤ついでに行く。寄る。「初瀬より伊勢参宮、二見浦へ—・けて」〈宗静日記慶安五・三〉。「巡礼する人の参宮を—・けてなどは、寄るの義也」〈志不可起三〉❺《他の動詞の連用形につき》着手して中途まで行く。「〔雅楽曲〕蘇合三帖を習ひ—・け了んぬ」〈言国卿記文明六・六・一三〉[二]『名』①ことばにかけていうこと。「子らが名に—のよろしき朝妻の片山岸に霞たなびく」〈万一八一八〉②物をひっかける家具・道具。「御衣(みぞ)—の御装束など」〈源氏葵〉③賭け事。〈日葡〉④掛売り。「売買の物、伊賀〔守〕家中者共に—致すまじく候」〈下柳原南半町文書慶長八・一二・三〉。「棚商ひに、—は固くせぬ事なれども」〈西鶴・一代女四〉⑤売掛金。「なべ屋へ、どんすの代三貫四百文遣はす。—悉く以て済まし了んぬ」〈多聞院日記天正八・三・二九〉⑥打掛(うちかけ)。「時時のお—を召して」〈滑・浮世風呂三下〉⑦肩にかつぐ物の数量をいう語。荷(か)。「御衣櫃(みぞひつ)あまた—さぶらはす」〈源氏明石〉 †kakë **—も構は・ず** 何の関係もない。「一切—・ぬ他坊の播磨にて御座候」〈本光国師日記慶長二〇・閏六・六〉

かげ【影・陰・蔭】《古形カガの転。カガヨヒ・カグツチのカガ・カグと同根。光によってできる像。明暗ともにいう》❶【影】①(日・月・燈火などの)光。「渡る日の—にきほひて」〈万四四六九〉。「庭火も—しめりたるに」〈源氏若菜下〉②(光によって見える)実際の物の姿。「燈火を月よにたぐへその—も見む」〈万四〇五四〉。「月くまなくさし出でて、ふと人の—見えければ」〈源氏空蟬〉③(水や鏡にうつる)物の姿。「池水に—さへ見えて」〈万四五一二〉。「わが御鏡の—にも似げなからず」〈源氏横笛〉④心に思い浮かべる顔形。おもかげ。「—に見えつつ忘らえぬかも」〈万一四九〉⑤威光。恩恵。また、故人の名声。「頼みきこえける—どもにおくれ」〈源氏東屋〉。「親の御亡き—をはづかしむること」〈源氏松風〉⑥遺影。肖像。「伊豆国に彼の大納言の—を留む」〈十訓抄一ノ三二〉⑦似せて作った物。模造品。「〔笛ノ〕—を作って持ったる故」〈近松・雪女上〉❷【影】①光が物に当って、光の反対側に生じる暗い像。「橘の—踏む道の」〈万一二五〉②いつも物に寄り添うもの。「よるべなみ身をこそ遠くへだてつれ心は君が—となりにき」〈古今六一九〉③形だけで厚みも重さもないもののたとえ。「腕(かひな)などもいと細うなりて、—のやうに弱げなるものから」〈源氏総角〉❸【陰】①物にさえぎられて光のあたらない所。物かげ。人目に立たぬ所。「奥山の岩—に生ふる菅の根の」〈万七九一〉。「—ひなたの有るが悪いぞ」〈周易抄〉②「陰子(かげこ)」(2)に同じ。「あの上村千之介が未だ—なる時の事」〈評判・難波の顔三〉③大阪新町遊廓で、二匁取りの端(はし)女郎の異称。二寸(にすん)。「〔女郎ノ異名ニ〕月・—・汐(しほ)と云ふ事、少し至らせける(上品ナコトダ)」〈西鶴・新吉原常常草上〉 †kagë **—さ・す** ちらっと現われる。姿を見せる。「癩(かったゐ)もこなたへ—・さず」〈発心集三〉。「ただ今より後、この家に—・すべからず」〈看聞御記紙背文書説話断簡〉 **—・す** ①光が射す。「すだきけん昔の人もなき宿にただ—・するは秋の夜の月」〈後拾遺三五三〉②姿を見せる。「いかが寝ん夕の宿を借(か)し捨てて人は—・せず雨は降りきぬ」〈草根集六〉③一時身を隠す。かくれる。「—・するもなき月の限なさ／野辺見れば薄おしなみ冬枯れて」〈老耳〉。「カゲヲスル」〈日葡〉

かげ【蘿】①ヒカゲノカズラの古名。「得がたき—を置きや枯らさむ」〈万三五七三東歌〉②《①を頭にさすところから》花縵(けまん)。また、冠。「花縵(はなかづら)を以て殯宮(もがりのみや)にたてまつる。此を御陰(みかげ)と曰(まう)す」〈紀持統一年〉 †kagë

かげ【鹿毛】馬の毛色の名。「かしこくいたはり飼はせ給ふ五尺の—」〈宇津保内侍のかみ〉。「騧馬、鹿毛馬也、浅黄色馬也」〈和名抄〉

がけ『接尾』《動詞「掛け」が接尾語化したもの》①動詞の連用形に付いて、その動作のついでにする意を表わす。「飛脚江戸上り—に返書取りに来候間」〈本光国師日記慶長一七・八・二五〉②それを身に付けたさまを表わす。「なう御坊様濡れたる袂草鞋—」〈俳・花洛六百韻〉③数詞の後に付き、倍数を示す。「せいの高さは人丈(ひとだけ)三つ—なり」〈伽・平野よみがへりの草紙〉

かけあし【駆足】①馬を疾走させること。「—になっつ、歩ませつ、馳(は)せつ、ひかへつ」〈平家一一・勝浦〉②全速力で走ること。「彌助、—を出して走り帰り」〈三好軍記中〉

かけあは・せ アワセ【掛け合はせ・懸け合はせ】『下二』《掛ケ合ヒの他動詞形》①対抗し争う。「隣坊の稚児(ちご)たちと—・せ、いさかふ事、ぜひなし」〈伽・弁慶物語〉②取り合わせる。釣り合わせる。「重い軽いを計って、—・せて、平等に軽うもなく重うなう平等にかなふ」〈玉塵抄四〇〉

かけあは・せ アワセ【駆け合はせ】『下二』《駆ケ合ヒの他動詞形》①騎馬で敵に戦いをいどむ。馬で一戦をまじえる。「いざや今は—・せん」〈太平記八・持明院殿〉②馳せ集まる。駆け寄る。「世之介これを聞きもあへず、死出立にて駆けこみしを、各各—・せ、義理を詰め、至極に扱ひ」〈西鶴・一代男六〉

かけあ・ひ アイ【掛け合ひ・懸け合ひ】[一]『四段』①釣り合う。匹敵する。「左歌、初五文字、下(しも)に—・はず」〈六百番歌合秋中〉。「あるじのおとどの歌さへぞ〔上皇ノ歌ニ〕—・ひて侍りしや」〈増鏡六〉②互いに踊などをしかけ、争う。「〔信長方ノ踊ニ対シテ浅井方ハ〕信長殿は橋の下のどう亀…と—・ひける」〈浅井三代記一四〉[二]『名』①つりあい。かねあい。「歌をよむに—といふもの有り。たとへば、露といはんとては草葉といひ、糸といはむとては結ぼほるる・乱るるなどいふやうなる類也」〈耳底記〉②有り合せの材料

を取り合わせた食事。「かりそめの―振舞も堅く仕りまじく」〈永保記事略一、明暦四・一〉

かけあ・ひ イ:ア【駆け合ひ】㊀《四段》①馬を疾走させて敵と渡りあう。「同じう死なば、よからう敵(かたき)に―・うて」〈平家九・木曾最期〉②走り寄る。駆けつける。「火事などと言ふ時も―・ひ」〈西鶴・一代男三〉㊁《名》騎馬で戦うこと。「―の軍(いくさ)は、勢の多少による事なり」〈平家七・願書〉

かけい・で【駆け出で】㊀《下二》馬を走らせて出る。「聞きぬる鎮西八郎、―・でよや、見参せん」〈保元中・白河殿へ義朝夜討ち〉㊁《名》「かけで」に同じ。「大峰―の山伏」〈驢鞍橋上〉

かけい・り【駆け入り】㊀《四段》①馬を疾走させて入る。馬で突入する。「平家三万余騎が中へ喚(をめ)いて―・り」〈平家六・洲俣合戦〉②走りこむ。逃げこむ。「欠け落ち候田崎正七、宝鏡院へ―・り申し候」〈梅津政景日記元和四・七・二九〉㊁《名》《「かけで」の対》山伏が修行のため、山に入ること。「大峰への―には日数が定って、一日遅うてもなりまらせぬ」〈虎明本狂言・腰祈〉

かげうはさ ウ:ワサ【陰噂】当人の居ない所で言う悪口。「慎むべきは―」〈浮・飛鳥川当流男三〉

かげうら【陰裏】日陰の地。日のささない場所。「―の花や胡蝶の隠れ里」〈俳・宝蔵一〉

かけえぼし【掛烏帽子】懸緒を用いず、頭に押し入れ、後ろの針だけで留めておく折烏帽子。打懸烏帽子。「―に緒を付けそめしは、百年このかた」〈西鶴・織留四〉。〈日葡〉

かけおち【駆落ち・欠落ち】①ひそかに逃亡すること。逐電(ちくてん)。「苦行に耐へずして、やがて―せられた」〈百丈清規抄三〉②特に、武士が戦場から逃亡すること。「左馬助は御陣に居候へども、中頃―致し候」〈赤松記〉③近世、庶民が無断で他郷に逃亡すること。当人の捜索・帰還・財産・債務などに関して種種の行政的・司法的規定があった。武士の場合は「出奔(しゅっぽん)」という。「かねて三介女房に仕るべき由申すに付いて…一所に―致すべきと存じ候て」〈梅津政景日記慶長一八〉。「新五郎・たけ両人―仕り…両人刺し合ひ自害仕り候」〈宗静日記寛文九・四・一七〉

かけおと・し【掛け落とし】《四段》掛けはずす。掛けそこなって落とす。「惑ひける程に、〔文ヲ〕やがて―・して、御階の下に落ちにけり」〈枕二七七〉

かけおび【掛帯】婦女子が物詣でなどの際、胸にかけ、背中で結ぶ、装飾用の長いひも。「白き衣(きぬ)に紅(くれなゐ)の―の、御たけとひとしくさがりて」〈八幡宮巡拝記下〉

かけがう ウ:ゴ【掛香】香を小さな絹袋に入れたもの。古くは紐を付けて首に掛け、後には懐に入れて用いた。匂袋。「―の香もなつかしくほのめきて」〈俳・あだ花千句〉。〈日葡〉

かけかけ・し【懸け懸けし】《形シク》①いかにも懸想(けそう)ごとらしい感じである。「〔玉鬘ニ対スル〕かの昔の―・しき筋〔ヲ源氏ハ〕思ひ離れ給ふにや」〈源氏若菜下〉②いかにも執心が深い感じである。「〔姫君達ノコトヲ〕ほだしなど聞えむは、―・しきやうなれど」〈源氏椎本〉

かけがね【掛金】①戸締りに使う金物(かなもの)。妻戸・障子など、引きちがえの戸の両側につけた鉤(かぎ)や鐶にいうことが多い。「障子(襖)の―のもとにあきたる穴をのぞきて」〈源氏手習〉②関節。「アギ(顎)ノカケガネ」〈日葡〉

かけかまひ マイ:カ【掛構ひ】《下に打消の語を伴う》かかりあい。関係。「今日は―無き日なれば」〈浮・好色四季咄四〉

かけがみ【懸紙】書状などの、巻いた上をおおって包む紙。「其れを押し巻きて―して立文(たてぶみ)にして」〈今昔二八ノ三六〉

かけぎ【掛木】《目方に掛けて売買する薪の意》長さ三尺くらいの丸太の薪。割って焚く。「元渡りの唐織山をなし、伽羅―の如し」〈西鶴・五人女五〉

かけぎん【掛銀】掛けで売買した品物の代金。「―は取りよきから集むる事なり」〈西鶴・永代蔵五〉

かげくさ【影草】「夕影草(ゆふかげくさ)」に同じか。物かげに生える草ともいう。「―の生えたるやど(庭先)の夕陰に」〈万二二五九〉 †kagëkusa

かけく・み【駆け組み】《四段》騎馬で敵中へ駆け入って組打ちをする。「―・み、打ち合ひ、身を忘れ、命を捨てん事は」〈沙石集三ノ三〉

かけくら【懸鞍】馬にかける鞍。「―の春や昔に墨衣」〈俳・談林十百韻上〉

かけご【掛子・懸籠】箱の内部を二重にするため、外箱の縁にかけて、その中にはまるように作った平たい箱。「御衣櫃(みぞひつ)あまた―に入れて」〈源氏総角〉

かげこ【陰子・影子】①人知れずかくまう子。「袖かけていはぬさきより人知れず君が―になりぬとぞ思ふ」〈相模集〉②まだ舞台に出ない歌舞伎若衆で、色を売る者。陰間。陰郎(かげらう)。「勤め憂き月の―の扣帳(ひかへちやう)」〈俳・花洛六百韻〉。「其の身大尽となり、三人の―を〔相手ニ〕狂ひ」〈評判・難波立聞昔話嵐座〉

かけごくら【駆けごくら】駆けくらべ。競走。「飛ごくら・―・軽業(かるわざ)・早業劣る事はなけれども」〈近松・唐船噺中〉

かけこだひ イ:ダ【掛小鯛】正月、わら縄で結び合わせて、竈の前、かまどの上などに吊した二匹の塩干しの小鯛。六月一日に食べる。掛鯛。「これをなん伝へて―と言ふ」〈咄・醒睡笑八〉

かげごと【陰言・影言・後言】陰で言う悪口。「危(あぶな)き物。…主君の―」〈仮・犬枕〉

かけごひ イ:ゴ【掛乞ひ】節季に掛売りの代金を集めること。また、その人。掛取り。「―のいかに町人年の暮」〈俳・誘心集〉

かけこ・み【掛け込み】㊀《四段》銀貨を実際の量目以下に計る。「壱匁で弐分(にぶ)―・み」〈西鶴・諸艶大鑑三〉㊁《名》掛け込んで利益を取ること。また、その利益。「銀二匁・三匁のうちにて、五厘・壱分(いちぶ)の―を見て」〈西鶴・永代蔵四〉

かけこ・み【駆け込み】《四段》駆けて入る。走りこむ。また、「駆込み訴へ」をする。「政宗もの(家臣)羽忠三へ―・み、政宗別心の由、堅く申し候」〈伊達家文書三、天正一八・三・二六〉 **―うったへ** ウッ:タエ【駆込み訴へ】近世、正規の訴訟手続をせず、評定所・三奉行、または幕府重臣や領主の家、あるいは路上の行列に駆け込んで直接に訴え出ること。駆込み訴訟。駆込み願い。駆訴(かけそ)。「―の儀は、其の支配御代官を差し越し候事に候間」〈御書付留明和二・三〉

かけこも・り【掛け籠もり】《四段》戸締りしてとじこもる。「やがて―・らましかば、くち惜しからまし」〈徒然三二〉

かげざた【陰沙汰】陰で言う悪口。「人の―云ひたるは、聞きにくき浅ましき事也」〈仮・可笑記跡追五〉

かけじ【掛字・懸字】掛物にして床の間などに掛けておく文字。また、その掛物。「広田社の歌合の詞(ことば)書き連ねて、法印給はられ候。則ちこれを―に仕る」〈東野州聞書三〉

かけすずり【懸硯・掛硯】掛子(かけご)式の硯箱。下部に書付・小物・小銭などを入れる引出しがある。「聚楽にて、武家の右筆の入道、―を持たせて登城するを見て」〈寒川入

道筆記〉

かけせん【懸銭・掛銭】 ①〈税など〉義務として割りあてて課す金銭。「―を出さぬ者あるを、天子へ申して、その民の家を闕所（けつしよ）するを」〈蒙求聴塵下〉②後北条氏が領内田畑に賦課した銭。万雑公事（まんざふくじ）を統一したものという。「精銭一円、夏―に於いて停止（ちやうじ）せらる也」〈北条氏康印判状永祿一〇・六・二四〉③定期的に積み立てていく金銭。「念仏講の―が寄らぬ」〈浮・三代男二〉

かげぜん【陰膳・影膳】 旅などに出た人が飢えないようにと祈って、留守宅で供える膳。「届けとて子の―に銭と大豆（まめ）」〈雑俳・広原海二〉

かけそく あて。たより。また、かけがえ。予備。「弓を射るに、物を掛けて―にした」〈玉塵抄三〉。「物を頼みにするを、―にすると云ふ也」〈志不可起三〉〈仙台方言〉

かげそしょう【影訴訟】 陰で言う悪口。影そしり。「第一坐にせられた事は若い事だと、―に云ひ回った」〈大淵代抄三〉

かけそ・へ（ソエ）**【掛け添へ】**《下二》数を増して掛ける。「燈籠―・へ、火あかくかかげなどして」〈源氏帚木〉

かけそ・め【掛け初め】《下二》いつのまにか気持を相手に対して抱くようになる。「常ならぬ世のあはれを―・め侍りにし辺りに」〈源氏横笛〉

かけだし【掛出し】 ①秤（はかり）に掛けて、量目を実際より多く計ること。また、それによる利益。「―いくら有るぞ」〈ロドリゲス大文典〉→かけべり。②建物の一部を水上などに突き出して構えること。かけづくり。「白波変じて平地となれば、国に―をするがごとく」〈滑・根無草後編一〉

かけた・つ【駆け立つ】《下二》騎馬で追いたてる。「十七騎に―・てられて、五百余騎かなはじとや思ひけん」〈平治中・待賢門軍〉

かけだひ（ダイ）**【掛鯛】**「掛小鯛」に同じ。「―の縄をも強く締めぬらし」〈俳・鷹筑波四〉

かけぢ【懸道】 がけに木材などを棚のようにかけわたしてつくった道。また、けわしい山道。かけみち。「あさき心ばかりにては、かくも尋ね参るまじき山の―に」〈源氏橋姫〉。「磋道、夜末乃加介知（やまのかけぢ）」〈和名抄〉

かけちから【懸税】 神前にかけて奉る田租の稲穂。「―千税（ちから）余り五百税（いほちから）を」〈祝詞伊勢大神宮〉

かけづかさ【懸官】 本来の官職の他に別の官職を兼ねること。兼官。「〔本官ガ〕右大弁、―右近少将・式部丞…」〈宇津保沖つ白波〉

かけづく・り【懸け造り】 ㊀《四段》家を「懸け造り」に作る。「―・りたる房なれば」〈古事談三〉㊁《名》山や崖（がけ）にもたせかけたり、谷や川などの上にかけわたして家をつくること。また、その家。「かたしきにあらぬ軒端（のきば）のたよりにも―なるささがにの宿」〈夫木抄二七・蛛〉

かけて【掛けて】《副》①目標として心に思って。「家なる妹を―しのひつ」〈万六〉②《禁止を伴って》神かけて。決して。「わが聞きに―な言ひそ」〈万六九七〉。「―も言ふな」〈後撰一〇六三〉③《多く否定文で》かりそめにも。ほんの少しでも。「御息所も―知り給はず」〈源氏夕霧〉。「もの言はで止みなましかば―だに思ひ出でましや」〈和泉式部日記〉 † kakete

かけで【駆出】《「かけいり」の対》山伏が霊山での修行を終え、験力を身につけて里へくだって来たばかりであること。また、その山伏。かけいで。「大峰・葛城（かつらぎ）を致いて―でござる」〈虎明本狂言・禰宜山伏〉

かげどうろう【影燈籠】 影絵の仕掛けのある燈籠。「牧狩や三日（さんじつ）かけて―」〈俳・軒端の独活上〉

かけどく【賭徳】「かけろく」の転。「かけづく」とも。「勝ち負けを―にする競馬かな」〈俳・歌林鋸屑集三〉〈日葡〉

かけとどま・り【掛け留まり】《四段》頼みをかけて残る。「誰によりてかは―・らむ」〈源氏松風〉

かけとど・め【掛け留め】《下二》関係をつくって居残らせる。また、この世に引きとどめる。「〔寿命ハ〕心にかなふわざならねば、―・め聞えむ方なく」〈源氏薄雲〉

かけと・め【掛け留め】《下二》引きとめる。「〔生死ハ〕心にかなはぬ事なれば、―・めむ方なきぞ悲しかりける」〈源氏御法〉

かげとも【影面】《カゲ（光）ツオモ（面）の約。ツは連体助詞》①《「そとも（背面）」の対》日の光にむかう方。南。「名くはし吉野の山は―の大御門ゆ雲居にそ遠くありける」〈万五二〉②山の南。「山陽（やまのみなみ）を―といふ」〈紀成務五年〉 † kagetomo

かけとり【賭鳥】 勝負を賭けて鳥を射ること。「―なんどあらがうて、三つに二つは必ず射落す者で候」〈平家二・那須与一〉

かけとり【掛取り】「かけごひ」に同じ。「―に参り申し候とて」〈梅津政景日記元和六・閏一二・一六〉

かけながし【掛流し・懸流し】 ①物を一度使っただけで捨てること。「常常取り交し候音物〔ニ使ウ〕―の台無用に致し、籠用ふ可き事」〈正宝事録元祿二・八・晦〉②流しかけたままにして置くこと。たれながし。「屎（そ）小便も―で、しめし一つを洗はふではなし」〈滑・浮世風呂二上〉③しまりのないこと。だらしないこと。「旅の理屈は―なり」〈俳・江戸筏上〉

かけなは（ナワ）**【掛縄】** ものに掛けてつなぐ縄。「秋果つる引板（ひた）の―引きすてて」〈玉葉二〇一四〉。「羂索、加介奈波（かけなは）」〈和名抄〉

かげにんぎゃう（ギョウ）**【影人形】** 手・指や紙の型などで人物・動物などを模した形、またはガラス板に描いた絵を、燈火に照らして障子・壁などに写して見せる遊び。影絵。「春の夜哉―の初芝居」〈俳・洛陽集上〉。「棹さして―の船動く」〈俳・ほのぼの立〉

かけねんぶつ【掛念仏】 多人数の講中が、高声で唱える念仏。「かけねぶつ」とも。「けはしくも―の声はして」〈俳・十種千句下〉

かげの【陰野】 山かげの野。「み山木の―の下の下わらび」〈千載三四〉

かげのま【陰の間・影の間】 人目に隠れてひとりでいる時・所。「恋は―遠く遊ばず」〈俳・草枕〉

かげのやまひ（ヤマイ）**【影の病】** 熱病の名。一人の病人の姿が二人となって、どれが本人か見分けのつかなくなる病気という。影の煩い。離魂病。「蝕するは―か水の月」〈俳・玉海集三〉

かけはし【梯・懸橋】《かけわたして、そこを登ったり通ったりするもの》①はしご。「梯、加介波之（かけはし）」〈和名抄〉↓はしたて。②崖などに板をかけわたして、道とした橋。桟道。「雪ふかき山の―」〈源氏椎本〉③危険なものごとのたとえ。「人妻に心あやなく―の危きものは恋にぞありける」〈後撰六九九〉④手段。仲だち。「名利の―とするのみ多し」〈正法眼蔵谿声山色〉

かけはづ・し【懸け外し】《四段》牛につないである車を引きはずす。「車―・して、榻（しぢ）を立てて」〈宇治拾遺三〉

かけはな・れ【掛け離れ】《下二》①関係を離れる。「上（うへ）帝）をほの見奉りて、え―・れて思ふはあらじ」〈源氏行幸〉②世間から離れる。「さるべき山里などに―・れたらむ有様

も、又、さすがに心細かるべくや」〈源氏柏木〉

かげばひり バイリ【陰這入り】 物かげに入ってこっそり休むこと。人目を盗んでずるけること。「―するを、専(せん)に気を付くるなり」〈評判・秘伝書〉

かけばん【懸盤】 食器をのせる台。晴れの儀などに用いる一人膳。古くは四脚の台の上に折敷(をしき)をのせたが、後、脚を作りつけにして漆塗りにしたものなどを使った。「院の御前に、浅香の―に御鉢など昔にかはりて参るを」〈源氏若菜上〉

かけひ【懸樋・筧】 庭などに水を導くためにかけわたした樋。節をぬいた竹、くりぬいた木などを使う。「思ひやれ訪ふ人もなき山里の―の水の心ぼそさを」〈後拾遺一〇四一〉

かけひき【駆け引き・懸け引き】 ①攻めかけることと退くこと。また、戦場における機に応じた進退。「しかも馬の―たやすき在所なれば」〈太平記一九・新田義貞〉。「大勢にて道狭ければ、―心にまかすまじ」〈明徳記中〉 ②芸能・商売などで、その場その場の事情を見計らって、適切な処置をすること。「拍子は、付き離れ候事を知り、―を心得」〈囃之事〉。「町人の家業たる天秤の―」〈西鶴・織留一〉

かけひげ【懸髭】 付髭の一種。紙で作り、紙捻(こより)で耳に掛ける髭。近世、遊里通いの坊主が多く使った。「久堅の雲の―時めきて」〈俳・七百五十韻〉

かけひま【懸け隙・掛け隙・掛け暇】 ①進撃する時間的ゆとり。「関(とき)をどっと作り、―・透間(すきま)もなく切って掛かり、暫く戦ひしが」〈信長記一〉 ②近世、吉原遊廓の揚代の催促係が、一定金額の取立てが出来るまで、主人から暇を出された形になることという。「―は暇もくれず目も掛けず」〈雑俳・万句合宝暦九〉

かけべり【掛減り】 秤(はかり)に掛けて、量目が実際より少なくなること。また、わざと実際よりも少なくはかること。〈ロドリゲス大文典〉 →かけだし

かげぼうこう【影奉公・陰奉公】 礼奉公。「この津に置き候て、―もいたし候やうにと申し候間」〈三藐院記文祿三・五・二三〉

かげま【陰間・影間】 ①「陰子(かげこ)」(2)に同じ。「かげま子」とも。「紫帽子藤のゆかりは―かな」〈俳・堺絹〉 ②隠し売女。「よに短きは、―・端女(はした)の名に近かるべし」〈評判・吉原雀下〉 ③「茣蓙敷(ござしき)」(2)に同じ。「御座やもの。御座敷を云ふ。一名―とも云へり」〈評判・吉原失墜〉

かけまく【懸けまく】《マクは推量の助動詞ムのク語法》 心にかけること。また、じかに言葉を口にすること。神や天皇を話題にするときに使う慣用表現。「―はあやにかしこし」〈万八一三〉 †kakëmaku

かげまち【影待ち】 正・五・九月の吉日を選んで、前夜から潔斎し、日の出を待って拝み、幸運を祈る行事。その夜は親戚朋友が集まって色色遊戯し、主人を一睡もさせなかった。「今晩―の由」〈隔蓂記寛永二〇・九・二三〉

かけまと【賭的・掛的】 近世前期、寺社の境内などで、一矢三文でした弓の博奕(ばくち)。勧進的。「―や三人張りに十五文」〈俳・江戸広小路下〉

かげみ【影身】 影と身と。互いに離れずにあるもののたとえ。「助成の―になり給へと」〈謡・元服曾我〉。「ただ二神の―に添うて守護し給ふ」〈中臣祓深秘抄〉

かけみち【懸道】 「かけぢ」に同じ。「みよしのの岩の―踏みならしてむ」〈古今九五一〉

かけみづ【懸水】 引いて来る水。用水。また、懸樋(かけひ)の水。「―なんどをよその山よりかくべき便(たより)も候はぬに」〈神田本太平記七・千剣破城〉。「―に寝覚め語らふ草の庵」〈竹林抄八〉

かけむかひ カイ【掛向ひ】 他人を交えず、ただ二人向いあっていること。相対(あひたい)。「―にて人を待ち、討たれたる族(やから)」〈塵芥集〉

かけむしゃ【駆け武者・懸け武者】 敵に向ってまっしぐらに猛進する武士。「敵引けば究竟(くっきゃう)の―を五百余騎すぐって」〈太平記一五・正月二十七日〉

かげめ【陰妻】 隠し妻。「いでや、さやうの生君達の―にて。益なし」〈狭衣三〉

かけめやす【掛目安】 近世、原告が被告を出訴すること。また、その訴状。「―進上再拝敬って」〈俳・渋団〉

かけもの【懸物・賭物】 勝負事などの勝者に与えられる賞品。懸賞。「〔双六ノ〕いみじき御―どもこそ侍りけれ」〈大鏡道隆〉。「―とは積物なり。衆中の芸に依て得るところなり」〈庭訓抄上〉

かけや【掛矢・懸矢】 棟木・杙(くい)などを打ち込むのに用いる大きな木槌。「熊の皮をぞ靫(うつぼ)には張る〔トイウ前句ニ〕…うつほ木に杣(そま)の―を差し〔腰ニ〕付けて」〈筆のすさび〉。〈和漢三才図会二四〉

かけや【掛屋・懸屋】 近世、諸侯の蔵屋敷で扱う米その他の物産の処分を委託され、また、その藩の金融にも応じた京・大阪の両替屋。扶持米を給せられ、士分に待遇された。銀掛屋。「〔大名〕松平久米之助殿〔ノ〕…―、〔大坂〕大塚屋町、天王寺屋作兵衛」〈難波雀〉

かけやしき【掛屋敷】 他町・他国住まいの町人所有の屋敷。屋守(やもり)をおいて家主の代理をさせる。「寺寺より町屋買ひ、―に仕り候時」〈博多津要録二、寛文六・五・五〉

かけや・り【掛け破り】『四段』 ひっかけて破る。「いとほそやかなる童の、狩衣は―・りなどして」〈枕一四四〉

かげゆ【勘解由】 「勘解由使」の略。「―相公有国卿いまだ若かりける時」〈十訓抄一ノ三一〉 **―し**【勘解由使】 平安時代、令外の官の一。内外官、特に国司の交替の際の事務引継書類(解由(げゆ))の審査に当る官。「―の〔定〕員を定む」〈類聚国史天長一・九〉

かげらう ロウ【陰郎・影郎】 「陰子(かげこ)」(2)に同じ。「―や匂ひの玉の袖隠れ」〈俳・江戸弁慶上〉

かけら・ひ カケライ【翔らひ】『四段』《カケリに反復・継続の接尾語ヒのついた形。→ひ》 飛びまわる。「さ野つ鳥来鳴き―・ひ」〈万三七九一〉 †kakëraFi

かけ・り【翔り】 ㊀『四段』 ①空を飛び廻る。宙を行く。「鴨―・る見ゆ」〈万一三三七〉。「―・りても何をか魂(たま)の来ても見む」〈古今一一〇三〉。「敵の陣には、蠅だにも―・り候はず」〈平家五・五節〉 ②飛ぶように走る。足が地につかぬさまで行く。「―・りありきて…追従しありき給ふ」〈源氏藤袴〉 ③《和歌・連歌などで》 心の機敏な働きが現われる。「にぶくねぶり目なる歌人には、―・りたる方を学べと…示し給ひしと也」〈ささめごと下〉。「『古寺に摘める若菜や仏の座』『玉をまく海とやならむ我が涙』。これらは―・りたる句なり」〈兼載雑談〉 ㊁『名』 ①〔能楽用語〕 能で、修羅道の苦しみや、狂乱をあらわす働きの一。「『あら我が子恋しや』と云ひて、―の内に舞台より下り」〈舞正語磨上〉 ②〔歌舞伎用語〕 下座(げざ)音楽の一。(1)から転じたもので、物狂の出入りや、時代物の幕切れ、場面転換、立廻り、あわただしい登場・退場などに用いる、大鼓・小鼓・笛を使う囃子(はやし)。「かけいり」とも。「―にて道具廻り」〈伎・大商蛭小島三〉 ③〔俳諧用語〕 目ざましいばかりの働き。「句の―、事新しさ、誠に秀逸の句也」〈俳・去来抄〉 †kakëri

かけろ 鶏の鳴く声。「鶏は―と鳴きぬなり」〈神楽歌八八〉 →かけ(鶏)

かけろく【賭祿・懸祿】金品を掛けて勝負を争うこと。「―と云ふべきを、かけづくぞ、かけどくぞなど云ふは誤りなるべしと云へり。…―は祿の賭(かけもの)の事」〈俳・かたこと二〉

かげろ・ひ(カゲロイ)『四段』①光がほのめく。かげがうつる。「松の木の間より僅かに月の―・ひけるを見て」〈山家集下〉②ぼんやりと姿がうごく。「夜いたうふけて…火のかげに―・ふものあり」〈発心集八〉。「くれなゐ埋む夕霞―・ふ人の面影」〈謡・小塩〉③光がかげる。かげになる。「夕月夜―・ふ宵の雲間より光を替へて照らす稲妻」〈六百番歌合秋上〉。「秋さむき夕日は峰に―・ひて岡の尾花に風すさぶなり」〈風雅四七六〉

かげろふ(カゲロウ)《カギロヒの転。ちらちらと光るものの意が原義。あるかなきかの、はかないものの比喩に多く使う》①ちらちらと立つ光。陽炎。野馬(やば)。「つれづれの春日にまがふ―のかげ見しよりぞ人は恋しき」〈後撰一〇四〉。「夏の月光惜しまず照るときは流るる水に―ぞ立つ」〈寛平御時后宮歌合〉②《羽根がきらきら光るところから》トンボの一種。「思ひつづけながめ給ふ夕暮、―の物はかなげに飛びちがふを『ありと見て手には取られず見ればまた行方も知らず消えし―』、あるかなきかの」〈源氏蜻蛉〉。「―とは、黒きとうばうの小さきやうなるもの…ほのめくなり」〈和歌童蒙抄九〉▽別に、朝生れて夕方死ぬ虫とされていたヒヲムシ(蜉蝣)をあてる説もあるが、カゲロフとヒヲムシとは平安文学の中で区別して使われている。また、蜘蛛のはく糸のかたまってただよう「いとゆふ」とする説もあるが、それを平安時代にカゲロフと呼んだ例はないようである。

かけわた・し【掛け渡し】『四段』一面に掛ける。「廊の戸口に御簾青やかに―・して」〈源氏螢〉

かけゑ【掛絵・懸絵】絵の掛物。画幅。「―見やうの事、三幅の時は、中尊・左・右と見るべし」〈伊勢貞順記〉

かけを【掛緒・懸緒】烏帽子(えぼし)・冠などにとりつけ、あごの下で結ぶ紐。「風折(かざをり)は、針を通して―結(ゆ)ひつけ候」〈反古裏の書一〉

かけをどり【掛踊・懸踊】①歌を歌いながら踊をしかけること。「敵味方の若者ども―をかけあひける」〈浅井三代記四〉②近世、盆踊に行列をつくって、知人の家の門前に行き踊ること。「月更けて隣人どっと―／貧しきやなほ盂蘭盆の頃」〈俳・独吟集下〉。〈俳・増山の井〉

かげん【下元】⇒げげん。「下元、カゲン、曰二十月十五日二〈合類節用集〉

かげん【加減】①加えたり減じたりして、程よくととのえること。「名医の―を以て一剤を合はせ」〈庭訓往来十一月十二日〉。「食物の―よろしく調へて」〈俳・独吟集下〉②適当な程あい。程度。あんばい。「その心によい―に楽しめば」〈周易抄〉

かこ【水手・水主・楫子】船をこぐ人。水夫。「朝なぎに―ととのへ、夕潮に楫(かぢ)引き撓(を)り」〈万四三三一〉。「水手、加古(かこ)」〈和名抄〉 †kako

かこ【鉸具】革帯の端につけて、一方の革緒を貫き入れて留める金具。「―のうらに、春宮にたてまつると、刀のさきにて自筆にかかせたまへるなり」〈大鏡兼家〉。「鉸具、此間云賀古(かこ)、腰帯及鞍具、以レ銅属レ革也」〈和名抄〉

かご【影】「かげ」の上代東国方言。「わが妻はいたく恋ひらし飲む水に―さへ見えて世に忘られず」〈万四三二二防人〉 †kagö

かご【籠・籃】竹などで作った物入れ。「花がたみとは、花摘み入るる籠なり。堅目とも堅間とも云ふ。―なり。美濃の国の人、―をかつみと云ふ」〈古今集註〉。「籠、カゴ」〈文明本節用集〉。「籃、カゴ」〈天正十八年本節用集〉

かご【鹿児】《奈良時代、カコと清音にも》鹿。また、鹿の子。「海(わた)中に―そ鳴くなる」〈万一四一七〉。「鹿、其子曰レ麑、加呉(ご)」〈和名抄〉。「麑、カゴ」〈名義抄〉 †kagö

かご【駕籠】乗物の一。人を乗せて前後から舁いて行く。古くは竹、後には木で作り、上部に一本の轅(ながえ)を通した形式で、特に底部の狭い下等なものをいう。近世初期には五十歳以上の男子と、女・小児・医師・僧侶以外は乗れなかった。「―恵心院にて、これを借り」〈多聞院日記天正一六・八・二五〉

かご【加護】神仏が保護を加えること。「これ法花の持者を―し給ふ故なりけり」〈今昔一七ノ四二〉

がごうじ【元興寺】《奈良元興寺(がんごうじ)の鬼の説話に始まるという。「がごじ」「がごぜ」とも》①鬼。ばけもの。「―が出でて、人を食ふと申す程に」〈虎明本狂言・清水〉②顔をしかめて小児をおどすこと。また、その顔つきやかけ声。「小児をおどすに、顔をしかめて―と言ふ」〈徒然草野槌上ノ八〉

かごか(環境が)物の陰になっているさま。ひっそりとしたさま。「また知り伝へ給ふ人もなければ、―なるならひ(日常)にて」〈源氏松風〉 →かごやか

かごかき【駕籠舁】駕籠をかつぐ人足。「馬士(うまかた)―秋の雲介」〈俳・談林十百韻上〉

かごじもの【鹿児じもの】『副』鹿の子のように。鹿は一腹一子なので、主にひとり子にいう。「―我がひとり子の草枕旅にし行けば」〈万一七九〇〉 →じもの。 †kagozimönö

がごぜ【元興寺】⇒がごうじ。「童べの―と云ふは、ここ(元興寺)より始まりし事なり」〈仮・京童跡追三〉

かこ・ち【託ち】『四段』《カコトの動詞化。相手に関係があるとして、自分の行為の口実にし、また、相手に原因や責任をかぶせるように言うのが原義》①口実にする。かこつける。「酔ひに―・ちて苦しげにもてなして、明くるも知らず顔なり」〈源氏藤裏葉〉②相手に言いがかりをつけて責める。「指一つを引き寄せてくひて侍りしを、おどろおどろしく―・ちて」〈源氏帚木〉。「神仏をも―・たんかたなきは、これみな、さるべき(因縁アル)にこそはあらめ」〈源氏柏木〉③相手に愚痴・不平を言う。「涅、カコツ」〈名義抄(図書寮本)〉「例の物の怪の入りたるなめりなど、いと若くをかしき顔して―・ち給へば」〈源氏横笛〉④関係があるとして、相手に寄りかかって頼みとする。「〔身分ノ〕よからぬ人こそやむごとなきゆかりは―・ち侍るなれ」〈源氏花宴〉。「仏を師と頼み奉りて候なり。…観音を―・ち申す人にこそあめれ」〈古本説話五八〉

―がほ(ガオ)【託ち顔】うらめしそうな顔つき。「嘆けとて月やは物を思はする―なる我が涙かな」〈千載九二九〉 **―な・し**【託ち成し】『四段』いかにも関係があるように言う。言いがかりをつける。「いたうも―・すかな」〈源氏玉鬘〉 **―よ・り**【託ち寄り】『四段』かこつけて言い寄る。「言ひ寄るたよりもいとほかなければ、この君をぞ―・りけれど」〈源氏螢〉

かこつ・け【託け】『下二』《カコチツケの約》口実を設ける。「むつかしさに―・けて殺したぞ」〈蒙求抄五〉。「富士山御覧と―・け、御下向ありしなり」〈今川家譜〉

かこと【託言】《物事の原因・理由・責任を他人や他のことにかこつける言葉の意》①言い訳。申し訳。口実。「御返り(返歌)口疾きばかりを―にて取らす」〈源氏夕顔〉。「涙に溺れたるを―にて、はかばかしうもいらへずなりぬ」〈源氏蜻蛉〉②(関係があるとする)非難。言いがかり。「浮かびたる心のすさびに、人をいたづらになしつる(死ナセタイウ)―負ひぬべきが、いとからきなり」〈源氏夕顔〉。「さ夜衣着てなれき(一緒ニ寝タ)とは言はずとも―ばかりはかけずしも

あらじ」〈源氏総角〉 ③不平。愚痴。「うちつけ心ありて参り来むにだに、山深き道の―は聞えつべし」〈源氏手習〉

―がま・し【託言がまし】〘形シク〙 ①言い訳めいている。「心に入らず覚えしことにも、涙のみぞ―・しうなりにたるや」〈浜松中納言二〉 ②(こちらのせいだと)恨むかのようだ。さも不平のようだ。「花折らすれば―・しく散るに」〈源氏手習〉

―ばかり 申しわけ程度。形だけ。「―にても、まこと親の御けはひならばこそうれしからめ」〈源氏玉鬘〉。「褶(しびら)だつもの―引きかけて」〈源氏夕顔〉

かごぬけ【籠抜け】 ①ヤマガラやシジュウカラなどが、籠の中の、紙捻(こより)で作った輪を飛び潜る芸。「―の鳥や去(い)にかねにけん」〈俳・塵塚(重徳編)上〉 ②軽業(かるわざ)の一種。中空のながい竹籠を横たえて、「おう」というかけ声と同時に身を躍らせて潜り抜けたり、空中にぶらさげた蠟燭(ろうそく)や小刀のついた輪を潜り抜けたりする曲芸。「あうと言ふより―の春」〈俳・当流籠抜〉

かごのからす【籠の烏】 鳥籠に鳥を入れても、羽根も鳴き声も美しくないので、面白くないことのたとえ。鳥籠。「声せずは―よ時鳥」〈俳・毛吹草追加上〉

かごのとり【籠の鳥】 ①籠の中の鳥のように身の自由にならぬ者のたとえ。籠の内の鳥。「―かや恨めしや」〈当世投節〉 ②遊女。「―なる梅川に」〈近松・冥途飛脚上〉

かごはり【籠張り】 籠に紙などを張ること。また、その張ったもの。「―の立烏帽子」〈西鶴・伝来記二〉

かこ・ひ(カコイ)【囲ひ】 ㊀〘四段〙 ①垣をめぐらしてかこむ。「穂に出づるみやまが裾の群すすき籬(まがき)にこめて―・ふ秋霧」〈山家集上〉。「―・ふ、かきなどする事也」〈匠材集一〉 ②貯蔵する。「物を貯へ置き侍るやうなることを、たばふと云ふを、片田舎の人は―・ふと云へり」〈俳・かたこと五〉 ③船が港に停泊したまま越年する。「日本より唐土に渡りぬる舟の、かしこにて年を送り侍るをば、―・ふと云へる」〈俳・かたこと五〉 ④妾(めかけ)を別宅に養う。「いくたりも美人揃へて―・ひ置き」〈俳・未得独吟謡誹諧〉 ⑤カルタ賭博の「きんご」をするとき、七と七の札で十四の数になった場合、札を伏せて置く。「―・ひ置く虫(カルタノ一ノ札)も殺さぬ人ぢやもの」〈俳・二葉集〉 ㊁〘名〙 ①垣・屏風などをめぐらしてかこんである所。「柴の庵に葉薦(はごも)の―そよめきてすどほるものは嵐なりけり」〈散木奇歌集秋〉 ②《足利義政の時、茶道の祖珠光が、慈照寺の四畳半の室を方丈に擬し、屏風や衝立(ついたて)で囲ったことから》 茶の湯を行なう小座敷。数寄屋。「秀吉公、―の様(やう)を御覧ありて」〈室町殿日記九〉 ③【栫】 城。砦(とりで)。「此の日…日比良の―攻むるの由也」〈上井覚兼日記天正一〇・三・二一〉 ④《「鹿恋」とも書く》 遊女の階級の一。太夫・天神に次ぐ。初め揚代十四匁、後十五・十六匁、貞享・元禄以後は十八匁。囲女郎。「囲職(かこひしよく)、―の事なり」〈色道大鏡一〉 ⑤妾(めかけ)。かこいもの。「―とは言へど大きなばれ女」〈雑俳・万句合明和七〉

―ぢょらう(ジョロウ)【囲女郎】 「かこひ」㊁④に同じ。「―を二人三人呼ぶ時もあるなれば」〈色道大鏡三〉

かこ・み【囲み】〘四段〙《カクミの転。カゴミとも》 ぐるりと取り巻く。「四重に―・める兵を駆け破りて」〈十訓抄六ノ一七〉。「囲、カコム・カクム」〈色葉字類抄〉

かごみみ【籠耳】 籠が水をつつ抜けにするように、聞いたことを忘れ易い耳。また、すぐ忘れることのたとえ。「―に聞かせんものか時鳥」〈俳・犬子集三〉

かごめに【香籠めに】〘連語〙 香もろとも。香ごと。「―誘ふ風の来ぬ間に」〈後撰五六〉

かごやか 《カゴはカゴカのカゴと同根》 (環境が)物の陰になっているさま。目立たず、ひっそりとしているさま。「うけばりたるさまにはあらず、―に局住みにしなして」〈源氏初音〉

かごやろ【駕籠遣ろ】〘連語〙 駕籠舁(かき)が、「駕籠で行かないか」と、客に勧める呼び声。「駕籠やりましょ」とも。「かしましや/馬遣ろ―宿貸さう」〈雑俳・西国船〉

かこゆみ【鹿児弓】 鹿を射る大きい弓。「天の―」〈紀神代下〉

かさ【笠・枺】 ①雨・雪・日光などをさえぎるために、かぶったりさしたりするもの。「小菅の―を着ずて来にけり」〈万二七七一〉。「雪のかきくらし降るに…―さして」〈枕二九四〉 ②きのこの笠。「高松のこの峰も狭(せ)に―立てて満ち盛りたる秋の香の良さ」〈万二二三三〉 ③《形が笠に似るので》 どんぐりなどの椀状の殻斗。「おそろしげなるもの。橡(つるばみ)の―」〈枕一四七〉。「櫟枺、伊知比乃加佐(いちひのかさ)」〈和名抄〉 ④椀のふた。または、小さな浅い椀など。「〔行クタビニ〕定まりて酒は―に一つづつより外は呉れざりけり」〈かさぬ草紙〉 ⑤【暈】《形の類似から》 太陽や月のまわりに生じる環。「暈、ウン・カサ、日月傍気也」〈色葉字類抄〉 ▽朝鮮語kat(笠)と同源か。

―に・着る 上の者の威光をたのんで、わがもの顔にふるまう。「天子の御威光を―・きて」〈中華若木詩抄上〉

かさ【嵩】 ①重なったものの高さ。また、分量などが多大であること。「田代(たしろ)見ゆる池の堤の―添へてたたふる水や春の夜の雨」〈山家集下〉。「布施(ふせ)の―も取らばやと思ひて」〈沙石集八ノ一五〉 ②高い所。上手(かみて)。「敵の行く先難所なる山路にては、―より落しかけて」〈太平記一五・建武二年〉 ③心・態度などが重重しく大きいこと。威厳。「心の―なく、おほけなき企(くはだて)なし」〈沙石集四ノ三〉

―から・出る 「嵩にかかる」(2)に同じ。「わ殿が今の言分は…―・でる詞也」〈近松・雪女上〉

―にかか・る ①優勢であるのに乗ずる。「―・りて攻めければ」〈保元中・白河殿攻め落す〉 ②相手を威圧する態度に出る。「―・りて、男に偽りありて…と書き侍るぞや」〈評判・もえくゐ〉

―にまは・る 優勢な立場になる。優位に立つ。「されども名虎、大の男、―・る」〈平家八・名虎〉

かさ【瘡】 ①できもの。「女、身に―一つ二つ出でたり」〈伊勢九六〉。「瘡、加佐(かさ)」〈和名抄〉 ②梅毒。「以前にも―わづらひ候時」〈上井覚兼日記天正二・一〇・一七〉

かさ【枷鏁】 首枷(くびかせ)とくさりと。「いかがしけむ―を抜きて逃げなむとしけるに」〈今昔二五ノ一一〉

かざ【香】 ただようにおい。「油揚・焼鳥の―をだにも嗅がず」〈伽・猫の草子〉

かざ【風】 「かぜ」の古形。複合語だけに残っている。「―穴」「―上」「―車」「―花」「―間」「―祭」など。「風、カザ、吹、同」〈色葉字類抄〉

かざうへ(カザウエ)【風上】《「風下(かざした)」の対》 風の吹いてくる方角。かざかみ。「吹き来るに物なつかしき香ぞすなる―の梅は花咲きぬらし」〈大江嘉言集〉。〈日葡〉

―にも置かれぬ 風上に置くと臭気が甚だしい意で、性格・行為の劣等なのを憎んで言うことば。「人の女房の―どう畜生」〈浄・蘆屋道満三〉

かさおし【嵩押し】 人を威圧して強いること。無理押し。「我が非有る時も、―に云ひまぎらかし」〈黒田家老士物語〉。〈日葡〉

かさかき【瘡掻】 梅毒。また、その患者。「白癩(びやくらい)・黒癩(こくらい)・―」〈仮・可笑記一〉

かざがくれ【風隠れ】 風を避ける所。「風ははらふやうに吹きて、かしらさへ痛きまであれば、―作りて」〈かげろふ中〉

かさかけ【笠懸】鎌倉時代、武士の間にはやった射芸の一。乗馬して直線の馬場を走りながら、左側十間ほどの所に懸けた直径一尺八寸の革張りの的を射る。的は、はじめ笠を用いたので「かさかけ」の名がある。「馬場の様なる野を、—を射る様に、音(こゑ)を叫びて鞭を打ちて、五六十人許押し懸けたり」〈今昔二五ノ五〉

かさぎ【笠木】鳥居・冠木門(かぶきもん)などの上にわたす横木。「鳥居の—に立ち隠れ」〈謡・蟻通〉

かさぎ【笠着】笠を着た人。特に、参詣人の旅装にいう。「〔法楽連歌ニ〕着座十余人、—群集(くんじゆ)せり」〈太神宮参詣記〉。「御社参の事。御先に御馬を牽かる。その跡に小舎人…その跡に—の御供二三十騎」〈鎌倉年中行事〉 **—れんが**【笠着連歌】寺社の法楽連歌で、参詣の者が、笠も脱がず、座の作法も乱雑で、出し勝に句を付ける興行。略して「笠着」とも。「笠着俳諧」もあった。「—など承り候」〈上井覚兼日記天正一一・一〇・一七〉

かざきり【風切】《風切り羽の意》鳥の翼の下にあり、風を切る長い羽。「ほろの—はいだる矢負せて」〈平家四・鵼〉

がさく【我作】我流。「かやうの理は、—の見取り(見真似)芸にては、知らざるも道理なり」〈舞正語磨上〉

がさくさりう(リュウ)【がさくさ流】我流で粗雑な、読みにくい文字の書き方。「昔より手習嫌ひ、—の口上書」〈近松・関八州四〉

かざくち【風口】烏帽子(えぼし)の部分の名。後頭部から余ってうしろへ出た所。「烏帽子の—に、なぎの葉一枚さしかけて」〈中古雑唱集〉

かさぐも【笠雲】山頂またはその上部を覆う笠形の横雲。暴風雨の前兆として恐れられた。「—は山の腰なる扇かな」〈俳・続山の井三〉

かざぐも【風雲】風をはらんだ雲。「この雲こそ—と覚ゆれ」〈義経記七〉

かざけ【風気】風邪の気味。「折ふし—ありて平臥(へいぐわ)したりけるが」〈盛衰記三〇〉

がざけ【我酒】がむしゃらに酒を呑むこと。我呑み。「宵の—にほのぼのと」〈近松・女腹切中〉

かささぎ ①【鵲】七夕の伝説で有名になった鳥。今のカチガラスという。「鵲、加佐佐木(かささぎ)」〈和名抄〉 ▽朝鮮語にkatʃiという。鳴き声からの命名か。②【かさ鷺】《冠毛の形から、笠鷺の意という》サギの一種。今のアオサギか。「寒き洲崎に立てる—の姿」〈源氏浮舟〉 **—のはし**【鵲の橋】①七夕の夜、牽牛(けんぎゅう)・織女の二星が逢う時、「かささぎ」(1)が翼を並べて天の河を渡すという想像上の橋。「天の河逢瀬に渡す—」〈詞花八五〉 ②宮中を天上に見立て、その御階(はし)にいう。「鵲の渡せるはしに置く霜の」〈新古今六二〇〉

かざ・し【挿頭し】㊀《四段》《カミサシ(髪挿)の転》①草木の花や枝、造花などを、髪や冠り物に挿す。「春の花いつしか君と手折り—・さむ」〈万三九六六〉 ②手に持って掲げる。「盛長もさすがに恥づかしげにて、扇を顔に—・しけるとぞ聞えし」〈平家九・重衡生捕〉 ㊁《名》①髪にさすこと。髪にさした草木の花や枝、また造花。「をとめらの—のために、みやび男(を)の蘰(かづら)のためと」〈万一四二九〉。「—のもみぢ、いたう散りすきて」〈源氏紅葉賀〉 ▽「かざし」にするものとして、万葉集では、もみじ・萩・梅・柳・撫子(なでしこ)などの例があり、源氏物語では、菊・葵などもある。本来は、生命・健康・幸福の保証という信仰的なものであったが、後には単なる装飾となった。②手に持って、小手にかざすもの。花の枝などにいう。「扇にてもあれ、—にてもあれ、いかにも弱弱と…持つべし」〈風姿花伝〉 ▽kamisasi→kamsasi→kanzasi→kazasi **—のわた**【挿頭の綿】冠の上につける綿製の造花という。踏歌(たふか)の舞人などが用いる。「—は匂ひもなきものなれど」〈源氏初音〉

かざした【風下】《「風上(かざうへ)」の対》かざしも。「—は摂津国(つのくに)にてやあるらん」〈義経物語四〉。〈日葡〉 **—に・居(ゐ)る** 風儀を見習う。「島田平右衛門が娘の—・ゐるな」〈近松・宵庚申中〉

かさじるし【笠標・笠符】戦場で敵味方を識別するため、兜につける標識。後には袖につけるばあいにもいう。「味方の—には松の葉をぞつけたりける」〈平家八・鼓判官〉

かさだか【嵩高】①重なった物の高さが高いこと。「〔二挺の笈(おひ)を—に持たせ奉り」〈義経記七〉 ②数量の多大なこと。「色遊びの〔費用ノ〕—になる事、皆かやうの分けぞかし」〈西鶴・諸艶大鑑八〉。〈日葡〉 ③「嵩押し」に同じ。「いよいよ、こなたは、—な事を仰せらるる」〈虎寛本狂言・老武者〉

がさつ《カウソツ(江帥)の転》①弁舌に巧みなこと。また、その人。「臆病なる大将…の下にては、諸奉公人…贔屓(ひいき)贔屓に物を言ひ、一段—にて」〈甲陽軍鑑五〉 ②言動の粗暴なこと。ぞんざい。「人の来る時、そっと声をして、人に知らせよ。—にかまびすしくすな」〈日用清規抄下〉

かさづけ【笠付】雑俳の一。上の五文字を題にして、中七文字・下五文字を付けて一句立てとするもの。元禄中期に始まる。冠付。烏帽子付。頭付。五文字付。「烏帽子付と言へる詞は古く、—と名付けしは新しと」〈雑俳・住吉踊序〉

かさとがめ【笠咎め】路上で、身分の低い者の笠を着たまますれ違う無礼をなじり責めること。「〔ソノ郎等ハ〕国房がために—の間、弓を切らる」〈古事談四〉

かさど・り【嵩取り】《四段》①広く場所を取る。かさばる。「—・らで扇や風の寄り所」〈俳・浪花置火燵〉 ②いばる。幅をきかす。「中にも惣兵衛—・って、なんといづれも旦那のはば(威勢)を御覧じたか」〈近松・淀鯉上〉

かさな・り【重なり】㊀《四段》《カサネの自動詞形》①同じものが幾重にも層をなす。「いとど山—・れる御すみかに」〈源氏橋姫〉。「一重なるがとく咲きたるも、—・りたる紅梅のにほひめでたきも」〈徒然一三九〉 ②同じことがさらに加わる。度数が加わる。「こがねある竹を見付くること—・りぬ」〈竹取〉。「この道を行きかふ度—・るを思ふに」〈源氏東屋〉 ③月日・年齢などの数がつもってゆく。「雨降らず日の—・れば」〈万四一二三〉。「今少しの齢(よはひ)—・り侍りなば」〈源氏薄雲〉 ④(全体が層を成して)ふえる。「源氏の勢は—・れば、平家の勢は落ちぞ行く」〈平家一一・鶏合〉 ㊁《名》重なること。重なり具合。「色合ひ・—好ましく」〈源氏槿〉

かさにんぎゃう(ギョウ)【笠人形】頭・顔面を動かして、菅笠に載せた人形を糸であやつる門付け芸。「江戸から流行(はや)る—」〈西鶴・好色盛衰記四〉

かさ・ね【重ね・襲ね】㊀《下二》《カサは嵩。同じものを前にあった上にさらに加えて、結果としてカサを大きくする意》①上や表側に、同じものをさらに置き加える。「畳薦—・ね編む数夢(いめ)にし見てむ」〈万二九九五〉 ②同じことを繰り返す。加える。「二条の院に夜がれ—・ね給ふ」〈源氏槿〉 ③月日の数や年齢を加える。「すめろきの神のみことの御代—・ね」〈万四〇九四〉 ㊁《名》①重ねること。重ねたもの。「檜皮(ひはだ)色の紙の—、ただいささかに書きて」〈源氏真木柱〉 ②衣服を重ねて着ること。また、その衣服。「—の袿(うちき)」〈源氏初音〉 ③重ねて着る衣と衣との配色。また、衣の表と裏との配色。「紅梅がさね」「菊がさね」など。「菖蒲(さうぶ)—の袙(あこめ)」〈源氏蛍〉 ④紙・衣服など、重なったものを数えるのにいう語。「青き色紙、ひと—」〈源氏常夏〉。「黒き袷(あはせ)、ひと—」〈源氏椎本〉 **—がさね**【重ね重ね】〘副〙重ねてまた。二重に。重重(じゆうじゆう)。「ことに遠方より〔友ガ〕はるばる来るは—楽しいぞ」〈論語抄学而〉 **—ぎり**【重ね斬り】姦通した男女を、重ねて置いて斬ること。「—の道具たるべけれど」〈仮・御伽物語五〉 **—て**【重ねて】〘副〙再び。もう一度。「また—京へ帰り給ふべき宣旨下る」〈源氏明石〉。「国師—問ふ」〈正法眼蔵心不可得〉 **—どき**【重ね斎】僧が同時に二か所から斎(とき)に招かれること。「まことに貧僧の—とはよう申したものでござる」〈虎寛本狂言・布施無経〉

かさのだい【笠の台】《笠をかぶせる台の意》人の首。「笠の土台」とも。「—より枝うら(指先)まで響き」〈俳・奴俳諧〉

かさのゆき【笠の雪】笠の上に降りつもった雪。重い物のたとえにいう。「重き物の品品。…—」〈仮・尤の草紙上〉

かざはな【風花】初冬の北西の季節風が吹き出す頃、小雨または小雪の降ること。「—とて、常に有る事ぞ」〈俳・其袋上〉

かざは・め【風はめ】〘下二〙衣服などを日や風にさらす。虫干しする。「風(かぜ)入れ」とも。「今日も—・めらるる」〈御湯殿上日記文明一六・八・一四〉。「涼書。夏の天気に物の本を—・めて虫を払ふを云ふ也」〈金玉和襟集〉

かざ・へ(カザエ)【翳へ】〘下二〙頭上におおう。「二重に軒を—・へたり」〈伽・蓬莱物語〉 **—あふぎ**(オウギ)【翳へ扇】頭上におおって顔をかくした扇。かざし扇。「—は何忍ぶぞかし」〈西鶴・一代男二〉

かさぼこ【笠鉾・傘桙】祭礼や祝事の飾物の一。大きな傘の上に鉾・長刀・造花などを取り付けたもの。「御霊祭近年の如く風流有り。…—四」〈宣胤卿記永正一五・七・一八〉

かざほろし【風ほろし】かぜの熱などのために皮膚にできる発疹(ほっしん)。「風癮、加佐保路之(かざほろし)」〈和名抄〉

かざま【風間】①風と次に吹いて来る風とのあいだ。「祈りくる—と思(も)ふを」〈土佐二月五日〉。「桜花あやしかりけり春の—は」〈宇津保吹上上〉 ②風の吹いている時。「隠れ笠雨間—の宵なれば」〈俳・通し馬上〉

かさまつ【傘松・笠松】枝が垂れて、傘や笠のような形をした老松。「すげもなく庭の—つっ立ちて」〈俳・犬筑波〉

かざまつり【風祭】風神を祭って風の荒れないように祈る祭。豊作を祈って二百十日頃行なわれる。「名に負へる社(もり)(=龍田神社)に—せな」〈万一七五一〉

かざまもり【風守り】風をよく見て、出発の頃合を待つこと。「—よくしていませ荒しその路」〈万三八一〉

かさ・み【嵩み】〘四段〙《カサ(嵩)の動詞化》①勢いや力などが他にまさる。「我に—・む事をそねみて討たんとす」〈正法眼蔵随聞記五〉 ②勢いに乗ずる。増長する。「駿河義元公、あまり—・みて信長に負け」〈甲陽軍鑑六〉

かざみ【汗衫】《字音カンサムの転》①汗取りの服。「年四十余斗(ばかり)なる男の…山吹の絹の—よくさらされたる着たるが」〈宇治拾遺一三二〉 ②表着(うわぎ)の上に着る、後部の長い単(ひとへ)の服。童女などの正装用。「おとな三人ばかり童(わらは)と居たり。〔大人ハ〕唐衣(からぎぬ)も、〔童ハ〕—も着ず、皆うちとけたれば」〈源氏蜻蛉〉。「—は尻長といへかし」〈枕一三四〉 ▽kansam→kanzami→kazami

かさや【笠屋】近世前期、幸若を舞った、女芸人の座。三勝・新勝・吉勝などの名代(なだい)があった。「—を召し、舞二番。大職冠・満仲」〈時慶卿記慶長八・五・二二〉 →だいがしら

かさやどり【笠宿り】暫しの雨宿り。「雨やどり、—、やどりてまからむ」〈催馬楽婦が門〉。「さやうにをかしきかたの御—には」〈源氏末摘花〉

かざら・ひ(カザライ)【飾らひ】〘四段〙《飾りに反復継続の接尾語ヒのついた形。→ひ》あれこれと飾る。「腰細に取り—・ひ」〈万三七九一〉 †kazaraFi

かざ・り【飾り】㊀〘四段〙①物をとりつけて、もとの物をより美しく立派にする。また、人がおしゃれをする。「大殿をふりさけ見れば、白たへに—・りまつりて」〈万三三二四〉。「家の内を—・り」〈源氏帚木〉 ②装備する。「王い…四兵を厳(かざ)りて彼の国に発向して」〈金光明最勝王経平安初期点〉 ③外見・表面、また修辞などを美しくとりつくろう。「いとよう人目を—・りおぼせど」〈源氏柏木〉。「〔コノ歌〕させる秀句もなく、—・れる言葉もなけれども」〈無名抄〉。「茶碗などを打ち破っては、油が入った程になんど云ひて誤(あやまち)を—・るぞ」〈論語抄雍也〉 ④構える。設ける。「四方に四面の檀を—・り」〈狂言記・今悔〉 ㊁〘名〙飾ること。装飾。「御堂の—取りさけ」〈源氏蜻蛉〉 **—うま**【飾馬】唐鞍をつけ、美しく飾った馬。賀茂祭の時などに用いる。「元輔が乗りたる—、大きに躓(つまづき)して」〈今昔二八ノ六〉 **—ぐるま**【飾車】装飾をつけた牛車(ぎつしや)。賀茂祭の勅使、御禊(ごけい)の前駆、祭の見物人などが用いた。「葵草(あふひぐさ)—のけしきまでけふはことなる物見とぞ聞く」〈夫木抄七・葵〉 **—たち**【飾太刀】金銀や蒔絵で装飾を施した太刀。平安時代、節会(せちゑ)・御禊・行幸などに帯剣の宣旨を蒙った公家の儀仗用。鞘は木地で紫檀または沈(じん)で作る。非常に美しいもの。鎌倉・室町時代にはすでに絶え、代用品が用いられたらしい。「めでたきもの。唐錦、—」〈枕八八〉 **—ちまき**【飾粽】いろいろな糸で飾ったちまき。「人の—をおこせたりける返事(かへりごと)に」〈大和一六四〉 **—や**【飾屋】金属製の簪・金具などの、細かい細工をする職人。飾職。飾師。「—が磨き立てたる秋の菊」〈俳・物種集〉。〈日葡〉 **—をおろ・す**《「落飾」の訓読語》出家のために剃髪する。「大菩提心を起し、御—・させ給ひ」〈平家八・名虎〉

かざをり【風折】烏帽子(えぼし)の上部を左右どちらかに折ること。「—したる立烏帽子」〈曾我八〉 **—えぼし**【風折烏帽子】折烏帽子の一。立烏帽子が風に吹かれて折れた形につくった烏帽子。正面より後部の方がやや低い。一般には左折りを用いる。「大紋の袴のそばを取り、—召されつつ」〈謡・鸚鵡小町〉

かし【枷】刑具の一。鉄や木で作り、囚人の手足や頸などにはめて、身体の自由を束縛する。のちには「かせ」とも。「鏁、足加志(あしかし)」〈新撰字鏡〉。「鉫、手加志(てかし)」〈新撰字鏡〉。「盤、久比加志(くびかし)」〈新撰字鏡〉 ▽朝鮮語 kʻal(枷)と同源。

かし【徒】「かち」の上代東国方言。「多摩の横山—ゆかやらむ」〈万四四一七防人〉

かし【樫・橿・櫧】中部地方以南の山地に生えるブナ科の常緑喬木、アカガシ・アラカシ・イチイガシ・シラカシなどの称。葉は大きく光沢があり、実(どんぐり)は、渋をぬいて食用にする。材は堅く、堅木(かたぎ)ともいう。「御諸の厳(いつ)—がもと—がもと」〈記歌謡九二〉

かし【牂牁】①舟をつなぎとめるために水中に立てるくい。もやいぐい。「舟泊てて—振り立てて廬(いほり)せむ」〈万一一九〇〉。「牂牁、加之(かし)、所以繫舟也」〈和名抄〉 ②【河岸】《(1)の転》川の岸の、船荷を揚げ下ろしする所。また、

そこに立つ市場。「―は江戸中の浜の事也。ことに本町の―、のうれん掛けて軒下人の通るやうに致せり」〈西鶴・新吉原常常草上〉

か・し【浙し】『四段』①水にひたす。水につけてふやかす。「秋は時雨に袖を―・し」〈古今一〇〇三〉。「ぬらすをば、―・すと云ふ也」〈古今集註〉。「浙、カス・ウルフ」〈名義抄〉 ②米をとぐ。「米(ね)洗ひ参らするをば、浄米し参らせよと申すべし。米(ね)―・せとは申すべからず」〈正法眼蔵示庫院文〉。「濤、米加須(よねかす)」〈新撰字鏡〉

か・し【貸し・借し】『四段』《カリ(借)の他動詞形》①後で返してもらう条件で他人に物を与え、また、使わせる。「舟しまし―・せ」〈万四〇三三〉。「秋来れど色も変らぬときは山よそのもみちを風ぞ―・しける」〈古今三六二〉 ②既に或る客の相手を勤めている遊女を、他の客の目利きのために一時先方にやる。遊女または先客からいう語。「来るはず知って何処へ―・したぞ」〈俳・大矢数三〉

かし『助』→基本助詞解説

がし『接尾』《元来、ガは格助詞。シは方向を示す接尾語》代名詞についてその指示性をやわらげた語をつくる。主に平安時代以後に使われた。「か―」「かれ―」「それ―」「たれ―」「くれ―」など。「なに―の院」〈源氏夕顔〉

かしあげ【借上】 鎌倉・室町時代、高利貸をすること。また、その業者。「多くの得分取りて、徳づき、―をしてのみ過ぎ」〈高野山安養院文書建永一・九〉

かしあみがさ【貸編笠】 近世、遊里近くの水茶屋で貸した編笠。遊客はこれをかぶって人目を忍んだ。「忍ぶや暮―を男七夕(をたなばた)」〈俳・坂東太郎下〉。「中宿の―の目付紋のうちに」〈浄・暦二〉

かしいろ【貸色】《「色」は喪服の意》近世、中流以下の庶民に損料を取って貸した、白無垢・浅黄上下の喪服。この渡世の者を「貸色屋」「色屋」といった。「無常の嵐―も有り」〈俳・大矢数二〉

かしかま・し【囂し】『形シク』《カシマシと同根》(音や声が気にさわって)うるさい。やかましい。「夜声はささめくしもぞ―・しき」〈源氏浮舟〉。「〔猫ガ〕―・しく鳴きののしれども」〈更級〉。「カシカマシイ」〈和英語林集成〉

かしき【喝食】「かっしき」に同じ。「ある人、美しき―にほれて」〈咄・昨日は今日下〉。「―見る目はとろとろとする」〈俳・犬子集八〉

かし・ぎ【炊ぎ】『四段』《室町時代までカシキと清音》米・麦などを蒸したり煮たりして飯をつくる。「飯(いひ)―・く事も忘れて」〈万八九二〉。「爂、炊二五穀一也、可志久(かしく)、又宇牟須(うむす)」〈新撰字鏡〉 †kasiki

かじき【檋】「かんじき」に同じ。「荒乳山さかしく下る谷もなく―の道を作る白雪」〈山家集上〉

かしく「かしこ」の転。「〔女カラ男ヘ〕あらあら書き参らせ候。―」〈伽・しのばずが池〉。「〔男カラ女ヘ〕この由御披露候べく候。―」〈言国卿記文明七・四・二〇〉

かしぐら【河岸蔵】 水運を利用するために、河岸に建てた倉庫。多く貸倉庫にしたので、貸蔵ともいった。「大江山より末の―」〈俳・談林十百韻下〉

かし・け【痩け・悴け】『下二』《のちにはカジケとも》①生気を失う。しおれる。やつれる。「妙園林の…忽然に皆枯れ悴(かし)けて」〈金光明最勝王経平安初期点〉。「髭がちに―・け痩せ痩せなる男と」〈枕一〇九〉。「憔悴、カシケタリ」〈名義抄〉 ②こごえちぢむ。「弾く琴の手は―・けたり雪の内」〈俳・寛永十三年熱田万句一九〉

かしこ【彼処】『代』《「ここ」の対》話し手(及び聞き手)から遠い場所、不明な場所を指していう。あそこ。「―の漢歌(からうた)作りなどしける」〈土佐一月二十日〉。「ここにも―にもゆきかかづらひて」〈源氏宿木〉。「彼、カシコ」〈名義抄〉

かしこ《「あなかしこ」の略》多く、女性の、もしくは女性に贈る手紙の末尾に書く、挨拶のことば。かしく。「女文―――と書き捨てて」〈宗長手記上〉

かしこがほ【畏顔】 相手の出方をこわごわ伺う様子。「上になり下になり転びあふところに、―に上下寄って」〈平家五・文覚被流〉

かしござ【貸御座】 賃貸する屋形を設けた遊山船。貸御座船。「五十の川に浮かむ―」〈俳・難波千句〉

かしこ・し【畏し・賢し】『形ク』《海・山・坂・道・岩・風・雷など、あらゆる自然の事物に精霊を認め、それらの霊威に対して感じる、古代日本人の身も心もすくむような畏怖の気持をいうのが原義。転じて、畏敬すべき立場・能力をもった、人・生き物や一般の現象も形容する。上代では「ゆゆし」と併用されることが多いが、「ゆゆし」は物ごとに対してタブーと感じる気持をいう》❶自然界の事物の霊威に対して畏怖を感じる意。①おそれおおい。「鳴神も今日にまさりて畏(かしこ)けめやも」〈万四三三五〉。「岩畳み―・き山と」〈万一三三一〉 ②(神に対して)恐懼(きょうく)する気持だ。「かけまくもゆゆし―・し住吉のわが大御神」〈万四二四五〉 ❷畏怖・畏敬すべき立場や能力の人・生き物などについていう。①おそろしい。「〔二人ノ女ト〕さ夜床を並べむ君は―・きろかも」〈紀歌謡四七〉 ②かたじけない。もったいない。「〔アナタヲ〕妹と言はば無礼(なめ)し―・し」〈万二九一五〉。「―・しとは、かたじけなしと恐れたる詞(ことば)なり」〈新古今注〉 ③(生き物や事物が)すぐれている。まさっている。「磐手の郡より奉れる御鷹、よになく―・かりければ」〈大和一五二〉。「〔和琴ハ〕さながら多くの遊び物(楽器)の音(ね)・拍子を整へ取りたるなむ、いと―・き」〈源氏常夏〉 ④(人の智力などが)きわだっている。冴えている。「老いたるはいと―・きものに侍り。若き人達なあなづりそ」〈大鏡序〉 ▽類義語サトシは、ものの覚えが早い意を主にいう。 ⑤(めぐりあわせなどが)ありがたい。「〔蹴鞠ノ日〕風吹かず―・き日なり」〈源氏若菜上〉 ⑥利口だ。頭の働きがよい。「世の常の―・きと思へるは、さかさかしく世間のことをわきまへ、かひがひしく人を置て、財宝を全くし、子孫に伝へ、末代に及ぼし、或は、我身を立て、人を教へたつるを―・しと思へり」〈妻鏡〉 ❸《連用形を副詞的に使って》①非常に。はなはだしく。「いと―・くをかしがり給ひて、使に祿(ろく)たまへりけり」〈伊勢九八〉 ②ありがたいことに。「―・く京の程は雨も降らざりしぞかし」〈大鏡昔物語〉 †kasikosi

かしこじもの『副』恐れ多いものとして。「我が皇太上天皇の大前に―進退(しじま)ひ匍匐(はらば)ひ廻(もとほ)りまをし賜ひ受け賜はらくは」〈続紀宣命六〉 →じもの。 †kasiko-zimönö

かしこそで【貸小袖】 七夕の日に、機織や裁縫が上手になるようにと祈って、七夕の二星に供える仕立下しの七枚の小袖。貸衣。「今宵かな帯橋をなす―」〈俳・雑巾下〉

かしこどころ【賢所】 ①《畏(かしこ)い場所の意》宮中にあって天照大神の御霊代(みたましろ)である神鏡を奉安する所。平安時代には温明殿(うんめいでん)にあった。内侍所(ないしどころ)。「―の御前にて伏しまろび給ひて」〈栄花花山〉 ②神鏡。「〔温明殿ノ焼亡ニ〕―をいだし奉るにも及ばず」〈平家一一・鏡〉

かしこま・り【畏まり】 ㊀『四段』《カシコミの派生語。「おぢ(怖)」と併用されることが多い。相手に対して畏怖・畏敬の念を抱き、身をちぢこませるようにする意》①おそれうやまう。「斯羅(しらき)あぢきなくして天皇(すめらみこと)に―・らずして」

〈紀欽明十五年〉。「やむごとなき人のよろづの人に—・られ、かしづかれ給ふ、見るもいとうらやまし」〈枕一五八〉②おそれ多くて身がちぢまる。恐縮する。「翁—・りて御返事申すやう」〈竹取〉③（勘気を蒙り）謹慎する。「公け（朝廷）に—・り聞ゆる人は、明らかなる月日の影をだに見ず」〈源氏須磨〉④遠慮する。「此処には—・りて、みづからもをさをさ参らず」〈源氏明石〉⑤おわびをいう。「心惑はし給ひし世の報いなどを、仏に—・り聞ゆるこそ苦しけれ」〈源氏初音〉⑥つつしんでお受けする。「あはれなる御消息を。—・り聞え給へ」〈源氏若菜上〉。「『さらばやがて加持し申さうずるにて候』、『—・って候』」〈謡・葵上〉 ㊁『名』①おそれ多いこと。恐縮。「きたなげなる所に年月をへて物し給ふこと、極まりたる—」〈竹取〉②謹慎の意を表すること。「光る君こそ、公の御—にて須磨の浦にものし給ふなれ」〈源氏須磨〉③お詫び。「一日まかり過ぎし—など申す」〈源氏関屋〉④お礼。答礼。「よべおはしましたりし—に…立ちながら参り給へり」〈源氏宿木〉 †kasikomari —だこ【畏り胼胝】奉公人などが主人の前で何度も正座したために、足の踝（くるぶし）のあたりにできたたこ。すわりだこ。「蚊も歯のたたぬ—」〈俳・蠅袋上〉

かしこ・み【畏み】『四段』（相手の威光に）おそれつつしむ。「—・みて仕へ奉らむ、拝（をろが）みて仕へ奉らむ」〈紀歌謡一〇二〉 †kasikomi

かしざしき【貸座敷】保養・遊山のために賃貸する座敷。借り座敷。「一流行り春や昔の—」〈俳・信徳十百韻〉

かじち【家質】「いへじち」に同じ。「—の銀借（かねかし）して富貴になるもあり」〈西鶴・永代蔵六〉

かしづ・き【傅き】㊀『四段』《カシラ（頭）のカシとツキ（付）との複合語。頭を地につけて相手に敬意を表わすのが原義。高い地位にある者が、へりくだって娘などを大切に育てるのに多くいう》①子供を大事に養育する。「〔先帝ノ四ノ宮ヲ〕母后世になく—・き聞え給ふを」〈源氏桐壺〉②大事に世話をする。「上にさぶらふ御猫は、かうぶりにて命婦のおとどて、いみじうをかしければ、〔帝〕—・かせ給ふが」〈枕九〉 ㊁『名』大事に世話をすること。また、その人。「—など親しう身に添ふべきは、いみじうえりととのへて」〈源氏少女〉 **—いだ・し**【傅き出し】『四段』大事に育てあげる。「末の君達思ふさまに—・して見むと思し召すにぞ」〈源氏絵合〉 **—ぐさ**【傅き種】大切に世話する対象。守り育てる種となるもの。かしづきもの。「〔子供ガナクテ〕さうざうしきに—にこそと思しなる」〈源氏澪標〉 **—す・ゑ**【傅き据ゑ】『下二』大切に世話して一所におちつかせる。大切に置いておく。「さて此処ながら—・ゑて」〈源氏常夏〉 **—びと**【傅き人】世話役の人。「こなたかなたの御—ども心もとながり」〈源氏真木柱〉 **—むすめ**【傅き娘】大事に育てている娘。「帝の御—を得給へる君は」〈源氏東屋〉 **—もの**【傅き物】「かしづきぐさ」に同じ。「この君を—にて明かし暮す」〈源氏玉鬘〉

かしのみの【橿の実の】〔枕詞〕カシの実（どんぐり）は一つずつ成るので、「ひとり」「ひとつ」にかかる。「—独りか寝（ぬ）らむ」〈万一七四二〉 †kasinömïnö

かしのりもの【貸乗物・借乗物】①吉原通いの駄賃馬。「昔は—もありしが」〈西鶴・諸艶大鑑八〉②上等な貸駕籠。「この頃端端駕籠幷びに—相見え候」〈御触書寛保集成四五、延宝五・四〉 →のりもの

かしは（カシワ）【槲・柏】①ブナ科の落葉喬木。葉は広く、食物をつつむのに使った。四、五月ごろ新葉と共に黄褐色の花を開く。材は薪炭、樹皮は染料などに使う。「あから（色ヅイタ）—は時はあれど」〈万四三〇一〉。「槲・柏、加之波（かしは）」〈和名抄〉②食物を盛る葉。また、食器の総称。「葉、此をば箇始婆（かしは）といふ」〈紀仁徳三十年〉 **—ぎ**【柏木】①「かしは」⑴に同じ。「御前の若楓・—などの青やかに茂りあひたるが」〈源氏胡蝶〉②柏木には葉守の神がやどるという伝説から、皇居を守る「兵衛」及び「衛門」をさす。「—の木高きわたり（兵衛佐兼家）より、かく言はせむと思ふことありけり」〈かげろふ上〉 **—で** ❶【柏手・拍手】神仏を拝む際など、両の掌を打ち合わせて音を立てること。古くは四度打つのが正式。「—を水鶏（くひな）もたたく宮居かな」〈新撰菟玖波集一九〉。「—打つ。仏神に参り、手を打つ事也」〈匠材集二〉 ❷【膳】《カシハの葉を食器に使ったことによる。テは手・人の意》①天皇の食膳や、饗応の食事のことをつかさどる人。「膳夫（かしはで）等、盞（うき）を遺（わす）る」〈紀景行十八年〉②御馳走。「膳、カシハデ」〈名義抄〉 **—ばさみ**【柏夾み】非常の際、冠の纓（えい）を折り畳み、白木の夾み木でとめること。「直衣（なほし）に—にて供奉（ぐぶ）せらる」〈平治上・主上六波羅〉

かしふ（シユウ）【家集】⇒いへのしふ

がしふ（シユウ）【我執】〔仏〕自己の中心に実体的な変らない我があるという考えに執着すること。また、我を立てること。「妻子財宝を厭離し、名利—の心をも捨て」〈他阿上人法語六〉

かしま【鹿島】《常陸国の地名》 **—だち**【鹿島立ち】《鹿島神宮に旅の安全を祈って出発したところから》旅に出立すること。旅の門出。「これぞ此の旅の初めの—」〈菟玖波集一七〉 **—のことふれ**【鹿島の事触】鹿島明神の御神託と称して、年の豊凶・天変地異等を誇張して触れて歩く、神主姿の乞食の一種。災除けの秘符を売りつけた。「事触」とも。「—を。事触の禰宜（ねぎ）は鹿島の御使に歩き神とやこれを申さん」〈後撰夷曲集五〉

かしま・し【囂し】『形シク』やかましい。「霰降りかしま（囂・鹿島）の神を祈りつつ」〈万四三七〇〉。「たけり吠ゆれば—・しきなり」〈仙覚抄六〉

かしま・み【囂み】『四段』やかましく思う。「—・みて鳴戸の浦にこがれ出づる」〈更級〉

がしゃうきん（シヨウ）《「合食禁（がっしょくきん）」の転。薬と食い合せになる食物を禁ずることから》無理やりに自己の意志を押し通すこと。むやみやたら。がむしゃら。「がしゃうぎ」とも。「—、合食禁」〈不断重宝記〉

かじゃうぐひ（ジヨウグイ）【嘉祥食】六月十六日、疫除けのまじないに、銭十六文で菓子を買い食べたこと。嘉祥。嘉定。〈俳・誹諧初学抄〉

かしゃく【呵責】きびしくしかり責めること。責めさいなむこと。「嗔恚（しんい）を以て弟子童子を—し罵詈（めり）す」〈今昔一三ノ六〉

かしよね【粿米】《カシは「淅（かし）し」の意》水で洗った米。洗米。「凄き山伏の好むものは…山葵（わさび）・—・水しづく」〈梁塵秘抄四二七〉。「粿米、加之与禰（かしよね）、浄米也」〈和名抄〉

かしょばおり【歌書羽織】歌書の古筆切（こひつぎれ）で作った紙子（かみこ）羽織。「全盛（贅沢ナ）—」〈西鶴・一代男六〉

かしら【頭】㊀『名』《頭髪や顔を含めて、頭全体を身体の一部分としてとらえた語。カシはカシヅキのカシと同じ。ラは接尾語。頭髪だけをとりたてる場合はカミという。類義語カウベは頭部を身体から離してとらえた語。カシラには「結ふ」「削る」などというが、普通カウベにはいわない。アタマは古くはひよめきのこと》①《「しり（尻・後）」の対》髪を含めて、人間の頭。「父母が—かきなで」〈万四三四六防人〉。「—

も皆白けぬ」〈土佐一月二十一日〉。「〔怖ロシサニ〕―の髪あらば太りぬべき心ちするに」〈源氏手習〉。「頭風、カシライタキヤマヒ」〈名義抄〉 ②《「尾」の対》動物の頭。「件(くだん)の大蛇は尾―ともに八つあり」〈平家一一・剣〉 ③物の上部の先端。また、はじまりの部分。「をみなへしといふ五文字を句の―におきて詠める」〈古今四三九詞書〉。「卯槌ふたつを卯杖のさまに―などを包みて」〈枕八七〉 ④月・時などの初め。「すはや、未(ひつじ)の刻すでに移りて、申(さる)の―になりぬるは」〈撰集抄四ノ四〉 ⑤一群の長。「かみ」「とう」とも。「人夫の「首(かしら)」たる大官一人まします」〈今昔七ノ三〇〉 ⑥〔能楽用語〕㋑長い髪毛のかぶりもの。異類・怨霊などを表わす。髪毛の色により赤頭・黒頭・白頭などという。「―をかけたれば見えず」〈申楽談儀〉 ㋺鼓の手の一。「鼓の―の時足を踏み出し候」〈禅鳳雑談〉 ⑦㋑頭(あたま)数を数える語。「鹿の一(ひと)―にてもころす者あらば」〈宇治拾遺九ノ二〉。「〔仏像ヲ〕いく―造り奉りたるぞと問へば、五―造り奉れりと言ふ」〈宇治拾遺一一ノ一〇〉 ㋺頭にかぶるものを数える語。「折らぬ烏帽子(えぼし)十―」〈義経記七〉 ㋩大将・大名など、かしらだつ人を数える語。「後詰は柿崎和泉守景家…〔等〕四―也」〈河中島五箇度合戦記〉 ㋥瓜を数える単位。「ひとかしら」は十個。「一頭、ヒトカシラ、瓜」〈饅頭屋本節用集〉 [二]《接尾》《ガシラと濁音》①月・時の初めの意を表わす。「河の瀬のやうなる所の候が、月―には東(ひんがし)に候、月じり(月末)には西に候」〈平家一〇・藤戸〉。「天気よく、七つ―に帰り中され候也」〈宗静日記元祿三・四・二六〉 ②物事のはずみ、その途端の意を表わす。「出合ひ―に、二人一度に連れて来たりけるが」〈西鶴・織留六〉 **―打・つ** 頭がずきずき痛む。頭痛がする。「頭(かみ)が打つ」とも。「城堯妻より、―・つの間、愛洲薬所望の間、五服遣はし了んぬ」〈言経卿記文祿五・八・二〇〉 **―おろ・す** 出家のために髪を剃り、または、截り落す。「比叡の山にのぼりて―・してけり」〈古今八四七詞書〉 **―がき【頭書】** 書物の本文の上部に注釈や批評などを書くこと。また、その注。頭注。「点も―も入れ申さず候」〈本光国師日記元和二・三・一六〉 **―堅・し** 身体が丈夫だ。「かしらだにかたくおはしまさば、一天下の君にこそはおはしますめれ」〈栄花浦浦別〉 **―じ【頭字】** 文章・字句などの始めにある文字。字頭。「お名は、こなた様の―新左衛門様をかたどり、新太郎様」〈西鶴・一代女五〉 **―せんじ【頭煎じ】** ①煎薬の最初の煎汁。もっとも効きめがあるという。②最初。はじめ。「深き馴染(なじみ)もなきに、―より〔遊女ガ客ニ〕びたつくも道にあらず」〈仮・恋慕水鏡一〉 **―だか【頭高】** 矢筈が肩越しに高く見えるようにした、伊達(だて)な矢の負い様。「切斑(きりふ)の矢の…少少残ったりけるを―に負ひ成し」〈平家一一・那須与一〉 **―つき【頭付き】** (頭髪も含めた)頭全体のかっこう。「〔女ノ〕―・額つき、ものあざやかに」〈源氏空蟬〉。「〔僧ノ〕まろなる―」〈源氏手習〉 **―の毛太・る** 恐ろしさにぞっとする。「身の毛よだつ」などと同類の表現。「外(よそ)にて聞きつるだに―・りて怖ろしきに」〈今昔二四ノ二〇〉 **―はげ【頭禿】** ①根太(ねぶと)の頂点が禿頭のように滑らかなもの。「馬莧(うまびゆ)…は―を治す」〈外療新明集下〉 ②人をののしる語。「瞎禿子は…―也。人を罵る語也」〈臨済録抄三〉 **―を踏・む** 第一の地位を占める。「―・む子(長男)をそばめ、脇の子を引き立てべき覚悟」〈結城氏新法度〉

かし・り【呪り】 [一]《四段》のろいごとをする。「火の中に投(なげ)いれむとして…―・りていはく」〈紀欽明二十三年〉 [二]《名》のろいごと。呪詛。「厳(いつ)の―」〈紀神武即位前〉

がしん【餓死】 《ガシの転》飢饉。「地獄の―以ての外な」〈虎明本狂言・朝比奈〉

かす【糟・粕】 [一]《名》①酒をかもして、液をこして残ったもの。酒のかす。さかかす。「糟、加須(かす)、酒滓也」〈和名抄〉 ②【滓】よいものを取ってしまった残り。「滓・淅、カス」〈名義抄〉 [二]《接頭》多くあり過ぎて取るに足りない、つまらないという意を表わし、人を卑しめていう語。「―客」「―公家」「―侍」「―山伏」など。「―・こっぱの二言は、皆沢山在って卑しむる語也。公家・社人・禰宜等に云ふ語也」〈譬喩尽二〉

かず【数】 [一]《名》《カゾヘ(数)と同根》①ものを個個に数えて得る値。個数。度数。「畳薦(たたみこも)へだて編む〔ヨウナ多クノ〕―通はさば」〈万二七七七〉。「寝(ぬ)る夜の―ぞ少なかりける」〈古今一七九〉 ②数字。「水の上に―書く如き我が命」〈万二四三三〉 ③度数のおぼえのためにしるしとするもの。串・扇などを用いた。「さらに―ささるまじ」〈枕一四三〉。「冬の御扇を―に取りて、一百遍づつぞ念じ申させ給ひける」〈大鏡昔物語〉 ④数えあげる価値のあること。否定表現と共に使われる。「―にもあらぬ命もち」〈万六七二〉。「―に思ひ入れぬ事も」〈源氏横笛〉 ⑤(きまりの)員数。「―定まりてくつろぐ所もなかりければ」〈源氏澪標〉 ⑥多数。「今われら―の仏を見奉りつ。これおぼろけの縁にあらず」〈栄花鳥舞〉。「徒然〔草〕面白きものなり。古歌・古事などをも―まぜて」〈耳底記〉 [二]《接頭》数多くある物、または、ありふれた安価な物の意を表わす語。「―煙草盆」「―長櫃(ながびつ)」など。「用心や春の光の―具足」〈俳・大矢数三〉 **―なら・ず** 物の数ではない。とるに足りない。問題にならない。「忘られぬらむ―・ぬ身は」〈古今七五四〉。「おしなべたる大方の〔手紙〕は、―・ねど、程程につけて書きかはしつつも見はべりなむ」〈源氏帚木〉 **―を尽して** あらんかぎり。残らず。「春の花の木―植ゑ」〈源氏少女〉。「―踏み殺しつ」〈今昔四ノ一八〉

がす 《接尾》「なす」の上代東国方言。「沼二つ通は〔カヨウ〕鳥―吾(あ)が心二行くなも〔二人ノ女ヲ思ウヨウダ〕と」〈万三五二六東歌〉

かすいち【糟市・糟都】 官位のない下級の盲人。「七夕に―が琵琶も心かな」〈俳・桜川五〉

かすか【幽か・微か】 《カスミ(霞)・カスリ(掠)と同根。末尾のカは接尾語。音や光などが、今にも消え入りそうに、小さく、少なく、弱いさま。→ほのか》 ①うすく、或いは弱くて消えてしまいそうであるさま。「塩焼く煙―にたなびきて」〈源氏明石〉。「鐘の音―に響く」〈源氏総角〉 ②目立たないさま。ひっそりとしていて、あるかなきかのさま。「母なども失せて、―なる世に経けるが」〈源氏澪標〉。「―なる所に忍ばせて、夜な夜な召されける程に」〈平家六・小督〉 ③不明瞭で、おぼつかないさま。「宇治山の僧喜撰は、言葉―にして、初め終りたしかならず」〈古今序〉。「これ―なる伝記にあらず、たしかの経の文(もん)なり」〈宝物集三〉

かすが【春日】 ①大和国添上(そうのかみ)郡の郷名。平城京の東方にある丘陵地帯。「―なる三笠の山に」〈万一二九五〉。「添上郡、―郷」〈和名抄〉 ②春日神社。「―の使にて出で立ちて」〈後撰七一六詞書〉 ▽「春日」という表記は、「春日(はるひ)のかすが」とかかる枕詞の字づらを地名に借用したもの。同様の例に、「飛ぶ鳥のあすか」から「あすか」の地を「飛鳥」と表記するのがある。 **―まつり【春日祭】** 春日神社の祭礼。陰暦二月・十一月の最初の申(さる)の日に行なわれた。賀茂祭・石清水祭とともに有名。「―の近

衛の舎人(とねり)」〈枕一五六〉

かずかず【数数】数えあげるほど多いこと。「やむごとなき人人侍らひ給ふに―なる御後見もなくてやと思しつつみ」〈源氏澪標〉　**―に**【数数に】『副』①(枚挙するほど)いろいろ。多く。「この餅(もちひ)かう―所せきさまにはあらで明日の暮に参らせよ」〈源氏葵〉②(何かにつけて)あれこれと。「―我を忘れぬものならば山のかすみをあはれとは見よ」〈古今八五七〉

かすがひ(カスガイ)【鎹】①戸締りの金具の一。かけがね。「第一房外門糟鈚(かすがひ)」〈正倉院文書天平宝字三〉。「―もとざしもあらばこそ」〈催馬楽東屋〉②材木などの合せ目をつなぎとめるために打ちこむ両端の曲がった大釘。「関板もたせの―二十、代百八十文」〈多聞院日記弘治二・三・二八〉 †kasugaFi

かすげ【糟毛】馬の毛色の名。灰色に白毛の混じったもの。「―なる馬に乗り」〈古活字本保元中・白河殿攻め落す〉。「油馬、糟毛馬也」〈和名抄〉

かすけな・し【微けなし】『形ク』ごく小さい。微少だ。「初春の若生えなれば強ひて摘めども〔若菜ノ〕―・きさま」〈俳・山の井一〉

かずさし【数差・員刺】競馬(くらべうま)・相撲・歌合・小弓・闘鶏・根合などの勝負で、勝った回数を計るための数取りの串または木の枝を、数立てに挿し入れること。また、その人。「左は歌よみ、―の童、例の赤色に薄蘇芳綾の表袴(うへのはかま)」〈亭子院歌合〉

かずしら・ず【数知らず】『連語』多くて数えきれない。「いと多く、―・ぬまで、つどひさぶらひつつ」〈源氏若菜上〉

かずだうぐ(…ドウ…)【数道具】《「道具」は槍の意》同じ形式の数多くの槍。「山鉾(やまぼこ)の供は皆町人なれども、―・対(つい)道具を立つるは、其の日の晴ぞかし」〈俳・類船集五〉

かすで【掠手】《カスリデの転》かすり傷。「古田織部…鉄砲に当る。但し―也」〈当代記慶長一九・一一・二〇〉

カステイラ 精製したうどん粉・白砂糖・鶏卵をまぜて、銅鍋で蒸焼きにし、竹針で穴を明けた菓子。カステラ。オランダ人が長崎に伝えた。「下戸には、―・ぼうる…こんぺい糖などをもてなし」〈太閤記一〉 ▽もとスペインのCastillaで製出したからいう。

かずな・し【数なし】『形ク』①物の数でない。とるに足りない。「うつせみは―・き身なり」〈万四四六八〉②はかない。「世の中は―・きものか」〈万三九六三〉③数えきれない。無数である。「殿の人人―・う仕うまつらせ給へり」〈源氏澪標〉

かすねぎ【糟禰宜】無位無官の下級の神職。「七の社の一の―」〈俳・続境海草五〉

かずのほか【数の外】定員外。員外。「折節大納言あかざりければ、―にぞ加はられける」〈平家三・大臣流罪〉

かずばおり【数羽織】武家で、警固の者などが着る揃いの羽織。「弓・鉄砲・槍の者、皆―とて、行列をなせり」〈俳・類船集一〉

かすはき【滓吐】唾。痰。かすはい。「前髪のあるもあらぬもたしなめや耳にきたなき―の声」〈前田光高百首和歌〉。「唾、カスハキ」〈名義抄〉

かず・へ(カズエ)【数へ】『下二』「かぞへ」に同じ。「人知れず―・へ給ひてゆかしうあはれにおぼしやる」〈源氏澪標〉。「東路やいくたびふしの草枕むすぶ日数を―・へわぶらむ」〈拾玉集三〉　**―のかみ**【主計頭】⇒かぞへのかみ。「―、主税頭(ちからのかみ)」〈宇治拾遺一三〉　**―のれう**(…リョウ)【主計寮】⇒しゅけいれう。「主計寮、カズヱノレウ」〈文明本節用集〉

かずま・へ(カズマエ)【数まへ】『下二』取り上げて数のうちに入れる。存在を認める。「その頃世に―・へられ給はぬ古宮おはしけり」〈源氏橋姫〉

かずまり【数鞠】蹴鞠で、鞠を地上に落さず蹴(け)続けて、数えながら蹴ること。「坊門殿のかかりの下に、簾もかけぬ車のありしを…車の本にてたびたび―をす」〈成通卿口伝日記〉

かす・み【掠み】『四段』《カスミ(霞)と同根》①(人の目を盗んで)こっそり奪う。「他の怨敵に侵(かす)まれて、其の国土を破壊せむ」〈金光明最勝王経平安初期点〉。「三の鵠(はと)の雛あり。一は鷹に―・まれぬ」〈金光明最勝王経平安初期点〉②人目をくらます。ごまかす。「〔暇ヲ〕申したりとも下されまいと存じて、―・んで竹生島へ参ってござる」〈虎明本狂言・ぬらぬら〉

かす・み【霞み】㊀『四段』《カスカと同根。空気中の水分が凝固して空中に浮き、好い天気の日に山や地平線にただよう意。また、その結果、日月の光や物の形がはっきり見えない意》①霞がかかる。ぼうっと見える。「春の日の―・める時に」〈万一七四〇〉。「こよひの月夜―・みたるらむ」〈万四四八九〉②目が朦朧(もうろう)とする。「最後の時、目―・みて見えず」〈孝養集下〉③表現が曖昧(あいまい)になる。模様や文字がぼやける。「『心の跡を』など云へる、いたく―・める心地して、勝るとは猶申しがたく侍り」〈六百番歌合恋二〉。「名ばかりを―・ませて書く恋の文」〈俳・寛永十三年熱田万句一八〉　㊁『名』①霞。「立つ天の河原に君待つといかよふほどに裳の裾ぬれぬ」〈万一五二八〉 ▽平安時代以後は、春は霞、秋は霧とされているが、上代では春だけでなく、秋にも霞といった。②酒の異名。「風をさけて―を汲めば冬もなし」〈下草〉 †kasumi　**―敷・く**《春の季節感を表わすものとして歌に多く詠みこまれる》霞が野や海に一面にかかる。「―・く春の潮路を見渡せば」〈千載八〉　**―たつ**【霞立つ】〔枕詞〕音の似た地名「かすが」にかかる。「―春日(かすが)の里の」〈万一四三七〉　**―に千鳥** 春の霞と冬の千鳥とは同時に存在しないことから、不可能のたとえ。「雲に梯(かけはし)、―とばかりなり」〈浄・浄瑠璃十二段九〉　**―のころも**【霞の衣】①春を人、霞を衣服に見立てていう語。「春の着る―ぬき(緯)を薄み山風にこそ乱るべらなれ」〈古今二三〉②《スミ(墨)ノコロモを掛けて》喪服。「はかなしや―たちしまに花の紐解く折も来にけり」〈源氏早蕨〉　**―のほら**【霞の洞】①仙人の住む所。「―、仙人の住所なり」〈匠材集二〉②上皇の御所。仙洞(せんとう)。「げに千代をこめたる―なり」〈増鏡一〉

かす・め【劫め・掠め】『下二』《カスミ(掠)の他動詞形》①こっそり奪いとる。「宣旨・官符もなくて、公田(くでん)を―・むる事」〈愚管抄四〉②ごまかす。あざむく。「もとより御誤りなき御事なれば、人はとかく申し―・め奉らんとすれども」〈古今集註〉

かす・め【霞め】『下二』《カスミ(霞)の他動詞形》①かすかに表現する。軽く事に触れて言う。「からうじて一言ばかり―・め給へるけはひ」〈源氏薄雲〉。「気色ばかりも―・めぬつれなさよ」〈源氏梅枝〉②はっきり見えなくする。「猛炎昌(さかん)に燃え上がり、黒煙天を―・めたり」〈太平記一〇・高時並一門〉

かずめがね【数眼鏡】表が平らで裏が亀甲のように稜形をなし、稜数に応じて五つにも六つにも物の形が映って見える眼鏡。「置く露の玉の光や―」〈俳・続境海草三〉

かすやっこ【糟奴】つまらぬ奴。人をののしるにいう語。「数にも足らぬ―」〈近松・反魂香上〉

かすゆざけ【糟湯酒】酒のかすを湯にとかしたもの。貧しくて本物の酒を飲めない者の飲物。「―うち啜(すす)ろひて」

〈万八九二〉 †kasuyuzakë

かずよりほか【数より外】 定員外。「—の権大納言になり給ふ」〈源氏明石〉

かすら・せ【掠らせ】『下二』 ほのめかす。それとなく言う。「喜三太〔牛若ヲ〕見つけ、乗物へ知らせんと、『…あれこそ本の暗がりの牛、鞍馬の牛』と—・する」〈近松・孕常盤一〉

かす・り【掠り・擦り】《カスカ(微)・カスミ(霞)と同根》㊀『四段』①表面だけかすかにこする。軽く触れる。「喀血、喉(のど)を—・り出る血なり」〈病名彙解三〉。「それは、どこやらうで、ちっと聴き—・ったやうな事が在る」〈勝国和尚再吟一〉 ②底にあるものをこそげ取る。「ツボソコヲカスル」〈日葡〉 ③声がかすれる。「御声の少し—・りたるこそ気の毒なれ」〈評判・役者三世相京〉 ④うわまえを取る。かすめ奪う。「蕎麦切(そばきり)の明りを—・る夜蛤(はまぐり)」〈雑俳・万句合宝暦一三〉 ㊁『名』①かすり傷。「肩先に二寸ばかりの—」〈西鶴・男色大鑑一〉 ②地口。口合。「生れ付きて—・秀句を言ふに上手なり」〈咄・醒睡笑八〉 ③うわまえをはねること。口銭を取ること。また、その口銭。少しの金儲けにもいう。「道で〔駕籠ニ〕乗るは、百も安く乗らふと言ふ—だ」〈洒・契国策〉

かすを【糟尾】 しらがまじりの髪。ごましお頭。「為義は…白髪—にすぎ」〈保元上・新院御所〉。「二毛は、此方(日本)に—など云ふ心ぞ」〈四河入海三ノ三〉

かずを・り【数折り】『四段』 指折り数える。また、単に数える。「かぞをり」とも。「—・るや欲しいまま子の餅つつじ」〈俳・沙金袋三〉。「縁遠き娘の親…—・る〔節分ノ〕煎豆に、また年の重なるを」〈評判・二挺三味線大坂〉

かせ【枷】①「かし」の転。「桎、アシガセ。枷、クビカセ。械、テガセ」〈文明本節用集〉。〈日葡〉 ②他の行動を抑制する目的で、中間に入りこむもの。へだて。「中へ小菊が—に入り」〈近松・油地獄上〉 ③係累。ほだし。邪魔。「却って—にやなりぬべき」〈浄・ゐがらの平太三〉 ④三味線の上調子を高くするために、絃ぐるみ棹に結びつける木または象牙製のこま。「—や手車並べ置く秋」〈俳・世話尽五〉

かせ【桛】《カシ・カセ(枷)と同根か》 つむいだ糸をかけて巻く工字形の木具。また、それに巻いた紡糸(つみいと)。「をとめ等が績麻(うみを)懸くとふ—の山」〈万一〇五六〉

かせ【甲贏・石陰子】 ウニの類。「御肴(みさかな)に何よけむ。鮑(あはび)、栄螺(さだを)か、—よけむ」〈催馬楽我家〉

か・せ【悴せ】㊀『下二』 やせおとろえる。「身の力もいたく—・せ侍らざりし頃」〈撰集抄三ノ四〉 ㊁『接頭』 やせた、貧しい、賤しいの意を表わす。「—侍」「—首」「—者」「—病(やまひ)」など。「—世帯(せたい)さぞ憂かるらん身のやつれ」〈俳・信徳十百韻〉

かぜ【風】❶《古形カザ(風)の転》 ①空気の流動。奈良朝以前には、風は生命のもとと考えられ、風にあたると受胎すると思われていた。転じて、風が吹くと恋人が訪れて来るという俗信があった。また、明日香・初瀬など、それぞれの山山に風神がいて風を吹かすものとされていた。「—吹けば沖つ白波恐(かしこ)みと」〈万三六七三〉 ②しきたり。風習。「家の—」〈源氏若菜上〉。「しきしまや大和島根の—として吹き伝へたることの葉は」〈新勅撰一三四四〉 ③人を示す語の下に付いて、そのようないばった態度・振舞の意をあらわす。「旗本—」「上様—」など。「彦六は〔主君〕孫六—を吹かせて」〈九条家文書永正三・一〇・一六〉 ❷【風邪】 病気の名。㋑感冒。「すずろはしくて、はま—をひきありく」〈源氏明石〉。「思はざる—に冒されて心地例ならざりければ」〈曾我一〉 ㋺慢性の神経疾患とも、腹の病気ともいう。「この殿は、小さうよりいみじう—重くおはしますとて」〈栄花玉村菊〉。「年まかりよりて—おもくなりて、今はただ痢病(下痢)のみ仕ければ」〈宇治拾遺一四三〉

—食(く)・ふ 悪事のばれたことを悟って、素早く逃げ去る。「風をくらふ」とも。「はや此の音に—・うて、いづち行きけん」〈仮・新御伽婢子一〉 **—に実の入・る** 風が強く烈しくなる。「—・りてこぼるる霰(あられ)かな」〈俳・音頭集四〉 **—の前の塵(ちり)** はかないもののたとえ。「たけき者も遂には滅びぬ。ひとへに—に同じ」〈平家一・祇園精舎〉 **—引・く** 薬・茶・蠟燭などが、湿気を吸い、または乾燥し過ぎて、駄目になる。「引き茶に—・かせぬ事、松葉を二つ三つさし入れて置く也」〈多聞院日記永祿二・六・三〉

かせかひイ…カ【綛買】 近世、貧家の子女が内職に作った綛糸を、買い集める行商人。「あすは—の誰、夜はさる侍方と様様替へ男」〈西鶴・一代男三〉

かせぎ【鹿】 鹿の古名。「野山の—、海河の鱗(うろくづ)」〈孝養集上〉。〈色葉字類抄〉

かせ・ぎ『四段』《カセ(枷)の動詞化》 ささえとめる。ささえる。「しばしは矢に—・がれて、たまるやうにぞ見えし」〈古活字本保元中・白河殿へ義朝夜討ち〉

かせ・ぎ【稼ぎ・桛ぎ】『四段』 仕事に精を出す。一生懸命つとめはげむ。「はかなきこの世を過ぐすとて、海山—・ぐとせし程に」〈梁塵秘抄二四〇〉。「辛労して—・ぐほど大吉ぞ」〈周易抄〉

かぜきるひれ【風切る領巾】 風を止めしずめる呪力をもった領巾。一説、風を切って進む呪力をもった領巾。帆をいうとも。「天之日矛(あめのひほこ)の持ち渡り来し物は…風振る領巾・—」〈記応神〉 †kazekirurire

かせさぶらひ…サブ ライ【悴侍】「かせもの」に同じ。「山科といふ所の—なりしが」〈申楽談儀〉

かせづゑ【鹿杖】 下が鹿の角のように股(また)になっている木の杖。「—の両股なるにすがって」〈平家三・大塔建立〉

かぜのうへエ…ウ【風の上】 風まかせ。「—にありか定めぬ塵の身は行くへも知らずなりぬべらなり」〈古今九八九〉

かぜのかみ【風の神】 ①風を支配する神。「吹き撥(はら)ふ気(いき)、神となる。号(な)を級長戸辺命と曰す。…これ—なり」〈紀神代上〉 ②風邪をはやらせる疫神。「今日は世にこりゃ何送る—」〈俳・続連珠七〉 ③乞食の一種。風邪流行の時、面をかぶり太鼓を打ち、風の神を追い払うと言って門付けして歩く。風の神払い。「今の京に、物真似を業として世を渡る者多き中に…—が木遣り節」〈浮・都名物男下〉 **—を送・る** 風邪がはやる時、風の神を送り出す行事。多勢が風の神に擬した人形をかつぎ、鉦・太鼓ではやし立て練り歩き、町送りにし、または野外に捨て、あるいは川に流す。「—・ると、色町子供騒ぎて」〈西鶴・諸艶大鑑七〉

かぜのさぶらうウ…ロ【風の三郎】 風の神の擬人名。「〔鎌倉ノ〕大仏は、—殿憎み故、堂中に在りがたし」〈仮・順礼物語下〉。「霧はらふ力や—殿」〈俳・寛永十三年熱田万句五九〉

かぜのたより【風の便】 ①風の使。「花の香を—にたぐへてぞ鶯さそふしるべにはやる」〈古今一三〉 ②自然の機会。ついで。「—ある時は、おどろかし給ふ折もあるべし」〈源氏末摘花〉 ③どこからとなく聞えてくるうわさ。風聞(ふうぶん)。「いたはしや御台(みだい)は、中将殿のありさまを—に聞こしめし」〈伽・大橋の中将〉 ④手紙。「—を待ち得(手紙ヲ差シ上ゲル機会ガ来テ)、そぞろに筆の立てども覚え参らせず」〈仮・恨の介下〉

かぜのつて【風の伝】 自然の機会。「あらしのつて」とも。「さ

るべき折―にもほのめき聞え給ふこと」〈源氏少女〉

かぜのと【風の音】風のおと。遠くきこえるので「遠き」の形容に使う。「―の遠き吾妹(わぎも)が」〈万三四五三東歌〉 †kazenötö

かぜのやどり【風の宿り】《風を人に見なして》風の泊まる所。「花散らす―は誰か知る」〈古今七六〉

かぜふるひれ【風振る領巾】風を吹き起させる呪力をもった領巾。旗をいうとも。「天之日矛(あめのひほこ)の持ち渡り来し物は…―・風切る領巾」〈記応神〉 †kazeFuruFire

かぜまぜ【風交ぜ】風をまじえること。雨や雪に風が伴うこと。「―に雪は降りつつしかすがに霞たなびき春は来にけり」〈新古今八〉

かせもの【悴者】《賤しい者の意》室町時代、武家の従者。苗字を持つ侍身分の最下位で、中間(ちゅうげん)の上位。「応仁四年正月二十四日、美作国鷲淵山に於て合戦の時、愚兄…両人、同名三人、―四人、そのほか中間等、以上十余人討死せしむ」〈難波文書文明三・四・七〉

かせん【歌仙】①すぐれた歌人。六歌仙・三十六歌仙など。「貫之以下、四人の―に仰せて」〈十訓抄六ノ七〉。「左衛門尉則清…是れ―也」〈吾妻鏡建保二・三・一七〉 ②〔連俳用語〕長・短句三十六句からなる連歌・俳諧の一体。初めは連歌で三十六歌仙の名を句毎に詠み込んだが、後には単に三十六句形式のものを称し、蕉風以後最も流行。「夜に入り連歌有り。―連歌、三十六句也」〈後法興院記明応三・八・一四〉 **―ぶんげん**【歌仙分限】三十六歌仙に擬した、三十六人の長者。「洛中に根強き―に立ち並びての太夫狂ひ」〈西鶴・浮世栄花一〉

かぞ【父】《奈良時代にはカソと清音。「いろ(同母)」の対》父。「俗(ひと)父を呼びて柯曾(かそ)とす」〈紀仁賢六年〉。「夫れ任那は安羅を以て兄(このかみ)とす。…安羅の人は日本府を以て天(かそ)とす」〈紀欽明五年〉 †kasö

かぞいろ【父母】「かぞいろは」に同じ。「―と頼むもしるし」〈顕輔集〉 →いろ(同母)

かぞいろは【父母】父母。両親。「よも山に木の芽春雨ふりぬれば―とや花の頼まむ」〈千載三〉。「父母、カゾイロハ」〈名義抄〉 →いろは(母)

かぞう【加増】加え増すこと。特に、知行(ちぎょう)を増し与えること。「数百丁の―を与へ給ふ」〈三好軍記上〉。〈文明本節用集〉

かそけ・し【幽し】『形ク』《カスカ(微)と同根》光・色・音が消えかかるさまである。かすかである。「夕月夜―・き野辺に」〈万四一九二〉。「吹く風の音の―・きこの夕(ゆふべ)かも」〈万四二九一〉 †kasokësi

かそ・ひ『四段』《カスミ(掠)と同根》①掠める。「天つ日嗣高御座の次(つぎて)を―・ひ奪ひ盗まむとして」〈続紀宣命一九〉 ▽続紀宣命の原文「加蘇毗」。「毗」は、この場合、漢音による字音を混用したもので清音を示す。②人目をくらます。忍ぶ。「―・うで京内参りを致して御座る」〈狂言記・二千石〉 †kasoFi

かぞ・へ【数へ】一〔下二〕《カズ(数)と同根》①一つ、二つと数をよむ。「出でて行きし日を―・へつつ」〈万八九〇〉 ②数に入れる。考慮に加える。「あはれをも分き給へ。労をも―・へ給へ」〈源氏胡蝶〉 ③拍子をとって歌う。「白拍子を誠に面白く―・へすましたりければ」〈平家一〇・千手前〉 二『名』①数をよむこと。「〔四十歳ノ〕御賀などいふ事は、ひが―にやと覚ゆるさまの〔若若シサ〕」〈源氏若菜上〉 ②問題として取り上げる数。「言に出でては、何かは―の内には聞え給はむ」〈源氏玉鬘〉 ▽語源はカズ(数)アヘ(合)の約か。あるいは、カゾはカズ(数)の転、へは歴(へ)の意で、カズを一つずつ順次歴て行く意か。 †kazoFë **―うた**【数へ歌】①古今集の序で、漢詩の六義(りくぎ)になぞらえて設けた和歌の一体。詩の賦(ふ)にあたり、感じたことをそのままあらわした歌とも、物の名をよみこんだ歌ともいう。「ふたつには―『咲く花に思ひつく身(「つぐみ」ヲヨミコム)のあぢきなさ身にいたつき(矢ジリノ意ノ「いたづき」ヲヨミコム)のいるも知らずて』」〈古今序〉。「賦はしくは詞をつくすなり。つくすは数ふる義なれば、賦をば―といふ」〈和歌色葉上〉 ②一つとや二つとやと、数え立てて歌ってゆく歌。「手鞠花やひと二つには―」〈俳・糸瓜草三〉 **―ガルタ**【数へガルタ】四十八枚のカルタでする遊びの一。等分に札を配り、早く持札を打ち切った者を勝とする。よみカルタ。「手を打って―や年の春」〈俳・遠近集一〉 **―のかみ**【主計頭】主計寮の長官。「かずへのかみ」とも。「―がほとほとしかりけむ」〈源氏螢〉

かた【方】一『名』《ある一点を指向する明確な方角。転じて、その方角の地点・人などを指す。接尾語に用いて、上にある語の属性・状態に片寄っている意。類義語サマは漠然たる方向をいう》①方角。角度。「はしけやし我家(わぎへ)の―よ、雲居立ち来も」〈記歌謡三二〉。「唐の―に向ひてふし拝み給ふ」〈竹取〉 ②地点。場所。地方。「霜だにも置かぬ―ぞといふなれど波の中には雪ぞ降りける」〈土佐一月十六日〉 ③箇所。所。点。「〔娘ノ〕おくれたる―をば言ひかくし、さてもありぬべき―をばつくろひて」〈源氏帚木〉。「ただこの憎き―一つなむ心をさめず侍りし」〈源氏帚木〉 ④《貴人を指すのに方角をもってする用法から転じて、ある一定の人をいう》その人。あの人。「かくやむごとなき―も失せ給ひぬるを」〈源氏葵〉 ⑤(群に分けた)一方。組。「左右と―分たせ給ふ」〈源氏絵合〉 ⑥味方。「その時、娘、夫(をっと)の―をして」〈天正本狂言・水引聟〉 ⑦《することの方角の意から》方法。手段。「せむ―もなくて、ただ泣きに泣きけり」〈伊勢四一〉 ⑧時。ころ。「大御足跡(あと)を見に来る人の去にし―千世の罪さへ滅ぶとそいふ」〈仏足石歌〉。「この暮れつ―よりなやましうし給ひけるを」〈源氏柏木〉 ⑨おもむき。ふう。「いかなる―になり給ひにけむ」〈源氏蜻蛉〉 二『接尾』《ガタと濁音にも》①…のほう。「方はいづ―か塞(ふた)がる」〈かげろふ中〉。「母―の叔父」〈源氏椎本〉 ②…ごろ。「桜の散り―になれりけるを」〈古今八〇詞書〉 ③…係。…役。「此の次の狂言に囃子(はやし)有るかと、囃子―より問ふが作法なり」〈わらんべ草一〉 ④人をあらわす語に付いて、多少の敬意をこめ、複数を示す。「奉公を勤めばやと思ひ、方方の御大名―をかせぐ所に」〈仮・浮世物語一〉

かた【条】すじ。「御方(みかた)の里、御形(みかた)と名づくる故は、…黒葛(つづら)三条(みかた)をもちて足につけて投げたまひき。…故、三条といふ」〈播磨風土記〉

かた【肩】①身体の一部分。人間の腕、動物の前肢・翼などが、胴体に接続する部分の上部。「木綿(ゆふ)だすき―にとりかけ」〈万三二八八〉 ②衣服などの、人の肩に相当する部分。「麻衣―の紕(まよひ)は誰か取り見む」〈万一二六五〉 ③《人の肩に倶生神(くしゃうじん)が宿っていて、運命を支配するという俗信から》運。「一代は―の悪いもよいも又」〈俳・山の端千句下〉 **―越・す** 上を越す。凌ぐ。圧倒する。「〔嵐〕三右衛門が出端(では)の意気ごみ、―・す程の目に合はせ」〈評判・難波の顔三〉 **―窄(すぼ)・る** 世間に対し面目なく、人目を憚る気持がある。肩身がせまい。「月見るなりの―・りぬる」〈俳・身楽千句〉 **―の薄い** 貧しい。また、貧乏人だ。「世間に、貧窮のともがらをば、なべて―者

とも〔イウ〕」〈咄・醒睡笑八〉　**―の引ける**　外聞が悪い。「さのみ―ほどの事もなけれども」〈浮・好色敗毒散四〉

―を入・る　①かつぐために肩をさし入れる。「御輿は、御堂の内にては、上様・彼佐谷様御肩を御入れ候」〈空善記〉　②支持して力を添える。肩を持つ。「重代随分の高家もかの一族に―・れ」〈峰相記〉　↓肩入れ

かた【型・形】《一定の形式・方式にかなった、ゆるがない、平面的または立体的な輪郭。また、実物や模範をまねた形。カタシ(固)と同根。↓かたち》　①《「象」「兆」と書く》　鹿の骨を焼いてあらわれ出た、ひびわれの形。一定の形が一定の意味を持つものとされた。「〔私ニ〕告(の)らぬ妹が名―に出でむかも」〈万三四八八〉　②模型。「洲浜を作りて…吹上の浜の―に菊植ゑたりけるをよめる」〈古今二七二詞書〉　③型紙。鋳型。「襪(しただうづ)の―をとりに」〈拾遺四九八詞書〉　④像。「―に触れて心を置かずはあるべけむや」〈法華義疏長保点〉　⑤《彩色の「絵(ゑ)」に対して》　物の形だけを画いたもの。「ことそぎて馬の―かきたる障子」〈枕九九〉　⑥地図。「使人等、多禰国(たねのくに)の図(かた)を貢れり」〈紀天武十年〉　⑦きまった形式。「今日はなほ―異に、儀式まさりて」〈源氏若菜上〉。「女装束…―のやうにかづけさせ給ふ」〈大鏡道隆〉　⑧残骸。あとかた。「八橋は名のみして、橋の―もなく」〈更級〉　⑨見せかけだけで実質のないもののたとえ。だし。口実。「餅の形」とも。「銀出しながら、悉皆(しっかい)それは人の―になって、貴様の持ち遊び物になるやうなものなり」〈浮・傾城色三味線五〉　⑩抵当(ていとう)。「〔負〕物の―に人に参らせたる所を取るべき故当らず」〈安養院文書建永一・九〉

かた【潟】　①遠浅の海の、満潮には隠れ、干潮には現われる所。「潮干の―に鶴(たづ)が声すも」〈万三五九五〉。「―とは、海に潮のさす所をいふ」〈能因歌枕〉　②浦・入江・湾などにいう。「いざ子ども香椎(かしひ)の―に白妙の袖さへぬれて朝菜摘みてむ」〈万九五七〉　③海岸の、砂洲で海と境を接する湖水。「よしゑやし―は無くとも」〈万一三一〉。「潟、鹹也、浜也、加太(かた)」〈新撰字鏡〉

かた【片】『接頭』《「ま(真・双)」の対》　①対のものの一方。また、半分。「―恋」　②不完全なこと。「―泣き」「―かんな」　③少ないこと。「―かど」「―まけ」　④一方にかたよること。「―淵」「―添へ」　⑤ひとり。「―聞き」「―敷き」　▽アルタイ諸語の kalta(片)と同源。

かだ　《カダマシ・カダミのカダと同根》　骨惜しみすること。怠惰。不精(ぶしょう)。「ぬたに―をする者を見て、恥ぢしめたぞ」〈玉塵抄二八〉。「懈惰、カダ」〈俳・反故集下〉

かだ【伽陀】〔仏〕《梵語の音訳》「偈(げ)」に同じ。「人の普賢講行なひ候ひつる―に付きて、笛をぞ終夜(よもすがら)吹き候ひつる」〈今昔二四ノ二〉

かたあ・き【方明き】『四段』《陰陽道でいう》　ふさがれていた方角が明く。その方角に行けるようになる。「―・きなばこそは参り来(く)べかなれ」〈かげろふ中〉　↓かたふたがり

かたいき【片息】　絶え絶えになった息。「或いは食ひ殺され、或いは―して、腹白(はらじろ)になりてありけり」〈著聞七一〇〉

かたいき【片行き】　⇒かたゆき。「世は銀(かね)の―でこそ過ぎられたものなれ」〈浮・棠大門屋敷四〉

かたいと【片糸】　糸をより合わせる、その片方の糸。まだより合わせない糸。「河内女の手染めの糸をくりかへし―にあれど絶えむと思へや」〈万一三一六〉　†kataitö　**―の**【片糸の】〔枕詞〕「あふ」「よる」「くる」などにかかる。「―よりよりに絶えずぞありける」〈古今序〉。「―くるすの小野の」〈新千載一三一一〉

かだいふぶし　ダユウ【嘉太夫節】　近世前期、宇治嘉太夫(後に加賀掾を受領)が創めた浄瑠璃節。伊勢島宮内・井上播磨掾の曲風に謡曲・幸若などの曲節を取り、節くばり柔らかく、美しく語る曲風。「当時、―・角太夫節などとて、洛中に専ら浄瑠璃流行りけり」〈咄・囃物語下〉

かたい・れ【肩入れ】　□一『下二』　①援助する。味方する。手助けする。「かたかけて。人に仕ふる人也。―・るるといふ事也」〈匠材集一〉　②別家した奉公人が謝恩のため主家に勤務する。「―・れて後の出替りからもなほ」〈俳・難波風〉　□二『名』　援助すること。手助けすること。「―侍(さぶらひ)に貸し刀・揃へ羽織」〈浮・桃陰比事六〉　**―ぼうこう**【肩入れ奉公】　住込みの奉公人が別家して後も、謝恩のため主家に日勤すること。「手のよき―なれば、〔主人ニ〕あなづられて、諫めを聞きいれず」〈仮・可笑記評判九〉

かたうた【片歌】《二つ組み合って完全になる歌の片方、また左右向き合って歌う歌の片方の意》　上代歌謡形式の一。五・七・七音の三句でできている最短の歌謡。記紀で多く問答体の一方につかい、片歌を二つ重ねた形で作られる旋頭歌が平安時代までつづく。「こは寿歌(ほきうた)の―なり」〈記景行〉

かたうづら【片鶉】　番(つが)ひを離れた鶉。「むなしき床に露ぞ時雨るる／―頼む草葉も秋更けて」〈春夢草秋〉。「―とは、つまのなき鶉なり。ひとしほ不便なるものなり」〈兼載雑談〉

かたうど【方人】《カタビトの転》　味方。「いみじき―参らせ給へり」〈堤中納言逢坂越〉。「さだめて源氏の―をぞせんずらん」〈平家四・源氏揃〉

かたえ【片枝】　一方の枝。かたえだ。「をふの浦に―差し覆ひ」〈古今一〇九九〉

かたえだ【片枝】　一方の枝。「咲きたる萩は―はいまだ含(ふふ)めり」〈万一三六三〉　†katayeda

かたお・ち【片落ち】　□一『上二』　平衡を失う。一方に偏する。「信ばかりを守りて、物を違へまじきとすれば、かへりて―・ちて、信を失ふことあり」〈応永二十七年本論語抄一〉。「偏、カタヲツル」〈寛永八年刊大広益会玉篇〉　□二『名』　一方に偏すること。片手落ち。「片うち」「片落し」「片手うち」とも。「これは―に強く執し思ふなり」〈仏通禅師枯木集上〉

かたおひ　イオ【片生ひ】　成長・発達の不十分なこと。「八年児(やとせご)の―の時ゆ」〈万一八〇九〉。「まだ―なる手(筆跡)の、生ひ先うつくしきにて」〈源氏少女〉

かたおもひ　モイオ【片思ひ】　男女の一方だけが相手を慕うこと。片恋。「―を馬にふつまに(スッカリ)負せ持て」〈万四〇八一〉。「益(やく)なき―なりけり」〈源氏帚木〉　†kataömöri

かたおもむき【片趣き】　一方にばかり偏ること。融通のきかぬこと。「―なるをば、猪のしし武者とて、好きにはせず」〈平家二・逆櫓〉

かたおろし【片下し・片降し】《「もろあげ」の対。片方の調子をおろす意》　歌曲の一種。二段または一組二首の歌謡の片方を調子を低くおろしてうたうもの。「この歌は夷振(ひなぶり)の―なり」〈記允恭〉　†kataörösi

かたか・け【片掛け】『下二』　①片がわを寄せかける。「山に―・けたる家なれば」〈源氏手習〉　②少し頼りにする。「それもかの殿の御蔭に―・けてと思ふとありて」〈源氏松風〉

かたかご【堅香子】　カタクリの古名。野山に生えるユリ科の多年草。早春、紅紫色の花がさく。根から片栗粉をとる。「寺井の上(ホトリ)の―の花」〈万四一四三〉　▽平安時代にはカタカシ(堅樫)と誤読した。　†katakago

かたかた【片方】　①片一方。「足高哺貝に三つの頸を調

(こし)へ入れて、━を開けて置きたれば」〈保元下・義朝幼少の弟〉。「二まで借したる過分なりとて、━をば返してけり」〈著聞五三四〉 ②片隅。傍ら。「━へ行きて装束(さうぞ)きて」〈宇治拾遺七八〉 ━もの【片方物】半端な物。はした。「十二の品で縫うたる━ただ一枚」〈虎明本狂言・吃り〉

かたかた【堅堅】堅固なさま。すきまのないさま。「桟敷(さじき)を━と打ちまはして」〈申楽談儀〉

かたがた【方方】㊀『名』①あの方角この方角。あちこち。「宮仕へ人を━に据ゑて」〈枕三〇三〉。「やはら起きて━を見れば」〈宇治拾遺九一〉 ②あのかたこのかた。人人を方角で婉曲に示して敬意をあらわした表現。「はじめより我はと思ひあがりたまへる御━」〈源氏桐壺〉 ③あれこれ。いろいろ。双方。「とやかくやと━に安からず聞えなしたまへば」〈源氏早蕨〉。「射落し奉らんと思へども━存ずる旨あれば疵はつけ申さじ」〈保元中・白河殿攻め落す〉 ㊁『代』おのおのがた。皆さん。「━の御有様を見奉るに」〈伽・胡蝶物語〉。「いかが思ひ給ふ。━」〈栗栖野物語〉。「同行を━と申すは平懐(へいぐわい)なり。御━と申してよき由、仰せごと候」〈実悟記〉 **━もって**【旁以て】『副』《二つ以上の事柄を並べて》その事この事など、いずれにつけても。「━めでたくよき事なり」〈極楽寺殿御消息〉

かたかど【片才】わずかな長所。「人がら心苦しく(同情デキル)などあらむ人をば、それを━に寄せても見給へ」〈源氏梅枝〉

かたかど【片角】些細な量。「片(かたかど)の報、片の贈りものをば」〈東大寺諷誦文稿〉

かたかな【片仮名】「かたかんな」の転。「大方(おほかた)━に書き置くなり」〈蕉軒日録文明一八・三・二三〉。「平仮名と云ふは━に対したる言なり」〈見聞愚案記四〉

かたかはやぶり(ワ・カ)【片側破り】強引で一徹なこと。また、そのような性質の人。横紙破り。「伊賀国の住人、山田小三郎伊行といふは、又なき剛の者、━の猪武者なるが」〈古活字本保元中・白河殿へ義朝夜討ち〉

かたがひ(イ・ガ)【片飼ひ】不十分な飼い方。「━したるみちのくの(「駒(こま)」ノ序)来まほしくのみ」〈拾遺九〇四〉

かたがゆ【饘・固粥】《「しるかゆ」の対》かたく煮た粥。今の飯に当るという。「蔵人御粥を供ふ、堅粥也」〈江家次第七・解斎〉。「饘、カタガユ・カユ」〈名義抄〉

かたかんな【片仮名】《カタは不完全の意。カンナはカリナの転。漢字の一部分を採った不完全な文字の意。後にカタカナとなる》平安時代の初めに成立した、万葉仮名の一部分を採って表音的に使った文字。「阿」から「ア」、「加」から「カ」、「散」から「サ」など。初めは異体が多かった。「伊」から「尹(い)」、「知」から「矢(ち)」など。漢字に付属し、漢字と共に使うことが多かった。「一つには━、ひとつは葦手(あしで)」〈宇津保蔵開中〉。〈運歩色葉集〉

かたき【敵】《カタはカタ(片)に同じ。二つで一組を作るものの一方の意。キは人の意。オキナ(翁)・イザナキ(神名)のキに同じ、もと男性をいう語》①相手。「両、カタキアリ。隻、カタキナシ」〈名義抄〉 ②結婚などの相手。「よし、御━をば知り奉らじ。いつよりか御けがれは止み給ひし」〈宇津保俊蔭〉 ③遊戯・競技などの相手。「御碁の━に召し寄す」〈源氏宿木〉 ④憎悪・怨恨などの相手。「昔のあた━」〈源氏真木柱〉。「此の人をあたむ事、父母の━、宿世の━、朝敵怨敵の如くあたむべし」〈日蓮遺文高橋入道殿御返事〉 **━うち**【敵討ち】主君や父を殺した者を討ち取って怨みを晴らすこと。仇討ち。「殿原の有様にて、当時━沙汰あるべからず」〈曾我四〉 **━だ・ち**【敵立ち】『四段』相手らしい様子を示す。「よくもあらぬ━・ちたる人もあるやうにおもむけて」〈源氏手習〉 **━やく**【敵役】芝居で悪人に扮する役。「顔見世に夜こそ寝られぬ━」〈俳・花道〉

かたぎ【模】《型木の意》①模様や文字を彫りつけた板。布や紙をあてて、その模様などを染めつけるのに使う。「━のかたは絵にかきたり」〈枕九〇〉。「模、加太支(かたぎ)」〈新撰字鏡〉 ②規範となる型。手本。「この事は季世(すゑのよ)の楷模(かたぎ)に報(しる)すべし」〈霊異記中九〉。「風体(ふうてい)・━は面面おのおのなれども」〈風姿花伝〉。「是は上手の物なれば、此の風を━にして」〈吾妻問答〉。「━のわろき鞠は鞠にてあるまじく候」〈松下十巻抄〉

かたぎ【気質・形気・容気】①《「模(かたぎ)」から転じて》地域・身分・職業・年齢などにもとづく独特の気風や容姿。「その上、キリシタンの━も、まだしかと身につかぬところで」〈コリヤード懺悔録〉。「フウゾク。クニ、トコロノカタギ」〈ヒイデスの導師和らげ〉 ②《転じて》その人特有の性質・気立て。「汝が心すねすねしく面白き━なるを、上に聞こし召し及ばれ」〈義残後覚五〉

かたき・き【片聞き】『四段』二人で共に聞かず、一人で聞く。「鳴くもずの声聞くらむか━・く吾妹(わぎも)」〈万三一六七〉
†katakiki

かたぎし【片岸】片一方ががけになっている所。けわしい岸。「━に、草のなかに」〈かげろふ中〉。「遙かなる━より馬を丸(まろ)ばして落ちて」〈今昔一九ノ三五〉

かたぎぬ【肩衣】①たけの短い衣服。袖なしの類。古代、下層民が着用。「布━有りのことごと、服襲(きそ)へども寒き夜すらを」〈万八九二〉 ②肩・背をおおう袖なしの短衣。室町時代、武士が小袖の上に着た。室町末期以後、武家・庶民の礼服となり、両衽(おくみ)に家紋を染め出した。下に袴をつけ、その上下が同じ生地・染色のものを「かみしも」という。「いつの秋━脱ぎをしたるらん裾野ばかりの蘭(ふぢばかま)かな」〈玉吟抄〉。「地下(げぢ)衆…━袴にて、木津まで迎へに出で」〈多聞院日記天正三・三・二七〉 ③一向宗信徒が勤行・参詣の際に着る一種の礼服。黒絽の一幅前半を裁ち、襟形をあけ、細襟を付けたもの。「━の門徒参りは霜月に」〈俳・鷹筑波一〉

かたき・り【方切り】『四段』①一方に片よる。「蛙数千集まりて、━・りて食ひあひけり」〈著聞七一〇〉。「陰に━・らず、陽に━・らず、これを道と謂(い)ふ」〈宗門葛藤集上〉 ②《カタギリとも》片意地を張る。頑固(がんこ)に信じこむ。「預かり申す事なるまじきと、━・って申しければ」〈仮・諸国百物語一〉 **━て** ひとえに。全然。からきり。「何ほど詰まりても、酒は自由になるものにて、飲まるるぞ。餅・飯などは、詰まるというては━食せられず」〈室町殿日記八〉

かたくち【片口】①口の片側。「そっと━で笑うたりなんどするを」〈四河入海二一下〉 ②片一方。かたわら。「酒飲む━に案じつつ」〈義経記四〉 ③片一方だけの言い分。「いやしき下の譬へにも、━聞いて理を分くなとこそ聞え侍る」〈伽・為人びくに〉 ④一方にだけ注口(つぎくち)がある長柄の銚子。「両口(もろくち)」の対。「一人は━の銚子に酒を入れて持ちたり」〈著聞四七五〉 ⑤馬の差縄の左右の一方だけを引くこと。「馬一疋僧正献ずる也。…左近府生敦時これを取り、━は五位一人也」〈殿暦嘉承一・三・二九〉

かたくな【癡・頑】《カタは片、不完全の意。クナは、曲がっていること。クネリと同根。判断が行き届かずかたよっていること》①まともな判断力がないさま。「千の弥(たから)は有りと雖も母氏は弥(たから)とも宣はず。愚かに━なる子どもらをこそ弥(たから)とは宣ひけれ」〈東大寺諷誦文稿〉 ②一つことを思い込んでいて愚かしいさま。「〔女ニ死ナレテ〕心をさめむ方なきに…—になりはつるも、前の世ゆかしうなむ」〈源氏桐壺〉③一徹で気が利かないさま。「〔藤原氏ノ〕きらぎらしかめる中に〔夕霧ガ入ルト〕諸王(おほきみ)だつ筋にて—なりとにや」〈源氏常夏〉④不体裁なさま。「翁、門をえあけやらねば〔女ガ〕寄りて引きたすくる、いと—なり」〈源氏末摘花〉

かたくな・し【頑し】『形シク』①痴愚である。「宮たち五六人おはするに、すべて痴れ—・しき〔者〕が無きなり」〈栄花日蔭〉②一つことを思い込んでいて愚かしい。「〔逃ゲタ女ハ〕いづこに這ひまぎれて、〔私ヲ〕—・しと思ひ居たらむ」〈源氏空蟬〉③みっともない。不体裁だ。「いみじくしどけなく—・しく、直衣・狩衣などゆがめたりとも、誰か見知りてわらひそしりもせむ」〈枕六三〉

かたくなは・し カタクナワシ【頑はし】『形シク』「かたくなし」に同じ。「うへの御笛吹かせおはしましが、ことに面白く聞えしをめで参らすれば、〔中宮ハ〕『〔賞メ方ガ〕—・しき程なる』と」〈建礼門院右京大夫集〉。「人となり少し細高にて、いみじうあてやかなる姿はしたれども、やうだいなどもをこなりけり。—・しきさまぞしたりける」〈宇治拾遺一二四〉

かたくま【肩駒】《カタコマの訛》人を肩に乗せてかつぐこと。かたぐるま。かたこま。かたくび。「肩輿、…ここら(日本)に—に乗ると云ふことか」〈玉塵抄一四〉

かたぐるま【肩車】「かたくま」に同じ。「—は古くは肩首と言ひたり」〈嬉遊笑覧六下〉

かたけ【片食・半食】朝夕二食のうち、一回の食事。一食。「地下下行…三升、二人三—」〈大徳寺文書四、明徳二・二・一三〉

かた・げ【担げ】『下二』①肩にかつぐ。「真弓うち—・げて、平足駄(ひらあしだ)さしはきて行きけり」〈著聞四四一〉②肩にかつぐように振りあげる。「たつぎ(斧)振り—・げて、大木を切りたるあり」〈著聞三九八〉

かたこ【片子】満一歳に達しない子。赤児。「これはことし生れ、—でおいりある」〈咄・醒睡笑一〉

かたごころ【片心】①心に少しばかり思うこと。わずかな関心。「かれもいとただには覚えじと思す—ぞつきにける」〈源氏夕霧〉。「さすがに仏法をば—にはかけたるよしなれども」〈夢中問答中〉②自分一人の心。自分だけで思うこと。「昨日の事—にや掛かるらん」〈俳・阿蘭陀丸下〉

かたこと【片言】①完全には話せない言葉。幼児の言葉。「—の声はいとうつくしうて」〈源氏薄雲〉②訛って正しくない言葉。「内裏の達智門を、たちいの門と云ふは、一向下臈の—か」〈塵嚢一〉。「これに限らず—のやうに聞ゆる言は嫌ふべき事と」〈落書露顕〉

かたこひ カタコイ【片恋】一方的な恋。片思い。「ますらをや—せむと嘆けども」〈万一一七〉 †katakoFi **—つま**【片恋つま】片思いに苦しむ男、また女。「ぬえ鳥の—、朝鳥の通はす君が」〈万一九六〉

かたこびん【片小鬢】片方の小鬢。かたびん。「—よりめきめきと剃り落しければ、これはこれはと肝をつぶし」〈咄・戯言養気集上〉 **—剃(す)・る** 片小鬢をそり落す。中世、郎従以下の下層民の道ばたや辻での強姦罪に対する刑罰。近世前期にも公・私刑として行なわれた。「播磨清十郎と申す者…—・り」〈梅津政景日記慶長一八、院内銀山籠者成敗人帳〉

かたこま【肩駒】⇒かたくま。「草履隠し・—〔ノ遊ビ〕」〈浄・信田小太郎三〉。〈日葡〉

かたざう カタゾウ【堅蔵】《擬人名》品行の正しい物堅い人。「かたぞ」とも。「夜もろくに寝ぬ—」〈浮・好色智恵袋一〉

かたさま【方様】㊀『名』①《明確な方角をいうカタと、漠然たる方角をいうサマとの複合》方。方面。筋。「『あないとほし』など、弱き—にのみ言ふ」〈かげろふ中〉②《移動の動詞を伴って、目あての方向をいう》方向。方角。「池の—へ行きけるを」〈宇治拾遺三七〉㊁『代』《二人称》近世、女が男を敬愛して呼ぶ語。あなたさま。「其の面影はめたな—」〈俳・独吟一日千句〉

かたさ・り【片去り】『四段』脇へ寄る。「ぬばたまの夜床—・り」〈万四二〇一〉。「いづ方もみな、此方の御けはひには—・り憚るさまにて」〈源氏若菜上〉

かたし【片足・片し】《カタアシ(片足)の約》①片方。「うへの袴をかへざまに着、—に足二つをさし入れて」〈宇津保貴宮〉。「黒箱の蓋(ふた)も—落ちたる硯」〈枕(能因本)すずりきたなげに〉②一つ。「剃刀—見えける」〈西鶴・諸国咄三〉 **—がたし**【片し片し】草履・足袋・屛風などの、両方が揃っていないこと。片ちんば。「尻切れ草履—履きて」〈仮・東海道名所記六〉。〈日葡〉 **—がひ** イガ【片し貝】離れて片方一枚だけになった貝殻。「頼みつる人はなぎさの—合はぬにつけて身を恨みつつ」〈海道記〉 **—ぎり**【跬歩・片しぎり】《カタアシケリ(片足蹴)の転》片方の足だけではね歩くこと。けんけん。「みこの君—して車に走り乗り給へり」〈宇津保藤原君〉。「蹩、足跳、カタシギリ」〈名義抄〉 **—めぬき**【片し目貫】元来表裏一対の目貫が、片方だけになったもの。「—を付け替へて置く」〈俳・西鶴五百韻〉

かた・し【肩し】『サ変』駕籠の棒を息杖に持たせて肩を休ませる。「駕籠の足せめて—・して止めもせず」〈近松・寿門松中〉

かた・し【硬し・堅し・固し】『形ク』《カタ(型)と同根。物の形がきちんとしていて動かず、ゆるみなく、すきまがない意。転じて、入りこむ余地がなく、事のなし難い意》❶①物が形をくずさない。「—・き巌も沫雪になし給ふべき御気色なれば」〈源氏行幸〉②動かない。「中隔ての障子をあけ給ふに—・ければ」〈落窪一〉③しっかりしている。「臣の少女秀罇(ほだり)取らすも、秀罇取り、—・く取らせ」〈記歌謡一〇三〉。「御寿(みいのち)の—・きなり」〈紀顕宗即位前〉④固苦しい。ぎごちない。「御手は…ゑり深う、強う、—・う書き給へり」〈源氏行幸〉⑤よく機能しない。「耳—・からぬ人」〈源氏常夏〉⑥他のものの介入を許さない。厳重である。「言(こと)のみを—・く言ひつつ逢ふとは無しに」〈万三一一三〉。「明日明後日—・き物忌みに侍るを」〈源氏東屋〉⑦きちんとしている。操行が正しい。「—・い親仁も古へは恋」〈俳・大坂一日独吟千句〉❷【難し】《「やすし(易)」の対》①なかなか出来ない。むつかしい。「分く事—・き我が心かも」〈万三二七二〉。「小松もがなと言へど、海中なれば、—・しかし」〈土佐一月二十九日〉②なかなか無い。「またかやうのついであらむ事もいと—・し」〈源氏帚木〉

がた・し【難し】『接尾』《「かたし」❷が動詞連用形について》…する必要があっても、なかなか出来ない。…したくてもむつかしい。「これを置きて又は有り—・し」〈万四〇二一〉。「二人行けど行き過ぎ—・き秋山をいかにか君が独り越ゆらむ」〈万一〇六〉

かたしき【片膳】《斎宮の忌詞》僧家の斎戒。「斎(いもひ)、—と称す」〈延喜式斎宮寮〉

かたし・き【片敷き】『四段』①《昔、男女が共寝するときは二人の衣を重ねて敷くことから》自分の衣だけを敷く。ひとり寝をする。「衣—・き独りかも寝む」〈万一六九二〉②片方を敷く。「領巾(ひれ)—・き」〈万一五二〇〉 †katasiki

かたしぐ・れ【片時雨れ】㊀〘下二〙空の一方だけに時雨が降る。「色分かぬ入日の影も峰さえて交野(かたの)の里は━・れつつ」〈建保名所百首〉㊁〘名〙空の一方だけに降る時雨。「村雲の入日に違ふ━」〈和歌集心体抄抽肝要中〉

かたじけあ・り【忝有り】〘連語〙《元祿頃の遊里語。「忝(かたじけな)く有り」の意》かたじけない。ありがたい。「━・る事身に余れり」〈浮・三代男五〉

かたじけな・し【辱し・忝し】〘形ク〙《容貌が醜い意から、人前でみっともない、恥ずかしい意。転じて、相手に失礼と思い恐縮する気持をいう》①顔が醜い。「醜陋…容貌猥悪也。猥、可多自気奈之(かたじけなし)」〈華厳音義私記〉②みっともない。(恥ずかしくて)耐えがたい。「皇太子の位に謀反大逆の人の子を治め給へれば…恥づかし、━・し」〈続紀宣命五四〉。「慮(こころ)に━・く、顔酡(おもほてり)して耳熱し」〈霊異記中序〉③畏れ多い。失礼である。「━・くきたなげなる所に年月を経て物し給ふこと、極まりたるかしこまり」〈竹取〉。「〔返歌ヲ〕聞え給はざらむもいと━・ければ」〈源氏絵合〉④ありがたい。もったいない。「━・き御心ばへの類(たぐ)ひなきを頼みにて」〈源氏桐壺〉 †katazikënasi

かたしは(カタシワ)【堅岩】《カタシイハの約》かたい岩石。「堅磐、此をば柯陁之波(かたしは)といふ」〈紀雄略七年〉

かたしほ(・・シオ)【堅塩】固めた塩。「━を取りつづしろひ」〈万八九二〉。「菜料塩。…━一千五百顆」〈延喜式大膳下〉

かたじゃうはり(・・ジョウ・・)【片情張】強情。「かたじゃうっぱり」とも。「日蓮の門徒・旦那の━なる事ども申し聞かすべし」〈仮・見ぬ京物語上〉

かたしろ【形代】《本物の形の代りの意》①禊(みそぎ)・祓(はらへ)などに用いる紙製の人形(ひとかた)。これで身体を撫で、罪・けがれ・災いをこれに移して、身代りに川などに流した。なでもの。「見し人の━ならば身に添へて恋しき瀬瀬の撫で物にせむ」〈源氏東屋〉。「人形、ヒトカタチ、一云、カタシロ」〈名義抄〉②神を祭る時、神霊の代りとして据えたもの。「むつきの中の御有様は、ただ━などをいはひたらむやうにて」〈増鏡三〉③身代り。「物のついでにかの━〔ノ人〕のことを言ひ出で給へり」〈源氏宿木〉

かたすそ【肩裾】　**━結・ぶ**　ぼろを着る。「━・び手を引いて、人の戸口にすがるとも」〈近松・博多小女郎上〉

かたすみ【片隅】隅っこ。「さて━に隠ろへてもありぬべき人の心安さを」〈源氏真木柱〉

かたそぎ【片削ぎ】①片方をそぎ落すこと。また、片方をそぎ落したもの。「庵(いほ)のほとりは山の━」〈文和千句〉②千木の片端を縦に切り落したもの。「〔住吉神社ノ〕千木━の宮づくり」〈一遍聖絵八〉　**━の**【片削ぎの】〔枕詞〕「行き合ひ」にかかる。「━ゆきあはぬ間より漏る月やさえてみ袖の霜に置くらん」〈山家集上〉

かたそば【片側】①立体的な物の一つの斜面。「よしある岩の━に腰もつき損ひて」〈源氏明石〉②脇。「みすの━よりさし出でさせ給ひて」〈栄花様様悦〉③物事の一面。わずかな一部分。「日本紀などは〔人間世界ノ〕ただ━ぞかし」〈源氏螢〉。「…と書きたる手、ただ━なれど、よしづきて大方目安ければ」〈源氏蜻蛉〉

かたそ・へ【片添へ】〘下二〙片方に寄せる。「海づらよりは少しひき入りて、山蔭に━・へて」〈増鏡二〉

かたたがひ(・・タガイ)【参差】大小・高低・順序などの不揃いなこと。「かたちがひ」とも。「実に参差(かたたがひ)なることを畏まる」〈遊仙窟(醍醐寺本)鎌倉期点〉。「異同、カタタガヒ」〈名義抄〉

かたたが・へ(・・タガエ)【方違へ】㊀〘下二〙「方違へ」をする。「大殿へ━・へむとて渡りたまひにけるを」〈源氏夕霧〉㊁〘名〙《陰陽家の用語》自分の行く方向に天一神(なかがみ)などがいて方塞(かたふたがり)となる場合に、前夜に他に宿って、目的地への方角を変えてから行くこと。「━に人の家にまかれりける時に」〈古今八七六詞書〉▽中世には、前日にその方向へ仮に出発してすぐ戻り、当日その方向へ再出発するという説も行われた。「大将軍━の事…塞(ふさがり)の方へ方違ふるは、加茂氏の説なり」〈看聞御記永享六・三・二六〉。〈日葡〉　**━どころ**【方違所】「方違へ」のために宿泊する家。「忍び忍びの御━はあまたありぬべけれど」〈源氏帚木〉

かただすけ【肩助け】力になること。助力。肩入れ。「随分稼いで親達の━と」〈近松・油地獄上〉

かただより【片便り】一方から出すだけの手紙。また、手紙を出しても返事の来ないこと。「山賤(やまがつ)の荒野をしめて住みそむる━なる恋もするかな」〈山家集中〉

かたち【形】《カタは型。チは方向を示す接尾語か。明確なはっきり見える外郭。外見。人の容貌についていうことが多かった》①顔立ち。人相。「やくやくに━つくほり」〈万九〇四〉。「まみ、口つきいと愛敬づき、はなやかなる━なり」〈源氏空蟬〉②物の輪郭。外形。「夕顔は花の━も朝顔に似て」〈枕六七〉。「その山…隆崫として特(ひと)り高し。━鷲鳥の如し」〈三蔵法師伝三・院政期点〉③からだつき。「〔カグヤ姫ヲ〕もとの━となり給ひね」〈竹取〉④(全身の)像。「彌陀如来…御身をつづめ、丈六八尺の御━にて」〈平家一〇・維盛入水〉⑤様子。さま。「この頃のみもとの━聞きたまへに奉りあぐ」〈正倉院文書奈良朝書簡〉　**━有・り**　美貌である。「━・る女」〈源氏玉鬘〉　**━ざま**【形様】容貌全体の感じ。「打ち解けたりし宵の側目は、いとわろかりし━なれど、もてなしに隠されて」〈源氏末摘花〉　**━づくり**【容作り】顔をととのえること。化粧。「女房は目をかくる人のために━するが本なり」〈蒙求抄八〉　**━のはな**【形の花】容貌の美しいこと。美貌。「若衆しとやかに、━も見よげなれば」〈西鶴・男色大鑑四〉　**━のやま**【形の山】すぐれた容貌。「前相撲はじまりて次第に━高く〔立派ニナッテ〕」〈西鶴・二十不孝五〉　**━びと**【形人】容貌のすぐれた人。「ありがたき御━になむ」〈源氏桐壺〉　**━よみ**【形読み】漢文を読み下すとき、形容動詞にあたる語を音読した後、さらに同じ文字を訓読する読みかた。文選読(もんぜんよみ)。「文選の━には、参差(しんし)とかたちがひなりと読むぞ」〈四河入海一六上〉

かた・ち【崇ち】〘四段〙あがめる。たっとぶ。「朕(われ)更に復(また)、正教(みのり)を━・ち」〈紀孝徳、大化元年〉

かたぢ【堅地】①堅い地面。「人の踏みなしたる━の石の狭間などに生えたる草は」〈西海余滴集〉②漆塗の一種。漆器の木地に漆を塗った麻布を張り、更に上漆を掛けて仕上げた上等品。ぬのきせ。「天下一の鞍…黒漆に━に塗らせ候て」〈梅津政景日記元和八・五・二〉③物堅い頑固(がんこ)な性質。「四十余年は━なりけり」〈俳・阿蘭陀丸下〉

かたちぐ【片ちぐ】一対の物が相違すること。ちぐはぐ。「帯などの先、━なる所、心得べし」〈中楽談儀〉

かたちは・ひ(・・チハイ)〘四段〙《カタは片。チハヒは力をふるって仕合せを与えること》ひいきする。「或いは阿党(かたちはひ)ひて曲ぐること有らば」〈紀孝徳、大化一年〉。「善きかな、大部(おほとも)の氏、仏を貴び、法に黨(かたちは)ひ、情を澄まし、忠を効(いた)し、命福共に存(たも)つ」〈霊異記上五〉。「護短、可太知波不(かたちはふ)」〈新撰字鏡〉 †katatiFaFi

かたづ【固唾】緊張して息をこらす時など、口中にたまるつば。〈日葡〉 **―を呑・む** 事の成行きを案じて息をこらし、思わずつばを呑みこむ。「光寂房―・みて、云ひやりたる事なし」〈梵舜本沙石集九ノ三〉

かたつかた【片つ方】 ①二つあるものの一方。片一方。「御櫛の箱の―を見給ふに」〈源氏絵合〉 ②いま一方の人。もう一人の人。「かの―は、蔵人の少将をなむ通はす」〈源氏夕顔〉

かたつき【肩衝】 肩のやや角張った茶入。「唐(から)の―、大なつめ」〈伽・酒茶論〉

かたづ・き【片付き】『四段』 ①一方にぴたりと接する。「谷―・きて家居せる君が聞きつつ」〈万四二〇七〉 ②一方に偏する。「一偏に―・く事もなく、一方へ片寄る事もなし」〈中庸鈔〉 ③決着がついてはっきりする。「勅諚にまかせて、ともかくも―・きはんべらんとて」〈伽・鶴草子〉 ④縁づく。「悪性な殿、いまだ―・かぬお姫様などの風上にもいやな物也」〈浮・好色訓蒙図彙上〉 †kataduki

かたづくり【堅作り】 身体が強健なこと。頑健。「『長命は其の心にあり』と、―の親仁(おやじ)、若い者どもに異見を申せし」〈西鶴・永代蔵三〉

かたづ・け【片付け】『下二』《カタヅキの他動詞形》 ①片方に寄せる。整頓する。「一方へ―・けむといふ」〈仮・百物語下〉。〈日葡〉 ②どちらかにきめる。決着をつける。「兄弟ともに人を殺す者あり。此のとが一人に―・けがたし」〈仮・棠陰比事物語三〉。「我が身一つを―・けかねて」〈近松・博多小女郎上〉 ③縁づかせる。「御示現に従ひて、女(むすめ)をいかやうにも―・けはんべらんとて」〈伽・ささやき竹〉

かたつぶり【蝸牛】《カタ(固)ツブリ(円)の意》 かたつむり。「―の角の争ふやなぞ」〈堤中納言虫めづる〉。〈和名抄〉

かたつま【片端】 片はし。「檜扇(ひあふぎ)の―引き折りて」〈今鏡三〉

かたつり【片釣】 一方に片寄っていること。不釣合い。「文を巻きて、―に結びて」〈中右記長承一・三・二九〉。「それはあまり―で悪いぞ」〈山谷詩抄四〉

かたて【片手】 ①一方の手。「経を―に持(も)給ひて」〈源氏橋姫〉 ②一方。片方。「―(片方ノ踊手)もけしうはあらずこそ見えつれ」〈源氏紅葉賀〉 **―うち【片手うち】** 「片落ち」に同じ。「偏に欲心に任せ、両方の理非を弁へざる―」〈看聞御記永享五・七・二四〉 **―うち【片手打ち】** 片手で切りつけること。片手斬り。「高重…合戦の時、疵を被るに依り、―を為す」〈吾妻鏡寿永三・二・二〉 **―なぐり【片手擲り】** 「片手打ち」に同じ。「群がる敵を前後に引き受け、―に薙(な)ぎたるは、ただ稲妻の如くなり」〈浄・都の富士三〉 **―や【片手矢】**《「諸矢(もろや)」の対》 一本の矢。「―はげ、進み出でて」〈平家二・逆櫓〉

かた・て【崇て】『下二』 あがめる。たっとぶ。「以崇養焉、加多弖比多之万津利太万布(かたてひたしまつりたまふ)」〈日本紀私記〉

かたで【堅手】 ①質の堅いこと。「―やら長崎手やら知れぬなり」〈俳・心葉〉 ②謹直な性格。「至極―の侍」〈近松・天網島上〉

かたとき【片時】《カタは不完全の意》 わずかの時間。ほんのしばらくの間。多く「かたときも」と使い、ちょっとのまでもの気持をいう。「昔の人の母、一日―も忘れねば」〈土佐二月六日〉。「今はまして―の間もおぼつかなかるべし」〈源氏若紫〉 ▽「時のま」よりも更に切迫した気持で使う語。

かたど・り【象り】『四段』《型取りの意》 物の形をそっくり写しとる。まねる。「億岐洲と佐度洲とを双生(ふたご)む。世の人、双生む者有るは、此に―・れり」〈紀神代上〉

かたな【刀】《カタは片。ナは刃の意、朝鮮語 nal(刃)と同源。古代の刀剣類は両刃(もろは)と片刃(かたは)とがあった》 ①片刃の刃物。「智慧の刀(かたな)、銛(と)いこと、切玉を逾(す)ぎたり」〈玄奘法師表啓平安初期点〉 →つるぎ。 ②片刃の小刀。「〔大蛇ガ〕『もし―や持ちたる。我が頭切れ』と言へば、恐ろしさかなしけれども、爪切り刀にてやすく切れぬ」〈伽・天稚彦物語〉。「大刀、太知(たち)。小刀、賀太奈(かたな)」〈和名抄〉 ③脇差を添えて身に付ける大刀。「玉井与十郎参り候。―・脇差くれ候」〈伊達輝宗日記天正二・八・一三〉 **―さし【刀差し】** 刀をさす人。武士。「今は木竹(竹光)の―ぢゃ」〈浄・甲子祭一〉 **―ざんまい【刀三昧】** 何かにつけて刀を抜いて振り廻すこと。「しほらしい―、でかしたでかした」〈近松・聖徳太子一〉 **―だま【刀玉】** 刀を手玉にとること。田楽などで、短刀を宙に投げあげ、手でこれを受け止める曲技。「田楽・猿楽などの中に―といひて、危きわざする者あり。是を見れば刀六つを三人してとる」〈発心集八〉

かたな【片名】 ①二字の名前の片方。偏諱(へんき)。「名乗は我が―に、父が―を取って、経春と付くべし」〈盛衰記三六〉 ②名を略して呼ぶこと。また、その名前。「先に逢うたる女郎の―など呼び表はし」〈評判・吉原雀上〉

かたなき【片泣き・片鳴き】《カタは不完全の意》 半なき。「―に道行く者もたぐひてぞ(二人連レガ)よき」〈紀歌謡五〇〉。「まだ―の雛鳥の」〈新撰六帖六〉 †katanaki

かたな・し【陋し】『形ク』 容貌が醜い。「嗤、醜也、加太奈志(かたなし)」〈新撰字鏡〉

がたな・し『接尾』《動詞連用形について、ク活用の形容詞をつくる》 …することがむずかしい。「もしまた、のがれ―・くは」〈古活字本曾我五〉。「方様の御傍、離れ―・く思へども」〈浮・男色歌書羽織三〉

かたなつけ【片馴付け】 馴付け方の不十分なこと。「悪源太の馬は―の駒にて逆茂木に驚きければ」〈平治中・待賢門軍〉

かたなり【片成り】《カタは不完全の意。ナリは身心の発育などについていう》 未成熟。未熟練。「二十一二ばかりになり給へど、なほいといみじく―に」〈源氏若菜下〉。「―なる初事をも隠さずこそあれ」〈源氏宿木〉

かたに【片荷】《「諸荷(もろに)」の対》 天秤棒(てんびんぼう)でになうため二つに分けた荷物の片方。「―軽くて持ちやかねけん」〈俳・犬筑波〉 **―づり【片荷釣り】** 片一方の荷がつり下がること。荷が片寄ること。「担ひくらべし塩桶の―なる我が思ひ」〈近松・松風村雨三〉。〈日葡〉

がたに『連語』《ガタシの語幹に助詞ニがついた形。「がてに」と混同された》 …することが出来ずに。「うべなうべな君待ち―」〈記歌謡二八〉

かたぬ・ぎ【肩脱ぎ・袒ぎ】 〔一〕『四段』 ①上衣をなかば脱いで、下衣の肩をあらわす。「若やかなる上達部(かんだちめ)は―・ぎて下り給ふ」〈源氏若菜下〉 ②はだ脱ぎになる。「―・ぎて背(せなか)を見しむ」〈今昔七ノ四八〉 〔二〕『名』 ①上衣をなかば脱いでくつろぐこと。「すでに例の事なれば、殿上人―あるべければ」〈讃岐典侍日記〉 ②はだ脱ぎ。「錦の袴を着たらん人の、菅笠着て―したらんは、良かるべきか」〈長短抄中〉

かた・ね【結ね】『下二』《カタメ(固)と同根》 かためる。一まとめにする。「仕ふる国の年の内の事―・ね持ち」〈万四一一六〉

かたののせうしゃう(…ショウショウ)**【交野の少将】** 平安時代の散逸物語の一。また、その主人公。好色家として有名であった。「―もどきたる落窪の少将などはをかし」〈枕二九三〉。「〔光源氏ハ〕いといたく世を憚り、まめ立ち給ひけるほど

に、なよびかにをかしきことはなくて、―には笑はれ給ひけむかし」〈源氏帚木〉

かたはワ：【片端】《カタは不完全の意。ハは物の端の意》①（容姿・性質などの）不完全なこと。不恰好。「あな―と見ゆるものは、御鼻なりけり」〈源氏末摘花〉②不具の所。また、不具。「かたち(容貌)などは、さてもありぬべけれど、いみじき―のあれば」〈源氏玉鬘〉。「腰折り損ぜられて―になりにけり」〈徒然八七〉③不体裁。「〔明ルクテ〕いと―なる程になりぬなど急げば」〈かげろふ上〉。「さりぬべき少しは見せむ。―なるべきもこそと、許し給はねば」〈源氏帚木〉 **―づ・き**【片端づき】『四段』かたわになる。不具になる。「身を損ひ、―・ける人、数も知らず」〈方丈記〉

かたはく【片白】《「諸白(もろはく)」の対》白米と黒麹(くろこうじ)とで作った酒。「諸白一匁三分、―一匁二分、並み〔酒〕一匁一分」〈宗静日記寛文八・一三〉

かたばこ【肩箱】山伏が笈の上にのせ、経巻や仏具を収めておく小箱。「笈の上には雨皮・―とりつけて」〈謡・安宅〉

かたはし【片端】①一方の端。「お前の〔返歌〕は木綿(ゆふ)の―に『…』とぞある」〈源氏賢木〉。「―の坐敷にゐてぞ」〈漢書竺桃抄〉②多くの物事の一部分。一端。「かたがたに思ひ給へりしこと、―づつかなひにたり」〈源氏薄雲〉。「―を掻き鳴らして止み給ひぬれば」〈源氏横笛〉

かたは・しカタワシ『形シク』《カタハ(片端)の形容詞化》かたわである。「生きておはせん時も、目の―・しくおはせしが」〈沙石集七ノ一五〉

かたはな【片端】①一方の端。片一方。「桜木の―を持つ柳かな」〈俳・毛吹草追加上〉②棒の一方の端に担った片荷。「天満屋のお島はぐはらりと―打ち明けて」〈近松・二枚絵中〉

かたばみ【酢漿草】①草の名。茎は細く地上を這い、春から秋にかけて黄色の花をつける。「草は。菖蒲。……―、綾の紋にてあるもことよりはをかし」〈枕六六〉②紋様の名。「綾の紋は。葵(あふひ)、―、あられ地」〈枕一本二一〉

かたはらカタワラ【傍ら・側】《カタは片。ハは端。ラは接尾語。物の一方の端・側面の意。類義語ソバは、中心からそれて、はずれた所の意》①物の側面。「大蛇、頭毎に各石松有り。両(ふたつ)の―に山有り」〈紀神代上〉②物や人のすぐ脇。物に添った所。「骨の―に水瓶ありて」〈霊異記下一〉。「女君はさながら臥して、右近は―にうつぶし臥したり」〈源氏夕顔〉③近辺。「太秦の―なる家に」〈後撰二六六詞書〉 **―いた・し**【傍ら痛し】『形ク』①（傍らの人が自分をどう見るだろうと意識して）気がひける。気はずかしい。気が咎める。「そのうちとけて、―・しとおぼされむ〔恋文〕こそゆかしけれ」〈源氏帚木〉。「我ゆゑ大事の出で来たる事を―・く思ひてかやうに宣ふいとほしさよ」〈平家四・若宮出家〉②（傍らの者として、他人のことが）気になる。他人事ながら苦痛である。見苦しい。「―・きもの…才ある人の前にて、才なき人の、ものおぼえ声に人の名などいひたる」〈枕九六〉③《「片腹痛し」とするのは中世以後の当て字》おかしさの余り片腹が痛い。また、馬鹿馬鹿しい。「片腹痛、カタハライタシ」〈文明本節用集〉 **―くる・し**【傍ら苦し】『形シク』はたの者が苦しい思いをする。「春宮大夫の御女、いかに聞き給ふらむ、―・しげなり」〈栄花松下枝〉。「迅哉、カタハラクルシキカナ」〈色葉字類抄〉 **―さび・し**【傍ら淋し】『形シク』身に寄り添うものがなく淋しい。ひとり寝の淋しさをいう。「夜は御帳の内に一人臥し給ふに、宿直の人人は、近うめぐりて侍へど―・しくて」〈源氏葵〉 **―な・し**【傍ら無し】『形ク』並ぶ物がない。「あまたの人にすぐれ、覚え殊に、人がらも―・きやうに物し給ふにも」〈源氏若菜上〉 **―ふ・し**【傍ら臥し】『四段』横向きに寝る。横になる。「母屋の際なる御几帳のもとに―・し給へり」〈源氏螢〉 **―め**【傍ら目】脇から見たところ。横顔。「恥ぢらひて少しそばみ給へる―、つらつきうつくしげにて」〈源氏少女〉

かたはらまち【片原町】片側は原、片側は家並のある通り。後には、片側だけ家並みのある通り。片側町。「―、俄かに雨降る」〈鹿苑日録慶長四・二・一五〉。「馬乗り二人…本能寺の方へ乗り申され候間、我等その後に付き―へ入り申し候」〈本城惣右衛門覚書〉

かた・ひカタイ『四段』未詳。心をよせ親しむ意か。また、「かどひ」に同じで、かどわかす意とも。「片思ひを馬にふつまに(スッカリ)負(おほ)せ持て越辺(こしべ)にやらば人―・はむかも」〈万四〇八一〉 †katafi

かたひ・き【片引き】[一]『四段』片方を贔屓(ひいき)する。「けぢかき人おもひ―・き、ほめ、人のいささかあしきことなどいへば、腹立ちなどする」〈枕一三五〉[二]『名』一方だけを贔屓すること。えこ贔屓。片贔屓。「等思二両人一恋。わが心―もせず小車の両輪(もろわ)ながらにめぐりあひてん」〈草根集六〉

かたびさし【片庇】（物にさしかけて作った）片流れの庇。一方にだけ出た庇。粗末な山家などにいう。「山里の柴の片戸の―あだげに見ゆる仮の宿かな」〈夫木抄三一・戸〉

かたびと【方人】①歌合などで両方に分けた時、一方に応援する人。「左右の―の書き分けを典侍して、方方の頭の曹子に給へり」〈天徳内裏歌合〉②⇒かたうど。「―と頼みきこゆれば」〈枕一六二〉

かたびら【帷・帷子】《片枚(かたひら)の意。裏のない一枚だけの布帛》①几帳(きちやう)・帳(とばり)などに使う絹布。夏は生絹(すずし)、冬は練絹を使うという。「帳の―の紐に」〈古今八五七詞書〉②裏をつけない衣服。近世は絹以外のものに限っていう。「太き布の―ひとつを着てゐたり」〈宇津保祭使〉。「冬なれど―をなむ着たりける」〈宇治拾遺一四八〉③近世、端午から八月晦日まで着た麻・苧の単(ひとへ)物。平常は浅黄色、七夕・八朔には白色を用いた。「娘へ―遣はし候也」〈上井覚兼日記天正一三・六・五〉④「経帷子」に同じ。「浄土の三部経を書きたる―」〈仮・竹斎下〉 **―ゆき**【帷子雪】薄く降った雪。「わが宿の―に人待ちて」〈専順独吟〉。「降り積もる―の跡見ればいづくの里も地白(ちしろ)にぞなる」〈玉吟抄〉

かたびんぎ【片便宜】「かただより」に同じ。「御返事をとおぼしめせども、かの商人(あきびと)は―の事なれば」〈伽・松風むらさめ〉

かたぶ・き【傾き】『四段』《カタは一方的で不完全の意。ブキはムキ(向)の子音交替形。安定直立から斜めにずれて倒れそうになる意》①斜めに一方にかしぐ。「大工匠(おほたくみ)拙劣(をぢな)みこそ隅(すみ)―・けれ」〈記歌謡一〇六〉。「山の端に月―・けば」〈万三六二三〉②基礎がゆらぐ。「食す国の法も―・く事無く、動く事無く」〈続紀宣命三〉③（不審・不安・非難の気持で）首をかしげる。「あまり引き違へたる御事なりと―・き侍るめるを」〈源氏少女〉 †katabuki

かたぶ・け【傾け】『下二』《カタブキの他動詞形》①斜めに一方にかしげる。傾かせる。「からかさをさしたるに、風のいたう吹きて横さまに雪を吹きかくれば、少し―・けて歩み来るに」〈枕二四七〉②ひっくりかえす。覆滅する。「王位を―・け、国位を奪はむと思ふによりて」〈今昔二〇ノ二七〉③非難する。「物部の大臣等…―・け奏し申されければ」〈著聞三四〉

かたふたが・り【方塞がり】[一]『四段』「方塞がり」になる。

「―・りける頃、〔方角ヲ〕たがへにまかるとて」〈後撰六七八詞書〉㊁〘名〙行こうとする方角に天一神(なかがみ)などがいて、その方角がふさがっており、行ってはならないこと。陰陽道では方位に吉凶が多く、大将軍方、大陰神方に向っては万事凶。従って、一度別の所に出向き、目的地への方角を変えて行く必要があった。ふさがる方角は、月日とともに移動した。「―とて男の来ざりければ」〈後撰八一六詞書〉

かたふた・げ【方塞げ】〘下二〙「方塞がり」になるようにする。わざと「方塞がり」の方角に来る。「久しく程へて渡りたまへるに―・げて、ひきたがへ外ざまへ」〈源氏帚木〉

かたぶち【片淵】川の片側にできた深い淵。「―に網張り渡し」〈紀歌謡三〉

かたへ【片方・傍】(カタエ) ①(左右あるものの)片一方。「高麗(こま)錦紐の―ぞ床に落ちにける」〈万三五六〉。「夏と秋と行き交ふ空の通ひ路は―涼しき風や吹くらむ」〈古今一六八〉②一部分。「ほとりに松もありき。…―はなくなりにけり」〈土佐二月十六日〉。「台盤なども―は塵ばみ」〈源氏須磨〉③半分。「忠こそを妻(め)にも―、子にも―とたのみおぼして」〈宇津保忠乞〉④かたわら。「―の人にくしと聞くらんかし」〈枕三六〉⑤かたわらの人。一座の人。朋輩。「―笑ふことにやありけむ(笑ウドコロカ)、この歌にめでて止みにけり」〈伊勢八七〉。「腹ぎたなき―の教へおこするぞかし」〈源氏賢木〉⑥辺鄙(へん)な土地。いなか。「まことに此の所は―と申し、雪国にて」〈西鶴・諸艶大鑑二〉 †katare

―かたへ 少しばかり。「うちに入りて雪を祈る。二七日少多(かたへ)を得といへどもあまねく足るにあたはず」〈金剛般若経集験記平安初期訓〉 **―は** 《あとに推量の陳述を伴うことが多い》一つには。半面では。「人の御さまの言出で給ふ事の趣より、―臆せられ給ふなんめり」〈大鏡道長〉

かたほ【片ほ】《「真(ま)ほ」の対》①持って生れた性質や運命などに、至らぬ欠けた点があるさま。「なのめに―なる〔子ノ死〕をだに、人の親はいかが思ふめる」〈源氏葵〉。「わが御宿世も、この御事につけてぞ―なりけると思さるる」〈源氏澪標〉②未熟。「いまだ堅固―なるより上手の中にまじりて」〈徒然一五〇〉

かたほ【片帆】《「真帆(まほ)」の対》帆を一方に片寄せて風を受けさせること。「浦風の真帆も―も見え分かず」〈新続古今一八一四〉

かたぼっけ【固法華・堅法華】法華宗の狂信者。「かたまり法華」とも。「浄土門あり―あり」〈俳・絵合下〉

かたほとり【片辺り】①近辺。「都の―には置き給はで」〈平家三・六代被斬〉②町はずれ。また、片いなか。「―なる聖法師」〈徒然七七〉

かたま【籠】目の細かい竹籠。「無間堅間(まなしかたま)…所謂堅間は是今の竹の籠(こ)なり」〈紀神代下〉

かたま・け【片まけ】〘下二〙《カタはわずかの意。マケは予期した時になる意》やがてその時が来る。その時になる。「うぐひすの木伝ふ梅のうつろへば桜の花の時―・けぬ」〈万一八五四〉。「磯の間ゆたぎつ山川絶えずあらばまたもあひ見む秋―・けて」〈万三六一九〉 †katamakë

かだま・し【奸し・姦し】〘形シク〙《動詞カダミの形容詞形》①偽りの心を持っている。「悪しく―・しき奴(やつこ)の政の柄(え)を執りて奏(まを)したまふ事をもちて」〈続紀宣命二八〉。「―・しき者、朝(て)にあって罪を犯す」〈平家六・紅葉〉。「―・しく曲がった悪人」〈三略鈔〉②怠惰である。無精である。「カダマシイ」〈日葡〉

かたま・ち【片待ち】〘四段〙《カタは不完全の意》心のどかで待つ。待つともなく待つ。「鶯は今は鳴かむと―・てば霞たなびき月は経につつ」〈万四〇三〇〉

かたまへさがり【片前下り】(…マエ…) 着物の前裾が不揃いのこと。「かたまへだれ」「かたみだれ」とも。「禅家より天台・真言・三論等を…或いは―の田舎聖道(しやうだう)、又は、ぬる聖道など云ふ也」〈見聞愚案記二〉

かたま・り【固まり】㊀〘四段〙《カタメ(固)の自動詞形》①固形をなす。「あられ乱れて霜凍り、いや―・れる庭の面に」〈古今一〇〇五〉②からだが固くなる。緊張する。「資賢を喚(よ)びて『これ謡へ』といふ。―・りて居たり」〈梁塵秘抄口伝集〉③固くまとまる。団結する。「兵を危(あや)ふくのがれ難き所へ連れて行くは、人数が―・るものぞ」〈孫子私抄〉㊁〘名〙固まったもの。「取り結へる縄葛(つなかづら)は、此の家長(いへぎみ)の御寿(みいのち)の堅(かた)まりなり」〈紀顕宗即位前〉

かたみ【筺】かご。「うれしげに君が頼めし言の葉は―に汲める水にぞありける」〈後撰五五九〉。「筥篝、賀太美(かたみ)、小籠也」〈和名抄〉

かたみ【片身】胴体を背筋中心に縦に二つに分けた、左右いずれかの半分。衣服にもいう。「御衣(おんぞ)の―づつ、誰かとく縫ふと」〈枕九五〉 **―うらみ**【片身恨み】不公平な処置から起る偏頗な恨み。「花の枝も―や北南」〈俳・小町踊一〉 **―がはり**(…ガワリ)【片身替り】左右の片身・片袖、また、身と袖とを別の色模様にした衣服。大身替り。「上は、地はうすうすと赤紫に、濃き紫、青き柑子(かうじ)とを―に織られたるを」〈問はず語り四〉

かたみ【形見】死んだ人、別れた人を思い出すよすがとして見るもの。「過ぎにし君が―とぞ来し」〈万四七〉。「逢はむ日の―にせよと」〈万三七五三〉 †katami **―ぐさ**【形見草】形見となる草。また、思い出のたねとなるもの。「なき人の恋しき時のよき―」〈夫木抄九・瞿麦〉 **―のいろ**【形見の色】①亡き人をしのぶ衣の色。喪服の色。「女房なども、かの御―変へぬもあり」〈源氏幻〉②思い出の色。「心とめし―もあはれなり人は旧(ふ)りにし宿のもみぢ葉」〈風雅二〇二〇〉 **―のころも**【形見の衣】①別れた人の思い出の着物。「吾妹子(わぎもこ)が―下に着てただに逢ふまでは我れ脱かめやも」〈万七四七〉②喪服。「今はとて―脱ぎ捨てて色かはるべきここちこそせね」〈玉葉二三四三〉 **―わけ**【形見分け】死者の所有品を、親族・朋友などに分け与えること。「―三日かけて以前より」〈俳・大坂独吟集上〉

かたみ・し【難みし】〘サ変〙むずかしいと思う。…しかねる。「白妙の袖の別れを―・して」〈万三二一五〉 †katamisi

かだ・み【奸み】〘四段〙①偽りの行為をする。「〔夫ノ鳥ガ妻子ノ餌ヲ求メニ行ッタ後〕他の鳥たがひに〔入レ違イニ〕来たりて婚(つ)ぶ。今の夫に奸(かだ)み婚びて」〈霊異記中二〉。「王の国の内に―・み詐(はか)ることを日に増多にあらしめむ」〈金光明最勝王経平安初期点〉②惜しむ。けちけちする。「〔一尺切ルベキトコロヲ〕五寸―・みて切り候はず」〈世継物語〉③大切にかばう。「木隠れに―・むか見えぬ鼠茸」〈俳・藪香物三〉

かたみせ【片見世・片店】店の片側。また、そこで兼業に別の商売をすること。「瀟湘の夜の雨(飴ト掛ケル)売る―を見れば平砂の落雁も有り」〈後撰夷曲集八〉

かたみち【片道】 **―を賜はる** 軍費として往路片道分の費用について沿道諸国の租税調貢の徴発を許される。「―・ってんげれば、相坂の関よりはじめて、路次にもって逢ふ権門勢家の正税官物をも恐れず、一々に皆奪ひ取り」〈平家七・北国下向〉。「―・らば参るべき由申しけるに」〈義経記八〉

かたみに【互に】『副』《「片身に」の意。一つのことを二人でそれぞれ別にすることが原義》①それぞれ。各自。「思へる気色、―ただならず」〈源氏紅葉賀〉。「『もろともにや』と言へど、―供の人の怪しと思ふべければ」〈源氏玉鬘〉②かわるがわる。互いに。「―口固む」〈源氏紅葉賀〉。「―うちいさかひても」〈源氏東屋〉 ▽平安時代の女流仮名文に使われた語。漢文訓読体では「たがひに」という。

かたみみ【片耳】 **―に聞・く** 聞きかじる。「―・きてうちゑむ女ばらのあるを」〈源氏椎本〉

かたむ・き【傾き】『四段』「かたぶき」に同じ。「夕陽西に―・けば」〈平家灌頂・女院死去〉。「この僧正は六十(むそち)に―・き給ひぬれば」〈撰集抄三ノ四〉。「いと心得ぬ事のさまかなと―・き合ひたれど」〈発心集一〉

かたむくろ いちずに我意を張り通すこと。一徹。片意地。「偏頗(へんぱ)は、―に吾が云ひた事、吾がよいと思うた人のことを、無理にほむることぞ」〈玉塵抄五〇〉

かたむ・け【傾け】『下二』「かたぶけ」に同じ。「仏に向ひ奉りて、少し頭(かうべ)を―・けたる人、必ず仏になる」〈古本説話七〇〉

かたむすび【片結び】帯や紐の結び方の一。一方をまっすぐなままにし、他方をそれに巻きつけるようにして結ぶ。解けやすいたとえに使う。恋の歌に多い。「あしの屋のしづはた帯の―心やすくもうちとくるかな」〈新古今一一六四〉

かため【片目】 **―明(あ)・く** 文字が少し読める。「〔読メトイワレテ〕いかでか。―・きつかうまつらでは」〈枕三一四〉

かた・め【固め】㊀『下二』《カタ(型)と同根》①(柔らかい物を)きちっと作りあげる。「天地〔ノ神〕の―・めし国そやまと島根は」〈万四四八七〉②堅く言う。堅くいましめる。「この篋(くしげ)開くなゆめとそこらくに―・めし事を」〈万一七四〇〉③しっかりまもる。きびしく警備する。「いとさかしく身―・めて」〈源氏常夏〉。「関関を―・むべきよし仰せ下す」〈保元上・官軍手分け〉④矢を引きしぼってそのまま保つ。「鏑矢を抜き出し、爪よりつつ滋籐の弓の握り太なるに打ち食はせ、よっ引きしばらく―・めたり」〈盛衰記四三〉㊁『名』①警戒。用心。「障子を押へ給へるは、いと物はかなき―なれど」〈源氏夕霧〉②守護者。「朝廷の―となりて」〈源氏桐壺〉③堅い約束。契り。「彼が妻を我に贈らるべき―なり」〈伽・伊香物語〉 †katamë

かたもじ【片文字】字や発音の一部分。「若くよろしき男の、げす女の名呼び馴れて言ひたるこそ憎けれ。知りながらも、何とかや、―は覚えで(思イ出セズニ)言ふはをかし」〈枕五七〉

かだもの【かだ者】骨惜しみする者。怠け者。「無精者よ―よとて、脅しのために打つ杖の」〈近松・双生隅田川四〉

かたもひ ィ:モ【片埦】《カタは不完全の意》水をくむ、蓋のない土製の椀(わん)。「片思ひ」に言い掛ける。「思ひやるすべの知らねば―の底にそ我は恋ひなりにける」〈万七〇七〉 †katamori

かたもひ ィ:モ【片思ひ】「かたおもひ」の約。「―に我は思へば侘しくもあるか」〈万七一七〉 †katamöri

かたもん【固紋】織物の紋様を、糸を浮かさず、固くしめて織り出したものという。「紅梅の―・浮紋(うきもん)の御衣(ぞ)」〈枕一〇四〉

かたや【方屋・片屋】①相撲・競馬などで、左右または東西に分れた力士や騎士の控え所。「―の南より馬場に打ち出でたり」〈今昔二八ノ三五〉②相撲をとる場所。土俵場。「―にて願立てけり」〈仮・仁勢物語上〉。〈日葡〉

かたや・き【かた焼き】『四段』《カタは象(かた)》事をする前に、吉凶を占なって、鹿の肩骨あるいは龜の甲を焼き、そのひびの入る形を見る。「―・きて行かむとするに」〈万三六九四〉 †katayaki

かたやま【片山】一つだけぽつんと立っている山。「この―に二つ立つ櫟(いちひ)が本に」〈万三八八五〉 **―かげ**【片山陰】片山の陰。また、一方の山陰。「ひさぎ生ふる―に忍びつつ吹きけるものを秋の夕風」〈新古今二七四〉 **―きぎし**【片山雉】片山にすむ雉(きじ)。「あしひきの―立ちてゆかむ」〈万三二一〇〉 **―きし**【片山岸】一つだけ孤立している山の崖。「―に霞たなびく」〈万一八一八〉

かたゆき【片行き】片寄ること。一方に偏すること。「かたいき」「かたむき」とも。「一方にありて一方には物のなく、―したるを、偏(へん)と申し候」〈沢庵法語〉

かたゆふぐれ ゥ:ュ【片夕暮】そろそろ夕暮になろうとする頃。「或る―に、御前に人も候はで」〈著聞五三三〉

かたより【片搓り】糸などを、両方から搓らず、一方から搓ること。「―に糸をそ吾が搓る」〈万一九八七〉 †katayöri

かたよ・り【片寄り・偏り】㊀『四段』①一方に寄る。「宇良野の山に月(つく)―・るも」〈万三五六五東歌〉②大勢で一方に助力する。「かずかずに君―・りて引くなれば柳の眉も今ぞ開くる」〈かげろふ中〉③一方に偏する。「一偏に片付く事も、一方へ―・る事もなし」〈中庸鈔〉㊁『名』①一方に寄ること。「秋の田の穂向きの寄れる―に我は物思ふつれなきものを」〈万二二四七〉②大勢で助力すること。「東国の者は―に狩をして、むねと発起したる人にその日の鹿をば皆取らする事あり」〈奥義抄〉③一方に偏すること。「〔天下ヲ治メル道ハ〕―がしては叶ふまいぞ」〈山谷詩抄五〉 †katayöri

かたらか【堅らか】《カタシと同根》しっかりしているさま。確実なさま。「〔遣唐使ノ無事ヲ神ニ祈ッテ〕平らけく―に帰し給へ」〈続後紀承和三・五・三〉。「御飯(おもの)―に給へ」〈長秋記大治二・一・一六〉

かたらく【語らく】《語りのク語法》語ることには。「吾妹子に告げて―、しましくは家に帰りて…明日のごと吾は来なむと言ひければ」〈万一七四〇〉。「咄・語、カタラク」〈名義抄〉

かたら・ひ カタライ【語らひ】㊀『四段』《カタリ(語)アヒ(合)の約。真実・真情を打ち明けて語る意》①語り合う。睦まじく語る。「二人並び居、―・ひし心背きて家離りいます」〈万七九四〉②打ち明けて語る。「〔親ト寝タイト〕うつくしく其(し)が―・へば」〈万九〇四〉。「わが恋ひしことも―・ひ慰めむ」〈万二五四三〉③懇意にしている。「早く親の―・ひし大徳」〈源氏玉鬘〉④男女相契る。「その頃は、夜がれなく―・ひ給ふ」〈源氏明石〉。「田舎人こそ…さやうに軽らかに―・ふわざをもすなれ」〈源氏明石〉⑤実情を語って、相手を味方に引き入れる。「このさかしだつ人や―・はれ(味方ニサソイコマレ)奉りぬらむ」〈源氏総角〉。「〔子息ヲ〕清盛の聟になして、平家を―・はばやと思はれけれども」〈平治上・信頼信西を亡ぼさる〉⑥うまいことを言ってだます。「若き人に似合はざる偽り申され候分を、拙者誠と存じ、―・はれ候間」〈梅津政景日記元和七・二・一七〉㊁『名』①ねんごろに語り合うこと。「思ふやうなる御―にこそはあなれ」〈源氏若菜上〉②睦言(むつごと)。「寝覚めの―にも」〈源氏帚木〉③男女の契り。「浅はかなる―だに、見なれそなれて別るるほどは、ただならざめるを」〈源氏松風〉④説得。「堀川の右府の―にて、術を施すべきよし申しけれども」〈十訓抄七ノ二〉 †katarari **―ぐさ**【語らひ草】長い間語りつづけてゆく話の種。「よろづ代の―」〈万四〇〇〇〉 **―つ・き**【語らひ付き】『四段』ねんごろに話を持ちかけて親しくなる。「その折より―・きにける女房のたよりに」〈源氏若菜上〉 ―と・り【語らひ取り】『四段』念入りに話を持ちかけて味方にする。「次郎が〔向ウニ〕―・られたるもいと怖ろしく」〈源氏玉鬘〉 ―びと【語らひ人】話の相手。「琴をぞなつかしき―と思へる」〈源氏末摘花〉。「重りかなる方(本妻)ならで、ただ心安くらうたき―にてあらせむ」〈源氏蜻蛉〉 ―よ・り【語らひ寄り】『四段』①言い寄る。「この君の御供なる人の、いつしかとここなる若き人を―・りたるありけり」〈源氏総角〉 ②近寄って親しく話す。「おのづから―・る風の紛れもありなむ」〈源氏手習〉

かた・り【語り】㊀『四段』《相手に一部始終を聞かせるのが原義。類義語ツゲ(告)は知らせる意。ノリ(宣)は神聖なこととして口にする意。イヒ(言)は口にする意。ハナシはおしゃべりをする意で室町時代から使われるようになった語》①筋のある説話や嘶(はなし)をする。「否と言へど―・れ―・れと宣らせこそ」〈万二三七〉。「昔物語などに―・り伝へて」〈源氏橋姫〉 ②出来事をありのままに相手に聞かせる。「聞けば音(ね)のみし泣かゆ、―・れば心ぞ痛き」〈万二三〇〉。「式部が所にぞ気色ある事はあらむ。少しづつ―・り申せ」〈源氏帚木〉。「見たりける夢のやうを始より終まで委しう―・り申しけるが」〈平家三・無文〉 ③《(1)の特殊なものとして》音楽の伴奏つきで、筋のある話をする。「この行長入道、平家の物語を作りて、生仏といひける盲目に教へて―・らせけり」〈徒然二二六〉 ④(巧みに話しかけて)だます。「随分道中の人に馴れたる心の、針屋・筆屋―・られて」〈西鶴・永代蔵三〉 ㊁『名』①語りつたえ。「永き世の―にしつつ」〈万一八〇一〉 ②謡曲で、ワキ(隅田川など)またはシテ(景清など)が、ことばによる物語りをすること。また、その部分。おおむね散文調で、終末部が謡になることもある。「舟に乗り、脇の―を聞き、肝を潰し、本心の哀傷なり」〈隣忠秘抄〉 ③狂言で、(2)と同じような形式で、物語ること。また、その部分(文蔵など)。語りを主とする間狂言を「語り間(あひ)」といい、独立した語り(那須など)もある。「一役にて所望の時は、狂言は―、立てば小舞」〈わらんべ草三〉 ④《「騙」「衒」と書く》うまい事を言って人をだまして財物を取ること。また、その人。「かたり言ひ」とも。「今宵しも料理にしたる鳩のかい／―をなして泊まる旅籠屋(はたごや)」〈俳・寛永十三年熱田万句三八〉 ―く【語り句】①語り伝えられる名句。「恋句に『我もつれなくこりはてもせず』と云ふに、『日日にきる薪の山の奥に来て』。かやうに遊ばし候を、その頃の―に申されしを」〈砌塵抄〉 ②話の種。かたりぐさ。「後の―にもなる程に、よう見ておいたがよい」〈虎明本狂言・仁王〉 ③平曲で、琵琶に合わせず本文を素読するように語ること。「涼み見た後の―や連(れつ)平家」〈俳・糸屑三〉 ―ごと【語り言】語り伝えることば。「事の―も(ニショウ)、こをば」〈記歌謡三〉 †katarigötö ―さ・け【語り放け】『下二』語って心を晴らす。「―・け見放くる人目」〈万四一五四〉 †katarisakë ―つが・ひ(イツガ)【語り継がひ】『四段』《語り継ギに反復・継続の接尾語ヒのついた形。→ひ》くり返し語り継ぐ。「万代(よろづよ)に―・へと語りてし」〈万三三二九〉 †kataritugaFi ―な・し【語り成し】『四段』巧みに語る。「鼻のわたりおごめきて―・す」〈源氏帚木〉。「言ひたきままに―・して」〈徒然七三〉 ―べ【語部】古代の部の一。皇室や有力な氏に仕え、伝説などを語り伝えた。奈良時代以後は大嘗会などの儀式に古詞を奏上した。「―、古詞(ふること)を奏し」〈延喜式太政官〉

かたわき【片脇】①横の方。かたわら。そば。「―より若やかなる女の声にて」〈宝物集上〉 ②片方の脇の下。「―にはさんで海へ入れなんものを」〈平家一一・壇浦合戦〉 ③指先から脇の下までの長さ。「旗竿の長さ、或いは二尋(ひろ)、或いは二尋―なり」〈伽・鴉鷺合戦物語〉 ④片田舎。また、町はずれ。「加州に内藤と申す者、江沼郡江沼郷にこれ在り。……―に熟居候間」〈証如上人日記天文六・二・七〉

かたわ・き【方分き・片分き】『四段』①競技などに際して、人数を両方に分ける。「左右と―・きて、歌を詠ませ給うて、合はさせ給ふ」〈延喜二十一年京極御息所歌合〉 ②(おのずと)どちらかに片寄る。「かく御心少しづつは―・かせ給へれど、上も宮も劣らずいづれをもいとかなしうし奉らせ給ふ」〈栄花殿上花見〉

かたわぐるま【片輪車】①車輪が一つしかなくて使えない車。また、一輪車。「隻輪と云ふは、―ぞ。只輪一つである事もあるげなぞ」〈四河入海三ノ三〉 ②足腰のなえた者などが乗る小さい四輪車。「―に一銭たまはれ」〈俳・独吟一日千句〉 ③模様の一。車輪が水に流れるさまを描いたもの。「地、太夫染、松葉に―」〈新撰御雛形〉

かたわれづき【片割れ月】半分に割れた月。七日・八日頃の月をいう。半月。「逢ふことは―の雲がくれおぼろけにやは人の恋しき」〈拾遺七八四〉

かたゐ【乞丐】《カタは片、不完全の意。ヰは居》①ものもらい。こじき。「―どもの、坏(つき)・鍋など据ゑてをるもいとかなし」〈かげろふ上〉 ②人をののしっていう語。ろくでなし。「この楫取は、日もえ計らぬ―なりけり」〈土佐二月四日〉 ③ハンセン病の人。「死したる鹿は、―を召して取り捨て了んぬ」〈中臣祐明記承元二・九・九〉 ―おきな【乞丐翁】乞食じじい。ろくでなしじじい。「そこにありける―、板敷の下に這ひありきて」〈伊勢八一〉

かたゐざり【片躄り】片ひざをすって動くこと。片ひざでいざること。「逢ふことは―する緑児の立たむ月にも逢はじとやする」〈拾遺六七九〉

かたゑ・み【片笑み】『四段』ほんの少しほほえむ。「君も少し―・みて、さる事とは思すべかめり」〈源氏帚木〉

かたを【片緒】「かたいと」に同じ。「玉の緒を―によりて」〈万三〇八一〉

かたをか【片岡】孤立した丘。「―のこの向つ峰(を)に椎蒔かば」〈万一〇九九〉。「―にわらび萌えずはたづねつつ心やりにや若菜つままし」〈大和八六〉

かたをなみ【片男波】万葉集九一九、山部赤人の歌「若の浦に潮満ちくれば潟(かた)を無み蘆べをさして鶴(たづ)鳴き渡る」の「潟を無み」を「片男波」に付会してできた語。意は「男波」に同じ。「乱るる―、あなたへざらり、こなたへざらり」〈謡・蘆刈〉

かたをりど【片折戸】《「諸折戸(もろをりど)」の対》片とびらの門。「嵯峨の辺に―とかやしたる内に」〈平家六・小督〉

かたん【荷担】《味方の意のカタ(方)がカタンという形に転じ、漢語の「荷担」と結びつけて解されるようになったもの》味方をすること。「人の争ふ時、一方の―をするを」〈碧岩抄一〇〉

かち【徒・徒歩】①乗物に乗らずに自分の足で歩くこと。徒歩(ほと)。「馬買はば妹(いも)―ならむよしゑやし石は踏むとも吾(あ)は二人行かむ」〈万三三一七〉 ②歩兵。「―衆壱人宛(つつ)居り候」〈梅津政景日記慶長一七・三・一四〉 ③【徒士】武家に奉公して、徒歩で行列の先導や供奉を勤めた下級の侍。背高く大男で、糸鬢に長羽織の風俗であった。徒士侍。徒士の者。「先度(せんど)逢うた―の人より、若い男は御座らぬか」〈西鶴・一代女四〉 ▽朝鮮語 köl(徒歩)と同源。

かち【褐】濃い紺色。近世では墨で下染した上へ藍をかけて染める。転じて「かちん」とも。「飾磨(しかま)に染むる―の衣

(ぬき)着む」〈梁塵秘抄四八二〉

か・ち【勝ち】『四段』《相手の攻撃・進出をおさえて、自分を保ちつづけるのが原義》①動きをおしとどめる。「其の事を聞き已(を)りて、悲しび噎(むせ)びに勝(か)ちえず」〈金光明最勝王経平安初期点〉②相手を負かす。「〔賭弓八〕例の左、あながちに—・ちぬ」〈源氏匂宮〉③相手よりすぐれる。「並べて見ればをぐさ(男ノ名)—・ちめり」〈万三四五〇〉

勝って甲(かぶと)の緒を締めよ 物事に成功したら、いっそう用心せよ。「—と云ふ本文あり」〈陰涼軒日録文明一九・四・一五〉 **勝つに乗・る** ①勝って勢いに乗ずる。勝っていよいよ勢いづく。「将軍の軍(いくさ)—・りて、武衡等が軍やぶれにけり」〈著聞三三七〉②図に乗る。つけあがる。「下位な者が—・って、上をないがしろにすることぞ」〈玉塵抄二四〉

か・ち【搗ち】『四段』①臼でつく。上から下に突く。「搗、ツク・カツ」〈名義抄〉②斧などを打ちつけてそぎ取る。「木の切り残したる本(もと)をたきぎにせんとて、今も人のはつり取るを—・つとも云ひ、打つとも云ふ」〈仙覚抄八〉③棒などで打ちたたく。「コノミヲカチヲトス」〈日葡〉

かぢ【梶・穀】木の名。コウゾの一種。樹皮は紙・木綿(ゆふ)・綱などの原料となった。「穀、カヂ」〈名義抄〉。「楮、カヂノキ」〈名義抄〉

かぢ【梶・楫・檝】①舟をこぎ進める道具。櫓(ろ)や櫂(かい)の総称。「入江漕ぐなる—の音の」〈万四〇六五〉。「檝、和名加遅(ぢか)、使二舟捷疾一也」〈和名抄〉②【舵】船の方向を定める船尾の装置。「カヂガキカヌ」〈日葡〉

かぢ【鍛冶】《カナウチ(金打)の約カヌチの転》金属を打ち鍛えて種種の器具を作ること。また、それを業とする者。「しろかね・こがねの—二十人ばかり」〈宇津保吹上上〉。「鍛冶、俗云、カヂ」〈名義抄〉 ▽kanauti→kanuti→kandi→kadi

かぢ【加持】〔仏〕《「加」は仏が衆生に応ずること、「持」は衆生がその仏の力を受けて失わないこと》真言密教で行なう修行法または祈禱。行者が手に印を結び、陀羅尼(だらに)を唱え、心は三昧に住することで、これによって事物を清めたり、願いがかなうように仏に祈る。「よろづにまじなひ—など参らせ給へど」〈源氏若紫〉

がち【勝ち】『接尾』①《名詞に付いて》…が多いさま。とかく…が目立つさま。「雪霰—に心細さまさりて」〈源氏薄雲〉。「御衣(ぞ)の裾—に」〈源氏若菜上〉②《動詞連用形に付いて》とかく…する傾きがあるさま。幾度か…することを繰り返すさま。「かへり見—にて出で給ひぬ」〈源氏帚木〉。「あやしう心遣ひせられて、臆し—なり」〈源氏藤裏葉〉

かちありき【徒歩き】徒歩で方方へ行くこと。「はじめつ方は—する人はなかりき」〈枕(能因本)蔵人おりたる人〉

かちいしゃ【歩行医者】乗物を持たず、歩いて往診する医者。はやらない貧乏医者。「—ながら療治よくせらるる」〈西鶴・永代蔵六〉

かちいろ【勝ち色】《「敗け色」の対》戦に勝ちそうな様子。「はじめは平家そっと—にあったれども」〈天草本平家四ノ一七〉

かちう ユウ:チ【家中】①家の中。屋内。「ただ今—より死人を取りいだすが如く、泣きとよむ声」〈古今集註〉②家全体。家族。一家。「国盛の—、上下涕泣す」〈古事談一〉。「小名ながら—貧しからずして」〈沙石集九ノ一三〉③室町時代以後、諸大名の家来の総称。藩中。「横山—の殿ばらは、かたき小栗をえ知らいで」〈伽・小栗絵巻〉

かぢかうずい ウ:コ【加持香水】修法にさいし香水を加持すること。真言密教で、香水を清浄な水とするための作法。「—を見侍りしに」〈徒然二三八〉

かぢから【楫柄】船の櫓(ろ)の柄。一説に「かぢつか」とも読む。「君がみ船の—にもが」〈万一四五五〉

かちぎね【搗杵】杵の一種。近世前期、上方で、大きな槌(つち)形の杵、後期は腰の細い杵をいった。「餅梅を—となす手竿かな」〈俳・破枕集上〉。「形、槌の如く大なる物あり。俗にこれを—と謂(い)ふ」〈和漢三才図会三五〉

かちぐり【搗栗・勝栗】栗の実を日に乾して搗(つ)いたもの。音が「勝ち」に通じるので、出陣の時などに祝って食べた。「内弁—を取りて召すよしして懐中し給ひければ」〈著聞一〇〇〉 →うちあはび

かぢくろ・し『形シク』堅苦しく窮屈だ。「よろづ—・しく、あたら、よもすがら新三十石〔船〕に乗合の心地するなり」〈西鶴・一代男五〉

かちさ・び【勝ちさび】『上二』《サビは、そのものらしい動作を示す意》勝利を得たものらしく示威の行動をする。「—・びに…営田(つくだ)の畔(あ)を離ち」〈記神代〉 †katisabi

かちさむらひ ライ:サム【徒士侍】「かち」(3)に同じ。「瑠璃姫は乗物に召し、—御供申せば」〈近松・壬生大念仏上〉

かぢし【加地子】①中世、作人が国衙(こくが)・荘園領主に納める地子すなわち本年貢のほかに、加徴分として納めた貢租。「畑山畠の乾熟に随って、桑代—を課すべし」〈庭訓往来三月日〉②中世、地主(名主等)に納めた作徳米。近世にも小作料を加地子と称した。加地子米。加地子得分。「田畠等—押徴せしむ」〈栄山寺文書永保三・一二〉

かちだち【徒立ち】徒歩。合戦で、騎馬でなく徒歩で戦うさまにいうことが多い。「馬をも射させ、—になり、打物抜いて戦ひけるが」〈平家七・篠原合戦〉

かちぢ【徒歩路】徒歩で行く道。「〔船旅ハオソロシイ〕—もまたおそろしかなれど、それはいかにもいかにも地(つち)に着きたれば、いとたのもし」〈枕三〇六〉

かぢつか【楫柄】⇒かぢから

かぢつくめ【楫つくめ】『連語』《ツクメは、ツクミの已然形。きつく締めつける意。奈良時代、普通ならばこの下にバのつく形》櫓(ろ)をしっかりと掛けたので。「堀江漕ぐ伊豆手の船の—音しば立ちぬ」〈万四四六〇〉 †kaditukumë

かちどき【勝鬨】戦に勝って軍勢があげる大声。「互ひに—をあげ、四五町がほど両方へ引き分れ」〈太平記二五・住吉合戦〉

かぢとり【楫取】櫓(ろ)や櫂(かい)を扱う人。船を漕ぐ人。「波高し如何に—水鳥の浮寝やすべきなほや漕ぐべき」〈万一二三五〉 †kaditöri

かぢのは【梶の葉】梶の木の葉。七月七日、これに歌などを書いて織女星に供える風習があった。「七月七日、—に書きつけ侍りける。天の河とわたる船の—に思ふことをも書きつくるかな」〈後拾遺二四二〉

かちは ワ:カチ【堅磐】《カタ(堅)イハ(岩)の約》かたい岩。多く、「常磐(ときは)」と重ねて、堅く永久に変らないことを祝う語。「—に常磐に斎(いは)ひまつり」〈祝詞祈年祭〉 ▽九条家本祝詞に、「堅磐」の傍訓としてカチハがある。カキハと訓むのは、トキハから類推した院政期以降の誤り。

かちはしり【徒走り】①徒歩で走ること。「—の苦しかりしをのみなむ」〈宇津保国譲下〉②徒歩で供に従う下級の兵士。「馬にてありかん時は、—には中間(ちゅうげん)・雑色(ざふしき)なんどを召し具すべし」〈六波羅殿御家訓〉

かぢはら ラ:ワ【梶原】《源頼朝の臣、梶原景時の名から》ゲジゲジの異名。「梶原虫」とも。「馬蚿(げじげじ)を—とするは、景時(かげ)の音を用ふ」〈齊東俗談一〉

かちびと【徒人】徒歩でゆく人。「―の渡れど濡れぬえにしあれば」〈伊勢六九〉

かぢま【楫間】櫓(ろ)をこいで、次のひとこぎするまでの絶え間。短い時間の意。「淡路島門(と)わたる船の―にも我は忘れず家をしぞ思ふ」〈万三八九四〉

かぢまくら【楫枕】《楫を枕として寝る意から》舟の中に泊ること。船旅。「もろこし舟の―、夢路程なき舟路かな」〈謡・唐船〉

かちまけ【勝負】勝つことと負けることと。「同じくはお前にてこの―定めむ」〈源氏絵合〉

かちめ【搗布・搗藻】海草の一。乾燥させ、臼で搗(つ)いて粉にして食べた。「若布(わかめ)、―皆一俵給ひ了んぬ」〈日蓮遺文神国王御書〉。「末滑海藻、加知女(かちめ)、俗用搗布」〈和名抄〉。「搗布、カチメ」〈下学集〉

かちめつけ【歩士目付・歩行目付】江戸幕府の職名。目付の指揮を受け、監察・探偵に従事した。諸藩では「歩士横目」といった。「御―、〔自殺事件ノ〕検使と為(な)る」〈山鹿素行年譜寛文五・一〇・三〉

かちゃう【蚊帳】かや。「―これを釣る。目出たし目出たし」〈教言卿記応永一三・四・一九〉

かちゆ【徒歩ゆ】『連語』《ユは経過点・方法・手段を表わす助詞》徒歩で。歩いて。「馬はあれど―我が来(こ)し」〈万三三一七〉 ▽原文「歩」。カチヨリとも読むことができる。

かちゆみ【徒弓・歩射】馬に乗らず徒歩で弓を射ること。ぶしゃ。五月五日の騎射(うまゆみ)に対し、射礼(じゃらい)・賭弓(のりゆみ)などの弓の儀はすべて徒弓であった。「―のすぐれたる上手どもありければ、召し出でて射させ給ふ」〈源氏若菜下〉

かちより【徒歩より】『連語』《ヨリは、ユに同じ。→かちゆ》徒歩で。歩いて。「げに人人来(き)ぬ。これも―なめり」〈源氏玉鬘〉。「徒、カチヨリ」〈名義抄〉

かちわかたう【徒若党】①「かち」(2)に同じ。「二十人頭は―十人・二十人宛(づつ)預かり」〈甲陽軍鑑四〉②「かち」(3)に同じ。「―になる事」〈仮・浮世物語一〉。「今、下部(しもべ)の刀指しを―と呼ぶ」〈武用弁略一〉

かぢを【楫緒】楫を船にとりつける縄。「由良の門(と)を渡る舟人―絶え行くへも知らぬ恋の道かも」〈新古今一〇七一〉

かちん〔女房詞〕餅。「内裏・仙洞には、一切の食物に異名を付けて召さるる事なり。…餅は―」〈海人藻芥〉

かちん【褐】①「かち」の転。「―の直垂(ひたたれ)に黒皮縅(をどし)の鎧着て」〈平家四・橋合戦〉②紺色。「舞の時に、直垂は…浅葱(あさぎ)・―など良し」〈反古裏の書一〉

かつ【門】「かど」の上代東国方言。「我が―の五本柳(いつもとやなぎ)」〈万四三八六防人〉

かつ【且つ】『副』《一方で、ある動作・作用の行なわれると同時に、他方で、も一つの動作・作用の行なわれる意。相反する二つが対照的に行なわれる場合と、二つのことが連鎖的に行なわれる場合とがある。つき合わせて一緒にする意のカテ(合・糅)と同根か》①同時に一方で。「世の中し常かくのみと―知れど痛き心は忍びかねつも」〈万四七二〉。「渚に寄る波の―返るを見給ひて」〈源氏須磨〉②すぐに。次に。「入りて―寝むこの戸開かせ」〈万三三一〇〉。「経を片手に持(も)給ひて、―読みつつ唱歌をし給ふ」〈源氏橋姫〉③《二つの動作の間隔がごく短い場合》…するはしから。「筆に委せつつあぢきなきすさびにて、―遣り捨つべき物なれば」〈徒然一九〉 ↓かつは

かつ【喝】『感』禅宗で、参禅の人を叱咤したり、言語であらわしにくい境地を示したりするときに発する声。「人に仏法を問はれては、咄(とつ)と云ひ、―と云ふ一言半句の語を教へて」〈発心直入路〉

かっ『接頭』《掻キの音便形》動詞に冠して動作の意を強める。「唐辛子を―かじり、寒風をしのいで供をせろ」〈近松・雪女中〉

かづ【穀】「かぢ」の上代東国方言。カヂの木。一説、ヌルデの方言。「足柄(あしがり)のわをかけ山の―の木の」〈万三四三二東歌〉

かつうは【且つうは】『連語』「かつは」の長音化。「御布施になりぬべき物のなき上、―かの御菩提のためとて」〈平家灌頂・女院出家〉。「―斟酌をも顧みず…筆に任せて書き記し終りぬ」〈御文章〉

かっかう【恰好】①似合うこと。相応。「日本の古歌にも、秋の夜は月に心のひまぞなき出づるを待つと入るを惜しむと。この詩と―するなり」〈中華若木詩抄下〉。「―とは凡そよしといふなり」〈性理字義抄一〉②すがた。形。なり。「墨金(すみかね)を当てたる如く、―の見事なること」〈バレト写本〉

かつがう【渇仰】《渇いた者が水を欲するように切に望み仰ぐこと》①神・仏などのありがたさを感じて深く帰依し、仰ぎ慕うこと。「普賢の願海に入る…―骨を徹す」〈栄花玉台〉。「諸人随喜―し、菩提心を起しける」〈雑談集九〉②人をうやまい、かしずくこと。「これほどの君はあらじとて、囲繞―申しけり」〈伽・御曹子島渡〉③大切に扱うこと。「いかに狂女、持ちたる花がたみを君の御花筐とて―するは、そも君はたがことを申すぞ」〈謡・花筐〉

かつかつ【渇渇】《副詞カツガツの転か》ほとんど飢えんばかりであること。貧しくて物のないこと。「貧しき人を、住まひの―とあると申しならはせる」〈名語記四〉。「今日―千疋出す也」〈言国卿記明応三・四・一〉

かつがつ『副』《動詞カテ(克・耐)の終止形カツを重ねて副詞としたもの。原義は、こらえこらえ》①不満足に耐えながら。ともかくも。「―もいや先立てる兄(え)をしまかむ」〈記歌謡一六〉。「玉主に玉は授けて―も枕と我はいざ二人寝む」〈万六五二〉。「聞法におきて三の品有り。一は以て散動して談笑し、―聞く。是れ下品聞法なり」〈東大寺諷誦文稿〉②とりあえず。さしあたって。「〔入道ハ〕ゐみさかえて、まづ住吉の神を―拝み奉る」〈源氏明石〉③(時期が未だ至らないのに)早くも。「夕まぐれ慣らす扇の風にこそ―秋は立ちはじめけれ」〈六百番歌合夏下〉。「物取り出すを見て、させる事あらじと思ひて、―わらふ者もありけり」〈梵舜本沙石集九ノ二〉④徐徐に。少しずつ。「夕立の―晴るる雲間より雨を分けてもさす日影かな」〈大納言為氏卿集〉

かつがつ【且つ且つ】『副』①同時にまた。加えて。「しばしば幽吟を中秋三五夜の月にいたましめ、―遠情を先途一千里の雲におくる」〈東関紀行〉②あとからあとから。次次と。「寺寺の老僧、兵(つはもの)にたへぬ老いたる翁、里村の女ばら、道に出でて、―かへり給ふみゆきを拝み、喜び奉る」〈松浦宮物語三〉

かっき ①矢を射放つ音の形容。「きりきりと引きしをり、かなぐり放しに―と放つ」〈伽・いづみが城〉②はっきり。きっぱり。かっきり。「陰の身は灰と成り、土と成り候とも、此の心法は―として有る也」〈見聞愚案記四〉。〈日葡〉

かつ・ぎ【担ぎ】『四段』①肩にかけてになう。「安芸の国には、あの鳥出で来ぬれば稲を刈りて―・ぎ運べば、稲負(いなおほせ)鳥と申す也」〈三秘抄〉②だます。「―・ぐ。だますことなり。古来は御幣(おんべい)かつぎと云ふて、人を勧めおだてる事なりし。当世は、人をだます事を云ふ」〈洒・胡蝶の夢〉

かづ・き【被き】㊀『四段』《カヅキ(潜)と同根》①すっぽり

と頭にかぶる。「形を蔵(つつ)む布の端は、是れ東国の物産なり。寒(こご)ゆる時に曳き蒙(かづ)く綿の端は、西国より出でし所なり」〈東大寺諷誦文稿〉 ②貴人から褒美として賜わった物を(頭から)肩にかける。「白き物どもを品品ー・きて、山際より池の堤過ぐる程のよそ目には」〈源氏若菜上〉 ③損失・責任などをしょいこむ。だまされる。「片里も今は恋に賢く、年寄女は闇に〔モ〕ー・かず」〈西鶴・一代女六〉 ㊁『名』①頭にかぶる物。帽子の類。「わたつ海のあまにはあらぬ入道のーに身をも暖めよとや」〈再昌草二七〉 ②衣被(きぬかづき)のこと。「女は、上(うへ)高き方は、緋(ひ)の袴(はかま)着、ーの小袖なんど」〈真宗教要鈔下〉 ▽室町時代頃から「かつぎ」へと移りはじめたらしい。「カツギ、よりよくは、カヅキ」〈日葡〉 **ーもの【被き物】** ①「かづき」㊁(1)に同じ。「さむき頭(つぶり)のーとや」〈再昌草二七〉 ②「かづき」㊁(2)に同じ。「なうなう、早うーを取らさせられい」〈虎明本狂言・眉目よし〉 ③人にだまされて損をした物。まやかし物。「榾(ほだ)の木の燃えぬや賤(しづ)がー」〈俳・伊勢正直集六〉

かづ・き【潜き】 ㊀『四段』《カヅキ(被)と同根。頭にすっぽりかぶる意》①水に頭を突っこむ。水にくぐる。「鳰鳥(にほどり)のー・き息づき」〈記歌謡四二〉 ②水中にもぐって貝・海藻などを取る。「沖つ島い行き渡りてー・くちふあはび珠もが包みてやらむ」〈万四一〇三〉 ㊁『名』水にもぐって貝や海藻を取ること。「ーする海人(あま)は告るとも」〈万一三〇二〉 †kaduki **ーめ【潜き女】** 海女(あま)。「潜女、加豆岐米(かづきめ)」〈和名抄〉

がっきめ【餓鬼奴】《ガキメの促音化》相手をののしっていう語。「ー、逃がすまいぞ」〈伽・天神絵巻〉

かづ・け【被け】『下二』《カヅキの他動詞形》①頭にかぶせる。「もみぢ葉は風のー・くる錦なりけり」〈伊勢集〉 ②貴人が下人の労をねぎらい、或いは褒美として衣服・布・綿などをとらせる。下人はその品を肩にかけて退るのが礼儀だった。「女の装束ー・け給ふ」〈源氏松風〉 ③かこつける。「さるほどに、病にー・けて寺へ引きこみて、参学をしてゐたぞ」〈三体詩抄二ノ四〉 ④転嫁する。負わせる。「よからぬ事は皆、田舎者にー・くる」〈仮・仕方咄三〉 **ーもの【被け物】** ①当座の褒美・祝儀として与える品物。多くは衣類で、もらった者はこれを左肩に掛けて退く。纏頭。「御わたりのーどもなど」〈源氏早蕨〉 ②ごまかし物。いかさま物。「匂ひはー」〈西鶴・一代男六〉

かづ・け【潜け】『下二』《カヅキの他動詞形》鵜(う)などを、水中にもぐらせて魚を取らせる。「上つ瀬に鵜を八つー・け」〈万三三三〇〉 †kadukë

かっこ【羯鼓】 雅楽・伎楽・田楽などで用いた鼓。台の上に据え、二本の撥(ばち)で両面を打ち鳴らす。能などでは体の前につけて舞い打つ。「源中納言ーを打ちて、高く唱歌(しやうが)ありけり」〈著聞六九〇〉

かづさ【上総】《カミツフサの転》旧国名の一。東海道の一国。今の千葉県中部。〈文明本節用集〉

かづ・し『四段』未詳。カドハシ・カドヒ(誘)と同根で、さそう意の上代東国方言という。「我(わ)をー・さねも(サソッテクダサイナ)」〈万三四三二東歌〉

かづしかわせ【葛飾早稲】 下総国葛飾の地でとれる早稲。「鳰鳥(にほどり)のーを饗(にへ)すとも」〈万三三八六東歌〉

かっしき【喝食】 禅寺で諸僧に食事の案内を告げ、給仕の役をした下げ髪の少童。後には、稚児(ちご)の別名ともなった。喝食行者(あんじゃ)。「始めは武蔵国東勝寺のーなりしを」〈太平記二六・直冬西国下向〉

がっしゃう【合掌】 両手の掌(てのひら)を合わせ、仏を拝むこと。インド古来の礼法。「階(はし)より急ぎ下りて、ー恭敬(くぎやう)して」〈今昔六ノ一二〉

かっせん【合戦】《カフセンの転》両軍が戦いを交えること。「一日三度のー断ゆる事なし」〈孝養集上〉。〈明応本節用集〉

がっそう【喝僧・兀僧】 近世、男子結髪の一種。額の月代(さかやき)を剃らず、のばした髪を束ねて結ったもの。総髪。「ーも油を付けつ撫で付けつ」〈俳・正章千句下〉。〈天正十八年本節用集書入〉

かったゐ【片丐】「かたゐ」の促音化。「もろもろのーをあはれみて、朝夕物を取らす」〈発心集三〉。「ーはーと連れてあると云ふぞ」〈湯山聯句鈔上〉。「ここもと(日本)に無道な者を、やれーと云ふ」〈山谷詩抄八〉

かっちう【甲冑】 鎧と兜と。「或はーを着て、弓箭(きうせん)を帯せり」〈今昔一〇ノ一五〉

かつて【都て・曾て・嘗て】『副』①《下に打消を伴って》㋑今まで一度も。「ーも知らぬ恋もするかも」〈万六七五〉。「憍慢の心のみ深くして、ー当来の昇沈をかへりみず」〈平家一〇・戒文〉 ㋺全然。ちっとも。決して。「木高くはー木植ゑじ」〈万一九四六〉。「ー歓楽の想無し」〈金光明最勝王経平安初期点〉。「ー塵ばかりも損じ給ふ事なし」〈今昔一三ノ一八〉 ②すべて。みな。ことごとく。「服玩ー尽きぬるときは」〈大唐西域記五・長寛点〉。「都、スベテ・カッテ」〈名義抄〉 ③以前に一度。ある時に。「如来、在昔(むかし)ー此に処(まし)して」〈大唐西域記四・長寛点〉。「曾、カッテ・ムカシ・ソノカミ」〈名義抄〉 **ー以て**《カッテの強意》全くもって。「就中、此の関白ー存知せられぬ歟」〈公衡公記弘安一一・三・二三〉。「更に信心の沙汰とてはーこれなし」〈御文章〉

かって【勝手】 ①都合よいこと。便利。「此の方の狭い屋敷がーでござる」〈虎明本狂言・武悪〉 ②わがまま。気まま。手前勝手。「人と云ふ者は、我がーによい事は、例にしたがる物でござる」〈虎寛本狂言・布施無経〉 ③都合。ぐあい。「此方のー悪しく候はば、御承引なさるまじく候」〈浅井三代記三〉 ④台所。くりや。「ーに於いて〔客ニ〕相対する也」〈隔蓂記寛文八・二・七〉 ⑤生計。家計。暮し向き。「軍士あまた扶持して、ー大きにすりきりにて候が」〈人鏡論〉。「当春、余りにー不如意、指し詰まり候故、質置き候」〈兼山記〉 **ーしゃ【勝手者】** 暮し向きのよい人。財産家。「舅殿はーぢゃによって、住居も大きな」〈虎寛本狂言・二人袴〉 **ーびゃうぶ【勝手屏風】** 丈が低く、横に広い二曲の屏風。多く勝手で使うのでいう。「ーの絵こそ我がまま」〈俳・雪千句上〉

がってん【合点】 ①文書などの文言の右肩に、同意・了承の符号として「ヘ」じるしの点を書くこと。また、歌などを選ぶ時、良いと認めたものの右肩に「ヘ」じるしをつけて示すこと。「尼性縁と藤原氏との相論文書、ー、今朝返上し了んぬ」〈平戸記仁治一・三・一九〉。「定家朝臣のもとへ点を乞ひにやりたりければ、ーして、褒美の詞(ことば)など書きつけ侍りとて」〈著聞二二七〉 ②同意すること。賛同。「新叙の人人…〔院ノ〕御ー有るか」〈中右記長承二・一・五〉。「もっとも然るべきよし、ー申されける上は」〈保元上・新院御謀叛思し召し〉。「合点、ガッテン、同心の義なり」〈文明本節用集〉 ③納得。得心。「何とも俺は心得が行かぬ。つひにーえせぬ」〈本福寺跡書〉。「奇特(きどく)に早く御ーなり」〈耳底記〉 ↓がてん。 **ーくび【合点首】** 竹または木の串に首ばかり付けた人形。子供が着物を着せて遊ぶ。「衣類と頭(かしら)は各別に違ひ、ーの如し」〈西鶴・一代女六〉

かつは【且つは】『連語』同時に。一方では。「旅を宜しと思ひつつ君はあらむと、あそこには(ウスウスハ)ー知れども、しかすがに黙然(だも)得(え)あらねば」〈万五四三〉。「—かたじけなく、—あぢきなくぞ思しめされける」〈保元上・法皇崩御〉

かっぱ【河童】《カハワラハの転》想像上の動物。水陸両棲。形は四、五歳の児童のようで、頭上の凹みに少量の水を容れる。相撲を好み、人馬を水中に引き入れて血を吸い、尻から腸を抜くという。古くは、カワウソの別名とも信じられていた。「—と言ふ物ありて、人の命を取ると言ふ」〈仮・変化ばなし〉

カッパ【合羽・紙羽】雨天の外出に用いる外套の一種。初めポルトガル人の外套を模し、油紙で衣服を広く覆うように製したもの。後、ラシャ・絹・綿などで作った。「旅人の雨嚢を—と言ひ」〈俳・河船付徳万歳〉▽ポルトガル capa **—かご**【合羽籠】近世、大名行列などに、供廻りの雨具を納め、最後に下部がかついで行った一荷の籠。「降り来る涙—呼ぶ」〈俳・通し馬下〉 **—のきれのタバコいれ**【合羽の切れの煙草入】桐油合羽の裁(た)ち落しで作った煙草入。多くは絞紙(しぼがみ)に油を引いたもの。「合羽の煙草入」とも。「継煙管(つぎキセル)を無理取りに、—をしてやり」〈西鶴・一代女五〉 **—ばこ**【合羽箱】①雨具を入れて従者に担わせる箱。「露時雨かかれとてしも—」〈俳・桜千句〉②歌舞伎若衆の草履取の異名。金剛。跡付。「野郎に付ける金剛、跡付とも又は—とも申しまする」〈評判・難波の顔二〉

かっぱと《副》ぱっと。ばっと。がばと。動作が急にはげしく行なわれるさま。急に倒れ伏したり、起き上がったりするのにいうことが多い。「真中射通され—まろぶ」〈謡・摂待〉。「—起きて言ふやう」〈伽・ふくろふ〉

かつふつ《副》全く。まるで。「—止めさせられし由」〈評判・赤烏帽子〉。「—に合点の行かぬ事のあり」〈浄・信田小太郎二〉

かっぺき【合壁】壁隣りであること。また、その隣家。「先夜、能成寺炎上の事…能成寺と長松院と—す。しかるに長松院焼けず、不思議なり」〈看聞御記永享一〇・五・一四〉。〈文明本節用集〉

かつま【勝間】目のこまかい竹かご。「かたま」「かたみ」とも。「間なし—の小船を造りて」〈記神代〉

かつみ マコモの異称。「道の宿に、あやめをば葺(ふ)かで—を葺きたりけるを見て」〈著聞六六一〉 **—ぐさ**【かつみ草】「かつみ」に同じ。「浅香の沼には—、忍ぶの里にはもぢずり石の」〈閑吟集〉

かつみゃう【渇命】《カツメイとも》①飢えや渇きで命が危うくなること。また、その危うくなった命。「などや子供の—をも計らはせ給はぬぞ」〈伽・三人法師〉②飢えや渇きをしのぐための手段。「—なきによって、恥を顧みず盗賊を仕る」〈室町殿日記五〉

かつやま【勝山】女の髪風の一。髪を頂後に束ねて末を細くし、前に曲げて大輪を作ったもの。承応頃、江戸吉原の遊女勝山が結い始めたという。勝山流。勝山風。「髪は当世の—」〈浮・好色不老門三〉

かつら【桂・楓】①山地に生える落葉喬木。葉の出る前に紅い小さい花がさく。若葉は紅味があり、賀茂祭にもつかう。秋、黄葉する。オカツラ。「向つ岡(を)の若—の木」〈万一三五九〉。「楓、和名、乎加豆良(をかつら)」〈和名抄〉②月の中にあるという、伝説上の木。「月の内の—の如き妹(いも)をいかにせむ」〈万六三二〉③メカツラ。肉桂(にくけい)の類ともいう。芳香がある。「桂、和名、女加豆良(めかつら)」〈和名抄〉 **—かぢ**【桂楫】《月の中に桂の木があるという中国伝説による語》桂の木でつくった櫓(ろ)。「天の海に月の船浮け—かけて漕ぐ見ゆ」〈万三三三〉 **—のかげ**【桂の影】月の光。「蔵人の少将の、月の光にかかやきたりし気色も、—に恥づるにはあらずやありけむ」〈源氏竹河〉 **—のまゆ**【桂の眉】三日月のように細く美しい眉。「さも美しき紅顔の、翡翠のかづら花しほれ、—も霜ふりて」〈謡・檜垣〉 **—のまゆずみ**【桂の黛】三日月のように細く美しく引いた眉墨。「—青うして白粉を絶えさず」〈謡・卒都婆小町〉 **—をとこ**【桂男】月世界に住むという男。「目には見て手には取られぬ月のうちの—の君にぞありける」〈伊勢(塗籠本)七三〉 **—を折・る** 官吏の登用試験に及第する。「『かざしてもかつたどらるる草の名は—りし人や知るらむ』博士ならでは」〈源氏藤裏葉〉▽晋の武帝が、賢良直言の士を求めた際、郤詵(げきせん)が自己の対策を自讃して「桂林の一枝、崑山の片玉のごとし」と言ったという、晋書、郤詵伝の故事による。

かつら【桂】①京都郊外の地名。桂川の西岸に沿う。「—に侍りける時に…。久方のなかに生ひたる里なれば光をのみぞ頼むべらなる」〈古今九六八〉②「桂女」の略。「広御所より見れば、—といふ者の、あやしの姿したるが五六人、筐(かたみ)といふものを肘にかけて参る」〈弁内侍日記〉。「日暮頃—来る。姫夜叉。樽等持参了んぬ」〈政基公旅引付永正一・八・九〉 **—め**【桂女】①桂の里に住んでいた巫女(みこ)。京都の貴族や富豪の家に祝い事がある時、その家に行って祝言の祓(はらえ)をした。日常は独特の服装で鮎・飴などを売り歩き、後には陣中に候し、また遍歴する遊女ともなった。先祖は神功皇后に仕えたと言い伝え、女系相続して明治に至った。桂姫。桂御前。「—の鮎にはあらず尼人のかづく阿彌衣けふにあふひぞ」〈経信集〉。「其の〔桂女ニ扮装シタ〕姿、美麗の小袖に帷(かたびら)を壺折りて、髪を裹(つつ)み…桶を頂き…桶中に鮎等種種御肴これを納れ、両人御前に参り、御簾の内へ桶を差し入れ、退出す。其の体、—に相替らず」〈看聞御記応永三三・三・七〉②貴人の婚礼の時、嫁の供をする女。「侯家、或いは新婦の輿を先導する者を—と名づく」〈日本書紀通証六〉

かづら ❶【鬘】《カミ(髪)ツラ(蔓)の約》①蔓草で作った髪飾り。蔓草や羽などを輪にして作った。万葉時代は、柳(と梅)・菖蒲(と花橘)・さ百合なども用いた。「青柳を—にしつつ」〈万八二五〉。「をとめらの插頭(かざし)のために、みやび男(を)の—のためと」〈万一四二九〉②頭髪を補うための毛。添え髪。かもじ。「わが御ぐしの落ちたりけるを取り集めて—にし給へるが、九尺余ばかりにて」〈源氏蓬生〉③扮装用にかぶる種種の形の髷(まげ)。かつら。「銅をもて甲(かぶと)をこしらへ、それに髪を植ゑて、—と名付けてかぶり」〈仮・都風俗鑑三〉④能楽で、⑶の上に鉢巻のように締め、うしろで結び、長く垂らす帯。鬘帯。「—の掛けやう、帯を眉に当てて、うしろも直ぐなるやうに結ぶべし」〈反古裏の書一〉❷【葛・蔓】「鬘」⑴にする蔓草の総称。「切懸(きりかけ)だつものに、いと青やかなる—の心地よげに這ひかかれるに」〈源氏夕顔〉。「葛、加豆良(かづら)」〈新撰字鏡〉▽kamitura→kamtura→kandura→kadura **—・き**【鬘き】《四段》鬘としてつける。鬘にする。「かくしこそ柳—・き楽しく遊ばめ」〈万四〇七一〉 †kaduraki **—ひげ**【鬘鬚】「鬘」⑵をつけたように生えている鬚。「—とかいふ面(つら)つき」〈源氏椎本〉 **—をけ**【葛桶】能・狂言・歌舞伎などで用いる桶状の腰掛。腰掛以外にも小道具として用いる。「〔囃子方ハ〕昔は床几(しやうぎ)無くして…すなはち桶に腰掛けし。今の—の事なり」〈わらんべ草一〉。〈日葡〉

かづらき【葛城】①大和国の地名。「—の高間の草野(かやの)」〈万一三三七〉②催馬楽(さいばら)の曲名。「—あそびたまふ。

花やかにおもしろし」〈源氏若菜下〉 †kaduraki ―**のかみ**【葛城の神】大和の葛城山にいたという一言主神(ひとことぬしのかみ)。役(えん)の行者から、葛城山と金峰山(きんぷせん)との間に岩橋をかけよと命じられたが、容貌の醜いのを恥じて夜だけ出て働き、工事は完成しなかったという。「暁にはとく下(お)りなむと急がるる。『―もしばし〔待テ〕』など仰せらるるを」〈枕一八四〉。「岩橋の夜の契りも絶えぬべし明くるわびしき―」〈拾遺一二〇一〉 ―**やま**【葛城山】大和国と河内国の境にある二上山から金剛山にかけての山地。役(えん)の行者以来、修験者の道場。「春柳―に立つ雲の」〈万二四五三〉。「かしこき行ひ人、―より請(さう)じいでたる、待ち受けたまひて加持まゐらせむとしたまふ」〈源氏柏木〉

かつ・ゑ【餓ゑ・飢ゑ】『下二』飢える。「物持たる者とても、毎日に百石を食はず。…持ち足らぬ人も―・うる事もなし」〈龍鳴抄下跋〉。「飢極、カツヱコウジタリ」〈文明本節用集〉 ―**じに**【餓死】餓死(がし)。「―、乞食死(こじきじに)、ここやかしこに倒死(たふれじに)、凍死(こごえじに)、冷えよりの病を受け病死(やみじに)」〈本福寺跡書〉

かつを【鰹・堅魚】①カツオ。「水の江の浦島の子が―釣り」〈万一七四〇〉②「かつをぎ」の略。「―を上げて舎屋を作れる家ありき」〈記雄略〉③鰹節。「手に―を一節づつ持ちて〔猫ヲ〕呼べ」〈咄・醒睡笑四〉 ―**うり**【鰹売】近世、鎌倉から着いたばかりの初鰹を、威勢よく江戸市中に売り歩いた魚屋。「いかめしや日影を走る―」〈俳・続の原下〉 ―**ぎ**【鰹木】神社や宮殿の屋根の棟木の上に、横に並べる装飾用の木。「〔伊勢ノ内宮ハ〕―も九つあり」〈沙石集一ノ一〉

かて【糧】《カリテの転》旅などに携帯した糧食。また、貯蔵食糧。転じて、食物。「道の―・食ひ物」〈竹取〉。「〔冬山ニ籠リ〕―絶えて、日頃経(ふ)るままに、食ふべきものなし」〈古本説話五三〉。〈名義抄〉 ▽karite→karte→katte→kate

か・て【克て】『下二』《じっとこらえて相手に負けない意。転じて物事をなし得る意。他の動詞の連用形に付く》…できる。「石群(いはむら)を手越(たご)しに越さば越し―・てむかも」〈紀歌謡一九〉。「かくのみ待たばあり―・つましじ(トテモコラエラレマイ)」〈万四八四〉。「君をし思へばいね―・てぬかも」〈万六〇七〉

か・て【糅て】『下二』まぜる。「醤酢(ひしほす)に蒜(ひる)つき―・てて鯛(たひ)願ふ」〈万三八二九〉。「雑、マジフ・カサヌ・カツ」〈名義抄〉 ―**て加へて** あるが上に。その上に。更に。「―おかちが煩ひ、伯父の難儀」〈近松・油地獄中〉

かてに【克てに】『連語』《ニは打消の助動詞ズの古い連用形》こらえられず。耐えかねて。「あはゆきのたまればーくだけつつわが物思ひのしげきころかな」〈古今五五〇〉 ▽「がて(難)に」と混同され、平安中期ごろ消滅した。

かてに【糅てに】『連語』《主に名詞について》…まじりに。「雪―吹く春風は早けれど」〈延喜二十一年京極御息所歌合〉

がてに【難に】『連語』…できないで。…しがたく。「春されば吾家(わぎへ)の里の川門には鮎子さばしる君待ち―」〈万八五九〉。「わりなく出で―思しやすらひたり」〈源氏若菜上〉 ▽本来、こらえられずにの意の「かて(克)に」であったが、すでに奈良時代からその語源意識がうすれ、カテはカタシ(難)の語幹と混同され、ニは格助詞と意識されて、ガテニが成立した。

がてら『助』《動詞連用形・名詞をうけて》…かたがた。…のついでに。「梅の花咲き散る園に我行かむ君が使をかた待ち―」〈万四〇四一〉。「わぎも子が形見―と紅の八入(やしほ)に染めておこせたる衣の裾も」〈万四一五六〉。「恥ぢ―、はしたなめ給ふ」〈源氏行幸〉。「明日ばかりは御足息(やすめ)め―留り給へ」〈今昔一九ノ四〉 ▽ガテリの語尾リを、状態を示す接尾語ラに置きかえるようになって成立した形。

がてり『助』《動詞連用形をうけて》…のついでに。…しつつ。「恋ひつつ居りき君待ち―」〈万三七〇〉 →がてら。 ▽臼でつく意のカチにアリのついた語であろう。二つの行為をつき合わせて一緒にする意。katiari→kateri→gateri

がてん【合点】「がってん」の転。「それを―あそばいたらば」〈虎明本狂言・鈍太郎〉

かど【角・稜・才】①二つの平面が接して生じる尖った部分。㋑刀のしのぎ、または切っ先。「焼太刀の―打ち放ち」〈万九八九〉。「稜、カド」〈名義抄〉㋺尖って突き出た部分。「なだらかなる石、―ある岩」〈宇津保祭使〉㋩曲り角。すみ。「あそこの隅へいてはぐどぐど、ここの―へいてはぐどぐど」〈虎寛本狂言・宗論〉②目立つ点。これという見所。取り立てるべき所。「あやしき草木をほり植ゑ、―あるいはほ石を立てならべて」〈栄花駒競〉。「讃嘆の時、『何も同じやうに聞かで、聞かば―を聞け』と申され候。詮ある所を聞けとなり」〈昔語記〉③【才】目立って利発な点。才気。「我を立てて太子としたまへることは、豈(あに)能き才(かど)有らむとしてなれや」〈紀仁徳即位前〉。「いと深きよしにはあらねど、今めかしう―ありと言はれ」〈源氏柏木〉。「―ある御琴の音(ね)なり」〈源氏若菜下〉④人の欠点やあら。「夜昼の境もなく、人の―をつけさらして、少しも誤れば、やがて咎(とが)に行なひて」〈朝鮮日日記〉 †kado ―**引き廻・す** 町角を敷地にして、住居が街路に面する。「大屋敷―・す合戦に」〈俳・二葉集〉 ―**を入・る** ①直角の形にする。「振袖のなりは、隅に―・れたれば」〈仮・都風俗鑑三〉②角前髪(すみまへがみ)の額際の両隅を剃り込む。「すみを入る」とも。「此の人は―・れたる由もなく、生れ付きの丸額」〈西鶴・男色大鑑四〉③荒荒しくする。いからせる。「角を立つ」とも。「弁慶が大の眼(まなこ)に―・れ」〈俳・大矢数一〉 ―**を立・つ** ①角(かど)をとがらせる。「櫟(いちひ)の木をもって削りたる棒の、八角に―・てて」〈義経記三〉②目をいからせる。「大の眼(まなこ)に―・てて見出し」〈伽・弁慶物語〉③事を荒立てる。「何とてか和田殿は、某(それがし)に逢ひ給へば、よしなき事にも―・てて宣ふらん」〈曾我九〉 ―**を倒さ・ず** ①器物・衣類など、古びても形を崩さず、きちんとしている。「身を持ち扇の―・ぬ操(みさを)こそ」〈俳・宝蔵三〉②折り目正しくする。節操を守る。「方直は、正直に角立てて、―・ぬものぞ」〈蒙求抄三〉 ▽「角を絶やさず」「角つぶさず」などとも。

かど【門】①門(もん)。「―にやどにも玉敷かましを」〈万一〇一三〉。「―よりしもえ入らで」〈古今六三三詞書〉②門口(かどぐち)。門前。門のあたり。「―に立ち夕占(ゆふけ)問ひつつ」〈万三九七八〉③家門。一門。門流。「この―ひろげさせ給ひて」〈源氏薄雲〉。「〔同ジ〕藤原ながら―分れたるは、列にも立ち給はざりけり」〈紫式部日記〉 †kado ―**広・し** 一門が生みひろがっている。一族が繁栄している。「男は女に逢ふ事をす、女は男に逢ふ事をす。その後なむ―・くもなりはべる」〈竹取〉

かどいで【門出】「かどで」に同じ。「明日吉日にて候あひだ、形(かた)の如く―仕り候はんずる」〈義経記一〉。「首途、かどいで、旅行のはじめ」〈和漢通用集〉 ―**よし**【門出吉】旅の出立に吉日という意。近世、馬方が縁起を祝って馬の腹当に記した。「年の春につなぐ此の馬―」〈俳・三つ物揃〉

かどい・れ【角入れ】『下二』前髪の額際の両隅を剃り込み、角を立てる。近世、男子が元服二、三年前に行なった。「前髪を取り、額に—・れさせられたる事にはなりぬ」〈仮・よだれかけ六〉

かとう【歌頭】踏歌(たふか)の時、音頭(おんど)をとる役。「四位の侍従、右の—なり」〈源氏竹河〉。「八日、踏歌の事を定めらる…—六人」〈西宮記正月下〉

かどうたひ(…ウタイ)【門謡】「謡うたひ」に同じ。「せん方なくて—、編笠深くかぶり、連節(つれぶし)に小浜町を通るを」〈西鶴・伝来記六〉

かどおくり【門送り】辞去する人を門口まで見送ること。あるじが門まで行かぬのを略式とする。「—の事。まづ座敷にて一礼有りて、縁にて一礼、庭に一礼。上中下に人によりて、かやうに礼有るべき也」〈今川大双紙〉。「縁まで—候」〈伊達成宗上洛日記文明一五・一〇・一四〉

かどかど・し『形シク』①いかにもかどだっている。「岩の上の—・しきもあるものを人のこゆるをいたみだにせぬ」〈新撰六帖三〉②(心に)かどがある。とげとげしい。「おしたち、—・しき所ものし給ふ御方にて」〈源氏桐壺〉。「〔事事ニ〕—・しく癖をつけ、愛敬なく、人をもて離るる心あるは」〈源氏若菜上〉③人目につく所がある。「〔姫君ノオ妃教育ハ〕よろづの事に通はしなだらめて、—・しき故(ゆゑ)もつけじ、たどたどしくおぼめく事もあらじと、ぬるらかにこそ掟てたまふなれ」〈源氏常夏〉④才気ばしっている。利発である。「やうだい(カラダツキ)子めかしう、—・しきかたちしたる人」〈紫式部日記〉

かどぎゃう(…ギョウ)【門経】人の家の前で経を読み、銭・米などを貰う乞食坊主。また、その読経。門経読み。「いかにせん読む—の布施(ふせ)なくて」〈俳・身楽千句〉

かとく【家督】《一家の監督の意》①一族の族長。「次男の流たりといへども—を相継ぎ」〈吾妻鏡治承四・八・二六〉②跡継たるべき者。嗣子。「弟子正二位藤原朝臣実成…仏に白(まう)して言ふ。〔我ガ子〕左武衛大将軍納言〔公成〕は、弟子の—なり」〈本朝続文粋一三〉③近世、家産・遺産の意。武家では一家に属する封禄、農家では田地・屋敷、商家では土地・家屋および家業の屋号を意味する。「—をば思ひのままに渡されて」〈俳・寛永十三年熱田万句一九〉。「某が子と成って—を継いで給はれ」〈浄・舎利四〉

かどじゃうるり(…ジョウ…)【門浄瑠璃】人の家の門前に立って浄瑠璃を語り、金銭などを乞う者。「—に銭米を取らせ」〈西鶴・文反古三〉

かどぜっきゃう(…キョウ)【門説経】伊勢、間(あい)の山から出て、編木(ささら)・胡弓を伴奏にして説経を語り、門付けした乞食。「—の声ぞかれたる」〈俳・正章千句上〉

かどた【門田】門前の田。家の近くにある田。「妹が家の—を見むと」〈万一五九六〉。「—の稲刈るとて」〈源氏手習〉†kadota

かどだか【角高】①角がとがっているさま。とがってつき出ているさま。「犖确は、石の—なる体なり」〈錦繡段鈔七〉②かどばってとげとげしいさま。「情(じゃう)のこはき者は—なる者なり」〈蒙求聴塵下〉

かどたがへ(…タガエ)【門違へ】家をまちがって訪れること。「かどたがひ」「かどちがひ」とも。「人のもとへ持ち行く文(ふみ)なりとも、—して来(こ)よかし、頼まむとなり」〈古今集註〉

かどたち【門立ち】①門口に立つこと。「なうなう、これほどの大雪に何とて—をばめされ候ぞ」〈謡・鉢木〉。「昨日も今日も—ぞする／照り続く暑さは宿にこらへかね」〈俳・寛永十三年熱田万句一四〉②よその門口に立って米銭を乞うこと。また、その乞食。「念仏申して辻立ち—」〈俳・昼網上〉③遊女が夕暮時に門口に立って客を誘うこと。「傾城の—といふ謎あって」〈俳・油糟〉

かどちか【門近】門に近いこと。「〔此ノ家ハ〕—なる所なれば、少しさし出で〔門内ヲ〕見入れ給へば」〈源氏花散里〉

かどちゃ【門茶】七月中、門前で往来の人に茶を施すこと。摂待。「—立つるも心有るらし」〈俳・続独吟集上〉

かどづめ【門詰】門の敷居。家の入口。「—を七夕つめも前渡り」〈俳・時勢粧四〉

かどで【門出】(旅行・転居・出陣のため)我が家の門を出ること。出立。後には「かどいで」とも。「あか駒が—をしつつ」〈万三五三四〉。「九月三日—して、いまたちといふ所に移る。…—したる所はめぐりなどもなく」〈更級〉▽門出には、縁起を祝って、吉日吉方を選んで仮に他所へ移ったり、吉日を選んで儀式を行なったりして形式的な門出をし、後日あらためて出発することもあった。†kadode

かどなみ【門並】「いへなみ」に同じ。「薪〔ヲ〕惣—に焼き候」〈家忠日記天正五・三・一〇〉

かどのをさ【看督長】《カドは「看督」の字音の転》牢獄の管理、罪人の追捕(ついぶ)に当った、検非違使(けびゐし)の属官。「〔検非違使ハ〕金をば—に持たせて…大理(だいり)のもとへ参りぬ」〈宇治拾遺三〉。〈下学集〉

かどはか・し(カドワカシ)【勾引し】□一『四段』誘拐する。「人商人(ひとあきびと)に—・され」〈伽・ゆみつき〉□二『名』人を誘拐する者。「これはいつも参る商人かと思ひしに、人商人にて—にてありけるぞ」〈説経・小栗の判官〉

かどは・し(カドワシ)【誘はし・勾引し】『四段』《カドヒから派生した形》誘拐する。「京よりうかれたる女の、人に—・されて来たりたりけるを」〈今昔二四ノ五六〉。「親に離れたる人か、—・されたる人か」〈伽・むらまつ物語〉

かどばしら【門柱】門口の柱。「おのづから朽ち残りたる—我が家いかでたて直さまし」〈新撰六帖二〉

かど・ひ(カドイ)【誘ひ・勾引ひ】『四段』①あざむいてさそう。誘惑する。「山風の花の香—・ふふもとには」〈後撰七三〉②人を誘拐する。かどわかす。「我が年ごろの下人を逃がしたりつるを、厳島にて見つけてあるを、また江田へ—・はれたるなり」〈問はず語り五〉。「句引、加度不(かどふ)」〈新撰字鏡〉

かどび【門火】①葬送の時、または婚礼の輿(こし)が実家を出た時、門前で焚(た)く火。「—たく事」〈嫁入記〉。「門燎、俗云門火二」〈和名抄〉②盂蘭盆(うらぼん)の時、死者の霊を送迎するため門口で焚く火。「世間に、松を—に焚き、樒(しきみ)の枝にて清水をそそぐ事あり」〈俳・改正月令博物筌七〉

かどまつ【門松】正月に門に立てる松。「賤の宿にたてならべたる—にしるくぞ見ゆる千世の初春」〈嘉応二年五月二十九日左衛門督実国歌合〉

かど・め『下二』《カド(角)を動詞化した語》疑わしく思って、心をとがらせる。「誰か我と総同参ではあるぞと—・めて」〈人天眼目鈔一〉。「見—・むるまでも候はず」〈妙貞問答下〉

かどめ・き【才めき】『四段』才気ありげに見える。「物のみやび深く、—・き給へる人にて」〈源氏若菜上〉

かどもり【門守】門番。「み—寒げなるけはひ」〈源氏槿〉

かどや【角屋】①町角にあって両面街路に面した屋敷。商いに有利なので、多くは由緒ある裕福な町人が住んだ。角屋敷。「—の者も…人を廻し〔下水ヲ〕さらへさせ申すべく候」〈正宝事録慶安一・三・一九〉②金一分の異称。一角(つい

く(か)〉。「―とは一分のこと」〈評判・吉原人たばね〉

かどや【門屋】 大きな門で、人が住む部屋をも兼ね設けたもの。「金の台、銀の闕(かどや)」〈遊仙窟(醍醐寺本)鎌倉期点〉。「門舎、加度夜(かどや)」〈和名抄〉

かどやく【門役】 町内付合いとして、軒並に一人ずつ出て町内の諸公事を勤める義務。「火宅の―とて、袴肩衣着たる事たまさかなれば」〈西鶴・浮世栄花一〉

かどやしき【角屋敷】「角屋」(1)に同じ。「次第に有徳(とく)増す―」〈俳・寛永十三年熱田万句一八〉

かとり【縑】《固織りの意》 織物の一種。細い糸で目を細かく堅く織った絹の布。「―の衣を盗ましめて」〈霊異記上三四〉。〈和名抄〉

かど・り『四段』 管轄する。「縦(ほしきまま)に天子の百姓を摘按(かど)れり」〈紀履中五年〉。「己が女(むすめ)を東人(人名)に放ち与へ、家財を主(かど)らしむ」〈霊異記上三一〉

かど・り ㊀『四段』 感じ取る。気づく。けどる。「敵―・りたると聞き給ひ、しばらく猶予して居給ひしが」〈浅井三代記八〉 ㊁『名』 気づくこと。察知。「〔一揆大将二人〕隠れ在るの由…とらへ申すべしと、出羽守者共才覚仕り候処、両人の者共―にて働き申し候につき、討捕り申し候」〈浅野家文書元和一・閏六・三〉

かどれい【門礼】 新年に門口に来て年賀を述べること。また、その人。「先づ初春に出づる―」〈俳・言之羽織六〉

かな【金】「かね」の古形。他の語の上につけて金属・金銭などと関係あることを示す語。「金鉏(かなすき)」「鼎(かなへ)」など。

かな【鉋】 工具の一。かんな。「ま―持ち」〈万一三八五〉。「工(たくみ)ども、裏板どもをいとうるはしく―かきて」〈大鏡時平〉。「鐪、平レ木鉄也、加奈(かな)」〈新撰字鏡〉

かな【仮名】《カリナの転。「真名(まな)」の対。もと、正式な文字とされた漢字に対して、私的な仮の文字の意》 漢字をくずした草仮名をさらに簡略化した文字、即ち「ひらがな」をいうことが多い。平安時代には、おもに女性が読み書きする場合に使われた。「かんな」とも。「草の手に、―ところどころ書きまぜて、まほのくはしき日記にはあらず」〈源氏絵合〉。「―はまだ書きたまはざりければ、片かんなに」〈堤中納言虫めづる〉 ▽karina→karna→kanna→kana **―は読み成し** 仮名文は読み方次第でいろいろな意味に取れるということ。「―といふこと、まことにをかしき事なり」〈著聞五二七〉

かな【哉】『助』→基本助詞解説

がな『助』→基本助詞解説

かないろ【金色】 ①金属の色。また、それに類する色。「―の花瓶・香炉」〈阿蘇家文書下、至徳三・五・六〉 ②錫や白銅(さはり)で作った提子(ひさげ)。「金色、カナイロ、提子」〈易林本節用集〉

かなうす【鉄臼】 鉄製の小さな臼。香料を搗(つ)いて粉にするのに用いる。「〔香ヲ〕選(え)り整へて、―の音、耳かしがましき頃なり」〈源氏梅枝〉

かながき【金書】 楊弓で、金泥書きの看板を掲げて表彰される程度の腕前。訛って「金貝(かながひ)」とも。一度に二百本の内、矢数百五十以上を金貝、百八十本以上を大金貝と称し、楊弓場に金泥で矢数とその名を記した看板を掲げられた。「楊弓は―ぐらゐ」〈西鶴・永代蔵六〉

かながひ イ‥ガ **【金貝】** ①青貝に金・銀・銅などの切金(きりがね)を入れた蒔絵。「三本唐笠〔ノ紋〕を―に磨ったる鞍を置き」〈太平記九・山崎攻〉 ②⇒かながき(金書)。「五十一朱書、百一泥書、百五十一―と〔言ウ〕」〈楊弓射礼蓬矢抄追考〉

かなき【金木・鉗】 ①金属のようにかたい木の小さな棒。馬の首にはめる首かせなどにつかう。「―着け吾(あ)が飼ふ駒は」〈紀歌謡一二五〉 ②刑罰の道具。鉄製の首かせ。「鉗、加奈岐(かなき)、以レ鉄束レ頸也」〈和名抄〉 †kanaki

かなぎ・り【金切り】『四段』 金属を切る時のような、高く鋭い音を立てる。金切り声を出す。「〔琵琶ノ撥音ハ〕ぬしの天性によりて、かたらかにてよきもあり、―・りてよきもあり、まろらかにてよきもあり」〈残夜抄〉。「鈴虫の声は―・る調子かな」〈俳・崑山集九〉

かなぐ・り『四段』《カイ(掻)ナグリの約か。着ているものを無理にはがしたり、はなしたりする動作が荒荒しく行なわれるのにいう》 ひきむしる。ひったくる。「さが髪を取りて―・り落さむ」〈竹取〉。「〔女ヲ抱キアゲテイル男ガ〕なみなみの人ならばこそ荒らかにもひき―・らめ」〈源氏帚木〉

かなけ【金気・銀気・鉄気】 ①金属の気。「能登の釜、河内の鍋…―出でずと云へり」〈庭訓抄下〉 ②金貨または銀貨。「久しう―の物申し請けぬ」〈西鶴・諸艶大鑑三〉

かなごよみ【仮名暦】《「真名(まな)暦」の対》 仮名で書いた暦。「『―書きてたべ』といひければ」〈宇治拾遺七六〉

かなさいばう ウ‥ボ **【鉄撮棒】** 武器の一。周囲に鉄のいぼを打ちつけた鉄製または筋金入りの棒。「八尺あまりの―脇にさしはさみて」〈太平記三・大館左馬助〉

かなざうし ウ‥ソ **【仮名草子・仮名草紙】** ①仮名で書いた草子。「送り物有り、行成の―」〈中右記大治五・四・一九〉。「―とはずがたり校合の事、これを仰せらる」〈実隆公記明応六・八・二三〉 ②特に、近世初期、平易な仮名文で書かれた、啓蒙・娯楽・教訓の物語または小説、或いは説話・随筆などの総称。浮世草子も初めは仮名草子と呼ばれた。「あだなるは読み習はせじ―」〈俳・身楽千句〉

かな・し【愛し・悲し】『形シク』《自分の力ではとても及ばないと感じる切なさをいう語。動詞カネと同根であろう。カネ・カナシの関係は、ウレヘ(憂)・ウレハシの類》 ①どうしようもないほど切なく、いとしい。かわいくてならぬ。「父母を見れば尊し、妻子(めこ)見れば―・しくめぐし」〈万四一〇六〉。「わが―・しと思ふ娘を」〈源氏夕顔〉 ②痛切である。何ともせつない。「世の中はむなしきものと知る時しいよよますます―・しかりけり」〈万七九三〉 ③ひどくつらい。「ただ飢渇―・しくて、母と二人この塚に住む」〈雑談集六〉 ④《「楽し」の対》貧苦である。貧しい。「年ごろ仏を頼み奉りて、この身いと―・し」〈古本説話五三〉。「〔蓮如上人ノ生活ハ〕御―・しく候て、京にて古き綿を御とり候て、御一人御ひろげ候事もあり」〈実悟旧記〉 ⑤どうにも恐ろしい。こわい。「〔床下ヘ〕落ち入る間に、『あな―・し』とて逃げ入る」〈問はず語り一〉 **かなしう・す** (何をしても足りないほど)かわいがる。「ひとつ子にさへありければ、いと―・し給ひけり」〈伊勢八四〉 **―けく**《カナシのク語法》 悲しいこと。「―ここに思ひ出(で)い切らずそ来る梓弓檀(まゆみ)」〈記歌謡五一〉 †kanasikeku

―・び【愛しび・悲しび】 ㊀『上二・四段』《奈良時代には上二段活用。平安時代に四段活用に転じた》 ①切なく悲しい様子を示す。「朝戸出の愛(かな)しき吾が子…惜しみつつ―・び座(ま)せ」〈万四四〇八〉。「哭、ナク・カナシブ」〈名義抄〉 ②いとおしむ。かわいく思う。「一人の娘ありけり。…父母これを―・び愛して」〈今昔三〇ノ三〉 ③めでる。愛賞する。「花をめで、鳥をうらやみ、霞をあはれび、露を―・ぶ心、ことば多く」〈古今序〉 ▽万葉集の例は、万葉仮名で「可奈之備」とあり、連用形に「備」(bï)が使われているから、上二段活用と認められる。平安時代にカナシビからさらにカナシミに転じた。 ㊁『名』 悲しく思うこと。悲嘆。

「父母見已(はを)りて憂悲(かなしび)を抱きて、倶に山林の捨身の処にいでましき」〈金光明最勝王経平安初期点〉。「たのしびー行き交ふとも」〈古今序〉 †kanasibi **ー・み**【愛しみ・悲しみ】㊀『四段』①かわいく思う。「かたはなる子をさへ親はー・むならひぞかし」〈古活字本曾我三〉②悲しく思う。悲嘆する。「数も知らず死ぬることをー・みて」〈方丈記〉。「親ども泣きー・む事限りなし」〈宇治拾遺二九〉③心打たれる。深く感動する。「吾其の心を感(かなし)む」〈大唐西域記七・長寛点〉。「『天の賜へるなり』と喜びー・んで」〈今昔九ノ一〉㊁『名』①いとおしみ。情愛。「祖子(おやこ)のー深き事を知らしめむがためなり」〈今昔四ノ一〉②悲嘆。「愛別離苦のーを故郷の雲に重ねたり」〈平家一二・平大納言被流〉 **ーら**【悲しら】《ラは状態をあらわす接尾語》かなしそう。「もののーにおもへりし(顔ヲシテイタ)」〈万七三三〉

かなしき【鉄敷】「かなとこ」に同じ。「鍖礁、加奈之岐(かなしき)」〈和名抄〉

かなしばり【金縛り】《修験者の行ずる不動明王の威力による金縛りの法から》動けないように、きびしく縛り付けること。「花を見る身やー不動坂」〈俳・夢見草一〉

かなじゃくし【金杓子】銅製の杓子。小穴をいくつも明け、汁を落すように作ったもの。「湯漬の飯を〔出スニハ〕…ーたるべし」〈女諸礼集一〉

かなすき【金鉏】農具の一。鉄でつくったすき。「ーもいほち(五百)もがも」〈記歌謡九九〉 †kanasuki

かなた【彼方】『代』隔てのむこう。あちら。「ーの庭に」〈徒然一一〉 ▽古くは「こなたかなた」という連語のなかに見える。

かなづかひ カイ:ヅ【仮名遣】いろは四十七文字の仮名の正しい使いわけ。「お」「を」、「い」「ゐ」など、同じ音に対して二種以上の仮名で書ける場合の仮名の使い方。「本朝のーと云ふ事を問ふ」〈蔗軒日録文明一七・一〇・一六〉

かなづちろん【鉄鎚論】鉄鎚で釘を打つように、同じ事を反復して論じること。「君と我が中はーをして」〈俳・鷹筑波三〉

かな・で【儛で・奏で】㊀『下二』①腕(かひな)を伸ばして振り、舞う。「手を挙げ膝(ひざ)を打ち、舞ひー・で歌ひ参(まゐ)来つ」〈記允恭〉。「左右の肱をさしのべて『古泥障(あふり)をまきてぞ舞ふ』と言ひて二三度ばかりー・でて」〈今昔二三ノ一三〉。「儛、マヒ・カナヅ」〈名義抄〉②振る。「野底(やいて)に馬を勇めて、手鞭をー・づ」〈海道記〉。「乙、カナツ、乙レ鞭」〈色葉字類抄〉③音楽などを奏する。「昔、生臭き出家と山伏と占や算と順礼と乗込みの舟に遊女を呼び…一曲づつー・でて遊ばんとて、まづ遊女…江口を謡うたり」〈仮・仕方咄一〉。「曲、カナヅル、奏、同」〈わらんべ草三〉㊁『名』舞。「さも珍しからんーを見ばや」〈宇治拾遺三〉。「『殊さらこれは悦びの折なれば、ただ一ーの御所望なり…』『何と、盛久に御前にて舞を舞へと候や』」〈謡・盛久〉

かなてばう ウ:ボ【金手棒】金棒(かなばう)。「雑色(ざふしき)…ーにて、或いは刀物を持ち、或いは腰高なる者を下知して馳せ通るなり」〈信長公記一三〉。「鬼にー」〈杜律集解詳説五言三〉。〈日葡〉

かなと【金門】門。金属製の門か。「ーかげ〔ニ〕かく寄り来(こ)ね」〈記歌謡八一〉 †kanato **ーだ**【金門田】「かなと」の前の田。「ーを荒掻き」〈万三五六一東歌〉 **ーで**【金門出】「かなと」を出ること。かどで。出立。「防人(さきもり)に立ちし朝明(あさけ)のーに」〈万三五六九東歌〉

かなとこ【鉄床】鍛冶が金属を打ち鍛える長方形の台。かなしき。「生鉄を火に入れて、ーの上でしたいままにした体(てい)ぞ」〈臨済録抄序〉。〈文明本節用集〉

かなばう ウ:ボ【金棒・鉄棒】①武器の一。鉄製の棒。「かなさいばう」とも。「くだんのーを打ち振れば」〈太平記三二・大館左馬助〉②頭部に数個の鉄の輪を付け、突くとちりんちりんと鳴る鉄棒。行路や非常を警(いまし)める具。「夜廻りの者とうち見えて、ーつきて二人来たり」〈仮・御伽物語二〉 **ーひき**【金棒引き】①警戒のために、金棒(2)を引きずり鳴らしてまわる者。「装束の警固五人の内、一人はー」〈高野山文書六、元祿一六・一一・二〇〉②噂を大げさに言いふらす人。「長屋中ーとはなんのこった」〈滑・浮世風呂三下〉

かなばさみ【金鋏】鍛冶が使う大きな鋏。かなばし。「鉗(けん)はー」〈臨済録抄序〉

かなばし【金箸】鍛冶が焼けた鉄をはさむのに用いる道具。やっとこの類。「大きなるーをもって、僧の口に入れて剣(こ)じれば」〈今昔一九ノ一九〉。「鉄柑、加奈波之(かなばし)」〈和名抄〉

かなはず【金弭】金属を打ちつけた弭(はず)。弓を射たとき、強い音がする。実物が古墳から出土している。「梓の弓のーの音すなり」〈万三〉。「銑、カナハズノ弓」〈名義抄〉 ▽万葉集の例は、原文「奈加弭」とあり、原文のまま「中弭」と解する説もある。

かなばた【金機】金属をつかった、はたおり道具。一説、カナは美称で、りっぱな機。「織るー」〈紀歌謡五九〉

かな・ひ イカナ【適ひ・叶ひ】『四段』《カネ(兼)アヒ(合)の約。両方にわたって、うまく条件が合う意》①無理なく条件にぴったり合う。「熟田津(にきたつ)に舟乗りせむと月待てば潮もー・ひぬ今は漕ぎ出でな」〈万八〉。「この定めにー・ひたまへり」〈源氏帚木〉②思いどおりになる。かねての意向に一致する。「既に心にー・ひなば」〈金光明最勝王経平安初期点〉。「命こそー・ひがたかべいものなめれば」〈源氏澪標〉③(思いどおりに)なしうる。できる。「わが心ひとつにてはー・はじ。この由を院へ申してこそは」〈宇治拾遺一五八〉④相手になれる。「小太刀、長刀(なぎなた)にー・はじとや思ひけん」〈平家一一・弓流〉⑤うまく行く。都合よく行く。「さりながら、参らいではー・はぬ程に参らう」〈虎明本狂言・止動方角〉。「なうてー・はぬ物ぢゃ。取って置け」〈西鶴・一代男七〉 ▽(3)(4)(5)の場合は多く否定表現とともに使われる。†kanaFi

かなび・き【金引き】『四段』①刀の切れ味をためす。「太刀の金をもー・いて御覧候へかし」〈太平記三三・京軍〉②ためしに人の気をひく。「おのおのの御心どもをー・き奉らんとてこそ申したれ」〈平家七・篠原合戦〉

かなぶち【鉄鞭】《カナムチとも》護身・警衛用の細長い鉄の棒。「一尺二寸にー打たせ、八角にかどを立てて」〈伽・弁慶物語〉

かなぶみ【仮名文】①仮名で書いた文章・手紙。「ー見たまふるは、目のいとまいりて」〈源氏若菜上〉②恋文。「襖障子(ふすましやうじ)もーの反故張(ほうごばり)」〈西鶴・一代男三〉

かなへ エカナ【鼎】《金瓮(かなへ)の意》物を煮たてるための金属製の器。今の「なべ」「かま」のようなもの。「御堂の南面にーを立てて、湯をたぎらかしつつおもの(御飯)を入れて」〈大鏡昔物語〉。「釜、賀奈閇(かなへ)、一云、末路賀奈倍(まろかなへ)」〈和名抄〉。「鼎、阿之賀奈倍(あしかなへ)」〈和名抄〉 **ーどの**【鼎殿・釜殿】貴人の湯殿。また、そこに奉仕する人。「かなひどの」とも。「御心地も少しさやがせ給へば、御湯殿とある折は、ーいみじう喜びをなして仕うまつるもあはれなり」〈栄花玉飾〉

かな・へ エカナ【適へ・叶へ】『下二』《カナヒの他動詞形》思い

どおりにさせる。成就させる。「思ふ心を—・へむと仏神をいよいよ念じ奉る」〈源氏明石〉

かなぼふし【仮名法師】①仮名しか書けない無学文盲の法師。「文永三年七月二十六日、沙門心源、霊鷲山院常住物、敬白、—」〈六帖字書篇立〉②男児をいう語。坊や。「『—ゐたか』『お前に』」〈天理本狂言六義・伊呂波〉

かなまり【金椀・鋺】金属製のわん。「男の目のほそきは女びたり。また、—のやうならむもおそろし」〈枕二三三〉

かなめ【要】①扇の骨をとじ綴るため、その末端の近くにはめ入れた小さい釘。「〔那須与一〕—のほどをと志して、ひやうと放つ」〈盛衰記四二〉②最も大切な部分。肝要な箇所。要点。「高遠の城—と、究竟の侍共入れ置き」〈信長公記一五〉

かなやき【金焼き】鉄の焼印を押すこと。「漢土に…法道三蔵は、面に—を焼かれて江南と申す所へ流されき」〈日蓮遺文佐渡御勘気抄〉

かなやま【金山・銀山】金属を掘り出す山。鉱山。「佐渡の島、—出来、人多く集まりぬ」〈咄・醒睡笑二〉。「小田の毒なる—の水」〈俳・せみの小川〉。〈日葡〉

かならじ【必じ】『連語』《カリ（仮）ナラジの約》仮ではあるまい。「馬に乗りて東国に詣(いた)りて…師(いくさ)を興して還り戦はむ。其の勝たむこと—」〈紀皇極二年〉。「必、カナラジ」〈名義抄〉

かならず【必ず】『副』《カリ（仮）ナラズの約》①きっと。確かに。「後も—逢はむとそ思ふ」〈万三〇七三〉。「世にすぐれ何事にも人に殊になりぬる人の—あることなり」〈源氏須磨〉②《下に打消を伴って》必ずしも（…でない）。きっと（…とは限らない）。「行幸といへど、—かうしもあらぬを」〈源氏行幸〉。「—振舞(ふるまひ)の良くてほめられたるにはあらず」〈雑談集三〉 ▽karinarazu→karnarazu→kannarazu→kanarazu **—しも**《下に打消を伴って》必ず（…というわけではない）。「—わが思ふ子にはかぎらねど」〈源氏帚木〉

かなり【可成り・可也】『連語』十中七八は出来上がったこと。どうかこうか相当に間に合わせて行くこと。一通り。まずまず。「—。さのみ良くも無く悪しくも無く、心よき事を云ふ也」〈雑筆略注〉 **—がけ**【可成懸け】「かなり」に同じ。「—にも堪へらるる程にも候へば」〈細川家記一四〉 —

八合(はちがふ) 物事は満ちれば欠けるから、八分目位にするがよいの意。また、大体よいこと。七八分通りのこと。「—な事を十分に言ふが取成(とりなし)」〈浄・堀川夜討三〉

かなるましづみ『連語』〔上代東国方言〕人がさわがしい間をこっそりと、の意か。「荒し男のい小箭(さを)だはさみ向ひ立ち〔防人指名ノ〕—出でて吾(あ)が〔ココニ〕来る」〈万四四三〇防人〉 †kanarumasidumi

かなわ【鉄輪】①五徳(ごとく)。「髪に—をいただき、—の足に火をともし」〈謡・鉄輪〉②⑴の三つの足のように、少し離れた三箇所の位置。「青めなる石の小さきを三つ、—に置くべし」〈今川大双紙〉

かに 何かをしようとしても困難・不可能である意の動詞「かね」（連用形）の上代東国方言。「赤駒を山野に放(はが)し捕り—て」〈万四四一七防人〉

がに『助』①《疑問の助詞カに助詞ニが付いた語か。終止形を承けて推量の意を表わす》…かのように。…するほどに。…しそうに。「あえぬ—（コボレ落チテシマイソウニ）花咲きにけり」〈万一五〇七〉。「今こそは声の嗄(か)る—来鳴きとよめめ」〈万一九五二〉 ▽自然に推移する意の自動詞や、自然にそうなってしまう意の助動詞「ぬ」を承けることが多い。②「がね」の上代東国方言。平安時代には都でも使われた。「おもしろき野をばな焼きそ古草に新草(にひくさ)まじり生ひは生ふる—」〈万三四五二東歌〉。「泣く涙雨と降らなむ渡り川水まさりなば帰りくる—」〈古今八二九〉

かにあるき【蟹歩き】《蟹は横歩きするので》横車を押すたとえ。「蟹行儀」「蟹の横走り」とも。「喧嘩買ふべし喧嘩売るべしの—」〈仮・不可得物語下〉

かにかくに『連語』あれこれと。ああこうと。とかく。「—人は言ふとも」〈万七三七〉

かにとり【蟹取】小児の産着(うぶぎ)に付ける松・竹・梅・鶴・亀・宝尽し等の模様。また、その模様を付けた産着。「産着にも先づ付ける—」〈俳・徳元千句〉。〈運歩色葉集〉

かには(カニワ)【桜皮・樺】樹皮を舟など物に巻いて補強するために用いる植物。カバノキ科のシラカバか。一説、バラ科のカニワザクラ。「—まき作れる舟に」〈万九四二〉。「二人、木を求む。一人賀尓葉(かには)を採る」〈正倉院文書天平宝字六・三・二五〉。「樺、加波(かば)、又云、加仁波(かには)、今桜皮有之」〈和名抄〉 ▽アイヌ語 karin-pa（巻く意）による語という。

かにはた【綺】帯などにする絹に似た薄い絹織物。「綺、加尼波多(かにはた)」〈華厳音義私記〉

がにはりもの【我に張り者】我意を張り通す者。強情者。「我を折らぬ者を「消えやらぬ—や厚氷」〈俳・毛吹草五〉。—〔トイウ〕」〈俳・かたこと三〉

かにひ【芫花】草花の一。今のフジモドキかという。「—の花色は濃からねど、藤の花といとよく似て、春秋と咲くがをかしきなり」〈枕六七〉

かにもかくにも『連語』ともかくも。「をち水は—求めて行かむ」〈万六二八〉 †kanimökakunimö

かにもり【掃守・蟹守】宮中の掃除・敷物・設営のことなどを司る役。「掃守連遠祖、天忍人命、供奉陪侍し、箒を作りて蟹を掃く。仍(すなは)ち鋪設を掌る。遂に以て職と為す。号して—と曰ふ。今の俗之を掃守(かもん)と謂ふは彼(そ)の詞の転也」〈古語拾遺〉 ↓かもんづかさ

かによ・ひ(カニヨイ)『四段』一つの物を互いに共有または共用する。「—・ひけり/足形光る将棋盤」〈雑俳・たみの笠〉

かぬかぬ【兼ぬ兼ぬ】『連語』《動詞兼ネの終止形を重ねた形》期待しながら。期待しいしい。「おく（将来）を—」〈万三四八七東歌〉

かぬち【鍛冶】《カナウチ（金打）の約》⇩かぢ。「—天津麻羅(あまつまら)を求(ま)ぎて」〈記神代〉。「鍛師、加奴知(かぬち)」〈新撰字鏡〉

かぬまづく〔上代東国方言〕未詳。上野国上沼（伊香保沼）または下野国鹿沼に着く意、雷が人にとりつく意などという。「伊香保ろに天雲い継ぎ—人とおたはふいざ寝しめとら」〈万三四〇九東歌〉

かね【金】《カナ（金）の転》①金属の総称。「この籠(こ)は、—を作りていろどりたる籠なりけり」〈源氏浮舟〉②貨幣としての黄金・砂金。また一般に、金銭。「包みし—は百両に足らでぞありける」〈宇津保蔵開下〉 ▽近世、上方では、銀貨が主要貨幣だったので、貨幣の意の「かね」に主として「銀」の字を用いた。③【鉄】（鍛錬した）鉄。「—善き太刀をも持って候はば」〈平家四・信連〉 **—の生(な)る木** 金銭を絶えず引き出し得る財源のたとえ。「顔見世や—の花が咲く」〈俳・花道〉 ▽近世初期、縁起をかつぐものとしてさかんに描かれた絵から出た語。 **—は湧(わ)き物** 金銭は思いがけなく手に入るものである。「それ程の—山は水」〈俳・飛梅千句〉 **—・見る** 金・銀貨の真贋・

良否等を見分ける。「―・見る利発も、女は埒(らち)の明き難き事もありて」〈西鶴・一代男二〉

かね【矩】①直角に曲がった鉄製の物さし。かね尺。大工尺。「曲尺をば、まがりかねと云ふべきを、略語に―と云ふなり」〈壒嚢鈔一〉②直角。「〔流レニ〕―に渡いて押し落さるな」〈平家四・橋合戦〉。「琵琶鳴らざるをば、撥(ばち)を―に取るやうに弾けば」〈胡琴教録下〉

かね【鐘・鉦】《釣鐘・敲鉦(たたきがね)などの総称》①金属製で、突き、また、たたいて鳴らすもの。時報・警報などに使われる。「皆人を寝よとの―は打つなれど」〈万六〇七〉。「―の声」〈かげろふ中〉。「―のおと」〈源氏総角〉。「―のね」〈新続古今二〇一三〉②鉦鼓(しやうご)。「―を叩き念仏をして」〈今昔二七ノ三六〉

かね【鉄漿】歯を黒く染めるための液。おはぐろ。「眉ぬき―つけなど女びさせたれば、かくてはいとど匂ひまさりたりけるを」〈とりかへばや下〉。〈天正十八年本節用集〉

か・ね『下二』《他の動詞の連用形に付き、それをしとげようとしても不可能・困難の意をあらわす》①…しようとしても力及ばない。…しおおせない。「流るる涙とどみ―・ねつも」〈万四一六〇〉②…していることにたえられない。「思ひ―・ね妹がり行けば」〈拾遺二二四〉

か・ね【兼ね】『下二』《現在のありかを基点として、時間的・空間的に、一定の将来または一定の区域にわたる意》①現在の時点で、今からすでに将来のことまで予定する。見込む。「千年を―・ねて定めけむ奈良の都は」〈万一〇四七〉。「おく(将来)をな―・ねそまさか(現在)し良かば」〈万三四一〇東歌〉②時間的に今から長期にわたる。「あらたまの年月―・ねてぬばたまの夢にし見えむ君が姿は」〈万二九五六〉③現在点を中心に一定の区域にわたる。「一町―・ねて辺りに人もかけらず」〈大鏡師輔〉④併せたもつ。「一身に数芸を―・ねたれば」〈保元上・新院御所〉⑤兼職する。「大臣の大将を―・ねたりき」〈平治上・信西の子息尋ねらる〉⑥(あちこちに)気をつかう。気をつかって人の気持をおしはかる。「また人の心をも―・ね給へかし」〈盛衰記一八〉

がね 一『接尾』《動詞カネ(兼)と同根。現在の時点で将来のことを定めておく意から》名詞に添えて材料・候補者・予定者の意をあらわす。「帝(みかど)―」「后(きさき)―」「坊―」など。「〔皇子〕隼別(はやぶさわけ)の御襲(みおすひ)―」〈記歌謡六七〉 二『助』《将来に対する判断・意志決定の根拠を示す》二つの文があって、はじめの文の終りに表明された意志・命令の、理由・目的を示すために、後の文の文末に置かれる語。活用語の連体形を承ける。…の料であるから。…するように。…するために。「梅の花我は散らさじあをによし奈良なる人の来つつ見る―」〈万一九〇六〉。「大夫(ますらを)は名をし立つべし後の世に聞きつぐ人も語りつぐ―」〈万四一六五〉。「雪寒み咲きには咲かぬ梅の花よしこの頃はしかにもある―(咲カナクテモヨイ。当分ハソノママデイルダロウカラ)」〈万二三二九〉→がに

かねあきびと【金商人】①砂金を売買する商人。かねあきうど。「〔判官殿ト〕―が従者(ず)して…陸奥国(むつのくに)へ下りし者の事にや」〈盛衰記四二〉②室町時代、金貸。質屋を兼ね、高利貸をした。「―を召し捕られ、二人首を刎(は)ねらる」〈看聞御記永享八・二・二〉③銭と金・銀貨との両替を業とした者。銭売。「―ゆゑ殺されけるや」〈西鶴・武家義理四〉

かねあぢ【鉄味・金味】①鉄の品質。「稀代の―・色合・響き、無上至極」〈近松・唐船噺上〉②刃物の切れぐあい。「さえたる―、ただ今見せん」〈仮・石山寺入相鐘上〉

かねあひ ‥アイ【兼合ひ】つりあい。「見込みの―外れけん」〈近松・薩摩歌下〉

かねいのくゎんじん【鐘鋳の勧進】近世、梵鐘新鋳のための寄進と称して、古釘・古金・破れ鏡などを集め歩いた僧。多くはにせもので、乞食に過ぎなかった。「難波寺の―もやと見れば」〈評判・古銀買序〉

かねう・ち【金打ち・鉦打ち】『四段』①仏前で鉦(かね)をたたいて誓いを立てる。「観音の御前にして、師の僧を呼びて、―・ちて事の由を申させて」〈今昔一六ノ三七〉②武士は大小の刀や小柄(こづか)を、女は鏡を打ち合わせ、音を立てて誓う。「一腰を抜き、―・って」〈驢鞍橋下〉③終りにする。「―・ったとは、以後止めにする事」〈譬喩尽三〉→きんちゃう(金打)

かねうり【金売】「かねあきびと」(1)に同じ。「―吉次信高を頼ませ給ひて、東へこそ下られけれ」〈浄・浄瑠璃御前物語三〉

かねおや【金親・銀親】資本を出す人。出資者。「女房共は―の人質になして」〈西鶴・胸算用三〉

かねおや【鉄漿親】女子または上流の男子がお歯黒を初めてする時、親族知人から選ばれて、その世話に当った人。筆親。お歯黒親。「歯黒めの―を取らざるの由」〈隆光僧正日記貞享四・二・一〉

かねきん【金巾】かたい綿糸で目をこまかく薄地に織った布。「かなきん」とも。「越後の雪ざらし・―」〈伽・強盗鬼神〉▽ポルトガル語 canequim から出た語という。

かねぐろ【鉄漿黒】鉄漿(かね)で歯を黒く染めること。「年十六七ばかりなるが、薄化粧して―なり」〈平家九・敦盛最期〉

かねこと【兼ね言】①前もって先を見越して言う言葉。予言。「ゆゆしき―なれど、尼君その程までながらへ給はなむ」〈源氏若菜上〉②前もって言いおいた言葉。約束した言葉。「『必ずこれをいひつけにも』など宣はせし御―どもいと忘れがたくて」〈栄花鳥辺野〉

かねざし【矩差】一尺が鯨尺八寸に当る物さし。また、それを用いた計り方。曲尺。「―六寸ぐらゐの男」〈浮・真実伊勢三〉

かねしゃう ‥シヨウ【金性】①金属の性質。「鋭(と)き鋤(すき)と云ふは…―の良き鋤ぞ」〈毛詩抄一九〉②五行の金を人の生年月日に配して定めた性。「荊軻が性は火性なり。始皇帝は―なり」〈盛衰記一七〉。「明後日より、―の者は有卦(うけ)に入りまする」〈西鶴・一代男三〉

かねぜき【金堰・銀堰】金力で他人の意志・行動を束縛すること。「―にして、始めて〔遊女〕大坂の勤めよし」〈浮・艶道七不思議一〉

かねたたき【鉦叩】鉦を叩き経文などを唱えて、物を乞い歩く乞食僧。鉦叩坊主。「獅子舞・猿飼・―・鉢叩やうの類ひは、げには手に仕業あり」〈宗長手記上〉

かねつけ【鉄漿付】①「鉄漿(かね)」に同じ。「『…紅やおしろい・眉つくり・わたし・―・櫛(くし)・張り子、そのほかいろいろ品品』とぞ呼ばはりける」〈説経・小栗〉②近世、遊里で、遊女がはじめて客を取る前に鉄漿をつけること。新造として売り出す準備の儀式。「ただ世上の女郎に異なる事は、袖留め・―の世話なきのみ」〈滑・風流志道軒伝五〉

かねて【予て】《将来を予定し見込む意のカネ(兼)に、助詞テの付いた語》一『副』前もって。前から。「かからむと―知りせば越の海の荒磯の波も見せましものを」〈万三九五九〉 二『連語』《日数を示す語の下について助詞的に》…前から。「〔出発ノ〕二三日―夜に隠れて、おほい殿に渡り給へり」〈源氏須磨〉。「試楽といふこと三日―せしめ給ひしに」〈大鏡藤氏物語〉

かねのつかひ【金の使】黄金・砂金を召すために、朝廷から東北地方に派遣された使者。「蔵人所におりて、—かけて（兼ネテ）やがて親の供にいくになむありける」〈大和七〇〉

かねのわらぢ【鉄の草鞋】鉄で作った草鞋の意で、きわめて丈夫で減らないもののたとえ。「鉄のわらんぢ」「鉄のわらづ」とも。「廻る月—も堪(また)るまじ」〈俳・蛇之助〉

かねびきゃく【金飛脚・銀飛脚】近世、江戸・京大阪間を公私の金銀を輸送した飛脚。「預け置く頃は霜夜の—」〈俳・物種集〉

かねもち【金持・銀持】財産家。金満家。近世前期、にわか成金をもいう。「中京に和泉屋与三郎とて、中京一の—の候ふが」〈人鏡論〉。〈日葡〉

かねもと【金元・銀元】資本金を出す人。資本主。特に芝居のそれをいうことが多い。「—のかねて思ひしことも成就して」〈評判・可盃〉

かねやす【兼康】丹波康頼の子孫が名乗った氏号。室町時代以後、歯科医として有名。近世、その一族が薬屋となり、歯薬・歯磨粉などを販売した。「山城…—・元康の歯薬」〈俳・毛吹草四〉

かの【彼の】『連体』《もと、遠称の指示代名詞カに、格助詞ノの付いたもの。平安時代にアノという形を生じた》①あの。遠くにあることを示す。「—児ろと寝ずやなりなむ」〈万三五六五東歌〉。「—国の人」〈土佐一月二十日〉。「—わたり」〈源氏総角〉②その。すでに話題として知られたものでも、指すことがはばかられるような物事を指すのに使う。「〔髑髏ガ〕山のごとくになりにけり。—ひとつの大がしらに」〈平家五・物怪〉③その。そこの。正体のよくわからない相手に向って呼びかけていう。「『—男、しばし候へ…』と言へば『承りぬ』」〈古本説話五八〉④《名詞的に用いて》あれ。あのひと。例のもの。ことさら名を出したくない人や物を指していう。隠語に近い。「—によく似せ声をして忍び妻」〈俳・女夫草中〉 †kanö

かのえ【庚】《金の兄(え)の意》十干の第七。「—。いく世しもあらじと思ふ世のなかのえしも心にかなはぬぞ憂き」〈曾丹集〉　**—さる**【庚申】⇨かうしん。「—。かの江さる舟待て暫し言問はん沖の白波まだ立たぬまに」〈拾遺四三七〉。「ともし火をかかげ尽せる—」〈御鎮座次第記裏文書賦何船連歌〉

かのきし【彼の岸】①向う岸。「〔舟ハ〕事ゆゑなく—へ着けてけり」〈著聞七〇〉②「彼岸(ひがん)」の訓読語。「—に到ること」〈源氏早蕨〉

かのこ【鹿の子】①鹿(かし)の子。「—の切付(きつけ)」〈庭訓往来六月十一日〉②絞り染めの模様に、白い星を隆起させて染め出したもの。鹿の子染め。鹿の子絞り。鹿の子結い。「小袖…—の面（表地）一石九斗五升〔ノ縫賃〕」〈多聞院日記天正六・一一・三〉　**—ゆひ**【鹿の子結ひ】①「鹿の子」(2)に同じ。「聟の冠者の君、何色の何摺りか好(この)う給(た)う…纐纈(かうけち)前垂りの寄生木(やどりぎ)の—」〈梁塵秘抄三五八〉②鹿の子絞りの女工。勤めのかたわら売色した。「目角(めかど)立つる猟師や言はば—」〈俳・崑山集六〉

かのさま【彼の様】①あのおかたさま。あのかた。「—〔ノトコロ〕へ参りて」〈狂言記・抜殻〉②特に恋人をさしていう。「かのさん」、また単に「さま」とも。「—を思ふ心のさみだれて」〈俳・寛永十三年熱田万句五七〉

かのしし【鹿肉・鹿】①鹿(かし)の肉。「鹿完(かのしし)一坏」〈江家次第一・供御薬〉②鹿(かし)。「猪(ゐのしし)三百・—五百・貉(むじな)三百」〈曾我一〉

かのすね【蚊の臑】ひどく痩せ細ったもののたとえ。「蚊の睫(まつげ)」「蚊の眉」とも。「—と言はんや春の雨の足」〈俳・破枕集上〉

かのと【辛】《金の弟(おと)の意》十干の第八。「—。さをしかのとも迷はせる声すなり妻や恋しき秋の山べに」〈兼輔集〉

かのまづく【上代東国方言】⇨かぬまづく。「岩の上(へ)にい懸かる雲の—人そおたはふいざ寝しめとら」〈万三五一八東歌〉 †kanomaduku

がのみ【我呑み】酒をがむしゃらに呑むこと。「下戸も今—や玉の霰酒(あられざけ)」〈俳・鄙諺集六〉

かのも【彼の面】《「此の面」の対》あちらの面。あちら側。「筑波峰の此の面—に〔木ノ〕蔭はあれど」〈古今一〇九五〉

かのよ【彼の世】《「此の世」の対》死後にまた生れるという世。「こむよ」「のちのよ」とも。後には「あのよ」という。「この世のことは—にも見む」〈かげろふ中〉。「—にさへ、さまたげ聞ゆらむ罪のほど」〈源氏総角〉

かのをけ【狩野桶】旅行・遊山・狩場などに携える、食物入れの捲物(まげもの)の桶。「かりのをけ」とも。「—に鹿をなつけよ秋の山」〈俳・曠野中〉

かは【川・河】天然の水の帯状に流れているところ。「ゆく—の清き瀬ごとに」〈万四〇一一〉

かは【皮・革】①動物の体を蔽う膜。表皮。植物の表皮、物の外側にもいう。「楮(かうぞ)の—を負ひて来たりて」〈著聞六八〇〉。「皮、賀波(かは)、被レ体也」〈和名抄〉②特に、獣類からはぎとった皮。革。毛皮。「〔鹿〕わが毛らは御筆(みふみて)はやしわが—は御箱の—に」〈万三八八五〉。「黒貂(ふるき)の—ぎぬ」〈源氏末摘花〉③「大鼓(おほかは)」の略。「長長と／—にかからぬ謡也」〈雑俳・ちゑぶくろ〉④「革羽織」の略。「なるほどお前は見掛けに寄らね〈—だのう」〈洒・深川手習草紙〉⑤《「…の皮」の形で》物事を強調し、または卑しめる意をあらわす。「歌も読みならはぬ先から、恥の—を思はず、晴の会に出でて」〈正徹物語 上〉　**—か身か**差別の分らぬことのたとえ。「ええ、此方(こなた)は—、合点がいかぬ」〈近松・五十年忌上〉

かは【彼は】『連語』あれは。多く「—と見る」という慣用句の中で「川」と掛けて使われる。「思へども人目つつみのたかければ—と見ながらえこそ渡らね」〈古今六五九〉 ↓あはわす。…だろうか（いやそうではない）。「今日のみと春を思はぬ時だにも立つことやすき花のかげ—」〈古今一三四〉。「契りけむ心ぞつらきたなばたの年にひとたび逢ふは逢ふ—」〈古今一七八〉②疑問の意をあらわす。…だろうか。「大空は恋しき人のかたみ—物思ふごとに眺めらるらむ」〈古今七四三〉

かは『助』《係助詞カと係助詞ハとの複合》①反語をあら

かはあ・み【川浴み】『上二』沐浴(もくよく)する。川に限らず入浴にもいう。「まづその身を潔め香水を澡浴(あかは)みて方広経に依る」〈霊異記上八〉

かはい・い『形』《カハユシの転》①ふびんである。かわいそうだ。「〔蟹ノ味ノ〕うまさに、—・いとも思はぬぞ」〈山谷詩抄一九〉②いとしい。愛らしい。「憎うて〔頭ヲ〕張ると思ふか、かはいさが余って張るいやい」〈虎明本狂言・居杭〉

かはいが・り『四段』いつくしむ。寵愛する。「子を—・る事も、夫婦の恩愛も」〈論語抄学而〉

かはおろし【川下ろし・川颪】川を吹き下る風。「楸(ひさぎ)生ふるあその川原の—にたぐふ千鳥の声のさやけさ」〈清輔集〉。「雪なれや浪に浪立つ—」〈看聞御記紙背連歌〉

かはかみ【川上】《「川下(かはしも)」の対》川の上流。「この—に家はあれど」〈万八五四〉 †kaFakami

かはから【川柄】《カラは素性・血筋・生れつき・質の意》川の性。川の質。「—しさやけかるらし」〈万三一一五〉

かはがり【川狩・河狩】川で魚を取ること。「師高折節

—して遊びけり」〈盛衰記六〉

かばかり〘副〙①これほど。このくらい。こんなにも。「—我にしたがふ心ならば思ひ懲(こ)りなむ」〈源氏帚木〉 ↓かくばかり。②これだけ。これぎり。「極楽寺・高良などを拝みて、—と心得て帰りにけり」〈徒然五二〉

かは・き(カワキ)〘四段〙《他の語につけ》する意を卑しめののしっていう語。「貧乏—・く、或は盗み—・くと云ふ、—・くの字知り難し。すると云ふ義なり。卑しし」〈不断重宝記〉

かはぎぬ:(カワ)【皮衣・裘】「かはごろも」に同じ。「表着(うはぎ)には黒貂(ふるき)の—」〈源氏末摘花〉

かはきり:(カワ)【皮切り】①最初にすえる灸(きゆう)。痛みがはげしい。「御痛み大形ならず、—の灸など程に思し召し候」〈細川忠利書状寛永八・三・二〉〈日葡〉 ②物事のしはじめ。手始め。「カワキリガダイジヂャ」〈日葡〉

かはく【河伯】河を守護する神。「山神の守り恵みて…—の守り恵みて」〈仙覚抄一〉。〈色葉字類抄〉

かはくま:(カワ)【川隈】①川の曲り角。「—の八十(やそ)隈おちず(ゴトニ)」〈万七九〉 ②川の水面に岸のかげりが映って見えること。「冬ざれ は—さへも無き月に」〈秋津洲千句〉。「—、岸の水にうつる事也」〈匠材集一〉

かはご:(カワ)【皮籠】まわりに皮を張った籠(かご)。こうり。紙張りのものや竹で編んだものもいう。「—三合」〈小右記治安四・二・二七〉 **—うま**【皮籠馬】皮籠を背負って運ぶ馬。「はたご馬・—など来着きたり」〈宇治拾遺九六〉

かはござ:(カワ)【川御座】河川用の御座船。川御座船。「伏見より—借り切り」〈宗静日記寛文七・三・二〉

かはごし:(カワ)【川越し】①川を隔てていること。「人の木のもとに休みて、—に桜の花を見たる」〈貫之集一〉 ②客を肩または蓮台(れんだい)に乗せて、川を渡すのを業とする人。川越し人足。「島田の者は〔大井川ノ〕—に出る」〈仮・東海道名所記三〉

かはごろも:(カワ)【皮衣・裘】獣の皮で作った衣服。冬に着る。「とこしへに夏冬行けや—扇放たず山に住む人(仙人)」〈万一六八二〉。「裘、加波古路毛(かはごろも)、俗云、加波岐沼(かはぎぬ)、皮衣也」〈和名抄〉。「裘、カハゴロモ・カハギヌ」〈名義抄〉 †kaFagöromö

かばざくら【樺桜】①桜の一。山桜の類とも、黄桜の類ともいう。「ほかの花は、一重散りて八重咲く花桜さかり過ぎて、—はひらけ」〈源氏幻〉。「—は一重桜なり」〈正徹物語上〉 ②襲(かさね)の色目の名。「紅梅の御衣、—の御うはぎ」〈建礼門院右京大夫集〉

かは・し(カワシ)【交し・替し・代し】㊀〘四段〙《カハリの他動詞形。甲と乙と互いにとりかえる、また、甲乙二つのものを互いちがいに重ねる意》①とりかわす。やりとりする。「ただ文—・すばかりにて」〈後撰一二七詞書〉 ②互いに交錯させる。「羽をならべ、枝を—・さむ」〈源氏桐壺〉 ③交替させる。かえる。移す。「月立たば時も—・さずなでしこが花の盛りに相見しめとそ」〈万四〇〇八〉 ④自分の位置を移して避ける。身をかわす。「『幻妻がこっちへうせる(来ヤガル)。—・せ、—・せ』とばらばらに散る三人」〈浄・新版歌祭文下〉 ⑤為替(かはせ)を組む。「合はせて拾貫文てへり。右料足は、さかへ二郎四郎—・し申し候。やがて御こたへ(支払ヒ)候て給はるべく候」〈東寺百合文書サ、応仁二・一・二〇〉 ⑥《他の動詞に付いて》互いに…する。「向ひ立ち袖振り—・し」〈万四一二五〉。「男も女も恥ぢ—・してありけれど」〈伊勢二三〉 ㊁〘名〙【為替・替銭・替】「かはせ」(2)に同じ。「去年——貫文これを遣はす」〈山科家礼記文明九・二・一三〉。「替銭、カハシ」〈饅頭屋本節用集〉 **—ぎん**【為替銀】近世、為替を組むため、支払人または引受人の支払う金銭。「かはせぎん」とも。「京銀の利廻しにもあはず、—に詰まりて難儀」〈西鶴・永代蔵一〉

がは・し(ガワシ)〘接尾〙《名詞や動詞連用形などについて、シク活用の形容詞をつくる》いかにも…の風である。「所所の立てじとみ、透垣(すいがい)などやうの物、乱り—・し」〈源氏野分〉。「〔筍ヲ〕くひかなぐりなどし給へば、『あな乱(らう)—・しや』」〈源氏横笛〉

かはしま:(カワ)【川島】川の中にある島という。「交はし」に掛けていうことが多い。「あひ見ては心一つを—の水の流れて絶えじとぞ思ふ」〈伊勢二三〉

かばしら【蚊柱】夏の夕方、蚊が群がり飛んで柱のように見えるもの。「草深き賤(しづ)が伏屋の—に厭ふ煙を立ててそふるかな」〈拾遺愚草上〉

かはしり:(カワ)【川尻】河口。摂津国の地名として、淀川の「川尻」にいうことが多い。「大川尻」、またのちに「淀川尻」とも。「—に船入りたちて漕ぎのぼるに」〈土佐二月七日〉

かはす:(カワ)【川洲】川の中にできた洲。「—にも雪は降れれし(降ッテイルノデ)」〈万四二八八〉

かはせ:(カワ)【川瀬】川の中の瀬。「山川の清き—に遊べども」〈万三六一八〉。「—の波」〈源氏少女〉

かはせ(カワセ)【替せ】《カハシの転》①とりかわすこと。交換。「年玉や—のやうなる所もあり」〈俳・時勢粧一〉 ②【為替】遠隔地にある者が、現金を送付する代りに、手形によって送金を処理し、貸借の決済をする方法。「—江戸着五六千両」〈俳・信徳十百韻〉 **—てがた**【為替手形】近世、大阪を中心に江戸・京都などの各地との送金取引に使用された手形。振出人が支払人に宛てて、受取人への手形金額の支払を委託するのと、振出人が受取人に宛てて、支払人が手形金額を支払うべきを約束するのと、両形式が行なわれていた。また、為替を組む時は、為替手形の外に、振出人が送金依頼人または取次人に対する為替契約書(為替置手形)を作成することに決まっていた。「〔遊女カラ〕二十両三十両の御内用申しこされ、念比(ねんごろ)の男、—より恐ろしき世とはなりぬ」〈西鶴・諸艶大鑑三〉

かはせうえう(カワショウヨウ)【川逍遙】①川岸をぶらぶらすること。川辺で遊ぶこと。「加茂の川原に—しける供にまかりて」〈古今一一七〇詞書〉 ②川舟に乗ってあちこちゆくこと。川遊び。「槇の嶋の水の澱みにさし寄せ、終日(ひねもす)—」〈宗長手記下〉

かはせがき:(カワ)【川施餓鬼】水死者などの追善に、川岸または水上に舟を浮かべてする施餓鬼。多く盆に行なう。「水玉も祭るや秋の—」〈俳・毛吹草六〉

かはそひやなぎ(カワソイ)【川副柳】川にそって生えている柳。「いなむしろ—水ゆけば靡き起き立ち」〈紀歌謡八三〉 †kaFasoFiyanagï

かはたけ:(カワ)【川竹・溝竹】①川のほとりに生える竹。今のマダケをさすともメダケをさすともいう。とくに清涼殿の東庭の御溝水(みかはみづ)のほとりの竹にいうことがある。「あはれなるもの。…—の風に吹かれたる、目さまして聞きたる」〈枕一一九〉。「呉竹(くれたけ)は葉細く、—は葉ひろし。御溝(みかは)に近きは—、仁寿殿(じじゆうでん)のかたに寄りて植ゑられたるは呉竹なり」〈徒然二〇〇〉 ②遊女の身の上。「河竹、カハタケ、傾城之異名」〈運歩色葉集〉 **—の**【川竹の】〔枕詞〕①竹の節(よ)と同音の「世」にかかる。「憂き節(ふし)に沈みもやらで—世にためしなき名をや流さん」〈平家一・二代后〉 ②「流れ」にかかる。「一夜とはいつか契りし—流れてとこそ思ひそめしか」〈金葉四二三〉 **—のながれのみ**【川竹の流れ

の身」遊女の身の上。遊女の境涯。「川竹の身」「流れの身」とも。「憂きふし繁き―こそ悲しけれ」〈謡・班女〉

かはたけ:カワ【革茸】食用きのこの名。今のコウタケという。「―。さ夜ふけてなかばたけゆく久方の月ふきかへせ秋の山かぜ」〈古今四五二〉

かはだち:カワ【川立・河立】水泳の上手。また、水泳術。「国中の―を、嘱託にて御やとひなされ」〈川角大閤記二〉。「たとへば、座敷にて―習ひたる人の、水に入りて自由ならぬに似たり」〈夢遊集中〉。〈日葡〉 **―は川で果つる** 水泳の上手な者は川で溺死する意で、人はその得意のわざのために却って身を亡ぼすたとえ。「カワダチハカワデハツル、キノボリハキデハツル」〈日葡〉

かはたび:カワ【革足袋】鹿のなめし皮で作った足袋。女用には紫色が好まれた。近世、寛文・延宝以後、木綿足袋に代られた。「緑の韈(たび)」〈遊仙窟(醍醐寺本)鎌倉期点〉

かはたらう:カワタロウ【川太郎】河童(かっぱ)の異名。「がは太郎」「があたろ」「がたろ」などとも。「五月雨に―ならぬ人もなし」〈俳・埋草三〉。「―も河獺(かはをそ)の劫を経たるなるべし」〈仮・百物語評判四〉

かはたれどき【彼は誰時】《奈良時代はカハタレトキと清音。うす暗くて人の顔もおぼろにしか見えず、あれは誰、と見とがめるような時刻の意》(夜が)ようやく白む頃。うす闇の頃。「暁(あかとき)の―に島陰(しまかぎ)を漕ぎにし船のたづき知らずも」〈万四三八四防人〉→たそかれどき。†kaɸataretöki

かはち:カワチ【河内】旧国名の一。畿内五か国の一。今の大阪府の一部。河州。「河内、カワチ」〈文明本節用集〉 **―つむぎ**【河内紬】河内木綿の異称。「金巾(かね)・伊勢木綿・―」〈伽・強盗鬼神〉 **―はぶたへ**:エ【河内羽二重・河内軽光】《河内は木綿の名産地なのでいう》河内木綿。河内紬ともいった。また、木綿の異称。「こなたなどの粋なる女郎のそれまでもござらぬ。―着て出さんしたとも、後れはしやるまい」〈評判・古銀買下〉。「―とは毛綿(もめん)をいふ」〈譬喩尽二〉 **―もめん**【河内木綿】河内産の木綿織物。白木綿は糸太く丈夫、縞木綿はあらい模様。「―の鶯茶に将棋の駒の染込み」〈西鶴・好色盛衰記三〉

かはぢ:カワ【川路】①川の通路。川の航路。「汝(なれ)ゆゑに天(あま)の―をなづみてぞ来し」〈万二〇〇一〉②川へ行く道。一説、川ぞいの道。「―にも児らは逢はなも」〈万三四〇五東歌〉

かはつ:カワ【川津】《ツはト(門)に同じ》川の舟着き場。「い行きて泊(は)てむ―し思ほゆ」〈万三〇九一〉

かはづ:カワズ ①【河蝦】カジカ。川の清流にすみ、初夏から秋にかけ、多く夕方から夜中・朝にかけて、澄んだ美しい声で鳴く。「夕さらず(毎夕)―鳴く瀬のさやけかるらむ」〈万三五六〉②【蛙】カエル。「よひごとに―のあまた鳴く田には」〈伊勢一〇八〉 ▽上代・平安では、「かはづ」は歌語として使われたが、「かへる」はほとんど歌によまれなかった。 **―いくさ**【蛙軍】多数の蛙が二手に分れて互いに戦うこと。実は蛙の群婚という。「かはづ合戦」「かへる合戦」とも。「上総辻子(づし=辻)に於て―これあり。東西に相分れて、西方負け了んぬ」〈大乗院雑事記明応七・三・六〉 **―がけ**【蛙掛・河津掛】相撲の手の一。片手を相手の首に巻き、片足を相手の足の内側から掛け、差し手を引きながら、そり返って掛け倒す技。蛙が四足をのばしたような形になるのでいう。河津三郎が創始したというのは、近世に唱え始めた付会の説。「相撲場にわれや見ゆらん―」〈俳・小町踊六〉 **―の目借り時** 晩春、夜が短く、蛙が盛んに鳴いて眠気を催す頃。蛙が人の目を借りるから眠くなるのだという。「睡たいと言ふや―」〈俳・鸚鵡集三〉

かはづか:カワ【革柄・皮柄】鹿などの皮で造った柄糸で巻いた刀の柄。絹の組紐で巻いた「糸柄」の対。「申すもあへず、―に手を掛くる時」〈西鶴・諸国咄一〉。〈俳・初本結三〉

かはづら:カワ【川面】《中世までカハツラと清音》①川に面した所。川辺。「―の住まひ、いとど心ぼそさまさりて」〈源氏薄雲〉②川の水面。「舟浮くる春の―しづかにて」〈三島千句〉

かはと:カワ【川門】《トはミナト(水門)・ノミト(喉)のト。狭い通過点》川の両岸からせまった所。川の渡り場。「天の河―に立ちて」〈万二〇四八〉 †kaɸato

かはと:カワ【川音】《カハオトの約》川の水の流れる音。「巻向(まきむく)の―高しも嵐かも疾き」〈万一一〇一〉 †kaɸatö

がはと『副』①ぱっと。動作が急激にすばやく行なわれるさま。「悪源太―起き」〈平治下・悪源太誅せらる〉。「寂光の浄土の金瑠璃の大地はたとわれて、提婆が如く無間大城に―入り」〈日蓮遺文千日尼御返事〉②大きく口を開けたさま。「未だちっと破るる時に、よう修理をめされよ。―破れては、修(理)するとも、大儀でなるまい程に」〈四河入海九ノ一〉 →かっぱと

かはどこ:カワ【川床・河床】京都四条河原に、料理屋などの座敷から突き出して設けた涼み用の桟敷(さじき)。後には「かはゆか」「ゆか」とも。「―数を並べて、四条の涼み」〈浮・好色産毛三〉

かはながれ:カワ【川流れ】①川水に流されること。また、そのもの。「―の木の事…見合ひに取るべき也」〈今川仮名目録〉②川で溺れ死ぬこと。また、その溺死体。「―の髪の落ち(ヲ)取る」〈西鶴・永代蔵四〉③時世や環境に逆らわずに、適当にやって行くこと。その場その場で融通を利かすこと。「瓢箪(たん)の川流れ」とも。「―の瓢箪なる機」〈評判・剃野老〉。「当世は―さらりさらり」〈浄・兜軍記三〉

かはなぐさ:カワ【川な草】「かはほね」に同じ。「―。うばたまの夢に何かはなぐさまむうつにだにもあかぬ心を」〈古今四四九〉

かはにし:カワ【川西・河西】①京都下京の二条通以南、西洞院川以西、堀川通までの一帯の地区。小商人・職人が住んでいた。「女あり恋ふる涙の―に」〈俳・信徳十百韻〉②下京の賀茂川以西、陰間(かげま)茶屋の多い西石垣町の称。「―の顔色、君を閣(おさ)いて誰」〈評判・簔張草上〉③下京の堀川以西の細民の住居地。「猪熊(通)は―にして」〈浮・盛久側柏葉三〉 ↓かはひがし

かばね【姓】《カバネ(骸骨)と同根》古代の豪族の社会的・政治的な位置の上下を示す世襲の称号。「ねかばね」とも。臣(おみ)・連(むらじ)・造(みやつこ)・君(きみ)・史(ふびと)など数十種がある。臣・連が最高の姓。「冠位挙げ給ひ、根可婆彌(かばね)改め給ひ治め給ひき。しかるものを反りて逆心を抱きて」〈続紀宣命四三〉 ▽「姓」をカバネと読むのは、新羅の社会制度で位置の上下を示すに「骨品」の語を用いたので、「骨」にあたる日本語カバネが用いられたものか。

かばね【屍】《原義は骨》①死骸。遺骸。「海ゆかば水(み)づく―、山ゆかば草むす―、大君の辺にこそ死なめ」〈万四〇九四〉。「―をも隠し、首をも取りて来たり給へ」〈盛衰記九〉。「屍、カバネ」〈名義抄〉②骸骨。遺骨。「(火葬後ハ)はかなき御―ばかりをなごりにて」〈源氏葵〉。「死人の―ありけり。…『これは汝が昔の骨なり』」〈著聞四六〉。「骼、カバネ」〈名義抄〉

かはのへ:カワ【川の上】①川の表面。かわも。「―のいつ藻の花」〈万四九一〉②川のほとり。「―に生ひ立(だ)てるさしぶ

を(サセボノ木ヨ)」〈記歌謡五七〉 †kaFanörë

かはのぼりぢ:【川上り路】川をさかのぼって行く水路。「来と来ては—の水を浅み船も我が身もなづむ今日かな」〈土佐二月七日〉

かはばおり:【革羽織・皮羽織】①なめし皮で作った防火・防雨雪・防寒用の羽織。近世後期には、主として町人が着用し、礼服にもされた。「—着、馬にて早く行く」〈松平大和守日記寛文五・三・二八〉 ②〔江戸語〕ずうずうしい人物の隠語。すれっからし。鉄面皮。略して「革」とも。「おめへは飛んだ—だねへ」〈洒・龍虎問答〉

かははしら:【川柱】川の中に残って立っている柱。「昔の門の柱のまだ残りたるとて、大きなる柱、川の中に四つ立てり。…『朽ちもせぬこの—のこらずは昔のあとをいかで知らまし』」〈更級〉

かははゆ・し『形ク』《カホ(顔)ハユシ(映)の転》恥ずかしさなどで顔がほてる感じだ。恥ずかしい。「うれしく、かたじけなく覚えて、這ふ這ふ立ちて去りぬ。然れども極めて—・く覚えて」〈今昔一九ノ九〉 ↓かはゆし

かはび:【川傍】《ビはイソミ(磯廻)・シマミ(島廻)のミの転》川のめぐり。「秋風になびく—のにこ草(草ノ名)の」〈万四三〇九〉 †kaFabi

かば・ひ【庇ひ】『四段』保護・擁護する。大切に守る。「今は誰を—・はんとてか軍(いくさ)をばすべき」〈平家九・木曾最期〉

かはひがし:【川東】京都下京の賀茂川または堀川以東の土地。特に、賀茂川の東側の芝居町や祇園町・石垣町の色町の通称。「川西の上に菱長と云ふ者有り。—の遊所へ手広く銀を借す」〈翁草一三三〉 ↓かはにし

かはぶえ:【皮笛】口笛。「—ふつつかに馴れたる声して」〈源氏紅梅〉

かはへ:【肌】《皮辺の意》皮膚。「〔殺生ヲ好ム男ガ罰ヲウケ〕毒しき瘡(かさ)身に遍く、肌膚(かはへ)爛れ敗(こそ)ね苦病比なく」〈霊異記上一六〉。「肌、賀波倍(かはへ)」〈和名抄〉

かはほね:【河骨】水草の一。今コウホネという。「かはなぐさ」とも。「聖の好むもの…牛蒡(ごばう)・—・打蕨」〈梁塵秘抄四三五〉。「—、かはな草也」〈匠材集一〉

かはぼり:【蝙蝠】①《川守の意という》コウモリ。「—は夜も戸たてぬ古寺に内外もなく飛びまがふかな」〈拾玉集三〉。「世話にかふもりと云ふなり。歌道には—と云ふ」〈見聞愚案記三〉。「蝙蝠、カハボリ」〈名義抄〉 ②「蝙蝠扇」の略。「よべ—を落して、これ(檜扇)は風ぬるくこそありけれ」〈源氏若菜下〉 **—あふぎ**【蝙蝠扇】《開くとコウモリが羽をひろげた形に似るのでいう》扇子(せんす)。「夏扇」とも。「今日中納言行成、—を持つ」〈小右記長和四・閏六・二四〉 **—ばおり**【蝙蝠羽織】⇒かうもりばおり。「短き物の品品…—」〈仮・尤の草紙上〉

かはまたえ:【川股江】川の流れが分れている所。かわまた。一説、河内国の地名。「—の菱茎(ひしがら)」〈紀歌謡三六〉 †kaFamataye

かはむし:【鳥毛虫】毛虫。「—の蝶とはなるなり」〈堤中納言虫めづる〉

かはや:【厠】《川の上に架した屋の意》便所。「—に入るを伺ひて刺し殺しつ」〈紀履中即位前〉。「この河は、比叡山に学問する多くの僧の—のしりなり」〈今昔二〇ノ一〉。〈和名抄〉

かはやぎ:【川楊】「かはやなぎ」に同じ。「この—は萌えにけるかも」〈万一八四八〉 ↓やぎ。 †kaFayagi

かはやなぎ:【川楊】ヤナギ科の落葉小灌木。川辺によく自生する。早春、葉に先立って黄白状の花を穂状につけ、猫の尾に似るので、ネコヤナギの別名がある。「刈りつとも(刈ッテモ)またも生(お)ふとふ吾跡(あと)—」〈万一二九三〉。「水楊、加波夜奈木(かはやなぎ)」〈和名抄〉 ↓やなぎ。 †kaFayanagi

かはゆ・し『形ク』《カハハユシの転》①恥ずかしさなどで顔がほてる感じだ。「いたく思ふままのこと—・くおぼえて、少少をぞ書きて見せし」〈建礼門院右京大夫集〉 ②見るに忍びない。見るに耐えない。「人の死する時の目は恐ろしく—・し」〈雑談集七〉。「其の墓を掘りおこしたれば…悪香充満して不浄出現せり。あまり—・く目もあてられざりければ」〈延慶本平家二・宇治悪左府〉 ③かわいそうで見ていられない。不愍(ふびん)だ。「この児(ちご)に刀を突き立て、箭(や)を射立て殺さむは、なほ—・し」〈今昔二六ノ五〉 ④つらい。「子息・弟子・父母・師長の臨終のわろきを、ありのままにいふも—・くして、多くはよきやうにいひなすこそよしなきこと也」〈梵舜本沙石集一〇本ノ一〇〉 ⑤可憐だ。かわいい。「慣れぬれば衣の虫も—・くて」〈俳・犬筑波〉

かはよど:【川淀】川の流れの淀んでいる所。「—に鴨そ鳴くなる」〈万三七五〉 †kaFayödö

かはら【龍骨】①船の龍骨。船底を縦に貫いて、船全体の支えとなる材。「熊野詣・天王寺詣なんどには、二つ—の三つ棟に作ったる舟に乗り」〈平家二・大納言流罪〉 ②船を数える語。「八十艘(やそかはら)の船に載せいれて官軍に従はしむ」〈紀神功摂政前〉

かはら【瓦】《塼(せん)の意の梵語から》①丸瓦・平瓦・鬼瓦・敷瓦などの総称。古くは、寺院・宮殿など特別な建物の屋根を葺くのに使われた。「鉄、若しは銅、若しは—を用ゐて作るべし」〈願経四分律平安初期点〉。「おとど(御殿)の—さへ残るまじく吹き散らすに」〈源氏野分〉 ②《転じて》価値のないもの。「黄金・白玉をば、—・石と同じくせり」〈東大寺諷誦文稿〉 **—のまつ**【瓦の松】《白氏文集の「墻有レ衣、瓦有レ松」から》家の古びて荒れたさまにいう語。「『垣などもみなやぶれて苔生ひて』など語りつれば、宰相の君の『—はありつや』」〈枕(能因本)帰る年の二月二十五日〉 **—ぶき**【瓦葺】①屋根を瓦で葺いたもの。古く、家屋は檜皮(ひはだ)葺・板葺・茅葺が多かった。「〔太政官庁ハ〕屋のさま、いと平(ひら)にみじかく、—にて、唐めき、さまことなり」〈枕一六一〉 ②《斎宮の忌詞》寺。「寺を—と称(い)ふ」〈延喜式斎宮寮〉 **—や**【瓦屋】①瓦葺の家屋。「尼寺の瓦舎(かはらや)に逃げ匿る」〈紀舒明即位前〉 ②瓦を焼く小屋。「忘れずよまた変らずよ—の下焚(た)く煙下むせびつつ」〈後拾遺七〇七〉

かはら:【川原・河原・磧】《カハハラの約》①川辺の砂石の多い平地。川沿いの平地。「石は踏むともいざ—より」〈神楽歌一三〉 ②《特に京都で》㋑賀茂川の河原。平安京の東端に当る。「—に出でて祓(はらへ)しはべりけるに…。」〈後撰一一三〇〉 ㋺賀茂川の四条河原。近世では、芝居小屋・水茶屋などの多い繁華な場所であった。「色河原」とも。「あれは—の〔芝居ノ〕名取なりけり」〈俳・山の端千句上〉 **—がよひ**【河原通ひ】京都四条河原へ芝居見物や若衆買いに通うこと。「—かの大臣とは我が事なり」〈俳・山の端千句下〉 **—げ**【川原毛・河原毛】馬の毛色の名。たてがみの部分だけが黒い白馬。「そもそも神馬は—也」〈民経記嘉祿二・一〇・一〉。「八十瀬こぐ舟路あさくは彦星にかさばや天の—の駒」〈草根集八〉。〈和名抄〉 **—もの**【川原者・河原者】《不課税の地としての川原などに住んでいたのでいう》①中世以来、牛馬の死体処理、清掃・造園、雑芸能な

どの業に従事した者。「かはらのもの」とも。「―千人、兵具を帯し、これ(獄門)を警固す」〈斎藤基恒日記嘉吉一・二〉。「当院―来たり、予に帚二本・上履(じやうり)一双を献ず。百銭を与ふ。この者庭上に跪き、以て山水の事を説く」〈鹿苑日録延徳一・五・二〇〉。「屠伯とは、牛馬をほふる者を屠と云ふ。―なり」〈蒙求聴塵下〉 ②歌舞伎役者の蔑称。川原役者。川原乞食。「しからば能も〔卑俗化シテ〕―になるべし」〈わらんべ草三〉

かはらう カワロウ【川郎・川童・河伯】 河童(かつぱ)。「獺(かはをそ)、老いて河童(かはらう)と成る」〈伊京集〉

かはらか カワラカ ①こざっぱりして綺麗であるさま。「顔こまやかに、見るままにいとをかしくらうたげなるけはひ、ものきよく―に、人の娘と覚ゆるさましたり」〈紫式部日記〉。「別人(ことひと)のいとさばかりなりたらんは(重態ニナルト)異様(ことやう)なるべきを、なほいと―に、貴(あて)におはせしかば」〈大鏡道隆〉。「―、さはやかにきれいなる也」〈匠材集一〉 ②(乳などが)さっぱりと、あがっているさま。乳が出ないさま。「胸をあけて乳などくくめ給ふ。…御乳はいと―なるを、心をやりて〔若君ヲ〕慰め給ふ」〈源氏横笛〉 ▽カワキ(乾)と同根で、歴史的仮名遣は「かわらか」とすべきか。

かはらけ カワラケ【土器】《瓦笥の意》 ①素焼の土器。「―に香うち盛りて」〈かげろふ中〉 ②素焼の盃。「肴などめやすき程にて―さし出でさせ給ひけり」〈源氏椎本〉 ③盃のやりとり。酒宴。「御―のついでに」〈源氏胡蝶〉 **―なげ**【土器投げ】「土器」(2)を山上から谷間に投げおろし、舞い落ちるのを見て楽しむ遊び。近世、京都の愛宕山・高雄山などで行なわれた。「紅葉散るは―か高雄山」〈俳・発句帳四〉

かはら・ひ カワライ【変らひ】〖四段〗《変リに反復継続の接尾語ヒのついた形。→ひ》 変ってゆく。「いや日けに(日ゴトニ)―・ふ見れば」〈万四七八〉 †kaFaraFi

かはらふぢ カワラフジ【皁莢】 川原などに生えるマメ科の落葉灌木。初夏、黄色の花を総状につけ、後にさやを結ぶ。ソウキョウ。一説、サイカチ。「―に延(は)ひおぼとれるくそかづら」〈万三八五五〉。「皁莢、加波良布知(かはらふぢ)」〈和名抄〉

かは・り カワリ【代り・替り・変り】 ㊀〖四段〗《カヘ(交・変)の自動詞形》 ❶甲乙別のものが互いに入れちがいになる意。交替・交換・代償等の意。 ①入れかわる。交替する。「今―・る新防人(にひさきもり)が船出する」〈万四三三五〉 ②代理となる。身代りとなる。「歌奉れと仰せられける時に、人に―・りて詠める」〈古今一七七詞書〉 ❷主体の性質や中身が、別の性質や中身と入れちがいになって、別物となる意。類義語ウツリは、主体がそのままで、条件の異なるところへ動いて行く意。 ①変化する。「黒髪―・り白けても」〈万五七三〉。「悲しび深きものも喜びに―・り」〈源氏若菜下〉 ②異なる。相違する。「御心ばへ世の人に―・り、めづらしくもねたくも思ひきこえ給ふ」〈源氏槿〉 ③改まる。「あはれ年は―・りなむとす」〈源氏椎本〉 ㊁〖名〗 ①入れ替り。交替。後任。「斎院は御服〔喪〕にておりゐ給ひにしかば、朝顔の姫君は―にゐ給ひにき」〈源氏賢木〉 ②身代り。代理。代人。「かの人の御―に、明け暮れの慰めにも見ばや」〈源氏若紫〉 ③代償。つぐない。ひきかえ。「〔母君ノ〕ゆくへをだに知らぬ―に、人なみなみにて見奉らむ」〈源氏玉鬘〉。「かく宿させ給へる―に、麻(を)やある、績みて奉らむ」〈宇治拾遺五七〉 ④代るべきもの。かけがえ。「―の太刀候はば賜(た)び候へ」〈平治中・六波羅合戦〉 ⑤代価。「身を売りて―を母に与へて」〈沙石集六ノ一六〉 ⑥相違。差異。「されば一字二字の―なり」〈ささめごと上〉 ⑦他の語に冠して、普通とは違う意を表わす。「―節古今の間に独歩して」〈俳・風鳶禅師語録〉 **―め**【替り目】 ①違っているところ。相違。「此の〔真名・仮名〕両序の―は、先にも申しつるごとくに」〈古今集註〉 ②物事の移りかわる時。「祈禱をぞする水の―／殊勝なは二月堂の牛王(ごわう)にて」〈俳・犬子集一三〉

かはをさ カワオサ【川長】 渡し守。「宇治の―」〈源氏橋姫〉

かはん【加判】 ①公文書に判を加えること。転じて、鎌倉幕府の連署、江戸幕府の老中などの称。「治部卿・源中納言〔等〕…―し」〈中右記大治四・一・七〉。「其の状、相州(相模守時頼、執権)自ら筆を染め、奥州(陸奥守重時、連署)―せらるる処なり」〈吾妻鏡建長四・二・二〇〉 ②証文に連判して保証すること。連判。「連判起請…―し了んぬ」〈多聞院日記天正八・一〇・一四〉

かばん【加番】 ①城番(定番)の副として城の警備役をした者。のち江戸幕府の職名となり、大阪・駿府などに置かれた。「城中の―今村掃部・今井十兵衛・西野壱岐守は心やすし」〈浅井三代記一五〉。「板倉〔重矩〕は大坂に―たり」〈山鹿素行年譜承応二・九・二〉 ②加勢役。「加勢―の者ども皆皆在所へ返し」〈加沢記二〉

かひ カイ【貝・殻】 ①貝。「家づとに―を拾(ひり)ふと」〈万三七〇九〉 ②合図などに用いるほら貝。「時は、山寺、わざの―四つ吹く程(午後十時頃)になりにたり」〈かげろふ中〉 ③【殻】(貝・卵などの)外殻。また、米のもみがら。「殻、和名与レ貝(かひ)同、虫之皮甲也」〈和名抄〉。「稃、イネノカヒ」〈名義抄〉 ④貝香(かひかう)。「凡そ―は臭しといへども、是を加へずは、其の香遠く匂ふべからず」〈後伏見院宸翰薫物方〉 ⑤貝殻入りの膏薬を数えるのに用いる語。「東福英蔵主来たり、潤体円一―…を恵まる」〈鹿苑日録明応八・一〇・三〉 †kaFi **―を作・る** 《口を貝の形にする意》 口を「へ」の字に曲げて泣き顔になる。べそをかく。「今日の御送りにつかうまつらぬことなど申して―・るもいとほしながら」〈源氏明石〉 **―を摺(す)・る** 螺鈿(らでん)を施す。「刀の間塞ぎ(目貫)に―・りたりけるに」〈今昔二六ノ二四〉

かひ カイ【卵】《カヒ(貝)と同根》 たまご。「同じ巣にかへりし―の見えぬかな」〈源氏真木柱〉

かひ カイ【抱】 大木の幹などの大きさをはかる語。かかえ。「三―ばかりありさうなる栗の木柱を」〈伽・小栗絵巻〉。「山には檜・杉の四―五―、あるいは大木、麻を立てたるが如し」〈仮・霊怪艸三〉

かひ カイ【峡・間・交】《交ヒの名詞形》 山裾と山裾との交わるところ。「こちごち(ソレゾレ)の山の―に立ち栄ゆる葉広熊橿(はびろくまかし)」〈記歌謡九一〉 †kaFi

かひ カイ【匙】《カヒ(貝)の転用。古く実際に貝を使った》(飯などをすくう)さじ。「箸・―などとりまぜて鳴りたる、をかし」〈枕二〇一〉

かひ カイ【甲斐】 旧国名の一。東海道十五か国の一。今、山梨県。甲州。「歌斐の国、梓弓五百張を献じて、以て大宰府に充つ」〈続紀大宝二・二・二三〉 †kaFi

かひ カイ【鹿火・蚊火】 ①田畑に近づく鹿を追うためにたく火。「あしひきの山田守るをぢが置く―の下焦がれのみ我が恋ひ居らく」〈万二六四九〉 ▽一説に、これは蚊やり火であるという。 ②蚊やり火。「柴の屋のはひりの庭に置く―の煙うさき夏の夕暮」〈堀河百首〉。「蚊遣火、加夜利比(かやりひ)、一云、蚊火(かひ)」〈和名抄〉 †kaFi

か・ひ カイ【交ひ・替ひ・買ひ】 ㊀〖四段〗《甲乙の二つの別のものが互いに入れちがう意》 ①これをやる代りにあれを手に入れる。交換する。「馬―・はば妹歩行(かち)ならむ」〈万三三一七〉。「西の市にただひとり出でて眼並べず―・ひてし絹の商(あき)じこりかも」〈万一二六四〉 ②自分の身にとり入れる。求めて受ける。「財(たから)多ければ身を守るにまどし、害を―・ひわづらひをまねくなかだちなり」〈徒然三八〉③【支ひ】あてがう。「鼻の下に物を―・ひて、人を以て踏ますれば」〈今昔二八ノ二〇〉④《他の動詞の連用形に付いて》互いちがいに…になる。交差して…する。「川上は木の穂刺し―・ふ」〈出雲風土記〉。「飛び―・ふたづも空に見よ」〈源氏須磨〉。「たのしび悲しび行き―・ひて」〈徒然二五〉 ㊁『名』①物の互いちがいに交わること。また、その所。「目(ま)な―(目先)にもとなかかりて安眠(やすい)し寝(な)さぬ」〈万八〇三〉。「道―にてだに人か何ぞと」〈源氏明石〉②【効】行為の代償。行為の効験。するだけの値うち。「我が待ちし―はかつて無し」〈万三八二〇〉。「少し嬉しき事をば―ありとは言ひける」〈竹取〉③張合い。「かしづきたてて見奉り給ふに、生ける―あり」〈源氏紅葉賀〉 ▽(2)(3)に「甲斐」と書くのは、中世以後の当て字。 †kaFi

か・ひ イカ【飼ひ】㊀『四段』食物や水をあてがう。「〔馬ニ〕草こそば取りて―・ふといへ、水こそば汲みて―・ふといへ」〈万三三二七〉。「他国の商人行きたりしかば、薬を―・ひて馬となして」〈日蓮遺文千日尼御返事〉 ㊁『名』飼い料。えさ。「その上、馬の―の馬草(まぐさ)、一日に一斗三升責め取り候」〈高野山文書六、建治一・一〇・二八〉 †kaFi

かび【穎】①稲穂。「初穂をば千(ち)―八百(ほや)―に奉り置きて」〈祝詞祈年祭〉。「穎、穂也、カビ」〈名義抄〉②柄(かつ)のような形のもの。「み剣の手(た)―を以ちて、此の地(とこ)ろに置きたまひき」〈日向風土記逸文〉 †kabi

か・び㊀『上二』《ほのかに芽ばえる意》黴(かび)が生える。「かもする。醸の字也。麹(かうじ)や米を―・びさせて酒に作る也」〈源氏物語千鳥抄〉。「殕、賀布(かぶ)、食上生白也」〈和名抄〉㊁『名』①芽。「葦(あし)―の如く萌え騰(あが)る物」〈記神代〉②物の表面に生じる微生物。〈日葡〉 †kabi

がひ イガ『接尾』《「がい」とも表記》①動作・状態の程度を表わす。「死なず―な(死ナナイトイウダケノヒドイ)目に逢うて、一分はすたった」〈近松・曾根崎心中〉②縁故のよしみや権利を表わす。「首を切らせるやつなれど、ねんごろ―に許して置く」〈近松・曾根崎心中〉。「そちが心にそまぬ事、無理にと言ふも余り親―」〈浄・花飾三代記九〉

かひあはせ カイアワセ【貝合】①珍しい貝に和歌を添え、その優劣をきそう遊び。「―せさせ給はむとて、月ごろいみじく集めさせたまふに」〈堤中納言貝あはせ〉②三百六十の蛤を左右に分け、右貝を地貝として下に置き、左貝を出し貝として一つずつ出して地貝に合わせ、その合った数の多い方を勝とする遊び。貝覆(かひおほひ)。「今ぞ知るふたみ(二見・蓋実)の浦の蛤を―とて覆ふなりけり」〈山家集下〉

かひうた カイ【甲斐歌】東歌(あづまうた)の一。甲斐国の歌謡。「―。甲斐が峰(ね)をさやにも見しが」〈古今一〇九七〉。「西国なれど〔東国ノ〕―などいふ」〈土佐十二月二十七日〉

かひおき カイ【買置き】値の上がった時に売って儲けようと品物を買いためておくこと。また、その品物。「さる有徳(うとく)なる出家の、―などいふ物して、米いかめしく持たる人の庵にて」〈俳・犬筑波〉

かひおほひ カイオオイ【貝覆】「貝合(かひあはせ)」(2)に同じ。「乱碁・―・手まり・扁つぎなどやうのことどもを」〈増鏡五〉

かひかう カイコウ【甲香・貝香】辛螺(あき)貝の蓋を練香(ねりかう)の材料に用いるときの呼び名。「―は、蜜を塗り、炮(あぶ)りて、折り見るに、中きはやかになりてさはらかなる時、春くべし」〈薫集類抄下〉。「―は、ほら貝のやうなるが小さくて、口のほど細長にして出でたる(ツキ出タ)貝の蓋なり」〈徒然三四〉 ▽古くはカフカウか。「甲香、俗云、合講二音」〈和名抄〉

かひがかり カイ【買懸り・買掛り】代金後払いで買うこと。「掛買ひ」とも。「売がかり・―催促候て」〈梅津政景日記元和六・閏三・一六〉

かひかね カイ【貝鉦】①仏事に用いる法螺(ほら)貝と鉦。「―の音もせず、後夜・晨朝に念仏する僧侶もなければ」〈保元下・新院御経沈め〉②軍陣で用いる法螺貝と鐘。「―を鳴らせば、味方の勇気に力を添へて」〈天草本伊曾保〉

かひがひ・し カイガイシ『形シク』《カヒは、カヒ(交・効)。或る行為のひきかえに得られる効果、ききめ》①いかにも効果的だ。張合いがある。「〔話手ニトッテ〕―・しくぞあひしらひ聞え給ふめる」〈源氏早蕨〉②いかにも頼りになりそうだ。心丈夫だ。「かかる筋(親子対面)には、ただ頼もしう思ふ人のあらんこそ―・しうあるべかめれ」〈栄花初花〉③いかにもまめまめしい。「兼遠請け取って―・しう二十余年養育す」〈平家六・廻文〉④しっかりしていて有能である。強健で役に立つようだ。「宮仕ふに―・しくまめにて、しかもまた女とも覚えずすくよかなるかたさへありて」〈著聞五五二〉。「心ばかりは進めども、貧は諸道の妨げにて、―・しき馬は候はず」〈延慶本平家九・梶原与佐々木〉⑤旺盛である。「飯を水づけにしてすすめさせ給ふに、―・しく食ひてけり」〈著聞四九六〉 ▽これに「甲斐」の字をあてるのは中世以後。「甲斐敷、カイカイシク」〈文明本節用集〉。「甲斐敷、カイガイシク」〈天正十八年本節用集〉

かひき カイ【甲斐絹】《「海気」「海黄」なども書く》絹織物の一。もと舶来品であったが、後に、甲斐郡内地方の特産。黄・赤・茶等の地色の縞織などで上等品。「―は阿蘭陀(オランダ)より出づ」〈和漢三才図会二七〉

かびくさ・し【かび臭し】『形ク』①かびたにおいがする。「押し巻きたる反故どもの―・きを」〈源氏橋姫〉②古くさい。陳腐だ。「近頃―・けれども、汝が姿を変じて豆女になすべし」〈浮・潤色栄花娘一〉

かひぐら カイ【貝鞍・螺鞍】螺鈿(らでん)で花模様などをちりばめた漆塗の鞍。「黄月毛なる馬に、柳桜を摺(す)りたる―置かせて乗り給へり」〈平治中・待賢門軍〉

かひこ カイコ【蚕】カイコ。〈名義抄〉 ▽「飼ひ子」の意。カヒゴ(卵)とは別。 †kaFiko

かひご カイ【殻子・卵】《カヒは殻(から)の意》鳥の卵。殻のついたままの卵。「鶯の―の中にほととぎす独り生れて」〈万一七五五〉。「卵、加比古(かひご)、鳥胎也」〈和名抄〉。「卵、鳥㲉、カヒゴ」〈名義抄〉。「卵、カイゴ」〈文明本節用集〉 ▽蚕は「飼ひ子」の意で、コは清音。 †kaFigo

かひじま カイ【買縞】手織でない、買い入れた縞織物。「―の綿入に白裏つけて」〈西鶴・永代蔵四〉

かひじゃくし カイ【貝杓子】板屋貝の殻に竹の柄をつけた粗野な杓子。汁をすくう。「―おっ取り添へて出さうところで」〈虎明本狂言・鱸庖丁〉

かひぞめ カイ【買初】正月初めて買うこと。初買。「今日―也。幸甚幸甚」〈師守記貞治七・一・二〉。「―あり。酒一提・昆布・搗栗」〈山科家礼記寛正四・一・三〉

かひた・て カイ【飼ひ立て】㊀『下二』飼い育てる。「かの民部丞が子息の小童〔コノ犬ヲ〕―・てたりけるなり」〈著聞七二〇〉 ㊁『名』子供の時から育てあげた奉公人。子飼い。「―が美目(みめ)よきからにこまさくれ」〈俳・信徳十百韻〉

かひだる・し カイ【腕弛し】『形ク』《カヒナタルシの転》①腕がだるい。「夜もすがら物思ふ時の手枕はかひだるさこそ知られざりけれ」〈夫木抄三二・枕〉②非常に疲れている。かったるい。「あら―・しや手骨膝節」〈俳・望一千句〉。「カイダルイ」〈日葡〉

カピタン【甲比丹・加比丹】《近世前期にはカビタンとも表記》①船長。「寄₌呂守(ルソン)国船主(カピタン)₌書」〈南浦文集中〉②江戸時代、長崎のオランダ商館長。「—もつくばはせりけり君が春」〈俳・江戸通り町上〉③《カピタンが持参したものの意から》近世、船来の経(たて)絹・緯(よこ)木綿で織った、黄茶・鼠・緑などの縞織物。「木綿の中入、上に—の玉子色なるを引返しに黒糸の縫紋」〈西鶴・諸艶大鑑一〉▽ポルトガル capitão

かひつ・け‥【飼ひ付け】『下二』飼い慣らす。「年頃—・けたりける犬山の犬を」〈今昔二六ノ七〉

かひつもの‥【貝つ物】貝の類。貝。「海人(あま)ども、あさりして—もて参れるを」〈源氏須磨〉。「貝、カヒツ物」〈名義抄〉

かひとひや【買問屋】その土地の産物を買い入れ、地方に送り出す問屋。または、商品の仕入に来る諸国の商人を宿泊させ、取引一切の世話をする問屋。仲買。「春日(かすが)の里に曝布(さらし)の—して」〈西鶴・永代蔵一〉

かひな【肱・腕】①肩から肘(ひじ)まで。二の腕。また、肘から手首まで。もと、カヒナは肩から肘まで、ウデは肘から手首までにいったらしいが、両者は次第に混同された。「木綿襷(ゆふだすき)—に懸けて」〈万四二〇〉。「枕にとて—を御簾(みす)の下よりさし入れてはべりければ…。春の夜の夢ばかりなる手枕にかひなく立たむ名こそ惜しけれ」〈千載九六一〉。「肘、ヒヂ・カヒナ」〈名義抄〉②舞の手を数えるのにいう語。「澄憲更にそそがずして、二—、三—、舞ひける」〈盛衰記三〉③物の大きさを両腕をひろげた長さで数えるのにいう語。「左に銀杏の木、ふとさ五—ばかりなり」〈仮・東海道名所記二〉†karina　—**つ・き**【腕突き】『四段』刀で腕を突く。色道、とくに衆道で心中の誠を表わすため。「—・く跡弔ひてたび給へ」〈俳・俳諧三部抄中〉　—**ひ・き**【腕引き】『四段』刀で腕を引き切る。衆道または男女の中で、心中を示すため。「ぬっと出して—・くにや」〈俳・蛇之助〉

かひな・し【甲斐無し】『形ク』《カヒ(効)がない意。それだけの効果がない。「甲斐」にあてるのは、中世以後》①実行したり、希望したりするだけの効果がない。「『あな、かひなのわざや』との給ひけるよりぞ、思ふにたがふ事をば—・しとといひける」〈竹取〉②とりたてた価値がない。「—・き身」〈源氏薄雲〉③《「かひなくなる」の形で》死ぬ。「—・くなり給はば」〈源氏手習〉④力が弱い。体力がない。「拒(ます)ふとすれども、女は—・きものなれば、つひに従ひにけり」〈宝物集七〉

かひのくち‥【貝の口】帯の結び方の一。両端が斜め上向きに出る。男の角帯または少女の帯に結ぶ。「お好みは宗伝打ちの〔帯ノ〕—」〈俳・雪之下草歌仙〉

かひふえ‥【貝笛】ほら貝。「螺、貝布延(かひふえ)」〈華厳音義私記〉†kaɸiɸuye

かひや【鹿火屋】田畑に鹿などを寄らせないように火をたく小屋。一説、蚊やり火をたく小屋。「朝霞—が下に鳴くかはづ」〈万二二六五〉。「たきすさむ煙や残る秋の田の—が上に霞む月影」〈続千載五〇六〉

かひやき‥【貝焼】貝をその殻に付けたまま煮焼きする料理。「土器に栄螺(さざえ)—」〈久政茶会記天正一六・一二・二〉†kaɸiya

かひよ‥鹿の鳴く声。効果の意の「かひ」にかけていうことが多い。「秋の野に妻なき鹿の年を経てなぞ我が恋の—とぞ鳴く」〈古今一〇三四〉

かひよせ‥【貝寄せ】節分の前後に吹く荒い西風。特に大阪湾では、二月二十日前に吹いて酷貝(すがい)を浜辺に吹き寄せる西風。「貝引き」とも。「—やとべた栄螺(さざえ)に至る馬手(めて)」〈俳・堺絹一〉

かひ・り【帰り】『四段』「かへり」の上代東国方言。「行きめぐり—・り来(く)までに」〈万四三三九防人〉†kaɸiri

かひろ・き【紗き・転き】『四段』ゆらゆらと揺れ動いて安定を欠く。「〔薄ガ〕風になびきて—・き立てる」〈枕六七〉。「紗、加比路久(かひろく)、船不₂安也」〈和名抄〉。「転、カヒロク」〈名義抄〉▽カヒロは擬態語。擬態語に接尾語キを添えて動詞化する例に、サワキ・トヨキ・トドロキなどがある。

かひろん‥【買論】一人の遊女を先に買おうと、客同士が争うこと。「遊女の—夜昼のわかちもなく」〈西鶴・一代男五〉

かひわ・り‥【殻割り・貝割り】㊀『四段』①孵化(ふか)する。かえる。「その酒の色は、鵝児(がじ)の卵より—・って出た時の色の如くにして、黄なるぞ」〈四河入海一三ノ二〉②発芽して二葉が出る。「畠に菜大根蒔きて、—・りたるこそ、いとけなき物なれ」〈俳・類船集五〉③二つに割る。「食らひにし古欠け御器(ごき)も—・りぬ君ならずして誰か来るべき」〈仮・仁勢物語上〉㊁『名』①孵化。「〔鷹ノ〕大小(雌雄)、—して見知ること」〈禰津松鷗軒記〉②野菜の二葉の芽。貝割れ。「—菜の二葉に」〈俳・常盤屋の句合〉③貝割形に両端を結んだ帯。「てうてうしくも誉むる—」〈俳・炭俵上〉④袖口を真中で括って上下を貝割形に分けたものか。「—の袖しほらしき辻が花」〈俳・流川集〉

かひをけ‥【貝桶】貝合せの貝殻を入れる桶。地貝入れと出し貝入れとで一対。八角形で、印籠蓋(いんろうぶた)のものが普通。嫁入道具の一つとされた。「御物行きやうの次第、一番、御—」〈嫁入記〉

かふ【甲】①物の背面・外側をおおう殻(から)。「〔ソノ亀ノ〕—三寸ばかりなり」〈著聞六八八〉②琵琶(びわ)の背面。「—は紫藤の—」〈平家七・青山〉③音楽で、高い調子をいう語。「乙(おつ)」の対。「かん」とも。「一調子高き音を—の音と名づく。二調子下る音を乙の音と名づく。…—は声の始め、乙は声の終りなり」〈庭訓抄上〉　—**が舎利(しゃり)になる**　堅い甲がくだけて骨になる意で、めったにない事のたとえ。転じて、どんな事があっても意。「—・るとても、親王を助け奉る」〈近松・持統天皇三〉　—**に・着る**　権勢ある者をたのんで威張る。笠に着る。「臣下が時の権門を—・きて、何事も我がままに、欲しいままに振舞ふ」〈玉塵抄一〉

かぶ【頭・株】《カブラ(蕪)・カブツチのカブと同根。塊りになっていて、ばらばらに離れることのないもの》①人間の頭部。「—突く〔ヨウニ〕真火には当てず」〈記歌謡四二〉②木の幹を切った後に残る根。くいぜ。「咲く岩つつじ—や固かる」〈俳・正章千句下〉。「株、カブ、木の株」〈文明本節用集〉③社会的な地位・身分、または経済上の営業・製造・専売などを世襲・継続する特権。「商売替へて酒の大—」〈俳・大矢数二〉④持前。習癖。また、おきまり。おかぶ。「前帯は壱つ結ぶが—になり」〈雑俳・万句合宝暦一三〉

がふ【合】蓋(ふた)のある容器を数えるのにいう語。「大きなる折櫃(をりひつ)一—に入れて」〈今昔一九ノ三〉

がふ【楽府】《字音ガクフの読み癖。「国府」をコフと読む類。もと、漢の武帝が設けた音楽を掌る役所、また、そこで採用・制定された歌曲の意》漢詩の古体の一。長句短句一定しない。わが国では、白氏文集に収められた楽府が有名。「〔扇ノ〕表のかたには—をうるはしく真(楷書)に書き」〈大鏡伊尹〉。「文集の—の文を覚えたまふ」〈栄花音楽〉

かふおつ‥【甲乙】①優劣。上下。「この両首〔ノ歌〕、又更に—分ち難く侍り」〈慈鎮和尚自歌合〉②たれかれ。名の知れぬ人人、明らかにする必要のない人人にいう。「武家被官人―の輩」〈建武式目追加暦応三・四・一五〉 ―にん【甲乙人】①「甲乙」(2)に同じ。「下り合はせたる―等これを見て」〈保元下・為朝生捕り〉②一般の人人。凡下。「―等とは、凡下百姓等の事也」〈沙汰未練書〉

かふか【閤下】①高位高官の人に対する敬称。殿(との)閤下。「―の君、末の家の子におはしませば、同じ君と頼み仰ぎ奉る」〈大鏡・藤氏物語〉②対等の相手にいう敬称、また、親称。貴殿(きでん)。「さて―はいかが」〈大鏡・序〉
▽「閤」は大門の側に付けた小門。一説、たかどの。

かぶき【冠木】門柱の上部に渡した横木。「門の―」〈庭訓往来三月十三日〉。「門を出づる時、―に当りて落ち申したが」〈天正本狂言・柑子〉 **―もん**【冠木門】門柱に冠木を渡した門。「衡門とは…左右に柱を立て、上には木を一本横たへて門となしたるを云ふぞ。此の邦(くに)にての―と云ふものぞ」〈三体詩抄三ノ一〉。「衡門、カブキモン、或作二冠木門一也」〈文明本節用集〉

かぶき【歌舞伎】歌舞を演奏すること。「伊勢斎宮新嘗会を停む。但し―を以て九月の望に供す」〈後紀延暦一八・七〉

かぶ・き【傾き】[一]〘四段〙①かたむく。頭を傾ける。「雨ふれば門田の稲ぞしどろなる心のままに―・き渡りて」〈行宗集〉②推測する。判断する。〈日葡〉③異様な身なり、異端の言動など、常規をはずれる。「―・きたるなりばかりを好み」〈伽・猫の草子〉④自由放縦な行動をする。「またたぐひなき唯独りの御子なれば…御心のままに―・きおはしましける」〈伽・唐崎物語〉⑤ふざける。たわむれる。「青侍の―・きまつはりつつ」〈仮・童蒙先習上〉⑥歌舞伎を演じる。「〔慶長九年〕十月初め、津しまもりくに―・きて清須へ下る。…御屋敷にて一度―・きて、鳥目二十貫給はる」〈慶長自記〉[二]〘名〙①推測。判断。「此の―は、とてもとても違ひ候まじく候」〈伊達家文書三、伊達政宗書状〉②【歌舞伎・歌舞妓】歌舞伎芝居。「始めて―あり。同じく相撲も有るの由」〈梅津政景日記慶長一七・四・七〉 **―こ**【歌舞伎子】歌舞伎芝居に出る少年の俳優。ひそかに男色も売った。歌舞伎若衆。「四条川原の―の事にては候はぬか」〈評判・野郎虫〉 **―しばゐ**【歌舞伎芝居】江戸時代に興隆したわが国独特の演劇。慶長年間の阿国(おくに)歌舞伎に発源し、女歌舞伎・若衆歌舞伎・野郎歌舞伎を経て、元禄期には脚本と演技を具有する本格的な演劇となる。「去(い)なれまい―に円座(ゑんざ)買へ」〈俳・二葉集〉。「―に行き、玉川千之丞を見初めて」〈浮・好色百物語一〉 **―じふはちばん**【歌舞伎十八番】七代目市川団十郎が天保年間に選定し、また自らその一部を復演した市川家代代の当り狂言十八種目をいう。関羽・押戻(おしもどし)・暫(しばらく)・七つ面・象引・蛇柳(じゃやなぎ)・鳴神・矢の根・助六・嫐(うわなり)・鎌髭・外郎(ういろう)・不動・毛抜・不破・解脱(げだつ)・勧進帳・景清の称。「私元祖より伝へ来たり候―」〈寿十八番歌舞妓狂言考〉 **―もの**【歌舞伎者】①異様な風俗・行動をする者。はでな伊達(だて)者。「侍・小者によらず、―を抱へ置き申すまじく候」〈桜井文書慶長一三・九・七〉。〈日葡〉②歌舞を演ずる者。踊子。「大晦日に女の―を揃へて踊らせける」〈西鶴・置土産四〉③歌舞伎役者。「遊女―のなりさまを移し」〈西鶴・一代女三〉

がふくゎん【合巻】近世後期、文化以後現われた草双紙の一。五丁一冊の草双紙を、十五丁または二十丁一冊に製したもの。毎丁絵入りの婦女幼童むきの平易な小説で、演劇的趣向と精密な插絵が特色。「―とやら申す草双紙が出るたびに買ひますが」〈滑・浮世風呂二上〉

がふど【合期】思うようになること。体が自由に動くこと。「とかうして助かりたりけるに立居も―せざりければ」〈保元下・為朝生捕り〉。「起居不―」〈古今秘註抄一三〉

かぶ・し【傾し】[一]〘四段〙《カブは頭》頭を傾ける。「うな(首)―・し汝(な)が泣かさまく」〈記歌謡四〉。「頗傾也、此をば歌矛志(かぶし)といふ」〈紀神代下〉[二]〘名〙頭つき。「―、かたちなどいとよしと見えて」〈徒然一〇五〉。「おほかた、まみ・口つき・―・居ずまひ、たとへむかたなし」〈上野君消息〉

がふし【合子】蓋と身の合う椀の類。「いみじうきたなきもの。…〔五年ニ一度新調スル〕殿上の―」〈枕二六三〉

かふち【河内】《カハフチの約》川にある深い所。川の淵(ふち)。一説、カハウチの約で、川を内に持った地域。「たぎつ―に船出せすかも」〈万三九〉

かふち【河内】旧国名の一。畿内五か国の一。今の大阪府の一部。河州。「天皇を―国の長野陵に葬(はぶ)りまつる」〈紀神功二年〉。「河内、カウチ、国郡」〈色葉字類抄〉 **―め**【河内女】河内の国の女。河内の国には帰化人が多く、染色が発達していた。「―の手染めの糸を絡(く)り反し」〈万一三・三六〉

かぶつち【頭椎】《カブは株と同根、塊状のものの意》刀の柄頭(つかがしら)が槌(つち)の形をしているもの。また、その刀。くぶつつい。くぶつち。「頭槌、此をば箇歩豆智(かぶつち)といふ」〈紀神代下〉

かぶと【兜・冑・甲】①武具の一。頭部を保護するための鉄製の被り物。頭を覆う円形の部分を鉢(はち)、下に垂れて首を覆う部分を錏(しころ)という。「馬・鞍・鎧・―・弓矢・太刀・刀に至るまで照り輝く程に出で立たれたりしかば」〈平家五・富士川合戦〉。「甲は、日本に―と読むは誤りぞ。甲は、よろひなり。冑は、―なり」〈燈前夜話下〉。「冑、加布度(かぶと)、首鎧也」〈和名抄〉 ▽朝鮮語で甲(よろい)をkap、衣をotという。その複合語kapotを、日本語でkabutoとして受け入れたという。②端午の節句の飾物の一。家の前に結った柵の柱に掛けた兜の上に、人形を作り据えたもの。後には、甲冑をつけた人形をも称した。兜人形。「菖蒲の節句は、幟・―の光を飾り」〈西鶴・伝来記三〉③男児の異称。「奥様に勝って―を産み落し」〈雑俳・風丈評万句合宝暦一三〉④人の頭(かしら)に立つ者。第一人者。「末の世の鞠の―として、高位にのぼらんずる人なり」〈成通卿口伝日記〉 **―づきん**【兜頭巾】近世、武家や江戸の町人が火事装束の時にかぶった、兜形の頭巾。武家は羅紗の錏(しころ)に華美な刺繡をし、町人は黒色の羅紗または革の錏であった。「霜の剣(つるぎ)防ぐは―かな」〈俳・一本草四〉 **―のはち**【兜の鉢】兜の、頭にかぶる円蓋の部分。「〔太刀ヲ〕―にあまりに強う打ち当てて、目貫のもとよりちゃうど折れ」〈平家四・橋合戦〉 **―のほし**【兜の星】兜の鉢に並べて打ちつけてある鋲頭(びょうがしら)。「雲居を照らす稲妻は―を輝かす」〈平家一・鵜川軍〉 **―のを**【兜の緒】兜の顎紐(あごひも)。「馬に打ち乗り、―を締め、西を指いてぞ歩ませ給ふ」〈平家七・忠度都落〉

かぶのぼさつ【歌舞の菩薩】極楽浄土で、天楽を奏し歌舞を演じて、如来を讃嘆し、極楽往生の人を賞揚する菩薩。「―のまのあたり、現はれ給ふ不思議さよ」〈謡・当麻〉

かぶら【蕪】《カブ(頭・株)と同根》野菜の一。アブラナ科の一年草。根の球形によって名がある。「蔓菁根、加布良(かぶら)」〈和名抄〉 **―なし**【蕪無】青磁または古銅製で、蕪状のふくらみのない花入れ。「池上如慶が、一、―」〈信長公記三〉 **―ぼね**【蕪骨】鯨の頭部の、蕪の根の形をした白い軟骨。細かく切り晒(さら)し乾したものを、熱湯に浸し、酢や醤油で和(あ)えて食べる。氷頭(ひづ)。「貝焼・―・芹」〈久重茶会記寛永二一・三・三〉

かぶら【鏑】《形が蕪(かぶら)の根に似ているのでいう》①鏃(やじり)の一。木または角(つの)で作り、中を空洞にして数個の穴をあけ、飛ぶ時に高く音が響くようにしたもの。中世以後は、普通、雁股(かりまた)の矢につけて用いた。「―より上、十五束ありける〔矢〕を取ってつがひ」〈古活字本保元中・白河殿攻め落す〉。〈名義抄〉②「鏑矢」の略。「―を取ってつがひ、よっ引いてひゃうど放つ」〈平家一一・那須与一〉 **―や【鏑矢】** 先端に鏑をつけた矢。戦闘開始の矢合せには必ずこれが用いられた。「―を以て射たれば」〈今昔一六ノ三〉

かぶり【頭】①あたま。「何かと言ふとも、―ばかり振って物ばし言ふな」〈狂言記・花子〉②頭を左右に振って、不承諾の意を示すこと。「稲舟(否ト掛ケル)の――」〈古今夷曲集序〉。「―して、それが乳は呑まず」〈西鶴・三所世帯上〉③「かぶりかぶり」に同じ。「何も芸はないか。―はならぬか」〈狂言記・子盗人〉 **―かぶり【頭頭】** 幼児の芸。頭を左右に振ること。「それは―と申す芸で御座る」〈虎寛本狂言・鬼の継子〉 **―する間(ま)** 頭を一度横に振る間。極めて僅少の時間のたとえ。「江戸橋の下より乗り出して、―に吉原へ通ひ舟たくみて」〈西鶴・好色盛衰記二〉 **―ふ・り【頭振り】**『四段』頭を振る。多く、否定・不承知を示す時の動作にいう。「〔面ヲ〕顎ばかりにてあつかへば、―・るやうに見えて悪しかるべし」〈わらんべ草二〉。「何事も好かぬ事は―・ると也」〈俳・類船集二〉

かぶ・り【被り・冠り】㊀『四段』《カウブリの転。→かがふり》①頭の上におおう。また、面などを顔につける。「さみだれに苫(とま)ひき―・るあま小舟」〈為忠集〉。「頭(つぶり)に―・りたる物を取りのくるやうに」〈漢書竺桃抄〉。「主〔鬼ノ面ヲ〕―・る」〈天正本狂言・野中の清水〉②(上からの恩恵・命令・賞罰などを)こうむる。受ける。「恩を―・りぬれば、報ゆる事難し」〈三宝絵下〉。「関白宣旨―・り給ふ」〈大鏡忠平〉。「事いできて、罪を―・らんぞ」〈宇治拾遺四〉③(買いかぶって)だまされる。一杯食う。「どこの牛の骨やら知らいで人の―・る衣裳つき」〈西鶴・胸算用三〉④しくじる。失敗する。多く主人や親に対して失敗するのをいう。「―・る。毛氈(もうせん)被る事なり。芝居より出でたる言なり」〈洒・辰巳之園〉㊁『名』【冠】①頭にかぶるもの。かんむり。「行成の―を打ち落し、小庭に投げ捨てたりければ」〈盛衰記七〉。「紘、カブリノカザリ、冠巻也」〈色葉字類抄〉②「冠位」の訓読語。冠と位と。「冠位一級(ひとしな)給ふ」〈紀舒明十二年〉③〔連俳用語〕句の初めの五文字。「夕立は杉むら青き山べかな。かやうの句を、―ばかりに『夕立』をいひ出して所詮なしと見給へる好士あり」〈芝草〉 **―をけ【冠桶】** 冠(かんむり)を入れる桶。「古代の―を持ちたる人は」〈徒然六五〉

かぶ・り【齧り】『四段』①かじる。「〔歓楽トイウモノハ〕犬の枯れたる骨を―・るに飽く期(ご)なきが如し」〈霊異記下一八〉。「木に付く虫は木を―・り」〈盛衰記一八〉②大口をあけて食いつく。「飛びかかって、がくと一口―・って」〈虎明本狂言・釣狐〉③《体内の虫がかじると考えたのでいう》腹が痛む。「互ひに虫腹が―・らうとも、都まではとくと御供致さう」〈虎寛本狂言・宗論〉。〈日葡〉→虫がかぶる

かふりょく(コウ)**【合力】**①協力すること。加勢。「この誓約に―し給へや」〈保元下・新院御経沈め〉。「この外、諸国の―軍勢一万余騎」〈応仁記下〉②物質的な援助として、金品を施し与えること。また、その金品。「―、今日五百文これを出す」〈山科家礼記文明一二・七・三〇〉③近世、大阪で、親類・縁者の一部、下人、仲人が、それぞれ親族、主人、世話した夫婦に金品を与えたり、自宅に引き取ったりして扶養した制度。「―の別れの銀も少しなり」〈俳・大矢数四〉

かぶ・れ『下二』《カビ(黴)と同根》漆(うるし)などに負けて発疹(はっしん)する。「世の諺に、七日とほる漆にもいろはねば(手ヲ触レナケレバ)―・れぬものぞ」〈蓬左文庫本臨済録抄〉

かぶろ【禿】《カミ(髪)ウロ(疎)の約カムロの転》①頭に髪のないさま。剃髪した頭・はげ頭・はげ山などにいう。「頭(しら)の髪無くして―なり」〈今昔六ノ一〉。「碧樹路深うして山―ならず」〈新撰朗詠集山寺〉。「禿、加不路(かぶろ)」〈和名抄〉②子供の髪の形。髪を短く切り揃えて垂らしたもの。おかっぱ。また、おかっぱの子供。「―におはしまし折は、尼そり居丈にこそ見奉りしか」〈栄花嶺月〉。「十四五六の童(わらんべ)を三百人揃へて、髪を―に切りまはし」〈平家一・禿髪〉。「童、ワラハ・カブロ」〈名義抄〉③太夫・天神などの上級の遊女に仕えて、見習い中の少女。「網代の輿に乗り、―と下女とを召し具して、辺りを払ひて出で来る人あり」〈評判・露殿物語〉④筆の穂先の切れたこと。「管城(筆)の―になる」〈俳・遠近集序〉 **―だち【禿立ち】** ①遊女として勤めに出る前に、禿として仕立てられる時期。「―の時より大夫になるべき程の者と思へば」〈西鶴・諸艶大鑑一〉②禿として仕立てられて遊女になった者。遊廓に入ってすぐ遊女となる「つきだし」に対する語。「―の傾城」〈色道大鏡一〉 **―まつ【禿松】** ①葉の少ない松。「―どもを…植え出し候事」〈今堀日吉神社文書保内百姓等目安状案〉②遊里の禿の意に掛けていう語。「酔うては其のまま寝る―」〈俳・紀子大矢数下〉

かへ(エカ) ①**【榧】** カヤの古名。山地に生える常緑喬木。実は食用にし、また、油をとる。〈和名抄〉②**【柏】** ヒノキ科のヒノキ・サワラ・コノテガシワなどの総称。人などが栄える形容に使う。「松柏(まつかへ)」とつづく例は、漢籍の「松柏」の訓読によるものであろう。「松―の栄えいまさね」〈万四一六九〉。「果して大蛇有り。…松―背上(そびら)に生ひて、八丘八谷の間に蔓延(はひわた)れり」〈紀神代上〉。〈和名抄〉 ▽カへのへは、上代 Fe か Fë か不明。

か・へ(エカ)**【交へ・替へ・変へ】**㊀『下二』《カヒの他動詞形。二つのものを互いに入れちがえにするのが原義》①(あちらとこちらを)さしかわす。さしちがえる。「袖―・へし子を忘れて思へや」〈万三四二〇〉②これを与えてあれをとる。取りかえる。「その緒は―・へてわが玉にせむ」〈万一三二六〉。「身に―・へて、此の御身ひとつを救ひ奉らむ」〈源氏明石〉③互いに相手のことをする。「〔男女ガ〕帯解き―・へて」〈万四三二一〉④時や場所を別にする。「月―・へて君をば見むと思へかも日も―・へずして恋の繁けく」〈万三一三一〉。「所を―・へて待ちけるに」〈後撰七〇六詞書〉⑤状態や質を別のものに入れかえ、変らせる。「同じやうなれば少しさまを―・へたるなるべし」〈古今序〉。「かやうにさまを―・へて(出家ノ姿デ)まゐりたれば」〈平家一・祇王〉⑥水を汲み出して新しくする。「汲み水は一二夜すぐれば腐りて臭くなり、虫の出で来る故に、常に水を―・へ落して」〈作庭記〉㊁『名』取りかえること。取りかえるもの。予備。「―の太刀はなけれども」〈平治中・六波羅合戦〉。「その―にや、今の世には用ゐられずして、世を遁れたり」〈嵯峨のかよひ路〉。「命に―もなきぞかし」〈太閤さま軍記のうち〉 †kaFë

かべ【壁】《カはアリカ・スミカのカ。へは隔てとなるもの》①部

屋などの間を隔てるもの。「中の廊の―くづし」〈源氏藤裏葉〉。「壁、加閉(かべ)、室之屏蔽也」〈和名抄〉 ②《壁を「塗る」を「寝(ぬ)る」にかけて》夢の異称。「ぬる時に見るものとてやぬばたまの夢をも―と言ひはじめけむ」〈草庵集〉 ③〔女房詞〕豆腐(とうふ)。色の白さを壁に擬していう。「おかべ」とも。「―一折、栗一包、遣はし候」〈言継卿記大永七・三・三〇〉。「豆腐は―」〈海人藻芥〉 ④女郎屋の張見世(はりみせ)の末席をいう語。新造女郎などが坐っていた。「―に立て掛けてあるのを隠居揚げ」〈雑俳・柳多留一三〉 ⑤近世後期、江戸で、野暮の意の通語。「野暮を―とはさていかに」〈洒・一目土堤〉 **―と・見る** ①野暮と見る。「其者(そい)を―・み、不通(やぼ)と見て」〈洒・大通法語〉 ②人を馬鹿にする。軽侮する。「壁にする」とも。「股野を―・見て居る故」〈黄・鳩八幡豆兼徳利上〉 **―に馬乗りか・く** 突然、予期しない事柄に出合って当惑するたとえ。「―・けてけり年の暮」〈俳・玉海集追加四〉 **―に茶壺** 懐妊した女の腹のふくれたさまの形容。「壁に行燈(あんどん)掛けたやう」とも。「構やせぬ／―は旦那んの〔子ダ〕」〈雑俳・軽口頓作〉 **―に耳** 密談の洩れやすいことのたとえ。「藪に目、―といふ事あり」〈長門本平家一〇〉。「―、天に目の用心なり。ゆだんあるべからず」〈極楽寺殿御消息〉

がへ《助》反語の助詞「かは」の上代東国方言。「親は離(さ)くれど我は離かる―」〈万三四三〇東歌〉 †gaFë

がへ【が上】《連語》〔上代東国方言〕《ガウヘの約。用言について》…した上に。「赤見山草根刈り除(そ)け会はす―あらそふ妹しあやに愛(かな)しも」〈万三四七九東歌〉 †gaFë

かへおとり【替へ劣り】《「かへまさり」の対》取り替えた結果が、却って前より劣ること。「平家に源氏―したり」〈平家八・鼓判官〉

かべがき【壁書】⇒へきしょ

かへかご【替駕籠】宿駅または途中で乗り替える駕籠。「―急ぐ雪の夕暮」〈俳・江戸広小路下〉

かへがへ【替へ替へ】互いに取りかえること。交換。「生捕も〔敵味方デ〕―なり」〈信長公記首巻〉

かべくさ【壁草】壁をつくるのにつかう、カヤ・ススキ・アシなどの草。壁土にまぜあわせるとも、家のまわりのかこいにするともいう。「にひむろ(新築ノ家)の―刈りにいましたまはね」〈万三三五一〉 †kabekusa

かへさ【帰さ】《カヘルサの転》帰る折。帰り。「暁にまうでたまひて―には物御覧ずべき」〈源氏藤裏葉〉 ▽kaFerusa→kaFersa→kaFessa→kaFesa

かへさ・ひ【反さひ・返さひ】《四段》《カヘシに反復継続の接尾語ヒのついた形。→ひ》①何度もひっくりかえす。「針袋取り上げ前に置き―・へば」〈万四一二九〉 ②幾度も思いかえす。「かくだに思はじなど、心一つを―・ふ」〈源氏手習〉 ③おしもどす。反問する。「博士の―・ふべき節節を引き出で」〈源氏少女〉 †kaFesaFi **―そう・し**【返さひ奏し】《サ変》(天皇に対して)辞退の意を申し上げる。御辞退申し上げる。「内より御けしきあること―・し」〈源氏行幸〉 **―まう・し**【返さひ申し】《四段》辞退する気持を申しあげる。辞退申しあげる。「いかめしき事は昔より好み給はぬ御心にて、皆―・し給ふ」〈源氏若菜上〉

かへさま【反様】《カヘシサマの転》裏返し。さかさま。「〔布ヲ〕―に縫ひたるもねたし」〈枕九五〉 ▽kaFesisama→kaFessama→kaFesama

かへ・し【覆し・帰し・返し】《カヘリの他動詞形。同一のものの上下・表裏とか、運動の方向とかを逆にする意》㊀《四段》❶同一のものの位置・状態を以前とは逆にする。①裏表を逆にする。ひっくりかえす。「敷栲の袖―・しつつ寝(ぬ)る夜落ちず」〈万三九七八〉。「盛衰掌(たなごころ)を―・す」〈平家七・聖主臨幸〉 ②上を下にする。くつがえす。「雨の漏りければ、むしろをひき―・すとて」〈大和八三〉 ③土を掘りおこす。耕す。「むなしく春―・し夏植うる営みありて」〈前田本方丈記〉。「墾、カヘス」〈名義抄〉 ④《違った状態にする意から》他の色に染める。染めかえる。「小桜を黄に―・いたる鎧」〈平家一・御輿振〉 ❷物事や人を、もとの所・状態へもどす。①帰らせる。「すむやけく―・し給はね本(もと)の国べに」〈万一〇二二〉 ②もどす。引きかえす。「『小勢にて門破らるな。〔馬ヲ〕―・せや』とて引きかへす」〈古活字本保元中・白河殿攻め落す〉 ③返却する。もとの持主にもどす。「我が衣(ころも)―・したばらめ」〈万三八〇九〉 ④もとの状態にもどす。「夕月夜そむるをかべの松の葉をみどりに―・すむら時雨かな」〈夫木抄一六・時雨〉 ⑤卵をひなにする。孵化する。「卵(かひ)の内に命こめたるかりの子は君が宿にて―・さざるらむ」〈宇津保藤原君〉 ⑥飲み食いしたものを吐きもどす。嘔吐する。「湯飲ませなどすれど―・しつつ惑ふ」〈栄花嶺月〉 ㊁《名》①風などが吹きもどすこと。一度静まった風の逆方向からの吹きかえし。「昼つかた―うち吹きて」〈かげろふ下〉。「吹き返す東風(こち)の―(西風)は身にしみき」〈後拾遺一一三五〉 ②返歌。返事。「まろ此の歌の―せむ」〈土佐一月七日〉。「歌の―は、本の歌に読み増したらば言ひいだし、劣りなば隠して言ひいだすまじとぞ」〈俊頼髄脳〉。「歌の―をせぬ者は、七生(しちしやう)まで舌なき者に生れ候なる」〈伽・高野物語〉 ③返報。しかえし。「〔双六デ〕『御―や、御―や』と筒(どう)をひねりて」〈源氏常夏〉 ④返礼。「坂迎(さかむかへ)の―有り。大酒有り」〈北野社家日記文祿四・二・一三〉 ⑤神楽歌などで、はじめの歌に続けてその曲調を転じてうたう歌。「本…。末…。又本―。…又末―」〈神楽歌薦枕〉 ⑥漢字の字音を示す方法の一である「反切(はんせつ)」の「反」を訓読した語。また、発音。「熯は火なり。音は而善の反(かへし)」〈紀神代上〉。「字記等の梵字の―には反(へん)の字を用う」〈塵嚢鈔九〉 †kaFesi **―あは・せ**【返し合はせ】《下二》引き返して手向かう。「西宮の沖にて―・せ、防ぎ戦ふ」〈平家九・六箇度軍〉 **―うた**【反歌・返歌】①反歌(はんか)。「反歌、―といふ。これ短歌の歌なり。一首に限らず、或は両首も詠ずべしと雖も、万葉は一首二首」〈八雲御抄六〉 ②贈られた歌に答えてよむ歌。「―奉りて曰はく」〈紀神代下〉。「さればをとめが―には、…とは返せるなり」〈仙覚抄一〉 **―がたな**【返し刀】竹や木の端を斜めに切り、その先を反対側から少しそぐこと。「枝の長さ七尺、或は六尺、―五分に切る」〈徒然六六〉 **―もの**【返し物】①返礼の品物。「若君様(足利義尚)より御―の注文、御太刀一振…已上」〈伊達成宗上洛日記文明一五・一一〉 ②「かへし」㊁⑸に同じ。「―の歌」〈古今一〇八一詞書〉 **―股立(ももだち)を取・る** 袴の左右の裾をつまみ上げ腰の紐に挟む。「触口、素襖・袴、―・る」〈信長公記一三〉

かべしたぢ【壁下地】細く割った竹を縦横に編んで繩で結び付け、壁土を塗る骨組としたもの。「壁塗二人、車宿―これを沙汰す」〈教言卿記応永一三・四・一三〉

かへしや【返矢】敵の射て来た矢をそのまま射返すこと。また、その矢。「反矢(かへしや)畏(い)むべし」〈紀神代下〉。「反矢、加倍志也(かへしや)」〈日本紀私記〉

かべしろ【壁代】《壁のない広い室に、簾(すだれ)に添えて障屏とするのでいう》宮殿の間(ま)の隔てに長押(なげし)から垂れておく帳。几帳と同じく、綾・絹などで作り、三寸余りの絹紐をつける。簾の裏にその表をつける。「南の御殿の西の放出(はなち)(いで)にお座(まし)よそふ。屏風・―より始め新しく、〔古キヲ〕はらひ、しつらはれたり」〈源氏若菜上〉

かへすがき【返す書】《その文のはじめに「かへすがへす」と書いたことから》「追而書(おってがき)」に同じ。「くり返し―して送状」〈俳・諸国独吟集上〉。〈日葡〉

かへすがへす【返す返す】『副』《奈良時代はカヘスカヘスと清音》①くりかえし。何度も。念入りに。「―思ほせども」〈続紀宣命一六〉 ②何度考えても。ほんとうに。「―つれなき命にもはべるかな」〈源氏桐壺〉 †kaFesukaFesu

かべぞしょう【壁訴訟】遠まわしに不平を訴えること。「とりどりに―いづれも申し候へば」〈亜相公御夜話中〉。「きりぎりす泣き事してや―」〈俳・鷹筑波二〉

かべちょろ【壁著羅・壁千代絽】緯(よこ)に壁糸(いと)を用いて布面に細かい皺(しぼ)を織り出した絹布。壁縮緬。「―か四壁の内の藤袴」〈俳・藪香物三〉

かへって【却って】『副』「かへりて」の音便形。「天の与へを取らざれば、―その咎(とが)を得る」〈保元上・新院御謀叛思し召し〉。「却、カヘッテ」〈易林本節用集〉

かへで【楓】①「かへるで」の約。「柏木と―との物よりけに若やかなる色して」〈源氏柏木〉。「楓、カヘデ」〈名義抄〉 ②幼児・女子などの小さく愛らしい手の形容。「とんとんと叩く―の、病葉(わくらば)に答ふる者も無かりける」〈近松・夕霧中〉 ▽kaFerude→kaFerde→kaFende→kaFede

かへどの【柏殿】《柏(かへ)を材とした梁(はり)のある御殿の意》朱雀院(すざくゐん)の中にあった皇后の御所。「御しつらひは―の西面に御几帳よりはじめて、…輝くばかりととのへさせ給へり」〈源氏若菜上〉

かへな【替名】遊里で、客または遊女を本名で呼ばずに、その人に縁のある語に替えて呼ぶ名。「遊客の―」〈色道大鏡二〉

かへに・す『連語』《「不肯」の訓読。平安初期の漢文訓読語》…することを肯定しない。…することを承知しない。「彼、解き肯(か)へにす」〈願経四分律平安初期点〉。「我が所説の法をば信受し肯へにせむ」〈地蔵十輪経三・元慶点〉。「大乗を修し肯へにするを見て方便をもちて化するに」〈法華経玄賛平安初期点〉 ▽カヘ(肯)は肯定・承認する意。ニスは打消の助動詞ズの古形、サ変に活用。この語は後に音韻変化して「がへんず」となり、「がへんぜず」の形を生じてそれが広く使われた。

かへまさり【替へ優り】《「かへおとり」の対》ものを交換して前より良いものを得ること。「いでや武蔵野のわたりの夜の衣ならば、げに―もや覚えまし」〈狭衣二〉

かへもの【替物】互いに物を取りかえること。また、その交換物。「身こそ窮すれ、―で詩はよいぞ」〈四河入海八ノ二〉。「仏恩報謝のために、名号となへて仏にまゐらするは―也」〈空善記〉

かへもん【替紋】定紋に代えて用いる紋。「桔梗〔ノ紋〕は覚えけるが、蘿(つた)の―は知らざりけり」〈色道大鏡一五〉

かへらか・し『四段』煮たたせる。煮えたぎらす。「提(ひさげ)に湯を―・して」〈宇治拾遺三五〉

かへらばに『副』《カヘラは反りの名詞形。バはマ(間)の子音交替形。反対の所での意》反対に。逆に。かえって。「かへらまに」とも。「暁の朝霧ごもり(隠シテイタノニ)―何しか恋の色に出でにける」〈万三〇三五〉 †kaFerabani

かへら・ひ【帰らひ・返らひ】『四段』《カヘリに反復継続の接尾語ヒのついた形。→ひ》①帰る。つぎつぎに帰る。「あしひきの荒山中に〔死体ヲ〕送り置きて―・ふ見ればころ苦しも」〈万一八〇六〉 ②くり返し、くり返しする。「鳴く鳥の夜泣き―・ふこの年ころを」〈万一九一二〉 †kaFerafi

かへらまに『副』「かへらばに」に同じ。「―君こそ我に栲領巾の白浜波の寄る時も無き」〈万二八二三〉 †kaFeramani

かへ・り【覆り・帰り・返り】㊀『四段』《カヘシの自動詞形。同一のものの上下・表裏とか、運動の方向とかが逆になる意》❶同一のものの位置・状態が以前とは逆になる。①裏が表になる。「釣する海女(あま)の袖―・る見ゆ」〈万一七一五〉。「頭髪蓬乱して両の手をもちて胸を推して地にまろび転(かへ)ること」〈金光明最勝王経平安初期点〉。「飄、カヘル・ヒルガヘル」〈名義抄〉 ②上が下になる。くつがえる。「〔舟ガ〕岩にふれ―・らば―・れ」〈万五五七〉 ③(湯などが)わきかえる。煮えくりかえる。「―・りたる湯を、穴の口に汲み入れたりけるほどに」〈著聞六九九〉 ❷人や物事がもとの所・状態などへもどる。①もとの場所へもどる。たちかえる。「都に行きてはや―・り来む」〈万四四三三〉 ②年・月が一巡して年初め・月初めにもどる。改まる。「あらたまの年―・るまであひ見ねば」〈万三九七九〉。「―・る年の四月に上り来て夏秋もすぎぬ」〈更級〉 ③もとの状態になる。もどる。「若若しく古へに―・りて語らひ給ふ」〈源氏若菜上〉 ④ついた色があせる。色がさめる。「今はとて移りはてにし菊の花―・る色をば誰か見るべき」〈後撰八五四〉 ⑤卵が孵化(ふか)する。「同じ巣に―・りし卵(かひ)の見えぬかな」〈源氏真木柱〉 ⑥〔連俳用語〕出した付句が不採用となり、執筆から作者に戻される。「『花散りし青葉桜の紅葉して』と付けたりしは、指合(さしあひ)ありて―・り侍る」〈筆のすさび〉 ❸《動詞の連用形につく》①くりかえし…する。「わが背子が夢に夢見し見え―・るらむ」〈万二六九〇〉 ②《転じて、動作・状態がはなはだしいさまを示す》すっかり…する。「浅はかなる若人どもは死に―・り〔絵合ノサマヲ〕ゆかしがれど」〈源氏絵合〉。「いづれとかわきてながめむ消え―・る露も草葉の上と見ぬ世を」〈源氏夕霧〉 ㊁『名』①もとへもどること。「―や出で給ふと下待つなりけり」〈源氏末摘花〉 ②返事。返歌。返礼。「今宵過ぐさず御―奏せむ」〈源氏桐壺〉 ③しかえし。返報。「―喰らはして当て言(アテコスリ)言はれ」〈西鶴・懐硯一〉 ④回数・度数を数える語。…回。…たび。「ただひと―舞ひて入りぬるは」〈源氏若菜下〉 †kaFeri

―あそび【還遊】賀茂祭や石清水臨時祭につかわされた人人が宮中に帰り、再び歌舞の遊びをすること。「祭の日の―御前にてあるに」〈栄花様様悦〉 **―あるじ**【還饗】①賭弓(のりゆみ)・相撲の節会などが終ってのち、勝った方の大将が自邸であらためて味方に対して行なう饗応。「年かへりて八月に、この殿に相撲(すまひ)の―あるべければ」〈宇津保俊蔭〉 ②賀茂祭や石清水臨時祭につかわされた人人が宮中にもどってから、あらためていただく賜宴。「―常の如し」〈御堂関白記寛弘二・四・二〉 **―き・き**【還り聞き】『四段』まわりまわってその人の耳に入る。「この事誰か中言(なかごと)したりけむ、仲正―・きて」〈著聞五七五〉 **―くじ**【反り公事】①被告が原告を逆に訴え返すこと。逆(さか)公事。「明樽や花見て後の〔喧嘩ノ〕―〔ノ証拠トナル〕」〈俳・江戸弁慶〉 ②苦情を言うべき相手から、却って受ける苦情。「人の子に返(け)りくじを食はせる」〈滑・浮世風呂三下〉 **―ご・ち**【返りごち】『四段』《カヘリゴト(返言)の動詞化》返事する。「情なからずうち―・ち給ひて」〈源氏賢木〉 **―ごと**【返り言・返り事】①返事のことば。返答・返書・返歌など。「―申さむ日に相飲まむ酒そ」〈万四二六四〉。「をかしき様に―などせさせ奉る」〈源氏東屋〉 ②返礼。おかえし。「〔鮮魚ヲモラッテ〕米(よね)して―

す」〈土佐二月八日〉 †kaFerigötö ―ごゑ【返声・反声】雅楽の用語。呂(よ)から律(り)へ、また律から呂へと音調のかわること。また、その音や声。音取(ねとり)をして調子をととのえてから変えるという。「―にみな調べかはりて、律のかきあはせどもなつかしく」〈源氏若菜下〉。「唱歌の人人…すぐれたる声のかぎりいだして―になる」〈源氏若菜上〉 ―ざき【返咲き】花がその時節でないのに咲くこと。多くは春の花が秋再び咲くのにいう。「―の花の陰に哀れにをかし物」〈西鶴・二十不孝二〉 ―しんざん【帰り新参】①一旦主家をさって後、再び帰参して仕えること。また、その者。「帰り新座」とも。「内膳は兄なれども、度度の別心なれば―なり」〈三河物語上〉②一度休業した役者などが、再び舞台を勤めること。「荻野左馬之丞―、昔にまさりて都の評判よく」〈浮・元禄大平記八〉 ―た・ち【帰り立ち】〘四段〙帰途につく。「―・ち路を来(く)れば」〈万三七九一〉 ―だち【還立】賀茂祭や石清水臨時祭につかわされた奉幣使の一行が宮中に還って、再び歌舞を奏し、賜宴が行なわれること。「賀茂の臨時の祭は―の御神楽(かぐら)などにこそなぐさめらるれ」〈枕一四二〉 ―だちのあるじ【還立の饗】「かへりあるじ」に同じ。「賭弓(のりゆみ)の―にまかりて」〈後撰一一〇七詞書〉 ―だちん【帰り駄賃・返り駄賃】他の宿場へ客や荷を送り届けた帰りの馬に乗って払う駄賃。普通より安かった。「〔還暦以後二〕我取る〔年〕は―か午の年」〈俳・遠近集一〉 ―ちう(チュウ)【返り忠】味方を裏切って敵に忠をつくすこと。「―して斬らるる事の不便さよ」〈平治下・悪源太誅せらる〉 ―て【却りて】〘副〙《くつがえしての意》逆に。むしろ反対に。「如何にぞ婦人(たわやめ)にして―言(こと)先立つや」〈紀神代上〉。「濁りにしめるほどよりも、なまうかびにては、―悪しき道にも漂ひぬべくぞおぼゆる」〈源氏帚木〉 ―てがた【反手形・返手形】金銀預手形・年季奉公人請状などの差出人に対して、預主・奉公人雇主などがその契約を証明するために与える証文。「雁金(借金ト掛ケル)の―や足の跡」〈俳・如意宝珠三〉 ―てん【返点】漢文を訓読するため、漢字の左側(時には右側)に記して、顛倒して読むことを表わす符号。奈良時代に始まり、漢字の左斜下に星点を記入するものと、一・二・三などの符号を用いるものとがあった。普通、全文にあまねくつけたりせず、送仮名とあわせて漢文の訓法を示した。「道理を早く知らんとて―に読んで」〈毛詩国風篇聞書〉 ―な・り【復り作り】〘四段〙再びもとのようになる。多く、もとの官にもどるのにいう。「解けたりし蔵人も―・りにけり」〈源氏松風〉 ―ばな【返り花・帰り花】①小春日和の頃など、時節はずれに咲く花。「狂ひ咲き」「狂ひ花」とも。「信濃桜の―の枝にさして」〈亜槐集九〉。「褪花と云ふは、―と云ひて、ぼけ咲きとて、秋咲く花を云ふぞ」〈湯山聯句鈔上〉②遊女・歌舞伎役者などが再び勤めに出ること。「御身はまたまた廓(くるわ)に―」〈浮・御前義経記三〉 ―まうし(モウシ)【還申し】①勅命による仕事を果した返事を奏聞すること。復奏。「長奉送使にて罷り下りて―の暁」〈続古今八四詞書〉②神に祈願したことの成就に対して報謝すること。お礼参り。「―は仕うまつらむ」〈源氏玉鬘〉。「賽、カヘリマウシ」〈名義抄〉 ―まう・で(モウデ)【帰り詣で】〘下二〙(宮中・都または目上の人のもとに)もどる。「京に―・で来て、つかはしける」〈古今九九一詞書〉

かへり・み(カエリ)【顧み・省み】㊀〘上一〙①(後を)ふりかえって見る。「思ひつつ来れど来かねて水尾(みを)が崎真長の浦をまた―・みつ」〈万一七三三〉②再びもどって見る。「志賀の韓崎(からさき)幸くあらばまた―・みむ」〈万三二四〇〉③反省する。「身をも―・みぬたぐひ」〈源氏柏木〉④気にかける。配慮する。「古ゆあげてし機(はた)も―・みず天の河津に年ぞ経にける」〈万二〇一九〉。「身を助けむとすれば恥をも―・みず、財をも捨てて」〈徒然五九〉⑤目をかけて面倒を見る。世話をする。「この殿の蔵人になし―・み給ひし人なれば」〈源氏須磨〉㊁〘名〙①後をふりかえって見ること。「出で立ちかてにとどこほり―しつつ」〈万四三九八〉②目をかけること。思いやり。「身に余るまで御―を賜はりて」〈源氏少女〉③世話。「親たちの―をいささかだに仕うまつらで」〈竹取〉 †kaFerimi ―がち【顧勝ち】①ともすると後をふりかえって見ること。「―にて出で給ひぬ」〈源氏帚木〉②しばしば気にかけること。「この御事をなむ―に御門も思したりける」〈源氏若菜上〉

かへる(カエル)【蛙】カエル。「田のほとりに―の鳴きけるを聞きて」〈後撰八〇七詞書〉。〈新撰字鏡〉 ↓かはづ。 ―また【蟇俣・蛙股】《蛙の股を開いたような形から》梁(はり)の上にあって上部を支えるもの。後には、装飾を施すようになった。「―の木」〈庭訓往来三月十三日〉

かへるがへる(カエルガエル)【返る返る】〘副〙①(思いかえすと)まったく。かえすがえす。「白雪の八重降り敷けるかへる山―も老いにけるかな」〈古今九〇二〉②かわるがわる。「殿の内の人、前より―通り行けども」〈今昔一四ノ三五〉

かへるかり(カエルカリ)【帰る雁】春に北へもどってゆく雁。帰雁。「見れどあかぬ花の盛りに―なほふるさとの花や恋しき」〈拾遺五五〉

かへるさ(カエルサ)【帰るさ】帰る折。帰り道。のちに「かへさ」とも。「―に妹に見せむにわたつみの沖つ白玉拾(ひり)ひて行かな」〈万三六一四〉。「まことに―忘れ果てぬ」〈源氏夕霧〉 ↓さ〔接尾〕 †kaFerusa

かへるで(カエルデ)【楓】《葉が蛙の手に似ているのでいう》カエデ。春、紅色の若葉を出し、夏の青葉が秋、紅葉する。「わがやどにもみつ(紅葉スル)―」〈万一六二三〉 †kaFerude

がへん・ず(ガエンズ)〘連語〙《カヘニス(不肯)の音便形。漢文訓読体で使う語》①…することを肯定しない。…することを承知しない。「各、自(みづか)ら相譲りて倶に先(さいだ)ちて坐(ゐ)ることを肯(が)へんず」〈遊仙窟(真福寺本)鎌倉期点〉 ▽この形は院政期頃に広まったらしい。②《否定の意を含むことが忘れられて、下にさらにズをつけて、「がへんぜず」の形で》…することを肯定しない。「自ら投従し肯へんぜず」〈論語三・建武四年点〉

かほ(カオ)【顔】《表面にあらわし、外部にはっきり突き出すように見せるもの。類義語オモテは正面・社会的体面の意。カタチは顔の輪郭を主にしたいい方》①表面にあって見えるもの。「井の辺の樹の下に一の貴客有(ま)す。骨法(かた)常に非ず。若し天より降れらば、天の垢(ほか)有るべし。地より来れらば、地の垢(ほか)有るべし」〈紀神代下〉②容貌。「その―のきらぎらしきに花のごと笑みて立てれば」〈万一七三八〉③顔面。「御―はいろいろに彩色し給ひて」〈栄花もとのしづく〉④顔つき。「語らひがたげなる―して」〈源氏東屋〉⑤表面。「月の―見るは忌むこと」〈竹取〉⑥体面。面目。「おいらまでが―が立たない」〈滑・根無草後編一〉⑦《ガホと濁音。接尾語的に用いて》㋑(心の中で)…と思っていることを外部にはっきり示す様子。いかにも…の表情。「物の隠れのかたに、蓬も所得―なり」〈源氏柏木〉。「女官どものしたり―に、あやしのなりどもをばめたてて」〈栄花若ばえ〉 ㋺(そうではないのに)まるで…かの様子。あたかも…の態度。「いと馴れ―に御帳の内にかき抱きて」〈源氏若紫〉 ―に汁(しる)有・り 顔に色つやがある。

「露や花の―・る姥桜」〈俳・玉海集一〉 **―に火を焚(た)・く** 深く恥じ入って赤面するたとえ。「顔に紅葉」とも。「人の赤面したるを、―・くと言へり」〈俳・類船集八〉

かほかたち（カオ）【顔かたち】 顔つき。容貌。「〔カグヤ姫ノ〕―よしと聞こし召して御使を賜びしかど」〈竹取〉

かほがはな（カオ）【貌が花】「かほばな」に同じ。「―な咲き出でそね」〈万三五七五東歌〉

かほくせ（カオ）【顔癖】 ①顔に表われる癖。「―を常にたしなめ咎(がと)なくて世に憎まれて何にかはせん」〈西明寺殿百首〉 ②不快不満そうな表情を顔に表わすこと。また、その表情。「傾ける月の―無くもかな」〈俳・続連珠六〉

かほげしき（カオ）【顔気色】 顔のようす。顔色。「えしづめずやありけむ、―かはりつつ」〈大鏡師尹〉

かほさが（カオ）【顔さが】 顔つき。「顔振り」とも。「くすんだる―まで似せたる体、いやはや、背も腹も切るる程なり」〈咄・戯言養気集上〉

かほざし（カオ）【顔差し】 顔かたち。「あら憎(に)(く)の―や」〈米沢本沙石集九〉

かほさま（カオ）【顔様】 顔の何となない感じ。「源氏のおとどの御―は〔冷泉帝ト〕異物(こともの)とも見えたまはぬを」〈源氏行幸〉

かほだて（カオ）【顔立て】 ①顔をまっすぐに起すこと。「目を立てて人を見るべからず、―して見るべからず」〈伽・小式部〉 ②体面を重んずること。自分の面目のために人と争うこと。「今度から―をすると、遠慮なう〔面ノ皮ヲ〕剝くぞよ」〈伎・韓人漢文手管始一〉

かほつき（カオ）【顔付き】 ①顔の恰好。顔のかたち。「〔実父ニ瓜二ツノ〕まぎれどころなき御―を」〈源氏紅葉賀〉 ②表情。「男、我にもあらぬ―してありければ」〈今昔二九ノ二三〉

かほづくり（カオ）【顔造り】 化粧すること。「女は己をよろこぶもののために―す」〈枕四九〉

かほとり（カオ）【貌鳥・容鳥】 ①《カホと鳴く声から出た名かという》 春、野山や水辺で鳴く鳥。カッコウか。一説、美しい鳥で、アオバト・カワガラス・キジ・オシドリなどともいう。「桜花木の晩(くれ)こもり―は間なく数(しば)鳴く」〈万一〇四七〉 ②後に、誤って、カワセミをさすという。「かほよどり」とも。「朽木橋井杭にとまる―の」〈為忠集〉 †kaFotöri

かほばせ（カオ）【顔ばせ】《ハセはココロバセ・コシハセのハセに同じ》 顔の印象。顔つき。「容貌(かほばせ)は舅に似たり」〈遊仙窟（真福寺本）鎌倉期点〉。「面子、加保波世(かほばせ)」〈和名抄〉

かほばな（カオ）【貌花・容花】 花の名。ヒルガオという。アサガオ・カキツバタ・ムクゲ・オモダカ、また美しい花のことなど諸説がある。「かほがはな」とも。「岩橋の崖(まま)に生ひたる―の」〈万三二八八〉 →かほよばな

かほみせ（カオ）【顔見せ・顔見世】 ①新参者が初めて顔を見せ挨拶すること。「借屋の儀、借主より町へ―として弐十疋これを出さるべき事」〈京三条衣棚南町文書慶長一〇・一〇・二〉 ②近世、毎年十月、各劇場で役者を入れ替えたのち、新一座で十一月一日から初めて興行する芝居。顔見世芝居。顔見世狂言。「時に、貞享三の年霜月朔日、―の朝(あした)」〈評判・野郎児桜序〉

かほもち（カオ）【顔持ち】 顔の表情。「〔得意ソウニ〕扇うち使ふ―ことにをかし」〈大鏡基経〉。「馬の耳二つの間より一丈ばかり先を見たるが、―よく見え候」〈宗五大双紙〉

かほやう（カオヨウ）【顔様】《その時その時に外に示す表情。→おもやう》 顔のようす。表情。「腹立ちたまふ―、けぢかく愛敬づきて」〈源氏常夏〉。「五六人の荒入道が目やう―して、人ひとりに取り懸かりて」〈明徳記下〉

かほよし（カオ）【顔佳し】 顔だちのすぐれていること。また、その人。器量よし。「天の下の―と呼ぶ」〈宇治拾遺二ノ三〉

かほよばな（カオ）【顔佳花】 カキツバタの異名。「時を忘れぬ花の色、―とも申すらむ」〈謡・杜若〉 →かほばな

かま【蒲】 ガマの古名。池沼に生える。葉は長く厚く、むしろに編む。「蒲、加末(かま)、草名、似レ藺可ニ以為ロ席也」〈和名抄〉

かま【鎌】 ①草などを刈る道具。〈新撰字鏡〉 ②口やかましく意地の悪い者。「あたら花を切るな―祖父(ぢい)姥桜」〈俳・俳諧三部抄上〉 **―を掛・く** 巧みに誘いをかける。「槍梅に―・けたる所望かな」〈俳・伊勢正直集一〉

かま【竈・釜】 ①へっつい。かまど。「人の家に逃げ入りて、―のしりへにかがまりてをりける」〈大和一四八〉 ②湯をわかしたり飯をたいたりする金属製の器。「五石なはの―を五六舁(か)きもてきて…据ゑわたしたり」〈宇治拾遺一ノ八〉 ▽朝鮮語 kama（釜）と同源。

かまいたち【鎌鼬】 小旋風のため、突然皮肉が裂けて切傷の生ずる現象。イタチの仕業とされた。「鎌風」とも。「吹く風や花の枝切る―」〈俳・山の井五〉

かまいり【釜煎・釜入】 戦国時代の極刑の一。大罪人を、熱湯・油を沸した大釜に入れて煮殺した。「法を犯す輩をば、或は張付、或は―などせられしかど」〈太閤記或問〉

がまがとき【がまが時】 夕暮。たそがれ。「飛ぶ螢火を燈せるや―」〈俳・新続犬筑波六〉

かまがみ【竈神・釜神】 竈を守護する神。奥津日子命・奥津比売命を祭る。のち仏説・陰陽道を混じて、「三宝荒神」ともいう。かまのかみ。かまどがみ。「この男も終(つひ)には―と成る」〈河野本神道集八〉。「あら面白の―や」〈西鶴・一代男三〉

かまぎ【竈木】 たきぎ。「み―〔ノ煙〕に煤(す)けたれば、黒戸といふとぞ」〈徒然一七六〉 **―とり【薪採】** 神饌を炊ぐためのたきぎを伐り出す役。「物部の人等…灰焼・―・相作(あひづくり)・稲実公(いなのみのきみ)等、大嘗会の斎場(ゆには)に持ち斎(ゆま)はり参ゐ来て」〈中臣寿詞〉

かまくら【鎌倉】 鎌倉幕府のこと。「隠岐の法皇、世を―に取られたることを口惜しとおぼして」〈日蓮遺文高橋入道殿御返事〉 **―えび【鎌倉海老】**《相模鎌倉沖で多く産するからいう》 伊勢海老の関東での称。「その数は―も白砂子」〈俳・時勢粧五〉

かま・け【感け】〘下二〙 心をとられる。また、一事にばかりこだわる。「翁(おきな)の歌に…―・けて居らむ」〈万三七九四〉。「此の間は、三人ともに渡世に―・けまして」〈虎寛本狂言・財宝〉 †kamakë

かまけり【鴨鳧】《カマはカモの上代東国方言。ケリは鳴き声による名らしい》 鴨と鳧。「国めぐるあとり（鳥ノ名）―」〈万四三三九防人〉 †kamakëri

かま・し【囂し】〘形シク〙《カマはカマビスシ・ヤカマシのカマと同じ》 やかましい。「さまざま、耳―・しきまでの御祈り、験見えず」〈栄花月宴〉 ▽「あな、かま」という慣用句の存在からも、古くはク活用であった可能性が強い。

がま・し〘接尾〙《カマシ（囂）の転用。名詞・動詞連用形・副詞などについてシク活用の形容詞をつくる》 …すぎてうるさい感じだ。…のきらいがある。「さるがう―・し」「すき―・し」「をこ―・し」など。「すきずきしうあざれ―・しき今やうのこと」〈源氏胡蝶〉。「あまりけどほく、物隔て―・しきなど」〈源氏常夏〉。「幣(ぬさ)など、わざと―・しくて、かの小袿(こうちき)もつかはす」〈源氏夕顔〉 ▽みな良い意味には使わない。

かましし【羚羊】《カモシシ（氈鹿）の転》 カモシカの古名。

「米だにも食(た)げて通らせーのをぢ」〈紀歌謡一〇七〉。「黶羊、加万之々(かましし)、大ニ於羊ニ而大角者也」〈和名抄〉

かまち【輔】 顔の横の頬骨のあたりの称。「かばち」とも。「鬚髻、加末智乃比偈(かまちのひげ)」〈華厳音義私記〉。「方頬車、カマチ」〈大智度論平安初期点〉

かまど【竈】 ①《カマ(竈)ド(処)の意》くど。へっつい。家財道具の代表。「ーには火気(ほけ)ふき立てず」〈万八九二〉。「家・ーをも捨て…京にまうで来し」〈源氏玉鬘〉 ②《転じて、生活の拠点となるものの意から》家。所帯。「その郡司が孫なむ伝へて、今にその糸奉るーにては有りなる」〈今昔二六ノ一一〉。「百姓甚五郎・孫十郎・与作、此の外四ー」〈梅津政景日記寛永六・三・二三〉 †kamado **ーしゃうぐん**【竈将軍】 一家で気ままに暮し、威を振う主人。竈関白。〈俳・毛吹草二〉 **ーの下の灰まで** 何から何まで残らず。一切全部。「かまの下の灰まで」とも。「ー手に入れしに」〈浮・好色小柴垣二〉 **ーやく**【竈役】 ①人家の竈数に応じて賦課する雑税。役銭または夫役。「この里は交野(かたの)の原のー」〈俳・独吟一日千句〉 ②町内付合い上の戸主の義務。「横町裏借屋までーに掛かって」〈西鶴・五人女二〉 **ーを破・る** 破産する。身代が潰れる。「身代どうも立ちかね、既にー・る所」〈近松・氷の朔日上〉

かまなり【釜鳴り】 釜で湯を沸かしたり、飯をたいたりする時、釜がうなるように鳴ること。また、その音。陰陽道では、その音とその日の干支(えと)とを結びつけて、吉凶をうらなった。「吉平朝臣を呼び、ー〔ノ〕怪の占を問ふ」〈小右記寛仁四・三・二〉

がまのさう(ソウ)【降魔の相】 仏が悪魔を降伏(がうぶく)する姿。剣を持った不動明王の形相など。また、こわい顔つきの形容。「人聞きもかたはらいたきことと思ひ給へて、ーをいだして、つと見奉りつれば」〈源氏東屋〉。「不動明王怖ろしや…前には悪魔寄せじとてー」〈梁塵秘抄二八四〉 ▽ガマはガウマの約。gauma→ganma→gama

かまのはな【蒲黄】 ガマの茎の頂につく、ろうそく形のビロード状の茶色の花。また、その花粉。花粉は黄色で薬用などに古くからつかう。「ーを取りて、敷き散らして」〈記神代〉。〈名義抄〉

かまばら【鎌腹】 鎌で腹を切ること。「百姓の似合うたやうに、ーをするが」〈虎寛本狂言・鎌腹〉

かまばらひ(バライ)【竈祓】 毎月晦日、巫(こみ)が民家の竈を祓いきよめ、荒神を祭ること。また、その巫。多くは色を売った。荒神祓。かまじめ。「かまっぱらひ」とも。「よろこびや晦日晦日に重ぬらん／布施をたくさん取るー」〈俳・寛永十三年熱田万句一〇〉

かま・ひ(カマイ)【構ひ】 〓《四段》《カマへの自動詞形》①かかわる。関与する。関係する。「また、十の御掟を保つことなんどにー・はいで」〈コリヤード懺悔録〉 ②さしつかえる。さしさわる。「小車にー・ふ辺りの木を伐りて」〈俳・未得点六吟百韻〉 ③旧主君などが干渉して、仕官や主取り、また、一定の場所での居住を禁止する。「日本半分ー・はれにけり」〈俳・物種集〉 〓《名》①かかわり。関係。「〔人ガ用イヨウガ用イマイガ〕ーはちっともあるまいぞ」〈三体詩抄一ノ二〉 ②かかりあい。干渉。「諏訪殿よりは…賄賂を以てつくろはる。弾正公よりは何の御ーもなし」〈赤羽記〉 ③さしつかえ。支障。「用事があれば立ってもーはござらぬ程に」〈盤珪禅師御示聞書上〉 ④近世、一定地域内への立入り禁止の刑。追放。「ーにあらぬ須彌山の外」〈俳・胴骨〉 **ーて【構ひて】**《副》「かまへて」の転。「ー御待ちあれ」〈三体詩抄一ノ三〉。「ー腹を御立てあるな」〈中華若木詩抄上〉

かまひげ【鎌髭】 近世、奴(やっこ)などがはやした、鎌形に上へはねあげた髭。油墨で描いたりもした。「糸鬢(いとびん)の鬢かりつけたー奴」〈近松・薩摩歌上〉

かまびす・し【囂し】《カマはカマシ(囂)・ヤカマシのカマと同じ。古くはク活用、中世以降シク活用。「かまみすし」とも》〓《形ク》うるさい。やかましい。「千品万種、喧(かまびす)き声、交(こもごも)かまびすし」〈三蔵法師伝五・院政期点〉 〓《形シク》うるさい。やかましい。「林に鳥集まりてー・しかりければ」〈沙石集七ノ五〉

かまふだい【釜譜代】 一生飼い殺しの奉公人。「〔遊女ノ生ム子ハ〕轡(くつわ=女郎屋)のーとなると知りて、浮気をなすべからず」〈浮・色里徒然草〉

かま・へ(カマエ)【構へ】 〓《下二》《カミ(嚙)アヘ(合)の約。かみあわせる意》①嚙み合わせて組み立てる。「岩ー・へ作れる塚を」〈万一八〇一〉 ②思慮・工夫・注意・用心などをあれこれと組み立て、集中する。「いかにー・へて、ただ心やすく迎へ取りて」〈源氏若紫〉。「その縄に付きて、ー・へて伝ひ下りぬれば」〈今昔一〇ノ三五〉 ③準備しととのえる。用意する。「年来ー・へ置ける札(さね)よき鎧五十領」〈平治上・信頼信西を亡ぼさる〉 ④企てる。たくらむ。「このー・ふる事を知らずして、その教へに随ひて」〈今昔九ノ四三〉。「木曾は謀ぞー・へたる」〈盛衰記二七〉 ⑤設けつくる。「居屋ばかりをー・へて、はかばかしく屋をつくるに及ばず」〈方丈記〉 ⑥身がまえる。「いかにも慇懃(いんぎん)にー・へて」〈虎寛本狂言・鱸庖丁〉 〓《名》①思慮・工夫などを十分に張りめぐらすこと。「殊に人の思ひ至るまじき隈あるーよ」〈源氏浮舟〉。「しかるーをしたるなり」〈今昔三一ノ一九〉 ②準備をととのえること。用意。「逃ぐべきーをし給へ」〈打聞集〉。「その〔堂ノ〕ーを待ちて、よく安置してんや」〈徒然一六六〉 ③そなえて作ったもの。城郭・要害・陣地などをいう。「堂はまた十二楼のー、望むに高し」〈東関紀行〉。「敵、東のーへ掛くるなり」〈言国卿記文明六・八・七〉。「此方の図子(づし)の口にーを仕り候ひ了んぬ」〈言継卿記大永七・三・一〉。「要害、エウガイ、構(かまへ)」〈易林本節用集〉 ④身のそなえ。身がまえ。「切り合ひは心の調子あるものをーによるといふぞはかなき」〈兵法道歌〉 ⑤漢字の部首の名称。「口、くにがまへ」〈落葉集小玉篇之目録〉 †kamaře **ーい・で【構へ出で】**《下二》企てて作り出す。こしらえ出す。「〔追放ヲ〕ー・でむに良きたよりなり」〈源氏賢木〉。「障子の紙の穴ー・でてのぞき侍りしかば」〈堤中納言このついで〉 **ーて【構へて】**《副》①心して。じゅうぶん。「ー厭はせ給へ」〈孝養集上〉 ②決して。「ー我を恨むなよ」〈謡・春栄〉 →あひかまへて

かまぼこ【蒲鉾】 ①白肉の魚をすりつぶしてねり上げ、味づけして蒸した食品。古くガマの穂形に作り、後には長方形の板に半月形に盛り上げて作った。「ー、…蒲の実の鉾に似たる様に、魚の身を木につけて、蒲の鉾を模せる歟」〈名語記九〉 ②身代をすりつぶしてしまうこと。「男の身代ーになりての後も」〈評判・たきつけ〉

かままろ【鎌麿】 鎌を人に見なして、人名のように呼んだ語。「玉ばはき刈り来(こ)ー」〈万三八三〇〉 †kamamarö

かまめ【鷗】 水鳥の一。カモメの古名。一説、鴨。「海原はー立ち立つ」〈万二〉 †kamamë

かまやり【鎌槍・鎌鑓】 穂先に枝があって、鎌の形をしている槍。両鎌槍・片鎌槍の二種がある。「とりわけ此のごろ流行る物、鉄炮ー大脇差」〈細川幽斎長歌〉

がまん【我慢】 ①〔仏〕自分を頼んでおごり高ぶること。ごう

まん。「―より癡心を生ず」〈今昔一ノ五〉 ②負けん気。意地っぱり。「鳥これを見て、『あなうらやまし、いづれも鳥の身として、何かはかやうにせざるべき』と、―起し」〈わらんべ草二〉

―もの【我慢者】 我を張り通す者。「さまざまに／智恵の輪を解く―」〈雑俳・手鼓〉

かみ【上・頭】《「下(しも)」の対》 ❶《ひとつづきのもののはじめ》 ①川の流れのはじめ。みなもと。「―つ瀬に石橋わたし、下(しも)つ瀬に打橋わたす」〈万一九六〉 ②はじめの時代。昔。「―、正暦の頃ほひより、しも、文治の今に至るまで」〈千載序〉 ③月のはじめ。上旬にも前半にもいう。「―の十五日勤め行なはせたまひて、しもの十日余りには競馬(くらべうま)」〈栄花初花〉 ❷《ひとつづきのものの上部》 ①高い部位。上半部。「この山の―にありといふ布引の滝見にのぼらむ」〈伊勢八七〉。「腰より―は人にて、しもは蛇なる女」〈宇治拾遺五七〉 ②(和歌の)上の方の句。はじめの一句にも、二句または三句までにもいう。和歌の第二句を「胸の句」、第三句を「腰の句」ともいう。「『世の中を何にたとへむ』といふなることを―におきて〔歌ヲ詠ム〕」〈後拾遺一〇二四詞書〉 ③あたま。「二日酔には―もあがらず」〈俳・犬筑波〉 ❸うえ。上方。「小障子(ツイタテ)の―より、ほのかに見えたまへる御ありさま」〈源氏帚木〉。「〔火事カト〕―を見上ぐれば煙も立たず」〈大鏡昔物語〉 ❹《一連の位・年齢・座席が上位であること》 ①身分や格式が上位であること。また、その人。「―・なか・しもの人」〈土佐一月二十日〉。「―はしもに助けられ、しもは―に靡きて」〈源氏帚木〉 ②年齢が上であること。年長。「七つより―のは、皆殿上せさせ給ふ」〈源氏若菜下〉 ③上席。上座。「この入道殿の―にさぶらはれしは」〈大鏡道長〉 ④【長官】 令の四等官制における最上の官の称。官庁によって異なった字を当てる。「〔筑前ノ〕―泣く泣く帰りて」〈源氏須磨〉 ⑤政府。官庁。「また、―より御裁許にあづかる事を上裁と云ふなり」〈庭訓抄下〉 ⑥君主。主人。「―の好むに下(しも)従ふ習なれば」〈承久記上〉 ⑦目上の人の妻の称。転じて、人の妻の敬称。「―・おかみ・かみさま」〈ロドリゲス大文典〉 ⑧皇居に近い方。㋑京都地方で、北の方。「ある人、二条の蛸薬師を通りざまに、『―へや行くべし、下へや行くべし』と言うたるを」〈耳底記〉 ㋺京阪地方。上方(かみがた)。「飛騨殿、正月五日時分に、―へ御立ちあるべき由候」〈伊達家文書二、伊達政宗書状〉 †kami

かみ【神】《古形カムの転。奈良時代の発音ではカミ(神)はkamï、カミ(上)はkamiで別であったから、カミ(上)にいるからカミ(神)というとする語源説は成立し難い》 ❶《上代以前では、人間に対して威力をふるい、威力をもって臨むものは、すべてカミで、カミは人間の怖れと畏みの対象であった。人間はこれに多くの捧げ物をして、これがおだやかに鎮まっていることを願うのが基本的な対し方であった》 ①雷・虎・狼・蛇など、荒れると人間に対して猛威をふるうもの。「伊香保嶺(ね)に―な鳴りそね」〈万三四二一〉。「韓国の虎とふ―を生け取りに八頭(やつ)取り持ち来」〈万三八八五〉 ②姿が人間の目に見えず、威力を持ち、時に人間にとりつき、神がかりするもの。「丈夫(ますらを)に憑(つ)きたる―ぞよく祭るべき」〈万四〇六〉。「『吾は…葛城の一言主(ひとことぬし)の大―ぞ』と申しき。天皇ここに惶畏(かしこ)みて白(まを)さく『恐し、我が大―。〔姿ノ見エル〕うつしおみにましまさむとは思はざりき』と申して…故(かれ)この一言主の大―は彼(そ)の時に顕はれたまひしなり」〈記雄略〉 ③山・坂・川・海・道などを領有し、鎮座して、そこを通行する人間に威力をふるうもの。それに対して人間は通行の許しを乞うて幣(ぬさ)などを奉る。「鳥が鳴く東(あづま)の国の恐(かしこ)きや―の御坂に」〈万一八〇〇〉。「玉桙の道の―たち幣(まひ)はせむ」〈万四〇〇九〉 ④天上界を支配し、森や木に降下してくるもの。「天つ神」といわれ、「国つ神」と共に地上を統治する権力を持ち、また、社会生活を平穏に保つ力があると信じられた。人間はこれを統治者の祖先と認め、また、降雨・鎮風・鎮火・戦乱平定などを祈った。「是に左の御目を洗ひたまふ時に成れる―の御名は天照大御神(あまてらすおほみかみ)」〈記神代〉 ⑤地域を領有して支配するもの。「越(こし)の中国内(くぬち)ことごと山はしもしじにあれども川はしもさはに行けども、すめ―のうしはきいます新川のその立山に」〈万四〇〇〇〉。「幣帛を五畿内の群神(かみたち)に奉る。其の丹生の河上の―には黒毛の馬を加ふ。旱(ひでり)すればなり」〈続紀天平宝字七・五・二八〉。「越前国言(まう)す、山災止まずと。使を遣はして部内の―に奉幣して之を救ふ」〈続紀慶雲三・八・三〉。「薩摩隼人を征する時に、大宰、部する所の―九処に禱祈る」〈続紀大宝二・一〇・三〉 ⑥最高の支配者。天皇。「大君は―にしませば天雲の雷(いかづち＝雷丘)の上に廬(いほ)らせるかも」〈万二三五〉 ⑦祖先神。「大倭忌寸五百足(おほやまとのいみきいほたり)を以て氏の上と為し、―の祭を主(つかさど)らしむ」〈続紀和銅七・二・九〉 ❷《平安時代以後、古いカミの観念の大部分は引きつがれたが、奈良時代に始まる本地垂迹(ほんぢすいしゃく)の説が広まり、仏とカミとに多少の融合が起り、カミは荒荒しく威力をふるう存在としてよりも、個個人の行為に禁止や許可を与える面が強く現われる。しかし仏が人間を救い、教導し、法を説くものとして頼られたのに対し、カミは好意・親愛の念で対されることなく、場合によっては鬼・狐・木魂と同類視されて畏れ憚られた。また、中世末期キリスト教の伝来に際し、デウスはカミと訳されず、日葡辞書のカミの項には「日本の異教徒の尊ぶカミ」とだけ説明されている》 ①人間の行動を禁じたり判定したりするもの。「争へば―も憎ます」〈万二六五九〉。「霊(たま)ぢはふ―も我をば打棄(う)てこそ〔見捨テテ下サイ〕しゑや命の惜しけくも無し」〈万二六六一〉。「―のいさむる〔道〕よりもわりなし」〈源氏浮舟〉 ②仏の化身。本地垂迹説では、神は仏がこの世(日本)にあらわれた仮の姿であるとされる。「誠に跡を垂れ給ふ―ならば、助け給へ」〈源氏明石〉。「大海江河等の―も、皆各懺悔を至して所居に還りぬ」〈今昔三ノ三四〉 ③㋑鬼や狐などの類。人間をおびやかすもの。「狐は、さこそは人をおびやかせど…鬼か、―か、狐か、木魂か」〈源氏手習〉 ㋺強くて勇武なもの。「鬼にも―にも逢はうといふ一人当千の兵(つはもの)なり」〈平家九・木曾最後〉。「〔勇武ニヨッテ〕名を後代にあげ、今は―と祝はれたる鎌倉権五郎景政が四代の末葉」〈保元中・白河殿攻め落す〉 ▽世界の神観念には垂直に降下する神と、水平に移動する神があるとされる。わが国には後者にあたる、人間を訪れて来て、去る神もあったというが、古典には、それはカミの語で表現されてはいない。†kamï

―掛けて《神明に誓いを掛けての意》 決して。必ず。「―変らじと、契りし事も定めなや」〈謡・舟弁慶〉

―は巫覡(ねき)が慣はし 神は、仕える巫(こ)のはからい一つで、どのようにもなるの意。「―とこそ申すに」〈謡・蟻通〉

―は正直の頭(かうべ)に宿・る 「正直の頭に神宿る」に同じ。「八幡大菩薩の御託宣にも『―・り給ふ』と宣へり」〈文明一統記〉

かみ【紙】《「簡」の字音kanにiを添えたkaniの転という》 楮(こうぞ)・みつまた・がんぴなどを材料に、その繊維をすいて作ったもの。ものを書いたり、包んだりするのに使う。奈良平安時代には、特に貴重品であった。「大般若〔経〕分、麻―七百張の中、表紙百張、又縠(かうぞ)―五百張、

観音―、縹―六十張」〈正倉院文書神亀五・九・二六〉

かみ【髪】《上(かみ)の意か》①頭髪。「か黒き―に」〈万三六四九〉。「髪、加美(かみ)、首上長毛也」〈和名抄〉②たてがみ。「夜明くれば、刷(はだ)け、―を結はせて」〈著聞三六四〉。「馬の―を結ひたてたるやうに、美しう並びたる松也」〈源氏物語抄〉。「―を巻き候はば、梳き立てて進めらるべし」〈大内問答〉†kami **―をおろ・す** 髪を切りおとして出家する。剃髪する。「高野に登り、―・し」〈盛衰記四〇〉 **―を生(は)や・す** 《ハヤシは、切る意の忌詞》童髪を切って、元服する。「是にて―・して給はり候へ」〈謡・元服曾我〉

か・み【嚙み】『四段』《カミ(醸)と同根。口中に入れたものを上下の歯で強くはさみくだく意。類義語クヒは歯でものをしっかりとくわえる意》①(ものを)歯で押しくだく。「〔犬ガ〕狐を咋(く)ひて引き出しつ。禅師犬を禁(とど)むれども、ゆるさずして齰(か)み殺しき」〈霊異記下二〉。「先づ歯、木を嚼(か)み、浄く澡ひ漱(くちすす)ぎ已(をは)れ」〈金光明最勝王経平安初期点〉②食いつく。「にはかに閙(まら)に蟻着きて嚙(か)み、痛み死にき」〈霊異記中二一〉③鼻をかむ。「鼻などを…しのびやかに―・みたるは、なにごとを思ふ人ならんと」〈枕二二〇〉

か・み【醸み】『四段』《「かもし」の古語。もと米などを嚙(か)んで作ったことから》穀物などを発酵させ、酒などを作る。醸造する。「この御酒(みき)を―・みけむ人は」〈記歌謡四〇〉†kami

かみあげ【神上げ】 祭のために地上に招いた神を天へ帰し上げること。「すべ神の今朝の―に」〈神楽歌七八〉

かみあそび【神遊】 ①神神が集まって、音楽を奏し、歌舞すること。「天津児屋根尊、八百万の神達を集めて、榊(さかき)の枝をとり庭火をたきて、夜もすがら―し給ひしにめでて」〈一遍縁起九〉②神前で神事として奏する音楽。「―の歌」〈古今巻二〇〉→かぐら

かみありづき【神在月】 特に出雲国で、陰暦十月をいう語。諸国の神神が出雲に参集して不在になるという「神無月」に対して、命名された語。「かやうのいはれに、出雲の国には―と申し、余の国には神なし月と申すなり」〈伽・神道由来の事〉

かみいちにん【上一人】 天皇。「―より下万人に至るまで」〈保元中・左府御最後〉

かみいれ【紙入】 皮または絹で作り、中に鼻紙・楊枝・小間物・金銀などを入れる袋。鼻紙入。「子を先立てては枕の―〔ヲ忘レ形見トスル〕」〈俳・投盃〉

かみうた【神歌】 神遊(かみあそび)の歌。神事歌謡。和歌形式のものや、七五調の四句から成る今様(いまやう)形式のものがあった。「悠紀(ゆき)国、国風を奏すること四成、其の声―に似て遅し、主基(すき)国、早歌を奏す」〈江家次第一五・大嘗会〉

かみうつり【紙移り】〔連俳用語〕懐紙の表から裏へ、または裏から次紙の表へ移った最初の部分。「まづまづ―には、二句・三句の内を心にかけ、やすやすと付け」〈連歌教訓〉

かみおき【髪置】 小児がはじめて髪をのばす儀式。多くは三歳に行ない、近世、元祿以降、十一月十五日に定まった。「今日、舎弟三郎男―也」〈康富記応永二四・八・六〉。「〔小児ノ〕髪をおやす時、白髪に似せて綿を長くして額にかくる也。―と云ふ」〈竹聞〉

かみおくり【神送り】 九月晦日または十月一日、諸国の神神が出雲大社へ旅立つこと。当日は出雲の方角に烈風が吹くという。「折ふし―の空おそろしげに五色の雲をはぎて」〈西鶴・男色大鑑三〉。〈俳・誹諧初学抄〉

かみおろし【上降し】 和歌や詩の初句。「右歌は―の句はなだらかに侍るに」〈久安五年右衛門督家成家歌合〉

かみおろし【神降し】 ①祈禱の際に、八百万(やおよろず)の神を勧請すること。「この竹枝の詞も―に謡ふ詞なれども」〈三体詩抄一ノ三〉②梓巫女〈あづさみこ〉が託宣を受けるために、神に祈って神霊を身に乗り移らせること。「まづ―をぞ始めける」〈伽・ふくろふ〉③起請文のうち、八百万の神を勧請して誓約した部分。「―・牛王(ごわう)・血判の表はしやうに口伝ある事なり」〈評判・吉原雀上〉

かみかうぶり(:コウブリ)**【紙冠】** 法師・陰陽師〈おんやうじ〉が祈禱・祓〈はらへ〉などする時、仮につける紙製の冠。三角形の白紙を前額にあて、その端を耳にはさむ。俗に「宝冠」という。「祓殿の神たちは法師をば忌み給へば、祓の程、しばらく―をして侍るなり」〈今昔一九ノ三〉

かみがかみ【上が上】 うえのうえ。最上級。「〔光源氏ノ配偶者ニハ〕―を選(え)り出でても、なほ飽くまじく見えたまふ」〈源氏帚木〉

かみがかり【上掛り・上懸り】《「下(しも)がかり」の対。もと上(かみ)すなわち京都に住んだからいう》能楽で、観世・宝生の二流の称。「―を謡ふ人も有り」〈北条五代記六〉

かみがかり【神懸り】 ⇒かむがかり

かみがき【神垣・神籬】 神域をほかの土地と区別するための垣。また、神域・神社。「―はしるしの杉もなきものを」〈源氏賢木〉

かみがき【髪掻】 ⇒かうがい(笄)。「鞘より―を取り出でて」〈今昔二四ノ四〉。「㕚、カミガキ」〈名義抄〉

かみがくし【神隠し】 子供などが、突然、行く方不明になること。天狗・鬼・狐などのしわざと信じられた。「―でもあるかの」〈虎明本狂言・居杭〉

かみがくれ【神隠れ】 神のように姿が見えなくなること。「木綿垂(しゅで)にかきまぎれて、―になりにけりや」〈謡・矢立鴨〉

かみかしら【髪頭】 頭の髪。「患ひて久しく結はぬ―」〈俳・鷹筑波一〉

かみかぜ【神風】 ①⇒かむかぜ。「ます鏡ふたみの浦にみがかれて―きよき夏の夜の月」〈拾遺愚草中〉②神域を吹く風。「―すごく音づれて、御裳濯川の流れものどかなるに、神路の山を分けいづる月影、ここに光をますらんと覚えて」〈問はず語り四〉 **―や【神風や】**〔枕詞〕「伊勢」、伊勢神宮に関係ある「五十鈴川」「御裳裾(みもす)川」「山田の原」「玉串の葉」などにかかる。「―いすず川なみ」〈新古今一八七四〉。「―玉串の葉をとりかざし」〈新古今一八八三〉▽平安時代ごろから、「かむかぜの」に代って使われるようになった。

かみがた【上方】 京都地方。また、京都を中心とする近畿地方一帯。「―はいづくぞと、まづ国を御尋ねにて候。尾張国の者と申し上げ候」〈信長公記首巻〉。「―を見物いたさうと存じて参ったが」〈虎明本狂言・磁石〉

かみかた・し【頭堅し】『形ク』健康である。体が丈夫である。「かしらかたし」とも。「―・くて生ひ立ちて、わが後世をとぶらひ給へ」〈伽・さごろも〉

かみガッパ【紙合羽】 桐油紙で作った合羽。「白雪や袖振りはへて―」〈俳・江戸広小路上〉

かみかぶり【紙冠】「かみかうぶり」に同じ。「見ぐるしきもの…法師・陰陽師(おんやうじ)の―して祓(はら)へしたる」〈枕一〇九〉

かみがへり(:ガエリ)**【神帰り】** 十月晦日、出雲大社に集まった諸国の神神が、それぞれの神社に帰ること。当日は烈風が吹くという。「生玉の坂迎へせむ―」〈俳・生玉万句〉

かみぎぬ【紙衣】「かみこ」に同じ。「〔山伏〕―のいと薄き一つ、真袈裟といふものを着て」〈狭衣三〉。「紙袍、カミギヌ、

或作二紙衣一」〈文明本節用集〉

かみぎゃう【上京】 京都三条通以北の土地の称。近世、公家・分限者が住み、上品な雰囲気であった。「〔コノ者二〕また京にて百貫文下され候。これはー に御宿取り申したる儀によるなり」〈伊達成宗上洛日記文明一五・一〇〉。「それがしはー・下京に、女どもを二人持ってござるが」〈虎明本狂言・鈍太郎〉

かみきり【髪切】 髪を首のあたりまでで短く切り捨て、括って後ろへ下げた女。切髪の女。近世、後家の髪風。「ー面白ければ、振袖の後家探せとある」〈西鶴・三所世帯中〉

かみくだん【上件】《「上(かみ)の件(くだり)」の意》 前の文章。先に述べた事柄。「ありのままに申せとありしかば、ーの事、一一に申しけり」〈日蓮遺文南条殿御返事〉

かみけ【神気】 神が乗り移った気配。神がかりの兆候。「何とやらんーが候ひて現(うつつ)無う候」〈謡・歌占〉

かみこ【紙子・紙衣】 紙製の着物。厚紙に柿渋を塗り、日干しにした後、夜露にさらし、揉み柔らげて作った衣服。もと僧が着用。後に一般貧民の防寒用となり、元禄頃には肩・襟(えり)などに金襴(きんらん)・緞子(どんす)などを用い、種種染込みなどした奢侈品も作られた。「かみぎぬ」とも。「召物もしかしかと侍らで、御布子(ぬのこ)またはーを召され候ひき」〈蓮淳記〉 **ー四十八枚** 紙子は胴の前後に二十枚、左右の袖に四枚、裏に二十四枚の紙を用いて作るからいう。「身はー哀れなり」〈俳・両吟一日千句〉 **ーぞめ**【紙子染】 紙子紙を染めること。また、その染めたもの。「京の吉岡ー」〈近松・重井筒上〉 **ーづきん**【紙子頭巾】 紙子の切れで作った頭巾。貧民がかぶった。紙頭巾。「正直の人を守れる神ならでーも戴きの上」〈銀葉夷歌集四〉 **ーのひうち**【紙子の火打】《形が火打袋に似ているからいう》 紙子の縫合せ目のほころびないように、袖口や袖付などに三角形の小片を当てて縫い込むこと。また、その小片。「家貧しくて身代は薄きー箱」〈近松・反魂香上〉 **ーばおり**【紙子羽織】 紙子で作った羽織。多くは貧民用の安物で、中には奢侈品もあった。「夜討には、大略、相印にはーか標縄(しめだすき)かのものなり」〈川角太閤記二〉 **ーらうにん**【紙子牢人】 紙子一枚の貧乏浪人。「その隣はむつかしきー、武具・馬具、年久しく売り食いにして」〈西鶴・胸算用一〉

かみごま【上駒】 三味線の音をよくするため、棹(さお)の上端につける駒。金属・竹・象牙などで作る。「ーのあるにつけてや三味線にばちが当ると人の云ふらん」〈銀葉夷歌集九〉。〈糸竹初心集下〉

かみごゑ【神声】 神楽歌の調子。一説、「上声」で、甲高(かんだか)にうたう声の意。『さざなみや、志賀の唐崎』など例のーふりいだしたるも、いとをかしう聞えたり」〈かげろふ中〉

かみさうじ【紙障子】 紙で張った障子。明り障子。「ーによべの御衣をなんかけ候ひつる」〈狭衣三〉

かみさ・び【神さび】『上二』《カムサビの転》 ①神神しい不思議な様子を示す。「ー・ぶる生駒高嶺に雲そたなびく」〈万四三八〇下野防人〉 ②古びる。古めかしくなる。「古人どももお前に所得て、ー・びたる事ども聞え出づ」〈源氏藤裏葉〉 ③年功を積む。劫(こう)を経る。「かたちいと清げなる人の、声づかひものものしく、ー・びてよみあげたるほど面白し」〈源氏少女〉 ④荒れて淋しい感じになる。荒廃する。「社(やしろ)こぼれてー・びにけり」〈梁塵秘抄五二二〉 ✝kamïsabï

かみさま【上様】 ①お上(かみ)。ご主人様。「天下静まり、四海治りて、ーに敵をなし申す者も候はず」〈曾我三〉 ②中世、大名・公家など目上の人の妻、または遊女などの上臈の敬称。近世では、町家でもいい、単に主婦の意にも使った。「御館もーも、死出の山と申す道越えさせ給ひて」〈義経記八〉 ③上方で、良家の隠居した老母の敬称。「ーの気に入相の空」〈俳・独吟一日千句〉。「江戸にては若きもかみ様といふ。京は年の寄りたるをーといひ、若きは云はぬなり」〈浮・好色床談義二〉

かみざま【上様】《下様(しもざま)」の対》 ①上の方。「萩などのいと重げなるに、露の落つるに枝のうち動きて…ふとーにあがりたるも、いみじうをかし」〈枕一三〇〉 ②上流階級。「上達部(かんだちめ)・殿上人・ーまでおしなべて武を好む人多かり」〈徒然八〇〉

かみしも【上下】 ①川上と川下と。「大井川心しがらみーに千鳥しば鳴き夜ぞ更けにける」〈古今六帖三〉 ②上位と下位と。多くは身分にいう。「ありとあるー、童(わらは)まで酔ひしれて」〈土佐十二月二十四日〉。「あるべきかぎりーの僧ども」〈源氏賢木〉 ③上と下と。始めと終りと。「〔手紙ノ各行ノ〕ーひとしく書いたまへり」〈源氏末摘花〉 ④上手(かみて)と下手(しもて)と。「ー四町の年寄」〈西鶴・懐硯三〉 ⑤上下ととのった衣服にいう。㋑衣(きぬ)と裳と。上衣と袴類と。「奉る御衣はー備へまつりて」〈祝詞鎮御魂斎戸祭〉。「わが装束、ー・帯・太刀まで」〈大和一六八〉 ㋺狩衣・直垂(ひたたれ)・素襖(すあを)などの上衣と袴との染色の同じもの。「おとなしき男の浅黄のー着たる」〈今昔二六ノ八〉 ㋩近世、武士の礼服。同じ染色の肩衣(かたぎぬ)と袴とを、紋服・小袖の上に着ること。麻上下を最上とした。庶民は、袴・肩衣の生地・染色の異なったものしか着られなかった。「烏帽子・ーにて祗候申し候」〈上井覚兼日記天正三・一・一〉

かみする【上する】『連語』〔遊里語〕《「ー男」「ー女」などの形で》 揚屋の座敷に出て、床の上げ下し、酒飯の給仕などの世話をする。「ー女に心を合はせ」〈西鶴・一代男六〉

かみそり【剃刀】《髪剃りの意。平安時代にはカミゾリと濁音》 ①髪やひげを剃るのに使う刃物。「剃刀、カミゾリ」〈名義抄〉 ②鮎(あゆ)の隠語。「坊主、いつも鮎の名をーと付けて」〈咄・醒睡笑三〉 **ーを戴(いただ)・く** ①出家する者または死者が、戒師から戒を授けられ、髪を剃ってもらう。仏門に入る儀式。「寺に入り、ー・き」〈咄・醒睡笑七〉 ②真宗・浄土宗などで、在俗の信者が、法主または導師から頭に剃刀を当ててもらう。仏門に帰依した証とする儀式。おかみそり。「菩提(ぼだい)の道に及(し)くべからずと、御ー・かせ」〈浄・くずは道心二〉

かみだいどころ【上台所】《「下台所」の対》 貴人の奥向の食物をととのえる所。「先づーにおいて饌(せん)を羞(すす)む」〈吾妻鏡建久五・一・七〉

かみたうじん【上唐人】《上方の唐人の意》 えたいの知れぬ上方者。「表の間借り切ったーー」〈近松・博多小女郎上〉

かみだたき【神叩き】 くりかえして強く神に祈り乞うこと。「神せせり」「神いぢり」とも。「瑞垣(みづがき)に来居る水鶏(くひな)やー」〈俳・玉海集三〉

かみたれ【髪垂】《タレは剃る意の忌詞》 生後六日目に嬰児の髪を剃り、命名して祝う式。「六日だれ」とも。「楠甚四郎娘、今日ー也」〈言経卿記天正一〇・一〇・八〉

かみつ【上つ】『連語』《ツは連体助詞》 ✝kamitu **ーえだ**【上つ枝】 ①上の枝。「かみつえ」とも。「ーには八坂瓊之五百箇御統(やさかにのいほつみすまる)を懸け」〈紀神代上〉 ②《比喩的に》 兄。「ーをばさし越えて」〈拾遺五七四〉 **ーかた**【上つ方】 ①上京(かみぎやう)。「六条に明暮れの御ありきも、〔危イノデ〕ーに、さべき御さまにと、おきて聞えさせ給ふ」

〈栄花初花〉②上流階級。「京田舎にあまねくその沙汰ありて、—にもこの事ありけるにや」〈沙石集六ノ一八〉③お上(かみ)。「この言を—に、もっとも然るべしと感じて、やがて宣旨なりける」〈雑談集九〉 **—せ**【上つ瀬】川上にある瀬。「—に石橋渡し」〈万一九六〉 **—よ**【上つ世】《「今の世」「後の世」などの対》大昔。上代。「歌の詞、中むかしは—〔ノ語法〕をうしなひ」〈あゆひ抄〉▽「あゆひ抄」では、上つ世・中昔・中頃・近昔・後(おと)つ世・今の世というふうに時代区分をしている。 **—よほろ**【上つ丁】諸国からたてまつる壮丁。「鎌倉郡の—」〈万四三〇東歌左注〉

かみづかさ ①【神祇官】⇒じんぎくゎん。〈和名抄〉②【神司】神官。神主。「—、八人の八乙女、五人の神楽男」〈謡・蟻通〉

かみづかひ(:ヅ カイ)【紙遣ひ】料紙の色合いなどに気をつかうこと。「さばかりめでたき御—、かたじけなき御言の葉をつくせ給へるを」〈源氏浮舟〉

かみつけあひ(:ア イ)【紙付合ひ】遊戯の一。紙を唾(つば)などで額につけて垂らし、息で吹き落したのを勝ちとする。「短冊は—か花の先」〈俳・続山の井二〉

かみつけの【上野・上毛野】旧国名の一。東山道八か国の一。今の群馬県。上州。「—国疫す。薬を給して之を救ふ」〈続紀大宝三・六・七〉 †kamitukëno

かみづ・り【上づり】㊀《四段》のぼせあがる。上気(じょうき)する。「—・って／ふける(逃ゲル)気同士が行き当る」〈雑俳・千枚分銅〉㊁《名》①上の方へつり上がること。「自然に上へ行き帰りする時は、—になりて」〈周易集註鈔一五〉②のぼせあがること。「血気に進む男は、陰(かげ)と言うて、—の仕掛け(手段)で会ひます」〈浮・色茶屋頻卑顔〉

かみとき【霹靂】⇒かむとけ。「霹靂、カミオツ・カミトキ」〈名義抄〉

かみとけ【霹靂】⇒かむとけ。「霹靂、可美止祁乃支(かみとけのき)」〈霊異記上五〉。「霹靂、俗云、加三於豆(かみおつ)、一云、加美止介(かみとけ)」〈和名抄〉

かみどひや(:ド イ…)【上問屋】近世、大阪で、上方地方の生産物を集貨し、諸国の商人に販売する問屋。また、元禄以降、主として京都・伏見へ出荷した米問屋の特称。「—手広く沢の水澄みて」〈俳・大矢数五〉。「北浜の備前屋という—」〈西鶴・五人女二〉↓下(しも)問屋

かみな【寄居子】⇒がうな。「本草云、寄居子、和名加美奈(かみな)、俗仮用ニ蟹蜷一字。貌似ニ蜘蛛一者也」〈和名抄〉。「寄居子、カミナ」〈名義抄〉

かみなが【髪長】①《斎宮の忌詞》僧。尼は「女髪長」という。「僧を—と称(い)ふ」〈延喜式斎宮寮〉。「つくづく—並(な)め据ゑて、染紙(そめがみ)読ませむとなりけり」〈今鏡一〇〉②女の異称。「〔廓ノ〕はひりの柳—がある」〈俳・桜千句〉

かみなぎ【巫】⇒かむなぎ。「卜者、可三那支(かみなぎ)」〈霊異記下三二〉

かみなづき【神無月】陰暦十月の称。中世の俗説に、十月は諸国の神神が出雲大社に集まって不在となるからという。「—しぐれしぐれて」〈古今一〇〇三〉〈下学集〉↓かみありづき

かみなり【雷・神鳴】①雷鳴。「延長八年六月二十六日、—恐ろしかりける時」〈十訓抄六ノ三〉②雷神。古来、鬼の姿で想像されていた。「それがしは—であるが」〈虎明本狂言・雷〉③口やかましいこと。また、その人。「—めが戻っても大事ないこと」〈近松・薩摩歌中〉 **—のぢん**【雷鳴の陣】雷鳴のはげしい時、清涼殿・紫宸殿の前に設けられる警護の陣。清涼殿には近衛の大・中・少将以下が弓矢を帯びて伺候し、紫宸殿には兵衛府が詰めて鳴弦を行なった。「かんなりのぢん」とも。「神のいたう鳴る折に—こそいみじうおそろしけれ」〈枕二九六〉 **—のつぼ**【雷鳴の壺】宮中の襲芳舎(しほうしゃ)の別称。「かんなりのつぼ」とも。霹靂木(かみとけのき)即ち落雷した木があったからともいう。「かんなりの壺とは、天井を二重にしたる所也。雷の鳴る時、帝の御座所也。或いは—とも云ふ也」〈古今集註〉。「襲芳舎、加美奈利乃豆保(かみなりのつぼ)」〈和名抄〉 **—のま**【雷の間】貴人の邸宅に設けられた、二重天井などにして、雷の被害を避ける部屋。雷避けの間。「—も古き古河殿」〈俳・面面硯〉

かみのき【神の木】《神の宿っている木の意から》定まった夫のある女。「わが身—にて候へば、たたりもいかがにさむらふ」〈伽・しのばずが池〉

かみのく【上の句】《「下(しも)の句」の対》短歌のはじめの五七五の三句。また、連歌・俳諧で五七五の句(長句)をいう。「野中に歌の—を詠ずる声あり」〈無名抄〉

かみのけいし【上の家司】上級の家司。四位・五位の官人中より任ずる。六位・七位の家司を「下家司(しもけいし)」という。「関白殿の—、因幡前司庶政(ちかただ)…、下の家司、左衛門尉為長」〈栄花鶴林〉

かみのしな【上の品】上流階級。「いでや、—と思ふにだに難げなる世を」〈源氏帚木〉

かみのたび【神の旅】十月一日、諸国の神神が出雲大社に旅立つこと。「吹く風の手車に召せ—」〈俳・桜川八〉

かみのと【神の門】《トはセト(瀬戸)のト、両方からせまった入口。ここは海峡》神の支配する海峡。「黄柒(にぬり)の屋形—渡る」〈万三八八八〉 †kaminöto

かみのはふり【神の祝】神に仕える人。神官。「—がいつく杉原」〈万一四〇三〉

かみのぼり【紙幟】①紙で作った幟旗。「—・紙差物を三千ばかりの郷人にさし揚げさせ」〈浅井三代記六〉②端午の節句に、鍾馗(しょうき)や武者の絵を画いて長竿につけ、戸外に立てた紙製の幟。「門門に立て並べたる—」〈俳・寛永十三年熱田万句六〇〉③近世、罪人引廻しや仕置場に罪状を記して立てた紙の幟。「明日の晩より—立つ」〈俳・大矢数四〉

かみのまつ【神の松】正月、竈(かまど)の三宝荒神に供える松。「—・山草の売り声もせはしく」〈西鶴・諸国咄一〉

かみのみおも【神の御面】《国生み神話に、四国と九州を身一つで面四つある島とするによる語》神の立派なお顔。「讃岐の国は…天地(あめつち)日月と共に足り行かむ—と」〈万二二〇〉 †kaminömiömö

かみのみこと【神の命】神、また天皇の尊称。「八千矛(やちほこ)の—」〈記歌謡二〉。「天皇(すめろき)の—の」〈万四〇八九〉

かみのみやひと【神の宮人】①神の宮に仕える人。「誰(た)にかも寄らむ—」〈記歌謡九四〉②《カミは天皇を見立てていう語》天皇に仕える人。「すめがみの—」〈万一一三三〉

かみのるす【神の留守】十月、諸国の神神が出雲大社に集まって、鎮座の社に居ないこと。「—時雨や知らで宮廻り」〈俳・崑山集二〉。〈俳・毛吹草二〉

かみのをしき【神の折敷】神前への供物をのせる、へぎ板で作った小さな四角の膳。小折櫃(おりびつ)。「—末繁昌や若夷(わかえびす)」〈俳・崑山集一〉

かみばた【上機】麻・紬(つむぎ)を織る機。「下機(しもばた)有り、—有り、布機有り」〈俳・宝蔵二〉

かみばな【紙纏・紙花】遊里で祝儀を出す時、目録代りにやる紙。あとで現金に換える。「いつやらの—も、思ひの外に遅なはり、面目ない」〈近松・二枚絵中〉

かみばり【上張り】上品ぶること。えらぶること。「諸国の大名・高位高官は、いよいよ奢(おご)り強くして、次第次第に―にばかり罷りなり」〈仮・似我蜂物語中〉

かみびと【神人】神に仕える人。「―の手にとり持たる榊葉に」〈源氏若菜下〉

かみひねり【紙捻り】こより。かんぜより。「束(たば)を成す中の―これを切り、早早給ふ事也」〈中右記大治五・一・二八〉

かみひひな(イナ)【紙雛】紙製の雛人形。かみびな。「煤(すす)けたる壁ほの暗し―」〈俳・有磯海〉

かみぶすま【紙衾】紙製の夜具。近世、「天徳寺」とも。「尼上は―といふ物ばかり負ひ着て居られたりけるに」〈著聞四四六〉

かみべ【上辺】《「下辺(しもべ)」の対》かみの方。「川の瀬の清きを見れば、―には千鳥しば鳴き」〈万九二〇〉 †kamibe

かみまひ(イマ)【神舞】能の舞の一。若い男体の神の颯爽として気高い舞。「脇などの―、天女に角(かど)のあるやうに舞ふなり」〈毛端私珍抄〉

かみむかへ(ムカエ)【神迎へ】①神霊を迎えること。「―に参り候て、御輿の御供申し候て」〈上井覚兼日記天正一三・一〇・二四〉②十月晦日、出雲大社から帰る神を迎える祭事。「かみむかひ」とも。〈俳・毛吹草二〉

かみや【神矢】神の射る矢。「―などにやあるらんぞと怪しみ合へりける」〈保元中・新院左大臣殿〉

かみやがは(ワガ)【紙屋川】京都の北野神社のそばを流れる川。近くに紙屋(官立製紙所)があった。高陽川(かうやがは)。「―。むばたまのわがくろかみやかはるらむ」〈古今四六〇〉

かみやがみ【紙屋紙】⇒かんやがみ。「―百張」〈正倉院文書神亀五・四・二四〉。「―に書かせて、立文(たてぶみ)にて」〈かげろふ中〉

かみやしき【上屋敷】近世、地位の高い武家の主君が平常の住居とした屋敷。本邸。「―に用所候」〈伊達家文書三、伊達政宗書状〉 ↔中(なか)屋敷・下(しも)屋敷

かみやま【神山】神の鎮座する山。「妻隠(こも)る矢野の―」〈万二一七八〉 †kamiyama

かみやみ【頭病】頭痛。「一日は風邪の心地、二日は―」〈伽・十本扇〉

かみゆひ(イュ)【髪結】鬢(びん)・月代(さかやき)を剃り、髪を結うことを業とした職人。近世、自宅または木戸際・橋詰の床(とこ)で営業する床髪結と、毎朝町内をまわる町抱えとがあり、営業を許された代りに義務として公役をした。女髪の髪結は近世後期に現われた。「伊勢者―にてありしと」〈多聞院日記天正一三・一・一九〉 **―どこ**【髪結床】髪結の営業場所。町内に借屋するものを内床(うちどこ)、木戸際や橋詰などの空地に営業するものを出床(でどこ)という。「―の山の端の色 西鶴」〈俳・珍重集〉

かみよ【神代・神世】①記紀において、国常立尊(くにのとこたちのみこと)以下、伊奘諾尊(いざなきのみこと)・伊奘冉尊(いざなみのみこと)までの七代をいう。「国之常立神以下、伊邪那美神以前を并せて―七代と称ふ」〈記神代〉②世界を神神の統治されたという時代。また、大昔。往時。「五百万(いほよろづ)千万(ちよろづ)神の―より言ひつぎきたる」〈万三三二七〉 †kamiyö

かみら【韮】《カは香。臭気ある意》ニラの古名。「粟生(あはふ)には―一本」〈記歌謡一二〉 †kamira

かみるき【神るき】⇒かむろき。「諸祖天神、俗(くにひと)賀味留彌(かみるみ)・賀味留岐(かみるき)といふ」〈常陸風土記〉 †ka-miruki

かみるみ【神るみ】⇒かむろみ。〈常陸風土記〉 †kami-rumi

かみわざ【神業】神に奉仕する公事。神事。祭典。「十一月(しもつき)になりぬ。―など繁く、内侍所も事おほかる頃にて」〈源氏真木柱〉

かみゑ【紙絵】紙にかいた絵。屏風などにかいた絵に対して、普通の紙一枚ごとにかき、絵合せ用などにした絵をさすという。また、絹にかいた絵に対するともいう。「―は〔紙幅〕限りありて」〈源氏絵合〉

かみをんな【上女】問屋に抱えられ、滞在中の諸国の商人の身のまわりの世話をし、ひそかに色を売った下女。はすは女。「家家に勤めし―の品定め」〈西鶴・一代女五〉

かむ【神】「かみ」の古形。複合語の場合にのみ見られる。「―風」「―さび」「―杉」など。「住吉(すみのえ)にいつく祝(はふり)の―言(こと)と行くとも来とも船は早けむ」〈万四二四三〉

かむ『助』「かも」の上代東国方言。「青雲(あをくむ)のとの引く山を越よて来ぬ―」〈万四四〇三防人〉

かむあがり【神上り】神として現世から天界へ移ること。貴人の死にいう。「―あがりいましぬ」〈万一六七〉

かむおや【神祖】神としてまつられている祖先。祖先の尊称。「大伴の遠つ―のおくつき(墓)は」〈万四〇九六〉

かむがかり【神懸り】神が人に乗りうつること。かみがかり。「顕神明之憑談、此をば歌牟鵝可梨(かむがかり)といふ」〈紀神代上〉

かむかぜ【神風】神のような威力のある風。かみかぜ。「―にい吹き惑(まと)はし」〈万一九九〉 **―の**【神風の】〔枕詞〕神風の息吹(いぶき)のイと同音から「伊勢」にかかる。一説、イセツヒコが風を起した伝説があることなどから「伊勢」にかかる。「―伊勢の海の」〈記歌謡一三〉

かむかひ(イカ)【神養】《「神の養ひ」の意か》神に供える稲米。神に供える食膳。神饌。「皇御孫(すめみま)の命の朝御食夕御食の―に…聞こし食すが故に」〈祝詞祈年祭〉。「朝御食の―、夕御食の―に五つの贄(にへ)の処を定め給ひき」〈出雲風土記〉 †kamukaFi

かむが・へ(カムガエ)【検へ・勘へ・考へ】『下二』《古くはカムカへ。カは、アリカ・スミカのカ。所・点の意。ムカへは両者を向き合わせる意。二つの物事をつき合わせて、その合否を調べ、ただす意》①事の真偽を調べ、ただす。「戸口(へと)を按(かむが)へ検(さを)め、姧(かだま)しく非(あ)しきを督(ただ)し察(あきら)むることを掌(つかさど)れ」〈紀孝徳、大化二年〉②調べただして、罰する。「罰(かむが)ふべきは罰(かむが)へ、杖(う)つべきは杖(う)たむ」〈紀天武十三年〉③あれこれ思いはかる。「文を推しはかり、義を考(かむが)ふれば」〈法華義疏長保点〉④占いの結果を解釈する。「宿曜に、みこ三人、みかど・きさき必ず並びて生れ給ふべし…と―へ申したりし事、さしてかなふなめり」〈源氏(大島本)澪標〉

かむから【神柄】《カラは素姓・血筋・品格・性質の意》神の性格。神の品格。「立山に降り置ける雪を常夏(とこなつ)に見れども飽かず―ならし」〈万四〇〇一〉

かむき【神樹】神木。手をふれることは罪とされたもの。「―にも手は触るとふを」〈万五一七〉 †kamuki

かむくだ・し【神下し】『四段』神として天界から地上にくだらせる。「天雲の八重かき別きて―・しいませまつりし」〈万一六七〉

かむさ・び【神さび】㊀『上二』《サビは、…らしく振舞う意》①神として行動する。神神しくある。「―・びて高く貴き駿河なる富士の高嶺(ね)を」〈万三一七〉②古びる。「山斎(しま)の木立も―・びにけり」〈万八六七〉㊁『名』神神しく振舞うこと。神神しいさま。「神ながら―せすと…高殿を高知りまして」〈万三八〉 †kamusabi

かむさ・り【神去り・神避り】『四段』神となってこの世を去

か

る。身分の高い人が死ぬ。「伊弉冉尊(いざなみのみこと)…—・りましぬ」〈紀神代上〉

かむし・み【神しみ】『上二』「かむさび」に同じ。「百代(ももよ)まで—・み行かむ大宮所」〈万一〇五三〉 ▽サビのサとシミのシとは母音交替形。 † kamusimi

がむしゃ【我武者】血気にはやり、向う見ずにやること。また、そういう人。「—言ふ幼いの心をも和らげ」〈仮・よだれかけ一〉

かむだから【神宝】①神の宝物。「天よりもち来たれる—」〈紀崇神六十年〉 ②神前に供える宝物。奉納品。「ののしりて詣で給ふ人のけはひ、なぎさに満ちて、いつくしき—をもてつづけたり」〈源氏澪標〉

かむづかさ ①【神司・神官】神に仕える人。神官。「—に令(のりごと)して兵器(つはもの)を神の幣(まひ)とせむと」〈紀垂仁二十七年〉 ②【神祇官】⇩じんぎくゎん。「百官—に会集(まうごはな)りて」〈紀持統三年〉 ③【主神】大宰府に属し、管内の祭祀を管理する官。「大宰府、—一人、諸の祭祠の事を掌る」〈職員令〉

かむつけ【上野】旧国名の一。「かみつけの(上毛野)」の転「かむつけの」の略。「上野、カムツケ」〈色葉字類抄〉

かむつどひドイ:ツ【神集ひ】神神が集まること。「千万神(ちよろづかみ)の—集ひいまして」〈万一六七〉 † kamutudori

かむづま・り【神留り】『四段』神が留まる。鎮座する。「海原の辺にも沖にも—・り領(うしは)きいます」〈万八九四〉

かむど【神門】神の支配するところへの入口のしるし。「伊加曾然(いかそね)の時、—たてまつりき。かれ〔ソノ土地ヲ〕神門といふ」〈出雲風土記〉 † kamudo

かむとけ【霹靂】《雷解けの意》雷が鳴って落ちること。「—し曇れる空の九月(ながづき)の時雨の降れば」〈万三二三三〉 † kamutökë

かむな【寄居子】《カミナの転》⇩がうな。「—は小さき貝を好む」〈方丈記〉

かむながら【神ながら】『副』《ナは連体助詞。カラは素姓・品格・性質の意》神の性質として。神であるままに。「瑞穂の国(日本)を—太敷き(治メ)まして」〈万一九九〉

かむなぎ【巫】《カムは神。ナギは、なごめる意。神の心を音楽や舞でなごやかにして、神意を求める人。日本では普通は女性。男性を特に「をのこかむなぎ」という》神に仕え、祭りに奉仕し、神おろしなどをする女。「国の内の—ら、枝葉を折り取りて木綿を懸掛(しでか)けて…争(いそ)ぎて神語(かむこと)の入微(たへ)なる説(ことば)を陳ぶ」〈紀皇極二年〉。「—・祝(はふり)の類は、髪結(た)く例にあらず」〈紀天武十三年〉。「巫、加尤奈支(かむなぎ)」〈新撰字鏡〉 †*kamunagi

かむなづき【神無月】《もと「神の月」の意か。ナは連体助詞であったが、平安時代になると一般に使われなくなったので、無シのナと思われ、「神無月」の俗説を生じたか》陰暦十月の称。「—しぐれに逢へる黄葉(もみちば)の」〈万一五九〇〉 ↓かみなづき。 † kamunaduki

かむなび【神名火・神奈備】《ナは連体助詞》神社のある所。神が天から降りて来る場所として信仰された山や森。大和では飛鳥・龍田のものが有名で、後、固有名詞化した。「—に神籬(ひもろき)立てて」〈万二六五七〉 † kamunabi

—のやま【神名火の山】「かむなびやま」に同じ。「—の黄葉(もみち)を」〈万三二二四〉 **—やま**【神名火山】神社のある山。大和では飛鳥・龍田のものをいう。「いはばしる—に朝宮に仕へまつりて」〈万三二三〇〉

かむなりのつぼ【雷鳴の壺】⇩かみなりのつぼ。「—に人人あつまりて」〈古今一九〇詞書〉

かむには【神庭】神を祭る場所。祭壇。「壇所(かむには)に至りて」〈紀雄略九年〉

かむぬし【神主】神官の長。また広く、神職。「集侍(うごな)はれる—・祝部(はふり)等」〈祝詞祈年祭〉 ▽禰宜(ねぎ)・祝(はふり)は下位の神官。

かむのぼ・り【神登り】『四段』神として現世から天界へ移る。貴人の死にいう。「天の原岩戸を開き—・りいましにしかば」〈万一六七〉 † kamunöbori

かむはかり【神議り】神神が相談すること。「神集(かむつど)ひ集ひいまして、—はかりし時に」〈万一六七〉

かむはぶり【神葬り】神としてほうむること。「—はぶりいまして」〈万一九九〉

かむ・び【神び】『上二』神神しくなる。転じて、年老いる。年へて古びる。「石上(いそのかみ)布留(ふる)の神杉—・びにし我やさらさら恋に逢ひにける」〈万一九二七〉 † kamubi

かむべ【神戸】古代、神社に属した民。もと神田を耕しなどした部民で、大化改新後は封戸(ふこ)の一つとして神社に租庸調を納めた。「神地(かむところ)・—を定む」〈紀崇神七年〉 † kamubë

かむほき【神寿き】神として祝福の言葉をのべること。「—ほき狂ほし」〈記歌謡三九〉 † kamuFoki

かむほさき【神祝き】神として祝言をいうこと。「神祝祝之、此をば加武保佐枳保佐枳(かむほさきほさき)といふ」〈紀神代上〉 † kamuFosaki

かむみそ【神御衣】神の着る着物。神にたてまつる着物。「—を織りつつ斎服殿(いみはたどの)にまします」〈紀神代上〉 † kamumiso

かむみや【神宮】神のまつられている宮。かみのみや。「わご大王みこのみかど(宮殿)を—に装(よそ)ひまつりて」〈万一九九〉 † kamumiya

かむやらひライ:ヤ【神遣ひ】神の仲間から追放すること。「鬚(ひげ)を切り、手足の爪も抜かしめて、—やらひき」〈記神代〉 † kamuyaraFi

かむよりいた【神依板】神のよりしろとなる板。「かむなびの—にする杉の」〈万一七七三〉 † kamuyöriita

かむり【冠】《カブリの転》かぶり物。かんむり。〈饅頭屋本節用集〉。〈日葡〉 **—づけ**【冠付】「かさづけ」に同じ。「当世流行る—と言ふ点者になり」〈伎・信田会稽山三〉

かむろき【神漏伎】《「かむろみ」の対。ロは連体助詞。キは男の称》タカミムスヒノカミ、また男の皇祖神やその他の男神の尊称。「かみるき」とも。「すめむつ—の命(みこと)」〈祝詞祈年祭〉 † kamuroki

かむろみ【神漏美】《「かむろき」の対。ロは連体助詞。ミは女の称》カミムスヒノカミ、また女の皇祖神やその他の女神の尊称。「かみるみ」とも。「かむろき・—の命(みこと)もちて」〈祝詞大祓詞〉 † kamuromi

かめ【瓶】《カ(瓮)メ(瓶)の複合。メはべの転》酒や水を入れたり、花を挿したりなどする底の深い容器。「陶人(すゑひと)の作れる—を」〈万三八八六〉。「—に花を插せり」〈伊勢一〇一〉 †*kamë

かめ【亀】イシガメ・スッポン・タイマイ・ウミガメなどの総称。古代には、アカウミガメなどから取った亀甲を焼いて、そのひび割れによって吉凶を占った。「〔甲羅ニ〕ふみ(模様)負へるあやしき—も」〈万五〇〉 † kamë

かめのうへのやまエ:ウ【亀の上の山】巨大な亀の背の上にある山の意。不老不死の仙境、蓬萊(ほうらい)山。「—も尋ねじ船のうちに老いせぬ名をばここに残さむ」〈源氏胡蝶〉

かめのうら【亀の卜】亀の甲を焼き、その亀裂によって吉凶を判ずる占い。亀卜(きぼく)。「—と周易の卜といづれ深し

といふ事を言ひ出して」〈続古事談二〉

かめのかがみ【龜の鑑】《「龜鑑(きかん)」の訓読語》手本。模範。規範。「さてもなほ、あづまの―(裁判ヲ指ス)にうつさば、くもらぬかげもやあらはるると」〈十六夜日記〉

かめやじま【龜屋縞・龜屋島】練の上糸で織った白羽二重。多くは色糸入りの伊達な女向きの縞模様に織り出す。「脱ぎ代えよ裏は龜島〔表八〕―」〈俳・手繰船六〉。〈俳・毛吹草四〉

かめやま【龜山】「龜の上の山」に同じ。「―にいく薬のみありければとどむるかたも無き別れかな」〈拾遺三一〉

かめゐざん【龜井算】珠算で行なう割算の一法。掛算九九を用いて、割算を演算するもの。龜井割。九九引算。

かも【鴨】マガモ・コガモ・カルガモ・トモエガモ・アイサなどの総称。川・海・池・湖などに群棲。雌雄一対でいる。秋から冬にかけて北から渡来し、春、北に帰るものが多い。雁が秋の訪れと結びつけられるのに対して、鴨は多く冬のものとされる。「葦辺ゆく―の羽音の声(おと)のみに聞きつつもとな恋ひ渡るかも」〈万三〇九〇〉「ぱちぱちと引けやてんでに―」〈俳・胴骨〉 †kamo

かも【氈】毛織の敷物。「車の―を請ひにつかはして」〈拾遺五三五詞書〉。「氈、賀毛(かも)、撚レ毛為レ席也」〈和名抄〉

かも『助』→基本助詞解説。 †kamö

かもが【斯もが】『連語』あのようにありたいものだ。ああもしたいものだ。「―と我が見し子ら(少女)、かくもがと吾が見し子に」〈記歌謡四二〉→もが。 †kamöga

かもかくも『連語』ともかくも。どのようにも。「―君がまにま(心ノママニ)とかくしこそ見もあきらめめ」〈万三九九三〉 †kamökakumö

かもかも『連語』ああもこうも。かもかくも。「言痛(こちた)くは(噂ガウルサケレバ)―せむを」〈万一三四三〉 †kamökamö

かも・し【醸し】『四段』穀物の類を発酵させて、酒や醤油などを作る。「醸、カモス」〈運歩色葉集〉→かみ(醸)

かもじ《文字詞》①【か文字】《「かか」「かみさま」などから》母、また妻。「―様より昨日文給(た)び候」〈実隆公記文明八・六・二九、紙背文書〉②【髪文字】髪。「―ゆふこと」〈大上﨟御名之事〉③【髢】婦人がつかう添え髪。いれ髪。「女房の装束、―・掛帯(かけおび)」〈伽・花世の姫〉

かもじもの【鴨じもの】『副』鴨のように。「―水に浮き居て」〈万五〇〉→じもの。 †kamozimönö

かもどくしま【鴨着く島】《ドクはヅクの母音交替形》鴨の寄る島。「沖つ島―に我が率(ゐ)寝し妹は忘れじ」〈記歌謡八〉 †kamodokusima

かもとり【鴨鳥】《「にほとり」「をしどり」のように、トリをさらに下にそえた形》鴨。「―の遊ぶこの池に木の葉落ちて」〈万七一一〉 †kamotöri

かものあぢ【鴨の味】極めて楽しい感じのたとえ。「時時は／人の噂も―」〈雑俳・投頭巾〉

かものくらべうま【賀茂の競馬】五月五日、京都賀茂神社で行なわれた競馬。「五月五日、―を見侍りしに」〈徒然四一〉

かものまつり【賀茂の祭】京都上賀茂神社すなわち賀茂別雷(かものわけいかずち)神社と下鴨神社すなわち賀茂御祖(かものみおや)神社の例祭。天武天皇以来、官祭として行なわれ、四月の中の酉(とり)の日が祭日であった。その二日または三日前に斎院の御禊(ごけい)がある。祭の当日、宮中から下社、下社から上社へと勅使が参向、見物人が群集した。石清水八幡宮の南祭に対し、北祭という。応仁の乱後約二百年中絶、元祿七年再興。葵祭(あふひまつり)、また単に「まつり」ともいう。「山背の国―の日に衆を会して騎射することを禁ず」〈続紀文武二・三・二一〉。「物やゆかしかりけむ、―見に出でたりけるを」〈伊勢一〇四〉

かものみあれ【賀茂のみあれ】京都賀茂神社の四月の例祭。「年を経て―にあふひ草かけてぞ思ふみよの契りを」〈拾玉集一〉。「―と申す事は、四月中の申(さる)の日の祭なり。是を国祭とは申すなり」〈伽・賀茂の本地〉

かものりんじのまつり【賀茂の臨時祭】《四月の例祭に対する臨時の祭の意》十一月下の酉(とり)の日に行なわれた京都賀茂神社の祭。宇多天皇以来明治三年まで行なわれた。「―は、還立(かへりだち)の御神楽などにこそなぐさめらるれ」〈枕一四二〉

かもまうで【賀茂詣】賀茂の祭の前日、摂政関白が賀茂神社に参拝する行事。「見ものは。臨時の祭、行幸、祭のかへさ、御―」〈枕二九〉。「御―の日は、社頭にて三度の御かはらけ定まりて参らするわざなるを」〈大鏡道隆〉

かもめ【鷗】海鳥の名。「今し―群れゐて遊ぶところあり」〈土佐二月五日〉↓かまめ。 **―じり**【鷗尻】①カモメの尻の尾羽。「頭よりはねあがりけり―」〈俳・発句帳四〉②刀の鞘尻を上へそらせて帯びること。伊達(だて)な形をいう。「小松の大臣(おとど)は、蒔絵の細太刀―に佩(は)き給ひ」〈盛衰記一〇〉③秤竿(はかりざお)の尻が上方にはねあがるほど、はかり目を十分にすること。「―に跳ぬるや秤棹の池(佐保ノ池ト掛ケル)」〈俳・夢見草四〉

かもんづかさ【掃部司・掃部寮】《カモリヅカサの音便形》令制で、大蔵省に属し、宮中の清掃や床席の設備をつかさどる役所。弘仁十一年、宮内省の内掃部司と合併して宮内省の掃部寮(かもんれう)となる。「かんもりづかさ」とも。「清涼殿の御前に、―の、畳を敷きて」〈枕一四二〉↓かにもり

かや【萱・茅・草】屋根をふく草。ススキ・スゲ・チガヤなど、イネ科草本の総称。「仮廬(かりほ)作らす―無くは」〈万一一〉。「萱、和名、加夜(かや)」〈和名抄〉

かや『助』《疑問・感嘆の意を表わす助詞カに、助詞ヤの添った形》①感動の意をあらわす。「慨哉、此をば于黎多棄伽夜(うれたきかや)といふ」〈紀神武即位前〉②疑問の意をあらわす。「はや逆心をたくむ―」〈伽・万寿の前〉

かやう【斯様】このよう。「―なる事」〈源氏夕顔〉。「―の御消息」〈源氏若紫〉↓かくやう

かやかや 多くの人のさわがしく声を立てるさま。「御随身どもー―と言ふを制し給ひて」〈源氏宿木〉

かやき【衒】かたり。詐欺。「大坂をせかれさんしても、盗み・―の身ではなし」〈近松・曾根崎心中〉

かやく【加薬】①漢方で、主要薬に加える補助の薬。「陳皮(ちんぴ)・甘草(かんざう)いろいろの―を取り飼へど、なかなか馬にはならざりけり」〈虎明本狂言・人馬〉②薬味。また、具(ぐ)。「そばなどの薬味を―といふ」〈浪花聞書〉

かや・し【返し】㊀『四段』「かへし」の転。「借用竹苑抄―・し了んぬ」〈言国卿記文明七・五・一七〉㊁『名』返礼。「酒迎へ―とて、夕飯の汁、中酒これ在り」〈言国卿記文明六・五・一三〉

かやす・し【か易し】『形ク』《カは接頭語》①容易である。「手放れも、をち(手元ニモドルコト)も―・き」〈万四〇一一〉②(身分などが)軽い。何の気づかいもいらない。「―・き人は、疾く行き着きぬ」〈源氏蜻蛉〉

かやつ【彼奴】『代』あいつ。卑しめていう。「ほととぎす、おれ、―よ」〈枕二二六〉。「(刀伊国ヲ指シテ)―がかたの者どもいと多く死にけるは」〈大鏡道隆〉

かやの【茅野・草野】カヤの生えている野。「葛城の高間の

―早や領(し)りて標(しめ)ささましを今ぞ悔しき」〈万一三三七〉 †kayano

かやはら【茅原・草原】カヤの繁った野原。「みちのくの真野の―遠けども」〈万三九六〉

かやや【茅屋】茅葺きの建物。「―ども、葦葺ける廊めく屋など」〈源氏須磨〉

かやり【蚊遣】「かやり火」の略。「一夜だに宿は―のすずろなる思ひにたへぬ草枕かな」〈再昌草一六〉。「葦の丸屋に―焚く見ゆ」〈聖廟千句〉 **―び**【蚊遣火】蚊を追い払うために、いぶす火。また、その煙。古くは、ひそかに思い焦がれる恋の歌の序に使うことが多い。「夏なれば宿にふすぶる―のいつまで我が身下燃えをせむ」〈古今五〇〇〉。〈和名抄〉

かゆ【粥】堅粥(かたかゆ)と汁粥(しるかゆ)との総称。前者はいまの飯、後者はいまの粥に当る。これに対し、米を甑(こしき)で蒸したものは強飯〈こはいひ〉といった。「鐺子(なべ)を出して水を暖め、―を煮て遍く病徒に与ふ」〈続紀文武四・三・一〇〉。「饘、厚粥也、加由(かゆ)」〈新撰字鏡〉

かゆきかくゆき【か行きかく行き】《連語》あちらへ行ったり、こちらへ来たりして。「清き瀬ごとに鵜川立ち―見つれども」〈万三九九一〉 †kayukikakuyuki

かゆ・し【痒し】《形ク》皮膚がむずむずして掻きたく感じる。「眉かゆみ思ひしことは」〈万二八〇九〉

かゆづゑ【粥杖】ニワトコの木を削って杖としたもの。正月十五日の望粥(もちがゆ)を煮る時に使った。これで子のない婦人の尻を打てば男子を生むといわれた。「〔正月〕十五日には若き人人群れ居つつ、をかしげなる―ひき隠しつつ、かたみにうかがひ、打たれじと用意したるゐすまひ、思はくどもも、おのおのをかしう見る」〈狭衣四〉

かゆのき【粥の木】「かゆづゑ」に同じ。「〔正月十五日〕―ひき隠して、家の御達(ごたち)・女房などのうかがふを」〈枕三〉

かゆ・ひ(カユイ)【通ひ】《四段》「かよひ」の上代東国方言。「言(こと)も―・はむ」〈万四三二四防人〉 †kayuri

かよちゃう(カヨチョウ)【駕輿丁】天皇や貴人の輿をかつぐ仕丁(じちやう)。輿かき。「御輿むかへ奉る。…寄するを見れば、―の、さる身の程ながら階(はし)よりのぼりて」〈紫式部日記〉。〈色葉字類抄〉

かよはせぶみ(カヨワセ…)【通はせ文】恋文。艶書。「あなたこなたの―、皆哀れにかなしく」〈西鶴・一代女一〉

かよ・ひ(カヨイ)【通ひ】㊀《四段》①定まった二つの場所を行ったり戻ったりする。往来する。「はしきやし君が使のまねく―・へば」〈万七八七〉。「わづかに息の―・ふばかりなりけれど」〈十訓抄七ノ一〉 ②夫または愛人として何度も女の家へ行く。「さよばひにあり立たし、よばひにあり―・はせ」〈記歌謡二〉 ③(思いなどが)通じる。とどく。「間使ひも遣るよしもなみ、思ほしき言(こと)も―・はず」〈万三九六九〉 ④通暁(つうぎよう)する。通達する。「仏の道にさへ―・ひ給ひける御心の程」〈源氏御法〉 ⑤両者の間に、ある共通点がある。似る。「〔顔ガ〕―・ひて見え給ふも似げなからずなむ」〈源氏桐壺〉 ⑥発音や文字の音(おん)が通じあう。音が相通(そうつう)する。「文字の音(こゑ)の〔死ト〕―・ふ事、常のならひなり」〈仙覚抄六〉。「『ひ』と『へ』と―・へるばかりにて、四(し)あるものを忌みて」〈沙石集九ノ七〉 ⑦交差する。「松が枝の―・へる枝をとぐらにて」〈拾遺一一六六〉 ㊁《名》①定まった二つの場所の間の行き来。やりとり。往来。また、その場所。「二人の中になむ、たまさかの御消息の―も侍りし」〈源氏橋姫〉 ②飲食の給仕。「馬をひかへて待てば、ありつる宿に―しつる郎等なり」〈宇治拾遺一〇六〉 ③掛け買いの品名・金高・月日などを記して、後日に支払う時の覚えとする帳簿。売主が作り、仕切書の代用とする。「通ひ帳」とも。「薬屋与右衛門尉所〔ヘ〕…―遣はし了んぬ」〈言経卿記慶長三・三・二一〉 †kayori **―あきなひ**(アキナイ)【通ひ商】一定の土地へ往来して商いをすること。行商。「丹後宮津へ―するものあり」〈西鶴・一代男三〉 **―す・み**【通ひ住み】《四段》①(男が特定の女のもとに)行ったり帰ったりして男女の生活をする。「〔二人ノ女ニ対シ〕夜ごとに十五日づつ、うるはしう―・み給ひける」〈源氏匂宮〉。「よそながら時時―・まむこそ、年月経ても絶えぬなからひともならめ」〈徒然一九〇〉 ②住みつく。「〔大キナ空家ニハ〕良からぬもの、必ず―・みて」〈源氏手習〉 **―だる**【通ひ樽】酒屋から得意先に配達する小酒樽。「―や居ながら知るる花盛り」〈俳・大矢数二〉 **―ぢ**【通ひ路】行ったり来たりする道。「春霞中し―なかりせば秋来る雁は帰らざらまし」〈古今四六五〉 **―ばこ**【通ひ箱】①商店で、注文先に品物を運ぶ箱。「小袖の―」〈色道大鏡三〉 ②往診の時、医者が持って行く薬箱。「勢州鈴鹿の―也」〈俳・俳諧或問下〉 **―ぶね**【通ひ船】本船と陸地との往来に使う伝馬船。「―・台所舟」〈西鶴・三所世帯中〉 **―ぼん**【通ひ盆】給仕するのに使う盆。「さて―で、ようござらう物を」〈咄・醒睡笑五〉 **―をとこ**【通ひ男】こっそりと女のもとにかよって来る男。密夫。「不自由と淋しさに―をこしらへて」〈浮・真実伊勢三〉 **―をんな**【通ひ女】①別家に囲っておいて、男の方から時時かよって行く女。外妾。「御下屋敷に置かせられ、折節の御―にと申せども」〈西鶴・一代男五〉 ②給仕の女。「あまた―廊下を轟(とど)ろかし行くに」〈西鶴・桜陰比事三〉

かよ・り【か寄り】《四段》《万葉集などに出てくる「かよりかくより」にもとづき、ああ寄りこう寄りするの意をあらわすものか》ゆらゆらと動く。「竹河(たけかは)謡ひて―・れる姿…絵にも書きとどめ難からむこそ」〈源氏初音〉。「求子(もとめご)舞ひて―・る袖どもの、うち返す羽風(はかぜ)に」〈源氏匂宮〉 ▽一説、カは接頭語で、寄り添うの意。 **―かくよ・り**【か寄りかく寄り】《四段》ああ寄りこう寄る。「浪のむた〔ト共ニ〕―・る玉藻なす寄り寝し妹を」〈万一三一〉 †kayöri-kakuyöri

かよわ・し【か弱し】《形ク》《カは接頭語》どことなく弱い。「我が身は―・くものはかなき有様にて」〈源氏桐壺〉

から【族・柄】《満州語・蒙古語の kala, xala(族)と同系の語。上代語では「はらから」「やから」など複合した例が多いが、血筋・素性という意味から発して、抽象的に出発点・成行き・原因などの意味にまで広がって用いられる。助詞カラもこの語の転。↓からに》①族。血筋。「問ひさくるうがら(親族)はらから(兄弟)無き国に」〈万四六〇〉。「悉(ふつ)に親(うがら)族(やから)を集へて宴(にひむろうたげ)せむとす」〈紀景行二十七年〉 ②すじ。素性。素質。「山―し貴くあるらし、川―し清けかるらし」〈万三一五〉。「人―は、心うつくしく、あてはかなることを好みて」〈伊勢一六〉 ③自然の成行き。「おのつ(自分ノ)―成れる錦を張れる山かも」〈万三三五〉 ④ため。「吾が―に泣きし心を忘らえぬかも」〈万四三五六〉。「〔夏ニナッタカラ〕明日よりは継ぎて聞えむほととぎす〔今夜〕一夜の―に恋ひわたるかも」〈万四〇六九〉 ⑤ゆえ。原因・理由をあらわす。「豈(あに)もあらじ己が身の―人の子の言も尽さじ我も依りなむ」〈万三七九九〉 ⑥形状・品格の程度。「がら」とも。「四季ともに目に立たぬ物を取り出し侍れば、発句の―もちひさく聞ゆる也」〈初学用捨抄〉 ▽この語は現在も満州族・蒙古族では社会生活上の重要な概念であるが、日本の古代社会には、ウヂ(氏)よりも一層古く入ったらしく、奈良時代以後、ウヂほどには社会組織の上で重要な役割を果していない。なお、朝鮮語では kyöröi（族）の形になっている。

から【茎・幹】《カラ（殻）と同根。水分・生命の失われて死んだものの意》①乾いて死んだ茎。「わが宿の穂蓼（ほたで）古一摘み生（はお）し実になるまでに君をし待たむ」〈万二七五九〉。「なづきの田の稲幹（いながら）に」〈記歌謡三四〉②枯枝。「冬木の素（す）一が下木のさやさや」〈記歌謡四七〉③道具の真直ぐな柄（え）。「柄、賀良（から）、器物茎柯也」〈和名抄〉④《特に》斧（をの）の柄。「一を伐るにその則（のり＝手本）遠からず」〈太平記四・備後三郎〉。「柯、カラ、ヲノノエ」〈名義抄〉

から【殻・軀】《水分・生命がすっかり失われて、ぬけがらとなったもの。後世、カラ（空）の意に転じる》①外殻。ぬけがら。「空蟬（うつせみ）の一は木ごとにとどむれど」〈古今四四八〉②魂のぬけた体。死体。火葬前のなきがら。「かけりても何をか魂の来ても見む一は炎になりにしものを」〈古今一〇三〉

から【韓・唐】《カラ（族）と同根》㊀『名』①古代朝鮮半島南部の一国の名。のちに朝鮮半島全部を指すように広まり、転じて外国の意。やがて隋唐と国交を開くに至っては中国をも指した。「新羅を撃ちて破りつ。因りて、比自㶱（ほひし）・南の加羅（から）…加羅（から）、七つの国を平定（ことむ）く」〈紀神功四十九年〉。「歌ども、一の（漢詩）も、やまとの（和歌）も」〈源氏鈴虫〉→からくに。②「唐織」または「唐綾織」の意。「紅梅がさねの一の細長そへたる女の装束かづけ給ふ」〈源氏梅枝〉㊁『接頭』大陸渡来の。舶来の。大陸様式の。また、上等のの意にも使われる。「一臼」「一歌」「一玉」など。 **一へ投銀（なげがね）**「唐（うた）へ投銀」に同じ。「年玉を一と思ひて」〈西鶴・織留四〉

から【枯・涸・空・虚】『接頭』《カラ（殻・軀・幹）と同根。水分が失われて死ぬこと、死んだもの。「かれ（枯）」の古形。後世、空虚の意を表わす》①水気のない、死んだの意。「一山」「一木」「一井」など。②乾いた、実質のないの意。「一梅雨（つゆ）」「一家」など。③空疎なの意。多く悪い意味に用いる。「嘘嘘は一うそ也。…一うそ吹くとは、人を欺く体（てい）也」〈臨済録抄四〉

から『助』→基本助詞解説

からあふひ（オイ）【唐葵・蜀葵】草の名。今のタチアオイの古名。「一、日の影にしたがひてかたぶくこそ、草木といふべくもあらぬ心なれ」〈枕六六〉

からあや【唐綾】中国渡来の綾。模様を浮織にしてある。「からのあや」とも。「一のうへの袴、袙（あこめ）は山吹なる唐の綺（き）」〈源氏若菜下〉 **一をどし【唐綾縅】**鎧の縅の一。唐綾を革の厚さに畳み重ねて縅したもの。「紺地の錦の直垂に、一の鎧着て」〈平家四・宮御最期〉

からあゐ【韓藍】①鶏頭（けいとう）。外来の植物で、秋に茎の上に鶏冠（とさか）状の紅い花がさき、花汁をうつし染めにつかう。「わがやど（家ノ庭）に一植ゑ生（はお）し」〈万三八四〉②美しい藍色。「一のやしほの衣」〈続古今一一九〉

からいと【唐糸】①唐土から渡来した糸。「一の真糸（良質ノ糸）を繰り合へる所へ」〈田植草紙〉②納豆（なっとう）の異称。糸を引くからいう。「みた所うまさうなりやこの茶の子名は一というてくれなゐ」〈咄・醒睡笑八〉

からいへ（エイ）【虚家・空家】住む人もなく、家財道具もない家。あきや。「あきいへ」とも。「弟が物になりし一」〈俳・江戸両吟〉。〈日葡〉

からう（ロウ）【家老】大名の老臣で、主家の家務・政務をとりしきる者。「この子孫、結城代代の一となる」〈鎌倉大草紙〉

からうじて（カロウ）【辛うじて】『副』《カラクシテの音便形。古くはカラウシテと清音か》（つらい思いをこらえて）やっと。ようやくのことで。「一椿市といふ所に…生ける心地もせで行きつき給へり」〈源氏玉鬘〉。「大将殿の一いと忍びて語らひ給ふ小宰相の君といふ人」〈源氏蜻蛉〉。「カラウシテ」〈日葡〉

からうす【唐臼・碓】①《カラは外国伝来の意》柄（え）を足で踏んで杵（きね）を上下させる仕掛けの臼。踏臼。「一につき…碓子（すう）につき」〈万三八八六〉。「踏みとどろかす一の音」〈源氏夕顔〉②籾摺（もみすり）に使う農具。円筒形で、木または土製の上下両臼から成る。磨臼（すりうす）。「磑、カラウス・スリウス」〈名義抄〉

からうた【唐歌】《「倭歌（やまとうた）」の対》漢詩。「一声あげて言ひけり。やまとうた、あるじも、まらうども、こと人も言ひあへりけり」〈土佐十二月二十六日〉

からうつ【唐櫃】「からひつ」の音便形。「かたはらなる一にゐざりよりて〔遺書ヲ〕入れつ」〈かげろふ中〉

からうと【唐櫃】「からうつ」の転。「内侍所（ないしどころ）の御一をもって、海に入らんとし給ひけるが」〈平家一一・能登殿最期〉

からおび【唐帯・韓帯】①大陸風の帯。「水縹（みはなだ）の絹の帯を引帯なす（ノヨウニ）一に取らし」〈万三七九一〉②平安時代の朝服につけた帯の一。「一、五位以上並びに著用を聴（ゆる）す」〈延喜式弾正台〉 †karaöbi

からおり【唐織】「唐織物」に同じ。「使の女房〔ノ衣裳〕などは…一など似合はず」〈反古裏の書二〉 **一もの【唐織物】**唐土渡来の織物。地は生糸で、五色の練糸・金糸をまぜ、花鳥の模様を浮織にしたもの。近世初期以後、京都西陣でも織り出した。金襴（きんらん）・緞子（どんす）・繻子（しゅす）・綾（あや）・錦（にしき）などの総称。「精好の大口に一の直垂（ひたたれ）着籠めにして」〈義経記二〉

からかがみ【唐鏡】中国渡来の上等な鏡。「心ときめきするもの。…一の少しくらき見たる」〈枕二九〉

からかき【唐垣・韓垣】①中国風または朝鮮風の垣。「臣の子の八重や一許せとや御子」〈紀歌謡八八〉②白壁の塀。「中門の一をかけへだてられ、師直ただ一人六間の客殿に座したり」〈太平記二七・左兵衛督〉 †karakaki

からかさ【傘】柄のあるさしがさ。「山の高きより落つる滝の一の柄（え）さしたるやうにて」〈宇津保楼上下〉 **一いっぽん【傘一本】**《僧侶が破戒の罪で寺から追放される時に、傘一本は携えることを許されたので》僧侶の追放をいう語。また、単に諸国修行の僧侶をいう語。「苔の袂に身をやつし、一の身体なり」〈仮・他我身之上五〉

からかぜ【空風】雨や雪をともなわないで吹く強い風。冬の北風についていう。からっかぜ。「その日に限り、一いたく吹き」〈甲陽軍鑑一〇下〉

からかぢ【韓楫】外国式の櫓（ろ）。「一の音高（かだ）しもな」〈万三五五五東歌〉

からかね【唐金】《中国から製法が伝わったからいう》銅と鉛の合金。青銅。「御裾に火打形の一を付けられたれば」〈中務内侍日記〉

からかは（カワ）【辛皮】山椒（さんしょう）の樹皮。食用・薬用にする。「一売り出る。制札読む」〈天正本狂言・酢辛皮〉

からかは（カワ）【唐皮】①外国産の虎の皮で縅（おど）した平家重代の鎧（よろい）の名。「重代の鎧一といふ着背長をば、唐櫃（からひつ）に入れてかかせらる」〈平家五・富士川合戦〉②近世、オランダ船来の羊または鹿の鞣皮（なめしがわ）。柔軟で横皺があり、袋物などにする。「皺よりて、一の巾着を見る心地し侍る」〈評判・桃源集〉

からか・ひ（カライ）『四段』①相手に負けまいと争い張りあう。

「互ひに食(らく)はれじと、夜もすがら—・ふほどに」〈雑談集四〉。「今の別れは、なかなか後に逢ふべき頼みなりとて、心に心を—・ひつつ」〈伽・目蓮の草紙〉②相手に争いをしかける。「五六度もそれ(父)と—・うて、ぢきに悪口を吐き」〈コリヤード懺悔録〉③なぶる。揶揄(やゆ)する。「—・った上で三ツ組(盃)貸してやり」〈雑俳・万句合明和六〉

からかみ【唐紙】①中国渡来の紙。模木(かたぎ)で種種の色模様をすり出したもの。また、それをまねて作った紙。「黄なる—の下絵ほのかに」〈大鏡伊尹〉。〈文明本節用集〉②「唐紙障子」の略。「—や宿の秋知る桐の紋」〈俳・続境海草三〉 **—しゃうじ**(ショウジ)【唐紙障子】唐紙で張ったふすま障子。「神の前神楽おもての寒き夜に—立てまはさばや」〈玉吟抄〉

からから ①固いものがころがる時の音。がらがら。「〔車ヲ〕—と人も手も触れぬさきにさしいださむ」〈大鏡伊尹〉②大声で笑うさま。「尼公—と笑って申しけるは」〈延慶本平家五・文覚が道念〉

からがら【辛辛】『副』《形容詞カラシの語幹カラを重ねた形》かろうじて。やっとのことで。「—逃げ上りて、国の式ありのままに申し上げたりければ」〈明徳記上〉。「命—本陣へ帰りけり」〈安宅一乱記三〉

からが・り【辛がり】『四段』つらそうな様子を示す。「〔カラカワレテ〕いといたう—・り給ふ」〈源氏梅枝〉

からき【唐木】中国渡来の木。紫檀・黒檀・白檀・鉄刀木(たがやさん)などの熱帯産の材をいう。「沈・紫檀以下—の厨子数脚これ在り」〈吾妻鏡文治五・八・二二〉

からきだて【虚木立・空木建】柱立・桁組だけして、屋根葺・壁塗のまだしていない素建(すだて)の家。「家桜蕾(つぼみ)の時や—」〈俳・鸚鵡集二〉

からぎぬ【唐衣】中国風の衣服。藤原時代宮廷の女子の正装。奈良時代の唐制の背子(はいし)を模したもの。一説、カラは幹・胴で、胴衣(からぎぬ)の意ともいう。表着(うわぎ)の上に裳(も)と対にして着用。袷(あわせ)仕立てで、袖幅は狭く、身丈も短い。「裳・—も脱ぎすべしたりけるを」〈源氏幻〉。「—は〔形カライエバ〕短衣(みじかぎぬ)と言へかし。されどそれは唐土(もろこし)の人の着るものなれば」〈枕一三四〉

からくさ【唐草】模様の名。蔓草(つるくさ)の巻き合いながらのびる形をあらわす。中国風の模様の意という。「よしある—を乱れ織れるも」〈源氏玉鬘〉。「蒔絵は。—」〈枕一本一九〉

からくしげ【唐櫛笥】《カラは中国風の意》①櫛などを入れておく立派な箱。「古めきたる鏡台の—・かかげの箱など」〈源氏末摘花〉。「厳器、俗用唐櫛匣、賀良玖師介(からくしげ)」〈和名抄〉②〔枕詞〕「明く」にかかる。「—明けくれ物を思ひつつ」〈宇津保貴宮〉

からくに【韓国・唐国】古代の朝鮮半島南部の一国。転じて、万葉集では朝鮮や中国をさし、平安時代には源氏物語などで多く中国をさす。「—(新羅)を向け平らげて」〈万八一三〉。「—(唐)に行きたらはして」〈万四二六二〉

からくみ【唐組】《カラは中国風の意》紐の組み方の一。糸を幾本かずつ合わせて平たく組む。束帯の平緒(ひらを)に用いる。「緂(だん)の—の紐」〈源氏梅枝〉

からく・み 一『四段』《カラクリと同根》①組み立て作る。「蓬来(ほうらい)の山を—・み、中に甘露の酒を入れ」〈伽・浜出草紙〉②たくらむ。「あぢな商ひ—・んで」〈近松・氷の朔日上〉 二『名』たくらみはかること。工作。「いくたびも敵のうちには疑ひの出でくるやうに—をせよ」〈義経百首〉

からくら【唐鞍】《中国風の鞍の意》飾り馬に付ける装飾の多い鞍。大嘗会(だいじやうゑ)の御禊(ごけい)に供奉する公卿、賀茂祭の勅使などの乗馬に使用。「いと美しげに調じたる—を」〈宇津保俊蔭〉。〈和名抄〉

からく・り 一『四段』《カラクミと同根》①精巧に仕立てる。「御唐櫃金物—・る也」〈教言卿記応永一三・三・五〉。「擡、カラクル、擡レ舟」〈文明本節用集〉②精巧な仕掛けで動かす。「人形の人につかはれ、糸に—・られて」〈他力領解鈔本〉③巧妙にたくらんで謀(はか)る。「〔東塔へ行クトイウ童ニ〕是も東塔へとぞいひける。とかく—・りて西谷の中へも入りぬれば」〈伽・葦曳絵巻〉。「〔敵将〕内空閑(うちくが)下野を—・り候。此方へ御奉公の由申さるるの由也」〈上井覚兼日記天正一一・一一・二〇〉 二『名』①細工をほどこした仕掛けや装置。「鑰(やく)と云ふは、鎖子の内にある—ぞ」〈三体詩抄一ノ二〉②こまかい配慮。深謀。「一言ものを云ひ出す中にも、種種の—あるほどに」〈中華若木詩抄下〉③たくらみ。策謀。「御曹子を奥へ落し参らせんとて御—をめされて」〈伽・頼朝最後の記〉④種種に工夫して都合をつけること。やりくり。「人間万事—の種」〈俳・西鶴五百韻〉⑤ぜんまい仕掛けの自動人形。からくり人形。「見てあさまなる—の術」〈俳・あだ花千句〉⑥「のぞきからくり」に同じ。「私が—は、地獄極楽の体相(ていさう)…一銭づつで覗(のぞ)かせます」〈浄・平仮名太平記一〉 **—しばゐ**【からくり芝居】ぜんまい・糸などの仕掛けで、人形などを動かす見世物芝居。近世前期、大阪の竹田近江、江戸の松田播磨が有名。「風渡る—花散りて」〈俳・談林十百韻下〉 **—まと**【からくり的】吹矢の的にからくり仕掛けの人形などを仕組み、矢が当るとひっくりかえって、即座に違った人形などが出るもの。「鬼がおやま(女)に、杓子が猫の—」〈浮・三代男二〉。〈日次紀事正月〉

からぐるま【唐車】《中国風の車の意》牛車(ぎっしゃ)の一。屋根を唐庇(からびさし)に作り、檳榔(びらう)の葉でふき、美しく周囲を飾った大型の車。最上の牛車。太上天皇・皇后・東宮・准后・親王・摂関などの晴れの乗用。唐庇の車。唐の車。「一の御車は—なり」〈枕二七八〉。「—、御車副八人、布衣」〈中右記康和五・八・二七〉

からくれなゐ【韓紅】《韓から渡来の紅の意》深紅。「白玉と見えし涙も年ふれば—に移ろひにけり」〈古今五九九〉

から・げ【絡げ・縢げ】『下二』《カラミ(絡)と同根》①巻きつけて縛りあげる。「銅ほそきを以て—・げたり」〈打聞集〉。「縢、カラグ・ツツム」〈名義抄〉②上へまくる。「—・げ上ぐれば余る下帯」〈俳・山の端千句下〉

からこ【唐子】①中国風に装った童子。よく布袋(ほてい)和尚と一緒に画材にされた。「絵をうけて立つる花の事。観音に柳、天神に梅…—に色ある物」〈仙伝抄〉②髻(もとどり)より上を二分し、頭頂で二つの輪に作る髪の結い方。元服前の男子の髪風であったが、近世は女も結った。からこわげ。からこまげ。からわ。「—に二つ結(ゆ)ひたるを双鬟(さうくわん)と言ふぞ」〈長恨歌聞書〉③近世、幼児の髪風。ぼんのくぼと頭の両側部に髪を残し、あと全部を剃ったもの。「ちゃんちゃん」とも。〈守貞漫稿一一〉 **—わげ**【唐子髷】「唐子」(2)に同じ。「—には薩摩櫛」〈近松・国性爺四〉 **—をどり**【唐子踊】「唐子」(1)の扮装で踊ること。「本踊いろ(デモ)、—いろ、見事な事ばん(デスヨ)」〈近松・博多小女郎上〉

からごころ【漢心・漢意】自然のままの素直さを失った、作為を重んじる中国の国風に心酔し、その文化を盲信する心。「学問して道を知らむとならば、まづ—をきよく除き去るべし」〈玉勝間一〉

からこと【唐琴】中国伝来の琴(きん)・箏(さう)の絃楽器。「都までひびきかよへる—は」〈古今九二一〉 ↓やまとごと

からことば【唐詞】①中国語。「花軍敵も味方も―」〈俳・大矢数四〉。〈日葡〉②隠語。「律義なと言ふは〔阿呆ノ意ノ〕浮世の―」〈俳・阿蘭陀丸下〉→からな(唐名)

からこのかす【穀粉の糟】近世、京都で、小麦の蹍糟(ひきかす)をいう。婦女の洗い粉、または貧民の食料にした。からこ。大阪で「もみぢ」といった。「麦・豆・ひじき・―…に至るまで〔値ノ〕上がらぬ物とて一つもなし」〈仮・竹斎はなし上〉。「―〔トハ〕小麦の上皮」〈浮・好色伊勢三〉

からころむ【韓衣】「からころも」の上代東国方言。「―裾に取りつき」〈万四四〇一信濃防人〉 †karakörömu

からころも【韓衣・唐衣】①外来の衣。外国風の着物。珍しく美しい衣服。「―君にうち着せ」〈万二六八二〉。「―召して、袈裟(けさ)かけて…合掌して御往生候ふなり」〈法然上人行状絵図〉②〔枕詞〕「着(き)」「裁つ」「裾」「紐」などにかかる。「―たつ(裁ツ・立)田の山はもみちそめたり」〈万二一九四〉 †karakörömö

からごゑ【枯声】しわがれ声。「気色ある鳥の―に鳴きたるも、『梟(ふくろふ)はこれにや』とおぼゆ」〈源氏夕顔〉

からごん【唐言】隠語。また、合言葉。暗号。謎。からことば。「カラゴンヲイウヒト」〈日葡〉

ガラサ 神よりたまわる恵み。恩寵。「―満ち満ち給ふマリヤに御礼をなし奉る」〈どちりなきりしたん四〉 ▽ポルトガル graça

からざえ【漢才】漢学の才。漢籍に通じ、巧みに詩文を作る能力。単に「ざえ」とも。「内大臣伊周、人がらやまと心ばへはわろかりける人なり。―はよくて、詩などはいみじうつくられけれど」〈愚管抄三〉→やまとごころ・やまとだましひ

からざけ【干鮭・乾鮭】はらわたを除き、塩を用いずに乾燥した鮭。北国の特産。「―を太刀にはけて」〈今昔二八ノ三五〉

からさを【殻竿・連枷】農具の一。五六尺の棒の先に、回転自由の棒または割竹などをつけて、振り回して脱穀をする。「直なるものはただ、―や篦竹(のだけ)」〈梁塵秘抄四三五〉

から・し【酷し・鹹し・辛し】『形ク』《舌を刺すような鋭い味覚、古くは塩けにも酸けにも使う。転じて感覚的に、骨身にしみるような状態。類義語ツラシは他人の仕打を情なく感じる気持をいう》❶①舌が刺されるようだ。ひりひりする。「夏は膩(あぶら)つき熱(あつ)らかに鹹(から)く、酷きもの。秋の時には冷く甜(あま)く膩つけるもの。冬は酸(から)く渋く膩つき甜きもの食へ」〈金光明最勝王経平安初期点〉②塩けが強い。塩からい。「難波の小江(をえ)の初垂(はつたり)を―・く垂り来て」〈万三八八六〉❷①身に激しくこたえる。残酷だ。「一つも善きことを修め給はず。凡(おほよ)そ諸の―・き刑(のり)」〈紀武烈即位前〉。「この―・き罰(つみ)ありて兄さへ殺されたり」〈大唐西域記五・長寛点〉②ひどい。つらい。苦しい。「―・くもここに別れするかも」〈万三六九五〉。「―・い目を見さぶらひて。誰にかはうれへ申し侍らん」〈枕三一四〉。「故宮おはしましし世を、などて―・しと思ひけむ」〈源氏末摘花〉③あやうい。あぶない。「わが身手負ひ、―・き命生きつつ、本宮へこそ逃げのぼりけれ」〈平家四・源氏揃〉④《連用形を副詞的に用いて》㋑必死に。懸命に。「―・く急ぎて、和泉の灘(なだ)といふ所に至りぬ」〈土佐一月三十日〉㋺大変ひどく。「けしうはあらぬ歌読みなれど、―・う劣りにしことぞかし」〈大鏡昔物語〉 **辛くして** 「からうじて」の古形。「―あやしき歌ひねり出せり」〈土佐二月七日〉

からしし【唐獅子】《カラは外国産の意》獅子を「しし(猪・鹿)」と区別していう語。ライオン。「一、百文、四御殿の斬付(きりつけ)の―一代」〈高野山文書三、応永一八・九・二〇〉

からしほ【鹹塩】塩水。海の水。また、塩。「痛き傷には―を灌(そそ)くちふが如く」〈万八九七〉

からしゃうぞく【唐装束】①唐綾(からあや)・唐絹・唐織物で作った装束。晴着にする。「青色の―して、いみじく美しげにぞありける」〈十訓抄一〇ノ六九〉②舞楽の装束の一。「左右の伶倫(れいりん)(=楽人)十一人、―にて胡床に坐す」〈太平記二四・天龍寺供養〉

からじり【空尻・軽尻】①馬に積み乗せる荷物のないこと。また、その馬。「げに小荷駄が二疋あいて、―になった」〈雑兵物語下〉②からじりうま。「高荷・乗掛(のりかけ)・―によらず、上野を通り申さず、直(す)ぐ通り道を致す由に候」〈宗国史外篇一四、寛永一四・九・一三府中条令〉 **―うま**【軽尻馬】近世、街道筋で一駄四十貫目の荷をつける「本馬(ほんま)」に対して、旅人だけを乗せる馬。ただし、旅人とともに荷物を五貫目程度まで乗せることが許され、また、人を乗せない時は、本馬の半分の二十貫目まで荷をつけることが許された。「からじり」とも。「夜に―は、本駄賃同前これを取るべき事」〈御触書寛保集成三、寛文五・一二〉

からす【烏】カラス。古来、熊野の神使としても有名。「―とふ大をそ鳥(アワテ鳥)のまさでにも来まさぬ君を自来(ころく)とそ鳴く」〈万三五二一東歌〉。「熊野の方より、嘴太(はしぶと)の―一つ飛び来たりて」〈伽・福富長者物語〉 **―あふぎ**ウオギ【烏扇】《「烏扇(うせん)」の訓読語》ヒオウギ(檜扇)という草花の異名。その実がいわゆる「ぬばたま」で、円くて黒い。「蓬生(よもぎふ)はさまことなりや庭の面に―のなぞ茂るらん」〈山家集中〉 **―かご**【烏籠】《烏を籠に飼っても面白くないことから》面白味のない物事のたとえ。「月の夜は―なり飛ぶ螢」〈俳・山下水三〉 **―がしら**【烏頭】馬の後脚の、うしろへ曲がっている関節部。「くはゆき」とも。「折ふし潮干る盛りなれば、馬の―・太腹に立つ所もあり」〈平家一一・大坂越〉 **―てん**【烏点】烏の形を崩したふうに打った点。「書初めや年明け方の―」〈俳・境海草上〉 **―とび**【烏飛び】①烏のように横に飛びはねること。「早く行く秋の日足や―」〈俳・新続犬筑波八〉②能「翁」の「揉みの段」で、三番三(さんばそう)が行なう、跳びはねる舞の型。また、その時の囃子(はやし)。「白髪でもまだ三番三の―」〈雑俳・鏡草〉 **―ば**【烏羽】烏の羽。真黒で、これに墨書しても読めないから、見分けられないことのたとえに「烏羽に書く言の葉」などという。「―に書く玉章(たまづさ)のここちして雁なきわたる夕やみの空」〈山家集上〉 **―を鷺(さぎ)** 物事の黒白・善悪・正邪を転倒するたとえ。「弁口者は、是を非と云ひて、鷺を烏、―と云ひなすを云ふぞ」〈蒙求抄五〉 **―をどり**【烏踊】①蹴鞠の足の使い方の一。「―といふ足の事…鞠によりて足を踏みちがへて、をどり寄りて蹴る事あり。その足をいふなり」〈蹴鞠百五十箇条〉②萱(かや)屋根の上の押えとする横木。また、千木(ちぎ)。「雀踊」とも。「雪に屋根の―や鷺の色」〈俳・崑山土塵集一〇〉。「萱屋根の子雀も―かな」〈俳・智恵袋一〉③「烏飛び」(1)に同じ。「―は町(ちやう)(=遊廓)にせぬもの」〈雑俳・口三味線〉

からすき【犂】鋤(すき)の一。柄が曲がって刃が広い鋤。牛などに引かせて田畑を耕す。「うしぐは」とも。「牛どもに―かけつつ、男ども緒持ちて鋤く」〈宇津保吹上上〉。「犂、加良須岐(からすき)、墾レ田器也」〈和名抄〉

からぜい【空贅】口先だけでえらそうに言うこと。「―吐いて急ぎける」〈近松・油地獄下〉

からぞめき【空騒き】①むやみに浮かれて騒ぎ歩くこと。また、その人。「肩で風切る―」〈近松・油地獄下〉②遊女を買わずに、ただ遊里をひやかして歩くこと。素見(すけん)ぞめき。「じろじろと/格子からのぞく―」〈雑俳・浮世笠〉

からだ【体・身体】《生命のこもった肉体を「身(み)」というのに対して、生命のこもらない形骸としての身体。同義語「か

ら」よりも俗語的な性格が強かった》①生命や精神を捨象して考えた身体。「ただ身は―ばかりの立ちはたらくが如くなる時」〈月庵法語〉。「愚かなる人人かな、―を責めて、など心は責めぬぞ」〈慶長見聞集六〉②死骸。死体。「空しき―に抱きつき、絶え入り絶え入りをめき叫ぶ有様、目もあてられず」〈承久記下〉。「汝が―火葬にして無ければ、何にたましひを宿さん」〈伽・月日の御本地〉③体格。体つき。「博奕(ばくち)の場ににじりこみて、にち(ユスリ)を云うても、口過ぎなるまじき―にあらず」〈西鶴・二十不孝一〉

―だふし ダオシ【身体倒し】外見だけよくて、内容のないもの。見掛け倒し。「空蟬の蛻(もぬけ)は―かな」〈俳・玉海集三〉。「―ぢや。体ばかり大にして用に立たぬとのこと」〈譬喩尽三〉

からだいみゃう …ミョウ【空大名・虚大名】①表向きは堂堂としていても、実力のない大名をあざけっていう語。「摺り切るや―の内の者」〈俳・身楽千句〉②《転じて》表向きは大名のように富裕そうに見えても、内実は無一物のものをいう。「子宝の少なき竹や―」〈俳・鸚鵡集五〉。「掛硯―の年の暮」〈俳・玉江草四〉

からたけ【唐竹】①漢竹(かんちく)。中国から舶来のもので、笛などを作った。「隔ての垣に―植ゑて」〈源氏 少女〉②布袋竹(ほていちく)の異称。きせる筒や花生けなどに用いた。「―の煙管筒」〈西鶴・永代蔵五〉

からたけわり【幹竹割り】真竹(まだけ)を割るように、縦にまっすぐ勢いよく切り割ること。「真向(まっかう)よりも―に、上帯(うはおび)ぎはまで割りつけられて」〈謡・烏帽子折〉

からだせん【佉羅陀山・迦羅陀山】地蔵菩薩の住む浄土。「―の地蔵こそ、毎日の暁に、必ず来たりて訪(と)う給へ」〈梁塵秘抄二八三〉

からたち【枳】《「からたちばな(唐橘)」の略。中国渡来のタチバナの意》ミカン科の落葉灌木。刺(とげ)が多く、生垣などにする。また、未熟の実を乾して薬用とした。「―の棘原(うばら)刈り除(そ)け倉立てむ」〈万三八三二〉

―ばな【枳花】「からたち」に同じ。「枳、木実也、加良立花(からたちばな)也」〈新撰字鏡〉

からだび【空茶毘】死骸を先に埋葬して、後に葬礼を行なうこと。「―の跡を見れば、七本卒都婆の中に、一本闕け目あり」〈仮・因果物語中〉

からたま【韓玉・唐玉】舶来の玉。「―を手本(たもと)=手首)に巻かし」〈万八〇四〉

からてうづ …チョウズ【空手水・空手洗】水を使わずに、手を清める真似をすること。「―して茶杓を取り」〈久重茶会記 寛永一四・一〇・五〉

からでっぱう …ポウ【空鉄砲】①弾丸をこめずにうつ鉄砲。「―の音も身にしむ」〈俳・若狐上〉②うそ。虚言。「鉄砲」とも。「支証(証拠)なき手柄をはなす音をこそ―と人の聞くらめ」〈吾吟我集七〉

からと【唐戸】中国風の開き戸。戸の桟を十文字に入れ、その間に入子板(いれこいた)を張り、上部に彫刻などを施したもの。「―の脇にぞ待ちかけたる」〈謡・夜討曾我〉。〈文明本節用集〉

からと【屍櫃】《カラヒツの転》⇒からひつ。「獄の礎(いしずゑ)の下を掘りて、石の―を得たり」〈蒙求聴塵下〉

からと【唐櫃】「からびつ」の転。また、米櫃(こめびつ)。「―二つ」〈言経卿記慶長三・七・一二〉。「米といふ虫…―の中の辛きめ見しより」〈俳・風俗文選四〉

からとり【唐鳥】異国産の鳥。クジャク・オウムなど。「かんの殿のは、濃紫の糸毛〔ノ車〕に、―〔ノ縫取〕」〈宇津保楼上上〉

からな【辛菜】《「甘菜」の対》辛みのある野菜。「大野の原に生ふる物は甘菜・―」〈祝詞祈年祭〉

からな【唐名】①中国風の名。特に官職名についていう。「匠作、修理大夫―」〈袖中抄一〉。「皇后宮大夫の―、長秋なり。然る間、俊成卿の家集を長秋詠草といふ」〈東野州聞書四〉②異名。または、隠語。「叢林〔ノ〕僧は、物の名も―をつけて、尋常に云ふことぞ。味噌・塩・銭・米などと直(ぢき)の名を云はぬぞ」〈玉塵抄四〉

からなでしこ【唐撫子・唐瞿麦】①草の名。石竹(せきちく)の別称。中国原産。「赤き薄様を―のいみじう咲きたるに結びつけて」〈枕一九二〉②襲(かさね)の色目の名。「大宮の御方の女房―を匂はしたる、いといみじうめでたし」〈栄花御裳着〉

からに『助』《血族・血筋の意から自然の成行きの意へと発展したカラと格助詞ニとの複合。ほんの小さいことの結果として意外に大きいことの起る場合にいうことが多い》①…だけで。「君が目の恋(こほ)しき―泊てて居て」〈紀歌謡一三〉②ちょっと…するだけで。ほんの…するだけで。「吾妹子を相見し―事(こと)(噂)そさだ多き」〈万二五七六〉。「吹く―秋の草木のしほるればうべ山風を嵐といふらむ」〈古今二四九〉③(結果として)…するだけなのに。…するばっかりに。「はしきよしかくのみ―慕ひ来し妹が心のすべもすべ無さ」〈万七九六〉▽上代語の場合、カラニを「故に」と訳す説が少なくないが、その確証はない。④…と同時に。…と共に。「秋をおきて時こそありけれ菊の花うつろふ―色のまされば」〈古今二七九〉。「なべ、―と云ふ心なり」〈奥義抄〉⑤《反語を導く》…だとて…のことがあろうか、ありはしない。「など帝の御子ならむ―、見む人さへ、かたほならず物ほめ勝ちなる〔トハドウイウワケダ〕」〈源氏夕顔〉。「末代ならん―、いかんが当山に瑕をばつくべき。心うし」〈平家二・座主流〉⑥故に。「信心の堅固ならぬ―、かかる事もあるにや」〈真宗教要鈔上〉

からにしき【唐錦】①外国渡来の錦。「―にも見ゆる野辺かな」〈拾遺一八〇〉②〔枕詞〕「裁つ」「織る」などにかかる。「―たつ(裁ッ・立)田の山の」〈古今一〇〇二〉

からねこ【唐猫】舶来のネコ。上流社会で珍重愛翫された。のちには一般のネコにもいう。「―の、ここのにたがへるさま」〈源氏若菜下〉。「敷島の大和にはあらぬ―を君がためにぞ求め出でたる」〈夫木抄二七・猫〉。「猫、ネコ・カラネコ」〈名義抄〉

からのうた【唐の歌】漢詩。「からうた」とも。「歌(和歌)のさま六つなり。―にもかくぞあるべき」〈古今序〉

からのかがみ【唐の鏡】①中国渡来の鏡。すこぶる貴重なものとされた。「ただ今霊夢あり、―を一つ給はると見るなり」〈三国伝記五〉②貴重なもののたとえ。「―の我が子をば」〈近松・三世相三〉③《梓巫(あづさみこ)の口寄せの詞》母親。「―に心が引かれて」〈浮・分里艶行脚四〉

からのかしら【唐の頭】舶来の犛牛(りぎゅう)すなわちヤクの尾を頭上に飾った兜(かぶと)。「―がおぢゃるわいの」〈狂言記・酢薑〉▽ヤクの白い尾を白熊(はぐま)、黒いのを黒熊(こぐま)、赤く染めたのを赤熊(しゃぐま)といい、兜・旗・槍などの装飾に使う。

からのき【唐の綺】唐織の綺。「綺」は錦に似た薄い織物。「―の御直衣」〈源氏花宴〉

からは『助』…である以上は。…では。「花盛りとても子のない上―」〈俳・大矢数四〉。「世に住む―、何事も案じたるが損なり」〈西鶴・永代蔵四〉

からはぎ【唐萩】「萩」に同じという。「―。空蟬のからは木ごとにとどむれどたまの行くへを見ぬぞ悲しき」〈古今四四八〉

からはし【唐橋】手すりのついた唐風の橋または橋廊。「ゆゑゆゑしき―」〈紫式部日記〉

からはな【唐花】中国舶来の花。「―の諸木、五色の玉を敷きて」〈西鶴・浮世栄花四〉

からはふ【唐破風】そり曲がった曲線状の破風。「―の軒を伝ひし雨注ぎ」〈俳・玉海集追加七〉

から・び【乾び】『上二』《カラ(枯・涸)の動詞化》①かわいて水気がなくなる。からからになる。「樹、通身(しかしながら)―・びつ」〈願経四分律平安初期点〉②声がかすれる。しわがれる。「この目代(だい)、太く―・びたる声を打ち出して」〈今昔二八ノ二七〉③枯れて物さびる。枯淡の趣を呈する。「春・夏は太く大きに、秋・冬は細く―・び、恋・旅は艶に優しくつかうまつれ」〈無名抄〉。「―・びたる体は、心敬(僧都)の作に如かず」〈連歌比況集〉

からびさし【唐庇】唐破風(からはふ)造りの軒先。また、その建物。「―のこなたの廊にて、女房八人ばかりさぶらふ」〈枕一〇四〉 **―のくるま**【唐庇の車】「からぐるま」に同じ。「御直衣(なほし)、からびさしの御車、上達部・殿上人残りなく、うへの衣にて仕うまつらる」〈増鏡九〉

からひつ【屍櫃・辛櫃】亡骸(なきがら)を入れる櫃。棺。「塚を掘りくづすに、中に石の―あり」〈宇治拾遺八四〉

からびつ【韓櫃・唐櫃】《中世までカラヒツと清音。中国風の櫃の意》前後に二本ずつ、左右に一本ずつの六本脚の、蓋付きの容器。室内に置いて物入れにし、また、運送用にもした。「からうつ」「からうと」「からと」とも。「櫛(くし)・手箱・―」〈源氏夕霧〉。「カラヒツ」〈日葡〉

からひと【韓人・唐人】韓(から)や中国の人。外国人。「―の衣染(し)むとふ紫の情(こころ)に染みて思ほゆるかも」〈万五六九〉 ＋karafitö

からふね【唐船】「もろこしぶね」に同じ。「わが恋は博多を出づる―の」〈夫木抄三三・船〉

からふろ【空風呂】四方を密閉し、湯気で身体を蒸し温める風呂。蒸風呂。「―も唯日(火ト掛ケル)の本や冬の宿」〈俳・塵塚誹諧集下〉。〈日葡〉

からへいじ【唐瓶子】金属や木で作った中国風の徳利。「―・菓子なんど取りさばくり」〈平家三・泊瀬六代〉

からま・き【絡巻き】㊀『四段』からめ巻く。ぐるぐる巻きつける。「蛇の物を―・く、如何」〈名語記九〉。「頭の髪を手に―・いて」〈伽・かなわ〉 ㊁『名』①からめ巻くこと。ぐるぐる巻きにすること。「[蛇ガ]尾を以て鷲(わし)の頸(くび)より始めて、身を五(いつ)―、六―ばかり巻きて」〈今昔二九ノ三三〉②「絡巻染」の略。「奈良御参詣に、おのおの―幷びに平文(ひやうもん)の上下を着られ候」〈河村誓真聞書〉 **―ぞめ**【絡巻染・唐巻染】紐でからめ巻き、そのあとが白く残るように染める、一種のしぼり染め。「―の小袖に唐綾威(からあやをどし)の鎧著て」〈平家二・嗣信最期〉

からまなび【唐学び】漢詩文などについての学問。漢学。「[愚管抄ニ]からざえといへること珍し。―を言へるなり」〈玉勝間五〉

からま・り【絡まり】『四段』巻きつく。まつわりつく。「這ほ豆の―・る君を別れか行かむ」〈万四三五二防人〉

から・み【絡み】『四段』《カラゲ(絡)と同根》①しっかりと巻きつく。「袴のくくり高く―・みあげて」〈著聞三八三〉②しつこく言いがかりをつける。「あぢに(ヘンニ)―・んで、義理づめにして引き倒し(金品ヲマキアゲ損ヲカケ)」〈洒・傾城買四十八手〉

からむし【苧・枲】イラクサ科の草の名。麻苧(まを)の別名。茎を蒸してその皮から繊維をとる。「白紵は白き―なり。麻のたぐひぞ」〈中華若木詩抄中〉。〈和名抄〉

から・め【絡め・搦め】『下二』《カラミ(絡)の他動詞形》①巻きつけて動けぬようにする。捕えて縛る。「ぬす人なりければ、国の守に―・められにけり」〈伊勢一二〉②とらえて動けなくする。「都出でてかりそめに来し山里の花に心の―・められぬる」〈永縁奈良房歌合〉。「かれに心をとどめず、―・められず」〈こんてむつすむん地三〉 **―て**【搦手】《「追手(おうて)」の対。カラメデとも》①敵をからめとるための軍勢。捕り手。「―、四方を巻き攻むるに」〈著聞四三六〉②敵の背面。また、そこを攻撃する軍勢。「―を廻すべき由、下知せらるれば」〈著聞三三七〉③城の裏門。「大手・―を開きて、さんざんに斬るほどに」〈伽・もろかど物語〉

からめか・し『四段』《カラメキの他動詞形。ガラメカシとも》からから鳴らす。がらがらと鳴りとどろかせる。「[足駄ヲ]はきながら―・してぞ上(のぼ)りけり」〈義経記三〉

からめ・き『四段』《ガラメキとも》からから鳴りひびく。がらがらと鳴りとどろく。「山おびたたしく―・き騒ぎて」〈十訓抄一ノ七〉。「隠隠轟轟とて、隠はののめく、轟は―・くなり」〈御書抄五〉

からめ・き【唐めき】『四段』①中国風に見える。「―・いたるよそほひはうるはしうこそありけめ」〈源氏桐壺〉②中国式である。日本人離れしている。「[琴ノ]手づかひ、いといたう―・きて」〈源氏明石〉

からもの【辛物】味の辛い食品。「これやこの大和にはあらぬ―と伊吹の山葵(わさび)珍しきかな」〈再昌草三五〉

からもの【唐物】舶来の品。中国にかぎらず、特に室町以降は、ポルトガル・オランダなどからの輸入品も含む。「蔵人所・納殿(をさめどの)の―ども」〈源氏若菜上〉 **―のつかひ**(カイ)【唐物の使】平安時代、外国船が九州に来た時に、その貨物を調べて購入するために朝廷から派遣された使者。「藤原ののちかげが―に、九月(ながつき)のつごもりがたに罷りけるに」〈古今三八五詞書〉 **―や**【唐物屋】諸外国から長崎への輸入品を売買する商人。唐物店。「頭巾は三条―甚吉殿の御方より…遣(や)られける」〈仮・竹斎上〉

からもの【乾物・干物】《「生物(なまもの)」の対》(魚鳥の)干したもの。ひもの。「なまもの・―」〈宇津保吹上下〉。「さるべき―ばかりして御かはらけ参る」〈源氏若菜上〉

からもも【唐桃】《中国渡来のモモの意》アンズ。「―の花。逢ふからも物はなほこそ悲しけれ」〈古今四二九〉。「杏・杏子、カラモモ」〈名義抄〉

からもん【唐門】屋根を唐破風(からはふ)造りにした中国風の門。「大炊御門(おほひのみかど)おもての―より、なえなえとある衣冠の人参りけり」〈著聞六六二〉

からやう(ヨウ)【唐様】①中国風。唐ぶり。「近代、唐僧多く渡りて―世に盛なり」〈雑談集五〉②中国風の漢字の書体。特に近世、明(みん)の書風をまねたもの。「―は暫く閣(お)かるべし。行成・定成両様の間御習ひあるべく候」〈異制庭訓往来〉

からやま【枯山】《「青山」の対》草木の枯れた山。「青山は―の如く泣き枯らし」〈記神代〉

がらり ㊀『副』全部。そっくり。「―槍をひったくられた」〈雑兵物語下〉 ㊁『名』《全部の意から》近世前期、奉公契約の時、給金や身請金などを全額前渡しすること。「かしらに給銀皆取るを―と言ふなり」〈浮・好色貝合下〉

からりちん ①物が全くないさま。皆無(かいむ)。「浦は干て住吉や潮の―」〈俳・鸚鵡集三〉②鈴・風鈴などの鳴る音。「―と時雨の音や瓦葺き」〈俳・崑山集一二〉

からろ【空櫓】櫓を水中に浅く入れて舟をこぐこと。一説、「唐櫓」に同じ。「また港へ舟が入るやらう、―の音がころり

からりと」〈閑吟集〉

からろ【唐櫓】中国風につくった櫓というが未詳。「船の中には—押す声」〈海道記〉

からわ【唐輪】「からこ」(2)に同じ。「年十五六ばかりなる小児(こち)の、髪—に上げたるが」〈太平記三・唐崎浜合戦〉

からゐしき【唐居敷】門の柱の下に敷きつめた石畳。「太刀を持ちて、中門のうちの—に居たり」〈十訓抄一ノ三四〉

からゑ【唐絵】《「大和絵(やまとゑ)」の対》中国の絵画の画材・技法で描いた絵。「檜扇(ひあふぎ)は。無紋、—」〈枕二八六〉

からゑづき【空嘔吐】吐き気を催しながら、ほとんど物を吐き戻さないこと。「嘔は、—と言うて、ぎょっといふ声あって、少し物も出(づ)るぞ」〈大成和抄〉。「乾嘔、カラエヅキ」〈文明本節用集〉

がらん【伽藍】《梵語の音訳「僧伽藍摩」の略》僧が集まり住んで、仏道を修行する所。僧院。寺院。「一つの—を建てて安置せむ」〈今昔二ノ一四〉

かり【仮】《「借り」の転》①一時的な間に合せ。「—にだに来ぬ人頼む我ぞはかなき」〈古今七五九〉②本物でないもの。正式でないもの。「—の御随身にて仕う奉りし右近の尉の蔵人」〈源氏須磨〉③万一。「—に今この文を広げざらましかば、この事知らむや」〈徒然一五七〉

かり【雁】ガン。鳴き声による命名。わが国には秋、北方から飛来する。「天飛ぶや—を使に得てしかも」〈万三六七六〉

かり【槝】樗蒲(かりうち)の采(さい)。「槝、加利(かり)、槝子、樗蒲采名也」〈和名抄〉

か・り【上り】『四段』《「めり」の対》音が高くなる。特に、基本の音より高く上がる。「高く—・りたるも、下がりて遣ひにくき調子なれど」〈梁塵秘抄口伝集〉。「琴ののぼり音(ね)。調子の—・りたる也」〈源氏物語千鳥抄〉。「上下、カルメル、調子上下也」〈枳園本節用集〉

か・り【刈り】㊀『四段』(草木や毛など、伸び茂っているものを)根元を残して切りとる。「少女(をとめ)らに行相(ゆきあひ)の早稲(わせ)を—・る時に」〈万二一一七〉。「これやこの名に負ふ鳴門の渦潮に玉藻—・るとふ海人娘子(あまをとめ)ども」〈万三六三八〉㊁『名』短く切り取るもの。切り取ること。「鉗鑷、鼻毛艾利(はなげかり)」〈華厳音義私記〉

か・り【狩り・猟り】㊀『四段』《カリ(駆)と同根》①鳥獣を追い立てて取る。「—・らぬ日まねく(多ク)月そ経にける」〈万四〇一一〉②花や草木をさがし求める。「桜を—・り、もみぢをもとめ」〈方丈記〉㊁『名』狩猟。「大夫のきそひ—する月は来にけり」〈万三九二一〉

か・り【借り】『四段』《カシ(貸)の自動詞形。上一段に活用するのは、関東・東北地方の方言的な変化》①相手の所有権はそのままに、一時的に使用権だけ自分の自由にさせてもらう。「降る雪に屋戸—・る今日し悲しく思ほゆ」〈万四〇一六〉。「鏡を—・りて返すとて」〈後撰八〇六詞書〉②一時的に方便として使わせてもらう。「兵戈動かすことを—・らずして、両の陣に歓喜を生ぜしむ」〈金光明最勝王経平安初期点〉。「〔天武天皇ガ〕吉野山へいらせ給ひけるにこそ、をとめの姿をば—・らせ給ひけるなれ」〈平家四・競〉③《仏教思想で》真実でない、虚仮の姿をとる。「うつせみの—・れる身なれば」〈万四四六六〉④〔遊里語〕すでに客のある遊女を、他の客に見立てさせるために、揚屋から呼ぶ。「傾城は—・るも貸さぬも情あり」〈俳・筑紫の海三〉

か・り【駆り】『四段』《カリ(狩)と同根》追い立てる。「徳すでに彰(あら)はれぬるをば—・りて国の境に出し」〈大唐西域記五・長寛点〉。「人を—・りて遠き道を行かせ」〈孝養集上〉

か・り『助動』「けり」の上代東国方言。「家の妹(も)が着せし衣に垢(あか)つきに—・り」〈万四三八八下総防人〉

がり【許】《「行く」「通ふ」「遣る」など移動を示す動詞を伴う》①《人を表わす名詞・代名詞をうけて》…の所へ。…のもとへ。「妹ら—わが行く道の細竹(しの)すすき」〈万一一二一〉②《助詞「の」を介して》(…の)所へ。「夜ばかりこそ女君の—おはすれ、ただ宮にのみおはす」〈栄花浦浦別〉。「約束の僧の—行きて」〈宇治拾遺九六〉 ▽通説では、ガアリの約で、アリは名詞形、居所の意とするが、奈良時代にはガリの下に方向を示す助詞をすべてつけない所を見ると、ガリのリは、本来は、コチ・イヅチのチと同じく、方向の意か。

が・り『接尾』《形容詞語幹・名詞につき四段活用の動詞を作る》自分はいかにも…があると思う、…であるようなそぶりを他人にはっきり示す、の意を表わす。「ざえ—・り」「さかしら—・り」「心強—・り」「ねた—・り」など。平安時代以後用いられた。「親—・らむも便なからむ」〈源氏行幸〉 ▽ガは接尾語ゲの古形。見た目の様子。リは動詞語尾。

かりあを【狩襖】絹で裏をつけた狩衣(かりぎぬ)。「この着たる紺の—に女(むすめ)換へたべ」〈梁塵秘抄四七三〉

かりいほ オ…イ【仮廬・仮庵】仮に作った簡単な家。「かりほ」とも。「宇治のみやこの—し思ほゆ」〈万七〉

かりいらひ ラ…イ【借りいらひ】《イラヒは貸借するの意》互いに貸借すること。借合(かりあい)。「小袖を—する買手」〈評判・吉原人たばね〉

かりうち【樗蒲】《カリ(采)とウチ(打)との複合語》ばくちの一。ひらたい木片で、白黒二面をもつ四つの采(さい)をつくり、それを投げて、その采の色で勝負をきめる。「樗蒲、一名、九采、和名、加利宇知(かりうち)」〈和名抄〉 ▽万葉集で「雁(かり)」を「折木四」「切木四」とも書くのは、このカリ(采)を借りて表記したもの。

かりうつ・し【駆り移し】『四段』追い出して他に移す。祈禱をして、物怪などを、他の人や人形に移す。「夜一夜加持し給へる暁に、〔ツキモノヲ〕人に—・して」〈源氏手習〉

かりがね【雁が音・雁・雁金】雁の鳴く声。転じて、雁。「けさのあさけ—聞きつ」〈万一五一三〉。「たづがね(鶴)のけさ鳴くなへに—はいづくさしてか雲隠れらむ」〈万二一三八〉 —**びたひ** ビタ…イ【雁金額】女性の額の生え際の中央が、飛雁の形をしているもの。「月の顔作る—かな」〈俳・続連珠六〉

かりかり 雁の鳴き声。「くる秋ごとに—と鳴く」〈後撰三六二〉

かりぎぬ【狩衣】《狩の時の衣の意。「猟衣」「雁衣」とも書く》身一幅、袖は後身(うしろみ)にわずかにとじ付けてあるだけで、前身との間を十分にあけ、動作をしやすくした衣服。布で作るので、古くは「布衣(ほい)」ともいった。次第に公卿・殿上人などの略服となり、絹・綾・織物などではなやかに仕立てられた。狩衣では参内は許されないが、院参は許された。後世、公家・武家の礼服となる。襖(あを)。かりごろも。「青鈍(あをにび)の—指貫(さしぬき)うちやつれて」〈源氏須磨〉 —**さうぞく** ソウ…【狩衣装束】狩衣に烏帽子(えぼし)・指貫(さしぬき)などを着けた装束。「女のもとより—贈りて侍りけるに、摺れる狩衣侍りけるに」〈後撰六八〇詞書〉

かりくひ イ…ク【刈杙】切株。「その小竹(しの)の—に足踵(き)り破れども」〈記景行〉 †karikufi

かりくら【狩座・狩倉】①狩をする場所。狩場。「信濃の三原とはいへども、下野の那須野にまさる—はなし」〈曾我五〉②狩場で行なわれる狩。「昼の—に疲れ、酒に酔ひ臥したりければ、音もせず」〈曾我九〉

かりこ【駈子・借子】近世、大阪新町の女郎屋で、雑用に使う少女。「ゐぐい事／—が詞(ことば)穴がない(抜ケタトコロ

ガナイ)」〈雑俳・神酒の口〉

かりこも【刈菰・刈薦】 刈り取ったマコモ。また、それでつくったむしろ。「ーの一重を敷きて寝(ぬ)れども」〈万二五二〇〉 †karikōmō **ーの【刈菰の】**〔枕詞〕刈ったコモは乱れやすいので「乱れ」にかかる。「ー乱れば乱れ」〈記歌謡八〇〉

かりさうぞく【狩装束】 狩や遊山などに出かけるときの装束。狩衣・行縢(むかばき)・綾藺笠(あやゐがさ)などを着ける。「殿上人・若君達、ー・直衣などもいとをかしうて、え居も定まらず」〈枕三五〉。「皆こころごころにーめでたうせられたりけるに」〈大鏡伊尹〉

かりさま【仮様】 一時的の、仮である様子。かりそめ。「ーなる命、たれか常に侍(たの)まむ」〈霊異記下序〉

かりしほ【刈潮】《シホは時機の意》刈り取るべき時。「ーの外面(そとも)の麦も朽ちぬべし干すべきひまも見えぬ五月雨」〈清輔集〉。「待つ早稲(わさいね)は早きー」〈看聞御記紙背連歌〉

かりしめ【刈標】 草を刈り取る場所に立てる占有のしるし。一説、仮に立てた占有のしるし。「浅茅原ーさして」〈万二七五五〉 †karisimë

かりしやうぞく【狩装束】 ⇒かりさうぞく。「ーしたる者七八騎が程」〈平家一〇・維盛出家〉

かりそ・け【刈り除け】『下二』刈って取り去る。刈り除く。「夏草のー・くれども」〈万三七六九〉 †karisökë

かりそめ【仮初】《仮り染めの意。本式にではなく、ほんの一時的のものとして色を染めること。すぐ色あせて、消えやすい意》①ほんの一時的なこと。「ーの往き通ひ路とぞ思ひこし」〈古今八六二〉 ②はかないこと。「いとーに世を思ひ給へる気色…すずろに物悲し」〈源氏御法〉 ③軽軽しく、いい加減なこと。「ああ、ーな事も致さう事でおりない」〈虎明本狂言・瓜盗人〉 **ーぶし【仮初臥し】** 仮寝(かりね)。「秋の田のーもしてけるか」〈後撰八四六〉

かりて【糧・粮】 食糧。かて。「常知らぬ道の長手をくれくれといかにか行かむーはなしに」〈万八八八〉

かりて【借手】 笠の内側の、紐を通す所につけた輪。「吾妹子(わぎもこ)が笠のーの」〈万二七七三〉

かりてがた【借手形】 利子付きの借金銀の返済期日を明記してある証文。「ー忠度判と書かれたり」〈俳・飛梅千句〉

かりどり【借取り】 物を借りたまま返さないこと。「借(か)せ、ちっと見んと云ふぞ。その意はーにせうとてあるぞ」〈四河入海八ノ三〉

かりな【借名・仮名】 ①他人の名を借りること。また、その名。「ーにて荷物差し下す事〔ヲ禁ズ〕」〈大坂町触天和一・三・一四〉 ②口実。「〔賭ケゴトヲ〕慰みと云ふはーにして、実はこれ利欲のためなり」〈増補広類願体俚諺鈔後編四〉

かりにも【仮にも】『副』かりそめにも。たとえ一時的でも。「又さるべきにて、ーおはし通はむを」〈源氏末摘花〉

かりね【仮寝】 ①ちょっとの間寝ること。「難波江の葦のー(刈根・仮寝)のひとよ(一節・一夜)ゆゑ」〈千載八〇六〉 ②旅寝。また、(女と)仮の契りをむすぶこと。「秋の野の草の繁みは分けしかどーの枕結びやはせし」〈源氏夕霧〉

かりのこ【かりの子】 ①雁の子。「鳥埘(とくら)立て飼ひしー」〈万一八二〉 ②(水鳥の)卵。諸説あって、鳥はカルカモともアヒルともガチョウともいう。「ーの見ゆるを、『これ十(をと)づつかさぬるわざをいかでせん』とて」〈かげろふ上〉

かりのつかひ【狩の使】 平安初期、朝廷の用にあてるため鳥獣を狩りに諸国に派遣された使者。のち、諸院・宮家でも同様の使を出すようになり、経費や労力の点で国に迷惑を及ぼすことが多く、延喜五年、禁止の太政官符が出た。「伊勢の国にーにいきけるに」〈伊勢六九〉

かりのつかひ【雁の使】 故郷にたよりを運ぶ使の雁。手紙の使。「雁のたまづさ」「雁のたより」とも。「ーは宿り過ぐなり」〈万一七〇八〉

かりのもの【仮の物】 他の姿を借りているもの。化物。「人の心惑はさむとて出で来たるーにやと疑ふ」〈源氏手習〉

かりのやど【仮の宿】 一時的なすまい。仏教思想で、現世をたとえる場合が多い。「道遠み中空にてや帰らまし思へばーぞうれしき」〈後拾遺一二九五〉

かりのやどり【仮の宿り】 ①「かりのやど」に同じ。「長き世の苦しき事を思へかし何嘆くらむーを」〈詞花四〇五〉 ②宿屋。「逆旅、ー」〈俳・懐子一〉

かりのよ【仮の世】 無常の現世。はかない此の世。「ーはいづこもつひの常世(とこよ)ならぬに」〈源氏幻〉

かりば【狩場】 狩をする場所。「かりくら」とも。「うづら鳴くーの小野の刈萱(かるかや)の思ひみだるる秋の夕暮」〈堀河百首〉

かりばか【刈ばか】 稲や草(かや)を刈るのに定めた範囲、また仕事の量。「秋の田の我がーの過ぎぬれば」〈万二一三三〉 ↓はか(量)

かりばかま【狩袴】 狩衣(かりぎぬ)の下につける袴。「かも川をつる脛(はぎ)にても渡るかな/ーをば惜しと思ひて」〈金葉七〇〉。「絹狩袴、妓奴乃加利八加万(きぬのかりばかま)」〈和名抄〉

かりばね【刈株】《刈り端根の意》竹・木・草などを切り払ったあとの株。切株。「信濃道(しなのぢ)は今の墾道(はりみち)ーに足踏ましなむ沓(くつ)はけわが背」〈万三三九九東歌〉

かりびと【狩人】 狩をする人。かりうど。「あしひきの山にも野にもみー猟矢(さつや)たばさみさわきたり見ゆ」〈万九二七〉。「猟人、カリビト」〈名義抄〉 †karibitö

かりふ【刈生】 柴や草を刈ったあとに芽の出ること。また、その場所。「しひてこそなほ刈り行かめいはせ野の萩のーは雪深くとも」〈夫木抄三・野〉

かりぶし【仮臥し】「かりそめぶし」に同じ。「神垣のいはほの上のーにまろねのあしをあらふみやつこ」〈夫木抄三四・神祇〉

かりほ【刈穂】 刈り取った稲の穂。「秋の田のー(刈穂・仮庵)の庵(いほ)の苫(とま)をあらみ」〈後撰三〇二〉。「数しらず秋のーを積みてこそ大蔵山の名には負ひけれ」〈長秋詠藻中〉

かりほ【仮廬・仮庵】「かりいほ」の約。「わが背子はー作らす草(かや)無くは小松が下の草を刈らさね」〈万一一〉

かりまくら【仮枕】「かりね」と同意。「ふしわびぬ篠(しの)の小笹(をざさ)のー」〈新古今九六一〉

かりまた【雁股】 先が二またに開いている矢じり。また、それをつけた矢。「鹿の右の腹より彼方(かなた)にーを射通しつ」〈今昔一九ノ七〉

かりみや【仮宮・行宮】 ⇒あんぐう。「ーを仕へ奉(まつ)り(オ作リ申シ)て」〈記垂仁〉。「行宮、頓宮、カリミヤ」〈名義抄〉 †karimiya

かりむしや【駆武者】 駆り集め、雇い集められた武者。「これは諸国のーどもにて候が、恥を顧みず、妻子を見んために落ち行き候」〈平治中・義朝敗北〉。「駆武者、かりむしゃ、催し武者なり」〈和漢通用集〉

かりも【釭】 車の轂(こしき)の中にはめて、車軸による磨滅を防ぐための鉄管。「轄、可利毛(かりも)」〈華厳音義私記〉。「釭、車乃加利毛(くるまのかりも)、轂口鉄也」〈和名抄〉

かりもがり【殯】 死人を埋葬する前、しばらく遺体を棺に入れて安置すること。「もがり」とも。「仏の御身をーし奉りて」〈今昔三ノ三三〉 ▽モガリが古語になってから作られた語であろう。

かりや【仮屋】仮に作った建物。仮小屋。「みな人はかりそめの―など言へど、風すくまじく〔幕ナドヲ〕引きわたしなどしたるに」〈更級〉

かりやす【刈安】①草の名。ススキに似ている。茎・葉は黄色の染料に使う。「薄様色紙は。白き、紫、赤き、―染め」〈枕一本三〉。「黄草、刈安草」〈和名抄〉②「刈安色」の略。刈安で染めた黄色。「地―に銀泥にて水を書き、金泥にてかへでを書きたる直垂に」〈太平記四〇・中殿御会〉

かりょうびん【迦陵頻】①「迦陵頻伽」の略。「―と孔雀の鳥を召し寄せて」〈伽・梵天国〉②舞楽曲の一。もと沙陀調。のちに壱越調。鳥の翼を負った四人の子供が舞う。「沙陀調曲。…迦陵頻」〈和名抄〉 **―が**【迦陵頻伽】《梵語の音訳。妙音鳥の意》想像上の鳥。阿彌陀経には、極楽浄土にいて、顔は美女のようで、美しい声で法を説くとある。「詠などし給へるはこれや仏の御―の声ならむと聞ゆ」〈源氏紅葉賀〉

かりろく【訶梨勒】①インドなどに産する樹木の一。果実は薬に、材は器具に使う。「一人の比丘、頭(かしら)を病むを見て、一つの―を与へたりき」〈三宝絵下〉②象牙・銅などでカリロクの果実の形につくった装飾物。室町時代、美しい袋に入れて座敷の柱飾に使った。「―とて柱飾なり」〈御飾記〉

かる【着る】動詞「けり」の連体形「ける」の上代東国方言。「七重―衣に益(ま)せる子ろが膚はも」〈万四三一防人〉

かるうす【唐臼】「からうす」の転。「―は田ぶせ(田小屋)のもとに」〈万三八一七〉

かるかや【刈萱】①刈り取ったカヤ。「秋風に乱れそめにし―をわれぞつかねて夕まぐれ見し」〈古今六帖六〉②イネ科の多年草。秋の七草の一。秋に花穂が出る。「〔手紙ヲ〕吹き乱れたる―に付け給へれば」〈源氏野分〉

かるがゆゑに『接続』《カ(斯)アルガユヱ(故)ニの約》それ故に。だから。漢文の訓読に使う。「―此の経に能く臭き身を濯ぎ」〈地蔵十輪経序・元慶点〉。「〔冬嗣ハ文徳天皇ノ〕御祖父(おほぢ)におはします。―、嘉祥三年…贈太政大臣になり給へり」〈大鏡冬嗣〉。「―、昔より今の世にいたるまでゆゆしくおはします」〈伽・天神の本地〉

かるがる【軽軽】いかにも軽そうなさま。「初心の時は…―と候て、次第次第に沈思の句をまじへ候て然るべき也」〈連歌教訓〉。「―と召されたる御装束」〈信長公記一五〉

かるがる・し【軽軽し】『形シク』「かろがろし」の母音交替形。「やむごとなく世に思はれ給へる人なれば、―・しき御有様をはしたなうおぼす」〈源氏若紫〉。「池の龍あり。…―・しく犯すこと難し」〈大唐西域記四・長寛点〉

かるくち【軽口】①軽い語調で面白おかしく話すこと。また、その話。「大方―に任せて」〈俳・玉海集五〉。〈日葡〉②巧みに言い掛けたしゃれ。秀句。地口。「紅葉をば、〔連歌師〕永仙―に辛錦と言ひ」〈俳・懐子序〉③「軽口咄」の略。「―〔ノ名手ハ〕石尾七兵衛」〈玉滴隠見三六〉。「よろづの言葉に花を作意の―は、あまねく世にひろまり」〈咄・鹿の巻筆序〉 **―ばなし**【軽口咄】演芸の一。終りをしゃれで結ぶ短い落語(らくご)。小ばなし。落しばなし。「都に流行物…―」〈評判・おもはく哥合〉

かるこ【軽子】①軽籠(かるこ)などで物を運搬する人足。軽籠持ち。「―その外日用人、不勝手の事有るべし」〈仮・子孫鑑中〉②深川の遊里で、座敷へ酒肴を持ち運ぶ仲居女。「―、是れは座敷へ酒肴を持ち運ぶ女なり」〈岡場所遊廓考〉

かるこ【軽籠】縄で編んだ蜘蛛の巣状の網の四隅に取綱をつけて、土などを運ぶ道具。「秋の田を―にて持つ稲を重み我が着る物は汗に濡れつつ」〈古今夷曲集三〉

カルサイ【加留佐以】近世、舶来の薄地のラシャ。「毛織には…大羅紗(ラシャ)・小羅紗…―」〈色道大鏡二〉 ▽オランダ karsaai

カルサン【軽衫】筒太く、裾口のせまい袴。上部をゆるやかに、下部は股引のように仕立てる。近世初期は上層武家から庶民まで着用したが、後期には、多くは髪結職人・料理番などが使った。たっつけ。もんぺ。「比丘尼かたびらを脱ぎて出でけるを、見れば、下には島(縞)の―をぞ着たりける」〈義残後覚五〉 ▽ポルトガル calção

かる・し【軽し】『形ク』《カロシ(軽)の母音交替形》①目方が少ない。かるがるとしている。「佡、カルシ」〈「佡」は軽くて高くあがるさま〉〈名義抄〉②(言動などが)重重しくない。また、重要でない。「御身をもてそこなひ、人に―・く心づきなきものに思はれぬべきなめり」〈源氏蜻蛉〉③軽快である。あっさりとしている。「音曲の重き―・きとしたるきと速き遅きの程は知らずや」〈わらんべ草四〉 **―・め**【軽しめ】『下二』「かろしめ」に同じ。「王位を―・め奉る」〈承久記上〉

カルタ【歌留多・骨牌】遊戯または博奕(ばくち)の道具の一。天正カルタ・ウンスンカルタ・歌加留多などがある。「博奕・―・諸勝負停止せしむ」〈長宗我部氏掟書〉 ▽ポルトガル carta **―むすび**【骨牌結び】帯の結び目をカルタのように四角に結ぶこと。「―にしかと締め」〈仮・是楽物語上〉

かるはづみ【軽はづみ・剽軽】①気軽・明朗で面白いこと。軽妙。「雪つぶて打ちし手品や―」〈俳・夢見草四〉。「今までの模様さらりと変へ、わっさりと―に出て見まいか」〈評判・野良立役舞台大鏡〉②言動が軽率で分別を欠くこと。おっちょこちょい。「その座に―の病(やまひ)なしありて」〈仮・御伽物語三〉

かる・び【軽び】『上二』軽率に振舞う。「―・びたるやうに人の聞ゆべかめるもいとなむ口惜しき」〈源氏総角〉

かる・み【軽み】㊀『四段』軽くなる。「罪―・ませ給はめ」〈源氏玉鬘〉㊁『名』蕉風俳諧で、修練を十分に積んだ上で素朴真率に対象を表現しようとする理念。「そこもと随分―をとり失ふべからず」〈俳・去来抄〉

かるめ【軽目】①目方の軽いこと。また、正味より軽いこと。「両所へ少しも―なく…ほれましたが」〈浮・分里艶行脚四〉②金・銀貨が流通している間に磨り減って、目方の軽くなること。また、その金・銀貨。軽目金。「その小判は切れもなく、―もないかと問へば」〈西鶴・諸艶大鑑三〉

かる・め【軽め】『下二』軽くする。軽く扱う。「世衰ふる末には、人に―・めあなづらるるに」〈源氏少女〉

かるも【刈藻】刈りとった海藻。「―掻き焚く塩竈(しほがま)にあらねども恋の煙(けぶり)や身より立つらむ」〈経信集〉 ▽「海人(あま)の刈る藻」と言いならわすうちに、カルモが独立して使われるようになった。

かるも【枯るも】枯れた草。イノシシがこれをかきあつめて寝るという。「―かき臥す猪(ゐ)の床の寝(い)を安み」〈後拾遺八二〉

かるもの【軽物】《目方の軽い物の意》絹織物。「この供なる者共の、はかなき―などを持たりければ、とかくして養ひけるに」〈今昔三〇ノ七〉

かるゆき【軽行き】たやすく出来ること。手がる。安直。「―の沙汰也」〈看聞御記永享七・一二・一〉。「旅功者とは―にやる」〈俳・大矢数三〉

かるら【迦楼羅・迦留羅】《梵語の音訳》仏教で想像上の

大鳥。翼は金色、両翼の長さ三百三十六万里。口から火を吐き、龍を捕えて食うという。八部衆の一。金翅鳥(こんじちょう)。「上人は不動明王の形像(ぎゃうざう)にて、—炎の内に座し給へり」〈太平記六・高野与根来〉

かるらか【軽らか】《見た目の様子が軽いさま》①気軽。「たはやすく—に〔恋ヲ〕打ち出で」〈源氏藤袴〉②軽率。「何の用意もなく、—に人に見え給ひけむこそいといみじけれ」〈源氏夕霧〉③粗略。「いと—なる御座(おまし)なりとて」〈源氏柏木〉④(身分などが)軽く低いこと。「—ならぬ人の御程(身分)」〈源氏末摘花〉

かるわざ【軽業】①軽く素早く身を働かして、危険な動作をすること。「あぶなき物…老人の—」〈仮・尤の草紙下〉。〈日葡〉②見世物の一。敏捷な動作で、綱渡り・籠抜け・梯子乗りなどの危険な芸をするもの。「人に劣りたる—は、其の芸の害也」〈舞正語磨中〉

かれ【彼】『代』《話し手に属さない遠い、また不明の、明示すべからざる物・事・所・時・人などを指し示す。平安末期からは次第にアレに取って代られ、カレは文語として残った。「これ」の対》①あれ。「あが思(も)ふ君が御舟(みふね)かも—」〈万四〇四五〉。「〔狐ヲ指シテ〕—に物食はせよ」〈宇治拾遺一八〉②お前。「〔不明ノ人物ニ向ッテ〕—は何人ぞと問はせ給ひければ、此の家の主(あるじ)に候ふ翁なりと申しければ」〈今昔二七ノ三〉

か・れ【枯れ・涸れ・乾れ】『下二』《カラ(涸)と同根。水気がなくなってものの機能が弱り、正常に働かずに死ぬ意。類義語ヒ(干)は水分が自然に蒸発する意だけで、機能を問題にしない》①水気がなくなる。「吾妹子が来つつ潜(かづ)かば(身投ゲシタラ)水は—・れなむ(ナクナッテホシイ)」〈万三七八八〉②(生物が)ひからびて死ぬ。「植ゑし田も蒔きし畑も朝ごとにしぼみ—・れゆく」〈万四一二二〉。「葉のさま、花も、いと物はかなげに、虫などの—・れたるに似て」〈枕四〇〉。「うれたきや醜(しこ)ほととぎす今こそは声の—・るがに来鳴きとよめ」〈万一九五一〉④(おできなどの)表面がかわく。「かんの殿の御瘡—・れさせ給ひつれど」〈栄花嶺月〉⑤枯淡の境地に至る。「—・るるといふ事は、よき道具を持ち、其の味ひをよく知りて、心の下地によりてたけくらみて、後まで冷えやせてこそ面白くあるべき也」〈珠光心の文〉

か・れ【離れ】『下二』《空間的・心理的に、密接な関係にある相手が疎遠になり、関係が絶える意。多く歌に使われ、「枯れ」と掛詞になる場合が多い。類義語アカレは散り散りになる意。ワカレは一体となっているものごと・状態が、ある区切り目をもって別のものになる意》①間遠になる。途絶える。「珠に貫(ぬ)く楝(あふち)を家に植ゑたらば山ほととぎす—・れず来むかも」〈万三九一〇〉。「世の中の人の心は、目—・るれば忘れぬべき物にこそあめれ」〈伊勢四六〉②(心が)はなれる。間柄が切れる。「つれもなく—・れにし妹をしのひつるかも」〈万四一八四〉。「冬草の—・れにし人はおとづれもせず」〈古今三三八〉③立ち去る。立ち退く。「宿をば—・れじと思ふ心深く侍るを」〈源氏早蕨〉

かれ【故】『接続』《カ(彼)と有リの已然形アレとの複合したカアレの約。奈良時代以前には、已然形だけで既定の条件を示す語法があったので、カアレだけで、カアレバの意を表わした。漢文訓読で使う語》①《前文を承けて》だから。それゆえ。「精しく妙(たへ)なるが合へるは摶(むら)り易く、重く濁れるが凝(こ)りたるは竭(かたま)り難し。—天まづ成りて、地後に定まる」〈紀神代上〉②《前文の「…て」「…に」「…を」とあるのを承けて》そこで。「大智に依りて、—清浄と説く」〈金光明最勝王経平安初期点〉。「心に怯劣無く、疑慮する所無く、都(すべ)て驚懼無きを、—無畏といへり」〈法華経玄賛平安初期点〉。「我は利益の為に、—此の印を説き」〈法華経玄賛平安初期点〉

かれい【佳例・嘉例】①めでたい先例。「ただ後三条院の延久の—に任せ」〈平家四・還御〉②吉例。通例。例。「—の連歌候。…春いく代梅が香ふかき宿の松」〈家忠日記天正七・一・一三〉。「きゃつは—の情強(じゃうごは)でおぢゃる」〈狂言記・宗論〉

かれいひ【乾飯】《干した飯(めし)の意》旅行にもっていく携帯食品。「かれひ」とも。「夕さりの—たうべけるに」〈古今四一七詞書〉。「餱、カレイヒ・ホシイヒ」〈名義抄〉。「粮、カテ・カレイヒ」〈名義抄〉

かれがし【彼某】『代』《ガシは接尾語》誰それ。名を知らない人、名を出す必要のない人を指していう。「『やや、庁にはまた何者か候』といへば、『それがし、—』といふ」〈宇治拾遺一八一〉

かれがた【離れ方】(男女の仲などが)離れがちになるころ。疎遠になるころ。「あひ知れりける人の、やうやく—になりける間に」〈古今七九〇詞書〉

かれがれ【枯れ枯れ・離れ離れ】①衰え枯れるさま。「—なる前栽の中に」〈源氏宿木〉②声などが、絶え絶えであるさま。「—なる虫のねに」〈源氏賢木〉③人との交流が、とだえがちであるさま。「一日二日も見え給はず、—におはせしをだに」〈源氏葵〉④物のないさま。ひどく貧しいさま。「浪人らしく見えて、内は—に」〈西鶴・二十不孝五〉

かれこれ【彼此】□一『代』あれとこれと。だれかれ。「—を通はしてよく知らず」〈古今序〉。「春の暮に—花をしみける所にて」〈後撰九五詞書〉□二『副』①おおよそ。「—三万疋を芋頭(いもがしら)の銭(あし)と定めて」〈徒然六〇〉②なにやかや。いろいろ。「—悪い事が有り合(や)うたぞ」〈漢書竺桃抄〉。「—御いんぎんなされやう」〈捷解新語七〉③あれといい、これといい。「日暮と云ひ、古戦場と云ひ、—悲しきばかりぞ」〈三体詩抄一ノ四〉。「日頃のなじみ、—かはゆう(カワイソウデ)ござる」〈虎明本狂言・武悪〉

かれ・し【離れし】『サ変』人の行き来が絶える。「いかならむ世にか—・せむ長き世の契り結べる草の庵は」〈源氏椎本〉

かれの【枯野】①草木の枯れた野。冬枯れの野。「まことや冬は来にけるむべしこそ—に虫の声たえにけれ」〈堀河百首〉②襲(かさね)の色目の名。「唐衣(からぎぬ)は。…秋は—」〈枕一本七〉 **—み**【枯野見】枯野を見物に行くこと。冬の郊外散歩。「冬枯れ見」とも。「—や与吉が芝に遊び倦(あ)き」〈俳・八重一重〉

かれは・て【枯れ果て】『下二』すっかり枯れきる。「—・つる野辺を憂しとやなき人の秋に心をとどめざりけん」〈源氏御法〉

かれは・て【離れ果て】『下二』全く離れてしまう。全くうとくなる。「—・てむ(枯レ果テムト掛ケル)後をば知らで夏草の深くも人の思ほゆるかな」〈古今六八六〉。「ほとりの大路など、人影—・つまじう」〈源氏匂宮〉

かればみ【嗄み】『四段』《カレはカレ(枯・涸)の意》声がしわがれる。「あやしく—・み騒ぎたる声にて」〈枕八〉

かれひ【乾飯】①「かれいひ」の約。「糧米(かりて)は無しに。一に云はく、—は無しに」〈万八八八〉。「粮、加礼比(かれひ)」〈新撰字鏡〉②食品を贈ること。また、その食品。「饟餉、カレヒオクル、一云、カレヒ」〈名義抄〉 †karefi

かれふ【枯生】冬枯れの草原。「浅緑このめ春雨降るなへに—の小野ぞ色まさりゆく」〈宝治百首〉。「—の霜を庭にこそ見れ」〈看聞御記紙背連歌〉

がれん 馬方・駕籠舁き・行商人などが使う隠語で、五・五十・五百をいう。「四百五十(がれん)とは何の書にある事ぞ」〈俳・蘆分船三〉

かろがろ【軽軽】 いかにも軽そうなさま。かるがる。「脇句は発句を請けて—とすべし」〈九州問答〉

かろがろ・し【軽軽し】『形シク』いかにも気軽・手軽・軽率な感じである。「いと端近なりつる有様を、かつは—・しと思ふらむかし」〈源氏若菜上〉。「必ずまさることは、たゆみなくつつしみて、—・しくせぬと」〈徒然一八七〉

かろ・し【軽し】『形ク』《カルシ(軽)の母音交替形。カロはカレ(枯・涸)・カラ(空)と同根。水分を失って目方の減った状態。また、はたらきが乏しいさま。転じて、受ける評価の低いさま》①重さが少ない。「風に散る紅葉は—・し」〈源氏少女〉②軽率である。重みが足りない。「かかる〔女ノ〕筋につけて、いと—・く、憂きものにのみ世に知られ給ひしたことはない。「まだ下﨟なり。世の聞耳—・しと思はれば」〈源氏常夏〉 **—・め【軽しめ】**『下二』軽んずる。軽く見る。「ゆめゆめ—・め奉る事なかれ」〈今昔一ノ二〉

かろ・ひ(カロイ)【負ひ】『四段』《四国・九州の方言》背負う。「雇人に—・はれ」〈近松・博多小女郎上〉

かろ・び【軽び】 ㊀『上二』①軽装している。「白き単衣(ひとへ)のいみじうあざやかなるを着給ひて…—・び涼しげなる御中に…めでたしとぞ見え給ふ」〈枕三五〉②軽率である。「見くて、世間の評価が低い。「まだ年いと若く、むげに—・びたる程なり」〈源氏若菜上〉 ㊁『名』身軽なこと。「蟻はいと憎けれど、—いみじうて、水の上などを、ただ歩みに歩みありく」〈枕四三〉 **—やか【軽びやか】** 軽軽としたさま。「装束—にして、馬に乗りて行くに」〈今昔二七ノ一三〉

かろ・み【軽み】『四段』①軽くなる。「ひき助けさせ給はむことこそは罪—・ませ給はめ」〈源氏玉鬘〉②(病気が)快方に向う。「御病(おんやまふ)—・ませ給ひて、もとの如くにならせ給ふ」〈平家一・願立〉

かろ・め【軽め・侮め】『下二』①軽くする。「罪—・めて物すならば」〈源氏夢浮橋〉②軽く扱う。低く見る。「一事として、おろそかに—・め申し給ふべきに侍らねば」〈源氏若菜上〉。「大臣—・むる人のよきやうなし」〈大鏡道長〉

かろらか【軽らか】《カルラカの母音交替形。見た目の様子が軽いさま》①軽軽としたさま。「〔女ヲ車ニ〕—にうち乗せ給へれば」〈源氏夕顔〉②軽率。身分にふさわしくないさま。「あまたの人目を避(よ)ぎて一人漕ぎ出で給はむ船渡りの程も—にや」〈源氏椎本〉③粗略。「宮も、所せき道の程に、—なるべき程の御衣どもなり」〈源氏浮舟〉④(身分などが)軽く、低いこと。「いと—ならぬ御さまにて」〈源氏(三条西家本)夕霧〉

かろん・じ【軽んじ】『サ変』《カロミシの音便形》①軽くする。「刑の疑はしきをば—・ぜよ」〈平家二・小教訓〉②軽いものと見る。粗略に扱う。「命(いのち)を—・じ、義を重んじて」〈平家七・木曾山門牒状〉

かわ『感』《ワはイザワのワと同じ感動詞》感嘆の気持を表わす。一説にカネとするは誤り。「美飲喫哉、此をば于魔羅儞烏野羅甫屢柯倭(うまらにをやらふるかわ)といふ」〈紀顕宗即位前〉

がわうおん(ガウオン)【賀王恩】 舞楽曲の一。上皇などの御賀に奏する祝いの楽。「〔源氏四十ノ賀ニ〕万歳楽・—などいふ舞」〈源氏若菜上〉

かわ・き【乾き】『四段』《カワは、物のさっぱりと乾燥したさまをいう擬態語。キは擬態語を受けて動詞化する接尾語》①水分や湿気がなくなる。「濡れにし袖は乾(ほ)せど—・かず」〈万二二四五〉。「燥、保須(ほす)、又、可和久(かわく)」〈新撰字鏡〉②【渇き】口中がからからになる。「のど—・きたり、水飲ませよ」〈宇治拾遺一八六〉③《比喩的に》うるおいがなく、こわばる感じになる。「〔琵琶ノ〕撥音もまた品品あり。…すべて—・きたるはわろし」〈残夜抄〉 †kawaki **—すなご【乾き砂子】** かわいた砂。「庭の儀を奉行する人、—を設くるは、故実なりとぞ」〈徒然一七七〉

かわら《コヲロの母音交替形》固いもののふれあう音。からから。がらがら。「鉤(かぎ)をもちてその沈みし処を探れば…甲(よろひ)にかかりて—と鳴りき」〈記応神〉

かわらか ⇒かはらか

かわら・ぎ『四段』《カワキ(乾)と同根》乾燥する。「久しく日照りて、いづくもよく—・ぎて」〈孫子私抄〉

かわら・げ『下二』《カワラギの他動詞形》乾燥させる。「なましき甘葛(あまづら)は、とみに炙(あぶ)り—・げられず」〈薫集類抄下〉

かを・り【薫り・燻り】 ㊀『四段』《煙・火・霧などが、ほのかに立ちのぼって、なびきただよう意。転じて、匂いの漂う意。類義語ニホヒは赤い色の美しさが浮きあがるのが原義》①気がほのかに立つ。「潮気のみ—・れる国に」〈万一六二〉②匂いが漂う。「橘の—・りし袖に」〈源氏胡蝶〉。「淑郁、香気之盛…加乎留(かをる)」〈新撰字鏡〉③色がぼうっとけむって見える。「口つきうつくしうにほひ(赤クホンノリト見エ)、まみのびらかに恥づかしう—・りたるなど」〈源氏横笛〉 ㊁『名』《平安時代以後に、よい匂い、目で感じる美しさにいう。歌語としては鎌倉時代以後に用いられる。↓か(香)》①匂い。「橘の—なつかしく匂ひて…『橘の香(か)をなつかしみ…』」〈源氏花散里〉②ほのぼのとした美しさ。女子供の美しさにいうことが多い。「〔薫ノ君ハ〕—をかしき顔ざまなり」〈源氏柏木〉。「〔姫君ノ〕御顔の—めでたく気高く愛敬づきておはしますものから、はなばなと匂はせ給へり」〈栄花初花〉

がを・り【我折り】『四段』「我を折る」に同じ。「甚べが羽織は、着て見て—・りやと云ふ心なれど」〈俳・貝おほひ〉

がをれ【我折れ】『感』《我が折れたの意から》参った。これはかなわぬ。あきれた。驚いた。恐れ入った。「いづれも横手打って、『大尽の仕出し、——』」〈浮・新小夜嵐下〉

かん【長官・督】「かみ」の音便形。「大将も—(衛門督)の君もみなおり給ひて」〈源氏若菜上〉

かん【干】 横笛の七つの穴のうち一番下の穴の名。「—の穴は平調(ひやうでう)、五の穴は下無調(しもむでう)なり」〈徒然二一九〉

かん【欠・減】 量目の不足すること。また、その不足量。「二斗五升五合七勺—」〈大徳寺文書八、元亀三・三・八〉

かん【甲】《唐音》「かふ」⑶に同じ。音楽で、高い調子をいう語。「乙(おつ)」の対。「乙の音より高く、—の音に上がる間」〈盛衰記一八〉

かん【疳・癇】 肉類や甘い物を食べすぎてなる、主に子供の慢性胃腸病。よく盲になった。「藤政—煩ひ、灸治これを沙汰す」〈多聞院日記文禄二・八・二六〉。〈文明本節用集〉

かん【寒】 ①寒いこと。冷えること。「雪は重なり、—は責め候」〈日蓮遺文上野殿母尼御前御返事〉。「篠(ささ)は—の深き草也」〈古今私秘聞〉②冬の小寒・大寒の約三十日間の、年中で一番寒い時期。「十六日より—に入り」〈多聞院日記天正三・閏一・一七〉

かん【燗・間】 酒などを適当な温度に温めること。また、その温度。「酒并びに茶などの熱きぬるきを—と云ふは、何の字ぞ」〈壒嚢鈔三〉。「御酒の—の事、九月九日より明けの三月三日までなり」〈伊勢貞順記〉

かん【騂・肝】 馬の強健で荒荒しい性質。「―よき馬は、乗り殺すまで草臥(くたび)れたるけしき見えぬものなれば」〈川角太閤記一〉

かん【羹】《あつものの意》①雑煮。「〔元日朝拝ニ次イデ〕惣御門徒衆は、二種肴にて芋・豆腐の―あり」〈本福寺跡書〉②餅菓子。「それならば―の類であらう」〈虎明本狂言・文蔵〉

がん【雁】 雁鴨目に属する大型水鳥の総称。かり。〈伊京集〉 **―が飛べば石亀も地団太(ぢだんだ)** 雁が飛べば石亀も飛ぼうと地団太を踏む意で、自分の分際を忘れ、みだりに他の真似をしようとするたとえ。〈俳・毛吹草二〉 **―は八百矢は三文** 安価な物で高価な物に換えるたとえ。 **―は八百矢は三筋(みすぢ)** 目的物は多くて、それを獲得する手段・準備に乏しいたとえ。「―、差いてくれう」〈浄・当麻中将姫一〉

かんおう(ウ:ノ)**【感応】** 深く感じてそれに反応すること。多く、神仏が信者の誠心に感動し、奇瑞などを現じてそれにこたえること。「いま邂逅(たまさか)に貴客(うまひと)に相遇ひ、―に勝へずして、すなはち欵曲(くわんきよく)を陳ぶ」〈万巻五・松浦川に遊ぶ序〉。「孝養の志の実(まこと)なるを知りて、天神の―を垂れて」〈今昔九ノ四六〉

かんおん【漢音】 隋唐時代の長安・洛陽辺の北方中国語の漢字音の体系を、日本語のカナで写したもの。音博士や留学生によって伝えられ、僧尼や明経道の人人に学習が求められたが、それ以前に広まっていた呉音の勢力が強く、純粋な形ではなかなか保たれなかった。しかし儒学の系統に大体伝わり、現在では呉音と混用されている。例えば、家カ・期キ・金キン・極キョク・語ギョ・和クヮ・会クヮイ・清セイ・女ヂョ・泥デイ・馬バ・美ビ・平ヘイ・明メイの類。「明経の徒に勅すらく、呉音を習ふ可からず。発声誦読既に訛謬を致せり。―に熟習せよ」〈日本紀略延暦一一・閏一一・二〇〉。「制すらく、今より以後、年分度する者は―を習ふに非ざれば得度せしむること勿れ」〈類聚国史延暦一二・四〉。「儒者の作りたる詩ぢゃほどに、〔呉音デハナク〕―に読んだがよいぞ」〈三体詩抄三ノ三〉 →ごおん

かんか【漢家】 ①漢朝。漢代。「―の蘇武は、書を雁の翅(つばさ)に付けて旧里へ送り」〈平家二・蘇武〉②中国の称。「―・本朝、これや始めならむ」〈平家一・東宮立〉

がんがさ【雁瘡】 雁の来る頃起り、去る頃なおるという、湿疹(しつしん)性の皮膚病。「月蝕瘡(ぐわつしよくさう)、俗に―と云ふ」〈俳・蠅打二〉

かんがふ(ウ:ゴ)**【勘合】** ①考えあわせること。「都合―いささかその煩ひ無くして」〈庭訓往来十二月三日〉②明(みん)が他国との通交において、相手国の正式の使船であることを証明するために交付した符。明はわが室町幕府にこれを交付し、のち朝鮮もこれに倣(なら)った。勘合符。「類船の―を検す」〈允彭入唐記宝徳四・八〉 **―せん【勘合船】** 室町時代、勘合符を受けて中国と通商した船。〈日葡〉 **―ふ【勘合符】**「勘合」(2)に同じ。室町時代には、通常、「勘合」と称した。「洪武永楽より已降、―を以て一歳に一往還の船」〈羅山林先生文集一三〉

かんが・へ(カンガエ)**【検へ・勘へ・考へ】**『下二』《カムガへの転》①調べただして、罰を与える。「いみじう腹立ち叱りて、―・へて、また滝口にさへ笑はる」〈枕五四〉②占いの結果を取り調べて、解釈する。「宿曜のかしこき道の人に―・へさせ給ふ」〈源氏桐壺〉③比較考量する。「毎度勝つにのる先蹤を―・ふるに、夜うちに如かず」〈保元上・新院御所〉 **―ぶみ【勘文】** ⇒かんもん。「世の人驚く事多くて道道の―ども奉れるにも、あやしく世になべてならぬ事どもまじりたり」〈源氏薄雲〉

かんが・み【鑑み】『上一』「かがみ」の撥音化。「天道を恐れて、生れつきを―・みて」〈周易秘鈔〉。「鑒、カンガミル」〈合類節用集〉

がんがり はっきり見えるさま。「―(鳫雁ト掛ケル)と羽まで見ゆる月夜かな」〈俳・毛吹草六〉。「―。明らかに見ゆるを云ふ」〈志不可起三〉

かんき【勘気】 目上の人からのとがめ。「―を蒙る時、正理を正しく申せば」〈保元上・新院御謀叛思し召し〉

がんぎ【雁木】 ①空を飛ぶ雁の列のように、ぎざぎざの形をしたもの。「上り下り並ぶ翼や―筋」〈俳・毛吹草六〉②階段。「舟は山末は八幡の―坂」〈俳・六日飛脚〉③川岸の階段状の石畳。「―に蹴つまづき」〈近松・鑓権三下〉④「雁木やすり」の略。「鑢錫は―ぞ」〈古活字本大学抄〉⑤《雁木やすりでこすれば往復ともに摺り減るところから》どちらにしても損をすること。「おらが内へ来る金は…なんでもちらりと見たばかり、すぐに出て行く。そのくせ奢りが強いときてゐるから―だ」〈滑・浮世床初下〉 **―やすり【雁木鑢】** 獣角を磨く目のあらい鑢。「磋とは、―などにてみがくなり」〈大学抄〉

かんきゃう(キ:ヨウ)**【乾薑】** 生薑(しようが)の根を乾したもの。薬用に供される。「陳皮(ちんぴ)・―・桂心(けいしん)や人参を是もそっと加へたお煎じ物」〈天理本狂言六義・煎じ物〉

かんきょ【閑居】 一人静かに住むこと。また、世を捨てて隠遁したりした人についていう。「〔陶淵明ハ〕―を好みて、琴を弾き、酒を好みき」〈仙覚抄一〇〉。「建礼門院大原の―の御住まひ」〈平家灌頂・大原御幸〉。「―は大原小野の里、吉野の奥、小倉が峰、喜撰が住みし宇治山に」〈宴曲集閑居〉。「君が代を待つもはかなや老いの末。―して老いはてたる身にしも、猶、君が代を待つははかなしと也」〈兼載独吟千句註〉。「閑居、カンキョ、逃名・請老」〈色葉字類抄〉

かんきん【看経】《唐音》①禅宗で、経典を黙読すること。「諷経(ふぎん)」の対。「その後、―のついでに」〈正法眼蔵随聞記六〉②経を読み上げること。読経(どきやう)。「―の鳴(し)の声さへ哀れさよ」〈俳・大矢数一〉

かんくてう(チ:ヨウ)**【寒苦鳥】** インドの雪山(せつせん)に住むと伝えられる裸の鳥。自分の巣を作らず、夜は寒さに苦しみながら、夜が明けたら巣を作ろうと鳴くが、朝になると昨夜の寒苦を忘れて遊び暮して、世は無常、今日死ぬか明日死ぬか分らない身だ、巣を作っても意味はないなどと鳴き、空しく一生を送るという。雪山の鳥。「雪山の―は、寒苦に責められて、夜明けなば巣作らんと鳴くといへども」〈日蓮遺文新池御書〉。「世は人ごとのあらましぞ憂き／思へただ雪のみ山の鳥の声。雪山に―と云ふ鳥あり。その鳥のなく声、今日不知死、明日不知死、何故造作栖、安穏無常身」〈春夢草雑〉

がんくび【雁首】 ①《雁の首の形に似ているのでいう》キセルの火皿のついた頭。「棹になりて渡る―はキセルかな 貞徳」〈俳・犬子集四〉。「―火になる程離さず」〈西鶴・一代男一〉②転じて、頸(くび)を卑しめていう。「もし隠しなどすると、一々―さらへ落す」〈伎・幼稚子敵討五〉

かんこくくゎん【函谷関】 中国河南省の交通の要地にある関所。戦国時代、齊(せい)の国の孟嘗君が秦に捕われ、逃げてここに至り、食客の偽りの鶏鳴によって群鶏が暁を告げたので、関を開かせて脱出したという故事で有名。「孟嘗君のにはとりは―を開きて」〈枕一三七〉

かんこくさ・い【かんこ臭い】『形』 紙などのこげるにおいがす

る。こげくさい。きなくさい。「—い匂はん〔紙〕花はさもあらばあれ」〈俳・太郎五百韻〉。「紙焦、カンコクサシ、焦臭、同」〈書言字考〉

かんこどり【閑古鳥】《カッコウドリの訛》①ホトトギスに似た鳥。山林にすみ、中夏後さびしい澄んだ声でかっこうと鳴く。郭公(かつこう)。「—諸鳥の音まで知られたり」〈俳・大矢数三〉。〈日葡〉②物さびしいことのたとえ。「閑古鳥が歌ふ」とも。「湯水を飲まん鍋釜も、畳も上げて—」〈近松・博多小女郎中〉

かんごり【寒垢離】寒中に冷水を浴びて神仏に祈願すること。「咳気に気味や悪き—」〈俳・紅梅千句〉

かんごゑ【寒声】寒中の早朝・夜間に、屋外に出て大声で経を読み、歌曲を歌いなどして、音声の猛訓練をすること。「—や松に残して朝嵐」〈俳・桜川九〉

かんざう(ゾウ)【甘草】マメ科の多年草。根は赤褐色で特殊の甘味があり、中国より輸入されて薬用・甘味用に用いられ、その種類に南京甘草・藁手・鞭手があった。「—九百六十斤」〈東大寺献薬帳〉

かんざし【簪】《カミサシ(髪刺)の音便形》①冠の付属品。冠の巾子(こじ)に髻(もとどり)を入れ、落ちないように刺し貫いて留める金具。「簪、加無左之(かむさし)、插冠釘也」〈和名抄〉②婦人が髪飾として插すもの。釵子(さいし)・櫛にもいう。「五節のあしたに、—の玉の落ちたりけるを見て」〈古今八七三詞書〉。「昔の御—(別レノ櫛)の端をいささか折りて」〈源氏絵合〉

かんざし【髪ざし】《カミサシの音便形。サシは、髪の伸びているさま》①(額の上の)髪の生えぐあい。髪のようす。「—、かしらつき、御ぐしのかかりたるさま」〈源氏賢木〉。「—、面やう」〈源氏槿〉②髪。「翡翠(ひすい)の—長ければ、柳の糸の風に吹かれてよれつほどけつする風情」〈伽・天若みこ忍び物語〉

かんざらし【寒晒し・寒曝し】①穀類・果物・布類などを寒水に漬けて後、寒天に晒すこと。また、そのもの。「—してもや氷る望月夜」〈俳・犬子集六〉②米の粉を寒天に晒したもの。長く保存できる。寒晒し粉。「夜食せし時分は去年の—」〈俳・油糟〉

かんし【監使】①鎮守府将軍の唐名。〈運歩色葉集〉②「衛士(ゑじ)」に同じ。「緑衣の—宮門を守(まぼ)るだにもなし」〈平家灌頂・女院出家〉

かんじ【柑子】⇒かうじ。「—橘などやうに」〈源氏真木柱〉。「柑子、カムジ」〈名義抄〉

かんじ【勘事】⇒かうじ。「などか、いとこよなくは—し給へる」〈源氏(横山本)藤裏葉〉

かん・じ【勘じ】〘サ変〙⇒かうじ。「などか、いとこよなくは—じ給へる」〈源氏藤裏葉〉

かん・じ【寒じ】〘サ変〙冷える。寒くなる。「冬、あたたかなる気、地の底にこもりて、上は—ずる也」〈古今集註〉。「鴨は—じて水に入る、鶏寒うて木へ登る」〈伽・小栗絵巻〉

かん・じ【感じ】〘サ変〙①心を動かされる。感動する。「いと殊なる音(ね)を吹き出でしに—じて」〈源氏横笛〉②感心してほめる。賞讃する。「孔子、これを聞き給ひて、この二人の童を—じて」〈今昔一〇ノ九〉③過去の行為による報いを現実に受ける。「殺生の罪は現報を—ずるなりと知るべし」〈今昔九ノ二一〉

がんじがらみ【雁字搦み】縄などを左右打ち違えて堅く縛ること。「黐縄(もちなは)に掛かるは—かな」〈俳・夢見草三〉

かんじき【樏・橇】雪の上を歩く時、すべったり深く踏みこんだりしないように、沓(くつ)の下に履く物。雪沓。雪草鞋。「深雪(しんせつ)に—をもかけず、山路八里を一日に越えて」〈太平記一六・瓜生挙旗〉

がんじき【含識】〔仏〕《情識を有する者、すなわち有情をいう》衆生。人間。「—の類(たぐひ)、誰か随喜せざらん」〈平家四・南都牒状〉

かんしゃ【勘者】物事をよく推理する人。「—しばらく入る息待たぬ花の時」〈俳・功用群鑑下〉。「さりとは名誉の—と、彼の侍の事を感じける」〈西鶴・武家義理三〉

かんじゃ【間者】まわしもの。スパイ。「兵内といふ者—として」〈石見軍記〉

かんじゃう(ジョウ)【勘状】「勘文(かんもん)」に同じ。「この占形(うらかた)持って、泰親が許へ行け。きっと勘(かん)へさせて、—を取って参れ」〈平家四・鼬〉。「仍て—に任せ〔判決スル〕」〈石清水文書元久二・三・三〉

かんじゃう(ジョウ)【感状】合戦に参加した将士の戦功を賞して、主君から家臣宛てに出す手紙形式の文書。「軍兵(ぐんぴやう)の高名(かうみやう)をせば—をやがてつかはせ後の名のため」〈義経百首〉

かんじょ【閑所】①人気(ひとけ)のない静かな所。「上人—に居て、掌を合はせて信仰恭敬して」〈十訓抄三ノ一五〉②便所。「食後にやがて—に行かず」〈世鏡抄下〉

がんじょう【岩乗】《ガウジャウ(強盛)の転。「岩畳」「五調」「四調」などとも書く》①人や物のすこぶる強健なこと。「殿様御—に候」〈吉川家文書一、元和三・九・三〉②馬の特に強健なこと。「安芸鹿毛三才は—にて候間」〈梅津政景日記寛永五・七・一六〉

かんしょく【寒食】《カンジキとも》冬至から百五日目の日に、炊事の火を断ち、つめたいものを食べる風習。また、その日。「—の日は天下火を消つ」〈ささめごと下〉

かんしん【甘心】《カンジンとも》なるほどと感心すること。よいと感じて肯定すること。「先言耳にあり、いまもって—す」〈平家三・医師問答〉。「—の字は左伝に出でたり。心に満足する義なり」〈性理字義抄一〉

がんすい【眼水】涙。「—の二字、涙の事なり」〈西鶴・新吉原常常草上〉

かんすいらく【酣酔楽】雅楽の楽曲の一。高麗楽(こまがく)に属す。壱越調(いちこつてう)。「—あそびて」〈源氏椎本〉

がんぜん【眼前】①目の前。「飛び来たりて我が—にあり」〈今昔一五ノ三七〉②明白。歴然。「一腹一生にてこそましまさね、兄弟なる事—なり」〈曾我一〉

かんだ 片目。独眼。「明神の御目を—と思ふなよ御座り所を神田とぞ云ふ」〈若輩抄〉。〈日葡〉→がんち

かんたう(トウ)【間島】主として室町時代に輸入された縞織物をいう。茶壺の袋などに使われ、珍重された。「金襴・金沙・紋紗……—」〈君台観左右帳記〉

かんだう(ドウ)【勘当】①罪を勘(かん)え、法に当てて処罰すること。「人を海に擲(なげう)つといふことを以て—せられて獄に下る」〈続紀天平宝字七・一〇・六〉②罪相応の罰を受けること。「玉の取りがたかりし事を知り給へればなん—あらじとて」〈竹取〉③親・主君・師などの怒りに触れて、その縁を切られること。また、切ること。「斎院の—を蒙りたりければ」〈今昔二七ノ三二〉〈下学集〉▽近世中期以後は久離(きゅうり)と区別し、久離は欠落(かけおち)者に、勘当は在宅者を追い出す場合に用いられ、久離がその者一代は在所へ帰ることが許されないのに対し、勘当は改心によって人別帳に再登録が許された。また、勘当は庶民、久離は武士に対して用いられた。手続は、五人組・村役人連判のうえ所轄の奉行所へ願い出て、人別帳から除かれることによって発効。この手続をとらないものは、内証勘当といって法律的

効果はなかった。「久離」「義絶」と混同使用される場合が多かった。「主人にも親にも―せられ」〈仮・似我蜂物語中〉 ―ちゃう【勘当帳】「久離帳(きうりちやう)」の俗称。「―に四方の秋風」〈俳・談林十百韻下〉

がんだう【強盗】《唐音》①強盗(こうとう)。「―なんどをするほどにぞ」〈蓬左文庫本臨済録抄〉。「強盗、ガムダウ」〈色葉字類抄〉 ②芝居の道具仕掛けの一。舞台の大道具などが背後にひっくり返り、場面がすぐに変るようにしたもの。狂言作者竹田治蔵の創案による。「箱天神」「がんだう返し」とも。「―。舞台の裏に道具立をこしらへ、人の乗りたるままにて舞台を返すなり」〈戯場楽屋図会拾遺下〉 ―打・つ 強盗にはいる。「寺中へ―・つべし云云」〈鹿苑日録天文一九・閏五・一三〉 ―ぢゃうちん【強盗挑燈】銅板などで鐘形の外被を作り、中に回転自在のろうそく立てを入れ、正面一方だけを照らすようにした挑燈。「同類二十四人引き具し、並木の歩み来る如く、一様の―」〈近松・関八州一〉 ―づきん【強盗頭巾】眼ばかり出して顔と頭をすっぽり包み隠すようにした頭巾。「霧の籬(まがき)―梢の月」〈俳・富士石三〉

かんだけ【寒長・寒丈】寒明け後の三十日間をいう。「〔酒ヲツヅケテ〕―飲まうとて、皆飲みけり」〈咄・口伝咄下〉。「―は肌着ぬがれぬ春日かな」〈俳・勧進牒上〉

かんだち【神館】神事潔斎の時、神官などの参籠した建物。本社の近くに設ける。「祭の使して―に侍りけるに」〈後拾遺一八四詞書〉

かんだちめ【上達部】公卿の称。大臣・大中納言・参議および三位以上の人をいう。「殿上人」と並べて用いる例が多い。「やむごとなき―・弁官などの中にも多かり」〈源氏須磨〉 ▽カンはカミ(上)の音便形。タチは複数語尾。メは群の意という。

かんだのはっちゃうぼり【神田の八丁堀】江戸神田の神田堀の古名というが、江戸文学上では、太平の逸民の住む架空の地名として用いられた。「―に年久しく住居致す和泉屋清三」〈黄・金々先生栄花夢上〉

かんたん【肝胆】肝臓と胆嚢(たんのう)。転じて、心そのもの。精根。「肝胆、カンタム」〈色葉字類抄〉 ―を砕・く 心をくだく。精根をつくす。「ねんごろに―・いて、全(また)く身命を惜しまず」〈著聞四六〉

かんたんのかりまくら【邯鄲の仮枕】《唐の李泌の寓意小説「枕中記」に載っている話。富貴栄達を熱望する唐の盧生(ろせい)という少年が、趙の都邯鄲で呂翁という仙人から如意の枕を授けられて一眠りし、五十年の栄華の夢を見たが、さてさめてみると、それは、先刻仙人の炊(た)いていた黄粱がまだ煮えてもいない、ほんの僅かな時間のことにすぎなかったという》人の世の栄華のはかなさのたとえ。「邯鄲の夢」「一炊の夢」「黄粱(くわうりやう)一炊の夢」などとも。「かの―、夢は五十(いそぢ)のあはれ世のためしもまことなるべしや」〈謡・女郎花〉

がんち 片目。「眼一(がんち)、片目也」〈俳・反故集下〉 ↓かんだ

かんぢゃう【勘定】①考え定めること。「こちより人の心を推して―するなり」〈臨済録抄四〉 ②是非・過不足などを決定すること。「本所の訴訟あらば、即ち結解(けっけ)を遂げ、―を請(う)くべし」〈貞永式目〉。「―とは裁断の義也。是非を估(ただ)す也」〈御成敗式目栄意注〉 ③計算すること。算用。〈日葡〉 ―ぶぎゃう【勘定奉行】①室町後期以降、大名の家に置いた職名。金・年貢・穀物の出納を取り扱った。「―、…此の衆、惣算用聞き也」〈甲陽軍鑑八〉 ②江戸幕府三奉行の一。老中に属し、定員四人。勝手方と公事方に分れ、前者は幕府直轄地の収税・金銀米銭の出納を、後者は関八州の公私領・それ以外の公領の訴訟をつかさどった。「村越清二郎は御―と為(な)る」〈山鹿素行年譜慶安四・六・一八〉

かんづか【髪束】《カミツカの音便形》髪を束ねたところ。たぶさ。もとどり。「菊王が―摑んで、遙かの舟に投げ入れ給へば」〈謡・摂待〉

かんづかさ【神司・神官】⇩かむづかさ。「―の者ども、ここかしこにうちしはぶきて」〈源氏賢木〉

がんづ・き【眼付き】『四段』眼につく。また、気がつく。「卯の花に―・く山の白みかな」〈雑俳・夏木立〉。「告げ渡る風に―・くや秋の空」〈俳・鸚鵡集七〉

かんづくり【寒造・寒作】寒中の水を用いて酒を醸造すること。また、その酒。「坪の内に―するみぞれかな」〈俳・犬子集六〉

かんな【鉋】⇩かな。「鉇、カンナ・ケヅル」〈名義抄〉 ―かけ【鉋掛】折敷(をしき)に鉋を掛けて美しく仕上げたもの。鉋掛折敷。かなかけ。「畏まって候とて…〔鹿角ヲ〕―にすゑてぞ出されたり」〈義残後覚五〉

かんな【仮名】⇩かな。「消息文(せうそこぶみ)にも―といふものを書きまぜず」〈源氏帚木〉

かんな【漢和】《カンワの連声形》「漢和聯句」の略。和漢聯句の中で、発句が漢句で始まるもの。「―五十韻興行」〈康富記宝徳三・九・一三〉 ↓和漢

かんなぎ【巫】⇩かむなぎ。「御前に通夜をしてゐたりける―の夢に」〈伽・かなわ〉。「巫女、カンナギ」〈運歩色葉集〉

かんなづき【神無月】⇩かむなづき。「今日よりや色葉散りぬる―」〈俳・正章千句下〉

かんなべ【燗鍋・間鍋】酒の燗をする鉄製または銅製の小形の鍋。注ぎ口と弦がついている。「間鍋、カンナベ、酒を煖(かわ)す器也」〈文明本節用集〉

かんなり【雷鳴】⇩かみなり。「ことばなめげなるもの。…―の陣の舎人(とねり)」〈枕二五八〉

かんにち【坎日】陰陽家で、万事に凶であるとする日。「―にもありけるを」〈源氏夕霧〉。「〔暦ヲ作ルコトヲ頼マレテ〕―・凶会日(くゑにち)など書きたりけるが」〈宇治拾遺七六〉

かんにん【堪忍】①こらえしのぶこと。困難な状況下に踏み留まること。「将軍、京都には一日も―し給はじ」〈太平記一九・青野原軍〉。「かの多屋(たや)の面面抑留あるによりて、今日までも―なり」〈御文章〉。「本国へ下られ候はで―候へ」〈証如上人日記天文六・六・二五〉。「ながらへば…。―せば也」〈竹聞〉 ②窮乏に耐えて暮すこと。「かく貧しく苦しき世間、―すべくも覚えず」〈梵舜本沙石集一〇本ノ七〉。「その後家、懐妊にて、丹波へ落ち、木崎と申す所に忍びて―し」〈赤松記〉。「むぐらの宿の―は憂(う)し」〈俳・独吟集上〉 ③生活のてだて。生計。「それでは―が続きますまい。…ムム、―といふは、食物(はみもの)の事か」〈虎寛本狂言・今参り〉。「―。…また活計を云ふ。―が続かぬなど云ふ」〈俚言集覧〉 ④怒りをこらえて許すこと。「色色侘事(わびこと)候間、まづ此方には―仕り候」〈北野目代日記延徳三・六・二七〉。「―をして戻っておくりゃれ」〈虎明本狂言・鈍太郎〉 ―五両 堪忍すれば五両の得がある意で、堪忍の価値あることをいう。「―雁帰る空」〈俳・珍重集〉 ―ぶくろ【堪忍袋】堪忍する度量を袋にたとえていう語。「堪忍蔵(ぐら)」とも。「―の口を開き」〈浮・曲三味線一〉 ―ぶん【堪忍分】客分の者などに給与する生活費。「寺家衆―の粮料(らうれう)也」〈天正日記天正一八・九・二九〉

かんぬし【神主】⇩かむぬし。「ただ、人の持つまじきものは

—なり。かやうの者には、近づく者までも地獄に落つるなり」〈伽・富士の人穴の草子〉。〈運歩色葉集〉

かんねぶつ【寒念仏】《カンネンブツとも》寒の三十日間、鉦(かね)を鳴らし、念仏を唱えながら山野または市中を廻る行事。後には、鈴を鳴らし(日蓮宗はうちわ太鼓を叩き)、家家を門付けして歩くことも称した。「待つとかや其の暁の—」〈俳・軒端の独活上〉

かんのう【堪能】その道にすぐれた才能をもっていること。また、その人。「—の人人を召しえらびて、臨時に御会あり」〈保元上・後白河院御即位〉。〈文明本節用集〉

かんのきみ【かんの君】《カンはカミの音便形》長官(かみ)に対する敬称、または親称。「右馬(うま)の—」〈かげろふ下〉。「—(尚侍君)まかで給へり」〈源氏賢木〉

かんのとの【かんの殿】《カンはカミの音便形》長官(かみ)に対する敬称。「—(常陸守殿)の御娘」〈源氏東屋〉。「—(尚侍殿)〔ノ御髪ハ〕御たけに七八寸余らせたまへり」〈大鏡藤氏物語〉

かんのぬし【守の主】地方長官の敬称。「かの—の人がらもものものしくおとなしき人なれば」〈源氏東屋〉

かんのみづ【寒の水】①寒中の水。「汲み置く—は幾桶／あらけなく取る門門の垢離(こり)なれや」〈俳・寛永十三年熱田万句四〉②寒中の雪を、少量の龍脳・麝香と共に壺に密閉しておいたもの。夏、白粉の解き水として用いる。「—で磨きこそ出せ氷面(ひも)鏡」〈俳・毛吹草六〉

かんのむし【疳の虫・癇の虫】主に子供の慢性胃腸病。また、それを発病させると信じられていた体内の虫。「田中東殿子…—、八つ過ぎに死去」〈二条宴乗記元亀二・八・二〉

かんばう【看坊・看防】①禅宗で、住持でなくて、留守・後見をする僧。「坊主も留守也。—計会(困惑)也」〈看聞御記応永三一・二・四〉。「常に禅院の留守の僧を—と云ふは文字如何。看坊と書くなり」〈塵嚢鈔三〉②近世、幼少の当主または後家と同居する後見人。「勘七・善三郎なんど—の上は、いかなる人の息女にても呼びかぬる事あるまじけれども」〈浮・御前義経記七〉。〈世話字節用集〉

かんばし【羹箸】正月の雑煮に用いる、柳の白木で作った太い箸。太箸。「—・塗箸」〈西鶴・胸算用一〉

かんばせ【顔・容】「かほばせ」の音便形。〈下学集〉

かんばり【甲張り】『四段』音声が細く高く鋭くひびく。甲走る。「—ったる声にて、よし野の山をうたひしを」〈西鶴・置土産五〉

がんばり【眼張り】『四段』眼をつけて見張る。「目が見えず、声を—って置いて下さんせ」〈浄・軍法富士見西行二〉

かんばん【看板・看版】①商家で家号・職業・商品などを記し、店頭に掲げて通行人に広告するもの。「水晶の—なれや薄氷」〈俳・毛吹草六〉。〈文明本節用集〉②芝居などで、俳優名や演芸の画面などを記し、小屋の前に掲げるもの。「—の表は竹の林にて」〈俳・宗因千句下〉③武家の仲間・小者などの着た短い衣服。多くは紺色で主家の紋所などを染め出してあった。「古文字の楽の字、是れ六尺が—の紋」〈浮・色道大鼓三〉 **—に偽(いつはり)なし** 看板どおりで全くうそいつわりはないの意。見世物などの口上に言う。転じて、外見と実質とが一致しているたとえ。「荒鹿が物を言ふを見物あれ、—し」〈浄・千載集三〉。「—きは、人の命の限りぞかし」〈西鶴・嵐無常上〉

かんびゃう【看病】①僧が説法やまじないなどをして、仏法の力で病気をなおすこと。「勤修(ごんじゅ)…—を第一とし」〈霊異記上三六〉②病人を看護すること。みとり。「—の輩(ともがら)これを見て、奇異なりと思ひて」〈今昔一五ノ五二〉

かんぶくろ【紙袋】「かみぶくろ」の転。「—などに入れて取り置くぞ」〈毛詩抄一〉

かんぺう【干瓢・乾瓢】①夕顔の果肉を細く薄く長く剝いて干した食品。近世前期、摂津の木津・難波が名産地。「—になる夕顔の宿」〈俳・犬筑波〉。〈文明本節用集〉②《夕顔を作る意から》日本海沿岸の酒田・出雲崎・敦賀などで、淫売婦の隠語。「夜発(やほ)…越前にて—」〈色道大鏡一四〉

かんべに【寒紅】寒中に作った紅。つきがよいので珍重された。中でも丑(うし)の日に買うものを丑紅といい、薬用・美容に特効があるとされた。「一度の大願に楊貴妃の匂粉をぬりくり、—も此の時の用に立て」〈西鶴・織留五〉

かんべん【勘弁】①よく考えて善悪・当否などをわきまえること。「古人の言句を批判し、学者を—する事」〈夢中問答中〉②よく考えてきめること。勘定。「—…また勘定の事なり」〈臨済録抄四〉。「一言云ひ出す処で、やがて—して出すなり」〈碧岩抄四〉③あやまちを許すこと。堪忍。「笑はずに—も御座無かりしや」〈雑俳・すみれ草〉

かんぼつ【勘発】落度を責め咎めること。譴責(けんせき)。「宇治殿、頗る義忠が言を心得ず思し召して、義忠を召して、『…』と—し仰せられける」〈今昔二四ノ二九〉

がんまく【岩驀・眼膜】わがままで乱暴なこと。また、欲深くあくどいこと。「畠にて奪(ば)ひ取り勝ちや—は(真桑瓜ト掛ケル)」〈俳・鸚鵡集五〉

かんまゐり【寒参り】寒の中、毎夜寺社に参詣すること。また、その人。裸・はだしで参り、水垢離(みずごり)を取った。「近世、又—と称し、垢離し裸形となりて」〈古今神学類編四六〉

かんむり【冠】「かうぶり」の転。「直衣の装束に—着給ひて」〈伽・日光山宇都宮因位御縁起〉。〈文明本節用集〉

かんもり【掃部】「かんもりづかさ」の略。「殿司、—の女官(にょうくわん)」〈紫式部日記〉 **—づかさ**【掃部寮】⇒かもんづかさ。「—のものども、畳とるや遅きと」〈枕(能因本)なほ世にめでたきもの〉

かんもん【肝文】①肝要な文句。「サンタマリヤに当り奉る経文…—を抜き取り」〈バレト写本〉②大切。肝要。「惣じて能も、一番の内に—の所は、一二三箇所より外はなしと云ふ」〈わらんべ草四〉

かんもん【勘文】儒者・諸道の博士(はかせ)・陰陽師などが、吉凶や行政・司法上の問題などについて意見を書き記して朝廷に奉る書。「かもん」ともよみ、「かんがへぶみ」ともいう。「宿曜—等御使僧に付して、祈願せしむる也」〈小右記治安三・一・一六〉

かんもん【勘問】罪状を問い、取り調べること。「すみやかに法に任せて—して、その科(とが)を行なふべしと仰せ給ひければ」〈今昔二九ノ一四〉

かんや【紙屋】《カミヤの音便形》京都北野神社のそば、紙屋川のほとりにあった官立の製紙所。紙屋院。また、そこで作った紙。「—の人を召して〔特別ニ紙ヲ漉カセル〕」〈源氏鈴虫〉。「—の色紙の色あひはなやかなるに」〈源氏梅枝〉 **—がみ**【紙屋紙】紙屋で漉(す)いた紙。官庁用紙とする。はじめは種種の紙を漉いたが、のちには、宿紙(しゅくし)といって薄墨色の漉き返しの紙を製したので、宿紙をも称するようになった。「かみやがみ」「かうやがみ」とも。「うるはしき—・みちのくに紙」〈源氏蓬生〉

かんりゃく【簡略・勘略】①くどくないこと。手軽なこと。「善光寺如来帰国す。…〔太閤ノ意向ノタメ〕路次の義依って俄かにーなり」〈舜旧記慶長三・八・一七〉 ②質素倹約。始末。「進物の事…今度ーの儀を以て、二千疋の由仰せられ了んぬ」〈祇園執行日記正平七・一〇・三〇〉 ③近世、家臣・庶民に質素倹約を強制する政策をいう。節倹政治。「ーの世は皆酔へり歌舞伎子に」〈俳・大坂独吟集下〉

かんろ【甘露】 ①苦しみをやわらげ、飢えをいやし、長寿をあたえ、死者を復活させるという、忉利天(たうりてん)の甘美な霊液。「その時に、神、手をさしのべて指の先よりーを降らす」〈今昔二ノ二七〉 ②美味のたとえ。「麦飯(ばくはん)なんどはーと覚え候なり」〈沙石集八ノ一四〉

かんわざ【神業】 ⇒かみわざ。「儀式など、常のーなれど、いかめしうののしる」〈源氏葵〉

き

き【寸】 ①古代の長さの単位。ほぼ現代の一寸(約三センチメートル)に当るらしい。「溝瀆(うなで)の流(みづ)、また凝結(こほ)れり。厚さ三四寸(みきよき)ばかり」〈紀皇極二年〉 ②馬の高さを示す語。馬のたけは四尺を標準とし、それを超す高さを「寸」であらわし、「寸」だけで全体の高さを示した。「五尺の鹿毛、九ーの黒といひて名高き御馬」〈宇津保内侍のかみ〉。「寸をキと読む事は、馬の四寸、五寸なるをば、四(よ)ー、五(い)ーといふ証拠也」〈雑談集三〉 ▽三尺九寸を「かへり一寸(ひとき)」という。 †ki

き【木】 ①樹木。「言問はぬーにもありとも」〈万八一二〉 ▽古形はコであるが、奈良時代には、単独に用いられる場合にキがすでに普通になっていた。 ②材木。「船木伐(き)りーに伐り行きつ」〈万三九一〉 ③〔歌舞伎用語〕《「柝」とも書く》幕の開閉などの演出上の合図、または楽屋などへの合図に、狂言作者の打つ拍子木。「チョンチョン二つのーは、これ聞き合はせのーとぞ云ふ」〈戯場楽屋図会拾遺下〉 †kï **ーで鼻こく・る** 《「木で鼻くくる」の古形。↓こくり》無愛想に応対するさまにいう。「木で鼻かむ」とも。「ー・ったやうな返事すれば」〈浮・好色敗毒散三〉 **ーになる** 身体がこわばって身動きできなくなる。鯱(しゃち)ー張る。「内には〔侍女ノ〕十五夜・冷泉もー・って、牛若君も姫君も二度の汗(ヒヤ汗)をぞ流さるる」〈近松・孕常盤五〉 **ーに餅のなる** 非常に好都合なことのたとえ。「木に餅」「木に飯のなるやう」とも。「ーとや言はん松の雪」〈俳・鷹筑波四〉 **ーの股からも生れ・ず** 人間は皆父母から生じるの意。また、木石とは違い人情を解するの意。「わ主達もー・ず」〈近松・虎が磨中〉 **ーは木、銀(かね)は銀** 物事に、はっきり区別のある意。「入相〔ノ鐘〕に花散るなー」〈俳・唐人踊二〉。「薬種に、まぎれ物せず、ーに、幾年か変る事なし」〈西鶴・永代蔵四〉

き【牙】 《とがって芽ばえるものの意が原義》⇒きば。「ーかみ(歯ギシリシ)たけびて」〈万一八〇九〉。「牙、キバ・キ・キザス」〈名義抄〉 †ki

き【疋・匹】 《ギとも》①布などの長さを示す語。「幾ーともえこそ見分かね秋山のもみぢの錦よそに立てれば」〈後撰三八七〉 ②馬などを数える語。「馬の八つぎは惜しけくもなし」〈紀歌謡七九〉。「うつくしき我がなにもの命(みこと)を子の一つぎに易(か)へつるかも」〈記神代〉 †kï, gï

き【杵】 《キネの古語。多く複合して使う》土や穀物をつきくだく道具。「八百土(やほに)よしいー築の宮」〈記歌謡一〇〇〉 ▽朝鮮語ko(杵)と関係があろう。 †kï

き【城】 まわりに垣を構えめぐらして、内と外とを区切った所。敵を防ぐためのもの。また、墓所。奥つ城(き)。「筑紫の国は賊(あた)守る鎮(さお)へのーそと」〈万四三三一〉 ▽キは百済の語か。三国史記、百済の条に、「潔城」を「結己」、「悦城」を「悦己」と書いてあり、「己」はkiの音で、キ(城)と一致する。 †ki

き【酒】 「さけ」の古語。「この御(み)ーは、わが御ーならず」〈記歌謡三九〉 ▽クロキ(黒酒)・シロキ(白酒)の場合は、続日本紀に「黒紀」「白紀」とあり、キはkïの音。 †kï

き【黄】 黄色(きいろ)。「白き色紙、青き表紙、ーなる玉の軸なり」〈源氏絵合〉 ▽古代の日本人は、黄色を独立した色彩としては区別せずに、赤の範囲に含めて把握していた。色名としての「黄(き)」が確立するのは平安時代に入ってからのことらしい。

き【棺】 死体を納める箱。棺(かん)。「うつせみのからはーごとにとどむれど」〈古今四四八〉

き【葱】 ネギの古語。「葱、紀(き)」〈和名抄〉

き【気】 ①空気など、立ちこめるもの。「ー霽(は)れて風新柳の髪を梳(けづ)る」〈和漢朗詠集早春〉。「〔障子ヲ〕開けよといふは、ーのこもりたるを散ぜんためなり」〈夢中問答下〉 ②息。呼吸。「しばらくわ殿はーを継ぎ給へ」〈盛衰記三七〉 ③元気。気力。「力山を抜き、ー世を蓋(おほ)ふ」〈太平記九・主上上皇御沈落〉。「軍のーは、朝は鋭(するど)にあり」〈孫子私抄〉 ④気分。気持。「この程ちとーがよきとて戸を開き、池辺に閑吟したれば」〈三体詩抄二ノ三〉 ⑤機嫌。「この女、ー悪しくなりて…二つの小袖を投げ返して」〈撰集抄三ノ七〉。「いか様に機嫌悪(わろ)く侍る時も、浄西寺に逢ひてはーを直し侍りき」〈実悟記〉 ⑥心。「ーが狭くは、大人は凶(わる)からうぞ」〈周易抄〉。「いづれの公家・大臣の御娘を参らせあぐれども、つひに御ーに入らざりけり」〈伽・岩竹〉 ⑦意識。正気。「ーの違ふ人こそ不便至極なれ」〈俳・正章千句上〉。「あたたむる針にーがつき息出でて」〈俳・油糟〉 ⑧心くばり。気づかい。「そっともーにするな」〈虎明本狂言・居杭〉 ⑨恋慕の情。「我らにー掛け姿」〈浮・和気の裏甲二〉 **ーが通・る** 察しがよい。粋だ。気がきく。「いかにしてもー・らず」〈評判・朱雀遠目鏡下〉 **ーが廻(まは)・る** 邪推する。ひがむ。「それはこなたのー・ってぢゃ」〈狂言記・津島祭〉 **ーに当・る** 気分を害する。しゃくにさわる。「この申し分おー・り候はば、所の代官へなりともお上げ候へ」〈咄・昨日は今日下〉 **ーに合・ふ** 心に叶う。気に入る。「攢眉は、ー・はぬ事あれば、眉にしわを寄するを云ふぞ」〈錦繡段鈔六〉 **ーの減る** ①気が疲れる。元気がなくなりふさぎこむ。「暑さ堪へるにて、ーばかりなり」〈仮・けんさい物語上〉 ②ただならぬ気分になる。「ああー事聞いて」〈浮・好色産毛四〉 **ーを上・ぐ** ①意気を盛んにする。元気旺盛になる。「度度の合戦に打ち勝って、兵皆ー・げける上」〈太平記八・四月三日〉 ②のぼせる。上気する。「そりゃ彼の君よと、ー・げて」〈近松・娥哥かるた一〉 **ーを失・ふ** ①元気・勇気をなくす。「あまりにいたく諫むれば童(わらべ)はー・ひて」〈風姿花伝〉。「一門はー・ひ、力を落して」〈謡・清経〉 ②喪心する。正気を失う。「長老地に落ちてー・ふ」〈奇異雑談集四〉 ③死ぬ。「これによって人の死するをー・ふと申す也」〈沢庵法語〉 **ーを落・す** 元気をなくす。落胆する。「これほどにー・したる御方(みかた)、甲斐甲斐しく一合戦の力を得つとも存ぜぬ上」〈明徳記下〉 **ーを兼・ぬ** 気がねする。遠慮する。「夫の機嫌をはかり、姑のー・ね」〈色道大鏡一四〉 **ーを**

付・く ①注意する。気をくばる。「さてもこまかに—・けたの」〈咄・昨日は今日上〉 ②意識を回復させる。正気にもどらせる。「まづ冷やかなる水を顔に注いで—・けよ」〈法華大意抄上〉 **—を尽・す** ①一生懸命になる。熱中する。「後生の我等を導かんために、そくばくの—・せる古賢の心ざし」〈戴恩記上〉 ②すっかり気が疲れる。うんざりする。「敵に—・させんと、いよいよ馬を懸け寄せ懸け寄せ、透き間もなく打ってかかる」〈安宅一乱記三〉 **—を留(と)・む** 注意する。気をつける。「—・めて見しに」〈西鶴・男色大鑑四〉 **—を呑・む** ①深刻な事態に、ぐっと息を呑みこむ。「歴代の祖師も、—・み、声を呑む」〈月庵法語〉 ②相手の気力を奪ってしまう。完全に圧倒する。「待ち軍(いくさ)して、敵に—・まれては叶はじ」〈太平記三三・足利殿〉 **—を張・る** ①我慢する。辛抱する。「—・り弓も弦切れて」〈近松・虎が磨中〉 ②思いきって金を出す。気前よく費用を掛ける。「二十六人に〔五十両入リノ土器ヲ〕一つづつ—・りけるは」〈浮・好色万金丹三〉 **—を結・ぶ** 熱中する。一心不乱になる。「笛の音色に聞き入り、多くの女臈—・び」〈浄・十二段三〉 **—を持た・す** ①思わせぶりをして、相手の気を引く。「己が楽しみを遂げんとて、人に—・する仕掛けなり」〈浮・男色十寸鏡上〉 ②春情をそそのかす。「口にこそは言はれね、目でしめる思はく(恋情)、茶椀の中から—・する仕掛け」〈浮・好色貝合上〉

き【忌】(親や祖先の)命日。「今、国忌稍(やや)多くして…事を行なふこと多く滞れり。請ふ、親尽くるの—は、一に省除に従はむ」〈続紀延暦一〇・三・二三〉

き【季】①四時(春・夏・秋・冬)の一の称。「この月(三月)は—の果てなり」〈源氏玉鬘〉 ②単位としての一定期間。出替り奉公などでは一年を一季、半年を半季という。「大小僕の給〔銀〕、来年夏冬両—の給六拾〔目〕充て、二—分百二十目」〈隔蓂記寛文六・二・二八〉 ③和歌の分類で、四季に属するもの。「恋の歌ならざらむ雑(ざふ)や—やなどに詠むべし」〈毎月抄〉 ④連歌・俳諧で、四時の季節。また、句に詠み込む四時の景物。「鳥の巣は、春の—を持ちたる句にて侍るべし」〈筆のすさび〉

き【綺】織物の名。錦に似て薄いもの。「〔歌集ノ〕—の表紙」〈源氏梅枝〉。「青鈍(あをにび)の—の指貫(さしぬき)」〈源氏真木柱〉

き【機】①弩(いしゆみ)のばね。転じて、しかけ。からくり。「千鈞の弩は鼷鼠(けいそ)の為に—を発せず」〈太平記二〇・義貞自害〉。「機、アヤツリ」〈名義抄〉 ②〔仏〕縁に触れて発動される心的な能力、素質。機根。「迷悟(凡夫ト仏)—こととなり、感応一に非ず」〈性霊集九〉 ③気力。元気。「一足も引かず戦って—已に疲れければ」〈太平記一六・正成兄弟〉 ④物事のきっかけ。はずみ。時機。「御方(みかた)の疲れたる小勢を以て敵の—に乗ったる大勢に懸け合って」〈太平記一六・正成下向〉 ⑤(心のはたらきとしての)息。気。「機開(いきさし)ははなはだ雅妙なり」〈遊仙窟(醍醐寺本)鎌倉期点〉。「息も—も同じ物、節・曲と云ふも同じ文字なれども、謡ふ時は習ひやう別なり」〈音曲声出口伝〉

き【生】『接頭』名詞に冠して、もとのまま、加工していない、世慣れない、うぶな、の意をそえる。「—酒」「—猿」「—地」「—娘」など。「—息子と見えて朝から〔年ノ〕市に立ち」〈雑俳・万句合明和六〉

き『接尾』《君の意かという》童女などの名に添えていう語。「あて—」〈源氏葵〉。「いぬ—」〈源氏若紫〉

き【着】㊀『上一』①(衣類を)身につける。身にまとう。「吾妹子(わぎもこ)が下にも着よと贈りたる衣(ころも)の紐を吾(あれ)解かめやも」〈万三五八五〉 ②(笠や烏帽子などを)かぶる。「笠も着ず出でつつぞ見し雨の降らくに」〈万二六八二〉 ③(袴などを)はく。「似げなきもの。…下衆(げす)の紅の袴着たる」〈枕四五〉 ④こうむる。受ける。「あまりに御みめのいつくしくわたらせ給へば、よその聞えもありて、思ひなどを—・させ給ふらん」〈伽・雨若御子物語〉。「ソナタノヲンヲキヌ」〈日葡〉 ㊁『名』①着ること。「—のよろしもよ(着タトコロガヨイヨ)おほよそごろも(簡単ナ服ハ)」〈神楽歌三五〉 ②衣服。「きい」とも。「衣、キ・キイ」〈名義抄〉 ③衣服を数える語。一着(ちゃく)、二着の着にあたる。「甲(よろひ)二(ふた)—」〈紀欽明二十三年〉 †ki

き【来】『カ変』《話し手がコ(此)という近称で指示する、身近な所へ向って、空間的・時間的・心理的に近づくことを、話し手の立場でとらえていう語》①こちらへ向って近づく。「〔私ヲ〕慕ひ来(こ)し妹が心のすべもすべなさ」〈万三九六〉 ②帰る。戻る。「今日行きて明日は来(き)なむを何かさやれる」〈万八七〇〉 ③《目的地を基準にした気持でいう》行く。「大和には鳴きてか来(く)らむ呼子鳥象(きさ)の中山呼びぞ越ゆなる」〈万七〇〉 ④女が男にほだされて、その男を慕うようになる。「くる。是もほれらるる心也。…男より女へくるとは言はず」〈色道大鏡一〉 ⑤腹を立てる。「きた。…人の腹立つる事にもいふ」〈洒・胡蝶の夢〉 ⑥《動詞の連用形について》以前からずっと…する。「うきふしを心一つにかぞへきてこや君がてをわかるべき折」〈源氏帚木〉 ▽漢文訓読体では「き」は使わず「きたり」を使う。なお、「き」の命令形は、平安時代までは「こ」とだけ言って「よ」を添えなかった。助動詞「し」へ続く場合は、普通は「こし」、平安女流文学では「きし」が使われた。「旅にても喪(も)無く早来(こ)と」〈万三七一七〉。「せちに来(こ)とあらば行かむ」〈更級〉。「語らひて来(こ)し日のきはみ」〈万三九五七〉 †ki 未然形・命令形は kö

き『接尾』擬態語・擬音語について四段活用の動詞をつくる。「轟き」「そよき」「騒き」など。「蛆たかれころろきて」〈記神代〉

き『助動』→基本助動詞解説。†ki

ぎ【義】①人の守るべき道。儒教の五常の一。「書するに仁—礼智信の五字を以てし」〈続紀天平二・一・一六〉。「—と云ふは、事のいはれを違へず、邪(よこしま)なる事をなさず、万事に理を失はざる是(これ)なり」〈日蓮遺文戒法門〉 ②道理。教理。「法(のり)もなき所に一乗の—を弘め説きつ」〈三宝絵中〉 ③意味。「阿闍梨も請(うけ)じおろして、—などいはせ給ふ」〈源氏橋姫〉

ぎ【儀】《法にかなった行為》①儀式。礼式。作法。「新羅の朝貢使拝賀す。その—常の如し」〈続紀文武二・一・一〉。「いかでか大国の皇をうやまふ—を知らん」〈正法眼蔵行持下〉 ②事の運び。事の次第。事がら。「既に各々軍(いくさ)を儲(まう)けて合戦すべき—になりぬ」〈今昔二五ノ五〉。「その—ならば、一騎も洩らすな、余すな」〈保元上・官軍手分け〉 ③人を示す体言についてそれが主題であることを示す語。「われら—は、余の人と変り候」〈咄・昨日は今日下〉。「ばてれんことは、又は、ばてれん—は」〈ロドリゲス大文典〉

ぎ【気】『接尾』他の名詞の下に付いて、気質・心持などの意を表わす。「男—」「豪—」など。「夷(えびす)ぢゃほどに、無慚(むざん)—で、鬼のやうに腕こきあり」〈玉塵抄五五〉

きあがり【気上り】のぼせること。上気。逆上。「〔紙子ノ袖ヲ破ラレ〕竹斎—して」〈仮・杉楊枝一〉。〈和玉篇〉

きあつかひ【気扱ひ】いろいろと心を配ること。心遣い。気苦労。「亭主は宵よりの—」〈西鶴・桜陰比事一〉

きあは・せ【来合はせ】『下二』たまたま来て出合わす。

「楽林坊へ用ありて―・せらるる間」〈言国卿記文明六・閏五・九〉

きあひ イ:ァ【気合・気相】①気に合うこと。心に叶うこと。「―な人が来たほどにうれしいぞ」〈山谷詩抄一三〉②気分。心持。「秋の末までは―悪しきほどに」〈三体詩抄二ノ三〉③病気。「久清―同辺の由」〈尼子晴久文書天文一六・二・二〇〉。「手前の―、恐れながら御心安く思し召さるべく候」〈沢庵書簡正保三・一・九〉

きあ・ひ イ:ァ【来合ひ】『四段』来て一緒になる。来合わせる。「ある上人―・ひて、この車に合乗りて侍れば」〈源氏帚木〉

きい【紀伊】《「木の国」のキを、一般の例にならって好字二字で書くために、「伊」の字を特に添えた形》旧国名の一。南海道六国の一で、今の和歌山県の大部分と三重県の一部。紀州。「―の国に、紀の国造と申すはこの御神なり」〈更級〉。「紀伊、キイ」〈色葉字類抄〉

きい・り【来入り】『四段』はいってくる。「大室屋（おほむろや）に人さはに―・り居り」〈記歌謡一〇〉 †kiiri

きう キュウ【灸】漢方療法の一。もぐさを皮膚の局部につけて火をつけ、その刺激によって治療すること。やいと。「―をすゑたるが如くして離れず」〈今昔三ノ二三〉

きう キュウ【宮】五音（ごいん）の一。「―・商・角・徴（ち）・羽の五音あり」〈著聞二三〇〉

ぎう ギュウ【牛】①女郎屋の客引をする若い衆。妓夫（ぎふ）。牛太郎。「―を呼びて申されけるは」〈咄・鹿の巻筆三〉②夜鷹の護衛がてら監督して付いて歩く男。牛右衛門。牛蔵。「―連れて夕間暮こそ唯ならぬ」〈俳・当流籠抜〉

きうか キュウ:カ【九夏】夏の九十日間。「―の天も暑さを別れ」〈謡・善知鳥〉 **―さんぷく**【九夏三伏】《「三伏」は、夏の末から立秋前後にかけて最も暑い初伏・中伏・末伏の候の総称》夏の極暑の期間。「―の暑き月に、竹錯午（さくご）＝交錯スルコト）の風を含み」〈本朝文粋一〉

きうきう キュウキュウ ①笑い声の擬音。「ただ―とのみ笑ひけり」〈著聞五三三〉②押しつけられて痛み苦しむさまの形容。「―こはる秋の霜腹」〈俳・寛永十三年熱田万句三〇〉

きうぎゃう キュウギョウ【灸饗】子供などに灸をすえる時、機嫌を取るため菓子・玩具などを与えること。「やいとぎゃう」とも。「―。…小児などを勇めんために、色色食物を備へ振舞ふなり」〈志不可起六上〉

きうきょく キュ:ウ:キョク【九棘】《中国で、九卿（けい）の座を九本の棘（いばら）を植えて表わした故事から》公卿〈くぎやう〉の異称。九卿。「三台―、百辟千僚、華夏遠近、緇素尊卑、同じく仏海の無辺に浴し」〈本朝文粋一三〉

きうくつ キュ:ウ:【窮屈】①貧乏で苦しいこと。〈色葉字類抄〉②疲れて苦しいこと。「長途に疲れて十日余り、―しきりに身を責む」〈海道記〉③自由がきかず苦しいこと。「さて―におはしますらん、いま少し待ち給へ…出し奉らん」〈伽・ささやき竹〉④厳格で堅苦しく考えること。「あまり―したる覚悟然るべからず」〈矢嶋小林庵何木百韻注〉

きうけい キュ:ウ:【九卿】《中国で九人の大臣をいう》公卿〈くぎやう〉の異称。「重盛いやしくも―に列して三台にのぼる」〈平家三・医師問答〉

きうけう キュウキョウ【九竅】人体にある目・耳・鼻・口および下部の二穴のこと。九穴。「涓涓（けんけん）たる臭液は―に従って沸きあがる」〈三教指帰下〉

きうけつ キュ:ウ:【灸穴】身体の中で、灸をすえて効果のある箇所。「艾（もぐさ）の光放つ―」〈俳・俳諧三部抄中〉

きうけつ キュ:ウ:【宮闕】《「闕」は王宮の正門の両側に設けた物見台》宮城。「木にのぼりて―をうかがふ」〈著聞九三〉

きうげん キュ:ウ:【九原】《中国で晋の卿大夫の墓地のあった地名から》墓所。また、あの世。「後までの名も―の骨にもとどまり候はむずれ」〈太平記一七・十六騎勢〉

きうご キュ:ウ:【九五】《易で「九」を陽に、「五」を帝位に当てたので》天子の位。「以てその―に遇ふを待つ」〈本朝文粋一〉

きうこう キュ:ウ:【旧功】①古い功労。昔のてがら。「此の人人を召して…委任せられれば、誰か其の家を軽んじ、誰か―を続がざらん」〈太平記三七・可立大将〉②長年忠実に奉公すること。「忠勤を尽し、―を致したる人」〈諸家評定一〉

きうざ キュ:ウ:【久三】下男の通名。「〔下女ノ〕杉が夜なべの声、―の床の中には破れ団扇の風」〈俳・空林風葉上〉▽久二郎・久七・久六・久助などともいう。

きうじ キュ:ウ:【宮仕】宮仕え。「京鎌倉の―・公役（くやく）などもかひがひしく沙汰せられき」〈沙石集九ノ三〉

きうしゃう キュウショウ【九星】陰陽道で、九曜星を五行及び方位に配置し、人の生年に当てて吉凶を判断するもの。一白（水星）、二黒（土星）、三碧（木星）、四緑（木星）、五黄（土星）、六白（金星）、七赤（金星）、八白（土星）、九紫（火星）の総称。「日月、三光、七曜、―」〈盛衰記三六〉

きうすけ キュ:ウ:【久助・九助】①下男の通名。「毛氈（もうせん）巻ける八介・―」〈俳・紀子大矢数上〉②大和国吉野名産の純白で上等な葛（くず）粉。「六位の〔礼服ナミニ真白ナ〕―そこへ出られた」〈俳・投盃〉

きうせん キュ:ウ:【九泉】①九重の地の底。黄泉。冥途。「遊仙窟に曰はく、―の下の人は、一銭にだに直（あたひ）せじといふ」〈万巻五・沈痾自哀の文〉②墓地。「塋（つか）を城邙（せいばう）＝北方ノ郊外）の―に卜（し）む」〈性霊集三〉

きうせん キュ:ウ:【弓箭】①弓と矢と。「あるいは―・兵杖を持て来たり」〈今昔二五ノ五〉②弓を射ること。「〔篠山丹三八〕―の達者なり」〈吾妻鏡文治五・二・一七〉③弓矢をとる身。武士。「われ譜代―の家に生れ」〈太平記一四・節度使〉④弓矢の沙汰。戦争。「甲冑を枕とし―を業とする本意」〈平家一一・腰越〉 **―すぢ**【弓箭筋】手相の一。第二指と第三指の間に筋の入っているもので、剣難の相という。「切らるるは―か若楓（かへで）」〈俳・夢見草二〉。「―に身を省（かへり）みる」〈俳・京拾遺一〉

きうぞく キュ:ウ:【九族】①高祖父・曾祖父・祖父・父・自分・子・孫・曾孫・玄孫の一族九代の総称。〈下学集〉②父の族四、母の族三、妻の族二の総称。その内訳については諸説がある。「古は槐門（くわいもん）棘路（きよくろ）の間に―をなびかし」〈平家一一・先帝身投〉

きうたい キュ:ウ:【裘代】《「裘」は皮衣。皮衣の代りの意》僧服の一種。法皇・法親王・諸門跡、または大納言・参議以上で出家した人が参内の時などに着用したもの。公家の直衣（なほし）に相当する服装。「法印あまりの悲しさに、―の袖を顔に押しあてて、泣く泣く御前へぞ参られける」〈平家三・法皇被流〉

ぎうだい ギュ:ウ:【牛台】遊女屋の店先の、牛〈ぎう〉(1)の待ち控えている三尺四方の台。「柵（まがき）も庭も―も」〈浮・好色俗紫三〉

きうだち【君達】「きんだち」の「ん」を「う」と表記したもの。「―は多く渡らせ給ふ」〈日蓮遺文四条金吾殿御返事〉

きうぢ キュ:ウ:【灸治】灸をすえて療治すること。「―あまたする程に、いかなるべき事にかとあさましきに、次第に重（おも）り行く様なれば」〈問はず語り一〉

きうぢゃう キュウジョウ【毬杖】打毬〈だきう〉に用いる槌形の杖。「大いなるたまを舎人（とねり）どものなかに投げいだし給ふ。舎人どもも―を持ちて遊びて打ち」〈宇津保祭使〉。「毬杖、キウヂャ

ウ」〈色葉字類抄〉→ぎっちゃう

きうちょう【九重】《中国の王城の門は九重に造ったからという》①帝宮の門。「〔天皇〕身―を隔てて〔民情ヲ〕多くは詳委にせず」〈続紀神亀四・二・二一〉②帝都。皇居。「萸杖(ゆぢやう)＝茱萸ノ杖)肩にかけて―に入る」〈菅家文草一〉。「牛禁中に走り入り、殿舎等に入る。…此の間―騒乱敢へて言ふべからず」〈小右記治安一・三・一九〉

きうつ【気鬱】気がふさぐこと。「―によし霍乱(くわくらん)によし富士が岳」〈俳・江戸蛇の鮓〉

きうてん【九天】高い天。天上。「春雪紛紛―より降る」〈文華秀麗集下〉

きうてん【灸点】灸をすえる場所に墨で記した点。また、そこに灸をすえること。「―を加へ了んぬ」〈明月記寛喜三・二・二九〉

きうにう【九乳】《鐘に鋳出した、乳首に似た九つの疣(いぼ)の意から》鐘の異称。「霜鐘を叩かず、青腰猶(ほな)―の響きを催す」〈本朝文粋四〉

きうのふた【灸の蓋】灸をした箇所が膿(う)まないように、紙片などでした蓋。「―六彌太後に立ち廻り」〈俳・物種集〉

きうば【弓馬】①弓術と馬術と。武芸の総称。「郡司の子弟及び百姓、年四十已下二十已上、―を練習せる者を以て健児(こんでい)とす」〈続紀天平宝字六・二・一三〉②戦争。「思はざりしに―の騒ぎ」〈謡・朝長〉 **―のいへ**【弓馬の家】武士の家。「義仲いやしくも―に生れて」〈平家七・願書〉 **―のみち**【弓馬の道】武芸の道。「―も先駆けんと」〈謡・田村〉

きうび【鳩尾】みぞおち。急所の一。「はとを」とも。「深く〔鍼(はり)ヲ〕雲門・―に刺す事なかれ」〈切紙上〉 **―さき**【鳩尾先】みぞおちの下。「―〔ノ腫物ガ〕たとひ〔赤イ〕色にはなるとても」〈俳・飛梅千句〉 **―のいた**【鳩尾の板】大鎧の胸板の左のはずれを覆う縦長の鉄板。右側には栴檀(せんだん)の板をつける。「栴檀の板の名は古書に見えたり。―と云ふ名も小出羽と云ふ名も古書に見えず」〈本朝軍器考頭書〉

きうめい【糺明】理非・善悪などを、糺(ただ)し明らかにすること。「―におよばず、…すでに誅せらるべきになりぬ」〈神皇正統記清和〉

きうもん【糺問】罪をきびしく糺(ただ)し問うこと。「詮ずる所、―して、よくよく事の仔細を尋ね問ひ」〈平家四・信連〉

きうり【木売り】薪(たきぎ)を売る人。「蚊遣火(かやりび)に我も―が娘かな」〈俳・貝おほひ〉

きうり【久離・旧離】①縁を切ること。絶縁。「実に其の覚悟においては、親子の―、許容すべからず候」〈信長公記一三〉②近世、目上の者が、刑事上の連帯責任や社会的非難を免れるために、目下の親類に親族関係の断絶を言い渡す行為。その手続きは、勘当(かんだう)に同じ。古くは、勘当と混用されていたが、安永頃は武家・庶民ともに、久離は欠落ち・出奔人に、勘当は在宅人に対して用いられた。享和頃からは久離は武家にのみ用い、出奔久離・追出し久離の二種に区別し 庶民もそれにならって、欠落ち久離・追出し久離と称するようになった。「親に不孝仕り、その上不届き者とて、親子の―を切り追ひ出し」〈正宝事録慶安三・一二・一四〉 **―ちゃう**【久離帳】町奉行所備え付けの帳簿の一。町奉行所で許可された久離願いの内容を記したもの。後日、久離された者が悔い改めた場合は、久離帳消しを願い出る必要があった。「明和八年以前の―は焼失に付き」〈当用便覧一〉

きうり【旧里】故郷。ふる里。「恐らくは―に帰りて、わづかに七世の孫に逢はむことを」〈和漢朗詠集仙家〉

きうりう【九流】中国、漢代における九つの学派。儒家・道家・陰陽家・法家・名家・墨家・縦横家・雑家・農家の総称。「〔信西ハ〕―を渡って百家に至る当世無双の宏才博覧なり」〈平治上・信頼信西不快〉

きうろう【宮漏】宮中にある水時計。「三秋〔秋ノ季節〕にして―正に長し」〈和漢朗詠集落葉〉

きうゐん【旧院】さきの上皇または法皇。故院。「―崩御なりぬるを以て、時の至る事を知る」〈保元上・新院御謀叛思し召し〉

きえ【帰依】仏や教えなどを深く信じて、身をゆだね、たよること。「聖体不豫…三宝に―して平復せしめむと欲す」〈続紀養老五・五・六〉。「いはゆる―とは、帰は帰投なり、依は依伏(えぶく)なり、この故に―と云ふ」〈正法眼蔵帰依三宝〉

き・え【消え】□一《下二》《雪・露・霜・火などが自然にあとかたもなくなる意。類義語ウセ(失)は、そこに存在したものが、その場から見えなくなる意》①なくなる。消滅する。「〔露ハ〕朝に置きて、夕は―・ゆと言へ、〔霧ハ〕夕に立ちて、朝は失すと言へ」〈万二一七〉。「懺悔すれば、諸罪―・えずといふ事なし」〈孝養集中〉②生命がなくなる。死ぬ。「やがて―・え給ひなば甲斐なくなん」〈源氏若菜上〉□二《名》消えること。死ぬこと。「ややもせば―を争ふ露の世に」〈源氏御法〉 ▽上代、kiye か kïye か未詳。 **消える許**(ばかり) 深く感動して気を失うくらい。特に、美声を聞いた時などにいう。「消え入るばかり」とも。「〔小歌ノ〕一節(ふし)に―ぞ竹の雪」〈俳・遠近集一〉

きえあ・へ【消え敢へ】《下二》すっかり溶けてなくなる。「こころざし深く染めてし折りければ―・へぬ雪の花と見ゆらむ」〈古今七〉

きえい・り【消え入り】《四段》①次第に弱まって、すっかりなくなる。「燈(ともしび)などの―・るやうにて果てたまひぬれば」〈源氏薄雲〉②(悲しさ、恥ずかしさ、感激などのために)身も世もなくなる。人心地もなくなる。正気を失う。「―・りつつ泣き給ふ」〈源氏澪標〉。「〔殿方ノスバラシサニ〕物めでせむ人は―・りぬべし」〈栄花音楽〉③息が絶える。「夜べ、にはかに―・る人の侍りしに」〈源氏真木柱〉

きえう・せ【消え失せ】《下二》①消えてなくなる。「心さへ―・せたれや言(こと)も通はぬ」〈万一七八二〉②命が絶える。「世に―・すと誰かしるべき」〈行宗集〉。「〔娘ニ過チガアッタト思イ込ンデ〕―・せ給ひにし事をおぼし出づるに後の世の御罪にさへやなるらむと」〈源氏夕霧〉

きえかへ・り【消え返り】《四段》①すっかり消える。心細い思いをするに言う語。「わが宿の菊の垣根に置く霜の―・りてぞ恋しかりける」〈古今五六四〉②何度も消える。「行く水の泡ならばこそ―・り人の淵瀬を流れても見め」〈拾遺一二三二〉

きえきえ【消え消え】①次第に消えてゆくさま。「化生のもの―となりて海に沈みぬ」〈宝物集下〉②意識などが薄れてゆくさま。絶え入りそうなさま。「盛高も目くれ、心―となりしかども」〈太平記一〇・亀寿殿〉

きえ・し【消えし】《サ変》消えることをする。死ぬようになる。「―・せぬ程は、あるにまかせておいらかならむ」〈源氏宿木〉 ▽多く打消の形で使われる。

きえずみ【消炭】けしずみ。「朽木書き、―にて書くなり」〈藻塩草一七〉

きえそう【帰依僧】深く尊信する僧。「これは鎌倉殿の―祈禱人にて御入り候が」〈謡・春栄〉

きえのこ・り【消え残り】『四段』①消えずにわずか残る。「京には友待つばかりー・りたる雪」〈源氏浮舟〉②（やっと）この世にとどまる。「〔大病ノ後〕女君ー・りたるいとほしみに」〈源氏若菜下〉

きえは・て【消え果て】『下二』①すっかり消えてなくなる。「ー・つる時しなければ越路なる白山の名は雪にぞありける」〈古今四一四〉②息が全く絶える。死ぬ。「かひもなく、明け果つる程にー・て給ひぬ」〈源氏御法〉。「月頃わづらひ給ひけるが、つひにー・て給ひにければ」〈うたたねの記〉

きえまど・ひ（ドイマ）【消え惑ひ】『四段』今にも死ぬばかりに心が乱れる。「ー・へる気色(けしき)、いと心苦しくらうたげなれば」〈源氏帚木〉

きえわ・び【消え侘び】『上二』身も消え入るほどに、気力を落す。死ぬほどに元気をなくす。「ー・びぬ移ろふ人の秋の色に身を木枯しの森の白露」〈新古今一三二〇〉

きえん【機縁】①〔仏〕衆生の素質や能力が、仏の教えを説くための縁になること。「いまーの衆の為に読講宣揚して仏恩を報じ奉らむとおもふ」〈性霊集九〉②ちぎり。縁。「二世ならぬ先先のーとこそ思ひ侍れ」〈伽・木幡狐〉

ぎえん【起縁】《「縁起」の倒語》吉凶の前兆。きざし。「宝引(ほうびき)のー〔二〕取りたる柳かな」〈俳・乙矢集上〉

きおうぐゎん【奇応丸】近世、幕府の典薬(てんやく)多紀氏製剤の丸薬。「ー。食毒・霍乱(くわくらん)・腹痛を治す」〈雍州府志六〉

きおろし【着下し】着古した着物。古着。「島原のー、あやめ八丈、唐織の古着も」〈西鶴・一代男一〉

ぎかいのそう【擬階の奏】平安時代、二月十一日に列見(れつけん)で選び出した者を、六位以上の官吏に任用するために、奏聞する儀式。四月七日に行なわれた。「上、南殿に御してーをみそなはす」〈貞信公記延喜一三・四・七〉

きかうでん（ウ：コ）【乞巧奠】《キッカウデンの促音ツを表記しない形》⇒きっかうでん。「暮れぬれば、ーの火の光、水にうつろひて気色(けしき)ことにおもしろし」〈中務内侍日記〉

きかく【聞かく】《聞キのク語法》聞くこと。「三輪川の清き瀬の音をーしよしも」〈万二二二二〉　†kikaku

ぎがく【伎楽】①推古天皇二十年、百済の人、味摩之(みまし)が呉の国から伝えた舞楽。奇怪な面をつけて舞う。後世の散楽などに大きな影響を与えた。「くれがく」とも。「百姓等申して云はく、己ら例に依りてーを調習せり」〈類聚三代格一七〉②伎楽の面。「外従五位下内蔵忌寸若人をーを造る長官(さを)とす」〈続紀神護景雲三・五・九〉③音楽を奏し、舞をまうこと。舞楽。「無量の天人ありて天のーをなす」〈孝養集中〉

きがさ【気嵩】気が大きいこと。太っ腹。また、強気。負けん気。「賤を恥ぢず、貧を苦しまず、約にて驕らず、人に謙(だく)りて、功に誇らぬを、ーと申す也」〈本朝俗談正誤二〉。〈日葡〉　**ーもの**【気嵩者】勝気(かちき)者。「これも茂る〔木ノヨウニ〕ーなり男山」〈俳・牛飼二〉。「まんがち（自分勝手）に／旅籠屋風呂のー」〈雑俳・田植笠〉

きか・し【聞かし】『四段』《シは尊敬の助動詞》お聞きになる。「賢(さか)し女(め)をありとー・して」〈記歌謡二〉　→きこし。　†kikasi

きかず【聞かず】つんぼ。「病(やまひ)ある人はたちまち本復し、なほもって生れつきのーは、耳はやくなり」〈サントスの御作業二ノ四〉　**ーがほ**（オガ）【聞かず顔】「聞かぬ顔」に同じ。「里馴るるたそがれ時のほととぎすーにて又なのらせむ」〈山家集上〉

きがたな【木刀】木刀(ぼくとう)。「上は鞘巻の黒く塗りたりけるが、中はーに銀薄(ぎんぱく)をぞ押したりける」〈平家一・殿上闇討〉

きかと『副』はっきりと。「今ー見る樹は何ぞ」〈首楞厳経鈔二〉　→きっかと

ぎがと『副』①きらきらと。「兜の星金物ーして見えたり」〈義経記六〉②明白に。「切り目ー見えざるをば、食らふべからず」〈成簣堂本論語抄三〉

きかぬかほ（オ：カ）【聞かぬ顔】聞こえぬふり。耳に入らないという表情。「むべなりけり、ーなるは」〈枕一三二〉

きがね【黄金】⇒こがね。「ーは火をもて試み」〈こんてむつすむん地一〉。〈日葡〉

きかはらげ（ラ：カワ）【黄河原毛】馬の毛色の名。黄色がかった河原毛。「ーなる馬の太く逞しきに」〈保元上・官軍手分け〉

きか・ひ（イ キカ）【錯ひ・差ひ】『四段』食い違いができる。「掘り堅めたる柱・桁・梁・戸・牖(まど)のー・ひ動き鳴る事無く」〈祝詞大殿祭〉。「梁・棟、傾きー・ひ」〈東大寺諷誦文稿〉　▽キ（牙）カヒ（交・差）で、歯がよく嚙み合わない意か。　†kikaFi

きがま【木鎌】柴・笹を刈る厚刃の鎌。「ーで打砕き」〈西鶴・諸艶大鑑一〉

きか・み【牙嚙み】『四段』歯ぎしりする。「足ずりしー・みたけびて」〈万一八〇九〉。「咆勃、勇猛皃、去和奈之(こわなし)、又、支可牟(きかむ)」〈新撰字鏡〉　†kikami

ぎがめ・き『四段』ぎがと輝く。きらきらと光り輝く。「簾中ともにー・いた」〈古文前集抄五〉

きがらちゃ【黄唐茶・黄枯茶】染色の名。薄藍色がかった黄色。丁子(ちょうじ)色。「せんざい茶・ー、うこん染・黒茶染」〈仮・東海道名所記二〉

きがる・し【気軽し】『形ク』さっぱりして元気だ。快活だ。「ー・い奴とまぎらして」〈近松・日本武尊二〉

きかん【龜鑑】《吉凶を占う亀の甲と物を照らすかがみと》行為の基準または模範となるもの。龜鏡(ききょう)。かめのかがみ。「人倫のー」〈後紀弘仁六・九〉

きがん【起龕】《龕(がん)を送り出す意》禅宗で、出棺の儀式。「鎖龕(さがん)は東福寺長老信義堂、ーは建仁寺沢龍湫」〈太平記四〇・将軍薨逝〉

き・き【利き】『四段』《聞キの転。神経を働かせて、物事の感じをためし、手ごたえのある意》①よく働いて効果がある。「音声悪く、口もー・かずしてある説法者一人候ひき」〈雑談集四〉。「詞ー・きて颯颯としたる風骨を詠まれし也」〈正徹物語上〉②ききめがある。「ー・くといひ祟(たた)ると申す有馬の湯」〈俳・油糟〉。「薬はー・き難し」〈古今八卦大全三〉。〈日葡〉

き・き【聞き】㊀『四段』①聴覚で音や声を感じとる。「鳴く声をー・かまく欲りと」〈万四二〇九〉②言葉を耳にする。聞いて知る。「そらみつやまとの国に雁卵(こ)生(む)とー・くや」〈記歌謡七一〉③（答えを求めて）たずねる。「家ー・かな、告(の)らさね」〈万一〉④（相手の言葉を）うけ入れる。承知する。承引する。「これを聞きて、ましてかぐや姫ー・くべくもあらず」〈竹取〉。「その上打擲したほどにー・くまい」〈天理本狂言六義・老武者〉⑤（耳にして）事情を知ってとりさばく。「誰を頼うでー・いて貰はうの」〈狂言記・内沙汰〉⑥匂いをかぐ。「酒のにほひをー・きて、あやしと思ひ」〈伽・小式部〉。「その時、上客、香炉にある香をー・き」〈老人雑話〉⑦味をためす。「よい酒か悪しい酒か、私がー・いて見ずはなりますまい程に」〈虎寛本狂言・伯母が酒〉　㊁『名』①聞くこと。「わがーにかけてな言ひそ」〈万六九七〉②聞いた感じ。「百(も)鳥の来居て鳴く声春されば

―の愛(なか)しも」〈万四〇八九〉。「古語の、今の―に叶はざる詞(ことば)」〈仙覚抄五〉 ③聞え。風聞。評判。「―のあしき事をも申し入て、一宗の聞えのよきやうにと」〈本願寺作法〉。「人のもちひもありがたくめでたき御―なり」〈伽・はにふの物語〉 ④香などの匂いをかぐこと。また、その匂い。「名香を聞く習ひは、蘭奢待を本として、それよりは浅き、濃き、或いは―が無きなどと分別するなり」〈耳底記〉 ⑤酒などの味をためすこと。「〔コノ酒ハ〕私の―では泉川か滝水だらうと存じます」〈滑・七偏人初上〉 †kiki **聞いて呆・れる** 近世後期明和頃、江戸の流行語。相手の言葉を他の言葉にもじって茶化し、間接に否定する気持を表わす洒落言葉。「…が―・れる」という形をとる。「『いい居続け日和だのう。こう思ひ切って居なんしな』『べらぼうめ、いいめくり(カルタ博打ノ一種)日和が―・れる』」〈洒・傾城買四十八手〉 **聞かぬが花** 実状を聞かないで、想像している方がゆかしく感じるたとえ。「見ぬが花」とも。「ただ何事も見ぬが仏、―と答へしが」〈浄・烏帽子折三〉

ぎぎ【擬議】 ①あれこれと心に思いはかること。「万方尽界もかくの如くあるべしと、―商量(しゃうりゃう)する事なかれ」〈正法眼蔵無情説法〉 ②ぐずぐずためらうこと。「少しも―せず進んだり」〈太平記三六・四条縄手〉

ききあつ・め【聞き集め】『下二』いろいろな事を聞いて心にとめる。「〔夜居ノ僧ガ女房達ノ噂話ヲ〕つくづくと―・むらむ、心の内恥づかし」〈枕一三四〉

ききあは・せ【聞き合はせ】 ㊀『下二』①あちこちから聞く。聞き込む。「人の物いひ隠れなき世なれば、おのづから―・せて」〈源氏夕霧〉 ②聞いて(自分の知ることと)合わせる。「大納言の御心ばへは〔中君ヲ〕わが方ざまに思ふべかめれと、―・せ給へど〔色ヨイ返事ハセヌ〕」〈源氏紅梅〉 ㊁『名』問い合せ。「僧都にあひてこそは、たしかなる有様も―などして」〈源氏手習〉

ききあ・へ【聞き合へ・聞き敢へ】『下二』①ちょうど聞きつける。「〔誰ニモ知ラセズ出テ来タノニ〕いかで―・へつらん、追ひて物したる人もあり」〈かげろふ中〉 ②十分に聞き取る。たっぷりと聞く。とっくり聞く。「―・へずその御堂へ参りたれば」〈東関紀行〉 ▽打消の語を伴うことが多い。

ききあま・り【聞き余り】『四段』聞いたままにしておけなくなる。「あまり言ひければ、―・りて、かかる事申す者なむ侍ると申しければ」〈俊頼髄脳〉

ききい・で【聞き出で】『下二』(人の行方、内密の事情などを)たずねて知る。聞き出す。「さるべき所所を尋ね聞えければ、つひにえ―・でず」〈源氏玉鬘〉。「いたううち解けぬ人の言ひたる古き言の、知らぬを―・でたるも、嬉し」〈枕二七六〉

ききい・れ【聞き入れ】『下二』①聞いて話を受け入れる。承諾する。同意する。「大納言はこれを―・れ給はず」〈竹取〉 ②注意して聞く。身を入れて聞く。「〔子供ガネダルノニ〕大人どもの〔物〕いふとて、ふとも―・れねば」〈枕一五三〉

ききう【箕裘】《良い弓作りの子は、父の仕事を見て、みずから柳の枝を曲げて箕(み)を作ることを学び、良い鍛冶(かじ)の子は、父の仕事を見て、みずから獣皮を綴って裘(かわごろも)を作ることを学び、しだいに父の本業へと習熟して行くという礼記の文から》父祖の業。家業。「義仲いやしくも弓馬の家に生れて、僅かに―の塵をつぐ」〈平家七・願書〉

ききうで【利き腕】 力の利く方の腕。右腕。「『男の―を取るはどうぞ』と突きのくれば」〈浄・お初天神記〉

ききお・き【聞き置き】『四段』聞いて心にとめる。「心苦しき御事を、平らかに(御安産)とだにいかで―・い奉らむ」〈源氏柏木〉。「未だ参らざりしより―・き給ひけることなど」〈枕一八四〉

ききおち【聞落ち】 敵が攻めて来るということを聞いただけで逃げること。「聞き逃げ」とも。「攻められては落ち得じとや思ひけん、石見の国中に三十二箇所ありける城ども、皆―して」〈太平記三六・三角入道〉

ききおぢ【聞怖ぢ】 聞いただけで恐れること。「敵さまで大勢にても無かりけるものを、云ふ甲斐無き―して」〈太平記八・禁裏仙洞〉

ききおと・し【聞きおとし】『四段』①聞いて軽蔑する。「あへなく淡つけきやうにや―・し給ひけむと、いと恥づかしく」〈源氏若菜下〉 ②聞きもらす。「今は物を聞くうちにも退屈し、物を―・す間」〈実悟旧記〉

ききお・ひ【聞き負ひ】『四段』自分のこととして聞く。「…とうち嘆くを、我一人しも―・ふまじけれど」〈源氏紅葉賀〉

ききおよ・び【聞き及び】『四段』①噂に聞く。「西の山寺にありと―・びて」〈竹取〉 ②聞きかじって知る。「仏の制し給ふ方の事を、僅かにも―・ばむことは、いかであやまたじと慎みて」〈源氏夢浮橋〉

ききがき【聞書】 ①人から聞き取って、その内容を書きとめたもの。「この歌は、―なれば、ひが事にや」〈摂津集〉 ②除目(ぢもく)の理由を書きつけた文書。「いつしかと春の朝(あした)の―に耳おどろかす我が身ともがな」〈久安百首〉。「叙位・除目の朝には、―を開きて笑みを含み」〈問はず語り一〉

ききかく・し【聞き隠し】『四段』聞いていながら外部に秘す。聞かないふりをする。「親疎上下に付けて、見隠すべからず、―・すべからず」〈高野山文書一、文永八・六・一七〉

ききがけ【聞駆け】 急を聞いてかけつけること。「三好家の一門ども―に馳せ集って」〈江源武鑑七〉。〈文明本節用集〉

ききかは・し【聞き交し】『四段』互いに(消息を)聞き合う。「御有様は絶えず―・し給ひけり」〈源氏早蕨〉

ききがほ【聞き顔】 すでに聞いて知っている顔つき。「おとども、斯かる御気色―にはあらで」〈源氏絵合〉

ききかよ・ひ【聞き通ひ】『四段』①噂がやりとりされる。「おのづから―・ひて、隠れなき事もこそあれ」〈源氏浮舟〉 ②聞いて心がかよう。「御遊びの折折、こと笛のねに―・ひ」〈源氏桐壺〉

ききごと【聞き事】 聞くだけの価値あること。聞いて愉快なこと。「これは近頃一興ある―にて候べし」〈伽・花鳥風月〉。「幽斎太鼓、『西王母』打ち給ふ。見事・―なり」〈耳底記〉。〈文明本節用集〉

ききごり【聞懲り】 聞いてこりること。「見懲り・―の為に、堅く罪過に行なはるべきもの也」〈菅浦文書寛正二・七・一三〉

ききさ・し【聞きさし】『四段』聞くのを中途でやめる。「かたみに―・し給ふべくもあらず、尽きせぬ御物語を」〈源氏早蕨〉

ききされ【聞戯れ】 いい加減に聞くこと。冗談半分。「むべも昔の男は…とは言ひけん、〔漢詩ダカラ女ニハ無理デ〕―に聞けるなり」〈土佐一月十七日〉

きぎし【雉】《鳴き声による名か》雉(きじ)の古名。きぎす。「―は響(とよ)む」〈記歌謡二〉 †kigisi **―のひたつかひ【雉の頓使】**《命令をうけて天降ったまま報告に帰らないアメワカヒコのところに使に行った雉が、アメワカヒコに射殺された神話から》雉の行ったきりの使。「―といふ本(おこり)これなり」〈記神代〉

ききしの・び【聞き忍び】『上二』聞いても(応ぜず)じっとしている。「心やましううち思ひて―・び給ふ」〈源氏横笛〉

ききしりがほ【聞知り顔】 聞いてわかっているという表

情。聞き分け顔。「例の猫にはあらず、〔人ノコトバヲ〕―に、あはれなり」〈更級〉

ききす【雉】「きぎし」の転。「春の野にあさる―の妻恋ひにおのがありどを人に知れつつ」〈拾遺三〉。「雉、木々須(きぎす)、一云木之(きじ)」〈和名抄〉

ききすま・し【聞き済まし】『四段』すっかり聞き知る。「将軍これを―・してければ」〈太平記一七・京都両度軍〉

ききそ・へ ェッ【聞き添へ】『下二』その上さらに聞く。「をかしかりける人の御心ばへかなとのみ、いとど―・へ給ふ」〈源氏宿木〉

ききそ・め【聞き初め】『下二』はじめて耳にする。「あしひきの木(こ)の間立ち潜(く)くほととぎすかく―・めて後恋ひむかも」〈万一四九五〉。「さやうの所(説経所)にぞ一たび二たびも―・めつれば、常に詣(ま)でまほしうなりて」〈枕三三〉 † kikisömë

ききた・て【聞き立て】『下二』しきりに聞きだす。「検断は、人の古(いにしへ)の罪を―・て、罪過を行ふ役人なり」〈庭訓抄下〉。〈日葡〉

ききちか・し【聞き近し】『形ク』《「聞き遠し」の対》耳近く聞える。聞いてよく理解できる。「げにまことにおもしろく、―・く、ものに心得たるさまの歌にて」〈古来風体抄上〉

ききちゃ【聞茶】飲まずに茶の香気を嗅いでよしあしを鑑別すること。また、その茶。嗅茶(かぎちや)。「初昔(はつむかし)かくいち早き―かな」〈俳・懐子三〉

ききつ・き【聞き付き】『四段』①聞いて、それに心引かれる。「物(琴)の音に―・いて立てるに」〈源氏末摘花〉②聞いてよくわかる。聞きなれる。「べらなりといふことはげに昔のことばなれば、世の末には―・かぬやうに聞ゆ」〈俊頼髄脳〉

ききつ・ぎ【聞き継ぎ】『四段』①口伝えに聞く。「大夫は名をし立つべし後の代に―・ぐ人も語り継ぐがね」〈万四一六五〉②人の後をうけて聞く。「ほととぎす鳴き渡りぬと告ぐれども我―・がず花は過ぎつつ」〈万四一九四〉 † kikitugi

ききつくろ・ひ ロイ ツク【聞き繕ひ】『四段』あちこちと聞き集めて事情を知る。「とかく様子を―・ひ」〈浄・葵の上三〉。〈文明本節用集〉

ききつ・け【聞き付け】『下二』①(物)音に気づく。「築地のくづれより通ひけり。…たび重なりければ、あるじ―・けて」〈伊勢五〉。「門うちたたかせ給へど―・くる人なし」〈源氏若紫〉②聞き込む。「死ぬべき時に『かくこそ〔恋シク〕思ひしか』と言ひけるを〔娘ノ〕親―・けて」〈伊勢四五〉。「同じゆかりなる人、覚えぬ所に侍りと―・け侍りて」〈源氏蜻蛉〉

ききづて【聞伝て】伝聞。聞き伝え。「ただ―に聞く事をもしるせれば」〈著聞跋〉

ききどころ【聞き所】聞く価値のあるところ。「あはれにもをかしうも、さまざま―多く語らひ聞え給ふ」〈源氏総角〉

ききとど・け【聞き届け】『下二』①十分に聞いてたしかめる。「事の様(やう)を委細に―・けて」〈室町殿日記五〉②聞き入れる。また、聞いて許可する。「言を尽して申しければ、安定卿―・けられける」〈安宅一乱記一〇〉

ききどほ・し オシ ド【聞き遠し】『形ク』よく聞えない。よく理解できない。「歌の姿、病を去るべきこと、あまたの髄脳に見えたれども、―・く、心かすかにして、伝へ聞かざらむ人はさとるべからざれば」〈俊頼髄脳〉

ききともな・し【聞きとも無し】『形ク』《聞キタウモナシの転》聞きたくもない。聞くのも嫌だ。「都の、上方の、―・い、置いてたも」〈近松・薩摩歌中〉

ききと・り【聞き取り】『四段』①聞いて耳にとめる。「〔人ノ悪口ヲ〕幼き子どもの―・りて、その人のあるに言ひ出でたる」〈枕一二七〉②(演奏を)聞いて(技法を)自分のものにする。「―・る事もや、と心もとなきに」〈源氏常夏〉③聞いて理解する。また、聞いて悟る。「〔鬼ドモハ〕この舞のことばを―・り」〈伽・伊吹山絵詞〉 **―ほふもん** ホウ【聞取り法門】耳で聞きかじっただけの仏の教え。「或いは縁のはし、障子の外にて、ただ自然(じねん)と―の分齊(ぶんざい)をもて」〈御文章〉

ききと・れ【聞き蕩れ】『下二』聞いて心を奪われる。「釈梵護位の諸天、天龍夜叉の非人までも、琴の音に―・れて」〈盛衰記三一〉

ききな・し【聞き成し】㊀『四段』聞いて解釈する。「さてさぶらふ人のつらにや(同類ダト)―・さむ、とおぼして」〈源氏玉鬘〉。「ただ推し当てにさばかりなめりと―・さるるに」〈大鏡道兼〉 ㊁『名』聞き取り方。自分の思いにひきつけて聞く結果。「年頃添ひ給ひにける御耳の―にや」〈源氏若菜上〉

ききなほ・し オシ ナ【聞き直し】『四段』①聞いて改める。「咎過(とがあやまち)あらむをば、神直び・大直びに見直し―・しまして」〈祝詞御門祭〉②聞いて誤解を訂正する。「おのづから―・し給ひてんと笑ひてあるに」〈枕八二〉

ききなら・し【聞き慣らし】『四段』聞いて耳をならす。「いはけなき初事も習ふ人もあめるを、諸共に―・し給へ」〈源氏初音〉

ききなら・ひ ライ ナ【聞き慣らひ】『四段』聞きなれている。聞きつけている。「…などいひあへるも、むくむくしく―・はぬ心ちし給ふ」〈源氏東屋〉

ききにく・し【聞き憎し】『形ク』聞いた感じがよくない。「〔謀叛ノ噂ガ〕出で来て、世にいと―・くののしる」〈栄花月宴〉

ききにげ【聞逃げ】音や噂を聞いただけで、おびえて逃げること。「軍(いくさ)には見逃げといふ事をだに心うき事にこそするに、是は―し給ひたり」〈平家五・五節〉

ききは ワ ギ【着際】①着ているものの端のところ。「〔腹へ突キ立テタ刀ヲ〕袴の―へ押し下し」〈伽・いづみが城〉②着た様子。「烏帽子の―、弓の持ちやう」〈曾我七〉

ききはづ・し【聞き外し】『四段』聞きもらす。聞きおとす。「後世は大事―・すなよ時鳥」〈俳・独吟一日千句〉。〈文明本節用集〉

ききはつ・り【聞きはつり】『四段』聞きかじる。「どこでやら―・って来て」〈天理本狂言六義・酢薑〉

ききは・て【聞き果て】『下二』最後まで全部聞く。「このことわり―・てむと、心に入れてあへしらひ居給へり」〈源氏帚木〉

ききはな・ち【聞き放ち】『四段』よそごとと聞く。関係ないと思って聞く。「いかなる折も必ず見過ぐし―・たせ給はず御らんじ入れて」〈大鏡師輔〉

ききはや・し【聞き囃し】『四段』聞いて賞美する。聞いてもてはやす。「商人(あきびと)の中にてだにこそ、ふること(古曲)―・す人は侍りけれ」〈源氏明石〉

ききひら・き【聞き開き】『四段』聞いてその意味を理解する。「まことに理(ことわり)を―・かざらんほどこそあらめ」〈和語燈録一〉

ききふけ・り【聞き耽り】『四段』一心に聞く。「〔人ノ歌ノ批評ヲ〕ある人―・りて、詠めり」〈土佐一月十八日〉

ききふる・し【聞き古し】『四段』以前から(噂や声を)何度も聞いて、珍しくない。「いたらぬ所なしと―・したる手(筆跡)も、あらじとおぼゆるまで悪しければ」〈かげろふ上〉

ききふ・れ【聞き触れ】『下二』広く世間の人人の耳に入る。噂が世間に広がる。「云ひなれ、―・れたる板返しの秀

句」〈俳・かたこと五〉

ききまがは・し：マガワシ【聞き紛はし】『四段』入りまじって、聞いても区別がつかないようにさせる。「例の絶えせぬ水の音なひ夜もすがら〔読経ノ声ト〕ー・さる」〈紫式部日記〉

ききみみ【聞き耳】①聞いた感じ。聞いて思うこと。「同じ事なれどもー異なるもの」〈枕六〉②聞こうとする耳。また、聞こうと注意すること。「人の語れる口を移し、己がーに入るがばかりなり」〈竹馬狂吟集序〉。「じじといへばー立つる猫殿の眼(まなこ)のうちの光恐ろし」〈伽・猫の草子〉

ぎぎめ・き『四段』①ぎぎと鳴きさわぐ。「〔鼬(いたち)ガ〕二三返(べん)走り廻り、大きにー・きて」〈盛衰記二三〉。「〔猿〔八〕怪しくや思ひけむ、屋根の上、板敷の下までー・きて尋ねけれども」〈伽・藤袋〉②ぎぎと音をたてるようにひしめく。「数万人の公卿殿上人、我も我もとー・き参り給ふ」〈伽・熊野本地〉③りきむ。意気込む。「太刀に手を掛けー・くを」〈浄・舎利四〉

ききもた・り【聞きもたり】『ラ変』《モタリはモチアリの約》聞いて覚えている。「〔子供ハ父ガ〕『今来むよ』といふもー・りて、まねびありく」〈かげろふ上〉

ききもの【利き者】権勢のある人。幅の利く人。「きけもの」とも。「今御江戸の芝居にて、ーと言ふは団十〔郎〕殿」〈評判・役者春空酒江戸〉

ききゃう：キヨウ【桔梗】①秋草の一。「きちかう」とも。「をみなへし・ーなど咲きはじめたるに」〈源氏手習〉②織色の名。たて糸・よこ糸ともに縹(はなだ)色。「ー・萩(はぎ)などの織物」〈栄花音楽〉　**ーがさ**【桔梗笠】桔梗の花の形で、青・黄・赤色を一つ置きに彩った笠。「野遊びや花摺り衣ー」〈俳・犬子集四〉　**ーざら**【桔梗皿】桔梗の花の形に作った皿。「染めつけて花野やうつすー」〈俳・鷹筑波三〉。〈下学集〉　**ーぞめ**【桔梗染】桔梗の花の色のように藍を帯びた紫色に染めること。また、その染色。「帷子(かたびら)や藍より出でてー」〈俳・懐子三〉

ききゃう：キヨウ【帰敬】《「帰依(きえ)敬礼(きやうらい)」の意》仏に深く帰依してうやまうこと。「ただ正伝の仏法にーせん」〈正法眼蔵袈裟功徳〉

ききょ【帰御】貴人がお帰りになること。「国母定めてーの志有らんか」〈盛衰記三〉

きぎょ【綺語】美しく飾ったことば。仏教では十悪の一。「和歌をーと云へる事は」〈沙石集五ノ八〉。〈下学集〉

ききよ・し【聞き良し】『形ク』聞いて気持がよい。「ほととぎす…終日(ひねもす)に鳴けどー・し」〈万一七五五〉　†kikiyösi

ききよ・せ【聞き寄せ】『下二』近寄って聞く。「ただことをもー・せ、うちいひ」〈紫式部日記〉

ききわ・き【聞き分き】『四段』①音をそれぞれに聞き分ける。「そのことともー・かれぬ物のねども、いとすごげに聞ゆ」〈源氏橋姫〉②物事を聞いて判断・理解する。「春や疾き花や遅きとー・かむ鶯だにも鳴かずもあるかな」〈古今一〇〉。「何事にて〔病気ガ〕重り給ふとだに、えー・き侍らず」〈源氏柏木〉

ききわ・け【聞き分け】㊀『下二』①聞いて分別する。聞いて理解する。「何とー・けたる事はなけれども、道道(みちみち)関関(せきせき)静かならず」〈保元上・新院御謀叛思し召し〉②聞いて得心・納得する。承諾する。「その時、童子ー・けて、『さもあらば、ともかくも母の仰せに従ふべし』とて」〈伽・法妙童子〉㊁『名』①聞いて了解すること。「閻魔大王の御ーにより」〈説経・小栗〉②聞いて得心・納得すること。「さりとて御ーのない」〈虎寛本狂言・老武者〉

ききわた・し【聞き渡し】『四段』あたり一面の音を聞く。「峰の嵐も籬の虫も心細げにのみー・さる」〈源氏総角〉。「鳥の楽、花やかにー・されて」〈源氏胡蝶〉

ききわた・り【聞き渡り】『四段』長い時間にわたって聞く。前から聞いている。「天雲の八重雲隠れ鳴る神の音(評判)のみにやもー・りなむ」〈万二六五八〉。「日頃重く悩み給ふとー・りつれど」〈源氏夕霧〉

ききわ・び【聞き侘び】『上二』聞いて力がぬける。わびしく聞く。「秋深きねざめの時雨ー・びて起き出でて見ればむら雲の月」〈玉葉七七三〉

ききをとこ【利き男】色道の通人。粋人。「今の世のー」〈西鶴・一代男六〉

きく【菊】①キク科の多年草。日本原産のものは、野菊の類で、カワラヨモギなどとも呼ばれた。薬用・観賞用の菊は奈良時代末か平安時代初期に大陸より輸入されたという。万葉集には菊は詠まれていない。「この頃のしぐれの雨にーの花散りぞしぬべきあたら其の香を」〈類聚国史延暦一六・一〇・一一〉②模様の名。菊の花・枝・葉などの形を描いたもの。「ーの摺裳」〈宇津保俊蔭〉③襲(かさね)の色目の名。きくがさね。「ーの御小袿(こうちき)」〈増鏡八〉

きぐ【木具】檜の白木で作った、足の付いた折敷(をしき)。古くは、檜の白木で作った器具一般をいう。「二百文、ー色〔ノ代金〕」〈大乗院雑事記長祿三・九・一〇〉

ぎく　驚き恐れるさま。ぎくり。「七百貫目の借銭負うて、ーともせぬは」〈近松・夕霧上〉

きくあはせ：アワセ【菊合】人数を左右に分け、両方から菊の花を出し、その優劣を競う遊び。歌などを添えることもある。「同じ御時せられけるーに」〈古今二七三詞書〉

きくいちもんじ【菊一文字】後鳥羽上皇が、備前国則宗など諸国の名工を招いて鍛造し、刀身に十六弁の菊の紋をきざんだ刀剣。また、特に則宗の鍛えた刀剣。「備前ー則宗、二尺九寸ありけるを」〈別所長治記〉

きくがさね【菊重】近世、重陽(ちようよう)の節句に縹(はなだ)色の小袖を着て祝い合うこと。また、その小袖。九日小袖。「ーの祝儀になぞらへ」〈近松・曾我五人兄弟三〉

きぐごしらへ：ゴシラエ【木具拵へ】木具に盛り調えた食事。「ーの茶漬け飯」〈西鶴・一代男八〉

きくごろも【菊衣】菊襲(きくがさね)の衣。「手まづさへぎるーの、花のたもとをひるがへして」〈謡・邯鄲〉

きくこんじゃう：ジヨウ【菊根性】思い切りの悪い性質。「ーとて離れ際の悪しきを云ふ。菊の花は萎(しぼ)み枯れても得散らず、見苦しく枝にぶらりとなりをるを云ふ」〈譬喩尽六〉

きくざ【菊座】菊の花の形に模した座金(ざがね)。菊の座。〈運歩色葉集〉

きくざけ【菊酒】①菊の花をひたした酒。陰暦九月九日重陽の節句に賜わる。菊花の酒。菊の酒。「節会を停止す。侍従以上にーを賜ふこと例の如し」〈貞信公記延喜一九・九・九〉②加賀国産の名酒。菊の花を煮た汁を用いて、米麹(こめこうじ)を醸成して作る。「元日に上頭(うへとう)へ上る。実相坊のーでござる」〈虎明本狂言・餅酒〉。〈日葡〉③肥後国産の名酒。菊の花をひたした焼酎(しようちゆう)を煮えたたせ、氷砂糖を入れて醸造したもの。〈本朝食鑑二〉

きぐすり【生薬・木薬】まだ調剤してない漢方薬剤。薬種。「ーの〔値〕上り待たるる鶯も」〈俳・独吟一日千句〉

きぐすり【気薬】「気の薬」に同じ。「まづーを飲ましませ、まづこの薬を飲ましめ」〈虎明本狂言・胸突〉。「ーは月の笠ぬぐ雨間かな」〈俳・寛永十三年熱田万句六四〉

きくだ・し【着下し】『四段』衣服・具足などを身にまとう。「黒革縅の腹巻を草摺長にー・し」〈伽・あやめのまへ〉

きくたずり【菊多摺・菊田摺】近世、八丈絹に用いられ

た、摺り模様の小紋の一。「—十反がけ随分粗相なるが」〈浮・新永代蔵三〉

きくタバコ【菊煙草】菊の花をよく乾かし、煙草の代用品にしたもの。「千世に千世や竹の灰吹—」〈俳・糸屑三〉

きくだんす【菊箪笥】菊の鉢を入れて置く油紙で張った箱。「白玉か何ぞと夜の—」〈俳・伊賀産湯下〉

きくちば【黄朽葉】黄ばんだ朽葉色。織物では、たて糸が紅、よこ糸が黄。「—の籠(こ)に松虫をいれて…赤朽葉の籠に鈴虫をいれて」〈貞元二年八月頼忠前栽合〉。「〔野分ノ頃〕—の織物」〈枕二〇〇〉

きくぢん【麹塵】《麹(かうじ)に生じる淡い黄緑色のかび》淡黄緑色。「きぢん」とも。「門柳また岸柳風—の糸を宛(わ)ぬ」〈和漢朗詠集春興〉。「麹塵、黄緑」〈新撰字鏡〉 **—のはう**【麹塵の袍】臨時祭、賭弓(のりゆみ)などに天皇が着用する束帯の袍。麹塵色で、竹・桐・鳳凰(ほうおう)などを織り出した文様がある。「出御、—」〈江家次第六・石清水臨時祭〉

きくづき【菊月】《キクゲツとも》陰暦九月の異称。「名もすさまじく秋の来て、暖め酒と—(聞クト掛ケル)の」〈謡・大瓶猩猩〉。「頃しも—の末つかたなれば」〈伽・玉だすき〉

きくつば【菊鍔】菊花の形をした透かし彫の鍔。「—を備前刀にかい添へて」〈俳・犬子集一四〉

きくとぢ【菊綴・纐纈】直垂(ひたたれ)・水干・素襖・狩衣などの縫目に、総(ふさ)や紐を菊の花形に綴じつけた装飾。「平紋の狩衣の—大きらかにしたるに」〈平家四・競〉

きくならく【聞くならく】『連語』《ナラクは伝聞の助動詞ナリのク語法》聞くところでは。「竊(ひそか)に—は、至道の敷くところ」〈三蔵法師伝九・院政期点〉。「聞道(きくならく)漢家の天子の使なりと」〈長恨歌琵琶行室町期点〉 ▽漢文訓読体で使う語。

きくのえん【菊の宴】陰暦九月九日、天皇が神泉苑または紫宸殿に出御して、群臣に菊酒を賜わる観菊の宴。この日、「菊の綿」の行事がおこなわれた。重陽(ちょう)の宴。「九月のこよひ(九日ノ夜)内裏にて—ありしに」〈大鏡時平〉

きくのが【菊の賀】菊の咲く頃に行なう長寿の祝。「藤壺にて—帝のせさせたまひけるに」〈兼輔集〉

きくのきせわた【菊の着せ綿】菊の花を霜に当てないためにかぶせた綿。陰暦九月九日重陽の節句に、これで身体を拭うと老いを去ると信じられていた。「垣根なる—今朝見ればまだき盛りの花咲きにけり」〈新撰六帖一〉

きくのざ【菊の座】「菊座」に同じ。「甲(かぶと)の星も—も、はなやかにこそをどし毛の」〈虎明本狂言・鎧〉

きくのしたみづ【菊の下水】菊の下を流れる水。菊の露のしたたり落ちた水を飲むと長生きすると信じられた。「山河の—いかなれば流れて人の老いをせくらむ」〈新古今七一七〉

きくのつゆ【菊の露】菊に置いた露。それを飲むと不老長寿にききめがあるといわれた。「〔仙人ガ〕ぬれてほす山路の—の間にいつか千年を我は経(へ)にけむ」〈古今二七三〉

きくのみづ【菊の水】陰暦九月九日に飲む菊酒。「—、九月九日の酒の事也」〈匠材集四〉

きくのわた【菊の綿】「菊の着せ綿」に同じ。「九日、—を兵部のおもとのもてきて『これ、殿のうへの、とりわきて、いとよう老い拭ひすて給へと、のたまはせつる』」〈紫式部日記〉

きぐる・し【気苦し】『形シク』つらく悲しい。「—・しき事絶ゆるべからず」〈こんてむつすむん地一〉。〈日葡〉

きくゎい【奇怪】あやしく不思議なこと。転じて、けしからぬこと。「此の翁、など馬より下りざるぞ。—なり。咎め下ろすべし」〈宇治拾遺一三五〉

き・け『下一』疲れ弱る。くたびれる。「名を付けて修覆に—・けた新茶入れ」〈雑俳・替狂言〉

き・け【聞け】『下二』《聞キの他動詞形》聞かせる。「我が生涯を—・け申さん」〈石田軍記七〉。「さあらば申して—・けまらせう」〈虎明本狂言・賽の目〉

きけい【亀鏡】《ケイは漢音》⇒きかん。「今の世までも叢林の—とするなり」〈正法眼蔵随聞記四〉。〈文明本節用集〉

ぎけい【儀刑・儀形】手本。模範。「〔太政大臣ハ〕一人に師範として四海に—たり」〈職員令〉

きげん【譏嫌・機嫌】《正しくは「譏嫌」》①人がそしりきらうこと。「聖人は食を要し給ふ事なしといへども、—の為に求め給ふか」〈今昔七ノ四〉②(他人の)意向。(人の)思惑。「ただ—も知らぬほどの長説法なり」〈梵舜本沙石集六ノ五〉。「—のために世間の人目をかへりみる事は候へども」〈拾遺語燈録下〉③人の意向を推察して、行なうべき時機。しおどき。「しかれば—をはかり知りて、やはらかに諫むべし」〈十訓抄六序〉。「時をも知らず、—もなく、早く泣くものかな」〈雑談集四〉④その時、その場の状況。様子。「折ふしによりて—にしたがふべきなり」〈六波羅殿御家訓〉。「京の—をぞうかがひける」〈義経記二〉⑤その時、その場の(相手側の)気分。「いつもより—よくにことあるを」〈中華若木詩抄下〉。「いかにや仲光、御—は何とありつるぞ」〈伽・多田満仲〉⑥愉快そうな気分。上きげん。「まづ花を御眺めありて御—なり」〈空善記〉 **—かひ**【機嫌買】①気分まかせ。気持次第。「下向も道中—に…三井寺・辛崎・山王・叡山へかけ、京に逗留すべきも知れず」〈浮・立身大福帳一〉②自分の気分によって、他人に対する嫌悪の情の変り易い性質。また、そういう性質の人。「機嫌不儀」とも。「定め無き時雨(しぐれ)や冬の—」〈俳・毛吹草六〉 **—を取・る** 相手のむつかしい気持を、慰めなだめて楽しくするよう努める。「機嫌気褄(きづま)を取る」とも。「さるほどに、やうやう—・り」〈伽・弁慶物語〉。「けしきを取る。—・るなり」〈匠材集三〉

きけんじゃう【喜見城】須彌山の頂にあって帝釈天の住んでいるという城の名。「—より華ぞ降る」〈梁塵秘抄二〉

きご【綺語】⇒きぎょ。「ああ花言—の遊び、何ぞ神道に益あらむ」〈本朝文粋一三〉

きこ・え【聞え】㊀『下二』❶《聞キの自発・可能・受身の形。エは自然にそうなる意》①(自然に)耳に入る。「恋ふれども〔恋人ノ〕ひと声だにもいまだ—・えず」〈万四二〇九〉②(人人の)耳に入る。広く評判である。「神の如(ごと)—・ゆる滝の白浪の」〈万三〇一五〉。「これむかし名だかく—・えたるところなり」〈土佐二月九日〉③(耳に入って)区別できる。(わけが)わかる。「御歌も、これ(末摘花)よりのは、ことわり—・えて」〈源氏末摘花〉④得心できる。「待てど待てど来ぬや—・えぬ時鳥」〈俳・口真似草二〉⑤匂って来る。「や、花の香の—・え候」〈謡・弱法師〉❷《貴人に対して、自分の思う通りに直接に物を言うのは失礼だったので、誰の意志ともなく自然に(相手の)耳に入るようにする意に用いて、謙譲表現とした》①申し上げる。「—・えまほしげなることはありげなれど」〈源氏総角〉②お手紙を差し上げる。「御文も—・え給はず」〈源氏賢木〉③お願い申し上げる。「〔絵ニ〕御目とまり給へば、すこし〔ソノ絵ヲ下サイト〕—・え給ひて」〈源氏総角〉④(名を)…とお呼びする。「今上、帥(そち)の皇子(みこ)と—・えし時」〈後撰一三七九詞書〉。「侍従の君と—・えし人」〈源氏蓬生〉⑤差し上げる。「同じ人に大えび—・えさす」〈国基集〉⑥《貴族の間では互いに丁寧な表現をするので、親から子へ、夫から妻へも用いる》お話しする。「女君、例の、はひ隠れ、とみにも出で給はぬを、〔父〕大臣、せちに―・え給ひて、からうじて渡り給へり」〈源氏若紫〉。「姫君起し奉りて『出でずなりぬ』と〔源氏ノ君ガ〕―・え給へば、なぐさみて起き給へり」〈源氏紅葉賀〉 ⑦《中世の用法》 ㋑言ってきかせる。「仏の聖教にも凡夫の心に生死をまかするとは―・えず」〈正法眼蔵仏向上事〉 ㋺(声を)出す。「身より先に声をあげ、身より後に声を―・ゆることも、ひとへに仏のみそなへ給ふ」〈正法眼蔵仏向上事〉 ❸《複合動詞の前項となって、言う意の謙譲を表わす。例えば「聞えのがれ」「聞えさし」「聞えかよひ」は、それぞれ「言ひのがれ」「言ひさし」「言ひかよひ」の謙譲語》①お話しして…する。「聞えあづけ」は(わけを)お話ししてあずける、「聞えこしらへ」はお話ししてなだめる意。この型に属する例が最も多い。「殿は、この西の対にぞ―・えあづけ奉り給ひける」〈源氏少女〉 ②お話を…する、お言葉を…する、お話に…する。「聞えかへし」は申し上げる言葉をかえす、「聞えわづらひ」は申し上げる言葉に苦労する意。「いかが―・えかへさむ。なみなみのたはやすき御振舞ならねば心苦しきを」〈源氏末摘花〉 ③お話が…する、お言葉が…する。「聞えかよひ」は申し上げる言葉がかよう、「聞えいで」は申し上げる言葉が外に出る意。「近隣りの御心寄せに、何事も―・えかよひて」〈源氏澪標〉 ㊁《助動》《動詞の連用形を承けて》…申し上げる。…し、まいらせる。「人人もてわづらひ―・ゆ」〈源氏桐壺〉。「ひと声催し―・えよ(セカシ申シ上ゲヨ)」〈源氏末摘花〉 →基本助動詞解説。㊂《名》うわさ。風聞。評判。「御かたちすぐれ給へる―高くおはします」〈源氏桐壺〉 †kiköye

きこえあ・げ【聞え上げ】《下二》申し上げる。(歌を)御詠進する。「身は下(しも)ながら言の葉を天つ空まで―・げ」〈古今一〇〇三〉

きこえあづ・け【聞え預け】《下二》(わけを)お話しして預ける。「殿は、この西の対〔ノ夫人〕にぞ〔息子ノコトヲ〕―・け奉り給ひける」〈源氏少女〉

きこえあは・せ(ワセ)【聞え合はせ】《下二》①お話合いをする。「〔兄妹ナノニ〕世の人に似ぬ御あはひにて、かひなき世の物語をだに、え―・せ給はず」〈源氏蓬生〉 ②御相談する。「隔てなくそのことかのこととなく―・せ給ひて」〈源氏梅枝〉 ―**びと**【聞え合せ人】お話相手。御相談相手。

「なほさる方の物を―に思ひ聞えつるを」〈源氏澪標〉

きこえいだ・し【聞え出し】《四段》外にいる人に向ってお話をする。「聞え入れ」の対。「やがて端に御茵(おんしとね)さしいださせ給ひて、『…』と、人して―・し給へるを聞くに」〈源氏宿木〉

きこえい・で【聞え出で】《下二》❶《キコエは評判、噂》評判が立つ。噂が漏れる。「わざとおぼしあがめ聞え給ふ御気色など、みな世に―・でて」〈源氏胡蝶〉 ❷《キコエは「言ひ」の謙譲語》①お話を持ち出す。お話をはじめる。「かばかり―・で侍るに、残りを〔聞キタイ〕とおぼしめす御心侍らば」〈源氏橋姫〉 ②お申し込みをする。「―・づる人人事にふれて多かれど、おぼしも定めず」〈源氏若菜下〉

きこえい・れ【聞え入れ】《下二》内部の人に向ってお話をする。「聞え出(だ)し」の対。「大将殿のおはしたるなりけり。御消息―・れ給へり」〈源氏柏木〉

きこえうと・め【聞え疎め】《下二》お話し申し上げて間をさく。「上は、ここに(私ノ所デ)―・むるなめりと、いと憎げにおぼし宣へば」〈源氏竹河〉

きこえかは・し(ワシ)【聞え交し】《四段》お言葉をやりとりする。「御返りさすがに憎からず―・し給ひて」〈竹取〉

きこえかよ・ひ(ヨイ)【聞え通ひ】《四段》お話がかよう。御消息が往来する。「〔相手ノ手紙ニ〕いよいよ見まほしう目まりて、繁う―・ひ給ふ」〈源氏夕霧〉

きこえこしら・へ(ラエ)【聞え拵へ】《下二》あれこれ申し上げてなだめ、説得する。「集まりて―・ふるに、いとわりなく〔言葉ニ従ウ〕」〈源氏夕霧〉

きこえご・ち【聞え言ち】《四段》《ゴチはコト(言)を動詞的に活用させた語》(上の方に向って・上の方のお傍で・上の方の)お噂などを口にする。「〔神ニ対スル非難メイタ歌ヲ〕神の聞かぬところに―・ちける」〈かげろふ上〉。「〔供人ガ〕立蔀・透垣などの下にて、『雨降りぬべし』など―・つも、いと憎し」〈枕七四〉

きこえさ・し【聞えさし】《四段》申し上げかけて途中でやめる。「人人参れば、―・しつ」〈源氏玉鬘〉

きこえさ・せ【聞えさせ】《下二》《「言ひ」の謙譲表現のキコエに、使役の助動詞サセのついた形。本来、人を使って申し上げる意。相手に直接申し上げず、間に人を置いて申し上げるのは、それだけ相手にへだたりを置くことで、自分がへりくだり、相手を高く扱う結果になる。従って、キコエサセはキコエより謙譲の度合の一層強い表現》①(お話し)申し上げる。お手紙を差し上げる。お頼み申し上げる。「人伝てならで―・せむ」〈源氏紅葉賀〉。「人に聞かすまじと侍ることを―・せむに、いかが侍るべき」〈源氏藤袴〉 ②《動詞の連用形をうけて》…申し上げる。「世の人、しか(源氏ハ多能ダト)思ひ―・せたるを」〈源氏絵合〉。「推しはかり―・するに〔悲シミハ〕いと尽きせずなむ」〈源氏柏木〉

きこえさせたま・ふ(マウ)【聞えさせ給ふ】《連語》①《キコエサセにタマフのついた形。甲に対して乙が謙譲の心を厚くして申し上げ(キコエサセ)るのを、傍の丙が乙に対して敬意をこめて表現するいい方》申し上げなさる。「〔源氏ニ返事ヲ〕なほ―・へと〔侍女ガ末摘花ヲ〕そそのかしあへれど」〈源氏末摘花〉 ②《キコエに敬語サセタマフのついた形。甲に対して乙が謙譲の心で申し上げ(キコエ)るのを、傍の丙が乙に対して、最高の敬意をこめて表現するいい方》申し上げ遊ばす。「誠にやと御心とまりて〔帝ハ后宮ニ〕ねんごろに―・ひけり(オ頼ミ遊バサレタ)」〈源氏桐壺〉。「〔桐壺帝ハ〕心苦しう〔弘徽殿女御ニ対シテ〕思ひ―・ひける」〈源氏桐壺〉 ▽乙は、帝・皇后・中宮などであることが多い。(1)と(2)とは甲乙の社会的位置の高低によって大体区別される。甲が乙よりも高ければ(1)、甲が乙よりも低ければ(2)の意味になることが多い。

きこえそ・め【聞え初め】《下二》申し上げるようになる。「我もまた、初めより、ありしさまの事―・めざりしかば」〈源氏手習〉

きこえな・し【聞え成し】《四段》巧みにお話しする。あれこれ工夫してお話しする。「至り少なく、ただ人の―・す方にのみ寄るべかめる御心には」〈源氏若菜下〉。「とやかくやと、かたがたに安からず―・し給へば、苦しう思されけり」〈源氏早蕨〉

きこえはづ・し【聞え脱し】《四段》お話をして失敗する。お申し込みになって断わられる。「兵部卿宮は〔今ハ〕左大将の北の方〔ニナッテイル方〕を―・し給ひて…〔妻トナルベキ人ヲ〕選り過ぐし給ふに」〈源氏若菜上〉

きこえはな・ち【聞え放ち】《四段》関係ないようにお話しする。「〔我ガ子ニ関シテハ〕なかなか(却ッテ)よその事に―・ちたるさまにて侍る」〈源氏若菜上〉

きこえひが・め【聞え僻め】《下二》申し上げ方を間違える。「なほほけほけしき(モウロクシタ)人の、神かけて―・め給

ふなめりや」〈源氏玉鬘〉

きこえまつは・し【聞え纏はし】『四段』お話しして自分のそばに引きつける。「女がたもいとしたたかに物し給ふわたりにて、ゆるびなく—・し給はば」〈源氏宿木〉

きこえわた・し【聞え渡し】『四段』①お話しして向うへ移す。「さぶらふ人人よりはじめ、よろづの事、みな西の対〔ノ夫人〕に—・し給ふ」〈源氏須磨〉②広い範囲にわたって聞かれる。「山おろし心すごく、松の響き木深く—・されなどして」〈源氏夕霧〉

きこえわた・り【聞え渡り】『四段』長い間にわたって申し上げつづける。「年ごろ(何年モノ間)—・り給ふ御心ばへの世の人に似ぬを」〈源氏葵〉

きこえをか・し【聞え冒し】『四段』失礼を顧みず言葉をおかけする。「〔匂宮ヲ亡キ源氏ニ擬シテ〕闇に惑ふはるけどころに—・さむかし」〈源氏紅梅〉

きごころ【着心】着物を着た心持。着ごこち。「—を頭(づ)に試みる烏帽子折(えぼしをり)」〈雑俳・広原海一〇〉

きこ・し【聞こし】『四段』《聞カシの母音交替形》①《「聞き」の尊敬語》①お聞きになる。「くはし女(め)をありと—・して」〈記歌謡二〉⑪理解なさる。「おほろかに—・さぬうら桑の樹」〈紀歌謡五六〉②《「言ひ」の尊敬語》おっしゃる。「我が背子しかくし—・さば天地の神を乞ひ祈(の)み長くとぞ思ふ」〈万四四九九〉。「〔私ノ名ヲキカレテモ〕不知(さい)とを—・せわが名告(の)らすな」〈万二七一〇〉 †kikösi **—め・し**【聞こし召し】『四段』《メシは「見(み)」の尊敬語》❶《「治め」「飲み」「食ひ」などの尊敬語》①お治めになる。「—・す四方(よも)の国より」〈万四三六〇〉。「御出家の後も万機の政を—・されし間」〈平家一・殿下乗合〉②召し上がる。「はかなきくだもの、強飯(こはいひ)ばかりは—・す時もあり」〈源氏薄雲〉③(宴などを)お催しになる。「今日は新嘗の猶良比(なほらひ)の豊の明り—・す日にあり」〈続紀宣命四六〉❷《「聞き」の尊敬語。聞コシが何かの話を耳にする意であるのに対し、それを一層強めた言い方》①耳におとめになる。お聞き遊ばす。「このことを帝—・して竹取が家に御使つかはさせ給ふ」〈竹取〉。「—・す御心まどひ、何ごとも思し召しわかれずこもりおはします」〈源氏桐壺〉②お聞きとどけになる。しかと承知なさる。「『上達部を御前に召さむ』と啓し給ふ。『—・す』とあれば」〈栄花初花〉③関心をお持ちになる。気にかけて下さる。「—・すゆかりある所に、何とな

くつれづれに心細くてあらむよりはと召すを」〈更級〉 **—を・し**【聞こし食し】『四段』お治めになる。聞こしめす。「—・す国のまほらぞ」〈万八〇〇〉 →をし(食)

きごつな・し『形ク』粗野で礼儀作法を知らない。無骨(ぶこつ)だ。ぎこちない。「ぎこつなし」「ぎごつなし」とも。「婦容婉娩(えんべん)としたぞ。—・いなりはわるいぞ」〈毛詩抄一〉。「アノヒトキゴツナイモノイイヂャ」〈日葡〉

きこにち【帰忌日】《コは呉音》旧暦で、凶星が司るとしていみきらった日。旅行・帰宅・出軍・移転・婚姻などに凶とした。「参らんと欲するの間、—なり」〈御堂関白記寛弘三・二・二七〉

ぎごは【義強】強情で融通のきかないこと。「強梁(きやうりやう)は—なる心なり」〈錦繡段鈔三〉。〈文明本節用集〉

きごみ【着籠み・着込み】「着籠め」〔二〕に同じ。「内の者に—をさせて有るを」〈論語抄憲問〉。「夕立(太刀ト掛ケル)を通さぬ嚢は—かな」〈俳・毛吹草追加上〉

きこ・め【着籠め】〔一〕『下二』(髪などを)着物の下に入れこむ。「単衣めくもの〔ソノ下ニ〕—・め給へる髪の透影」〈源氏玉鬘〉〔二〕『名』《キゴメと濁音》直垂(ひたたれ)などの上衣の下に腹巻などを着ること。また、その腹巻など。「敷妙といふ腹巻—にして」〈義経記一〉

きごめ【生米】精白しないままの米。玄米(げんまい)。「—の俵、一」〈日蓮遺文浄蔵浄眼御消息〉

きこゆる【聞ゆる】『連体』名高い。評判の。「—悪源太斬らるるなり」〈平治下・悪源太誅せらる〉

きこり【木伐・樵】山で木を伐ることを生業とする者。「炭焼・—などいふ者ども集まりてたいまつれり」〈宇津保吹上上〉

きこん【機根・気根】①〔仏〕衆生にそなわって、仏の教化によって発動する根本の能力・資質。「その—をはからひて、上人もかくすすめけるにや」〈十訓抄一〇ノ五三〉②根性。気力。「かの亡者は生得(しやうとく)—の弱き人」〈ロザリオの経〉③精力。性欲。「ちと—の落つる御薬を、申し請けたきよし申せば」〈咄・昨日は今日上〉

きさ 身分不相応な見栄(えみ)。「粋だてにて、まだるき事聞くも嫌と、—を出すやうの人、破滅眼前に来たりて」〈色道大鏡五〉

きさ【象】象(ぞう)の古名。「虎狼ひと山さわぐ所あり。—出で来てその山を越しつ」〈宇津保俊蔭〉。「象、岐佐(きさ)、…大耳・長鼻・眼細・牙長者也」〈和名抄〉

きさ【樸】木目(もくめ)。「樸、木佐(きさ)、木文也」〈和名抄〉

きざ【気障】《「気ざはり」の略。もと江戸の遊里語》①気にかかり心配になること。「果し状—な事には墨が折れ」〈雑俳・万句合明和三〉。「—とは、心がかりなることなり」〈洒・魂胆惣勘定〉②いやらしく気にさわること。また、その人。「あれ—な、また人の顔を見て、悪口を言はうと思って」〈洒・傾城買二筋道〉

きざ【帰座】神霊をもとの所に鎮座させること。「東大寺の神輿、東寺の若宮より—の時」〈徒然一九六〉

きさい【后】「きさき」の音便形。「帝(みかど)・—の御いましめ」〈源氏総角〉 **—のみや**【后の宮】后の御殿。また、后。「五条の—の西の対に住みける人」〈古今七四七詞書〉。「内(帝)・東宮・—」〈源氏御法〉 **—ばら**【后腹】后の御腹から生れること。また、皇子・皇女。「—の御子」〈源氏紅葉賀〉

きざう【木蔵・木像・木造】野暮(やぼ)。また、うぶで色気のない人。「引っ剝(は)いで〔人ヲ〕起す娘は—なり」〈雑俳・万句合明和六〉

ぎさう【擬生】大学寮の試験を通過した者。文章生〈もんじやうしやう〉の下の資格。擬文章生。「文人—などいふなる事どもよりうちはじめ、すがすがしうしはて給へれば」〈源氏少女〉

きざかひ【気逆ひ】人の気にさからうような事。不愉快。「あまたの—なる事、心を乱らす事多し」〈こんてむつすむん地三〉。〈日葡〉

きさき【后】①天皇の配偶者。④皇后。中宮〈ちうぐう〉。また、皇太后、太皇太后。「帝(みかど)・—」〈源氏澪標〉。「太皇太后宮彰子・皇太后宮研子・中宮威子〔トイウ〕—三人ならべ据ゑ」〈大鏡道長〉⑪女御などで、天皇の母になった方。また、その方におくられる位。「二条の—(陽成天皇ノ母。清和天皇ノ女御)」〈伊勢三〉。「〔一条天皇即位ノタメ、ソノ母〕梅壺の女御—に立たせたまふ。皇太后の宮と聞えさす」〈栄花様様悦〉②王妃。「海龍王の—」〈源氏若紫〉 **—がね**【后がね】后の候補者。「—の姫君」〈源氏常夏〉 **—ことば**【后言葉】后としての品格の備わった言葉。「〔藤壺女御ノ〕人のみかど(異朝)まで思ほしやれる御—の、かねても(前以テ立派ナ)と、ほほゑまれて」〈源氏紅葉賀〉 **—だち**【后立ち】皇后または中宮の位につかれること。また、その儀式。立后。「九条女院の

―の御時、都の中よりみめよき女を千人そろへて」〈平治下・常葉六波羅に参る〉 **―ばら【后腹】**⇒きさいばら。 **―まち【后町】**常寧殿(じやうねいでん)の異称。もと、皇后・中宮などの御座所だったので、この名がある。「きさいまち」とも。「―よりはじめて、君達の御宿直(とのゐ)所、御局どもに窺ひ給ふに」〈宇津保内侍のかみ〉。「常寧殿、在二承香殿北一、謂レ之岐佐岐万知(きさきまち)」〈和名抄〉

きざきざ 細かに切りきざむさま。ずたずた。「愁腸寸(きざきざ)に断つ」〈遊仙窟(醍醐寺本)鎌倉期点〉 →きだきだ・つだつだ

きさく【気さく】《サクは形容詞サクイの語幹》 淡泊で快活な性質。「そなたたち程―な買手は無い程に」〈虎明本狂言・目近籠骨〉

きさ・げ【刮げ】㊀『下二』すり削る。こそぐ。「―・げ、集めて」〈記神代〉。「刮、介豆流(けづる)・木佐久(きさぐ)」〈新撰字鏡〉 ㊁『名』こすり削る道具。「鐁、キサゲ」〈名義抄〉 †kisagë

きざけ【生酒】 腐敗防止のための加熱をしないままの原酒。「いかなる諸白(もろはく)―も」〈伽・酒茶論〉。「―とは、火入れざる酒の事なり」〈童蒙酒造記一〉

きざ・し【刻し】『四段』《キダ(段・分)と同根》 細かに切る。きざむ。「剋、キザス・キザム」〈名義抄〉

きざ・し【萌し・兆し】㊀『四段』 ①芽ぐむ。「片岡の雪間に―・す若草の」〈曾丹集〉。「いかでか善根の種子を―・さん」〈正法眼蔵伝衣〉 ②心の中に思いや考えが生じる。「この殿の〔妃問題ニツイテ〕おぼし―・すさまのいと殊なれば〔他ノ人ハ遠慮スル〕」〈源氏梅枝〉。「よこしまの念が―・す時は」〈コリヤード懺悔録〉 ㊁『名』 物事の起ろうとする時に現われる兆候。前兆。「俯して剋(きざ)し念へば」〈東大寺諷誦文稿〉。「これ既にその危ぶみの―なり」〈徒然一四六〉

きざはし【階】《キザはキザミ(刻)のキザと同根。ハシは橋》 階段。「きだはし」とも。「秦舞陽は樊於期が首をもって、珠の―をのぼりあがる」〈平家五・咸陽宮〉。「階とは御階とて―なり」〈長恨歌抄〉

きざはし:ザワシ【木醂・木淡】 木になったままで、熟して甘くなる柿。〈下学集〉

きざはり:ザワリ【気障り】 気に障ること。「―なる事を〔江戸デ〕気障(きざ)と云ふ」〈皇都午睡三中〉。〈文明本節用集〉

きさぶらう:ロウ【喜三郎】 近世前期、大阪本町に住んでいた歯を抜く医者。歯磨粉・膏薬の行商人の通名。「―が琢(がみ)き砂をたしなみ」〈西鶴・諸艶大鑑三〉

きさま【貴様】『代』 ①《近世前期、目上に対して用いる》あなた様。「―とは御仲あしくして、たびたび御意趣御座候」〈賤岳合戦記〉。「とかく―の本望をとげさしめ侍るべし」〈仮・是楽物語下〉 ②《近世後期、同等以下の者に対して用いる》 おまえ。「―はあまりぶしつけな人だ」〈滑・浮世風呂三上〉

きざ・み【刻み】㊀『四段』《キザはキダ(段・分)と同根。区切りをつけて、切り分ける意》 ①刃物などで筋目を入れ、ほりつける。また、彫刻する。「丁蘭は木を彫(きざ)みて母と為(せ)り」〈東大寺諷誦文稿〉。「刻・雕、キザム」〈名義抄〉 ②入れ墨をする。「天皇瞋(かい)りて面を黥(きざ)みて鳥飼部としたまふ」〈紀雄略十一年〉 ③切りつけてさいなむ。「麁悪の言を以て期(かぎ)り尅(きざ)み、迫(せ)め脅かさしめき」〈地蔵十輪経七・元慶点〉 ④こまかに切る。「優婆塞(うばそく)が朝菜に―・む松の葉は」〈曾丹集〉。「紙銭を―・うづなんどするぞ」〈山谷詩抄序〉 ⑤太鼓・大鼓・小鼓、または拍子木を、連続して軽く小さく、あるいは細かく打つ。「太鼓―・む。大・小〔鼓打チ〕続ける」〈隣忠秘抄〉 ㊁『名』 ①区切り。段階。等級。「〔受領トシテ〕品さだまりたる中にも、また――ありて」〈源氏帚木〉 ②際。場合。また、機会。「今はの―に、つらし〔無情ダ〕とや思はむ」〈源氏夕顔〉。「位につかせ給ひし―に、蔵人頭にもえなり給はずして」〈大鏡道隆〉 ③太鼓などを、小さく連続して打つこと。「楽拍子の太鼓打つ事に、―を打つ事いかが」〈反古裏の書二〉 ④きざみ煙草。「此の―を飲んで輪を吹けば」〈浮・好色旅日記三〉 †kizami **―ざや【刻鞘】** 輪を連ねたような刻み目のある刀の鞘。「雲の波やただ夕立〔太刀ト掛ケル〕の―」〈俳・新続犬筑波六〉。「栗色の―」〈西鶴・武家義理六〉 **―タバコ【刻煙草】** 干した煙草の葉を糸のように細かく刻んだもの。きざみ。「すたり物、―に風呂屋者・繻子(しゅす)屋・縮緬・被(かづ)き帷子」〈玉滴隠見一〇〉

きさらぎ【如月】 陰暦二月の称。「―のついたち頃」〈源氏宿木〉

きさりもち 上代、葬送の時、死者に供える食物を盛った器を持って棺に添ってゆく者。「川雁を―とし」〈記神代〉 †kisarimöti

きざる【生猿】 まだ飼い馴らされぬ猿。野生の猿。「梢の――と言ひ触れて」〈西鶴・一代女三〉

きさん【帰参】 もとの所に帰って来ること。「孝長―してこの旨を披露ありければ」〈古活字本保元上・新院御謀叛露顕〉

きさんじ【気散じ】 ①気晴らし。慰み。「物の―に心のよい事は、麻姑(まこ)の爪でかゆい所を搔いた程の事はないぞ」〈玉塵抄一六〉。〈日葡〉 ②気苦労のないこと。「喉音(のどおと)どうどうと飲み入りたるこそ人の上にて見たるも―にてよく候へ」〈伽・乳母草紙〉。「河内辺の事(戦況)、近頃―にて候。〔敵ハ〕余り理も候はぬ事をして候ほどに、やがて亡び候」〈実隆公記享祿四・四・九、紙背文書〉。「ここもとにても、さてもさても―なる事かなと申すやうにして居申し候」〈沢庵書簡寛永七・一・二五〉

きし【岸・涯】 ①岩や土の切り立ったところ。「片山―に霞たなびく」〈万一八一八〉 ②水際。また、水際の断崖。「すみの江の―に出でゐて釣舟のとをらふ見れば」〈万一七四〇〉。「涯岸、水辺曰レ涯、涯隋而高曰レ岸、和名岐之(きし)」〈和名抄〉 †kisi

きし【吉師・吉士・吉志】 ①新羅(しらぎ)の官十七等のうち、第十四等の官。上代、朝鮮から帰化した人につけた敬称。「百済の国主照古王、牡馬壱疋、牝馬壱疋を阿知―に付けて貢上(たてまつ)りき」〈記応神〉 ②上代の姓(かばね)の一。文筆や外交事務などの職掌に関係し、朝鮮諸国に使し、また朝鮮からの使者の接待にあたったものが多い。天武天皇十三年、連(むらじ)・忌寸(いみき)に改姓。「難波―日香蚊」〈紀安康一年〉。「吉士老(きしのおきな)等を遣はして…百済の王に賜ふ」〈紀継体二十三年〉 †kisi

き・し【期し】『サ変』《キは漢音》 ①時日をとりきめる。時日を約束する。「月秋と―・して〔輝イテイルガ〕身いづくか〔人ハスデニ世ニナイ〕」〈枕一三五〉 ②約束する。「殿上にて言ひ―・しつる本意もなくては」〈枕一三七〉

きじ【雉】《キギシの転》 鳥の名。「きぎす」とも。冬の鷹狩の獲物として、引出物にされた。贈物にする時には枝に一双(雌雄二羽)つける。「妻恋ひに飛び立つ―のほろろとぞ鳴く」〈古今一〇三三〉。「―一枝奉らせたまふ」〈源氏行幸〉 **―の草隠・る** 雉は頭だけ草に隠して尾を隠さないところから、一部分を隠して、他の部分が暴露しているのを知

き

らぬたとえ。頭隠して尻隠さず。「狩場の━・れたる有様にて、敵にさがし出されて」〈太平記一〇・亀寿殿〉

ぎ・し【凝し】『サ変』「凝(こ)らし」に同じ。「懇念(こんねん)を━・して汗を流し」〈平家五・富士川合戦〉

ぎ・し【擬し】『サ変』①それに相当するものとして、あてはめる。「『これはこれ、勘当して過(かと)に━・せる五人』と書けり」〈今昔九ノ三四〉②あらかじめ定める。「五節豊明(とよのあかり)の節会の夜、忠盛を闇討ちにせむとぞ━・せられける」〈平家一・殿上闇討〉

ぎしうもん ギシュウ【宜秋門】内裏の外郭門の一。西側の中門。右衛門府の陣があった。「卯の時、水鳥━陣前の桜樹に集る」〈小右記寛和一・四・二七〉

きしかた【来し方】①来る時に通った方(角)。「━を見やれば」〈かげろふ中〉②過去。「━のことども宣ひ出でて」〈源氏松風〉▽歌では、多く「岸方」にかけて用いる。 **━ゆくさき**【来し方行く先】①やって来た方(角)とこれから行く方(角)と。あとさき。「━も見えぬ海」〈竹取〉②過去と未来と。「━おぼし続けられて」〈源氏賢木〉 **━ゆくすゑ**【来し方行く末】「来し方行く先」に同じ。「━おぼしめされず」〈源氏桐壺〉

きし・き【来及き】『四段』《シキは、しきりに…するの意》重ねて来る。「百重(ももへ)にも━・かぬかもと思へかも君が使の見れど飽(あ)かざらむ」〈万四九九〉 †kisiki

ぎしき【儀式】①朝廷で行なう節会(せちゑ)・祭事などの式。大儀・中儀・小儀が定められた。即位の式などは大儀、正月一日・七日などの式は中儀、正月十六日の踏歌節会(たふかのせちゑ)などは小儀。「太政官処分す。朝廷の━、衣冠の形制は、弾正式部、総知して糺弾せよ」〈続紀養老七・八・二〉②起居動作の作法。法式。「日たけ行きて━もわざとならぬさまにていで給へり」〈源氏葵〉。「余り━定めつらんこそあやしけれ。ここにても詠め」〈枕九九〉 **━くゎん**【儀式官】儀式のことを司る官人。少納言・外記などがなる。「━の練りいでたるひぢもちおぼえて」〈源氏末摘花〉

きしきし きしむ音。「にくきもの。…墨の中に、石の━ときしみ鳴りたる」〈枕二六〉

ぎしぎし ①物が大きく摺れ合って立てる音。ぎちぎち。「箱階子(はこはしご)━━鳴る音も」〈近松・淀鯉下〉②容赦なく言うさま。つけつけ。「あんまり━言はしゃるな」〈近松・雪女中〉

ぎじじゅう【擬侍従】即位または節会などのとき、親王・公卿の中から仮に任ぜられる臨時の侍従。左右二人が原則。「即位の日の━」〈貞信公記天慶九・五・二〇〉

きしね【岸根】川岸などの最も水に近い所。「竹おふる━づたひに鳥鳴きて」〈牡丹花宗碩両吟何人百韻〉。「浪荒く━をうがつ龍田川」〈白山万句慶長二・三・一五〉

きしぼじん【鬼子母神】⇒きしもじん。「不思議や━・十羅刹女かたちを現はし給ひ」〈浮・新色五巻書五〉

きしま・せ【軋ませ】『下二』気をもませる。じらす。「身を田舎者ののび助と思ひ、張合ひを掛け、━・すると見えたり」〈浮・傾城色三味線二〉

きしまひ キシマイ【吉志舞】朝鮮から伝来した舞楽。大嘗会の時に奏する。奈良朝では、吉師部の楽、吉師部の儛(まい)といった。「〔大嘗会ノ後〕百官を宴す。多治氏田舞を奏す。伴・佐伯両氏久米舞。安倍氏━。内舎人倭舞。夜に入りて宮人五節舞。並びに旧儀の如し」〈三代実録貞観一・一一・一九〉→吉師(きし)

きし・み【軋み】『四段』《キシはキシリ・キシロヒなどのキシと同じで、擬音語。のちにギシミと濁音にもなる》固いものがすれ合って音を立てる。「にくきもの。…墨の中に、石のきしきしと━・み鳴りたる」〈枕二六〉

ぎし・み【軋み】『四段』威張る。りきむ。「逃さぬと、━・みかかれば」〈伎・日本八葉峰三〉

きしめ・き【軋めき】『四段』きしきしと音を立てる。「〔格子ヲアゲルト〕片つ方なれば━・くに、おどろかせ給ひて」〈枕八七〉。「齟、キシメク」〈名義抄〉

ぎしめ・き【軋めき】『四段』《キシメキの濁音化》①ぎしぎしと音を立てる。「船の絵の梶(かぢ)か━・く扇骨」〈俳・鸚鵡集五〉〈日葡〉②威張る。りきむ。「迷惑させんと━・くを、やうやうに止め給ふ」〈仮・是楽物語下〉

きしめん【碁子麺】小麦粉を水でこね、竹筒で碁石形に押し切り、ゆでて黄粉(きなこ)をかけた食べ物。点心などに喜ばれた。「点心は…饂飩・饅頭・素麺・━」〈庭訓往来十月日〉

きしも【鬼子母】「鬼子母神」に同じ。「━は五道大臣の妻也。天上に五百人、人間に五百人、千人の子を持ち給へり」〈宝物集五〉 **━じん**【鬼子母神】もと鬼神の妻。人の子を取って食うのを常としていた。釈迦がこれを戒めるため、彼女の子供千人中の末子を隠した。彼女は悲嘆にくれて、釈迦を訪れ、今後、人の子を食わないことを誓い、仏教に帰依し、安産と幼児守護の神となったという。その像は、手に吉祥果(ざくろ)を持った天女の形であらわされる。訶利帝母(かりていも)。「きしぼじん」とも。「━は五道大神の息女として、人中に五百人、天上に五百人、千人の子を持ち給ふ悪神なれば」〈御書抄八〉

きしゃ【騎射】①馬に乗って射ること。「山背の国の賀茂祭の日に、衆(ひと)を会して━することを禁ず」〈続紀文武二・三・二一〉②五月五日・六日に朝廷で行なわれた、馬上で弓を射る儀式。聖武天皇の代に始まった。後世、武家では、流鏑馬(やぶさめ)・笠懸(かさかけ)・犬追物(いぬおふもの)などをした。「〔聖武〕天皇、南野の榭(うてな)に御して餝騎(飾ッタ馬)の━を観たまふ」〈続紀神亀四・五・五〉

きしゃう キショウ【木性】陰陽道で、人の生年月日を五行に配当した場合、「木」に当る人。「始皇はまた金性(かねしゃう)なり…吾が身━なり」〈盛衰記一七〉

きしゃう キショウ【祈請】神仏に願をかけて祈ること。「大将軍東人に詔して八幡の神に━せしむ」〈続紀天平一二・一〇・九〉

きしゃう キショウ【起請】①上級官庁に請い願うこと。「勘解由使、二条を━す。其の一に曰はく…」〈三代実録貞観五・九・二五〉②神仏の名を掲げて、その下に誓いを立てること。また、それを書いた誓紙。「但し他人に教ふべからざる由を、まづ━をぞ書かせられける」〈著聞三四五〉。「もし一事たりといふとも曲折を存じ、違犯せしめば、梵天帝釈四大天王、惣じて日本国中六十余州の大小の神祇、殊には伊豆箱根両所の権現、三島の大明神、八幡大菩薩、天満大自在天神、部類眷属の神罰冥罰、各罷り蒙るべき者なり。仍て━件の如し」〈貞永式目〉 **━つぎ**【起請継ぎ】《起請の用紙の継ぎ方から》紙を糊で継ぎ合わせるのに左前に重ねて継ぐこと。「〔薬包ノ〕小紙…我が左より右へ並べ重ぬるなり。━にならぬやうにと云ふ心なり」〈道三切紙〉 **━もん**【起請文】記載内容に偽りのないことを、神仏にかけて誓約した文書。中世、盛んに行なわれた。用紙には牛王宝印(ごわうほういん)の裏が多く用いられる。誓紙。誓文。起請状。起請誓紙。「全く不忠なき由、度度━を以て申されけれども」〈平家二・腰越〉

きじゃう キジョウ【気情】強く盛んな気力。「張(はり)有り、━者也」〈評判・難波物語〉

きじやき【雉焼】豆腐を小さく切り、塩または薄醬油を

付けて焼き、燗(かん)酒を掛けた料理。雉焼き豆腐。「—にて酒振舞はれ候也」〈山科家礼記文明一三・二・二〉

きしゅんらく【喜春楽】 舞楽の曲名。唐楽。黄鐘(わうしき)調。「太平楽・—などいふ舞ども」〈源氏若菜下〉

きしょ【貴所】『代』相手を尊敬して呼ぶ語。男どうしで使う。貴殿。「—の仰せらるること」〈ロドリゲス大文典〉。「—の御事ぢゃ程にお目に掛けう」〈咄・昨日は今日下〉

きしょく【気色】 ①大気の動き。「風雲の—常に違ふことあり」〈続紀養老五・二・一七〉 ②気持や感情などが顔に現われ出ること。また、その顔色・様子など。「その—まことにゆゆしくぞ見えける」〈保元上・親治等生捕らる〉 ③《「御—」の形で》思し召し。御意向。「然らば屋島へ帰さるべしとの御—で候」〈平家一〇・内裏女房〉 ④気持。気分。「母上—を損じ」〈浄・藍染川一〉 ⑤容態。「折しも、獅子王違例の事ありけるは、御—大事に見えさせ給ふ」〈伊曾保物語下〉

きし・り【軋り】『四段』①固いものが強くすれ合って音を立てる。「氷を輾(きし)れる轍(あと)あり」〈白氏文集四・嘉吉点〉。「碾、岐之流(きしる)」〈和名抄〉 ②すれあわんばかりになる。「人人の家家、軒を—・りて作りたりつるを」〈長門本平家一五〉 ③かむ。かじる。「天目(てんもく)を夜毎に鼠が—・りけるが」〈咄・昨日は今日上〉 ④からかう。「汝が事を—・る故に言ひやみて去りぬ」〈発心集八〉

きしろ・ひ(キシロイ)**【軋ろひ】**『四段』《キシリ(軋)に反復・継続の接尾語ヒのついた形。音を立ててすれ合うのが原義。→ひ》①揉み合い争う。摩擦を起す。「ゆめ(決シテ)、御宮仕の程に、人と—・ひそねむ心つかひ給ふな」〈源氏若菜下〉 ②座礁する。また、船・車などが前進できない。〈日葡〉

きしん【鬼神】 ①姿がなく、目に見えない神。神霊。「天地を動かし、—を感ぜしめ、人倫を化し、夫婦を和らぐること和歌より宜しきはなし」〈古今真名序〉。「—と云ふは、日本で天照大神なんどの如き神霊を云ふぞ」〈古文真宝抄七〉 ②死者の霊魂。「唐には死んだ人をば—と云ふぞ」〈黄鳥鉢抄二〉 ③天地の気。易(えき)の解釈でいう。「又、易の意は、天地の気を—と云ふ。きしんと二字共に清(す)みて読むなり」〈正像末和讃注解四〉

—に横道(わうだう)無・し 鬼神は決してまがったことを行なわない。「—・しとかや、笑ひてぞ帰りける」〈伽・花世の姫〉

—は邪(よこしま)無・し 「鬼神に横道無し」に同じ。「—・し、咎(とが)むべからず」〈徒然二〇七〉

きしん【寄進】 神社や寺に、土地・金銭・物品などを寄付すること。「その後檀那出で来て供料など—してけり」〈沙石集二ノ六〉

きじん【鬼神】 鬼神(おにがみ)。邪神。「昔、その国に—ありて、人民を悩乱す」〈今昔六ノ二七〉。「放逸邪見の—を切り」〈盛衰記一八〉。〈日葡〉 →きしん(鬼神)

きしんらう(ウ:ロ)**【気辛労】** 心苦しいこと。気の毒。「きしんど」とも。「歌よりや花に和らぐ—」〈俳・鸚鵡集三〉

きず【疵】 ①身体の皮や肉に(切り、突き、打ちなどして)生じた破れ。「呰、岐受(きず)」〈華厳音義私記〉。「〔女ニ指ヲカマレテ〕かかる—さへつきぬれば」〈源氏帚木〉 ②不完全な点。欠点。「仏法の—」〈源氏手習〉。「御すき心のふりがたきぞ(カワラナイノガ)、あたら御—なめる」〈源氏槿〉 ③不名誉。汚名。「公私面目を失ひたり。家の永き—とぞ申し侍りける」〈教訓抄三〉 †kizu

ぎす 愛敬のないこと。無愛想。「義子成人、ギスナヒト」〈俳・反故集下〉

きずい【気随・気随意】 自分勝手にすること。わがまま。「長時公、強き御大将にて、我儘(わがまま)—に遊ばされ候故に」〈寿斎記〉。〈日葡〉

きずい【奇瑞】 ふしぎな現象。吉凶ともにいう。「天宝華を降らすの—を感得す」〈正法眼蔵袈裟功徳〉

ぎすぎす 愛敬がなく、角があって親しみにくいさま。「何やら—と当言(あてこと)ぢゃの」〈近松・相模入道一〉

きすく【気健】《キは気。スクはスクスクシ・スクヨカのスクと同じ》かたっくるしいさま。一本調子。「うひうひしう—なるさまにて出で入るほども」〈源氏真木柱〉。「宿徳の僧都・僧正の際は、世にいとまなく—にて」〈源氏橋姫〉

きすて【着棄て】 着古して捨てること。また、着古して捨てたもの。「—の鎧、宿直(とのゐ)の腹巻、ならびに御乗替等の御助成候者然るべく候なり」〈庭訓往来六月七日〉

きす・み【蔵み】『四段』大切に物をしまう。「縫へる衣を櫃の底に—・みたるが如し。故、伎須美野(きすみの)と曰ふ」〈播磨風土記〉。「頂(いただき)に—・める玉は二つなしかにもかくにも君がまにまに」〈万四一二〉 †kisumi

き・せ【着せ】『下二』《キ(着)の他動詞形》①着物などを身につけさせる。「衣(きぬ)—・せましを」〈記歌謡二九〉 ②着ける。置く。「甲斐の黒駒、鞍—・せば」〈紀歌謡八一〉。「武悪の面(めん)—・せて」〈虎明本狂言・伯母が酒〉 ③(恩などを)こうむらせる。「誰に恩に—・せはせねども」〈空善記〉 ④《こうむらせる意から転じて》一発くらわせる。なぐる。「握りこぶしで頭を—・する」〈天理本狂言六義・首引〉。「鼻柱をひしと—・せたれば、血が垂りしを」〈咄・戯言養気集上〉 †kise

きせい【気勢・気精】 元気。精力。気力。「—も尽き果て」〈西鶴・一代男四〉

きせい【祈誓】 神仏に誓いを立てて祈ること。「御兄弟の中和平し給ふべき由—申すばかりなり」〈保元上・新院御謀叛並びに調伏〉

きせい【碁聖】 碁(ご)の名人。「—が碁にはまさらせ給ふべきなめり」〈源氏手習〉

ぎせい【義勢・擬勢】 ①見せかけの勢い。虚勢。「—ばかりではこの謀反(むほん)叶ふべうも見えざりしかば」〈平家二・西光被斬〉。「遣唐使の時、一の船に乗らずは渡唐せじと—を云ひしによりて、罪せらるるなり」〈古今私秘聞〉 ②意気ごみ。けんまく。「皆ただあきれ迷へるばかりにて、さしたる—もなかりけり」〈太平記八・三月十二日〉。「この蟹がそばざまにがさめいて這うて、目を怒らかいた—は、虎とも争ひつべいぞ」〈山谷詩抄一九〉 ③ねばり強く気力のあること。「さしも—の天狗ども、恐れわななきて十方へ逃げ失せければ」〈伽・秋夜長物語〉

ぎぜつ【義絶】《縁を絶つこと》①夫婦の縁を切ること。令制では、妻に対する強制離婚の方式。「凡そ妻の、祖父母父母を殴(う)ち、…及び夫を害せんと欲するは、赦に会へりと雖も、皆—とせよ」〈戸令〉 ②親が子に対して親子関係を断つこと。平安中期以後、とくに鎌倉以後の例が多く、「不孝(ふけう)」「勘当」と同じ意味に使われた。「不孝の子と号して—せんと擬す」〈九条家本延喜式永延二・閏五、紙背文書〉 ③平安中期以後、親族関係を断絶する行為。「舎兄行光ならびに彼の子息等に於いては、永く戸籍を除き—せしむ」〈兵範記長寛二・六、紙背文書〉 ▽近世法制上では、元禄頃は勘当・久離を含む意に用い、明和頃は目下から目上になされるものをいい、安永以後は武士の久離の特称となり、享和以後は対等の親族間の久離の意となった。

きせなが【着背長】 大将などの着る正式の大鎧の美称。「新院・左府御—を召されたり」〈保元上・新院御所〉

キセル【煙管】《「管」の意》 刻み煙草を吸う具。火皿と雁首(がんくび)と羅宇(ラウ)と吸口とから成る。キセリ。キセロ。「一丁買ひ候て」〈梅津政景日記慶長一七・四・二六〉 ▽カンボジア khsier **—づつ**【煙管筒】①キセル。「五服継の(五服分盛レル大キナ)—」〈西鶴・一代男二〉 ②キセルを入れる筒。「唐竹(からたけ)の—」〈西鶴・永代蔵五〉 **—やき**【煙管焼】心中立ての一。煙草を詰め、火をつけたキセルを、太股などに当てて焼くこと。「御町(おちやう=遊廓)において皆—」〈俳・談林十百韻上〉

きせわた【着せ綿】「菊の着せ綿」に同じ。「—、菊に霜をあてじと八月より綿をきするとなり」〈匠材集四〉

きせん【貴賤】身分の尊卑。また、身分の高い者と卑しい者。「—のしなをも選ばず、老少をも定めず」〈三宝絵下〉。「洛中の—上下申しあひけるは」〈保元上・新院御謀叛思し召し〉 **—くんじゅ**【貴賤群集】あらゆる階層の人人が多数集まること。また、その集まった人人。「—の其の中に、殊に年たけたる老人の」〈謡・小塩〉

きぞ【昨夜】昨夜(さくや)。「ぬばたまの—は帰しつ今夜(こよひ)さへわれを帰すな路の長道(ながて)を」〈万七八一〉 ▽上代東国方言ではキソと清音。 †kizö

きそう【貴僧】①身分の高く尊い僧。「—・高僧に仰せて、真読の大般若を読ませられければ」〈平治下・悪源太雷となる〉 ②僧に対する敬称。「百貫の料足を—に奉るべしと云ひ置き侍る」〈伊曾保物語下〉

きそく【気色】《キショクの直音化》⇒きしょく。「御前に参り給ひて、御—賜はり給ひければ」〈大鏡道隆〉。「その—おほかたゆゆしうぞ見えし」〈平家二・教訓状〉。〈色葉字類抄〉

きそげ【着そげ】着物。「—と云うては、しかも三つ物で紬(つむぎ)の綿入二つ」〈浮・当世乙女織二〉

きそぢ【木曾路・吉蘇道】木曾を経由する道。中山道(なかせんどう)の一部。「美濃・信濃、二国の堺、径道険隘にして往還艱難なり。仍りて吉蘇路(きそぢ)を通す」〈続紀和銅六・七・七〉 ▽「木曾」は後の当て字。 †kisodi

きそな・ひナイ ッ【着備ひ】『四段』身に着け整える。きちんと着る。「袖—・ふたこむら(手ノフクラミ)に」〈記歌謡九七〉 †kisonaFi

きそのあさぎぬ【木曾の麻衣】信濃国木曾の住民が、綿を入れずに重ね着した麻の着物。「風越の嶺よりおるる賤の男の—まくり手にして」〈袋草紙三〉

きぞのよ【昨の夜】《キゾは昨夜。更に下に夜を重ねたのは「明日の日」と同形式》昨夜。「わが恋ふる君そ—夢(いめ)に見えつる」〈万二五〇〉 †kizönöyo

きそはじめ【着衣初め】正月三が日の内、吉日を選んで新しい衣類をはじめて着ること。「着ぞめ」とも。「世すなほに綿厚うして—」〈俳・貞享五年歳旦集〉。〈俳・毛吹草二〉

きそ・ひイ キッ【競ひ】『四段』《少しでも相手にぬきんでようとする意》類義語キホヒは勢い込んでわれ先にする意》相手を抜こうとする。「諸衆歓喜して法師の為に—・ひて美名を立つ」〈三蔵法師伝五・院政期点〉。「誩、競言也、支曾比云(きそひいふ)、又、支曾比加太利(きそひかたり)」〈新撰字鏡〉 **—うま**【競馬】「きほひうま」に同じ。「葵祭・—なんどは、名にふれて大なる神事なり」〈仮・東海道名所記六〉

きそ・ひイ ッ【着襲ひ】『四段』《ソヒは衣を重ねて着ること》重ねて着る。「布肩衣(ぬのかたぎぬ)有りのことごと(アリッタケ)—・へども」〈万八九二〉 †kisöFi

きぞめ【着初め】新調の着物・鎧などをはじめて着ること。「十月一日に。木の葉衣今日から冬も—哉」〈俳・犬子集六〉

きそをどり【木曾踊】近世初期、木曾地方から起った盆踊の一種。「夕より皆麻衣や—」〈俳・犬子集五〉

きそん 元気で陽気な若者。「月影もちっくと—十七夜」〈俳・世話尽五〉

きた【北】①方角名の一。日の出の方向(東)に向って左手の方向。「南—かたがたに分れて」〈源氏絵合〉 ②北風。「朝—の出で来(こ)ぬさきに」〈土佐二月五日〉 ③近世、大阪北部の堂島・曾根崎新地の色茶屋町の称。「何と—でも、よほどの貰ひが御手に入る事ぢゃが」〈浮・当世乙女織三〉 ④《江戸の北方に位置したのでいう》吉原遊廓の称。「ちと—の遊びへ誘はれ」〈黄・喹多雁取帳上〉 ▽キタは、キタナシ(汚)・キタシ(堅塩)のキタと同根。黒く、くらい意。 †kita

きだ 魚の鰓(らえ)の古語。「大魚(おふを)の—衝き別けて」〈出雲風土記〉 †kida

きだ【段・分】①物の切れ・きざみ目を数える語。「素戔嗚尊の十握剣を索(こ)ひ取りて、打ち折りて三—になし」〈紀神代上〉 ②田地の広さの単位。「およそ田は長さ三十歩、広さ十二歩を—とせよ」〈紀孝徳、大化二年〉 ③布帛の長さの単位。「庸布(ちからぬの)四百常(よはきだ)」〈紀天武十四年〉 ▽碩田(おほきだ)を「大分」と書いた例が豊後風土記にあるので、キダのキはkiの音。 †kida

きたい【希代】①世にもまれなこと。「これ—の朝恩にあらずや」〈平家二・教訓状〉。「—不思議の義兵なり」〈保元下・新院御経沈め〉 ②世にもふしぎなこと。「—なる少人かなと、あきれ果ててぞ立ったりける」〈謡・橋弁慶〉。「かかる—の事はなし」〈伽・物くさ太郎〉

ぎだいふぶしウ ダユ【義太夫節】元祿頃、竹本義太夫が播磨節・嘉太夫節その他当時流行の音曲の長所を摂取大成した浄瑠璃節の一。門弟豊竹若太夫が一派を起し、竹本・豊竹の二派に分れた。義太夫。「ちゃっと—を語り出し」〈浮・好色小柴垣三〉

きたうウ ト【祈禱】心願を起して仏神に祈り、自他の安穏や未来の幸福を求めること。「然れば、ひとへに三宝に—すべしと深く思ひ得て」〈今昔六ノ四六〉 **—ばう**ウボ【祈禱坊】祈禱をする僧。祈禱坊主。祈禱法師。「—去年の枝折の道替へて」〈俳・談林三百韻〉

きたおもて【北面】①北側。「西の町は—築きわけて御蔵町(みくらまち)なり」〈源氏少女〉 ②北に面した部屋。南を正面とすれば、裏にあたる、内輪の場所。「こなたの対の—に住みける下﨟女房」〈源氏蜻蛉〉 ③院の御所の北面にある侍所。また、そこに勤務する武士。ほくめん。「鳥羽の院失せさせ給ひし時は—に侍ひと侍ふ下﨟ども」〈今鏡三〉。「そのしもに—・御随身ゐたり」〈中務内侍日記〉

きたかぜ【北風】北から吹く風。「楫取りらの『—悪し』と言へば、舟出さず」〈土佐一月二十五日〉

きだきだ 《キダ(分・段)を重ねた語》細かに切りきざむさま。ずたずた。「寸(きだきだ)に斬らるともまた甘心(あまな)びなむ」〈遊仙窟(醍醐寺本)鎌倉期点〉 →きざきざ・つだつだ

きたし【堅塩】焼いた黒い堅塩。「堅塩、此をば岐拖志(きたし)といふ」〈紀欽明二年〉。「黒塩、俗呼二黒塩一為二堅塩一、日本紀私記云、堅塩、木多師(きたし)是也」〈和名抄〉 †kitasi

きた・し【来たし】『四段』《キタリの他動詞形。漢文訓読体で使う語》来させる。もたらす。「使人の言はく、鉢をわたし—・せ、汝に食を与へむ」〈願経四分律平安初期点〉。「左のはしは右へ—・し、右のはしは左に—・して」〈正法眼蔵洗面〉

きたしぐれ【北時雨】北方から降ってくるしぐれ。北山しぐれ。「窓あけてむかふ嵐の―晴れゆく見れば雪の山の端」〈堯孝法印集〉

きだち【木太刀】①木でつくった太刀。木刀(ぼくとう)。「こだち」とも。「兄、竊(ひそか)に―を作り」〈紀崇神六十年〉②白木(しらき)の鞘の太刀。「出仕の時は木鞘巻の刀をさし―を持たせけるが」〈太平記三五・北野通夜〉 †kidati

きたどの【北殿】①北にある殿舎。「―の桟敷(さじき)にて、うちうちの試楽めきて、家房朝臣舞はせらる」〈増鏡一五〉②北隣の家の人に対する敬称。「『―こそ、聞きたまふや』など言ひかはすも聞ゆ」〈源氏夕顔〉

きだな【薪棚】薪を積んでおく棚。「箒で掃きたるやうに、―絶えて」〈西鶴・二十不孝二〉

きだなか【段半】半段。五畝歩。「一段がなからは半也。それをば―と名付けたり」〈名語記六〉。「私も丹波にては大百姓でござるが、田畠に一反―作りまらする」〈虎明本狂言・筑紫の奥〉。〈易林本節用集〉

きたな・し【汚し・穢し】『形ク』《「清し」の対。キタは、キタシ(堅塩)・キタ(北)と同根。ナシは甚だしい意》①けがれている。不潔である。「〔天皇ノ髪ヲ〕―・き佐保川の髑髏(ひとがしら)に入れて」〈続紀宣命四三〉。「―・き事は死したる犬にも過ぎ」〈孝養集上〉②よこしまだ。不正だ。「―・く悪しき奴どもと相結びて」〈続紀宣命四三〉。「さらば誓約(うけひ)をなして、清きか―・きかを知るべし」〈神皇正統記大日孁尊〉③見苦しい。下品だ。「守も…上達部のすぢにて、中らひも物―・き人ならず」〈源氏東屋〉④卑劣だ。いさぎよくない。「―・い殿ばらのふるまひやうかな」〈平家九・一二之懸〉。「恥ある武士に後見する事やある。―・しや、止(とど)まれ止まれ」〈義経記八〉 †kitanasi

きたなび・れ【汚びれ・穢びれ】『下二』卑怯な、或いはけちくさい振舞をする。「人人―・れて敵に笑はるな」〈太平記五・大塔宮〉

きたな・み【汚み・穢み】『四段』きたないと思う。きたながる。「同じ不浄をもってみづから浄しと思ひ、他(かほ)ぞ―・まむ」〈今昔六ノ六〉

きたの【北野】大内裏の北に当る野の意。今の京都市上京区の一画。菅原道真を祭る北野天満宮が有名。「―に遊猟す」〈後紀延暦一五・一一・三〉。「―行幸は、多くは十月以後、紅葉を賞する也」〈袖中抄一六〉。「あはれめでたき―の宮かな。…一条院の御宇寛弘元年甲辰十月二十一日辛丑の日、初めて行幸なりしより、建保の今に至るまで、聖主八十二代、積もる月日は二百余歳までになりにけり。その間、いづれの人か天満大自在天神を仰ぎ奉らざる。その昔を尋ぬれば、文道の大祖、風月の本主なり」〈北野天神縁起〉。「―〔天満宮〕をば宮寺(みやでら)と申し候。又、聖廟とも申し候」〈宗五大双紙〉

きたのおきな【北の翁・北の叟】塞翁(さいおう)をいう。「北叟(ほくそう)」とも。「いつとなく―が如くせばこのことわりや思ひ入れなむ」〈妻鏡〉 →塞翁が馬

きたのかた【北の方】《「北の対」にいるのでいう》貴人の妻の敬称。「かの御おば―慰む方なく思し沈みて『おはすらむ所にだに尋ねゆかむ』と願ひ給ひしるしにや」〈源氏桐壺〉

きたのたい【北の対】寝殿造りで、寝殿の北方にある対の屋。「―にさぶらふ童なりけり」〈源氏常夏〉

きたのだい【北の台】「北の方」に同じ。「新田どのの―の御使とて」〈太平記一〇・安東入道〉

きたのぢん【北の陣】朔平門(さくへいもん)の別称。兵衛府の陣(詰所)があった。「ただいまなむ、―より、かねてより隠れ立ちて侍りつる車ども、まかり出づる」〈源氏花宴〉

きたのまんどころ【北の政所】《「北の対」にある、家政を執る所の意》摂政・関白の妻の敬称。初めは非公式に称し、後には、宣旨を受けて正式に称した。また、後には大納言・中納言の妻にもいう。「―の別当」〈源氏若菜上〉。「六条の摂政殿の―」〈平家一・吾身栄花〉

きだはし【階】《キダは分・刻の意。一段ごとに区切ってある意》「きざはし」に同じ。「―の下に行きて見れば」〈義経記三〉。「階とは御階(みはし)とて―なり」〈長恨歌聞書〉

きたひ キタイ【腊】魚・鳥などの肉のまる干し。「―はやすも(賞美スルコトヨ)」〈万三八六六〉。「腊、木多比(きたひ)、乾肉也」〈和名抄〉

きた・ひ キタイ【鍛ひ】『四段』鉄を火中で打ち固める。きたえる。「真金あり。鎔(たき)ひ銷(け)し冶(う)ち錬(ね)す」〈金光明最勝王経平安初期点〉

きたまくら【北枕】①北を頭にして横たわること。釈迦が入滅の時、「頭北(づほく)面西(めんさい)右脇臥(うけふぐわ)」であったことによる。「〔臨終〕―に西向きに臥させたまへり」〈栄花鶴林〉②新枕の時、夫婦が枕を北へ向けて寝ること。「奥にて祝の終るを則ち床を取るなり。―本なり。男は東の方、姫西の方に床を取るべし」〈宮参之次第〉③《投げると必ず北向きになるというのでいう》秋多くとれる河豚(ふぐ)の一。最も有毒と信じられた。「―をばせぬ事ぞかし／汁に入る河豚(ふくたう)ならば投げてみよ」〈俳・犬子集一五〉

きたま・し【懲まし】『四段』《シは尊敬の助動詞》こらしめなさる。お罰しになる。「常世の神を打ち―・すも」〈紀歌謡一一二〉 †kitamasi

きたまつり【北祭】陰暦四月、中の酉(とり)の日に行なわれる賀茂神社の例祭。十一月の臨時祭を指すこともある。石清水八幡宮の臨時祭や放生会を「南祭」と呼ぶのに対していう。「春過ぎ夏来たって―も過ぎしかば」〈平家灌頂・大原御幸〉。「さてこそ、車争ひなんどのありしも〔四月ノ〕今日の事なり。―といふは是なり」〈伽・賀茂の本地〉。「臨時の祭、十一月酉の日なり。―といへり」〈兼載雑談〉

きたまへぶね キタマエ…【北前船】近世、北海道・北陸・出羽地方の海産物・肥料などを大阪・兵庫などに輸送・売却し、帰航には、関西・中国地方の塩・米・酒・荒物などの雑貨を輸送した千石以上の廻船。北前の船。「早丸・飛丸と言ふ―」〈浮・御入部伽羅女三〉

きたむき【北向き】①北の方に向いていること。「使は―に、舞人(まひびと)はお前のかたに向きて」〈枕一四二〉②近世、京都島原中堂寺町の北横町の端局(はしつぼね)にいた揚代五分の下級の遊女。「京の―よりは劣りぬ」〈西鶴・一代男七〉③「北枕」(3)に同じ。「―とやらんを料理に忌むとの風説あり」〈俳・六百番発句合二〉

きた・め【懲め】『下二』《キタヒ(鍛)と同根か》こらしめる。「法(のり)のまにまに問ひ賜ひ―・め賜ふべくあれども」〈続紀宣命六二〉 †kitamë

きたやま【北山】①北にある山。「―にたなびく雲の」〈万一六一〉②京都の北方にある山。船岡山・衣笠山など。「雲林院のみこのもとに花見に―のほとりにまかれりける時」〈古今九五詞書〉③《「来た」を「北」に掛けていう洒落詞》㋑気があるの意。「あいつ俺には―時雨だよ」〈滑・浮世床二下〉㋺腹が減ってきたの意。「腹中大いに―の豊心丹だ」〈洒・辰巳婦言〉 †kitayama

きた・り【来たり】『四段』《キ(来)イタリ(至)の約。平安時代の女流文学系では使わず、漢文訓読系で使う語》①(ある地点まで)来る。やって来る。「帰りける人―・れりと言ひしかば」〈万三七七二〉。「此の善男子は何(いづ)よりか―・

れる」〈地蔵十輪経一・元慶点〉。「此の世に生(ぁ)れと生れ、我国に—・りと—・る人は、たかきもくだれるも、この歌を詠まざるは少なし」〈千載序〉 ②使い物にならなくなる。痛んで役にたたなくなる。「少し—・った小袖を打ち掛け」〈洒・錦之裏〉 †kitari

ぎだりん【祇陀林】 ①中インド舎衛国の祇陀太子所有の林。のちに須達長者が、ここに祇園精舎を建てた。「祇陀太子と云ひける人—と云ふ苑を持ち給ひたりけるに」〈日蓮遺文 身延山御書〉 ②(1)にちなんで命名された寺の名。京都の中御門京極にあった。「法興院より—といふ寺に渡し奉りたまふ程」〈栄花鳥舞〉

きたる【来る】『連体』《動詞来タリの連体形から》 近いうちに来る。今度の。「今年は江戸に年を越し申し候はんまま、—春正月のうちには、御いとま次第にまかり下り候べく候」〈伊達家文書三、伊達政宗書状〉

きだる【生樽・木樽】 物品の代りに金銭を祝儀としてやること。「送り小袖など皆—にて遣る筈に極め」〈浮・好色敗毒散二〉

きぢ【生地・木地】 ①人工を施さぬ自然のままの質。素質。「浅からぬ中は何時でも—で来る」〈雑俳・大黒柱〉 ②漆などを塗らない地肌のままのもの。「—には胡粉を以て皆之を塗り」〈昭訓門院御産愚記〉。「御檜扇—」〈山科家礼記文明一八・七・五〉

きぢ【紀路】 紀伊国へ行く道。「—にありとふ名に負ふ背の山」〈万三五〉 †kidi

きちかう :ウ:コ【桔梗】 ①秋草の一。キキョウ。「—の花。あきちかう野はなりにけり白露のおける草葉も色かはりゆく」〈古今四四〇〉。「秋の草は、荻(をぎ)・すすき・—」〈徒然一三九〉 ②襲(かさね)の色目の名。「—の表着(うはぎ)、をみなへしの唐衣(からぎぬ)」〈栄花根合〉

きぢがさ【木地笠】 木地のままで漆・渋(しぶ)などを塗らない笠。「木の枝に懸け置きし—」〈西鶴・男色大鑑一〉

ぎちかは :ワ:カ 物がつまって抜き差しがならないさま。「ぎっちかは」「ぎっちぎっち」とも。〈続無名抄下〉

きちがひみづ イ:…:チガ【気違ひ水】 酒の異名。「世俗に酒を—と云ふ。酒の異名を狂薬と云へば、さもあるべき世話なり」〈漢語大和故事一〉

きちざう ウ:ゾ【吉蔵】 下男の通名。「—・三助が成り上り」〈西鶴・永代蔵一〉

きちじゃう ヨウ:ジ【吉上・吉祥】 六衛府の下役で、内裏の諸門の警衛に当った者。「陣の吉上」とも。「御前に火焚き屋据ゑ、陣屋造り、—のことごとしげにいひ思ひたる顔けしき」〈栄花日蔭〉

きちじゃうけくゎ ウ::ジョ【吉祥悔過】 吉祥天女を本尊とし、天下泰平・五穀豊穣を祈る法会。「天下諸国の—を停む」〈続紀宝亀三・一・一三〉

きちじゃうてんにょ ウ::ジョ【吉祥天女】 顔かたちが美しく、人人に福徳を与えるという天女。鬼子母神(きしもじん)の子、毘沙門天の妃という。吉祥天〈きっしゃうてん〉。「—を思ひかけむとすれば」〈源氏帚木〉

きぢながもち【木地長持】 木地のままで漆を塗らない長持。「— 一つ」〈西鶴・五人女二〉

きちにち【吉日】《「悪日」の対》 事を行なうのによい日。めでたい日。「—良辰、敬(つつ)しみて礼典を酌(く)み爾(なむぢ)に元服を加ふ」〈本朝文粋一三〉

きちや【吉彌】《歌舞伎俳優、初代上村吉彌。延宝頃の上方の名女形》 **—おしろい**【吉彌白粉】 上村吉彌の売り出した白粉。「上上—掛値なし」〈西鶴・男色大鑑六〉 **—がさ**【吉彌笠】 上村吉彌のかぶり始めた笠。「—に四つ変りのくけ紐を付けて」〈西鶴・五人女三〉 **—ふう**【吉彌風】 吉彌結びの女帯のさま。吉彌様(やう)。吉彌流。「今はまた—とて時めくか」〈俳・大矢数三〉 **—むすび**【吉彌結び】 上村吉彌の始めた女帯の結び方。大幅の長帯の絎目(くけめ)の角に鉛の重石(おもし)を入れ、結んだ両端をだらりと垂らす。「帯の結びは—とて」〈仮・都風俗鑑二〉

きちゃう ヨウ:チ【几帳】 他から見えないように、室内に立てる障屏具。土居(つち)という四角な台に二本の細い柱を立て横木をわたして、これに帳(とばり)をかけて垂らす。横木は、白木・黒木塗・螺鈿(らでん)・蒔絵(まきえ)など。帳は、季節により地質や模様を変え、凶事には鈍(にび)色を使う。女は親しい人とも、これを隔てて会うのが普通。「われにかいま見させよと宣へば、いかでかさは侍らむ。格子には—添へて侍り」〈源氏空蟬〉 **—めん**【几帳面】 ①《もと几帳柱に用いたのでいう》 柱や器具の角(かど)の面をなで角(かく)にとって、その両側に段をつけたもの。「盆は…端(はた)を—に彫り」〈君台観左右帳記〉 ②きちんとしていること。「—。…俗には、物の辻褄合はせ、正しくするやうの事を云へり」〈俚言集覧〉

ぎちゃう ヨウ:ギチ【毬打・毬杖】 ⇒きうぢゃう。「我に—切りて、など乞ふに」〈枕一四四〉

ぎぢょ【伎女・妓女】 ①伎楽(ぎがく)の舞を舞う女。「—二人、甘洲を舞ふ」〈著聞六九〇〉 ②舞姫。遊女。「させる事もなき郢曲(えいきょく)・—の輩(ともがら)」〈太平記三・公家一統〉。「妓女、ギヂョ、傾城白拍子」〈天正十八年本節用集〉

きちれい【吉例】 ①めでたい例。よい例。「昔選子内親王、斎王たりし時、かくの如きの見物事有り云云。遠く—を尋ねて、この興有るか」〈中右記寛治八・四・一四〉 ②先例をふまえたしきたり。「木曾が軍(いくさ)の—には、陣を七手(ななて)に分(わか)ちつつ」〈盛衰記三四〉

きちん【木賃】 旅人が米を持参し、自炊の薪代を払って宿屋に泊ること。また、その宿。あるいはその薪代。木銭(きせん)。「旅籠(はたご)ならざるまま、—にする」〈大和田重清日記文禄二・九・二六〉 **—やど**【木賃宿】 木賃を取って客を泊める安宿。きちん。「老子の道に—あり」〈俳・雪之下草歌仙〉

きぢん【麹塵】 「きくぢん」の転。「旗差(はたさし)は—の直垂(ひたたれ)に、小桜を黄にかへいたる鎧着て」〈平家九・一二之懸〉

きつ【狐】 キツネ。「—とは狐なり」〈奥義抄〉

きっかうでん ウ::コ【乞巧奠】《裁縫などが巧みになることを乞いねがう祭の意》 陰暦七月七日の夜に行なう、牽牛・織女星を祭る儀式。宮中では清涼殿の東庭に机を置き、供物をあげ、一晩中香をたいた。「七月七日…宮人の風俗(ならはし)、竹竿に願ひの糸をかけ、庭前に嘉菓をつらねて、—を修する夜なれども」〈太平記一・資朝俊基〉 →たなばた

きっかけ【切掛け・切懸け】 ①切りつける気勢。転じて、物事を始めるはずみ。しお。「〔喧嘩ノ場ヲ〕はづされぬやうになれば、男の—を違へぬによって、無二に〔相手ヲ〕打ち果す」〈身の鏡上〉 ②能・歌舞伎などで、あらかじめ定めておく動作。謡い出しや動作などを行なう合図として、あらかじめ定めておく動作。「その—を知らざる故に、地謡も迷惑して」〈舞正語磨中〉 ③音曲で、節博士(ふしはかせ)の変ることを示す符号。しるし。「稽古本の所所へ○や△や、色色な—をして覚えたと言ふ奴だ」〈滑・浮世床初上〉

きっかと『副』《キカトの促音化》 はっきりと。きちんと。「きっかりと」とも。「空もさて—見ゆる月の輪をくまなしと誰ながめそめけん」〈玉吟抄〉。「ちっとも損ぜいで—してあるものぞ」〈黄鳥鉢抄一〉

きづか・ひ カイ:ツ【気遣ひ】㊀『四段』気をつかう。心配する。懸念(けねん)する。「それで―・ひまるする」〈捷解新語一〉㊁『名』気をつかうこと。心配。懸念。「父母の―は言ふはかりなし」〈バレト写本〉。「路次の用心―なり」〈狐媚鈔〉

きつ・き【来着き】『四段』到着する。「ながめくらしてなむ〔目的地へ〕―・きける」〈源氏東屋〉

きつ・き【杵築き】『四段』杵でついて作る。「諸神等、宮処に参集して―・きたまひき。故(かれ)寸付(きつき)と云ふ」〈出雲風土記〉 †kituki

きつ・ぎ【来継ぎ】『四段』つぎつぎに来る。また、つづいて行く。「雁がねの―・ぐこの頃」〈万九四八〉 †kitugi

きづき【忌月】忌日(きにち)のある月。「八月は故前坊の御―なれば心もとなく」〈源氏野分〉

きづ・き【築き】『四段』《キ(城)とツキ(築)との複合語。室町時代末頃まで清音》城などをつくる。「我と城を―・いたりなんどするぞ」〈漢書竺桃抄〉。「城、キツク」〈名義抄〉

きつきげ【黄鴾毛】馬の毛色の名。黄色みを帯びたつき毛。「―なる馬に、柳桜をすりたる貝鞍置かせて乗り給へり」〈平治中・待賢門軍〉

きっきょう【吉凶】①吉と凶と。めでたい事と不吉な事と。「―糾(あざな)へる縄の如しといふ本文あり」〈平治上・信西出家の由来〉②縁起。「さてさて武蔵に下(くだ)りて、―の良き御寺を拝み申す也」〈仮・竹斎下〉。「姉が事を思へば―悪しきとて」〈西鶴・二十不孝三〉③縁起がよいこと。「先づ此の家―と思はれよ」〈西鶴・二十不孝五〉。「吉凶は吉(よ)きと悪しきとなるを、当時吉き事ばかりを、―など云ふ」〈志不可起六上〉

きづくし【気尽し】心を疲らせること。気をもむこと。「キヅクシニイラヌコトヲスナ」〈日葡〉。〈文明本節用集〉

きづくり【木作り・木造り】木材を削って、用途に応じた形に作ること。「わづかに地蔵の―ばかりをし奉りて、彩色、瓔珞(やうらく)をばえせず」〈宇治拾遺四五〉

ぎっくり ①どきりと驚くさま。〈続無名抄下〉②ぐっとにらむさま。とくに歌舞伎で、ある動作が止まって、ぐっとにらむ見得(みえ)になること。「傘を持って、―と睨んだらの」〈滑・浮世風呂前下〉

きっくゎい【奇怪】《キクヮイの促音化》けしからぬこと。不都合。「天下をほしいままに振舞ふことこそ―なれ」〈伽・唐糸さうし〉

きつけ【気付け】気絶・瀕死の状態から正気をつける薬。気つけ薬。「水など用ゐ、―を飲ませしが」〈吾妻記〉

ぎっこどくをん【給孤独園】祇園精舎(ぎをんしやうじや)のこと。「昔、仏の法を説き給ひし竹林精舎・―も」〈平家三・山門滅亡〉 ▽ギッは「給」の呉音ギフの転。ヲンは「園」の呉音。

きっさう ウ:ツ【吉相】①よい事のある前兆。吉兆。瑞相。「〔御供物ガ風ノタメニ落チタコトモ〕―にこそはありけれ」〈大鏡昔物語〉②よい人相。「呉王の―を見て相(さう)=鑑定)して」〈玉塵抄二六〉③表情。また、態度。「はや兄めが身ごしらへして、も(モウ)立てと云はぬばかりの―」〈浮・立身大福帳四〉

きっさう ウ:ツ【吉左右】①よい便り。喜ばしいしらせ。吉報。「―を告げたまはんために」〈サントスの御作業二ノ三〇〉②たより。通知。「景時の―を、今や今やと待たれける」〈浄・きりかね四〉

きっさき【切先】刀の先端。「太刀の―をそろへて一面に打って懸る」〈米沢本平家二・能登殿最期〉 **―あがり**【切先上り】切っ先を水平より上にかまえること。また、そのような形で切り付けること。「内冑へ―に打ちこみければ」〈古活字本保元中・白河殿攻め落す〉 **―さがり**【切先下り】切っ先を水平より下に向けてかまえること。また、その形になるまで切り付けること。「右の肩先より左の小脇まで、―に切り付けられて」〈太平記元・師直以下被誅〉 **―はづし**【切先外し】切っ先を切り込まないで外すように浅く切り付けること。「切っ先外れ」とも。「―に三刀伐り奉る」〈甲陽軍鑑一〇下〉

きつ・し『形ク』①きびしい。酷である。「百姓不弁すれば、また田地夫銭を―・く取らねば、軍の用が欠くるなり」〈孫子私抄〉。「物の成敗が―・いぞ」〈周易抄〉②程度がひどい。はなはだしい。「雨になりて―・く降りしかば」〈朝鮮日記〉③ゆとりがない。窮屈である。「当代の歌は、皆、連歌なり。言ひつめたがりて―・きなり」〈耳底記〉④驚くべきだ。「全部物に節を付けたは、―・い気の変へやう」〈浮・御前義経記三〉⑤えらい。すばらしい。「身請けの談合―・いか―・いか」〈近松・寿門松下〉

きっしく【蓄縮】《キクシュクの転。「蓄」にはキクという音もある》けちなこと。「―は事に吝(りん)するを謂(い)ふなりと師古がしたぞ。人の―なと世話に言ふが、これぢゃげなぞ」〈蒙求抄二〉

ぎっしゃ【牛車】⇒うしぐるま。「―にて北陣まで入らせ給へば」〈大鏡兼家〉

きっしゃうてん ウ:シヨ【吉祥天】⇒きちじゃうてんにょ。「―像一鋪を画きて」〈三代実録元慶一・八・三〉

きっしょ【吉書】①《吉日を選んで見る文書の意》公家(くげ)や武家で、年始・改元・政始・代始などの時、はじめて見る儀礼的な公文書。また、はじめて出す文書。「邦通先づ―を書す」〈吾妻鏡元暦一・一〇・六〉。「また、―を見給ふ」〈竹むきが記〉②新年の書初め。「てん長くちびぬは筆の―哉」〈俳・玉海集一〉

きっすい【生粋】まじりけなくすぐれていること。純粋。「あっぱれ、心中の―やと、皆人感ぜぬは無し」〈浮・立身大福帳四〉

きった・て【切っ立て】『下二』切り立ったように、まっすぐそびえ立たせる。直立させる。「枕―・て短か夜の月〔ヲ眺メル〕」〈俳・諸国独吟集上〉

ぎっちぎっち 物がつまって自由にならないさま。「二合半(こなから)の盛り切りおだい(飯)、喉(のど)に詰まって―」〈近松・宵庚申上〉

ぎっちゃう ヨウ:チ【毬杖・毬打】鎌倉時代以後、男児の遊戯の一。ぶりぶりという木製の毬を槌形の杖で打ち合う。特に正月の遊戯として行なわれた。「又、南都には大なる―の玉を作りて、これは平相国の頭と名づけて、『打て、踏め』なんどぞ申しける」〈平家五・奈良炎上〉。「年始に―を打つと云へり」〈壒嚢鈔六〉 **―くゎじゃ**【毬杖冠者】毬杖を打って遊ぶ若者を馬鹿にして言ったことば。「これほど老の波に望んで今日明日とも知らぬ身を…隠岐国まで流さるる―こそ安からね」〈平家三・六代被斬〉

きっつけ【切付】「したぐら」に同じ。「六郎が弓手の―の後の余りを篦深(のぶか)に射させて」〈承久記上〉。「切付、キッツケ、鞍具」〈天正十八年本節用集〉

きって【切手】関所・番所などの通行の証明書。「割符(わりふ)・―をむさと出さずして、使ひの通路のなきやうにすべきとなり」〈孫子私抄〉

きってう ヨウ:チ【吉兆】めでたいしるし。よい前兆。「八幡の御地なるこそ―なれ」〈謡・木曾〉

きっと【急度・屹度】『副』《キトの促音化。精神が一瞬緊張した状態。動作の速さ・集中性などをあらわす》①さっと。すばやく。「志保見―見て、矢に違(ちが)はんと首を打ち振りたれども」〈保元中・白河殿攻め落す〉②きりっと。しっかりと。「折烏帽子の片片(かた)を―引き立てて」〈義経記六〉。「おごそかと云ふは、たとへばかたち―してある体(てい)なり」〈成簣堂本論語抄八〉③まちがいなく。たしかに。「軍(いくさ)の習ひ、―見むと思ふとも、見ぬ事もあるべければ」〈保元下・義朝幼少の弟〉④急にはっと。「それがし―思ひ出したる事の候」〈謡・松山鏡〉⑤〔歌舞伎用語〕急に緊張した表情・態度を示すさま。「きっとなる」とも。「―思ひ入れして」〈伎・幼稚子敵討四〉

きづな【絆】①馬・牛・犬・鷹などをつなぎとめる綱。「御厩(みまや)の隅なる飼ひ猿は―離れてさぞ遊ぶ」〈梁塵秘抄三五三〉②断ちがたい煩悩。煩悩のほだし。「ただ生死の―となるものなり」〈孝養集中〉。「恩愛の―切りがたく」〈雑談集四〉

きつね【狐】①食肉目イヌ科の哺乳動物。「―・木魂(こだま)やうのものの〔人ヲ〕あざむきて」〈源氏手習〉。「狐狼上、倭言岐都禰(きつね)」〈華厳音義私記〉。「狐、キツネ、野干、クツネ」〈名義抄〉②《人をだますことから》遊女・売春婦などの蔑称。「ええ腹の立つ。二年といふもの化かされた。根性腐りの―め」〈近松・天網島上〉 ✝kitune　**―馬に乗せたる如し** 狐を馬に乗せたようにの意で、動揺して落ち着かないたとえ。〈俳・毛吹草二〉　**―がうし**：ゴウ【狐格子】正方形に細かく組んだ格子の裏に板を張ったもの。殿舎などの妻飾りや遣戸(やりど)とする。古くは「狐戸」とも。「由(よし)有れば―にイ(たたず)みて」〈俳・寛永十三年熱田万句一八〉　**―ごころ**【狐心】信用できない心。あてにならない心。「―の頼みなの世や」〈紫野千句〉。「皆人に―はあるものを」〈看聞御記紙背連歌〉　**―つかひ**イッカ【狐遣ひ・狐使ひ】人に狐の霊を取り付かせて病気その他の災害を起させるという術。また、その術者。「〔医師〕高間度度糺問せられ、―を白状するに就きて、同類共昨日八人召捕へらる」〈看聞御記応永二七・九・一四〉　**―つき**【狐付き・狐憑き】狐の霊が取り付いたとされた精神病。また、その病人。「―行者の行儀〔威力ヲ〕あらはして」〈俳・油糟〉　**―つり**【狐釣】狐を罠(わな)で釣って捕えること。また、その人。「花薄(はなすすき)招き合せり―」〈俳・四国猿〉　**―ど**【狐戸】「狐格子」に同じ。「―より入りて、頼光の寝たる上の天井にあり」〈著聞三三五〉　**―の子は頬白**(つらじろ) 子が親に似るたとえ。「―と、親に似たる不敵者かな」〈盛衰記三七〉　**―のよめいり**【狐の嫁入り】①夜、狐火が多くつらなって見えるのをいう。「一蓮寺大門の外、―多く出る」〈裏見寒話五〉②日が照りながら降る小雨。日照り雨。狐日和。「―のそばへ雨(日照リ雨)」〈浄・兜軍記四〉　**―び**【狐火】《狐が口から吐くという俗説による》闇夜に光る燐火。鬼火。狐の提燈。「道やただ其処とも分かず迷ふらん／このもかのもの―の影」〈白山万句慶長二三・一・四〉。「鬼火、ここら(日本)に―などのつれぞ。火の色が青いと云ふぞ」〈玉塵抄二四〉。「燐、キツネビ」〈易林本節用集〉　**―ぶく**【狐福】思いがけない福徳。僥倖(ぎょうこう)。「蘭菊の栄ゆる庭や―」〈俳・夢見草三〉。「拾ひ出す一文銭は―」〈俳・独吟一日千句〉　**―や**【狐矢】どこからともなく飛んできた矢。流れ矢。「さればーにこそあれと言はんも本意なければ」〈盛衰記四二〉　**―わた**【狐綿】唐綿を真綿で包んだ綿帽子。「雪女来てや化かせる―」〈俳・崑山集一三〉

きっぱ【切刃】刀の刃の部分。「日本国が久しく治って、刀を―〔ヲ上〕にひっくり返ひて差す事がない当世は」〈雑兵物語上〉　**―廻(まは)・す** ①切っ刃を上に廻して、今にも抜こうと身構える。「―・して怒れども」〈近松・用明天皇三〉②縦横に論駁(ろんばく)し、きめつける。「町衆に向ひて―・せば」〈浮・子息気質一〉

ぎっぱ【義っ派】「りっぱ(立派)」の訛。上方でいう。「―を磨き御供す」〈近松・慰曾我上〉

きっぱし【切端】切れはし。片割れ。一部分。かたはし。「恋は夕暮月は―」〈俳・胴骨〉

きっぱと『副』はっきりと。きっぱりと。「―は聞えぬ」〈碧岩抄九〉。「目を覚まし心をもちあげて、―する」〈玉塵抄二五〉

きっぴ【橘皮】「陳皮(ちんぴ)」に同じ。「―を飲むにはその病いゆる事あれども」〈明恵伝記上〉

きづまり【気詰り】息がつまって苦しいこと。窮屈に感ずること。「あら―の色代(しきだい)や」〈太平記三五・北野通夜〉

きてん【機転】心の機敏な働き。「ただ今の―更に凡慮より出でず」〈謡・安宅〉。「機転、きてん、ちゑのはやき也」〈和漢通用集〉

きでん【貴殿】『代』同等もしくはそれ以上の相手を呼ぶ語。あなた。「それは―と川人(人名)とこそこの罪をば負ひつらめ」〈今昔二四ノ一三〉。「ひとへに―広大の慈悲を仰ぐ」〈平家二・腰越〉

きでん【紀伝】大学寮の学科の一。史記・漢書などの史書を学ぶもの。かたわら文選(もんぜん)その他の漢詩文をも学んだので、文章道(もんじゃうだう)との区別がなくなった。紀伝道。「明経・―及び陰陽・医家、諸〻の才能の士には糸各十絇を賜ふ」〈続紀天応一・一一・一八〉 ▽紀伝は中国の正史叙述の一体裁で、本紀(帝王の事跡)・列伝(臣下の伝記)・志(特定分野の史実)・表(年表の類)から成るもの。　**―はかせ**【紀伝博士】大学寮における紀伝道の教官。後に紀伝道は文章博士の業となり、文章博士というようになった。「―を停め、文章博士一員を加置すべし」〈続後紀承和一・四・二〇〉

きと『副』①急に。即刻に。「このかぐや姫―影になりぬ」〈竹取〉。「―おはしませ。三位殿絶え入らせ給ひぬ」〈讃岐典侍日記〉。「こたびはじめてわづかに聞き得たる事にて候へば、―は信ぜられ候はぬなり」〈拾遺語燈録下〉。「互ひにしたたか者にて、―勝負もなかりける」〈承久記下〉②すばやく的確に。間違うことなくたしかに。「晴明―見て」〈宇治拾遺二六〉。「―推量する子細の候」〈謡・自然居士〉③急にはっと。「ありしこの弟が家を過ぎけるに、―思ひ出でて」〈発心集六〉 →きっと

きど【木戸・城戸】①防備・警備などの目的で設けた、城や柵の入口。「熊谷さきによせたれど、―をひらかねばかけいらず」〈平家九・一二之懸〉。「諸国の道を作り、七道に―を構へて」〈日蓮遺文聖愚問答鈔〉②治安維持のため、市内町町の境に設けた門。「町町にある―をくぎのきと云ふか」〈壒嚢鈔三〉。「町町の―・門」〈結城氏新法度〉③相撲・芝居など興行場の出入口。「初芝居あしたごとにや―の番」〈俳・桜川一〉

ぎどうさんし【儀同三司】《儀(儀式・待遇)は三司(太政大臣・左大臣・右大臣)に同じの意》大臣に昇進すべき人が、大臣に闕員のない時に任ぜられる官。准大臣。「―。三公の大臣に準ずるの義なり。これは内大臣の下、大納言の上に着座するなり」〈公事言葉考〉。〈下学集〉 ▽寛弘二年、藤原伊周(これちか)が准大臣に初めて任ぜられて、これを自称としたところから始まる。

きどき【季時】一年または半年契約の奉公人の契約の切れる時期。幕府・諸藩の法令で、春・秋の二回、一定の月日が指定されていた。「―をも待ち得て嬉し奉公人」〈俳・若狐上〉 →出替り

き

きどく【奇特】 ①何とも不思議きわまること。「女これ（乳汁ヲノセタ蓮華ガ生ジタ）を見て―なりと思ひて」〈今昔一ノ五〉。「この香の―なるを、漸く寄りて見れば…一人の死せる人あり」〈今昔六ノ六〉 ②神仏などのあらわす不思議。霊異。「仏神の―、権者の伝記、さのみ信ぜざるべきにもあらず」〈徒然七三〉。「あらありがたの御事や、かかる―に逢ふ事も、ただこれ君の御陰ぞと」〈謡・白鬚〉 ③讃嘆に価すること。結構で、申し分のないこと。「さりとては見事なり、――」〈伽・鼠草子〉。「あまり―な買手ぢゃ程にみやげをまらせう」〈虎明本狂言・張蛸〉 **―づきん【奇特頭巾】** 近世、女子が使用した頭巾の一種。目の部分だけあけて顔面を包む、黒色の絹や繻子(しゅす)で作った防寒用頭巾。奇特帽子。「不思議にあふや――」〈俳・宝蔵二〉

きどぐち【木戸口・城戸口】 防備のために設けた城や柵の入口。「西は一の谷を城郭に構へ、東は生田の森を大手の―とぞ定めける」〈平家九・樋口被討罰〉。「既に城の―に到り、番番の者戸を開て通しけり」〈三国伝記一三〉

きどせん【木戸銭】 興行を見物するため、木戸で払う料金。「毎日―出し」〈西鶴・男色大鑑六〉

きどのもの【木戸の者】「木戸番」に同じ。「私儀―にて候ひき」〈俳・大坂独吟集上〉

きどばん【木戸番】 ①近世、市街の町町の木戸を管理するために、その傍に設けた小さな番小屋。また、そこの番人。「―の者、夜中川岸・棚下（店ノ軒下）念を入れ相改め」〈御触書寛保集成三九、寛文三・九〉 ②芝居・見世物などの興行場の木戸で、客寄せの口上をいう番人。「―の呼ばる時分より」〈評判・野良立役舞台大鏡〉

きどり【木取り】 材木を挽いて、目的にふさわしく作ること。「江戸に建て候小座敷―候」〈家忠日記文祿二・六・五〉

きない【畿内】 山城・大和・河内・和泉・摂津の五国の総称。五畿内。「大祓す。…幣帛を―と七道との諸社に頒つ」〈続紀大宝二・三・一三〉

きなか【半銭・寸半】《銭の直径が一寸(いっき)だから》一文の半分。半銭(はんせん)。「物買ひの方に―の損つきて」〈雑俳・若みどり〉

きなか【季中】 奉公人の年季期間の終らない内。「―に病つくりて御暇請けて」〈西鶴・一代女四〉

きなが・し【着流し】 ㊀《四段》 着物を長くたらして着る。また、羽織・袴をつけず、略装する。「直垂(ひたたれ)―・し太刀佩(は)いて、さも大様(おほやう)に見えしは」〈浄・烏帽子折三〉 ㊁《名》 ①略装で羽織や袴をつけないこと。「―の小袖にて、女のねり出づるを見るに」〈舞正語磨下〉 ②着なれていること。着古したこと。「―の小袖をも〔祝儀トシテ〕遣はす」〈色道大鏡三〉 ③いでたち。「七十三人…思ひ思ひの―」〈西鶴・一代男三〉

きなきな 思い悩むさま。くよくよ。「隠せども―するや恋心」〈俳・油糟〉

きな・し【着為し】《四段》 …と（いう状態に）なるように着る。「単袴(ひとへばかま)長く―・したる童」〈源氏夕顔〉。「鎧軽(かろ)げに―・し」〈保元上・新院御所〉

きなり【気質・気生・木形】 気持をそのまま出して、少しも偽ったり飾ったりしないこと。「敦樸は、厚淳朴なるぞ、そのまま―なを云ふぞ」〈蒙求抄二〉。「素面とて、―な、そのままの面ぞ」〈荘子抄三〉

きなるいづみ【黄なる泉】《「黄泉(くわうせん)」の訓読語》 あの世。「末の世には―のほとりばかりを〔話題ニデキルダロウ〕」〈源氏手習〉

きなるなみだ【黄なる涙】 動物が悲しんで流す涙。人間の「紅の涙」に対する語。「〔太子ハ〕紅の涙を流し給ふ。龍も―をぞ流しける」〈伽・毘沙門本地〉

きな・れ【着馴れ】《下二》 いつも着て体に馴れる。着て着物がやわらかになる。「須磨の海人(あま)の塩焼衣の藤衣間遠(まどほ)にしあればいまだ―・れず」〈万四一三〉 †kinare

きにち【忌日】 ①その人の死んだ日と同じ日。（祥月）命日。「十二月三日は先帝の―なり。諸司是の日に当りて為に廃務すべし」〈続紀大宝二・一二・二〉 ②禁忌の日。縁起の悪い日。「きにち。いましむる日」〈平家難語句解バレト書入れ〉

きにん【貴人】 身分の高い人。尊い人。「住僧これを見て―の由を知りて科を悔いて」〈著聞五三〉

きぬ【衣】《絹の意。それゆえ、衣服の意の場合も、布地としての柔らかい感触、すれあう音などを、感覚的に賞美する気持で使われる傾向がある。類義語コロモは、モ（裳）が原義で、身をつつみまとうことに重点があり、衣服としての意味に重きをおいて使われる》 着物。衣服。「一つ松人にありせば太刀佩(は)けましを―着せましを」〈記歌謡二九〉。「ここにやあらむ、人の―の音す」〈源氏蜻蛉〉。「なえたる―を顔に押しあてて臥し給へりとなむ」〈源氏浮舟〉。「衣・服、キヌ」〈色葉字類抄〉 †kinu

きぬ【絹】 絹織物。地紋のある綾に対して、平絹をさすこともある。「買ひてし―のあきじこり（買イソコナイ）かも」〈万一二六四〉。「―・綾・綿(わた)など」〈源氏末摘花〉。「身に着たるものは、―・布のわき（区別）も見えず」〈平家三・有王〉 ▽キヌは「絹」の字音 ken の転じたものであろう。†kinu

きぬいた【衣板・砧】 ⇒きぬた。「碪、岐沼伊太(きぬいた)、擣レ衣石也」〈和名抄〉

きぬがさ【衣笠】 ①天皇・皇太子・親王・貴族などのうしろから、長い柄でさしかける絹張りのかさ。「ひさかたの天(あま)ゆく月を網にさし我ご大君は―にせり」〈万二四〇〉。「華蓋、岐沼加散(きぬがさ)」〈和名抄〉 ②仏像・棺などの上につるす絹張りのかさ。天蓋(てんがい)。「幡、―若干」〈紀欽明十三年〉。「蓋、岐沼加散(きぬがさ)」〈和名抄〉 †kinugasa

きぬがち【衣勝ち】 着物を重ねて着て、着ぶくれたさま。「―に、みじろきもたをやかならずぞ見ゆる」〈紫式部日記〉

きぬかづき【衣被】 ①身分ある女性などが顔をかくすために衣をかぶること。また、その衣。「かづき」とも。「―を脱がせて、面をあらはにして出されけり」〈著聞四三三〉 ②⑴をかぶった女。「御遊あるべしとてひしめけば、―にまじりつつ人人あまた参るに」〈問はず語り三〉 ③包茎。「わづかなる小まらの、しかも―したるを」〈著聞五四九〉 ④里芋の子を皮のままゆでたもの。きぬかつぎ。「宗五郎上り了んぬ。―・粉味噌持ち了んぬ」〈多聞院日記永祿一二・三・二八〉 ⑤〔女房詞〕イワシ。「いわし。むらさき、おほそとも、―とも」〈大上﨟御名之事〉

きぬかぶり【衣被り】「きぬかづき」⑴に同じ。「時時―したるをうち脱ぎ、頭を傾けて」〈宇治拾遺八一二〉

きぬぎぬ【衣衣・後朝】 ①脱いだ衣を重ねて共寝をした翌朝、めいめいの着物を身につけること。また、そのようにして別れること。また、その朝。「しののめのほがらほがらと明け行けばおのが―なるぞ悲しき」〈古今六三七〉。「―とは、我が衣をば我が着、人の衣をば人に着せて起きわかるるによりて云ふなり」〈古今集註〉 ②《転じて》 男女が別れ別れになること。離別。「此の如くに―になるとても、互ひにあきあかれぬ仲ぢゃほどに」〈狂言記・箕被〉

きぬくばり【衣配り】 正月の晴れ着用として、小袖またはその生地を、一家一門に与える年末の行事。「師走の末に源氏の御方より、御方方の正月の御装束を配らせ給

ふ。…これを―と心得べし」〈源氏小鏡中〉

きぬけ【絹気】 絹織物で作った衣類。「―を身に纏(まと)ひ」〈浮・好色敗毒散四〉

きぬごし【絹漉し・絹越し】 絹布で細かに漉すこと。また、その漉した物。「―の湯」〈西鶴・俗徒然五〉

きぬた【砧】《キヌイタ(衣板)の約》 槌で布地を打ちやわらげ、艶(つや)を出すのに用いる板や石の台。また、それを打つこと。歌語としては秋のものとされた。「耳かしがましかりし―の音」〈源氏夕顔〉

きぬばり【絹張】 ①絹布を引っ張ってしわを伸ばすこと。また、そのために用いる木の棒や竹の串。「ある時馬屋の前にて―をしけるに」〈遠近草上〉。〈色葉字類抄〉 ②絹布で表を張った物。「―の障子」〈西鶴・男色大鑑六〉

きぬびつ【衣櫃】 衣服を入れるための櫃。「―、二かけ(二荷)にてあるを」〈源氏松風〉

きぬや【絹屋】 ①上部と四方に絹幕を張った仮小舎。「―造りて黄牛(あめうじ)飼はせたまふ」〈栄花浅緑〉 ②絹布を織り、或いは売る家。「白き足袋一足仕立て了んぬ。…〔ソノ代金請求〕―より来る」〈多聞院日記天正七・二・三〉

きぬわた【絁綿・絹綿】 ①絹や綿。「富人の家の児どもの着る身無み腐(くた)し捨つらむ―らはも」〈万九〇〇〉 ②屑繭の毳(けば)で作った真綿。「小判五両に―・樽肴(たるさかな)をきっと遣はしければ」〈西鶴・文反古五〉 †kinuwata

きね【杵】 臼に入れた土や穀物をつきくだく道具。「しめの内に―の音こそ聞ゆなれ」〈金葉六九四〉。「杵、岐禰(ねぎ)」〈華厳音義私記〉 †kine **―で当り杓子で当・る** 何かにつけ当り散らすたとえ。「杵に当り臼に当る」「杵に当り棒に当る」とも。「御心に従はぬ恨みを―・るお仕方か」〈近松・淀鯉上〉

きね【木根】《ネは大地にしっかりくいこんだもの、の意》 土の中にしっかり根をすえた木。「磐根・―履(ふ)みさくみて」〈祝詞祈年祭〉 †kine

きね【巫覡】 神に仕える人。神楽(かぐら)を奏したり舞ったりする。「山人のたける庭火の起きあかし声声あそぶ神の―かも」〈能宣集〉。「神垣も霞にこめて見えねども―が鼓の隠れなきかな」〈公重集〉。「―といふは、かんなぎの名なり」〈俊頼髄脳〉

きねざう【杵蔵】 近世前期、京都で、物真似踊の大道芸をした乞食。その踊を杵蔵踊といった。「―・露の五郎兵衛・説経でも放下でも見飽き聞き飽き」〈浮・好色訓蒙図彙上〉

きねんさい【祈年祭】 陰暦二月四日、神祇官と国司の庁で五穀の豊作を祈る祭事。延喜式では、祈年祭に祭る神は全国で三千百三十二座。この祭事は平安時代から衰退し、その一部を諸国の国衙の事務に移すようになり、応仁の乱で廃絶。「としごひのまつり」とも。「神祇官において―を修す。此の祭、例は二月四日を用う。而るに穢有りて停止せり。故に今日祠れり」〈三代実録貞観五・三・五〉

きのえ【甲】《木の兄(え)の意》 十干(じっかん)の第一。「―。双葉にてわが引き植ゑし松の木の枝さす春になりにけるかな」〈曾丹集〉 **―ね**【甲子】 十干の甲(きのえ)と十二支の子(ね)とに当る日。一年に六回あり、その夜は大黒天を祭って、甲子祭(きのえねまつり)または甲子待ちと言い、夫婦の交りをつつしんだ。「―に降りつることよ雨の暮」〈俳・守武千句〉。「―の夜は最愛せぬ事なり」〈俳・淀川〉

きのかた【気の方】 神経衰弱。また、肺結核。癆瘵(ろうさい)。「―煩ふ女房」〈西鶴・男色大鑑一〉

きのくすり【気の薬】《「気の毒」の対》 気分をよくするための薬。また、気分をよくする種となるもの。「これは女どもが―に致す」〈咄・昨日は今日上〉。「食ふよりも―かな鹿の声」〈俳・犬子集四〉。〈文明本節用集〉

きのくに【紀伊国】《木の国の意》 紀伊(きい)の古称。「五十猛神(いたけるのかみ)、天降ります時に、多(さは)に樹種(こだね)を将(も)ちて下る。…即ち―に所坐(ま)す大神是なり」〈紀神代上〉 **―どき**【紀伊国五器】 紀伊国根来(ねごろ)・黒江産の堅牢な朱塗椀。「―・鍋蓋までもさらりと新しく」〈西鶴・胸算用一〉

きのじなり【きの字形】 坐った(寝た)格好が「き」の字の形であること。①窮屈な寝姿にいう。「寝姿や夜の寒きてふ―」〈俳・新続犬筑波九〉 ②だらしのない居ずまいにいう。「〔家賃〕一ヶ月負けなと内義―」〈雑俳・万句合明和四〉

きのそら【木の空】 ①高い木の上。「蟬が仙人の真似をして、殻(から)を脱いで、やがて―へ上りて鳴く」〈山谷詩抄九〉 ②磔(はりつけ)柱。「磔にかかり、―より…御念仏頼みまするとと云ふ」〈咄・軽口あられ酒三〉

きのと【乙】《木の弟(おと)の意》 十干(じっかん)の第二。「―。冬深く野はなりにけり近江なる伊吹の外山(とやま)雪ふりぬらし」〈曾丹集〉

きのどく【気の毒】《「気の薬」の対》 ①自分の心を痛める種となるもの。当惑する事。迷惑な事。「かやうの事を見れば―にて候」〈伽・小男の草子〉。〈文明本節用集〉 ②他人の苦労・苦痛を見て、自分が同情心痛すること。「ああ―なていであった」〈虎寛本狂言・飛越〉。「―に思ひまするわいの」〈盤珪禅師御示聞書上〉

きのはし【木の端】 木の切れ端。人の捨てて顧みないものの意。また、非情なものの意ともいう。「思はむ子を法師になしたらむこそ心苦しけれ。ただ―などのやうに思ひたるこそ、いといとほしけれ」〈枕七〉

きのばし【気延し】 気晴らし。気慰み。きのべ。「見る花も―をする梢かな」〈俳・犬子集一〉

きのふ(キノウ)【昨日】 ①今日から見て前日。「をとつひも―も今日も見つれども明日さへ見まく欲しき君かも」〈万一〇一四〉 ②昨日のように思われる(近い)過去。「―こそ早苗とりしか何時のまに稲葉そよぎて秋風の吹く」〈古今一七二〉 †kinöFu **―の花は今日の夢** 世の盛衰のはかないことのたとえ。「人間の不定、芭蕉泡沫の世の習ひ、―と、驚かぬこそ愚かなれ」〈謡・葵上〉 **―のよ**【昨日の夜】 ①昨夜。「我、―夢に見る」〈今昔九ノ四三〉 ②一昨夜。「よべ(昨夜)も、―も、そがあなたの夜も」〈枕二九二〉 →こよひ。 **―は今日の昔** 一日前も既に過去であるの意で、月日のたつのは早いものであるというたとえ。「―と云へり」〈無言抄上〉。〈俳・毛吹草二〉 **―は人の上**《「今日は身の上」》 昨日までは他人事のように思っていた事が、今日は自分の身の上に起るということ。「―、今日は身の上なれば」〈日蓮遺文如説修行鈔〉

きのへ【柵戸】 上代、蝦夷(えぞ)に備えて奥羽地方につくられた柵(き)の内に土着させた民戸。屯田兵の一種。「渟足(ぬたり)の柵を造りて―を置く」〈紀孝徳、大化三年〉 †kinöFë

きのぼり【木登り】 ①木によじのぼること。「―よくする法師、のぼりて見れば」〈宇治拾遺一六九〉 ②獄門に掛けられること。梟首(きょうしゅ)。「粟田口〔刑場デ〕―さして置目(おきめ)=処刑)にせん」〈浮・男色歌書羽織四〉

きのまま【着の儘】 着ているだけ。「ただ―に、かたびら衣のほかには、何物もあたりに見えざむめり」〈撰集抄三ノ一〉

きのまるどの【木の丸殿】⇩きのまろどの。「内裏は山の中なれば、かの―もかくやと覚えて」〈平家八・緒環〉

きのまろどの【木の丸殿】皮を削らぬ丸木で建てた宮殿。黒木造りの御殿。「朝倉や―に我がをれば名告りをしつつ行くは誰が子ぞ」〈新古今一六八七〉

きのみちのたくみ【木の道の工】大工や指物師。木工。「―の万の物を心にまかせて作り出すも」〈源氏帚木〉

きのみどきゃう ‥キョウ【季の御読経】宮中で、毎年春秋二季、多くの僧に大般若経を転読させる儀式。「八省院にて―を行なはせらるる事」〈九暦天暦三・七・一〇〉

きのめづけ【木芽漬・木目漬】京都鞍馬の名産で、通草(あけび)または山椒の芽を塩漬にしたもの。「きのめ」とも。「あけびの蔓の若葉を取りて漬けて食ふを、木目(きのめ)といふべけれど…。其の木目をば鞍馬によくするにや、鞍馬の―といふめり」〈顕注密勘〉。「木芽漬、キノメヅケ、鞍馬在レ之」〈文明本節用集〉

きは ワキ【涯・際】《キリハ(切端)の約か。先が切り落されているぎりぎりの所、断崖絶壁の意が原義》❶①物の垂直面と水平面とが接するところ。「よく調じたる火桶の、灰の―きよげにて」〈枕二〇一〉 ②境界すれすれの所。すぐわき。「水際(みなきは)に来居つつ鳴くは都鳥かも」〈万四四六二〉。「ないがしろに着なして、紅の腰引き結へる―まで胸あらはに」〈源氏空蟬〉。「輿の―に近寄り」〈古事談三〉 ↓は・はし・へ・そば・ほとり・あたり。③境目。「二間の―なる障子」〈源氏末摘花〉 ❷①大きな変化をまさに遂げようとする瞬間。まぎわ。どたんば。最後。「これのみこそ、げに世を離れむ―のほだしなりけれ」〈源氏橋姫〉 ②事件のちょうどその折。「その〔死ンダ〕―ばかりは〔悲シサヲ〕覚えぬにや」〈徒然三〇〉 ③盆・暮または各節句前の貸借決算期。「―に銀の無きは…悲し」〈評判・けしずみ〉 ❸①極限。限界。「念仏の僧どもは、年十五を―にて、十二、三、四までを選り召したり」〈栄花もとのしづく〉。「城内の兵ども手の―戦ひ、打ち死にする者多かりけり」〈平家六・飛脚〉 ②際限。「才といふもの、いづれも―なく覚えつつ、…習ひ取らむこと難けれど」〈源氏若菜下〉 ③程度(極端な度合をいうことが多い)。「―離れたる清ら」〈源氏横笛〉。「ざえの―」〈源氏帚木〉 ④身分。分際。「いとやんごとなき―にはあらぬが」〈源氏桐壺〉。「ことなることなき納言の―」〈源氏常夏〉 ⑤限定されたぎりぎりの分。「〔雪ハ〕はじめの―を置きて、今のはかき棄てよ」〈枕八七〉 ▽kiFa→kiwa→kifa→kiFa ―を立・つ 境界や限界を設けて、範囲を限定する。はっきりと目立たせる。「色を立て、―・てて申し出でて」〈実悟旧記〉

きば【牙】《キ(牙)とハ(歯)との複合》とがった歯。また、歯。「一つの―闕(か)けて落ちぬ」〈三宝絵上〉。「牙、キバ・キ」〈名義抄〉 ―を嚙・む 歯ぎしりする。歯がみをする。切歯(せっし)する。「鼻をふきいからかし、―・み、鬚をそらしてゐたり」〈宇治拾遺一九七〉

ぎば【耆婆】昔、天竺にいたと伝えられる名医の名。中国の春秋戦国時代の名医、扁鵲(へんじゃく)と並び称される。「―・扁鵲の術も薬も叶はざれば」〈孝養集下〉

きはう ‥ホウ【貴方】〘代〙相手を敬って呼ぶ語。あなた。「―いかにもいかにも御教訓候て、学文をも行をもせよと、おほせ候べく候」〈高山寺蔵文書正治一・一二・二八〉。「―と愚僧と師資の儀浅からずといへども」〈太平記三・大内裏〉

きはうじ ‥ホウジ【気放じ】心を楽しませて憂いを散ずること。気晴し。「見る人の―なれや美人草」〈俳・詞林金玉集七〉

きはぎは キワギワ【際際】①身分の差。身分の差があること。「大殿は、人人に―程を置きつつ〔形見分ケヲシタ〕」〈源氏葵〉。「母方から〔母方ノ血筋ニヨッテ〕こそ、帝の皇子も―におはすめれ」〈源氏薄雲〉 ②けじめ。分際。「その―をまだ思ひ知らぬ初事ぞや」〈源氏帚木〉 ③節季ごとの決算時。「正月前の―に」〈近松・重井筒上〉 ―と【際際と】〘副〙きっぱりと。はっきりと。「かやうの事―かねてお定め候へかし」〈曾我四〉。「両方ゆづり合ひて、―云はざる間」〈春秋抄三〉

きはぎは・し キワギワシ【際際し】〘形シク〙いかにも物のけじめがはっきりしている。「〔碁ノ勝負ガツイテ〕―・しう騒動(さうど)けば」〈源氏空蟬〉。「〔女ノ一人住マイデ〕門いたく固め、―・しきは、いとうたてこそ覚ゆれ」〈枕一七八〉

きはこと ‥キワ【際異】(身分が)きっぱりと異なっていて近寄れないさま。格別。「〔夕霧ハ〕かたちもいとうるはしう清らに、宿徳にて、―なる様ぞし給へる」〈源氏手習〉

きはし【木端】木の端きれ。「―を以て糸筋の様なる臂を指し出して地に書く」〈打聞集〉

きはずみ ‥キワ【極隅】極限。限界。「率土の堺―までも王の臣下・民でない者はないぞ」〈玉塵抄三〉

きはずみ ‥キワ【際墨】額(ひたひ)の形を美しくするために墨で髪の生え際を塗ること。また、その墨。「鬢(びん)鬚(ひげ)染めつ又は―」〈俳・物種集〉

きはだ【黄蘗】《黄肌の意》ミカン科の落葉喬木。黄色い樹皮は黄色の染料として、また濃く煎じた汁は胃腸薬として使われた。「苦(にが)き事、物にも似ず、―などのやうにて心地まどふ」〈宇治拾遺四八〉。「―に染めたるものは黄なるが如くに」〈正法眼蔵随聞記六〉。「蘗、一名黄木、和名岐波太(きはだ)」〈和名抄〉

きはたか ‥キワ【際高】きっぱりと気位が高くて、きついさま。「御心ばへの―におはしけるにや、三条の悪宰相とぞ人は申し侍りし」〈今鏡五〉

きはたか・し ‥キワ【際高し】〘形ク〙きっぱりとしている。気位が高い。「さすがなるさかしら心の―・くさいまぐれたる〔先走ッタノハ〕」〈浜松中納言三〉。「『世のうき時のかくれ家に』と―・く思ひたちてはべるを、いづこにこもり侍らまし」〈堤中納言よしなしごと〉

きはたけ・し ‥キワ【際猛し】〘形ク〙威圧的で容赦がない。きつい。「よからぬ人の言につきて〔内大臣ガ〕―・くおぼし宣ふもあぢきなく」〈源氏少女〉。「此の聖人は極めて立ち腹にぞありける。…いみじく蜜(きび)しく、―・くぞいますがりける」〈今昔一九ノ一〇〉

きはだ・て ‥キワ【際立て】〘下二〙はっきりと目立つようにする。「―・て問ふは不可なり」〈荘子抄八〉

きはちぢゃう ‥ジョウ【黄八丈】伊豆八丈島原産の絹織物。黄色の地に鳶(とび)・黒などの縞を織り出したもの。「肌着〔ノ〕…黄無垢(きむく)には―もよろし」〈色道大鏡三〉

きはづ・き ‥キワ【際付き】〘四段〙はっきり汚れ目がつく。「白い物の涙に―・くらむ」〈七十一番歌合〉

きはど・し ‥キワ【際利し】〘形ク〙ひどい。甚だしい。「腹悪(あ)しく、よろづに―・き人なりけるが」〈愚管抄四〉。「余りに―・く召使はるる間」〈天正本狂言・木賊〉

きはな・れ【来離れ】〘下二〙(ある所にやって来て)もといた所から離れる。「あをによし奈良を―・れ天離(あまざか)る鄙(ひな)にはあれど」〈万四〇〇八〉 ＋kiFanare

きばへ ‥バエ【気ばへ】気だて。心ばえ。「余にすぐれ―も良しや花の兄(梅)」〈俳・遠近集二〉

きはま・り キワマリ【極まり・窮まり】㊀〘四段〙《キハメの自動詞形。おのずとキハ(涯)に至る意》①物事が、ぎりぎりの極限に達する。「命―・るまでにす」〈地蔵十輪経二・元慶点〉。「世の末なれども、道ー・りぬるはいとめでたき事なり」〈十訓抄一〇ノ三〉 ②困窮に至る。動きがとれなくなる。「日を経つつー・りゆくさま」〈方丈記〉。「進退ー・れり」〈保元上・官軍手分け〉 ③最後に至る。尽きる。なくなる。「兵尽き、矢ー・りて」〈徒然八〇〉 ④結論がそこにいきつく。決定する。きまる。「これを退治すべしと、詮議すなはちー・りたり」〈伽・強盗鬼神〉。「その科(とが)を犯すまいとの思ひ定めにー・るところで」〈コリヤード懺悔録〉 ㊁『名』①ぎりぎりの時。「崖(きはまり)に望みて即ち信ぜしめむ」〈法華義疏長保点〉 ②極限。極致。「かの忉利天の如きは、楽しみーなしといへども」〈孝養集上〉。「和光同塵こそ諸仏の慈悲のーなれ」〈沙石集一ノ三〉。「垠、八方乃支波万利(きはまり)」〈新撰字鏡〉 †kiFamari **ーて**【極まりて】『副』この上なく。きわめて。「ー貴きものは酒にしあるらし」〈万三四二〉。「とどまるべかりけるに、ここまで来たりつらむ、ー由(よし)なし」〈今昔二七ノ四二〉 ▽平安時代以後、漢文訓読体に使う語。

きはみ【極み】《キハは涯》①地上の果て。「天雲の向伏すー、谷蟆(たにぐく)のさ渡るー、聞こしをす国のまほらぞ」〈万八〇〇〉 ②ぎりぎりの時。境となる時。限り。「昼は日の暮るるまで、夜は夜の明くるー、思ひつつ」〈万四八五〉。「別れ来しその日のー…相見ねば」〈万三九七八〉 †kiFami

きば・み【気ばみ】『四段』精を出す。りきむ。「余所の備へで、馬が一疋ー・んで、馬取も乗人(のりて)も汗を流して静めたが」〈雑兵物語上〉

きば・み【黄ばみ】『四段』黄色みを帯びる。「ー・みたる単衣(ひとへ)など着たる人は、いみじう心づきなし」〈枕二八三〉

きは・め【極め・窮め・究め】㊀『下二』《キハ(涯)に至るようにする意。↓つくし・はて》①ぎりぎりの極限まで押し進める。「赤き心を皇辺(すめらべ)にー・め尽して」〈万四四六五〉。「悲しびをー・め」〈源氏明石〉。「御位をー・め」〈源氏若菜上〉 ②追究してぎりぎりの所まで達する。「心に智(さとり)広くして文の道をー・め給ひたりけり」〈今昔二ノ八〉 ③(並並でない状態で)物事を終える。「何ばかりの過ちにてか、この渚に命をばー・めむ」〈源氏明石〉 ④決定する。「代をー・めて買ひ取る」〈天理本狂言六義・鏡男〉。「〔揚屋ノ〕定宿をー・め、大臣と言はるる程の人」〈西鶴・一代男五〉 ㊁『名』①極限。はて。「天地のーも知らぬ御代なれば」〈千載六三七〉。「運のーになりぬれば」〈盛衰記三七〉 ②(ちょうど)間際。「やうやう身の憂さをも慰めつべきーに、あさましうもてそこなひたる身を思ひ」〈源氏手習〉 ③期限。「いかさまにもーの日、蘇(よみがへ)りなんやと思ひ奉る、と申されければ」〈バレト写本〉 ④目利き。鑑定。また、鑑定書。「正真のーとは成り候へ」〈仮・続一休咄一〉 †kiFamë **ーたる** この上ない。抜群の。「〔道綱ノ〕母君、ー和歌の上手にておはしければ」〈大鏡兼家〉 **ーて**【極めて】『副』①この上なく。はなはだ。「此の妙経宝は極(きはめ)て甚深にして」〈金光明最勝王経平安初期点〉。「ただー幸ひなかりける身なり」〈かげろふ中〉 ②きまって。かならず。「夷中に、時宗の房主を御聖といふぞ。ー妻をもつぞ」〈史記抄九〉

きばや【気早】気の早いこと。血気盛ん。「もとよりーの若武者なれば」〈太平記九・山崎攻〉

きはやか【際やか】①きわだったさま。「花橘の、月影にいとーに見ゆる」〈源氏幻〉 ②きっぱりとしたさま。「手を摺るもあはれにて、えーにも追はず」〈栄花音楽〉

きばらし【気晴し】うさばらし。気散じ。「鞍馬山中へー・養生として相越す由申すべく候」〈浅野家文書浅野長政書状〉

きは・り【切り・剋り】『四段』《キハ(際)を活用させた語か》極まる。「年ー・る齢(よ)までと定め」〈万三三九八〉

きば・り【気張り】『四段』いっそう心をふるい起し、力を出す。「二人ー・りて詮なし」〈十問最秘抄〉。「まちと〔モウチョット〕ー・れ」〈伽・あわびの大将物語〉。〈日葡〉

きび【気味】「きみ」に同じ。「念仏のー知りたる人はいとまれなり」〈西要鈔下〉。「またしてもまたしてもささやいて、ーが悪いよ」〈虎明本狂言・腹立てず〉。〈色葉字類抄〉

きび・し【厳し・密し・緊し】㊀『形ク』①すきまもなくぎっしりとつまっている。「歯は白きこと齊しく密(きび)くして」〈金光明最勝王経平安初期点〉 ②つけ入るすきがない。ゆるがせでない。「この事あまりー・く覚ゆるは、我が心の及ばぬなるべし」〈発心集三〉 ㊁『形シク』①すきまがない。「百姓殷(かさ)りに稠(きび)しうして居家鱗の如く接(まじ)はれり」〈三蔵法師伝三・院政期点〉。「樹密(きび)しくて風多し」〈文鏡秘府論保延点〉 ②つけ入るすきがない。ゆるがせでない。「なだむることなくー・しう行へ」〈源氏少女〉。「王のー・しうなりなば、世の人いかが堪へむ」〈大鏡道長〉。「敵用心ー・しくは、我が方も随分備へを強くして」〈孫子私抄〉 ③けわしい。(山など)分け入ることが難しい。「すぐれて山ー・し」〈梁塵秘抄二五八〉 ④(程度が)甚だしい。「鉄砲の音ー・しく聞えけるに」〈朝鮮日日記〉 ⑤ただごとでなく大したものだ。すてきだ。「豆は古しと、金銀をますに入れ、節分の祝儀を祝ひける。…『これはー・しい』」〈黄・金々先生栄花夢上〉

きびす【踵】①「くびす」に同じ。「踵・跟、久比須(くびす)、俗云岐比須(きびす)」〈和名抄〉 ②はきもののかかとの部分。「ーをば、はな(先端ノ方)にはきて」〈宇津保貴宮〉

きひと【紀人】紀伊国の人。「あさもよしー羨(とも)しも亦打(まつち)山行き来(く)と見らむー羨しも」〈万五五〉 †kiFitö

きびのさけ【吉備の酒】吉備国(今の岡山県・広島県東部)の酒。黍(きび)の酒とする説は誤り。「古人(ふるひと)のたまへしめたるー」〈万五五四〉 †kibinösakë

きびは 年はもゆかぬさま。幼くて痛痛しいさま。「二十一二ばかりになり給へど、なほいといみじく片なり(未成熟)に、ーなる心ちして」〈源氏若菜下〉

きびゃう【鬼病】悪病。疫病。「雪連宅満(ゆきのむらじやかまろ)の忽ちにーに遇ひて死去せし時に作る歌一首」〈万三六八八題詞〉

きびら【生平】晒(さら)さない黄色の細糸で織った麻布。近江国高宮産が有名で、帷子(かたびら)・夏羽織などに用いた。「汗をはじき身に着ては良いーかな」〈俳・落穂集三〉 **ーうり**【生平売り】生平の行商人。近世、春・夏に、呼び声を長く引っぱり、ゆっくり売り歩いた。「惜しめ春井手の山吹ー」〈俳・洛陽集上〉。「我が物と良き縞着たりー」〈俳・花摘下〉

きふ【急】①さしせまったこと。火急。「ーなることにてまかでたれば」〈源氏手習〉。「もしーならむ病ならば」〈孝養集下〉 ②性急。気短か。「ーなる人は久しく常ならず。心ぬるくなだらかなる人は、長きためしなむ多かりける」〈源氏若菜下〉 ③⇒じょはきふ(序破急)。「弾くものは琵琶。調べは風香調。黄鐘調。蘇合のー」〈枕二一七〉。「序破急に五段あり。序一段、破三段、ー一段なり」〈能作書〉 ④急事。また、急難。「国国の早馬…ーを告ぐること、櫛の歯を引くが如し」〈太平記一〇・新田義貞〉。「わが家の危きを助け、その国のーを救へるにおきては」〈再昌草一四〉

ぎふ【妓夫】⇒ぎう(牛)(1) 「ーに付声させ」〈西鶴・一代

女六〉

きふきふ【急急】火急。至急。「ーにこれ(秘法)を行ひてかれを救ふべし」〈孝養集上〉 **ーにょりつりゃう**【急急如律令】《急急に律令の如くせよの意という》呪文の末尾に添えて悪魔を退散させる語。「源中〔納言〕小児を抱く。…ー」〈吉記承安四・九・二一〉

きぶく【帰伏・帰服】従い服すること。服従。帰順。「山だちども忽ちに悪心を改めてーせるけしきになりて」〈著聞四三一〉。「デウスエキブクシタテマツル」〈日葡〉

きぶくりん【黄覆輪】「きんぷくりん」に同じ。「白蘆毛なる馬にーの鞍置いて乗ったりけるが」〈古活字本保元中・白河殿へ義朝夜討ち〉

きぶさ・し【気塞し】『形ク』気にかかって不快だ。「付き者めがー・いなり」〈近松・釈迦誕生会三〉

きふじ【給仕】①貴人の側に仕え、雑用などをつとめること。また、その役。「頼時、首(かうべ)を傾けてーする事限りなし」〈今昔二五ノ一三〉。「氏光、春宮のーにて、春日祭に向ひ侍りしに」〈竹むきが記〉②特に、食事の席で世話をすること。また、その人。「もまた(モハヤ)ーはしをらう(シテモヨイ)事ぢゃ」〈俳・西鶴五百韻〉 **ーにん**【給仕人】給仕⑵をつとめる者。「大勢のーが膳を据ゆるに」〈春鑑鈔〉

きぶ・し『形ク』きびしい。はげしい。「あまりにー・く射られて、さっと引いてぞあがりける」〈承久記上〉。「政道をばゆるとせよ。さのみー・うなしそ」〈山谷詩抄八〉

きふしゅ【給主】領地の所有者。公領・荘園の諸職、或いは知行をあてがわれた者。給人。「ーの禰宜の得分物」〈吾妻鏡文治二・三・一〇〉。〈色葉字類抄〉

きふしょ【急所】身体の中で、そこをやられると生命に危険のある、大切な箇所。「滝口はーを射られつるぞ」〈古活字本平治中・義朝六波羅に寄せらる〉

きふしょ【給所】主君から知行として、家臣に与えられた土地。領地。給地。「さて田上郡はーーの入り組にて地割りなかなかむつかしし」〈近松・反魂香下〉

きふだい【及第】①官吏登用試験に合格すること。「四十二年、初めてーす。知るべし、大器晩成の人を」〈菅家文草三〉。「ーの人わづかに三人なむありける」〈源氏少女〉②《転じて》官吏登用試験。「我は鍾馗(しょうき)といへる進士なるが、ーのみぎんに亡ぜし、その執心を翻へし」〈謡・鍾馗〉。〈日葡〉

きふにん【給人】「給主」に同じ。「先先のーどもの事は」〈高野山文書一、嘉慶一・一二・六〉。〈文明本節用集〉

きふぶん【給分】給与。家臣に与える所領、奉公人の給金など。「関東御家人ーに於いては、使者を以て巡検を加ふ」〈吾妻鏡嘉禎一・五・一三〉。「ー百疋、少輔〔ノ〕夏分たるべし」〈実隆公記大永七・一二・二三〉

きぶん【気分】①気持。心持。「人間のーを離れて多くの年を経たり」〈今昔一三ノ一〉②気質。気性。「長老のー強精(がんじやう)なり」〈奇異雑談集四〉

きぶん【機分】①生れつきの性質。器量。「其の子、獅子のーあれば」〈太平記一六・正成下向〉②時勢。時運。「末世のー、戎夷(じい)の掌(たなごころ)におつべき御悟りなかりしかば」〈太平記二七・雲景未来記〉

き・へ【来経】『下二』年月が来て過ぎてゆく。経過する。「あらたまの年がー・ふれば」〈記歌謡二八〉 †kiFë

ぎへい【義兵】正義のために起す兵。「試みにーを起して、凶器を退けんとす」〈平家七・願書〉

きべうし【黄表紙】近世後期、安永四年から文化四年合巻出現までの草双紙の称。黄色い表紙で、五丁一冊、一冊から三冊までを一部とする。滑稽と写実とによりさまざまな世相をうがった、文化人向きの趣向・洒落・地口・無駄などに満ちた絵本。「寛政の始より、草双紙の価また登りて、ーは一巻十文」〈近世物之本江戸作者部類一〉

きべつ【記別・記莂】〔仏〕仏が弟子に対して、来世では何になるかを予言すること。「女も当来のーを聞きて礼拝して去にけりとなむ語り伝へたるとや」〈今昔一ノ二一〉

きへな・り【き隔り】『四段』へだたる。一説、来てへだたる。「月読の光に来ませあしひきの山ーりて遠からなくに」〈万六七〇〉 †kiFenari

きへん【貴辺】『代』相手を敬って呼ぶ語。あなた。「ーこそ当世の智者といはる人にておはすれば」〈他阿上人法語三〉

きぼ【規模】①規範。模範。手本。「都良香は文章のー」〈本朝文粋七〉。「国家の御宝、末代のーなり」〈盛衰記三六〉②要(かなめ)となるもの。眼目。「『松が咲きけり』といふことば、この松が崎の能にーなれば」〈申楽談儀〉③ほまれ。名誉。「近代国師号を賜はる事ーなり。都鄙の面目これに過ぐべからず」〈信長公記一五〉④甲斐(かひ)。効果。「両三人出張せしめたりしー有りて」〈陰徳記一三〉

ぎぼうし【擬宝珠】橋などの欄干の柱頭に、宝珠を模してとりつけた装飾。ぎぼし。「押し流さるるやうに候を、相構へて北のーに取り付き候ひぬ」〈拾玉集四〉。「ーまでも夢の浮橋」〈俳・守武千句〉

きぼね【気骨】心配。気苦労。「折りにけり花にーと足骨と」〈俳・当世男上〉 **ー折・る** 心配する。いろいろ思い悩む。「ー・らずに嬉しがらする事」〈西鶴・三所世帯上〉

きほ・ひ【競ひ】㊀『四段』《勢い込んでわれ先にする意》①われ先に行く。類義語キソヒは、相手にぬきんでようとする意。「あぢ群の(アジ鴨ノ群ノヨウニ)さわきー・ひて浜に出でて海原見れば」〈万四三六〇〉。「水に入り火にも入らむと立ち向ひー・ひし時に」〈万一八〇九〉②《「…にー・ひ」の形で》…と先を争う。「渡る日の影にー・ひて尋ねてな清きその道又も遇(あ)はむため」〈万四四六九〉。「龍田山しぐれにー・ひ色づきにけり」〈万二二一四〉 ㊁『名』①気勢。いきおい。「さるーにはわれもわれもと〔出家ヲ〕きしろひけれど」〈源氏鈴虫〉。「荒ましき風のーにほろほろと落ち乱るる木の葉の露」〈源氏橋姫〉②はずみ。余勢。「かかるー。かかるまぎれなり」〈匠材集一〉③「競ひ馬」の略。「その時の勝負には、十番の相撲、十番のーにて有りしよな」〈虎明本狂言・横座〉④双六で、敵の石を切ること。「ーに二つの後れ石」〈仮・竹斎上〉⑤強きをくじき、弱きを助ける任侠の気風。また、その気風のある人。勇み肌。「競ひ肌」とも。「地廻りのー」〈黄・江戸生艶気樺焼中〉 †kiFoFi

ーうま【競ひ馬】競馬。「くらべうま」とも。「ーの鼓に我を打ちこめて出だしも果てぬ世にこそありけれ」〈夫木抄三三・馬〉。「かくる命を神よ受けませ/賀茂の山ふもとの今日(五月五日)のー」〈行助句〉 **ーかか・り**【競ひ懸かり】『四段』①勢いを得て激しく攻めかける。「〔敵将ガ鉄砲デ倒レタノデ〕味方ー・り候ふ間、敵方引きのき候ふ」〈伊達日記上〉。〈文明本節用集〉②はげしく意気ごむ。「〔小稚児ハ〕おもひいだしたるとて、ー・りて」〈咄・昨日は今日上〉 **ーぐち**【競口】意気込むはずみ。調子に乗る余り。「こんなーには、何でも云うたら、なりさうな物と」〈浮・傾城色三味線四〉 **ー口には伯母をも** 血気盛んな時には伯母でも口説く意。「ー知らいで身しらせた(ヒドイ目ニ会ワセタ)」〈近松・女腹切上〉

きまぶり【木守り】《キマモリの転》①樹に取り残されて、いつまでも果実があること。また、その果実。「果の熟して、実

(ねさ)離れもせいで、木の枝にねばくって、取り着いて落ちぬ〔ヲ〕…ーなどと云ふ」〈玉塵抄三〉 ②最後まで残ったもののたとえ。「雪花のーなれや残る月」〈俳・新続犬筑波九〉

きままづきん【気儘頭巾】 ①奇特頭巾(きどくづきん)の異名。「ー其の外、目に立つかぶき者」〈松平大和守日記寛文四・四・九〉 ②寛保頃流行した男の防寒用頭巾。前面に二尺余りのしころをつけ、目の部分だけあけた、黒縮緬紅(もみ)裏の頭巾。「腰掛はーの〔聞キ手ガスワッテ〕太平記〔ノ講釈ヲ聞イテイル〕」〈雑俳・風俗陀羅尼〉

きみ【君・公】 ①上代の姓(かばね)の一。もと地方豪族の尊称。「筑紫胸肩(むなかたの)ー」〈紀神代上〉 ②天子。また主君。自分の仕える君主。「皇祖(すめろき)の天の日嗣と継ぎて来るーの御代御代」〈万四四六五〉。「かく末の世の明らけきーとして」〈源氏若菜上〉。「ー、ーたらずと言ふとも、臣以て臣たらずはあるべからず」〈平家二・烽火〉 ③《二人称の代名詞的に用いて》あなた。「青山のしげき山べに馬やすめー」〈万一二八九〉。「〔男ガ〕女のもとに、家をたづねてつかはせりける。…草のはつかに見えしーはも」〈古今四七八〉。「〔内大臣ガ夕霧ニ〕ーの御母君のかくれ給へりし秋」〈源氏柏木〉 →あがきみ。 ④《敬意をこめた三人称の代名詞的に用いて》あのおかた。「ー(源氏)は大殿におはしけるに、例の女君(葵上)とみにも対面したまはず」〈源氏若紫〉。「女房の局なる人をさへ『あのおもと』『ー』など言へば〔当人ハウレシガル〕」〈枕二六三〉 ⑤人名や官名などの下に添えて敬意を表わす語。男女ともにいう。「業平のー」〈土佐一月八日〉。「女御のー」〈源氏若菜上〉。「娘のー」〈源氏手習〉 ⑥遊女。遊君。「〔近江国〕小野の宿に泊まりぬるに、ーどものありさまの殊にあはれ也」〈信生法師集〉 †kimi

ーは舟、臣は水 《貞観政要に見える語。荀子、王制篇や孔子家語などにも同様な句が見える》 臣下が主君を助け仕える関係のたとえ。「ー、水よく船をうかべ、水又船をくつがへす」〈平家三・城南離宮〉

きみ【黍】 キビの古名。黄実(みき)の意とする説は誤り。「梨(なし)棗(なつめ)ーに粟つぎ延ふ田葛(くず)の後も逢はむと葵(あふひ)花さく」〈万三八三四〉 †kimi

きみ【気味】 《キビとも》 ①においと味。風味。「万の物のーは塩にこそあれ」〈沙石集五ノ六〉 ②物事の味わい。趣。「なにとなく言ひたるやうに思ひぬべけれども、ものを言ふ故実を深くわきまへ知らむ人はー深かるべき事なり」〈仙覚抄五〉 ③心持。気分。「治まるやげにーの良き御代の春」〈俳・玉海集二〉。「あはれと云ふ者は一人もなく、ー良しと云はぬ者もなし」〈仮・霊怪艸二〉

きみ【鬼魅】 化物。魔物。「ーの悩まし煩はすを離るるには菩薩戒をよき薬とす」〈三宝絵下〉

きみがきる【君が着る】〔枕詞〕君のかぶり着る「御笠」から、同音の地名「三笠」にかかる。「ー三笠の山に」〈万一六七五〉 †kimigakiru

きみがね【君がね】 将来君主となるべき人。「いかやうに生ひ出でたまはむとすらむ。ゆくさきのーにやはあらぬ」〈宇津保蔵開上〉

きみがよ【君が代】 ①あなたの寿命。「ーも吾が代も知るや岩代の岡の草根をいざ結びてな」〈万一〇〉 ②天皇の御寿命、また御治世。「ーは限りもあらじ長浜の砂(まさご)の数はよみ尽すとも」〈古今一〇八五〉 †kimigayō **ーの【君が代の】**〔枕詞〕「長くあれ」の意から「長柄(ながら)」にかかる。「ーながらの山の」〈拾遺五九八〉

きみざね【君実】 《キミは主君。サネは主となるものの意》 お仕えする大切なお方。本妻をさしていう。「平仲が〔帥大納言夫人ニ〕よみてきこえける。春の野に緑にはへるさねかづらわがーと頼むいかにぞ」〈大和一二四〉

きみさま【君様】 ①「君」(3)の敬称。あなたさま。「ーは鞍馬に渡らせ給ひしかば、山伏の道あらあら御存知候らん」〈義経物語七〉。「あらあらかしく、ー参る」〈伽・鼠草子〉 ②恋人。意中の人。略して「さま」とも。「顔に墨つけ出づるーした/おぼこさうな其のーは時鳥(ほととぎす)」〈俳・鷹筑波二〉 ③「君」(6)の敬称。「勤めの内は雨でたら」〈俳・大矢数四〉

きみたち【君達】 ①貴族のむすこ・むすめ達。「殿の中将の君(夕霧)、内の大殿(おほいどの)のーそこらにすぐれてめやすく花やかなり」〈源氏初音〉 ②《代名詞的に用いて》 あなたがた。「『ーの聞え知らせ奉りたまはぬなり…』と言ひつづけて〔女房ハ〕左近・少将を責む」〈源氏夕霧〉 →きんだち

きみな【公名】 天台宗などで、未得度の児童に父の職名をとって大蔵卿・治部卿・大納言などと呼んだ、その名をいう。「徳付き・ー付きなどして、以ての外に過分になり、大衆を事ともせず」〈盛衰記九〉

きみゃう ミ…ヨウ【帰命】〔仏〕《「南無(なむ)」の漢訳》 心から信じうやまうこと。仏の教命に帰順する意。「南無阿彌陀仏と一度正直にーせし一念の後は、我も我にあらず」〈一遍上人語録〉。「ーと書きては、我を助け給へと読む也」〈御書抄五〉 **ーちゃうらい チョ…ウ【帰命頂礼】** 《「頂礼」は頭を仏の足にすりつけて礼拝する意》 身命をささげて仏をうやまい礼拝すること。仏を拝む時に唱えることばとしても用いる。「南無ー、大恩教主釈迦如来と唱へて恭敬礼拝するほどに」〈十訓抄一ノ七〉

きみら【君等】 《ラは人や物などにつけて複数をあらわし、親愛・卑下の意をふくむ接尾語》 諸君。「しなざかる越のーとかくしこそ楊かづらき楽しく遊ばめ」〈万四〇七一〉 †kimira

きみゐでら【紀三井寺】 《紀三井寺は西国三十三所第二番の札所なので、愚者の意である「二番」にたとえて》 愚者の隠語。「心立て(アタマ)の二番なるーの輩」〈仮・浮世物語一〉

きむか・ひ カイ…ム【来向ひ】『四段』(時季が)こちらに向って近づいて来る。「春過ぎて夏ー・へば」〈万四一八〇〉 †kimukaFi

きむすめ【生娘】 処女。「ーにしては〔余リ派手デ〕、吉野の桜もひけて見ゆる」〈評判・役者大鑑〉

きむち『代』《キミ(君)ムチ(貴)の約という》 おまえ。多く目下の者にいう。「〔父ガ子ニ〕『すべてーいとくちをし。かばかりのことをいひなさぬは』などぞ御気色あし」〈かげろふ中〉

きめ【木目・肌理・筋目】 ①もくめ。「横さまのならずして直ぐにたたるを、ーと名付けたる也」〈名語記六〉 ②皮膚表面の細かなあや。「ー白く目口黒き蛇也」〈多聞院日記天正一三・二・晦〉

き・め【極め】『下二』 ①動きを取れなくする。また、動きの取れないほど苛酷な目に合わせる。「踏みつけられて、ー・められて順(したが)ふやうぞ」〈周易抄六〉。「身をー・めつけ、艱難に慣れこたへ申すくせにて」〈沢庵書簡寛永一九・九・八〉 ②厳しく咎める。ひどく叱る。「剽軽(へうきん)は、人を睨(ね)めし、ー・められ、押っさげられ」〈こんてむつすむん地三〉。「人より折檻(せっかん)ー・めてまはる者なり」〈蒙求聴塵中〉

きめい【貴命】 貴人の命令。「たとひーなどにて、鵜・鷹の狩、すなどりをするとも」〈極楽寺殿御消息〉

きめう ミ…ヨウ【奇妙】 ①不思議きわまること。世にも珍しいこと。「ーの事、説き尽すべからず」〈三宝絵下〉 ②並はずれてすぐれていること。「近里遠方同じくーなりと讃嘆す」〈正法眼蔵古鏡〉

きめごまか【肌理細か】①皮膚のきめの細かいこと。「—に骨細なる所、云はうやうはなけれども」〈評判・役者評判蚰蜒〉。〈続無名抄下〉 ②物事、特に利害打算に細かいこと。「—に気を付けられての祝ひ」〈浮・曲三味線五〉

きめて【極めて】『副』容赦なく。無理やりに。「頭(かうべ)に遊ぶは頭虱(かしらじらみ)、項(おなじ)の窩(ぼく)をぞ—食ふ」〈梁塵秘抄四一〇〉。「弱き人。声の性悪しきは〔声ニ〕使はれてよし。余り—使へば裏声になる」〈わらんべ草四〉

きめん【貴面】お目にかかること。「キメンヲモッテマウシタゴトク」〈日葡〉。「心事—に申し上ぐべく候」〈西鶴・文反古一〉

きも【肝・胆】①肝臓。また、広く内臓。臓腑。「わが—も、みなますはやし(ナマスノ材料)」〈万三八八五〉 ②胆力。思慮。こころ。「—迷ひ、心砕けて、更に物思(おぼ)えず」〈今昔二四ノ四二〉 ③物事の肝要な点。かんどころ。「忍ぶ夜は雲の恋しき月を見て。…〔コノ句ハ〕恋の本意をも背き、月の—をも失ふ也」〈長短抄中〉 †kimo **—が菜種(なたね)** 胆が菜種ぐらいに縮まるの意で、ひどく驚くたとえ。「胆が芋になる」とも。「〔男ガ〕問はじ(来マイ)との夕は〔女ノ〕—にて」〈俳・懐子一〇〉 **—潰・る** 恐怖・驚愕・不安などに襲われる。「おのおの—・るるやうに争ひ走り上りて」〈徒然一三七〉 **—に毛生・ゆ** 大胆であることのたとえ。「—・えて昼も御祝言」〈浮・色道大鼓四〉 **—に染(し)・む** 深い感銘をもって心にしみ通る。「肝にそむ」とも。「〔仏ノ〕御声骨にとほり、—・む」〈発心集六〉 **—に銘・ず** 深く心にきざみつける。「諫められ参らせし御言葉も—・じて片時も忘れ参らせ候はず」〈平家二・大納言死去〉 **—を煎(い)・る** ①肝を煎り焼くようにつらい思いをする。気をもむ。「思ひ切りしにまた見えて、—・らする、—・らする」〈宗安小歌集〉。「しおくるるとて—・り、腹を立ちぬれば、いよいよ〔付句ヲ〕せられぬ物也」〈梅薫抄〉 ②間に立って骨を折る。世話をする。「年寄共五人の者は…秀頼様の儀大切に存知、—・り申すべし」〈浅野家文書慶長三、豊臣秀吉遺言覚書〉 ↓きもいり。 **—を消・す** ①非常な恐怖・驚愕に襲われる。「肝をつぶす」とも。「沖に釣する舟をば敵(かたき)の船かと—・し」〈平家灌頂・六道之沙汰〉 ②心をくだく。精力をつくす。「心をつくし—・して、おのおの御祈禱どもあり」〈古今集註〉 **—を付・く** 心配する。苦心する。骨折る。「—・けて忠節の者が作った詩ぞ」〈毛詩抄六〉 **—を冷や・す** 非常な恐怖に襲われてぞっとする。「左右の侍臣—・し給ひけれども」〈壒囊鈔九〉 **—を焼・く** やきもきする。気をもむ。「所領は奪はれ、身をおきかねて—・きける間、奉公疎略になりければ」〈曾我一〉

きもい・り【肝煎り】㊀『四段』気をもむ。世話をする。きもをいる。「辛労して人の事を—・るほどよい」〈周易抄〉 ㊁『名』①人の世話をすること。また、その人。「御寄進の一万石相渡すべきの間、—衆一両人早早上るべきの由」〈多聞院日記天正一六・七・九〉 ②庄屋。名主。「正宗公は、会津郡中の—・大百姓召し集められ」〈伊達日記中〉 ③遊女の口入れ業者。「傾城屋の女子を抱ゆるに、この—といふ者、方方に子共を見立て置きて、告げ知らせ、口入(くにふ)する者をいふ」〈色道大鏡一〉 **—やど**【肝煎宿】奉公人の口入れ屋。「—を頼みしに」〈西鶴・伝来記六〉

きもぎ・え【肝消え】『下二』肝がつぶれる。びっくり仰天する。「我にもあらぬけしきにて—・え居給へり」〈竹取〉

きもごころ【肝心】《肝臓と心臓との意から》心。気力。「〔コレヲ聞ク人ハ〕みな—栄えて、病(やまひ)ある者なくなり、老いたる者も若くなりしかば」〈宇津保蔵開上〉。「—も砕けて、震(ふる)はるれど」〈宇治拾遺一九七〉 →こころぎも

きもじ ①【気文字】気持・気分などの文字詞。「うるはしう御—もよくいらせおはしまし候て」〈実隆公記文明一七・二・二四、紙背文書〉 ②【貴文字】貴辺・貴様などの文字詞。「その—様〔ハ今ハ〕南蛮の空〔ニ居ル〕」〈俳・雪之下草歌仙〉

きもせい【肝精】骨折り。尽力。「皆仲人(なかうど)の—」〈近松・薩摩歌中〉 **—を焼・く** 心労する。やきもきする。気をもむ。「肝腹を焼く」とも。「あったら若い者に、—・かせるこんだ」〈伎・椀久浮世十界〉

きもたましひ ‥タマシイ【肝魂】①気力。正気。「—忽ちに昏れ、正念次第に失せしかば」〈保元中・白河殿へ義朝夜討ち〉 ②心。精神。「見る人聞く者—を痛ましめずといふことなし」〈平家九・小宰相〉 **—も身に添は・ず** 恐怖・驚愕・不安などに襲われて生きた心地がしない。「汝、〔我ガ〕姿を見ては肝魂も身に添ふまじきなり」〈平家八・緒環〉 **—を消・す** 恐怖・驚愕・不安などに襲われて生きた心地を失う。「これを聞くにも、ただ耳を驚かし、—・すより外の事ぞなき」〈平家二・逆櫓〉

きもつれ【気縺れ】心の晴れやかでないこと。憂鬱。「今朝よりは—が仕り」〈黒田故郷物語〉

きもなます【肝膾】肝でつくった膾。「叶はずは—に作りてむとす」〈今昔一〇ノ一五〉 **—を作・る** やきもきと心配する。くよくよ気をもむ。「この扇誰か射よと仰せられんと、—・り」〈盛衰記四二〉

きもむかふ ‥ムカウ【肝向ふ】〔枕詞〕「心」にかかる。きも(肝臓)は腹の中で心臓に向き合っていると信じられていた。「—心をだにか相思はずあらむ」〈記仁徳〉 †kimomukaɸu

きもん【鬼門】陰陽道で、邪悪な鬼が出入りするとして忌む、丑寅(うしとら)すなわち東北の隅の方角。「〔京都ノ〕—の方には山王二十一社まします」〈保元上・将軍塚鳴動〉 **—かど**【鬼門角】東北の方角。また、そこにある角屋敷。「鬼門すみ」とも。「—も内方から出た手代衆」〈西鶴・一代女四〉 **—ばり**【鬼門張】家屋敷の東北方を張り出すこと。「比叡(ひえ)の山の霞や京の—」〈俳・沙金袋一〉

きや【木屋・薪屋】①大工の仕事場。「先づ—を…立つべきの由」〈晴富宿禰記文明一一・三・二〇〉 ②材木屋。また、薪屋。「大坂の大湊に隠れなき—」〈西鶴・懐硯四〉

きや『連語』《本来は回想の助動詞キに間投助詞ヤの付いたもの。その意味が忘れられて》連歌・俳諧で「けり」と同意に慣用する語。「この—と申すは、けりと申す、てにをはにて候ふ間」〈肖柏伝書〉。「世に素直なる方も有り—」〈俳・秋津洲千句〉

きゃう キョウ【京】①帝都。「太政官、諸司の官人等を召して問ふ。何処を以て—とせんと」〈続紀天平一七・五・二〉。「奈良の—、春日の里に知るよしして」〈伊勢一〉 ②平安京。京都。「深草の里に住みはべりて—にまうで来(く)とて」〈古今九七一詞書〉 **—に田舎(ゐなか)有り** 繁華な京都にも、田舎のように開けない所が有る。「—、田舎にもまた都人の心ざまはあるべしや」〈謡・粉川寺〉 ↓田舎に京あり。 **—の着倒れ** 京都の人は家産を失うほど着道楽であることをいう。「大方は世に言ふ、—、大坂の喰ひ倒れ、堺の建て倒れなるべし」〈不審紙三〉 **—へ筑紫に坂東さ** 室町時代頃に方向を示す助詞として京都では「へ」、九州では「に」、関東では「さ」を用いたように、場所の相違により事物の名称や風習・人情などの異なることがあっても、実質的には変りがないことのたとえ。「—のつれ(同類)ぞ」〈蠡測集〉 ▽実隆公記、明応五年正月九日の条に「京に筑紫へ坂東さ」の形も見える。

きやう【経】《もと、たて糸の意。転じて、教法を貫く綱要の意》釈迦の説法を文章にまとめたもの。経文。また、経巻。「或は—を負ひ、鉢を捧げて食を街衢の間に乞ふ」〈続紀養老六・七・一〇〉。「—よみつつ祈る」〈源氏手習〉

きやう【卿】八省の長官。あるいは、納言・参議・三位以上の者。「天皇、東楼に御して、詔して八省の—と五衛の督率等を召す」〈続紀慶雲四・七・二四〉。「三位を—と称し、四位は姓を称し、五位は名を先にして姓を後にせしむ。今よりのち、永く恒例となせ」〈続紀養老五・一〇・九〉

きやう【饗】宮廷で行なう酒食の御馳走。年中行事の後や、外国からの客などに対して行なう。「—を隼人に賜ふ。各其の風俗の歌舞を奏す」〈続紀養老七・五・二〇〉。「上達部・殿上人の—など、内蔵寮よりつかうまつれり」〈源氏宿木〉

ぎやう【行】①〔仏〕《存在するものすべてをいう》㋑〈過去世に行なった〉善悪一切の行為。業(ごふ)のこと。「凡夫廻向の—に非ず」〈親鸞文類聚鈔〉㋺僧や修験者が行なう修行。浄土教では、「信」に対して、称名念仏をさす。「〔道鏡ハ〕菩薩の—をおこなひ、人を度し導かむといふ」〈続紀宣命四二〉②位と官とが相当せず、位より低い官につく場合に、位の名と官の名との間に置く語。「正五位上—兵部大輔兼侍従勲三等淡海真人三船」〈兵部大輔ハ従五位ニ相当スル〉〈続紀神護景雲一・六・五〉③行書(ぎやうしよ)。楷書(かいしよ)を少しくずして書いた書体。「御請は一字一行も草(さう)—あるべからず、真(しん)にてあるべし」〈世鏡抄下〉

ぎやう【仰】物事の盛大なこと。仰山(ぎやうさん)。「—に咲くは春雨の徳ぞ花盛り」〈俳・一本草三〉。〈俳・かたこと三〉

きやうあふぎ【京扇】京都産の扇子。「これは—ではおりないが」〈虎明本狂言・入間川〉

きやういで【京出で】京都を出ること。「国王をはじめまいらせて、公卿・殿上人、—は三千七百余騎なり」〈伽・善光寺本地〉

きやういり【京入り】京都に入ること。「何ぞ日中に—はせで、道にて日の暮しやうぞ」〈義経記四〉

きやううちまゐり【京内参り】《「内参り」は宮中に参ること。転じて》京都へ見物などに行くこと。都見物。「東国下総の人とて、五人うち連れて—をし侍りにけり」〈遠近草中〉

ぎやうえふ【杏葉】《形が杏(あんず)の葉に似ているのでいう》①唐鞍(からくら)に用いる装飾具。金属や革で作る。「ひら」とも。「杏葉、俾良(ひら)、俗云行衣布(ぎやうえふ)」〈和名抄〉②胴丸の鎧の金具で、高紐の上を覆うもの。「栴檀板をば—を以て代へたり」〈本朝軍器考九・甲冑〉

きやうえん【竟宴】①宮廷において、講書が終り、または勅撰和歌集が完成した時に催される祝宴。日本書紀の竟宴が有名で、その講書は三年以上にもわたることがあり、最後に書紀の中の聖徳の天皇や有名な諸臣を選び出して、聴講者の太政大臣・右大臣などが、その人についての和歌を作り、琴歌のあそびなどをして歓をつくした。「侍従の局の南の右大臣の曹司に於いて日本紀—を設く」〈三代実録元慶六・八・二九〉。「このたび撰ばれたるをば新古今といふなり。元久二年三月二十六日—といふ事、春日殿にて行なはせ給ふ」〈増鏡一〉②祭事の後の宴。「夜に入りて才子ひきて宴席をのぶ。これを祭りの—といふなり」〈著聞一三〇〉

きやうおう【饗応】①相手をもてなすこと。「食物(じきもつ)、馬の草などにいたるまで殊に—しければ」〈今昔二六ノ一四〉②相手の気に入るよう調子を合わせること。迎合すること。「これは—の言なり」〈今昔二四ノ二六〉。〈色葉字類抄〉

—ごと【饗応事・饗応言】もてなしの事柄。もてなしのことば。「あわて出で合ひて、種種の—云ひければ」〈盛衰記三三〉

きやうか【狂歌】滑稽な内容の歌。俳諧歌。「事畢って当座の—等あり」〈明月記建久三・閏一二・四〉。「きと歌よみ、連歌し、乃至—までも、にはかの事に故あるやうによみし方」〈後鳥羽院御口伝〉

きやうがい【境界】①〔仏〕環境。境遇。「境」とも。「—なければ、何につけてか〔禁戒ヲ〕破らん」〈方丈記〉②自分の勢力の及ぶ範囲。自己の分限。「もしそれ、〔釈迦ガ〕道を成じて一切を度せば、我が〔第六天ノ魔王ノ〕—に超えてまさりなむとす」〈今昔一ノ六〉。「己が—にあらざる物をば争ふべからず」〈徒然一九三〉③現在の境遇。「みづから二十(はたち)の—まで定むる妻はいまだなし」〈伽・鉢かづき〉

ぎやうがう【行幸】天皇のお出かけ。みゆき。「吉野離宮に—す」〈続紀大宝一・二・二〇〉。「内(帝)にもおぼし嘆きて—あり」〈源氏賢木〉。「行幸、ギャウガウ」〈文明本節用集〉

ぎやうがう【行香】法会の時、香炉と香をのせた台を持ち、焼香する僧達に配り与えること。また、その役目の人。「〔法成寺金堂供養〕かくて殿上人二十人立ちて—す」〈栄花音楽〉

きやうがうし【京格子】縦に桟(さん)をあらくならべた格子。「白壁—を付けければ」〈西鶴・織留五〉

ぎやうがく【行学】修行と学問と。「宿老碩徳の名師は—に怠り」〈平家四・三井寺炎上〉

きやうかたびら【経帷子】仏式で葬る死人に着せる衣。白麻などで作り、六字の名号(南無阿彌陀仏)・題目・経文などを書いたもの。「—の布のあらまし」〈俳・鷹筑波三〉

きやうがのこ【京鹿の子】京都で染めた鹿の子絞り。品質優秀で、江戸紫と並び称された。「—〔ニクラベレバ〕富士の下草色も無し」〈俳・坂東太郎下〉

ぎやうぎ【行儀・形儀】①〔仏〕行(ぎやう)の実践方法。修行のしかた。「遁世の風情まちまちに、出家の—いろいろなり」〈沙石集九ノ四〉②坐臥進退などの作法。立居ふるまい。「—悪(わる)しと人な叱りそ」〈俳・犬子集一三〉③おこない。仕業。「信長の〔日頃ノ〕—を、ありのまま残らず物語り候へ」〈信長公記首巻〉

きやうぎやう【軽軽】軽率。「いかでか〔御婦人ノ〕御簾の前をば渡り侍らむ。いと—ならむ」〈源氏横笛〉

きやうぎん【京銀】近世前期、京都の本店・両替屋・金貸しなどから借り出した藩財政または営業などの資金。「—の儀申し候」〈池田光政日記慶安五・二・一〉

きやうく【狂句】広義には、たわぶれ、または滑稽の句の意で、無心の連歌、俳諧連歌をいう。狭義には、川柳、そのうち特に卑俗趣味の川柳をいう。「有心・無心とて、うるはしき連歌と—とを」〈筑波問答〉。「とりあへぬ時分の—ながら、細かに付きたる、誠に達者と存ぜらる」〈井蛙抄六〉。「連歌果てて—あり」〈耳底記〉

きやうくだり【京下り】京都から地方へ出てゆくこと。「京上(のぼ)り」の対。「弾正殿は—」〈田植草紙〉

きやうくやう【経供養】経文を書写して仏前に供え、法会を催して功徳(くどく)を積むこと。「〔法華〕八講、—せしこと、とありし事かかりし事」〈枕三三〉

ぎやうくらべ【行比べ・行競べ】僧・修験者などが行力(ぎやうりき)をくらべ合うこと。「いざ車僧、—せん」〈謡・車僧〉

きゃうぐゎん（キョウ）【経巻】経文をしるした書物。経典。「或は仏像を造り、ーを写し」〈今昔一三ノ一三〉

きゃうけ（キョウ）【京家】公卿の家。「ーの者共なれば、寝おびれて逃げたるよなど笑ひけり」〈盛衰記三〉

ぎゃうけい（ギョウ）【行啓】太皇太后・皇太后・皇后または皇太子のお出かけ。「めでたきもの。…后(きさき)の昼のー」〈枕八〉。「東宮ーあり」〈栄花音楽〉

きゃうげん（キョウ）【狂言】①気違いじみたことば。たわごと。「近来念仏の天魔きほひ来りて、かくの如きのーいで来り候ふか」〈法然上人行状絵図〉②ふざけたことば。ざれごと。「まさしく隆方がかかるーをこそ聞き候ひつれ」〈愚管抄四〉③能狂言。南北朝時代に発生し、室町時代に確立した、ものまねを伴うこっけいな対話劇。「鶯の鳥刺しのーを色くろ四郎二郎仕り候」〈空善記〉④狂言師。「ー、まご一」〈伽・鼠草子〉⑤歌舞伎狂言。歌舞伎芝居で演ずる劇。また、その脚本。「日向(ひうが)太夫座にておもしろきーいたすよし」〈大和守日記万治三・一〇・二一〉 **ーかた**【狂言方】《キャウゲンガタとも》①脚本の創作・改訂をなし、演出の補助をもする人。狂言作者。「狂言作者。また作り方とも、ーとも言ふ」〈戯場一覧〉②特に、下級の狂言作者。「ーとは四枚目・五枚目の作者にて」〈狂言作者心得書〉 **ーきぎょ**【狂言綺語】《白氏文集七一に、「願はくは今生世俗文字の業、狂言綺語の誤を以て、転じて将来世世讃仏乗の因、転法輪の縁と為む」とある》①道理に合わない言と巧みに飾った語。詩歌文章の類をいう。「ーの誤ちは、仏をほむる種として」〈梁塵秘抄二三二〉②歌舞音曲の類。「ーの戯れなりといへども、此の如く仏神三宝をも納受せしめ、鬼神をも平ぐる事、余道にすぐれたり」〈教訓抄七〉。「急ぎ衣冠を着しつつ、ーをなし給へ」〈謡・朝顔〉 **ーし**【狂言師】能狂言を演ずるのを業とする人。「ー兎太夫」〈糺河原勧進猿楽日記〉 **ーづくし**【狂言尽し】①能の狂言の上演。「十九日より堺七堂浜にて大倉彌太郎ー仕り候」〈宗静日記承応四・三〉②物真似狂言尽し。歌舞伎狂言のこと。「大坂ー見物申し候」〈宗静日記寛文三・一・二六〉 **ーばかま**【狂言袴】能の狂言師の用いる袴。紋尽しの模様がついている。「ーくくる」〈虎寛本狂言・宗論〉 **ーぼん**【狂言本】插絵(さしえ)入りで歌舞伎狂言のくわしい筋書をしるした刊本。元禄から享保にかけて流行した。「これは珍しい山村芝居のーぢゃ」〈伎・一心女雷師三〉

きゃうこう（キョウ）【向後】これから先。今後。「初めて知る、ー遙(はるか)なる事を」〈菅家文草一〉。「ーかかるわざすべからず」〈宇治拾遺一八四〉

ぎゃうこう（ギョウ）【行功】〔仏〕修行の功力(くりき)。「わづか三七日の念仏のーによって大往生を遂ぐ」〈発心集三〉

きゃうこく（キョウ）【頃刻】きわめて短い時間。「誠に千載一遇の忠貞、ー変化の智謀なり」〈太平記三・主上臨幸〉

きゃうごく（キョウ）【京極】平安京の東と西の両端をそれぞれ南北に通る大路。「しもつかたの（下京ノ）ーわたりなれば人げ遠く」〈源氏澪標〉

きゃうこつ（キョウ）【軽忽・軽骨】①軽んずること。軽蔑すること。「衆見てーするが如し」〈正法眼蔵行持上〉。「軽忽、キヤウコツ・ナイガシロ」〈伊京集〉②かるがるしいこと。かるはずみなこと。「近代の事過差有り、而うして斯の祿に於いて何ぞ更にーなるや」〈小右記治安一・七・二五〉③ばかげたこと。とんでもないこと。「発病すればーなる事を云ふものなるほどに」〈句書抄五〉

きゃうことば（キョウ）【京言葉・京詞】京都のことば。都の優雅なことば。京声。「辺国の詞にも理に叶ふ事あり。ーに悪(あ)しき事多きなり」〈見聞愚案記三〉

ぎゃうごふ（ギョウゴウ）【行業】〔仏〕①身・口(く)・意の三業(さんごふ)としての行為。「我、聖人のーを聞くに依りて」〈今昔七ノ一七〉②菩提・覚證を願う行。「汝ーなし。暫くも此(ここ)に留まるべからず」〈今昔一五ノ一〉

きゃうごよみ（キョウ）【京暦】京都の大経師・院経師が毎年刊行した暦。「ーは今日小〔ノ月〕にて、晦日(つごもり)也。〔奈良ノ〕幸徳井暦は大〔ノ月〕にて、明日晦日也。諸方一円京〔暦〕の通り也」〈多聞院日記元亀一・七・二九〉。「奈良〔暦〕・三島〔暦〕・ーをや三つの春」〈俳・大海集一〉

きゃうざう（キョウゾウ）【経蔵】仏教の経典を納めておく建物。経堂。「ーに納め奉らむ」〈栄花もとのしづく〉

ぎゃうさう（ギョウソウ）【行粧・行装】《カウサウとも》外出の時の装い。いでたち。「そのー、見物の貴賤、皆目を驚かせり」〈太平記四〇・中殿御会〉

きゃうざうり（キョウゾウリ）【京草履】淡竹(はちく)の皮で作り、ビロードなどで縁をとった、京都産の女子用草履。「浅黄緒のー」〈西鶴・俗徒然三〉

きゃうさく（キョウ）【景迹】⇒きゃうしゃく。「御ーあるべき也」〈日蓮遺文題目彌陀名号勝劣事〉

きゃうざく（キョウ）【警策】《馬を打って警(いまし)め、早く走らせる策(むち)の意。転じて、文章を立派にする、すぐれた一言の意》①詩文が、気がきいてすぐれていること。「ふみどもーに、舞楽、物のねどもととのほりて」〈源氏花宴〉②人柄や容姿が、きわ立って立派なこと。すばらしいこと。「げにいとーなりける人の御容面(ようめい)かな」〈源氏手習〉

きゃうざま（キョウ）【京様・京方】京都の方向。「つとめていと疾くーにのぼりければ」〈宇治拾遺九六〉

ぎゃうさん（ギョウ）【仰山】①数量や程度が甚だしいさま。「事ーに積もる大雪」〈俳・寛永十三年熱田万句三〉。「姿ー寠(やつ)れられけり」〈俳・伊勢山田俳諧集〉②おおげさ。「ーに、いかめしう物を言へども、ちっともそのしるしも無う」〈句双紙抄〉。「わごりょはーに物を言ひなすの」〈虎明本狂言・かなわか〉

きゃうし（キョウ）【強仕】《礼記、曲礼「人生四十日ㇾ強而仕」から》四十歳の異称。「礼のー、臣が歯(年齢)いまだその期に満たず」〈本朝文粋五〉

きゃうじ（キョウ）【経師】経文を書写し、また書写された経文を巻き物や折り本に仕上げる職人。後に書画・屏風(びょうぶ)・襖(ふすま)などの表装もしたので、その職人をもいうようになった。「ー四人を召して古麿がために法花経一部を写し奉らしむ」〈霊異記下三五〉。「源氏〔物語ノ〕表紙綴ぢ、ふづくる（修繕スル）。ー与一に〔米〕一石四斗にて申し付け了んぬ」〈多聞院日記天正三・一〇・二七〉

ぎゃうじ（ギョウ）【行事・行司】①行なう日取りや順序などが前もってきまっている行為。「前の服〔喪ノ〕期を改めて一年を以て限りとすべし。自余のーは一に前の勅に依れ」〈続紀天応一・二・二七〉②事を執り行なうこと。「主典已上、各職掌ありと雖も、ーに至りては必ず共に知るべし」〈続紀天平二・四・一〇〉③担当者。責任者。「鼓判官知康、軍のー承って」〈平家八・鼓判官〉④近世、町内または商人仲間の役員。町役人では、一月交代で名主または町年寄の仕事を補助する役で、月行事という。商人仲間では、仲間を代表し、一切の事務を執行する役で、月行司・年行司・定行司などの別があった。「町の年寄、月〔代リ〕のー」〈仮・吉利支丹退治下〉⑤相撲で、両者の呼吸を合わせ、勝負を判定し、勝名乗を授ける人。「入道出でてーに立たん」〈曾我一〉 **ーが貰・ふ** 相撲で、勝負が

決しない時、行司が引き分けにする。「ただ此の相撲、今日の━・ひ、割れ（引キ分ケ）に致し」〈浄・ゑしま物語下〉

ぎゃう・じ（ギョウ）【行じ】『サ変』①行く。「四方に各七歩を━・ぜさせ奉る」〈今昔一ノ二〉②仏道などを修行する。「仏法を我も━・じ、他人の━・ずるをも障碍せずして」〈沙石集八ノ二一〉③おこなう。する。「常に懺悔を━・ずるを以て業とす」〈今昔七ノ一六〉。「何につけても淫欲を━・ずべからず」〈孝養集中〉

きゃうしき（キョウ）【京職】令制で、京の行政・司法・警察をつかさどる役所。左京職・右京職に分れ、長官は大夫。「左右━及び諸国司に詔して、射習所を築かしむ」〈紀持統三年〉。〈色葉字類抄〉

きゃうしゃ（キョウ）【香車】①将棋の駒の一。やり。「━は将棋の駒にて、槍ともいふ」〈評判・吉原雀下〉。〈象戯馬法〉②〔遊里語〕遣手（やりて）の異称。「さて、━には酒など飲ませて、『約束の日は必ずむかひに来給へ』と言ひふくめて」〈評判・露殿物語〉

ぎゃうじゃ（ギョウ）【行者】①仏法を修行する者。修行者。「天魔波旬（てんまはじゆん）等、━をさまたげんがために」〈正法眼蔵発菩提心〉。「これは念仏の━一遍と申す聖にて候」〈謡・誓願寺〉②修験道の修行者。山伏などをいう。「葛木（かづらき）の一言主（ひとことぬし）の神は、この━に縛られて今に解けず」〈三宝絵中〉　**━かう**（コウ）【行者講】大和国大峰の蔵王権現に参拝する講中。山上講。「山上参りの━のと」〈近松・油地獄中〉

きゃうじゃうらふ（キョウジョウロウ）【京上臈】①京都の貴人。皇族・公家。「━かと覚しくて」〈太平記七・先帝船上〉②京都の貴婦人。また、京女。「信玄末子の娘、信虎━の娘、此のほか一門・親類の上臈」〈信長公記一五〉③稲の一品種。「━の田面の露は水穂かな」〈俳・旅衣集三〉。〈俳・和歌竹四〉

きゃうしゃく（キョウ）【景迹・還迹】①心ばせ。また、行状。「その━を悪（に）くみ、位祿を奪ふ」〈続紀神亀一・一〇・二三〉▽万葉集二九八三に、「景迹」をココロと読んだ例がある。②おもいやること。推察すること。「一事を申さば余の事は御━あるべし」〈沙石集七ノ一六〉。「━とは分別する事也」〈見聞愚案記三〉。「還迹、キャウシャク・ヲモヒヤル、又、日本紀ニハココロバセトヨム」〈色葉字類抄〉

ぎゃうずい（ギョウ）【行水】①潔斎のため、水・湯で体を洗い清めること。「只今御経は━も候はで読ましめ給へれば」〈古事談三〉②水や湯を浴びて汗を流すこと。「家中人人皆━也。風呂破損の間、此の如く也」〈師守記貞治二・二三・二九〉　**━ぶね**【行水舟】近世、碇泊船のいるあたりに漕いで行って、湯銭を取って舟人に行水させた舟。後に、水風呂を備えた据風呂舟や、浴室を設けた湯舟に発達した。「舟つきの自由させる━を拵（こしら）へ」〈西鶴・永代蔵六〉

きゃうすずめ（キョウ）【京雀】京都市中の事をよく知っている者。京鳥。「巣の内は雛（鄙ト掛ケル）の住居か━」〈俳・山下水二〉

きゃうぜん（キョウ）【饗膳】客をもてなす御馳走の膳。「いかめしき魚物の━を調（とと）のへて」〈今昔二六ノ三四〉

きゃうぞめ（キョウ）【京染】京都で染めること。また、その染色鮮やかな染物。「━等の小袖」〈太閤記二〉

きゃうだい（キョウ）【兄弟】兄と弟と。「━ともに出仕あらばいかにめでたからん」〈平家三・公卿揃〉　**━は他人の始まり**　血縁でも、兄弟は利害関係などから、情愛も薄らいで他人のようになる、の意。「━と伝へし」〈浄・惟喬惟仁三〉。〈俳・世話尽二〉

きゃうだい（キョウ）【鏡台】鏡をかける台。「御鬢（びん）掻き給ふとて━に寄り給へるに」〈源氏須磨〉

ぎゃうたい（ギョウ）【行体・行躰】修行のかたち・方法。「それ沙門抖擻（とそう）の━は、山伏修行の便りなり」〈謡・黒塚〉

きゃうだう（キョウドウ）【経堂】寺中で、経典を納めて置く堂。経蔵。「━の脇にて槍突きありとなり」〈言国卿記文明六・七・二六〉

ぎゃうだう（ギョウドウ）【行道】仏像や仏堂の周りを右廻りにめぐり歩くこと。敬礼（きやうらい）の心を示す。「手の上に熾（おき）を置き、香をたきて、━し」〈霊異記下三六〉

きゃうだん（キョウ）【京談】京言葉。「東人の━を無理に似せたるは、殊の外に聞き難きものなり」〈評判・吉原雀下〉

きゃうだん（キョウ）【郷談】方言。俚言（りげん）。国訛り。「我年老いて、故郷の家舎をば忘れて、久しく他国に在る程に、子供も━を変じ、〔故郷ノ〕蜀音を変じて、楚音となるぞ」〈四河入海一四ノ四〉。「までや。玉鬘巻。…筑紫━也」〈類字源語抄〉。〈文明本節用集〉

きゃうぢう（キョウジュウ）【京中】都の中。洛中。「━の家家には門戸を閉ぢ」〈保元上・新院御謀叛思し召し〉。〈易林本節用集〉

ぎゃうぢうざぐゎ（ギョウジュウ）【行住坐臥】仏教でいう四威儀、すなわち、行くこと、とどまること、坐ること、臥すこと。日常の起居動作すべて。「━にこの経を読む人あらば」〈梁塵秘抄一六九〉

きゃうちゃく（キョウ）【京着】京都へ着くこと。「四月の末に━し」〈古活字本平治下・長田義朝討〉

きゃうぢょらう（キョウロウ）【京女郎】《「京上臈（きやうじやうらふ）」の転》①京都の身分の高い婦人。また、京女。「誠に━の風俗なり」〈評判・野良役者風流鑑下〉②稲の一品種。「女は菩薩と言ふや稲の━」〈俳・旅衣集三〉

きゃうづくえ（キョウ）【経机】仏前で読経の時、経文を載せる机。「━五十八前を立て、黄色紙墨字大般若六十帙を並びに安んず」〈兵範記仁平二・三・六〉

きゃうづくり（キョウ）【京作り】京都風の民家建築。通り土間、片側式の間取りで、店の奥に座敷・内庭・土蔵などをつくる。「居宅を━の普請」〈西鶴・永代蔵三〉

ぎゃうてん（ギョウ）【仰天】非常に驚くこと。「国国災禍旁起し、貴賤━す」〈小右記寛仁二・八・三〉

ぎやうでん（ヨウ）【宜陽殿】内裏殿舎の一。紫宸殿（ししんでん）の東、綾綺殿（りようきでん）の南、春興殿（しゆんきようでん）の北にあり、九間四面、母屋は納殿（をさめどの）で、御物を納める。「天皇、…親王以下に飲（をしもの）を━の西廂に賜はる」〈三代実録貞観八・一・二〉

きゃうと（キョウ）【京都】①帝都。「〔恭仁京完成シ〕━新たに遷れるを以て天下に大赦す」〈続紀天平一三・九・八〉②平安京。桓武天皇の平安遷都から明治遷都までの都。「其の勢五百余騎、明くる三日卯の刻に、━に聊かの煩ひも成さず、浪風も立てずして下りにけり」〈平家一二・判官都落〉。「奥州より━へ罷り上り候とて、信州を通り候」〈寿斎記〉　**━しょしだい**【京都所司代】江戸幕府の職名。京都に在勤し、朝廷との交渉、京都御所・京都市中の警備を行ない、京都・伏見・堺・奈良各奉行等に指令し、皇室・公卿・西国諸大名を監視し、京都諸役人、二条城の城代・城番等を支配した。譜代大名が任ぜられ、老中に次ぐ重職。「板倉四郎右衛門勝重は━たるにより」〈厳有院殿御実記慶長八・二・一二〉

ぎゃうとく（ギョウ）【行徳】仏道修行の結果そなわった徳。修行の功徳。「面面の霊験・━、さのみは注しがたし」〈十訓抄一〇ノ五六〉

きやうと・し『形ク』⇒けうとし。「身振り―・くて嫌なり」〈評判・野良三座詫〉

ぎやうにん【行人】①行者。修行者。「山の中に―ありと」〈三宝絵上〉②比叡山で、雑役を主とする僧の称。堂衆。「近年、―とて、大衆をも事ともせざりしが」〈平家二・山門滅亡堂衆合戦〉③高野山で、学問に専心する学侶に対し、雑役に従事した下級の僧。「七月以来、高野衆徒〔ト〕―〔ト〕確執し、衆徒悉く離山す」〈満済准后日記永享二・一〇・一〇〉④乞食僧。鳥足の高木履をはき、頭に水桶をのせ、首に鉦をかけて、往来の人に銭を乞う。〈俳・毛吹草三〉

きやうねんぶつ【経念仏】読経し念仏をとなえること。「かやうに―して弔ひ候へば」〈謡・松風〉

きやうのぼり【京上り】地方から京都へ行くこと。「京下り」の対。「送りに―すとて」〈今昔二六ノ一六〉

きやうばい【向背】仲違い。「あら無慙や、九郎判官と―し給ふ事理かな」〈義経記六〉。〈色葉字類抄〉

きやうばこ【経箱】経文を入れておく箱。「仏(仏像)・―・帙簀のととのへ(飾リ)」〈源氏若菜上〉

きやうはごいた【京羽子板】胡粉を塗った板面に殿上人・内裏女房などを描き、金・銀箔を押した、京都特産の笏形の羽子板。内裏羽子板。「正月のけしき、―、玉ぶりぶり細工」〈西鶴・胸算用五〉

きやうはぶたへ【京羽二重】京都西陣産の最上の羽二重。「金襴や―の常陸帯」〈俳・昼網上〉

きやうびと【京人】都の人。「―は、なほ、いとこそみやびかに今めかしけれ」〈源氏宿木〉

きやうびな【京雛】京都製の雛人形。仕立てが美しいので喜ばれた。「くげひひな」とも。「冠して(元服シテ)奈良の―の節句かな」〈俳・智恵袋二〉

ぎやうぶ【行歩】歩くこと。歩行。「身に病つきて―する事あたはず」〈今昔一三ノ二〇〉

ぎやうぶ【刑部】「刑部省」の略。「過失ある者は、―、律に依りて推断せよ」〈続紀大宝三・一一・一六〉 **―きやう**【刑部卿】刑部省の長官。「従四位上竹田王を―と為す」〈続紀和銅一・三・一三〉 **―しやう**【刑部省】令制における八省の一。訴訟の裁判、罪人の処罰をつかさどる役所。「承前の例、―を訓じて訴訟之司と号く」〈三代実録貞観七・三・七〉

きやうふう【驚風】《近世前期、キャウフとも》小児の脳膜炎・痙攣質などの総称。「小児には鬼の面などをも見すべからず。それを見て恐るる心あれば、―といふ病を生ず」〈慰草四〉

きやうぶく【軽服】《「重服」の対》軽い服喪。また、その時に着用する服。「后の宮の〔叔父ノ死ニヨル〕御―の程は、なほかくて〔実家ニ〕おはしますに」〈源氏蜻蛉〉

きやうぶくろ【経袋】経巻を入れておく袋。「―に一紙の書有り」〈今昔一七ノ一四〉

きやうへんど【京辺土】京に近い田舎。京都近在。「都辺土。「―の事ならば、幾度も見たいが病で、知らぬと言ふ処は無し」〈咄・醒睡笑六〉。〈日葡〉

ぎやうぼふ【行法】〔仏〕①仏道の修行。「いよいよ―怠らずして」〈今昔一九ノ二八〉②密教では、修法・密法と同義に使い、十八道・胎蔵界・金剛界・護摩の四法を伝授する行をいう。「四度加行」とも。「また、真言の密法を受けて、日ごとの―怠らず」〈今昔一三ノ二九〉

きやうま【京間】主として関西地方で行なわれる、室の広さを計るに用いる尺度。曲尺六尺五寸を一間とする。また、六尺三寸とするものもいう。後、単に長さを計る時にも使う。「御閑所(便所)を―六畳敷になされ」〈甲陽軍鑑一〇下〉。「本町通は―七間に前前より相定め候間」〈正宝事録明暦三・四・五〉

きやうます【京枡・京升】京都で作られ使用された一升枡。天正頃から広く行なわれ、その容積は一定していなかった。「京判」とも。「―二升七合三勺〔ノ米〕」〈醍醐寺文書九、元亀三・一三〉。「―は口五寸四方、深さ二寸五分」〈割算書〉▽寛永八年板の塵劫記には「当代の升、広さ四寸九分、深さ二寸七分」とある。

きやうもん【狂文】⇒ひやうもん(2) 「当色いろいろの―色を尽す」〈曾我四〉。〈文明本節用集〉

ぎやうや【行屋】仏教・修験道などの行をする小屋。「―に、入る月出づる日を考へ」〈浄・暦三〉

ぎやうやくじん【行疫神】疾病・流行病の神。「この多くの馬に乗れる人は―に在します」〈今昔一三ノ三四〉

きやうよう【饗応】《ヨウは漢音》①もてなし。「家にゆきたれば見つけて、いみじく―して」〈宇治拾遺三三〉②とりつくろい。迎合。「〔不快ダト思ッタガ〕―し申して〔投ゲラレタ金ヲ〕取りあらそひけり」〈大鏡道隆〉 →きやうおう

きやうよむとり【経読む鳥】《鳴き声が法華経と聞えるのでいう》鶯の異名。経よみどり。〈俳・増山の井〉

きやうらい【敬礼】①うやまって礼拝すること。「太子、今、父の王を―し給ふべし」〈今昔一ノ二〉②神仏に祈願する時、神仏の名の上につける語。「―救世観世音、伝燈東方粟散王と申す程に」〈三宝絵中〉

ぎやうりき【行力】仏道・修験道などの修行を積んで得た威力。「客僧の余りに―を慢じ給ふほどに」〈虎明本狂言・蟹山伏〉。〈文明本節用集〉

きやうろく【京六】下等な繻子の帯地。「―の幅広帯」〈西鶴・諸艶大鑑一〉

きやうろん【経論】仏の説いた経と、それを祖述した論と。「或いは―を説きて永く法の燈をかかげ」〈三宝絵下〉

きやうわく【狂惑】心が狂い惑うこと。「やがて―になりて流されにき」〈愚管抄六〉

きやうわく【誑惑】人をだまし欺くこと。「―不善の勧めにあらず」〈盛衰記一八〉

きやうわらはべ【京童部】京都の市中の(無頼の)若者ども。大層うるさいものとされた。「博打・翁召し集めて」〈宇津保藤原君〉 ―・嫗・―・翁召し集めて」〈宇津保藤原君〉

きやうわらべ【京童】「きやうわらんべ」の転。「―といさかひをしける」〈古本説話四九〉

きやうわらんべ【京童】「きやうわらはべ」の転。「―どもといさかひをしけり」〈宇治拾遺九五〉

きやうゑ【経会】経文を書写し、神仏の前に供えて営む法会。「中二日御逗留ありて―舞楽行なはれけり」〈平家四・還御〉

きやうをんな【京女】京都の女。優美と称される。「―一仔細有るは、此処に立ち重なり」〈西鶴・男色大鑑六〉 ↓あづまをとこ

きやきや 危ぶんで心を痛めるさま。ひやひや。「胸は―比叡の山陰」〈俳・鷹筑波五〉

きやく【格】⇒きやくしき(1) 「五世の王の朝服、―に依りて始めて浅紫を着す」〈続紀慶雲三・二・二五〉

きやくあん【客庵】貸座敷をする遊山寺。「生玉下寺町の―を借りて」〈西鶴・胸算用二〉

ぎやくえん【逆縁】〔仏〕《「順縁」の対》①仏道に背いた結果がかえって仏道に入る縁の意

因縁となること。「―朽ちずして、かへって得道の因ともなる」〈平家二・重衡被斬〉 ②順当でない縁。死者に縁のない人が死者を弔うこと。かりそめの縁で弔うこと。「―ながら弔ひて通りてこそ候へ」〈謡・松風〉 ③生きているうちに、自分の死後の供養をすること。「彼の西天の貧女が、一衣の僧に供ぜしは、身の後の世の―」〈謡・自然居士〉

ぎゃくざ【逆座】上座へ背を向けて坐ること。「中程に―して」〈西鶴・新可笑記五〉

きゃくしき【格式】①格と式と。律令を補完する規定。格は、律令の条文の改訂や補充を詔勅や官符で制定した法。式は、役所や行事についての具体的な施行細則。「宜しく養老三年の―に依て…すべし」〈続紀宝亀二・一〇・二六〉 ②身分・家柄などによって決まっていた服装・乗物・住居など。「兵仗を給はって宮中を出入するは、みな―の礼をまもる」〈平家一・殿上闇打〉

ぎゃくしゅ【逆修】〔仏〕生前にあらかじめ死後の幸福を祈って仏事を行なうこと。「関白(道隆)東三条に於いて―仏事を行なふ」〈百錬抄正暦五・一〇・二〉

きゃくしん【隔心】うちとけない心。へだて心。「すべて友をかたらふに―なきを徳とす」〈十訓抄五序〉。〈文明本節用集〉

きゃくそう【客僧】①旅の僧。「衆僧その家に集会せる中に一人の―あり」〈今昔七ノ二八〉 ②山伏。「―たちへかくと申しければ」〈義経記七〉。「これは出羽の羽黒山の―にて候。三つのお山に参詣申し候」〈七十一番歌合〉

きゃくでん【客殿】貴族の邸宅、寺院などで、客に応接するために作った殿舎。「公家より御使者ありけるに―にして御返事申して」〈梵舜本沙石集一〇末ノ三〉

ぎゃくと【逆徒】謀叛する者達。反徒。「潜(ひそ)かに―を結び、謀りて宗社を傾けむとす」〈続紀天平宝字一・八・一八〉

きゃくぶん【客分】①客としての取り扱い。また、その取扱いをうける人。「うはべばかりを―にて、止め申せし謀」〈近松・吉野忠信三〉 ②正式の婚礼をしない前に、婿の家に来ている娘。「―と言はるる女立ちのまま(普段着)」〈雑俳・万句合宝暦一〇〉

ぎゃくへい【瘧病】「おこり」に同じ。〈色葉字類抄〉

きゃくほっく【客発句】連俳で、客が発句を詠み、脇句を主人が詠むのを作法とすること。客人発句。「―・亭主脇」〈俳・世話尽一〉。「初花のさく意もがもな―」〈俳・塵塚(重徳編)下〉

ぎゃくほん【逆反】反逆。謀反。「―の者を退け」〈平家四・鵼〉

きゃくや【客屋】客をあげて遊興させる茶屋。色茶屋・陰間宿など。「一切の―の商売は、年中摑(つか)み取も有るやうに思へど」〈浮・男色歌書羽織四〉

きゃくやど【客宿】芝居見物客などの世話をする茶屋。「―も中中合ひ申さず(モウカリマセン)」〈西鶴・文反古四〉

きゃくらい【客来】客の来訪。来客。また、客。「客人・―の営(まかなひ)、東国・北国の上下の送り迎ひに」〈本福寺跡書〉。「『何か、都のお―、芸を一つ』との御所望なり」〈伽・小栗絵巻〉

きゃくりき【脚力】飛脚。「同じく十三日、宇佐大郡司公通(きんみち)が―とて六波羅に着く」〈盛衰記三六〉

きや・し【消やし】『四段』《消エの他動詞形》消えさす。消す。「魄(たましひ)を真彩に失(きや)して」〈地蔵十輪経一・元慶点〉

きゃしゃ【花車・華奢】①上品で優雅なこと。「越前三位通盛。これこそ又、―なる人にて物したまへ」〈平家花ぞろへ〉。「近頃―な詩なり」〈中華若木詩抄上〉 ②ほっそりとして上品なこと。「この女は、地体が―に育ちたる者ぢゃほどに」〈三体詩抄二ノ二〉 **―あきなひ**(アキナイ)【花車商ひ】上等な奢侈品を扱う商売。「鮫(さめ)・書物・香具・絹布、かやうの―は」〈西鶴・永代蔵六〉 **―だうぐ**(ドウグ)【花車道具】遊芸・身だしなみに使う上品な道具。「また―など遣(や)りたるが嬉しいか」〈評判・難波鉦三〉

きゃたつ【脚榻・脚蹈】木製の踏台。脚の部分が紙屑箱を兼ねるものもあった。継足台。「倚子(い)に―を副(そ)へたり」〈禅林小歌〉。〈文明本節用集〉

きゃつ【彼奴】『代』《カ(彼)ヤツの転》第三者を罵っていう語。あいつ。「さ候へばこそ、―が面魂ただ者とは見候はず」〈平家八・妹尾最期〉。「今の代に、人を罵(の)る時は―と云ふ也」〈御書抄四〉 **―ばら**【彼奴ばら】『代』「きゃつ」の複数形。あいつら。「―は自然の御用に立つべき者にて候」〈義経記八〉 **―め**【彼奴め】『代』「きゃつ」をさらに卑しめていう語。あいつめ。「いかにも―を追ひ出して」〈伽・万寿の前〉

きゃはん【脚半・脚絆・脛巾】旅行などの時、すねにつけるもの。はばき。「―に編笠を着」〈盛衰記一九〉。「脚半、キャハン、或作二脚絆一」〈文明本節用集〉

きゃふ【脚布】①入浴の時、腰部にまとう布。〈庭訓往来十月日〉 ②女の腰巻。湯文字。ふたの。「女の朝夕肌を離さぬ―を取って」〈室町殿日記一〇〉。〈文明本節用集〉 **―で縛(ばし)・る** 妻が夫を脚布でしばるほど嫉妬し、狂う。「悋気(りんき)の余り―・らる」〈俳・通し馬下〉

ぎゃへい【瘧病】「ぎゃくへい」の転。「―日を重ね、すべて落ちざりけり」〈雑談集七〉。〈明応本節用集〉

きやまひ(キヤマイ)【黄病】黄疸(おうだん)。「『あまりに色の黄に見え給ふ、いかなる事ぞ』など申し出したりしを、あやしとて医師に見せたれば、―といふ事なり」〈問はず語り一〉

ギヤマン 近世、ガラス、またはガラス製品の称。「〔文化年間〕―の諸器物を製し始む。其の製船来の物に変らず」〈武江年表七〉 ▽ポルトガル diamante・オランダ diamant

きやみ【気病み】あれこれとひどく心配すること。また、くよくよ思い詰めてなる病気。「所詮、執筆(しゅひつ)は書き付くるまでの役者たる間、句の善悪の―無益(むやく)也」〈無言抄下〉。「恋を―になされ」〈日葡〉

きゃもじ【きゃ文字】華奢(きゃしゃ)の文字詞。「―なる若衆数多集め候て」〈上杉家文書三、永祿二〉

きゃら【伽羅】《梵語の音訳》①香木の名。沈香(ぢんかう)。「その色上品(じゃうぼん)の―の如くなり」〈バレト写本〉 ②沈香からとった黒いつやのある優良な天然香料。「伽羅、キャラ、香の名」〈文明本節用集〉 ③よいものを賞めていう語。「立ち姿世界の―よ今日の春」〈俳・隠蓑上〉 ④遊里で、金銀の隠語。「―と言ふより早く、金銀の事と悟也」〈評判・寝物語〉 **―ざいく**【伽羅細工】紫檀(したん)・白檀(びゃくだん)・沈香などの香木で種種の細工物を作ること。また、それを作る人。「―の甚五郎様はこなたかと、くぐり明くれば」〈近松・女腹切下〉 **―さま**【伽羅様】人をほめていう語。りっぱな人。「袖ふれしいづこの―梅の花」〈俳・隠蓑上〉 **―と大食(たいしょく)** 全く異なったもののたとえ。「各別の違ひ、―ほどなるべし」〈浮・日本好色名所鑑三〉 **―のあしだ**【伽羅の足駄】近世前期、ぜいたくな遊興人がはいたという、伽羅で作った足駄。また、ぜいたくのたとえ。伽羅の下駄。「―に鹿ぞ鳴くなる」〈俳・江戸広小路下〉 **―のあぶら**【伽羅の油】近世初期創製された鬢付(びんつけ)油の一。唐蠟(とうろう)・胡麻油・杉脂(すぎあぶら)

を煎じ煉り、龍脳・桂心・藤黄などを混ぜ加えたもの。初めは男が髭・鬢につけ、後に女も使うようになった。「薫れるは—か花の露」〈俳・玉海集一〉 **—のじ**【伽羅の字】遊里で、金銭の隠語。「明くる春の使とて、—遣はすべし」〈評判・吉原雀上〉 **—のまくら**【伽羅の枕】引出しがあって、その中で香をたく仕掛けの木枕。また、ぜいたくのたとえ。「自然と焼け止まりたる—物語ぞかし」〈西鶴・好色盛衰記四〉 **—もの**【伽羅者】世辞の上手な者。世辞者。「世事(世辞)を言ふといふ事を伽羅を言ふ、世事者を—と言ふ者有りし」〈用捨箱中〉

きやり【木遣り】①大木・大石などを運ぶ時や石突(いしづき)の時に、音頭を取り、人足を励ます役の者。「—。大木・大石を引くに力をつけ、勢ひをかけて勇むるの役人なり」〈人倫訓蒙図彙三〉②(1)が歌う一種の俗謡。後には祭礼で山車(だし)を引いたり、行列が行進する時などにも歌われた。木遣歌。木遣音頭。木遣節。「—の音頭取り」〈太閤記七〉 **—おんど**【木遣音頭】「木遣り」(2)に同じ。「来る春は—でたった今」〈俳・わたし船〉

きゃん【俠】《唐音》任俠の気概に富み、言動の威勢がよいこと。また、その人。女にもいう。「—ななりふり嬉しがり」〈いろは短歌〉

きょ 強く驚愕するさま。ぎょっ。「朱雀門のくづれは世の人も—と思へり」〈愚管抄六〉

きょ【挙】推挙。「諸司の—に依りて式部卿従三位藤原朝臣宇合(うまかひ)…等六人を擢(ぬ)きて、並びに参議となす」〈続紀天平三・八・一一〉。「昔は、前(さき)の〈蔵人ノ〉頭の—によりて、のちの頭はなることにてはべりしなり」〈大鏡伊尹〉

きょ【虚】《「実(じつ)」の対》①すき。「敵の油断する—を見すまして」〈孫子私抄〉②うそ。いつわり。「困窮して、おのづと道にそむき、人の心—になって実を失ひ」〈西鶴・新可笑記三〉。〈日葡〉

きょ【裾】「したがさねのしり」に同じ。「裾、キョ・キヌノシリ、衣下也、又コロモノスソ」〈色葉字類抄〉

ぎょ【御】《接頭》①尊敬の意をあらわして冠する語。「—意」「—慶」など。②特に、天皇・上皇などに関する事物に、敬意をあらわして冠する語。「—遊」「—感」「—製」など。▽「御」の字の中国の発音は唐代では ŋgö という音だった。奈良時代の日本には gö という音があったから、中国語の ŋgö は、その gö で発音していた。しかし、日本語の gö の音は、平安時代には、奈良時代の gö に合流して消えてしまったので、「御」の字も gö(ゴ)と読むようになった。ところが平安時代の初めに中国語の音を忠実に発音しようと努力していた学者や学生たちは、中国語の ŋgö の音に近い感じを表わすために、ゴでなくギョという発音をした。そこで、「御」の字は、古い系統のゴというよみ方と新しいギョというよみ方との二つをもつようになった。

ぎょい【御衣】天子の衣服。「恩賜の—今ここに在り、捧げ持ちて毎日余香を拝す」〈菅家後集〉

ぎょい【御意】①おぼしめし。御心。「『ただ—にこそ』と申しければ」〈保元中・為義降参〉②御指図。御命令。「何れも叶ふまじきとの—にて候はば」〈太平記五・大塔宮〉 **—に合・ふ** おぼしめしに叶う。御気に召す。「囃(はや)しやう、—・ひて」〈言国卿記文明七・一・一四〉 **—に入・る**「御意に合ふ」に同じ。「—・らば今参りかや二十日草(牡丹)」〈俳・犬子集三〉 **—に懸けら・る** お心遣い下さる。「御茶一ぷく給はれ。もみぢ(紅葉ヲ「濃う良う」ト掛ケル)にたてて—・れよ」〈咄・昨日は今日上〉 **—を・得(う)** ①おぼしめしを承る。お考えをうかがう。「—・え、内内洩らし申さるべく候なり」〈庭訓往来七月五日〉②御目にかかる。「大名高家の人人、我先にと—・えらるべし」〈戴恩記上〉

ぎょいう【御遊】天皇や貴人などが催す遊び。「その頃の主上は—を旨とせさせ給ひて」〈平家二・六代被斬〉

きよう【器用】①器が用いられて役に立つこと。転じて、学問・才知にすぐれていること。賢いこと。「学問世に越えて—なり」〈義経記三〉。「あの業人(ごふにん)の畜生の人でなしの腹から、このやうな—な子を何として産み出した」〈近松・鑓権三下〉②手先のわざに巧みなこと。「筆の—に見ゆる文面」〈俳・花月千句下〉③いさぎよいこと。「もっとも—な白状」〈近松・淀鯉下〉④容貌。器量。「—・骨柄、尋常なる人かなと感じけり」〈伽・猿源氏草紙〉 **—じん**【器用人】才能があり、技芸などに長じている人。器用者。「敵味方の大将、同じ程の—にて」〈孫子私抄〉。「かかる—の有る事、此の所の外聞(ぐわいぶん)と皆人もてはやせば」〈西鶴・織留一〉

きょう【凶】《「吉」の対》①縁起のよくないこと。不吉。「諱辰(忌ムベキトキ)には—を掌り、祭日には吉に預れり」〈続紀天応一・六・二五〉②悪。また、悪人。「寇(あた)を斬り、—を滅す」〈続紀神護景雲一・三・一七〉

きょう【興】《物に触発されて、気持が、ふっと起ること》①漢詩の六義(りくぎ)の一。ある事物に比喩を借りて、かるく感想を述べるもの。和歌の六義では、古今集仮名序にこれを「たとへ歌」としている。「和歌に六義あり。一に曰く風、…四に曰く—」〈古今真名序〉。「—。たとへ歌の心」〈ささめごと上〉②物を見聞きして、ふっと面白く思うこと。興味。「御物語は少しばかりにて、花の—に移り給ひぬ」〈源氏藤裏葉〉。「平家の人人都うつりもはや—さめぬ」〈平家五・早馬〉③ちょっとした遊び。「晩頭参内す。…聊(いささ)か小弓の—有り」〈中右記長治一・四・四〉④たわむれ。座興。「酒を勧めて強(し)ひ飲ませたるを—とする事」〈徒然一七五〉

ぎょう【御宇】その天皇が天下を治めた御代(みよ)。「昔鳥羽院の—に」〈平家一・祇王〉

きょうがい【凶害】人に害を与えるような行為。「もとより心風流(ふりう)にして、永く—を離れたり」〈今昔二〇ノ四二〉

きょうが・り【興がり】《四段》①興味深く思う。おもしろがる。「この滝は様(やう)がる滝の、—・る滝の水」〈梁塵秘抄二四〉。「いでや、—・り。未だ見ぬ事ぞ」〈発心集三〉②ふざけている。ひょうきんである。「竹斎とて—・る痩せ法師一人あり」〈仮・竹斎上〉③あきれかえる。「武継興覚め顔にて、して、只今の訴へは拙者が事にて候ふか。さて—・る事」〈浄・亀谷物語五〉

きょうくゎうきんげん【恐惶謹言】書状の終りに書き、相手に対する敬意をあらわす慣用語。「恐惶謹んで申す」「恐恐謹言」とも。「書紙に尽さず。併しながら省略せしめ候ひ畢んぬ。義経—」〈平家一一・腰越〉

ぎょうくゎしゃ【凝華舎】⇒うめつぼ。「第十四親王成明、—に於て初めて御註孝経を読む」〈日本紀略承平二・二・二三〉

きょうげん【興言】①発言。「殿上の口より退出す。左将軍、留むべきの—有り」〈小右記寛弘二・一・一八〉②冗談。「男女老少…或は交会淫色の事を談ず。是を以て心を慰めんとし—とすることあり」〈正法眼蔵随聞記二〉

きょうさめがほ【興醒め顔】興のさめた顔。面白くない顔つき。「継母(ままはは)御前、とかくうちまぎらはし、—にて、物ささやきなどして」〈伽・花世の姫〉

きょうじ【凶事】不吉な出来ごと。縁起の悪い出来ごと。「葬礼節(さだめ)なく、—あるごとに例多く殉埋す(殉死シテ

埋メタ)」〈続紀天応一・六・二五〉

きょう・じ【興じ】〘サ変〙おもしろがる。はしゃぐ。「風吹かず、かしこき日なりと—・じて」〈源氏若菜上〉

ぎょうだう【凝当】ウド さかずきの底に残った酒をこぼすこと。「『盃のそこを捨つる事はいかが心得たる』と或人のたづねさせ給ひしに『—と申しはべるは、当(こ=底)に凝(こ)りたるを捨つるにや候ふらん』」〈徒然一五八〉

きょうぢょ【興女】遊興の相手になる女。遊女。「—は…少し勿体(もったい)も付け、むつかしく見せて、物数言はぬこそ良けれ」〈西鶴・一代女一〉

きょうと【凶徒】悪逆の徒。悪者ども。謀叛人。「慮(おもんぱか)はざる間に、—逆(さかしま)をなすものあり」〈続紀天平宝字一・閏八・一七〉

きょうゐ【興委・興違】興醒め。不興。「公任卿遅参し、詩を出さず。太相府頻りに催さるるを以て、頗る—の気あり」〈小右記寛仁二・一・二一〉

きよがき【清書き】㊀〘名〙清書(せいしょ)。「五十首の和歌をよみたりけるとて、—もしあへず下されたり」〈十六夜日記〉㊁〘きよが・き〙〘四段〙清書する。「千首〔和歌〕、百首づつ取りわかちて、皆—・かる」〈春のみやまぢ〉

ぎょかん【御感】天子の感心・賞讃すること。「上皇すこぶる—ありけり」〈古事談四〉

ぎょき【御忌】①天皇や貴人などの忌日に行なわれる法会。「中の関白の—に、法興院に籠りて」〈撰集抄三ノ六〉②正月十九日から二十五日まで、京都知恩院で行なわれる法然上人の忌日にちなむ法会。京都の一年間の遊覧の最初なので、「弁当始め」ともいった。参詣する時は新調の着物を着、これを「御忌小袖」という。他の浄土宗の寺院でも行なわれた。法然忌。「正月二十五日、法然の—を拝せんと」〈咄・醒睡笑七〉

ぎょき【御記】天皇や貴人などの記したもの。「吉平が自筆の占文の裏に書かれたる—、近衛関白殿にあり」〈徒然一六三〉

きょきょねん【去去年】一昨年。「—東国の勢を催し立てて」〈太平記三七・畠山入道〉

きょく【曲】①節(ふし)。調子。「太上天皇を佐保山陵に葬り奉る。…笛人をして行道の—を奏せしむ」〈続紀天平勝宝八・五・一九〉。「—をつけて語りけるほどに」〈伽・乳母草紙〉②音楽などの段落。「—終へて人見えず」〈謡・一角仙人〉③面白み。張り合い。「然らば宇治へ参じても—なし」〈明徳記上〉。「洞庭は景の道地ぢゃ程に、風が立たずしてこそ面白かるべけれ、風が立っては—もあるまじきぞ」〈本則抄三〉④変化のある技(わざ)。技芸のあや。「人は這ひ這ひ渡る橋桁を、是等二人は大長刀を打ち振って跳り跳り—を振舞ってぞ来りける」〈承久記下〉。「地鞠をとうど蹴いで、始めから—はなるべからず」〈耳底記〉⑤他の語に冠して、曲芸的な、の意をあらわす。「—舞」「—抜き」「—弓」「—剝(む)き」など。「〔馬島〕宗寿へ茶湯させ候ふて慰み候。…種種—灰どもならし候ふて見せられ候」〈上井覚兼日記天正一一・三・一〉 **——も無・い** ①おもしろくもない。つまらない。「ただ一人では—・いぞ」〈三体詩抄一ノ三〉②情がない。すげない。「さてさてわごりょは—・い」〈虎明本狂言・武悪〉

ぎょくい【玉扆】〘中国で天子の用いたついたて〙天子の御座。玉座。「—日臨んで文鳳(鳳凰ノ模様)見ゆ」〈和漢朗詠集帝王〉

ぎょくがん【玉顔】天子の御顔。天顔。龍顔。「一生空しく—に近づかせ給はず」〈太平記一・立后〉

ぎょくざ【玉座】天子の御座席。おまし。「呉王の—に近付き」〈太平記四・備後三郎〉

きょくじゃみせん【曲三味線】三味線を曲芸的に弾くこと。「—や調べ初めけん」〈俳・難波風〉

きょくすい【曲水】⇒ごくすい。〈下学集〉

きょくすまひ【曲相撲】マイ 曲芸的に相撲を取ること。「目には見て手に取られぬや—」〈俳・夢見草三〉

ぎょくたい【玉体】天子の御からだ。「—に御つつがもましまさざれども」〈保元上・後白河院御即位〉

きょくだいこ【曲太鼓】面白く曲芸的に太鼓を打つこと。「常に見たきは—」〈俳・それぞれ草上〉

ぎょくでん【玉殿】玉をちりばめたように美しい宮殿。「東院の—新に成れり。…時の人これを玉宮といふ」〈続紀神護景雲一・四・一四〉

ぎょくと【玉兎】〘月の中に兎が住むという伝説から〙月の異称。「—昼眠る雲母の地」〈謡・俊寛〉

きょくな・し【曲なし】〘形ク〙面白くない。つまらない。情がない。「あはれなる言(こと)も、人の耳に入らでは—・し」〈毛端私珍抄〉。「一日も花がなければ、春とても—・いぞ」〈中華若木詩抄中〉

きょくのみ【曲飲み】滝飲みなどのように、曲芸的に酒を飲むこと。「—の酒や心の花の滝」〈俳・佐夜中山一〉

きょくのり【曲乗り】「曲馬」に同じ。「当座の—に、肌背〔馬〕に乗りて見せばや」〈伽・小栗絵巻〉

きょくば【曲馬】馬に乗って走らせながら、種種の曲芸をすること。「馬乗—仕り候ふ処」〈上井覚兼日記天正三・一・九〉

ぎょくはい【玉佩】即位・大嘗会・朝賀の大礼に、天皇や王臣の礼服に添えた飾り。五色の玉を鎖で金銅の花形につなぎ、胸から沓の先まで垂らす。天皇は左右に、王臣は右方に垂らす。「おもの」とも。「御前の左右の御脇に—とて玉を貫きてつけられたり」〈中務内侍日記〉

きょくばち【曲撥】①いろいろ変化をつけて面白く太鼓を打つこと。曲太鼓。「—など打つが如し。面白き事言ふに堪へたり」〈仮・御伽物語三〉②歌舞伎の下座音楽の一。太鼓・大太鼓・竹笛で演奏し、にぎやかな幕開きや、人物のあわただしい引っ込みなどに使う。「てんつつに—をかむせて幕明く」〈伎・大商蛭小島三〉

きょくびき【曲弾き】三味線・琴などを曲芸的に弾くこと。「—の千手三味線はづませて」〈俳・安楽音四〉

きょくひつ【曲筆】まともでなく、戯れて字形などを奇妙に書くこと。また、その文字。「—は大方人や嫌ふらん」〈俳・鷹筑波一〉

きょくほ【曲浦】曲がりくねった海岸。「長汀の月に心を傷ましめ、—の浪に袖をぬらして」〈太平記一五・大樹摂津国〉

きょくほ【極浦】はるかな遠い浦。「夜—の波に宿すれば、青嵐吹いて皓月すさまじ」〈和漢朗詠集行旅〉

きょくまくら【曲枕】枕を用いて曲芸をすること。「枕返しの—、おっ取りおっ取り、はらりはらり」〈近松・反魂香上〉

きょくまり【曲鞠】曲芸的に鞠を蹴ること。「—は時時ちっと見たもよし」〈俳・鷹筑波一〉

きょくもち【曲持ち】あおむけに寝て、両足を空に差し上げ、足裏で樽・盥(たらい)・傘などを廻したり、蹴上げたりする曲芸。「〔芸人〕東の介〔ノ〕—」〈文字絵尽〉

きょく・り【曲り】〘四段〙ひやかす。からかう。愚弄する。「喫(い)と云ふは、ほめて—・る辞なり」〈碧岩抄一〉 **——わらひ**【曲り笑ひ】ワラ ひやかして笑うこと。からかって笑うこと。「俳笑とは—に笑うたぞ」〈史記抄一三〉

きょくろ【棘路】〘九棘(きゅうきょく)の故事から〙公卿(くぎょう)。「遂

に―の翹楚（げうそ＝衆ニ抜キン出タモノ）となる」〈本朝文粋一〇〉

ぎょくろう【玉楼】 珠玉をちりばめた楼閣。美しいたかどの。「―金闕、列真（多クノ仙人）の境窺ひ難く」〈本朝文粋三〉

きょくろく【曲彔】 僧の用いる椅子の一種。よりかかる所を円く曲げ、脚を床机（しょうぎ）のように交叉させたもの。「中門に―を飾らせて、其の上に結跏趺座（けっかふざ）し」〈太平記一〇・塩飽入道〉

きよげ【清げ】《表面上の美、または第二流の美。キヨラが第一流の美を指したのに対する。中世になって、キヨラが使われなくなるに従い、一般的に綺麗さをいう》①（和歌の言葉づかい・人物の容姿などが）美しいさま。「『逢ふことの絶えてしなくはなかなかに人をも身をも恨みざらまし』…詞（ことば）―なりとて左を以て勝と為す」〈天徳内裏歌合〉。「〔柏木ハ〕いとあてやかに―なるかたちして」〈源氏藤袴〉②（居所・調度・服装などが）見た目に綺麗なさま。「庭いと―に掃き」〈枕一七七〉。「倫言なれば、雑色・牛・車―に沙汰して」〈平家六・小督〉③綺麗さっぱり。見事。「頸は前にぞ落ちにける。乙若殿つくづくと見て…色も変ぜず『あはれ―にしつる物かな』」〈保元下・義朝幼少の弟〉 **―だ・ち【清げ立ち】**『四段』こぎれいそうに見せる。「―・ちて、なでふ事なき人の」〈源氏東屋〉

ぎょけい【御慶】 ①お祝い。お喜び。「三位中将（基通）殿―申す也」〈吉記承安四・八・二〉②特に、新年の祝いの言葉。おめでとうございます。「新春に言葉は古き―かな」〈俳・小町踊一〉

きよけく【清けく】《清シのク語法》くもり・汚れのないこと。清らかで美しいこと。「大海の磯もとゆすり立つ波の寄らむと思へる浜の―」〈万一二三九〉 †kiyokeku

ぎょさん【魚山】 梵唄（ぼんばい）の一種。中国の三国時代、魏の曹植が魚山という地で、天の音楽を聞いて作ったという。日本には慈覚大師（円仁）が承和十四年帰朝して伝え、天台宗の声明（しょうみょう）として、京都大原の三千院でひろめた。「歌唄頌徳の所には―の嵐響を添ふ」〈太平記一・南都北嶺〉

きよ・し【清し】『形ク』《「きたなし」の対。清浄で汚れ・くもりがなく、余計な何物もない意。純粋、無垢で透明の意。類義語サヤケシは、氷のように冷たく冴えて、くっきり澄んでいる意》①（月光や水などが）汚れなく澄んでいて美しい。清澄だ。「月読の光は―・く照らせれど」〈万六七一〉。「人はかる心の隈はきたなくて―・き渚（なぎさ）をいかで過ぎけむ」〈後撰九四五〉②（名声に）何の汚点もない。「大夫（ますらを）の―・きその名を」〈万四四六五〉③潔白である。「事―・く（二人ノ間ハナンデモナイト）いたもな言ひそ一日だに君いし無くは耐へがたきかも」〈万五三七〉。「奈良には―・き（不犯ノ）僧も難きと」〈今鏡五〉④きれいさっぱりとしている。残るところがない。「人の問ふに―・う忘れてやみぬるをりぞ多かる」〈枕二七六〉⑤いさぎよい。「人手にかからんより―・き自害して見せ申さん」〈曾我一〇〉。「最後は―・く侍りしか」〈伽・多田満仲〉 †kiyosi

きょ・し【挙し】『サ変』推挙する。推薦する。「挙（こ）し」とも。「父これほど（為朝ヲ）―・し申す間、やうあるべしとて召されけり」〈保元上・新院御所〉

きょじつ【虚実】 ①うわべと実際と。虚像と実像と。「敵の―を知るが軍の肝要と云ふ事なり」〈孫子私抄〉②うそとまことと。「―の二つともに、皆憎からぬ男の事のみ」〈西鶴・一代女四〉

ぎょしな・り【御寝なり】『四段』「ぎょしんなり」の転。「御寝あれを、ぎょうしなれ、―・れなど言ふは、いかが」〈俳・かたこと三〉

きょじゃう【挙状】 ①《コジャウとも》中世、下位の者からの申し出を上位者に取り次いで推挙したり、下位者が上位者に奉る文書を取り次いだりする際に出す文書。吹挙状。「対馬守に還任しをはんぬ。これ則ち御―に依り、遂に朝恩を加ふる所なり」〈吾妻鏡文治二・六・一一〉②訴訟しようとする者に、所管の上位者が与える添え状。「本所の―を帯せず越訴（をつそ）を致す事」〈貞永式目〉

ぎょしゅつ【御出】 貴人のおでかけ。おでまし。「摂政殿も行幸に供奉して―なりけるが」〈平家七・主上都落〉

きょしょ【居所・居処】 ①いどころ。すみか。「予（われ）もと―なし。上東門の人家に寄居す」〈本朝文粋一二〉。「人の―の四方に木を植ゑて、四神具足の地となすべき事」〈作庭記〉②連俳の分類用語。住居に関連ある事物。「―の体、軒端・床・里…。同じく用、そとも・庭…。―にあらざる物、すみか・すまひ…かけひ」〈連理秘抄〉

ぎょしん【御寝】 寝ることの尊敬語。おやすみ。「長き夜すがら―も成らず」〈平家三・法皇被流〉 **―な・り【御寝成り】**『四段』おやすみになる。「天皇の其の時に―・りて、御覧ぜずなりにけり」〈今昔二四ノ三〇〉

ぎょせい【御製】《ゴセイとも》天皇の作った詩文・和歌。「江頭春暁。一首。―」〈文華秀麗集上〉

ぎょたい【魚袋】 束帯の時、腰につける革製の佩（お）び物。三位以上は金の魚、四位以下は銀の魚の形をつける。「牙の笏、玉帯、金―、幷せて御衣一襲（かさね）を賜ふ」〈三代実録貞観一・四・三〉

ぎょだう【魚道】 さかずきの底に残った酒をこぼすこと。「さにはあらず。―なり。流れを残して、口のつきたる所をすすぐなり」〈徒然一五八〉

きょたん【虚誕】 いつわり。うそ。「この言を聴きて猶―かと疑ふ」〈本朝文粋九〉

ぎょっ 強く驚愕するさま。「―とするわいの」〈評判・難波鉦一〉

きょっきょっ 我を忘れておびえ騒ぐさま。「―とは畀畀（オビエルサマ）なり」〈不断重宝記〉

ぎょとう【魚燈】《「魚燈油」の略》鰯・鯨などの脂肪からつくった燈油。安価だが悪臭で嫌われた。「―は避（よ）ぐる臼（ノ神）の御燈（みあかし）」〈俳・続都曲〉

きよまは・り【清まはり】 ㊀『四段』①神仏の行事に先立って物忌みし身を清く保つ。斎戒する。「今進（たてまつ）る斎内親王（いつきのみこ）は恒の例によりて三年斎（いは）ひ―・りて」〈祝詞伊勢大神宮〉。「〔石山参詣ノタメ〕みな精進（さうじ）し―・りてあるに」〈源氏浮舟〉②不浄が去る。清くなる。「かく不浄なる程は〔ヒキコモリ〕…さて五日ばかりに―・りぬればまた堂にのぼりぬ」〈かげろふ中〉 ㊁『名』潔斎。「斎宮の御―も煩はしくや」〈源氏葵〉 †kiyomafari

きよま・り【清まり】『四段』「きよまはり」の転。「〔石清水八幡放生会〕御使などにも浄衣をたまはせ、御自らも―・らせ給ひ」〈大鏡昔物語〉。「もしたとひ大海を傾けて洗ふとも―・るべからず」〈発心集四〉

ぎょみ【魚味】 ①魚。また、その味や料理をいう。「去る六日、大殿―を服す。両三年魚鳥を断つ。目の病に依りて、服せらる」〈小右記寛仁三・二・九〉②小児にはじめて魚を食べさせる祝。鎌倉時代は三歳、室町時代は生後百一日目、江戸時代は百二十日目に行なわれた。「魚味の祝」「まなの祝」とも。「今日将軍家若君御前、御著袴―也」〈吾妻鏡仁治二・一一・二一〉

きよみづ【清水】京都東山にある清水寺。また、その付近の地。清水寺は延暦年間坂上田村麻呂の建立。本尊は八尺の千手観音。霊験あらたかな観音として、特に毎月十八日の縁日には参詣の男女で賑わった。「川の水に手を洗ひてーの観音を念じ奉り」〈源氏夕顔〉。「三月十八日に、姫君達ーへ参り給はんとありければ」〈伽・ふせや草子〉。「春は遊山の多きー／蝶は舞ひ鳥は琴ひく舞台にて」〈俳・続山の井二〉→妻観音。　**ーの舞台から飛・ぶ**　清水寺の舞台から崖下に飛び下りて、信仰心の厚薄を試したことをいう。後、一生に一度あるかなしの大決断をするたとえに用いられる。「清水の舞台より後ろ飛び」とも。「ー・ぶは、かの仏の説き給ひし、堕落金剛山、念彼観音力、不能損一毛の試みなるべし」〈俳・類船集二〉　**ーやき**【清水焼】清水寺付近の五条坂のあたりで産する磁器。染め付けの茶器が特産。「ーの建水(けんずい)これを恵まる」〈隔蓂記寛永二〇・一〇・二三〉

きよ・め【清め】㊀〘下二〙①清くする。けがれやよごれを除き、きれいにする。「掃きー・め仕へ奉りて」〈万四四六五〉。「道を払ひ、所をー・め」〈今昔一〇ノ二五〉②(罪や汚名を)ぬぐいさる。すすぐ。「子の罪を雪(き)よむること得たり」〈紀雄略三年〉㊁〘名〙①掃除。「掃部司(かもんづかさ)まゐりて御格子まゐる。主殿(とのも)の女官御ーなどに参りはてて」〈枕二七八〉②(罪や汚れを)清めること。「ーといふ事はべれば、いかがはさも[汚名ヲ]取り返し、すすい(ススギ)給はざらむ」〈源氏行幸〉　†kiyomë

きよもとぶし【清元節】江戸浄瑠璃の一。文化十一年、二代目富本斎宮(いつき)太夫が富本節から独立し、清元延寿太夫と称して創めた。大衆的で清婉な曲節。略して「清元」とも。「ー。清元延寿太夫を祖とす」〈守貞漫稿二三〉

きよやか【清やか】清く美しいさま。清らか。「さてもーなるありさまや」〈伽・梅津かもむ物語〉

きよら【清ら】《第一流の気品ある美、華麗さ、贅美をいう》①垢ぬけして美しいさま。「ことさらに御座といふ畳のさまにて高麗(黒ト白トノ模様ノ縁)などいとーなり」〈枕二七七〉②(服装・調度・儀式のさまなどの)華麗なさま。贅美。「[天人タチノ]装束のーなること物にも似ず」〈竹取〉。「[光源氏ノ]この御賀より、また珍しくー尽すべきことあらじ」〈源氏若菜上〉③(人物の)第一流の美しさをいう。「ーなる玉の皇子(源氏ノ君)さへ生れたまひぬ」〈源氏桐壺〉。「[薫君ヲ]いと清げに、又かかる人やあらむと見しかど、[匂宮ハ]こまやかに匂ひ、ーなることは、こよなくおはしけり」〈源氏浮舟〉▽源氏物語では多く天皇・皇族のこと・ものについていう。キヨゲが第二流の美をいうに対する語。

きょらうウ・ロ【虚労】病気で心身が疲労・衰弱すること。虚労やみ。「ーして脚もまた癬(な)えにたり」〈菅家後集〉

きよらか【清らか】「きよやか」に同じ。「かたち殊にめでたくーにてありけり」〈発心集三〉

ぎょりょう【魚綾】綾織の一種。「練色のーの直垂に」〈平治上・源氏勢汰へ〉

ぎょりょうしゃくば【魚龍爵馬】《「魚龍」も「爵馬」も、中国古代の演芸・遊戯》ぜいたくで珍奇な遊興・娯楽をいう。「歌堂舞閣の基、ーのもてあそびもの、恐らくは帝闕も仙洞もこれには過ぎじとぞ見えし」〈平家一・吾身栄花〉

ぎょりん【魚鱗】①魚のうろこ。また、魚。「ー躍りほどばしる」〈平家三・大臣流罪〉②陣立ての一。「鶴翼」の陣に対する語。魚のうろこを並べたように、中央部を突出させ、左右を雁行させた山形の縦陣。「ここにー・鶴翼の陣、官軍利を得ず」〈平家七・平家山門連署〉

きら　①きらきらするもの。「蝶は捕ふれば手にー(鱗粉)つきて」〈堤中納言(函碕文庫本)虫めづる〉②光のきらめき。輝き。「火はあなたにほのかなれど、もののー(調度品ガ火ニ映エテ)など見えて」〈徒然一〇四〉③表面の肌。「播磨米(はりまよね)は木賊(とくさ)か椋(むく)の葉か、人のー(綺羅ト掛ケル)をみがくは」〈平家一・殿上闇討〉④雲母(うんも)。きら。「[砕カレテ]子安の貝やーになるらん」〈俳・両吟一日千句〉

きら【綺羅】《「綺」はあやぎぬ、「羅」はうすぎぬ》①美しい衣装。「ー脂粉粧(よそほひ)に暇無し」〈本朝文粋一〉②美しさ。はなやかさ。「千手がー少し劣りにければ」〈著聞三三三〉。「装束どもー天を輝かし」〈曾我四〉③盛んな威勢。威光。「世の覚え、時のーめでたかりき」〈平家一・東宮立〉。「三四番に下りたる威勢にてーもなくなりにしなり」〈愚管抄七〉　**ーを磨・く**　輝くばかりに善美をつくす。華美をこらす。「猶以て結構ー・く」〈奇異雑談集一〉。〈日葡〉

きらきら　光り輝くさま。「山は鏡をかけたるやうにーと夕日にかかやきたるに」〈源氏浮舟〉。「白河の院は、おはします所ーと掃きのごはせて」〈今鏡二〉

きらぎら・し〘形シク〙《立派で輝くばかりである意。古くは容姿についていうことが多い》①(容姿が)整って美しい。「腰細のすがる少女の、その姿(かほ)の端正(きらぎら)しきに」〈万一七三八〉。「娸、支良々志(きらぎらし)」〈名義抄(図書寮本)〉②光り輝いている。「潔、キラギラシ」〈新撰字鏡〉。「ゆづり葉の…茎はいと赤くー・しく見えたるこそ、あやしけれどをかし」〈枕四〇〉③(儀式などが)威儀正しくて輝くばかりである。「ー・しきもの。大将の御さき(前駆)追ひたる、孔雀経の御読経、御修法(みずほふ)、五大尊のも、御斎会(ごさいゑ)」〈枕二九五〉④(性質が)形式を重んじる。形式ばっている。「人がらいとすくよかにー・しくて」〈源氏少女〉⑤歴然としている。「心よわくつたなくしてー・しき罪をもえつくらず」〈発心集七〉⑥きちんとしている。明確である。「多好氏は、此の曲、家相伝の曲也。然るに師伝をー・しく受けざりけるにや」〈教訓抄四〉　†*kiragirasi

きらく【帰洛】京都へ帰ること。「鳥羽北殿に参仕す。…晩頭ーす」〈中右記寛治八・四・三〇〉

きら・し【霧らし】〘四段〙①霧・雲でくもらせる。「かきー・し雨の降る夜を」〈万一七五六〉②(目を)くもらせる。「などて御幸(みゆき)に目をー・しけむ」〈源氏行幸〉　†kiirasi

きらず【雪花菜】《切る必要がない意》豆腐のしぼりかす。卯の花。おから。「問ひて曰く、二町目をー町とは、如何で名付くるぞや。答へて曰く、良き事ども無き故に、豆の粕(かす)ばかりと言ふ心か」〈評判・吉原雀下〉。「貧学やーの光窓の雪」〈俳・功用群鑑下〉

きらた・め〘下二〙一つ一つよく吟味する。「きらめ」とも。「こまかに物をー・め、微細にすみくじらの事を正いたぞ」〈玉塵抄五三〉。「化、きらたむ、物をゑらむ也」〈和漢通用集〉

きらは・しキラワシ【嫌はし】〘形シク〙好ましくない。いとわしい。「只ちと心の底にー・しく悪しき心をば浅く思へり」〈雑談集四〉

きら・ひキライ【斥ひ・嫌ひ】㊀〘四段〙《キリ(切)と同根か。切り捨てて顧みない意。類義語イトヒ(厭)は、避けて目をそむける意》①(よくないものと判断し)切り捨てる。しりぞける。「穢(きたな)き奴どもをー・ひ賜ひ、棄て賜ふによりて」〈続紀宣命一九〉。「先進(ひじり)の作る所の典論を非(そし)り斥(きら)ふ」〈大唐西域記四・長寛点〉②(よくないものとして)忌避する。さける。「不浄なればとて行なはざるは、悪しき食をー・って食せずして飢死せんが如し」〈雑談集七〉 ③えりごのみする。区別する。「心得たらむは男女をー・はず」〈孝養集下〉。「主なー・ひそ、恩をー・へ」〈伽・文正草紙〉 ④よしとしない。好まない。いやがる。「〔美人ノ〕西施は、江に影のうつるを見て、これを愛しき。我が貌(かたち)みにくかりし嫫母は、鏡にうつる影みにくきままに、鏡をー・ひき」〈沙石集七ノ六〉 ⑤〔連俳用語〕類似の語句や趣向が続くのを避け、所定の句数を隔てる。「折(表)を嫌ふ」は、同じ折・表では再度の使用を避けるの意。「『別れ』に『きぬぎぬ』、『涙』に『袖ぬるる』、打越・付句をー・ふべし」〈連理秘抄〉。「『衣川』『衣手の森』、『衣』と云ふ字に五句ー・ふべし」〈宗祇袖下〉 ㊁『名』①えりごのみ。区別。「上下(しやげう)のーなく、命の助かる事を得ず」〈平治上・三条殿へ発向〉 ②きらうこと。きらいなもの。「手前はーなりとも灸をするが如くなり」〈見聞愚案記六〉 †kïraFi

きら・ひ(キライ)【霧らひ】『四段』《霧りに反復・継続の接尾語ヒのついた形。→ひ》 霞や霧が立ちこめる。「秋の田の穂の上にー・ふ朝霞何処辺(いづへ)の方にわが恋ひ止まむ」〈万八八〉 †kïraFi

きらびやか ①輝かしく美しいさま。はでやかなさま。「中間・若党ーにうち連れうち連れ上りける中に」〈謡・鉢木〉。「上下装束ーにいでたちて」〈伽・はもち中将〉 ②はなばなしいさま。「ーに相働き討ち死にす」〈浅井三代記一四〉 ③きっぱりとしたさま。「『それに叶はずは、すみやかに流罪に行なはれ候へかし』と、ーに申してけり」〈著聞三六五〉

きらぼし【綺羅星】大空にきらきらと輝く無数の星。「上り集まるつはものーのごとく祗候せり」〈謡・鉢木〉

きらめ・き【煌めき】『四段』①きらきらと光る。「前栽(せんざい)の露はなほかかる所も同じごとー・きたり」〈源氏夕顔〉 ②派手にふるまう。「御交らひの程など事の他にー・き給ひき」〈大鏡兼通〉

きらやか【煌やか】「きららか」に同じ。「かたちーなること、玉の如くに輝きければ」〈伽・梅津かもむ物語〉

きらら【雲母】うんも。「雲母、岐良々(きらら)」〈和名抄〉

きららか【煌らか】①輝くばかり美しいさま。「〔御子誕生〕いとーなる男にておはしませば」〈栄花松下枝〉 ②まばゆく派手なさま。「〔病ノタメ〕御色もたがひて、ーにおはする人とも覚えず」〈大鏡道兼〉

きらり ①瞬間的に光るさま。「御目をーと見上げておはしましたりけるが」〈愚管抄四〉 ②あきらかなさま。はっきりとしたさま。「ーとして分明にあらうぞ」〈碧岩抄一〉。「御足を御見せ候。御わらぢの跡食ひ入り、ーと御入り候」〈実悟記〉

きり【桐】①ゴマノハグサ科の落葉喬木。「ーの木の花、紫に咲きたるはなほをかしきに」〈枕三七〉 ②《桐材で作るので》琴の異称。「ーの糸にもたづさはる」〈新拾遺一八八二〉

きり【錐】小さい孔をあける工具。「吉利(きり)一柄」〈正倉院文書〉 ∇アクセントをも考え合わせると、キリ(切)と同根。 †kiri **ー袋にたまら・ず**《史記の「賢士之処レ世也、譬若三錐之処二嚢中一、其末立見」による》 錐は袋の中にあっても先が抜け出るように、すぐれた者は隠れていても必ず世にあらわれる意。また、秘事は露顕しやすい意。「錐袋を通す」「錐袋を脱す」「錐は袋」とも。「其の道にすぐれぬればー・ずとて、その聞えありて、必ずしかるべき所の会にも交はり」〈無名抄〉

き・り【切り・伐り・斬り】㊀『四段』《物に切れ目のすじをつけてはなればなれにさせる意。転じて、一線を画して区切りをつける意。類義語タチ(断)は、細長いもの、長くつづくことを中途でぷっつりと切る意》 ①(刃物で)断つ。傷つけ殺す。「青柳の枝ー・りおろし」〈万三六〇三〉。「我が子を誰ぞ屠(ほふ)り割(さ)りて、骨のみを余して地に散(あら)けたる」〈金光明最勝王経平安初期点〉。「斬首、岐流(きる)」〈華厳音義私記〉 ②横ぎる。「流を截(き)りて渡りて彼の岸に至ること得つ」〈金光明最勝王経平安初期点〉 ③【鑽り・攢り】きりでもむように、棒で板を摩擦して火を作る。火打石で火を出す。「信の燧(ひきりび)を東春にー・り」〈霊異記中一二〉 ④さしこむように痛む。「台盤所の、胸をー・りにー・りて病ませ給ひしかば」〈宇治拾遺一八〉 ⑤関係を断つ。離別する。「みそか男したりけるを見つけていひなどしてつとめて。今はとてあき果てられし身なれどもー・りたつ人をえやは忘るる」〈後撰一三〇一〉 ⑥除き去る。切り捨てる。「一念をー・る事なき者は、六道四生に輪廻すべし」〈伽・胡蝶物語〉 ⑦裁断をくだす。裁定する。「未だ勝負もー・らぬに」〈今昔二八ノ三五〉 ⑧際限をつける。期限を区切る。「小官女いと、五年ー・りて置き了んぬ」〈言経卿記慶長二・七・七〉 ⑨《囲碁で》石と石との連絡を絶つ。「碁にー・りて然るべき所ありけるを『ー・れ』と宣ひけるに、この上人の首を切れとの宣旨と聞きなして」〈曾我一二〉 ⑩《動詞の連用形について》完全に…する。「つれなきもいとねたきを、こよひ悪しともよしとも定めー・りてやみなんかし」〈枕八三〉。「川の内より咲き出たる花をいふなりと釈しー・るべきにもあらず」〈仙覚抄四〉。「秋は空が澄んで晴れー・って空が青いぞ」〈玉塵抄四二〉 ㊁『名』①(ここで区切るという)際限。終り。期限。「御身いとしにはーがない」〈宗安小歌集〉。「さらば日をーに酒を飲まうぞ」〈山谷詩抄一三〉 ②能・歌舞伎・浄瑠璃で、その日に演ずる最後の狂言、または幕、あるいは段。「〔能ノ〕老松のーこれ有り」〈言経卿記文禄五・六・一七〉。「浄瑠璃を、初段からーまで語りぬかせねや堪忍せぬ」〈近松・二枚絵上〉 ③ウンスンカルタで十二の札。「読みカルターー(霧ト掛ケル)の籬(まがき)に秋の月」〈俳・桜千句〉 ④三の隠語。「ー・がれん(五ノ隠語)」〈近松・日本西王母三〉 ⑤巾着切(きんちゃくきり)のこと。「空を見る/ーがきよろりと花を出し」〈雑俳・軽口頓作〉 ⑥切り離されたものを数える語。きれ。「干瓜三ーばかり食ひ切りて」〈宇治拾遺九四〉 ⑦物事の限度を表わす語。そこまで。だけ。「この太刀を抜き給へば、方五段(たん)ーの虫も翼(鳥)も切れ落ちければ」〈曾我八〉。「大井河ーと仰せ候儀は一円に心得申さず」〈三河物語下〉 †kiri

き・り【霧り】㊀『四段』①霧が流れる(その結果、けぶってよく見えない)。「霞たち春日のー・れるももしきの大宮所見れば悲しも」〈万二九〉 ②(涙で)くもってよく見えない状態になる。「目も及ばぬ御書きざまもー・りふたがりて」〈源氏帚木〉 ㊁『名』①息吹(いぶき)。神話の世界では、息(いき)と霧とは同じものとされ、生命の根源と見られていた。「息吹のさーに成りませる神の御名は田霧姫命」〈紀神代上〉。「わが嘆く息嘯(おきそ)の風にー立ちわたる」〈万七九九〉 →息。 ②霞。平安時代には春は霞、秋は霧と区別されたが、上代では春の霞をキリとも言っている。「春の野にー立ちわたり」〈万八三九〉 †kiri **ー不断の香を焚(た)・く** 霧のたちこめるさまを、絶えずたく香の煙にたとえた表現。「甍(いらか)破れては、ー・き、枢(とぼそ)落ちては、月常住の燈をかかぐ」〈平家灌頂・大原御幸〉

ぎり【義理】①理に叶った筋道。道理。「ともに我我偏執の心をもてーを立て」〈拾遺語燈録中〉。「癲狂人(てんがうにん)が利口、おのづから無窮のーを含めり」〈沙石集三ノ一〉 ②ことばや文章の意味。「また法華経を読誦して、そのーを悟る事深し」〈今昔一三ノ三〇〉。「右歌、妖艶を先として、ー又つまびらかなり」〈文永二年七月二十四日歌合〉③人の踏み行なうべき正しい道。道義。「―のある侍は無欲なほどに、財(たから)をやりたばかりにては使はれぬぞ」〈三略抄〉④事のなりゆきで、そうせねばならぬ筋合い。「幼なじみぢゃと思うて、―ばかりにこそ来たれ」〈虎明本狂言・鈍太郎〉。「言はねばならぬ―になって」〈西鶴・一代男三〉⑤他人との交際に、適当に挨拶や贈物をすること。また、その贈物。「世間の―もかまはずに、銭をためて」〈西鶴・椀久一世上〉⑥継母・義兄などのように、血縁でない親族関係。「―ある〔継父〕祐信さま」〈伎・助六〉

きりあな【切穴】 ①楊弓の的の中央の小穴。「一筋は―に通れば」〈西鶴・一代男三〉②〔歌舞伎用語〕幽霊・変化(へんげ)などの出入りのために、舞台の床に作られた穴。花道にあるのは、特に「すっぽん」という。〈戯場楽屋図会拾遺上〉

きりあひイ:ア**【切合ひ】** ①互いに切り結んで戦うこと。「―は心の調子あるものを構へによるといふぞはかなき」〈兵法道歌〉②めいめい金銭・物品などを出しあって、飲食したり遊んだりすること。「その払ひを案じて、―の訳を現はし」〈浮・傾城辻談義四〉 **―にんぎゃう**:ギョウ**【切合人形】** 人形芝居で、戦闘の場面に出る小形の人形。「―乱れ初(そ)めにし」〈俳・江戸広小路下〉

ぎりあひイ:ア**【義理合】** 交際上の義理。「それでは埒(らち)が明かぬ―」〈浮・傾城辻談義一〉

きりいし【切石】 適当な大きさに切った石材。「瑪瑙(めなう)の如くなる―を、広さ二丈ばかりに平に畳み連ねて」〈太平記三八・彗星客星〉

ぎりいっぺん【義理一遍】 世間から、かれこれ言われないように形式的にすること。「―の念仏」〈西鶴・五人女五〉

きりい・り【切り入り】『四段』 敵中に切りこむ。また、軍勢をもって攻め入る。「越より呉へ―・って、つひに呉を滅ぼすぞ」〈湯山聯句鈔下〉

きりうり【切売り】 ①客の求めに応じて、少しずつ切って売ること。「―にするやたわわの駒の瓜(瓜ノ一種)」〈俳・山下水三〉②下級の遊女が時間を切って相手次第に色を売ること。「〔色ヲ売ル〕比丘尼の方より突き付け(押シ売リ)の―をいたし侍ること」〈仮・東海道名所記三〉

きりおとし【切落し】 芝居の見物席の一。平土間の最前列で安くて下級な席。「割り込みに膝と膝との―」〈雑俳・新雪みどり〉

きりおろ・し【切り下ろし】㊀『四段』 切りはらって地面におとす。「青柳の枝―・し斎種(ゆだね)播(ま)き」〈万三六〇三〉▽柳の枝を田の水口にさして神をいわう慣習があったという。㊁『名』 仕立ておろし。きりたて。「斬新と云ふは、小袖なんどの新しきを―と云ひ、又きりたてと云ふ類ぞ」〈四河入海一四ノ三〉 †kiriörösi

きりか・け【切り掛け・切り懸け】㊀『下二』 ①切って上に掛ける。「臥所(ふしど)を改めず、庵(いほり)を―・け、松の枯枝、蘆の枯葉を取り覆ひ」〈平家三・僧都死去〉②頸を切って獄門にかける。「討たるる大衆千余人、少少は般若寺の門の前に―・け、少少は持たせて都へのぼり給ふ」〈平家五・奈良炎上〉③切りつける。「大将たまらず―・くるを」〈伎・相州鎌谷一本槍上〉㊁『名』 ①目かくしの板垣の一種。柱に横板を重ね合わせて打ちつけたもの。「坊(僧坊)にしける所の前に―をなむせさせける。そのけづり屑に」〈大和四三〉②衝立(ついたて)の一種。室内用で移動のできる目かくし。(1)と似た作りであるという。「立切懸け」とも。「〔衣ヲ〕―より投げ越して」〈今昔二四ノ五六〉③竹を切って作った花入れ。「床に竹の―、野菊二本生け候ふ也」〈宗凡他会記天正一八・七・九〉④魚肉を短冊形に切ること。「―烏賊(いか)」〈西鶴・置土産二〉

きりかた【切形】 ①切り出した形。「御爪の―九つ有り」〈西鶴・新可笑記三〉②料理で、魚や野菜を切る一定の仕方。「料理人は当世〔風〕に―を略(しゃっ)事(簡単ニスルコト)」〈浮・役者色仕組四〉

きりかど【桐角】 一分金をいう。長方形で表に桐の薹(とう)が打ち出してある。「桐のと」とも。「―五拾」〈西鶴・新吉原常常草下〉

きりかね【切金】 ①金・銀・銅・錫の箔や薄板を、点・線・角に細かく刻み、これを貼って文様や文字を作る技法。仏画・仏像の彩色、また、蒔絵にも用いた。「細金(ほそがね)」「金貝(かながひ)」とも。「金の―を、ひたとこまかに伏せて」〈竹むきが記〉②借金返済法の一。定期に分割して支払う。また、その返済金。きりきん。きりがね。「借金銀取捌(とりさばき)の事…一ケ月両度宛―に差し出させ」〈棠蔭秘鑑三〉

きりかへ・し:カエシ**【切り返し】**『四段』 切りかかってくる相手を逆に切りつける。また、逆襲する。「蟹が坂の合戦に―・され、人丸塚へ引き退き」〈応仁記上〉

きりかみ【切紙】 ①小さく切った紙。「薄き―に細細(こまごま)と状を書きて、蟇目(ひきめ)の中に入れて」〈盛衰記二八〉②横に二つに切った折紙に書いた手紙。「別会円実房律師方より―持ち来り」〈多聞院日記文明一五・一一・三〉③学芸の諸道で、その奥儀の箇条を記して伝授する紙片。また、その奥儀。「〔古今伝授ノ〕―三ケ以下持参」〈実隆公記享祿二・八・一八〉④手形。証文。「脇坂甚内の法師玄斎ども、鐚(びた＝悪銭)十九貫預け置き、今日取り了んぬ。則ち―返され了んぬ」〈多聞院日記天正一三・九・一五〉

きりがみ【切髪】 近世、武家の未亡人の髪形。束ねた髪を短く切り揃え、元結でくくって、その上を紫の打ち紐などを掛ける。「四十に足らず惜しい―」〈雑俳・俳諧けい一九〉

きりかみの【切髪の】〔枕詞〕 ふりわけ髪をする同じ年ごろの若い者の意で「同輩児(よちこ)」にかかる。「―吾同子(よちこ)を過ぎ」〈万三三〇七〉 †kirikaminö

きりがやつ【桐ケ谷】 桜の一種。多くは八重咲で最高の品種とされる。「禅仏寺の花―と名づく。世上の花と〔クラベテ〕、十日ばかり遅晩の由」〈陰涼軒日録寛正五・二・二〉

きりきし【切岸】 切り立ったがけ。「鼓が崎の―の下、巌(いはほ)の陰にぞ臥したりける」〈太平記二八・三角入道〉

きりきゃうげん:キョウ**【切狂言】** ①〔歌舞伎用語〕一日の上演種目の内、最後の狂言。近世前期では、世話物狂言が多かった。「〔役者ノ〕面影や―に〔見物ガ〕惜しむらん」〈俳・談林十百韻上〉②終り。おしまい。「―ぢゃ。浄瑠璃より出でたる語にして、物の終りに用ひる詞」〈譬喩尽六〉

きりきり ①きつくしめつけるさま。「まだらなる蛇(くちなは)の―としてゐたれば」〈宇治拾遺五七〉。「上帯―と締め」〈伽・もろかど物語〉②きつくきしむさま。「柄を取り直し、〔腹へ突キ立テ〕―としけるが」〈承久記上〉。「大宮の玉の戸も―ぱっと開き」〈伽・唐糸さうし〉③弓を強くいっぱいに引きしぼるさま。「二人張りに十二束二伏(ふたつぶせ)―と引きしぼりて」〈太平記三・広有〉④さしこむように痛むさま。「ほがみさしつつ、こと―と病む」〈伽・福富長者物語〉。「臍の下―と痛みて」〈病名彙解六〉⑤てきぱきとするさま。かいがいしく行なうさま。「万事の用を―とせず、べんべんとして」〈三略抄〉 **―しゃん** 極めてかいがいしいさま。「吉三は〔帯ヲ〕―と結ぶ」〈評判・野郎楊弓上〉

ぎりぎり【旋毛】 頭のつむじ。百会(ひゃくゑ)。「〔痛サガ〕―に答へ申し候」〈俳・珍重集〉

きりぎりす【蟋蟀】 秋虫の一。今のコオロギ。「秋風にほころびぬらしふぢばかまつづりさせてふ—鳴く」〈古今一〇二〇〉。〈新撰字鏡〉

きりくち【切口】 ①切った箇所の面。「—の大きさ一尺ばかりはあらむとぞ見えける」〈今昔三三ノ三〉 ②(切り口の様子でわかる)切り方の手なみ。「その傘の—を見せう」〈狂言記・悪坊〉

きりくひ(イ・ク)【切杙】 切り株。「かの木の—をかつかつと割(さ)き取るが如くに」〈仙覚抄八〉

きりこ【切籠・切子】 枠(わく)を隅切角(すみきりがく)の形に組み、四隅に造花をつけ、紙または帛(きれ)を細く切って飾り垂らした盆燈籠。切子燈籠。「きりことうろ」とも。「若宮御方へ、—、金にて張り候、進上仕り了んぬ」〈言継卿記大永七・七・一四〉

きりこうじゃう(ジ・ヨウ)【切口上】 一句一句型にはまった堅苦しい言葉つき。「平生ぬかす挨拶も、仔細らしい—」〈浄・妹背山四〉

きりごゑ【切声】 一声ずつ区切って発する声。「鶯は鳴きはてに—に鳴く事あり」〈奥義抄〉

きりし・き【切り敷き】『四段』 ①切って下に敷く。「玉笹など—・きて」〈西鶴・諸艶大鑑四〉 ②切り倒す。「太刀下に四人—・き」〈西鶴・男色大鑑二〉 ③武力で征服する。「関東を—・きて、一円に手に入れん」〈浄・三浦北条軍法比べ一〉

キリシタン【吉利支丹・切支丹】 ①天文十八年に伝来し、明治初年の解禁に至るまでの、日本におけるカソリック教。「キリシタン宗」とも。「南蛮国より—といふ宗旨渡りて」〈大友記〉 ②(1)の信徒。「即ちそのオラショを習ひ、信心深き—になりけるなり」〈バレト写本〉 ▽ポルトガル christão, christã

きりじに【切死】 切り合って死ぬこと。「大勢の中へ走り入りて、—に死ねや」〈義経記五〉

ぎりじに【義理死】「義理」(3)のため死ぬこと。「—程つれなき物はなかりき」〈西鶴・男色大鑑四〉

ぎりじゅんぎ【義理順義】「義理」(5)に同じ。「すべき—をもなさず」〈仮・他我身之上一〉

ぎりずくめ【義理竦め】「義理」(3)のため身動きできなくなること。「義理尽(づく)め」とも。「こちゃ—になったか」〈近松・反魂香中〉

きりす・ゑ【切り据ゑ】『下二』 切り倒して立ち上がれぬようにする。切り伏せる。「引く太刀に廻る敵を—・ゑ」〈太平記三九・芳賀兵衛〉

きりた・て【切り立て】 ㊀『下二』 ①多くの敵を切りまくって散乱させる。切り散らす。「信連が衛府の太刀に—・てられて、嵐に木の葉の散るやうに、庭へさっとぞ下りたりける」〈平家四・信連〉 ②切ってそそり立つようにする。「雪の白く積もりたるが三千丈もありて壁を—・てたるが如し」〈中華若木詩抄中〉 ㊁『名』 ①樹木を適当な長さに切って、庭などに立てること。また、その樹木。蹴鞠の「懸り」の木としても使われた。「ひんがしおもてに、—をし置きて、二三日参らぬほどに、花の咲きたれば」〈二条太皇太后宮大弐集〉。「仁治の頃、仁寿殿の東向の御壺に…—をせられて、常に御鞠ありけるに」〈著聞四二六〉 ②【裁立て】 仕立ておろし。「いつも洗ひあげた物を着て、—の物を着ぬぞ」〈毛詩国風篇聞書〉

きりため【切矯め】 生花に用いる木の枝を、鋸(のこぎり)で少し切れ目を入れて、折り曲げること。「花紅葉—にして竹の筒」〈俳・両吟一日千句〉

きりだめ【切溜】 ①《キリタメとも》 切り花を入れる桶。花桶。花生け。「何本も—荷(な)ひ〔ヲ入レテ〕」〈俳・糸瓜草四〉 ②入れ子作りの漆塗の木箱。切った野菜・調理品などを入れておくのに用いる。「—等に仕込み持ち行くべしと言ふ」〈料理早指南三〉

きりづか【切柄】 試し切りの時に使う堅木(かたぎ)で作った柄。「時雨の露を払ふ—」〈俳・桜千句〉

ぎりづく【義理づく】 義理を立て通そうとする意地。「またはーの心出で来て」〈評判・難波物語〉

きりつけ【切付】 布をいろいろな形に裁ち切り、着物に貼りつけ、輪郭をかがった模様。「緋段子(ひどんす)に五色の—」〈西鶴・一代男六〉

きりつぼ【桐壺】《つぼ(中庭)に桐が植えてあるのでいう》 内裏五舎の一、淑景舎(しげいさ)の別名。清涼殿からの距離が、他の後宮殿舎に比べて最も遠い。「〔更衣ノ〕御局(つぼね)は—なり」〈源氏桐壺〉

ぎりづめ【義理詰め】 ①理を推して責めること。理詰め。理屈詰め。「物静かに—に〔借金返済ヲ請ウテ〕」〈西鶴・胸算用三〉 ②義理で、どうしようもなくなること。「—になって来た」〈近松・淀鯉上〉

きりと【切戸】 小門または忍び戸の一種。扉や塀などに作った小さな出入口。能舞台後座(あとざ)右手の小さなくぐり戸をもいう。「義景は—の脇にかしこまりてぞ侍りける」〈増鏡四〉

きりとほ・し(オ・ト)【切り通し】 ㊀『四段』(路のついていない所を)切り開いて、路を作る。「吉野川岩—・し行く水の」〈古今四九二〉 ㊁『名』 ①山を切り開いてつけた路。「北は—まで、山高く道嶮しきに」〈太平記一〇・稲村崎〉 ②物事をとどこおりなくさばいてゆくこと。「政務—にして、上下の善悪を糺(ただ)されければ」〈古活字本保元上・新院御謀叛思し召し〉

きりと・り【切り取り】 ㊀『四段』 ①切って取る。「さながら刀にて—・りたるが如く見えけり」〈沙石集八ノ一〉 ②武力で土地を奪い取る。「この頃は近国を—・らんとて」〈細川両家記〉 ㊁『名』《キリドリと濁音》 人を切り殺して物を盗み取ること。また、その者。「是れ—・強盗のたぐひにあらざれども」〈仮・棠陰比事物語三〉

きりなは(ナ・ワ)【切縄】 適当な長さに切って、部分部分をしばる縄。斬罪人を縛るによく使う。「最期の—を掛りしは、何とやらん身の上おぼつかなく」〈天和笑委集一三〉

きりぬ・け【切り抜け】『下二』 敵中を切り破って、向うへ通り抜ける。「その身も数箇所疵を蒙りけれども、その場を—・け、安宅崎の道へ退かんとせし処」〈安宅一乱記五〉

きりのし【切熨斗】 熨斗鮑(のしあわび)を、適当な長さに切ったもの。「へぎに—の取肴(とりざかな)を持ちて」〈西鶴・一代男五〉

きりのたう(ト・ウ)【桐の薹】 一分金についた桐の花軸形の刻印。また、一分金。「きりのと」とも。「四角にして、—のついたる物」〈西鶴・諸艶大鑑一〉

きりのまがき【霧の籬】 霧が立ちこめた垣。また、霧が立ちこめて、まわりを囲んでいるのを籬にたとえていう語。「—より花の色色おもしろく見えわたれるなかに」〈源氏宿木〉。「山里の—の隔てずは」〈曾丹集〉

きりのまよひ(マ・ヨイ)【霧の迷ひ】 ①霧が立ちこめてはっきり見えないこと。「—はいと艶(えん)にぞ見えける」〈源氏野分〉 ②心の迷い・悩みを霧の中をさまようさまにたとえていう語。「いぶせかりし—もはるけ侍らむ」〈源氏橋姫〉

きりばかま【切袴】 普通の丈(たけ)の袴。半袴。「長袴・—」〈近松・最明寺殿下〉

きりはたりちゃう(チ・ヨウ) 機(はた)を織る音の形容。「機織る

音はー」〈謡・松虫〉

きりばな【切花】枝や茎ごと切り取った花。「河よりーの柄(から)の流れ出でたるあり」〈発心集六〉

きりばん【切盤】俎(まないた)。「ー三」〈東寺百合文書を、宝徳三・一〇・七〉。〈文明本節用集〉

きりびと【切り人】《切り回す人の意》主人の気に入って、権勢をほしいままにしている人。「切り者」とも。「年来、院のーにて、諸人の追従をかうぶり」〈古活字本平治中・信頼降参〉

きりひなは‥ナワ【切火縄】短く切って使う木綿火縄。煙草の火種などに用いる。「身には割織(さきおり)を着て、藤縄の組帯して、鉄砲にー」〈西鶴・五人女三〉

きりふ【切斑】鷹の白い尾羽に、黒いまだらが切れたように入っているもの。「大中黒」と共に大将格の使う矢羽とされたらしい。「〔重盛ハ〕ーの矢負ひ、滋籐の弓持って」〈平治中・待賢門軍〉

きりまい【切米】①幕府・大名などが、知行地を持たない小禄の家臣に給与した米。江戸幕府の場合は、旗本・御家人(ごけにん)に江戸浅草御蔵で、春・夏・冬の三季に、期限を切って、石・俵単位で与えた。「此の庄ー三十石これを沙汰す」〈蓮成院記録延徳二・九〉。「知行にては遣はさず、ーにて遣はすべき由申し渡す」〈北野社家日記慶長三・三・一〇〉。「浅草や春ーの払ひ方」〈俳・当世男下〉②(1)に代えて給与した金銭。「安部将監に御ー三貫文下し置き候」〈伊達家文書三、慶長六・三・一七〉③近世、民間で、奉公人の給料。「ーの定めはやすき奉公人」〈俳・寛永十三年熱田万句三五〉 **ーとり**【切米取】知行を持たず、切米を受ける小身の家臣。「扶持方ー名、名字誰」〈正宝事録万治二・六・一九〉。〈日葡〉

きりまく【切幕】①能舞台の橋掛りや歌舞伎の花道の、出入口の垂れ幕。揚幕。「ーの内より〔役者ガ〕赤い顔を出し」〈俳・大矢数一〉②歌舞伎で、その日の演目の最後の一幕。「狂言も約(つづ)まる所は、悪人亡びて善人世に出づるーの思案が大事であらうがな」〈伎・隅田春妓女容性二〉

きりま・し【切り増し】『四段』奉公の年季を延長する。「手形の十年より外に年(ねん)ー・して」〈西鶴・一代男八〉

きりまど【切窓】羽目板や壁などを切り抜いてあけた窓。「えい、押せども開(あ)かぬはーの戸」〈宗安小歌集〉

きりまは・し‥マワシ【切り廻し】『四段』物に沿ってぐるりと切る。「髪をかぶろにー・し」〈平家一・禿髪〉。「すすけたる明り障子(さうじ)の破ればかりを、禅尼手づから小刀してー・しつつ張られければ」〈徒然一八四〉

きりみせ【切見世】近世、江戸で、揚代百文の最下等の局(つぼね)女郎。長屋女郎。また、その女郎のいる、粗末な長屋式の局見世。鉄砲見世。「ーはたん瘤(こぶ)までも疑はれ」〈雑俳・万句合宝暦一三〉

きりむぎ【切麦】小麦粉を練ってのばし、素麺(そうめん)のように細長く切った食品。茹でて冷やして食べるのを冷や麦という。「後段〔ハ〕うどん・ー・山の芋・松茸」〈多聞院日記永正三・五・二六〉

きりむす・び【切り結び】『四段』互いに刀を交えてはげしく切り合う。「ここを先途(せんど)とー・ぶ」〈伽・いづみが城〉

きりめ【切り目】①切った所。切り跡。「その道ばたの木を見よ。刀のーあるべし」〈奇異雑談集一〉②物事のくぎり。「折ふし・ーを見て仕うまつるべきなり」〈大鏡昔物語〉

きりめし【切飯】押しつけて型に入れ、適当に切った飯。「なかなかやまたーの〔弁当デ遊山スル〕花の春」〈俳・乙矢集上〉

きりもぐさ【切艾】もぐさを紙で巻き、細かく切ったもの。「ーすゆる思ひを伊吹山(モグサノ名産地)」〈俳・毛吹草七〉

きりもの【切り者】「きりびと」に同じ。「院中のーに西光法師といふ者あり」〈平家一・清水炎上〉

きりもの【着り物】「きるもの」の転。「きりもん」とも。「御ーを着せて下されて」〈狂言記・花子〉。〈俳・かたこと三〉

きりもり【切り盛り】①食物などを適当に切りわけたり盛ったりすること。「ーの相かなって、同じやうに、良く仕合はせたるを、〔薬〕剤量適均と云ふぞ」〈三体詩抄三ノ三〉②程よく物事を片づけて行くこと。さばき。処理。〈俳・世話尽二〉

きりゃう‥リョウ【器量】①その人のそなえている才能や力量。「合戦の庭(ば)には兄弟といふ差別(しゃべつ)候ふまじ。ただーにより候ふ」〈保元中・白河殿へ義朝夜討ち〉。「われらがーはこの教へに及ばざるなり」〈和語燈録三〉②才能・力量などがすぐれていること。「さても中納言中将、今様ーに侍る」〈問はず語り三〉。「若き弟子のーの仁ありけるに」〈沙石集三ノ五〉③容姿。容色。「馬に乗る姿、十郎は父に似たれども、ーははるかに劣れり」〈曾我七〉④からだつき。「若狭はそのー小男にて、見かけはあらねども」〈義残後覚三〉。「ーとは、今は、人のせい高きを云ふとばかり心得る、甚だ非なり」〈清原業忠貞永式目聞書〉

きりょ【羇旅・羈旅】旅行。「高市連黒人ー歌八首」〈万二七〇題詞〉

きりり《キリキリの約》①引きしまってゆるみのないさま。「左へ廻り候はば、左へ身を開き候て、ゆくやかに(ユックリト)して、ーと廻り候」〈禅鳳雑談〉②きつくきしむさま。「妻戸をーと押し開く」〈謡・千寿〉

きりわた・り【霧り渡り】『四段』一面に霧がかかる。「空はいとすごうー・れるに」〈源氏野分〉

きりわら【切藁】わらで作ったたわし。上方でいう。「小砂を寄せてーの浪」〈俳・江戸十歌仙〉

きりゐかう‥コウ【切回向】勤行の終りに唱える回向文。「寺の念仏もー」〈近松・天網島下〉

きりん【麒麟】①中国で、聖人出現のしるしと考えられていた想像上の動物。雄を「麒」、雌を「麟」といい、一日に千里を走るという。「所謂(いはゆ)る、鳳凰(ほうわう)・ー・白雉(びゃくち)・白鳥(びゃくう)」〈紀孝徳、白雉一年〉②すぐれた人物のたとえ。「ーも未だ地に落ちず」〈評判・難波の顔三〉 **ーも老いぬれば駑馬(どば)に劣・る**《「駑馬」はのろい馬の意》どんなにすぐれた人物でも、年を取れば、凡人にも及ばないものだということのたとえ。「ー・るが如くなり」〈謡・景清〉

きる【着る】『上一』⇒き(着)

きるい【着類】衣類。着物。「着る物」とも。「衣裳、ーを脱ぎすてて」〈伽・天狗の内裏〉 **ーきそげ**【着類着そげ】衣服類一切。「ーに疵(きず)つけられぬ間に取り返してくれう」〈近松・天網島中〉

きるもの【着る物】着物。衣服。「姿もーもかくなん侍るにはあらずや」〈閑居友下〉

き・れ【切れ】㊀『下二』《切りの自動詞形》①切れ目が出来る。切り離される。関係が断たれる。「ー・れむ柴垣焼けむ柴垣」〈記歌謡一〇九〉。「たとひ耳鼻こそー・れ失すとも」〈徒然五三〉②あとが続かなくなる。中途で尽きる。なくなる。「物のー・れて無き時」〈老子経抄〉③それる。それ曲がる。「足の内角(うちかど)に当りて、鞠は左へー・るる也」〈晩学抄〉④切られたように痛む。「まづはー・れたりまづはー・れたり／御前をも立たれぬものは痺(しびり)にて」〈俳・天水抄〉⑤手腕をもつ。才がある。「―・れると云ふこと、さばける人を云へり。刃物の謂(ひ)也。鈍ならざる也」〈譬喩尽六〉。⑥幅がきく。勢力がある。「わしゃあこ(アソコ)ではゑらふ―・れるがな」〈滑・膝栗毛五下〉 ⑦金銭を惜しまず出す。「是れでも、はづむ所(こ)では随分―・れて見せるよ」〈滑・浮世床初上〉 [二]〖名〗①切り離されたもの。きれはし。特に、布きれ。「その二百の―に、汝が心も分れて」〈宇治拾遺一〇三〉。「色色のきぬの―なんどを〔道祖神ニ〕奉る也」〈顕注密勘〉 ②はしくれ。とるに足りないものとしていう。「もとよりなんでもない木の―であったよ」〈無門関私鈔上〉。「それがしも西塔の法師の―に候へば」〈伽・弁慶物語〉 ③書画など、古人の筆跡の断片。古筆切れ。高野切れ・金沢切れなどが有名。「弘法大師の心経の―を」〈咄・昨日は今日上〉 ④小判の表面の切り疵。「其の小判は―もなく、軽目(かるめ)もないか」〈西鶴・諸艶大鑑三〉 ⑤切り離されたものを数える語。「おのおの一―づつ取りてんとす」〈宇治拾遺一〇三〉 ⑥近世、小判・一分金を数える語。「小判五十―」〈本光国師日記寛永四・一〇・四〉 †kire

きれい【綺麗・奇麗】①きらびやかで美しいこと。うるわしいこと。「其の壮観―、未だ曾て目にも見ず」〈太平記一五・三井寺〉 ②清潔。清浄。「又、貧にても分分に座敷を―にして」〈伽・富士の人穴の草子〉 ③残りのないこと。「―に程なく、もとの木男(きをとこ)となりぬ」〈西鶴・一代男八〉

きれうり【切売り】⇒きりうり(2) 「―の御身なりしが」〈評判・山茶やぶれ笠〉

きれかは・り【切れ替り】〖四段〗趣が変る。一変する。「よね(遊女)狂ひも、さして―・りたる事にも非ず」〈西鶴・椀久二世上〉

きれじ【切字】〔連俳用語〕発句が一句として独立していることを示すため、句の中に用いて、後に続かず、言い切りになる気持を表わす語。多くは活用語の終止形・命令形や間投助詞が切字にあたる。例えば「荒海や佐渡に横たふ天の川」「枯れ枝に烏の止まりけり秋の暮」「ほろほろと山吹散るか滝の音」の「や」「けり」「か」など。「『惜しまじと思ふも物を春の花』…此の発句には―無きと、人人不審あるべし。物をの『を』にて切れ候」〈称名院追善千句注〉。「―なく候へば平句に相聞えてあしく候」〈至宝抄〉

きれは【切れ端】①思い切り。決断。「総じて、―なくて用に立つべからず」〈驢鞍橋下〉 ②切れ目。「今こそ縁の―なれ」〈浄・釈迦八相記一〉

きれはな・れ【切れ離れ】〖下二〗①切れて離れる。「刃(やいば)に当る者の―・れずといふ事なし」〈伽・じぞり弁慶〉 ②思い切る。決断する。また、きっぱりとする。てきぱきとする。「沙汰の限りとて、相国様御前は―・れたる様に承り及び候」〈細川忠利書状寛永八・二・一八〉。「サア〳〵暇をやった。廓を連れてお出なされと。―・れたる行方はさすが所に住めばなり」〈近松・夕霧下〉 ―**良・し** 物事に執着しないで思い切りがよい。「〔佐野常世ノ〕―・き鉢の木の焼きぼこり」〈雑俳・江戸土産〉

きれめ【切れ目】①切れたあと。切れたところ。「〔雲ノ〕―に高き有明の月」〈俳・山の端千句上〉 ②切れる時。絶える時。「三世に―なき化益なれば」〈観経直談鈔三〉

きれもの【切れ物】①刃物。特に、よく切れる刃物。「―で斬られては痛うないと云ふに依って」〈虎寛本狂言・空腕〉 ②品切れの物。「当年松茸は―にて候に、一入賞翫候」〈細川忠興文書寛永五・九・三〉。「今の世は、知識長老と申しても、実の人―にて御座候」〈沢庵書簡寛永一九・一二・三〉。〈日葡〉 ③【切れ者】手腕のある人。やりて。「まことの―にて」〈仮・智恵鑑一〉

きれや【切屋】①小切れ類を商う呉服屋。〈人倫訓蒙図彙四〉 ②布をならべかけて置けるように、両足をつけた長い竹をかついで行商した呉服屋。「あの―は、ろくな物は持ってねへよ」〈滑・浮世風呂三下〉 ⇒竹馬(2) ③近世前期、和泉堺で、素人仕立ての私娼をいう。略して「きれ」とも。「堺にては―、京にては巾着〔卜言ウ〕」〈浮・五箇の津四〉

きろきろ 目がきょろきょろと動きまわるさま。「目の―としてまたたきゐたり」〈堤中納言はいずみ〉。「頭から毛皮をかぶり、目ばかり―して」〈三体詩抄一ノ四〉

ぎろぎろ 目などが異様に光るさま。「言語せぬ時は、口を結び、眼を―と打ち開きてをるもの也」〈真歇拈古鈔〉

きろくしょ【記録所】①延久元年、後三条天皇が荘園整理のために設けた機関。はじめは記録荘園券契(けんけい)所・荘園記録所といった。後白河天皇の頃からは朝廷の訴訟処理や一般政務を行なう所となり、以後、記録所と称した。「延久の―とてはじめて置かれたりけるは…庄園諸国にみちて受領(ずりやう)のつとめたへがたしなど云ふを、きこしめしもちたりけるにこそ」〈愚管抄四〉。「―。禁中にて諸人の訴訟を判断せらるる所なり」〈百寮訓要抄〉 ②建武中興政府の政務の中心機関。「―寄人四位左大史、冬直宿禰」〈建武年間記〉

きわた【木綿】《「真綿」の対》もめん綿。草綿。「―など留められ候事」〈今堀日吉神社文書永禄三・一〇・一六〉

きわり【木割】①木製の円柱状の鏃(やじり)。「舟腹に櫟(いちひ)の―を十四五射立てて置きたりければ」〈義経記四〉 ②材木を用途に応じて割ること。また、その業者。「―の男医者呼びに出る」〈俳・ほのぼの立〉

き・ゐ【来居】〖上一〗来てじっとしている。「琴がみに―・ゐる影姫」〈紀歌謡九三〉。「梅が枝に―・ゐる鶯春かけてなけどもいまだ雪はふりつつ」〈古今五〉 †kiwi

きをとこ【木男・生男】礼儀作法を知らない、乱暴で粗野な男。また、色気のない男。木強漢(ぼくきょうかん)。無骨者。「きほうし(木法師)。世俗に―といふがごとし。あらあらしきをいふなり」〈花鳥余情九〉。「花の後は―なれや児(ちご)桜」〈俳・毛吹草五〉。〈日葡〉

きをり【気折り・木折り】気性の強いこと。無骨なこと。「田舎侍の―に、こはごはしかりけるが」〈盛衰記三〉

ぎをん【祇園】①京都東山八坂神社の旧名。「内には年ごろの御願とて、―・日吉(ひえ)などに行幸あり」〈栄花松下枝〉。「―に詣でたるに、御前の信濃桜盛りなるを見て。ちはやぶる祇園生(かみのそのふ)の花盛り風吹かぬ世の春を見るかな」〈再昌草三四〉。「煮たり焼きたり豆腐をぞ食ふ/ゆるゆると―の前にやすらひて」〈俳・望一千句〉 ②「祇園精舎」の略。「寺は―を表しつつ、法は四宗を兼学す」〈浄・舎利一〉 ―**しゃうじゃ**【祇園精舎】「祇陀園林須達精舎」の略。祇陀太子の苑林を、須達長者が買って、そこに釈迦のために建てた寺院。「精舎」は寺院のこと。「忽ちに―に至りて先づ舎利弗に遇ひて」〈今昔一ノ二七〉。「―の鐘の声、諸行無常の響あり」〈平家一・祇園精舎〉 ―**ばやし**【祇園林】祇園社の境内の林。「さて鷲尾(わしのを)へとて〔車ヲ〕やりつづくるに、―にてやがて〔ホトトギス〕鳴きぬ」〈春のみやまぢ〉 ―**ばやし**【祇園囃子】祇園祭の山鉾(やまぼこ)が渡る時に奏する囃子。「山鉾に―の羯鼓(かっこ)かな」〈俳・犬子集三〉。「町中も―ぞ山ぞろへ」〈俳・雀子集三〉 ―**まつり**【祇園祭】「祇園会(ぎをんゑ)」に同じ。「〔六月〕七日、―に京極亭へ御成り」〈年中定例記〉。「立ちつづく―の警固衆/四条通は富貴繁昌」〈俳・望一千

句〉

ーゑ【祇園会】 京都の八坂神社の祭礼。疫病退散のための祇園御霊会（ごりゃうゑ）にはじまる。平安末期以後祇園会と称し、陰暦六月七日から十四日にかけて行なわれた。また、諸国の祇園社の祭礼をもいう。「ー例の如し」〈顕広王記安元二・六〉。「ーは、山鉾のけしき、太鼓・鉦（かね）の響きあふ、函谷鉾（かんこぼこ）の渡り拍子、山の間より出たる月鉾の眺め、五尺六尺の長刀さし、竹杖つける警固のさま、弦さしのさしひき、雑式の式次第など、すべて七日・十四日の作法ども、あげて言ひがたし」〈俳・山の井三〉。「ーや いかにと問はば山と鉾」〈俳・境海草上〉。「ーの山の上なる作り物／二階座敷に客ぞ集まる」〈俳・季吟廿会集〉

きをんな【木女・生女】 たしなみのない粗野な女。また、色気のない女。「木男ーなど云ふ同事也。たとへば、こはごはしくて、やはらぐ所なき也」〈類字源語抄〉。「ーも有れば有る世を姥桜（うばざくら）」〈俳・玉海集一〉

きん【斤】 ①物の重さの単位。唐制により十六両を一斤、約百六十匁とした。しかし、菜種・茶・煙草・木綿など量るべき品目により、同じ一斤でも目方が異なり、大和目（百八十匁）・大目（二百匁）・沈香目（二百十匁）・平野目（二百二十匁）・白目（二百三十匁）・分銅目（三百匁）などがあった。「砂糖三桶これを取り寄す。一ー二百五十目」〈陰涼軒日録明応一・三・二七〉 ②酒一升をいう。「一ーはいらぬ、三合ばかり頼みます」〈滑・膝栗毛八上〉

きん【金】 ①金貨。「脇指これを買ひ、代二貫三百三十文、ー三両〔デ〕一朱足らず」〈多聞院日記永祿一〇・五・六〉 ②「大判金」の略。「初瀬の花〔ヲ見ルノニ〕ー一枚は安い事」〈俳・三鉄輪〉 ③五行（ごぎやう）の第四番目。季節では秋、方角では西、五音（ごいん）では商の音がこれに配されていた。「五行、木・火・土・ー・水」〈文明本節用集〉 ▽古く万葉集にも「金」をアキ（秋）と読ませた例が見える。④将棋の駒の「金将」の略。〈象戯馬法〉。〈日葡〉 ⑤きんたま。「牛のーはぶらりぶらりと落ちさうに見ゆれども」〈仮・一休関東咄下〉

きん【磬】《唐音》⇒けい（磬）。〈文明本節用集〉

ぎん【銀】 ①銀貨。「ー五両・〔米〕二石二斗五升」〈多聞院日記元亀二・四・二〉 ②「丁銀」の略。「ー五枚」〈北野目代日記天正一六・一一・一五〉 ③将棋の駒の「銀将」の略。「金三枚にー三枚、歩もござる」〈近松・寿門松中〉。〈日葡〉 ④「銀ギセル」の略。「藁（わら）っ火へーを突っ込む田舎道」〈雑俳・柳多留九〉

きんいり【金入】 金襴（きんらん）の一。五色の糸に金糸を交ぜて織ったもの。「ーの襟」〈西鶴・一代男三〉

きんか【金柑】《キンカンの転》 頭髪がなくて禿げた頭。また、その人。〈日葡〉 **ーあたま【金柑頭】** はげあたま。きんかつぶり。きんかんあたま。「ー、飲まうか」〈室町殿日記八〉 **ーのはひすべり**（イ：：ハ）**【金柑の蠅滑り】** はげあたまをあざけっていう語。「そもじ様のやうなるーを、殿にしやうやらん」〈評判・吉原用文章〉

きんかくし【金隠し】 大便所の切り穴の前方に立てる覆い。また、それのついた切り穴のわく。「城の雪隠ばかりはー無用也」〈三将軍解五〉

ぎんがり《ギンガはギガに同じ》 物の光り輝くさま。「指さす月の影はー」〈俳・鷹筑波一〉

ぎんギセル【銀煙管】 銀製のキセル。近世後期、江戸では道楽息子の持ち物とされた。「ー煙や植ゑて菊の霜」〈俳・雑巾中〉。「ーつまった時も銀でほり」〈雑俳・柳多留九〉

ぎんぎょ【銀魚】 金魚の老いて白くなったもの。「金魚ー釣り垂れ給へ若えびす」〈俳・洗濯物一〉

きんぎょがきゃうげん（：：キョウ：：）**【金魚が狂言】** 金魚が水中で踊り狂うように泳ぎ廻ること。「ーも古し」〈西鶴・置土産二〉

きんきん【欣欣】《近世後期、江戸の流行語》 立派（りっぱ）。羽振りのよいこと。また、当世流行の身なりで得意になってすましていること。「〔得意然トシテ〕髭なでの、ーか、憎いの」〈洒・辰巳之園〉

きんぎん【金銀】 ①金と銀と。「この楽の菩薩達のー・瑠璃の笙や、琵琶や」〈栄花鳥舞〉。「角たて紙ーにてだむ（彩ル）」〈蓮成院記録延徳四・四・五〉 ②金貨と銀貨と。また一般に、おかね。金銭。「ー共に毎月一匁五分、加通に貸す」〈多聞院日記天正九・一二・二〉 **ーが町人の氏系図** おかねが町人の身分を証明する氏や系図になる意で、金銀を持つことによって町人の身分は定まることをいう。「俗姓筋目にも構はず、只ーになるぞかし」〈西鶴・永代蔵六〉 **ーづく【金銀づく】** 金銭の力で物事を行なうこと。「いかにーの恋路なればとて」〈評判・朱雀諸分鑑上〉

きんく【金句】 すぐれた格言。金言。「金章、ー同じく一代の教文より出でたり」〈平家四・南都牒状〉。「メイシャウ（名匠）ノキンゲン、キンク」〈拉葡日〉

きんく【禁句】 ①人の感情を損ねるので、言ってはならない言葉。「人の前へ御出で候はば、其の所のー・受領・官・名字・名乗り〔ナドヲ〕…前よりよく尋ねて心掛け候」〈五音之次第〉 ②〔連俳用語〕詠むことをはばかるべき不吉な句。とめ句。「御発句はおもしろく候へども、あまりにーにて候へば、御直しあるべきか」〈伽・幻夢物語〉

きんくゎ【槿花】 ムクゲの花。朝開いて夕方にはしぼむので、栄華の短くはかないたとえに使う。「身は是ー一日の栄」〈謡・千寿〉

きんけ【金気】 いくらかの金。「いつとしもなく、吸ひ取られたる、女郎の磁石に、ーさらりさっぱりとなりて」〈浮・好色不老門二〉

きんけい【金鶏】 金鶏星にすむという鶏。この鶏がまず鳴いて暁をしらせ、他の鶏がこれに応じて鳴くという。「ー三度唱へて、雪より白む山の端に」〈太平記一七・十六騎勢〉

きんけつ【金闕】《漢の未央宮（びおうきゅう）の金馬門の異称から》「禁闕」に同じ。「ー鳳暦御願円満」〈平家五・勧進帳〉

きんけつ【禁闕】 皇居の門。転じて、皇居。御所。「大雨すなはち降る。ただしーばかり降りて、郭外にはくだらざりけり」〈著聞四三〉

きんげん【金言】 ①仏の口から出たことば。「如来のー、なじかは違ふべき」〈沙石集四ノ一〉 ②鑑（かがみ）として重んずべきことば。「〔金春〕禅竹は、真行草と身を持つと申され候ひし。…誠のーにて候」〈五音之次第〉 **ー耳に逆**（さか）**ふ** 「忠言耳に逆ふ」に同じ。「異見など言へば、ー・ふとて」〈周易抄〉

きんこ【金鼓】 ①鉦（かね）または鉦鼓（しやうご）。「民屋の門に立ちてーを打つを声聞師（しやうもんじ）と云ふ」〈壒囊鈔九〉 ②陣中の指揮に用いる陣鉦（じんがね）と陣太鼓。「ーを打って見聞の衆を集め給ふ」〈太平記三四・依山門嗷訴〉

きんご カルタばくちの一。めくりカルタの一から十までの札を使い、手の札と場の札の合計が十五またはそれに近い数となった者を勝とする。「ーして遊んだら、面白かろではあるまいか」〈浄・兜軍記二〉

きんご【金吾】 衛門府（ゑもんふ）の唐名。「ー、願はくは一声を聞かむこと得むことを」〈菅家文草二〉。「左右衛門府、唐名ー、又監門と云ふ」〈職原抄下〉

きんごく【近国】《「中国」「遠国(をんごく)」の対》近くの国。令制では京都に近い十七国をいう。「およそ遠国―もさこそありけめ」〈平家七・還亡〉。「洛中洛外は申すに及ばず、―遠国まで尋ね申しつるに」〈伽・松姫物語〉

きんごく【禁獄】牢獄に拘禁すること。「子細を尋ね問はれて後、皆―せられにけり」〈保元上・親治等生捕らる〉

きんごしらへ【金拵へ】刀の目貫(めぬき)・鍔(つば)・縁(ふち)・頭(かしら)などの金具を金でこしらえたもの。「金づくり」「御物(ごもつ)作り」とも。銀でこしらえたものを「銀拵へ」という。「―の小脇指」〈西鶴・永代蔵一〉

きんこつ【金骨】平凡を脱した趣。仙骨。「文集には、苟しくも―の相なくは、丹台の名を期し難しとこそ書かれて侍るなれ」〈十訓抄七ノ一〉

きんざ【金座】江戸幕府直轄の、小判・一分判金貨の鋳造発行所。勘定奉行の支配下に、後藤庄三郎家が代代封包・出納にあたった。後藤四郎兵衛家の大判座を含めていう場合もある。「―由来…文禄二巳年、初めて金銀の改め仰せ付けられ候」〈老談一言記一〉

ぎんざ【銀座】江戸幕府直轄の、銀貨鋳造発行所。銀貨の極印・包装の役は、代代大黒常是(じやうぜ)があたり、常是包・銀座包といった。「慶長六年六月…新たに―を設けられ、…新たに銀の品位を定め、丁銀・小粒銀を鋳出して通行せしめ」〈東照宮御実紀付録三〉

きんさう【金瘡・金創】切り傷。刀傷。また、その治療をする医術。「家家へ連れて行き、―をよく療治して」〈藤葉栄衰記中〉

きんさつ【金札】①黄金の札。また、金色の札。「あら不思議や、天より―の降り下りて候」〈謡・金札〉②《「鉄札」の対》閻魔(えんま)の庁で、浄玻璃(じやうはり)の鏡にかけて亡者の善悪を見分け、善人の名を記して極楽に送るという黄金の札。金紙。「―を引替へにする鬼の腕」〈雑俳・忍び笠〉

きんし【金紙】「金札(きんさつ)」(2)に同じ。「―を汚す事もなく」〈謡・鵜飼〉

きんじ【近侍】いつも主君のおそば近く仕えて居ること。また、その人。「其の―の官幷せて五衛府は務めて厳警を加へ」〈続紀養老五・一〇・一三〉

ぎん・じ【吟じ】『サ変』①詩歌などを口ずさむ。「或は金谷の花をもてあそび、或は南楼の月に―・じ」〈古活字本保元下・新院御経沈め〉②声を含んで鳴く。低く鳴る。「龍―・ずれば雲起こり、虎うそぶけば風騒ぐ」〈伽・弁慶物語〉。「梢に―・ずる秋の蟬」〈太閤さま軍記のうち〉

きんしう【錦繡】美しい色で織った錦と縫取りと。「〔蚕〕室中に生長して天下に衣被となり、―の麗はここに出(い)づ。」…

きんしう【錦繡】美しい色で織った錦と縫取りと。「〔蚕〕室中に生長して天下に衣被となり、―の麗はここに出(ら)はる」〈続紀天平宝字一・八・一八〉

きんじき【禁色】勅許なしでは着ることを禁じられていた装束の色。青・赤・黄丹(きあか)・くちなし・深紫・深緋・深蘇芳の七色。それぞれの色には使用すべき者の位階が規定され、下位の者の着用は禁じられていた。宣下により禁色の使用を許された人を「禁色の人」という。「内親王と内外の命婦(みやうぶ)とは服色限り有りて僭差する(身分ヲコエル)ことを得ず。このごろ所司寛容にして…恣(ほしいまま)に―を着て、すでに貴賤の殊(わかち)なく」〈続紀延暦二・一・一〉

きんしつ【琴瑟】①琴と大琴と。「窓東に向ふ朧月は―にあたり」〈謡・半蔀夕顔〉②夫婦、また、兄弟、友人の仲のよいたとえ。「―の交(まじ)り遠く相へだたり」〈懐風藻〉

きんじふ【近習】⇒きんじゅ。「近習、キンジフ、仕官部」〈色葉字類抄〉

きんじふらう【金十郎】《もと操り芝居の楽屋の隠語》あほう。馬鹿。金十。金太郎。「力一杯力一杯/―隣の百助奉加帳」〈雑俳・へらず口〉

きんしゃ【金紗】①金糸を紗の地に織り込んだもの。「―の薄物の中に備へ置かれける」〈西源院本太平記三・塩冶判官〉②金糸。「真紅の帯の八打ちに、―を交ぜて」〈仮・竹斎上〉

きんじゃ【金車】両替屋で金銭を運ぶに用いる車。「―引いても」〈西鶴・諸艶大鑑三〉

きんじゃう【今上】「今上天皇」の略。当代の天皇。現在の天皇。「―の御外戚、新大納言経宗・別当惟方卿をも語らひ」〈平治上・信頼信西を亡ぼさる〉

きんじゃう【謹上】書状の包紙の上書きに書く敬語。謹んで奉るの意。「筑前国司山上憶良―」〈万八七一題詞〉

―さいはい【謹上再拝】神に祈る時、はじめに唱えることば。「―、それ天ひらけ、地固まっしょりこのかた」〈謡・鉄輪〉

きんじゅ【近習】《キンジフの転。キンズとも》主君のおそば近く奉仕する役。「―の人人、この一門を亡ぼして天下を乱らんとする企あり」〈平家二・西光被斬〉。「近習、キンジユ」〈文明本節用集〉

きんす【金子】《スは唐音》①金貨。また、お金。「―は此方より出すべき間、米の才覚頼み入る」〈簑輪軍記上〉②特に、大判金(おほばんきん)。「―百枚、一々に後藤判あり」〈多聞院日記天正一六・九・一〉

ぎんす【銀子】《スは唐音》①銀貨。また、お金。「―三百二十枚」〈多聞院日記元亀三・五・八〉②特に、丁銀(ちやうぎん)。「―二枚」〈隔蓂記正保二・四・一四〉

きんすなご【金砂子】金箔を細粉にしたもの。蒔絵・絵画・襖地などに使う。「螢集(すだ)く河辺や更に―」〈俳・伊勢踊三〉。〈日葡〉

きんせい【禁制】《室町時代、キンゼイと濁音》禁ずること。また、禁止の掟。「佰姓の家に白鑞を蔵むること有るは、先に禁断を加ふ。然れども遵奉せず。…厳かに―を加へて更に然らしむること無かるべし」〈続紀霊亀二・五・二〉。「禁制、キンゼイ」〈文明本節用集〉

ぎんせい【吟声】①詩歌を吟ずる声。〈易林本節用集〉②〔連俳用語〕連俳興行の席上で、執筆(しゆひつ)の役が作句を吟じて連衆に披露すること。また、その声。「井垣の松のさゆる―」〈俳・続境海草五〉

きんせん【金銭】①金で鋳造された銭。金貨。「―の文は開基勝宝と曰ひて、一を以て銀銭の十に当てよ」〈続紀天平宝字四・三・一六〉②おかね。貨幣。「世に―を負ふせた者もあれども、其の金銀故に命を取られた者もないものぢゃ」〈虎寛本狂言・胸突〉

ぎんせん【銀銭】銀で鋳造された銭。銀貨。「始めて―を行なふ」〈続紀和銅一・五・一一〉

きんそく【禁足】外出を禁ずること。「かの盧山の恵遠禅師も、虎渓をさらぬ―にだに」〈謡・木賊〉

きんだい【近代】最近。近頃。「往古より已降、―に至るまで」〈続紀和銅一・二・一五〉

きんたいし【錦袋子・金袋子】中国伝来の、五倍子(ふし)・牛黄(ごおう)・麝香・甘草(かんざう)など十八味をこまかくだき、米の粉の糊で練った丸薬。気付け・腫れ物に用いた。「―張良やがて嚙み割りて」〈俳・飛梅千句〉

きんたいゑん【錦袋円】江戸下谷池の端の勧学屋で売った痛み止めの丸薬。丁子(ちやうじ)・薄荷(はつか)・人参など十一味を成分とし、気付け・毒消し・悪瘡などにも用いた。「―・藤の丸(薬ノ名)、半貝(貝ガラ半分ノ量)が六文な

どとのしる」〈俳・それぞれ草中〉

きんたう【緊当・公道・禁当】①きちんとしていること。几帳面(きちょうめん)。「—とは、公の事を守るやうに、猥(だみ)りならざることなり」〈漢語大和故事三〉②特に、借りた金・物、または買物の代金などを、すぐに返し、または支払うこと。「きんとう」「きんと」とも。「はて〔オ支払イヲ〕御—に、かたじけない」〈近松・阿波鳴門一〉

きんだち【公達・君達】《キミタチの転》①貴族のむすこ・むすめ達。「殿上人、—を、お前よりほかにては、官(つかさ)をのみいふ」〈枕(能因本)文ことばなめき人こそ〉。「—(姫君タチ)は打ちさし給へる碁打ち給ふ」〈源氏竹河〉②《代名詞的に用いて》あなたがた。「〔柏木ガ女房ノ宰相君ニ〕—こそ、めざましくもおぼしめさめ、下仕へなどやうの人人とだにうち語らはばや」〈源氏藤袴〉▷kimitati→kimtati→kimdati→kindati

きんだん【禁断】かたく禁ずること。「月ごとに六斎日には殺生を—せしむ」〈続紀天平九・八・二〉

きんぢ『代』⇒きむち。「〔主人ガ家来ニ〕—が姓は何ぞ」〈大鏡序〉

きんちう【禁中】《「禁」は天子の御所の意》天子の御所の中。禁裏(きんり)。「天皇西宮の寝殿に崩ず。…藤原朝臣蔵下麻呂等策を—に定めて、諱を立てて皇太子と為す」〈続紀宝亀一・八・四〉 **—さま**【禁中様】天子様。「—御作事の時」〈咄・昨日は今日下〉

きんちゃ【金茶】《キンチャク(巾着)の転。「金茶」は当字。もと操り芝居の楽屋の隠語》お客。「何処へ出してもお—様だ」〈滑・戯場粋言幕の外下〉

きんちゃう【金打】誓いを立てるときの作法。仏家では鉦(かね)や鰐口(わにぐち)などを鳴らし、武士は刀を抜いて打ち合わせ、女子は鏡を打ち合わせて音をたてる。「かねうち」とも。「『君に心変り申すな』と、堅く申しつけ、—せさせて候」〈謡・錦戸〉。「龍頭丸の御太刀を抜きて、…と—ある」〈江源武鑑二〉

きんちゃう【錦帳】にしきで作った垂れぎぬ。「〔白氏文集ノ中ノ〕『蘭省花時—下』と書きて」〈枕八二〉。「〔中宮ノ御寝所ノ〕—ちかく御座あって」〈平家三・御産〉

きんちゃきんじふらう【金茶金十郎】⇒きんじふらう。「今遊里の方言に、馬鹿の異名を—と言へり」〈嬉遊笑覧九〉

きんちゃく【巾着】①布・帛(きぬ)・革などで作り、口を紐でくくるようにした小物入れ。「きぬの—はやり物」〈細川幽斎長歌〉②常に人に付き従っている者をあざけっていう語。腰巾着。「—と思ふ家来に金を入れ」〈雑俳・つづら笠〉③近世、素人(しろうと)仕立ての安い私娼の称。「—と云ふ者あり」〈浮・好色文伝授一〉 **—きり**【巾着切り】すり。巾着すり。「あるひは—さては乞食などして日を送りけり」〈仮・子孫鑑中〉 **—の紙鳶**(いかのぼり) 巾着が軽くなって紙鳶のように風に舞い上がる意で、金銭を使い果すこと。「—、思へば無念千万なり」〈近松・賀古教信三〉

きんつば【金鍔】金で装飾した刀の鍔。近世、伊達(だて)道具として若衆・野郎などが用いた。「—の太刀に、目九つさしたる征矢(そや)一腰取りそへて」〈盛衰記三〉

きんてい【禁廷・禁庭】天子の御所。皇居。禁中。宮中。「—の草、霜をいただく」〈本朝文粋八〉

きんでん【金殿】黄金で飾り立てた、非常に美麗な御殿。「聖上—を装ひ」〈本朝文粋八〉

きんと ⇒きんたう(2)「習礼(しゅらい)を—にせがまれて」〈近松・虎が磨下〉

ぎんとく【銀徳】《関西は銀貨を主要貨幣としたのでいう》金銀銭を多く所持することにより生ずる徳。「—にて叶はざる事、天(あめ)が下に五つあり」〈西鶴・永代蔵一〉

きんない【畿内】⇒きない。「—五箇国」〈伽・観音本地〉。「—近国、在在所〔所〕に至るまで」〈伽・鶴の翁〉

きんなしぢ【金梨子地】金粉をまいた梨子地。銀粉でしたのを「銀梨子地」という。「山吹の散り敷く庭や—重頼」〈俳・発句帳一〉

きんのこと【琴の琴】奈良朝から平安初期に使われた楽器。面に桐、胴に梓(あずさ)を使い、長さ三尺六寸。黒漆塗り七絃。柱(ぢ)が無く、左手でおさえ右手で弾く。奏法が複雑で弾きにくかった。「きん」とも。「いで、その—ひき給へ」〈源氏手習〉→箏(さう)の琴(こと)

きんのざい【金の範・金の幣】近世、大矢数(おおやかず)で、通し矢天下一の新記録が出た時、振った金色の采配(さいはい)。後には、五百本目ごとに振るようになった。「通り矢数に出す—」〈俳・晴小袖四〉

きんのま【金の間】金襖(きんぶすま)を立て、または金張り付けの壁で仕切った部屋。銀でこしらえたものを「銀の間」という。「—か山吹囲ふ花の庭」〈俳・玉海集一〉

きんばだい【金馬代】献上馬の代りとして贈った大判一枚。大馬代。「江戸の春や光を飾る—」〈俳・当世男上〉

きんばん【勤番】①交代して勤務につくこと。「—して安嘉門院に候するの間」〈明月記天福一・九・八〉②役人が幕府に出勤すること。出仕。登営。登城。「同(和田倉御門以下御番所)—覚え」〈御当家令条一四〉

ぎんばん【銀盤】香道具の一。銀・青貝で花形に作った、薫物(たきもの)の下に敷く火敷(ひしき)。「梅が香の—なれや庭の雪」〈俳・毛吹草五〉

きんびゃう【金屏】金箔または金紙を貼った屏風。金屏風。「御屏風は、必ず必ず松竹の—を立つ」〈三好筑前守義長朝臣亭江御成之記〉。〈文明本節用集〉

きんぴら【金平・公平】①近世初期、金平節(ぶし)の主人公。坂田金時の子で、剛勇無双、種種の武功を立てる。「三芳野に—卿の分け入りて」〈俳・独吟廿歌仙下〉②金平を模した人形。公平人形。「笙(しゃう)の笛・—ぞいと売りぬ」〈咄・当世手打笑三〉③男のように、荒っぽい女。「顔の美しい—ぢゃまで」〈俳・誹諧如何〉④他の語に冠して、堅固なもの、丈夫なものの意を表わす。「—骨」「—糊」「—縞」など。「兵庫頭(ひゃうごのかみ)—織の袖の月」〈俳・それぞれ草下〉 **—ぶし**【金平節】江戸古浄瑠璃の一派。明暦・寛文頃、岡清兵衛の脚本で桜井和泉太夫が語った時代物。坂田金時の子金平が、源頼義の家臣の二代目と協力して、怪力無双の武勇を発揮する筋で、勇壮な語り口が世人に喜ばれた。元禄頃衰えた。金平浄瑠璃。「堺町なる操り芝居和泉大夫が—の正本」〈近世物之本江戸作者部類一〉 **—ぼん**【金平本】金平節の正本。「昔の—は、勇みのある良い物で」〈滑・教訓雑長持五〉

きんぶくりん【金覆輪】覆輪の一。金で縁(ふち)どりしたもの。黄覆輪(きぶくりん)。「鴾毛(つきげ)なる馬に沃懸地(いかけぢ)に—の鞍にぞ乗ったりける」〈保元中・白河殿へ義朝夜討ち〉

ぎんみ【吟味】①詩歌を口ずさみ味わうこと。また、その味わい・趣。「これらも言外の心なり。—し眼をつくれば面白くなる物也」〈景感道〉。「左右、二つの物語の面影ある心地して、—尽きず侍り」〈宗長百番連歌合〉②物事をよく調べること。「誰(た)がことばぞといふ事を尋ねず、ただ何(なに)たる理(ことわり)ぞといふ事を—せよ」〈こんてむつすむん地一〉③罪状を調べただすこと。詮議。「余所(よそ)の者がせう

とーもせう者が、其のやうな事をする物か」〈狂言記・水論聟〉 ④取締り。監督。「男はーもむつかしく」〈西鶴・諸国咄一〉

きんみづひき【金水引】金箔を置いた、または金色の、水引。「成田孫三郎ー百把、団扇一柄恵む」〈隔蓂記寛文五・五・一九〉

きんめ【金目】近世、金貨を計量する時の名目。両・歩(一両の四分の一)・朱(一歩の四分の一)などがあった。「毎日一人に、ー五厘七厘或は七分、又は一銭目二銭目づつの金子を与へ」〈近松・国性爺後日三〉

ぎんめ【銀目】近世、銀貨を計量する時の名目。匁(もんめ)・貫(千匁)・分(ふん)(一匁の十分の一)などがあった。「金〔ノ数値〕を置き、…九両換へ(金一匁ガ銀九匁ニ相当)の時は、九を懸け申し候ふ時、ーに成り申し候」〈割算書〉

きんもん【金紋】①金箔でおした紋所。「軒の瓦にーの三の字を付け並べ」〈西鶴・永代蔵三〉 ②金漆で書いた紋所。近世、大名が家格により、行列の前後に持たせる挾み箱の蓋・縁(へり)に記すのを許されたもの。「ーの御挾み箱」〈梅津政景日記元和六・三・一七〉 **ーさきばこ**【金紋先箱】大名行列の先頭でかついだ、金紋を記した挾み箱。「先箱の紋は、ーと唱へて、何方も同じやうなるに、岡山侯の先箱は黄紋なり」〈甲子夜話四一〉

きんもん【禁門】①皇居の門。「ーを出入すといへども、姓名を尋ねらるるに及ばず」〈平家一・禿髪〉 ②警戒がきびしく、出入りを許さぬ門。「かの獄の辺に行きたりけれども、ー警固隙無かりければ」〈太平記四・備後三郎〉

きんや【禁野】天皇の狩場として、一般人の狩を許さなかった所。「ーの鷹飼敦友が、野鳥合はせしこそ見まほしき」〈梁塵秘抄三五六〉

きんらん【金襴】錦地に平金糸(ひらきんし)をよこ糸に加えて模様を織り出したもの。古くは中国から輸入したが、天正頃、堺に工法が伝えられ、後に京都西陣の特産となった。「紫のーの袋に入れらる」〈竹むきが記〉

きんり【禁裏】「禁中」に同じ。「仙洞も騒がしくーも静かならざるに」〈古活字本保元上・新院御謀叛思し召し〉 **ーさま**【禁裏様】天子様。「禁中様」「禁庭様」とも。「ーの叡聞ぞ恥づかしく侍る」〈落書露顕〉

きんりゃう(リヨウ)【斤両】《「斤」も「両」も重さの単位》①目方。重さ。「太政官奏して調庸のー及び長短の法を定む」〈続紀養老一・四・一四〉 ②秤(はかり)。「ーの錘(おもり)に掛る我が涙」〈俳・俳諧三部抄中〉

きんる【近流】流罪の一。「遠流」「中流」に対し、近国に流すこと。「越前・阿芸をはーとす」〈塩嚢鈔一〉

きんるい【近類】血縁の近い親類。「但し兄弟叔姪のーは、禁制の限りに非ず」〈貞永式目追加文永二〉

きんろう【禁籠】閉じこめて出さぬこと。押込め。「一一にーせん事、罪業また消滅すべからず」〈盛衰記八〉

く

く【句】《字義は、口(ことば)をとめる、区切る意》①漢詩などの切れ目。一区切れ。「文、若しは筆等の書中に若しは音、若しは訓、或いはーを読み、或いは義を通ず」〈性霊集一〇〉 ②和歌などの韻律上の一区切れ。「をみなへしといふ五文字をーのかしらに置きてよめる」〈古今四三九詞書〉 ③連歌・俳諧で、五七五の長句、七七の短句、または発句。「花のーは、いと大事の物也」〈連理秘抄〉 ④平曲の章段。「祇園精舎より六代被斬まで、巻巻ーごとに」〈西海余滴集〉

く【苦】苦しみ。仏教では「四苦」「八苦」などであらわされる。「命は又無量なれば、遂に生老病死の苦しみなし。心と事とあひかなへば、愛別離のーもなし」〈栄花玉台〉。「言ひもてゆけば〔懐妊ハ〕ただ女のーにて侍らんかし」〈狭衣二〉 **ーは色変・ゆる** 程度・様相はちがっても誰にも苦労がある意。「苦は色変ゆる松の風」とも。「浪の音聞かじと山に入る人ー・ゆる松風の声」〈高国代抄六〉

く【消】『下二』⇩け(消)

く【来】『カ変』⇩き(来)

く『接尾』→「用語」について(ク語法)

ぐ【具】《一揃い、または対(つい)になるもの》①(一揃いになる)道具。また、付属品。「旅のーつかはしける鏡の箱の裏に」〈後撰一三二五詞書〉。「袴(はかま)のーー」〈源氏宿木〉 ②食物の添えもの。「〔ユズリ葉ハ〕歯固めのーにももて使ひためるは」〈枕四〇〉 ③(貴人に)付き添う人。お相手。「姫宮の御ー(侍女)として」〈源氏蜻蛉〉 ④(貴人に)連れ添う人。配偶者。「〔浮舟ハ匂宮ノ〕御ーにては、よきあはひなり」〈源氏浮舟〉 ⑤衣類や道具などを数える語。そろい。個。「給(あはせ)の袴一ー」〈源氏行幸〉。「屯食(とんじき)五十ー」〈源氏宿木〉

ぐ【愚】①おろかなこと。また、おろかもの。「事理に合はず、自(おのれ)のーなることを是(ぜ)とすることを好むをば、癡(たはけ)とす」〈続紀天平宝字三・六・二二〉 ②自分をへりくだっていう語。「師説に非ず。ーの意に発(おこ)る」〈僻案〉。「ーおもへらく」〈雲居和尚往生要歌〉 ③自分に関係ある人・物事に冠して、謙譲の意をあらわす。「ー妻」「ー意」「ー詠」など。「ー眼の及ぶ所、大略これを記す」〈長秋記保延一・五・一八〉

くあげ【句上】〔連俳用語〕懐紙の末尾に、作者ごとに採用された句数を書き出したもの。「ーの作者を書き侍るに、高位などの御諱(いみな)をば、ただ御の字ばかり書くべし」〈私用抄〉

くあはせ(ワセ)【句合】〔俳諧用語〕歌合にならい、発句を左右に一句ずつ組み合わせ、その優劣を競うもの。「前後十八番のーー」〈俳・十八番発句合〉

く・い【悔い】㊀『上二』自分のしたことを後でよくなかった、しなければよかったと思う。くやむ。「橘をやどに植ゑ生ほし立ちて居て後(のち)にー・ゆともしるしあらめやも」〈万四二一〇〉 ㊁『名』後悔。「出でましのーはあらじぞ」〈紀歌謡一二四〉

くいかへ・し(エシ)【悔い還し・悔い返し】『四段』①一旦譲与したものを取り返す。「所領を女子に譲り与ふるの後、不和の儀有るによりて、其の親ー・すや否やの事」〈貞永式目〉 ②前言を取り消す。「しかるを、後八年の法華経に、忽ちにー・して、二乗(声聞・縁覚)作仏すべしと仏陀とかせ給はんに」〈開目抄〉

くいくい【悔い悔い】悲観したり、うらめしく思ったりして、くよくよするさま。「天下の事をーとわぶるは無用の事ぞ」〈山谷詩抄一九〉

くう【功】てがら。功績。「此の頃のわが恋力記し集めーに申さば五位の冠(かがふり)」〈万三八五八〉。「功、コウ・クウ」〈名義抄〉 ▽「功」の呉音は平安時代以降クと書かれているが、実際には韻尾にng を持つ音であるから、奈良時代にはそのng を一音節としてウで表わし、クウとしていたものと思われる。

くう【空】〔仏〕すべての有(存在)には、永遠不変の実体はないということ。「―を観じては、此れの身を厭ふ」〈文華秀麗集中〉。「善も悪も―なりと観ずるが、まさしく仏の御心に相叶ふ事にて候なり」〈平家二・大臣殿被斬〉

くうげ【供花】《クゲとも》①仏前に供える花。「此の会(ゑ)の―の唐花を取りて、冥途の験(しるし)にせむ」〈今昔三ノ六〉②仏前に花を供えて供養する行事。五月・九月の二度行なわれ、数日から百日・千日に及んだ。「院の御―のときの会に」〈長秋詠藻中〉

くうげ【空華】〔仏〕《「虚空華」の略》眼病をわずらうものが空中に見る幻の花。本来空である万象を観念の上で実在するもののように妄想することをいう。「―灼灼として何の実か有る」〈性霊集一〇〉

ぐうげん【寓言】嘘(そう)。作り話。「いづれとも片付き難き寓言(ぐうげん・そらごと)なり」〈仮・可笑記評判三〉。「〔作者ノ〕宗房は―なるべし」〈俳・氷室守三〉 ▽談林俳諧で、俳論用語として盛んに用いられた。

くう・じ【供じ】『サ変』そなえる。捧げる。「深夜に花を―・ずる天人」〈謡・山姥〉

ぐうじ【宮司】①伊勢大神宮の神官。祭主に次ぐもの。大宮司・少宮司がある。「伊勢大神宮司一員を加置す」〈三代実録貞観三・八・一六〉②神職の一。大きな神社に置かれ、神社の造営・収税をつかさどり、また祭祀・祈禱を行なうもの。「一人の―に神託(つ)きて宣(のたま)はく」〈今昔二六ノ七〉

ぐうじ【窮子】⇒ぐじ。「只―の他国より帰りて父の長者に逢へるが如く、悦び合ふこと限りなし」〈太平記三九・将軍上洛〉

くうそくぜしき【空即是色】〔仏〕《般若心経にある句。「色」は物質的存在の意》空(くう)であることが即ち実在であるということ。「色即是空なるが故に是を真如実相といふ。―なるが故に是を相好光明といふ」〈栄花玉台〉

くうづ・き【功付き】『四段』《クウは和音》老練になる。年功を積む。「〔読経ノ声ハ〕老い枯れにたれど、いと―・きて頼もしう聞ゆ」〈源氏総角〉

くうでん【宮殿】《クウは和音》帝王の殿舎。「その時に第六天の魔の―おのづから振ひ動く」〈今昔一ノ六〉

くうや【空也】「はちたたき」に同じ。「干鮭(からざけ)も―の痩(やせ)も寒の内　芭蕉」〈俳・猿蓑上〉 ▽平安中期、空也念仏をはじめた空也(こうや)上人の名から。 **―き**【空也忌】十一月十三日の空也上人の忌日。京都の空也堂で踊念仏が行なわれ、以後四十八夜の間、京都の内外を声高く念仏を唱えながら廻る鉢叩きの行(ぎょう)がなされた。〈俳・毛吹草二〉

くうや【空夜】寂しく静かな夜。「―に窓閑(ごし)かなり、螢度(たわ)って後」〈和漢朗詠集夏夜〉

くうりん【空輪】〔仏〕九輪(くりん)の異称。「―空にかかやきし五重の塔婆(たふば)」〈盛衰記三四〉

く・え【崩え】㊀『下二』くずれる。「愛(うるは)しとわが思ふ心速河の塞(せ)きに塞くともなほや―・えなむ」〈万六八七〉㊁『名』くずれること。また、その所。くずれ。「鎌倉の見越の崎の石(はい)―の」〈万三三六五東歌〉 †kuye

く・え【越え】『下二』「こえ」の上代東国方言。「吾(あれ)は―・え行く」〈万四三七二常陸防人〉 †kuye

く・え【蹴え】『下二』《ケ(蹴)の古形のコエとクヱとが平安時代に混交したものか》ける。「蹴、クユ・コユ」〈名義抄〉

くえう【九曜】九曜星のこと。日月木火土金水の七曜に、羅睺(ごら)星と計都(けいと)星を加えたもの。仏教の暦法より起り、陰陽道で人の生年月日などを配し、運命吉凶判断に用いる。「天道あはれみ給ひて―の形を現じつつ、一行阿闍梨(あじやり)を守り給ふ」〈平家二・一行阿闍梨〉

くえびこ【久延毘古】《「崩(く)え彦」の意という》説話に見える神の名。今の案山子(かかし)のことという。「―は今に山田のそほど(カカシ)といふ者」〈記神代〉

くが【陸】《クヌガの転》(海・川などに対して)陸地。「水鳥の―に惑へるここちして」〈源氏玉鬘〉。「陸、久何(がく)」〈金光明最勝王経音義〉 ▽kunuga→kunga→kuga

くかい【九界】〔仏〕十界から仏界を除いた世界。菩薩(ぼさつ)・縁覚(えんがく)・声聞(しゃうもん)・天上・人間・修羅(しゅら)・餓鬼・畜生・地獄の総称で、迷いの世界およびその境界(きゃうがい)。「普現(ふげん)色身(しきしん)の力をもて、―の迷情を度す」〈沙石集一ノ三〉

くかい【苦海】〔仏〕生死輪廻(りんね)の際限ない苦しみにみちた有情世界を海にたとえた語。「―の煩悩も亦結ぼほるといふことなし」〈万巻五・愛河波浪の詩〉。「般若(はんにゃ)の舟に乗りて―を渡れば」〈俊頼髄脳〉

くがい【公界】《クは呉音》①公けの世界。公けの事。「述懐は私事、弓矢の道は―の義」〈太平記一九・青野原軍〉②世間。人なか。「―へ押し出いて、野のやうな処で談合をするが」〈周易抄〉③遊里。「―に住めば月も格別」〈俳・独吟一日千句〉 **―むき**【公界向】おもてむき。「今までは―の由、この後は随(ずい)を出いて遊ばれ候へ」〈咄・醒睡笑一〉 **―もの**【公界者】①広い世間をまかり通る者。「算置きも―ぢゃ。なぜに打擲召された」〈虎寛本狂言・居杭〉②世間のつきあいをよく心得て、応対に巧みな者。「座配よく、大身・小身に打ち合ひ、取成し少しもあぐまず、軽薄にもなく…いかにも見事に仕合はするを、利発人・―と申す」〈甲陽軍鑑一三〉

くがい【公廨】⇒くげ(公廨)

くがざま【陸方】陸の方。「泳ぎて―にのぼりて」〈宇治拾遺三九〉

くかたち【探湯】上代、神に誓って熱湯に手を入れ、行為の正邪を判断した行事。正しい者の手はただれず、不正なものの手はただれたという。後世の湯起請(ゆぎしゃう)の類。「盟神探湯、此をば区訶陀智(くかたち)といふ」〈紀允恭四年〉

くがぢ【陸路】陸上の道。「二箇処の城を構へて、船路・―を支へんとす」〈太平記一六・西国蜂起〉

くがね【黄金】《コガネの古形》金(きん)。「銀(しろかね)も―も玉も何せむに勝れる宝子に及かめやも」〈万八〇三〉

くかへ【探湯瓮】探湯(くかたち)に用いる釜。「―をすゑて…氏姓(うぢかばね)を定めたまひき」〈記允恭〉 †kukaё

くがら【句柄】句の品格。句としての姿。「さのみ前句(さきのく)の寄合(よりあひ)をもらさじとすれば、―も極めて下品の物になる也」〈連理秘抄〉

くき【岫・洞】①山の洞穴(ほらあな)のある所。山の穴。「洞、此をば久岐(くき)といふ」〈紀仲哀八年〉。〈新撰字鏡〉②峰。山のいただき。「嶂嶝、岑也、高山之称也、久支(くき)」〈新撰字鏡〉 ▽朝鮮語 kokεi(岫)と同源。 †kuki

くき【茎】《古形クク(茎)の転》植物の幹の部分。「百合の花を献れり。其の―の長さ八尺」〈紀皇極三年〉 †ku-kï

く・き【漏き】『四段』隙間をくぐる。「我が手俣(たなまた)より―・きし子ぞ」〈記神代〉。「山吹の繁み飛び―・く鶯の」〈万三九七一〉 †kuki

くぎ【釘】くぎ。奈良時代には打合釘・平頭釘・呉釘・長押釘・雁釘・切釘などがあった旨、正倉院文書に見える。「むら玉の枢(くる)に―さし堅めとし」〈万四三九〇防人〉。「釘、クギ」〈名義抄〉 ▽上代、ギは gï か gï か未詳。下総国防人の方言の歌では ogi。 **―に成・る** 寒さのために手足が冷たく凍える。「こりゃ手も足も―・った」〈近松・天網島中〉 **―の裏返・す** 《打ちつけた釘の先を折り曲げて抜けぬようにすることから》物事に十分念を入れる。「釘の穂を返す」とも。「―・して、京都の用事つどつどに勤め」〈浮・五箇の津四〉 **―を刺・す** 相手が約束を破らないように念を押す。「俺に―・いたな」〈伎・関東小六今様姿一〉

くぎがくし【釘隠・釘蔵】 長押(なげし)に打った釘の頭を隠すための装飾金具。「大社の雁字板のおそひに―これを打つ」〈中臣祐春記弘安一〇・一一・二五〉

くぎこほり【釘氷】 手足が氷のように冷え、動かなくなってしまうこと。「たたずむ足は―、身も冷え渡り」〈近松・寿門松中〉

くきづけ【茎漬】 蕪(かぶら)の葉・茎を塩漬けにしたもの。江州産を近江漬、山城賀茂産を酸茎(すぐき)という。後には大根を漬けたのもいう。また、その漬けた桶を茎桶という。「韲は―なんどの総名ぞ」〈四河入海二五上〉

くきなが【茎長】《「茎短(くきみじか)」の対》 槍や長刀(なぎなた)の柄の手前の端の方を持った構え方。「長刀を―に取りてするりとさし出す」〈義経記二〉

くぎぬき【釘貫】 ①立て並べた柱や杭に横に貫(ぬき)を通した柵。「―に車をひきかけてみれば」〈かげろふ中〉。「守る人もまだ絶えなくに川口の関の―早朽ちにけり」〈堀河百首〉 ②町の入口の城戸(きど)。夜は閉める。「〔賀茂〕河原洪水…一条室町―流る。小路大水不可説」〈看聞御記嘉吉三・五・二〉

くきみじか【茎短】《「茎長」の対》 槍や長刀(なぎなた)の柄を刀身寄りに持った構え方。「打物―に取って」〈平家一一・能登殿最期〉

くきゃう【究竟】《クッキャウとも》 ①〔仏〕「究竟即」の略。一切の法を悟りつくした境地。天台宗でいう六即の最高位。「―は理即(六即ノ最下位)にひとし」〈徒然二三七〉 ②最高であること。卓越していること。「主従三騎―の逸物(いちもつ)どもにて」〈平治中・待賢門軍〉

くぎゃう【公卿】 ①太政官の最上層を形成する、国政の最高幹部。太政大臣および左右大臣を「公」といい、大中納言・参議および三位以上を「卿」という。「今皇帝の位を内親王に伝ふ。―百寮、悉く祇(つつ)しみ奉(つか)へまつりて、以て朕が意に称(かな)ふべし」〈続紀霊亀一・九・二〉 ②「打身の事、―にても足打にても置く時は、打身と山葵と手塩と差し寄せて置きたるを四条流と申す也」〈四条流庖丁書〉。「公卿、クキャウ、衝重ノ類也」〈塵芥〉 **―せんぎ**【公卿僉議】 公卿の会議。「その後―あって」〈保元下・為朝生捕り〉

くぎゃう【苦行】 身体的に堪え難いほどの苦しい修行。難行。「精進―、心を戒律に留む」〈懐風藻〉

くぎゃう【恭敬】《呉音》 うやうやしくあがめること。深くうやまうこと。「道俗ことごとく靡き、帰依(きえ)―す」〈三宝絵中〉。「恭敬、キヤキヤシ・クギャウ」〈色葉字類抄〉

ぐきゃう【弘経】 仏教の経典を世にひろめること。「龍樹菩薩は―の大士也」〈盛衰記三四〉

くぎん【苦吟】 苦心して詩文を作ること。「一夜―心灰に似たり」〈再昌草一〇〉。「歌を案ずるとて―する心づかひ也」〈古今私秘聞〉

くく【九九】 掛け算の「九九」。奈良時代にはすでに大陸から渡来していたことが、万葉集九〇七などの用字法を通じてわかる。古くは、「九九八十一」と、上の方から数えたので「九九」という。今日のように、「一一が一」と、下の方から数える方式に変ったのは、中国では元・明の頃、日本に入ってきたのは室町時代らしい。日葡辞書には、新旧二通りの「九九」が挙げられている。「九九八十一・八九七十二・七九六十三…二二四・一一一」〈口遊〉。「―の乗除、滞り無くして、悉く心に浮かぶ。一一の推条、違はずして、掌を指す如し」〈普通唱導集上〉

くぐ【供具】 神仏への供えもの。「王のもとより―を訪(とぶら)へるなり」〈今昔二ノ三〇〉

くく・し【括し】 ㊀《四段》 くくる。しばる。「さてその足を松に―・しつけて」〈四河入海八下〉。「―・せ、縛れ」〈伽・鴉鷺物語〉 ㊁《名》「くくし染め」の略。「―の小袖」〈多聞院日記永祿二・二・二〉 **―ぞめ**【括染】「くくりぞめ」に同じ。「風の手を―せよ花衣」〈俳・細少石三〉。〈俳・毛吹草四〉

くぐせ【傴】《動詞クグマリ(屈)のクグとセ(背)との複合》せむし。「背(せな)傴(くぐせ)に」〈霊異記下三〇〉。〈名義抄〉

くくたち【茎立】《ククはクキの古形。ツキ(月)の古形ツクの類》 ①青菜の苗。一説、野菜のとうの立ったもの。「―折りはやし(料理ヲ作リ)」〈万三四〇六東歌〉。「蕫、久々太知(くくたち)、俗用二茎立二字一、蔓菁苗也」〈和名抄〉 ②大根・菜類の蕾(つぼみ)をつけた茎の伸び立ったもの。「酢一桶・―・土筆給び候ひ了んぬ」〈日蓮遺文大井荘司入道御書〉

くぐつ【裹】 ①海辺に生えている莎草(くぐ)で編んだ手下げ袋。「―持ち玉藻刈るらむ」〈万二九三〉 ②糸などで編んだ網袋。「絹綾を糸の―に入れて」〈宇津保国譲下〉

くぐつ【傀儡】 ①操り人形。「機関木人、久久都(くぐつ)」〈和名抄〉。〈華厳音義私記〉。「傀儡子、和名久久豆(くぐつ)」〈和名抄〉 ②くぐつをあやつる芸人。一所に定住せず、各地を回って歩き、女は売色もした。「常に遊女・―を集めて、歌ひ嘲けるを以て役とす」〈今昔一九ノ二〉 ③遊女。「人の宿りて侍りけるが暁に〔東国へ〕立ちけるに詠める。〔作者〕―なびき」〈詞花一八六詞書〉 **―まはし**【傀儡廻し】「くぐつ」(2)に同じ。「―の者ども多く館に来たりて」〈今昔二八ノ二七〉。「傀儡師、クグツマハシ」〈名義抄〉

くぐひ【鵠】《鳴声による名という》 ハクチョウの古名。「こひ」「こふ」「くび」とも。「湊田に―や八つ居り」〈神楽歌五四〉。「鵠、久々比(くぐひ)・古布(こふ)、大鳥也」〈和名抄〉

くぐま・り【屈まり・踞まり】《四段》 かがむ。背や手足を曲げて、からだを小さくする。「海賊―・りて、箭(や)を上へとほしけり」〈著聞四三五〉

くく・み【含み】 ㊀《四段》《フクミの古形か。対象を丸ごと本体の一部にとり入れる意。類義語ツツミは物全体を別のものですっぽりおおう意》 ①覆って包む。「〔亡骸ヲ〕うはむしろに押し―・みて」〈源氏夕顔〉 ②口中に含んで飲みこまずにいる。「氷―・みたる声にて」〈かげろふ下〉。「そらなきの涙、丁子―・む事、とどめてけるとぞ」〈古本説話一九〉 ③囲む。「金にて打ち―・んだる腰の刀にて」〈平家一三・泊瀬六代〉 ㊁《名》《他の名詞の下について》 ①本体となる物の中に包みこむこと。「あやしきものに、火をただほのかに入れて、袖―に持たり」〈源氏末摘花〉 ②…ぐるみ。「扉の厚さ五六寸ばかりなるが、金物―に篦中(のなか)過ぎてぞ立ったりける」〈保元中・白河殿攻め落す〉

くぐ・み【屈み】《四段》 ①背や手足を曲げて小さくなる。「笛の音の近づきければ、さし―・みて見れば」〈義経記三〉 ②曲がって小さくなる。「痀僂(くる)は、腰の―・む者ぞ」〈山

谷詩抄二〉

くくみら【茎韮】《ククはクキの古形、ミラはニラの古形》ニラの古名。「岡の―我摘めど」〈万三四四東歌〉 †kuku-mira

くく・め【含め】〘下二〙《ククミの他動詞形》①口にふくませる。「懐に入れて、うつくしげなる御乳を―め給ひつつ」〈源氏薄雲〉②よくいいきかせて、心にとどめておくようにさせる。『きたなげならん所、かき棄てて』など、言ひ―めやりたれば」〈枕(能因本)職の御曹司に〉

くぐ・め【屈め】〘下二〙背や手足を曲げて、からだを小さくする。「ひさかたの天つみ空は高けれど背を―めてぞ我は世に住む」〈夫木抄一九・天〉

くくも・り〘四段〙《ククメ(含)の自動詞形》内にこもって外から中が見えない。「天地いまだ剖(わか)れず…―りてきざし(萌芽)を含(ふふ)めり」〈紀神代上〉。「殗、カサヌ・ツヽム・ク、モル」〈名義抄〉 **―どゑ【くくもり声】**内にこもってはっきりしない声。「物を言ふも―にて響きて聞えず」〈徒然五三〉

くく・り【括り】□〘四段〙①糸や紐・縄などを巻きつけてきつく締める。「玉こそは緒の絶えぬれば―・りつつまたも合ふと言へ」〈万三三三〇〉。「腰を―・られてほかへはえ行かで」〈宇治拾遺九ノ六〉。「結願の日、首を―・りて臨終せんと思ひ企(くはだ)て」〈沙石集四ノ六〉②括染めにする。「ちはやぶる神世もきかず龍田川唐紅(からくれなゐ)に水―・るとは」〈古今二九四〉③束縛する。不自由にする。「夜明まで―・られる」〈近松・天網島下〉 □〘名〙①くくること。くくったもの。「色色の玉を斑濃(むらご)に貫(つら)きて―にして」〈著聞三九三〉②指貫(さしぬき)の裾(すそ)を締めるためにつけてある紐。「我はかちより(徒歩デ)、―引き上げなどして出で立つ」〈源氏夕顔〉③網を使ったわな。「―をかけて、鹿を捕(と)りける程に」〈著聞五六〇〉④《「くくり銭」の略》銭を出しあって会飲すること。「醵(きよ)は、各出(かくしゅつ)に銭を出いて酒を買うて飲む事ぞ。ここら(日本)に―と云ふ事ぞ」〈玉塵抄一六〉 **―ぜに【括銭】**ある用途のために銭を出しあって一くくりにすること。「参貫文、惣中より―をして、明顕へ渡さるる」〈本福寺跡書〉 **―そで【括袖】**袖口に綿を薄く入れ、或いは鯨のひれや針金を入れて、ふっくらと縫ってくくったもの。縫目をこまかに縫ったものを「罌粟(けし)ぐくり」「しのぐくり」という。「裂き織は昔に替る―」〈俳・桜千句〉 **―ぞめ【括染】**布の所所を糸でくくって模様を染め出す染色法。しぼりぞめ。纐纈(かうけち)。「旅姿どもの、色色の襖(あを)のつきづきしき縫物、―のさまも、さるかたにをかしう見ゆ」〈源氏関屋〉 **―づきん【括頭巾】**頭の形に合わせて円く作り、縁をくくった頭巾。「熊の皮の作り髭(ひげ)、白き―」〈川角太閤記四〉。〈日葡〉 **―ばかま【括袴】**裾口を紐で貫きくくる袴。指貫(さしぬき)を略したもの。また、カルサン。「公家上﨟の立烏帽子をきて、―を着たるやうに覚えて候」〈砌塵抄〉 **―もの【括物】**くくり染めにしたもの。「とゆかしきもの。巻染(まきぞめ)・むら濃(ご)・―など染めたる」〈枕一五九〉

くぐ・り【潜り】□〘四段〙《クキ(漏)と同根か。奈良・平安時代はククリと清音。室町時代にはクグリ。密にあるもののすきまをぬって移行する意》①水が洩れ流れる。「しきたへの枕ゆ―る涙にそ浮き寝をしける恋の繁きに」〈万五〇七〉。「潜、ククル」〈名義抄〉②狭いすきまを通りぬける。「園の柴垣の犬の通ひ路より―・りて逃ぐるを」〈米沢本沙石集八〉③水の中をゆく。「水の底を―・って向うの岸へぞ着きにける」〈平家九・宇治川〉。「泳、ククル・ミナククル」〈名義抄〉 □〘名〙くぐって出入りする小さい戸。潜り戸。「―は明き候てこれあるべく候。戸びらを押し明けよ」〈川角太閤記一〉

くくゎ【苦果】〔仏〕悪業の報いとしてうける苦。「生死の業因、輪廻の―、ただこの事なり」〈沙石集四ノ二〉

くぐゎつじん【九月尽】九月の最終日。九月晦日(みそか)。「―の日よみ侍りける。秋はただ今日ばかりとぞながむれば夕暮にさへなりにけるかな」〈後拾遺三七四〉

く・け【絎け】〘下二〙縫い目を表に出さないように縫う。「当世衣裳の縫好み、いやながら請けとりて、一丁三所(みところ)に―・けてやりしも無理なり」〈西鶴・一代女四〉

くげ【公家】①天皇。朝廷。「召し出でて、―に仕ふる間、僧都に成されぬ」〈今昔一三ノ三〉②《「武家」の対》京都朝廷に仕える人。朝臣。「華飾世に越えて、―にも武家にも従はず」〈義経記五〉

くげ【公廨】《クガイとも。官衙の意》「公廨稲」の略。天平十七年、諸国におかれた官稲の一。これを貸しつけて、その利益を役所の経費や官人の俸給に充当した。「国の大小に随ひて―を割出し、以て常平倉(じゃうへいさう)を為(つく)り」〈続紀天平宝字三・四・一六〉

くげ【供花】⇒くうげ。「九旬―、一夏の持斎」〈内閣文庫本庭訓往来九月十三日〉

くけおび【絎帯】くけ合わせて仕立てた帯。「―一筋これを遣はす」〈多聞院日記天正二〇・九・一三〉

くけこ・み【絎け込み】〘四段〙中に入れこんで、縫い目の見えぬように縫う。「〔金ヲ〕わたくし衣裳の中綿に―み」〈西鶴・諸艶大鑑三〉

くけつ【口決】文章に書かず、口で直接伝える大事なこと。また、それを伝えること。口伝。「智証、義真和尚に―せりといふとも」〈報恩抄〉

くけひぼ【絎紐】縫い目を表に出さないで縫った紐。「初産着(ぎ)…紐は身の丈、幅は二寸より三寸の間、いづれも―」〈懐妊着帯之事〉

くげん【苦患】〔仏〕苦しみなやむこと。「地獄の―はひたふるになりぬ」〈今昔三ノ二八〉。〈色葉字類抄〉

くご【供御】《室町時代グゴとも》①天皇の食事。後に将軍・貴人の食事もいう。「〔道鏡ノ〕衣服飲食は一に―になずらふ」〈続紀宝亀三・四・七〉。「梨壺より奉れ給ひし黄金の甕に―を入れかへて」〈宇津保蔵開上〉②〔女房詞〕米飯。「飯をば―」〈海人藻芥〉。「供御、クゴ、日本女呼レ飯云二供御一也」〈文明本節用集〉

くご【箜篌】《クウコウ・クウゴなどとも》雅楽の絃楽器。中国から渡来した竪琴の一種。「笛箏琴―等の声の如く」〈霊異記上五〉。「箜篌、百済国琴也、和名、久太良古止(くだらごと)」〈和名抄〉。「箜篌、二音、俗云空古(くご)」〈和名抄〉

くこく【九国】九州。「上よりも賜はらざる―の総追捕使と号して」〈保元上・新院御所〉

くごふ【口業】〔仏〕三業(さんごふ)の一。言葉による行為。「持経者をば誹謗(そし)るべからず。能(よ)く―を諌(いさ)めよ」〈霊異記上一九〉

くこん【九献】①酒宴で、九度目に供する酒肴。「とりわけ初(しょ)・三・―を賞翫候べく候」〈小早川弘景置文〉②初献・二献・三献と重ねて第九献まで勧盃する酒宴。転じて、盛大な酒宴のこと。「今日は、日暮し―にて暮れぬ」〈問はず語り一〉③酒。「〔宿ノ遊女ニ〕―など取らせて遊ばするに」〈問はず語り四〉 ▽(3)は、室町時代に女房詞となり、末期には一般の女性語となった。

くさ【草】□〘名〙①草。「春の野に―食(は)む駒の」〈万三五三二〉。「—な刈りそね」〈万四五七〉 ②忍びの兵。「孫兵衛・中目・新田〔三者〕談合にて—入れ候。荒し候て帰り候」〈伊達輝宗日記天正二・八・一六〉 二〘接頭〙名詞に冠して、本格的でないものの意をあらわす。「—茄子」「—人参」など。「月代(さかやき)に勇み立ちけり—相撲」〈俳・篇突〉 **—が生・える** すっかりさびれてしまうたとえ。「こちがよな気では島原草が生(は)よ」〈雑俳・替狂言〉 **—を伏・す** 伏兵を置く。「或は—・する時もあり、或は偽(いつは)って退(の)くる時もあり、色色に謀略を運(めぐ)らすぞ」〈碧岩抄八〉

くさ【種】 ①物事を生ずるもと。たね。「よろづ代の語らひ—」〈万四〇〇〇〉 ②種類。しな。たぐい。「衆生の意多くの—有るに随ふが故に、種種の相を現したまふ」〈金光明最勝王経平安初期点〉 ③種種。いろいろ。「秋の時花—にありと色ごとにめしあきらむる今日の貴さ」〈万四二五五〉 ▽アクセントから見て、クサ(草)とは起源的に別。

くさ【瘡】《クサシ(臭)と同根》①湿疹(しっしん)。くさがさ。かさ。「三つになる男子に、はや—といふもの出でて、三日と申すにはかなくなる」〈室町殿日記一〇〉〈日葡〉 ②突発する熱病。「先日よりの—未だしかしかさめず候」〈上井覚兼日記天正三・三・一三〉

くさ【来さ】《「行くさ」の対。サは接尾語》来る時。「行くさも—も船の早けむ」〈万一七八四〉

くさ【倶舎】《サはシャの直音化》⇒くしゃ。「—の頌(ず)など」〈枕二二〇〉

くさあはせ ‥アワセ【草合せ】 物合せの一。種種の草を持ち寄り、左右に分れ、その優劣を争う遊戯。大陸の行事の渡来したもので、平安時代に発達した。鎌倉時代には、子供の遊戯として五月五日の節句に行なわれることが多かった。「—し侍りける所に」〈拾遺五三五詞書〉。「花合せなどは…匂ひ恋しく、—とかは尋ねて〔草ヲ〕もとの所に返しやれば名残りうるさし」〈女御延子歌絵合〉。「闘草…久佐阿波世(くさあはせ)」〈和名抄〉

ぐさい【供祭】 神仏に供え物をすること。また、その供え物。「一の棚にはやうやうの—を色色に据ゑて」〈著聞四一〇〉

くさうづ【臭水・草生水】 石油の古名。臭水油。「取り落す—を汲む竹檜杓(たけひしゃく)」〈俳・糊飯篦後集二〉

くさがく・れ【草隠れ】 一〘下二〙 草の陰に隠れる。「—・るといふ言葉、鳥の草に隠れたるを申すにやあらん」〈高陽院殿七番和歌合〉。「かくとだに思ふ心をいはせ山下ゆく水の—・れつつ」〈新古今一〇八八〉 二〘名〙 ①草にかくれること。また、その所。草深い住家。「かかる—に過ぐし給ひける年月」〈源氏蓬生〉 ②草葉の陰。「—、亡き跡までもそしりをば我にな残しそ」〈撰集抄二ノ八〉

くさかげの【草蔭の】〔枕詞〕地名の「安努(あの)」「荒藺(あらゐ)」にかかる。かかり方未詳。草深い実景からなどという。「—安努な行かむと」〈万三四四七東歌〉。「—荒藺の崎の笠島を」〈万三一九二〉 †kusakagënö

くさかひ ‥カイ【草飼】 馬に草を食わせること。「馬の—、水便(すいびん)共によげなり」〈平家七・願書〉 **—どころ【草飼所】** 馬の飼料をまかなうための領地。「一所をも奉り、馬の—にもさせ申さん」〈曾我八〉

くさかり【草刈】 ①草を刈ること。また、それを仕事とする人。「—・牛飼まで飽き満たせてあらせむ」〈宇津保忠乞〉 ②草刈鎌の形をしたもの。「鹿(か)の角の一二の—をば、たやすう引っ裂きける」〈平家九・越中前司最期〉

くさがれ【草枯れ】 晩秋から初冬、露・霜などのために草が枯れること。また、その頃。「—の籬(まがき)に残るなでしこを」〈源氏葵〉。「—の臥所(ふしど)さびしくなりゆけば鹿こそ妻も恋しかるらめ。…—とは、九十月をや申すらむ」〈仁安二年経盛家歌合〉

くさき【草木】 草と木と。「八千種(やちくさ)に—を植ゑて」〈万四三一四〉 †kusaki **—も靡(なび)・く** 威風・威勢が盛んなことの形容。「しかる間、信西が権勢いよいよ重くして、飛ぶ鳥も落ち、—・く程なり」〈平治上・信頼信西不快〉

くさぎのむし【臭木の虫】 クサギの株の中にいる蝎(きくいむし)。小児の疳(かん)の薬とする。「—妹が垣根に尋ね来て」〈俳・両吟一日千句〉

くさぎ・り【耘り】〘四段〙 田畑の除草をする。「鳥飛び来たって田の草を—・り」〈伽・二十四孝〉。「耘、除草也、久佐支留(くさぎる)」〈新撰字鏡〉

くさぐき【草潜き】 ⇒もずのくさぐき(1) 「春さればもずの—見えずとも」〈万一八九七〉 †kusaguki

くさぐさ【種種】 物事の品数・種類の多いさま。いろいろ。「菩薩は…或いは稲米、雑(くさぐさ)の貨(たから)と作(な)り」〈東大寺諷誦文稿〉

くさくだもの【草果物】 食用になる草の実。瓜・苺(いちご)の類。「蓏、久佐久太毛能(くさくだもの)」〈和名抄〉 ↓くだもの

くさぐら【草鞍】 稲の苗または藁(わら)で作った鞍。多く耕作の時に使う。「あやしげなる夫馬一疋尋ね出だし、—をしき」〈甲乱記〉

くさごろも【草衣】 粗末な衣。「思へば古を何と忍ぶの—、着てしもあらぬ仮の世に、行き帰るこそ恨みなれ」〈謡・野宮〉。「—、世をすて人の衣なり」〈匠材集三〉

くさざうし ‥ゾウ‥【草双紙】 通俗的な挿絵(さしゑ)入りの読み物。近世前期では教訓書・娯楽書などの総称だったが、後期は合巻(がふくわん)の別称ともなった。「かかる—にも御心をつけさせ給ひて、現世のすさび、後世の導きと思しめして御覧じ給ふべしとなり」〈伽・あわびの大将物語〉。「大方は恋路を書ける—」〈俳・正章千句上〉

くさ・し【臭し】〘形ク〙《クサリ(腐)・クソ(糞)と同根》①はげしい、いやなにおいがする。悪臭を放っている。「〔此ノ身ハ〕—・く穢れ膿(うみしる)流れつつ愛すべからず」〈金光明最勝王経平安初期点〉。「極熱(ごくねち)の草薬を服して、いと—・きによりなむ、え対面賜はらぬ」〈源氏帚木〉。「身—・くして不浄に近し」〈孝養集上〉。「臰・臭、久佐志(くさし)」〈新撰字鏡〉 ②…のにおいがする。「反故(ほぐ)どもの黴(かび)—・きを」〈源氏橋姫〉 ③いかにも…らしい。…臭(しゅう)がある。いやみな感じにいう。「山寺は法師—・くて居たからず心清くは糞拭くにても」〈明恵伝記上〉。「仙人—・う云ひ成したぞ」〈三体詩絶句抄六〉 ④うさんくさい。あやしい。「マア大方此れ—・い者、ぬくぬくと駈落ぢゃの」〈浄・二つ腹帯二〉

くさじし【草鹿】 草の中に伏している鹿に形どった的(まと)。二本の柱の上に渡した横木に綱でつるす。脇腹に矢当ての星、その周囲に小星八個を図示してある。鹿狩の弓術訓練に用いた。「—の勝負有り」〈吾妻鏡建久三・八・二〇〉

くさずみ【臭墨】 臭いにおいのする下等な墨。「驪山宮(りさんきう)にも残る—」〈俳・大坂独吟集下〉

くさずり【草摺】 鎧の胴の下に垂れて、腰から下を守るもの。「鎧の—引きあげて二刀刺し」〈平家七・実盛〉 **—なが【草摺長】** 鎧の草摺を長く垂らしたさま。「黒革縅の鎧の大荒目に金まぜたるを—に着なして」〈平家二・一行阿闍梨〉

くさづくし【草尽し】 ①「草合せ」に同じ。「詩歌・管絃・鞠(まり)・小弓・扇合せ・絵合せ・—・虫尽し」〈平家九・生食〉 ②着物などに種種の草花を刺し縫い、または描いた模様。「秋の野に—縫うたる直垂(ひたたれ)に」〈幸若・敦盛〉

くさづと【草苞】①草で包んだ苞。旅のみやげ。「松が崎これも都の—に氷を包む夏の山人」〈草根集一二〉②賄賂(わいろ)。「そこにて出頭衆へ—を恵む」〈甲陽軍鑑六〉 **—に国傾・く** ①僅かな贈物でも誠意を示して捧げれば、一国がなびき傾くの意。「—・くと賤しい者が世話に云ふぞ」〈玉塵抄五三〉②転じて、賄賂によって一国の政治が頽廃するたとえ。「げにや世俗の諺に、—・き、宝は其の身の助けとは、今こそ思ひ知られたり」〈浄・ゆいせき諍ひ六〉。〈日葡〉

くさね【草根】《ネは大地にしっかりくいこんだもの》草。「岡の—をいざ結びてな」〈万一〇〉

くさのいほり(イオリ)【草の庵】《「草庵」の訓読語か》草ぶきの仮の小屋。わびずまい。「いと仮なる—に、思ひなし事そぎたり」〈源氏橋姫〉

くさのかげ【草の陰】草の生い茂ったかげ。墓の下をいう。草葉の陰。「されば—にても、いかに憤り深かるらん」〈平治中・謀叛人流罪〉

くさのと【草の戸】粗末な家の戸。粗末な住居。「卯の花の垣根ばかりは暮れやらで—ささぬ玉川の里」〈夫木抄七・卯花〉

くさのとぼそ【草の枢】「草の戸」に同じ。「—に語るつれづれ／這ひかかる葎(むぐら)に宿はかくろひて」〈白川千句〉

くさのなびき【草の靡き】権勢や利益のある方へ人心がなびくたとえ。「侍は渡り者、—にこそよれ」〈承久記上〉

くさのまくら【草の枕】「草枕」に同じ。「—にあまたたび寝ぬ」〈古今四一六〉。「—は夢も結ばず」〈源氏明石〉

くさのむしろ【草の筵】草の敷物。旅寝の床。「草の御むしろも、この坊にこそ設けはべるべけれ」〈源氏若紫〉。「—も今日や敷くらむ」〈続後撰五七六〉

くさのもと【草の許】草深い住み家。「—を離(か)れにける心がるさ」〈源氏宿木〉

くさのや【草の屋】草ぶきの粗末な家。「椋橋(くらはし)山の麓に、かすかなる—に」〈西鶴・一代男三〉

くさのやどり【草の宿り】草を宿として旅寝すること。「きりぎりす—に声たえず鳴く」〈後撰三五八〉。「心もて—を厭へども」〈源氏鈴虫〉

くさば【草葉】草の葉。「武蔵野の—もろむき」〈万三三七七東歌〉 **—のかげ**【草葉の陰】「草の陰」に同じ。「必ず—でも某(それがし)を恨みとばし思うてくれな」〈虎寛本狂言・靫猿〉

くさはひ(クサワイ)【種はひ】①物事の種となるもの。原因。材料。「かの内侍ぞ、打ち笑ひたまふ—にはなるめる」〈源氏葵〉②種類。品品。「御台…何の—も無くあはれげなる」〈源氏末摘花〉③趣。風情。「ものの—なきほどなり」〈源氏玉鬘〉→はひ

くさび【楔・轄】木材を組み合わせるために、両方にまたがらせて打ち込んだり、差し込んだりするもの。「岩間には氷の—打ちてけりたまひし水も今はもり来ず」〈後拾遺四二一〉。「轄、鍵也、久佐比(くさび)」〈新撰字鏡〉

くさびら【草片】①野菜。「菜、クサビラ」〈東大寺諷誦文稿〉。「川河の菓・菜(くさびら)を備へて」〈遊仙窟(真福寺本)鎌倉期点〉②きのこ。「くち木に生ひたる—ども」〈宇津保嵯峨院〉③《斎宮の忌詞》鳥獣の肉。「宍を菌(くさびら)と称(い)ふ」〈延喜式斎宮寮〉

くさふかの【草深野】草の深くしげった野。「たまきはる宇智の大野に馬並めて朝踏ますらむその—」〈万四〉 †kusaFukano

くさふかゆり【草深百合】草深いところに咲く百合。「道の辺の—の花咲(ゑ)みに」〈万一二五七〉

くさふし【草伏し】①鹿などが草の上に伏すこと。「さ男鹿の小野の—いちしろく我が問はなくに人の知れらく」〈万三六八〉②野山で旅寝すること。「旅衣野路の—さむけきに」〈関白内大臣家歌合〉

くさまくら【草枕】①草を結んだ枕。旅寝の枕。「思ひ立ちぬる—なり」〈古今三七六〉②〔枕詞〕「たび」「たご」などにかかる。「—旅行く船の泊(とまり)告げむに」〈万三六一二〉。「あが恋はまさかも悲し—多胡(たご)の入野のおくも悲しも」〈万三四〇三東歌〉

くさむしろ【草筵】①むしろを敷いたように草が一面にはえているさまの形容。「打ちなびき秋きたりとや—野もせの露の玉を敷くらん」〈建長三年九月歌合〉②「草のむしろ」に同じ。「一夜仮寝の—」〈謡・鵜飼〉

くさむす・び【草結び】［一］《四段》①草を結び合わせて、二人の仲の永い結合や、長生きなどの幸福を祈る。松の枝を結ぶのもこの類。「—・ぶ風吹き解くなまた顧りみむ」〈万三〇五六〉②草を結んで仮小屋をつくる。旅寝をする。「いづく(何処)にか君が船泊て—・びけむ」〈万一一六九〉 ［二］《名》①仮小屋をつくって住むこと。「この山はるかの麓に、—する女なるが」〈謡・身延〉②物事をはじめてすること。草創。草分け。「荒れたる野原なりしに…その—より久しき里人に」〈西鶴・新可笑記一〉③男女の縁を結ぶこと。縁結び。「置く露や先づ咲く花の—」〈俳・毛吹草六〉。「草を敷寝の初枕、かはすばかりのささめごと、これぞ妹背の—」〈浄・都の富士二〉 †kusamusubi

くさむら【叢】《草群の意》草のむらがり生えた所。「さを鹿(しか)の臥すや—」〈万三五三〇東歌〉

くさめ【嚔】①くしゃみをした時に唱える呪文。「鼻ひたる時、—とまじなふ、如何。…又、休息万命、急急如律令と唱ふべきを、—とは言へりといふ説あり」〈名語記八〉②くしゃみ。「水上に——の音しげく」〈俳・底抜臼下〉 ▽「休息万命(くそくまんみやう)」の崩れた形というが、本来は「糞(くそ)食(は)め」で、くしゃみに対する罵言か。

くさ・り【腐り】［一］《四段》《クサシ(臭)・クソ(糞)と同根。悪臭を放つようになる意》①腐敗する。「人の死屍の膖(つし)み脹(は)れ爛(ただ)れ臭(くさ)れる」〈地蔵十輪経五・元慶点〉。「〔死骸ノ〕—・れる中には、虫うさめき、わきかへる」〈孝養集上〉。「鱁、伊比久佐礼利(いひくされり)」〈新撰字鏡〉②駄目になる。「〔心ノ〕—・りたる讃岐前古受領の、鼓打ち損ひて」〈大鏡伊尹〉③ぐしょ濡れになる。「—・った着物は、しぼって引き下げ」〈滑・膝栗毛三下〉④《動詞連用形について、人の動作などを卑しめていう》…やがる。「母をば養はいで、京に若き女房に惚れ—・りて居るぞ」〈山谷詩抄一〉 ［二］《名》腐ること。腐敗。「腕の腫れいづること広太になりまさりて、脈所へ—が入りて」〈義残後覚一〉 ［三］《接頭》嫌悪し、ののしる意を添える。「五両に足らぬ—金」〈近松・氷の朔日上〉 **腐っても鯛(たひ)** 本質のすぐれたものは、おちぶれても、どこか他よりすぐれたところがあるたとえ。「—で見知らす祭かな」〈俳・一幅半上〉 **腐縄(くさりなは)にも取得(とりえ)** 世の中に全く不用の物はないたとえ。「—有ると申すがごとく」〈仮・ふしんせき下〉

くさ・り【鎖り】［一］《四段》部分部分がつながり合って一続きのものとなる。互いにつながり合う。「論を以て上の経文の七の句に配して鉤瑣(さく)り相ひ起ることは理の如し」〈法華経玄賛平安初期点〉。「詞はめでたく言ひ—・りて続けたれども、心が詞より不足にて不相応也」〈古今集註〉。「上の句は次の第五句と—・り、下の句は次の第六の句と—・り合はせたぞ」〈三体詩抄三ノ一〉 ［二］《名》(金物など)つながりあったもの。「絡・鎖、クサル」〈名義抄〉

嘷吠(ほ)え抓(か)きて枷(くびつな)を脱(はな)ちて鏁(くさり)を断(た)ちて奔(はし)らむと欲(おも)ふ」〈霊異記下三〉。「璅・鉤・鏈、クサリ」〈名義抄〉 **—あ・ひ**ィア【鎖り合ひ】『四段』深い愛情の縁を結ぶ。「心はやたけに、互ひに下では—・はうと」〈仮・催情記〉 **—かたびら**【鎖帷子】鎖を中に入れて、表裏に布をつけた帷子。武装する時、下着に使う。「—の上に黒糸威の鎧を着」〈最上義光物語上〉 **—ばかま**【鎖袴】鎖を仕込んだ武装用の下袴。〈庭訓往来六月十一日〉 **—ばらまき**【鎖腹巻】鎖を仕込んだ腹巻。「—綴り着て」〈平家八・妹尾最期〉 **—れんが**【鎖連歌】連歌の形式の名。長句(上句)・短句(下句)を交互に長くつなげて行く。百韻などの形式が完成する以前の過渡期のもの。「然りと雖も、—に至りては、発句は専ら末句(下句)を詠むべからず」〈袋草紙上〉

くさ・れ【腐れ】㊀『下二』《クサシ(臭)・クソ(糞)と同根》腐敗する。悪くなる。「鯨の死して—・れたるが如く」〈日蓮遺文千日尼御返事〉。「その疵つひに直らずして、次第に—・れ広まりて」〈吾妻記〉 ㊁『名』①気の腐ること。うんざりすること。「地紙売り—な文をことづかり」〈雑俳・万句合明和一〉 ②けちのつきはじめ。「何か出るのが女郎屋の—なり」〈雑俳・川傍柳三〉 ③月経の異名。「仲人は—を抜いて日を決(はき)め」〈雑俳・万句合安永四〉 ㊂『接頭』卑しめののしる意を添える。「高言を放って、あの—あまにさへ押っ詰められた」〈勝国和尚再吟一〉。「—酒」〈評判・吉原こまざらい〉 ㊃『感』誓詞の一。この身が腐っても断じて、の意。下に否定表現を伴う。「忘れたら—みしゃれの誓ひごと」〈俳・続独吟集下〉。「—、さうではござんせぬ」〈浮・茶屋調方記〉 **—つ・き**【腐れ付き】『四段』男女が馴れ合って離れない。「—・きたる因果な縁、うらやまぬ人もなし」〈浮・日本荘子三〉

くさわき【草別・草分】《草をおし分けて行くところの意》馬・鹿などの胸先。「くさわけ」とも。「左右の深田に打ちいれて、馬の—・むながいづくし・ふと腹などにたつ所を事ともせず」〈平家八・妹尾最期〉

くさわけ【草別・草分】①「くさわき」に同じ。「—のかふ(隆起)、腠(そじ)=背肉)のはづれ、肝(きも)のたばね、舌の根、鹿の実(み)にはよき処ぞ」〈盛衰記三六〉 ②荒地を開拓して、一村一町を創始した人。「—の名主も終(つひ)は老にほれて」〈俳・談林十百韻下〉

くさゐなぎ【野猪】イノシシの異名。「〔前栽ノ〕山吹の中に—有り」〈小右記寛仁四・一〇・二九〉。「野猪、久佐井奈岐(くさゐなぎ)」〈和名抄〉

くし【串】《クシ(櫛)と同根》細長くて、先がとがり、物をさし貫くのに使うもの。木・骨・金属で作る。上代では土地占有のしるしに立て、地を掘るなどにも使った。「刺串、古語久志佐志(くしざし)」〈古語拾遺〉。「串、ツラヌク・クシ」〈名義抄〉 ▽朝鮮語 kos(串)と同源。

くし【酒】《クスシ(奇)・クスリ(薬)と同根。霊妙な物の意》さけ。「事無(ことな)—笑(ゑ)—に我酔(ゑ)ひにけり」〈記歌謡四九〉

くし【櫛】《クシ(串)と同根》①髪にさしたり、髪をすいたりする道具。古くは骨製・竹製で縦に歯が長かったが、奈良時代頃から黄楊(つげ)製があらわれ、横長となった。櫛は占有のしるしなので、櫛を女の髪にさすことはその女を妻とすること、櫛を投げ棄てることは離縁を意味した。「湯津津間(ゆつつま)—を引き闕きて投げ棄つれば」〈記神代〉。「—を投げしむるの時に、取れば骨肉も皆他人に変ず」〈吾妻鏡建長二・六・二四〉 ②機織の糸をすくもの。「をとめらが織る機(はた)の上(へ)を真(ま)—もち掻かげ栲島(たくしま)波の間ゆ見ゆ」〈万一二三三〉 **—の歯を引・く** 間断なく続く状態の形容。「御使馳せ重なる事ただ—・くが如し」〈曾我一〉。「黒髪もとかで日ぞふる—・くよりしげき恋の乱れに」〈草根集八〉

くし【口詩・句詩】物にも書きつけず、何となく口で言った詩。また、一説に、全部整った詩ではなくて、一句または二句の断片的な詩の意ともいう。「駅長(うまやのをさ)に—取らする人もありけるを」〈源氏須磨〉

く・し『四段』よこす。「こなたの揚銭を—・さぬと言うて、畜生のやうに言ふ故」〈伎・夕霧七年忌〉

く・し【屈し】『サ変』《クッシの促音ツを表記しない形》心がふさぐ。気がめいる。「姫君、例の心細くて—・し給へり」〈源氏紅葉賀〉

く・し【奇し】『形シク』不可思議である。「天地の明らけき—・しき徴(しるし)の授けたまふ人は出でなむと思ひてあり」〈続紀宣命三〉

くじ【籤・鬮】神意を占ったり、多人数の間で決定の公平を期するために行なう抽籤。「若宮の社にて—をぞ取りける」〈増鏡四〉。「鬮、クジ」〈文明本節用集〉 **—に取・る** くじを引いて事をきめる。「相手を—・らる。傅(ふ)の大臣(おとど)の相手に取り当る」〈問はず語り二〉

くじ【九字】身を護る呪文(じゅもん)として用いる「臨兵闘者皆陣列在前」の九字をいう。これを「りんぴょうとうしゃかいぢんれつざいぜん」と唱えながら印を結び、指で空中に縦に四線、横に五線を書くと、一切の災を払うとされた。もと道教に始まり、後、陰陽道(おんやうだう)・密教・修験道・忍術などで使った。九字護身法。「ともすれば当るとぞ言ふ—の罰」〈俳・油糟〉

くじ【孔子】儒教の祖、孔丘の尊称。こうし。「—〔ノ画像〕など掛けたてまつりて」〈枕一三二〉

くじ【公事】①公務。政務。「国司—に因って京に入らば」〈続紀和銅五・五・一七〉。「国府に着きて後、未だ神事をも拝せず、—をも始めざる前に」〈今昔一四ノ六〉 ②朝廷の儀式の称。「予未だ先例を知らず。但し是れ—なり。大将欠くと雖も黙す可きに非ず」〈九暦天慶一・五・七〉。「正朔の節会より除夜の追儺(つい)に至るまで、—の礼一にあらず」〈著聞八〉 ③賦課・夫役の総称。「—・雑事に駆り立てられて、安い思ひも候はず」〈平家四・源氏揃〉。「かの所帯—一向御免ありて」〈沙石集五ノ一四〉 ④中世以後、民事訴訟の称。「賢(さか)し人出でて、—ども定め申して」〈今昔二ノ三三〉 ⑤近世、特に、金銭または物の給付を求めて起した訴えなどに対し、その裁判手続上、奉行所が被告に返答書の提出を命じた訴訟。本公事・金公事の別がある。「出入り物」とも。「—相手よき証文を持ち出でて」〈俳・油糟〉 **—に上・ぐ** 官に訴える。訴訟をおこす。「—・げたらば、わごりょが言うてくれさしめ」〈虎明本狂言・右近左近〉

ぐし【五四】双六(すごろく)の用語。二個の賽(さい)の目に、五と四が同時に出ること。「——腹の立つばかり(双六ノ洒落詞)」〈俳・世話尽一〉。〈日葡〉

ぐ・し【具し】『サ変』❶《自動詞》①そろう。そなわる。「思ふ人(父ヤ夫)—・したるは、おのづから〔安心ダト〕思ひ譲られて」〈源氏東屋〉 ②いっしょに連れだって行く。従う。「〔以前〕一所に—・して知りたりける人、三河の国よりのぼるとて」〈大和一四〉。「御供に—・し、失せたる人やある」〈源氏蜻蛉〉 ③配偶者となる。「御かしづき〔娘〕に、ただ人の—・し奉り給ふぞ」〈源氏宿木〉。「〔婉子女王ハ〕かの大臣(おとど)に—・し給ひにければ」〈大鏡師輔〉 ❷《他動詞》①そろえる。そなえる。「『はやはや』と硯紙—・して責め給ふ」〈落窪四〉②供として従える。連れる。「人を―してまかりて」〈後撰七六二詞書〉③添える。「文をこひかへしければ、その文に〔歌ヲ〕―してつかはしける」〈後撰一一四四詞書〉

ぐじ【窮子】《グウジとも》法華経の信解品(しんげ)に比喩として説かれている困窮の子。ある長者の子が家出をして、のちに落ちぶれて故郷にそれとも知らず帰ってきたとき、その長者は、それをひきとるのに、はじめは下僕として使い、次第にとりたてて遂には一切の財宝を与えたという。仏が衆生を導くのに、はじめはやさしい方便を説き、機の熟するのをまって正道を覚らせるたとえに用いられる。「かの信解品の―のやうなる召し集めては」〈栄花玉台〉

くしがた【櫛形】「くしがたのあな」に同じ。「日の御座の火ども消ちて―よりのぞけば」〈弁内侍日記〉 **―のあな【櫛形の穴】**清涼殿の母屋と殿上の間との境の壁の上部に設けた半月形の小窓。女房などが殿上の間を見るためのものという。「さて―に人の影のして、朝餉(あさがれひ)に人の声のし候ふは誰ぞ」〈平治上・光頼卿〉

くしがひ イ:ガ**【串貝】**鮑(あわび)の肉を竹串に刺し乾したもの。正月料理に使う。串鮑。「それにつづきて鴨・つむぎ(ツグミ)・煎子(いりこ)・―」〈西鶴・嵐無常上〉

くしき【九識】〔仏〕一切の心のはたらきを九つに分類したもの。眼識・耳識・鼻識・舌識・身識・意識・末那識(まなしき)・阿頼耶識(あらやしき)・菴摩羅識(あんまらしき)の九つを指す。「―の窓の前、十乗の床のほとりに」〈謡・葵上〉

くじ・き【挫き】『四段』①折ってだめにする。「亦其の腰を踏み折(くじ)きて殺しつ」〈紀垂仁七年〉②勢いをそいで弱める。「〔民ノ〕つねに枉(ま)げ―かれたるを見ては」〈紀顕宗即位前〉。「強とは、剛強にして、人に―かれず、人に恐れぬを云ふ」〈中庸鈔〉 †kuziki

くしげ【櫛笥】結髪用具や髪飾などを入れておく箱。歌語に多く使われた。散文では多く「くしのはこ」という。「―のうちの珠をこそ思へ」〈万六三五〉 †kusigë

くしけづ・り【梳り】『四段』櫛で髪をとかす。櫛で髪をすく。「朝(あした)に手洗ひ、髪を―りて、身を清めて」〈二十四孝抄〉。「梳、クシケヅル」〈和玉篇〉

くしどり【櫛行李】櫛を入れる、藤蔓(ふじづる)で編んだ小さな箱。「―も柳の髪の道具かな」〈俳・発句帳一〉

くしざし【串刺】①天つ罪の一。他人の田に、自己の所有権を示す目印の串を立て、その田を横領すること。「天つ罪と、畔放・溝埋・樋放・頻蒔・―…ここだくの罪を天つ罪とのりわけて」〈祝詞大祓詞〉。〈古語拾遺〉②戦国時代の刑罰の一。鉄や竹などの串に刺し貫いて殺すこと。「二木一門の者共は磔(はっつけ)に上げ、妻子の儀は―」〈寿斎記〉

くじさた【公事沙汰】訴訟事件。「一紙半銭(いっしはんせん)の依估(えこ)に―をし」〈こんてむつすむん地三〉〈日葡〉

くじそしょう【公事訴訟】訴訟。「―に罷り出で候はば、名主・五人組召し連れ罷り出づべく候」〈正宝事録万治四・三・一八〉→公事(5)

くしだうぐ ウ:ド**【櫛道具】**櫛その他の髪を結う道具。「硯・紙・―・香盆」〈仮・催情記〉

くじだくみ【公事工み】①訴訟事件にしようとたくらんで、人を困らせ、自己の利益を計ること。「あらぬ―などするよりして」〈仮・他我身之上五〉②理屈をこねて言いがかりをつけること。「―なる女、薄き唇を動かし」〈西鶴・永代蔵五〉

くじたふれ オ:タ**【孔子倒れ】**「孔子(くじ)の倒れ」に同じ。「〔孔子ハ盗跖ニ遇ッテ動揺シ、馬ノ鐙ヲフミハズシタ〕これを世の人『―し給ふ』といふなりとなむ語り伝へたるとや」〈今昔一〇ノ一五〉。〈世俗諺文〉

くじどり【籤取り】くじを引いて決めること。「さて―にして定めん」〈百丈清規抄四〉。〈日葡〉

くしのかみ【酒の司】酒をつかさどる者。「―、常世(とこよ)にいます…少名御神(すくなみかみ)」〈記歌謡三九〉 ▽「酒の神」とする説があるが、神のミはmiの音、司のミはmïの音で、別語。 †kusinökami

くじのたふれ オ:タ**【孔子の倒れ】**孔子ほどの人でもしくじることがあるということ。「猿も木から落ちる」の類。「―、おれたる心也」〈俳・乳母四〉

くしのはこ【櫛の箱】婦人の櫛その他、化粧道具を入れて置く箱。「鋏(はさみ)とりて、―の蓋(ふた)さし出でたれば」〈源氏手習〉

くじば【公事場】裁判所。裁許場(さいきょば)。「代官給人―へ出で候儀」〈国事雑抄五、慶長一八・八・一六〉

くしはらひ ライ:ハ**【櫛払】**櫛の歯の垢(あか)を払い取る刷毛。「刷子、久志波良比(くしはらひ)」〈新撰字鏡〉

くし・び【霊び・奇び】[一]『上二』霊妙・不思議な力があらわれる。神秘的な力を保っている。「日向の高千穂の―・ぶる峰」〈紀神代下〉。「〔天ノ橋立ハ〕神の御寝ませる間に仆れ伏しき。すなはち、―・びますことを怪しみたまふ。故、久志備の浜と言ふ」〈丹後風土記逸文〉 [二]『名』霊妙・不思議であること。神秘的な力を保っていること。「万物の内に人是(これ)最も―なり」〈紀孝徳、大化二年〉 †kusibi

くじび【公事日】裁判所で、訴訟事件の取調べや判決をする日。「こんどの―に、両人ともに参りませい」〈狂言記・内沙汰〉

くしひき【櫛挽】櫛を作る職人。〈庭訓往来四月五日〉

くじふがは ウガワ:ジュ**【九十川】**増水時の大井川の称。川越し賃が九十文であったところからいう。「捨てた身と思へど凄(すご)き―」〈雑俳・武玉川三〉

くじふろくもん ウ:ジュ**【九十六文】**近世、普通は実数九十六文で百文に通用した慣用をいう。九六銭(くろくせん)ともいい、実数百文は丁百(ちょうびゃく)といった。「―で百づつ遣って置かしゃれ」〈近松・万年草中〉

くしみたま【奇御珠・奇御魂】①人智ではかり知れない不可思議な珠。「神ながら神さびいます―今の現(をつ)に尊きろかも」〈万八一三〉②不可思議な徳によって万事を左右する魂。「吾が在るに由りての故に汝其の大きに造る績(いさはり)を建つこと得たり。…吾は是、汝が幸魂(さきみたま)奇魂(くしみたま)なり」〈紀神代上〉 †kusimitama

くじみや【公事宮】《公事を、宮で出す鬮(くじ)に掛けた語という》「公事(5)」に同じ。「―しても、おのれらにがやがや口をきかせうか」〈近松・卯月潤色中〉

くしゃ【倶舎】小乗仏教の教理の綱要書「阿毘達磨(あびだつま)倶舎論」の略。奈良時代には、これを研究する倶舎衆が寺寺にあった。「―を誦(ず)し、唯識論をうかぶ」〈栄花玉台〉。「―・成実の性相より、法相・天台の深義を極め」〈盛衰記五〉

くじゃう ヨウ:ジ**【公請】**朝廷の法会または講義に召されること。「已講なる僧二人、―つとめて退出しけるが」〈沙石集五ノ九〉

くしゃうじん ウ:ショ**【倶生神】**各個人と共に生れ、その人の一生の間のすべての行状を札に記録し、死後、閻魔王に報告する神。「―の札の面(おもて)に微塵(みぢん)の罪をも漏さず記されたり」〈妻鏡〉

くしゃく【九尺】 **―だな【九尺店】**間口が九尺で奥行が二間の、極めて小さい借家。「九尺二間」とも。「―人の

目しろや江戸の中」〈俳・朽葉集〉 **—ま**【九尺間】間口が九尺の極めて狭い家。「—の棚借りて」〈西鶴・永代蔵四〉

くじゃく【孔雀】クジャク。「佐伯宿禰麻呂等、新羅より至りて—と珍物とを献ず」〈続紀文武四・一〇・一九〉 **—きゃうのほふ**【孔雀経の法】密教で、孔雀明王を本尊として天変・地異・病気など一切の災を除くために行なう修法。「—をもて御加持あり」〈平家三・赦文〉 **—みゃうわう**【孔雀明王】孔雀を神格化して、仏教における守護神としたもの。腕が四本で、孔雀に乗っている。その明王の陀羅尼を称えると、一切の毒・恐怖・災悩を除き、また、病を除くという。孔雀王。仏母大孔雀明王。「金堂の丈六の彌勒(みろく)の御身の中に金銅一搩手半(いっちゃくしゅはん)の—の像一体をこめ奉らる」〈著聞三六〉 **—みゃうわうのほふ**【孔雀明王の法】「孔雀経の法」に同じ。「—を修行する事三十余年なり」〈盛衰記三八〉

くじやど【公事宿】江戸などで、地方から出頭した訴訟当事者を宿泊させ、訴訟の輔佐をした宿屋。一般の旅客も泊め、「江戸宿」などともいった。大阪・京都などでは、百姓の依頼で代官所に貢租を代納する御用達(ごようたし)すなわち納め宿を兼ね、江戸に比べて設備がよく、料理屋としても利用され、「郷宿(がうやど)」ともいった。「御影を以て済みし—」〈俳・独吟一日千句〉

くしょう【口称】口に「南無阿彌陀仏」をとなえること。「心念—を忘れ給はずは」〈平家一〇・戒文〉

くじ・り【抉り】㊀『四段』①えぐる。「穴を—・り、垣間(かいま)見惑ひ合へり」〈竹取〉②えぐって取り出す。ほじくる。「无量の衆生の法眼を挑(くじ)り壊(やぶ)るに」〈地蔵十輪経四・元慶点〉。「〔犬ヤ鳥ガ死人ノ〕眼(まなこ)を—・りて」〈孝養集上〉㊁『名』①物の結び目をくじってほどく器具。「わらうべなれども、成人のでたちをして—を帯びらるるぞ」〈毛詩抄三〉②錐(きり)の一種。「—とて細工者持つ也。鹿角または鉄にて、大きなる錐に似たり」〈狭衣物語下紐四〉

くしろ【釧】貝・石・玉・金属で作った輪で、手に巻く飾り。縄文式時代から上代にかけて使われた。たまき。「くしり」とも。「吾妹子(わぎもこ)は—にあらなむ」〈万一七六六〉 ▽朝鮮語kosil(珠)と同源。†kusirö **—つく**【釧着く】〔枕詞〕釧は手に巻くので「手(た)」にかかる。一説、ひじ・手首すなわち手の節の上につけることから同音の地名「たふし」にかかるともいう。「—手節の崎に」〈万四一〉

くず【葛】①野山に生える、マメ科の蔓草(つるくさ)。初秋、赤紫色の穂状花が葉がくれがちに咲く。茎から葛布を、根から葛粉をつくる。蔓がたくましく伸び、葉が風に白く裏返ることなどが歌によまれる。秋の七草の一。「延(は)ふ—のいや遠長く万世(よろづよ)に絶えじと思ひて」〈万四二三〉②葛で織った布。「目代酒に飲み酔ひて、—に墨をぞつけたりける」〈平家二・大納言流罪〉

くず【国栖・国巣】「くにす」の約。「寿永三年正月一日…主上わたらせ給へども、節会も行なはれず、四方拝もなし。…吉野の—もまゐらせず」〈平家九・生食〉

くずうを【国栖魚】大和国吉野郡国栖産のアユ。「くずいを」とも。「おほぢも—を一つ持ちて候程に」〈謡・国栖〉

くずかづら【葛・葛蔓】①「葛(くず)」に同じ。「葛、カヅラ・クズカツラ」〈名義抄〉②〔枕詞〕葛の蔓(つる)を繰(く)る意から「くる」に、また葛の葉が風に裏返るので裏・裏見の意から、「うら」「うらみ」などにかかる。「—くる人もなき山里は」〈伊勢大輔集〉。「—恨みをかけて露ぞこぼるる」〈新後拾遺一二三八〉

くすし【薬師】㊀『名』《クスリシの転》医師。医者。「—、ふりはへて、屠蘇(とうそ)・白散(びゃくさん)、酒加へてもてきたり」〈土佐十二月二十九日〉。「医師、クスシ」〈文明本節用集〉㊁【くす・し】『四段』《名詞クスシを動詞として活用させた語か。「医し」とも書く》病気を治療する。「胡乱(うろん)な人をば、うらなひもえせぬぞ。—・されもせぬぞ。脈をも取り知れぬぞ」〈論語抄子路〉。「日本には馬の病—・す人を伯楽と云ふ」〈文明本節用集〉 **—ゆび**【薬師指】くすり指。「—に甘き物を付けて」〈長谷寺験記下〉

くす・し【奇し】『形シク』①人間にははかり知れない。神秘である。不思議である。「奇護言、古語に云ふ、久須志伊波比許登(くすしいはひこと)」〈祝詞大殿祭〉②人間離れしている。「吉祥天女を思ひかけむとすれば、法気づき—・しからむこそまた侘びしかりぬべけれ」〈源氏帚木〉③奇特である。神妙である。「物忌み—・しう」〈枕二九二〉 **—が・り**【奇しがり】『四段』奇特にふるまう。「忌日とて—・り行なひ給ひしを」〈枕二九〉 **—・み**【奇しみ】『四段』不思議なことに思う。「ここをしもあやに—・み」〈万四一二五〉 †kususimi

くすだま【薬玉】《クスリダマの転》種種の薬や香料を玉の形をした錦の袋に入れ、菖蒲(しゃうぶ)・蓬(よもぎ)などの造花を結び、五色の糸を垂らしたもの。長寿を祈って、五月五日の端午の節句に用いる。「長命楼」「続命楼(しょくめいろう)」とも。「—など、えならぬ様にて、所所より多かり」〈源氏蛍〉。「菖蒲の軒や草を葺くらん/—に花の色色結びかけ」〈看聞御記紙背連歌〉

くずな【方頭魚】甘鯛の方言。大阪湾付近・中国・九州地方でいう。「—の蒲鉾(かまぼこ)」〈西鶴・好色盛衰記三〉

くすぬ・き【串ぬき】『四段』《クスはクシ(串)の母音交替形》串刺しにする。貫く。「或いは刀山に—・かれて」〈東大寺諷誦文稿〉。「関、ツラヌク・クスヌク」〈名義抄〉

くすね【薬練】松脂(まつやに)に油をまぜ、煮て練ったもの。弓弦や糸を強くするために塗る。「このめでたい松やにを、いざ—に練るまいか」〈天理本狂言六義・松脂〉。〈名語記八〉

くす・ね『下二』こっそりかすめ取る。「人人力を添へ—・ね給へと約束し」〈近松・大職冠四〉

くずのうらかぜ【葛の裏風】①葛の葉を白く裏返して吹く風。「移ろはでしばししのだの森を見よかへりもぞする—」〈赤染衛門集〉②恋の恨みを意味する謎ことば。「御文見参らせ申せば、—と御とめあるは、みづからを御恨みとの御事にや」〈仮・薄雪物語上〉

くすのき【楠・樟】クス科の常緑喬木。日本産の樹木のうち最大のもの。「楠、久須乃木(くすのき)」〈新撰字鏡〉 **—石に成・る** 楠の根株は年月を経ると石に変化する。近世の俗信。「—・り、松の木の石になりたるを幾つも見て候」〈仮・清水物語上〉 **—ぶんげん**【楠木分限】《楠は成長が遅くても大木となることから》小利益を積み、長年月かかって手堅く仕上げた確実な財産家。また、基礎の確実な大金持。「今は金銀うめきて、遣へど跡はへらず、根へ入りての内証よし、これを—といへり」〈西鶴・永代蔵二〉→梅の木

くずのはの【葛の葉の】〔枕詞〕葛の葉は風に吹かれると裏返って白く目立つので、裏・裏見の意から「心(うら)」「恨み」などにかかる。「—恨みてもなほ恨めしきかな」〈古今八二三〉。「—うらさびしげに見ゆる山里」〈後拾遺一一五二〉

くずはがた【葛葉がた】《カタはカヅラと同じ、蔓(つる)の意》葛葉の蔓。「黒穂の嶺(ね)ろの—」〈万三四一二東歌〉

くずばかま【葛袴】葛の繊維で織った袴。特に蹴鞠用の袴をさす。「—に致し、庭上に出づ」〈元長卿記大永四・一・二七〉

くすば・し【奇ばし】『形シク』《クスシ(奇)と同根》神秘的で、霊妙不思議だ。「いにしへにありけるわざ(事)の―・しき事と言ひ継ぐ」〈万四二一一〉

くずばな【葛花】葛の花。「〔秋ノ七草ハ〕萩の花・尾花・―…朝顔の花」〈万一五三八〉

くすび【鐃】軍中において用いる鉦(かね)・銅鑼(どら)の類。「―挿せる者二騎」〈紀欽明十四年〉

くす・べ【燻べ】『下二』①いぶす。けぶらせる。「姑(しうとめ)を―・べかへする蚊遣りかな」〈俳・熊野烏〉②遠まわしに非難する。それとなくいじめる。「女房と挨拶(あいさつ)も悪しくなり、互ひに―・べ、―・べられ、良からぬ中となるべし」〈仮・いな物下〉

くすぼ・り【燻ぼり】『四段』くすぶる。「ふすぼるを―・るは如何」〈俳・かたこと三〉。「昼のほむらを、そのままに、―・り返って尋ねける」〈近松・双生隅田川二〉

くす・み『四段』①暗さ・陰気・地味などの様相を示す。「文章の体は、松のこけたやうに―・んだ文ぞ」〈山谷詩抄一三〉。「新古今、花過ぎたりとて、新勅撰を定家の―・みて編まれたり」〈耳底記〉。「物の色あひを誉むるに故実侍ると云へり。…黒色は、『―・みたり』〔ト誉メル〕」〈俳・かたこと二〉②まじめくさる。「参会して、人の―・む時などは笑はず」〈応永二十七年本論語抄一四〉。「―・む人は見られぬ、夢の夢の夢の世を現顔(うつつがほ)して」〈閑吟集〉

くずみづ【葛水】冷水に葛粉と砂糖をとかした夏の飲料。「袖無しの帷子(かたびら)濡るる―に」〈俳・信徳十百韻〉

くずもの【国栖物】「国栖魚(くずうを)」に同じ。「何にても時の―料理して」〈俳・桜千句〉

くずや【葛屋】茅(かや)・藁(わら)などで屋根を葺いた家。草葺きの家。「堅田新在家に、文明九年の比(ころほひ)、御坊を二間三間の―に造立ある」〈本福寺跡書〉

くすり【薬】《クスシ(奇)と同根》①病気や傷をなおすために、飲んだり塗ったりするもの。「薬、療レ病則謂二之薬一、久須利(くすり)」〈和名抄〉②仙人の術を得る霊薬。仙薬。「雲に飛ぶ―はむともまた変若(を)ちめやも」〈万八四七〉。「其の時に俗三人ありて、語らひ合はせて隠形(おんぎやう)の―をつくる」〈今昔四ノ二四〉③釉(うわぐすり)。「鼈盞(べつさん)、天目の土にて―黄色にて、黒き―にて花鳥いろいろの紋あり」〈君台観左右帳記〉④火薬。「鉄砲の―の合はせやうあり」〈耳底記〉

―がり【薬狩】主として五月五日、野山に出て、薬草または鹿の若角をとる行事。「菟田野(うだのの)に―す」〈紀推古十九年〉。「八重畳平群(へぐり)の山に四月と五月の間(ほど)に―仕ふる時に」〈万三八八五〉

―ぐひ(グイ)【薬食ひ】①滋養となるもの、特に魚・獣類を食うこと。「これ(干鮭)は女どもが―に致すとて求めたる」〈咄・昨日は今日上〉。「老病の事なれば〔豚ノ肝ナド〕詮なき―なりけりと」〈鑑草一〉②冬季、強精のため、鹿・猪・兎などの肉を食うこと。「―する秋の霜先」〈俳・底抜臼下〉

―こ【薬子】元日に供御(くご)の屠蘇(とそ)の酒を毒味する役の童女。「えせものの所得るをり。…元三(ぐわんざん)の―」〈枕一五六〉

―ざけ【薬酒】果実・玉子などを、薬物・砂糖と一緒に酒・焼酎などに入れて作った薬用酒。忍冬酒・楊梅酒・玉子酒など。「これはさねかぬが―にて候」〈伽・明石三郎〉

―し【薬師】医者。くすし。「―は常のも〔尊ク〕あれどまらひとの今の―尊かりけり、めだしかりけり」〈仏足石歌〉

―づつみ【薬包】薬を包むような形に包むこと。「紫の薄様に―にして出されたりし」〈十訓抄一ノ一九〉

―どの【薬殿】大内裏の安福殿の中にあって、侍医の詰めているところ。「今日御物忌、御薬減らしめ給ふ。重康・盛康等―に候」〈永昌記長治三・四・七〉

―なやみ【薬悩み】薬に中毒すること。「姉も余り呑み過ごし、―で此の仕合せ」〈近松・松風村雨三〉

―のこと【薬の事】薬を用いるべきこと。病気。「朱雀院の御―なほ平(たひら)ぎ果てたまはぬにより」〈源氏若菜上〉

―のにょうくゎん【薬の女官】元日から三日まで、宮中で御薬(屠蘇・白散など)を供する儀式にあずかった女官。「―にて、文屋の博士〔ノ命婦ガ〕さかしだち、さいらきゐたり」〈紫式部日記〉

―ばこ【薬箱】医者が往診の時、薬を入れて携える箱。薬籠。「さらば又、合はせてまゐらせうとて―を取り出す」〈咄・昨日は今日上〉

―び【薬日】陰暦五月五日。古くはこの日に山野に出て薬狩をしたからという。「五日。ほととぎす鳴けども知らずあやめぐさ此(こ)ぞ―のしるしなりける」〈貫之集四〉

―ぶろ【薬風呂】生薑(しようが)・芥子(からし)・桑の葉などの薬種を入れた浴湯。「今日より七日―有り。五木一草也」〈後法興院記明応一〇・三〉

―ほり【薬掘り】中秋、山野に出て、薬草の根を掘ること。「尋ねては山路暮しつ―」〈俳・桜川七〉

―もぐさ【薬艾】切艾の切り口に塩水・糊をつけたもの。また、雄黄・黄丹などの薬を撚(よ)り合わせた切艾。効果は強いが、灸の跡がなおりにくい。「女夫(めをと)中よい暮しこそ、所帯の―なれ」〈近松・艶狩三〉

―ゆ【薬湯】薬になる湯。よく効く温泉。「信濃の国に筑摩(つくま)の湯といふ所によろづの人の―あり」〈古本説話六九〉

くすんごぶ【九寸五分】長さ九寸五分の短刀。敵と組打ちする時、切腹する時などに用いた。「―を文殊の喉頸(のどくび)へ指し付くる也」〈碧岩抄九〉

くせ【癖】㊀『名』《人にいやがられるような、異様な臭いを持つ意のクサ(臭)の変化形であろう。サカ・サケ(酒)、アマ・アメ(雨)と同類の変化》①くさみ。ゆがみ。「内侍のかみこそ、今の世の〔字ノ〕上手におはすれど、あまりそぼれて〔シャレスギテ〕―ぞ添ひためる」〈源氏梅枝〉。「すこし心に―ありては、人に飽かれぬべき事なむ、おのづから出で来ぬべきを」〈源氏胡蝶〉②特に際立って強い、よくない性癖。「心づくしなることを、御心におぼしとどむる―なむあやにくにて」〈源氏帚木〉。「人ごとに、心中にも、身の業にも、愛し好みて捨てがたく忘れがたき事あり。これを―といふ」〈沙石集四ノ一〉③(一般の)習慣。ならわし。「むつかしき世の―なりけり」〈源氏真木柱〉。「五月の空の―なれば、おぼろに照らす月影」〈盛衰記三九〉。「あづま屋の―として、軒を遠く葺(ふ)きいだしたる」〈伽・むらまつ物語〉。「〔コノ歌ノ〕―とは聞えぬなり」〈新撰髄脳〉④欠点。難癖。「さしもあるまじきことに、かどかどしく―をつけ」〈源氏若菜上〉⑤【曲】「くせまひ(3)」に同じ。「―『奈良坂の、児手柏(このてがしは)のふた面…』」〈謡・百万〉㊁『接頭』【曲・癖】名詞に冠して、片寄った、正しくない、の意を表わす。「相伝もなき、知らぬ―法門をいひて、人をもまどはし」〈御文章〉

ぐせ【救世】〔仏〕衆生の苦を救うこと。仏・菩薩の通称としても用い、特に観世音菩薩をいう。「我は―の菩薩也」〈今昔一一ノ一〉

ぐぜい【弘誓】〔仏〕一切の衆生を救おうという仏の広大な誓い。「嶮崄(けんけん)たる谷の深きをば―の深きになぞらへて」〈平家二・康頼祝〉

―のうみ【弘誓の海】《法華経、普門品の「弘誓如海」から》弘誓の深く広いことを海にたとえていう語。「―に船うかべ、沈める衆生引き乗せて」〈梁塵秘抄一五八〉

―のふね【弘誓の船】仏が衆生を救って涅槃(ねはん)に送ろうとする誓願を、船が人を乗せて川向うに渡すのにたとえた語。「これやこの極楽の諸菩薩乗り給ふ―もかくやと思ひ知られたり」〈曾我四〉

くせうま【曲馬】悪い癖のある馬。「人を喰ひ踏みければ、—とて金轡(かなぐつわ)をはめて」〈仮・因果物語下〉。〈日葡〉

くせぐせ・し【癖癖し】《形シク》いかにも癖がある。すなおでない。「この大将は、父大臣よりも御心ざまわづらはしく—・しき覚えまさりて」〈大鏡師尹〉

ぐせくゎんおん…ゾン【救世観音】衆生の苦を救う観音の意で、聖(しゃう)観音の別名。救世観世音菩薩。「聖徳太子は—の垂迹(すいじゃく)」〈妻鏡〉

くせごと【曲事】①道理に合わないこと。間違ったこと。「—月に随ひ年に添ひて、仮令(けりゃう)げに成りて」〈明恵遺訓〉②普通にはあり得ないこと。「この馬に乗りて二たび高名せられたりける、—になん申しあへりける」〈著聞三六八〉③不都合なこと。「汝らこのあたりに住む事—なりとて、大いにさいなみ給へば」〈伽・梅津かもむ物語〉④罰すること。処罰。「どちなりとも違うた方を—に云ひ付くるぞ」〈虎寛本狂言・茶壺〉

くぜち【口舌・口説】㊀《名》文句。また、口げんか。言いあらそい。「その人のもとへ去なむずなりとて—出で来にけり」〈伊勢九六〉。「〔火事騒ギデ〕三人(みたり)ばかり、やまひごと、—〔ガアッタ〕」〈かげろふ下〉㊁【くぜ・ち】《動詞》《名詞クゼチを活用させたもの》文句をつける。口論する。「この女の親、〔男ノ〕けしきをや見けむ、—・ち、まもり(監視シ)、いさかひて」〈平中二四〉

くぜつ【口舌・口説】⇒くぜち。「かやうの—の絶えぬは、これ故にこそ」〈著聞五四七〉。「あまり近きは—あり」〈伽・かくれ里〉▽近世以後は、男女の痴話げんかにいうことが多い。

くせづ・き【癖付き】《四段》ひとくせ変った点がある。「今様歌は長うて—・いたり」〈枕二八〇〉

くせびと【曲人・癖人】ひとくせある者。「しかるべき人たちの御入りの時だにも、子供を代官に出し、我は出で合ひ参らせぬ—にて候」〈義経記三〉

くせま・せ《下二》すねて相手をじらせる。「実方(さねかた)少し—・せて」〈浄・賢女手習三〉

くせまひ…マイ【曲舞】①南北朝の頃から室町時代にかけて流行した歌舞芸能。また、それを演ずる者。幸若舞もこの芸能の一種。「舞舞」「舞」「大頭(だいがしら)」とも。「〔文保二年十一月〕管絃・連歌・田楽・猿楽・呪師(じゅし)・—・乞食・非人、数百人充満し」〈峰相記〉。「勧進—、越前国幸若大夫」〈晴富宿禰記文明一二・五・二三〉②本来、メロディを主とする小歌節であった能の音曲に、⑴のリズムをとり入れた謡物。リズムを主体とした節曲舞、小歌節が主体となった小歌節曲舞などがある。「観阿、白髭の—を謡ひしより、いづれをも(小歌節モ曲舞節モ)謡ふ也」〈申楽談儀〉③能一番の構成要素の一。曲舞がかりで謡われる部分。くせ。「今の柏崎には土車の能の—を入れらる」〈申楽談儀〉

くせ・み【癖み】《四段》一くせあるようにゆがむ。「歌詠むともがらも、万葉集のやうなどいひて—・み詠めども、まことのよき歌詠みになりぬれば、やすやすとありのままの事とこそ聞ゆれ」〈八雲御抄六〉

くせもの【曲者・癖者】①ひとくせあるもの。「拝賀の夜くせもなき馬を移馬(うつしうま)に引かれたりけるに…今夜国方さだめて—に乗り侍らんずらんと」〈著聞三六一〉②奇妙なもの。変なもの。「天より降り地より湧きたる物にも非ず。極大不思議の物なり。かかる—なるを」〈日蓮遺文十二因縁書〉。「げに恋は—、—かな」〈謡・花月〉③異常な能力をそなえた人間。「かるが故に人をも人とせず、一段の—なり」〈伽・あきみち〉④普通とは姿かたちの異なる怪しい者。異類異形のもの。「いかなる—ぞやとて笑ひける」〈伽・鉢かづき〉⑤怪しげな者。不審な者。「とかくこの亮政一人は—と思ふぞや。彼に心を許すな」〈浅井三代記三〉

くせやつ【曲奴】「くせもの」に同じ。「大事の処をば—を一人頼うで通ればちっとも大事もないぞ」〈周易抄四〉

くぜ・り《四段》①鳥がさえずる。また、べちゃべちゃとしゃべる。「群雀は誦(よ)まぬ修陀羅(しゅだら)を—・る」〈俳・行脚文集三〉②口舌(くぜつ)をする。「なにようー・るのだ」〈洒・世界の幕なし〉

くそ《同等または目下の人に対していう。単独用法は稀で、「…の—」「—たち」の形で使われる》きみ(ら)。ひと(びと)。「あるまじき事言ふ—たちかな」〈宇津保藤原君〉。「かかりけるに—たち来けり」〈平中一七〉。「とのもりの—、あづま〔琴〕取りて」〈源氏手習〉

くそ【屎・糞】《クサシ(臭)と同根》①大便。「—遠くまれ櫛作る刀自(とじ)」〈万三八三二〉②名詞に冠して、卑しめののしる意を表わす。「—鮒(ぶな)」〈万三八二八〉 †kuso

ぐそう【供僧】《「供奉(ぐぶ)僧」の略》本尊に供奉する僧。神社に奉仕する社僧にもいう。「三間四面の御堂たてられて、廻廊はみな—の房にせられたり」〈大鏡頼忠〉

ぐそう【愚僧】僧侶が自分をへりくだっていう語。拙僧。「左〔歌〕、判者の—の歌なるべし」〈別雷社歌合〉

くそかづら【屎葛】アカネ科の多年草。野山や道ばたの草叢に生え、つるを長くのばして草木にまといつく。全体に臭気がある。ヘクソカズラ。「葛莢(ふぢばら)に延(は)ひおぼとれる—」〈万三八五五〉 †kusokadura

ぐそく【具足】①十分にそなわり足りていること。「いまだ浄戒を—することを得ざるより以還(このかた)檀主の法会に預らじ」〈願文〉②伴い連れること。「象に乗りたる狐の千万の獣を—して渡れば」〈今昔五ノ二〇〉。「入道、〔基成ニ〕情をかけ奉り、その上、基成の娘に—して子共あり」〈義経物語八〉③家来。部下。「あふ狐どもを皆—になして」〈今昔五ノ二〇〉④伴うもの。添えもの。「連歌には…事一つを詮と取り詰めて、余の—をば目にかけず作るは、上手の態なり」〈言塵集七〉。「さいをば女房衆はおかずといへり。男衆は御—といへり」〈女房進退〉⑤道具。調度品。所持品。「子孫どもに家の—ども負ほせ持たせて」〈宇治拾遺三〇〉。「同じうは義成が—で仕り候はん」〈米沢本平家一一・先帝身投〉⑥太刀・刀・鑓(やり)・長刀の類。持ち具足。「—を抜き合はせ、また切り結ぶ境には」〈伽・鴉鷺合戦物語〉⑦甲冑。「人目に立つ—持ち給ふべからず」〈極楽寺殿御消息〉⑧戦国時代以降用いられた鎧の一種。脇楯などの付属品がなく、大鎧を簡略にしたもの。「螺(ひ)吹け、—よこせよと仰せられ、御物具(もののぐ)召され」〈信長公記首巻〉⑨「具足戒」の略。「しばしば召して—を受けしむ」〈性霊集一〇〉 **—おや**【具足親】武家の男子が元服して甲冑の着初めをする時、着せる役をする人。「雨露は—かよ鎧草」〈俳・山下水三〉 **—かい**【具足戒】比丘(びく)・比丘尼の保つべき戒律。日本では、比丘には二百五十戒、比丘尼には三百四十八戒がある。「二十二にして東大寺の戒壇にして—を受く」〈今昔一一ノ九〉 **—がね**【具足金】武士が一大事の際の資金として、具足櫃(びつ)に入れて置く金。「—拾両有りしに」〈西鶴・武家義理一〉 **—びつ**【具足櫃】甲冑を入れて置く櫃。前面に「前」という字を書き、また、縁起を祝って春画を入れる風習があった。「—一荷取りに来了んぬ」〈多聞院日記永禄一三・二・四〉 **—もち**【具足餅】新年、武家で甲冑に供える鏡餅。正月二十日(後に十一日)、これを割って食べるのを「具足開き」という。「幕祝ひの餅、同じく—なんどは、手にてひっきり

て食はず」〈甲陽軍鑑一六〉

くそくらへ ‥ク ラエ【糞食らへ】 他人の言動をその場でののしり返す時にいう語。また、嚏(くさめ)した際に直ちに呪文としていう語。「―と申しける」〈仮・百物語上〉

くそたはけ ‥タ ワケ【糞戯け】「たはけ」を卑しめののしっていう語。「あっぱれ大きなる―」〈評判・吉原芥川〉

くそたれ【糞垂れ】 人を卑しめののしっていう語。「あの―大臣め」〈評判・二挺三味線京〉

くそにぎり【糞握り】 掌の太い横筋が横に通らず、斜めに切れているもの。貧乏の手相という。「くそかけ」とも。「旦那は腰元の手を〔見テ〕…ええ―ぢゃ」〈咄・時勢話綱目四〉

くそぶくろ【糞袋】 腸または胃の称。「腸、ハラワタ・クソブクロ。胃、クソブクロ・モノハミ」〈名義抄〉

くそぶな【屎鮒】 鮒を卑しめていう語。一説、コブナ・タナゴの異称。「香(こり)塗れる塔にな寄りそ川隅(かはくま)の―食(は)める痛き女奴(めやつこ)」〈万三八二八〉 †kusobuna

くそへ【屎へ】 天つ罪の一。神聖な祭場を汚物で汚すこと。「天つ罪と、…生剝・逆剝・―、ここだくの罪を天つ罪とのりわけて」〈祝詞大祓詞〉 ▽へは、鼻や屁をひる意のヒ・ヒリと同根。 †kusorë

くそま・り【屎放り】『四段』《マリは大小便をする意》 大便をする。「―・り散らしき」〈記神代〉。「送糞、此をば倶蘇摩屢(くそまる)といふ」〈紀神代上〉 †kusomari

くだ くどいこと。繁雑でわずらわしいこと。くだをまくこと。「―なりと名にこそ立てれ花見酒」〈俳・細少石三〉

くだ【管】 ①円く細長く、中のうつろなもの。「―といふ小竹のよを多く散らしおきて」〈著聞五六一〉 ②機(はた)の緯(よこいと)を巻きつけ、梭(ひ)に入れ、緯を送り出すもの。「雁が音の羽風を寒み促織(はたおり)の―巻く音のきりきりとする」〈新撰万葉上〉。「繅筝、繅糸管也、久太(くだ)、管子、同上」〈和名抄〉 ③「管の笛」の略。「吹き響(な)せる―の音も」〈万一九九〉

くたい【九体】 浄土に九品あるという考えに基づいて、阿彌陀仏を九つ作ったものをいう。「西面をあけさせ給ひて―の阿彌陀仏をまもらへさせ奉らせ給へり」〈栄花鶴の林〉

くたい【裙帯】「くんたい」の撥音「ん」を表記しない形。「〔釆女ノ〕青裾濃(あをすそご)の裳・―・領布(ひれ)などの風に吹きやられたる、いとをかし」〈枕二七八〉

くだい【句題】 漢詩文や古歌の一句をとって詩歌の題とするもの。例えば新古今集釈教に「栴檀香風、悦可衆心」という法華経第一の一句を題にして「吹く風に花橘やにほふらん昔おぼゆる今日のにはかな」とする類。寛平六年大江千里の詠んだ句題和歌が最初。「戸外桜晩鐘、―の百首」〈正徹物語上〉

くだかけ【朽鶏】 ①《古くはクタカケ。クタはクチ(朽)・クタシ(腐)などと同根。カケは鶏》 朝早く鳴く鶏をののしっていう語。「―のまだきに鳴きて背な(夫)をやりつる」〈伊勢一四〉 ②《(1)の原義が忘れられて》 鶏の雅語。「くだかけ、家鶏と書く。にはとりの事なり」〈和漢新撰下学集〉

くだ・き【砕き・摧き】『四段』《クヅレ(崩)・クヅ(屑)と同根。一つに固くまとまっているものをその機能を失うまで細かくこわしてしまう意》 ①(物を)こなごなにする。「粟粒(つぶ)を粉(くだ)きて」〈霊異記上序〉 ②(心や身を)こなごなにするまで、力のたけを尽す。「あぢきなき事に御心を―・き給ひし昔のこと」〈源氏須磨〉。「命も堪ふまじく、身を―・きて〔看護ニ〕思し惑ふを」〈源氏若菜下〉。「老僧ども肝胆を―・いて祈念しけり」〈平家二・一行阿闍梨〉 ③細かく分ける。「〔相撲ノ〕四十八手のその内を、百手(ももて)に―・きて取ったりける」〈仮・竹斎上〉

くたくた ぐったり。ぐにゃぐにゃ。「女房は言ふにも堪へず、―として倚(よ)り伏しにけり」〈宇治拾遺三四〉

くだくだ【細砕】 細かにうち砕いたさま。こなごな。「刀を抜き、―に斬りてぞ投げ出しける」〈仮・智恵鑑四〉。「クダクダニ」〈日葡〉

くだくだ・し『形シク』《クダはクダキ(砕)と同根》 ①いかにもこまかい。「六月七月其の虫更に細(くだ)しくして…生絹十重なれども虫亦直に過ぐす」〈南海寄帰内法伝平安後期点〉 ②いかにもこまごましくてわずらわしい。「―・しきなほ人の中らひに似たる事に侍れば」〈源氏行幸〉。「細砕、クダクダシ」〈名義抄(図書寮本)〉

くだ・け【砕け・摧け】 ㊀『下二』《クダキ(砕)の自動詞形》 ①(物が)こなごなになる。「屑(くだ)けたる玉は器に盈(み)つとも瑑(か)きて為(つく)るべからず」〈東大寺諷誦文稿〉。「袖の上の玉の―・けたりけむよりもあさましげなり」〈源氏葵〉 ②(心や胸が)こなごなになる思いである。思い乱れ、なやむのにいう。「わが胸は破(わ)れて―・けて利心(とごころ)もなし」〈万二八九四〉。「君恋ふる心は千千に―・くれどなど数ならぬ我身なるらむ」〈曾丹集〉 ③整わず、曲折する。「上下ともに―・けたるは、未だ秀歌にこれを聞かず」〈八雲御抄六〉。「前句―・けたるを、〔付句ハ〕やすやすと言ひ流し侍る也」〈連歌延徳抄〉 ④乱れ崩れる。粗雑になる。「田面(たのも)に立てる稲は莚に似たれば稲莚といふなど申す義は、あまりに―・けたり」〈袖中抄五〉。「和歌の道も、風情興ありて目に立つ所侍れど、言葉―・けて優美なる所なければ見所なし」〈遊庭秘抄〉 ㊁『名』くだけること。また、くだけたもの。かけら。「わが岡の龗(おかみ)に言ひて降らしめし雪の―し其所に散りけむ」〈万一〇四〉。「屑、クダク・クダケ・クヅ・物ノカス」〈名義抄〉 †kudakë

くださん・し【下さんし】『サ変』《クダサレマシの転。動詞の連用形に「て」の付いた語に接続して、相手の行為に敬意を表わす》 …して下さいます。「其の笑ひを、先程して―・すれば埒(らち)が明くに」〈近松・慰曾我上〉

くた・し【朽たし・腐し】『四段』《クチ(朽)の他動詞形》 ①生命を失わせ、その機能を役立たなくさせる。「卯の花を―・す長雨(ながめ)の」〈万四二一七〉 ②だいなしにする。「心にくくもてなして止みなむと思へりし事を―・いてける」〈源氏末摘花〉。「人の言によりていかなる名を―・さまし」〈源氏夕霧〉 ③つぶしてしまう。「〔恋心ヲ〕心の内に―・して過ぎぬべかりけるを」〈源氏若菜下〉

くだ・し【下し・降し】 ㊀『四段』《クダリの他動詞形》 ①㋑(神などを)天から天からまっすぐに地上へ移動させる。「この国の人の独りこの難に会ふをばあはれみ給ひ、神を―・し」〈大唐西域記三・長寛点〉 ㋺空から降らす。「しぐれを―・す」〈拾遺一二三八〉 ②川上から川下へ勢いよく流す。「大井川―・す筏のみなれ棹」〈拾遺六三九〉 ③(紙に)筆をさっとおろす。「〔名人ニマジッテ〕おもなく―・す筆の程」〈源氏梅枝〉 ④目上から目下へ物や言葉を渡す。㋑(物を)さげ渡す。下賜する。「主上御感のあまりに御子王といふ御剣を―・させ給ふ」〈延慶本平家四・頼政ぬへ射る〉 ㋺(勅旨・命令などを)上から下へ申しわたす。下達する。「みかど喜び給ひて、あめのしたに、みことのりを―・して」〈三宝絵中〉 ⑤都から地方へ人を行かせる。「これより―・し給ふ人ばかりに〔手紙ヲ〕つけてなむ」〈源氏若菜上〉 ⑥音を下げる。「琴の緒もいとゆるに張りていたう―・して調べ」〈源氏若菜上〉 ⑦見くだす。けなす。「すべて人を―・し人をそしる事はゆゆしき咎(とが)重き事にて候ふなり」〈和語燈録三〉 ⑧(心や態度を)低くする。さげる。「志をー・さず、肘(ぢひ)を張ってゐたを」〈天草本伊曾保〉 ⑨下痢をする。「二日三日おびたたしくー・して候し故、力は落ちて候しかども」〈金沢文庫古文書六、氏名未詳書状〉。「飲める湯水はそのままー・す」〈伽・福富長者物語〉 [二]『名』下剤。「ーを飲み、十二、三〔度〕下し候也」〈山科家礼記長享二・五・二三〉 **ーぶみ**【下文】上位者から下位者に下す命令の文書。院政時代には、私的な御教書(みけうじよ)に対する公的なものとして院庁下文が広く行なわれた。「院の庁の御ーを一通下し預かり候はばや」〈平家一二・判官都落〉。「是れは日比(ひごろ)の御訴詔の安堵の御ーなりとて」〈古今序注〉

くだ・し【壊し】『四段』《クダキ(砕)と同根》くずれさせる。「岩ー・す〔ヨウニ〕かしこく(恐レ多ク)とも」〈紀歌謡四五〉

くだじゅばん【管襦袢】細い竹管に糸を通して作った襦袢。夏季、汗取り用に着る。管帷子(くだかたびら)。「押付けて／どちらも痛きー」〈雑俳・田植笠〉

くだすだれ【管簾】短い竹筒をつづって作った簾。管暖簾(くだのうれん)。「浮け足も知れ忍ばれぬー」〈雑俳・宝船〉

くた・ち【降ち】[一]『四段』《クチ(朽)・クタシ(腐)と同根》①時が経過して盛りの状態が推移して終りに近づき、人力でとどめ得ない自然のなり行きによって、変質して朽ちて行く意》①時が経過して朽ちて行く。おとろえる。「わが盛りいたくー・ちぬ」〈万八四七〉 ②日が夕方に近づく。また、夜の盛りが過ぎて夜明けに近づく。「朝露に咲きすさびたるつき草の日ー・つなへに消ぬべく思ほゆ」〈万二二八一〉。「山のはにいさよふ月を出でむかと待ちつつ居るに夜そー・ちける」〈万一〇七一〉 [二]『名』日の傾く頃。また、夜明けに近い頃。「夜ーに寝さめて居れば」〈万四一四六〉。「六月の晦(つごもり)の日の、夕日のーの大祓へに」〈祝詞大祓詞〉。「日斜、ヒクタチ」〈名義抄〉

くたに リンドウの異名。「なでしこ・薔薇(さうび)・ーなどやうの花」〈源氏少女〉

くだのふえ【小角・管の笛】戦場で使用した笛の一。大角(はらのふえ)と共に用いた。「くだ」とも。「大角、波良乃布江、小角、久太能布江(くだのふえ)」〈和名抄〉

くたば・り『四段』《クチ(朽)と同根》①体力が芯から衰える。「憔悴、クタハル」〈名義抄〉 ②死ぬ。相手をののしっていう言い方。「ー・りても飽き足りのある事ではなし」〈評判・吉原雀上〉

くたび・れ【草臥れ】『下二』《クチ(朽)・クタチ(降)・クタバリと同根。「草臥」は、疲れて草に臥す意の当て字》疲れはてる。くたくたに疲れる。「さまざまの勤めに身もー・れけるにや」〈著聞五五一〉。「くったとー・れて寝入った」〈三体詩絶句抄五〉。「草臥、クタビルル」〈伊京集〉

くだま・き【くだ巻き】『四段』酒に酔って、とりとめもない繰り言を言う。「花見にや酔うてー・く糸桜」〈俳・発句帳一〉

くだもの【果物・菓物】《木(く)の物の意。ダは連体助詞ナの転。ケダモノ(毛だ物・獣)の類》木の実などで、酒の肴(さかな)・副食品・間食品となるもの。「はかなきー、強飯(こはいひ)ばかりは聞こし召す時もあり」〈源氏薄雲〉。「飯(いひ)・酒・ー」〈宇治拾遺八五〉。「果、コノミ・クダモノ」〈名義抄〉

ーいそぎ【菓物急ぎ】菓物に早く手を出したがること。「〔菓子ヲノセタ紙ニ〕目とどめ給ふ程に、ーにぞ見えける」〈源氏東屋〉

くだやり【管鑓】繰出し・繰込みに便利なように、柄に短い金属製の管をはめた鑓。左手で管を握り、右手で柄をしごいて突く。「ーか竹に生けたる梅の花」〈俳・小町踊一〉

くだら【百済】古代朝鮮の三国の一。四世紀前半に朝鮮半島南西部の馬韓五十余国を統一。七世紀に唐・新羅に滅ぼされた。百済からの移住民により仏教・学問・技術が日本に伝えられた。「ーの王、東の方に日本(やまと)の貴(かしこ)き国あることを聞きて」〈紀神功四十六年〉 ▽室町時代までクタラと清音か。名義抄図書寮本に「百済琵、久太良古度」とあり、明確に清点がある。中世の字書にも、確実に濁点を付したものはない。 **ーがく**【百済楽】百済から伝わり、雅楽寮で扱った三韓楽の一。箜篌(くご)などの楽器を使い、舞も舞った。「百済王等ーを奏す」〈続紀天平一六・二・二二〉 **ーこと**【百済琴・箜篌】「くご」に同じ。「箜篌、百済国琴也、和名、久太良古止(くだらこと)」〈和名抄(図書寮本)〉

くだらぬ【下らぬ】『連語』つまらない。とるにたりない。「さてさて女といふものはー事をいふものぢゃ」〈虎明本狂言・鏡男〉

くだ・り【下り・降り】[一]『四段』《事物・程度・位置などが、上から下へ勢いのままに一気に移動する意。類義語オリ(降)は注意を保ちながら下までさがる意》①天から真直ぐに地上に移動する。㋑(神や鳥が)地上にさっとおりる。「瑞穂の国を天ー・り領(し)らしめしける天皇(すめろき)の神のみことの」〈万四〇九四〉。「その雁飛翔してこの池の側にー・りぬ」〈大唐西域記三・長寛点〉 ㋺空からどっと降る。「大空暗うなり雲なくして大風吹き大雨ー・る」〈三宝絵中〉 ②(水が)流れ落ちる。「涙流(くだ)りて帝の面(みおもて)に落つ」〈紀垂仁五年〉。「流、クダル」〈名義抄〉 ③(舟などが)川上から川下へ移動する。「朝凪(あさなぎ)に楫(かぢ)引きのぼり夕潮に棹さしー・り」〈万四三六〇〉 ④文章などを読んで意味を通す。「ひろげて拝見申せども、なにとも読みがー・らず」〈伽・小栗絵巻〉 ⑤目上から目下へ物や言葉などが渡される。㋑さげ渡される。下賜される。「御かはらけー・り、若菜の御あつもの参る」〈源氏若菜上〉 ㋺(勅旨・命令などが)申し渡される。下達される。「宣旨ー・りて」〈源氏桐壺〉 ⑥時が終りの方へ近づく。「未(ひつじ)ー・る程に南の寝殿に移りおはします」〈源氏藤裏葉〉 ⑦都から地方へ行く。「天ざかる鄙(ひな)にー・り来」〈万三九六二〉 ⑧(場所が)低くなる。「車は高く、おるる所はー・りたるを」〈源氏宿木〉 ⑨(身分などが)劣る。「〔身分ノ〕高きもー・れるも惜しみ」〈源氏柏木〉。「卑、クダル」〈名義抄〉 ⑩技能が低下する。へたになる。「下手に交はり候はば、我が句もー・り行くものにて候」〈初学用捨抄〉 ⑪降伏する。「兵(つはもの)尽き矢極まりて終に敵にー・らず」〈徒然八〇〉 ⑫謙遜する。「壮(をとこざかり)にして仁恵(めぐみ)まし、謙(くだ)り恕(なだ)め温(やはら)ぎ慈(うつくし)びます」〈紀仁賢即位前〉 ⑬下痢をする。「権内、腹ー・る」〈天正日記天正一八・八・二五〉 [二]『名』【降り・下り・行】①上から下まで一気に移動すること。また、上から下までつながっていること。㋑(水が)上方から下方へ流れること。「水門(みなと)の潮のー海(うな)ー」〈紀歌謡一二〇〉 ㋺縦の線。「風の音の遠き吾妹が着せし衣(きぬ)手本(たもと)のーまよひ来にけり」〈万三四五三東歌〉 ㋩文章の一行。また、それを数える語。「上(かみ)のー五柱の神は別天神(ことあまつかみ)」〈記神代〉。「ーの程、端ざまに筋かひて」〈源氏常夏〉。「ただ、三ーばかりに文字ずくなに」〈源氏梅枝〉 ②都から地方へ行くこと。「紀伊守、国にーなどして」〈源氏空蟬〉 ③京都で、北から南へ行くこと。「大宮をーに二条を東へざざめいて引きければ」〈平治中・待賢門軍〉 ④場末。または、遠隔の地方。「町ーよろぼひ行きて世を見れば物の理(ことわり)皆知られけり」〈拾玉集四〉 ⑤刻限の終りに近い頃。「『ただ今は何時ぞ』…『申のーになり候ひにたり』」〈宇治拾遺一三三〉 ⑥(これ)以下。「下(くだ)りは皆〔上ニ〕准じて知れ」

〈法華経玄賛平安初期点〉⑦上方の産物で江戸その他の地方に輸送されたもの。「当年―の〔京酒〕樽一遣はされ候」〈上井覚兼日記天正一四・四・二〉⑧近世、江戸で地黄煎飴(ぢわうせんあめ)の称。「下り下り」と呼んで行商した。下り飴。「守りが色―を二本いたぶられ」〈雑俳・万句合明和四〉⑨【領・襲】装束などのそろっているのを数える語。「御装束ひと―」〈源氏桐壺〉 **―うり**【下り売】「下り」⑻の行商人。飴を鉋(かんな)で削り、棒に付けて売った。下り屋。「―小桶の中に鉋屑」〈雑俳・万句合安永七〉 **―ざけ**【下り酒】上方産の酒で江戸へ輸送されたもの。「―名酒にてなど無かるべき」〈俳・談林十百韻下〉 **―せば**【行狭】文章の行と行のあいだのせまいこと。「墨のいと黒う、うすく、―に」〈枕二九四〉 **―づき**【降り月】陰暦十八日ごろから二十一、二日までの月。「いさしら雲の―の、都なれや東山」〈謡・小塩〉 **―て**【下り手】上方で、江戸または地方向けに作った商品。多くは安価な粗製品。「―の片し目貫(めぬき)」〈西鶴・五人女二〉 **―びな**【下り雛】江戸へ輸送された京雛。「―の面見世するや今日より」〈俳・江戸広小路上〉 **―ぶね**【下り船】①川を下ってゆく舟。「―のありけるに乗らんとす」〈発心集一〉②上方から地方へ行く船。特に、近世、伏見から大阪へ下る淀川の乗合船。「―待つ暇有りければ」〈俳・大坂独吟集上〉 **―やくしゃ**【下り役者】上方から江戸へ下って来た歌舞伎役者。「山より里へ―ぢゃ」〈俳・大坂一日独吟千句〉 **―やな**【下り簗】秋、産卵のため川を下る鮎を捕るのに設ける簗。「みなと川ゆくせの水の―春のひよりにはやさしてけり」〈新撰六帖三〉 **―りう**(リュウ)【下り龍】天から地上に降りようとする龍の絵または図案。「天龍寺の仏殿の来光の二本の柱に龍を描いたぞ。一方の柱には上り龍、一方の柱には―ぞ」〈玉塵抄二〉

くだん・し【下んし】『サ変』《クダサンシの転》①下さいます。「源七がたばこ持って来たら、―・せ」〈洒・陽台遺編〉②《動詞の連用形に「て」の付いた語に接続して、相手の行為に敬意を表わす》…して下さいます。「いやもう言うて―・すな」〈近松・曾根崎心中〉

くだんの【件の】『連体』《クダリノの音便形。前に述べた物事を、すでによく知られたものとして示す語》①上述の。右の。「―仏、山の護仏院に安置し奉らる」〈宇治拾遺六三〉。「頼光の御前に参り、―子細を語り」〈伽・羅生門〉②例の。あの。「臍(ほぞ)の下へ下げたと云ふは、講釈の時、―所をも出いたと云ふぞ」〈古活字本日本書紀抄下〉 **―如し**《文書・書状などの末尾に書くきまり文句》右の通りである。「祈誓―」〈平家七・平家山門連署〉。「鎌倉中将殿御消息此(かく)の如し。よって執達―」〈吾妻鏡建久一〇・三・二三〉

くち【口】《古形はクツ。食物を体内に取り入れる入口。また、言葉を発する所。転じて、物の始まる所。また、物を言うこと》①物を食べ、また、物を言うところ。「―びひく(ビリビリスル)」〈紀歌謡一四〉。「ただ押鮎の―をのみぞすふ」〈土佐一月一日〉②物を言うこと。言葉。言い方。「―やまずわが恋ふる児を」〈万一七九二〉。「世に難つけられ給はぬ大臣を―にまかせてなおとしめ給ひそ」〈源氏真木柱〉③評判。うわさ。「世の人の―といふ物なん、誰が言ひ出づる事ともなく…おもはずなる事いでくる物なるを」〈源氏若菜上〉④出入りする先端のところ。入口。「翁も…戸―にをり」〈竹取〉。「御車寄せたれば、―には宮・中の君、しりには嫁の君と我と乗りたまふ」〈落窪二〉⑤間口。「―三間(げん)なる屋の、かみさびて、形(かた)ばかり残りしかば」〈撰集抄二ノ六〉⑥物の始まるところ。冒頭。発端。「あしびきの山の木の葉の落ち―は色のをしきぞ哀れなりける」〈拾遺四一七〉。「両首共によし。然れども猶―の歌まされるにとりて」〈耳底記〉。「〔能ノ〕熊野(ゆや)の―に、これは平の宗盛なり」〈驢鞍橋中〉⑦浄瑠璃一段を分割する呼称。「中」「切」に対して、前の部分。「金短冊四の―のちょこ場を取り(演ジ)給ふやうになって」〈音曲猿口轡〉⑧就職口。「よき―は有るまいか」〈咄・鹿子咄下〉 **―が上が・る** 物言いが上手になる。「やあ、いかう―・ったの」〈近松・卯月潤色中〉 **―食うて一盃**(いっぱい) 食うだけで余裕のない生活のたとえ。「口過ぎ一杯」とも。「―に、雑煮祝うた分なり」〈西鶴・胸算用四〉 **―に油を塗・る** べらべらしゃべる。「口で巧みて、―・って、交はりのまことなやうを云ふぞ」〈玉塵抄四四〉 **―に付・く** 口に言い慣れる。「これらの歌は、世の常に人ごとに―・きたれども」〈沙石集五ノ一八〉 **―の開**(あ)**かれぬ** 何とも言いわけ出来ない。「―事見せん」〈近松・五十年忌中〉 **―も腐れ** 自誓のことば。この誓いを破ったら口が腐っても構わぬの意。「―仏がそれを言ふものか」〈俳・通し馬下〉 **―も酸**(す)**くな・る** 同じ言葉を何度も繰り返して言う。「口もすうなる誓文の声」〈俳・世話尽五〉 **―を開**(あ)**・く** 驚きあきれる。「我を折って、喰ひもせぬ餅に―・きける」〈西鶴・永代蔵二〉 **―を固・む** 他言を禁ずる。口どめする。「『然らば、あなかしこあなかしこ』と返す返す―・めて」〈今昔三一ノ一三〉 **―を切・る** ①壺の「口切り」をする。「此の壺『時雨』と云ふ事、十月の頃―・る頃なれば…『時雨』と名を付くる也」〈茶器名物集〉②馬を走らせるために手綱をゆるめる。「馬は逸物(いちもつ)の、―・って角(かく)を入れ」〈近松・鑓権三上〉 **―を食・ふ** 生活する。口を養う。「何をしたればとて、二人三人の―・ふ事心易き所ぞと見立て」〈西鶴・胸算用五〉 **―を叩**(たた)**・く** 盛んにしゃべる。「常の女房は、酒を飲んでは―・き、身体みだるるものなるが」〈長恨歌抄〉 **―を垂・る** へりくだって物を言う。相手を敬って物を言う。「大男の―・れて、『これ一銭おくりゃれ申せ』と言ふ」〈西鶴・男色大鑑二〉

くち【鷹】タカの古語。「百済の俗この鳥を号(な)づけて―といふ。今時(いま)の鷹なり」〈紀仁徳四十三年〉。「鷹、和名太加、今案、古語云二倶知(くち)一」〈和名抄〉

く・ち【朽ち】㊀『上二』《時の経過によって物の盛りが過ぎ、本質的な部分が生命を失って機能を果さなくなる意》①ものがそこなわれて役に立たなくなる。「独り寝(ぬ)と薦(こも)―・ちめやも綾蓆(あやむしろ)緒になるまでに君をし待たむ」〈万二五三八〉。「御歯の少し―・ちて、口の内黒みて」〈源氏賢木〉②すたれる。むなしく終る。「名の―・ちなむはさすがなり」〈源氏末摘花〉。「かかる海士(あま)の中に―・ちぬる身に」〈源氏明石〉③消滅する。「その時互ひの恨みは―・ちにけり」〈伽・あきみち〉㊁『名』質が変って用をなさなくなること。「カタナガクチタ、クチガイッタ」〈日葡〉㊂『接頭』《人をけなしたり、自分に関することをへりくだっていうのに使う》役にも立たない、何の価値もないの意を表わす。「―女」「―尼(あま)」など。「さがなき―女」〈大和付載説話二〉

ぐち【愚癡】①〔仏〕愚かなこと。三毒(さんどく)の一。「我、―邪見にして因果を知らずして」〈霊異記下六〉②後になって愚かしく悔いてみても、どうにもならないこと。「痴は―とて、かへらざる事をくやみ叶はざる事を思ふ事なり」〈仮・小盃四〉

ぐち【共】『接尾』…と共に、…ぐるみ、…ごとの意。「物を皆ながらと言ふ『ぐち』と言ふは、京の詞也。たとへば、入れ物―、根―など言ふやうの詞也」〈不断重宝記〉

くちあ・き【口開き】〘四段〙 口をきく。発言する。「才の際、なまなまの博士恥づかしく、すべて—・かすべくなむ侍らざりし」〈源氏帚木〉

くちあ・け【口開け】㊀〘下二〙 口をきく。話をする。「かばかりも—・けそめて侍れば、なかなか残り多く」〈大鏡昔物語〉 ㊁〘名〙 物事のし始め。皮切り。発端。「旧冬十一月末に一石つく味噌の—、一段味勝れて吉し」〈多聞院日記天正四・七・二三〉

くちあ・し【口悪し】〘形シク〙 ①口が悪い。口汚い。「—・しきをのこ」〈落窪二〉 ②口の状態が悪い。口に故障がある。「或る尼の—・しとて物食はれぬに」〈散木奇歌集雑上〉

くちあそび【口遊】 ①人に聞かせようというのではなく、何となく口にすること。つぶやき。「ただ仏の御事をのみ寝言にも—にもしつつ行なふ」〈宇津保春日詣〉 ②むだ口。無意味な噂。「このかかる—は更に承らじ」〈宇津保藤原君〉

くちあひ …イ【口合】 ①取引の周旋をする人。口入れ。推挙人。「一貫五百文、蠟燭屋—の代」〈山科家礼記文明九・五・二六〉 ②地口。駄洒落(だじやれ)。語呂(ごろ)。「万(よろづ)—この外はせじ千千の春」〈俳・三つ物揃〉

くちあま【朽尼】 役にも立たぬ尼。「なにがし(私)が母なる—の侍るを」〈源氏夢浮橋〉

くちあみ【口網】《未詳》 **—も諸持**(もろもち) 網を海女(あま)たちが一緒に持つように、口口に歌を詠む意か。「かの人人の—にて、この海辺にて荷ひ出せる歌」〈土佐十二月二十七日〉

くちい・れ【口入れ】㊀〘下二〙 ①言葉をさしはさむ。口添えをする。「おとどもねんごろに—・れかへさひ給はばこそは」〈源氏常夏〉 ②話をとりもつ。世話をする。「このことに—・れたる人と〔共ニ〕乗せて遣りつ」〈かげろふ下〉 ㊁〘名〙 ①言葉をさしはさむこと。口出し。「何が故に我(わ)れ人とあらそふに—せざる」〈正法眼蔵随聞記六〉 ②取引などの仲介。口入(くにふ)。「かりがね(雁・借金)の—するや料理人」〈俳・詞林金玉集一三〉

くちうつし【口移し】 ①直接に言うこと。直話。「〔滝口ナドハ近習デハアルガ〕御—・御手移し、然るべからず」〈禁秘抄上〉 ②人が言った通りを、口から口へくりかえすこと。「さらに珍しき所もなく、ことごとく古人の—のみにて候ひき」〈了俊下草〉。「—などに披露し侍れば」〈私用抄〉 ③口にふくんだものを、他人の口に入れること。「水桶の水を—に呑ませんと」〈伎・助六〉

くちうら【口占・口裏】 ①偶然耳に入ってきた人の言葉から吉凶を占うこと。「源繁昌の—ありとぞ、ささやきける」〈盛衰記二七〉 ②物の言いぶり。また、それによって言う者の心中を探り知ること。「委細は彼の—にあるべく候」〈伊達家文書二、天正一七・一〇・二二〉

ぐちうれき ウ…チュ【具注暦】 暦本の一。暦日の下に漢文で、日の吉凶・忌諱、冠婚葬祭方位など人間の行為万端の吉凶をつぶさに注したもの。毎年十一月陰陽寮がこれを作り、中務省を経て内外の諸司に配布した。天平十八年のものが現存最古。平安時代、公卿の間で多く使われ、注記の余白に日記を書くのが普通。「凡そ暦を進むるは具注御暦二巻…。上紙…四十七張—〔ノ〕料」〈延喜式陰陽寮〉

くちお・き【口置き】㊀〘四段〙 物の口のへりに装飾をする。「〔硯箱ノ〕うるしつき・蒔絵(まきゑ)のさま、—・かれたりしやうなど」〈大鏡伊尹〉。「袴はみな打ち、—・きたり」〈栄花根合〉 ㊁〘名〙 ふちかざり。「〔衣裳ノ〕筋やり・—」〈栄花根合〉

くちおそ・し【口遅し】〘形ク〙《「口疾(と)し」の対》 応答がのろい。「見給ひし程の口おそさも未だ変らずは」〈源氏蓬生〉。「噂、オロカナリ・クチオソシ」〈名義抄〉

くちおほひ オ…オイ【口覆ひ】 手を当てて口を隠すこと。「あなさむ、雪恥づかしき霜かなと—しつつ」〈かげろふ中〉。「いたう恥ぢらひて—し給へるさへ」〈源氏末摘花〉

くちおも・し【口重し】〘形ク〙 ①口に出すのが遠慮される。「明かし給はむことは、なほ—・き心ちして」〈源氏手習〉 ②物言いが慎重である。「よくわきまへたる道には、必ず—・く、問はぬ限りは言はぬこそいみじけれ」〈徒然七九〉

くちがき【口書】 ①近世、法廷で訴訟に関する口述の筆記で、当事者の爪印をおしたもの。足軽以下百姓・町人のものに限っていい、寺社・武士以上のものは「口上書」といった。「辻番にも—致させ候」〈鈴木修理日記寛文二・七・二八〉 ②端書(はしがき)。書出し。「花は盛りに月は隅(くま)なきをのみ見るものかはと、心吉田の兼好が良き—に筆をぶっつけたも理(ことわり)かな」〈評判・吉原こまざらい〉

くちかしこ・し【口賢し】〘形ク〙 ものの言いかたがうまい。「—・う言ひて」〈仮・見ぬ世の友四〉

くちかた・め【口固め】㊀〘下二〙 口どめをする。「『しばし人に知らせじ』と…せちに—・め遣りつつ」〈源氏若紫〉 ㊁〘名〙《クチガタメと濁音》 ①口どめ。「—始め終りも人に知らせじ」〈新撰六帖五〉 ②口約束。「誠にかたがた—をせられた程に」〈狂言記・六人僧〉

くちがま・し【口喧し】〘形シク〙 口やかましい。口うるさい。「天性—・しき難ありける人にて」〈愚管抄六〉。「喃・諵・讐、クチガマシ」〈文明本節用集〉

くちかる・し【口軽し】〘形ク〙 聞いたことを何でも人に話したがる。口のきき方が軽率である。「くちかろし」とも。「かうまでも漏らし聞ゆるも、かつはいと—・けれど」〈源氏宿木〉

くちき【朽木】 朽ちた木。腐った木。世に用いられない人にもたとえる。「形こそみ山がくれの—なれ心は花になさばなりなん」〈古今八七五〉。「かげの—と世を過ぐす身は」〈貫之集九〉 **—がき**【朽木書き】 焼筆または消炭で絵を描くこと。また、その絵。「似ざらましむなし契りの—筆限りある人の形代」〈草根集残葉〉。「絵なる柳やげに—」〈享徳二年千句〉。「—、絵の下書きなどにや」〈匠材集三〉 **—がた**【朽木形】 朽木の形をした模様。几帳の帷(かたびら)などに染めつける。「なまめかしきもの。…青やかなる御簾(みす)の下より几帳の—いとつややかにて」〈枕八九〉

くちき・き【口利き】㊀〘四段〙 ①弁舌が達者にはたらく。「御身のやうに—・く人を、見るもなかなか恐ろしや」〈伽・はもち中将〉 ②威勢がよい。全盛である。幅がきく。「この宿に—・くやさ者(遊女)はと、品定めける」〈西鶴・一代男五〉 ㊁〘名〙 ①弁舌が達者なこと。また、その人。「幼きより宮仕へして物馴れたる上、—なりしかば」〈古活字本平治下・常葉六波羅に参る〉 ②何事にも口をきいて、羽振りのよい人。幅のきく威勢のよい人。「—顔はうたてかりけり」〈仮・悔草中〉 **—がま・し**【口利きがまし】〘形シク〙 いかにも口が達者そうである。「—・しくさし出て、真っ向(か)う打ち割られな」〈伽・弁慶物語〉

くちきたな・し【口汚し】〘形ク〙 ①物の言い方が下品でいやしい。「『それは別の果報の人ぞ。—・くて云ふべからず』といふ」〈発心集五〉 ②言い方が悪しざまである。「—・くも言はず、めでたくぞののしりける」〈伽・しほやき文正〉

くちぎよう【口器用】 口先の上手なこと。また、その人。口巧者。「—に物語をするといへども心の内推し量られておかしきものなり」〈仮・竹斎上〉。〈日葡〉

くちきよ・し【口清し】〘形ク〙 ①物の言い方がきちんとし

ていて、きれいである。「心の問はむにだに―・う答へむ」〈源氏夕霧〉 ②きれいにとりつくろった言い方である。「かくてはいかで―・くは言ひけるを」〈今昔三一ノ一〇〉

くちきり【口切り】 ①物の口を初めて開くこと。くちあけ。「汝に〔酒樽ノ〕―をさせうぞ」〈虎寛本狂言・千鳥〉 ②十月初め、新茶を入れた茶壺の口を切って茶会をすること。「壺の口切り」とも。「上方より茶壺到来候ひて御―也」〈宗湛日記天正一六・一〇・一三〉

くちぐすり【口薬】 ①火縄銃の火蓋(ひぶた)などに用いる火薬。「―くれて火花の匂ひきて」〈俳・飛梅千句〉。〈日葡〉 ②口どめのために与える金品。「お供の衆には―、水まくやうに飲まして置いた」〈浄・菅原伝授一〉

くちくち【口口】 接吻。「寝物語つぃ―の鹿の声」〈俳・虎渓の橋〉

くちぐち【口口】 ①異口同音。「いかなる人ならむと―言ふ」〈源氏若紫〉。「〔女房達カラ〕―に責められて」〈源氏末摘花〉 ②人によって言う事がまちまちであること。「それも―面面にて、相違の事のみ多し」〈俳・河船付徳万歳〉

くちぐるま【口車】 うまく言いまわして、人をだまし誘うこと。口先でだますこと。「重いもの／五欲を運ぶ―」〈雑俳・紅葉笠〉

くちぐゎほう【口果報】 うまい物にありつく幸運。「大服(おほぶく)に参り合ふこそ―」〈俳・崑山集一〉

くちごは【口強】 ①相手に負けずに言い争うこと。「女―なる故によって離別する」〈虎明本狂言・吃り〉 ②荒馬で、口を取りにくいこと。「この馬は坂西一の―馬」〈浄・東山殿子日遊一〉

くちごは・し【口強し・口硬し】『形ク』 ①言い方が強硬である。「『これは…さしのけなどすべき御車にもあらず』と―・くて、手触れさせず」〈源氏葵〉 ②馬の口取りがむつかしく、馭しにくい。「白葦毛なる馬の、きはめて―・きにぞ乗ったりける」〈平家八・法住寺合戦〉

くちさがな・し【口さがなし】『形ク』 物言いにつつしみがない。人が隠していること、触れられたくないことを平気で取り立てて噂しがちである。「せちに籠(こ)め給へど、―・きものは世の人なりけり」〈源氏行幸〉

くちさきら【吻】 唇の両脇。「吻、謂ニ脣両角頭辺ー也。口左岐良(くちさきら)」〈華厳音義私記〉 †kutisakira

くちざみせん【口三味線】《クチジャミセンとも》 ①口で三味線の音や曲をまねてうたうこと。「秋風の―か荻の声」〈俳・続山の井三〉。〈俳・乳母四〉 ②うまい事を言って、相手を自分の思うとおりにすること。「日比(ひごろ)きいたる―〔ノ能力デ〕、太鼓持となれり」〈西鶴・永代蔵五〉

くちすぎ【口過】 食べて行くてだて。生計。糊口(ここう)。「いかで―あらん所へ行てしよなと思へども」〈仮・仁勢物語下〉

くちすさ・び【口遊び】 □一『上二』 口に出るままを、人に聞かせるともなく言ったり、歌によんだり、吟じたりする。「『なに匂ふらむ』と―・びて、ひとりごち立てり」〈源氏手習〉 □二『名』 ①口に出るままを言うこと。「言ふともなき―を恨み給ひて」〈源氏明石〉。「経などのさるべき所所、忍びやかに―に読みゐたるに」〈枕一九二〉 ②(無責任な)うわさ。「よからぬ童(わらはべ)の―になりぬべきなめり」〈源氏夕顔〉

くちすさ・み【口遊み】《室町末期クチズサミとも》 □一『四段』「くちすさび」□一に同じ。「『入りぬる磯の』と―・みて」〈源氏紅葉賀〉 □二『名』 ①「くちすさび」□二(1)に同じ。「はかなきことを―に宣へるも」〈源氏浮舟〉 ②「くちすさび」□二(2)に同じ。「〔父殺シガ〕明日は天下の―となり」〈保元中・為義最後〉 ③口から出まかせ。「ややもすれば―に『狼の来るぞ』と叫ぶほどに」〈天草本伊曾保〉

くちす・ひ【口吸ひ】『四段』 接吻する。「いかにして口子(くすくち)ふことを得む」〈遊仙窟(醍醐寺本)鎌倉期点〉。「鳴、クチスヒ」〈願経四分律平安初期点〉

くちぜめ【口攻め】 口で攻撃すること。批難やあざけり。「信長衆は京童にまで―に会はれ」〈籾井家日記三〉

くちたたき【口叩き】 おしゃべりすること。また、饒舌家。「多くの伽を集めて、眠り来たらん時は、狂言綺語の―」〈伽・庚申御本地〉。「何事も我知り顔の―詰めたる樽は鳴らぬものかな」〈見咲三百首和歌〉。〈日葡〉

くちだて【口立て】 口に出して言い立てること。「平生の―は用には立つまじきなり」〈碧岩抄序〉

くちぢか・し【口近し】『形ク』 ①よく口にする。人口に膾炙(かいしゃ)している。「今時は、『うまき物は宵に』と言ふ事―・し」〈西鶴・椀久二世上〉 ②すぐ間に合う。手近い。「花や風の―・い物餅つつじ」〈俳・山下水三〉

くちづから【口づから】『副』 自分自身の口で。「こたびの頭(とう)は疑なく、帝の御―ごて給へるなり」〈源氏東屋〉

くちつき【口付】 ①口のかっこう。「鼻は横ざまなりとも、ただ―愛敬づき」〈枕四九〉。「そら言をよくし馴れたる―よりぞ言ひ出だすらむ」〈源氏螢〉 ②ものの言い方。歌のよみぶり。「をかしの御―や」〈源氏常夏〉 ③牛馬の口を取って引く者。「―の男(をのこ)にまづ一度せさせよ」〈徒然八七〉

くちつぎ【口次】「くちあひ」(1)に同じ。「小判百両借れば、―判代に拾五両引いて渡す」〈西鶴・諸艶大鑑八〉

くちづ・き【口付き】『四段』 ①少しずつ食べられるようになる。「それより御―・きて物まゐりけり」〈雑談集三〉 ②口に言いなれる。「一句二句または五句六句も百韻にとまれば、おのづから―・く習ひに候」〈吾妻問答〉

くちづ・け【口付け】『下二』 口に言いならす。口ぐせにする。「人皆―・けたる上、長ければ記さず」〈十訓抄五ノ七〉

くちづつ【口づつ】 物の言いあらわし方がつたないこと。口べた。「くちてづつ」とも。「左の歌、『道知りたらば』といへる程こそ―に聞ゆれ」〈久安五年右衛門督家成家歌合〉

くちてづつ【口てづつ】「くちづつ」に同じ。「己れは―にて」〈宇治拾遺一八五〉

くちでま【口手間】 口をきく労力。「―入れさせ何の詮もないこと」〈近松・女夫池四〉

くちてんがう【口てんがう】《「てんがう」は、ふざけること》 たわむれごと。冗談。「かねて―に申せし、武蔵野の土になるべき望み」〈西鶴・三所世帯下〉

くちど【口処】 口で吸いついた箇所。「蛭(ひる)の―を掻きて気味よき」〈俳・猿蓑下〉

くちと・し【口疾し】『形ク』《「口遅し」の対》 受け答えの間(ま)が早い。「御返り、―・きばかりをかごと(口実)にて取らす」〈源氏夕顔〉

くちとり【口取り】 ①馬を馭するため轡や手綱をつかむこと。また、その人。「雑色など下りて馬の―などしてをかし」〈枕二三七〉。「―を引きさげて出でくるを見れば」〈宇治拾遺九七〉 ②本膳料理の最初に出し、酒の肴(さかな)とするもの。「雪に深草の花塩を交ぜて、これ一種の―にして」〈西鶴・諸艶大鑑一〉 ―**なは**【口取縄】 牛馬の口につないで手に取って引く縄。「在郷馬の―で首括(くく)れ」〈近松・丹波与作下〉

くちなぐさみ【口慰み】 退屈しのぎに雑談・詠吟・間食などをすること。「クチナグサミニイウ」〈日葡〉。「昆布こそは―によろしけれ」〈俳・あだ花千句〉

くちなし【梔子】 ①アカネ科の常緑灌木。果実は黄色の染料や薬用とした。実が熟しても口が開かないところから、この名がある。歌では「口無し」とかけていうことが多い。〈和名抄〉②「梔子色」の略。「薄鈍(うすにび)・—の袖口」〈源氏賢木〉 **—いろ**【梔子色】クチナシの果実で染めた、赤みを帯びた濃い黄色。「咲きにけり—の女郎花(をみなへし)いはねどしるし秋のけしきは」〈金葉一七九〉

くちなは(…ナワ)【蛇】蛇(へび)の異名。「二尺ばかりなる—の、ただ同じ長さなるを」〈枕二四五〉。「蛇、ヘミ・クチナハ・ヲロチ」〈名義抄〉 **—いちご**【蛇苺】ヘビイチゴ。「名おそろしきもの。…—・おにわらび」〈枕一五三〉

くちなほし(…ナオシ)【口直し】まずい物などを食べた後に、美味なものを食べて、後味の悪さを直すこと。また、その食物。転じて、不愉快な出来事の後に、気分直しをすること。「—に色里の君を見んとて」〈西鶴・三所世帯下〉

くちなめづり【口舐り】舌なめずり。「鰐は…人を喰らふとて、—して涎を流す」〈玉塵抄四〇〉

くちな・れ【口馴れ】〘下二〙言い馴れる。「行先長きことを契り聞え給ふも、いかでかく—・れ給ひけむと心憂けれど」〈源氏総角〉

くちぬら・し【口濡し】〘四段〙ほんのすこし飲食する。「そんなら祝うて—・して往(い)なしゃ」〈近松・女腹切上〉

くちのは【口の端】口の先。「難波(なには)づに咲きて匂へる花と多くの人の—に覚ゆることを記したるなるべし」〈曾丹集〉。「たとひその猛(げは)しき虎の、—に身をばかくとも」〈再昌草一〉

くちのよ【口の世】食べさせるだけで給金を与えない待遇。「口ばかり」とも。「やうやう—で抱へられ」〈西鶴・永代蔵五〉

くちは【口端】 **—に掛か・る** よく人の話題にのぼる。また、評判になる。口の端(は)にかかる。「女房・子供に濡れかけて、人の—・りける」〈仮・けんさい物語上〉

くちば【朽葉】①腐った落葉。「庭うち荒れたるさまにて、—ところどころ青みわたりにけり」〈かげろふ下〉②「朽葉色」の略。「黒柿(くろがい)の骨に—の帷子(かたびら)かけたる几帳ども」〈かげろふ中〉③縦を紅、横を黄色で、朽葉色に織り出した綾織物。「—の直垂(ひたたれ)に、沢瀉(おもだか)といふ鎧を着る」〈平治上・源氏勢汰へ〉 **—いろ**【朽葉色】朽葉のような色。赤みがかった黄色。「鎧の—の唐綾にて縅(をど)したるを」〈古活字本保元中・白河殿へ義朝夜討ち〉

くちばし【嘴】①《口端の意》鳥の口先。嘴(はし)。「喙、クチバシ・クチサキラ」〈名義抄〉②ものを言うこと。口をきくこと。「女子共は—が早うて」〈近松・日本武尊三〉 **—の黄な** 《くちばしの黄色い雛鳥のように》子供っぽい。若くて経験の足りないのをあざけっていう語。「—小雀が家老並みに列(つら)なり」〈近松・反魂香上〉

くちばし・り【口走り】〘四段〙(正常の意識を失って)言おうとも思っていないことを言い出す。「かの妻に霊託して病み狂ひ—・りて」〈雑談集六〉

くちは・て【朽ち果て】〘下二〙すっかり朽ちる。だめになる。「古への秩ながらや—・てなまし」〈栄花晩待星〉

くちはみ【蝮】《ハミは蛇》マムシ。「—にさされたる人」〈徒然九六〉。〈文明本節用集〉

くちはや・し【口早し】〘形ク〙①受け答えの間(ま)が早い。「—・しと聞きて」〈源氏竹河〉②読むのが早い。「極めて—・くして、人の一巻誦(ず)するほどに、二三部をぞ誦しける」〈今昔一七ノ四一〉

くちひき【口引】馬を馭するため手綱を引くこと。また、その人。「—の男」〈徒然一〇六〉

くちひそ・み【嚬み】〘四段〙口もとがゆがむ。「あやしくひがひがしくもてなし給ふを、もどき—・み聞ゆ」〈源氏総角〉。〈名義抄〉

くちひび【胗】唇に生ずるひび。「胗、久智比々(くちひび)」〈和名抄〉

くちびゃうし(…ビョウ…)【口拍子】口で拍子を取ること。また、その拍子。「貫めはやせ月も夕の—貞室」〈俳・玉海集二〉

くちびる【唇】①口のへりの部分。「脣口、上音真訓久知比流(くちびる)」〈華厳音義私記〉。「—は赤き菓(このみ)に等し」〈三宝絵上〉②《(1)になぞらえて》花びら。「春来れど野辺の霞につつまれて花のゐまひの—も見ず」〈夫木抄四・花〉 †kutibiru **—を反(かへ)・す** あしざまに言う。非難する。「唇をめぐらす」とも。「万人—・しけり」〈保元中・左府御最後〉。「才人何ぞ—・さざらむや」〈仙覚抄三〉

くちびろ・し【口広し】〘形ク〙言うことが身の程知らずである。「御身いかなる人なれば、かく—・き事を申すぞ」〈浄・諏訪の本地兼家一〉

くちふさぎ【口塞ぎ】「くちふたげ」に同じ。「くちふさげ」とも。「親に責められて、〔ソノ訓戒ノ〕—に学文する人もあり」〈仮・清水物語上〉

くちふたが・り【口塞がり】〘四段〙言葉が出なくなる。「我にもあらぬさまなれば、のたまひ出づる事も—・りて」〈源氏夕霧〉

くちふたげ【口塞げ】ものを言わせないようにすること。「いとほしと思ひながら—に言へば」〈落窪二〉

くちぼそ【口細】食欲の少ないこと。「目細(めぼそ)あれど—はなし嘉祥喰(かじゃうぐひ)」〈俳・遠近集三〉

くちまい【口米】年貢に対する付加税。「—の事。…壱石別(アタリ)八升宛」〈大徳寺文書七、文正一・九・一四〉

くちまつ【口松】おしゃべりの擬人名。口まめ。「—や詞多きは、なじむ程、朋輩づきもいぶかしし(ドウカト思ワレル)」〈近松・松風村雨一〉

くちまね【口真似】他人の声や言葉を模倣すること。「乞食の沙門の—をなさむがために、あざけりて、法華経の首題の名字を唱へたり」〈百座法談聞書抄〉 **—こまね**【口真似小真似】「口真似」を強めた言い方。「山彦や—時鳥(ほととぎす)」〈俳・伊勢正直集二〉

くちまめ【口まめ】口数の多いこと。また、その人。「かほどの—にては、問はず語りもあやふくこそ」〈雄長老狂歌集〉。〈日葡〉

くちむし・り【口毟り】〘四段〙誘いをかけて問う。口占(くちうら)をさぐる。「俺が会うて、—・りて見よ」〈浮・五箇の津二〉

くちめ【口女】ボラの古名。「—口より鉤(ち)を出して奉る。…—は鯔魚(なよし)なり」〈紀神代上〉 †kutime

くちめ【朽目】①板目の腐った部分。「瀬田の里橋の馬ふみ—多み」〈夫木抄三一・里〉②和琴(わごん)の名器の名。「また和琴なども、—・塩竈(しほがま)・二貫(ふたぬき)などぞ聞ゆる」〈枕九三〉

くちもち【口持】物の言いぶり。「—・けしき、ことごとしくなりぬる人は」〈紫式部日記〉

くちゃう(…チョウ)【句帳】連歌・俳諧の発句を集めた書物。発句帳。「—にはよし入れども峰の花」〈俳・物種集〉

くちよ・せ【口寄せ】㊀〘下二〙死霊・生霊などを巫女(みこ)に憑(つ)かせ、その口を通して語らせる。「とりわき、人を梓(あづさ)にかけて—・する事、神変不思議、厳重(げんでう)の巫女にて候」〈伽・花鳥風月〉㊁〘名〙死霊・生霊などのことばをよりましに乗りうつらせて、または巫女の口から語らせること。また、それを行なう巫女。「左近のめのと、泣く泣く御—に出で立つに」〈伽・

鼠草子〉

くぢら【鯨】《古くはクヂラ(kudira)と発音されたらしいが、京都でも院政期ごろにはクヂラ・クジラ(kudira, kuzira)と両用された。一般にヂとジの混乱は、京都では室町末期ごろに広まるが、これはその古い例》鯨目の海獣の総称。肉は食用。皮その他も工芸用に使う。「いすくはしー障(さや)る」〈記歌謡九〉。「鯨、クヂラ・クシラ」〈名義抄〉▽朝鮮語 *korari(鯨)と同源。 **ーあぶら**【鯨油】鯨の脂肉・内臓などからしぼり採った油。臭気があるが安いので、近世、貧家の燈油に使われた。「ーの光の善し悪し」〈西鶴・一代女三〉 **ーあみ**【鯨網】海中に定置し、勢子船(せこぶね)で鯨を追い入れて捕える、苧縄製の大きな網。「近年、工夫をしてーを拵(こしら)へ」〈西鶴・永代蔵二〉 **ーおび**【鯨帯】①《鯨の黒皮と白脂肪層とに似ているのでいう》片側は黒繻子、片側は白色の布で作った帯。「夏男貫目に軽しー」〈俳・金剛砂上〉②表裏に違う布を使った帯。「紫太織(ふとり)に黒八丈のー」〈人情・梅暦三ノ七〉 **ーざし**【鯨差】《もと鯨のひげで作ったからいう》一尺が曲尺(かねじやく)の一尺二寸五分に相当する、裁縫用の物差。鯨尺。「ー二十余年の憂き住居」〈俳・俳諧蒙求下〉 **ーぶね**【鯨船】捕鯨に用いる八挺櫓の軽快な船。勢子船。「塩吹くや印の煙ー」〈俳・桜川九〉

くちりこん【口利根】口先のうまいこと。口上手。口利口。「ーなる事を聞き及び給ひ」〈仮・智恵鑑七〉

くちわき【口脇】口の両端。「身ぶるひをし、頭(かしら)振り、ーをさへ引き垂れて」〈枕二六〉 **ー白・し** 年が若くて経験が足りない。若者をあざけっていう語。「口脇青し」「口脇黄なり」とも。「ー・き男、ちと出家をなぶり」〈咄・醒睡笑二〉

くちを・し【口惜し】『形シク』《「朽ち惜し」が原義か。期待や夢が目の前で崩れ去るのを惜しむ気持。平安時代には、運命や出来事の成行きを惜しむ気持が濃かったが、中世では自身及び自分の行為に使われることが多く、類義語クヤシに意味が接近して来る。クヤシは自分のした行為について、しなければよかったとくやむ気持》①(心待ちにしていたことがだめになり)期待はずれである。失望である。がっかりである。「ー・しきもの。…いとなみ、いつしかと待つことのさはりあり、にはかにとまりぬる。遊び、もしは見すべきことありて呼びにやりたる人の来ぬ、いとー・し」〈枕九八〉②(人の死などが)残念だ。無念だ。「故権大納言のはかなく亡(う)せ給ひにし悲しさを飽かずー・しきものに恋ひしのび給ふ人多かり」〈源氏横笛〉③(以前は良かったものが)落ちぶれた感じだ。不如意である。「昔覚えて(昔ニ似テ)畳など良かりけれどー・しくなりにけり」〈大和一七三〉④不本意だ。意に染まない。「さきの世の契りつたなくこそ斯(か)くー・しき山がつとなり侍りけめ」〈源氏明石〉。「ー・しき御使を仕るものかなと思ひけれども主命(しゅめい)なれば力なく」〈保元下・義朝幼少の弟〉⑤いただけない。いやだ。「家の内を行なひ治めたる女、いとー・し」〈徒然一九〇〉⑥くやしい。耐えがたい。「生きながらとらはれて大路を渡され、京鎌倉恥をさらすだにー・しきに」〈平家一一・重衡被斬〉。「口惜、クチヲシ」〈文明本節用集〉

くつ【口】「くち」の古形。「口籠(くつこ)」「くつばみ」「口巻(くつまき)」「轡(くつわ)」など複合語に残っている。▽朝鮮南部方言 ku1(口)と同源。

くつ【沓】①皮革・糸麻・木草などで作り、足を覆う履物。「信濃道は今の墾道(はりみち)刈株(かりばね)に足踏ましなむーはけわが夫(せ)」〈万三三九九東歌〉②太鼓持の異名。「沓持」とも。「太鼓はーの次良が事」〈西鶴・諸艶大鑑五〉

くづ【屑】《クダキ(砕)のクダと同根》①くだけて役に立たないもの。「金泥四四両…残一両四銖之中、三銖久豆(くづ)」〈正倉院文書天平勝宝三年〉。「金屑、古加禰乃須利久豆(こがねのすりくづ)」〈和名抄〉②かす。よい物の中の劣ったもの。「古今集の中の歌ー」〈徒然一四〉

くついり【沓入り】①鞠(まり)の破れかかっていること。「鞠と云ふ物…古くなりーしたるも役に立たず」〈評判・寝物語〉②物事が衰え果てて駄目になることのたとえ。「一度ーのせし身上を取り直して」〈浮・渡世商軍談四〉

ぐづう【弘通】〔仏〕《グウとも》仏教が広く普及すること。「真言上乗日域(じちゐき)にーせり」〈盛衰記三二〉。〈易林本節用集〉

くつかご【沓籠】主人の履物を入れる籠。また、それを持って供をする武家奉公人。沓取り。沓持ち。「ーを背負ひ申した程に」〈雑兵物語上〉。「その身は乗り馬、跡より挾箱持・ー、歴歴の侍と見せて」〈西鶴・二十不孝二〉

くつがた【沓型】①履物を作るときの木型。「楦、クツガタ」〈名義抄〉②【鴟尾】《沓を立てた形に似ているからいう》瓦葺きの宮殿・仏殿の棟の両端に付けた飾り。〈西大寺資材流記帳〉→しび(鴟尾)

くつかぶり【沓冠】「沓冠折句歌」ともいい、十音の語句を、一音ずつ歌の各句の冒頭と末尾に置いて詠んだ遊戯的な和歌。「ー折句歌、十字あることを毎句の上下に置くなり。『あふさかも、はてはゆききの、せきもゐず、たづねてとひこ、きなばかへさじ』、『あはせたきものすこし』と置けり」〈奥義抄〉

くつがへ・し【覆し】(クツガエシ)『四段』①ひっくりかえす。「水よく船を浮かべ、水また船をー・す」〈平家三・城南離宮〉。「傾、クツガヘス」〈名義抄(高山寺本)〉②ほろぼす。覆滅する。「おん国をも、主上のおん上をもー・さんとの巧みは、沙汰の限りなり」〈バレト写本〉

くつがへ・り【覆り】(クツガエリ)『四段』①ひっくりかえる。倒れる。「おぼつかなきもの。…児(ちご)の反(そ)りー・り、人にも抱かれず泣きたる」〈枕七〇〉。「覆、クツガヘル」〈文明本節用集〉②《動詞の連用形に添え、その動作の甚だしいことをいう》ひどく…する。「名残(なごり)さへとまりたる香ばしさを、人人は賞(め)でー・る」〈源氏竹河〉

くつきぼん【朽木盆】近江国朽木谷産の丸盆。桜・菊花などの塗模様が多かった。「盃の下行く菊やーー」〈俳・当世男上〉

くっきゃう(キョウ)【究竟】「くきゃう」の転。「ーの弓の上手どもが矢先を揃へて」〈平家四・橋合戦〉

くつくつほうし【寒蟬】《鳴声による名》セミの一。つくつく法師。秋まで鳴く。「八月になりぬ。…ーーいとかしがましきまで鳴くを」〈かげろふ下〉。「蛁蟟、久豆久豆保宇之(くつくつほうし)」〈和名抄〉

くっさめ【嚔】「くさめ」の転。「足を濡らすまいと思うて、頭まで濡らいた。ああ、ーー」〈虎明本狂言・鱓〉

くっ・し【屈し】『サ変』(ひけめを感じたり、不満があったりして)心がふさぐ。気がめいる。「くし」「くんじ」とも。「この事にー・して」〈枕九九〉 **ーいた・し**【屈しいたし】『形ク』ひどく気持がめいる。「胸のみふたがりて物なども見入れられず、ー・くて文も読までながめ臥し給へるを」〈源氏(肖柏本)少女〉

くづ・し【崩し】『四段』《クヅレの他動詞形》①こなごなにこわす。「中の廊の壁をー・し」〈源氏藤裏葉〉。「木像・絵像をうち破り、寺をー・し」〈伽・強盗鬼神〉②ばらばらに分解する。「慈悲の二字を—・いて、茲(こ)心と読み、心に非ずと読むなり」〈法華経直談鈔四本〉③端から少しずつ話す。「昔語りも掻き—・すべき人少なうなり行くを」〈源氏花散里〉④整った形をこわす。乱す。「能を—・したる狂言多し」〈わらんべ草三〉。「灸(きう)の蓋(ふた)より身を—・す事」〈西鶴・好色盛衰記五〉 **—い・で**【崩し出で】『下二』端から徐徐に話し出す。「さしも聞きおき給はぬ世の古事ども—・でて聞ゆ」〈源氏明石〉 **—うり**【崩売り】端から一つ一つ売り立てること。「屋財・家財の—」〈近松・博多小女郎中〉 **—ぐひ**【崩食ひ】端から少しずつ取り出して食べること。「山口や春は餅雪を—」〈俳・鸚鵡集一〉

くっしゃう【屈請】強く招請すること。「仏を造り経を写し、衆僧を—して安居(あんご)を行なはしむ」〈霊異記上三三〉。「屈請、クッシャウ、強招レ人也」〈下学集〉

ぐっしゃり ①とがった物で突き刺すさま。ぐさり。「『是で—』と相口(あいくち)を抜いて見せれば」〈伎・鹿巻筆一〉②なよなよと力のないさま。「見掛けこそ—。人こそ知らね心の鱗(嫉妬ノ一念)玉体にまとひつき」〈近松・弘徽殿一〉

ぐっすり 十分。すっかり。「鯰(なまづ)の骨を足に—〔ト刺シ通ス〕」〈俳・談林十百韻上〉。「松の大木を根から—引き抜いたり」〈近松・日本武尊二〉

くつたび【沓足袋】沓のように筒の短い足袋。「大師達磨(だるま)の—やこれ」〈俳・七百五十韻〉

くつ・ち【鼾ち】㊀『四段』いびきをかく。「程なく寝入りて—・ち臥せり」〈落窪二〉㊁『名』①いびき。〈名義抄〉②癲癇(てんかん)。「ある里に癲狂の病ある男ありけり。この病は、火の辺、水の辺、人の多かる中にしておこる心うき病なり。俗は—と云へり」〈沙石集三ノ二〉

くつづけ【沓付】雑俳の一。下五文字を題として、上五七を付けるもの。「—と言ふは、下の五文字を得て、上十二文字を付くるを言ふなり」〈雑俳・若えびす〉

くつてどり【沓手鳥・沓代鳥】ホトトギスの異名。「はづませて鳴く音や鞠の—」〈俳・崑山集五〉

くっと『副』①すぱっと。「おしなべてわぶる暑さを蓮の実の—抜けたる池の涼しさ」〈玉吟抄〉②きっぱりと。すっかり。完全に。「とかくそれを止(や)めい、—さしおけ」〈コリヤード懺悔録〉。「—うち忘れたる故に」〈三体詩抄三ノ四〉③一息にぐっと。「—飲みこうでござある」〈虎明本狂言・柑子〉④ぐっすりと。「酔うたほどに—眠りたぞ」〈湖鏡集〉

ぐっと『副』①力をこめて一息に。一時に。ぐっすと。「—あちらへ突き通すやうなる連歌なり」〈耳底記〉②すっかり。この上なく。「与次右衛門は真直者、—せいて、『やあ、京京とやかましい』」〈近松・万年草中〉③ちょっと物を言うさま。ぐうと。「—も言うて見よ」〈浄・藍染川五〉

くつね【狐】キツネ。「—の毛にてしたる軽裘(けいきう)なり」〈成簣堂本論語抄五〉。〈名義抄〉

くつのこ【沓の子】沓の底に並べて打つ釘。「兵十万余騎、甲の星を輝かし、鎧の袖を重ねて、—打ちたるが如くに道五六里が程支へたり」〈太平記六・関東大勢〉。「—とは、唐人の履く結構なる沓には、びゃうの如くなる物をすきもなく打つ、そのこと也。其の如く人の並居たること也」〈太平記聞書〉

くつばこ【沓箱】沓を入れて運ぶ箱。「—〔持〕の作内、夜鷹につかまる」〈評判・雨夜三盃機嫌下〉

くつばみ【轡】《口食(は)みの意》くつわ。「昨日は東関のふもとに—を並べて十万余騎」〈平家七・福原落〉。「鑣、久都波美(くつばみ)」〈和名抄〉

くつびき【臥機】《沓引きの意》機織の付属の道具の一。麻縄で作り、その一端を織る人の足に結びつけ、足の屈伸に従って機躡(まね)を上下させるもの。「臥機、久都毗枳(くつびき)」〈肥前風土記〉 †kutubiki

くづほ・れ『下二』気力・体力がくじける。「例のことなれば、しるし(返事)あらじかしと—・れて眺め臥し給へるに」〈源氏紅葉賀〉

くつま【傴僂】せむし。「くつせ」とも。「傴僂、此をば倶豆磨(くつま)といふ」〈紀齊明三年〉

くつまき【沓巻・口巻】矢竹に鏃(やじり)を差しこみ、糸を巻いてあるところ。「十三束三伏あるに、—より一束ばかりおいて」〈平家一一・遠矢〉

くつめか・し『四段』喉(のど)をくつくつさせる。「喉を—・す様に鳴らしてありければ」〈今昔三一ノ二九〉

くつめ・き『四段』喉(のど)がくつくつ音を発する。「喉をくつくつと—・くやうに鳴らせば」〈宇治拾遺三ノ二〉

くつもち【沓持】①主人の履物を入れる籠を持って供をする武家奉公人。「捕りて鷲(しを)の—となる猟師かな(鷲ハ沓ノ形ヲシテイル)」〈俳・難波草四〉②太鼓持。「—、沓とばかりも言ふ。同じく太鼓持の事也」〈色道大鏡一〉

くづ・れ【崩れ】㊀『下二』《クダキ(砕)・クヅ(屑)と同根》①こわれてばらばらになる。「勢多の橋みな—・れて、渡りわづらふ」〈更級〉。「河原の石は—・るとも、なほいかばかりかは積らまし」〈保元下・為義の北の方〉②整った形が乱れる。平衡を失う。「わななくわななく車の内より—・れ落つ」〈保元上・左大臣殿上洛〉。「〔新将軍〕御五つにて候に…畏み居られ候衆も退屈仕り候程の間、少しも御行儀—・れ申さず」〈沢庵書簡正保一・四・二六〉㊁『名』くずれた所。「人にあなづらるるもの。築土(ついぢ)の—」〈枕二七〉 **—い・で**【崩れ出で】『下二』散会になって外に出る。ばらばらと出る。「居籠(ゐこ)めたりつる人も皆—・づる程に紛れて」〈大鏡昔物語〉 **—やな**【崩れ簗】晩秋、放置されて崩れこわれた下(くだ)り簗。〈至宝抄〉

くつろか【寛か】ゆったりと余地のあること。「〔一人ナノデ車ノ中ニ〕あさましきまで—に乗られたるにも」〈かげろふ上〉

くつろ・ぎ【寛ぎ】『四段』①余地がある。「数定まりて—・ぐ所もなかりければ、〔定員外ノ内大臣ニ〕加はり給ふ」〈源氏澪標〉②ゆるくなる。「上﨟も乱れて、かうぶりの額少し—・ぎたり」〈源氏若菜上〉。「甘、クツログ」〈名義抄〉③ゆっくりする。のびのびする。「安き心候はず。夜も安くも寝ず、昼も心うち—・ぐ事なし」〈著聞四四二〉。「新大納言は少し—・ぐ事もやと思はれけるに」〈平家二・大納言死去〉▽クツはクチ(口)の古形で、ロはウロ(虚)の約か。 **—がま・し**【寛ぎがまし】『形シク』ばかにゆったり気楽そうである。「—・しく、歌誦(ず)しがちにもあるかな」〈源氏帚木〉

くつろ・げ【寛げ】『下二』《クツロギの他動詞形》①入口をゆるめて広くする。「木を以て貝の口を差し入れてければ、少し挑(くつろげ)たれば、猿の手は引き出でつ」〈今昔二九ノ三五〉②ゆるめる。ゆるめて広げる。「熱き六月に装束だにも—・げず」〈平家二・小教訓〉

くつわ【轡】①《クツ(口)ワ(輪)の意》馬の口にかませる金具。これに手綱をつける。「勒、クツワ」〈名義抄〉②遊女屋。「—、傾城屋の異名なり」〈色道大鏡一〉③遊女屋の主人。「—出でて、奥に誘ひ入れて」〈仮・仁勢物語下〉 **—づら**【轡づら】《ツラは絃・蔓》轡につける紐(ひも)。手綱。「法師、馬の—と笞(しもと)とを持て来たりたり」〈今昔三一ノ一四〉。「轡、久豆和都良(くつわづら)、俗云、久都和」〈和名抄〉。「韁鞚、クツワヅラ」〈名義抄〉 **—むし**【轡虫】虫の名。鳴く声が轡の鳴る音に似ているからという。

「篳篥(ひちりき)はいとかしがましく、秋の虫をいはば—などの心ちして」〈枕二八〉 **—や**【轡屋・忘八屋】遊女を抱えて置く家。女郎屋。「—・揚屋・茶屋」〈近松・反魂香中〉 **—を並・ぶ** 馬首を並べる。「—・べてかけ入れば」〈古活字本保元中・白河殿攻め落す〉

くでうのけさ【九条の袈裟】九つの布切れを縫い合わせて作った袈裟。九条以上を「大衣(だいえ)」といい、晴れの儀式に着用した。九条衣。九条。「慈覚大師の—を着して」〈著聞六三〉

くでま【工手間】細工の手間。手数。「遅咲きや—入りなる家桜」〈俳・鸚鵡集三〉

くでん【口伝】①大切な秘伝などを、口頭で教え授けること。口授。「博雅、琵琶を具せざりければ、ただ—を以てこれを習ひて」〈今昔二四ノ二三〉 ②奥義を書き留めたもの。「九条殿口伝」「俊頼口伝」など。「為輔中納言—に書かれて侍るなるは」〈著聞八一〉

くと〘副〙「くっと」に同じ。「五六度まで戦ひて、—抜けて出でたれば」〈盛衰記三五〉

くど【竈】①竈(かま)(ど)のうしろの煙出し穴。「竈埃、竈尾也、久止(くど)」〈新撰字鏡〉 ②かまど。へっつい。「かまどと云ふは…賤しい者は、へっついと云ふぞ。—とも云ふぞ」〈詩学大成鈔一〉

くど・き【口説き】〘四段〙①うらみがましくくどくどと言う。ぐちっぽく言う。「思ふことなげに寝たまへるうたてさよと、—・きければ」〈著聞一七三〉。「生きてかひなき世の住まひをもするものかなと、一人—・きて」〈伽・小男の草子〉 ②心のうちを切切と訴える。神仏に祈願して訴えるばあいにいう。「頼基律師すなはち参りて、経読み、仏—・き参らせらるるほどに」〈讃岐典侍日記〉。「西向きて手を合はせ…ねんごろに—・きつつ」〈明徳記下〉 ③異性に思いのたけを訴えて言い迫る。「隣の女を—・いたぞ。それをも、いどむと云うたぞ」〈玉塵抄四一〉 **—ごと**【口説事・口説言】縷縷(るる)と訴え言うこと。また、その言葉。「面面に泣き悲しみて、さまざま—をしけり」〈著聞七〇九〉。「あの—を聞いては、成敗致さうやうもござらぬ」〈虎明本狂言・武悪〉 **—た・て**【口説き立て】〘下二〙縷縷(るる)と訴える。「おいおいと—・てて泣かるる音す」〈讃岐典侍日記〉 **—ぶみ**【口説文】嘆き訴える手紙。また、特に恋文。「上書に名をば隠せる—」〈俳・野犴集五〉。〈日葡〉

くどく【功徳】〔仏〕①《功能福徳の意》善い行為のもたらす善い果報。「経などよみて—のすぐれたる事あめるにも」〈源氏東屋〉 ②善い果報の期待できる善い行為。読経・喜捨の類。「いささかなる—を翁つくりけるによりて、汝が助けにとて〔カグヤ姫ヲ〕片時のほどとて下ししを」〈竹取〉 **—ち**【功徳池】極楽にあって、八功徳の水をたたえている池。「宝の池の水、—の浜の真砂」〈謡・柏崎〉 **—ちゃ**【功徳茶】路上で往来の人に施す湯茶。「—わかす薬鑵屋(やくわんや)が内」〈俳・両吟一日千句〉 **—ぶろ**【功徳風呂】施行(せぎやう)のため、無料で入浴させる風呂。功徳湯。「丞阿彌三十五日也。—これ在り」〈大乗院雑事記文明六・五・一〇〉 **—ゆ**【功徳湯】「功徳風呂」に同じ。「御本尊・御名号の事のほか久しく破れさせ給うたるを、…風呂の—の焚く釜の下に入れ申せとの御意なる間」〈本福寺跡書〉

くどくど ①長ったらしいさま。冗長なさま。「—書きたる文字こそは下郎は知るまじけれ。一文字は生れ子も知るぞかし」〈伽・一尼公〉 ②ぐずぐず。「何を—して居るぞ」〈虎寛本狂言・靫猿〉 ③くよくよ。「ああ、由ない事を—思うた事かな」〈狂言記・布施無〉

ぐどぐど 冗長なさま。くどくど。「あそこのすみへ行ても—、ここのすみへ行ても—と、同じ事を云ひて」〈虎明本狂言・宗論〉

くど・し〘形ク〙くだくだしい。冗長でわずらわしい。「〔四季ノ歌ハ〕さのみ—・く詠むべからず、おほきにたけ高く幽玄に詠むべし」〈和歌秘伝抄〉。「仰しゃるが—・い」〈天理本狂言六義・内沙汰〉

ぐどつ・き〘四段〙ぐずぐずする。ぐずつく。「—・いて叶ふべからず」〈驢鞍橋上〉

くどほ【句遠】〔連俳用語〕同一人の付句の間が遠く隔ること。付句が久しく採用されないこと。「〔貴人ヤ稚児ナドノ〕面白き御句またはーなる所にては、少しの嫌物(きらひもの)をば許すべきか」〈長短抄下〉。「—になりぬれば、人のやすらかにするを嫌(ども)きて、心結ぼほれて退屈の儀も出来する物也」〈片端〉

くないきゃう【宮内卿】宮内省の長官。「犬上王を—と為(す)」〈続紀和銅一・三・一三〉

くないしゃう【宮内省】令制における八省の一。宮中の事務・調度・調物のことをつかさどる。「始めて—に史生十員を加ふ」〈続紀和銅六・一三・二〇〉

くながひ【婚合】《クナギ(婚)アヒ(合)の約》男女の交わり。「天皇、后と大安殿に寝て—し給へる時」〈霊異記上一〉

くな・ぎ【婚ぎ】〘四段〙性交をする。姦淫する。「妻をば人に—・がれて」〈古事談一〉。〈名義抄〉 ▽クナギは、たたくように相触れる意。瞬(またたき)をマクナギという。

くなたぶれ【頑狂】《クナはカタクナのクナで、曲がる意。タブレは狂の意》馬鹿で気違いじみること。また、その人をののしっていう語。「悪しく逆(さかしま)なる奴(やっこ)、—、まとひ(ウロタエ者メ)」〈続紀宣命一九〉

ぐなつ・き〘四段〙ぐにゃぐにゃになる。勢いを失う。「小枕入れて結ふ髪は—・かぬなり」〈仮・仕方咄五〉

くなと【岐神】《クナは「来(く)な」で、邪神を来るなと止める意。トは門の意》道路の神。道祖神や、三叉路に立つ石神など。「八衢(やちまた)ひこ・八衢ひめ・—と御名(みな)は申して」〈祝詞道饗祭〉 †kunato

くに【国】《記紀の神話ではアメ(天)とクニとを対立させて使うが、その場合アメは天界、天上の国の意、クニは地上の国の意。単なる地域でなく人間の統治を考えに入れた区域を表わす》①人間が住んでいて、行政の行なわれる一定の地域。「天(あま)のかき立つ極み、—のそき立つ限り」〈祝詞祈年祭〉 ②政治権力の及んでいる区域。支配下にある地域。「天皇(すめろき)のしきます(統治ナサル)—」〈万四一二二〉 ③地方行政組織としての小国家。大化以前は国造(くにのみやつこ)が支配し、令制下の国郡制では、朝廷から国司を任命して統治した。「凡そ諸国(くにぐに)及び関には鈴契(すずしるし)給ふ」〈紀孝徳、大化二年〉 ④地方の行政府。国府。「—に告げたれども、—の司まうでとぶらふにも、え起き上がり給はで」〈竹取〉。「京にて生れたりし女児(をんなご)—にてにはかに失せにしかば」〈土佐十二月二十七日〉 ⑤生れた国。故郷。「雁がねは—思ひつつ雲がくり鳴く」〈万四一四四〉 **—に盗人(ぬすびと)家に鼠**《徒然草九十七段から》内部に入って害をなすものが多いたとえ。「—、僧に法あり」〈俳・毛吹草二〉

くにあらそひ【国争ひ】天下の政権を奪おうとして争うこと。「さすがに主上・上皇の—に、夜討なんど然るべからず」〈保元上・新院御所〉

くにいり【国入り】大名が自分の領地に入ること。「義経

がーの初めなれば」〈義経記四〉

くにかた【国形】国の形。地勢。「ーを見(め)し給ひて」〈万九七一〉

くにがた【国方】①国府の側。「昔より此の所はーの者入部することなし」〈平家一・鵜川軍〉②郷里。国元。地元。「本来ーの守護より調符を成すの時」〈多聞院日記文明一六・一二・二五〉

くにがへ【国替】①令制末期、皇族・公卿から諸国の掾(じょう)・目(さくわん)に推挙されたものが、その国を望まないとき、申請して任国を替えること。「院宮ー」〈江家次第四・除目〉②大名の領地を交換すること。移封。転封。「堀久太郎殿、越後へーに御越し候時分」〈亜相公御夜話下〉

くにから【国柄】《カラは血族の意のカラと同じ。品格・性質の意》国の性格。「玉藻よし讃岐の国はーか見れどもあかぬ」〈万二二〇〉

くにがらう【国家老】大名が江戸に参勤中、留守を預って政務をとった家老。「江戸家老またー春知りて」〈俳・天満千句〉

くにきゃうだん【国郷談】方言。「諸国諸方の云ひ伝へたーと云ふ事あり」〈玉塵抄四四〉。〈文明本節用集〉

くにくづし【国崩】《国を亡ぼすものの意》大砲が初めて伝来した時の名称。「ーといふ大の石火矢」〈大友興廃記一八〉。〈日葡〉

くにざいく【国細工】田舎の細工。「無地の丸鍔象眼(まるつばざうがん)の、ーには稀(まれ)男」〈近松・冥途飛脚上〉

くにさと【国里】①国と里と。国国村村。「お許しなされば、ーをあまねく徘徊いたさうずる」〈天草本伊曾保〉②郷里。故郷。「おことのーは何処の者ぞ」〈謡・百万〉

くにしのひうた【国偲ひ歌】国を賞美する歌。国ほめの歌。「『命の全(また)けむ人は…』この歌はーなり」〈記景行〉▽シノヒには思いしたう意もあるので、古事記では、物語の前後からおして、国を追憶する歌の意にも用いている。†kunisinoFiuta

くにす【国栖・国樔】《国に住む者の意。クニはアメ(天上の国)に対して、地上の国の意》天つ神系統の種族が大和地方に住みつく前からこの国土にいた土着の種族。常陸国や大和国吉野地方などにいて、風俗を異にした。特殊な歌や笛に長じ、朝廷の儀式などにそれを奏した。「昔、国巣(くに)…普く土窟を掘り置きて常に穴に住み、人来たれば窟に入りて」〈常陸風土記〉

くにそだち【国育ち】田舎育ち。「ーとは思はれず」〈近松・堀川波鼓上〉

くにだいふぶし【国太夫節】浄瑠璃の一派。のちの豊後節。宮古路豊後掾が初め国太夫と号していたのでいう。「草双紙屋が作って渡して、門門へ歌うて来るー」〈洒・浪花色八卦〉

くにだいみゃう【国大名】一国以上を領有する大名。国持。「御内(みうち)の長者・ー、閑(しづか)に馬をひかへたり」〈太平記三一・武蔵野合戦〉

くにぢょらふ【国女藺】大名が国元に置いた妾。「国をんな」とも。「ー・お局・表使ひの女まで、己が善悪の面を恥ぢず」〈西鶴・新可笑記一〉

くにつ【国つ】『連語』《ツは連体助詞。国の、の意》**ーかみ**【国つ神・地祇】《「天つ神」の対》①人間の国土を支配し、守る神。「天つ神仰ぎ乞ひ祈(の)みー伏して額づき」〈万九〇四〉②(大和朝廷系の人がまつる高天原系統の神に対して)地方土着の人がまつる系統の神。「品太(ほむたの)天皇(応神天皇)、此処に到りてーに幣(みてぐら)を奉りたまひき」〈播磨風土記〉 **ーつみ**【国つ罪】《「天つ罪」の対》地上の人間世界で起る罪。生物的な人間としての諸関係に起る罪過と災禍。「ーと〔シテ〕、生膚断(いきはだたち)・死膚断(しにはだたち)・白人(しろひと)・こくみ・おのが母犯せる罪・おのが子犯せる罪・母と子と犯せる罪・子と母と犯せる罪・畜(けもの)犯せる罪・昆(は)ふ虫の災(わざはひ)・高つ神の災・高つ鳥の災・畜仆し、蠱物(まじもの)する罪」〈祝詞大祓詞〉 **ーもの**【国つ物】その土地に産する物。国産。「高麗、使を遣はしーを貢(たてまつ)る」〈紀推古二十六年〉 **ーやしろ**【国つ社】《「天つ社」の対》国つ神を祭る神社。「天つ社・ーと称辞(たたへごと)竟(を)へ奉る」〈祝詞祈年祭〉

くにづくし【国尽】国名を列挙した文章、またそれを習字手本にしたもの。また、各国を描いた絵地図・図案。「中はーの縫紋」〈西鶴・諸艶大鑑四〉。〈文明本節用集〉

くになまり【国訛】一地方特有の発音や言語。土地なまり。いなかなまり。「生れは長崎、ー」〈近松・博多小女郎上〉

くにのおや【国の親】天皇の父母。「ーとなりて、帝王の、上なき位にのぼるべき相おはします人」〈源氏桐壺〉。「〔皇子出産後〕ーともてさわがれ給ひ」〈紫式部日記〉

くにのかみ【国の守】国司。こくしゅ。「ぬす人なりければーにからめられにけり」〈伊勢一二〉

くにのつかさ【国の司】国司。「代代のーなど用意殊にして」〈源氏若紫〉

くにのはは【国の母】天皇の生母。こくも。「ーとなりたまひて願ひ満ち給はむ世に」〈源氏若菜上〉

くにのほ【国の秀】《ホは秀でた所。稲穂のホに同じ》国のすぐれた所。「家庭(やには)も見ゆ、ーも見ゆ」〈記歌謡四一〉

くにのみやつこ【国造】《ミヤツコは御奴、天皇のヤツコの意》大和朝廷の置いた地方官。もと地方小国家の君主。大化改新により廃止され、多くは郡司となったが、一部は残って地方の神の祭祀にあたるなど社会的地位を保った。「筑紫のー磐井、陰(ひそか)に叛逆(そむ)くことを謨(はか)り」〈紀継体二十一年〉 †kuninömiyatuko

くにはら【国原】平原。「ーは煙立ち立つ、海原は鷗立ち立つ」〈万二〉

くにばら【国腹】国女藺〈くにぢよらふ〉の生んだ大名の子女。「ここに信州の大名、ーの子息両人持ち給ひしが」〈西鶴・新可笑記一〉

くにひ・き【国引き】『四段』よその国を引きよせる。出雲国の祖神が新羅(しらぎ)や北陸地方などから土地に綱をかけて引きよせた伝説がある。「ー・きましし八束水臣津野命(やつかみづおみつののみこと)」〈出雲風土記〉 †kuniFiki

くにひと【国人】①その国に住む人。土着の人。「ーの心の常として」〈土佐十二月二十三日〉②国民。「君が代にあへるーたのもしきかな」〈夫木抄三〇・山〉③《クニビトと濁音》在地の土豪。「くにうど」「こくじん」とも。「ー一人も順(しがた)ひつかずと云ふ者なし」〈太平記三八・諸国宮方〉

くにふ【口入】①言葉をさしはさむこと。「朝夕にひしと候はせ給ひければ、万機の御ーもありけり」〈愚管抄五〉。「下座にていささかーを申したりけるを」〈十訓抄一ノ五三〉②口添えすること。斡旋(あつせん)・仲介すること。口入れ。「上人の御ー重きが故に、都率の内院へ送り遣りつ」〈三国伝記三〉。「義就を我がーに赦免し給はば」〈細川勝元記〉

くにぶし【国武士】大名の国元に勤務する武士。田舎武士。「一図に堅きーの」〈近松・鑓権三下〉

くにぶね【国舟】地方の港を本拠とする舟。「我がーの出るを嬉しく」〈俳・西鶴自註独吟百韻〉

くにぶり【国風】 ①国国の風俗。「あとさきと同じ宿りに行きあひて語るにこそは━もきけ」〈言継集〉 ②諸国の風俗歌(ふぞくうた)。「悠紀(ゆき)の国司、歌人を引きて同じき門より入り、位に就きて━を奏せよ」〈延喜式践祚大嘗祭〉

くにへ【国辺】 《へは端の方の意》国の端。国の方。「雲離れ遠き━の露霜の寒き山辺に」〈万三六九一〉 †kunife

くにまぎ【国覓】 よい国を求めたずねること。「山川を岩根さくみて踏み通り━しつつ」〈万四四六五〉 †kunimagi

くにみ【国見】 ①高い所から国のようすを見ること。「大和には群山あれどとりよろふ天(あま)の香久山登り立ち━をすれば」〈万二〉 ②「巡見(じゅんけん)」(2)に同じ。「春中御━の衆御下り」〈梅津政景日記寛永一〇・一・四〉 †kunimi

くにもち【国持】 室町・江戸時代、一国以上を領有する大名。やがて一種の家格となり、実際の領地と相違する場合もあった。国取大名。国持大名。「━衆・御供衆・申次以下へは、〔書札八〕打付け書にて」〈宗五大双紙〉

くにもと【国元・国本・国許】 ①郷里。故郷。「━には何事もござないか」〈虎明本狂言・鈍太郎〉 ②本国。領地。「汝は永永の在京を詰めて奉公した程に、━へ着いたらば、くわっと扶持をせうぞ」〈虎明本狂言・入間川〉

くにやかた【国屋形】 大名の国元にある屋敷。「豊後の━にて」〈西鶴・名残の友五〉

くにやく【国役】 平安時代、国司が課した臨時の労役。鎌倉・室町時代、守護が課した臨時の労役や銭米。江戸時代、河川の修築、外国使節の交通などのために、幕府が国単位に課した労役や金銭。「この一両年、━連続の間」〈吾妻鏡寿永三・四・二三〉。「国守、神人(かんぬし)を駆り使ひて━に従はしむる故に」〈塵袋七〉。「朝鮮人来朝に付き…右国国へ━懸りに成り候」〈公儀御触留享保六・三・七〉

くにゆづり【国譲り】 天皇が退位して、皇太子に国の統治権を譲ること。「世の中譲りきこえたまふべき事などなつかしう聞え知らせたまふ。同じ月の二十余日、御━の事にはかなれば」〈源氏澪標〉

くにわかれ【国別れ】 住む国が別別になって、別れてくらすこと。「いまさらに━して吾(あれ)はいかにせむ」〈万三七四六〉

くにわき【国脇】 大名の分家。支藩。「常江戸・脇城・━〔ノ大名〕まで、申せば永いこと」〈近松・薩摩歌上〉

くにん【公人】 《公方(くぼう)の祿を食む人の意》 ①鎌倉幕府の政所・問注所の寄人(よりうど)。「━として此の巨悪に与(みく)するの条、殊に物義(ぶつぎ)に背く」〈吾妻鏡正嘉二・九・二一〉 ②室町幕府の政所・侍所の下部(しもべ)で雑務をつかさどるもの。「今日所司代の━を以て、北白川に沙汰付くる也」〈建内記嘉吉一・二・二八〉 ③宮中の地下(ぢげ)の小役人。「すべて数定まりたる━の通号にこそ」〈徒然一九七〉 ④室町時代、社寺に隷属して雑事に奉仕したもの。延暦寺に隷属した京・坂本の土倉(どさう)を山門公人と称した。「山門━、負物譴責と号して、洛中所所の煩を成す」〈花営三代記応安三・一三〉 **━てうじゃく**(チョウ:ジャク)**【公人朝夕】** ①室町時代、幕府の雑事に駆使された低職者。普通、「朝夕」という。「走衆のうしろのへんに、御小者━以下これあり」〈年中恒例記〉 ②江戸幕府の賤職。目付の支配に属し、将軍が束帯して出行の際、尿筒(しとづつ)を持って従うもの。「━十人、左右に別れ警を唱ふ」〈東照宮御実紀慶長八・三・二五〉 **━ぶぎゃう**(ギョウ)**【公人奉行】** 室町幕府の職名。奉行人の進退を司るもの。諸奉行の上首。「━布施弾正大夫入道」〈花営三代記応安四・一〇・一九〉

ぐにん【愚人】 愚か者。「━にほめられたるは第一の恥なり」〈開目抄〉 **━夏の虫飛んで火に入る** 愚かな者は自分で自分を災いにおとしいれるというたとえ。「まことに━とは、かかる事をや申すらん」〈伽・万寿の前〉

くぬえかう(ウ:コ)**【薫衣香】** 衣服にたきしめるための香。甲香・丁子(ちゃうじ)・沈香(ぢんかう)・甘松(かんしょう)・麝香・白檀・薫陸(くんろく)などを調合してつくった煉香(ねりかう)。「御薫物(たきもの)ども、━またなきさまに」〈源氏絵合〉 ▽クヌは「薫」の字音kunに、母音uを添えた形。

くぬが【陸】 《クニカ(国処)の転》「くが」に同じ。「水━の利(さくぼ)」〈紀孝徳、大化一年〉 **━のみち【北陸の道】** 北陸道の古称。「大彦命を以て北陸(くぬがのみち)に遣はす。武渟川別を以て東海(うみつみち)に遣はす」〈紀崇神十年〉

くぬち【国内】 《クニウチの約》国の中。国内。「━ことごと見せましものを」〈万七九七〉

くね【杭根】 畑境の垣。また、一般に、垣。垣根。生垣。「西の垣━の柳」〈色部文書三、永仁四・四・四〉。「━をも引抜いてやらう」〈虎寛本狂言・瓜盗人〉

くねくね・し 『形シク』 ねじけている。とかく物事を曲げてとる。「まづ━・しく恨むる人の心破らじと思ひて」〈源氏紅葉賀〉

くね・り 『四段』《クネは曲がったり戻ったりする意》 ①真直ぐな応対をしない。「いと返り言せまうけれど(シタクナカッタガ)…少しは━・りて書きつ」〈かげろふ中〉 ②皮肉にとらえる。「女郎花(をみなへし)のひととき(盛リノ短サ)を━・るにも」〈古今序〉 ③ひねくれ恨む。すねる。「文を見給ひて『いみじう━・りためるは』」〈落窪二〉。「添ひつるも別れになれば涙にて／恨み━・るは頼みこそあれ」〈看聞御記紙背連歌〉。「恨、クネル」〈温故知新書〉

くのいち【くノ一】 《「女」の字を分解していう》「女」の隠語。「香炉峰━こもる簾(すみ)の隙」〈俳・遠舟千句付〉。「━とは女の字義。悪性坊主の密詞」〈譬喩尽四〉

くのう【口能】 ①長たらしい無益な説明。また、弁解。「その趣…━に及ばず候」〈相良家文書天文一四・一二・二三〉 ②苦情。「上洛ありたしと候はば、そこに━はあるまじ」〈沢庵書簡寛永一四・一二・一七〉

くのう【功能】 〔仏〕《クは呉音》 効能。ききめ。功徳。「一句半偈の━、仏なほ算数し難し」〈本朝文粋一四〉

くのえかう(ウ:コ)**【薫衣香】** 「くぬえかう」の転。「昔の━のいとかうばしき一壺」〈源氏蓬生〉

くは(ワク)**【桑】** クワの木。また、クワの葉。葉は蚕の飼料に、材は器具などに、実は食用に、根や樹皮は薬用・染料に使う。「母が園なる━すらに」〈万一三五七〉

くは(ワク)**【鍬】** 農具の一。「木鍬(こくは)持ち打ちし大根」〈紀歌謡五八〉 ▽朝鮮語 xomei(鋤)と同源。 **━を担(かた)げ手を放・つ** 無智でぼんやりしているさまにいう。「━・つ田夫(でんぶ)でも、雪月花の数をわきまへ」〈西鶴・名残の友二〉 **━を抜か・す** ①《足を鍬平(くはびら)というので》足の抜けるほど疲れる。「さぞ〔遊女〕こべんも辛労(しんろう)かろ、己も━・した」〈近松・生玉心中下〉 ②あきれ果てる。茫然自失する。「和藤内ほうど━・し」〈近松・国性爺二〉

くは 『感』《クはコ(此)の転。ハは助詞》相手の注意を喚起する言葉。さあ。ほら。「━、御覧ぜよ」〈落窪三〉。「『など、━ありけるは』と言ひて」〈伽・天稚彦草子〉

くばう(ボ:ウ)**【公方】** 《公方(おほやけがた)、すなわち公けの方面》 ①朝廷や天皇。「助経(すけつね)在京して━の御意盛りにて候ふなる」〈曾我一〉 ②鎌倉時代以後、幕府や将軍。近世は将軍のみをいった。「御辺(ごへん)はいまだ私の眷養にて、━の御恩をも蒙らねば」〈太平記一〇・塩飽入道〉 **━さじき【公方桟敷・公方座敷】** 勧進能などで、正面に作られた将軍上覧の席。「━観世や月を仰ぐらん」〈俳・花道〉

くはがた クワ【鍬形】かぶとの前立(まへだて)の一。目庇(まびさし)の上に立てた二本の角のような飾り。「もよぎ縅の鎧着て、ー打ったる甲の緒をしめ」〈平家七・実盛〉

くはく【琥珀】《コハクの転》宝玉の一。「下総(しもつさ)の国にみさきといふ所あり。…東風(こちかぜ)吹けばー多く寄るとなん申し侍る」〈鴨長明集〉。「琥珀、虎伯二音、俗音、久波久(くはく)」〈和名抄〉

くはこ クワ【桑子】《桑の葉を食べて育つ子の意》蚕。「なかなかに人とあらずはーにもならましものを玉の緒ばかり」〈万三〇八六〉。「蠑、久波古(くはこ)」〈新撰字鏡〉 †kuFako

くはざけ クワ【桑酒】桑の枝・根の皮の煎じ汁に、米麹をまぜて作った中気・脚気・風邪の薬酒。「昌叱よりー一樽給はる」〈北野社家日記慶長五・五・九〉。〈日葡〉

くは・し クワ シ『形シク』《古くはウラグハシ・マグハシなど多く複合語として使われ、朝日・夕日・山・湖・花・女など主として自然の造化物の美しさを表現した。次第に、小楢(こなら)・青柳の枝などの精細な美を強調するようになり、平安時代以後は、事柄・様子など詳細であることをいうようになった》①【細し・麗し】すぐれてうつくしい。「走り出の宜しき山の出で立ちのー・しき山ぞ」〈万三三三一〉。「ー・し妹に…遠さかり居て思ふそら安からなくに」〈万三三三〇〉。「青柳の糸のー・しさ」〈万一八五一〉 ②【細し・詳し】事細かである。詳細である。落ちがない。「ー・しき有様をもあきらめ」〈源氏横笛〉。「下衆(げす)にー・しくは知らせじ」〈源氏浮舟〉。「委・細・曲・精・熟、クハシ」〈名義抄〉。「委曲・委細・細砕、クハシ」〈色葉字類抄〉 ▽朝鮮語 kop(美・細)と同源。 **ーほこのちたるくに**【細戈千足国】精巧な武器の十分にある国。日本国の美称。「日本(やまと)は浦安の国、ー」〈紀神武三十一年〉 **ーめ**【麗女】繊細な美しい女性。「ーをありと聞こして」〈記歌謡二〉

くは・せ クワ セ【食はせ】『下二』《食ヒの他動詞形》①口にくわえさせる。「金泥寿命経四十八巻をかき…御巻数(くわんず)鶴にー・せて」〈拾遺二七三詞書〉 ②食べさせる。「人人に物などー・せてやりつ」〈源氏浮舟〉 ③(目を)合わせる。目くばせする。「目をー・せ給へば、御面いと赤くなりて」〈大鏡師尹〉 ④受けさせる。こうむらせる。くらわせる。「したたか棒をー・せて」〈碧岩抄五〉 ⑤だます。あざむく。だしぬく。「『このやうなるかたじけなき御意見は、百貫でも買はれまい』と、はやー・せた」〈咄・昨日は今日下〉

くはぞめ クワ【鍬初】①土木建築の起工式。鍬で地形を作る儀式をする。「大物惣道場の事、…ーせしむ」〈証如上人日記天文二・二・六〉 ②新年、農家で初めて鍬を使う祝い。鍬はじめ。「クワゾメヲスル」〈日葡〉

くはだ・て クワダテ【企て】㊀『下二』《室町末期までクハタテと清音》①足をつまだてる。「常に一の足をー・てたまへり」〈金光明最勝王経平安初期点〉。「翹、久波多川(くはたつ)」〈華厳音義私記〉 ②事を起そうとして前途を見る。計画する。「将門、同心に語らひて、おそろしき事ー・てたるものなり」〈大鏡道隆〉 ㊁『名』計画。「天下を乱らんとするーあり」〈平家二・西光被斬〉 ▽クハはクハ(鍬)と同根で、形の類似から、足先の意か。

くはのつゑ クワ【桑の杖】桑の木の杖。桑の木は中風の薬というので、老人が使った。「識春房よりー給はり了んぬ」〈多聞院日記天正三・六・二〉

くはのゆみ クワ【桑の弓】桑の木で作った弓。「ー、蓬(よもぎ)の矢を以て天地四方を射させらる」〈平家三・御産〉

くははき クワ【鍬箒・桑箒】竹箒。「ーかざして今日も暮しけん」〈俳・誹諧如何〉

くはばら クワ【桑原】①雷鳴の時、落雷避(よ)けに唱える呪文(じゅもん)。「ああ、ーー」〈虎寛本狂言・雷〉 ②身に危険などの及ぶことを避けようとして唱える呪文。「『ーー』と平伏してこそ居たりけれ」〈浄・十二段三〉

くはは・り クワワリ【加はり】『四段』《クハヘ(加)の自動詞形》①一員となる。連なる。「〔大臣ノ中ニ〕ー・り給ふなりけり」〈源氏澪標〉 ②ちょうど重なる。「今日の雪に、いとど御風ー・りて、かき乱り悩ましく」〈源氏若菜上〉

くはびら クワ【鍬平】①鍬の金具の平らな部分。「足ーの如し」〈新猿楽記〉 ②「くはびらあし」の略。「さちがき歩(あり)きて、足がーにひろびろとなる」〈蓬左文庫本臨済録抄〉 ③足。「おー出しめされい」〈仮・東海道名所記三〉 **ーあし**【鍬平足】鍬のように扁平な足。「仏を求めて走り廻るほどに、足がーになって広いぞ」〈臨済録抄三〉

くは・へ クワ エ【加へ】㊀『下二』《クハヘ(銜)と同根》①添えて合わせる。「老いにてあるわが身の上に病をとー・へてあれば」〈万八九七〉 ②新たに一員とする。仲間にする。「つくろふべき所、所のあづかり、今ー・へたる家司などに仰せらる」〈源氏松風〉 ③物事の度合を濃くする。「いとどー・ふる心ざしのほどを、御みづからの上なれば、思し知らずやあらむ」〈源氏若菜下〉 ④応じて与える。「軽慢し、謫罰をー・ふべからず」〈地蔵十輪経三・元慶点〉 ⑤応じてほどこす。「四十以後の人、身に灸をー・へて三里を焼かざれば上気の事あり」〈徒然一四八〉 ㊁『名』酒を銚子に注ぎ足す水差し形の器。また、それを持って給仕する人。「若き女房お酌に立ち、とりどり御酒(みき)をぞすすめける。我が身もーに参りつつ」〈伽・天狗の内裏〉 †kuFaFë

くは・へ クワ エ【銜へ】『下二』《クヒ(食)アヘ(合)の約》上下の歯で物をはさむ。「筆の尻ー・へて、思ひめぐらし給へるさま」〈源氏梅枝〉。「〔烏ヤ犬ガ死人ノ〕眼(まなこ)をくじりて東西へ飛び、足手をー・へて南北へ去る」〈孝養集上〉

くはまゆ クワ【桑繭】桑の木に自生する蚕。また、その蚕が桑の木にかけた繭。「桑蠒、久波万由(くはまゆ)、桑蚕也」〈和名抄〉

くはや『感』《クはコ(此)の転。ハ・ヤは助詞》①こりゃ。「明星は、ー、ここなりや」〈神楽歌七〇〉 ②そらよ。相手の注意をうながしていう。「『ー、きのふの返りごと。…』とて投げたまへり」〈源氏末摘花〉 ③さあて。どりゃ。「ーとて出でたまふに」〈源氏篝火〉

くはやま クワ【桑山】近世、大阪天王寺の珊瑚寺から売り出した、小粒の小児万病の良薬。文禄・慶長の役に、桑山修理太夫が朝鮮から薬方を伝えたのでいう。桑山小粒薬。「ーの小粒薬…虫・こはり腹〔ニ〕妙也」〈旅枕〉

くば・り【賦り・配り】『四段』《クマリ(分配)の子音交替形。予定の、多くの人や所にものを分けてやる意。類義語アタヘは、相手にそれがぴったり適していると思われるものをやる意》①それぞれに分け与える。「〔形見ノ品ヲ〕皆ー・らせ給ひけり」〈源氏葵〉 ②それぞれ縁づける。「初めの腹の二三人は、皆様様にー・りて大人びさせたり」〈源氏東屋〉 ③落ちなく、行きとどかせる。「人の袖のかげ、膝の下まで目をー・るまに」〈徒然一七一〉 **ーなっとう**【配り納豆】歳暮などに、寺から檀家に贈る納豆。「ーを仕込む広庭」〈俳・炭俵上〉 **ーふだ**【配り札】劇場から贔屓(ひいき)筋に贈る招待券。「捨つる身も情残りてー」〈俳・難波千句〉

くひ イク【株・杌】①土中に打ち込む棒。古代では神霊を招き寄せるよりしろとなることがある。「斎(い)ーには鏡を懸け」〈万三二六三〉 ②木の切りかぶ。「小竹(しの)の刈ーに足跳(き)り破れども」〈記景行〉 †kuFi

くひ ィク【癖】 皮膚病の一。かさ。はたけ。「癖龜、倶毗柯梅(ひくかめ)」〈紀孝徳、大化二年〉 †kuFi

く・ひ ィク【食ひ・齧ひ】『四段』《ものに歯を立てる、または飲みこむ意。類義語クハへは食ヒ合への約で、上下の歯でしっかり物をはさみ支えている意》 ①歯を立てる。「指(およ)び一つを引き寄せて—・ひて侍りしを」〈源氏帚木〉 ②口にくわえる。「青柳の枝—・ひ持ちてうぐひす鳴くも」〈万一八二一〉。「〔鵜ニ〕鮎を—・はしめ」〈万三三三〇〉 ③食する。「乾飯—・ひけり」〈伊勢九〉 ④(薬などを)飲みこむ。「その薬—・ひたる人は、かく目をなむ病む」〈大鏡三条〉 ⑤(鳥がわらなどをくわえて来て巣を)作る。営む。「つばくらめは、巣を—・ひ侍る」〈竹取〉 ⑥受ける。こうむる。「権威を—・ふ男でなし」〈近松・浦島年代記一〉 ⑦だまされる。うっかり信じる。「古き事ながら、此の手だて、一度づつは—・ふ事なり」〈西鶴・一代男七〉 †kuFi **食うた同士(どし)** 趣味・環境などを同じくする者にいう。「食うたどち」「食うたどうし」とも。「—の交はりにて、それぞれの太鼓召し連れ」〈仮・都風俗鑑一〉 **食はず貧楽(ひんらく)** 衣食に不自由な貧乏暮しでも、心が安楽なこと。「秋の蚊は—ぞ破れ蚊帳」〈俳・細少石四〉 **食はぬ殺生(せっしゃう)** 自分が食いもしないのに無駄に殺生をするの意で、無益な行為のたとえ。「枝切りは—楓(かいで)かな」〈俳・弁説集三〉 **食はねば饑(ひだる)し** 人は結局食物をとることが一番大事である。「『—』と摺鉢(すりばち)あたり見渡して」〈西鶴・一代女六〉 **食ふや食はず** 食うに事欠く貧乏暮しにいう。「町毛抜—に使はれて扶持なき主(しゅう)に人な仕へそ」〈見咲三百首和歌〉

くび 《古くは頭と胴とをつなぐくびれた部分。のちに頸部を切り取った頭部すなわち頸部から上全部をもいうようになった。→かうべ》 ❶【頸】 ①頸部。「わが恋は千引の岩を七ばかり—に懸けむも神の諸伏(もろふし)」〈万七四三〉。「押し並べてむずと組んでどうど落ち、取って押へて—を掻き」〈平家九・知章最期〉。「頸、久鼻(びく)」〈華厳音義私記〉 ②【領】 衣服の頸のあたり。狩衣などで、頸のまわりを包むように作った襟(えり)。「狩衣の—、顔にかかれば」〈枕一四五〉。「裓、衣襟、己呂毛乃久比(ころものくび)」〈新撰字鏡〉 ❷【首】 ①(胴体と切り離された)頭部。「其の—を取り、足・手を切る」〈今昔二〇ノ一〉。「—もむくろも煙になし」〈平家二・重衡被斬〉 ②顔。容貌。また、美貌。美女。宝暦頃から大阪の遊里に始まり、一般に流行した語。「—がよい。大坂の時花(はやり)詞也。これ女の艶顔を云へり」〈譬喩尽四〉。「—、美人の事」〈大坂繁花風土記〉 「—連中、和名ヨイキリャウ」〈洒・六丁一里〉。 †kubi **—にな・る** 首を切られる。打ち首になる。「戻さぬと言ふ一言、—・っても言ひ通す」〈近松・薩摩歌下〉 **—を懸(か)・く** さらし首にする。「兄二人は、はや—・けられぬ」〈古活字本平治下・頼朝生捕らる〉

くび【鵠】「くぐひ」に同じ。「とかまにさ渡る—」〈記歌謡二七〉 †kubi

くひあは・せ クイアワセ【食ひ合はせ】『下二』 ①嚙み合わせる。「湯を口に入るれども、歯をひしと—・せて入れず」〈今昔二六ノ二三〉 ②嚙み合いをさせる。「日本で、鳥や犬などを—・せて見る如く」〈倶舎論頌釈疏鈔一七〉 ③一緒に食べては害がある食物を同時に食べる。「猪に兎、辛螺(にし)にこんにゃく、雉子に狸…、右—・する時は、百日の内に必ず大病請くる也」〈庖丁聞書〉

くひいだ・し クイ【食ひ出し】『四段』 歯をかみ合わせてむき出す。「歯を剣(つるぎ)のごとく—・して怒る」〈宇津保俊蔭〉

くびがけ【首賭】 負けたら自分の首を相手にやるという約束の賭。「〔嫁入ヲ〕せかぬ娘が有ったらば、二つとも無い—」〈浄・酒呑童子枕言葉一〉

くびかし【首枷】 罪人の首にはめて自由に動けないようにするための、鉄または木製の刑具。「くびかせ」とも。「またーなどいふ物をはげられて」〈宇治拾遺一〇三〉。「盤枷、久比加之(くびかし)」〈和名抄〉

くびかせ【首枷】 ①⇒くびかし。「—・手枷を入れられ」〈太平記二・俊基朝臣〉 ②自由を束縛するもの。「子は三界の—と聞けば」〈謡・天鼓〉

くびかみ【頸上】 袍(はう)・水干(すいかん)・狩衣(かりぎぬ)などの、丸く首を包むように作った襟(えり)の部分。「狩衣の—に針をさし、しづの緒だまきといふ物を付けて」〈平家八・緒環〉

くひがよひ クイガヨイ【食通ひ】 食事先方持ちで通勤などすること。「山里の花にと急ぐ—」〈俳・天満千句〉

くびき【句引】〔連俳用語〕 懐紙や句集などの末尾に、各作者の句数を書き記したもの。「夢想の会の—に、発句に神一句と書く、または御の字を書くこと、事に依るべき也」〈兼載雑談〉

くびき【頸木・軛】 車の轅(ながえ)の端につけて、牛などの頸にかける横木。「牛をかきはづして榻(しぢ)に—を置きて」〈宇治拾遺九九〉。〈和名抄〉

くびきり【首切・首斬】 ①首を斬ること。また、斬首の刑。「巾着切から家尻切、果ては—」〈近松・冥途飛脚中〉 ②首切り用の短刀。「—を抜いて民部を刺して」〈籾井家日記一〉

くひさが・し クイ【食ひさがし】『四段』 食える部分はすっかり食う。食い荒す。「〔遊女ヲ〕—・されては…値打致さず候」〈浮・傾城洗髪一〉

くひさきがみ クイ【食裂紙】 口にくわえて裂いた紙。「—をこしらへ」〈西鶴・好色盛衰記五〉

くひさ・し クイ【食ひさし】『四段』 ①食うことを途中でやめる。「疾く持て来れば、『法師に物食はせじとするか』とて、—・して打ち置きて叱りけり」〈沙石集三ノ三〉 ②物事に手をつけて途中でやめる。「田も畑も—・いたやうで、はかが行かぬ」〈近松・振袖始三〉

くびじっけん【首実検】 討ち取った敵の首の真偽を検視すること。「信西が—の時、信頼が車の尻に乗りて神楽岡へ渡られけるこそうたてけれ」〈平治上・光頼卿〉

くひしば・り クイ【食ひしばり】『四段』 上下の歯を力いっぱいかみあわせる。「歯を—・り、怒(いか)ってぞおはしける」〈平家一・鵜川軍〉

くひし・め クイ【食ひ締め】『下二』 くいしばる。「さてさて開山聖人の御流を申し乱すことのあさましさよ、憎さよと仰せられて、御歯を—・められて」〈実悟記〉。「切ㇾ歯、ハヲクイシムル」〈明応本節用集〉

くびす【跟・踵】《奈良時代はクヒスと清音》「くひひす」の約。きびす。「左足久比須(くひす)疵」〈正倉院文書天平十二年越前国山背郷計帳〉。「踵、クビス」〈名義抄〉 †ku-Fisu **—を継・ぐ** 前の人のかかとに接するほど、人が続々と引きつづく。「道俗貴賤、首を傾け、—・ぐ事今に絶えず」〈保元中・左府御最後〉 **—を廻(めぐ)らすべからず** かかとをかえして、うしろを向くだけの時間もない。僅かな時間をいう語。「踵をめぐらさず」とも。「もし合戦をいたさば、叡岳の滅亡—」〈平家七・木曾山門牒状〉。「逆徒の誅戮—」〈明徳記下〉

くひぜ クイゼ【杭】 木の切株。「〔地獄ノ釜ノ中ニ〕黒き桴(くひぜ)の如き物ありて」〈霊異記下三五〉。「杌、クヒゼ」〈東大寺諷誦文稿〉 ▽古事記のクヒザモチノカミのクヒザの転。

くひぞめ:(クイ)【食初】赤子の出生から百日目、または百二十日目に、初めて飯を食べさせる祝。「北畠黄門〔ノ〕小生(子供)ーとて、禁裏供御申し出で」〈教言卿記応永一三・二・二五〉

くびだい【首代】①首を斬られる代りに出す金。また、その罰金の代りの処罰。「その時代の習ひにて、ー出せ、赦し帰すべしと申し送る」〈沼田根元記〉。「そのーに、この御出家様の一々坊主になさるる」〈近松・阿波鳴門一〉②間男(まおとこ)の謝罪金。首銭。「夜前の契り知れてー」〈俳・大句数上〉

くびだけ【頸丈・首長・首尺】①足元から首までの高さ。「思ひ何ー沈む池の鴨」〈俳・沙金袋六〉②《頸丈までも深くはまり溺れる意》すっかり色香に迷ってほれこむこと。くびったけ。「ある貧僧が若衆にー打ちこうで」〈咄・昨日は今日上〉

くびたて【首立て】法衣の領(えり)を立て、首の隠れる程にして着ること。僧綱領(そうがうえり)。「ーに錦の月をひるがへす」〈俳・投盃〉 **ーごろも**【首立衣】首立てにして着た衣。「半襟は…盆のくぼまで引き掛けて、ーの如くなり」〈若輩抄〉

くひだふれ(クイダオレ)【食倒れ】飲食に金をかけて財産を使い果すこと。「分散事はーなり」〈俳・大矢数三〉

くびたま【首玉・頸玉】①首飾りの玉。「御頸珠(みくびたま)の玉の緒もゆらに」〈記神代〉。「瓔珞(くびたま)を偸(ぬす)み取りて」〈紀安閑一年〉②犬・猫などの頸にかける環。「花咲くはー入りよ犬桜」〈俳・崑山集三下〉③頸。頸筋。「どっこいとー押へ」〈近松・吉野都女楠四〉 †kubitama

くびち【弶】《クビウチの約》鳥獣を捕える罠の一。餌を食うと首をはさまれる仕掛け。「をかしくかがまるものはただ、海老よーよ牝牛の角とかや」〈梁塵秘抄三九一〉。「弶、久比知(くびち)」〈和名抄〉

くびちゃう(チョウ)【首帳・頸帳】戦場で討ち取った敵の首と、これを取った味方の氏名とを記した帳簿。「味方討ち取りたる者どもの内、名ある侍ばかりをーに付けられける」〈里見代代記〉

くびづか【首塚】首を埋葬した塚。「妻子・眷属、残らず梟首にぞしたりけり。則ち所の百姓に申し付け、ーに築き、今に有り」〈飛驒国治乱記〉

くひつ・き:(クイ)【食ひ付き】『四段』①かみつく。かみついて離れない。「狐三つ飛びかかりて、ー・きければ」〈徒然二一八〉②しっかりと取り付く。しがみつく。くっつく。「お七恨みて…首筋にー・きける」〈西鶴・五人女四〉

くひつぎ:(クイ)【食継ぎ・食次ぎ】禁忌の一。忌みのある家の火で煮炊きした食物を食べること。「ーになりとも裸でなりとも〔嫁ニホシイ〕」〈俳・大矢数二〉

くびつき【頸着き】⇒うなつき。「ーの童(わらは)が身には」〈万三七九一〉 †kubituki

くびつぎ【首継ぎ】首を斬られるのを金を出して許してもらうこと。「ーの銀百目出し候」〈梅津政景日記元和五・一二・一〉

くびつな【頸綱】犬猫・囚人などの頸につける綱。「猫の赤きーに白き札つきて」〈枕八九〉。「犬枷、クビツナ」〈名義抄〉

くひつぶ・し:(クイ)【食ひ潰し】『四段』①嚙んでつぶす。「〔橘ノ実ヲ〕ー・しつべきここちこそすれ」〈かげろふ上〉②少しも働かないで財産をつかい果す。「ー・す奴に限って歯を磨き」〈雑俳・万句合宝暦八〉

くひつみ:(クイ)【食積】年賀客用の、重箱に詰めた正月料理。「ーや木曾の匂ひの檜物」〈俳・炭俵上〉

くひな(クイナ)【水鶏】水辺に住む小鳥の名。初夏の頃、盛んに鳴き、その鳴き声が戸をたたく音に似ているので、「鳴く」といわず「たたく」という。「水雞、此をば倶毗那(くひな)といふ」〈紀皇極一年〉。「ーのうちたたきたるは、誰が門さしてとあはれに覚ゆ」〈源氏明石〉 †kuFina

くひの・き:(クイ)【食ひのき】『四段』食べることを避ける。「五穀の類ー・きて〔松ノ葉バカリ食ベタ〕」〈十訓抄七ノ一〉

くびびき【頸引】遊戯の一。輪にした紐を互いの頸に掛けわたし、引き合って勝負する。「今日女院御方に於て勝負事有り。…或は双六、或は目増し也。…ー・目競べに及ぶ」〈花園院宸記文保三・二・一五〉

くひひす【跟】かかと。きびす。後に「くびす」。「跟、久比比須(くひひす)」〈華厳音義私記〉。「跟踵、久比比須(くひひす)」〈新撰字鏡〉 †kuFiFisu

くびほそ・し【頸細し】『形ク』頸がほそい。弱弱しい。心ぼそい。「頼もしげなく、ー・しとて、〔ホカニ〕ふつつかなる後見まうけて」〈源氏帚木〉

くびまき【頸巻】頸のまわりに巻いて、寒さを防ぐもの。えりまき。「綿入りのー」〈西鶴・諸艶大鑑二〉。〈日葡〉

くひより:(クイ)【食寄り】食物にありつくために寄って来ること。「親(しん)は泣寄り、他人はー」〈俳・世話尽二〉

くびらだいしゃう(ショウ)【宮毘羅大将】十二神将の第一。金毘羅(こんぴら)大将。「〔薬師経ノ読経デ〕『所謂ー』とうちあげたるを、『我を縊(くび)るとよむなりけり』とおぼしけり」〈大鏡時平〉

くび・り【縊り】『四段』首をしばって殺す。「頸を結(ゆ)ふをばー・るといふ」〈塵袋六〉。〈新撰字鏡〉

くび・れ【縊れ】『下二』①首をくくって死ぬ。「その美人の中に…怨みて、みづからー・れて死たる者がありしぞ」〈三体詩抄二ノ三〉②物の中ほどが細くせばまる。「中はー・れて、前後のかたちある故に」〈沙石集五ノ八〉

くびをけ【首桶】①切り取った首を入れる曲物(まげもの)の桶。「ーの拵(こしら)へやう」〈軍用記七〉②(1)の形の飯櫃(めしびつ)。「ーを明けて船頭飯を食ひ」〈雑俳・万句合安永七〉

ぐひん【狗賓・狗品・狗兄】天狗の異称。「ーにや摑まれぬらん春の空」〈俳・正章千句下〉。〈日葡〉

ぐぶ【供奉】①お供としてつき従うこと。「国司・国造・郡領とーの人等には爵幷せて物を賜ふこと差有り」〈続紀天平神護一・一〇・三〉②内供奉(ないぐぶ)の僧。宮中で御斎会(ごさいゑ)に奉仕し、清涼殿で天皇に夜居(よゐ)の勤めをする僧。「印可紹構せる者は義明ー其の人也」〈性霊集二〉③寺院の本尊に仕える僧。「さるべき下﨟男どもや、何くれのー達、また袂(たもと)あげたる下法師ばら」〈栄花玉台〉

くふう【工夫】いろいろと考えをめぐらすこと。仏教語としては禅宗で多く用いられる。「かやうに、坐しても臥しても万(よろづ)の事をなす時も、忘れず用心するをーといふ。かくの如く坐禅ーして怠りなきを、心も身もよく持ちふるまふ人といふなり」〈月庵法語〉。〈文明本節用集〉

くふ・し【恋し】『形シク』「こひし」の上代東国方言。「駿河(するが)の嶺(ね)らはー・しくめあるか」〈万四三四五防人〉

くぶつ【供仏】仏を供養すること。「この禅門薨ぜられぬる後は、ー施僧の営みといふ事もなし」〈平家六・築島〉

くぶつち【頭椎】《クブはカブ(株)・クビ(首)と同根》「くぶつちのたち」に同じ。「ーの痛手負はずは」〈紀歌謡二九〉 **ーのたち**【頭椎の太刀】刀の柄頭(つかがしら)が槌の形をしている剣。上代の刀剣の一。「かぶつち」とも。「ーを取り佩(は)き」〈記神代〉

くぶつつい【頭椎】《ツツはツチ(槌)の古形。イは接尾語》「くぶつちのたち」に同じ。「ー・石つついもち撃ちてし止ま

む」〈記歌謡一〇〉

くぶんじふぶん【九分十分】大差ないこと。五十歩百歩。「顔ばせは―にても、芸ある時は、九分の方に思ひ付くものなり」〈評判・吉原雀下〉

くぶんでん【口分田】大化改新後、班田収授法によって人民に支給された田。中国の均田法にならったもの。六歳以上の良民の男子は二反、女子はその三分の二。家人・私奴婢は良民男女の三分の一。輸租田(ゆそでん)として一生使用を許し、死後回収した。六年ごとに収授し、売買を禁じたが、土地私有制の発達と共に、十世紀には崩壊した。「天下の諸国の奴婢の―をして十二年已上の者に授けしむ」〈続紀養老七・一二・一二〉

くへ【柵】牛馬や鹿猪などが入らないように木で境をつくった垣。一説、竹垣の一名。「―越しに麦食(は)む小馬」〈万三五三七東歌〉 ▽木(く)隔(へ)の意か。 †kuFe

く・べ『下二』燃料を次次に火に入れる。「御火桶を据ゑて火起して、たきものども―・べて、たき匂はし」〈宇津保蔵開中〉。「東に三尺余りの庇(ひさし)をさして、柴折り―・ぶるよすがとす」〈方丈記〉

くぼ【凹・窪】①くぼみ。多く山や岡の谷間の湿地。「撫凹(なでくぼ)村」〈霊異記中五〉。「〔甲香ノ〕裏(うら)を上にて炮(あぶ)ることは、―なるかたに入りたる甘葛(あまづら)をこぼさじとてなり」〈薫集類抄下〉 ②女陰。「閛(まら)の閫(くぼ)に入るに随ひて」〈霊異記下一八〉。「開、クボ・ツビ」〈名義抄〉

くぼさ【利】利益。「頃(このごろ)訟(うたへ)を治むる者、―を得て常とし、賄(まひなひ)を見ては、ことわりまうすを聴く」〈紀推古十二年〉

くぼ・し【凹し・窪し】『形ク』へこんでいる。窪んでいる。「眼は―・く落ち入りて」〈愚管抄四〉

くぼて【窪手・葉椀】《「枚手(ひらで)」の対》供え物などを入れる食器の一。もと、大嘗会の時など、柏の葉などを幾枚も合わせ、竹のひごなどでさし綴って、中央をくぼんだ形に作ったものという。「さまざまの物の葉を―にさして〔椎・栗・柿ナドヲ入レル〕」〈宇津保俊蔭〉。「葉椀、久菩弖(くぼて)」〈延喜式践祚大嘗祭〉。〈名義抄〉

ぐほふ【弘法】仏法を世にひろめること。「和尚、―の心深きが故に」〈今昔一一ノ八〉

ぐほふ【求法】仏の悟りを得ようと、その道を求めること。「仏道修行の為に入唐―の時」〈保元中・左府御最後〉

くぼま・り【凹まり・窪まり】『四段』真中が自然にへこむ。「池めいて―・り、水づけるところあり」〈土佐二月十六日〉

くぼ・み【凹み・窪み】□一『四段』《クボ(窪)の動詞化》中がへこむ。「君が代は山のしづくの年を経て落つるに石の中―・むまで」〈実国家歌合〉。「凹、久保无(くぼむ)」〈新撰字鏡〉 □二『名』中がへこむこと。また、へこんだ所。「此の所のやう、川よりははるかに里は下がりたり。前に堤を高く築きたれば、山のごとし。―にぞ家どもはある」〈春のみやまぢ〉

くほん【九品】〔仏〕①極楽浄土にあるという九つの階級。「―の業には皆、『廻向して極楽国に生れんことを願ひ求む』と云へり」〈往生要集中〉 ▽極楽往生には、上・中・下の三品、各品には上・中・下の三生、合わせて九つの階級があって、「上品上生」が最上、「下品下生」が最下。これは、生前の九品の行業に対応するという。②「九品往生」「九品浄土」の略。「―の御望みこそ深くは思しめさるべけれ」〈栄花根合〉。 **―じゃうど**【九品浄土】「極楽浄土」に同じ。「―常楽の安養に生れんと欲すれ」〈梵舜本沙石集一〇本ノ一〉 **―のうてな**【九品の台】「九品蓮台」に同じ。「―眼の前に輝き」〈平家三・燈炉〉 **―のねんぶつ**【九品の念仏】九品にかたどり、九度、調子を変えて念仏を唱えることという。「ぼろぼろ多く集まりて―を申しけるに」〈徒然一一五〉 **―れんだい**【九品蓮台】極楽浄土にあるという蓮のうてな。往生の等級によって九種ある。「―のあひだには下品(げぼん)といふとも」〈枕一〇一〉。「浄土もかくこそはと見えたり。…―の有様なり」〈栄花玉台〉 **―わうじゃう**【九品往生】「極楽往生」に同じ。「三尊来迎便りあり。―疑ひなし」〈平家三・少将都帰〉

くま【曲・隈・隅】《道や川の曲がり込んだ所。類義語スミは周囲をかこわれているものの奥の箇所》①湾曲しているものの曲り目。「〔川ヲ〕わがのぼれば川―に立ち栄ゆる〔木〕」〈紀歌謡五三〉。「道の―い積るまでに」〈万一七〉 ②奥まった所。目立たない所。「さるべき―にはよくこそ隠れありき給ふなれ」〈源氏帚木〉。「山里めいたる―などに」〈源氏橋姫〉 ③暗く陰になっている所。「山の阿(くま)にまじり、一の河水を隔てて二の伽藍有り」〈大唐西域記一・長寛点〉。「月の少し―ある立蔀(たてじとみ)のもとに」〈源氏賢木〉 ④隠しているところ。秘めているところ。「思ふてふ人の心の―ごとに立ちかくれつつ見るよしもがな」〈古今一〇三八〉 ⑤くもり。かげり。「〔女ノ〕そひ伏したるかたはら目、いと―なう白うて」〈源氏東屋〉。「望月の―なきを千里の外まで眺めたるよりも」〈徒然一三七〉 ⑥欠点。短所。「その事ぞと覚ゆる―なく、愛敬づきなつかしく」〈源氏浮舟〉 ⑦歌舞伎で、役者の顔を彩色する線または模様。くまどり。「額に自然生の筋―を表はし」〈滑・客者評判記中〉 ▽朝鮮語 kop(曲)と同源か。 **―もおかず** 曲り角ごとに。「行き隠る島の崎崎―思ひそわが来る」〈万九四二〉 **―もおちず**「隈も置かず」に同じ。「―思ひつつぞ来しその山道を」〈万二五〉

くま【奠】神に供える米。「皇太神の御前に懸久真(かけくま)に懸け奉り始めき」〈倭姫世紀〉 →くましね

くま【熊】□一『名』クマ。「いすのかみ布留の山の―が爪」〈琴歌譜〉。「かひなき身をば―狼(おほかみ)にも施しはべりなむ」〈源氏若菜上〉 □二『接頭』勇猛なもの、強大なもの(動植物など)の名に冠する。「事代主神、八尋熊鰐になりて、三島の溝檝姫(みぞくひひめ)に通ひたまふ」〈紀神代下〉。「クマバチ」〈日葡〉 ▽朝鮮語 kom(熊)と同源。

くまい【供米】神仏に供える米。「くましね」とも。「―三十石を定図に置かれて」〈大鏡実頼〉

くまいちまる【九間一丸・九間市丸】近世前期、江戸隅田川の遊山船。幅三間長さ十一間の大船で、九間(くま)に仕切ったのでいう。〈紫の一本下〉

くまがい【熊谷】《クマガエとも》①《武蔵国熊谷で生産したのでいう》深くて大きい編笠。延宝頃流行。熊谷笠。「―の中笠着て」〈西鶴・浮世栄花一〉 ②《朝鮮熊川(こもがい)産の茶碗に似ているのでいう》底の深い大形の盃。熊谷盃。「引っ組むや―織部花の下」〈俳・太夫桜〉 **―がさ**【熊谷笠】「熊谷」(1)に同じ。「深き物…―」〈評判・讃嘲記〉

くまかし【熊樫】《クマは接頭語。茂った、大きいの意》樫。一説、いまの黒樫。「―が葉を髻華(うず)にさせ」〈記歌謡三一〉

くまぐま【隈隈】①曲り目ごと。「川の―寄ろほひ行くかも」〈紀歌謡五六〉 ②あちこちの奥まった所。目立たぬ所。「〔山奥ノ〕―をも尋ね給ふなりけり」〈源氏柏木〉 ③すみずみ。「紙燭(しそく)さして―を求めし程に」〈徒然二一五〉

くまくま・し【隈隈し】『形シク』①物の陰に隠れてはっきり

見えない。いかにも陰になっている。「此処に来まして詔りたまひしく『いと―・しき谷なり』と詔りたまひけり。かれ熊谷といふ」〈出雲風土記〉。「〔ホノカナ火ニ〕屛風のかみ、ここかしこの―・しく覚え給ふに」〈源氏夕顔〉 ②隠しだてしているようである。秘密らしい。「―・しく思したるこそ苦しけれ」〈源氏梅枝〉

くまさか【隈坂】 折れまがっている坂道。「百(もも)足らず八十(やそ)―に手向けせば過ぎにし人にけだし逢はむかも」〈万四二七〉

くましね【糈米】 神仏に供える白米。洗い米。おくま。「きねがとるその―に思ふ事みつてふ数を頼むばかりぞ」〈俊忠集〉。「道俗男女に至るまで、―を包みなどして参りけり」〈伽・蛤の草紙〉。「糈米、和名久万之禰(くましね)、精米、所ニ以享ニ神也」〈和名抄〉

くまそ【熊襲】 南九州の球磨(くま)という地域と贈於(そ)という地域とに住んでいた種族。南九州諸種族の代表。ヤマトタケルノミコトによる征服説話が記紀にある。隼人(はやと)はその子孫という。「―反(そむ)きて朝貢(みつきたてまつ)らず」〈紀景行十二年〉 †kumasö

くまたか【熊鷹】 ①ワシタカ科の猛鳥。鷹狩に使い、また、尾羽は矢羽根にする。「左近の将監なにがしとかやいふなる男(をのこ)、―を飼ひけり」〈著聞七二八〉。「角鷹、久万太加(くまたか)」〈和名抄〉 ②欲の深い性質。また、欲の深い人。「身の仇となるをもわかで欲にのみ人や―又酒の酔」〈銀葉夷歌集九〉

くまつづら【熊葛・馬鞭草】 野草の一。「みちのくのつつじの岡の―くる(繰ル・来ル)ほどをだに待たでやは」〈かげろふ上〉。〈和名抄〉

くまで【隈手】《テはチ(道)と同根》 くまのある道。曲り角の多い道。「八十(やそ)―(多クノ道ノ隈ヲ通ッテ行ク遠イ所)に隠りて」〈記神代〉。「隈、此をば矩磨涅(くまで)といふ」〈紀神代下〉

くまで【熊手】 ①敵を引っかける武器。「甲のてへんに―をうちたてむ」〈平治中・待賢門軍〉 ②穀物・落葉などを掻きよせる道具。「鉄搭、豆地加岐(つちかき)、今案ずるに―」〈多識編五〉 ③欲の深い性質。欲の深い人。「かく言へばとて、―をすきと離れよとには非ず」〈評判・吉原雀下〉 **―しやう**【熊手性】 欲の深い性質。「島原第一の―なり」〈評判・桃源集〉

くまと【曲処・隈処】《トは場所》 隈のところ。陰になったところ。「蘆垣の―に立ちて吾妹子(わぎもこ)が袖もしほほに泣きしそ思(も)はゆ」〈万四三五七防人〉 †kumato

くまど・り【隈取り】『四段』 ①彩色して陰翳(いんえい)や濃淡をつける。「絵所の人人の絵―・るといふも、陰(かげ)をとるを―・ると云ふ也」〈古今集註〉 ②歌舞伎役者が顔面に様式的な筋・模様などを色どる。「額に紅(べに)にて筋を引き、目のふちを―・り」〈歌舞伎年代記一〉

くまな・し【隈無し】『形ク』 ①暗いところがない。陰になる所がない。「月の―・く明からむもはしたなく」〈更級〉 ②どかぬ所がない。残す所がない。「―・く見集めたる人の言ひし事はげにと」〈源氏帚木〉 ③抜目がない。「いと―・き御心のさがにて推し量り給ふにや侍らむ」〈源氏椎本〉

くまの【熊野】 紀伊国にある熊野権現の所在地。新宮・本宮・那智神社を熊野三所または熊野三山といい、修験者の霊地とされる。古来、上皇はじめ庶民もさかんに参詣した。「狭野を越えて―の神邑(みわのむら)に到り、すなはち天磐盾(あまのいはたて)に登る」〈紀神武即位前〉。「那智の滝は―にありと聞くがあはれなるなり」〈枕六一〉 †kumano **―さんけい**【熊野参詣】「くまのまうで」に同じ。「―三十三度の歩みをなさんと立願せしに」〈謡・俊寛〉 **―だうじや**【熊野道者】 熊野三山に参詣する人。熊野巡礼。「ここ通る―の、手に持ったも梛(なぎ)の葉」〈狂言記・蟬座頭〉 **―のごわう**【熊野の牛王】 熊野三山から出した牛王宝印(ごわうほういん)。最も広く全国的に用いられた。近世では、熊野の神鳥である烏の形で、宝印の文字を表わした。「―の裏に、起請文を書き進(まゐ)らす」〈盛衰記三六〉 **―びくに**【熊野比丘尼】「歌比丘尼」に同じ。「〔地獄ノ〕写し絵を―は広げ置きて」〈俳・犬悌〉 **―ふね**【熊野舟】 熊野でつくられた特有の舟。「浦み漕ぐ―着き」〈万三一七二〉 **―まうで**【熊野詣で】 熊野三山に参詣すること。また、その人。京都から往復百七十里、約二十日かかる。平安時代以後、貴賤の間に大いに流行した。「熊野参り。「院、御―…御先達、大僧正行尊」〈中右記大治五・二・三〉

くまのい【熊の胆】 熊の胆嚢を乾したもの。味苦く、胃や気付けの薬。「―榎子(えのみ)三程を水によくよくおろして…〔馬ニ〕飼ふなり」〈壒嚢鈔七〉

くまひと【肥人】《コマヒトの母音交替形》 南九州球磨(くま)地方の人。「―の額髪(ぬかがみ)結へる染木綿(しめゆふ)の」〈万二四九六〉 †kumarito

くまへ【句前】 連歌・俳諧の会席で、自分が句を付ける番の時。「城雲―に成り申し候へば、吉祥寺差合(さしあひ)を繰り申され候へば、難儀仕られ候」〈沢庵書簡寛永一六・二・四〉

くまみ【隈廻】《ミは湾曲したところ》 曲り目。「道の―に草手折り」〈万八八六〉 †kumami

くま・り【分り】『四段』《クバリの子音交替形》 わける。「分を訓みて久麻里(くまり)といふ」〈記神代〉

く・み【汲み・酌み】『四段』 ①水を器に取る。「山吹の立ちよそひたる山清水―・みに行かめど道の知らなく」〈万一五八〉 ②(飲物を)器に注ぎ入れる。「菰蘆(ころ)の杓(ひさご)は春の濃(こま)やかなる酒を―・む」〈和漢朗詠集水〉 ③相手の思いを察する。「深うも―・み量り給はぬなめりかし」〈源氏鈴虫〉 †kumi

く・み【組み】㊀『四段』 ①互いに交叉させる。手と手、足と足などをからめる。「後も―・み寝むその思ひ妻あはれ」〈記歌謡九一〉。「肩をならべ膝を―・みて」〈平家八・征夷将軍〉 ②物を互いちがいに交叉させて作りあげる。編んだり織ったり組み立てたりする。「青つづら籠(こ)にや―・ままし若菜摘むべく」〈拾遺三九九〉。「藤の縄を以て内に織(く)めり」〈南海寄帰内法伝平安後期点〉。「石を重ねて塔を―・み」〈延慶本平家一三・六代御前高野熊野へ〉 ③取り組む。組討ちをする。「あはれ良からう大将軍に―・まばや」〈平家九・敦盛最期〉 ㊁『名』 ①糸や紐を組むこと。また、その物。組緒。組紐。「中の宮―など し果てたまひて」〈源氏総角〉。「細き―して〔袋ノ〕口のかたを結(ゆ)ひたる」〈源氏橋姫〉 ②与(く)みすること。なかま。「俗に相与(あひとも)にするを―と謂ふ」〈日次紀事正月〉 ③「組歌」に同じ。「八橋流―の名」〈糸竹初心集中〉 †kumi

ぐ・み【接尾】《名詞を承けて四段活用の動詞をつくる。内部に含まれている力や物が、外に形をとって現われる意》 ①(芽や根が)ふくらみ、延びる。「三島江の角(つの)―・みわたる蘆の根の」〈曾丹集〉。「春は芽―・み、夏は盛りなる木の葉も」〈孝養集上〉 ②(涙が)こみあげて、にじみ出る。「さすがに涙―・み給へるまみのいとらうたげに」〈源氏若菜上〉 ③(水を)含む。水っぽくなる。「〔瓜ガ〕わろくなりて水―・みたりければ」〈著聞六三三〉

くみあゆ【汲鮎】晩春、網の中に追い込んだ小鮎を、柄杓(ひしやく)や叉手(さで)ですくい上げること。また、その鮎。「嵯峨の大井川、木杓を以て鮎魚を捕る。是れを―と謂(い)ふ」〈日次紀事三月〉

くみいと【組糸】組み合わせた糸。平打・丸打の別がある。「こぼす涙は―を手繰り出すが如くなり」〈近松・艶狩三〉

くみいれ【組入】細かい格子(こうし)に組んで作った天井。組入天井。「くみれ」とも。「この―の上より、ふと物の落ちたらば」〈堤中納言貝あはせ〉

くみうた【組歌】三味線唄・箏曲(そうきよく)で、いくつかの小唄を集めて一曲としたもの。「筑紫楽といふは、今の―の一歌づつの物と見ゆ」〈嬉遊笑覧六上〉

くみうち【組討】敵と組み合って討ち取ること。「それをしるしにして―に打て」〈太平記八・持明院殿〉

くみおび【組帯】真田紐(さなだひも)の帯。平打・袋打の二種がある。打帯。「―用ひ候事、人中へは用ふべからず候。賤しき物にて候也」〈諸大名出仕記〉

くみかき【組垣】竹や木を組みあわせて作った垣。「八重の―」〈紀歌謡九〇〉 †kumikaki

くみかけ【組掛・組懸】冠の掛緒〈かけを〉の一種。「唐の〔纓〕は日本の―のやうにして、かかる所を頤(おとがひ)の下に置くなり」〈左伝聴塵三〇〉

くみがしら【組頭】①武家の職制の一。常備軍の隊長をいう。「景勝衆三百余討ち取り申し候内、名知れ申し候者、…、右の衆―の由申し候」〈伊達家文書二、伊達政宗最上陣覚書〉 ②庄屋または名主の下役。「足軽の衣類、―百姓と同意にて、座敷は名主の上たるべし」〈里見九代記二〉

くみこ【組子】弓組・鉄砲組などの組頭(くみがしら)の配下にある武士。組衆。組下。「―五百余人をめき叫んで駈け入りけり」〈最上義光物語下〉

くみ・し【与し】『サ変』組になる。味方になる。加わる。「よしなき謀叛にも―・しけるにこそ」〈平家一・鵜川軍〉

くみした【組下】「組子」に同じ。「誰か―…に申し付け候とも、異儀申す間敷き事」〈上杉家文書三、慶長一九・一〇・一八〉

くみぢう【組中】組の仲間。また、組に加入しているすべての人人。「立ち騒ぎたる―吟味」〈俳・大矢数三〉。「問屋―連れ立ち」〈近松・丹波与作中〉

くみて【組手】敵と組みうちする武者。「橘七五郎は美濃・尾張に聞えたる大力(だいぢから)なれば、―にて候ふべし」〈平治下・義朝内海下向〉

くみど【組戸】格子(こうし)に組んだ戸。格子戸。「―に立ち添ひ」〈西鶴・一代男二〉

くみど【奇御戸】夫婦の寝室。「―におこし(事ヲ始メ)て生める子は」〈記神代〉 ▽クミ(組)ド(処)で、組み合う所の意か。 †kumido

くみまが・ひ【汲み紛ひ】『四段』入り乱れて水を汲む。「もののふの八十少女(やそをとめ)らが―・ふ寺井の上の堅香子(かたかご)の花」〈万四一四三〉 †kumimagaFi

くみや【組屋】糸で紐(ひも)を組むことを業とする家。また、その女工。「糸遊ぶ―の門の女子(をなご)かな」〈俳・塵塚誹諧集上〉。〈日葡〉

くみれ【組入】「くみいれ」の約。「塗籠(ぬりごめ)をあけて―の上(かみ)などをも見よ」〈栄花浦浦別〉

くむ【雲】「くも」の上代東国方言。「大君の命(みこと)かしこみ青―のとのびく山を越よて来ぬかむ」〈万四四〇三防人〉

くむしら【隩】奥深いところ。「隩、蔵也、久牟志良(くむしら)」〈新撰字鏡〉

くめ【貢馬】諸国から朝廷へ馬を献ずること。また、その馬。「近代奥州より古の如くなる名馬の―立たざるはいかなる故ぞ」〈妻鏡〉

くめうた【久米歌】久米部が伝承した戦闘歌謡。古事記・日本書紀に、神武天皇の大和での征服の歌とする。雅楽寮で奏された大歌の一つで、舞をともなう。「すべて諸(もろもろ)の御謡(みうた)をば皆―と謂ふ」〈紀神武即位前〉 †kumëuta

くめぢのはし【久米路の橋】大和の久米路にかけようとした岩の橋。役(えん)の行者が一言主神(ひとことぬしのかみ)に命じて、葛城山〈かづらきやま〉から金峰山(きんぷせん)に渡そうとした。その工事が中絶したという伝説によって、男女の仲の成就しないたとえにいう。久米の岩橋。「葛城や―にあらばこそ思ふ心を中空にせめ」〈後撰七七五〉

くめのわくご【久米の若子】①弘計王〈をけのみこ〉、のちの顕宗天皇の一名。「弘計天皇、またの名は―」〈紀顕宗即位前〉 ②久米氏の若者。弘計王と何らかの関係があるか、伝説は今伝わらず不明。「―がいましける三穂の石室(いはや)は」〈万三〇七〉 †kumënöwakugo

くめべ【久米部・来目部】上代、久米氏に率いられ、宮廷の警備にあたった部(べ)。久米歌や久米舞を奏し、伝えた。「今―が歌ひて後大いに哂(わら)ふは」〈紀神武即位前〉 †kumëbe

くめまひ【久米舞】神武天皇のとき大伴氏の祖先道臣命(みちのおみのみこと)が大久米部を率いて土蜘蛛(つちぐも)を討滅した際、久米部の謡った久米歌と共に舞ったとして伝えられる舞。大伴氏が琴をひき、佐伯氏が刀をとって土蜘蛛を斬る姿をする。「盧舎那大仏の像成りて、始めて開眼す。…王臣諸氏の五節・―・楯伏(たたふし)・踏歌・袍袴等の歌儛有り」〈続紀天平勝宝四・四・九〉。「伴・佐伯両氏…―を奏す。舞人二十人、琴工六人…、舞人…剣を抜きて舞ふ」〈北山抄五〉 †kumëmaFi

ぐめん【工面】①才覚。工夫。算段。「その後〔毛利〕元就、つくづく―をめぐらし」〈雲陽軍実記二〉 ②特に、金銭の都合をつけること。金策。金まわり。「五百貫目になる時、―よくすれば、一生楽に過ぎるなり」〈浮・好色敗毒散四〉 **―どかし**【工面ごかし】好意的に世話をしようと見せかけて、だますこと。「―に嫌と云はせず/業平が惚れし女に貞女なし」〈雑俳・江戸土産〉。〈評判・濡仏中〉 **―づく**【工面尽く】才覚次第。また、才覚のありたけを尽すこと。「彼が引き廻して―の兄弟契約」〈西鶴・嵐無常上〉

くも【雲】①空気中の水分が凝固して高く空に浮いているもの。その一団を遠くから眺めていう。「み空行く―も使ひと人は言へど」〈万四四一〇〉 ②雲助。「一生を計り損ふ道中(みち)の―」〈雑俳・誹諧江戸紫〉 †kumo **―突くやう** 身長の著しく高いさまの形容。「―な飯炊きが、布まで織りまして」〈西鶴・胸算用三〉 **―となり雨となる** ①《楚の懐王が夢で契った巫山(ふさん)の女が、「雲となり雨とならむ」と言ったという故事から》男女の情のこまやかなことをいう。「―・りても身に添はばむなしき空を形見とや見む」〈新勅撰八三二〉 ②変転きわまりないことのたとえ。「―・るとは、定まり定まらぬ事なり」〈虎明本狂言・布施無経〉 **―に梯(かけはし)** 到底実現できない望みのたとえ。「―、霞に千鳥とばかり〔ノ返事〕なり」〈浄・十二段九〉 **―に汁(しる)** 物事がうまく行きそうな前兆の見えるたとえ。「―が出来て、雨の降りしこる後は風と見定め…思ひ入れの米買ひ」〈西鶴・置土産四〉。〈俳・毛吹草二〉 **―**

に飛ぶ薬　雲すなわち天を飛行することができる霊薬。不老の神仙薬。「我が盛りいたくたちぬ―食(は)むともまたをちめやも」〈万八四七〉　**―の如・し**　人が沢山群れ集まるさまをいう。「国の内の上中下、男女集まり来たりて見奉る事―・し」〈今昔一ノ三〉　**―を印**(しるし)　当てにならぬことのたとえ。「上りけり―の富士詣で」〈俳・夢見草三〉。「失せ物の―の穿鑿(せんさく)ぢゃ」〈俳・大句数上〉

くも【蜘蛛】①節足動物の一。「甑(こしき)には―の巣懸きて」〈万八九二〉　②野郎(やらう)の異名。「十二年(ひとまはり)以前までは、野郎を―と言へり」〈浮・諸遊芥子鹿子〉　▽朝鮮語 kŏmii(蜘蛛)と同源であろう。　†*kumo　**―の子を散ら・す**　《蜘蛛の子の入っている袋を破ると、多くの子が四方八方に走り散ることから》　ちりぢりに逃げ去るさまをいう。「―・すが如くに、公卿も何も逃げにけり」〈愚管抄六〉

くもがく・り【雲隠り】『四段』①雲に隠れる。「〔鷹八〕二上の山飛び越えて―・りかけり去にきと」〈万四〇一一〉　②死ぬ意の婉曲な表現。「鳴く鴨を今日のみ見てや―・りなむ」〈万四一六〉　†kumogakuri

くもがく・れ【雲隠れ】㊀『下二』①(月などが)雲の中にかくれる。「さみだれにながめ暮せる月なればさやにも見えず―・れつつ」〈後撰一八二〉　②死ぬ意の婉曲な表現。「などて君―・れけむ」〈栄花玉飾〉　㊁『名』①人の行方が全くわからぬこと。姿が見えぬこと。「秋の夜の月かも君は―しばしも見ねばこころ恋しき」〈拾遺七八五〉　②死ぬことの婉曲な表現。「万葉集に人の逝去するをば皆―といへり」〈河海抄二六〉

くもかすみ【雲霞】①雲と霞と。「遙けき山の―にまじり給ひにしむなしき御跡に」〈源氏若菜上〉　②一目散に逃走するさま。また、逃げて跡をくらますさま。雲を霞と。「―砂道蹴立て逃げたりけり」〈浄・伽羅先代萩五〉

くもがみ【雲紙】雲形の模様をすき出した鳥の子紙。色紙・短冊に使い、端雲・丸雲・絵雲の別がある。「―に包むか見えぬ文月夜」〈俳・埋草三〉

くもじ【く文字】《文字詞の一》①《九献(くこん)から》酒宴。また、酒。「―などありて、御盃あまた参る」〈御湯殿上日記文明九・二・七〉。「昼より夜の八つ時分まで、―参りて」〈御湯殿上日記永禄三・六・一四〉　②首。首級。「木沢が―上りて、人人見る由、沙汰あり」〈御湯殿上日記天文一一・三・一六〉　③菜の茎。また、その漬物。茎漬。「くき、―」〈大上臈御名之事〉。「―の桶一参らせそろ」〈御湯殿上日記元亀三・一・一六〉　④《還御(くわんぎよ)から》御帰り。御帰還。「どんげ院殿なる。やがて―なる」〈御湯殿上日記天正一六・六・二〉　⑤くりかえし。くれぐれ。重重。「いよいよ御機嫌よくならせられ、―ながら目出度く存じ参らせそろ」〈矢島貞玄日記宝永六・一一・二〇〉

くもすき【雲透き】薄暗がりで物を透かして見ること。「―に見奉りけるに、物の具・事柄尋常なり」〈平治中・義朝奥波賀に落ち着く〉

くもずき【雲隙】雲のすきま。雲間。「―よりそっと見えたほどに、満ちた月やら欠けた月やら、いまだ見分けぬぞ」〈中華若木詩抄中〉

くもすけ【雲助・雲介】近世、住所不定の道中人足。荷物運搬・川渡し・駕籠舁(かごかき)などに従事した。「月の桂の男伊達、―の糸のからくりにや、友に引かれて」〈評判・吉原こまざらい〉。「馬士(うまかた)駕籠舁秋の―」〈俳・談林十百韻上〉

くもだこ【蜘蛛蛸】小形で足の細長い蛸。播磨国明石の名産。干物とした。「小壺に―といふ物そへて賜ぶとて。ふりさけて霜か月かと見る夜半に寒けくもたこの浦風ぞ吹く」〈再昌草一三〉

くもたてわき【雲立涌】衣服の模様の一。一対の波形の曲線の間に雲の模様を入れたもの。「くもたちわき」とも。「黄練貫(きねりぬき)の御衣に御直衣(なほし)、―〔ノ袍〕、生(すずし)の織物、薄色の御指貫(さしぬき)を召されたり」〈太平記二四・天龍寺供養〉

くもぢ【雲路】雲中の道。月・星・鳥などの通る道。「葦鶴(あしたづ)の―おりくる翼やはなき」〈かげろふ下〉

くもつ【公物】公けの物。官物。「貧窮して―を備へ償ふに堪へぬ者は」〈続紀天平宝字七・一・一五〉

くもつ【供物】神仏への供え物。「―を庭の前より送るに」〈三宝絵下〉

くもで【蜘蛛手】①蜘蛛の手足のように八方に伸びていること。「水行く川の―なれば、橋を八つ渡せるによりて」〈伊勢九〉　②さまざまに入り乱れること。「八つ橋の―に思ふことは絶えせじ」〈後撰五七二〉　③材木などを蜘蛛の足のように四方八方に打ち違えること。「或る障子の上に―結うたる所あり」〈平家二・小教訓〉　④八方縦横に駆けめぐること。「―十文字に散散にかけやぶりて」〈保元上・官軍手分け〉　⑤刀などを八方に振りまわすこと。「―・かくなは・十文字・とんばう返り・水車、八方すかさず斬ったりけり」〈平家四・橋合戦〉

くもとり【雲鳥】①雲を飛ぶ鳥。空を飛ぶ鳥。「―も帰る夕べの山風に」〈玉葉二一四一〉　②模様の名。雲に鶴を配したもの。雲鶴(うんかく)。「―の紋の綾」〈大和一五九〉　**―の【雲鳥の】**〔枕詞〕「雲鳥」(2)の意から、「あや」にかかる。「―あやに恋しき人の面影」〈風雅一二九五〉

くものい【蜘蛛の網】蜘蛛の巣。「風吹けば絶えぬと見ゆる―も」〈後撰一二九七〉

くものうへ(ウエ)**【雲の上】**①天上。空。「昨夜(きそ)こそは児ろとさ寝しか―ゆ鳴きゆく鶴(たづ)のま遠く思ほゆ」〈万三五二二東歌〉　②宮中。禁中。「ひさかたの―にて見る菊は天つ星とぞ誤たれける」〈古今二六九〉。「殿上をば―といふ」〈能因歌枕〉　**―びと【雲の上人】**宮中に仕える人。多く殿上人にいう。「露おき添ふる―」〈源氏桐壺〉。「忠盛三十六にてはじめて昇殿す。―これを猜(そね)み」〈平家一・殿上闇討〉

くものうら【雲の裏】雲の裏の方の意で、人の気がつかない所などのたとえ。「―を尋ねても、お主より外、世の中に大事の人はなきものを」〈近松・淀鯉下〉

くものおこなひ(オコナイ)**【蜘蛛の行ひ】**蜘蛛の巣をつくる動作。巣をつくって待つ意から、待つ人が来る前兆としてよろこばれた。「―こよひ著(しる)しも」〈紀歌謡六五〉

くものかけはし【雲の梯】①《雲のたなびくさまから連想して》天上の雲で出来たはしご。雲のはしご。「ふみみれど―あやふしと思ひ知らずも頼むなるかな」〈かげろふ下〉　②《宮中を「雲の上」というところから》宮中にある階段。「蔵人にて冠たまはりける日よめる。限りあれば天の羽衣ぬぎかへて降りぞわづらふ―」〈後拾遺九七九〉

くものかよひぢ(カヨイ)**【雲の通ひ路】**雲の上の通路。天人や鳥の通る道。「天つ風―吹き閉ぢよをとめの姿しばしとどめん」〈古今八七二〉

くものこし【雲の輿】雲の乗物。仏などが空中を行く時に用いる。「仏、文殊をひきつれて―に乗りて渡りたまふ時」〈宇津保俊蔭〉

くものころも【雲の衣】①織女(たなばた)の衣を雲に見立てていう語。「天の河霧立ち上る織女の―の飄(かへ)る袖かも」

〈万二〇六三〉 ②雲を衣に見立てていう語。「いにしへの人ならなくに滝の糸を—を着ても見るかな」〈帥大納言家集〉

くものすがき【蜘蛛の巣掻き】 蜘蛛が巣をかけること。また、その巣。「秋風は吹きな破りそ我が宿のあばら隠せる—を」〈拾遺二二一〉

くものすごくゎう ウ:コ 【蜘蛛の巣後光】《形が仏の後光に似ているのでいう》 蜘蛛の巣のように画いた阿彌陀圖。「紙押し拡げ—」〈近松・女腹切中〉

くものなみ【雲の波】 ①雲を波に見立てていう語。「天の海に—立ち」〈万一〇六八〉 ②立ち重なった波を雲に見立てていう語。「—けぶりの浪をたちへだて」〈栄花浦浦別〉

くものふるまひ イ:マ 【蜘蛛の振舞】 「くものおこなひ」に同じ。「わがせこが来べき宵なりささがにの—かねてしるしも」〈古今一一一〇〉

くものみね【雲の峰】 真夏の白雲が峰のように立って見えるもの。入道雲。「日の昇る半天(なかぞら)涼し—。……—は六月の雲也」〈宣胤卿記永正四・六・一〇〉

くものみを【雲の澪】 雲が次次と流れてゆくさまを水路にたとえていう語。雲の道筋。「天の川—にて早ければ光とどめず月ぞ流るる」〈古今八八二〉

くもばなれ【雲離れ】〔枕詞〕 雲が遠く離れてゆくことから、「退(そ)き居り」「遠し」にかかる。「—退き居りとも」〈記歌謡五五〉。「—遠き国辺の」〈万三六九一〉 †kumobanare

くもび【蜘蛛火】 闇夜または黴雨の中で見える、女郎蜘蛛の出す微青色の小さい円光。「己が身を焼く—の光」〈近松・関八州五〉

くもま【雲間】 ①雲と雲とのあいだ。雲の切れ間。「妻ごもるやかみの山の—より渡らふ月の」〈万一三五〉 ②雨雲の切れた時。はれま。心のはれまなどの比喩にも使う。「さみだれの空、めづらしく晴れたる—に渡りたまふ」〈源氏花散里〉 †kumoma

くもまひ イ:マ 【蜘蛛舞】 綱渡りの軽業。「今日より—これ在り。…希代不思儀の軽態(かるわざ)ども目を驚かし了んぬ。さながら蜘蛛の振舞也」〈多聞院日記天文一九・三・三〉

くもみす【雲御簾】 歌舞伎舞台に用いる雲の形を描いた御簾。「今日の仕掛けを見する—」〈俳・大矢数二〉

くもみづ【雲水】 ①雲と水と。「ただ—を便りにて、至らぬ山の奥もなし」〈謡・山姥〉 ②行方の定まらぬたとえ。「—の身は定めなき習ひかな」〈謡・舟弁慶〉 ③塔の各層に彫刻した雲と水の模様。「五重の塔の—も」〈浄・弱法師五〉

くもめかぜめ【雲目風目】 遊里で、高級の遊女が買えない、吹けば飛ぶような貧しい者を見下げていう語。「—と言はれし身までも」〈西鶴・一代男六〉

くもらは・し クモラワシ 【曇らはし】『形シク』《クモラヒの形容詞形》 ①(天気が)曇っているように感じられる。「空のけしき—・しくをかしきに」〈更級〉 ②くすんでいる。「〔喪中デアルカラ〕空色の紙の—・しきに書い給へり」〈源氏澪標〉

くもら・ひ クモライ 【曇らひ】『四段』《曇りに反復・継続の接尾語ヒのついた形。→ひ》 一面にくもる。「天つみ空は—・ひにつつ」〈万三三三〉 †kumoraFi

くも・り【曇り】 [一]『四段』《クモ(雲)の動詞化》 ①雲がわきおこる。空をおおう。「即ち愛(い)り霧(き)ひて〔雷八〕天に登る」〈霊異記上三〉。「—・れる雲なくなりて暁月夜いと面白ければ」〈土佐一月十七日〉 ②(光や色が)鮮明でなくなる。ぼんやりとなる。「峰たかき春日の山に出づる日は—・る時なく照らすべらなり」〈古今三六四〉。「年を経て花の鏡となる水はちりかかるをや—・るといふらむ」〈古今四四〉 ③(人の様子などが)はえない感じがする。くすんで見える。「御かたちなどいと花やかに、ここぞ—・れると見ゆる所なく、隈(くま)なく匂ひきらきらしく」〈源氏初音〉 ④ぼうっとかすむ。「涙に—・る玉の箱(経箱)かな」〈源氏夕霧〉。「目も—・り、耳もうとく、歯も落ちて」〈孝養集上〉 ⑤心が晴ればれしない。「晴れ—・る人の心のうちまでも」〈続拾遺一三七九〉 [二]『名』《「—なし」の形で使われることが多い》 ①(光・色などが)鮮明を欠くこと。「月の—なく澄みまさりて」〈源氏初音〉 ②うしろ暗いこと。不明朗。「我は春日の—なき身ぞ」〈源氏須磨〉 ③不正なこと。「—なき世に逢ふがたのしさ」〈拾遺六〇六〉 **—かすみ**【曇霞】 少しの曇り。僅かな陰。「此の—も無い御座敷の内で」〈虎寛本狂言・居杭〉 **—よの**【曇り夜の】〔枕詞〕 物の有様がよくわからない意から、「たどき(様子)も知らず」「惑ふ」にかかる。「—たどきも知らぬ山越えて」〈万三一八六〉。「—迷(まと)へる間(ほと)に」〈万三三二四〉 †kumoriyonö

くもわた【雲腸】《白雲を重ねた形に似ているのでいう》 白くて細長い鱈(たら)のはらわた。煮て美味。「—やそれも紛(まが)へる雪の魚」〈俳・時勢粧一〉

くもわた【蜘蛛腸】《蜘蛛の形に似ているのでいう》 鱸(すずき)のはらわた。脂多く美味で、夏季食べる。「吸物鱸—」〈西鶴・文反古一〉

くもゐ【雲居】《ヰは坐っている所の意》 ①空。「時つ風—に吹くに」〈万三二〇一〉 ②はるかに遠い所。「—なる海山越えて」〈万三一九〇〉。「はしけやし間近き里を—にや恋ひつつをらむ月も経なくに」〈万六四〇〉 ③雲。「我家(わぎへ)の方よ—立ち来(く)も」〈記歌謡三二〉 ④宮中。「南殿の花を見て…。春ごとの花に心はそめ置きつ—の桜我を忘るな」〈玉葉一八七八〉。「—とは内裏の事なり」〈新古今注〉 †kumowi **—かく・り**【雲居隠り】『四段』 雲にかくれる。「春日山—・りて遠けども」〈万二四五四〉 **—ぢ**【雲居路】 「くもぢ」に同じ。「—のはるけき程の」〈後撰一二四二〉 **—なす**【雲居なす】〔枕詞〕 雲がただようようにゆれ動く意から、「心」にかかる。「—心もしのに、立つ霧の思ひすぐさず」〈万四〇〇三〉 **—のそら**【雲居の空】 ①雲の居る空。「はかなくて煙となりし人により—のむつましきかな」〈和泉式部集三〉 ②宮中。「君は三笠の山高み—にまじりつつ」〈増鏡一〉

くもん【公文】 ①律令時代、太政官をはじめ諸役所から出す公文書。「斎宮寮の—に始めて印を用う」〈続紀養老二・八・一三〉 ②特に、諸国の国司が中央に上進する大計帳・正税帳・朝集帳・調庸帳などの文書。四度公文(しどうくもん)。「諸国の官(おほやけ)に申す—、始めて駅に乗せて言上せしむ」〈続紀養老四・九・三〉 ③社寺・公家・本所・領家などから下す文書。「一、—、山王院地請文二通」〈園城寺文書延長三・四・二八〉 ④室町時代、将軍が臨済宗の寺の住持を任命するために出す文書。公帖(くじょう)。「若し其の請ひに赴く輩あらば、西堂単寮に於ては禅院の—を成し下さるべからず」〈花営三代記貞治七・二〉 ⑤公文を取り扱う役人。「郡—佐伯朝臣末利」〈芸藩通志一八、厳島神社文書仁安二・一・一七〉 ⑥荘官の一。本来、公文をつかさどる役。荘園の一般事務に関係することもある。「御庄—の職として本家御役を勤仕すべし」〈葛原家文書元永一・九〉 ⑦役僧の一。「行事・勾当・—、是れを所司と謂ふ」〈壒嚢鈔九〉 **—じょ**【公文所】 ①平安時代以降、国衙(こくが)にあって公文を処理する役所。「—勘へ申す観世音寺と兵馬所と相論の左郭赤坂浦田の由緒の事」〈内閣文庫所蔵文書長元九・五・一〇〉 ②摂関家・院庁・寺社などにあって、所領・年貢関係の文書を処理する所。文殿(ふどの)。「東大寺—」〈東大寺文書四、天永三・一二・一七〉 ③鎌倉幕府の政務機関。文書の処理、庶政をつかさどり、別当以下の職員がある。「―を新造さる」〈吾妻鏡元暦一・八・二四〉 ④鎌倉時代、執権北条氏の家務執行機関。「武州（北条泰時）の―に於て…其の沙汰あり」〈吾妻鏡寛喜三・一・二六〉

くやう【供養】 仏・法・僧の三宝や、死者の霊などに対して供物を捧げること。また、その供物。「始めて大膳職に盂蘭盆（うらぼん）―を備へしむ」〈続紀天平五・七・六〉。「―といふは、仏に花香仏供、御あかしなどをも参らせ、さらぬ宝をも参らせ候ふを―とは申し候ふなり」〈和語燈録五〉 **―ぼふ**【供養法】 供養のための行法。「〔琴ノ音ノスバラシサニ〕入道もえ堪へで―たゆみて」〈源氏明石〉。「火舎（ほや）にくろぼうをたかせ給へり。花水の具などあり。これは―の折の御座なるべし」〈栄花玉台〉

くやく【公役】 官から課せられる夫役・兵役など。「人尤も貧寒なり。―を差し科すること途に触れて忩劇なり」〈続紀天平神護二・五・二三〉。「京鎌倉の宮仕（きうじ）・―などもかひがひしく沙汰せられき」〈沙石集九ノ三〉〈文明本節用集〉

くやくや たえず物事を気にかけて悩むさま。くよくよ。「かやうの事―と御心に掛け候はば、いとど御濛濛と候はんずると思し召し候」〈実隆公記明応五・九・五紙背文書〉

くや・し【悔し】『形シク』《自分のしてしまった行為について、それをしなければよかったとくやむ気持をいう。類義語クチヲシは、当てがはずれて残念に思う意》 後悔せずにはいられない気持だ。残念だ。「我が心しぞいや愚（をこ）にして今ぞ―・しき」〈記歌謡四四〉。「〔早マッテ出家シテ〕―・しき事も多かめるに」〈源氏帚木〉 **―が・り**【悔しがり】『四段』 くやむ気持を表に出す。「『ねたき。言はざらましものを』と―・る内に」〈土佐二月七日〉 **―ばう**【悔し坊】 くやしがって、すぐ腹を立てる人。負け惜しみの強い人。くやしん坊。また、くやしいこと。「独り思へばあぁ―」〈俳・貞徳誹諧記上〉 **―・び**【悔しび】『上二』 残念に思う。悔いる。「言はむすべもなくせむすべ知らに、―・び賜ひわび賜ひおほましますと」〈続紀宣命五一〉 †kuyasibi **―・み**【悔しみ】『四段』「くやしび」に同じ。「身の毛いよ立つ程に恥ぢ―・めば、それに随って罪も消え失せずといふ事なし」〈孝養集中〉。「ただ自らの心を―・め」〈孝養集上〉

くやつ【此奴】 こいつ。こやつ。人を卑しめていう。「―、今また縛りかけよ」〈宇津保藤原君〉

くや・み【悔み】 ㊀『四段』 悔いる。後悔する。「かずかずに過ぎにし事は―・まねど思ひぞ出づる老のつれづれ」〈為忠集〉 ㊁『名』 後悔。「物に―があるぞ」〈周易抄〉 **―ぐさ**【悔み草・悔み種】 後悔する原因となる物事。「無きにはしかじ―をや」〈仮・悔草上〉

くゆらか・し【薫らかし】『四段』 くすぶらせる。煙をたたせる。「侍従（香ノ名）を―・して」〈源氏初音〉

くゆら・し【薫らし】『四段』 くすぶらせる。「彼の庵の下に火を―・し、煙を多からしめて」〈六百番陳状春下〉

くゆら・せ【薫らせ】『下二』「くゆらし」に同じ。「煙をいとおほく―・せて」〈大和六〇〉

くゆ・り【薫り・薫り】『四段』 物がくすぶってほのかな匂いが立つ。「空薫物（そらだきもの）いとけぶたう―・りて」〈源氏花宴〉 **―かか・り**【薫りかかり】『四段』 匂いがただよってものにかかる。「匂ひ満ちて、顔にも―・る心地するに」〈源氏帚木〉

くら【座】《クラ（鞍）と同根》 人や動物がのる台。また、物をのせておく設備。「高御座」「千座」「鳥（と）座」「みてくら」「矢座」など複合語に残っている。「皇孫すなはち天の磐―を離れ」〈紀神代下〉

くら【鞍】《クラ（座）と同根》 人や物を乗せるために牛馬の背におく道具。「馬に―置きて」〈万三三〇一〉 ▽朝鮮語kirma（鞍）と同源。

くら【蔵・倉】 ①穀物・財宝・家具などを収めておく建物。「荒城田の猪田の稲を―に挙げて」〈万三八四八〉 ②「土倉（どさう）」に同じ。「蒔絵の御手箱一合…拾貫文の御質に置かれ候。…山上の―の坊主へ参る」〈建内記嘉吉一・九・三〉 **―は長者の花** 蔵は金持の自慢の種である。「―と言へり」〈西鶴・桜陰比事二〉

くら【闇・暗】 ㊀『名』 ①《形容詞クラシの語幹》 くらいさま。「あな―や、まだ大殿油もまゐらざりけり」〈源氏東屋〉 ②だますこと。「てくだ」「てぐら」とも。「―、…人の目を暗ますと言ふ下略の詞なり」〈色道大鏡一〉 ㊁『接頭』 名詞に冠して、密淫売の意を表わす。「―宿」「―屋」など。「―小姓なり。是れは十六七の女を、月代（さかやき）剃り、小姓にして使ふ也」〈浮・好色通変歌占上〉

くらいり【蔵入】 ①物を蔵の中にしまうこと。また、その物。「明暦元年の四月に―して」〈西鶴・胸算用四〉 ②幕府・大名の直轄領。おくらいり。蔵入地。「弐百貫文の所を知行に下し置くべく候。其の外は―に仕るべきもの也」〈伊達家文書二、元和二・一〇・二七〉

ぐらう【愚老】 老人・僧などが自分をへりくだっていう語。「―も外祖と仰がるべき瑞相にてもや候ふらむ」〈平家一・二代后〉。「短慮管見の―、見及ばぬ事にて、いかに弁ふべしともおぼえ侍らず」〈春日若宮社歌合〉

くらうど【蔵人】《クラヒトの音便形》 ①天皇側近に仕え、宮廷の行事や太政官との連絡に当った令外の官。もと皇室の文書や道具類を納める倉を管理した役人。後に、天皇の御衣・御膳のことをはじめ、伝宣・進奏・除目・諸節会の儀式など、令制の少納言・侍従らの職務一切をつかさどるようになり、平安中期には宮中で最も大きな力を持っていた。蔵人は六位でも昇殿が許された。平安後期には院や摂関家・大臣家にも置かれた。「くらんど」とも。「播磨守の子の、―より今年かうぶり得たるなりけり」〈源氏若紫〉 ②「女（によ）蔵人」の略。「なべての命婦・―、宮の御方の女房…皆品品物賜はせたり」〈栄花様様悦〉 **―どころ**【蔵人所】 蔵人が執務した役所。嵯峨天皇の弘仁元年に初めて設置され、別当・頭（とう）以下の職員があった。大内裏校書殿の西廂（にしびさし）にあり、後には院や摂関家にも置かれた。「―・納殿（をさめどの）の唐物ども、多く奉らせ給へり」〈源氏若菜上〉 **―のごゐ**【蔵人の五位】 六位の蔵人が五位に昇って、殿上を退いたもの。「蔵人の大夫」とも。「―とて〔スデニ退職シテイルノニ〕、それをしもぞいそがしうつかへど」〈枕三三〉 ▽「五位の蔵人」はこれと別。 **―のさゑもんのじょう**【蔵人左衛門尉】 左衛門府の判官で蔵人に補せられたもの。「―を御使にて雉一枝奉らせ給ふ」〈源氏行幸〉 **―のせうしゃう**【蔵人少将】 近衛少将で蔵人に補せられたもの。「宮の御腹は―にていと若うをかしきを」〈源氏桐壺〉 **―のとう**【蔵人頭】 蔵人所の長官。別当の下の役。二人が原則で、一人は弁官の中から補せられ、一人は近衛府から選ばれ、それぞれ「頭の弁」「頭の中将」という。「覚え高くやんごとなき殿上人、―、五位の蔵人、近衛の中少将、弁官など」〈源氏行幸〉 **―のひゃうゑのすけ**【蔵人兵衛佐】 兵衛府の次官で蔵人に補せられたもの。「御子の君だち、右大弁・侍従の宰相・権中将・頭少将・―など皆さぶらひ給ふ」〈源氏椎本〉 **―のべん**【蔵人弁】 弁官で蔵人に補せられたもの。「御使は―なりけり」〈源氏松風〉

くらおきうま【鞍置馬】 鞍を置いた馬。「―三十四、裸馬

三十四」〈平家一〇・三日平氏〉

くらかけ【鞍掛・鞍懸】①はずした鞍をかけて置く四足の台。「移しの鞍二十具、―にかけたりけり」〈宇治拾遺七ノ一〉②四足の踏台。高さ四、五尺のものは大工・左官などが用い、また、奈良の薪能には見物席に使われた。「―にて見物申し候」〈禅鳳雑談〉③乗馬の練習をする木馬。「―はもと鞍をやすむる具なり。猶、たくましう作り立てて、障泥(あふり)をかけ手綱を付けて、鐙(あぶみ)の降り乗り、鞍の当てやうをも習はせり。これ世に所謂―の馬なり」〈俳・宝蔵五〉

くらかさ【鞍笠】「くらつぼ」に同じ。「鐙(あぶみ)ふんばり―に突っ立ち上がり」〈謡・八島〉

くらかた【倉方】室町時代、幕府などの倉庫を管理し、金穀・器財の出納をつかさどった者。「―の輩…此の衆は公方(くばう)の御倉勤仕の輩也」〈御産所日記〉

くらがへ【鞍替】芸娼妓が他の芸者屋・女郎屋に住み替えること。「あんまり色も仕過せば、―の種ぞかし」〈滑・水月ものはなし中〉

くらが・り【暗がり】㊀『四段』暗くなる。「月の顔にむら雲のかかりて、少し―・りゆきければ」〈大鏡花山〉㊁『名』暗い所。「霊(りやう)や顕(はあら)れいづる―」〈俳・正章千句下〉。〈日葡〉 **―から牛を引き出(だ)・す** 動作がにぶくて愚鈍なさまのたとえ。また、おとなしくて人目につかぬたとえ。「くらがりの牛」「くらがりにつなげる牛」とも。「まことに、―・すごとくに、楽寝を起せど、目を覚まさず」〈西鶴・置土産五〉 **―に鬼を繋(つな)・ぐ** 奥底が知れず気味の悪いさまのたとえ。「くらがりの鬼」とも。「内証の強き事、―・ぐが如く」〈西鶴・永代蔵四〉 **―の犬の糞(そく)** 人の気がつかない失敗は知らぬふりをするたとえ。「買置きの商人(あきんど)損を包み、是れ皆―なるべし」〈西鶴・五人女三〉

くらきみち【暗き道】①《「冥途」の訓読語》死者の迷っていく暗い道。「かの―のとぶらひ」〈源氏御法〉②煩悩に迷う状態。無明(むみやう)の世界。「山を出でて―にぞたどり来(こ)し今ひとたびの逢ふ事により」〈和泉式部日記〉

くらく【来らく】《来(き)のク語法》来ること。「夜のほどろ出でつつ―」〈万七五五〉

くらくら ①目まいのするさま。「もろもろの草木どもが茂り合ひて、蒼蒼として、その色煙雲の景気の如くして、―としたとぞ」〈三体詩抄三ノ一〉②湯が煮えたぎるさま。「湯を―とかへらかいて」〈史記抄一八〉③嫉妬などで心の燃えるようなさま。「宵から―燃え返るを、姑が婿の悋気(りんき)と、浮名がいやさに」〈近松・鑓権三上〉

くらぐら【暗暗】暗くて見えない状態。また、その頃。「〔夕暮ノ〕―にぞ家に行き着きたる」〈今昔二六ノ一七〉

くらげ【水母・海月】海にすむ腔腸動物。傘を開閉して、波の上をただよう。「国稚(わか)く浮きし脂のごとくして、―なす(ノヨウニ)ただよへる時に」〈記神代〉。「海月、一名水母、久良介(くらげ)、貌似レ月在二海中一故以名レ之」〈和名抄〉 †kurage **―のほね**【海月の骨】クラゲには硬い骨がないので、世にないもののたとえ。「世にし経ば―は見もしてむ網代の氷魚は寄る方もなし」〈元真集〉。「みづはさす八十路(やそぢ)あまりの老の波―に逢ふぞうれしき」〈今昔一一ノ三三〉 **―をけ**【海月桶】食用クラゲを、櫟の葉の細片と共に塩水で漬けておく曲物(まげもの)の桶。「底抜けて月も宿らじ―」〈俳・続境海草三〉

くらけく【暗けく】《暗シのク語法》暗い時。「秋の田の穂田を雁が音―に夜のほどろにも鳴き渡るかも」〈万一五三九〉 †kurakeku

くらごと【暗事】秘密の色恋沙汰。男女の密会。「―の相図をしたる夜の月」〈俳・大矢数三〉

くらさく【暮さく】《暮シのク語法》暮すこと。「相思はぬ妹をやもとな菅の根の長き春日を思ひ―」〈万一九三六〉

くら・し ❶【暮し】『四段』《クラ(暗)・クレ(暮)と同根。「明かし」の対》①日暮れになるまでの時をすごす。「昼はも嘆かひ―・し夜はも息づき明かし」〈万八九七〉②時節の終りになるまでの時をすごす。「旅の空にや春を―・さむ」〈拾遺五六〉③世をすごす。生活する。「無事に―・す汝達が」〈バレト写本〉 ❷【暗し】①暗くする。見えにくくする。「かきくもり日影も見えぬ奥山に心を―・す頃にもあるかな」〈源氏総角〉。「干しもあへぬ心の闇に―・されて月ともいはず惑ひぬるかな」〈新古今八〇八〉②(目を)くらます。(正邪を)わからなくする。「宝に目を―・して、理を非に枉(ま)ぐる事」〈伊曾保物語下〉

くら・し【暗し】『形ク』《クラシ(暮)と同根。「明(あか)し」の対》①光がない。「諸の方、闇蔽(らく)くして日も光り無し」〈金光明最勝王経平安初期点〉。「大空―・うなり雲乱れて、大風吹き大雨くだる」〈三宝絵中〉②《仏教でいう無明(むみやう)の状態をさす》悟りを得ていない。「―・きより―・き道にぞ入りぬべきはるかに照らせ山のはの月」〈拾遺一三四三〉③精通していない。不案内である。「徒に義に晦(らく)くして」〈玄奘法師表啓平安初期点〉。「諸道を兼学して諸事に―・からず」〈平治上・信頼信西不快〉④物を知らない。愚である。「―・き人の人をはかりて、その智を知れりと思はん、更に当るべからず」〈徒然一九三〉⑤不足だ。不満足だ。「大国にて、七珍万宝―・からずと申せども」〈近松・国性爺一〉

くらしき【蔵敷】倉庫保管料。「―九百二十文来たり了んぬ」〈多聞院日記永祿二・三・六〉

くらたに【くら谷】ふかい谷。「鶯の鳴く―に〔身ヲ〕うちはめて」〈万三九四一〉 ▽クラは朝鮮語 kol(洞)・満州語 hor(谷)と同源。タニ(谷)は高句麗語 tan(谷)と同源。

くらづかさ【内蔵寮】令制で、中務省に属し、宮中の金銀・宝器などを納める倉庫ならびに饗饌のことをつかさどる役所。「くらのれう」「くらのつかさ」とも。「所所の饗なども―・穀倉院よりつかうまつらせ給へり」〈源氏若菜上〉

くらつぼ【鞍壺】鞍の中央部の人が坐る所。鞍笠。居木(ゐぎ)。「―によく乗り定まって鐙(あぶみ)を強う踏め」〈平家四・橋合戦〉

くらづめ【鞍爪】鞍の前輪(まへわ)・後輪(しづわ)の下端。「馬の足立ち、―ひたる程にならば」〈平家一一・勝浦〉

くらのれう【内蔵寮】⇒くらづかさ。〈文明本節用集〉

くらは・せ【食らはせ】『下二』強くなぐる。「『思案聞かねば放さぬ』『―・するが放さぬか』」〈近松・淀鯉上〉

くら・ひ【食らひ】『四段』《飲食する動作を卑しめていう語》①飲み食いする。「善女天…薬を餌(らく)ふ方法を問ひて、既に善く了知しぬ」〈金光明最勝王経平安初期点〉②(がぶがぶと)飲む。「楫取り物のあはれも知らで、おのれし酒を―・ひつれば」〈土佐十二月二十七日〉。「酒かなんぞ―・うてゐたか」〈虎明本狂言・止動方角〉③かぶりつく。「猫またといふものありて、人を―・ふなると」〈徒然八九〉。「いで―・はう、―・はう」〈虎明本狂言・眉目よし〉④生活する。暮しを立てる。「茶屋をして―・ふ奴が、ぬるい熱いを知らぬか」〈狂言記・禰宜山伏〉⑤受ける。こうむる。「息杖の棟打を―・ふか」〈近松・淀鯉上〉 **―だふれ**【食ひ倒れ】《宝永頃から「くらひどれ」とも》①大酒呑み。「内の―が、言ひ事をしたによって、〔実家ニ〕戻りました」〈狂言記・聟聟〉②何もしないで遊び暮して身代をつぶす者。「三民(農工商)の類の所業をなさで、いたづらに朝夕を食ひ、身上倒れたるを―と云ふ」〈志不可起四〉　**―つ・め**【食らひ詰め】㊀〘下二〙戦場で、敵にじりじりと詰め寄せる。「中東へ退き申す所に、小屋と申す処にて伯耆返し合はせ、手重く―・め申すにつき」〈寿斎記〉㊁〘名〙《クラヒヅメと濁音》にっちもさっちもいかないさま。「江戸大火事に、日本国中より万づ運び、木切り竹切り、万事すたり申し候に付き、―になり」〈榎本氏覚書〉→くらゐづめ

くらびつ【鞍櫃】鞍を納める櫃。「もとより傍に大きなる―の様なる物のありけるが」〈今昔二七ノ一四〉

くらひと【蔵人】⇒くらうど。「大蔵卿―仕うまつる。いときよらなる御ぐしを削ぐほど心ぐるしげなるを」〈源氏（池田本）桐壺〉　**―べ**【蔵部】内蔵寮(くらづかさ)の下級職員。官物の出納をつかさどる。大蔵省にもあった。「始めて蔵職(くらのつかさ)を建つ。因りて―を定む」〈紀履中六年〉

くらびらき【蔵開・庫開】新年に、吉日を選んで蔵を開き祝う行事。近世、商家では、正月十一日、帳綴(ちやうとぢ)・棚卸(たなおろし)と併せて行なうことが多かった。「―沙汰し了んぬ。珍重珍重」〈多聞院日記永正三・一・一〉

くら・べ【競べ】《クリ（繰）アヘ（合）の約。繰り合わせて、物を比較すること。転じて、相手の気持と自分の気持とを繰り合わせる意、つまり、相手の機嫌をとる意》㊀〘下二〙①（二つ以上のものを並べて）優劣や差異を見る。「大乗の妙典は蕩蕩にして込(らく)べがたし」〈東大寺諷誦文稿〉。「―・べ来し振り分け髪も肩過ぎぬ」〈伊勢二三〉②機嫌をとる。「をんなのいと―・べがたく侍りけるを、あひ離れにけるが、こと人に迎へられぬと聞きて」〈後撰一三二六詞書〉③親しくつき合う。「年ごろよく―・べつる人人なむ別れがたく思ひて」〈土佐十二月二十一日〉㊁〘名〙優劣を定めること。「心―（根気クラベ）に負けむこそ人わるけれ」〈源氏明石〉。「今日は東山にてお茶―のお遊びがある」〈天理本狂言六義・止動方角〉　**―うま**【競べ馬】競馬。古来、五月五日の上賀茂神社の神事として有名。「きほひうま」とも。「胸つぶるるもの。―見る」〈枕一五〇〉。「五月五日、賀茂の―を見侍りしに」〈徒然四一〉　**―ぐる・し**【競べ苦し】〘形シク〙①優劣をつけにくい。「〔女ハ〕とりどりに―・しかるべき」〈源氏帚木〉②つき合いにくい。機嫌をとりにくい。「〔大后ハ〕老いもておはするままに、さがなさもまさりて、院も―・しうたとへがたくぞ思ひ聞え給ひける」〈源氏少女〉

くらべや【くら部屋】《クラは、暗の意とも倉の意ともいう》宮中の局(つぼね)の名。「―の女御と聞えし」〈大鏡道兼〉

くらぼね【鞍橋・鞍瓦】鞍の骨組。前輪(まへわ)・鞍壺・後輪(しづわ)の総称。古くは多く木で作り、金属製のものもあった。この上に皮などを敷いて、その上に乗る。「後より大磐宿禰(おひはのすくね)の鞍几(くらぼね)の後橋(しりつくらぼね)を射る」〈紀雄略九年〉。「鞍橋、久良保禰(くらぼね)、一云鞍瓦」〈和名抄〉

くらほふし【蔵法師・倉法師】《もと僧体だったのでいう》室町時代、土倉(どさう)の経営者。また、幕府・大名などの官倉の出納役の称。近世、江戸で私人の貸蔵の管理・出納をつかさどった者。「土一揆払ひに京中―南口罷り向ひ候」〈山科家礼記長禄一・一〇・二六〉

くらまい【蔵米】①蔵に貯蔵した米。「寺林彌五郎―御入り候間」〈多聞院日記慶長四・一〇・六〉②近世、幕府・諸大名の蔵に納められた、蔵入地（直轄領）の年貢米。その多くは大阪の蔵屋敷に送って換金した。「当年御―過分に御座候。上方へ御上せ候ても、値しかとこれ無く候間、秋田にて御払ひ候へば御徳の由」〈梅津政景日記元和三・二・二九〉③特に、江戸浅草の幕府の蔵に納められた米。旗本・御家人の給与にあてた。「只今迄御―にて下し来られ候分、向後は地方御直し下され候旨」〈令条秘録元禄一〇・七〉

くらまか・し【暗まかし】〘四段〙暗くする。「大地に響くいかづちは肝魂を―・す」〈謡・善界〉。「晦、クラマカス」〈運歩色葉集〉

くらまぎれ【暗紛れ】暗さにまぎれること。「―に手探りにとりてもちて来るを見て」〈著聞六四〉

くらま・し【暗まし・晦まし】〘四段〙①暗くする。まっ暗にして見えなくする。「人馬走り騒ぐ音、軍兵のあわて迷ふ声、天を―・し地を動かすが如くなり」〈保元中・白河殿攻め落す〉。「晦、クラシ・クラマス・カクス」〈名義抄〉②相手の思考力や判断力をまどわし、くもらせる。ごまかしだます。「互ひに隙(ひま)をはかりて魂を―・して」〈今昔二九ノ三六〉。「時の人を欺(あざむ)き―・して」〈尚書抄二〉

くらまち【倉町・蔵町】米などの倉の並んだ一郭。内蔵寮(くらづかさ)管轄のものは京都堀川の西、近衛の南にあり、御倉町ともいった。「秋の田の実を刈りをさめ、残りの齢積むべき稲の―どもなど、折折、所につけたる見所ありてし集めたり」〈源氏明石〉

くら・み【暗み】㊀〘四段〙①暗くなる。見えなくなる。「まことに御目の―・ませ給ひけるにこそと」〈保元中・新院左大臣殿〉②暗くする。見えなくする。「その郎等を召すに、跡を―・みて失せぬ」〈十訓抄四ノ三〉③思慮・分別などを失う。判断力がなくなる。「哀戚(あいせき)の情勝(か)って、良知の―・みぬるは不孝也」〈孝経見聞抄下〉㊁〘名〙暗いこと。「その―の紛れに、上座に居らるる美人の袖を引いたぞ」〈春鑑鈔〉

くらめ【暗め】暗い時。日暮れ時。「難波津は―にのみぞ舟は着く」〈拾遺四〇六〉。「暮るる程に磨針山をよぢのぼりて、―にぞ番場の宿には着きぬる」〈春のみやまぢ〉

くらもと【倉本・蔵元】①中世、荘園に設けられた倉庫の管理者。年貢米その他の運用、金融などに携わった。「当庄百姓角大夫、寺家―」〈東寺百合文書は、建武一〉②近世、蔵屋敷で販売する米・商品の出納をつかさどる者。当初、藩吏が携わったが、寛文頃から町人が一般となり、藩主から扶持米を受け、また米・商品の販売口銭を得た。掛屋を兼ねる者が多かった。「西国方諸大名―の侍共…西国方諸国小名―仕(つかまつ)る町人共」〈大坂町触慶安一・六・五〉

くらもの【暗物・闇者】①にせもの。「西国の船頭でござるが、播磨灘で船を割りましたと〔乞食スルノハ〕、大方は―也」〈人倫訓蒙図彙七〉②淫売婦。暗物女。「―と契る所が大笑ひ」〈俳・大矢数三〉

くらや【暗屋】淫売宿。暗物宿。「―の竈(かまど)賑はひにけり」〈浮・色茶屋頻卑顔〉

くらやしき【蔵屋敷】倉庫。特に、幕府・大名・旗本などが年貢米その他の産物を売りさばくために、大阪・江戸などに設けた倉庫兼取引所。蔵役人・蔵元・掛屋・用聞きなどの役員があった。「奉行屋敷・御―…目聞きのため参り候」〈梅津政景日記慶長一九・七・一六〉。「難波津の浦を囲ひて―」〈俳・独吟一日千句〉

くらやど【暗宿】淫売宿。また、つれこみ宿。「聞けば洛中の―なり」〈西鶴・一代男三〉

くらやど【蔵宿】江戸の札差(ふださし)。また、大阪の年貢米納入・売払いの引受け業者。「―へ来て長髪の割り口説き」〈雑俳・万句合宝暦一三〉。「大坂―町人米屋彌一右衛門」〈松平大和守日記寛文七・七・一六〉

くららか【暗らか】暗いさま。「大殿油―にしなして」〈讃岐

典侍日記〉

くらゐ【位】《座(くら)居の意。高くしつらえた席に坐ること。また、その坐る場所》①高い座席。多く天皇の地位をいう。「年長く、日多く、この—に坐(ま)せば」〈続紀宣命三〉②《その座席について執務する意から》官職の地位。「〔死後ニ〕太政大臣の—に上げ賜ひ」〈続紀宣命五三〉。「身のやまひ重きにより、おほやけにも仕うまつらず、—をも返し奉りて侍るに」〈源氏須磨〉③宮中の席次をきめる称号。「おほきみつの—(正三位)」〈古今序〉④物の等級・優劣。「—に負けたらば、其の方は売子になるか」〈狂言記・酢薑〉⑤品格。「大きに—の上がれる能あるべし」〈風姿花伝〉⑥〔連俳用語〕句の品位。また、連句の付け方で、前句の人物・事物の品位をよく見定め、それに応じた付句をすること。「皆巧みにして—低し」〈宗祇発句判詞〉⑦《副助詞的に用いる。グラヰと濁音にも》体言または活用語の連体形などをうけて、大体の程度や限度を表わす語。ほど。ばかり。「〔鬼ドモハ〕さまざまにおどろきたれども、這ひあるく—なりければ、ここかしこにて打ち殺し刺し殺したり」〈伽・伊吹山絵詞〉。「かしらを結へば、十—も二十—も美しう見ゆると申すが」〈虎清本狂言・鏡男〉。「医者の医学をばせずして、太平記—を読みなどして、物知りと人に思はれて」〈沢庵書簡寛永一四・一・二八〉 **—だふれ**(オダレ)【位倒れ】位ばかり高くて、実質が相応しないこと。「御所柿のならぬは—かな」〈俳・夢見草三〉 **—づけ**【位付】物事に等級を付けること。また、それを書き並べたもの。「近年役者の—高過ぎたりといへども」〈滑・客者評判記下〉 **—づめ**【位詰め】①敵を制圧する陣立てをして、徐徐に詰め寄せること。「脇より—に、蒸し備へを立て掛けらるる」〈籾井家日記五〉②窮極まで押し詰められた状態。「螢火の—なる朝日かな」〈俳・鷹筑波一〉。「—に成り、何とも活(い)きらるべきやう無かりければ」〈驢鞍橋下〉 →くらひつめ。 **—ぬけ**【位抜け】高位にある人をののしっていう語。「清盛、法皇をはったと睨み…『やあ—殿、法皇殿』」〈近松・女護島四〉 **—ぬすびと**【位盗人】才徳に不相応な高位・高官にいる人をののしっていう語。「文盲不学の—」〈近松・天神記一〉 **—のやま**【位の山】①《人人が仰ぎ見るのでいう》皇位。「すべらぎの—の小松原」〈続古今一九一七〉②《一つ一つのぼっていくことから》位階。「人のかうぶりしはべりけるに。濃紫(四位以上ノ人ノ袍ノ色)たれ引く雲をしるべにて—の峰をたづねむ」〈拾遺一一七〇〉 **—を付・く** 格を高くする。威厳をそえる。「中にも形の見よきに衣類の美しげなるを着せて、銀壱両と、少し—・け置きぬ」〈西鶴・一代女六〉 **—を取・る** ①敵を制圧すべき地位・陣形を整える。「—・って脇へ詰められ候へ」〈籾井家日記五〉②圧倒する。「〔京ノ遊女ハ〕底心強く、自然と—・られ」〈西鶴・諸艶大鑑一〉③気位たかく構える。えらそうな態度を取る。「少し—・る男」〈西鶴・一代女五〉

くらんど【蔵人】「くらうど」の音便形。〈伊京集〉

くり【栗】ブナ科の落葉喬木の一。古くは「くる」といった。「瓜はめば子ども思ほゆ—はめばまして偲(しぬ)はゆ」〈万八〇二〉

くり【涅】水中の黒い土。染料とする。「金の—に黒まず、蓮の水に染まぬ如くなり」〈沙石集二ノ四〉。「涅、唐韻云、水中黒土也…久利(くり)」〈和名抄〉

くり【庫裡・庫裏】寺院、特に禅宗の七堂伽藍(がらん)の一。台所。後に、住職などの寝起きする建物の称。「—のかたはらに、法師二人稚児三人居たり」〈義経記五〉

く・り【刳り】《四段》えぐる。「鎧の引合より、大刀を左右へ指しちがへて、うつほに—・りなしてければ、三位弱り給たりける」〈延慶本平家九・越前三位〉。「〔琵琶ノ〕かろくて硬く鳴るは、うちを—・り過ごしたる也」〈胡琴教録下〉

く・り【繰り・絡り】㊀《四段》①糸など細長いものを手もとに引いて寄せる。たぐる。「ぬなは—・り、延(は)へけく知らに」〈記歌謡四四〉。「女郎花生ふる沢辺のまくず原何時かも—・りてわが衣に着む」〈万一三四六〉。「纏・絡、クル」〈名義抄〉②順次にひき出す。「念仏往生の頼もしき様など、時時は—・り見るべきなり」〈一言芳談〉③綿繰車に掛けて、綿花の種子を取ってすてる。「木綿を—・り習ひ」〈西鶴・諸艶大鑑一〉㊁《名》①謡曲で、サシ・クセに先行する部分。「では・—・さし・曲舞・あげは・きり、これを六折と号して」〈舞正語磨上〉②推察。かんぐり。「〔妻ノ花子ハ〕—の深いやつぢゃほどに」〈虎明本狂言・花子〉

くりあゆみ【繰歩み】腰をすえて上体を動かさずに、静かに足を踏み出して歩むこと。「繰出し歩み」「繰出しの浮け歩み」とも。「座敷へ—」〈近松・博多小女郎上〉

くりいし【くり石】小石。「—とは、小さき石の名なり」〈言塵集四〉

くりいだ・し【絡り出だし】《四段》糸をたぐっては出すように、次から次からものを出す。「物を—・すように言ひ続くる程ぞ」〈大鏡時平〉

くりうば【庫裏姥】寺院の台所で働く老婆。くりばば。「七十に余りし—一人」〈西鶴・五人女四〉

くりか・け【繰り懸け】《下二》①たぐって引っかける。「見渡せば佐保の河原に—・けて風によらるる青柳の糸」〈新拾遺一九一八〉②繰り返して仕掛ける。「陀羅尼真言—・け—・け読み懸けて」〈浄・津戸三郎三〉

くりかた【刳形】えぐってあけた穴。「箱の—に緒を付くる事」〈徒然九五〉

くりかた【栗形】刀の下げ緒を通すため、鞘(さや)の差表(さしおもて)の鯉口近くにつけた、栗の実状の半円形。「鞘巻の—欠けて、鞘ながら抜きたりけり」〈盛衰記二〇〉

くりかへ・し(…カエシ)【繰り返し・絡り返し】㊀《四段》糸を幾度もたぐる。転じて、同じものごとが途中で切れず何度も行なわれる。「河内女の手染めの糸を—・し片糸にあれど絶えむと思へや」〈万一三一六〉。「夏びきの手びきの糸を—・しことしげくとも絶えむと思ふな」〈古今七〇三〉㊁《副》何度も。たびたび。「何か斯う—聞え知らする心の程を」〈源氏若紫〉 †kurikaFesi

くりから【倶利迦羅】《梵語の音訳》「倶利迦羅不動明王」に同じ。「一、矜伽羅(こんがら)、二、制多伽(せいたか)、三に—」〈謡・野守〉。「天井より—下り懸かりて鋒を口に含みければ」〈太平記三・直冬上洛〉 **—ふどうみゃうわう**(…ミョウオウ)【倶利迦羅不動明王】不動明王の変化身。剣身に火焔に覆われた黒龍が巻き付いて、剣を呑もうとする形像。倶利迦羅明王。倶利迦羅龍王。倶利迦羅。「本地は—なり」〈盛衰記四〉

くりき【功力】〔仏〕功徳(くどく)の力。利益(りやく)。「すみやかにこの—を以て」〈保元下・新院御経沈め〉

くりげ【栗毛】馬の毛色の名。赤茶色。「—の馬に鞍置きて、やがて家の内にて乗せて追ひ出してけり」〈今昔二九ノ一三〉

くりこ【栗粉】栗の実をひいた粉。むして餅に作った。栗の粉。「—の餅」〈多聞院日記天文八・九・九〉

くりこと【繰言】同じ事をくどくどと繰り返し言うこと。「しほたると言ふにて誰も知りぬべしなど、聞きにくく—をする」〈久安五年右衛門督家成家歌合〉

くりだしあゆみ【繰出し歩み】「くりあゆみ」に同じ。「—の

本道中」〈西鶴・浮世栄花一〉

くりたた・ね【繰り畳ね】『下二』《タタネはタタナヅキ・タタナハリのタタナと同根》たぐりよせて、たたむ。「君が行く道の長手(ながて)を―・ね焼き亡ぼさむ天の火もがも」〈万三七二四〉

くりど【繰戸】一筋の溝によって、戸袋から順次に繰出し繰入れするようにした戸。「長押(なげし)―に玉の階(きざはし)」〈俳・桜千句〉

くりのもと【栗の本】鎌倉時代、機知・滑稽を主とする狂歌・連歌の称。「無心(むしん)」とも。「後鳥羽院の御時、柿の本・―とて置かる。柿の本は世の常の歌、これを有心(うしん)と名づく。―は狂歌、これを無心といふ」〈井蛙抄六〉

―のしゅう【栗の本の衆】鎌倉時代、無心連歌を詠む作者たち。「よき連歌をば柿の本の衆と名づけられ、わろきをば―とて」〈筑波問答〉

ぐりはま《「はまぐり」の倒語》言葉の順序が逆になって意味をなさないたとえから、物事の食い違うこと。「ぐれはま」とも。「俗にて居らしむは、我等がなりと、―はまぐりさうよ」〈四河入海四ノ三〉。「諸道みな道すたれて、僧法師の欲の深き、侍の臆病さ、同じ―なり」〈仮・可笑記評判八〉

くりびき【繰引き】軍勢を徐徐に引きあげること。「敵陣段段―に退散す」〈清正記三〉

くりびん【繰鬢】月代(さかやき)を繰り下げて剃った、主に奴(やっこ)の髪風。「―に上髭(うはひげ)厚く」〈浮・好色産毛四〉

くりむし【栗虫】栗に巣くう虫は形丸く色が白いので、少年や幼児の美貌にたとえていう。「実の入りて―のやうな二子(ふたご)かな」〈俳・崑山集二〉

くりめいげつ【栗名月】九月十三夜の月。栗・豆を月に供えるのでいう。豆名月。「月蝕(ぐわっしょく)に。食するや―の虫喰らひ」〈俳・犬子集五〉

くりや【厨】飲食物を調理する所。台所。「厨、久利夜(くりや)、庖屋也」〈和名抄〉 **―め**【厨女】厨で働く女。台所仕事をする女。「久理夜女(くりやめ)」〈正倉院文書二、天平三・閏三・七〉。「―のきよげなるが」〈枕六〇〉

くりゃ・り『四段』《呉レヤリの転》①下さる。「そなたのお戻りゃるを待ちかねたほどに、いとまを―・れ」〈虎明本狂言・箕被〉 ②《動詞の連用形に「て」のついた形に続いて》…して下さる。「堪忍をして、戻ってお―・れ」〈虎明本狂言・鈍太郎〉

くりわた【繰綿】綿の実を綿繰車に掛けて核を取り去ったままで精製していない綿。「―に似たる雪降る朝ぼらけ」〈俳・続山の井三〉

くりん【九輪】〔仏〕塔の覆鉢(ふくばち)の上の請花(うけばな)と水煙との間にある九つの輪。また、露盤から最上部の宝珠にいたる相輪全体をさすこともある。「聖徳太子の〔四天王寺ノ〕―は光も変らで」〈梁塵秘抄四二一〉

くりん【苦輪】〔仏〕この世は苦しみにみちていること。無常輪・不常輪とあわせて三輪という。「重盛が運命をつづめて、来世の―を助け給へ」〈平家三・医師問答〉

くる【枢】「くるる」に同じ。「むらたまの―に釘刺し固めとし妹が心は揺(あよ)くなめかも」〈万四三九〇防人〉

くる【栗】「くり」の古形。「栗栖野(くるすの)」「栗本(くるもと)」など、複合語に見られる。「指進(さしずみ)の―栖の小野の萩の花」〈万九七〇〉

くるくる ①物の回転するさま。「独楽(こまつぶり)の如く―と転(くるべき)て」〈今昔一九ノ二〉。「〔経文ノ紐ヲ〕ただ―と巻きて」〈徒然二〇八〉 ②物事のすらすらと運ぶさま。たどたどしくない様子。「法師はことわり、男も女も〔経文ヲ〕―とやすらかに読みたるこそ」〈枕一五八〉

ぐるぐる ①物の回転するさま。「行きては跡へと、小栗栖の里に―行き迷ひ」〈近松・本朝三国志三〉 ②幾重にも巻きつくさま。「御宝物や―の帯」〈俳・大矢数四〉 **―しまだ**【ぐるぐる島田】ぐるぐると無造作に巻きつけた島田髷(まげ)。「今は翡翠(ひすい)の―」〈近松・大職冠三〉 **―わげ**【ぐるぐる髷】ぐるぐると無造作に巻き付けたまげ。「風にもまれ―か柳髪」〈俳・宝蔵五〉

くる・し【苦し】『形シク』《痛みの耐え難さに心身の安定を失うのが原義。クルヒ(狂)と同根か》①心も狂いそうに感じられる。「わが背子に恋ふれば―・し」〈万九六四〉。「嘆くそら安けなくに、思ふそら―・しきものを」〈万三九六九〉 ②体の痛みなどが耐え難い。「草枕旅は―・しと告げやらまくも」〈万四四〇六〉 ③(見ていてこちらが)つらい。困る。「あまりに心深く、見る人も―・しき御有様を」〈源氏夕顔〉。「いつき娘ななり、心高さ―・しやとて、笑ふ」〈源氏若紫〉 ④さしさわりがある。「遊び者のならひ何か―・しかるべき。推参して見む」〈平家一・祇王〉 ⑤《動詞の連用形を承けて》…するのが苦痛である。…するのが困難である。「見―・し」「くらべ―・し」など。「とかく言ひかかづらひいでむもわづらはしう聞き―・しかるべう、よろづに思す」〈源氏夕霧〉 ▽類義語ガタシは、欲しても出来ない意。 **―・び**【苦しび】㊀『上二』《情意を表わす形容詞の語幹にビがつく場合、奈良時代には上二段活用が通例。平安時代になると四段に活用した例も見える》苦しむ。「貿易(か)ひて馬一匹を得つ。但し―・ぶらくは、相引くに人無きことを」〈三蔵法師伝一・院政期点〉。「此の経王を聴かむが為には直に過ぎて辞(かは)り―・ぶこと無かれ」〈金光明最勝王経平安初期点〉。「骨砕け筋傷(やぶ)れて苦(くるしば)ざるにはあらず」〈白氏文集三・天永点〉 ㊁『名』苦しみ。苦痛。「のちの屍(かばね)をも納め、地獄の―をも救ひ申さむ」〈宇津保吹上下〉 **―・み**【苦しみ】㊀『四段』苦痛に思う。「―・む時は休めつ」〈方丈記〉 ㊁『名』①苦痛。「からき目を見る折折も多く侍れど、さらに―と思ひ侍らず」〈源氏明石〉。「かの―思ひやるべし」〈孝養集上〉 ②さしさわり。支障。「そのしづむる所は板を接(は)ぎたるも―なし」〈作庭記〉。「枝さしよからむ木は何にても―あるべからず」〈蹴鞠簡要抄〉 **苦しみの海** 「苦海(くかい)」の訓読語。「世世生涯、―に浮き沈みて」〈謡・春栄〉 **―・め**【苦しめ】『下二』苦痛を感じさせる。「学問などに身を―・めむ事は、いと遠くなむ覚ゆべかめる」〈源氏少女〉

クルス 十字架。「―にかかり給ふ御姿を」〈こんてむつすむん地一〉 ▽ポルトガル cruz

くるすばら【栗栖原】《クルはクリの古形》栗の木の生えている原。「引田の若―」〈記歌謡九三〉

くる・ひ(クルイ)【狂ひ】㊀『四段』《クルシ(苦)と同根か》①心の安定を失う。正常心を失う。「相見ては幾日も経ぬをここだくも―・ひに―・ひ思ほゆるかも」〈万七五一〉。「佐々木殿、物の着いて―・ひ給ふか」〈平家一〇・藤戸〉 ②神がのりうつる。「大徳の親王の霊、卜者(かみなぎ)に託(くる)ひて言はく」〈霊異記下三九〉 ③憑(つ)かれたように激しくあばれまわる。「偏へに死なむとぞ―・ひける」〈平家四・橋合戦〉 ④憑かれたように、激しく我を忘れて遊ぶ。「乱れ遊ばん時、おとなしき人の勇みほこれはとて、共に―・はん事はよくよく心得べし」〈極楽寺殿御消息〉。「わらんべの縁にて―・ふ薬師堂」〈俳・犬筑波〉 ㊁『名』①常軌を逸していること。「冷泉院の―よりは、花山院の―は、ずちなきものなれ」〈大鏡伊尹〉 ②物狂いのように、激しく動き舞うこと。「これ体なる修羅の―、ややもすれば鬼の振舞になる也」〈風姿花伝〉

† kuruFi

くるべか・し【転べかし】『四段』くるくるまわす。くるめかす。「と引きかく引き―・す」〈今昔二八ノ六〉

くるべ・き【転べき】[一]『四段』くるくる回る。くるめく。「―・く事、独楽(こまつぶり)を回すが如し」〈今昔二〇ノ六〉 [二]『名』【反転・蟠車】糸を縒る道具。台に短いさおを立て、上に木枠があって、くるくる回る。「吾妹子に恋ひて乱れば―にかけて寄せむとわが恋ひそめし」〈万六四二〉。「反転、久留戸木(くるべき)」〈新撰字鏡〉 †kurubeki

くるほ・し(クルオシ)【狂ほし】『四段』《狂ヒの他動詞形》①神がかりして身を踊らせる。「寿(ほ)き―・しまつりこし御酒そ」〈記歌謡三九〉 ②狂わせる。「所有(あらゆ)る毒と薬と蠱(まじもの)と魅(くるほすもの)と厭(おそふもの)と…にも悉く害せられじ」〈金光明最勝王経平安初期点〉

くるほ・し(クルオシ)【狂ほし】『形シク』⇒ものぐるほし

くるま【車】物や人を乗せ、車輪の回転で動き進むもの。平安時代の仮名文では多く牛車(ぎっしゃ)をさす。「恋草を力―に七―積みて恋ふらく」〈万六九四〉。「むかひにたてたりける―の下簾より」〈古今四七六詞書〉 **―あらそひ**(アラソイ)【車争ひ】祭見物などで多くの車の集まるとき、その置き場を従者たちが争うこと。「車論」とも。「はかなかりし所の―に人の御心の動きにけるを」〈源氏葵〉 **―うし**【車牛】牛車を引く牛。「輪つよき御車に逸物(いちもち)の御―かけて」〈大鏡道隆〉 **―かし**【車借】中世、牛車を用いて物品の運送に携わった者。「その辺には―といふ者あまたあり」〈今昔二九ノ三〉。「件の〔京都清水〕坂に―有り」〈山槐記治承三・五・一四〉 **―き**【車木】《転巻(くるまき)の意》重い物を引いたり挙げたりするのに用いる滑車。ろくろ。「大縄(おほつな)を二三千筋つけて、―を以て巻き立てて」〈太平記七・千剣破城軍〉 **―ぎり**【車切】胴を横にまっ二つに切ること。「―・胴切・立破(たてわり)に仕り棄てたく存じ候ひつれども」〈太平記一〇・長崎高重〉 **―ざき**【車裂】鎌倉時代から近世初期まで行なわれた重刑の一。車二輛または四輛に罪人の両足または四肢を分けて縛りつけ、車を走らせて身体を引き裂く。「身を―にせらるとも」〈太平記四・笠置囚人〉 **―ずみ**【車炭】車輪のような形に輪切りにした炭。「取り廻す火箸や長柄―」〈俳・一本草四〉 **―ぜに**【車銭】高い日歩を取った短期の貸銭。江戸幕府の禁制にもかかわらず、ひそかに行なわれた。車金。車借金。「―貸しの取次ぎ」〈浮・傾城辻談義四〉 **―ぞひ**(ゾイ)【車副】牛車の左右に供奉する者。乗る人の資格によって人数・服装が異なる。「かの御前、随身、―・舎人(とねり)などまで禄賜はす」〈源氏宿木〉 **―たいまつ**【車松明】強盗提燈(がんだうちやうちん)のような装置で、中の小壺に油をさしたもの。一説、十文字に組み合わせた松明の三方に火をつけたもの。「油さしたる―五六台に火をつけて」〈義経記二〉 **―ぢ**【車路】車の通る道。「くるまみち」「くるまかいだう」とも。「―はなけれども、我が住む方は愛宕山」〈謡・車僧〉 **―つかひ**(ツカイ)【車遣】荷物運搬用の牛車の車力。「―の車の上に」〈俳・都懐紙〉。〈拉葡日〉 **―ど**【車戸】下に車を仕掛け、滑りをよくした戸。「裏の口の―を細戸にあけて見たれば」〈田植草紙〉 **―どけい**【車時計】《ぜんまいが車輪に似ているのでいう》ぜんまい仕掛けの時計。枕時計・懐中時計・釣時計がある。「月と火の廻るは―かな」〈俳・犬子集五〉 **―ながもち**【車長持】底に車を付けて移動に便利なようにした長持。江戸の明暦の大火後、製造禁止となったが、民間で使用された。「―を引き連れて」〈仮・武蔵鐙上〉 **―び**【車火】点火すると車輪状に回転する花火。「―・龍車・鼠火」〈細川忠興文書寛永五・七・七〉 **―ぶね**【車舟】両舷側に水車を取り付け、推進器とした船。「―和田の御崎を廻るぞや早くも移る淡路島陰」〈梵燈庵袖下集〉 **―やど**【車宿】車挽(くるまひき)を抱えて置いて、荷車を仕立てる家。「西に牛遣ふ―」〈一目玉鉾二〉 **―やどり**【車宿り】(牛をはずした)牛車を入れておく建物。車庫。寝殿造の邸内では中門の外に設けた。「―にさらにひき入れて轅(ながえ)ほうとうちおろすを」〈枕二五〉 **―よせ**【車寄】貴人の邸宅において来客が車を寄せて乗り降りする所。家の東西の妻戸の前にあった。「或る夜の夢に、檳榔の車をゐて来て、我が家の―に立つといふ夢を見て」〈平家六・祇園女御〉 **―ゐど**【車井戸】滑車に縄を掛け、その両端に釣瓶(つるべ)をつけて水を汲む井戸。車井。「筒井つつ時(五ツ時ト掛ケル)汲む―」〈俳・寛永十三年熱田万句三六〉

ぐるまげ【ぐる髷】「ぐるぐるわげ」に同じ。「髪は―に高く、前髪少なく分けて」〈西鶴・一代男三〉

くるみ【胡桃】クルミ科の落葉喬木。また、その実の核。「見るにことなることなきものの、文字に書きてことごとしきもの。……―」〈枕一五四〉。〈和名抄〉 **―いろ**【胡桃色】クルミの核のような色。紙の色にいう。「高麗の―の紙に、えならずひきつくろひて」〈源氏明石〉

くる・み【包み】『四段』巻いて中につつみこむ。「琵琶・琴など、しとね・ふとんに―・みて船中に投げ入れ」〈俳・笈の小文〉

ぐるみ『接尾』名詞の下に添えて、ひきくるめて、残らず、などの意を表わす。ぐるめ。「それにも相背くに於ては、家―に渡すべき由」〈梅津政景日記慶長一七・四・二〉

くる・め【包め】『下二』つつみこむ。「庫、クルムル」〈文明本節用集〉

ぐるめ『接尾』⇒ぐるみ。「頼朝―〔ニ打チ殺ソウ〕と、評議口ぐち取りどり也」〈浄・義経東六法上〉

くるめか・し【転めかし】『四段』「くるべかし」に同じ。「と引きかう引き―・せば、〔馬ハ〕倒れんとす」〈宇治拾遺一六三〉

くるめ・き【転めき】『四段』①「くるべき」に同じ。「目―・く心地すれば、しばしもえ見ず」〈古本説話六四〉 ②あわて騒ぐ。騒ぎ惑う。「『あら熱や／＼』とをめき入り、―・く事おびたたし」〈著聞六九九〉

くるらく【暮るらく】《暮レのク語法》暮れること。「夕さらば君に逢はむと思へこそ日の―もうれしかりけれ」〈万二九二二〉

くるり【矰箭】水鳥を射るため、軽い鏑(かぶら)を浮子(きう)としてつけ、水上を射流すように作った矢。鏃(やじり)は雁股(かりまた)。「をしの一つがひ居たりけるを―をもちて射たりければ」〈著聞七一三〉。「矰、久流利(くるり)、射レ鳥矢名也」〈和名抄〉

ぐるり 周囲。「竹の子の出でぬる―引き囲ひ」〈俳・寛永十三年熱田万句四〇〉。「天地の―まはりに何も無いといふ心ぞ」〈句双紙抄〉 **―だか**【ぐるり高】顔のまわりが高く、鼻が低い醜い顔。中低(なかびく)。「―なる娘を誉め」〈西鶴・諸艶大鑑四〉

くるる【枢】①戸ぼそに戸まらをさし入れて、戸を回転して開閉する仕掛け。「をさめどのの―の妻戸おしあけて」〈拾玉集四〉 ②閾(しきい)の穴にさし込んで戸をあかないようにする桟(さん)。おとし。さる。「蔀(しとみ)に―もせず、心安き境界」〈西鶴・新可笑記三〉 **―ど**【枢戸】「くるる」(1)によって開閉する戸。「奥の―もあきて人音もせず」〈源氏花宴〉

くるるに『副』くるくると。「乎謀苦留々尓(をもくるるに)」〈紀神代上〉

くるわ【曲輪・郭・廓】①城または砦(とりで)などの周囲にめぐ

らして築いた、土や石の囲い。「命をかるこめ―に馳せ上がり」〈笹子落草子〉 ②遊女屋の集まっている町。遊廓。遊里。「―の内に間夫(まぶ)持つ事」〈評判・寝物語〉 ―**もやう**【廓模様】遊廓で流行する、遊女向きの模様。「此の小袖を見や、―に云ひ付けた」〈近松・反魂香中〉 ―**やう**【廓様】遊里の風俗。遊女風の有様。「髪の結ひぶり小利口に、ひっくるくるくる―」〈近松・卯月紅葉上〉

くれ《代》「何」と並べて用い、はっきり指さずに不明・不定の人や事物を例にあげる語。「何の御子(みこ)、―の源氏など数へたまひて」〈源氏少女〉 →くれがし・なにくれ

くれ【呉】①揚子江の南にあった呉(ご)の国。また揚子江南の地。広く中国の称。「―に学びて伎楽の儛(まひ)を得たり」〈紀推古二十年〉 ②呉国と通交してから、中国より伝来したものの上につけていう語。「呉楽」「呉藍(くれなゐ)」など。「―竹を捕り粉(だく)くこと練糸の如し」〈霊異記中二七〉 ▽朝鮮語 kurï(文)の転かという。織物を伝えた地方を以て国名とする古代の例は、アヤ(文)の漢(あや)、ハタ(織)の秦(はだ)など。また、クレ(暮)の意で、日の没する所と見る説もある。

くれ【塊】かたまり。凝固した物。「恐ろしや―大(おほ)―の氷ともいふべきものよこの国の川」〈朝鮮日日記〉。「塊、ツチクレ」〈名義抄〉

くれ【榑】①皮のついたままの材木。「久例(くれ)四十枚」〈正倉院文書天平一〇・三・三〇〉。「筏(いかだ)をさして多くの―・材木を持て運び」〈栄花音楽〉 ②屋根を葺(ふ)く板。「榑、クレ、日本俗為葺屋之板」〈下学集〉

く・れ【呉れ】《下二》《ものを恩恵として渡し与える意。自分からの動作にも、相手からの動作にもいう》①自分が相手に渡す。やる。「この長櫃(ながびつ)のものは、みな人童(わらは)までに―・れたれば」〈土佐一月七日〉。「着給ひける小袖衣、みな乞食どもに脱ぎ―・れて」〈撰集抄一ノ一〉 ②相手が自分に渡す。「良き友に三つあり。一つには物―・るる友」〈徒然一一七〉。「山人の我に―・れたる山杖ぞ此れ」〈神楽歌九〉 ③《動詞の連用形に助詞「て」のついた形に続いて》㋑…てやる。…てつかわす。「追ふ物射に射て―・れ候はん」〈太平記八・持明院殿〉。「三十棒打って―・れうず」〈碧岩抄一〉。「いで、おのれ祈り殺いて―・れう」〈虎明本狂言・蟹山伏〉 ㋺…てくださる。「この心を真名に句をととのへ、韻・声を飾りて書きて―・れよとて、その草案に書きたる也」〈古今集註〉。「届(とど)けて―・れ候はん者もよもあらじ」〈朝鮮日日記〉

く・れ【暗れ・暮れ・眩れ】㊀《下二》《クラシ(暗)と同根》❶①暗くなる。夕方になる。「渡る日の―・れ行くがごと照る月の雲隠るごと」〈万二〇七〉。「日の―・れぬれば妹をしそ思ふ」〈万三二九〉 ②(時期・季節などが)終る。「年―・れて」〈源氏賢木〉。「秋―・れはてぬ」〈源氏末摘花〉 ❷【眩れ】①(目の前が)真っ暗になる。「いとど目も―・るる心地せさせ給へば」〈栄花ゆふしで〉 ②(涙で)くもって見えなくなる。「雲の上も涙に―・るる秋の月」〈源氏桐壺〉 ③心が迷う。理性を失う。「尽きもせぬ心の闇に―・るるかな」〈源氏紅葉賀〉 ㊁《名》①暗いこと。また、暗い所・時。「木の―の繁き谷辺を」〈万四一九二〉。「〔子ヲ〕後も―に(心モ暗ク)置きてか行かむ」〈紀歌謡一一〇〉 ②日暮れ。夕方。「いつしかと―を待つ間の」〈拾遺七二三〉。「暮・晩、クレ」〈名義抄〉 ③(季節・年の)すえ。終り。「―の夏、松原の下に涼みする人人あり。…―の冬、山里に雪積もれり」〈源大納言家歌合〉。「せめても惜しき年の―かな」〈金葉三三三〉 ④特に、年末。歳暮。「此の―か来春は、われわれそこもとへ上り申すべく候」〈伊達家文書三、伊達政宗書状〉 **暗**(くれ)**に失**(う)**・す** 消えるように見えなくなる。「この程、姫君の―・せ給ひける程に」〈三国伝記一一〉。「いかづちも鳴り静まりて〔二人ノ姿ハ〕―・せにけり」〈伽・富士の人穴の草子〉

くれあひ イ・ア【暮合】日暮れ時。「同月十三日の昼より―まで戦ひこれあり候所へ」〈矢島十二頭記〉

くれう ・リ ョウ【供料】(土地・金品など)供養のためのもの。供養料。「夏冬の法服を賜(た)び、―をあて賜びて」〈大鏡頼忠〉。「―・供米・布施なむど取るは、法を売るにあたる」〈梵舜本沙石集八ノ二三〉

くれえん【榑縁】細長い板を、框(かまち)に平行に張った縁側。「―より下に飛び下りるを」〈西鶴・一代男五〉

くれがし《代》《ガシは接尾語》「なにがし」と並べて用い、人の名をはっきりと示さずにいう。(誰それ)かれそれ。「かがし」とも。「なにがし―と数へしは」〈源氏夕顔〉 →くれ〔代〕

くれがた【暮れ方】《「明け方」の対》①日の暮れようとする頃。「日―になりゆく」〈源氏澪標〉 ②年の終ろうとする頃。「年の―には、かからぬ所だに空のけしき例には似ぬを」〈源氏総角〉

くれかへし ・カ エシ【榑返し】「板返し」に同じ。「屋根のやうにせまほし年の―」〈俳・夢見草四〉

くれぐれ【暮暮】日の暮れようとする頃。夕暮。「萩の花―までもありつるが月出でて見るに無きがはかなき」〈金槐集秋〉 ―**と**【暗暗と・暮暮と】《副》①《奈良時代は、クレクレと清音》悲しみ・心配などで心も暗く。暗い気持で。「沖つ波来寄る浜辺を―独りそ我が来る」〈万三二三七〉。「更に古へより今までの事、―語りては御涙のみぞ塞(せ)きあへず」〈長谷寺験記下〉 ②日が暮れてゆくように。消え入るかのように。死んでゆくさまの形容。「光も暗くなる如く、そのまま―つひに空しくなり果つる」〈謡・摂待〉

くれぐれ《副》念を入れるさま。繰り返し繰り返し。かえすがえす。「―申しし甲斐もなく」〈謡・二人静〉

くれさしま・す【呉れさします】《連語》下さいます。「かかるめでたい時は何杯も―・せ」〈伽・鼠草子〉

くれたけ【呉竹】呉(くれ)から伝来した竹。淡竹(はちく)の一種で、葉は細くて茂り、節が多い。清涼殿の東庭、北側に植えてある。「―の笆(ませ)」〈源氏真木柱〉。「―は葉細く、川竹は葉ひろし。御溝(みかは)に近きは川竹、仁寿殿(じじうでん)の方に寄りて植ゑられたるは―なり」〈徒然二〇〇〉 ―**の**【呉竹の】〔枕詞〕竹の節(よ)・節(ふし)の意から、「世」「夜」「伏し」などにかかる。「―世世のふるごと」〈古今一〇〇三〉。「―伏見の里の」〈新古今六七三〉

ぐれつ・き《四段》ぐらぐらする。ゆれる。「―・いて箸に掛からぬ妹背山(夫婦仲)」〈俳・当流籠抜〉。「―・く舟に乗って退屈」〈俳・染糸〉

くれてん【暮天】夕方。「―に山今日越えて旅の空」〈俳・西山宗因千句〉

くれとどめ【榑止】板葺きの屋根板を止める竹または鉄の釘。「今日軒に入る日や秋の―」〈俳・糸屑三〉

くれなゐ【紅】《クレ(呉)ノアヰ(藍)の約。中国から伝わり、藍のように染料にするのでいう》①ベニバナの異称。夏、アザミに似た花をつける。花弁から染料をとる。末摘花。「外(よ)のみに見つつ恋せむ―の末摘花の色に出でずとも」〈万一九九三〉 ②ベニバナの汁で染めた鮮明な赤色。べに色。衣のほか、少女の顔色、紅葉の色、恋の心の顔に出ることなどにいう。「―の玉裳(たまも)裾引き」〈万一六七二〉 ―**の**【紅の】〔枕詞〕染色の浅い意から、地名「浅葉」にかかるとい

う。また、「うつし心」「色に出づ」にもかかるという。「―浅葉の野らに」〈万二七六三〉 **―のなみだ【紅の涙】**《「紅涙」の訓読語》動物の流す「黄なる涙」に対して、人間の流す血の涙。「朝に見て、夕べの遅なはるほどだに―をおとすに」〈宇津保俊蔭〉。「〔太子ハ〕―を流し給ふ。龍も黄なる涙をぞ流しける」〈伽・毘沙門本地〉 **―のふで【紅の筆】**《「彤管(とうくわん)」の直訳》婦人用の赤い軸の筆。転じて、男女間に交される艶書をいう。「ふみそめて思ひ帰りし―のすさびをいかで見せけむ」〈金葉三九六〉 **―のふみ【紅の文】**紅の筆で書いた手紙。転じて、恋文。「幾かへり染めて色濃き―見しあとも今は絶えつつ」〈新撰六帖五〉 **―は園生(その)に植ゑても隠れなし** すぐれた者はどんな所に居ても目立つものだ。「『壁に耳、岩に口』といふことあり、―」〈義経記二〉

くれのあき【暮の秋】 秋の終り。暮秋。行く秋。「―、女車の紅葉の中を行く。もみぢ葉のぬさとも散るか秋果てて龍田姫こそ帰るべらなれ」〈西本願寺本貫之集四〉

くれのはる【暮の春】 春の終り。暮春。行く春。「つれなくて過ぐる月日を数へつつ物うらめしき―かな」〈源氏竹河〉

くれのみみず【呉の蚯蚓】 蚕の異名。「蚕、久礼乃彌々受(くれのみみず)」〈新撰字鏡〉

くれは【暮端】 くれぎわ。たそがれ。「五月早乙女―の声はおもしろ」〈田植草紙〉

くれはし【呉階・呉橋】 はしごだん。階段。また、階段の付いた長廊下。「〔寺ノ〕―のもとに車ひきよせて」〈枕二三〇〉

くれはとり【呉織・呉服】《クレハタオリの約》①上代、漢織(あやはとり)について、揚子江下流の呉国の機織を伝えたという移住民。「呉王…―・穴織、四の婦女を与ふ」〈紀応神三十七年〉 ②呉の国の織法で織った綾などの織物。「―といふ綾を」〈後撰七一三詞書〉 ③〔枕詞〕呉織には綾があることから、「あや」にかかる。「―あやに恋しくありしかば」〈後撰七一三〉。「―あやむるまでに濡るる袖かな」〈山家集中〉 † kureFatöri

ぐれはま 「ぐりはま」の転。「今、物の齟齬(そご)をぐりはまと言ふ…或は訛りて―と言ふ」〈柳亭筆記三〉。「くひちがふ、たがふ。―になる、同上」〈詞葉新雅〉

くれふたが・り【暗れ塞がり】『四段』①一面の闇となる。「世は―・りたる心地せしものかな」〈大鏡昔物語〉 ②暗い気持にとざされる。「院の内―・りて、闇に迷ふ心地すべし」〈増鏡八〉

くれふね【榑舟】 材木を積んだ舟。「―よ朝妻渡り今朝なせそ伊吹の嶽に雪しまくめり」〈山家集中〉

くれまぎれ【暮紛れ】 夕暮の薄暗いのに紛れること。また、その時分。「『この―に早う早う』と言ひければ」〈近松・卯月紅葉中〉

くれまど・ひ【暗れ惑ひ】『四段』①目の前が真っ暗になる。「―・ふ心の闇も、堪へがたき片はしをだに、はるくばかり聞えまほしう侍るを」〈源氏桐壺〉 ②途方にくれる。「聞え出で給ふべき方もなく、―・ひて」〈源氏賢木〉

くれむつ【暮六つ】 夕暮の六つ時。酉(とり)の刻。「其の晩―より四つ過ぎまで、衆僧取り廻して警策を打ち」〈驢鞍橋上〉

ぐれり 物の急に変るさま。「晴るると見れば―と曇り」〈俳・山の井四〉

ぐれん【紅蓮】「紅蓮地獄」に同じ。「―・大紅蓮の氷に閉ぢられて、永く浮かび難し」〈他阿上人法語六〉 **―ぢごく【紅蓮地獄】** 八寒地獄の一。酷寒のため、ここに落ちた罪人は皮膚が裂けて紅の蓮の花のようになるという。「遂に死して―に堕ちぬ」〈今昔六ノ三四〉 **―を返・す** 物を何度も繰り返して尋ね探す。「見る人や―・す花の浪」〈俳・洗濯物二〉

くろ【畔】 ①田の境界。あぜ。「早苗とる山田の―の夕暮に急ぐ植女(うゑめ)をあはれとぞ見る」〈拾玉集二〉。「畔、和名、久呂(くろ)、一云、阿世(あぜ)」〈和名抄〉 ②田畑や道路の周辺などの盛り上がった所。また、草木の密生した所。「たつ民も山田の―の社とや取りし早苗を手向けては行く」〈草根集九〉。「俗諺に藪畔―といへり。人の往来せぬ方也」〈称名院追善千句注〉 ③物や人の密集したもの。「沖の田中の―は何―か。今日の田主の徳米(とくまい)―よ」〈田植草紙〉。「田の面に植ゑし早苗は、いつの間に―田となりて、今ははや尺の穂丈の末しげる」〈仮・色音論上〉

くろ【黒】 ①黒色。「されば道心者衣を―に染む」〈伽・暮露暮露のさうし〉 ②黒色の馬。黒毛の馬。「この―は今度の上洛に鎌倉殿より得給へり」〈盛衰記三六〉

ぐろ【叢】《クロ(畔)の転》 草の密生した所。草むら。ぐろんど。「荊(うばら)・梔(くちなし)の―のもとに臥して」〈西鶴・一代男四〉

くろあへ【黒韲】 黒ごまであえた料理。「烏賊(いか)を―にしてたまはる(食べル)所へ」〈咄・醒睡笑三〉

くろいとをどし【黒糸縅】 鎧の札(さね)を黒色の糸で綴ったもの。「白青の狩衣に―の鎧着て」〈保元上・官軍手分け〉

くろいぬ【黒犬】 **―に食はれて灰汁(あく)の垂滓(たれかす)に恐る** 一度黒犬に嚙まれた者は、うずくまった黒犬の形に似た灰汁の垂れ滓にもびくびくする意で、一度懲りた者は神経過敏になるたとえ。「あつものに懲りてなますを吹くの類」〈俳・世話尽二〉

くろがい【黒柿】「くろがき」の音便形。「―の机」〈宇津保吹上上〉

くろがうし【黒格子】 近世、大阪天王寺椎寺町辺にあった梓巫女(あづさみこ)の家。また、その巫女。家の格子が黒塗りだったのでいう。「―の梓巫女」〈近松・三世相三〉

くろがき【黒柿】《木材の心部に黒い縞があるからという》柿の木の一。材質が堅く、小道具などを作るのに用いる。「くろがい」とも。「法華経…綺緒、―軸」〈西大寺資材流記帳〉。〈和名抄〉

くろかげ【黒鹿毛】 馬の毛色の名。鹿毛の黒みのあるものという。「〔引出物〕少将に―の馬」〈宇津保吹上上〉

くろがね【鉄】《黒金の意》 鉄(てつ)。「名おそろしきもの。…―、つちくれ」〈枕一五三〉。「鉄、クロガネ」〈名義抄〉 **―とり【鉄取】** 鉄の採掘を業とする者。「―六十人が長なりける者」〈宇治拾遺五四〉 **―のたて【鉄の盾】** 鉄製の盾。堅く頑丈なものにたとえる。「高麗(こま)の国、―・鉄の的を貢(たてまつ)る」〈紀仁徳十二年〉 **―のちゃう【鉄の帳】** 閻魔(えんま)の庁で、亡者の悪事を書き留めるという鉄の札。「閻魔の前には、―に付くと聞くものを」〈近松・卯月紅葉下〉

くろかはをどし【黒革縅】 鎧の札(さね)を黒い皮で綴ったもの。「―の鎧、紅の母衣(ほろ)をぞかけたりける」〈保元中・白河殿攻め落す〉

くろかみ【黒髪】 黒くつやのある髪。男女ともにつかう。「置きて行かば妹恋ひむかも敷栲の―敷きて長きこの夜を」〈万四九三〉 † kurokami **―の【黒髪の】**〔枕詞〕「みだれ」「ながき」「とけ」などにかかる。「―みだれてけさは物をこそ思へ」〈千載八〇二〉。「―長き闇路も明けぬらむ」〈拾遺愚草下〉。「―とけて寝られぬさよの手枕」〈新葉七三六〉

くろき【黒木】①《「明木(あかぎ)」の対》皮のついたままの木材。「板葺きの—の屋根は」〈万七七九〉。「よしある—・赤木の笆(ませ)」〈源氏野分〉〈源氏(平瀬本)須磨〉②黒檀(こくたん)の別称。「—の御ずず」〈源氏(平瀬本)須磨〉③一尺ほどの生木をかまで黒くくすべ、薪としたもの。山城国八瀬・大原・鞍馬地方でいう。竈木(かまぎ)。焼き物。「京の—を少しづつ御取り候ひて」〈実悟旧記〉 †kuroki **—うり**【黒木売】「黒木」(3)を頭に載せて、京都市中を売り歩く八瀬・大原・鞍馬の女。大原女。「姿は八瀬の—かな」〈仮・竹斎下〉 **—のや**【黒木の屋】皮のついたままの丸太で建てた家。「〔天智天皇ガ〕筑前国上毛郡朝倉といふ所に、山中に—を造りておはしけるを、木のまろ殿といふ。丸木にて造る故なり」〈十訓抄一ノ二〉

くろき【黒酒】《「白酒(しろき)」の対》あまざけに、クサギの灰を加えたもの。新嘗・大嘗の祭に使う。古く、黒い麹(こうじ)を用いたかといい、後世、黒ごまの粉をいれる。黒御酒。「万代に仕へまつらむ—白酒を」〈万四二七五〉 †kuroki

くろぐすり【黒薬】黒焼(くろやき)にした薬。「早旦より佳例の百草の—焼き候ひ了んぬ」〈言継卿記大永八・六・二二〉

くろくせん【九六銭】《「丁銭(ちゃうせん)」の対》近世、銭九十六文を百文に通用させた慣習。九六百。省銭(せいせん)。「寛永新銭の頃より—になりたると見えたり」〈田園類説〉

くろくつ【黒沓】黒い色の革でつくった沓。「長雨禁み縫ひし—さしはきて」〈万三七九一〉 †kurokutu

くろくはワ:ク【黒鍬】①戦国時代、築城・道造りや戦場の死体収容などに従事し、近世、幕府・諸藩で城内の作事(さくじ)・警備・防火に任じ、また行列の荷物運びや使い歩きなどの雑用をした武家奉公人。身分が低く、苗字帯刀を許されなかった。「—の者どもに仰せつけられ」〈賤岳合戦記〉②農耕の日雇い人。「年も経つ—衆の貰ひ水」〈俳・万国燕〉

くろこま【黒駒】黒毛の馬。「赤駒を厩(うまや)に立て、—を厩に立て」〈万三二七八〉 †kurokoma

くろごめ【黒米】精白しないままの米。玄米。「白米壱升、—壱升」〈高野山文書五、建久四・九〉。「能米(のうまい)は—を云ふなり」〈庭訓抄下〉

くろ・し【黒し】『形ク』①色が黒い。「ぬばたまの—・き御衣(みけし)を」〈記歌謡四〉。「若かりし膚(はだ)も皺(しわ)みぬ—・かりし髪も白けぬ」〈万一七四〇〉②不正である。「きのふけふ入学して—・しあかしの悟りなきが」〈宇津保祭使〉③きたない。卑怯(ひきょう)である。「孫次郎は—・きふるまひかな」〈蒲生軍記六〉 †kurosi

くろしょゐん【黒書院】幕府及び大名の城中にある書院の一。窓・障子などの縁をすべて黒漆塗りにしたもので、近親・重臣を引見した間。「其の後—にて三献の御引渡し、将軍様へ御腰物進上」〈沢庵書簡正保一・四・二六〉

くろつきげ【黒鴾毛】馬の毛色の名。つき毛の灰色を帯びたもの。「—なる馬に黒鞍置いて」〈平治上・源氏勢汰へ〉

くろづくり【黒造】黒漆仕上げのもの。鞘などすべてを黒い漆で塗った太刀など。「—の太刀を佩きて」〈今昔一九ノ一二〉

くろつば【黒津羽】「黒羽(くろは)」(1)に同じ。「—の矢負ひ、籐巻きの弓握り太なるを持ちて」〈保元上・官軍手分け〉

くろづら【黒面】たけだけしい顔。「某も辺土にては、人に—をも見知られたに」〈虎明本狂言・昆布売〉

くろど【黒戸】清涼殿の北廊にある戸。また、その戸のある部屋。黒戸御所。「殿上人—にいと多く居たるを」〈枕一〇五〉。「御薪(みまかぎ)に煤(すす)けたれば—といふとぞ」〈徒然一七六〉 **—のごしょ**【黒戸御所】「黒戸」に同じ。「『さて主上は何処に渡らせ給ふぞ』『—に』」〈平治上・光頼卿〉

くろとり【黒鳥】黒色の水鳥。今のクロガモかという。「—のもとに白き浪を寄す」〈土佐一月二十一日〉。〈和名抄〉

くろは【黒羽】①鷲の黒い羽。「—・白羽・染羽、いろいろの矢ども」〈義経記八〉②黒羽二重。「村燕—一重の夏羽織」〈俳・桜山伏〉

くろばうウ:ボ【黒坊】黒人(こくじん)。くろんぼう。「—が睨(にら)みけるよと疑はれ」〈仮・尤の草紙上〉。〈日葡〉

くろばおり【黒羽織】黒色の羽織。近世、特に武家の番所勤務や徒士(かち)の者が着た。「—着て棚無し小舟」〈俳・談林十百韻上〉

くろば・み【黒ばみ】『四段』黒みを帯びる。黒ずむ。「物食はする中に胡麻(ごま)の様の—・みたる物あり」〈打聞集〉

くろふね【黒船】室町末期から近世にかけて、ルソン・ジャワ・シャム・マカオなど南洋方面から渡航したスペイン・ポルトガルの黒塗りの大船。後にはオランダ船にもいった。「堺浦—見物に、舟にて参り候」〈北野社家日記慶長五・五・二〇〉

くろぼう【黒方・崑崙方】薫物(たきもの)の一。沈香(ぢんかう)・丁子(ちゃうじ)香・白檀(びゃくだん)など六種類ほどの香を練り合わせて作る。「いづれともなき中に、斎院の御—、さいへども心にくくしづやかなる匂ひことなり」〈源氏梅枝〉。「合香は四季にかたどれる方ある也。春は梅花方…冬は落葉方、又—」〈河海抄一三〉

くろぼし【黒星】①的の中央の黒丸。「—を書きつけて、鉄砲的の角(かく)に仕立て」〈西鶴・織留三〉②狙った所。物事の急所。「—や鳥に当る玉霰(たまあられ)」〈俳・鷹筑波四〉③図星をさすこと。「これは—、よき推量」〈近松・弘徽殿三〉

くろほろ【黒ほろ】矢羽の名。鷲(わし)や鷹(たか)の両翼の下に生えているほろ羽を用いる。「二十四差いたる—の矢負ひ」〈平家七・願書〉

くろぼん【黒本】草双紙の一。赤本について、延享から安永初年まで黒表紙で刊行された。浄瑠璃・歌舞伎・軍記物語・古伝説の筋書風の内容で、赤本より説明・挿絵が詳しくなったもの。「—は…まっくろ黒仕立てで赤本と連れ立ち」〈黄・御存商売物中〉

くろま【黒馬】黒毛の馬。くろうま。「ぬばたまの—に乗りて」〈万三三〇三〉 †kuroma

くろまめ【黒豆】①黒色の大豆。風邪・咽喉・腎臓の薬で、座禅豆・奈良茶などに用いる。「—一升」〈多聞院日記永祿一〇・一一・二六〉。〈和名抄〉②文字の異称。「術(ず)無しの儒者は、一生学問だてで、くちくちと—数へてゐるぞ」〈山谷詩抄七〉。「—とは文字をさすぞ」〈蓬左文庫本臨済録抄〉

くろ・み【黒み】㊀『四段』①黒ずむ。黒くなる。「目皮はいたく—・み落ち入りて」〈源氏紅葉賀〉②人びとが揃って黒い喪服を着る。「殿上人など、なべて一つ色に—・みわたりて」〈源氏薄雲〉③紙面がまっ黒になるほど文字をこまごまと書く。「御返事も—・み過ぎしやらむ」〈問はず語り一〉。「思ふ心をつくすほどの言の葉、いかに—・みつくすともつきし難ければ、なかなか歌ばかりにて」〈伽・秋夜長物語〉 ㊁『名』①黒い部分。「〔的ノ〕第二の—射落して持て参れ」〈宇治拾遺九八〉②墨で記した文字。「そもじ様よりの御—」〈仮・ねごと草下〉③烏賊(いか)の墨。「風雲や—吹き出すいかのぼり」〈俳・詞林金玉集三〉。「烏賊墨、以加乃久呂美(いかのくろみ)」〈和名抄〉 **—だな**【黒み棚】食膳に関する器具類を置く棚。「中宮の御方の御湯殿の上の—に雁の見えつるを」〈徒然一一八〉

くろむぎ【黒麦】蕎麦(そば)。「蕎麦、曾波牟岐、一云久呂

無木(くろむぎ)」〈和名抄〉

くろ・め【黒め】『下二』《黒ミの他動詞形》 黒くする。「漆(うるし)の始めは白き物なれども、日に―・められて黒くなる」〈真宗教要鈔上〉

くろやき【黒焼】 漢方で、動植物を蒸焼にして黒くすること。その焼いたものを黒薬という。「音に聞く―薬なにならで」〈俳・守武独吟百韻〉

くろろ【枢】 くるる。〈文明本節用集〉

くろんばう(ボウ)【黒ん坊・崑崙坊】「くろばう」の転。「朧(おぼろ)夜の桂男(かつらをとこ)や―」〈俳・崑山集一〉

くゎ【果】〔仏〕《「因」の対》 原因によって生起する結果。応報。善業による善果、悪業による悪果、いずれにもいう。「善悪因果経に云はく、『過去の因を知らむと欲(おも)はば、其の現在の―を見よ。未来の報を知らむと欲はば、其の現在の業(ごふ)を見よ』」〈霊異記上一八〉

くゎ【過】 過大なこと。大げさなこと。ほら。「これはこのあたりに隠れもない大名です。かやうに―をば申せども、召し使ふ者はただ一人でござる」〈虎明本狂言・鼻取相撲〉

くゎ【靴】「くゎのくつ」に同じ。「浅き沓(くつ)をはくべきに、―をはきたれば、人人みな笑ふ」〈春のみやまぢ〉

くゎ【顆】 果実・玉石など、小さくて丸いものを数える語。「日に瑩(みが)き風に瑩く高低千―万―の玉」〈本朝文粋一〇〉。「二―の宝珠」〈吾妻鏡建久六・三・一三〉

くゎあふ(オウ)【花押・華押】「書判(かきはん)」に同じ。「花押、クハアフ、一名草名。今云書判」〈書言字考〉

くゎいき【快気】 悪い気分がよくなること。病気がなおること。「程なく御―ましますべし」〈室町殿日記九〉

くゎいこく【廻国】 ①国国を歩き廻ること。「是は―の聖(ひじり)にて候」〈謡・当麻〉 ②「巡礼」に同じ。「―の道者に紛れて」〈西鶴・新可笑記三〉

くゎいこつ【回忽】 雅楽の一。平調(ひやうでう)で、舞を伴わない。「―・長慶子(ちやうげいし)を奏して」〈問はず語り三〉

くゎいし【懐紙】 たたんでふところに入れた紙。檀紙または杉原紙で、和歌・連歌を正式に詠進するのに用いた。天皇は大高檀紙の全紙一尺四寸余のもの、親王・大臣は一尺三寸、納言・参議は一尺二寸、地下は一尺六分のもの。「ふところがみ」「たたうがみ」とも。「弓に―を取り具して、上りて文台(ぶんだい)に置く」〈問はず語り三〉。「―を書くも、二条家・六条家に変りあり」〈竹園抄〉 **―うつり**【懐紙移り】〔連俳用語〕 懐紙の一折の裏を終えて次折の表へ移った初めの部分。「引返し・―をば、時の儀により人によりて〔指合ヲ〕嫌ふべからず」〈長短抄下〉。「―には、四句・五句の内に早く分句(ぶんく)をとまり給ふべし」〈初学用捨抄〉

くゎいじゃう(ジョウ)【廻状】 宛名を連名にし、順次に廻して通知する書状。廻文(くわいぶん)。触れ状。「関東の諸家中、―を出だささるる」〈鎌倉大草紙〉

くゎいしょ【会所】 ①寄合いをする場所。「或は酒宴の座席、詩歌の―として」〈沙石集七ノ五〉 ②公家・武家の邸宅などに、詩歌会・茶会その他の会合のために設けられた建物。「次に御館(みたち)造作の事…侍(さぶらひ)・御厩(みうまや)・―・囲炉裡の間・学文所・公文所」〈庭訓往来三月七日〉。「〔正月十四日〕御―に於て一献これ在り。同じく上様も御座候也。其の時、検校ども参りて平家を申す也」〈長祿二年以来申次記〉 ③特に、京都北野天神境内に常設された、法楽和歌・連歌などのための会合所。室町時代、連歌界の中心地となるに及び、将軍家の任命する奉行職がおかれた。「北野―にて、或る人百首の法楽せし中に」〈草根集九〉。「―の奉行承りし時、始めて社頭の会に」〈竹林抄一〇〉 ④近世、行政・商業などの事務を執るための集会所。商人の組合事務所・取引所、米・金銀の取引所、町・村役人の事務所などをいう。「―へ只今まで捨て置き候ごみ掃き溜めの分…早早に取り捨て、跡を平らにならし申すべく候」〈正宝事録慶安三・六・二八〉

ぐゎいじん【外人】 局外者。よそ人。「外戚として重くおはしつるに、―となりて今更に世に交はらむ、見苦しかるべし」〈十訓抄六ノ一〇〉。「外人、グヮイジン、他人」〈文明本節用集〉

くゎいせき【会席】 ①寄合いの座敷。〈文明本節用集〉 ②歌会または連歌・俳諧を興行する席・座敷・一座をいう。「今日は連歌の御―にて候」〈太平記三三・山名右衛門佐〉。「―の事。床の間に天満宮の名号、或は画像を掛くる」〈連歌初心抄〉 ③茶の湯の席で行なわれる簡単な料理。会席料理。「―の事、色色様様、毎度替る也」〈紹鷗又十体之事〉

ぐゎいせき【外戚】 母方の親戚。平安時代には外戚の力が強く、藤原氏の女が皇子を生んで天皇の外戚となり、藤原氏の勢力を大きくした。「げさく」とも。「詔して曰はく、百済王等は朕が―なり」〈続紀延暦九・二・二七〉。「おとど、源氏におはしませども、―藤氏におはします」〈宇津保祭使〉

くゎいせん【廻船・回船】 ①旅客や貨物を運送する船。「―着岸の津」〈庭訓往来四月五日〉 ②近世、主として大阪を中心に、遠距離を定期航行して貨物を運送する大船。「―も此処を泊りの波の上」〈俳・難波千句〉 ↓檜垣(ひがき)

くゎいちう(チュウ)【懐中】 名詞に冠して、ふところに入れられるほど小形で便利であるの意を表わす語。「―合羽を仕出し」〈西鶴・永代蔵六〉 **―すずり**【懐中硯】 筆・墨・水入れなどをあわせて懐中できるようにした小形の硯。「ふところ硯」とも。「―を落し給ひ」〈咄・咄大全中〉

くゎいはう(ホウ)【懐抱】 ①胸中に思い抱くこと。また、その思い。「此に対(むか)ひて―を開けば、優に愁情を暢(の)ぶるに足る」〈懐風藻〉。「遂に―を述べ、因りて詠歌を贈りて曰く」〈万巻五・松浦河に遊ぶ序〉 ②胸に抱くこと。男女相抱くこと。「妻、将軍の衣を捕へて忽ちに―せむとす」〈今昔一〇ノ一八〉。「人の妻を―する輩」〈貞永式目〉

くゎいぶん【廻文・回文】 ①「廻状(くわいじやう)」に同じ。「先づ―の御教書(みげうしよ)を以て御家人を召さるべし」〈盛衰記二〇〉 ②上下いずれから読んでも同じ詞句になること。「―の詩と云ふは、どちらからも読まるる様に作るぞ」〈湖鏡集〉。「長き夜のとをの眠りのみなめざめなみのりふねのをとのよきかな。詩歌ともに、順逆に読んで義のすむを―と云ふ也」〈王沢不渇鈔上〉 **―うた**【廻文歌】 和歌の一体。上から読んでも下から読んでも同じ詞句になる歌。「―、さかさまによむに同じ歌なり。草花を詠める古歌に云はく、むらくさにくさの名はもしそなはらばなぞしも花のさくにさくらむ」〈奥義抄〉

くゎいもん【槐門】「三公」に同じ。「且は三台―の家に生れ」〈保元下・左大臣殿の御死骸〉

くゎいらい【傀儡】「くぐつ」に同じ。「―と書きてくぐつと読む」〈塵袋五〉 **―し**【傀儡師】「くぐつまはし」に同じ。「田楽・師子舞・―・琵琶法師」〈庭訓往来四月五日〉

くゎいらう(ロウ)【廻廊・回廊】 宮殿・寺院・神社などの、主要建物の周囲にめぐらした長い廊下。「〔厳島神社ノ〕百八十間の―をぞ造られける」〈平家三・大塔建立〉

くゎいり【廻李・回李】 返事の手紙。返翰。「よりて牒送すること件の如し。乞ふ、状を察し、且つ―を勧め、以て牒せ

よ」〈本朝文粋一三〉

くゎいりふでん【回立殿】大嘗祭の時、天皇が御湯を使われる所。「大極殿の前、龍尾道の檀下に―を建てて御湯を召す」〈平家五・五節〉

くゎいろく【回祿】中国で火神の名。転じて、火災。「―の災あらば、朝家の御大事たるべし」〈平治中・待賢門軍〉

くゎうえつりう【光悦流】本阿彌光悦が始めた和様書道の一派。「こはい事／―に結(ゆ)ふ筆毛」〈雑俳・鳥おどし〉

くゎうかもん【皇嘉門】大内裏外郭十二門の一で、宮城南面にある三門の一。二条大路に通ずる西端の第一門。「西の四条よりは北、―よりは西に」〈今昔二六ノ一三〉

くゎうぎ【光儀】①美しいみめかたち。「―の愛しつべき、遺りて人心に在り」〈本朝文粋七〉▽万葉集では、しばしば、スガタという語に「光儀」の字を用いている。②立派な儀式。「花香梵唄の荘厳、また南岳の―に在り」〈本朝文粋一四〉③来訪の尊敬語。光来。光臨。「醍醐禅師全成、同じく―有り」〈吾妻鏡治承四・一〇・一〉

くゎうごう【皇后】《クヮウコウとも》①天皇の正妃。天子の正妻。「きさき」「きさいのみや」とも。「―、謂二天子之嫡妻一也」〈公式令〉▽もとは一人に限られ、中宮と称することもあったが、二后並立の例が開かれてからは、新しい正妃を中宮、もとの正妃を皇后と称し、付属の役所として中宮職(しき)のほかに新たに皇后宮職を設けた。②追贈された后(きさき)の位。皇太子妃、または女御であったが、立后するに至らずして没した人に贈られた例がある。「三条院の御母、贈―宮」〈大鏡兼家〉 **―ぐう**【皇后宮】①皇后の住居。秋の宮。「天皇、大安殿に御して五位以上を宴す。晩頭に―に移り幸す」〈続紀天平二・一・二六〉②皇后。「―の周忌の斎会に供奉したる雑色の人等二百六十七人」〈続紀延暦一〇・六・三〉。「皇后宮、クハウコウグウ」〈書言字考〉

くゎうごふ【曠劫】〔仏〕非常に長い年月。「多生―をば隔つとも、浮かび上がらんこと難し」〈平家一・祇王〉

くゎうじん【荒神】①荒荒しい神。鬼神。「これ、―有りて障難を乱れ発(お)こす」〈今昔六ノ二七〉②「三宝荒神」に同じ。「―〔絵像〕一幅、法安寺に預け遣はし、供養せしめ、祈念せらるべきの由申せしむ」〈看聞御記永享四・九・三〉。〈合類節用集〉 **―ばらへ**【荒神祓】毎月晦日(みそか)に、竈(かまど)を祓い清めに家家を巡回した物乞い。巫女(みこ)が多いが、乞食坊主・山伏・盲人などもした。「かまばらひ」「荒神はらひ」とも。「民の竈の―」〈俳・新続犬筑波三〉

くゎうせん【黄泉】地下の世界。死者の魂の行く所。「よみ」「きなるいづみ」とも。「―の事をみだりに宣べ伝ふることなかれ」〈霊異記上三〇〉。「―の冥闇を照らさん」〈平家八・征夷将軍〉

くゎうたいこう【皇太后】当代の天皇の母、または先帝の皇后におくられた称号。女御などで、生んだ親王が即位した場合にもいう。「〔光仁天皇〕勅すらく、先妣(はは)紀氏(紀朝臣橡姫)号を追尊せず、今より後―と称し奉るべし」〈続紀宝亀二・一二・一五〉。「―宮彰子(後一条天皇ノ母。中宮)」〈大鏡後一条〉。「皇太后宮、クハウタイコウグウ」〈書言字考〉

くゎうべつ【皇別】《「神別」「諸蕃」の対》上代の氏をその系統から三種に分けたうちの一。神武以後の天皇の子孫から出たと伝える氏。臣(おみ)・君(きみ)などの姓(かばね)の氏が多い。「左京―上、源朝臣」〈新撰姓氏録一〉

くゎうみゃう【光明】①ひかり。光輝。「〔神鏡ハ〕―赫奕(かくやく)として、朝の日の山の端を出づるにことならず」〈平家一一・鏡〉②仏の心身から放つ光。仏の智慧を象徴するもの。「一念の窓の前には摂取の―を期し」〈平家灌頂・六道之沙汰〉 **―しゅ**【光明朱】水銀より製造した赤色の顔料・塗料。銀朱。「青漆椀、―の影も曜(かかや)くばかりなり」〈禅林小歌〉 **―しんごん**【光明真言】真言密教で唱える陀羅尼の一。これを唱えると仏の光明を受け、一切の罪業を除く功徳があるという。「―幷に五字陀羅尼・布字観ありけり」〈著聞六四〉 **―へんぜう**【光明遍照】仏の光明があまねく照らす意で、阿彌陀仏の光明が一切の衆生を照らし、救いとって捨てないこと。「『―十方世界、念仏衆生摂取不捨』とのたまひも果てねば」〈平家九・快忠最期〉

くゎうもく【広目】「広目天」の略。「増長・―は雑林園に交はりて」〈壒嚢鈔九〉 **―てん**【広目天】四天王の一。須彌山(しゅみせん)の西方を守護する、眼目広大の神。「持国天は水火の災を除き、―は怨敵の難を退(しりぞ)け」〈日蓮遺文善神擁護鈔〉

くゎうもん【黄門】中納言の唐名。また、その邸宅。「恨み―の風月に遺り」〈本朝文粋九〉。「中納言…黄門侍郎、今世―と号す」〈拾芥抄中〉

くゎうりゃう【広量】《広い意から転じて》①不確かなこと。頼りないこと。「五位、『―の御使かな』といへば」〈今昔二六ノ一七〉②ぼんやりしていること。いいかげんな気持であること。「知らざらむ所には―して行き宿りすべからず」〈今昔二七ノ三〇〉

くゎうりゃう【荒涼】①景色などがすさまじいまでに荒れはてること。「旱澇(かんらう)飢饉し、邦国―せり」〈性霊集六〉。「あら―や武蔵野の原」〈宗祇畳字百韻〉②茫漠として要領を得ないこと。「浜ひさぎしをるるると詠まれたるは、証歌や侍らむ。浪しをるるといふ証なくは、すこぶる―なり」〈国信卿家歌合〉③とんでもないこと。無茶なこと。不用意なこと。「彌陀の御もよほしにあづかりて念仏申し候ふ人を、わが弟子と申す事、きはめたる―の事なり」〈歎異抄〉。「〔石ヲ〕―に立つべからず。石を立つるには禁忌の事等侍る也」〈作庭記〉④大きな口をきくこと。過言なこと。「参会したる大名小名、皆『―の申し様かな』とささやきあへり」〈平家九・生食〉

くゎうりょう【広陵】琴(きん)の曲名「広陵散」の略。秘曲と伝えられているが、今日伝来しない。「―といふ手を、あるかぎり弾きすまし給へるに」〈源氏明石〉

くゎうりんふう【光琳風】元祿・正徳頃、尾形光琳の大成した装飾的画風。濃厚・鮮麗な色彩に、金銀泥を巧みに用い、奇抜な意匠と超凡な図様とを特徴とした。「―の築山を見渡す目さへはるばると」〈近松・傾城酒呑童子四〉

くゎうろく【光祿】大膳職の唐名。「大唐―大夫、右散奇、常侍…朝衡に正二品を贈るべし」〈続後紀承和三・五・一〇〉

くゎうろせん【黄櫨染】天子の晴れの束帯の袍の色。薄赤に黄のまじったもの。黄櫨(はじ)・蘇芳(すはう)・酢・灰などで染める。「詔に曰く…大小の諸会には、則ち―の衣を用ふ」〈日本紀略弘仁一一・二・一〉

くゎかいのしゅ【火界の呪】不動明王の陀羅尼。大火焔が一切の煩悩を焼きつくすことを観想しながら唱える。「僧は不動の―を読みて、病める者を加持する時に」〈今昔一六ノ三二〉

くゎぎう【蝸牛】カタツムリ。〈伊京集〉 **―の角**(つの)

の争ひ 大局から見ると、小さな事がらでのつまらない争い。「あはれはかなき世の中に、―も、はかなかりける心かな」〈謡・頼政〉

くゎくらん【霍乱】夏季に発病し、激しい下痢・嘔吐を起す急性胃腸炎または吐瀉(としや)病の漢方名。「夏の事にていと暑きに、京近くなりて胸腹痛くなりて、―といふ病をし出でて、苦痛する事限りなし」〈明恵伝記下〉。〈医心方一一〉

くゎくゎんぷ【火浣布】中国南方の火山に住んでいる火鼠の毛で織ったという布。火に焼けず、かえって白くなるという。近世、木綿布を明礬(みようばん)汁・砂糖汁に浸し晒して、にせ物を作った。「―に小町が指包みたる」〈俳・行脚文集七〉

くゎげつ【花月】①花と月と。「春秋の―、いづれを勝ると申しがたし」〈慈鎮和尚自歌合〉 ②「花車(きやしや)」に同じ。「―とは花ノ月〔ト書ク〕、花車といふ同じ心なり」〈評判・難波鉦五〉

くゎけつたうウ:ト【火血刀】《「火」は地獄、「血」は畜生、「刀」は餓鬼の意》 地獄・畜生・餓鬼の三悪道に堕(お)ちること。「この娑婆世界の衆生、徒らに―の業因に累(づわら)はされん」〈本朝文粋一三〉

くゎげんかうウ:コ【管絃講】⇒くゎんげんかう。「―にて弔ひ申せとの御事にて候程に」〈謡・経政〉

くゎげんみ【過現未】「過去現在未来」の略。三世。〈文明本節用集〉

くゎこちゃうヨウ:チ【過去帳】寺で、檀家の死者の法名・俗名・死亡年月日・年齢などを記して置く帳簿。常楽記。点鬼簿。霊簿。「宿坊に―のありけるを見て」〈保元中・為義降参〉。「鬼録と云ふは、位牌或は―等ぞ」〈四河入海三〇ノ二〉 **―はいかい**【過去帳俳諧】人名を多く詠み込んだ連句をあざけっていう語。「人名多きは―とて嫌ふなり」〈俳・俳諧之註〉

くゎさ【過差】《「過」は度をすぎること。「差」は等級・しな》分に過ぎること。また、華美。ぜいたく。「封戸たちまち二千に満てり。臣自らその―を知る」〈菅家文草一〇〉。〈色葉字類抄〉

くゎざ【冠者】「くゎんざ」の「ん」を表記しない形。「―の君まゐり給へり」〈源氏少女〉

くゎさうウ:ソ【火葬】死体を焼いて骨をほうむること。「弟子等〔道昭ノ〕遺教を奉じて粟原に―す。天下の―これより して始まる」〈続紀文武四・三・一〇〉

くゎし【菓子】《木の実・くだものの意》常食の他に食する嗜好品。中世まではおもに果実を用いたのでいう。近世では、米・小麦の粉・餅などに、砂糖・餡(あん)などを加えた食品をもいった。「食後(じきご)の―まで、至極せめ食ひて」〈沙石集三ノ八〉。「五穀を以て丸めたるをも、なべて―とぞ言へりける」〈俳・宝蔵三〉 **―だんす**【菓子箪笥】菓子を入れておく小さな箪笥。「雪の留守荒し次第の―」〈俳・棗亀下〉 **―とうじ**【菓子杜氏】菓子を製造する職人。「宮寺に花を咲かせる―」〈俳・江戸筏下〉 **―ぼん**【菓子盆】食後のくだものを入れて出す木製の盆。また、餅菓子を入れる陶器製の盆も称した。「―十枚」〈証如上人日記天文三・三・八〉。〈文明本節用集〉 **―わん**【菓子椀】蒲鉾・椎茸・鯛の切身などに葛(くず)を加えた汁物を入れて椀に盛り、本膳に添えた料理。また、その椀。江戸では「椀盛り」という。「三度に一度は、珍しい―も出しさうなもの」〈枕童児〉

くゎじ【火事】火災。「もし、かの山寺に―の出で来けるか」〈今昔一五ノ三二〉。〈文明本節用集〉 **―しゃうぞく**ショウ:ゾ【火事装束】近世、火消役人・人足が出火の時着用した、兜頭巾・火事羽織・野袴・革足袋などの装束。「―の儀伺ひの覚え」〈武家厳制録三六、元禄三・五〉 **―ばおり**【火事羽織】近世、火事装束の一。消火に行く時に着た羽織。時代・身分によって、その様式が異なっていた。「―等の儀…近き頃は〔美麗デ〕目立ち候もこれ有り候」〈御触書寛保集成三七、元禄一五・二〉

くゎじつ【花実】〔歌論用語〕《花と実の意から》 はなやかな表現と実質的な意味内容。「故に弘仁より始めて延長に至る詞人の作を抽く。―相兼ねたるのみ」〈新撰和歌序〉。「詞も心も―を兼ねて、幽玄にこそ侍らめと仰せ下されしかば」〈御室撰歌合〉

くゎしゃ【火車】①猛火の燃えている車。獄卒が罪人を載せて地獄に運び、これを苛責する具という。火の車。「怖ろしげなる者どもの、―を持ち来たりてあるなりと」〈三国伝記九〉 ②女の無情なこと。「―、人の女房の花奢(くわしや=キャシャ)にはあらで、恐ろしきと言ふ俗言なり」〈世話用文章中〉

くゎしゃ【火舎】香炉の火屋(ほや)。火入れ。「―どもに、いろいろの宝の香どもをたかせ給へれば」〈栄花音楽〉。〈黒本本節用集〉

くゎしゃ【花車】①揚屋・茶屋の女房。「―、茶屋の嚊(かか)を云ふ」〈浮・好色伊勢三〉 ②「花車方」に同じ。「―杉伝十郎」〈評判・野郎楊弓目録〉 **―がた**【花車方】歌舞伎役柄の一。年寄った女の役。「かかがた」とも。「この暮からは―ぢゃげな」〈俳・大坂一日独吟千句〉

くゎじゃ【冠者】「くゎんじゃ」に同じ。若年の者をあなどって呼ぶ時にもいう。「―。少年ならず、よきほどの若者を云ふなり。小―原(ばら)など云ふなり。上下によらず、元服して俗躰の定まりたるほどの若き人を―と云ふなり」〈和漢新撰下学集〉。「希代なる―が言葉かな」〈伽・鈴鹿山物語〉

くゎしゃうョウ:シ【和尚】《漢音》受戒の人の師、戒和尚のこと。転じて、高僧の尊称。「慈鎮―」〈易林本節用集〉 ▽天台宗でクヮシャウ、法相宗・律宗では呉音によりワジャウ、禅宗では唐音によりヲシャウと読んでいた。

くゎしょ【過所・過書】①朝廷または幕府が与えた関所通過の証明書。関所手形。「およそ関を度(こ)えむと欲(おも)はば、皆本部本司を経て―を請(こ)へ」〈関市令〉。「封伝とは日本の―ぞ、…帛にも書くぞ。紙にも書くぞ。二に割って一片をば京に入る時関において、出る時その一片を以て合はせて出るぞ」〈史記抄一一〉 ②「過書船」の略。「―・天道に乗る人」〈浮・立身大福帳五〉 **―ぶね**【過書船】伏見・大阪間の淀川筋上下の貨客を輸送した船。三百石ないし二十石積。「―上り候に事付け、上すべく候。長さ二間四尺と好まれ候。櫂(かい)二丁相添へ候」〈証如上人日記天文六・四・一六〉

くゎしょく【華族・花族】「英雄」(2)に同じ。「仔細を存知せぬ人は、『―の人こそかうは』と申せば」〈平家六・祇園女御〉。〈天正十八年本節用集〉

くゎそ【過所】《ソはショの直音化》 ⇒くゎしょ。「―無しに関飛び越ゆるほととぎす」〈万三七五四〉 †kwasö

くゎそく【華族・花族】⇒くゎしょく。「―も英雄も面をむかへ肩を並ぶる人なし」〈平家一・禿髪〉

くゎたい【過怠】①あやまち。過失。「何の―を以てか罪なき叔父を誅すべきや」〈吾妻鏡文治一・一〇・一三〉 ②鎌倉時代以降、財産刑の一。過怠のとがにより罰金を取るもの。また、その罰金。「況んや恥辱を前司に与へしめば、別の―に処せらるべきなり」〈貞永式目〉 ③過失の償い。賠償。

「若宮会の事。馬場を渡らずは、百文の―なり」〈申楽談儀〉

くゎたく【火宅】〔仏〕欲界・色界・無色界の迷いの世界を、燃えつつある家にたとえた語。現世。「我、永く―を離れて人間に来たらずといへども」〈今昔三ノ三〉

ぐゎたぐゎた ①堅い物が触れて発するやかましい音。「葛城の山は―びしびしと」〈俳・通し馬下〉。〈日葡〉②寒さや恐怖のため、歯が合わぬなどして、ふるえるさま。「雲間光りて―の空」〈俳・蛇之助〉

ぐゎち【月】《呉音》①月を数える語。がつ。「去年三―十五日」〈謡・隅田川〉②〔遊里語〕やぼ。初心。「―なる男」〈評判・寝物語〉③一匁取りの端(は)女郎の異名。「つき」とも。「〔一匁取リヲ〕一寸とも、―とも言ふ」〈浮・御前義経記一〉

ぐゎちぎゃうじ【月行事・月行司】順番に一か月交代で勤める役人。町年寄を輔佐して町務を執る役など。商工業の営業組合などにもあった。「公事(くじ)取りに年行事か―かにしたらば、恣(ほしいまま)なることをばせぬものぞや」〈本福寺跡書〉。「下京の六十六町の―ども」〈祇園執行日記天文二・六・七〉。〈書言字考〉

くゎちゃう【火長】①兵士十人の長。令制では、兵士五人を一伍、二伍を一火とする。「右の一首は―今奉部与曾布(いまつりべのよそふ)のなり」〈万四三七三左注〉②検非違使(けびゐし)配下の役。看督長(かどのをさ)や案主(あんじゆ)に任ずるもの。「―前(さき)を追ふべしや否やの事」〈盛衰記四一〉

くゎつ【活・濶】気が大きく派手なこと。「物事利発に、気も―なる所ゆゑ」〈浮・当世乙女織五〉

ぐゎっき【月忌】毎月の、故人の命日に当る日。また、その日に行なう仏事。「仁和寺法親王蓮花門院にてかくれ侍りける後、―の日かの墓所にまかりけるに」〈千載五九九詞書〉

ぐゎっくゎう【月光】①月の光。〈日葡〉②「月光菩薩」の略。日光菩薩と共に薬師如来の脇侍(けふじ)。「七仏薬師ならばせ給へり。はしばしに日光・―たち給へり」〈栄花鳥舞〉

くゎっけい【活計】①生活のてだて。生計。すぎわい。「乞食(きつしよく)の客は、此(これ)をもちて―の謀(はかりごと)とする事あるに至る」〈古今真名序〉。「―は生計なり」〈碧岩抄八〉②ゆたかな生活。安楽な暮し。「一族ども、様様の遊宴を尽し、―しけるが」〈太平記三三・大森彦七〉。「貧なるが故に―はなけれども」〈無門関私鈔上〉③おごり・贅沢など、快楽を楽しむこと。「珍膳を尽し、―を旨とす」〈大友記〉。「わづかの―邪楽のために」〈こんてむつすむん地三〉。「―とは楽しむ義ぞ」〈人天眼目鈔三〉　**―くゎんらく**【活計歓楽】豊かで楽しい生活。贅沢三昧な暮し。「―して、猿楽・田楽にて暮して」〈尙書抄八〉

ぐゎっすい【月水】月経。「―と申す物は、外より来たれる不浄にもあらず」〈日蓮遺文月水御書〉

ぐゎってんし【月天子】月宮殿に住んでいる天王。月世界を統治し、寿命五百歳という。「南無帰命(なむきみやう)―」〈謡・羽衣〉

くゎっと《副》①急に大きく開くさま。「眼を―見出して、荒次郎をはたと睨み」〈曾我九〉②火などが強く燃えあがるさま。「―焼き立てた紅炉に雪を打ちこんでみよ」〈四部録抄〉③思い切って大きな行動を取るさま。「―振舞ふべきぞ」〈四河入海二〇ノ四〉。「人に物を取らせうならば―取らせうぞ」〈論語抄堯日〉④大きくへだたるさま。「―相遠いぞ。善と悪と相遠いぞ」〈論語抄陽貨〉。「歌―良くなりたり」〈耳底記〉

くゎつにんけん【活人剣】①刀剣は、その使い方次第で人を活かす働きがあるということ。「―・殺人刀・向上極意の妙剣…などいふ兵法の術をつくし、切って回り給へば」〈室町殿日記二〉②転じて、智には人の真性を復活させる作用のあることのたとえ。「我が心の剣は―なれども、対する人悪人なれば、そのまま殺人刀となる」〈仮・為人鈔四〉

ぐゎつりん【月輪】《グヮチリンとも》①月。「―落ち照らし、両顆の珠を高低にす」〈本朝文粋一〉②悟りの境地。「星階の昔位(昔大臣デアッタコト)は、すなわちこれ―の基」〈本朝文粋一四〉③密教でいう「月輪観」の略。悟りの心を満月になぞらえて行なう冥想。「聖衆各々に自證の―に坐し給ふ」〈覚海法語〉

くゎてう【花鳥】　**―のつかひ**【花鳥の使】《唐の玄宗が天下の美女をえらぶために使者を派遣した故事から》男女の間をとりもつ使者。恋のなかだち。「好色の家には此(和歌)を以ちて―とし」〈古今真名序〉　**―ふうげつ**【花鳥風月】風流。風雅。「―の興、此の道に如(し)くはなかりしにや」〈初心求詠集〉。〈運歩色葉集〉

くゎとう【瓦燈・火燈】《「火塔」「火竇」とも書く》①燈火をともす陶製の具。方形で上狭く、下の広がったもの。「ぐゎとう」とも。「川岸の洞は螢の―かな」〈俳・毛吹草五〉。〈伊京集〉②⑴に似た形。火燈形。「額際を―に取って」〈西鶴・一代女四〉　**―ぐち**【瓦燈口】茶室の勝手口などにある火燈形の出入口。「これ(コノ座敷)も―有りて」〈草人木中〉　**―びたひ**【火燈額】火燈形の額つき。「―を取り広げ」〈西鶴・浮世栄花二〉

くゎとう【裏頭】僧が袈裟で頭を包み、覆面して両眼だけ出す装い。「―数十人」〈中右記大治五・五・一七〉

くゎのくつ【靴の沓】束帯用の牛革製黒塗り靴。上縁を赤または青地の錦で覆い、足首をくくる紐には金銅の飾り金具を付ける。「靴、化乃久都(くわのくつ)」〈和名抄〉

くゎほう【果報】〔仏〕①因果の報い。善悪いずれにもいう。「衆生の善悪の―、皆前世(ぜんぜ)の業因(ごふいん)に依りてなり」〈今昔二ノ二七〉②特に、前世の善行によるこの世でのしあわせ。「その功徳によりて、今生に常に天蓋を具せる―を得たるなり」〈今昔二ノ二三〉。「世の中を過さむ道のかしこきはこれや―のはじめなるらん」〈世中百首〉　**―は寝て待て**　幸運は気長に待ての意。〈俳・毛吹草二〉　**―もの**【果報者】前世の善報をこの世で受けているしあわせな人。「くゎほうしゃ」「くゎほうじん」とも。「さてさて身どもは―かな」〈虎明本狂言・賽の目〉。「有力の者あるいは威勢の人を―と云ひ、貧者あるいは癡人などを因果の者と云ふ」〈見聞愚案記三〉

くゎぼく【和睦】和解。講和。わぼく。「されば互ひに―して」〈謡・昭君〉。「もとの契りの媒介はなし／恨みにもげには思ひに―して」〈宗祇畳字百韻〉。〈文明本節用集〉

くゎもつ【貨物】寛文十二年から貞享元年まで、長崎で行なわれた市法売買。長崎に輸入した全商品を入札によって一般商人に売り渡す販売法。また、その販売商品。「―売り渡しの儀、毎年七月五日迄、商人長崎至着の者共」〈正宝事録寛文二・四・三〉

くゎら【掛絡・掛羅】①両肩から胸にかける、小さな略式の袈裟(けさ)。「緑衫(ろうさう)の御衣に―といふ袈裟かけさせ給へり」〈増鏡一〉。〈文明本節用集〉②根付(ねつけ)。また、根付をつけた印籠・巾着など。「粒の緒締めに、ばいの―、琉球島の大巾着」〈仮・是楽物語上〉

くゎらく【花洛】花の都。京都のこと。「九重の―を出で、千里の異域に移らせ給ふ」〈保元下・新院御経沈め〉

ぐゎらり ①物の急に崩れ落ちる音。また、堅い物のぶつかり合う音。「摺鉢も——と鳴る沢に」〈俳・二葉集〉②物事が急に変るさま。「四方八方の首尾は—と違うてくる」〈近松・曾根崎心中〉③気前のよいさま。「これまた競ひ口、—と撒(ま)き散らしては、跡詰まらず」〈西鶴・好色盛衰記二〉。「諸国の秋を積んで来る大湊、人の心も—として、いづれ陽気な人手代」〈評判・二挺三味線大坂〉

くゎれい【華麗・花麗】はなやかで美しいこと。「歌は—を先とす」〈無名抄〉。「容色—なる児(ちご)の、いふはかりなくあてやかなるが」〈伽・秋夜長物語〉。〈色葉字類抄〉

くゎれう【過料】①中世、過失・罪科に科する金品。科料。「甲二百領の—を召すべし」〈吾妻鏡文治六・二・六〉②近世、庶民に科した罰金刑。享保三年始められ、各種の処分があった。〈御定書百箇条〉

くゎん【官】①官職。「中納言正三位石上朝臣麻呂…を並びに大納言とす。この日、中納言の—を罷(や)む」〈続紀大宝一・三・二一〉②官庁。また、そこにつとめる人。官人。役人。「諸国の—に申す公文、始めて駅に乗せて言上せしむ」〈続紀養老四・九・二三〉③特に、太政官。「—の司に定考(かうぢやう)といふことすなる」〈枕二三〉

くゎん【巻】巻物の数をかぞえる語。「拚せて三—を録して謹しみて献上す」〈記序〉。「勒(ろ)くして二十—とし、名づけて古今和歌集といふ」〈古今真名序〉

くゎん【貫】①銭を数える単位。一千文(もん)。近世には九百六十文を一貫とする場合もあった。「蓄銭、一十—以上有らむ者には位一階を進めて叙す」〈続紀和銅四・一〇・二三〉。「名主科料三十—文、百姓過料五—文」〈吾妻鏡建長四・一〇・一四〉②鎌倉時代以後、武家の知行高の換算に用いた単位。普通一貫文は田地およそ十石を表わしたが、時代・地域により相違があった。「今何事に三万—に及ぶ大庄給はり候やらん」〈太平記三五・北野通夜〉③目方の単位。一千匁。約三・七五キロ。「八—七百五十目」〈ロドリゲス大文典〉

ぐゎん【願】志を立ててそれを成就しようと願うこと。また、神仏に祈願すること。その時に作善(さぜん)の誓いをすることが多い。「〔延命ノ〕いのり・—などの力にや」〈源氏柏木〉

—を立・つ 誓いを立てて、神仏に祈願する。「『神仏明らかにましまさば、この憂(うれ)へやすめ給へ』と…さまざまの—・て給ふ」〈源氏明石〉

ぐゎんいしくどく【願以此功徳】①〔仏〕願わくはこの功徳をもって(一切衆生が極楽往生できますように)、の意。回向(ゑかう)の偈(げ)の文句で、法会の終りに唱える。「念仏高声に三十遍ばかり申して、—と回向して」〈義経記六〉②《転じて》終り。最後。「今日は—平等歳暮かな」〈俳・埋草四〉

くゎんうち【官打ち】高すぎる官位のために、果報負けすること。「官位をも除目(ぢもく)ごとに望みにも過ぎて成されけり。これは—にせん為とて」〈承久記上〉

くゎんえいつうほう【寛永通宝】寛永十三年から万延元年まで鋳造した銭。円形で中央に四角な穴があり、表に「寛永通宝」の四字を記す。青銅・真鍮・鉄の三種がある。鋳造高・種類は銭貨中もっとも多い。初めは「寛永の新銭」「新銭」などとも称し、また、裏に「文」の字のあるのを「文字銭(ぶんじせん)」「文銭」、裏に波模様のあるのを「波銭(なみせん)」と呼んだ。寛永通宝銭。寛永銭。「出世に及ぶ(広ク通用スル)—」〈俳・物種集〉

くゎんおん【観音】「観世音」の略。「—勇猛、手を悲願にとって八難の河に橋艤し」〈性霊集八〉。「我はじめ死せし時、見れば忽ちに—・勢至来たり給ひて」〈今昔六ノ三七〉

—かう【観音講】観音を信仰する者の講中。親睦共済を目的とし、近世では、掛銭をして定期に会合しては飲食し、或いは寺院参詣・修理または相互の救済をし、年末には総決算を行なった。「月並の—にて候ふが」〈盛衰記四三〉。「その日は十八日なりければ、観音堂を伏し拝み、—をおこなひて」〈伽・諏訪の本地〉。「碁を打って—の秋を暮す」〈俳・投盃〉 **—ぎゃう**【観音経】法華経第八巻第二十五品、観世音菩薩普門品(ふもんぼん)の別称。観音の功徳が説かれている。「また—を読み奉らむと思ひき」〈今昔一四ノ七〉 **—せん**【観音籤】「元三鬮(ぐゎんさんくじ)」に同じ。「—を示し」〈鹿苑日録明応七・二・二五〉

くゎんかかい【官加階】官位の昇進。「さだにも候はば—は肩を並ぶる人もあるまじきぞ」〈平家三・大塔建立〉

くゎんがくでん【勧学田】大学寮・典薬寮・陰陽寮などの学生に衣食を給するための田。賃貸して地代をその費用にあてた。「詔して曰く…大学寮田二十町、生徒稍衆く、費を供するに足らず、宜しく更に越前国水田一百二町を加ふべし、前に通じて一百二十余町、名づけて—と曰ふ」〈類聚国史延暦一三・一一・七〉

くゎんがくや【勧学屋】江戸の上野不忍池畔にあった薬屋。当主は大助と称し、錦袋円という気付け薬を格子造の見世(みせ)で売った。「村雀花の薬種の—」〈俳・糊飯篦後集一〉

くゎんがくゐん【勧学院】藤原氏一門の子弟の大学生を援助するために設けられた寄宿給費施設。弘仁十二年藤原冬嗣が創立。藤原氏の隆盛と共に栄え、平安末期には衰えた。大学寮の南にあったので南曹ともいう。藤原氏の氏の長者に慶事のあった時は学生が練歩して拝礼を行なったので、これを「勧学院の歩み」といった。「七日の夜はおほやけの御産養。…—の衆ども歩みしてまゐれる、見参の文どもまた啓す」〈紫式部日記〉 **—の雀は蒙求(もうぎう)を囀(さへづ)る** 勧学院の軒端の雀は、学生の読む「蒙求」を聞き覚えてさえずる意で、「門前の小僧習はぬ経を読む」と同類のたとえ。「人人これを聞きて、『—と、いしう申したるものかな』とぞ讃(ほ)められける」〈義経記六〉

くゎんくゎつ【寛濶】①度量が大きく、ゆったりしていること。寛仁大度。「この少人、気分は—にぞ生れ付いて」〈西鶴・男色大鑑六〉②伊達(だて)で華美贅沢(ぜいたく)なこと。「むさと—ならずして」〈評判・高屏風上〉 **—もの**【寛濶者】①表面は派手にえらそうに見せかけて、内実はつまらない人。異風者。はったりや。「かの—とは、奈良打の刀・脇差の如し」〈仮・可笑記三〉②伊達で派手好きな人。「—めと人皆打ち眺めける」〈西鶴・一代女四〉 **—をんな**【寛濶女】伊達で派手好きな女。「禍の—」〈西鶴・一代女三〉

くゎんげ【勧化】〔仏〕人人をすすめて仏教に導き入れること。また、堂塔・仏像などの建立・修理に寄付をすすめること。勧進。「邑老村叟のなさけなき—をまたずして縁を結ぶ」〈一遍聖絵五〉

くゎんげん【管絃】管楽器と絃楽器と。楽器の総称。転じて、音楽。「—の道に達し、才芸すぐれてましましければ」〈平家三・大臣流罪〉 **—かう**【管絃講】音楽を奏して仏事を営むこと。「今夜、鶴岡若宮宝前に於て—行なはる」〈吾妻鏡文永二・三・九〉

ぐゎんごうじ【元興寺】⇒がごうじ。「宝引(ほうびき)の童部(わらべ)は威す—長頭丸」〈俳・紅梅千句〉

くゎんざ【冠者】《ザはジャの直音化》⇒くゎんじゃ。「—の御座」〈源氏桐壺〉

くゎんさい【関西】三関から西、または逢坂関から西の地

方の総称。「―三十八箇国の地頭職を以て」〈吾妻鏡建仁三・八・二七〉

くわんさう【官曹】役所。官庁。機構よりも主として建物を指す。「我、始めて死せし時、人来たりて我を捕へて―の内に将(ゐ)て至る。見れば、死にたる我が母、其の中に有りて苦を受く」〈今昔九ノ四〉

くわんざう【萱草】①ユリ科の多年草。紅黄色で紫黒の点のある花が咲く。文選に「萱草忘憂」とあるので、これを身につけると憂いを忘れるといわれた。「くわざう」とも。忘れ草。「前栽に―といふ草を、ませ結ひていと多く植ゑたりける」〈枕一六一〉。「―といふ草こそ、其れを見る人、思ひをば忘るなれ」〈今昔三一ノ二七〉②「萱草色」の略。「―の単衣(ひとへ)、いと濃き鈍色(にびいろ)に黒きなど」〈源氏幻〉 **―いろ**【萱草色】染色の名。紅色を帯びた黄色。「黒き汗衫(かざみ)、―の袴など」〈源氏葵〉▽源氏物語では、喪の袴、単衣などに用いられている。

くわんさく【官爵】《サクはシャクの直音化》⇒くわんしゃく。「―をとられず」〈源氏(肖柏本)須磨〉

くわんざし【閂差】大小の刀を水平に差すこと。かんぬきざし。「[両刀ヲ]―にぶんのべ」〈評判・高屏風上〉

くわんざし【貫差・貫緡】銭一貫文をさし通す長さの銭緡。また、その緡に通した一貫文の銭。「やいやい、百差になはずとも、―になへ」〈狂言記・緡縄〉

ぐわんさん【元三】①《近世前期までグワンザンと濁音。年・月・日の三つの元(はじめ)の意》正月一日。元日。「えせものの所得るをり。…―の薬子(くすりこ)」〈枕一五六〉②正月三日。また、三が日をさすともいう。「縦ひ訴へ申すべきの事有りと雖も、―を過ぎての後、上奏すべき也」〈中右記長治二・一・二〉 **―くじ**【元三鬮】《元三大師が日本に伝えたのでいう》五言四句で吉凶を記した、百首で一部をなす鬮。これを観音の前で引いて吉凶を判定する。観音籤(せん)。「花の雲―に立ち替り」〈俳・流川集〉 **―だいし**【元三大師】《天台座主良源のこと。寛和元年正月三日に入寂したからいう》魔除けの護符の一。元三大師がみずから夜叉(やしゃ)の姿となり、悪鬼・災疫除けになろうと誓ったという御影(みえ)を捺(お)した札で、門口・戸口などに貼った。元三大師の札。角(つの)大師。「唐にてはやる事は、日本の―の如くなぞ」〈湖鏡集〉。「―拝む夕暮」〈俳・紅梅千句〉

くわんし【官使】太政官の使。「新羅の朝貢使王子泰廉入京の日、―命(みことのり)を宣べて、賜ふに迎馬を以てす」〈続紀宝亀一〇・四・一九〉

くわん・じ【観じ】《サ変》静かに深く思いめぐらす。瞑想する。「心憂き事と身を―・じおぼすも理にいみじ」〈栄花衣珠〉。「心を懸け、静かに―・ずる人は」〈三宝絵下〉

ぐわん・じ【丸じ】□一《サ変》丸める。特に、丸薬を作る。「薬を―・じ、料理をし、的を射るなどの事」〈雑談集五〉 □二《名》丸薬。「即座の食傷、―もらうて飲ますやら」〈浮・徒然時勢粧二〉

くわんじざいぼさつ【観自在菩薩】観世音菩薩のこと。「南無―吾が児を擁護して大きなる蓮に坐(ゐ)させたまへ」〈菅家文草三〉

ぐわんじつのせちゑ【元日の節会】元日に文武百官を集めて催す新年宴会。霊亀二年に初めて行なわれた。種種の奏上の式後、宣命が読まれ、拝舞し、祿を賜わって退出。「―は豊楽院の儀をぞ書きて侍るなる」〈著聞四〇六〉

くわんじゃ【冠者】①元服して冠をつけ、一人前になった若者。「その―然るべき所に宮仕へしける程に」〈今昔二九ノ二〉。「遙かの末子為朝―こそ鎮西にて育ちたる者にて候が」〈保元上・新院為義を召さる〉②家来の若い侍。若者。「郎等・―ばらなどをさし遣はし」〈保元上・新院為義を召さる〉

くわんじゃう【款状】《「款」は誠の意》自分の勲功などを列挙して官位や恩賞を望み、また訴訟する時などの上申書。「くわじゃう」とも。「佐々木三郎兵衛尉盛綱法師―を捧ぐ」〈吾妻鏡正治一・三・二三〉

くわんじゃう【勧請】①来臨を求めること。「海内の出家の衆を所住の処に―し、七七日を限って大乗金光明最勝王経を転読せしむ」〈続紀天平一五・一・一三〉②神仏の霊を移し祭ること。「新比叡・新熊野なんども間近う―し奉り」〈平家六・祇園女御〉

くわんじゃう【勧賞】⇒けんじゃう。「はや―行なはるべき旨仰せられけるを」〈承久記上〉

くわんじゃう【管城】「管城子」の略。「扇を携へて客来り―に課す」〈済北集四〉 **―じ**【管城子】筆の異名。〈下学集〉

ぐわんじゃう【願状】神仏へ祈願の旨をしたためた文書。願書。願文。「旅硯に露をそそぎ、―を書きぬ」〈西鶴・二十不孝三〉。〈ロドリゲス大文典〉

くわんしゃく【官爵】官職と爵位と。官位。「くわんさく」とも。「朝恩遺(わす)れず、―分に過ぎたり」〈菅家文草一二〉。「心のままなる―にのぼりぬれば」〈源氏少女〉

くわんじゅ【巻数】僧が願主から依頼されて、経文・陀羅尼などを読誦した際、その経文の名や度数を記した書付。公家の賀の祝いの場合などに、依頼された寺から願主に送ることが多い。「くわんず」とも。「御祈りの―」〈源氏(横山本)若菜上〉。「法性寺・天台・法興院、賀の―を進ず」〈御堂関白記寛弘二・一二・二〇〉

くわんじゅ【貫首】①かしらだつ者。最上位の者。「―の弟子」〈本朝文粋一〇〉②蔵人頭(くらうどのとう)の別称。「―以下あやしみをなし」〈平家一・殿上闇討〉③天台座主の別称。「昔こそ三千の衆徒の―たりしか」〈平家二・一行阿闍梨〉

ぐわんしゅ【願主】堂塔の建立、仏像の造営、写経など、仏道に関する善根を発願した人。「誠に知る、大乗不思議の力を示し、―至深の信心を試みたることを」〈霊異記中六〉

ぐわんじょ【願書】①祈願の趣意を書いて奉る文書。「法性寺の院源僧都、〔安産祈願ノ〕御―読み」〈栄花初花〉。「―を書いて山門へ送る」〈平家七・平家山門連署〉②許可を得るためにさし出す文書。〈日葡〉

くわんしょう【喚鐘】法会・説経の開始を知らせる小形の鐘。後には、茶の湯の合図にも用いた。半鐘。小鐘。「石瑠璃の油坏(つき)、書院の―の掛かる所に掛けらるべく候」〈君台観左右帳記〉。〈文明本節用集〉

くわんじん【勧進】《仏》「勧化(くわんげ)」に同じ。「嵯峨の釈迦堂炎上の時、―のために、五十箇日の間、毎日に説法ありけり」〈沙石集六ノ三〉。「国中あまねく―して、いづちともなく出で給ひぬ」〈一遍聖絵三〉 **―ずまふ**【勧進相撲】勧進のために興行する相撲。「勧進すまひ」とも。「内野七本松にて―を張行す」〈義残後覚五〉 **―ちゃう**【勧進帳】勧進のため、その趣旨、寺の縁起などを書き記した巻物。「―を捧げて、十方檀那(だんな)を勧めありきけるほどに」〈平家五・勧進帳〉 **―のう**【勧進能】①室町時代、寺社勧進のため催された大規模な能。晴天三日ないし四日行なわれた。後には勧進の原義を失い、単なる興行としても行なわれた。勧進猿楽。「勝定院殿御代に、増阿彌―仰せ付けらる」〈新撰長祿寛正記〉②江戸時代、主に観世太夫の特権として一生に一度行なうのを許された大規模な能。これを「一世一代の勧進能」または「御免勧進能」といった。興行日数は、はじめは四日が普通であったが、後には十五日に及ぶものもあった。「京の北野七本松にて、観世太夫一世一代の―有りしに」〈西鶴・永代蔵四〉 **―ばこ**【勧進箱】地獄・極楽の絵巻、酢貝、熊野の牛王(ごわう)などを入れて、勧進比丘尼(びくに)の携えた箱。「―と手覆ひは、土山にて求めん」〈浮・御前義経記三〉 **―ばし**【勧進橋】社寺で勧進のために料金を取って渡す橋。「冬は―を掛くるなり」〈仮・東海道名所記二〉 **―びくに**【勧進比丘尼】牛王宝印(ごわうほういん)を売り、地獄・極楽の絵解きをして勧進した比丘尼。中には売色をする者もあった。熊野比丘尼。色比丘尼。「伊勢大神宮造替の儀に就きて、―として、慶光院〔主上ノ〕御下知を帯ぶの間」〈証如上人日記天文二一・三・二七〉 **―びしゃく**【勧進柄杓】勧進の銭を受ける柄杓。「この頃―の柄の長きを見て候」〈玲瓏随筆三〉 **―ひじり**【勧進聖】勧進のため諸国を遊行乞食する僧。勧進坊主。「成人して、東大寺大仏殿などの―となり給へり」〈沙石集五ノ二〇〉。「長谷寺―来たる。奉加銭の事これを申し入る」〈大乗院雑事記寛正三・四・六〉 **―ぶね**【勧進船】①勧進聖(ひじり)を乗せる船。「―と白鬚の沖」〈俳・懐子一〇〉 ②近世、大阪の川口に停泊中の船をめぐって勧進する比丘尼・山伏や浄瑠璃・歌祭文語りなどを乗せた船。〈和漢船用集五〉 **―まと**【勧進的】寺社の境内などで、勧進の名目で金銭を賭け、勝負を争う弓射。賭的(かけまと)。「―を立つる春の野」〈俳・天神の法楽〉 **―まひ**(マイ)【勧進舞】勧進のため興行する舞。「―大夫…両三人同道にて罷り向ふ」〈言継卿記天文二・八・四〉 **―もと**【勧進元・勧進本】勧進のため行なう能・相撲・芝居などの興行主。「―の取手には、立石・ふせ石・荒浪…門(くわんぬき)などを始めとして」〈義残後覚五〉 **―もらひ**(モライ)【勧進貰】乞食。「―の下子(すげ)山伏ぞ」〈浄・義経東六法下〉 **―よみ**【勧進読】寺社の境内や路傍で、太平記などの書物を読んで聞かせて金銭を乞う乞食。「神田の筋違橋にて、太平記の―」〈西鶴・永代蔵五〉

くゎんす【鑵子】①青銅・真鍮(しんちゅう)などで作った湯わかし。「九輪の宝形一つおろして、―にぞ鋳させたりける」〈太平記二六・執事兄弟〉 ②茶釜。「―を立てて湯を練る」〈喫茶往来〉

くゎんず【巻数】《ズはジュの直音化》⇒くゎんじゅ。「―もてきたるに」〈源氏浮舟〉

くゎんぜ【観世】能の人名・座名・流名。能楽五流の一。大和猿楽四座の一の結崎(ゆうざき)座より出で、観阿彌を祖とする。「―・今春(こんぱる)当代の御猿楽」〈応仁略記上〉 **―どより**【観世小縒】《観世太夫が軍陣で合せ小縒をしたのが初めという》紙を細長く切ってよったもの。観世より。「文ども引き裂き、―をのべて小さき軽籠(かるこ)を仕掛け」〈西鶴・一代男七〉

くゎんせい【関西】《セイは漢音》⇒くゎんさい。「―の海」〈一目玉鉾序〉

くゎんぜおん【観世音】世の衆生の苦しみの音(こゑ)を観じ、大慈大悲の心をもってこれを済度することを本願とする菩薩。勢至菩薩と共に阿彌陀の脇侍。普通には、六観音の一である聖(しゃう)観音をいう。観音。観自在。救世(ぐせ)観世音菩薩。「その後、清弁、―の像の前にして水を浴み」〈今昔四ノ二七〉 **―ぼさつ**【観世音菩薩】観世音の尊称。この名号を唱えれば、解脱(げだつ)するという。「盧舎那如来・―・護法梵王・帝釈四大天王の不可思議威神の力に依りて」〈続紀天平宝字一・七・一二〉

くゎんせん【貫銭】《近世前期クヮンゼンと濁音》貫緡(かんざし)にさした銭。「くゎんぜに」とも。「二十疋(二百文)足らぬ―は、又八百と申すべし」〈俳・類船集一〉。〈日葡〉

くゎんそう【官奏】太政官から天皇に奏上して裁可を請うこと。大臣の行なう儀式として重要なものとされ、不堪佃田(ふかんでん)奏が主なものであった。「節会(せちゑ)・除目(ぢもく)・―などにたまたま御誤りある時は」〈保元上・新院御謀叛思し召し〉

くゎんた 詐欺。「博奕をすすめ、―に掛けて身代しまはせたらば」〈浮・色道懺悔男四〉

くゎんたい【緩怠】①怠けること。まじめに勤めないこと。「国司の祇承、―なること甚だし」〈万三八〇七左注〉 ②不届き。失礼。不作法。「当家に向って―をいたす。心得がたき所なり」〈結城戦場物語〉。「―申すな方方、こなたへ招じ入れ奉れ」〈伽・天狗の内裏〉。「不遜とは、強く奢り―なる体(てい)なり」〈成簣堂本論語抄三〉 ③罪過。「我をたばかりける―として、舌を抜き」〈サントスの御作業一ノ一六〉

くゎんぢく【巻軸】①文書・書面などの巻物にしたもの。「―区区(まちまち)に分れたれども」〈盛衰記一九〉 ②巻物などの終りの、軸に近い部分。「この明神、皇基を守り給ふめでたき御神にてましませば、旁(かたがた)以て―に入る。祝言の歌也」〈古今私秘聞〉 ③最もすぐれたものの称。「つんぼ桟敷の見物を立役の―にしたは心得ぬ」〈滑・客者評判記下〉

くゎんぢゃう(ジョウ)【灌頂】①〔仏〕頭上から水を注ぎ、一定の資格を具備していることを認証する儀式。密教では、秘法の伝授をうけて阿闍梨(あじゃり)の位をつぐときに行なう。「東寺の―に参らせ給ひて、道俗加持の香水をもちて法身の頂きに注がるとおぼしめす」〈栄花疑〉 ②芸能などの極意や秘伝を授けること。また、その極意や秘伝。「新御所御琵琶御―の事遅遅す、勿体無きの由左府申さると」〈看聞御記応永三三・六・一七〉

ぐゎんてう(チョウ)【元朝】元日の朝。元旦。「実相坊の菊の酒を大つごもりざかひに持て上り、―のお祝ひに捧げまするが」〈虎寛本狂言・餅酒〉

くゎんど【官途・官度・官頭】①官職としての地位。また、官職に就くこと。「―はこれより心に長く別れたり」〈和漢朗詠集閑居〉 ②鎌倉時代以降、受領に対して京官の称。「日来―の事を所望す。よって靫負尉に挙げ申さるるなり」〈吾妻鏡正治二・九・二五〉 ③室町時代以降、庶民が元服または宮座に加入を許されて成人の扱いを受けるようになって、子供の時の名を改め、衛門・尉(じょう)などと成人の名に改めること。武士の場合は、京官の名乗りに改める意にも用いられた。「島彦五郎―を申すの間、兵庫助たるべきの由、奉書を遣はし了んぬ」〈経覚私要鈔文安五・九・六〉。「―、受領になるを言ふ。官をすすむ也。しかるを何左衛門・何右衛門と名をかゆるを―すると言ふは、正義(しゃうぎ)にはあらざる也」〈新撰用文章明鑑中〉 **―なり**【官途成り】①官職に就くこと。また、その披露宴。「清盛の子息達―の事」〈延慶本平家一・清盛子息〉 ②室町時代以降、村落の宮座で大人(おとな)として公認され、衛門・尉と名乗ること。また、その儀式・披露宴。「四五日の内に―を致さるるが」〈虎明本狂言・鱸庖丁〉

くゎんとう【関東】①古くは伊勢国鈴鹿関・美濃国不破関・越前国愛発(あらち)関の三関から東の諸国をいう。のち、愛発関の廃止、近江国逢坂関の設置に伴い、平安時代以後、逢坂関以東をも指すようになった。また、足柄関・箱根関以東を指す場合もあった。「己卯(二十六日)大将軍大野朝臣東人等に勅して曰はく、朕意(おも)ふ所あるに縁(よ)って、今月の末、暫く—に往かむ。…壬午(二十九日)伊勢国に行幸す」〈続紀天平一二・一〇〉 ②南北朝時代以後、箱根以東の八か国、もしくはこれに伊豆・甲斐二国を加えた十か国の総称。「〔元弘三年十二月、成良親王〕—八箇国の守護として鎌倉へ下向あり」〈保暦間記下〉 ③鎌倉幕府または将軍をさしていう。「彼の山(熊野山)—の繁栄を祈り奉るによって」〈吾妻鑑治承五・一・二一〉 **—すぢ**【関東筋】近世、幕府勘定所で扱った十二か国、武蔵・相模・上野・下野・上総・下総・安房・常陸・伊豆・甲斐・出羽・陸奥の総称。「—大風吹きて」〈西鶴・織留二〉 **—に**【関東煮】煮込みおでん。関東だき。「大蛸—にして」〈宗静日記貞享三・一一・一〇〉 **—べい**【関東べい】《言葉尻に助動詞ベイを多く用いることから》関東方言または関東人をあざけっていう語。「たまたま遣ふ言葉さへ、—の如くなり」〈仮・他我身之上三〉

くゎんどう【巻頭】巻物を開いた最初の部分。また、歌集・連歌集などで、最初に記された作品。万句・千句の連歌では、特に、その第一百韻の発句。「続後撰の時、—に入れんとて、立春歌十首ばかり書きて給はらんと云ひつかはされたれば」〈井蛙抄六〉。「恋の一部の—『郭公鳴くや五月』の歌は延喜帝御製、此の巻軸は小町が姉備前と云ふ女の歌也」〈古今私秘聞〉。「六角堂上葺きのため万句連歌興行すとて、『—の発句、当季を』と申し侍りしかば。観るに声や在明の雲の郭公」〈再昌草五〉

くゎんにう(ユウ)【貫乳】陶磁器の釉薬(うわぐすり)の表面に生じた細かい氷裂のようなひび。貫入。「定州〔産〕—〔ノ焼物〕」〈遊学往来上〉

くゎんにょ【丱女】《「丱」は髪を両耳のわきに巻き上げた形。総角(あげまき)の意》髪をあげまきに結(ゆ)った少女。「童男(どうなん)・—だに、その〔蓬萊ヲ尋ネル〕使ひに立ちて舟の中にて老い」〈宇津保内侍のかみ〉

くゎんにん【官人】①官吏。役人。「勅すらく、—百姓憲法を畏れず」〈続紀天平勝宝六・一〇・一四〉 ②太政官・各省・寮司などに勤仕する六位以下の役人。「但し六位已下の—及び大舎人」〈続紀神亀三・三・一三〉 ③六衛府の将監・尉(じょう)以下、および院庁の公文(くもん)・院掌など。「六衛府の—の祿ども大将賜ふ」〈源氏若菜上〉 ④「在庁の官人」に同じ。「国司・—はからひとして、四度の道場の辺、鼓の岡といふ所に御所をしつらひて渡し奉る」〈保元下・新院御経沈め〉

ぐゎんにん【願人】①請願する人。「—より四人来たる」〈証如上人日記天文一六・八・三〇〉 ②近世、代待ち・代参・代垢離(だいごり)をしたり、お札を配ったりした乞食坊主。後期には、ちょぼくれ・ちょんがれ・あほだら経・かっぽれなどの芸をするようになった。願人坊。願人坊主。「時に—来朝の事」〈俳・独吟廿歌仙下〉 **—ばうず**(ボウ)【願人坊主】「願人」(2)に同じ。「出家・山伏・—の名前、帳面に仕立て町年寄へ差し出すべし」〈正宝事録万治一・八・一五〉

くゎんぬきざし【閂差】「くゎんざし」に同じ。「菖蒲刀—や冠木(かぶき)門」〈俳・崑山集六〉

くゎんねん【観念】①〔仏〕観じ念(おも)うこと。深く瞑想にふけること。「灌頂(くわんちょう)を授けられて誦持—す」〈性霊集四〉。「我一心に極楽を—するに」〈今昔一五ノ八〉 ②覚悟。決意。あきらめ。「殺してくれと—し、息をとぢたる眼にも」〈近松・用明天皇三〉 **—のまなこ**【観念の眼】観念に必要な知恵の鋭さを眼にたとえた語。「我—の前には、三密の月速かにして」〈謡・葛城天狗〉

くゎんのき【貫木・関木・閂】かんぬき。「門の—をはづして、扉片つ方を人ひとり入るほどあけたり」〈宇治拾遺七八〉

くゎんのちゃう(ヨウ)【官の庁】太政官庁。「八月七日の日—にて大仁王会行なはる」〈平家六・横田河原〉

くゎんのつかさ【官の司】太政官または太政官庁の称。「—の弁曹司の壁にはその殿の鷹のもの(糞)はいまだつきて侍らん」〈大鏡昔物語〉

くゎんばく【関白】《奏上に関(あず)かり上奏文を内見した上で天皇に白(もう)し上げる意》天皇を輔佐してすべての政務を執り行なう職。太政大臣の上に位する。摂政と共に、藤原氏摂関政治の骨幹をなす。「このおとどは…寛平の御時、仁和三年十一月二十一日、—にならせ給ふ」〈大鏡基経〉 ▽関白の制は光孝天皇の元慶八年、基経を任じたのに始まるが、この語そのものは、宇多天皇践祚の時の詔書に「万機巨細、百官己に総べ、皆太政大臣に関白し、然る後奏下すること、一に旧事の如くせよ」とあるのが初見。

くゎんぷ【官符】「太政官符」の略。「退り帰るべくは、—を被り賜ひて、然る後にゆるせ」〈続紀天平一三・閏三・一五〉

くゎんぶつ【灌仏】仏像に香水などをかけて礼拝する行事。「律師伝燈大法師位静安を清涼殿に請じて始めて—の事を行なふ」〈続後紀承和七・四・八〉。「—ゐて奉りて」〈源氏藤裏葉〉

くゎんぺい【官幣】祈年祭・新嘗祭・月次例祭などの時、社格の高い神社に対して神祇官から奉献される幣帛。奉幣の勅使を官幣使という。「同四月二十日、臨時に二十二社に—あり」〈平家六・横田河原〉

ぐゎんほどき【願解き】立願(りゅうがん)を解くこと。神仏に願掛けしたことが叶って、礼参りをすること。「かへりまうし」「願はたし」とも。「因幡堂薬師へ立願の—」〈舜旧記天正一三・一一・一二〉

くゎんぼふ(ボウ)【観法】〔仏〕心に真理を観ずる法。転じて、深く瞑想すること。「行く末今の御—ありける程に」〈保元上・法皇熊野御参詣〉

ぐゎんぽん【元本】根本。大本。「思無邪の三字は神拝の—」〈近松・天智天皇一〉。〈日葡〉

くゎんもつ【官物】①租庸調などの官に納入される物品。「神亀三年より已前の—納めぬ者は皆免す」〈続紀天平一・八・五〉 ②官有物。「もし限の外に売買せば、没して—となさむ」〈続紀和銅七・二・一〉

ぐゎんもん【願文】神仏にたいして願いや誓いを記した文章。願書。「御—作り、経仏供養ぜらるべき心ばへなど書き出で」〈源氏総角〉

くゎんらく【歓楽・懽楽】①喜び楽しむこと。「一代の—席の前に尽きぬに」〈万巻五・沈阿自哀の文〉。「巳の刻雲晴れ、麗日甚だ清明なり。天下—多し」〈中右記元永一・一・二〉 ②病気の忌詞。「将軍家御—に依りて、延びて今日に及ぶ」〈吾妻鏡承元二・一一・二〉。「〔三月〕八日、内府より所望の発句、—の折節と聞きて。春山の霧なき花の光かな」〈再昌草三〉。「不豫は—のこと也」〈太平記聞書〉 ③ぜいたくで楽しい生活をすること。栄耀栄華。「—心に任せたり」〈伽・伊吹山絵詞〉

くゎんりゃう(ヨウ)【管領】①領有し、支配すること。管理。「一社を—する仁」〈吾妻鏡建久一・一・四〉 ②わがものにすること。押領。「事を左右に寄せ、且はその地を—し、且は所役を対捍(たいかん)す」〈後日之式条仁治三・一〉

くゎんれい【管領】《クワンリャウとも》①室町時代、執権・引付頭人(ひきつけとうにん)・探題・守護などの異称。「禅律内談、始めて御所において行なふ。―佐々木大夫判官入道」〈花営三代記貞治七・三〉 ②室町幕府の職名。将軍を輔佐して、政務を総覧する。鎌倉幕府の執権に当る。斯波(しば)・細川・畠山の三氏が交替で就任し、三管領とよばれた。「左馬頭殿(義満)御元服…加冠、細川右馬頭頼之、時に―」〈花営三代記貞治七・四〉

くゎんゐ【官位】官職と位階と。「親王已下に勅して、其の―に准じて食封を賜ふ」〈続紀大宝一・七・三〉

くゐき【苦域】〔仏〕苦の世界。苦痛にみちた現世。「畢命を期としてこの―の界を出でて」〈平家一〇・戒文〉

く・ゑ【蹴ゑ】『下二』「け(蹴)」の古形。「蹴散、倶穢簸邏箇須(くゑはららかす)」〈紀神代上〉。「打毱(まり)―・うる侶(ともがら)に預(くは)りて」〈紀(岩崎本)皇極三年〉。「碑文の柱を踊(く)ゑ、践(ふ)み」〈霊異記上一〉

くゑぞく【眷属】《クェンゾクのンを表記しない形》⇒けんぞく。「物言ひもらすべき―も立ちまじりたらむ」〈源氏夕顔〉

くゑにち【凶会日】陰陽道で、万事につけて凶事の起る日。「ことに人に知られぬもの。―」〈枕二六一〉。「坎日(かんにち)・―など書きたりけるが」〈宇治拾遺七六〉

くゑまんだら【九会曼陀羅】金剛界をえがいた曼陀羅の図。「―の柿の篠懸」〈謡・安宅〉

くをん【久遠】〔仏〕遠く久しいこと。遠い昔。「―世世(ぜせ)の父母は珍しく本覚の如来に現はれ」〈海道記〉 **―ごふ(ゴウ)**【久遠劫】きわめて遠い過去。悠久の昔。「―より今まで、流転せる苦悩の旧里はすてがたく」〈歎異抄〉

ぐんけ【郡家】郡司が政務に当る役所。「ぐうけ」「こほりのみやけ」とも。「茨城の地の八里と那珂の地の七里とを合せて七百余戸を割きて、別に―を置けり」〈常陸風土記〉

ぐんけん【軍監】鎮守府及び征夷使に属する官で、副将軍の次の位。「宇治の民部卿忠文、清原滋藤、―といふ官を給はって下られけり」〈平家五・五節〉

くんし【君子】①徳をそなえた人。「―仁に親しむの義に感ずるなり」〈本朝文粋七〉 ②妻から夫をさしていう語。「出でては―に従ひ、まさに嬪となる」〈文華秀麗集中〉

くん・じ【屈じ】『サ変』《促音には一定の表記法がなかったので、クッシの促音ツをンで表記したものを、音のままに読んだ形》心がふさぐ。気がめいる。「人よりけにまめだち―・じて、まことにここちもいと悩ましければ」〈源氏若菜下〉

くん・じ【薫じ】『サ変』(香が)かおる。匂う。「色色の宝の香どもをたかせ給へれば、香―・じたり」〈栄花音楽〉

ぐんじ【郡司】令制の地方行政官。地方豪族の中から選ばれる終身官で、国司の下にあって、郡内の政務に当る。「主の―は郎等引き具して去ぬ」〈宇治拾遺一〇六〉

ぐんしゃ【軍者】軍法に達した人。軍学者。軍師。「奥右衛門、武芸いづれ愚かもなし。中にも―なれば」〈西鶴・伝来記三〉

ぐんじゃう(ジョウ)【群生】〔仏〕全ての生ある物。「神の為に供養して神威を崇め、―の福を饒(ゆたか)にすべし」〈性霊集二〉

くんじゅ【群集】《クンは漢音》人人が群がり集まること。また、その人人。「人多く―したり」〈平家三・無文〉。〈伊京集〉

くんじゅ【薫修】〔仏〕《「薫」は衣に香をたきしめる意》仏道の修行を十分に積み、修めること。「行ひの―積りて、野に走る獣を加持し留め、空に飛ぶ鳥を加持し落すなり」〈今昔二〇ノ四〉

くんたい【裙帯】女官の正装のとき、裳(も)の帯の余りを左右によせて腰に結び、装飾としたもの。肩の領巾(ひれ)と対する。「青裾濃(あをすそご)の裳、―などの風に吹きやられたる、いとをかし」〈枕(能因本)関白殿二月十日のほどに〉

ぐんたい【軍体】能の物真似における基本的風体としての三体の一。武将の風体。「〔三体〕老体・女体・―、是三也」〈至花道〉

ぐんだい【郡代】《郡邑の代官の意》①室町時代、一郡または二郡を管理支配する者。「―方より打ち入り、濫妨狼藉」〈蔭涼軒日録長禄四・八〉 ②江戸幕府直轄地の民政を掌る地方(ぢかた)役人。勘定奉行に属し、支配地域の広大なもの、重要な地域にあるもの、大藩の付近にあるものなどを、特に代官と区別していう。「丹波―山口勘兵衛直友、駿河守に改め」〈東照宮御実紀慶長九〉 ③近世、諸藩の地方役人。「―、鍛錬深くて、十露盤(そろばん)にうとからぬが良しと言へり」〈西鶴・新可笑記五〉

ぐんだりのほふ(ホウ)【軍茶利の法】《「軍茶利」は梵語の音訳》密教で、軍茶利夜叉明王を本尊として行なう除災・祈福の修法。赤色の浄衣を着て修する。軍茶利夜叉の法。「心誉阿闍梨は―なるべし。赤衣着たり」〈栄花初花〉

ぐんだん【軍団】令制の軍事組織。諸国に置かれ、正丁(せいてい)の三分の一を兵士とし、農閑期に訓練し、有事の際には出征した。また、衛士(ゑじ)・防人(さきもり)はこの中から選抜された。奈良時代末、辺境の国のほかは廃止し、健児(こんでい)の制に移行した。団。「京畿また七道の諸国の―…の数を減し定むること」〈続紀養老三・一〇・九〉

ぐんちゃう(チョウ)【軍帳】戦陣で、功名・手柄のあった者を記す帳簿。「歯を染めたる首を拾ひて、人知れず―に留め置き」〈西鶴・新可笑記三〉

ぐんない【郡内】甲斐郡内地方産の絹織物。多く縦横の縞で、地綾は菱紋。また、その縞模様をもいう。郡内織。郡内絹。「綿・―の問屋して世を渡る」〈国町の沙汰〉 **―じま**【郡内縞・郡内島】「郡内」に同じ。「―木綿一端・浅草島一端、これを恵まるる也」〈隔蓂記正保二・一〇・八〉

くんの・み【くん飲み】『四段』飲む意の六方詞。「流れの水をも―・み」〈評判・高屛風上〉

ぐんばい【軍配】①軍隊の配置や進退などの指図。「白井入道浄三はそのころ無双の―名誉」〈足利季世記四〉 ②「軍配団扇」の略。「進藤はこれを見て―を取り…下知すれば」〈浅井三代記一〉 **―うちは(ウチワ)**【軍配団扇】武家時代、大将が軍隊を指揮するのに使った団扇。鉄または革製で漆塗りにし、形は瓢箪の縦割りに似、鉄の柄を付けた。軍扇。軍配。「大将の持ち給ふは、朱の紙の再配(さいはい)なり。さて―なり」〈三将軍解七〉

ぐんやく【軍役】①兵役。また、戦時に武器・食糧などを出す課役。「軍(いくさ)に在る者(ひと)年六十に満ちなば―を免(ゆる)せ」〈軍防令〉 ②戦争。戦役。「壬申の年の―」〈続紀文武三・五・八〉

ぐんるい【群類】〔仏〕すべての生きもの。「有縁の衆生を導き、無縁の―を救はんがために」〈平家二・康頼祝〉

け

け ①【笥】《古形カ(瓮)の転》物を盛り、また入れる器。「家にあれば―に盛る飯を草枕旅にしあれば椎の葉に盛る」〈万一四二〉。「碁石の―に入るる音」〈枕二〇一〉 ②【食】《「笥」から転じて》食物。食事。「大御―に仕へ奉る(差シ上ゲル)と」〈万三八〉。「食、クヒモノ・ケ」〈名義抄〉 †kë

け【日】《カ(日)の転》「ひ(日)」が一日をいうのに対して、二日以上にわたる期間をまとめていう語。「長き—をかくのみ待たばありかつましじ」〈万四八四〉。「青山の嶺の白雲朝に—に常に見れども」〈万三七七〉 ▽このように複数だけを表わす単語は、日本語には他例がない。成句「日(ひ)にけに」のケは異の意で kë の音、ケ(日)は kë の音で別語。†kë

—に及(よ)ばず 《日ニオヨバズの約》 日数も経ずに。一説、「気(け)呻吟(によば)ず」で、息もきらずの意という。「山路をも妹(いも)がりと言(へ)ば—来ぬ」〈万三三五六東歌〉

け【木】 《キの母音交替形》 木。「木、此をば開(け)といふ」〈紀景行十二年〉。「松の—の並みたる見れば家人(いはひと)のわれを見送ると立たりしもころ」〈万四三七五防人〉 †kë

け【毛】 《古形カ(毛)の転》 ①(動物の皮膚に生えた)毛。「〔鹿ガイウニハ〕我が—らは御筆(みふみて)はやし我が皮は御箱の皮に」〈万三八八五〉。「御顔色あしう、—深く、ことのほか醜くおはするに」〈栄花様様悦〉 ②鎧の縅(をどし)に使う糸や皮。縅毛(をどしげ)。「星あかりに鎧の—もさだかならず」〈平家九・二度之懸〉 ③草木。「大木繁き御ほた山を閤(さしお)きて、—無し山に向ひ」〈中臣祐定記嘉禎二・一・一五〉 ④実った稲穂。作毛。「永永しく日照りして天下の田畠の—一筋もなし」〈ひとりごと〉 †kë **—が生・ゆ** 黴(かび)がはえる。「洗濯糊—・ゆる也時鳥」〈俳・金剛砂上〉 **—の生えた** やや年功を経た。少し勝れた。「定めて小詰(こづめ＝下級ノ役者)に—立役」〈評判・役者大鑑〉 **—を吹き疵(きず)を求・む** 《韓非子、大体篇「毛を吹きて小疵を求めず」より出た諺》 ①こまかく欠点を追及し、あばき出す。「炯然(いちしる)く過ち無きを慇(ねもころ)に探(あなぐ)り、—・むべからず」〈霊異記下三三〉。「この御難、はからざる外の事にこそ侍るめれ。実に毛を吹いて疵を求め給ふなり」〈国信卿家歌合〉 ②人の欠点を指摘しようとして、かえって自分の短所を暴露する。「—・め禍の種なるべし」〈仮・悔草下〉

け【気】 〔一〕『名』《接頭語カ、接尾語ヤカ・ラカのカの転。キョゲ・カナシゲなどの接尾語ゲと同根》 ①霧・煙・香・炎・かげろうなど、手には取れないが、立ちのぼり、ゆらぐので、その存在が見え、また、感じられるもの。「潮(しほ)—立つ荒磯にはあれど」〈万一七九七〉。「東おもての朝日の—(カゲガ)いと苦しければ」〈かげろふ下〉 →もののけ。 ②(目に見える)様子。気配。「心ちぞ〔軒端荻ニ〕なほ静かなる—を添へばやとふと見ゆる」〈源氏空蟬〉。「怖ろしき—もおぼえず、いとらうたげなるさまして」〈源氏夕顔〉 ③感じ。感じのするもの。「〔米ノ洗イ汁デモ〕供養すべし。米の—なれば吉き物なり」〈今昔一ノ二〉 ④事情。ため。せい。「思ひたまふ—にや、痩せ痩せに」〈源氏夕霧〉。「世の中しづかならぬは、この—なり」〈源氏薄雲〉 ⑤血の気。「物いと苦しう、さまざまに思すには—ぞあがりける」〈源氏夕霧〉 ⑥異常な様子。病気。「中風の—有りて、手ひゆる故に」〈沙石集四ノ一〉。病「疫、衣夜美(えやみ)、一云度岐乃介(ときのけ)」〈和名抄〉 ⑦産気(さんけ)。「青女産所に渡らる。—出来(しゅったい)に依りて也」〈師守記貞治六・九・一三〉 〔二〕『接頭』《動詞・形容詞について》 はっきりここと指すことはできないが、全体としてたしかに感じられるさまをあらわす。「—おされ」「—おとり」「—うとし」など。「おとどを見奉るに、—おそろしくまばゆく」〈源氏若菜下〉 †kë **—がつ・く** 産気づく。「気づく」とも。「天乙女まちっと先に—・いて」〈俳・大坂独吟集下〉 **—もな・し** ①気配がない。それらしい様子が少しもない。「今は—・いと、ひそめきて笑ひけり」〈仮・名女情比五〉 ②何の事もない。思いもよらない。とんでもない。「『此所に平家の人人有る由、方方にてはなきか』。菊の前、—・い顔にて、『いゑ、さやうの人は見た事も候はず』と有り」〈浄・盛久三〉

け【異】 ①普通と異なるさま。いつもと変っているさま。「妹が手を取石(とろし)の池の波の間ゆ鳥が音—に鳴く秋過ぎぬらし」〈万二一六六〉 ②まさるさま。格別なさま。「ありしより—に恋しくのみおぼえければ」〈伊勢六五〉。「異、コトナリ・ハナハダシ・ケニ」〈名義抄〉 †ke

け【褻】 《「晴れ」の対。ケ(日)と同根》 日常的なこと。ふだん。「衣裳等に、—、はれと云ふ」〈壒嚢鈔三〉。「晴、ハレ。褻、ケ」〈色葉字類抄〉 **—にも晴れにも** 平生でも特別の日でも。何につけても。また、ただ一つきりの意。「別に衣裳とてもあらばや、—嚢一つなれば」〈中華若木詩抄下〉

け【卦】 易の算木の面にあらわれた象(かた)。乾(けん)・兌(だ)・離(り)・震(しん)・巽(そん)・坎(かん)・艮(ごん)・坤(こん)の八つを基とするので八卦(はっけ)という。これを種種に組み合わせて吉凶を判断する。「男どもを召し集めつつ、—たてさせ給ふほどぞ、猶いと珍らかなりける」〈栄花もとのしづく〉。「ことさら是は遊魂(ゆこん)の—に当らせ給へば」〈伽・さざやき竹〉

け【罫】 字を整然と書くために、紙の上に目印にひいた線。けい。「—かけたる金(かね)の筋」〈源氏鈴虫〉。「堺、ケ」〈色葉字類抄〉 ▽ケイは慣用音。

け【蹴】 『下一』《古形クヱの転》 足のつま先で物を突きやる。「帯刀どもして蹴させやせましと思ひしかど」〈大鏡兼家〉。「永日の暮れぬる里に鞠(まり)を蹴て」〈兼載独吟〉

け【消】 『下二』 消える。「残りたる雪にまじれる梅の花早くな散りそ雪は消(け)ぬとも」〈万八四九〉。「立山の雪し消(く)らしもはひつきの河の渡り瀬鐙(あぶみ)つかすも」〈万四〇二四〉 †kë

け【来】 動詞「き」(連用形)の上代東国方言。「水鳥の発(た)ちの急ぎに父母に物言(は)ず—にて今ぞ悔しき」〈万四三三七防人〉 †ke

け 『助動』 回想の助動詞「き」の古い未然形という。一説、動詞「き(来)」の古い未然形。また、回想の助動詞「けり」の未然形「けら」の略。「白腕(しろただむき)枕(ま)かず—ばこそ」〈記歌謡六一〉 †ke

げ【夏】 〔仏〕 夏安居(げあんご)の期間。陰暦四月十六日から九十日間。「—竟(をは)れば、持斎もせずして」〈沙石集三ノ五〉

げ【偈】 《梵語の音訳》 仏徳または教理を讃美する韻文。頌(じゅ)。「四句の—等、受持読誦すれば、福徳聚(あつま)ること得」〈続紀天平宝字二・八・一八〉

げ【解】 令制で、八省以下の内外の諸司が太政官および所管の役所に提出する上進の公文書。諸家・個人が差し出す場合にもいう。解状(げじょう)。解文(げもん)。「河内国守大伴宿禰古慈斐が—にいはく」〈続紀天平一八・三・七〉

げ 『接尾』《ケ(気)と同根。平安時代に広く使われ始めた》 名詞・用言について、外から見たところ、そのように見える意、気色・様子・感じを表わす。…そう。…らしさ。例えば、「清ら」は美しさそのもの、「清げ」は美しそうに見える意で「清ら」に及ばない第二流の美。「君といへば見まれ見ずまれ富士の嶺(ね)のめづらし—なく燃ゆるわが恋」〈古今六八〇〉。「家の人出で入り、にく—ならず」〈土佐二月十五日〉。「今様の若人たちのやうに艶(えん)—にもてなさで」〈源氏椎本〉。「息も絶えつつ、聞えまほし—なることは、あり—なるを」〈源氏桐壺〉。「所労の体(てい)まことに大事—なりけり」〈著聞三九二〉。「いと心よくも思はず—にて」〈沙石集一〇ノ一〉

けあが・り【気上がり】 『四段』 のぼせる。「今宵さへ御—・らせ給はむ」〈源氏賢木〉

けあげ【蹴上げ】 人・馬などが蹴上げた塵・泥または泥水。

はね。「馬の―を掛くる事、存外なる振舞なり」〈謡・関原与市〉

けあ・し【気悪し】〖形シク〗様子が平らかでない。険悪である。「大きに高き山なれば、麓より峰へのぼる程、さがしく―・しくして道遠し」〈今昔一〇ノ三六〉。「男―・しげにて」〈今昔一六ノ二二〉

げあひ(イ:ア)【夏間】天台宗・日蓮宗の勉学中の僧が、酷暑・厳寒の季節に勉強を中止し、住院に帰って休息すること。「今日より正月晦日に至り、天台所化勧学の僧、暇を能化に請ひて、各住院に帰りて休息す。是れも亦―と謂ふ」〈日次紀事十一月二十四日〉

げあんど【夏安居】⇒あんご。「―せざるは、仏祖の児孫にあらず」〈正法眼蔵安居〉

けい【卿】⇒くぎゃう(公卿)。「勅して曰く、―等、情、公平を存して百寮に率先す」〈続紀和銅一・七・一五〉

けい【景】景色。眺め。「曲江の―をはるかに見渡せば」〈三体詩絶句抄二〉 **―がな・い** 面白くない。「御番所も人を咎めにゃ―・い」〈雑俳・菜の花〉

けい【磬】打楽器の一。堅い石板を「へ」の字形に作り、吊りさげて打ち鳴らす。仏具としては、多く銅製で、広く寺院で使われた。「琵琶・御琴・―打たせ」〈宇津保祭使〉。「二間(ふたま)なる―など参らせて、戒の沙汰せさせ給ふ」〈讃岐典侍日記〉

けい【怪異】〖ケは呉音〗怪しく不思議なこと。「―の恐れ、古今つつしみとす」〈著聞五九九〉

げい【芸】①学問。才能。「僧通徳・恵俊に勅して、並びに還俗せしむ。…其の―を用ゐむが為なり」〈続紀文武四・八・二〇〉②技芸。「〔音楽ノ〕―はこれ拙けれども、人の耳をよろこばしめむとにはあらず」〈方丈記〉③芸能。「この―において、大方七歳をもて〔稽古ノ〕初めとす」〈風姿花伝〉

けいあん【慶庵・慶安・桂庵】①うまいことを言って口入れ・周旋を商売にする者。「遊民ども、渡世のために―と言ふ仲間あり」〈仮・子孫鑑中〉②お世辞。追従(ついしょう)。また、それを言う人。「まづ当年の御吉けい(慶・軽)薄―」〈近松・雪女中〉 **―ぐち**【慶安口】両方に受け入れ易いように取り繕って言うこと。仲人口。慶安言葉。「―の口入れ所は、縁談の世話、印判の墨」〈滑・浮世床初上〉

けいえい【経営】〖ケイメイとも〗①全力をあげていとなむこと。「臨時の祭し、鳥居を造り替へ、ゆゆしき―にぞありける」〈盛衰記一八〉。「経営、ケイエイ・イトナム」〈色葉字類抄〉②急ぐこと。あわてること。「弓場殿方へ人人走り―す」〈御堂関白記長和二・二・一六〉③忙しく奔走すること。「厳寒に氷をしのぎて日夜に―し」〈西方発心集上〉④忙しく世話すること。「傅(めのと)たち―して、養君(やしなひぎみ)もてなすとて」〈問はず語り三〉

けいかふ(ウ:コ)【挂甲】上代の鎧の一。短冊状の薄い鉄製の小札(こざね)を糸や革で縅(おど)し、騎射戦用として発達。八世紀末より革製となる。現在、舞楽「太平楽」の舞人の武装に伝える。うちかけよろい。「―は預(あらかじ)め官に申す。官、符を兵庫に下す。府別に分付す」〈延喜式兵部省〉

けいき【景気】①目に見えるありさま。ようす。「前に龍の旗立てて居給ひたりし―」〈平家一〇・藤戸〉。「〔西光ハ〕ちっとも色も変ぜず、悪びれたる―もなし」〈平家二・西光被斬〉②景観。景色。「東西南北見まはせば、四季の―ぞおもしろき」〈盛衰記一一〉。「表には明石の浦の―を詠み」〈伽・神代小町巻〉③景観を添えるもの。「十九日の日は、川に所所帆掛け舟を―に御置きなさるべくの由にて」〈宗静日記万治三・三〉④〔歌論用語〕一首の歌が喚起する視覚的な情趣。「よき歌になりぬれば、その言葉・姿のほかに、―の添ひたるやうなる事のあるにや」〈慈鎮和尚自歌合〉⑤〔連俳用語〕景色などをありのままに詠むこと。景曲。景気付け。「―、これは眺望などの面白き体を付くべし」〈連理秘抄〉

けいくゎい【計会】〖ケイグヮイとも〗①二つのものを計らいあわせること。「蕭颯(せうさつ)たる涼風と悴鬢(すいびん)と、誰か―して一時に秋ならしむる」〈和漢朗詠集立秋〉②一時に重なり合うこと。「物色と人情と―すること疎(おろそ)かなり」〈菅家文草一〉。「悲喜―すと云云」〈吾妻鏡治承四・九・三〉③差しあいを生ずること。差しつかえること。はたと困ること。「御―の間、御借下(借用)の事仰せられ候の処、二千疋借し進らせられ候」〈御教書引付応永一五・一・七〉。「横座へ請ぜらるるほどに、―にてありしかども、座敷へつき侍りし」〈正徹物語上〉④貧乏すること。貧窮。「当時家計日を逐ひて―なり」〈実隆公記延徳三・九・二八〉。「我よりも―したる人を見て事足らぬ身の慰みにせよ」〈江北記〉。「計会、ケイクヮイ、貧乏の義」〈文明本節用集〉 **―にん**【計会人】貧乏人。「―なれば、親を養へば子が飢にのぞむ」〈虎清本狂言・泣尼〉

けいくゎい【経廻】〖ケイグヮイとも〗①めぐり歩くこと。徘徊すること。「八省を―す」〈九暦天暦二・五・四〉。「この寺を守護せんがために―するなり」〈諸神本懐集末〉。「経徊、ケイクヮイ、往来の義也」〈文明本節用集〉②日を経ること。月日を送ること。「争(いか)で一日といへども―せんや」〈玉葉元暦二・六・三〉。「我が身の―の恩の女房と舅(しうと)を捨つるなと承り候」〈伽・磯崎〉③滞在すること。「事発(おこ)る以前に花の城に参上し、―する程に」〈将門記〉。「讃岐国屋島に著御し、今に御―なり」〈吾妻鏡寿永三・二・二〇〉

けいけい〖擬音語〗①キジの鳴き声。けんけん。「雉子は―と鳴きて」〈袖中抄〉②犬の悲鳴。きゃんきゃん。「犬射られて―と鳴きて走るを」〈著聞三八〉

けいげい【鯨鯢】「鯨」は雄のクジラ、「鯢」は雌のクジラ。猛悪の魚をあらわす。「屍(かばね)を―の鰓(あぎと)にかく」〈平家一一・腰越〉

けいげいし・い〖形〗①潔癖である。また、潔白である。「最前、撞木町の〔出来〕事を、―・う言はるるゆゑ」〈浮・野白内証鑑三〉②ぎょうぎょうしい。ことごとしい。「―・い、何が是れが汚なうて。内方へ出入りなさるるからは、此のお子の尿糞(ばば)は戴いてござらにゃならぬ」〈浮・禁短気六〉

けいこ【稽古】〖「稽」は考える意〗①昔のことをよく考えること。「これ―のおろそかなるなり、慕古いたらざるなり」〈正法眼蔵仏性〉②学問を学ぶこと。「―の勤め朝夕倦(う)まず」〈中右記寛治八・六・三〉。「顕密の―は物の用にも立たず」〈一言芳談〉③芸能などを学び習うこと。「この時分の―、すべてすべて易(やす)きなり」〈風姿花伝〉④練習。「〔都へ上レバ〕必ず御所望がござらう程に、―になりまらする。一節〔平家ヲ〕語って聞かせられい」〈虎明本狂言・丼礑〉 **―じゃうるり**(ジョ:ウ)【稽古浄瑠璃】素人が練習中の下手な浄瑠璃。「竹の柱に節こめし―」〈近松・生玉心中下〉 **―じょ**【稽古所】音曲・舞踊などを教授する所。「稽古屋」とも。「―も出してやらうと後家の文」〈雑俳・万句合明和四〉 **―のう**【稽古能】能太夫が練習のため行なう能会。諸人にも見物させた。「空もめでて雪を廻らすや―」〈俳・安楽音一〉 **―ぼん**【稽古本】浄瑠璃・長唄などの詞章に曲譜を記入した稽古用の本。「―の竹子集」〈評判・野良立役舞台大鏡〉

げいこ【芸子】①歌舞伎若衆。「上方の―に見習ひ」〈西鶴・一代女六〉②《上方でいう》歌舞で宴席に座興を添える女芸人。芸妓。初めは踊り子といい、江戸では芸者といった。「享保年中より、—と言へる者出来たり」〈みをづくし〉

けいこく【傾国】《漢書、外戚伝に「一たび顧れば人の国を傾け、再び顧れば人の城を傾く」とある》①帝王が美女を愛して国を亡ぼすに至ること。「傾城(けいせい)・—の乱れ今に有りぬと覚えて」〈神田本太平記一・三位殿〉②絶世の美人。「—〔ヲ思ウ〕とは、一国を傾くるほどの美人を得たく思へる心なり」〈長恨歌抄〉③遊女。傾城。「傾城。—ともいふ」〈色道大鏡一〉

けいさく【計策】はかりごと。計略。「—ならずんばあの大軍に勝つ事を得がたし」〈中華若木詩抄上〉

けいし【京師】都。京都。「使に付けて—に贈り上す」〈万四〇八四左注〉

けいし【屐子】《ケキシの音便形》木製のはきもの。足駄(あしだ)の類。「—・履(くつ)などに『緒すげさせ、裏をさせ』などもて騒ぎて」〈枕五〉

けいし【家司】《ケシの転》親王・摂関・大臣その他三位以上の家の家政をつかさどる職員。「いへづかさ」とも。「—四人参省、下家司(しもけいし)両三」〈御堂関白記寛仁二・一・三〉。「〔内大臣家ノ〕政所(まどころ)・—など」〈源氏松風〉▽大宝令では家令(かれい)といったが、後には四位・五位の者を家司、それ以下の者を下家司というようになった。 **—だ・ち**【家司立ち】『四段』家司らしくふるまう。「はかばかしき—つ人なども見えず、なれたる下仕へどもぞ、草の中にまじりて歩く」〈源氏野分〉

けい・し【啓し】『サ変』①(皇后・春宮・院などに向って)申し上げる。「煩はしうて、宮(皇后)にはさなむと—・せず」〈源氏賢木〉▽天皇に向っては「奏し」という。②文書で陳べる。「みだりがはしく進退に迷うて、案内を—・する所なり」〈平家七・木曾山門牒状〉

げいしゃ【芸者】①遊芸にたくみな者。芸人。「むさとしたる—、居食ひする者が多ければ、国が必ず不弁(ふべん)するぞ」〈三略抄〉②歌舞伎役者。「—も世を暮しかぬると云ふ事なし」〈西鶴・男色大鑑五〉③幇間(ほうかん)。太鼓持。「ちと前慰みに、—を申し付けませふ」〈洒・南閨雑話〉④〔江戸語〕芸妓。上方では芸子という。「座敷—、〔遊興代〕一角づつ。らん〔芸者ノ名〕」〈評判・初緑〉

けいしゃう(ショウ)【卿相】天子の重臣。公卿(くぎょう)。「騎射・相撲及び膂力の者あらば、輙(すなは)ち王公—の宅に給す」〈続紀神亀五・四・二五〉

けいじゃう(ジョウ)【啓上】申しあげること。「一筆—せしめ候」〈謡・鞍馬天狗〉▽書簡の冒頭に書く慣用句。

げいしゃう(ショウ)【霓裳】「霓裳羽衣」(2)の略。「—一曲の声のうちに、漁陽の鼙鼓(へいこ)地を動かし来り」〈太平記一〇・鎌倉合戦〉 **—うい**【霓裳羽衣】《「霓裳」は虹のような裳すそ。「羽衣」は、はごろも》①天女等の着る美しい衣。「—のよそほひを、天人影向(ようごう)するかと、見る人聞く人もろともに涙を流さぬはなかりけり」〈盛衰記三三〉②唐の玄宗帝が月宮殿で見た天女の舞にかたどって作ったと伝えられる舞楽。「古き目録にも、—は壱越(いちこつ)調の楽なり」〈十訓抄一〇ノ六四〉

げいじゅつ【芸術】①学問と技術と。「僧隆観…頗る—に渉(わた)り、兼ねて算暦を知る」〈続紀大宝三・一〇・一六〉②武芸。「—未熟の者、名僧知識に逢ひたりとて、開悟すべきにあらず」〈天狗芸術論一〉③芸能・音曲のわざ。「ましてこの世の—をや」〈ひとりね上〉

けいしん【桂心】肉桂の真皮(しんぴ)。薬用とする。「—といふ薬は此の国にも候ひければ」〈今昔二四ノ一〇〉。〈色葉字類抄〉

けいじん【鶏人】時刻を知らせる役人。鶏冠に似せて赤頭巾をかぶったという。「閑院殿には、火の影もかすかに、—の声も留まり」〈平家四・厳島御幸〉

けいせい【傾城】《その色香に迷わされ、ついには一国一城をほろぼすに至る意から》①美人。「大将軍矢おもてにすすんで、—を御らんぜば、手だれにねらうて射落せとのはかりことおぼえ候」〈平家一一・那須与一〉②遊女。うかれめ。「今は昔、一条桟敷屋に、ある男泊りて—と臥したるに」〈宇治拾遺一六〇〉。「たはれ女(め)とは—の事なり」〈宗祇袖下〉→傾国。 **—かひ**(カイ)【傾城買ひ】傾城を買って遊ぶこと。女郎買い。「—とて、野人なる者ばかり翫(もてあそ)ぶにはあらじ」〈色道大鏡四〉 **—ぐるひ**(グルイ)【傾城狂ひ】美人・遊女の色香に溺れること。「大酒を飲うで—をするぞ」〈史記抄六〉 **—小忠実(こまめ)に盥(たらひ)が女房** 傾城は鏡に向ってせっせと化粧するが、家事に追われる町家の主婦は洗濯盥で水鏡を見るのが精一杯だ、の意。「目つきで殺す、所体(しょてい)に〔男ガ〕なづむ、—」〈近松・寿門松下〉 **—づか**【傾城柄】傾城買いの道に通暁していること。女郎柄。よね柄。「—・野良柄、唯一筋に握らんと気ざして」〈評判・濡仏上〉 **—に誠なし** 遊女の言動はすべて嘘だの意。「—と世の人の申せども」〈近松・三世相三〉 **—また**【傾城股】《傾城の猫股の意》傾城の経験を積んで、煮ても焼いても食えない者。「此の二人を—と言ふ化物たる由書けり」〈評判・讃嘲記〉 **—まち**【傾城町】遊廓。「—より上味噌町まで、家数三四十焼け申し候」〈梅津政景日記慶長一七・四・一二〉 **—みゃうが**(ミョウ)【傾城冥加】《遊女の自誓の語》傾城である自分が約束を違えたら、神仏の冥加が尽きてもかまわないの意。必ず。断じて。「吾妻を見込んで頼むとは、いとしらしい婆さん、—聞く気でごんす」〈近松・寿門松上〉 **—や**【傾城屋】女郎屋。「今日未の剋ばかり、下北小路西洞院—焼亡す」〈師守記貞和三・二・二四〉

けいせつ【螢雪】《晋の車胤は螢を集め、孫康は雪を積み、それを明りとして勉学に励んだ、という故事から》辛苦して勉学につとめること。「—の功年つもりて碩学の聞えありけり」〈沙石集一ノ七〉

けいぜつ【鶏舌】《「鶏舌香」の略》丁子香(ちょうじこう)に似た香の名。「—の沈水を薫(くん)じたれば春風香暖にして」〈太平記三九・諸大名讒道朝〉

けいせん【傾城】「けいせい」の訛。「傾城を—」〈俳・かたこと三〉。「若衆・—居申す所見申し候」〈森田久右衛門日記延宝七・四・一二〉

けいち【景地】景色のよい所。眺めの素晴らしい土地。「—をほめ、国をほむ」〈好色破邪顕正上〉

けいちつ【啓蟄・驚蟄】《冬籠りの虫がはい出る意》二十四気の一。陰暦二月上半の節。「—、二月節」〈掌中歴〉

けいちゃう(チョウ)【慶長】 **—きん**【慶長金】慶長六年から元祿八年まで、江戸幕府が鋳造した大判・小判・一分判金の総称。「—幷びに新金」〈御触書寛保集成三三、享保八・三〉 **—ぎん**【慶長銀】慶長金と同じ期間に、江戸幕府が鋳造した丁銀・豆板銀の総称。「慶長以来銀座に於て吹き立て候—・元祿銀・宝永銀」〈御触書天保集成九〇、寛政一〇・五〉

けいづ【系図】①先祖以来、歴代の系譜や家系を記録した文書。「紀三十巻、—一巻」〈続紀養老四・五・二一〉。〈色葉字類抄〉②事物の来歴。由来。由緒。「おのが刀の物切るる—をいうて利口して」〈児教訓〉 **—だて**【系図立て】自分の家の系図を言い立てて自慢すること。「—〔ノ癖ガアル〕六郎太郎」〈仮・長者教〉

げいづくし【芸尽し】身に付けたあらゆる遊芸を演じること。「大坂庄左衛門・江戸勘兵衛が—」〈仮・浮世物語二〉

けいてい【継体】《ケイタイとも》天子の位を継ぐこと。「—の君、受禅の主、祚(そ)に登れば…号を改めずといふことなし」〈続紀延暦一・八・一九〉。〈色葉字類抄〉

けいてう(‥チョウ)【京兆】左京大夫・右京大夫の唐名。「京兆の尹(ゐん)」とも。「故左—は…『いかにと云ふ事ぞ』と尋ねられしかば、その申しし義、—の義にあひて侍りしかば」〈袖中抄四〉

けいどう【警動・傾動・驚動】①非常におどろくこと。びっくり仰天すること。「二品頗る—し給ひ、則ち厚免せしめらる」〈吾妻鏡文治三・一〇・四〉②岡場所に手入れをして私娼を捕えること。「けいど」とも。「—と云ふ風大いに吹いて」〈洒・華里通商考〉

げいねずみ【芸鼠】見世物にするため芸を仕込んである鼠。「—の文使ひ」〈西鶴・胸算用一〉

げいのう【芸能】①芸と能と。技芸・技能など。「—二つを学び給ひけるに」〈承久記上〉。「もろもろの—は皆、よき師にあひて学ぶに、むなしき事なし」〈古今集註〉②演芸。「—最中物忩(ぶっそう)出で来」〈多聞院日記永正二・七・二〉

けいば【競馬】⇒くらべうま。「—・流鏑馬(やぶさめ)・相撲各百番」〈平家一・願立〉

げいは【鯨波】《大波の意から》ときの声。「静、敵の—の声に驚き」〈義経記四〉

けいはく【軽薄】①軽く薄いこと。「勇士の戦場に赴くには、兵具を以て先と為し、甲冑は—、弓箭は短小也」〈吾妻鏡建仁三・一〇・二六〉。「菲薄、ヒハク、軽薄」〈易林本節用集〉②うすっぺらで誠意がないこと。「何事も—にないやうにせよ」〈周易抄〉。「—は、字形(なり)は軽く薄きなり。人の軽忽(きやうこつ)にして実もなく落ちつかぬありさまなり」〈中華若木詩抄下〉③人の意を迎えるためにする上べだけの言動。追従(ついしょう)。お世辞。「〔主人ニ対シ〕気に入り顔の—は、昔も今も悪心とこそ申すなり」〈結城戦場物語〉 **—ことば**【軽薄言葉】お世辞。へつらいの言葉。「御尤も御尤ものーにそだて(オダテ)られ」〈近松・天智天皇二〉 **—ざけ**【軽薄酒】宴会で相手へのおあいそに仕方なく飲む酒。「おもしろからぬ—に気が尽きて」〈近松・曾我扇八景中〉 **—どころ**【軽薄所】客に専らお世辞や追従を言って商売をする所。遊里。「元より—なれば」〈西鶴・好色盛衰記一〉

けいひち【警蹕】《ケイヒツとも。「蹕」は道行く者の足を止める意》天皇の出入や正式の食事の時、または貴人の通行や神事の時などに、声をかけて人人をかしこまらせ、先を払うこと。「御斎会、行幸有り。…御輿大将—す」〈九暦天慶九・一・八〉。「御膳(おもの)まゐる足音高し。—など『をし』と言ふ声聞ゆるも」〈枕二三〉

けいひゃく【敬白】つつしんで申しあげること。また、願文・手紙などに記す敬語。「御産平安にあるならば…と御立願ありけり。全玄法印是を—す」〈平家三・御産〉

けいびゃく【啓白】神仏などに申しあげること。また、その文書。「本尊に—して、『早く許しつかはすべし』と申しけり」〈宇治拾遺二ノ七〉。〈色葉字類抄〉

けいふ【契夫】夫。亭主。「この羅漢の中に…—に似たる形も有りて」〈西鶴・一代女六〉

けいぶつ【景物】①その折折の趣のある飲食物など。「時の—尋ねて、酒勧め奉らんと支度(したく)したり」〈盛衰記三九〉②四季折折の自然の風物。連歌・俳諧では、花・時鳥・月・雪を四箇の景物という。「発句に時節の—背きたるは、返す返す口惜しき事也」〈連理秘抄〉。「〔付句ニ〕—を好めば連歌つまる也」〈一紙品定之灌頂〉

けいま【桂馬】将棋の駒の一。「畔道や—〔飛ビ〕に飛んで山桜」〈俳・一の木戸下〉。〈象戯馬法〉 **—とび**【桂馬飛び】《将棋で桂馬が一間隔てておいて、とんで斜め前方に進むことから》物事の躍進するたとえ。「—ぢゃ御免なれ」〈浄・道外和田酒盛六〉 **—の高上(たかあが)り**《将棋で桂馬が進み過ぎて進退出来なくなる意から》分不相応なことをして、かえって苦しむたとえ。「楝(あふち)にて見るや—」〈俳・柾木葛上〉

けいめい【経営】「けいえい」の転。「預り、いみじく—しありくけしきに」〈源氏夕顔〉。「今日は院の御—にて」〈増鏡九〉。「—、いとなむ事なり」〈匠材集三〉

けいもじ【傾文字】傾城(けいせい)の文字詞。遊女。「さる方の—より、珍らしき文貫ひたると云ふ」〈評判・寝物語〉

けいらく【京洛】みやこ。京都。「これに依りて、—に出でて経を読むに」〈今昔一二ノ三八〉

けいらく【経絡】漢方で、「経」は動脈、「絡」は静脈をいう。人体には十二経脈・十五絡脈があると説く。「〔鍼(はり)ヲ立テル〕—が違ひます」〈狂言記・針立雷〉

げいん【外印】《御璽を「内印」というのに対して》太政官の印。「太政官印」の四字が刻んである。「丹波史千足等八人、—を偽造し、仮に人に位を与ふ」〈続紀和銅四・一二・二〉。「内印・—を鋳(い)るべき寸法、古文・正字を定め了りぬ」〈将門記〉

けう(キョウ)【孝】《呉音。漢音ではカウ》①よく父母に仕えること。「信紗は氏直(うぢのあたひ)果安が妻なり。舅姑に事(つか)へて—を以て聞ゆ。夫亡(みま)かる後に積年志を守り…舅姑に事へて自ら婦の礼を竭(つく)す」〈続紀和銅七・一一・四〉。「いみじく—なる人にて、〔親ヲ〕遠き所に住ませじ、一日にひとたび見ではえあるまじとて」〈枕二四四〉②親や近しい者の喪に服し、後世をとむらうこと。「父かくれて三年、母かくれて五年になりぬといふ。…三年の—おくる」〈宇津保俊蔭〉

けう【希有】《呉音》①めったにないこと。「〔道長ガ娘三人ヲ后ニサレタノハ〕まことに——の御幸ひなり」〈大鏡道長〉。「能遠朝臣威徳に小馬を進む。—に小也」〈殿暦康和三・一〇・二七〉②不思議なこと。「いと怪しく—の事なむ見給へし」〈源氏手習〉③めったにない程すばらしいこと。「射手ども、—のことにぞ言ひあへりける」〈今昔二三ノ二三〉 **—にして** やっとのことで。九死に一生を得て。かろうじて危地を脱したばあいに用いる。「正俊—そこをば遁(のが)れて鞍馬の奥に逃げ籠りたりけるが」〈平家一二・土佐房〉

けうあく(キョウ‥)【梟悪】悪くたけだけしいこと。猛悪。「是も世澆季(げうき)に及んで、人—を先とする故なり」〈平家一・二代后〉

けうが・り【希有がり】『四段』①希有なことに思う。不思議がる。「—・りて、方二三尺、深さ一尺余ばかり掘りたれば」〈古本説話四七〉②《室町時代、キョウガリと発音されるに至り、「興がり」と混同》興味を覚える。風変りでおもしろく感じる。「—・る風情(ふぜい)にて通らんとする者あり」〈義経記六〉。「さらに愛そうもない景ぢゃが、されどもちっと—・る事があるぞ」〈三体詩抄一ノ三〉

げうき(ギョウ‥)【澆季】《「澆」は薄、「季」は末の意》人情の薄い末の代。末世。「世—に及び、人好んで禁を貪り」〈兵範記保元一・九・一八〉

けうくゎん【叫喚】①叫びわめくこと。〈色葉字類抄〉②「叫喚地獄」の略。「〔八大地獄ノ〕四は―、五は大叫喚」〈孝養集上〉 **―ぢごく**【叫喚地獄】八大地獄の第四。殺生・偸盗・邪淫・飲酒の罪を犯した者が、熱湯の大釜や猛火の鉄室に入れられ、苦しみのあまり叫びわめくという。「酒肉の食を好みて、多くの魚鳥等を殺せりしが故に、―に堕(お)ちたりといへども」〈今昔六ノ一八〉

けうくん【教訓】いさめること。意見すること。「やうやうに―し、こしらへられける間(あひだ)」〈保元上・新院為義を召さる〉

けうけ【教化】〔仏〕①人人を教え導いて、善道・仏道に向わせること。「法を聞きて帰り下りてこの群賊等を―せむと誓ひて」〈今昔六ノ六〉②仏前で法要の際、諷誦される一種の讃歌。「―おこなふ所、山寺の作法うつして、大懺悔す」〈紫式部日記〉

けうげべつでん【教外別伝】禅宗で、言語・文字の手段によらず、以心伝心で奥深い教義を伝えること。また、その教義。「―にして全く文字を立(た)てせず」〈道元法語〉。「禅門はこれ―なり」〈夢中問答下〉

けうさう【教相】密教で、教義を組織的に解釈する部門。「行雅僧都とて、―の人の師する僧ありけり」〈徒然四二〉

けうさう【喧噪】《ケンサウの撥音ンを「う」で表記したもの。また、「叫騒」の意とも》やかましく言うこと。「かたくなる身にて―しまどはかされなむ(ヤカマシク叱ラレテ途方ニクレサセラレルダロウ)」〈源氏少女〉

けうし【孝子】親孝行な子。「願はくは平の常岡に一人の―を授けましませ」〈伽・しほやき文正〉。〈易林本節用集〉

けう・じ【孝じ】《サ変》①親孝行する。「かくたまさかに逢へる親の、―・ぜむの心あらば」〈源氏常夏〉②親や近しい者のために供養をする。「〔実母ノ死ナノニ〕公け公けしき作法ばかりの事を―・じ給ひしに」〈源氏夕霧〉。「おろかならず―・じ給へど、限りあれば(本当ノ夫婦デナイカラ)」〈源氏総角〉

けうしゅ【教主】仏教を創めた人。特に、釈迦。「南無帰命頂礼大恩―釈迦如来」〈十訓抄一ノ七〉

けうしゅ【梟首】死罪の一。首を斬り、木に懸けてさらす。さらしくび。「―、是は頸を切て木に懸く。今も獄門のあふちの木にかくなんど云ふめり」〈壒嚢鈔一〉

けうしょでん【校書殿】内裏で書籍を納めて置くところ。紫宸殿の西、清涼殿と安福殿との間にある。「ふみどの」「ふどの」とも。「善男は是れ国道の第五子なり。…弱冠にして入りて―に直(とのゐ)す」〈三代実録貞観八・九・三〉

けう・せ【消失せ】《下二》消え失せる。「たちまちに心―・せぬ」〈万一七四〇〉 †keuse

けうと・し【気疎し】《形ク》《感じからして疎遠だ、の意が原義》①疎遠だ。近しくない。「御中のたがひにたれば、ここをも―・くおぼすにやあらん」〈かげろふ中〉②人気(ひと)遠い。「こなたは離れたり。―・くもなりにける所かな。さりとも鬼なども我をば見許してむ」〈源氏夕顔〉。「から(骸)は―・き山の中にをさめて」〈徒然三〇〉③恐ろしい感じがする。「…と言ひて、〔男ガ〕すだれに手をかくれば〔女ハ〕いと―・けれど、聞きも入れぬやうにて」〈かげろふ下〉④なじみにくい。気味わるい。「うるはしき法服だちては、うたて見る目も―・かるべし」〈源氏若菜下〉⑤興ざめだ。「〔獣ノ〕妻恋ふる声も―・き野ら寝かな」〈俳・時勢粧一〉⑥甚だしい。あきれるほどだ。「―・く見事なる品」〈浮・好色産毛一〉 ▽近世、「きゃうとし」とも表記。

けうにん【希有人】念仏の行者をたたえて呼ぶ語。「この人を上上人とも好人とも妙好人とも最勝人とも―とも申すなり」〈親鸞上人血脈文集〉

けうぼふ【教法】仏教の教え。「我、仏の―を伝へむが為に遙かにこの土に来たれり」〈今昔六ノ一〉

けうまん【憍慢】おごりたかぶること。「我、智(さと)りなくして、―の心を成せるを」〈今昔三〇ノ三九〉

けうみゃう【交名】《呉音》儀式・法会・歌会・宿番・賞罰・上申・報告などの折紙に連記した名前。また、その書付け。「具(つぶ)に―を注して弁官に申し送り」〈続紀天平一・五・三〉。「即(すなは)ち首の―を注して、京へ奉りたりければ」〈盛衰記三七〉

けうやう【孝養】①孝行。「果安(人名)は父母に―し、兄弟に友あり」〈続紀和銅七・二・四〉。「―の心ふかく」〈源氏常夏〉②死んだ親、または親しい故人のために喪に服し、後世をとむらうこと。「親討たれぬれば―し」〈平家五・富士川合戦〉。「もし彼の蛇の喰ひ残したる骨なんどあらば、取りて―せん」〈古今集註〉

けうやく【交易】《呉音。漢音ではカウエキ》取引。交換。また、貿易。「郡稲を割きて別に便地に貯へ、役夫の到るに随ひて―せしむるに任すべし」〈続紀和銅五・一〇・二三〉。「〔蔵人所デハ〕もろこしの人の来るごとに唐物(からもの)の―し給ひて」〈宇津保内侍のかみ〉。「陸奥―御馬二十疋、月華門より入る」〈御堂関白記寛弘一・三・一五〉

げうよく【楽欲】〔仏〕願い欲すること。欲望。「六塵の―多しといへども、皆厭離しつべし」〈徒然九〉

けうら「清ら」に同じ。「二重織物にていとめでたく、―にこそきらめかせ給へりしか」〈大鏡道隆〉。「糸を縒(よ)るに、いたう―に縒らむと、縒り過ぐしつれば、節(ふし)となるが如し」〈無名抄〉 ▽キョラを kyo:ra と発音したので、「けうら」と書いたもの。

けおさ・れ【気圧され】《下二》全体の雰囲気や、相手の感じに圧倒される。「〔美シイ人ニ〕花のにほひも―・れて」〈源氏花宴〉

けおと・り【気劣り】《四段》感じからしてすでに劣る。「同じことなれど、〔継子ハ〕人聞きも―・りたる心ちして」〈源氏東屋〉

けが【怪我】①思いがけないあやまち。過失。「文章なんどにかいたらば、―であらうぞ」〈史記抄三〉。「南殿にて或る人―に蜂を殺し候ひしに」〈実悟旧記〉②思いがけず傷つくこと。負傷。「剣は重宝なれども、幼き者持ち候へば、手を切り―をするなり」〈実悟旧記〉 **―の高名**(かうみやう) 過失または偶然にしたことが、意外な手柄となること。「春鳴くや―郭公(ほととぎす)」〈俳・鷹筑波三〉

げかい【下界】①〔仏〕《「上界」の対》地上の人間界。「況や電光朝露の―の命に於いてをや」〈平家二・大臣殿被斬〉。「有情より非情に及び、上界より―に至るまで」〈曾我一〇〉②海中の世界。また、龍宮の称。「―の龍神現はれたり」〈謡・竹生島〉

げかう【下向】①都から地方にくだること。「しかる間、父兼博、国司として安房の国に―す」〈今昔一二ノ三七〉②神仏に参詣して帰ること。「未(ひつじ)に―しぬべし」〈枕一五八〉。「さて―する路に藁しべのあるを」〈雑談集五〉

げかうし【下格子】格子をおろすこと。「月のあかき夜は―もせで眺めさせ給ひけるに」〈大鏡兼家〉

げがき【夏書】俗家で供養のため、夏安居(げあんご)の期間中、経文を毎日書写すること。「―は大事手習ひの時」〈俳・大矢数一〉

けが・し【穢し】『四段』《ケガレの他動詞形》①不浄にする。よごす。「浄紙を黷(けが)し」〈霊異記中序〉。「滝壺を—・さじとや」〈平家五・文覚荒行〉②(名声に)きずをつける。「くづれそめては、龍田の川の濁る名をも—・し」〈源氏椎本〉③その地位をはずかしめる。分にすぎた処遇を受ける。「実朝は又、大臣の大将—・してけり」〈愚管抄六〉④手や口をつけてよごす。「鯛の荒巻三つ持て、まうで来たりつるを、一巻たべこころみつるが…今二巻は—・さで置きてさぶらふ」〈宇治拾遺三〉

けが・し【穢し】『形シク』けがらわしい。「年経(ふ)れば—・しきみぞに落ちぶれて」〈夫木抄三六・述懐〉

けかち【飢渇】⇩けかつ。「—身を責むるに、水を求むるに得る事能はず」〈孝養集上〉

けかちまけ【毛勝負】①稲穂が出揃わぬこと。作毛の不揃いなこと。「すべて十分の稲葉も田をさからふて—の有る事なり」〈西鶴・新可笑記四〉②不揃いなことのたとえ。「残りにし雪や日足(ひあし)に—」〈俳・早梅集一〉

けかつ【飢渇】《ケは呉音》飢えと渇きと。食糧の欠乏。「きかつ」「けかち」とも。「二年が間、世の中—して、あさましき事侍りき」〈方丈記〉。〈色葉字類抄〉

けがな【怪我な】『副』まちがっても。かりそめにも。「けがにも」とも。「今朝から—にっこりともせず」〈近松・女夫池二〉

けかへし【蹴返し】歩く時、着物の褄(つま)の辺りを蹴るので、前裾(すそ)が開くこと。「緋紗綾の二幅(ふたの)—にほのめき」〈西鶴・男色大鑑八〉

けがらは・し【穢らはし】『形シク』《動詞ケガラヒの形容詞形》けがれている。不浄である。「〔死骸ヲ〕一所に定めて収め埋めしめ、汚穢(けからは)しく処処に散らし埋むること得じ」〈紀孝徳、大化二年〉。「人間は臭く—・し」〈三宝絵下〉。「穢、ケガラハシ・ケキタナシ」〈名義抄〉

けがら・ひ【穢らひ】㊀『四段』《ケガレに反復・継続の接尾語ヒのついた形。→ひ》①(死・出産・月経など)触れるべきでない不浄とされた状態になる。「やがて—・ひにしかば(死ンダノデ)」〈かげろふ上〉②不浄に触れる。けがれる。「〔死穢ニ〕—・ひたる人とて、立ちながら追ひ返しつ」〈源氏手習〉③服喪する。「帥中納言、左衛門督の御方にて、みな—・ひ給へり」〈栄花嶺月〉㊁『名』不浄。けがれ。「おぼえぬ—に触れたるよしを奏し給へ」〈源氏夕顔〉

けが・れ【穢れ】㊀『下二』《ケ(褻)カレ(離)の複合か。死・出産・月経など異常な状態、触れるべきでない不浄とされた状態になる意》①不浄の身となる。「いたくしも忌むまじきけがらひ(死穢)なれば『深うも—・れはべらず』など言ひなして」〈源氏蜻蛉〉②月経になる。「よべより—・れさせ給ひて」〈源氏浮舟〉③よごれる。「定の水の濁り—・るれば、遍知の月現はれず」〈東大寺諷誦文稿〉④(名声に)きずがつく。「空しき事にて人の御名や—・れむ」〈源氏少女〉㊁『名』①月経。「よし、御かたき(相手)をば知り奉らじ。何時よりか御—はやみ給ひし」〈宇津保俊蔭〉②不浄。「灸治あまた所になりぬれば、神事に—ありといふこと」〈徒然一四七〉③服喪。「堯仙の母〔ノ死ノ〕—昨日まで也。今日は三十一日〔目〕にて清なる也」〈大乗院雑事記永正二・二・九〉

けぎ【化儀】〔仏〕仏が衆生を感化教導するのに用いる説教の形式。「誰かはこれを権者の—と知らん」〈十訓抄三ノ一五〉

げき【下機】〔仏〕《「上機」「中機」の対》機根の劣った者。罪重く、心弱く、教法を受ける人としては資質の最も劣った者。下根。「空阿彌陀仏が如きの—は」〈一言芳談〉

げき【外記】①《「内記」の対》㋑太政官の少納言の下にあって、奏文を作り、また公事(くじ)儀式などに従った書記官。大外記・少外記各二名。「—の官、職務繁多にして、詔勅格令此れより出づ。官品に至りては実に昇進すべし」〈続紀延暦二・五・一〉㋺「外記の庁」の略。外記が執務する役所。外記局。「—の隅のほど過ぎさせ給ふとて」〈大鏡昔物語〉②「外記節(げきぶし)」の略。「三味線屋祖父(ちち)の代には—で食ひ」〈雑俳・万句合宝暦一三〉

げきしん【逆臣】《ゲキは漢音》主君に反逆する家臣。「崇峻天皇—に亡ぼさる」〈保元下・新院御経沈め〉。〈運歩色葉集〉

けきたな・し【気穢し】『形ク』《「気清し」の対》感じからしてきたない。けがらわしい。「昔の人は世を捨つるにつけて、清くすなほなる振舞ひをこそしたれ。近頃は遁世をあしく心得て、かへりて—・きものになりあひたるなり」〈一言芳談〉。「仏法修行は—・き心あるまじきなり」〈明恵遺訓〉。「穢、ケガル・ケガラハシ・ケキタナシ」〈名義抄〉

げきぶし【外記節】古浄瑠璃の一派。延宝頃、江戸の薩摩外記藤原直政が語り始めたもので、豪放な曲節。享保年中滅びたが、河東節・江戸長唄などに面影を伝えている。「天下一薩摩外記藤原直政…一流を語り出し、—とて世上に流行れり」〈声曲類纂三〉

けぎゃう【加行】〔仏〕正行〈しやうぎやう〉を一層有効にするための予備の修行。真言宗・浄土宗などで、灌頂・授戒などの前に礼拝・水浴などの行をすること。前加行。「御—を結願して、おぼしめし止まらせ給ひぬ」〈平家二・山門滅亡堂衆合戦〉

げきゃう【外痙・外経・外境】外科。「萩殿というて—の上手のあるを」〈史記抄一三〉

げぎゃう【下行】物を下し与えること。また、その物。「なじかはさらば不法の供米を—せらるると」〈著聞五三〇〉。「分開は、銭を取り出して—するなり」〈碧岩抄一〉。〈文明本節用集〉

げぎゃう【現形】《ゲンギャウの撥音ンを表記しない形》神仏など霊的なものが姿を現わすこと。「〔住吉ノ〕おほん神—し給ひて」〈伊勢一一七〉

げきゃく【解却】職を解くこと。免職。「不善の国司は…〔郡司ノ大少領ニ〕強ひて致仕を云ひ、理を奪って—す」〈続紀和銅六・五・七〉

けきよ・し【気清し】『形ク』きれいさっぱりとした感じである。「〔覚エタ和歌ヲ〕—・う(ヨドミナクスッキリト)申し出でられぬは、いかなるぞ」〈枕二三〉

けぎれ【毛切れ】鎧の縅(をどし)の糸がすり切れること。「兄弟の者共に、—のしたる鎧着せ」〈幸若・八島〉

けぎんちゃく【毛巾着】毛皮の煙草入れ。「小者に、瓢簞・—、ひなびたる事にぞありける」〈西鶴・一代男二〉

けく【結句】『副』《ケックの転》むしろ。かえって。「御前御存じにては、—悪しく候」〈池田光政日記承応三・八・二三〉

げくう【外宮】《「内宮」の対》伊勢の豊受(とようけ)大神宮。「かかる人の—に籠りたると聞きて」〈問はず語り四〉

けぐつ【毛沓】騎馬・狩猟に用いる毛皮の沓。熊・牛・猪の皮で作る。「つらぬき」とも。「白襖(しろあを)に—はきて、郎等二十人に一色の鎧着せてうけ取りける」〈著聞四三七〉

けぐるま【毛車】「糸毛の車」に同じ。「我が—に乗りて帰りにけり」〈愚管抄六〉。「—。糸毛の車也、よくかざりたるを云ふ也」〈匠材集三〉

けくゎ【悔過】①〔仏〕三宝に向って罪を懺悔する行事。「天下の諸寺をして五穀成熟経を転読し、并せて—すること七日七夜せしむべし」〈続紀天平一一・七・一四〉②過ちを悔いること。「昨夜(よべ)も昨夜(よべ)も夜離(よがれ)しき。—し来たるとも、来たるとも、目に見せそ」〈梁塵秘抄三六八〉

げくゎ【外科】 医学の一。外傷または内部疾患に対して手術を行なうもの。「尊氏卿の背(せな)に癰瘡出て…本道(ほんだう)=内科)・—の医師、数を尽して参り集まる」〈太平記三三・将軍御逝去〉

げくゎん【下官】 ①公卿などが卑下して自分自身をよぶのに使う語。「—対(たい)へて曰はく、『唯唯(をを)、敬(つつ)みて芳命を奉(うけたまは)る』といふ」〈万八五三題詞〉 ②下級の官吏。「殿上人などとは、五位・六位など—をいふなるべし」〈源氏小鏡上〉。「高官—の差別なし」〈西海余滴集〉

げくゎん【外官】《「内官」の対》 令制で、地方官。「在京の諸司を京官と為し、自余は皆—と為す」〈公式令〉

げくゎん【解官】 官職をやめさせること。免官。「もし官人私(ひそか)に〔粟〕一斗以上を犯さば即日—」〈続紀慶雲三・二・一六〉。「ゆゆしき過言をしたりける由披露して、前の年—せられにけり」〈愚管抄五〉

げげ 《ゲンゲの転》 れんげ草。げげばな。「すみれ・—」〈俳・山の井五〉

げげ【下下】 ①《「下の上」「下の中」に対して》 下の下。〈ロドリゲス大文典〉 ②身分の低い者。しもじも。したじた。「これはこれ、内裏(だいり)様とて、—のたやすく参る所ではないぞ」〈咄・昨日は今日上〉 ③わら草履。しもじもの者のはきものだったのでいう。「馬には乗らで—をはき」〈平家九・二度之懸〉

けけ・し 『形シク』《「気(け)異(け)し」の意か》 よそよそしい。「物隔てぬ親におはすれど、いと—・しうさし放ちて思(おぼ)いたれば」〈源氏少女〉

げけしゅじゃう(ジヨウ)**【下化衆生】**〔仏〕《「上求菩提(じやうぐぼだい)」の対》 衆生を教化救済すること。「法性嶺そびえては上求菩提をあらはし、無明谷深きよそほひは—を表して」〈謡・山姥〉

けけれ【心】「こころ」の上代東国方言。「甲斐が嶺をさやにも見しが—なく横ほりふせるさやの中山」〈古今一〇九七〉。「玉くしげ箱根の海は—あれや二山かけて何かたゆたふ」〈金槐集雑〉

けげん【化現】 神仏などが姿を変えて、この世に現われること。また、そのもの。「此の沙彌(しやみ)を地蔵菩薩の大悲の—なりとぞ云ひける」〈今昔一七ノ八〉

げげん【下元】 三元の一。陰暦十月十五日の称。〈文明本節用集〉

けこ【花籠・華筥】 仏具の一。竹で編んだり、あるいは金属製で籠目や唐草の透かし彫りを施した皿形のもの。法会などの時、散華(さんげ)に使う。「散華終って—を収む」〈江家次第五・仁王会〉

けこ【笥子・笥籠】(飯などを入れる)器。「飯匙(いひがひ)とりて—のうつはものに盛りけるを見て」〈伊勢二三〉

けご 様子。動静。「内の—を静かに見てぞ通りける」〈幸若・烏帽子折〉。「間(間諜)とは、—を見る者ぞ」〈史記抄一一〉

けご【家子】 下僕。下男。しもべ。「祿いまだ給はらず。これを給ひて—に給はせむ」〈竹取〉

げこ【下戸】《「上戸(じやうご)」の対》 酒の飲めない人。〈色葉字類抄〉 **—の立てたる蔵(くら)も無し** 酒を飲まぬからといって、蔵を立てるほどの金持になるわけでもないの意で、人の貧福は天命で、人力ではどうにもならぬたとえ。また、上戸が気炎を上げて言うことば。「生れつきたる貧福は、—」〈伽・酒食論〉

げこく【下国】 ①令制で国を大・上・中・下の四等級に分けた、最下級のもの。「諸国司の毎年官稲を貸すことを聴(ゆる)す。大国は十四万以下、上国は十二万以下、中国は十万以下、—は八万已下」〈続紀天平六・一・一五〉 ②都から国もとへ下ること。「金吾も—。隠居の沙汰ある」〈草根集二〉。「兼純、近日—すと云云。奥州岩城の者也」〈再昌草一九〉

げこくじゃう(ジヨウ)**【下克上・下剋上】**《「克」「剋」は勝つ意》 下の者が上の者にうち勝って、その地位・権力などをおかすこと。乱世の社会的風潮をいう。「世間の法には—、背上向下は国土亡乱の因縁なり」〈日蓮遺文善無畏鈔〉。「この頃都にはやるもの。…—する成り出者」〈建武年間記〉〈文明本節用集〉

けごと【褻事】 ふだんのこと。平常のこと。「かかる—に詠みたる、無念なる事なり」〈無名抄〉

けこみ【蹴込】 家の上り口。床下や階段などの平面の板に対して垂直な部分。「緒ぶとの雪駄(せった)をじゃらつかせ、—の前をきしくげに(武張ッテ)、揚屋へ行く顔つきにて」〈浮・好色十二人男三〉

けころも【毛衣】 ①羽毛で作った衣。「氅、ケコロモ」〈色葉字類抄〉 ②鳥の羽毛を衣に見たてていう語。「袖をぞかはす鴛(をし)の—」〈建春門院北面歌合〉 **—を【毛衣を】**〔枕詞〕「毛衣を解き」の意から、同音の「時」にかかる。「—時片設けて(時節ヲ待チウケテ)」〈万一九一〉 † kěkörö-mōwo

けごろも【褻衣】 ふだん着。「あすよりは朱(けあ)の衣を—にせむ」〈神楽歌七七〉 →け(褻)

けごん【華厳】 **—きゃう**(キヨウ)**【華厳経】** 華厳宗の根本聖典。全世界を毘盧遮那仏(びるしやなぶつ)の顕現であるとして、一微塵の中に全世界を映し、一瞬の中に永遠を含むという、一即一切、一切即一の世界観を展開している。「太上天皇の奉為(おほみため)に敬んで—八十巻、大集経六十巻…を写す」〈続紀養老六・一二・一九〉 **—しゅう【華厳宗】** 華厳経による宗派。わが国へは、唐の道璿が宗典を輸入し、良弁が東大寺によって宗旨を広めた。南都六宗の一。「大極殿に於いて始めて最勝王経を講ずること常の如し。薬師寺僧—伝燈大法師位明哲を以て講師となす」〈三代実録貞観二・一・八〉 **—ゑ【華厳会】** 華厳経を講説する法会。東大寺で毎年三月十四日に行なわれた。「これも今は昔、東大寺に恒例の大法会あり。—とぞいふ」〈宇治拾遺一〇三〉

げこん【下根】〔仏〕《「上根」「中根」の対》 仏道を修める能力の乏しいこと。また、その人。「いはんや末法のこの頃を や。—の我らをや」〈和語燈録一〉

けさ【今朝】 今日の朝。「—の朝明(けあさ)秋風さむし遠つ人雁(かり)が来鳴かむとき近みかも」〈万三九四七〉 ▽コ(此)の転のキと、アサ(朝)との複合語の約であろう。→けふ。† kesa

けさ【袈裟】《梵語の音訳》 ①インドの僧団で着た法衣。中国・日本に伝わって華美・装飾的になり、儀式に着用するようになった。衣の上に、左肩から右脇下にななめに掛ける。本来、欲念を捨てた印として用いたもの。「唐僧道栄〔二〕…緋色の—幷せて物を施す」〈続紀天平一・八・五〉 ②「袈裟懸け」の略。「老女の細首—に切って切りさげ」〈近松・国性爺後日二〉 **—まで憎・い** その人を憎む余り、その人に関係するすべての事物が憎くなる意。「常常うとみ憎まるる。—・い世のたとへ」〈近松・薩摩歌中〉

げざ【下座】 ①下座(しもざ)。末席。「大判事明兼が—にていささか口入(くにふ)を申したりけるを」〈十訓抄一ノ五二〉 ②能舞台でワキや地謡の坐る席。一段低くしてあったからいう。「人数を立て、あまさへ―より同音を謡ふこと、さらにさらに道にてはあるまじきなり」〈習道書〉③《「外座」とも書く。歌舞伎劇場で》㋑囃子方のいる所。また、囃子方。古くは舞台上手(かみて)奥にあり、近世末期下手(しもて)に移る。「臆病口、奥の口の事なり。近頃まで―はこの蔭なりしが」〈戯場年中鑑三〉㋺下座で演奏する伴奏音楽や効果音。下座音楽。「―へ取り、摺鉦(すりがね)・竹笛入りの浮いたる鳴物になり」〈伎・名歌徳三舛玉垣中〉㋩舞台の出入口で、㋑の傍にあるもの。「皆皆いっさんに―へはいる」〈伎・名歌徳三舛玉垣上〉④貴人に対する敬礼の一。座を下りて、うずくまること。「下馬・―等いたし、無礼の儀有るべからず候」〈御触書寛保集成五〇、正徳一・七〉

げざい【下財・下宰】①士農工商の工に属する職人。「士農工商の四民というて人に四種の品があるぞ。…工は工巧とて鍛冶匠人以下の―といふものぞ」〈史記抄一八〉②金・銀山の坑夫。「―ども去(い)なんとぞ思ふ夕まぐれ」〈俳・天満千句〉

けざいろく【毛才六】《ケは微小で価値のないものの意》人をののしっていう語。青二才。「十郎になぶられ、―めと腹を立て」〈評判・役者万年暦大坂〉

けさう ケ ウ【化粧】《ケシャウの直音化》白粉(おしろい)・紅・鉄漿(かね)などをつけて顔をよそおい、つくること。また、身づくろい。「うつくしき面様(おもやう)の―をいみじくしたらむやうに赤く匂ひたり」〈源氏手習〉。「歯黒めつけなど、心のどかに我が身の―をし、みがくもあり」〈栄花若ばえ〉

けさう ケ ウ【懸想】《ケンサウのンを表記しない形。ケシャウとも》異性に思いをかけること。恋。「まことの―をもをかしかりぬべきに」〈源氏若紫〉 **―だ・ち**【懸想立ち】『四段』はっきりと恋心を示す。「―・ちてもてない給はむも、なかなかうたてあらむ」〈源氏橋姫〉 **―ば・み**【懸想ばみ】『四段』恋心を寄せる。「初めより懸想びても聞え給はざりしに、ひきかへし(ウッテカワッテ)―・みなまめかむも、まばゆし」〈源氏夕霧〉 **―・び**【懸想び】『上二』恋心を持っているような行動をする。「わざと―・びてはあらねど、ねんごろに気色ばみて聞え給ふ」〈源氏柏木〉 **―びと**【懸想人】思いをかけている人。「―などは〔返歌ハ〕さしも急ぐまじけれど」〈枕一六〇〉 **―ぶみ**【懸想文】①恋文。艶書。「けしゃうぶみ」とも。「―を書きて人の方へやるに」〈仙覚抄三〉。「艶書、ケサウフミ」〈温故知新書〉②中近世、年初に京都祇園の犬神人(いぬじにん)の売り歩いた御符。艶書に擬して縁談・商売・寿命などの願いをかなえるといい、左義長(さぎちやう)で焼いた。「―手習紙に巻き添へて」〈俳・桜川一〉。「そのかみ正月元日の朝より十五日まで、年ごとに―とて売りけり。その出立は、赤き布衣(ほい)に袴のそば高くとり、なほそれより前は烏帽子を着せりとかや。中頃は、網笠かぶり覆面して、都の町町を売りけり」〈仮・狂歌咄四〉。〈俳・毛吹草二〉

げさう ゲ ウ【外相】〔仏〕外面に現われた善悪美醜など。「ただ―をあがむと見えたり」〈沙石集六ノ八〉

けざうせかい ケ ウ ゾウ【華蔵世界】《「蓮華蔵世界」の略》毘盧遮那仏(びるしゃなぶつ)の浄土。「されば御獄は金剛界の曼荼羅、―」〈謡・巻絹〉

けさがけ【袈裟懸け】①袈裟をかけること。「これは愚僧が十六―の年、儲けたる子にて候」〈咄・昨日は今日上〉②肩先から横脇にかけて、斜めに切り下げること。袈裟切り。「胸板を―にうち切って」〈神田本太平記一〇・兵火〉

けさぎり【袈裟切り】「袈裟懸け」(2)に同じ。「『坂本様(やう)の―に成仏せよ』と言ふままに」〈太平記一四・箱根竹下〉

げさく【下作】下品で卑しいこと。げびたこと。「色黒うして、風体―なり」〈評判・朱雀信夫摺上〉。〈文明本節用集〉

げさく【戯作】《古くはギサク・キサク、文化・文政頃はケサク、その後ゲサクと発音》近世後期、黄表紙・洒落本・談義本・読本・小咄本の総称。広義には、これらに合巻・滑稽本・人情本をも含めていう。「余連年虚誕の―を著し」〈深窓奇談跋〉 **―しゃ**【戯作者】戯作を業とした小説家。「ああ湖上の笠翁、日域(日本)の―ならば、跋を書かしめん」〈洒・遊僊窟烟の花跋〉

けざけ【食酒】食事の時に酒を飲むこと。「―・煙草好き」〈西鶴・永代蔵三〉

げさげ【下さげ】下品。野卑。「俺を―にこそ言ふものなれ」〈咄・正直咄大鑑四〉

けざけざ けじめのはっきりとしたさま。いかにもきっぱりとした様子。「―と物清げなるさましてゐ給へり」〈源氏野分〉

けささ 妨害。邪魔。たたり。「さらばいかにもして―をなさばや」〈伽・伊吹童子〉。「あはや―をなせる不思儀さよ」〈本福寺跡書〉。〈日葡〉

けさのはる【今朝の春】元日。新春。「酒がめも蓬萊に逢ふや―」〈俳・山の井五〉

けざやか《ケ(界)サヤカ(冴)の意。ケは「界」の呉音。→あざやか》①対照がはっきりしているさま。境界がはっきりしているさま。「〔衣服ノ〕白きに―なる〔黒〕髪のかかりの」〈源氏初音〉②けじめがきっぱりしているさま。「よきあしき、けぢめも―に」〈源氏常夏〉③(手のひらをかえすように)はっきりちがっているさま。「〔藤壺ナラヌ〕中務などやうの人人〔源氏ニ〕対面したり。―にもてなし給ふかなと〔源氏ハ〕安からず思へど」〈源氏紅葉賀〉④きれいにさっぱりしているさま。「笑ひ給ふ御気色は、いと―なれど、なほ疑ひは多かり」〈源氏藤袴〉⑤目立つさま。忍びやかでないさま。「〔酔イスギテ〕少し憚るべき事ども忘れて―にこの南面に参れり」〈源氏宿木〉⑥くっきりとしたさま。「朝日いと―にさし出でたるに」〈枕一三〇〉

けざや・ぎ『四段』①きっぱりする。「『今ことさらに』とうち―・ぎて、参りぬ」〈源氏松風〉②はっきりさせる。「―・ぎ給ふべきことにもあらねば」〈源氏藤袴〉

けざら【花皿】仏供の花を盛る皿。「―なんど有るべきに」〈浄・義経東六法下〉

けさん【卦算・計算】易の算木のように横長でつまみのある文鎮。けいさん。「―置く机の上を吹く風に」〈俳・犬子集一五〉。「計算、ケサン、文鎮」〈文明本節用集〉

げさん【下散・下算・計算】草摺(くさずり)の異名。「―のまくりて尻を出して」〈三河物語上〉。「惣名を草摺、―とも云ふ」〈武具訓蒙図彙一〉

げざん【見参】《ゲンザンのンを表記しない形》①節会(せちゑ)・宴会などに伺候した人人の交書(連名書)を記して、その主人の御前に差し出すこと。「頭中将・弁少将なども―ばかりにて罷(ま)かづるを」〈源氏梅枝〉②高貴の人の前に参り、お目にかかること。「この御方の―に入る事の難く侍れば」〈源氏蜻蛉〉

けし【芥子】㊀『名』①ケシ科の越年草。初夏に種種の色の花が咲く。薬用にした。「芥子、ケシ」〈色葉字類抄〉②ケシの種子。邪気を払う護摩の時などに用いた。「〔六条御息所ノ着物ハ〕ただ―の香にしみかへりたる」〈源氏葵〉③芥子粒。ちいさい、つまらない物事の比喩として用いる。「菩薩、―ばかりも犯され給ふ事なし」〈今昔一ノ七〉。「命をば塵とも―とも軽く思ひ」〈曾我五〉㊁『接頭』名詞に冠して、微小の意をあらわす。「―霰(あられ)」など。「―小紋の羽織」〈咄・座敷咄一〉　**―を千に割・る**　物を極めて細かにするたとえ。また、細かなことに気を付けるたとえ。「爪に火ともす、―・るごとし(同意ノ諺)」〈俳・毛吹草二〉。「―・りて、細かに付けはだへを示し現はせり」〈俳・糸屑七跋〉

けし【家司】⇒けいし。「五穀登(みの)らず。官人妻子多く飢乏するものあり。ここに文武の官と諸の―に米を給ふこと人別に月に六斗」〈続紀天平勝宝一・一・四〉。〈色葉字類抄〉

け・し【消し】『四段』《平安時代には漢文訓読体に使われ、鎌倉時代以後、仮名文学にも使われるようになった。↓消ち》①(盛んな勢いを発しているものを)消滅させる。除去する。「諸の害毒を―・さむ」〈金光明最勝王経平安初期点〉。「薬はよく病を―・して凡夫を救ふ」〈西方発心集下〉②打ち消す。取り消す。撤回する。「予にも申さるれども、兵衛事呼んで―・すなり」〈言国卿記文明六・三・九〉。「朕不食言とは、云ひ出でたる言を―・してはのけまじきといふ心なり」〈尚書抄四〉③阻喪させる。「天暗うして日の光も見えず、老少共に魂を―・し」〈平家三・大地震〉④非難する。けなす。くさす。「『京に来て好い事見た目で、大方の事は』と―・されて」〈西鶴・一代男四〉

け・し【着し】㊀『四段』《「着(き)」の尊敬語》お召しになる。「汝(な)が―・せる、おすひ(上着)の裾に」〈記歌謡二七〉㊁『名』《接頭語ミをつけてつかう》お召物。お着物。「筑波嶺の新桑繭(にひぐはまよ)の衣はあれど君がみ―しあやに着欲しも」〈万三三五〇東歌〉　†kesi

け・し【化し】『サ変』①姿・形を変える。「これは熒惑星の此の歌をめでて、―・しておはしけるとなん、聖徳太子の伝に見えたり」〈梁塵秘抄口伝集〉。「そのさま―・したる老人の」〈謡・遊行柳〉②教化する。「これ即ち本来の仏の、世に出でて、人を―・するにあらずや」〈海道記〉

け・し【異し・怪し】『形シク』《ケ(異)の形容詞形。平安女流文学では「―・しうはあらず」「―・しからず」など否定の形で使うことが多い》①いつもと違う。ふだんと違って宜しくない。別人に愛情を持つ、病気がわるい、などの場合に使う。「はろばろに思ほゆるかもしかれども―・しき心を我が思はなくに」〈万三五八八〉。「なほ強く覚しなれ。〔病モタイシテ〕―・しうはおはせじ」〈源氏柏木〉②劣っている。わるい。「心も―・しうはあらず侍りしかど」〈源氏帚木〉③下手である。「をかしう吹い給へば〔笛ノ〕―・しうはあらずなりゆくは」〈源氏紅梅〉④不美人だ。「よき人を多く見給ふ御目にだに―・しうはあらずと…思さるれば」〈源氏総角〉⑤非常である。甚だしい。「―・しうはさぶらはぬ齢なりな」〈大鏡序〉⑥《連用形「―・しう」の形で副詞的に》ひどく。「―・しうつつましき事なれど」〈かげろふ下〉　†kesi

げし【下司】荘園の現地にあって、荘園の実務に当った下級の役人。在京の上司に対していう。「播磨国住人福井庄の―、二郎大夫友方といふ者」〈平家五・奈良炎上〉

げし【夏至】二十四気の一。陰暦五月の中頃。「―也。雨下らず」〈多聞院日記天正二・五・一五〉。〈文明本節用集〉

げ・し【解し】『サ変』①解(げ)をたてまつる。「式部省―・し申す其の事」〈公式令〉②消す。「毒を解(げ)す」〈文明本節用集〉③ほどく。「印を解(げ)す」〈文明本節用集〉

げしう『副』どうしても。断じて。「―逢はせまいなれば、此処で腹を切らうか」〈近松・反魂香中〉

けしか・け【嗾け】『下二』①「けしけし」というかけ声で、犬をそそのかし、敵に向わせる。「〔犬ヲ〕山伏の方(かた)へ―・くる」〈虎明本狂言・犬山伏〉。「奨・嗾、ケシカクル」〈書言字考〉②人をそそのかす。おだてる。「料理せば―・けて食へ初わらび」〈俳・糸瓜草一〉

けしがね【芥子銀】芥子粒ほどの銀貨。露銀(つゆがね)。けしぎん。小粒。「―と言ふべし花の露の玉」〈俳・智恵袋一〉

けしかのこ【芥子鹿の子】細かい豆絞りにした鹿の子模様。「斑(まだら)なる雪や春日に―」〈俳・夢見草一〉

けしから・ず【怪しからず】『連語』《「け(怪)し」の普通でないの意を更に打ち消して、普通でないどころではない、と強調した表現。平安時代にはケシカリの形はほとんど見えず、中世以後にはケシカリとケシカラズとがほぼ同じ意に使われた。現代語のトンダ・トンデモナイの類》①異様である。怪しい。「木霊(こだま)など―・ぬ物」〈源氏蓬生〉。「これは人なり。さらに非常の―・ぬ物(妖怪変化)にあらず」〈源氏手習〉②(常軌をはずれていて)はなはだ感心できない。「〔妻ニ恋文ヲ奪ワレテ〕あさましう、こは如何にし給ふぞ。あな、―・ず」〈源氏夕霧〉。「踊りて念仏申さるる事―・ずと申しければ」〈一遍聖絵四〉③不思議だ。不審だ。「何事ぞ、―・ずの泣き様やと言へば」〈沙石集七ノ六〉④並はずれてすばらしい。「往来の人に占を引かせ候が、―・ずまさしき由申し候程に」〈謡・歌占〉⑤《連用修飾語として》甚だしく。非常に。「―・ず泣きもだえて」〈撰集抄二ノ二〉

けしか・り【怪しかり】『形カリ』《ケシクアリの約。普通でない意》①異様である。怪しい。「打ち寄りて見れば、―・る萱屋(かやや)あり」〈盛衰記三六〉②奇抜でおもしろい。「これも―・るわざかなとて、御衣ぬぎてかづけさせ給ふ」〈増鏡一〉

けしき【気色】《「色」は、きざし。ほのかに動くものが目に見える、その様子。古くは自然界の動きにいう。転じて、人の、ほのかに見える機嫌・顔色・意向などの意。類義語ケハヒは匂い、冷ややかさ、音など、目に見るよりは、辺りにただよって感じられる雰囲気》①自然界の動き、様子。「風雲の―常に違ふことあり」〈続紀養老五・二・一七〉。「都にはまだ入り立たぬ秋の―を…なほ尋ね来たるに、をかしう珍しうおぼゆるを」〈源氏椎本〉。「〔雨ノ翌日〕今日は、日の―もなほれり」〈源氏帚木〉②人の心のほのかな動き。機嫌。「歌主、いと―あしくて怨ず」〈土佐一月十八日〉③(ほのかな)顔色。「―に出すべきことにもあらず」〈源氏若菜下〉④(ちらりとした)そぶり。「つらげなる―も見えで」〈古今九九四詞書〉⑤(ちらっと現われた)きざし。兆候。「にはかに〔出産ノ〕御―ありて悩み給へば」〈源氏葵〉⑥内意をほのめかすこと。意向。「わざとの御消息とはあらねど、御―ありけるを、待ち聞かせ給ひて」〈源氏若菜上〉⑦内情のほのかなあらわれ。「事の―にても知りけりとおぼされむ、かたはらいたき筋なれば」〈源氏匂宮〉⑧怪しい感じ。不安。「今宵こそいとむつかしげなる(何カ出ソウナ)夜なめれ。かく人がちなるにだに―おぼゆ」〈大鏡道長〉⑨ちょっと取りたてた様子。「式部が所にぞ―あること(話題)はあらむ」〈源氏帚木〉⑩恰好。「すこしも物詣での―とは見えさぶらはず」〈平家一二・土佐房〉⑪風景。景色。「雪ははだれに降ったりけり、枯野の―誠に面白かりければ」〈平家一・殿下乗合〉⑫趣。情趣。「古き歌どものやうに…あはれに―おぼゆるはなし」〈徒然一四〉　**―あ・り**【気色有り】『ラ変』①ひとくせある。何かある。「―・る鳥のから声に鳴きたるも、梟はこれにやと覚ゆ」〈源氏夕顔〉②趣がある。「この君のまみのいと―・るかな」〈源氏横笛〉　**―ざけ**【気色酒】御機嫌取りに飲む酒。「我は飲まねども、人に強ひられて飲むを―と言ふ」〈近松・壬生大念仏上〉　**―だ・ち**【気色立ち】『四段』①自然界の動きが、はっきり目に見える。「いつしかと―・つ霞に」〈源氏初音〉。「花もやうやう―・つ程こそあれ」〈徒然一九〉②心の動きが、態度にはっきり出る。「〔気取ッタ書体ハ〕うち見るにかどかどしく―・ちたれど」〈源氏帚木〉。「いみじう—・つ色好みどもになずらふべくもあらず」〈源氏宿木〉 **—賜は・る** 《「気色取る」の謙譲語》①内意をお伺いする。「さも、み—・らまほしう侍りしかど」〈源氏行幸〉②機嫌をお取りする。「み—・りつつ追従し仕うまつる」〈源氏蓬生〉 **—づ・き【気色付き】**『四段』どこか変っている。ひとくせある。「風などは吹けど—・きてこそあれ、〔コノ天気ハ〕あさましう珍らかなり」〈源氏須磨〉。「いとおほどかに女しきものから、—・きてぞおはするや」〈源氏野分〉 **—と・り【気色取り】** ㊀『四段』①その事情を読みとる。事情を察する。「人人は、〔二人ノ間ヲ〕かうなりけりと—・りて、みな入りぬ」〈源氏総角〉②様子をうかがう。「声づくり—・りて御消息きこゆ」〈源氏花散里〉③機嫌をとる。「人より先に進みにし志の、人に遅れて—・り随ふよ」〈源氏真木柱〉 ㊁『名』機嫌取り。「解けざりつる御—に、夜更けぬれどまかで給ひぬ」〈源氏松風〉 **—ばま・し【気色ばまし】**『形シク』《ケシキバミの形容詞形》何か様子ありげな感じである。思わせぶりだ。「〔言ヲ左右ニサレテ〕いたう—・しや。この頃のおぼろ月夜に、忍びて物せむ」〈源氏末摘花〉 **—ば・み【気色ばみ】**『四段』①何となくそれらしい様子が現われる。「又も—・み給ひて(懐妊ナサッテ)五月ばかりにぞなり給へれば」〈源氏若菜下〉。「この子生るべくなりぬ。—・みて(陣痛ガ起ッテ)悩めば」〈宇津保俊蔭〉。「菊の—・める(咲キカカッタ)枝に」〈源氏葵〉②気持の片はしをあらわす。「御女(むすめ)おはする上達部(かんだちめ)・親王たちは、いたう—・みまし給へど」〈栄花月宴〉③何となく様子ありげなふりをする。様子をつくる。きどる。「かの介は、いとよしありて、—・めるをや」〈源氏帚木〉。「艶立ち—・まむ人」〈源氏夕顔〉

げじ・き『四段』浪費して、すっかりなくす。「ゲジキウシナウ」〈日葡〉。「布施(ふせ)を一包み。…みな三浦屋(遊女屋)が飯米代に—・かれました」〈浮・好色万金丹二〉

けしぐくり【芥子括り】 袖口を細かに縫いくくったもの。しの括り。「袖口に紙捻(こより)・針金を入れて、—に縫ひ立て」〈衣食住記〉

けした・み『四段』「けしとみ」の転。「馬の膝節〔ニ〕疵跡あらば、—・むと知れ」〈仮・悔草中〉

けしと・び【けし飛び】『四段』《蹴し飛びの意》つまずく。けつまずく。「けしとみ」とも。「〔馬ガ〕逆茂木に—・んで倒れければ」〈平治中・待賢門軍〉

けしと・み『四段』「けしとび」の転。「誤って岩に—・み」〈謡・石竹〉

げしにん【下手人・下死人・解死人】《ゲシュニンの転》主として中世後期、集団間の私闘で死者・重傷者の出たとき、加害者方から被害者方へ引き渡し、その復讐に任せられる者。実行者とは限らず、加害集団内の弱者や重傷者が選ばれることもあり、また、しばしば上位者が介入して、闘争の終結をはかった。「妙法院僧正方より—として超源僧都を出す。定盛法印召し具して罷り出づと云云。旁(かたがた)無為(ぶゐ)神妙神妙」〈満済准后日記正長二・六・晦〉。「力無く加賀四郎右衛門方よりして—を室町殿へ進め了んぬ。室町殿より伊勢備後・伊勢六郎両使にて管領へ遣はさる。管領より—を讃州へ遣はさるる間、讃州—を見て、例に任せて返されぬ」〈康富記文安五・七・二五〉。「在所の使節行き、万に一つ—に立ち候人は、その人の惣領一人は万年、万雑公事御免たるべく物也」〈岩倉共有文書文禄三・二・二〉。「正右衛門—二人切らせ候て、山師共に見せ、捨てさせ申し候」〈梅津政景日記元和三・七・二〉。

けしにんぎゃう【芥子人形】 極めて小さい衣裳人形。「過ぎにし思はくは、富士の山を—とも見なしてん」〈評判・けしずみ〉〈運歩色葉集〉

けしばうず【芥子坊主】 ①外皮の付いたままのケシの実。「花散りて跡や掃地の—」〈俳・鸚鵡集五〉②脳天だけ残して周囲を全部剃り落した、子供の頭髪。「童部の旋毛(じつ)のみに髪生やしたるを—と言ふ」〈俳・山の井二〉③清国人の辮髪。「韃靼(だったん)頭の—」〈近松・国性爺二〉

けしゃう【化生】〔仏〕①四生(ししゃう)の一。過去からの業力によって、忽然と生れ出ること。天人などの生れ方をいう。「其の柴枝の皮の上に、忽然に彌勒菩薩の像を—す」〈霊異記下八〉②衆生救済のため、仏・菩薩が人間などに姿を変えてこの世に現われること。また、そのもの。化身(けしん)。「これ—の人なり」〈今昔一一ノ三八〉③変化(へんげ)。化物。また、化けること。「—の者、消えぎえとなりて海に沈みぬ」〈宝物集下〉。「王法を傾けんと、—して来りたり」〈謡・殺生石〉

けしゃう【仮粧・化粧】 ①女が紅・おしろいなどで顔をつくること。「—は皆涙に洗はれて」〈発心集六〉。「仮粧、ケシヤウ、女面」〈下学集〉②名詞に冠して、美しく仕上げた、体裁を飾った、形式的な、の意を表わす。「—板」「—金具」「—業(わざ)」など。「鴻の羽の鹿矢に—籐の弓の真中取りて」〈妙本寺本曾我八〉。「春夏は〔庭ニ〕水打ちて掃き、また—水を打つなり」〈蹴鞠百五十箇条〉 **—いくさ【化粧軍】** 形式的な、いい加減ないくさ。「—にてある間」〈幸若・八島〉。「挑戦は、をびき出さうとて、—をするぞ」〈史記抄二一〉

けしゃう【懸想】 ⇒けさう。「女に—して、無明(むみゃう)の歌を詠み申し候間」〈伽・雪女物語〉 **—ぶみ【懸想文】** ⇒けさうぶみ。「落し文と—は読む所にとどまるとて」〈伽・みなつる〉。「艶書、ケシャウブミ」〈易林本節用集〉

げしゃう【下生】〔仏〕①極楽浄土の等級で、上品・中品・下品のそれぞれの下位。「ひとへに極楽に廻向(ゑかう)して、上品—に生れむと願ふに」〈今昔一三ノ三三〉→九品(くほん) ②神や仏がこの世に現ずること。「釈迦の出世の時、天より—せむと」〈今昔二ノ一七〉

げしゃう【下姓】 姓氏の低い人。素姓の賤しい人。「上姓」の対。「我は貧賤・—の人なり」〈今昔一〇ノ二〉

げじゃう【解状】 ①「解(げ)」に同じ。「丹波国桑田郡無位出雲神…等、並びに従五位下を授け奉る。国司等の—に依るなり」〈続後紀承和三・七・一六〉。「此の—は、田舎者の草に非ず」〈古事談六〉②中世、原告から差し出した訴状。「相模国金剛寺住侶等、—を捧げて営中に群参す」〈吾妻鏡寿永一・五・二五〉③罪人召捕の状。「京都より—によってからめ捕る」〈近松・大経師下〉

けしやき【芥子焼き】 加持祈禱の護摩にケシをたくこと。「〔病気平癒ヲ祈ッテ〕—のやうなるわざすれど、なほしるしなくて」〈かげろふ中〉

げしゃく【外戚】《「内戚(ないじゃく)」の対》母方の親戚。姻戚。「ぐわいせき」とも。「内戚にも—にも女といふものなん乏しくはべる」〈宇津保内侍のかみ〉 **—ばら【外戚腹・下借腹】** 本妻以外の妾などの腹から生れること。また、その生れた子。「前の将軍万松院殿の—の御若公なりとて」〈江源武鑑一三〉。〈日葡〉

けしゅ【化主】《化導の教主の意》仏の異称。「聖真子(しゃうしんじ)は九品安養界の—」〈太平記一八・比叡山〉

げしゅ【下手】 ①手を下(くだ)すこと。犯罪を実行すること。「凡そ人を殺して死すべきが、赦に会ひて免されば、移郷せよ。もし群党して共に殺せらば、ただ—の者および頭首の人を移(い)せよ」〈賊盗律〉。「博奕を停止すべき事。…たとひ―せずとも、もし阿容せしめば、同罪に処せ」〈公家新制〉②「下手人」(2)に同じ。「〔加害者方〕左府、検非違使頼国朝臣を以て、―一人を捕へ送らる。〔被害者方〕即ち使に付して返奉す。頼国云はく、もし返奉あらば更に受け取るべからずとの戒め有りてへり。…仍て頼国就禁すと」〈小右記長和二・一・二七〉 **―にん【下手人】**①犯罪を実行した者。「早く年来の例に任せて、且は彼此の非論を停止し、且は濫行の―を召進すべき事」〈朝野群載七〉②集団間の私闘における殺傷・凌虐などの主たる実行者で、被害者方へ身柄を引き渡される者。「下手」とも。闘争を終結させるために、加害者方の謝罪の意を示した慣行。「入道殿賀茂祭に棧敷に見物の間、俄かに花山院闘乱の事あり。…此の度、院―を惜しまる。入道殿、使庁の下部に仰せて院の築垣の上に昇らす。院これに恐れて、―を出さる」〈古事談一〉→げしにん。③近世、喧嘩口論などで殺人またはそれを指揮した責任者などとして斬首刑を課せられる者。また、その刑。ただし、死罪と違って、土地・財産は没収されず、死骸は様物(ためしもの)とされなかった。「下死人」「解死人」とも。「親は―に取られ、首刎(は)ねらる」〈近松・寿門松中〉

げしゅ【夏衆】夏安居(げあんご)をする僧たち。「三塔に結番して、―と号して、仏に花まゐらせし者どもなり」〈平家二・山門滅亡堂衆合戦〉。〈色葉字類抄〉

げじゅつ【外術】外道(げだう)の術。魔法の術。「こは天狗などの所為にこそあるめれ。―は七日には過ぎず」〈今昔二〇ノ三〉

けしょう【見證・顕證】《ケンショウのンを表記しない形。歴然、明白の意》①まる見え。「所のさまもあまり川づら近く―にもあれば」〈源氏宿木〉②人目に立つさま。「心に身をも任せず、―なるさまにもてなされたる有様なれば」〈源氏蜻蛉〉③露骨。「〔二人ノ仲ヲ〕―にささめきなどす」〈源氏総角〉

げじょう【下乗】寺社の境内などに車馬の乗入れを禁ずること。下馬。「退凡・―の卒都婆(そとば)、外なるは―、内なるは退凡なり」〈徒然二〇二〉

げしょく【下職】下等な職業。「それよりなほ賤しからん―をば、さのみには似すまじきなり」〈風姿花伝〉

けしん【化身】①衆生救済のため、仏が人間に形を変えて現われたもの。「行基菩薩は早く文殊の―なりといふ事を知りぬ」〈今昔一一ノ七〉②異類などが人間に形を変えて現われたもの。「たとひ虎狼の―にてもあれ」〈伽・熊野本地〉

げしん【下心】したごころ。心底。料簡。「―にさもしき所見出して」〈西鶴・新吉原常常草下〉

げす【下衆・下種】《「上衆(じやうず)」の対》①身分の低い者。「〔女二宮ガ降嫁シテ〕―になりにたり」〈源氏蜻蛉〉②しもべ。使用人。下女・供人・随身など。「―は僻事(ひがごと)もいふなり」〈源氏蜻蛉〉 **―の知恵は後(あと)から** 卑しい者はその場では何の知恵も出ないで、その事が終って後よい考えが出る。「下衆の後知恵」とも。「ええ、―、〔心中ニ出タ者ヲ〕紋付きの提燈で尋ぬるは無分別」〈近松・生玉心中下〉

げすげす・し【下衆下衆し】『形シク』①いかにも身分の低い者がやりそうである。「例の作法など、あることども(葬儀)もし給はず、―・しく、あへなくてせられぬることかな」〈源氏蜻蛉〉②見るからにいやしい。「―・しき法師ばらなどあまた来て」〈源氏手習〉

けすさま・じ【気冷じ】『形シク』感じからして冷たく、面白くない。「こと人のやうに歌うたひ興じなどもせず、―・じ」〈枕四九〉

げす・し【下衆し・下司し】『形シク』卑しい感じである。下品な感じである。「〔舞ノ姿ハ〕さし肩なる、極めて―・し。胸(むな)反りたる、こはく見ゆ」〈教訓抄七〉。「〔大伴黒主ハ〕歌の心・詞―・しく品(しな)なけれども」〈古今集註〉

げすぢか【下衆近】素姓の賤しい者に近しく触れるさま。「〔乞食ナドヲ見テ〕―なる心地して」〈かげろふ上〉

げすとくにん【下衆徳人】身分は賤しいが金持の人。「この山のふもとにいみじき―ありけり」〈宇治拾遺一〇一〉

げすほふし(ホウ)【下衆法師】身分の低い僧。「今は昔、京に外術と云ふ事を好みて役とする―ありけり」〈今昔二〇ノ九〉

けすら・ひ(ケスライ)【擬ひ】《ケズラヒとも》㊀『四段』よそおう。めかす。化粧する。「色色に染めたる物をかづきて身を―・ふ」〈孝養集上〉。「男女のつくろひ―・ひたる顔の色」〈雑談集四〉。「みめがあまりよいほどに、―・うたらば却って顔色がけがれん」〈三体詩抄一ノ四〉。「擬、ケスラフ、姣、同」〈易林本節用集〉㊁『名』よそおい。「右歌、優にもなし。又、別の難も聞えず。左にはただ―の劣りたるなり」〈永縁奈良房歌合〉。「いみじう歌の品も出で来、ふるまへる―ともなるなり」〈無名抄〉

げすをとこ【下衆男】下人。下男。「宵より寒がりわななきをりける―」〈枕二五〉。「―の、木のやうなる物を一筋うち置きて去りぬ」〈今昔二六ノ一七〉

げすをんな【下衆女】下婢。下女。「ひすましめく者、ふるき―」〈源氏玉鬘〉。「侍めきたる男二人、女房めきたる女一人、―を具して入り来たり」〈今昔二九ノ三〉

げせつ【下拙】自分をへりくだっていう語。拙者。私。「―に於ては、此の後の事存知すべからざる也」〈惟房公記永祿一・六・二四〉

けせった【毛雪駄・毛雪踏】毛皮を表に貼った雪駄。防寒用。近世後期は子供の履物となった。「けせきだ」とも。「―を履きて」〈西鶴・諸艶大鑑二〉

けそ【見證・顕證】《ケソウのウを表記しない形》傍観者。第三者。「―の女房あまた添ひ居て、〔僧ノ祈禱ヲ〕つとまもらへたり」〈枕一本二三〉

けそう【見證・顕證】《ケンショウの直音化ケンソウのンを表記しない形》①はっきり見えること。「女こそ罪深うおはするものにはあれ。すずろなる―の人をさへ惑はし給ひて」〈源氏浮舟〉②あらわ。まる見え。「高坏(たかつき)に参らせたる御殿油なれば、髪の筋なども、なかなか昼よりも―に見えて」〈枕一八四〉

げそう【下僧】下級の僧。下法師(しもほふし)。「その坊の―等、念仏の僧どもに沐浴せしめむが為に、薪を伐りて」〈今昔一二〇ノ一三〉

けそく【花足・華足】①机・台・盤などの脚を蕨手に反らせて彫刻をほどこしたもの。「かざしの台は沈(ぢん)の―」〈源氏若菜上〉②仏の供物を盛る高坏(たかつき)。また、それに盛った供物。「今日より報恩講、毎年の如く勤修せしめ候。―五色也」〈証如上人日記天文一〇・一一・二二〉

けそん【家損】家の名折れ。家の恥。「かやうの事こそ…―なるわざに侍りけれ」〈源氏常夏〉

けた【桁】家や橋などで、柱や橋脚などの上に渡して他の材を受ける木。「小墾田(をはりだ)の板田の橋の壊(こぼ)れなば―より行かむな恋ひそ吾妹(わぎも)」〈万二六四四〉

けだ【角・方】①四角。「―なる底に円(まど)かなる蓋を覆うて」〈三教指帰中〉。「〔箏ノ〕甲のそれるは天の円かなるかたち、腹のひらなるは地の―なる体なり」〈教訓抄八〉。「觚、ケダナルヲ」〈名義抄〉②真向い。「吾が見し子に、うたた

—に向ひ居るかも、い副ひ居るかも」〈記歌謡四二〉③そば。かたわら。「—とはそばといふ事なり」〈和歌色葉下〉④まっすぐで正しいこと。方正。「智はまどかならん事を欲し、行ひは—ならん事を欲す」〈わらんべ草三〉 †këda

げた【下駄】「木履(ぼくり)」に同じ。〈日葡〉。〈俳・類船集一〉 **—預・く** 自己の今後のすべてを相手に任せて、その責任を押し付ける。「俗に言へる、—・くると言ふに似たり」〈色道大鏡四〉 **—と焼味噌** 全然異なった物のたとえ。「薬鑵と棹竹」「雪と墨」の類。「—程違ひしなど、対せざる物を並べて、格別の違ひを表はす」〈浮・日本好色名所鑑三〉 **—を履(は)・く** 物の値段を実価より高く言って、その差額をくすねる。「〔駕籠賃ノ〕—・く時棒組は杖になり」〈雑俳・万句合天明七〉

けたい【卦体】①占いをして算木の面(おもて)に現われた卦の形。「ちとこなたの御—を見まらせう」〈天理本狂言六義・居杭〉②縁起。「笑ひ声聞けば一日—よし」〈雑俳・住吉みやげ〉 **—な** 変な。奇妙な。「さいろくを、ぜへろくと、—言葉付きぢゃなア」〈滑・浮世風呂二上〉 **—の悪い** 縁起が悪い。「これ程—太夫様はない」〈近松・壬生大念仏上〉

けだい【懈怠】《「精進(しゃうじん)」の対》おこたりたゆむこと。なまけること。仏教では六蔽(ろくへい)の一に数える。「—邪見のともがらに、忍辱(にんにく)の心をおこさしむる故に」〈宇津保俊蔭〉。「精進とは諸の善事において心に—なきなり」〈孝養集中〉。〈文明本節用集〉

げだい【外題】掛軸・巻物・双紙などの表紙に記す名題・標題・題簽(だいせん)。「僧正云ふに依りて、大品般若〔経ノ〕—を書す」〈御堂関白記寛弘三・一一・二九〉 **—がくもん【外題学問】**書名・書目だけ知っていて、内容に通じていないこと。本屋学問。「—に、名ばかりを知りて、舞ふ術(すべ)をも知らぬ人こそ、只、文相撲(ふずまふ)の狂言のごとし」〈舞正語磨下〉

けだう(ドウ)**【化導】**〔仏〕衆生を教化し導くこと。「なかんづくに山王の—は受戒灌頂の為なり」〈平家二・山門滅亡堂衆合戦〉

げだう(ドウ)**【外道】**①〔仏〕仏教(内道)以外の教え。また、それを奉ずる者。異端者。「破戒の諸々の比丘は、猶諸々の—に勝る」〈霊異記下三三〉②真理に反した説。邪説。また、それを説く人。「ゲダウナス」〈日葡〉③人をののしっていう語。「あの髪結の—めが、意地になって〔髪ヲ〕引き詰めやアがったので」〈滑・七偏人二上〉

けたうじん(トウ)**【毛唐人】**①中国人・朝鮮人を卑しめていった語。毛唐。「さやうに、神通を得たる—を、臣の力にて討つ事は叶ふまじ」〈浄・宇佐八幡一〉②人をののしっていう語。「ここな—めが娘の海士(あま)が命を捨て」〈近松・大職冠四〉

けたか・し【気高し】『形ク』①人柄・全体の雰囲気・持味などが上品でおかしがたい。「大方のけはひのいかめしく—・き事さへいと並びなし」〈源氏若菜下〉。「〔物ノ怪ガ〕いと—・くやむごとなき御有様にて、いみじく泣く」〈栄花玉村菊〉②《「気近し」の対》どことなく近づきにくい。敬遠される。「おのれも殿人にて参り仕うまつれども、近く召し使ふこともなく、いと—・くおはする殿なり」〈源氏蜻蛉〉

けだし【蹴出し】女が腰巻の上に重ねて着るもの。すそよけ。「片膝立てて、—の裾奥(ふか)く」〈西鶴・諸艶大鑑六〉 **—あゆみ【蹴出し歩み】**蹴出しを裾にちらちら見せる歩き方。「—の品形」〈西鶴・懐硯三〉

けだし【蓋し】『副』《きちんと四角である意のケダ(角)の副詞化。正(まさ)しく、定めて、きっとの意。推量の語と共に使われるうちに、おそらく、たぶん、万一と意味が広くなった》❶《推量・疑問の語を伴わずに》①まさしく。ほんとうに。「旧経の来たれることを尋ぬるに年代—久し」〈地蔵十輪経序・元慶点〉。「—是通じて一切の信受するを勧むるなり」〈法華義疏長保点〉。「『風の力—少なし』とうち誦じ給ひて」〈源氏少女〉②まったく。発語的に使う。「依って勧進修行の趣—以て斯くの如し」〈平家五・勧進帳〉❷《推量・疑問の語を伴って》①推量の意を表わす語。おそらく。たぶん。「明日の日の布勢の浦廻(うらみ)の藤波に—来鳴かず散らしてむかも」〈万四〇四三〉②疑いのつよい推量の意を表わす語。ひょっとすると。「馬の音のとどともすれば松蔭に出でてぞ見つる—君かと」〈万二六五三〉③万一を仮定する語。もしや。「疑(けだし)是が呑めるか」〈紀神代下〉。「山守は—ありとも吾妹子が結ひけむ標(しめ)を人とかめやも」〈万四〇二〉 †këdasi **—く【蓋しく】**『副』《クは副詞語尾》推量の意をあらわす語。おそらく。「吾妹子が形見の合歓木(ねぶ)は花のみに咲きて—実にならじかも」〈万一四六三〉 **—くも【蓋しくも】**『副』《モは疑問の意のつよい係助詞》①推量の意を表わす語。おそらく。「—秋野の萩や繁く散るらむ」〈万二二五四〉②疑いのつよい推量の意を表わす語。ひょっとすると。「—会ふやと思ひて」〈万一九四〉③万一を仮定する語。もしや。「よひよひに我が立ち待つに—君来まさずは苦しかるべし」〈万二九二九〉

けたたま・し『形シク』俄かにかしましい。「未だ説法の始めなるに、こと更声も惜しまずけたたましげに泣きけり」〈雑談集四〉

げだち【夏断ち】夏安居(げあんご)の期間中、不浄のものを飲食しないこと。「養生のため—して」〈西鶴・三所世帯中〉

げだつ【解脱】①〔仏〕《ゲダチとも》俗界の煩悩・束縛から解放され、苦から脱すること。「心に安養の期(ご)を剋(その)み、是の世間を—す」〈霊異記中二〉②正気に返ること。「右京兆俄かに心神御違例の事あり。…御—の後、小町の御亭に帰らしめ給ふ」〈吾妻鏡建保七・一・二七〉

けた・て【蹴立て】『下二』①蹴って埃(ほこり)などをおこす。「町小路には塵灰を—・て」〈保元下・新院讃州〉②荒荒しく蹴って立ちあがる。「言葉もかけず座敷を—・てられぬ」〈曾我四〉

けた・み『四段』飲食物などをもてなしすすめる。「ひたすらやがて請じ入れ、茶を—・み、八珍の肴をまうけ、三清の酒をすすめつつ」〈慕帰絵詞九〉。「菩提院といふ寺へゆきて坊主と雑談しければ、茶なんど—・みけり」〈蓮如上人道の記〉。「食手向、ケタム」〈いろは字〉

けだもの【畜・獣】《毛の物の意。ダはクダモノのダに同じ、連体助詞ナの転》①全身毛でおおわれている四足動物。けもの。「—(犬)の雲に吠えけむ心ちして」〈古今一〇〇三〉②人間以外の動物。「鳥・—だに山を離れて」〈宇津保俊蔭〉。「非類(けだもの)をすてず」〈大唐西域記三・長寛点〉

けたれ【毛垂れ】〔女性語〕女子用の小形の剃刀(かみそり)。「捨て置きし—の刃味(はあぢ)いかならん」〈俳・漢和俳諧〉

げだん【下段】剣術・槍術などで、刀・槍を低く構えて相手に対すること。「—も折にふれ、少し上ぐれば中段となる」〈五輪書〉

けち《ケシ(怪事)の転か》①不吉事。不吉な兆(しるし)。また、縁起が悪いこと。「軍中にては、うらなひや、さまざま不審なる—などを語り、人の疑はしく不審する事など深くいましむべし」〈孫子私抄〉。「—な晩女郎の二番生へ(二流品)を買ひ」〈雑俳・万句合安永九〉。「怪異、ケチ」〈俳・反故集下〉。「怪事、ケチ」〈書言字考〉②しわいこと。しみったれ。吝嗇(りんしょく)。「近年は浄瑠璃でさへ、なんぞといや、金のない事。あんまり—な此の時節」〈浄・矢口渡四〉③そまつ。貧弱。「—な盆片荷へ入るつくね芋」〈雑俳・万句合宝暦一三〉④ばからしいこと。つまらないこと。「—な事厩(まや)へ猫を連れて来る」〈雑俳・川傍柳四〉 **—を付・ける** 欠点を見付けてけなす。あらを探す。文句をつける。「手の筋を見ると一筋—け」〈雑俳・万句合明和一〉

けち【結】《「結」の字音 ket の後に、母音 i を添えて、keti とした語。縁(えに)・銭(ぜに)の類》①碁の、駄目。駄目をつめることを「結をさす」という。「碁うちはてて—さすわたり、心とげに見えて」〈源氏空蟬〉②賭弓(のりゆみ)で勝負をきめること。「右の大臣の弓の—に上達部・親王たち多くつどへたまひて」〈源氏花宴〉

けち【闕】「闕官(けっくゎん)」⑴に同じ。「大臣『—の侍らざらんには、いかでかは』。父大臣『などかはその—のなからん』」〈宇津保蔵開中〉

けち【仮契・化契】⇒けちぎり。「けちぎりを下略して—と云ふ。又この—と云ふを奇怪の事に取りなし、彗星(はうきぼし)とは云へり」〈色道大鏡一〉

け・ち【消ち】〖四段〗《火・雪・霜・罪などの発する盛んな勢いをあとかたもなくする意。平安時代には漢文訓読・仮名文学共に用いられたが、鎌倉時代以後、「消し」に統一されて行く》①(顕著に力が現われているものを)圧してなくする。消滅させる。「燃ゆる火を雪もち—ち、降る雪を火もち—ちつつ」〈万三一九〉。「鑪の中にして銷(け)ち錬(ね)りて清浄の金を得つ」〈金光明最勝王経平安初期点〉。「百千万劫の罪を—つ」〈三宝絵下〉②生彩を失わせる。「かたちよき人はひとを—つこそ憎かりけれ」〈源氏(池田本)東屋〉③けなす。「よきあしきけぢめもけざやかにもてはやし、もて—ち」〈源氏(肖柏本)常夏〉 †*këti

げぢ【下知】《下し知らせる意》指図。命令。「京畿七道に—して、これを捜り捕ふ」〈続紀延暦一・閏一・一一〉。「皆その—に従ひて、主従の如くなん侍りけり」〈著聞四三三〉

けちえ【結縁】「けちえん」の「ん」を表記しない形。「これをだにこの世の—にて」〈源氏(大島本)鈴虫〉

けちえん【掲焉】《「掲」は呉音ケチ。高く挙げる意。「焉」は文末の助辞》①派手に目立つさま。「俄かにかく—に光れるに、あさましくて」〈源氏螢〉②きっぱりした態度。「〔女房タチノ〕かう言ふに、〔逢イタクナイト〕うたて—ならむも、またいかがと」〈源氏宿木〉③顕著。「その後、この寺の霊験—にして、勝利不思議なり」〈今昔一七ノ七〉。〈色葉字類抄〉

けちえん【結縁】①仏道に入る機縁。また、その機縁を得ること。聴聞・写経・受戒、僧に対する供養などによる。「忌むこと受け(受戒シ)給はむをだに—にせむかし」〈源氏柏木〉②縁故を結ぶこと。「其外—経営の人」〈盛衰記一〉 **—ぎゃう【結縁経】** 結縁のために相寄って経文を書写すること。「使庁の—は…絶えて久しく成りにけるを」〈著聞六九〉

けぢか・し【気近し】〖形ク〗①《「気遠し」の対》近く感じられる。身近である。「近き人の家居ありさま…—き籬(まがき)の内」〈源氏帚木〉。「この国(日本)はなほ近し。唐土(もろこし)の五台山、新羅(しらぎ)の峰にまれ、それもなほ—し」〈堤中納言よしなしごと〉②《「気高し」の対》親しみ易い。「—くおはする君にて、対面し給ふ時時も、こまやかに隔てたる気色(けしき)なく」〈源氏若菜下〉

げぢき【下直】《「高直(かうぢき)」の対》値の安いこと。廉価。「いかにも—なる荒焼(あらやき)を求めけり」〈室町殿日記九〉。〈文明本節用集〉

けちぎり【仮契り・化契り】 端(はし)女郎。局(つぼね)女郎。けち。けちぎり女。「—。…端女(端女郎)なり。端居(はしゐ)して逢ふ仮の契りなるゆゑに、しか云ふ」〈色道大鏡一〉

けちぐゎん【結願】《願を終結する意》日数を定めて催す修法・法会などの最後の日に、願いの心を結納する作法。「はての日、わが御事を—にて、世を背き給ふ由、仏に申させ給ふ」〈源氏賢木〉

けちみゃく【血脈】⇒けつみゃく。〈釈義集〉

けぢめ ①はっきりした区別。明白な相違。「思ふをも思はぬをも—見せぬ心なむありける」〈伊勢六三〉。「〔雪ガ積モッテ〕松と竹との—をかしう見ゆる夕暮」〈源氏槿〉②変化の境目。「春の—も思ひ給へわかれぬを」〈源氏少女〉。「〔他〕人の、—見奉りわくべき〔光源氏・紫上ノ〕御中にもあらぬに、男君は疾く起き給ひて、女君は更に起き給はぬ朝あり」〈源氏葵〉③隔て。「こなたかなた御几帳ばかりを—にて」〈源氏若菜下〉 **—をと・る** 差をつける。優劣・異同などを明白にする。「雪は白し—るか竦(すく)み鷺」〈俳・鶉衾集八〉。「時平最初に—られ、大きにせき」〈近松・天神記一〉

けちゃく【家嫡】 家の嫡子。家の跡継ぎ。「中にも徳大寺殿は一の大納言にて、…—にてましましけるが」〈平家一・鹿谷〉

げちゃく【下着】 都から地方へ下り着くこと。「伊豆に—しても、物を物ともせず」〈保元下・為朝生捕り〉

げぢょ【下女】 ①身分の低い女。「これ互ひに—を愛するの間、この犯過を成すなり」〈中右記天仁一・五・一八〉②下(しも)の雑事に召し使われる女。下婢。「—齢(よはひ)三四十の者、并びに少童十四五の者等を搦め取り」〈吾妻鏡治承五・一・二一〉。「人を使ふ内には、わっぱや—が多くあるものぢゃが」〈盤珪禅師御示聞書上〉

けちりん 極めて僅少なさま。いささか。わずか。「—程の軽重知られざると云ふ事なし」〈仮・可笑記一〉

げぢん【外陣】 神社・仏閣の本殿の内陣(ないぢん)の外側。参詣人のすわる所。「内陣・—の貴賤なかなか数知らず」〈義経記五〉

げぢん【解陣】 賀茂の祭の警固、雷の陣など、臨時に立てた警固の陣を解くこと。陣ばらい。「雷電数声、陣立て云云、右大臣参る。—」〈御堂関白記寛弘七・六・六〉。「やがて今夜—なり」〈中務内侍日記〉

けつえき【欠掖・闕腋】⇒けってき。〈色葉字類抄〉

けっかい【結界】〔仏〕①仏道修行の障害となるものを避けるため、一定区域を限り(出入などを制限して)修行の場とすること。また、その区域。「或いは—の地と称し、或いは大乗の道場と称して、比丘尼・女人等を来入せしめず」〈正法眼蔵礼拝得髄〉②禁制。立入禁止。「高野山や—破る雪女」〈俳・伊勢正直集六〉

けっかふざ【結跏趺坐】 如来の坐り方で、両足を組み合わせて、左右の足の甲を股(もも)の上に置くこと。左右どちらを上にするかによって、降魔坐・吉祥坐の二種がある。「仏起き給ひて、大きに光を放ちて世界を照らし給ふ、—し給へり」〈今昔三ノ二八〉

けつか・り〖四段〗①「居(ゐ)」「をり」「あり」を強くののしっていう語。「順礼等は…あら筵(むしろ)へ—り」〈評判・嚢張草〉②動詞の連用形に、あるいは助詞「て」を介した形に接続して、その動作を強くののしっていう。「サア、わがぞんぶんに見—れ」〈近松・二枚絵上〉。「腰に付いても—らぬ」〈近松・加増曾我一〉

けっき【血気】 血の気(け)。元気。「若き時は—内に余り」

〈徒然一七二〉 **―もの**【血気者】血の気の多い者。「―の そりし相撲や頭がち」〈俳・続連珠六〉。「あたり近所の―」〈近松・氷の朔日中〉

けづ・き【気付き】『四段』産気付く。「恋の話。…、うぶや、―・く」〈俳・世話尽一〉。「―・きぬるはらみ女の顔わろし」〈俳・貞徳誹諧記上〉

げっきう(ゲッキュウ)【月宮】中国の伝承に、月の中にあるという宮殿。月宮殿。「―をめぐらす舞曲あり」〈謡・羽衣〉

けっく【結句】㊀『名』漢詩で、起承転結の「結」の句。結びの句。転用して、和歌にもいう。「起句―の体は別に出したほどに」〈三体詩抄二ノ三〉。「右歌、―その心ゆかず聞え侍る」〈千五百番歌合一四〉 ㊁『副』①あげくの果て。とうとう。「酒に酔ひて本心を失ふ故に、人の眼を犯し、―鶏を盗みて殺しける」〈宝物集下〉 ②かえって。逆に。「かくて後も将軍は、昔にかはるけぢめなく、懇ろにおとづれ参らせ、―荘園など奉り給へば」〈栗栖野物語〉。「さやうに仰せらるれば、―迷惑いたす」〈虎明本狂言・腹立てず〉

げっくゎもん【月華門】紫宸殿前の大庭の西側の門。安福殿と校書殿との間にある。「陸奥交易の御馬二十疋、―より入る」〈御堂関白記寛弘一・一二・一五〉

けっくゎん【闕官】①官に任ずべき人の闕(か)けていること。「―の事、器量を定めて採用せらるべきなり」〈吾妻鏡文治二・一二・六〉 ②官職を取りあげること。免官。解官(げくわん)。「死罪・流刑・―・停任(ちやうにん)、常に行なはれて」〈平家一・二代后〉

けつげ【結解・結計】《ケッケとも》締めくくりの計算。決算。「諸御領の貢―勘定の事」〈吾妻鏡建久四・一〇・二二〉

けづけ【毛付】①馬や犬などの毛色。また、献納馬の毛色を書き付けた文書、書き付ける役。「諸衛射手奏并せて御馬―奏進」〈九暦天慶七・五・五〉。「町内にこれ有る犬を相改め、―などいたし」〈正宝事録貞享四・二・一一〉 ②《ケツケと清音》田植え。「田先づ先づ―候」〈多聞院日記慶長四・五・二〇〉。「泥田棒でうつや水論―時」〈俳・難波草二〉

げっけい【月卿】《天子を日に、臣下を月にたとえていう》公卿(くぎやう)の唐名。「玉の砌(みぎり)に近づき参らせし―雲客も」〈保元上・法皇崩御〉

けっこう【結構】①構え作ること。「いたづらに殿堂精藍を―する」〈正法眼蔵行持下〉。〈色葉字類抄〉 ②計画すること。くわだて。「花山院の間の事も、わが―ならねど」〈愚管抄三〉 ③用意。準備。「わざと風炉(ふろ)―して、ただ両人入り給ひて」〈一遍聖絵三〉。「結構、ケッコウ、奔走義同」〈文明本節用集〉 ④りっぱなこと。見事なこと。「―な物を着たがるは淫欲の心なり」〈六物図抄〉 ⑤気立てのよいこと。お人よし。「わしは―な阿呆ぢゃによって」〈伎・薄雪今中将姫三〉 **―しゃ**【結構者】お人よし。「御内儀は―」〈近松・重井筒上〉 **―じん**【結構人】①温和で礼儀正しい人。「礼儀を知り、慇懃(いんぎん)なる―よと云ふを見聞けば」〈仮・可笑記五〉 ②お人よし。好人物。また、愚鈍な人。「六右衛門殿ははなはだ―なれど」〈伎・五大力恋緘二〉 **―だて**【結構立て】わざと気立てよく見せかけること。「慈悲用捨―の無欲だて頼もしだての一徹を忌め」〈仮・為愚癡物語六〉 **―づく**【結構づく】ていさいよく物事をすること。「けっこうづくめ」とも。「さすが上臈(じやうらふ)とて、―はのたまへども」〈浄・葵の上一〉

けっこく【闕国】国司が欠員になっている国。「除目(ぢもく)の時、―なきによりて〔受領ニ〕成されざりけり」〈今昔二四ノ三〇〉

けっさい【潔斎】宗教的儀式などの前、一定の間、身心を清浄に保つこと。「国司みづから―して、諸寺の僧尼を請じ…敬礼読経せしむ」〈続紀天平二〇・五・八〉

けっ・し【決し】『サ変』きめる。決定する。「夜中に院の御所に押し寄せ、勝負を―・すべく候」〈保元上・官軍勢汰へ〉 **―て**【決して】『副』必ず。「菅笠は旅には―着べき物」〈譬喩尽八〉。「息子―夜歩きをせず」〈黄・無益委記下〉。〈書言字考〉

けっ・し【結し】『サ変』大便が通じなくなる。便秘する。「―・したる身に薬をや呑ますらん」〈俳・犬子集一四〉。〈日葡〉

けっしょ【闕所】①鎌倉・室町時代、領主の罪科により幕府に没収され、知行人の欠けている所領。また、所領・財産を没収すること。「自然に―ばしもあらば申し宛つべしとて」〈沙石集三ノ一〉 ②近世、財産刑の一。磔(はりつけ)・火罪・獄門・死罪・追放などの付加刑として、地所・財産を全部、永久に没収すること。「此の墨跡、旧冬―の物に成り候て、秀吉様へ上り申し候」〈宗及他会記天正一三・三・一〉

けつだんしょ【決断所】「雑訴決断所」の略。建武中興政府が設置した、諸人の所領などの訴訟を判決する役所。「雑訴沙汰のためとて、郁芳門の左右の脇に―を造られたり」〈西源院本太平記一三・公家一統〉

けつぢゃう(ケツジョウ)【決定】㊀『名』決まっていること。疑いないこと。「無間(むげん)に落つる事―なり」〈宝物集下〉 ㊁『副』まちがいなく。必ず。きっと。「―その太刀なれども」〈正法眼蔵随聞記五〉。「尋常の如くに合戦を致し候はば、味方―打ち負け候ひぬ」〈太平記二六・正成下向〉 **―して**【決定して】『副』確実に。必ず。「然らば、何を以てか―往生を得べき」〈今昔一五ノ一〉。「―与へんと思へども、便宜(びんぎ)悪しくて時過ぎぬれば」〈正法眼蔵随聞記六〉 **―わうじゃう**(オウジョウ)【決定往生】必ず極楽浄土に往生すること。「―疑ひあるべからず」〈横川法語〉。「勧進の札(ふだ)に―六十万人と見え候ふは」〈他阿上人法語五〉

けってき【欠掖・闕腋】《ケツエキの連声形》①衣服の両わきを縫わずに明けて置くこと。わきあけ。「袍、縫腋(ほうえき)、―の品なり」〈装束要領抄上〉 ②「闕腋の袍(うは)」のこと。武官が束帯の上衣に着用した、わきのあけてある袍。平安時代末頃には行幸・節会(せちゑ)などの時、四位以下の武官だけこれを着た。「あるは―に平胡籙(ひらやなぐひ)」〈増鏡一〇〉

けつね【狐】「きつね」の訛。上方でいう。「きつねを―は、わろし」〈俳・かたこと四〉

げっぱく【月迫】年末のおし迫った時。歳暮。節迫。「守永申す所の事、今日の奏に載らず。已に―に及ぶ」〈権記長保一・一二・一五〉。〈文明本節用集〉

けつばん【血判】神文・誓詞などに背かない誠意を示すため、指の血などで署名の下に捺(お)すこと。「〔牛王〕宝印を翻し、―を据ゑ」〈多聞院日記天正八・九・二六〉

けつばん【結番】組を作り、順番をきめて勤めをすること。「日夜に―して禁中を守り給ふ」〈保元上・将軍塚鳴動〉

けつまづ・き【蹴躓き】『四段』物に蹴り当ってつまずく。「大門にて―・きて、うつぶしに倒れにけり」〈宇治拾遺九六〉

けつみゃく【血脈】①血管。また、脈。「―乱れて狂乱するもあり」〈夢中問答上〉 ②仏の教えを師から弟子へと代代うけ伝えること。法統。「年来(としごろ)御心中に秘せられたりし一心三観の―相承(さうじよう)を授けらる」〈平家二・座主流〉 ③(2)の系譜を記した系図。「それ―の書きやうは」〈伽・聖徳太子本地〉 **―ぶくろ**【血脈袋】血脈(3)を入れた袋。「経帷子(きやうかたびら)に―」〈俳・信徳十百韻〉

けづ・り【削り】㊀『四段』①物の面をそぎとる。「つやつやとまろに美しげに―・りたる木の二尺ばかりあるを」〈枕二四四〉。「そぐとは、―・る心なり」〈古文真宝抄一〉 ②《位階を登記した簡(ふだ)を削ることから》位階を取り上げる。「つひに御簡―・られ、官(つかさ)もとられてはしたなければ」〈源氏須磨〉 ③【梳り】櫛目を入れて髪の筋をなめらかにする。「朝寝髪かきも―・らず」〈万四一〇一〉 ④少しずつ減らす。「借屋賃を―・り」〈浮・傾城辻談義大意〉 ⑤剃る。「楊子をや髪をや―・り捨てぬらん/何もたまらず遁世の後」〈俳・守武千句〉 ⑥そしる。けなす。「他宗をば―・り」〈評判・濡仏上〉 ⑦《大工の隠語》酒を飲む。「太子講はほぞをきめたり―・ったり」〈雑俳・柳多留五五〉 ㈡『名』《大工の隠語》酒。また、酒を飲むこと。「ちっと―が過ぎやした」〈洒・契情肝粒志前上〉 †këduri **―かけ**【削掛け】①木などを削(そ)ぎかけたままにすること。目印などとする。「家宅門口に―を仕り候ひて置き申し候間、まがひ申すまじ」〈信長公記首巻〉 ②柳・松などを削り、薄くそいだ部分をちぢらせたり花の形にしたりしたもの。正月十四日、門口に插し、または神棚に上げて邪気を払い、福を招くまじないとした。「―やまづ太箸を二軒茶屋」〈俳・おくれ双六〉 **―かけのしんじ**【削掛の神事】京都八坂神社で大晦日(おおみそか)の夜行なう祭。子の刻に燈火を吹き消し、闇中で参詣の諸人互いに悪口を言い合い、丑の刻から拝殿で誦経し、削り掛けの神木東西各六本を同時に焼く。その煙の方向で新年の米作の吉凶を占い、その火で新年の供物を調え、参詣人も火を貰って家に帰り、雑煮を作る。白朮(おけら)祭。「大年(おおとし)の夜―とて諸人詣でける」〈西鶴・胸算用四〉 **―ぐし**【梳櫛】櫛で髪をとかすこと。また、その櫛。「つとめて(早朝)御―、御手水(てうづ)など参りて」〈枕九〉 **―ばな**【削花】円木を削りかけて花の形に作ったもの。生花の少ない十二月の御仏名(おぶつみょう)に使うことが多い。「―插せりけるを」〈古今四四五詞書〉。「御仏名のまたの夜…―を庭にさしたりけるに」〈小大君集〉 **―ひ**【削氷】氷を削ったもの。氷室(ひむろ)に貯蔵された氷を銷夏用・病人用として使った貴重品。「はかなき果物もきこしめさで、消え入り消え入りせさせ給へば、―ばかりを御前に置きて」〈栄花嶺月〉 **―まはし**(マワシ)【削廻し】《頭髪を剃り廻した者の意》坊主をののしる語。「やい石瓦に劣りし―の蝿頭め」〈簑輪軍記上〉 **―もの**【削物】魚・鳥・貝などの肉を干し固め、削って食べるもの。「〔香ヲ〕鰹(かつを)つきの―のやうにて入れたり」〈宇津保蔵開上〉。「削物、ケヅリモノ、魚肉有二五種削物一」〈伊京集〉

げでう(ゲジョウ) 「げんでう」の撥音「ん」を表記しない形。「能の向き―になる方へゆきて、悪くなる相あり」〈花鏡〉

けでん【化転・怪顚】突然の事に気が転倒すること。仰天し狼狽(ろうばい)すること。「〔夫ハ〕かの墨を見て―する」〈天正本狂言・墨附〉。「化転、ケデン」〈文明本節用集〉

げでん【外典】《「内典」の対》仏教経典以外の書籍。「寺内の一隅に、特に―の院を置き、名づけて芸亭(うんてい)と曰ふ」〈続紀天応一・六・二四〉。「まづ―をもて人の心を和げて」〈沙石集一ノ一〉〈日葡〉

けど【化度】〔仏〕《「教化済度」の略》煩悩に苦しむ人人を教え導いて、救うこと。「観音の、衆生―の為に現はれさせ給へる」〈栄花様様悦〉

けど【怪動】難癖。けち。「―。―を付くる、―を入るなど言ふ。…災を構へて人に掛くる貌(かたち)なり」〈色道大鏡一〉

けどき【食時】食事の時刻。「いかが、―におはいたるに、さてはあるべき」〈平家八・猫間〉

けとば【言葉】「ことば」の上代東国方言。「父母が頭(かしら)かき撫で幸(さ)くあれていひし―ぜ忘れかねつる」〈万四三四六防人〉 †këtöba

けどほ・し(ケドオシ)【気遠し】『形ク』《「気近し」の対》①人気(ひとけ)遠い感じである。遠く隔たっている。「〔寝所ガ〕いかに近からむと思ひつるを、されど―・かりけり」〈源氏帚木〉 ②よそよそしい。「強ひて―・くもてなし」〈源氏少女〉 ③なじみがうすい。「白樫といふものは、まいて深山木(みやまぎ)の中にもいと―・くて」〈枕四〇〉

けど・り【気取り】『四段』①魂をうばう。「もの言はず、息もし侍らず。何か。物に―・られにける人にこそ」〈源氏手習〉 ②気色を見てさとる。様子を見て、その内心を見抜く。「―・って逃ぐる合点ぢゃ」〈近松・松風村雨三〉

けな【殊な・異な】『連体』①人なみすぐれた。たいした。「この人は―人かなと嘆美するぞ」〈論語抄子路〉 ②殊勝な。奇特な。けなげな。また、変な。変った。「これは―物が出た」〈咄・醒睡笑三〉。「これは親の―子か名乗る時鳥」〈俳・埋草三〉 →け(異)

げな『助動』①推測の意をあらわす。…らしい。…ようである。「この林には鷺が巣くうて止宿する―と推量したぞ」〈三体詩抄三ノ一〉 ②伝聞の意をあらわす。…そうだ。…ということだ。「これは鏡というて子細のある事でござる―。人の仰せらるるは…」〈虎明本狂言・鏡男〉

けない【家内】家の中。一家中。「―富貴してたのしいことなのめならず」〈平家一・祇王〉 **―ど**【家内人・外内人・無益人】不意に訪れて飯を食う者。食客。居候。また、家族の一員として厄介になる者。「〔天神女郎ニハ〕引舟(ひきふね)の―なく」〈浮・好色床談義五〉。「朝夕どんな―がありても、微塵(みぢん)苦にならぬ内證(家計)」〈浮・今川当世状五〉

けなが・し【日長し】『形ク』《ケはヒ(日)の複数名詞》日数を多く経る。「君が行き―・くなりぬ、山たづの迎へを行かむ待つには待たじ」〈記歌謡八八〉 †kënagasi

けなげ【健気】《ケナリゲの転》①武勇がすぐれているさま。「ゆゆしく力強く―ある男ありけり」〈著聞五〇四〉。「雄猛、ケナゲ」〈いろは字〉 ②しっかりとして強いさま。「我は少しも志を撓(た)めず、不断―にしてゐる」〈天草本伊曾保〉 ③健康。壮健。「法名をちくかんと申し、八十ばかりまで―に候て」〈走衆故実〉 **―だて**【健気立て】わざと勇健なさまを見せびらかすこと。「臆病で進まざるにはあらず。―をして進めば、人を損ふほどにぞ」〈三略抄下〉。「高名は相手によれる物なれば―すなかへすがへすも」〈多胡辰敬家訓〉

けなしやま【毛無山・岾】木のない山。「木のなき山をば―と云へば」〈塵袋三〉

けなもの【殊な者・異な者】①殊勝な奴。目下の者をほめていう語。「奴は―かな」〈保元中・白河殿攻め落す〉。「勝者、ケナモノ」〈温故知新書〉。「異者、ケナモノ」〈易林本節用集〉 ②神妙な者。おとなしい者。「―なりといふ人もあれど、下心は弱き故なり」〈評判・難波物語〉。「柔者、ケナモノ」〈俳・反故集下〉。〈日葡〉 ③怠け者。「懈者、ケナモノ」〈大全早引節用集〉

けなら・べ【日並べ】『下二』《ケはヒ(日)の複数名詞》日を重ねる。「馬ないたく打ちてな行きそ―・べて見てもわが行く志賀にあらなくに」〈万二六三〉 †kënarabë

けなり【殊なり・異なり】『連語』《普通ではない、大したことであるの意から》うらやましい。「丹後の国へお戻りあるか、―やな」〈説経・さんせう太夫〉 **―が・り**【殊なりがり】『四段』うらやましく思う。うらやむ。「けなるがり」とも。「大坊主の大きなる働きを―・ること、言語(ごごん)くせ事の心得にて候なり」〈本福寺跡書〉 **—げ**【殊なり気】《普通とはどこかことなるさま》⇩けなげ。「やせて候へども、この犬は—に候ふ」〈沙石集七ノ四〉。「さしも—なる人の太刀をだに奪ひ取る。ましてこれら程なる優男(やさをとこ)、寄りて乞はん」〈義経物語三〉

けなり・い『形』《ケナリの形容詞化》うらやましい。「いづかたも賑やかなるが—・うて」〈虎明本狂言・鉢叩き〉

けに【異に】『副』格段に。ひどく。「衣手(ころもで)葦毛の馬の嘶(いば)え声情(こころ)あれかも常ゆ—鳴く」〈万三三六〉。「うちより御使、雨の脚よりも—繁し」〈源氏夕顔〉 †keni

げに【実に】『副』①本当に(その通りだ)。是認する場合にいう。「この歌よしとにはあらねど、—と思ひて人人忘れず」〈土佐一月十一日〉。「人の心をつくし給ふも—ことわりと見えたり」〈源氏桐壺〉 ②全く。実に。「かかる御使の、蓬生の露わけ入り給ふにつけても、いと恥づかしうなむとて、—え堪ふまじく泣い給ふ」〈源氏桐壺〉 ▽ゲン(現)ニの転か。

けにく・し【気憎し】『形ク』感じからしていやだ。どことなく嫌な感じだ。「—・く心づきなき山伏」〈源氏柏木〉。「〔演奏ヲ〕せめてそのかされて、物一つばかり掻合せなどし給ひしかば、あまり—・しと人にも言はれ給ひき」〈大鏡師尹〉

げにげに【実に実に】『副』全く全く。本当に。「—いみじきすきものにもものし給ひけるかな」〈大鏡時平〉

げにげに・し【実に実にし】『形シク』①いかにも真実そうである。「いと—・しくも覚えずして」〈宇治拾遺一八二〉 ②しっかりしている。「彼らが成人して、—・しくもなりなんと月日の如く頼もしく、後の世かけて思ひしに」〈曾我三〉 ③もっともらしい。まことしやかである。「又次の夜の夢に虎毛の猫来たり、—・しく語り申すやう」〈伽・猫の草子〉

けにごし【牽牛子】アサガオの中国名を、日本風に発音した語。「—。うちつけに濃(こ)しとや花の色を見む置く白露の染むるばかりを」〈古今四四四〉 ▽ケニは「牽」の字音 ken の後に母音 i を添えて日本語風にした形。ゴは「牛」の呉音。

げには【実には】『副』①実際は。本当は。「〔東国ノ人ハ〕—心の色なく、情おくれ」〈徒然一四一〉 ②(真に)これこそ。「言ふ事はみな真なる御法こそ—仏の御法なりけれ」〈拾玉集四〉

げにもら・し【実にもらし】『形シク』いかにも道理にかなっているようだ。もっともらしい。「その礼儀・帯佩(たいはい)・形(なり)姿—・しいぞ」〈玉塵抄三三〉。「愚癡(ぐち)なる者は、—・しく言ひ聞かすれば、一偏(いっぺん)に思ひ入るものなれば」〈七書評判七〉

げにや【実にや】『副』《ヤは間投助詞》本当にまあ。「北の方見給ひて『—』と宣ふ」〈宇津保国譲中〉

けにゃう【仮寧】《「仮」は暇、「寧」は帰寧すなわち帰省の意》令の規定によって官人に与えられる休暇。一般に、六日ごとに一日の休暇、三年に一回三十日の帰省休暇が定められていた。〈仮寧令〉

けにん【化人】仏・菩薩が衆生を救済するため、人の姿をかりて世に現われたもの。「これ—なりといふ事を皆人知りぬ」〈今昔一二ノ三三〉

けにん【家人】①令制における五賤(ごせん)の一。奴婢(ぬひ)と同じく相続の対象とはなったが売買はされず、少しは自分の家の業もできた。「四天王寺の—と奴婢三十二人に爵を賜ふ」〈続紀神護景雲二・一〇・二五〉 ②平安時代以後、貴族や豪族の家臣。「相伝(さうでん)の—の手にかかって失せなん事の不思議さよ」〈保元中・為義最後〉 →御家人

げにん【下人】①社会的に地位の低い人。「〔阿智王ノ子孫〕臣苅田麻呂等、先祖の王族を失ひて、—の卑姓を蒙れり。望まくは、忌寸(いみき)を改めて宿禰(すくね)の姓を蒙り賜はらむことを」〈続紀延暦四・六・一〇〉 ②鎌倉・室町時代、荘官・地頭・地主などに隷属して、軍事・農業・家事などの雑役に従った者。「明日、—どもあまた具して、一人も洩れず皆参るべし」〈著聞六〇六〉。「まことなるかや、—は足元の敵とやらん」〈吾妻記〉 ③近世、年季奉公人。「山崎にある人の—、暇を乞はず伊勢参宮をいたす」〈奇異雑談集二〉

げにん【外任】外官すなわち地方官。また、それに任ずること。「—より京官に遷れる者、祿を賜ふ日に会ふときには賜はる例に入る」〈続紀養老一・一二・七〉 **—のそう**【外任の奏】元日などの節会(せちゑ)に召さるべき地方官の名を奏上すること。「元日節会、天皇南殿に御す。内弁、蔵人をして—を奏せしむ」〈西宮記正月上〉

けぬき【毛抜】毛を抜く道具。多くは鉄製。婦人の眉毛などをこれで抜き取った。「ありがたきもの。…毛のよく抜くる銀(しろかね)の—」〈枕七五〉 **—あはせ**【毛抜合せ】①毛抜の先を合わせたように、密接に合わせること。また、そのように合わせたもの。「古釜〔ハ〕、共蓋、自在釣り、鉄の貫大にして、—にして懸けられ候」〈宗湛日記天正一四・一二・二五〉 ②双方の布片の端と端が重ならぬよう接合して縫うこと。また、そのように縫ったもの。「縫ふ糸や—の衣更(ころもがへ)」〈俳・沙金袋三〉

けのあらもの【毛の荒物・毛の麤物】《「毛の柔物(にこもの)」の対》神に供える物の称。毛のあらく大きい鳥獣。「山幸彦として—・毛の柔物を取りたまひき」〈記神代〉

けのこ・り【消残り】『四段』消えずに残る。消えのこる。「この雪の—・る時にいざ行かな山橘の実の照るも見む」〈万四三二六〉 †kënökörï

けのころごろ【日の頃頃】《コロゴロはコロを重ねて日数の経過を表わす語。→け(日)》このごろ。「近江路の鳥籠(とこ)の山なる不知哉(いさや)川—は恋ひつつもあらむ」〈万四八七〉 †kënökörögörö

けのにこもの【毛の柔物・毛の和物】《「毛の荒物(あらもの)」の対》神に供える物の称。毛のやわらかな小さい鳥獣。「山野に住む物は—・毛の荒物」〈祝詞道饗祭〉

けのぼ・り【気上り】『四段』のぼせる。けあがる。「つつましと物を思ひつるに—・りぬるにや」〈源氏若菜下〉

けのもの【異の者】すぐれた者。たいした奴。「『螢よりけに』とは、勝の字なり。螢よりもまさりてと云ふ也。万葉には異の字書く処もあり。人を—と云ふ、是れも勝字也と」〈古今集註〉

けのやつ【異の奴】「けのもの」に同じ。「父、これを見て、『家俊には似ず、きゃつは—かな』とて」〈平治中・待賢門軍〉

げば【下馬】①《「馬上」の対》貴人や寺社の前などで失礼のないよう、馬から下りること。「檀の山陵を過ぐるときに、陪従の百官に詔して、悉に—せしむ」〈続紀天平神護一・一〇・一五〉 ②寺社・城門などの前で下馬札が立てられているあたり。下馬先。「観音城西の—において喧嘩す」〈江源武鑑四上〉

げはい【下輩】《「上輩」の対》①身分の低い者。「—下賤の士、四海を呑む」〈太平記二七・雲景未来記〉 ②目下の者。「上輩にてもあれ、等輩にてもあれ、または—の人にてもあれ」〈こんてむつすむん地三〉

げばさき【下馬先・下馬前】①「下馬」(2)に同じ。「物咎めある—の梅」〈俳・両吟一日千句〉 ②供奴が下馬先に近付いた時する身振り足取りの型。「—をして振りませい」

〈近松・薩摩歌上〉

けは・し【険し】『形シク』①激しい。荒荒しい。「変じて—・しき炎となる」〈孝養集上〉。「東風の—・しく吹きたりける日」〈発心集六〉②峻険である。険阻である。「さまざまの—・しき所を責め具して行きつつ」〈孝養集上〉。「—・しき山、悪(あ)しき道」〈日蓮遺文彌源太殿御返事〉③険悪である。「色—・しく見え給ふに」〈伽・熊野本地〉④せかせかしている。あわただしい。「—・しくも口ばやに謡ひ出したり」〈神事能評判〉

げばな【夏花】夏安居(げあんご)の間、仏に供える樒(しきみ)または花。「今日より—御沙汰あり」〈御湯殿上日記明応六・四・一六〉

けはなし【蹴放し】門や戸の下にあって内外の仕切りとなる、溝のない敷居。「格子の—より、そと礼堂にこれ(草履)を置く」〈東大寺法華堂要録〉

けはひ【一】『名』《ケ(気)ハヒ(延)の意。ハヒは、あたり一面に広がること。何となく、あたりに感じられる空気。「気配」は後世の当て字。→けしき》①肌で感じたり、聞えたり、匂ったりする雰囲気や様子・感じ。「命婦、かしこにまうでつきて〔弔問先ノ〕門引き入るるより—あはれなり」〈源氏桐壺〉。「空の—冷ややかなるに」〈源氏総角〉②匂い。「かかる—の、いとかうばしくうち匂ふに」〈源氏空蟬〉③声。「ほのかに聞ゆる御—に慰めつつ」〈源氏夕霧〉④音。「気近きほどの—(琴ノ音)立ち聞きせさせよ」〈源氏末摘花〉⑤気温。「〔八月〕まだ—暑きほどなれば」〈源氏総角〉⑥立居や動作の感じ。「うとき人の御—の近きも〔イヤデ〕中の君の苦しげにおぼしたれば」〈源氏総角〉⑦(様子から察せられる)人柄。「人の—、いとあさましくやはらかに、おほどきて、物深く重き方はおくれて」〈源氏夕顔〉⑧なごり。「過ぎにし親の御—とまれるふるさと」〈源氏帚木〉⑨ゆかり。血縁。「ただかことばかりにても、まことの親の御—ならばこそ嬉しからめ」〈源氏玉鬘〉⑩【化粧】《雰囲気を作る意から》けしょう。おつくり。「—の具足」〈義経記七〉。「殊に女は、—と云ひて、顔に白粉(おしろい)をぬり、紅といふ物をぬり」〈虎明本狂言・鏡男〉【二】〔けは・ひ〕『四段』《名詞ケハヒを動詞化した語》①身づくろいをする。「内にてはいかにもつくろひ—・ふべし」〈六波羅殿御家訓〉②顔を化粧する。「カヲヲケワウ」〈日葡〉 **—でん**【化粧田】嫁入りの時、化粧料として持参する田地。「けしゃうだ」とも。「妻の根本持ちたる所領ぞ。父の—など云ひて付けてやる所領ぞ」〈清原業忠貞永式目聞書〉 **—でん**【化粧殿】化粧をする御殿。「みづからが—の庭より落つる遺水」〈近松・国性爺三〉 **—れう**【化粧料】嫁入りの時、化粧代に当てるという名目で持参する田地または金銭。「—に三ケ国これを遣はさるべきの由也」〈多聞院日記天正一八・一・二八〉

げばふだ【下馬札】城・社寺などの門前に立てて、下馬すべきことを記した高札。「下馬」または「下乗」と記した。「—の内へ牛に乗りて入り込みなどしければ」〈雲陽軍実記三〉

けばや けばけばしいさま。はでで目立つさま。「義貞が装束—に見ゆ。着かへよかし」〈盛衰記三〇〉

けはれ【褻晴れ】褻と晴れと。平生のばあいと儀式ばったばあいと。「殊にうちとけぬべき折ふしぞ、—なくひきつくろはまほしき」〈徒然一九一〉。「褻晴、ケハレ、内外の義」〈黒本本節用集〉

げ・び【下び】【一】『上一』《「上(じゃう)び」の対》下品めく。下劣さを帯びる。「蔵人が申しやう、まことに—・びたりけむかし」〈十訓抄一ノ四二〉。「—・びたる詞づかひ」〈六波羅殿御家訓〉【二】『名』【下卑】下品でいやしいこと。また、その人。「—。…賤しくさもしきてい也」〈浮・好色伊勢一〉

げびすけ【下卑助・下卑介】下卑た人の擬人名。下卑蔵。「下卑たる—かな」〈近松・虎が磨上〉

けびゐし【検非違使】令外の官の一。嵯峨天皇の時に置かれ、京中の非違を検察する。衛門府の兼任で、やがて訴訟・裁判も扱うようになり、権勢強大となった。役所を検非違使庁といい、長官は別当。後には諸国や伊勢神宮などにも置かれた。「〔興世朝臣書主ハ〕弘仁七年二月転じて左衛門大尉となり、—の事を兼行す」〈文徳実録嘉祥三・二・六〉。〈易林本節用集〉

けふ【今日】今のこの一日。「東(ひんがし)の滝(たぎ)の御門にさもらへど昨日も—も召すこともなし」〈万一八四〉 ▽ケサ(今朝)がキ(此)アサ(朝)の約であると同様に、キ(此)アフ(合)の約か。 † keFu **—は人の上、明日(あす)は我が身の上** 今日は他人の身の上に起った事でも、明日は自分の身の上の事となるかも知れない。「昨日(きのふ)は人の上、今日は身の上」とも。「—なれば是非もない程に」〈虎明本狂言・武悪〉 **—も明日も醒(さ)め果・つ**《「興」を「今日」に掛けた洒落詞》全く興ざめてしまう。「これはと、—・て、足摺りして泣いても〔以前ノ状態ニハ〕帰らず」〈浮・傾城色三味線二〉

けぶ 不思議。奇妙。希有(けう)。「かほどの智識さへ六塵の—に迷ひ、六根の罪は免かれ難きものを」〈国町の沙汰〉

げふ【業】常の事。「彼の納言、身能くする所無く、性悪心有り、好む所の勇敢の士、悪事を以て—と為す也」〈中右記天永三・六・四〉 →ごふ

けふあす【今日明日】今日かあした。ごく近い内。死期が目前に迫ったのにいうことが多い。「かく—に覚ゆる命をば」〈源氏若紫〉

けふさん【夾竿】書物にはさんで、読みさしの所のしるしとするもの。竹を長さ三寸、幅五分ほどに削り、はさむための割り目を入れた。栞(しおり)。「御草子に—さしておほとのごもりぬるも」〈枕三三〉

けふじ【脇侍・挾侍】本尊の両脇に立つ二体の仏像。阿彌陀如来に観世音菩薩・勢至菩薩、釈迦如来に文殊菩薩・普賢菩薩など。わきだち。「各々国分尼寺に阿彌陀丈六像一軀、—菩薩像二軀を造り奉る」〈続紀天平宝字五・六・七〉

けふそく【脇息】座の側に置いて肘(ひじ)をかけ、身体をもたせかけて休む道具。挟軾(けふしょく)。几(おしまづき)。寄懸(よりかかり)。「小さき御几帳のつまより—によりかかりてほのかにさしいで給へる、いと見まほしくらうたげなり」〈源氏宿木〉

けぶた・し【煙たし】『形ク』けむたい。「空薫物(そらだきもの)いと—・うくゆりて、衣の音なひ、いとはなやかにふるまひなして」〈源氏花宴〉

けぶつ【化仏】①種種の形に姿を変えて現われる仏身。「明星の出づる時に至りて—道喩が所に来たり臨み給ふ」〈今昔六ノ一七〉②本地仏をあらわす仏像。たとえば観音の頭上の冠にある阿彌陀仏や光背にある多くの小仏。「光の中の—無数億にして」〈栄花玉台〉

けふのあき【今日の秋】今日から秋であることを強調していう語。「あづまにも立つや都の—」〈自然斎発句秋〉。「文月の上書(うはがき)なれや—」〈俳・毛吹草六〉

けふのくれ【今日の暮】今日で暮れてしまうことを強調していう語。①年の暮れをさす。歳暮。「歳暮述懐の心をよめる。数ならぬ身には積もらぬ年ならば—をも歎かざらまし」〈千載四七二〉。「年浪(としなみ)のみつしほなれや—」〈安宅冬

康句集〉②春の暮れる日をさす。三月尽〈さんぐゎつじん〉。「三月尽に恋の心をよめる。春はをし人は今宵をたのむれば思ひわづらふ―かな」〈金葉九六〉。「春の日は長し短し―」〈俳・毛吹草追加上〉

けふのつき【今日の月】八月十五夜の月。名月。今宵の月。「天に名の高さおとらじ―」〈俳・犬子集五〉

けふのはる【今日の春】今日が春であることを強調していう語。今日という春。①立春をさす。「年内立春の日。なほ待たば立つや恨みん―」〈萱草〉②元日をさす。「去年(こぞ)とやはいふ間も昨日―」〈宗牧独吟何木百韻〉③三月尽〈さんぐゎつじん〉をさす。「かへる里あらばぞ恨み―」〈春夢草〉▽江戸時代、おおむね元日をさすようになる。

けふのひ【今日の日】今日という日。「春の野に心のべむと思ふどち来し―は暮れずもあらぬか」〈万一八八二〉

けふのほそぬの【狭布の細布】《ケフはケフ(狭)フ(布)の約。似た意味の語を重ねたものという》奥州から産出した幅の狭い布。「錦木はたてながらこそ朽ちにけれ―むねあはじとや」〈後拾遺六五一〉

けぶらひ【気振らひ】けはい。様子。けぶり。「風と云ふ―も憂き花の下」〈俳・廿会集下〉

けぶり【気振り】「けぶらひ」に同じ。「〔コノ鷹モ鳥ヲ〕取りさうなる―にて」〈細川忠興文書寛永一一・一〇・一四〉

けぶ・り【煙り】㊀《四段》《ケムリの古形》①㋑煙が立つ。「高殿に登りて見れば天の下四方(よ)に―・りて今ぞ富みぬる」〈日本紀竟宴歌〉㋺火葬の煙となる。「むかひ居て見るにも悲し―・りにし人を思ひの灰によそへて」〈夫木抄三六・哀傷〉②ぼうっと霞んで見える。㋑ほのかに芽をふく。「お前の木立いたう―・りて」〈源氏柏木〉㋺ほんのりと匂いやかに見える。「頬(つら)つきらうたげにて、眉のわたりうち―・り」〈源氏若紫〉㊁《名》①㋑けむり。「富士の山も―立たずなり」〈古今序〉。「煙、気夫利(けぶり)」〈華厳音義私記〉㋺炊事の煙。「―絶えて、あはれにいみじきこと多かり」〈源氏蓬生〉㋩火葬の煙。「我ぞ―に先立ちなまし」〈源氏澪標〉②煙のように見えるもの。蒸気・靄(もや)など。「朝日さす雪消(ゆきげ)の―うちなびき吉野の山も見えずかすめる」〈夫木抄一九・煙〉。「暮るれば蘆岸の―に舟をつなぎ(晴ラス)べき事」〈源氏鈴虫〉③苦悩。安執。「かの御―はるく〈太平記四・備後三郎〉†kĕburi　**―くらべ**【煙比べ】燃える思いを比べること。「憂きことを思ひ乱るる―に」〈源氏柏木〉　**―のたとひ**【煙の譬】「火のない所に煙は立たない」というたとえ。「―もあればさも知らずかし」〈宇津保沖つ白波〉　**―のたね**【煙の種】①切ない思慕を起させるもの。「聞くに胸痛く―ぞかし」〈西鶴・五人女三〉②燃料。たきつけ。「落葉は―となり」〈西鶴・武家義理六〉③火葬の煙となるもの。「人みな―」〈西鶴・二十不孝三〉　**―のなみ**【煙の波】遠く煙のように霞んで見える波。「雲の波―をたちへだて」〈栄花浦浦別〉

げべん【外弁】《「内弁」の対》朝廷で公事(くじ)があったとき、承明門外で諸事を行なった公卿。「内弁―の公卿参列して、中儀の節会行なはる」〈平家五・富士川合戦〉

げほくめん【下北面】《「上北面」の対》五位または六位の北面の武士。「―より上北面にあがり、上北面より殿上の交りを許さるる者もあり」〈平家一・鵜川軍〉

げほふ【外法】①〔仏〕《「内法」の対》仏教以外の教え。外道〈げだう〉。「俗にましましける時は、―の典籍(てんじやく)の法を習へり」〈今昔四ノ二四〉②仏教以外の邪教による行法や呪術。特に髑髏(どくろ)を用いて行なう呪術。「さてかの―行なひける聖を追出せむとしければ」〈平家一・鹿谷〉③福祿寿(ふくろくじゆ)の異名。「―殿の頭へ梯子さいて月代(さかやき)剃る大津絵」〈浄・ひらかな盛衰記三〉　**―がしら**【外法頭】外法の術を行なう時に用いる、上が大きく下が小さい髑髏。「外法あたま」とも。「―とは、ぼんのくぼがくぼまずして、直ぐに立ちたるなりな頭を云ふぞ」〈蠡測集〉　**―の下り坂**　外法の術を行なう者が一度失敗すると、忽ち破滅する意で、一旦失敗すると取返しのつかぬたとえ。〈俳・毛吹草二〉

けぼり【毛彫】模様や文字を、毛筋のようにごく細い線で彫ること。また、その彫りもの。「香盆。…香合せの時は、香畳の葦手の絵にさしあふ事もある故、―などはせぬ事なり」〈五月雨日記〉

げぼん【下品】《ゲホンとも》①〔仏〕極楽浄土の等級、またはそこに生れる人の資質の差を、上・中・下に三分した最下等のもの。「九品(くほん)蓮台の間には―といふとも」〈枕一〇一〉→九品。②《一般に》下級・下等なもの。「この分にては―の番匠の内にも入るべからず」〈夢中問答中〉　**―げしゃう**【下品下生】九品の中の最下級。また一般に、最下級のもの。「―になむある」〈栄花鶴林〉。「―の人を説くには」〈発心集六〉

けまく《助動詞ケムのク語法》…たということ。「はしきよしその妻の児と朝夕に笑みみ笑まずもうちなげき語り―は」〈万四一〇六〉†kemaku

けまと・ひ【蹴纏ひ】《四段》衣などの裾にからまって足がもつれる。「袴の裾を舟端に射付けられ、―・ひて倒れ給ひたりけるを」〈平家一一・能登殿最期〉

けまはし【蹴回し】袴・衣服などの裾口。すそまわし。「烏帽子の着際、袴の―尋常なるをのこ」〈伽・おもかげ物語〉

けまり【蹴鞠】「まりけ」に同じ。「柳に―〔ノ模様〕」〈黄・金々先生造花夢中〉▽古くは「まり」「まりけ」「しうきく」などといった。

けまん【華鬘】①首にかけ身体を飾る生花の花環。インドの風習。「天人の頭の上の―はしぼむ事なきにしぼみぬ」〈今昔一ノ一〉②仏堂の内の欄間(らんま)などをかざる道具。金銅・牛皮などのうちわ形の板に、蓮花唐草などを透かし彫りにしたもの。「〔万燈会デ〕衣笠・―の形(かた)に燈(とも)したり」〈栄花御裳着〉

けみ①【検見】《ケンミのンを表記しない形》実地の検分。「大嘗会の―やとし騒ぎ」〈かげろふ上〉②【毛見・検見】《稲の毛を見る意。→け(毛)(4)》室町時代以降、米の収穫前に幕府や領主から役人を遣わして、坪刈りをして検査し、豊凶に従って年貢の賦課率を定めること。けんみ。「五郎四郎男狛野(こまの)に下るの間、―致し罷り帰り了んぬ」〈多聞院日記文明一〇・九・二六〉

けみ・し【閲し】《サ変》《「検」の字音kemの後に母音iを添えたケミを動詞語幹とした語》調べる。「閲、ケミス、勘見也」〈色葉字類抄〉

けみゃう【仮名】①《「実名」の対》俗名。俗称。「年号月日、―、実名」〈平家二・卒都婆流〉②実体のないものの名。また、名ばかりのもの。「仏事を修せらるといへども、皆以て真実の心なし。ただ皆―なり」〈比良山古人霊託〉

げみゃうぶ【外命婦】五位以上の官人の妻の称。「とのひめとね」とも。「安倍朝臣虫満(むしまろ)の母安曇(あづみ)―とは」〈万六六七左注〉→命婦

け・む《助動》→基本助動詞解説。†kemu

けむし【毛虫】①鱗翅目の昆虫の幼虫。「蛓・蚝、ケムシ」〈天正十八年本節用集〉②《気にくわない嫌なもののたとえ》父・兄・諫臣・番頭などの称。「大事ない／―が留

守ぢゃ長うなれや」〈雑俳・軽口頓作〉③太く濃い、毛虫に似た形の眉。「地女(ぢをんな)に—二つで化けられず」〈雑俳・万句合宝暦一三〉

けむつか・し【気むつかし】『形シク』気味が悪い。そらおそろしい。「夜中ばかりに、細細とある手にて、この男が顔をそと撫でけり。—・しと思ひて」〈宇治拾遺一五八〉

けむ・り【煙り】㊀『四段』《ケブリの転》煙気が立つ。「生柴を焼けば—・るまでなり」〈句双紙抄〉㊁『名』煙氣。「高き屋の登りて見れば—立つ民のかまどもにぎはひにけり」〈四河入海二四下〉

げめん【外面】外にあらわれた顔の様子。顔色。「—は菩薩に似て」〈謡・現在七面〉 **—似菩薩(じぼさつ)内心如夜叉(にょやしゃ)** 女は外面は菩薩のように美しく柔和であっても、内心は夜叉のように険悪で恐ろしい。「女人地獄使、能断仏種子、—」〈法華題目鈔〉

けもの【獣】《毛物の意》①⇒けだもの(1)「猨𤢖、獣馴也、介毛乃人尓奈豆久(けもののひとになつく)」〈新撰字鏡〉②⇒けだもの(2)「その龍は畜(けもの)なり」〈大唐西域記一・長寛点〉

けもも【毛桃】桃の一種。皮に毛があるのでいう。「はしきやし吾家(わぎへ)の—本しげみ花のみ咲きてならざらめやも」〈万一三五八〉 †kĕmomo

げもん【解文】《「げぶみ」とも》①「解(げ)」に同じ。「〔宝亀十一年十二月〕飛驒国—」〈西大寺資財流記帳〉。「貢馬並びに…貢金等、京進さるる所なり。主計允行政—を書く」〈吾妻鏡文治三・一〇・三〉②推薦状。「阿闍梨の—をはなたせ給ふ」〈栄花疑〉

けもんりょう【花文綾】花の模様を織り出した綾(あや)。「けぶれう」とも。「御直衣(なほし)、—を此の頃摘みいだしたる花して、はかなく染めいで給へる」〈源氏野分〉

けや きわだって他と異なるさま。「出づる水ぬるくは出でず清水の心も—に思ほゆる音(おと)の少なき道に逢はぬかも」〈万三八七五〉 †keya

けやき【毛焼】鳥の毛をむしった後の肌にある細毛を藁火(わらび)などで焼き去ること。「羽根は皆むしれる鷺の—して」〈俳・犬子集一七〉。〈日葡〉

けやけ・し『形ク』《ケ(異)に接尾語ヤカがついたケヤカの形容詞形。アキラカ・アキラケシの類。変っているさまである、特別だ、すぐれている意》①特別だ。希有(けう)だ。「失緒(こころまどひ)し心を傷(やぶ)る。哭く声尤切(けやけ)くして、人をして腸を断たしむ」〈紀仁賢六年〉。「末代には—・きいのち(寿命)持ちて侍る翁どもなりかし」〈大鏡昔物語〉②妙だ。変っている。「〔婚礼ノ宴ニヘンナ歌ヲ歌ウノデ〕いと—・うも仕うまつるかな」〈源氏藤裏葉〉③はなはだすぐれている。すごい。「太刀をもえ差しあへず、脇に挟みて逃ぐるを『—・きやつかな』と言ひて」〈宇治拾遺一三二〉④きわだっている。「〔都会人ハ〕心柔らかに情ある故に、人の言ふほどの事—・く否びがたくて、よろづえ言ひ放たず、心弱く言受けしつ」〈徒然一四一〉 †*keyakĕsi

けやす・し【消易し】『形ク』消えやすい。「朝露の—・き我が身他国(ひとくに)に過ぎかてぬかも親の目を欲り」〈万八八五〉 †kĕyasusi

けやり【毛槍】鞘を鳥毛で飾った槍。鳥毛の槍。「御持槍五十本…御—三百本」〈太閤さま軍記のうち〉

げゆ【解由】事務引継ぎの文書。内外の官(特に国司)の交替の時、新任者が事務の申し送りを受けたことを証明して、前任者に渡す書きつけ。それを太政官に上申して交替する。解由状。「遷替の人には必ず—を付して官に申し送るべし。今日以後永く恒例とせよ」〈続紀天平五・四・五〉。「例の事ども皆しをへて—など取りて」〈土佐発端〉

げよう【下用】下層の人の食用にする、十分に搗(つ)かない普通米。下用米。「—日記の事。…米十七石二斗九升」〈金剛峯寺文書寛元四・九・晦〉 **—びつ**【下用櫃】米櫃。「—に有りとは見えてこは如何に」〈俳・物種集〉

けら【螻・螻蛄】虫の名。オケラ。「〔召使ノ名ニ〕—男、ひきまろ」〈堤中納言虫めづる〉。「螻蛄、介良(けら)」〈和名抄〉 **—腹立てば鶫(つぐみ)喜ぶ** ツグミを捕る餌にケラを用いるので、甲乙両者の利害が一致しないたとえ。「侘者(わびもの)の世にある人を怨むるは—」〈西明寺殿御歌〉。〈名語記五〉

げら【下等】『代』《一人称》おのれ。おれ。「—が宿を忘れて、囃子物(はやしもの)をして来る」〈虎明本狂言・麻生〉

けらい【家礼・家来・家頼】①子が親を敬い礼すること。また、親に準じて目上の人に敬意をあらわすこと。「かれい」とも。「文籍(もんじやく)にも—といふことあるべくや」〈源氏藤裏葉〉②摂家や大臣家に出入りして公家の作法を習っている人。「内大臣以下(げい)—の人多くありけるをも」〈愚管抄四〉③《(2)から主従の関係に転じて》主家に臣従する者。公家・武家の家臣。「家人(けにん)・若党並びに—の仁等、皆以て無骨の田舎人なり」〈庭訓往来五月九日〉。

げらう ゥ:ロ【下郎】《「下臈(げらふ)」の転》①身分の低い者。「—にて人数ならずして一座に居する者なかりけるが」〈雑談集九〉②しもべ。下人。「腰元や禿おはした下女—」〈俳・正章千句上〉

けらく【快楽】《ケは呉音》こころよくたのしむこと。「且は天下安全のため、且は諸人の—のため」〈風姿花伝〉

けらく《助動詞ケリのク語法》…たこと。「世間(よのなか)の苦しきものにあり—恋に堪へずて死ぬべく思へば」〈万七三八〉 †keraku

げらく【下洛】①比叡山などから都へ下りること。「山僧この事を聞きて蜂起して、十月二十七日、五六百人—して」〈著聞八〉②《「上洛」の対》都から地方へ下ること。〈日葡〉

けらけら『感』甲(かん)高く軽い調子で笑う声。「わけもなき乱り話に—とした笑ひは心浅しも」〈菅原光高百首和歌〉

けらさい【螻才】《後にはケラザイとも》各方面に少しずつ才を持ってはいるが、一つとして取るに足るものがないこと。「けらに五つの能あれども、げにげにしき事にはあらざる故に、ちちと物を知りてよくもなきをば—と云ふ」〈塵袋四〉

けらし『連語』《回想の助動詞ケリの連体形ケルに推量の助動詞ラシのついたケルラシの約》①過去の推量を表わす。…たらしい。「鳴く鹿は今夜(こよひ)は鳴かずい寝に—も」〈万一五一一〉②「けり」に同じ。「けり」を詠嘆的に余情をこめて表現する場合に使う語。…だなあ。…であることよ。「けらし、けり〔ニ同意〕」〈八雲御抄四〉。「後のあざけりをかへり見ざり—」〈筆のすさび〉。「けらしとは、けりと云ふ事」〈不断重宝記〉 †kerasi

けらつつき【啄木】キツツキ。「今の世までも天王寺には—の来たる事なしといへり」〈盛衰記一〇〉。〈下学集〉

げらふ ゥ:ロ【下臈】《「上臈」の対》①修行の年数が少ない僧。「延昌僧正といひける人の、未だ—にて修行しける時に」〈今昔一五ノ二七〉②年功を積むことが浅くて地位の低いこと。また、その人。「〔馬頭〕まだ、いと—にはべりし時」〈源氏帚木〉。「おなじ程、それより—の更衣たちは、まして安からず」〈源氏桐壺〉③下衆(げす)。下人。しもべ。「『—なれども都ほとり』といふ事なれば」〈大鏡序〉。「熟根いやしき—

なり」〈平家一・鵜川軍〉→臈。　**—さぶらひ**(サブライ)【下臈侍】下級の従者。「〔薫大将ガ〕むつましく思す—ひとり」〈源氏東屋〉　**—にょうばう**(ニョウボウ)【下臈女房】下級の女房。「こなたの対の北面(きたおもて)に住みける—」〈源氏蜻蛉〉

け・り【来り】『ラ変』《キ(来)アリの約》来ている。「玉梓(たまづさ)の使の—・れば、うれしみと吾が待ち問ふに」〈万三九五七〉　†keri

け・り【着り】『ラ変』《キ(着)アリの約》着ている。「わがせこが—・る衣(きぬ)うすし佐保風はいたくな吹きそ家に至るまで」〈万九七九〉。「錦綾に美しく服(け)れども」〈東大寺諷誦文稿〉　†keri

け・り『助動』→基本助動詞解説。　†keri

けりゃう(ケリヨウ)【仮令】㊀『副』①たとえば。「—、郭公などは、山野を尋ねありきて聞く心を詠む」〈無名抄〉。「—、名所旧跡の題目ならば」〈風姿花伝〉。「仮令、ケリャウ・タトヘバ」〈下学集〉②たとい。かりに。よしんば。「—、仏と云ふは…と知りたりとも」〈正法眼蔵随聞記三〉。「—、赦(しや)に逢うて帰るでこそあれ」〈三体詩抄一ノ一〉③かりそめにも。かりにも。「どなたにも理はひとみち〴〵有る事に候。—双方をくらべ理の少なきを非分なりとは申すばかりに候」〈伊達家文書一、最上義光書状〉④《多く下に「…ばこそ」を伴って》たまたま。さいわいに。「—道を守ればこそ、もし気がそれていたづらしたら、こな様〔私ヲ〕切って捨てさんすか」〈近松・薩摩歌上〉㊁『名』かりそめ。「生死は—の事」〈碧岩抄六〉

ける【蹴る】『下一』⇩け(蹴)

けるい【毛類】毛皮・毛織物の総称。「—と見ゆる鳥の囀(さへづ)り」〈俳・難波千句〉。「近年の唐織・金入り・—を着る事」〈西鶴・男色大鑑五〉

けるほどに【ける程に】『連語』念を押す時、重ねて言うことばの代りにいう語。「上る程に—、まんまと京まで上り詰めて」〈近松・松風村雨三〉

けれ『助』《接続助詞「こそ」を含む文の文末が「う」や「まい」で終る時、その下に付く》けれども。が。「あれは心中者ぢゃと云はるる女郎こそ一生添うて御座って面白うもござらう—、是れは我身へ難題を仰せかけらるると思ふ故に」〈浮・禁短気二〉。「姑御のさがなうて取りにくい御機嫌に、辛抱するは何故ぞ男の顔を楽しみに、暮す女房に口出しして贔屓こそなるまい—、陰日向になる程の気骨は折ってやられても、さのみ人は叱るまい」〈浄・二つ腹帯二〉

けゐ【褻居】日常いる所。ふだんの居間。「高野聖と聞いてなつかしく思はれけるにや……—に呼び入れて」〈沙石集一ノ三〉

げゐ【外位】《「内位」の対》令制で、外官(地方官)に賜わる位階。後には、卑しい氏姓の者に賜わった。「始めて新令に依りて官名位号を改制す。……—は直冠正五位の上階に始まって進冠少初位の下階に終ふ」〈続紀大宝一・三・二一〉。「狛(こま)は下姓によりて—に叙す」〈著聞三七三〉

けをさめ【褻納め】ふだん用いるものと、晴れの日のためにしまっておくものと。「—の装束、あまた下(くだ)り調(ととの)へて渡しけり」〈今昔二六ノ一七〉

けん　膾(なます)・刺身などのつま。付け合せ。「料理膾。……—は色色その時分の物、作り次第に置くべし」〈料理物語〉

けん【見】①見かた。見解。「今いふところの—、全(また)く仏法にあらず、先尼(せんに)外道が—なり」〈正法眼蔵辦道話〉②《上方でいう》遊里をひやかすこと。素見(すけん)。「—に行きても」〈評判・けしずみ〉

けん【券】田地や邸宅・荘園などの所有を証明する手形。「領じ給ふ御庄、御牧よりはじめて、さるべき所所—など、皆奉りおき給ふ」〈源氏須磨〉

けん【剣】諸刃(もろは)の太刀。つるぎ。「—を帯し沓(くつ)をはきながら殿上にのぼる事を許されしかども」〈平家二・烽火〉

けん【拳】二人以上が向き合い、掌を開き握り、または指を屈げ伸ばしして、種種の形を作って勝負を争う遊戯。本拳・藤八(とうはち)拳・虫拳・石拳などがある。中国より伝来、近世、行なわれた。「—の手品の手もたゆく」〈近松・冥途飛脚中〉

けん【軒】学者・隠者などが、自分の住む住居の号や雅号に添える語。「大館伊予守入道常興、号長楽—」〈再昌草一五〉→軒号

けん【乾】①《「坤(こん)」の対》易(えき)の卦(け)の一。「天」にかたどる。「—は天なり」〈周易抄〉。「易に曰く、—は剛健、天なり、陽なり、父なり、君なり、万物(ばんもつ)の初なりといへり」〈新撰陰陽八卦抄上〉②北西の方位。戌(いぬ)と亥(ゐ)の間。「いぬゐ」とも。「乾、ケン・イヌヰ」〈色葉字類抄〉

けん【険】顔つきがきつい感じで愛敬がないこと。「しかし疵(きず)には、目もと—なり」〈評判・野郎児桜上〉。「寄り付きのなき人相を—など云ひ、けんさうななど云ふ」〈志不可起五〉　**—を立・つ**　とげとげしくする。「ああ恋しくは思へども、わざと言葉に—・て」〈浄・誓願寺本地五〉

けん【間】《建物の柱と柱とのあいだ。「間」の字を、そのまま字音で読んでケンといったもの》①建物の柱と柱とのあいだ。「半蔀(はじとみ)四五—ばかりあげわたして」〈源氏夕顔〉。「清涼殿、七—四面」〈拾芥抄中〉②長さの単位。一間は六尺。「いり大豆を投げやるに、一—ばかり退(の)きて居給ひて」〈宇治拾遺六九〉③扇の折目の称。「扇を…二—三—開きて、しばし使ひて」〈遊庭秘抄〉。「扇を抜きて一—ばかり開き、その上に桃を置きて」〈大草殿より相伝之聞書〉④囲碁・将棋で、目の称。「もう一—角(かく)を突っ込め」〈滑・浮世風呂前下〉

けん【権】権力。権威。権勢。「—に誇って種種の徒事(いたづらごと)を企(たくは)つ」〈長恨歌抄〉　**—に借(か)・る**　権威と頼む。かさに着る。「俗に、例へば、主人を—・ってなど云ふ」〈志不可起五〉

け・ん『助動』⇩けむ

げん【元】年号。「是を以て継体の君、受禅の主、祚(そ)に登れば—を開き、瑞を錫(たま)はば号を改めずといふことなし」〈続紀延暦一・八・一九〉

げん【玄】〔遊里語〕《多く、名に「玄」の字を付けるのでいう》坊主・医者の隠語。「坊主の事を何れにても—と言へるは、彼の里の言葉なり」〈西鶴・新吉原常常草下〉

げん【現】①現在。現実。現前。「—に大王の歯印あれば疑ふべきにあらず」〈今昔四ノ四〉②本当。「—の山伏ならばよも関手をばなさじ」〈義経記七〉

げん【監】①奈良時代、太政官に管理された国。離宮がある和泉・吉野に置かれた。「大鳥・和泉・日根の三郡を割きて、始めて和泉の—を置く」〈続紀霊亀二・四・一九〉②大宰府の三等官。大監・少監がある。「この—に仇(あた)まれては、いささかの身じろきせむも、所せくなむあるべき」〈源氏玉鬘〉

げん【験】①効果。「多度山の美泉…朕が躬(み)にありて甚だその—あり」〈続紀養老一・一一・一七〉②仏道の修行や祈願の効果。霊験。効験。「未の刻ばかり天頗る陰り、雷少しく鳴る。孔雀経の—、誠に掲焉(けちえん)也」〈中右記天永三・六・二六〉

けんいち【見一】和算で、除数二桁の割算。〈割算書〉→八算(はっさん)

けんえい【巻纓】 冠の纓の端を内側に巻き、黒塗りの夾木(はさみぎ)ではさんで置くこと。また、その纓。五位以上の武官が用いた。「まきえい」とも。「行実は、衣冠に―して深沓をぞはきたりける」〈著聞四三七〉

けんがう(ゴウ)【軒号】「軒」の字の付いた名号。寺院・住居、または文人・芸人などの雅号に用いる。「寺号・―あらば、それを書くべき事、然るべき也」〈大館常興書札抄〉

けんがく【兼学】 二つ以上の学問・宗義などを併せ修めること。「法相・三論二宗を―して」〈今昔二ノ一五〉

けんがく【懸隔】 遠くへだたること。相違の甚だしいこと。「右、彼此の証文、理非―の時は、対決を遂げずといへども直(ぢき)に成敗あるべきか」〈貞永式目〉。「諸人頤(おとがひ)をときて笑ふこと、先の芸能に―なり」〈嵯峨野物語〉。「―とは雲泥の義なり」〈清原宣賢式目抄〉。〈文明本節用集〉

げんがた【験方】 加持・祈禱などの効験に関する方面。「この世の事を思ひ給へねば、―の行ひも捨て忘れてはべるを」〈源氏若紫〉

けんがのべん【懸河の弁】 急流のような勢いでまくしたてる弁舌。「玄を談じ、妙を説いて、―をほどこすとも」〈塩山和泥合水集上〉

けんき【軒騎】 車に乗ることと馬に乗ることと。また、その車馬。「綺羅充満して堂上花の如し。―群集して門前市をなす」〈平家一・吾身栄花〉

けんぎ【嫌疑】 疑わしいこと。容疑。「〔人ヲ見ルト〕『―の者やある』と咎む」〈枕四五〉。〈色葉字類抄〉

げんき【元気】 ①万物生成の根本となる精気。天地の気。「―流行して生生不息なり」〈性理字義抄一〉 ②心身の根本的な活力。精力。「見申したる所は、去年よりも御気色などはよく肥らせられ候。然れども根本―の虚にて候由、医者衆も申され候」〈沢庵書簡 宗鏡寺外九人に与ふる書〉

げんき【減気】《「増気(ぞうき)」の対》 病勢がおとろえること。病気が少しよくなること。「日頃を経てこの病少し―あり」〈今昔一三ノ三一〉。「その後種種に療治すれば、少しき―ありしかども、また増気ありて」〈正法眼蔵随聞記一〉

げんき【験気】 病気がなおるしるしの見えること。「匠作、眼御薬等の事、逐日―の事」〈宗長手記上〉

げんきもん【玄輝門】 内裏北面の中央の門。門内に左右兵衛佐の宿所などがある。「皇太子、御所に侍す。親王・公卿、仗下に飲宴す。自余の群官、―の外に留候す」〈三代実録貞観一六・二・六〉

げんぎゃう(ギョウ)【現形・顕形】 形に現われること。出現。また、事実が露顕すること。発覚。「秋のけしきの―するを」〈奥義抄〉。「かの罪人(とがにん)は―の事なれば、なにかは在所に大事かかり申すべき」〈本福寺跡書〉。〈文明本節用集〉

げんぎょ【言語】《漢音。呉音ではゴンゴ》 ことば。げんご。「容貌優美にして―分明なり」〈平家八・征夷将軍〉。〈釈最集〉

げんぎん【現銀】《近世、上方では、通貨は主として銀貨を使ったのでいう》 手持ちのかね。ありがね。げんなま。現金。「―にて脇で買へと」〈西鶴・桜陰比事一〉

げんくらべ【験競べ】 僧や修験者が左右に分れて、身についた通力のくらべ合いをすること。「七月十五日安居(あんご)のをはる夜、―を行なひけるに」〈著聞四六〉。「―十番、一方者出峰山臥、一方交衆」〈金峰山創草記〉

けんくゎ【喧嘩】 ①やかましいこと。喧騒。「鼓笛の―、人耳口を驚かす」〈中右記長承二・五・八〉。「―とかまびすし」〈将門記〉 ②いさかい。「高声に諍談す。遂に互ひに悪口(あくこう)に及ぶ。よって―す」〈正法眼蔵随聞記六〉。「―をし打擲・刃傷し、またはこれらの悪事に合力したる事ありや」〈さるばとるむんぢ〉 **―かひ(カイ)【喧嘩買ひ】** 好んで喧嘩の相手を買って出る無頼の者。「―の主人と覚しき者に」〈室町殿日記一〇〉 **―し【喧嘩士・喧嘩仕】** 喧嘩を商売のようにしている無頼漢。「―のさすがに止めぬ長刀」〈俳・独吟集下〉 **―じし【喧嘩じし】** 喧嘩をしようとする態度・意気込み。喧嘩腰。「山賤(やまがつ)や狩場争ふ―」〈俳・糸瓜草四〉 **―は降物(ふりもの)** 喧嘩は雨・雪のように何時起るか分らないの意。「喧嘩は生き物」とも。「―に候間…〔喧嘩相手ヲ〕放され候へと申し越し候」〈梅津政景日記元和七・三・二四〉 **―まなこ【喧嘩眼】** 喧嘩を仕掛ける恐ろしい眼つき。「―になりつつ赤面しける有様」〈仮・浮世物語一〉 **―両成敗** 喧嘩した者は、理非にかかわらず両方とも罰すること。室町時代以降、この処罰法が行なわれ、近世初期には幕府法にも採用された。「いづれの御家にも、―と定め置かるる」〈仮・可笑記三〉

げんくゎ【現果】〔仏〕 現世で受ける過去の業(ごふ)の報い。「過去の修因、今生の―、拙かりける我かな」〈盛衰記一二〉

けんぐゎん【兼官】 本官以外に別の官を兼ねること。また、その兼任した官。「―・兼職思ひの如く心の如し」〈平家一二・平大納言被流〉

げんくゎん【玄関】 ①禅寺の客殿への入口の小門。「忽ち―を敲(たた)く者あり」〈空華日用工夫略集至徳三・二・二三〉。「玄関、ゲンクヮン、禅家小門之名也」〈運歩色葉集〉 ②寺院の書院の式台のある所。また、書院造の正面の式台のある所。「―に出で給ひ、さしつめ引きつめさんざんに射給へば」〈室町殿日記六〉 ③人家の表上がり口。「―に寄りて袖摺りの松」〈俳・大矢数三〉

けんげ【見解】〔仏〕 道理を見て悟ること。また、考え方。思想。「―のひがめる事勿論なり」〈沙石集五ノ六〉。「道理を見て悟る所を―と云ふ」〈齊東俗談三〉

げんけ【幻化】〔仏〕 まぼろし。また、まぼろしのように実体のないこと。「―はこれ実にあらずといへり。―を実と思ふは偏計(へんげ)の妄情なり」〈沙石集九ノ九〉

げんけ【源家】 源氏。「さすが―の嫡流たりといへども」〈甲乱記〉。〈運歩色葉集〉

けんけい【券契】 地券・手形・割符などの総称。「諸郡―を弁定す」〈吾妻鏡文治五・九・一四〉

けんげう(ギョウ)【検校・撿挍】 ①検査・監督すること。「郡司、―を加へず、違ふこと十事以上ならば即ちその任を解く」〈続紀和銅六・三・一九〉 ②寺社の総務を監督する役。「〔石清水八幡宮ノ〕馬場殿の御所あきたり。―などが籠りたる折もあけば」〈問はず語り四〉 ③座頭の最高位。「珍一―・衆重一―」〈康富記文安一・四・七〉。「〔正月〕十四日、―御対面。申次(まうしつぎ)手を引きてまかり出で、平家申し候」〈年中定例記〉。「検校、ケンゲウ、座頭頂上之官也」〈いろは字〉

けんげう(ギョウ)【顕教】《「密教」の対》 密教以外の他の教門。「―を学ぶに悟り得ずといふ事なし」〈今昔一一ノ一三〉

けんけん ①キジの鳴き声。「―と言はで近付け雉の声」〈俳・発句帳一〉 ②そっけなく人に応対するさま。つんけん。「ケンケントモノヲイウ」〈日葡〉。「向ひ同士(どし)の―ともならず」〈近松・油地獄下〉

けんど【堅固】 一『名』①堅いこと。不動であること。しっかりと強いこと。「もとより―の聖人にあらずして」〈今昔一五ノ三二〉。「二人の心の堅き事は、この金のかんざしの―なる如くならん」〈長恨歌抄〉②頑健なこと。丈夫。達者。「ここもとは皆皆―にて候」〈伊達家文書三・文祿三・一・三五〉。「常に―勇健など云ふ。多く仏書に出でたり。皆心の退転なく健(やす)かなることを云ふ。俗に、疾(やまひ)なく、悩みなきことに云ひならはせり」〈齊東俗談三〉 ㊁〘副〙①完全に。全く。「此の事―覚えず候」〈衣笠内府歌難詞〉②きっと。必ず。「懺法(せんぼふ)阿彌陀経をだにもつまびらかに読み候ひぬれば、―苦しくも候ふまじ」〈義経記七〉

げんこ【拳固】馬方・雲助などの隠語で、五・五十などの数を表わす。五本の指を握って示すのでいう。「息杖の続かん程―微塵にさいなんで」〈近松・百合若大臣野守鏡三〉。「宿から川端まで―と言ふ仕事をして」〈黄・即席耳学問下〉 **―どり**【拳固取】近世、海道筋の茶店などで売った、一個五文の餅。拳固餅。「地獄にて鬼に問はれな―」〈俳・伊丹生俳諧〉

けんこく【兼国】本官のほかに国司を兼任すること。「四位已上の者は…授くるに―を以てして聞(ほまれ)を善政に佇(まつ)」〈続紀延暦一・一二・四〉

けんこん【乾坤】乾と坤と。天地。「―相泰(ゆた)かに、万代の福業を修め、動植咸(ことごと)く栄えむ」〈続紀天平一五・一〇・一五〉。「―といふは、天地(あめつち)といふ事にぞ侍るなる」〈今鏡一〉。〈色葉字類抄〉 **―のはこ**【乾坤の箱】①天地を箱にたとえていう語。天地という箱。「―の内をや春(張ルト掛ケル)霞」〈俳・夢見草一〉②蓋付きの箱。蓋を乾(天)、身を坤(地)にたとえていう。「―と云ふ義で、入れ物を占ふ也」〈八卦抄二〉

げんざ【験者】《ゲンジャの直音化》加持祈禱をして験をあらわす密教の行者。修験者。「御修法の壇ひまなく塗りて、いみじき―どもつどひてののしる」〈源氏若菜上〉

げんさい【現妻・幻妻】①遊女・夜鷹(よたか)の異名。「折節、上方より花尾と言ふ遊女を呼び下して有りけるが…『其の女こそ花尾と申して、上方の―にて候…』」〈安宅一乱記五〉。「夜発(やほ)を…―とは、いかなる名ぞと問へば」〈浮・色道大鼓三〉②女または妻をののしり或いは卑しめていう語。「美しい―が、隣の門口こととと叩いた」〈浄・妹背山四〉

げんざい【現在・見在】①〔仏〕三世の一。未来の世、過去の世に対して、この世。「―の甘露は、未来の鉄丸なりといふは」〈霊異記上三〇〉②目の前に、いま存在すること。現前すること。「その塔いま護聖寺に―せり」〈正法眼蔵行持上〉。「いかに殿は―の父に向ひて弓を引かれ候ふぞ」〈保元中・白河殿攻め落す〉

げんざう(ゾウ)【見参】「げんざん」の転。更に転じて「げざう」とも。「いかに鶏、久しう―せぬ」〈天草本伊曽保〉

けんさきぶね【剣先船】川船の一種。舳(へさき)が剣先のようにとがっていて、浅瀬を漕ぐによく、近世、大阪から大和川筋の河内国の諸所に、干鰯(ほしか)・油糟・薪・塩などを運送した。「摂州三頭(みつがしら)と云ふ所にて…。月やげに―の三頭」〈俳・桜川五〉

けんざを【間棹】①近世、検地など、土地の面積を計る時に用いる目盛りのあるさお。検地棹。「吟味をもあそばす時の―に」〈俳・廿会集上〉②大工が間数を計るのに用いる目盛りのある木製の角ざお。「―一枚に突くも有り。…其の職人とは看板なしに知れける」〈西鶴・永代蔵三〉

けんざん【建盞】天目(てんもく)茶碗の一種。中国福建省の建窯(けんよう)で焼かれたものが原産。「―・天目・茶釜・水差(みずさし)などのいろいろの茶の具足を」〈正徹物語下〉。〈文明本節用集〉

けんざん【兼参】一人で二家に出仕を兼ねること。「これは中将殿に先年召しつかはれ候ひし某と申すものにて候が…八条の女院に―の者にて候間」〈平家一〇・内裏女房〉

けんざん【乾山】元祿頃、尾形乾山が京都嵯峨鳴滝の土で焼き始めた、楽焼に似た陶器。乾山焼。「錦手・―・音羽焼」〈近松・生玉心中上〉

げんざん【見参】《ゲザン・ゲンザウとも》高貴の人の前に参り、お目にかかること。「年頃―したかりけるにと、殊に悦び給ひて」〈著聞四五四〉 **―に入(い)る** ①《入ルは四段活用》お目にかかる。「―りたがり候」〈宇治拾遺七七〉②《入ルは下二段活用》お目にかける。「兼平討って、―れよ」〈平家九・木曾最期〉 **―のいた**【見参の板】清涼殿の広廂(ひろびさし)の南の切妻の板。釘を打たず、人が踏んで通ると鳴るようにできている。鳴板(なるいた)。「―荒らかに踏み鳴らして立てたる気色」〈平治上・光頼卿〉

けんし【検使】①変事に際して事実を検視するために出向く役人。「二条町に仮屋を建てられ、―自ら断わって、直(あたひ)を定めて売らせらる」〈太平記一・関所停止〉②殺傷・変死などのあった時、死体および負傷者の状態を調査するため出向く役人。「―が立って紅の雲」〈俳・珍重集〉。「検使、けんし、目あかし」〈和漢通用集〉

けんじ【剣璽】三種の神器のうちの、草薙剣(くさなぎのつるぎ)と八坂瓊曲玉(やさかにのまがたま)。「御国譲りの節会(せちえ)行なはれて、―・内侍所(神鏡)わたし奉らるるほど」〈徒然二七〉

けん・じ【献じ】〘サ変〙①献上する。「丹波国、白鹿を―・ず」〈続紀文武一・九・三〉②杯をさす。献杯する。〈日葡〉

げんじ【源氏】①平安時代に、皇族を臣下に編入した際に与えた姓氏の一。嵯峨天皇が皇子・皇女に源姓を与えたのが始めで、ついで仁明・文徳・清和・宇多・村上・花山の諸源氏がある。清和源氏は中世武家として発展し、鎌倉幕府の創始者頼朝はその出身。宇多源氏・村上源氏は公家として栄え、花山源氏は白川家を称して神祇伯を世襲した。「観空寺は嵯峨太上天皇の創建なり。よろしくその後たる親王―を以て檀越(だんをち)となすべし」〈三代実録貞観三・八・二六〉②「源氏物語」の略称。「―見ざる歌詠みは遺恨の事也」〈六百番歌合冬上〉 **―ぐも**【源氏雲】大和絵の中に、金箔を洲浜形に置いて雲のように見せたもの。源氏絵に多く描くのでいう。「―の裾ぐみ」〈近松・反魂香中〉 **―ざけ**【源氏酒】酒宴の遊戯。二組に分れて源氏物語の巻名で応酬する仕方と、源平の二組に分れてする仕方の二つがあった。源氏酒盛。「―に酔ひてや色は紅葉の賀」〈俳・発句帳三〉。「白桃の旗の色めく―」〈俳・八束穂集一〉 **―とうだい**【源氏燈台】柱に鏡板(反射板)のある燈火台。「夏の夜会には、…虫なども飛び入るゆゑ、―にして、覆ひしたるを用ゐてよし」〈南方録棚〉 **―な**【源氏名】女官・奥女中・遊女などが、源氏物語の巻名にちなんで本名のほかに付けた呼び名。「どこの内にゃア、誰がお職で、―が幾人」〈洒・甲駅雪折笹〉 **―ばば**【源氏祖母】源氏物語・狭衣物語・伊勢物語・枕草子などを暗誦している老婆の乞食。「―と名を呼ばれて、阿波の城下を袖乞ひして」〈西鶴・名残の友三〉 **―び**【源氏火】燭台に、油盞で油火をともすこと。また、その火。「四畳半には小燭台―にても用ゐる」〈南方録滅後〉 **―びくに**【源氏比丘尼】源氏物語を朗誦して公家などの婦女子に聞かせる比丘尼。「源氏読み」とも。「―宿に来る」〈康富記享徳三・七・一三〉 **―ゑ**【源氏絵】源氏物語を題材にして書いた絵。「―十巻たみたる料紙に書きて」〈著聞四〇三〉

げん・じ【現じ】〘サ変〙出現する。あらわす。「夢に天女あり

て、身を半(なかば)—・じて、今半は隠して告げて云はく」〈今昔一四ノ三〉

けんじきん【乾字金】《「乾」の字の極印があるのでいう》宝永七年に鋳造し、享保四年まで通用した小判金・一分金の称。元禄金に比べ、小形で良質。「殊には—引き替への数は少分(せうぶん)の事に候」〈御触書寛保集成三二、正徳五・四〉

げんじきん【元字金】《「元」の字の極印があるのでいう》元禄金の別称。「〔元禄大判・小判・丁銀・豆板銀〕背に元の字の添へ極印あり。世にこれを—・銀と云ひ」〈金銀図録二〉

けんじつ【兼日】①それより以前の日。かねての日。「少事と雖も、—心中に案じ、用事有るべきの事歟」〈中右記康和五・二・二九〉②《「当座(たうざ)」の対》歌会・句会などを催す時、前もって題を出しておくこと。また、その題。兼日題。兼題。「近くも、保季・行能など体(てい)の歌人は、当座も—もただ同じ事なり」〈八雲御抄六〉。「来月—題、此の如く出すなり」〈言国卿記文明六・二・九〉

けんしゃ【検者】収益や土地面積などを視察する人。「白浜と二俣、堺論の儀に付き…木脇大炊助殿頼み候て、—に遣はし申し候」〈上井覚兼日記天正一三・三・二〉

げんじゃ【験者】⇒げんざ。「—の修法(しゅほふ)あれども、露の験(しるし)なし」〈今昔二〇ノ七〉

けんしゃう ‥シヨウ【玄上・玄象】皇室に伝わった琵琶の名器の名。唐から伝来し、鎌倉時代に紛失したという。「御前にさぶらふものは…みなめづらしき名つきてぞある。—・牧馬(ぼくば)・井手・渭橋(ゐけう)・無名など」〈枕九三〉。「—といふ琵琶にはかに失せにけり。これは世の伝はり物にていみじき公財(おほやけたから)にて有るを」〈今昔二四ノ二四〉

けんしゃう ‥シヨウ【見性】《禅宗の用語》妄念を去って自己本来の仏性を見きわめること。「六祖壇経に—の言あり」〈正法眼蔵四禅比丘〉　**—じゃうぶつ** ‥ジヨウ‥【見性成仏】見性によって大悟し、仏の境地を得ること。「日来(ひごろ)の迷倒(めいたう)忽ちに休歇(きうけつ)して、直下(ちきげ)に本分に契当(けいたう)するを—と名づけたり」〈夢中問答下〉

けんじゃう ‥ジヨウ【勧賞】功労を賞して、官位を授け、または物品を賜わること。「いかならん軍功—にも申し替へて、父一人が命をばなどか助けざるべき」〈保元中・為義降参〉

けんじゃうのしゃうじ ‥ジヨウ‥シヨウ‥【賢聖の障子】内裏の紫宸殿の母屋の中央にある玉座の後ろ、すなわち母屋と北廂の間にあった障子。漢・唐の名臣三十二人の像が描かれてあった。「かの紫宸殿の皇居には、—を立てられたり」〈平家一・二代后〉

けんじゃうらく ‥ジヨウ‥【還城楽】舞楽の曲名。唐楽。大食(たいしき)調。赤い恐ろしい面をつけた舞人が蛇を見つけてとらえ、踊りながら退く舞。童舞の際は面をつけず、紅梅を頭にさす。見蛇楽。還京楽。「腰なる笛をぬき出でて、—の破(は)を吹く。大蛇きたりとどまりて、くびを高くもてあげて、しばらく笛を聞くけしきにて、かへりにけり」〈著聞七二六〉

けんじゃく【剣尺】物差の一種。曲尺(かねじやく)の一尺二寸の長さを八等分したもの。刀剣・仏像・門戸を計るのに使った。「玉尺」とも。「不吉の脇差、寸は一尺四寸五分、—は災難」〈近松・女腹切上〉

けんじゃり【剣舎利】六角形の上部が尖った白色の石英。白水晶。冑(かぶと)水晶。「—はただ用心のためぞかし」〈俳・大矢数二〉

けんしゅ【拳酒】拳(けん)で負けた者が罰として酒を飲むこと。また、その拳の勝負。「けんざけ」とも。「—・花酒盛などは、下戸・上戸わかたぬ一興なれば」〈色道大鏡四〉

げんじゅつ【幻術】①魔術。妖術。「異端を学習し、—を蓄積し…百物を害傷する者あらば」〈続紀天平一・四・三〉②手品。「蜘蛛舞(くもまひ)幷びに—」〈雍州府志八〉

けんしゅんもん【建春門】内裏の外郭門の一。東の中央にあり、内部の宣陽門と相対する。外記門。左衛門陣。「仁和寺に行幸。—より出づ。宜秋門より入る」〈貞信公記延喜七・一・三〉

けんしょ【見證・顕證】《ケンショウの転》審判。「ある人と双六をうちけるを、隣にある越前房といふ僧来たりて、—すとて」〈著聞五五九〉

けんじょ【見所】①観客席。観客。「—の批判に云ふ」〈花鏡〉②見どころ。見るに値する箇所。「また大様(おほやう)にせんと心がくれば、—少なくてのさになる相(さう)あり」〈花鏡〉③局外から見ること。傍観。「長老、公方(くば)の時宜を憚り、—せらるる条、無念なり」〈看聞御記応永二四・二・一五〉。〈日葡〉

けんしょう【見證・顕證】まる見え。また、はっきり見えること。「山科(やましな)にて明け放るるにぞ、いと—なる心ちすれば」〈かげろふ中〉。「見證、證拠分、ケンシヨウ」〈色葉字類抄〉

げんじょう【還昇】犯罪などで昇殿を停められた殿上人が、再び昇殿を許されること。「還殿上(かへりてんじやう)」とも。「左衛門尉成順—…新宰相—」〈御堂関白記寛弘五・一・二九〉

けんじょのたかがけ【嶮所の高掛け】けわしい場所の高い所に腰を掛けているの意で、危険なことのたとえ。〈俳・世話尽二〉

けんじょむき【けんじょ向き】世間に対する改まった態度。私意私情を表わさない様子。「けんじゃうむき」とも。「—に存ぜず、存じ寄る事は遠慮なしに申すべき旨然るべく」〈池田光政日記正保四・五・一七〉

げんしょらう ‥ロウ【現所労】《「所労」は病気の意》現在、病気中であること。「—とて参らず」〈平家四・若宮出家〉

げんしらう ‥ロウ【源四郎】《隠語》ごまかすこと。盗むこと。また、その人。「彼方此方取って返せや—」〈俳・それぞれ草下〉

けんじん【賢人】①賢い人。徳が聖人に次ぐ人。「清盛は—の弓取りとこそ聞きつるに」〈平治下・頼朝遠流に宥めらる〉②俗世間の利害を超越した人。脱俗の人。「生きとし生けるものごとに富を願はぬ者やある。—ぶりは無益なり」〈説経・伍太力菩薩〉③《清酒の異称「聖人」の対》濁り酒の異称。「賢人、ケンジン、呼二濁酒一云二賢人一」〈下学集〉

けんずい【硯水・間水・建水】①大工などの職人に、おやつとして与える酒。後には、餅などもいった。「番匠百人…—三石」〈筑後高良別宮旧記写弘安八・三・二八〉。「硯水、ケンズイ、番匠之酒名也」〈文明本節用集〉②昼食。「建溪(けんけい)」とも。「飯米・酒・柴・炭・味噌汁・菜・—まで、雑用合一貫四百五十文」〈多聞院日記天正三・四・二二〉③炙饗(きうぎやう)などに与える酒食。「西国にて—と云ふは、灸治する節、酒食を饗するを云ふ」〈物類称呼四〉

げんすい【玄水】仏家で、酒の隠語。「大乗の茶と云ふは—也、俗に三寸(みき)と云ふ」〈雑談集四〉

けんずまう ‥ズモウ【拳相撲】相撲の形式による拳。小さな土俵を作り、行司を置き、化粧廻しを真似た拳廻しを付けた手で勝負する。「いつぞや、—の時、出なさったねヱ」〈洒・辰巳之園〉

げんせ【現世】〔仏〕《ゲンゼとも》三世の一。現在の世。こ

の世。「―・後生吉き事あらじ」〈今昔二〇ノ三四〉

けんせんじ【兼宣旨】大臣に任ぜられるべき人に、前もって何日に任ずる予定かを仰せ示される宣旨。「摂政殿は十二月九日―を蒙らせ給ひて、十四日に太政大臣に成らせ給ふ」〈盛衰記三〉

けんそ《ケンサウ(険相)の転》険のある人相。「顔立ち―也。しかれども美し」〈評判・吉原新鑑〉

けんそ【見證・顕證】《ケンショウの直音化ケンソウのウを表記しない形》①碁・双六・蹴鞠などの競技の勝負を、第三者が判定すること。審判。「侍従の君(碁ヲ)―し給ふとて」〈源氏竹河〉②第三者。冷静な立場の人。「あさましう、おほやけ腹立ちて、―の心ちも心憂く見ゆべけれど」〈枕二六八〉

けんぞく【眷属】①仏・菩薩に従うもの。薬師仏の十二神将、千手観音の二十八部衆の類。「観音の―と成りて、菩薩の位に昇らむ」〈今昔一三ノ三四〉②親族。一族。身内の者。「昼夜に妻子―を養ふ計(はかりこと)を巧(たく)む」〈今昔三ノ二九〉③従者。配下の者。家来。「項伯は項羽の一の―として」〈今昔一〇ノ三〉「八十余ヶ所の庄務をつかさどられしかば、棟門・平門のうちに、四五百人の所従―に囲繞(ゐねう)せられて」〈平家三・有王〉

げんぞく【還俗】一度出家した者が、再び俗人にもどること。僧尼に対する罰としても行なわれた。「僧通徳・恵俊に勅して、並びに―せしむ。…其の芸を用ゐむが為なり」〈続紀文武四・八・二〇〉。「薬師寺の僧華達…博戯して道(てだて)を争ひ、遂に〔僧〕範曜を殺す。―せしめて陸奥国桃生の柵戸に配す」〈続紀天平宝字四・三・三〉

けんたい 公然。表向き。「表向きの事を―」〈大坂繁花風土記〉

けんたい【兼帯】①二つ以上の官職を兼ねること。「三事の顕要を―して」〈平家三・吉田大納言〉②一所を両者で支配すること。「森林は鴉鷺―の地も有るべし」〈伽・鴉鷺合戦物語〉。「門跡と松梅院と―の所は大森ばかり也」〈北野社家日記天正一九・九・五〉

けんたい【健体】健康。丈夫。「どれどれ様も、御―に御入り遊ばさるる段」〈伎・大一大万大吉一〉

けんだい【見台】《「書見台」の略》坐って読書する時に本を載せる台。一本または二本の柱に、斜め前下りに板を取り付けたもの。「―漆にて塗りて進上すべきの由」〈言継卿記天文一四・六・一三〉

けんだい【兼題】《「兼日題(けんじつだい)」の略》「兼日」(2)に同じ。「―は月照菊・名所月・月前恋」〈戴恩記下〉

げんたう【現当】(仏)現在の世と当来の世と。現世と来世と。「―その益なし」〈孝養集中〉

けんたうし【遣唐使】七世紀から九世紀にかけてわが国から唐に派遣された正式の使節団。「―等去年筑紫より発して海に入る。風浪暴険にして渡海すること得ず。是に至りて乃(すなは)ち発つ」〈続紀大宝二・六・二九〉

けんだつば【乾闥婆】《梵語の音訳》八部衆の一。帝釈天に侍して、音楽を奏する。香を食べて生きているという。「汝は人にあらざりけり。もしは天か、もしは龍か、もしは夜叉か、もしは―か」〈今昔三ノ二五〉 **―じゃう**【乾闥婆城】乾闥婆が空中に作って見せたという幻の城。蜃気楼(しんきろう)。幻のように実体がないもののたとえにいう。「蜃気ここに―を吐き出せるかと怪しまる」〈太平記三九・自太元攻日本〉

けんたん【契短・間短】夜鷹より少しましな、下等な私娼。「―買へやと毒口苦口」〈近松・虎が磨上〉

けんだん【検断】①非違を検察し、罪を断ずること。「当国押領使として、―の如きの事、一向執り行なふ」〈吾妻鏡承元三・三・一五〉②中世、(1)を行なう職。侍所・六波羅検断方など。検断職(しき)。「六波羅―向山刑部左衛門尉敦利」〈日吉社並叡山行幸記〉。「―、出て裁(さば)く」〈天正本狂言・茶ぐり〉③地方の都市の総年寄、各町の年寄、または大庄屋の称。「長吏(ちやうり)は、その町の―人のことだ。一町の司(つかさ)を長吏と云ふぞ」〈碧岩抄〉 **―さた**【検断沙汰】鎌倉幕府における刑事訴訟のこと。室町幕府では侍所沙汰という。所務沙汰(不動産訴訟)・雑務沙汰(債権及び動産訴訟)に対していう。「―とは、謀叛・夜討・強盗…刈田・刈畠以下の事也。是等の相論を以て、検断の沙汰と名づく」〈沙汰未練書〉

けんだん【間断】《呉音》間が途絶えること。かんだん。「雑行(ざふぎやう)を行ずる者は心つねに―す」〈和語燈録三〉。「無間断、ケンダンナシ」〈天正十八年本節用集〉

けんち【検地】①土地を測量すること。「地せばく人多く、わり立て候事むつかしく、藤左衛門に申し付け、地絵図書かせ―打ちて、それよりと申し定む」〈天正日記天正一八・一〇・四〉。〈日葡〉②領主が、農民の田畑・屋敷地を測量調査して、面積・年貢高・等級を定め、貢租を負担すべきものを確定すること。石高を定め、全国にわたって統一的に実施されたのは太閤検地以後。繩入れ。竿入れ。「春已来―させられ候。四百六拾町計り候」〈上井覚兼日記天正三・四・二四〉 **―ざを**【検地棹】検地に用いるさお。豊臣氏は一間が六尺三寸、徳川氏は六尺一分を原則とし、一間・二間の両種がある。間棹(けんざお)。「―や直(すぐ)なる御代の稲秤」〈俳・糸屑三〉

けんちう【検注】検田し、注記すること。徴税の正確を期するため、検田使を遣わして、管内の田地を調査させること。「陸奥守になされにければ、彼の国に下りて―を行なひけるに、信夫の郡司にて大庄司季春と云ふ者、是れを妨げけり」〈十訓抄一〇ノ七四〉

けんちう【繭紬・絹紬】柞蚕(さくさん)の糸で織った一種の紬(つむぎ)。中国の南京・福建・広東産が輸入され、多くは薄い煤竹色と黒色の縞模様。〈和漢三才図会二七〉

けんぢやう【傔仗】奈良・平安時代に、辺境の官吏(特に国司)につけられた護衛兵。「勅して、大宰府帥・大弐、并せて三関と尾張守等に始めて―を給ふ。其の員、帥八人、大弐と尾張守四人、三関の国守二人」〈続紀和銅一・三・二二〉

げんぢやう【厳重】おごそかでいかめしいこと。「―なる事の儀、すべてゆゆしなどもいはん方なくぞ見えさせ給ふ」〈竹むきが記〉。「泰成が申す所、たなごころを指すよりも―なり」〈伽・玉藻草紙〉。〈文明本節用集〉

けんぢょごかし【賢女ごかし】賢女だと褒めおだてること。「―の拝み倒しに逢うて」〈近松・寿門松中〉

けんぢょだて【賢女立て】賢女らしく振舞うこと。「―をめさるる御上﨟」〈浄・十六夜物語三〉

けんつう〔江戸語〕髪の毛の少ないこと。「おけんつう」とも。「―の頭」〈評判・吉原芥川〉

けんづけ【権づけ】権勢で無理矢理にすること。権柄づく。権づく。「今度のごとく―にて帰山ある覚悟に候とも」〈高野山文書三、興山上人応其書状〉

けんづもり【間積り】土地の間数の測量。「―する里のかたはら」〈俳・半入独吟集上〉

げんでう ⇒げんぢょう。「源氏の宮の御もとへ賀茂大明神の御懸想文遣はしたる事。夢はさのみこそといふなるに、あまりに―なりし」〈無名草子〉。〈運歩色葉集〉

けんでん【検田】田畑の面積、土地の荒れ・こなれの状況、在家数、作人などを調査すること。検注。「使を五畿内に遣はして―す。班(あか)ち授けんがためなり」〈続紀延暦四・一〇・四〉

けんとく【見得】①《もと禅宗用語》理解すること。会得すること。「このゆゑに、いま道得あり、いま―あり」〈正法眼蔵道得〉。「得レ春を、一説には春を―して帰るを云ふなり」〈錦繡段鈔一〇〉 ②富籤(とみくじ)。また、当り籤の予想。「第六天〔神社〕の―」〈黄・見徳一炊夢下〉

げんとく【験徳】神仏や僧・験者などがそなえている霊妙な力。また、それの発揮する不思議な威力。「まことに―あらたなる事、仏の如くなりければ」〈今昔三〇ノ三〉

けんどん【慳貪】《「慳」は物惜しみすること。「貪」はむさぼること》①けちで欲ばりなこと。仏教では六蔽(ろくへい)の一に数える。「―は餓鬼を受くる苦因」〈霊異記下一五〉 ②無慈悲なこと。「人の恥辱をゆるさぬほどの―なる人なりといふとも」〈どちりなきりしたん三〉 ③《後に、「倹飩」とも書く》近世、そば・うどん・飯・酒などを一杯ずつ盛切りにしたもの。「―蕎麦(そば)切り」〈浄・道外和田酒盛一〉 ④下級の遊女・野郎の称。「下卑たる物…―」〈評判・讃嘲記〉 **―ぢょらう** ゥ:ロ【慳貪女郎】下級の遊女の異称。「下卑たる物の頭、―」〈評判・吉原芥川〉 **―ばこ**【慳貪箱】慳貪屋で、そば・うどんを入れ、持ち運ぶ箱。「一夜に―七八百づつ売りける」〈西鶴・新吉原常常草上〉 **―や**【慳貪屋】けんどんそば・うどんを売る家。また、売る人。「そばきりに人こそ見えね―」〈俳・菊酒〉 **―やらう** ゥ:ロ【慳貪野郎】下級の陰間(かげま)の称。「―と言ふが侍るなり」〈仮・都風俗鑑三〉

げんなり 元気なく、しょんぼりしたさま。ぐんなり。「どうした因果のかたまり、こちゃ―となるほど八めはいきって」〈近松・丹波与作中〉

けんなん【剣難】刀剣で殺傷される災難。「この月、―の災(わざはひ)あり」〈古今八卦大全五〉。〈日葡〉

けんにょもな・し【権輿も無し】『連語』《ケンニョはケンヨの転》①思いもかけない。意外だ。「―・いと言ふ言葉は…すべて思ひがけも無きことに云ひ習はせり」〈俳・かたこと三〉 ②全然知らない。平然としている。「―・き顔して」〈西鶴・懐硯五〉

げんにん【還任】解官された者が、再びもとの官に復すること。「左右大将―の事、兵部并びに外記に仰す」〈北山抄六〉

けんねじ 博奕(ばくち)の一種。手のひらに握った銭の数を言い当てて勝負する。けんねんじ。けんにんじ。「―突いて銭儲けするうらやましさ」〈近松・丹波与作中〉

げんのみ 拳骨。「新七をぴっしゃり―」〈浄・難波丸金鶏五〉

げんば【玄蕃】玄蕃寮の役人。「二省・弾正・―など、左右に列ひきてあゆみ続きたり」〈栄花音楽〉 **―れう** ウ:リョ【玄蕃寮】令制で、治部省に属し、僧尼の名籍、外国使臣の接待をつかさどる役所。〈職員令〉

けんぱい【献盃】盃をすすめること。また、その宴。「―三献果てぬ」〈中務内侍日記〉

けんばふ ウ:ボ【憲法】①おきて。のり。「此(かく)の如き徒、深く―に違へり」〈続紀天平二・九・二九〉 ②正しいこと。公正。「国司の―たとへを知らずとぞ、褒めののしりける」〈十訓抄一〇ノ七四〉。「正直―の頭には、日月星宿の擁護、祈らざるに加はり」〈伽・鴉鷺合戦物語〉。「わが所作を―によくただす人は」〈こんてむつすむん地三〉 **―くばふ** ウ:ボ【憲法公法】公然。「けんぼくぼ」とも。「名や今宵―晴の月」〈俳・小町踊五〉

けんばふ ウ:ボ【憲法】「憲法染」の略。「小紋は…茶・―・花色…等を用ゆ」〈色道大鏡三〉 **―ぞめ**【憲法染】近世初期、京都の吉岡憲法家で染め出した黒茶染。吉岡染。憲法。憲房。「綸子や紗綾や羽二重を―に」〈仮・薬師通夜物語〉 **―りう** ウ:リュ【憲法流】吉岡憲法が創めた剣術の一派。吉岡流。「―の兵法」〈近松・傾城吉岡染上〉

けんびき【痃癖】《ケンベキの訛》⇒けんぺき(1)「けんべきを―はわろし」〈俳・かたこと四〉

けんびし【剣菱】江戸で最も賞味された、伊丹産の銘酒。「―を一樽出して飲ませければ」〈黄・夢中の印晰上〉

けんびしょ【検非所】《「検非違所(けんびゐしよ)」の略》検非違使(けびゐし)の役所。また、検非違使。「備中国の住人瀬尾太郎兼康、大和国の―に補せらる」〈平家五・奈良炎上〉

けんびゐし【検非違使】⇒けびゐし。「この人人こそ一二の者にて、受領・―をもけがし」〈長門本平家一四〉。〈文明本節用集〉

けんぷう【見風】〔能楽用語〕外に現われた風体。「意中の景、おのれと―に現はるべし」〈至花道〉

げんぶく【元服】《「元」は頭、「服」は着る意》男子が成人したことを示すため、服を改め、髪を結い、はじめて冠をつける儀式。年齢は十一歳より十五歳ぐらいまでが多く、幼名を廃して実名をつける。中世以降、武家では烏帽子(えぼし)を用い、烏帽子名をつける。初冠(うひかうぶり)。初元結(はつもとゆひ)。「ひととせの、春宮(とうぐう)の御―南殿にてありし儀式、よそほしかりし御ひびきに、おとらせ給はず」〈源氏桐壺〉。「元服、ゲンブク」〈伊京集〉 **―おとり**【元服劣り】「上げ劣り」に同じ。「童におはしましし時…輝くとこそ見えさせ給ひしか。御―の、ことのほかにせさせ給ひにしをや」〈大鏡兼家〉

げんぶくしゃ【験福者】願い事を叶えたり、福を与えたりして、霊験あらたかな仏。「清水の観音は―と承る」〈伽・小夜姫草子〉

けんぶつ【見仏】まのあたりに、大慈悲の仏を拝すること。「たとひ―すといふとも」〈正法眼蔵神通〉 **―もんぼふ** ウ:ボ【見仏聞法】目に仏を拝し、耳に仏法を聞くこと。「草木国土おのづから―の結縁たり」〈謡・西行桜〉

げんぶつ【験仏】霊験いちじるしい仏。「―の尊きは、東の立山、美濃なる谷汲(たにぐみ)の彦根寺」〈梁塵秘抄四三八〉 **―しゃ**【験仏者】「験仏」に同じ。「験福者」とも。「清水の観世音は―にてある程に」〈虎明本狂言・居杭〉

けんぶん【見分】①立ち合って調べること。見届けること。探索。検分。「惣代官として御領分を―の節なりければ」〈安宅一乱記一〇〉 ②見掛け。見てくれ。外見。「―ばかりにてをかしからず」〈西鶴・諸艶大鑑一〉

けんぺい【権柄】①天下の政治を行なう権力。権勢。「天下の―を捨て給へる事、年久しければ」〈神田本太平記九・足利殿〉 ②権勢を以て人をおさえつけること。「ただ―ばかりを用ようずる儀ぢゃ」〈天草本伊曾保〉。「俗に、―と云ふは無法に暴(あら)き義と心得る」〈志不可起五〉 **―おし**【権柄押し】権柄をかさに着て、無理を押し通すこと。「頼朝公の仰せは背いても苦しうないか、さあさあさあさあと―」〈浄・先代萩六〉 **権柄柄(けんぺいづか)を握・る** 権勢をふるう。「取売りや―・るらん」〈俳・仙台大矢数下〉 **―晴れて** 世間晴れて公然と。おおっぴらに。「けんぼくぼ晴れて」とも。「―やって見せう」〈近松・日本武尊四〉

げんぺい【源平】源氏と平氏と。「―騒動の間、庄内損亡して殆ど荒野の如し」〈高野山文書一、建久五・七・七〉 —**とうきつ**【源平藤橘】源氏・平氏・藤原氏・橘氏の並称。四姓(しせい)。「そもそも武略の誉れの道、—、四家にもとりわき、かの家の水上(みなかみ)は」〈謡・鞍馬天狗〉

けんぺき【痃癖】《近世前期までケンベキ。訛ってケンビキ・ケンベケとも》①積(しゃく)の一種。頸から肩にかけて筋のひきつり痛むこと。打肩(うちかた)。「痃癖、ケンベキ」〈運歩色葉集〉②《(1)をもみ治す意から》按摩(あんま)術。「身が覚えたる按摩—」〈近松・唐船噺上〉

けんべけ【痃癖】《ケンベキの訛》⇒けんぺき(1)「—に据ゑたる灸」〈西鶴・一代女二〉

げんぽう【現報】〔仏〕現世で作った業因によって、現世で受ける果報。「—すら猶し然(しか)り。況やまた後報をや」〈霊異記下二六〉

けんぼくぼ【憲法公法】「けんばふくばふ」の訛。「憲法(けんばふ)を、けんぼ、また—のくぼは、公法(くばふ)と言ふことか」〈俳・かたこと三〉。「—晴れて逢ふ夜や女夫星」〈俳・唐人踊三〉

けんまく【剣幕・嶮驀】怒った恐ろしい顔つき。険相。「まことに恐ろしい—だな」〈勝国和尚再吟三〉

けんみ【検見】①実地に検分すること。また、その役。「早く—を給はりて、季春が首を切りて奉るべき旨」〈十訓抄一〇ノ七四〉。「—の見る前にては、浅き所も深き様にもてなし」〈承久記下〉②物見(ものみ)。斥候。「今少し送りたうは候へども、もし小山より—を付くる事もあらん」〈説経・しだの小太郎〉③⇒けみ(2)「田畠—の時、毎度寺家使者、沙汰人等相副へ、員数を勘注すべき事」〈高野山文書一、宝治二・三・一〇〉

けんみつ【顕密】顕教と密教と。「伝教大師、唐(もろこし)に渡りて—の道を習ひ」〈三宝絵下〉

けんみゃく【見脈】外見だけで身体の状態を推定すること。「気力無きを—に知る柳かな」〈俳・毛吹草五〉。「医の病人を試(み)るに、先づ其の容体を見、病源を問ひ、物言ひを聞き、さて脈を診(み)ると云へり。容体を見るは—也」〈志不可起五〉

げんむ【玄武】四神の一。北方の守護神。「この地の躰を見るに、左青龍、右白虎、前朱雀、後—、四神相応(しじんさうおう)の地なり」〈平家五・都遷〉

けんめい【懸命】「一所(いっしょ)懸命」の略。「千貫の地を—のために給はりける」〈鎌倉大草紙〉。〈文明本節用集〉 —**のち**【懸命の地】主君から知行として与えられた、一家の生計の基となる大切な土地。一所懸命の土地。「勅免あって、—に安堵せさせらる」〈西源院本太平記二一・長門探題〉

けんもさ【顕紋紗】⇒けんもんしゃ。「—の直垂(ひたたれ)、小袴にさはら巻させて、烏帽子をせさせたりけり」〈著聞七二六〉

けんもつ【監物】中務省に属し、内蔵・大蔵などの出納を監察する職。「又内記—の解由状、一に判事に准ず」〈三代実録貞観三・三・二五〉

けんもほろろ《キジの鳴き声「けんけんほろろ」が無愛想に聞えることから》慳貪(けんどん)で思いやりのないさま。冷然と他の依頼を拒絶するさま。「—に言ひ放いて」〈天草本伊曾保〉

けんもん【権門】権勢のある家。「—勢家を追捕し」〈平家七・木曾山門牒状〉。「—に引きまはさるるめでたさよ松は茶臼の新木とよ殿」〈再昌草一八〉

けんもんしゃ【顕紋紗】いろいろの紋様を織り出した紗(うすぎぬ)。「けんもさ」とも。「—の直垂(ひたたれ)の、露を結んで肩にかけ」〈謡・鞍馬天狗〉。〈運歩色葉集〉

けんやく【軒役】家屋一軒ごとに割り当てて課した税。戸数割。「—に集めしに」〈西鶴・新可笑記四〉

けんやく【倹約】費用をはぶいてむだ使いしないこと。「御召物は、うるはしく御器などにもまゐりするゐで、—し給ひしに」〈大鏡時平〉

げんやく【現益】〔仏〕現世の利益。「露(あらは)れたる悪事は懺悔(さんげ)せられて罪滅ずる故に、自然(じねん)に—もあるなり」〈正法眼蔵随聞記三〉

けんよ【権輿】《「権」は秤(はかり)のおもり。「輿」は車の底。秤はおもりから作りはじめ、車は底から作りはじめるところから》物事のはじめ。「権輿、ケンヨ、始の義也」〈文明本節用集〉 —**も無・し** ⇒けんによもなし。「いとしがらりょは—・いが、せめて憎まりょ、咎(とが)ほしや」〈評判・遠目鏡跡追〉。「俗、何のはじめも見えぬ事をけんによもなきと云ふは、すなはち—・きなり」〈齊東俗談一〉。「ケンヨモナイ」〈日葡〉

げんらい【見来】①あらわれること。姿を見せること。出現。「件の童、一昨日此の由を承りて後、—せず」〈御堂関白記長和二・一〇・一八〉②物品が到来すること。「聞書—せず」〈明月記正治一・三・一〇〉

げんらいゐこく【還来穢国】〔仏〕極楽往生した人が再び娑婆世界に戻って人間を救うこと。還相廻向。「成仏得脱して悟りを開き給ひなば、娑婆の故郷にたちかへって妻子を導き給はん事、—度人天、すこしも疑ひあるべからず」〈平家一〇・維盛入水〉

けんらうぢじん ケンロー【堅牢地神】〔仏〕大地を下からささえている神女。「願はくは上梵天帝釈、下—に至り給ふまでも」〈保元中・為義最後〉

げんりき【験力】効験。霊験。「まことに知る、法花の威神、観音の—なることを」〈霊異記上一八〉

けんれいもん【建礼門】内裏外郭門の一。南面の中央にあり、承明門と相対する。白馬節会(あをうまのせちゑ)・射礼(じゃらい)などはこの門前で行なわれた。「—南庭に於て射礼の事あり」〈九暦天暦三・一・一七〉

けんろ【顕露】はっきり現われていること。あらわ。「中門をさして人を払へども、きはめて—なり」〈宇治拾遺一九三〉。「仏法かたの事を人に—に語る事、大きなる誤なり」〈御文章〉

げんろく【元祿】 —**きん**【元祿金】元祿から宝永頃まで鋳造した大判金・小判金・一分判金・二朱判金の総称。「—と新金引き替への節」〈御触書寛保集成三三、正徳一・九〉 —**ぎん**【元祿銀】元祿八年から宝永三年まで鋳造した丁銀・豆板銀の総称。「自今以後は、古銀(慶長銀)・—・宝永以後の銀、いづれも取り交ぜ候ふて、通用滞り無く仕るべく候」〈御触書寛保集成三三、正徳二・九〉

げんをう【源翁・玄翁】《連声してゲンノウとも。那須野の殺生石を打ち砕いた源翁和尚の名から出た語という》石工などの使う鉄製の大槌。「鋤・鍬・—・鶴嘴(つるはし)を以て、磊築地を突き崩し」〈柴田退治記〉

こ

こ【此】《代》空間的・時間的・心理的に話し手に近いものを指す。これ。ここ。「ああしやごしや、—はあざ笑ふぞ」〈記歌謡九〉。「ほととぎすわが住む里に—よ(ココヲ通ッテ)鳴きわたる」〈万三七八三〉。「—や世になびく心なるらむ」〈源氏梅枝〉 †kö

こ【子・児・卵】 ㊀『名』①《「おや(親)」の対》こども。「まされる宝—に及(し)かめやも」〈万八〇三〉。「—生むべき程近くなりぬ」〈源氏浮舟〉②(親が自分の子供に感じるような愛情の向けられる)小さい者。若者。「熊白檮(しか)が葉をうずに插せその—」〈記歌謡三一〉③親愛の情を感じる相手。男が気に入った女を呼ぶのに使うことが多い。「この岳(をか)に菜摘ます—、家聞かな」〈万一〉④愛人。思い者。「わが恋ひ渡る人(他人)の—ゆゑに」〈万二四八六〉。「父母に知らせぬ—ゆゑ」〈万三二九六〉⑤鳥の卵。「大和の国に雁—産(む)と汝は聞かすや」〈記歌謡六二〉。「鳥の—を十づつ十は重ぬとも」〈伊勢五〇〉⑥汁・膾(なます)などに混ぜ合わせる種。ぐ。み。「おろし膾の—も無くあへて」〈西鶴・一代女三〉⑦もと(元金)から生ずる利子。利息。「もし貸倍(かりもののこ)に准(なぞら)へて賤(やっこ)に没(な)れらむ者は、良(おほみたから)に従(つ)けよ」〈紀持統五年〉。「無用の事に取り逢うて、本(もと)・—ともに失却した」〈碧岩抄一〉⑧階段・梯子の横木。「念仏堂の刻橋(きざはし)の第三の—より虹立つ」〈満済准后日記永享五・七・二四〉。「十二—の登梯(のぼりはし)を取り出し」〈伽・小栗絵巻〉㊁『接尾』①親愛な者の意。「夫子(せこ)」「我妹子(わぎもこ)」など。「よち—らと手たづさはりて遊びけむ」〈万八〇四〉②その仕事に従事する若者の意から転じて一般的に、それをする人。「網子(あご)」「水手(かこ)」「舟子(ふなこ)」「田子(たご)」など。「夕潮の満のとどみに、み舟—を率(あど)ひ立てて」〈万一七八〇〉③愛称の気持で人名の末につける。平安朝以後は貴人の女に多く使う。「小野臣妹子(をののおみいもこ)(男性)」〈紀推古十六年〉。「娘子(をとめ)名を鬘児(かづらこ)といふ」〈万三七八八題詞〉。「内侍なかとみのふさこ」〈竹取〉。「多賀幾子(たかきこ)と申す女御」〈伊勢七八〉 †ko

—の道の闇 《後撰集、藤原兼輔の「人の親の心は闇にあらねども子を思ふ道に惑ひぬるかな」という歌から》子を愛するあまり、親の心が道理に暗くなること。「まどひ覚めがたきものは—になむ侍りければ」〈源氏柏木〉 **—は三界の首枷(くびかせ)** 子に対する愛情に引かされて、親は自由な行動が出来ないたとえ。「—とは今こそ思ひ知られたれ」〈幸若・鎌田〉 **—ゆゑの闇** 「子の道の闇」に同じ。「盃の出る間もこがるるは—」〈近松・宵庚申中〉 **—を捨つる藪(やぶ)はあれども身を捨つる藪はなし** 困窮して最愛の子を捨てることはあっても、自分自身を捨てることは出来ないの意で、人間は我が身が一番かわいいというたとえ。「世間の語にも、—と云ふも、此の意なり」〈法華経直談鈔九末〉

こ【木】 「き(木)」の古形。複合語として残っている。「—の葉さやぎぬ、風吹かむとす」〈記歌謡二〇〉 †kö

こ【蚕】 かいこ。「たらちねの母がかふ—の繭隠(まよごも)り隠れる妹を見むよしもがも」〈万二四九五〉 ▽「子(こ)」「卵(こ)」の転義であろう。 †ko

こ【粉】 こな。「淤泥、比地乃古(ひぢのこ)」〈華厳音義私記〉。「粉、古(こ)」〈和名抄〉 †ko **—にはた・く** ①粉になるまで打ち砕く。「たとひこの身を—・かれ、骨を微塵(みじん)にくだかるるとも」〈浄・牛若千人切四〉②心身をひどく労する。「粉にする」「粉になる」とも。「宵から心—・いた」〈近松・寿門松中〉

こ【籠】 ①かご。「—もよ、み—持ち」〈万一〉②「ふせご」に同じ。「なえたる衣(きぬ)どもの厚肥えたる、大いなる—にうちかけて」〈源氏帚木〉 †ko

こ【海鼠】 ナマコ。「故(かれ)、今に—の口拆(さ)くるなり」〈記神代〉。「海鼠、古(こ)、似レ蛭(ひる)而大者也」〈和名抄〉

こ【胡】 北狄(ほくてき)の一。古代中国の北方に拠った異民族。漢代には匈奴(きようど)を指す。「昔、—の国につかはしけむ女(王昭君)」〈源氏須磨〉

こ【鉤】 巻き上げた簾(すだれ)を掛けとめておく、かぎ形の金具。「御簾(みす)の帽額(もかう)、総角(あげまき)などにあげたる—のきはやかなるも、けざやかに見ゆ」〈枕二〇一〉

こ【小】 『接頭』①㋑物の小さいことを表わす。「—家」「—島」「—石」など。「住吉(すみのえ)の浜の—松は」〈万三九四〉㋺年齢の小さいことを表わす。「—姫君」など。「—侍従といふ語らひ人は宮の御侍従の乳母の娘なりけり」〈源氏若菜下〉㋩身分・地位などの低いことを表わす。「—舎人」「—侍」など。「まだ—法師にてのをり、山より鞍馬へ参り給へり」〈古本説話六八〉㋥未熟なものに対する軽蔑の意を表わす。「—せがれ」など。「—腕では入れられまいぞ」〈四河入海三三上〉②㋑程度の少ないことを表わす。「—風」「—居眠り」など。「—なまりたる声にてとふ」〈宇治拾遺九〇〉㋺身体を動かす意の句に冠して、ちょっとした動作であることを表わす。「—腰をかがめ」「—手をかざし」など。「大人の前で—足を拾うてちくちくとして諂(へつら)ひまはる者ぞ」〈論語抄公冶長〉㋩形容の語句に冠して、その状態がちょっとしたことではあるが、妙に気にさわったり、心に残ったりする事についていう。「—ざかし」「—きみよし」「—づらにくし」「—ぎれい」など。「それを知らぬと云へば—憎いぞ」〈論語抄為政〉③ある数量・状態に少し足りないが、それに近いことを表わす。「—半年」「—一日」など。「秋は則ち寒くなり、十月は—春の天気、草も青くなり、梅もつぼみぬ」〈徒然一五五〉 †ko

こ【濃】 『接頭』色や液汁のこいことを示す。「漿、古美豆(こみづ)」〈華厳音義私記〉 †ko

こ【故】 『接頭』古・旧・昔の意で、亡くなった人につけていう語。「—姫君」「—御方」など。「—惟喬のみこの御供に—在原の業平の中将」〈土佐二月九日〉

こ【処】 『接尾』《イヅクのク、スミカのカと同根》場所の意をあらわす。「かしこ」「ここ」「そこ」など。「ここやいど—、と問ひければ」〈土佐一月二十九日〉

ご 松の枯れ落ち葉。「—を焼いて手拭あぶる寒さかな 芭蕉」〈俳・笈日記中〉

ご【御】 《呉音》㊀『名』《「御前」の略》婦人の呼び名の下に添えて軽い敬意をあらわす語。もとは、貴婦人にいったという。「淡路の—の歌に劣れり」〈土佐二月七日〉。「田舎にて、女の名を例へば、お春殿・お秋殿と云へば過ぎる。ただ春・秋と云へば余りと思ふを、春—・秋—など云ふ」〈志不可起五〉㊁『接頭』漢語の上に付けて尊敬の意をあらわす。「—座」「—覧ず」「—幸(ごかう)」など。「—禊の日上達部など数定まりて仕うまつり給ふ」〈源氏葵〉㊂『接尾』《㊀の転用》近親者などに対する敬意をあらわして付ける語。「母—」「兄—」「娘—」「嫁—」など。「いかに父—よ聞こしめさせ」〈謡・唐船〉。「女の身の習ひにて、やがて殿—に相ひ馴れて」〈説経・鎌田兵衛正清〉

ご【期】 《呉音》①時。その時。期限。「ほととぎす一声に明くる夏の夜の暁がたや会ふ—なるらむ」〈後撰一九二〉②死ぬ時。最期。「今は—を待つばかりなり」〈謡・土蜘蛛〉③限度。「いみじく(酒ヲ)強ひ給ひしかば、—もなくたべ酔ひにける」〈宇津保嵯峨院〉

ご【碁・棋】 囲碁。「政事の隙、相共に—を囲む」〈続紀天平一〇・七・一〇〉。「—打ちはてて欠(けち)さすわたり、心とげに見えて」〈源氏空蟬〉 †gö

ごあくしゅ【五悪趣】 〔仏〕業の結果赴かねばならない五つの世界。または、その生存の状態。すなわち地獄・餓鬼・畜生・人・天をいう。「五趣」「五道」とも。〈易林本節用集〉

こあげ【小揚・小挙】①荷物を運搬し、または、船荷・蔵米を陸揚げすること。また、その人夫。「—の彌二郎」〈東福寺文書四、慶長五・七・八〉②遊里へ客を乗せていく駕籠舁(かごかき)。「朝夕郭(くるわ)へ通ふ駕籠舁の類を—と言ふなり」〈色道大鏡一〉

こあて【小宛て】連歌で、前句の心や詞の肝どころに注意を払って、それに相応した細かな工夫を付句に施すこと。「例へば、太山(みやま)と云ふに鳥を付けむは子細なし。夜の明くると云ふに鳥を付かば、鳴く体(てい)をすべし。是れは心の—也」〈知連抄下〉。「秋の鴈(かり)には数を付け、春の鴈には故郷を付くるを寄合(よりあひ)の—と云ふ也」〈長短抄中〉

こあどの【小安殿】《コアンドノのンを表記しなかった形》⇒せうあんでん。「御斎会行幸有り。…—に幸(いでま)す」〈九暦天慶九・一・八〉

ごあ・り『四段』「ござり」の転。多く、奴(やっこ)・田舎者がつかう。「此の際は—・らぬと、何の苦もなう挨拶するに」〈浮・色道大鼓五〉

ごあん・し『サ変』「ござんし」の転。「胴欲な仰せられやうで—・すでござんす」〈伎・面向不背玉中〉

こ・い【臥い】『上二』倒れて横になる。「—・い転(まろ)び足ずりしつつ」〈万一七四〇〉 †kōi

こ・い【凍い・寒い】『上二』こごえる。「寒風霜雪を凌(しの)ぎ遠道に飢ゑ—・い」〈東大寺諷誦文稿〉。「—・い戦(をのの)くを免れず」〈三蔵法師伝三・院政期点〉 †kōi

こいき【小意気】生意気。「興に乗じては、—な口をも利き過ごし」〈評判・吉原雀上〉

ごいし【碁石】囲碁に用いる平らな丸い石。白と黒の二種があり、古くは優者が黒を持ったという。「—して〔誤リノ〕数おかせ給ふとて」〈枕三三〉 **—け**【碁石笥】碁石を入れておく器。ごけ。「碁盤いださせ給ひける—の蓋に」〈後撰一三八四詞書〉

こいたじき【小板敷】清涼殿の殿上(てんじやう)の間の南にある板縁。「始めて昇殿、—に候す」〈古事談六〉

こいちゃ【濃茶】挽茶のたて方の一。一定量の湯に対して挽茶の多量なもの。また、そのための挽茶。「大酒の上に、—はよい物ではおりないか」〈虎明本狂言・鱸庖丁〉→薄茶。 **—ぢゃわん**【濃茶茶碗】濃茶をたてるに用いる底の深い茶碗。「銚子(てうし)を取り、—にちゃうと注ぎ」〈近松・堀川波鼓上〉

こいふ・し【臥し・反側し】『四段』倒れふす。ねころぶ。「うちなびき床に—・し、痛けくし日に異(け)にまさる」〈万三九六二〉 †kōiFusi

こいへ【小家】(…イエ)小さな家。「あやしき—に隠ろへものし給ふめるも」〈源氏東屋〉 **—がち**【小家勝ち】小家が多くならんでいるさま。「げにいと—に、むつかしげなるわたりの」〈源氏夕顔〉 **—ぎんみ**【小家吟味】近世、不審な借家・店借人を取り締まるため、名主・五人組・大家が立会いで戸別に調べること。「〔借家人ハ〕—を恐れ」〈西鶴・一代男三〉

ごいん【五音】①十二律で、宮・商・角・徴(ち)・羽の五つの音。「—共に理(こと)な〔る〕ふ百花の前」〈菅家文草六〉。「管絃に呂(りよ)律(りつ)相交へ、—ともに調ぶれども、一の調子を本として是を奏する時は、余の四の音は助として、自ら調子の能なし」〈沙石集五ノ三〉②音楽。「九経を誦習し、—を嗜好し」〈著聞三〇八〉③五十音図の各行の、それぞれ五つの音。カキクケコ、タチツテトの類。「こよろぎの磯とは、こゆるぎの磯とも書けり。—かよへり」〈顕注密勘〉④中国の音韻学で、頭子音を唇音(p, f, b, m など)・舌音(t, d, n など)・牙音(k, g, ng など)・歯音(ts, s, z, dz, tʃ など)・喉音(h, x など)の五つに分けた、その総称。「—、ゴイン、唇舌牙歯喉」〈文明本節用集〉⑤音声の調子。声音。ねいろ。「聖といへるは、病者の—を聞きて知る」〈仮・是楽物語上〉→ごおん。 **—さうつう**【五音相通】(…ソウ)①国語の音韻変化を説明するのに使われた語。五十音図の同じ行の音はたがいに通用するという考え。アマ・アメ(天)、コ・キ(木)の類。ただし今日では一般にこの考えは採用されない。「〔謡曲ノ発声ニハ〕—肝要なるべし」〈五音三曲集〉②和歌・連歌などで、音調をととのえるための技法の一。五七五七七・五七五などの各句の移りに、五十音図の同行の字をつづけるもの。「—と云ふは…例へば『山遠き霞に浮かぶ日のさして』、山遠きのキと霞のカ、共にカキクケコの五音の内也。浮かぶのフ・日のさしてのヒ、共にハヒフヘホの五音の内也」〈長短抄上〉。「五音連声し、—して、五七五七七の継ぎ目正しく」〈伽・鴉鷺合戦物語〉 **—のうらなひ**【五音の占】(…ウラナイ)声音の調子によって天変地異・吉凶禍福を占うこと。風占(ふうせん)。「五音のうら」とも。「—を聞きて、よろづの事を見通しぞかし」〈西鶴・諸艶大鑑三〉 **—れんじゃう**【五音連声】(…ジョウ)和歌・連歌などで、音調をととのえるための技法の一。五七五七七・五七五などの各句の移りに、五十音図の同列の字をつづけるもの。「『ほのぼのと沖のと山に来鳴くなり暫し語らへねぐら定めて』…、ほのぼのとのト・沖のオ、共にオの響き也。なりのリ・暫しのシ、共にイの響き也。…此の如く五句のつづきの響きの離れぬを、—の親句と云ふ也」〈長短抄上〉

こう 狐などの鳴き声。「しらけて見ゆる昼狐かな／ちぎりあらば夜こそ—(来ント掛ケル)といふべきに」〈沙石集五ノ三〉

こう【口】①人数。また、人数を数える語。「—を益すこと千ならむとす。調庸増すこと有り」〈続紀宝亀二・一〇・二六〉。「僧一—の料、ぬのごろも・さしぬき。童一人の料、ひたたれ・はかま」〈承元御鞠記〉②器具を数える語。「百尺の幡(はた)二—、四十尺の幡四十九—」〈今昔六ノ四三〉

こう【公】㊀『名』①朝廷。公儀。おおやけ。「阿波国・山背(やましろ)国の陸田は高下を問はず皆悉く—に還して」〈続紀天平一・一二・七〉②親王・諸王の称。「群—卿士ことごとく倶に執奏すらく」〈続紀天応一・三・二三〉㊁『接尾』①貴人の氏や名の下につけて敬意をあらわす。「花山院前(さきの)太政大臣忠雅—」〈平家一・殿上闇討〉②名前・名称の下などにつけて親しみ狎(な)れた意を表わす。「爰に頓—(頓阿)すでに七旬有余の遐算を保ちて」〈愚問賢注〉。「済—(救済)の『峯の松』と付けたるこそ、及びがたく思ひ給ふれ」〈筆のすさび〉㊂『代』同輩間に用いる二人称。「足下(そくか)、きさま。—、同」〈洒・虚実柳巷方言中〉

こう【功】①仕事の成果。てがら。功績。「重き—に御心のうちに思しいづ」〈源氏末摘花〉②仕事に対する長い経験と習熟。年功。「念仏の—を積んで往生の業とせんには如かじ」〈孝養集中〉。「よくよく—を入るべき曲也」〈教訓抄二〉

こう【喉】魚を数える語。「一—をば浦人取りてけり」〈著聞七一二〉

こう【薨】「死」の尊敬語。皇太子・親王・女御・大臣・三位以上の人の死をいう。「凡そ百官、身亡(う)せなば親王及び三位以上は—と称せよ」〈喪葬令〉

こうあん【公案】禅宗で、古来の祖師が示した言葉・動作などを書き記したもの。参禅者に悟りを開かせるための問題として与える。「禅門に—を与へ、密宗に阿字を観ずる」

こ

〈梵舜本沙石集五末ノ九〉

こうか【公家】朝廷。おおやけ。「―に背きて私業に向ふ」〈続紀天平七・閏一一〉

こうか【後架】禅家で、僧堂の後ろに架け渡した洗面所。転じて、小便所。「東司(とうす)に行き、―に至る」〈夢中問答中〉。〈文明本節用集〉

こうかき【紺搔】《コンカキの転》藍(あい)で布地を染めることを業とする者。紺屋。染物屋。「紺五郎と云ふ―の有りけるが」〈盛衰記一九〉。「紺搔、コウカキ」〈温故知新書〉

ごうがしゃ【恒河沙】《インドの恒河(ガンジス川)の砂の意から》無限の数量。恒沙。「三帰五戒を受くる人すら、三十六天の神祇、十億―の鬼神護るものなり」〈栄花疑〉

こうかん【後勘】①後のお叱り。「―恐ろしく候」〈保元下・新院讃州〉 ②将来の事をいろいろと考え合わせること。「さすがの松永弾正も―やなかりけん」〈甲陽軍鑑一〉。〈日葡〉

こうき【後記】後日の記録。歴史。「名将の御前にて紛れもなく討死にして、―に留めよや」〈太平記三二・神南合戦〉

こうき【後喜】①後日の機会。「猶(なほ)―の時を期し候」〈相良家文書一、天文二五・七・一三〉 ②後日の慶事。後に起った吉事。「―の祝ひをなしけるに」〈西鶴・伝来記一〉

こうぎ【公儀】①表向き。世間。「これは心中の憤りにて、―に出すべき咎(とが)にもあらず」〈太平記三九・諸大名讒道朝〉 ②朝廷・幕府・奉行など為政者。また、その役所。お上。「元来上に―を借って、下に私の権威を貪らむと思へる心ありければ」〈太平記三四・畠山道誓〉 **―じふねん**(ジュウ)【公儀十年】遊女奉公の年季。新造として客をとり始めた日から満十年間。「公界(くがい)十年」とも。「―と申すは水揚の日より定めぬ」〈西鶴・諸艶大鑑四〉 **―だて**【公儀立て】①人中に立ち交って、よく応対出来るかのように振舞うこと。「―をすること、傍(かたはら)痛き者なりける」〈仮・百物語上〉 ②ともすれば裁判沙汰にして、騒ぎ立てようとすること。「身のためならぬ事を物好きなる―」〈西鶴・新可笑記一〉 **―ばし**【公儀橋】近世大阪で、幕府が普請修繕した長大な十二の橋の称。江戸ではこれに相当するものを「御入用橋」と称した。「川浪も治まりなびく―」〈俳・大坂一日独吟千句〉 **―ぶり**【公儀振り】人づきあい。応対の態度。社交ぶり。「此所を晴れと―を出し」〈仮・百物語上〉 **―やく**【公儀役】近世、江戸・大阪の町人が負担した、町奉行所・惣会所に関する費用。持家の数またはその表間口の広さを標準として課税した。公役(くやく)。「仙人の住む隠れ家も―」〈俳・昼網下〉

こうぎ【公議】朝廷の評議。お上の評定。「よくよく遠慮を廻(めぐ)らされて―を定めらるべきにて候」〈太平記一六・正成下向〉

こうきう(キュウ)【後宮】①皇后・妃などが住み、女官の伺候する、内裏の殿舎。天皇の常の御所である仁寿(じじゆう)殿の後方にある。承香(じようきよう)・常寧・貞観(じようがん)・弘徽(こうき)・登花・麗景・宣耀の七殿、昭陽・淑景(しげい)・飛香(ひぎよう)・凝華・襲芳(しほう)の五舎の総称。「弘仁八年八月戊午朔…皇統彌照天皇(桓武)、之を―に納れて寵あり、三品大宅内親王を生む」〈類聚国史一八七〉 ②《(1)に住むところから》皇后・妃・夫人・嬪(ひん)などの総称。「時に皇后薨ず、…帝群臣に顧問して曰く、―の葬礼、之を為さんこと奈何(いかん)」〈続紀天応一・六・二五〉

こうきでん【弘徽殿】《コキデンとも》①後宮七殿の一。皇后・中宮・女御などが住む御殿の名。天皇の住む清涼殿の北にある。「弘徽殿、コウクヰテン」〈色葉字類抄〉 ②弘徽殿に住む中宮や女御の称。「―の、まづ人よりさきに参り給ひにしも」〈源氏少女〉

こうぎやう(ギョウ)【興行】①(法事・能などを)行なうこと。催すこと。「並に後七日の御修法(みしほ)、大元の法、灌頂(くわんぢやう)―せらるべき由仰せ下さる」〈平家三・大塔建立〉 ②初めて建てること。創建。創立。「橘の道成―の寺なればとて、道成寺とは名づけたりや」〈謡・道成寺〉 ③特に、和歌・連歌・俳諧などを、会席を設けて行なうこと。張行(ちやうぎやう)。「右大弁禅門(真観)始めて出仕す。和歌の―盛んな也」〈吾妻鏡文応一・三・二三〉。「此の春京にて、勝蔵坊の―に。いつ出でて霞む山の端夕月夜」〈宗長手記上〉

こうきょ【薨去】皇族および三位以上の人の死去すること。「入道既に悶絶して―し畢(はを)んぬ」〈盛衰記三〇〉

こうぎょ【薨御】親王・女院・摂政・関白大臣などの死去すること。「兵部卿宮―の事」〈太平記一三・兵部卿宮〉

こうけい【公卿】中国宮廷内の重臣である三公九卿。周代では、太師・太傅(たいふ)・太保が三公、少師・少傅・少保・冢宰(ちようさい)・司徒・宗伯・司馬・司寇・司空が九卿。「―・大夫(たいふ)・文武百司、ここかしこより馳せ集まりける間」〈太平記四・備後三郎〉 →くぎゃう

こうけん【後見】①年少の嫡子などの後ろ楯となって輔佐すること。また、その人。うしろみ。「さては女房も子供が―しておはしませ」〈盛衰記三〇〉。「さて又家の―に、…とて二人家門の両柱なり」〈伽・万寿の前〉 ②政務の輔佐役。鎌倉幕府では執権、室町幕府では管領(くわんれい)をさしていう。「猶、両御―の外は禁制」〈吾妻鏡宝治一・八・一〉 ③能や歌舞伎または舞踊などで、演者の進行に必要な世話をする役。「そのうち―一人引っ込んで来て『鶴さんが怪我をしたから…』と頭取へいふ」〈手前味噌四三〉 ④後日に見ること。また、後人の見ること。また、その人。「我は一時の命なれば、―を期(ご)し難し」〈海道記〉。「さる事もありけりと、―の人の料なり」〈教訓抄八〉。「―不審の為に聊かこれを記す」〈沙石集奥書〉

こうこう ①狐の鳴き声。こんこん。「女たちまち狐になりて、門より走り出で、―と鳴きて」〈今昔二七ノ三八〉 ②鶏の鳴き声。「―、こう、こきゃあ、―」〈虎寛本狂言・二人大名〉 ③鐘のさえて響く音。「鐘―とほのかなる」〈竹子集〉

こうざい【口才】口さきの上手なこと。弁舌がすぐれていること。「内典外典に暗からず、才学―世に超えて」〈伽・弁慶物語〉。〈文明本節用集〉

こうし【孔子】中国の春秋時代の学者、儒教の祖である孔丘の尊称。呉音で読んで「くじ」とも。「魯の―といふ者なん参りたる」〈宇治拾遺一九七〉 **―あたま**【孔子頭】近世、儒者の結った髪形で、総髪をいう。孔子がしら。「近年、―に変へて、名も夢遊と改めける」〈西鶴・二十不孝四〉 **―臭・し** しかつめらしい。もったいぶっている。道学者ぶっている。「―・し文を好める花の顔(美人ナノニ)」〈俳・桜川一〉

こう・じ【候じ】『サ変』伺候する。「甲冑を鎧(よろ)ひ、弓箭を帯して陣頭に―・じけり」〈保元上・官軍召し集めらる〉

こう・じ【極じ】『サ変』《ゴウジの転》極に達する。「理の―・ずるは非の一倍」〈天草本伊曾保〉。「飢極、カツヱコウジタリ」〈文明本節用集〉

こう・じ【薨じ】『サ変』死去する。皇太子・親王・女御・大臣・三位以上の人の死についていう。「浄広弐弓削(ゆげ)皇子―・ず」〈続紀文武三・七・二一〉。「入道相国―・ぜられぬ」〈平家六・築島〉

ごう・じ【極じ】『サ変』極度に疲れる。ひどく弱る。「日ねもすに、いりもみつる風の騒ぎに…いたう―・じ給ひにければ、

心にもあらずうちまどろみ給ふ」〈源氏明石〉。「鉢を空しくして胸に充て給ひて疲れ極(ごう)じ給へる気色にて」〈今昔一ノ二一〉 ▽「こうず」として「困」をあてるのが普通であったが、湖月抄本源氏物語などに「ごうず」と濁点があり、ツカルの訓を持つ「極」の呉音ゴクの音便形ゴウと、サ変動詞シの複合形ゴウジと見るのが、今昔物語の例などともかなう。

こうしつ【後室】 身分ある人の未亡人。「盛方朝臣…みかりてのちーのもとへ」〈忠度集〉 **―もやう**ウ…ヨ【後室模様】 模様を白あがりにし、上絵(うわえ)を墨で仕上げたもの。「ー、地〔色〕鬱金(うこん)、雪・笹の散らし」〈御雛形上〉

こうしや【功者】 物事に年季のはいっている人。練熟している人。「これが〔連歌ノ〕ーでござる」〈虎明本狂言・察化〉。〈文明本節用集〉

ごうしや【恒沙】 「恒河沙(ごうがしや)」に同じ。「涌出品のーの菩薩の涌出し」〈栄花もとのしづく〉

こうじやうヨウ…ジ【口状・口上】 ①「口上書」に同じ。「式部更にーを問ひ、勝否を比校して、然して後に選任す」〈続紀天平勝宝一・二・二七〉 ②口で述べる言葉。「道理をせめて申すとも文覚がー信用し給はず」〈盛衰記一八〉 ③話し振り。口さき。弁舌。「久しう逢はぬ内にーがあがった」〈虎寛本狂言・八句連歌〉 ④芝居などで、狂言の仕組や襲名披露などを観客に述べること。また、その人。「きれいなるーに」〈評判・難波の顔三〉 **―がき**【口上書】 ①口上の次第を記した文書。「差し出すーの鳥の跡」〈俳・大坂一日独吟千句〉 ②近世、武士・寺僧・社人に関する裁判上の口述の筆記で、当事者の捺印がある文書。「寺社侍以上はー、足軽以下並びに百姓町人は口書(くちがき)と唱へ」〈政普集上〉

こうじゆ【口入】《クニフとも》 ①口をはさむこと。口出しすること。「政務にーすればこそ心うき事も辛(からき)き目をも見聞きすれ」〈盛衰記二六〉 ②口添え。「俊寛は随分入道がーを以て人と成ったる者ぞかし」〈平家三・赦文〉 ③売買・借銭などの取引を周旋すること。また、その人。或いは、訴訟当事者の親縁者が裁判所に対して特別の取計いを求めること。「負債の人逃亡の時、保〔証〕人代りて償ふべしと雖も、一旦ーの人弁ふべき無し」〈法曹至要抄中〉。「猥りにーを致し、頗る制法に背く歟」〈貞永式目追加弘安七・八・一七〉

こうじるし【口印】 接吻の隠語。くちくち。「もう手付けのーまでやらかしておいた」〈滑・膝栗毛一〉

こうぜい【厚情】《コウセイとも》 厚い情け。厚意。「比翼の思ひをなさせて下され候はば、七世までのー」〈西鶴・男色大鑑六〉。〈日葡〉

こうせき【口跡】 ①言葉遣い。物言い。「廻らぬーに」〈浮・色道大鼓四〉 ②役者のせりふ回し。「ー耳に立つか」〈評判・剃野老〉

こうせん【口銭・貢銭】 売買の仲立ちをした手数料。「思ひのままに取るはー」〈俳・鷹筑波五〉

こうた ❶【小歌】 ①平安時代、宮廷で歌われた大歌に対して、民間で歌われた歌謡。「自余ー、十一月の節(五節ノ小歌)に同じ」〈琴歌譜〉 ②室町時代、民間に流行した短詩形の歌謡。「篠塚ちっとも騒がず、ーにてしづしづと落ち行きけるを」〈太平記三・大館左馬助〉。「ーも恋のたよりとぞなる」〈俳・犬筑波〉。「ーをうたうて去(い)なう」〈虎明本狂言・釣狐〉 ❷【小唄】 江戸時代、三味線に合わせてうたった一種の俗曲。隆達節・投節(なげぶし)・加賀節など。後には端唄(はうた)という。「酒を飲み、ーを唄ひ」〈仮・今長者物語〉 **―びくに**【小歌比丘尼】「勧進比丘尼(くわんじんびくに)」に同じ。「ーとて尼にする由承り」〈近松・百日曾我三〉

こうたうウ…ト【公道】 ①公平。「ーに無い事が有るぞ」〈中華若木詩抄下〉 ②礼儀正しく応対すること。丁寧。いんぎん。「其比は世間ーなる折節にて候間、大うつけとより外は申さず候」〈信長公記首巻〉 ③上品で質実なこと。地味で手堅いさま。実体(じってい)。「こうと」とも。「折目高なる肩衣・袴・衣装、ーなる仕立てにて」〈信長公記首巻〉

こうたうウ…ト【勾当】《勾(かか)わり当る意》 ①もっぱらその事を担当処理すること。「清麻呂を遣はしてその事をーせしめ」〈続紀延暦七・三・一六〉 ②「勾当内侍」の略。「御湯殿つかうまつる内侍、湯巻を着る事もあり。ーなどなり」〈日中行事〉 ③摂関家の侍所などで、別当に次ぐ位。「その時ーなどいひし、船に乗り具して」〈今鏡四〉 ④寺院で事務を執る役僧の称。後には真言宗にのみ用いる。「行事・ー・公文これを所司といふ」〈拾芥抄下〉 ⑤中世以降の盲人の官名。検校の次、座頭の上位。「これは辺土に住居いたすーでござる」〈虎明本狂言・丼礑〉。「検校、ー、座頭」〈伽・鼠草子〉 **―のないし**【勾当内侍】 掌侍(ないしのじょう)の中で首位のもの。奏請や伝宣をつかさどる。長橋局。長橋殿。「内にさぶらひしーは経朝の三位の女なりき」〈増鏡一六〉

こうたひタイ…ウ【小謡】 謡曲中の独吟に適する短い部分を抜き出したもの。酒宴の余興などに謡うから肴謡(さかなうたひ)ともいう。別に狂言にも小謡があるが、これは「小歌」(2)を、狂言にとりいれたもの。「あなたを序になして、ーなど云ひ納めたらば、はたとあげて謡ひなどし」〈申楽談儀〉。「日頃好める謡を一曲所望ありければ、姥捨(うばすて)のーを歌ひけるとぞ」〈老人雑話〉

こうぢ【小路】《コミチの転》 ①幅のせまい道。「いとせばきーなれば、えあゆみ隠れず」〈落窪一〉。〈文明本節用集〉 ②中世の鎌倉で、市内の主要道路のこと。「法華経の行者日蓮を、ゆゑもなく、或は罵(の)り、或は打ち、或はーを渡し」〈日蓮遺文富木尼御前御書〉。「浜の手破れて、源氏すでに若宮ーまで攻め入りたり」〈太平記一〇・稲村崎〉 **―がくれ**【小路隠れ】 ①ちょっとの間、身をかくすこと。「夕暮、宵の間にぞ、ーせらるなるや」〈宇津保国譲下〉 ②小路にある男女の出合い宿に出入りして、色遊びにふけること。「月は雲ーはどちへやら」〈俳・絵合下〉 **―ぎり**【小路切り】 小路を横切って行くこと。また、その横切る所。「先(さき)追ひて、あまた火ともさせて、ーにさし逢ひぬ」〈落窪一〉

こうちき【小袿】 女房装束の略装として、一番上に着るもの。この下に打衣・単(ひとえ)を着た。高貴な女子の平常服。もと表着から出て別個のものとして発達した。裂(きれ)地は二倍(ふたえ)織物または浮織物。色目・文様は自由。「薄物などのー着て…寝起きたるままに、母屋より少しゐざり出でたる」〈枕二〇〇〉

こうてうヨウ…チ【後朝】 ⇩ごてう。〈易林本節用集〉

こうでん【公田】《呉音でクデンとも》 令制で、国家の公用の土地、あるいは国家に直接に従属する土地。位田・職田・賜田・口分田・墾田などの私田にあてた剰余の田なので「乗田(じょうでん)」ともいう。一年を限って百姓に貸し、その価(地子)を太政官に収めて雑用にあてた。「諸国のーは国司郷土の沽価(代価)に随ひて賃租し、その価を以て太政官に送りて」〈続紀天平八・三・二〇〉

こうでん【功田】《呉音でクウデンとも》 令制で、特別な功績のあるものに与えられた田。大・上・中・下の等級があり、大功田は永世に伝え、上功田は曾孫、中功田は孫、下功田は子まで伝える定めであった。「諸の王臣等の位田・―・賜田幷せて寺家神家の地は改め易(か)ふべからず」〈続紀天平一・二・七〉

こうにん【候人】門跡(もんぜき)に召し使われる妻帯の僧。「一条院の―按察法眼好専」〈太平記五・大塔宮〉

こうばい【紅梅】①梅の一種。花は薄紅。「御前の―の匂ふさかりに」〈宇津保菊宴〉②襲(かさね)の色目の名。「―のいと文(もん)浮きたる葡萄染(えびぞめ)の御小袿(こうちき)」〈源氏玉鬘〉③織色の名。「濃ききぬに―の織物など、あはひをかしう着かへて居給へり」〈源氏浮舟〉④「紅梅殿」(1)に同じ。「家は。…朱雀院、小野の宮、―」〈枕三〉 **―さん**【紅梅散】①目薬の一種。「目をわづらへる今日の猿楽／紅梅殿―になりもせで」〈俳・守武千句〉②近世後期、歯磨の一種。「―、匂ひ歯磨、口中一切の妙薬」〈洒・叶福助略縁起〉 **―どの**【紅梅殿】①菅原道真の邸宅の名称。「あるいは北野の天神の―」〈平家一・内裏炎上〉②「飛梅(とびうめ)」の尊称。また、それを祭った神社で、北野天満宮の末社の一。「あら事もおろかや、われらはただ―とこそ崇め申し候へ」〈謡・老松〉

こうはう【孔方】「孔方兄(こうはうひん)」に同じ。「夫に―をやって〔妻ヲ〕葬らせたぞ」〈蒙求抄五〉。「孔方、コウハウ、銭の名」〈運歩色葉集〉 **―ひん**【孔方兄】《ヒンは唐音》銭の異名。「撫物(なでもの)を出し、年齢の数の―を相副ふ」〈建内記嘉吉三・一・一九〉。「孔方兄、コウハウヒン、銭の異名、孔は穴也、銭の穴四方(四角)也、兄は尊敬の義也」〈文明本節用集〉

こうふ【功封】《呉音でクウフとも》令制で、五位以上の功績のある者に賜わった封戸(ふこ)。大・上・中・下の等級があった。「姓の中に恵美の二字を加へ、名を押勝と曰ひ、―三千戸、田一百町を賜ひ」〈続紀天平宝字八・九・一八〉

こうへ【故上】貴族の夫人で、亡くなった人。「―おはせましかば」〈源氏夕霧〉

こうもん【告文】《コウブンとも》①神祇に対し祈請の意を表わす文書。「使者を近京の名神七社に遣し、幣を奉り雨を祈る。―に曰く」〈三代実録貞観三・五・一五〉②天皇より臣下に告げさとす文書。「先ず―一紙を下されて、相模入道が忩(いか)りを静め候はばや」〈太平記一・資朝俊基〉

こうや【紺屋】「こんや」の転。「帷(かたびら)裁ち―へ遣はし了んぬ」〈多聞院日記天文一九・四・九〉 **―の明後日(あさって)**「こんやのあさって」に同じ。「時雨(しぐ)れけり―遠山松〔ノ景色ガ見ラレルノハ〕」〈俳・功用群鑑下〉

こうらうでん【後涼殿】内裏(だいり)の一殿舎。清涼殿の西にある。清涼殿に付随した建物で、別殿ともいい、女御などの居所。「殿上人は―の簀子におのおの心よせつつ侍ふ」〈源氏絵合〉。「後涼殿、コウラウ〔デン〕、私云源氏物語ヨミクセナリ」〈黒川本色葉字類抄〉

こうらん【拘欄・勾欄】手すり。欄干(らんかん)。おばしま。「〔人が近寄ラナイヨウニ〕像の四面に…木の―を立てたり」〈今昔四ノ二八〉 ▽「拘欄」は中国風の用字。日本では奈良・平安時代、「高欄(かうらん)」と書くのが普通。

こうりゃう【功齢】年功。経験。「―経たる狸、ずんずんに斬り給へば」〈伽・雪女物語〉

こうりゃう【虹梁】やや反(そ)りを持たせて造った梁(はり)。多く、妻飾りに用いる。「鶴岡若宮材木、柱十三本・―二支」〈吾妻鏡治承五・六・二七〉 **―ばな**【虹梁鼻】虹梁のように、そりを打った鼻。「『鼻がまた大きなハ』『―で候ふもの』」〈虎明本狂言・今参〉

こうりゃうでん【後涼殿】⇒こうらうでん。「後涼殿、コウリャウテン」〈色葉字類抄〉

こうろくゎん【鴻臚館】奈良・平安時代、外国人接待のために設けられた官舎。万葉集にみえる筑紫館もその一。太宰府、摂津の難波、京都七条朱雀に置かれた。「いみじう忍びて、この御子を―に遣はしたり」〈源氏桐壺〉 ▽古く中国で、外国人のことをつかさどった官を、大鴻臚・鴻臚寺と称したことに由来する。

ごうん【五雲】①五色の雲。仙人のいる所などにかかる美しい雲。「―を望みて眼(まなこ)穿たる」〈本朝文粋二〉②「五雲の車」の略。「―閑(しづ)かに幸(みゆき)すれば」〈太平記二・正成参兵庫〉 **―のくるま**【五雲の車】五色の雲を描いた車。もと仙人の乗る車をいったが、転じて貴人の乗物をいう。「―に召されて都を落ち給へば」〈太平記三七・畠山入道〉

ごうん【五蘊】〔仏〕《「蘊」は積もり集まる意》あつまって人間の心身を形成する五つの性質。色(肉体)・受(感覚)・想(想像)・行(心の作用)・識(認識)をいう。五陰(ごおん)。「―虚妄(こまう)にして、水兎(すいと)の偽借(ぎせき)に等し」〈三教指帰下〉

こ・え【肥え】㊀『下二』養分を摂取して太る。また、地味が豊かになる。「戯奴(わけ)がためわが手もすまに春の野に抜ける茅花(つばな)そ食(め)して―・えませ」〈万一四六〇〉。「今、汝、膏腴(こ)えたる雌雉田を奉るべし」〈紀安閑一年〉。「肥、古由(こゆ)」〈華厳音義私記〉 ㊁『名』こやしにするもの。下肥え・堆肥の類。「いかなることぞと尋ね侍りしに、田作の―とかやに用ゐるとぞ申し侍りし。もしさも侍らばきたなくや侍らむ」〈和歌秘伝抄〉。〈色葉字類抄〉 †koye

こ・え【越え・超え】『下二』《コエ(蹴)と同根。目的物との間にある障害物をまたいで一気に通り過ぎる意》①(障害・障壁を)またいで通る。犯して通る。「祝部(はふり)らがいはふ社の黄葉(もみちば)も標縄(しめなは)―・えて散るといふものを」〈万二三〇九〉。「吾妹子(わぎもこ)にわが恋ふらくは水ならばしがらみ―・えて行くべく思ほゆ」〈万二七〇九〉②(山・丘・坂など、平地でない所を)通過する。突破する。「大夫(ますらを)の心振り起し、あしひきの山坂―・えて天離(あまざか)る鄙(ひな)に下(くだ)り来(き)」〈万三九六二〉③渡って来る。もたらされる。「此の御時、大唐より名筆とて名号―・えたりしを、弘法大師に見せ給へば、我が手跡なりと有りしなり」〈兼載雑談〉④(期限・時節などを)過ぎる。「その〔歌ノ〕返しをもせで年―・えにけり」〈大和三〉⑤(順序を無視して位などが)上になる。「大臣―・えられたることだにいとほしくはべりしに」〈大鏡道長〉⑥(程度が他より)上まわる。まさる。「無量百千の苦行を修し、資糧を具足し諸の聖衆を―・ゆるに」〈金光明最勝王経平安初期点〉。「嘆く心はさるべき人人にも―・えて侍れど」〈源氏柏木〉 †koye

こ・え【蹴え】『下二』《越エと同根》蹴る。「脚の指をもちて地を―・えて」〈小川本願経四分律古点〉。「蹴、化ル・クユ・コユ」〈名義抄〉

ごえいか【御詠歌】①「詠歌」の尊敬語。「これは御開山の―なり」〈空善記〉②巡礼または浄土宗の信者などが歌う、仏教和讃の歌。巡礼歌。「―を木の下闇に残されて」〈俳・独吟一日千句〉

こえじし【肥肉】ふとった肉づき。肥えた身体。ふとりじし。「―の大黒殿(のど)や寝苦しき」〈俳・七百五十韻〉

ごえふ【五葉】五葉の松。葉の形が細く、柔らかく、一つの萼(がく)に五針ある松。「おまへ近き前栽(せんざい)、―・紅梅・桜・藤」〈源氏少女〉

こえん【小縁】幅のせまい縁側。「―に躍り出でて、向ふ敵を待ちかけたり」〈謡・悪源太〉

どえん【後宴】《コウエンとも》①大宴会ののちに行なわれる小宴会。「人人のこなたにつどひ給へるついでに、いかで物のね試みてしがな。私の―あるべし」〈源氏初音〉。「後宴、ゴエン」〈色葉字類抄〉②近世、節句または神祭の翌日。潔斎を解いて宴会をし、遊里では紋日(もんび)とした。「八幡祭の―賑ふ」〈俳・時勢粧四〉

こおろし【子堕し】①胎内の子を、薬などを用いておろすこと。堕胎(だたい)。「―の穢れ」〈簾中抄下〉②堕胎を業とすること。また、その女。「―の看板を出し置き商売致し候ふ者〔ハ禁制〕」〈正宝事録寛文七・五・二〉

どおん【五音】①「ごいん」(5)に同じ。「御身のことばつき、―のやうを聞くに」〈伽・かなわ〉②謡の曲の味わいを五つに分った分類形式。五音曲。「当流習道に―の位あり。祝言・幽玄・恋慕・哀傷・闌曲なり」〈五音三曲集〉

どおん【呉音】六朝時代の揚子江下流地域の漢字音の体系が、百済を経て日本に伝わり、それを仮名で写したもの。仏教と共に広まり、奈良時代以降、漢音の学習が強制された後も、依然として仏教界及び一般社会で広く使われて現在に及んでいる。例えば、家ケ・期ゴ・金コン・極ゴク・語ゴ・和ワ・会エ・清シャウ・女ニョ・泥ネイ・馬メ・美ミ・平ビャウ・明ミャウの類。「諸読書及び出身の人(官吏)等、皆漢音を読ましめよ。―を用ゐること勿れ」〈太政官符延暦一七・二・一四〉→漢音

とか 烏の鳴き声。「こかあ」「こかい」などとも。「烏の――と鳴くをばころくと鳴くと云ふなり」〈袖中抄八〉

どかい【五戒】〔仏〕在家の信者のためにきめられた戒。殺生(せっしょう)・偸盗(ちゅうとう)・邪淫・妄語(もうご)・飲酒(おんじゅ)の五悪を禁じるもの。「〔浮舟ノ〕頂きばかりを削ぎ、―ばかりを受けさせ奉る」〈源氏手習〉

どかいさん【御開山】諸寺・諸宗の開祖の尊敬語。また特に、真宗の開祖、親鸞(しんらん)上人の称。「―御下向の忝き折」〈本福寺跡書〉

どかいだうゴカイドウ【五海道・五街道】近世、東海道・中山(なかせん)道・奥州道中・日光道中・甲州道中の称。「右〔ノ触書ヲ〕―宿宿問屋・年寄、間(あひ)の村村名主・年寄へ相触れ候」〈御触書寛保集成三三、正徳六・四〉

どかうゴコウ【五更】⇒かう(更)。「―、月を待つ。事何如。物色(天界ノ様子)と人情と計会する(シックリカミアウ)こと疎かなり」〈菅家文草一〉

どかうゴコウ【五香】①密教で、修法などを行なう時に使う五種の香。普通は沈(じん)香・丁子(ちょうじ)香・白檀香・龍脳香・鬱金(うこん)香をいうが、諸説がある。「―、沈・白檀・丁字・鬱金・龍脳」〈昭訓門院御産愚記〉②小児の毒気・虫気を去り、脾(ひ)胃を強くする振出し薬。丁香・木香・沈香・乳香・麝香を調合する。また、大黄・木通などを加えたのは、小児の吹出物・腫物に用いる。五香湯。「又しては―振出す袖の秋」〈俳・大坂一日独吟千句〉。「五香、ゴカウ、薬名」〈文明本節用集〉

どかうゴコウ【御幸】上皇・法皇・女院などの外出。「後白河院―の時も拝せさせ給ひけるとなん」〈著聞三九〉

どかく【牛角・互角】《ゴは呉音》(牛の角が左右相称であるように)互いに優劣のないこと。「仏法王法―なり」〈平家二・一行阿闍梨〉。「牛角、ゴカク、或は互角と作る、両方同程の義也」〈文明本節用集〉

とがくれ【木隠れ】木のかげに隠れること。また、その所。「春されば―多き夕月夜おほつかなしも山陰にして」〈万一八七五〉
† kögakure

とかげ【木蔭】樹木のかげ。「花の木どもやうやう盛り過ぎてわづかなる―のいと白き庭に」〈源氏須磨〉

とか・し【転し・倒し】㊀『四段』《コケ(転)の他動詞形》①ころばす。倒す。「投げつ―・しつ、はしたなうぞ振舞ひたる」〈伽・じぞり弁慶〉②だます。たぶらかす。「野暮を―・して丸裸にする方便(てだて)」〈浮・元禄大平記三〉㊁『名』人をおだて上げて自分の思うままにすること。「いかなる粋もいやとはいはぬ―なり」〈西鶴・一代女一〉

とが・し【焦がし】㊀『四段』《コガレの他動詞形》①ものの表面を熱で炭化させる。火勢で黒くする。「焦熱の炎の中には、衆生に代って忍辱(にんにく)の膚(はだへ)を―・し給ふ」〈孝養集中〉。「燋飯、コガシイヒ」〈色葉字類抄〉②香をたきしめる。「白き扇のいたう―・したるを」〈源氏夕顔〉③(悩みや物思いで)心をじりじりさせる。「涙にも思ひの消ゆるものならばいとかく胸は―・さざらまし」〈後撰六四五〉㊁『名』【焦・焦穀】「かうせん(香煎)」に同じ。「兼平や―を飲みて帰るらん」〈俳・犬筑波〉

どかし『接尾』《コカシ(転)の転》口実・手くだなどによって相手を自分の思うままにし、または私利を計る意を表わす。「此の二人が粋(すい)―、皆嘘にして偽りとは思はれず」〈西鶴・男色大鑑七〉

とか・せ【倒せ】『下二』たぶらかす。だます。「三津寺(みつでら)の裏に伊達(だて)〔者〕をば―・せたり」〈俳・大矢数三〉

とかた【子方】①《「親方」の対》仮に子として取り扱う者。子分。「介兵衛―九郎左衛門と申す者」〈梅津政景日記慶長一七・四・一六〉②能・歌舞伎などで、子供役。また、それを演ずる役者。「―詞『いかに申すべき事の候』」〈謡・百万〉

とがたな【小刀】日用に使う小さな刀。また、小柄(こづか)のこと。「―や持ち給へる。わが背を尾の元までわりて賜(た)べ」〈古今集註〉　**―ざいく**【小刀細工】小刀で彫刻などの細かい細工をすること。また、細工した物。転じて、いたずらに小策をめぐらすこと。「―何桃の実(さね)」〈俳・佐夜中山四〉。「此の人―に等しき人と見えたり」〈評判・役者口三味線江戸〉

どがなる【碁が成る】《碁だけは出来る、馬鹿の一つ覚えの意から》愚鈍、愚か者の隠語。「愚かなる者を―と言ふは、弱きと言ふ事なり。また、うつとも言ふ」〈男重宝記三〉

とがね【黄金・金】《奈良時代はクガネ》①おうごん。きん。「しろかね・―など道道の細工ども」〈源氏宿木〉。「黄金、コガネ・キカネ」〈名義抄〉②貨幣として用いられる黄金。「〔布施トシテ〕―百両」〈源氏横笛〉　**―しんぢう**コガネシンジュウ【黄金心中】この上もなく誠実な心。また、その人。「こがねしんぢう」とも。「はるばるの所をばよくも尋ねて来られし、それほど君に思はくかや、これ―め、さぞやくたびれたるらん」〈浄・忠臣身替四〉　**―づくり**【黄金作り】黄金またはその鍍金(めっき)で装飾すること。また、その装飾したもの。「―〔ノ檳榔毛ノ車〕六つ、ただの檳榔毛(びらうげ)二十」〈源氏宿木〉。「―の太刀をはき」〈平家四・宮御最期〉　**―だう**コガネドウ【黄金堂】「ひかり堂」に同じ。「七間四面に―を立てさせて」〈説経・阿彌陀胸割〉　**―のきし**【黄金の岸】極楽浄土にあるという七宝の池の岸。煩悩を脱した境地。「すみまさる池の心にあらはれて―に波ぞ寄せける」〈拾遺愚草上〉　**―のでい**【黄金の泥】「金泥」に同じ。「紺青を地(ぢ)にて、―して書きたれば、金泥の経なり」〈栄花もとのしづく〉　**―のもじ**【黄金の文字】金泥(こんでい)で書いた経文書写の文字。金文字。「瑠璃の経巻は…緑なり。―は上茅城の春の林よりも黄なり」〈栄花浅緑〉

とがはコガワ【小川】細い川。小川(をがは)。「駿河の国府近くなりて―あり。雨ふり川となんいふと申せば」〈春のみやまぢ〉。

〈日葡〉

こがひ イ:ガ【子飼ひ】①(動物を)子供の時から飼育すること。「心ときめきするもの。雀の—」〈枕二九〉②奉公人を子供の時から養い育てること。また、その奉公人。「—の者」〈続無名抄下〉

こがひ イ:ガ【蚕飼ひ】蚕(こ)を飼うこと。「—をすれども…糸の十、二十両とらぬはなし」〈宇津保吹上上〉。「蚕、コガヒ」〈名義抄〉

こがひな イ:ガ イナ【小腕】肘から肩までの間。二の腕。「悪源太の—にしたたかに立つ」〈平治下・悪源太誅せらる〉

どがふぶさい ウ:ゴ【五合無菜】近世、武家の下級奉公人の受けた、一日に米五合だけの給与で副食物の付かないもの。一人扶持。「—の下部(しもべ)門外につっ立ち」〈近松・聖徳太子五〉

こがへり エリ:ガ【子転り・子返り】出産の時に、胎児が頭部を下に転ずること。「酉〔ノ刻ノ〕初めか、既に御—候ふと存ずる也」〈満済准后日記永享四・六・八〉

こがま【小釜】茶釜。湯釜を大釜というに対していう。「生柴を—の下に折りくべて」〈俳・犬筑波〉

こがみ【小紙】鼻紙用の下等な紙。「—。鼻紙にこれを用ふ」〈俳・毛吹草四〉

こがら【小雀】「こがらめ」に同じ。「春来ても見よかし人の山里に—群れゐる梅の立ち枝を」〈拾玉集三〉。「色鳥とあらば、…—・山がら・ひは・ぬか・うそ」〈連珠合璧集〉

こがらし【木枯し・凩】①秋から冬にかけて吹き、木の葉を落す風。「—の堪へがたきまで吹きとほしたるに」〈源氏宿木〉②〔女性語〕すりこぎ。木枯しのため丸坊主になった木に見立てていう。「れんぎ(スリコギ)は—」〈女重宝記一〉

こがらめ【小雀】小鳥の名。ヤマガラより小。「こがら」とも。「並びゐて友を離れぬ—の塒(ねぐら)にたのむ椎の下枝」〈山家集下〉

こが・れ【焦がれ】㊀〘下二〙《コガシ(焦)の自動詞形》①焼けて黒くなる。こげる。「よべのは焼け通りて、うとましげに—・れたる匂ひなども、異様(ことやう)なり」〈源氏真木柱〉②こげた色になる。赤茶ける。「少し色深き御直衣に、丁字染の—・るるまで染(し)める〔下襲〕」〈源氏藤裏葉〉③香(こう)が強くたきしめられてある。「紅葉重ねの薄様の、取る手もくゆるばかりに—・れたる〔紙〕に」〈太平記三一・塩冶判官〉④激しい思いにじりじりする。思いこがれる。「夏草も夜の間は露にいこふらむ常に—・るる吾ぞ悲しき」〈新撰万葉集下〉㊁〘名〙思いに胸を焼くこと。「あしひきの山田守る翁(ぢを)置く蚊火の下—のみ我が恋ひ居(を)らく」〈万二六四九〉 †kogare **—じに**【焦がれ死に】①焼け焦げて死ぬこと。「頭より黒烟燃え出でて…—にこそ死ににけれ」〈太平記三五・宮方怨霊〉②恋いこがれながら死ぬこと。思ひ死に。恋死に。「千愁百病となって、—その数を知らず」〈西鶴・男色大鑑一〉。〈日葡〉

こき【国忌】《コクキの約》先帝・母后の命日。政務を休み、諸寺で仏事を行ない、音楽などを慎む。天武天皇の一周忌に国忌の斎(おがみ)を行なったのが最初。「太政官奏して曰く…今—稍多くして…事を行なふこと多く滞れり」〈続紀延暦一〇・三・二三〉

こ・き【扱き・放き】〘四段〙①むしり、しごいておとす。「引き攀(よ)ぢて折らば散るべみ梅の花袖に—・き入れつ染(し)まば染むとも」〈万一六四四〉。「揃、ムシル・コク」〈名義抄〉②打つ。打擲(ちょうちゃく)する。「撲、ウツ・ハラフ・コク」〈名義抄〉③しごいて出す。ひり出す。吐き出す。「霍乱、シリヨリクチヨリコクヤマヒ」〈名義抄〉。「我が親の死ぬる時にも屁を—・きて」〈俳・犬筑波〉④《言葉をしごき出す意から、「言ひ」を卑しめていう語》ぬかす。ほざく。「とありしと我が身の昔言ひし人威言(ゐげん=自慢)—・くこそ威言くさけれ」〈堀河狂歌集下〉 †koki

こ・ぎ【漕ぎ】〘四段〙①櫓または櫂などを動かして船を進める。「棹梶も無くてさぶしも—・がむと思へど」〈万三六〇〉②深い雪や泥の中をかきわけるようにして進む。「風をいたみ山—・ぐ我は船なれや花の白波分けて来つれば」〈拾玉集三〉。「雪をば深く—・ぎたり」〈義経記五〉 †kögi

ごき【御器・五器・呉器】①貴人の食器。「かねの—ども鋳(う)たせ給へりしかば」〈大鏡時平〉。「御器、ゴキ」〈易林本節用集〉②食器。特に、漆塗りの椀。「新御所へ参り、御扇・—等、これを賜はる」〈看聞御記応永三一・三・二九〉 **—提(さ)・ぐ**「御器」(2)をさげて門に立ち、食を乞う意で、非人・乞食になるたとえ。「親仁(おやぢ)さまざまの異見して追っ付き、—・ぐるを見るやうなといはれしが」〈西鶴・好色盛衰記一〉 **—のみ**【御器の実】椀の中身の意で、飯の種。生活の手段。「御乳母〔八〕…子が留(と)まれば(妊娠スレバ)—が明きまする」〈浮・好色重宝記中〉

こぎいた【胡鬼板】胡鬼の子をつくのに用いる笏状の木板。はごいた。京都では、蒔絵を施したり、大和絵風の極彩色の絵に金箔を置いたりした贈答用の美麗なものが製られ、表は清涼殿公卿等集会、裏は同庭前左義長を図柄の古制とした。近世末、江戸では役者絵・美人絵などの押絵の製が流行した。「—二、蒔絵・置物、絵等風流なり」〈看聞御記永享六・一・五〉。「羽子板、コギイタ・ハゴイタ、正月用之」〈下学集〉。「胡鬼板、コギイタ」〈易林本節用集〉

こきいろ【濃色】染色の名。濃い紫。または、濃い紅色。「—の二つ衣、単衣(ひとへぎぬ)着て候ふよし申しければ」〈著聞四〇九〉

こきう ユウ:キ【胡弓・鼓弓】小形の三味線に似た楽器。三、四絃を張り、棹(さお)を立てて、馬の尾の毛を張った小さい弓でこすってひく。哀調を帯びた楽音を出す。「三味線—に綾竹や」〈仮・竹斎上〉

こぎ・え【凍え・凝え】〘下一〙寒さのために身体の感覚を失う。こごえる。「法勝寺のほとりに、殊に—・えてかはゆげなる乞食に、着物を脱ぎくれて」〈撰集抄一ノ八〉。「蚕(かひこ)を養はざれば、いかなる富貴人の黄金屋裡の人も—・え死せんぞ」〈錦繡段鈔四〉

こぎく【小菊】和紙の一種。縦七寸横九寸で、三栖(すみ)紙と共に鼻紙としては極上品。「—一束、下部へ遣はす」〈時慶卿記慶長一八・一・二〉

こきし【鞬吉支】《コンキシのンを表記しなかった形。コンは朝鮮語 kun(巨大の意)。キシは阿知吉師・和邇(わに)吉師のキシに同じ。君の意》大君。大王。「百済の国の主(こきし)」〈紀皇極二年〉

こきし〘副〙たくさん。「こきだ」と同じ意。「立ちそばの実の無けくを—ひゑね(ソギ取ッテヤレ)」〈記歌謡九〉 †kökisi

ごきしちだう ウ:ド【五畿七道】畿内五か国と東海・東山・北陸・山陰・山陽・南海・西海の七道と。日本全国の意に使う。「—に行き至らざる所なく」〈今昔一三ノ二四〉

こぎそ・け【漕ぎ退け】〘下二〙(邪魔なものを)押しのけて漕ぐ。「葦—・けてみ舟来にけり」〈土佐二月六日〉

こきだ【許多】〘副〙《ココダの転》たくさん。数量についていう。「柃(いちさかき=木ノ名)実の多けくを—ひゑね」〈記歌謡九〉 †kökida **—く**【許多く】〘副〙《ココダク・ココバクとほ

ぼ同じ意で、程度をいう》こんなにひどく。「三笠山野辺行く道は━も繁(しじ)に荒れたるか久にあらなくに」〈万二三二〉

こぎた・み【漕ぎ廻み】『上二』漕ぎめぐる。「━・むる浦のことごと、行き隠る島の崎崎」〈万九四二〉　†kögitami

こきた・れ【扱き垂れ】『下二』しごいたようにこぼれ落ちる。「あけぬとてかへる道には━・れて雨も涙もふりそぼちつつ」〈古今六三九〉

こきちら・し【扱き散らし】『四段』しごき落して散らす。しごいたように一面に散らす。「松原の深緑なる中に花紅葉を━・したると見ゆる上の衣の」〈源氏澪標〉

こきでん【弘徽殿】⇒こうきでん。「━には尚侍君(かんのきみ)住み給ふ」〈源氏賢木〉

ごきない【五畿内】山城・大和・河内・和泉・摂津の五か国。「畿内」とも。「豪富の家と、左右の京、━、近江等の国の郡司、幷せて子弟兵士、…悉く猟騎の事に奉ぜしむ」〈続紀神亀一・五・五〉

こぎのこ【胡鬼の子】無患子(むくろじ)の実に数枚の羽根を差したもの。胡鬼板(こぎいた)でついて遊ぶ。また、その遊び。突羽根。「━の勝負、〔男女ニ〕方を分け、男方勝つ」〈看聞御記永享四・一・五〉。〈文明本節用集〉

こきばく【幾許】『副』《ココバクの母音交替形。コキダクより新しい形。「━も」の形で感動文につかう》はなはだ。「そきだくもおぎろなきかも、━もゆたけきかも」〈万四三六〇〉　†kökibaku

こきま・ぜ【扱き混ぜ】㊀『下二』しごき落したものを混ぜる。混ぜ合わせる。「見渡せば柳桜を━・ぜて都ぞ春の錦なりける」〈古今五六〉。「御箱の蓋に、いろいろの花紅葉を━・ぜて」〈源氏少女〉㊁『名』混ぜ合わせること。「見も知らぬ四位五位━に、ひま無う出で入りつつ」〈源氏若紫〉

こきみ【小君】平安時代、貴族の子弟の愛称。また、貴族に仕える若者。「またの日━召したれば」〈源氏帚木〉

こきみ【小気味】《コは接頭語》気持。気分。「こきび」とも。「━の悪い夢にやあるらん」〈俳・太郎五百韻〉

こぎみ【故君】故人の敬称。亡くなった御方。「━ものし給はましかば明石の御方ばかりの覚えには劣り給はざらまし」〈源氏玉鬘〉

こぎ・み【漕ぎ廻】『上一』《ミは浦ミ・島ミのミと同じ、湾曲する意》漕ぎめぐる。「藤波の花の盛りにかくしこそ浦━・みつつ年にしのはめ」〈万四一八八〉　†kögimï

ときやう(キョウ)【古京】古い都。「━と新京といづれかまされる」〈続古事談二〉

ときやう(キョウ)【故郷】**━へは錦を着て帰・る**《史記、項羽本紀「富貴にして故郷に帰らざるは繡を衣(き)て夜行くが如し」による》他郷で成功出世し、意気揚揚と故郷へ帰る。「━・れといふ事の候。錦の直垂(ひたたれ)御ゆるし候へ」〈平家七・実盛〉

ごきやう(ギョウ)【五経】①儒学で聖人の著作として尊重する五つの経書。詩経・書経・易経・春秋・礼記(らいき)をいう。平安時代には、五経は大学寮の明経道の教科書。「大宰府言す。…学者稍く多し。而れども府庫但だ━を蓄へて三史の正本有らず」〈続紀神護景雲三・一〇・一〇〉。「〔女ガ〕三史・━みちみちしきかたを明らかにさとりあかさむこそ愛敬なからめ」〈源氏帚木〉②五種の医書。素問経・霊枢経・難経・金匱要略(きんきようりやく)・甲乙経をいう。「たとひ━の説をつまびらかにして衆病をいやすといふとも」〈平家三・医師問答〉

ごぎやう(ギョウ)【五行】《五つの運行するものの意》古代中国の説で、天地の間に循環・流転するという五つのもの。木・火・土・金・水の称。木・火・土・金・水の順序を相生(さうじやう)、水・火・金・木・土の順序を相剋(さうこく)といい、万物の配合に適用した。「━は、木・火・土・金・水」〈盛衰記八〉。「又、━の相生といふ事あり。木より火生じ、火より土生じ、土より金生じ、金より水生ず」〈日蓮遺文戒法門〉

ごぎやう(ギョウ)【御形】正月七草の一で、ハハコグサのこと。「━、たのくさ、すずぐさ、はこべ」〈中古雑唱集〉

ごぎやく【五逆】「五逆罪」に同じ。「四重(しぢう)・━は我も亦よく救はむ」〈霊異記上三〇〉　**━ざい**【五逆罪】仏教における最も重い五つの罪悪。父を殺すこと、母を殺すこと、阿羅漢(あらかん)を殺すこと、仏身を傷つけること、僧の集団を破壊すること。「我、━を造れり」〈今昔三ノ二七〉

こきやこう 鶏の鳴き声。「鳥が音や━よう〈紅葉ト掛ケル〉の立田山」〈俳・毛吹草六〉

こぎ・り【小切り】『四段』値切る。「夫(をつと)の肌を触れぬ姫あらば、値をば━・るまじ」〈伽・竹生島本地〉。〈日葡〉

こぎ・り【漕入り】『四段』《コギイリの約》漕いで入る。「沖つ波淩ぎ━・り来(こ)、あまの釣船」〈万三三三五〉　†kögiri

こきりこ【小切子】田楽・放下僧(はうかそう)などの使用した楽器。赤小豆(あずき)を入れた長さ五寸ぐらいの竹筒で、これを手玉に取り、また打ち鳴らして演技する。「━は放下に揉(も)まるる」〈謡・放下僧〉

こき・れ【扱入れ】『下二』《コキイレの約》しごき落して入れる。「池水に影さへ見えて咲きにほふあしびの花を袖に━・れな」〈万四五一二〉　†kokire

こきん【古今】古今和歌集の略称。「さては━の歌二十巻をみなうかべさせ給ふを」〈枕二三〉　**━さんてう**(チョウ)【古今三鳥】古今伝授中の三種の鳥。呼子鳥・百(も)千鳥・稲負(いなおほせ)鳥をいう。「聞きたしや━時鳥(ほととぎす)」〈仮・口真似草二〉　**━でんじゅ**【古今伝授】古今和歌集中のある語句の解釈に関する秘密の伝授。東常縁(とうのつねより)に始まり宗祇に伝わり、以後、堺・奈良・二条の各伝授に分れた。数多い秘事のうちでも、特に三木・三鳥は有名。「━の内、所所不審在る〔箇〕条書」〈兼見卿記天正四・一〇・二七〉

こきん【胡琴】琵琶の異称。「琵琶、━」〈教訓抄八〉

ごぎんみじよ【御吟味所】訴訟裁判を司る奉行所・役所の敬称。「━へ引き渡し、牢へ入るるは易けれど」〈近松・薩摩歌中〉

こく【石・斛】容積の単位。斗(と)の十倍。「正四位下粟田朝臣真人に、大倭国の田二十町、穀一千━を賜ふ。使を絶域に奉ずるを以てなり」〈続紀慶雲二・一一・一三〉

こく【刻】《きざむ意。時をきざむこと》①一昼夜を十二分して、十二支に配したもの。「子(ね)の刻」など。さらに一刻を二分して、初刻・正刻、または上刻・中刻・下刻(次の刻の上刻に当る)と称したり、四分して「丑一つ」「丑四つ」などのようにいう。「あくる卯剋(うのこく)におしよせて、時をどとつくる」〈平家一・鵜川軍〉②時間。「色色雑談し、━を移す也」〈言国卿記文明六・一・一三〉

ごく【曲】楽曲。「〔琴ハ〕わづらはしき━多かるを」〈源氏若菜下〉

ごく【御供】⇒ごくう。「━を供へ、神酒(みき)を参らせ」〈庭訓抄上〉

ごく『接尾』「ごくら」の転。近世、上方でいう。「此の大盞で、一つづつ呑ませ━せまいか」〈浮・野傾旅葛籠一〉

こくあん【黒闇】①くらやみ。「〔万燈会ノ燈火ハ〕下は━の衆生も皆照らさるらんかしとぞ見ゆめる」〈栄花御裳着〉②「黒闇天女」の略。「何事も喜びずまた憂へじよ。功徳、━連れて歩けば」〈雑談集一〉　**━ぢごく**【黒闇地獄】

阿鼻地獄に属する十八小地獄の一。燈明を盗んだ者、尊信すべき人の物を盗んだ者が落ちるという。「われ悪業を以ての故にーに堕ちたり」〈今昔六ノ三八〉 **ーてん**【黒闇天】「黒闇天女」に同じ。「我をばーといふ、その故は至る所に不祥災害あり」〈沙石集八ノ二六〉 **ーてんにょ**【黒闇天女】人に禍を授ける容貌醜悪な女神。姉の功徳天(吉祥天)と常に同行して離れないという。密教では閻魔(えんま)王の后とする。「倶生神、司命司録神、ー、太山府君、断陀童に至るまで」〈伽・強盗鬼神〉

こくい【極印・刻印】⇒こくいん。〈運歩色葉集〉

ごくい【極意】①その道の奥義。「偏へに法のーを窮(きは)め見るべし」〈発心直入路〉。「兵法のーに心到りなば刀道具も及ばざるもの」〈兵法道歌〉。〈文明本節用集〉 ②しんそこ。真実。「藤兵衛の世話にはなれど、いまだーの間夫(まぶ)とはせざるものか」〈人情・梅暦三ノ六〉

こくいん【黒印】室町時代以降、将軍・大名の文書に黒肉で押した印章。また、その文書。「左兵衛殿より御使下され候間、罷り出で、御ー罷り預り候」〈梅津政景日記慶長一九・二・二七〉。〈日葡〉

こくいん【極印・刻印】金銀貨・器物などの偽造を防ぎ、また、品質を証明するために押した印または文字。「こくい」「こっくい」とも。「鉛〔ニ〕ー打ち候」〈梅津政景日記慶長一七・三・一〉

こくう【虚空】①大空。空中。「ーに赤き雲二丈ばかりにて」〈今昔二九ノ三六〉 ②不確かでつかみどころのないこと。「過ぎにし秋の頃、〔タダ一人ノ姫ヲ〕ーに失ひ候ひつるを」〈伽・花世の姫〉 ③途方もないこと。常識外れ。「ええ汝はーなる事を申す者かな」〈幸若・夜討曾我〉。「もしまた、ーの事と思ひ、この事いなとならば七代までその家を亡ぼし」〈伽・七夕〉 **ーざう**(ゾウ)【虚空蔵】「虚空蔵菩薩」の略。「比叡の山の僧、ーの助けに依りて智(さとり)を得たること」〈今昔一七ノ三三〉 **ーざうぼさつ**(ゾウ)【虚空蔵菩薩】菩薩の一。智慧・功徳の広大無辺であること虚空のごとしという意。頭に五智宝冠をいただき、右手に智慧の宝剣、左手に福徳の蓮華と如意宝珠を持つ。また右手を施願印にするなど形像は種種ある。「現光寺の塔の杓形(ひさくがた)にはーを鋳(い)付けたり」〈今昔一一ノ五〉 **ーほふかい**(ホウ)【虚空法界】「虚空無天」に同じ。「ーなる辻にて、声に詰まり所なきに依りて、やがて、をかしく謡ひなし候」〈宗筠袖下〉 **ーむてん**【虚空無天】むやみやたら。むちゃくちゃ。「虚空無性」「虚空無量」「虚空無意気」なども。「雲晴れてーに月清み」〈俳・底抜臼下〉

どくう【御供】《ゴクの転》神仏に供える物。御供物(ごくもつ)。「ーのただ三杵(みきね)つきて黒きも」〈沙石集一ノ一〉。〈運歩色葉集〉 **ーでん**【御供田】神仏に供える米をとる田。「当社二の宮のーにて御座候ほどに」〈謡・淡路〉

こくえ【黒衣】黒色の僧衣。墨染めの衣。「その後ー着たる僧一人」〈沙石集三ノ四〉

こくが【国衙】①「国府(こくふ)」に同じ。「長官以下急にーに向ひて、事に応じて集まり議し」〈続紀宝亀一一・七・二六〉。「国衙、コクガ、諸国の府之を衙と謂ふ」〈下学集〉 ②地方官の政庁の治める公地。後には荘園と同じようなものとなり、貴族や国司の私領と化した。「ー・庄園を云はず、兵粮米のために貞能(さだよし)点定(てんぢやう)しけり」〈盛衰記二八〉

こくがく【国学】①令制で、京畿以外の諸国に置き、郡司の子弟を教育した学校。「凡べて大学ーは、毎年春秋二仲之月の上丁〔ノ日〕に、先聖孔宣父(孔子)に釈奠せよ」〈学令〉 ②近世、日本古代の精神・文化を科学的な文献学的方法によって明らかにしようとした学問。契沖・荷田春満・賀茂真淵を経て、本居宣長によって大成された。「謹んで鴻慈を蒙りてー校を創造するを請ふの啓」〈創学校啓〉

こくがね【刻鐘】時刻を知らせるために撞く釣鐘。「宗味(鋳物師ノ名)がーの開眼(撞キ初メノ式)」〈近松・宵庚申下〉

こくき【国忌】⇒こき(国忌)

こくげ【国解】奈良時代以後、諸国から太政官または所管の官庁に提出した公文書。「国国の民、これを嘆き悲しみてーを以て公にこの由を申し上げたるに」〈今昔二五ノ一〉 ↓解(げ)

こくげつ【黒月】陰暦で、月の十五日以降終りまでの称。「白月(びやくげつ)・ーのかはり行くを見て三十日をわきまへ」〈平家三・僧都死去〉

ごくげつ【極月】十二月の異称。「ーわたりの発句には、来ぬ春を先づ咲く梅の体(てい)」〈梅薫抄〉。〈易林本節用集〉

こくげん【刻限】事の行なわれるべき時刻。定刻。「往生にはーやは定むべき」〈宇治拾遺一三三〉

ごくざいしき【極彩色】①岩絵具・胡粉(ごふん)などを用いた、極めて濃厚・緻密な彩色法。「絵にあらでーの花野かな」〈俳・小町踊三〉 ②極めて豪奢であるさま。「ーの越後町(絵ト掛ケル)」〈近松・寿門松上〉

ごくさう(ソウ)【極草】草書体をさらに極度に草書化した文字。「権者の製作として真名(まな)のーの字を伊呂波に縮めなして文字の数少なきに」〈行阿仮名文字遣序〉

こくさうゐん(ソウ)【穀倉院・穀蔵院】畿内諸国からの調銭や官田の稲を保管する朝廷の庫。「勅すらく、ー西南角地、東西各二十丈、南北各四十丈、内蔵寮染作りの処とすべし」〈続後紀天長一〇・八・三〉

ごくさり【五句去】〔連俳用語〕連句一巻興行の際、同じ語・事物を、その前に詠みこんだ句より五句隔てて用いよという制限。ほかに、「二句去」「三句去」「七句去」などがある。「夢中問答・夢想国師など申す〔語〕も…夢の字にはー也」〈俳・御傘八〉

こくし【国司】令制で、郡司の上にあって地方諸国の政務をつかさどった地方官。守(かみ)・介(すけ)・掾(じよう)・目(さかん)の四等官があり、ふつう四年の任期をもって中央から赴任した。くにのつかさ。「諸国の郡司を任ず。因りて諸ー等に詔して郡司を銓擬す」〈続紀文武二・三・九〉。「国はーに従ひ、庄は領家のままなり」〈平家三・大地震〉

こくし【国師】①奈良時代の僧の職名。国分寺の建立とともに諸国に分置され、その国の僧尼の監督、経典の講義、国家の祈禱などにあずかった。平安時代のはじめに講師(かうじ)と改称。「諸国のーを任ず」〈続紀大宝二・二・二〇〉 ②仏教について天子の師範となる高僧。「一天のーたる貴き僧を讒し申す条、罪科深し」〈盛衰記三〇〉 ③朝廷から禅宗の高僧に(多くは死後)贈られた称号。「禅林寺の長老夢窓ー」〈太平記一八・春宮還御〉

こく・し【刻し・剋し】『サ変』きざむ。ほる。「猪(ゐ)の毛十把をー・し末して(粉末ニシテ)」〈今昔二四ノ九〉

こく・し【剋し・克し】『サ変』勝つ。また、五行の運行で相剋(さうこく)する。「下の上をー・するは極めたる非道なり」〈神皇正統記仲恭〉

こく・し【哭し】『サ変』悲しんで泣き叫ぶ。「不覚の涙を落し、声をあげてー・す」〈十訓抄一ノ八〉。〈色葉字類抄〉

こくしやう(ショウ)【濃漿】濃く仕立てた味噌汁。「鯛をーに」〈浮・当世乙女織三〉

こくしゃう(シヨウ)【国掌】国司の属官で、書記および雑務に当った役。「播磨国、━二員を置く」〈三代実録貞観一三・七・一七〉

ごくじゃう(ジヨウ)【極上】①もっともすぐれていること。また、もっとも至極であること。「修因感果の道理━せり」〈平家一一・重衡被斬〉②茶の最上品。極(ご)。「誰も皆諸行無常ぢゃ━を手向くる茶の湯あはれ世の中」〈新撰狂歌集下〉

こくしゅ【国主】①一国の元首。天皇。「院・━をも遠き島へ移し奉り」〈雑談集三〉②「国守」(2)に同じ。「━、城主、諸旗本、雲のごとく」〈浄・東山殿子日遊二〉

こくしゅ【国守】①国司の長官。くにのかみ。「太政官符、親王を━に任ずべき事」〈類聚三代格五〉②近世、一国以上を領有する大名。国主。国大名。国主大名。「〔武家諸法度〕━は政務の器用を撰ぶべきの事」〈駿府記慶長二〇・七・七〉

こくじょう【黒縄】「黒縄地獄」の略。「〔八熱地獄ノ〕一は等活、二は━」〈孝養集上〉 **━ぢごく**【黒縄地獄】八熱地獄の第二。ここに堕ちた者は、熱鉄の縄にしばられ、熱鉄の斧で切り割かれるという。「汝が母は━にあり。行きて見るべし」〈宝物集七〉

ごくしん【極信・極真・極慎・極心】①信仰心のあついこと。「殊に提婆品(だいばほん)をば━に読まれけり」〈盛衰記四三〉②つつしみ深いこと。おとなしくおだやかなこと。「忠信は下戸にて、天性━の者なり」〈古活字本平治下・牛若奥州下り〉。「温厚にして━なれども、成す事は修理あって」〈中庸鈔〉

ごくすい【曲水】「曲水の宴」の略。「〔聖武〕天皇、鳥池の塘(つつみ)に御(いでま)して五位已上を宴す。…又、文人を召して━の詩を賦せしむ」〈続紀神亀五・三・三〉。「曲水、ゴクスイ、三月三日名」〈色葉字類抄〉 **━のえん**【曲水の宴】令の規定にも定められた内裏の行事。中国の上巳(じやうし)の節句を伝えて、巳(み)の日の祓(はらへ)としたが、奈良時代頃から三月三日となり、摂関時代には貴族の邸でも行なわれた。庭に曲溝を作り水を引き入れ、公卿がその両側に坐って酒杯をうかべ、酒杯が上流から流れて来て自分の前を過ぎないうちに詩歌を詠じて酒杯を取って酒を飲む宴。この日の祓の具として人形を流すことも行なわれ、それが後世の雛祭の起源となったという。「三月上巳に後苑に幸(いでま)して━きこしめす」〈紀顕宗二年〉

こくせん【国宣】国司の下す公文書。「郡の司、『いかでか━をば背き申さむ』と云へば」〈今昔二六ノ一八〉

こくそ【粉糞・木屎】麻などの屑または木粉を漆糊に練り合わせたもの。漆器の合せ目や割れ目を塞ぐのに使う。刻苧(こくそ)。「染に塗らむずる物の下にかふ━」〈名語記八〉。〈色葉字類抄〉

ごくそ【獄所】《ゴクショの直音化》ろうや。獄舎。「〔若君ヲ行方不明ニシタ罰トシテ〕仕へ所に使はじ。━にさぶらはせん」〈宇津保俊蔭〉

こぐそく【小具足】鎧・腹巻などの下に着る小道具。冑・胴・袖の三つ物以外、身体の各部を守る籠手(こて)・頬当(ほほあて)・喉輪(のどわ)・臑当(すねあて)・脛楯(はいだて)などの総称。「腹巻に━引き固め」〈平治中・待賢門軍〉

ごくぞろり【極揃り】極(ご)即ち最上の茶に次ぐ、巻きちぢまない上等の茶の葉。「せめては━の粉なりともと思へど」〈仮・よだれかけ一〉。〈日葡〉

ごくそつ【獄卒】地獄の鬼。阿防羅刹(あほうらせつ)。「これはこれ地獄なり。我は━なり」〈今昔一九ノ二八〉

ごくだう(ドウ)【極道・獄道】①悪事をすること。また、その人。「やい━の祐経め」〈近松・曾我七以呂波一〉②放蕩者、または、無能無力な者をののしっていう語。「義秀居直って『イヤ珍らしや━』」〈浄・根元曾我一〉

こくだか【石高】田畑の収穫高。太閤検地以後用いられたもので、土地の良し悪しによって上・中・下の標準収穫量をきめ、それに土地面積を乗じてもとめる。年貢・諸役の割当の基準とした。「村高は…今の━になりて何百何拾石と唱ふ」〈田園類説〉

こくだち【穀断ち】修行や祈願を貫くため、五穀を一切食べないで過ごすこと。「去年(こぞ)から山ごもりして侍るなり。━なり」〈かげろふ下〉

こくたん【黒檀】東インド・マレー産のカキノキ科の常緑喬木。材は純黒で質緻密、器具材に重用。烏木(うぼく)。「━細工」〈俳・毛吹草四〉

こぐち【小口】①小さい口。また、小さくつぼめた口。「〔乾飯ハ〕━に水に副(そ)へて食ふなり」〈中嶋摂津守宗次記〉。「━から人非人とは慮外者」〈浄・藍染川五〉②「小口袴」の略。「うへ(帝)は御直衣(なほし)、━奉り」〈紫式部日記〉③物の切り口。横断面。「何にてもあれ、一切りに切りて、━の揃うたることなり」〈大学抄〉④書物の背の部分以外の三方。紙を重ねて切りそろえる部分。「重ね置く本の━にしるしして」〈俳・油糟〉⑤物の端。先端。「〔白檀ノ〕色黄にして匂ひ上品なるを、━より削り、いかにも細かにおろす」〈むくさのたね〉⑥物事の端緒。「子細(しさい)なしに、━から廻る(機嫌ヲ取ル)人なり」〈評判・朱雀遠目鏡下〉 **━ぎり**【小口切り・木口切り】端から順に輪切りにすること。「鯉の重皮といふは、躬(み)とりて━にして盛りたる刺躬(さしみ)なり」〈庖丁聞書〉 **━はかま**【小口袴】裾にくくりのある大口袴。冬は練絹で綿を入れ、夏は生絹(すずし)の単(ひとへ)。夏は御鞠の時などに使用する。「━、冬時主上之を着す。深紅綿を入る」〈西宮記臨時八〉

こぐち【小口・虎口】①城郭・陣営などの要所の出入口。枡形(ますがた)に造り、まっすぐに進めないように曲げて作ってある。「━━へ軍勢ども馳せ集まり了んぬ」〈言国卿記文明六・八・一〉②戦場で一番重大な戦い。「この人、大将として向はるるほどの━には、敵さらにたまらず」〈サントスの御作業一ノ一七〉。「合戦の━をはづして逃げて帰りけり」〈仮・棠陰比事物語三〉。「虎口、こぐち、戦場。小口、こぐち、同義」〈和漢通用集〉

ごくぢう(ジユウ)【極重】犯した罪がこの上もなく重いこと。「ひとへに無智愚鈍の━の輩(やから)のためなり」〈ささめごと下〉

ごくぢゃう(ジヨウ)【獄定】入獄と決定すること。「かく責められて後、━せられけるとぞ」〈著聞四三四〉

こくづけ【刻付け】至急に配達・処理すべき手紙・文書などの封紙に発信・取扱いの時刻を記すこと。「━の廻文を遣はす」〈三好軍記上〉

ごくつぶし【穀潰し】何の働きもなく、のらくら暮す人を罵っていう語。「ごごくつぶし」とも。「公家たちの弓矢も取らぬ━など雪霜と消えも失せぬぞ」〈金言和歌集四〉。〈日葡〉

こくないつう【国内通】「国内通計(こくないつうけ)」の略。「━の者なれば、およそにては叶はじとて」〈虎明本狂言・釣狐〉 **━け**【国内通計】《ツウケはツウケイの転。ツウゲとも》国中にあまねく知れわたること。「かくすかくすとささやきけれども、━の事なれば」〈盛衰記一三〉

ごくにたた・ぬ【ごくに立たぬ】《連語》①役に立たない。何のききめもない。「ごくにもたらぬ」「ごくにつかず」とも。「━・ねどいとほしの人」〈俳・鷹筑波三〉②言語道断。もってのほか。沙汰の限り。「その不精(ぶしやう)━・ずと叱られ」〈近松・

浦島年代記二〉

ごくぬすびと【穀盗人】「ごくつぶし」に同じ。「顔おそろしげなる若衆、くろがねの杓子(しゃくし)を持って一めとさいなみける」〈西鶴・椀久二世下〉

ごくねち【極熱】《呉音》この上ないあつさ。極暑。高熱。「一の頃は誰も誰もをさをさ内裏(うち)へも参り給はず」〈宇津保沖つ白波〉。「一の草薬を服していと臭きによりなむ、え対面給はらぬ」〈源氏帚木〉

ごくのおび【玉の帯】《ゴクは呉音》束帯の時に用いる革帯。漆で黒く塗り、背部に円形または方形の玉を飾りにつける。石帯(せきたい)。いしのおび。「大弐国章一を借り侍りけるを筑紫よりのぼりて返し遣はしたりければ」〈拾遺四九九詞書〉

ごくのもの【曲の物】曲(きょく)の物。すなわち、歌がつかなくて調子だけのもの。器楽曲。「歌・一など上手にいとよく弾きたまふ」〈源氏竹河〉

こくは …クワ【木鍬】《コはキ(木)の古形》木でつくった鍬。「一持ち打ちし大根(おほね)」〈記歌謡六一〉 †kökuFa

こくは コクワ【獼猴桃】サルナシ科の蔓草。「さるなし」「しらくち」などとも。実は食用とされた。「獼猴桃、和名之良久知(しらくち)、一云古久波(こくは)」〈和名抄〉

こくばく【幾許】〘副〙「ここばく」に同じ。「一の国母・夫人のなかに」〈宇津保内侍のかみ〉

こくび【小首】《コは接頭語》首。「畠山が一をつよく打ちて」〈著聞三八〇〉 **一を傾(かたむ)・く** 首を少し曲げて思案する。「いづれも言うておみやれと、額に小じわ、頬杖つき、おのおの一・くる」〈近松・反魂香上〉 **一を投・ぐ** 首を少しうなだれる。思案投げ首などのさまにいう。「散る花を見るは一・げき(嘆キト掛ケル)かな」〈俳・細少石三〉

こくび【小領】衣服の衿(えり)。「袂よく着よく肩よく一安らに汝(まし)着せめかも」〈催馬楽夏引〉

こくびゃく【黒白】①黒と白と。また、明と暗と。「今この界に生れて一をわきまふる事は、しかしながら日月の恩なり」〈諸神本懐抄末〉 ②正邪・善悪・表裏など、互いに正反対の関係にあるものをいう語。「肝心失(う)せて、一見分くべき心地も侍らず」〈十訓抄一〇ノ七七〉 **一のすい**【黒白の粋】全くすぐれた通人。「一にして、太夫も及ばぬ全盛振り」〈浮・傾城仕送大臣一〉

こくふ【国府】《コクブ・コフとも》令制で、諸国に設けられた地方官の政庁。また、その所在地。国司がここで政務をとる。国衙(こくが)。「今一郭下、相去ること道遠し」〈続紀霊亀一・一〇・二九〉。「書生、朝暮一に参りて公事を務めてあり」〈今昔一四ノ八〉

こくふう【国風】①諸国の歌謡。風俗歌(ふぞくうた)。「楽(がく)は万にして一陳(つら)く」〈懐風藻〉。「左大将多近方(おほのちかかた)に命じて一をうたはせられけり」〈著聞二六三〉 ②その国特有の風習。くにぶり。「我が娘に不義あれば相手を糺(ただ)し、同罪に行なふ越後の一」〈近松・信州川中島一〉。〈日葡〉

こくふう【黒風】悪風。「折節一俄かに吹き起り」〈盛衰記一八〉

こくぶんじ【国分寺】天平十三年に聖武天皇が天下平安の祈禱所として国ごとに建立した僧寺・尼寺。僧寺を金光明四天王護国之寺、尼寺を法華滅罪之寺という。その位置は、各々国府の近くにあった。「三千戸は諸国の一に施入す。以て丈六の仏像を造る料に充つ」〈続紀天平一三・一・一五〉

こくぼたん【黒牡丹】《紫黒色の花の牡丹をいうが、唐の劉訓(りゅうくん)が水牛をつないで、客に「これ劉氏の黒牡丹なり」と言ったという故事から》牛の異名。「牛にも、また異名多く侍り。…一とも云ふ」〈壒嚢抄七〉

こくみ【瘜肉】いぼやこぶのような贅(ぜい)肉。「国つ罪と、生膚断(いきはだたち)・死膚断(しにはだたち)・白人(しろひと)・一……、ここだくの罪出でむ」〈祝詞大祓詞〉。「瘜肉、阿末之之(あましし)又古久美(こくみ)」〈和名抄〉 †kokumi

こくめん【黒面】《コクメイ(克明)の転》誠実で正直なこと。律義。実直。「畑の細道を一にうつむきて、ここを大事と目をくばる」〈仮・宗祇諸国物語五〉。「黒面、コクメン、時宜の正しきを云ふ」〈俳・反故集下〉

こくも【国母】《コクボとも》①天子の母。皇太后。「汝、殊にすぐれたる相あり。必ず一となるべきなり」〈今昔一〇ノ三〉 ②《国民の母の意で》天子の妻。皇后。「七の后のなかに…すぐれたる一(王昭君)」〈宇津保内侍のかみ〉

ごくもり【獄守】ろうやの番人。「文覚存ずる旨(むね)あって、一に乞ふて」〈平家五・福原院宣〉

ごくもん【獄門】①獄舎の門。「飯を鉢に入れて捧げ持ちて、一に向ひて立ち給へり」〈今昔一三ノ一〇〉 ②近世、死刑の一。斬罪にした罪人の首を、捨て札を立てた台木の上に三日二夜晒(さら)すこと。「右四人共に江戸中引き廻し、日本橋にて晒し、…浅草に於て一」〈御仕置裁許帳一、延宝三・一・二九〉 **一に懸・く** 斬首した罪人の首を獄舎の門の脇の樗(あふち)の木などに懸けてさらす。「首(かうべ)をはねて一・け」〈平治上・信西の子息尋ねらる〉 **一ばしら**【獄門柱】獄門の首を懸けてさらす柱。獄門木。「手並みを見よと、一えいと引抜き、振り廻し」〈近松・女護島一〉

こくら【小倉】《「小倉織」の略》①豊前国小倉産の木綿縞(じま)織物。たて糸は細く、よこ糸は合せ糸を用いて織る。袴・帯の生地とした。小倉縞。「一の男帯に細目布(さいめぬの)のはし継ぎ、左のわき腹に結びとめ」〈西鶴・男色大鑑六〉 ②京都西陣産で、たて糸は絹、よこ糸は木綿の、無地または縞織物。羽織・袴・帯・夜着などの生地とした。「一の蒲団壱つ」〈本光国師日記慶長一七・八・二三〉 **一ちぢみ**【小倉縮】豊前国小倉産の、たて糸は絹、よこ糸は木綿の縮み。明石縮と同質の美麗な横縞で、少し地質が弱い。「一着たる人つくばひ」〈西鶴・諸艶大鑑六〉

こぐら〘接尾〙《連濁して、ゴクラとも》競争する意をあらわす。ごっこ。くら。ごく。「トビコグラヲスル」〈日葡〉

こくらが・り【木暗がり】〘四段〙木が茂ったため暗くなる。「かたぎしに木ども生ひこりて、いと一・りたる」〈かげろふ中〉

ごくらく【極楽】①「極楽浄土」の略。「庶(ねが)はくは、地を掃(はら)ひて共に西方の一に生れ」〈霊異記下序〉 ②「極楽往生」の略。「ひとへに一を願ふ」〈宇治拾遺七三〉 ③極めて安楽なこと。また、その場所や境遇。「〔浄瑠璃世界八〕何事も心のままの一なれば」〈伽・さざれいし〉 **一かい**【極楽界】「極楽浄土」に同じ。「須臾(しゅゆ)・刹那(せつな)も経ぬほどに一にいき着きぬ」〈栄花玉台〉 **一じゃうど** ジョウ…【極楽浄土】阿彌陀如来の主宰する浄土。西の方、十万億の仏土をすぎたかなたにあり、すべての苦難がなく、快楽に満ちているという所。念仏行者は臨終の際、阿彌陀の迎えを受け、死後ここに生れるという。西方浄土。安楽世界。安養浄土。「定めて知りぬ、必ず一に生れしことを」〈霊異記上三〉 **一せかい**【極楽世界】「極楽浄土」に同じ。「一に往生する事を得てき」〈今昔一七ノ一七〉 **一のねがひ** …ネガイ【極楽の願】極楽往生をねがうこと。「入道も一をば忘れて」〈源氏明石〉 **一わうじゃう** オウジョウ【極楽往生】あの世で極楽浄土に生れること。「ただ他力の大信心一つにて、真実の一を遂ぐべきものなり」〈御文章〉

中〉

こぐら・し【木暗し】《形ク》木が茂り合って暗い。「山の躰を見るに峻(さが)しくして―・き事かぎりなし」〈今昔一二ノ三〉

こく・り ㊀《四段》①こする。「軽石と申し候ふ石にて〔月代(さかやき)ヲ〕静かに―・り候へば、毛抜にて抜き候ふやうになり候ふ」〈山科家礼記文明九・閏一・二九〉 ②〔遊里語〕男の言葉によって女が男を次第に好きになる。「―・る、是れも惚(ほ)るる心なり」〈色道大鏡一〉 ㊁《接尾》《動詞の下について》激しい動作を示す。…ちらす、…とばすなどの意。「辛労苦労して、物を案ずれば、臓腑が火の燃え湯の煎ずる如きなぞ。煎り―・ると云ふと同じ心ぞ」〈玉塵抄三八〉

こくりゃう …リョウ【国領】国司の治める土地。「二十六か国を相分って、荘領・―をいはず、段別兵粮米を充(あ)つ」〈盛衰記四六〉

ごくゎ【五果・五菓】五種の果物。李(すもも)・杏(あんず)・棗(なつめ)・桃・栗をいう。「入御の後、―を供す」〈吾妻鏡建久二・三・四〉

ごくゎう …コウ【後光・御光】仏の体から発する光。また、それをかたどって、仏像の背後に刻んだり描いたりした金色の輪。光背。「阿彌陀如来明らかに現じ給へり。その―の十方に輝けるなり」〈発心集六〉。「惣別、舟―と云ふもあり、又からかさ―と云ふもあるによって」〈天理本狂言六義・小傘〉 **―のくゎんじん【後光の勧進】**仏像の光背を造立するため、人に勧めて金品を募集すること。また、募集する人。「稲妻照らす〔道ヲ〕―」〈俳・桜千句〉

こくゎじゃ【小冠者】「こくゎんじゃ」に同じ。「十二三の―なれば」〈承久記上〉

ごぐゎつご【五月子】五月に生れた子。親の身に不吉であるとして忌む風習があった。「―も養ふ竹の林かな」〈俳・続山の井二〉

こくゎん【小冠】「小冠者」の略。「我が身はのがれて、子息の―を生け捕られぬ」〈盛衰記九〉 **―じゃ【小冠者】**年若の冠者。元服をすませたばかりの若者。「生年十八歳になる―進み出でて申しけるは」〈平家九・老馬〉

ごぐゎん【御願】「願(ぐゎん)」の尊敬語。御祈願。御立願。「太皇大后の―に縁りて安祥寺に於いて…孔雀王経及び諸宗経論を転読す」〈三代実録貞観七・七・一九〉 **―じ【御願寺】**勅願によって建てた寺。勅願寺。「―を為(つく)りて戒律真言両宗を修せむ」〈三代実録貞観七・四・一五〉。「当麻寺は…万法蔵院と号して則ち―になずらへられにけり」〈著聞三六〉

ごぐゎんのひ【五巻の日】法華経第五巻を講讃する日。悪人成仏・女人成仏の根拠となる提婆品(だいばほん)が講ぜられ、最も大事な日とされた。法華八講・十講では第三日目にあたる。いつまきのひ。「―などは、いみじき見物(みもの)なりければ」〈源氏蜻蛉〉

ごくゐ【極位】最高の位。「四向三果(しこうさんくゎ)の位を経て、大阿羅漢の―に至るなり」〈和語燈録一〉。「あるいは―・極官をきはめて」〈撰集抄一ノ一〉

こくゑん【国遠】①現住所から遠国に逃げ去ること。出奔(しゅっぽん)。「さては―と恨みをなし」〈西鶴・諸艶大鑑七〉 ②近世、遠島および追放の刑をいう。「女は髪を剃るべし、男は―、女の親は所を払はれける」〈西鶴・新可笑記三〉

こけ【苔】《木毛の意》①蘚苔(せんたい)類にかぎらず広く菌類・地衣類・シダ植物などをも含めていった。「神名火(かむなび)の三諸(みもろ)の山にいはふ杉思ひ過ぎめや―むすまでに」〈万三・三二八〉。「苔、和名古介(こけ)」〈和名抄〉 ②垢(あか)。「足手のあかがり、のみ、しらみ、肘の―に至るまで」〈伽・物くさ太郎〉 †kökë

こけ【鱗】「こけら」(3)に同じ。「釣り落す針に残りし鯛の―」〈雑俳・広原海一八〉

こけ【虚仮】《呉音》①〔仏〕内面と外面が一致しないこと。真実でないこと。いつわり。「世間は―にして、唯仏のみ真なり」〈法王帝説〉 ②うわべだけであること。深みのないこと。「『泣かれぬる』と云ふ詞(ことば)こそ、あまりに―過ぎて」〈無名抄〉 ③愚かなこと。ばか。「日蓮宗の―僧」〈仮・可笑記一〉

こ・け《下二》①やせてひからびる。おとろえてみずみずしさがなくなる。「老人は気が衰へて、皮膚も―・けて」〈尚書抄六〉 ②年をとって枯れたようになる。年功を経る。「平生は何たる―・けた老翁ぞと思ひたれば、まだ年は寄らぬぞ」〈黄鳥鉢抄八〉。「二庵主ともに―・けた者ぢゃによって」〈無門関抄上〉。「長、コケタリ」〈運歩色葉集〉。〈名語記五〉

こ・け【転け】《下二》ころぶ。ころがる。転倒する。「〔柑子ガ〕ころころと―・けて行く程に」〈虎明本狂言・柑子〉。「河原を走れば石車に乗りて―・けたるは」〈伽・弁慶物語〉 **―ても土を摑(つか)・む** ころんでもただは起きず、土をつかんで起き上がる意で、強欲のたとえ。「転んでもただは起きぬ」「こけた所で火打石」とも。「落ちてある物ただ置くな、―・んで起きるは」〈近松・博多小女郎上〉

こ・げ【焦げ】《下二》焼けて黒くなる。「実に御顔焼け―・げさせ給ひたる座像の地蔵おはします」〈諸国一見聖物語〉。「〔蒲鉾ノ〕上皮の―・げぬやうに焼き候へ」〈伽・鼠草子〉

ごけ【後家】①未亡人。寡婦。「前讃岐介奉職朝臣を招き〔申シ渡シタガ〕…左京大夫―の旨(たのみ)に依りて也」〈権記長保二・八・一七〉 ②対(つい)になっているものの一方が欠けて、残った他の一方をいう語。「―ざや」「―ぜに」など。「旦那には見せぬ―盃とて、小さき蒔絵の盃也」〈浮・好色増鏡三〉

ごけい【五刑】律令制で、中国の刑制にならって制定された五種の刑。笞(ち)・杖(ぢゃう)・徒(づ 懲役)・流(る)・死の総称。「つひに助くる人なくして、―を備ふ」〈今昔九ノ三六〉。「たとひ八虐の犯(をか)ありて、―の法を行なはるるとも」〈盛衰記三〉

ごけい【御禊】①天皇即位の後、大嘗祭の前月に行なわれる潔斎。「大嘗会の―の日」〈今昔二八ノ六〉。「御禊、践祚分、ゴケイ」〈色葉字類抄〉 ②賀茂祭の二日または三日前に行なわれる斎院のみそぎ。「祭・―などの程、御いそぎもにことつけて」〈源氏蓬生〉

ごけいり【後家入り】後家の家に婿入りすること。「呂后やまめにならしむだるによりて、冒頓の方より―せんと云ふ也」〈四河入海一五ノ三〉

ごけぐるひ …グルイ【後家狂ひ】浮気な後家を相手に遊ぶこと。のちには後家と称する淫売婦を買って遊ぶこと。「その男、身すぎをわきまへ、博奕・―もせず」〈西鶴・五人女三〉

こけごろも【苔衣】①苔の一面に生えた状態を衣にたとえた語。「―着たるは巖」〈江談抄四〉 ②僧や隠者の着る衣。こけのころも。「―猶袖寒し身の上にふりゆく霜をはらひすてても」〈続千載一七九一〉

ごけざや【後家鞘】刀身に合わせて作ったものでなく、他の刀の鞘を間に合せに利用したもの。また、片割れもの。「―の割れても末に合はんもの」〈俳・太郎五百韻〉。「秋の哀れを思ふ―(独身者)」〈俳・二葉集〉

こけざる【こけ猿】《コケは、やせてひからびる意》年をとってやせ枯れた猿。年劫を経た古猿。「―の面(つら)が野火に焼けたるを見せて」〈法華経直談鈔一末〉。「長猿、コケザル」〈伊京集〉

とけしみづ【苔清水】苔の間を伝わり流れる清水。「とくとくと落つる岩間の―汲み干す程もなき住居かな」〈俳・吉野山独案内五〉

どけだふし【後家倒し】三尺ほどの横木に長さ五、六寸の竹の歯を植え、四脚を付けた稲・麦の脱穀機。後家の稲こきの仕事を奪う意でこの名がある。近世、天和以前につくられ、後には鉄歯の物もできた。千歯扱(せんばこき)。稲こき。「尖(とが)り竹をならべ、これを―と名付く」〈西鶴・永代蔵五〉

どけにん【御家人】①「家人(けにん)」(2)の尊敬語。「かの維義は小松殿の―なり」〈平家八・太宰府落〉②鎌倉時代、将軍家と主従関係を結んだ武士の呼称。「武蔵国の―、猪俣党に甘糟の太郎忠綱といふ者侍りき」〈法然上人行状絵図〉③近世、小禄の直参(ぢきさん)の幕臣。旗本の下に位する。「御目見得以下」とも。「―の面面、五十歳より内にて、末期に及び、養子の願ひ仕り候ふ者」〈寛明日記慶安四・三・二〉

とけのいほ【苔の庵】苔の生えたいおり。山住みの小屋や荒廃した家などにいう。「荒れはてて風もさはらぬ―にわれはなくとも露はもりけん」〈新古今一六二九〉

とけのいほり【苔の庵】「こけのいほ」に同じ。「―さして来つれど君まさで帰るみ山の道の露けさ」〈新古今一六二八〉

とけのした【苔の下】墓の下。草葉の陰。「埋もれぬかばねを何に尋ねけむ―には身こそなりけれ」〈更級〉

とけのたもと【苔の袂】苔の衣の袂。僧や隠者の衣にいう。「みな人は花の衣になりぬなり―よ乾きだにせよ」〈古今八四七〉

どけぶん【後家分】後家に対するあてがい扶持。「今も―を得て、乏(とも)しからであなるぞ」〈古活字本平治下・牛若奥州下り〉

とけむしろ【苔筵】①苔が一面に生えたのを敷物に見たてていう語。「み吉野の青根が峰の―誰か織りけむ経緯(たてぬき)なしに」〈万一一二〇〉②旅人・隠者などの敷く、粗末なまにあわせの敷物。旅行者の旅寝や世捨人の樹下石上の住居などにいう。こけのむしろ。「やどりする岩屋の床の―」〈千載一一〇六〉 †kökëmusirö

とけら【柿】①木の削りくず。こっぱ。「ただ今散りたる―ばかりにて」〈著聞三九八〉。「柿、和名古介良(こけら)」〈和名抄〉②杉・檜・槙(まき)・椹(さわら)などを薄くそいだ小板。長さ六、七寸、幅二、三寸で、柿葺き・綴(とじ)葺きの屋根板に用いる。「廻廊の―、…二百七十束」〈舜旧記慶長二〇・八・一六〉③【鱗】魚のうろこ。「散る花はさながら鯛の―かな」〈天正本狂言・連歌の十徳〉 **―ずし**【柿鮨】①鮭を材料とした鮨。「鮭の―一桶、同糟漬一桶、同子一桶給はり候」〈細川忠興文書寛永一三・一〇・二五〉②魚肉・筍(たけのこ)・木耳(きくらげ)などを薄く切り、こけらのように飯の上に載せて作った押し鮨。「―〔ノ材料ハ〕鯛・金柑・赤貝・生貝・木耳・漬山椒・漬穂たで」〈宗静日記延宝三・二・一〉 **―ぶき**【柿葺き】「こけら」(2)を細かに重ね、竹釘で止めて屋根を葺くこと。また、その屋根。最も細かに葺いたのを綴(とじ)葺きという。「もと―にてありけるが」〈著聞六九五〉

とけるから【こける骸】《伊勢物語六十二段の歌「いにしへの匂ひはいづら桜花こけるからともなりにけるかな」の「こけるから」によって生れた語》やせおとろえたからだ。やせこけた肉体。「東(あづま)の旅にやつれ果て、―ともなりぬれば」〈仮・竹斎下〉。「皺、やせおとろへたる也。―とも身はなりて、同〔意〕」〈俳・乳母五〉

とけん【沽券】①土地・家屋などの売却証文。沽券状。沽却状。去り状。「或は相伝と称し、請所と号し、或は―・質券等を帯し、多く以て領地の由、其の聞え有り」〈貞永式目追加弘安七・五・二〇〉②売買の値段付け。売り値。「―に見えし筵(むしろ)一枚」〈俳・伊勢宮笥〉。「角屋敷・中屋敷〔ノ〕―〔ノ〕高下」〈正宝事録元祿九・七・四〉

とげん【固関】《ゲンは呉音》勅命によって、諸国の関所を固め守らしめること。特に鈴鹿・不破・愛発(あらち)の三関は、天皇の譲位・崩御など朝廷の吉凶及び大きな内乱の時、固関使を遣わして堅く警備させた。「〔十五日〕太上天皇嵯峨院に崩ず。…勅使等を伊勢・近江・美濃に遣はして関門を固守す。〔十七日〕―使等を解く」〈続後紀承和九・七・一七〉。「節会はなかりけれど、―の事などは行なはれけり」〈愚管抄三〉

どげん【御見】〔遊里語〕《「御見参」の略》お目にかかること。「昨夜は―に入りまして」〈評判・吉原こまざらい〉 **―もじ**【御見文字】「御見」の文字詞。おめもじ。「―にて御礼申すべく候」〈本光国師日記慶長一七・七・二四〉

どげん【御監】①馬寮(うめれ)を総裁する職。左右各一人あり、近衛大将が兼ねる。「左右馬寮の―の事、上卿勅を奉じて、御寮の官人を召す」〈西宮記臨時三〉②親王家司の上官。「三品朝原内親王、白雀を献ず。―及び家司等、物を賜ふ、差あり」〈類聚国史延暦一六・六・七〉

とこ【此処】『代』《「かしこ」の対。後には「あそこ」の対》①空間的に、話し手のいる場所、また、それにごく近い場所を指す。㋑この場所。「我が身こそ関山越えて―にあらめ心は妹に寄りにしものを」〈万三七五七〉。「―や何処(いど)こ)と問ひければ」〈土佐一月二十九日〉㋺この国。我が国をさす。「唐土(もろこし)も―も」〈土佐二月九日〉㋩この世。現世をさす。「―ながら勤めたまはむ程は」〈源氏御法〉②心理的に、話し手が自分の事、特に自分にかかわり深い事として意識する事柄をさす。(何はともあれ)この点。このこと。「苛(いら)なけくそこに思ひ、かなしけく―に思ひ」〈紀歌謡四三〉。「撫で給ひ治め給へば―をしもあやに尊み」〈万四〇九四〉③場所や物事を特別にとりたてていう。これこそ。「〔浮舟ノ〕心に入れて見給へる火影、更に、―と見ゆる所なく、細かにをかしげなり」〈源氏東屋〉④《一人称の代名詞的に用いて》当方。こちら。「山がつのそしりをさへ負ふなむ―のためもからき」〈源氏蜻蛉〉⑤(相手に向って)こちら。貴方。おまえ。「そこ」よりも親愛の度が強い。「〔明石入道カラ源氏へ〕―にも知ろしめす事や侍りつらむ」〈源氏明石〉。「〔源氏ガ紫上ニ向ッテ〕かの君と、さきの斎院と、―にこそは、〔上手ニ〕書きたまはめ」〈源氏梅枝〉 †kökö **―にまで御座れ甘酒呑ませう** 子供をあやす語。後に「此所までお出で甘酒進上」とも言って、好餌で人をすかす意に使う。「子供の友達と語らひて、―と言ふ」〈咄・日待咄上〉 **―は** これこそは。ここそは。「―の衆、百余も有るべし。小侍は数を知らず」〈三河物語中〉。「見かけばかりで、―の時の用に立たぬ」〈近松・鑓権三上〉。「恩を受けた大事の姪御(めいご)、―一つと思ふても、手業(てわざ)に行かぬは金事」〈近松・氷の朔日上〉 **―を専(せん)と** ここが一番大切なところと。「さる程に―ぞ〔笛ヲ〕吹き給ふ」〈伽・梵天国〉 **―を先途(せんど)と** ここが勝負の瀬戸際と。「―防ぎけり」〈古活字本保元中・白河殿攻め落す〉 **―をもって** それゆえ。したがって。「論を聴く事了らざりき。―王に参る事を遂(はた)さざりしなり」〈三蔵法師伝五・院政期点〉

ここ 猿の鳴き声。「河内里、本は古古(ここ)の邑と名づく。俗(くにひと)の説に、猿の声を謂ひて古古となす」〈常陸風土記〉 †koko

こご 物をもむ時に鳴る音。こりこり。ごりごり。ごしごし。「辛塩に―ともみ」〈万三八〇〉 †kogo

どこ【五鈷】 密教で使う法器の一。両端が五つの股に分れた金剛杵(よし)。五鈷杵。「身に三鈷・―・鈴杵(れいしよ)等をつけて」〈今昔一三ノ二一〉

どご【御後】「後ろ」の尊敬語。とくに、紫宸殿の賢聖障子(けんじやうのしやうじ)の北陰の広廂(ひろびさし)をさしていう。「紫宸殿の―にして」〈平家一・殿上闇討〉

ここう【虎口】 虎の口。すなわち、恐ろしく危険なこと。また、その場所。「―を遁(のが)れて味方の陣に入りにけり」〈保元中・白河殿攻め落す〉 **―のなん【虎口の難】** 恐ろしい危難。「さてこそ主上は―の御遁(のが)れありて」〈太平記七・先帝船上〉

ここう【股肱】 ①股(もも)と肱(ひじ)と。「上の御為には、―耳目よりも捨て難く思し召され候ふべし」〈太平記五・大塔宮〉 ②手足のように頼りになる者。腹心。「朕、汝を以て―とす」〈太平記二六・正行参吉野〉

こご・え【凍え】〘下二〙《コゴシ・コゴリ(凝)と同根。(寒さで)身体の各部分が固くなる意》 寒さで感覚をうしなう。「―・えたる人には食(じき)を与へて候よりも、衣は又まさる」〈日蓮遺文兵衛志殿御返事〉

ここおり【此処織】《「あっち織」の対》 日本で生産した織物。「―は珍しげなき小袖にて」〈俳・身楽千句〉

ここがち【此処勝ち】 とかく此方にいる方が多いこと。「―におはしましつきて、いとよう住み馴れ給ひにたれば」〈源氏早蕨〉

どこく【五穀】 五種の主要な穀物。中国では、麻・黍(きび)・稷(あわ)・麦・豆をいう場合と粳米・黄黍・麦・大豆・小豆をいう場合とがあるが、日本書紀神代巻では、粟・稗(ひえ)・稲・麦・大小豆を指している。他にも諸説がある。「膌(そは)の中に―生れり」〈紀神代上〉。「五穀、黍キビ・稷アハ・菽マメ・麦ムギ・稲イネ也。又云、稷キビ・麻・豆・麦・禾アハ也」〈色葉字類抄〉。「―、稲穀・大麦・小麦・蒹豆・胡麻」〈昭訓門院御産愚記〉。「―、大麦・小麦・米・豆・小豆」〈山科家礼記文明一三・八・二九〉。「五穀、ゴコク、一粟黍類・二稲糯類・三豆類・四麻類・五麦類」〈枳園本節用集〉

こござ【小御座】 小型の川御座船。小御座船。「楞(あふち)の陰に―さしゆく」〈俳・桜千句〉

どごさん【五五三】 膳立ての法式の一。七五三に次ぐ盛饗で、本膳・二の膳に五色、三の膳に三色の料理を出す。「式三献並びに七五三・―の次第」〈女式目上〉

ここ・し【子子し】〘形シク〙 おっとりしている。大様(おおよう)である。「名を得たる舞の師の男どもも、げにいとかしこけれど(上手ダガ)、―・しうなまめいたる筋(大様デ目立タヌ美)を、えなむ見せぬ」〈源氏紅葉賀〉。「少し―・しき手つき(ノ者)どもをこそ挑ませめ」〈源氏若菜下〉

こごし【小腰】《コは接頭語》 腰。「―に抱きついて」〈浄・凱陣八島四〉 **―屈(かが)・む** 腰をちょっとかがめて会釈する。「―・めて渡す折紙」〈俳・独吟一日千句〉

こご・し【凝し】〘形シク〙《コゴエ(凍)・コゴリ(凝)と同根》 凝(こ)り固まっている。ごつごつしている。けわしい。「岩が根の―・しき山に」〈万一三三二〉 †kögösi

こごしゃう【小小姓】 年少で前髪立ちの小姓。主君の側近に仕え、雑用に奉仕する。「京には―迄を置き申すべく候」〈細川忠興文書元和九・六・二〇〉 ↓大小姓

こごしょ【小御所】 ①本来の御所以外に設けられた御所。「法王、白川北新―に渡るべき也」〈中右記元永一・七〉 ②京都御所内の御殿の一。清涼殿の東北にあり、幕府の使者・所司代・大名などに謁見を賜わった所。「―の御庭に山させらるる」〈御湯殿上日記文明一八・三・二八〉 ③鎌倉・室町時代、将軍の世子の居所。「今日、若君御方弓始なり。射手十人。―南面に於て此の儀有り」〈吾妻鏡文治五・一・九〉 ④室町時代、将軍参内の際、休息し装束を着けたりするため、宮中に設けられた所。「道義公参内の御時は、禁中に御便宜所とて御休息の殿あり。是を禁中の上下、―とぞ申し合へる」〈足利治乱記上〉

ここだ【幾許】〘副〙《ココバ・ココラより古い形。ダはイクダ(幾)のダに同じく、ラに通じる。自分の経験内のものについて、程度の甚だしいのにいう》 こんなに数多く。こんなにはなはだしく。「何そこの児の―愛(かな)しき」〈万三三七三東歌〉 †kököda **―く【幾許く】**〘副〙《ココダに副詞を作る語尾クのついた形。多く「―も」の形で感動文に使う》「ここだ」に同じ。「―も繁き恋かも」〈万四〇一九〉 †köködaku

ここち【心地】《類義語ココロが積極的に対象に向う意向・意志などの働きに中心があるに対して、事態からその場で受ける気分・感じ》 ①(物事に触発される)感じ。気分。「恋しき―しばしやすめて」〈土佐二月五日〉。「草も高くなり、野分にいとど荒れたる―して」〈源氏桐壺〉 ②心の用意。配慮。「幼き人の、―無きさまにて移ろひ物すらむを、罪なくおぼし許して後見たまへ」〈源氏若菜上〉 ③気分の悪いこと。病気。「―おこたりて後」〈古今七八九詞書〉。「いかなる―にてか俄かにはかなくなり給ひにし」〈源氏蜻蛉〉 **―たが・ひ【心地たがひ】**〘四段〙 気分が平常でなくなる。気分が悪くなる。「貝(効ト掛ケル)にもあらずと見給ひけるに、御心地もたがひて」〈竹取〉 **―つ・き【心地付き】**〘四段〙(成人して)物心がつく。感じやすい年ごろになる。「そこにあらん子はいかがなりにたる。大きなりや、―・きにたりや」〈かげろふ下〉 **―な・し【心地無し】**〘形ク〙 心の用意がない。不注意である。思いやりがない。「あるまじき心の、つきそめけむも、―・くくやしう覚え侍れど」〈源氏夕霧〉。「〔女房ノ自分ニ対スル応対ハ〕並並の人めきてここちなのさまやと物憂ければ」〈源氏蜻蛉〉

こごと【小言】 ①小声で言うことば。「小絃は糸が細いほどに音低う、―をしのびやかに云ふやうなぞ」〈玉塵抄四七〉 ②ぶつぶつと洩らす不平や文句。「〔太郎冠者ハ水汲ミニ〕行くとて―を言ふ」〈天正本狂言・野中の清水〉 ③とがめて非難すること。また、その言葉。「まづ―を言はずとも、其方も〔自宗ノ教理ヲ〕解かせませ」〈狂言記・宗論〉

こごと 未詳。「ここだ」の上代東国方言で、多くの意か。「年さへ―我はさかるがへ(幾年デモ私ハ離レルモノカ)」〈万三五〇二東歌〉 †kögötö

ここな【此所な】 □一〘連体〙《ナはナルの約》 ①ここにある。ここにいる。これなる。「―人に、〔私ガ〕死にもせぬものを、死んだとはなぜに云うたぞ」〈天理本狂言六義・塗師〉 ②人をののしる時にいう語。「この」を強めた気持。「―坊主は人をなぶるか」〈浮・甲子祭一〉 □二〘感〙 はてまあ。これはこれは。「いや、―、これほど思ひ限った隔夜(かくや)に右からも左からも生女子(なまをなご)の取りついて、何事を云ふぞ」〈虎明本狂言・鈍太郎〉

ここぬか【九日】 第九日。ここのか。「都いでて今日―になりにけり」〈古本説話五〉 **―のえん【九日の宴】**「重陽(ちようやう)の宴」に同じ。「―に、まづ難き詩の心を思ひめぐらし」〈源氏帚木〉

ここの【九】ここのつ。「屈(かが)並(な)べて(指折リ並べ数エテ)夜には—夜」〈記歌謡二六〉 † kökönö　**—か**【九日】第九日。〈ロドリゲス大文典〉　**—かさね**【九重】①九つ重なること。「八重菊を—に霜や置くらむ」〈壬二集中〉②宮中。皇居。「—のなかにては」〈古今一〇〇三〉↓ここのへ。　**—かのせく**【九日の節供】九月九日の節供。重陽。「九日の御せくにもて来たり」〈宇津保楼上下〉　**—しな**【九品】「九品(くほん)」の訓読語。「さてこそーの上(みか)にも障りなく生れ給はめ」〈源氏夕顔〉　**—そぢ**【九十】《ソは十。ヂは数詞の下に添える語》九十歳。「限りなき齢(よはひ)はいまだー」〈増鏡一〇〉　**—ところ**【九所】女の容貌の美醜を決める、足・手・目・口・頭・気・立姿・顔色・声の九つ。「—共に揃ふたる女はまれなるに」〈西鶴・一代女三〉　**—へ** ェ【九重】①物が九つ重なること。転じて、数多く重なること。「八重咲く菊の—に見ゆるは霜の置けるなりけり」〈後拾遺三五一〉②《「九重(きうちよう)」の訓読語。中国の王城は、門を九重に造ったからという。また、宮居を九天にかたどったともいう》㋑宮中。大内。皇居。「三十にてぞ今日また—を見給ひける」〈源氏賢木〉㋺皇居のある所。都。帝都。「県(あがた)とは京よりほか也。…県の井戸も、一条より上(かみ)、—のほか也」〈三秘抄〉。「鄙(ひな)の都路(みやこぢ)へだて来て、—の春に出でうよ」〈謡・田村〉。「—。都の事なり」〈匠材集三〉

ここのつ【九つ】①数の名。九。「としーばかりなるをのわらは」〈土佐一月二十二日〉②昔の時刻の名。午(うま)の刻と子(ね)の刻。九つ時。「御公方様、近江御動座御立ちの時分、今日—時分也」〈北野目代日記延徳三・八・二七〉。「—の、—の、夜半にもなりたりや」〈謡・籠太鼓〉　**—じぶん**【九つ時分】まっさかり、極上であることのたとえ。「分別だてをする者は無分別の—にて候ふぞ」〈甲陽軍鑑一八〉　**—すぎ**【九つ過ぎ】事物が相当古いことのたとえ。「昼過ぎ」とも。「表は羅紗(らしゃ)の—」〈洒・品川楊枝〉

ここば【幾許】『副』《バはソコバ・イクバクのバに同じ。量・程度についていう接尾語。ココバは話し手の身近な存在、または、話し手に関係深い事柄について、多量である、程度が甚だしいのにいう語。平安時代以後はココラ》こんなに甚だしく。「心に乗りて—愛(かな)しけ」〈万三五一七東歌〉↓ここだ。 † kököba　**—く**【幾許く】『副』《ココバに副詞をつくる語尾クのついた形》「ここば」に同じ。「島廻(み)には木末(こぬれ)花咲き、—も見のさやけきか」〈万三九九一〉 † kököbaku

こごひのもり ィ:ゴ【子恋ひの森】伊豆国にある名所。伊豆山神社の森。ホトトギスで有名。「妹背山よそに聞くだにつゆけきに—を思ひやらなん」〈栄花玉台〉

ごごひゃくさい【後五百歳】釈迦の入滅後、二千五百年間を五百年ずつ五期に分けたうちの、最後の第五期。仏法衰え、互いに自説を固執して譲らず、闘諍(とうじょう)堅固の期間とされる。「—の当らざるか。広宣流布の妄語となるべきか」〈開目鈔〉

こご・み【屈み】『四段』かがむ。「弓は久しく手を触れずおけば、反(そ)り—・むもの也」〈古今私秘聞〉。「角内うつぶせに—・み」〈吾妻記〉

こごめ【醜女】①醜悪な女。しこめ。「醜女、シコメ・ココメ」〈名義抄〉②鬼。「まことにや君が塚屋をこぼつなる世にはまされる—ありけり」〈今鏡五〉。「魔、オニ・ココメ」〈名義抄〉

こごめ【小米・糲】搗(つ)いた時に砕けた米。「—にて…白〔米〕一斗八升」〈多聞院日記天正四・二・二〇〉。〈文明本節用集〉　**—の生(なま)嚙み** 近世、流行した早口言葉の一句。「こん小米の小生嚙み」と続けていう。歌舞伎の「外郎(ういろう)売り」のせりふなどで有名。「御慈悲下され—〔ト言ウノハ〕」〈俳・大矢数一〉

ここもと【此処許】《モトは場所を指示する意。意味的にはココ(此処)よりも強い》①このところ。ここ。「枕をそばだてて四方の嵐を聞き給ふに浪ただ—に立ち来る心地して」〈源氏須磨〉②こちら側。こちら。「—にただ一言聞えさすべき事なむ侍るを」〈源氏総角〉③このあたり。この辺。「かの妻の籠りゐられた家のあたりへ行って『—に雁(がん)や鴨は無いか。買はうず』と言うて」〈天草本伊曾保〉

ここら『副』《ラは幾ラのラ。ココバの平安時代以後の形》これほど多く。これほど甚だしく。「誰をまつ虫—鳴くらむ」〈古今二〇三〉。「中宮には宮たち数多(あまた)—大人び給ふめるに」〈源氏宿木〉。「秋の夜の月かも君は雲がくれしばしも見ねば—恋しき」〈拾遺七八五〉↓ここだ・ここば

ここり【心】万葉集四三九〇の原文「去去里」をココリと訓んだ語。この「里」は、推古音による表記で、ロと訓むべきもの。〈万(元暦校本)四三九〇〉

こご・り【凝り・凍り】『四段』《コゴエ・コゴシと同根》①固まって堅くなる。「凝、ココル」〈名義抄〉②凍って固くなる。「寒風肉を切り、血をさき、掌(たなごころ)の中—・れども」〈雑談集五〉③凍りついたように身動きしなくなる。「兵ども、この勢ひに肝を消し、—・って項(うなじ)を下げければ」〈浄・錦戸合戦一〉　**—ぶな**【凍鮒】寒中に煮凍らせた鮒。煮こごりにした鮒。「一文字(ひともじ)=ネギ)に交ぜて出だせる—」〈俳・犬子集一〇〉

こころ【心】《生命・活動の根源的な臓器と思われていた心臓。その鼓動の働きの意が原義。そこから、広く人間が意志的、気分・感情的、また知的に、外界に向って働きかけて行く動きを、すべて包括して指す語。類義語オモヒが、じっと胸に秘め、とどめている気持をいうに対し、ココロは基本的には物事に向う活動的な気持を意味する。また状況を知的に判断し意味づける意から、わけ・事情などの意。歌論では、外的な表現の語句や、形式に対して、表現しようとする歌の発想、趣向、内容、情趣などをいう》❶心臓。また、その働き。①心臓。「大猪子(おほゐこ)が腹にある肝向ふ—」〈記歌謡六〇〉。「心、ココロ、五臓之一也」〈色葉字類抄〉②精神の働き。むねのうち。「悲しび痛み—悶絶し、荒迷して覚知せずなりぬ」〈金光明最勝王経平安初期点〉。「少なくも—のうちにわが思はなくに」〈万二九一二〉③精根。「—尽すな大夫(ますらを)にして」〈万四三二六〉❷意志のはたらき。①意向。「玉かづら絶えむの—我が思はなくに」〈万三五〇七〉②意図。「明日香川七瀬の淀に住む鳥も—あれこそ波立てざらめ」〈万一三六六〉③二心。意趣。「一人出であるごとな思ひわが背子」〈万五三八〉④志。志操。「—を立てて、唐土(もろこし)高麗(こま)と、この世にまで離れて—高くなりぬべき頃なめり」〈源氏若菜下〉⑤望み。「世の中の人これを例にひありき」〈源氏若菜下〉。「あらたまるべき春待ち出でてしがな、と—を消たず言ふも」〈源氏椎本〉❸気分・感情のうごき。①気分。心地。「世の中に絶えて桜のなかりせば春の—はのどけからまし」〈古今五三〉②感情。「人の—をたねとしてよろづの言の葉とぞなれりける」〈古今序〉③愛情。恋慕の情。「染みにし—なほ恋ひにけり」〈万四四四五〉④思いやり。配慮。「しばしばも見放けむ山を—なく雲の隠さふべしや」〈万一七〉⑤誠意。「この〔送リニ〕来たる人人ぞ—あるやうに言はれほのめく」〈土佐十二月二十七日〉。「〔律師〕なにがしが—を致して仕うまつる御修法(みずほふ)」〈源氏夕霧〉⑥気のまま。「—なること言ひ

むつかりて〔相手ト〕一つにも臥さじと身じろくを」〈枕二三五〉 ⑦機嫌。「よろづに御—とり給ふほどに、何事もえ残し給はずなりぬめり」〈源氏若菜上〉 ⑧気位。「身の程も知らず、—高くおごり」〈無名抄〉 ⑨気質。気だて。性質。「—などあしき御乳母やうの者」〈源氏蜻蛉〉。「改まらざるものは—なり」〈枕四九〉 ⑩風流心。趣味。「〔野分ノ景ヲ〕ものあはれなるけしきに見出して『むべ山風を』など言ひたるも、—あらむと見ゆるに」〈枕二〇〇〉 ⑪情趣。「山がつになりて四方の海の深き—を見しに、さらに思ひ寄らぬ限なく至られしかど」〈源氏絵合〉 ⑫わだかまり。「—とけたる御いらへもなし」〈源氏若紫〉 ❹知的なはたらき。①判断。「天気(けて)のこと、かぢとりの—にまかせつ」〈土佐一月九日〉 ②心得。「すさまじきもの。…物の折の扇…—ありと知りたる人にとらせたるに…思はずなる絵などかきて得たる」〈枕二五〉 ③心がまえ。「思ひも寄らずにはかにて、さる御—もなきをぞ思ひける」〈源氏末摘花〉 ④注意。用心。「よき草子などは、いみじう—して書けど、必ずこそ汚なげになるめれ」〈枕七五〉 ⑤正気。分別。「—も失せて、われにもあらでつい居られぬ」〈宇治拾遺二八〉 ⑥あらかじめの想定。「よう隠し置きたりと思ひしを、—よりほかにこそ漏り出でにけれ」〈枕三九〉。「—も及ばず舞ひすましたりければ」〈平家一・祇王〉 ⑦記憶。印象。「—にとまり侍りぬ」〈竹取〉 ⑧意味。「事の—を男文字に、さまをかきいだして」〈土佐一月二十日〉。「歌は題の—をよく心得べきなり」〈無名抄〉 ⑨事情。内情。「深き—はいかで知り侍らむ」〈源氏浮舟〉 ⑤物の中心。「その後は池の—も少くてありける程に」〈今昔三一ノ二三〉。「放つ箭の到る所は—にて」〈竹林抄八〉 †kökörö

—に入・る ①《入ルは四段活用》気に入る。気のりがする。「—・らで、〔歌ヲ〕悪しくなむ詠み給ひける」〈大和一九〉。「煩はしき曲(ごく)多かるを、—・りし盛りには」〈源氏若菜下〉 ②《入ルは下二段活用》深く心にとめる。心にこめる。「仏の御名を、御—・れて、御声はいと尊くて申し給ふを」〈伊勢六五〉 —に鬼を作・る 妄想しておそれる。疑心暗鬼のさまにいう。「〔官軍ハ為朝ガ〕陸(がく)にあげてぞ討たむずらむと—・って」〈古活字本保元下・為朝鬼ヶ島に渡る〉 —に懸か・る 気になる。「—・れる事の筋なれば、ふと思ひ寄りぬ」〈源氏少女〉 —に懸・く 念頭におく。常に案じる。心に留めて忘れない。「天の下を御—・け給へるおとどにて」〈源氏玉鬘〉 —に応(たこ)・ふ 胸にぴんと来る。思い当る。「お種様へのお土産とて贈るにつけても女房は—・へ」〈近松・堀川波鼓中〉 —に染(し)・む ①《染ムは四段活用》印象が心にあざやかに残る。深く心にしみ通る。「韓(から)人の衣染(し)むとふ紫の—・みて思ほゆるかも」〈万五六九〉 ②《染ムは下二段活用》深く心にきざむ。「かの紫の御有様を—・めつつ」〈源氏匂宮〉 —に染(そ)・む 気に入る。意にかなう。「—・まぬ酒肴を、参らせけるこそ悲しけれ」〈伽・酒呑童子〉 —に付・く 気持にぴったりとして、感じがよい。意にかなう。「御—・きて思す人あらば、ここに参らせて」〈源氏総角〉 —に留(と)ま・る 心から離れない。気になる。「〔私ノ事ヲ〕なめげ(無礼)なる物に思し召しとどめられぬるなむ—・り侍りぬ」〈竹取〉 —に乗・る ①心の上にある。心を占める。「—・りて思ほゆる妹(いも)」〈万六九一〉。「—・る。心にかかるなり」〈匠材集三〉 ②気にいる。好く。「好いた人も—・らぬ人も」〈西鶴・一代女五〉 —にもあら・ず ①そんなつもりではなく。思わず。「極(ごう)じ給ひにければ(オ疲レニナッタノデ)、—・ずうちまどろみ給ふ」〈源氏明石〉 ②心に願ったことではない。不本意である。「昔心にもあらで〔関係ガ〕絶えたる人のもとに」〈伊勢三五〉 —に物を言は・す 口には出さないで心中の思いをあらわす。心の中でつぶやくことにも、身振り・手真似で意思を伝えることにもいう。「招き、うなづき、指さして、—・すれば」〈近松・曾根崎心中〉 —の師とはなるとも心を師とせざれ 《涅槃経「願作二心師一、不レ師二於心一」による》 みずから自分の心を統御する主となるべきであって、いやしくも情意のおもむくままに動かされてはならない、という意。「さればある経には『—』と説かれたるとかや」〈十訓抄二序〉 —より外(ほか) ①思いも寄らぬこと。案外。「—にをかしきまじらひかなと」〈源氏夕顔〉 ②心ならずのこと。不本意。しぶしぶ。「暮るれば、—に、急ぎ参り給ふをも…いとものの憂く、苦しくて」〈源氏宿木〉 —を入・る 心をこめる。専心する。「いはけなき程より、学問に—・れて侍りしに」〈源氏絵合〉 —を起・す 心をふるいたたす。多く仏道について言い、発心(ほっしん)する、などの意。「君も、しひて御—・して、心のうちに仏を念じたまひて」〈源氏夕顔〉。「母のために—・して、般若〔経〕を写し奉ること三百余巻なり」〈今昔七ノ三〉 —を汲・む 他人の心中を汲み取る。推しはかる。「別れけむ—・みて涙川おもひやるかな去年(こぞ)の今日をも」〈元輔集〉。「—・む。推量仕る也」〈匠材集三〉 —を染(し)・む 心をしみこませる。深く執心する。「世の中に、—・むるかた無かりつるを」〈源氏総角〉 —を付・く ①思いを寄せる。執心する。「—・くるよすがのまだ無きをあかぬ事におぼす人人もありけるに」〈源氏胡蝶〉 ②もののあわれの気持などを起させる。「おしなべて物を思はぬ人にさへ—・くる秋の初風」〈新古今二九九〉 ③気をつける。よく注意する。「—・けて看(み)よ」〈三体詩抄三ノ一〉 ④ある配慮の下に、金品など贈り物をする。「京都の役人諸職人等までに—・け、手前へ馴付(なつ)け給ふ」〈賤嶽合戦記〉 —を取・る ①機嫌をとる。「まづ塵をだに〔据エマイ〕など親の—・る」〈源氏帚木〉 ②意味を汲みとる。内容を要約する。「その文(もん)広くしてつぶさに引くに及ばず。—・りて申さば」〈拾遺語燈録下〉 ③《和歌・連歌・俳諧で》先行作品の着想を取り入れる。内容を摂取する。「心詞ともに取りたるを古歌とは申すなり。—・りてよめるはをかし」〈久安五年右衛門督家成家歌合〉 —をな・す 熱中する。専心する。「奥山入海に—・し〔テ、珍獣珍魚ヲ採リ〕」〈西鶴・永代蔵四〉 —を運・ぶ ①志を通わせる。関心を寄せる。「雪にだに詣づる事はおこたらで／—・ぶこれは古寺」〈御鎮座次第記裏文書連歌断簡〉。「—・ぶ柴よ薪よ／誰(た)がうへも市の朝夕わたる世に」〈春夢草〉 ②工夫をこらす。「文章のけたかき事、大方ならぬ媚(こび)者の—・びし」〈西鶴・新可笑記三〉 —を揉(も)・む 心配する。はらはらする。「どちらのためにも悪いぞと、—・むこそ道理なれ」〈近松・二枚絵上〉 —を破・る （相手の）機嫌をそこなうような事をする。その意にさからう。「后の腹立ちてののしり給ひて、…手打ちて宣へば、御—・らじとておはしまさず」〈宇津保国譲下〉 —を遣(や)・る ①かまわず気持を発散させる。心を晴らす。「繁き思ひを、見明らめ—・らむと」〈万四一八七〉 ②（自分の）したいようにする。思う存分にする。「わが心得たる事ばかりを、おのがじし—・りて、人をばおとしめなど」〈源氏帚木〉 ③まわりに何が起っても、平気で気にしない。「かくれあるまじき事なれど、—・りて『あらぬ事』とだに云ひなされよ」〈源氏少女〉 ④あちこちに心を使う。「かやうに—・る人は、仏の一法門を信じて偏執に堕ちたる人よりも勝れたりといへども」〈夢中問答下〉 —を許・す 気持をゆるめて相手を受け入れる。「まそ鏡磨ぎし—・してば後に言ふとも験(しるし)あらめやも」〈万六七三〉

こころあがり【心上り】高慢なこと。「おもだか(沢瀉)は名のをかしきなり。〔面高ノ意ニモトレルノデ〕—したらむと思ふに」〈枕六六〉

こころあさ・し【心浅し】『形ク』①思慮が浅い。「女がたの—・きやうに思し成すぞわりなきや」〈源氏夕霧〉②情が薄い。「〔源氏ノ死ニ対シテ〕かの御あたりの人は上下—・き人なくこそ侍りけれ」〈源氏宿木〉

こころあ・し【心悪し】『形シク』性質がよくない。意地がわるい。「とり所なきもの。かたち憎さげに—・しき人」〈枕一四一〉

こころあて【心当て】①当て推量。「—に、それかかれかなど問ふ中に、言ひ当つるもあり」〈源氏帚木〉②意向。目的。「かへる雲もや—ある／時鳥なきて今来んやすらひに」〈老耳〉③用心。注意。「その里の辺に松あり、その所には河ありと、—をして通るべし」〈連歌比況集〉　**—なしの京のぼり**　目的もなく京都に行くと、物見遊山に浪費することから、必要のないこと、よせばいいことのたとえ。「是に大事は毒断ちあり。…食酒(けさ)、たばこ好き、—」〈西鶴・永代蔵三〉

こころあひ イ:ァ【心合ひ】①互いに気持がぴったりすること。仲の良いこと。「武生の国府に我はありと、親に申したべ—の風や」〈催馬楽道の口〉②気持。心境。「此の方の—、殊の外心悪しく思はれ候」〈池田光政日記明暦二・六・五〉

こころあやまち【心誤ち】乱心。「いと怪しくならせ給ひにし御—もただ御物の怪のし奉りぬるにこそ」〈大鏡伊尹〉

こころあやまり【心誤り】①正常な気持が乱れること。「まめに実用(じちよう)にて、あだなる心なかりけり。…—やしたりけむ」〈伊勢一〇三〉②気分が悪くなること。「—して煩はしく覚ゆれば…対面したまはず」〈源氏総角〉③心得ちがい。「斯く渡り給へりと聞くに、おほけなく—して」〈源氏若菜下〉

こころあ・り【心在り】『ラ変』①人間らしい感情を持つ。「わがやどに月おし照れりほととぎす—・らば今宵来鳴きとよもせ」〈万一四八〇〉②下心がある。「この人歌詠まむと思ふ—・りて」〈土佐一月七日〉③二心がある。へだて心がある。「他辞(ひとごと)を繁み言痛み逢はざりき—・るごとな思ひ我が背子」〈万五三八〉④心得がある。「かの〔鷹狩リノ〕道に—・りて」〈大和一五三〉⑤道理がわかる。わきまえがある。「金玉の飾りも—・らむ人はうたておろかなりとぞ見るべき」〈徒然三八〉⑥情趣がある。情趣を解する。「右、—・りて見ゆ」〈建長八年百首歌合〉。「春の草のみぞ—・らむ人はあはれと見るべきを」〈徒然三〇〉

こころいき【心意気】①気性。気立て。心持。「—のいとしらしい、気の真直ぐな男あらば」〈近松・曾我五人兄弟三〉②心の意気地。心の張り。「いい女ならな良しだが、女は—だよね」〈滑・素人狂言紋切形下〉③気取り。つもり。「宮神楽(みやかぐら)の—なれど、何だかつまらぬ鳴り物にて幕明く」〈洒・田舎芝居〉④心持を表わすもの。歌など。「ねえ小三さん、一つ—が承りてえもんでござります」〈人情・娘節用五〉⑤〔歌舞伎用語〕俳優が心持を身振りや顔の表情で表わすこと。「『さあ、ちゃっと殿様へお詫びお詫び』と—あり」〈伎・韓人漢文手管始一〉

こころいはひ ワイ:イ【心祝ひ】心持だけの簡素な祝い。「天子万歳群臣千秋の瑞気(ずいき)ぢゃと—をしたぞ」〈三体詩抄三ノ一〉

こころいられ【心苛られ】気持がいらいらすること。焦慮。「のどかに思せ。—してな恨み聞え給ひそ」〈源氏総角〉

こころい・り【心入り】『四段』心が深くとまる。心がひかれる。身が入る。「そのうつくしみに—・り給ひて」〈源氏末摘花〉

こころいれ【心入れ】①心掛け。考え。「いと—なかりける気色を見て」〈盛衰記四六〉②気づかい。心ぞえ。配慮。「御奏者の御—を以て、納めさせられて下されうならば、かたじけなう存じまする」〈虎寛本狂言・筑紫の奥〉

こころう・し【心憂し】『形ク』①つくづくなさけなく、いやになる。こんな目にあう自分がうらめしい。「世のいと—・くおぼゆるついでに〔出家ノ〕本意遂げんと思さるれど」〈源氏総角〉。「世の中になほいと—・きものは、人に憎まれんことこそあるべけれ」〈枕二六七〉②《他に対する客観的批評に使って》好ましくない。いやだ。「悪霊の左大臣殿と申し伝へたる、いと—・き御名なり」〈大鏡兼通〉。「遅き梅は、…枝にしぼみつきたる、—・し」〈徒然一三九〉

こころ・え【心得】㊀『下二』《物事の核心や意味を領解、会得する意》①理解する。真意を悟る。「気色(事情)をつぶつぶと(一ツ一ツハッキリ)—・え給へど」〈源氏少女〉。「不定と—・えぬるのみ誠にてたがはず」〈徒然一八九〉②(武術などの)たしなみがある。「あの次郎冠者は日頃—・えた奴ぢゃに依って」〈虎寛本狂言・棒縛〉③(要求・働きかけに対して)引き受ける。承知する。「『わらはが参りたるよし御申し候へ』…『—・え申し候』」〈謡・熊野〉。「『よう煽(あふ)いで呉れさしめ』『—・えた、—・えた』」〈虎寛本狂言・附子〉㊁『名』①承知しておくこと。心に会得しておくべきこと。たしなみ。「大方の殿上人などの—にしつつ」〈狭衣四〉。「されば世の常の人の—に」〈善悪報ばなし二〉②判断。はからい。「御曹子をば、みづからが—にて落し申すに」〈伽・頼朝最後の記〉　**—がほ** オ:ガ【心得顔】いかにもわかっているという表情。のみこみ顔。「さやうの筋にやと思ひ寄れど、ふと—にも何かはいらへ聞えさせむ」〈源氏若菜上〉　**—そ・め**【心得初め】『下二』事情がわかるようになり出す。「片端—・め給ひては、よろづ思し合はするに、いと憂し」〈源氏浮舟〉　**—たへゑ**【心得太兵衛】「心得た」に人名「太兵衛」を掛けた洒落(しゃれ)で、心得たの意。「心得太郎兵衛」とも。「『それ男共追ひ出せ』『—』」〈近松・女腹切中〉　**—太郎兵衛(たろべ)の婆(ばば)様**　「心得た」にはやり言葉「太郎兵衛の婆様」を掛けた洒落。「『駕籠(かご)へもちょっと寄ってくれ』『—』と、わめいて使は帰りけり」〈近松・重井筒中〉　**—たんぽ**【心得たんぽ】「心得た」に「たんぽ」(ちろり)を掛けた洒落(しゃれ)。「『書付けあるならば代物(だいもつ＝代金)やらん』と言ひければ、『—をつけ(付・漬)生姜(しゃうが)』」〈近松・氷の朔日中〉　**—は・て**【心得果て】『下二』よくよく承知する。すっかりのみこむ。「同じくは高くと思ふ方ぞ殊に物し給ふらむと—・てつれば」〈源氏総角〉

こころお・き【心置き】『四段』①心づもりする。そのつもりで気をくばる。「かくあらむ(アナタガ死ヌ)と知らませば、—・きても語らひ給ひ、あひ見てましものを」〈続紀宣命五八〉。「すきたわめらむ女に—・かせ給へ」〈源氏帚木〉②(恨み、遠慮などを)強く意識する。隔意を持つ。「〔継母ヲ〕あやしう疎み給ひて、人も—・くめりしを」〈源氏若紫〉 †kōkōrōōki　**—無く**　はばかることなく。遠慮せずに。「…と、—申し上げ奉りけり」〈塩竈大明神御本地〉

こころおきて【心掟】①心がまえ。心得。「〔乳母ヲ〕召し出でて、仕るべき—などのたまふ」〈源氏柏木〉②工夫。趣向。「なまめかしさを取り集めたる—すぐれたりと、いづれをも無徳ならず定め給ふ」〈源氏梅枝〉③もともとの意向。素志。「まづその〔大君ノ〕—をたがへむとて、急ぎせしわざぞかし」〈源氏宿木〉

こころおくら・し【心後らし】『四段』気おくれさせる。「た

だしらぬ涙のみこそ—・す物なれ」〈源氏須磨〉

こころおく・れ【心後れ】㊀『下二』①頭の回転が鈍い。「うち(奥ノ方)をば思ひよらぬぞ—・れたりける」〈堤中納言逢坂越〉②自信がなく、気おくれする。「あやしく—・れても進み出づる涙かな」〈源氏梅枝〉㊁『名』①心のはたらきが劣ること。おろかなこと。「—にして出で仕へ、無智にして大才に交り」〈徒然一三四〉②心が臆すること。気おくれ。「ゆゆしき—の人にてぞありける」〈十訓抄一ノ三八〉

こころおごり【心驕り】高慢な心を持つこと。「わが方猛(たけ)うおもひ顔に—して、すきずきしき心ばへなどもらし給ふな」〈源氏藤裏葉〉

こころおそ・し【心鈍し】『形ク』《「心疾(と)し」の対》心の働きがにぶい。心がこもっていない。「山代の石田(いはた)の社(もり)に—・く手向(たむけ)したれや妹に逢ひ難き」〈万二八五六〉。「〔客ノ来タノヲ〕思ひかけぬ程なれば、驚かざりけるこころおそさよと、心も惑ひて」〈源氏橋姫〉 †kökörooösi

こころお・ち【心落ち】『上二』心が落ちつく。気が寛ぐ。「今宵なん御—・ちて御遊びあれ」〈問はず語り一〉

こころおとり【心劣り】《「心まさり」の対》実際が思ったより劣っていると感じること。他者に対しては軽蔑の念、自分自身については劣等感。「昔の心ならましかば、〔女ノ至ラナサヲ〕うたて—せましを」〈源氏若菜上〉。「〔自分ノ素姓ヲ知ッテ〕いといとほしく—し給ふらん」〈源氏若菜上〉

こころおも・し【心重し】『形ク』思慮深い。軽薄でない。「すぐれてをかしう、—・く、かどゆゑも、よしも、うしろやすさも、みな具することはかたし」〈紫式部日記〉

こころおもむけ【心趣け】配慮。気配り。「かやうなる—の有難くおはしませば」〈大鏡師輔〉

こころか・け【心懸け】『下二』①思いをかける。恋慕する。「—・けて侍りけれど、言ひ付かむ方もなく、つれなきさまの見えければ」〈後撰六九一詞書〉。「さぶらふ人人につけて(侍女タチヲ手ヅルニシテ)、—・け聞え給ふ人〔ガ大勢イタ〕」〈源氏澪標〉②かねてから思う。「かうもあり果てなむと、—・けわたる事なれば」〈源氏藤裏葉〉

こころが・け【心懸け】㊀『下二』①心にかける。心をいたす。「以上、初心の根元にして連歌を—・けよとなり」〈景感道〉②普段からよくたしなむ。心得る。「あいつはすすどい奴で、—・けた者ぢゃ程に」〈虎明本狂言・武悪〉③心に目的として持つ。心づもりにする。「雨夜の紛れに忍び出で、御馬にて尾州を—・け御出で候処」〈信長公記首巻〉㊁『名』①心にかけていること。「さりながら心中の—を申しあらはさんために」〈朝鮮日記〉②よいたしなみ。心がまえ。「さてさて武家の御身として奇特の御—かな」〈人鏡論〉③心づもり。意図。「薬師経や翻訳せんの—」〈俳・正章千句上〉④心配。「—ある時は御ふびんを加へ」〈サントスの御作業一ノ一〉

こころがさ【心嵩】考えが深いこと。また、心の太いことともいう。「名和又太郎長年と申す者こそ、…家富み一族広くして、—ある者にて候へ」〈太平記七・先帝船上〉

こころかしこ・し【心畏し・心賢し】『形ク』①用心堅固である。「門もいと—・うもてなさず」〈枕一七九〉②利発だ。「その中にも—・きは、おのづから魂侍らむかし」〈源氏若菜下〉

こころかた・し【心堅し】『形ク』心が閉じられている。心を許さない。「年頃物申しわたりけれど、いと—・くてやみ侍りける女の」〈基俊集上〉

こころがはり ガワリ【心変り】①愛情や志などが他へ移ること。変心。「夜の間の—こそ、宣ふにつけて推しはかられ侍りぬれ」〈源氏宿木〉②心が平常と異なった状態になること。「〔紫上ヲ失ッテ〕かく—し給へるやうに人の言ひつたふべき頃ほひを」〈源氏幻〉

こころがへ ガエ【心替へ】①他と心をとり替えること。「—するものにもが片恋は苦しきものと人に知らせむ」〈古今五四〇〉②心を向け替えること。心を入れ替えること。「—するならひともがな／花染めを忍ぶもつらし墨の袖」〈聖廟千句〉

こころがまへ ガマエ【心構へ】①心の準備。「残りの齢ゆたかに経べき—も」〈源氏若紫〉②物事に対する考え方。「身の憂さをばさるものにて、ことさらに心憂き—なり」〈源氏夕霧〉

こころから【心から】『副』自分の気持から。心の底から。「いとほしく—覚えつつ、をさをさ参り給はず」〈源氏総角〉

こころがら【心柄】もって生れた心の質。性質。「かくしたる(陰気ナ)人の—にや、〔陽気ナ人ハ〕ふさはしからずなむ」〈源氏手習〉

こころきき【心利き】気が利いていること。また、その人。「姫君大かたならぬ—にて」〈伽・為人びくに〉

こころきたな・し【心汚し】『形ク』《「心清し」の対》心に、執着し、曲げる所がある。邪念をすてきれない所がある。「—・き判者なめり」〈源氏梅枝〉。「若君の御事をなむ、〔仏道ノ〕六時の勤めにもなほ—・くうちまぜ侍りぬべき」〈源氏松風〉

こころぎは【心際】心底。こころね。「故宮亡せ給ひぬると見しほどの—、物やはおぼえし」〈浜松中納言四〉▽心が此処までしかないという限度の意で、多く、思慮の浅さにいう。

こころぎも【心肝】《心臓と肝臓との意》①気力。きもごころ。「—をまどはして求むるに」〈大和一五三〉。「言ひかはすことどもにいと—もつぶれぬ」〈源氏浮舟〉②思慮。「ひき隠してあるべかりける事を—なく申すかな」〈大鏡昔物語〉

こころきよ・し【心清し】『形ク』《「心汚し」の対》曲げて執着する所が無い。邪念がない。「—・う思すとも、しか用ゐる人は、少なくこそあらめ」〈源氏夕霧〉。「人人も思ひ疑ひける筋を—・くあらはし給ひて」〈源氏真木柱〉

こころぐ・し【心ぐし】『形ク』気分がはっきりしない。また、心が切なく苦しい。「春日山霞たなびき—・く照れる月夜に独りかも寝む」〈万七三五〉

こころぐせ【心癖】性癖。「さる御—なれば」〈源氏螢〉

こころぐみ【心ぐみ】『連語』《グミのグは、形容詞ココログシのグ。ミは連用修飾語をつくる助詞》心が切なく苦しく。「浅茅原(あさぢはら)茅生(ちふ)に足踏み—わが思ふ子らが家のあたり見つ」〈万三〇五七〉 †kökörogumi

こころくらべ【心比べ】意地の張り合い。「—に負けむこそ人悪けれ」〈源氏明石〉

こころぐる・し【心苦し】『形シク』《相手の様子を見て、自分の心も狂いそうに痛むのが原義。類義語イトホシは、相手の状態を見かねて、目をそらしたい気持、自分の身については、困ってしまう気持、ラウタシは、か弱い相手をかばってやりたい気持をいう》①胸がつまる。心も狂いそうである。「あしひきの荒山中に送り置きて帰らふ見れば—・しも」〈万一八〇六〉②いじらしい。可憐だ。「〔少女ノ〕いと細く小さき様体(やうだい)、らうたげに—・し」〈源氏野分〉③気の毒だ。「いといたう痩せ青み、ほれぼれしきまで物を思ひたれば、—・しと見給ひて、まめやかにとぶらひ給ふ」〈源氏総角〉④気がかりだ。「おとどの御心のうちに〔柏木ニツイテ〕—・しと思す事ありて」〈源氏柏木〉⑤(いつも気がかりで)大切である。大事に思う。「御心寄せいとこよなくて、〔宮ガ〕この事と奏し給ふ事をば、え背き給はず、—・しきものに思

こ

ひ聞え給へり」〈源氏若菜下〉。「かばかりものものしくかしづきする給ひて、—・しき方おろかならず思したるをぞ幸ひおはしけると聞ゆめる」〈源氏宿木〉 ⑥難儀である。苦労である。「煩はしかりつる事は事無くて、易かるべき事はいと—・し」〈徒然一八九〉

こころげさうケサウ【心化粧】 自然と気持が緊張し、改まった気分になること。「若き人二三人あるは…〔美男ノ貴公子ノ前ナノデ〕—し合へり」〈源氏末摘花〉

こころごころ【心心】 人それぞれの心。また、思い思い。「人の—おのがじしの立てたる趣も見えて」〈源氏帚木〉。「—なる人のありさま」〈源氏玉鬘〉 **—にな・る** 各人の心がばらばらになる。分裂する。「この事人の上ならずとて、各各—・りにけり」〈義経記八〉

こころこと【心異・心殊】 ①心が普通の人とは違うさま。「〔天人ノ〕きぬ着せつる人は—に成るなり」〈竹取〉 ②趣・内容・感じなどが特別であるさま。「浜の様、げにいと—なり」〈源氏明石〉 ③特別に気を使うさま。念入り。「今日の講師は、—に選らせ給へば」〈源氏賢木〉

こころごは・しコハシ【心強し】『形ク』 かたくなである。強情である。「かばかり懇ろに忝き御心ざしを、見ず知らず—・きさまにもてなすべき」〈和泉式部日記〉

こころさき【胸前】 心臓の前のところ。むなさき。「八拳鬚(やつかひげ)心前(こころさき)に至るまで」〈記上〉 †kökörösaki

こころざ・し【志し】㊀『四段』《気持が直線的、持続的に目標に向って働く意》 ①心に目標がきまる。「筑紫人は、三日こもらむと—・し給へり」〈源氏玉鬘〉 ②心が寄る。好意を持つ。「さすがにいみじくあはれなれば、御心のうちに又—・し給ひて黄金百両を別にせさせ給ひける」〈源氏横笛〉 ③好意を表わす物を贈る。「此の食物はかの仙人の—・し遣はす物なり」〈今昔一三ノ三〉 ④寄進を発心する。「—・せる女の家のあたりに罷りて」〈後撰六五〇詞書〉 ⑤死者への手向の法事をする。追善供養をする。「今日は—・す日にて候ふほどに」〈謡・定家〉 ㊁『名』 ①気持を集中すること。注意。「きぬを洗ひて手づから張りけり。—は致しけれど…肩を張り破りてけり」〈伊勢四一〉 ②こうと決めて目ざすこと。意向。意志。「その—は遂げず」〈源氏若紫〉 ③愛情。「幼心地にも、はかなき花紅葉につけても—を見え奉る」〈源氏桐壺〉 ④厚意。厚情。「身にあまるまでの御—のよろづに忝きに」〈源氏桐壺〉。「坂東といふは源氏に—のある国なり」〈義経記一〉 ⑤好意・謝意を物に託して表わすこと。贈り物。「つらく見ゆれど、—はせむとす」〈土佐二月十六日〉 ⑥死者へ手向・法事・追善などをすること。「僧弘清来たり候。明後日祖父二十五年—の為也」〈言継卿記大永七・二・二六〉

こころざま【心様】《サマは漠然とした方向・様子》 気質・性格。「おのづからおよすげたる—を、人にも知られ給へり」〈源氏匂宮〉

こころ・し【心し】『サ変』 気をつける。注意する。「今宵は、盃など—・してを」〈源氏篝火〉。「夏衣まだ一重なるうたたねに—・して吹け秋の初風」〈拾遺一三七〉

こころしら・ひライシ【心しらひ】㊀『四段』《シラヒは、行き届くように心を働かせる意》 ①気をくばる。「宰相の中将、ねんごろに—・ひ聞え給ふ」〈源氏真木柱〉 ②気をきかす。「恥づかしうやおぼさむと、〔相手ニ対シ〕思ひやり深く—・ひて」〈源氏葵〉。「〔車カラ〕降りては、すこし—・ひて〔女ノ傍ヲ〕立ち去り給へり」〈源氏東屋〉 ③通暁している。「兵事に通(こころしら)へるは、今、麁鹿火(あらかひ)が右に出づるひとなし」〈紀継体二十一年〉 ㊁『名』 ①心くばり。「見苦しうくだくだしかりぬべき—のさまも」〈源氏宿木〉 ②(出すぎた)気のきかせ方。「ふりはへ、さかしらめきて、—のやうに思はれ侍らむも…つつましくてなむ」〈源氏東屋〉 ③(気持の上の)工夫。「すこしはやき(鋭イ)—を添へて、珍しきかをり加はれり」〈源氏梅枝〉 ④通暁していること。「我極めて暗委(こころしらひ)せしことをいふ」〈法華経玄賛平安初期点〉

こころし・り【心知り】㊀『四段』 事情がよくわかる。「なほこのわたりの、—・れらむものを、召して問へ」〈源氏夕顔〉 ㊁『名』 ①事情が解っていること。また、よく立場を知っている人。「女御の御乳母、—にて乗りたり」〈源氏若菜下〉 ②気心がよくわかっていること。また、その人。懇意。「花すき招く便りのかひもなし—なる人し見えねば」〈和泉式部集四〉

こころすご・し【心凄し】『形ク』 索漠とした感じである。荒涼たる感じがする。また、気持がぞっとするようである。よるべきものの何もないような感じをいう。「今はいと里離れ—・くて海士の家だに稀に」〈源氏須磨〉。「〔琴ノ音ハ〕いとあはれに—・し」〈源氏橋姫〉

こころすす・み【心進み】『四段』 心急ぐ。あせる。「家思ふと—・むな風守りよくしていませ荒しその路」〈万三八一〉 †kökörösusumi

こころせば・し【心狭し】『形ク』 ①人を容れる心が狭い。狭量である。「〔他人ヲ入レマイト〕—・くや注連(しめ)を結ふらむ」〈源氏総角〉 ②胸に一杯の思いである。「後の世の例にやと、—・く忍び思ひ給ふる」〈源氏梅枝〉

こころそら【心空】(心が自分の身体から離れてしまったように)うわの空で何事も手に付かない様子。無我夢中。「吾妹子(わぎもこ)が夜戸出の姿見てしより—なり地(つち)は踏めども」〈万二九五〇〉 †kökörösora

こころた・え【心絶え】『下二』《心臓の働きが絶える意》 気絶する。「或いは刀の山に串(くす)かれて—・え迷ふ」〈東大寺諷誦文稿〉。「悶、心タエ・イキタヘ」〈名義抄〉 †kökörötaye

こころたか・し【心高し】『形ク』 理想が高い。気位が高い。「〔自分ノ孫ガ后ニナルトイウ〕はかなき夢に頼みをかけて、—・く物し給ふなりけり」〈源氏若菜上〉

こころたがひガイタ【心違ひ】 心が通常の状態でないこと。乱心。「例の御—にや。苦しきことも出で来む」〈源氏真木柱〉

こころだくみ【心工み】 心中での工夫。「『となん造るべき、かうなん建つべき』といふ御—いみじ」〈栄花疑〉

こころた・ち【心立ち】『四段』(何かしてみようという)心が動く。「心ねたう(小憎ラシク)もてないたる〔女ニ対シテハ男ハ〕、なかなか—・つやうにもあり」〈源氏胡蝶〉

こころだて【心立て】 ①心のもちよう。心がけ。「この人の—を学び、この人のふるまひを学ばん人は」〈西方発心集下〉 ②気だて。性質。「—優に尋常にして、人間にはすぐれさせ給ふなり」〈伽・小式部〉

こころだのみ【心頼み】 内内の心持ばかりの結納品。「媒(なかうど)頼みて本式のいひ入れはお前から。是はまずそれまでの—」〈近松・鑓権三上〉 →たのみ㊁(3)

こころだま【心魂・心玉】 ①まごころ。「持て来つるこれぞ年玉—」〈俳・毛吹草五〉 ②精神。たましい。「われは木挽の吉介が娘おはつが—也」〈西鶴・一代男四〉 **—に乗・る** 心が浮き立つ。すっかり乗り気になる。「いづれも—・ってすこし浮かれながら」〈西鶴・一代男七〉 **—をな・す** 魂を打ち込んで一心に努力する。精神を集中する。「秤竿(はかりざを)に—・して」〈西鶴・永代蔵一〉

こころたましひシイタマ【心魂】 心と精神と。思慮才覚。「—

なくて、ある限り惑ふ」〈源氏明石〉

こころだより【心頼り】心に頼りに思うこと。また、その人。「―もなき折から、古郷の人のしみじみの涙にほだされ」〈近松・万年草上〉

こころだらひ ﾗｲﾀﾞ【心足らひ】心が満足すること。思う存分。「この見ゆる雲ほびこりてとの曇り雨も降らぬかー に」〈万四一二三〉 †kökörödarafi

こころづかひ ｶｲﾂﾞ【心遣ひ】《将来起りそうなことに対して心を使うこと。自分をよく見てもらいたいとか、事をよく進めたいとかいう場合に多く使う》①気持の用意。神経の緊張。「あるまじき恥もこそ〔アッテハナラヌ〕と―して」〈源氏桐壺〉②前以ての用心。「女は、身を常に―して守りたらむなむよかるべき」〈源氏常夏〉。「打たれじと用意して、つねにうしろを―したる、けしきもいとをかしきに」〈枕三〉③心がけ。注意。「〔宮仕ノ〕あるべきやう、御―を教へきこえ給ふ」〈源氏真木柱〉

こころづから【心づから】『連語』自身の心が原因で。自身の心によって。「まどろまで雲居の雁の音を聞くは―の業にぞありける」〈和泉式部日記〉

こころつ・き【心付き】㊀『四段』①気持が相手につく。好意が持てる。気に入る。「仕うまつらまほしと、―・きて思ひ聞えしかど」〈源氏東屋〉②物心がつく。男女の情を解するに至る。「昔、―・きて色好みなるをとこ、長岡といふ所に家造りてをりけり」〈伊勢五八〉③分別がつく。「尼にもなりなばやの、御―・きぬ」〈源氏柏木〉。「かの者―・きて、父はいづくにやらんと尋ね候ふべきなれば」〈義経記五〉㊁『名』《ココロヅキと濁音》気持にぴったりくること。気に入ること。「物見にいづる車を見て、―に覚え侍りければ」〈後撰六八九詞書〉 ―な・し【心付き無し】『形ク』《ココロヅキナシと濁音。心が相手に染み着かない意》①気にいらない。不愉快である。「〔女ガ〕かしこく人に靡かぬ、いと―・きわざなり」〈源氏夕顔〉②（趣味に合わず）好感がもてない。心がひかれない。「装束有様いと花やかに好ましげに見ゆるを、さも古りがたうもと―・く見給ふものから」〈源氏紅葉賀〉

こころづくし【心尽し】（物思いに）心をすり減らすこと。心労すること。「いかに思し乱るらむさま思ひやり聞え、安からぬ―なれば」〈源氏夕霧〉

こころつ・け【心付け】㊀『下二』①心を寄せる。執心する。「うつせみの常無き見れば世の中に―・けずて思ふ日そ多き」〈万四一六二〉。「母なむ、あてなる人に―・けたりける」〈伊勢一〇〉②注意させる。「若き人に見習はせて―・けむためなり」〈徒然一八四〉㊁『名』《ココロヅケと濁音》①心づかい。配慮。「幼き心にて、かやうの―古今まれなり」〈伽・二十四孝〉②付け届け。祝儀。「友千鳥（友人トシテ）これは当座の―」〈俳・大坂一日独吟千句〉③〔連俳用語〕句の付け方の一。詞の連想は捨てて、前句の意想・余情・余韻を具体的に説明する付け方。連歌・古俳諧では句意付け、蕉風では余情付け（匂付け）となった。「―。言葉・寄合ひを捨てて心（意味）ばかりにて付くべし」〈連理秘抄〉 →にほひ㊀(9) †kököröturkë

こころつど・き【心つごき】『四段』心臓がどきどきする。動悸がする。「昼暮らし夜渡し聞けど聞くごとに―・きて」〈万四〇八九〉 †kököröugoki

こころづま【心夫・心妻】心に思い定めた夫、また、妻。心に思う人。「あしひきの山下響（とよ）め鳴く鹿の言（こと）ともしかもわが―」〈万一六二一〉

こころづよ・し【心強し】『形ク』①意志が強い。気丈である。「―・く〔帝ノ仰セヲ〕承らず成りにし事」〈竹取〉。「堪へがたきを、―・く念じ返させ給ふ」〈源氏桐壺〉②つれない。非情だ。「ただならずなりたること（妊娠）をも……―・う思はれじとて言ひ出したりしかば」〈平家九・小宰相身投〉

こころと【心と】『副』自分の心から。自発的に。「―さし過ぎて言（こと）いで給はんや憎きことに侍らまし」〈源氏横笛〉。「―海に入りぬ」〈今昔一九ノ三〇〉

こころど【心神】《ドはトシ（鋭）・トゴコロ（利心）のトと同根か》しっかりした心、精神。「こもりゐて君に恋ふるに―もなし」〈万三九七二〉 †kököröдо

こころときめき【心ときめき】（予想・期待で）胸がどきどきすること。「『みづから〔御挨拶申シマショウ〕』とさへ宣へるが珍しく嬉しきに、―もしぬべし」〈源氏宿木〉

こころと・け【心解け】『下二』①緊張がゆるむ。「君恋ふる涙の凍る冬の夜は―・けたる寝（い）やは寝らるる」〈拾遺七三七〉②（拒絶の）気持がゆるむ。許す気になる。「罷り通ひける女の―・けずのみ見え侍りければ」〈後撰一一七一詞書〉。「〔父母ハ〕たちまちに財にふける心出で来て〔男ノ求婚ニ対シテ〕―・けぬ」〈今昔二〇ノ三七〉

こころと・し【心疾し】『形ク』①察しがよい。敏感である。「―・き人の御目には、いかが見給ひけむ」〈源氏野分〉②気早い。せっかちである。「〔梅ノ〕一重なるが先づ咲きて、散りたるは―・くをかし」〈徒然一三九〉

こころとり【心取り】機嫌をとること。「『道の草も少し打ち払はせ侍らむかし』と―に聞え給へば」〈源氏宿木〉

こころなが・し【心長し】『形ク』①気が長い。辛抱強い。「今は思し忘れぬべき事を、―・くもおはするかな」〈源氏関屋〉②心が持続して変らない。「ただ―・く仏の言葉を持（たも）ちて忘れぬをもて仏道とはすべし」〈孝養集中〉

こころながら【心ながら】『連語』①（以前の）気持そのままに。「貧しく経（へ）ても、なほ昔よかりし時の―世の常のことも知らず」〈伊勢一六〉②（自分の）気持ではあるが。われながら。「わが―知り難く」〈源氏澪標〉

こころなぐさ【心慰さ】心のなぐさめ。「いぶせみと―になでしこをやど（庭先）にまき生（お）ほし」〈万四一一三〉

こころな・し【心無し】㊀『形ク』①思いやりの心がない。無情である。「大和恋ひ眠（い）の寝らえぬに―・くこの渚崎廻（すさきみ）に鶴（たづ）鳴くべしや」〈万七一〉②思慮がない。不注意である。非常識だ。「『―・し』とむづかりて、〔格子ヲ〕下ろしつれば」〈源氏帚木〉③情趣を解さない。「木はこれ―・し、いかでか音（こゑ）を出さむや」〈今昔一三ノ一一〉。「野分する野べのけしきを見るときは―・き人あらじとぞ思ふ」〈千載三五七〉④物心がつかない。無心である。「母には二つにておくれにしかども、―・き昔は、覚えずして過ぎぬ」〈問はず語り一〉㊁『名』①思慮のないこと。不注意であること。また、その人。「例の―のかかる業をしてさいなまるるこそいと心づきなけれ」〈源氏若紫〉②情趣を解しないこと。また、その人。「―とはそれ候ふよ、冴えた月夜に黒小袖」〈隆達小歌〉

こころなら・ず【心ならず】『連語』①本心でない。不本意である。「〔出家スルコトニ対シテ〕―・ぬ人すこしもまじりぬれば、…あはあはしき聞えいでくるわざなり」〈源氏鈴虫〉②無意識である。うっかりしている。「―・ず蛙の首を打ち切りぬ」〈宝物集下〉

こころならひ ﾗｲﾅ【心習ひ・心慣らひ】心の習慣。「至り深き御―ならんかし」〈源氏藤袴〉

こころな・り【心なり】『連語』心のままである。思いのままである。「かく御―・ることを、大納言殿に譲り聞え給はで」〈栄花煙後〉

こころにく・し【心憎し】『形ク』《ニクシは親しみ・連帯感・一体感などの気持の流れが阻害される場合の不愉快な気持をいう語。ココロニクシは、対象の動きや状態が思うように明らかにならず、もっとはっきりしたい、もっと知りたい、と関心を持ちつづける意》①よく見えない。はっきりしない。「今少し光見せむや。あまり━・し(暗イ)と宣へば、右近かかげて少し寄す」〈源氏玉鬘〉②どこか気持の通じない所がある。「〔浮舟ハ〕いとさまよう、━・き人(薫)を見慣らひたるに」〈源氏浮舟〉③(様子がはっきりしないので)気にかかる。「夜いたく更けて…人人みな寝ぬるのち、外(と)のかたに殿上人などのものなどいふ、奥に碁石の笥(け)に入る音あまたたび聞ゆる、いと━・し」〈枕二〇一〉④深く含みがある。奥ゆかしい。「姫君は心ばせ静かに…見る目、もてなしも、け高く━・きさまぞし給へる」〈源氏橋姫〉。「そらだきものの━・くかをり出で」〈源氏若紫〉⑤(底が知れず)何となくおそろしい。「定めて討手向けられ候はんずらん。━・うも候はず」〈平家四・競〉⑥どうも怪しい。いぶかしい。「━・し、重き物を軽う見せたるは、隠し銀に極まる所」〈西鶴・胸算用四〉

こころにくだ・ち【心憎だち】『四段』人に心憎く思わせるようにふるまう。お上品ぶる。「昔━・ちて見ならしけむ内わたりを、かかるさまにてやは出で立つべき」〈紫式部日記〉

こころぬる・し【心ぬるし】『形ク』心がおだやかで、ゆったりしている。こせつかない。「━・くなだらかなる人は〔命ガ〕長きためしなむ多かりける」〈源氏若菜下〉

こころね【心根】奥底ではたらく心。心底。「━のほどを見するぞあやめぐさ」〈和泉式部集〉。「山法師の━はよく聞き及びき」〈盛衰記三〇〉

こころねた・し【心妬し】『形ク』(相手の)気持が、こにくらしく思われる。「〔男ノ〕わざと深からで花蝶につけたる便り言〔ニ〕は、〔女ガ〕━・うもてないたる」〈源氏胡蝶〉

こころのあき【心の秋】あきること。心変り。「秋」と「厭き」とをかけていう。「しぐれつつもみづるよりは言の葉の━にあふぞわびしき」〈古今八二〇〉。「あだ人の━の露よりぞ見し言の葉も色かはりゆく」〈続後撰九一九〉

こころのいけ【心の池】物思いで一杯の心を、水をたたえた池に見たてていう語。「小山田の苗代水は絶えぬとも━のいひ(樋・言ヒ)は放たじ」〈後撰七九二〉

こころのいとま【心の暇】物思いのたえま。「秋の夕べは、ましてーなく」〈源氏若紫〉

こころのいろ【心の色】①気持の表れ。心の状態。「ときはなる日かげのかづら今日しこそ━に深く見えけれ」〈後撰七三六〉②心の艶。心のやさしさ。「〔東国ノ人ハ〕げには━なく、情おくれ」〈徒然一四一〉

こころのうら【心の占】心のなかでする占い。未来についての判断。予感。「かく恋ひむものとは我も思ひにき━ぞまさしかりける」〈古今七〇〇〉。「さかしき人の━どもにも」〈源氏薄雲〉

こころのおきて【心の掟】心がまえ。「俗ながら聖(ひじり)になり給ふ━やいかに」〈源氏橋姫〉

こころのおに【心の鬼】自分の心をとがめ、おびやかすもの。人目を忍ぶ恋をさとられないかとおそれる場合に使った例が多い。「〔若宮ガ源氏ニソックリナノヲ藤壺ノ〕宮の御━にいと苦しく」〈源氏紅葉賀〉。「〔匂宮ト浮舟ヲトリモッタ女房ハ〕二人ぞ深く━添ひたれば、もて隠しける」〈源氏蜻蛉〉

こころのこほり【心の氷】悩むことがあって心がむすぼれ解けないのを氷にたとえた語。「頼みをかけて頼もしく、━解けそめて」〈近松・百合若一〉

こころのこま【心の駒】《仏教で煩悩の抑えがたいのを「意馬心猿」といったのに基づく》勇みはやる心。「こころごまとも。「━。いさむ心なり」〈匠材集三〉

こころのすぎ【心の杉】《スギを「好き」と掛けて》好き心。色好みな心。一説に、心のまっすぐなことを杉にたとえた語。「誰ぞこの三輪の山本知らなくに━の我を尋ぬる」〈実方集〉。「ほのめかす━の夕月夜。━とは心にすくことなり。色ごのみの心なり」〈春夢草恋〉。「━。すぐなる事なり」〈匠材集三〉

こころのすぢ【心の筋】信念。志操。「ただ━を、漂はしからずもてしづめ置きて」〈源氏玉鬘〉

こころのせんだく【心の洗濯】遊興して気を晴らすこと。また、その遊興。「今宵は旦那様は御留守、宵より━ぞかし」〈浮・好色年男一〉

こころのそこ【心の底】人に知れない本心。心底。「〔明石上ハ〕━ゆかしきさまして」〈源氏若菜下〉

こころのたけ【心の丈】深い心の奥ゆき。「もの思ふ━ぞ知られぬる夜な夜な月をながめあかして」〈山家集上〉

こころのちり【心の塵】雑念・煩悩(ぼんのう)を塵にたとえていう語。「濁りなき亀井の水を結びあげて━をすすぎつるかな」〈栄花殿上花見〉。「━。むさむさとしたる心なり」〈匠材集三〉

こころのつき【心の月】①《「心月」の訓読語》悟りの心。その明澄なことを月にたとえたもの。「いかでわが━をあらはして闇に惑へる人を照らさむ」〈詞花四一〇〉②心に思い浮かべる月。「あかでのみ山の端高き名残をも━にのこす夜な夜な」〈再昌草一七〉。「━はとほき姨捨(をばすて)」〈宗祇独吟名所百韻〉

こころのとまり【心の泊り】心が、ここと落ち着くところ。「また思ひ増す人なき━にてこそはあらめ」〈源氏宿木〉

こころのとも【心の友】①互いに心を知り合う友。肝胆相照らす友。「まめやかの━には遙かに隔たる所のありぬべきぞ、わびしきや」〈徒然一二〉②心を慰めてくれるもの。「世をそむく━となる身こそわが物からにうれしかりけれ」〈拾玉集一〉

こころのなし【心の成し】気のせい。思いなし。「目も鼻もなほし(普通並ミ)と覚ゆるは、━にやあらむ」〈源氏総角〉

こころのはこび【心の運び】工夫すること。思慮をめぐらすこと。「遊女のよしみとて、その敵うつべき━、前代ためしもなき事なり」〈西鶴・諸艶大鑑七〉

こころのはな【心の花】①移り易い人の心を、散り易い花にたとえた語。「色見えで移ろふものは世の中の人の━にぞありける」〈古今七九七〉。「風も吹きあへず移ろふ人の━に」〈徒然二六〉②風雅を愛する心のあらわれ。「さも忙がはしかりし身の━か、…俊成の家に行き歌の望みを嘆きしに」〈謡・忠度〉

こころのひきひき【心の引き引き】こころざす所に従うさま。思い思い。「おの(各自)が━、太子(ひつぎのみこ)を立てむと念ひて」〈続紀宣命三三〉。「若き殿上人ども召して、これかれ━に挑み争はせ給へば」〈増鏡一〉

こころのひま【心の暇】「こころのいとま」に同じ。「〔母君ヲ失ッタ悲シミニ〕いと御━あらじ」〈源氏夕霧〉

こころのほか【心の外】①思いのほか。案外。心外。不本意な気持をこめていうことが多い。「げに長らへば━に、かくあるまじき事も見るべきわざにこそは」〈源氏総角〉②よそごと。心にかけないこと。「今はただ━に聞くものを知らず顔なる荻のうは風」〈新古今一三〇九〉

こころのやみ【心の闇】分別を見失った心を闇に見たてて

いう語。「かき暗らすーに惑ひにき夢うつつとは世人さだめよ」〈古今六四六〉。「〔娘ノ死ヲ悲シンデ〕これもわりなきーになむ」〈源氏桐壺〉

こころのわた【心の綿】温和な心のたとえ。「ー。やはらかなる心」〈俳・乳母二〉

こころのをろ【心の緒ろ】《ロは接尾語》心を長くつづくものとみて緒にたとえた語。「ま愛(なが)しみ寝(ぬ)れば言に出(づ)さ寝(ね)なへばーに乗りて愛(かな)しも」〈万三四六六東歌〉

こころば【心葉】①贈物の筥(こは)や折敷(おしき)に、金・銀・糸で梅や松の形をつくって添えるもの。「さし櫛の箱のーに」〈源氏絵合〉。「ー、紺瑠璃には五葉の枝、白きには梅をゑりて」〈源氏梅枝〉②心を葉にたとえた語。「人知れぬわがーにあらねどもかき集めても物をこそ思へ」〈和泉式部続集〉

こころはしり【心走り】胸がどきどきすること。胸走り。「怪しくーのするかな」〈源氏浮舟〉

こころばせ【心ばせ】《「心馳せ」の意。活動的な気持を、さっと外に走らせること。また、その走らせ方によって感じとられる、その人の気立て。→心ばへ》①気をきかせること。機転。「乳母のいとさしすぐしたるーの余り…心にまかせて率(ゐ)てはふらかしつるなめり」〈源氏若紫〉。「〔遠クニイル聞キ手ノタメニ、太鼓ヲ早ク打ッタ〕このー、思ひよらざる事なり、めでたし」〈著聞二五七〉②気持の素速い働き。よく気がつくこと。「〔匂宮ハ〕色におはしますなれば、ーあらむ〔女ノ〕若人、さぶらひにくげになむ」〈源氏浮舟〉③さっと気持の働くような教養。「ーまことにゆゑありと見えぬべく、うち読み、走り書き、掻いひく爪音、手つき口つき皆たどたどしからず」〈源氏帚木〉④気立て。「さまかたちなどのめでたかりしこと、ーのなだらかに目やすく憎みがたかりしことなど」〈源氏桐壺〉　**ーびと**【心ばせ人】ゆきとどいた心づかいや機転を示す人。「年頃、人にたがへるーになりて、さまざまに情を見えたてまつる」〈源氏夕霧〉

こころはづか・し【心恥づかし】『形シク』①(相手に対して)きまりがわるい感じがする。気おくれがする。「ー・しうおぼゆれば、心づかひせられて」〈源氏竹河〉②(こちらが気おくれするほど相手が)立派な感じがする。「上達部、親王(みこ)たちにて、みやびかにー・しき人の」〈源氏東屋〉

こころばへ エバ【心ばへ】《「心延へ」の意。辺りにただよわせて、何かの形で現わしている様子から察せられる気持・本性、または趣向・心構えなど。→心ばせ》①人の性質。「ーなど、あてやかにうつくしかりつる事を」〈竹取〉②心に思い設けること。心構え。「さしも思へらざりし気色、ーなど、物思ひ知られ給ふ」〈源氏澪標〉③心づかい。気づかい。「かろらかに物し給へるーの、浅うはあらず思ひ知られ給へば」〈源氏椎本〉④ものの趣。風情。「岩に生ひたる松の根ざしもーあるさまなり」〈源氏明石〉⑤趣向。趣向をこらしたわざ。「けふのみわざを題にて、春のーある歌たてまつらせ給ふ」〈伊勢七七〉。「かくとりどりに争ひさわぐ〔絵合ノ〕ーどもを、をかしくおぼして」〈源氏絵合〉⑥趣意。意味。「とばかり言ひやりて、物もいはざりけり。かく言ひけるーは」〈大和一四三〉⑦事の趣。事情。「童なれど、物のー、人の気色見つべく、しづまれるを」〈源氏空蟬〉

こころば・み【心ばみ】『四段』気のある風情を示す。心の表情を見せる。「〔夕顔ハ〕ただいとらうたく見ゆ。ー・みたる方を少し添へたらば」〈源氏夕顔〉　**ーすぐ・し**【心ばみ過ぐし】『四段』度をすごした心づかいをする。「昨日の返り言、怪しくー・さるる」〈源氏末摘花〉

こころはや・し【心早し】『形ク』心がすばやい。判断や反応がするどい。「ー・く一々分明に申しける、いみじかりける事なり」〈著聞八三〉

こころばら【心腹】　**ーを立・つ**　自分自身に愛想がつきて腹をたてる。ひとりでに気がむかむかする。「心腹が立つ」とも。「ただ我一人ー・て」〈仮・浮世物語一〉

こころびき【心引き】好意。「あらたまの年の緒長く相見てしその一忘らえめやも」〈万四二四八〉　†kököröbiki

こころひとつ【心一つ】自分たったひとりの考え。自分の胸一つ。「ーに思ひあまる事など多かるを」〈源氏帚木〉

こころひら・け【心開け】『下二』胸がひらける。うちとける。「ひさかたの月夜を清み梅の花ー・けて我が思(も)へる君」〈万一六六一〉　†kököröFirakë

こころふか・し【心深し】『形ク』①情愛・思慮などが深い。「物語などせさせ給ふけはひなどのいとあらまほしくのどやかにー・きを」〈源氏総角〉②趣が深い。「〔明ケ方ノ月ガ〕いとー・う青みたるやうにて」〈徒然一三七〉

こころぶと【心太】①テングサの異称。「心太」〈正倉院文書天平二・八・二〉。「大凝菜、古々呂布度(こころぶと)」〈和名抄〉。「凝海藻、心ブト」〈名義抄〉②ところてん。「薬師御前御誕生、ーにぞ似たりける」〈沙石集五ノ二〇〉③気が強いこと。「小者・小中間までーに成り候て」〈毛利家文書二、弘治四・八〉

こころぼそ・し【心細し】『形ク』心に頼りなく感じる。不安である。「見れば世間ー・くあはれに侍る」〈竹取〉。「物思ふ宿は、よろづの事につけて静かにー・う、暮しかね給ふに」〈源氏柏木〉

こころまうけ モウケ【心設け】心にあらかじめ用意すること。「〔娘ヲ盗モウト〕ーして、ゆくりもなくかき抱きて馬に乗せて」〈大和一五五〉

こころまさり【心勝り】①《「心劣り」の対》予想したよりもまさっていること。「琴(きん)にて答へ給ふ思ひやりは山がつめかず、ーしてをかしければ」〈浜松中納言三〉②心の強さが人にまさっていること。「次信はーの武者にて」〈謡・摂待〉

こころまち【心待ち】内心で待ちうけていること。「今や今やとーに待ちかけける」〈伽・葦曳絵巻〉

こころまど・ひ ドイマ【心惑ひ】㊀『四段』気持が混乱する。「竹取、ー・ひて泣き伏せる所に寄りて」〈竹取〉㊁『名』気持が混乱すること。正気を失うこと。「〔本当ノコトヲ話セバ〕必ずーし給はむ物ぞと思ひて」〈竹取〉。「夢のやうに思ひ給へ乱るるーに」〈源氏柏木〉

こころ・み【試み】㊀『上一』《相手の活動する心・力をためしてみる意》①心の中、物の真実・正体をさぐる。「〔男ガ〕独りありつる程に、〔コノ縁談ヲ〕うちかすめてこそー・みるべかりけれ」〈源氏若菜上〉。「〔人カ変化(へんげ)カト〕印をつくりてー・みるに」〈源氏手習〉②様子・成り行きを見る。ためしてみる。「人の身は習はしものを逢はずしていざー・みむ恋ひや死ぬると」〈古今五一八〉㊁『上二』上一段活用の「こころみ」を上二段に活用させたもの。「便宜候はば、当家の浮沈をもー・むべしとこそ存じ候へ」〈古活字本平治上・信頼信西を亡ぼさる〉㊂『名』①ためしてみること。「ーになほおり立たむ涙川うれしき瀬にも流れあふやと」〈後撰六一三〉②試験。「式部のつかさのーの題をなずらへて」〈源氏少女〉③試楽(しがく)。「御前のことごとしく、うるはしき御ー」〈源氏若菜下〉④試食。試飲。「講師の御ーとて、こだいなるもの据ゑたり」〈宇治拾遺一一〇〉。「身どもにーをくれなんだ程」〈虎明本狂言・河原太郎〉　**ーごと**【試みごと】人をためす事柄。「常にーをし、あらがひごとをして」〈枕二四四〉

こころみえ【心見え】《見ラレルのと、見セルのとは、相手が見てしまうという結果において同じなので》心を見られること。心を見せること。「〔昔ノ女房タチハ〕うちつけの—に〔現金ナ心ヲ見セニ〕参り帰る」〈源氏蓬生〉

こころみじか・し【心短し】『形ク』①気が短い。気ぜわしい。「〔春ノ花ハ〕—・く打ち捨てて散りぬるが恨めしう覚ゆる」〈源氏藤裏葉〉②心が変りやすい。「あはれをかけそめ侍りにしあたりに、—・く侍らむこそ、なかなか世の常の嫌疑あり顔に侍らめ」〈源氏横笛〉

こころみだれ【心乱れ】乱心。また、とりみだすこと。「—せられむも、この人の為にいとほし」〈大鏡道長〉。「あまりの事の—に身の置き所も知らねども」〈謡・小督〉

こころむき【心向き】心ざま。心のあり方。性質。「当時の得益は行者の—によるべし」〈沙石集二ノ七〉

こころむけ【心向け】気持。意向。「年月隔て給ふ—のつらきなり」〈源氏常夏〉

こころもち【心持】①心の持ち方。「これ達人の—なるべし」〈沙石集四ノ一〉②気持。趣意。「この歌の—」〈伽・酒呑童子〉③気配。様子。「この脈は懐妊の—御座ある」〈咄・昨日は今日上〉

こころもちゐ【心用ゐ】①物事に対処する際の心の持ち方。「これは才の際もまさり、—雄雄しく、すくよかに足らひたり」〈源氏藤裏葉〉②性格。「〔子孫ハ〕かど分れぬれば、人人の御—も又それに従ひてことごとになりぬ」〈大鏡序〉

こころもと【心元・心許】心臓のあたり。胸もと。「刀を取りて—にさし当て」〈平治下・義朝内海下向〉

こころもとなが・り【心許ながり】『四段』待ち遠しがる。じれったく思う。「天人遅しと—・り給ふ」〈竹取〉

こころもとな・し【心許なし】『形ク』《ココロと、副詞モトナとの複合を形容詞とした語。モトナは、むやみやたらに…してどうにもならないの意。自分の気持ばかりが先に行って制御しようにも及ばないというのが原義》①気がせいてならぬ。「同じ所なり。もし風波の『しばし』と〔別レヲ〕惜しむ心やあらむ。—・し」〈土佐一月三日〉②気がかりで待ち遠しい。「わが人をやるべきにしあらねば、いと—・くて待ち居れば」〈伊勢六九〉。「〔出産ノ予定ノ〕十二月も過ぎにしが—・きに」〈源氏紅葉賀〉③物足りず、不満に思われる。「少納言がもてなし—・き所なく、心にくしと見給ふ」〈源氏葵〉。「〔女ノ気立テハ〕かう—・きは、いとよし。教へつつも見てむ」〈源氏東屋〉④あるかなきかの様である。かすかである。「〔梨ノ花ハ〕花びらの端に、をかしき匂こそ—・うつきためれ」〈枕三七〉

こころやす【心安】気が置けないこと。「母を〔中国デ〕阿嬢・阿娘と云ひ、…阿の字を添ゆるは、平懐(へいぐわい)な心、または、—〔ノ〕間で云ふてぞ」〈玉塵抄三〉 **—だて**【心安立て】親しいことに馴れて遠慮のないこと。「—にて、何たる儀も申し候ては、はや不返事を取るにて候」〈毛利家文書三、毛利輝元覚書写〉

こころやす・し【心安し】『形ク』①安心だ。どんなことをしていても気楽だ。人に気兼ねがいらない。「—・き独寝の床にてゆるひにけりや」〈源氏末摘花〉。「これは二の町の—・き〔手紙〕なるべし」〈源氏帚木〉②気軽に心をゆるしている。たやすい。「物の上手は、いづれの道も—・からずのみぞあめる」〈源氏常夏〉

こころやすめ【心休め】心を安心させること。気やすめ。「かき乱る—の言草(ことくさ)はあはれあはれとなげくばかりか」〈山家集中〉

こころやま・し【心やまし】『形シク』《自分より優越していると認めた相手に対して感じる劣等意識や、敗北感をこらえている不愉快な感情を表わす。類義語ネタシは、自分の方が優越な人間だと思うのに、相手が結構いろいろなことをして、自分の思うままには行かないのを、小癪など思う感情をいう》①(自分の力でどうともできない相手に、強い態度や行動をとられて、何ともしようがなく)つらくて、いやに思う。「〔源氏ノ〕君のうちねぶりて言葉まぜ給はぬを〔頭中将ハ〕さうざうしく—・しと思ふ」〈源氏帚木〉。「〔空蟬ハ〕まことに—・しくて、〔迫ッテクル源氏ノ〕あながちなる御心ばへを、いふかひなしと思ひて泣く」〈源氏帚木〉②(劣等感・敗北感で)いらいらする。「〔夕霧ハ六位ノ袍ノ色ノ〕浅黄の—・しければ、内へ参り給ふこともせず、物憂がり給ふ」〈源氏少女〉。「壁に穴を明けてのぞかせ給ひけるに女御の御かたちいとうつくしく、めでたくおはしければ…いとど—・しくならせ給ひて」〈大鏡師輔〉③(相手が巧みで)自分自身が感じ入る。「まだ耳馴れ給はぬ手など—・しきほどに弾きさしつつ」〈源氏明石〉。「夜深きほどの人のけしめりぬるに、〔楽ノ音ヲ〕—・しくかいしらべ」〈源氏椎本〉

こころやり【心遣り】①思いを外へはき出すこと。気晴し。慰み。心行かし。「男どちは—にやあらむ、からうたなどいふべし」〈土佐一月十八日〉②あちこちへ心を使うこと。「心行は—ぞ。色色に計較思量するを云ふぞ」〈碧岩抄五〉 **—どころ**【心遣り所】気持を晴らす所。心を慰める場所。「此処をおきて、いかならむ仏の国にかは、かやうの折節の—を求めむと見えたり」〈源氏匂宮〉

こころゆ【心ゆ】『連語』《ユは上代の格助詞》心から。「—も思はぬ間にうちなびき臥(こや)しぬれ」〈万七九四〉

こころゆかし【心行かし】気晴し。気休め。心やり。「会はぬ夜の—の手習ひは恋しとのみぞ筆はからるる」〈夫木抄三六・恋〉

こころゆか・し【心ゆかし】『形シク』なんとなくゆかしい。奥ゆかしい。「垣間見(かいまみ)は—・しと立ち寄りて」〈浄・自然居士二〉

こころゆ・き【心行き】㊀『四段』①乗り気になる。気に入る。「始めより、母御息所は、〔コノ縁談ニ〕をさをさ—・き給はざりしを」〈源氏柏木〉②満足する。気持がおさまる。「〔内大臣ガ〕しきりに参り給ふ時は、大宮もいと御—・き嬉しきものにおぼいたり」〈源氏少女〉③気持が晴れ晴れとする。せいせいする。「遣水の水草(みくさ)もかきあらためて、いと—・きたるけしきなり」〈源氏藤裏葉〉㊁『名』①心の働き。「畜生の—有る者は、形は人間にても心は人にあらず」〈心学十戒之図〉②談林俳諧で、付合いの言葉と言葉の間に新しい関係を発見して、付け合って行く呼吸・塩梅(あんばい)をいう語。後、元祿俳諧の「心付」に展開した。「此の—を双方とくと合点めされう」〈俳・ふたつ盃〉

こころゆる・び【心弛び】㊀『四段』気がゆるむ。心の緊張感がなくなる。「おだしきものに今は〔安心ダ〕と目馴るるに、—・びて」〈源氏若菜上〉㊁『名』心の緊張がゆるむこと。くつろいだ気持。または、油断。「夜昼おはしますめれば、ある人人も—せず」〈源氏少女〉

こころよ・し【快し・𢙿し】㊀『形ク』①気持が良い。愉快である。「—・からず、憎かりし有様を」〈源氏若菜下〉②気立てが良い。「大方—・き人の、まことにかどなからぬは、男も女も有難きことなめり」〈枕二六九〉③快適である。具合がいい。「—・き的矢の少し長きをば」〈俳・犬筑波〉④病気などが直って気分がいい。「気色も段段—・うござるによって」〈虎寛本狂言・武悪〉㊁『名』【心良し】気のいいこと。人のいいこと。また、その人。「上京(かみぎやう)に—を一人こしらへて置いた」〈天理本狂言六義・鈍太郎〉

こころよ・せ【心寄せ】㊀『下二』好意を寄せる。ひいきにする。「国の守も親しき殿人なれば、忍びて―・せつかうまつる」〈源氏須磨〉 ㊁『名』①好意を寄せること。愛情をそそぐこと。「紫上の御―ことにはぐくみ聞え給ひし故、三宮は二条院におはします」〈源氏匂宮〉 ②心を寄せる対象。意中の人。気に入りの物。「かの御―は、また異にぞ侍(は)べかめる」〈源氏椎本〉

こころより【心より】『連語』①(ほかならぬ)自分の心から。心と。「ことしげき―咲く物思ひの花の枝をやつら杖に突く」〈貫之集九〉 ②心によって。以心伝心で。「言の葉も及ばぬ法(のり)のまことをば―こそ伝へそめしか」〈新後撰九七〉

こころよ・り【心寄り】『四段』関心を持つ。気が進む。「かの岸に―・りにしあま舟のそむきし方に漕ぎかへるかな」〈源氏松風〉

こころよわ・し【心弱し】『形ク』気が弱い。「〔涙ガ〕水茎に流れ添ふを、人も余り―・しと見奉るべきが」〈源氏幻〉

こころわか・し【心若し】『形ク』①考えが若い。「〔コンナ事ニナッタノハ〕―・き辿りの少なさなり」〈源氏常夏〉 ②気が若い。「―・うおはせしものを、斯かる〔景色ノヨイ〕道をも見せ奉るものにもがな」〈源氏玉鬘〉

こころわる・し【心悪し】『形ク』①性質が悪い。「いと―・きしわざかな」〈発心集三〉 ②気持が悪い。「―・い。江戸で云ふ心持が悪い也。また、気味の悪い事をも云ふ」〈浪花聞書〉

こころをか・し【心をかし】『形シク』性質がかわいい。「〔同ジ猫デモ〕―・しく人馴れたるは、あやしくなつかしきものになむ侍る」〈源氏若菜下〉

こころをさな・し【心幼し】『形ク』気持が大人でない。心づかいが幼稚だ。単純・不注意・軽はずみ・無分別などの性質をいう。「書き交し給へる文どもの、―・くておのづから落ち散る折あるを」〈源氏少女〉

ここん【古今】古今にわたって非常にすぐれていること。古今未曾有。古今無双。「黄檗は超越―の古仏なり」〈正法眼蔵仏経〉。「―の女方と申しても苦しかるまじ」〈西鶴・男色大鑑七〉

こさ こまかいこと。些末(さまつ)。「こっさ」とも。「合三百匁也。…但し此の内二百匁は板〔銀〕也。残り百目は―也」〈八坂神社文書上、慶長二・一二〉

こさ【胡沙】《アイヌ語 hosa または husa を日本語の仮名で写した語。息の意》蝦夷(えぞ)の吹く息。霧を起すといわれた。「―吹かば曇りもぞするみちのくの蝦夷には見せじ秋の夜の月」〈夫木抄三三・月〉

こざ【古座】《「新座」(2)の対》古くから仕えている者。古参。「殿(のと)の権威をかりて、―の諸士をないがしろにするさへ憎し」〈西鶴・伝来記四〉

ござ【御座】①「座」の尊敬語。貴人の席。「皇子たちの―の末に源氏つき給へり」〈源氏桐壺〉 ②貴人の御座所に用いる畳。「―といふ畳のさまにて、高麗〔縁〕などいときよらなり」〈枕二七七〉 ③いらっしゃること。「若衆にまじり―あれかしと存じ候」〈謡・摂待〉 ④「御座船(ぶね)」の略。「乗物の―が出て行く難波より」〈俳・大矢数四〉 **―を直・す** 主人の閨(ねや)の伽(とぎ)をする。「これは其の頃、信玄公―・したる人にて」〈甲陽軍鑑九上〉

ござあ・り【御座有り】『四段』《ゴザリの古形》①「有り」「居(ゐ)」「行き」「来(き)」の尊敬語。いらっしゃる。おいでになる。「少少、都の人も―・りげに候」〈謡・隅田川〉。「越後の国直江の浦へ―・りて」〈説経・さんせう太夫〉 ②「有り」の丁寧語。「このやうなめでたい事は―・るまい」〈虎明本狂言・賽の目〉 ③陳述の「あり」の丁寧語。あります。「はるか東国方の者で―・る」〈虎明本狂言・磁石〉。「それがし世間いやに―・るよって」〈驢鞍橋下〉

こさい【巨細】大きいことと小さいこと。また、大きいことも小さいこともすべて。細大洩らさぬこと。「―を注進すべき由言上す」〈吾妻鏡文治五・九・一〇〉。「衣裳・足袋・はばき・わらんづまで―に下し給へば」〈伽・養老縁起〉。〈文明本節用集〉

ござい【御宰・御菜・御采】近世、幕府・大名屋敷の奥向きの長局に仕えて、奥女中の雑用をした下男の俗称。「口止めをされて―は笑止がり」〈雑俳・万句合宝暦一二〉 **―かご**【御宰籠】御宰が買物を入れて持ち帰る、萌黄(もえぎ)の紐の付いた籠。「―何が出ようも知れぬなり」〈雑俳・万句合明和三〉

こざいく【小細工】①こまごました細工。「―が利けば立つ波白砂に〔テ作ル〕」〈俳・江戸筏下〉 ②こせこせと策略をめぐらすこと。「―に立ち廻り」〈浮・傾城辻談義四〉

こさいばり【小前張】神楽歌(かぐらうた)の歌曲の種類の一。形式不定で民謡風。〈神楽歌〉 →大前張(おほさいばり)

ごさいゑ【御斎会】①天皇などの追福のために、宮中で僧をあつめ斎食(とき)を施す行事。「天皇崩(かむあが)りましし後、八年九月九日、奉為(おほみため)の―の夜、夢のうちに習ひ給ふ御歌、一首」〈万一六二題詞〉 ②毎年正月八日から七日間、大極殿(後には清涼殿)で金光明最勝王経を講説し、国家安寧・五穀豊穣を祈願した法会。十四日結願の日には内論議がある。延暦二十一年より常式となった。「金光明経会」とも。「大極殿に於て始めて最勝王経を講ず。…明年大極殿―、此の僧を以て講師と為す」〈三代実録貞観一・一・八〉

ごさう【五相】真言宗の行者が、初発心(しょほっしん)から成仏(じゃうぶつ)まで、常に修する五段階の観念修行。「―身心を調へて祈念加持し給ひければ」〈盛衰記三九〉

ござう【五蔵・五臓】①心臓・肝臓・肺臓・脾臓・腎臓の総称。「謹みて三首の鄙(ひな)しき歌を以て、―の鬱結(むすぼほり)を写(のぞ)く」〈万八六八題詞〉 ②全身。五体。「暁と云ふ名馬の鴾毛(つきげ)なる馬の七寸(ななき)に却(つは)むだるが、―太くて尾髪飽くまで足りたるに」〈妙本寺本曾我一〉 **―ろっぷ**【五臓六腑】五臓と六腑(大腸・小腸・胃・胆・三焦・膀胱)と。内臓のすべて。「身内に―あり」〈正法眼蔵洗面〉

こさうじ【小障子】小型の衝立(ついたて)。「―のかみよりほのかに見え給へる御有様」〈源氏帚木〉

こざうりとり【小草履取】近世、男色のために召しかかえた十五、六歳の美少年。着飾らせて、給仕や外出の供に使った。「綾錦―の襟(えり)になん〔仕立テタ〕」〈俳・信徳十百韻〉

こざか・し【小賢し】『形シク』①少しばかり知恵がついているさまである。「〔三年島流シノ間ニ〕少(をさな)き人人の―・しくなりたるらむ」〈延慶本平家三・少将判官入道〉 ②気がまわりすぎる感じだ。小利口な感じだ。「従者の―・しくさしすぎたるはいと見苦しきことなり」〈十訓抄七ノ三一〉

こさき【小前駆】《「大前駆(おほさき)」の対》「先払ひ」のさきを追う声を短く引くこと。「上達部(かんだちめ)の前駆(さき)ども、殿上人のは短かければ、おほさき・―とつけて聞きさわぐ」〈枕七八〉

こざくら【小桜】①山桜の一種。小さくて色の薄い花が咲く。彼岸桜。児(ちご)桜。「―の花の露もや大津船(大粒ト掛ケル)」〈俳・玉海集一〉 ②藍地に白く桜の小紋を染め出した革。鎧(よろい)の縅(おどし)に用いる。小桜革。「かちんの直垂(ひたたれ)に—を黄にかへしたる鎧きて」〈保元上・官軍手分け〉 **—をどし**【小桜縅】鎧・腹巻などの縅の一種。小桜革でおどしたもの。「褐(かちん)の直垂(ひたたれ)に、—の腹巻に、洗革の大鎧重ねて」〈盛衰記三五〉

こさけ【濃酒・醴酒】一夜で醸造するかすのある酒。米・麹(こうじ)・酒を交ぜ合わせて作る。「因りて—を天皇に献りて、歌ひしく」〈紀歌謡三九詞書〉。「醴、古佐計(こさけ)、一日一宿酒也」〈和名抄〉 †kosakë

こさげ【小提げ】小さい提げ重箱。「若葉見る花を—に組み合はせ」〈俳・大坂三吟〉

こさ・げ〖下二〗《コソゲの転》削る。削り落す。「思ひ詰めて頭—・げて入佐(いるさ)山」〈俳・太郎五百韻〉

ござござ 物が入りまじって乱雑なさま。ごちゃごちゃ。「俗に物の混乱してまじはる事を—と云ふ」〈齊東俗談六〉

ござさふら・ひ(…ソウライ)【御座候ひ】〖四段〗《ゴザアリよりも更に丁寧な言い方》①いらっしゃいます。おいでになります。「さて病者はいづくに—・ふぞ」〈謡・葵上〉②ございます。「いづれも子細なき山伏にて—・ふが」〈謡・摂待〉

こさしい・で【小差出で】〖下二〗小利口ぶって差出口をきく。「あらそひ果てぬ時、—・でたる下男」〈西鶴・諸艶大鑑三〉

こざしき【小座敷】①母屋から続けて外側へ建て出した建物。はなちいで。「折節、大くまは、出居(でゐ)の奥なる—に連歌して」〈伽・高野物語〉②小さな座敷。「広き座にても、又—にても」〈西海余滴集〉。「—に行けば、六畳敷に幾間もしきり」〈西鶴・一代男三〉

ござしき【茣蓙敷】①閨(ねや)の伽(とぎ)を主とし、下女の役も兼ねた奉公女。多く隠居の老人に仕え、後妻に直った者もあったので、後妻・妾の意にも用いられた。「蓆敷(むしろしき)」「茣蓙直(なほ)し」「ござやもの」「ござしき女」とも。「禁裏間近く〔ノ民家デ〕—を召され」〈俳・功用群鑑下〉②(1)をよそおう売春婦。「ござしき女」「ござや」「ござやもの」とも。「御座やもの。—をいふ」〈評判・吉原失墜〉

こざつき【小五月】陰暦五月九日に行なわれた近江国日吉(ひえ)神社の祭礼。小五月祭。「今日、比叡—也」〈玉葉承安三・五・一〇〉。〈文明本節用集〉

ござな・し【御座無し】〖形ク〗①「無し」「居ず」の尊敬語。おありにならない。おいでにならない。「定めて勧進帳の—・き事は候ふまじ」〈謡・安宅〉。「誠に頼うだ人のやうな果報者は—・い」〈虎明本狂言・張蛸〉②「無し」の丁寧語。ございません。「いや、何事も—・い」〈天理本狂言六義・止動方角〉③陳述の「無し」の丁寧語。「もし判官殿にては—・く候ふか」〈謡・摂待〉。「さやうでは—・い」〈虎明本狂言・成上り〉

こざね【小札】鎧(よろい)の「さね」の小さいもの。「胴は—胴」〈武具訓蒙図彙五〉

こざふしき(…ゾウ…)【小雑色】年若い雑色。「郎等—只一人を相具するなり」〈古事談四〉

ござぶね【御座船】①天子・公家、将軍・大名など、貴人の乗る船。「—も兵船も遙かに延び(落チノビ)給ふ」〈謡・敦盛〉②遊山用の屋形船。「うたふ小歌もながき日の暮／—は風のどかなる湊入り」〈俳・寛永十三年熱田万句三一〉

こざぶらひ(…ザブライ)【小侍】①年若い侍。また、身分のいやしい侍。「十七八ばかりなる—の、ふと走りいでて」〈宇治拾遺五〉②旗本屋敷などに住込みの家来の子供で、まだ元服前の少年侍。こざむらい。「倹約で合羽の長き—」〈雑俳・万句合宝暦一二〉 **—どころ**【小侍所】鎌倉・室町時代、幕府に宿侍し、将軍の護衛などにあたる詰所、およびその機関。「小侍」とも。「北条彌四郎経時、—別当に補せらる」〈吾妻鏡天福二・八・一〉

こさめ【小雨】こまかく降る雨。「ぬばたまの黒髪山の山草(やますげ)に—降りしきしく思ほゆ」〈万二四五六〉。「細雨、一名霡霂、小雨也、古左女(こさめ)」〈和名抄〉 †kosamë

ごさめれ〖連語〗「ごさんめれ」の転。「物おそろしげなる御有様。あっぱれ弁慶山伏—」〈謡・摂待〉

ござ・り【御座り】〖四段〗《ゴザアリの約》①「居(ゐ)」「有り」「行き」「来(き)」の尊敬語。いらっしゃる。おいでになる。「そのデウスはどこに—・るぞ」〈コリヤード懺悔録〉。「さらば先へ—・れ」〈虎明本狂言・止動方角〉。「やれ、ようこそ—・ったれ」〈虎明本狂言・眉目よし〉②「有り」の丁寧語。ございます。「命もあらば御目にかかる事も—・らう」〈虎明本狂言・武悪〉③陳述の「あり」の丁寧語。ございます。「この村の左近で—・る」〈天理本狂言六義・内沙汰〉。「今日は天気もよう—・るほどに」〈虎明本狂言・釣針〉④《「来(き)」の尊敬語いらっしゃるの意から》㋑恋慕の気持が起る。思いを寄せる。「—・った(腐ッタノ意ト掛ケル)と見ゆる目元のお魚は、さては(茶屋ノ)娘が焼き(オダテルノ意ト掛ケル)腐ったか」〈滑・膝栗毛初〉㋺悪くなる。腐る。「この魚はちと—・った目元だ」〈滑・膝栗毛初〉㋩腹が減る。すく。「なんと腹が少し—・ったじゃアねえか」〈滑・膝栗毛四下〉

こさる【小猿】小さい猿。「岩の上に—米焼く」〈紀歌謡一〇七〉 †kosaru **—の頰を押すやう** 小猿の頰に含んでいる食物を押し出して取るように、弱い者を虐げるさまの形容。「たまたま逢ふた男を餓鬼の物をひんづる(ヒッタクル)、—にあんまり出来ぬ御差配」〈近松・松風村雨三〉

こさるらめ〖連語〗「こそ(係助詞)あるらめ」の約。「志太の浦を朝漕ぐ船はよし無しに漕ぐらめかもよし—」〈万三四三〇東歌〉 †kösaruramë

ござれ【御座れ】宿場の出女(でおんな)が客を引き止める言葉。また、その出女。「おじゃれ」とも。「——の出女も有り」〈俳・宗因五百句〉

ござん【五三】《寛文頃まで太夫の揚代が価五十三匁であったことから》京都島原の太夫(遊女の第一位)の称。また、その揚代。「傾城の職名、…—、三八、天神(二十五匁)、囲(十六匁)とて、皆一日遊料の数をたとへて名とせり」〈色道大鏡一〉

ござん【五山】中国南宋の制にならい、中世の官寺制度で定められた禅宗寺院の寺格。鎌倉五山としては、建長・円覚・寿福・浄智・浄妙の五寺、京都五山としては、天龍・相国・建仁・東福・万寿の五寺をいう。南禅寺は、もと京都五山の第一だったが、相国寺創建以後、五山の上に昇格した。「この寺(天龍寺)—第二の列に至りしかば」〈太平記二四・天龍寺建立〉。「鎌倉は—が一処にあるほどに」〈百丈清規抄六〉

ござん・し【御座んし】〖サ変〗「ござりまし」の転。主として女の用いる詞。「ここ通る北野道者の頰かぶり笠の内野はゆかしう—・す」〈仮・出来斎京土産三〉

ござんなれ〖連語〗《ニコソアンナレの転》…なのだな。…だというのだな。「平家の方に聞ゆる唐皮といふ鎧—」〈平治中・待賢門軍〉

ござんなれ《「ごさんなれ」の誤用から》①…だな。…であるようだな。「きゃつこそ彼の丑(うし)の時参り—」〈近松・蟬丸二〉②《命令形として用いて、手ぐすねひいて待ちかまえるさまにいう語》さあ来い。よし来た。待っていたぞ。「真柴

（ましば）の軍勢―と、関（とき）を作って」〈浄・絵本太功記二〉

ごさんまい【五三昧】 火葬場。墓場。また、ある地域の五か所の火葬場。「夜に入りてのち、般若野（はんにやの）の―に送り収めたてまつり」〈保元中・左府御最後〉 ↓三昧

ごさんめれ『連語』《ニコソアンメレの転》 …であるようだ。…であろう。「書かむとも書かじとも、わ僧が心―」〈延慶本平家六末・土佐房昌俊〉

こし【越・高志】《坂を越して行く地の意か》 北陸道（若狭・佐渡を除く）の古称。天武天皇の時、越前・越中・越後に分け、文武天皇の時、能登・加賀を分けた。「み雪降る―に下り来（き）」〈万四二一三〉 †kosi

こし【腰】 ①胴のくびれている部分。細腰。「剣太刀―に取り佩き」〈万八〇四〉 ②袴・裳などの細腰に当る部分。また、そこに結ぶ紐。「紅の〔袴ノ〕―ひき結へるきはまで胸あらはに」〈源氏空蟬〉。「裳の―」〈源氏宿木〉。「〔手紙ヲ〕はかまの―にはさみつつ、御所へぞまゐり給ひける」〈平家九・小宰相〉 ③細腰から下の部分。臀部。「―もつきそこなひて」〈源氏明石〉。「―うちかけていきづきゐたり」〈平家九・越中前司最期〉 ④和歌の第三句。短歌の五七五七七を人体に見立てて、第一句を頭、第二句を胸、第四・五句を尾という。「また『今年だに』といへる―の文字も歌詞とは聞えず」〈元永二年七月十三日内大臣忠通歌合〉。「『更けたる』といふ―の句、いかにぞや」〈正応二年三十番歌合〉 ⑤【層】《五重塔など、屋根と屋根との間がくびれていて、腰のようなので》 階層。「層、志奈（しな）、又、塔乃己志（こし）也」〈新撰字鏡〉 ⑥山の中腹から下のあたり。「山の―に細き河のめぐりたれば、帯にせるとは詠めるなり」〈奥義抄〉。「首は山の頂、むくろは山の―、手は麓（ふもと）ぞ」〈古活字本日本書紀抄上〉 ⑦袴・太刀など、腰につける物を数える語。「吉き太刀十―」〈今昔二六ノ一六〉。「白袴一―」〈義経記七〉 ⑧矢を盛った箙（えびら）・胡籙（やなぐひ）を数える語。「船に胡籙三―ばかり取り入れて」〈今昔二八ノ一五〉 ⑨「腰押し」の略。「こりゃ九平太が―ぢゃな」〈浄・関取千両幟二〉 ▽朝鮮語 xöri（腰）と同源。 †kösi

―が高・い 無作法で横柄だ。尊大だ。「―・いと思し召す事ならば、かがめまらせう」〈虎明本狂言・口真似〉 **―が抜・く** ①腰の力が抜けて立てなくなる。「ここで坐者も立者も尽く―・けたぞ」〈碧岩抄九〉 ②心身の自由が利かなくなる。「恋に人腎虚（じんきよ）するこそ道理なれ見初めしにだに―・くれば」〈貞徳百首〉 ③卑怯で、ろくな振舞ができない。臆病で物の役に立たぬ。「弟は心剛なれども、兄は―・けたり」〈近松・世継曾我三〉 **―に梓（あづさ）の弓を張・る** 老人の腰が曲がる形容。「―・り、喜び勇みて、幼き者に手をひかれ」〈伽・万寿の前〉 **―に付・く** 《自分の腰に付ける意から》 自分の自由にすることが出来る。思いのままにする。「万（よろづ）したり顔に、内の御内儀をも―・ける」〈浮・人倫糸屑上〉 **―伸・ぶ** 曲がっていた腰をのばす。ひきこもっていた人が、はばからず出て歩く。「おほやけにも仕うまつらず位をも返したてまつりてはべるに、私ざまには―・べて」〈源氏須磨〉 **―を打ち抜・く** すっかりまめこんで人を自由にあやつる。籠絡（ろうらく）する。「主君をへつらひ、御―・き、追従軽薄表裏を事とし」〈仮・浮世物語三〉 **―を引・く** 腰を引きずるように歩く。びっこを引く。「狐、射まろばかされて、鳴きわびて、―・きつつ草に入りにけり」〈宇治拾遺五三〉 ↓こしひき

こし【輿】 屋形に人を乗せ、二本の長柄で、人力で運んだ乗物。肩にかつぐ輦（れん）と、手で腰に支える腰輿（たごし）の二種類がある。また、屋形の形により、鳳輦（ほうれん）・葱花輦（そうかれん）・板輿・網代輿・張輿・四方輿・塗輿などがある。「御―に乗り給へるにつけても」〈源氏賢木〉

こ・し【越し】㊀『四段』《境界をなすものや相手などをのりこえて進む意》 ①（境界を）乗りこえてやって来る。「遠つ神、わご大君の行幸（いでまし）の、山―・す風の」〈万五〉。「暁の夢（いめ）に見えつつ梶島の磯―・す波のしきてし思ほゆ」〈万一七二九〉 ②（あちら側のものをこちらの領域に）来るようにする。持って来る。「大坂に継ぎ登れる石群（いしむら）を手（た）越しに―・さば、―・しかてむかも」〈紀歌謡一九〉 ③順序を追わずに先へ進む。「まぢかくは平城（へいぜい）の天子、嵯峨の天皇に位を―・され御恨みのあまりに」〈保元上・新院為義を召さる〉 ④（進んで）向うへゆく。ゆく。「御身たちは鎌倉へ―・すべきなり」〈伽・唐糸さうし〉 ⑤よこす。つかわす。「御迎ひをぞ―・されける」〈伽・はもち中将〉 ㊁『名』（境などを）乗りこえること。越すこと。「窓―に月押し照りて足引の嵐吹く夜は君をしぞ思ふ」〈万二六七九〉。「几帳―に手をとらへて」〈源氏花宴〉 †kosi

こ・し【挙し】『サ変』《コは呉音》 推挙する。推薦する。「老体の身ものうく侍り。―・し申さん。おはしましなんや」〈沙石集八ノ一五〉

こ・し【濃し】『形ク』《「浅し」「薄し」の対》 ①色が深い。「花の色はただひとさかり―・けれども返す返すぞ露はそめける」〈古今四五〇〉。「もみぢの薄き―・きも、錦をひけるやうなり」〈栄花根合〉 ②染色（特に、紅・紫）の度合が強い。「紅―・く良き衣着ず」〈土佐一月十三日〉。「―・き綾の単襲（ひとへがさね）なめり」〈源氏空蟬〉 ③味・香りが強く濃厚である。「苦く渋くして滋（こ）き味はひ無けむ」〈金光明最勝王経平安初期点〉。「なほざりに折りつるものを梅の花―・き香に我や衣染めてむ」〈後撰一六〉 ④液体の濃度が大である。「沈（ぢん）・丁字（ちやうじ）を、―・く煎じていれたり」〈宇治拾遺五〇〉 ⑤密である。「果実も並に滋（こ）く繁くして大地に充満せしめ」〈金光明最勝王経平安初期点〉。「〔二人ノ間ハ〕―・くなり果つまじきにや」〈源氏真木柱〉

こじ【小師】 受戒してまだ師を離れない僧。「―でおはせし大納言の法印行慶と申せしは」〈平家七・経正都落〉

こじ【巾子】《コンジのンを表記しない形》 冠の頂上の後部に高くつき出た部分。なかに髻（もとどり）を入れ、その根元に簪（かんざし）をさす。「―落つと、髪の根のなければ」〈神楽歌六四〉

こじ【居士】〔仏〕《梵語の音訳。家長・長者の意》 ①出家しないで仏門に帰依する男子の称。「浄名―と申す翁ましましけり」〈今昔三ノ一〉 ②在家の男子の法名の下に付ける称号。「慈眼大師の御時、東叡山へ一両年相詰め…御印可迄取り申し候。法名―まで下され候」〈わらんべ草二〉。「国者（くにもの）に聞けば四五人―になり」〈雑俳・万句合明和九〉

こ・じ【抉じ・掘じ】『動詞』《連用形しか例がないので、四段活用・上二段活用のいずれか不明》 根をねじったりして掘りとる。「天の香山の五百津真賢木（いほつまさかき）を根こじに―・じて」〈記神代〉 †közi

どし【五師】 奈良・平安時代、大寺で寺僧五人を選んで寺務を司らせた役僧。「七大寺に命じて…専ら寺の僧綱及び別当、三綱―等と相共に勤めて検察を加ふ」〈三代実録貞観九・二・二九〉

ど・し【期し】『サ変』《心に待ちもうける意》 ①予測する。期待する。「先途いづくを―・せず」〈平家三・平大納言被流〉 ②期する。「一生の間、不退転の位を―・して、阿閦仏（あしゆくぶつ）の像を図絵し奉る事、一千軀也」〈今昔六ノ二五〉 ③覚悟する。「敵の矢に当って死なん事、もとより―・するところで候也」〈平家一一・嗣信最期〉

どじ【五時】「五時教(ごじけう)」の略。「四教―の春の花もにほはず」〈平家二・山門滅亡〉

こしあて【腰当】①箙(えびら)の上帯。「蛇結文を―に居(す)ゑ」〈吾妻鏡建久一・九・一八〉②鎧の上に刀・脇差を差すための革帯。「良文が最中(もなか)に押し宛てて射るに…―に射立てつ」〈今昔二五ノ三〉③狩・旅行などに用いる、腰の後ろに当てる毛皮。引敷(ひっしき)。「やれやれ苦しやと、虎の皮の―をなやまし」〈西鶴・名残の友一〉

こしあふぎ ‥オウギ【腰扇】腰に扇を差すこと。また、腰に差した扇。「問ふも語るも行く舟も陸路(かち)ひろふももろともに迷ひを開く―」〈近松・油地獄上〉

こしいた【腰板】①障子・壁・垣などの下部に張った板。「高塀の―に刀を当て」〈近松・栬狩三〉②袴腰に付ける板。「これを二つに割りて、袴の―二枚にせよ」〈西鶴・織留三〉

こしいれ【輿入れ】嫁入りの輿を婿の家へかつぎ入れること。転じて、嫁入り。「信長姪女を養親に成りて伊奈の高遠へ御―」〈甲陽軍鑑一〇下〉

こじうと【小舅】配偶者の兄弟。「尾張の国には熱田大宮司太郎は、義朝には―なり」〈平治上・源氏勢汰へ〉。「婦兄・婦弟・兄公、コジウト」〈名義抄〉

こじうとめ【小姑】配偶者の姉妹。「妹、コジフトメ」〈名義抄〉。「姨、コジウトメ」〈文明本節用集〉

こしおし【腰押し・腰推し】《けわしい坂道を登る人の後ろから腰を押す意から》後ろから力を添えること。そばからそそのかし勧めること。また、その人。尻押し。あと押し。「秋を知らして公事(くじ)の―」〈俳・大坂一日独吟千句〉

こしかき【輿舁き】輿をかつぐ者。駕輿丁(かよちょう)。「―が刀を乞ひて自ら髪を切り落し」〈保元下・為義の北の方〉

こしか・け【腰掛け】㊀《下二》腰を物の上におろす。「ある谷川のはたなる石に―けておはしけるが」〈平治下・頼朝青墓に下着〉㊁《名》①腰をかける台。「近衛殿、―にて見る」〈天正本狂言・近衛殿の申状〉②城内や武家屋敷の、下級武士や仲間(ちゅうげん)の控え所。「門の内―の辺には、おのおの供の者ども立ち騒ぐ」〈鶯笑子〉③茶会の時、客の接待のため露地に設ける休息所。「夜会、―に行燈を置くべし」〈南方録覚書〉④近世、江戸・大阪・京都町奉行所や江戸の評定所前にあった、訴訟人の待合い兼休息所。大阪では「たまり」ともいった。「公義の―に町衆を退屈させ」〈浮・好色万金丹三〉　**―ぢゃや**【腰掛茶屋】道ばたに葭簀(よしず)などを張り、腰掛・縁台を置いて通行人を休ませる茶屋。掛け茶屋。「―の嚊(かか)がはじめよりの事ども聞き耳立てて」〈西鶴・好色盛衰記五〉　**―まつ**【腰掛松】神・天狗(てんぐ)・有名人などが腰掛けたと伝える、幹・枝が腰掛のような形をした松。「弁慶東下り〔ノ〕時、ここに休みし所とて―〔アリ〕」〈一目玉鉾一〉

こしかた【来し方】①来る時に通った方(角)。「―の山は霞はるかにて」〈源氏須磨〉②過去。「―をさながら夢になしつればさむる現(うつつ)のなきぞ悲しき」〈新古今一七八九〉↓来(き)し方。　**―ゆくさき**【来し方行く先】過去と将来と。「―おぼしつづけられて」〈源氏須磨〉　**―ゆくすゑ**【来し方行く末】過去と将来と。「―の事ども思し召しつづけて」〈平家灌頂・女院死去〉

こしがた【腰形】衣服の腰のあたりにつけた模様。腰模様。「この撫子(なでしこ)の―」〈西鶴・一代男一〉

こしがたな【腰刀】供の者に持たせておく太刀(たち)に対し、いつも腰に帯びている鐔(つば)のない小刀。鞘巻。「―の先をかへすかへす能く能く研(と)ぎ、懐に引き入れて」〈今昔二五ノ四〉。「太刀・長刀(なぎなた)打ち折りて後、―は身離れぬ物なれば、自害をもし、高名をもする也」〈宝物集七〉

こしがはり ‥ガワリ【腰変り・腰替り】衣服などの腰から下の染色や模様が変っているもの。「薄板一端―献上せしめ候」〈伊達家文書一、松井養雲斎三成書状〉

こじかみ【巾子紙】冠の纓(えい)を前方に折り曲げ、巾子を挟むようにして留めるために用いる紙。「小袖に白袴きて冠に―入れ、天子出御の振舞をし」〈平治上・源氏勢汰へ〉

こしから・み【腰絡み】《四段》衣服を腰のあたりにからめる。こしからげ。「襴(なほし)、表(うへ)の衣を皆―・みて」〈今昔二八ノ四〉

こしき【甑】米などを蒸すに使う道具。鉢や甕(かめ)の形で、底に湯気を通す穴がある。彌生式時代から始まり、古くは素焼の土器、奈良時代ごろから木製のものも使われた。今の蒸籠(せいろう)。「―には蜘蛛の巣懸(か)きて」〈万八九二〉。「甑、古之岐(こしき)、炊飯器也」〈和名抄〉 †kösiki

―落・す 宮中で出産の時、安産のまじないに、こしきを産殿の屋根からころがし落とす。「降誕の後、陰陽師参る。胞衣以前か。御祓有り。…南面の階(はし)の間に甑を落す。幾程も経ずして胞衣下り了んぬ」〈花園院宸記 文保三・四・二一〉。「御産の時―・す事は定まれる事にあらず」〈徒然六一〉

こしき【轂】《形が甑(こしき)に似るところから》車輪の中央部の名称。車軸を通し、輻(や)の集まる所。「筒(どう)」とも。「轂、己之岐(こしき)」〈華厳音義私記〉。「轂、車之古之岐(くるまのこしき)、俗云筒(どう)」〈和名抄〉 †kösiki

こじき【乞食】《コツジキの転》①托鉢(たくはつ)。「雪きえたらばこそ、出でて―をもせめ」〈古本説話五三〉②物ごいする人。「酒にゑひ候て、経堂辺にて―と喧嘩を仕り候て」〈北野目代日記 明応八・一一・一八〉　**―に筋(すぢ)無し** 最初から乞食と生れついた者はなくて、皆我が身の不始末から零落したものである。「乞食に氏なし」「乞食に種(たね)なし」とも。「人は知れぬもの、―」〈西鶴・名残の友四〉　**―のう**【乞食能】路傍で乞食が能をして物を乞うこと。また、簡略な能の卑称。「松風や村雨でせぬ―」〈雑俳・雪の笠〉

ごしき【五色】①青・黄・赤・白・黒の五種の色。「〔黒崎トイウ〕所の名は黒く、松の色は青く、磯の波は雪の如くに、貝の色は蘇芳(すはう)に、―に今ひと色ぞ足らぬ」〈土佐二月一日〉②五種類。「五臓より出づる息、―に分れて五音・六調子となる」〈花鏡〉③多種多様。各種。「折節、神送りの空恐ろしげに、―の雲騒ぎて」〈西鶴・男色大鑑三〉　**―のいと**【五色の糸】青・黄・赤・白・黒の五色の糸。糸の一端を仏像の手にかけ、他の一端を臨終の人が持って極楽往生を全うしようとしたもの。「さて仏の左の御手に―を付けよ。…病者の右の手の中の指にかけて取らしめよ」〈孝養集下〉　**―のくも**【五色の雲】五色に彩られた美しい雲。めでたい事の起る前兆とされる。「大宮の大路に―空より下る」〈今昔一五ノ二〉

こしぎぬ【腰絹】腰巻。「生絹(すずし)の―をさせて」〈西鶴・一代男三〉

こしぎんちゃく【腰巾着】常に傍についていて離れない者。「見なせへ、私が湯へ来るにも―だ」〈滑・浮世風呂三下〉

こしぐるま【腰車】「輦車(てぐるま)」に同じ。「或日、又―にひかれて参りけるに」〈著聞五三〇〉

こしけ【腰気・帯下】婦人の子宮からの出血および分泌物。白帯下(はくたいげ)と赤帯下(しゃくたいげ)の別がある。陣痛の意にも用いた。「袖返す寒さ―のただならで」〈俳・守武千句〉

ごじけう ‥キョウ【五時教】釈迦一代の説法を、その生涯の五

つの時期に区分整理した経典批判。「それを名づけて―とはいふにこそはあなれ」〈大鏡序〉

こしげ・し【木茂し】『形ク』木が茂っている。「いと―き中より、篝火（かがりび）どものかげの、遣り水の螢に見え紛ふもをかし」〈源氏薄雲〉

こしこばた【腰小旗】戦陣で腰にさして、味方同士の目印にする小旗。「源氏は大旗、―、皆おしなべて白かりけるが」〈古活字本平治中・待賢門軍〉

こじごろも【居士衣】道服の一種。十徳（じっとく）。「こじえ」とも。「頭は霜を梳（けず）りて残切（ざんぎり）となし、―の袖を子細らしく」〈西鶴・懐硯一〉

こしざし【腰差】①《受けとると、腰にさして退出するからいう》禄（ろく）に賜わる巻絹。「物の師どもは、白き単衣襲（ひとへがさね）、―など次次に賜ふ」〈源氏胡蝶〉②「腰刀」に同じ。「随身の―まで賜ひけり」〈古事談三〉

こしじ【昏鐘時】《コンシンジの約》たそがれ時。「暮れの時を謂ひて、―と為す」〈本朝神社考五〉

こししゃうじ …ショ ウ… 【腰障子】下部三十センチぐらいを板張りにした紙障子。「御―にも、女院の御手とおぼしくて」〈盛衰記四八〉

こしぜに【腰銭】腰にくくり付けた、緡縄（さしなわ）に貫いた銭。「―を祇園祭に落し来て」〈俳・望一千句〉

こしぞへ …ソ エ… 【輿添へ】輿に付き添って随行すること。また、その人。「大祥寺殿御番衆等御―也」〈言継卿記天文一五・三・二五〉

こしだか【腰高】①腰をかがめないこと。「［行啓ノ警固ニ］―なる者を下知して、馳せ通るなり」〈信長公記一三〉②袴（はかま）などを腰の高めの所に帯びること。「二人の美児（びしゃう）緋の袴―に」〈西鶴・新可笑記一〉③器物の腰の部分の高いもの。「―の盥（たらい）へ湯を汲み」〈滑・浮世床初上〉

こじたる・し【小舌懈し】『形ク』しつこく厭みらしい。べたべたしている。「これこれ女郎衆、―・い風俗にて、いづ方への御出ぞ」〈浮・御前義経記五〉

こしぢ【越路】①越（北陸道）に通う道。また、越の地方。北陸道。「しな離（ざか）る―を指して」〈万四二二〇〉②《転じて》北国。「かひがひしくもたのむの雁、秋は必ず―より都へ来るものなれば」〈平家二・蘇武〉 †kosidi

ごしちにち【五七日】人が死んで三十五日目の日。「はかなく―にもならせ給ひぬれば」〈栄花玉飾〉

ごしちにち【後七日】**―のあじゃり**【後七日の阿闍梨】「後七日の御修法」の導師をつとめる阿闍梨。東寺の一の長者がこれに当った。「―、武者を集むる事」〈徒然一六三〉 **―のみしほ**【後七日の御修法】真言宗の重要な儀式。毎年一月八日から十四日までの七日間、宮中の真言院で行なわれ、天皇の安穏、国土の安泰、五穀の豊作などを祈る。「―、大元の法、灌頂興行せらるべき由、仰せ下さる」〈平家三・大塔建立〉

こしぢゃうちん …ヂョ ウ… 【腰提燈】腰に差すように長い柄を付けた提燈。「腰あかり」とも。「味方は残らず用意の―」〈近松・女夫池五〉

こじつ【故実】古いしきたり。昔の作法。「下官［吉書ヲ］奏聞せす。只内覧許り也。摂政の間は、［コレガ］―也」〈兵範記仁安三・一・四〉

こしつき【腰付き】腰のかっこう。「紫苑色の折にあひたる薄物の裳鮮かに引き結ひたる―たをやかになまめきたり」〈源氏夕顔〉

こしつき【輿付き】輿に付き添うこと。また、その人。「御迎ひの諸侍五千石を頭（かしら）にて、騎馬が二十騎、児（ごち）医者は御―」〈近松・丹波与作上〉

こしづけ【腰付け】①腰に物を付けること。また、その物。「刀と筆とを―にして歩いたぞ」〈玉塵抄四一〉②役に立つよう、身近に置くこと。また、身近に置く物あるいは人。「閻魔王の―に、人頭形といふ者あり」〈伽・ゑんま物語〉。「君子は子を―にせずして遠ざくる」〈応永二十七年本論語抄一六〉

こしづつ【腰筒】腰にさげるようにした、酒を入れる竹筒。「僕に持たせし―取りて、呑む事数献」〈浮・近代艶隠者三〉

こしつづみ【腰鼓】伎楽などに用いた鼓の一種。胴の長さ一尺五寸。面の直径一尺四寸。黄色の紐で革をしめ、長紐で腰に掛け、両手で打ち鳴らす。「えうこ」とも。「波の―、ていたうの拍子を打つなりや」〈謡・岩船〉

どして【後して】『副』そのうち。やがて。「疵つけながら―身の仇となり」〈浮・男色十寸鏡上〉

こじとみ【小蔀】①清涼殿の昼御座（ひのおまし）と殿上の間との間にある蔀の小窓。天皇が殿上の間を御覧になった所。「［時平ガ］…殿上に候（さぶら）はせ給ふを、帝―より御覧じて」〈大鏡時平〉②蔀のある小さい窓。明り取りなどのためのもの。「あやしの所にもありぬべき―・小板敷（こいたじき）・高遣戸（たかやりど）なども」〈徒然二三〉

こしなは …ナ ワ… 【腰縄】①腰に付けて携える縄。「蜑（あま）の―霞引く見ゆ」〈俳・大矢数三〉②罪の軽い囚人などに腰だけに縄を掛けること。また、その縄。「囚人の柳の姿―に」〈浄・鎌倉三代記六〉

こしぬけ【腰抜け】①腰が抜けて立てない者。「御符（ごふ）も後（のち）はきかぬ―」〈俳・淀川〉②臆病で意気地ないこと。また、その人。「その―どもは、さやうの事ならではえ申すまじき」〈浅井三代記二〉 **―やく**【腰抜け役】腰抜けの老人が勤めるようなつまらない役。「会津の戦場をば捨て置きて、―の加賀［ノ城番］へは思ひも寄らざること」〈北越軍記九〉

こしのまはり …マ ワリ 【腰の周り・腰の廻り】腰に差す刀剣の総称。近世では、腰に下げる印籠（いんろう）・巾着（きんちゃく）等をもいう。「―も取るやうにさしめ」〈虎明本狂言・禁野〉

こしのみち【越の道】「こしぢ」に同じ。「越前、古之乃三知乃久知（こしのみちのくち）」〈和名抄〉。「越後、古之乃美知乃之利（こしのみちのしり）」〈和名抄〉

こしのもの【腰の物】腰に帯びる刀。近習・太刀持ちなどに持たせる刀に対していう。腰刀。近世、脇差の意にも用いた。「将軍御感の余り、御―を直（ぢき）に両人に給ひし事」〈梅松論上〉

こしば【小柴】①小さい柴。「庭中のあすはの神に―さし吾（あれ）は斎（いは）はむ帰り来（く）までに」〈万四三五〇〉②「小柴垣」の略。「同じ―なれど、うるはしくしわたして、清げなる屋・廊などつづけて」〈源氏若紫〉 †kosiba **―がき**【小柴垣】丈の低い柴垣。「はかなげなる―を大垣にて」〈源氏賢木〉

こじはう …ジ ホウ 【小四方】「四方」(2)の小型のもの。「―また神の折敷にても、身の分際に従ひて用ゆべし」〈伊勢講儀式一〉。「小四方、コジハウ、小盤也。俗云足打」〈書言字考〉

こしはせ【腰はせ】《ハセはカホバセ・ココロバセのハセに同じ。さっと示す動きによって感じられる印象》腰つき。「細細腰支（こしはせ）」〈遊仙窟（醍醐寺本）鎌倉期点〉。「舞の―は、柳の糸の如くにたをやかにてあるべし」〈古今集註〉。「腰支、古之波勢（こしはせ）」〈和名抄〉

こしばり【腰張】壁・襖（ふすま）・障子などの下部に紙を張ること。また、その紙。「習をば塵芥ぞと是を知れ書物は反古

—にせよ」〈紹鷗茶湯百首〉。「数寄屋に念を入るる—」〈俳・犬子集一五〉

こしばゐ【小芝居】近世、小屋の表に櫓(やぐら)を上げるのを官許されない、小さい劇場や見世物小屋。「—もこや(コノ時期ニ八)出替りの女方(をんながた)」〈俳・塵塚(成之編)一〉。

こしひき【腰引き・腰曳き】びっこ。「それが脚が悪うて—なるほどに」〈湯山聯句鈔上〉

こしびと【腰人】主人の身の廻りに付き添う従者・腰元などの称。「両人の—めは此所に五日も十日もしばり付け」〈浄・本朝用文章三〉

こしひゃうらう【腰兵粮】腰に付けて携える兵粮。「謙信総軍は、前後の敵を切りくづし、河中島原の町に伏し居、—を遣ひ、油断致し候所に」〈河中島五箇度合戦記〉

こしびゃうぶ【腰屏風】腰の高さほどの屏風。「—一双申し付く」〈舜旧記慶長三・六・二六〉。「低き引く霞や山の—」〈俳・鷹筑波四〉

こしふ【古集】古人の詩や文を集めた書物。あるいは、古歌集。「まだ開かぬ御厨子(みづし)どもの珍しき—の故ならぬ少しえり出でさせ給ひて」〈源氏賢木〉。「—の歌どものさしも見えぬは」〈無名抄〉

ごじふ【五十】 **—ちゃういちり**【五十町一里】近世、河内・和泉・伊勢等で行なわれた、五十町を一里とする里程。「大江山—(ノ道ヲ)分けそめて」〈俳・大矢数一〉 **—てんでん**【五十展転】法華経の功徳をあらわす語。法華経、随喜功徳品(くどくほん)に、この経は、転転と聞き伝えられて五十人目に至っても、なお人を随喜せしめる功徳がはかり知れないという。「或いは—の末にして聞くすら功徳は随喜品の如し」〈孝養集中〉 **—ねんき**【五十年忌】五十年目の年忌。「唯神院殿—」〈舜旧記元和八・一一・一〇〉。「親の—は、するもめでたし、せぬもめでたし、とは俗語(諺)なり」〈俳・類船集一〉 **—ゐん**【五十韻】連歌・俳諧の形式の一。一巻の発句(ほっく)から挙句(あげく)までの句数が五十句のもの。「昔は—・百韻とつづくる事はなし」〈八雲御抄一〉

こしふさげ【腰塞げ】間に合わせに腰に差す刀。「こしふさぎ」とも。「夏木立(太刀ト掛ケル)佩(は)くは御山の—」〈俳・音頭集三〉

ごじふさんつぎ【五十三次】近世、江戸から京都に至る、東海道の品川宿から大津宿までの五十三か所の宿駅。「東海道は百二十一里。これ—」〈玉滴隠見五〉

こしふたへ【腰二重】老人の腰がひどくまがっていること。「—なるものの、杖にすがりて、卒都婆(そとば)のもとに来て」〈宇治拾遺三〇〉

ごじふにるい【五十二類】釈迦入滅の時、四方より集まった多くの鳥獣虫魚。「五十二種」とも。「人天大会(にんてんだいゑ)、—、非情の草木、山野の獣(けだもの)、江河の鱗(うろくづ)に至るまで」〈保元上・法皇崩御〉

こしぶみ【腰文】手紙の封じ方の一。手紙の包みの端を、上から下へ半分くらい細く切り、それを切り離さず、手紙の腰を巻いて封じる封じ方。「上書(うはがき)、—なり」〈申楽談儀〉

こしふり【輿振り】強訴(ごうそ)の手段に、神輿をかつぎ出してあばれること。「一年(ひととせ)の—の時、情けなく防がせ給ひしかば」〈増鏡二〉

ごじぶん【御自分】相手を敬って呼ぶ語。武士が用いた。あなた。貴公。さらに敬意が強まると「御自分様」という。「—鑓(やり)一本を以て今度の一戦に打ち勝たせたまふと承れば」〈赤羽記〉

こしべんたう【腰弁当】腰に付けて携える弁当。「老若上下—を絶えさず持つ也」〈続撰清正記二〉

こしぼそ【腰細】①腰の細いこと。美女を形容する語。「海神(わたつみ)の殿のいらかに飛び翔(かけ)るすがるの如き—に取り飾らひ」〈万三七九一〉 ②《コシボソと濁音》似我蜂(じがばち)の異称。「似我蜂、畿内にて—と云ふ」〈物類称呼二〉。〈日葡〉 †kosifoso

こしまい【腰米】腰につけた食物。腰兵糧。「—を遣うて休息する」〈籾井家日記五〉

こしまき【腰巻】①婦人の服装の一種。室町時代、宮中で下級の女官が、小袖の上に着る打掛(うちかけ)を、夏の暑さに堪えかねて腰に巻いたところからはじまった。武家では、身分の高い婦人の夏の礼装とされた。「御—も生絹(すずし)裏」〈宗五大双紙〉。「ここら(日本)に、上﨟女房は、—と云うて、薄う軽い袷(あはせ)などを腰に巻くぞ」〈玉塵抄二八〉 ②土蔵の壁の下部の、特に厚くした部分。「蔵の—を内よりぼちぼちとこはし」〈伎・お染久松色読販中幕〉 **—ばおり**【腰巻羽織】丈の短い羽織の裾を、腰に巻き付けるようにしたもの。「やつす姿は…長い刀に—」〈浄・東山殿子日遊五〉

こじまざけ【小島酒・児島酒】備前国児島地方名産の清酒。「—一荷」〈舜旧記慶長一九・一・二七〉。「橘(たちばな)の木陰で飲むや—」〈俳・発句帳三〉

こじみ【昏鐘鳴】夕方の鐘を鳴らすこと。また、その時刻・時分。入相(いりあい)。「—の時分までは雨がほそぼそと降りたるが」〈四河入海七上〉。〈伊京集〉

こじめ・き《四段》固い物、生煮えの物などが歯に当ってきしむ。「かぎ蕨(わらび)生煮えなるは—・きて」〈俳・犬筑波〉。〈日葡〉

こしめ・し《四段》《キコシメシのキが脱落した形》飲食する意の尊敬語。召し上がる。「きこしめし」より敬意が低い。「一つ—・せたぶと」〈宗安小歌集〉。「花香ある人は御茶をも—・すかこちゃまだあとに残る壺底」〈かさぬ草紙〉

こしもと【腰元・腰本】①腰のあたり。また、主人などのすぐそば。「幼き人の—を足駄履いて通るやうこそ奇怪なれ」〈義経記三〉。「奉公は扇のごとくするぞよき用なき時も—にゐよ」〈見咲三百首和歌〉 ②侍女。小間使。「きれいなる形を使う—に」〈俳・蛇之助〉。「—。有徳(うとく)なる人の内義(ないぎ)などの側近く召使はるる故に、—の名あり」〈浮・好色伊勢三〉

こしや【輿屋】死人用の輿を売り、また、貸す家。今日の葬儀屋。棺屋(くわんや)。「—の向ひ取上げ婆」〈雑俳・大花笠〉

ごしゃ【五舎】平安京内裏で、皇后・妃などが住む五つの殿舎。「飛香舎、禁中—の一なり」〈河海抄一〉 →後宮

こしゃう【小姓・小性】①小児。小せがれ。「あれほどの—一人を斬ればとて」〈謡・橋弁慶〉。「倭俗、小児を呼びて—と云ふ」〈文明本節用集〉 ②貴人の側近く奉公して雑用をする少年。「大名なれば、殿ばら・—・同朋、その他小者・中間に至るまで、次第次第の人なくしては、成るべからず」〈伽・猿源氏草紙〉 **—しゅ**【小姓衆】小姓の人人。また、小姓の敬称。「—灸治畢(はをは)んぬ」〈多聞院日記永祿九・三・一二〉 **—だち**【小姓立ち】小姓から立身したこと。また、その出身の侍(さむらい)。小姓あがり。「孫三郎手前にて—の赤瀬清六とて、数度武篇を致すおぼえの仁体」〈信長公記首巻〉 **—まはし**【小姓廻し】小姓に付き添い、指図や世話をすること。また、その役。「—(ノ)誰(た)が袖ふれし梅の介」〈俳・六百番発句合一〉 **—め**

つけ【小姓目付】小姓を監督する役人。小姓横目。「―など言へる者発向（発生）し」〈仮・色物語〉

こしゃう【胡牀・胡床】「しゃうぎ（牀机）」に同じ。「道士三千七百人、―を列ねて西に向ひ座す」〈太平記二四・依山門嗷訴〉

こしゃう【故障】①さしさわり。さしつかえ。「読師（とくし）、左の大臣（おとど）に仰せらるる。―にて右大臣参り給ふ」〈問はず語り三〉②好まないこと。いやに思うこと。「やら―やとて棄てらるるぞ」〈山谷詩抄一〉。「塵ほこりの間が―さに、しばらく御暇を申して」〈山谷詩抄九〉 **―が・り**【故障がり】『四段』いやがる。嫌う。「―・りて目をもかけぬぞ」〈黄鳥鉢抄一〉

ごしゃう【五生】五度生れ変ること。「逃げかくれても、二世三世―七生五百生この恨みは尽きすまじ」〈近松・用明天皇三〉

ごしゃう【五障】〔仏〕①女人のもつ五つの障害。すなわち梵天王・帝釈（たいしやく）・魔王・転輪聖王（てんりんじやうおう）・仏の身になれないこと。「女人は―あるが故に成仏を漏るべき様に承りしに」〈宝物集中〉②仏道修行のさまたげとなる五つの障害。煩悩・業・生・法・所知または悪道・貧窮・女身・形残・喜忘をいう。「―の霞の晴れ難き」〈謡・舟橋〉 **―さんしょう**【五障三従】女人が宿命として課せられている五つの障害と三種の忍従。「これによて―をうらむべからず」〈和語燈録二〉

ごしゃう【後生】①〔仏〕①《「今生（こんじやう）」「前生（ぜんしやう）」の対》後の世。来世（らいせ）。「現世・―吉き事有らじ」〈今昔二ノ三四〉 ⓑ来世の安楽。極楽往生。「老いかがまりたる姿を〔鏡デ〕見ては、―を願ひなどいたさば」〈虎明本狂言・鏡男〉②人に折り入って物事を頼む時に言う語。たっての頼み。お願い。「大坂へ連れて行（い）て下され。―でござる」〈近松・油地獄上〉 **―ぎらひ**【後生嫌ひ】後生を願うことを嫌うこと。仏法を嫌うこと。「日頃は―なりしが」〈西鶴・好色盛衰記三〉 **―ぜんしょ**【後生善処】《法華経、薬草喩品に「現世安穏、後生善処」とあるのによる》死後、極楽に生れること。「現世安穏、―、その思ひとげしめんと思したり」〈栄花もとのしづく〉 **―だいじ**【後生大事】①来世の安楽こそ大切であるということ。「後生一大事」とも。「人間は八苦とて三毒の貪（とん）・瞋（しん）・痴（ち）に犯されて、―にて候」〈伽・聖徳太子の本地〉②一大事に思って一生懸命つとめること。「―と褌（ふんどし）を締め」〈西鶴・諸艶大鑑一〉 **―ねがひ**【後生願ひ】阿彌陀如来に帰依して、極楽往生を願うこと。また、その人。「後生頼み」とも。「寺へ切切（せつせつ）参る事を、―と云ふと見えたり」〈仮・似我蜂物語下〉 **―ぼだい**【後生菩提】死後に幸福を得ること。極楽往生をすること。「―の為にとて、…五部大乗経を御自筆にあそばされたりけるを」〈保元下・新院御経沈め〉 **―らく**【後生楽】①来世の安楽。「この楽をば普通には五常楽と言へども、重衡が為には―とこそ観ずべけれ」〈平家一〇・千手前〉②少しも物事を心配しない、のんきな気質。「―。憂ふべきの事を露も知らずして居るを云ふ」〈諺苑〉

ごじゃう【五常】儒教で、人の常に守るべき五つの道。仁・義・礼・智・信。「詔して曰はく、人の―を稟（う）くるは、仁義重くして」〈続紀養老八・六・二八〉

ごじゃう【御状】書状を敬っていう語。「浄花院重ねて―参らせ候ふ也」〈北野社家日記宝徳一・一〇・一七〉 **―ばこ**【御状箱】幕府の公文書を入れて輸送する箱。「御老中さて其の外の―」〈俳・昼網下〉

ごじゃうぎん【御城銀】城内金蔵に貯えてある銀貨。「また―〔ト領国産ノ〕塩〔ガ大阪ニ〕上るなり」〈俳・桜千句〉

ごじゃうまい【御城米】織豊政権・江戸幕府が、直轄地または諸藩に命じて、危急または饑饉に備えるため、諸城内に貯蔵させた米穀。一定期限後は民間に払い下げた。城詰米（じようづめまい）。城詰御城米。「其の地にこれ有る―、…古米に成らざるやう申し付く可く候」〈吉川家文書一、文祿四・五・二四〉

ごじゃうらく【五常楽】舞楽の曲名。「虞韶楽」が転じたものともいう。「太郎君、万歳（まんざい）・―〔ヲ舞ウ〕」〈宇津保菊宴〉

こじゃうらふ【小上臈】公卿の女（むすめ）などで女房として宮仕えするもの。上臈に次ぎ、中臈の上位。「公卿の女は―と号（な）づけ、織物幷びに表着を著るなり」〈禁秘抄下〉

こしゃく【小癪】こざかしく生意気なこと。「―な事をいふ人ぢゃ」〈虎明本狂言・目近籠骨〉

ごしゃく【五尺】高さ五尺の屏風。五尺屏風。「―は本文を書かせ給へり。…四尺は唐の綾を張らせ給ひて」〈栄花御裳着〉 **―てぬぐひ**【五尺手拭】①五尺の長さの手拭。「覆面や―中躍り」〈俳・貝殻集三〉②元祿時代の流行唄（はやりうた）。五尺手拭節。「いよこの節」とも。〈咄・枝珊瑚珠二〉 **―の菖蒲（あやめ）に水を掛・く** 菖蒲の葉に水を掛けると少しもとどこおらずさらりと流れるように、連歌俳諧で句を仕立てるには、とどこおる所なく、ゆうゆうと長（た）け高くするがよいというたとえ。「五尺の菖蒲」とも。「連歌の仕立ては、―・けたらんが如くなるべし」〈連歌比況集〉 **―の仏も耳抉（じく）り** あれこれいじりまわして、全然駄目にしてしまうたとえ。「五尺の仏を耳掻きにする」とも。「ひたもの削りゆかば、棘刺の勢に大木をすべければ、―と云ふ諺に同じかるべし」〈寒山詩抄四〉

こじゃれた【小戯れた】『連語』《コは接頭語。ジャレはザレの転》ふざけた。「なんぼ、―御新発意（おしんぼち）やな」〈虎明本狂言・お茶の水〉

ごしゅ【御酒】お酒。みき。「是非に―を一つ申さいでは」〈漢書竺桃抄〉。「まづ―を参って下されい」〈虎明本狂言・泣尼〉

ごしゅいん【御朱印】中世末以来、将軍または大名が公文書に朱肉で押した印。また、その公文書。朱印状。「七日の申の刻に―給ふ」〈多聞院日記天正八・二・九〉 **―せん**【御朱印船】近世初期、海外渡航許可の朱印状を与えられ、外国貿易に従事した船。寛永十二年の渡航禁止まで、台湾・フィリピン・インドシナ・マライ半島の各地を相手に大名・外人・商人等が経営した。奉書船。「右の銀子、このたび小浜民部―にて、しゃむろ（シャム）へ持ち渡り候」〈博多三傑伝〉 **―てんま**【御朱印伝馬】近世、公武の公用旅行者が、幕府発行の御朱印により、無賃で使用した伝馬。「紅葉（もみぢ）移らふ―」〈俳・西鶴五百韻〉

こしゅう【故主・古主】もと仕えた主君。むかし奉公した主人。旧主。「このたび―へ八百石にて帰参いたせり」〈浮・懐硯一〉

ごしゅでん【御守殿】近世、将軍の娘で、三位以上の大名に嫁した者の敬称。また、それに仕えた奥女中。あるいはその特異な髪風。「嫁の生酔ひ―〔奉公シタ事〕をひけらかし」〈雑俳・柳多留一四〉

こしゆひ【腰結】男子の袴着（はかまぎ）、女子の裳着（もぎ）の儀式の中の段取りの一で、腰の紐を結ぶこと。また、その役の人。この役には、親族中徳望のある人が選ばれる。元服の際の、加冠の役のようなもの。皇子・皇女の場合は時の太政大臣もしくは左・右大臣などが当ることが多い。「〔女三宮裳着〕御—には太政大臣(おほきおとど)をかねてより聞えさせ給へりければ」〈源氏若菜上〉

ごしょ【御所】①天皇または皇族の住まい。皇居。「この花山院は風流者にさへおはしましけるこそ。—作らせ給へりしさまなどよ」〈大鏡伊尹〉②貴族・将軍などの住まい。「然るべき大臣・公卿の—などこそさすが憚りて狼藉をばせざりけれ」〈盛衰記三三〉。「—へ参じたれば、将軍の仰せに、…とこそ仰せありつれ」〈梵舜本沙石集三ノ二〉③皇族。また、将軍。「—(大塔宮)の落ちさせ給ふものなりと心得て」〈太平記七・吉野城軍〉 **—おしろい**【御所白粉】京都産の白粉。近世前期、禁中の女官が用いたのでいう。「—を寒の水にてときて、二百ぺんもすりつけ」〈西鶴・織留一〉 **—がた**【御所方】①天皇がわ。宮方(みやかた)。「桜山四郎入道、同じき一族等—に参って」〈太平記三・笠置軍〉②禁裏に仕える人人。公家(くげ)。御上家(おかみけ)。「さる—の御女郎様たち」〈西鶴・一代男四〉 **—かづき**【御所被衣・御所被】御所染のかぶりもの。「横雲やさほひめ君の—」〈俳・三つ物揃〉 **—ぐるま**【御所車】牛車(ぎっしゃ)の異称。御所乗物。「—よとひしめきて御迎にぞ参りけり」〈伽・扇流し〉 **—さぶらひ**(サブライ)【御所侍】禁中・仙洞(せんとう)・摂家などに仕えた侍。「法住寺殿の—、東の釣殿に人を集めて、酒飲みけるが」〈盛衰記二六〉 **—さま**【御所様】御所に関係のあること。御所がた。「ある—の古き女房の」〈徒然二三八〉 **—ぞめ**【御所染】寛永頃、女院御所の好みで染め出した絹染。地は白で総地花色形に、柿色・萌黄(もえぎ)色等で模様を染めたもの。地白(じしろ)染。「—の置き手拭ひ」〈浄・藍染川一〉 **—つくり**【御所造・御所作】①菊一文字の太刀。「—兵庫鎖(ひやうごくさり)の御太刀を引き出物にぞせられける」〈太平記一七・隆資卿〉②御所風の建築。「歩み行きて見給へば、—にて、人のすむ体(てい)なり」〈伽・諏訪の本地〉 **—ふう**【御所風】武士・町人の風俗に対して、公家の風俗。御所手(で)。御所がかり。「—や大内山の朝ぼらけ」〈俳・大坂一日独吟千句〉 **—むき**【御所向き】「御所風」に同じ。「是より後は、天下一向に、—を学びけるなり」〈正徹物語下〉 **—をんな**【御所女】公家の女。また、公家に奉公する女。「花見帰り—の事」〈西鶴・一代男四〉

ごしょ【御書】書状を敬っていう語。また、貴人の書状。「武衛、—を遣はすといへども」〈吾妻鏡治承四・九・三〇〉

こしょう【扈従】《コジュウとも》お供につき従うこと。また、その者。「花山院の大納言をはじめとし、十二人—してやりつづけ給へり」〈平家二・一門大路渡〉

ごじょう【五乗】〔仏〕《「乗」は乗物の意。諸仏の教法が大衆を乗せて彼岸に到達させるからいう》菩薩乗・縁覚乗・声聞(しょうもん)乗・天上乗・人間乗の五種の教法。「—鑣(くつわ)を並べて群鹿を覚苑(かくをん＝悟リノ園)に駈らむ」〈性霊集一〇〉

こじょく【小じょく】①ちっぽけなこと。また、僅少なこと。「さても—の十団子、…数珠に似たりけり」〈仮・けんさい物語中〉。「—なる金銀に目を懸け、世の捨物なる博奕を好まんより」〈仮・浮世物語四〉②子供。特に、子供をののしっていう語。「近き頃までは—にてありしが、にはかに成人したり」〈評判・野郎虫〉③召使の少女。特に、吉原以外の江戸遊里で、雑用・見習いをする少女。「こじょこ」とも。「—が盃台を持ち来る」〈洒・船頭深話〉

ごしょどころ【御書所】宮中の書籍を保管した所。別当・預(あずかり)等の職があり、文章生なども出仕した。「—の預紀貫之」〈古今序〉。「延喜の御時に古今〔和歌集〕抄せられし折、貫之はさらなり、忠岑や躬恒などは—に召されて候ひける程に」〈大鏡昔物語〉

こしょゐん【小書院】母屋(もや)に続けて建て出した部屋。「—にて、うんどん…振舞ふ」〈松平大和守日記延宝七・六・三〉

こしら・へ(コシラエ)【誘へ・拵へ】㊀『下二』《こちらにすでに出来ている構図におさまるように相手をなだめ、とりなす意。転じて、材料にあれこれ手を加えて思うような物を作り出す意。→つくり》①言葉をつくして人の気を誘う。機嫌をとる。「よろづに—・へ聞え給へど〔機嫌ハ直ラナイ〕」〈源氏葵〉。「誘、古之良布(こしらふ)」〈地蔵十輪経七・元慶点〉②なだめる。「とざまかうざまに思ひめぐらしつつ、我が御心を—・へ給ふ」〈源氏夕霧〉③手をかけて準備したり、始末したりする。「御死骸の御上には、遣戸格子を外(はづ)し置き、御跡の見えぬやうにぞ—・へける」〈義経記八〉④用意する。計画する。「かねて—・へたる事なれば、走りまはりて火をかけたり」〈義経記八〉⑤手をかけて作り出す。「さて宇治の里人を召して〔水車ヲ〕—・へさせられければ」〈徒然五一〉⑥身じたくする。化粧する。「もとより、みめわろく生れ付きたる形を、何と—・へたればとて、よくもなるまじきに」〈伽・富士の人穴の草子〉㊁『名』①やり方。「一日一日物の足らぬ—」〈西鶴・胸算用三〉②支度。「—無しに〔持参金八〕五貫目」〈西鶴・胸算用三〉③身じたく。扮装。「皆皆、旅の—をぞしたりけり」〈伽・月日の御本地〉④構造。作り。「鐙・指し物は、人の目立たぬ—よし」〈西鶴・新可笑記三〉 †kosiraë

こじり【璫・鐺】《木尻の意という》①垂木(たるき)の端。また、それにつけた飾り。「七宝の宮殿あり。金(こがね)の—、銀(しろかね)の壁、瑠璃の瓦」〈今昔三ノ二〉。「璫、古之利」〈和名抄〉②《「小尻」とも書く》刀の鞘(さや)の端。また、そこにつけた装飾。「帰るさの—を見れば真黄(まっき)にて」〈俳・犬筑波〉 **—あがり**【小尻上り】鐺の上がった、閂(かんぬき)差しの刀の差し方。「輪鼓柄(りうごづか)の脇差に箔押(はくおし)の長鞘(ながさや)、—にさすままに」〈浮・好色敗毒散三〉 **—が詰ま・る**《刀の小尻が詰まると刀身が抜けないので》①危険がさし迫る。危機に瀕する。「—・らねば合戦にはとり結ばぬ」〈孫子私抄〉②貧乏で動きがとれなくなる。どうにもやりくりがつかなくなる。「方方への届け金が不埒になり、当るところが嘘八百いかう—・ってきた」〈近松・冥途飛脚中〉 **—とがめ**【小尻咎め】往来ですれ違った時、互いの刀の鐺が触れ合ったのを、無礼として咎め立てること。また、わずかな事を咎め立てること。「こじり当て」とも。「—の喧嘩出来たり」〈俳・鷹筑波一〉

こしろ【子代】大化改新前の部民の一種。天皇が、皇子・皇女のために置いたもの。その養育費を負担し、また、天皇や皇子たちの居所の警備や食事準備にも当った。「昔在(むかし)の天皇等の立てたまへる—の民」〈紀孝徳、大化二年〉 †kosirö

こしゐ【腰居】腰抜け。腰立たず。いざり。「—申しけるは、『手を以てこそゐざりありき候へ』」〈著聞四三四〉

こしを・れ【腰折れ】㊀『下二』腰折れ歌になる。「—・れたる歌あはせ」〈源氏東屋〉㊁『名』①腰が折れまがっていること。また、その人。「奈良坂のさがしき道をいかにして—どもの越えて来つらむ」〈著聞五三一〉②腰折れ歌、また、腰折れ文。「大納言経信丸が—ども」〈大納言経信集〉。

「あやしの—一つよみて集に入ることだに、女はいとかたかめり」〈無名草子〉 **—うた**【腰折れ歌】和歌の第三句(腰の句)の詠み方に欠点のあるもの。第三句と第四句との接続が不都合なもの。さらに一般にへたな歌。また、自詠の歌の謙譲語。「—好ましげに若やぐ〔尼君達ノ〕けしきども」〈源氏手習〉。「—を中嶋神殿にさし出す」〈明月記正治二・一〇・二一〉 **—ぶみ**【腰折れ文】へたな詩文。また、自作の詩文を謙遜していう語。「わづかなる—作ることなど習ひはべりしかば」〈源氏帚木〉

こしん【故親】古くからの一族。「いかに汝は、同じ平家の侍といひながら、—にてあんなるに」〈平家一二・六代被斬〉

こじん【故人】①古いなじみの人。旧知。旧友。「—、我を知りて芳意多し」〈菅家文草四〉②(旧知の)亡き人。「死んだ人。「大宰帥大伴卿、—を思ひ恋ふる歌三首」〈万四四三八題詞〉。「喪を聞きて泣きて読む、—の書」〈菅家文草四〉

ごしん【後心】《「初心」の対》その道の経験を積んだ境地。「初心を忘るるは、—をも忘るるにてあらずや」〈花鏡〉

ごしん【護身】「護身法」の略。「聖(ひじり)…とかうして—参らせ給ふ」〈源氏若紫〉 **—ほふ**(ウホ)【護身法】密教で、いっさいの魔障を除き、身心を守り固めるために、修法の初めに修する加持の法。〈文明本節用集〉

ごしんざう(ウ:ゾ)【御新造】①新築の建造物を敬っていう語。「大津に御着岸わたらせ給ひ、—へ移し奉り」〈本福寺跡書〉②身分ある人の新婦の敬称。「うらやましくも—様」〈俳・大硯〉③武家・医者・上中層町人などの妻の敬称。「—様から御使と壺口(オチョボ口)して」〈西鶴・諸艶大鑑一〉

ごじんたい【御仁体・御人体】りっぱな御身分。お人柄。「さばかりの—と見えたが、その古歌を御存じないか」〈虎清本狂言・禁野〉

こしんのみだ【己心の彌陀】彌陀如来は浄土にあるのではなく、己(おの)れの心の中にあるということ。「—、唯心の浄土」〈謡・山姥〉

ごしんぷ【御親父】他人の父に対する敬称。「—も此の合戦に先懸けして」〈太平記六・赤坂合戦〉

ごしんもじ【御心文字】「御心」の文字詞。「井戸より深き—に、まめ男のころりとならせ給ふも」〈俳・宝蔵四〉

ごしんもじ【御新文字】「御新造」の文字詞。「花嫁の筆試み(書初メ)や—」〈俳・旅衣集一〉

ごしんもじ【御親文字】「御親切」の文字詞。「今のうれしき—」〈松の落葉四〉

こす【小簾】《コは美称。万葉集一〇七三、二三六六などの「小簾(すを)」を誤読して生れた語》すだれ。「玉だれの—の間通り一人ゐて見るしるしなき夕月夜かも」〈古今六帖一〉。「—近く鳴き寄る虫の声暮れて」〈言継卿記天文一三・九・二〉

ごすい【五衰】〔仏〕天人が死ぬときに現われる五種の衰えの相。涅槃経には衣裳垢膩・頭上花萎・身体臭穢・腋下汗出・不楽本座の五つを挙げるが、他にも諸説がある。「天には—あり。人には八苦あり」〈将門記〉

こすぎ【小杉】「小杉原」の略。「—四五枚濡れかくる露」〈俳・阿蘭陀丸上〉 **—はら**【小杉原】小形の杉原紙。鼻紙に用いる。「瑠璃小皿五、—これを遣はす」〈証如上人日記天文二六・一・三〉

こすげ【小菅】小さいスゲ。また、スゲ。「湖(みなと)にさ根延(は)ふ—」〈万二四七〇〉 †kosugë

こすこす【越す越す】液体を溢れるほど湛えたさま。「堤をも—水嵩(みかさ)増さり来て」〈俳・言之羽織六〉

ごすで【呉須手・呉洲手】明末清初、中国の江西・広東地方で産した、青黒色で奇抜な絵模様の染付け磁器。また、それを真似た日本産をもいう。「呉須」「呉須焼」とも。「細き—の茶碗」〈久重茶会記寛永一四・六・一三〉

ごすで【昂子手】下手な字。悪筆。中国の能筆家趙子昂(ちょうすごう)の逆という洒落。「右の返事、さして—とは見うとみがたく」〈俳・祇園誹諧合三〉

こずまふ(モウ:ズ)【小相撲・小角力】素人が相撲を取ること。また、その人。宝暦以後は、相撲年寄の新弟子をいった。専門力士「大相撲」の対。「—五番打ち人数の事」〈信長公記一二〉

こすみ【小隅・小角】かたすみ。すみっこ。「見世の—へはったと投げつくる」〈近松・生玉心中中〉

ごすもじ【御推文字】「御推量」の文字詞。「ごすいもじ」とも。「〔一言モ〕申さぬとても—あれかしに候」〈浮・御前義経記七〉

こす・り【擦り】『四段』①強く擦(す)る。「烏帽子の上を射—・りて、妻戸に矢立ちにけり」〈延慶本平家八・木曾法住寺殿〉。「おれが舟をすり—・りて西したはそちではないか」〈古文真宝抄一〉②遠廻しに当て付けて悪く言う。当てこする。「一口咄(ばなし)にも人の耳を—・りて」〈西鶴・一代男三〉

こずゑ【梢】《木末の意》幹や枝の先。「秋風の吹きにし日よりおとは山みねの—も色づきにけり」〈古今二五六〉 ▽平安時代になってコヌレに代って使われた。

ごすん【五寸】揚代銀五匁の局(つぼね)女郎。「新町にて、—の勤めにておはせしが」〈評判・三幅一対〉

こ・せ『下二』《コセメキのコセと同根》細かいことにこだわって、ゆとりを欠く。こせこせする。「いかにも連歌は、—・せずして長(た)け高く幽玄を先とすべきものなり」〈古今連談集中〉

こ・せ【遣せ】『下二』《呉れる、寄こす意のオコセのオが直前の母音と融合して脱落した形。希求の助詞コソと同根。他の動詞の連用形に連なった形で現われる。接尾語とする説もある》…してくれる。「この鳥も〔鳴クノヲ〕打ちやめ—・せね」〈記歌謡二〉。「我が背子は千年(ちとせ)五百歳(いほとせ)ありー・せぬかも」〈万一〇二五〉。「ゆく螢雲の上まで去(い)ぬべくは秋風吹くと雁に告げ—・せ」〈伊勢四五〉 †kösë

ごせ【後世】〔仏〕①死後生れかわる世。来世。後生(ごしょう)。「今生かくて止(や)まむとす。—を思ふにきはめて恐ろし」〈今昔四ノ一五〉②来世の安楽。極楽往生。「一向専修に念仏して、ひとへに—をぞ願ひける」〈平家一・祇王〉

ごぜ【御前】《ゴゼンの約》㊀『代』女性に対する二人称。「『や、—、—』と押し驚かせば」〈義経記二〉㊁『接尾』婦人の名などにつける敬称。「源蔵人殿嫡子宮松—」〈高野山文書四、弘安一〇・一二・二四〉㊂『名』【瞽女】鼓を打ち、または三味線を弾き、唄いなどして、銭を乞う盲女。「めくらごぜ」とも。「座頭へと—のもとより文の来て」〈俳・守武千句〉。「御前、ゴゼ、女盲目」〈文明本節用集〉

ごせいゆみぢから【碁勢弓力】碁や弓は普通の智恵や強力(ごうりき)によるものでなく、特殊な才能を必要とするということ。また一般に、特殊な才能のたとえ。「関〔ノ位〕になる相撲や—」〈俳・伊勢踊四〉。〈俳・毛吹草二〉

こせう(ヨウ:シ)【胡椒】 **—づきん**【胡椒頭巾】盗賊が用いた胡椒を入れた袋頭巾。「新道土手辺りで、—かぶせられ」〈浄・道外和田酒盛五〉 **—丸呑(の)み** 辛い胡椒も丸呑みしては全く味が分らない意で、物事は玩味しなければ真義を知り得ないたとえ。「唐歌(からうた)や—花見酒」〈俳・俳諧三部抄上〉。〈俳・毛吹草二〉

こせき【戸籍】一戸ごとに戸主や家族の名・性別・年齢・

続柄を記載した帳簿。令制の下で租税などを課するための台帳とされ、六年ごとに作製。「凡そ—は、六年に一たび造れ。…恒に五比を留めよ(三十年間保存セヨ)。其の遠き年のものは次に依って除く」〈戸令〉

こせごと【こせ言】巧みな言い掛け。秀句。かすり。「秀句・—を御存じかとの申し事ぢゃ」〈虎明本狂言・今参〉

ごせしゃ【後世者】来世の安楽を念ずる人。「—はいつも旅に出でたる思ひに住するなり」〈一言芳談〉

こせぢ【巨勢道】大和国高市郡巨勢地方。また、巨勢にゆく道、巨勢を通る道。「直(ただ)に来ず此ゆ—から石橋踏みなづみぞわが来し恋ひてすべなみ」〈万三三五七〉 †kösedi

ごせち【五節】《左伝、昭公元年にある音律の五節、すなわち、遅・速・本・末・中声に基づくとも、また、天武天皇が、吉野宮で琴を弾じた際、天女が舞い降り、その袖を五度翻した故事によるともいう》①新嘗祭(にいなめまつり)・大嘗祭(おおなめまつり)に行なわれた少女楽の公事。十一月の中の丑・寅・卯・辰の四日にわたる。その間、五節の参り、帳台の試み、御前の試み、殿上の淵酔(えんすい)、童女御覧(わらわごらん)、豊明節会(とよのあかりのせちえ)、五節の舞などの行事がある。「雑舞并せて大歌—等を奏す」〈日本後紀大同三・一一・一七〉 ②「五節の舞」の略。「今年の—のみこそは、ありさまけざやかに」〈栄花様様悦〉 ③「五節の舞姫」の略。「受領の—出すをりなど」〈枕二四〉 **—どころ**【五節所】「五節の局(つぼね)」に同じ。「このごろの君達(きんだち)は、ただ—のをかしき事を語る」〈紫式部日記〉 **—のこころみ**【五節の試み】天皇が五節の舞姫を召して、豊明節会の五節の舞の試演を御覧になること。十一月の中の丑の日に常寧殿において行なうのを帳台の試みといい、中の寅の日に清涼殿で行なうのを御前の試みという。「その年の—の夜、后の宮よりはじめ奉りて」〈宇津保俊蔭〉 **—のたまひ**イ:マ【五節の田舞】「五節の舞」に同じ。「酒酣(たけなわ)なるとき、—を奏し」〈続紀天平一四・一・一六〉 **—のつぼね**【五節の局】五節の舞姫の控所。「侍従の宰相の—、宮の御前ただ見渡すばかりなり」〈栄花初花〉 **—のまひ**イ:マ【五節の舞】五節に舞う少女の舞。新嘗祭の翌日、辰の日に行なわれる。「大歌并(ならび)に—を奏し」〈延喜式践祚大嘗祭〉 **—のまゐり**【五節の参り】五節の舞姫に選ばれた少女たちが参内する時の儀式。舞姫のうち一人か二人だけが「参り」の儀式をし、他の者は内内に参内するが、それを「暁参り」という。「女御入内(じゅだい)屏風に、—かきたるところ」〈隆信集〉 **—のわらは**ラワ【五節の童】五節の舞姫の付添いの童女。天皇が、これらの童女を五節舞(豊明節会)の前日(卯の日)に御前に召すのを「童女御覧(わらはごらん)」という。「—に出ださむと思ふ」〈今鏡一〇〉

ごせつ【五節】①⇒ごせち。「天(あま)つ少女(をとめ)の〔袖ヲ〕返すなる、—の始めこれなれや」〈謡・国栖〉 ②「五節句」の略。「五節句、即ち—」〈ロドリゲス大文典〉

ごせっき【五節季】年間五度の支払い勘定日。三月三日・五月五日・七月十六日・九月九日の各前日と十二月晦日(みそか)。「大分の借銭負ひたる人は、—の隠れ家に、心安き妾をかくまへ置きけると言ふ」〈西鶴・胸算用四〉

ごせっく【五節供・五節句】年間五度の節句。人日(じんじつ)(正月七日)・上巳(じょうし)(三月三日)・端午(五月五日)・星夕(たなばた)(七月七日)・重陽(ちょうよう)(九月九日)の総称。「まづ—の次第を案ずるに」〈日蓮遺文秋元殿御返事〉。「一ねんに五たびの—と名づけて」〈伽・貴船の縁起〉 ↓節供

ごせっけ【五摂家】摂政・関白となる家格をもつ藤原氏の一族、近衛(このえ)・九条・二条・一条・鷹司(たかつかさ)の五家の称。「—ともにいづれも今甲乙はなけれども」〈戴恩記上〉

ごせぼだい【後世菩提】死後、極楽に生れること。「ひとへに—を祈る」〈今昔一三ノ三三〉

ごぜむかひカイ【御前迎ひ】嫁を迎えること。嫁取り。「—の用意、ひまもなし」〈伽・鼠草子〉

こせめ・き『四段』こせこせする。こせつく。「むつかしく—・かんよりも、何もせずして、ただ正しくてぞあるべき」〈明恵遺訓〉

こぜりあひイア【小迫合・小競合】小部隊が衝突して戦うこと。「一国一城の—とは各別なり」〈別所長治記〉

こせん【古銭】近世初期、寛永通宝が鋳造されるまで流通していた、皇朝十二銭などの和鋳銭や中国から渡来した永楽銭などの、量目一匁の銅銭の総称。「—交らず」〈浄・道外和田酒盛三〉 ↓新銭

ごぜん【御前】㊀『名』《古くオホマヘ(大前)と言った語を、オマヘというに至って、「御前」と漢字で書くようになり、それを字音で読んだ語。↓まへ》①天皇や貴人のまえ。「〔天皇ノ〕うるはしき(儀式バッタ)—よりも怪しう心づかひせられて」〈源氏藤裏葉〉。「盛久、—にて候」〈謡・盛久〉 ②(貴人の)先導。前駆(ぜんく)。「—・随身・車副(くるまぞひ)・舎人(とねり)まで」〈源氏宿木〉 ↓さき。③貴人の敬称。「為時が申文を御覧ぜしめむとせし時、—(天皇)御寝なりて、御覧ぜずなりにき」〈今昔二四ノ三〇〉。「前(さき)追はざらむ人をば、我が—(姫君)たちの御辺りには、いかでか寄せむ」〈今昔三一ノ五〉 ④大名・旗本などに対する臣下からの敬称。「御会所に於いて—へ伺候也」〈諸大名衆御成被申入記〉 ⑤大名・武家の奥方の敬称。「いざや—もろともに霊仏霊社に参り祈誓申さんとて」〈伽・月みつ花みつ〉 ⑥神仏や貴人の前で使用する物、また、行なう事に冠する語。「—蠟燭三丁」〈北野社家日記長享二・二・一六〉。「—能または勧進能の時も」〈仮・為愚癡物語四〉 ㊁『代』女性に対する二人称。ごぜ。「—たち、さはいたく笑ひ給ひて、わび給ふなよ」〈宇治拾遺一八五〉 ㊂『接尾』①(貴人の)女子につける敬称。「あなめでたの祇王—の幸や」〈平家一・祇王〉 ②(貴人の)男子の敬称。「されば、この男子を日若—と申させ給へ」〈日蓮遺文上野殿御返事〉。「父—いたはり付かせ給ひ」〈謡・柏崎〉 **—がた**【御前方】武家・大名。また、その奥方。「昔は大名の—にも遊ばさぬ事」〈西鶴・胸算用一〉 **—さま**【御前様】大名の奥方の敬称。「御前」より敬意を強めた語。「—近き風俗して」〈西鶴・諸艶大鑑三〉 **—のこころみ**【御前の試み】陰暦十一月、中の寅の日に清涼殿で行なわれる五節(ごせち)の試演。「—の御覧の夜などは…少しものの心知りたらんは、やがて倒れぬべう恥づかしうて」〈栄花様様悦〉 ↓五節の試み

ごぜん【御膳】①食膳・食事の意の尊敬語。貴人の御食事。特に、天皇の御召上り物。供御(くご)。「此うらは太神宮御光臨より此かた、—調進の網を引く所なるによって」〈謡・阿漕〉 ②食膳・食事を丁寧にいう語。「御下向候ふて、〔僧〕坊にて—参り候」〈言継卿記大永八・六・二〉 ③神仏に供えるもの、または貴人の使用・飲食するものに冠する語。「—豆腐〔ノ如ク〕国白みけり四方拝」〈俳・向之岡上〉。「—水とて外に汲ませず」〈俳・句兄弟中〉 **—かご**【御膳籠】料理を持ち運ぶための方形の大きな竹籠。天秤棒(てんびんぼう)の両端に掛けてかつぐ。「弓に張る鯛矢の如く—」〈雑俳・つづら笠〉 **—ざけ**【御膳酒】神仏に供える、また将軍・大名・公家など貴人の飲む特製の酒。御膳酒(しゅ)。「—の事、奈良酒為る可きの由、衆義〔ノ決定〕

也」〈東寺百合文書ち、寛正三・七・一九〉。「〔家来ノ〕各各の口が試しぞ—」〈雑俳・口ごたへ〉 **—ばん**【御膳番】主君の膳部をつかさどる役。「—鬼一口に水鶏(くひな)〔ヲ試食〕かな」〈俳・玉江草三〉 **—まい**【御膳米】神饌、または将軍・大名・公家等貴人の食料とする、精選した米。「—並びに昆布進(まゐ)らせ」〈平松文書元和八・六・一四〉

こぜんし【濃染紙】濃く紫に染めた紙。一説に、「小宣旨の紙」の意という。「いたうかすめたる—に〔返歌ヲ書ク〕」〈紫式部日記〉

こそ【狐鼠】下級の私娼。「—の喰ひ隠しとて密夫(まをとこ)同罪の下卑情なり」〈浮・好色敗毒散一〉

こそ【越そ】動詞「越し」の連体形「越す」の上代東国方言。「潮船の舳(へ)—白波」〈万四三八九防人〉 †koso

こそ『助』①→基本助詞解説。②《動詞コセ(遣)の古い命令形ともいう》奈良時代、動詞の連用形をうけ、他への希望をあらわす。…してほしい。「現(うつ)には逢ふよしもなしぬばたまの夜の夢にを継ぎて見え—」〈万八〇七〉。「鶯の待ちかてにせし梅が花散らずあり—思ふ子がため」〈万八四五〉 †kösö

こぞ【昨年】去年。「—の秋あひ見しまにま」〈万四二一七〉。「去年・昔歳、コソ」〈名義抄〉 ▽今日の直前の夜、今年の直前の年をいう点で、コゾ(昨夜・昨年)は、もとは同一の語であったのであろう。 †közö

こぞ【昨夜】《キゾの母音交替形》昨夜。「下泣きに我が泣く妻を—こそは安く肌(はだ)触れ」〈記歌謡七八〉 →こぞ(昨年) †közö

ごそくもじ【御息文字】「御息災」の文字詞。御無事。「随分—にて御暮し頼み入り参らせ候」〈浮・御前義経記七〉

こそぐ・り【擽り】『四段』《古くはコソクリと清音。コソはコソゲのコソと同根》掻きこすってくすぐる。「—・れば笑まずと云事なし」〈愚管抄七〉。「鍵はいづくにぞと、—・りて、言はせんとすれども」〈古今集註〉。「攊、已曾久留(こそくる)」〈新撰字鏡〉。「擽、コソグル」〈文明本節用集〉

こそ・げ【刮げ】『下二』《古くはコソケと清音》こするようにかき削る。そぎ落す。「銅(あかがね)、薬に—・げて、食はせなどすれば」〈宇治拾遺四八〉。「刮、ケツル・コソク」〈名義抄〉。「刮、コソグ」〈伊京集〉

こそつか・し『サ変』こそこそと音を立てる。「松風に—・せたる紙子かな」〈俳・初蝉下〉

こそで【小袖】①袖口を狭くした衣服。大袖の下衣、または平服や肌着として、男女ともに着用。後、表衣化して洗練され、室町時代、晴着となった。「青き色の—を着せり」〈今昔二八ノ三五〉。「羽尾入道、風流者にて、常常赤根染の—を着して」〈加沢記二〉 ②絹の綿入れ。「形見なる—の褄は五寸ばかり」〈俳・俳諧三部抄中〉 **—いか**【小袖凧】小袖形の凧(こた)。小袖たこ。「はやる今年のいかのぼり…袂(たもと)涼しき—」〈近松・氷の朔日中〉 **—だんす**【小袖簞笥】衣服を入れる、引出しの多い簞笥。「乗物・長持・挟み箱・—の引出しの」〈近松・本領曾我一〉 **—まく**【小袖幕】花見などの遊山(ゆさん)の時、小袖を張綱に掛け連ねて幕の代用としたもの。「—千本の花や散らし紋」〈俳・雑巾上〉 **—をさめ**【小袖納め】晩春、花見小袖を仕舞うこと。「—櫃川(ひつかは)の桜散りにけり」〈俳・江戸弁慶上〉

こそば『助』《係助詞コソとハが複合、ハが濁音化した語。万葉集ではコソハの形よりもコソバの方が多い》多くの中から特に一つの物事を取り立てていう語。…こそは。「水—とこしへにあらめ御井のま清水」〈万五二〉 †kösöba

こそばゆ・し『形ク』くすぐったい。「この僧こそばゆさに堪へぬものなりけるにや」〈著聞五四六〉

こそめ【濃染】濃く染めてあること。「くれなゐの—の衣下に着て上に取り着ば言なさむかも」〈万一三一三〉 ▽万葉集の原文「深染」とあり、一説にフカゾメとも読む。

こそめ・き『四段』かさこそと音を立てる。「人の寝たる枕の方に—・くものあり」〈今昔五ノ一九〉

ごそめ・き『四段』がさごそと音を立てる。「—・くは木の葉ぬすむか小夜嵐」〈俳・犬筑波〉。〈日葡〉

こそや【こそ屋】下級の私娼宿。また、密会宿。「こそ宿」とも。「風呂〔屋者〕、白人(はくじん)、すみずみの—」〈教訓世諦鑑一〉

こぞ・り【挙り】『四段』①(すべての成員や部分が)一致した行動をする。一齊に…する。「舟—・りて泣きにけり」〈伊勢九〉。「国—・りて此の仏を崇め奉る事限り無し」〈今昔六ノ五〉 ②全部をあげて、残すところがない。「我が有つ所の福徳の力、この龍女をして、体を—・りて人と成さむといふ」〈大唐西域記三・長寛点〉 ③大勢の者が一所に集まる。「あらゆる人人、音にきこゆる為朝見んとて—・り給ふ」〈古活字本保元上・新院御所〉。「どちへ多く士が—・るぞとて」〈蒙求聴塵中〉

こぞりは【小反刃・小又鍔】刀身が短く反(そ)っているなぎなた。「長刀(なぎなた)・—の間に四つ切り落し給へり」〈義経記六〉

こぞりばし【小反橋】少し反(そ)った橋。「住吉や汐干に人も—(集マル意ノ挙ルト掛ケル)」〈俳・夢見草一〉

こそろ 静かに物のすれ合うさま。こそり。「蛇は—と渡りて」〈宇治拾遺八七〉

こたい【古体】①昔の形式。「いにしへの—の鏡は、かね白くて、人手触れねど」〈大鏡後一条院〉 ②旧式。古風。「衣箱のおもりかに—なる、うち置きて」〈源氏末摘花〉 →こだい(古代)

こだい【古代】①古い時代。昔。「—の僻事(ひがごと)どもや侍りつらむ」〈源氏若菜上〉。「—より今日に至るまで」〈正法眼蔵恁麼〉 ②古めかしいこと。昔風。「あやしう物うるはしう(キチントシテ)、さるべき事の折過ぐさぬ—の御心にて」〈源氏行幸〉。「母、いみじかりし—の人にて」〈更級〉。「その頃ほひまでは、人の心も—なりけるに」〈今昔二九ノ一三〉 ▽平安時代の仮名文学では「古代」か「古体」かの区別が分明でない。

ごたい【五体・五躰】①頭・両肘・両膝の総称。また、頭・両手・両足の総称。「俗、—を地に投げて、禅師を拝みて」〈三宝絵中〉 ②全身。「—に汗を流いて、にはかに狂ひ出でたり」〈平家二・一行阿闍梨〉 **—ごめ**【五体籠め】五体ぐるみ。からだごと。「『むくろごめに寄り給へ』と言ひたるを—となむ言ひつるとて、人にわらはる」〈枕一〇八〉 **—づけ**【五体付】髪を頭頂に集めて束ね、髻(もとどり)を高く結う髷(まげ)。もと、烏帽子をかぶる時の男の髪風であったが、近世中期、女の梳(すき)髪の一種として、一束にした髪を前から折り返し、毛先を根元に巻き付けて前に倒し、簪(かんざし)を横から差して前頭部に留める髪風の名となった。「かやうに致さいでは—が付きまらせぬ」〈虎明本狂言・麻生〉

ごだい【五大】〔仏〕地大・水大・火大・風大・空大の五つの称。あまねく万法にゆきわたって、それらを生成し、その依り所となるので「大」という。「此の調子は—の中の水大なれば、水にかたどれり」〈盛衰記一七〉。「一切衆生は、法界の—がむすぼほれて人となれるもの也」〈伊勢物語山口抄〉

ごだいさん【御代参】①主君や長上の者の代理として寺

社に参詣すること。「—とて神垣の梅〔モ眺メラレルコトダ〕」〈俳・伊勢宮笥〉②特に、江戸城大奥の女中が将軍御台所の代理として上野寛永寺または芝増上寺へ参拝すること。その帰途、芝居見物など物見遊山をした。「—ついでにほつき歩くなり」〈雑俳・万句合明和三〉

ごだいそん【五大尊】「五大尊明王」の略。天台・真言で尊ぶ、不動・降三世(ごうざんぜ)・軍荼利(ぐんだり)・大威徳・金剛夜叉の五明王。五大明王。五忿怒。「造らせ給へる—、万の不動尊供養し奉らせ給ふ」〈栄花玉飾〉 **—のみずほふ**【五大尊の御修法】「五壇の御修法」に同じ。「—行なはせ給ふ」〈栄花初花〉

ごだいだう【五大堂】五大尊を安置した堂。五壇の法を修する道場として天台・真言の寺院に多く設けられた。「—に参りたれば…仏を見奉れば降三世(ごうざんぜ)・軍荼利(ぐんだり)は立ち給へり。大威徳・金剛夜叉・不動尊は奥のかたに居させ給へり」〈栄花玉台〉

ごだいふ【五大夫】松の異名。中国の秦の始皇帝が泰山で雨宿りした松の木に五大夫の位を授けたという故事による。「この故にかの松に位を授けて—といへり」〈十訓抄一ノ九〉

こだいふかのこ【小太夫鹿子】延宝・貞享ごろの女形、初代伊藤小太夫が舞台衣裳に用い始めた鹿子染の一種。江戸鹿子。「今お江戸にて—と言ふて小袖の模様専らの由」〈評判・野良役者風流鑑下〉

ごだいみゃうわう【五大明王】「五大尊」に同じ。「ともに—の随一」〈盛衰記三〉

ごだいりき【五大力】①「五大力菩薩(ぼさつ)」の略。「高御座の中に—を懸け了んぬ」〈猪隈関白記建仁二・九・三〇〉②手紙の封じ目に記す語。「—憂かりし恋の哀れ知れ」〈俳・難波風〉③転じて、三味線・簪(かんざし)・煙草入れなどの裏に記して、誓いのしるし、魔よけのまじないとした。「三味線箱と硯を持って来て、三味線を出し、裏皮へ—と書く」〈伎・五大力恋緘三〉④長唄・地唄の曲名。「女房が—の爪弾きを聴いて居るも」〈滑・浮世風呂三下〉 **—ぼさつ**【五大力菩薩】①仏道を護持する国王を守る、五人の大力の菩薩。金剛吼(く)・金剛十力吼・龍王吼・無量力吼・雷電吼、または、金剛波羅蜜多・金剛手・金剛宝・金剛利・金剛薬叉の五菩薩。「—かけ奉りて仁王経を講じ奉る」〈栄花玉台〉②手紙の封じ目に記す語。五大力菩薩が旅の守り神の道祖神の本地であるので、手紙が道中秘密を守り、封が解けず、早く着くとの心から行なわれた。「上書に、—・伊勢太神宮などと書きたる文を見たり」〈評判・吉原雀下〉。〈伊達家文書一、永祿三・五・二〇〉

ごだう【五道】〔仏〕業(ご)の結果赴かねばならない五つの世界。すなわち、地獄・餓鬼・畜生・人・天。五趣。「生死(しやうじ)に輪廻(りんね)し、—六道に廻る事、ただ一心の迷なり」〈謡・黒塚〉

こだうぐ【小道具】①こまごました道具。「女の飾り—残る所もなし」〈西鶴・一代女四〉②目貫(めぬき)・鍔・縁頭(ふちがしら)など刀剣の付属品。「—屋、〔大阪〕堺筋〔ニアリ〕」〈難波雀〉 **—うり**【小道具売り】「小道具」(2)を行商する旅商人。「大坂の—、奈良の具足屋」〈西鶴・五人女二〉

こたか【小鷹】①隼(はやぶさ)・鷂(はしたか)など、小型のタカ。「野辺に—入れて見ばや」〈宇津保吹上上〉。「鷂、コタカ」〈名義抄〉②「小鷹狩」の略。「なにがし朝臣の、—にかかづらひて」〈源氏松風〉→大鷹。 **—がり**【小鷹狩】小型のタカを使って、ウズラなどの小鳥を捕える狩猟。秋に行なわれる。「—。秋の野にかりぞ暮れぬる女郎花今宵ばかりの宿はかさなむ」〈貫之集二〉。「鷂狩(はしたかがり)以下をば、おしこめて—といふなり。必ず、このり・さし羽・つみ・えっさいなどに限らざる也」〈基盛朝臣鷹狩記〉

こだか・し【小高し】『形ク』《コは接頭語》いくらか高い。ちょっと高い。「忍び音は苦しきものをほととぎす—・き声を今日よりは聞け」〈和泉式部日記〉

こだか・し【木高し】『形ク』木の梢が高い。木が高くのびている。「—・くて里はあれども」〈万四二〇九〉 †kȫdakasi

こたかだんし【小高檀紙・小鷹檀紙】小型の高檀紙。略して「小高」とも。「年号字の勘文…—を以てこれを書す」〈師守記貞治六・七・二〉

こだか・り【小高り】『四段』《コは接頭語》すこし高くなっている。「大和のこの高市(たけち)に、—・る市の高処(つかさ)」〈記歌謡一〇一〉 †kodakari

ごたく【御託】「御託宣」の略。「いかにしても年たけ、お姫様事に合はず、憂ひ顔で狂言が湿ったとの—でござる」〈評判・役者三世相大坂〉

ごたくせん【御託宣】えらそうに物を言うこと。また、くどくど言うこと。御託。「『みづからがそばを離れたまはぬやうに』とあんまり嬉しき—」〈浮・御前義経記一〉。「左様ともく／〔女房ノ〕—聞く酔ふた夫」〈雑俳・かがみ磨〉

こだくみ【木工・木匠】木を切り削りなどして家屋等を作る工人の称。今の大工。木道匠(きのみちのたくみ)。「天皇、木工(こだくみ)闘鶏御田(つげのみた)に命(みことおほ)せて始めて楼閣(たかどの)をつくりたまふ」〈紀雄略十二年〉 †kȫdakumi **—のつかさ**【木工寮】⇒もくれう。「木工寮、古多久美乃豆加佐(こだくみのつかさ)」〈和名抄〉

こだち【木立】《日本書紀ではコタチと清音》木の群がって生い立ったもの。「—薄けど」〈紀歌謡一〇五〉。「—しげしも」〈万四〇二六〉 †kötati, kȫdati

こだち【小太刀】大太刀に対して、短い太刀。「—にてあひしらひ戦ふ程に」〈承久記下〉

こだち【小裁ち】四、五歳までの小児の衣服の裁ち方で、一つ身裁ち・三つ身裁ちをいう。「苧桛績(をがせうみ)の—」〈虎明本狂言・吃〉

どたち【御達】《ゴは婦人にいう軽い敬称。タチは敬称について複数をあらわす接尾語》女房階級の婦人たち。御婦人がた。「故后の宮の—、市に出でたる日になむありける」〈大和一〇三〉。「物いひさがなき—、つきしろふに」〈源氏藤裏葉〉

こたつ【火燵】《唐音》切った炉の上に櫓を置き、ふとんなどで覆って暖を取る設備。「男、妹と一つ—に当りてゐける」〈守武随筆〉。「火燵、コタツ」〈黒本本節用集〉。「火闥、コタツ」〈易林本節用集〉。「火榻、コタツ」〈文明本節用集〉 **—べんけい**【火燵弁慶】《自宅の火燵に当っている時だけ弁慶のように勇ましい意から》臆病のくせに、家にいる時だけはえらそうに言動する人。内弁慶。陰弁慶。「大つごもりの苦しさを忘るるに似て、—とや笑はれなんとをかし」〈四方の留粕上〉

こだて【小楯】臨時に身をかくす、かりの楯。「後には大木を—にして敵を待つ処に」〈盛衰記三三〉 **—に取・る**①何か有合せの物で身をかばう。「竹の一村滋(げし)りたるを—・って」〈太平記八・摩耶合戦〉②口実にする。方便に利用する。「内裏を—・られては、我朝敵となるばかり」〈近松・鎌田兵衛上〉

こたに　シダ類の一種という。今のコタニワタリのことか。「草は。…雪間の若草、—」〈枕六六〉

こだね【子種】子となるべき種。「—を一人授け給へと」〈伽

・小夜姫草子〉

こたび【此度】今回。「このたび」「こたみ」とも。「—はさきに見ぬ人のがり」〈かげろふ上〉

こた・へ【答へ・応へ】〓『下二』《コト(言)アヘ(合)の約》①(問われたことに)言葉で応じる。反響する。「たそかれと問はば—・へむ術(すべ)を無み」〈万二五四五〉。「山彦の—・へむ極(きは)み」〈万九七一〉②反応を示す。応じる。「いなり山みつの玉垣うちたたき我がねぎごとを神も—・へよ」〈後拾遺二六八〉③刺戟を受けて、そのきつさが身にしみる。「六根へ—・へてうづきまらする」〈虎明本狂言・鐔〉④知らせる。公けにする。「ただし仲間へ—・へうか」〈近松・冥途飛脚上〉〓『名』①返事。反響。「道守の問はむ—を」〈万五四三〉。「山彦は外になく音を—やはせぬ」〈古今一六二〉②むくい。返報。「必ずこの—ならむ」〈紀欽明即位前〉。「われこの国の守(かみ)になりて、この—をせん」〈宇治拾遺四六〉▽kötöaFë→†kötaFë

こた・へ【堪へ】『下二』もちこたえる。こらえる。「平家の世は—・ふまじ。—・へずは父の後まで生きて何かはせん」〈盛衰記四四〉。「太刀のかねの—・へん程は斬り取るべし」〈伽・羅生門〉

こだま【小玉】大きさ・重量の一定しない小銀塊の貨幣。小玉銀。小粒。豆板銀。「白露は風の吹出しの(風ガ鋳造シタ)—かな」〈俳・鸚鵡集六〉

こだま【木霊・谺】《中世末までコタマと清音。ただし、文明本節用集にはコダマと濁音》①樹木の精霊。古びた木に宿って、人気の少ないときに形をあらわし、害をすることがあると信じられた。「鬼か神か狐か—か」〈源氏手習〉。「樹神、古太万(こだま)」〈和名抄〉。「木魅、コタマ」〈名義抄〉。②山中・谷間などで起る音の反響現象を、樹神の応答と想像したもの。やまびこ。「樹神の—は谷の鳥に答ふ」〈海道記〉。「—つらなりて、一人読誦し給へば千人万人読み給ぶかと覚え」〈伽・青葉笛物語〉③歌舞伎の下座音楽の一。小鼓二挺を交互に打って山中の感じを出す。「このうち始終—・山おろし・時の鐘にて」〈伎・四天王産湯玉川一〉

こたみ【此度】今回。こたび。「—はえ参らじ」〈源氏東屋〉

こだ・り【木足り】『四段』木が成育し繁茂する。「東(ひむがし)の市の植木の—・るまで逢はず久しみうべ恋ひにけり」〈万三一〇〉†ködari

こだ・れ【こ垂れ】『下二』①重みでだらりとなる。しなだれさがる。「蓮華の花よ、咲いて—・れ撓(をた)うだ」〈田植草紙〉②緊張がゆるんで姿勢がたるむ。「みさご浜千鳥舞ひ—・れて遊ぶなり」〈梁塵秘抄四〇〇〉。「盃を左の手に持ちて、笑み—・れたるさま」〈宇治拾遺三〉。「面面が軍(いくさ)の—・れて、ねむげなる目覚ましに、さだふさ駆けて見せん」〈栗栖野物語〉

ごだん【五段】万治・寛文頃発生した五部に分れた浄瑠璃曲。五段浄瑠璃。「—続けて寝ころうで聞く」〈俳・大矢数三〉

ごだん【五壇】五大尊明王を安置する五つの壇。「大聖不動明王…—の上に現はれたまへば」〈謡・調伏曾我〉 **—のみずほふ**【五壇の御修法】主として宮中で、中央および東西南北の五つの壇にそれぞれ五大尊をまつり、息災・調伏などを修する法。天皇または国家の大事の時にだけ修する。「五壇の法」「五大尊の御修法」とも。「—のはじめにて慎みおはします暇を」〈源氏賢木〉

ごだん【後段】饗応の時、食後更に他の食べ物を出すこと。また、その食べ物。「中段、羊羹・吹ひ物。…—小付け」〈多聞院日記天正七・三・九〉

こち【此方】『代』《コはこれの意。チは方向を示す接尾語。話し手が自分の居る所、またそれに近い方(方向・場所・時間など)を指していう。中世以後には自分自身を指していうようにもなった。類義語コナタは、何かがある、そのこちら側をいうことが多かったが、のちにはコチとほぼ意味が重なった。→あち・そち・をち》❶①《「をち」の対》自分の居る場所・方向。「日下部の—の山と」〈記歌謡九一〉。「をち—に騒き泣くらむ」〈万三九六二〉。「母ぞ—渡り給へる」〈源氏浮舟〉。「馬にてあち—打廻(めぐ)りて」〈梵舜本沙石集五末ノ二〉▽平安時代の仮名文では副詞的に用いられ、格助詞「に」などを伴わない。②《「をち」の対。時間的にいう》(過去から見て)現在の方。「—よりては大納言の娘の后に立つ例なかりければ」〈大鏡師尹〉❷《「そち」の対。一人称の代名詞のように使われる》当方。わたし。「そちと—ばかり知る事ぞ」〈本則抄一〉❸《「あち」の対》外国に対して、日本。本朝。「—の節分に『鬼は外福は内』と云ふやうに」〈三体詩絶句抄二〉†köti **—の**「こちの人」の略。「暮れて—が戻らしゃったは」〈俳・大坂一日独吟千句〉 **—や** こちらへ(いらっしゃい)、いかが。「『—』と宣へどおどろかず」〈源氏紅葉賀〉

こち【東風】《チはハヤチ(疾風)のチと同じ。風の意》東の風。「—吹かばにほひおこせよ梅の花あるじなしとて春を忘るな」〈拾遺一〇〇六〉

ごち【五智】①大日如来の智を五つに分けたもの。法界体性智・大円鏡智・平等性智・妙観察智・成所作智をいう。または仏の得る、仏智・不思議智・不可称智・大乗広智・無等無倫最上勝智。「—の光かかやけり」〈栄花玉台〉②能の舞における五つの手法。手智・舞智・相曲智・手体智・舞体智をいう。「舞に—あり」〈花鏡〉 **—のにょらい**【五智の如来】密教で五智に配される、大日・阿閦(あしゅく)・宝生・阿彌陀・不空成就(また、釈迦)の五如来。また、五智をそなえた大日如来のこともいう。「八角九重の塔に、金色八尺の—を安んず」〈本朝続文粋一三〉

ご・ち『接尾』コト(事・言)の動詞化。名詞や動詞連用形を承けて四段活用の動詞をつくる。「まつりごち」「ひとりごち」など。「わが二つの道うたふを聞けとなむきこえ—・ち侍りしかど」〈源氏帚木〉

ごぢう【後住】後継ぎの住持。後任の住職。「林光院の規式を以て、—たる可きの龜鑑と為し」〈蔭凉軒日録長禄三・二・二八〉

こちかぜ【東風】「こち」に同じ。「十二日、雪—にたぐひて散りまがふ」〈かげろふ下〉。「—に散るは西行桜かな」〈俳・犬子集二〉

こちく【胡竹】笛の材料とする、外来の竹の一種。また、それで作った笛。歌では「此方来(こちく)」とかけていうことが多い。「いつかまた—なるべき鶯のさへづりそめし夜はの笛竹」〈後拾遺二五一〉

こちご【小稚児・小児】子供。「安楽寺に詣でて廟院のかたはらに通夜して侍りしに…—一人やつれたる姿にて詣でたり」〈連証集序〉。「小児、コチゴ」〈運歩色葉集〉

こちごち【此方此方】『代』あっちこっち。それぞれ。「平群(へぐり)の山の—の山の峡(かひ)に」〈記歌謡九一〉。「なまよみの甲斐の国と打ち寄する駿河の国と、—の国のみ中ゆ出で立てる富士の高嶺(たかね)は」〈万三一九〉▽奈良時代にはソチ・アチなどの語がないので、コチを重ね用いて、境の右左を「こちら側とこちら側」というように分けて指す意という。†kötigöti

こちごち・し【骨骨し】『形シク』《コチは「骨」の字音。いかにも骨ばっていて、柔らかみが感じられない意》①ごつごつしていて、洗練を欠く。「〔玉鬘ガ〕田舎び、—・しうおはせましかば、いかに玉の瑕(きず)ならまし」〈源氏玉鬘〉②気がきかない。作法に欠ける。「さしぐみに古物語にかかづらひて夜を明かし果てむも—・しかるべければ」〈源氏橋姫〉

ごぢそう【護持僧・御持僧】清涼殿の二間(ふたま)に参仕して、天皇の玉体護持の加持祈禱をする僧。天台・真言の僧から選任される。延暦十六年最澄が初めて補せられた。「御殿籠り御祈りせさせ給ふに、悪しき御夢をのみ御覧じて、—明快召して仰せられけるは」〈栄花根合〉

こちた・し『形ク』《コト(言・事)イタシ(甚)の約》①噂がひどい。うるさくて困る。「人言はまことと—・くなりぬともそこに障(さは)らむ吾にあらなくに」〈万二八八六〉②うんざりするほど、密で多い。「〔髪ノ〕—・きを引き結ひて」〈源氏葵〉。「霜のいと—・うおきて」〈源氏若菜下〉③仰仰しい。大げさで目立つ。「鶴はいと—・きさまなれど、鳴く声雲居まで聞ゆ。いとめでたし」〈枕四一〉。「〔桐ノ〕葉の広ごりざまぞ、うたて—・けれど」〈枕三七〉④分に過ぎている。「物の過分するも事の痛みなる故に分に過ぎたるをば—・きほどのと言ひならはせるにや」〈塵添壒囊鈔一〉 †kötitasi

こち・で【言出】『下二』《コトイデの約》言葉に出して言う。「足柄のみ坂かしこみ曇り夜の吾(あ)が下延(ば)へを—・でつるかも」〈万三三七一東歌〉 †kötide

こちと【此方人】『代』私。自分。われわれ。「其の時分の狂言に義朝夢物語…などは—が目にも面白く思ひけるが」〈評判・役者評判蚰蜒〉 **—ら**【此方人ら】「こちと」に同じ。「—が肩持って」〈浄・伊豆日記三〉

こちな・し【骨無し】『形ク』《コチは骨。骨柄の意》無作法である。礼儀を知らない。「—・くも〔物語トイウモノヲ〕聞えおとしてけるかな(ワルク申シマシタ)」〈源氏螢〉。「景時が田舎男にて、—・き様の風情にて、舞を舞ひ給へとこそ申しつらめ」〈義経記六〉

こちのひと【此方の人】夫婦がたがいに相手をさしていう語。「これの人」とも。「やい、わ坊主、ようーをたらいて剃りをったな」〈虎寛本狂言・呂蓮〉

こぢもく【小除目】春の県召(あがためし)、秋の司召(つかさめし)の除目の他に、臨時に行なわれる除目。「臨時の除目」とも。「直物、其次に—有り」〈御堂関白記寛弘一・二・七〉

こちゃ『連語』《コチハの転》こっちは。私の方は。「新茶の茶壺よなう、入れての後は—(古茶ト掛ケル)知らぬ」〈閑吟集〉

ごぢゃう【御諚】貴人の仰せ。おことば。「—まことにかたじけなう候」〈平家九・木曾最期〉

ごぢゃうまち【五丁町】近世、江戸吉原遊廓の、江戸町一、二丁目、京町一、二丁目、角(すみ)町の総称。また、吉原の異称。「五丁」とも。「寝る時は連れの五人が—」〈雑俳・武蔵の月〉

こぢょく【小ぢょく】⇒こじょく。「朝比奈ほどの—めに」〈浄・道外和田酒盛六〉

ごぢょく【五濁】〔仏〕悪世に現われる汚れを五つに分けたもの。劫濁(こうぢょく)＝天災・疫病などがおこる)・見濁(けんぢょく)＝人間が悪い見解をもつ)・煩悩濁(ぼんのうぢょく)＝煩悩がさかんになる)・衆生濁(しゅじょうぢょく)＝人間の質が低下する)・命濁(みょうぢょく)＝人間が短命になる)をいう。「近くは—に迷(まど)ふ輩を救ひ、遠くは三途(さんづ)に苦しぶ者を訪(とぶら)はむ」〈今昔一七ノ一〇〉 **—あくせ**【五濁悪世】五濁のある悪い世の中。「いかにいはむや—の衆生の、子の思ひに迷はむは理(ことわり)なりかし」〈今昔三ノ三〇〉

こちら【此方】《代名詞コチに接尾語ラのついた形》①《場所・方角の指示》この方。当方。「—からしかけたは凶ぞ」〈周易秘鈔上〉②《人に用いて》わたし。わたしども。「仏壇の掃除は—が致します」〈伎・源氏六十帖一〉

ごぢん【五塵】〔仏〕心のけがれのもととなる五つのもの。五根の対象としてしかも心に煩悩を起させる、色・声・香・味・触をいう。「実相無漏の大海に、—・六欲の風は吹かねども」〈十訓抄三ノ一五〉

ごぢん【後陣】本陣の後ろにある陣。後軍。「六波羅勢前陣返せども—続かず」〈太平記八・摩耶合戦〉

こつ【木屑】《コツミ(木積)の約》木くず。「鳴る瀬ろに—の寄すなすいとのきて愛(かな)しき背ろに人さへ寄すも」〈万三五四八東歌〉 †kötu

こつ【骨】①骨(ほね)。また、遺骨。「僧を語らひ孝養(けうやう)して、—を拾ひて堂塔に納めつつ」〈盛衰記六〉。「瓶子(へいじ)に入らせ給ひたる御—を持たれたりしぞ」〈問はず語り一〉②芸能などで、その道を極めるかなめとなるところ。勘どころ。また、それを会得しうる能力・天分。「げにもその—無下(げむ)に劣れる上は、更にいひ所なし」〈八雲御抄六〉。「また管絃の方にもその—を得たりければ」〈伽・葦曳絵巻〉

ごづ【牛頭】《呉音》からだは人間で、頭が牛の形をした地獄の鬼。「是は未来には—といふ鬼となるべし」〈日蓮遺文四条金吾殿御書〉

こつ・い『形』がんこである。いっこくである。ぶこつである。「—・い手くだを、稲負せ鳥が尾先のびこつくを見て、合点なされてより此の方」〈評判・役者万石船大坂〉

こつか こなごな。こっぱい。「たとへば、身を—に砕きても、悪世(あくせ)の衆生に念仏すすめ」〈浄・天じんぼさつ二〉

こづか《カウヅカ(髪束)の転》もとどり。「かうづかを—」〈俳・かたこと四〉

こづか【小柄】脇差の鯉口(こいぐち)に差して置く小刀の柄。また、その小刀。「御小刀—、金にて貫(きぬ)あり」〈大内問答〉

こつがい【乞丐】物を乞うこと。また、その人。こじき。「寄り付く方なくてかかる—をばする也」〈今昔二ノ二四〉 **—にん**【乞丐人】こじき。「一人の—あり」〈今昔二ノ二四〉

こつがら【骨柄】①骨組み。骨格。また、体つき。「器量・—人にすぐれ、もの恐ろしげなる御有様」〈謡・摂待〉②風采。人品。「源義経と名乗り給ひし御—」〈謡・八島〉

こっきゃっこう 鶏の鳴き声。「こきゃかう」「こっかこう」とも。「関の戸の明方近き—」〈俳・太郎五百韻〉

こっくい【極印】《コクイの転》⇒こくいん(極印)。「まさに—見ゆる材木」〈俳・寛永十三年熱田万句四〉

こづけ【小付】荷物の上にさらに添えて付ける小さい荷物。「年の数つまむとすなる重荷にはいとど—をこりも添へなむ」〈後撰一三八二〉

こづけ【小漬・小付】汁と飯だけの簡単な即席料理。「饗膳を停止し、—為るべきの事」〈高野山文書三、文永一〇・八〉

こつこつ ①堅い物が触れ合う音。「—とのみ〔石工ガ〕地蔵切る町」〈俳・冬の日〉②角ばっているさま。「物を書くも、老いては字にしるなく、つやなく、—と見ゆる」〈わらんべ草三〉③咳などの音。こんこん。こつりこつり。「—咳(せ)いて来る音す」〈近松・重井筒中〉

こつごもり【小晦日】①小の月の晦日。「十一月二十九日、—也」〈本光国師日記慶長一八〉②大晦日(おほつごもり)の前日。「〔十二月〕二十九日立春なれば、春や来し〔今年や行きけん—」〈俳・千宜理記四〉。〈俳・増山の井〉

こっさ こまかいこと。些末(さまつ)。または、けち臭いこと。「―質取る木犀(もくせい)の奥(ニアル質屋)」〈雑俳・武玉川一〉

こつじき【乞食】 ㊀『名』①僧が在家(ざい)を托鉢(たくはつ)してまわること。頭陀。「仏、婆羅門の城(みやこ)に入りて、―し給はむとす」〈今昔一ノ一〉。〈色葉字類抄〉②《転じて》物もらい。こじき。「―道のほとりに多く」〈方丈記〉㊁【こつじ・き】『四段』《㊀を動詞に活用させたもの》食を乞うてまわる。「杖にすがりて、家家門門を―き」〈伽・李娃物語〉　**―ほふし【乞食法師】** 物もらいのこじき坊主。「言ふ甲斐なき辻冠者ばら・―どもなりけり」〈平家八・鼓判官〉

こつしゃ【乞者】「こつじき」に同じ。「一人の―の僧あへり」〈今昔一二ノ二五〉

ごっしゃう【業障】 ⇒ごふしゃう。「生生世世に―を懺悔せよ」〈宝物集中〉

こっしょ【忽緒・勿緒】 ゆるがせにすること。おろそかにすること。軽んずること。「いかでか忝くも宣旨を―し奉るべき」〈盛衰記三〉

こつずい【骨髄】 ①骨の髄。「―も砕けぬる心地して」〈太平記三〇・結城入道〉②根幹となるもの。骨子。要点。「これ仏祖の命脈なり。正法眼蔵の―なり」〈正法眼蔵・諸法実相〉　**―に徹(てっ)・る** 骨の髄まで深くしみ通る。たえがたいほど身にこたえる。「夜昼これを思ふに、―って忍びがたし」〈平家五・咸陽宮〉　**―を砕・く** 苦心惨憺(さんたん)する。肝胆を砕く。「御身をせめて一両年世にあらせ奉らばやと―き給ひしに」〈義経記六〉

ごづせんだん【牛頭栴檀】《ゴヅは呉音》香木の一種。もとインドの牛頭山(せん)に産し、麝香(じゃこう)の匂いがし、万病を除くという。「『法華経ノ』薬王品などにとりわきて宣へる―とかや、おどろおどろしき物の名なれど」〈源氏東屋〉

ごっそり ①残らず。根こそぎ。「露の世に他人の跡(遺産)も―と(相続スル)」〈俳・飛梅千句〉②頭髪を削るさま。「―と姿は変る頭付き」〈俳・女夫草中〉

こつだう【骨堂】 納骨堂。「これは―にて候ふ」〈室町殿日記一〇〉。〈日葡〉

こづた・ひ【木伝ひ】『四段』木から木へつぎつぎと渡る。「鶯の―ひ散らす梅の花見む」〈万一八七三〉 †kodutari

こっち【此方】「こち」の転。「それ西方は―へ任せ」〈俳・独吟一日千句〉

こっちゃ『連語』①「ことぢゃ」の転。…ことだ。「こんな―」〈俳・かたこと五〉②「ことでは」の転。「わいらが知る―と、打って掛かる」〈近松・傾城酒呑童子一〉

こっちゃう【骨張・骨頂】 ①強く言い張ること。意地を張ること。「女房等猥りに久安の例を忌まる可きの由を―す」〈玉葉承安三・閏三・一〉②ある勢力の中心となる者。張本人。「其の悪行の張本を召さるるの旨、彼の―十人の交名(けうみやう)を注進し了んぬ」〈南海流浪記〉③ある種の属性を極度にそなえているもの。真の…。…の究極。「ヌスビトノコッチャウヂャ」〈日葡〉

こっちり 濃厚なさま。こってり。こてこて。「女夫(めをと)の中の―の出花(仲ノヨイ盛リ)をあがって下さんせ」〈近松・孕常盤三〉

こづつ【小筒】 ①酒を入れる小さい竹筒。ささえ。「刳形(くりかた)打ちたる―に酒を入れて持ちたりけり」〈義経記五〉②小銃。「一尺五寸の小銃(こづつ)」〈梅津政景日記元和四・閏三・四〉

こつづみ【小鼓】 小さい鼓。右肩に乗せ、左手で調べ緒を調節しながら、右手で打つ。「天上に名を得たる―の上手にて候ふなれ」〈義経記六〉

こってい【特負・特牛】「ことひ」の転。「芋茎(ずいき)の長(たけ)に余る―」〈俳・炭俵上〉　**―うし【特牛】**《近世初期、コッテイウジとも》⇒ことひうし。「特牛(ことひうし)と言ふを―は如何」〈俳・かたこと四〉

ごづてんわう【牛頭天王】 インド祇園精舎の守護神。日本では京都祇園社の祭神で、祇園天神ともいう。薬師如来の化身で、本地垂迹説では、スサノヲノミコトに垂迹したとも説く。「それ祇園社のいはれを尋ぬれば、天竺より北に当って国あり。…その帝をば―と申す。…我が朝にては素戔鳴尊とあらはれ給ふ」〈伽・祇園御本地〉

こつな・し【骨無し】『形ク』⇒こちなし。「―・くや押したりけむ、弓手(ゆんで)の方へ乗り越して」〈平治中・待賢門軍〉

こつにく【骨肉】 ①骨と肉と。「この身心―」〈正法眼蔵谿声山色〉②親子・兄弟などの血族。「弟・―とても心は許すまじきなりけり」〈今昔二六ノ二四〉

こっぱ【木端・木片・木屑】 ①斧などで削った木の屑。木の切れ端。こけら。「とぶさとは、木の―の事也」〈竹聞〉②石のかけら。近世、上方でいう。「しゃらな大石(人名ト掛ケル)、―でも欠け石でもこたへて見よ」〈近松・日本武尊三〉③名詞に冠して、取るに足らぬつまらないものの意を表わす。「―侍」「―野郎」「―喧嘩」など。「虫同前の―武者」〈近松・出世景清三〉

こつばこ【骨箱】 ①遺骨または骨壺を入れる箱。「消えし螢(ほたる)の跡の―」〈俳・江戸蛇の鮓〉②〔江戸語〕『骨』は歯の隠語》口の隠語。「あてこともない―を鳴らしあがったりな」〈評判・役者初火桶大坂〉　**―を叩(たた)・く** 他人が話すのを罵倒していう語。勝手な口を利く。へらず口を叩く。「今の若者(わかいもん)どもが、達入(たてい)だの犬(いぬ)の糞(くそ)だのと―・くが」〈滑・浮世風呂四下〉

こっぱひ【粉灰・骨灰】《コハヒの促音化》破壊・罵倒を徹底的にした状態。多く、他の語につけて使われる。「らりー」「微塵(みぢん)―」など。「ヤイヤイ樽肴が―になるわい」〈伎・けいせい青陽鶏五〉

こっぱふ【骨法】 ①骨組み。骨格。また、骨相。「太子の―、是れ人民の相にあらず」〈懐風藻〉。「骨法、コッハウ」〈色葉字類抄〉②礼儀作法や学問・技芸などの根幹。「論義の―尤も其の道を得たり」〈中右記承徳三・一〇・一二〉

こっぴ ①「骨張(こっちゃう)」③に同じ。「粋―と世の人の羨(うらや)ましがるほどになしてたび給へ」〈浮・傾城色三味線三〉②いきなこと。また、いきな人。「―、―、諸事御粋方(すいはう)ぢゃ」〈伎・幼稚子敵討六〉

こつぶ【小粒】 ①粒の小さい物。「山椒(さんせう)は―なれども辛し」〈俳・毛吹草二〉②体・形の小さいこと。小がら。「昆布(こぶ)に山椒、―な男も陽気を受けて」〈近松・雪女中〉③一分金の俗称。「一分判…俗に―と云ふ」〈金銀図録二〉④近世、上方で、豆板銀(まめいたぎん)の俗称。小玉銀(こだまぎん)。露(つゆ)。「露はこぼれて(祝儀ニタクサン与エラレルノハ)―大豆板(まめいた)」〈俳・山の端千句下〉

コップ【洋盃】 近世行なわれたカルタの、コップを表わした絵札。「体は―のそうた(カルタノ札ノ名)の如し」〈評判・桃源集〉　▽オランダ kop

こっぺい えらそうな口をきくこと。「こうへい」とも。「コッペイナモノ」〈日葡〉。「子細らしく―に、子の曰(のたまは)くなんどとて、さも向上にもてなして…教ゆれど」〈評判・濡仏上〉

ごっぽう【業報】《ゴフホウの転》過去の悪業の報い。〈日葡〉　**―にん【業報人】** ①悪業の報いを受けた人。〈日葡〉②人をののしる語。「なんだ、この―め」〈滑・浮世風呂前下〉

こ

こづま【小褄】褄の先。また、褄。「白き小袖の―を取て」〈伽・雪女物語〉

こつまもめん【勝間木綿】摂津国西成郡勝間(こつま)村から織り出した絹のような上等の木綿。よく下帯に用いた。「―は今程壱疋に付き壱匁六分七分の売買にて候」〈室町殿日記一〉

こつみ【木積】《コはキ(木)の古形》海や川の岸などに流れよる木のくず。木くず。「朝潮満ちに寄る―」〈万 四三九六〉。「―。木のくづの積れるなり」〈和歌初学抄〉 †kötumi

こづ・み《四段》《コリ(凝)ツミ(積)の約》①(力や重さなど)一方に集まり片寄る。つまずいたりして倒れかかる。「[差縄ヲ]踏まへられて、馬かい―・みて、やすやすと止(とど)まりにけり」〈著聞三八一〉②一つ所に集中してこみあう。次次と積み重なる。「人の多く集まるを―・むと言へる」〈名語記八〉

こづめ【小詰】歌舞伎で、歩(かち)の者、若党などの端役(はやく)。または、その役者。小詰役者。「舞台をふんで―なりとも」〈俳・大坂一日独吟千句〉

ごづめ【五爪】爪が五箇ある龍の模様をほどこした蝦夷錦(えぞにしき)。「袋の段子(どんす)は龍爪なり。又―とも云ふ」〈久好茶会記天正一四・四・二四〉

ごづめ【後詰・後攻】先陣の予備として、その後に控えている軍勢。また、敵軍の背後から攻める軍勢。「うしろづめ」とも。「残しおかれし―の勢(せい)も賀茂川を馳せわたし」〈栗栖野物語〉。「豪誉―仕りて、主上をば取り奉るべし」〈太平記二・師賢登山〉

こづら【小面】面(つら)を卑しめていう語。「この男まだ合点(がてん)せぬを、後には―も憎し」〈西鶴・一代男二〉

こづる【小蔓・小釣】古渡りの金襴(きんらん)。小さい蔓草模様のある、地粗く金色のよいもの。「こづり」とも。「帯は―の唐織(からおり)に、練(ねり)の薄物をかづき」〈西鶴・諸国咄三〉

こつをけ【骨桶】死者の骨を入れる桶。「およせ〔ノ〕―高野山へ登らせ候」〈宗静日記寛文九・七・二〇〉

こつをさめ【骨納め】死者の骨を納骨堂または墓地に納めること。「高野山へ正蓮公、御―に登山仕り候」〈宗静日記天和三・四・一〉

こて ①【小手】《「高手」の対》手の肘(ひじ)と手首との間。「物具・太刀・刀を奪ひ取り、高手―にいましめて」〈太平記六・赤坂合戦〉②【籠手・小手】小具足の一。手先から上膊部を守るための武具。腕を包む袋形の布地に鉄の板・革などを綴りつけたもの。「黒糸をどしの腹巻に、左右の―をさし」〈平治中・待賢門軍〉

こて【鏝】壁土などを塗る道具。「泥鏝、和名古天(こて)、塗レ土具也」〈和名抄〉

ごて【後手】①勝負事や戦いなどであとから攻めること。また、その者。「先手・―をあらそひ〔碁ヲ〕打ちしに」〈雲玉和歌抄下〉②敵に機先を制せられて受身となること。また、手後れとなること。「此方は―になり、むなしく帰るは幾たびか」〈近松・女夫池三〉。〈日葡〉

ごて【御亭】「ごてい(御亭)」の転。〈俳・反故集下〉

ごて【碁手】囲碁の勝負の賭物(かけもの)。普通は金銭。「此の日第七夜に当る。姫宮の政所饗饌を設く。〔酒盃〕五六順の後―を分配す」〈九暦 天暦四・閏五・一〉。「―の銭(ぜに)」〈源氏宿木〉

ご・て【言て】《下二》《コト(言・事)の動詞化。ゴチと四段にも活用》言葉に出す。言う。「帝の御口づから―・て給へるなり」〈源氏東屋〉

こでい【健児】「こんでい」の約。「木曾牛飼とはえ言はで、『やれ小牛―、やれ小牛―』と言ひければ」〈平家八・猫間〉

ごてい【五帝】古代中国に君臨した五人の帝王。五人の数え方には史記の五帝本紀の説など、諸説がある。「三皇―の国をおさめ、四岳八元の民をなづる」〈古活字本平治上・信頼信西不快〉

ごてい【御亭】「御亭主」の略。「御亭、ゴテイ、主人」〈文明本節用集〉

ごてう【後朝】①翌朝。「除目の―には此の大君の許に行きて」〈今昔三一ノ二五〉②特に、男女が共寝した翌朝。きぬぎぬ。「―の心を。夜をこめて帰らざりせば葛の葉の明くも今朝を恨みざらまし」〈散木奇歌集恋下〉 **―のつかひ**【後朝の使】共寝をして別れた翌朝、男が女にやる手紙を持参する使者。「きぬぎぬのつかひ」とも。「その―、敦忠中納言」〈大鏡時平〉

ごでう【五条】袈裟(けさ)の一種。五幅(の)の布で作ったもの。「―は行脚(あんぎゃ)の衣ぞ。掛絡(くわら)ぞ」〈策彦和尚初渡集下ノ下〉 **―のけさ**【五条の袈裟】「ごでう」に同じ。「大永壬午秋九月、ひそかに―を賜びて勅(みこと)りして曰はく」〈再昌草三〉

こでうはい【小朝拝】朝拝を小規模にしたもの。正月元日、清涼殿の東庭に、関白以下殿上人だけが集まり、天皇に拝賀する儀式。一条天皇のころから、朝拝に代って行なわれるようになった。「院の拝礼なかりしかば、内裏の―も行なはれず」〈平家九・生食〉

こてき【胡狄】《「胡」「狄」ともに中国北方の異民族》辺境の異民族。「今は曠田(くわうでん)＝広クテ何モナイ田)の畝(ね)に捨てられて、―の一足となれり」〈平家二・蘇武〉

こてこて ①こまごまと数量の多いさま。「こてこて」とも。「―とあの銀を包み廻し」〈浄・好色小柴垣三〉②こまかく、ちょこちょこと体を動かすさま。こってこて。「『どれまあ火をともそ』と棚のすみ、―取り出す行燈の」〈浄・近頃河原達引中〉

こてふ【胡蝶】①チョウ。歌では「来てふ(コイトイウ)」とかけて使われることがある。「―にも誘はれなまし」〈源氏胡蝶〉②「胡蝶楽(こらく)」に同じ。「――とぞ人は云へども古泥障(ふるあふり)を纏(ま)きてぞ舞ふ」〈今昔二八ノ三三〉 **―の夢** 荘周が夢に胡蝶と化し、百年の間我を忘れて花とたわむれ遊んだという故事。物と我と一体の境地、あるいは、人世のはかないことのたとえ。「春の夜の一時、―の戯れに」〈謡・舟橋〉 **―らく**【胡蝶楽】舞楽の曲名。四人の子供が、背にチョウの羽をつけた装束をつけ、山吹の花をかざして舞うもの。「次に新作の―を奏しけり」〈著聞三七一〉

ごてれつ わからずや。厄介(やくかい)者。「いや、ここな―めが、あてこともない骨箱(口)をならしあがったりな」〈評判・役者初火桶大坂〉

ごてん【御殿】①邸宅・宮殿・社殿などの尊敬語。「みもすそ川の川上より―を拝み奉れば」〈問はず語り四〉→との。②特に、清涼殿の称。「御殿。ゴテン、清涼殿、又、中殿」〈名目抄〉 **―ぢょちう**【御殿女中】近世、将軍家や諸大名の屋敷に奉公している女の称。「御殿もの」とも。「まことにまことに、―〔ノ言イグサ〕ぢゃあねへが、感心だ」〈人情・春色辰巳園三ノ一四〉

ごてんい【御典医】幕府召抱えの医者。御殿医者。「―で死んだは一人娘なり」〈雑俳・万句合明和六〉

こてんじん【小天神】上方遊里で、天神の下、囲(かこひ)の上位の女郎。「天神・―と〔遊女ノ区別ヲ〕せちがしこく極めぬ」〈西鶴・一代男五〉

ごてんぢく【五天竺】天竺国を東・西・南・北・中に五分しての総称。インド。略して「五天」とも。「釈迦の面目・法

力の貴く勇猛なる事、此よりいよいよ―に風聞しぬ」〈今昔一ノ九〉

どてんやく【御典薬】御所方に勤仕する医者。御殿薬。「京の―に替へてから、めっきりと薬も廻り」〈近松・宵庚申中〉

こと【言・事】㊀『名』《古代社会では口に出したコト(言)は、そのままコト(事実・事柄)を意味したし、また、コト(出来事・行為)は、そのままコト(言)として表現されると信じられていた。それで、言と事とは未分化で、両方ともコトという一つの単語で把握された。従って奈良・平安時代のコトの中にも、言の意か事の意か、よく区別できないものがある。しかし、言と事とが観念の中で次第に分離される奈良時代以後に至ると、コト(言)はコトバ・コトノハといわれることが多くなり、コト(事)と別になった。コト(事)は、人と人、人と物とのかかわり合いによって、時間的に展開・進行する出来事、事件などをいう。時間的に不変の存在をモノという。後世コトとモノとは、形式的に使われるようになって混同する場合も生じて来た》❶【言】①(口で言う)言葉。「朝霧の乱るる心―に出でて言はばゆゆしみ」〈万四〇〇八〉②口約束。「後も逢はむと―のみを堅め言ひつつ」〈万三一一三〉③挨拶。たより。「綱は絶ゆとも―な絶えそね」〈万三三八〇武蔵東歌〉。「靡きし君が―待つ吾を」〈万二七八二〉④噂。「君により―の繁きを古郷(ふるさと)の明日香の川にみそぎしにゆく」〈万六二六〉⑤口先だけの表現。うそ。「我のみぞ君には恋ふるわが背子が恋ふとふことは―の慰(なぐ)さぞ」〈万六五六〉。「手に取るがからに(ダケデ)忘ると海人の言ひし恋忘れ貝―にしありけり」〈万一一九七〉⑥言い伝えている言葉。格言。「昔より言ひける―の」〈万三六九五〉。「ますますも重き馬荷に表荷(うはに)打つといふ―の如」〈万八九七〉⑦(体系としての)言語。「もろこしと此の国とは―異なるものなれど」〈土佐一月二十日〉⑧和歌。「かかる―ぞ〔櫛ノ箱ノ〕中にありける。さしながら昔を今に伝ふれば玉の小櫛ぞ神さびにける」〈源氏若菜上〉⑨発声。声。「兵部卿の宮、青柳をり返し面白くうたひ給ふ。あるじの大臣も―加へ給ふ」〈源氏胡蝶〉❷【事】《人間社会において生じる出来事、人間の行為、また、それらの関係・筋道などを広くいう》①㋑出来事。「鶏が鳴く吾妻の国に古(いにしへ)にありける―と、今までに絶えず言ひ来る」〈万一八〇七〉。「あやしき―も、にくき―も」〈枕一四一〉㋺取りあげるべきこと。重大事。また特に、死。「わが背子は物な思ほし―しあらば火にも水にもわれ無けなくに」〈万五〇六〉。「〔狐ハ人ヲ〕おびやかせど、―にもあらぬやつ」〈源氏手習〉。「正元元年十一月、九条の左のおとど―侍りて、ほかにうつして後の朝、雪ふかく積もりたるに」〈中院詠草〉㋩行為。しぐさ。「善き―を始め給ひて」〈万四〇九四〉②㋑成行き。事情。「―たがひて心動き、必ずその報い見え」〈源氏若菜上〉。「―を分けて申せば、そのもの道理に責められて」〈天草本伊曾保〉㋺事態。様子。「―の仔細を問ひ給ふ」〈平家三・六代〉。「―よろしくば乞ひ許さんとて問ひ給ひけるに」〈宇治拾遺一五七〉。「この殿の亭の前を、―よろしき女の通りけるを」〈十訓抄七ノ一三〉③㋑仕事。任務。「―終り還らむ日には」〈万八九四〉。「受領といひて人の国の―にかかづらひ営みて」〈源氏帚木〉。「六月九日新都の―始め、八月十日上棟…と定めらる」〈平家五・月見〉㋺行事。「御袴着の―」〈源氏桐壺〉㋩興味。「これに皆―さめて」〈源氏手習〉㋥必要なもの。「時世移ろひて、覚え衰へぬれば、心は心として―たらず」〈源氏帚木〉④《活用語の連体形をうけて》名詞句を作り、思考や言語表現の内容を示す。「飯炊(いひかし)く―も忘れて」〈万八九二〉。「ゆく水の絶ゆる―無くまたかへり見む」〈万一一〇〇〉。「かひなき―も言はむ」〈源氏竹河〉⑤《文末について》㋑断定・命令・禁止をあらわす。「神社を修理し祭祀を専らにすべき―」〈貞永式目〉㋺感嘆・疑問をあらわす。主に女性語として使われる。「『いと見ぐるしき―。さらにえおはせじ』とてわらふめれば」〈枕八〉㊁『接尾』【事】人名・人代名詞の下につき、…のことに関し、…は、等の意をあらわす。「いたはしや、もりとし―、かりそめに風の心地と宣ひしが」〈伽・万寿の前〉。「貴殿―」〈ロドリゲス大文典〉 ▽朝鮮語 köt (事)と同源。†kötö **―がな笛吹かん** 事あれかし、笛を吹いてはやし立てようとの意。機に乗じようと待ち構えていること。「―と思ひける北面の下臈(げらふ)共」〈盛衰記一八〉 **―こそあれ** 事もあろうに。「―、あやしくも言ひつるかな」〈源氏東屋〉 **―ぞとも** 《下に否定の語を伴って》格別にどんな事とも(…ない)。「―聞きだに分かず」〈拾遺四三〇〉。 **―と言へば** 何かと言えば。「―言はれぬまでに苦しきは」〈続後拾遺六二九〉 **―と・す** 専ら従事する。仕事とする。「在世の時、殺生をことするによりて苦報をうくる」〈十訓抄五ノ一〉 **―の語り言(ごと)もこをば** 《上代の天語歌(あまがたりうた)などの歌謡で、最後に、海人部(あまべ)の伝承であることを明らかにする成句》この物語を語りごととして申しあげます。「海人駈使(あまはせづかひ)―」〈記歌謡二〉 **―も愚か** ①言うまでもないこと。言うも愚か。「右歌、月の雲となるらん煙心せよと詠まれたるわたりぞ、―に覚ゆれども、文字つづきなど優に侍りけり」〈山家歌合〉②おろそかにしてはならない事をおろそかにするさま。なおざり。「まことにも世の理(ことわり)を知る人は―に厭ふべきかは」〈秋篠月清集四〉 **―も無・し** ①何の問題もない。「平けく安くもあらむを、―・く喪(も)もなくあらむを」〈万八九七〉②無難だ。悪くない。「その隣なりける宮ばらに、―・き女どもの…集まりて入り来ければ」〈伊勢五八〉③《連用形を副詞的に用いて》あっさりと。無造作に。「まして龍をとらへたらましかば、また―・く我は害せられなまし」〈竹取〉 **―を欠・く** 不足する。不自由する。「太刀、刀は不足なし。ただし装束に―・きたり」〈伽・弁慶物語〉 **―を左右(さう)に寄・す** 何やかやと言ひ逃れをする。「去年祭事に勤仕し、今年―・せ、何ぞ恒例の神事を闕く乎」〈小右記治安一・三・二六〉

こと【異・別・殊】《ある物と違う、別である、変っているというのが原義》①…と違うこと。…と別であること。「その滝、物より―なり」〈伊勢八七〉。「朝の露に―ならぬ世を」〈源氏夕顔〉②普通でないこと。異例であること。「かたち―にても(尼姿デモ)」〈かげろふ中〉③別別であること。ほかであること。「かう筋―になり給ひぬれば」〈源氏賢木〉④特別。格別。「山里は秋こそ―に侘びしけれ鹿のなく音に目をさましつつ」〈古今二一四〉

こと【琴】広く絃楽器の称。琴(きん)・箏(さう)・琵琶(びわ)などの絃楽器。古くは和琴(わごん)があり、新羅(しらぎ)・百済(くだら)の琴も輸入されたが、みなコトという。「〔神功皇后〕親(みづか)ら神主となり給ふ。則ち武内宿禰に命(みことのり)して―撫(ひ)かしむ」〈紀神功摂政前〉。「箏(こと)を調ぶる声」〈遊仙窟(醍醐寺本)鎌倉期点〉 †kötö **―の緒を絶・つ** 《「絶絃」の訓読語》知己に死別する。「なき人はおとづれもせで―・ちし月日ぞかへりきにける」〈かげろふ上〉

こと【一方・片方】《カタ(片)の母音交替形》二つあるもののうちの一方。片方。「秋の田の穂向の寄れる―寄りに君に寄りななこちたかりとも」〈万一一四〉 †kötö

こと【同】『副』《ゴトシ(如)と同根。仮定の表現を導くに使う。コト(異・別・殊)とは起源的に別語》 一つこと。同じ。「花ぐはし桜の愛(め)で—愛でば、早くは愛でず我が愛づる子ら」〈紀歌謡六七〉。「〔二人ノ仲ヲ〕—放(さ)けば国に放けなむ(同ジ離スナラ、国ニイルトキ離シテホシイ)」〈万三三四六〉。「—降らば袖さへぬれて通るべく降りなむ雪の空に消(け)につつ」〈万二三一七〉 ▽平安時代にはゴトと濁って発音したらしい。写本に、ゴと濁る指示がある。 †kötö

ごと【同・如】《コト(同)と同根。後に如シの語幹になる。連体修飾語をうけて》 …と同一(に)。…と同じ(に)。「けだしや鳴きし我が恋ふる—」〈万一一二〉。「今の—恋しく君が思ほえば」〈万三九二八〉 ▽意味とアクセントの点からゴト(毎)とは別。 †götö

ごと【毎】『接尾』 ①…別別に。一つ一つ別に。「人—に折りかざしつつ」〈万八二八〉 ②…の時はそれぞれ別に。…のたびに。「時—に咲かむ花を」〈万四三一四〉。「日—の三時にせよ」〈金光明最勝王経平安初期点〉 ③《用言の連体形をうけて》 …のたびに。「見る—に思ひは止まず」〈万四一八六〉 ▽意味とアクセントを考慮すると、コト(異・別)と同根。 †götö

ごど【後度・後途】 のち。後日。「これを隠いて—に使う」〈虎明本狂言・鈍根草〉 ↓先度。 **—を突・く** 《後日の事を念を押す意から》 一層注意を促すために確かめておく。「『その女房は何者』と、—・かるる」〈近松・反魂香上〉

ことあげ【言挙げ】 声高く言い立てること。「千万(ちよろづ)の軍(いくさ)なりとも—せず取りて来ぬべきをのことぞ思ふ」〈万九七二〉。「葦原の瑞穂の国は神ながら—せぬ国」〈万三二五三〉 ▽古くはコトアゲは禁忌とされた。危急・肝要の場合には言霊(ことだま)の力が求められて、コトアゲが行なわれた。 †kötöagë

ことあやまち【言過ち】 うっかり過って話すこと。「ことあやまり」とも。「小さき子どもなどの侍るが、—しつべきも言ひまぎらはして」〈源氏夕顔〉

ことあやまり【事誤り】 まちがい。「忍ぶとすれど、うちうちの—も世に漏りにたるべし」〈源氏藤裏葉〉

ことありがほ(ガオ)【事在り顔】 何ごとかありそうな顔つき。わけのありそうなようす。「—に近く侍はじと」〈源氏若菜下〉

ことい・で【言出で】『下二』 口に出す。声に出す。「たはやすく—・づべきことにもあらねば」〈源氏宿木〉

こといみ【言忌み・事忌み】 不吉な言行を慎むこと。禁忌。たとえば、めでたい時に、悲しいことを口にしたり涙を流したりするのを憚ること。「〔元日〕今日は—してな泣い給ひそ」〈源氏紅葉賀〉。「田舎人どもは〔京ノ人ヨリ〕なかなかかる事(葬式)を、ことごとしくしなし、—など深くするものなりければ」〈源氏蜻蛉〉

どいり【五度入】 土器の盃の一。普通の盃(三度入)より二廻り大きなもの。五度土器(かわらけ)。「近代間(あひ)の物、—、七度入、十度入、…種種土器、出来せしむ」〈海人藻芥〉

どとう【御燈】 内裏の年中行事の一。三月三日、九月三日に天皇が北斗星にみあかしを捧げること。また、そのみあかし。当日、天皇の身体の祓(はらへ)を行なうのが恒例。「三月三日、—」〈西宮記三月〉

ことうけ【言請け】 承諾の返事。「よしなき—をしけると思へども」〈今昔二七ノ二一〉

ことえり【言選り】 用語の選択。「文(ふみ)を書けど、おほどかに—をし」〈源氏帚木〉

ことか・き【事欠き】 ㊀『四段』 必要なものが不足する。なくて困る。「されば、いかにもいかにも平茸(ひらたけ)は食はざらんに—・くまじきものとぞ」〈宇治拾遺三〉。「—・かぬ町人等には金銀を取らせ」〈驢鞍橋上〉 ㊁『名』 ①物が足りないこと。不足。「御公用御—の由仰せ候間、…此の使ひに壱貫五百文進(まゐ)り入らせ候」〈九条家文書明応四・三・二九〉。「昔は、天子も諸侯も、師匠といふ者あり。今は無し。…是ぞ—の第一なるべきか」〈仮・清水物語上〉 ②間に合せ。「〔花ノ〕—に貸さば枯野の霜の花」〈俳・埋草四〉

ことがき【言書】 歌の詞書。ことばがき。「此の歌—に、伊勢が家を売りて、人の入りたるを見て詠めり」〈古今集註〉

ことがき【事書】 「…の事」という形式で箇条書にした文書。題目をこの形式で掲げたものもいう。「〔宣命ノ草稿ヲ〕—に書くべきの由、内記に仰せ了んぬ」〈殿暦長治二・八・二三〉。「やがて東宮御前にて、関のあなたにて申すべき—など給はりぬ」〈春のみやまぢ〉

ことか・け【事欠け】 ㊀『下二』 必要なものが不足する。不自由する。「法師なる御子のおはしまさぬがくち惜しく、—・けさせ給へるやうなるに」〈大鏡道長〉。「—・けぬやうにこれを持つなり」〈孫子私抄〉 ㊁『名』 「ことかき」㊁に同じ。「いかに—なればとて、いつの程より、かく物毎をさもしくなしぬ」〈西鶴・一代男二〉

ことかた【異方】 別の方角。ほかの方。違った所。「しばし—にやすらひて参り来(こ)む」〈源氏葵〉

ことがま・し【言がまし】『形シク』 口やかましい。「さがなく—・しきも暫しはなまむつかしう」〈源氏夕霧〉

ことがま・し【事がまし】『形シク』 仰山(ぎやうさん)だ。ことごとしい。「殊にその体、—・しく出で立ちたり」〈曾我九〉

ことがみ【琴頭】 琴の頭の方。また、琴のそば。「—に来居る影姫」〈紀歌謡九一〉 †kötögami

ことがら【言柄】 言葉の風体、風情、品位、風格。多く歌にいう。「此の歌は—やさしとて勝ちにき」〈無名抄〉

ことがら【事柄】 ①事の内容。「一定—の真(まこと)そら事を見むとて」〈愚管抄六〉 ②ようす。「木綿幣(ゆふしで)風に乱れたる—」〈海道記〉 ③「骨柄(こつがら)」に同じ。「容儀—大人しやかにて、大将軍やとぞ見えし」〈保元上・新院御所〉

ことき【異木】 ほかの木。「〔桐ノ木ハ〕—どもと、ひとしう言ふべきにもあらず」〈枕三七〉

こどき【蚕時】〔上代東国方言〕 蚕を飼う時期。「新室(にひむろ)の—にいたれば」〈万三五〇六東歌〉 †kodöki

こときよ・し【言清し・事清し】『形ク』 何のやましいこともない。何のとやかくいわれることもない。「—・くいたもな言ひそ一日だに君いし無くは痛(たへ)きかも」〈万五三七〉 †kötökiyosi

ことき・り【事切り】『四段』 事を終らせる。結着をつける。「今夜—・らむ。文やりて、返事かたみに見て、劣りまさり定めん」〈十訓抄七ノ一五〉

ことき・れ【事切れ】『下二』 ①事が終る。結末がつく。「この歌二つ、たがひに争ひて、今に—・れず」〈俊頼髄脳〉。「このこと先達、或は病と定め、或は病とせず、或は未だ—・れず」〈文治二年十月二十二日歌合〉 ②命が終る。絶命する。死ぬ。「やがて息絶えて、—・れにければ」〈沙石集八ノ一五〉

ことぐさ【言種】 ①(いつもの)言いぐさ。口癖。「朝夕の—に『羽をならべ、枝を交さむ』と契らせたまひしに」〈源氏桐壺〉 ②きまって使われる話の種。話題。「このごろ世の人の—に、『内の大殿(おほいどの)の今姫君』と、事に触れつつ言ひ散らすを」〈源氏篝火〉 ③ことばの趣向。ことばのあや。「—にとりよせたるにて」〈為兼卿和歌抄〉 ④ことば。「言ひすてたる—も、皆いみじく聞ゆるにや」〈徒然一四〉

ことくに【異国】 ①よその地方。他国。「同じ国の男をこそ同じ所にはせめ。―の人の、いかでかこの国の土をば貸すべき」〈大和一四七〉。「おのが国にはあらで、―に田を作りけるが」〈宇治拾遺五六〉 ②外国。「〔和琴ハ〕広く―の事を知らぬ女のため〔ニ作ラレタト思ウ〕」〈源氏常夏〉

ことくは・へワエク【言加へ】『下二』①助言する。口添えする。「御返りも聞えさせやらせ給はねば、大将ぞ―・へ聞え給ひける」〈源氏賢木〉 ②声を加える。歌唱に仲間入りする。「面白く謡ひ給ふ。あるじのおとども―・へ給ふ」〈源氏胡蝶〉

ことくらく【胡徳楽】舞楽の曲名。高麗楽(こまがく)に属す。四人の舞人が酒に酔った滑稽なしぐさで舞う。「酒盛りの―とも見ゆるかな」〈散木奇歌集雑下〉

ことごころ【異心】ほかの人を思う心。ほかの人に惹かれる心。「男、〔妻ハ〕―ありてかかるにやあらむ(嫉妬シナイノダロウカ)と思ひ疑ひて」〈伊勢二三〉。「年頃―なくて過ぐし給へるなどを」〈源氏藤裏葉〉

ことごと【悉・尽】㈠『名』《コトを重ねた語。コトは一つの意》①一つ一つ。一人一人。それぞれ。「妹は忘れじ世の―に」〈記歌謡八〉。「たのめりし人の―草枕旅なる間に」〈万四六〇〉 ②すべて。「布肩衣(ぬのかたぎぬ)有りの―着添へども寒き夜すらを」〈万八九二〉 ㈡『副』全く。「―疑ひなく后がね(后候補)とかしづき聞え給へるに」〈栄花根合〉 †kötögötö **―く**【悉く・尽く】『副』《コトゴトに、副詞語尾クを加えて、副詞性を明確にした語》すべて。残らず。「心に悲しび喜ぶることを生(な)し、涕涙を交へ流し、挙(ことごと)く身の戦(ふる)ひ動く」〈金光明最勝王経平安初期点〉。「朝衆(てうしう)―心をつくす」〈平家三・大地震〉。「都、コトゴトク」〈名義抄(図書寮本)〉 ▽この語は漢文訓読体で使うが、平安女流文学では使わない。

ことごと【別別】《コト(異)を重ねた語。コトゴト(悉・尽)とは起源的に別》別別。それぞれ別。「もろこしとこの国とは―なるものなれど」〈土佐一月二十日〉。「いまはただ大方の御睦びにて、おましなども―にて大殿籠る」〈源氏螢〉 **―に**【別別に】『副』別別に。「日毎の三時の中に我が名を称念し、―香花と諸諸の美食とを以て我に供養ぜよ」〈金光明最勝王経平安初期点〉

ことごと【異事】ほかのこと。「これらにおもしろさの尽きにければ―に目も移らず」〈源氏紅葉賀〉

ことごと・し【事事し】『形シク』《事の構え方が正面切って大がかりで人目を驚かすこと》いかにも大がかりだ。大層らしい。仰仰しい。「祭祓へなどいふわざ、―・しうはあらで」〈かげろふ中〉。「―・しき御使にもあらず、例(イツモ)奉れ給ふ上童なり」〈源氏総角〉

ことことは【同事は】『連語』《上のコトは如シのゴトと同根。同一の意》同じことならば。「―死なな(死ニタイ)と思へど」〈万八九七〉 †kötökötöra

ことごのみ【事好み】趣味を強く持つこと。風流がること。「―したる程よりは、怪しう荒らかに、田舎びたる心ぞつきたりける」〈源氏東屋〉

ことこ・め【言籠め】『下二』口ごもる。「こはいと聞えさせにくくなむと、いたう―・めたれば」〈源氏末摘花〉

ごどころ【碁所】近世、囲碁で代代幕府に仕えた、本因坊・林・安井・井上の四家。九段の技倆であった。「―に二つ(二目置イテ打ツ腕前)まで打ちなし」〈西鶴・織留一〉

ことさか【言離・事解】①解決すること。「悪事(まがこと)も一言、善事(よごと)も一言〔デ〕―の神」〈記雄略〉 ②離縁。「妻の為に嫌はれ離たれし者…強ちに―の婢(めやつこ)とす」〈紀孝徳、大化二年〉 †kötösaka

ことさけを【琴酒を】〔枕詞〕「押垂小野(おしたりをの)」にかかる。かかり方、未詳。「―押垂小野ゆ出づる水」〈万三八七五〉 †kötösakëwo

ことさへくエクサ【言さへく】〔枕詞〕《サヘクはサヘヅリ(囀)と同根。コトサヘクは意味のわからない言葉をぺちゃくちゃ言うこと》外国人のことばがわかりにくくひびくことから「韓(から)」「百済(くだら)」にかかる。「―韓(から)の崎なる」〈万一三五〉。「―百済の原ゆ」〈万一九九〉 †kötösaFeku

ことざま【事様】物事の様子。ありさま。「―のもとよりよからぬ事のおこりなれば、恥づかしうおぼされて」〈栄花見はてぬ夢〉。「―同じきによりてここに記すといふ」〈十訓抄六ノ一七〉

ことざま【異様】①普通とは変った様子。「かたちの―にて、うたてげに変りてはべらば」〈源氏賢木〉 →ことやう。②ほかの方向。別の方。「ただ今は―に分くる御心もなくて〔紫上一人ヲ愛サレル〕」〈源氏葵〉 →ほかさま

ことざまし【事醒し】興をそぐこと。「他事(ことごと)には目も移らず、かへりては、―にやありけむ」〈源氏紅葉賀〉

ことさ・め【事醒め】『下二』興がさめる。「人人笑ひて―・め侍りにけり」〈大鏡伊尹〉

ことさやぐ【言さやぐ】〔枕詞〕「ことさへく」の転。「むつかしや、―唐人(からびと)なれば」〈謡・白楽天〉

ことさら【故】『名・副』《コトはコト(別・異)に同じ。サラは、別に新たにの意》①別に改めて。わざわざ。「―に衣は摺(す)らじ女郎花咲く野の萩にほひて居らむ」〈万二一〇七〉 ②特別。「〔姫君ヲ〕許すとも―なるやうにもてなしてこそあらめ」〈源氏少女〉 ③わざと。故意に。「〔葬儀ハ〕―事そぎて、いかめしうも侍らざりし」〈源氏手習〉 ④特に。とりわけ。「―天王寺は仏法最初の寺なり」〈伽・庚申之御本地〉 †kötösara **―・び**【故び】『上二』①わざとらしい様子である。「いと軽軽しく、―・びたることなり」〈源氏帚木〉 ②特別な意匠が示されている。気取った様子である。「下襲(したがさね)いと長う尻引きて、ゆるゆると―・びたる御もてなし(態度)、あなきらぎらし」〈源氏行幸〉 **―め・き**【故めき】『四段』①わざとらしくする。「〔男ヲ避ケルタメニ〕―・きて軽らかに、あなたへ這ひ渡り給はむも、さま悪しき心地して」〈源氏夕霧〉 ②特別な意匠が見える。気取っている。「白き綾のなつかしきを着給へる〔夕霧ノ姿ハ〕―・きて艶に見ゆ」〈源氏藤裏葉〉

ことし【今年】《此年の意》本年。「吾(あれ)は待たむゑ―来ずとも」〈万三四〇六上野東歌〉。「去年(こぞ)・―」〈源氏賢木〉。「是歳、コトシ」〈名義抄〉 †kötösi **―おひ**イオ【今年生ひ】今年生え出たもの。「うぶやの七夜に。―の松は七日になりにけり残りの程を思ひこそやれ」〈拾遺三六九〉 **―だけ**【今年竹】今年生えた竹。若竹。「新竹ノ雨。これは―に降りかかる雨也」〈金玉和襟集〉

ごと・し【如し】『助動』→基本助動詞解説。 †götösi

ことしま【異様】《シマはサマ(様)の母音交替形》別の状態。違った傾向。「今の間は、仕へ奉る政(まつりごと)の趣、―にあるに」〈正倉院文書宣命逸文〉

ことしも【事しも】『連語』《下に「ごとし」「見ゆ」「やうなり」などの比況の表現を伴い、(確かにそれとはいえないが)まずちょうど…のようだ、の意。確信を欠く気持を表わす。平安時代後期から院政期頃によく使われた》まずまず…のように。あたかも…のように。「―ここちよげならん所のかぎり(楽シソウナ家ダケガ)せまほしげなるわざ(ヤリタソウナ行事)にぞ見えける」〈かげろふ中〉。「聖人―我が父母などの病まむを嘆かむが如く嘆き悲しみて云はく」〈今昔一二ノ三五〉

―あれ 事もあろうに。「―、うたての心ばへや」〈源氏紅葉賀〉。「―、まことしき事のやうなり」〈大鏡道隆〉 **―そあれ** 《コトシモアレを強調した形》 事もあろうに(あんまりだ)。「―、うたて、あやし」〈源氏総角〉

ことしり【事知り】①物事をよく知っていること。また、その人。「黒主が―くさい顔をして」〈俳・大坂一日独吟千句〉 ②特に、男女関係の事をよく知っていること。また、その人。通人。「あとにて―に尋ねしに、『あれは都の分(わけ)ある大尽』と聞くに」〈西鶴・一代女五〉

ことそ・ぎ【事殺ぎ・言殺ぎ】『四段』(物事や言葉を)簡略にする。「例のやうにも―・がせ給はで、世になく響きこちたき程に」〈源氏若菜上〉。「〔手紙ハ〕言葉少なに―・ぎて押し包み給へるを」〈源氏総角〉

ことた・え【言絶え】『下二』 ①音信が絶える。「うつつには―・えにたり夢にだにつぎて見えこそ直(ただ)に逢ふまでに」〈万二九五九〉 ②表現を絶する。言い表わす言葉もない。「生ける世に吾(あ)はいまだ見ず―・えてかくおもしろく縫へるふくろは」〈万七四六〉 †kötötaye

ことた・し【言たし】『形ク』《コトイタシの約》 人の噂がうるさい。「寝なへのからに(寝モシナイノニ)―・かりつも」〈万三四二東歌〉 †kötötasi

ことた・ち【事立ち】『四段』 特別な事をする。目立った事をする。「〔神デアル私ガ手助ケショウ〕―・つにあらず」〈続紀宣命一五〉。「正月(むつき)なれば―・つとて、大御酒(おほみき)賜ひけり」〈伊勢八五〉 †kötötati

ことだ・ち『四段』 結婚する。祝言の式をあげる。「―・つ祝ひなどして、場晴れて夫婦となる」〈仮・御伽物語三〉。「―・つ。祝言なり」〈匠材集三〉

ことだ・て【言立て】㊀『下二』 はっきり言葉に表現する。特に言葉にする。「顧みはせじと―・て」〈万四〇九四〉 ㊁『名』 はっきりと表現した言葉。揚言。「うまひと(高貴ナ人)の立つる―」〈紀歌謡四六〉 †kötödate

ことたへに コトタエ…【故に】『副』 わざと。ことさらに。「是れ神なりと知ろしめされども猶(なほ)―問ひて」〈紀雄略四年〉

ことたま【言霊】 言葉の持つ神秘な力。「―の八十(やそ)のちまたに夕占(ゆふけ)問ふ占まさに告(の)る妹はあひ寄らむ」〈万二五〇六〉 ▽人間にタマ(霊力)があるように、言葉にもタマがあって、物事の実現を左右すると未開社会では強く信じられている。そこでは言葉と事との区別が薄く、コト(言)はすなわちコト(事)であり、言葉はそのまま事実と信じられている。例えば人の名は、その人自身と考えられるため、異性に自分の名を教えることは相手の自由に身を任せることを意味する。また、名が傷つけられ、のろいをうけることは、すなわちその人が傷つくと考えるごときも、この信仰による。 †kötötama **―のさきはふくに** …サキワウ…【言霊の幸はふ国】 言霊が幸福をもたらす国。「やまとの国は…―と語り継ぎ言ひ継がひけり」〈万八九四〉

ことたまくら【異手枕】 他の人の手枕。夫婦などが、互い以外の他の人と共寝することにいう。「天雲の寄合ひ遠み会はずとも―を我纏(ま)かめやも」〈万二四五一〉 †kötötamakura

ことぢ【琴柱】 琴の胴の上に立てて各絃を支える具。その位置により音の高低がきまる。「―の立処(たちど)」〈源氏若菜下〉。「雨降る日、―倒せ」〈紫式部日記〉。「柱、古度知(ことぢ)」〈和名抄〉 **―に膠(にかは)さ・す** 《史記に見える「膠柱」の訓読》 琴柱を膠づけにすれば調子の変化が出ないことから、変化というものを知らない、融通のきかないことのたとえ。「昔はよき人、今は―・すやうにてこそ里居して侍るなれ」〈紫式部日記〉

ことつ・げ【言告げ・事告げ】『下二』《ツゲは、ツギ(継)と同根》 連絡役を立てて、ことがらを相手に伝えさせる。誰かを介して伝える。「天飛ぶや雁を使に得てしかも奈良の都に―・げやらむ」〈万三六七六〉 †kötötugë

ことづ・け【言付け・事付け】㊀『下二』《コト(言・事)を手近の何か(誰か)に一時的に付ける意》 ①名目をつける。かこつける。転嫁する。「いと間遠なるも心ざし無きなめりと思へば、別(こと)に物なども聞えで、仏に―・け奉りて明かしつ」〈和泉式部日記〉。「権の少将は大将殿の上の御風の気(け)おはするに―・けて、例のとまり給へるに」〈堤中納言思はぬ方に〉 ②品物を依託する。預ける。「―・け申さむと思ふは、聞き給ひてむやと、…小さき箱の、絹を以て裹(つつ)みたるを引き出して」〈今昔二七ノ二一〉 ③伝言する。「私(わたくし)の文は許されねば、人人のもとへもことばにて―・け給ふ」〈平家一〇・内裏女房〉 ㊁『名』 ①かこつけ。口実。「つきづきしき―ども作りいでて」〈源氏真木柱〉 ②伝言。「麗景殿に御―聞え給ふ」〈源氏紅梅〉

ことつ・て【言伝て・事伝て】㊀『下二』《手がかりを通じてことがらを相手に伝わるようにするのが原義》(何か関係をたぐって、また人を介して)ことがらを伝える。伝言する。「おもほしき―・てむやと、家問へば家をも告(の)らず、名を問へど名だにも告(の)らず」〈万三三三六〉。「やよや待て山ほととぎす―・てむわれ世の中に住み侘びぬとよ」〈古今一五二〉 ㊁『名』(手づるをたって)ことがらを伝えること。伝言。「―やらむよすがだになきを、かへりみがちにて出で給ひぬ」〈源氏帚木〉。「言伝、又誘、コトツテ」〈文明本節用集〉。「コトヅテ、更に良くは、コトツテ」〈日葡〉 †kötötute

ことづめ【琴爪】 琴を弾く時指先にはめる具。「枇杷のありけるに、一房取りて―にてこれをむきて」〈十訓抄一ノ六〉

こと・で【言出】『下二』《コトイデの約》 言葉に出す。言いだす。もちかける。「―・でしは誰(た)が言なるか小山田の苗代水の中淀にして」〈万七七六〉 †kötöde

ことと【事跡】 業績。「玉桙の道に出で立ち〔都へ大帳使トシテ〕行く我は君が―を負ひてし行かむ」〈万四二五一〉 †kötöto

ことと【事と】『副』 ①とり立てて。特に。「いとなごやかなるさまして寄りかかり給へるは、―馴れ馴れしきにこそあめれ」〈源氏野分〉 ②歴然と。はっきり。「―〔夜ガ〕明くなれば、障子口まで送り給ふ」〈源氏帚木〉

ことど【絶妻之誓】《コトは異。別になる意。ドは、ノリト(祝詞)のトに同じ。神聖な言葉、誓いの言葉などの意》 夫婦の仲を絶つ呪言。「絶妻之誓、此を―と云ふ」〈紀神代上〉 †kötödo

ことどがめ【言咎め】 ことばに出して咎めだてすること。言い咎めること。「人の見て―せぬ夢にだにやまず見えこそわが恋やまむ」〈万二九五八〉 †kötötogame

ことどき【異時】 ほかの時。他の折。「―よりは今こそ鳴かめ」〈万一九四七〉。「よし、―は知らず、今宵は詠め」〈枕九九〉 †kötötöki

ことどころ【異所】 ほかの場所。よそ。また、異国。「〔明石浦ハ〕―に似ず、ゆほびかなる所」〈源氏若紫〉。「―のものなれど鸚鵡(あうむ)いとあはれなり」〈枕四一〉

ことと・し【言疾し】『形ク』 噂がきびしい。「―・くは中はよどませ水無し川絶ゆとふことを有りこすなゆめ」〈万二七一二〉 †kötötosi

ことと・ひ …トイ【言問ひ】㊀『四段』 ①言葉を言う。話しする。「―・はぬ木すら春咲き」〈万四一六一〉 ②(求婚の)言葉をかける。「吾(あ)が妻に、人も―・へ」〈万一七五九〉 ③尋ねる。「名にし負はばいざ—・はむ都鳥わが思ふ人はありやなしやと」〈伊勢九〉 ④見舞う。訪れる。「この人を、かうまで思ひやり—・ふは」〈源氏澪標〉。「夕の嵐、夜の月のみぞ—・ふよすがなりける」〈徒然三〇〉 ㊁『名』《コトドヒと濁音》ものを言いかわすこと。「今日だにも—せむと、〔別レヲ〕惜しみつつ悲しびませ」〈万四四〇八〉 †kötötoFi, kötödoFi

こととまり【異泊】ほかの港。「よんべ(昨夜)の泊より—を追ひて行く」〈土佐一月二十二日〉

ことどもり【言吃】どもり。「啞(おし)・—とぞ大乗(法華経)そしりたる罪にも数へたるかし」〈源氏常夏〉。「吃・謇、コトドモリ」〈名義抄〉

ことと・り【事執り】㊀『四段』万事を執り行なう。一切をとりしきる。「妻の方の—・りうしろみける尾張といふ女を呼び出して」〈伽・葦曳絵巻〉 ㊁『名』事をとりしきる者。監督。「心地よげなるもの。…傀儡(くぐつ)の—」〈枕八〇〉

ことなぐし【事無酒】《クシは酒》無事平安を祈る酒。病気や災厄など、悪事をはらう酒。「—、笑酒(ゑぐし)に我酔ひにけり」〈記歌謡四九〉 †kötönagusi

ことな・し【言成し】『四段』ことばに出す。「うつせみの八十言の葉(へ)は繁くとも争ひかねて吾(あ)を—・すな」〈万三四五六東歌〉 †kötönasi

ことな・し【殊なし】『形ク』《ナシは、はなはだしい意》殊のほかである。格別である。「余り大雪が降りて—・う寒いほどに」〈山谷詩抄八〉

ことなしぐさ【事成草】シノブグサの異名という。「つま(軒端)に生ふる—を見るからに頼む心ぞ数まさりける」〈後撰六九八〉

ことなし・び【事無しび】㊀『上二』何事もないようにふるまう。何気ないようにする。「『悩ましくなむ』と—・び給ふを〈ソレトナク辞退ナサルノヲ〉、強ひて言ふもいとこちなし」〈源氏手習〉 ㊁『名』何事もないような様子。何気ない風。「—に筆にまかせてなどはあらず。心いととどめて書く」〈枕一九一〉

ことならば【同ならば】『連語』《コトはゴト(如)と同根》同じことなら。「—君とまるべくにほはなむ帰すは花の憂きにやはあらぬ」〈古今三九五〉。「—思はずとやは言ひ果てぬなぞ世の中のたまだすきなる」〈古今一〇三七〉 ▽平安・鎌倉時代にはゴトナラバと読んだ。

ことな・り【事成り】『四段』①事がうまくまとまる。成立する。仕上がる。「相誂(あとら)ひ—・りしかば」〈万一七四〇〉。「たひらかに—・りぬれば(安産ダッタノデ)」〈源氏葵〉 ②(行事の)時が至る。「『—・りぬ』と言へば、さすがにつらき人の御前渡りの待たるるも心弱しや」〈源氏葵〉 †kötönari

ことねり【小舎人】①蔵人所の下役。殿上の雑用に従事した。「殿上人蔵人のみにあらず、蔵人所の衆、出納、—に至るまで書き分ちたりければ」〈今昔二八ノ三五〉 ②一般に、摂関家などで雑役に従う小使。「その旨なくば、健やかならん—奴(め)らに仰せつけて」〈義経記六〉 —どころ【小舎人所】摂関・大臣家などの、下役の詰所。「御随身所・—は酒を飲みののしりてうちあげののしる」〈栄花見はてぬ夢〉 —わらは ワラワ【小舎人童】貴人が召しつれて雑用に使う少年。「—、ちひさくて髪いとうるはしきが、〔毛〕筋さはらかにすこし色なる、声をかしうて」〈枕五四〉

ことの【故殿】亡き殿。「—の御けはひ」〈源氏柏木〉

ことのかず【事の数】特にかぞえあげる程のこと。「成親卿が謀反は、—にもあらず」〈平家二・教訓状〉

ことのくみ【琴の組】琴の組歌。「お大名の宮仕へ、—でも唄はいで」〈近松・丹波与作上〉

ことのは【言の葉】《平安時代には、詩歌の作品や、言語の表現一つ一つを「葉」に見立てた雅語として、文学に愛用された語。歌の中では、木の葉に掛けて、愛の言葉、約束の意を表わすものが多い。散文の中の例は源氏物語に多くあり、上品な、よい言語表現を指す。漢文訓読体には使われない。→ことば》①歌。和歌。口頭の普通の言語に対していう。「やまとうたは、人の心をたねとして、よろづの—とぞなれりける」〈古今序〉。「何に我さへ、さる—を残しけむと、さまざま思しいづるに」〈源氏夕霧〉 ②有難い詞。「薪こる程よりうちはじめ、同じういふ〔法華経讃歎ノ〕—も、いみじう尊し」〈源氏賢木〉 ③上品な巧みな表現。「例のいづくより取うで給ふ〔源氏ノ〕—にかあらむ」〈源氏帚木〉 ④手紙。手紙の表現。「ただ今書きたらむにも違はぬ—どもの、こまごまと定かなるを」〈源氏橋姫〉 ⑤きちんとした文章の文言。「〔願文ノ〕趣の、ざえざえしくはかばかしく仏神も聞き入れ給ふべき—あきらかなり」〈源氏若菜下〉 ⑥《歌の中で、「木の葉」の懸詞として使って》 ㋑愛の言葉。愛の約束。「今はとてわが身時雨にふりぬれば—さへにうつろひにけり」〈古今七八二〉 ㋺噂。「世にふれば—繁き呉竹のうきふしごとに鶯ぞ鳴く」〈古今九五八〉 ▽すでに奈良時代の方言にコトノヘと訛った形で例がある。 —ぐさ【言の葉草】和歌。「よしあしを君し分かずは書きたむる—のかひやなからむ」〈新続古今一九一〇〉

ことのばら【小殿原】①年若い下級の武士。若い殿原。「お酌に立ったる—」〈伽・小栗絵巻〉。「近習・小姓・—・若党・小人・中間衆迄も」〈甲陽軍鑑四〉 →とのばら(2) ②〔女房詞〕ごまめ。「干し小鰯、世にこれを、ごまめ、また—と云ふ」〈俳・毛吹草四〉

ことのへ【言の葉】《「ことのは」の上代東国方言》人の噂。「うつせみの八十(やそ=多クノ)—は繁くとも」〈万三四五六東歌〉 †kötönöFe

ことのほか【事の外】①並はずれていること。考えられない程のこと。平安時代には不快な事にしか使わない。「かく—なる〔夫婦ノ不仲〕をも知り給はで」〈かげろふ中〉 ②格別。特別。「その家も我が物にて、—に徳(利益)ある物にてぞありける」〈古本説話五八〉

ことのまぎれ【事の紛れ】人目を忍ぶ男女関係。密通。「珍しきさまの御心地もかかる—にてなりけり」〈源氏若菜下〉

ことのよし【事の由】事の次第。わけ。「〔浮舟ノ〕御葬送のことは殿に—も申させ給ひて日定められ、いかめしうこそ仕うまつらめ」〈源氏蜻蛉〉

ことのわづらひ ‥ワズライ【事の煩ひ】面倒事。「—あり。はやう西殿へ渡らせ給ひね」〈栄花鶴林〉

ことは【同は】『副』《コトはゴト(如)と同根》同じなら。同じ事なら。「かきくらし—降らなむ春雨に濡れ衣着せて君をとどめむ」〈古今四〇二〉。「我が身はさは観音にこそありけれ。—法師になりなむ」〈古本説話六九〉 ▽平安・鎌倉時代にはゴトハと読んだ。

ことば【詞・辞・言葉】《語源はコト(言)ハ(端)。コト(言)のすべてではなく、ほんの端(は)にすぎないもの。つまり口先だけの表現の意が古い用法。ところがコト(言・事)という語が単独では「事」を意味するように片寄って行くにつれ、コトに代ってコトバが口頭語の意を現わすに至り、平安時代以後、「詞」「辞」「句」などの漢字の訓にもあてられて、一般化した。その意味は、歌のような詠誦をしない普通の口頭語、口語、口上、発音、口をきくことなどと展開し、「心」の表現形式としての言語の意味にも使われ、語句、文言の意を表わすようになった。→こと・ことのは》❶口先のことば。口先だけの表現。「百千(もち)たび恋ふといふとも諸茅(もろち)らが練(ねり)のーは我は信(たの)まじ」〈万七七四〉。「世の中の人のーと思ほすなまことぞ恋ひし逢はぬ日を多み」〈万二八八八〉 ❷歌や文言に対しての話しことば。①(歌のように詠誦しない)普通の口頭の言語。「このーの、歌のやうなるは、かぢとりのおのづからのーなり」〈土佐二月五日〉。「霜さゆるみぎはの千鳥うちわびて鳴くね悲しき朝ぼらけかなと〔歌デアルノニ〕ーのやうに〔節ヲツケズ〕聞え給ふ」〈源氏総角〉 ②口上。「御消息はただーにて」〈源氏絵合〉。「私の文(手紙)は許されねば、人人のもとへもーにてことづけ給ふ」〈平家一〇・内裏女房〉 ③発音。「けはひ賤しく、ーだみて(訛ッテ)」〈源氏橋姫〉 ④口をきくこと。発言。「〔光源氏ノ〕君のうちねぶりてーまぜ給はぬを、さうざうしく心やましと〔頭中将ハ〕思ふ」〈源氏帚木〉。「〔惟光ハ〕ー多かる人にて」〈源氏若紫〉 ⑤その土地の口語(の体系)。「その大和(やまと)ーだに、つきなく習ひにければ」〈源氏東屋〉。「〔ソノ島ニハ〕人はあれども、言ふーも聞き知らず」〈平家三・有王〉 ❸《「心」の対として》 言語表現。言語表現の技巧。「在原の業平は、その心あまりてー足らず。…文屋の康秀は、ーはたくみにて、そのさま身におはず、…宇治山の僧喜撰は、ーかすかにして、はじめをはりたしかならず」〈古今序〉。「此の島の景色を見給ふに心もーも及ばれず」〈平家七・竹生島詣〉 ❹或る、定まった型を持つ語句。①文言。「〔光源氏ガ女三宮ニ〕ーなど教へ書かせ奉り給ふ」〈源氏若菜下〉。「かやうのーは、ぬしあることなれば、〔歌ニ〕よむべからず」〈詠歌一体〉 ②文句。「今の世に聞えぬーこそは弾き給ひけれ」〈源氏手習〉 ③唱え言。「双六打つときのーにも『明石の尼君、明石の尼君』とぞ賽は乞ひける」〈源氏若菜下〉 ④挨拶の言葉。「〔梶原ハ〕先づーを懸けけり」〈平家九・生食〉 ▽コトノハの類例には、顔色のほんの片はしの意の「色は」という語が万葉集にある。平安時代の和歌の中にはコトノハという語が使われ、コトバは鎌倉時代以後に至るまで和歌の中に取り入れられなかった。また、源氏物語ではコトノハが一般に上品な言語表現や歌を指すのに対し、コトバは呪言や、わるい発音、下品な物言いなどまで広くいう。これはコトバの初めの意味のニュアンスが、その頃まで意識されることがあったからであろう。ただし、この区別も、後世では次第に不明になっていたようである。 †kötöba

ーがき【詞書】《歌でない口語の文章の意》歌などの前書き。「ことがき」とも。「古き歌のーに『枯れたる葵にさして遣はしける』とも侍り」〈徒然一三八〉

ーがらかひ(ガラカイ)【言葉がらかひ】口喧嘩。口論。「事になりぬるー」〈俳・正章千句上〉

ーじし【言葉肉】言い損いの言葉。失言のかど。言葉尻。「易い事/旅宿で太るー(宿屋デ盛ンニ失言スル)」〈雑俳・時雨笠〉

ーじち【言葉質】後日の証拠となるような言葉。言質(げんじち)。「まづ取るや花を見せんのー 重頼」〈俳・毛吹草五〉

ーだたかひ(ダタカイ)【言葉戦ひ】言葉の応酬による争い。言い合い。「海賊一人物の具して出向ひて、ーをしけり」〈著聞四三五〉

ーづかひ(ヅカイ)【言葉遣ひ】言葉の使いよう。「ーきらきらと、〔筆者ガアノ男ダト〕紛ふべくもあらぬ言どもあり」〈源氏若菜下〉

ーづけ【詞付】〔連俳用語〕前句の詞の縁によって付けること。「ー。寄合(よりあひ)・心を捨てて言葉の便にて付くるなり」〈連理秘抄〉

ーづめ【言葉詰め】反駁(はんばく)の言葉が出ないように言い詰めること。理屈詰め。「うるさしのー」〈天正本狂言・公光〉

ーとがめ【言葉咎め】言葉尻を取って咎めること。人の失言をなじること。「たくみたる事なれば、ーをする」〈伽・明石三郎〉

ーに花を咲か・す 表現を美しく飾りたてる。「今時の文章は、人の気に合はうとー・せて書くぞ」〈山谷詩抄一四〉

ーのその【言葉の園】《「詞苑」の訓読という》「言葉の林」に同じ。「ーに遊び、筆の海を汲みても」〈新古今序〉

ーのつゆ【言葉の露】言葉(特に美しい詩歌)を露の玉に見たてていう語。「かきつめしーの数ごとに」〈玉葉二六四八〉

ーのはし【言葉の端】言語のはしばし。「言葉の外れ」「言葉のひっぱなし」とも。「三日を過さず大坂中へ申しわけはして見せうと、のちに知らるるー」〈近松・曾根崎心中〉

ーのはづれ【言葉の外れ】「言葉の端(はし)」に同じ。「ーでは必ずからからと笑ふ事、御定まりなり」〈浮・人倫糸屑上〉

ーのはな【言葉の花】①美しく飾った言葉。巧みな言葉。「なほざりのーのあらましを待つとせし間に春も暮れぬる」〈風雅一四八五〉 ②和歌の雅称。「手跡もなだらかに、ーも尋常なり」〈保元下・左府の君達〉

ーのはやし【言葉の林】《「詞林(しりん)」の訓読語》 すぐれたことばの集まり。詩歌文章についていう。言葉の園(その)。「敷島の道も盛りに起りて、心の泉古よりも深く、ー昔よりも茂し」〈千載序〉

ーのひっぱなし【言葉の引放し】「言葉の端(はし)」に同じ。「所所ーは、七(男ノ名)より色恋沙汰には、上越すしこなしと見えしまま」〈浮・風流杉盃四〉

ーろん【言葉論】口争い。口論。「我買はん、人買はんとーになりしかば」〈説経・さんせう太夫〉

ーを下・ぐ へりくだった言葉遣いをする。謙遜して言う。「言葉を垂れる」とも。「『吉野は暇(いとま)とらせて帰し候、今までの通りに』と御ー・げられ」〈西鶴・一代男五〉

ーを詰・む 反駁(はんばく)できないようにきちんと言う。「帰りがけに今一度ー・め、その上にて年寄組中へ断らん」〈浮・御前義経記六〉

ことはかり【事計り】事をとりさばくはからい。「外(よそ)に居て恋ふれば苦し我妹子を継ぎて相見むーせよ」〈万七五六〉 †kötöFakari

ことはじめ【事始め】①あらたに事をはじめること。「六月九日、新都のー、八月十日上棟、十一月十三日遷幸と定めらる」〈平家五・月見〉 ②新年、何によらず最初にする事。「それ青陽の春になれば、四季の節会のー」〈謡・鶴亀〉 ③近世、上方で、煤(すす)払いをして正月の準備を始める十二月十三日をいう。お事始め。「正月ー、米つく」〈舜旧記慶長一・一二・一三〉 ④近世前期、二月八日に目籠(めかご)を軒先に吊し、いろいろの野菜を入れた味噌汁(御事煎り)を食べた、江戸の行事。十二月八日に同様な行事があって「事納め」と言ったが、後期には名称が混同された。御事始め。「ー、江府(江戸)中にて籠つる也」〈江戸鹿子二〉

ことはな【異花】ほかの花。「ーよりもこれ(紅梅)に心寄せのあるは」〈源氏手習〉

ことはら【異腹】父が同じで母が異なること。また、その関係。「〔浮舟ハ中君ノ〕御おとうと(妹)なりけり。ーなるべし」〈源氏蜻蛉〉 →ほかばら(外腹)

ことひ(コトイ)【特負・特牛】①《コト(殊)オヒ(負)の約》 特に重い荷を背負う牡牛。力の強い牡牛。「ーの牛の鞍の上の瘡(かさ)」〈万三八三八〉。「特牛、俗語云、古度比(ことひ)」〈和名抄〉 ②【牡子】牡の小牛。「後(のち)なる女牛の生むー」〈梁塵秘抄三九〇〉。〈色葉字類抄〉 †kötöFi

ーうし【特牛・牡牛】《近世初期、コトイウジと濁音にも》 ①「ことひ」(1)に同じ。「男なら〔鋤キ〕返せ山田のー」〈俳・鸚鵡集三〉 ②【牡子】「ことひ」(2)に同じ。「ーほどなる黒犬」〈西鶴・永代蔵三〉

ーうしの【特牛の】〔枕詞〕特牛が稲などみつぎ物を屯倉(みやけ)に運ぶことから、地名「みやけ」に

こ

かかる。「—三宅の洒(らう)に」〈万一七八〇〉

ことひき【琴弾き】琴を弾くこと。また、その人。「—と我を召すらめや」〈万三八六〉　†kötöFiki

ことひと【異人】①ほかの人。別の人。「文通はしける女の—に逢ひぬと聞きて」〈後撰六一六詞書〉②関係の無い人。他人。「〔美シイ女ナノデ〕—と見なさむは、いと朽ち惜しかるべうおぼさる」〈源氏胡蝶〉

こどひや…イ…ド【小問屋】大問屋を通じて売り出す小規模な売り問屋。「立寄る者は、馬方、…—の若き者」〈西鶴・一代男五〉

ことふえ【琴笛】琴と笛と。管絃。「—などして遊び、物語など し侍りけるほどに」〈後撰一三八詞書〉。「—の音にも雲居をひびかし」〈源氏桐壺〉

ことぶ・き【寿き】㊀『四段』《コトホキに同じ》①言葉で祝う。「則ち同行に〔夢ヲ〕語れば、皆—・きあへり」〈筑紫道記〉②祝言する。結婚する。「〔猿ドモガ〕難なく姫を迎ひ取り、—・く体(てい)こそをかしけれ」〈伽・藤袋〉。「向後(きやうかう)、御本妻を—・き給ふ事は、御止まり遊ばすか、と言へば」〈西鶴・伝来記七〉㊁『名』①言葉で祝うこと。また、その言葉。「『…我—せむ』とうち笑ひ給へる御有様」〈源氏初音〉。「勅使さまざま—を奉り」〈伽・若みどり〉②祝いの品。「—さへ取り揃へて、なさけさまざまなり」〈筑紫道記〉③長命であること。また、寿命。「御在位一百二年、御—百三十七までおましましけるとぞ申し奉る」〈伽・富士山の本地〉。「鶴と亀との—の、千世万世も限りなき、齢は尽きぬ契りとて」〈伽・笠間長者鶴亀物語〉。「寿、イノチ・イノチナガシ・コトフキ」〈名義抄〉④祝言。結婚。「—を結ぶ契りの夜に入りて」〈俳・底抜臼上〉。「シュウゲン。即ち、コトブキ」〈ロザリオの経和らげ〉

ことふらば【同降らば】『連語』《コトはゴトシ(如)のゴトと同根》おなじ降るならば。「—袖さへぬれてとほるべく降りなむ雪の空に消につつ」〈万二三一七〉▽平安・鎌倉時代にはゴトフラバと読んだ。　†kötöFuraba

ことふ・り【事旧り・言旧り】『上二』①事がらが古くさくなる。「祝言今に於いては—・り候ふと雖も」〈庭訓往来三月七日〉②言い古される。「この理(ことわり)は—・り候ひぬ」〈日蓮遺文松野殿御返事〉

ことふれ【事触れ】①物事を広く告げ知らせること。また、その人。「—は宿老殿からその次に」〈俳・大矢数四〉②近世、鹿島明神の神託と称して、毎年の豊凶・天災等を諸国に触れて歩き、金銭を貪った下級の神主。後には浮浪の徒の所業となった。「—跡跡より〔入国〕御法度に仰せ付けられ候ふ処に」〈梅津政景日記寛永六・四・一五〉

ことほ・き【言祝き・寿き】㊀『四段』《後世、コトブキまたはコトホギと濁る》言葉で祝う。祝いの言葉を述べて、長命や安泰を祈る。「斎部宿禰某(いむべのすくねなにがし)が弱肩に太たすき取りかけて、—・き鎮め奉(まつ)る事の」〈祝詞大殿祭〉㊁『名』ことほぎの言葉。「言寿、古語に許止保企(ことほき)と云ふ。言寿詞、今の寿觴(さかほかひ)の詞の如し」〈祝詞大殿祭〉　†kötöFoki

ことま・ぜ【事混ぜ】『下二』仲間入りする。「女楽(をんながく)にえ—・ぜでなむ逃げにける」〈源氏若菜下〉

ごとみそ【五斗味噌】味噌の一種。煮た大豆・極細の糠・麹・塩・酒糟各一斗ずつをかきまぜ、搗き合わせて造る。「—桶の蓋も明くとぞ」〈俳・ほのぼの立〉

ことむ・け【言向け】『下二』ことばの力によって従わせる。「倭建命に『東方十二道の荒ぶる神、また、まつろはぬ人どもを—・け和平(やは)せ』と詔りたまひき」〈記景行〉　†kötömukë

こども【子共・子供】《コ(子)とトモ(伴・共)の複合》①多くの子。こどもたち。「瓜食(は)めば—思ほゆ」〈万八〇二〉②従者・舟子など、目下の者や使用人を親しんでよぶ語。多く男を指す。「いざ—大和へ早く」〈万二八〇〉③小さい子。「あからさまにきたる—・わらはべを、見入れらうたがりて」〈枕二八〉。「木玉(こだま)にもおぢぬ山家の—ども」〈俳・油糟〉④生んだ子。子息。「世にあらむと思ふも—がため、源太うたせて命いきても何かせん」〈平家九・二度之懸〉⑤歌舞伎若衆。陰間(かげま)。これを相手に遊興することを「子供遊び」という。「歌舞伎芝居〔ノ〕—前髪おろし申し候」〈宗静日記慶安五・七・二六〉⑥遊女の異称。近世後期、江戸深川の遊里でいう。「—やあなどと〔茶屋ノ〕廊下を呼び歩き」〈雑俳・万句合明和三〉　†kodömö　—あつかひ アツカイ【子供扱ひ】こどもの世話をすること。育児。「〔女君ハ〕うちおほどきたるさまして、—をいとまなく次次し給へば」〈源氏若菜下〉　—すかし【子供賺し】子供をだますこと。また、そのような浅はかなこしらえ事。「子供たらし」「子供だまし」とも。「—の鈴虫の鳴く」〈俳・両吟一日千句〉　—や【子供屋】①陰間(かげま)を抱えて色を売らせる家。子供宿。「揚屋・—、手形借りしれたる買かかりは」〈西鶴・文反古四〉②近世後期、江戸深川で、遊女を抱えて置く家。客の招きに応じて、茶屋に遊女を出向かせた。「女でこそあれ二三人も抱へ、一方の—とならんと言わるる所」〈洒・客者評判記下〉

こともの【異物】ほかのもの。別物。「〔冷泉院ノ〕御かたち〔源氏ト〕いよいよ—ならず」〈源氏鈴虫〉

ことやうヤウ…ヨウ【異様】①普通でない状態。変った様子。異様(いよう)。「昔より—なる心ばへ侍りし身にて」〈源氏浮舟〉②理屈にあわず、へんなこと。「それはいと—の事なり」〈今昔二七ノ二〉

ことや・め【言止め】『下二』ものを言うのをとめる。「語(こと)問ひし磐根、樹立(こだち)、草の片葉(かきは)をも—・めて」〈祝詞大祓詞〉　†kötöyamë

ことゆ・き【事行き】『四段』物事がうまくはかどる。らちがあく。「筆の行くかぎりありて、心よりは—・かずなむ思う給へられしを」〈源氏絵合〉。「相論—・かざりけるに」〈著聞四四〉

ことゆる・し【言許し・事許し】『四段』ことばを受け入れる。物事を承諾する。「兄(せ)の山に直(ただ)に向へる妹の山—・せやも打橋渡す」〈万一一九三〉　†kötöyurusi

ことゆゑ【事故】さしさわり。事故(じこ)。「材木・砂金取り具して、—なく渡唐して」〈盛衰記一二〉

ことよさ・し【言寄さし】『四段』《「言寄せ」の尊敬語》ご委任になる。「平らけく知ろしめせと—・しまつりき」〈祝詞大殿祭〉　†kötöyösasi

ことよ・し【言良し】『形ク』言葉が巧みである。「媒(なかだち)の斯く—・くいみじきに」〈源氏東屋〉

ことよ・せ【言寄せ・事寄せ】『下二』①言葉・依頼・命令を寄せる。「天地の神—・せて」〈万四四〇六〉②関係のうすいことに動機・名目などをつける。事を行なうきっかけにする。かこつける。「老人どもに—・せて、御誦経などのことも、思ひ遣り聞え給ふ」〈源氏椎本〉　†kötöyöse　—つま【言寄せ妻】妻だと人がうわさする女。「里人の—を荒垣の外にや我が見む憎くあらなくに」〈万二五六二〉

ことより【こと寄り】《カタヨリ(片寄)の母音交替形》一つ方向に寄ること。「秋の田の穂向きの寄れる—に君に寄りなな言痛(こちた)くありとも」〈万一一四〉　†kötöyöri

ことり【部領】《コトトリ(事執)の約》①部属の長。「粟田細目臣（あはたのほそめのおみ）を前（さき）の—と為す、額田部比羅夫連を後（しりへ）の—と為す」〈紀推古十九年〉 ②春宮坊の帯刀（たちはき）の陣の事務をつかさどる役。帯刀先生（せんじやう）の次位。衛門尉（ゑもんのぞう）を兼ねる。「木鳥」（モクチョウともよむ）「籠取」とも書く。「長、木島」〈江家次第一四・坊官除目〉 †kötöri —づかひ イヅカ【部領使】①防人（さきもり）の交替の時、諸国からこれを引率して筑紫に下る使。「相模国の防人—の守（かみ）」〈万四三三〇左注〉 ②相撲節会（すまひのせちゑ）に、諸国から力士を召し出すために遣わされる使。「今、相撲の—に因りて、謹みて片紙を付く」〈万八六四題詞〉

ことりがり【小鳥狩】小鷹・鷂（はしたか）などで小鳥類を捕える鷹狩。「—して遊ばんと」〈浄・根元曾我一〉

ことりそ【古鳥蘇】舞楽の曲名。新鳥蘇とともに高麗楽（こまがく）に属し、六人舞。「春は調ぶ春鶯囀、古は聞く—」〈著聞一三〉。「高麗楽曲、新鳥蘇・—」〈和名抄〉

ことりばば【子取婆】産婆。「いつも絶えせぬ嫁取りと、さて婿入りのその後は、暇なくはやる—」〈仮・色音論下〉

こどりまはし ワシ:マ【小取り廻し】取り廻しがよいこと。「こどりまし」とも。「大軍所所に備へねば、てきぱき動作すること。—の小軍に駈け立てられ、駈引き働き不如意にて、敗軍もするものなり」〈軍法極秘伝書四〉

ことわ・き【事別き・言別き】『四段』特にとりたてる。「—・きて宣はく」〈続紀宣命一九〉 †kötöwaki

ことわざ ❶【事わざ】《コトは人間の行為。ワザは、隠れた意味のこもっている行為》①行為。しわざ。「人の見咎むべき—なせそ」〈続紀宣命一六〉。「世の中にある人—しげきものなれば」〈古今序〉。「〔藤壺ハ〕思ふさまに、はかなき—をもしなし給ひしはや」〈源氏槿〉。「〔猫ト鼠ノ論争トイウ〕かかる—人に語るならば」〈伽・猫の草子〉 ②仕事。「〔匂宮ハ〕朝夕の—に〔香ヲ〕合はせいとなみ」〈源氏匂宮〉 ③演技。しぐさ。「昔、天岩戸を押しひらかれけん神代の—までも今こそ思しめし知られけれ」〈平家六・州俣合戦〉 ❷【諺】《コトは言葉。ワザは隠れた意味のこもっている行為。コト（言）のワザの意》世人の習慣や経験によって獲得された認識を、言葉に寓して人に教えるもの。「故、—に『堅石も酔人を避く』といへり」〈記応神〉。「古人の—に曰く、『現在の甘露は未来の鉄丸なり』といふは、それ斯れを謂ふなり」〈霊異記中九〉 †kötöwaza

ことわざ【異業】他の行為。「〔学問バカリデナク〕時時は—し給へ」〈源氏少女〉

ことわ・り【理り・断り】㊀『四段』《事割りの意。物事の筋道を見つけ出したり、作り出したりする意》①話の筋道をつける。筋道を立てて説明する。「それもさるべきにこそはと—・らるるを」〈源氏浮舟〉。「〔関東人ハ〕にぎはひゆたかなれば人にはたのまるるぞかしと—・られ給ひしを」〈徒然一四一〉 ②筋ありとする。道理ありとする。「〔先ニ女御ニナッテ〕久しくなり給へる御方にのみ〔人人ハ〕—・りて」〈源氏竹河〉 ③（理非・正邪の）判断を下す。「まづこれはいかに。とく—・れ」〈枕八三〉。「〔歌ノ〕おとりまさりは見ゆれど、さかしう—・らんもあいなく」〈かげろふ下〉。「判、コトワル」〈名義抄〉 ④前もって事の次第を知らせる。予告する。「外の男を持たせぬからは、嫁入り道具を押へた〔カラ〕…〔ソノ〕銀（かね）渡したら御損であらう。—・って置いたぞ」〈近松・五十年忌上〉 ⑤拒絶する。〈和英語林集成〉 ㊁『名』①条理。道理。常道。「天地の神し—無くはこそ」〈万六〇五〉。「世の中はかくぞ—」〈万八〇〇〉。「〔浮舟ハ〕我も今は山伏ぞかし。—に止まらぬ涙なりけりと思ひつつ」〈源氏手習〉。「理、コトワリ」〈名義抄〉 ②当然。当りまえのこと。もっとものこと。「深からぬ心のほどと見給ふらむ、—なれど」〈源氏帚木〉 ③判断。「訴（うれ）ふべき人あらば、〔ソノ人ノ〕—聞かまほしくなむ」〈源氏真木柱〉 ④筋道立てた説明。「この〔女性論ノ〕—聞き果てむ」〈源氏帚木〉。「右にはその—なし」〈源氏絵合〉 ⑤前以て筋を立てて事情を説明すること。あらかじめ相手の諒解を求めて行なう説明。「年頃の風病、—申してまかりぬべかめり」〈栄花駒競〉。「身どもに—無うては売る事はなるまい」〈天理本狂言六義・酢薑〉 ⑥拒絶。「—の手紙で襟をぐっと拭き」〈雑俳・柳多留拾遺一〇〉 †kötöwari —過（す）・ぐ もっともすぎる。「住吉の松の梢のうは霞—・ぐる春の色かな」〈拾玉集三〉 —迫（せ）めて 道理をもっておしつめて。まことに理屈どおりで。「—尤もやと感ぜぬ者こそなかりけれ」〈浄・暦三〉

ことをさめ【事納め】⇒ことはじめ(4)「一両や相場の変る—」〈俳・小文庫上〉

ことをへまつ・る エ:オ【辞竟へ奉る】『連語』《祝詞の中の慣用表現》（神を）すべての言葉を用いてたたえ申し上げる。「称辞（たたへごと）竟へ奉る」とも。「辞代主（ことしろぬし）と御名は白（まを）して—・らば」〈祝詞祈年祭〉

ことをり【異折】ほかの時。他の機会。「何時かは、—に、さはしたりし」〈枕三九〉

こな【児な】「こら」の上代東国方言。「大君の命かしこみ出で来れば吾（わ）ぬ（私ニ）取りつきて言ひし—はも」〈万四三五八防人〉 †kona

どないしょ【御内書】室町時代以降、将軍の公式の文書で、書状形式のもの。多く副状を添えた。「新御堂殿の—に、禅秀副状にて回文を遣はし」〈鎌倉大草紙〉

どなう ウ:ノ【御悩】貴人の病気をいう尊敬語。御病気。「かうかう、—大事におはします」〈宇治拾遺一〇二〉

こなか【子仲】子供までできた深い仲。「—をなしたる仲を、出るぞ退（ひ）くぞと言ふ事はあるまい」〈狂言記・貰聟〉

こなかき【糝】①米の粉に熱湯をそそいで掻きまぜたもの。「臑、古奈加岐（こなかき）」〈新撰字鏡（享和本）〉。「糝を、—とも、こなかけとも訓（よ）む人あり」〈玉塵抄一七〉 ②雑炊（ぞうすい）。こなかけ。「〔七草ノ〕—礼儀常の如し」〈多聞院日記天正九・一・七〉。「増水、—也」〈下学集〉 †konakaki

こなかぐろ【小中黒】中黒（なかぐろ）の一種。矢羽の上下が白く、中に小さな黒い斑（ふ）のあるもの。「二十四差いたる—の矢負ひ」〈盛衰記三五〉

こなから【小半】《「小」も「なから」も半分の意で、四半分の意》一升の四半分の容積。二合五勺。「—の酒を出さずは水を出せ」〈俳・大矢数二〉 —いり【小半入り】二合五勺を入れること。また、その容器。「—に一生は夢」〈俳・大矢数一〉 —ざけ【小半酒】二合五勺の酒。「家請けの機嫌を取り、—に両隣をかたぶけ（買収スル）」〈西鶴・一代男三〉

こなぎ【小水葱】《コは接頭語》⇒なぎ（水葱）。「春日（かすが）の里の植ゑ—」〈万四〇七〉 †konagi —がはな【小水葱が花】青紫色の小さい花で、秋、穂状に群がってさく。衣にすりつけてそめる。「苗代（なはしろ）の—を衣（きぬ）にすり」〈万三五七六東歌〉

こなさま【此方様】《コナタサマの約》あなたさま。訛って、「こなさん」とも。「—も渡らしゃれませいさて」〈狂言記・丼礑〉

こな・し ㊀『四段』《「粉（こ）になす」が原義》①砕いてこまかにする。「楮（かうぞ）を—・して料紙すきける時」〈著聞究〈〉。「胃中に熱気があれば、食物を早く—・す」〈局方発揮鈔中〉 ②自由自在に取り扱う。思うままにあしらう。「木をば一本切りたるが、—・す法を知らずして」〈説経・さんせう太夫〉。「馬をよく乗り—・す者ぞ」〈蒙求聴塵下〉③ぼろくそに言う。けなす。「ことに他宗を—・し落しめんと思へり」〈御文章〉㊁『名』①物のとりなし。その場に適当な振舞い。「—。男女共に、よく取り入りて、心のままに受け引く貌(かた)(ち)をいふに通ふ詞也」〈色道大鏡一〉②けなすこと。「—。人を平懐(へいぐ)(わい)にする事也」〈世話用文章中〉③〔歌舞伎用語〕役者のしぐさ。「用水手桶の水にて水鏡を見る。無念の—」〈伎・幼稚子敵討二〉

こなた【此方】『代』❶《「かなた」「あなた」の対。此の見当、此の方角の意が原義。先方に障害になる物などが存在する場合、その手前の、自分に近い、かかわりの深い方角・場所・物事・時間・人などを指示する。平安時代以後に現われた形》①《方角・場について》㋑(何かの)こちら側。手前。「逢坂の関の—に年を経るかな」〈古今四七三〉。「河の—なれば」〈源氏橋姫〉㋺自分の方、また、自分に近い場所などをさす。こちら。「僧都あなたより来て『—はあらはにや侍らむ』」〈源氏若紫〉②自分にかかわり深いと意識する事柄をさす。「まらうども—(仏道方面)に進みたる御心にて」〈源氏総角〉③《時間に関して現在に近い方》㋑過去の或る時からこちら。以来。「故君の失せたまひにし—は」〈源氏橋姫〉㋺未だ事の成らない未来の或る時からこちら。手前。「何事も御心とおぼし数まへざらむ—〔ニ、モシ私ガ死ンデシマイマシタラ〕」〈源氏若菜上〉。「神代より忌むといふなるさみだれの—に人を見るよしもがな」〈信明集〉❷《人称代名詞》①当方。わたし。「そなたは思ひ寄らずとも、—が思ひ寄りて候」〈伽・弁慶物語〉②あなた。「—の〔語ル〕平家は人がほめまらする程に、私もうれしうござる」〈虎明本狂言・丼礑〉▽室町時代にはソチ・ソナタより敬意が濃い。時代が下るにつれて敬意が薄れ、アナタがこれに代った。 **—かなた【此方彼方】**①(何かを中心にして)こちら側とあちら側。「轅(なが)(え)の—に候ひたまふ」〈大鏡昔物語〉②あちこち。ほうぼう。「—たたずみありき給ひて」〈源氏椎本〉 **—さま【此方様】**相手を敬っていう語。こちらさま。あなたさま。「—には私に御執心の由」〈西鶴・男色大鑑五〉。〈コリャード文典〉 **—ざま【此方ざま】**《コナタを婉曲にいう語。サマは漠然と方向をいう》こちらの方。「勘当は—になむ」〈源氏行幸〉

こなた【熟田】《こなれ田の意》よく開墾した水田。「水田、古奈太(こな)(た)」〈和名抄〉

こなに【来なに】『連語』《上代東国方言。ナは助動詞ナフと同根。打消の意を表わす》来ないで。「宵(よ)(ひ)なは(ニ八)—明けぬ時(し)(だ)来る」〈万三四六一東歌〉 †kōnani

こなひと【此方人】《ココナヒトの約》この人。あなた。「—、何いやる、節季に寄らぬ銀(か)(ね)の、過ぎて寄った例(た)(め)しはない」〈近松・油地獄下〉

こなべだて【小鍋立て】小鍋を火鉢に掛け、煮物をして、二人差し向いなどで食べる手軽な料理。「熱熱の尾張大根盛りはせで味の悪さの—かな」〈鶉鵲籠中記正徳二・一〇〉

こなほしウシ:ノ**【小直衣】**《直衣より小振りの意》狩衣に襴(ら)(ん)を加えたもので、狩衣よりは晴儀の服。上皇はじめ親王以下、大臣大将以上が着用。院参には用いられるが参内はできない。平安末期より使用。「有襴狩衣(うらんの)(かりぎぬ)」「狩衣直衣」「傍続(そば)(つぎ)」とも。「われもかう織りたる薄色の御—にて」〈問はず語り一〉

こなみ【嫡妻・前妻】《「うはなり」の対》①前からの妻。本妻。「—が、な(副食物)乞はさば」〈記歌謡九〉。「うはなり—ひとひとよろづの事を言ひ語らひて」〈大和一四一〉②死別または離別した妻。先妻。「前妻、毛止豆女、一云古奈美(こな)(み)」〈和名抄〉 †konami

こなら【小楢】野山に生える落葉喬木の一。葉は栗に似て少し短くやわらかい。どんぐりに似た実がつく。愛らしく美しい女性にたとえる。ははそ。「—のす(ノヨウニ)まぐはし(美シイ)児ろは」〈万三四二四東歌〉 †konara

こなん《コナサンの約》あなた。おまえさん。「かなはねば／籠の鳥とは—や私(わ)(し)」〈雑俳・軽口頓作〉

こなんど【小納戸】将軍・大名に近侍して、髪月代(かみさ)(かやき)・膳番・庭方等の事務を掌った役人。「—衆の仰せらるるは」〈俳・後集絵合〉

こにしゅ【小二朱】文政七年新鋳の一朱金の異称。表面中央に桐の花の極印、その下に「一朱」の二字を横書してある。縦四分弱、横三分五厘の小形なので、「二朱の子」としゃれていった。一朱判。「弐朱の子の—としゃれて一朱出し」〈雑俳・柳多留八三〉

こにだ【小荷駄】①馬に負わせる雑多な荷物。また、その駄馬(ば)(だ)。小荷駄馬。「こんだ」とも。「乗馬にも—にもなるぞ」〈寒山詩抄三〉。〈日葡〉②駄馬・車両からなる軍需品の輸送隊。「—押す事…軍勢に相交はらざる様に堅く申し付くべし」〈浅野家文書天正一八・二・一七〉

こにはワ:ニ**【小庭】**《「大庭」の対》①小さい庭。「侍の立蔀の内の—に立ちけると」〈宇治拾遺五〉。〈日葡〉②特に、清涼殿の南、小板敷の前の庭。「殿上の—に畏まってぞ候ひける」〈平家一・殿上闇討〉

こにやく【蒟蒻】こんにゃく。「蒟蒻、古邇夜久(こに)(やく)」〈和名抄〉

ごにんぐみ【五人組】近世、平民の警察組織。近隣の五戸を一組とし、法令の下達、相互の監視、諸届け・諸契約の請人に立たせ、または、火災・盗賊・浮浪人・遊女・キリシタン宗徒等の取締りに連帯責任を持たせた制度。農村では本百姓、町方では地主・家主が構成員となり、その長を組頭(くみが)(しら)と称した。「—彌(い)(よ)念を入れ相改むべき事」〈御当家令条三三、寛永一四・一〇・二六〉

ごにんばり【五人張り】①五人がかりで張る強弓。すなわち、四人で弓を曲げ、一人が弦を張るもの。「—の弓、長さ八尺五寸にて」〈古活字本保元上・新院御所〉②棟上(むね)(あげ)に飾る弓の称。「—〔ヲ買ウ〕相手の出来ぬ見倒し屋」〈雑俳・柳多留三〉

こぬか【小糠・粉糠・糠】米の表皮の細かく砕けた粉。近世、洗粉・糠味噌などに用いた。ぬか。「くらげをあらひ候時は、まづ—あらひ仕り候て、其の後—を振り掛け候て揉みあらふ也」〈大草殿より相伝之聞書〉。〈色葉字類抄〉 **—三合有るならば入婿(いり)(むこ)すな**ごく僅かでも財産があるならば、入婿しないで独立して一家を張れの意で、入婿の辛さをいう。「—と言ふことは我が身の上のたとへかや」〈近松・卯月紅葉上〉

こぬすみ【小盗み】ちょっとした盗み。こそどろ。「思ひ思ひの—をこそせられける」〈伽・彌兵衛鼠〉

こぬれ【木末】《コノウレの約》伸びた若い枝先。木の枝先。「み吉野の象山(きさ)(やま)の際(ま)の—にはここだもさわく鳥の声かも」〈万九二四〉 ▽kŏnŏure→†kŏnure

こ・ね【捏ね】『下二』粉や土などに水分を加えて練り混ぜる。「粉を水に和するを—・ぬと言へり」〈名語記五〉

ど・ね『下二』「死ぬ」を卑しめていう語。「こいつ—・ねたか。しゃちばりかへって」〈浄・ひらかな盛衰記二〉

こねかへ・しエシ:カ**【捏ね返し】**『四段』①幾度もこねる。こね廻す。「苗代の土—・し繰り返し昔を今に賤が小田巻」〈吾吟我集一〉②ごたごたする。もめる。「二月から—・した

る道者宿」〈俳・杉丸太〉

こねり【木練】「木練の柿」に同じ。「柿の酣(はあ)さざれども渋からぬをば、―と名付く。…きねりとも云へり」〈名語記八〉　**―のかき**【木練の柿】木になっているままで熟して甘くなる柿。同種に御所柿・頂妙寺柿があった。こねり。「霜置ける―はおのづから含めば消ゆるものにぞありける」〈著聞六三七〉

この【此の】㊀《連体》①話し手に属するもの、また、空間的・心理的に話し手に近い物事・場所・人などをさす語。「―蟹やいづくの蟹」〈記歌謡四二〉。「―我が心しづめかねつも」〈万一九〇〉②直前に話題になった物事をさす語。「大和のをむらの嶽(たけ)に獣(しし)伏すと誰か―事大前に申す」〈紀歌謡七五〉③以前に話題になった物事をさす語。今の「あの」「その」に当る。「―寺にありし源氏の君こそおはしたなれ(京ニ帰ッテカラ北山ノ寺ノコトヲサシテイッテイル)」〈源氏若紫〉④以来。「失せて―十よ年にやなりはべりぬらむ」〈源氏若紫〉㊁《感》歌謡の囃詞の一。「ありその海の片し貝、―、拾ひ持て会はぬ恨みの数取り取らばや」〈宴曲集吹風恋〉　†kŏnŏ

このあひだ:イダ【此の間】①このごろ。近頃。ここのところ。「―は外へ行きてありしかども、子どものゆかしくありしほどに帰り来てあるなり」〈伽・三人法師〉。「昨日今日とは、―などといふ心也」〈新古今注〉②先ごろ。先日。「―は我ら辛労とて、能椿、拾疋もたせられ候」〈北野目代日記延徳二・一一・二五〉③《未来にいう》近いうち。近日中。近近。「―に鹿寺へ鹿を聞きに参りませう」〈黄・長生見度記中〉

このうち【此の中】①こうしている間。「―いろいろ恨みの所作(しよ)あり」〈伎・参会名護屋四〉②この間。せんだって。「―彦様の御使ひに、始めて女郎町の揚屋へまかりて」〈浮・好色敗毒散五〉

このかた【此の方】①こちらの方。「見渡しに妹らは立ちて、―に我は立ちて」〈万三二九九〉②(過去の或る時から)こちら。以来。以後。「七つになり給ひしより―」〈源氏須磨〉。→こなた

このかみ【兄・氏上】《子の上(かみ)の意》①長男。「是れ二の男、一の女を生(あ)れませり。長(このかみ)を箭田珠勝大兄皇子(やたのたまかつのおほえのみこ)と曰(まう)す。仲(なかち)を訳語田渟中倉太珠敷尊(をさたのぬなくらのふとたましきのみこと)と曰す。少(すなき)を笠縫皇女と曰す」〈紀欽明一年〉②「氏(うぢ)の上」に同じ。「大氏の氏上(このかみ)には大刀を賜ふ。小氏の氏上には小刀を賜ふ」〈紀天智三年〉③兄、また、姉。「似るべき―やははべるべき」〈源氏蜻蛉〉。「兄、アニ・コノカミ」〈名義抄〉。「姉、アネ・コノカミ」〈名義抄〉④年上。年長。また、年長者。「年のほど〔夫ヨリ〕三つ四つが―は」〈源氏藤袴〉⑤その道の兄。数ある中ですぐれた者。長。「その〔有職ノ人ノ〕―と思へる上手ども」〈源氏若菜下〉　†kŏnŏkami　**―どころ**【兄心】兄または姉らしい気分・気性。「〔姉ノ大君ハ〕―にや、のどかにけだかきものから」〈源氏総角〉

このきみ【此の君】《晉書に、中国の王子猷が竹を愛して「何ぞ一日も此の君無かるべけんや」と言ったとあるによる》竹の異称。「御簾(みす)もたげてそよろとさし入るる、呉竹なりけり。『おい、―にこそ』」〈枕一三七〉

このくれ【木の暗・木の暮】《コはキ(木)の古形》木が茂って下かげの暗くなること。また、その所、その時。「こぐれ」とも。「〔ホトトギスハ〕―の繁き谷辺を呼び響(とよ)め朝飛び渡り」〈万四一九二〉　†kŏnŏkure　**―しげ**【木の暗茂】木が茂って下かげの暗いこと。「松風に池波立ちて、桜花―に」〈万二五七〉

このごろ【此の頃】《奈良時代にはコノコロと清音。平安時代以後コノゴロ》①最近。過去・現在にいう。「新室の蚕時(こどき)に到ればはだすすき穂に出し君が見えぬ―」〈万三五〇六東歌〉。「―の上手にすめる千枝常則など」〈源氏須磨〉。「今来・比日・今属、コノゴロ」〈名義抄〉②近い内。近日中。「かの頼め給ひしこと、―のほどになむ思ふ」〈大和一三五〉　†kŏnŏkŏrŏ　**―のあひだ**:イダ【此頃の間】近頃ずっと。「われそもの思ふ―」〈万三〇三三〉

このした【木の下】木の枝の茂りの下。木陰。「―吹きはらふ風の音」〈源氏総角〉→このもと。　**―がく・り**【木の下隠り】《四段》《コノシタガクレよりも古い形》木の下に隠れる。「秋山の―・りゆく水の」〈万九二〉　†kŏnŏsitaga-kuri　**―かげ**【木の下陰】木に覆われているその下陰。こかげ。「あさましや―の岩清水」〈拾遺八八一〉　**―かぜ**【木の下風】木の下を吹く風。「桜散る―は寒からで」〈拾遺六四〉　**―つゆ**【木の下露】木の枝葉から落ちる露。「みさぶらひ御笠と申せ宮城野の―は雨にまされり」〈古今一〇九一〉　**―やみ**【木の下闇】(茂った)木の下の暗いこと。また、その所。「さつき山―にともす燈は」〈貫之集一〉。

「卯の花の散らぬかぎりは山里の―もあらじとぞ思ふ」〈公任集〉

このしろ【鰶】魚の名。背青く腹白い。体長約三〇センチに達する。大きさによってコハダ・ツナシなどとよぶ。昔、腹切魚として武士の切腹の時に用い、また、狐が好むものとして、初午(はつうま)に稲荷(いなり)の社に供えた。「鯯魚、此をば挙能之慮(このしろ)といふ」〈紀孝徳、大化二年〉。「鯯・鰶、古乃之呂(このしろ)」〈和名抄〉　†kŏnŏsirŏ

このせつ【此の節】このごろ。このとき。「―は出仕をとどめて、洛中洛外を忍び忍びに迷ひありき候」〈伽・ささやき竹〉。「右三人追腹(おひばら)仕り、名誉の次第―なり」〈信長公記六〉

このたび【此の度】こんど。今回。歌では「此の旅」と掛けていうことが多い。「こたび」「こたみ」とも。「―(度・旅)は幣(ぬさ)もとりあへず手向山もみぢの錦神のまにまに」〈古今四二〇〉

このぢう:ジユウ【此の中】この間じゅう。近頃ずっと。「―さんざんに煩(わづら)ひまらして」〈虎明本狂言・武悪〉

このてかしは:カシワ【児手柏】ヒノキ科の常緑小喬木。小枝全体が平たいてのひら状になる。葉はうろこ状で表裏の区別がないところから二心あるもののたとえとされた。一説、コナラ・カシワの若葉、また、トチノキ等ともいう。「奈良山の―の両面(ふたおも)にかにもかくにも佞人の徒(とも)」〈万三八三六〉。「―、児手柏なり。裏表ある心なり」〈和漢新撰下学集〉　†kŏnŏtekasiFa

このとの【此殿】催馬楽(さいばら)の曲名。「―うたひたる拍子いとはなやかなり」〈源氏初音〉

このは【木の葉】《コはキ(木)の古形》①樹木の葉。「―さやぎぬ風吹かむとす」〈記歌謡二〇〉②他の語に冠して、取るに足らぬ、無気力な、の意を表わす。「―鬼」「―天狗」など。「其の方昔、是界坊(ぜがいばう)の―丁稚(でっち)にても有りけるにや」〈俳・猿鞠下〉　**―がく・れ**【木の葉隠れ】㊀《下二》木の葉の蔭に隠れる。「奥山の―・れて行く水の」〈万二七一一〉㊁《名》木の葉の蔭に隠れること。また、その所。「ほととぎす―の声は聞ゆや」〈後撰一七九〉　**―がへし**:ガエシ【木の葉返し】長刀・棒などを使う術の一。「薙刀(なぎなた)柄長くおっ取りのべて、四方を払ふ八方払ひ、一所に当る―」〈謡・巴〉　**―ども・り**【木の葉隠り】《四段》木の葉の蔭にこもる。「妹が目の見まく欲しけく夕暗の―・れる

月待つごとし」〈万二六六六〉 ―ざる【木葉猿】 木に群がっている猿。また、こっぱ猿。小猿。「柴栗の色づく秋の山風に梢をちらぬ―かな」〈拾玉集一〉。「御迎ひに馬・乗物・―共おびたたしく遣はし給ふ」〈伽・のせ猿草紙〉 ―てんぐ【木葉天狗】 小さい、威力のない天狗。烏天狗。「いかに―たち疾(と)う疾う出でられ候へ」〈謡・鞍馬天狗〉 ―ばうず：ボウ【木葉坊主】 取るに足らぬ坊主。乞食(こじき)坊主。「この所の揚銭は、十五匁と、ほかに三文は―が取る」〈西鶴・好色盛衰記一〉 ―むしゃ【木葉武者】 取るに足らぬ武者。「エエまだるし、まだるし、―、総まくりして見せん」〈浄・甲子祭四〉

このはな【木の花】 ①木に咲く花。特に、桜または梅をさしていう。「亦、木花之佐久夜毘売(このはなのさくやびめ)を使はしては、―の栄ゆるが如、栄え坐さむとうけひて貢進(たてまつり)き」〈記神代〉。「難波津に咲くや―冬ごもり今を春べと咲くや―」〈古今序〉。「『これなる木陰の梅の花が、弱法師(よろぼし)が袂(たもと)に散りかかるぞとよ』『あらうたてのお言葉や、所は難波津の梅ならば、ただ―とこそ仰せあるべけれ』」〈謡・弱法師〉 ②梅の花の雅称。(1)の古今集、序の歌による。「筑紫へ飛んだ花も― 梅翁」〈俳・わたし船〉

このほど【此の程】 ①この期間。「―三日うちあげあそぶ」〈竹取〉 ②最近ずっと。「―の御有様」〈源氏明石〉 ③この当座。「―過ぐして迎へてむ」〈源氏澪標〉

このま【木の間】《コはキ(木)の古形》 木と木とのあいだ。「石見のや高角山の―より我が振る袖を妹見つらむか」〈万一三二〉

このま・し【好まし】『形シク』 ①好みに合う。「なよやかにをかしばめることを、―・しからずおぼす人は」〈源氏夕霧〉 ②風流めかしている。「わざとめきて、香にめづる思ひをなむ、立てて―・しうおはしける」〈源氏匂宮〉 ③異性にひかれやすい性質である。「殿上人どもの―・しきなどは、朝夕の露別けありくを、その頃の役になむする」〈源氏葵〉

このみ【木の実】 木になる果実。栗の実とか椎の実など。「薪(たきぎ)・―拾ひて参る山人(やまびと)」〈源氏椎本〉。「果、日本紀私記云古乃美(このみ)、俗云久太毛乃(くだもの)」〈和名抄〉

この・み【好み】 ㊀『四段』《性分に合うものを選びとって味わう意。類義語スキ(好)は、気に入ってそれに引かれ、前後の見境もなく、気持・行動がそれへ走って行く意》 ①面白がって味わい楽しむ。嗜好とする。「大宮人は今もかも(ドウシテ)人なぶりのみ―・みたるらむ」〈万三七五八〉 ②趣味とする。「(音楽ヲ)師とすべき人もなくてなむ―・み習ひしかど」〈源氏若菜下〉。「心の底まで好かずして、ただ人まねに道を―・むが故なんめり」〈無名抄〉 ③嗜好に合ったことをする。「よき若人どもつどひ、…腰折れたる歌合、物語、庚申をし、まばゆく見苦しく、遊びがちに―・めるを」〈源氏東屋〉 ④あれこれと所望し、注文をつける。「西南海の領所を願ひ、東北の庄園を―・まず」〈方丈記〉 ⑤特に、文章について注文をつける。「文言は―・み申すべしとて、先づ案文を遣はし了んぬ」〈政基公旅引付永正一・四・一三〉。「我が子に材木の注文書かするとて、先づ『材木の事』と口(初メ)に書けと―・む」〈咄・醒睡笑三〉 ㊁『名』 ①趣味。嗜好。「うたての―や」〈源氏紅葉賀〉 ②えりごのみ。注文。「(姫君ハ)このかたの御―には、もて離れ給はざりけりと思ひ給ふるにも」〈源氏夕顔〉 †könömi ―どころ【好み心】 色好みの心。「(源内侍ノ)尽きせぬ―も見まほしうなりにければ」〈源氏紅葉賀〉 ―そ・し【好み過し】『四段』 あまり偏った趣向をこらす。「装束なども例のうるはしきことは目馴れておぼさるべかめれば、引きたがへ心得ぬまでぞ―・し給へる」〈源氏宿木〉

このめ【木の芽】 春になって木木に萌え出る芽。「もえいづる―を見ても」〈後撰一四〉 ―づけ【木芽漬】「きのめづけ」に同じ。「梢ならで壺より出るや―」〈俳・夢見草一〉 ―は・り【木の芽張り】『四段』 木の芽がふくらむ。「張る」を「春」にかけることが多い。「霞ふきとけ―・る(張ル・春)風」〈後撰六〇〉

このも【此の面】《「をても(彼面)」また「かのも(彼の面)」の対》 こちらの面。こちらがわ。「足柄の彼面(をても)―にさす罠(なわ)の」〈万三三六一東歌〉 †könömö ―かのも【此の面彼の面】 こちら側とあちら側と。また、あちこち。「筑波嶺の―に影はあれど君がみかげにます影はなし」〈古今一〇九五〉

このも・し【好もし】『形シク』「このまし」の転。「僧、仙人の言を聞きて、敬ひて、此れを―・しと思ふと云へども」〈今昔一三ノ二〉

このもと【木の許】(茂っている)木の根もと。平安時代以後は、立ち寄るべき蔭、頼り所の意に用いられることが多い。「―に時と寄り来(こ)ね」〈万二四五七〉。「わび人のわきて立ち寄る―は頼む蔭なくもみぢ散りけり」〈古今二九二〉 ↓このした

このよ【此の世】 ①現世。「―には人言しげし来む世にも逢はむわが背子今ならずとも」〈万五四一〉。「―の事はかの世にも見む」〈かげろふ中〉 ②現代。「―に名を得たる舞のをのこども」〈源氏紅葉賀〉 ③世間。俗世。「いと―遠く田舎びたりや」〈源氏夢浮橋〉 ―のほか【此の世の外】 ①現世以外。来世。あの世。「あらざらむ―の思ひ出に」〈後拾遺七六三〉 ②世間のそと。俗世をはなれること。「―の山住み」〈源氏御法〉

このり【兄鷂】 鷂(はしたか)の雄。「雲雀とる―手にするゑ」〈夫木抄一四・小鷹狩〉。〈和名抄〉

このゑ【近衛】「こんゑ」の転。「めづらしき狩衣の御装ひどもをまうけ給ふ―の鷹飼ども」〈源氏行幸〉。「近衛、コノヱ」〈文明本節用集〉 ―づかさ【近衛司】 ①近衛府。「―に侍ひける翁」〈伊勢七六〉 ②近衛府の役人。「このわたりに隠ろへたる―」〈源氏賢木〉 ↓こんゑふ。 ―のみかど【近衛御門】 大内裏東側の陽明門の別称。「―より、左衛門の陣にまゐり給ふ」〈枕七八〉 ―りう：リュウ【近衛流】 書道の一流。慶長頃、近衛信尹(のぶただ)が始めた、大師流に学んだ和様書体。光悦流はこの派から出て、光悦本など近世刊行の謡本はこの書体であった。近衛様(このえよう)。三藐院(さんみゃくいん)流。「公家衆の好む吉書や―」〈俳・大海集二〉

こは【此は】『連語』《物事をこれと指していう語》 ①これは(…である)。「ええしやごしや、―いのごふそ」〈記歌謡九〉。「―忍ぶ(草)なり後も頼まむ」〈伊勢一〇〇〉 ②《感動をこめて》 これは(…か)。平安時代以後は、下に質問・疑問・反語の表現を伴うことが多い。「あな、むくつけ。―誰(た)そ」〈源氏花宴〉。「―いかなる事ぞ」〈古本説話六五〉。「―かかるべき事かは」〈栄花初花〉 ③これはまあ(なんと…か)。室町時代以後、下に感嘆表現を伴うことが多い。「コワソモアサマシヤ」〈日葡〉 †köfa ―如何に これはまあ何と。「大輔・少納言など『―』と聞ゆ」〈源氏若紫〉

こば【小場】 小規模。小振り。「振り出し嵐流よりは―に見えて、大やうならず」〈評判・役者大鑑〉 ↓大場(4)

こば【木場】 山中で、伐り出した木を集めて置く平坦な場所。山仕事の根拠地、焼畑耕作地など、山中のわずかな平地についてもいう。「大黒・小黒とて、二つの馬ありしを、

山の―につながせらる」〈天正本狂言・膏薬煉〉

ごはいきげん【五盃機嫌】酒に酔ったいい機嫌。ほろよい機嫌。「ささ〔ヲ飲ンデ〕歌ふ―や伊勢神楽」〈俳・絵合上〉

こはいけん(コワ)【強意見・強異見】きびしい意見。厳重な戒め。「寝言にも言ふや局(つぼね)の―」〈俳・時勢粧五〉

こはいひ(コワイイ)【強飯】①米を甑(こしき)に入れて蒸して作った飯。古くはこれを普通の飯とした。「御かゆ・―召して」〈源氏末摘花〉②糯米で作ったねばりけの強い飯。後に、赤飯(せきはん)のこと。「強飯、コハイヒ、飯字亦作餅」〈色葉字類抄〉。「強飯、コワイイ、或云赤飯(せきはん)」〈文明本節用集〉

ごばう(ウ…ボ)【御坊・御房】①「坊」の尊敬語。僧の住む所。「僧正泣く泣く―を出て」〈平家二・座主流〉②僧の敬称。また、親しんでいう称。「余僧みな帰り去んぬ。―来る事如何(いかん)」〈平家六・慈心房〉

こばうず(ウ…ボ)【小坊主】①少年の僧。小法師。「行衛も知らず名も知らぬ、美しい―が、格子(かうし)まで折折見へ」〈近松・賀古教信三〉②武家・町家に奉公する十四、五歳までの坊主頭の少年。掃除、主人の御供・送迎等の雑用をした。小僧・坊主・小供なども称した。「―呼ばふ夕浪の声」〈俳・江戸新道〉

こばかま【小袴】中世、武士が素襖(すあを)・直垂(ひたたれ)・水干(すいかん)などの下に用いた、指貫(さしぬき)に似た袴。近世では、長袴に対して、今日の袴をいう。「けしかる直衣(なほし)・―着せ奉り」〈盛衰記一三〉

こはぎ【小脛】裾をまくりあげて、すねが少し見えた状態という。「―にて半靴(はうくわ)はきたるなど」〈枕一四四〉

こはぎ【小萩】小さな萩。また、萩の美称。「宮城野のもとあらの―露を重み風を待つごと君をこそ待て」〈古今六九四〉

こはくおり【琥珀織】絹織物の一。細い縦糸に太い横糸を織り込んで平織りとした、光沢の多い縞織物。もと舶来、後には京都西陣などで織り出し、羽織・帯地などに用いた。「君の床塵吸ふ帯の―」〈雑俳・広原海一三〉

こはげ(コワ)【恐気】気味が悪くなる様子。恐ろしげ。「ぞっと―も立ち寄りて」〈近松・反魂香中〉

こはごと(コワ)【強言】強気の言葉。強がり。「『いつも―は変らざり』とて」〈義経記三〉

こはごは・し(コワゴワシ)【強強し】『形シク』①いかにも手触りがかたい。ごつごつしている。「白き色紙の―・しきにてあり」〈源氏宿木〉。「桜の、花は優なるに、枝差しの―・しくもとのやう(根元ノ様子)なども憎し」〈大鏡伊尹〉②いかにもやさしい気持がない。「〔男ノクドキヲ〕侘びしと思へるものから、〔自分ガ〕情なく―・しうは見えじと思へり」〈源氏花宴〉③無骨である。生硬である。「田舎侍の気折り(気象)に、―・しかりけるが」〈盛衰記三〉。「万葉は世あがりて―・しきなど申す人、口惜しき事に候」〈吾妻問答〉

こはさうぞく(コワソウ)【強装束】烏帽子に硬い縁をつけ、袍・直衣などを糊で硬く仕上げ、着用の際、折目正しく見せた装束。糊をつけず柔らかい着地で仕立てたものを萎装束(なえさうぞく)といった。「鳥羽院已前の人の影を書くとて、鳥羽院以後初めたる―の衣紋を書きたるは、絵師の不覚なり」〈海人藻芥〉

こはざれ(コワ)【強戯れ】度の過ぎたいたずら。悪ふざけ。「こはざれごと」とも。「―を言ふ言ふ人がこそぐりて」〈俳・鷹筑波四〉

こは・し(コワシ)【毀し】『四段』ととのっているものの形・機能を失わせる。「庫裡(くり)本坊も―・し候ひて、塔の御座候ひつる下へやり申し」〈沢庵書簡寛永一八・六・一三〉

こは・し(コワ)【強し】『形ク』《表面が堅くて弾力性に乏しいのが原義》①堅くごつごつしている。「磽、己波志(こはし)」〈新撰字鏡〉②ごわごわしている。「―・からぬ烏帽子ふりやりつつ」〈枕一四五〉。「いと―・く、すくよかなる紙に書き給ふ」〈堤中納言・虫めづる〉③堅くこわばっている。「病者苦しく、また舌の根―・くなりぬれば、最後の時に〔十念ヲ〕申すに能はず」〈孝養集下〉④手ごわい。「その軍(いくさ)―・くして味方の軍怖ぢをののきて」〈三宝絵中〉。「くるしげなるもの。…―・き物の怪にあづかりたる験者」〈枕一五七〉⑤強情である。「この幼き者は、―・く侍る者にて、対面すまじき」〈竹取〉。「〔妻ヲ〕去るべき道に七あり、…三には―・き女」〈十訓抄五ノ八〉⑥生硬である。「この文の言葉、いとうたて―・く憎げなるさまを」〈源氏若菜上〉。「初めより―・き連歌に練習しぬれば、やがて詞あらくなる」〈連理秘抄〉⑦おそろしい。「神が―・いとも恐ろしいとも思はずして」〈荘子抄六〉。「―・き物こそ三つ並びけれ／おそろしやあらおそろしやおそろしや」〈俳・犬筑波〉 †köfasi

こはじ【鉤】「こ(鉤)」に同じ。「帽額(もかう)の簾(す)は、まして、―のうちおかるる音いとしるし」〈枕二八〉

こば・し【媚し】『四段』物事に一種の愛嬌または親しさを添えてきわだたせる。また、高尚で奇異な言葉遣いをする。さらに強調した形では「こばかし」という。「一つ―・さうと思ひて」〈咄・昨日は今日上〉。〈日葡〉

こはじとみ【小半蔀】清涼殿北廊の小型の半蔀(はじとみ)。「女房、桜の唐衣(からぎぬ)どもくつろかにぬぎたれて、…あまた―の御簾(みす)よりもおしいでたる程」〈枕二三〉

こばしり【粉走】大嘗祭(だいじゃうさい)で粉をふるう役。女が当る。「物部の人等・酒造児(さかつこ)・酒波(さかなみ)・―・灰焼…、大嘗会(おほにへ)の斎場(ゆには)に持ち斎(ゆま)はり参ゐ来て」〈中臣寿詞〉。「篩粉(こばしり)一人」〈延喜式践祚大嘗祭〉 †kobasiri

こはそも『連語』《驚き怪しんで言うことば。下に「いかに」「いかなる」「なに」などの疑問語を伴う》これは一体。これはまあ。「―いかにと叫ぶ声の浪に聞えしばかりにて」〈謡・阿漕〉

こばたけぞめ【小畠染】近世前期、京都の染物屋小畠了達・同吉右衛門が染め出した更紗(さらさ)染。「―の百花小紋」〈西鶴・嵐無常上〉

こはちえふのくるま(ウ…ヨ)【小八葉の車】小さな八葉蓮花の紋をつけた網代車。四位・五位の乗用。「―に先後の簾をあげ」〈平家一〇・内裏女房〉

ごはっと【御法度】「法度」の尊敬語。「此の釘門の内へ入らせ給ふな、―なり」〈伽・唐糸さうし〉。「―強きこの城のうち」〈俳・寛永十三年熱田万句一五〉

こばな【小鼻】鼻の両側の肉のふくらんだ部分。「剃刀にて両の―を縦さまに二所裁ち割り」〈陰徳太平記三二〉

こはば・り(コワバリ)【強張り】『四段』①つっぱったように固くなる。硬直する。「―・りもせず弱うもないぞ」〈周易抄六〉②強情を張る。「―・らば手本は是れと、内へ投げ入れ」〈近松・関八州一〉

こはひ(イ…ハ)【粉灰】こなごな。こなみじん。「修羅の大敵を―に打ち砕く」〈曾我一一〉。「ふくれた玉を打ち砕いて―にした」〈玉塵抄四四〉

こば・み【拒み】『四段』①かたくなにさからう。ささえ防ぐ。「俗強(し)ひて開(ひら)かしむ。逆(かむ)ひ―・むこと得ずして櫃(ひつ)を開きて見れば」〈霊異記下六〉②受け入れずにはねつける。拒絶する。「大将たる者の人の諫めを―・んで受けざれば」〈童蒙抄上〉

こはもの(コワ)【強者・怖物】①強い者。剛の者。また、したたか者。「城にもあまたの―籠りたる間」〈本福寺由来記〉。〈名語記五〉 ②こわい物。恐ろしい者。「あっ、―、なうなう恐ろしや」〈虎明本狂言・鏡男〉

こばや【小早】和船の一種。櫓(ろ)四十挺以下の、矢倉なく、牛垣または欄干造りの早船。物見・使い船・飛脚船に用いる。小早船。「―・転馬を出し申すべしと存じ候」〈細川忠興文書寛永一〇・六・二四〉

こばや・い【子早い】『形』妊娠(にんしん)しやすい。「―・い癖にもの妾(おもひもの)」〈俳・誹諧童子教上〉。〈日葡〉

こばら【小腹】腹。また、下腹。「脇指(わきざし)を取って、胸より―まで押し下し、北枕にぞ倒れける」〈甲乱記〉 **―を立・つ** すこし怒る。ちょっと癪(しゃく)にさわる。「小腹が立つ」とも。「美人の―・て、頬の薄赤くなりたるこそ面白けれぞ」〈四河入海一四ノ二〉

こはらか コワラカ【強らか】①固く、ごわごわしているさま。「練色の衣の―なるを着て」〈今昔二三ノ七〉 ②ごつごつしているさま。無骨。「片田舎の侍どもの―にて」〈平家一・殿下乗合〉

こは・り コワリ【強り】『四段』①こわばる。固くなる。「御乳はいとうつくしげにおはしますが、いたう―・るまで張らせ給へれば」〈栄花楚王夢〉。「わが身の事、とく申したきが、舌も―・りてえ申さず」〈雑談集一〇〉 ②固苦しくなる。生硬になる。「〔連歌ノ〕上手は、―・りたる事をも優しく言ひなす也」〈片端〉 ③かたくなになる。硬化してえこじになる。「―・って人に従はざるぞ」〈周易抄四〉 ④こわばり痛む。「きうきう―・る秋の霜腹」〈俳・寛永十三年熱田万句三〇〉

こはる【小春】《「小春」の訓読語》初冬の暖く春に似た日和(ひより)。また、陰暦十月の異称。「十月は―の天気」〈徒然一五五〉。「〔十月一日〕今日、―のしるしにや、いささかのどかに侍りければ」〈廻国雑記〉

こは・れ コワレ【毀れ】『下二』物の形・機能が失われる。「―・れし壁に月ぞさし入る」〈俳・寛永十三年熱田万句三〇〉

こばん【小判】近世通用の金貨の一。薄平たい楕円形で、一枚一両に当る。諸藩で鋳造したものには銀貨もあった。「―一万両・銀二千枚」〈伊達家文書三、寛永九・二〉↓大判金。 **―いち**【小判市】小判の現物の取引はせずに、手金(てきん)で売買の契約を結び、期限を定めて、その期限の月日の相場で清算する賭博類似の相場商い。幕府から禁止されていたが、内密に行なわれていた。「〔今ハ〕諫鼓鳥(かんこどり)昔この所―」〈俳・洛陽集下〉。「或る夜不思議の〔所デ行ナワレタ〕―見る」〈俳・七百五十韻〉 **―ぢょらう** ヂョロウ【小判女郎】小判を女にたとえて、愛すべき気持を表わした語。「かはいらしい―」〈近松・淀鯉下〉 **―のしかけ**【小判の仕掛け】小判で支払う時、小判の銀貨に対する相場を時価より高くして儲けること。例えば金一両に対し銀六十匁の時、六十二匁として支払う場合、一両に二匁の仕掛けという。「一日千金の色所に遊び、十分請け取る銀あればその内に不足こしらへ、あるひは―」〈西鶴・胸算用三〉

ごばん【御盤】「盤」の尊敬語。食物をのせる台。「小さき―に」〈讃岐典侍日記〉

ごばん【碁盤】 **―がうし** ゴウシ【碁盤格子】碁盤の目のような方形を並べた模様。「ふらふらと―の〔脚絆ヲハイタ〕臑(すね)叩き」〈俳・追鳥狩〉 **―じま**【碁盤縞】縞柄の一。縦横の縞を組み合わせて、碁盤の目のような模様にしたもの。「石に当てて打つや衣の―」〈俳・夢見草三〉 **―にんぎゃう** ニンギョウ【碁盤人形】座敷芸の一。碁盤の上で小人形を舞わせる操(あやつり)芸。「加太夫が―」〈浮・好色年男三〉 **―のり**【碁盤乗り】乗馬して、その四足を揃えて、碁盤の上に立たせる曲乗り。説経節によれば、小栗判官が始めたという。「競べ馬も一目散や―」〈俳・続山の井三〉

ごばんしゅう【御番衆】殿中・営中に勤番・宿直して、庶務・警備をする侍の敬称。「―急がせたまへば春の空〔ガ明ケカカル時刻ダ〕」〈俳・談林三百韻〉

こひ コイ【尰】足がはれつっぱる病気。「片足に―つきたるに」〈かげろふ上〉。「尰、古比(こひ)」〈和名抄〉

こひ コイ【鯉】淡水魚の一。「―はなくて、鮒(ふな)よりはじめて、川のも、海のも」〈土佐一月七日〉。「鯉、古比(こひ)」〈新撰字鏡〉 †kofi

こ・ひ コイ【乞ひ・請ひ】『四段』《神仏・主君・親・夫などに対して、人・臣下・子・妻などが祈り、または願って何かを求める意。「恋ひ」とは語源が別》①祈って求める。「手弱女(たわやめ)のおすひ取り懸けかくだにも吾は―・ひなむ君に逢はじかも」〈万三七九〉 ②頼み求める。願い求める。「前妻(こなみ)が魚―・はさば」〈記歌謡九〉。「緑児の乳(ち)―・ふがごとく」〈万四一二二〉 †köfi

こ・ひ コイ【恋ひ】□一『上二』《ある、ひとりの異性に気持も身もひかれる意。「君に恋ひ」のように助詞ニをうけるのが奈良時代の普通の語法。これは古代人が「恋」を、「異性ヲ求める」ことでなく、「異性ニひかれる」受身のことと見ていたことを示す。平安時代からは「人を恋ふとて」「恋をし恋ひば」のように助詞ヲをうけるのが一般。心の中で相手ヲ求める点に意味の中心が移っていったために、語法も変ったものと思われる。↓したひ・おもひ・すき・このみ》①ひとりの異性に気持も身もひかれる。「わが背子に―・ふれば苦し」〈万九六四〉。「相見し子らを後(のち)―・ひむかも」〈万二四四九〉 ②《比喩的に》慕う。なつかしむ。「いにしへに―・ふる鳥かも」〈万一一二〉。「ことの心を得たらん人は、大空の月を見るがごとくに、古を仰ぎ、今を―・ひざらめかも」〈古今序〉 □二『名』①ある、ひとりの異性にひかれる切ない心持。「呼子鳥いたくな鳴きそ我が―まさる」〈万一四一九〉 ②《比喩的に》賞愛。「桜花時は過ぎねど見る人の―の盛りと今し散るらむ」〈万一八五五〉 ▽「恋ひ」と「乞ひ」とを同語源と見る説は、恋ヒはkofiの音、乞ヒはköfiの音で別音だったので成り立たない。†kofi **―た程飽いた** 以前烈しく恋いこがれたほど、今は強く飽き果てたの意。〈俳・世話尽二〉 **―と云ふ奴**(やっこ) 「こひのやつこ」⑵に同じ。「手握りて打てども懲(こ)りず―」〈万二五七四〉 **―は曲者**(くせもの) 恋のためには人はとんでもないことをしてしまう意。「来し方より今の世までも絶えせぬものは、恋といへる曲者、げに―」〈謡・花月〉 **―は闇**(やみ) ①恋に迷って心がくらむこと。「恋は盲目(めくら)」「恋の闇」「恋路の闇」とも。「時の姿とて―、若道は昼になりぬ」〈西鶴・男色大鑑一〉 ②恋をするには闇夜が都合がよい意。「―といふ事を知らずや」〈西鶴・一代男一〉

こ・び【媚び】□一『上二』①相手の気に入るようになまめかしくふるまう。人を魅惑する。「その女、壮(をとこ)に―・び馴(な)つき」〈霊異記上三〉。「いかなる智者かは―・びたる形を見て目を悦ばしめざる」〈発心集四〉。「姿媚は、姿―・びて美しきを云ふ」〈錦繍段鈔六〉 ②相手に迎合しておもねる。へつらう。「人に恐れ、人に―・ぶるは、人の与ふる恥にあらず」〈徒然一三四〉 ③成熟する。「百年二百年にては花も―・びぬものぞ。この寺は七百余年になれば、花も見事なぞ」〈中華若木詩抄上〉 ④大人びる。また、こましゃくれる。「十歳から―・びて、家の事を治めたが」〈蒙求抄五〉。「はじめから―・びて字を習ふやうなは悪い」〈周易抄〉 ⑤上品ぶる。言語・態度などを洒落て気取る。「―・びたる詞…時鳥を

こ

四手の田長と云ふ類也」〈詠歌大概抄一〉。「まことに―・びたる言葉は善人にも正しき人にもなさず」〈こんてむつすむん地一〉 ㊁『名』①人を魅惑する美しさ。「この后ひとたび笑めば百の―ありけり」〈平家二・烽火〉 ②おもねること。へつらうこと。「万乗の聖主なほ面展(めんでん)の―をなし」〈平家四・南都牒状〉 †kobi

どび【寤寐】目がさめていることと寝ていることと。おきふし。「―に地蔵尊を念じ奉る」〈今昔一七ノ一四〉。〈色葉字類抄〉

こひあま・り::コイ【恋ひ余り】『四段』恋しい気持がつつみきれず、外にあふれる。「隠沼(こもりぬ)の下ゆ―・り白波のいちしろく出でぬ人の知るべく」〈万三〇二三〉 †koɸiamari

こひかぜ::コイ【恋風】恋慕の心をまきおこす風。「―が来ては袂(たもと)にかいもとれてなう」〈閑吟集〉。「見るに心もうかうかと、はや―に身をなやみ、今を限りと臥(ふ)し給ふ」〈説経・天智天皇〉

こびき【木挽】木こり。「嶺(ね)渡しにしるしの竿や立てつらむ―待ちつる越の中山」〈山家集中〉

こひくさ::コイ【恋草】恋心の繁く手のつけられないほどなのを、草の生い茂ることにたとえていう語。恋という草。「―を力車に七車積みて恋ふらく我が心から」〈万六九四〉 †koɸikusa

こひぐち::コイ【鯉口】《「木囲口」とも書いた》刀の鞘(さや)の口。鯉が口を開いた形に似ているのでいう。「〔刀ノ〕栗形。―。呑入」〈桂川地蔵記上〉。「琫(ほう)は鞘の木口也。今世これを木囲口(こゐぐち)と云ふ」〈武用弁略五〉。〈日葡〉

こひごころ::コイ【恋心】人を恋い慕う心。恋しい心持ち。「あまりわりなき―」〈謡・小督〉。「―と云ふ言葉、〔連歌ニハ〕一向に停止すべし」〈砌塵抄〉。「かりそめに児(ちご)三井寺の―」〈俳・寛永十三年熱田万句三九〉。〈日葡〉

こひごろも::コイ【恋衣】恋を、常に身からはなれぬ衣にたとえた語。恋という着物。「―着(き)奈良の山に鳴く鳥の間無く時無しわが恋ふらくは」〈万三〇八八〉。「―いかに染めける色なれば思へばやがて移る心ぞ」〈続拾遺七六四〉 †koɸikörömö

こひざ【小膝】《コは接頭語》膝。「悪源太の乗り給へる馬、…妻手(めて)のかたへけしとんで―を折りてどうど伏す」〈古活字本平治中・待賢門軍〉

こびさし【小庇・小廂】小さいひさし。狭いひさしの間(ま)。「つとめて、日さし出づるまで、式部のおもとと―に寝たるに」〈枕四九〉

こひさめ::コイ【恋醒め】恋の熱がひえること。「人づてに何か心を尽すべき―ならばくやしからまし」〈六百番歌合〉

こひ・しコイシ【恋し】『形シク』《自分の恋する人に逢いたいと思う。転じて、時間的・空間的にへだたった物事にひかれる気持にいう》①(恋人に)逢いたい。「―・しくは形見にせよとわが背子が植ゑし藤浪今咲きにけり」〈万一一九〉 ②《比喩的に》見たい。聞きたい。なつかしい。「間無くそ奈良は―・しかりける」〈万四〇六一〉。「鳴く鳥の声の―・しき時は来にけり」〈万三九八七〉 †koɸisi　**―けく**【恋しけく】《恋シのク語法》恋しいこと。「―日(け)長きものを逢ふべかる夕(よひ)だに君が来まさざるらむ」〈万二〇三九〉 †koɸisikeku

こひし・に::コイ【恋ひ死に】『ナ変』恋いこがれて死ぬ。「他国(ひとくに)は住み悪しとそいふ速(すむや)けく早帰りませ―・なぬと(ウチ)に」〈万三七四八〉 †koɸisini

こひしらず::コイ【恋知らず】恋愛の情を知らないこと。また、その人。「年はふりても―の男松」〈西鶴・一代男一〉

こひしり::コイ【恋知り】恋愛の情を解すること。色恋の道に通じていること。また、その人。「恋路知り」とも。「かへすがへすー と思ひまゐらせ候」〈西鶴・一代女二〉　**―どり**【恋知鳥】鶺鴒(せきれい)の異名。「恋教へ鳥」とも。「神代の昔より、この事、―の教へ」〈西鶴・五人女三〉

こひそ・め::コイ【恋ひ初め】『下二』恋しい気持がしみつく。「吾妹子(わぎもこ)に恋ひて乱れば反転(くるべき=糸ヲ縒ル道具)にかけてよせむ(乱レヲ整エヨウ)と我が―・めし」〈万六四二〉 †koɸisomë

こびたひ::ビタイ【小額】①額の髪の生え際のあたり。また、額の中央部。「悪うして―切らるるな」〈蓬左文庫本臨済録抄〉 ②女の額の作り方の一。鬢(びん)を大きく取って、額を狭くしたもの。「額の作りやう、大額・―・丸額」〈女重宝記一〉 ③「角前髪(すみまへがみ)」に同じ。「角前髪と言ふを…上総にて―と言ふ」〈物類称呼一〉 ④男の前髪の額際の上だけ、少し剃り込んだおとなしい額付。「―があるで番頭〔ノ人品ガ〕高く見え」〈雑俳・万句合安永一〉

こひぢ【泥】どろ。歌では「恋路」と掛けていうことが多い。「あめのした騒ぐ心も大水に誰も―(泥・恋路)にぬれざらめやは」〈かげろふ上〉。「浜も、砂子白くなどもなく―のやうにて」〈更級〉。「泥、古比千(こひぢ)」〈和名抄〉

こひぢ【小肘・小肱】《コは接頭語》「肘(ひぢ)」に同じ。「散散に射ける矢に、―を射させて引退く」〈盛衰記三七〉

こひぢ::コイ【恋路】恋の道。恋。歌では「泥(こひぢ)」と掛けていうことが多い。「袖濡るる―(恋路・泥)とかつは知りながら」〈源氏葵〉

こひぢから::コイ【恋力】《チカラは労力・努力の意》恋の骨折り。恋の苦労。「此の頃の我が―記し集(つ)め功(くう)に申さば五位の冠(かがふり)」〈万三八五八〉 †koɸitikara

こびちゃ【媚茶】染色の一。黒味を帯びた濃い茶色。「―〔絹〕を…〔米〕一石六斗には売る可し」〈多聞院日記天正一四・三・一五〉

こひつ【古筆】①古い筆。「花山院〔忠定〕へ―を所望の処、唐筆二管・硯一面・唐墨一挺これを賜はる」〈教言卿記応永一三・六・一三〉 ②古人の筆跡。「―に云はく、動動と打つ鼓の声には、四智三身の耳を驚かし」〈神道集五〉 ③奈良・平安・鎌倉時代に書かれた和様の筆跡。特に、仮名書きのすぐれたものや、鎌倉時代以降の禅僧などの漢字筆跡をいう。茶道などで鑑賞用として珍重された。「色紙二枚、―一枚音信(いんしん)申し候」〈北野社家日記慶長三・一〇・三〇〉 ④古筆の真偽を鑑定する人。また、それを業とする家。古筆見(み)。「―交云(人名)に初めて参会の時」〈俳・遠近集六〉。「―了佐」〈後鳥羽院御口伝奥書〉　**―ぎれ**【古筆切】主として、奈良・平安・鎌倉時代のすぐれた筆跡の経巻・和歌類などを、数行または色紙形に切断したもの。茶道の流行とともに掛物として、また手鑑として珍重した。「―芭蕉に花も咲きにけり」〈俳・金剛砂上〉　**―み**【古筆見】「古筆」⑷に同じ。「よろづを島の勘左衛門と云ふ―と指さして教へける」〈西鶴・男色大鑑四〉

ごひつ【五筆】両手・両足および口に一本ずつの筆を持って文字を書くこと。弘法大師が創めたというので、大師を五筆和上(わじやう)とも称した。「〔空海〕和尚の―の跡、佐理の一墨の様」〈新猿楽記〉

こひづか::コイ【恋塚】恋に死んだ人を葬った塚。「木隠(こがく)れてよしなや、鳥羽の―、秋の山」〈謡・卒都婆小町〉

こびつ・き『四段』こびりつく。「越王〔勾践(こうせん)〕の口に尿(いばり)は―・かず」〈雑俳・広原海一〉

こびっちょ【小びっちょ】少女をなれ親しみ、または、ののしっていう語。「それ(京ノ風俗)に染まって優し―」〈俳・京

拾遺二〉→びんぢょ

こひづま：コイ【恋妻】おもい妻。「路の辺の壱師(いちし)の花のいちしろく人みな知りぬ我が―を」〈万二四八〇〉 †koridu-ma

こひつ・め：コイ【乞ひ詰め・請ひ詰め】『下二』どうしても払わずにいられないように催促する。「借銭に―・められ、一町を動かすは見苦し」〈俳・類船集四〉。〈日葡〉

こびと【小人】①身体の短小な人。一寸法師。侏儒。「春珍しき―ぢゃ―ぢゃ」〈俳・難波風〉②将軍・大名などに仕えて、雑役・走り使いを務めた奉公人。「凡そ侍三百人、内、馬上五十騎、―二百人、合はせて五百の大将也」〈勢州軍記上〉。「万石以上の〔武家ノ〕下部(しもべ)を―と云ふ。それより以下の家にては小者(こもの)と云ふ」〈武用弁略三〉 **―じま**【小人島】中世から近世にかけて信じられた、小人ばかりが住んでいるという想像上の島。「―〔ノ〕猿と云ふ小童、日本においては凡そ五歳〔位〕の童子也。当年まで二十五年に成ると云云」〈鹿苑日録慶長一五・三・七〉

こひねがはくは：コイネガワク【庶幾】『連語』《請ヒ願ハクハの意。神に願いをたてるときの慣用句》なにとぞ。「庶(こひねが)はくは冤屈を知らむことを」〈貞観政要六・南家点〉。「庶幾、尙、已比禰加波久波(こひねがはくは)」〈新撰字鏡〉 †kōrinega-Fakuфa

こひねが・ひ：コイネガイ【請ひ願ひ】『四段』求め祈る。祈り願う。「行く末長き事を―・ふも、仏の聞き給はむこと傍(かたはら)いたし」〈源氏幻〉。「羨・庶幾、コヒネガフ」〈名義抄〉

こひのおもに：コイ【恋の重荷】恋の苦しさせつなさに堪えがたいことのたとえ。「名も理(ことわり)や―、げに持ちかぬる此の身かな」〈謡・恋重荷〉

こひのかたまり：コイ【恋の固まり】①胎児。愛の結晶。「忍びぬる―探られて」〈俳・佐夜中山三〉②すばらしい美貌のたとえ。「物越し・立ち振舞・芸ぶり・舞ぶり・情ぶり、世界の―」〈評判・役者口三味線京〉

こひのただなか：コイ【恋の只中】①恋盛りの年頃。「心ざしも優しく―、見し人思ひかけざるはなし」〈西鶴・五人女五〉②恋慕の真情。「『うらみある身にもいとしさやるかたなく…』と―もってまいれば(吐露シテ口説クト)」〈西鶴・五人女五〉

こひのつま：コイ【恋のつま】《ツマは端。いとぐちの意》恋のきっかけ。「似げなき―なりや」〈源氏真木柱〉

こひのまく：コイ【乞ひ祈まく】《コヒノミのク語法》乞い祈ること。「幣(ぬさ)奉り吾(あ)が―」〈万四〇〇八〉 †kōrinōma-ku

こひの・み：コイ【乞ひ祈み】『四段』神などに乞い、頭を下げて祈る。祈り求める。祈願する。「天つ神仰ぎ―・み」〈万九〇四〉 †kōrinōmi

こひのみち：コイ【恋の道】恋のなりゆきを道に見たてていう語。「こひぢ」とも。「由良の戸を渡る船人かぢを絶えゆくへも知らぬ―かも」〈新古今一〇七一〉

こひのやつこ：コイ【恋の奴】①恋の感情に支配される者。恋の奴隷。恋のとりこ。「大夫(ますらを)のさとき心も今は無し―に我は死ぬべし」〈万二九〇七〉。「―となり果てて」〈謡・恋重荷〉②恋を擬人化して、ののしっていう語。恋というやつ。「家にありし櫃(ひつ)に鏁(かぎ)さしをさめてし―のつかみかかりて」〈万三八一六〉 †kōrinōyatuko

こひのやま：コイ【恋の山】ふみこんで迷うことから、恋を山に見立てていう語。「人やりの道とは知らぬ―我が心より迷ひそめつつ」〈新葉六六九〉 **―には孔子(くじ)の倒(たふ)れ** 恋の山路には孔子でも倒れる意。どんな人でも恋には迷うことがあるということ。「いとまめやかにことごとしきさましたる人の『―』まねびつべきけしきに」〈源氏胡蝶〉→くじのたふれ

こひのやまぢ：コイ【恋の山路】恋のなりゆきを山道に見立てていう語。「―に迷ふこころかな」〈浜松中納言一〉

こひのやまひ：コイヤマイ【恋の病】恋わずらい。「よそに聞く―を尋ぬればやがて我が身の心なりけり」〈拾玉集三〉

こひのよせだいこ：コイ【恋の寄太鼓】三味線の異名。「これこそ―とて、調子よげなる其の時に」〈評判・濡仏上〉

こひぶるひ：コイブルイ【恋振ひ】恋慕の情に堪えかねて、身振いすること。「〔アチラハ〕見なれぬ揚屋の大さわぎ、〔我ガ身ハ〕―してみすぼらし」〈近松・寿門松上〉

こひむこ：コイ【乞婿】特に婿として乞い望むこと。また、その婿。「刑部左衛門―にして、五百石の家督を譲り」〈浮・好色江戸紫四〉

こひむすび：コイ【恋結び】恋の永続を祈って、下紐などをむすんでまじないとすること。「白栲の我が紐の緒の絶えぬ間に―せむ会はむ日までに」〈万二八五四〉 †korimusubi

こひめ：コイ【乞目】双六(すごろく)などで出てほしいと願う賽(さい)の目。「虞子(ぐじ)君の―には重四を乞はれたり」〈幸若・和田酒盛〉

こひめぎみ【小姫君】貴人の妹娘の敬称。「大姫君・―涙を流し給ふもおろかなり」〈栄花初花〉

こひも・ひ：コイモイ【恋ひ思ひ】『四段』恋い慕う。恋しく思う。「玉葛(たまかづら)花のみ咲きて成らざるは誰が恋にあらめ吾(あ)は―・ふを」〈万一〇二〉 †korimōri

こひゃう：ヒョウ【小兵】①《「大兵(だいひゃう)」の対》力の弱い射手。「―といふぢゃう十二束三ぶせ、弓は強し」〈平家一一・那須与一〉→精兵(せいびゃう)②体の小さいこと。「我等、―には候へども、太刀の金を御覧候へ」〈三好軍記上〉

ごひゃく【五百】 **―かい**【五百戒】尼僧の守るべき五百の戒律。ただし、五百は概数で、実数は三百四十八という。「河内の国更荒(さら)寺という寺に、―の尼衆(にしゅ)にておはしける由」〈問はず語り三〉 **―しゃう**：ショウ【五百生】五百回生れかわること。「―犬の身の苦しみを受けたり」〈三宝絵下序〉 **―はちじふ**：ジュウ【五百八十】「五百八十年」に同じ。「下さるる胡桃(くるみ)の数も君が代もめでたかりけり―」〈咄・醒睡笑八〉 **―はちじふななまがり**：ジュウ【五百八十七曲り】「五百八十七廻(まはり)」に同じ。「かれこれ取り集めて―、我が長生きの徳一つ」〈俳・珍重集〉 **―はちじふななまはり**：ジュウマワリ【五百八十七廻り】「五百八十年」に同じ。「―までも生き延びさせられう」〈虎寛本狂言・子盗人〉▽「七廻り」は干支六十年の七廻りの意で、四百二十年、五百八十年を加えて計千年となるの意という。 **―はちじふねん**：ジュウ【五百八十年】末長い年を祝っていう語。「―もその人長生せよかしと思ふものぞ」〈古活字本論語抄一三〉。「ここら(日本)に―と祝ふつれなり」〈玉塵抄四〉 **―はちじふのもち**：ジュウ【五百八十の餅】嫁の里帰りなどのめでたい時に搗いて、五百八十箇または五百八十七箇に丸めた餅。「今日、―を源八に饋(おく)る。餅の制、五八の数を以てこれを十にす」〈山鹿素行年譜延宝六・一・二八〉 **―らかん**【五百羅漢】五百人の羅漢。釈迦の入滅後、遺教結集(けつじゅう)のために来会した釈迦の弟子をさすことが多い。禅宗などで崇拝され、その彫刻や絵画が多い。「摩耶夫人(釈迦ノ生母)真如にかへりたまひし夕べ、―紅の涙を流しき」〈栄花鶴林〉。「―を見れば、どれぞは我が顔に似ると云ふ」〈咄・うかれ小僧五〉

こひや・み：コイ【恋ひ止み】『四段』恋の気持が消える。恋しい気持がいつのまにかなくなる。「いかにして—・むものぞ天地の神を祈れど吾は思ひまさる」〈万三三〇六〉 †koFiyami

こひらし：コイ【恋ひらし】『連語』《コフラシの古形か。一説、コフラシの上代東国方言》恋いしたっているらしい。「我が妻はいたく—」〈万四三二二防人〉 †koFirasi

こひる【小昼】昼に近い頃。「—の頃の空静かなり」〈俳・炭俵上〉

こひわすれがひコイ…ガイ【恋忘れ貝】それを拾うと恋の苦しさを忘れるという貝。忘れ貝。「我が背子に恋ふれば苦し暇(いとま)あらば拾(ひり)ひて行かむ—」〈万九六四〉 †koFiwasuregaFi

こひわすれぐさ：コイ【恋忘れ草】摘むと、恋の苦しさを忘れるという草。忘れ草。「我が屋戸の軒のしだ草生(お)ひたれど—見れど生ひなく」〈万二四七五〉 †koFiwasuregusa

こひわた・り：コイ【恋ひ渡り】『四段』恋いしたって年月を経る。ずっと恋いつづける。「ひさかたの天知らしぬる君ゆゑに日月も知らず—・るかも」〈万二〇〇〉 †koFiwatari

こひわ・び：コイ【恋ひ侘び】『上二』恋いしたう気力がなくなる。「里遠み—・びにけり真澄鏡(まそかがみ)面影去らず夢(いめ)に見えこそ」〈万二六三四〉 †koFiwabi

こひをしへどりコイオシエ：【恋教鳥】鶺鴒(せきれい)の異名。「あの鶺鴒を…庭叩(にはたたき)、—とも云ふぞとよ」〈近松・振袖始四〉

こびん【小鬢】《コは接頭語》こめかみの毛。鬢(びん)。「—のはづれ小耳の上三太刀迄切られければ」〈太平記三・神南合戦〉

こふコウ【劫】①〔仏〕《梵語の音訳》きわめて長い時間。「—のかはるまで訪れたまはぬを」〈宇津保俊蔭〉 ②囲碁で、敵と味方とが互いに、一目(いちもく)の石を取りつ取られつすること。「そこは持(ぢ)にこそあらめ。このわたりの—をこそ」〈源氏空蝉〉

こふコウ【鵠】ハクチョウ。「鵠、古布(こふ)」〈和名抄〉

こふ【国府】《コクフの転》国司の役所の所在地。府中。「武生(たけふ)の—に我はありと」〈催馬楽道の口〉

こぶ【瘤】①身体の一部分に病的にできた筋肉の盛りあがり。「頸の下に—有りて、年来医師の教へに随ひて、医(くすり)を以て療治すといへども、いえず」〈今昔一五ノ六〉。〈文明本節用集〉 ②やっかいだが、くっついていて離れない者。子供についていうことが多い。「一夜の情一生の—」〈雑俳・俳諧けい三〉

ごふゴウ【業】〔仏〕《身心の行為。身・口・意の三業。業には、善悪の結果を生む原因となる力があるものとないものとがあると考えられていた》①結果をひき起す原因となる行為。「我が前世(ぜん)に造れる所の善悪の—を語りて云はく」〈今昔二ノ三二〉。「—とは因の義なり。しかれば—といへる事は善悪に通ず」〈夢中問答上〉 ②前世の応報として持って生れた寿命。「〔助ケガ不成功ナラバ〕—尽きにけりと思はむ」〈源氏手習〉 **—が煮・ゆる** 腹が立って心がいらいらする。「業が湧く」「業くさらかす」とも。「腹は立たねども、なぶりよい者ぢゃと思うて、なぶりをる程に、—・ゆるいやい」〈虎明本狂言・腹立てず〉 **—に沈・む** 悪業の中に沈んで、苦しみを受けて浮かばれない。「そのまま修羅の—・むを」〈謡・知章〉

ごふいん：ゴウ【業因】〔仏〕善悪の果報を招く原因となる善悪の行為。「善悪の果報、皆、前世の—によりてなり」〈今昔一ノ二七〉 →業果

ごふう【御符・護符・御封】《ゴフの転》神仏が加護して厄難から逃れさせるという札。真言の密呪や神仏の名・像などを書いた紙片で、肌身に付け、また、飲みこんだり、室内に貼ったりする守り札。「かの天の〔行者ノ〕—を飲む」〈稲荷山参籠記〉。「文の中に大事の—入りて候。御参り候へ」〈伽・稚児今参物語〉

ごふうじふうウ…ジュ…【五風十雨】五日ごとに風が吹き、十日ごとに一雨降ること。気候順調、天下太平のしるしとされる。「—は是れ其時」〈再昌草二〉。「—も時を得て、天長く地久しく」〈説経・伍太力菩薩〉

こぶか・し【木深し】『形ク』木立が茂っている。「深山木どもの、—・きなどを移し植ゑたり」〈源氏少女〉

ごふく ❶【御服】①貴人の衣服を敬っていう語。「大使・副使に—を賜ふ」〈続紀宝亀七・四・一五〉 ②「御服綿(ごふくめん)」に同じ。「〔供ノ〕人も—たまはる」〈宇津保菊宴〉 ❷【呉服】絹布類。綿織物・麻織物を太物(ふともの)というのに対していう。「家老に仰せありて、この者に—を給はる」〈仮・仕方咄四〉 **—ざし**【呉服差】裁縫に用いた物差(ものさし)。一尺は曲尺(かねじやく)一尺二寸に当たる。「幅—一尺一寸、長さ二十七尺」〈梅津政景日記寛永四・三・二七〉 **—じょ**【呉服所】主として禁中・将軍・公家・大名の衣服を調達する大きな呉服店。「京の—より〔書状ヲ〕届くる」〈本光国師日記元和三・一・八〉 **—どころ**【御服所】内蔵寮に属し、摂関家などにも置かれた。天皇の装束を取り扱った所。「初度の御幸、直衣御装束、何処より調進せしむるや、—未定の間、不審」〈山槐記治承四・二・五〉 **—めん**【御服綿】《貴人の衣料に使用される綿の意》防寒用に、衣類に用いる真綿。「呉服(ごふく)」「御服」とも。「兼親朝臣を以て申す条条の事、越中国—の事仰せ、構へて沙汰す可きの由、経仲朝臣に仰す可し」〈三長記建久六・一二・二〇〉 **—わた**【御服綿・呉服綿】防寒のために衣料とする真綿。糸につむぐ真綿に対していう。「越中坪江下卿…進物の事、…絹二疋、—二屯(ふたもち=百二十匁)」〈大乗院雑事記寛正三・一〇・二六〉

ごふく【御福】「福」の尊敬語。神仏から授かる福。普通、その供物のお下がりをいう。「お福」とも。「『—は何ぢゃ』『福はありのみでござりまする』」〈狂言記・福渡し〉

ごふく：ゴウ【業苦】〔仏〕過去の悪業によって受ける苦しみ。また、業とその報いとしての苦しみ。「六道四生のあひだ、いづれの—に沈めりとも」〈歎異抄〉

ごふくつぎ【五服継】火皿の大きなキセル。普通の煙草五服分を詰める。「鳥部山の煙とは、—の煙管筒」〈西鶴・一代男二〉

こぶくめ【小服綿】十徳(じつとく)に似た白色の僧尼の平服。近世中期には紅色の尼用もあった。「こぶくめん」とも。「蓮如上人、昔は—を召され候」〈実悟記〉

こふくゎ：コウ【劫火】この世界を焼き尽して、灰燼とするという大火。「嵯峨たる妙高…—に焼かれて灰滅し」〈三教指帰下〉

ごふくゎ：ゴウ【業火】悪業のために罪人が責められる地獄の猛火。「—盛んに燃えて、修羅(しゅら)の闘諍(とうじやう)四方に聞ゆ」〈太平記一五・三井寺〉

ごふくゎ：ゴウ【業果】過去の所業によって受ける果報。多く、悪業によって受ける報い。「有様、—法然の理とは云ひながら、余りに心憂くぞ覚えける」〈太平記三五・北野通夜〉

ごぶごぶ 物が水中に沈む音。「さかさまに入りて、—とするを」〈宇治拾遺一三〉

ごふさらし：ゴウ【業曝し】①前世の悪業の報いとして現世

で受けた恥を世にさらけ出すこと。また、その人。「貴殿などがおもはくには、―とも思はれん」〈浮・男色比翼鳥四〉②人を罵倒していう語。「ヤイ、―め」〈近松・油地獄中〉

こふ・し(コウシ)【恋し】『形シク』「こひし」の上代東国方言。「うべ児なは我(わぬ)に恋ふなも立と月(立ツ月)の長(が)(の)なへ行けば―・しかるなも」〈万三四七六東歌〉 †koFusi

こぶし【拳】①にぎりこぶし。「柄(かつ)も―も通れ通れと、三刀さしてひるむ所に」〈古活字本保元中・白河殿攻め落す〉。「拳、古不之(こぶし)」〈和名抄〉②鷹狩。鷹狩の時、こぶしに鷹を据えておいたのでいう。また、鷹を使う腕前。「殿様の御―にて〔獲物ヲ〕御捕らせ候て」〈家忠日記天正一六・一二・一三〉

ごふしゃう(ゴウシヨウ)【業障】《ゴッシャウとも》悪業のために生じた障害。悪業によって正道・善心の妨げとなるもの。「悪霊は執念(しふね)きやうなれど―にまとはれたるはかなものなり」〈源氏夕霧〉 →三障

こぶすま【小衾】《コは接頭語》「ふすま」に同じ。「庭に立つ麻布(あさて)―今夜(こよひ)だに妻寄し来せね麻手―」〈万三四五四東歌〉 †kobusuma

ごぶつ【後仏】釈迦入滅五十六億七千万年後に此の世に出現するという仏。彌勒菩薩(みろくぼさつ)をいう。「―出世を待つ尊者」〈正法眼蔵梅華〉

ごふない【御府内】近世、江戸の範囲。板橋・千住、品川大木戸、本所・深川、四谷大木戸以内の土地の称。「―は町奉行支配場と相見え候処」〈古張紙天明八・一三〉

ごふにん(ゴウ)【業人】悪業を重ねた人。極悪人。人をののしる時にもいう。「それもまた無悪不造(むあくふざう)の―なるが故に」〈サントスの御作業二ノ八〉。〈文明本節用集〉

ごふのはかり(ゴウ)【業の秤】亡者が俗世で犯した罪業の重さをはかる地獄の秤。「娑婆世界の罪人を、或は―にかけ、或は浄頗梨(じやうはり)の鏡に引き向けて、罪の軽重に任せつつ」〈平家二・小教訓〉

ごふびゃう(ゴウビヨウ)【業病】前世の悪業の報いによって受ける病気。「あに前世の―を治せんや」〈平家三・医師問答〉

ごふふう(ゴウ)【業風】悪業の報いを風にたとえていう語。また、地獄に吹く大風。業の風。「一切の風の中には―を第一とす」〈往生要集上〉。「かの地獄の―なりともこれには過ぎじとぞ見えし」〈平家三・辻風〉

ごふほう(ゴウ)【業報】過去の業因によって受ける報い。業果。「その寿夭(じゆえう)は―の招く所にして」〈万巻五・沈痾自哀の文〉

ごふむね(ゴウ)【乞胸】近世、江戸の乞食の一種。編笠をかぶって、江戸万歳・辻放下(つじほうか)・物真似・仕形能・講釈・物読みなどの芸能を行なった。非人頭車善七の支配を受けた。「―身分の儀、前前より町方御支配にて、人別町方へ差し出し申し候」〈政要拾遺寛政二・一二・二六〉

こぶら【腓】ふくらはぎ。「こむら」とも。「足があがるほどに、―がさかさまになるなり」〈中華若木詩抄下〉。〈文明本節用集〉 **―がへり**(ガエリ)【腓返り・転筋】腓の筋肉が急に痙攣すること。「からすなえり」とも。「転筋、コブラガヘリ」〈饅頭屋本節用集〉

こふらく(コウ)【恋ふらく】《恋ヒのク語法》恋しく思うこと。恋い慕うこと。「潮満てば入りぬる磯の草なれや見らく少なく―の多き」〈万一三九四〉 †koFuraku

ごふりき(ゴウ)【業力】果報を生ずる業因の力。「されば神力―に勝たずといへり」〈沙石集一ノ七〉

こふろ(コウ)【劫臈】《コフラフの転》長い年月。年功。「―経た芸子尻尾(しっぽ)が裂けるなり(猫又ニナル)」〈雑俳・万句合安永六〉

こぶろ【小風呂】戸棚式または柘榴(ざくろ)口式蒸し風呂の浴室。「―の中でむさるるやうに、旱(ひでり)が熱い程に」〈毛詩抄一八〉

こぶん【子分】《「親分」の対》①仮に子として取り扱う者。子方(こかた)。「三男は、〔外祖父〕一鉄―として、稲葉靱負頼永と云ひしを」〈土岐累代記〉②部下。手下。「何所でも喧嘩をなさったらば、八兵衛が―だとおっしゃりませ」〈咄・聞上手〉

こぶん【古文】①古風な文章。古体の文章。「俗で、―のやうにもなうて悪いぞ」〈漢書竺桃抄〉②「古文真宝」の略称。「―講ずる席にて」〈俳・俳諧三部抄下〉。〈日葡〉 **―しんぽう**【古文真宝】①秦から宋に至る諸家の詩文を編集したもの。室町時代から近世にかけて流行した。黄堅編。前後二集。「雲林―を講ず」〈臥雲日件録抜尤宝徳二・三・八〉②《「古文真宝」は漢籍で固苦しい本だから》真面目くさって堅苦しいこと。また、その人。「〔遊興ノ〕道に入らぬ友をば、―と名付けて」〈評判・吉原雀上〉

ごふん【胡粉】①錫を焼いて造る粉。「張華博物誌云、焼レ錫成ニ胡粉ニ」〈和名抄〉②貝がらを焼いて作った白い粉。絵具に用いる。「いやしげなるもの。…桜の花おほく咲かせて、―・朱砂(すさ)など色どりたる絵どもかきたる」〈枕一四九〉

ごぶん【御分】あなた。貴殿。貴君。「―まことに憎ならば、かかる不思議の事をばよも候はじ」〈太平記三八・諸国宮方〉

ごふんどり【五分取り】揚代銀目五分の最下等の端(はし)女郎。「五分蔵(ざう)」とも。「―たとへ暫しは別るるとも」〈俳・投盃〉

こへ【小家】「こいへ」の約。「―のかどのしりくべなはのなよし(魚ノ名)の頭、ひひらぎら、いかにぞ」〈土佐一月一日〉

こへい【古弊】古くなって、いたんでいること。「累代の公物(くもつ)、―をもちて規模とする」〈徒然九九〉

ごへい【御幣】《「幣束(へいそく)」の尊敬語》神祭用具の一。白色または金銀・五色の紙を幣串(へいぐし)に挟んだもの。「まことに―・御供(ごく)などいとことごとしくてあり」〈今昔二六ノ二一〉

ごへん【御辺】あなた。貴殿。「―の教訓にはよもよらじ」〈保元上・官軍手分け〉

こほこほ《擬音語》雷の音、腹の鳴る音、舟ばたを叩く音、屏風をたたむ音などにいう語。「―と鳴る神よりもおどろおどろしく」〈源氏夕顔〉。「―と引きて、『錠のいたくさびにければ明かず』」〈源氏槿〉

こほ・し【恋し】『形シク』「こひし」の古形。「君が目の―・しきからに泊(は)てて居てかくや恋ひむも君が目を欲り」〈紀歌謡一二三〉 †koFosi

こぼ・し【覆し・零し】㈠『四段』《コボレの他動詞形》①(水など満たした器を傾けて)流出させる。ぽろぽろ落す。「雪、―・すがごと降りて、ひねもすにやまず」〈伊勢八五〉。「涙をさへ―・して臥したり」〈源氏空蟬〉。「溢、コボス」〈名義抄〉②すき間から、中身を少し外へ漏らす。「色色の衣ども―・し出でたる人の」〈枕七六〉③〔連俳用語〕月の句を、詠むように定められている場所(定座)より後に詠む。「月の定座を―・す事」〈俳・三冊子〉㈡『名』糞(そく)。「忘れ飼ひ(飼イ忘レテ)―もさすがしたたかに」〈俳・分外集上〉

こぼ・ち【毀ち】『四段』《コホ(擬声語)ウチ(打)の約か。がたがたと打つのが原義。鎌倉時代までコホチと清音、室町時代にはコボチ》①音を立ててこわす。「秋田刈る仮廬(かりほ)も未だ―・たねば」〈万一五五六〉。「板敷など取りのけ―・ち

て」〈宇治拾遺四七〉。「覆・隤、コホツ」〈名義抄〉。「壊、コボツ」〈文明本節用集〉 ②削りおとす。けずる。「並ぶ頭の鉢の水もむやもまずに無理無体、かたはし削るやら—・つやら」〈近松・国性爺三〉

こぼとけ【小仏】子供の遊戯の一。一人の鬼が目隠ししてしゃがみ、その周囲を数人が手をつないで輪になって、「中の中の小仏なんで背が低い」などとはやしながら廻り、はやし終った時、鬼が立ってその一人を捕えて名前を当て次の鬼とする。「—の別れや中の中の春」〈俳・時勢粧二〉

—や【毀ち家・壊ち屋】①壊した家。また、壊れた家。「—の古釘(ふるくぎ)共を買ひ仕舞い」〈雑俳・よせだいこ〉 ②壊した家の材木・戸障子・畳などを売買する商人。「—を呼びて」〈浮・好色川念仏三〉

ごほふ ホ:ウ【護法】①仏法を守護するために使役される神。その神の使者は、法力のある祈禱者に駆使され、病人に乗り移って、物の怪などを退散させると考えられていた。「梵釈四王龍神等、一切—まもるべし」〈皇太子聖徳奉讃〉。「いささかさりげもなく、—もつかねば、集りゐ念じたるに」〈枕二五〉 ②呪術。「—を使ひて鉢を飛ばして食を継ぎ」〈今昔一〇ノ三四〉

こぼふし ボ:ウシ【小法師】①《コは年少、また、小柄の意》小さい僧。「〔十九歳ノ花山院ハ〕目もつづらかなる—にて」〈栄花花山〉 ②《コは下級の意》身分の低い僧。また、下賤な衆徒・行者など。「昔一人の僧ありき。この所に行なひて居たりき。—一人使ひき」〈問はず語り五〉 ③男児。「今日八時未(ひつじ)かしらに、彦兵衛尉—まうけ候。目出度く候」〈山科家礼記文明三・五・二〉

こほめ・き【四段】《コホはコホコホのコホに同じ》ごとごとと音がする。ごろごろと鳴る。「〔夜警ノ武士ガ〕こほこほと、—・き、沓すり来て」〈枕二九〇〉

こほり コオリ【郡・評】令の国郡制度によってきめられた地方行政組織。国の下にあり、いくつかの郷や村などを包括したもの。郡(ぐん)。「凡そ—は四十里(よそさと)を以ちて大郡(おほきこほり)とせよ」〈紀孝徳二年〉 ▽朝鮮語 koper(郡・邑)と同源。 †*kōFōri

—のつかさ【郡司】⇒ぐんじ。「—に頭の白き翁の侍りけるを」〈拾遺五六四詞書〉

こほ・り コオリ【凍り・氷り】㊀【四段】①水などが寒気のために固まる。「佐保川に—・りわたれる薄氷(うすらひ)の」〈万四四七八〉 ②冷え冷えとした感じになる。「袖のうへ渡る小川をとぢはてて空吹く風も—・る月影」〈拾遺愚草上〉 ㊁【名】【氷】①こおり。「春立てば消ゆる—の」〈古今五四二〉 ▽平安仮名文では、コホリ・ツララは水面に張りつめた氷にいうことが多く、ヒは、固まりの氷にいうことが多い。②氷砂糖。「白き砂糖より—が出で候」〈沢庵法語〉 †kōFori

—のぢごく【氷の地獄】八寒(はちかん)地獄の一。寒冷の責苦を受ける地獄。「—、火炎の地獄、剣の山へ登るとも」〈近松・卯月紅葉下〉

—のついたち【氷の朔日】六月一日。前年末に雪水で作った欠餅(かきもち)を食べて祝い、「氷室(ひむろ)の節句」と称した。「心中刃は—」〈近松・氷の朔日〉

—もち【氷餅】寒中に搗(つ)いた餅を、寒天にさらして凍らせたもの。「菓子、—・豆あめ・昆布」〈久政茶会記天文二二・四・九〉

こほりやまぞめ コオリ:【郡山染】近世前期、大和国郡山産の、木綿や麻織を柿渋で染め、磨りはがしたもの。また、その染色。「大和柿」「本多柿」とも。「隠居の親父がわせる(来ラレル)と、家内は凍(し)みー(氷ト掛ケル)になるわいの」〈近松・重井筒上〉。「木綿の—」〈不審紙二〉

こぼ・れ【壊れ・溢れ】【下二】《コボチ(毀)と同根》①(音を立てて)壊れる。「小墾田(をはりだ)の板田の橋の—・れなば桁(けた)より行かむな恋ひそ我妹(わぎも)」〈万二六四四〉 ②(音を立てて)流れ落ちる。「その石の上に走りかかる水は、小柑子・栗の大きさにて—・れ落つ」〈伊勢八七〉 ③(とめようとしても)ぽろぽろ落ちる。「忍ぶれど涙—・れそめぬれば」〈源氏帚木〉 ④(表情・性質などが)あふれ出る。「愛敬—・るるやうにて」〈源氏紅葉賀〉

—ざいはひ ザイ ワイ【零れ幸ひ】思ひ掛けない幸福。「思ひよらずの—」〈俳・鷹筑波三〉。〈日葡〉

—づき【零れ月】①出産予定の月。臨月。「武具(もののぐ)の御腹につまる—」〈雑俳・万石船〉 ②〔俳諧用語〕連句で、定座より引き下げて詠んだ月の句。「此処(八句目)にて月〔ノ句〕をするも有り。—と言ふなり」〈男重宝記三〉 →こぼし㊀(3)

こほろぎ コオ ロギ【蟋蟀】秋鳴く虫の総称。「夕月夜心もしのに白露の置くこの庭に—鳴くも」〈万一五五二〉 ▽古くはいまのコオロギのほかキリギリス・マツムシ・スズムシなどすべていったらしい。中国でも古く、秋に鳴く虫を「蟋蟀」と総称したという。 †*kōFōrögi

—ずね【蟋蟀脛】細長い脛。「『腰こそは細けれ』『蟻(あり)腰で候ふもの』『すねが細う長いは』『—で候へば』」〈虎明本狂言・今参〉

こぼん【小本】洒落(しゃれ)本の異称。半紙四つ切りの大きさの本なのでいう。「山東京伝…—・臭草紙(くさざうし)ともに滑稽洒落第一の作者と称せられたり」〈近世物之本江戸作者部類一〉

こま【駒】《コウマ(子馬)の約》①子馬。また、馬。「馬ならば日向(ひむか)の—」〈紀歌謡一〇三〉。「いづれの牛にか犢(こうし)無き。いづれの馬にか—無き」〈今昔一〇ノ九〉。「駒、古馬(こま)、馬子也」〈和名抄〉 ▽コマがウマと同義になってからは、歌語として使われることが多い。②特に、牡馬。「バビロニヤの国に—がいばへば、必ずこの国の雑役(ざふやく=牝馬)がはらむ事がある」〈天草本伊曾保〉 ③将棋で、盤の上に並べて、勝負をするに用いる具。「中将棋の盤の上…—の足並み入り乱れて」〈伽・鴉鷺合戦物語〉 ④三味線の胴と絃との間にはさんで絃をささえるもの。「三味線の—」

こま【木間】木と木との間。このま。樹間。「うちなびく春ともしるく鶯は植木の—を鳴き渡らなむ」〈万四四九五〉 †kōma

こま【高麗】①西暦紀元前後から七世紀頃まで、鴨緑江を中心にして朝鮮北半から満州の大部分にわたって栄えていた高句麗のこと。この中の古馬(こま)・古満(こま)という小国の名が、やがて国名の代りとして用いられたものという。この高句麗から伝わった音楽や剣などを、高句麗滅亡の後も、高麗楽・高麗剣などと伝える。「—・百済二つの国の王、新羅の図籍を収めて日本国に降(まう)りぬ」〈紀神功摂政前〉 ②高句麗滅亡の後、その東北部に国を建てた渤海国のこと。日本では同じく高麗(こま)と呼んだので、渤海側でも高麗の名で日本と修交した。源氏物語などの高麗はこれであるという。「宝亀八年、—国、使を遣して聘を修む」〈文徳実録嘉祥三・五・五〉 ③「高麗の楽」の略。「—の乱声(らんじやう)」〈源氏若菜上〉 †*koma

ごま【護摩】①〔仏〕《梵語の音訳。焚焼・火祭の意》密教で、不動明王などを本尊とし、その前に火炉を据えた壇を設けて護摩木を焚き、供養物を捧げ、息災・増益・降伏などを祈願する修法。智慧の火でまよいの薪(たきぎ)を焼く意をあらわす。「—をぞ行なはせたまふ」〈栄花鳥辺野〉。「御祈りして脳(なづき)を—の火に入れたりなど申し伝へたり」〈愚管抄三〉 ②「護摩の灰」に同じ。「こいつらは—じゃな」〈伎・日高川入相花王三〉

ごまいかぶと【五枚兜】錏(しころ)の札(さね)が五枚ある兜。

「—の緒を締め」〈平家四・橋合戦〉

こまいぬ【狛犬】《高麗(こま)犬の意》 神社の拝殿の左右に置いた獅子形の像。内裏の几帳の鎮子(ちんず)にも用いた。威儀を整えるための装飾で、魔除けを兼ねる。「御しつらひ、獅子・—など、いつのほどにか入りゐけんとぞをかしき」〈枕二七八〉

こまうど【高麗人】《コマビトの音便形》 高麗の人。また、高麗からの移住民。「石川の—に帯をとられてからき悔する」〈催馬楽石川〉。「—の奉れりける綾・緋金錦(ひごんき)」〈源氏梅枝〉

こまか【細か】《コマ(細)とカ(見える印象)の複合語。非常に小さな粒が、そろって、すき間なく集まっているさま》 ①粉状であるさま。「—なる灰の、目鼻に入りて」〈源氏真木柱〉 ②形が小粒なさま。「いと赤き瘡(かさ)の—なる、出で来て」〈栄花浦浦別〉。「ねずもちの木…葉のいみじう—に小さきがをかしきなり」〈枕四〇〉。「—なるもの(小字ノ本)を見るに、遣戸(やりど)は蔀(しとみ)のまよりも明し」〈徒然五五〉 ③細部にまで及んで落ちのないさま。委細。「暗ければ—には見えねど」〈源氏少女〉 ④小さい所にまで心づかいあるさま。「子ある仲なりければ、—にこそあらねど、時時もの言ひおこせけり」〈伊勢九四〉。「道徳淳(まこ)かに、あきらかなるものは、師子の座に推して王たらしめ」〈大唐西域記五・長寛点〉 ⑤精巧なさま。「阿彌陀仏、脇士の菩薩、おのおの白檀して作り奉りたる—にうつくしげなり」〈源氏鈴虫〉

こまか・し【細かし】『形シク』 ①こまごましている。詳しい。「慇懃(いんぎん)に謹んで、—・しい事をばせぬぞ」〈玉塵抄四四〉 ②勘定高い。しわい。「腰元衆にも、ぼろ綿むしらせ、賃仕事がな為させられう、—・しい奥様でないかいな」〈近松・日本武尊三〉

こまがた【駒形】 舞楽曲の一。「騎射(むまゆみ)果てて舎人(とねり)ども—つきて舞ひあそぶ」〈宇津保祭使〉

こまがね【細金・細銀】 小粒の銀貨。小粒銀。小玉銀。「—五貫六百目」〈島津家文書三、慶長七・三・二九〉

こまがへ・り（ガエリ）『四段』 若返る。「やまめ人の、ひきたがへ、—・るやうもありかし」〈源氏玉鬘〉

こまくら【小枕】 ①木枕の上にのせる細長いくくり枕。「尻に—をさせて」〈咄・昨日は今日上〉 ②女の髻(まげ)の根元に入れる、木・紙などで作った台。「当世流行る象牙・花櫚(くわりん)の—入れて〔髪ヲ結イ〕」〈万葉歌集〉

こまくら【木枕】《コはキ(木)の古形》 木の枕。上代は黄楊(つげ)などで作った。「妹に恋ひわが泣く涙敷栲(しきたへ)の—通り袖さへ濡れぬ」〈万二五四九〉 †kömakura

こまけ【細け】 小さく分けること。小さく仕切ること。「女房の曹司町どもあてあての—ぞ、大方の事よりもめでたかりける」〈源氏少女〉

こまけ・し【細けし】『形シク』 粒子が小さく、そろっていて、すき間が無い。「質(すがた)堅く密(きび)しく理(こま)けし」〈大唐西域記四・長寛点〉。「壌、古万介志(こまけし)」〈新撰字鏡〉 †*komakësi

こまごと【細言・細事】 こまごました、くだらぬ事。また、ぶつぶつ言う言葉。「何—を吐かずとも、はや立ち去れと罵(のの)しって」〈浄・伏見常盤一〉。〈日葡〉

こまごま【細細】 ①こまかいさま。「藁を—と切りて」〈宇治拾遺三七〉 ②くわしいさま。「え戦ひとめずなりぬる事、—と奏す」〈竹取〉 ③行きとどいて精巧なさま。「髪の裾の、をかしげさなどは、—とあてなり」〈源氏東屋〉

こまごま・し【細細し】『形シク』 非常に細かい。「姫君に—・しく仕へ給ひし女房たち十二人」〈伽・七夕之本地〉

こまさ・き【細裂き】『四段』 こまかに切り裂く。「角や玉やなどを、衣類を裁つ如く切り—・いて」〈大学抄〉

こまさく・れ『下二』 ①子どものくせに、こざかしく、さしでがましい言動をする。「さあるに、この童子は—・れてするぞ」〈論語抄憲問〉 ②分を越えて生意気にふるまう。「駿河(遊女ノ名)…賢い人也。ちと—・れた風儀、嫌な所あり」〈評判・朱雀信夫摺下〉

こまざらひ（ザライ）【細攫・細杷・鑁】 農具の一。歯の細かいさらい。土塊をかきならし、また、落葉・木屑などをかき集めるに用いる。「こまざらへ」とも。「田を平らになすものぞ。—のやうなものでぞあるらうぞ」〈漢書竺桃抄〉

こましゃく・れ『下二』「こまさくれ」の転。「童(わらべ)まで見るもや—・れ(暮ト掛ケル)の月」〈俳・弁説集三〉。「利発第一なれども—・れず」〈評判・高屏風上〉

こます【小枡】 小さい枡。「器量は—ほどぞ」〈論語抄子路〉

こま・せ『下二』《近世後期は四段に活用。動詞の連用形に「て」を介して接続。自己の決意を示す》…してやる。「思ふさまして—・せん」〈浮・好色床談義四〉

こまた【小股】《コは接頭語》 股。「水の底をくぐり、敵の—を取って、深みへ引き入れ」〈浄・今川物語五〉 **—取っても勝つが本(ほん)** どんな手段によってでも、勝つのがよい、の意。〈人倫重宝記二〉 **—の切れ上がった** 女の股が長く、すらりとして、いきなさまの形容。「十八九の女の裸参り、身体の白きこと雪の如く、小股の切れ上がったる」〈咄・寿々波羅井〉

こまだうぐ（ドウグ）【小間道具・細道具】「小間物」に同じ。「いや、是には—、鏡、紅(べに)、白粉(おしろい)」〈虎明本狂言・磁石〉

こまだ・ち【濃だち】『四段』 地味がこまかで農作に適する。「大地沃(うる)ひ壌(こま)だてらむ」〈金光明最勝王経平安初期点〉 †komadati

こまちをどり【小町踊】 近世前期、七夕・七月十五日の昼、京都の少女たちが行なった盆踊。襷(たすき)をかけ鉢巻をし、太鼓を手ごとに叩き、日傘を差し掛け、輪舞しながら町町を練り歩いた。後には、子供の盆踊の意にも用いた。七夕踊。「百とせの姥らも—哉」〈俳・犬子集五〉

こまづ・け『下二』 てなづける。懐柔する。「その処の民どもを—・け、たらして養ふぞ」〈周易抄四〉

こまつぶり【独楽】《ツブリは「円」の意》 おもちゃのこま。「この殿は—に斑濃(むらご)＝濃イ薄イノマダラ)の緒(を)つけてたてまつり給へり」〈大鏡伊尹〉。「独楽、コマツブリ」〈色葉字類抄〉

こまつるぎ【高麗剣】〔枕詞〕《高麗風の剣の意》 剣の柄頭に輪(わ)があるので、同音をもつ地名「和蹔(わざみ)」にかかり、刃をナというので同音から「己(な)」にかかる。「—和蹔が原の」〈万一九九〉。「—己が心から」〈万二九八三〉 †*komaturugi

こまどり【小間取り・細取り・駒取り】 ①人数を左右に分けて勝負事などする時に、一方を一・三・五・七、他方を二・四・六・八というように、一座の人を交互にぬき取って分けることという。「〔韻フタギノ競技デ〕左右に—にかた分かせたまへり」〈源氏賢木〉 ②子供の遊戯の一。子捕(こと)ろ子捕ろ。「ただ童(わらべ)の—するが如く、順に並んで支へたれば」〈荒山合戦記〉

こまなこ【小眼】 ①ひとみ。「瞳、コマナコ」〈易林本節用集〉 ②物のまん中。中心。「城の—へ盗人に入って」〈周易抄〉。「的、コマナコ」〈文明本節用集〉

こまにしき【高麗錦】 高麗・朝鮮でつくられた錦。また、高麗・朝鮮風の錦。一説「ひも」にかかる枕詞。「—紐(ひも)に

縫ひつけ」〈万三七九一〉 †*komanisiki

こまぬ・き【拱き】『四段』 腕組みをする。「ー・きてすこしうつぶしたるやうにてゐられたり」〈宇治拾遺七八〉。「拱、コマヌク・タムダク」〈名義抄〉

こまのがく【高麗の楽】 高麗の国から伝来した音楽。右楽。「右のつかさーしてた、それを基にして作られた音楽。また、それを基にして作られた音楽。「右のつかさーしてののしる」〈源氏若菜上〉 ↓唐楽(たうがく)

こまのかみ【高麗の紙】 高麗から舶来の紙。「唐(から)の紙のいとすくみたるに…ーの肌こまかになごうなつかしきが」〈源氏梅枝〉

ごまのごふゴ:ウ【護摩の業】《「降摩の業」「降魔の業」とも表記》 ①心が曲がっていること。邪心。「ーを沸かす今宵は、八幡、油虫にさへ、うとまれたは」〈いとなみ六方〉。「心の邪(よこしま)なる事をーと云ふ」〈齊東俗談四〉 ②つまらぬことを気にかけること。また、その人。御幣(ごへい)かつぎ。「ごまのごとも。「祝ひ日はーなり家家に」〈俳・諸国独吟集下〉。「憂へ顔は…正月や五節句にーならずと、心ようはあるまい」〈評判・役者評判蚰蜒〉

こまのつめ【駒の爪】「うまげた」に同じ。「ーと云ふ木履(ぼくり)を、今は馬下駄と云ふ。賤しき〔言葉デアル〕と古老の申されしなり」〈俳・蠅打五〉

ごまのはひハ:イ【護摩の灰】 道中で旅人を欺いたり威したりして、その財物を掠め取る盗賊。高野聖(ひじり)の扮装で弘法大師の護摩の灰と称して押売りしたことから始まるという。「今時はやるーにだまされ給ふな」〈浄・当麻中将姫三〉。「この悪党等ーとて、住所なき奸盗なり」〈鸚鵡籠中記元祿一五・八・二三〉

こまひマ:イ【小舞】 ①小謡(こうたひ)の地で舞う短い舞。酒宴などの時、余興に舞ったりする。「この間(どは)ーを稽古したを舞うて見せたけれども」〈虎明本狂言・樋の酒〉 ②能の仕舞と同様、狂言方が狂言中の小舞を独立させて舞うこと。「一役にて所望の時は、狂言は語り、立てばー」〈わらんべ草二〉

こまひマ:イ【木舞・棍】 ①軒の垂木(たるき)に渡す細長い材。のじ。「古麻比(こまひ)十八枝」〈正倉院文書天平宝字六・一・三〇〉。「果(はて)には、たる木・ーを割り焼(た)きつ」〈宇治拾遺一八九〉。「木舞、コマヒ」〈伊呂波字類抄〉 ②壁の下地に組み渡す竹骨。「壁ーとは思ひながら」〈評判・吉原こまざらい〉。〈日葡〉 †komaFi

こまひき【駒牽・駒率】 ①毎年八月十五日(後には十六日)、諸国の牧場から献上した馬を天皇が御覧になる行事。「八月十五日にもなりぬ。今日はーとて左馬寮の使、国国の御牧の駒を奉る」〈保元上・後白河院御即位〉。「十六日、内裏の当番なり。ー見んとて、夜に入りて参りたれば」〈春のみやまぢ〉 ②毎年四月、馬寮(うめれ)などの馬を天皇が武徳殿で御覧になる行事。「四月には…ー」〈太平記三四・朝儀年中行事〉 ③「駒引銭」の略。「なめし革の巾着にーの根付けを下げ」〈西鶴・男色大鑑五〉 **ーぜに**【駒引銭・駒牽銭】 人が馬を引く絵様を鋳出した銭で、金の増えるまじないなどに用いられた。「駒引」「駒銭」とも。「月〔ノ陰影ハ〕今宵ーの姿かな」〈俳・山の井五〉

こまひと【肥人】 九州玖磨(くま)地方の人。木綿(ゆふ)で結髪する習慣を持っていたという。「ーの額髪(ぬかがみ)結(ゆ)へる染木綿(しめゆふ)の染(し)みにし心われ忘れめや」〈万二四九六〉 ▽「肥」の字はコマカ・コマヤカなどの古訓を持つのでコマと訓じる。また、音韻上コとクとは通じやすいので、それが玖磨地方の人にあてられたと見られる。 †komaFitö

こまぶえ【高麗笛・狛笛・篇】 もと、高麗(こま)から伝来した笛。主として高麗楽に用いられ、東遊(あずまあそび)にも用いられる。長さ一尺二寸、孔は六個。造りは横笛と同じであるが、横笛より細くて短い。「いみじきーなり」〈源氏若菜下〉

こまへマ:エ【小前】 ①規模の小さいこと。「能の習(ならひ)を聞きはつる者は、必ず仕舞(しまひ)ぎくつきて、ーにて、子細(しさい)らしく見ゆ」〈舞正語磨下〉 ②特に、経営規模の小さいこと。また、その商人。「大分の売掛かり、数年不埒(ふらち)になりて、…自らーになりぬ」〈西鶴・永代蔵二〉

こまむかへム:カヘ【駒迎へ】 毎年八月、東国の牧から献上する馬を役人が近江の逢坂(あふさか)まで出迎えた行事。「八月逢坂の関に駒迎ふる人あり。武蔵野のーにや関山の峡(かひ)うち越えて今日は来つらむ」〈源順集〉

ごまめ【鱓・小鰯】 小さな片口鰯(かたくちいわし)を素干しにしたもの。祝賀の料理に用いる。田作り。小殿原(ことのばら)。「簾干(すばし)の小鰯、世にこれをー、または、小殿原と云ふ」〈俳・毛吹草四〉。〈易林本節用集〉

こまもの【小間物・細物】 目貫・小刀や化粧品、硯・筆・墨など、雑多な細細した品物。「或は色色のーなどを振売りにさせ」〈仮・為愚癡物語五〉 **ーみせ**【小間物店・小間物見世】 小間物を商う店。小間物屋。「四条五条の辻にーとて」〈仮・清水物語上〉 **ー見世出(だい)・す** 反吐(へど)をはく。後には略して「小間物見世」とも。「庭にはー・し」〈浮・色里徒然草〉

こまもろこしのがく【高麗唐土の楽】 高麗楽や唐楽(たうがく)の外来音楽。「ことごとしきーよりも、東遊(あづまあそび)の耳馴れたるは、なつかしくおもしろく」〈源氏若菜下〉

こまやか【細やか・濃やか】 ①きめがこまかいさま。「地を皆沃(そそ)ひ壌(こま)やかにあらしめむ」〈金光明最勝王経平安初期点〉。「世尊の首の髪は…細(こまやか)に軟らかに」〈彌勒上生経賛平安初期点〉。「身なり肌つきのーに、うつくしげなるに」〈源氏胡蝶〉 ②こまかく神経をつかっているさま。「御手(字ハ)ーにはあらねど、らうらうじう(巧ミデ)」〈源氏賢木〉 ③精巧なさま。「ーに、をかしきさまなる櫛・扇多くして」〈源氏夕顔〉 ④細部にまで及んで落ちがないさま。「いとーに有様を問はせ給ふ」〈源氏桐壺〉 ⑤色が濃いさま。「硯取り寄せて墨ーに押しすりて」〈枕一八四〉。「濃、コマヤカ二」〈色葉字類抄〉 †komayaka

こまよせ【駒寄せ】 人馬の侵入を防ぐために、城塞の前などに設けた柵。または、人家の前に作った低い垣。「二条の城のーに縛り付けて」〈三河物語下〉

こ・み『四段』《コウミの約》 ①【子産み】 子をうむ。「大宮の西の小路(こむぢ)に漢女(あやめ)ー・むだり」〈催馬楽大宮〉 ②【卵産み】 卵をうむ。「やまとの国に雁ー・むと聞くや」〈記歌謡七一〉 †komi

こ・み【込み・籠み】 ㊀『四段』 ①《平安仮名文では複合動詞の中に使われることが多い》 狭い所にすきまもなく詰まる。集中する。「さわがしく人まうでー・みてののしる」〈源氏玉鬘〉 ②入り組む。細部に及ぶ。「隅から隅まで、手のー・うだ良い普請ぢゃ」〈虎寛本狂言・子盗人〉 ③突っ込む。突き刺す。「長刀を取り直して、頬当のはづれ、内甲(うちかぶと)へ、すきまに当れとー・うだりけり」〈明徳記上〉 ④攻め込む。押し入る。「先陣は大庭にー・み入って」〈義経記六〉。「二陣またー・み上がるに力を得、宝来衆またー・み返す」〈明応六年記〉。「命を塵芥に軽んじて、責め入り、ー・み崩し、焼き払ひ」〈本福寺跡書〉 ⑤承知する。呑み込む。「ヲット皆まで言はんすな。ー・んでゐる」〈滑・浮世風呂四中〉 ㊁『名』 ①《「木密」「木蜜」とも書く》 庭の植込み。「蔭涼〔軒ノ〕泉水庭頭のー木を改め栽えらるる也」〈蔭涼軒日録長祿三・二・二六〉 ②生花で、花瓶の詰にする藁の細片。「飾藁(かざり)や―にして立つ花の春」〈俳・鶉集二〉 ③《「小身」とも書く》「中子(なかご)」(3)に同じ。「腰物などの中子を―と云ふ」〈志不可起五〉

こ・み【浸み】『四段』水浸しになる。「この田は…―・み易し」〈紀安閑元年〉

ごみ ①水たまりの沈殿物。泥の類。「水田(みづた)の―深かりける畔(ろく)の上に」〈平家九・越中前司最期〉。「水の底の―をどろと名づく、如何」〈名語記三〉。「―に酔うた魚」〈中興禅林風月集抄〉。「澇・潦、ゴミ」〈文明本節用集〉 ②ほこり。ちり。「―ほこり葦火を風の吹きはらひ」〈俳・犬子集一六〉。「むしろの―を払ふ家家」〈俳・寛永十三年熱田万句三〇〉。「流塵、ゴミ」〈書言字考〉

ごみ【五味】酸・苦・甘・辛・鹹(かん)の五種の味。「点心百種、―の魚鳥、甘酸辛苦の菓子(くだもの)」〈太平記三三・公家武家〉

こみかき【込書き】字をびっしり詰めて書くこと。「字を多く―にしてあれば、鴉の群がるに似る也」〈金玉和襟集〉

こみかど【小御門】「小門(こもん)」の尊敬語。「『―より出でん』と仰せごと候ひつれば」〈宇治拾遺三七〉

こみじか・し【小短し】『形ク』手短かである。簡単だ。てっとり早い。「波の濡れ衣―・う着る」〈俳・両吟一日千句〉

こみせ【小見世】①小さな店。小規模な店。「女二人は堀川表―に上がって障子蹴破り」〈近松・堀川波鼓下〉 ②吉原遊廓で、大籬(おおまがき)・半籬(はんまがき)についで三等の格の遊女屋。上り口の格子(籬)の作りも低い。「大見世・―・交り見世」〈淫女皮肉論〉

こみち【小道】金銭的に細かいこと。小心倹約なこと。「帰りさまに塩買うて行くなど、こんな―なところを見ては、一日もなかなか暮さるるところとは思はれず」〈西鶴・置土産三〉

こみづ ①《「おほやう」の対。室町時代はコミツと清音にも》こまかいこと。こせこせすること。「せちべんに、―に巨細(こさい)に立ち入り、賤しう人を悩まし、欲心深うして、人をむさぼる者なり」〈玉塵抄四六〉 ②《「すみづ(角水)」との混合か》⑦物事を細かに吟味だてして非難すること。とがめだて。「何でも―突く者ではあるわいの」〈伎・菊水由来染口明〉 ⑧非難されるような落度・欠点。「恥面かかして金取るが、こっちの―じゃわいやい」〈伎・二月堂暁鐘大序〉

こみづ【濃水・漿】おもゆ。「漿、古美豆(こみづ)」〈華厳音義私記〉。「饊、古水(こみ)」〈新撰字鏡〉 †komidu

こみつ・け【込み付け】『下二』やっつける。やりこめる。「重ねて出でぬやうに―・けたきものにこそあれ」〈室町殿日記一〇〉

こみみ【小耳】①耳の前にある起肉部の称。「左の―の根へ篦中(のなか)ばかり射こまれたれば」〈古活字本保元中・白河殿攻め落す〉。「耳の前に起肉あり。是を―と云ふ」〈医学至要鈔下〉 ②耳または耳に関する動作を、へりくだっていう語。「世の中の取沙汰―に挟み」〈鳥の歌合〉

こみや【込矢】多くの矢を射込むこと。また、その矢。「雨の降るごとく―をぞ射たりける」〈太平記一四・矢矧鷺坂〉

こむすこ【小息子】年少の親がかりの息子。「―と同じ年なる男して」〈俳・犬子集一一〉

こむぢ【小路】《コミチの転》幅のせまい道。こうじ。「大宮の西の―に」〈催馬楽大宮〉

ごむにち【五墓日】陰陽道で、万物がすべて土に帰するという悪い日。「来る二十日御進発也。件(くだん)の日―と云へども、〔進発ノ〕前例多く存する由」〈長秋記長承三・一〇・一六〉

こむやくし・い【小無益しい】『形』馬鹿馬鹿しい。無駄である。つまらない。「―・い、あた分(ぶ)の悪い、これゃ御無用にあそばせ」〈近松・夕霧中〉

こむよ【来む世】死後、次に生を受ける世。「のちのよ」「らいせ」とも。「現世(このよ)には人言繁し―にも逢はむわが背子今ならずとも」〈万五四一〉 †kömuyö

こむら【腓】①手足のふくらんだ部分。「手(た)―に虻(あむ)かき着き」〈記歌謡九七〉 ②特に、すねのうしろのふくらんだ部分。ふくらはぎ。こぶら。「腓、古無良(こむら)、脚腓也」〈和名抄〉 †komura

こむらど【紺村濃】「こんむらご」に同じ。「―の直垂に、赤皮をどしの鎧着て」〈平家九・一二之懸〉

こむろぶし【小室節】近世初期、常陸国小室の遊女町から起ったという馬方節。万治・寛文の頃から流行。宿(しゅく)入りのときに唄い、また、吉原通いにも唄われた。「―の『江戸衆になれそ』と云ふを」〈俳・貝おほひ〉

こめ【米】①もみをとりさった稲の実。「岩の上に小猿―焼く」〈紀歌謡一〇七〉 ②稲。「日のちりちりに野に―を刈る」〈俳・冬の日〉 †köme

こめ【縠】薄くて目のこまかい絹織物の一種。今の紗(しゃ)の類。また、縮(ちぢみ)の類ともいう。もとは織目の一。「薄色の―の裳」〈落窪三〉。「縠、古女(こめ)、其形縐縠視レ之如レ粟也」〈和名抄〉

こめ【小目】苦しい目。つらい目。「明け暮れ―を見せ給ひつる事はいかに」〈保元中・白河殿攻め落す〉

こ・め【込め・籠め】『下二』《コミ(込)の他動詞形》①深くしまう。つつむ。「貌(かほ)が花な咲き出でそね―・めて偲はむ」〈万三五七五東歌〉 ②狭い所に入れて出られぬようにする。「蔵に―・めて、しをり給うければ」〈伊勢六五〉 ③参籠させる。「春日にこもりたりと披露して、代願を―・めて」〈問はず語り一〉 ④あたりをすっかりおおう。いっぱいになる。「霞―・めたる眺めのたどたどしさ」〈十六夜日記〉 ⑤十分に含ませる。入念にほどこす。「救済は…風情を―・めて連歌を作ることは無し」〈十問最秘抄〉 †köme

ごめ『接尾』《込メの意》名詞に付いて、…もろとも、…ごとそっくり、…ぐるみの意を表わす。「根―」「御髪(みぐし)―」「むくろ―」など。「わが屋戸の花橘を花―に珠にそ吾(あ)が貫(ぬ)く待たば苦しみ」〈万三九九八〉 †göme

ごめい【五明】扇の異名。「北の小庭に於て、小格勤等を召し出し、相撲の勝負を決せらる。…―を以て勝の輩に賜はる」〈吾妻鏡安貞二・六・二八〉。〈文明本節用集〉

こめいち【米市】近世、江戸・大阪を始め主要都市にあった、米穀の相場を立てて売買取引した市場。正米(しょうまい)・帳合米(ちょうあいまい)などの取引方法があった。「―の人立ちもなくて」〈西鶴・一代女五〉

ごめう【五妙】①〔仏〕色・声・香・味・触の五境の妙なるもの。「―境界楽とは、…見る所、聞く所、解脱の職ならざることなし。香・味・触の境も亦かくの如し」〈往生要集二〉 ②雅楽の五音、宮・商・角・徴・羽のこと。「四種の甘露をなめ、―の音楽を聞くに」〈栄花もとのしづく〉

こめか・し【子めかし】『形シク』《コメキの形容詞形》子供っぽい。あどけない。おっとりしている。「君は、姫君の御返事いと目安く―・しきを、をかしく見給ふ」〈源氏橋姫〉

こめかみ【米嚙】比丘尼(びくに)の弟子。小比丘尼。「〔比丘尼〕清林が連れし―」〈西鶴・一代男三〉

こめかみ【顳顬】耳の横の、物を嚙むと動く部分。「蟀谷、古米加美(こめかみ)」〈和名抄〉

こめ・き【子めき】『四段』子供っぽい様子である。主に若い女にいう。「ただひたぶるに―・きてやはらかならむ人を」〈源

氏帚木〉

こめさし【米刺・米差】先を片削ぎにした竹筒。米俵に差し込んで中の米を取り出し、その質を検査するに用いる。「―指して袂(たもと)に大豆を入れ」〈西鶴・諸艶大鑑三〉

こめぼね【籠骨】扇の骨数が普通より多いもの。「常の扇には骨が十本有り、―には骨を十六本なりとも十八本なりとも、骨の数をこめたを―と言ふ」〈虎明本狂言・目近籠骨〉

こめらう【小女郎】小娘。「年十七八とおぼしき―が」〈伽・高野物語〉

こめろ【小女郎】「こめらう」の転。「―、故郷の垢(あか)も自然(じねん)に落ちて」〈西鶴・諸艶大鑑一〉

ごめん【御免】①《免許の意の尊敬語》御許可。「公家(くげ)より―なし」〈保元下・大相国御上洛〉②《許容の意の尊敬語》御容赦。「修行者―候へ」〈義経記三〉③「御免革」の略。「笠袋のこしらへやう…装束革は菖蒲革・―なるべし」〈宗五大双紙〉 **―かご**【御免駕籠】近世、幕府から特に使用を許された自家用の駕籠。「―乗手も今は我がかく」〈雑俳・ちゑぶくろ〉 **―がは**【御免革】《略して「御免」とも》柿色・赤黒色のなめし革に白く模様を染め出したもの。「〔傘袋ノ〕上の方は黒革・菖蒲横革…―にて重ねをして」〈鎌倉年中行事〉 **―なれ**《御免アレの転》お許し下さい。「法理の上なればこそ打ち申したれ、―」〈碧岩抄八〉 **―ひつ**【御免筆】御家流の書法の奥義を、青蓮院門跡から免許された者。「踏み馬の年の吉書や―」〈俳・難波草一〉

こも【菰・薦】①イネ科の草の一種。浅い水中に群生。その芽を食用とする。まこも。「三島江の玉江の―を標(し)めしより」〈万三四八〉②敷物の一。あらく織った蓆(むしろ)。もと「こも」(1)で編んだという。「ひとり寝(ぬ)と―朽ちめやも綾席(あやむしろ)緒になるまでに君をし待たむ」〈万二五三八〉「薦、コモ・ムシロ」〈名義抄〉 †kömö **―を被(かぶ)る** 良民がおちぶれて乞食になる。「身代残らずうち込み、―るより外はなし」〈西鶴・諸艶大鑑五〉→薦被り(2)

こもがい【熊川】《朝鮮語で kom は「熊」、kai は「川」の意。近世前期は「こもがへ」とも表記》朝鮮慶尚南道熊川産の茶碗。縁はそって、高台(こうだい)が大きく、白土に鼠・薄浅黄色の釉(うわぐすり)をかけたもの。茶道で珍重した。「粉引・―などの茶碗」〈浮・好色敗毒散四〉

こもかぶり【薦被り・菰冠り】①薦で包んだ四斗入りの酒樽。「樽を見て―と云ふに付き」〈評判・役者略請状大坂〉②《薦をかぶっていたところから》良民のおちぶれてなった乞食。非人頭の支配に属していない。野非人(のびにん)。「江戸に俵・筵(むしろ)を身に巻き候―数知れず」〈榎本氏覚書〉

ごもく【芥・五木・五目】ごみ。あくた。また特に、川・池などの水面に浮かんでいるごみをいうこともあった。「ごもくた」とも。「溝の―どもを取り除けて、蓮池へ水を入るるぞ」〈山谷詩抄三〉。〈日葡〉

こもごも【交交】《「此も此も」の意。室町時代までコモコモと清音》たがいに。「一者更(こもこも)相ひ親(うる)はしび穆(む)びて」〈金光明最勝王経平安初期点〉。「交、コモコモ」〈名義抄〉 ▽漢文訓読系で使う語。

こもそう【虚無僧・薦僧】《コモゾウ・コムソウとも》普化(ふけ)宗の有髪の僧。深編笠をかぶり、絹布の小袖に丸絎(ぐけ)の帯をしめ、袈裟を掛け、刀を帯び、尺八を吹き、門付けして行脚する者。こも。「ぼろぼろ」「ぼろんじ」とも。「―の一曲やさしく聞ゆるにや」〈三十二番職人歌合〉。「普化僧、コモゾウ」〈天正十八年本節用集〉 **―あみがさ**【虚無僧編笠】虚無僧のかぶる藺製の深編笠。近世前期は摺鉢形の熊谷笠であったが、宝暦頃から深い円筒形となった。虚無笠。虚無僧笠。「ぱっぱの大小落し差し、―深く」〈西鶴・一代男四〉

こもだたみ【薦畳】〔枕詞〕薦でつくった畳を一重二重と数えることから、「重(へ)」と同音をもつ「平群(へぐり)」にかかる。「―平群の朝臣(あそ)が」〈万三八四三〉 †kömödatami

こもだれ【薦垂れ】出入り口に薦を垂れ下げた、貧しくみすぼらしい家。「幔幕(まんまく)ならぬ―に、夜寒(よさむ)の床、明かしかねつつ」〈伽・福富長者物語〉

こもち【子持】①子をもっていること。また、その女。「―の君も月頃ものをのみ思ひしづみて」〈源氏澪標〉②自分の妻の称。「―の恨みさもあらばあれ／一筋に出家になれる我が心」〈俳・寛永十三年熱田万句六〉 **―すぢ**【子持筋】太い線と細い線とを並行させた模様。めでたい衣裳に用いる。「太き細き並ぶや竹の―」〈俳・続山の井三〉 **―ぶな**【子持鮒】春の季節に、腹に子のある鮒。「新籠(にひごも)る藻に産み下す―」〈俳・鸚鵡集三〉 **―むしろ**【子持筵】母親が子に添寝する時用いる筵。「〔濡レタ〕―を引き捨つる朝」〈俳・紅梅千句〉

ごもち【御物】「ごもつ」(1)に同じ。「ただ今―を時きかけて候へば」〈著聞五二七〉

こもちづき【小望月】八月十四日の月。子持月。「十四日の月をば―といひ、十五日のをば望月といふなり」〈伽・小式部〉

ごもつ【御物】①貴人の所有する品。「洪水殊に甚だしく、…已に御倉に及び、―頗る以て湿損す」〈中右記長治二・五・一四〉②武家などで、主君の寵愛を受ける少年。「―の顔の色ぞ悪(わる)かる」〈俳・正章千句下〉 **―あがり**【御物上り】「御物」(2)出身の侍。御物立ち。「身上(しんしやう)の増すこそ〔道理〕―なれ」〈俳・玉海集追加六〉 **―づくり**【御物作】貴人の所用にふさわしい刀剣の作り。縁・頭・目貫・鍔などすべてを金無垢で作るもの。「御物ごしらへ」とも。「御腰の物一腰、小鍛冶―。御太刀一腰、宗近―」〈飯尾肥前守之種宅御成記寛正七・二・二五〉

こもづの【菰角】マコモの根の上に生ずる竹の子のような芽。食用にする。こものこ。「菰首、古毛布豆呂、一云、古毛豆乃(こもづの)」〈和名抄〉

こもと【根本】根元。また、本家。「枝川や―は一つ梅の雨」〈俳・小町踊三〉

こもの ❶【小者】①小柄な人。また、年少者。「己れ程の―と組んで勝負はすまじきぞとて」〈太平記九・六波羅攻〉②武家・寺院などで、雑役に使われる奉公人。「殿ばら・小姓・同朋(どうぼう)、その外、―・中間(ちゆうげん)にいたるまで」〈伽・猿源氏草紙〉。「万石以上の〔武家ノ〕下部(しもべ)を小人(こびと)と云ふ。それより以下の家にては―と云ふ」〈武用弁略三〉③町家奉公の小僧・丁稚(でつち)。「誰が―ぞと問へど答へず」〈俳・宗因千句上〉 ❷【小物】小さな物。こまかな物。「那須の太郎助宗が子に十郎兄弟こそかやうの―はさかしく仕り候へ」〈盛衰記四二〉

こもの【籠物】（果物を）かごに入れたもの。献上や儀式の際は、これを木の枝に結びつける。「―四十枝(よそえだ)、折櫃物(をりびつもの)四十(よそぢ)」〈源氏若菜上〉

こものこ【薦の子】「こもづの」に同じ。「たたみめに―を〔酒ノ〕さかなにしたりけるを見て」〈著聞六三二〉

こもまくら【薦枕】①こもでつくった枕。旅寝に使うことが多い。「―相枕(ま)きし児もあらばこそ」〈万一四一四〉。「夜夜の泊りには泊りごとに―を結びて旅人の眠りをたすく」〈海道記〉②〔枕詞〕ふつうの枕より高いことから「たか」の音をもつ地名・神名、また「宝」にかけ、薦を刈って作るので「刈り」と同音の「仮り」にかける。「—高橋すぎ」〈紀歌謡九四〉。「—高御産栖日(たかみむすひの)神」〈三代実録元慶三・六・八〉。「—宝ある国」〈播磨風土記逸文〉。「—かりの旅寝に」〈後拾遺一一四五〉 †kömömakura

こもやかた【菰屋形】船などにこもでつくり設けた屋根。「船に—引きて設けたり」〈かげろふ中〉

こもり【木守】庭の樹木を守る者。庭番。また、屋敷の番人。「—、いとかしこう守りて」〈枕八七〉

こも・り【籠り・隠り】㊀『四段』《殻のようにかこまれた所に入って、外界と接触を断っている意。類義語カクレは、物の陰に入って、外から見えなくなる意》①(かこまれた中に)入っている。つつまれている。「畳(たた)なづく青垣山—・れる大和しうるはし」〈紀歌謡二二〉②中にひそむ。とじこもる。「春日野は今日はな焼きそ若草のつまも—・れり我も—・れり」〈古今一七〉③中に充満している。「君がため移して植うるくれ竹に千代も—・れる心地こそすれ」〈後撰一一三八〉④家にいて外に出ない。ひきこもる。籠居する。「〔女ガ〕死にければ、〔男ハ〕つれづれと—・り居りけり」〈伊勢四五〉⑤(祈願のために)寺社などに泊りこむ。参籠する。「〔母宮ガ〕悩みたまひければ、石山に—・りたまひて」〈源氏蜻蛉〉⑥城中にいて防ぎ守る。たてこもる。籠城する。「敵(かたき)の—・ったる城」〈平家九・老馬〉⑦たっぷり込められる。入念にほどこされる。「見る人、手の—・りたる所をのみ興ず。絵を知らぬ也と覚ゆる」〈片端〉㊁『名』①こもること。かくれること。「玉かぎる岩垣淵の—には伏して死ぬとも汝が名はのらじ」〈万二七〇〇〉②神社や寺に泊りこんで祈ること。参籠。「節分(せちぶん)の夜の事なれば、—の人多かりけるに」〈伽・小式部〉 †kömöri **—え**【隠江】隠れていて見えない入江。「波をかしこみ—の」〈万二四九〉 **—くの**【隠国の・隠口の】〔枕詞〕《クはイヅクのク、所の意》両側から山がせまっている所の意で、地名「泊瀬(はつせ)」にかかる。「—泊瀬の山」〈記歌謡八九〉 **—そう**【籠僧】人の死後四十九日の間、喪屋(もや)に籠って仏事を修する僧。「四十九日にもなりて、着られたりし衣、袈裟など取り出でて、—に取らせ」〈建礼門院右京大夫集〉 **—だう**(ドウ)【籠堂】社寺で行者・信者が参籠して祈念する堂。「御身の養子になる稚児(ちご)は、左の—に有るべし」〈説経・さんせう太夫〉 **—づ**【隠処】《コモリドの転ともいう》かくれた所。「—の沢たづみ(沢ニワク水)にある石根(いはね)ゆも」〈万二七九四〉 **—づま**【隠妻】人目を忍ぶ関係にある妻。「里中に鳴くなる鶏(かけ)の呼び立てていたくは泣かぬ—はも」〈万二八〇三〉 **—ど**【籠人】社寺に参籠する人。「—の帰りし跡の神社」〈俳・紅梅千句〉 **—ど**【隠処】かくれて人に見えない所。こもりづ。「—の沢泉なる石(いは)が根も」〈万二四四三〉 **—ぬ**【隠沼】《ヌはヌマと同じ意味で、複合語につかう形》草などにかくれてよく見えない沼。「池の堤の—の〔水ノ〕行方を知らに」〈万二〇一〉 **—ぬの**【隠沼の】〔枕詞〕見えない意で、「下」にかかる。「—下に〔心ノ中デ〕恋ふれば」〈万二七一九〉

こもん【小門】①大門の傍につけられた小さい門。「昭明(せうめい)・建礼の—押し開き」〈平治中・待賢門軍〉②南に面した総門に対し、東側または西側の門。「総門は錠のさされてさぶらうぞ。東側の—より入らせ給へ」〈平家五・月見〉

こもん【小紋】①地一面に細かい模様のある織物。「白き薄物に、唐の—の紅梅の御衣の」〈源氏横笛〉②紙の染型を使い、細かい模様を地一面に染め出したもの。「空色に染むる—か星月夜」〈俳・続山の井三〉

ごもんどり【五文取り】一つ五文の餅。げんこどり。「二人に—の餅か」〈仮・都花橘四〉

こや【小屋】小さく、粗末な建物。小家。「葦の葉にかくれて住みし津の国の—(地名ノ「昆陽(こや)」ト掛ケル)もあらはに冬は来にけり」〈拾遺二二三〉

こや【蚕屋】養蚕のための建物。「わぎもこが—の篠屋のさみだれにいかに乾すらむ夏引の糸」〈詞花六四〉

こや【此や】『連語』《代名詞コに助詞ヤのついたもの》①これがまあ(…なのだろうか)。「いさやまた恋てふ事も知らなくに—そ(ソレ)なるらむ眠(い)こそ寝られね」〈拾遺八九六〉②これぞ。「津の国の—(地名ノ「昆陽(こや)」ト掛ケル)日の本の始めなる淡路のわたり末近く」〈謡・海士〉

ごや【五夜】①日没から日の出までを五つに分けた称。甲夜(初更)・乙夜(二更)・丙夜(三更)・丁夜(四更)・戊夜(五更)に分ける。「一点の残燈—通ず」〈菅家文草一〉②⑴の五番目。五更。戊夜。「交しもあへぬ睦言(むつごと)の名残は未だ尽きなくに—将に明けなんとす」〈宴曲集龍田河恋〉③子供が誕生して五日目の祝。「—七夜など、ことにはなやかなる事どもにて」〈増鏡八〉

ごや【後夜】六時(ろくじ)の一。夜半から朝までのあいだ。また、そのあいだに行なう勤行。「入道例の—より深う起きて」〈源氏松風〉。「夜一夜〔勤行シテ〕寝も入らざりつるを—など果てて少しうちやすみたる寝耳に」〈枕三一〉

ごやおき【後夜起き】後夜の勤行のために起き出ること。「暁に我が未だ—せざらむ程に」〈今昔一五ノ三〉

こやがけ【小屋掛け】仮小屋をつくること。また、その仮小屋。「籔(人名)—申す也」〈北野社家日記天正一八・四・一九〉。〈日葡〉

こや・し【肥やし・沃やし】㊀『四段』《コエ(肥)の他動詞形》①(人畜を)ふとらせる。(土地を)肥沃にする。「石田を—・したまひぬ」〈地蔵十輪経序・元慶点〉②豊かにする。(耳目を)たのしませる。「一時が目を—・して何にかはせむ」〈更級〉。「今に栄花を開きぬと目を喜ばしめ耳を—・す」〈太平記三・主上御没落〉㊁『名』肥料。「—をしける藤の若ばへ」〈俳・犬子集七〉

こや・し【臥やし】『四段』《「臥(こ)い」の尊敬語》倒れてお伏せになっている。「飯(いひ)に飢(ゑ)て—・せるその旅人(たひと)あはれ」〈紀歌謡一〇四〉 †köyasi

こやす【子安】御産。または、安産。「忍びの妻の—紐(ひぼ)とく」〈俳・寛永十三年熱田万句三〇〉 **—がひ**(ガイ)【子安貝】タカラガイ科の巻貝の一。安産のお守りとされた。「その折、—は取らせたまへ」〈竹取〉

こやつ【此奴】『代』人を賤しめて呼ぶ語。こいつ。「—は必ず冥加あるべき者なり」〈十訓抄一〇ノ七七〉

こやで【小枝】「こえだ」の上代東国方言。「向つ嶺(を)の椎(しひ)の—の逢ひはたがはじ」〈万三四九三東歌〉 †koyade

こやど【小宿】奉公人が身を寄せる宿。奉公口の周旋もしたが、奉公人の密会所ともなった。「一盃のつけざ(ツケザシ)も霞む(ゴマカサレル)—にて」〈俳・大坂独吟集上〉 **—ばひり**(バイリ)【小宿這入り】①奉公人が暇を貰い、一時小宿に寄宿すること。「やうやう年も明けば、すぐに昔の里へは帰らず、—をして」〈西鶴・諸艶大鑑一〉②奉公人が小宿に出入りして色狂いすること。「—・出合ひ者を好むは」〈色道大鏡一四〉

こやのもの【小屋の者】非人頭の支配下にあって、非人小屋に住んだ者。捕手の命を受けて助力するなど、公役を勤めた。小屋者。抱非人(かかえひにん)。「かねて相図の—、十手ひっさげ、くるくると追取り巻き」〈近松・博多小女郎下〉

こや・り【臥やり】『四段』伏す。横になる。「槻(く)弓の―・る―・りも」〈記歌謡八九〉 †köyari

こゆき【粉雪】こなゆき。「『降れ降れ―、たんばの―』といふこと、米(よ)つきふるひたるに似たれば―といふ」〈徒然一八一〉

こゆひ イ:ユ【小結】①髻(もとどり)を侍烏帽子に結び付ける二筋の組糸。「左折に―を結ひ、御烏帽子出来たり」〈浄・烏帽子折三〉 ②「小結烏帽子」の略。「平礼(へいらい)・―・梨打や、烏帽子屋なれば是をとて、まづ頭にぞ置かれける」〈近松・用明天皇二〉。「コユイノエボシ」〈日葡〉 **―えぼし**【小結烏帽子】侍烏帽子の一。小結いの結び余りを左右に長く出したもの。「―着すべきの由、今度の相談に依りて、今日方方借用せしむる也」〈隔蓂記承応三・二・三〉

こゆび【小指】①第五指。「高遠が―と国文が肱(かひな)といづれか太き」〈著聞三六七〉 ②妻または妾の隠語。「おまへン所(とこ)の―も派手者だの」〈滑・浮世風呂三上〉 **―括(く)・る** 紙捻(こより)で小指をくくり、物忘れしない印とする。「小指を結ぶ」とも。「―・りて見せん心中」〈俳・続境海草五〉

こゆみ【小弓】遊戯用の小弓。また、その弓を使ってする遊戯。左膝を立て、その上に左肘をささえて引く。「あそびのわざは。―、碁。あさましけれど、鞠もをかし」〈枕二一五〉

こゆるぎの【小余綾の】〔枕詞〕相模の海岸「こゆるぎの磯」の意から「いそ(ぎ)」にかかる。「みちのくは世をうき島もありといふを関―急がざらなむ」〈小町集〉 ▽万葉集には「よろきの浜」、風俗歌には「こよろぎの磯」とあるが、平安中期以後は「こゆるぎの磯」ということが多くなった。一説に「磯」は地名「伊蘇」という。

こ・よ【越よ】『下二』「越え」の上代東国方言。「青雲(あをくむ)のとの引く山を―・よて来ぬかむ」〈万四四〇三防人〉 †koyö

こよう【小用】①ちょっとした用事。「―に使ふ恋の若生え」〈俳・大矢数四〉 ②小便。「主人は―かなへて座敷に立ち帰る」〈浮・国花諸士鑑一〉

ごよう【御用】①用事・入用などの意の尊敬語。「若し―有らば、御覧を経(ふ)可し」〈明衡往来下末〉 ②宮中・幕府・奉行所・諸藩などの公用・公務の意の尊敬語。「公方の―に正しく従へば、憎まるるぞ」〈漢書竺桃抄〉 ③「御用聞き」の略。「よい見立て/―(酒屋ノ小僧)笠着て和(日本)の東坡(蘇東坡)」〈雑俳・投頭巾〉 **―きき**【御用聞き】宮中・幕府・大名など高貴の家に出入りする商人・職人。後には、民間への出入り商人にもいった。「御用達」とも。「今は〔幕府ノ〕―畳屋とて、この役蒙る」〈おきく物語〉。「―のもとへ、男の奉公人見立て置きに、六十ばかりの婆婆を上されける」〈浮・好色兵揃四〉 **―きん**【御用金】近世、幕府財政の不足を補うため、臨時に、強制的に、主として富豪に課した一種の公債。幕府は年年利子を支払い、元金を返済する約束であったが、元利共に支払われないことが多かった。諸藩でも行なった。御用銀。「米相場の儀に付き、其の方どもへ右―仰せ付けらるる」〈大坂町触宝暦一一・三・一六〉 **―ざ**【御用心】《ゴヨウジンの訛》夜番が巡回しながら言う呼び声。「ごよざ」「ごよじ」「ごようじ」とも。「行燈(あんどん)を有明の月と見るまでに吉野の里に触れる―」〈俳・吉野山独案内三〉 **―たつ**【御用達】近世、幕府・大名に出入りして用品や金銀の調達を取り計らった商人。後には「ごようたし」といった。「―の手際見事に慶長(小判)の光明さして」〈浮・友色三点頭上〉 **―ぼく**【御用木】禁中・幕府・諸藩の修築に使用する材木。「禁裏御修理の為の―」〈言継卿記天文二一・三・一三〉

ごよく【五欲】〔仏〕色(しき)・声(しょう)・香・味・触(そく)の五つに執着する欲情。または財欲・色欲・飲食欲・名欲・睡眠欲の五。「―を厭(いと)ひて父を別れ」〈三宝絵上〉

こよな・し『形ク』《相手と較べものにならないほど、程度が違っている意。優劣いずれにもいう》格段の相違である。格別である。「故宮の淋しくおはせし御有様を思ひくらぶるに、宮たちと聞ゆれど、いと―・きわざにこそありけれ」〈源氏東屋〉。「維茂がかたには兵(つはもの)三千人ばかりあり。諸任がかたには兵、千余人ありければ、軍(いくさ)の員(かず)も―・く劣りたり」〈今昔二五ノ五〉

こよひ イ:ヨ【今宵】①今夜。今晩。「わが背子が来べき宵なりささがねの蜘蛛のおこなひ―しるしも」〈紀歌謡六五〉。「恋ひてか寝らむ昨夜(きそ)も―も」〈万三五〇五〉 ②夜が明けての、昨夜。ゆうべ。「降り明かしたるつとめて『―の雨の音はおどろおどろしかりつるを』」〈和泉式部日記〉 ▽暁からみての昨夜をさすこともあるのは、一日が日没から始まるという考え方が、その頃あったことによるものであろう。 †köyöfi

こよみ【暦】《カ(日)ヨミ(数)の転か》月の進みをもとにして、日付などを記したもの。干支・吉凶などの暦注を施した漢文の具注暦が行なわれた。仮名暦も古代末から作られ、中近世は三島暦・伊勢暦・京暦・奈良暦など摺暦(すりごよみ)が各地で作られて一般に普及した。訛って「こゆみ」とも。「又、卜書(うらのふみ)・暦本(こよみのためし)・種種(くさぐさ)の薬物(くすり)、付送(たてまつ)れ」〈紀欽明十四年〉。「あさましや―の奥を今日見れば一くだりにもなりにけるかな」〈実国家歌合〉。「暦、古与美(こよみ)」〈和名抄〉 **―で**【暦手】細かい模様の朝鮮系陶器。三島茶碗。「茶碗は高麗〔焼〕也。―也」〈宗湛日記慶長四・二・二九〉 ↓みしまごよみ。 **―の はかせ**【暦博士】令制で、陰陽寮に属し、暦を作り、また暦道の教授に当った職員。れきはかせ。「―はからひ申して侍らむ〔良イ〕日をうけたまはりて」〈源氏宿木〉

こよる【小夜】着物より少し大きい、小袖形の夜具。小夜着。「―の綿の白白と見ゆる」〈俳・都懐紙〉

こよろぎの【小余綾の】〔枕詞〕《コユルギノの母音交替形》「こゆるぎの」に同じ。「―磯立ちならし」〈風俗歌こよるぎ〉

こら【子等・児等】《ラは親愛または軽んずる気持の意をあらわす接尾語》上代、人、特に女性を親しんで呼ぶ語。ころ。「みつみつし久米の―が」〈記歌謡一〇〉。「吾(あ)を待つ―はただ一人のみ」〈万三七五二〉 †kora

ごらいかう ウ:コ【御来迎】近世の玩具の一。紙や木で作った小さな仏像を竹筒に納め、竹筒を下げれば、紙製の畳んだ後光が開いて仏とともに現われるようにしたもの。「じたい―は大坂の仕出しでごんざるゐい」〈浄・博多露左衛門色伝授三〉

ごらう・じ【御覧じ】『サ変』「ごらんじ」の転。「あの日を―・ぜ」〈天理本狂言六義・伊文字〉

こらがてを【児らが手を】〔枕詞〕妻の手を纏(ま)く意から、「纏き」と同音をもつ地名「巻向(まきむく)」にかかる。「―巻向山は」〈万一〇九三〉 †koragatewo

こら・し【凝らし】『四段』(心)を一点に集中する。凝固させる。「定(ぢゃう)はすなはち想をやめて、もって心を―・し」〈法然上人行状絵図〉

こら・し【懲らし】『四段』苦い経験をさせることによって、物の考え方を改めさせる。「〔女ヲ〕しばし―・さむの心にて、〔男ハ〕『しか改めむ』ともいはず」〈源氏帚木〉

こらしめ【懲】いましめのために懲りさせること。「御痛はしく

候へども、暫し御―の為なれば、如何なる方へもうつし申さん」〈伽・朝顔の露の宮〉

こら・へ【堪へ】『下二』《コリ(凝)アヘ(合)の約。相手の仕向けて来るに合わせて、じっと凝りかたまって、それに堪える意》①たえる。もちこたえる。「鎧は―・へたりけるか」〈保元中・白河殿へ義朝夜討ち〉。「しばしも―・へず、二町ばかりざっとひいてぞのきにける」〈平家二・勝浦〉②我慢する。忍耐する。「其の体焼爛して、その香はなはだ臭くして、少しも堪(た)へ―・ふべくもなし」〈著聞三七〉。「惣別(そうべつ)、針は痛いものでござる。―・へさせられい」〈虎明本狂言・雷〉

―ぜい【堪へ情・堪へ性】堪え忍ぶ意地。我慢。「こらへじゃう」とも。「其の方、―これ有るものなれば、何様(いかやう)にも晴信へ奉公仕り候て、小笠原本意を相待ち申すべし」〈寿斎記〉 **―ぶくろ**【堪へ袋】堪忍する度量を袋にたとえた語。堪忍袋。「拙老心中―やぶれ候」〈本光国師日記元和六・一・一九〉

どらん・じ【御覧じ】『サ変』《「み(見)」の尊敬語》御覧になる。「朱雀院、布引の滝―・ぜむとて」〈古今九二七詞書〉

こらや【堪や】『連語』《コラヘヤの約》堪忍してくれよ。許してくれよ。「『――』と背中を撫で」〈近松・今宮心中中〉

こら・れ【嘖られ】『下二』しかられる。「汝(な)が母に―・れ吾(あ)は行く」〈万三五一九東歌〉 †kōrare

こり【香】「香(こう)」の古語。「―を焼(た)きて願を発す」〈紀皇極一年〉

こり【垢離】神仏に祈願する時、冷水や海水を浴びて身心の垢(あか)を落し清めること。主に真言宗や修験道で行なわれた。水垢離。「諸人が―の水を一人と汲みければ」〈著聞一九〉 **―を搔・く** 水垢離を行なう。「垢離を取る」とも。「是にて―・き、権現を伏し拝み奉る」〈義経記七〉

こ・り【伐り・樵り】『四段』枝を切る。また、株を残して立木を切る。「斧取りて丹生の檜山の木―・り来て」〈万三二三二〉。「法華経をわが得しことは薪(たきぎ)―・り菜つみ水汲み仕へてぞ得し」〈拾遺一三四六〉。「伐、キル・コル」〈名義抄〉 †kōri

こ・り【凝り】『四段』《液体など、流動性をもって定まらないものが、寄り固まって一体となる意》①じっと一つに寄り固まる。寄って結集する。「したたる潮―・りて一つの島になれり」〈紀神代上〉。「酪者、己礼利(これり)」〈華厳音義私記〉。「凝、コル・ココル」〈名義抄〉②氷結する。凍る。「磐床(いはとこ)と川の水―・り寒き夜を息(やす)むことなく」〈万七九〉。「凍、コホリ・コル」〈名義抄〉③熱中する。「終日数杯を傾け、閑談に―・る」〈吾妻鏡正嘉二・八・一七〉 †kōri

こ・り【懲り】『上二』苦い経験をすることによって、考えを改める。「わが屋戸に韓藍(からある)植ゑ生(お)ほし枯れぬれど―・りずてまたも蒔(ま)かむとぞ思ふ」〈万三八四〉 †kōri

こりう【古流】①古くさい流儀。昔風。「―なれども孔雀か、中古なれども力持〔ノ見世物ガ流行ル〕」〈西鶴・名残の友四〉②貞門俳諧の称。「―当流の真中に広き道場あり」〈俳・珍重集〉③茶道の流派の一。千利休の古法を継ぐと称し、藪内流ともいう。「千家か―か遠州か知らぬが、とんだ茶人だ」〈黄・江戸生艶気樺焼上〉

こりずまに【懲りずまに】『副』懲りないままに。しょうこりもなく。「―又もなき名は立ちぬべし」〈古今六三一〉

こりたき【香燃】《斎宮の忌詞》仏堂。「堂、香燃(こりたき)と称す」〈延喜式斎宮寮〉

こりつ・め【伐りつめ】『下二』《コリ(伐)アツメ(集)の約》木の枝をたきぎに切って集める。「深山(みやま)木を朝な夕なに―・めて」〈拾遺一二四四〉

ごりめか・し『四段』栗などの固い物を嚙んで、ごりごり、がりがり音を立てる。「生栗を―・さむも今一里」〈俳・油糟〉。〈日葡〉

こりゃ『感』《コレハの訛》①目下の者に呼び掛ける語。これ。「さて―思ひ知れ」〈謡・鉄輪〉②不意の出来事に驚く声。「―何事」〈閑吟集〉 **―また**【こりゃ又】㊀『感』感嘆していう語。ほんとにまあ。「―あん(何)としてと」〈評判・役者大鑑〉㊁『名』《「こりゃまた」を盛んにいうので》近世後期、教養のない市井の哥兄(あに)連中の称。勇み肌の男。きおい。「礼儀知らずの―」〈教訓続下手談義五〉

ごりゃう【御霊】怨みをのんで非業の死をとげた人の怨霊。「いかにもかの遠き浦浦にて沈み果てさせ給ひにし―どもにやと」〈増鏡四〉 **―ゑ**【御霊会】怨みを残して非業の死をとげた人の悪霊をしずめ、その祟りによる疫病の流行を避けるために行なわれる祭。平安時代初期から始まる。祇園(ぎおん)御霊会などが有名。「ここちよげなるもの。…―の馬の長(をさ)」〈枕八〇〉

ごりょん【御寮人・御料人】《ゴレウの転》娘または若妻の敬称。「わし事は、こな様と御約束の有りし―の乳主(ちぬし)〔＝乳母〕付いてわせ(来)ました乳母の娘」〈浮・分里艶行脚四〉。「御料人、ごりょん」〈世話字節用集〉

ごりん【五倫】儒教でいう、人間が守るべき五つの道。君臣の義、父子の親、夫婦の別、長幼の序、朋友の信。「―は、君臣・父子・夫婦・兄弟・朋友なり。五典とも名づく」〈童観鈔上〉

ごりん【五輪】〔仏〕①地・水・火・風・空の五大。五大は、諸徳を輪のように欠ける所なく保持しているのでいう。密教では「五智輪」とも。地大以下を順次に方形・円形・三角形・半月形・団形で表わし、黄・白・赤・黒・青の五色、また、それぞれの梵字を配して表わす。「五色―の形も五仏の智よりあらはる」〈真曲抄釈教〉②五大を頂・面・胸・臍・膝の五体に配していう語。「五体―は人の体」〈謡・卒都婆小町〉③《「五輪卒塔婆」「五輪の塔」の略》⑴を表わす卒塔婆。初め大日如来を表示し、仏舎利を安置するためであったが、後、墓標となり、さらに、追福・寺院落成・仏像開眼などに用いられる本卒塔婆・角塔婆ともなった。「ゆがめたる松の下に新しき―ありけり」〈保元下・左大臣殿の御死骸〉

これ【此】㊀『代』《コ(此)と接辞レとの複合。「かれ」「あれ」の対》❶《指示代名詞》①空間的・心理的に、話し手に所属し、話し手の眼前にあり、あるいは、ごく近くにあると思われる物事を指示する。㋑この物。「山人のわれに得しめし山つとそ―」〈万四二九三〉㋺この事。「―は、物によりてほむるにしもあらず」〈土佐十二月二十三日〉㋩この人。「この人人。「人人怪しがる。―が中に、心地なやむ舟君、いたくめでて」〈土佐二月六日〉㊁この時。「―より先の歌を集めてなむ万葉集と名づけられたりける」〈古今序〉㋭此処。「人人の言はく、―昔名高く、聞えたる所なり」〈土佐二月九日〉②漢文訓読体で、助字的な「之」「惟」などを直訳して訓読したもの。提示した語を強め、口調を整えるに使う。「日本は、―神国なり」〈平家二・教訓状〉❷《人代名詞》①《一人称》こちら。わたし。「『あれはいかなる御坊ぞ』と問ひければ、『―は日頃白山に侍りけるが…』」〈宇治拾遺五〉。「―は洛中に住まひする者でござる」〈虎明本狂言・雷〉②《二人称》おまえ。「笛を吹きやめて立ち返りて『―はいかなる者ぞ』と問ふに」〈今昔二五ノ七〉。「―の夫は、近日帰る程に」〈中華若木詩抄下〉㊁『感』これこれ。人の注意を喚起して、こちらに向けようとするに多く使う。「いやー、参りませいの」〈狂言記・井礑〉 †kōre **―ぞ**

此の これこそ例の(…だ)。これがあの(…だ)。「おほかたは月をもめでじ―積もれば人の老(おい)となる物」〈古今八七九〉。「―人の引きけるあやめ草」〈和泉式部集〉 ▽「これやこの」よりものちに現われた。 **―で持った** これで十分だ。「諷初(うたひぞめ)―ぞめでたあけれ」〈俳・三つ物揃〉 **―に懲(こ)りよ道西坊(だうさいばう)** 《「道西坊」は意味のない、つけたりの語》「これで懲りよ」を口拍子よくいう語。「―、ほんに孫子に伝へても、主の娘とねんごろなど駿河(スルナト掛ケル)の富士」〈近松・五十年忌中〉 **―や此の** 《かねて聞いていたものを眼前にして、感嘆する時にいう》これがまあ例の(…なのか)。これこそ噂の(…か)。「―名に負ふ鳴門の渦潮に玉藻刈るとふ海人娘子ども」〈万三六三八〉。「―行くもかへるも別れては知るも知らぬも逢坂の関」〈後撰一〇九〇〉 **―を思ふに** 結局。「―、人間遊山の上盛(うはもり)は色里に増す事なし」〈西鶴・諸艶大鑑一〉

どれう ョウ:リ【御料】 天皇や貴人の用いるもの。衣服・飲食物・器物などについていう。「高松殿より奉らせ給へる御衣を、仏に参らせ給ひける」〈栄花日蔭〉。「ただ一つ候ふ―ぞ、―にはせさせ給ふが」〈日蓮遺文事理供養御書〉

どれう ョウ:リ【御料・御寮】 ①貴人、または、その子息の敬称。「―は青嶽が原の館に入り給ふ」〈曾我五〉 ②貴人の子息・娘・若嫁の名前または身分を表わす語の下につけて、敬愛の意をあらわす語。「万寿―をも五大院右衛門宗繁が具足し参らせ候ひつるを」〈太平記一〇・亀寿殿〉。「俵藤太殿のお娘子に(デ)米市(よねいち)―と申すお方の御里帰りぢゃ」〈虎明本狂言・米市〉 **―にん**【御料人・御寮人】 貴人の娘の称。後には、他人の娘または若妻の敬称。「三条実量公息女、―と号す」〈経覚私要鈔長祿三・二・一〇〉。「上方の―と云ふを、江戸では御新造」〈皇都午睡三中〉 ▽室町期以降「ごりゃう」とも表記。

これかれ【此彼】《古くは人にいうことが多い》 ①あの人この人。「―かしこく嘆く」〈土佐一月二十七日〉 ②あれこれ。「あさがほの―に這ひまつはれて」〈源氏槿〉

これき【古暦】 室町末期から近世初期の暦日を記した暦書。年ごとに月の大小・節中などを記し、八卦の象を配置してあり、吉凶得失の占いに用いた。「―一巻これを出ださるる」〈言継卿記天文二〇・二・三〉

これざた【是沙汰】 もっぱらのうわさ。大評判。「諸人―の儀候」〈沢庵書簡寛永一九・六・晦〉

これしき【此式・是式】 これくらい。これほど。こんな程度。「―の事、当代に多きなり」〈成簣堂本論語抄七〉

これぢゃこれぢゃ【是ぢゃ是ぢゃ】『連語』 見せ物の木戸番の口上の終りにいう語。これですこれです。「―〔ト〕三笠の山に呼ばふなり」〈俳・物種集〉

これつら【是列・是連】 このたぐい。「―の邪師には近付くべからず」〈塩山和泥合水集上〉

これてい【此体】 このようす。このたぐい。「人魚といふなるは―の物なるにや」〈著聞七二三〉。「―の事に人の才覚は見え候なり」〈教訓抄二〉

これの【此の】 ㊀『連体』《「この」よりも指示の意がつよい》この。「草枕旅の丸寝の紐絶えば吾(あ)が手と付けろ―針(はる)持し」〈万四四二〇防人〉 ㊁『名』「これの人」の略。「〔夫カラ〕―はおりゃるか」〈虎明本狂言・花子〉。「〔妻カラ〕まうし、―はどれでござるぞ」〈虎寛本狂言・呂連〉 †kōre-nö **―ひと**【此の人】 夫婦が互いに相手をさしていう語。略して「これの」とも。「―はどちへ行かしまったぞ」〈虎明本狂言・花子〉 **―よ**【此の世】 この世。現世。「―は移り去るともとことばにさ残りいませ」〈仏足石歌〉

これは【此は・是は】『感』 驚き、または感嘆して言うことば。こりゃ。「―と詠(なが)めたばかりなり」〈西鶴・諸艶大鑑一〉 **―如何(いか)な事** 驚きあきれた時に言うことば。これはまあ、どうしたこと。「―、早や剃(そ)らるる」〈狂言記・昆布布施〉 **―これはとばかり** 感動や驚嘆のあまり、「これはこれは」という言葉しか出ないさま。「―にて、ものいふ人もさらになし」〈伽・小栗絵巻〉 **―したり** ①物事が意外であったり、失敗した時に言うことば。これは驚いた。「見るに、―、専十郎なり」〈西鶴・男色大鑑四〉 ②《他をたしなめる気持で》とんでもない。なんということだ。「『いつとてもお早い御出仕、御苦労に存じます』『―若草様、御苦労とは、もったいない』」〈浄・源平布引滝一〉

これら【此等】 ①このことなど。このものども。「―におもしろさの尽きにければ、異事(ことごと)に目も移らず」〈源氏紅葉賀〉。「―うち笑ひ、見交していふやう」〈大鏡序〉 ②ここら。このあたり。「山ならねども―にも猫の経(へ)あがりて、猫またになりて人とる事はあなるものを」〈徒然八九〉

どれんぢう ュウ:ジ【御簾中】 大臣・公卿・将軍・大名などの妻の敬称。「義鎮公御不行儀、―深く御憎みあり」〈大友記〉

ころ【自】《血筋・自然の成行きの意のカラ(族・柄)の母音交替形か》 それ自体。それ自身。また、自然の成り行き。「黒白の牛、―と(自分デハ)相繫がれず、倶に縄を以て繫がるるが如し」〈成実論天長点〉。「其の茂徳高才、―に(自分デ)伝有り」〈三蔵法師伝四・院政期点〉。「荒床に―(自分デ)伏す君が」〈万二二〇〉 †*kōrō

ころ【頃】《経過して行く時間・季節について、およその見当をつけ、一点を中心に、その前後をひとかたまりとして把握する語。後世は程度についてもいう》 ①(はっきり見当はつきかねるが)ほぼその期間。大体その時節。「赤絹の純裏(ひつら)の衣長く欲りわが思ふ君が見えぬ―かも」〈万二九七二〉 ②時節。「宿にある桜の花の散れる―かも」〈万一四五九〉。 ③(およその)時代。「去年(こぞ)の秋の―」〈源氏夕顔〉 ④適当な大きさ。「まだ、―の御徳なきやうなれど、をのづから、やむごとなき、人の御けはひのありげなるやう」〈源氏東屋〉

ころ【子ろ・児ろ】「子ら」の上代東国方言。「筑波嶺に雪かも降らる否をかもかなしき―が布(にの)乾さるかも」〈万三三五一東歌〉 †kōrō

ころ【一伏三向】 樗蒲(かりうち)で、裏が一枚、表が三枚出ること。「菅の根のねも一伏三向(ころ)ごろに」〈万三二八四〉 ▽「ねもころ(懇)」のコロの表記として「一伏三向」を借りた例。

どろ【啞・五郎】 啞(おし)。「ここの子は物言はず、〔子子ノ子ダカラ〕彦(ひこ)―」〈謎の本〉。「どこに(ドウシテ)おれが似せ―ぢゃ」〈雑俳・軽口頓作〉

ころく【小六】 ①近世初期、文祿・慶長の頃、西国生れで江戸赤坂に住んだ美男の馬方の名。関東小六。小歌の名人で、種種の歌謡・戯曲・俳諧などに見られる。赤坂氷川大明神は、小六が厚く信仰したので、小六の宮と称した。「―ころりと〔死ンデ〕今はなきあと」〈俳・奴俳諧〉 ②(1)が歌ったとされた流行歌。尺八・三味線などに合わせて、慶長頃から寛文頃まで行なわれ、後の芝居唄・騒ぎ唄などに多く引かれた。小六節。「そこで―を歌ふ春風〔ニ吹カレテ〕」〈俳・それぞれ草下〉 **―ぞめ**【小六染】《近世中期の歌舞伎役者嵐小六が舞台衣裳にしたのでいう》 馬の手綱のような、だんだら染め。手綱染。「横に雨降り、これに色色の筋を染めたるを嵐小六が着たりとて、―と云うて」〈賤のをだ巻〉

ころく 『連語』《コロ(自)ク(来)の複合》自分でやって来る。「からすといふ大をそ鳥(アワテ者ノ鳥)のまさでに(本当ニ)も来まさぬ君を—とそ鳴く」〈万三五二一東歌〉 ▽旧説ではカラスの鳴き声コロクに「子ろ来」を掛けたものと解する。しかし、コロクのコはkö の音。「子」のコはko の音。従って「子ろ来」とするより、「自来(ころく)」と解する方がよい。→ころ(自) †köröku

ごろく【五六】①五寸角・六寸角の材木。「大物(だいもつ)の—にて打ち付けたる桟敷傾き立ちて」〈太平記二七・田楽〉 ②大石。〈日葡〉 ③木で作った鐙(あぶみ)。鉸具(かこ)頭から舌先まで五寸六分あるのでいう。「五六掛け」「五六掛け鐙」とも。「木にて作りたる鐙の名を—と申す也」〈榎本氏覚書〉 ④たて五布、よこ六布の蚊帳。「蚊っ喰ひを掻き掻き—〔ヲ質〕請けに来る」〈雑俳・藐姑柳〉

ごろく【語録】①禅宗で、祖師の言を集録した書。「汝、雲門の—なほ未だ見ざるなり」〈正法眼蔵面授〉 ②儒教で、昔の儒者の言を集録した書。「故に程子・朱子の—に世俗の常談多し」〈性理字義抄五〉

ころくぐゎつ【小六月】十月の異称。小春。「城山に雉子(きぎす)出でけり—」〈俳・小文庫上〉

ころころ 《自分自身の意をあらわす語コロを重ねた形》めいめい。個個ばらばら。「山菅(やますげ)は、根の長くして、もとの草むらより遙かに遠くのきて、—に生ひしげる草なれば」〈仙覚抄八〉。「億万の臣は億万の心なり。皆—なるを云ふ」〈尙書抄六〉。〈名語記九〉

ころころ ①ころがるさま。また、ころがる音。「車やる音の—、…軽き心也」〈名語記九〉。「ひとたまりもたまらず、—ところび落ち」〈義経記三〉 ②笑いころげるさま。「胡盧失咲は—と笑ふぞ」〈策彦和尚初渡集下ノ下〉 ③鰍(かじか)・蛙などの鳴き声。「せき入るる庭の山水—と石伏(いしぶし)かじか雨すさむなり」〈宗長手記下〉 ④犬を呼ぶ声。「狗(あのこ)を呼ぶ—、…来よ来よと言ふを—と言ひなせる歟」〈名語記九〉。「かの犬に一目見せて、—とのたまへば」〈仮・一休咄二〉

ころごろ【頃頃】《コロを重ねて、日数の経過をあらわす語》頃。日頃。「日(け)の—は恋ひつつもあらむ」〈万四八七〉 †körögörö

ころ・し【殺し】『四段』①死なせる。「大き戸より伺ひて—・さむとすらくを知らに姫遊(ひめなそび)すも」〈紀歌謡一八〉。「生けみ—・しみ」〈源氏螢〉 ②力や量を押さえ減らす。減殺する。「昔は木も性のよかりければ、少少作り—・したるも悪しからず。世の末のえせ木にて琵琶作らむには、かまへて作り—・すまじ」〈八音抄〉 ③質に入れる。「更紗(さらさ)の下着と蜀錦(しょくきん)の帯とを—・しけるに」〈滑・針の供養四〉 ④相手を悩殺する。「顔美しし。目元に—・す所あり。大名の御物風備はれり」〈評判・剃野老〉 ▽「懲ろし」とは起源的に別。 †körösi **—をれ** 生きてせつない思いをするよりも、いっそお前の手で殺してくれの意。美貌を賞讃するほめ言葉。「殺しくされ」とも。「情ぶり形見の虱〔モ憎クナイホドダ〕—」〈俳・昼網上〉

ころ・し【懲ろし】『四段』《コラシ(懲)の古形。コロシ(殺)とはアクセントも別で、起源が別》苦い経験をさせることによって、考え方を改めさせる。罰する。「葬(はふり)を厚くすることを—・せり」〈白氏文集三・天永点〉。「思ひ知らぬやうなる心ざまを—・さむと思ふぞかし」〈源氏(肖柏本)末摘花〉。「懲、コロス」〈名義抄〉

ころしも【頃しも】『連語』《コロに助詞シ・モを添えて意味を強調した形》ちょうどその時。「一人ありかん身は心すべきことにこそと思ひける—」〈徒然八九〉

ころせん【ころ銭】近世初期、磨滅した悪銭の洪武通宝(明で鋳造した貨幣)の称。また一般に、磨り減った悪銭。ころ。「鐘の湯壺(鐘ヲ鋳造スル銑鉄ヲ入レタルツボ)へ入るる—」〈俳・犬子集一五〉

ころ・ひ イコロ【嘖ひ】㊀『四段』《コリ(懲)と同根》叱る。せめる。「大いに怒りてたけび—・ひて」〈紀神武即位前〉 ㊁『名』叱ること。せめること。「嘖譲、此をば挙盧毗(ころひ)といふ」〈紀神代上〉 †köröfi

ころ・び【転び】㊀『四段』①ころがる。ころげる。「鞠(まり)のごとく、簾中より—・び出でさせ給うて」〈宇治拾遺一九三〉 ②倒れころがる。転倒する。「〔ソノ柱ハ〕まっすぐに立ち、—・ばずして居けるなり」〈バレト写本〉 ③キリシタン宗徒が転向して改宗する。「終(つひ)に口ばかりで—・びまらした」〈コリヤード懺悔録〉 ④男女が私通する。密通する。「われらがやうなるいやしき雲の下人は…—・び申すことも、なかなかわきまへざるなり」〈仮・薄雪物語上〉 ⑤芸者などがこっそり売春する。「汝等芸者…—・ぶこと甚だ不届き至極なり」〈咄・民和新繁〉 ㊁『名』近世、キリシタンの信者が、弾圧を受けて仏教に改宗すること。また、その人。ころびキリシタン。「—にても御座無く候〔ト、アカシガ立ツ〕龍田山〔ノ住人〕」〈俳・難波風〉 **—あひ** イア【転び合ひ】男女が私通して夫婦となること。また、その夫婦。「気遣ひも〔ナイ〕夏山住みの—」〈俳・正章千句上〉 **—ね**【転び寝】①着物を着たままちょっと寝ること。ごろね。「菅筵の—」〈評判・もえくゐ〉 ②私通。野合。「うしろめたくも—に」〈仮・御伽物語三〉 **—を打・つ** 寝ころんでころげまわる。「夜、瓜を盗むには—・ったがよいと云ふ」〈虎明本狂言・瓜盗人〉

ゴロフクレン【呉絽服連】近世舶来の、平織または綾織の荒い粗末な毛織物。「ごろふく」とも。「羽織は—、黒きに縞びろうどの裏をつけ」〈西鶴・一代男七〉 ▽オランダ grof grein. grof は荒い粗末な、grein はごつごつした、の意。

ころほひ イオ【頃ほひ】《漢文訓読体に使われ、文章語であったらしく、平安女流の和文脈では、源氏物語以外の用例は稀。コロ(頃)との意味の区別は明瞭でないが、コロホヒは独立語の傾向が強く、コロは、ヒゴロ・ツキゴロ・サイツコロなど、他と複合することが少なくない》①ちょうどその時分。時節。「薬を将(もち)て忽(すみやか)に赴かしむ。至る—に法師すでに終りたり」〈三蔵法師伝一〇・院政期点〉。「ありし御幸(みゆき)ののち、その—より、例ならず悩みわたらせ給ふ」〈源氏若菜上〉。「黎明、アクルコロヲイ」〈文明本節用集〉 ②当節。「物の上手多かる—なり。そのなかにも、すぐれたるをえらせ給ひて」〈源氏竹河〉。「中の品のけしうはあらぬ、えり出でつべき—なり」〈源氏帚木〉

ころも【衣】《上代では下着にも上着にもいう。平安時代以後の仮名文で「きぬ」「御ぞ」などが多く使われるようになると、「ころも」は雅語・歌語として歌に多く用いられた》①衣服。「手弱女(たわやめ)の思ひ乱れて縫へる—ぞ」〈万三七五三〉 ②特に、法衣・喪服。「〔布施トシテ〕絹・綿・袈裟・—など」〈源氏(横山本)橋姫〉 †körömö **—がへ** エガ【衣更へ】季節によって衣服・調度を改めること。四月一日と十月一日とに行なった。近世では、四月一日に綿入を袷(あわせ)に着替えることをいい、十月一日に袷を綿入に替えるのを、「後の衣更へ」といった。「四月になりぬ。—の御装束、御帳のかたびらなど、よしあるさまにし出づ」〈源氏明石〉 **—ぜみ**【衣蟬】ミンミンゼミの異称。「袈裟(けさ)掛けし松の(ガ)侍者(おもと)や—」〈俳・行脚文集六〉 **—で**【衣手】①袖。「朝露に裳の裾ひづち、夕霧に—ぬれて」

〈万三六九一〉 ②〔枕詞〕袖を水にひたす意から、地名「常陸(ひたち)」にかかる。また「葦毛」にもかかるが、かかり方未詳。「—常陸の国」〈万一七五三〉。「—葦毛の馬の嘶(いば)え声情(こころ)あれかも常ゆ異(け)に鳴く」〈万三三二八〉 **—での**【衣手の】〔枕詞〕袖の意から手(た)の音をもつ地名「田上(たなかみ)」にかかる。また、地名の意から手(た)の音をもつ地名「名木」「真若の浦」などにかかる。「—田上山」〈万五〇〉。「—名木の川辺」〈万一六九六〉。「—真若の浦」〈万三一六八〉 **—でを**【衣手を】〔枕詞〕袖の意から手(た)の音をもつ「高屋」に、きぬたで打つことから「打ち」に、下に敷くことから地名「敷津」にかかる。「—高屋の上に」〈万一七〇六〉。「—打廻(うちみ)の里」〈万五八九〉。「—敷津の浦」〈新拾遺八三四〉 **—のうらのたま**【衣の裏の珠】 衣服の内側にある珠。法華経七喩の一に、衣の中に宝珠のあることを知らないで貧窮し、のちに知って貧乏から逃れる話がある。本来、仏性を備えながら、これに気がつかず、のちに聞くにおよんで悟ることのたとえ。「吹きかへす鷲の山風なかりせば—を見ましや」〈金葉六七六〉 **—のくび**【衣の頸】 衿。「—より針を抜き出でて」〈今昔四ノ二五〉。「衿、己呂毛乃久比(ころものくび)」〈新撰字鏡〉 ▽エリという語は室町時代以後に現われた。 **—のたま**【衣の珠】「衣の裏の珠」の略。「大乗経供養せさせ給ひけるに法華経にあたりたる日よみはべりける。さきがたき御法の花におく露ややがて—となるらむ」〈後拾遺一一八八〉 **—のやみ**【衣の闇】 黒い喪服。「ほしもあへぬ—にくらされて」〈新古今八〇八〉 **—ばこ**【衣箱】 衣類を入れる箱。衣装箱。「櫛の箱一具(ひとよろひ)、—一具贈り物にせさせ給ふ」〈源氏蜻蛉〉 **—や**【衣屋】 法衣・坐具・天蓋などを製作する家。また、その人。「—、〔京都〕三条室町西へ入る」〈懐中京江戸大坂名所案内〉 **—を返・す** (恋しい人の夢を見ようと)寝るとき着物を裏返しにする。「いとせめて恋しき時はむばたまの夜の—・してぞ着る」〈古今五五四〉。「しばらくも添はねば、—・して夢を頼む」〈上野君消息〉

ころり 近世、馬方・駕籠舁(かごかき)などが賃銭に用いた符牒で、銭百文の隠語。「引き違へては—坂東(八十ノ隠語)」〈俳・珍重集〉

ころり ①ころころところがるさま。「〔虫ハ〕——と落ちにけり」〈伽・花世の姫〉 ②もろいさま。あっけなくまいるさま。簡単に事がすむさま。「いかなる者も〔コノ遊女ニハ〕—となりて、…ただ一筋にかはゆくなる」〈評判・難波物語〉 ③不意に死ぬなどするさま。「小六—と今は亡き跡」〈俳・奴俳諧〉。「一夕御懇情(こんせい)、百年の命を—となしても」〈浮・男色十寸鏡上〉 ④謡曲で、拍子の音。「拍子の音、色色なる事。—・はたり・とう」〈反古裏の書三〉 ⑤《かかるところりと死ぬというので》 近世末期、コレラの異称。「卒病即死、〔薬ヲ〕用ふるに暇なく、服するに時を失ふ。故(かるがゆゑ)に、土俗病名を—と諢号(あだな)して」〈頃痢流行記〉 **—さん** 《サンは口拍子で付けたもので、意味はない》「ころり」(2)(3)に同じ。「ころり山椒」「ころり山椒漬」などとも。「その時の〔歌ノ〕一節を聞いて、うらら(俺ラ)は—」〈評判・役者大鑑〉 **—さんせうみそ**【ころり山椒味噌】《「山椒味噌」は口拍子で付けたもの》「ころりさん」に同じ。「いかな野暮の石部金吉も、たった一服—」〈評判・役者評判蚰蜒〉

ころろ・き【嘶き】『四段』《コロロは擬音語。キはそれをうけて動詞化する接尾語。オドロキ・トドロキの類》 声がしわがれて、ごろごろ鳴る。「蛆たかれ—・きて」〈記神代〉。「嘶・嘶噎・嘶咽、コロ、ク」〈名義抄〉 †köröröki

こわいろ【声色】 ①声の音色。こわね。「広時は—あしからず、唱ひあやまちせず」〈梁塵秘抄口伝集〉 ②歌舞伎役者などのせりふのまね。「—が好きぢゃとて、人にせがまれ隠し芸をやらるれど」〈洒・客者評判記下〉

ごわう【牛王】 神社・仏寺から出す厄除けの護符の一種。お守り札。「牛王宝印」「牛王宝命」などとしるし、誓詞を書くのにも用いた。熊野権現のものが有名。「昌俊その辺より熊野の—尋ね出して」〈盛衰記四六〉 **—ほういん**【牛王宝印】「ごわう」に同じ。「諸神諸社の—の裏をもって野心をさしはさまざる旨、…数通の起請文を書き進ずといへども」〈平家一一・腰越〉

こわきざし【小脇差】 短い脇差。「一尺二寸の—をただ一腰(ひとこし)差して」〈室町殿日記一〇〉 ▽近世では、普通九寸九分までのものをいった。

こわさきしだい【声先次第】〔連俳用語〕 俳席の規定の一。同時に付句が出された場合には、先に声が掛かった人の句を優先的に採ること。元来千句興行の際の規定であるが、後には広く他の連句の時にも行なわれたようである。「初鳥や—と今朝の春〔ニ争ッテ鳴ク〕」〈俳・続連珠三〉

こわざし【声ざし】《サシは接尾語。「えださし」「おもざし」「まなざし」などの類》 声の様子。声の感じ。「姿、—、少しもたがはず」〈沙石集九ノ八〉

こわざま【声様】 声のようす。発音。また、話しぶり。「こゑざま」とも。「あはつけき—に」〈源氏常夏〉

こわだえ【声絶え】 声がとだえること。「千手陀羅尼を……—もせず誦し奉りて」〈宇治拾遺一九〉

こわだか【声高】 声の調子の高いこと。また、大声。「—に物も言はせず」〈土佐二月十六日〉。「五嫂大語(こはだか)にして嗔(いか)りて曰く」〈遊仙窟(醍醐寺本)鎌倉期点〉

こわたり【古渡り】 室町時代以前に外国から渡来した物。元渡り。「—の親父を持った和藤内」〈雑俳・柳樽拾遺九〉

こわづかひ【声遣ひ】 声の出し方。発声。「いたうすげみにたる口つき思ひやらるる—の」〈源氏槿〉

こわつき【声つき】 声のようす。物の言いぶり。「御けはひ・有様・御—など」〈栄花月宴〉。「是に出でたる老人はと〔セリフハ〕胴にてはし(ハッキリ)と、祝言の—にて云ふ事、是よく候」〈禅鳳雑談〉

こわづく・り【声作り】『四段』 ①改まった声で言う。作り声をする。「『宿直(とのゐ)申しさぶらふ』と—・るなり」〈源氏賢木〉 ②出立や訪問のしるしにせきばらいする。「—・り給へば、あてなるしはぶきと聞き知りて」〈源氏浮舟〉

こわづくろひ【声づくろひ】 声作りすること。咳ばらいをすること。「すこぶる—を申したりければ」〈古事談六〉

こわっぱ【小童】《コワラハの転》 子供をののしって言う語。餓鬼。「あれほどの——人従へざる口惜しさよとて」〈伽・橋弁慶〉

こわな・し『形ク』《コワ(声)ナ(甚)シか》 声がたけだけしく大きい。「咆勃、勇猛白、去和奈之(こわなし)、又支可牟」〈新撰字鏡〉 †kŏwanasi

こわね【声音】 声。「〔弁慶ハ〕大の—をさしあげて」〈伽・橋弁慶〉。「〔蛇ハ〕細き—をあげて言ふやう」〈伽・七夕〉

こわびき【声引き】 経文を唱える時などの、声の引きぐあい。「龍女が妙なる—は、聞けども聞けども飽く期(ご)なし」〈梁塵秘抄三二〉

こわらは【小童】 子供。「十二三ばかりなる—ありけり」〈沙石集三ノ二〉

ごわ・り『四段』《ゴザリの転。「ごはり」とも表記》「ござり」「ごあり」に同じ。「君ゆゑならば苦しう—・らぬ」〈評判・野郎児桜上〉

こゐ【木居】 狩に使われる鷹が木にとまっていること。また、そのとまり木。歌では「恋」とかけて使われることがある。「とや帰る白斑(しらふ)の鷹の—を無(な)み雪げの空に合はせつるかな」〈後拾遺三九三〉。「経レ年恋といふ心を…。われが身はと帰る鷹となりにけり年は経(ふ)れども—(木居・恋)は忘れず」〈後拾遺六六一〉

ごゐ【五位】 第五番目の等級。令制の位階では正五位または従五位をいう。五位以上は勅授とされ、格段に優遇された。「この頃のわが恋力(こひぢから)記し集(つ)め功(くう)に申さば—の冠(かがふり)」〈万三八五八〉

ごゐのくらうど【五位蔵人】 蔵人所の職員で、頭(とう)の次に位するもの。五位の殿上人の中から名門で才能のある者を選任する。「蔵人の頭・—・近衛の中少将・弁官など」〈源氏行幸〉 ▽「蔵人の五位」はこれと別。

こゐん【故院】 故人となった院。亡くなられた上皇・法皇。「—の御遺言」〈源氏若菜上〉

ごゐん【後院】 天皇が在位中に譲位後の居所として定めた離宮。太上天皇・太皇太后・皇太后の御所。「かくて一条の太政大臣の家をば女院領ぜさせ給ひて、いみじう造らせ給ひて帝の—に思し召すなるべし」〈栄花見はてぬ夢〉 **—のべったう【後院別当】** 後院の長官。「法皇を鳥羽殿におしこめまゐらせて—を置かれしには」〈平家三・吉田大納言〉

こゑ【声】 ①人や動物が発する音声。「水手(かこ)の—呼び浦廻漕ぐかも」〈万三五九五〉 ②《漢字「声」の用法にひかれたものという。平安時代以後に多い》 物の音。「白浪の—」〈土佐一月七日〉。「入相(いりあひ)の—」〈かげろふ中〉。「壱越調の—」〈源氏若菜下〉。「鹿の鳴き、鶯の声、虫のね、法螺の—」〈龍鳴抄上〉 →おと・ね。 ③発音。ことば。訛りなどについていう。「〔東国ニ住ンデイタノデ〕—などほとほとうちゆがみぬべく」〈源氏東屋〉。「北のかたに—訛りたる人の、もの言ひけるを聞きて。あづま人の—こそきた(北・来タ)に聞ゆなれ。みちの国よりこし(越・来シ)にやあるらむ」〈金葉六九二〉 ④漢字の音(おん)。「ひとたびは訓に、ひとたびは—によませ給ひて」〈宇津保蔵開中〉。「さるほどに死といふ事、おそろしくいまはしき故に、文字の—のかよへるばかりにて、四あるものを忌みて、酒を飲むも三度五度飲み」〈沙石集九ノ七〉 ⑤アクセント。「和歌の—の事、…大和紙と澄みてあがりたる—なり」〈正徹物語上〉 †köwe **—あ・り** すぐれた声をもっている。声がよい。「—・る人して歌はせたまふ」〈源氏若紫〉 **—を帆に上・ぐ** 声をはりあげる。「秋風に—・げて来る船はあまのと渡る雁(かり)にぞありける」〈古今二一二〉

こゑだか【声高】 「こわだか」に同じ。「御物語を—にせさせ給ひて」〈栄花蓍花〉

こゑつ【胡越】 《古代中国で「胡」は北方の、「越」は南方の異民族》 たがいに遠くはなれていること、疎遠なことのたとえ。「志合ふ時は—も昆弟たり」〈十訓抄六ノ一五〉。「—を隔つる思ひ」〈太平記二六・上杉畠山〉。「胡越、コエツ」〈文明本節用集〉

こゑづかひ【声遣ひ】 「こわづかひ」に同じ。「歌語りをするも—つきづきしく残り思はせ」〈源氏常夏〉

ごゑふ【五衛府】 令制の衛門府および左右の衛士府・兵衛府の総称。「—・軍団及び諸ミの帯仗者は武(武官)と為せ」〈公式令〉

こゑやまた・て【声山立て】 《下二》 大声をあげる。高い声を出す。「—・てて争(いさかひ)をする」〈俳・鷹筑波三〉

こをとこ【小男】 ①背丈の小さい男。小柄な男。「入善はきはめて—なれば」〈長門本平家一四〉 ②若者。若輩。「雅頼まだ—にてはべりける時はじめて昇殿申させはべりけるを許されはべりければ」〈千載一一五三詞書〉 ③つまらぬ男。「佐渡やの源(げん)といふ—とあらはして」〈西鶴・諸艶大鑑二〉

こをどり【小躍り・小踊り】 少し跳びはねること。また、跳びはねるように身軽に動くこと。「此の急に踊る事有り。…これを皇仁(わうにん)—と謂ふ」〈教訓抄五〉。「少しもためらふ気色なく—して登る有様は」〈太平記一七・山攻〉。「—して打って懸かる」〈安宅一乱記九〉。「悟りこそはひらけて候へと、笑みを含み—て申しける」〈仮・一休関東咄下〉。〈日葡〉

こをろこをろ 液体をかきまわして、凝り固まらせる時の音。ごろごろ。「潮〔ヲ〕—に掻き鳴(な)して」〈記神代〉 †köwörököwörö

こん【坤】 ①易(えき)の卦(け)の一。「乾(けん)」が陰陽の陽をあらわすのに対して、陰をあらわし、地にかたどる。「—は陰なるほどに、乾の陽のやうに先立って事をさわぐは悪いぞ」〈周易抄〉。「—は地なり。柔順にして万物(ばんもつ)の母なりといへり」〈新撰陰陽八卦抄上〉 ②南西の方角。ひつじさる。「坤、コン・ヒツジサル」〈色葉字類抄〉

こん【喉】 ①〔女房詞〕酒のさかな。「一、さかな。—とも。御さかなとも」〈大上臈御名之事〉 ②魚を数える語。「商人のまねをして姑蘇(こそ)城に至りて、一—の魚を獄中に投げ入れけるに」〈古活字本平治下・頼朝遠流に宥めらる〉

こん【献】 ①酒宴・饗応などの時に出される膳部や酒盃の回数をあらわす語。「次に一—の盃をすすむ。二—に箸を立つ。三—にまた郢曲(えいきょく)あり。そののち数(す)—に及ぶ」〈著聞跋〉 ②酒を飲む回数をあらわす語。三盃飲むことを一献(いっこん)という。「心よく数—に及びて、興に入られ侍りき」〈徒然二一五〉

こん【魂】 「魄(はく)」が肉体をつかさどる陰のたましいであるのに対して、精神をつかさどる陽のたましい。「我、実盛の幽霊なるが、—は冥途にありながら、魄はこの世にとどまりて」〈謡・実盛〉

ごん【権】 《「権」は仮(かり)の意》 ①仮に任じた官。令制で定められた正官に対していう。「—の中将」〈源氏椎本〉 ②本物に準ずる立場。「—の北の方(準夫人)にてめでたし」〈栄花花山〉

こんがう【金剛】 ①〔仏〕《堅固の意》 金属中の最も堅いもの。また、金剛石。さらに、堅牢この上ないもの、最上のものの意。「—の身なれば五盛陰の苦なし」〈栄花玉台〉 ②「金剛杵(しょ)」の略。「手に—を取り」〈今昔一四ノ一七〉 ③「金剛草履」の略。「腹巻着て—履いて」〈義経記二〉 ④歌舞伎若衆の草履取り。「—の角内・九兵衛を呼び出し」〈西鶴・一代男三〉 ⑤能の人名・座名・流名。能楽五流の一。大和猿楽四座の一の坂戸(さかど)座より出る。「—は、松・竹とて二人、鎌倉より上りし者なり」〈申楽談儀〉 **—かい【金剛界】** 《「胎蔵界」の対》 密教で、大日如来の智徳をあらわした部門。その智徳は、すべての煩悩を打ち砕く力を持っているのでいう。「—の曼陀羅(まんだら)の大法の説き給ひて」〈今昔六ノ八〉 **—きゃう【金剛経】** 「金剛般若経」に同じ。「ついでに金泥(こんでい)の—供養し奉る」〈竹むきが記〉 **—ざうり【金剛草履】** 藁または藺製の、大型で丈夫な草履。近世には、表に錦を張り、あるいは裏に薄皮を付けた女用の藁草履をも称した。「—にて歩行し給ひき」〈法然上人行状絵図〉 **—さった【金剛薩埵】** 密教の伝承を付嘱された八祖の第二祖。菩薩形で、右手に金剛杵、左手に鈴を持つ(あるいは拳)。「—、龍猛(りうみやう)菩薩に伝へ授けしより」〈性霊集九〉

—じ【金剛子】《「子」は果実の意という》植物の一。今のモクゲンジという。その実はたいそう固く、数珠などの材料となる。「聖徳太子の百済(くだら)より得たまへりける—の数珠(ず)」〈源氏若紫〉 —しょ【金剛杵】密教で、煩悩(ぼんのう)を破砕する菩提心の象徴として用いる法具。鉄・銅などで作り、その両端が一本で分れていないのを独鈷(とっこ)、三つまたになったのを三鈷、五つに分れたのを五鈷という。「手に—を取り」〈今昔一ノ六〉 —しん【金剛心】堅固でゆるぎのない信仰心。「—を得ん人は、彌陀の大恩報ずべし」〈浄土和讃〉 —じん【金剛神】「金剛力士」に同じ。「鬼神も—も畜生も変化人も」〈三宝絵下〉 —せき【金剛石】宝石の一。ダイヤモンド。「石は補陀落山(ふだらくせん)にては宝石と名づく。或は—と云ふ」〈盛衰記三九〉 —づゑ【金剛杖】修験者などの用いる、八角または四角の白木の杖。金剛堅固の信念を表わすもの。「綾菅笠にて顔をかくし、—にすがり」〈謡・安宅〉 —どうじ【金剛童子】阿彌陀仏の化身という、忿怒(ふんぬ)の相をした童子。左手に金剛杵を持つ。密教の護法童子の一。「熊野の—と覚ゆるは」〈雑談集一〇〉 —はんにゃ【金剛般若】「金剛般若経」に同じ。「〔鎮護国家ノ三部経デアル〕最勝王経・—・寿命経」〈源氏若菜上〉 —はんにゃきゃう(ギョウ)【金剛般若経】仏教典の一。物質的・精神的なものすべては、空・無我であることを説いたもの。金剛般若波羅蜜経。「金剛経」とも。「—を宮中に説かしむ」〈紀天武十四年〉 —ふゑ【金剛不壊】金剛石のように堅固で破れないこと。「院の内も—の勝地と見えてめでたし」〈栄花音楽〉 —やしゃ【金剛夜叉】①金剛夜叉明王のこと。五大明王の一。火焰を背にし、三面六臂、忿怒の相をもって北方を守護し、一切の悪魔を降伏(ごうぶく)するという。「—は釈迦仏と聞き奉るに」〈栄花玉台〉 ②金剛夜叉法のこと。密教で、金剛夜叉明王を本尊として幸福を祈る修法。「院の御所には五壇の法、…公顕前大僧正は—、澄憲新僧正は不動明王」〈盛衰記二七〉 —りき【金剛力】金剛力士のような大力。「—を出し、ねぢ合たり」〈石見軍記〉 —りきじ【金剛力士】金剛杵を持って仏法を守護する神。一般には「仁王(におう)」をさし、左を「密跡(みっしゃく)金剛」、右を「那羅延(ならえん)金剛」と呼ぶ。「〔入滅ノ時〕—は五躰を地に投げて悲しむ」〈今昔三ノ三二〉 —れい【金剛鈴】密教の法具の一。金剛杵(しょ)の一端に鈴をつけたもの。仏菩薩の注意を喚起し、衆生の仏心を呼び覚ますために振る。「片手には—をもって—を打ち振り打ち振り」〈平家八・鼓判官〉

こんかき【紺搔】藍(あい)で布地を染めること。また、それを業とする者。こうや。こうかき。「義朝の不便にしてめしつかはれける—の男」〈平家一二・紺搔〉

こんがら【金伽羅・矜羯羅】《梵語の音訳。随順・従僕の意》不動明王の八大童子の第七。制吒迦(せいたか)と共に、明王の脇侍として、その左側に立つ。「われはこれ大聖不動明王の御使ひに、—・制吒迦といふ二童子なり」〈平家五・文覚荒行〉

こんき【根機・根気・根器】①〔仏〕仏の教えを受けとる衆生の素質や能力。機根。「人の—くだれる故なり」〈沙石集七ノ五〉 ②忍耐する気力。気根。「人は若き時ならでは用に立たずぞ。げにも—が強き程にぞ」〈四河入海一五ノ一〉。「根性(こんじやう)と云ふも耳に立つ。—なんどと云ふべし」〈浄土真宗小僧指南集末〉

ごんぎゃう(ギョウ)【勤行】〔仏〕《呉音》①つとめはげみ行なうこと。精進。「—精進の在俗よりは、無智無行の比丘はすぐれたり」〈盛衰記一八〉 ②仏前で読経・回向(えこう)などを行なうこと。おつとめ。「説法読経、丁寧に—をいたされ候ふ」〈平家六・慈心房〉。「朝夕の—、つとめ怠らずして」〈伽・花世の姫〉

こんく【金口】《「金」は美称。仏の口の意》①釈迦の口。釈迦の説法。「釈迦如来い、—に説きたまはく」〈万八〇三序〉 ②貴重なものとして守ることがら。金科玉条。「互に云ふ事を皆—の誠言と信ず」〈今昔三ノ二七〉

こんぐ【金鼓】仏家の楽器の一。多く銅製で、円く平たい形で中空。仏堂の軒にかけたり(鰐口(わにぐち))、胸や頸からかけて打った(鉦鼓)。「〔寺ニコモッテ〕—打つこそをかしけれ」〈枕一三〇〉

ごんぐ【欣求】〔仏〕よろこんで願い求めること。「先づ—の志の切なるべきなり」〈正法眼蔵随聞記三〉 —じゃうど(ジョウ…ド)【欣求浄土】極楽浄土に往生することをよろこび求めること。「厭離穢土(えんりあど)、—の三業(さんごう)にわたりて」〈和語燈録一〉

こんくゎい 狐の鳴き声。「別れの後に鳴く狐、—(後悔ト掛ケル)の涙なるらん」〈虎明本狂言・釣狐〉

こんくゎうみゃうぎゃう(コウミョウギョウ)【金光明経】仏教典の一。北涼の曇無讖訳、四巻。国家の平安を祈って奈良時代に広く用いられたが、後に義浄訳の十巻の金光明最勝王経を用いた。「僧尼をして—を読ましむ。若し此の経無くは便ち最勝王経を転じて、国家を平安ならしめよ」〈続紀神亀二・七・一七〉

ごんくゎん【権官】《仮(かり)の官の意》令制の正官に准じて、仮に任ずる官。やがて正官と並んで任ぜられるようになった。権帥(ごんのそつ)・権頭(ごんのかみ)の類。「八幡宮の—にて年久しかりけることをうらみて」〈新古今一八六七詞書〉

ごんげ【権化】〔仏〕仏が衆生を救い導くため、仮に人間などの姿をとって世に現れること。また、その化身。「権現」とも。「世の人、聖人を—の者とぞいひける」〈今昔一三ノ二七〉

ごんけう(キョウ)【権教】〔仏〕《「実教」の対》卑近な方便によって仏教の真理を示す仮の教え。「或いは実教をひろめ、—をひろむ」〈和語燈録一〉

ごんげん【権現】〔仏〕日本では神にいう尊号。本地垂迹説にもとづき、仏が仮に神になって現われたとする思想による。権化(ごんげ)。「かつは—御覧ぜよ」〈梁塵秘抄二六〇〉 —さま【権現様】《「東照大権現様」の略》江戸時代特に、徳川家康を祭った東照宮。また、家康をいう。「紅葉山に参りつつ、—を伏し拝み」〈仮・竹斎下〉。「時に—、『なぜくれてやらなんだの』と仰せありしかば」〈驢鞍橋中〉 —づくり【権現造】神社社殿の建築様式の一。拝殿と本殿の間に石の間(のち、相の間という)という中間部を設け、全体を一棟に連ねる。日光の東照宮、京都の北野神社の社殿がそれ。桃山時代に始まり、その盛んに行なわれた江戸時代では、様式に変化が見られる。「—、堂社造〔トモイウ〕。この御殿は、組物彫物等あり。或は彩色などするなり」〈神道名目類聚鈔一〉

ごんご【言語】《呉音》①言語(げんご)。「この語は世俗の—として、久しく途中に流布せりといへども」〈正法眼蔵仏性〉。〈運歩色葉集〉 ②《副詞的に用いて》言語道断の意。まことにもって。「—やせたるもので、面目もないぞ」〈四河入海一三下〉。「甘露の味はひみちみちて、—えこらへぬ酒なり」〈伽・蛤の草紙〉 —だうだん(ドウ)【言語道断】①ことばで表現しようのないこと。えもいわれぬこと。「時時刻刻の法施・祈念、—の事どもなり」〈平家一・願立〉。「ことばの道も絶え果てたる所を—と名づけたり」〈法華題目和談抄上〉 ②きわめて悪いこと。不都合千万。もってのほか。

「―の事を承り候ふものかな」〈謡・黒塚〉。「―、口惜しい事ぢゃ」〈虎明本狂言・鈍太郎〉

こんこん【献献】①酒盃を何度もやり取りすること。「後は―候はんとも、また主のまま」〈山科家礼記文明一三・二・一七〉②特に、婚礼の献盃。「雑煮ばかりにて―あり。被(かづ)(き)〔ノ服装〕にて〔花嫁ヲ〕連れ帰り」〈宗静日記元祿五・八・八〉

どんざう【権蔵】《ゴンズの転。近世では、ゴンザウ(権蔵)という人が作り始めたとされた》 子供のはく草鞋(わらじ)の称。「〔子供ガ〕―でからくりほどは〔ソロリソロリト〕歩く也」〈雑俳・万句合明和七〉

こんじ【巾子】⇒こじ。「巾子、コンジ」〈名義抄〉

こんじ【金字】《キンジとも》 金泥(こんでい)で書いた文字。「紺紙―妙法蓮華経一部八巻を書写し奉る」〈兵範記久安五・一〇・二五〉

どん・し《サ変》「ござんし」の約。主として遊里の男女が用いた。「ようー・した」〈浮・茶屋調法記〉

こんしこんでい【紺紙金泥】藍色の紙に金泥で経文・名号などを書いたもの。「一字三礼(さんらい)の―の法華経をあそばされて」〈太平記三九・法皇御葬礼〉

どんじつ【権実】権教(ごんけう)と実教と。仮の教えと真実の教えと。「―の教法、顕密(けんみつ)の聖教を悟得すといへども」〈正法眼蔵随聞記五〉

こんじてう【金翅鳥】天竺に住むと伝えられる金色の羽をもつ怪鳥。常に龍を捕えて食としているといい、また、これが動くと地震になるという。「馬の駿(と)きこと―の如し」〈今昔一ノ四〉。「朝小地震、―動く也」〈看聞御記永享六・三・七〉

どんじゃ【権者】〔仏〕①仏が衆生を救うため、この世に仮に人の姿となって現われたもの。「権化」「権現」「化人」「化身」とも。「春朝聖人をば唯人にはあらず、―なりとぞ、その時の人云ひけりとなむ語り伝へたるとや」〈今昔一三ノ一〇〉②特に、弘法大師。「―の製作として真名(まな)の極草(ごくさう)の字を伊呂波〔四十七字〕に縮めなして文字の数少なきに」〈行阿仮名文字遣序〉③《比喩的に》ある特質のいちじるしい体現者。「西行は誠に此の道の―なり」〈八雲御抄六〉

こんじゃう【今生】《「前生(ぜんしやう)」「後生(ごしやう)」の対》この世。現世。「―の対面、ただ今ばかりなり」〈今昔一三ノ三二〉

こんじゃう【金青・紺青】鮮美な藍色の顔料。銅類の鉱石にまじって産する。「近江国をして―を献ぜしむ」〈続紀文武二・九・二八〉。「鷹のいろはいと白く、雉(きじ)は―のやうにて」〈大鏡昔物語〉

こんじゃう【根性】生来の変らぬ性格。性根(しやうね)。「御たましひ深くおはして、らうらうじうしなし給ひける御―にて」〈大鏡伊尹〉。「負けじ―」〈春秋抄六〉 **―しね**【根性しね】「しね」に同じ。「おのれが―を直せ」〈評判・口三味線返答役者舌鞁京〉 **―ぼね**【根性骨】性格。「憎い奴が―かな」〈天草本伊曾保〉

どんじゃう【言上】申し上げること。「謀叛無実の由を同年五月二日を以て―す」〈将門記〉

こんじゅ【胡飲酒】《コオンジュの約》舞楽の曲名。壱越調(いちこつちよう)の小曲。唐楽に属し、一人で舞う。胡国の王が酒に酔って舞うさまを模したものという。頭髪を乱した大きな鼻の面に帽子をかぶり、左手に撥(ばち)を持つ。「こいんじゅ」「こんず」とも。「久我太政大臣、―を将曹多(おほの)忠方に教へ給ひけり」〈著聞二六九〉

どんしゅ【勤修】〔仏〕《呉音》修行。「昔、行者、孔雀明王の法を―の時」〈著聞三六〉。〈文明本節用集〉

こんしん【今身】《コンジンとも》今生(こんじやう)の身。現身。「無始よりこのかた―にいたるまで」〈和語燈録一〉

こんじん【金神】陰陽家の祭る方位の神。その神のいる方位に対して、造作・出行・移転などをするのを忌んだ。「―とは巨旦大王が精魂なり。七魄遊行して南閻浮提(なんえんぶだい)の諸々の衆生を殺戮するが故に尤も厭ふべきものなり」〈簠簋内伝一〉

どんず「ごんずわらぢ」の略。「褐(かちん)の脛巾(はばき)に―履いて」〈義経記七〉 **―わらぢ**【ごんず草鞋】乳(ち)紐を通す輪)と紐を布などで作ったわらじ。武者わらじ。「こはき麻苧(あさを)の刺足袋に―締め履いて」〈伽・万寿の前〉

どんすけ【権助】〔江戸語〕下男の通名。「コレ、―や、どなたかお出でなすったでは無いか」〈滑・浮世風呂四下〉

どんぜつ【言舌】ものいい。弁舌。「―は異なりとも、黙然は等しかるべし」〈正法眼蔵菩提分法〉。〈日葡〉

こんだ【込んだ】《連語》《「呑み込んだ」の略》わかった。了解した。「内証、花車に吹きこめば、―とばかり与次兵衛が小袖を仮(借リト掛ケル)の難与平」〈近松・寿門松上〉

こんたいりゃうぶ【金胎両部】〔仏〕金剛界と胎蔵界と。大日如来の智徳・理徳の二部門。「―の大日如来は、もろもろの堅牢地神と成りて、共に念仏の人を守護し給へり」〈現世利益和讃〉

こんだう【金堂】その寺の本尊仏を安置する堂。本堂。「葛城寺塔幷せて―等皆焼尽す」〈続紀宝亀一一・一・一四〉

こんだうま【小荷駄馬】《コニダウマの転》一駄(四十貫の荷)以下の荷物を付ける馬。「炭の荷や付けてうるしい―」〈俳・貝おほひ〉

こんだて【献立】料理の種類や順序の予定を立てること。また、それを記したもの。「御城にて御振舞、―別に有るなり」〈宗湛日記天正二〇・一一・八〉

こんぢ【紺地】紺色の織地。「―の錦の直垂(ひたたれ)に、唐綾威(からあやをどし)の鎧着て」〈平家四・宮御最期〉

こんぢく【坤軸】大地を支えているという三千六百の軸。地軸。「―も折れて忽ち地に沈むかとぞ覚えし」〈太平記三・笠置軍〉

こんづ【漿】《コミヅ(濃水)の転》米を煮た汁。おもゆ。「雪を盛りて飯と観じ、水を飲みて―と思ふ」〈日蓮遺文秋元御書〉。〈文明本節用集〉

こんでい【金泥】金粉を膠(にかわ)にとかして泥状にしたもの。書画をかくのに用いる。「―〔ノ〕法華経一部」〈権記寛弘八・六・二五〉

こんでい【健児】《デイは「児」の古音か。「ちからひと」とも訓じ、勇健な若者の意》奈良時代、諸国に配置された衛士。平安時代、延暦十一年、それまでの軍団に代って正式の兵制となった。国ごとに、郡司など地方の有力者の子弟から採用。武家時代、中間・足軽の称となる。「諸道の―・儲士・選士には田祖幷びに雑徭の半ばを免ず」〈続紀天平六・四・二三〉。〈書言字考〉 **―どころ**【健児所】平安時代、国府に設置した健児の詰所。鎌倉時代以後、中間・下部・足軽などのたまり場所。「在庁官人・検非違使・―等、過分の勢ひを高くせり」〈太平記一三・龍馬進奏〉。〈下学集〉 **―わらは**【健児童】「健児」に同じ。「―もしは格勤者(かくごしや)などにて召し使はれけるが」〈平家一・鵜川軍〉

こんど【今度】このたび。今回。「―は以ての外に覚え候」〈平家三・西光被斬〉。〈文明本節用集〉

こんどう【金銅】銅に金めっきしたり、金箔を押したもの。仏像・仏具などを作るにつかう。「―の鋳造一龕、…海浜

に漂ひ着く」〈続紀宝亀一一・三・三〉

こんにゃくぼん【蒟蒻本】洒落本の異称。表紙の色と形が蒟蒻に似ているのでいう。「天明・寛政の頃、—と云ひて、漉返(すきがへ)し鴇(とき)色の薄紙表紙を付け、半紙摺の袋入りにしたる草紙ありし」〈増補浮世絵類考〉

ごんのきたのかた【権の北の方】《「権」は仮(かり)、また、准ずるの意。「北の方」は貴人の妻》北の方に準ずる人。準夫人。「大殿年頃やもめにておはしませば、御召人の典侍(ないしのすけ)のおぼえ年月に添へて、ただ—にて」〈栄花様様悦〉

ごんのそつ【権帥】《大宰帥(だざいのそつ)の権官》大宰府の副長官。普通、大・中納言(なごん)が任命され、実質上の長官として府務を統督した。「ごんのそち」とも。「〔光孝天皇八親王ノ時〕大宰—にうつりならせ給ふ。〔後ニ〕大宰帥かけ給ひて、二月四日位につき給ふ」〈大鏡光孝〉

こんのだいなし【紺の代無し】中間(ちゅうげん)などの着る、紺染めの筒袖仕立ての丈の短い衣服。「おろせ(駕籠舁)が—」〈評判・長崎土産二〉

こんぱる【金春】能の人名・座名・流名。能楽五流の一。大和猿楽四座の一の円満井(えんまい)座より出る。「—は舞をばえ舞はざりし者也。曲事をせし為手也」〈申楽談儀〉

ごんび【言便】《「言美」とも当て字》「ごんびん」の約。「小若衆逢へば—のさはやかに」〈俳・時勢粧五〉

こんぴら【金毘羅】「金毘羅権現」に同じ。「明暮、我が国の—の神を拝み奉りて」〈仮・霊怪艸三〉 **—ごんげん**【金毘羅権現】讃岐国琴平、象頭山(ぞうずさん)に祭る、渡航者の守護神。金毘羅大将を神体とする。略して、「金毘羅」とも。「讃岐、—」〈和爾雅三〉〈日本鹿子三〉 **—だいしゃう**【金毘羅大将】十二神将の一。宮毘羅(くびら)大将。「根本中堂におはします十二神将の内、—の左の御足の下に」〈平家三・座主流〉

ごんびん【言便】言葉の調子。後に「ごんび」「ごうびん」とも。「天台宗の智恵のたけたる人の—さはやかに論義なんどする」〈御書抄一七〉。〈文明本節用集〉

こんぶ【昆布】《アイヌ語 kombu》海草の一。こぶ。「蝦夷須賀君古麻比留等言(まう)す。先祖以来、—を貢献す。常に此の地に採りて年時闕(か)かず」〈続紀霊亀一・一〇・二九〉 **—に針刺・す** 呪詛・起請・誓約の方法として、昆布に針を刺す。呪詛の場合は井戸に沈め、または、昆布で人形(ひとがた)を作り樹木に釘で打ち付けた。「お家主殿の井戸替へ、…—したるも現はれしが」〈西鶴・五人女三〉

こんぼん【根本】㊀《名》①大もととなるもの。根元(こんげん)。②ほんもと。元祖。「ゑびす橋筋に、—浮世楊枝とて、芝居若衆の定紋を打ち付け置きしに」〈西鶴・男色大鑑七〉 ㊁《副》もともと。元来。「—匈奴の者ぢゃが」〈史記抄一四〉

こんぽん【混本】和歌の一体。歌体は諸説あるが未詳。「長歌・短歌・旋頭・—の類」〈古今真名序〉

こんみゃう【今明】今日と明日と。今明日。「—、我に飲食(おんじき)を勧め」〈今昔一五ノ八〉。「たちまちに—の程とは思はざりつるに」〈平家五・都遷〉

こんみり 濃厚なさま。こってり。しんみり。「夫婦の縁、御中こちごち—とこそなりにけれ」〈浄・善光寺三〉

こんむらご【紺村濃】薄紺色のなかにところどころ濃い紺色を染めだしたもの。こむらご。「—の直垂(ひたたれ)に緋縅(ひをどし)の鎧」〈盛衰記四三〉

こんめいちのしゃうじ【昆明池の障子】清涼殿の孫廂(まごびさし)に置いてあった衝立(ついたて)。表には昆明池、裏には嵯峨の小鷹狩の絵がかいてあった。「昆明池」は、漢の武帝が長安の西南に掘らせた池の名。「台盤所、—、今見れば、見し人にあひたるここちす」〈讃岐典侍日記〉

ごんめう【権妙】不可思議。奇妙。「—不思議の上手かな」〈仮・為愚癡物語四〉

こんや【紺屋】染物業者。もと、藍で紺染する業者をいった。こうや。「—甚(人名)」〈多聞院日記永禄一〇・八・二九〉。「褐(かちん)前垂れ—の嫁か娘か」〈田植草紙〉 **—ぞめ**【紺屋染】紺屋で染色すること。また、紺屋で染めた物。「布子弐十五…内十は—」〈本光国師日記寛永九・一二・二四〉 **—ぢごく**【紺屋地獄】染め上りの期日をいつも明後日と嘘をつく紺屋が、死後落ちるという地獄。「—は聞くも恐ろし」〈俳・望一後千句〉 **—の明後日**(あさって) 紺屋が染上りの期日を、「明後日」と言って延期することが多いところから、約束の期限などがあてにならないたとえ。「—と名に立ちて、嘘つく事の世話に引かるるも、うたてな事也」〈人倫重宝記三〉。〈俳・毛吹草三〉 **—のかた**【紺屋の形】紺屋で用いる染物の小紋・紋所の型紙。「とりどりに—を取り散らし」〈俳・已が光〉

こんらう【軒廊】《呉音》紫宸殿東南にある階段の下から宜陽殿にわたる廻廊。「近廊」「東廊」とも。上屋(やうわ)があり、下は土間。ここで行なわれる重要な吉凶の判断の卜占を軒廊御卜(こんらうのみうら)という。「旱にて御占を—に行なふ」〈御堂関白記寛弘一・八・一〉

こんりふ【建立】《呉音》建物を建てること。特に、堂・塔・伽藍などを建てること。「我、勝地(しょうち)を求めて、伽藍一院を—して」〈今昔一ノ三〉。〈文明本節用集〉

こんりょうのぎょい【袞龍の御衣】天子の礼服。赤地の綾に日・月・星・龍の繡(ぬひ)を置いたもの。「師賢、法勝寺の前より—着して…西塔院へ登り給ふ」〈太平記二・師賢登山〉

こんりん【金輪】〔仏〕①大地の下底にあって世界を支えているという大きな輪の一。金輪の下は水輪、水輪の下は風輪があり、風輪の下は空輪といって虚空に支えられているという。「三観の隙、必ず—の久転を専らにし」〈盛衰記五〉②「金輪王」の略。「—位高うして、擁護の神いまだ捨て給はず」〈太平記三・大内裏〉 **—ざい**【金輪際】①大地の下、金輪があるというその場所。大地の底。一説に、金輪が極まり、水輪に接する所。「閻浮提の内に湖あり、その中に—より生ひ出でたる水精輪の山あり」〈平家七・竹生島詣〉②《副詞的に用いて》底の底まで。どこまでも。とことん。「—振って見せう」〈近松・曾我七以呂波三〉 **—のほふ**【金輪の法】金輪仏頂尊を本尊として祈禱する息災の法。天変・争乱のときなどに行なう。「十九日より—・天地災変〔ノ祭〕など始まるべしと聞えし」〈弁内侍日記〉 **—わう**【金輪王】転輪聖王の一。金輪宝を感得し、須彌山(しゅみせん)の四州を統治するという帝王。「—出現して、四天の山海を平らかになす」〈日蓮遺文法蓮鈔〉

こんるり【紺瑠璃】紺色の瑠璃。また、そのような色。「瑠璃の御盃、瓶子(へいじ)は—なり」〈源氏宿木〉

こんろん【崑崙】《副》まるきり。すべて。全く。「悉くと云ふ体(てい)の事を—と云ふは何事ぞ」〈壒嚢鈔三〉。「これは柳、これは花、これは鶯と見ば、—別別に見るぞ」〈荘子抄三〉

こんゑ【近衛】《コノヱとも》「近衛府」の略。また、近衛府の兵士。「左近衛府、—四百人、使部三十人」〈類聚三代格四〉 **—ふ**【近衛府】皇居の中心部の警固に当たった役所。左近衛府・右近衛府があった。「授刀衛を改めて—と為す。其の官員、大将一人を正三位の官と為し、中将一人を従四

位下の官と為し、少将一人を正五位下の官と為し」〈続紀天平神護一・二・三〉。「近衛府、コンヱフ」〈色葉字類抄〉

さ

さ《三人称の代名詞ソ・シと同根。文脈にすでにあらわれている人物を指示する代名詞として使われるだけでなく、後世、副詞・感動詞・助詞に使う。文脈上すでに話題になっていることをうけて、それに関して相手に呼びかけ、相手の注意を喚起する》㊀『代』それ。そいつ。「ーが尻をかき出でて、ここらのおほやけ人に見せて恥を見せむ」〈竹取〉 ㊁『副』①そう。上の叙述を指示していう。「誰かー言ふぞなども、え問ひたまはず」〈源氏浮舟〉。「ーありと知らねば思ひよるためしもなし」〈正法眼蔵唯仏与仏〉 ▽平安時代には女流仮名文学に多く使われる。漢文訓読体ではシカを使う。②(その通りとみとめて)そんなにも。いかにも。「まことにー言はれたり」〈宇治拾遺七四〉 ㊂『感』相手の注意を促したり、誘ったり、または、なじっていう語。「ー、来て拝(をが)ましゃれい」〈狂言記・仏師〉。「ー、(狐ガ)かかったは」〈狂言記・今悔〉 ㊃『助』①述語になる体言・活用語・助詞について文を結び、相手に軽い感動をもって呼び掛ける意をあらわす。「お聞きゃれーここに貧女の通り者」〈俳・ぬれがらす〉 ②感動詞について強く言い切る意をあらわす。「いやー、まだ殺しはせねども」〈伎・傾城富士見る里一〉 ③文節の切れ目について、軽く念を押す意をあらわす。「何ー、石打ったとは誰がこと」〈近松・今宮心中上〉

ー見つる事よ《サは副詞》それ見たことか。「片方(かたへ)の遊び者どもが門前市を成して、『ー』と申さんも心うく侍るべし」〈盛衰記一七〉

さ【矢・箭】「矢(や)」の古語。「投ぐるーの遠ざかり居て」〈万三三三〇〉 ▽朝鮮語 sal(矢)の末尾の子音を落した形。

さ『接頭』名詞・動詞・形容詞の上につく。語義不詳。「ー霧」「ー百合」「ー牡鹿」「ー走り」など。「うらさぶるこころーまねしひさかたの天のしぐれの流らふ見れば」〈万八二〉 →さち

さ『接尾』《サマ(方・様)のサと同根》①方向を表わす。「縦(たた)ーにもかにも横ーも奴(やっこ)とそ吾(あれ)はありける主(ぬし)の殿戸に」〈万四一三二〉 ②動詞について、…する場合、…する折などの意をあらわす。「あふーきるー」「かへるー」など。「往くー来(く)ー君こそ見らめ」〈万二八一〉 ③形容詞および形容詞的な活用を持つ語の語幹、物の性状を示す体言について、その状態・程度をあらわす。「よー」「よろしー」「はなやかー」「うつくしげー」「逢はまほしー」など。「母を離れて行くが悲しー」〈万四三三八〉

さ『助』《接尾語サと同根》方向を表わす。ほぼ「へ」にあたる。室町時代の関東方言。「筑紫に、京へ、坂東ー」(方向を示す助詞の方言的差異を表わした慣用句)〈四河入海一九上〉

さ『助動』尊敬の助動詞「す」の未然形。

ざ【座】①坐ること。あぐら。「座禅にとりかかりまして…直にーをくむが最後」〈盤珪禅師御示聞書上〉 ②座席。「五位以上、ーに始めて榻(しぢ)を設く」〈続紀慶雲一・一・一〉。「ーにつき並びたる」〈源氏少女〉 ③(板敷の部屋などで)坐る所に設ける敷物など。「舎人親王、朝庁に参入する時に、諸司これが為にーを下ることなかれ」〈続紀天平一・四・二〉。「ーを引きて立ちたうびなん」〈源氏少女〉 ④仏像などをすえつける台座。「蓮華のーの、土をあがりたる高さ三四尺」〈更級〉 ⑤神仏の説経、談義などを聴聞する座席。「仁王経二巻を出して、百ーの仁王道場を開くに」〈今昔七ノ一〉 ⑥集会の席。「太政大臣は管絃のーに必ず候べき人にて」〈著聞九八〉 ⑦平安時代末以降、朝廷・公家・社寺・大名などの保護を受け、商品の販売・製造の独占権を得ていた商工民の同業組合。その他、絵師・田楽・能楽などの芸能人、馬借(ばしゃく)などの運輸業者等の座もあったが、織豊政権の楽市楽座政策で解体した。「壱所、四条町切革ー棚、南より二番・三番也」〈大徳寺文書三、久安六・四・八〉 ⑧近世、幕府の硬貨発行所、直営の専売所、朱座など幕府の監督下に専売を許された特権商人。「似せ金銀は金ー銀ーへ遣はし」〈御触書寛保集成二、寛文一一・一〇〉 **ーを組・む** ①あぐらをかく。「これなる芝の上に扇をうち敷き、鎧ぬぎすてー・みて」〈謡・頼政〉 ②二人以上の人数がそれぞれ対座する。適当に座を占めて向い合う。「皆皆ー・みしに」〈西鶴・浮世栄花四〉 **ーを持・つ** 一座の興をうまく取り持つ。「ー・ちて良き君也」〈評判・吉原下職原〉

ざ『助』《ズハの転》ないと。なければ。「錆びたらば、磨(と)がーなるまいが」〈虎明本狂言・連歌毘沙門〉

さあ『感』①相手を促したり詰問したりする時に発する声。「ー切れ」〈碧岩抄三〉。「ー読まう」〈ロドリゲス大文典〉 ②(相手の質問・詰問などを受けとめて)ためらい、当惑した時に発する声。「『さしあたっての刀の詮議は』『ー、其の儀は』『お返事承りませう』『ー、其の御返事は』」〈伎・幼稚子敵討一〉

さあらぬ【然あらぬ】『連語』《「さらぬ」とも》①そうではない。そうならぬ。「もし内に男宮も出でおはしましなば、いかがあらむ。ーさきに東宮に立て奉らばや」〈大鏡師尹〉 ②なにげない。なにくわぬ。「太夫この由聞くよりも、ー体(てい)にもてなして」〈伽・はもち中将〉

さあらば『接続』それでは。しからば。さらば。「ー宝を渡し申すべし」〈伽・法妙童子〉

さあん・す『助動』《サンスの転》なさいます。「ようは見たてー・して」〈評判・古銀買上〉

さい【斎】㊀『名』①身をつつしむこと。潔斎。「斎、サイ・イツク、敬也。イモヰ、令二精進一也」〈色葉字類抄〉 ②仏家で、正午以後食事をつつしむこと。「持ーを好まずして、心にまかせて朝夕に物を食ふ」〈今昔一五ノ五〉 ③《転じて》仏事の時の食事。この場合は、「食すべき時の食」という意から、「斎」を訓じて「とき」ともいった。「追福のーは存日に修しをはんぬ」〈性霊集四〉 ④「斎会(さいゑ)」に同じ。「親王薨ぜば七日毎に供斎し、僧一百人を以て限とせよ。七七ーし訖(をは)らば、之を停めよ」〈続紀天平七・一〇・五〉 ㊁『接尾』《部屋・書斎の意》部屋・書斎の名につけて、文人・医者・画家などの雅号とする。「陶三郎所望斎名、黙ーと名づけ」〈実隆公記永正八・九・一三〉

さい【賽・采】①双六に使うさいころ。象牙または鹿角などで作る。賽二個を筒(どう)に入れて振る。「近江の君は双六うつ時の言葉にも、明石の尼君、明石の尼君とぞーはこひける」〈源氏若菜下〉 ▽奈良時代には和語としてはサエといった。②【采】「采配」の略。後に「ざい」とも。「指麾(しき)とは、日本にて、ーを取って軍づかひをするなどのやうなる事をいふぞ」〈三体詩抄一ノ三〉

さい『助動』室町時代以降、一・二段活用の動詞の未然形などにつき、軽い敬意のこもった命令をあらわす。…なさい。「十八町の野中なる御茶の清水をあげーの」〈伽・小

栗絵巻〉。「な見―そ、な見―そ、人の推(すい)する、な見―そ」〈閑吟集〉

ざい【在】①都会から隔たった土地。いなか。村里。「江崎と名字を改めし事は、父一色蔵人、江崎に住して在りし故、此の―の名を名乗るなり」〈土岐累代記〉②地名などの上につけて、その地に居ること、滞在することをあらわす。「―京」「―国」「―洛」など。「柏崎殿は―鎌倉にて御座候ひしが」〈謡・柏崎〉

ざい【際】身分。身の上。分際。「汝、縄の―に至って、健気立(けなげだて)はいらざる事よ」〈狂言記・生捕鈴木〉

さいあい【最愛】①深く愛すること。「判官は磯禅師といふ白拍子の娘、静といふ女を―せられけり」〈平家一二・土佐房〉②夫婦のむつまじい間がら。「―の仲になりて、師家といふ子生みて」〈愚管抄五〉③夫婦の交わり。「一生―の道を知らず」〈伽・七夕之本地〉

さいうさ【左右左】①叙位・任官・賜禄などの時の拝舞の方式。腰から上を左に向け、次に右、終りに左に向けて行なう拝礼。「舞踏の事、再拝笏を置く、立ちて―、居して―、笏を取りて小拝、立ちて再拝す」〈拾芥抄中〉②能の舞の基本型の一。⑴の系統を引き、現在「左右」という。「惣じて一切の態(わざ)をなす人躰に、――と身づかひ、振風情、意中の意風にいたるまで、これを思ふべし」〈却来花二〉

さいおうがうま【塞翁が馬】《淮南子、人間訓に見える故事。国境の辺塞に住む老翁の飼っていた馬が胡(こ)の地へ逃げたが、駿馬を伴って帰って来た。その結果、老翁の子が落馬してびっこになったが、そのために戦に出ず、死ぬことをまぬかれたという》人生は、吉が凶に転じたり、禍が福に転じたり、全く予測のできないものだから、不幸を悲しむ必要も幸福を喜ぶ必要もないというたとえ。「人間万事塞翁が馬」とも。「吉凶不定、憂喜あひ交る事を―と云ふは何事ぞ」〈壒嚢鈔三〉

さいかい【西海】①西国の海。「昨日は東関の麓に轡(くつばみ)を並べて十万余騎、今日は―の浪に纜(ともづな)を解いて七千余人」〈平家七・福原落〉②特に、九州地方の海。「―・四海の物語申し候はん」〈謡・清経〉③「西海道」の略。「今―の諸国、年料の器仗を造らず」〈続紀天平宝字五・七・二〉。「山陰(さんおん)・山陽(せんやう)・南海・―のつはものども、雲霞の如くに馳せ参る」〈平家七・北国下向〉 **―だう**【西海道】七道の一。いわゆる筑紫の地。今の九州地方の称。筑前・筑後・豊前・豊後・肥前・肥後・日向・薩摩・大隅・壱岐・対馬の十一国。「明法博士を六道に遣はして新令を講ぜしむ。…―を除く」〈続紀大宝一・八・八〉

さいかい【斎戒】身心の清浄を保ち、禁忌を犯さないこと。潔斎。ものいみ。「六節に―を受け、放生の業を修し」〈霊異記中五〉

ざいがう【在郷】いなか。在(ざい)。「かばかりの医師を、いかでか―に置くべきとて」〈遠近草下〉。〈文明本節用集〉 **―うま**【在郷馬】農村で耕作用に使う駄馬。「三毬打(さぎちやう)の火におどさるる―」〈俳・鹿島紀行〉

さいかく【才覚】①学問に関する才能や知識。学才。「―も優に、賢人の覚えありける人」〈沙石集九ノ八〉②すばやい頭脳のはたらき。俊敏な知恵。「身をも損じ、命をも失(う)するほどの大事出来たる時、誰人も―念慮を起すなり」〈正法眼蔵随聞記三〉③うまい工夫や方法。算段。「又五郎男(またごらうをのこ)を師とするより外の―候はじ」〈徒然一〇三〉④頭をはたらかせて調達すること。工面。「米二三百俵―頼むと申しける」〈簑輪軍記上〉 **―じん**【才覚人】俊敏な知恵者。頭がよく、機転のきく人。才覚者(さいかくしや)。「口利きの―有りしが」〈相州兵乱記四〉。〈日葡〉

さいかく【犀角】犀のつの。粉末にして解毒剤・解熱剤に使い、とくに疱瘡の特効薬とされる。また、水中に入れれば水を切り開き、夜光を発すると信じられた。烏犀角(うさいかく)。「―一本、重さ三斤八両」〈法隆寺伽藍縁起〉。「―三箇……―一帒」〈正倉院文書天平勝宝八・六・二一〉。「鵜川ならで魚や驚く―火」〈俳・破枕集上〉

さいがく【才学】学問。学識。「―といふもの、世にいと重くするものなればにやあらむ」〈源氏絵合〉

ざいかた【在方】いなか。村方。在(ざい)。「―・町方の費え、大方ならぬ儀と積もり申し候」〈沢庵書簡正保一・八・一〇〉

さいかん【才幹】才能。能力。手腕。「大方は心操(こころばへ)もをさまり、―もありて、よき人なり」〈十訓抄一ノ一〇〉

さいぎゃう【西行】 **―がけ**【西行掛け】西行法師の行脚(あんぎや)姿のように、荷物をたすき掛けに背負うこと。「油単包(ゆたんづつみ)―にして」〈西鶴・三所世帯中〉 **―かづき**【西行被き】西行法師の行脚姿のように、笠を後頭部に傾けてかぶること。「竹笠を―に」〈西鶴・織留二〉

さいきょ【裁許】①訴訟・請願などの是非を判断し、許可すること。「縦ひ衆徒訴へ申すと雖も、―有るべからざるか」〈中右記天仁一・四・二〉②近世、主として民事訴訟の確定判決。刑事訴訟では「落着」という。「今日の―に胸がどきつく」〈俳・飛梅千句〉 **―ば**【裁許場】裁許を行なう所。公事場(くじば)。評定所。「―を慈悲の心に思ひやる」〈俳・大矢数一〉

さいぎ・り【先切り・遮り】〘四段〙《サキキリの音便形。動詞サヘ(障)と混淆したサヘギリという形も鎌倉時代から見え始める》①行く先を遮断する。行く手をふさぎ、邪魔する。「悦びて使を発して―・り請ず」〈三蔵法師伝四・院政期点〉。「名聞利養に―・られず」〈孝養集上〉②先回りする。先立つ。「左の、月の山の端いづるより、いかにかすべき入らむ惜しさをといへる、あまり―・りてやあらむ」〈中宮亮重家朝臣家歌合〉。「遮而、さいぎって、人にさきだつ也」〈和漢通用集〉

さいく【細工】①手のこんだ細かな器具を作る職人。「沈・紫檀・しろかね・こがねなど道道の―どもいと多く召しさぶらはせ給へば」〈源氏宿木〉②手のこんだ器具を作ること。手工。工芸。「人の才能は…次に―、よろづに要(えう)多し」〈徒然一二二〉③技巧・術策などに長じていること。「この為盛の朝臣は、きはめたる―の風流ある者の」〈今昔二八ノ五〉④《名詞に冠して》本格的でないもの。また、素人が我流でするの意。「―芸」「―医者」「―浄瑠璃」「―了簡」など。「扇一本、坂田式部方よりこれを給ぶ。主の―絵也」〈山科家礼記文明三・一二・二九〉 **―にん**【細工人】①細工をする職人。工匠。「―ども目を驚かし」〈伽・弁慶物語〉②近世、からくり仕掛けの見世物を作る職人。からくり師。「よき―偃師(えんし)と言ふ者なり」〈仮・理屈物語五〉 **―は流流(りうりう)仕上げを見よ** 工夫を十分こらしてあるから、出来上がった結果を見て下さいの意で、結果が良好であることを確信していう言葉。「―と手管をとって入りけるが」〈近松・加増曾我四〉 **―貧乏人宝(ひとだから)** 細工に巧みな人は他人には重宝がられるが、自分はいつも貧乏するの意で、才能が自己の利益にならないたとえ。「花の木や―」〈俳・大矢数四〉

さいぐう【斎宮】天皇の即位ごとに選定されて、伊勢神宮に奉仕する未婚の内親王または女王。もとは、その居所の称。崇神天皇の皇女トヨスキイリビメノミコトに始まるといい、後醍醐天皇の代まで続く。いつきのみや。いつきのひめみこ。「業平朝臣の伊勢の国にまかりたりける時、ーなりける人にいとみそかに逢ひて」〈古今六四五詞書〉 **ーれう**(リョウ)【斎宮寮】斎宮に関する一切のことをつかさどる役所。いつきのみやのつかさ。「ーの公文(くもん)に始めて印を用う」〈続紀養老二・八・一三〉。

ざいくゎ【罪科】犯した罪と咎(とが)と。また、それに応じて行なう処罰。「刑部に勅して其のーを定めしむ」〈続紀宝亀一一・一二・二〉

ざいけ【在家】①《「出家」の対》在俗の人。「この人、ーなりし時も衣食(えじき)に乏しくして得難かりき」〈今昔三ノ三九〉。「但し、その孝順にー・出家の別あり」〈正法眼蔵随聞記三〉 ②在所の家。いなかや。民家。「昼わりご食ふに、弟子一人、近辺のーにて魚を乞ひてすすめたりけり」〈宇治拾遺六七〉。「白河のーに火をかけて焼きあげば」〈平家四・永僉議〉 ③荘園制のもとでの隷属的農民を、その住屋と付属の園地・宅地を含めていう称。領主・名主の賦課の単位で、畠年貢・夫役など在家役を負担した。百姓在家。「淀の津に於て、ーを以て公事を勤めしむる所也」〈石清水文書一、延久四・九・一〉

さいけん【細見】①詳しく見ること。「とっくと見よ。ーせよと有りければ」〈近松・唐船噺下〉 ②江戸新吉原の案内書。遊女屋・遊女名・揚代などを詳しく記したもので、初めは一枚図であったが享保期から横本の冊子型となり、毎年改正刊行されて明治初年まで続いた。「去る延宝のころ予記しそめたるーの図」〈評判・吉原鹿の子〉

さいご【最後】①一番あと。最終。「まさに閻浮提にくだらんとする時…ーの教へをほどこすに言はく」〈正法眼蔵発菩提心〉 ②《「最期」とも書く》命の終りの時。臨終。末期(まつご)。「ーの時に臨みて…告げて云はく、今生の対面、只今ばかりなり」〈今昔一三ノ三三〉 ③《接続詞のように用いて》一旦…したら、そのまま。「〔質ニ〕置くとーに、流れのまして…直に座をくむがー、命をうしなふ事をかへり見ず」〈盤珪禅師御示聞書上〉 **ーば**【最後場】死に場所。さいごどころ。「ーへ女を連れてよい物かと大きに怒れば」〈伎・曾我三巴三〉

ざいごがものがたり【在五が物語】在原業平の物語。伊勢物語のこと。「ーかきて、いもうとに、琴(きむ)教へたる所の」〈源氏 総角〉 ▽在原業平は在原氏の五男であるので「在五」、また、位が中将であったので「在中将」「在五中将」ともいう。

さいこく【西国】①西方の国。「ーの聖(ひじり)釈迦牟尼仏の像なり」〈三宝絵中〉 ②《「東国」の対》畿内以西の諸国。中国・四国・九州地方をいう。「平家はーに、兵衛佐は東国に、木曾は都に張り行なふ」〈平家八・法住寺合戦〉 ③特に、九州。「鎮西の謀叛平らげにーへ発向す」〈平家六・嗄声〉。「四国・ーの朝敵ども」〈太平記一六・西国蜂起〉 ④「西国巡礼」の略。「ーをする順礼の昼休み」〈俳・寛永十三年熱田万句三四〉 **ーさんじふさんしょ**(ウ・ジュ)【西国三十三所】近世、畿内・美濃所在の、観音を安置した三十三所の寺院。西国三十三番。「ーを廻り、札を打つこと尤なり」〈驢鞍橋中〉 **ーじゅんれい**【西国巡礼】西国三十三所の観音を巡礼すること。また、その人。「或時、東の人、ーをして上りけり」〈かさぬ草紙〉

ざいこく【在国】地方官・大名などが、自分の任国や領国に滞留すること。「源経兼、下野守にてーの時」〈十訓抄一ノ四六〉

ざいごふ(ウ・ゴ)【罪業】〔仏〕身(しん)・口(く)・意(い)の三業、すなわち動作・言語・意志によって作られた罪。「前世のーを滅する事は金剛般若経に過ぎたるはなし」〈今昔一四ノ三三〉

さいさい【細細】㊀〘名〙こまかいこと。くわしいこと。「勘気を蒙る時、正理(しやうり)を正しく申せば、ーに聞こし召され」〈保元上・新院御謀叛思し召し〉 ㊁〘副〙《「再再」とも書く》何度もくりかえして。しばしば。「しばしばとは、日本にてーといふ意ぞ」〈三体詩抄三ノ三〉

ざいざい【在在】①ここかしこの村里。「代官せし人ありけるが、ーを見まひに出らるるに」〈咄・戯言養気集上〉 ②あちらこちら。「ーの者どもはやはや出であひ候へ」〈室町殿日記五〉 **ーしょしょ**【在在所所】あちらこちら。ここかしこ。「ーを探す程に」〈保元中・為義降参〉

さいざう(ウ・ゾ)【才蔵】正月の万歳(まんざい)に、小鼓を打ちながら太夫の相手をして人を笑わせる役。「ーは飲みかねまじき面っ付」〈雑俳・万句合宝暦一一〉

さいさうらう(ロウ・ウ・ソウ)【採桑老】舞楽の曲名。老人が鳩杖をつき、いかにも老衰したさまで舞う。「さいしらう」「さいしゃうらう」とも。「弓士・ー・林歌・蘇莫者・泔洲・胡飲酒…これらを御覧ぜられけり」〈著聞二三三〉

さいさき【幸先】物事の前兆。きざし。「世話にーがよいと云ふは是ぞ。兄は海で釣をめさるれば利潤があるぞ。弟は山で猟をめさるれば幸先がよい程に、かう云うたぞ」〈古活字本日本書紀抄下〉

さいし【妻子】①妻。「懐かしきーと打ち頼まむには」〈源氏 帚木〉 ②妻と子と。「即ちーは道に迷ひ」〈将門記〉

さいし【釵子】宮廷の女房が、正装の時、髪をあげるために使った飾りの道具。丸く曲げられた金銅のもので、かんざしの類。「うすものの表着(うはぎ)、かとりの裳、唐衣、ーさして白き元結したり」〈紫式部日記〉

さいじ【歳次】《歳星(木星)の次(やどり)の意。中国の天文学で、天を十二次に分け、歳星は一年に一次を周り、十二年で天を一周するというのに基づく》年数を記すのに添える語。としまわり。とし。「和銅四年ー辛亥」〈万三二六題詞〉

さいし・き【彩色き】〘四段〙《「彩色(さいしき)」を活用させた語》色をつける。色どる。「御顔はいろいろにー・き給ひて、鏡に映れる影を見給ひて」〈栄花もとのしづく〉。「昔、奈良の大仏ー・かれむとせし時」〈東野州聞書一〉

さいじき【斎食】午時を過ぎては食を取らず、必ず午前中に食すること。また、その食事。僧尼は勿論、在家の者も八斎戒をまもる時はこれに従う。午後の食事は「非時食(ひじき)」という。「廬を墓の側に結んで毎日ーす」〈続紀神護景雲二・二・五〉。「ーに当りて口濃淡を云はず」〈三代実録元慶八・三・二七〉

さいしゃう(ヨウ・シ)【宰相】参議の唐名。源宰相・平宰相などと姓をつけて呼ぶ。近衛中将を兼ねているものは宰相中将という。「父のーのために賀し侍りけるに」〈後撰一三七〇詞書〉

ざいしゃう(ヨウ・シ)【罪障】成仏の妨げとなる罪業。「然れば、瞋恚(しんい)は限りなきーなり」〈今昔一三ノ八〉

さいじゃうきちにち(ウ・ジョ)【最上吉日】万事にわたって大吉とされる日。「天晴れ、ー也」〈中右記長承一・六・一〉

さいしゅ【祭主】伊勢神宮に仕えて、祭祀その他を司る役。大中臣氏が世襲。「ーの三位輔親」〈今昔二四ノ五三〉

さいしょ【税所・済所】平安・鎌倉時代、国衙でその国の正税・官物の収納などを司る機関。神社にも、社領の年貢・公事収納のため、税所を置くものがあった。「伊賀国ー」〈東大寺文書四、長保二・三〉。「先年拝領して未だ当知行なかりける若狭の国のー」〈太平記三一・山名右衛門佐〉

ざいしょ【在所】①住んでいる所。居所。「若く盛りなりし時は、—を定めずして、所所に修行しき」〈今昔三ノ二〉②村里。「まづこの—に逗留つかまつり」〈謡・春栄〉③いなか。ふるさと。「—は満作の由申す」〈多聞院日記天正三・六・一〇〉④物の在る所。ありどころ。場所。「[氷室ノ]—を見ることは今始めなり」〈謡・氷室〉。「吉野山、花の—なれば」〈古今私秘聞〉 —もの【在所者】田舎者。在所衆。「[古今集ノ序デ]黒主を—には喩へたり」〈俳・投盃〉

さいしょう【最勝】もっともりっぱなこと。「光明—にして第一無比なり」〈栄花玉台〉 —かう【最勝講】毎年五月中の吉日を選び、五日間、宮中の清涼殿で金光明〈こんくわうみやう〉最勝王経の講説を行ない、国家平安・宝祚長久を祈願する講会。一条天皇の時代にはじまり、花園天皇の時代に廃絶。「仁平二年五月十七日—行なはれけるに」〈著聞九七〉 —わうぎゃう【最勝王経】「金光明最勝王経」の略。「僧尼は…一月の内二三度—を読ましむ」〈続紀天平九・八・二〉 —ゑ【最勝会】金光明最勝王経を講説し、国家安寧・宝祚長久を祈る法会。天長六年薬師寺に始まり、後に円宗寺でも行なった。前者は南京三会の一として享祿二年まで行なわれ、後者は北京三会（天台三会）の一で、鎌倉時代末廃絶。「—間中、[三月]九日初間也」〈御堂関白記寛弘五・三・二八〉。「三月七日よりはじめて十三日まで、薬師寺にて—七日」〈大鏡藤氏物語〉

さいしん【再進】饗応の時の飯・汁のおかわり。それを盛る食器を再進鉢という。「飯などの—は、さのみ繁くは出で候はず候」〈宗五大双紙〉。〈文明本節用集〉

さいじん【才人】才能ある人。ある能力に秀でた人。「事果ててまかづる博士・—ども召して、またまた文作らせ給ふ」〈源氏少女〉

さいそ【最初】《ソはショの直音化》いちばん初め。さいしょ。「—によみ侍らむ」〈枕九九〉。〈色葉字類抄〉

さいそく【催促】うながすこと。誘うこと。「右大将家の御時定め置かるる所は、大番—・謀叛・殺害人…等の事なり」〈貞永式目〉。「代官を下して—をぞ致しける」〈曾我一〉。〈色葉字類抄〉

ざいぞく【在俗】出家しないで、俗人の姿でいること。また、その人。在家。「観硯聖人、—の時盗人にあひたる語（こと）」〈今昔二六ノ八〉

さいそわうぎゃう【最勝王経】⇒さいしょうわうぎゃう。「—・金剛般若・寿命経など、いとゆたけき御いのりなり」〈源氏若菜上〉

さいだいじ【西大寺】気付薬豊心丹の異名。奈良西大寺で製造したからいう。「—大事のことを御尋ねあれ」〈俳・昼網上〉。〈日葡〉

さいたう【西島】京都の西部にあった島原遊廓の異称。「—の四つ門さきぬ内に」〈西鶴・諸艶大鑑六〉

さいたづま イタドリ。また、春の若草ともいう。「三月ばかりに野の草をよみ侍りける。野辺見れば彌生の月の果つるまでまだうら若き—かな」〈後拾遺一四九〉

さいたらばたけ【才太郎畠】①小才がきいて行き過ぎること。また、その者。「利根の過ぎたる大将は、下劣の喩へに—と申すごとく」〈甲陽軍鑑四〉②どっちつかずで、なまはんかなこと。また、そういう境界。「時過ぎて菊は—かな」〈俳・鸚鵡集七〉③大阪の千日火葬場の東の畑。「火屋の東の—」〈落葉集五〉

さいたん【歳旦】①元旦。「歳旦、サイタン、正月朔」〈運歩色葉集〉②正月吉日に、祝賀の詩・和歌・俳句を作ること。また、その作品。「—を又直して見ませうか」〈俳・飛梅千句〉 —ちゃう【歳旦帳】〔俳諧用語〕歳旦の句を集めて一帖とし、刊行したもの。旧年中に一定の入集料を取って句を集め、印刷して置き、市中を呼び売りすることも多かった。「—是れ又紙屋の徳なるべし」〈俳・商人歳旦〉

ざいち【在地】居住している土地。現地。在所。「—の者共の軍（いくさ）の見物しけるに」〈平治中・待賢門軍〉

さいぢゃう【斎場】大嘗会のとき、諸国から奉られる稲穀や神供を納める所。東方を悠紀（ゆき）院、西方を主基（すき）院とし、両院とも内院・外院にわける。嵯峨天皇の時から始まった。「嵯峨天皇御宇、弘仁八年、神祇伯卜部智治丸に仰せて—を如意峰に立てらる」〈卜部記〉

ざいちゃう【在庁】「在庁の官人」の略。「中にも阿波・讃岐の—ども、平家を背いて源氏につかむとしけるが」〈平家九・六箇度軍〉 —のくゎんにん【在庁の官人】平安中期以後、国司の命をうけ国府にあって行政の実務に当った在地の下級官吏。多くは世襲。在庁人。「忽ちに—を召して蔵を開けさせて見れば」〈今昔二九ノ一〇〉

さいづかひ【先使】《サキヅカヒの音便形》国司が任命された時、赴任に先立って在庁の官人に訓示する庁宣を持たせて遣る使。「御車ぞひには、因幡の—、鳥羽の国久丸といふをのこ、下臈なれども情ある者にて」〈平家一・殿下乗合〉

さいつころ【先つ頃】《サキツコロの音便形》せんだって。さきごろ。「—まかりくだりて侍りしついでに」〈源氏若紫〉

さいづち【才槌】小型の木槌。番匠（ばんじゃう）槌。才小槌（さいこづち）。「家造る番匠の—とや申すべき」〈伽・かくれ里〉 —がしら【才槌頭】前額・後頭部が突き出て木槌のような形をした頭。さいづちあたま。「頭は—、額は蜂額」〈伽・白身房〉

さいで【裂帛】《サキデ（割出）の音便形》布の切れはし。小切れ。「二藍（ふたあゐ）・葡萄（えび）染めなどの—の、おしへされて草子の中などにありける」〈枕三〇〉。「割出、サイデ、布切也」〈易林本節用集〉

さいてん【西天】①西方の空。「それ仏日—の雲に隠れ」〈謡・弱法師〉②「西天竺」の略。「仏法を伝へんために、遙かに—より来たり渡れるなり」〈宇治拾遺九五〉

さいてんぢく【西天竺】五天竺の一で、西方の天竺。「今は昔、—に龍樹菩薩と申す聖人おはしけり」〈今昔四ノ二五〉

さいど【西土】西方浄土。〈易林本節用集〉

さいど【済度】〔仏〕《「済」は救う、「度」は渡す意》生死の此岸にある人々を、極楽の彼岸に渡すこと。迷っている衆生を導いて、悟りの世界、安楽の境地に至らせること。「三界六道の衆生をあまねく—し給へ」〈平家三・燈炉〉

さいとう【柴燈・斎燈】神仏の前でたく柴のかがり火。「熊野に、盲目の者—をたきて眼の明らかならん事を祈るありけり」〈著聞二七〉

さいとりざを【刺捕竿】《サシトリザヲの音便形》先にとりもちを塗りつけ、鳥をさして捕えるのに使う竿。「—に似たる長鑓（ながやり）」〈竹馬狂吟集一〇〉。〈文明本節用集〉

さいな・み【苛み】【四段】《サキナミの音便形》咎めや催促のために、責めたてる。「御乳母どもを—み給ふに、聞えむ方なし」〈源氏少女〉。「今まで参らずとて—む」〈和泉式部日記〉

さいなん 七の隠語。「きり・ばんとうぶり・—・くうぢなど云ふことばは、定めてわけこそあるらめ」〈人倫訓蒙図彙三〉

さいなんかい【西南海】西海道と南海道と。九州と四国と。「—の領所を願ひて東北の庄園を好まず」〈方丈記〉

さいにち【斎日】①在家の人が、身心を清浄に保ち、戒律を守り、善事を行なうように決められている精進日。毎月、八・十四・十五・二十三・二十九・三十の六日を六斎日(ろくさいにち)といった。「―に当りて飯を炊(かし)かず」〈霊異記上三四〉②正月・七月の十六日の閻魔王の縁日。この日は奉公人の藪入りの日であるから、藪入りの意にも用いられた。「―の連れは大方湯屋で出来」〈雑俳・万句合宝暦一〇〉

さいにん【裁人】仲裁する人。仲裁人。「仲右衛門―なるはと、詞を掛けて押し入り、左右方へ引き分けて」〈浮・本朝女二十四貞四〉

さいねん【西念】①僧・尼の通名。「沙彌―先祖相伝の私領也」〈東寺百合文書カ、文永八・二・二六〉。「―と言ひし道心者」〈俳・行脚文集五〉②平凡な僧侶の通称。「西坊(さいばう)」とも。「花と散る身は―が衣着て」〈俳・猿蓑下〉

さいのかはら【塞の河原】冥土の三途川(さんづがは)にあるという河原。死んだ子供がそこで石を積んで父母の供養の塔を作ろうとすると、鬼がこれをさまたげ、くずしてしまうが、最後に地蔵菩薩によって救われるという。地蔵信仰が盛んになった中世に現われた思想。「まづ―を見せんとて見せ給へば、七つ八つばかりの童(わらうべ)、三つ四つの幼き者ども、手に手を取り組みて悲しむ事かぎりなし」〈伽・富士の人穴の草子〉▽本来、「さいのかはら」の「さい」は、「さいのかみ」のばあいと同じく「さへ(障)」、すなわち外敵の侵入を阻止する境界の地であった。石のごろごろした境の、神の祭場は同時に葬場でもあったところから、仏教的な付会が加わり、右のような考えを生じたものらしい。

さいのかみ【塞の神・道祖神】「さへのかみ」の転。「ただまろがしらにて、―の冠(かぶり)もなきやうなる物を五頭(かしら)きざみたてて」〈宇治拾遺一二・一〇〉。「道祖神、サイノカミ」〈運歩色葉集〉

さいのめ【賽の目・采の目】さいころの各面に一から六までの数をあらわした点。「―の勝負もはかばかしく知らず」〈著聞四三三〉

さいはい【采配・采幣】①戦陣で、大将が士卒を指揮する道具。細長く切った厚紙を、木または竹の柄につけたもの。さい。「―を振って、退(ひ)くな退くなと下知せられけれども」〈加沢記五〉②采配を振ること。指揮。指図。「これ木村備前が―なりと云云」〈三好別記〉

さいばい【宰配・裁配】ほどよく処置すること。塩梅(あんばい)。宰判(さいばん)。「―。物を取り計らひ、よくそれぞれに分けを立つるを云ふ」〈志不可起六上〉。〈俳・反故集下〉

さいはう【西方】①西の方。「家は―にあり」〈三宝絵中〉②極楽浄土。「定めて―に生れなむ」〈三宝絵下〉③「西方浄土三部経」の略。阿彌陀経・観無量寿経・無量寿経の総称。「―を誦(ず)し」〈謡・三笑〉 **―あみだ**【西方阿彌陀】西方浄土にいて説法をする阿彌陀如来。西方彌陀如来。「また、八方に八色の幡を立つる事あり。密教の習ひ、―の三昧耶形(さんまやぎやう)なり」〈神皇正統記応神〉 **―じゃうど**【西方浄土】西方、十万億土のかなたにあるという極楽浄土。「いはゆる―に生れたるやうになむ」〈宇津保吹上上〉

さいばう【撮棒・材棒】武器として用いる堅い木の棒。筋金を入れ、突起をつけたものを金撮棒(かなさいばう)という。「法師、物の具はせで、ただ大きなる―ばかり持ちたる」〈著聞四四二〉

さいは・ひ【幸ひ】[一]《四段》《サキハヒの音便形》幸福に恵まれる。繁栄する。中世、特に良縁に付くことにいう。「〔娘八人〕皆とりどりに―・ひ給へり」〈平家一・吾身栄花〉。「思ひのごとく花園の三位といふ人に―・ふ程に」〈古今序注〉[二]『名』①好運。幸福。「宮仕へに出で立ちて、思ひかけぬ―とり出づる例(ためし)ども多かりかし」〈源氏帚木〉。「―は来たらずして、災(わざはひ)はうたた多し」〈諸神本懐集本〉②特に、良縁に付くこと。「男は各(おのおの)官職に誇り、女子は取り取りに―しけり」〈盛衰記一〉。「〔亥子餅ヲ〕女は『命つぐ―』と三杵ついて食ふべし。男は『命つぐ官(つかさ)』と三杵つきて食ふべし」〈鎌倉年中行事〉[三]『副』折よく。ちょうど。「―焚く風呂にて候ほどに、社僧ならびに承仕をも入れ候へ」〈北野目代日記長享二・九・一二〉。「―、所は鳥辺野なり」〈虎寛本狂言・武悪〉 **―びと**【幸人】しあわせな人。幸運な人。「世のことぐさにて、明石の尼君とぞ、―にいひける」〈源氏若菜下〉

さいばら【催馬楽】古代歌謡の一種。奈良時代に民謡であったものを、平安時代に至って宮廷の雅楽の曲調にあてはめて歌曲としたもの。唐楽の音調で、笏拍子(しゃくびゃうし)・和琴(わごん)・笛・篳篥(ひちりき)・笙(しゃう)・箏(さう)・琵琶などの楽器を伴奏とした。「広井(女王)少(わか)くして徳操を修む。挙動礼あり。歌を能くするを以て称せらる。特に―歌を善くす。諸大夫及び少年好事者、多く就きて習ふ」〈三代実録貞観一・一〇・二三〉▽サイバラの名称は、唐楽曲の催馬楽(さいばらく)の曲調に唱ったからという。

さいばり【才張り】出すぎる人。でしゃばり。「―の傍輩中に憎まれて」〈俳・韻塞下〉

さいばん【裁判・宰判】①物事の当否・是非を判断し、決着をつけること。「此の両点、〔ドチラガ正シイカ〕愚老は―に及ばず」〈仙覚抄九〉②物事を取りしきること。「余人は物の―を預り、汝は益なきものとせらるべし」〈こんてむつすむん地三〉。「〔コノ大亀ヲ〕海へ捨てんとするにも、なかなか一人しては、とかく―もならず」〈伽・鶴亀松竹〉

ざいはん【在判】①文書の案文(あんもん)〈写し〉などに、正文(しやうもん)〈原本〉の方に花押(くわあふ)が書かれている旨を示す語。「ありはん」とも。「左大弁藤原朝臣―」〈盛衰記三三〉。〈天正十八年本節用集〉②花押を書き、または捺印すること。「俊寛が許し文、能登守教経と―して渡さるる」〈近松・女護島二〉

ざいばん【在番】勤番に当って職を勤めること。「所所―」〈御触書寛保集成三〇、明暦三・二〉。〈文明本節用集〉

さいふ【宰府】「太宰府」の略。「家貞―に下向して」〈盛衰記二〉

さいふいふも【さ言ふ言ふも】『連語』そう言い言いはしながらも。そうは言うものの。「―女親(めおや)といふ人、あるかぎりはありけるを」〈かげろふ上〉

さいへん【再返・再篇】〔連俳用語〕一順(いちじゅん)の後、またひとめぐり各人が付句すること。「一順などに珍しき事勿体なく候。―までも同前」〈永文〉

さいまぐ・り【先まぐり】『四段』《サイはサキの音便形》さし出て話の先を言ってしまう。さし出ぐちをする。「にくきもの。…物語するに、さし出でして我ひとり―・る者」〈枕二八〉。「私行、サイマグル」〈名義抄〉

さいまぐ・れ【先まぐれ】『下二』「さいまぐり」に同じ。「さかしら心の、きは高く、―・れたるやうなる、かへりてはうたてありや」〈浜松中納言二〉

さいまつ【割松】《サキマツの音便形》たいまつ。「御前(ごぜん)の御―ともしたる兵衛の尉(じょう)ども」〈宇津保祭使〉

さいみ【細布・貲布】《サヨミの転》大麻の糸で織った、疎目(あらめ)の晒してない布。「苧(を)並びに―三反」〈大乗院雑事記長祿一・一二・三〇〉。「貲、サイミ、布」〈名義抄〉

ざいみゃう【在名】①在所の名。「大和当座より〔猿楽〕四座に分ち置く所の―、円満井・坂戸・外山・魚崎」

〈円満井座系図〉②住所の地名をとってつけた氏または名。「相州毛利庄を知行せしかば、―を毛利と号す」〈中国治乱記〉

さいめ【際目・境目】《サヘ(障)メ(目)の転》さかい目。境界。「四至―、本券に有る也」〈高野山文書三、永仁三・四・二六〉。「際目、サイメ」〈色葉字類抄〉 **―ろん【際目論】** 宅地・田畠などの境界争い。際目争い。際目公事(くじ)。「―地の割算は上手にて」〈俳・鷹筑波一〉

さいめん【西面】「西面の武士」の略。院の御所の西面(にしおもて)に詰めて、院中の警護に当った武士。後鳥羽上皇のとき、北面の武士に並ぶものとして新設された。「西音法師は、昔後鳥羽院の―に平時実とて、幼くより候ひしものなり」〈著聞三三〉

さいもん【祭文】①祭の時に神に告げることば。さいぶん。祝詞(のりと)。祭詞。仏家でもいう。「天神を交野に祀る。其の―に曰はく」〈続紀延暦六・一一・五〉。「言葉なめげなるもの。宮の部(べ)の―読む人」〈枕二五八〉②「歌祭文(うたざいもん)」に同じ。祭文を語る芸人を祭文語り・祭文読みといった。「山伏が―」〈俳・蠅打一〉

さいら・き『四段』あれこれ口を出す。「文屋(ふんや)の博士さかしだち、―・きゐたり」〈紫式部日記〉 ▽「ひひらき」の誤写による語とする説もある。

さいりゃう‥リヨウ**【宰領】** 荷物の運送に際し、指揮・監督に当ること。また、その人。夫領(ぶりやう)。「〔娘ヲ〕長櫃に入れてかき出し、男二人と―の侍に…酒を数数すすめければ」〈伽・ささやき竹〉。「宰領、サイリャウ、荷物運送、付レ人警固」〈文明本節用集〉

さいろく【才六・賽六】①丁稚(でっち)。奴僕。「―も聞いたか聞いたか時鳥」〈俳・玉手箱三〉②人をののしる語。また、上方人をけなしていう。「ヤイここな―め」〈近松・加増曾我一〉

さいわか【才若】 万歳の才蔵。「やい、―」〈淋敷座之慰〉

さいゐん【斎院】 天皇の即位ごとに選定され、賀茂神社に奉仕する、未婚の内親王または女王。嵯峨天皇の皇女有智子内親王に始まる。また、斎院の居所の称。役所として斎院司が置かれた。「―は御服にておりゐ給ひにしかば、朝顔の姫君はかはりに居給ひき。賀茂のいつきには孫王の居給ふ例多くもあらざりけれど、さるべき女御子やおはせざりけむ」〈源氏賢木〉

さいゐんのみかど【西院の帝】 淳和天皇の称。譲位ののち、大宮の東、四条の北にある西院が御所であったのでいう。「むかし、―と申すみかどおはしましけり」〈伊勢三九〉

さいゑ【斎会】 僧に斎食(さいじき)を供えて行なう法会。「仏法東帰よりこのかた、―の儀、嘗てかくの如く盛りなること有らず」〈続紀天平勝宝四・四・九〉

さうウソ**【姓】**《シャウの直音化》姓(せい)。氏(うじ)。「名を―にて持たる人」〈枕二九二〉

さうウソ**【相】**①外面にあらわれたすがた・かたち。様相。形相。「人聞きもかたはらいたきことと思ひ給へて、―をいだして、つと見奉りつれば」〈源氏東屋〉②相貌にあらわれた運命。人相・家相・地相など。「帝王のかみなき位にのぼるべき―おはします人」〈源氏桐壺〉

さうウソ**【草】**①草書。「表のかたには楽府をうるはしく真(楷書)に書き、裏には御筆とどめて―にめでたく書きて」〈大鏡伊尹〉②「草仮名」に同じ。「―にて『やまちかきいりあひのかねのこゑごとに…』」〈枕二四一〉。「―のも、ただ(平仮名)のも、女手をいみじう書きつくし給ふ」〈源氏(三条西家本)梅枝〉③草稿。下書き。「大納言、通輔に付して、―并びに清書を奏せらる」〈中右記寛治八・三・六〉

さうウソ**【荘・庄】**《シャウの直音化。いなかの意》貴族・社寺などの私的な領有地。墾田などの荘園化したもの。「時方が叔父の因幡の守なるが領(りやう)ずる―に、はかなく造りたる家なりけり」〈源氏浮舟〉

さうウソ**【笙】**《シャウの直音化》⇒しゃう。「―四十人、笛四十人、弾き物、舞人、数を尽して参る」〈宇津保吹上下〉

さうウソ**【喪】** 人の死後、その親族・臣下が、ある期間、歌舞・音楽を遠ざけ、遊戯せず、酒を飲まず、家にこもってつつしんでいること。期間は親疎によって長短がある。喪(も)。「是の日、伊勢の斎王、二親の―に遭ふが為に、斎宮より退出す」〈続紀天平勝宝一・閏五・一一〉

さうウソ**【箏】**《シャウの直音化》⇒しゃうのこと。「あやしう昔より、―は女なむ弾きとる物なりける」〈源氏明石〉

さうウソ**【左右】**①左と右と。転じて、かたわら。「山の―より、月日の光さやかにさし出でて、世を照らす」〈源氏若菜上〉。「―を顧みる」〈今昔九ノ二七〉②あれこれ。とかくの事。「事を―に寄せて、資財ことごとく掠(かす)め取りてけり」〈雑談集六〉③とやかく言うこと。「人がらも―に及ばぬ上、和漢ともに人にすぐれ」〈古活字本保元上・新院御謀叛思し召し〉④どちらに落ちつくかという結果。決着。決定。「軍(いくさ)の―を待つと見るは僻事(ひがこと)か」〈平治中・義朝六波羅に寄せらる〉。「刀の実否(じつぷ)について咎の―あるべきか」〈平家一・殿上闇討〉⑤指図。命令。「諸事御―に随ふべし」〈庭訓往来三月十三日〉⑥結果・状況などについての知らせ。たより。音信。「彼の国見て参れと云ひし、未だ其の―をば申さぬか。いかに」〈古今序注〉

さうウソ『副』《サ(然)の長音化》そのよう。「天道は終れば始まるぞ。寒去れば暖になるやうにぞ。人も―ぞ」〈周易抄四〉。「我は―詠(よ)むと、逍遙院殿仰せられたるとなり」〈耳底記〉

さうウソ『接尾』《サマ(様)の転とも「相」の字音ともいう》①動詞・動詞型活用の助動詞の連用形、体言、形容詞・形容詞型活用の助動詞の語幹などに添え、様子・有様を表わす。形容詞の語幹が一字の場合は、「良ささう」「無ささう」のごとく、間に名詞化する接尾語「さ」が入る。「腰ぬけ、ひざふるひて、ころび―に御ざ候」〈伽・鼠草子〉。「真言を口に誦して、随分―には云へども」〈御書抄二〉。「座禅の僧ぞ尊(たふと)―なる」〈俳・犬筑波〉。「能(よ)さ―なものも御座らば」〈虎寛本狂言・磁石〉②活用語の連体形に添えて、推量の意を表わす。「俺は死ぬる―な」〈伎・夕霧七年忌〉

さうウソ**【候】**『動詞』《サウラフの転。俗語的に用いられる》①「あり」の丁寧語。「何と―ぞ」〈百衲襖一〉②陳述の「あり」の丁寧語。「〔御秘蔵ノ〕いけずきを盗みすまいて上り―はいかに」〈平家九・生食〉。「そぞろに酒を強ひて―」〈天正本狂言・茶ぐり〉

ざうウゾ**【候】**『助動』「に候(さう)」の約。「その人買ひ舟の事―よ」〈謡・自然居士〉。「それは御身がまま―よ」〈幸若・烏帽子折〉

さうあい‥ソウ**【草鞋】**《サウカイとも》わらじ。「行脚の年月に、いくばくの―をか踏破し来たれる」〈正法眼蔵仏性〉。「草鞋、サウアイ・ワランヂ」〈下学集〉

さうあん‥ソウ**【草庵】** 草ぶきの粗末な庵(いほり)。「―は石稜(せきりよう)に結べり」〈菅家文草三〉。「今、―を愛するも閑寂に着するも」〈方丈記〉

さうおう‥ソウ**【相応】** よく相応じていること。ふさわしいこと。「唐土は大国なれば、所に―して、いきほひかくの如し」〈著聞二六六〉

さうか：ソウ【早歌】①⇒えんきょく。「—といふ事を習ひけり」〈徒然一八八〉②《「惣嫁」の当て字》夜鷹。「—、夜行遊女也」〈邇言便蒙抄中〉

さうが：ソウ【唱歌】《サウはシャウの直音化》楽器に合わせて歌を歌うこと。横笛・和琴・琵琶・箏などを奏でながら歌うこともある。「御前に御琴ども召す。…—の殿上人あまたさぶらふ。安名尊(あなたふと)あそびて、次に桜人」〈源氏少女〉

さうかい：ソウ【草鞋】⇒さうあい。「片足には—をはきたり」〈今昔六ノ三〉。「草鞋、サウカイ」〈色葉字類抄〉

さうかう：ソウコウ【糟糠】①かすとぬかと。粗末な食べ物のたとえ。「飢ゑて—を選ばず」〈天草本金句集〉②価値のない、最もつまらないもの。「そもそも清盛入道は平氏の—、武家の塵芥(ちんがい)なり」〈平家四・南都牒状〉 **—のめ**【糟糠の妻】貧困な生活を共に分ち合って来た妻。糟糠の妻(つま)。「貧賤の知音(ちいん)を忘るる事なかれ、—をとらせかへすなと申すことあり」〈伽・磯崎〉

さうがう：ソウゴウ【相好】顔つき。顔の形。「一日一夜も仏の一つの—を念はば」〈三宝絵上序〉

さうがち：ソウ【草勝ち】平仮名に比べて草仮名が多いさま。「ことごとしく—などにもざえ書かず、目やすく書きすさびたり」〈源氏初音〉

さうがな：ソウ【草仮名】万葉仮名の草体を更に略して作り出した仮名文字。更に簡略化されて平仮名となる。その二つを併せて女手という。「人の—書きたる草子など取り出でて御覧ず」〈枕一八四〉

ざうがん：ゾウ【象眼】①布や紙などに施した細かい泥絵(でいゑ)。また、色糸または金泥で模様のふちどりをはっきり見せることともいう。「ざうが」とも。「地摺(ちずり)の唐(から)の薄物に、—重ねたる御裳(も)など奉りて」〈枕二七八〉②金属・陶磁製の器物などに他の材料をはめこむこと。「—の物、重宝にて候」〈君台観左右帳記〉

ざうきゃう：ゾウキョウ【蔵経】「大蔵経」の略。「—を鼠に食はせまい為に猫を飼ふなり」〈無門関抄上〉

ざうぐうしき：ゾウ【造宮職】古代、宮殿の造営を司った役所。「—、杜谷樹(ひひらぎ)長さ八尋(ひろ)なるを献ず」〈続紀大宝二・一・八〉

さうくゎん：ソウ【佐官・主典】「さくゎん」の転。「内裏(ちう)の御物忌みなる日、右近の—みつなにとかや言ふ者して、畳紙にかきておこせたるを見れば」〈枕一六一〉

ざうげん：ゾウ【讒言】《ザンゲンの転》事実を曲げたり、ないことをあるように言ったりして、他人の悪口を言うこと。「いかなる—などのありけるにか」〈源氏柏木〉

さうこく：ソウ【相剋】①五行(ごぎやう)説で、五行の相互関係を示す原理の一。火は金に、金は木に、木は土に、土は水に、水は火に、それぞれうち勝つという関係。「五行の—と云ふ事あり」〈文明本節用集〉→相生(さうじやう)②たがいに相争うこと。「夫婦—し、下女の髪これを切る」〈言継卿記永祿二・七・一七〉

ざうさ：ゾウ【造作】①造ること。「美しき尼女房多くありて、これこそめでたき所にて候とて招き候とも…—五逆罪なんどと念じ給ひ候ひておはしませ」〈伽・毘沙門本地〉。〈日葡〉②装飾。技巧。「物の上手は、—もなく事をするものぞ」〈人天眼目鈔三〉。「この歌、何の—もなく面白きなり」〈耳底記〉③手間がかかること。面倒なこと。「—なることも、むつかしいことも」〈万法蔵讃鈔上〉。「—もなく祿山を亡ぼす」〈長恨歌抄〉。「造作、ザウサ、煩はしき義也」〈文明本節用集〉④もてなし。馳走。「—過分なりと雖も」〈バレト写本〉。「此の如きの御—、構へて構へて無用に候」〈貞徳文集上〉

さうさう：ソウソウ【早早】早いさま。はやばや。「或る朝—に参詣あって」〈バレト写本〉。「明日—渡さう」〈虎明本狂言・磁石〉

さうざう・し：ソウゾウシ『形シク』《サクサクシの音便形。独り住みや子供がないなどの状態で、相手がなく、することもなくて満たされない、楽しみのない感じがする意。類義語サビシは、生気や活気がなく荒涼としている感じがする意》①張りあいがなくてさびしい感じがする。「独り住みは、殊に変ることなけれど、怪しう—・しくこそありけれ」〈源氏幻〉。「今まで御子達のなきこそ—・しけれ」〈源氏須磨〉②とりつくしまもなく満たされない感じがする。「あまりうるはしき御有様の、とけがたくはづかしげに思ひ静まり給へるを、〔夫ハ〕—・しくて」〈源氏帚木〉。「色好まざらむ男は、いと—・しく」〈徒然三〉③することがなくて手持ちぶさたである。「—・しきに、いざ給へ。昔物語して」〈大鏡序〉

さうざう・し：ソウゾウシ【騒騒し】『形シク』やかましく乱雑だ。かしましい。「かるもの前を駕籠に乗せ、さも—・しく馳せ来たり」〈浄・滝口横笛二〉

ざうさく：ゾウ【造作】①物を作ること。特に、家などを建てること。建築。「ある上達部、嵯峨辺に—せむとて見ありきけるに」〈著聞五六六〉。「造作、ザウサク、家作義也」〈文明本節用集〉②建築物の内部に、天井・床板その他の建具や調度などを取りつけること。また、その取付け物。「いつ—がして壁が塗らるるものぢゃ」〈虎寛本狂言・今参〉

さうし：ソウ【冊子・草子・草紙・双紙】《サクシの音便形》①《「巻物」の対》綴じた帳面。さまざまの色の紙を合わせ用いたものが多く、歌文を書き込んだ。綴本(とぢほん)。「わざと人のほど品わかせ給ひつつ、—・巻物皆書かせ奉り給ふ」〈源氏梅枝〉②下書きの原稿。草稿。「この—、目に見え心に思ふ事を、人やは見んとすると思ひて、つれづれなる里居のほどに書き集めたるを」〈枕一本三九〉③物語・日記・随筆・歌書など、仮名文の書物。「めでたき—ども、硯の箱の蓋に入れておこせたり」〈更級〉。「短(ひ)き燈台を取り寄せて、—を見て臥したり」〈今昔一七ノ三三〉④絵入りの小説類。絵草紙。「和国—に、諸子百家の事、仏経など引き合はせたる多し」〈仮・清水物語序〉⑤習字をするのに用いる帳面。手習い草紙。「手習をさせむ—の神無月」〈俳・油糟〉⑥練習に使用されるもののたとえ。「すかぬ事／鍼(はり)の—に請ける腹」〈雑俳・よせだいこ〉 **—あはせ**：アワセ【草子合】物合せの一種。絵をかいた草子などに歌を添えて出し、左右で優劣を争った遊戯。「従二位親子の—とて、人人よき歌とて詠みて侍るも、いとやさしくこそ聞え侍りしか」〈今鏡三〉 **—うり**【草紙売】絵草紙などを売り歩く者。「—これを見て」〈浮・市のや物語下〉 **—ぎり**【草紙錐】手習い草紙を綴じるのに用いる錐。「—の揉み手にへつらひ」〈仮・京童六〉 **—ばこ**【草子箱】草子や料紙を入れる箱。「ありし箱の蓋に白銀の—をすゑたり」〈紫式部日記〉

さう・し：ソウ【相し】『サ変』人相・手相・家相・地相などから、その善悪・吉凶その他を判断し、予言する。占う。「合はせて一十三人を大和国に遣はして、行きて山陵の地を—・せしむ」〈続紀延暦一・八・九〉。「人の形の有様を見て、行くさきにあるべき身の上の善悪を—・し」〈今昔六ノ二〉

さう・し：ソウ【草し】『サ変』原稿を作る。下書きする。「紀淑望に真名序を書かせんために、その心を仮名に—・せるなり」〈古今集註〉

さうじ：ソウ【床子】《サウはシャウの直音化》腰掛の一種。机に似て、後と左右の寄掛りがなく、敷物および茵(しとね)を

敷いて用いた。平安時代宮中で使用。「―どもをみなうち倒し、そこなひたり」〈枕一六二〉

さうじ：ソウ【障子】《サウはシャウの直音化》⇩しゃうじ。「北の廂に方方の御局どもは―ばかりを隔てつしたり」〈源氏御法〉　**―ぐち**【障子口】障子の出入口。「この―にまろは寝たらむ」〈源氏空蟬〉

さうじ：ソウ【精進】「さうじん」の「ん」を略した発音。また、「ん」を表記しなかった形。「いといたう面痩せにけり。―にて日を経るけにやと心苦しげにおぼしめして」〈源氏葵〉　**―もの**【精進物】野菜・海藻類を使い、肉類を使わない食物。「船君、節忌(せち)す。―なければ〔鯛ナドヲ食ウ〕」〈土佐一月十四日〉

さう・じ：ソウ【請じ】『サ変』《サウはシャウの直音化》頼んで来てもらう。「〔祈禱ノタメニ〕大方世に験(しる)ありと聞ゆる人の限り、あまた―・じ給ふ」〈源氏総角〉　**―あ・へ**エア【請じ合へ】『下二』間に合うように頼む。「山の座主何くれの僧たちも、え―・へ給はず」〈源氏葵〉　**―い・で**【請じ出で】『下二』奥深い所にいる人を、頼んで出て来てもらう。「かしこき行ひ人、葛城山より―・でたる」〈源氏柏木〉　**―おろ・し**【請じ下ろし】『四段』山から人を、頼んでよびよせる。「山ごもりして、里に出でじと誓ひたる〔律師〕を、麓近くて―・し給ふゆゑなりけり」〈源氏夕霧〉

ざうし：ゾウ【曹司】①宮中や貴族の邸内にある女官・官人などの宿所・部屋。「奈良麻呂…共に弁官の―に至りて相見え語話す」〈続紀天平宝字一・七・四〉。「後涼殿にもとよりさぶらひ給ふ更衣の―を、ほかに移させ給ひて上局にたまはす」〈源氏桐壺〉②《「御(おん)曹司」の形で》貴族の子弟で部屋住みの者に対する敬称。「大手の大将軍は蒲の御―範頼、…搦手の大将軍は九郎御―義経」〈平家九・宇治川〉　**―ずみ**【曹司住み】曹司に居住していること。また、貴人の子弟で、まだ独立していない部屋住みの身分。「この五位は、殿の内に―にてありければ」〈今昔二六ノ一七〉。「未だ年若くして、官(つかさ)も成らで、四郎の君といひて―にてぞありける時に」〈今昔二八ノ三四〉　**―まち**【曹司町】宮中で女房の部屋部屋としてわりあてられた一区画。「女房の―ども、あてあてのこまけぞ、大方の事よりもめでたかりける」〈源氏少女〉

ざうじし：ゾウ【造寺司】上代、勅願寺の建立の時、臨時に置かれた職。後には、東大寺・興福寺にだけ置かれた。「此時始めて京都―等を起(こ)る」〈扶桑略記舒明一一・一三〉

さうじみ：ソウ【正身】《サウはシャウの直音化。シミはシンの転》当人。本人。「よろしき御衣奉りかへ、つくろひ聞ゆれば、―は何の心化粧(こころげさう)もなくておはす」〈源氏末摘花〉→ただみ

さうじゃ：ソウ【相者】「相人(さうにん)」に同じ。「明雲座主、―に逢ひ給ひて…と尋ね給ひければ」〈徒然一四六〉

さうじゃう：ソウジョウ【相生】五行(ごぎゃう)説で、五行の相互関係を示す原理の一。木は火を、火は土を、土は金を、金は水を、水は木を、それぞれ生ずるという関係。「水と木とは―、中よしと聞けども」〈海道記〉。「〔安倍晴明ガ〕時の―、日の―をかんがへて占ひ申しけるは」〈伽・かなわ〉。〈文明本節用集〉→相剋

さうしょ：ソウ【草書】書体の一。行書をさらにくずし、字画を略したもの。「〔小野道風ハ〕―に妙を得たる人なれば」〈太平記一二・大内裏〉

さうじょう：ソウ【相承】つぎつぎにうけつぐこと。「正法まさしく―せり」〈正法眼蔵袈裟功徳〉。〈色葉字類抄〉

さうじん：ソウ【精進】《サウはシャウの直音化》⇩しゃうじん。「御―にて、あけくれ行なひておはす」〈源氏須磨〉

さうず：ソウ【候ず】『連語』①《サウ(候)に打消の助動詞ズがついたもの》…ません。「いやいや、これまでは思ひもより―」〈平家二・烽火〉②《サウ(候)に推量の助動詞ウズがついた形の約》…でしょう。「今初めて御流し―かと言うたほどに」〈坡抄一五〉

ざうす：ゾウ【蔵主】①禅宗で経蔵をつかさどる僧。知蔵。「経蔵を預かるを―と云ふ」〈壒嚢鈔一三〉②広く、出家の称。「小弐が最末の子に宗応―といふ僧」〈太平記一六・小弐〉

ざうずめ・き：ゾウズ【上衆めき】『四段』《ザウズはジャウシュの直音化》上流貴族らしく見える。「上臈・中臈の程ぞ、あまり引き入り、―・きてのみ侍るめる」〈紫式部日記〉

さうぜん：ソウ【生前】《サウはシャウの直音化》存命中。生きている間。前世の意にも使われたらしい。「〔コノ蛇ハ〕―の親ならむ。な騒ぎそ」〈堤中納言虫めづる〉

さうそう：ソウ【葬送】死体を墓所まで送ること。野べの送り。「御―の雑事(ざふじ)ども仕うまつりはべるとて」〈源氏手習〉

さうぞ・き：ソウ【装束き】『四段』《「装束」を活用させた語》①装束をつける。「―・かせて出し立つ」〈かげろふ中〉②飾りつけ、用意する。「唐めいたる舟、つくらせ給ひける、いそぎ―・かせ給ひて、〔池ニ〕おろし始めさせ給ふ日は」〈源氏胡蝶〉　**―わ・け**【装束き分け】『下二』装束を別にする。「上の女房、前後(まへしりへ)と―・けたり」〈源氏絵合〉

さうぞく：ソウ【早速】『副』すぐに。急いで。さっそく。「―に御祈禱をはじめらるべきと申し上ぐる」〈伽・玉藻草紙〉。〈色葉字類抄〉

さうぞく：ソウ【装束】①衣服。「男のもとに―調じて贈れりけるに」〈後撰七三五詞書〉②衣服をつけること。「御―など し給ひて」〈源氏宿木〉③飾りつけること。用意。「暁かしこにものせむ。車の―さながら随身一人二人おほせおきたれ」〈源氏若紫〉。「明日の御遊のうちならしに御琴どものーなどして」〈源氏梅枝〉

さうそつ：ソウ【倉卒・早卒】にわかなこと。あわただしいこと。「凡そ―なることなかれ、狼藉なる事なかれ」〈正法眼蔵洗浄〉。「倉卒、サウソツ・タチマチ」〈色葉字類抄〉

さうだう：ソウドウ【草堂】草ぶきの堂。草庵。「その所に一つの―あり。津寺といふ」〈今昔一七ノ六〉

さうつう：ソウ【相通】五十音図で縦に同じ行の音、あるいは横に同じ段の音がたがいに通用するという考え。「『え』と『れ』とは同韻―なり」〈仙覚抄八〉。「『こき』『かき』、同音―の儀也」〈古今集註〉→五音(ごいん)相通

さうでう：ソウジョウ【双調】雅楽の調子の一。十二律の一。「―吹かせ給ふ」〈源氏紅梅〉

さうでん：ソウ【相伝】代代うけ継ぐこと。代代受け伝えること。「これは先祖―の良家の子孫なり」〈今昔一七ノ四〉。「我が着たるも―の鎧なり」〈保元中・白河殿攻め落す〉　**―ふだい**【相伝譜代】代代相伝えてその主家に仕えていること。また、その家来。「―のよしみ、年ごろ日ごろ重恩いかでか忘るべき」〈平家七・福原落〉

さうでん：ソウ【聖天】《サウはシャウの直音化》⇩しゃうでん。「忠こその阿闍梨(あざり)も大願を立てて、―の法を不断に行なひ」〈宇津保菊宴〉

さうとうしゅう：ソウ【曹洞宗】臨済宗とならぶ禅宗の一派。鎌倉時代、道元禅師が入宋して、わが国に伝えた。越前の永平寺と能登の総持寺を本山とし、地方武士や農民の間に普及した。「洛中に勅許無き宗旨、―と薦僧(こもそう)となり」〈見聞愚案記六〉

さうど・き：【騒動き】『四段』《「騒動」を活用させた語か》がさがさと騒がしい行動をする。多く、一人一人の行為についていう。「[勝負ガツイテ]きはぎはしう―・けば、奥の人は、いと静かにのどめて」〈源氏空蟬〉

さうどく：【瘡毒】梅毒。瘡(かさ)。「―の溜りもあへず露散りて」〈俳・蛇之助〉

さうな・し：【双無し】『形ク』比類ない。並ぶものがない。またとない。「堀川院御時、中宮の御方に、はしたもの砂金といひて、―・き美女ありけり」〈十訓抄四ノ三〉

さうな・し：【左右無し】『形ク』①あれこれ考えるまでもない。言うまでもない。「この一条殿、―・く道理の人にておはしましけるを」〈大鏡伊尹〉②ためらわない。無造作である。「かの太刀はまことに吉き太刀にてありければ…―・く[弓ト]さし替へてけり」〈今昔二九ノ三〉。「その命―・く捨つる事なかれ」〈孝養集下〉

さうにん：【相人】人相・家相などを見て、うらない、予言する者。「高麗人(こまうど)の参れるがなかに、かしこき―ありけるを」〈源氏桐壺〉

さうのこと：【箏の琴】《サウはシャウの直音化》⇒しょうのこと。「又―を盤渉調にしらべて今めかしくかい弾きたる」〈源氏帚木〉

さうのて：【草手】《テは文字、書きざまの意》万葉仮名を草体にくずしたもの。「―に、仮名のところどころに書き交ぜて」〈源氏絵合〉

さうのふえ：【笙の笛】《サウはシャウの直音化》⇒しょうのふえ。「大殿の御七郎、童にて―吹く」〈源氏宿木〉

さうば：【相場】①市場での物品の取引価格。市価。時価。「博多にて売米の―、銀子拾枚に八十石替へ」〈浅野家文書天正二〇・一一・一〉②現物の取引をせず、相場(1)の高下によって相互間に鞘取(さやとり)をする売買取引。「跡が下がっても買徳なる物、米の―」〈西鶴・好色盛衰記三〉 **―が悪・い** その場の空気が自分にとって都合がよくない。雲行きが悪い。模様が悪い。「―・い、おぢゃいの」〈近松・曾根崎心中〉 **―ひきゃく**【相場飛脚】主要な商品取引地の相場を各地へ知らせる飛脚。特に、大阪に多かった。「秋立ちて―や急ぐらん」〈俳・生玉万句〉 **―もの**【相場物】相場で取引する物品。また、価格の変動のはげしい商品。「変ったり昨日に今日の―」〈俳・信徳十百韻〉

さうばい：【相倍】倍数をあらわす語。倍。「また塩の多さ積もりもなく、三十―にもなりければ」〈伽・文正草紙〉。「二相倍、いちさうばい」〈ぎやどぺかどる字集〉

さうばく：【相博】交換。交代。「願はくは彼此の便を計り、[土地ノ]―を得んと欲す」〈早大図書館所蔵文書天平勝宝七・五・七〉。「相博、サウバク」〈色葉字類抄〉

さうび：【薔薇】ばら。「階のもとの―、気色ばかり咲きて」〈源氏賢木〉

さうぶ：【菖蒲】《サウはシャウの直音化》⇒しゃうぶ。「さつきの御遊び所にて、水のほとりに―植ゑ茂らせて」〈源氏少女〉 **―かづら**【菖蒲鬘】菖蒲で作った鬘。五月五日の節句に、邪気をはらうため、冠や髪に插した。「あやめのかづら」とも。「よろづの人ども―して」〈枕三二〉 **―のこし**【菖蒲の輿】平安時代、五月五日の節句に宮殿の屋根をふき、薬玉(くすだま)を作るための菖蒲を宮中に運んだ車。「五日の―などもてまゐり、薬玉まゐらせなどす」〈枕三九〉 **―のさしぐし**【菖蒲の插櫛】菖蒲で作った插櫛。五月五日の節句にさした。「御節供(おほんせく)まゐり、若き人人―さし」〈枕三九〉

ざうふきゃう：【常不軽】《ザウはジャウの直音化》常の行(ぎょう)として、法華経常不軽菩薩品の中の二十四字の偈(げ)を誦して、あちこち礼拝して巡り歩くこと。略して「不軽」とも。「さては思ひ給へ得たること侍りて、―をなむ、つかせ(ヌカズカセ)侍る」〈源氏総角〉

さうぶれん：【相府蓮・想夫恋】雅楽の曲名。平調の唐楽。もと舞があったが早く絶えた。晋の王倹が、家に蓮を植えて愛した時の曲といわれるが、わが国では音の通ずる「想夫恋」(夫を想う恋)の意に解した。「琵琶をとりよせて、いとなつかしき音に―を弾き給ふ」〈源氏横笛〉

ざうほふ：【像法】釈迦の滅後を三時期に分けた正法・像法・末法の一。正法の次の五百年または一千年間をいう。教法は存在し、修行も行なわれるが、形式に流れて證果を得るものがない期間。像法時。「涅槃(ねはん)に入り給ひて後、―の中に王有りき」〈今昔三ノ九〉→末法

さうまき：【鞘巻・左右巻】「さやまき」の転。「白き水干(すいかん)に―を差させ」〈徒然二二五〉

さうめん：【索麵】《サクメンの転》食品の名。むぎなわ・ひやむぎの類。「索麵、サフメン」〈文明本節用集〉 **―かづき**【索麵被き】白髪頭。「年寄って髪の白いをば―と云ふぞ」〈玉塵抄四八〉

ざうもつ：【贓物】①蔵にしまってある物品。「今夜、香雲庵へ盗人入り、塗籠の―これを取らる」〈看聞御記応永二六・八・二七〉②盗品。「件の盗人に白き水干袴に紅の衣(きぬ)着せて、―首にかけさせて」〈著聞四三七〉。〈伊京集〉

さうもん：【相聞】①《文選など中国文献に見える語》互いに訪問すること。互いに音信を通ずること。「離(か)り絶えたることあまた年にして、復会ひて―往来す」〈万七・七七題詞〉②雑歌・挽歌とともに万葉集の三大分類の一。恋を主として、男女・親子・兄弟姉妹・友人など親しい間がらの個人的な情を伝えあう抒情的な歌。〈万巻四・目録〉 ▽分類名としたのは万葉集がはじめて。古今集以下の「恋歌」がほぼ同じ。

さうもん：【桑門】《梵語の音訳》僧侶。沙門(しゃもん)。「―の蓮胤、外山(とやま)の庵にしてこれをしるす」〈方丈記〉。「―」〈色葉字類抄〉

さうやく：【草薬】草を乾燥させて作った薬。「極熱(ごくねち)の―を服(ぶく)して」〈源氏帚木〉

さうやよめり：【葬や嫁入】《葬式と婚礼は儀式が似ていたからいう》子供が嫁入りを見てはやす言葉。「童の諺に―と言ふ事は」〈浄・舎利三〉

ざうよう：【造用】《ザフヨウ(雑用)の転》費用。「客人の―」〈孫子私抄〉

さうら・ひ：【候ひ】《サブラヒの転》㊀『四段』①「あり」の丁寧語。ございます。「違例の事―・ふ」〈保元下・大相国御上洛〉②「をり」の謙譲語。おります。「『競(きほ)はあるか』『―・ふ』」〈平家四・競〉㊁『助動』ことばづかいを丁重・丁寧にするために添える。「きこえ―・ふ名馬を見―・ばや」〈平家四・競〉

ざうらふ：【候】『助動』「にさうらふ」の転。…です。…であります。「佐々木殿の御馬―」〈平家九・生食〉

ざうり：【草履】《古くはサウリ。中世、転じてザウリ・ジャウリ。ジャウリは「上履」とも表記》わら・草・竹の皮などで編み、緒をすげたはきもの。「草履、ザウリ・ジャウリ」〈下学集〉。「草履、俗云佐宇利(さうり)」〈和名抄〉 ▽室町時代、ジャウリはザウリの俗語。七十一番職人歌合に、草履作りという職業を「ざうりつくり」と書き、その口上を、「じゃうり、じゃうり、板金剛(いたこんがう)めせ」と書いてある。 **―かくし**【草履隠し】隠した草履を鬼に探させる遊戯。「―足

に冷い子雪かな」〈俳・鶉鶏集八〉 **—げた**【草履下駄】表に草履を付けた、台の低い下駄。「山あり川あり—有り」〈俳・江戸八百韻〉 **—つかみ**【草履摑】草履取を卑しめていう語。「—の夕顔」〈近松・本朝三国志一〉 **—とり**【草履取】武家などに奉公し、主人の草履を持って供をした召使。草履持。「—を置かんとて」〈咄・昨日は今日上〉 **—のきう**（キュウ）【草履の灸】まじないの一種。長尻の客に帰る気を起させるために、その客の草履の裏に灸をすえること。「亭主立ち—の据ゑ違ひ」〈雑俳・広原海五〉

ざうりふ（ゾウリュウ）【造立】建物・仏像などを造り立てること。「心を至して法花経を書写し、仏像を—して我が苦を助け救へ」〈今昔七ノ三一〉。〈文明本節用集〉

さうろん（ソウ）【相論】互いに論じ争うこと。口論。「所領—の事ありて叔父を殺してけり」〈著聞四四一〉

さえ【賽・采】《サイの転》双六のさい。「一二の目のみにはあらず五六三四さへありけり双六の—」〈万三八二七〉 ▽奈良時代には、発音上、母音が二つ重なることを避ける習慣が強かったので、saiとすることを避け、sayeとしたもの。 †saye

さ・え【冴え】『下二』《サヤカのサヤと同根》①つめたく凍る。「さ夜更くと嵐の吹けば立ち待つにわが衣手に置く霜も氷(ひ)に—・え渡り」〈万三二八一〉。「白珠を包む袖のみ泣かるるは春は涙も—・えぬなりけり」〈後撰二〇〉 ②(光や音が)つめたく澄む。「—・え氷る暁がたの月の」〈更級〉。「山かげや岩もる清水音—・えて夏のほかなるひぐらしの声」〈千載二〇九〉 †saye

ざえ【才】《「才」の字は「材」に通じ、素材・才能の意。身につけるべき教養、主として、中国風の学問・技芸をいった》①学問。特に、漢学・漢詩文等の学識。「まめやかに—深き師にあづけ聞え給ひてぞ、学問せさせ給ひける」〈源氏少女〉。「なほ—をもととしてこそ、大和魂の世に用ゐらるる方も強う侍らめ」〈源氏少女〉 ②(音楽などの)才能。芸。「琴(きん)弾かせ給ふ事なむ一の—にて」〈源氏絵合〉 ③「ざえのをのこ」の略。「—ども、声よろしからむなどえらびてものせられよ」〈宇津保嵯峨院〉 ▽「才」の呉音はザイ。これをザエとしたのは、サイ(采)をサエとしたのに同じ。 →さえ(采)

さえかへ・り（カエリ）【冴え返り】『四段』①冷えきる。「しぐれつる宵の村雲—・りふけ行く風にあられ降るなり」〈壬二集中〉 ②春になって、また寒さがぶり返す。「猶—・る春の日の、比良の峰(ね)おろし吹くとても」〈謡・竹生島〉 ③(光や音が)澄みきる。「月も今宵に—・り」〈謡・八島〉

ざえが・り【才がり】『四段』学問・教養をひけらかす。「ことごとしく草(さう)勝ちなどにも—・らず、目安く書きすましたり」〈源氏初音〉

ざえざえ・し【才才し】『形シク』いかにも学問がありそうだ。教養がちらついている。「ただ走り書きたる〔願文ノ〕趣の、—・しくはかばかしく」〈源氏若菜下〉

さえだ【さ枝】《サは接頭語》枝。また、小枝。「八千種(やちくさ)の花は移ろふ常磐なる松の—を我は結ばな」〈万四五〇一〉 †sayeda

ざえのをのこ【才男】内侍所(ないしどころ)の神楽などで歌を歌う人。単に「ざえ」とも。「—召して、声ひきたる人長(にんちやう)の心地よげさこそいみじけれ」〈枕一四二〉

さえまさ・り【冴え勝り】『四段』①冷たさ・寒さがいっそうきびしくなる。「ささの葉におく霜よりもひとり寝(ぬ)るわが衣手ぞ—・りける」〈古今五六三〉 ②いっそう澄んで見える。「秋の夜や天の川瀬は氷るらむ月の光の—・るかな」〈千載二八七〉

さえわた・り【冴え渡り】『四段』一面に凍りつく。「置く霜も氷(ひ)に—・り」〈万三二八一〉。「池の、ひまなう氷れるに、『—・る池の鏡のさやけきに見なれし影を見ぬぞ悲しき』」〈源氏賢木〉 †sayewatari

さおり【狭織】幅せまく織った布。帯などにつかう。「いにしへの—の帯を結び垂れ誰とふ人も君にはまさじ」〈万二六二八〉

さか【尺】長さの単位。「しゃく」に同じ。「わが嘆く八(や)—の嘆き(大キイ嘆キ)」〈万三二七六〉 ▽サはシャの直音化。カは「尺」の末尾の音のkを母音終りにしたもの。

さか【石・斛】容積の単位。「こく」に同じ。「百(もも)—の船漕ぐ浦の八占(やうら)さし母は問ふともその名は告らじ」〈万二四〇七〉 ▽サはシャの直音化。カは「石」の末尾の音のkを母音終りにしたもの。

さか【坂】①傾斜のある道。「—越えて阿倍(あへ)の田面にゐる鶴(たづ)のともしき君は明日さへもがも」〈万三五二三東歌〉 ②人生をのぼりくだる坂にたとえていう。「ちはやぶる神や伐りけむ突くからに千年の—も越えぬべらなり」〈古今三四八〉。「君を祈る年の久しくなりぬれば老いの—ゆく杖ぞうれしき」〈後拾遺四二九〉

さか【冠】とさか。「紹興の夕つげ鳥のいかき—」〈菟玖波集一九〉。「〔鳳凰ハ〕頭(かうべ)に徳の—をいただき、足に文の蹴爪あり」〈伽・若みどり〉。「冠、佐加(さか)」〈和名抄〉

さか【酒】「さけ」の古形。複合語をつくる。「—杯」「—殿」「—槽(ふね)」「—屋」など。「なかなかに人とあらずは—壺になりにてしかも」〈万三四三〉

さか【境・界】《サカ(坂)と同根》さかい。多く複合語につかう。「岩—」「—迎へ」など。「海界(うなさか)を超えてすぎゆくに」〈万一七四〇〉 ▽古くは、坂が区域のはずれであることが多く、自然の境になっていた。

さか【釈迦】仏教の開祖。しゃか。「—のみ足跡(あと)、石(いは)に写し置き」〈仏足石歌〉

さが【性】《生(な)のままの自然の性質や運命を、人間の力でどうにもできないものと把えていう語。多く、よくない性質について使う》①(どうにもならない)性質。人力では左右できない本性。「いと限なき御心の—にて、推し量り給ふにや侍らむ」〈源氏椎本〉。「後れ先だつほどの定めなさは、世の—と見給へ知りながら」〈源氏葵〉 ②悪い性質。また、悪質な人。「〔無悪善ヲ口ニ出シテヨメバ〕—なくてよからんと申して候ぞ。されば、君(嵯峨帝)をのろひ参らせて候なり」〈宇治拾遺四九〉 ③短所。欠点。「互ひに—も見えず」〈評判・難波鉦五〉。〈日葡〉

さが【祥】前兆。しるし。「夢の—に因りて立ちて皇太子となり給ふ」〈紀垂仁即位前〉

さかあいさつ【酒挨拶】酒をもてなされた客の主人への答礼。「—の客振の、好きも過ぎては仇となる」〈近松・堀川波鼓上〉

さかあひ（イア）【酒間】酒盃のやりとり。「女の良し悪し、—、其の外ちっとした詰め開きは、どんと利口と〔イウ〕」〈浮・茶屋調方記〉

さかい『助』《「さかひ」とも書く。上方で、サカイニ・サカイデのニ・デを省いて用いたもの》…ので。…から。「本になさるとおしゃる—、随分吟味致しました」〈咄・枝珊瑚珠一〉。「畿内近国の助語に—と云ふ詞有り。関東にて、からと云ふ詞に当る也」〈物類称呼五〉 **—で**《サカイニについで使われた形》…ので。…から。「今まで宮崎殿に逢ひました—、〔アナタニ逢ウコトガ〕なりませなんだ」〈評判・難波鉦六〉 **—に**《サカヒ(境)ニの意》①時に。場合に。「習ふまい—」〈ロドリゲス大文典〉 ②《理由をあらわす》…ので。…から。「さしのぶる事も得いで仕った―、あまり気にかかりまらせぬ」〈コリヤード懺悔録〉。「その事をさうした―と云ふべきを、さかいでと云ふは如何」〈俳・かたこと三〉

さかいはひ(…ワイイ)【逆祝】不吉なことを言い並べ立てて、かえって祝とすること。「祝は―」〈近松・孕常盤三〉

さかいり【酒煎】鳥肉・魚肉・野菜などを、酒を加えた汁で煎った料理。「―の松茸・平茸」〈庭訓往来十月十三日〉

さかう(ウ…コ)【左降】官位を下げること。「高安王は―して、伊与の国の守に任ぜられしのみなり」〈万三〇九八左注〉

さかうち【逆討】敵を討とうとして、かえって敵に討たれること。返り討。「還って―に討たれぬと覚え候」〈盛衰記四六〉

さかうま【逆馬】①普通とは反対に、馬の尻の方に向って乗ること。「敵にうしろを見えじとや思ひけん、玄光は―に乗ってぞ馳せたりける」〈平治下・義朝内海下向〉②将棋で、王将が敵陣に入りこむこと。また、その王将。入り王。「―に入られて後は詰めにくし」〈俳・犬子集一五〉③案に相違して物事が逆になること。「分け分けて入るや―鞍馬山」〈俳・四人法師〉

さかうらみ【逆恨み】恨みに思う人から逆に恨まれること。「もみぢ葉をかざすや下戸の―」〈俳・玉海集三〉

さかえ【栄枝】葉の茂った枝。「伊勢の野の―を五百(はい)経る懸きて」〈紀歌謡七八〉 †sakaye

さか・え【栄え】㊀『下二』《サキ(咲)・サカリ(盛)と同根》充実した生命が、表に向って現われ出る。花ならば咲き満ち、人ならば幸せに勢いがあふれる意。「茂岡に神さび立ちて―・えたる千代松の木の歳の知らなく」〈万九九〇〉。「すめろきの御代―・えむと東なるみちのく山に黄金(くがね)花咲く」〈万四〇九七〉㊁『名』繁栄。「高き宿世、世の―も並ぶ人なく」〈源氏薄雲〉 †sakaye **―をとめ**【栄え少女】美しいさかりの少女。「つつじ花香(にほ)え少女、桜花―」〈万三三〇九〉

さかおくび【逆衽】着物の四つ身で、衽を逆に用い幅を広くする仕立てかた。さかおくみ。「―、三寸落しに裁ち切って」〈近松・薩摩歌中〉

さかおとし【坂落し・逆落し】①絶壁などから落し下すこと。「平家の城の真中へ―に落し入り」〈浄・念仏往生記一〉②頭から先に落ちること。「いかな出家も―とて〔失敗シタ〕」〈俳・西鶴五百韻〉

さかおもだか【逆沢瀉】鎧の縅(をどし)などに用いる、沢瀉の葉を上下逆にしたような模様。「赤地の錦の直垂に、―の鎧」〈保元中・白河殿へ義朝夜討ち〉

さかがみ【逆髪】逆立った頭髪。「白髪は乱れ―の、雪を乱せる如くにて」〈謡・歌占〉

さがかみ【其髪】《サはシと同根の代名詞》そいつの髪。一説に「逆髪」で、髪のねもとを逆さまに握ること。「―をとりて、かなぐり落さむ」〈竹取〉

さかき【榊・賢木】常緑樹の総称。特に、神事に用いる木。「天の香山の五百津(いほつ)真(ま)―を根こじにこじて」〈記神代〉。「奥山の―の枝に白香(しらか)つけ木綿(ゆふ)とりつけて」〈万三七九〉▽サカ(境)と第一アクセントは同じ。神聖な地の境に植える木の意か。サカエ(栄)とはアクセントが別だから、「栄木」とする説は考えにくい。 †sakaki **―ば**【榊葉】サカキの葉。神楽の舞人が手に持つ採物(とりもの)の一として使われることが多い。「神垣のみむろの山の―は」〈神楽歌三〉。「神びとの手にとりもたる―に」〈源氏若菜下〉

さかぎ【逆木・倒木】木理(もくめ)を逆に用いた材木。「此の家御普請…鬼門をよけ、―を改め、万事に気を付けられしに」〈西鶴・三所世帯中〉

さかけ【酒気】酒気(しゅき)。「〔気トイウ語ハ〕或いはなごりをいふ。―なんどいふが如し」〈仙覚抄一〉

さかごと【酒事】酒盛り。酒宴。ささごと。「大座敷障子明ければ風の秋/乱れて霧が―になる」〈俳・大矢数五〉

さかことば【逆言葉】言葉の意味を反対にした言い方。入間詞(いるまことば)。入間様(いるまやう)。「惣じて入間詞には、―を使ふにより、此の所を深いと言ふは浅いと言ふ事」〈狂言記・入間川〉

さかこはひ(…コワイ)【酒強飯】酒造米を蒸して強飯(こはいひ)にしたもの。冷ました後、酒の原料として、清水・麹(かうじ)と混ぜて桶に仕込む。さかめし。「ちらちらや淡雪掛かる―」〈俳・曠野上〉

さかさか・し【賢賢し】『形シク』いかにもしっかりしている。いかにも抜目がない。「下郎なれども―・しき者にて」〈沙石集七ノ八〉。「きゃつは合戦に置きては以ての外―・しき者にて候」〈保元上・官軍勢汰へ〉

さかさま【逆・逆様】①逆の方向。逆の状態。「―に年も行かなむ取りも合へず過ぐるよはひや共に還ると」〈古今八九六〉。「天の下を―になしても」〈源氏須磨〉。「縁より―に落ちにけり」〈教訓抄四〉②道に反すること。「いみじからむ―の罪(反逆罪)ありとも」〈大鏡師輔〉 **―がは**(…ワガ)【逆川】物事の逆なことを川にたとえた語。「親の身の子を弔ふは、―に沈みて死なれぬ命のつらく」〈西鶴・二十不孝三〉 **―ごと**【逆言】逆な言い分。「はてはいはんことのなさにやあらん、―ぞある」〈かげろふ下〉

さか・し【栄し】『四段』《サカエ(栄)の他動詞形》盛んにする。「山隠れにも時時につけて興を―・すべき渚の苫屋(とまや)」〈源氏明石〉。「揚、サカス」〈名義抄〉

さか・し【賢し】『形シク』《丈夫で、物に動じることなく、しっかりと自分を失わない判断力を持っている意。サカシラとなると、明らかにその度合が過ぎて、差し出た判断を下し、おせっかいをする意。サカシは漢文訓読では、賢・哲・智・傑などの訓として、賢明であるの意に使われるが、平安女流仮名文学での意味と多少相違がある》①丈夫である。壮健である。「おのが―・しからむ時こそ、いかでもいかでもものしたまはめ」〈かげろふ上〉②(気持が)しっかりしている。自分を失わない判断力がある。「〔雷〕神の鳴りひらめくさま…落ちかかりぬと覚ゆるに、ある限り―・しき人なし」〈源氏明石〉。「〔葵上ハ〕うるはしく、おもりかにて…すくすくしく、すこし―・しとや言ふべかりけむ。思ふには頼もしく、見るにはわづらはしかりし人ざまになむ」〈源氏(三条西家本)若菜下〉③こざかしい。一見かしこそうである。「痴れたる者。それしも―・しうて、まことにさかしき人を教へなどすかし」〈枕二五九〉④かしこく、すぐれている。「古の七の―・しき人ども(七賢人)も欲りせしものは酒にしあるらし」〈万三四〇〉。「受けたる性、聰(と)く敏(さか)しかりき」〈金光明最勝王経平安初期点〉。「〔歌詠ノ才ガ〕―・し、おろかなりと知ろしめしけむ」〈古今序〉 **―だ・ち**【賢し立ち】『四段』しっかりしているようにふるまう。「―・つ人の、おのが上知らぬやうに」〈源氏夕霧〉。「かく口ばかり―・ち侍れど」〈大鏡藤氏物語〉 **―ひと**【賢人】①かしこくすぐれた人。聖人に次ぐ人。賢人(けんじん)。「五百(いほとせ)にして乃今(いまし)賢(さかしひと)に遇ふ。千載(ちとせ)にして一(ひとり)の聖(ひじり)を待つこと難し」〈紀推古十二年〉②しっかりもの。「この―、はた軽軽しき物怨(ゑん)じすべきにもあらず」〈源氏帚木〉 **―め**【賢女】丈夫な女。しっかりした女。「―を有りと聞かして、細(くは)し女(め)を有りと聞こして」〈記歌謡二〉

さかし【然かし】『連語』《カシは終助詞。念を押すときにつか

う》 そうだね。そのとおりですよ。「『さる事や』『―』」〈源氏常夏〉

さが・し【探し】『四段』《物をひろげて日にさらし、風にあてるのが原義。転じて、中身をさらけ出す意。物を掻き廻し、散らかして、求める物を取り出す意。類義語サグリは、指先の触覚で物を求める意》 ①ひろげて風や日に当てる。「涼、サガス、曝涼米也」〈色葉字類抄〉 ②(隠している内部などを)ひろげる。さらけ出す。「〔殿ガ〕御乳母(めのと)の懐をひき―・させ給ふに、〔若宮ノ〕うちとけて寝たるときなどは」〈紫式部日記〉。「をこを―・して人に笑はるるは」〈今昔二六ノ二〉 ③かきまわして物を尋ね出す。さぐり求める。「文などやあると、近き御厨子・小唐櫃(こからひつ)などやうのものをもさりげなくて―・し給へど、さる物もなし」〈源氏宿木〉。「官人をもって〔天鼓ヲ〕―・し出し」〈謡・天鼓〉 ④《他の動詞の連用形に付いて》 …し散らす。「堂内の仏具等を取りて、机以下を投げ―・して」〈真本細細要記〉

さが・し【険し】『形シク』 ①(山が)けわしい。「妹(いも)と登れば―・しくもあらず」〈記歌謡七〇〉。「さしも―・しき東坂、平地を行くがごとくなり」〈平家二・一行阿闍梨〉 ②あぶない。危険だ。「橋よりも落ちぬべければ、『いで、この葛城(かづらき)の神こそ、―・しうし置きたれ』とむつかりて」〈源氏夕顔〉

さかしきよ【賢しき世】 しっかりと、ゆるぎない治世。「―にしもなむよからぬ事ども侍りける。聖(ひじり)のみかどの世にも横ざまの乱れ出でくる事もろこしにも侍りける」〈源氏薄雲〉

さかしほ(…シオ)【酒塩】 吸物や煮物などに味をつけるため、酒を加えること。また、その酒。「塩をまっとさし申すべきか、又―さし申すべきか」〈伽・鼠草子〉。「楚割(そはり)十―ちと参らする今朝かひがひと御賞翫あれ」〈再昌草五〉

さかしま【逆・倒】《サカサマの母音交替形》 ①さかさ。「十握(とつか)の剣を抜きて、―に地につきたてて」〈紀神代下〉。「倒、サカサマ・サカシマ」〈名義抄〉 ②道理に反すること。「仲麻呂が心の―にきたなき状(さま)は知りぬ」〈続紀宣命二八〉

さかしら【賢しら】 ①自分はかしこいと自信を持った言動。「あな醜(みにく)―をすと酒飲まぬ人をよく見れば猿にかも似る」〈万三四四〉 ②さし出たふるまい。お節介。さし出口。「隣―するまで、ふすべかはして」〈かげろふ上〉。「人のうへにてももどかしく聞き思ひし、ふる人(老人)の―よ」〈源氏若菜下〉。「儳言、サカシラ」〈色葉字類抄〉 ③両者の間柄を不和にするように悪口を言うこと。讒言。「範頼反逆の企てある由―申す者あり」〈北条五代記一〉 **―ごころ**【賢しら心】 さし出た、なまいきな心。「人の程もあてにをかしう、なかなかの―なく、うち語らひて、心のままに教へ生ほし立てて見ばや」〈源氏若紫〉 **―だ・ち**【賢しら立ち】『四段』 お節介をやく。「君にも言ひ伝へず、―・ちて」〈源氏蜻蛉〉 **―に**【賢しらに】『副』 ①自分の判断で。積極的に。「官(つかさ)こそ指しても遣らめ―行きし荒雄ら波に袖振る」〈万三八六四〉。「〔ヨソニ出来タ子ヲ〕―迎へ率(ゐ)て来て、人から謗(そし)るとて返し送らむも、いと軽軽しく」〈源氏常夏〉 ②さし出て。余計なことに。「―我が子と言ひて、怪しきさまにてはふれやすらむ」〈源氏螢〉 **―びと**【賢しら人】 お節介な人。「〔僧ニ〕会ひて、尼になし給ひてよと言はむ。―少なくて、よき折にこそ」〈源氏手習〉

ざがしら【座頭】 最上位の座席。首席。「左の―には北条・秩父なほり、…右の―には岩瀬の民部まさつな座して」〈栗栖野物語〉

さかしろ【酒代】 酒代(さかだい)。酒手(さかて)。「たまには持物も―に代へつくして」〈他阿上人法語三〉

さか・ち【屠ち】『四段』 屠殺する。「猶し―・ちて咯(く)はむと欲(おも)ふとまをす」〈霊異記中五〉

さかづき【盃】《サカ(酒)ツキ(坏)の意》 ①酒を盛って飲むのに用いる器。古くは土器が多く、平安時代には、銀・朱漆・瑠璃・瑪瑙(めのう)・玉などで作られたものがあった。「春柳かづらに折りし梅の花誰か浮かべし―の上(へ)に」〈万八四〇〉。「金盞、サカツキ」〈遊仙窟(醍醐寺本)鎌倉期点〉 ②さかずきごと。「―など常の作法よりもさしわかせ給ひて」〈源氏幻〉 †sakaduki **―ごと**【盃事】 ①盃を取り交すこと。酒宴。「参会の印に―致すべしと、これに因りて盃酒三献に及ぶ」〈赤羽記〉 ②結婚や盟約などの成立に際して、互いに固めの盃を汲みかわすこと。「めでたう―をせう」〈天理本狂言・二九十八〉 **―ながし**【盃流し】 流水に酒盃を流し浮かべて興ずること。「大振舞の―」〈俳・大矢数三〉。〈俳・毛吹草二〉 **―に推参なし** 酒盃の献酬には遠慮はいらない。「某は小栗が下人池田の庄司と申す者、―、さらばお合ひ仕らんと」〈浄・当流小栗三〉 **―ろん**【盃論】 酒宴のとき、どちらが先に盃を取って飲むべきかについて、ゆずり合い、あるいは論じ争うこと。

「和田殿と―して、ただ今事(こと)出来ぬ」〈曾我六〉

さかつこ【造酒児】 大嘗祭のとき、神に供える黒酒(くろき)・白酒(しろき)を作るのに従事する少女。悠紀(ゆき)・主基(すき)に当った郡の大領・少領の未婚の娘があてられる。「物部の人等・―・酒波…大嘗会(おほにへ)の斎場(ゆには)に持ち斎まはり参ゐ来て」〈中臣寿詞〉。「造酒児、神語に佐可都古(さかつこ)と曰ふ」〈延喜式践祚大嘗祭〉 †sakatuko

さかつら【逆頰】 毛皮の毛の向きをさかさまに立つようにしたもの。「猪の―の尻鞘したる太刀帯して」〈今昔三一ノ一五〉 **―えびら**【逆頰箙】 箙の方立(ほうだて)に毛皮を逆頰に張ったもの。「―、矢くばり尋常なるに」〈義経記五〉

さかづ・り【逆釣り】『四段』 目尻が上がる。「目元ちと―・り」〈評判・讃嘲記〉

さかて【逆手】 ①凶事の時や人を呪う時に打ったという手の打ち方。掌を裏返して打つもの、左と右との上下を逆にして打つもの、手を後にまわして打つもの、人の前から退く時に打つものなど、諸説がある。「天(あま)の―を〔打ッテソノ舟ヲ〕青柴垣(あをふしがき)に打ち成して」〈記神代〉。「かの男は、天(あま)の―を打ちてなむのろひ居(を)るなる」〈伊勢九六〉 ②刀などを逆に持つこと。「大きなる刀のおそろしげなるを―に取りて腹の方に差しあて」〈今昔三三ノ二四〉

さかて【酒手】 ①《テは代価の意》 酒代(さかだい)。「酒直(さかて)」〈新猿楽記〉。「土一揆等…酒を責め出させ、又―を責め取る」〈康富記享徳三・九・一二〉 ②駕籠かきなどに約束した賃銀の外に与える金銭。「案の定／―を松のこくらがり」〈雑俳・軽口頓作〉

さかとりの【坂鳥の】〔枕詞〕 坂を飛び越える鳥が朝早く越えるので「朝越え」にかかる。「―朝越えまして」〈万四五〉 †sakatörinö

さかどんぶり【逆どんぶり】 頭が下、足が上の状態になること。また、その状態。逆蜻蛉(さかとんぼ)。さかとんぼり。「引っかづいて―」〈近松・寿門松上〉

さかな【肴・魚】《サカは酒。ナは食用の魚菜の総称》 ①酒を飲む時添えて食べるもの。塩・貝・魚・肉・海藻など。「かたい塩(岩塩)―にして酒を飲ませて」〈大和一七三〉。「わが四足を截(き)りて…膾(なます)に切りて―に食ひしを」〈霊異記中五〉。「餚、サカナ」〈名義抄〉 ②酒宴に興を添えるための歌や踊。「『御酌を御つとめ候はば、こゆるぎのいそならぬ御―の候へかし』と申されしかば…今様をうたはせおはします」〈問はず語り一〉。「宮の若衆・僧俗いろいろ—求めて、たびたび歌ひ舞ひ、鼓・笛、興に入りし」〈宗長手記下〉 ③食用の魚類。「日数を経て—のさがる(腐ル)に、塩を致す事もなく」〈甲陽軍鑑一〇上〉 **—かけ**【肴懸・肴掛】台所の竈(かまど)の上に貯蔵用の魚鳥を吊っておく棹。「足を空に歳暮の鳥や—」〈俳・桜川九〉 **—じゃうるり**【肴浄瑠璃】酒宴などの余興に演ずる浄瑠璃。「野郎山伏笈(おい)探しと申す—なり」〈浮・御前義経記四〉 **—だな**【魚棚・肴棚】①食用の魚を売る店。魚屋。「—へ行て、よい肴物を買うて参れ」〈狂言記・鴈大名〉 ②台所にある、肴を置く棚。「飼猫が駈けのぼりたる—」〈俳・正章千句上〉

さがな・し『形ク』たちがわるい。他に対して意地がわるい。「—・き継母に憎まれむよりは」〈源氏東屋〉。「人の容貌(かたち)を語り聞えさせば、物言ひ—・くや侍るべき」〈紫式部日記〉。「少し御心—・く、御物怨みなどせさせ給ふやうにぞ」〈大鏡師輔〉。「—・し。よからず」〈八雲御抄四〉

さかなみ《「酒(さか)な女(み)」の意。ナは連体助詞》大嘗祭のとき、神に供える黒酒(くろき)・白酒(しろき)を作る造酒児(さかつこ)の助手の女性。「物部の人等・造酒児・—・粉走(こばしり)…、大嘗会(おほにへ)の斎場(ゆには)に持ち斎まはり参ゐ来て」〈中臣寿詞〉 †sakanami

さがなめ【さがな目】意地悪い目。あらさがしをする目。「それは翁らが—にもただ人とは見えさせ給はざめり」〈大鏡藤氏物語〉

さがなもの【さがな者】性質の悪い者。意地の悪い者。「大北の方といふ—ぞ、常に許しなく怨じ聞え給ふ」〈源氏若菜下〉。「世の中の—と言はれ給ひし殿の」〈大鏡道隆〉

さがにく・し【性憎し】『形ク』憎らしいたちだ。意地が悪い。「人の物言ひ—・き世に」〈拾遺一〇九八〉

さかねだり【逆強請】当然ゆすられるべき人が逆にゆすること。「さかねだれ」とも。「間男(まをとこ)やあまの逆手(さかて)の—」〈俳・俳諧三部抄下〉

さかねぢ【逆捩ぢ】他の人に問い詰められるべき人が、逆になじり返すこと。「借銭乞の言葉質取って、泣きわめいて—にして」〈浮・野白内証鑑四〉

さかのぼ・り【溯り・泝り】『四段』流れの源のほうに向って進む。「堀江より水脈(みを)—・る梶(かぢ)の音(と)の間なくぞ奈良は恋しかりける」〈万四四六一〉 †sakanöböri

さかば・え【栄ばえ】㊀『下二』栄え映える。「赤れるをとめ、いざ—・えな」〈紀歌謡三五〉 ㊁『名』栄え映えること。「霜置けどもその葉も枯れず、常磐(ときは)なすいや—に」〈万四二一一〉 †sakabaye

さかはぎ【逆剝】動物の皮を尾の方からさかさにはぐこと。天つ罪の一。「天の斑馬(ふちこま)を—に剝ぎて」〈記神代〉 †sakaFagi

さかばしら【逆柱】木の根の方を上にして立てた柱。家鳴りなど凶事・怪異があるとして嫌った。逆木柱。「震の絶体〔トイウ卦八〕、家に—を占(うらな)ふなり」〈八卦抄八〉

さかばち【逆罰】きびしい罰。「及ばぬ願の—か」〈近松・生玉心中中〉

さかはっつけ【逆磔】武家時代の極刑。罪人を逆さまにして行なう磔。逆機物(さかはたもの)。「生きながら—に上げ了んぬ」〈多聞院日記天正二〇・二・一〇〉

さかはづれ【酒外れ】酒盛りの席で、ひとりだけ酒を飲まぬこと。「さけはづれ」とも。「野も山も—せぬ霞かな」〈俳・詞林金玉集三〉。「—するなと下戸も酒座敷」〈雑俳・忍び笠〉

さかばはき【酒箒】酒屋の看板として、葉のついた杉の枝を箒のように戸口に立てたもの。後には、杉の葉を球状にたばねて軒などにつるした。さかばやし。さかばた。「路次の小家に—あり。二人寄りて濁酒を飲む」〈奇異雑談集一〉

さかばやし【酒林】「さかばはき」に同じ。「日本には—と云ひて、杉の葉を竹の先に指して置くが」〈八景詩抄〉。〈日葡〉

さかひ【境・堺】和泉国の地名。今の大阪府堺市。室町時代、重要な貿易港として外国にも知られ、江戸時代にかけて代表的商業都市となり、多くの豪商を生んだ。「大坂・—・尼崎・西宮・兵庫辺より異国本朝の珍物を捧げ」〈信長公記三〉 **—だる**【堺樽】堺産の酒を詰めた樽。また、その酒。「—持ち来たり候間」〈上井覚兼日記天正一四・四・一四〉 **—でんじゅ**【堺伝授】古今伝授の一流。東常縁(とうつねより)から連歌師宗祇に伝えられた古今集の秘伝を、堺の住人牡丹花肖柏に伝えたもの。宗祇から三条西実隆に伝えたのを二条伝授、肖柏から林宗二に伝えたのを奈良伝授といったのに対する。「宗祇より牡丹花肖柏へ伝へられし流を—と言ひ」〈続無名抄中〉

さか・ひ【逆ひ】『四段』《サカヘ(逆)の自動詞形》おのずからさからう。おのずからそむく。「ついであしき事は、人の耳にも—・ひ、心にもたがひて、その事成らず」〈徒然一五五〉

さか・ひ【境ひ】㊀『四段』《サカ(坂)アヒ(合)の約》区画をつける。境をきめる。「大君の—・ひ賜ふと山守する守るとふ山に入らずは止まじ」〈万九五〇〉。「三国を—・ふ富士のしば山」〈玉葉一一六六〉。「界、サカフ」〈名義抄〉 ㊁『名』①土地のくぎり目。境界。「国の—の内はとて見送りに来る人あまたが中に」〈土佐一月九日〉 ②物事のわかれ目。際(きわ)。「今なむこの世の—を心安く行き離るべき」〈源氏若菜上〉 ③境界のうち。地域。「何か都の—をまた見むとなむ思ひ侍らぬ」〈源氏須磨〉 ④境地。境遇。「此の世はいくばくならず、久しからんに八十年、いかにいはんや不定の—なり」〈龍鳴抄下〉 †sakaFi

さかびて【酒浸て】①魚鳥肉の切身などを、塩・酢を加えた酒にひたす料理。「—とは、何魚にても出し酒計に塩を入れて、酢を少し加ふる也」〈大草家料理書〉。〈運歩色葉集〉 ②絶えず酒を飲んでいること。さかびたり。「小判を逆手に持って蒔き散らし、この家内繁昌と—になりて、心のままの奢り」〈浮・遊君花軍二〉

さかびと【酒人】酒造をつかさどる人。「掌酒、此をば佐介弭苔(さかびと)といふ」〈紀崇神八年〉 †sakabitö

さかびん【逆鬢】そそけて鬢の毛並が頂の方へ逆さに向っている髪。病人や職人に多い。「美男をにはかに—にして」〈西鶴・二十不孝二〉

さかぶ【酒麩】酒で煮しめた麩。「柚味噌・—」〈西鶴・織留二〉

さかふ・き【逆葺き】『四段』カヤを逆さまにして、穂を下にして屋根をふく。「はだすすき尾花—・き黒木もち造れる家は万代(よろづよ)までに」〈万一六三七〉 †sakaFuki

さかぶね【酒槽】酒を入れて置く木製の器。「酒槽、佐賀布禰(さかぶね)」〈和名抄〉

さかぶり【酒振】酒宴での盃のやりとりの仕方。「上戸も下戸も、なべて好くべき—」〈俳・西鶴五百韻序〉

さか・へ【逆へ】『下二』①抵抗する。対抗する。「逆拒、サカヘコバム」〈霊異記下六〉。「これはあやまりなり。今一度—・ふべし」〈十訓抄三ノ一〇〉 ②逆にする。「身に鱗(うろこ)を—・へて、土石其の身の内に入ることあり」〈法華義疏長保点〉 ③さからう。「片言(へんげん)耳に—・ふれば、公卿といへどもこれを搦(から)む」〈平家四・南都牒状〉

さかべ【酒部】令制で、宮内省造酒司(みきのつかさ)に属し、御酒を醸造し、節会(せち ゑ)に酌などをする職員。「造酒司…―六十人、行觴に供することを掌る」〈職員令〉

さかほかひ カイ:ホ【酒寿・酒祝】酒宴をしていわうこと。「觴(みさかづき)を挙(ささ)げて太子(ひつぎのみこ)に―したまふ」〈紀神功、摂政十三年〉 †sakaFokaFi

さかほこ【逆桙】桙をさかさに立てたものという。「天(あま)の―」〈播磨風土記逸文〉 †sakaFökö

さかま・き【逆巻き】『四段』流れにさからう波が巻き立つ。「宇治川のみなわ―・き行く水の事反らずそ思ひそめてし」〈万二四三〇〉 †sakamaki

さかまたぶり【逆杈椏】《杈椏をさかさにした形の意で》逆立ち。「さかさまつぶり」とも。「昼は市に出でて、―といふことを立てて、物を乞ひて世を渡るありけり」〈閑居友上〉。「筋斗は、もんどりなり。―とも云ふぞ」〈碧岩抄四〉

さがみ【相模】旧国名の一。東海道十五国の一で、今の神奈川県の大部分。相州。古くは「さがむ」とも。〈和名抄〉

さかみづ【逆水】逆流する水。「馬筏に流れをせきあげたれば、―岸に余り」〈太平記八・三月十二日〉

さかみづ・き【酒みづき】『四段』《ミヅキは水漬キの意か》酒びたりになる。酒宴をする。「今日もかも―・くらし、高光る日の宮人」〈記歌謡一〇三〉 †sakamiduki

さがみにか・む【さ噛みに噛む】『連語』《サは接頭語》かみにかむ。がりがりとかむ。「十拳剣(とつかのつるぎ)を乞ひ度(たわ)して…―・みて」〈記神代〉。「齰然咀嚼、此をば佐我彌爾加武(さがみにかむ)といふ」〈紀神代上〉

さがむ【相模】「さがみ」の古形。「―の小野」〈記歌謡二四〉。「―の嶺(ね)」〈東遊歌〉

さかむかひ カイ:ム【坂迎ひ・酒迎ひ】「さかむかへ」(2)に同じ。「[北野参詣]御―ありし」〈御湯殿上日記明応五・閏二・一六〉

さかむかへ カエ:ム【境迎へ・坂迎へ】①新任の国司が任国へ入るとき、国府の役人が国境まで出迎えて饗応する儀式。「はじめてその国に下りけるに、―の饗(あるじ)をしたりければ」〈今昔二八ノ三九〉 ②《「酒迎へ」とも書く》物詣でなど長途の旅から帰って来た人を出迎えて饗応すること。「右衛門督泊瀬より帰参す。…御―」〈看聞御記永享一三・二・九〉。「逢坂にて。酔ふからに嵐ぞ霞む―」〈俳・懐子一〉

さかめし【酒飯・酒食】「さかこはひ」に同じ。「米を甑(こしき)にて―のやうに蒸して」〈多聞院日記永祿一三・二・七〉

さかもぎ【逆茂木】敵の侵入にそなえて、とげのある木の枝を立て並べ、結び合わせて作った柵。さかもがり。「寺にも堀作り、掻楯(かいだて)かき、―引いて待ちかけたり」〈平家四・三井寺炎上〉

さかもどし【酒戻し】借りた酒を返すこと。「逆戻し」に通じて不吉なので、これを禁じる風習があった。「―はせぬ物ゆゑ」〈近松・寿門松下〉

さかもとやう ウ:ヨ【坂本様】近江の坂本からその真上にある比叡山を拝むように、両手を頭の上にあげて拝むような恰好。太刀を両手で振りかぶって切る姿勢にいう。「―の拝み切り、八方を払うて火を散らす」〈太平記二・師賢登山〉

さかもり【酒盛】㊀『名』酒宴。「悪き友達を語らひ、―を好み、博奕(ばくえき)に心を入るる程に」〈十訓抄七序〉 ㊁[さかも・り]『四段』酒宴をする。「歌ひ―・りて大酒を飲まば、必ず国が破るるぞ」〈湯山聯句鈔下〉。「歌うつ舞うつ―・れる宿」〈俳・寛永十三年熱田万句六三〉

さかや【酒屋】①酒をつくる家。「梯立の熊来―に、ま罵(ぬ)らる奴(やっこ)わし」〈万三八七九〉 ②酒を売る店。「暮れぬれば―の門を忘れ果て」〈俳・犬子集一五〉

さかやか・し【栄やかし】『四段』栄えさせる。「隆家、訓読して、いへを―・すと云ふ」〈小右記長和一・五・一〉

さかやき【月代】男子が冠をつけるため、前額部の髪を半月形に剃り落した部分。「―ある入道、この房に来たりて、ひそかに申し入れけるは」〈沙石集六ノ一〉 ▽「つきしろ」(3)と同義なので、「月代」の字が宛てられた。

さかやもひ モイ:ヤ【酒病もひ】酒に酔って苦しむこと。悪酔。二日酔。「さかやまひ」とも。「酲(さかやもひ)を移して後」〈遊仙窟(醍醐寺本)鎌倉期点〉。「酗酒、サカヤモヒ」〈名義抄〉

さかゆ【酒湯】疱瘡の癒った子供に浴びさせる、酒をまぜた湯。ささゆ。「疱瘡平癒の間、二十日に―浴び給ふ」〈当代記慶長一三・一〉

さかゆ・き【栄行き】『四段』《サカはサカリ(盛)と同根》どんどん栄える。ますます栄えて行く。「今こそあれ我も昔は男山―・く(坂行クノ意ト掛ケル)時もあり来しものを」〈古今八八九〉。「夕(ゆふべ)の陽に子孫を愛して―・く末を見むまでの命をあらまし」〈徒然七〉

さかよせ【逆寄せ】攻め寄せる敵に、逆に攻め返すこと。逆襲。「今夜―にして、打ち散らして捨て候はばや」〈太平記六・楠出張〉

さから・ひ ライ:サカ【逆らひ】『四段』反抗する。「―・ひめすな」〈伽・鼠草子〉

さがらめ【相良和布】《遠江国相良から多く産したのでいう》カジメの異称。ワカメに似る。あぶって食べる。「上様より―拝領」〈本光国師日記慶長一六・三・一六〉

さか・り【逆り】『四段』さからう。そむく。「日(ひむかし)に向ひて虜(あた)を征(う)つは、此れ天の道に―・れり」〈紀神武即位前〉

さか・り【盛り】㊀『四段』《サカエ(栄)と同根》①盛んになる。「わがために思はぬ山の音にのみ花―・り行く春をうらみむ」〈後撰七一〉 ②発情する。「―・れる猫はころび打つなり」〈俳・紅梅千句〉。〈日葡〉 ㊁『名』①生命力の活動が頂点に達して、勢いのよい状態。また、その時期。「梅の花今―なり百鳥の声の恋(こほ)しき春きたるらし」〈万八三四〉。「鮎走る夏の―と」〈万四〇一一〉。「物―にしては衰ふ」〈徒然八三〉 ②青壮年期。「わが―いたく降(くた)ちぬ雲に飛ぶ薬はむともまた変若(を)ちめやも」〈万八四七〉。「女の―はわづかに十七八也、もしは三十迄なるべし」〈古今集註〉

さか・り【離り】『四段』《サケ(離・避)の自動詞形》(自然に)遠くに離れる。「大和をも遠く―・りて岩が根の荒き島根に宿りする君」〈万三六八八〉。「総角(あげまき)や尋(ひろ)ばかり―・りて寝たれども、まろびあひにけりか寄りあひにけり」〈催馬楽総角〉

さが・り【下がり】㊀『四段』《サゲ(下)の自動詞形。ものの一端が固定されながら、全体としては中途半端な状態に下方に垂れる意。一時的にその状態になって、またもとに戻るような場合にいうことが多く、中世以後、前後の関係に転用して後方へすさる意にも、また物の状態が悪化する意にも使う。→くだり・たり》❶ものが、上の一点を固定されて、下方にぶらさがる。①ぶらさがる。垂れかかる。「綿もなき布肩布(ぬのかたぎぬ)の海松(みる)のごとわわけ(破レ)―・れる」〈万八九二〉。「鬢髪、鬖鬖(しむしむ)として肩面に垂(さが)り覆(おほ)へり」〈三蔵法師伝五・院政期点〉 ②下方に垂れ曲がる。「御眼の尻の少し―・り給へるがいとらうたくおはするを」〈大鏡師尹〉 ❷高い位置から低い位置に移る。①低くなる。「御車宿りには、板敷を奥には高く、端は―・りて」

〈大鏡伊尹〉②降りる。「中にも黒雲一むら舞ひー・りしが」〈伽・為人びくに〉③京都市内で、南へ行く。実際上の土地の高低による。大阪では、大阪城から遠のいて行くのにいう。「京極をくだりに三条までー・りて」〈保元中・白河殿攻め落す〉。「新町を西へー・る」〈浮・好色万金丹四〉❸前方にあったものが、心理的には前方とのつながりを保ちながら後へすさる。①後退する。退陣する。「左府少しー・り参らせ給ひけるが」〈保元中・新院左大臣殿〉②(目上の人などの前から)退出する。「裏松は御所(将軍)の御跡に内内ー・りて、〔兵庫ニ〕下向」〈教言卿記応永一三・一〇・六〉③後方におくれる。「若者どもはー・りぬるかと宣へば」〈平治中・義朝奥波賀に落ち着く〉④主家から暇を取り、奉公人がわが家に帰る。「ー・る乳母亭主ににこにこ櫃をしょい」〈雑俳・万句合明和一〉❹程度が低くなる。①価が安くなる。「直(ね)のー・らぬその先に」〈伽・小栗絵巻〉②技量などが落ちる。下手になる。「能はー・らねども力なく、やうやう年たけゆけば」〈風姿花伝〉③(良かったものが)悪くなる。衰える。「その後二郎丸が寵(ちょう)ー・りてやうやう退(しりぞ)けられにければ」〈著聞四八六〉④鮮度が落ちる。腐る。「洗ふにも早やー・るべき生肴(さかな)」〈俳・あだ花千句〉。⑤劣る。「謹の字は敬の字よりー・りたと思ひて、敬白なんどと書くぞ」〈百丈清規抄二一〉❺《時間に転用して》①遅れる。おそくなる。「辰の時とこそ催しはありしか、ー・るといふ定(ちゃう)、午未(うまひつじ)の時には渡らんずらんものを」〈宇治拾遺一二九〉②時が過ぎる。「此所は七つー・れば鬼が出て人を取ると申すが」〈狂言記・鬼の養子〉 [二]『名』①低くなること。「〔鐘ノ〕声、黄鐘(わうしき)調のもなかなり。寒暑に従ひてあがりー有るべき故に」〈徒然二二〇〉②ある時刻が過ぎること。「さきざきは巳(み)時ばかり〔鶯ハ〕必ず鳴くが、午剋(うまのとき)のーまで見えねば」〈十訓抄七ノ三〇〉。「八つー七つの前の春雨に」〈玉吟抄〉 **ーどけ【下苔】** サルオガセの異称。「ー。花の色はただひとさかりこけれども返す返すぞ露はそめける」〈古今四四〇〉。「ーとは、岸などにさがりたる苔をいふ」〈能因歌枕〉 **ーは** ①【下り破】〔能楽用語〕囃子の一。笛を主とし、大鼓・小鼓・太鼓を合わせる。人物が舞いながら登場する場合に用いる。「乱拍子・ー等の拍子あり」〈五音三曲集〉②【下り葉・下り羽】〔歌舞伎用語〕下座音楽の囃子の一。笛・太鼓・大鼓・小鼓からなり、三味線の入るのもある。公卿の出入りなど荘重な場面に用いる。早めに奏するものを「早下がりは」という。「皆皆臆病口へ這入る。ーに成り、山主先に、女形皆皆舞台へ下りる」〈伎・名歌徳三舛玉垣下〉 **ーは【下り端】**(髪の)垂れさがった端(はし)。女の垂髪(たれがみ)を肩のあたりで切った場合にいうことが多い。「髪はいとふさやかにて、長くはあらねどー肩のほどきよげに」〈源氏空蟬〉 **ーまつ【下り松】** 枝がさがって伸びた松。「あれに見えたるーの、梢の嵐吹きしをり」〈謡・善界〉 **ーを請・く** 買置きした商品の値が下がって損をする。「ー・け、身代ならざれば」〈咄・日待咄上〉

さかろ【逆櫓】 舟を前後に自在にあやつるため、艫(とも)と舳(へさき)と両方につけた櫓。「今度の合戦には、船にーを立て候はばや」〈平家一一・逆櫓〉

さき【先・崎】《「しり(後・尻)」の対。前方へ突き出ている部分、先端。転じて、前途・将来の意。類義語マヘ(前)は目方(まへ)で、視覚的に前方の位置》①(前方への)突出部。「うち廻る島の埼埼(さきざき)」〈記歌謡五〉。「さ衣の小筑波嶺(をづくはね)ろの山のー忘らこばこそ汝(な)を懸けなはめ」〈万三三九四東歌〉②前方。「あかがり踏むな後(しり)なる子、我も目はありーなる子」〈神楽歌六一〉③先頭。先陣。「大久米のますらたけををーに立て」〈万四四六五〉。「人にーをせられてんげりと思し召し候へ」〈平家九・生食〉。「保元の時、御方にてーをかけたりしかども」〈平家四・鵼〉④相手。先方。「是ほどの事を知らぬかと、ーの人に思はれん事はづかしく思ひて、問はぬ人あり」〈わらんべ草三〉⑤行くて。前途。「闇の夜の行くー知らず行くわれを何時来まさむと問ひし児らはも」〈万四四三六〉。「御ーの露を馬の鞭して払ひつつ入れ奉る」〈源氏蓬生〉⑥将来。「わかけれどおひー見えて、ふくよかに書い給へり」〈源氏若紫〉⑦前兆。「いよいよーの悪いことをおしゃる」〈虎寛本狂言・河原太郎〉⑧第一。「よくしづまり、おだやかなる思ひをーとすべし」〈十訓抄三序〉⑨《「さきおひ」「さきばらひ」の略》貴人の通行のときに、前払いするもの。前駆。「遠うなるまで聞ゆるーの声」〈源氏総角〉⑩《時間的に》それ以前。まえ。「前年(をとどし)のー一つ年より今年まで恋ふれど何そも妹に逢ひがたき」〈万七八三〉。「未だ法を聞かぬ以前(さき)は夜の如く、法を聞きつる以後(のち)は暁の如し」〈東大寺諷誦文稿〉⑪前任者。「ーの太上天皇の御製の霍公鳥の歌一首」〈万四四三七題詞〉。「ーの守、今のも、もろともにおりて」〈土佐十二月二十六日〉 †saki **ーを追・ふ**「先追ひ」をする。「上達部(かむだちべ)のー・ふ声あり」〈今昔二四ノ三二〉 **ーを駆・く** 味方の最先端に出て戦う。先駆けする。「夜は白き母衣(ほろ)をかけて葦毛の馬に乗りて、軍のー・けける」〈著聞三四二〉 **ーを折・る** 先手を打って相手の出はなをくじく。「先折りをする」とも。「敵のする程の事のー・る」〈孫子私抄〉

さき【幸】《サキ(咲)・サキハヒ(幸)・サカエ(栄)・サカリ(盛)と同根》栄え。繁栄。「大夫(ますらを)の心思ほゆ大君のみ言のーを聞けば貴み」〈万四〇九五〉 ▽サキ・サキハヒは植物の生長によって得る繁栄・幸福の意。類義語サチは狩猟の獲物の豊富から受ける幸福。 †saki

さ・き【放き・離き】『四段』放つ。遠くへやる。「往くさには二人わが見しこの崎を一人過ぐれば見もー・かず来ぬ」〈万四五〇〉 †saki

さ・き【咲き】[一]『四段』《サカエ(栄)・サカリ(盛)と同根。内にある生命の活動が頂点に達して外に形をとって開く意》①花の蕾が開く。「時ごとにー・かむ花をし見つつ偲はむ」〈万四三一四〉②《比喩的に》波頭が白く立つ。「今替る新防人が船出する海原のうへに波なー・きそね」〈万四三三五防人〉。「波驚(さ)き水逆に流れ、天地は光明を失ひて」〈金光明最勝王経平安初期点〉 [二]『名』咲くこと。「ーの盛りは惜しきものなり」〈万三九〇四〉 †saki

さ・き【割き・裂き】『四段』①一つにくっついていたものの中に入って割れ目を作り、二つにはなす。「真木(まき)ー・く檜のつまで(角材)を」〈万五〇〉。「割、サク」〈名義抄〉②(取り分を)わける。「官物のはつ(新穀)をー・きたてまつらせ給ふめり」〈大鏡師尹〉 †saki

さぎ【鷺】 サギ科の鳥の総称。〈和名抄〉 **ーを烏** 白い鷺を黒い鳥と言い張る意。非を理に、理を非に無理に言い曲げることのたとえ。「烏を鷺」「雪を墨」「馬を鹿」とも。「ーと云ひなすと日本に云ふが如く、弁舌を以て諸侯を干(をか)すぞ」〈燈前夜話下〉

さぎあし【鷺足】①唐机などの足で、華足(けそく)のたけの高いもの。「ー机一脚を立て、聖供六坏を居う」〈兵範記仁平二・三・六〉②田楽の道具。一本の長い棒の中ほどに横木をつけたもので、これに両足を掛けて乗り、演技する。また、その舞。高足。「田楽の姿、下には白袴を着…ーに乗り踊る姿」〈咄・醒睡笑一〉③竹馬。「道ばたに童部共のーといふ物に乗りて、雪の上を駆けるもあり」〈俳・仙台紀行〉。「鷺足、サギアシ、小児所レ乗之物」〈運歩色葉集〉④鷺が水中を歩くように、ぬき足で歩くこと。「そろそろと／ー使ふ君が寝間」〈雑俳・さすの神子〉

さきうち【先打】列の先頭に立って馬を進めること。先馬(さきうま)。「鷲尾三郎義久と名のらせ、ーせさせて案内者にこそ具せられけれ」〈平家九・老馬〉

さきえび【割海老】塩煮にした伊勢海老の殻を取って、細長くいくつもに割いた料理。「ーは、伊勢海老を湯煮をして、細かに割きて用ふる也」〈古今料理集七〉

さきお・ひイ…オ【先追ひ・前駆ひ】□一『四段』先追いをする。「御供の人のー・ふをも、手かき制し給ひて」〈源氏常夏〉□二『名』貴人の通行のとき、前方の魔もの・障碍を追いはらうこと。また、それをする人。先ばらい。「未(ひつ)の時ばかりに、ーののしる」〈かげろふ中〉

さきおり【割織・裂織】古着を細く引き裂いて、緯(よこいと)にして織った着物。樵夫(きこり)などが着る。「柴人やーにする花衣」〈俳・破枕集上〉

さきがけ【先駆・魁】①戦場で、味方の先頭に出て敵を攻めること。「いたう、平山殿、ーばやり(先駆ケニ気ガハヤルコト)なし給ひそ」〈平家九・一二之懸〉②他に先んじて行くこと。「まづ主のー仕れと、二人の者をさし上げて大地へかっぱと投げければ」〈浄・五太力菩薩三〉③他に抜きんでて早いこと。また、そのもの。「梅は百花のーぢゃ程に」〈葛藤集〉

さきがた【先肩】《「後肩(あとがた)」の対》二人で物をかつぐ時、前の方をかつぐ者。先棒。「上り坂の時は、其方をーとし、俺が後を舁く」〈伎・傾城浅間嶽上〉

さきがね【先金・先銀】①前払金。前金。「揚銭はー渡して買ひまする」〈西鶴・織留三〉②手付金。「印判壱つ誂へ、ーを渡し」〈咄・露がはなし四〉

さきく【幸く】『副』繁栄して。無事平穏に。「ささなみの志賀の辛崎ーあれど大宮人の船待ちかねつ」〈万三〇〉 †sakiku

さきくさの【三枝の】〔枕詞〕サキクサは枝が三つに分れているので、「三つ」「なか」にかかる。「ー中にを寝むと」〈万九〇四〉。「ーみつばよつ葉に殿造りせり」〈古今序〉 †sakikusanö

さきぐり【先繰り】①先走って推量すること。「実(み)の沙汰はーぞ先づ花盛り」〈俳・夢見草二〉②推量して疑うこと。邪推。かんぐり。「あまり賢過ぎて、分別入り曲がり、ーにて」〈評判・まさり草〉

さきごし【先輿】《「後輿(あとごし)」の対》輿をかつぐ時、前部の轅(ながえ)を受け持つこと。輿の先棒。「人はかはれども祐慶はかはらず、ー舁(か)いて」〈平家二・一行阿闍梨〉

さきさがり【先下り】先端の垂れさがること。前さがり。「銚子をーに持ちて〔酌ヲ〕させられ候や」〈大館記五〉

さきざき【先先】以前。まえまえ。「ーもかやうにて心動かす折折ありければ」〈源氏紅葉賀〉

さきしゃうシ…ヨウ【前生】「前世(ぜんせ)」に同じ。「一日で言ふ時は、今朝はー、今は此の世、晩は来世」〈近松・釈迦誕生会四〉

さきじゃうジ…ヨウ【先状】為替で送金したことを知らせる案内状。送金通知状。「金三百両、九日に来るはず、ーが上った」〈近松・冥途飛脚上〉

さきすさ・び【咲きすさび】『上二』咲くがままに咲き盛る。「朝露にー・びたる月草の」〈万三八一〉 †sakisusabi

さきぜい【先勢】先頭に立って進む軍勢。先鋒。先手。「ー小野宿鳥井本に著陣すれば、本陣は梅が原にぞ据ゑ給ふ」〈浅井三代記一〇〉

さきぞなへソ…ナエ【先備】先頭に備える陣。先陣。先手備え。一番備。「木戸を開き突きて出で、甚三郎様の御ーへ突き懸かる」〈愚耳旧聴記上〉

さきだ【幸田】神のめぐみを受けて、よくみのる田。田のほめことば。「木綿垂(ゆふしで)の神のーに」〈神楽歌三六〉

さきたけ【割竹】①割りさいた竹。背中合せのたとえにいう。「ーの背向(そがひ)に寝しく今し悔しも」〈万一四一三〉②割った竹でつくった簀(す)。「ーのとををとをに天の真魚咋(まなぐひ＝魚料理)献る」〈記神代〉 †sakitakë

さきだ・ち【先立ち】□一『四段』①先に行く。先にする。先に行動を起す。「いやー・てる兄(え)をし枕(ま)かむ」〈記歌謡一六〉。「ー・ちし人人、いとよく休み涼みて」〈かげろふ中〉②先行する。「ー・たぬ悔いの八千度(やちたび)悲しきは流るる水のかへり来ぬなり」〈古今八三七〉。「涙の水茎にー・つ心ちして」〈源氏夕霧〉③先にあの世へ行く。先に死ぬ。「鳥といふ大をそ鳥の言をのみ共にといひてー・ち去ぬる」〈霊異記中三〉。「親にー・ちなむ罪失ひ給へ」〈源氏浮舟〉□二『名』人の先に立つこと。先頭に立つこと。先駆。「唐の制に、天子の出御なれば、宮女がーをして天子を導くぞ」〈杜律七言鈔一〉 †sakidati

さきだって【先達て】『副』さきごろ。過日。せんだって。「此の事をーより聞き合はせ、安宅(あたぎ)の城へ注進す」〈安宅一乱記三〉

さきた・て【秀起て】『下二』波頭が白く高く立つ。「ー・つる浪の穂の上に」〈紀神代下〉 †sakitate

さきだ・て【先立て】『下二』①先に行かせる。先に立てる。「ー・てて遣はしたりける、夜更くる程に参れり」〈源氏浮舟〉②先に死なせる。「十五歳にして父をー・てし後は」〈問はず語り四〉

さきたま【幸魂】「さきみたま」に同じ。「幸魂、佐枳美太万、俗云佐岐太万(さきたま)」〈和名抄〉

さぎちゃうチ…ヨウ【左義長・三毬杖】小正月の火祭。正月十四日の夜から十五日にかけてと、十八日に行なわれた、陰陽師による悪魔払いの行事。竹や木でできた毬杖(ぎちゃう)を三本用いたので、この名がある。宮中では、天皇出御の下に清涼殿の庭に青竹を三本束ねて立て、上に扇子・短冊や天皇の書初めの清書などを結び、うたいはやして焼く。後には正月の神送りの行事となって門松やしめなわを焼き払うようになり、また、子供の遊びともなった。「さぎっちゃう」とも。「ーは、正月に打ちたる毬杖を、真言院より神泉苑へ出して、焼きあぐるなり」〈徒然一八〇〉 →どんど

さきづかひツ…カイ【先使】前駆をする従者。「さいづかひ」とも。「大日霊女(おほひるめ)のー」〈琴歌譜〉

さきつとし【先つ年】《ツは連体助詞》前の年。前年。「をととしのーより今年まで恋ふれど何そも妹に逢ひがたき」〈万七八三〉 †sakitutösi

さきづな【先綱】材木・石等を木遣(きやり)で引くとき、綱の先を受け持つ者。「ーで根扱(ねこぎ)にしたる野路の萩」〈俳・桜千句〉

さきて【先手】「先勢(さきぜい)」に同じ。「長門守ーとして翌日大溝の城へ押し寄する」〈浅井三代記一〇〉。〈文明本節用集〉

さきで【裂手】ひびなどで裂けた、がさがさした手。「誰がー、ーそもや(ダロウカ)、我が手取らすもや」〈紀歌謡一〇八〉 →にこで。 †sakïde

さきども【先供】主人の先に立って歩く供人。「主人の御帰り、ー走る黒羽織」〈近松・夕霧中〉

さきな・み【苛み】『四段』「さいなみ」の古形。「嘖、サキナム」〈名義抄〉

さきにから【先にから】『連語』先刻から。以前より。とうから。「―なにかと云ふも」〈天理本狂言六義・酢辛皮〉。「自レ前、サキニカラ」〈天正十八年本節用集〉

さきのたび【先の度】前の時。前回。「―の霧にまどはされ侍りしあけぼのに」〈源氏橋姫〉

さきのよ【先の世】この世に生れるよりさきの世。前世。「―の契り知らるる身の憂さに」〈源氏夕顔〉

さきばこ【先箱】将軍・大名などの行列に、先頭に担いで行かせる挟(はさみ)箱。中に正服を入れ、家格によってその装飾が異っていた。「御大名の―へ突き懸かって見ても」〈滑・古朽木三〉

さきばしり【先走り】①主君の先に立って走り、先ぶれをする従者。先駆。「子昂(すごう)は太官人にて…前呵とて、―が何時も多いぞ」〈錦繡段鈔四〉②前兆。「いまだ夕立ち来たらねども、まづ―に清風がざざめきわたりて」〈中華若木詩抄下〉

さきは・ひ(サキワイ)【幸ひ】㊀『四段』《サキ(咲)・サカエ(栄)・サカリ(盛)と同根。生長のはたらきが頂点に達して、外に形を開く意。ハヒはニギハヒのハヒに同じ》生命力の活動が活潑に行なわれる。「そらみつ大和の国は皇神(すめかみ)の厳しき国言霊(ことだま)の―・ふ国と」〈万八九四〉㊁『名』さいわい。幸福。「―の厚きともがら参到(まゐた)りて正目に見けむ〔仏ノ足〕跡の羨(とも)しさ嬉しくもあるか」〈仏足石歌〉▽同じ幸福の意でも、サキハヒは植物の繁茂が人間に仕合せをもたらす意から成立した語であるに対し、サチは狩猟の獲物の豊富さが人間に仕合せをもたらす意から成立した語。†sakiFaFi

さきは・へ(サキワエ)【幸へ】『下二』《サキハヒの他動詞形》生長力の活動を盛んならしめ、それによって幸いあらしめる。「天に坐す神、地に坐す神の相うづなひ奉り―・へ奉り、又、天皇の御霊(みたま)たちの恵(うつく)しび賜ひ撫で賜ふことに依りて」〈続紀宣命一三〉†sakiFaFë

さきばら【先腹】《「追腹(おひばら)」の対》主君の死に先立って家臣が切腹すること。「―切って死出の山路の案内せん」〈西鶴・伝来記一〉

さきばらひ(…バライ)【先払ひ】「先追ひ」に同じ。「前駈、オホムサキオヒ・サキバラヒ」〈名義抄〉

さきほど【先程】先刻。「―までは、月の光華も星の彩色もさえてあったが」〈三体詩抄一ノ二〉

さきみたま【幸御魂】人に幸福をあたえる神の霊魂。さきたま。「幸魂、此をば佐枳彌多摩(さきみたま)といふ」〈紀神代上〉†sakimitama

さきむしゃ【先武者】先頭に立って敵に向う武者。「さらばやがて是を―として攻めよ」〈太平記一七・山攻〉

さきむり【防人】「さきもり」の上代東国方言。「―に立たむ騒きに家の妹(いむ)がなるべきことを言はず来ぬかも」〈万四三六四防人〉†sakimuri

さきもり【防人】《崎守(辺境を守る人)の意》古代、九州北辺の警備のため、筑紫・壱岐・対馬などにおかれた兵士。大化改新後制度化され、諸国の壮丁が三年交代で出されたが、のち東国出身のものに限った。出身地と沿道の国国に負担が重く、平安初期に廃止された。万葉集にはその父や妻の歌を含めて百余首、別れの悲痛な歌などが残されている。「―に行くは誰(た)が夫(せ)と問ふ人を見るが羨(とも)しさ物思ひもせず」〈万四四二五防人〉†sakimori ―**ことりづかひ**(…カイツ…)【防人部領使】防人を引率して行く役人。原則として国司が当る。「相模の国の―の守(かみ)」〈万四三三〇左注〉 ―**のつかさ**【防人司】大宰府に属し、管内の防人を監督する役所・役人。「―の佑(すけ)大伴四綱の歌」〈万三二九題詞〉

さきゃう(…キョウ)【左京】《「右京」の対》平城京・平安京で、大内裏・朱雀大路を境として東の地域。「左京職、大夫一人、―の戸口・名籍…の事を掌る」〈職員令〉 ―**しき**【左京職】令制で、左京を管轄した役所。「ここに―貢(たて)まつる所の瑞亀を得たり」〈続紀霊亀一・九・二〉→京職。 ―**のだいぶ**【左京大夫】左京職の長官。「惟光の朝臣の、津の守にて―かけたる」〈源氏少女〉

さきゆき【先行き】行く末。将来。「さきいき」とも。「後家の年、さだ過ぎて、―すべき比(ころ)にもあらねば」〈色道大鏡一四〉

さきら【先ら】《ラは状態を示す接尾語》弁舌・筆勢などの端に現われる才気。「才もすぐれ、ゆたけき―を、いとど心して言ひ続けたる、いと尊ければ」〈源氏鈴虫〉。「筆の―いとかしこくおもしろき」〈浜松中納言一〉

さぎり【狭霧】《サは接頭語》霧。「吹棄気噴之狭霧、此をば浮枳于都屢伊浮岐能佐擬理(ふきうつるいふきのさぎり)といふ」〈紀神代上〉†sagiri

ざぎり【座切り】その場限りで、後日または他の場所に関係ないこと。「土器(かはらけ)も榑(くれ)も―や花の前」〈俳・猿舞師〉

さきんど【左金吾】左衛門督(さゑもんのかみ)の唐名。「―禅門(頼家)の嫡子」〈六代勝事記〉→金吾

さきん・じ【先んじ】『サ変』《サキニシの音便形》順序を前にする。「挙げ治むるに民の急(すみや)けんずる所を―・ずるときは衆乱れず」〈仁治本古文孝経〉

さきんだちや【さ公達や】『連語』《サは催馬楽のはやしことば》君たちよ。「ころもがへせんや。―」〈催馬楽更衣〉

さく 畔(あぜ)。また、畦(うね)。さくり。「農夫が田のあぜを―と言へる」〈名語記六〉。「田畠の畦を立つるを―を切ると云ふ」〈志不可起六上〉

さく【作】①耕作。また、農作物。また、その作柄。「この間は、それがしも少しも隙がござらぬによって、―も見舞うた事が御座ない」〈虎明本狂言・水掛聟〉②名作。「―の鞍なればとて惜しむべきにあらず」〈大友記〉③趣向。作意。「それほど―が無うてなる物か」〈咄・醒睡笑三〉

さく【柵】木材を立て並べ、横に貫(ぬき)を通して作った垣。「我が領地の―せんために」〈バレト写本〉。〈色葉字類抄〉 ―**をふ・る** 柵を結う。「真木柱にて―・りぬる」〈俳・徳元千句〉

さく【笏】《シャクの直音化》⇒しゃく。「いやしげなるもの。式部丞の―」〈枕一四九〉

さく【幸く】『副』「さきく」の上代東国方言。「―あれていひし言葉(けとば)ぜ忘れかねつる」〈万四三四六防人〉

ざぐ【座具】僧侶の携える六物の一で、坐って礼拝する時に使う敷物。「僧六物、其三曰二座具一」〈和名抄〉

さくい【作意】①創作の意図・意向。「満座〔コノ歌ノ〕―を知らず」〈東野州聞書一〉②ひとひねりひねった趣向・工夫。「聞えたる―やと感じ」〈咄・醒睡笑五〉

さく・い『形』①あっさりしている。気さくである。「あまり―・い買手ぢゃほどに、みやげをまらせう」〈虎明本狂言・張蛸〉②もろい。こわれやすい。〈日葡〉。〈俚言集覧〉

さくくしろ【拆釧】〔枕詞〕《サクは鈴の口の裂目。一説、栄える意のほめことば。クシロは腕かざり》腕輪に多くの鈴がついていることから、地名「五十鈴(いすず)」にかかる。「―五十鈴の宮(伊勢内宮)」〈記神代〉†sakusirö

さぐく・み『四段』間を縫って行く。「波の上をい行き—・み」〈万五〇九〉 ▽サクミとは別語。 † sagukumi

さくさく【索索】物が擦れ合って響く音の形容。梢に吹く風の音、琴の絃の響きなどについて用いられる。「北には青山峨峨として、松吹く風—たり」〈平家一〇・海道下〉

さくさく・し『形シク』《サウザウシの古形》独りぼっちでいて楽しくない。「嘻囉、独坐不楽貌、佐久佐久志(さくさくし)」〈新撰字鏡〉

さくざゑもん【作左衛門】「夢中作左衛門」の略で、無我夢中の意の擬人名。「—夢中でないは本多〔髷〕也」〈雑俳・川傍柳三〉

さくじ【作事】家屋の建築や修繕。「今日、上皇あからさまに白川より閑院に御幸、—を御覧じ」〈中右記嘉保二・五・三〉 **—ぶぎゃう**【作事奉行】鎌倉・室町・江戸幕府の職名。造営・修繕など建築工事を監督した。「—しけるものの中間これを聞いて」〈太平記二六・執事兄弟〉

さくしゃ【作者】①詩歌・文章・戯曲・絵画・工芸品・建築物などの作り手。「右の歌、—未だ詳らかならず」〈万三三左注〉。「さて高楼の—は何と」〈天草本伊曾保〉 ②すぐれた作者。特にすぐれた歌人。「—の歌は詞の外にかげが添ひて、何となくうち詠ずるにあはれに覚ゆるなり」〈正徹物語下〉 ③歌集にえらばれる歌の作者。「続後拾遺集撰ばれし時は…—に漏れはべりしを」〈新葉一二〇〇詞書〉

さくじ・り 〔一〕『四段』《クジリは抉りの意か》物事に聞き耳を立てて、詮索する性質を持つ。「〔雲居雁ハ〕宮にあづけ奉りたる、うしろやすけれど〔夕霧トイウ〕いと—・りおよすげたる人立ちまじりて、おのづからけぢかきもあいなきほどになりにたればなむ」〈源氏少女〉。「耳敏川(みみとがは)またも何ごとを—・り聞きけむとをかし」〈枕六二〉 〔二〕『名』早耳の人。詮索好き。「いづら、櫛(くし)の箱のありつるは。あこぎといふ—居りて早う取り隠してけり」〈落窪一〉

さくすけ【作助・作介】近世、下僕の通名。「小者いち衛門・—二人来たり」〈熊谷家文書慶長一〇〉

さくすず【拆鈴】〔枕詞〕《サクは鈴の口の裂目。一説、栄の意のほめことば》鈴と同音をもつ地名「五十鈴(いすず)」にかかる。「—五十鈴の宮(伊勢内宮)」〈紀神功摂政前〉

ざくぜに【ざく銭】質の悪い銭。びた銭。ざく。「〔賭博場ノ〕—の中へ倒れてゆすってる」〈雑俳・藐姑柳〉

さくだいしゃう【作大将】作男。また、作男の頭。「作大」とも。「麦畠—が見あらはし」〈雑俳・柳多留八〉

さくだいふ【作太夫】百姓の擬人名。「春無尽先づ落札が—」〈俳・続猿蓑上〉

さくたんとうじ【朔旦冬至】《「朔旦」は、ついたちの朝の意》陰暦十一月一日が冬至に当ること。二十年目に一度あらわれ、平安時代以来、めでたいしるしとして、宮中で節会(せちゑ)が行なわれた。「十一月—は、是れ歴代の希遇にして王者の休祥なり」〈続紀延暦三・一一・一〉

さくぢゃう【錫杖】《サクはシャクの直音化》僧・修験者の持つ杖。頭に数個の環があり、地を突いて振り、音を響かす。悪虫などを追う道具。「御仏名も今年ばかりにこそはと思せばにや、常よりも異に、—の声声などあはれに思さる」〈源氏幻〉

ざくづし【座崩し】一座の興をさますこと。「—の女郎ありとて」〈西鶴・好色盛衰記一〉

さくと『副』音の形容。さっと。「〔切リキザンダ薬ヲ入レタ〕湯ぶねに、—のけざまに臥すことをぞし給ひける」〈宇治拾遺三七〉

ざくと『副』①刃物を突き立てて切る音の形容。ぐさっと。「魚頭に箸を立て、—切って」〈天正本狂言・打身〉 ②あっさりと。ざっと。「軽き表に定紋など付けて—着代へたる良し」〈評判・長崎土産五〉

さくとく【作徳】①自作農が年貢を納めた残りの純益。「—大分なりしも」〈西鶴・懐硯四〉 ②地主が小作人から取る小作米。小作料。「田畠・屋敷—拾三四石づつ御座候」〈宗静日記延宝三・五・二〉

さくなだり《ナダリはナダレの古形》水が勢いよく流れ落ちること。「高山の末、低山(ひきやま)の末より—に落ちたぎつ速川の」〈祝詞大祓詞〉

さくなむざ【石南草】今のシャクナゲという。「石楠草、止比良乃木、俗云佐久奈無佐(さくなむざ)」〈和名抄〉

さくばい【策配】処理。始末。また、仲裁。調停。「其の方より御—為すべきの旨、以前啓し候ひき」〈上杉家文書一、長尾能景書状案〉

さくはうし【笏拍子】神楽・催馬楽などで拍子をとる楽器。笏(しゃく)を縦にさいて二枚にしたような形で、拍子木のように叩いて音を出す。「皆—とれり」〈天徳内裏歌合〉

さくはち【尺八】《サクはシャクの直音化。唐の律尺で一尺八寸》⇒しゃくはち。「例の御あそびならず、大篳篥(ひちりき)・—の笛などの大声を吹き上げつつ」〈源氏末摘花〉

さくびゃう【作病】仮病(けびやう)。また、仮病を使うこと。「—をいたし登城仕らず」〈大友記〉。〈文明本節用集〉

さくびゃうゑ【作兵衛】作病(さくびやう)の擬人名。「さくべゑ」とも。「一つなら主や桜の—」〈俳・三日歌仙〉

さくべい【索餅】⇒むぎなは。「—を乾(ほ)す籠二十四口」〈延喜式隼人司〉

さくへいもん【朔平門】平安京内裏外郭門の一。北の正面にある。「縫殿陣(ぬひどののぢん)」「北の陣」とも。「〔冷泉天皇御葬送〕其の後—外に出でて、素服を着す」〈御堂関白記寛弘八・一一・一六〉

さく・み『四段』踏み分ける。「山川を岩根—・みて踏み通り」〈万四四六五〉 ▽サグクミとは別語。 † sakumi

さくもう【作毛】《「毛」は植物一般、特に五穀をいう》米・麦など穀物を作ること。また、そのみのり。農作物。「かの山里には鹿多かりければ、—を全くせむ為に、かの所の人民等、田畠に垣をしまはして防ぎけるを」〈法然上人行状絵図〉

さぐも・り【さ曇り】『四段』《サは接頭語》くもる。「—・り雨は降り来(く)」〈万三三一〇〉 † sagumori

さくもん【作文】漢詩を作ること。また、その詩。「—の舟・管絃の舟・和歌の舟とわかたせ給ひて」〈大鏡頼忠〉

さくら【桜】①バラ科の落葉喬木。春の花の代表として広く愛好されるようになったのは平安時代以後。「山峡(やまがひ)に咲ける—を」〈万三九六七〉。「世の中に絶えて—のなかりせば春の心はのどけからまし」〈古今五三〉 ②襲(かさね)の色目の名。「—の御直衣(なほし)」〈源氏薄雲〉 **—いり**【桜煎】蛸(たこ)の足を薄く輪切りにしたのを、味噌または醤油で煮た料理。「花を見る肴は蛸の—手ごとに飽かぬ色香なりけり」〈玉吟抄〉 **—いを**【桜魚】桜の咲く頃の小鮎。さくらうお。「—と聞くもなつかしや」〈謡・桜川〉 **—がり**【桜狩】山野に桜の花を尋ねて遊び歩くこと。花見。「—雨は降り来ぬ同じくはぬるとも花のかげに隠れむ」〈拾遺五〇〉。「—とは桜をたづねもとむるなり」〈奥義抄〉 **—どんにゃく**【桜蒟蒻】紀州産の赤紫色に染めた蒟蒻。「—いかなる人の何を以て桜」〈俳・常盤屋の句合〉 **—ざめ**【桜醒】桜の花の色がすぐに薄れて変ること。また、変り易いことのたとえ。「雁金の旅立つ跡や—」〈俳・猿舞師〉。「人の情莟(つぼみ)の後の—」〈俳・洗朱下〉 **—ずみ**【桜炭】近世前期、阿波産の桜の木を焼いた炭。後期には、下総佐倉から出荷した堅炭の佐倉炭(さくらずみ)を「桜炭」とも書いた。「覚めて後花の縁なし—」〈俳・伊賀産湯下〉 **—だひ** イダ【桜鯛】桜の季節にとれる鯛。「霞しく波の初花をりかけて—釣る沖の海人舟」〈山家集下〉 **—に**【桜煮】「さくらいり」に同じ。〈料理物語〉 **—のえん**【桜宴】観桜の宴。紫宸殿・清涼殿で天皇・東宮・中宮をはじめ、貴族・文人・女房等が集まり、詩歌管絃を楽しんだ。弘仁三年嵯峨天皇の御代の神泉苑の花宴(はなのえん)が最初。「二月の二十日あまり南殿の—せさせ給ふ」〈源氏花宴〉 **—のり**【桜海苔】海藻の一種。西海に産して美味。黄色または淡紫色で、しおれた桜の花の色に似ているのでいう。「長折敷(をしき)、—・慈姑(くわゐ)」〈久政茶会記永祿一・九・一八〉 **—びと**【さくら人・桜人】①「さくら」の人。「さくら」は尾張国作良郷かという。「—その船止(ち)め」〈催馬楽桜人〉 ②催馬楽の曲の名。「壱越調(いちこつてう)の心に—あそび給ふ」〈源氏椎本〉 **—ゑ**【桜会】陰暦二、三月の桜の頃、社寺で営まれた法会。その後で、観桜の宴が開かれた。京都では醍醐寺・賀茂神社などのが有名。「醍醐の—に、童舞おもしろき年ありけり」〈十訓抄一〇ノ七三〉 **—を**【桜麻】麻の一種か。「—の麻生(をふ)の下草」〈万二六八七〉 ▽旧訓でサクラアサともよむ。

さくり【嚔】《サクリ(決)と同根》のむ息がつまってむせぶこと。しゃくりあげること。「咽、サクリ」〈名義抄〉 **—あ・げ**【嚔り上げ】『下二』しゃくりあげる。「—・げてよよと泣きければ」〈宇治拾遺一三〉 **—もよよと** しゃくり上げて泣くさま。嗚咽(おえつ)するさま。「ちごどもなどのやうに、—泣かせ給ふ」〈栄花鳥辺野〉

さく・り【決り・渫り】㊀『四段』土や水をしゃくって取る。「横(よこしま)なる源(うなかみ=堀)を—・りて海に通はせて、逆流を塞ぎ」〈紀仁徳十一年〉。「魚を取らむが為の故に…其の水を—・り棄てて」〈金光明最勝王経平安初期点〉 ㊁『名』掘りうがつこと。掘りうがった所。また、その溝。畝(うね)。「山里の—のうへにしりかけてをしねこく間に雨ぞ降りぬる」〈行宗集〉

さぐ・り【探り】㊀『四段』①指先の触覚で物を求め、またその結果を得る。「うつくしと思ふ吾妹(わぎも)を夢に見て起きて—・るに無きがさぶしさ」〈万二九一四〉。「潜(かづ)けども浪の中には—・られで風吹く毎に浮き沈む珠」〈古今四二七〉 ②指先の触覚でしらべ判断する。「いかなる御心地ぞとて—・り奉り給へば、いと熱くおはすれば」〈源氏若菜下〉 ③たずね求める。「かれこれ題を—・りて歌よみけるに、『つゆ』といふ文字を得て」〈後撰三八三詞書〉。「諸宗の奥旨—・り極めずといふ事なし」〈著聞六三〉 ㊁『名』弓弦の名どころの一。矢筈をつがい懸ける所。弦の中央部を麻で巻き、少し太くしてある。「弦のはたかきが好きなり、六寸より今少しはたかくするなり。—の定をば大に巻くなり」〈今川大双紙〉 **—あし**【探り足】足で探りながら歩くこと。「—あのあたりぞと溝の端」〈俳・天満千句〉 **—だい**【探題】和歌・俳諧の席で、各人が題を鬮引(くじびき)などで決めて詠むこと。たんだい。「まり蹴て後、上にのぼりつつ、—五十首よみて遊ぶ」〈春のみやまぢ〉。〈易林本節用集〉 **—つ・け**【探り付け】『下二』さぐって行って我が手に感じ取る。「〔髪ノ〕末のふさやかに—・けられたる程、いと愛(うつく)しう思ひ遣らる」〈源氏若紫〉

ざくろ【若榴・石榴・柘榴】《ザクは「若」の字音ジャクの直音化。ロは「榴」の古音》ザクロ科の落葉喬木。「楉榴、ザクロ」〈名義抄〉 **—ぐち**【柘榴口】近世、銭湯の浴槽の出入口。湯の冷めるのを防ぐために浴槽の前部を板戸で深く覆い、屈んではいる。「—から、あい、御免なされませう」〈咄・吟咄川〉 **—しゃうじ** シヨウ【柘榴障子】柘榴の実を一粒ずつ隔てている薄い膜を障子に見立てた語。「顔赤きあかう(赤ウ・明ウ)は—かな」〈俳・破枕集下〉 **—ぶろ**【柘榴風呂】柘榴口のある風呂。「閉(た)て開けの戸無きを—とは何ぞ云ふや。屈み(鏡ト掛ケル)入るとの心なり」〈咄・醒睡笑一〉

ざくゎい【座会】連歌・俳諧を興行する一座。会席。「〔コノ女ハ〕—をせし人也」〈俳・女歌仙〉

ざくゎいし【座懐紙】俳席で、各自が心覚えのため書き付ける小形の懐紙。小懐紙。「—を折らばや折らん初連歌」〈俳・塵塚(成之編)一〉

さくゎん【主典】《佐官(輔佐する官)の意》令制で、四等官の最下位。記録・文案をつかさどる。史・目・志など、官司によって用字を異にする。「神祇曰レ史、…勘解由曰ニ主典一、職寮曰レ属、司曰ニ令史一…皆佐官」〈和名抄〉

さけ【酒】《古形サカ(酒)の転》米などを醸(かも)して造るアルコール性飲料。「一坏の濁れる—を飲むべくあるらし」〈万三三八〉 †sakë **—買うて尻蹴ら・る** 人のために尽して、かえって災難を受ける。「酒盛って尻切らる」とも。「今より以後は—・るごともないほどに、そちへ酒をおくるものはあるまいぞ」〈四河入海一三上〉 **—が酒を呑・む** 酒呑みは酔いが廻るに従ってますます酒を呑む。「酒は酒が飲む」とも。「—・む大酒盛」〈近松・鎌田兵衛下〉 **—の皮剝(む)・く** 贅沢な奢った生活をする。「餅の皮むく」とも。「如月(きさらぎ)や—・く世捨人」〈俳・熊野鳥〉 **—の酔(ゑひ)本性忘れず** 酒呑みはどれほど酒に酔っても本来の性質は変らない。「酒の酔人(ゑひと)本性違(たが)はず」とも。「げに—」〈近松・淀鯉上〉 **—は憂ひの玉箒(たまばはき)** 酒は心の憂いを一掃する道具であるの意。「—、千金春宵一刻飲み」〈近松・女夫池四〉

さ・け【裂け】『下二』《サキ(裂)の自動詞形》一つにくっついていたものの中に割れ目が出来て二つにはなれる。「六月(みなづき)の地(つち)さへ—・けて照る日にも」〈万一九九五〉。「裂、サク・ワル」〈名義抄〉 †sakë

さ・け【離け・避け・放け】『下二』《サカリ(離)の他動詞形》①離して遠ざける。「同(こと)—・けば沖ゆ—・けなむ湊より辺着かふ時に—・くべきものか」〈万一四〇二〉。「鳴る神も思ふ仲をば—・くるものかは」〈古今七〇一〉 ②離れて遠くにいる。「いさな取り近江の海を沖—・けて漕ぎ来る船」〈万一五三〉 ③《対象を遠ざける意から、「見」「問ひ」などの動詞を承けて、対象と距離を置いてする意》遠くから…する。「誰にかもわが語らひ—・けむ。誰にかも我が問ひ—・けむ」〈続紀宣命五一〉。「天の原振り—・け見れば白真弓張りてかけたり夜道は良けむ」〈万二八九〉 †sakë

さ・げ【下げ】『下二』《サガリ(下)の他動詞形》①《「提げ」とも書く》つるす。ぶらさげる。「銀の目貫の太刀を—・げ佩きて」〈神楽歌二一〉。「馬より取って引き落し、宙にくくって西八条へ—・げて参る」〈平家二・西光被斬〉 ②上から下へ位置を変える。「鼎の上より手とり足とりして—・げおろし奉る」〈竹取〉 ③(目上の者の所から)退出させる。引きさがらせる。「心ちなやましければ、人人—・げず、おさへさせてなむ」〈源氏帚木〉 ④(位置・格式を)低くする。「捨てられ奉るだにあるに、座敷をさへ—・げらるることの心憂さよ」〈平家一・祇王〉。「悪しき子は親の名までも—・げにけり」〈わらんべ草三〉 ⑤見下げる。軽視する。「その身の業は、昔に梯(はし)立てても及ぶべからぬに、かやうの職をば—・ぐる。返す返す見苦しき事なり」〈教訓抄五〉。「ほかよりー・げいやしめられ」〈こんてむつすむん地ニ〉⑥価を低くする。「茶の買置をー・げて売り出す」〈俳・炭俵上〉⑦「持つ」の意をいやしめていう語。「かかる根性をー・げたる者は」〈本福寺跡書〉

ざけ【邪気】《ザはジャの直音化。ケは呉音》もののけ。ただり。「ーなどの人の心たぶろかして」〈源氏柏木〉

さげあま【下尼】在家のまま仏門にはいった女性の髪型。肩先から背中近くで髪を切りそろえたもの。「そぎあま」「あまそぎ」「たれあま」とも。「黒髪の色は変らぬーのまことのすぢに身はなびきつつ」〈新撰六帖二〉

さけいらち【酒苛ち】酒を飲みたいと思っていらいらすること。「菖蒲酢(しやうぶず)も飲まん端午のー」〈俳・旅衣集二〉

さげうた【下げ歌】謡曲の構成要素の一。七五調を主調とする短い一節で、謡は中下音を基調とする。普通、上げ歌やロンギの前にある。「指声(さしこゑ)より五七五の句六七返言ひ流して、ー、甲の物まで十句ばかり謡ふべし」〈曲付次第〉

さけかぶ【酒株】近世、幕府から許可された一定の酒醸造権。また、その酒造米高・醸造所・醸造人を記した株札。この株札がなければ酒造できず、定められた高以上の醸造も禁じられた。株札の売買・貸借は許された。「さかかぶ」とも。「民の竈(かまど)にしるきー」〈俳・難波千句〉

さげがみ【下髪】女の髻(もとどり)を束ねて、後に垂れ下げた髪風。近世初期は一般の結髪、後期は専ら貴婦人・女官の結髪となった。「〔本能寺〕庫裡(くり)の方より、ー致し白き〔衣〕着たる者来候て」〈本城惣右衛門覚書〉

さげぎり【下切り・下斬り】《「あげぎり」の対》上から下へ斬りおろす斬り方。「近き者をば、かいつかんで引っ提げてーに切って落し」〈保元上・新院御所〉

さけく【幸く】『副』「さきく」の上代東国方言。「もろもろはーと申す」〈万四三七二防人〉 †sakeku

さけごと【酒事】「さかごと」に同じ。「うたたねを引き起しーにして」〈西鶴・一代男三〉

さげざや【下鞘・提鞘】①刀身より二、三、四寸ほど長く作った、短刀の鞘をつつむ袋。見せ鞘。「裳なし衣にーさげて」〈太平記二九・師冬自害〉②僧・茶人などが腰にさげる小刀。「〔尊覚上人ハ〕ーを抜いてその縄を切りつ」〈発心集二〉

さげしたぢ【下げ下地】近世、大名の奥方・姫君などの結った髪風。下げ髪の髻(もとどり)を下へ撓めて輪を作り、笄(こうがい)で留めたもので、笄を抜くと下げ髪になる結い方。「金水引のー」〈近松・女夫池二〉

さけしち【酒質】酒株と酒造設備を質に取ること。また、その質に取ったもの。酒造株札質。「ーを取りて」〈西鶴・置土産三〉

さげし・み【蔑み】『四段』《「下げし見」の意》見くだす。蔑視する。「いやしみー・み給へば大罪いよいよ深し」〈明恵伝記下〉

さげすみ【下墨・垂準】㊀『名』①大工が墨縄の端に錘(おもり)をつけ、柱などの垂直を見定めること。また、その垂直線。「蚊柱のーなれやくもの糸」〈俳・談林俳諧批判上〉②見積もること。おしはかること。「其の方がーを昨日語りなば、恐らく名言なるべけれども」〈江源武鑑一五下〉㊁【下げす・み】『四段』《名詞サゲスミを動詞化した語》①墨縄を下げて柱などの傾きを測る。「押し直す工(たくみ)もいさや墨金(すみかね)にー・む月のかたぶきにけり」〈七十一番歌合〉②見積もる。おしはかる。「当地の体(てい)をー・み給ふに、通路の自由も、また九州の要(かなめ)にも、この関の戸の城に越えたるはあるまじきとて」〈太閤記一〇〉

さげぜに【下銭】①緡(さし)や棒などに通して、腰にさげた銭。「遣ひ減らせる腰のー」〈後撰夷曲集六〉②日雇職人などの持っているはした銭。「ーで帰るを見れば土場太夫(どばだいふ)」〈雑俳・万句合安永四〉

さげタバコぼん【提煙草盆】取手を付けて、さげて持ち運べるように作った煙草盆。「蚊遣(かやり)の煙ー」〈俳・難波千句〉

さげぢう(ヂュウ)【提重】①「提重箱」の略。「ー丼びに茶弁当を持参せしむ」〈隔蓂記慶安三・閏一〇・八〉②明和・安永頃、江戸の私娼の一種。提重箱に菓子類を入れた女行商人が色を売ったもの。「ーと号ししょこなめさせるなり」〈雑俳・万句合明和七〉 **ーばこ**【提重箱】料理を盛った重箱のほか、食器・徳利などを組み入れてさげるようにした、物見遊山用の重箱。提食籠(さげじきろう)。「そこばくのーを木の枝に付けて」〈仮・仁勢物語下〉

さけづけ【酒漬】たくさん酒を呑んでいること。酒びたし。「ーに水も尽くかや」〈近松・重井筒上〉

さけつしま 未詳。サは接頭語、ケは食物、ツは連体助詞で、食物の島の意かという。淡路島をさすか。また、サケは「見放(さ)け」のサケで、見はるかす島の意とも。「難波(なには)の埼よ出で立ちて我が国見れば…ー見ゆ」〈記歌謡五三〉 †sakëtusima

さげはり【下針】弓の的として、糸で吊り下げた針。小さい的の代表。「弓は三人張り、矢束は十三束、ーをも射んと思ふ者なりけり」〈保元中・白河殿へ義朝夜討ち〉

さけ・び【叫び】『四段』大声をあげる。「立ち跳(をど)り足摺りー・び伏し仰ぎ」〈万九〇四〉。「ー・ばむとすれどもー・ばれず」〈孝養集上〉 †sakebi

さげもの【提物】巾着・印籠・煙草入など、腰にさげる装飾品。「取られて腹を立つるー」〈俳・鷹筑波四〉。「鮫印籠に島巾着は隠者のよきーなり」〈俳・宝蔵三〉

さげを【下緒】刀の鞘につけて下げる紐。「腰刀に金(こがね)銀(しろかね)の類及びーを付け用ゐるべからざる事」〈玉蘂建暦二・三・二二〉

さげをだれ【下尾垂】近世、上方で、家の庇(ひさし)をいう。「をだれ」とも。「ー昼は売物夜は月 西鶴」〈俳・両吟一日千句〉

さど 遣手(やりて)・茶屋女・下女などの通名。「あさご(遊女ノ名)…これより先にーとてあり」〈色道大鏡一二〉。「ーが〔差シ出ス〕大福(おほぶく)祝うて」〈西鶴・一代男六〉

ざこ【雑喉・雑魚】いろいろの小魚。「ざっこ」「じゃこ」とも。「いざ給(た)べ隣どの、大津の西の浦へー漉(す)きに」〈梁塵秘抄三九六〉

さこくしろ【拆釧】〔枕詞〕「さくくしろ」の転。「ー五十鈴の宮に」〈皇太神宮儀式帳〉 †sakokusirö

さござい 辻宝引(つじほうびき)の一種。近世中期、江戸で、街頭に立って「さあござい」と子供を呼び集め、銭一文で宝引させて飴を売った行商人。寛政の改革で禁止された。「ーへ下女が御立ちと呼びに来る」〈雑俳・万句合明和三〉

ざこじる【雑魚汁・雑喉汁】雑魚を実(み)にして、野菜・酒を加えた味噌汁。「ーに一つの酒が過ぎたやら」〈俳・両吟一日千句〉。〈料理物語〉

さこそ【然こそ】『連語』①ほんとうに、そのように(は)。「『ー言ひつれ』など」〈源氏総角〉。「ー大人びさせ給へど、いときなき御齢(よはひ)におはしますを」〈源氏澪標〉②《推量の表現を伴って》さぞ。さだめて。「琴・笛など習ふ。またーは、まだしきほどは、これがやうにいつしかと覚ゆらめ」〈枕一五八〉。「〔鼎ヲカブッタママデ〕医師(くすし)のもとにさし入りて、向ひゐたりけむありさま、―異様(ことやう)なりけめ」〈徒然五三〉　↓さぞ。　**―言へ**　そうは言うものの。「この女をほかへ追ひやらむとす。―まだ追ひやらず」〈伊勢四〇〉

ざこね【雑喉寝・雑居寝】①男女の入り交って寝ること。「―していとど名乗るも憂さ辛さ」〈俳・犬子集一六〉②民間習俗の一。節分の夜その他一定の日に、神社などに村民の老若男女が集合して寝たこと。京都郊外の大原など有名。「辺土には月の夜頃に―して」〈俳・鷹筑波一〉

ざこば【雑魚場・雑喉場】魚市場。魚河岸。特に、大阪の魚市場。魚の棚。じゃこば。「此処や―のやすやすの声」〈俳・珍重集〉

さごろも【さ衣】《サは接頭語か》ころも。「―のこの紐解けと言ふは誰が言」〈万二八六六〉。「―に織りても着せむ」〈催馬楽夏引〉　†sagörömö　**―の**【さ衣の】〔枕詞〕衣の緒(を)と同音から、接頭語「を」にかかる。「―小筑波嶺(をづくはね)ろの山の崎」〈万三三九四常陸東歌〉

さこん【左近】《「右近」の対》「左近衛府(さこんゑふ)」「左近衛」の略。「われは―の馬場(むまば)を片岸にしたれば」〈かげろふ上〉　**―のさくら**【左近の桜】《「右近の橘」の対》紫宸殿の南の階の左に植えられた桜。朝廷の儀式のとき、左近衛府の官人がこの桜の側に並ぶのでいう。もとは梅であったが、桓武天皇遷都のとき桜に改められた。「吉野の花―皆一重にてこそあれ」〈徒然一三九〉　**―のせうしやう**(…シヨウシヨウ)【左近少将】左近衛府の次官。左近衛少将。左少将。「―とて年二十三四ばかりのほどにて」〈源氏東屋〉　**―のぞう**【左近将監】左近衛府の第三等官。左近衛将監(さこんゑのしようげん)。「―なる人、〔薫中将ノ〕御使ひにて」〈源氏橋姫〉　**―のたいふ**【左近大夫】六位相当の左近将監の、五位に進んだものの称。「一宮の御乳母の―致行(むねゆき)を召して」〈栄花もとのしづく〉　**―のちうじやう**(…チユウジヨウ)【左近中将】左近衛府の次官。左近衛中将。「院の殿上に侍ふ―を御使ひにてあり」〈源氏絵合〉　**―のつかさ**【左近司】左近衛府。「―の南の築土(ついぢ)などにみな棄ててけり」〈枕八七〉　**―ゑふ**【左近衛府】皇居の警固をつかさどる六衛府の一。左近衛。「―。近衛四百人、使部三十人」〈類聚三代格四〉　↓近衛府

ささ【小竹・笹】①小さな竹の類。「小竹を訓みて佐佐(ささ)と云ふ」〈記神代〉。「―の葉はみ山もさやに乱るとも」〈万一三三〉②〔女性語〕酒。「このお寮が所へは方方から―を沢山にたもるに」〈虎明本狂言・比丘貞〉。〈日葡〉

ささ【然然】《副詞サを重ねたもの。具体的な説明を省略するときに用いられる》しかじか。「もし―の所にありと聞きしが」〈かげろふ下〉

ささ【細小・小】『接頭』《後世濁ってサザとも》細かいもの、小さいものを賞美していう。「―蟹」「―濁り」など。「淡海の国は…またの名を―浪の国と云ふ」〈近江風土記逸文〉。「―波。こまかに立つ波なり」〈匠材集四〉。「―やか。小さき事をいふなり」〈匠材集四〉

ささ『感』はやしことばの一。さあさあ。「塡(あ)さず飲(を)せ―」〈紀歌謡三二〉

さざい【栄螺】貝の名。さざえ。「あはび・にし・―」〈伽・住吉縁起〉。〈文明本節用集〉　**―がら**【栄螺殻】《形がサザエの殻に似ているのでいう》握りこぶし。拳骨(げんこつ)。「―二三十くらはせ」〈近松・大経師上〉　**―のともし**【栄螺の燈】近世、鉱夫が坑中で用いた、サザエの殻に油を入れた燈具。「―影明かく」〈浄・弁慶京土産五〉

ささう(…ソウ)【さ候】〔小児語〕《ササウラフの転》別れる時の挨拶。手を振ったり両手を組むような動作を伴う。「みどり子が我に抱かれつ―して」〈俳・油糟〉

ささえ【小竹筒】竹筒を利用した携帯用の小さい酒入れ。「こづつ」とも。「又、―と名づけて、竹の節(よ)を一つづつ笼につけたりけり」〈伽・酒呑童子〉

ささが・し【捧がし】『四段』「捧げ」の尊敬語。おささげになる。「―・せる瑞玉盞(みづたまうき)に」〈記歌謡一〇〇〉

ささがに【細小蟹】①《ササは小さい意。形が小さいカニに似ているところから》蜘蛛(くも)の異名。「―のふるまひしるき夕暮に」〈源氏帚木〉②蜘蛛の網。「風吹けばまづぞ乱るる色かはる浅茅(あさぢ)が露にかかる―」〈源氏賢木〉　**―の**【細小蟹の】〔枕詞〕奈良時代の「ささがねの」の転。蜘蛛、蜘蛛の巣(い)、蜘蛛の糸の意から、「くも」「い」「いと」などにかかる。「―曇らぬ空に雨のみぞ降る」〈後拾遺一〇〇四〉。「―いまは心にかからずもがな」〈金葉四三〇〉。「―いとはるかなる雲居にも」〈玉葉一八一〇〉

ささがねの〔枕詞〕「ささがにの」の古形。一説に笹の根の意で、枕詞ではないという。「わが背子が来べき宵なり―蜘蛛のおこなひ今宵著(しる)しも」〈紀歌謡六五〉　†sasaganenö

ささ・き『四段』未詳。にぎやかに花やぐ意か。また、ささめく意、はしゃぐ意などともいう。「いにしへ―・きし我や」〈万三七九一〉　†sasaki

さざき【陵】⇒みささぎ

さざき【鷦鷯】ミソサザイの古名。早春、美しい声で鳴く。「斎槻(いつき)が上の―捕らさね」〈紀歌謡六〇〉　†sazaki

ささげ【大角豆】豆の一種。ささぎ。「荳角、此をば娑佐礙(ささげ)といふ」〈紀継体一年〉。「北野・賀茂河原につくりたる豆・―・瓜・なすび」〈大鏡藤氏物語〉　†sasagë

ささ・げ【捧げ】㊀『下二』《サシ(指)アゲ(上)の約》①手で上へ高くあげる。「わが背子が―・げて持てる厚朴(ほほがしは)あたかも似るか青き蓋(きぬがさ)」〈万四二〇四〉②低い位置から高い位置へすっとあげる。「燕(つばくらめ)尾を―・げていたくめぐるに合はせて手を―・げて」〈竹取〉③神仏や目上の人に献上する。奉る。「〔釈迦ノ足跡ヲ〕敬(うやま)ひて後(のち)の仏にゆづりまつらむ、―・げ申さむ」〈仏足石歌〉。「幣帛を―・ぐる人もなし」〈平家三・山門滅亡〉④(声を)高く大きくする。「法師ばら声を―・げて阿彌陀めくさへ尊かりける」〈栄花御裳着〉㊁『名』献上物を数える語。「人人捧物奉りけり。奉り集めたる物、千(ち)―ばかりあり」〈伊勢七七〉　†sasagë　**―もの**【捧物】①献上物。供物。「そこばくの―を木の枝につけて、堂の前に立てたれば」〈伊勢七七〉②大切に扱うもの。「えも言はずうつくしき姫君、―にしてかしづき給ふ」〈栄花月宴〉

ささご【捧ご】動詞「ささげ」(連用形)の上代東国方言。「父母も花にもがもや草枕旅は行くとも―て行かむ」〈万四三二五防人〉　†sasagö

ささごと【酒事】酒宴。さかごと。「引わたしの―過ぎて」〈西鶴・一代男七〉

さざして【然然して】『連語』こうこうして。かくかくしかじかで。「―、参りたまふことあなり」〈かげろふ中〉

ささぢん【酒塵】〔女性語〕五斗味噌。糠(ぬか)味噌。「なべて上臈方(じやうらふがた)には―と言ふを、禁中にはまちかねとかや」〈咄・醒睡笑一〉。〈日葡〉

さざっぺり【笹っ縁】衣類の縁とり。「合羽(カッパ)もや霰(あられ)たばしる―」〈俳・続境海草四〉

さざと『副』ざざっと。強い勢いのついた動きをいう。「大炊御門(おほひのみかど)より西ざまに、人人の―走れば」〈大鏡昔物語〉。「聴聞衆ども、―笑ひてまかりにき」〈大鏡昔物語〉。「足掻きの水、前板まで―かかりけるを」〈徒然一一四〉

さざなみ【小波】《古くはササナミと清音》①小さくこまかに立つ波。「—の波越すあざに降る小雨間も置きて我が思はなくに」〈万三〇四六〉。「漣、サザナミ」〈文明本節用集〉②琵琶湖の西南部一帯の古名。この中に志賀や大津などが含まれていた。「—の志賀の大わだ淀むとも」〈万三一〉†sasanami　**—ぢ【楽浪道】**さざなみ(2)に通う道。また、そこを通る道。「—をすくすくと我がいませばや」〈記歌謡四二〉　**—の【小波の】**〔枕詞〕小波の文様(あや)と同音から「あやし」に、また、波の寄ることから「寄り」、その同音から「夜」などにかかる。「水鳥の羽風にさわぐ—あやしきまでもぬるる袖かな」〈金葉三八七〉。「—寄り来る人に」〈千載一一五九〉。「—夜はすがらに」〈新葉四四六〉　**—や【小波や】**〔枕詞〕「さざなみの」に同じ。「—寄るべも知らずなりにけり逢ふは堅田の海人(あま)の捨て舟」〈新続古今一二五〉

ささにご・り【小濁り】『四段』少し濁る。「—・る河の橋桁切り落とし」〈俳・正章千句上〉

ざざぬけ【ざざ抜け】雨または水がざあざあ漏ること。「取葺き屋根の—するを」〈西鶴・置土産四〉

ささのいほ【笹の庵】笹の葉で屋根をふいた粗末な小屋。「—にあやめの草をふきそへて暇なく今日は人ぞ恋しき」〈道命阿闍梨集〉

ささのさいざう【笹の才蔵】戦国時代の勇士、蟹江才蔵吉長のあだ名。近世、疱瘡除(ほうそうよけ)の呪符として宿札に書いた。「宿札は—と打たれけり」〈俳・二葉集〉

ささのみ【酒の実】酒のかす。「酒がないとて、—を参りて、今に顔が赤い」〈咄・昨日は今日上〉〈日葡〉

ささば【笹葉】①笹の葉。「—に打つや霰の」〈記歌謡七九〉②一升入りの手軽な使い捨ての樽。笹葉樽。「—、一升入りにして手薄き樽也」〈西鶴・新吉原常常草上〉

ささはぎ【笹矧】篠竹(しのだけ)で作った的矢(まとや)。「竹の小弓に—の矢」〈盛衰記二〇〉

ささは・り【障り】㊀『四段』《ササヘの自動詞形》さまたげられる。「障、ササワル」〈文明本節用集〉㊁『名』さまたげ。支障。「結構なる物が、路の—となるぞ」〈周易抄〉

ささふかさなふ【刺さふ重なふ】『連語』《刺シの反復継続形刺サヒの終止形と重ネの反復継続形重ナヒの終止形とを重ねたもの。→ひ》幾重にも刺しては重ね、刺しては重ねて。「真榛(まはり)もちにほしし衣に高麗錦紐に縫ひ着け、—並(な)み重ね着」〈万三七九一〉

ささぶき【笹葺】①笹などで葺いた粗末な屋根。「深き太山(みやま)の—の庵」〈天正十八年三月二十五日心前追善百韻〉②小さな幅の狭い板で葺き、小石をおさえにした屋根。さき屋根。さき板葺。「月花にうとき貧家の—也」〈俳・幕尽〉

ささぶね【笹舟】《「小(ささ)舟」の意》小さい舟。「—に棹さして、内介といふ猟師…世を暮しける」〈西鶴・諸国咄四〉

ささ・へ【支へ】『下二』《サシ(指)アヘ(合)の約。サシは腕などを真直ぐ伸ばす意。アヘは相手の重みや力に十分に応じる意》①つっぱって、物の重みを持ちこたえる。「右の手を以て自ら頷(おとがひ)を—・へ」〈三蔵法師伝一〇・院政期点〉。「凡そ人の身に三百六十の骨あり。足の指よりして頭(かうべ)の骨まで、一々に相—・へたり」〈孝養集上〉②辛うじて持ちこたえる。どうにか維持する。「わづかに重湯(おもゆ)をもちて、のどをうるほすばかりに命を—・へたり」〈法然上人行状絵図〉③応戦してくいとめる。防ぎとめる。「国王、軍(いくさ)を以て—・ふといへども、軍の長(たけ)劣りたるによりて—・へ難し」〈今昔一〇ノ一〉

ささ・へ【障へ】㊀『下二』《ササヘ(支)と同根》①行く手をさえぎる。邪魔をしてさまたげる。「この阿修羅い能(よ)く手を以て月を—・ふ。…障月仏子と云ふべし」〈法華義疏長保点〉②人を中傷あるいは讒言(ざんげん)する。「賢人を—・へて、流しつ殺しつした者は」〈三略抄〉㊁『名』中傷。讒言。「人の事をばむさとはそしらぬ事ぞ。そしれば—になるぞ」〈春鑑鈔〉。「〔大将タル者ガ〕人の—を聞かるれば、惣(そう)の者が気づかひをして、思ひ付かぬぞ」〈三略抄〉

ささ・め ㊀『下二』ひそひそ話す。ささめごとをする。「この海の琵琶見て星の—・めけん」〈俳・孤松三〉㊁『名』【私語】男女がひそひそ話す痴話。睦言(むつごと)。ささめごと。「参上る夜の—にも」〈浄・舎利三〉　**—ごと【私語】**内緒のひそひそ話。ささめきごと。男女の睦言を指す例が多い。「うらやまし今宵は逢はん七夕の—せん積もる言の葉」〈為忠集〉。「私語、ササメ事」〈名義抄〉

ざざめか・し『四段』ざわざわと騒がしく音を立てる。「大荒目の鎧、草摺長に—・し」〈盛衰記二〉

ささめ・き【囁き】『四段』《ササは息まじりの低声を写した語》ひそひそと話す。ささやく。「お前なる人人—・き聞えて、憎み聞ゆ」〈源氏椎本〉　**—ごと【囁言】**ひそひそ話。ないしょ話。「うちうちに宣はする御—どもの、おのづから事広ごりて」〈源氏若菜上〉

ざざめ・き『四段』①ざわざわと音や声を立てる。がやがやいう。「これぞなこれぞなと、—・き騒ぐ声いと著(しる)し」〈源氏真木柱〉②ざあざあと音を立てる。「水の漏りて落つる音が—・くは」〈湯山聯句鈔上〉③陽気にはなやぐ。「桃李の花の様に—・いた色は無けれども」〈山谷詩抄五〉

ささめゆき【細雪】ひっそりと降る雪。「—ふりしくとは、広くふる雪也、又、こまかにふるをも云ふ儀もあり」〈秘蔵抄上〉

ささもち【笹餅】粳(うる)の粉を水でこね、蒸して搗(つ)いた餅。しんこ。白糸餅。「御見舞も来べき宵なり—も」〈俳・紀子大矢数下〉。〈料理物語〉

ささや【笹屋】屋根を笹で葺いた小屋。笹の屋。「さらぬだに濡るる袂を春の夜の仮の—は雨もたまらず」〈堀河百首〉

ささやか【細やか】《ササは、イササカ・ササナミのササと同じ》小さくてこぢんまりしたさま。小柄であるさま。「—なる家の木立など由ばめるに」〈源氏花散里〉。「いと—に様体をかしく、今めきたる容貌(かたち)に」〈源氏手習〉

さざやか【細やか】「ささやか」の訛。「—なる鍋一つ」〈浮・近代艶隠者四〉。「小細、サザヤカ」〈天正十八年本節用集書入〉

ささや・き【囁き】『四段』《ササメキと同根》ひそひそ話す。「夜明けて帰りけるを、人見て—・きければ」〈後撰四四詞書〉。「貴賤老少—・き、つつやきけるを」〈愚管抄四〉。「耳語、ササヤク」〈名義抄〉

ささや・ぎ【細やぎ】『四段』《ササヤカと同根》小さく見える恰好をしている。小柄に見える様子をする。「御年はたちばかりにこそおはしませど、いと若うぞおはします。もとよりいとささやかにおはしますけなめり。さらになほいと心もとなきまでも—・がせ給へり」〈栄花初花〉

ささやけびと【細やけ人】小柄な感じの人。「宣旨の君は、—の、いとほそやかにそびえて」〈紫式部日記〉

ささら【細】《ササは細小の意。ラは接尾語》①小さく、こまかで愛らしいさま。「妹(いも)なろが使ふ川津の—荻」〈万三四四六東歌〉②「ささらがた」の略。「—の御帯の結び垂れ」〈紀歌謡九七〉　**—えをとこ【ささらえ壮子】**《エは愛らしい意》小さくて愛らしい男。月を擬人化して呼んだ語。「つくよみをとこ」「つきひとをとこ」とも。「山の端(は)の—天の原門(と)渡る光見らくしよしも」〈万九八三〉　―がた【細紋形】こまかい模様。また、その織物。「―錦の紐を解き放(さ)けて」〈紀歌謡九六〉　―なみ【細波】こまかに立つ波。さざなみ。「―立つをば知らで川千鳥」〈宇津保藤原君〉。「泊渤、浅水貌也、左左良奈三(ささらなみ)」〈和名抄〉。　―のをの【ささらの小野】天上界にあると考えられた、小さい野。「天(あめ)にある―の七ふ菅手に取り持ちて」〈万四二〇〉

ささら【簓】田楽の楽器の一。一尺くらいに竹を細かく割って束ねたもの。「ささらのこ」と摺り合わせて音を出す。「あやしきやうなる鼓、腰に結ひつけて笛吹き、―といふ物つき、さまざまの舞して」〈栄花御裳着〉。「編木、ササラ、又作レ簓」〈文明本節用集〉　―すり【簓摺】門説経〈かどぜっきやう〉の異称。簓を摺って伴奏したのでいう。「―他(ひと)の国より通ひけり」〈俳・花洛六百韻〉　―のこ【簓の子】田楽舞で、簓と摺り合わせるのに用いる、刻み目の付いた細い棒。「―の如く叩きなしたる太刀の刃本を、小刀にて削り直し」〈太平記三九・芳賀兵衛〉

ささら・き『四段』《ササラは擬音語。キは動詞をつくる接尾語》さらさら音を立てる。せせらぐ。「心ちよげに―・き流れし水も木の葉に埋もれて、あとばかり見ゆ」〈更級〉

さざれ【細】①「ささら」の転。「―水。そと流るる水なり」〈匠材集四〉②「さざれいし」の略。「ほどもなく浮きて沈みし三輪河の―隠れに朽つる埋れ木」〈為家卿集〉。「霞みけりいつの―の岩根松」〈再昌草一七〉③「さざれみづ」の略。「千鳥なく河原を遠み澄む月に／―流るる音のさやけさ」〈老耳〉　―いし【細石】こまかな石。小石。「―の巌となりて苔のむすまで」〈古今三四三〉　―し【細石】「さざれいし」の約。「―も君し踏みてば玉と拾はむ」〈万三四〇〇東歌〉　―なみ【細波】こまかな波。「との曇り雨降る川の―」〈万三〇一二〉　―みづ【細水】①水の少ない川。浅い流れ。「かしがまし山の下行く―あなかま我も思ふ心あり」〈金葉五三八〉②〔枕詞〕「あさ」「下に通(かよ)ふ」「あらはる」などにかかる。「―あさましくてもすみわたるかな」〈清輔集〉。「―下に通はむ道だにもなし」〈続拾遺八二四〉

ささわけごろも【笹分衣】笹原を分けて行くときに着る衣。「朝露に―濡れつつぞ行く」〈夫木抄二六・篠〉

ざざんざ《松風の擬音語》①宴席で歌われた狂言小歌の一。また、その囃子(はやし)詞をもいう。「―、浜松の音は―」〈虎明本狂言・抜殼〉②酒盛をして歌い騒ぐこと。

「練酒(ねりざけ)一樽―の秋」〈俳・天満千句〉

さし【城】城(しろ)。「―を子呑(しとん)帯沙(たさ)に築きて」〈紀継体八年〉

さ・し㊀『四段』《最も古くは、自然現象において活動力・生命力が直線的に発現し作用する意。ついで空間的・時間的な目標の一点の方向へ、直線的に運動・力・意向がはたらき、目標の内部に直入する意》❶【射し・差し】自然現象において活動力が一方に向ってはたらく。①光が直射する。「天伝ふ入日―・しぬれ」〈万一三五〉②(枝や根などが)のびる。「出で立ちの百枝(ももえ)槻の木、こちごちに枝―・せる如」〈万二一三〉。「若葉―・す野辺の小松を引きつれて」〈源氏若菜上〉③(雲などが)立ちのぼる。「八雲―・す出雲の子らが黒髪は」〈万四三〇〉④色を帯びる。「あかね―・す紫野行き標野(しめの)行き」〈万二〇〉⑤(潮が)満ちて来る。「―・す潮の星の光の乱るるや」〈拾玉集七〉⑥(熱が)出てくる。「ネッキガサス」〈日葡〉。「大熱が―・しまして」〈西鶴・織留四〉❷【指し・差し】一定の方向に向って直線的に運動をする。①(腕などを目指す物や所へ)真直ぐに伸ばす。「真玉手の玉手―・し交(か)へ」〈万一五二〇〉。「飛ぶ車一つ具したり。羅蓋(らがい)―・したり」〈竹取〉②目標として真直ぐにその方向に向う。「鶴(たづ)が鳴き葦辺を―・して飛び渡る」〈万三六二六〉。「いとど足速に―・し給ふほどに」〈平家一〇・維盛出家〉③手を真直ぐに伸ばして一点を示す。「多かりし人の中より伸び上がり見奉りて、およびを―・して物を申ししかば」〈大鏡昔物語〉④(相手に盃を)出してすすめる。「笙(うさ)の笛吹く君にかはらけ―・し給ひて」〈源氏若菜下〉。「我三盃飲みて弟子に―・す」〈雑談集三〉⑤(人や物を)指名する。指定する。「あたゆまひ(急病)わがする時に防人(さきもり)に―・す」〈万四三八二防人〉。「地を点(さ)し冢(はひや)を作り殯(もがり)して収めて置く」〈霊異記下三三〉⑥指摘する。告げ知らせる。「前中納言保藤下人これを召し取る。…博奕の同類の由、―・し申すの故也」〈花園院宸記元応一・八・九〉⑦(日時を)限定する。「日限を―・して、験(しるし)ある事なりけり」〈著聞二六五〉⑧(琴や琵琶の柱などを)押える。「柱―・すこと、うひうひしくなりにけりやとの給へど」〈源氏少女〉⑨印判を押す。捺印する。「太政官の印を―・して」〈水鏡下〉⑩物を手で高く持ち上げる。「此の谷に六拾貫目余もありける丸き大石あり。…諸侍これを―・さんとすれども」〈安宅一乱記一〉⑪将棋をする。「将棋―・す野の宮人に雨ふりて」〈俳・守武千句〉⑫寸法をはかる。「貴人の御前にて馬尺―・す様の事」〈今川大双紙〉❸【刺し・挿し】先の鋭くとがったもの、あるいは細く長いものを、真直ぐに一点に突きこむ。①(針やとげなどを)たてる。つきさす。「遍(あまね)く体針をもちて―・すが如くして苦しく痛くして」〈金光明最勝王経平安初期点〉。「その子、毒蛇のために―・されて、にはかに死せり」〈沙石集七ノ三〉②(布などを)針で縫いつける。「その〔虎ノ〕皮を畳に―・し」〈万三八八五〉③棹(さを)や棒を水や土の中へ突きこむ。「船に乗り河の瀬ごとに棹―・しのぼれ」〈万四〇六二〉。「早領(し)りて標(しめ)―・さましを今ぞくやしき」〈万一三三七〉。「ほととぎす夜声なつかし網―・さば花は過ぐともかれずか鳴かむ」〈万三九一七〉④(長いものを容器に)まっすぐに入れる。収める。「花がめに桜の花を―・させ給へるを見て」〈古今五二詞書〉。「〔箙ニ〕二十四―・したる矢一腰、十八―・したる矢二腰、九―・したる矢三腰」〈保元中・新院左大臣殿〉。「刀を鞘に―・し給ふ」〈伽・橋弁慶〉⑤帯などの間にはさんでつける。はさみこむ。「鎌を腰に―・して」〈今昔三〇ノ五〉。「文挟(ふばさみ)に文を―・して、目の上に捧げて」〈今昔二七ノ三一〉⑥さし木をする。「小山田の池の堤に―・す楊(やなぎ)」〈万三四九二〉⑦数さしに入れて数える。「さるがうしかくるに、〔勝トシテ〕かず―・させつ」〈枕一四三〉⑧組み立てる。「栴檀(せんだん)にて―・したる斗(ます)を一つ求め得たり」〈夢中問答上〉❹【鎖し・閉し】《棒状のものをさしこむ意から》もののすきまに何かをはさみこんで動かないようにする。①錠をおろす。戸じまりをする。「夢(いめ)にわれ今宵いたらむ屋戸―・すなゆめ」〈万二九一二〉。「まだ―・さぬ格子のかみ押しあげて」〈紫式部日記〉②(穴にものを詰めこみ)ぴったり閉じる。「センヲサス」〈日葡〉❺【注し・点し】異質なものをじかにそそぎ加えて変化をおこさせる。①注ぎ入れる。「紫(染料)は灰―・すものぞ」〈万三一〇一〉。「油を荒けなく―・せば、火が消ゆる也」〈御書抄三〉②(火を)点ずる。「行く川の清き瀬ごとに篝(かがり)―・しなづさひ上る」〈万四〇一一〉③塗りつける。「琴柱(ことぢ)に膠(にかは)―・すやうにて」〈紫式部日記〉④(色を)点ずる。「角(つの)を以てつぎて朱(しゆ)を―・したり」〈保元上・新院御所〉❻【止し】《鎖(さ)す意から。動詞連用形を承けて》①途中まで…しかけてやめる。「御気色を〔見テ〕、心もなき事啓してけりと思ひて、くはしくもその程の事をば言ひー・しつ」〈源氏手習〉。「〔手ガ〕いみじうわななけば思ふことも皆書きー・して」〈源氏柏木〉②…しかける。「面白き梅の花開けー・したる朝ぼらけ」〈源氏常夏〉「山吹の散りー・したるを」〈後撰一二三詞書〉。㊁『名』①【釵子】かんざし。「同じ男、女の初裳(うひも)着けるにーをこころざしてよみてやれる」〈伊勢一三〉②米刺し。「ーの先より現米何俵」〈俳・信徳十百韻〉③差向い。「ー。男女差向ひ両吟に語るを言ふ」〈色道大鏡一〉。「只二人にて余人を交じへず、事を成し、又は咄(はな)すを、ーにと云ふは、勿論さしむかひの略語ならん」〈志不可起六上〉④共同ですること。「奴隷(しもじも)に二人にて物を担ぎなどすを、ーにと云ふは、さしあはせの略ならん」〈志不可起六上〉⑤《「差合ひ」の略》さしさわりのあること。「ーの有る其の夜はちゃんと裏から来(き)」〈雑俳・雲鼓評万句合元文二〉⑥謡曲の構成要素の一。拍子に合わぬ叙唱風の謡で、上音ではじまり、下音で終る。シテ・ワキなどのサシは、登場してまず謡う叙景が多く、地謡のサシは、クセ・ロンギの前などに多い。「卒都婆小町の脇のーに」〈驢鞍橋中〉⑦【緡・繦・貫】穴明き銭を一定量通すための細い縄。ぜにさし。「所司代東坊・巣河次郎…各壱ー、愚老弐ー、以上十一ーこれを給ふ」〈蔭涼軒日録文正一・閏二・二〉⑧【尺】ものさし。「ゆったりと/ーが名代の木綿店」〈雑俳・青木賊〉⑨舞や相撲などの番数を数える語。「早くまかり下りて〔相撲ヲ〕一ー仕るべし」〈十訓抄三ノ一〇〉。「〔舞ヲ〕ただ一ーとの御所望なり」〈謡・盛久〉㊂『接尾』《多くザシと濁音》①活力が外に発現しているさま。「御息ーなどいと苦しげなるを」〈大鏡道兼〉②物の伸びているさま。「同じ枝ーなどの、いと艶なるこそ」〈源氏東屋〉　**差せ干せ傘(からかさ)**　傘を長持ちさせるためには、差した後では必ず干しておけの意。「ー、壁に立てな傘、人に貸すな傘」と続けてもいう。「御法(みのり)の雨にー」〈俳・阿蘭陀丸下〉

さ・し【狭し】『形ク』《セシ(狭)の古形》せまい。窮屈だ。「天地は広しといへど吾(あ)が為はー・くやなりぬる」〈万八九二〉。「智解局(さ)き人(知恵ノ狭イ人)」〈法華経玄賛平安初期点〉。「窄、サシ」〈名義抄〉

ざし【雑紙】⇒ざふし。〈日葡〉。〈合類節用集〉

ざ・し【坐し】『サ変』すわる。「さまざまの物語しつつ〔石ノ上ニ〕ー・せられけり」〈著聞六四〉

さしあが・り【差し上がり】『四段』(日や月が真直ぐに)上がる。「月やうやうー・るままに」〈源氏若菜下〉

さしあがる【差上がる】〔枕詞〕真直ぐに昇る太陽の意で「ひ(太陽)」にかかる。「ー日女(ひるめ)の命」〈万一六七〉

さしあ・げ【差し上げ】『下二』①上へ高く挙(あ)げる。「蔀(しとみ)ー・げたる所に宿りて」〈かげろふ上〉②奉る。献上する。「これを御覧じて、御心に入るものならばー・げ申すべし」〈伽・はもち中将〉③声を高く出す。「〔女ハ〕細く、らうたげなる声をー・げて、泣く泣く飲む」〈宇治拾遺二ノ三〉

さしあし【差足】音のしないように、爪先からさすように足の進め方に気をつけて歩くこと。「忍びつつーして立ち聞きければ」〈盛衰記三一〉

さしあた・り【差し当り】『四段』①(日光などが真直ぐに)そそいで、物にあたる。「日のー・りたるに〔猫ガ〕打ちねぶりて居たるを」〈枕(能因本)うへにさぶらふ御猫は〉②(もののごとに)直面する。当面する。「ー・りたるただいまの事よりも、後の世のためしともなるべき事なり」〈源氏若菜上〉③必要とする。「祭には、ー・りてする楽をば、せいでは叶はねども」〈漢書竺桃抄〉　**ーて**【差し当りて】『副』当面。現に。「ー心にしむべき事のなき程、さかしだつにやありけむ」〈源氏匂宮〉

さしあ・て【差し当て・指し当て】『下二』①(物を差しのべて)じかにつける。「〔氷ヲ〕頭にうち置き、胸にー・てなど」〈源氏蜻蛉〉②指名して役に当てる。「みな仰せにて参り仕うまつる、宿直(とのゐ)にー・てなどしつつ」〈源氏浮舟〉③目指してそれと定める。「源氏は馬上よりー・てー・て落し矢に射る」〈盛衰記四二〉

さしあは・せ[…アワセ]【差し合はせ】㊀『下二』①重ね合わせる。「御心をー・せて宣はむ事と思ひ寄り給ふ」〈源氏行幸〉②折あしく、事がかち合う。「公け事ー・せたる日なれば、急ぎ出で給ふに」〈大鏡師尹〉③折よく、持ち合わせる。「夕立にー・せけり日傘(ひからかさ)」〈俳・続猿蓑下〉㊁『名』折よく、持ち合わせていること。「げにや宝は身のーといふたとへあり」〈伽・浦島太郎〉

さしあ・ひ[…イ]【差し合ひ・指し合ひ】㊀『四段』①ぱったり出会う。「車なども例ならでおはしますにー・ひて、おしとどめて立てたれば」〈源氏東屋〉②向い合う。「されば胡国と日本の東の奥の地とは、ー・ひてぞあんなると申しける」〈宇治拾遺一ノ八七〉③つけ加わる。「かたがたの〔親ノ〕おとどたち、〔夫ノ〕この大将の御勢ひさへー・ひ」〈源氏真木柱〉④事があいにくかち合う。「院の御賀…こちたきに、ー・ひては便なく思されて、すこし程すごし給ふ」〈源氏若菜下〉⑤互いに指摘する。「山賊と海賊と寄り合って、たがひに犯科の得失をー・ふがごとし」〈太平記三七・雲景未来記〉㊁『名』①向い合うこと。応対。「サシアイノヨイヒト」〈日葡〉。「かの道に入りなば、公界をも見習ひ、物言ひ・ーも良からん」〈評判・吉原雀上〉②さしつかえ。さしさわり。故障。「御ーにて候はば、他処へ申すべく候」〈日蓮遺文富木殿御消息〉。「内侍殿ー(月ノサワリ)にて」〈御湯殿上日記文明一〇・三・七〉③さしさわりのある事柄。はばかられること。言ったりしては具合の悪いこと。「人の前にて、けが・ーを云はせぬ事」〈反古裏の書二〉④〔連俳用語〕連句の付合で、同種・類似の言葉を規定以上に使うこと。また、それを禁じる規定、および、その規定を記した書物。「かたほとりの人は、ー・嫌ひ物のみきびしくて」〈ささめごと下〉⑤〔遊里語〕遊女の馴染み客の知合いには、その遊女を売らぬこと。「ー。思ひ寄る傾城を買はんとするに、その女の知音(馴染ミ客)と近付きなれば、ーと言ひて売らぬ法なり。連歌にても誹諧にても、思ひ寄る趣向ありて付けんとするに、さし合ひあれば付け得ざる也。この心と等し」〈色道大鏡一〉　**ーを繰(く)・る**　①〔連俳用語〕連句の会席で、執筆(しゅひつ)がいちいち差合いの規定を参照して、連衆の詠句がそれに合うか否かを注意する。「執筆に任せず、下座などよりー・り、〔句ヲ〕返すことあり」〈馬上集下〉②差支えを避ける。故障がおこらぬよう遠慮する。「仏神物のたまはねども、仰ぎ尊ぶ故に、さし合ひもくるなり」〈西海余滴集〉

さしあふぎ[…オウギ]【差扇】扇をかざして顔を隠すこと。また、その扇。「ーして立ち給ひたりし御ことがら」〈弁内侍日記〉

さしあふ・ぎ[…アオギ]【差し仰ぎ】『四段』首をのべて上を向く。「えとどむまじければ、ただー・ぎて泣き居り」〈竹取〉

さしあぶら【差油】油皿にともし油をつぐこと。また、その油。「ーするに、燈台の打敷を踏みて立てるに」〈枕一〇八〉

さしあゆ・み【差し歩み】『四段』(差足で)あゆむ。「いとよそほしくー・み給ふ程」〈源氏松風〉

さしいた【差板】板葺屋根の破損した箇所に差し込んで補修する板。差枌(さしぐれ)。「屋根の漏るにはー有り」〈俳・類船集一〉

さしいだ・し【差し出し】『四段』(手をのべて)物を出す。「御使にも、女房して土器(かはらけ)ー・させ給ひて」〈源氏若

菜上〉。「やがて端に御しとね―・させ給ひて」〈源氏宿木〉

さしい・で【差し出で】㊀《下二》❶①光がさしはじめる。「暁近き月隈なく―・でて」〈源氏空蝉〉②(外や人前へ)すっと出る。進み出る。「〔車カラ〕―・で給へるに」〈源氏蓬生〉。「人づてならず、ふと―・で聞えむことの、なほつつましきを」〈源氏早蕨〉③分を越えて出る。出しゃばる。「まして何ばかりの覚え(寵愛)なりとてか―・でまじらはむ」〈源氏松風〉④生れ出てくる。「珍しう―・で給へる御有様の、かばかりゆゆしきまでにおはしますを」〈源氏柏木〉⑤病がおこる。「何時(なんどき)いかやうなる病が―・でて死せうずるをも知らぬこの身ぢゃ」〈万法蔵讃鈔上〉❷《他動詞として》①棹をさして舟を出す。「〔舟ヲ〕大きなる池の中に―・でたれば」〈源氏胡蝶〉②すっと真直ぐに出す。㊁《名》分を過ぎて出ること。出しゃばること。「物語するに、―して我一人さいまくる者」〈枕二六〉　**―たる**　目立った。特別な。晴れがましい。「―座敷に面影を見せける」〈西鶴・一代女二〉

さしいら・へ(ラエ・イ)【差し応答へ】㊀《下二》(さし出て)受け答えする。口出しをする。「聞き知り顔に―・へ給はむもつつましくて」〈源氏総角〉㊁《名》《「さしらへ」とも》①受答え。「え―も聞えず」〈源氏夕顔〉②(演奏の)お相手。「更に今日の御遊びの―に」〈源氏若菜下〉③そばから口を出すこと。「何事と知らねど、をかしと聞きて、―もせまほしけれど」〈源氏竹河〉

さしい・り【差し入り】㊀《四段》①(日や月の光が)さしこむ。「〔月ガ〕霧にもまぎれず―・りたり」〈源氏夕霧〉②すっと入る。「―・りて見れば、南面の格子皆下ろして」〈徒然四三〉㊁《名》①入ってすぐの所。「松の戸の―に立てる杉村に山奥ふかき住みかをぞ知る」〈草根集九〉②始め。初頭。「小寒の末、大寒の―」〈西鶴・懐硯三〉

さしい・れ【差し入れ】《下二》(手をさしのべて)入れる。「御硯の箱を御帳の内に―・れておはしにけり」〈源氏葵〉

さしう・け【差し受け】《下二》(手を出して)受ける。「酒を出したれば、―・け―・け、よよと飲みぬ」〈徒然八七〉

さしうら【差裏・指裏】刀を腰に差す時、身体に付く側。反対側を「差表」という。「刀を抜き放して、まづ差表より見て、さて―または背(むね)などをよくよく見べし」〈鳥板記〉

さしお・き【差し置き・差し措き】《四段》①差し出して置く。「藤大納言の御もとに、この返し(返歌)をして―・かせたれば」〈枕一三八〉②そのままにする。後まわしにする。「心にかけて恋しと思ふ人の御事は―・かれて」〈源氏野分〉

さしおどろか・し【差し驚かし】《四段》これとめざし、歌など送って注意をひく。「―・しけるを、いらへも給はで程経ければ」〈源氏夕顔〉

さしおほ・ひ(オイ)【差し蔽ひ】《四段》伸びて上からかぶさる。「をふの浦に片枝―・ひなる梨のなりもならずも寝て語らはむ」〈古今一〇九九〉

さしかか・り【差し掛かり】《四段》①進んで行って、その地点に至り及ぶ。「下野(しもつけ)の室(むろ)の八島を外(よそ)に見て…行方(ゆきがた)の原に―・り」〈義経記二〉②ぎりぎりに近づく。間ぎわにせまる。「今日は―・った事ぢゃ程に、まづ借って来い」〈虎寛本狂言・止動方角〉③上から覆いかぶさる。「いかやうに出で立つとも、身なりちと―・りて着る也」〈反古裏の書一〉。「世之介四阿屋(あづまや)の棟に―・り」〈西鶴・一代男一〉

さしかく・し【差し隠し】《四段》扇や袖などをかざして顔を隠す。「『顔は隠さむ。なほなほ』とて、御袖して―・し給へば」〈源氏横笛〉

さしか・け【差し掛け】《下二》①(盃などを勧めるために)さし出す。「土器(かはらけ)―・けられなどするを見れば」〈かげろふ下〉②上からかざす。「〔傘ヲ〕あそこへ―・け、ここへ―・け」〈虎明本狂言・祐善〉　**―がさ**【差掛傘】後方から頭上にかざす長柄の大きい傘。「軒の玉垂(たまだれ)も袂に避(よ)けず、―下行く御風情」〈西鶴・男色大鑑五〉　**―やね**【差掛屋根】母屋にかけて、庇のように差し出して作った片流れの屋根。「―の板屋」〈西鶴・好色盛衰記三〉

さじかげん【匙加減・匕加減】①薬を調合する加減。「今出来の道三―様様し給へども」〈浮・好色訓蒙図彙中〉②手加減。「―よく祭る聖霊」〈俳・俳諧三部抄中〉

さしかさ【差傘】手に持って差す傘。雨傘と日傘の別がある。「凡そ極暑に―の事、当寺は聖武天皇御願寺たるによて、昔よりその儀なし」〈東大寺法華堂要録〉。「指傘、サシカサ、又作二差傘一」〈文明本節用集〉

さしかた【差肩】いかり肩。「長(たけ)高くて、―にて見苦しかりけるを云ひ笑ひけるに」〈今昔二四ノ五三〉

さしがたな【差刀】小刀。長さ一尺ほどのもの。「兵法を知らざる人の―長きを頼むよしやことわり」〈兵法道歌〉

さしかた・め【鎖し固め・差し固め】《下二》①戸じまりを固くする。「例は殊に―・めなどもせぬを、つと鎖して」〈源氏少女〉②しっかりと身ごしらえする。「腹巻に小具足―・めて」〈古活字本平治中・待賢門軍〉

さしがね【指矩】大工用の直角に折れ曲がった形の銅製の物さし。表に曲尺(かねじゃく)を記し、裏に、その一尺が曲尺の弦(げん)にあたる尺度を記し、方形を作るのに用いる。まがりかね。かねざし。「墨壺・―」〈西鶴・諸国咄一〉

さしがね【差金】①操り人形の指先を動作させる堅木(かたぎ)の角棒。「―。堅木にて作る」〈戯場楽屋図会拾遺下〉②芝居小道具の一。操り手が見物に見えぬように陰から造り物の蝶・鳥や火の玉などを操る、針金を先に付けた細い竹竿。「鶏・狆(ちん)・犬・鼠・蛇・蛙・狐火・鬼火・怨火の類、皆―とて長き竹を付けて遣ふ」〈戯場年中鑑二〉③背後で人を指図して操ること。「―とは、我が隠れて人を遣ふ事」〈戯場年中鑑三〉

さしか・へ(エ・カ)【差し交へ】《下二》さしのべて、互いに交差させる。「白栲(しろたへ)の羽―・へて」〈万三六二五〉　†sasikaFë

さしがへ(エ・ガ)【差替・差換】予備の刀。「―一つ借用仕り」〈大和田重清日記文禄二・一〇・一〇〉

さしかへし(エシ・カ)【差返し】天皇から酒杯を頂き、その酒を移しかえて飲む土器(かはらけ)。「―賜はりて、降りて舞踏し給へる程」〈源氏宿木〉

さしがみ【差紙】①近世、奉行所など諸役所の命令書または召喚状。「荒川銀山御鉛座、三谷六右衛門と申す者申し請けたき由。…其の段―出し候」〈梅津政景日記寛永八・八・一九〉。「御―付け候刻(きざみ)、その主は申すに及ばず…五人組自身罷り出づべく候」〈正宝事録承応二・八・二五〉②遊女の名・風体・諸芸・出所などを記して茶屋・揚屋に配る、長さ一尺、幅二寸くらいの杉原または奉書の紙札。「長きもの…節句・正月前の御―」〈評判・讃嘲記〉

さじき【桟敷】《サズキの転》①物見の席として一段高く構えた床。「さんじき」とも。「川ほとりに―打ちて」〈宇津保藤原君〉②近世、劇場で、土間の左右に高く構えた上下二段の見物席。「―の前をどんどんがたがた」〈俳・談林三百韻〉　**―どの**【桟敷殿】物見のために構えた家。桟敷(1)の大規模なもの。「さじきや」とも。「大炊御門(おほひのみかど)の焼けにし後、この―に中納言殿住み給ふに」〈栄花玉台〉　**―や**【桟敷屋】「さじきどの」に同じ。「今は昔、一

条—にある男とまりて」〈宇治拾遺二六〇〉

ざしき【座敷】 ①円座・しとね・畳など、すわるための座を敷くこと。また、そのようにした場所。「はるかにさがりたる所に、—しつらうて置かれたり」〈平家一・祇王〉。「さて由比の汀(みぎは)に着きしかば、—を定め、敷皮(しきがは)敷かせ」〈謡・盛久〉②座(3)を敷き設けた部屋。昔の部屋は板張りであったので、客を迎えるときには座を敷いた。のちには、畳敷きの客間。「会うてふるまうて戻さうほどに、—へ呼び入れい」〈虎明本狂言・察化〉。「お—の掃除も菓子もお茶引くも我が手に触れぬことはあらじな」〈伽・御茶物語〉③会席・宴会などの場。「名残惜しきは今日のお—」〈俳・犬子集一五〉 **—つき【座敷付き】** 座につく動作。また、座中の態度・様子。「面白くもない—と人人に思ふぞ」〈古文真宝抄三下〉。「—ひたすら後室の風あり」〈評判・難波物語〉 **—なり【座敷形】** その場だけを繕うこと。当座の間に合せ。ざなり。おざなり。「—の軽薄を申し上ぐるは」〈諸家評定二〉 **—のう【座敷能】** 座敷で演ずる略式の能。「—とは、草(さう)に仕る物にて候」〈禅鳳雑談〉 **—まひ**(イ)**【座敷舞】** 座敷で行なう幸若・能楽などの舞。「若き人は酒宴に一さし舞ひ候も、その興ありし。素人には一色の匠作または秋庭など—興あると候ひし」〈河村誓真聞書〉 **—まり【座敷鞠】** 座敷でする蹴鞠(けまり)。「天気雨なるに依て、—也」〈舜旧記慶長二・五・二四〉 **—もち【座敷持ち】** ①一座の興を取り持つこと。また、その人。座持ち。「酒盛の—こそをかしけれ」〈俳・備後砂〉。〈俳・世話尽二〉②江戸吉原で、部屋持ちの上の位の遊女。「—の散茶幾世と言ふ女郎」〈浮・太平色番匠五〉。「—何か書籍も一部見え」〈雑俳・万句合安永一〉 **—ろう【座敷籠】** 厳重に仕切って外へ出られぬように作り、罪人・狂人などを入れておく座敷。「—に入れ参らせられ候」〈甲陽軍鑑四〉。〈日葡〉 **—をどり【座敷踊】** ①近世、大阪新町で、七月中旬から月末にかけて行なわれた太夫踊。「揚屋揚屋の—を始め」〈西鶴・置土産三〉②近世、大阪新町で、八月朔日から十五日まで、客の希望で揚屋の大座敷で行なった遊女の総踊。大寄せ踊。「—の仕舞、乱れ姿の暮方」〈西鶴・一代男七〉 **—を持・つ** 座興を取り持つ。「ちらと笑みたるばかりにて、素知らぬ振りにて—・ち」〈評判・吉原恋の道引〉

さしきって【指し切って】『副』急いで。火急に。「今まづ—申すべき事ありてなむ」〈発心集一〉。〈日葡〉 →さしきり

さしき・り【指し切り】『四段』①さしせまる。切迫する。「サシキッタヤウガアル」〈日葡〉②つきつめる。思い切る。「まことに景時—・りて申さんには叶はぬ事あらじ」〈曾我三〉

さしぐし【插櫛】 婦人が髪にさした櫛。「—を以て其の流るる水を塞きて」〈播磨風土記〉。「—の箱」〈源氏絵合〉。「—は飽かぬ名残の形見にて」〈看聞御記紙背連歌〉 →かんざし

さしく・み【差し汲み】『四段』手をのべて汲む。歌では「さしぐみ」と懸詞になることがある。「雲ゐよりこちくの声を聞くなべに—・むばかり見ゆる月影」〈かげろふ中〉

さしぐ・み【差しぐみ】 [一]『四段』《グミは芽グミ・ツノグミのグミ。きざしが見える意》(涙が)出て来る。ふっとにじむ。歌では「差し汲み」と掛けて使われることがある。「いにしへの野中の清水見るばかり—・むものは涙なりけり」〈後撰八一四〉。「うちも笑まれ、涙も—・み」〈源氏帚木〉 [二]『名』不意に現われること。「〔別ノ妻ノコトヲ〕あながちに隠すべきにはあらねど、—はなほいとほしきを、少しの用意はあれかし」〈源氏宿木〉 **—に【差しぐみに】**『副』前置きもなしにふっと。さしつけに。「げに、人目も繁し。〔初対面デ〕—古物語にかかづらひて夜を明かし果てむも」〈源氏橋姫〉

さしぐも・り【差し曇り】『四段』さっと曇る。「雷神の少しとよみて—・り雨も降らぬか君をとどめむ」〈万二五一三〉

さしく・れ【差し呉れ】『下二』手を前に伸ばして、馬の手綱をゆるめる。「伏木・悪所を嫌はずして、—・れてぞ歩ませける」〈曾我一〉

さしぐれ【差榑・差枌】「さしいた」に同じ。「こけらぶきの屋根もそこねぬうちに—したり」〈西鶴・胸算用三〉

さしげた【差下駄】 差歯(さしば)のある下駄。足駄。「梢に月の—の音」〈俳・見花数寄〉。「桐の—、草履下駄」〈近松・加増曾我一〉

さしこ【差袴・差籠】《指貫(さしぬき)の小袴の意》無地の平絹(ひらぎぬ)で作った、指貫のような形の短い袴。「初雪に形見の—かい取って」〈俳・本式の誹諧〉

さしこ・え【差し越え】『下二』(そこにあるものを無視して)すっと越える。順序をとばす。「親無しと聞き侮りて、まだ幼くなりあはぬ人を—・えて」〈源氏東屋〉

さしこころ・え【差し心得】『下二』しっかりと心得る。「万事、御辺(ごへん)—・え候へ」〈浄・今川物語三〉

さしこ・み【差し込み】 [一]『四段』①すっと入れる。つっこむ。「塗り靫(うつぼ)の細長なるに大雁股少少—・みて」〈三国伝記四〉②入れ知恵する。そそのかす。「我等まで—・み給ふべし」〈浮・傾城色三味線二〉 [二]『名』立ち入ること。干渉。「かねて佐七が—」〈浮・好色産毛五〉

さしこ・み【鎖し籠み】『四段』「さしこもり」に同じ。「女房も—・みて臥したる」〈源氏横笛〉

さしこ・め【鎖し籠め】『下二』中に入れてしっかり閉じる。「かく—・めてありとも、かの国の人来ば、みな開きなむとす」〈竹取〉。「えさらぬ馬道(めだう)の戸を—・め」〈源氏桐壺〉

さしこも・り【鎖し籠り】『四段』(戸などを)堅く閉ざして、その中から出ない。「天岩屋戸を開きて—・りましき」〈記神代〉 †sasikömöri

さしこゑ【指声】 ①言葉に少し節をつけ、拍子に合わせず、淀みなくうたう謡い方。「連歌を出さんと思はん時は…声を和らげて—に出すべし」〈知連抄下〉②〔能楽用語〕現在サシと呼ばれる謡い方。「開口人(かいこうにん)出でて、—より次第・一歌(ひとうたひ)まで一段」〈能作書〉 →さし[二](6)

さしさば【刺鯖】 背開きにし、二尾を刺し連ねて一刺しとした塩鯖。能登の名産。近世、中元の贈物とした。「—ばかり見つけ」〈咄・醒睡笑四〉

さしざを【差竿】 小鳥をとるためのもち竿。「譬へば—をもって鳥を指すが如く」〈発心直入路〉

さししぞ・き【差し退き】『四段』引き下がる。退く。「『人人近く』など宣ひおきつれど、—・きつつみな寄り臥して」〈源氏総角〉

さししほ(オ・シ)**【差潮】** 満ちてくる潮。あげしお。「浪まに影の—の月」〈俳・寛永十三年熱田万句五三〉

さしす・ぎ【差し過ぎ】『上二』出過ぎる。やり過ぎる。「これは、足らずまた—・ぎたる事なく物し給ひけるかな」〈源氏帚木〉。「—・ぎたる罪もやと、思ひ給へ忍ぶれど」〈源氏橋姫〉 **—びと【差過人】** ですぎもの。でしゃばり。「例の物めでの—、いとありがたくをかしと思ふべし」〈源氏夢浮橋〉

さしすぐ・し【差し過ぐし】『四段』①出過ぎる。やり過ぎる。でしゃばる。「すべてこの子は心地無う—・して侍り。…おほどかなるこそをかしけれ」〈源氏浮舟〉②余計な口出しをする。「たとしへなく—・して『あなかたじけなや。かたはらいたきおましのさまにも侍るかな…』など、したたかに言ふ声の」〈源氏橋姫〉

さしすて【差捨て・指捨て】①途中で棹(さを)をさしたままにして舟をとめておくこと。「桂川に—小舟」〈西鶴・諸艶大鑑一〉②《サシズテと濁音》酒席で相手に盃をさしたまま返盃を受けないこと。「—にして行けば」〈西鶴・一代男一〉

さしずみの【指進の】未詳。「栗栖(くるす)」の枕詞か。サシズミは大工の墨さしで、墨縄を繰るのクルという音からかかるという。「—栗栖の小野の」〈万九七〇〉 †sasizuminö

さしぞへ【差添】刀に添えて差す短い刀。脇差。「腰の—するりと抜き」〈伽・酒呑童子〉

さしぞめ【差初め】男子が成人して初めて刀を差すこと。また、その儀式。「近近—を致させうと存ずる」〈虎寛本狂言・鐘の音〉

さしだし【指出】戦国時代から近世初期、慶長年間まで行なわれた検地法の一。大名が領内の家臣等に、その知行する土地の面積・作人・収量などをくわしく書き出させたもの。「当国寺社・本所・諸寺・諸山衆、悉く以て、一円に—出すべきの旨、悉く相触れられ了んぬ」〈多聞院日記天正八・九・二六〉

さしたび【刺足袋】さらし木綿に綿を入れ、絹糸で田の畝(ねう)のように細かく刺縫いにした足袋。畝刺し足袋。「強(こは)き麻苧(あさを)の—に、ごんず草鞋(わらんぢ)締めはいて」〈伽・万寿の前〉

さしたる『連体』《特にそれと指し示したという意から》①これと言って特別の。重要な。「—事なん言はんと思ふ。今の程、時かはさず来(こ)」〈宇治拾遺一八〇〉。「—御望みなどのありけるには、みづから行なはせ給ひけり」〈著聞二六五〉。「指事、サシタルコト、又作二差事一」〈文明本節用集〉②《打消の語を伴って》それというほどの。たいした。「—障(さは)りもなきに」〈宇治拾遺二三九〉

さしだる【指樽・差樽】横幅の狭い箱型で、板を組み合わせて作った、黒塗りの酒樽。「—二」〈東寺百合文書を、宝徳三・一〇・七〉

さしぢ【差乳】よく乳の出る乳袋(ちぶくろ)。「左右の乳は—にて」〈浮・好色大富帳四〉

さしちが・へ【差し違へ・刺し違へ】『下二』①たがいちがいにする。「三尺の御几帳一よろひを—・へて」〈枕二七八〉②二人が互いに刀で刺し合う。「家継、敵と引組んで落ち、—・へて死にけり」〈平治中・待賢門軍〉

さしづ【指図・差図】①家の設計図。建築の見取図。「人に紙反故(ほんぐ)など乞ひ集め、いくらも—を書きて、家作るべきあらましをす」〈発心集五〉。「差図、サシヅ、造作之時家之草案」〈文明本節用集〉②絵図。地図。「燕の—ならびに樊於期(はんよき)が首持って参りたる由」〈平家五・咸陽宮〉③指示。指揮。命令。「爰元(ここもと)の為体(ていたらく)不案内の我等に候間、御—に随ふべく候」〈伊達家文書三、天正一八・一一・一〇〉④見積もること。推定。「—し給ふもものともなれども、ゆめさら知らぬ事にこそ候へ」〈仮・御伽物語三〉

さしつか・へ【差し支へ】『下二』①行き詰まる。「先は富士の根方に在陣候へば、後陣の勢衆は播州室・高砂・須磨・明石・兵庫・西宮・京まはりに—・へてこれあり」〈太閤さま軍記のうち〉②支障を生ずる。「大工も難儀いたし—・へける所に」〈バレト写本〉

さしつ・ぎ【差し次ぎ】㊀『四段』すぐ次につづく。「この宮達は御甥ばかりにおはしませど、内の御有様に—・ぎて扱ひ聞えさせ給へる御志の程を」〈栄花鳥辺野〉㊁『名』すぐ次。「容貌(かたち)も—にはいとよしと言はれ給ひし人」〈源氏若菜上〉

さしつ・け【差し付け・棹し着け】『下二』①つける。押しあてる。「下襲(したがさね)・うへのきぬなども、人よりよくて着たるを、紙燭(しそく)—・け焼き」〈枕一〇八〉②棹をさして舟を着ける。「岸に—・くる程見れば」〈源氏澪標〉③面前につきつける。「さしつけて」の形で使うことが多い。「秦檜(しんくわい)と云ふ者が国の権柄を取るを、—・けて悪く云うた程に、〔秦檜ガ〕讒言して流すなり」〈江湖風月集略註抄三〉

さしったり【さ知ったり】『連語』おお合点だ。「長刀てうど打ち落す、—と綿上(わたがみ)摑んで」〈浄・惟喬惟仁三〉

さしつづ・き【差し続き】『四段』隙間なく続く。ひき続く。「長雨晴れ間なき頃、うちの御物忌—・きて」〈源氏帚木〉

さしつど・ひ【差し集ひ】『四段』寄り集まる。「御乳母ども—・ひて宣ひ嘆く」〈源氏真木柱〉

さしつま・り【差し詰まり】『四段』①窮迫する。逼迫(ひつぱく)する。「当春、あまりに勝手不如意—・り候故、質置き候」〈兼山記〉②差し当る。その場に臨む。「—・りて迷惑する事なり」〈西鶴・胸算用三〉

さしつ・め【差し詰め】㊀『下二』①隙間・間をつめる。「当る所の道理、—・め—・め、院宣を申し下し」〈古活字本曾我一〉②間断なく弓に矢をつがえる。「本(とも)の門に打っ立って、—・め—・め射けるに」〈保元中・白河殿攻め落す〉③つきつめる。「これは—・めてこの将軍が事を申すやうなるは」〈愚管抄七〉④真正面からつめ寄る。「君の悪しきを—・めて言へば悪いほどに」〈毛詩抄一〉㊁『名』《サシヅメと濁音》①(指名されなどして)のっぴきならぬ状態。どうにも動きのつかぬこと。どんづまり。「サシヅメデゴザル」〈日葡〉。「—になる秋ぞ悲しき」〈俳・大矢数三〉②直接。まのあたり。「—に問ひ寄れば」〈西鶴・好色盛衰記三〉

—**引き詰め** 間断なく矢つぎ早に弓に矢をつがえては引きつづけるさまの形容。「矢先を揃へて—散散に射る」〈平家四・橋合戦〉

さして『副』①これと指して特に。とりわけ。「鎌倉殿に—申すべき大事ども候」〈平家一二・泊瀬六代〉②《下に打消の語を伴って》たいして。格別。「定めなき世と言ひながらも、—いとはしき事なき人は」〈源氏鈴虫〉 —**もな・し** 別段これというほどのことでもない。「—・い事を論じたぞ」〈無門関抄下〉

さしで【差し出】①突き出ていること。また、そのもの。「しほの山—の磯に住む千鳥」〈古今三四五〉②分を越えてでしゃばること。分を越えた口出し。「汝が—無念なり」〈説経・伍太力菩薩〉。〈日葡〉 —**がま・し**【差し出がまし】『形シク』分を越えてでしゃばり過ぎる感じである。「—・しく候へども、かくの如く申し入れ候」〈本光国師日記元和六・一・二六〉。「サシデガマシイ」〈日葡〉 —**ぐち**【差出口】分を越えて口出しすること。でしゃばって物を言うこと。さしいで口。「物知り顔の—」〈仮・長者教〉 —**もの**【差出者】でしゃばり者。出過ぎ者。「脇より不文字の—非難をくはせた」〈咄・昨日は今日上〉

さしながら【然しながら】『連語』《シは「有り」の意の古語。歌では「插しながら」「射しながら」などと掛けて使われることがある。↓しかしながら》①そっくりそのまま。「—昔を今に伝ふれば玉の小櫛ぞ神さびにける」〈源氏若菜上〉。「からころも結びし紐は—袂ははやく朽ちにしものを」〈後拾遺六四九〉②全部。「すべてこの御族(ぞう)、きむだち・女たち—御かたちいときよらなる」〈宇津保内侍のかみ〉。「—。さながらなり」〈奥義抄〉

さしなは【差縄】①馬の口につけて引いたりつないだりする縄。麻縄または組紐を用いる。さしづな。「馬の—を以て木に強く縛りつけてつ」〈今昔二九ノ二三〉②捕縄。「或る罪人に、くろがねの—を三十筋つけて引っぱって来る」〈伽・富士の人穴の草子〉③【緡縄】「さし」(二)(7)に同じ。「—一筋」〈大和田重清日記文祿三・一二・一八〉

さしなべ【銚子】注(さ)し口のあるなべ。「—に湯わかせ子ども櫟津(いちひつ)の檜橋より来む狐(きつ)に浴むさむ」〈万三八二四〉。「銚子、佐之奈閉(さしなべ)、俗云二佐須奈倍(さすなべ)一」〈和名抄〉　†sasinabë

さしなら・び【差し並び】『四段』きっちりと並ぶ。「—・ぶ隣の君は」〈万一七三八〉　†sasinarabi

さしなら・べ【差し並べ】『下二』きっちりと並ぶようにする。「我がむすめもかやう(宮ノ妻)にて—・べたらむに、かたはならじかし」〈源氏東屋〉

さしになひナイ【差荷ひ】前後二人の肩で荷物を担ぐこと。「一つを—の大蕪(おほかぶら)」〈西鶴・諸国咄序〉

さしぬき【指貫】《「指貫の袴」の略。裾に糸をさし貫く意》袴の一種。裾のまわりに通した紐を、くるぶしの所でしばるようにしたもの。八幅の緩大な袴で、平安時代、布袴(ほうこ)・衣冠または直衣(なほし)・狩衣(かりぎぬ)のとき着用。「—の裾露けげに」〈源氏夕顔〉。「奴袴、佐師奴枳乃波賀万(さしぬきのはかま)」〈和名抄〉

さしの・き【差し退き】『四段』①まっすぐに退く。離れる。「少し—・きて、よき程に押し出でたる衣(きぬ)の裾」〈栄花根合〉②直接関与しない位置にひきさがる。「—・きたる人人の心ちだに、いといみじうあはれに悲しきに」〈栄花嶺月〉

さしの・け【差し退け】『下二』①立ちのかせる。「〔車ヲ〕皆—・けさする中に」〈源氏葵〉②棹をさして舟を離れさせる。「月の舟雲間の瀬戸を—・けて天の川瀬に流してぞみる」〈山家歌合〉

さしのぞ・き【差し覗き】『四段』①《助詞「を」を受けて》ちょっと覗く。「弁の宰相の君の戸口を—・きたれば、昼寝し給へる程なりけり」〈紫式部日記〉②《助詞「に」を受けて》ちょっと顔出しする。訪問する。「六条の院にも、—・く人の、〔悲シミニ〕心をさめむ方なくなむ侍りける」〈源氏宿木〉

さしのぼ・り【差し昇り】『四段』①棹をさして川をさかのぼる。「夏の夜は道たづたづし船に乗り川の瀬ごとに棹—・れ」〈万四〇六二〉②(日や月が)高く昇る。「神のます三笠の山に月影のゆふかけてしも—・るかな」〈関白内大臣家歌合〉③(潮が)満ちてくる。「—・る猪名の湊の夕潮に光みちたる秋の夜の月」〈弘長百首〉　†sasinöböri

さしは【翳】貴人に後ろからさしかける柄の長いうちわのようなもの。鳥の羽・薄絹・菅などで作る。大礼などで、天皇が高御座(たかみくら)につく時、女孺(にょじゅ)が左右からさしかざした。「—にも君がみ為に鷲そ子産(む)とふ」〈万三八八二〉

さしはさ・み【插み・挟み】『四段』①ついとさし入れてはさむ。「白散をある者夜のまとて舟屋形に—・めりければ」〈土佐一月一日〉。「〔手紙ヲ〕御茵(しとね)の下に—・み給ひつ」〈源氏若菜下〉②心中に抱く。「すべて直きを旨として、曲心を—・まず」〈十訓抄六ノ二九〉

さしはな・ち【差し放ち】『四段』ほうっておく。捨てておいてかまわない。「我はいと若うどにあるべきにもあらず、又おとなにせらるべき覚えもなく、時時の客人(まらうど)に—・たれて」〈更級〉

さしは・へハエ【指し延へ】『下二』特に誰と目指して、わざわざ何かをする。「—・へたる御文にはあらで…手習のやうに書きすさび給ふ」〈源氏空蟬〉

さしひき【差引】①差すことと引くことと。潮の干満、体温の上がり下がりなどについていう。「船頭が潮の—をも知らずして」〈三体詩抄二ノ四〉。「熱の—塩垂(しほた)れ衣」〈俳・二葉集〉②軍勢を寄せたり引いたりすること。軍(いくさ)のかけひき。また、一般に、物事のかけひき。「指揮とは、軍兵をつかふ—を云ふ」〈錦繡段鈔八〉③指図。差配(さはい)。「目で見て—をしたぞ」〈玉塵抄四五〉。「糊(のり)加減はそれがし見申して、—をいたさん」〈仮・浮世物語三〉④数を寄せたり引いたりして計算すること。また、それによって算出された数や金額。「算用の—未だ知らず候間」〈細川忠興文書元和七・一一・一三〉。「京の島原より—の残銀取りにまかりて」〈西鶴・椀久一世下〉

さしぶ【烏草樹】さしぶの木。「川の上(へ)に生ひ立てる—を」〈記歌謡五七〉　**—のき**【烏草樹の木】シャクナゲ科の常緑灌木。シャシャンボの古名。夏、細花を穂状に咲かせ、小さい実を結ぶ。晩秋、紫黒色に熟し、食用・果実酒の材料にする。「—、其(し)が下に生ひ立てる葉広斎(ゆ)つ真椿」〈記歌謡五七〉

さしほこらか・し【差し誇らかし】『四段』刀を誇らしげに差す。「さしほだらかし」とも。「大なる黒鞘巻を、隠したる気(け)も無く—・したりけるが」〈盛衰記一〉

さしま・き【さし纏き】『四段』さし入れてまきつける。「玉手—・き」〈記歌謡三〉　†sasimaki

さしまくら【差枕】指物の枕。箱枕。「たまさかの君の御出でを嬉しがり先づ寝ねころび—かな」〈古今夷曲集七〉

さしま・け【指し設け】『下二』(敵などに)十分ねらいをつける。「ますらをや空しくあるべき…あしひきの八つ峰(を)踏み越え—・くる心障(やさ)らず」〈万四一六四〉。「侍従の公(きみ)、—・けて打ちたりけるに、来鑑(らいかん)膝節を切られて退く所を」〈伽・葦曳絵巻〉　†sasimakë

さしまさ・り【鎖し増さり】『四段』一層かたく閉じる。「恨みわび胸あきがたき冬の夜にまた—・る関の岩門」〈源氏夕霧〉

さしま・し『動詞』《セササマシの転》なさいます。「西夏をこなさんと—・したる事は」〈四河入海九ノ一〉

さしま・す『助動』《サセマスの転。一・二段活用動詞の未然形について、尊敬および丁寧の意を添える》…なさいます。「年頃も相好も、よく似—・したと云はんぞ」〈四河入海三ノ一〉。「帯の一筋も給はるならば、こらへ—・せ」〈伽・鼠草子〉

さしまへエマ【差前】自分の腰に差す刀。差料。「—が有るならば、きゃつを仕止めたう御座るが」〈狂言記・抜殼〉

さしみ【刺身】新鮮な魚や鳥の生肉、または野菜などを細く薄く切って、醬油・酢などで食べる料理。近世、上方では、淡水魚の料理にいい、海産魚には「つくり身」といい分けることが多い。「魚の—」〈経覚私要鈔文安四・閏二・一二〉。「雁の汁、鶴の—」〈道家祖看記〉。「茄子の鮨(すし)・—」〈多聞院日記天文八・八・三〉。「鯉・鮒を—に作りて」〈西鶴・永代蔵五〉。「差酢、サシミ」〈文明本節用集〉

さし・む『助動』室町期に用いられた敬語。…なさる。一・二段活用動詞と一部の助動詞との未然形に接続する。「なぜに、われをば忘れ—・むぞ」〈毛詩抄三〉

さしむか・ひカイム【差し向ひ】㊀『四段』面と向う。「牡牛(ことひうし)の三宅の浦に—・ふ鹿島の崎に」〈万一七八〇〉。「簾も引きあけて—・ひ聞えまほしく」〈源氏宿木〉㊁『名』向い合うこと。対座。「なに心もなき—をあはれとおぼすままに」〈源氏夕顔〉　†sasimukaFi

さしむ・け【差し向け】『下二』その方へ向わせる。ある事に向ける。「たとひ百万騎の兵を以て—・け候とも左右なく防ぎ難かるべし」〈保元上・官軍勢汰へ〉

さ

さしめ『助動』①尊敬の助動詞「さしむ」の命令形。…なさって下さい。「御内の主人のためにする計のあまりを以て、われに教へ—」〈史記抄一〇〉②室町時代末期には、敬意も消失し、多く、目下の者などに向い、尊大ぶって強く命令する場合に使われる。…しなさい。「御主(おぬし)は功者ぢゃほどに…この頼みを持たせて行(い)て、猶猶(なほなほ)定め—」〈ロドリゲス大文典〉。「手柄に祈ってみ—、耳は離すまいぞ」〈虎明本狂言・蟹山伏〉

さしも【然しも】『副』《指示副詞サに、助詞シ・モのついたもの。疑問・反語・打消の意を伴うことが多い。→さも》①そんな風にも。そんな事とも。それほどにも。「例は—覚えたまふ夜になむある」〈かげろふ下〉。「などかまた—あらむ」〈源氏行幸〉。「—知らじな燃ゆる思ひを」〈後拾遺六一二〉②そんなにも。あんなに。「宮の—御秘蔵ありける小枝ときこえし御笛を」〈平家四・信連〉 **—あら・ず** ①そんなことでもない。「ただなりし折は—・ざりしを」〈かげろふ上〉②それほどでもない。たいしたことでない。「—・ぬ事のついでにだに」〈源氏浮舟〉 **—な・し** ①そんなことでない。「夜鳴くもの、なにもなにもめでたし。ちごどものみぞ—・き」〈枕四一〉②さほどでもない。たいしたものでもない。とるに足りない。「—・き似非(えせ)医師を請じ、薬の値失ひ、纏頭(てんとう)費さむよりは」〈雑談集七〉 **—に** そのように。いかにも。「…など、—珍しき物を与へければ」〈伽・蓬莱物語〉。〈日葡〉

さしもぐさ【指焼草・指艾】①ヨモギの異称。もぐさ。「草は。……—」〈枕六六〉②一切衆生をたとえていう語。「一切衆生、サシモグサ、観音の歌に云、唯たのめ娑婆世界(しめぢがはら)の—我世の中にあらむ限りは」〈運歩色葉集〉。「—。万人の事なり」〈匠材集四〉

さしもの【指物・差物・插物】①戦場の標識とした小旗または飾物。「弓・鑓・鉄炮・のぼり・—、算を乱すに異ならず」〈信長公記首巻〉②木の板を組み合わせて作った箱などの器具類。〈日葡〉③頭髪にさす簪(かんざし)・櫛(くし)など。「—は…取替へ引替へ買ひ立てるし」〈滑・浮世風呂三下〉

さしや【差矢】矢つぎ早に射る矢。「或は遠矢に射る舟もあり、或は—に射る舟もあり」〈平家一一・嗣信最期〉

さしゃく【茶杓・茶酌】抹茶をすくい取る、竹または象牙製のさじ。ちゃしゃく。「群るる旅人に大茶をたてんと—をおっとり」〈虎明本狂言・通円〉。〈文明本節用集〉

さしやなぎ【刺楊】〔枕詞〕《一説、サスヤナギとよむ》さし木の川やなぎ。根がはるので「根」にかかる。また、茂った川やなぎの意からかかるともいう。「—根張り梓(あづさ)を」〈万三三二四東歌〉 †sasiyanagi

さしや・り【差し遣り・棹し遣り】『四段』①すっと真直ぐに押しやる。「〔文ヲ〕広げながら尼君に—・り給へれば」〈源氏夢浮橋〉②棹をさして舟を進める。「〔舟ヲ〕—・り給ふ程、酣酔楽(かんすいらく)遊びて」〈源氏椎本〉

さしゃ・る『助動』《サセラルの転。上一・上二・下二段活用の動詞および或る種の助動詞の未然形、サ変の連用形について、その動作の主体に対する尊敬の意を表わす。活用は下二段型から四段型へうつる》…なさる。「見せかけばかりの男にほれ—・る」〈評判・浪花鉦三〉。「凡夫でござると思はしゃる方が御座らば、これへ出—・れい」〈盤珪禅師御示聞書上〉

さしゃ・れ『下二』《セサセラレの転。活用は下二段から四段にうつる。→さっしゃれ》「為(し)」の尊敬語。なさる。「なんと—・れましたぞ」〈狂言記・縉縄〉

さしゃん・し『サ変』《サシャリマシの転》「為(し)」の尊敬語。なさる。「よい羽織—・した」〈西鶴・諸艶大鑑三〉

さしゃん・す『助動』《サシャリマスの転。四段・ナ変・ラ変以外の動詞の未然形について、尊敬の意をあらわす。活用はサ変型》…なさる。「さあ言うて見—・せ」〈評判・難波鉦五〉

さしよ・せ【差し寄せ】『下二』①そばに寄せる。「住の江に舟—・せよ」〈土佐二月五日〉。「廊のとに御車—・せたる人人」〈源氏若菜上〉②短縮する。「五段の内、序急を—・せて、破を体にして」〈能作書〉

さしよ・り【差し寄り】㊀『四段』①目ざして近づく。「—・らむ磯の埼埼」〈万四三四五〉②ついと近寄る。「かくれ立ち給へれば、このおもと—・りて」〈源氏空蟬〉㊁『名』①とっつき。最初。「昼の申楽はのちがよく、夜の申楽は—よし」〈風姿花伝〉②あたりさわり。つきあい。「商売人は人前よく—よし」〈評判・赤烏帽子序〉 †sasiyöri

さしらへ(サシラエ)【差応答へ】「さしいらへ」の約。「常よりも御—なければ」〈源氏若菜上〉

さしら・る『助動』《サセラルの転》「さしゃる」に同じ。「眼前に奇特のある宝物をくらべ—・るるはずぢゃが」〈狂言記・宝の槌〉

さしれう(ヨウ)【差料】自分の腰に差す刀。自分用の佩刀。差前。「御—の刃(やいば)試し」〈浄・十六夜物語三〉

さしわ・き【差し分き・酌し分き】『四段』他とことさら区別する。「取り分きて志物すれど、殊に—・きたるさまにも〔デキナイ〕」〈源氏賢木〉

さしわ・け【差し分け・指し分け】『下二』それと指して区別する。分けて別にする。「—・けてたれをたれとか我は定めむ」〈後撰一三五二〉。「名越越前守を大将として、その勢三千余騎を—・けて」〈太平記七・千剣破城軍〉

さしわた・し【差し渡し】㊀『四段』①ずっと向うまで仕掛ける。「下つ瀬に小網(さで)—・す」〈万三八〉②(真直ぐに)わたす。「酒壺に—・したる直柄(ひたえ)のひさごの」〈更級〉③面と向い合う。差し向う。「或時—・して…口説けば」〈西鶴・一代男三〉④直接に血がつながる。「身がためには—・したる従兄弟にて候へども」〈小早川弘景置文〉㊁『名』①直線距離。また、直径。「—四十五間に堀を掘り」〈江源武鑑一四〉②直接。「まづ長持に錠おろし、—に荷はせ、夜に入りて寺へ行き」〈浮・御伽人形一〉③血縁。血続き。「親遊見と宇兵衛は、—の従弟(いとこ)なれば」〈浮・元祿曾我物語一〉④全部。すべて。「—七蓮(はちす)あれ花の輪(りん)」〈俳・伊勢正直集三〉。「—泊りは十あり花の雲」〈俳・其便上〉⑤全然。全く。「九郎様こそ親御の日、こなさんの為には—の他人」〈浮・御前義経記四〉

さす【叉手・杈首】《字義は、両手を組み合わせること》①切妻造の屋根の左右の端に、合掌形に交叉させて立てる木。しゃす。「杈首、佐須(さす)」〈和名抄〉②丸太の先がふたまたになっていて、横木をかけるのに用いるもの。「松枝はみな逆茂木に切りはてて山には—(座主ト掛ケル)にするものもなし」〈盛衰記五〉

さ・す『助動』→基本助動詞解説

ざす【座主】学識の高い僧で一座の上首となるもの。大寺の住職の公称。延暦寺・醍醐寺・法性寺・極楽寺などにおかれた。「御前にして論議せしむ。大法師道詮を—とす」〈文徳実録天安一・六・二九〉。「山の—、何くれやむごとなき僧ども、したり顔に汗おしのごひつつ急ぎ罷でぬ」〈源氏葵〉

さすえ【榼】《「插す柄(え)」の意》薄板を曲げて作った、柄のある器。ひしゃくに似た形で、酒器かという。「榼、佐須江(さすえ)、器似レ斗、屈レ木為レ之…盃類也」〈和名抄〉

さすが ㊀『名』《奈良時代の「しかすがに」のシカスガにあた

る、平安時代以後の形。前にあった様子や事情から当然予想されるのとは相違矛盾する事態が現われた場合に使う語。当然の予想と相違する、よい事態が現われた場合にも使うところから、「何といっても、たいしたもの」という賞讃にも使うようになった。「流石」「石流」は中世の当て字》①事情が矛盾していること。事の成行きに前後のくいちがいのあること。「逢はじとも言はざりける女の━なりけるがもとに言ひやりける」〈伊勢二五〉。「〔親代リノ源氏ノ懸想ニ〕姫君はかく━なる御気色を…おぼし悩む」〈源氏螢〉②〈心にひっかかって〉気になること。感心しないこと。「荒れたるくづれより池の水、かげ見えて、月だにやどれる〔女ノ〕住みかを過ぎむも━にて〔車カラ〕降り侍りぬ」〈源氏帚木〉。「〔手紙ヲ〕大路に捨てむも━にて、袴の腰にはさみつつ」〈平家九・小宰相〉 ㊁『副』《もとは「さすがに」の形であるが、鎌倉時代以後サスガだけでも使われた》①そうはいうものの。それでもやはり。なんといっても。ほめた気持でいうにも使う。「盛俊、身こそ不肖なれども、━平家の一門なり」〈平家九・越中前司最期〉。「や、お局、この瘡(かさ)見てたび候へ。━御身ぞ見知らせ給はん」〈著聞五四一〉。「━名を得しその身とて」〈謡・頼政〉②いかにも。まさしく。「この事━道理なれば、面面に奉加の志はましますらむ」〈梵舜本沙石集六ノ二四〉③そうかといって。しかし。「けしからずうどんを好く者あり。━買うては食ひともなし」〈咄・醒睡笑一〉 ━に『副』①それに矛盾して。矛盾したことだが。「〔返歌ヲ読モウト、自分カラ言イ出シナガラ〕この童、━恥ぢて言はず」〈土佐一月七日〉。「年頃の蓬生を離れなむも、━心細く、さぶらふ人人も思ひ乱れて」〈源氏若紫〉②そうはいうものの。それでもやはり。「幼き心地にも、いといたうもおぢず。━むつかしう(不機嫌デ)寝も入らず、みじろき臥したり」〈源氏若紫〉。「もとより思ひ設けたる道なれども、━昨日今日とは思ひ寄らず」〈平家一・祇王〉③何といっても。やはりたいしたもので。「男君も━貴(あて)人の子なれば、けはひもあてやかに」〈古本説話二八〉。「いはんや我等は━清和天皇の御末、八幡殿の正(まさ)しき孫ぞかし」〈保元下・義朝幼少の弟〉

さすが【刺刀】 腰におびる小刀。五、六寸から七、八寸の短刀で、組打ちの際、敵を刺すのに用いる。「赤木柄(づか)の━をさし」〈曾我九〉

さすが【刺鉄】 鐙(あぶみ)に取り付けた金具。鐙を釣る革ひもを金輪に通してこの金具で留める。「武蔵鐙━に(「さすがに」ト掛ケル)かけて頼むには」〈伊勢一三〉

さすがみ【指神】 陰陽道の天一神(なかがみ)。塞がりの神。「聞神、━、斗加神の方に向て敵を討つ事、ゆめゆめ有るべからず」〈義貞軍記〉

さずき【仮庋】《サジキの古形》仮に作った棚・床(ゆか)。「ふたりの王、各━に居(ま)します」〈紀神功、摂政一年〉。「仮庋、此をば佐受枳(さずき)といふ」〈紀神代上〉 †sazuki

さすたけの【さす竹の】〔枕詞〕《サスダケノとも》「君」「大宮」「宮人」「舎人(とねり)」などにかかる。サスは「水枝さす」のサス、生えて伸びる意。竹は勢いよく生長するので領主・宮廷などの長寿繁栄をねがうほめことばとして使われた。「━君はや無き」〈紀歌謡一〇四〉。「━大宮此処と定めけらしも」〈万一〇五〇〉。「━皇子(みこ)の宮人」〈万一六七〉。「━舎人壮士(をとこ)も」〈万三七九一〉 †sasutakënö

さすて【差す手】《「引く手」の対》舞で、手を前の方へ差しのばすこと。また、その手。「伏する肘(かひな)も中央をすごさず、━も正方に指すとなり」〈教訓抄七〉。「花衣、━も引く手も伶人の舞なれば」〈謡・富士太鼓〉

さすのみこ【指すの御子】 陰陽師や巫女(みこ)などについて、掌(たなごころ)の物を指し示すように、占い当てる名手をいう語。「天文は淵源を究め、推条掌を指すが如し。一事も違はざりければ━とぞ申しける」〈平家三・法印問答〉

さす・ひ【誘ひ】『四段』《サソヒの母音交替形》さそう。「━・ひ立て率(ゐ)て来なましを」〈万三八七九〉 †sasuFi

さすまた【刺股】 狼藉者などを捕えるのに用いた武器。二叉に分れた鉄製の頭部に長い木の柄を付け、のどに掛けて取り押えた。「突棒・━など云ふ、人を痛め苦しむる道具を拵へ」〈仮・為愚癡物語五〉。「刺俣、サスマタ」〈文明本節用集〉

さすら・ひ【流離ひ】『四段』頼るところ、定まるところもなく、移りまわる。「〔罪ヲ〕かく気吹(ぶ)き放ちてば、根の国・底の国に坐す速さすらひめといふ神、持ち━・ひ失ひてむ」〈祝詞大祓詞〉。「聖の族━・ふことして難をのがれたまひたり」〈大唐西域記三・長寛点〉 †sasuraFi

さすら・へ【流離へ】『下二』「さすらひ」に同じ。「国都を出でて跋渉(さすら)へて中路に疲弊す」〈大唐西域記三・長寛点〉。「〔息子ガ〕いかなる心ちして━・へむずらむと思ふに、なほいと死にがたし」〈かげろふ中〉。「━・ふるとは、流浪と書くなり」〈新古今注〉

さす・り【摩り】『四段』軽くこする。「ただ━・れ、それそれ」〈宇治拾遺六〉。「揣、サスル」〈文明本節用集〉

さ・せ『下二』《セサセの転》①《使役の意》させる。「猿源氏は先づ五条へ行きて申すやう、『…』と風聞━・せければ」〈伽・猿源氏草紙〉。「天下太平五穀豊饒の祈禱を━・せらるるぞ」〈山谷詩抄二〇〉。「普請・胴突を━・するなり」〈尚書抄四〉②《尊敬の意》なさる。「とても罪作るならば、少しも得(とく)のあるやうには━・せ給はで」〈伽・三人法師〉

させいほうせい『感』牛飼が牛を追う掛声。「牛引立てて━」〈浄・頼朝浜出三〉 ▽サセイはサセともいい、左へ行けの意、ホウセイはホウセともいい、右へ行けの意。

させうべん【左少弁】 弁官の一。左中弁の下に位する。「━一人、掌ること左中弁に同じ」〈職員令〉

させたまへ【させ給へ】『連語』《「いざさせたまへ」を、「いざ」と「させたまへ」とに誤って分けて解したもの。通説では、これを「せさせ給へ」の転としている》⇒いざさせたまへ

させま・す『助動』《尊敬の助動詞サスの連用形に、助動詞マスが付いたもの。室町時代、「らる」とほぼ同程度の敬意をあらわす》…られる。「アゲサセマス」〈ロドリゲス大文典〉。「これに腰をかけて居━・せ」〈狂言記・内沙汰〉

させも「させもぐさ」の略。「ちぎり置きし━が露を命にてあはれ今年の秋も去ぬめり」〈千載一〇二三〉 ━ぐさ【指焼草・指艾】「さしもぐさ」の転。「思ひだにかからぬ山の━誰かいぶきのさとはつげしぞ」〈枕三一八〉

させる『連体』《打消の語を伴って》特にこれという。さほどの。たいした。「我もさぞ思ひやりつる雨の音を━つま(軒端・夫)なき宿はいかにと」〈和泉式部日記〉。「━罪なかりき」〈今昔七ノ三三〉

させん【左遷】 官位を下げること。官位を下げて僻地へ流すこと。左降。「大伴宿禰上足…多褹(たね)島の掾に━せらる」〈続紀天平宝字四・五・九〉

さぜん【作善】〔仏〕善根(ぜんごん)を積むこと。仏像・堂塔の造営、仏事供養、写経・読経など。「━など行なはせ侍れど、猶心もとなきを」〈宇津保国譲中〉

ざぜん【坐禅・座禅】〔仏〕両足を組んで坐し、精神を統一し、無念無想の境地に入ること。特に禅宗において重要な修道法とされた。「或いは━し、或いは経を読み」〈孝養

集下〉。「—と云ふは、閑に坐して、念を静めて、寂静(じゃくじゃう)湛然(たんねん)なるを—と云ふなり」〈道元法語〉。〈色葉字類抄〉 **—ぶすま**【坐禅衾】坐禅する時に着る衣。「—を取らせられい」〈虎明本狂言・花子〉 **—まめ**【坐禅豆】《坐禅の時、小便を少なくするために食べたのでいう》黒豆を甘く煮しめたもの。「また、—のありけるが、納豆に向ひて申すことは」〈伽・六条葵上物語〉

さぞ【然ぞ】㈠《連語》《指示副詞サに終助詞ゾのついたもの》そうだ。「—と言はばまことに—とあどうちて」〈拾玉集一〉 ㈡《副》①そのように。「—あらむ時こそは侘びてもあべかめれ」〈かげろふ下〉 ②他を推察する気持をあらわす。さぞかし。「吾妹子(わぎもこ)が衣の里の梅の花—紅(くれなゐ)の色に咲くらん」〈夫木抄三一・里〉

さそく【早足】素早い足の動かし方。「熊坂も大太刀使ひの曲者なれば、—を使って十方斬り」〈謡・烏帽子折〉。「兵法に—奇妙の軽業は弟子の及ばぬ習ひなりけり」〈兵法道歌〉

さそく【早速】機に臨んで速やかに処置すること。機転。頓知。さっそく。「隼人の介が—の程、ゆゆしきとも中中申すばかりはなかりけり」〈浄・源氏供養二〉

さぞな【然ぞな】《副》《ナは間投助詞》①全くその通り。いかにも。「—げに老いに傾(かたぶ)く月日とて惜しむか人の朝夕の空」〈拾玉集三〉 ②さだめし。さぞかし。「行く末も—憂からむ身のはてを知らぬばかりぞ頼みなれども」〈玉葉三五六四〉

さそ・ひ【誘ひ】《四段》一緒に行くように(あるいは、何かをするように)相手に働きかける。一緒に何かをする気にならせる。「わびぬれば身をうき草の根を絶えて—・ふ水あらばいなむとぞ思ふ」〈古今九三八〉。「花の香—・ふ夕風」〈源氏初音〉。「誘、サソフ」〈名義抄〉 **—た・て**【誘ひ立て】《下二》出かける気になるよう誘う。誘って出かけさせる。「例はさしも睦びぬを、—・てむの心にて…ゆくりもなく走り来て」〈源氏蓬生〉

さそら・へ【流離へ】《下二》「さすらへ」の転。「筑前の国へ—・へ罷りて侍りしに」〈十訓抄二ノ一〇〉

さた【沙汰】《字義は、米を水ですすいで砂をとりのぞいたり、砂を水ですすいで砂金を選びわけること》①理非・善悪を裁定すること。「理非に任せて—すべき由」〈正法眼蔵随聞記二〉 ②特に、訴訟。「何とて鎌倉へ御上り候ひて—をば召され候はぬぞ」〈謡・鉢木〉。「人を訴ふを訴訟と云ふは爾(しか)り、—と云ふは何ぞ」〈壒嚢鈔一〉 ③とりあげて、あれこれ論議し、穿鑿(せんさく)すること。「その座には—する人もなくて止みにけり」〈俊頼髄脳〉。「侍(さぶらひ)の中に犯人(ぼんにん)ありけるを、余の侍—し出して参らせたりしに」〈正法眼蔵随聞記五〉 ④しかるべく処置すること。始末。「御葬送の—をむげに略定に書き置かせ給へりければ」〈大鏡伊尹〉。「若狭の国に—すべき事ありて行くなりけり」〈今昔一六ノ七〉 ⑤命令。お達し。知らせ。「後二条殿—して、射散らして、神輿に矢立ちなどしてあり」〈愚管抄四〉。「—に及び候はず、参り候ふべし」〈宇治拾遺三〉 ⑥教理。教義。「ある時は真言の深き—、浄土の宗旨などをも尋ねさせ給ひつつ」〈増鏡八〉 ⑦評判。うわさ。「この歌の故にやと、時の人—しけるとぞ」〈著聞一六六〉

さだ《シダ(時)の母音交替形》①時機。「沖つ波辺波の来寄る左太の浦のこの—過ぎて後恋ひむかも」〈万三一六〇〉 ②盛りの年齢。「—すぎたりとつきしろふもしらず、扇をとり、たはぶれごとのはしたなきも多かり」〈紫式部日記〉

さだ【蹉跎】《サタとも。つまずく意から》時機を失うこと。不遇のうちに時の経過するにいう。「年歯—たり、病日に新たなり」〈本朝文粋一〉

さだ《副》たしかに。実に。「人間(ひとま)守(も)り葦垣越しに吾妹子を相見しからにこと(噂)ぞ—多き」〈万二五七六〉 ▽サダカ・サダメの語根サダの副詞的用法か。

さだいしゃう【左大将】「左近衛大将(さこんゑのだいしやう)」の略。左近衛府の長官、従三位。「藤大納言、—かけ給へる右大臣になり給ふ」〈源氏竹河〉

さだいじん【左大臣】太政官の長官。太政大臣の下、右大臣の上にあって、実質上の政務の最高責任者。「一の上(かみ)」とも。「—多治比真人嶋に霊寿杖と輿傹とを賜ふ」〈続紀文武四・一・七〉

さだいべん【左大弁】弁官の一。八省のうち中務・式部・治部・民部の四省を管理する。右大弁に対する。従四位上相当。「冬十一月、—葛城王(かづらきのおほきみ)等に姓橘氏を賜ひし時の」〈万一〇〇九題詞〉

さたう【左道】《中国で右を尊び左をいやしむ思想にもとづいていう》①本来の道から外れて正しくないこと。邪道。「もし事実ならば、甚だ以て—也」〈東大寺文書一〇、承暦四・三・五〉。「秦の世、程もなし。始皇の—なり」〈日蓮遺文報恩抄〉。「なんでまり、本の道でないをば—と言ふぞ」〈史記抄一〇〉。〈色葉字類抄〉 ②物事の調わないこと。十分でないこと。「臨時の纏頭(てんとう)は—の儀候」〈庭訓往来九月十五日〉。「左道、サダウ、乏少義也」〈文明本節用集〉

さたう【砂糖】 **—うり**【砂糖瓜】マクワウリの異称。「氷ほど冷えぬる物や—　貞徳」〈俳・犬子集三〉。〈日葡〉 **—ぞめ**【砂糖染】《近世、砂糖屋で蘇芳木(すおうぎ)を取り扱っていたのでいう》蘇芳木で染めた紅染め。中紅(ちうもみ)。「近年—の仕出し」〈西鶴・永代蔵四〉

さだう【茶道】①茶の湯。「〔近年ハ〕国主、或いは一郡一城の武士も—に心を入れて」〈江源武鑑八〉 ②茶の湯にすぐれている者。茶の湯者。「その本を知らずして、茶の手前、器を本とのみすること、茶立て坊主とは言ふべく、茶の湯者とも—とも言ふまじき也」〈一時随筆二〉。「茶に徳あるを—と言ふ。しかれども今は業とする者を指して茶道と言ふ」〈男重宝記一〉 ③《「茶堂」「茶頭」とも書く》茶の湯のことをつかさどる者。特に、近世、殿中で茶の湯をつかさどった剃髪僧衣の役。茶坊主。茶堂坊主。「夏中手習ひ—泰経法印勤仕了んぬ」〈大乗院雑事記康正三・四・一七〉。「—、円明院也」〈久好茶会記慶長二一・四・一四〉

さだか【定か】《事実として世間的に動かすべくもない状態。類義語タシカは密である、しっかりしているなどのさま》事実として公式にはっきりしているさま。確実。「後遂には我が子に—にむくさかに過つことなく授け賜へ」〈続紀宣命五〉。「—に作らせたる物と聞きつれば」〈竹取〉。「〔額ノ塵ヲ払ッテミルト〕行成位署・名字・年号、—に見え侍りしかば」〈徒然二三八〉

さださだ【定定】事実としてはっきりしているさま。「〔生霊ヲ〕—とけざやかに見聞きけむ」〈源氏葵〉

さだす・ぎ【さだ過ぎ】《上二》盛りの年齢を過ぎる。「—・ぎたる人は、涙もろなるものとは見聞き給へど」〈源氏橋姫〉

さだ・ち【さ立ち】《四段》騒ぎ立てる。「上杉殿家老、悉く身構へをして—・つ」〈甲陽軍鑑四〉

さたな・し【沙汰無し】㈠《形ク》とりあげる対象とならない。問題にならない。「赤舌日(しゃくぜつにち)といふ事、陰陽道には—・き事なり」〈徒然九一〉 ㈡《名》①内緒。秘密。「昨二十九日、—に田辺へ退き、勝山へ味方せんと偽り」〈安宅一乱記四〉 ②前触れがないこと。突然。「—に、行き方知らずなりにき」〈西鶴・一代男三〉

さだに【然だに】『連語』①そんなに。「いかなる世に—ありけむ」〈かげろふ中〉②下に希望の表現を伴って、せめてそのようにだけでもの意。また、仮定の表現を伴って、万一そのようにでもの意。「東宮はいとよかるべきなれど、—あらばいとどわが思ふ事えせじ」〈大鏡師尹〉

さたにん【沙汰人】中世から近世にかけて、沙汰すなわち裁判・命令などの執行に当った下級の荘官。主に地方の有力な名主が任じた。寺院の集会の幹事、惣(そう)の代表などをもいう。「宿(しゅく)の—源内真弘といふ男」〈平治中・義朝奥波賀に落ち着く〉。「—の前へ引き出されては、先非を悔ゆともかひあらじ」〈伽・鶴の翁〉

さたのかぎり【沙汰の限り】①理非・善悪などが問題となる範囲・限界。「そもそも嫡子たりといふとも、させる奉公なく、また不孝のともがらにおいては、—にあらず」〈貞永式目〉②言語道断。もってのほか。「歴歴の嫁・娘を我が女房に奪ひとり、—の仕様によって」〈伊達日記下〉。「〔オ前ハ〕—を云ふ」〈虎明本狂言・塗師〉

さたのほか【沙汰の外】問題外。論外。「家人の恩までは—なり」〈盛衰記三〇〉

さだま・り【定まり】『四段』《サダメの自動詞形》①皇位継承者がきまる。「坊(東宮)—・り給ふにも…御後見すべき人もなく」〈源氏桐壺〉②社会的な階層・地位がきまる。「うつそみの八十伴の男は大君に服従(まつろ)ふものと—・れる官(つかさ)にしあれば」〈万四三二四〉。「品—・りたる中にも、またきざみきざみありて」〈源氏帚木〉③定員・先例・様式としてきまる。「神世には、歌の文字も—・らず」〈古今序〉。「かず—・れる座につき余りて、帰り退(まか)づる大学の衆」〈源氏少女〉④結婚の相手がきまる。「ただ人こそ一方に—・りぬれば、また心を分けむことも難げなめれ」〈源氏宿木〉⑤動揺せず、確かである。安定する。「世(男女)の中といふもの、さのみこそ今も昔も—・りたること侍らね」〈源氏帚木〉

さだ・め【定め】㊀『下二』《天皇の後継者、帝都・陵墓の位置、罪刑、結婚の可否など神聖な公共的事項を正式に決定するのが原義。古代では卜占によって神意をうかがい決定することであったろう。後に人が是非を分別して決定する意》①帝都・陵墓の位置を決定する。「八百万千年をかねて—・めけむ平城(なら)の都は」〈万一〇四七〉。「豊国の鏡の山を宮(陵墓)と—・むる」〈万四一七〉②天皇の後継者、婚姻の可否などを決定する。「皇太子を置き—・めてし、心も安く穏(おだ)ひにあり」〈続紀宣命三〉。「卜苗(むらなへ)に〔結婚ノ〕事は—・めつ」〈万三四一八〉③罪刑を決定する。「罪を数(せ)めて曰はく…以て其の罪を断(さだ)む」〈紀敏達三年〉④《統治者は誰であるかを決定する意から》平定する。「行宮(かりみや)に天降(あも)りいまして、天の下治め給ひ、食(を)す国を—・めたまふと」〈万一九九〉⑤(人物や日取りを)前以て選定する。「秋の司召(つかさめし)に太政大臣になり給ふべきこと、うちうちに—・め申し給ふ」〈源氏薄雲〉。「御参り(入内)延びぬるを…四月にと—・めさせ給ふ」〈源氏梅枝〉⑥是非・優劣を論評し、判定する。「みな人人〔歌ヲ〕よみいだして、よしあしなど—・めらるる程に」〈枕九九〉⑦(事実を)確かめる。「怪しきことの侍りつる、見給へ—・めむと、今までさぶらひつる」〈源氏浮舟〉⑧しっかりきめる。「風の上にありか—・めぬちりの身はゆくへも知らずなりぬべらなり」〈古今九八九〉㊁『名』①是非・優劣をきめるための評定。品評。「かの古の雨夜の物語に、いろいろなりし御睦言の—をおぼし出でて」〈源氏行幸〉。「遠く放ちつかはすべき—(評議)なども侍るなるは」〈源氏須磨〉。「虫の音の—」〈源氏鈴虫〉②判定。「勝ち負けの—し給ひし中に」〈源氏若菜上〉③日取りの決定。「〔入内ハ〕月立たばとある—を、いとよく聞き給ふなめり」〈源氏藤袴〉④人選の決定。「楽人・舞人の—などを、御心に入れて営み給ふ」〈源氏少女〉⑤安定。「世の中のかく—も無かりければ」〈源氏蓬生〉 †sadamë **——て**【定めて】『副』①きまって。必ず。間違いなく。「生るる者は必ず滅す、相(あ)へる者は—離る」〈今昔二ノ四〉②《下に推量の語を伴って》きっと。さだめし。「—宮をしも疑ひ聞え給はじ」〈源氏蜻蛉〉。「大王、太子を失ひ奉り給ひて、—悲しび迷ひ給ふらむ」〈今昔一ノ四〉③多分。恐らく。「これは—例のエソポが業(わざ)によって、かくのごとくぢゃ」〈天草本伊曾保〉 **——無き世の定め** 無常の世の理(ことわり)。生命のある者は必ず死滅するという真理。「—とて、二十二歳にて死し給ふ」〈浄・暦一〉 **——な・し**【定め無し】『形ク』①確実でない。不安である。心もとなく、頼りない。「世(男女ノ仲)こそ—・きものなれ」〈源氏帚木〉。「船の道は—・しとて徒歩(かち)より上るに」〈今昔一六ノ二〇〉②無常である。「世の中の—・きにつけても」〈源氏紅葉賀〉③変りやすい。不安定である。「神無月降りみ降らずみ—・き時雨ぞ冬の始めなりける」〈後撰四四五〉

さたもの【沙汰物】命令によって禁じられた物。問題の物。「大芹(おほぜり)は国の—」〈催馬楽大芹〉

さち【矢・幸】《サツヤ(猟矢)・サツヲ(猟人)のサツ(矢)の転》①狩や漁の道具。弓矢や釣針。また、獲物を取る威力。「各(おのおの)—を相易へて用ゐむ」〈記神代〉。「兄火闌降命(ほのすそりのみこと)自づからに海—有(ま)します」〈紀神代下〉②狩や漁の獲物。「海に入みて魚を釣る。倶に—を得ず」〈紀神代下〉③幸福。「野と海とに就きて同(もと)に祥福を争へり。〔祥福ハ〕俗の語に佐知(さち)といふ」〈常陸風土記〉。「わが—あらば又もとひ来む。…—とは幸と書く也。さいはひのこと也」〈伊勢千句注〉 ↓さきはひ。▽朝鮮語 sal(矢)と同源。

さちうじゃう(チユウ ジヨウ)【左中将】「左近中将(さこんのちうじやう)」の略。「—まだ伊勢の守(かみ)と聞えし時」〈枕三一九〉

さちうべん(チユウ)【左中弁】弁官の一。左大弁の下にあって職務は同じ。正五位上相当。「右の一首は、—中臣清麿朝臣のなり」〈万四二九六左注〉

さちが・き『四段』奔走する。あくせくする。「奔走の義を—・くといへり」〈名語記九〉。「富貴になりたいとて—・きなどはせぬぞ」〈蒙求抄三〉

さづか・り【授かり】『四段』授けられる。上から賜わる。「後生を助かるためにお水を—・るより外、別(べち)の道がないところで」〈コリヤード懺悔録〉

さつき【五月】《サは神稲。稲を植える月の意》陰暦五月の称。「ほととぎす鳴かむ—はさぶしけむかも」〈万三九九六〉 †satukï **——あめ**【五月雨】さみだれ。梅雨。「傘の下を晴間か—」〈俳・玉海集二〉。〈日葡〉 **——のせち**【五月の節】五月五日の節会。起源は推古天皇十一年。はじめ薬狩であったが、のち騎射あるいは競馬に転じた。内裏、公家・庶民の家に至るまで、邪気を払うために菖蒲を屋根に葺き、官人は菖蒲の鬘(かづら)を冠につけ、薬玉(くすだま)をひじにかけて宮中に参内した。粽(ちまき)を食べる風習も古くからある。五日の節。端午(たんご)の節。「馬場(むまば)殿に左右の司(つかさ)の御馬ひきならべて、左右近衛立ち添ひたる作法、—にあやめわかれず通ひたり」〈源氏藤裏葉〉 **——のたま**【五月の珠】橘の実。緒に貫いて輪とし、鬘などにしたもの。一説、五月五日の薬玉(くすだま)。「ほととぎす汝が初声はわれにもが—に交へて貫かむ」〈万一九三九〉 **——のみさ**

うじ ウ…ツ【五月の御精進】五月に行なう精進(しやうじん)。陰暦正・五・九月は斎月(いみづき)に当り、これらの月には帝釈(たいしやく)が部下に万民の善悪正邪をさぐらせるとされていたので、精進潔斎をした。「—のほど、職(しき)におはしますころ」〈枕九九〉　**—ばれ**【五月晴】梅雨の晴れ間。つゆばれ。「見た人の戸口を入るや—」〈俳・春鹿集上〉　**—やみ**【五月闇】①さみだれが降って、空が暗いこと。「—花橘に吹く風は誰が里までか匂ひ行くらむ」〈詞花六七〉②〔枕詞〕「くら」にかかる。「—倉橋山のほととぎす」〈拾遺二二四〉

ざつき【座付】①用意された座につくこと。また、その時に最初に供する物品。「横座の上座に、うしろを仏前の方へなして—をせられたるを」〈本福寺跡書〉。「煙草…—には、太鼓女郎より太夫職へこれを捧ぐる」〈色道大鏡四〉②座につく順序。席順。「—も女郎の直らん方を心得て直り」〈評判・吉原雀上〉③一座の取持ち方。座配(ざはい)。「—もむつかしくなって」〈西鶴・一代男六〉④能楽・歌舞伎・人形浄瑠璃で、役者・作者その他などが或る演劇の座(劇団または劇場)に専属すること。また、その人。「進藤は…いつの頃よりか観世の脇となり、—となる」〈隣忠見聞集〉⑤歌舞伎で、顔見世や正月興行などに行なう座本や立者(たてもの)役者の挨拶。「顔見世の—に『竹島幸左衛門これまでお礼にお出ましてござる』と言ふ」〈評判・野良関相撲下〉⑥宴席の最初に出る料理。「まづ—が厚焼の卵だらうす」〈滑・四十八癖三〉

ざっき【雑器】神棚の供物を盛る小さな白木の盆。「餅を—に、したたかに盛り」〈浄・忠信二十日正月下〉

さっきゃく【早却】①にわかなこと。だしぬけ。早急。「—。倉卒(にはか)なる事を云ふは、早却〔ノ字〕ならんか」〈志不可起六上〉②せっかち。性急。「〔遊女ノ〕様子—也」〈評判・吉原新鑑〉

さっく【索】《サクの促音化》不動明王などの仏像の手に持っている縄。「不動明王の—に掛けて、祈り祈られ」〈謡・舟弁慶〉

さづ・け【授け】〘下二〙神仏や天皇の意向によって名称・官位、あるいは学問・伝書などを、受ける資格のある人に与え、伝える。「皇祖(すめろき)の…—・け給へる…清きその名そ」〈万四四六五〉。「〔仏門ニ入ル〕御戒(いむこと)は、いと易く—・け奉るべきを」〈源氏手習〉　†saduke̋

ざっこ【雑喉・雑魚】⇒ざこ。「まづ第一に殺生戒は、えび

・—・いなごのたぐひ」〈伽・鼠草子〉。〈下学集〉

さっさだて【左左立】与えられた数を或る約束のもとに二つに分ける時、その分ける回数を聞いておのおのの分けられた数を言い当てる遊戯。分けるたびに掛声に「さっさ」と言う。〈異制庭訓往来〉

ざっし【雑紙】⇒ざふし。「—二十束」〈肥後平河文書建久二・五・三〉

ざっしき【雑色】⇒ざふしき。「院宣をば文袋(ふぶくろ)に入れて、—が頸にぞかけさせたりける」〈平家八・征夷将軍〉

ざっしゃう ヨウ…シ【雑掌】❶①上代、諸国衙において雑務をつかさどり、公文書をととのえたりした者。「越中国朝集—一人を停め、税帳—の調庸を免ず」〈三代実録貞観二一・三・七〉②社寺・公家諸家で荘園管理の実務を執った者。在地で年貢の徴収をする所務雑掌、在京して訴訟事務にあたる沙汰雑掌など。「—申す所、その謂(いはれ)あるか」〈貞永式目追加寛喜三・四〉③鎌倉・室町時代、武家で、厨房・薪炭の雑務を行ない、また修造・営作、犬追物・弓馬始などの行事、将軍出遊の際などに費用をつかさどった者。「安芸国を以て高野の大塔を修理せよとて、渡辺の遠藤六郎頼方を—に付けられ」〈平家三・大塔建立〉④江戸時代、公家の家司の称。武家の家老にあたる。「諸家に於いては—とて、重代の侍を撰びて召し仕ふ也」〈故実拾要一〇〉❷《「雑餉」とも書く。❶(3)から転じて》もてなしの酒肴。御馳走。饗応。「これほどの—は伊東一人して暇(いとま)なかりければ」〈曾我一〉。「雑餉、ザッシャウ、酒肴・食物」〈文明本節用集〉

さっしゃ・る〘助動〙《サセラルの転。四段・ナ変・ラ変以外の動詞の連用形に接続して、尊敬の意を表わす。活用は下二段型から四段型に移る傾向を示す》…なさる。「茶代を忘れ—・れた」〈狂言記・薩摩守〉。「送って進じ—・れ」〈伎・大雑書伊勢白粉三〉

さっしゃ・れ〘下二〙《セサセラレの転。四段活用に移る傾向を示す》「為(し)」の尊敬語。なさる。「右の趣をいづれもとっくりと合点—・れて」〈盤珪禅師御示聞書下〉

ざっしょ【雑書】暦日・相性・開運などの俗説を記した書物。大雑書。「相人は—を開きて、目録を見奉るに」〈神道集三〉

ざっそ【雑訴】種種の訴訟。「—の沙汰の為にとて郁芳門の左右の脇に決断所を造らる」〈太平記一三・公家一統〉

さった【薩埵】《梵語の音訳。衆生(しゆじやう)・有情(うじやう)の意》「菩提(ぼだい)薩埵」の上略。仏道を求め、修行を行なって世の人にめぐみを与え、仏の悟りを開こうとする人。菩薩。「これも本地は地蔵—なり」〈沙石集一ノ七〉

さっても〘感〙「さても」の促音化。「聖霊(しやうりやう)や—来たる十四日」〈俳・細少石〉

さっと【察度】人の言動を非難し咎(とが)めること。また、法度(はっと)にそむいた者をお上が咎めること。特に、近世刑事訴訟で、自白以外の証拠で犯罪事実を認定すること。察当。「人の云ひ事する事に非難を入るを、—を打つと云ふ」〈志不可起六上〉。「怪しき所は—を入れ」〈評判・山茶やぶれ笠〉

さっと〘副〙《サトの促音化》①急にぱっと。「一度に—失せぬ」〈宇治拾遺一〇六〉②あっさりと。すばやく簡単に。「—見て、『どこもよいぞ、されども、まちっとここを直せ』と云ふぞ」〈論語抄憲問〉

ざっと〘副〙①にわかに勢いよく。ぱっと迅速に。「一村雨(ひとむらさめ)—して、風ははげしく吹く間」〈平治中・待賢門軍〉。「兵(つはもの)左右(さう)へ—退(の)く」〈平治下・悪源太誅せらる〉②あっさりと。簡単に。「三四の句は、浅浅(あさあさ)と—云うたぞ」〈三体詩抄一ノ三〉。「この人の聟になれば、—すむ事ぢゃ」〈虎明本狂言・賽の目〉③大体。おおかた。あらまし。「いづれ〔ノ方方〕をも—振舞うて」〈虎寛本狂言・鳫盗人〉　↓ざと

ざっぱい【雑俳】俳諧から出た、簡単卑俗な前句付・冠付(かむりづけ)・沓付(くつづけ)・笠付(かさづけ)・折句・五文字など、小詩形の通俗文芸の総称。宝暦・明和以後、この名称が一般化した。「世上—の上を論ずる事に非ず」〈俳・青根が峰三〉

ざっぱう ウ…ポ【雑袍】直衣(なほし)のこと。「位袍」に対していう。位袍のように官位によって色がきまってはいない。「禁色(きんじき)—をゆり(許サレ)、綾羅錦繍を身にまとひ」〈平家一・吾身栄花〉

さっぱと〘副〙《サハトの促音化。サハはサハサハ・サハヤカのサハに同じ》はっきりと。すっきりと。すっぱりと。「惶惶は分明の義、—したる義なり」〈無門関抄上〉。「さるほどに、同じ物で—別になるを革(かく)と云ふぞ」〈百丈清規抄三〉

さっぱり ①さわやかなさま。すっきり。「〔木ノ葉ヲ〕払ひ除けたる当座は—としても」〈盤珪禅師御示聞書下〉②あ

とに何も残らないさま。すっぱり。すっかり。「それならば―と元利ともにそなたへおますするぞ」〈虎寛本狂言・胸突〉

さつひとの【猟人の】〔枕詞〕《サツ(矢)ヒト(人)ノの意》猟師の持つ弓ということから、地名「弓月(ゆづき)」にかかる。「玉かぎる夕さり来れば―弓月が嶽(たけ)に霞たなびく」〈万一八一六〉 †satuFitönö

さつま【薩摩】旧国名の一。西海道十一国の一で、今の鹿児島県西部。薩州。「隼人(はやひと)の―の迫門(せと)を雲居なす遠くも我は今日見つるかも」〈万二四八〉 **―いり**【薩摩煎】釜に小豆と刻んだ薩摩芋を入れ、砂糖・醬油を加えて煮立たせ、更に煎米を加えてかきまぜて作った菓子。「―と言ふ豆茶でもてなし」〈浮・当世乙女織三〉 **―ぐし**【薩摩櫛】薩摩産の櫛。歯数百三十四ぐらいで、虱(しらみ)を取るのに用いる。唐櫛(たうくし)。「―と人には告げよ三日の月」〈俳・鶯笛三〉 **―にさい**【薩摩二才】《「二才」は若者の意》薩摩生れの武骨者。薩摩男児。「およそ―とて、九州者は端喧嘩せず」〈近松・用明天皇二〉 **―ぬの**【薩摩布】琉球・薩摩地方産の麻織物。苧麻(ちょま)で織り、山藍(やまあい)で絣(かすり)に染めたもの。薩摩上布(じょうふ)。「帷子(かたびら)の幅広き国や―」〈俳・埋草二〉 **―やき**【薩摩焼】薩摩産の陶磁器の総称。また、特に日置郡苗代川地方および鹿児島産をいう。素地は象牙色で、美しいひびがあり、上絵は繊細美麗。「茶入は―也」〈隔蓂記寛永一七・一二・一五〉

さつや【猟矢】《サツはサチ(矢)の古形》威力ある矢。「み狩り人―手挾み騒きてあり見ゆ」〈万九二七〉 ▽縄文時代からあった石の矢じりの矢に対し、朝鮮から渡来した金属の矢じりの、強力有効な矢の意。

さつゆみ【猟弓】《サツはサチ(矢)の古形》威力ある弓。「―を手(た)にぎり持ちて」〈万八〇四〉 †satuyumi

さつを【猟夫】《サツ(矢)ヲ(男)の意》猟師。「山の辺にい行く―は多かれど山にも野にもさ男鹿鳴くも」〈万二一四七〉。「―、山の狩人なり」〈能因歌枕〉

さて 〔一〕『副』①そのような状態・事情で。「さらに―ありけりとも知らず顔にて過ぐしはべりなむ」〈源氏手習〉。「昔を偲ぶひとりごとは―も罪許され侍りけり」〈源氏横笛〉 ②そのままで。「―ありぬべき方をば、つくろひてまねび出すに」〈源氏帚木〉。「御心につかずは―も止みねかし」〈源氏末摘花〉 〔二〕『接続』①《前の話題を受けて話を続ける時や話題を転ずる時に使う》そこで。そうして。ところで。「いけどもえ逢はで帰りけり。―、よめる」〈伊勢五〉。「それよりなむ少しうれしき事をば、かひあるとは言ひける。―、かぐや姫かたちの世に似ずめでたきことを、御門きこしめして」〈竹取〉 ②《相手の話を促す時などに、感動詞的に用いて》それで。ところで。さあ。「帰りまゐりたるに、『―、何事ぞ』と宣はすれば」〈枕八〉 〔三〕『感』それにしても。なんとまあ。さてさて。文末に置かれる場合もある。「―にくき者ではないか」〈古文真宝抄一〉。「はや天井も大床(おほゆか)もひらりくるりと回(ま)ふよ―」〈伽・小栗絵巻〉 〔四〕『名』《さて、それは、とためらう気持から》だめ。不可。「されども、その毒に触るれば―なり。やがて死ぬるぞ」〈湖鏡集〉。「女の心が悪いほどに、嫁などに取っては―ぞ」〈周易抄〉 **―ありぬべ・し** そのままでさしつかえなさそうである。そのままで世間に通りそうである。「すこしも―・き人人は…皆つぎつぎに従ひて行き散りぬ」〈源氏蓬生〉 **―しもあるべきことならねば** そのままの状態でよいはずもないので。いつまでもそうしてはいられないので。「目もくれ心も消えはてて、前後不覚におぼえけれども、―、泣く泣く頸(くび)をぞ掻いてんげる」〈平家九・敦盛最期〉 **―もあ・り** それでもよい。「うはべこそ―・りけれ…ものおぢしたる、いとつきなし」〈源氏紅葉賀〉。「されど、それは―・り」〈大鏡兼家〉

さで【叉手・小網】手もとを狭く浅く、前方を深く広くした網。魚をすくいとるに使う。さであみ。「三川の淵瀬もおちず―さすに衣手ぬれぬ干す児はなしに」〈万一七一七〉 ▽朝鮮語 sadul(すくい網)と同源。

さてお・き【さて措き】『四段』①そのままにしておく。「さばかりあはれなる人を―・きて」〈源氏浮舟〉 ②それはともかくとする。「薬師の十二の大願は、衆病悉除ぞ頼もしき。一経其耳(ごに)は―・きつ、皆令満足すぐれたり」〈梁塵秘抄三二〉 ③言うまでもない。「身を害(そこな)ふ事は―・き、一毛も害ふ事はあるまじきとなり」〈観音経鈔三〉。「あきづしま(日本)は―・きぬ、こま・もろこしにもよもあらじ」〈伽・為人びくに〉

さてこそ 『連語』①そうしてこそ。それでこそ。「命長くてなほ位高くなど見なしたまへ。―九品(ここのしな)の上(かみ)にも障りなく生れたまはめ」〈源氏夕顔〉 ②それではやっぱり。思ったとおりだ。「〔出身ハ〕都のたつみ朝日山の近き里と也。―、御茶のよいと言ふも」〈西鶴・一代男六〉

さてさて 『感』①さてもさても。「―、をかしかりける女かな」〈源氏帚木〉。「ありのままの事を語りければ、『―』といひて笑ふ者もあり」〈宇治拾遺九三〉 ②そしてそして。相手の話を促す時に用いる。「しかしかといちいちに申させたまへば、いと心ようち笑ませたまひて、『―』と問ひ聞えさせたまひて」〈栄花若ばえ〉

さての 『連体』それからの。その次の。「―日を思ひたれば、また南ふたがりにけり」〈かげろふ下〉

さては 『接続』①そうして。それから。「いとをかしう覚えたる。―夜になりぬ」〈かげろふ中〉 ②《前述のものに追加して、列挙する》それからまた。さらには。「〔一行ハ〕頼もし人なる介、弓矢持ちたる人ふたり、―下(しも)なる者、童(わらは)など三四人」〈源氏玉鬘〉 ③それでは。「…と奏しければ、『―ほむるななり』」〈大鏡昔物語〉。「―忠盛にこそとて、明旦(めいたん)召されたり」〈盛衰記二六〉 ④《事情を知って、そうだったかと感じ入った時に》そうか、それでは。「―我をすかしやりて間男に殺させんたくみなり」〈宝物集下〉。「―今のは夢でありたよと驚く」〈万法蔵讃鈔上〉

さても 〔一〕『接続』それにしても。それはそうと。ところで。話題を変える時に用いる。「愛敬のはじめは日選(え)りして聞こし召すべきことにこそ。―、ねのこは幾つか仕うまつらすべうはべらむ」〈源氏葵〉。「しかしか、さ侍りしことなり。―、ぬしの御名はいかにぞや」〈大鏡序〉。「これは紀州道成寺の住侶にて候。―、この寺に撞鐘(つきがね)退転候ふを、それがし再興仕りて候」〈謡・道成寺〉 〔二〕『感』さてさて。なんとまあ。ほんとにまあ。喜び・悲しみ・驚きなどの感情をあらわす。文の冒頭に立ち、しばしば文末に「かな」「やな」「や」「よ」など感動の終助詞が置かれる。「―あやしや」〈源氏柏木〉。「―不便(ふびん)なる事かな」〈長恨歌抄〉 **―さても** 「さても」〔二〕を重ねて、感動を強調した形。「―うれしう対面したるかな」〈大鏡藤氏物語〉 **―其の後(のち)** 《古浄瑠璃の各段の冒頭に置かれる慣用的表現》そもそも。「―、冷泉天皇の御代の御時」〈浄・小篠一〉

さてもや 『連語』そういう事情でも…か。それでも…か。「わがごとく我を思はむ人もがな―憂きと世をこころみむ」〈古今七五〇〉。「夕まぐれ―秋は悲しきと鹿の音(ね)聞かぬ人に問はばや」〈千載三三〇〉

さと【里】《人の住めない山や野に対して、人家の集落をなしている場所。育ち、生活し、生存する本拠となる所。転じて、宮仕えの人や養子・養女・嫁・奉公人などから見て、

さと【里】……自分の生れ育った家》 ❶①人家の集まっている所。人里。「ま遠くの野にも逢はなむ心無く―のみ中に逢へる背なかも」〈万三四六三〉 ②令制で、地方行政区画の一。人家が五十戸ある一区をいう。奈良時代に郷と改称。「楚(しもと)取る五十戸良(さとをさ)が声は」〈万八九二〉 ③帝都の市街地。「ふる―となりにし奈良の都にも」〈古今九〇〉 ❷①生活・生存の本拠となる所。「天飛ぶや軽の路は吾妹子が―にしあればねもころに見まく欲しけど」〈万二〇七〉 ②《宮中や主家に対して》 自分の住む家。「内裏(うち)にても―にても」〈源氏若紫〉。「〔源氏ノ家来惟光ハ〕手づからといふばかり、―にてぞ〔餅ヲ〕作りゐたりける」〈源氏葵〉 ③《寺に対して》 在家(ざいけ)。「―にて候か、これにわたり候か」〈曾我四〉 ④妻・養子・奉公人などの生れ育った家。実家。親もと。「東の御方、出京。―へ出でらる」〈看聞御記永享四・二・一三〉。「今日御隙(おひま)を下され、―へ帰る名残りに」〈西鶴・一代男五〉 ⑤養育費をうけて、他人の子を預かり、育てる家。「身が悴(せがれ)…玉が才覚で―に遣ったとやら」〈近松・夕霧上〉 ⑥遊里。色里。「故郷(ふるさと)は山になれども―ばいり」〈俳・わたし船〉 ⑦〔遊里語〕野暮(やぼ)。野暮な客。「―と云ふ事は、物事愚痴にて悟らず、不通なる人を云ふ」〈洒・大通法語〉 †sato

さと『副』①さっと。「―こぼるる雪も」〈源氏末摘花〉。「御髪(みぐし)をかきやるに、―うち匂ひたる」〈源氏総角〉。「面(おもて)―赤みて、物も宣はず」〈源氏浮舟〉 ②わっと。「四五十人ばかりの声なむ―答へける」〈今昔二七ノ三一〉 ③ぱっと。「この渡る者ども―散りて失せにけり」〈今昔二七ノ三〇〉

さど【佐渡】旧国名の一。北陸道七国の一で、今の新潟県佐渡島。佐州。「穂積朝臣老(おゆ)の―に配(なが)さえし時作れる歌なり」〈万三二四一左注〉

ざと『副』「ざっと」の促音を表記しない形。「大宮面(おもて)へ―引く」〈平治中・待賢門軍〉

ざとう【座頭】①中世、琵琶法師の属していた当道座(たうだう)の四官(検校・別当・勾当・座頭)の一。琵琶法師の通称としてもいう。「常沢と云ふ―など参り候て、平家ども申し候」〈上井覚兼日記天正一一・二・七〉。「座頭、ザトウ、琵琶法師」〈下学集〉 ②盲人。「ひややかに―の袖やそよぐらん」〈俳・伊勢山田俳諧集〉 **―がね**【座頭金】近世、盲人が金で官位を得るため、一般の人に貸した金。期間三、四か月で、高利を取ったが、幕府の保護が厚く、声高に強硬な居催促をしたので、貸倒れは少なかった。官金(くわんきん)。盲金(まうきん)。「―金の頭を張って貸し」〈雑俳・柳多留五〉 **―くゎん**【座頭官】盲人の官位。都(いち)名(な)・紫分(しぶん)・座頭・勾当(こうたう)・検校(けんげう)に区別され、更に各官併せて七十三段に分れていた。久我(こが)家の取次ぎで、階級昇進のたびに相応の官金を上納した。「―〔ヲ得ルタメ京〕に上すとおぼしめし」〈西鶴・好色盛衰記二〉

さとうつり【里移り】別の里に移転すること。引越し。「子孫どもに家の具足ども負ほせ持たせて、己れも持ちて、手まどひして―しぬ」〈宇治拾遺三〇〉

さとかぐら【里神楽】禁中の御神楽(みかぐら)に対し、諸社で行なう神楽。冬の寒夜、笛・大太鼓・銅拍子などの鳴物で、仮面をつけて無言で舞う。「つくづくと寝覚めて聞けば―かごとがましき世にこそありけれ」〈長秋詠藻上〉

さとがち【里勝ち】(宮仕え人などが)実家に帰っている時が多いさま。「后は―におはしまいて」〈源氏賢木〉

さとがよひ(ヨイ)【里通ひ】①村里に往来すること。「しるかりき―してまじれども旅行く人の歩(あよ)む姿は」〈草根集六〉 ②寺から在家へ通うこと。「わたくしがいつ―致いた事があるぞ」〈天理本狂言六義・若市〉 ③嫁・婿が実家に帰ること。里帰り。忌詞で「里びらき」とも。「米市御料人の御―ぢゃとおしゃれ」〈虎寛本狂言・米市〉 ④遊里に通うこと。廓(くるわ)通い。「―も今日ぎり」〈浮・禁短気一〉

さとごころ【里心】実家を恋しがる心。「小稚児(こちご)の間は、いまだ―御座候ゆゑ」〈咄・昨日は今日上〉

さとことば【里言葉】遊里で用いた特殊な言葉遣い。「余所(よそ)に異なる―」〈浮・諸分姥桜二〉

さどこばん【佐渡小判】近世、佐渡で鋳造した小判。「春の月価(あたひ)や宿の―」〈俳・桜川二〉

さと・し【諭し】㊀『四段』《サトリ(悟)の他動詞形》①神仏が啓示・警告して、その人の本当に知らねばならぬことを気づかせる。「〔釈迦ハ〕縁の所在に随ひて群迷を覚(さと)したまふ」〈金光明最勝王経平安初期点〉。「天変しきりに―し、世の中静かならぬは、このけ(異変)なり」〈源氏薄雲〉 ②警告して教える。「賢者は山林に隠れ、…諫(いさ)め―・す者は退く」〈三国伝記三〉 ㊁『名』まちがいや悪事に対する、神仏などの警告。お告げ。「しばしば夢の―ありければ」〈かげろふ上〉。「この雨風、いとあやしき、物の―なり」〈源氏明石〉

さと・し【聡し】『形ク』《神の啓示・警告をうけて、その真意をよく知るさま。サトリ(悟)と同根》頭の回転が早い。利発だ。「大夫(ますらを)の―・き心も今はなし」〈万二九〇七〉。「七つになり給へば文はじめなどせさせ給ひて、世に知らず―・うかしこくおはすれば」〈源氏桐壺〉 †*satosi

さとしり【里知り】遊里の事情に精通していること。また、その人。「この―の名取川、世を仇波に濡るるにや」〈近松・吉野忠信一〉

さとすずめ【里雀】遊里によく通い馴れている人。「かごの鳥なる梅川にこがれて通ふ―」〈近松・冥途飛脚上〉

さとずみ【里住み】①《「内裏(うち)住み」の対》皇子や后などが、女方の実家で暮すこと。「―もえしたまはず…内裏住みのみ好ましう覚えたまふ」〈源氏桐壺〉 ②生れ育った実家に住むこと。「〔宮仕ヱニ出レバ〕定まりたらむ―よりは、をかしき事をも見聞きて心も慰みやせむ」〈更級〉 ③在俗のままでいること。「〔出家ヲ〕いひ妨げられて、今までかかる―をして」〈かげろふ中〉

さとだいり【里内裏】大内裏の外に設けられた臨時の皇居。皇居の炎上・方違(かたたがへ)・怪異などの際、そこに居を移す。主として、皇后の実家(さと)など、外戚の私邸がこれにあてられたのでいう。「かつがつ―造るべきよし、議定(ぎぢやう)あって」〈平家五・都遷〉 →いまだいり

さとどなり【里隣】隣り合っている家家。近所。「このいさかひを見るとて、―の人、市をなして聞きければ」〈宇治拾遺二一四〉

さとなか【里中】人里の中。「―に鳴くなる鶏(かけ)の」〈万二八〇三〉 †satonaka

さとな・れ【里馴れ】『下二』①人里に慣れる。「足引の山時鳥―・れてたそがれどきに名のりすらしも」〈拾遺一〇七六〉 ②遊里の風習に馴れる。「はや―・れて吹く風に、憂さをはらしてゐる所へ」〈浄・忠臣蔵七〉

ざとのばう(ボウ)【座頭の坊】めくら法師。座頭。「―語る平家は上手にて」〈俳・寛永十三年熱田万句一三〉

さとばう(ボウ)【里坊】山中の本寺を離れて、人里にある僧坊。「二条猪熊の―に落ち着き給ひて」〈盛衰記四七〉

さとばなれ【里離れ】人里から離れていること。また、その所。「―なる松原の、うしほも曇る夕月の」〈謡・呉服〉

さとばらなのか【里腹七日】 嫁・奉公人などが実家に帰って腹一杯食べること。嫁入先・奉公先に戻っても、七日間は腹が空かないくらいだという意。「親腹三日」「里腹三日」とも。「今日ぞ世人一福沸し」〈俳・江戸通り町下〉

さと・び【里び】『上二』《「雅(みや)び」の対》里の風に馴れる。里の習慣になじむ。「子(ね)九つ、丑(うし)八つなどぞ、―・びたる人はいふ」〈枕二九〇〉。「―・びたる心ちには、〔宮仕エハ〕なかなか…心も慰みやせむと思ふ折折ありしを」〈更級〉 **―ごこち【里び心地】** 宮仕えに馴れていない人の心。「見知らぬ―には、いかがはかかる人こそ世におはしましけれと、おどろかるるまで」〈枕(能因本)宮にはじめてまゐりたる頃〉

さど・ひ『四段』未詳。情に溺れ、まよう意か。「さぶる子(遊女ノ名)に―・はす君」〈万四一〇八〉 †sadoFi

さとびと【里人】 ①《「宮人(みやびと)」の対》里にいる人。「宮人とよむ、―もゆめ」〈記歌謡八三〉 ②同じ里の人。「隣しげく咎(とが)むる―多く侍らむに」〈源氏夕顔〉 ③里方の人。実家の家族。「御方方の―さぶらへる中に」〈源氏花宴〉 †satobitö **―ごこち【里人心地】** 宮廷社会を知らない里人の心。「〔宮中ヲ〕見知らぬ―には」〈枕一八四〉

さどほ・し(ヲンドオシ)【さ遠し】『形ク』《サは接頭語》遠い。「会津嶺の国をさ遠み」〈万三四二六東歌〉 †sadöFösi

さとみ【里廻】《ミは、入り曲がった所》人里のあたり。「見渡せば近き―をたもとほり今ぞわが来る礼巾(れひ)振りし野に」〈万一二四三〉 †satomi

さと・り【悟り】 〔一〕『四段』《神仏の啓示をうけとる意。転じて、物事の本質的な意味や根本原理、真相などを、啓示され、あるいは発見して知る意。サトシ(聰)と同根》①本当の意味を知る。「我、今此の大衆の中にして、演べ説きて彼に空の義を明(さと)らしめむ」〈金光明最勝王経平安初期点〉 ②通暁する。「妙に医薬を閑(さと)りて、善く衆生の無量の病苦を療したまふ」〈金光明最勝王経平安初期点〉。「天文暦数によく―・り」〈今昔九ノ三〉 ③特に仏法において、真実の知見を開く。「究竟(くきやう)の菩提を―・り給へるが故に」〈孝養集中〉。「過去未来の因果を―・らせ給ひなば」〈平家灌頂・大原御幸〉 〔二〕『名』①本当の意味がわかること。真の理解。「いとかしこく、内教の御ざえ―深く物し給ひけるかな」〈源氏橋姫〉。「心に―有りて文を読むに愚かなる事なし」〈今昔一〇ノ二四〉 ②仏法で、迷いが除かれて真実知見の境地に入ること。「〔仏法ニモ〕方便といふことありて、―なき者は、ここかしこたがふ疑ひを置きつべくなむ」〈源氏螢〉。「臨終に必ず上品蓮台に生れて、則ち―を開く所なり」〈孝養集下〉

さとわ【里廻】《万葉集の原文「里廻」の古訓》⇩さとみ。「視渡せば近き―をたもとほり」〈万(元暦校本)一二四三〉

さとわらは(ラワ)【里童】 人里に住む子供。「村童、佐土和良波(さとわらは)」〈霊異記下二九〉

さとゐ【里居】 内裏や主家から退出して実家にいること。やどさがり。「〔中宮〕―したまふほど」〈源氏野分〉。「など―は久しうしつる」〈源氏玉鬘〉

さとをさ【里長】「里」〔1〕(2)の長。「―が課役(えつき)徴(はた)らば汝(いまし)も泣かむ」〈万三八四七〉 †satowosa

さなか【最中】 たけなわの時。最中(さいちゅう)。「二月にて、春の―で、おもしろき折ふしなれども」〈三体詩抄一ノ四〉

さなかづら【さな葛】 ①「さねかづら」の古形。「佐那葛(さなかづら)の根を舂(つ)き、其の汁の滑(なめ)を取りて」〈記応神〉 ②〔枕詞〕蔓(つる)が長くのびるので「遠長く」に、分れてまた会うので「会ふ」に、長くつづくので「ありさりて」に、音の似た「さ寝(ね)」にかかる。「―いや遠長く我が思へる」〈万三二八八〉。「―後もあはむと」〈万三二八〇〉

さながら【然ながら】 〔一〕『副』①そのまま変らず。「―六月になりぬ」〈かげろふ中〉。「帰り入りてさぐり給へば女君は―臥して」〈源氏夕顔〉 ②全部。すべて。「上の女房〔タチ〕―御送り仕うまつらせ給ひける」〈源氏宿木〉。「純、モハラ・サナガラ」〈名義抄〉 ③《打消を伴って》全然。一切。「人に交はれば言葉よその聞きに随ひて―〔自分ノ〕心にあらず」〈徒然七五〉 ④まるで。ちょうど。似たものにいう。「五月雨は幾日(いくか)日数のふりぬらん―淵の谷川の水」〈大納言為氏卿集〉。「此の本歌―なり」〈矢嶋小林庵何木百韻注〉 〔二〕『接続』しかしながら。さりとて。さりながら。「お寺へ参りて御坊に近付き、―しらに(露骨ニ)は詞に出されず」〈浮・好色訓蒙図彙中〉

さなき【鐸】 未詳。鈴の大きなものをいうか。「鐸、佐那伎(さなき)」〈古語拾遺〉 ↓ぬて

さなきだに『連語』そうでなくてさえ。「―重きが上の小夜衣(さよごろも)わが妻ならぬ妻な重ねそ」〈太平記二一・塩冶判官〉

さなくは『連語』そうでなければ。「福を渡さば、福渡しと言ふ事をして渡せ。―な渡しそ」〈虎寛本狂言・鞍馬参〉

さな・し【さ寝し】『四段』《サは接頭語。ナシは「寝(ね)」の尊敬語》おやすみになる。「をとめらが―・す板戸を押し開き」〈万八〇四〉

さなだおび【真田帯】 平打ちの真田紐(ひも)で作った木綿帯。「蛇(くちなは)や絹衣(きぬぎぬ)山の―」〈俳・堺絹〉

さななり【然なるなり】『連語』そうだということだ。そうであるらしい。「―と見聞くここちは何にかは似たる」〈かげろふ上〉

さなへ(ナエ)【早苗】《サは神稲の意》苗代から田へ移し植える頃の稲の若苗。「昨日こそ―とりしかいつのまにいなばそよぎて秋風の吹く」〈古今一七二〉 **―づき【早苗月】** 陰暦五月の異称。さつき。「―さみだれそむるはじめとや四方(よも)の山雲くもりゆくらむ」〈千五百番歌合六〉

さならく【さ鳴らく】《サは接頭語。ナラクはナリのク語法》鳴ること。「ま愛(かな)しみ寝らくはしけらく―は伊豆の高嶺(たかね)の鳴沢(なるさは)なすよ」〈万三三五八東歌〉

さなら・ず【然ならず】『連語』そうでない。そうあるべきでない。また、それほどでない。「さまことに―・ぬうちとけわざもし給ひけり」〈源氏末摘花〉。「―・ぬ事だに人の御ためにはよざまの事をしも言ひいでぬ世なれば」〈源氏葵〉

さなら・び【さ並び】『四段』《サは接頭語》ならぶ。肩をくらべる。匹敵する。「―・べる鷹は無けむと情(こころ)には思ひ誇りて」〈万四〇一一〉 †sanarabi

さなり【小鳴り】 小さな物音。「物の―せば切って出でんと」〈応仁記下〉。「小鳴、サナリ」〈運歩色葉集〉

さなり【然なり】『連語』そうである。そのとおりだ。「『…』とよばひたれば、『―』とこたへて」〈かげろふ中〉。「まことに―けり」〈枕三二四〉

ざなり【座成り】 その場だけの間に合せ。おざなり。「座敷なり」とも。「其の―に其の日を暮し侍る」〈俳・物種集序〉

ざな・り『連語』《打消の助動詞ザリに、伝聞・推定の助動詞ナリがついたザリナリの音便形ザンナリのンを表記しない形》…ないということだ。「むげに物参ら―・るこそいとあしけれ」〈源氏宿木〉

さに【さ丹】《サは接頭語》赤い色。丹(に)。「倭(やまと)の宇陀の真赤土(まはに)の―着かば」〈万一三七六〉

さ・に【さ似】『上一』《サは接頭語》似る。「君に逢ひてかへりにしより昔せし恋に―・にたる物をこそ思へ」〈頼政集〉

さにつか・ひ(カイ)【さ丹着かひ】『四段』《サは接頭語》⇩につかひ。「―・ふ色なつかしき紫の大綾の衣(きぬ)」〈万三七九一〉

†sanitukaFi

さにつらふ【さ丹頰ふ】〔枕詞〕《サは接頭語。赤いほほをしたの意。→につらひ》紅顔のの意から「君」「妹(いも)」、赤い色の意から「もみち」「紐」「色」にかかる。「—君が名いはば」〈万三二七六〉。「—妹をおもふと」〈万一九一二〉。「—黄葉散りつつ」〈万一〇五三〉。「—紐解きさけず」〈万五〇九〉。「—色には出でね」〈万二五二三〉

さには【さ庭】《サは神稲の意》①神を招いてそのお告げをきく所。また、そこでお告げをきき、その意味を解く人。「—に居て神の命(みこと)を請ひき」〈記仲哀〉。「皇后吉日を選びて斎宮に入りて…を喚(め)して—にす」〈紀神功摂政前〉②(1)または神楽の場で琴を弾く人。「今弾琴(ことひ)く者を以て佐爾波(さには)と云ふ」〈政事要略二八〉

さぬき【讃岐】旧国名の一。南海道六国の一で、今の香川県。讃州。「讃岐国(さぬきのくに)は飯依比古(いひよりひこ)と謂ひ」〈記神代〉 **—わらざ**【讃岐藁座】讃岐国産出の円座(ゑんざ)。讃岐円座。「その時、木の上より—を投げ落したりければ」〈著聞五一六〉

さぬらく【さ寝らく】《サは接頭語。ヌラクはネ(寝)のク語法》寝ること。「玉かづら絶えぬものから—は年の渡に(一年ニ)ただ一夜(ひとよ)のみ」〈万二〇七八〉

さね【札】鉄または革で作った長方形の小板。幾枚も鱗(いろこ)のように並べ重ね、革や組紐で綴り合わせて鎧を作る。「奴にも随分—よき鎧を着せて候ひつるものを」〈保元中・白河殿へ義朝夜討ち〉。「札、さね、鎧の鉄也」〈和漢通用集〉

さね【実・核】㊀『名』①果実の中心にある核(かく)。「柚(ゆ)の—のただ今しぼり出したるを取り寄せて」〈古事談三〉。「核、佐禰(さね)、桃奴、毛毛乃佐禰(もものさね)」〈和名抄〉②根本にあるもの。中核。「文稍くに異なりといへども、その—一なり」〈紀仁賢一年〉③根本的な素質・素地。「今は学問し候べき器量などのあるを後世者の—と申しあひて候なり」〈一言芳談〉④《ザネと濁音。接尾語的に用いて》ある資格・性質を持つ人たちの中で、中心的な人。また、ほかでもないその人、と指していう。「藤原の良近(まさちか)といふをなむまらうど—にて、その日は饗応(あるじまうけ)したりける」〈伊勢一〇一〉。「我が君—と頼むいかにぞ」〈大和一三四〉㊁『副』【実・真】真実。本当に。奈良時代は下に打消の表現を伴い、決して、少しもの意。「逢はねども—忘らえず」〈万一七九四〉。「行きて見て明日も—来む」〈源氏薄雲〉。「真、マコトニ・サネ」〈名義抄〉

さ・ね【さ寝】㊀『下二』《サは接頭語》①寝る。「印南野の浅茅押しなべ—・ぬる夜の」〈万九四〇〉②異性と共に寝る。「—・ねむとは吾(あれ)は思へど」〈記歌謡二七〉㊁『名』異性と共寝すること。「ま愛(かな)しみ—に吾(わ)は行く鎌倉の美奈の瀬川に潮満つなむか」〈万三三六六東歌〉

さね『連語』《上代の尊敬・親愛の意の助動詞スの未然形サに、あつらえの意の助詞ネのついたもの。相手にそうしてほしいと敬愛の意をもって希望する時につかう》…てくださいな。「鶴(たづ)が音の聞えむ時は我が名問は—」〈記歌謡八五〉

さねがしら【札頭】鎧の札の上のへり。「薄・刈萱・篠竹などを切って、鎧の—、冑の鉢付(はちつけ)の板にひしと差して」〈太平記二六・三角入道〉

さねかづら【真葛】①モクレン科の常緑蔓(つる)性灌木。夏の初め、淡黄色の花を開き、紅色球状の実をつくる。茎の粘液は製紙用または髪油の材料。ビナンカズラ。「さなかづら」とも。「逢坂山の—」〈後撰七〇一〉。「五味、作禰加豆良(さねかづら)」〈和名抄〉②〔枕詞〕蔓が分れてまた会うので、「会ふ」にかかる。「—後もあはむと」〈万二〇七〉

さねかや【さね草】《サは接頭語》根の付いたままのかや。「岡に寄せ我が刈るかやの—の」〈万三四九九東歌〉

さねさし〔枕詞〕地名「相模(さがむ)」にかかる。かかり方未詳。「—相模の小野に」〈記歌謡二四〉 ▽サは接頭語、ネは嶺、サシはそばだつ意で、山のサガシ(険)と同音からかかるともいう。

さねさ・ね【さ寝さ寝】『下二』《動詞サネを重ねた形。サは接頭語》度重ねて共寝をする。「あやにあやに—・ねてこそ言(ウワサ)に出にしか」〈万三四九七東歌〉

さねど【さ寝処】《サは接頭語》寝る場所。「梓弓欲良の山辺の繁かくに妹(いも)ろを立てて—払ふも」〈万三四八九東歌〉 †sanedo

さねどこ【さ寝床】《サは接頭語》寝床。「—も与はぬかもよ」〈紀歌謡四〉 †sanedökö

さねは・ひ【さ根延ひ】『四段』《サは接頭語》根を張る。「水門(みなと)に—・ふ小菅」〈万二四七〇〉 †saneFaFi

さねもり【実盛】女のお目付・監督をする男の意の隠語。「問うて曰く、付き付きの男を斎藤別当とは如何に。答へて曰く、—と言ふ心也」〈評判・吉原雀下〉

さの【狭布】幅のせまい布。「せばぬの」とも。「出雲の国は—の稚国(わかくに)なるかも。…故(かれ)作り縫はな(他ノ土地ト縫イ合ワセヨウ)」〈出雲風土記〉 †sano

さのかた 未詳。一種の蔓植物。藤の類ともアケビともいう。「—は実になりにしを今さらに春雨降りて花咲かめやも」〈万一九二八〉 †sanokata

さのこ・り【さ残り】『四段』《サは接頭語》残る。「とことはに—・りいませ後の世のため」〈仏足石歌〉 †sanökori

さのつとり【さ野つ鳥】《サは接頭語》①野の鳥。「—来鳴き翔(かけ)らふ」〈万三七九一〉②〔枕詞〕「雉(きぎし)」にかかる。「—雉は響(とよ)む」〈記歌謡二〉 †sanotutöri

さのはり【さ野榛】《サは接頭語》野に生えているハンノキ。「へそがたの林のさきの—の衣(きぬ)に着くなす目につくわが背」〈万一九〉 †sanoFari

さのぼ・り【さ上り】『四段』《サは神稲の意》田植えの終りに田の神の祝祭をする。「植ゑ終るを佐登(さのぼる)などいふが如し」〈古事記伝七〉。「—・る。早苗によめり。田をうゑはてであがる露などにいへり」〈倭訓栞後編〉

さのみ【然のみ】『連語』①そのようにばかり。そう一概に。「ねぎごとを—聞きけむ社こそ果てはなげきの森となるらめ」〈古今一〇五五〉。「—書きつづくべきことかは」〈源氏賢木〉。「見る人も—思ひけり」〈源氏若紫〉 ▽歌では下に疑問・打消・反語を伴うのが大部分。②それっきり。「此の事—ぞある」〈宇治拾遺七四〉 **—など**《ナドは疑問・反語を表わす。主に平安末期から中世にかけて、歌などで慣用句的に用いられた。推量の語と呼応することが多い》それだけでなぜ。そうばかりでなぜ。「—荻の葉渡る秋風を聞きもすぐさず袖濡らすらん」〈新後撰二七三〉 **—やは**《反語として》そんなにまで…だろうか(そんな筈はない)。「「(今マデ秘密ニシテ来タガ)—とて、うち出で侍りぬるぞ」〈竹取〉。「さまざま多かれど、—とて記し申さず」〈俊頼髄脳〉

さは【沢】水が溜まり、草の生えている、低くじめじめした土地。本来は、谷の口に近い、山かげの地をいったらしい。「川千鳥住む—の上に立つ霧の」〈万二六八〇〉。「溪、太爾佐波(たにさは)」〈新撰字鏡〉

さは【然は】㊀『連語』そのようには。そうは。「いかでか—侍らむ」〈源氏空蟬〉㊁『接続』《サバと濁音ともいう》それならば。それでは。「忘るるかいざ—我も忘れなむ」〈拾遺九九三〉。「『もし国の王か』と問ふ。『さもあらず』と言ふ。『ー、国の大臣か』『それにもあらず』『ー、国のつかさか』『それにもあらず』『ー、なにぞ』」〈宇治拾遺九〇〉 **ー言へど** ①そうは言っても。そうは言うものの。「むすめたちー心強く笑ひて」〈源氏玉鬘〉 ②何と言ってもやはり。「去る者は日日に疎しと言へることなれば、ーその際ばかりは覚えぬにや」〈徒然三〇〉 **ーさうず** そのようでしょう。そうである。「凡そ武士は二心あるを恥とす。ことに源氏の習ひはー」〈古活字本平治中・義朝六波羅に寄せらる〉 ↓さうず⑵

さば【生飯・散飯・三把・三飯】《「生飯」の唐音サンパンの訛》 日常の食膳の飯の上部を少しとり分けて、訶利帝母(かりていも)即ち鬼子母神、その他もろもろの鬼神に供する飯。普通、屋根などにまいておく。「さんばん」「さんば」とも。

さば【娑婆】《サはシャの直音化》 ⇩しゃば。「ーのほかの岸(彼岸)に到りて」〈源氏若菜上〉

さば【然ば】『接続』 ⇩さは㈡

さばあま『連語』《サバはサバメキのサバに同じ》 上代の俗諺。漁夫がののしりさわぎ立てる習性のあること。「俗人(ときと)の諺(のひとと)に曰はく佐麼阿摩(さばあま)といふは」〈紀応神三年〉

さはあららぎ サワ【沢蘭】 菊科の多年草サワヒヨドリという。「黄葉(もみち)せるー一株(ひともと)を抜き取りて」〈万四二六八題詞〉。「沢蘭、サハアララギ・アカマグサ」〈名義抄〉 †*saFaararagï

さはい【差配・作配】 ①取扱い。処置。周旋。また、それをする人。「味なーの志賀の山越」〈俳・大坂一日独吟千句〉 ②貸地・貸家の持主の代理となって管理すること。また、その人。家守。江戸では「家主(いへぬし)」「大家」ともいった。「借屋のー頼みたし」〈浮・子孫大黒柱二〉

ざはい【座配】 ①座の順序。「ーは、先づ報恩院を呼び候て、後に愚出で候」〈証如上人日記天文五・九・七〉 ②席上の応対。一座の取持ち。「ー・付合ひの刻(きざみ)、大人を敬ひ、老人を愛し候事」〈宗国史外篇七、寛永二・八・三太祖遺訓〉

さはいづみ サワ【沢泉】 沢にある泉。「隠処(こもりど)のーなる岩が根も」〈万二四四三〉 †saFaidumi

さばえ『感』《「さばへ」とも表記》 さようなら。さばよ。「大門まで送り、『ー』と言へども、帰りもやらず」〈浮・分里艶行脚五〉

さばかり【然ばかり】『副』 ①その程度。それほど。また、そんなにも(甚だしく)。「ーならむあたりには誰かはすかされ寄りはべらむ」〈源氏帚木〉。「ー宣ひし一言(ひとこと)をだにたがへじ」〈源氏総角〉 ②非常に。大変。「ー深き谷一つを平家の勢七万余騎でぞうめたりける」〈平家七・倶梨迦羅落〉

さば・き【捌き】㈠『四段』 ①手にとって巧みに扱う。「すべて六つの刀、猶とかくー・きやる様、凡夫のしわざとも覚えず」〈発心集八〉 ②ばらばらにほぐす。裂く。「狂人のまねとて、髪をー・き、あかはだかになり」〈真宗教要鈔下〉 ③複雑な物事を適正に処理する。「〔大キナ国ヤ家ナドヲ〕我一人してー・かうとすれば、…我とはえー・かぬぞ」〈周易抄〉 ④裁断する。裁判する。「馬寮(うまづかさ)に、下衆男(げすをとこ)の悪しき事ありて、頭(かみ)にー・かれて」〈帥大納言家集〉。「健児所(こんでいどころ)、ひそかに公事(くじ)をー・く所なり」〈庭訓抄上〉 ⑤意のままにふるまう。「卑怯(ひけふ)はー・くまいものと、思ひつめても便りなく」〈近松・冷泉節上〉 ㈡『名』 ①適切に処理すること。処置。「公界(くがい)のー、或いは内証の取扱ひなど」〈天草本伊曾保〉 ②理非・曲直を裁断すること。裁判。裁決。「公事沙汰のーを以て、その理非の明暗を察し」〈山鹿語類五〉 ③その人の意のままに左右すること。「僧のみ出頭して、政道はただ坊主ーとなり」〈本朝俗談正誤二〉 **ーうるし**【捌漆】 ざっと一通りに薄く塗る漆。「雨やさっとーの薄紅葉」〈俳・難波草三〉 **ーがみ**【捌髪】 結わずに解きちらした髪。「大肌(おほはだ)脱ぎにー」〈仮・竹斎上〉

さばく・り ㈠『四段』 ①手にとって扱う。「賀茂の神人とおぼしくて…勝負の鉾(こはこ)などをー・りつるを」〈著聞三六六〉 ②取り扱う。世話をする。「よき僧にー・られたらん、まづ結縁(けちえん)なり」〈正法眼蔵随聞記二〉 ㈡『名』 ①手にとって扱うこと。また、手でもてあそぶこと。いじること。「扇に好きて、朝夕、扇ーのみする人にて候ほどに」〈謡・班女〉 ②取扱い。世話。「寺のーをする僧尼は」〈他阿上人法語〉。「年頃、この尼、臨終のーしてと契りしに、折ふし叶はで、本意なく侍る」〈地蔵縁起〉

さば・け【捌け】『下二』《サバキの自動詞形》 ①裂けてばらばらになる。「大地も七尺ー・け割れ」〈大淵代抄二〉 ②物事の筋道がはっきりする。「弁舌ー・けし長口上」〈近松・井筒業平二〉 ③世馴れて物分りがよい。気がきく。「ー・けぬ人の長座敷」〈西鶴・一代女五〉

さはさは サワサワ 落ち着かないさま。そわそわ。「気がーと廻る夕立」〈俳・桜千句〉

さはさは サワサワ【爽爽】《サハヤカのサハを重ねた語》 さっぱり。はっきり。もやもやのないさま。「知らざりしさまをもーとはえあきらめ給はで」〈源氏総角〉。「御心地ーとなりて」〈宇治拾遺一〇一〉

さはしがき サワシ【醂柿・淡柿】「あはしがき」に同じ。〈易林本節用集〉

さばし・り【さ走り】『四段』《サは接頭語》 走る。「河瀬には年魚子(あゆこ)ー・り」〈万四七五〉

さはだ サワダ『副』《ダはイクダ・ココダなどのダ、程度や量を示す副詞語尾》 多く。「きへ人の斑衾(まだらぶすま)に綿ー入りなましもの妹が小床(をどこ)に」〈万三三五四遠江東歌〉

さはたづみ サワ【沢たづみ】 沢にわく水の意という。「隠処(こもりづ)のーにある岩根ゆも」〈万三二七九四〉 †saFatadumi

さはち【砂鉢・沙鉢】 ①底の浅い磁器の鉢。「禁盃向後(きやうこう)ーで呑まん」〈俳・宝蔵四〉。「砂鉢、サハチ」〈色葉字類抄〉 ②額(ひたい)。「この鉄砲ゆゑに、敵を一疋ーをぶち破った」〈雑兵物語下〉

さはに サワニ『副』 平面に広がり散らばって数量・分量の多くあるさま。たくさん。人・鳥・里・山などにいう。「人ー国には満ちて」〈万四八五〉。「大和恋(こほ)しく鶴(たづ)ー鳴く」〈万三六九〉 ▽類義語シジニは、ぎっしり一ぱいにの意。ココダは、こんなに甚だしくの意。

さはべ サワ【沢辺】 沢のほとり。「蘆田鶴(あしたづ)のーに年は経ぬれども」〈後撰七五四〉

さばへ エバ【五月蠅】《サはサツキ(五月)のサと同根。神稲の意》 陰暦五月、田植えごろのハエ。「悪しき神の音(おと)は、ーなす皆満ち」〈記神代〉 †sabaFë

さばめ・き『四段』《サバは擬音語》 さわぎ立つ。ざわめく。「訕唴、此をば佐麼売玖(さばめく)といふ」〈紀応神三年〉 †sabameki

さはやか サワヤカ【爽やか】 ①気分のさっぱりしたさま。「いかが御心地は。ーに思しなりにたりや」〈源氏柏木〉。「湯浴(あ)みてーにならむと宣はす」〈栄花楚王夢〉 ②いかにも明快なさま。「心ゆくもの。…神・寺などに詣でて物申さするに、寺は法師、社は禰宜(ねぎ)などの、暗からずーに、思ふ程にも過ぎてとどこほらず聞きよう申したる」〈枕三一〉 ③気持にためらいがなく、すっぱりと思い切ったさま。「ーに〔コノ世ヲ〕背き離るるも有りがたう」〈源氏鈴虫〉 ④美しくさっぱりしているさま。清潔感があるさま。きれい。「月も日もーにこそ照らすめれいとけぎたなき人の心を」〈拾玉集三〉

さはや・ぎ【爽やぎ】『四段』気分が良くなる。多く病気回復にいう。「えー・ぎ給はねど、ありしよりは少しよろしきさまなり」〈源氏若菜下〉

さはやけ【黄菜】大根などのもやし。「厨女(くりやめ)……ーの汁して、持て来たり」〈宇津保祭使〉。〈和名抄〉

さはやま【沢山】たくさん。「やまさは」とも。「この類(いる)申したきことーなれども」〈評判・家計夢三〉

さばよ『感』《サバは接続詞。そうならばよ、の意》別れる時の挨拶。さようなら。さばえ。「『晩程、茨木屋で逢ひませうによ』『ー』」〈伎・椀久浮世十界〉

さばよみ【鯖読み】①二つで一つと数えること。「二つづつ読む(数エル)をばーと云ふ事あり」〈名語記八〉 ②いい加減に数えること。「ーか千代に八と言うて千代の春」〈俳・富士石一〉

さはらか【爽らか】《サハヤカと同根。髪の毛の状態に使うことが多い》①(髪の毛がそう多くなく)すっきりとしているさま。「髪の裾少し細りて、ーにかかれるしも」〈源氏初音〉。「髪ーなる程に、落ちたるなるべし」〈源氏椎本〉 ②こざっぱりとしたさま。「〔部屋ハ〕めやすきさまに、ーに、あたりあたりあるべき限りしたる所を」〈源氏東屋〉

さはら・ひ【障らひ】『四段』《障リに反復継続の接尾語ヒのついた形。→ひ》繰り返しさわる。「一瀬(ひとせ)には千たびー・ひゆく水の」〈万六九九〉 †saFaraFi

ざばらひ【座払ひ】歌舞伎芝居の興行主が、役者・道具方その他に金を支払うこと。また、その金。「道頓堀ののたよりともなる」〈西鶴・永代蔵三〉

さはり ①【鈔鑼】響銅(さはり)製の大きな形をした仏具。読経の時に打ち鳴らす。「こころ(日本)に鉦をーと云ふぞ。鈴のやうにて舌無いぞ」〈玉塵抄四四〉。〈文明本節用集〉 ②【響銅】合金の名。銅・鉛・錫(すず)を主成分とする。仏具・鉢・皿などを作るのに使う。「中柱の前に、利休の根太(ねぶと)香入あり。ーのやうなるかね也」〈久重茶会記寛永一四・一〇・五〉

さは・り【障り・触り】□一『四段』《サヘ(障)の自動詞形で、行くてをさえぎるものに引っかかって行き悩むのが原義。転じて、ものごとに持続的に接触する意。類義語フレは瞬間的にちょっと接触する意》①障害となる。「あしひきの山野ー・らず」〈万三九七三〉 ②さしつかえる。「雨にやー・りけむ、来ざりけり」〈大和六七〉 ③ひっかかる。「みなそこの月の上より漕ぐ船の棹(さを)にー・るは桂なるらし」〈土佐一月十七日〉。「左右広ければー・らず」〈徒然二二一〉 ④当り触れる。ちょっと接触する。「御棚に麦の粉やらんと覚しき物の手にー・り候ひつるを」〈著聞四四〇〉 ⑤相手から差された盃を受けずに、重ねて相手に酒を飲ませる。「ここは一つー・りませう」〈浄・暦三〉 □二『名』①さしつかえ。障害。「沖つ波千重(ちへ)に立つともーあらめやも」〈万三五八三〉 ②月経。「つきのさはり」とも。「たちぬる月よりは、ーものし給はず、なやみ給ふなり」〈宇津保国譲中〉 ③《義太夫節の用語。他の音曲の節にさわる意から》㋑義太夫節以外の音曲の節を取り入れた部分。「不二(ふじ)の煙の(サハリ)空に消え、行方も知れぬ思ひをば、(ナホス)晴らす嫁入(よめり)の(フシ)門火(かどび)ぞと」〈浄・忠臣蔵七〉 ㋺歌うように語る、抒情的なくどきの部分。「八重垣姫がくどきのー」〈音曲鼻毛抜〉 **触らば冷やせ** ①近江国日吉(ひえ)神社の山王祭の神輿昇(みこしかき)が唱えた囃子(はやし)詞。神輿の行列を少しでも邪魔したら斬ってしまえという意。「日本にて、坂下の〔山王〕祭の時に…武具をしたためて、あらけなき姿にて、ーーと云ふぞ」〈三体詩抄一ノ三〉 ②殺伐なさまの形容。「君を打たれた程に、楽の声にもーな処が有ったぞ」〈毛詩抄一〉。「行行は剛強の貌なり。ーのなりぞ」〈論語抄先進〉 **触り三百** 物事にちょっと関係したために損をするたとえ。「落す葉やー木木の風」〈俳・毛吹草六〉。「すいて喧嘩はー」〈俳・大矢数三〉 **触り三百目** 間男の首代金三百目(金五両)の意。「ーは常の定め、この上は三十貫目と言ひ懸けられても、嫌(いや)と云はれぬ、ああおっかない事かな」〈浮・日本荘子三〉 **ーどころ**【障所】さしつかえとなる箇所。障害物。「かく程もなき物の隔てばかりをーにて」〈源氏総角〉 **触るに煩悩**(ぼんなう) 異性に触れると欲情が起る意。「構はじな是れもーの犬は烈しく人に噛み付く」〈吾吟我集七〉。〈俳・毛吹草二〉

さはれ《サハアレの約。命令・放任の意から転じて譲歩をあらわす。サバレと濁音のこともあったらしい》□一『接続』そうではあるが。それにしても。「〔尼ニナルノヲ延期シタガ〕ー、よろづにこの世のことはあいなく思ふを」〈かげろふ中〉。「ー、しばしこのこと漏らしはべらじ。内にも奏せさせたまふな」〈源氏賢木〉 □二『感』どうともなれ。ままよ。「ー、このついでにも死なばや」〈源氏柏木〉

さひ【鉏】①鋭利な剣。「太刀ならば呉(くれ)の(中国伝来ノ)真(ま)ー」〈紀歌謡一〇三〉 ②鋤(すき)。「ーを作りて此の岡に祭るに…即ち佐比(さひ)岡と号(なづ)く」〈播磨風土記〉 ▽朝鮮語 stapu(耒)と同源か。 †saFi

さ・ひ【障ひ】『四段』邪魔をする。「となみ(ウネル波)の立ちー・ふ道を」〈万三三三五〉 †saFi

さ・び【荒び・寂び】□一『上二』《生気・活気が衰え、元の力や姿が傷つき、いたみ、失われる意》①荒れる。荒涼たるさまになる。殺風景になる。「ささなみの国つみ神の心(うら)ー・びて荒れたる都見れば悲しも」〈万三三〉 ②ふるくなる。ふるびてゆく。「我が門の板井の清水里遠み人し汲まねば水ー・びにけり」〈神楽歌二八〉 ③心が荒涼となる。心にさびしく思う。「まそ鏡見飽かぬ君に後れてや朝夕(あしたゆふべ)にー・びつつ居らむ」〈万五七二〉 ④【錆び】(金属などが)さびる。「錠のいといたくー・びにければ、あかず」〈源氏槿〉。「此の陰気に依りて、刀や剣や常ー・ぶる也」〈杜詩抄六〉 ⑤(色などが)あせる。「夕づく日色ー・びまさる草の下にあるとしもなく弱る虫の音」〈玉葉八一三〉 ⑥古びて趣がある。「岩に苔むしてー・びたる所なりければ、住ままほしう」〈平家灌頂・大原入〉 ⑦修練を重ねて、俗気がなく清らかな精神になる。「是のごとく、ー・び上がり、たけ上がった清貧の修行」〈大淵代抄一〉 ⑧〔歌論用語〕物さびれた境地である。「ねざめして物ぞかなしき昔見し人はこの世にあるぞすくなき。…右歌は姿ー・びて心ほそく」〈広田社歌合〉。「住吉歌合、俊成云はく、左歌姿詞いひしりて、ー・びてこそ見え侍れ云云。それもうらさびしくといへる歌をいへり」〈八雲御抄四〉 ▽この語は藤原俊成以後歌合の判詞に使われ、幽玄美や余情美の一典型とされた。中世を経て近世の蕉風俳諧などに引きつがれた。□二『名』①【錆】金属のさび。「たとへばーある刀を砥(と)にあててとぐが如し」〈正法眼蔵洗浄〉。「鉄精、カネノサビ」〈名義抄〉 ②荒れ、さびれた心境に徹底して、清寂枯淡にまで洗練して行く芸術上の一理念。蕉風俳諧の根本理念。「花守や白き頭をつき合はせ。先師曰く、『ー色よくあらはれ、悦び候』と也」〈俳・去来抄〉 †sabi

さ・び『接尾』《サは漠然と方向や様子を示す語。ビは行為を人に示す意。カナシビ・ウレシビのビと同じ》体言について上二段活用の動詞をつくり、そのものにふさわしい、そのものらしい行為・様子をし、また、そういう状態であることを示す。「うま人―・び」「山―・び」「男―・び」など。「神―・ぶる生駒高嶺に雲そたなびく」〈万四三八〇〉 †sabï

さびあゆ【錆鮎】陰暦七、八月、約一尺の大きさで、背に錆のような模様のある産卵期の鮎。落ち鮎。「子産みたる後をば―と名付く」〈名語記六〉

さびいわし【錆鰯】錆びた刀。「赤鰯」とも。「篦(へら)同前の―」〈近松・加増曾我二〉

さびえぼし【皺烏帽子】装飾に皺(しわ)を多くつけた烏帽子。「この頃都にはやるもの、肩当て腰当て烏帽子止め、襟の立つ方―」〈梁塵秘抄三六八〉

さびかへ・り（カエリ）【寂び返り】〘四段〙ひっそり静まりかえる。「我も我もと〔六波羅ニ〕参り集まりける間、京中はたちまちに―・り」〈太平記九・足利殿着御〉。「人もこれを傷(いた)みてか、―・りてものさびしくあるぞ」〈中華若木詩抄下〉

さびさび【寂寂】いかにもさびしいさま。うらぶれたさま。「従者四人とは―としたる体ぞ」〈春秋抄三五〉

さひさひ・し〘形シク〙⇒さゐさゐし。「論篤、サヒサヒシ・ミダリガハシ」〈伊京集〉

さび・し【寂し・淋し】〘形シク〙《サビ(荒・寂・錆)と同根。本来あった生気や活気が失われて、荒涼としていると感じる意。そして、もとの活気ある、望ましい状態を求める気持でいる意。類義語ワビシは失意や貧窮のため苦しい意。→さうざうし》①もとの活気が失せて、荒れはてていると感じる。「いつぞやも花の盛りに一目見し木のもとさへや秋は―・しき」〈源氏総角〉②相手がいなくなって、索莫とした気持である。物足りなく感じる。「ののしりて帰らせ給ふ響きを…物隔てて聞きて名残―・しうながめ給ふ」〈源氏松風〉③孤独がひしひしと感じられる。「限りもなく人にのみかしづかれてならはせ給へれば、世(男女)の仲のうち合はず―・しき事、いかなるものとも知り給はぬ」〈源氏宿木〉④ものがなしい。何となく感傷的である。「氷しく沼の葦原風さえて月も光ぞ―・しかりける」〈山家集上〉 **―・め**【寂しめ】〘下二〙さびしがらせる。さびしい思いをさせる。「さればとて―・め奉るべからず」〈盛衰記三九〉。「或る男、女(妻)を―・めて、珍しき女を置きけるに」〈女訓抄一〉

さびつきげ【宿鴇毛】馬の毛色の名。赤茶色を帯びた月毛。「旗差は黒革威の鎧に、甲(かぶ)猪首(ゐくび)に着ないて―なる馬にぞ乗ったりける」〈平家九・一二之懸〉

さびつち【渋土・錆土】茶色がかった橙(だいだい)色の土。茶室の壁土などに使う。京都清水山麓の法国寺辺や大阪の生玉で産出。遊行(ゆぎやう)土。大坂土。「堺砂利五十五俵、大坂―三十五俵」〈梅津政景日記元和七・九・二〉

さひづら・ひ（サイズライ）〘四段〙《サヒヅリに反復・継続の接尾語ヒのついた形。→ひ》意味の分らない言葉をしゃべる。一説、サヒヅラフで「漢(あや)」にかかる枕詞。「―・ふ漢女(あやめ)をすゑて縫へる衣そ」〈万一二七三〉 †saFiduraFi

さひづり（サイズリ）《サヘヅリの古形》意味のわからない言葉をしゃべること。また、その言葉。「辺呪語、古経云、鬼神辺地語、佐比豆利(さひづり)」〈華厳音義私記〉 †saFiduri

さひづるや（サイズルヤ）〔枕詞〕意味の分らない言葉をしゃべる意から、「唐(から)」にかかる。「―からうすに舂(つ)き」〈万三八八六〉 †saFiduruya

さひづゐ（サイ）【鏄】草を刈るための農具。鍬(くわ)の一種。「畠作るとて、…榑(くれ)の足駄はきて―つきて」〈宇津保藤原君〉。「鏄、佐比都恵(さひつゑ)、鋤属也」〈和名抄〉

さひとゆ【さ一夜】《サは接頭語。ユはヨの転》一夜。「―も率(ゐ)寝てむ時(しだ)や」〈肥前風土記〉 †saFitöyu

さひゃうゑ（ヒョウエ）【左兵衛】左兵衛府。また、左兵衛府の官人。「―、河内国志紀郡の人、正八位上、達沙仁徳」〈続紀天平宝字五・五・三〉 **―のかみ**【左兵衛督】左兵衛府の長官。「式部卿の宮の―は、殿の上の御はらからぞかし」〈源氏藤袴〉 **―のじょう**【左兵衛尉】左兵衛府の第三等官。「進の三郎大夫季房が子、―家貞といふ者ありけり」〈平家一・殿上闇討〉 **―ふ**【左兵衛府】皇居の警固をつかさどる六衛府の一。「甲午、―皇太后に献物す」〈三代実録貞観一六・四・六〉 →兵衛府

さふ【左府】左大臣の唐名。「両職ともに―に奪はれ」〈保元上・新院御謀叛思し召し〉

ざふ（ゾウ）【雑】和歌・連歌・俳諧の分類の一。春・夏・秋・冬などの分類基準に合わないもの。歌集では雑歌(ざふか)を集めたのを「雑の部」、連歌・俳諧では季のない句を「雑の句」という。「四季の歌(本歌)をもて恋・―の歌を詠じ」〈詠歌大概〉。「―の題にては、まづまづ季を読まじとするなり」〈正徹物語上〉 ▽ザフは「雑」の字音dzapを日本風に仮名をあてたもの。

ざふか（ゾウ）【雑歌】歌集分類の一で、中国の詩の分類名をとり入れたもの。万葉集では、相聞(さうもん)・挽歌(ばんか)に属さない歌。古今集以後では、春・夏・秋・冬・賀・離別・羇旅(きりょ)・物名(もののな)・恋・哀傷などに属さない歌。くさぐさのうた。〈万巻一・目録〉

さふかい（ソウ）【插鞋】《「草鞋」は当て字》木製の浅い履(くつ)で、外側に錦を張り、底に牛皮をつけたもの。主に天皇が履き、また、僧侶も使用した。「夏の表衣(うへのきぬ)に冬の下襲(したがさね)を着、…靴片し、―片し、踵(きびす)をばはな(指先ノ方)にはきて」〈宇津保貴宮〉

ざふぎゃう（ゾウギョウ）【雑行】〔仏〕正行(しやうぎやう)以外の行(ぎやう)。浄土宗などで、阿彌陀経など浄土三部経以外の経を読誦したり、阿彌陀仏以外の諸仏を礼拝したり讃歎供養したりする行をいう。「行に二つあり。一には正行、二には―なりといへり」〈和語燈録一〉 **―ざふしゅ**（ゾウ）【雑行雑修】念仏以外の諸行・諸善を修めて極楽に往生しようとすること。浄土宗などで、これを嫌っていう言葉。「もろもろの―の心を捨てて」〈御文章〉

ざふぐ（ゾウ）【雑具】種種のこまごまとした道具。雑多な家具。「資財・―を持ち運び騒ぎ合ひ」〈保元下・新院讃州〉。「野宿の料に、雨皮・敷皮・油単等の―」〈庭訓往来六月十一日〉

ざふくじ（ゾウ）【雑公事】荘園制下の農民の雑税。年貢以外に、農産物・海産物・手工業的加工品などを納めたもの。律令制の調にあたる。「―、領家預所の免許を蒙らず」〈貞永式目追加寛喜三・四〉 →ざふじ(2)

ざふぐら（ゾウ）【雑蔵】「庭蔵」に同じ。「ザウグラ」〈日葡〉

ざふげい（ゾウ）【雑芸】①平安時代、中国渡来の散楽と共に演じられた曲芸・奇術の類の称。「―常の如し」〈御堂関白記寛弘七・七・二八〉②平安末期、今様(いまやう)を中心とする庶民的な歌謡の総称。今様のほか、東遊(あづまあそび)・朗詠・早歌などが含まれる。遊女など職業的芸能者によって唱われ、流行した。「秋の夜の月の光はかはらねど旅の空こそあはれなりけれ。…―にうたふ歌にこそ頗る似て侍れな」〈奈良花林院歌合〉。「遊女(あそび)の好むもの、―・鼓・小端舟(こはしぶね)」〈梁塵秘抄三八〇〉

ざふこう（ゾウ）【雑口】種種の事を言ってののしること。雑言。「世の中の―」〈近松・傾城吉岡染上〉

ざふごん（ゾウ）【雑言】①雑談。「諷諌の後、已に―に及び、風月の事、和歌の興、言談せらるるの間」〈中右記寛治八・

七・一九〉②悪態。悪口。「無益(むやく)の殿ばらの—かな」〈平家二・嗣信最期〉

ざふざふのひと ゾウゾウ：【雑雑人】下賤の者。雑人(ざふにん)。「よき女房車多くて、—なき隙(ひま)を思ひ定めて、皆さしのけさする中に」〈源氏葵〉

さぶ・し【寂し・淋し】『形シク』《サビシの古形》荒涼とした感じである。「白つつじ見れども—・し亡き人思へば」〈万四三四〉

ざふし ゾウ：【雑仕】①雑役・走使いの役。行幸・行啓などの供をした。「—は皆馬に乗りて」〈今鏡四〉②「雑仕女」の略。「九条院の—、常葉が腹に三人あり」〈古活字本平治下・頼朝生捕らる〉 **—め**【雑仕女】①宮中で雑役に奉仕した下級の女官。特に「上の雑仕」という。「御書所の—、后町の井に落ち入りて死す」〈小右記治安四・八〉②貴人の家で雑役に従事した女。女中。「御厨子所の—、皆襌(ちはや)着てあり」〈宇津保吹上上〉

ざふし ゾウ：【雑紙】粗悪な紙。後には、鼻紙の意にも用いた。「ざっし」「ざし」とも。「—価は…一束に七升五合」〈東大寺文書四、安元三・五・二〉

ざふじ ゾウ：【雑事】①雑多な事柄。雑事(ざつじ)。「—ども仰せられつるついでに」〈源氏浮舟〉②種種の賦課。平安時代以後、田租・年貢等のほかに課せられた雑税。公事(くじ)。雑公事(ざふくじ)。「臨時造殿の—」〈醍醐雑事記三〉③(2)の雑税として納められるものの称。野菜・塩・油などの食料品、そのほかの日用品が多かった。「さてはいとほしき事やとて、筑後守家貞に仰せて、衣裳絹布の類を送り遣はすのみにあらず、毎月に時料—を運び入る」〈盛衰記一七〉④特に、食事の提供。「尾張国萱津の宿(しゅく)に着き給ふ。当国の守護人野三刑部丞成経—を進ず」〈吾妻鏡建久六・六・二九〉⑤雑費。雑事銭(ざふじせん)。「〔逃亡シタ下人ヲ〕遠き境より付け来たらば、路銭—以下、人主の方より償ふべし」〈塵芥集〉⑥野菜のこと。「中江土佐、旅宿を訪ふ。飯米(はんまい)・薪・—等取り具して、炉辺の閑談二夜」〈宗長手記下〉。〈日葡〉

ざふしき ゾウ：【雑色】①雑多なもの。色彩の種別の雑多に用いるほか、田地・稲などについても雑色田・雑色稲などという。「彩色とは、謂ふ、画くに用ゐる—なり。即ち朱黛等の類」〈令義解職員〉②古代律令制下の身分制度で、良民の最下位の品部(しなべ)・雑戸(ざっこ)をいう。「—とは、謂ふ、雑戸・品部也」〈令集解賦役〉③諸司・諸国・諸家に属し、雑役をつとめる低い位の職。「郡領已下、—四十一人に位一階を進む」〈続紀養老一・九・三〉④走使いをする下男。「—が頸に懸けさせたる文袋(ふぶくろ)より、入道相国の許文(ゆるしぶみ)取り出いて奉る」〈平家三・足摺〉⑤鎌倉・室町幕府に所属する番衆で、雑役に従事する者。「—の長と為すべき旨、仰せらる」〈吾妻鏡治承四・一二・二八〉⑥室町時代末より江戸時代にかけ、京都所司代に属して雑役に従事する者。四座雑色があり、行政・警察・司法の補助をし、行幸啓の先駆、祇園会(ぎおんえ)の警固などにも当った。「—四座中」〈松尾氏旧記〉。「—の残る暑さに霍乱(くわくらん)し」〈俳・伊勢山田俳諧集〉 **—どころ**【雑色所】雑色が出仕し、詰めている所。「侍の入るべき所、—など、さまざまに物据ゑなどして待ち居給ふ」〈落窪三〉

ざふせつ ゾウ：【雑説】あやしく不確かなうわさ。風説。「浦上衆切りかかり来ると—あり」〈赤松記〉。〈文明本節用集〉

ざふたい ゾウ：【雑体】《ザッテイとも》和歌用語の一。長歌・旋頭歌・仏足石歌体・混本歌・俳諧歌・折句歌などの総称。「長歌・短歌・旋頭・混本の類、—一にあらず」〈古今真名序〉

ざふたん ゾウ：【雑談】とりとめのない話。ざつだん。「近習の公卿両三人、女房少少候ひて—ありける時」〈著聞三三〉。「—に心の奥の見ゆるかな言の葉ごとに気を遣ふべし」〈江北記〉。「〔連歌会デ〕—は満座の敵也」〈一紙品定之灌頂〉。〈文明本節用集〉

ざふながもち ゾウ：【雑長持】雑多な家具を入れる長持。「—に入るる七夕」〈俳・両吟一日千句〉

ざふにん ゾウ：【雑人】「凡下(ぼんげ)」(2)に同じ。「いはんや郎従の蓬華(ほうひつ)に於いてをや。いはんや—の屋舎に於いてをや」〈平家七・聖主臨幸〉

ざふひゃう ゾウヒョウ【雑兵】身分の低い兵士。歩卒。「—の手にかからんこと、あまりに口惜しう候へば」〈謡・朝長〉

さぶめか・し『四段』ざぶざぶと音を立てる。「ひそかに湯屋に入りて、子を抱きながら犬を具して、—・して湯を浴む」〈今昔一九ノ二〉。「渉は、河を渡る時は—・いて渡り通るぞ」〈史記抄三〉

ざふもつ ゾウ：【雑物】①「雑具(ざふぐ)」に同じ。「資材・—、若干運び取りて」〈十訓抄七ノ三〉②「贓物(ざうもつ)」(2)に同じ。「人の人を盗人とさして申すとも、—露顕の儀なくば、ゆめゆめ用ゐ給ふべからず」〈極楽寺殿御消息〉

ざふやく ゾウ：【雑役】①雑用の労役。雑役(ざつえき)。また、その事に使われる者。「男ども、—にとて参らす」〈源氏竹河〉②雑役に使用する牝馬。雑役馬(ざふやくうま)。駄馬。「駒情(こまのみやび)。—を恋ふる也」〈詞林三知抄上〉。「バビロニヤの国に駒がいばへば、必ずこの国の—が胎(はら)むことがある」〈天草本伊曾保〉 **—うま**【雑役馬】「雑役」(2)に同じ。「—一匹もちて、常に方方の市に行きて商売す」〈奇異雑談集四〉 **—ぐるま**【雑役車】雑用に使う車。雑車(ざふぐるま)。「〔行列ノ〕後(しり)に—に、この僧は紙の衣、袈裟など着て乗りたり」〈宇治拾遺一二三〉

ざふよう ゾウ：【雑用】雑費。費用。〈下学集〉

ざふら【鈔鑼・鈔鑼・沙羅】《梵語の音訳》⇒さはり(1)「鍾・—・宝帳・香炉・幡(はた)の等(ごと)き物を付(さづ)け賜ふ」〈紀持統三年〉。「唐韻云、鈔鑼、銅器也。二音、与二沙羅一同。俗云二沙布羅(さふら)一」〈和名抄〉。「鈔鑼、ザフラ」〈名義抄〉

さぶらう ロウ：【三郎】三番目に生れた男子。三男。「右の大殿(おほいどの)の—」〈源氏若菜下〉 ▽サブは「三」の字音 sam が sab と転じたもの。「郎」は男子の意。

さぶら・ひ サブライ【侍ひ・候ひ・伺ひ】㊀『四段』《サモラヒの転。類義語ハベリは、身を低くして貴人などのそばにすわる意》①(身分の高い人の)身辺を見守る。側に仕える。「—・ふ人人を召して、ことにつけつつ歌を奉らしめ給ふ」〈古今序〉②(目上の人の)側近く行く。うかがう。「心ざしを励まして、今日はいとひたぶるに、強ひて—・ひつる」〈源氏玉鬘〉③《「—・はせ」の形で》(身分の高い人に)さし上げる。「浦浦の巻は中宮に—・はせ」〈源氏絵合〉④「有り」「居り」の謙譲語。ございます。おります。「いかなる所にかこの木は—・ひけむ」〈竹取〉。「浪の下にも都の—・ふぞ」〈平家一一・先帝身投〉⑤陳述の「有り」の丁寧語。…ございます。…あります。「めづらかなることに—・ふ」〈更級〉。「その上、年もいまだ幼う—・ふなるが」〈平家一・祇王〉 ㊁『助動』丁寧の意を添える。…ます。「『参り侍り』と申し—・ひつれば」〈和泉式部日記〉。「海に沈み—・ひしぞ」〈平家灌頂・六道之沙汰〉↓基本助動詞解説。 ▽丁寧語としては、奈良・平安時代にはハベリ(侍)が使われていたが、次第にサブラヒが取って代った。ロドリゲス大文典によれば、鎌倉・室町時代には、男は「さうらひ」の形で使うという区別があったらしい。女は「さぶらひ」「さむらひ」の形で使うという区別があったらしい。

㊂『名』①貴人や目上の人の側にいつも控えて仕えている人。おつき。後、次第に特定の家人(けにん)をさすようになり、特に親王・摂家・大臣家などに仕える者は恪勤(かくごん)とも呼ばれた。「宮の―に、平の重経となむ名告り侍りつる」〈源氏東屋〉②君主のそばで警固に任ずる者。帳内(ちやうない)・内舎人(うとねり)・兵衛・滝口・帯刀(たてはき)・北面など。君側に仕えるところから、後には「さぶらひ」が上級武士の身分的称呼に転用されることになった。「これはもと平家の一門たりしが、身不肖なるによって、当時は―になったる越中前司盛俊といふ者なり」〈平家九・越中前司最期〉③武士。さむらい。「―は渡り者なれば」〈甲乱記〉④侍の詰所。侍所。「客人(まらうど)の御出居、〔供人ノ〕―と、しつらひ騒げば」〈源氏東屋〉。「内外に―あり、共に十六間(けん)なり」〈平家八・征夷将軍〉

―そう【侍僧】「侍法師」に同じ。「数輩の童形(とうぎやう)・出世者・坊官・―に至るまで」〈平家七・経正都落〉

―だいしゃう【侍大将・士大将】①大将軍の下にあって、一軍を率いる部将。五位・六位の侍の家筋の者が任じられた。「これを見て、平家の方の―上総守忠清、大将軍の御前に参って」〈平家四・橋合戦〉②戦国時代、大名の下にあって一組の侍を預かる部将。「小山田備中守は、信虎公より我等まで―」〈甲陽軍鑑七〉

―だう【侍道】武士特有の道徳。武士道。「弓馬・物の具をもとめ、よき者を扶持せられんや、―ともいふべからん。…朝暮の活計馳走いかが」〈宗長手記上〉。「少しの儀なりとも、偽は―に有るべからず候」〈伊達家文書一、最上義光書状〉

―ぢくしゃう【侍畜生】武士を畜生視してののしる語。「やれ―め」〈浄・三社託宣一〉

―つ・き【侍ひ付き】『四段』安定した立場・気持でお仕えするようになる。仕え馴れる。「かくて日ごろふれば―・きて、昼なども上(宮ノオソバ)にさぶらひて」〈和泉式部日記〉。「局(つぼね)して―・きたる人人は、局ながらよろづをしいそぎたるに」〈栄花若ばえ〉

―どころ【侍所】①平安時代、院・親王・摂関・三位以上の家の侍の詰所。また、その家の事務を扱った家司の一機関。別当・年預・所司・侍所長などさまざまの職があった。「宮侍の座は本の―、…下官及び左中弁懐遠を以て―別当となす」〈小右記天元五・三〉②鎌倉幕府の重要政治機関の一。長官は別当と称し、守護・地頭を支配し、将士の進退・検断決罪などをつかさどり、戦時には軍奉行となって軍務を統轄した。室町幕府も大体これにならい、さらに洛中の雑事、山城国守護などをもつかさどった。「和田小太郎義盛を―別当に補す」〈吾妻鏡治承四・一一・一七〉

―なき【侍泣き】喜怒哀楽を表情に出さないのを常とした武士が、激情にたえかねて泣くこと。「お心までが変ったは、ちとお恨みに存ずると、―にぞ泣き居たる」〈近松・氷の朔日中〉

―は互ひ 武士は互いに情をかけ合うものだの意。「侍は相互ひ」とも。「―なり。…何をかつつまん」〈西鶴・伝来記五〉

―ほふし【侍法師】侍の姿で、門跡や有力な院家・寺などに仕えた法師。「等身の衣に狩袴着たる―の、みめよくつきづきしげなる参りたり」〈著聞六三四〉

―ほんのもの【侍品の者】《「品(ほん)」は身分・階級の意》侍の身分である者。「たとひ知り参らせて候とも、―の申さじと思ひ切ってん事、糺問に及んで申すべしや」〈平家四・信連〉

―みゃうが【侍冥加】武士が神仏からこうむる加護。「―に尽き果てたり」〈浄・一心二河白道三〉

―みゃうり【侍冥利】武士の自誓の語。もし武士たる自分の言う事が違ったら、冥利が尽きよと神仏かけて誓いますの意。「弓矢八幡―、父精霊も照覧あれ」〈浄・舎利三〉

―わらは【侍童】貴人の側近くに召し使われる童。「をかしげなる―の、姿このましう」〈源氏夕顔〉

ざぶり【座振り】一座の応対。座配(ざはい)。「女郎衆の風俗―」〈浮・野白内証鑑一〉

ざふるまひ【座振舞】芝居の一座の役者全員に振舞うこと。「東山にして―の後」〈西鶴・男色大鑑五〉

さへ【鉏】「さひ」の転。「胆振鉏、此をば伊浮梨娑陛(いふりさへ)といふ」〈紀齊明五年〉　†saFe

さ・へ【障へ】『下二』《サハリ(障)の他動詞形》《進行するものの途中で》妨害する。「―・へなへぬ(コトワリキレナイ)命(みこと)にしあれば」〈万四三三防人〉。「日は精光無きこと覆ひ蔽(さ)へたるが如く」〈金光明最勝王経平安初期点〉　▽中世にはヤ行下二段にも活用。「人が―・ゆるとも大事あるまいぞ」〈周易抄三〉　†saFë

さへ『助』→基本助詞解説。　†saFë

さへき【佐伯】《サヘ(障)キ(者)の意か》朝廷の命を妨害し反抗する者の意で、土着の先住民たる国栖(くず)の別称。「昔、国巣(くず)…山の―、野の―ありき。あまねく土窟(つちむろ)を掘り置きて、常に穴に住み」〈常陸風土記〉

さへき【禁樹】さまたげになる木。一説、「楚樹」の誤りとしてシモトとよむ。「真木立つ荒山道を岩が根―おしなべ」〈万四五〉　†saFëki

さべき【然べき】『連語』「さるべき」の音便形「さんべき」の「ん」を表記しない形。「―人人にもたち遅れ」〈源氏行幸〉

さへぎ・り【遮り】『四段』《サキ(先)ギリ(切)の音便形サイギリの転。鎌倉時代以後の形》①行く手をさまたげる。他の邪魔をして先に立つ。先回りする。「身を助からんと思ふ悪心のみ―・りて、善心はかつて発(おこ)らず」〈平家一〇・戒文〉。「〔閑院行幸ノ事〕今に於て仰せ出されざるの処、―・りて沙汰あり」〈吉記治承五・三・一五〉②目の前に現われ、立ちふさぐ。「老少不定の悲しみは眼(まなこ)に―・りて雲の如くに騒げども」〈海道記〉

さへづ・り【囀り】㊀『四段』《サヒヅリの転》①鳥が歌う。絶えず鳴く。「百千(もも ち)鳥―・る春は」〈古今二八〉②節をつけて歌う。「詠、ウタフ・サヘヅル」〈名義抄〉③外国人や田舎者が、訳のわからぬ言葉でしゃべる。「〔東国ノ男タチガ〕品品しからぬけはひ―・りつつ入り来れば」〈源氏浮舟〉。「聞きも知り給はぬことどもを〔海士タチガ〕―・りあへるも、いと珍かなれど」〈源氏明石〉④早口でしゃべる。「明日のこと思ひ侍るに、今よりいとまなくて、そそきはんべるぞと―・りかけて」〈堤中納言貝あはせ〉㊁『名』①鳥のさえずること。「朝ぼらけの鳥の―を」〈源氏胡蝶〉②意味の分らない、いやしい言葉を多くしゃべること。「鵜飼ども召したるに、海人(あま)の―おぼし出でらる」〈源氏松風〉

さへにん【支人】仲裁人。「―踏んだは堪忍せぬ」〈近松・生玉心中上〉

さへのかみ【塞の神・道祖神】《「障(さ)への神」の意》峠・坂・辻・村境など、境界に祭られた神。行路の安全をもつかさどり、外から侵入して来る邪霊を防ぎ止める神。中国の「道祖」と結びつけて信仰された。「さいのかみ」「みちのかみ」とも。「道祖、和名佐倍乃加美(さへのかみ)」〈和名抄〉

さほ【佐保】奈良近郊の地名。平城京の東北方にあたり、高官の邸宅のあったところ。「左大臣長屋王の―の宅に御在(おほましま)して肆宴(とよのあかり)きこしめす」〈万一六三八左注〉

さほかぜ【佐保風】佐保の地の神が吹かす風。「―はいたくな吹きそ」〈万九七九〉

さぼ・し【さ乾し・曝し】『四段』《サは接頭語。一説、曝(さ)

り乾す意》干してよく風を通す。「卯の花の盛りなるべし山里の衣ー・せる折と見ゆるは」〈道綱母集〉

さほぢ：サオ【佐保道】佐保の地方。また、佐保に行き、佐保を通る道。「夕霧に千鳥の鳴きしーをば」〈万四七七〉

さほど【然程】『副』それほど。さばかり。「ーの事とも存ぜいで、このごろは無音(ぶいん)本意をそむいてござる」〈天草本伊曾保〉

さほひめ：サオ【佐保姫】《佐保山は平城京の東北方にあり、東は季節に配当すると春に当るのでいう》春の女神。秋の「龍田姫」の対。「ーの糸そめかくる青柳を吹きな乱りそ春の山風」〈詞花一三〉。「ー。春を守る神也」〈匠材集四〉

さほふ：ウ：ホ【作法】①仏事の法式。葬式や受戒の法式など。「限りあれば、例のーにをさめ奉るを」〈源氏桐壺〉②事を行なう仕方。儀式。「その夜、大臣(おとど)の御里に、源氏の君まかでさせ給ふ。ー(結婚ノ儀式)、世に珍しきまでもてかしづき聞え給へり」〈源氏桐壺〉③ありさま。状況。「また、世のーを見て、吉凶を相(さう)するに、当らずといふ事なし」〈今昔一三ノ二七〉

さま【状・態・様・方】㊀『名』《漠とした方向を指示するサに接尾語マのついた語。原義は、漠然たる方向。転じて、事をする方法、あるいは対象の外郭的な様子、容姿、趣。その物の内容に立ち入って露骨に表現することなく、漠然と指示する意から、人名などの下について尊敬の接尾語にも使われた。類義語カタ(方)はある一点を指向する明確な方角の意》①方向。「つねに闇の夜に東西(とさまかうさま)に求めしめ給ふ」〈紀雄略三年〉。「左右、トサマカウサマ」〈色葉字類抄〉②方法。手だて。「いかなれば言(こと)通はすべきーを教へずなりぬらむ」〈源氏花宴〉③見た目。体裁。様子。有様。「その山のー高くうるはし」〈竹取〉。「事のーを聞きて」〈土佐一月二十七日〉④容姿。風体。「みづら結ひ給へるつらつき、顔のにほひ、〔元服シテ〕ーかへ給はむこと惜しげなり」〈源氏桐壺〉。「今はとてーかはるは(剃髪出家スルノハ)悲しげなるわざなれば」〈源氏若菜上〉⑤趣。趣向。「言のこころを男文字にーを書きいだして、ここのことばを伝へたる人に言ひ知らせければ」〈土佐一月二十日〉㊁『接尾』《連濁してザマとも》①場所・方角を表わす名詞に付いて、方角・向きの意。㋑…の方角。…むき。格助詞「に」「へ」を介して動作の動詞を伴う。「あなたーに向きてぞ添ひ臥しぬる」〈源氏宿木〉。「額(ひたひ)よりかみーにさぐり上げ」〈枕二五〉。「朱雀門ーに走りていぬれば、この舎人(とねり)も家ーに行くほどに」〈宇治拾遺二四〉㋺…の方。…がた。事・人などを婉曲にさす。「あなたーの物は、皆かの宮に運びわたし」〈源氏鈴虫〉。「法師のみにもあらず、上達部・殿上人、上(かみ)ーまでおしなべて」〈徒然八〇〉②動詞連用形に付いて、場合・時の意。㋑…する場合。…する時。「帰りーに立ちよりたまひて」〈源氏蓬生〉㋺…するが早いか。…するや否や。「『…ただ行け』と言ひーに、取るものも取りあへず走りぢめいて」〈天草本伊曾保〉③氏名・官名・住居などの下に添えて、敬意を表わす。「若君ー、御館の御子と産れさせ給ふ」〈義経記八〉。「稲荷の明神ー、われ故里へ帰らぬまでは、難なく守らせ給へ」〈伽・木幡狐〉。「禁中ー、御作事の時」〈咄・昨日は今日下〉㊂『代』《敬っていう時に使う》①あなたさま。「大事の物ながら、ーに何惜しかるべし」〈西鶴・一代男一〉②あの方。「ーに進ぜて下さりませ」〈近松・氷の朔日上〉 **ーに様を付・く** この上もなく敬うたとえ。「今までー・け、あがまへた娘御に」〈近松・曾根崎心中〉 **ー参る** 恋文の宛名に添える言葉。「秋を恨みてー判」〈俳・都懐紙〉。「『民彌ー、道芝』と書いて」〈近松・壬生大念仏上〉

さま【隙・狭間】《サ(狭)マ(間)の意》①狭く小さい隙間。「善住して堅固にあり。欠(ひま)無く隙(すき)無きがごとく」〈地蔵十輪経一・元慶点〉②【狭間】城壁・櫓(やぐら)などに設けて、外を望み、また矢・弾丸を放つための小窓。「その上に櫓を二重にかいて、ーを開きたり」〈盛衰記三六〉③窓。あかりとり。「一間間中四面の堂、東の方はー格子なり」〈本福寺跡書〉。〈日葡〉

ざま【状・態・様】《サマの頭音の濁音化》ありさま・様子などを憎らしげにいう語。「この一門を傾けうとする奴(やつ)がなったーは」〈天草本平家一ノ三〉。「このー、あのーなどと人の様体(やうだい)を云ふ」〈志不可起六上〉

さまかたち【様形】容姿と容貌と。姿と顔つきと。「御簾の前に居給へば、御いらへなどほのかに聞え給ふ御声・けはひなどあてにをかしう、ー思ひやられて」〈源氏紅梅〉

ざまく 乱雑で粗末なさま。「ザマクナヒト、即ち、ソサウナヒト」〈日葡〉。「女房衆などみだりにーに無きやうに、内内の使ひざま、これ又肝要に候事」〈毛利家文書三、元和二・七〉

さまくぐり【狭間潜り】狭間を潜って逃げること。また、その者。「網代(あじろ)をや漏り行く魚はー」〈俳・夢見草四〉。「未だ落城せざるに逃げ出づるを、ー」〈軍語摘要〉

さまざま【様様】それはそれ、これはこれと、それぞれ趣の変っていること。いろいろ。「花を愛(め)で…露をあはれぶ心詞多くーになりにける」〈古今序〉

さま・し【冷まし・醒まし・覚まし】『四段』《サメの他動詞形》①熱をひやす。火を消す。「みづからだに、かの焔(恋情ノ業火)をもー・し侍りにしがな」〈源氏鈴虫〉②つのる思いや迷いを静める。冷静な状態にもどす。「思ひ慰む方ありてこそ、悲しさをもー・す物なめれ」〈源氏椎本〉③興ざめにする。気勢をそぐ。「十二人ながら御前に列して御遊なれば、ー・し参らせむも無骨(ぶこつ)なるべし」〈平治上・信西出家〉④(眠り・夢・酔いなどから)正気になるようにする。「鹿の鳴くね(声)に目をー・しつつ」〈古今二一四〉

さまた【小股】①股。こまた。「熊のーへ片足かけ、どうと引きふせ乗っかかれば」〈近松・浦島年代記四〉②相撲の一手。相手の股の間へ足を踏み込み、片手を内股へ掛け、その体を揺り上げて投げる。「ーに掛け、ずでいどうど取って投げた」〈狂言記・飛越新発意〉 **ーがへし**ガエシ【小股返し】相撲の一手。左四つに組んだ時には、右手で相手の左内股をすくい上げながら、その右側横にひねり倒す。右四つの場合は左側に倒す。今は大股という。「相撲の取手には、ーに横倒し」〈仮・竹斎上〉

さまた・げ【妨げ】㊀『下二』邪魔だてする。故障を入れる。「僧都いさめ給へば、寄りても〔剃髪ヲ〕えー・げず」〈源氏手習〉。「或いは魔波旬来たりて、行者の修道をー・ぐる事あり」〈正法眼蔵谿声山色〉 ▽古くは四段活用の場合もあったらしい。「かにかくに念(おも)ひー・ぐ事無くして」〈続紀宣命三一〉㊁『名』故障。邪魔。「とく思し立ちにし事なれど、この御ーにかかづらひて」〈源氏若菜下〉。「〔石山詣ノ中止ハ〕物(魔物)のーのやうに見奉る」〈源氏浮舟〉

さまた・れ『下二』①緊張が解けて、虚脱した状態になる。放心する。「〔天狗ノ乗リ移ッテイタ女ハ許サレテ〕心ー・れて、本の心に成りにければ」〈今昔二〇ノ六〉②正体なくなる。だらしなくなる。「この君達(きむだち)一人うるはしき者もなく、酔(ゑ)ひー・れて」〈今昔二八ノ四〉。「とかく泣きー・れゐたれども」〈問はず語り三〉。「人の機が短く、欠伸(あくび)ー・れ」〈本福寺跡書〉。「酩酊、恵比佐万太留(ゑひさまたる)」〈新撰字鏡〉

さまつたけ【早松茸】五月に生じる、あまり美味でない松

茸。「—三本給ひ、満足せしめ候」〈細川忠興文書寛永三・閏四・一四〉

さまつべら・し『形シク』《サモアリツベラシの約》もっともらしい。「彦右衛門脇を見て、さすがに—・しく座(ゎ)する」〈近代四座役者目録〉

さまで【然まで】『副』そんなにまで。「思ひわづらはれ給へば…—心とどむべき事のさまにもあらずと」〈源氏夕顔〉

さまね・し『形ク』《サは接頭語》①多い。「見ぬ日さまねみ恋しけむかも」〈万三九九五〉②しきりである。度かさなる。「うらさぶる心—・しひさかたの天のしぐれの流らふ見れば」〈万八二〉 →あまねし

さまのかみ【左馬頭】左馬寮(さまれう)の長官。「従五位下坂上王を—と為す」〈続紀神護景雲三・一一・一三〉

さまばかり【様ばかり】『連語』形式だけ。少し。「沈(ぢん)の折敷(をしき)四つして、御若菜—まゐれり」〈源氏若菜上〉

さまよ・ひ(サマヨイ)【吟ひ・呻ひ】『四段』訴えるように泣く。「父母は枕の方に、妻子(めこ)どもは足(あと)の方に、囲み居てうれへ—・ひ」〈万八九二〉。「餓鬼道にして哭吟(さまよ)ふ」〈東大寺諷誦文稿〉。「呻、左万与不(さまよふ)、又、奈介久(なげく)」〈新撰字鏡〉 †samayoFi

さまよ・ひ(サマヨイ)【彷徨ひ】『四段』《サマは漠然たる方向。ヨヒはイサヨヒ・タダヨヒのヨヒ、揺れ動く意》①うろうろする。右往左往する。「女房五六十人ばかりつどひたり。北の廂の簀子(すのこ)まで、童べなどは—・ふ」〈源氏鈴虫〉。「色めかしう—・ふ心さへ添ひて」〈源氏真木柱〉②行きつ戻りつする。ぶらぶら歩きする。「えならぬ花の蔭に—・ひ給ふ」〈源氏若菜上〉。「水草清き所に—・ひ歩きたるばかり心慰む事はあらじ」〈徒然二一〉

さまれ『感』「さもあれ」の約。「—、あれは誰かや」〈ロドリゲス大文典〉。「——、嬉しの今の問ひ言や」〈伽・鼠草子〉

さまれう(・・リョウ)【左馬寮】左の馬寮(めれう)。談天門・藻壁門の内、典薬寮の西にあった。「—の馬部大豆鯛麻呂」〈続紀宝亀一・八・二九〉 →馬寮

さみ【さ身】《サは接頭語》物の主要な部分。なかみ。一説、ミはビの転で、錆(さび)。「出雲建が佩(は)ける大刀、つづらさは(多ク)巻き—なしにあはれ」〈記歌謡二三〉 †sami

さみ・し【褊し】『サ変』《サ(狭)ミシの意。相手を狭いものと扱う意》あなどる。軽んずる。「この輩(ともがら)みだりに仏経を—・す」〈正法眼蔵仏経〉。「褊、サミス、謗也、狭」〈色葉字類抄〉

さみせん【三味線】《「三線」「三絃」とも書く》海老尾(えびお)・棹(さお)・胴の三部からなる絃楽器。三絃を張り駒を挿み撥(ばち)でならす。棹は花櫚(かりん)・鉄刀木(たがやさん)・紫檀が上等で、桑・樫でも作る。胴皮は猫・犬の皮で張る。近世初期、琉球渡来の蛇皮線(じやびせん)が改良されて、大衆演芸に普及した。しゃみせん。しゃみ。「小歌にのせては—を引く」〈仮・尤の草紙下〉。「〔盲人ノ〕柳川・阿佐利は当代—の名人、天下一也」〈隔蓂記寛文五・二・二〉

さみだ・れ ㊀『下二』《サはサツキ(五月)のサに同じ》さみだれが降る。「おほかたに—・るるとや思ふらむ君恋ひわたる今日のながめ(長雨・眺メ)を」〈和泉式部日記〉 ㊁『名』【五月雨】陰暦五月ごろ降りつづく長雨。梅雨。つゆ。「—に物思ひをれば」〈古今一五三〉。「—の空、珍しく晴れたる雲間に、渡り給ふ」〈源氏花散里〉

さみだ・れ【さ乱れ】『下二』《サは接頭語》乱れる。多く五月雨(さみだれ)と掛けて使う。「同じくは調(ととの)へてふけ菖蒲草—・れたらば漏りもこそすれ」〈金葉一四二〉 **—がみ**【さ乱れ髪】乱れた髪。多く五月雨(さみだれ)と掛けて使う。「つれづれとあしやのあまの小櫛さす—や乾さで寝ぬらん」〈夫木抄八・五月雨〉

さむけく【寒けく】《寒シのク語法》寒いこと。寒い時。「み吉野の山の嵐の—に」〈万七四〉 †samukeku

さむけ・し【寒けし】『形ク』《サムケクを形容詞連用形と誤って出来た語》寒い。さむざむとしている。「思ひきや秋の夜風の—・きに妹なき床に独り寝むとは」〈拾遺一二八五〉

さむ・し【寒し】『形ク』《サメ(冷・褪)と同根》①気温が低くて耐えがたいと全身で感じる。「夕されば秋風—・し」〈万三六六六〉。「—・きこともあらず熱きこともあらず」〈地蔵十輪経一・元慶点〉②水などつめたい。「御甕(みもひ=水)も—・し、御秣(みまくさ)もよし」〈催馬楽飛鳥井〉。「凍・冷、サムシ」〈名義抄〉

さむしろ【狭筵】幅のせまい筵、または短い筵。「—五十八枚」〈延喜式掃部寮〉。「—に衣片敷き今宵もや我を待つらむ宇治の橋姫」〈古今六八九〉。「—は、せばき莚也」〈六百番歌合冬上〉

さむばれ『感』「さもあれ」の転「さんばれ」の「ん」を「む」と表記したもの。「をかしき〔草木〕は皆取られ奉りぬれば、—、軒端の山菅に聞えむ」〈堤中納言はなだの女御〉

さむみづ【寒水】つめたい水。「琴酒を押垂小野ゆ出づる水ぬるくは出でず、—の心もけやに思ほゆる音の少なき道にあはぬかも」〈万三八七五〉 †samumidu

さむやみ【寒病】おこり。「筑紫の宇佐にありける児(ちご)、—付きて、宇佐に籠りて祈り申しけれども」〈古今序注〉。「痎、老虐也、衣也彌(えやみ)、又左牟也彌(さむやみ)」〈新撰字鏡〉

さむら【寒ら】《ラはその状態にあることを示す接尾語》寒そうなさま。「和膚(にきはだ)の衣(ころも)—に」〈万一八〇〇〉

さむら・ひ(サムライ)【候ひ】㊀『四段』「さうらひ」の女性語。「女房聞いて、『あら御いたはしや—・ふ…』」〈伽・いづみが城〉 ㊁『助動』「さうらひ」の女性語。「いかに旅人、今の歌をばなにと詠じ給ひ—・ふぞ」〈謡・江口〉 ㊂『名』【侍】⇒さぶらひ㊂「人をうつの科(とが)甚だ以て軽からず、よって—においては所領を没収せらるべし」〈ロドリゲス大文典〉。「甲斐の国の六角殿と申す—」〈かさぬ草紙〉 **—だいしゃう**(・・ショウ)【侍大将・士大将】⇒さぶらひだいしゃう。「〔二百五十人ズツ〕それぞれに—を付け」〈兵法問答〉。〈日葡〉

さめ (牛馬などの)眼球が青白く、毛なみが白いさま。「名おそろしきもの。…狼・牛は—」〈枕(能因本)名おそろしきもの〉。「宿鴾毛(さびつきげ)・佐目(さめ)、二共馬の毛」〈文明本節用集〉

さめ【鮫】魚の名。その皮を乾したものを刀剣の柄(つか)・鞘(さや)などに用いる。近世には、南方から輸入した。「—懸けたる白太刀」〈太平記三三・公家武家〉。「鮫、佐米(さめ)、魚皮有レ文、可三以飾二刀剣一者也」〈和名抄〉

さ・め【冷め・褪め・醒め・覚め】『下二』《サムシ(寒)と同根。熱や気持の高ぶりが冷える意から転じて、酔いや迷いが晴れる意》①熱がひく。冷える。「ぬるみ(発熱)など し給へる事は—・め給ひて」〈源氏手習〉②気持の高まり・乱れ、熱意、感興が薄れる。「むつかりて物覗きの心も—・めぬめり」〈源氏夕顔〉③(酔い・夢・眠り・前後不覚から)正気にもどる。蘇生する。「六情皆念を失ひつ。…水を以て灑(そそ)きて蘇(さ)めしめつ」〈金光明最勝王経平安初期点〉。「法を聞かぬ先は酔へるが如し。法を聞きつる後は—・めたるが如し」〈東大寺諷誦文稿〉④(色が)褪せる。「風わたる田の面(も)の早苗色—・めて入日残れる岡の松原」〈風雅三四六〉

さめがゐもち【醒井餅】近江坂田郡醒井名物の紅・黄・

白の薄い片(へぎ)餅。京都醒井でも模造品を作った。「―一箱、木練一折来る」〈本光国師日記元和三・八・一四〉

さめ・き『四段』さらさらと音がする。「赤熊(しゃぐま=カブリ物ノ名)は―・いて好う候」〈田植草紙〉。「湯、水声也、佐女久(さめく)」〈新撰字鏡〉

ざめ・き『四段』①ざわざわと騒がしく音を立てる。ざわめく。「からすのあつまりてとびちがひ、―・き鳴きたる」〈枕二八〉。「さてもおもしろき事かなとて、―・き給ふ」〈伽・富士の人穴の草子〉②にぎわい時めく。「上の御意に合うて―・く者ぞ。威勢をふるうたなりぞ」〈周易抄六〉

さめざめ 涙を流して泣くさま。「―と泣き給ふを見れば」〈更級〉。「先立つ涙つつみかね候て。しうしう、―」〈伽・稚児今参物語〉

さめざや【鮫鞘】 鮫の皮を巻いて作った鞘。「かいらぎ・―などは若衆はさされ候ひし」〈宗五大双紙〉

さめはだ【鮫肌・鮫膚】 鮫の皮のようにざらざらした皮膚。「老人は、気が衰へて、皮膚もこけて、鮐(さめ)とて、魚の背の如くに―になるを鮐背と云ふ」〈尚書抄六〉。〈文明本節用集〉

ざめ・り『連語』《打消の助動詞ザリに推量の助動詞メリの連なったザリメリの音便形ザンメリのンを表記しない形》…ないようだ。「物の音(ね)澄むべき夜のさまにも侍ら―・るに」〈源氏末摘花〉

さめれう(リョウ)**【左馬寮】** ⇒さまれう

さも【然も】『副』《副詞サと係助詞モとの複合。下に打消・推量を伴うことが多い》①そんなふうにも。「親の顔はゆかしきものとこそ聞け、―おぼさぬか」〈源氏玉鬘〉②それ程にも。たいして。「ただこちたき御物づつみなれば、―睦びたまはぬを」〈源氏蓬生〉③いかにもそのように。「『みなおち入りさわぎつるは』といへば、『雨の降りはべりつれば、―はべりつらむ』」〈枕八〉④いかにも。ほんに。まったく。程度の甚だしさなどを強調し、また嘆じていう。「ほのかに見奉りしに、―命のぶる心地のし侍りしかな」〈源氏東屋〉。「―見苦しきわざかな」〈和泉式部日記〉 **―あらず** 強い打消の意をあらわす。そうじゃない。とんでもない。「『御文やある』と言へば、『―、…』と言ひていぬ」〈和泉式部日記〉 **―あらばあれ**《アレは命令形。放任する意》①不本意だがそれならばそれでよい。どうでも構わない。ままよ、どうともなれ。「うち捨てて旅行く人は―」〈和泉式部日記〉。「―。ふてたる詞なり」〈匠材集四〉。「任他と書きて―と読むぞ。世話にさうあらうとままよ、又、さもあらばあらうまでよなんどと云ふ詞(ことば)と聞えたり」〈見聞愚案記八〉②直前までの関心・話題を打ち切って話題を転ずる時の言葉。それはまあそうとしておいて。ともかくも。「助くるも道、殺すも道、―帰れ、有王」〈近松・女護島一〉▽「遮莫」の訓読語。「遮」は「這(これ)」と同義。もと指示する語で「たとえ…でも」という強い譲歩条件を提示する。 **―あ・り** なるほどそうだ。いかにもそうだ。「『―・ること』と皆人申す」〈源氏若紫〉 **―あれ** ①結果はどうなっても、ひとつやってみようと思い立った時に発する語。えい、どうであろうとも。「―、ただ走り出でて舞ひてん、死なばさてありなんと思ひ取りて」〈宇治拾遺三〉②それにしても。「―、その男は何故に姫が方にはあるぞと怒りける」〈義経記三〉 **―言はれたり**《相手の言葉に感じ入って》よくぞおっしゃった。いかにもおっしゃる通りだ。「かぐや姫…『…猶これ(皮衣)を焼きて心みん』と言ふ。翁『それ、―』と言ひて」〈竹取〉 **―さうず** ①《「さも候はず」の転》そんなことはありません。とんでもないことです。「―、入道殿こそ過分の事をばのたまへ」〈平家二・西光被斬〉②《「さも候はんず」の転》いかにもその通りでしょう。それもそうでしょう。「―、今こそ思ひ知っつらん」〈説経・伍太力菩薩〉。「おお、―、さもあらん」〈近松・出世景清一〉 **―な・し** そんなことはない。全然そうではない。「立蔀・透垣などのもとにて、『雨降りぬべし』など聞えごつもいとにくし。いとよき人の御供人などは―・し」〈枕七四〉。「笛は主上(しゅしゃう)吹かせおはしますべき由、かねて聞えけれども、―・くて、藤大納言ぞ仕うまつられける」〈著聞一三一〉 **―似たり** いかにも似ている。そっくりだ。「武蔵坊荒れたる駒に―」〈伽・弁慶物語〉。「彷彿、サモニタリ」〈いろは字〉 **―や**《ヤは質問の助詞》いかにもその通りに…か。もしかするとそのように…か。「―〔赤イ色ガ〕しみつかむと、あやふく思ひ給へり」〈源氏末摘花〉

さも・し『形シク』①見苦しい。見すぼらしい。「このやうな―・しい物が持っては行かれますまい」〈狂言記・箕被〉②賤しい。心が汚ない。「お腹は痛けれど、食物に心入れたる、をかしや、―・しや」〈伽・福富長者物語〉

さもじ【さ文字】 ①「さ」ということば。「さ」の音。「また、さしひくに懸けて、―・ひ文字の頭の言などをば詠(よ)まず」〈義貞軍記〉②《文字詞》㋑鯖(さば)。〈大上臈御名之事〉㋺淋しいこと。「始め盛にして、今は御―の事」〈評判・朱雀信夫摺下〉㋩裂くこと。「ひと日進じた文を―して御捨てやったとの。なう腹立ちや」〈虎寛本狂言・花子〉㊁魚。肴。「鮓(すし)をす文字、肴を―と御言ひだから」〈滑・浮世風呂三下〉

ざもち【座持ち】 酒宴遊興に、一座の興をうまく取り持つこと。また、その人。「―かな世上を広う今日の月」〈俳・富士石三〉 **―ぢゃらう**(ロウ)**【座持女郎】** 上方遊里で、音曲などで一座の興を取り持つ女郎。太鼓女郎。「島原の―」〈西鶴・置土産二〉

ざもと【座本・座元】 歌舞伎一座の元締め。江戸では芝居興行権を世襲した者をいい、上方では一座の代表者の意で、重要な地位にある役者が勤めた。「花の盛り、芝居物さびたる太夫・―」〈俳・十八番発句合〉

さもとら・し『形シク』然るべきだ。ちゃんとしている。「―・しき武家より嫁を呼ぶに」〈咄・醒睡笑五〉

さもら・し『形シク』「さもとらし」に同じ。「―・しき御尋ねかなと宣ひける」〈仮・花山物語〉

さもら・ひ(サモライ)**【侍ひ・候ひ】** ㊀『四段』《サは接頭語。モラヒは、見守る意の動詞モリに反復・継続の接尾語ヒのついた形。→ひ》様子をうかがいながら機を待つ。人に仕え、また、風波の静まるのを待ち、あるいは恋人に会う折を待つさまなどにいう。「大殿を振り放(さ)け見つつうづらなすい這ひもとほり―・へど―・ひ得ねば」〈万一九九〉。「朝なぎに舳(へ)向け漕がむと―・ふとわがをる時に」〈万四三九八〉。「あらたまの月重なりて妹(いも)にあふ時―・ふと」〈万二〇九二〉㊁『名』様子をうかがいながら機を待つこと。「風吹けば波か立たむと―に都太(つだ)の細江に浦隠り居り」〈万九四五〉▽平安時代には「さぶらひ」という形に転じる。†samoraFi

さや《動詞サヤギの語幹》ざわめくさま。ざわざわ。そよ。「笹の葉はみ山も―に乱るとも」〈万一三三〉

さや【清】 ①すがすがしいさま。一説、物がすれあって鳴るさま。「菅畳、いや(イヨイヨ)―敷きて」〈記歌謡一九〉②「さやか」⑴に同じ。「日の暮に碓氷の山を越ゆる日は夫(せ)なのが袖も―に振らしつ」〈万三四〇二上野東歌〉

さや【鞘・莢】 ①刀剣の身をさし込む外包み。「剣太刀―ゆ抜き出でて」〈万三二四〇〉。「鞘、刀剣室、佐也(さや)」〈新撰字鏡〉②豆類の種子をおおう外殻。「人は十五人、漬豆をひと―あてに出すとも、とをまりいつつ(十五)なり」〈宇津保藤原君〉③本心を隠して、ちがったように言うこと。かけひき。「御師匠の詞(ことば)に―が有らうかと存じられ、頼まれるに力がない」〈浄・伊賀越八〉

さや【紗綾】平織地に稲妻・菱垣模様を綾で織り出した、光沢のある絹織物。「―の単(ひとへ)物」〈本光国師日記元和四・七・三〉

さや【然や】『連語』そう…か。「〔梅ガ咲イタラ〕来(こ)むとありしを―あると目をかけて待ちわたるに」〈更級〉 **―は**《反語として》そう…か(いや、そうでない)。「よをわぶる涙ながれて早くとも天(尼ト掛ケル)の川には―はなるべき」〈大和一〇三〉。「我は―思ふ」〈徒然一二〉

さやあて【鞘当て】途上などで、刀の鞘の当ったことをとがめだてること。また、些細なことをとがめての喧嘩。「鞘打ち」とも。「わざと行き当り、―などして、詞を荒し、口論烈しくなり」〈玉滴隠見四〉

さやう ウョ【然様】その様子。そのよう。「―ならむ人をこそ〔妻トシテ〕見め」〈源氏桐壺〉。「人人も―に思はれたり」〈実国家歌合〉

さやか【分明・亮か】《サエ(冴)と同根。冷たく、くっきりしているさま。類義語アキラカは、はっきりして、隈なく見えるさま》①よく分るように際立って、はっきりしているさま。「君が上は―に聞きつ」〈万四四七四〉。「いといたく恥ぢらひしめりて、―にも〔顔ヲ〕見合はせ奉り給はぬを」〈源氏若菜下〉。「〔男女ノ仲ノ〕心安からぬ筋を書きつくしたる言葉…いとかく―には書くべしや」〈源氏若菜下〉②さえてくっきり見えるさま。「秋の夜の月にかさなる雲はれて光―に見るよしもがな」〈後撰三二〇〉。「―ならぬあけぼのの程」〈源氏野分〉

さや・ぎ『四段』ざわざわと音がする。ざわめく。「狭井河よ雲立ち渡り畝火山木の葉―・ぎぬ風吹かむとす」〈記歌謡二〇〉。「聞喧擾之響焉、此をば左揶霓利奈離(さやげりなり)といふ」〈紀神武即位前〉 †sayagi

さやぐち【鞘口】刀の鞘の口もと。鯉口(こひぐち)。「かつはまたさす―に葵鍔(あふひつば)心ありける金作(かなづくり)かな」〈新撰六帖五〉

さやけ・し【分明し・亮し】『形ク』《サエ(冴)と同根。冷たく、くっきりと澄んでいる意。視覚にも聴覚にも使う。類義語キヨシは、汚れのない意》①さえて、はっきりしている。「行く水の音も―・く」〈万四〇〇三〉。「山川の―・き見つつ」〈万四四六八〉。「さえわたる池の鏡の―・きに見なれし影を見ぬぞわびしき」〈源氏賢木〉②くっきりと際立っている。「古ゆ―・く負ひて来にしその名そ」〈万四四六七〉 †sayakësi

さやさや 物がふれあって鳴る音。「琴に作り掻き弾くや、…振れ立つ漬(づな)の木の―」〈記歌謡七四〉

さやづまり【鞘詰り】①刀の刃がさびて鞘につまり、抜けないこと。「今さらになど宝剣の―」〈俳・守武千句〉②行き詰まること。にっちもさっちも行かなくなること。「二十八字(七言絶句)の秀逸を進じ候はんとて、しばしうそぶき居て候ひつれども、また―にて」〈実隆公記延徳二・九・一五〉

さやとがめ【鞘咎め】「鞘当て」に同じ。「―に、水鶏(くひな)も叩いて逃ぐる声」〈西鶴・諸艶大鑑八〉

さやな・み『四段』《サイナミの転》責め苦しめる。折檻する。「引き伏せて、心のゆくゆくぞ―・みける」〈義経記七〉

さやなり【鞘鳴り】①刀身が鞘に合わないため、振ると音のすること。「夕立の―なれや雷の声」〈俳・毛吹草五〉②家がきしみ鳴ること。「―のする家も立つる蚊遣(かや)りかな」〈俳・鷹筑波五〉③怒って叱ること。怒号。「親方が―するぞ道理也」〈近松・女腹切上〉

さやのなかやま【小夜の中山】遠江国小笠・榛原(はいばら)両郡の境にある山坂。古来、有名な歌枕。さよのなかやま。「甲斐が嶺をさやにも見しがけけれ(心)なくよこほりふせる―」〈古今一〇九七〉

さやばし・り【鞘走り】『四段』①刀身がひとりでに鞘から抜け出る。「童子二人戯れて取り合ふ処、一人の刀―・りて腹に当つ」〈満済准后日記永享四・一〇・二九〉②行き過ぎる。出過ぎる。「走る程に気が―・りて、つまづきて転ぶなり」〈医説〉

さやはば【紗綾幅】一尺四、五寸くらいの狭い紗綾の幅。「下り道―ほどの高間山」〈俳・物種集〉

さやまき【鞘巻】鍔(つば)のない短刀。鞘に刻み目をつけて腰帯から滑り落ちないようにしてある。「さうまき」とも。「腹を切らんと腰を探れば、―落ちてなかりけり」〈平家四・信連〉

さやまだ【さ山田】《サは接頭語》山田。「―の翁(をぢ)がその日に求め逢はずけむ」〈万四〇一四〉

ざやめ・き『四段』ざわざわと音を立てる。ざわめく。「小松殿、烏帽子(えぼし)・直衣(なほし)に大紋の指貫(さしぬき)そば取って―・き入り給へば」〈平家二・教訓状〉

さやも・ち【鞘持ち】『四段』喧嘩の尻押しをする。「人の喧嘩の―・ちて」〈児教訓〉 **―だて**【鞘持立て】助勢しようとする態度。喧嘩の尻押しをしようとするふり。「言はれざる―」〈浮・御伽人形六〉

さや・り【障り】『四段』物にひっかかって身動き出来なくなる。「我が待つや鴫(しぎ)は―・らず」〈記歌謡九〉。「出で走り去(い)ななと思へど子らに―・りぬ」〈万八九九〉 ▽類義語サハリ(障)は、進行するにつれて邪魔なものにひっかかる意。

さゆ【白湯】真水を沸かしただけの、混りもののない湯。〈文明本節用集〉

さゆり【さ百合】《サは接頭語》ユリ。「夏の野の―ひき植ゑて」〈万四一一三〉 **―ばな**【さ百合花】ユリの花。同音から「ゆり(後)」の序につかう。「ともし火の光に見ゆる―後(ゆり)もあはむと思ひそめてき」〈万四〇八七〉

さゆる【さ百合】「さゆり」の上代東国方言。「筑波嶺の―の花の夜床(ゆとこ)にも」〈万四三六九常陸防人〉

さよ【小夜】《サは接頭語》夜。「―ふけて堀江漕ぐなる松浦船(まつらぶね)」〈万一一四三〉 †sayo

さよ【五月夜】《サは神稲の意》陰暦五月の夜。「汝妹(なにも)は―に殖(う)ゑつるかも」〈播磨風土記〉 †sayo

さよあらし【小夜嵐】夜の嵐。夜嵐。「明けば雪見よとや花の―／後忘れめや春の別路」〈看聞御記紙背連歌〉

さよがうし ウ…ゴ【小夜格子】近世、大阪の色茶屋の二階の窓の竹格子。「六間町の―」〈近松・重井筒中〉

さよかぜ【小夜風】夜吹く風。夜風。「日は曇る桐の葉がくれ秋や疾き―涼しねやの手枕」〈正治百首下〉

さよがらす【小夜烏】夜鳴く烏。「梅田堤の―、明日は我が身を餌食(ゑじき)ぞや」〈近松・曾根崎心中〉

さよごろも【小夜衣】夜着(よぎ)。「―着て馴れきとはいはずとも」〈源氏総角〉。「さらぬだに重きがうへの―わがつまならぬつまな重ねそ」〈新古今一九六四〉

さよしぐれ【小夜時雨】夜降るしぐれ。「聞きわぶる寝覚めの床の―」〈新続古今六二六〉

さよすがら【小夜すがら】『副』一晩中。「唐衣きて帰りにし―あはれと思ふを恨むらむはた」〈後撰五三〇〉

さよちどり【小夜千鳥】夜鳴く千鳥。「旅寝する須磨の浦路の―」〈千載五三五〉

さよどこ【小夜床】夜寝る床。ねどこ。「―を並べむ君は」〈紀歌謡四七〉 †sayodökö

さよなか【小夜中】夜中。真夜中。「―と夜はふけぬらし」〈万一七〇一〉 †sayonaka

さよのなかやま【小夜の中山】⇒さやのなかやま。「ふる郷の今日の面影誘ひ来(こ)と月にぞ契る―」〈新古今九四〇〉

さよばひ :ヨバイ【さ婚ひ】《サは接頭語》「よばひ」に同じ。「くはし女をありと聞こして、―にあり立たし(オ出カケニナリ)」〈記歌謡二〉 †sayobari

さよふけがた【小夜更け方】夜のふけた時分。夜ふけ頃。「蚊遣火の―の下こがれ苦しやわが身人知れずのみ」〈曾丹集〉

さよまくら【小夜枕】夜の枕。「松が根の雄島が磯の―いたくな濡れそ海人(あま)の袖かは」〈新古今九四八〉

さよみ【貲布】麻布の名。細い麻糸で織ったものという。調(てう)の布として諸国から出したが、近江産のが有名。「一戸に―一丈二尺とせよ」〈紀孝徳、大化二年〉

さら【皿】①食物を盛る底が浅く平たい器。木・金属などで作る。「白銅小佐良(こさら)九口」〈正倉院文書天平勝宝七・六・一七〉。「銀の盤(さら)に照曜(てれ)り」〈遊仙窟(醍醐寺本)鎌倉期点〉 ▽類義語ケ(笥)は容器一般の意。②皿(1)に似た形のもの。頭の頂や膝頭など。「―は細細(さいさい)削りもせで」〈児教訓〉

さら【更】㊀《名》《一度物事が行なわれた後に、やりなおしをして、新たにすること。万葉集などでは「また―に」の形で使うことが多く、平安女流文学では、分りきっているから再びする必要がない、いうまでもないなどの意に使う。→さらに》①事を新たに繰り返すさま(だから再びする必要がない)。「目もあやにかざりたる装束有様、いへば―なり」〈源氏若菜下〉 ②《転じて》いうまでもないこと。「法華経は―なり。異(こと)法文などもいと多く読み給ふ」〈源氏手習〉 ㊁《副》「さらに」(3)に同じ。「上手と下手は性かはるべしや。―其の儀にあらず」〈わらんべ草三〉

さら【沙羅・娑羅】《梵語の音訳。シャラとも》インド原産、高さ三十メートルにも及ぶ常緑喬木。葉は長楕円形、淡黄色の小さな花が芳香を放つ。「これより南に高き山、―の林こそ高き山」〈梁塵秘抄二四六〉

さらがへ・り :ガエリ【更返り】《四段》再び元に戻る。むし返す。「古く知れりける人の、殿の御供にて尋ね出でたる、―・りてねんごろがる」〈源氏浮舟〉

さらげ【浅甕・瓼】《ケは笥(け)で、容器の意》底の浅い器。「瓼、佐良介(さらげ)」〈和名抄〉

サラサ【更紗・華布】五彩で種種の模様を手描きまたは捺染(おしぞめ)した金巾(かなきん)または絹布。近世前期、インド・シャム・中国から輸入。「散る音も色も―の紅葉かな」〈俳・犬子集四〉 ▽ポルトガル saraça

さらさうじゅ :ソウ【沙羅双樹】インドのクシナガラ城外で涅槃(ねはん)に入った釈迦の四辺に一双ずつ生えていたという二本の沙羅樹。釈迦の入滅を悲しんで、一双のうち各一本が、時ならぬ花を咲かせて後、枯れたと伝える。「しゃらさうじゅ」とも。「祇園精舎の鐘の声、諸行無常の響あり。―の花の色、盛者必衰の理をあらはす」〈平家一・祇園精舎〉

さらさら ①物がふれ合うなどして軽く立つ音。「伊予簾は―と鳴るもつつまし」〈源氏浮舟〉。「越後信濃に―と降る雪を」〈宗安小歌集〉 ②軽快にとどこおりなく進むさま。すらすら。「経の文を―とよみて」〈沙石集九ノ九〉

さらさら【更更】《副》①今あらたに。今さら。「神びにし(年老イタ)我や―恋に会ひにける」〈万一九二七〉 ②新たに新たに。更に更に。「―に何そこの子のここだ愛(かな)しき」〈万三三七三武蔵東歌〉 ③《打消や禁止の語を伴って》決して。絶えて。ゆめゆめ。「―に我が名は立てじ」〈古今一〇八三〉。「いかにもして死なむと思ふ事―なかれ」〈孝養集下〉

ざらざら ①なめらかでない物のすれ合う音。「夏の夜や衾(ふすま)一重をざらざらざら」〈俳・阿蘭陀丸上〉 ②とどこおりなく進むさま。すらすら。さらさら。「―と筆を歩ませ」〈西鶴・五人女三〉。〈日葡〉

さら・し【曝し・晒し】㊀《四段》《ものを外気や日光・水などに当てて放置し、ついている余分なものを落しつくす意。転じて、人やものを誰の目にもつく所に公開し放置する意》①(太陽や雨風に)あたるままにしておく。「東(ひむがし)の国の人は道の辺に骸をば―・し、西の国の人は水の中に魂を没(しづ)めむ」〈東大寺諷誦文稿〉 ②(布などを)何度も水洗いし、日に当てて白くする。「橘の島にし居れば川遠み―・さず縫ひし我が下衣」〈万一三一五〉 ③広げて干す。「隣の家に行きて麦を求めて持ち来たりて、食(じき)にあてむとして庭に―・す」〈今昔一〇ノ二五〉 ④(広く多くの)人の目に触れるままにする。衆目に示す。「射殺して外に―・さん」〈竹取(古活字十行本)〉。「かく様に…恥を―・し候ふも」〈平家一〇・戒文〉 ⑤《「眼(まなこ)を―・し」の形で》広く行きとどいてものを見る。落ちなく見つくす。「止観の窓の外(ほか)にまなこを―・し、詩歌管絃の道にも達者なり」〈伽・弁慶物語〉 ㊁《名》①「さらしぬの」に同じ。「―一切れ」〈中臣祐賢記文永四・六・七〉 ②近世、磔(はりつけ)・鋸挽(のこぎりびき)などの重刑の者または僧侶の罪人に対する付加刑。首などを路傍にさらし、罪状を記した札を立てて見せしめとした。「江戸中引き廻し、日本橋にて―」〈御仕置裁許帳一、延宝二・一・二九〉 ③布をさらす所作をする舞踊。「さらしの狂言」とも。「―(ノ役者)、山三郎・又二郎」〈松平大和守日記寛文九・一・一七〉。「所作事の家にて、わけて―の名人なり」〈評判・役者舌鼓大坂〉 **―うす**【晒臼】煮た布を搗(つ)き晒すのに用いる臼。「川岸に臼の並びたるを見て。浮桶や行き行きて波の―」〈俳・虚栗上〉 **―うり**【晒売り】奈良晒の行商人。夏、長い呼び声でゆっくりと売り歩いた。「編笠に蟬の宿らん―」〈俳・前後園上〉 **―かか**【晒嚊・瀑嚊】晒し布の行商女。「―が、いつぞや誂へました木綿ぎれ、晒して参りましたらば」〈西鶴・織留五〉 **―どゑ**【晒声】晒売りの長い呼び声。「長い事/連れ呼ぶ声も―」〈雑俳・打出の槌〉 **―つき**【晒搗き】煮た布を臼に入れて搗(つ)き晒すこと。また、その人。「―の女子(をなご)男ども」〈近松・薩摩歌中〉 **―ぬの**【晒布】麻または苧麻(まを)で織り、天日または雪で晒して白くした織物。産地名を付けて、奈良晒・野州(やしう)晒・近江晒・木津晒・越後晒などと呼んだ。さらし。「―百匹賜ひける」〈今鏡九〉 **―もの**【晒者】晒の刑に処せられた罪人。「科(とが)ゆゑにこそ恥―」〈俳・あだ花千句〉 **―や**【晒屋】①布を晒すのを業とする家、また、人。「甚四、般若寺―へ婿入り了んぬ」〈多聞院日記天正一九・四・二七〉 ②晒木綿の行商人。「―は江戸に居るうち朝寝する」〈雑俳・万句合明和七〉

ざらし《連語》《ザルラシの約》…ないらしい。「世の中はまこと二代(ふたよ)は行か―」〈万一四一〇〉

さらず【然らず】《連語》《サアラズの約》そうではない。「―とて幾世もあらじいざやさは法(のり)に代へつる命と思はん」〈新古今一九四九〉 **―とも** そうでなくても。そんな事をしなくても。「(相手ガ不在ダッタト聞イテ)―かへりごとあらじと思ふ」〈かげろふ中〉 **―は** そうでなければ。そうでない時は。「かの物のねを聞かばや。―かひなくこそ」〈源氏明石〉

さらせたい【新世帯】新しく持った世帯。新家庭。さら所帯。「浦の苫屋(とまや)の―なり 鶴永」〈俳・大坂独吟集上〉

さらたび【逆旅】宿屋。「逆旅、サラタビ」〈いろは字〉

さらた・め【更め】《下二》改める。「本福寺といふは―・めて

の寺号にあらず」〈本福寺跡書〉。「更、サラタム、改ムル也」〈合類節用集〉

さらで【然らで】『連語』《サアラデの約》そうでなくて。「うしろやすき方は並びなく物せらるる人なり。—よろしかるべき人誰ばかりかはあらむ」〈源氏若菜上〉

さらに【更に】『副』①あらたに。事新しく。「神さびし恋をもわれは—するかも」〈万二四一七〉②この上。重ねて。「百隈(ももくま)の道は来にしをまた—八十島過ぎて別れか行かむ」〈万四三四九防人〉③《打消の語を伴って》一向に。全然。決して。「この川飛鳥川にあらねば、淵瀬—変らざりけり」〈土佐二月十六日〉。「—心よりほかに漏らすな」〈源氏夕顔〉 **—もあらず**《謙遜していう》事新しいことでもない。たいしたことではない。「〔年齢ヲ問ワレテ〕—。一百九十歳にぞ今年はなり侍りぬる」〈大鏡序〉

さらぬ【然らぬ】『連体』《サアラヌの約》①そうではない。その他の。「頭中将・左中弁、—君たちも」〈源氏若紫〉②それほどでもない。そう大したことでない。「—はかなき事をだに疵(きず)を求むる世に」〈源氏紅葉賀〉 **—がほ**オガ**【然らぬ顔】**さりげない顔つき。何気ないようす。「—にもてなしたれど」〈源氏若菜上〉 **—だに【然らぬだに】**そうでなくてさえ。ただでさえ。「—光涼しき夏の夜の月を清水に宿しつるかな」〈千載二二〉 **—てい【然らぬ体】**さりげないようす。そしらぬ態度。「流るる涙を押し拭ひ、—にもてなし」〈保元中・為義最後〉

さらぬわかれ【避らぬ別れ】避けることの出来ない別れ。死別をいう。「老いぬれば—も有りといへば」〈古今九〇〇〉

さらば【然らば】㊀『接続』《サアラバの約》①《前に述べられた事がらを受けて、次に新しい行動・判断をおこそうとするときに使う》それならば。それなら。「あはれとや思ひけむ。『—明日物越しにても』といへりけるを」〈伊勢九〇〉②《打消の語を伴って》それなら実情はどうであったかというと(…でない)。それなのに。ところが。「勧進帳を捧げてすすめけるが、—ただも無くして…おそろしき事をのみ申しありく」〈平家五・文覚被流〉㊁『感』別れの挨拶。さようなら。「やがて帰朝なされよ。——」〈咄・昨日は今日上〉 **—え**『感』《「さらばへ」とも表記》近世、女が人と別れる時に言う挨拶語。さようなら。さらばや。「—との御言葉の下より」〈西鶴・好色盛衰記一〉 **—や**『感』「さらばえ」に同じ。「—と言ふ立ち姿」〈評判・吉原雀上〉

さらひイサラ**【木杷・竹杷】**くまでのような形の農具。長い柄の先端に歯をつけたもので、土をかきならし、ごみをさらうのに使う。「櫂、佐良比(さらひ)」〈和名抄〉

さら・へエサラ**【浚へ】**㊀『下二』①埋もれ堆積した物を、底の方まで掻き除く。「糞土など—・へば一日の物給ふべしと言ひよりて」〈雑談集一〇〉②練習する。稽古する。「女房を呵(かし)る時には—・へおけ」〈雑俳・万句合明和一〉㊁『名』【木杷・竹杷】「さらひ」に同じ。「里の童子、—手ごとに落葉掻きのけ」〈西鶴・五人女一〉 **—がき【さらへ書き】**稽古のため字を書くこと。練習書き。「竹篦(しっぺい)やおと(音・落)する花を—」〈俳・桜千句〉。「夜習ひの心懸けは、明日の—を互ひに恥ぢぬ」〈西鶴・男色大鑑一〉 **—だ・し【浚へ出し】**『四段』隠す所なく出す。ありのままを打ち明ける。さらに出す。「早く返事を—・せ」〈浄・大覚僧正四〉

さらぼ・ひボイサラ『四段』《サラはサラシ(曝)・サレ(曝)と同根。ボヒはチリボヒ(散)のボヒに同じ》①雨や風にさらされて骨ばかりとなる。「物の骨を日光・風雨をあてて放置する意。見付けたり。人骨に似たり。…これ旧(ふる)き骨—・ひなどしたるにや侍らむ」〈小右記長和五・六・一九〉②痩せて骨ばる。「いとほしげに—・ひて、肩のほどなどは痛げなるまで、衣の上まで見ゆ」〈源氏末摘花〉

さらめ・き『四段』さらさらと音を立てる。さらさらと音が立つ。「それをまた同じ湯にさし入れて—・き」〈今昔二六ノ二〇〉

ざらめ・き『四段』ざわざわと音を立てる。賑やかに騒がしくする。「—・き歩くに」〈評判・美夜古物語〉

さらゆ【新湯】「あらゆ」に同じ。「—は毒で御座んす」〈浮・曲三味線三〉

さらり①物がすれあって発する軽快な音。さらさら。「征矢(そや)一筋抜き出して、——と爪(つま)よりて」〈盛衰記三四〉②とどこおりないさま。残すところないさま。「一字も落さず、六百行を空(そら)に—と誦せられたり」〈正源明義抄三〉。「—とすべてが皆落つるぞ」〈漢書竺桃抄〉③物事を軽快にするさま。あっさり。「一躍り—と躍って、引き足になるところを」〈三好軍記下〉。「まづ—と詠むべし」〈耳底記〉

ざらり①なめらかでない物がすれ合って発する音。ざらざら。「あなたへ—此方へ—」〈謡・蘆刈〉②居並ぶさま。ずらり。「ザラリトザシキニナヲル」〈日葡〉③ひとわたり。ひととおり。「—と聞いて合点して」〈西鶴・一代女四〉

さらりっと『副』①すっかり。きれいさっぱり。「—埒(らち)を明けて来ませうか」〈近松・薩摩歌下〉②あっさりと。「—浅黄に言うて居よいやい」〈近松・重井筒上〉

さらりん【娑羅林】《シャラリンとも》①娑羅樹の林。「かの—の涅槃(ねはん)のほど」〈栄花鶴林〉②広義の今様(いまよう)の歌の一種。法文の歌の謡い方を代表するもの。「—・只の今様(狭義ノ今様)・片下(かたおろし)・早歌謡ふべきやう…記しをはりぬ」〈梁塵秘抄口伝集〉

さられ【去られ】離縁されること。「我見ても三度四度の—にて」〈俳・物種集〉 **—に【去られ荷】**離縁されて嫁が実家へ持ち帰る荷。去り荷。去り荷物。去り道具。「—や生田の里を過ぎぬらん」〈俳・両吟一日千句〉

さられんばうウ：ボ**【去られん坊】**離縁された妻。「もし蘆高明神より、—の戻り神かと問へば」〈仮・東海道名所記三〉

さらんには【然らんには】『連語』《サアランニハの約》そうである以上は。そういう次第であるからには。「—力なしとて、その後沙汰もなかりしを」〈平家四・競〉

さり【舎利】《シャリの直音化》仏陀または聖者の遺骨。仏舎利。「東は難波(なんば)の天王寺に—まだおはします」〈梁塵秘抄三一五〉

さ・り【去り・避り】㊀『四段』❶《自動詞。こちらの気持にかかわりなく、移動して来たり、移動して行ったりする意。古くは、時や色などの変化にいうことが多い》①(時・季節が)移りめぐってくる。「夕—・れば風吹かむとぞ木の葉さやげる」〈記歌謡二一〉。「春—・らば逢はむと思ひし梅の花」〈万八三五〉②移り変る。(色が)あせる。「雨降れば色—・りやすき花桜」〈貫之集五〉③変転する。「たとひ時移り事—・り、楽しび悲しび行き交ふとも」〈古今序〉④《「世を—・る」の形で》死ぬ。亡くなる。また、出家する。「世を—・らむきざみ心苦しく」〈源氏若菜上〉⑤(勝手に)遠ざかる。立ち退く。「天の下申し給はね朝廷(みかど)—・らずて」〈万八七九〉。「御心をのみまどはして、—・りなむことの悲しくたへがたく侍るなり」〈竹取〉⑥移動してなくなる。「朝—・らず(毎朝)来鳴きとよもすうぐひすの声」〈万一〇五七〉❷《他動詞。自分の意志のままに遠ざけたり、譲ったり、拒んだりする意》①ゆずる。譲歩する。「皆、国は大国主神に—・りき」〈記神代〉。「ここにやは立たせ給はぬ。所—・り聞えむ」〈源氏葵〉②しりぞけこばむ。「天皇の璽を上(たてまつ)る。…皇子—・りて曰はく」〈紀允恭即位前〉③遠ざける。

「なほしばし身を—・りなむ」〈かげろふ中〉④避ける。よける。「梓弓春の山辺をこえくれば道も—・りあへず花ぞ散りける」〈古今一一五〉。「和歌の髄脳いと所狭う、病—・るべき所多かりしかば」〈源氏玉鬘〉⑤辞任する。隠退する。「御位を—・り、物静かにて」〈源氏絵合〉⑥離別する。離縁する。「もとの妻をば—・りつつ、若くかたちよき女に思ひつきて」〈宇治拾遺五九〉⑦除く。捨てる。「行水などして身の垢(あか)を—・って」〈わらんべ草一〉⑧〔連俳用語〕連歌・俳諧で、指合(さしあひ)にならぬよう句をへだてる。「おなじ字はいづれも五句—・るべし」〈僻連秘抄〉→さりきらひ。㊁『名』「去状」(2)の略。「さき『梅じさん、旦那はどうした』梅じ『—をやりさ』」〈洒・見通三世相〉

さ・り【曝り】『四段』太陽や風雨が当って白骨化する。「久しきを経て日に—・りたれども、其の舌爛れずして生きて著きてあり」〈霊異記下一〉→され

さ・り【然り】『ラ変』《サアリの約。終止形は肯定の返事として感動詞的に使われる》そうである。そうだ。「—・りけれど、このもとの女、悪しと思へるけしきもなくて」〈伊勢二三〉。「『おい—・り—・り』とうなづきて」〈源氏玉鬘〉

さ・り『連語』《シアリの約。シは強めの助詞》…である。「大君の命(みこと)に—・れば」〈万四三九三下総防人〉

ざり『連語』《ゾアリの約。ゾは係助詞》…である。「白波に秋の木の葉の浮かべるは海人(あま)のながせる舟に—ける」〈新撰万葉集下〉。「天の川出づる港は海に—ける」〈土佐一月八日〉

ざ・り『助動』→基本助動詞解説

さりあへ・ず【避り敢へず】『連語』よけ切れない。「御前の人人、道も—・ず来こみぬれば」〈源氏関屋〉

さりがた・し【去り難し・避り難し】『形ク』①恩愛などのために、離れようとしても離れられない。「—・きほだしに覚え侍りて、かかづらひ侍りつる程に」〈源氏夢浮橋〉②避けようとしても避けられない。逃れられない。「人間の儀式(社交上ノ儀礼)、いづれの事か—・からぬ」〈徒然一一二〉

さりきらひ【去嫌】①連歌・俳諧の禁制の一。付合(つけあひ)に同季・同字や類似した詞を、続けて用いたり、一定限度内で使ったりしないこと。指合(さしあひ)になるものを避けること。「昔より—一段きぶくなり」〈至宝抄〉②不適当を避けること。「朝市・山林の—はない、心閑(しづ)かなれば、どこも楽しみがあるとなり」〈宗門葛藤集下〉

さりげ【然りげ】《サアリゲの約》そんな様子。「おぼす事やある。御けしきにこそ—なれ」〈落窪三〉 **—な・し**【然りげ無し】『形ク』そのような様子もない。何気ない風である。「心苦しければ—・く紛らはして」〈源氏松風〉

さりじゃう【去状・避状】①他人の財産に妨害を加えていた者が、譲歩して、相手の所有権などを認める旨をしたためた文書。去文(さりぶみ)。「右、件の田は、祖父(おほぢ)の売買したるといへども、関東の御徳政によて〔私〕良智違乱を申すところに、買主鷲林寺の能登阿闍梨の御房に免しまゐらせ候ところ実なり。…よて—件の如し」〈大徳寺文書一三、正安三・閏七・一〇〉②離縁状。「夫、病席に沈むの時、忌服を遁(のが)れんため—の手書を乞ふこと…太(はなは)だ然るべからず」〈文保記〉

さりどころ【避所】避けるべき所。まぬがれるすべ。「紛らはしても、人の思ひけむこと—なきに」〈源氏空蟬〉

さりとて【然りとて】『接続』《サアリトテの約。前の叙述から推して予想される結果が、次に必ずしも実現しない場合に使う》そうであっても。だからといって。「たち帰るべくも思されざりけれど、—夜を明かし給ふべきにあらねば」〈竹取〉。「恋すれば我が身は影となりにけり—人に添はぬものゆゑ」〈古今五二八〉 **—は** ①《ハは単に軽く添えた助詞》だからといって。それでも。「—誰にか言はむ今はただ人を忘るる心教へよ」〈詞花二六六〉。「—行幸ばかりなりともなし参らせよ」〈平家七・主上都落〉②《懇願していう》そうでもありましょうが。どうか。「—今一度御渡り候ひて御らんぜよ」〈著聞三六五〉。「—返したび給へ」〈謡・羽衣〉③《驚いたり称讃したりする気持で用いる》それにしても。何とまあ。「—見事で候(そろ)な」〈永平録抄上〉 **—も** そうであっても。だからといって。「歎かれ給ふこと尽きせぬを、—又せめて心ごはく絶えこもりても猛かるまじく」〈源氏早蕨〉

さりとは【然りとは】『副』《サアリトハの約》①それにしては。そうとは。「—そなたも男ではないか」〈西鶴・一代男五〉②非常に。とても。「折るな折るな—ざれが濃い紅葉」〈俳・鸚鵡集七〉 **—さりとは** ほんとにまあ。全く。「—男女の不合(ふあひ)なるほど見苦しき物はなし」〈西鶴・好色盛衰記四〉

さりとも【然りとも】『接続・副』《サアリトモの約。多く推量の語と呼応。現状を不本意ながら認めた上で、なお一すじの望みを将来に託する場合に使う》それはそれとして、ともかく。いくらそうであっても。「〔姉ハ〕かくあなづり給ふなめり。—あこ(オ前)はわが子にてをあれよ」〈源氏帚木〉。「〔私ガ死ネバ〕なめしと心置い給へらむあたりにも、—思し許いてむかし」〈源氏柏木〉。「この世の中の有様、—と存じ候」〈平家七・主上都落〉

さりながら【然りながら】《サアリナガラの約》㊀『副』それはそのままとして、とにかく。「押し籠められて渡らせ給へば、いかが有らむずらむ。—も伺うてこそ見め」〈平家五・福原院宣〉㊁『接続』そうではあるが。しかし。「これ我が手跡なり、我が判なり、—我はこの事をいたさず」〈バレト写本〉

さりに【去り荷】「去られ荷」に同じ。「一夜の内に、—出せば、送り荷運び」〈西鶴・桜陰比事二〉

さりぬべ・し【然りぬべし】『連語』《サアリヌベシの約》①そうできるはずである。そうしても差しつかえない。適当である。「—・きさまに思し許してよ」〈源氏若菜下〉②相当である。「なほ—・き(相当ナ身分ノ)あたりの事は、好ましう覚ゆるものを」〈源氏夕顔〉

さりぶみ【去文・避文】⇒さりじゃう(1)「木津(こつ)の庄のこと、—には及ばぬことに候。院宣をば下され候上には、誰(た)が障(ささ)へ申し候ふべき」〈三条家古文書元暦二〉

さりや【然りや】『感』《サアリヤの約。ヤは感動の助詞。自分の予断、相手の言動などを確認・同感する気持を表わす》やっぱりそうだ。ほんとにそうだ。その通りだ。「—。聞えさせしにたがはぬ事どもを聞こし召せ」〈源氏浮舟〉

さる【申】十二支の第九。年・日・時、また方角の名などに当てる。①時刻の名。いまの午後三時から午後五時まで。「—の時に内裏(うち)に参り給ふ」〈源氏賢木〉②方角の名。ほぼ西南西。「大陰—に在り」〈長徳四年具注暦〉

さる【猿】①霊長目猿猴(えんこう)類の獣の総称。まし。ましら。「酒飲まぬ人をよく見れば—にかも似る」〈万三四四〉。「—山の峡(かひ)に叫ぶといふ事を…。わびしらにましらな鳴きそ」〈古今一〇六七〉。「山王の御とがめとて、比叡山より大きなる—どもが二三千おりくだり」〈平家一・内裏炎上〉▽猿は、日吉(えひ)山王権現の使者と考えられていた。②蜜柑(みかん)の実の袋を髪の毛でくくり、猿の形に作る遊び。また、その猿の形。「みづからが黒髪を抜かせられ、—などして遊びし夜は」〈西鶴・一代男六〉③湯女(ゆな)の異名。風呂屋女。「〔湯女ノ〕異名を—と言ふ事は、諸人〔ノ〕垢(あか)を掻く故なりとかや」〈仮・都風俗鑑四〉④近世、京阪で、ひそか

に犯罪や犯人を探索して与力・同心に報告する者の称。江戸の「岡っ引」に当る。犬。「世を渡る業はさまざま半夜―」〈俳・西鶴五百韻〉 ⑤枢(くる)。「もぎどうな／猿戸の―よ忍ぶ関」〈雑俳・紅葉笠〉 **―が尻(しり)は真赤(まっか)いな** 昔話の結びのきまり文句。まずこれでおしまいの意。「昔まつかう(先づ斯う)」の訛が、「昔真赤う」の意に解されて、やがて「昔真向う、猿が尻は真赤いな」とか、「猿の面(つら)は真赤いな」といった。〈仮・尤の草紙上〉 **―の稗(ひえ)揉(も)んだるやう** 不愉快な顔つきの形容。「内義の当言(あてこと)いふも聞か猿の稗揉んだるやうなる顔つきして」〈西鶴・好色盛衰記五〉 **―の餅(もち)換へるやう** 猿が餅を手にするとすぐ食いつくすところから、一方から得たものを手移しに他方に与えるという意で、「右から左に」のたとえ。「猿が餅」「猿に餅」とも。「齊へ用を云ひて、かへものの様になんどさしもは、殺さうなんど云ひて、―にせうとするぞ」〈史記抄五〉。▽後に、「猿の餅買ふやう」と訛った。「―。一手にて価をわたし、一手にて物をとるを云ふ。右から左と云ふに同じ」〈諺苑〉 **―も木から落つる** その道に長じた者も時には失敗する。〈俳・毛吹草二〉

さる【然る】『連体』《サアルの約》 ①そのような。そんな。「いかで―ものむつかしき住まひに年経(へ)たまひつらむ」〈源氏明石〉 ②しかるべき。相応な。かなりな。「なさけなく、うたてある事をなむ―たよりありてかすめ言はせたりける」〈源氏帚木〉 ③たいした。「―事は無けれど、高く大きに盛りたる物ども持て来つつ据ゆめり」〈宇治拾遺二〇〉 ④或る。「―子細有って、大念仏を申す事の候間」〈謡・隅田川〉

さ・る『助動』《活用は四段型》 動詞の連用形に付いて、軽い尊敬・親愛の意、転じて、軽蔑の意を添える。「天の網が来―・った」〈狂言記・武悪〉

さるあひだ ‥アイダ【然る間】㊀『連語』そうこうするうち。そのうち。「―に、思ひはいやまさりにまさる」〈伊勢四〇〉 ㊁『接続』さて。さるほどに。「まれにも行き通ふ人は、皆病ひを付きて死にけり。―、隣坊にも、日暮にもなれば、門を閉ぢて人出入する事なし」〈古今序注〉

さるうつぼ【猿靫】 うつぼに猿の毛皮を張ったもの。猿皮うつぼ。「―、しかじかの弓と手鉾」〈一遍聖絵九〉

さるうへは ‥ウエ‥【然る上は】『接続』 そうある以上は。そうであるからには。「―、今の世に道徳を知りたらん者は一人もあるまいとぞ」〈三体詩抄三ノ一〉

さるがう ‥ゴウ【散楽・猿楽】《サルガクの転》 ①⇒さるがく(1) ②滑稽な様子をすること。おどけ。冗談。「口をひき垂れて、「順(ずん)の舞、歌うたひ、―せぬはなし」〈宇津保国譲下〉 『知らぬことよ』とて―しかくるに」〈枕一四三〉 **―がま・し【散楽がまし】**『形シク』 まるで散楽芸人みたいだ。道化じみている。「―・しくわびしげに人わるげなる(ミットモナイ)など」〈源氏少女〉 **―ごと【散楽言】** 滑稽な言葉。冗談口。「殿の御―にいみじう笑ひて」〈枕一〇四〉

さるがく【散楽・猿楽・申楽】《サンガク(散楽)の転という。また、大嘗祭・鎮魂祭の神楽の舞などに奉仕した猿女(さるめ)の故事と混交したものか》 ①即興的な滑稽なしぐさ。また、それを演ずる人。「さるがう」とも。散楽より発達。平安時代には、近衛の官人が相撲・競馬の節会(せちえ)や神楽(かぐら)の余興などに演じ、民間では寺社の祭礼に興行され、職業的芸能人を生んだ。「ただ笑はかさんとあるは、―をし給ふか。それは物語にもまさる事にてこそあらめ」〈今昔二四ノ二三〉。「その坊は一二町ばかりよりひしめきて、田楽・―などひしめき」〈宇治拾遺七八〉 ②猿楽の能。単に「能」ともいう。鎌倉時代以後、寺社の祭礼に奉仕する座が生じ、大和・近江・摂津・丹波・宇治・伊勢などの諸座から猿楽の能が発達。室町時代に入り、大和猿楽に観阿彌・世阿彌が出てこれを大成、今日の能楽の基を築いた。「大和国春日の御神事に相随ふ―四座(よざ)」〈風姿花伝〉 ▽「散」の字音 san が saru として伝承されたのは、「敦賀(つるが)」の「敦」の字音 tuan が turu と訓まれたのと同じ。 **―まい【猿楽米】** 近世、幕府抱えの能役者に与えた扶持米。二万石以上の大名に一定率で割り当てた。「―の事…銀子にて相渡し候様に仕るべきの事」〈国事雑抄三、正保二・二・一五〉

さるかた【然る方】 そういう方面。そのむき。それ相応。「―の心もなくては」〈源氏帚木〉。「―を思ひ離るる願ひに」〈源氏橋姫〉

さるが・ひ サルガイ【散楽ひ】『四段』《「散楽(さるがう)」を動詞として活用させたもの》 滑稽な事をする。おどける。ふざける。「男などのうち―・ひ、物よく言ふが来たるを」〈枕一四〇〉

さるがへり ‥ガエリ【猿返り】 猿のように、自由に前後左右へ身を転ずること。「―見てや立ち来る酉(とり)の年」〈俳・犬子集一〉

さるから【然るから】『接続』《サアルカラの約》 そうだから。「『―さぞ』ともうち語らはば」〈徒然三一〉

さるしばり【猿縛り】 猿を縛るように、ぐるぐる巻きに縛ること。「―と言ふ物に、七重八重に縛り上げ」〈浄・忠信二十日正月下〉

サルゼ 近世、舶来の毛織物の一。「―、樺色の縦筋有り」〈和漢三才図会二七〉 ▽ポルトガル sarja

さるだひこ【猿田彦】 ①天孫降臨の先導をし、後、伊勢に鎮座した国つ神。「僕(あ)は国つ神、名は猨田毘古神(さるだびこのかみ)ぞ」〈記神代〉 ②神社祭礼の渡御行列に、赤顔鼻高の面をかぶって先導する者。「王が鼻」「鼻高(はなたか)」とも。「神の春に先立つ年や―」〈俳・境海草上〉。「―いっぱし神の気で歩き」〈雑俳・万句合宝暦一三〉

さるぢゑ【猿知恵】 こざかしく浅はかな知恵。小才小智。「猿利発」「猿利根(さるりこん)」とも。「何事も何事も―のなす事よとて」〈伽・藤袋〉

さるつくばひ ‥ツクバイ【猿蹲ひ】 猿のように膝を抱えてうずくまること。「紙屋の見世に、―頬杖して案ずるも久し」〈浮・御前義経記二〉

さるつなぎ【猿繋ぎ】 ①幾人も縄で縛ってつなぐこと。「一人も洩らさず―」〈近松・曾我会稽山三〉 ②人を縛って、その縄を柱などにつなぐこと。「早縄かけてぐっと締め上げ、縁柱に―」〈浄・菅原伝授四〉

さるてい【然る体】 しかるべきありさま。いかにも立派なさま。「この度は―にして、にはかなるさまは昨日に変りて」〈宇治拾遺七二〉。「件(くだん)の女を尋ねてみるに、ふるまひ・事がら―なり」〈長谷寺験記下〉

さるど【猿戸】 ①枢(くる)の付いた戸。「押し開けて今朝来る年の―かな」〈俳・犬子集一〉 ②庭園の入口に用いる粗末な木戸。丸太の柱に横板の扉を取り付けたもの。「―一つある路地ならば、その腰掛までは小性も入る也」〈草人木上〉

さるに【然るに】『接続』《サアルニの約》 そうしているところに。ところが。「かなしうし給ひけり。―、十二月(しはす)ばかりに、とみのことと御文あり」〈伊勢八四〉 **―ても** それはそれとしても。また、それにつけても。「―かかる事なむと知らせたまひて」〈源氏少女〉。「―誰にて御坐す哉と云ひければ」〈古事談三〉 **―より** そうであるから。それゆえ。「―難(かた)き世とは定めかねたるぞや」〈源氏(池田本)帚木〉

さるのきのぼり【猿の木登】 紙製の猿が丸竹を抱いて登

る仕掛の玩具。「風車・―」〈浮・好色小柴垣四〉

さるのしりわらひ ライ:ワ【猿の尻笑ひ】身の程を知らずに他人を笑うこと。「猿の面(つら)笑ひ」とも。「まことの―にこそ」〈仮・理屈物語四〉

さるは【然るは】『接続』《サアルハの約。前の叙述の内容をとりあげて、その隠れた実情・実態、または他の一面を説明強調する》①それこそ実は。それがまあ。「〔同宿シナガラ〕かいひそめて、かたみに心づかひしたり。―、かの世と共に恋ひ泣く右近なりけり」〈源氏玉鬘〉②そのくせ実は。…とはいうものの。実のところ。「重く煩ふ由申して参らず。―、そこはかと苦しげなる病にもあらざなるを」〈源氏若菜下〉③それがしかも。その上。「二十五日の夜、四条の宮は焼けぬ。―、尼上など今はかの宮にこそは住ませ給へば、いみじき事なりや」〈栄花若ばえ〉。「〔故人ヲ〕聞き伝ふるばかりの末末は哀れとやは思ふ。―、跡とふ業も絶えぬればいづれの人と名をだに知らず」〈徒然三〇〉

さるひき【猿引・猿曳】厩(うまや)の祈禱に猿を舞わせて歩いた者。猿まわし。猿つかい。「―。畜生も使ひいるればなかなかに我にはまし の能の多さよ」〈三十二番職人歌合〉

ざるふり【笊振】魚・野菜などの行商人。振売り。ぼて振り。「―も大晦日に押し詰めて」〈俳・半入独吟集上〉

さるべき【然るべき】『連語』しかるべき。それにふさわしい。「―契りこそおはしましけめ」〈源氏桐壺〉。「―物などとりしたためさせ給ふ」〈和泉式部日記〉

さるほどに【然る程に】㊀『接続』①そういう状態にある間に。「―、げに世の中に許され給ひて都にかへり給ふと、天の下のよろこびにて立ち騒ぐ」〈源氏蓬生〉②新しく文を起したり、話題を転じたりする場合に、冒頭に置く語。さて。「―、その年は諒闇なりければ、御禊大嘗会も行なはれず」〈平家一・東宮立〉㊁『副』さても。全く。感動をこめていう。「人の盗まぬ物は出ますぞ。―悪(にく)い鼠め」〈西鶴・胸算用一〉

さるま・じ【然るまじ】『連語』①そうあるべきでない。そうあるはずもない。「―・じき人の恨みを負ひし果て果ては」〈源氏桐壺〉②取るに足りない。「殿上人、女房、―・じき女官までも」〈大鏡師輔〉

さるまち【申待】「庚申待(かうしんまち)」に同じ。「庚申。真如堂にて―」〈蜷川親俊日記天文七・六・一八〉

さるまつ【猿松】①猿の異名。「―叫ぶ遠山の雲」〈俳・ぬれがらす〉②男子の幼名として付ける名前。「越後国長尾為景公の御子息に、六郎殿・―殿と申して二人ましま す」〈仮・武者物語下〉③腕白小僧。「―の風車」〈西鶴・永代蔵六〉④悪がしこい子供。「―。狡童を云ふ」〈諺苑〉⑤人をののしっていう語。ばか。あほう。「ひゃうたくれ・―・うっそり・うつけの類(たぐひ)はことごとく古調(いにしへぶり)にて、間抜け・とんちき・猿・はね者は近体(きんてい)の称号(よびな)なるべし」〈滑・古今百馬鹿序〉⑥おしゃべり。「―は俗に善く口をたたく者の諢名(ぎやみやう)也」〈和訓栞〉

さるまなこ【猿眼】猿の目のように、丸く、くぼんだ赤い目。「目つぼくさりて―」〈三国伝記四〉

さるまひどし イ:マ【猿舞腰】猿の舞うような伸びない腰つき。へっぴり腰。「―となり」〈仮・京童六〉。「踢蹐(きよくせき)」。―になって屈(かが)むこと」〈増補広類願体俚諺抄三〉

さるまへは エ:マ【然る前は】『接続』《そうある事情を前にしては の意》そうある以上は。そうであるからには。「人の性も生れつき鈍な者が利根にもなるまいぞ。―書籍は要るまいかぞ」〈山谷詩抄一九〉

さるままには【然る儘には】『連語』そうであるにつけては。そうなってみると。「〔漢学ガ〕耳にも目にもとまること自然(じねん)に多かるべし。―真名を走り書きて」〈源氏帚木〉

さるまろ【猿丸】猿の異名。「此は―と云ひて、人の家にもつなぎて飼へば、飼はれて」〈今昔二六ノ八〉

さるもの【然る者・然る物】①そのようなもの。「〔女ガ数珠ヤ経ヲ手ニスルナンテ〕あな、まさりがほな。―ぞ、やもめにはなるてふ」〈かげろふ中〉②しかるべきもの。相応のもの。明示しなくてもそれと分る時などにいう。「こよなきとだえ置かず〔ソノ女ヲ〕―にしなして長く見る(世話スル)やうも侍りなまし」〈源氏帚木〉③相当なもの。たいしたもの。したたかもの。「上原も―なれば、ふと心のくらみて」〈浮・男色今鑑二〉④もっともな物事。「『…』と人の仰せられしこそ、げに―なれ」〈徒然一九〉 **―にて** ①それはそれとして、また一方。「悲しきことをば―、人に言ひ騒がれ侍らむが、いみじきこと」〈源氏夕顔〉。「もののあはれは秋こそまされと人ごとに言ふめれど、それも―、今一きは心も浮きたつものは春のけしきにこそあめれ」〈徒然一九〉②もっともなこととして。当然のことで。勿論。「わざとの御学問は―、琴笛の音(ね)にも雲居をひびかし」〈源氏桐壺〉。「殿をば―、上の御宿世(すくせ)こそいとめでたけれ」〈枕一〇四〉

さるやう ウ:ヨ【然る様】しかるべき事情。相応の理由。「―侍ることなり。くはしきさまは、かの大臣(おとど)もおのづから尋ね聞き給うてむ」〈源氏行幸〉

さるりこん【猿利根】「猿知恵」に同じ。「―にして、寧心を作り」〈仮・可笑記三〉

さるわか【猿若】阿国(おくに)歌舞伎・若衆歌舞伎時代に、ツレの位置にいて道化(どうけ)た滑稽を演じた者。のちの道化方に当る。「歌舞伎の真似をするもあり。―になる者もあり」〈若輩抄〉

さ・れ【曝れ・洒落れ・戯れ】『下二』《日光・風雨の当るままに置かれて白けるのが原義。室町時代、転じて、シャレとも》①長い間、日光や風雨に当って、白っぽくなる。「かねてより思へば悲しみちのくの蓼生(たでふ)に骨の―・れんとすらん」〈散木奇歌集雑上〉②あかぬけする。洗練される。風流心がある。「さすがに―・れたる遣戸口(やりどぐち)に…童のをかしげなる出で来て」〈源氏夕顔〉③男女の間のことに通ずる。「〔娘ハ〕年の程よりは―・れてやありけむ。〔男ノ手紙ヲ〕をかしと見けり」〈源氏少女〉④たわむれる。「若君はいとうつくしうて―・れ走りおはしたり」〈源氏須磨〉

ざ・れ【戯れ】『下二』《サレの濁音化》たわむれる。ふざける。「―・れたる体の歌也」〈古今私秘聞〉。「狂句して人こそ―・るれ犬桜」〈俳・続山の井三〉〈日葡〉→じゃれ

ざれうた【戯歌】《鎌倉時代頃まではサレウタと清音》ふざけた和歌。俳諧歌・狂歌などをいう。「詞花集は―のみ多く候により候て」〈正治二年俊成卿和字奏状〉。「―。誹偕(はいかい)也」〈匠材集四〉

されかうべ ウベ:コ【曝頭・髑髏】風雨にさらされて白けた頭蓋骨。野ざらし。「しゃれかうべ」とも。「各〻手に―の器を取りて」〈今昔一ノ六〉。「かの薄の中をかき分けたづねられけるに、一つの―ある」〈伽・神代小町巻〉

されくつがへ・り ガエリ:クツ【戯れくつがへり】『四段』ひどく気取る。しゃれけたっぷりに振舞う。「―・る今様のよしばみよりは、こよなうおくゆかしう」〈源氏末摘花〉

されどころ【戯心】洗練された心。また、しゃれっけ。「いかにうつくしき君の御―なり」〈源氏少女〉。「田舎びたる―もてつけて品品しからず、はやりかならましかば」〈源氏東屋〉

ざれこと【戯言・戯事】①ふざけたことば。冗談。「―を人の言ふをばうち笑ひ我が方よりはせじとたしなめ」〈江北記〉。「左礼言、ザレコト」〈饅頭屋本節用集〉②ふざけた事。

さ

冗談ごと。「―なさせられそ」〈虎明本狂言・居杭〉。〈日葡〉 **―うた【戯言歌】** 滑稽を主とした歌。俳諧歌。「風吹けばたぢろく宿の板じとみ破れにけりな忍ぶ心は。…左の歌は―にこそ侍るめれ」〈国信卿家歌合〉

されど【然れど】『接続』《サアレドの約》しかし。「逢はじとも思へらず。―、人目繁ければ、え逢はず」〈伊勢六九〉 ▽平安女流文学で使った語。 **―も** そうではあるが。しかし。「〔死ンダ子ハ〕玉ならずもありけむをと人言はむや。―死し子、顔よかりきと言ふやうもあり」〈土佐二月四日〉

されば【然れば】《サアレバの約》㊀『接続』①そうであるから。だから。「かの宮の御領ともいひつべくなりにたり。―、こながら寺になさむ事は便なかるべし」〈源氏宿木〉 ②《驚きなどをあらわす文の中につかって》それでは。一体全体。「『これは―夢かや、夢か』とぞ驚かれける」〈平家三・行隆沙汰〉 ③《文章の発語として》さて。ところで。「一人の息女を持つ、それを昭君と名付く。―、並びなき美人にて候ふほどに」〈謡・昭君〉 ㊁『感』《相手の言葉に答えて》だからさ。そう。さよう。「『何時ごろ出来(でけ)ませう』『―、十年ばかりは出来ますまい』」〈虎寛本狂言・仏師〉 **―いな** 女が他人の語を受けて答える詞。全く。本当に。「―、その文見ると、うれしうて」〈近松・生玉心中上〉 **―いの** 「さればいな」に同じ。「―蘆毛馬追うてぢゃあれの」〈俳・山の端千句下〉 **―こそ** ①《「さればこそ言ひつれ」「さればこそ思ひつれ」などの略。ものごとが思ったとおりだった時に使う語》やっぱりそうだ。そのとおりだ。「―、異(こと)物の皮なりけり」〈竹取〉 ②《相手の語を待ち受けていたかのように返答する場合や、相手の語を制止して自分の意見を述べようとする場合などに使う語》だからさ。そのことさ。「『うつつにて候也。この御ありさまにて、今まで御命ののびさせ給ひて候こそ、不思議に覚え候へ』と申せば、『―。…磯の苔に露の命をかけてこそ、今日までもながらへたれ…』」〈平家三・有王〉 **―で御座る** 男が返答する時の発語。そうです。「『なぜに止むる』『―、…』」〈近松・仏母摩耶山一〉 **―よ** 《予想どおりであった時などにいう》やっぱりね。そうれ。「〔女ハ〕待ちけるさまなり。『―』と心おごりするに、さうじみ(当人)はなし」〈源氏帚木〉。「―、しか聞きしに合はせてまことなりけり」〈今昔二六ノ四〉

されば・み『四段』①垢ぬけした、気のきいた風をする。「臨時のもてあそび物の、その物と跡(形式)も定まらぬは、そばつき(脇カラ見タ恰好)―・みたるも…をかしきもあり」〈源氏帚木〉 ②男女の間のことについて、もの馴れた風をする。「世(男女)の仲をまだ思ひ知らぬ程よりは、―・みたるかたにて、あえかにも思ひ惑はず」〈源氏空蟬〉

ざれゑ【戯絵】 簡略に崩して描いた絵。略画。「―とは、例へば松にても梅にても、ざっと描いたをといふ事ぢゃ」〈虎明本狂言・末広がり〉

ざわうウ…オ **【蔵王】** 役行者(えんのぎやうじや)が金峰山(きんぶせん)で修行したとき感得したという悪魔降伏の菩薩。一面三目二臂、右手に三鈷(さんこ)を持ち、右足をあげている。蔵王権現。金剛蔵王。蔵王菩薩。「これは金峰山(みたけ)の―」〈今昔一三ノ三六〉

さわが・し【騒がし】『形シク』《サワギの形容詞形》①(物音がして、物の形も乱れ)そうぞうしい。「まだ、かく―・しき野分にこそ会はざりつれ」〈源氏野分〉 ②おだやかでない。物情騒然たる状態や疫病流行などについていう。「―・しきもの。走り火、…近き程に火出で来ぬといふ」〈枕二五六〉。「大方世の中の―・しき時は」〈徒然二〇三〉 ③事が多い。忙しい。落ち着かない。「日ごろ―・しくてなむえ参らぬ」〈大和一三六〉。「―・しく物念じせざらむ人は必ずかくつたなきなり」〈今昔三一ノ一九〉

さわ・ぎ【騒ぎ・噪ぎ】㊀『四段』《奈良時代はサワキと清音》①多数のものが集まってやかましい音を立て、形も入り乱れて見える。「渚にはあぢ群―・き」〈万三九九一〉 ②大勢が声をあげ、入り乱れて立ち働く。「そを取ると―・く御民も」〈万五〇〉 ③心の平静を失う。あわてる。「―・がぬ気色なれば」〈源氏浮舟〉 ④あわただしい様相を示す。ただならぬ動きを見せる。「昨日今日少しよろしかりつるを、などかいと弱げには見え給ふと、―・ぎ給ふ」〈源氏柏木〉。「小松殿に―・ぐ事ありと聞えしかば」〈平家二・烽火〉 ▽サワは擬態語。キは擬態語をうけて動詞化する接尾語。㊁『名』①ざわざわと音を立てて、物や人が入り乱れること。「彦星の秋漕ぐ船の波の―か」〈万二〇四七〉 ②事が多いこと。混乱。「防人(さきむり)に発たむ―に」〈万四三六四防人〉 ③騒乱。戦乱。「純友(すみとも)が―の時、討手(てう)の使に指されて」〈大和四〉 ④連れ立って、騒がしく遊廓をひやかすこと。「ぞめき」とも。「島原にては―、新町にてぞめきなど言ふに同じ」〈西鶴・新吉原常常草上〉 ⑤遊里で賑やかに遊ぶこと。遊興。「―の内に、のこらず密夫(まぶ)となれる」〈西鶴・一代男三〉 †sawaki **―うた【騒歌】** ①遊里で歌う陽気で賑やかな歌。「駒を早めて桜町と歌ひしは、三野(さんや)通ひの―也」〈西鶴・諸艶大鑑六〉 ②〔歌舞伎用語〕下座音楽の一。遊里の場の幕開きや人物の登場・退場に用いる、賑やかな歌と囃子(はやし)。「―になり、向う(花道ノ揚幕)より軍兵衛田舎大臣のなり、男付き、出る」〈伎・幼稚子敵討三〉 **―ぶね【騒舟】** 遊興する舟。遊山舟。「海の面一町ばかりに―」〈俳・大坂一日独吟千句〉

さわさわ【騒騒】《サワキ(騒)のサワと同根》さわがしく音を立てて動きまわるさま。ざわざわ。「口大の尾翼鱸(をはたすずき)、―に引き寄せあげて」〈記神代〉

さわた・り【さ渡り】『四段』①《サは接頭語》わたる。「ほととぎす鳴きて―・る君は聞きつや」〈万一九七六〉。「夕には星を戴いて私に帰り、世務を―・るほどに」〈三国伝記二〉 ②ちょっと関係する。少しやってみる。「この中仕合せが悪しうござるほどに、何物にもよるまい、―・り、仕合せを直さうと存ずる」〈狂言記・末広がり〉

さわらび【早蕨】 芽を出したばかりのワラビ。「石走(いはばし)る垂水のうへの―の萌え出づる春になりにけるかも」〈万一四一八〉 †sawarabi

さわゑ【騒ゑ】『連語』《ヱは間投助詞か》(波が)さわいで。「松が浦に―群立(うらだ)ち」〈万三五五二東歌〉

さゐ ヤマユリの古名。「山ゆり草の本の名は―といひき」〈記神武〉

さゐ【さ猪】《サは接頭語》イノシシ。「―待つと我が立たせば」〈紀歌謡七五〉

さゐさゐ・し【騒騒し】『形シク』ざわざわと音を立てるさまである。「黒き掻練(かいねり)の―・しく張りたる(ノリヅケシタ)一かさね」〈源氏初音〉

さゐさゐしづみ『連語』未詳。ざわざわとする落ちつかなさをおししずめての意か。「さゑさゑしづみ」とも。「珠衣(たまきぬ)の―家の妹(いも)に物言はず来て思ひかねつも」〈万五〇三〉 †sawisawisidumi

さゑさゑしづみ『連語』⇒さゐさゐしづみ。「あり衣の―家の妹(いも)に物言はず来にて思ひ苦しも」〈万三四八一東歌〉 †sawesawesidumi

さゑもん【左衛門】「左衛門府」の略。「近衛の御門より―の陣(建春門)に参り給ふ」〈枕七八〉 **―のかみ【左衛門督】** 左衛門府の長官。「―・権中納言なども異(こと)御腹なれど」〈源氏 少女〉　━ふ【左衛門府】六衛府の一。右衛門府(うゑもんふ)に対する。「右衛門佐(すけ)従五位上伴宿禰中庸を━に禁ず」〈三代実録貞観八・八・二九〉→衛門府

さゐん【菜園】《サイエンの転》家の近くの野菜を作る畠。「圃は━畠なんどぞ」〈史記抄一〇〉。「さえん、菜園」〈倭字古今通例全書七〉　━ば【菜園場】「さゐん」に同じ。訛って「さんゑん場」とも。「━の菜種に花を植ゑ添へて」〈俳・新独吟集上〉

さを【棹・竿】①船具の一。水底につっぱって船を押し進める棒。水棹(みさを)。「朝凪(なぎ)に楫(かぢ)引きのぼり夕潮に━さしくだり」〈万四三六〇〉②舞具の一。五色に彩色した木の棒。「蘇合香・狛桙など舞ふ。━取れる姿、目も心も及ばず」〈厳島御幸記〉③衣や帯を掛ける、木または竹の細長い棒。「御━にかかりたる御衣を召して」〈今昔一四ノ三五〉④三味線の長い柄の部分。「━のくだりには…歌を仮名字にぞ書きにける」〈仮・恨の介上〉⑤空を渡る雁が一列になったさまをいう。「舟に乗れ━になりつつ帰る雁」〈俳・犬子集一〉⑥箪笥(たんす)・長持などを数える語。運ぶ時に棹を通してかついだからいう。「御馬三疋、長持…二━献ぜらるる」〈吾妻鏡文治二・三・二〉　━を入・る　検地をする。田地などの面積を測量するのに間竿(けんざお)を用いるのでいう。「竿を打つ」とも。「二万町に━・れ」〈近松・佐々木大鑑三〉

さを【さ青】《サアヲの約。サは接頭語》まっさお。また、青白いさま。「人魂(ひとだま)の━なる君が」〈万三八八九〉。「〔顔〕色は雪はづかしく白うて━に」〈源氏末摘花〉。「━に。色の白きなり」〈匠材集四〉

さを【さ麻】《サは接頭語》麻。「直(ひた)━（純粋ナ麻糸）を裳には織り着て」〈万一八〇七〉

さをいれ【竿入れ】検地を行なうために間竿(けんざお)を用いて測量すること。また、検地。「寛文三年秋より沼田領御検地の御━」〈吾妻記〉

さをかぢ【竿梶】舟の棹と櫂(かい)と。「━も無くてさぶしも漕がむと思へど」〈万三六三〇〉　━乾(ほ)さず　舟の棹や櫂をかわかさないで。いつも舟をこいで。「船腹(ふなはら)乾さず━天地の共与(むた)退(そ)くことなく仕へ奉らむ」〈記仲哀〉

さをしか【さ牡鹿】《サは接頭語》雄鹿。「━は妻呼びとよむ」〈万一〇四七〉　━の【さ牡鹿の】【枕詞】さ牡鹿が入る意から、同音をもつ京都の地名「入野(いりの)」にかかる。「━入野のすすき」〈万二二七七〉

さをだけ【竿竹】竹の竿。近世上方でいう。「━に吹く風の音が人のうそぶくやうなぞ」〈中華若木詩抄中〉。「竿を━とは京の詞也」〈不断重宝記〉

さをだち【棹立ち】馬などが、前脚をあげ、後脚だけで立ち上がること。「馬は足の届かざる処にては━になって、後(あと)ばかりにて渡る」〈大友記〉

さをととし【一昨昨年】一昨年の前年。さきおととし。「━の二月の十日頃に」〈竹取〉

さをとめ【早乙女・早少女】《サは神稲の意》①田植えをする女。植女(うゑめ)。「━の山田の代(しろ)におりたちて急げや早苗室(むろ)のはやわせ」〈栄花根合〉②少女。「磯菜つむあまの━心せよ沖吹く風に波高くなる」〈山家集下〉

さをど・り【さ躍り】【四段】《サは接頭語》おどる。はねる。「杉の野に━・る雉(きぎし)」〈万四一四八〉　†sawödöri

さをばし【さ小橋】《サは接頭語》小さい橋。また、小さい階段。「朝霜の御木(みけ＝地名)の━」〈紀歌謡二四〉

さをび・き【さ緒引き】【四段】《サは接頭語》手綱を引く。「赤駒を打ちて━・き」〈万三五三六東歌〉　†sawobiki

さをぶね【さ小舟】《サは接頭語》小舟。「彦星の川瀬を渡る━のえ行きて泊(は)てむ川津し思ほゆ」〈万二〇九一〉

さをを【さ小峰】《サは接頭語。ヲ（峰）は山の高い所》小さな峰。小さな尾根。「大峰(おほを)には幡(はた)張り立て、━には幡張り立て」〈記歌謡八九〉

さん【三】①数の名。三つ。「一二の目のみにはあらず五六━四さへありけり双六の采(さえ)」〈万三八二七〉②「三の糸」に同じ。「━が切れては引くに引かれぬ」〈俳・大矢数三〉

さん【参】参上すること。「こよひは〔春宮坊〕御会始めなり。…傅(ふ)、歌ばかりまゐらせられて━無し」〈春のみやまぢ〉。「挙レ参、サンニアガル」〈文明本節用集〉　━を以(もつ)て　《「参上を以て」「参仕を以て」の意》参上して。「尤も━申し入るべく候へども…恐れ乍ら折紙にて申せしめ候」〈東寺百合文書へ、康正二・二・一八〉。「以レ参、サンヲモッテ」〈文明本節用集〉

さん【算】①数。年齢。「従一位藤原のあそん九十の━を賀して、制に応ずる歌」〈問はず語り三〉②算木(さんぎ)。「入道、答へもせずして、━をさらさらと置き居たり」〈今昔二四ノ三〉③算術。算木を用いて行なう占い・呪術・計算など。「━を心に入れて教へけるに」〈今昔二四ノ二二〉。「やがて━〈数ノ計算〉をぞ教へ参らせける」〈伽・乳母草紙〉　━を散ら・す　算木をばらばらに乱す。物の散乱した状態の形容。「楯は━・したるやうに、散散に蹴散らさる」〈平家一一・弓流〉　━を乱・す　「算を散らす」に同じ。「乳母(めのと)をはじめとして、━・したる如くにて、皆皆泣き伏してぞたりける」〈伽・花世の姫〉

さん【賛・讃】①漢文の文体の一。ものをほめたたえ論評する文。「良馬━、都良香」〈本朝文粋一二〉②仏の徳をほめたたえる歌や言葉。「諸僧、梵音(ぼんおん)錫杖(しゃくぢゃう)の声を唱へて、━を誦してわたる」〈栄花鳥舞〉。「京田舎の老小貴賤の僧、この━（和讃）を見て興じ、もてあそびて、常に誦する間に」〈今昔一五ノ一六〉③画に題する言葉。室町時代以降、禅僧の肖像画や水墨画などに多く書かれた。画讃。題賛。「或る人、陶淵明かきたる扇に━を乞はれしに、かきつけ侍る歌」〈草根集七〉④人やものを見立てて批評すること。批判。「彼是、心をつけて見ればおもしろき事み、皆━付けて見よといふ」〈西鶴・諸艶大鑑五〉⑤あれこれと非難すること。「一人一人に━を付けて、嫌がる耳こすり言へるは」〈西鶴・好色盛衰記三〉

さんあく【三悪】【仏】「三悪趣」に同じ。「修羅の━四趣(ししゅ)は深山大海のほとりにありと、仏の説き置き給ひたれば」〈平家三・有王〉　━しゅ【三悪趣】衆生が生前の悪業によって赴く三つの世界または生存の状態。地獄趣・餓鬼趣・畜生趣をいう。三悪道。「必ず━を免(まぬ)かるる事を得む」〈今昔七ノ六〉　━だう(ド)【三悪道】「三悪趣」に同じ。「死ぬれば皆天に生れて、━に入る物無かりき」〈三宝絵上〉

さんいんだう(ド)【山陰道】⇒せんいんだう

さんう【三有】【仏】「三界」に同じ。「━に流転するの群類には、罪根を抜かんことを欲(ねが)ふ」〈本朝文粋一三〉

さんゑ【三衣】三種の僧衣。外出や儀式のための大衣、礼拝・聴講に用いる上衣、諸種の作業に使う内衣。「━より外に亦着物(きもの)なし」〈今昔一三ノ五〉　━いちはつ【三衣一鉢】出家受戒の条件として要求された、三衣と一鉢と。古来、僧の象徴と考えられた。「━、誰かこれを補闕せん」〈権記長保三・一・七〉　━ばこ【三衣箱】三衣を入れる携帯用の箱。居箱(すゑばこ)。「次に若き僧━を持て渡る」〈今昔二〇ノ二〉　━ぶくろ【三衣袋】三衣を入れて持ち歩く袋。「━ばかりこれを持たせらる」〈大乗院雑事記寛正

三・一一・一五〉

さんおき【算置】 ①算木（さんぎ）による占い。また、それを業とする者。陰陽師・山伏など。「―の法師を召し、入江殿御尋ねあり。邪気以ての外の由申す」〈看聞御記嘉吉二・五・二四〉。〈文明本節用集〉 ②算木による計算。「元珪は―上手ぞ。物を占ふ算の事ではないぞ。物の積りをして、数をよう知ったぞ」〈玉塵抄二六〉

さんがい【三界】 ①〔仏〕一切の衆生が生死流転する迷いの世界、すなわち欲界・色界・無色界。三有（さんう）。「―の漂流は環（たまき）の息（や）まぬが如し」〈万七九四日本挽歌序〉。「―の惑ひを断じて、永く愛欲の心を離れたる人なり」〈今昔一ノ一三〉 ②「三千世界」に同じ。「―広しといへども、五尺の身措（お）き所なし」〈平家三・大臣流罪〉 ③《他の語について》㋑遠く離れた場所を表わす語。「大坂―呼び下し」〈浮・当世乙女織七〉 ㋺その意味を強める語。「茶は土瓶でこしらへりゃ、一日―余る」〈滑・浮世風呂四中〉 **―いっしん【三界一心】** ⇩さんがいゆいいっしん。「これ発菩提心なり、赤心片片なり、古仏心なり、平常心なり、―なり」〈正法眼蔵身心学道〉 **―のくびかせ【三界の首枷】**《「首枷」は罪人の首にはめる刑具》「三界」にわたって自由を束縛するもの。恩愛の如きもの。「なほ子の闇を晴れやらぬ朧月（ろうげつ）の薄曇り、わづかにすめ（澄・住）る世になほ―かや」〈謡・百万〉 **―のくゎたく【三界の火宅】** 苦しみに満ちたこの世を、火に包まれた家にたとえた語。「花山院は―を出でさせ給ひて」〈栄花花山〉 ▽法華経譬喩品に「三界は安きこと無し、猶火宅の如し」とある。 **―ばう【三界坊】** 世の中をさまよい歩く僧。「笠を着てめぐるや月の―」〈俳・唐人踊三〉 **―むあん【三界無安】** この世は苦痛に満ちて、少しも平安でないこと。法華経譬喩品の言葉。「―猶如火宅（ゆにょくわたく）とて」〈平家七・主上都落〉 **―むあん【三界無庵】**《「三界無安」のしゃれ》この世に住む家がないこと。また、その人。三界無宿。「宿無しの―と云ふをのこ」〈評判・新野郎花垣〉 **―ゆいいっしん【三界唯一心】** 迷いの世界としての三界のあらゆる現象は、ただその人の心のはたらきにもとづいて存在し、心を離れては存在しないとする大乗仏教の根本思想。三界一心。「花厳宗（けごんしゅう）には、―、心外（しんげ）無別法、心仏及衆生、是三無差別と云ふ」〈道元法語〉

ざんがい【残害】《「残」はそこない傷つける意》そこない殺すこと。「畜生道と申すは―の苦しみ忍びがたし。…猫の前のねずみ、鵜の前の鮎（あゆ）、いづれか―をのがるべき」〈宝物集上〉

さんがいぐら【三階蔵】 金銀・宝物を入れて置く三階建の蔵。近世初期から建造され、三階は客座敷に用いられた。「屋敷を高く―」〈仮・薬師通夜物語〉

さんがいまつ【三蓋松】 枝葉の三層に重なった松。また、その松を側面から見た形の紋所。「腰掛け枝の―」〈近松・反魂香上〉

さんかう【三更】 ⇩かう（更）。「盧舎那仏に燃燈供養す。…―に至りて宮に還る」〈続紀天平一六・一〇・六〉

さんがう【山号】 寺号に冠し、寺の所在を示す意味でつける「…山」という称号。もとは山に寺を建立したばあいに付けられたが、後には平地の寺に対しても用いる。「高野山金剛峰寺」「比叡山延暦寺」「東叡山寛永寺」の類。「日本の円覚寺は…瑞鹿山と―を云ふぞ」〈山谷詩抄一九〉。〈運歩色葉集〉

さんがう【三綱】 寺院で、僧侶を統轄し、雑務を処理する三種の役僧。上座〈じやうざ〉・寺主（じしゅ）・都維那〈つゐな〉をいう。もとは寺の統治者であったが、後には別当・座主（ざす）などの下に属する役僧の名となった。「其れ乞食の者有らば―連署して午前より鉢を捧じて告げ乞へ」〈続紀養老二・四・二三〉。「―とは、上座・寺主・都維那を云ふなり」〈壒嚢鈔一〇〉

さんがく【三学】 仏道修業の最も基本的な三つの部類、戒学・定学・慧学をいう。戒定慧〈かいぢやうゑ〉。「―の中に定学あり」〈正法眼蔵辦道話〉

さんがく【散楽】 奈良時代に伝来した、中国の俗楽・芸能の流れ。「正楽」「雅楽」に対する。平安時代以後、寺社の祭礼や神楽・相撲節会・淵酔〈えんずい〉などにしばしば演じられた、滑稽卑俗な物真似や、舞踊・曲芸・奇術・傀儡（くぐつ）・舌耕芸（ぜっこうげい）などをいう。「雑色長上五十四人を解却し、餅戸・―戸を廃す」〈続紀延暦一・七・二一〉。「近侍の児童と良家の稚子を以て舞人とす。大唐・高麗更に出て舞ふ。雑伎―競ひて其の能を尽す」〈三代実録貞観五・五・二〇〉 →さるがく

さんがにち【三箇日】 正月元日から三日までの三日間。「―毎事無為（ぶゐ）」〈大乗院雑事記永正三・一・三〉

さんがのつ【三箇の津】 近世、京都・江戸・大阪の称。三都。「さんがつ」とも。「目前の喜見城とは、吉原・島原・新町、この―に増す女色のあるべきや」〈西鶴・諸艶大鑑二〉

さんかん【三韓】 朝鮮の古称。「―の僧二人ありて、慶元府に来たれり」〈正法眼蔵伝衣〉。「―とは、日本より西に当って新羅（しんら）・高麗（かうらい）・百済（はくさい）とて三の国あり」〈伽・住吉縁起〉 ▽もとは、朝鮮半島の南部によった馬韓・弁韓・辰韓の三部族国家にいう。

さんかん【算勘】 数の勘定。計算。また、その能力。「―によらば、来る六月十六日の夜亥の時に月蝕有るべき」〈中臣祐賢記文永三・七・二八〉。「これは―まで達者な女房と見えた」〈天理本狂言六義・二九十八〉

さんき【三帰】〔仏〕仏・法・僧の三宝に帰依（きえ）すること。また、帰依することを示す誦文。三帰依。「すなはち全く―五戒を受持し、然して還り来たる」〈霊異記中八〉。「〔南無帰依仏・南無帰依法・南無帰依僧トイウ〕―の法文を誦す」〈今昔四ノ一〇〉

さんぎ【参議】《朝議に参与する意》太政官に置かれ、大中納言に次ぐ重職。令外の官。文武天皇の時にはじめて設けられ、嵯峨天皇の代から八人と定まった。「…の六人を擢（ぬ）きて並びに―と為す」〈続紀天平三・八・一一〉

さんぎ【算木】「算」(3)を行なうときに用いる方柱状の木片。「八十一本の―にて、一一次第に占ひて」〈伽・岩竹〉。「―をもって米の数を算検しけるが」〈伽・七夕之本地〉 **―もち【算木餅】** 粳粉（うるちこ）と氷砂糖の粉とを材料にして作った、算木形の餅。算餅。「清明が滝の氷柱（つらら）や―」〈俳・吉野山独案内五〉

ざんぎ【慚愧】 心に恥ずかしく思うこと。「罪業を滅するが故に―の涙を流す」〈今昔一三ノ一七〉。「―懺悔六根罪障と唱ふべし」〈孝養集中〉。「慙愧、ザンギ」〈伊京集〉

さんぎゃく【三逆】 仏教で、五逆罪のうち、阿羅漢を殺すこと、仏身を傷つけること、僧衆の和合を破壊することの三つ。三逆罪。「調達（でうだつ＝提婆達多）が―を作り、八万蔵の聖教を滅ぼしたりしも」〈平家二・重衡被斬〉

さんきょく【三曲】 ①琵琶の三秘曲、流泉〈りうせん〉・啄木（たくぼく）・揚真操〈やうしんさう〉の称。「かの―を伝へけん藁屋の床のいにしへも、思ひやられてあはれなり」〈平家一〇・海道下〉 ②禅竹の能楽論における三体の曲風。皮・肉・骨をいう。「これ（五音）に皮肉骨の―の工夫を添へり」〈五音三曲集〉 ③箏の組歌の奥組の四季曲・扇曲・雲井 →ひにくこつ。

曲の称。「琴は—も暗からず」〈浮・好色敗毒散三〉 ④箏・三味線・胡弓の三楽器を合わせて地唄を奏すること。「—などの連弾(あはせもの)」〈人情・春色辰巳園四ノ三〉

さんきょく【三極】天・地・人の称。三才。三統。三霊。「万代の池の龜は、甲に—を備へたり」〈謡・翁〉

さんきらい【山帰来】ユリ科の多年生蔓性灌木。宿根を土茯苓(どぶくりょう)といい、近世、中国・交趾などから輸入して梅毒の薬にした。「薬種—半斤」〈言経卿記慶長三・一二・四〉

ざんぎり【散切り・残切り】頭髪を切り乱して結ばぬこと。「〔夫ニ死別シテ〕結びもとめぬ—の露」〈俳・一葉集〉

さんきん【参勤】①出向いて勤めること。「評定衆中、所労にて—せざるの輩に於ては、着到に乗すべからざるの由」〈吾妻鏡 建長三・八・二三〉 ②江戸幕府が将軍家光のとき制定した諸大名統制策。関東の大名は半年ごと、その他の大名は一年ごと、交替に江戸と領地に居住し、妻子は江戸に常住させる制度。諸大名の二重生活と往復の費用はその財政を破綻させ、他方、江戸の繁栄と商品流通の発展とを招いた。参勤交代。「大名小名在江戸交替相定まる所也。毎歳夏四月中—致すべし」〈御触書寛保集成一、寛永十二年六月改正武家諸法度〉

さんきん【散禁】令制で、罪人を枷(かせ)などを施さずにただ閉じこめておくこと。「皆授刀寮に—して安(だみ)りて道路に出づることを得ずあらしむ」〈万九四九左注〉

さんく【三句】三つの句。特に、連歌・俳諧で、連続する三つの句、すなわち打越(うちこし)・前句・付句。これらが同想になるのを禁じた。「本歌、—に渡るべからず。本説・物語の心、これに同じ」〈連理秘抄〉 **—のはなれ**【三句の離れ】〔連俳用語〕連歌・俳諧は二句が合して一首の歌体をなすので、三句目を初句と同想にならず、二句目と合して新境地を開くように付ける変化の仕方をいう。「三句の渡り」「三句の運び」「三句の転じ」「三句目の離れ」とも。「今までは—流転して」〈俳・大硯〉。「—、句の替りやう、句の新しきを、よくよく眼を留むべし」〈俳・初懐紙評注〉 **—め**【三句目】〔連俳用語〕①三つ目の句。「心なき句二句並び侍らむ—は、心のこもりたる句にて付くべし」〈連歌教訓〉 ②当面の付句を、打越(うちこし)・前句・付句と連続する三つ目の句として把えて批判するときの称。付句は前句によく付き、打越と切れ離れるべきことを主眼において言う。「既に新式目に体・用の沙汰侍る上は、いかで〔式目違反ノ〕—の句を〔懐紙ニ〕留め侍らん」〈当風連歌秘事〉。「夕べの眺望二句続き侍れば、—大事なるを」〈矢嶋小林庵何木百韻注〉。「物語・古事・古歌にて付けたる—、むつかしき物也」〈称名院追善千句注〉

さんぐ【三具】仏具の花瓶(けびょう)・燭台・香炉の一揃い。三つ具足。「—に敲鉦(たたきがね)を添へて」〈西鶴・二十不孝二〉

さんぐ【散供】①米・銭・花などをまき散らして、神仏にそなえること。「清き砂を—として、名句祭文を読みあげて、一時の祝(のっと)を申しけり」〈盛衰記九〉 ②神仏の供物を取り下げること。「次に南殿の御膳宿、—し畢(をは)んぬ」〈江家次第七・大殿祭〉

さんぐう【三宮】太皇太后宮・皇太后宮・皇后宮の総称。三后(さんこう)。「—より始めて、諸司に至る」〈三代実録貞観七・一・二五〉

さんぐう【参宮】①神社に参詣すること。「鶴岡放生会なり。将軍家御—」〈吾妻鏡建久六・八・一五〉 ②特に、伊勢参宮。「細川九郎勝元始めて—す」〈斎藤基恒日記文安一・四・二九〉。「伊勢へ御参り候を—と申し候。八幡へは社参と申し候。熊野へは参詣と申す」〈宗五大双紙〉

さんくづし【算崩】算木を崩したように、縦横に三筋ずつ石畳を織り出した縞。算木崩。「—木綿一端」〈舜旧記文禄五・一・二二〉

さんくゎい【参会】親しく会うこと。会合。寄合い。「平家の侍ども老少—して」〈平家五・五節〉。「併(しかしながら)—を期(ご)す」〈庭訓往来五月九日〉

さんくゎう ゥ:コ【三光】①日・月・星をいう。三光天。「日月星、これを—と謂ふ。亦、三辰と謂ふ」〈口遊〉。〈色葉字類抄〉 ②「ひつきほし(日月星)」と囀る鶯の鳴声をいう。また、鶯。「鶯は日月星と囀るを—を囀ると云ふ」〈俳・馬鹿集追加〉。「あれは世間に重宝する—とやら言ふ鳥であらう」〈狂言記・鶯〉

さんくゎう ゥ:コ【三皇】中国古伝説上の三帝王。伏羲(または包羲)・神農・黄帝(または女媧)。あるいは天皇・地皇・人皇などともいう。「—・五帝の后も、漢皇・周王の妻も」〈十訓抄二ノ四〉

さんぐゎつ【三月】 **—いつか**【三月五日】一年または半年季の奉公人の春の出替りの日。寛文九年、幕府の命令で定められた。秋の出替り日は九月五日(のち九月十日)。「出替りやいで其のころは—」〈俳・堺絹〉 **—じん**【三月尽】三月晦日。「四条大納言の家にて—の夜、人人あつめて、暮れぬる春を惜しむ心をよみけるに」〈俊頼髄脳〉 **—ていきん**【三月庭訓】「庭訓往来」の十二か月の文章を学ぶ者が、三月の条あたりで飽きて止める意。学習に飽き易く、学び通すことの少ないたとえ。彌生庭訓。「公冶長(こうやちやう)論語」「須磨源氏」「隠公(いんこう)左伝」など同類の諺がある。「声いかに—天津雁」〈俳・富士石二〉

さんくゎん【三関】《サンゲンとも》古代、都を守るために設けられた三つの関所。伊勢国鈴鹿(すずか)の関、美濃国不破(ふは)の関、越前国愛発(あらち)の関をいう。後に、愛発の関を廃して、近江国逢坂の関を加えた。「使を遣はして固く—を守る」〈続紀養老五・一二・七〉

さんぐゎんあめ【三官飴・三貫飴】《唐人陳三官が製法を伝えたという》細かく切って米粉をまぶした白飴。江戸芝・京都・小倉・長崎などの名物。「—さへ壱文に売るはと言うた」〈咄・当世手打笑三〉

さんげ【散華】行道の時、読経しながら、花皿に盛った樒(しきみ)の葉や紙で作った造花をまき散らし、仏を供養すること。その僧を散華師という。「—の間、僧俗池を廻ること三匝す」〈左経記長元八・三・二七〉

さんげ【懺悔】《近世中期以後ザンゲとも》①〔仏〕犯した罪過を悔い、仏・師長・衆人の前で告白すること。「薬師経に帰して、行道—す」〈続紀天平勝宝三・四・一〉。「—すれば諸罪消えずといふ事なし」〈孝養集中〉。〈文明本節用集〉 ②真実を打ち明け語ること。心に思っていることを隠さずに告白すること。「心に深き思ひのありて、この頃北国かたを志し廻り給ふなり。ありのままに—し給へかし」〈伽・鶴の翁〉。「おのれおのれが心に望むことを—せよ」〈咄・醒睡笑七〉。「マコトヲアラワス、モノヲサンゲまたはハクジャウスル」〈拉葡日〉 **—さんげ**【懺悔懺悔】①霊山に登るとき、水垢離(みずごり)をとるときなどの唱えことば。「—六根罪障、ざんぶりどんぶり」〈松の葉二〉 ②〔歌舞伎用語〕下座音楽の一。貧家の場の幕開きや、下層の人物の登場・退場に用いる。「すべて京都香堂前の切見世、—の合方にて幕明く」〈伎・四天王櫓礎四〉 **—ばなし**【懺悔話・懺悔咄】自分の過去の罪悪を悔いて打ち明けた話。「この好人(すきびと)、役者まじりに—せし時」〈西鶴・一代男五〉

さんげふ(ヨウ:ギ)【産業】生業。なりわい。「防人の—も弁済し難し」〈続紀天平宝字一・閏八・二七〉

さんげん【三元】①《「元」は始めの意》年・月・日の始め。すなわち、正月元日。「焉(ここ)に—の節、共に悦ぶ望雲の仁」〈懐風藻〉。「人ごとに—の祝ひ言には、木幡の柚(ゆ)の木のその事を申し侍るは、まことにめでたきためしなり」〈大倭二十四孝一八〉。「—。正月一日也。歳ノ元、月ノ元、日ノ元也」〈黒本本節用集〉②上元・中元・下元の総称。「—。上元正月十五日、中元七月十五日、下元十月十五日」〈倭漢名数〉。〈譬喩尽六〉

さんこ【三戸】目と耳と口と。〈日葡〉 **—静ま・る** 鳴りをひそめて静まりかえる。「〔時鳥ノ〕声聞いて—・る座敷かな」〈俳・落穂集三〉 **—を静・む** 鳴りをひそめて、—・めて居給ふ所に」〈伽・戒言〉 **—を潜(ひそ)・む** 「三戸を静む」に同じ。「物語聞かんずとて、—・めて音もせず」〈幸若・八島〉

さんこ【三鈷】《中世では、サンゴとも》金剛杵(こんがうしよ)の一種。両端が三叉になったもの。「真言宗等、五鈷・—・独鈷は有り、二鈷・四鈷は無きの由を云ふ」〈小右記長和二・七・四〉

さんご【三五】①十五。十五歳。「源空上人も—の御歳より無常の理を覚知して」〈蓮如上人行状記上〉②十五夜。「—に満つる月輪も由旬の光を輝かし」〈説経・毘沙門本地〉 **—の十八** 見込みのはずれるたとえ。「三五の十九」「三五の二十五」ともいう。「おのが屋の内にては道理あって、とざま(世間)にては—ありとかや」〈仮・悔草上〉 **—や**【三五夜】十五日の夜。十五夜。特に八月十五夜。「三秋—、夜久しうして夜風涼し」〈凌雲集〉。「—の月は秋の最中なれば」〈俳・山の井三〉

さんこう【三公】《書経の周官に、最高の官位である太師・太傅・太保を三公と称しているのになぞらえて》太政大臣・左大臣・右大臣の称。後には、左大臣・右大臣・内大臣の称。「前史を歴覧するに、皆、親王の礼を降して、並びに—の下に在らしむ」〈続紀天平宝字五・二・一〉

さんこう【三后】《漢音》太皇太后・皇太后・皇后(または中宮)の総称。三宮(さんぐう)。「祖父母と称(い)ふ所は、太上皇と—とを含むか」〈三代実録貞観一三・一〇・五〉。「いとどただ—のみおはしますめり」〈大鏡道長〉

さんこう【参候】貴人・主人の前に出て、御用をうかがうこと。参り伺候すること。「近境の源氏なほ—せず、いはんや遠境に於てをや」〈平家七・木曾山門牒状〉

さんごく【三石】 **—さ**【三石侍】《「三石ざむらひ」の略》京都で公家に仕えた年俸三石の貧乏侍。「三石さん」「三ぴん」とも。「米櫃の底まで探せ—」〈雑俳・千代見草下〉 **—ろくと**【三石六斗】①釈迦の舎利の量。「舎利既に—有りと言へる」〈仮・可笑記評判三〉②幼児が成長するまでに吸う母乳の量。「母の乳房に喰ひ付きて、親の血を吸ひ取ること、凡そ—なり」〈浄・甲子祭五〉

さんごく【三国】天竺(インド)・震旦(中国)・日本の三か国。「それ末代の俗に至っては、—の仏法も次第に衰微せり」〈平家二・山門滅亡〉 **—いち**【三国一】①インド・中国・日本を通じて、第一位であること。「日本奈良の大仏殿は—といへども」〈百丈清規抄一五〉②祝言の時、婿や嫁をほめたたえる謡のことば。「婿ならで—や空の月」〈俳・犬子集五〉。「此方より『—婿取りすまいた』又、対馬様御一門様方より『—嫁取りすまいた』御謡有り」〈森田久右衛門日記延宝六・三・一六〉 **——ぢゃ** 祝言小歌の歌詞。「三国一ぢゃ何何になりすまいた」と歌い納める。「—、拍子が合ふの、合はぬのと、同じ事のみ歌ひけるほどに」〈西鶴・一代男三〉 **—さうじょう**(ソウ)【三国相承】インド・中国を経て日本に伝わったこと。三国相伝。三国伝来。「—の真宗」〈太平記一七・山門牒〉 **—でんらい**【三国伝来】「三国相承」に同じ。「此の八句の偈(げ)の文—して」〈太平記三一・龍馬進奏〉

さんごじゅ【珊瑚樹】枝サンゴ。「海底に生ふるなる—の枝」〈太平記二五・自伊勢進宝剣〉 **—のつゑ**【珊瑚樹の杖】サンゴで作った杖。近世、伽羅の下駄とともに、富豪の奢侈(しゃし)の象徴。「思ひの色—紅葉して」〈俳・江戸広小路下〉。「銭座の衆は—突いて」〈浮・西鶴伝授車三〉

さんごふ(ウ:ゴ)【三業】〔仏〕身業・口(く)業・意業の総称。身体動作と言語表現と心的意志。「—・六情に於て犯す所なし」〈今昔一七ノ一七〉 **—を静・む** 身・口・意の三つを鎮静させる。「閑室に閉ぢ籠り、断食し、香をたき、—・め」〈雑談集六〉 **—を潜(ひそ)・む** 「三業を静む」に同じ。「—・めて、声高くする事あるべからず」〈孝養集下〉

さんごべい【西国米・沙穀米】《マレー語 sagu から》サゴヤシの樹心から採った米粒状の白い澱粉。近世、長崎に輸入し、病人の粥(かゆ)に用いられた。「さごべい」とも。「餅ならば今宵の月や—」〈俳・玉海集三〉

さんこん【三献】酒式の一。一献・二献・三献と、肴(さかな)を三度変えた膳で、その都度酒を三杯ずつ飲ませるもてなし方。式三献。「勧盃—果てぬ」〈中務内侍日記〉

さんさ『感』《ササの撥音化》俗謡の囃子(はやし)詞。「我は野に咲く仇花よ—」〈大竹集〉

さんざ【参座】会合の席に参列すること。「—しにとても、あまた所もありき給はず」〈源氏紅葉賀〉

さんさい【三才】《「才」は働きの意》天と地と人と。三儀。三極。「日本開闢の始めをたづぬれば、二儀已に分れ、—やうやく顕はれて」〈太平記一六・日本朝敵〉

さんさい【三災】〔仏〕この世の亡びるときに起るという火・水・風の三つの災難。「—七難、先よりいよいよ増長して」〈日蓮遺文下山御消息〉

さんざう(ウ:ゾ)【山庄・山荘】山地などに構えた別荘。「双丘寺に住ましむ。元是れ右大臣清原真人夏野の—、今、謂所(いはゆる)天安寺なり」〈三代実録天安二・一〇・一七〉。「山荘、サンザウ、別家」〈伊京集〉

さんざう(ウ:ゾ)【三蔵】①経蔵・律蔵・論蔵をさし、仏教聖典の総称。「蔵」は容器・倉などの意。「妙(はく)しく—の玄宗に通じ」〈懐風藻〉②経・律・論の三蔵に通じた高僧の敬称。「玄奘—天竺に渡り給ひたりける日記に」〈宇治拾遺一七二〉③鍛冶屋・馬方など下賤な者の通名。「—は井筒によりて腰を掛け」〈俳・俳諧蒙求下〉

さんざうらふ(ロウ:ゾウ)【さん候】『連語』《サニサウラフの転》応答の言葉。そうでございます。「『ここか、武正が所は』など仰せられければ、武正、『—』と申して」〈著聞五一三〉。「『汝は花方か』『—』」〈平家一〇・請文〉

さんさがり【三下り】三味線の調子の一。本調子より三の糸の調子が一段と低く、音色の変化に富むもの。「三味線のちりてれてんを過ごすとも地に—鳴け時鳥」〈後撰夷曲集二〉

ざんざと『副』さっさと。勢いよく早いさまをいう。「光陰は水の流るるが如く—過ぎ去るものぢゃほどに」〈三体詩抄三ノ三〉

ざんざめ・き『四段』「ざざめき」の転。「ざんざらめき」とも。「大峰入りの山伏たちは、百人ばかり—・いてお通りある」〈伽・小栗絵巻〉

さんざん【三山】①大和(やまと)三山。畝火山・香具山・耳梨山をいう。「中大兄の—の歌」〈万一三題詞〉②熊野三山。本宮・新宮・那智をいう。「〔法皇熊野へ御参詣〕—順礼の後、滝本に卒都婆を立てられたり」〈盛衰記三〉③出羽三山。羽黒山・月山・湯殿山をいう。「羽黒山に登る。…月山・湯殿を合はせて—とす」〈俳・奥の細道〉

さんざん【散散】 ①原形をとどめないほど、ちりぢりになった状態。ばらばら。めちゃめちゃ。「〔多数ノ蟹ガ〕この蛇を—にはさみ切りて」〈著聞六八二〉。「てんさかさまに落ちて、頭(かしら)を—につき割りにけり」〈著聞五一五〉②目もあてられないほど、ひどく見苦しい状態。惨憺(さんたん)たるさま。「糞(くそ)ひり散らし、障子みな踏みやぶりて、—の事なりけり」〈雑談集五〉。「五十ばかりにて他界しけるに、臨終—なりけり」〈法然上人行状絵図〉③容赦なくはげしいさま。「互ひに入れ替へ入れ替へ—に戦ひて」〈保元中・白河殿攻め落す〉。「持ちたる杖を押っ取って、—に打擲す」〈謡・安宅〉

さんさんくど【三三九度】 出陣・帰陣・祝言などの諸儀式の献盃の礼。三つ組の盃で、三度ずつ三回酒盃を献酬すること。三三九献。「酒取り出し、—勧め給ふ」〈曾我八〉。「先づ祝言と申して、—に祝へるは、三つづつ三度飲む故に—と申すなり」〈伽・酒茶論〉

さんし【三尸】 道教で説く、人の腹中に住む三匹の虫。庚申〈かうしん〉の夜、人の睡眠中、天にのぼり、その人の罪過を天帝に告げるという。三尸虫。三彭(さんほう)。三童子。「〔庚申ニ当リ〕守—の御遊有り」〈日本紀略長保一・六・九〉

さんし【三史】 中国の三つの重要な史書。六朝では史記・漢書・東観漢記。唐以後では史記・漢書・後漢書。「大宰府言(まう)す…府庫但だ五経を蓄へて、未だ—の正本有らず」〈続紀神護景雲三・一〇・一〇〉。「〔女ガ〕—五経、みちみちしきかたを明らかにさとり明かさむこそ愛敬なからめ」〈源氏帚木〉

さん・し 『サ変』《サシャンシの転。多く、遊里の女が使った》「為(し)」の尊敬語。なさる。なさいます。「根引きに—・したが、ようござる」〈評判・難波鉦一〉。「せんかたなさに怖い事など—・せぬか」〈近松・女腹切中〉

さんじ【三時】 ①過去と現在と未来と。「その数を三巻に分かてる事は—の間(ひま)に充てたるなり」〈三宝絵序〉②早朝と日中と日没と。「日毎に—に行法を修して、一時をも闕く事なかりけり」〈今昔一五ノ一三〉③一日中。「人間にて般若経を修行せし力に依りて、—に苦を受くる事軽く少なし」〈今昔七ノ八〉

さんじ【散事】 《「職事(しきじ)」の対》令制で、位階だけあって職務のない女官。散位。「右諸司の掌以上を皆職事と為(せ)よ。自余を—と為よ」〈後宮職員令〉

さん・じ【参じ】 『サ変』まいる。参上する。「平治の逆乱(げきらん)にも、親類を捨てて—・じたりしかども」〈平家四・鵼〉

さん・じ【散じ】 『サ変』①散る。失せてなくなる。果てる。「逃げ—・ずるあまたの人を呼び集めて」〈今昔六ノ二〇〉。「軍(いくさ)—・じて翌日に」〈太平記八・持明院殿〉②散らす。「華を—・じ、香をたき」〈正法眼蔵受戒〉③疑念や鬱憤・恨みなどを晴らす。「法文の要義を問ひて、心の疑ふ所を—・ず」〈今昔二ノ三二〉

さんした【三下】 博奕(ばくち)打の仲間で、最下位の者。三下奴。「あほらしうて対手(あひて)になられんはい、なんぞと—に見てゐるはな」〈滑・浮世風呂三上〉

さんしちにち【三七日】 ①二十一日。三週間。祈願・勤行などの期間にいうことが多い。「—の懺法(せんぼふ)を行なはしむ」〈三宝絵下〉②二十一日目の日。人の死後二十一日目の仏事にいうことが多い。みなぬか。「—をば、ことさらとりいとなみしに、御所よりも、まことしく、さまざまの御とぶらひどもあり」〈問はず語り一〉

さんじつ【三日】 近世、毎月朔日・十五日・二十八日の称。この日を礼日として、貴賤ともに祝った。式日。「子を持ってから—をやっと塗り」〈雑俳・万句合宝暦一三〉。「今世、朔日・十五日・二十八日を、—の礼と称して朝賀せり」〈松屋筆記六〇〉

さんじっこく【三十石】 「三十石船」の略。「散る柳乗りはやらする—」〈俳・大矢数一〉 **—ぶね【三十石船】** 近世、淀川の大阪・伏見間を往来した三十石積みの川船。三十石の荷物と乗合の客とを運んだ。「—船賃の定め…乗合、壱人に付き〔銀〕二匁」〈国花万葉記六ノ二〉。「—。…摂州浪花より城州伏見に至るに此の舟を用ふ。其の流れ十里、淀川を往来す。朝に大坂に乗りて夕べに伏見に着く、是を昼舟と云ひ、夕べに乗りて朝に至る、是を夜舟と云ふ。伏見より下るもまた然り」〈和漢船用集五〉

さんじふ(‥ジュウ)**【三十】** **—かう**(‥コウ)**【三十講】** 法華経二十八品(ほん)と開経の無量義経一巻、結経の普賢観経一巻とを合わせた三十巻を講ずること。「五月には例の—など、上(かみ)の十五日に勤め行なはせ給ひて」〈栄花初花〉▽一日一巻ずつ三十日間、また、二巻ずつ十五日間、また、三巻ずつ十日間行なわれた。 **—ばう**(‥ボウ)**【三十棒】** 禅宗で、師が弟子を戒め、覚醒させるために打つ棒。「二人とも—打ってくれうず」〈碧岩抄一〉 **—ばんじん【三十番神】** 一か月三十日、毎日交替で、国家・人民を守護すると信じられていた三十の神。天神擁護・内侍所守護・王城守護・吾国守護・禁闕守護・法華守護・如法経守護・法華経守護・仁王経守護・如法華経守護など、それぞれ三十番神がある。「惣じては七千余座の神、殊には—、朝家を守り給ふ」〈古活字本保元上・新院御謀叛露顕〉 **—振袖四十島田** 年増女の若作りを嘲っていう語。「—も希有(けう)なる事に言ひ侍りしに」〈評判・姿記評林上〉

さんじふいちじ(‥ジュウ‥)**【三十一字】** 短歌の称。仮名で書くと三十一字になるのでいう。「みそひともじ」とも。「八雲立つ出雲八重垣つまごめに八重垣つくるその八重垣を、これを—の始めとす」〈平家一一・剣〉

さんじふごにち(‥ジュウ‥)**【三十五日】** 人の死後三十五日目の仏事。五七日(ごしちにち)。「—の追善肝心なり」〈日蓮遺文十王讃歎鈔〉

さんじふさん(‥ジュウ‥)**【三十三】** 数の名。三十三歳は女の大厄年。前の厄年の十九に対して、後の厄年という。「男は四十二、女は—を以て大厄と為す」〈和漢三才図会五〉 **—しょ【三十三所】** 三十三所観音。観音を安置した三十三か所の霊地。観音の三十三身に基づく。これを巡礼する者は功徳・冥福を得るという。とくに西国三十三所が有名。「—の観音拝み奉らむとて」〈千載一二〇八詞書〉 **—しょじゅんれい【三十三所巡礼】** 西国三十三所を巡礼すること。「関東僧—結願、百三十六部の法華経奉納」〈大乗院雑事記明応二・七・二九〉 **—じん【三十三身】** 観音が衆生を済度するために現わす三十三体の化身。「観音誓ひ広ければ、普(あまね)き門より出でたまひ、—に現じてぞ、十九の品(しな)にぞ法(のり)は説く」〈梁塵秘抄一五七〉 **—てん【三十三天】** 欲界六天の第二。須彌山の頂上にあり、この中央に帝釈(たいしやく)天が住む。「忉利天(たうりてん)」とも。「天皇の詔を奉(うけたま)はる。若し違ふことあらば四天王打たむ。天神地祇、また誅罰(つみ)せむ。—此の事を証(あきら)め知(しろ)しめせ」〈紀天智十年〉 **—ねん【三十三年】** ①三十三年目の回忌。「故大納言身まかりて今年は—になり侍りしかば、形の如く仏事などいとなみて」〈問はず語り五〉②寺で、三十三年ごとの秘仏開帳のこと。「権現は—開帳に」〈俳・大矢数三〉 **—ばん**【三十三番】「三十三所」に同じ。「補陀落(ふだらく)や—法(のり)の舟」〈俳・大矢数一〉

さんじふにさう ：ジュウ ：ソウ【三十二相】①仏の身体にそなわる三十二の、一見してそれとわかる顕著な特徴。身金色・眉間白毫〈びやくがう〉など。「仏、この坐の上におはしまして—・八十種好あらたにて」〈栄花鳥舞〉▽奈良時代に、これを「三十(みそ)あまり二つの相(かたち)」と和訓して用いた仏足石歌の例がある。②女の容貌・風姿の一切の美相。「—足らひたる、いつくしき姫にてありける」〈伽・文正草紙〉

さんじふろくかせん ：ジュ ウ：【三十六歌仙】一条天皇のとき、藤原公任が選定したと伝えられる三十六人のすぐれた歌人。柿本人麿・紀貫之・凡河内躬恒・伊勢・大伴家持・山部赤人・在原業平・僧正遍昭・素性法師・紀友則・猿丸大夫・小野小町・藤原兼輔・藤原朝忠・藤原敦忠・藤原高光・源公忠・壬生忠岑・斎宮女御・大中臣頼基・藤原敏行・源重之・源宗于・源信明・藤原仲文・大中臣能宣・壬生忠見・平兼盛・藤原清正・源順・藤原興風・清原元輔・坂上是則・藤原元真・小大君・中務の総称。〈書言字考〉

さんしゃ【三社】①国として特に尊崇した三つの社(やしろ)。普通、伊勢神宮・石清水八幡宮・賀茂神社の称。ほかに、伊勢・松尾・稲荷の三社など。「—奉幣使を立てらる。大嘗会の延引に依りてなり」〈百錬抄 建暦一・三・四〉②熊野三社のように、同じ境域内にある、おもだった三つの社。「三千の大衆(だいしゆ)、いきどほりなのめならず…、—(山王七社中ノ大宮・二宮・聖真子)の神輿を中堂へあげ奉り」〈太平記二四・依山門嗷訴〉 **—たくせん**【三社託宣】天照大神・八幡大菩薩・春日大明神の託宣と称する文を一幅に書いたもの。鎌倉時代頃の偽作かという。三社の託宣。三社の託。「—一幅」〈東寺百合文書を、宝徳三・一〇・七〉

さんじゃ【算者】算術のよくできる人。「こなたは殊の外の—で御座る」〈虎寛本狂言・賽の目〉

さんしゃう ：シ ヨウ【三生】〔仏〕前生・現生・後生の称。「彼が—の前に、義長法師と言ひし時」〈太平記三六・仁木京兆〉

さんしゃう ：シ ヨウ【三障】〔仏〕正道・善心の障害となる、煩悩〈ぼんなう〉・業障〈ごふしやう〉・報障〈ほうしやう〉の三つ。肉煩悩障・心煩悩障ということもある。「不動は—四魔の障りを除き給ふ事、又諸尊にすぐれ給へり」〈沙石集二ノ五〉

さんじゃう ：ジ ヨウ【山上】①山に登ること。「この尉こそ—する者にて候へ」〈謡・女郎花〉②比叡山。「阿闍梨仁誉…院宣に依り—を追却せらる」〈中右記天永二・七・三〉③(イ)大和国吉野郡の山上ヶ岳。修験道の霊場であった。「葛城や高間の山、—大峰釈迦の岳」〈謡・花月〉(ロ)山上ヶ岳の蔵王権現〈ざわうごんげん〉に参詣すること。山上参り。「—は今を初めの峰入りに」〈俳・半入独吟集上〉 **—かう** コ ウ【山上講】「山上」(3)(ロ)を目的とする講。行者講。「おん油屋仲間の—」〈近松・油地獄中〉 **—まゐり**【山上参り】「山上」(3)(ロ)に同じ。「—事事しくこれ在り」〈多聞院日記元亀二・六・四〉

さんじゃう ：ジ ヨウ【散状】略式の回答書。「請文(うけぶみ)散状」とも。「さる随身の—やはあるべきとて、しきりに笑はせおはしまして、御免ありけり」〈著聞五三七〉

さんじゃく【三尺】「三尺帯」の略。「源之丞、半合羽・股引・—・手拭・大小の形(なり)にて、菅笠を持ち出て来る」〈伎・傾城吾嬬鑑三〉 **—おび**【三尺帯】鯨尺三尺くらいの長さの、くけない一重廻しのしごき帯。馬方・船頭・職人が用い、左または右前に結んだ。「—の前結び」〈西鶴・椀久二世上〉 **—てのごひ** ：ノ ゴイ【三尺手拭】鯨尺三尺ぐらいの長さの木綿手拭。鉢巻・腰帯・頬かぶりに用いる。「数珠・打飼(うちがひ)と—とを以て、何とぞ背中へうっかけて、腰の刀を以て働くべいぞ」〈雑兵物語上〉 **—ぼうし**【三尺帽子】「三尺手拭」に同じ。「帯、笠の緒、—、草履の鼻緒までも、同じ色を好み」〈西鶴・諸艶大鑑一〉

さんしゅのじんぎ【三種の神器】天皇家が、皇位の象徴として受け伝えて来たという三つの神宝。八咫鏡(やたのかがみ)・草薙剣(くさなぎのつるぎ)・八坂瓊曲玉(やさかにのまがたま)の称。記紀神話に、ニニギノミコトの天孫降臨の際、アマテラスオホミカミから授けられたものと伝える。三種の神宝(じんぽう)。「主上、—を帯して万乗の位に備はり給へり」〈平家九・三草勢揃〉

さんしゅもの【三首物】和歌三首を記した、名家の古筆切れ。三首切れ。「定家の歌切れ、頼政が—」〈西鶴・一代男六〉

さんしゅん【三春】①春季の三か月。一月(孟春)・二月(仲春)・三月(季春)をいう。「書を—の暮の雁につけがたし」〈太平記六・民部卿〉②三度の春。すなわち三か年。「巖崛の洞(ほら)にこめられて、—の愁歎を送り」〈平家二・蘇武〉

さんじょ【産所】①産をする所。産室。うぶや。「御うぶやとは、親王の御—なり」〈盛衰記三〉②《転じて》産をすること。おさん。出産。「葉室〔家〕へ早旦行かる。—見舞はんが為也」〈言継卿記天文三・五・一三〉

さんじょ【散所・算所】①本来勤務すべき所にいないで、臨時に出仕している所。「内舎人代に至りては、—の人を差すべし」〈九暦天暦一・三・一三〉②平安末期・中世、貴族・社寺の雑役を勤める代りに地子(年貢)を免除された地域。また、その住民。浮浪生活者が多く室町以降は遊芸者も出た。「獅子舞、…—の者舞ふなり」〈庭訓抄上〉

さんしょう【三従】儒教で、女子の守るべき三つの道。結婚前は父に従い、嫁しては夫に従い、夫が死んでは子に従えという三つの服従の道。「ああ痛ましきかも、紅顔は—と長(とこしなへ)に逝き」〈万七九四日本挽歌序〉

さんじょどんげん【三所権現】紀州熊野の熊野権現(本宮)・両所権現(新宮)・飛滝権現(那智)の三権現の称。「熊野の—を勧請(くわんじやう)し奉って、帰洛の事を祈り申さばや」〈平家二・康頼祝〉

さんしん【三心】観無量寿経にいう浄土に生れるためにそなえねばならない、至誠心〈しじやうしん〉・深心(じんしん)・廻向発願心〈ゑかうほつぐわんしん〉の三つの心。また、大無量寿経にいう第十八願の中の、至心・信楽〈しんげう〉・欲生〈よくしやう〉の三つの心。「—を具する者は必ずかの国に生ると云へり」〈和語燈録一〉

さんじん【三身】大乗仏教で説く三種の仏身。法身(ほっしん)・報身(ほうじん)・応身、また、法身・応身・化身の称。「造るにもあらず、書くにもあらずして、—そなはるべし」〈三宝絵下〉 **—さうおう** ：ソウ【三身相応】《三身が相応したさまの意》円満具足したさま。欠けたところがなくりっぱなさま。「—したる若君にてぞおはしける」〈義経記六〉

さんじん【散人】①世事を離れて気楽に暮す人。閑人。「江湖にも—と云ふことあれば」〈中華若木詩抄中〉②文人・墨客の雅号に添えて用いる語。「享祿二年八月下澣、逍遙—堯空印」〈実隆公記享祿二・八・二四〉

さん・す『助動』《サ変型》《サシャンスの転。多く、遊里の女性が使った。活用はサ変型》…なさる。「去(い)な—・すかの言葉を忘れかねて」〈評判・難波物語〉

さんすい【山水】①山と水と。「仁者、何ぞ唯に―の楽しびのみならむや」〈菅家文草一〉②山や水による静かで趣のある景観。「安禅は―の間に坐するのみにあらぬぞ」〈碧岩抄五〉③築山(つきやま)と遣水(やりみづ)をあしらって作った庭。「―とて、山を築き、石を立て、樹を植ゑ、水を流して嗜愛する人多し」〈夢中問答中〉④ものさびたさま。みすぼらしいさま。「―(ナ客)とて、などかへだて有るべし」〈評判・山茶やぶれ笠〉。「―、物のさびたることに言ふ。少分なる事にも言ふ。山水を描きたるは淋しきていなれば、かく言へるか」〈色道大鏡一〉 **―をとこ【山水男】**貧しく、みすぼらしい男。「身こそ墨絵の―」〈近松・傾城反魂香上〉

さんすけ【三助・三介】下男の通名。後には、特に湯屋の男奉公人の意に用いた。「鍛冶屋の二蔵も、足袋屋の―も」〈評判・長崎土産一〉

さんずん【三寸】 **―なは(ワ)【三寸縄】**罪人を縛る縄。背後に縛り上げた手首と首縄との間を三寸にするからいう。「恋慕の絆(きづな)の―」〈浮・傾城請状下〉 **―の見直し** 三寸ぐらいの誤差による不恰好は、見直せばそれほど目立たなくなる意。「三寸は見直し」とも。〈俳・毛吹草二〉 **―俎板(まないた)を見抜く** 眼識の鋭いたとえ。「猫さへ眼(まなこ)―き、肴掛(さかなかけ)ごとりとしても、声を出して守りける」〈西鶴・胸算用三〉 **―もん【三寸紋】**伊達(だて)衣裳に付けた、直径三寸の大紋。「黒羽二重に―」〈西鶴・好色盛衰記二〉

さんぜ【三世】①〔仏〕前世・現世・来世の称。「仏法の中に―の因果ありと説く」〈今昔九ノ三六〉②親・子・孫の三代。「開墾を営む者、多少を限らず給はしめ、―に伝えしめん」〈続紀養老七・四・一七〉 **―いっしん【三世一身】**養老七年に公布された開墾奨励の法。新たに溝や池を造って開墾した者にはそれを給して、子・孫・曾孫まで伝えさせ、旧来の溝や池を利用して開墾した者には本人一代を限ってその田を公に回収しないこととした。「墾田は養老七年の格に依りて限満つる後は、例に依りて収め授く。是に由りて農夫怠倦して地を開きて復(ま)た荒れぬ。今より以後、任(ま)に私の財として―を論ずる無く、咸(みな)悉(ことごと)くに永年取ること莫(なか)れ」〈続紀天平一五・五・二七〉 **―さう(ソウ)【三世相】**仏教の因縁説に陰陽家の五行相生・相剋説などを交え、人の生年月日の干支(えと)や人相などにより、三世の因果・吉凶を判断すること。また、それを記した書物。「天下一―の占ひとて…大看板出でたり」〈仮・杉楊枝三〉 **―さうめいかん(ソウ)【三世相命鑑】**三世相を記した書物。「―を繰りけるに」〈西鶴・永代蔵三〉 **―じっぱう(ポウ)【三世十方】**三世(1)と十方と。全世界。「―の仏、我が為に不二法門(ふにほふもん)を示し給へ」〈今昔二ノ九〉 **―のえん【三世の縁】**主従の縁。主従の間には過去・現在・未来にわたる因縁があるとする思想。三世の機縁。三生の縁。「ただ今、殿に逢ひ奉る事、―とも存ずる間」〈蘆名家記三〉

さんせい【三聖】釈迦・薬師・彌陀をいう。「―の形地を示す」〈浄・都の富士二〉

さんせう(ショウ)《「さんしょ」とも》博徒・犯罪者など、がらの悪い者の用いる隠語をいう。後、操り座の楽屋から発生した隠語、即ち「せんばう」「せんぼ」をいうに用い、更に、一般に隠語の意に用いた。「隠し言葉も一段落ちて、―をつみ(用イ)」〈洒・浪花色八卦〉。「楽屋のせんばう、―。多くは操りの楽屋より出でしものなり」〈戯場楽屋図会拾遺下〉

さんせう(ショウ)【山椒】 **―は小粒なれども辛(から)し** 身体は短小でも、鋭い気性やすぐれた才能があって、侮ることが出来ないたとえ。〈俳・毛吹草二〉

さんせん【散銭】神仏に供える銭。賽銭。「ただ参詣の人―まゐらせよかしと思ふばかりなり」〈蓮如上人御物語〉

さんぜん【三千】 **―せかい【三千世界】**「三千大千世界」の略。さらに略して「三千界」とも。「―に誰か能(よ)く黒闇の捜(さぐ)ね来ることを逃れむ」〈万七九四日本挽歌序〉 **―だいせんせかい【三千大千世界】**一仏の教化の範囲とした、広大な全世界。日月・須彌山(しゅみせん)・四大洲・欲界六天および色界初禅天などを総括して一小世界といい、その千倍を一小千世界、その千倍を一中千世界、その千倍を一大千世界という。この一大千世界は小・中・大の三種の千世界から成るので、「三千大千世界」または「三千世界」と称する。「―の中に、芥子(けし)ばかりも身を捨て給はぬ所なし」〈三宝絵上〉

さんそう【山僧】山門すなわち延暦寺の僧。「―この事を聞きて蜂起して」〈著聞八〉

さんぞく【三族】父と子と孫と。あるいは、父母・兄弟・妻子を指すともいい、未詳。「親類骨肉、皆―の罪に行なはれぬ」〈太平記三九・自太元攻日本〉

さんぞん【三尊】①仏・法・僧の三宝をいう。「―豈感応すべけんや」〈本朝文粋三〉②中央の中尊と左右に侍立する脇侍(けふじ)の総称。阿彌陀如来と観音・勢至の二菩薩。また、釈迦如来と文殊(もんじゅ)・普賢(ふげん)の二菩薩。また、薬師如来と日光・月光(がっくわう)の二菩薩。三尊仏。「阿彌陀の―をぞ造り奉らせ給ひける」〈栄花玉飾〉 **―らいかう(ゴウ)【三尊来迎】**浄土の念仏行者の臨終に、阿彌陀・観音・勢至の三尊が紫雲に乗って来て、極楽浄土に迎えること。「―便あり。九品往生疑ひなし」〈平家三・少将都帰〉

さんた【三太】①犬が前足をあげて後足で立つこと。ちんちん。「真直に立つは―か犬桜」〈俳・夢見草一〉②追従(ついしょう)すること。「宿の春礼者―の気色あり」〈俳・犬の尾〉

さんたい【三台】太政大臣・左大臣・右大臣の三公を、天文の三台星(さんたいせい)に擬した語。「重盛いやしくも九卿(きうけい)に列して―にのぼる」〈平家三・医師問答〉

さんたい【三体】《三種の風体の意。詩経では風・雅・頌、書道では真・行・草をいうなど各方面で使われる》①歌学で、和歌の美の三大様式。後鳥羽院が、当時の優れた歌人に、春夏の歌を「ふとくおほきに」、秋冬を「ほそくからび」、恋旅を「艶にやさしく」詠むように命じて歌会を催したことから、これらが新古今時代の美的三大様式であったことがわかる。「〔寂蓮ハ〕いざたけある歌詠まむとて、『龍田の奥にかかる白雲』と―の歌に詠みたりし恐ろしかりき」〈後鳥羽院御口伝〉②世阿彌が定めた能の物真似の基本的人体で、老体・女体・軍体の三。「―と申すは物真似の人体なり」〈至花道〉

さんたい【三諦】《「諦」は真理の意》天台宗で、実相の真理をあらわす空諦・仮(け)諦・中諦の三つの称。「両絶を超えて都建ち、―を過ぎて殿を構ふ」〈性霊集七〉 **―そくぜ【三諦即是】**空・仮・中の三諦は、三にして一、一にして三であるの意。「三諦相即」とも。「四教五時の春の花もにほはず、―の秋の月も曇れり」〈平家二・山門滅亡〉

さんだい【三代】①三治世。「朱雀・白河・鳥羽―の蹤跡ありといへども」〈平家八・名虎〉②一家の三度の代替り。三世。「地神五代…二代は天上に留まり給ふ。下―は西の州(くに)の宮にて多くの年を送りましまます」〈神皇正統記鸕鷀草葺不合尊〉③「三代集」の略。「〔歌ノ〕四病八病―八部(八代集)同じ文字」〈謡・草子洗〉 **―しふ(シュウ)【三代集】**三代の勅撰和歌集の意。古今・後撰・拾遺

の三集。古くは万葉・古今・後撰の三集。「古今・後撰・拾遺等を—と号す。…以往は万葉集を相加へ—と号す」〈袋草紙上〉

さんだい【参内】 内裏に参ること。朝廷に出仕すること。「公卿殿上人—して僉議(せんぎ)あり」〈平治上・信西の子息尋ねらる〉

さんだはら【桟俵・小口俵】 米俵の両端にあてがう円い藁(わら)の蓋(ふた)。「さんだらぼうし」「さんだらぼっち」「さんだらぼし」とも。「俵、—、俵口(ひやうくち)の縄」〈伽・かくれ里〉

さんたふ【三塔】 比叡山延暦寺の東塔・西塔・横川(よかわ)の三つの塔。転じて、延暦寺の称。「老僧の中に—一の僉議者ときこえし摂津豎者(りつしや)豪運」〈平家一・御輿振〉　**—じゅんれい【三塔巡礼】** 比叡山の三塔を順次に参拝して回ること。「人あまたともなひて—の事侍りしに」〈徒然二三八〉。「是は諸国一見の聖にて候が、—仕り候て」〈諸国一見聖物語〉

さんたらう【三太郎】 ①馬鹿の擬人名。「丁稚(でっち)を呼ぶに—が来る」〈俳・行脚戻〉 ②迷子の擬人名。「迷子の迷子の三太郎やあい」と呼び歩いて探したのでいう。「—の親夜っぴとい立って居る」〈雑俳・柳籠裏三〉

さんだん【讃歎・讃談】 ①言葉でその徳をほめたたえること。また、とくに仏の徳をたたえること。「—の声」〈源氏御法〉。「太子門より出で給ふに、虚空の諸天—し奉る事限りなし」〈今昔一ノ四〉 ②三宝を讃える歌謡。梵讃・漢讃・和讃など。「—をきよたき河の波のこゑに合はせり」〈三宝絵下〉 ③念仏行者の奇特の話を聞かせる法話。「長かりし今朝のお勤めお—」〈俳・正章千句下〉 ④話題にすること。批評・批判。また、評判・うわさ。「然れば今も、自他その句に向ひて—ありたき事なり」〈落書露顕〉。「おそばに寝たとて皆人の—ぢゃ。名は立って詮なやなう」〈閑吟集〉

さんち【三遅】 酒が十巡したあとに遅れて来席すること。罰杯七が課せられた。五巡以後の場合を一遅、七巡以後を二遅といい、それぞれ罰杯の数もきまっていた。「春の物、春の情、更に誰にか問はむ。紅桜一樹、酒—」〈菅家文草五〉

さんぢう【三重】 ①三つ重なること。三層。「弘願を発(おこ)して—の小塔一百万基を造らしむ」〈続紀宝亀一・四・二〇〉 ②声明・平曲・謡曲などで最も高い声調。「重」は声明・平曲などで用いた術語。オクターブを意味する。「〔平曲ヲ語リ〕真都—の甲を上ぐれば、覚一初重の乙にをさめて歌ひすましたりければ」〈太平記三・塩冶判官〉 ③浄瑠璃や長唄などの節及び三味線の手の名。文句の始めや終りに用い、種類が多い。「筑前さして急がるる(三重)。急ぐに程なく筑前に着きしかば」〈浄・あくちの判官六〉。「見る月に—のゆり(節ノ名)長長と」〈俳・蛇之助〉

さんちゃ【散茶・山茶】 ①茶の葉をひいて粉にしたもの。ひき茶。ちらし。「わびに絶えて一炉の—気味深し」〈俳・田舎之句合〉 ②江戸吉原で、太夫・格子(かうし)の下、埋茶の上の位の遊女。揚代は金一歩。散茶女郎。「—といふは、振らぬと申す心なり」〈西鶴・諸艶大鑑二〉

さんぢゃう【散杖】 密教修法の際、灑水器(しやすいき)の水を壇または供物などにそそぎまくのに用いる棒。梅・柳・柏などの枝で作る。寸法は一定せず一尺五、六寸前後。「庵の聖人眠りながら—を取りて香水にさし浸して四方に灑(そそ)く」〈今昔二〇ノ三九〉

さんぢん【三陣】 陣立てで、一陣・二陣の次に位置する一隊。「平家は千余艘を三手につくる。…平家の君達二百余艘で—につづく」〈平家一一・鶏合〉

さんづ【三途・三塗】〔仏〕《ヅ(途)は呉音》 ①死者が生前の悪業に応じて苦難を受ける火途・刀途・血途の三つをいい、これを地獄・餓鬼・畜生の三悪道に当てる。「—に堕(お)ちて永く苦しびを受く」〈三宝絵下〉 ②「三途の川」の略。「死出・—までも伴ひ申さんとののしりける」〈三好軍記上〉　**—がは【三途川】**「三途の川」に同じ。「—賽の川原や程近き」〈俳・犬子集一三〉。〈日葡〉　**—がはのうば【三途川の姥】** 仏説にいう、三途川のほとりで亡者の衣を剝ぐ奪衣婆(だつえば)。「—も是れを見たら」〈西鶴・五人女二〉　**—のかは【三途の川】** 死後、初七日に渡ると信じられている川。この川には、橋渡・浅水瀬・強深瀬の三つの渡りがあり、それぞれ、善人・罪浅き者・悪人が渡る。葬頭川。三つ瀬川。渡り川。「死出の山—とかやを引き越さんずるぞよ」〈保元下・義朝幼少の弟〉　**—のやみ【三途の闇】** 死後の世界の不安なことをたとえていう語。冥土(めいど)。「たちまちに—に向はんとす」〈方丈記〉　**—はちなん【三途八難】** 三途と八難と。仏法を聞くことができない迷いの苦境にいう。「〔五更ノ鐘ハ〕—、一時に驚く」〈菅家後集〉

さんづ【三頭・三図・三途】 馬の尻の方で背骨が盛り上がり、高くなっている所。「水しとまば—の上に乗りかかれ」〈平家四・橋合戦〉

さんづみ【桟積・算積】 三角形に積み上げること。杉ばえ。「五条の川原に—にして」〈仮・吉利支丹退治下〉

さんと【山徒】 比叡山延暦寺の僧兵。山法師。「奈良法師に俊増…、—には勝行房定快」〈太平記三・主上御没落〉。〈文明本節用集〉

さんど【三度】 ①三回。みたび。「お使かさねて—までこそ立てられけれ」〈平家一・祇王〉 ②「三度飛脚」の略。「来月二日出の—に、金子三百両指上せ申すべく候」〈近松・冥途飛脚上〉　**—いり【三度入・三斗入】** 酒盃に用いる普通の大きさの土器(かはらけ)。その上に、間(あい)の物(四度入)・五度入・七度入・九度入など、最大、二十度入まである。「この三念五念は、もしは—・五度入の盃を念ぜられたるにや」〈餅酒歌合〉　**—がさ【三度笠】**《三度飛脚が用いたのでいう》旅人の用いた深い菅笠。大深。「雨の日も風の日も、飛脚賃無しの—」〈浮・西鶴伝授車二〉　**—びきゃく【三度飛脚】** 近世、毎月三度定期的に江戸と大阪・京都間を往復し、手紙・金銀貨・小荷物の輸送をした町飛脚。初期には片道六日かかったので六日飛脚ともいった。定六(じょうろく)。「—花も奥ある山を越え」〈俳・幕尽〉

さんとく【三徳】 ①智・仁・勇の三つの徳。「智仁勇の—をかねて」〈太平記一六・正成兄弟〉 ②涅槃経に説く、法身・般若・解脱の三つ、または仏果にそなわる智徳・断徳・恩徳の三つをいう。「未だ—四曼(しまん)の大虚(たいきよ)にあらはれず」〈平家五・勧進帳〉

さんどく【三毒】〔仏〕人の善心の害となる三つの煩悩。貪欲(とんよく)・瞋恚(しんい)・愚癡(ぐち)。一切の煩悩の根元となるので「三根」ともいう。「—の賊、寧(いづくん)ぞ調伏(てうぶく)せむや」〈性霊集一〇〉

サントメ【桟留・聖多黙】 近世、インドのサントメから渡来した、藍地に赤・浅黄・茶などの縦縞、あるいは算崩し模様などを表わした美しい綿布。日本でも盛んに模造された。桟留縞。奥縞。唐桟留。「—の袴も古きこしの山」〈俳・二葉集〉　▽(ポルトガル) São Thomé

ざんな・し【慚無し】『形ク』 ①無慚(むざん)である。見るに忍びない。むごい。「—・しと云ふも愚かなり」〈明徳記上〉 ②見苦しい。ひどい。まずい。「女の—・い事ながら」〈評判・難波鉦六〉

さんにん【三人】 **―ばり**【三人張】 三人がかりで弦(つる)を張るほどの強い弓。「弓は―、矢束(やつか)は十三束、下げ針をも射んと思ふ者なりけり」〈保元中・白河殿へ義朝夜討ち〉。「二人押し、一人に弦をかけさせ候ふは―也。かやうに候へばとて―迄あるべし。四人張・五人張などといふ事なし」〈小笠原入道宗賢記〉 **―まはし**【三人廻し】「三枚肩」に同じ。「―に乗り続くる事ぞかし」〈西鶴・織留四〉 **―寄れば公界**(くがい) 三人集まれば公の場所となる。「三人寄れば人中」とも。「―、ちと嗜(たしな)まれよ」〈浄・千載集五〉 **―寄れば文殊**(もんじゅ)**の智恵** 三人集まって相談すれば何かうまい考えが出るものだというたとえ。「衆力功をなし、―ありと常に言へるは」〈仮・為愚癡物語五〉。〈俳・世話尽三〉

さんぬる【去んぬる】『連体』《サリヌルの音便形》 過ぎ去った。さきの。「―久安六年九月二十六日」〈保元上・新院御謀叛思し召し〉

さんねつ【三熱】〔仏〕 龍蛇(りゅうじゃ)の身が受けるという三種の苦しみ。一は熱風・熱砂のために身を焼かれること、二は悪風のために住居や衣服を失うこと、三は金翅鳥〈こんじてう〉に襲われて食われそうになること。「汝、蛇身を受けて―の苦にあづかりて」〈今昔四ノ一三〉

さんねん【三年】 **―ざけ**【三年酒】 醸造後三年間貯えた、もっとも味のよい酒。さんねんしゅ。「―、なにと尋ね候てもこれなく候」〈細川忠興文書寛永一六・一・一三〉 **―だけ**【三年竹】 生えてから三年目になる竹。竹は三年目に切るのが適当とされる。「矢は―の極めて節近きに金色(かなごろ)なるを」〈保元上・新院御所〉 **―まい**【三年米】 前年に収穫した古米。「陳は、ふるいと訓むぞ。三年を陳と云ふと医家には云ふぞ。陳皮も、その心ぞ。大倉陳陳紅腐の米も―の事か」〈玉塵抄二〇〉 **―みそ**【三年味噌】 三年前に仕込んだ辛い味噌。「―の色深き中」〈俳・談林十百韻下〉 **―みつき**【三年三月】 三年と三か月。長い年月のたとえ。「―と申すに示現(じげん)あり」〈伽・判官都咄〉

ざんねん【残念】 心残りなこと。未練が残ること。「されども大医をかけて―を晴らさばや」〈仮・悔草中〉 **―びんしけん**【残念閔子騫】《孔子の門弟の顔淵・閔子騫に語呂を合わせて》 近世、漢学書生から言い始めた「残念」の洒落ことば。「さても―」〈浮・分里艶行脚四〉

さんのいた【三の板】 兜の錣(しころ)や鎧の袖の、三枚目の板。「清国が兜の―より筋かへに、左の小耳の根へ、篦中(のなか)ばかり射こまれたれば」〈古活字本保元中・白河殿攻め落す〉

さんのいと【三の糸】 三味線の最も細く一番調子の高い第三の糸。「―は琵琶(びは)の四の糸〔ノ〕調子也」〈糸竹初心集下〉

さんのきみ【三の君】 第三女の敬称。三番目の姫君。「内侍(ないし)は、大君(おほいぎみ)・―・六の君・二郎君・四郎君とぞおはしける」〈源氏夕霧〉

さんのぜん【三の膳】 本膳から三番目に出す膳部。汁・刺身・茶碗を据えて出す。「食事を、二の膳―なんどを取り並べて置けば」〈四河入海一八ノ二〉

さんのづ【三の頭・三の図】《馬の尻の上部を三頭〈さんづ〉ということから》 人の尻の上部。「尻を―までからげ」〈浮・沖津白波三〉

さんのみや【三の宮】 天皇の第三の御子。「その御腹の女―を」〈源氏若菜上〉

さんばい【散配】 管理。また、処置。始末。訛って「さんまい」とも。「四郎右衛門、随芳院少しも―仕らず」〈本光国師日記慶長一八・七・一〇〉。「なかなか―なり申すまじ」〈浄・ゐがらの平太三〉

さんぱい【三拝】 仏家で身・口(く)・意の三業〈さんごふ〉の帰敬を表わし、三度ひざまずいて拝むこと。「一拝・―・六拝、ともに額をもて地を叩くなり」〈正法眼蔵陀羅尼〉

さんばいきげん【三盃機嫌】 酒を三盃飲んだほろ酔い機嫌。「―露ぞ乱るる」〈俳・江戸広小路下〉

さんばう【三方】 ①三つの方角。「―より追ひかかりたり」〈義経記六〉 ②檜の白木で作った方形の折敷〈をしき〉に、三方に穴の明いた台を取り付けたもの。神仏・貴人に供物を奉り、また、儀式などで使う。「何時も女中方にての御相伴の時は―にて参らせらる」〈本願寺作法〉 **―くゎうじん**【三方荒神】 道中で乗る馬の背の左右に框(わく)を置き、三人乗り組むこと。また、その框。五畿内・近江・伊勢参宮の駄賃馬に利用されたという。「乗り行くや―神の旅」〈俳・当世男上〉 **―ろんぎ**【三方論義】 三人の者が同座して、互いに論争すること。「北条家と〔両上杉家ト〕取合ひの儀、喩へば―の如し」〈甲陽軍鑑五〉

さんはかせ【算博士】 大学寮の職名で算道(算術)を教授する役。「その子に―なるものあり」〈宇治拾遺一二三〉

さんばそう【三番叟・三番三】 ①能楽で、祝言の式三番に、第一に千歳(せんざい)が舞い、第二に翁(おきな)が舞った後、第三に出て、黒色の老人の面をつけ、扇と神楽鈴とを持って舞うもの。さんば。古くは三番猿楽とも呼ばれた。「猿楽―〔ノ役者〕に事を欠きて」〈多聞院日記天文一一・二・一四〉 ②歌舞伎で、顔見世・初春興行に幕明けの祝儀として勤める舞。「先づ―を始めい始めい」〈俳・西鶴五百韻〉

さんぱち【三八】 草履取・下男の通名。「御草履取の―が罷り出で」〈咄・昨日は今日上〉

さんばらがみ【さんばら髪】 乱れた髪。「―で居る者を、嫁に取ろとは云はぬはやい」〈浄・忠臣蔵一〇〉

さんばん【三番】 **―いっとく**【三番一得】 三回行なって、二回勝った方を勝とする競技法。「―の賽(さい)の勝負に賭けて」〈評判・露殿物語〉 **―だいこ**【三番太鼓】 ⇒かぎりのたいこ。「―が何時鳴ったやら」〈西鶴・諸艶大鑑八〉 **―つづき**【三番続】 歌舞伎で、三幕の続き狂言。「明日よりも―」〈俳・胴骨〉

さんばん【算盤】 ①和算で、算木を置くに用いた、多数の正方形に区画した盤。紙または木で作った。「内卦と云ふは、―の真中に有る亀甲の上に盛り付けたる八の卦体なり」〈浮・好色通変歌占上〉 ②そろばん。「―を好き好んで、身上破滅するも有り」〈仮・可笑記五〉

さんびゃう【三病】 ハンセン病。「―となり給ふ」〈浄・はなや三〉

さんびゃうし【三拍子】 小鼓・大鼓・太鼓または笛など、三種の楽器で拍子を取ること。「今日の猿若勘三郎が出て、―揃ひ袴の座付」〈西鶴・懐硯一〉

さんびゃく【三百】 **―だな**【三百店】 江戸で一か月の家賃三百文の貧弱な貸家。「―でも持たうとはし居(を)らいで」〈浄・碁太平記白石噺三〉 **―め**【三百目】 近世、関西で、間男の謝罪料として払った銀三百目。間男の首代の意。「―清き渚(なぎさ)の綺麗に出す」〈俳・都懐紙〉。「女房を呼び出してじゃらくら云うたら…〔夫ガ〕―くせ(ヨコセ)と云ひはせまいか」〈評判・役者三鉄輪京〉 **―りゃうをどり**【三百両踊】 近世前期の流行歌。山崎与次兵衛が遊女吾妻を三百両で請け出した事を取り入れたもの。「習ひ置きし―をと申せば」〈西鶴・椀久

一世下〉

さんぴん【三一】近世、武家・公家に奉公し、年給三両一分の若党侍。「見苦しき侍を見ては、—のやうだと云へり」〈塵塚談上〉

さんぶいち【三分一】①三分の一。「〔蠟燭八〕—ほど燃えて」〈ロザリオの経〉②「三分一銀」の略。「—とて取る黄金川」〈俳・独吟一日千句〉。「—跡に思ひのまた有れば」〈俳・難波風〉 **—ぎん**【三分一銀】近世、関西の農村で、畑の年貢の三分の一を銀貨で上納したこと。また、その銀額。「親里の御年貢—にさし詰まりて」〈西鶴・五人女三〉

さんぶきゃう【三部経】三部の主要経典の意。法華三部経（無量義経・法華経・観普賢経）、浄土三部経（無量寿経・観無量寿経・阿彌陀経）のほか、宗派によって種種ある。「この—は釈迦如来の自説にてまします」〈末燈抄〉

さんぷく【三伏】《サンブクとも。「伏」は火気を恐れて金気が伏蔵する意》陰陽道で、夏の暑い期間をさすことば。夏至後の第三の庚（かのえ）の日を初伏、第四の庚の日を中伏、立秋後の初の庚の日を末伏あるいは後伏といい、この三つを併せて三伏という。「池冷ややかにして水に—の夏なし」〈和漢朗詠集納涼〉。「三伏、サンブク」〈天正十八年本節用集〉。「サンプク」〈日葡〉 →九夏（きゅうか）三伏

さんぷくいっつい【三幅一対】三幅を一対とした掛物。三幅対。「—の絵」〈阿蘇家文書下、至徳三・五・六〉

さんぶつじょう【讃仏乗】《「仏乗」は、衆生を仏の境地に到達させる乗物、すなわち、仏の教え》仏の教えをほめたたえること。「狂言綺語の理といひながら、遂に—の因となるこそあはれなれ」〈平家九・敦盛最期〉

さんぺいじまん【三平二満】《両頰と鼻が平らで、額と頤（あご）が肥えふくれている意》おたふく。おかめ。おとごぜ。「—…とは…おとごぜの事なりと宣（のたま）へば、さても珍しき事かな。誠に、三平は両の頰と鼻、二満は額と頤よ、おもしろき故事なり」〈仮・一休咄二〉

さんぼう【三宝】①仏教でいう三つの宝。仏・法・僧。「篤（あつ）く—を敬へ」〈紀推古十二年〉②単に、仏のこと。「〔出家ハ〕—のいとかしこくほめ給ふことなり」〈源氏手習〉③或る語に添えて、なるがまま、思いのままになる意を表わす語。放題。「病人の言ひなり—にして上げなせへ」〈滑・浮世風呂三下〉 **—くゎうじん**【三宝荒神】三宝(1)を守護するという三面六臂（ぴ）で忿怒（ふんぬ）の相の神。近世には、竈神（大年神・興津彦神・興津姫命）の俗称。「宇賀神・—・五大龍王・八大龍王」〈宣胤卿記文龜四・一・二〉。「竈の煙—」〈俳・二葉集〉

さんぼく【散木】材木として役に立たない木。転じて、役に立たない人。「予（われ）い翰苑の凡叢、楊庭の—なり」〈本朝文粋九〉

さんまい【三枚】①魚の頭を切り、骨の左右に沿って両身に分けること。三枚おろし。「鱒の鱠は、—におろし、其の儘塩を付け、身を軽くして薄く切る也」〈大草家料理書〉②「三枚肩」の略。「思ひを乗せて—で行く」〈俳・大坂一日独吟千句〉③「三枚ガルタ」の略。「—のカルタに移す箔の色」〈俳・見花数寄〉 **—あはせ**【三枚袷】表と裏との間に、さらに一枚を入れて仕立てた袷。「—着るほどになくては」〈西鶴・諸艶大鑑八〉 **—がた**【三枚肩】先棒・後棒のほかに、肩替り一人付き添って駕籠（かご）をかつぐこと。「通し駕籠の—」〈色道大鏡三〉 **—かぶと**【三枚兜】錏（しころ）の板が三枚ある兜。「萌黄縅の腹巻に、—の緒を締めて」〈平家二・嗣信最期〉 **—ガルタ**【三枚骨牌】カルタの遊戯法の一。手持ちの三枚のカルタの数の総計が、十九またはそれに近い数になれば勝となる。「—明くるわびしき」〈俳・昼網下〉

さんまい【三昧】①〔仏〕《梵語の音訳。定・等持・止息などと訳す》心を一点に集中して動かさないこと。一心不乱に修行して心を安定させ、妄念雑慮を離れること。「かの行なひたまふ—今日果てぬらむ」〈源氏椎本〉②死者を火葬したり、埋葬したりする場所。葬場。「さて民部は、泣く泣く—の方に行きて、空しきしるしを見るにも、まづ涙にくれて、しばし物も覚えず」〈鳥部山物語〉③《他の名詞の下について、ザンマイと濁音化し》㋑専念するさま。「毎日日の暮るるまで琴—までぞ。これを業にしたぞ」〈玉塵抄一〇〉㋺勝手気ままにするさま。「人を生かさうとも殺さうとも、自由—」〈句双紙抄〉㋩むやみやたらにするさま。「今時宗に向っての太刀—」〈浄・頼朝浜出三〉 **—そう**【三昧僧】三昧堂にこもって、三昧を修する僧。「高倉院の法華堂の—」〈徒然一三四〉 **—だう**【三昧堂】①三昧を修める堂。多くは法華三昧堂をいう。「—近くて」〈源氏明石〉②墓所にある堂。「家と見しはもとありし荒野の—にて」〈雨月〉 **—ばら**【三昧原】墓原（はかはら）。墓地。「いかなる狗狼野干にも食はれんと思ひ、—へ行きて臥（ふ）したるに」〈明恵伝記上〉

さんまい【散米】神事を行なう時に、神前にまき散らす米。うちまき。くましね。「財施の—地を埋みたり」〈盛衰記四〉

さんまや【三摩耶】〔仏〕《梵語の音訳。時、一致などの意》密教では、平等・本誓・除障・驚覚などの義とされる。例えば、仏と衆生とは本質的に平等であるという。「皆—に入って瑜伽（ゆが）を学ぶ」〈性霊集三〉 **—かい**【三摩耶戒】真言宗で行なう特殊な戒法。「太后、菩薩大戒と—と壇灌頂とを受く」〈三代実録貞観六・一・一四〉

さんみ【三位】⇒さんゐ。「三位、サンミ」〈易林本節用集〉

さんみつ【三密】〔仏〕仏の身体と言語と心によって行なわれる不思議なはたらき。身密・語密・意密をいう。「—剎土に遍して虚空に道場をかざる」〈性霊集一〉

さんみゃう【三明】〔仏〕①婆羅門教の根本聖典である三つのヴェーダ。すなわち、リグ・ヴェーダ、サーマ・ヴェーダ、ヤジュル・ヴェーダをいう。「広く—の炬（ともしび）を勤め」〈本朝文粋一三〉②《「明」は智の意》宿命明（自他の過去世を知る能力）・天眼明（自他の未来世を知る能力）・漏尽明（現世の苦相を悟り煩悩を尽きさせる能力）の称。「俗の貴ぶる所は五常、道の重むずる所は—」〈性霊集三〉

さんみゃくさんぼだい【三藐三菩提】〔仏〕《梵語の音訳。正遍知・正等覚・正等正覚などと訳す》仏が、あまねく正しく一切諸法の理に通達した、その智慧のさとりのこと。「阿耨多羅（あのくたら）—の仏たちわが立つ杣（そま）に冥加あらせ給へ」〈新古今一九二一〉

さんもち【算餅】「算木餅」に同じ。「菓子、—色色」〈久重茶会記寛永二・七・一四〉。「—、算木に似る」〈俳・乳母六〉

さんもん【三文】《銭三文の意》極めて価の低い、または僅少なことのたとえ。「長脇差の鞘は—、下緒は二文、しめて五文の銭うしなひの安物と見え侍る」〈俳・貝おほひ〉 **—ばな**【三文花】仏壇や墓前に供える最も安価な切花。「—を十文買って」〈滑・浮世床初上〉 **—ばん**【三文判】出来合いの粗末な印判。「取手形—も我が真塵（しんじん）」〈雑俳・さすの神子〉 **—ひな**【三文雛】安くて粗末な雛人形。「役に立つや—も今日の節」〈俳・隠蓑上〉 **—ゑ**【三文絵】粗末な安物の絵。「見世に張ったる—を、生物と見違へしか」〈近松・反魂香上〉

さんもん【三門】寺院の楼門。空・無相・無作(むさ)の三解脱門にたとえる。古くは、中央・左右の三門を並べて一門を作ったが、後、一門のみを作り三門と呼ぶようになった。山門。「分かるる雲の絶間より、甍見えたる寺の姿。—・惣門・観音殿や」〈宴曲集小林訣〉

さんもん【山門】①寺の門。三門。「—を通りて巡寮すれば」〈正法眼蔵安居〉。「山門、サンモン、又作三門」〈文明本節用集〉②比叡山延暦寺の称。園城(おんじょう)寺すなわち三井寺を寺門(じもん)というのに対する。「昔も今も、天下を治め、国を平らぐる事、—の法験に如(し)くはなし」〈保元中・朝敵の宿所〉

さんもんめどり【三匁取り】揚代銀三匁の端(はし)女郎。「潮(しほ)」「三寸(さんずん)」とも。「此の八橋は—西鶴」〈俳・熱田宮雀下〉

さんや【三夜】①子が生れて三日目の夜の祝。三夜の産養〈うぶやしなひ〉。「—・五夜・七夜・九夜など、いかめしく聞えて」〈増鏡九〉②「二十三夜」に同じ。その夜、月待ちを行なう。「九月—の事なるに、各(おのおの)月待ちせんとて」〈伽・東勝寺鼠物語〉

さんや【三野・三谷・山谷】《浅茅原・小塚原・続が原(又は吉原)があったのでいう》江戸浅草山谷一帯の称。明暦三年、元吉原遊廓が移転開業したので、新吉原遊廓の別称となった。「—といふ所なり。そのかみ吉原…ここに移し給へり」〈仮・東海道名所記一〉 **—がよひ**(ガヨイ)【三野通ひ】新吉原遊廓に通って遊興すること。「命に替へての—」〈西鶴・諸艶大鑑一〉

さんや【産屋】出産のための家または部屋。うぶや。「御産近づき、九月の頃にもなりしかば、かの浦に—を建てさせ」〈伽・神代物語〉。〈日葡〉

さんやうだう(サンヨウドウ)【山陽道】⇒せんやうだう

さんよう【算用】計算。勘定。「それをあきらめんため、結解(けっげ)・—といふ事をもすれ」〈他阿上人法語三〉 **—あひ**(アイ)【算用合】①計算して数を合わせること。帳合。「—は算盤にて埒(らち)明くならし」〈俳・類船集四〉②勘定。決算。「町中の—も恋の道」〈俳・難波千句〉 **—じゃう**(ジョウ)【算用状】計算書。勘定書き。「—出され了んぬ」〈多聞院日記文明一〇・九・二五〉 **—だて**【算用立】算用の吟味。「算用はすぐれたりとも人中に—の物語りすな」〈多胡辰敬家訓〉 **—づく**【算用尽く】損得ばかりを考えて物事をすること。勘定尽く。十露盤(そろばん)尽く。「—の人心さもし」〈西鶴・織留二〉 **—づめ**【算用詰】決算。「揚銭(あげせん)を中(うち)ではならぬ—」〈俳・大句数上〉 **—ば**【算用場】商家などで計算をする場所。帳場。「—には手代ども」〈近松・大経師上〉

さんらく【参洛】京へ上ること。上洛。「東国北国の源氏等、各〻—を企て」〈平家七・木曾山門牒状〉

さんらん【散乱】①ちりぢりに乱れること。「雪は鵝毛に似て飛んで—し」〈謡・鉢木〉②念仏などの際、心が乱れて集中統一できないこと。六弊(ろくへい)の一。「法花経を読誦する事、余念—せずして」〈今昔一三ノ一九〉

さんり【三里】灸・鍼(はり)のつぼの一。膝頭の下の少し凹んだ所。「身に灸を加へて—を焼かざれば、上気の事あり」〈徒然一四八〉

さんりゃく【三略】古代中国の兵法七書の一。漢の張良が黄石公から授けられたと伝える。上略・中略・下略の三巻に分れるので三略という。六韜〈りくたう〉とならぶ代表的な兵書。「呉子・孫子・六韜・—なんどこそ、然るべき当用の文なれ」〈太平記一・無礼講〉

さんるい【山類】連俳の分類用語。山に関連ある事物。「岩橋・薪・妻木…已上—にあらず。梯(かけはし)・杣木・洞…已上—也」〈連歌初学抄〉。「老の坂、—にあらず、述懐なり。…但し丹波の老の坂は—也」〈俳・御傘八〉

さんろう【参籠】神社仏閣に籠って祈念すること。こもり。「或る僧綱、新羅明神に—す」〈沙石集五ノ四〉

さんろん【三論】〔仏〕龍樹の中論・十二門論と、龍樹の弟子提婆の百論の称。また「三論宗」の略。「—を学し…法相を学しけり」〈今昔一一ノ五〉 **—しゅう**【三論宗】三論を聖典とする宗派。南都六宗の一として、古代仏教の根幹となった。わが国には推古天皇三十三年伝来。「道詮律師に逢ひて—を究め、弘法大師に従ひて真言を習ひ給ひけり」〈閑居友上〉

さんわう(サンノウ)【山王】「山王権現」の略称。「やがて—の御咎めとて、後二条の関白殿、重き御病を受けさせ給ひしかば」〈平家一・願立〉 **—ごんげん**【山王権現】比叡山の麓、坂本の地に鎮座する日吉(ひえ)大社の別称。比叡山延暦寺の総鎮守で、天台一宗の護法神。日吉山王。「仰ぎ願はくは—彌(いよ)護持を加へ、侍教聖霊専ら證明を為す」〈本朝続文粋二〉 **—しちしゃ**【山王七社】山王二十一社を上・中・下の三つに分けた上七社。大宮・二の宮・聖真子・八王子・客人・十禅寺・三の宮の七社。「—、官軍に入り替らせ給ひけるにや」〈保元中・朝敵の宿所〉 **—にじふいっしゃ**(ニジュウ…)【山王二十一社】山王権現の本宮と摂社・末社とを合わせた二十一社。「北には賀茂大明神鳳城をまぼり、鬼門(きもん)の方には—まします」〈保元上・将軍塚鳴動〉 **—まつり**【山王祭】山王権現の祭礼。比叡山では四月の申(さる)の日、江戸赤坂日吉神社では六月十五日に行なわれた。「今日の祇園会、〔四月ノ〕—なきによりてなし」〈御湯殿上日記享祿五・六・七〉

さんゐ【三位】《連声してサンミとも》親王・臣下に賜わる位階の第三位。正三位・従三位がある。「服制…諸臣—以上の者は皆赤紫」〈続紀大宝一・三・二二〉。「—の位おくり給ふよし」〈源氏桐壺〉 **—のちうじゃう**(…チュウジョウ)【三位の中将】近衛中将で、三位にのぼった人。中将は四位相当であるので、特にこう呼ぶ。「親たちははや失せ給ひにき。—となむ聞えし」〈源氏夕顔〉

さんゐ【散位】《連声してサンニとも》位はあって官職のないもの。「—正四位下犬上王卒」〈続紀和銅二・六・二八〉

さんゑ【三会】《連声してサンネとも》①仏が成道の後、衆生を救うために行なう三度の大説法会。彌勒三会(みろくさんゑ)は有名。「彌勒の出世の時、—に得脱せらむ者は」〈今昔四ノ三九〉②興福寺の維摩会(ゆいまゑ)、薬師寺の最勝会(さいしょうゑ)、大極殿の御斎会(ごさいゑ)の称。「維摩・御斎・最勝、これを—と云ふ」〈三宝絵下〉 **—のあかつき**【三会の暁】彌勒菩薩が成道後、衆生済度のために行なう三度の法会。「暁」とは釈迦滅後の闇黒を破って彌勒が世に現われるからいう。彌勒三会(みろくさんゑ)。「遠く尊願を拝し、—を期すと雖も」〈中右記嘉承二・九・一八〉

さんゑ【産穢】出産によってその子の両親にかかると考えられていたけがれ。そのために、七日あるいは三十日間忌みの生活に服した。「—をば、いく日ばかり忌むべきぞや」〈続古事談四〉

し

し【其】『代』《代名詞ソと同根》それ。人にも物にも使う。「老人(おいひと)も女(をみな)童児(わらは)も、—が願ふ心足(だら)ひに撫で給ひ治め給へば」〈万四〇九四〉。「鵜川立て取らさむ鮎の—が鰭(はた)はわれにかき向け思ひし思はば」〈万四一九一〉▽ソは、ソで終止する用法があるが、シには終止の用法はない。シは下に連体助詞ガを従えるが、ノを従えることはない。

し【下】《シタ(下)・シモ(下)などのシ》下方。他の語につき複合語をつくる。「春されば木末(こぬれ)隠れて鶯そ鳴きて去(い)ぬなる梅が下枝(しづえ)に」〈万八二七〉

し【石】いし。他の語の下につき複合語をつくることが多い。「大(おひ)—」「さざれ—」「もも—き」など。「磯、此をば志(し)といふ」〈紀神武即位前〉

し【息・風】《複合語になった例だけ見える》①息。「—長鳥(水中ニ長ク潜ッテイラレル鳥)」〈万一一四〇〉②風。「—な戸の風の天の八重雲を吹き放つ事の如く」〈祝詞大祓詞〉③《転じて》方角。「ひむか(日向)—の野にかぎろひの立つ見えて」〈万四八〉。「大和辺(やまとべ)に西風(にし)吹きあげて」〈記歌謡五五〉

し【羊蹄】タデ科の多年草ギシギシの別名。しぶくさ。「後方羊蹄、此をば斯梨蔽之(しりへし)といふ」〈紀齊明五年〉。「羊蹄菜、之布久佐(しぶくさ)、一云之(し)」〈和名抄〉

し【士】《字義は、一人前のおとこ、また、一人前の仕事をする人の意》①君に仕える役人。官吏。「王公—庶と共に天の貺(たまもの)を奉じて以て上玄に答へ」〈続紀天平宝字一・四・四〉②軍兵の指揮をつかさどる者。「日向・大隅・薩摩三国の—卒、隼賊を征討して」〈続紀養老七・四・八〉③学徳を修めたりっぱな人。「怠慢の徒をして日に其の志を励まし、精勤の—をしていよいよ其の行を進めしめん事を」〈続紀天平宝字一・閏八・二一〉④男子。「『女は己をよろこぶもののために顔づくりす。—は己を知る者のために死ぬ』となむいひたる」〈枕四九〉

し【史】太政官・神祇官の四等官である主典(さくわん)。太政官の史は弁官の書記官として、諸司・諸国の庶務などを取り扱う。左大史・右大史・左少史・右少史各二人、計八人。「八史」とも。「なにがしの—が…と申しければ」〈大鏡時平〉。「左右の大臣・納言・参議・百官・六弁・八—皆定む」〈今昔三五ノ一〉

し【死】①死ぬこと。「生は貪るべく、—は畏るべし」〈万巻五・沈痾自哀の文〉②死罪。「天下に大赦す。…もし罪—に至らば一等を降す」〈続紀天平一〇・一・一三〉

し【師】①先生。師匠。「さるべき—ども召して、笙(しやう)・横笛もならはせ給ふ」〈宇津保俊蔭〉②「法師(ほふし)」の略。「太后天皇の世に、—本朝に向ふ」〈懐風藻〉。「御祈りの—にてさぶらひける僧都」〈源氏薄雲〉

し【詩】漢詩。からうた。「文人を召して曲水の—を賦せしむ」〈続紀神亀五・三・三〉

し【為】『サ変』❶意志をもって事を行なう。①動作をおこし、行なう。「登り立ち国見をすれば」〈万二〉。「酒飲みて酔ひ哭きするしまさりたるらし」〈万三四一〉②扱う。見なす。「その玉をいかにしてかも手ゆ離(か)れざらむ」〈万四〇三〉。「すさまじきものにして、見る人もなき月の」〈徒然一九〉③作る。こしらえる。設ける。「青柳はかづらにすべく成りにけらずや」〈万八一七〉④動作を意味する動詞の代用として使う。「葉根かづら今する(付ケル)妹を夢に見て」〈万七〇五〉。「男もすなる(書クトイウ)日記といふものを女もして見むとてするなり」〈土佐発端〉。「木にて〔窓ノ〕ふちをしたりければ」〈徒然三三〉❷(自然現象など)起っているのが感じられる。見える。聞える。「羽咋(はくひ)の海朝凪ぎしたり」〈万四〇二五〉。「浦廻より楫(かぢ)の音するは海人娘子(あまをとめ)かも」〈万三六四一〉。「雪消(ゆきげ)する山道すらをなづみぞわが来る」〈万三八二〉❸《「…むとす」「…じとす」の形で》現象や行為が、今実現されようとする。今にも…するだろうと思われる。「畝火山木の葉さやぎぬ風吹かむとす」〈記歌謡二〇〉。「門田早稲刈る時過ぎぬ〔君ハ〕来じとすらしも」〈万二二五一〉❹体言について、動詞をつくる。「おほかたに置く白露も今よりは心してこそ見るべかりけれ」〈後撰二九一〉

し『助』①《副助詞》↓基本助詞解説。②《接続助詞。近世前期、多くは助動詞「まい」「う」に接続》㋑事柄を並列する場合、前の句の終りに付けて次の句を続ける。「舌元も立つまい—、足元も定まるまい」〈狂言記・鱸庖丁〉㋺前の句が次の句の理由・原因になっていることを表わす。…から。…ので。「〔得意先ハ〕そこ一軒では有るまい—、〔送金ガ〕遅いことも無うては〔不思議〕」〈近松・冥途飛脚上〉㋩「こそ」と対応して矛盾する内容の句を繋ぎ、…けれども、…が、の意を表わす。「〔貸シテヤル〕銀こそはなるまい—、〔借金証文ノ保証人トシテノ〕判つく程は一門甲斐」〈近松・重井筒上〉

し『助動』①尊敬の助動詞「す」の連用形。②回想の助動詞「き」の連体形。

じ【字】①文字。「書するに仁義礼智信の五—を以てして、其の—に随て物を賜ふ」〈続紀天平二・一・一六〉②《仮名に対して》漢字。「この本、仮名にていかがなどと有て、—に直し給ふ事、必ず無用になさるべし」〈甲陽軍鑑一〉③楊弓・双六などの賭物にする、紅白の紙に包んだ銭。「勝負にかくるおあしならんとありければ、…いやいや—にて候はず」〈近松・松風村雨四〉

じ【時】(仏事などの)定刻。「初夜(そや)の—果てむほどに」〈源氏夕霧〉

じ『助動』↓基本助動詞解説

しあが・り【為上がり・仕上がり】『四段』①口論・論争などが進展し激化する。それを行なっているうちに激昂する。「口論を—・りて、この小冠を引き寄せて臍(ほぞ)の下を突きてけり」〈著聞五〇四〉②立身出世する。よりよい地位に達する。「位を仕上げ、将軍や宰相までに—・りて、身富貴になり」〈古文真宝抄四〉

しあくしゅ【四悪趣】〔仏〕悪事を行なった者が死後に行くという四つの苦悩の世界。地獄・餓鬼・畜生・修羅(しゆら)の称。「—におちて若干(そこばく)の苦患(くげん)を受けむ」〈今昔一ノ二六〉

しあ・げ【為上げ・仕上げ】㊀『下二』①し終える。なしとげる。完成させる。「冬、農を—・げて暇な時」〈成簣堂本論語抄一〉。「聖人の道を学ぶならば、次第次第に学問を—・げいではぞ」〈山谷詩抄四〉②「仕上げ」㊁⑵をする。「まことに昨日は、するすると—・げ候ふて、御うれしさ〔コノ上ナシ〕」〈実隆公記大永八・四・一五紙背文書〉㊁『名』①仕事の完成。または、結果。「—を見よ」〈近松・釈迦誕生会一〉②埋葬後、仏事に区切りをつけ、生業に復すること。また、そのさい葬式の世話になった人人を慰労し、諸費用の決算をする行事。忌中払い。蔀(しとみ)上げ。「本所、室町殿御参候。御忌中—の御礼」〈山科家礼記寛正四・九・一七〉

しあつか・ひ アツカイ【為扱ひ】『四段』処置に困る。もてあます。「御戸を開き奉るの所、一切開かしめ給はず。数剋(こく)経るの間、―・ひて、四所の御鎰(かぎ)等を取り替へ、開き奉りぬ」〈中臣祐明記建久八・三・四〉

しあは・せ(ワセ)【為合はせ・仕合はせ】㊀『下二』うまく合うようにする。「多くの物ども損じて、今日の供養に―・すべきにあらず」〈古本説話四七〉。「差排は計較安排なり。あてがひ―・するなり」〈大恵書抄三〉 ㊁『名』①物事の取りはからい。取りまわし。処置。「酒のとき座敷などにて、土器(かはらけ)の物を貴人より下され候を、両の手を出すこと口惜し。ひけうなる―也」〈食物服用之巻〉。「人は心のまんまるに、身なり―しとやかに、こころ言葉の角もなく」〈児教訓〉 ②めぐりあわせること。運。善悪いずれについてもいう。「―悪(あ)しくして、落第したぞ」〈三体詩抄三ノ三〉。「今日は―よく侍りて、多く釣り候ふなり」〈伽・鶴の翁〉 ③特に、幸運。「そなたは天下一の―な人ぢゃ」〈天理本狂言六義・仏師〉 **―しだい**【仕合せ次第】①運の向くままになること。運次第。「―に〔入札ノ〕札を落し」〈仮・可笑記三〉 ②分散者(ぶんさんじゃ)が他日資力を回復した時、未済の残余債権を弁済すること。「何時とても―に済ますべし」〈西鶴・永代蔵三〉 **―びゃうし**(ビョウ)【仕合せ拍子】調子よく運が向いてくること。「―の三三九度」〈近松・寿門松下〉 **―よし**【仕合せ吉し】①運のよいこと。幸運。また、その人。「これ今日の―、踏み馬御免」〈浄・田村将軍下〉 ②縁起を祝って、駄馬の腹当てに染めた文字。「馬の腹当てに門出吉・―など記したるは」〈人倫訓蒙図彙三〉

しあ・ひ(イ)【為合ひ・仕合ひ】㊀『四段』①共に事をする。互いにする。「つきしろひつつ空寝をぞ―・へる」〈源氏花宴〉。「心騒ぎ―・へりけるこそあさましう、ゆゆしけれ」〈大鏡師尹〉 ②互いに戦い合う。「しばしは槍にて―・ひけれども、互ひに勝負つかざれば」〈浅井三代記一〉 ㊁『名』勝負を争うこと。勝負。特に、決闘。「博奕(ばくち)はやるせもなく打ちたくはあれども、―に立つる物(賭物)なければ」〈三河物語下〉。「―して討たれて恥の兵法と心に絶えず工夫してよし」〈兵法道歌〉

じあひ(イ)【時合・時間】時刻。頃合。刻限。また、特に葬礼の刻限の意にもいう。「晩の―に来て、酒を飲みませう」〈咄・軽口曲手鞠四〉。「大方は葬も―の鐘の声」〈俳・中庸姿〉。「―、…葬礼の刻限のみに言へる語なり」〈譬喩尽七〉

しあ・へ(エ)【為合へ】『下二』間に合うように事をする。何とかやり遂げる。「次次滞ること繁くて、かく年もせめつれば、え思ひの如く―・へで」〈源氏若菜下〉

じあまり【字余り】短歌・連歌・俳諧などの音節数が、定形の三十一音・十七音より余計あること。「もじあまり」とも。「惣じて歌の会、短冊の時も、―は披講するに吟じにくき物也」〈当風連歌秘事〉。「結句の―庶幾(しょき)せず候ふ」〈俳・正章千句下〉。〈ロドリゲス大文典〉 ▽たとえば、古今集巻一の「としのうちにはるはきにけりひととせをこぞとやいはむことしとやいはむ」の歌は、第一句が六音節、第五句が八音節で、計二音節の字余りになっている。元来は、「としのうちに」の「う」、「ことしとやいはむ」の「い」のごとく、句中に、独立性の弱い単独母音音節を含むことによって、おのずから字余りとなっていたものが、後世になると、歌の調べを荘重にする目的で意識的に作られるようにもなった。

しあり・き【為歩き】『四段』①あれこれと奔走する。「多く釣りて〔ソノ魚ヲ〕とらする人もあるを、持(も)て来て、親にくはせなど―・くを」〈宇津保俊蔭〉 ②歩き回る。徘徊する。「その日になりて、いつしかいつしかと―・くに」〈古本説話六三〉

しあん【思案】思いめぐらすこと。考えること。「最後の矢を手あさく射たらむも無念なりと―し給ふところに」〈古活字本保元下・為朝鬼が島に渡る〉 **―に落ち・ず** どうも理解できない。合点がゆかぬ。腑(ふ)に落ちない。「―・ずして有りけるが」〈西鶴・浮世栄花四〉 **―の案の字が百貫する** 物事はよく思案することが必要だの意。〈俳・毛吹草二〉

しい【四夷】四方のえびすの意で、東夷・南蛮・西戎(せいじゅう)・北狄(ほくてき)の総称。四方の敵。「―忽ちに起れり」〈平家六・入道死去〉

しい『感』①笑う声。「〔将門ノ頸ガ〕『―』と笑ひけるなり。…義朝も名将なれば、此の頸も笑ひやせむ」〈古活字本平治下・長田義朝討〉 ②動物などを追う声。「―――、あれあれ、あの如く魚は有る事ぢゃ」〈虎寛本狂言・武悪〉 ③人を制止する時、または先払いの時の声。「―、古木で御座る」〈虎寛本狂言・萩大名〉 ④人に呼びかける声。「――申し」〈虎明本狂言・鼻取相撲〉

じいう(ユウ)【自由】①思いのままであること。「政を専らにし、志を得て、升降―なり」〈続紀宝亀八・九・一八〉。「人の手の右は―に力あってしたいままなぞ」〈玉塵抄四九〉 ②気まま、わがままなこと。好き勝手。「人の世にある習ひ、驕慢(けうまん)を先として穏便なるはすくなし。あるいは―の方にておだやかならず。…あるは偏執にてかたくななり」〈十訓抄一序〉

しいかあはせ(ワセ)【詩歌合】遊戯の一。詩人と歌人が左右に分れ、同じ題で一方は漢詩を、一方は和歌を作って、その優劣を判定する。「摂政殿にて歌を詩に合はせらるべしとて…―とかやの初めなり」〈拾遺愚草下〉

しいし【簁・簓子】布を洗い張りしたり染めたりする時に使う、細い竹の串(くし)。布の両縁に弓形に差し渡して、しわを伸ばす。「しし」「しんし」などとも。「簇、シイシ」〈文明本節用集〉

しいしゅ【旨趣】《シシュとも》①旨(むね)とするところ。趣意。「且つは神道の冥助に任せ、且つは勅宣の―を守って」〈平家五・福原院宣〉 ②心の中の思い。存念。「心の底に―を残すべきにあらず」〈平家二・教訓状〉

しいだ・し【為出し】『四段』①つくり出す。「その扇は、そそき扇とて、このごろ殿に―・されたるとぞ」〈帥大納言家集〉 ②しはじめる。「いかばかりの事か―・すべきとて…をかしげに思ひける」〈沙石集六ノ一八〉 ③事をやってのける。「散散(さんざん)に切りまはるといへども、何事をか―・すべき」〈保元中・白河殿へ義朝夜討ち〉 ④事をひきおこす。「ここにて事を―・して悪しかりなんと思ひ」〈伽・橋弁慶〉

しい・で【為出で】『下二』①作り出す。作り上げる。「おぼろけならで―・で給ひつるわざ(詠歌)なれば、物に書きつけて」〈源氏末摘花〉 ②しでかす。「すきずきしうあざれがましき今様の人の、便ない事―・でなどする」〈源氏胡蝶〉

しい・れ【為入れ・仕入れ】㊀『下二』①しつける。教えこむ。しこむ。「〔コノ猿使イハ〕芸をよく―・れたる猿を持ちけり」〈遠近草中〉 ②商品などを買い入れる。「少しの荷物を―・れ」〈西鶴・永代蔵四〉 ㊁『名』①教えこむこと。「まことや犬猿も―に従ふ」〈仮・悔草上〉 ②商品などを買いこむこと。しこみ。「――小袖〔ノ用事デ〕飛脚は来たり山桜」〈俳・金剛砂上〉

しう(シュウ)【主】⇩しゅう(主)

しう(シュウ)【州】『接尾』⇩しゅ(衆)。「嚊(かか)―が引渡しの酒事(ささごと)過ぎて」〈西鶴・一代男七〉

しういつ(シュウ)【秀逸】伎芸などで、他にぬきんでてすぐれていること。特に、文学・音楽などにいう。「時鳥なく嬉しさをつつめども袖には声もとまらざりけり。…右歌、詞・義―にして、尤もあまりのこころあり」〈奈良花林院歌合〉。「凡そ面面重宝の楽器を調べて、当時―の人人も、心を澄まして奏しければ」〈盛衰記一八〉 **―のてい**【秀逸の体】和歌・連歌などで、特にすぐれている風体。「敷島やみむろの山の岩小菅それとも見えず霜さゆる頃。…左、たけ・姿及び難く、心・詞相叶ふ。まことの―、比類無きの由」〈建保五年十一月四日歌合〉。「―の出で来ぬれば、そのあたりの二、三句はさめきて面白きなり」〈筑波問答〉

しうか（シュー）【秀歌】すぐれた歌。「三笠山さしてぞ来つるいそのかみふるきみゆきのあとを尋ねて。…かばかりの―え候はじ」〈大鏡道長〉。「凡そ―には、劣る返事は云はざる、是れ故実なりと」〈袋草紙上〉

しうき（シュー）【周忌】人の死後、年ごとにめぐって来るその月その日の忌日。回忌。年忌。「歳変じ節改りて、僅かに―の願ひを遂げたり」〈将門記〉

しうぎ（シュー）【祝儀・祝義】①祝いの儀式。賀儀。「嘉例の如く、―これ在り」〈多聞院日記天文二三・一・一〉 ②婚礼。祝言。「太子に后(きさき)を備ゆる―をし給ふ」〈バレト写本〉。③祝意を表わすために贈る金品。引出物。「日を定めて夫婦の―をせんとて」〈狐媚鈔〉 ③祝意を表「これは時の―とて、小袖一襲(かさね)出し給ふ」〈伽・花世の姫〉

しうきく（シュー）【蹴鞠】⇒まりけ。「建久已後、弘席(むしろ)を敷きて、―の興あり」〈禁秘抄上〉。〈温故知新書〉

しうく（シュー）【秀句】《もと漢詩より出た語。スクとも》①秀逸な句。特に対句など、すぐれた漢詩句。「文時・朝綱よみたる秀歌なし。躬恒・貫之作りたる―なし」〈無名抄〉 ②巧みな洒落(しゃれ)。和歌・連歌・俳諧や一般的な物言いなどで、言いかけの巧みなもの。「『梓弓春の日ぐらし引きつれている(入ル・射ル)さの原にまとゐ(的ト掛ケル)をぞする』…右〔歌〕、―によりて勝ち侍らば、歌の道見苦しくもやまかりなり侍らん」〈六百番歌合春中〉

しうげん（シュー）【祝言】《和語「いはひごと」の漢語化した形》①祝いのことば。祝福の挨拶。「奏する所の詩歌、いづれもいづれも―にあらざるはなし」〈保元上・後白河院御即位〉。「依て―の歌と聞えたり」〈仙覚抄一〇〉 ②祝い。祝儀。「太郎殿へも良き馬に金覆輪の鞍置かせ、太刀添へて、時の―とて引き給ふ」〈伽・花世の姫〉。「二百文、山中の関所くゎんぬきの―」〈伊達家文書一、永正一五・二・三〉 ③婚礼。「〔十六歳ニナッタ乙姫ハ〕幸ひ、備前の国司蔵人へ―の契約あり」〈伽・万寿の前〉。「中納言―、三日の夜の餅を見て」〈再昌草三六〉 ④座敷謡の最初に謡われる祝言謡。「―は呂の声にて謡ひ出すべし」〈申楽談儀〉

しうさい（シュー）【秀才】令制で、博学・高才にして、方略の策の試験に及第した者をいう。秀才の出身は、正八位上から正八位下。天平二年からは文章得業生(もんじやうとくごふしやう)の称。「凡そ―は博学高才の者を取れ。…皆須らく方正清修、名行相副(そ)ふべし」〈選叙令〉。「少(わか)かりし日、―たりし時、光陰常に給(つ)がず」〈菅家文草四〉

しうち【仕打ち】①行い。振舞。「このやうな浮気な浮名の立つ―も有らば」〈黄・江戸生艶気樺焼上〉 ②〔歌舞伎用語〕《「仕内」とも書く》役者の身のこなし。しぐさ。また、広く演技の意。「お姫様をかばうての―には、いかにも男まさりに刀をさばくべし」〈あやめぐさ〉

しうちゃく（シュー）【祝着・祝著】《シウヂャクとも》喜ばしいこと。「今宵のお宿、何より以て―申し候ふ」〈謡・大江山〉

しうと《シヒト(舅)の音便形》①【舅】配偶者の父。「ありがたきもの。―にほめらるる婿」〈枕七五〉 ②【姑】「しうとめ」の略。「岡田の村主(すぐり)といふ者の―の家」〈今昔二〇ノ三三〉 **―いり**【舅入り・姑入り】婚礼後、婿または嫁の両親が結婚相手の実家を訪問して饗応を受ける儀礼。「あら黔しの―やと喜ばぬ者はなかりけり」〈伽・花世の姫〉 **―め**【姑】配偶者の母。「ありがたきもの。…―に思はるる嫁の君」〈枕七五〉 **―めざり**【姑去り】姑が嫁を離縁すること。「―のやら(ヤレ)腹立か」〈浄・弱法師一〉

しうとく（シュー）【宿徳】《シクトクの音便形》①徳を積んだ人。僧にいうことが多い。「―の僧都・僧正の際(きは)は」〈源氏橋姫〉 ②おちついて貫祿のあること。「中姫君、十五六ばかりにて…いと―に、ものものしう」〈栄花初花〉

しうはうしゃ（シューホー）【襲芳舎】⇒しふはうしゃ。〈運歩色葉集〉

しうふうらく（シュー）【秋風楽】雅楽の曲名。盤渉(ばんしき)調。唐から伝わり、嵯峨天皇の時に改作されたという。舞もあり、四人で舞う。「まだ童にて―舞ひ給へるなむさしつぎの見ものなりける」〈源氏紅葉賀〉

しうん【紫雲】紫色の雲。念仏の行者の臨終に二十五菩薩が来迎するとき、それに乗って現われると信じられていためでたい雲。「―厚く棚引き、聖(ひじり)、這ひ寄りて蓮台に乗りぬ」〈宇治拾遺一六九〉

し・え【為得】《下二》①修得する。会得する。「身をなきになして、この事(琴ノ技術)をまねびとらむとまどひてだに―・うるは難くなむありける」〈源氏若菜下〉 ②やってのける。うまくやる。「われ孝養の為に思ひ企つるを、心にたがへず―・えしめ給へ」〈今昔一五ノ四〉

しえん【資縁】①仏道修行の資となり縁となるもの。すなわち、衣・食・住など。「かくの如く、衣食の―を思ひあててあらばよしと覚ゆ」〈正法眼蔵随聞記四〉 ②衣食住などの費用。「犢(こうし)が多くできば、それを売って―にして、我が子どもを養すぞ」〈山谷詩抄三〉

しお・き【為置き・仕置き】㊀《四段》すっかりなしとげておく。あらかじめ処置しておく。「御調度などはそこら―・かせ給へれば、人人の装束何くれのことをぞ急ぎ給ふ」〈源氏竹河〉。「故院の―・かせ給へる事をたがへ奉らむも」〈大鏡師尹〉 ㊁《名》①物事をしておくこと。処置。準備。「百姓の田を作るも、前方よりその―なくして、その時至りて植ゆるにあらず」〈兵法問答〉 ②政治。行政。とりしまり。「諸事、国の―など三人相談して仕るべき旨仰せ付けらる」〈浅井三代記一五〉 ③刑罰を科すること。また、その刑罰。特に近世では、所払い・敲(たたき)以上の刑をいい、それ以下の軽い刑は御咎(おとがめ)といった。「いかがはせん、直江の左衛門を堅く―に行なはばや」〈伽・鶴の翁〉 **―しゃ**【仕置者】幕府の老中、諸大名の家老など、行政の最高責任者。為政者。「蔵人これを腹立して、―にさし向ひ」〈西鶴・伝来記五〉

しおち【為落ち】手落ち。手ぬかり。「才智ある人なればこそ…―なく治まりたれ」〈仮・智恵鑑一〉。「四郎兵衛が手の者、―して逃げきたる」〈蒲生軍記六〉

しおとし【為落し】し洩らすこと。手ぬかりをすること。「茶毘(だび)の儀式なんどまで何の―もなく過ぎて候(さう)」〈百丈清規抄七〉

しおほ・せ（オオセ）【為果せ】《下二》なしとげる。みごとに果す。うまくやってのける。「侍、『―・せつ』と思ひて眠りるたるほどに」〈宇治拾遺七七〉

しか【鹿】①獣の名。古来、代表的狩猟獣とされていた。「か」「かせぎ」「かのしし」などとも。「おほぎみ…『―鳴くかも』とのりたまひき。かれ餝磨(しかま)の郡となづく」〈播磨風土記〉②囲(かこ)女郎の異称。「囲(かこ)をーとせり」〈色道大鏡一〉 **ーを追ふ猟師は山を見ず** 目前の利益を追うことに夢中になっている者は、他の事を顧みるゆとりがないの意。「ーと云ふ事あり」〈謡・善知鳥〉

しか【知客】《唐音》禅寺で来客の取次・接待などをつとめる僧。「入堂する時は、ーは先、施主は後」〈正法眼蔵看経〉。「ーは客人の時、長老へ奏者する僧なり」〈庭訓抄下〉。〈文明本節用集〉

しか【然】『副』《代名詞シと、状態を示す接尾語カとの複合。すでに述べた状態を指示する語。上代では歌にも使われたが、平安時代には漢文訓読に使い、平安女流文学ではこれに当る語は「さ」で、「しか」は男性の言葉として使われることが多い。→さ》①そう。そのように。「黄楊小櫛(つげをぐし)ー刺しけらし」〈万四二一一〉。「それーあらじ」〈源氏帚木〉②《感動詞的に用いて、相手の言葉を肯定する》そう。そうです。「『内裏(ちう)よりか』と宣へば『ー。〔内裏ヨリ〕まかではべるままなり』」〈源氏末摘花〉

しか『助』《回想の助動詞キの已然形シカの転用か。平安時代にはシガと濁音化した。「…てしか」の形で使うことが多い》自分の行為に関する願望を表現する。…したいものだ。「まそ鏡見ーと思ふ妹も逢はぬかも玉の緒の絶えたる恋の繁きこのころ」〈万三三六六〉。「朝なさなあがるひばりになりてー都に行きてはや帰り来む」〈万四四三三〉 ▽活用語の已然形は奈良・平安時代には既定条件を示したが、後には仮定条件をも示すように変化している。助動詞キの已然形シカも、「…だったので」の意から「…だったなら」の意に転じて、もしそれが実現したらの意から願望の気持を表わしたものと思われる。一説に、シはキの連体形、カは疑問の助詞とする。

しか『連語』《シは副助詞。カは疑問の助詞》「いつ」「なに」などについて、疑問の意をつよめる。「春の花いつー君と手折りかざさむ」〈万三九六六〉。「何ー君が見れど飽かざらむ」〈万二五〇〇〉

しが【疵瑕・玼瑕】 人を非難して疵(き)つけること。また、疵。欠点。「人に難を云ひて、疵つくる事を、京童の詞にーと云ふなり」〈齊東俗談二〉

しが『助』《願望を示すシカの転。平安時代に使われた》…したいものだ。「甲斐が嶺(ね)をさやにも見ー心(けけれ)なく横ほり伏せるさやの中山」〈古今一〇九七〉。「思ふどち春の山辺に打ちむれて其処ともいはぬ旅寝してー」〈古今一二六〉

しかあれど【然あれど】『接続』そうであるが。しかし。「わづかにひとりふたりなりき。ー、これかれ得たる所、得ぬ所、たがひになむある」〈古今序〉

しかあれば【然あれば】『接続』そうであるから。「顔回といふものありき。かしこく教へたまひしかども、不幸にして命短し。…ー、賢きやからは、つひにかしこき事もなし」〈宇治拾遺一九七〉

しかい【四海】 四方の海。転じて、天下。世の中。「乃ち知りぬ、ーの大なるや、何れの処にか陰勝の愁あらむ」〈菅家文草一〉 **ー波静か** 天下泰平である意。「ーにて、国も治まる時津風」〈謡・高砂〉

しがい【糸鞋】 糸を編んで作った沓(くつ)。「ーをはきて、鳩の杖をつきて出でたり」〈増鏡八〉。「糸鞋、伊止乃久都、今案俗云之賀伊(しがい)」〈和名抄〉

しがい【新開】「しんがい」の転。「我とーをするやうな奴ぢゃあったに」〈虎明本狂言・武悪〉

じがい【自害】 自殺。「親王、薬を服してーす」〈霊異記中一〉

しかいふウ…イ**【然云ふ・云爾】**『連語』文章の末尾に用いる語。上に述べた通りであるの意。古くは「いふことしかり」とも訓じた。「終に恐らくは嗤(あざけり)を慧目に受けむこと、云爾(しかいふ)」〈南海寄帰伝一・平安後期点〉

しかうウ…コ**【四更】**⇒かう(更)。「ー、月を待つ、事何如。鐘漏しきりに移りて意あまりあり」〈菅家文草一〉

じがうウ…ゴ**【寺号】** 寺の名。「我が家を堂とし、我が名をーに付けつつ」〈盛衰記九〉

しかうしてシコウ…**【而して】**『接続』《シカウはシカクの音便形》そうして。「子の曰く、五刑の属(たぐひ)三千。ー罪は不孝より大なるはなし」〈群書治要九・鎌倉期点〉。「応神天皇十五年に、百済国より博士・経典を相具して来たる。ー後、経史我が国に学び伝へたり」〈著聞一〇七〉。「シカウシテ」〈日葡〉 ▽漢文訓読系の用語。

しがき《語源はシシガキで、鹿垣・猪垣の意か》猟師が鹿・猪などを射るため、その通り道に、竹や木を用いて作った隠れ場所。「ますらをのーの影も現はれてしのぶ隈なき秋の夜の月」〈夫木抄一三・月〉

しかく【四角】 ーしめん【四角四面】 しごく堅苦しくて真面目なこと。「字も真にー(紙面ト掛ケル)よ筆始め」〈俳・三つ物揃〉 **ーな玉子** 有り得ない物事のたとえ。「見ぬ物やー雪女」〈俳・安楽音一〉

しかく【爾く】『副』《シカ(然)に副詞語尾クのついた形。平安時代、漢文訓読に用いた》そのように。すでに述べた状態を指示する語。「爾(しか)くあらずて答す」〈雑集論平安初期点〉。「爾(しか)く已(や)みつるやいなや」〈願経四分律平安初期点〉

しがく【志学】《論語、為政篇に「吾(われ)十有五にして学に志す」とあることから》①十五歳。「この人ーの年の昔より、和漢の才を事として」〈太平記四・笠置囚人〉。〈運歩色葉集〉②才覚。工夫。「十五の歳に。今年我先づ書初めをーかな」〈俳・遠近集一〉③覚悟。用意。準備。「何始末して縁に付くべきーもなく」〈西鶴・一代女五〉。「今、俗に、物を企て成すを、このー、そのーなど云ふ」〈志不可起六下〉 ▽(2)(3)は「修学」とも書く。

しがく【試楽】 公けに行なうべき舞楽の予行演習。賀茂・石清水祭などの神楽の場合には三日前に行なう。天皇の出御があり、清涼殿の東庭で行なわれる。「行幸近くなりて、ーなどののしる頃ぞ命婦は参れる」〈源氏末摘花〉

しか・け【為掛け・仕掛け】 一『下二』①(水などを)ひっかける。(息などを)吹きかける。「御幣に犬物をー・けたり」〈殿暦天永三・二・八〉。「〔腰ヲ折ラレタ雀ニ〕息ー・けなどして物喰はす」〈宇治拾遺四八〉②相手に働きかける。(戦などを)いどむ。「『知らぬことよ』とて、猿楽(さるがう)ー・くるに」〈枕一四三〉。「合戦をしたきと思ふ時は、敵いかに用心をして取りあはずとも、無理に出ねばならぬやうにー・くるぞ」〈孫子私抄〉③装置する。設備する。「空堀に水をー・け、門木戸をあらけなくこしらへ」〈説経・さんせう太夫〉④事をしはじめる。中途までする。「シゴトヲシカクル」〈日葡〉 二『名』①やり方。方法。手段。「一句のー悪い盛ぢゃ」〈俳・見花数寄〉②こちらから戦をいどむこと。「軍(いくさ)のーをしても、待ちても勝つ」〈古今八卦大全三〉③装置。からくり。「重(おも)りのー分別の外」〈俳・大矢数三〉④近世、銀目で物を買い、金・銭貨で支払う時、相場より銀貨を低く換算して支払い、利鞘を取ること。また、一般に相場より高く支払わせること。「小判にーは取りませぬぞや」〈近松・壬生大念仏上〉 **ーもの【仕掛者・仕掛物】**①人をだますたくらみ。また、人をだます者。「近年のーなり丹土(につち)売」〈俳・大矢数四〉②特に、男を誘惑して金品をだまし取る女。「同じ〔腰元〕姿にて、格別の—あり。しゃれたる女を、なるほど手またく作りて、物取りの腰元」〈西鶴・織留六〉 **—やまぶし**【仕掛山伏】企みをして詐欺を働く山伏。かたり山伏。「今時は—とて、さまざまごまの檀にからくりいたし」〈西鶴・胸算用一〉

しかざう…ゾウ【鹿蔵】丁稚(でっち)・下男の通名。「—や紅葉を散らす秋給(あはせ)」〈俳・当世男上〉

しかじ【如かじ】『連語』《倒置的用法として、「…む」「…むには」などで終る文の冒頭に来る。漢文訓読体で用いる》…するにこしたことはないだろう。「—、時に及びて五欲をもちて自ら楽せむには」〈願経四分律平安初期点〉。「我、家業を営むに貧しくして貯へなし。—、出家して仏弟子と成らむ」〈今昔一ノ二七〉

しかしか ㊀『名・副』《副詞シカを重ねた語》❶【然然】①かくかく。かよう。具体的な叙述を略して、その文句や文の代りに使うことが多い。「われは物もおぼえねば知りも知られず。人ぞあひて『—なむものし給ひつる』とかたれば」〈かげろふ上〉。「—の返事(かへりごと)は見給ふや」〈源氏末摘花〉 ②「—いへり(云云)」の形で、引用文を省略するのに用いる。「壬申詔して曰はく、云云(しかしかのたまへり)」〈紀用明即位前〉 ▽この形は江戸時代以後シカジカと濁音化した。❷【確確】①たしかに。十分。はっきり。「法住は、仏法がちと—とない」〈本福寺跡書〉。「をぢごさまを—見知りもいたさぬが、何とせうぞ」〈虎明本狂言・察化〉。「—と薬代(やくだい)もくれぬによって」〈虎明本狂言・雷〉 ②ひとかど。「俊才なる者なりしかども、終に—の官にはならなんだぞ」〈三体詩抄一ノ二〉 ㊁『感』《相手の言葉が自分の思うつぼであった時などの相づちに言う》そうそう。「『…』など言へば、世次も『—』とこころよく思へるさまおろかならず」〈大鏡藤氏物語〉

しかして『接続』《漢文訓読体で使う。シテは助詞》①【然して】前後の文が時間的に前後の関係にあることを示す。そして。「衆生を抜済して苦海を出でしめむ。—後には無上覚成すること得む」〈金光明最勝王経平安初期点〉 ②【而して】㋑前の文の終結した後をうけて、新たに後文をおこす。「大衆を観察したまふ。—頌を説きて曰はく」〈金光明最勝王経平安初期点〉 ㋺文中にあって、前の中止形の文と後文とが、時間的に前後の関係にあることを示す。「天竺の使の来れるを見て、—之を問ひて曰はく」〈法華義疏長保点〉 **—のちに**《「然後」「而後」「而后」の訓読語。後世、シカルノチニと訓じた》そののちに。「自ら灌頂等の法を作れ。—一切の法事を作ること得」〈大日経疏一六・保延点〉

しかしながら【然しながら・併しながら】《シカは然。シは有りの意の古語。ナガラは助詞。そうあるままの意。転じて、そのまま、すべての意。事の成行きはすべて…であると判断を下す用法から、接続詞として、結局のところの意。ナガラがそのままの意から転じて、…けれどもと逆接の意を表わすに至ったと同じく、シカシナガラも広く逆接の条件句にも使うようになって、けれども、だが、の意。現在の「しかし」は、この語の下略形》㊀『副』①そうあるまま。そのまま。「身を挙げて、而(しかしながら)も地に躄(ふた)れて、…荒迷して覚知せずなりぬ」〈金光明最勝王経平安初期点〉 ②そのまま全部。すべて。全く。「心清く誠を至して精進にて書きたる経は、—龍宮に納まりぬ」〈今昔一四ノ二九〉。「位をつぎ国を治め給ふことは、—天照大神・正八幡宮の御はからひなり」〈保元上・新院御謀叛並びに調伏〉。「并、アハセタリ・シカシナガラ」〈名義抄〉 ㊁『接続』①要するに。結局。「〔后タチノ申シ出ニ〕大王御喜びなのめならず。『—まる(自分)を大事におぼしめすにこそ』と、御喜びありけり」〈伽・熊野本地〉 ②しかし。けれども。「〔娘ヲ山ヘヤレトハ〕さてもうたてかりし多聞〔天〕のお告げかな。—かの人を我が迎へずは、姫の命がれ難し」〈伽・ささやき竹〉 ▽この語は、平安女流の仮名文学では使わない。

しかしも【然しも】『連語』《指示副詞シカに強意の助詞シモのついた形》そのようにも。「わご大王(おほきみ)の天の下申し給へば万代(よろづよ)に—あらむと」〈万一九九〉 ▽平安女流仮名文系では「さしも」を用いる。

しか・ず【如かず・若かず】『連語』《シカは、至り及ぶ意のシキ(及)の未然形》(それにくらべて)及ばない。(それに)まさるものはない。「こよひの花にはほ—・ずけり」〈万一六五三〉。「卑劣の慢は他に—・ず」〈法華経玄賛平安初期点〉 **若かじは君の御諚(ごぢやう)** 主君のどんなに無理な命令でも、家来は引き受けねばならない意。「飽かぬは君の御諚」「若かじは君の御計らひ」とも。「—とて、宿所をさしてぞ帰りける」〈浄・生捕夜討三〉

しかすがに『副』《シカは然。スは有りの意の古語。ガは所の意。アリカのカの転。ニは助詞。平安時代以後、サスガニとなる》そうあるところで、の意が古い意味。転じて、そうではあるが。それでも。「風交(まじ)へ雪は降りつつ—霞たなびく春さりにけり」〈万一八三六〉。「妹と言はば無礼(なめ)し恐(かしこ)し—懸けまく欲しき言にあるかも」〈万二九一五〉

しかぞ【然ぞ】『連語』《古くはシカソと清音》そのようにも。こんなにも。「神代より—尊き」〈万九一七〉。「忘られず思ひ出でつつ山人を—恋しく我もながむる」〈後拾遺一〇三四〉 † sikasö

しかた【仕方・仕形】①やり方。方法。手段。「よく敵の—によって、変化して勝つほどに」〈孫子私抄〉。「紂〔ハ〕—が無さに…火の中へ飛び入りて死んだぞ」〈燈前夜話上〉 ②身振り。手真似。「手柄の様子を云ひ、—などして見する」〈虎明本狂言・米市〉 ③「仕舞ひ」㊁⑷に同じ。「—は、童(わらんべ)などの間は知らず、〔大人ニハ〕猿楽めきて、いらぬ事也」〈多胡辰敬家訓〉 **—ばなし**【仕方話・仕形咄】手真似・身振りを交ぜてする話。「面白き—や富士の雪」〈俳・小町踊四〉 **—まひ**…イマ【仕形舞】言葉に合わせて身振り・手真似をして舞うこと。「散る花やそのまま蝶の—」〈俳・埋草一〉

しかつべら・し『形シク』《シカアリツベラシの約》もっともらしい。「しかつべし」とも。「狩人の—・しき出立(でたち)かな」〈俳・糸瓜草五〉

しかと【確と】『副』《シカ(然)と助詞トとの複合》①確かに。必ず。「さては—お貸しあるまじいにて候か」〈謡・鉢木〉 ②はっきりと。「或は人ありて何宗ぞとあひたづぬる事たとひありとも、—当流念仏者と答ふべからず」〈御文章〉。「いや、—見知りは致さぬ」〈虎明本狂言・察化〉 ③全く。くまなく一面に。完全に。「廻廊に—並(な)み居たり」〈太平記三・笠置軍〉

しがな『助』《願望を示すシガに終助詞ナの添った形》…したいものだ。「みみなしの山のくちなし得て—思ひの色の下染めにせむ」〈古今一〇二六〉

しかながら【然ながら】『副』《ナガラは助詞》そっくりそのまま。また、全部。「〔家財道具ヲ〕かきはらひもて運び…〔又ソレヲ〕—運びかへして」〈大和一五七〉

しかのその【鹿の苑】「鹿野苑(ろくやをん)」の訓読語。「—、鷲(わし)の峰の深き御法(みのり)を悟るにしもあらず」〈千載序〉

しかのまきふで【鹿の巻筆】①鹿の毛で穂を作り色糸で軸を巻き付けた筆。奈良の名物。「別れ路に思ひを—のじくりじくりと濡るる袖かな」〈後撰夷曲集七〉②近世初期のはやり小唄。歌詞未詳。「淡路に通ふ━と唄ひしが」〈西鶴・一代男五〉

しかのみならず【然のみならず】〘副〙そればかりでなく。「生涯知るべし。━少(わか)くして求法に因りて尋ねて師友を訪ふ」〈三蔵法師伝九・院政期点〉。「かの剣は罪人に向ってその身を割き破る。━手に取り足に踏む物皆剣なり」〈孝養集上〉。「加之、しかのみならず、それのみならず也」〈和漢通用集〉 ▽漢文訓読体で使う。

しかばかり【然許り】〘副〙それほど。そのようにまで。程度の甚だしさにいうことが多い。「━遠き家路を」〈万六三一〉。「━契りしものを」〈後拾遺五八〉

しかばね【屍】死体。なきがら。「しにかばね」とも。「また、犬の━の水に流れて下る」〈宇治拾遺九〇〉。〈文明本節用集〉

しが・ひ シガイ〘四段〙刈り取った草の束を末の方で括りたばねる。「み馬草に原の小すすき━・ふとて臥しどあせぬと鹿思ふらむ」〈山家集上〉

しか・み【顰み】〘四段〙①顔や額にしわが寄る。「東施が眉目(め)悪うて、西施が━・うだ真似をしたと同じ事ぞ」〈山谷詩抄四〉②着物などがしわくちゃになる。「萎(な)えし━・みたる狩衣姿なる男」〈伽・鼠草子〉

しか・め【顰め】〘下二〙額や顔の皮をちぢめてしわを寄せる。不愉快な気持をあらわして眉をひそめる。「定めてその座の人人…眉を━・むること有るべし」〈梅薫抄〉

しかも〘連語〙《シは強め、カは疑問、モは詠嘆の助詞》「いつ」「なに」などにつき、疑問の意をつよめて詠嘆するのに使う。「いつ━都を見むと思ひつつ」〈万八六六〉。「秋さらば相見むものを何━霧に立つべく嘆きしまさむ」〈万三五八一〉

しかも【然も】㊀〘連語〙《副詞シカに感動の助詞モのついた形》そのように、まあ。そんなにまでも。「三輪山を━隠すか雲だにも情あらなも隠さふべしや」〈万一八〉㊁〘接続〙①それでいて。「悟解すること能はずして、━自らを称して我は是れ大乗なりと号す」〈地蔵十輪経七・元慶点〉②その上。「僅かなるこまらの、━きぬかづきしたるを」〈著聞五四九〉

しがらき【信楽・紫香楽・滋賀楽】①近江国甲賀郡の地名。「朕まさに近江の国甲賀の郡━村に行幸せんとす」〈続紀天平一四・八・一一〉②「信楽焼」の略。「水指〔ハ〕━」〈宗達自会記弘治二・一二・二六〉 **━がさ**【信楽笠】信楽地方産の笠。「雨過ぐる外山の道の木暗(こぐれ)より━ぞ見え隠れする」〈夫木抄三・笠〉 **━のみや**【信楽の宮・紫香楽の宮】信楽地方、黄瀬(きせ)の地にあった聖武天皇の離宮。天平十四年造営。「━に行幸す」〈続紀天平一四・八・二七〉 **━やき**【信楽焼】信楽地方産出の陶器。ねずみ色または薄柿(がき)色の粗い砂を含んだもので、室町時代以後、茶入れ・茶壺などが賞用された。「━の…釜所、見物仕る」〈森田久右衛門日記延宝六・九・一〉

しから・し【仕枯らし】〘四段〙十分に経験を重ねる。「武家の奉公━・せば」〈近松・薩摩歌上〉

しからし・め【然らしめ】〘下二〙《シカアラシメの約》そうさせる。「これ宿業の━・むるなり」〈著聞四三〇〉

しからば【然らば】〘接続〙《シカアラバの約》そうであるならば。「━則ちやみなむ」〈大唐西域記三・長寛点〉。「もし━これを見せさせ給へ」〈今昔三ノ一一〉 ▽平安時代以降漢文訓読系の語。女流仮名文系では「さらば」。

しがら・み【柵み】㊀〘四段〙①数多くからませる。からみつける。「萩の枝を━・み散らしさを鹿は妻呼び響(とよ)む」〈万一四七〉。「秋萩を━・み伏せて鳴く鹿の」〈古今二一七〉②「しがらみ」を設ける。「涙川流るる跡はそれながら━・みとむる面影ぞなき」〈狭衣二〉③かかわりを持つ。からみつく。「さすが人目の━・みて」〈浄・十二段三〉 ㊁〘名〙①流れる水を塞(せ)くため、杭を打ち渡して竹や木の枝を横にからませたもの。「水ならば━越えて行くべく思ほゆ」〈万二七〇九〉②柵(き)。「━にても掛き申され候へ」〈梅津政景日記元和五・一・一六〉。「柵、シガラミ」〈運歩色葉集〉 †sigarami

しか・り【叱り・呵り】〘四段〙①怒る。威嚇する。「猪といふものの、腹立ち━・りたるは、いと恐しきものなり」〈宇治拾遺一二九〉②(立腹して)とがめる。叱責する。「『誰(た)ぞ。名のりせよ、名のりせよ。さらずは…辛き目見せん』と━・りける気色、いとおそろしければ」〈狭衣三〉。「遅きとて━・らるる」〈天正本狂言・苔松〉③(かげで)悪く言う。悪口を言う。「『さてもさかさまのデウスの御はからひかな』と存じて、デウスと(ヲ)少し━・りまらした」〈コリヤード懺悔録〉

しか・り【然り】〘ラ変〙《シカアリの約》そうである。その通りだ。「人皆か吾(あ)のみや━・る」〈万八九二〉。「━・りといへども、ただもとの国にあらむと願はしめ給へば」〈今昔三ノ二一〉

しかるあひだ イダ【然る間】〘接続〙《シカアルアヒダの約。漢文訓読系の用語》①そうあるうちに。「立てる寺を焼き払ふ、━、空より火くだりて内裏を焼き、海に光る物あり」〈愚管抄二〉②したがって。それゆえ。「昔より源平両家左右の翅(つばさ)にて、共に朝家の御まぼりなり。━、源氏世を乱れば平氏これを鎮め、平家朝を背けば源氏これを平らぐ」〈保元中・白河殿へ義朝夜討ち〉

しかるに【然るに】〘接続〙《シカアルニの約。漢文訓読系用語》①そうであるのに。それなのに。「力を尽したることすくなからず。━禄いまだ給はらず」〈竹取〉②そうであるからには。そういうことでは。「〔神ノ教エニ従ッテ殺シタノダトイッテ〕剣を抜きて立つれば、大臣・公卿のいはく『━よしなし』と云ひて位に即(つ)けつ」〈今昔三ノ一一〉③さて。ところで。それについて。「それ久かたの天(あめ)といっぱ、…空は限りもなければとて、久かたの空とは名づけたり。━、月宮殿のありさま、玉斧(ぎょふ)の修理(しゅり)とこしなへにして」〈謡・羽衣〉

しかるべ・し【然るべし】〘形ク〙《シカアルベシの約。漢文訓読系の用語》①(因縁などによって)そうなるように定められている。「何事も━・き事と申しながら」〈平家八・山門御幸〉②叶っている。適当している。「この儀もっとも━・しとて、御請文(うけぶみ)申されけり」〈平家一〇・請文〉③すぐれている。立派だ。「中将、━・き善知識かなとおぼしめし」〈平家一〇・維盛入水〉 **然るべくは** 出来ることなら。差支えなければ。なろうことなら。「これは御門の御鷹なり。━鳥かひて叡感にあづかり給へ」〈著聞六七八〉

しかるを【然るを】《シカアルヲの約。漢文訓読系の用語》㊀〘連語〙そういう状態で。「勝つことを咫尺(しせ)のもとに得たり。━討てば必ず伏し、攻むれば必ず下る」〈平家七・木曾山門牒状〉㊁〘接続〙ところが。しかしながら。「━、山門の大衆いかが思ひけん、先例を背きて」〈平家一・額打論〉

しかれども【然れども】〘接続〙《シカアレドモの約。平安時代、漢文訓読系の用語》そうではあるが。しかし。「はろばろに思ほゆるかも━異(け)しき心を吾(あ)が思(も)はなくに」〈万三五八八〉。「〔天候ガ悪イトイッテ〕船いださずなりぬ。━、ひねもすに波風立たず」〈土佐二月四日〉 †sikare-dömö

しかれば【然れば】〘接続〙《シカアレバの約。漢文訓読系の用語》①そうだから。だから。「あしき事もよき事も、長くほめられ、長くそしられず。━、わが好みにしたがひふるまふべきなり」〈宇治拾遺一九七〉②かくして。そうして。さて。「農具をこしらへ与へて、田畠へやらるれば、エソポもまた快(こころよ)げにその所作をないた。—、程経て、かの主人その田畠を見舞に出でられたれば」〈天草本伊曾保〉

しかん【支干】《「支」は十二支、「干」は十干のこと》⇩えと(干支)。「丙日—の読〔訓読デ火ノ家ノ意トナルカラ〕、初移〔引越シ〕の日、憚り有るべきか如何」〈中右記寛治六・二・二〉。〈塵袋一〉

じかんにん【自堪忍】主・親などの援助なしに、自前で生計を立てること。自恪勤(じかくご)。「然れば〔公用催促ノ使節ハ〕其の荘郷に於て逗留三十日間は、—を以てこれを相調ふべし」〈大内氏掟書〉。「述懐の話。…隠居・へや住・継子・—」〈俳・世話尽一〉。〈日葡〉

しき【城・磯城】①城(しろ)。「—を得爾辛(とくにし)に助け築(つ)かしむ」〈紀欽明九年〉②石でつくった祭壇。「—・神籬(ひもろき)を立つ」〈紀崇神六年〉▽シは石。キは城か。†siki

しき【醜】万葉集で「しこ(醜)」の万葉仮名「四忌」を、シキと誤読して生じた語。「さし焼かむ小屋(をや)の醜屋(しきや)に」〈万(元暦本訓)三二七〇〉

しき【式】㊀『名』①きまったやり方。方式。また、それを記載した文書。「凡そ国司公廨(くげ=公廨稲)を処分する—は」〈続紀天平宝字一・一〇・一一〉。「はじめて伝法会を此の寺に行なふ。其の—に云ふ」〈三宝絵下〉②法制。法規。特に「格(きゃく)」に対して、諸官庁の事務規定などの称。「右の件(くだり)の郷の字は、霊亀二年の—に依りて、里を改めて郷となせり」〈出雲風土記〉③正式。本式。真実。まこと。「この仁を次第に修して—の仁になるぞ」〈山谷詩抄一〉。「夢の時が—の荘子やら、醒(さ)めた時が—の荘子やら」〈荘子抄一〉④模様。有様。次第。仕儀。「今宵の—、なかなか何と記しおきがたし」〈春のみやまぢ〉。「しひてのがれつるかひなくなりぬる身の—も、かこつ方なく」〈問はず語り一〉⑤「式神(しきがみ)」の略。「おのれただ今—にうてて〔圧倒サレテ〕死にはべりぬ」〈宇治拾遺二六〉㊁『接尾』《代名詞をうけ、それを軽視した気持をあらわす》…程度。…くらい。「われら—の人は、聞きてもいかがは」〈発心集一〉。「布施に取りたる物を、これ—なれどもと云へば」〈咄・昨日は今日下〉

しき【色】《呉音》①〔仏〕五蘊(ごうん)の一。色彩にかぎらず感覚的にとらえ得る一切のもの。物質。「見つべきものは—なり。汝が四大〈地水火風ノ四ツノ元素〉等即ちこれなり」〈性霊集一〇〉②種類。種別。たぐい。「不課及び課戸の—を論ずること無く、すべて其の田を取りて皆悉く売却す」〈続紀宝亀一〇・九・二三〉

しき【職】①官職。職務。「—を置き能を任ずるは、愚民を教へ導く所以なり」〈続紀養老一・四・二三〉②令制の、役所の名の一。多く省の下にある。中宮職・大膳職・左右京職・摂津職、令外官では造宮職・修理職など。特に、中宮職をさす。「『—へなむ参る。ことづけやある。いつか参る』などのたまふ」〈枕八三〉③荘園制で、荘官の職務。「守護—より、しゃんと(人名)のもとに使者を立てて」〈伊曾保物語上〉④職務から生ずる諸種の権益。特に、土地の用益権。領家職、百姓職、加地子職。また、御師職、旦那職、問職など一種の営業権も含まれた。「右件の田は、東寺御領田内善照相伝の作人—也」〈東寺百合文書レ、建長六・六・二七〉。「本宮分の御師—、…一円質物に入れ置き申候」〈米良文書三、文明一八・一二・四〉

し・き【及き・如き】『四段』《追って行って、先行するものに追いつく意。シキ(敷・頻)と同根》①追いつく。とどく。「山城にい—・け鳥山(人名)、い—・け、い—・け。あが愛(は)し妻にい—・き逢はむかも」〈記歌謡五九〉②及ぶ。匹敵する。「紅は移ろふものそ橡(つるばみ)のなれにし衣(きぬ)になほ—・かめやも」〈万四一〇九〉。「世の人の心惑はす事、色欲には—・かず」〈徒然八〉†siki

し・き【敷き・領き】㊀『四段』《一面に物や力を広げて限度まで一杯にする、すみずみまで力を及ぼす意。シキ(及・頻)と同根》①物を平らにのべ広げて隅まで一杯にする。「直土(ひたつち)に藁(わら)解き—・きて」〈万八九二〉。「堀江には珠—・かましを」〈万四〇五六〉②【領き】あたり一面に隅隅まで力を及ぼす。一帯を治める。「天皇(すめろき)の—・きます国」〈万四一二二〉③広く行きわたらせる。「いくさをかへして徳を—・く」〈徒然一七一〉④一面に広がる。広くゆきわたる。「名、四表八方(よもやも)に流(し)けり」〈紀欽明十六年〉。「霞—・く春の潮路を見渡せば」〈千載八〉㊁『名』敷くもの。「岸づらにものたて〔桟敷ナドツクリ〕—などとりもていきて〔車ヨリ〕下りたれば」〈かげろふ中〉。「屦、久都乃之岐(くつのしき)」〈和名抄〉†siki

し・き【頻き・茂き】『四段』《シキ(及・敷)と同根》①後から後から追いついて前のものに重なる。事が重なって起る。「住吉の岸の浦廻(うらみ)に—・く浪の」〈万二七三五〉。「新しき年の始の初春の今日降る雪の〔ヨウニ〕いや—・け吉事(よごと)」〈万四五一六〉②後から後から枝や葉が出る。植物が繁茂する。「井の上(ほとり)に一つの湯津杜樹(ゆつかつらのき)あり。枝葉—・き茂し」〈紀神代下〉†siki

しぎ【鴫・鷸】《「鴫」は「田」と「鳥」とを合わせた国字》シギ科の鳥の総称。「春まけて物悲しきにさ夜更けて羽振(はぶ)き鳴く—誰が田にか住む」〈万四一四一〉。「鷸、之木(しぎ)、一云二田鳥一、野鳥也」〈和名抄〉†sigi **—の看経(かんきん)** 鴫が田や沢に立っているさまの形容で、ひっそりと淋しいさまのたとえ。「淋し出家の—」〈俳・底抜臼上〉 **—の羽(はね)掻き** 鴫が羽虫を取ろうとして、くちばしでしきりに羽をしごくこと。一説、鴫が羽ばたくこと。回数の多いことにたとえる。「暁の—百羽(ももは)掻き君が来ぬ夜は我ぞ数かく」〈古今七六一〉。「暁の—しげけれど」〈金槐集恋〉

しぎ【仕儀】有様。成行き。次第。「さてさて朝長の御最後の—何とか御座候ひつる」〈謡・朝長〉

じき【食】《呉音》たべもの。「山山寺寺に、—なく物なき行ひ人を供養し給へ」〈宇津保藤原君〉

じぎ【時宜】①しかるべき時機。ほどよい頃合。「打ち負けば平家にくみせんと、—をはかると覚ゆるぞ」〈古活字本平治中・義朝六波羅に寄せらる〉②その時の具合・状勢。「ただし武略の時は—に依るべきか」〈甲陽軍鑑一〉③その時に叶ったふさわしい挨拶。「奉行へ参ったらば、まづ—を致さずばなるまい」〈虎明本狂言・右近左近〉④辞退すること。辞儀。「互ひに—あって、先へ出でたる者、先へ行く」〈虎明本狂言・腹立てず〉

しきいた【敷板】①うまやの床下にわたす横木。うまやのねだ。「櫪、之岐以太(しきいた)、馬櫪也」〈和名抄〉②牛車(ぎっしゃ)の部分の名。前後の入口に敷き渡した横板。ふみいた。「車を打ちかへさんとして、—も牛の角にあたりて破れにけり」〈著聞六九一〉

しきかい【色界】〔仏〕三界の一。同じく三界の一である欲界を離れたものの住む所。「欲界に六天あり、—に十八天あり」〈正法眼蔵出家功徳〉

しきがね【敷金・敷銀】《シキキン・シキギンとも》①売買契約、店賃・地代、請負い工事完成期限などの保証金。「—にして物を売るとも」〈西鶴・永代蔵五〉②嫁入り・婿入りの際の持参金。土産(みやげ)銀。「—して嫁入り、或いは

養子・入聟の―」〈仮・子孫鑑中〉
しきがは‥ガワ【敷皮】毛皮の敷物。「―敷いて若君すゑ奉る」〈平家一二・六代〉
しきがはら‥ガワラ【敷瓦】①石畳のように地面に敷き並べた平たい瓦。禅寺などに用いた。「その―天狗の通ひ路」〈俳・紀子大矢数上〉②⑴のような模様。市松模様。「―の模様を染め」〈仮・都風俗鑑二〉
しきがみ【式神・識神】陰陽師(おんやうじ)が術を用いて駆使する神。変幻自在で、どんな主命をも果すといわれる。「式」「式の神」とも。「そこ(アナタ)の―を使ひ給ふなるは、忽ちに人をば殺し給ふらむや」〈今昔二四ノ一六〉
しきぎん【敷銀】「しきがね」に同じ。「―を見掛け、在所より養子をするも有り」〈西鶴・諸艶大鑑四〉
しきさう‥ソウ【色相】〔仏〕外に現われて眼に見えるかたち。「葉落ちては風―の秋を吹く」〈和漢朗詠集山寺〉
しきさんこん【式三献】祝儀の宴のはじめに、まず酒三献を出し、盃の取り交しをする儀式。「―をはじめつつ十一献までこそ参りけれ」〈伽・鼠草子〉
しきさんばん【式三番】①能の曲名「翁(おきな)」の古名。「―の様、御祭(おんまつり)の如し」〈申楽談儀〉。〈運歩色葉集〉②能の「翁」を模した歌舞伎の「三番叟(さんばそう)」の異称。「さて―を初めつつ、〔歌舞伎〕狂言をはじむれば」〈古今役者物語〉
しきし【色紙】和歌などを書く四角の厚紙。多くは五色の模様や金銀箔などをほどこす。もとはいろいろの染紙をいい、一定の寸法もなかったが、平安時代からは大小二種に定まった。「赤き―の、いと清らなる」〈源氏賢木〉。〈源氏浮舟〉。「御返し、白き―に…とのみあり」〈源氏浮舟〉。〈下学集〉　**―がた**【色紙形】衝立・障子・屛風などの絵の上方に、四角い色紙の形のわくを書き、そこに詩や歌を書き入れたもの。「屛風〔画〕どもは、為氏・常則などがかきて、道風こそは―は書きたれ」〈栄花初花〉　**―まど**【色紙窓】茶室の窓の一。上下に中心をずらして接している二つの方形の窓。「〔茶ノ湯ノ〕釜を…―の辺りへ、にじりやる事もあり」〈草人木上〉
しきじ【職事】①《「散事」の対》令制で、位階があり職掌を持つ官。「百官の―已上…に祿を賜ふ」〈続紀文武二・二・一二〉②蔵人(くらうど)の別称。「この御方へ―めしてぞまゐるべきよしの宣旨」〈大鏡師輔〉③宮中で行事の際にその日の事務を執行する役。「五位の―にて申文を給はらむが為に陣の御座に向ひて」〈今昔二八ノ二五〉④貴族の家につかえる職員。「衛門督の殿の家司(けいし)、―どもなり」〈落窪三〉
しきしき【式式】本式。正式。「―の戦法をなしがたきぞ」〈春秋抄三〉
しきじつ【式日】儀式の予定日。また、定期的な執務の集会の日。「臨時の評定あり。昨の―鶴岡神事に依り延引の故也」〈吾妻鏡仁治二・五・六〉
しきしま【磯城島・敷島】①大和国磯城郡にあり、崇神・欽明両天皇の都のあった地。大三輪町金屋の辺という。「都を倭(やまと)の国の磯城郡の―に遷す」〈紀欽明一年〉②《「しきしまの」を「やまと」の枕詞とすることから広がって》大和国・日本(やまと)の別称。「立ち別れ君が往(まい)さば―の人は吾じく斎(はい)ひて待たむ」〈万四二八〇〉。〈文明本節用集〉　†sikisima　**―の**【磯城島の・敷島の】〔枕詞〕磯城島の宮のある地の意から、地名の「大和」、さらに国名の「大和」、また「日本(やまと)」にかかる。「―大和の国の石上(いそのかみ)布留(ふる)の里に」〈万一七八七〉。「―日本の国は言霊(ことたま)の幸(さき)はふ国そまさきくありこそ」〈万三二五四〉　**―のみち**【敷島の道】和歌の道。「―も盛りにおこりて」〈千載序〉　**―や**【敷島や】〔枕詞〕「やまと」にかかる。「―大和島根も神世より君が為とや固めおきけん」〈新古今七三六〉
しきしやう‥ショウ【式正】本式。正式。「振舞(ふるまひ)も―の膳部なり」〈元親記中〉。「今までも―は習はなんでござるよ」〈虎明本狂言・腹立てず〉
しきしやう‥ショウ【職掌】①中宮職・京職などに属して礼儀に関する雑務を司った者。「太政官符、応(まさ)に―二人を置くべきこと」〈類聚三代格四〉②社寺などにつとめ雑務をし、また、神楽なども舞った者。「神馬三疋、…下手より―これを引く」〈吾妻鏡建久二・一・二〉。「―、神楽男」〈庭訓往来八月十三日〉
しきしん【色身】〔仏〕《「色」は形あるもの、物質的存在ないしは現象をあらわす》肉体。仏では三十二相をそなえた生身(しょうじん)をいう。「況んや用弁も声色にあらず、身現も―にあらず」〈正法眼蔵仏性〉
しきじん【式神・識神】⇒しきがみ。「その妻―の貌(かほ)に恐れければ」〈盛衰記一〇〉
しき・せ【仕着せ】㊀《下二》主人が使用人などに、季節に応じた衣類を与え着せる。「食客とは、物食はせ、物を―・せて扶持する心ぞ」〈玉塵抄四〉㊁《名》㊀として与える衣類。四季施。「内の者―の小袖布子以下持ち来る」〈本光国師日記慶長一六・一二・二六〉　**―もの**【仕着せ物】仕着せの着物。「盆正月の―」〈西鶴・諸艶大鑑一〉
じきぜめ【食責め・食攻め】兵糧攻め。「食詰め」とも。「ただ―にすべしとぞ議せられける」〈太平記三・赤坂城軍〉
しきそくぜくう【色即是空】〔仏〕《般若心経にある句。「色」は物質的存在の意》物質的存在はみな、因縁によって生じたもので、本来そのままの実有ではないの意。「―なり、空即是色なり」〈正法眼蔵摩訶般若波羅蜜〉
しきだい【色体・色代・式代】①挨拶すること。会釈すること。「判官出で向って―して申しけるは」〈保元上・新院為義を召さる〉。「色体、シキダイ、礼」〈文明本節用集〉②お世辞を言うこと。相手の意を迎えるようなことを言うこと。「―して褒めののしる」〈梁塵秘抄口伝集〉。「―申すものに過ぎたる科は無し」〈吾妻鏡正治二・一二〉③他の品物で代りをすること。「神馬一疋当社に進らせ了んぬ。但し―百疋これを進らす」〈経覚私要鈔嘉吉四・一・一〇〉④遠慮すること。辞退すること。「御―をなされて、大和大納言殿を上座へ上げさせ給ひて、下座へ居替らせ給ふ」〈三河物語下〉。「今、人に物を贈るを辞するを、―すると云ふは、…辞退の訛りにや」〈志不可起六下〉
しきだい【敷台・式台】客を送迎し、挨拶する玄関先の板敷。「―に押上り、案内を乞ひ給ふ所に」〈義残後覚一〉
しきだう‥ドウ【色道】①色事。女色・男色にいう。「浮世の事を外になして、―二つに〔熱中シ〕、寝ても覚めても夢介と、替へ名呼ばれて」〈西鶴・一代男一〉②色事を修行の対象としていう語。色の道。色事の道。「―三神の事、…―十箇の口決(くけつ=口伝)の事」〈色道大鏡三〉
じきだう‥ドウ【食堂】寺院内の建物の一。僧たちが斎食(さいじき)する堂。「西の西金堂、南の南円堂、東の東金堂、―」〈今昔一二ノ二一〉
しきたへの‥タエ‥【繁栲の・敷妙の】〔枕詞〕共寝をするために敷く栲(たへ)の意で、「床」「枕」「袖」「衣」「袂(たもと)」「衣手(ころもで)」、転じて「家」「黒髪」などにかかる。「―床の辺去らず」〈万九〇四〉。「―枕になして」〈万二二〇〉。「―袖かへし君」〈万一九五〉。「―衣の袖」〈万一三五〉。「―妹(いも)が手本(たもと)

を」〈万二三八〉。「―衣手離(か)れて」〈万二四八三〉。「―宅(へ)をも造り」〈万四六〇〉。「―黒髪しきて」〈万四九三〉 †sikitaFënö

しきぢょ【色女】 遊女。「―を呼び寄せ」〈西鶴・好色盛衰記一〉

しきって【頻って】『副』《シキリテの音便形》 くりかえして。しきりに。「か様に御使を―請け申し」〈三河物語上〉

しきでん【職田】「職分田(しきぶんでん)」の略。「太政大臣の―・位田并せて養戸をば並に官に収む」〈続紀天平四・二・一五〉

しきな・き【頻鳴き】『四段』 しきりに鳴く。「ほととぎすいや―・きぬ」〈万四一七七〉 †sikinaki

しきな・べ【敷き靡べ】『下二』《シキは治める、ナベはなびかせる意》 一面に領し治める。「そらみつやまとの国はおしなべて我こそをれ、―・べて我こそませ」〈万一〉 †sikinabë

しきなみ ①【頻浪・重波】 後から後から立つ波。「しくしくに」を導く序にも使う。「―の寄する浜辺に」〈万三三三九〉 ②【頻並み】《(1)から転じて》 次次とたて続けであるさま。「―に集ひたる車なれば出づべき方もなし」〈枕三五〉。「急を告げらるる事―なり」〈太平記二九・宮方京攻〉。「飛脚―を打って結城に到来す」〈水谷蟠龍記〉 †sikinami

しきに【頻に】『副』 かさねがさね。しきりに。「百重(ももへ)重(ちへ)波―」〈万三五三〉 †sikini

しきねん【式年】《きまったことの行なわれる年の意。諸説あり、定期的に科挙の行なわれる年を式年といったことからともいう》 ①伊勢神宮の定期的な遷宮・造営に当る年。「外宮山口祭、去年―に相当す」〈内宮禰宜荒木田氏経引付上〉 ②必ず巡ってくる年。「梅花を以て、―の初花となす」〈二曲三体絵図〉

しきのかみ【式の神】 ⇒しきがみ。「―もおのづから。いとかしこし」〈枕一八四〉

しきのゑ【四季の絵】 四季の景物を主題とした絵。「―かける後の屛風にかきたりける歌」〈古今三五七詞書〉

しきはふウ…ホ【式法】 正式の作法。法度(はっと)。「公方家代代の―を取り立て、まつりごとを能く行なひ給ふこと、中興に尊氏公よりあそばす」〈甲陽軍鑑五〉。〈易林本節用集〉

しきは・めワメ…キ【為極め】『下二』 徹底的にする。心ゆくまでする。「よろづを―・めさせ給ひて、いとど心のどかに哀れに悲しう思さる」〈栄花玉飾〉

しきふ【職封】 食封(じきふ)の一。大化改新後、令制で、大納言(のち中納言・参議)以上の高官に、その官職に応じて与えられた封戸(ふこ)。「内臣を拝して―一千戸を賜ふ」〈続紀宝亀八・九・一八〉

しきぶ【式部】 ①「式部省」の略。また、その職員。「―がところにぞ気色ある事はあらむ」〈源氏帚木〉 ②女官の呼び名。「『〔私ノ顔ガ〕うたてげに変りて侍らば、いかがおぼさるべき』と聞え給へば、…『―がやうにや。いかでかさはなり給はむ』とゑみてのたまふ」〈源氏賢木〉 **―きゃう**キャウ【式部卿】 式部省の長官。多く、四品(しほん)以上の親王が任ぜられた名誉職。「兵部卿の宮と聞えしは今は―にて」〈源氏少女〉 **―しゃう**シャウ【式部省】 八省の一。礼式、文官の人事、大学寮を管轄した。「のりのつかさ」とも。「―は文官の考賜を惣べ掌る。故に改めて文部省と為す」〈続紀天平宝字二・八・二五〉 **―のじょう**【式部丞】 式部省の三等官。六位相当。叙位除目に立ち合う。「しきぶのぞう」とも。「〔天皇ノ〕御使に―忠隆まゐりたれば」〈枕八七〉 ▽六位の蔵人で式部丞を兼ねた者があり、これを「殿上の丞」といった。 **―のせう**セウ…シ【式部少輔】 式部省の次官。大輔(たいふ)の下位。侍読(じとく)の出身者が任ぜられる。「みやにまゐりて―になむ御文とらせ侍りつ」〈源氏浮舟〉 **―のぞう**【式部丞】 ⇒しきぶのじょう。「わが継子(ままこ)の―にて蔵人なる、内の御つかひにて参れり」〈源氏東屋〉 **―のたいふ**【式部大夫】 式部丞で、五位に叙せられて、そのまま留任した者。「大夫は。―、左衛門の大夫、右衛門の大夫」〈枕一七四〉 **―のたいふ**【式部大輔】 式部省の次官。少輔(せう)の上位。侍読(じとく)出身者が任ぜられた。実質上の長官。「のりのつかさのおほきすけ」とも。「左大弁、―、また人人ひきゐて、さるべきかぎりまゐりたれば」〈源氏鈴虫〉

じきふ【食封】《本来は封戸(ふこ)を食(は)む、すなわち給わる意》 大化改新に始まり、令制で確立した封禄制度。皇族・諸臣などに、その位階・官職・勲功に応じて封戸を与えるもので、位封(ゐふ)・職封(しきふ)・功封(こうふ)などの別がある。令制の崩壊とともに荘園化し、鎌倉時代には有名無実になった。「へひと」とも。「王親及び五位已上に―を賜ふ。各、差(しな)有り」〈続紀文武一・八・二九〉 →ふご

しきふ・り【頻降り】『四段』 後から後から降る。「春の雨はいや―・るに」〈万七八六〉 †sikiFuri

しきぶんでん【職分田】 令制で、公卿など特定の高官に対して賜わった田。原則として租税を納めない。平安時代には次第に有名無実となったらしい。職田。「凡そ―は、太政大臣に四十町、左右の大臣に三十町、大納言に二十町」〈田令〉

じきぼそ【食細】 小食。「―で返事りしき新参(いままゐり)」〈雑俳・寄相撲〉

しきまき【頻蒔き・重播き】 天つ罪の一。穀物の種子をまいた上に、あとから重ねてまいて、穀物の成長を妨げること。「重播種子、此をば璽枳磨枳(しきまき)といふ」〈紀神代上〉 †sikimaki

しきま・し【頻き益し】『四段』 重なりまさる。「わが背子が琴取るなへに常人のいふ嘆きしもいや―・すも」〈万四一三五〉 †sikimasi

しきまつば【敷松葉】 庭木の保護や霜除けに庭にまき、また小便壺に入れる松葉。「―、路地にこれを用ふ」〈俳・毛吹草四〉

しきみ【樒】 モクレン科の常緑灌木。香気があり、葉と樹皮は粉にして抹香(まっこう)などを作る。「奥山の―が花の名のごとやしくしく君に恋ひわたりなむ」〈万四四七六〉。「〔仏前ノ〕名香(みゃうがう)の、いとかうばしく匂ひて、―のいとはなやかに薫れる」〈源氏総角〉。「―は木の葉なれども花と云ふ。…桜や蓮華などの替に〔仏ニ〕奉る故に、葉なれども花と云ふなるべし」〈見聞愚案記一八〉。「樒、之岐美(しきみ)、香木也」〈和名抄〉 ▽もっぱら仏前に供えたところから、「榊(さかき)」に対して「梻」という国字も作られた。 †sikimi

しきみ【閾】 門の内外を区切るために下に敷いた横木。また、戸障子の下にあって、あけたてのための溝がついた横木。敷居。とじきみ。「直(ただ)にいでまして、其の殿戸の―の上にいましき」〈記仁徳〉。「閾、門限也、之岐美(しきみ)」〈華厳音義私記〉 †sikimi

しきめ【敷目】 ①《「大荒目(おほあらめ)」の対》 鎧の縅し方の一。普通の小札(こざね)より糸目を多くしたもの。重ねが厚く、堅固になる。「―にまきたる赤糸縅の究竟(くっきゃう)の鎧」〈義経記八〉 ②鎧の袖・草摺(くさずり)を二色の糸で石畳模様に縅したもの。敷目縅。「金胴(かなどう)の上に火威の鎧の―に拵(こしら)へたるを、草摺長(くさずりなが)に着下して」〈太平記三・畑六郎〉

しきもく【式目】 ①法式と条目と。式条。規定。「恒例の神事、―を守り、懈怠無く勤行せしむべきの由」〈吾妻鏡

寿永三・二・二五〉②武家時代における箇条書きの法規。貞永式目・建武式目などは有名。また、特に貞永式目を意味する場合もあった。「この―を作られ候ふ事は」〈北条泰時消息貞永一・九・一一〉③〔連俳用語〕連歌・俳諧で守るべき禁制故実の、箇条書きの規定。「近くは為世・為相・為藤卿など、思ひ思ひの―を作られなどして、賞翫せられし」〈筑波問答〉

じきもつ【食物】《呉音》①たべもの。「沙門のもとに―を膳(なそ)へてこの女に持たせて送りしに」〈今昔一ノ二六〉②食事。「―の時ごとに、食(じき)を分ちて巣にもて行きてこれを養ふ」〈今昔七ノ一〇〉

しきもの【敷物】①下に敷く物。坐ったり、寝たりするためのものをいうが、装飾用にも敷いた。「―には紫地の唐の錦」〈源氏絵合〉②担保物件。「上田七畝八歩〔等〕…これを一両一分の―にて相渡し申す可く候」〈甲州文書寛永一九・三・二九〉

しきよく【色欲】〔仏〕五欲の一。五蘊(ごうん)の一である色(しき)に関する欲情。また、特に男女間の情欲。「又―を愛して精を尽し、酒肉をほしいままにして臓腑をくだし」〈沙石集三ノ七〉

しき・り【頻り】㊀『四段』《シキ(頻)と同根》後から後から続く。「船瀬の浜に―・る白浪」〈万九三七〉。「疾く参り給ふべき御使―・れどおぼしも立たず」〈源氏若紫〉。「中宮はひまなく―・らせ給ふばかりにて、御産もとみに成りやらず」〈平家三・御産〉㊁『名』【陣】出産間際の痛み。陣痛。「かの玉(卵)を―が来ては産み落し」〈俳・両吟一日千句〉 †sikiri **―に【頻りに】**『副』①うちつづいて。くりかえして。「天変―諭し、世の中静かならぬは」〈源氏薄雲〉②度を越えて、はなはだしく。異常に。「〔鬼界が島ノ人ハ〕身には―毛生ひつつ」〈平家二・大納言死去〉。「―丈高き女と殊に丈低(ひき)かりける男寝たりけるに」〈著聞五四八〉③うるさく。しつこく。「具したりける犬、梢を見上げて―吠えければ」〈諸神本懐集本〉。「『いやこれは余り重い荷ぞ』と言へども、―乞ひ受けて持った」〈天草本伊曾保〉 **―のとし【頻りの年】**近頃ひきつづいての年。近年。「しきんのとし」とも。「―よりこのかた、平氏、王皇(わうくわう)蔑如(べつじよ)して、政道にはばかる事なし」〈平家五・福原院宣〉

しき・り【仕切り】㊀『四段』①区画する。間を隔てる。「いづちの道といへる、道―・りたる心地す」〈永縁奈良房歌合〉。「波、浪浪と乱れて人を―・る」〈海道記〉。「女房衆の方を屏風を以て―・り」〈証如上人日記天文一〇・二・一三〉②取引を確定する。契約する。「場を踏みたる女(遊女)を目利きして―・る事」〈色道大鏡一三〉③決算する。「算用は今日残らず―・ってと」〈近松・氷の朔日上〉㊁『名』①取引や帳簿の決算。「冬・夏の―」〈諸法度集延宝三・八・二五〉。「―合はせて是れまでは冬〔ノ分〕」〈俳・都懐紙〉②「仕切がね」に同じ。「問屋の―にさへ追はるる商売」〈近松・天網島上〉 **―がね【仕切銀・仕切金】**取引決算の払渡し金。仕切ぎん。仕切きん。「―の内、弐貫目出して」〈西鶴・一代女五〉 **―がはせ(ガワセ)【仕切為替】**為替手形の形式で作成された、現金輸送の引請け証書。「―の作法は金と手形と引き替へ」〈近松・冥途飛脚上〉 **―じゃう(ジョウ)【仕切状】**仕切金の明細を記し、貨物と共に買主に送る書付け。送り状。「―見るまで無用の気遣ひしようより」〈西鶴・三所世帯下〉

しきれ【尻切】《シリキレの転。シッキレとも》底に皮を張った草履。これが発達して、後の雪駄(せった)となる。「平足駄(ひらあしだ)・古―・古藁沓(ふるわらうづ)・古沓(ふるぐつ)」〈宇治拾遺三〉。〈文明本節用集〉

しきれい【式礼】挨拶。「両方鐙(あぶみ)踏み放し馬上に―」〈近松・信州川中島一〉。〈書言字考〉

じきろう【食籠】食物を入れる器。多くは丸形、蓋つきで、青貝や蒔絵の美しい装飾をほどこす。「さてまた、樽肴(たるざかな)・錫(すず)―・折・土器(かはらけ)・台の物、我劣らじと用意して」〈伽・彌兵衛鼠〉。〈文明本節用集〉

しぎわな【鴫羂】シギをとるためのわな。「高城(たかき)=高台)に―張る」〈記歌謡九〉 †sigiwana

しきゐ【席・敷居】①ござ・筵などのように、すわるために敷くもの。「官(おほやけ)の羆(しくま)の皮七十枚(ななそひら)を借りて賓(まらうど)の―にす」〈紀齊明五年〉。「席、ムシロ・シキヰ」〈名義抄〉②門・出入口などに、仕切りとして下に置く横木。「鴨居・―・垂木・木舞」〈庭訓往来三月十三日〉。〈塵嚢鈔三〉 †sikiwi **―が高・い** 不義理または不面目なことがあって、その家に行きかねる状態をいう。「見るもうてき―・うて」〈評判・吉原こまざらい〉

しきんのとし【頻の年】「しきりのとし」の転。「―よりこのかた、平相国といふ者あり」〈平家七・願書〉

しく【死苦】〔仏〕四苦(生・老・病・死)の一。死という苦しみ。「―も来たりて責めむものをや」〈散木奇歌集雑下〉

しくしく うちしおれて泣くさま。「〔稚児ハ〕房主(ばうず)の帰りたる時、―と泣く」〈沙石集七ノ一六〉

しくしく【及く及く】『副』波の寄せて来るように、後から後から絶えないで。「奥山の樒(しきみ)が花の名のごとや―君に恋ひわたりなむ」〈万四四七六〉

じくじく うれしさに小踊りするさま。「ぢくぢく」とも。「―躍り上がりて面白がるは尤も至極」〈仮・都風俗鑑三〉

じくじゅ【慈救呪】〔仏〕不動明王の真言の一。これを唱えて不動明王の威力をたたえ、その助力を乞う。「この二十年ばかり、不動の―をこそ毎日二十一遍満(み)てて」〈発心集八〉

じく・ね『下二』強情を張り、反抗する。すねる。「―・ねたらば片っ端海へとっぱめ(投ゲ込ミ)」〈近松・天智天皇四〉

しくは・し(シクワシ)【仕くはし】『四段』はめ込む。しこむ。しくむ。「台に砂時計を―・し」〈西鶴・胸算用一〉

しくはっく【四苦八苦】①〔仏〕生・老・病・死の四苦と、愛別離苦・怨憎会苦(をんぞうゑく)・求不得苦(ぐふとくく)・五陰盛苦(ごおんじやうく)の四苦と。「―一つとして残る所さぶらはず」〈平家灌頂・六道之沙汰〉②非常な苦痛。「断末魔の―」〈近松・曾根崎心中〉

しくは・へ(シクワエ)【為加へ】『下二』あれこれ手を加え、物を足す。「屏風どももて来ていぶせきまで立て集めて、厨子(づし)二階(二段ノ棚)などあやしきまで―・へて」〈源氏東屋〉

しぐひあ・ひ(シグイアイ)『四段』シは為(し)の意で、食い合う、くっつき合う意か。「角(男ノ名)のふくれ〔タヨウナミニクイ男〕に―・ひにけむ」〈万三八二一〉 †siguFiaFi

しくほく 悲しんで泣くさま。しくしく。「―と泣きしめて」〈四河入海九ノ三〉

しく・み【仕組み・仕与み】㊀『四段』①工夫する。企てる。計画する。「かならず笑ふなと上する女房どもにもよくよく―・みて」〈西鶴・好色盛衰記三〉②趣向を立てる。「獅子頭の身振り、扨も扨も―・みて」〈西鶴・五人女一〉㊁『名』《近世前期はシグミと濁音にも》戯曲または小説などの事件の組立て。脚色。「芝居の―三番続き」〈俳・大句数上〉。「学文達者にて―の妙」〈評判・野郎立役二丁弓〉 **―きゃうげん(キョウ…)【仕組狂言】**込み入った、劇的な筋をもつ歌舞伎狂言。「朝に替りの―〔ガ始マル〕」〈俳・雲喰ひ下〉

しぐら・ひ［シグ/ライグ］《四段》「しぐらみ」に同じ。〈日葡〉

しぐら・み《四段》軍勢などが密集する。「ここにー・みて見ゆるは誰やらん」〈中院本平家九・佐々木宇治川渡り〉。「敵南へ向ふと等しく、味方の旗色直りてー・む」〈兵法問答〉〈日葡〉

しぐ・れ 〔一〕《下二》①（秋から冬にかけて）軽く通り雨が降る。「かみな月ー・れー・れて冬の夜の庭もはだれに降る雪の」〈古今一〇〇三〉 ②《歌で多く天候の時雨に掛けて》さっと涙がこぼれる。「まみのわたりうちー・れて」〈源氏若菜上〉 〔二〕《名》【時雨】しぐれの雨。「九月(ながつき)のーの時は」〈万四三三〉。「十月の雨をばーといふ」〈能因歌枕〉 **ーごこち**【時雨心地】時雨の降りそうな空模様。涙を催す心地にたとえていう。「ーはわれのみぞする」〈拾遺六五一〉

しくゎん【止観】〔仏〕①散乱する妄念を止め、静寂な明智で対象を観照すること。「摩訶止観をときて、ーとは高尚(かうじやう)の者は高尚し、卑劣の者は卑劣せんと宣へるがごとく」〈沙石集一ノ三〉 ②「摩訶止観」の略称。「最澄大師教ふるにーを以てす」〈三代実録貞観六・一・一四〉 ③天台宗の別称。「真言・ーの両宗をこそ讃仰もせられ、興行もあるべき事に候へ」〈正徹物語下〉

しくゎん【祠官】神官の総称。社家。神主。「この人聖廟(せいべう)のーとして、文道の太祖たり」〈太平記二六・執事兄弟〉

しくゎんたざ【只管打坐】〔仏〕《「只管」はひたすらの意。「打坐」の「打」は意味を強めるために添えた語》禅宗で、雑念をまじえず、ひたすらに坐禅すること。「その教に順ずる実(まこと)の行といふは、即ち今の叢林の宗(むね)とするーなり」〈正法眼蔵随聞記二〉

じくん【二君】《ジは漢音》二人の主君。「忠臣はーに仕へず」〈平家九・小宰相〉。〈文明本節用集〉

しけ【絓】「しけいと」に同じ。「琵琶・箏の絃搓(よ)るべきやう、黄なる糸を節一つもなく、ーとてわろきすぢをば少しもなく取りて繰る也」〈木師抄〉

しけ【四華】〔仏〕《ケは呉音》インドで尊ばれた四種の花。曼陀羅華・摩訶曼陀羅華・曼殊沙華・摩訶曼殊沙華をいう。「この経を説き給ふに、一天よりー降り、大地六種に震動し」〈謡・愛宕空也〉

しげ【繁】茂み。「夏山の木末(こぬれ)のーにほととぎす鳴き響(とよ)むなる声の遙けさ」〈万一四九四〉 †sigë

じけ【寺家】①寺院。また、寺院の建物（堂塔・僧房など）や地面。寺内。「〔生レタ子ヲ〕臣処分してーに居住せしめ」〈続紀天平宝字八・七・八〉 ②寺院の家人(けにん)または住僧。「若(も)し、ーの仕丁(つかへのよほろ)の子ならば良人(おほみたから)の法の如くせよ」〈紀孝徳、大化一年〉 ③寺の僧事・法会での儀式作法・廻文などをつかさどる役名。執当。「長くーの返抄を以て、抄帳に勘(かんが)へ会はせ」〈本朝文粋五〉

しげいさ【淑景舎】《サはシャの直音化》宮中五舎の一。内裏の東北隅にある。桐壺。「この大臣(おとど)の御宿直所(とのゐどころ)は昔のーなり」〈源氏澪標〉

しけいと【絓糸】繭の外皮から繰り取った粗末な絹糸。しけ。「我が恋は賤(しづ)のーすぢ弱み」〈金葉五四七〉。「絓糸、之介以度(しけいと)」〈和名抄〉

しけう［：キ/ヨウ］【四教】天台宗で、教義の内容から蔵教・通教・別教・円教の四を分け、これを化法の四教といい、別に教化の形式から頓教・漸教・秘密教・不定教の化儀の四教を説く。「大集方等〔ノ説法〕は秋の山〔ニ相当シ〕、ーの紅葉いろいろに」〈梁塵秘抄四九〉

しげうち【重打・繁打】紐などの細密に編んだ物。「ーの下緒」〈西鶴・一代女五〉

しげかく【繁かく】形容詞「しげし」のク語法「しげけく」の上代東国方言。「あづさ弓欲良(よら)の山辺のーに妹ろを立ててさ寝処(ねど)払ふも」〈万三四八九東歌〉 †sigëkaku（方言音）

しげき【繁木】茂った木。「霧りふたがりて、道も見えぬーの中をわけ給ふに」〈源氏橋姫〉。「立てるーの奥の水上」〈秋津洲千句〉

しげけく【繁けく】《形容詞繁シのク語法》草木の茂っていること。また、度数の多いこと。「この頃の恋のー夏草の刈りはらへども生ひしくごとし」〈万一九八四〉 †sigëkeku

しけこ・し《形ク》形容詞「しけし(蕪)」の連体形「しけしき」の原文「志祁志岐」を「志祁去岐」と誤写したために生じた語。

しけこ・み【しけ込み】《四段》こっそり入りこむ。「耳の穴にー・む蟬の時雨かな」〈俳・伊勢踊三〉

しけ・し【蕪し】《形シク》荒れてきたない。「葦原のー・しき小屋(をや)に」〈記歌謡一九〉。「蕪、穢也、荒也、志介志(しけし)」〈新撰字鏡〉 †sikesi

しげ・し【繁し・茂し】《形ク》《空間的・時間的に、物事が次から次へと生起し、相互に密接してすきまのない意》①草・木・葉が密生している。「野を広み草こそー・き」〈万四四二〉 ②すきま無く、密集している。「御帳のめぐりにも、人人ー・く並(な)み居たれば」〈源氏賢木〉 ③絶え間がない。「人言(噂)はー・くありとも出で逢はましを」〈万五三九〉。「内より御使、雨の脚よりもけにー・し」〈源氏夕顔〉 ④いそがしい。「賤(しづ)の女が機織る袖はやや寒し／いやしきわざもー・き営み」〈看聞御記紙背連歌〉 †sigësi

しげしげ【繁繁】①間を置かず、しきりにするさま。頻頻(ひんぴん)。「遊び者にもかやうの者ありけるやと、思ひそめて、景季はーとこそ通ひけれ」〈曾我五〉 ②つくづく。よくよく。「ーと語りければ」〈仮・一休咄四〉

しげしげ・し【繁繁し】《形シク》いかにもしきりである。頻繁(ひんぱん)である。「文・玉章(たまづさ)の通ふ事、降る雨よりー・しく候へども」〈伽・のせ猿草紙〉

しげぢ【繁道】木立の生いしげった道。「大野路はー森道しげくとも君し通はば道は広けむ」〈万三八八一〉 †sigëdi

じげつ【二月】《漢音》にがつ。「梅花を折って頭に插(さしはさ)めばーの雪衣に落つ」〈和漢朗詠集子日〉

しげどう【滋籐・重籐】下地を漆で黒く塗り、籐をぎっしりと巻いた弓。「白羽の矢負ひ、ー脇にはさみ」〈平家一・御輿振〉。〈文明本節用集〉

しげな・い【しげ無い】《形》つまらない。しがない。「退(の)かい、放さい、切らさしますな。ー・いたはむれはせぬ事ぢゃ」〈虎明本狂言・若菜〉

しげの【繁野】草木の茂った野。「馬並(な)めてみ狩そ立たす春のーに」〈万九二六〉 †sigëno

しげめゆひ［イ:ユ］【滋目結・重目結】鹿の子絞りの目のこんだもの。「ーの直垂(ひたたれ)」〈平治上・六波羅より紀州へ〉

しげやま【繁山】草木の茂った山。「ーの谷辺に生ふる山吹を」〈万四一八五〉 †sigëyama

しげ・り【繁り・茂り】〔一〕《四段》①場所いっぱいに、長くはえてのびる。生い茂る。「真木(まき)の葉やー・りたるらむ」〈万四三二〉。「御髭なども取りつくろひ給はねば、ー・りて」〈源氏柏木〉 ②男女が情を交す。「柳なら靡(なび)けて一夜ー・らうに」〈俳・塵塚（重徳編）上〉 〔二〕《名》①茂ること。茂る時期。「藤浪のーは過ぎぬあしひきの山ほととぎすなどか来鳴かぬ」〈万四二一〇〉 ②茂っている所。しげみ。「分けて訪ふ心のほどの見ゆるかな木陰をぐらき夏のーを」〈更級〉 †

sigëri

しげをか【繁岡】木の茂った岡。「—に神さび立ちて栄えたる千代松の樹の年の知らなく」〈万九九〇〉 †sigëwoka

じげん【示現】①仏・菩薩が衆生済度のために、種種に身を変え、この世に現われること。観音の三十三身など。「これはこれ方便—の形、全く本地の真身にあらじ」〈盛衰記二九〉 ②神仏などが夢の中で化身となって現われ、告知すること。「爰に天皇夢中—有り」〈本朝文粋二〉

じげん【慈眼】仏・菩薩が衆生を大慈大悲の心で見る眼。観音についていうことが多い。「—等しく見れば怨情会の苦もなし」〈栄花玉台〉

しこ【醜】《ごつごつして、いかついさま。転じて、醜悪・凶悪の意》①頑強なこと。頑丈・頑固なこと。「大君の—の御楯と出で立つ我は」〈万四三七三下野防人〉 ②頑固・頑迷であることを、あざけっていう語。「ますらをや片恋せむと嘆けども—のますらをなほ恋ひにけり」〈万一一七〉 ③みにくいこと。「ひきなる姓の—男の誂(あとら)ふるを応許(ゆる)しき」〈万三八二一左注〉 †sikö

しこ【矢壺・尻籠】箙(えびら)の一種。矢を入れて背負う道具。「—の矢、筈(はず)下りに負ひなして」〈義経記五〉

しご【死期】《ゴは呉音》死ぬ時期。死ぬべき時。「十余日の前に—を知りて」〈今昔一三ノ三〉

じご【尽期】《ジンゴの転》物事の極限。はて。きり。「迷ふ心はさらに—無し」〈二条良基畳字連歌〉。「上見れば今宵の月に—もなし」〈俳・伊勢俳諧新発句帳三〉

しこう【伺候・祗候】①貴人の側近に奉仕すること。「今日より五ヶ日御物忌也。—宿仕す」〈中右記嘉保二・一二・九〉 ②貴人の御機嫌伺いに参上すること。「水駅は舟路なり。舟路には〔国司ノ〕—なき故に、空しきをば水駅したりといふなり」〈源氏物語抄〉 ▽「伺」はうかがう意、「祗」はつつしむ意で、本来は、「伺候」と「祗候」とはやや意を異にするが、節用集などによれば、通用して使われたらしい。「伺公」とも書いた。

しこく【四国】《阿波・讃岐・伊予・土佐の四つの国の総称》 **—へんろ**【四国遍路】四国にある弘法大師の霊場八十八か寺を巡拝して、祈願の札を納めること。四国八十八か所巡り。四国巡り。「これよりすぐに—を修行せんと思ひ立ちて候」〈伽・じぞり弁慶〉 **—めぐり**【四国巡り・四国廻り】「四国遍路」に同じ。「きんか(禿頭)にて—がなる物か」〈俳・両吟一日千句〉

しごく【至極】㊀『名』①この上もなく最高であること。「—の大聖すらに尚し子を愛する心あり」〈万八〇三序〉 ②至りきわまるところ。究極。「浄土宗の—、…大略これを肝心とす」〈平家一〇・戒文〉 ③物事のきわみをつくすこと。「罪科—したる盗人をば、我は公方へ訴訟せざれども」〈極楽寺殿御消息〉。「奇怪—なり」〈太平記二四・依山門嗷訴〉 ④《道理至極の意》この上なく理に叶っていること。はなはだもっともなこと。「巨旦(こたん)〔=人名〕も—につまり」〈浄・祇園の御本地一〉 ⑤道理に屈すること。もっともだと承服すること。「…といさめければ、余助は道理に—して」〈仮・ねごと草上〉 ㊁『副』この上もなく。はなはだしく。「食後の菓子まで—せめ食ひて」〈沙石集三ノ八〉

じこく【時刻・時剋】 **—を廻(めぐ)ら・す** 時をうつす。時を費やす。「義朝—・さず、夜中に院の御所に押し寄せ勝負を決すべく候」〈保元上・官軍勢汰へ〉

しこくさ【醜草】草をののしっていう語。ばか草。「忘れ草垣もしみみに（イッパイニ）植ゑたれどしこの—なほ恋ひにけり」〈万三〇六二〉 †sikökusa

しこしこ むやみにするさま。やたら。「国主の無道にして、直言諫論を云ひ侍る人をば—痛め」〈仮・童蒙先習上〉

しこしら・へ【仕拵へ】㊀『下二』作り上げる。仕上げる。「その弓、漆で塗って、角を使うて—・へて、蛇形を画に描いたぞ」〈玉塵抄五一〉 ㊁『名』料理などの支度。食事の調理。「—取りもあへずに船の月」〈俳・金毘羅会上〉

しこた・め【しこ溜め】『下二』《シコダメとも》①たくさん溜める。「—・めし金や鳥居になりぬらん」〈俳・大坂独吟集上〉 ②横領する。「—・めし銭を尽して遊び物」〈俳・難波千句〉

しこ・ぢ【譏ぢ】『上二』事実でないことを告げ口する。讒言する。「兄豊成朝臣を詐(いつは)りて—・ぢ奏し賜へるに依りて」〈続紀宣命二八〉。「互ひに相—・ぢ諂(へつら)ひつつ枉(ま)げて罪無きに及ばさむ」〈金光明最勝王経平安初期点〉。「譖、譏也、志己豆(しこつ)」〈新撰字鏡〉 †siködi

しこつおきな【醜つ翁】かたくなな老人。「—の言だにも我には告げず」〈万四〇一一〉 †sikötuökina

しこて【醜手】ごつい手。「打ち折らむ醜(しこ)の—をさし交へて寝(ぬ)らむ君ゆゑ」〈万三二七〇〉 †siköte

しごと【為事・仕事】①する事。した事。しわざ。「これは面白く見所あり。上手の—と見ゆ」〈近代秀歌〉。「二条殿の御局の御—なれば」〈問はず語り三〉 ②業としてする事。「—をすれども手につかず」〈伽・高野物語〉。「ただ人の所へ行って賃を取って、—などをして」〈臨済録抄一〉。〈日葡〉

しこな【醜名】《シコはあざけっていう語。従って実名をあらわさずに、謙遜していう名、また、あだなをいう》①自分の名の謙称。「〔讃岐前司デアル〕明理(あきまさ)の濫行に、行成が—呼ぶべきにあらず」〈大鏡伊尹〉。「諱、イミナ・シコナ」〈名義抄〉 ▽「いみな」も「しこな」も、そのまま呼ぶのを避けるべき名の意。②あだな。「いざや、—を付けて呼ばんとて、常陸小萩を引きかへて、念仏小萩とお付けある」〈伽・小栗絵巻〉 ③力士の呼び名。「—の異名を付け候者これ有り候はば、早早申し上ぐべく候。古へより相撲を取り候者、異名付け候とも、向後其の名堅く無用たるべきの事」〈正宝事録慶安四・七・一七〉

しこな・し【仕こなし】㊀『四段』①適宜になしおおせる。うまくやりこなす。「何事もそれぞれに—・し給へ」〈評判・野良役者風流鑑下〉 ②圧倒する。呑んでかかる。「会うて—・して見せばやと」〈西鶴・諸艶大鑑五〉 ㊁『名』①身の所作。振舞。身ごなし。「座なれたる客の—」〈西鶴・諸国咄一〉 ②うまく処置すること。切り廻すこと。「親旦那の宜しく御—なされ、只今で三十四人ゆるゆると暮し」〈西鶴・文反古二〉 **—がほ**【仕こなし顔】相手を呑んでかかる顔つき。甘く見る態度。「—して〔逆ニ遊女ニ〕振らるる也」〈西鶴・諸艶大鑑八〉

しこな・め『下二』あなどる。呑んでかかる。「来る〔旅ノ〕人を熊坂〔長範ハ〕露〔ノゴトク踏ミ潰ス〕と—・めて」〈俳・正風集六〉

じごふじとく【自業自得】〔仏〕自分の行なった行為の報いを自分が受けること。主に、悪業(あくごう)の報いを受けるばあいに用いられる。「既に—なれば、夏の虫の火を消たむと云ふに似たり」〈孝養集中〉 **—くゎ**【自業自得果】自業自得によって招いた果報。「罪を作れば定めて果を感ずるなり。此の故に阿含経には—と説き給へり」〈今昔三ノ二七〉

しこぶつ【醜物】頑丈。丈夫。「誠に—に御座る」〈虎明本狂言・名取川〉

しこほととぎす【醜霍公鳥】《あざけっていう語》とんまな

ホトトギス。「うれたきや(エエ、シャクニサワル)—」〈万一五〇七〉 †siköFötögisu

しこ・み【仕込み】『四段』①教え馴らす。しつける。「多くは男の方より女郎を—・むと言ふ」〈色道大鏡一〉 ②商品を仕入れる。「小間物の色色を—・み」〈西鶴・伝来記二〉

しこめ【醜女】みにくい女。また、黄泉(よみ)の国にいるという女の鬼。「黄泉(よも)つ—を遣はして追はしめき」〈記神代〉。「醜女、此をば之許売(しこめ)といふ」〈紀神代上〉 †siköme

しこ・め【為籠め】『下二』①囲いを作って、その中に入れて動かないようにする。「人寄り来まじき家を造りてかまどを三重に—・めて」〈竹取〉 ②囲みとして作る。「あなたの御まへは竹の透垣(すいがい)—・めてみな隔て異なるを」〈源氏橋姫〉

しこめ・し【醜目し】『形ク』凶悪な目つきをしている。おそろしい。「吾(あ)はいな(イヤナ)醜目(しこめ)—・き、きたなき国に到りてありけり」〈記神代〉。「不須也凶目汚穢、此をば伊儺之居梅枳枳多儺枳(いなしこめききたなき)といふ」〈紀神代上〉 †sikömësi

しこや【醜屋】ぼろ家。「さし焼かむ小屋(をや)の—に」〈万三二七〇〉 †siköya

しこ・り『四段』《シ(為)コリ(懲)の意か》しそこなう。「わが背子が来むと語りし夜は過ぎぬしゑやさらさら—・り来めやも」〈万二八七〇〉 †siköri

しこ・り【凝り・痼り】『四段』①こり固まって一つになる。寄り集まって一団となる。「壁ぎはにもなるならば楯をば捨てて—・るべし」〈中尾落草子〉 ②一事に専心し、熱中する。ふけって夢中になる。「酒の末になりて、飲み—・りた時分に」〈黄鳥鉢抄二〉 **—ばくち**【凝り博奕】博奕に熱中すること。「—に短夜の月」〈俳・天満千句〉

しころ【錣・錏・鞆】兜(かぶと)の部分の名称。兜の鉢から左右や後に垂れて首をおおうもの。皮または鉄の板を縅して作り、その数により三枚錣・五枚錣などと呼ばれる。「常に—を傾けよ。いたう傾けて天辺射さすな」〈平家四・橋合戦〉 **—うち**【錣打ち】槌で衣を打つこと。きぬた。「唐衣や音もからから—重頼」〈俳・犬子集四〉 **—づきん**【錏頭巾】錏を付け、耳や頬を包むようにした頭巾。「甲(かぶと)かや—を鉢額」〈俳・智恵袋四〉

しこを【醜男】①頑強な男子。ごつい男。「大国主神。…亦の名は葦原—の神」〈記神代〉 ②みにくい男。「ひきなる姓の—の誂(あとら)ふるを応許(ゆる)しき」〈万三八二一左注〉 †siköwo

しこん【紫金】「紫磨金(しまごん)」に同じ。「—膚(はだへ)をみがきて、白毫光円(まどか)なり」〈盛衰記一六〉

じごんじ【二言辞・自言辞】ぐずぐず言うこと。何だかだと言うこと。「—好きにてむさと人をせく」〈評判・難波物語〉

しさい【子細・仔細】①詳細。委細。「—本文に見ゆるなり」〈将門記〉 ②こまかい事情。わけ。いわれ。「籠り居たるは何ごとによりて候ぞ。—を申せ」〈宇治拾遺七五〉 ③とりたてて挙げる事柄。何やかやの支障。「既に詔命を下さる。—を申すに所なし。ただすみやかに参らせ給ふべきなり」〈平家一・二代后〉 **—に及ば・ず** あれこれとりあげて言うまでもない。とやかく言うこともない。「尤も然るべき由、合点申されける上は—。御謀叛の事はやく思し召し定めけり」〈保元上・新院御謀叛思し召し〉 **—もの**【子細者】もったいぶって理屈をこねる者。一癖(ひとくせ)ある者。「—罷り出でたる三輪(みわ)の里〔ノモメゴトニ〕」〈俳・大坂一日独吟千句〉 **—ら・し**【子細らし】『形シク』いわくありげである。もったいぶっている。「—・しき物知り顔の諫言(かんげん)は御無用に候」〈説経・伍太力菩薩〉。「物事自慢臭く、—・しく、眼に角(かど)を立て」〈仮・浮世物語三〉

しざい【死罪】①律に規定された罪の一。死刑。斬と絞とがあり、斬は謀叛・大逆・尊長謀殺などの刑。絞は謀叛・謀大逆・尊長傷害などの刑であった。「—以下、罪軽重と無く咸(みな)赦し除く」〈続紀慶雲三・八・二一〉 ②近世、生命刑の一。首を刎ねる刑。初期は衆人環視の中で、中期以後は牢屋敷で検使立会いのもとに行なわれた。付加刑として財産・土地が没収され、死骸は様(ためし)物にされた。「斯様の者をば、—をなだめて尤もなるべきにや」〈仮・可笑記三〉 ③厚くわびる意をあらわす語。書簡・上表文などの中で用いる。「昨日短懐を述べ、今朝耳目を汚す。更に賜書を承り、且つ奉ること不次なり。——」〈万三九七三題詞〉

しざい【資財】財産。「その掠(かす)め取る所の賊徒の—は、士庶に与へ共に遍(あまね)く均分すべし」〈続紀天平宝字一・八・一八〉 **—ちゃう**(チョウ)【資財帳】奈良・平安時代に、寺でその財産などを記入し、太政官に報告した帳簿。「紀寺の遠年の—を検するに」〈続紀天平宝字八・七・一二〉

じざい【自在】①思いのままであること。「仙の道を習ひ得て空を飛ぶ事—なり」〈今昔一三ノ三〉 ②《「自在鉤(かぎ)」の略》炉などに上からつるし、自在に鍋・釜などを上下させる鉤。「—といふ鉤の縄に頭を入れて」〈宗長手記上〉

しさう(シソウ)【四三】《サウはサンの音便形》二個の骰子(さい)をふって、目が四と三になること。「ばくちの好むもの、平骰子(ひやうさい)・鉄骰子(かなさい)・—骰子」〈梁塵秘抄一七〉 **—のほし**【四三の星】北斗七星。海上生活者にとって、航海の目標となる大切な星であった。四三星。「空さへ曇りたれば、—も見えず、ただ長夜の闇に迷ひける」〈義経記四〉

しさく【詩作】漢詩を作ること。また、その作った詩。「例より興ある—なるを」〈宇津保祭使〉

じさし【字指】初学者などが読書するとき、書中の文字を指すに用いる、箸に似た道具。竹・象牙などで作る。字突き。角筆(かくひつ)。「—命に依り、予これを作る」〈康富記宝徳二・一・二五〉

しざま【為様】加工の具合。仕立てかた。やりよう。「三重がさねの裳、赤色の唐衣、一重の紋を織りて、—もいと唐(から)めいたり」〈紫式部日記〉

しさ・り【退り】『四段』《シザリとも》後へさがる。しりぞく。「半町ばかり覚えず—・って」〈謡・頼政〉。「百姓由緒の在家を—・り、他領に候て出作りいたす事、且は以て禁制たるべし」〈塵芥集〉

じさん【自讃】①自分で自分のことをほめること。「『かかる歌をなん詠めり』と—したるを聞きて」〈袖中抄一六〉 ②自分の絵に讃をつけること。「牧溪筆、大根の絵…是も—」〈山上宗二記〉 **—か**【自讃歌】作者が自作中特に気に入っている歌。「先達どもも、必ず歌の善悪にはよらず、事柄やさしく面白くもあるやうなる歌をば、必ず—とす」〈後鳥羽院御口伝〉

じざん【自算】「地算(ぢざん)」の訛った表記。「—強き人の、割算を習ふを見るに」〈仮・為愚癡物語五〉

しし 泣くさま。「—と泣く」〈かげろふ中〉

しし ❶①【肉・宍】にく。主として食用となる獣肉。「刺し殺して其の股の—を屠(はふ)り」〈続紀天平宝字五・三・二四〉。「わが—は御鱠(みなます)はやし(材料)」〈万三八八五〉 ②肉づき。「肉、之之(しし)、肌膚之肉也」〈和名抄〉 ❷【獣・宍】①狩猟を行なって肉を取る獣。特に、鹿または猪。両者を特に区別する場合には、それぞれ「かのしし」「ゐのしし」といった。「朝猟(あさかり)に—ふみ起し」〈万四七八〉 ②「しし狩り」の略。「高行、もとよりーの上手に聞えてはあり」〈承久記下〉 **ー食うた報い** 悪事をした結果、自分の身に受ける悪報。「獣食うた報いぬ(ムク犬ト掛ケル)は鷹の餌食かな」〈俳・続山の井四〉

しし【父】「ちち」の上代東国方言。「母(あも)ーに言(こと)申さずて今ぞくやしけ」〈万四三七六下野防人〉

しし【尿】《女性語。多く子供についていう》小便。「しこ」「しい」とも。「〔孫ハ〕ーにやよだれにや、鬼婆(おにうば)が背中より裾下(すそくだ)りにしかけ」〈伽・福富長者物語〉

しし【獅子】①ライオン。「からしし」とも。「天竺に深き山の洞(ほら)に一のー住みけり」〈今昔五ノ一四〉 ②左右の狛犬(こまいぬ)のうち、左方の口を開いた方。「〔室内ノ〕御しつらひ、ー・狛犬など、いつのほどにか入りゐけむとぞをかしき」〈枕二七八〉 ③「獅子舞」の略。「ー・狛犬(狛犬舞)など舞ひ」〈枕三一〉 **ー身中(しんちゅう)の虫** 内部にいて恩恵を受けていながら、害をなすもののたとえ。「いさ知らず、日の中にゐてその光をはづかしむるやうな事があるか。ーのやうぞ」〈史記抄一七〉。「師子身中虫、人の自らその身を損ずるに譬ふ」〈下学集〉

しし『感』《呼びかけのことば》 ⇩ししまうし。「なうなう、ーまうし」〈虎寛本狂言・仏師〉

しじ【縮・緊】《シジミ(縮)・シジニ(繁)・シジマ(黙)・シジラ(緘)などの語根》物の、目がつんでいて、すき間のないさま。ぎっしりつまって密生しているさま。また、口などきちっと閉じて無言であるさまなどをあらわす。「竹珠をーに貫き垂り」〈万一七九〇〉。「大船に真楫(まかぢ)ー貫き大君の命(みこと)畏み磯廻(いそみ)するかも」〈万三六八〉

しじ【指似・似指】幼児の陰茎。「指似、シジ、小児男根」〈黒本本節用集〉

じし【慈氏】彌勒菩薩(みろくぼさつ)の別称。「慈尊」「慈氏尊」とも。「紫紺の堂の中に、親しくーを承く」〈三代実録貞観一・四・一八〉

じ・し【辞し】『サ変』辞任する。辞退する。「その頃の右大将、病してー・し給ひけるを」〈源氏若菜上〉。「重ねてー・せば悪(あ)しかりなんとや思ひけん」〈平家一一・那須与一〉

ししあひ ィ:ァ【肉合】肉付きの程合。ししおき。「ーが良ければ床入りがゆかし」〈評判・野良立役舞台大鏡〉。〈日葡〉

ししいでん【紫宸殿】⇩ししんでん

じじうでん ゥ::ジュ【仁寿殿】《ジウは漢音。ジンジウデンとも》内裏の中央に位置した建物。「中殿」とも。紫宸殿の北、清涼殿の東にあり、はじめは天皇の常の御座所。後に、清涼殿が御座所と定められてからはこれを中殿とよぶようになり、内宴・相撲などの宴遊を行なう所となった。「その相撲(すまひ)の日、ーにてなむきこしめしける」〈宇津保内侍のかみ〉

ししおき【肉置き】肉の付き具合。肉付き。ししあい。「腰しまりて、ー逞(たくま)しからず」〈西鶴・一代女一〉

ししがき【鹿垣】枝付きの竹・木で粗くあんだ垣。敵軍または猪・鹿などの侵入を防ぐためのもの。「嶮岨(けんそ)にーをゆひ、要害に逆木(さかもぎ)を引いて」〈太平記一七・瓜生判官〉

ししがしら【獅子頭】獅子舞のときにかぶる唐獅子の頭(かしら)。また、その獅子舞。「夜半ばかり大蛇いで来れり。其の頭は祇園のーの如く」〈古事談六〉 **ーのかぶと**【獅子頭の兜】唐獅子の頭の形を前立物(まえだてもの)にした兜。「ーに、目の下の頬当(ほおあて)して」〈太平記一四・将軍御進発〉

しじか・み【蹙かみ・縮かみ】『四段』ちぢかむ。ちぢこまる。「御手(筆跡)は、昔だにありしを(マズカッタノニ)、いとわりなうー・み」〈源氏行幸〉

ししがり【獣狩】山野に入って鹿・猪などの獣の狩をすること。「人民を駆り集め、…ー・鷹狩を以て業となし、更に院宣を恐れず」〈吾妻鏡文治三・四・二三〉

ししぎ・り【しし切り】『四段』無理やりに切る。「首ー・り、かしこへ捨て」〈浄・今川物語四〉

ししく【獅子吼】仏が説法によって、悪魔・外道(げだう)を排撃して正道を宣揚することを、獅子が吼(ほ)えて百獣を恐れさせる威力にたとえた語。また、一般に、大いに雄弁を振って、真理・正道を発揚すること。「八宗派分れて、末流道異なりといへども、共に是れー無畏の説にあらずと云ふ事なし」〈太平記二四・依山門嗷訴〉

ししくしろ【宍串ろ】〔枕詞〕《ロは状態を示す接尾語》肉(しし)を串にさしたものはうまい味、よい味がするので、同音の「熟睡(うまい)」「黄泉(よみ)」にかかる。「ー熟睡寝しと(間)に」〈紀歌謡九六〉。「ー黄泉に待たむと」〈万一八〇九〉 †sisi-kusirö

しじ・け【縮け】『下二』ちぢむ。ちぢれる。生気がなくなる。「古歌に云はく、わぎもこが額の髪やー・くらむあやしく袖に墨のつくかな」〈奥義抄〉。「蛇、口より白き水をはきかく。蟹(かに)これにー・けて、這ひ降りて、力もなきていなり」〈沙石集八ノ四〉

ししこらか・し『四段』病気をこじらせる。「ー・しつる時はうたて侍るを、疾くこそ〔アノ行者ノ祈禱ヲ〕試みさせ給はめ」〈源氏若紫〉

ししさうじょう ゥ::ッ【師資相承】《「師」は師匠、「資」は弟子》師匠から弟子へ道を伝えること。「恵亮等ーして此の仏業を修む」〈類聚三代格三〉。〈伊京集〉

ししじもの【猪鹿じもの】『副』猪や鹿などの獣のように。「ー水漬(づ)く辺隠(へごも)り(谷間ノ水辺ニコモリ)」〈紀歌謡九五〉 →じもの。 †sisizimönö

ししだ【獣田・鹿猪田】鹿や猪などの獣の出て荒す田。「小山田のー守(も)るごと」〈万三〇〇〇〉

しじに【繁に】『副』《シジ(縮・緊)と同根》ぎっしり。いっぱいに。山・人・木・草・藻・竹・珠・花・真楫(まかぢ)などについていう。「山はしもーあれども、川はしもさはに行けども」〈万四〇〇〇〉。「五百枝(いほえ)さしー生ひたる栂(つが)の木の」〈万三二四〉

しじぬ・き【繁貫き】『四段』《シジはシジ(縮・緊)と同根、ぎっしりとあるさま》舟の楫(かぢ)・櫂(かい)を数多くとりつける。「大船に真楫(左右ソロッタ櫓)ー・き海原を漕ぎ出て渡る月人壮子(をとこ)」〈万三六一一〉 †sizinuki

ししのざ【獅子の座】仏の座席。また、高僧の座席。獅子座。仏が人中にあるのは、獅子が百獣の中にあるようなものだからという。「御葬の儀、仏に奉ずるが如くす。供具にーの香炉、…の類有り」〈続紀天平勝宝八・五・一九〉。「清涼殿にーを敷いて、問者・講師東西にあひ対す」〈太平記二四・依山門嗷訴〉

ししのつの【鹿の角】シカの角。また特に、さいころの隠語。シカの角を材料にするのでいう。「この程、寄り合うてー揉(も)うで」〈虎明本狂言・三人片輪〉 **ーを蜂の刺したるやう** 何の痛みも感じないこと、また、何の効き目もないことのたとえ。「まことに事のたとへに、ーに、皆皆おぼしめし候ふ間」〈御文章〉

ししのまる【獅子の丸】獅子の形を丸く描いた模様。「褐(かちん)の直垂(ひたたれ)にーを二つ三つ縫物したる黒唐綾(からあや)を」〈保元上・新院御所〉

ししばな【獅子鼻】獅子頭の鼻のように、低く、小鼻の開いた醜い形の鼻。ししっぱな。「ーの子でも文殊の加護は無

し」〈雑俳・広原海八〉

ししびしほ【肉醤・醢】①鳥獣の肉をきざんで塩や麴(こうじ)の中に漬けたもの。「雁の醢(ししびしほ)」〈遊仙窟(真福寺本)鎌倉期点〉。「醢、肉比志保(ししびしほ)」〈新撰字鏡〉②人体を塩漬にする刑。「たとひ骨を―にせられ、身を車裂(くるまざき)にせらるとも」〈太平記四・笠置囚人〉

しじふ【四十】**―くらがり**【四十暗がり】四十歳頃、視力の衰えること。「四十くらみ」とも。「〔柿本〕人麿や―芳野の花」〈俳・金剛砂上〉 **―のいん**【四十の陰】四十歳をいう。四十歳を初老といい、これ以後陽気が減少すると信じられた。「―に入るまで子のなきことを悲しみ」〈幸若・烏帽子折〉 **―のが**【四十の賀】四十歳に行なう賀の祝い。「―といふことは、さきざきを聞き侍るにも、残りの齢(よはひ)久しきためしなむ少なかりける」〈源氏若菜上〉 **―振袖** 四十歳の女が振袖を着る意で、老いて若造りするのにいう。「―投げ島田」〈近松・日本武尊三〉

ししぶえ【鹿笛】猟師が鹿を誘い寄せるために吹く笛。「守る小田にちかき―とび雀」〈菟玖波集一九〉

ししぶえ【獅子笛】笛の先に獅子頭を付けた小児の玩具。「―よりは鶯の笛」〈俳・紅梅千句〉

しじふくにち【四十九日】人の死後四十九日間。中陰(ちういん)。また、死後四十九日目に当る日。人は死後しばらくは中有(ちうう)となってさまようが、遅い者でも四十九日目には次の世に生れかわるというので、この間、死者の追福のために供養を行なった。「なななぬか(七七日)」とも。「御息所(みやすんどころ)の―のわざ(法事)」〈源氏夕霧〉 **―のもち**【四十九日の餅】四十九日に仏に供え、親戚知人に配る四十九の小餅。四十九餅。「―搗(つ)く音」〈西鶴・諸艶大鑑二〉

ししふしい・ふ【ししふし言ふ】『連語』何のかのとぐずぐず言う。「稲食はれて―・ふや竹の垣〔ノソバデ百姓ガ〕」〈俳・糸瓜草五〉

しじふに【四十二】**―の二つ子** 父親が四十二歳の時、二歳となった子。男子は俗に親を食い殺し、一家一門に禍を与えるというので、いったん捨てる。女子は吉であるという。「三芳の御方と申すは、…父左京大夫〔ノ〕―とて、藁の上より美濃へ下しけるを」〈土岐累代記〉

しじふはち【四十八】**―ぐゎん**【四十八願】阿彌陀仏が法蔵比丘(びく)と称した昔、一切の衆生を救うために立てたという四十八の誓願。無量寿経に説く。「双巻経には、まづ阿彌陀の―を説き、後に願成就をあかせり」〈和語燈録一〉 **―て**【四十八手】①相撲の手の総称。頭でする反(そり)、手でする捻(ひねり)、腰でする投(なげ)、足でする掛(かけ)の四手に、それぞれ十二の変化があるという。「取り給ふ相撲には…、―を取り分け、十二の秘伝を争ひて」〈伽・かくれ里〉②一般に、種種の手段の総称。「なげの情―の思ひ事」〈俳・西鶴五百韻〉 **―や**【四十八夜】四十八夜の間、念仏をとなえ、または浄土三部経を講説する法会。また、その念仏。彌陀の四十八願にちなんだもの。「今宵から―とさえぬらん」〈俳・玉海集五〉

しじま【黙】《シジはシジ(縮・緊)と同根》①口をつぐんで黙っていること。無言。「例の―も〔破ルカト〕試みむと、とかう聞え給ふに」〈源氏末摘花〉②子供の遊びの一。無言くらべ。「つきぬる鐘もはかなかりけり／―にや勝ち負けをしも挑むらん。童部の諺に、無言を行ぜんと言ひて、鐘をつき、又は何にても打ち鳴らして無言するを、―といふなり」〈汚塵集七〉

ししまうし【しし申し】『感』《シシはシイシイに同じ》人に呼びかける語。もしもし。「―と月にとがむる御垣守」〈俳・諸国独吟集下〉→しい〔感〕

ししまひ【獅子舞】獅子頭(ししがしら)をかぶって舞う神事芸能。五穀豊穣の祈禱、悪魔払いなどのために演じられた。「此の小袖を二人うちかぶりて、―の様にて南殿にをどり来るとて」〈古今序注〉。「―は算所の者、或は禰宜(ねぎ)の役ぞ」〈庭訓之鈔〉

しじま・ひ【蹙まひ】『四段』《シジミ(蹙)に反復・継続の接尾語ヒのついた形。→ひ》進むことも退くこともできないでいる。進退きわまる。「―・ひて其の跋渉(ふみゆか)むところを知らず」〈紀神武即位前〉 †sizimaFi

しじま・り【蹙まり・縮まり・朘まり】『四段』ちぢまる。「経は長く箱は短うして入れ奉るに足らず。〔然ルニ入ッタトハ〕経の―・れるか、もし箱の延びたるか」〈三宝絵中〉。「縮、シジマル」〈名義抄〉

しじみ【蜆】シジミ貝。「住吉(すみのえ)の粉浜の―開けも見ず隠(こも)りにのみや恋ひ渡りなむ」〈万九九七〉 †sizimi

しじ・み【蹙み・縮み】『四段』ちぢむ。「戚、シジム」〈名義抄〉

じじ・み【滲み】『四段』「にじみ」の訛。「濁りにや染まじ―・まじ蓮花草」〈俳・境海草上〉

ししみち【鹿道・猪道】鹿・猪などの通行する山中の獣道(けものみち)。「あれに見え候は―にて候。尾の上に通ふ道なれば、里への続きは候はぬぞ」〈伽・彌兵衛鼠〉

ししむら【肉叢・臠】①肉のかたまり。肉塊。「豊服広公の妻…一つの肉団(ししむら)を産みなす。その姿卵の如し」〈霊異記下一九〉。「臠、大臠也、志之牟良(ししむら)」〈新撰字鏡〉②肉。「未だ死なざりし時に、汝、我が―を割(さ)きき」〈今昔九ノ三三〉。「酒肉とは、酒(さけ)と―なり」〈孝養集下〉

しじ・め【蹙め・縮め】『下二』《シジミの他動詞形》①ちぢめる。長さ・広さ・量などについていう。「声ひき―・め、かしこまりて物語しけるを」〈源氏浮舟〉。「龍王力を縦(の)べて水を縮(しじ)む」〈大唐西域記三・長寛点〉②節する。へらす。「まづ朝夕の御飯を日頃よりは少し―・められ候ひて」〈著聞六四四〉

じじめ・き □『四段』《ジジは擬音語》①雀・鼠などが鳴きたてる。「畑生(はたけふ)に黍(きび)はむ雀(しじめ)―・きてかしましきまで世をぞ恨むる」〈散木奇歌集雑上〉。「〔ワレワレ鼠ガ〕徒然慰みにかぶり食ひて、―・いて遊ばんとたくみしに」〈伽・猫の草子〉②《(1)から転用して》人人がざわめき騒ぐ。「人人見て笑はんとぞ―・きける」〈伽・鉢かづき〉□『名』小鳥や人などの鳴き騒ぎ、また、ざわめくさま。「多門歌舞伎の―に」〈若輩抄〉。「―や雀色時酉(とり)の刻」〈俳・桜川六〉

ししや【猟矢・鹿矢・猪矢】狩猟用の矢。「あざわらひていはく『―中(お)へる雀鳥(すずみ)の如し』といふ」〈紀敏達十四年〉

じしゃ【侍者】禅寺で、師や長老の下で雑用をつとめる弟子の役名。焼香侍者・書状侍者・請客(しんかく)侍者・湯薬侍者・衣鉢侍者など。「ときに焼香―法寧といふあり」〈正法眼蔵嗣書〉

ししゃう【四生】〔仏〕生物の生れる四つの形式。また、それによって区別される四種の生物。胎生(人・獣など)・卵生(鳥・魚など)・湿生(蛾・蛆など)・化生(諸天・地獄のものなど)。「すべて三界の憑(たの)む所、―の仰ぐ所なり」〈三宝絵上序〉

ししゃう【四声】漢字の平上去入の四つのアクセント。「しせい」とも。「但し旧来、漢音を学びず、字の―を弁ぜず、教授に至りては惣て世俗蹐訛の音を用うらくのみ」

〈続後紀承和三・二・二〇〉

ししやう【四姓】源氏・平氏・藤原氏・橘(たちばな)氏の総称。源平藤橘(げんぺいとうきつ)。〈下学集〉

しじやう【史生】令制で、太政官・八省・弾正台・諸国などの主典(さくわん)の下で記録を司る役。四等官に次ぐ地位。書記。「―尾張小咋に教へ喩(さと)す歌」〈万四一〇六題詞〉

しじやう【熾盛】《呉音》はげしく盛んなこと。「三万六千の兵衆、―に守りて」〈今昔二ノ八〉

じしやう【自性】〔仏〕本来具えている真性。本性。「これ―に叶はずは、心地に暗き僧の…まのあたり畜生道に落ちたりける一つの証拠なり」〈妻鏡〉 **―のつき**【自性の月】自性の清澄なことを月にたとえたもの。「御法(みのり)もおのづから実相の色を現はし、―の光を染みて」〈謡・調伏曾我〉

じしやう【時正】《昼夜の時間が正しく同じの意》①春分および秋分の二日後の日。この日を彼岸の初日とする。「〔花ノ盛リハ〕―の後、七日ともいへど」〈徒然一六一〉。「二月と八月とに、昼も五十刻、夜も五十刻、昼夜短長なきを―と云ふ也」〈謡抄当麻〉②彼岸の七日間。「十日、晴、―初日なり。…十三日…―中日。…十六日、晴、―結願也」〈看聞御記応永二・五・二〉。「―の中日なり。…『月も秋も時も正しき半(なかば)かな』」〈康富記応永三〇・八・一五〉。「時正、ジシャウ、二八月云二彼岸一也」〈文明本節用集〉

じしやくせん【磁石山】《ギシャクセンとも》東シナ海にあって、刀剣や、航行中の鉄釘を使った船を吸引すると信ぜられた山。「唐と日本との境に―といふ山がある」〈虎明本狂言・磁石〉。〈明応本節用集〉

ししやをとこ【使者男】大名の家臣で、使者の役をする侍。器量よく弁が立ち、礼式を知って才智のある者を任じた。「当世―とて、口上をたしなみ、畳ざはりよければ〔高祿デ召シ抱エ〕」〈身の鏡上〉

ししやをどり【四社踊】「住吉踊」に同じ。「坊主でも／神の気に足る―」〈雑俳・名付親〉

ししゆ【四衆】〔仏〕仏の四種の弟子。比丘(びく)・比丘尼(びくに)・優婆塞(うばそく)・優婆夷(うばい)、または、比丘・比丘尼・沙彌・沙彌尼をいう。四部。「其の時、十方世界の大鬼神、一閻浮提に充満して―の身に入り、或は父母を害し、或は兄弟等を失はん」〈日蓮遺文高橋入道殿御返事〉

ししゆ【四趣】〔仏〕「四悪趣」に同じ。「修羅の三悪―は深山大海のほとりにあり」〈平家三・有王〉

じしゆ【寺主】①諸寺に置かれた三綱(さんがう)の一。堂塔の造営管理をつかさどる役。「興福寺の―信実…以下、寺中の悪僧等を催しき」〈保元中・関白殿本官に帰復〉②法会の際、執蓋(傘をさしかける役)を勤める者。「別当撿校より初めて、―供僧なにかなどなり」〈栄花布引滝〉

じしゆ【時衆】①一昼夜を六時に分けて勤行を行なう輪番の僧などをいう。「―を定めて不断念仏の勤行を修する」〈妻鏡〉②その時集まっている人たち。また、その時代の人たち。「道俗―ともに同心に、ただこの高僧の説を信ずべしと」〈正信念仏偈〉

しじゆう【始終】㊀《名》物事の始めと終りと。転じて、その事についての一切の意にも。「いかに申すとも―の事はかなふまじ。法花問答講一定(いちぢやう)あるべくは、三とせが命をのべてたてまつらむ」〈平家一・願立〉㊁《副》①始めから終りまで。絶えず。「伊弉諾・伊弉冉尊より、百王の今に至るまで、―神国として加護他に異なり」〈盛衰記九〉②終りには。ついには。結局。「寄手は大勢なり。城の構は未だ拵(こしら)へず、―いかがあるべからんと」〈太平記二九・光明寺合戦〉

じしゆう【時宗・時衆】①十三世紀後半、一遍上人智真の開いた浄土宗の一派。平生を時時刻刻絶えず臨終と思って称名念仏する意味から命名されたもの。別に一向衆とも遊行(ゆぎやう)宗ともいう。鎌倉期から室町期にかけて、全国の遊行と、「南無阿彌陀仏決定往生六十万人」と書いた紙札の配布、及び踊り念仏とをもって深く民衆の間に滲透し、各地に道場を開き、隆盛をきわめた。総本山は相模国藤沢の清浄光寺(遊行寺)。「この―は、念仏ひとつに帰命して後、往生ばかりを一大事と思ひたる信心なれば」〈他阿上人法語三〉②時宗の僧。しばしば陣僧として従軍し、死者に念仏廻向(ゑかう)する役をつとめた。「あはれにも―は尼におくれつつ／西に向ひて躍りはねけり」〈兼載独吟〉。「彼の―達、ここかしこに落ち散りたる屍(かばね)どもを一つ一つ取り納め」〈大塔物語〉。「総じて―、昔より和歌を専とし、金瘡の療治を事とす」〈小田原記〉

じじゆう【侍従】①天皇に近侍し、遺忘過失を注意する役。古く中務省に属し、はじめは八人、鎌倉時代には約二十人。うち三人は少納言を兼帯し、従五位下の人が任ぜられた。また、納言・参議の人で兼任する場合があった。「おもと人」「拾遺」「鈴虫」とも。「年十八にて―になりぬ」〈宇津保俊蔭〉。「石川朝臣君子を―とす」〈続紀養老五・六・二六〉②薫物の名。「わざとめきよしある火桶に、―をくゆらかして」〈源氏初音〉 **―のさいしやう**【侍従宰相】参議で侍従を兼ねているもの。「御子の君だち、右大弁・―・権中将…など、さぶらひ給ふ」〈源氏椎本〉

じしゆかう【十炷香・十種香】《近世前期まで、多くはジシュガウ》①三種の香三包ずつと無試の香一つ、計十炷を聞き分け、その名を当てる遊び。「―御興行あるべきとて御用意也」〈言国卿記文明八・八・二六〉②著名な十種類の組み香。十炷香・宇治山香・小鳥香・小草香・競馬香・矢数香・名所香・花月香・源氏香・連理香の総称。「―はどのやうに聞く物やら」〈浮・好色敗毒散三〉

じじゆほふらく【自受法楽】〔仏〕仏・菩薩が妙法の楽しみをみずから味わうこと。転じて、教法を信ずることにより生れる悦び楽しみを、自分自ら大いに楽しむこと。「大菩薩の御前にして潜かに―の法施を献りても」〈太平記一三・藤房卿〉

じじゆん【耳順】《論語、為政篇「六十而耳順」から》六十歳の称。「御齢もすでに―にならせ給へば」〈宗像軍記中〉。〈運歩色葉集〉

ししよ【四書】儒学の経典、大学・中庸・論語・孟子の総称。〈文明本節用集〉

じしよ【辞書】辞表。辞職願。「大弐の―といふもの公家(おほやけ)に奉りたりければ、われもわれもと望みののしりけるに」〈栄花玉村菊〉

ししよう【支證】訴訟などで、相手の主張をくいとめるための証拠。「―的然として、すでに明雪を得たり」〈続紀和銅六・五・一三〉。〈文明本節用集〉

しじら【縅・縮羅】《シジはシジミ(蹙)のシジと同根》①絹織物の織り方の一。織りあげてから、たて糸をちぢませて表面にしわをつけたもの。「―の薄色の指貫(さしぬき)」〈増鏡八〉②しわ。「唐紅の糸をもって、帛を引きしじむるやうに縫うて、―を寄せて脇へ向けて引き回して切るやうに」〈四河入海一三上〉。「水が少なければ、石の上には水がちりちりと鱗のごとくに―がいくが」〈四河入海一下〉 **―ふぢ**【しじら藤】「あをつづら」に同じ。「〔キジヲ枝ニツケテ献上スル場

合」枝のなかばに鳥をつく。…―の割らぬにて、二ところ付くべし」〈徒然六六〉

しし・り【為知り】『四段』する仕方を知っている。「道の中国つ御神は旅行きも―・らぬ君を恵みたまはな」〈万三九三〇〉

ししわう【獅子王】獅子の尊称。「歩む事―の如く来たり給ふ」〈太平記二四・依山門嗷訴〉

ししをどり【鹿踊】近世初期流行した、五七七五の歌形で後半だけ繰返した小唄。また、これを地とする踊。「これや又笛に人寄る―」〈俳・小町踊三〉。〈俳・世話尽一〉

ししん【紫宸】《「紫」は紫微垣(しびえん)で天帝の星座、「宸」は帝居》天子の御殿。宮中。禁中。「清涼―の床(ゆか)の上、玉の簾の内にてもてなされ」〈平家灌頂・六道之沙汰〉

―でん【紫宸殿】平安京内裏の正殿の名。もとは普通の公事(くじ)を行なう所であったが、大極殿焼失後は、即位の大礼などの重要な公事を行なう所となった。南殿(なでん)ともいい、南面して設けられ、その前庭(南庭)で、諸種の儀式がとり行なわれた。「天皇、―に御して群臣に酒を給ふ」〈続後紀天長一〇・三・一五〉。〈黒川本色葉字類抄〉

しじん【資人】令制で、皇族・上層貴族に与えられ、その警備・雑務をつとめた者。五位以上の位階による位分(いぶん)資人、大納言以上の官職による職分(しきぶん)資人などの別がある。「つかひびと」とも。「右大臣丹比真人(たぢひのまひと)に―一百二十人賜ふ」〈紀持統十年〉

しじんさうおう【四神相応】《シジンは中国で四方の神。東は青龍、西は白虎、南は朱雀、北は玄武》地相が四神に相応じていること。東に青龍の地として水の流れ、西に白虎の地として大道、南に朱雀の地として湿地、北に玄武の地として高山をそなえた地相が最も理想的であるとされた。「この地の躰(てい)を見るに、左青龍(しやうりう)、右白虎(はくこ)、前朱雀(しゆじやく)、後玄武(げんむ)、―の地なり。もっとも帝都を定むるに足れり」〈平家五・都遷〉

ししんしんげう【至心信楽】〔仏〕真心を以て阿彌陀仏の本願を信じて楽しむこと。「第十八の願には、『設我得仏、十方衆生、―、欲生我国、…不取正覚』と説かれたれば」〈平家一〇・維盛入水〉

じしんばん【自身番】近世、大都市の町内で、失火その他の異変に備えて、町人が交代で出勤警備した詰所。また、そこに詰める人。江戸は市内の四辻に番小屋が常設され、大阪では町会所に設置された。「火の番の儀、昼夜―仕つる可く候」〈正宝事録慶安四・四・二一〉 **―しゃうぎ**【自身番将棋・自身番象戯】自身番でやっているような下手な将棋。「―や床店象戯とは段が違はア」〈滑・古今百馬鹿上〉

しすごし【仕過ごし】①程度を越してすること。やりすぎ。「若い時妄(みだり)に―有って」〈西鶴・浮世栄花四〉②〔遊里語〕遊女狂いに度を過ごして始末がつかなくなること。「無分別なる―、女良と野良を一荷に買ひける報ひ」〈西鶴・好色盛衰記三〉

しすま・し【為澄まし】『四段』①心をそれに集中して行なう。「唱歌―・して、よろづ忘れたるにこそあむなれ」〈今鏡九〉②見事にやってのける。「さても頼朝が媒(なかだち)こそ―・して覚ゆれ」〈盛衰記三九〉

しす・ゑ【為据ゑ】『下二』①位置・待遇をきめて、そこに居らせる。「尼になして、深き山にや―・ゑて、さるかたに世の中を思ひ絶えて侍らまし」〈源氏東屋〉。「父(てて)はただ我を大人に―・ゑて」〈更級〉②安置する。「西面に仏を―・ゑ奉り給ひて」〈浜松中納言二〉

し・せ【死せ・殺せ】『下二』《シニ(死)の他動詞形》死なせる。殺す。「命はな―・せ給ひそ」〈記歌謡三〉

じせい【辞世】この世に別れを告げること。死ぬこと。また、その時に遺す偈頌(げじゆ)・詩歌など。「その紙を推し開いて、―の頌を書き給ふ」〈太平記二・俊基被誅〉

しせき【咫尺】《「咫」は周代の小尺で約十八センチ。大尺の八寸にあたる。セキは漢音》距離がごく近いこと。「思はざる外、龍顔に―する事ありけり」〈平家六・葵前〉。「千里も遠からず、逢はねば―も千里よなう」〈閑吟集〉。〈色葉字類抄〉

しぜん【四禅】〔仏〕色界(しきかい)における禅定(ぜんぢやう)の四つの階位。初禅・第二禅・第三禅・第四禅の総称。「色界の内に―あり」〈夢中問答上〉

しぜん【自然】㊀『名』①おのずからであること。「自然、シゼン・ジネン」〈色葉字類抄〉②《人力で左右できない事態を表わして》万一のこと。不慮のこと。「この御所は分内狭くして、―の事あらん時あしかるべし」〈保元上・官軍勢汰へ〉㊁『副』万一。ひょっとして。「―鎌倉に御大事あらば」〈謡・鉢木〉。「―武悪が幽霊ではござるまいか」〈虎明本狂言・武悪〉

しそ【緇素】《「緇」は黒衣、「素」は白衣》僧と俗人と。「僅かに残れる―は、舎宅を棄てて山に入る」〈将門記〉。〈色葉字類抄〉

しぞ『連語』《奈良時代はシソ・シゾ両形。シは副助詞。ゾは係助詞》上に来る語をつよめる。「思ひ乱れて寝る夜しそ多き」〈万三三六五〉 †sizö, sisö

じそ【自訴】みずから訴えること。自身の訴訟。近世、転じて、自首の意にも使われた。「誰なりとも、其身の―直奏叶ふべからず」〈結城氏新法度〉

しそう【使僧】使者の僧。「―に対面もなく、一言の返事にも及び給はねば」〈太平記三六・清氏叛逆〉

しぞう【祗承】貴人の左右に仕えること。また、その人。「左大臣橘諸兄の―の人佐味宮守」〈続紀天平宝字一・六・二八〉。「ある国の―の官人の妻にて」〈伊勢六〇〉

しぞ・き【退き】『四段』《シリゾキの転》後へ下がる。後退する。「ゆくりなく風吹きて、漕げども漕げどもしりへ―・きに―・きて」〈土佐二月五日〉

しそく【紙燭・脂燭】《ソクはショクの直音化》①室内用のたいまつともいうべきもの。松の木を細く削り、先の方を炭火で焦がし、油を滲ませて火がつきやすくしてある。もとを紙で巻くので紙燭の名があるという。「まづ―さして(トモシテ)来(こ)。この貝、顔見ん」〈竹取〉。「紙燭、シソク」〈色葉字類抄〉②紙捻(こより)を油にひたし急用にともすもの。「花の火を燈せ―の犬桜」〈俳・夢見草一〉 **―のうた**【紙燭の歌】紙燭が一定の長さだけ燃える短い時間内によむ歌。一寸に一首とか五寸に十首とかよむ。速詠の練習として行なわれる。「誰も皆今日七夕を祭りつつ祈る心は空に知るらん。…右は―にや侍らん、いと心得ずとて左勝つべくや」〈六百番歌合秋上〉

しぞく【親属・親族】《シンゾクのンを表記しなかった形》血すじのもの。しんるい。「何ばかりの―にかあらむ。いとよくも似通ひたるけはひかな」〈源氏浮舟〉

しそ・し【為そし】『四段』しすぎるほど…する。度を越すと思われるほど…する。「けはひにぎははしく、人人心化粧―・して」〈源氏真木柱〉 ↓そし〔接尾〕

しそ・へ【為添へ】『下二』付け加えてする。造り添える。「朽木形の几帳の帷子(かたびら)年経にけるを―・へつつ」〈浜松中納言三〉。「用なきことどもを―・へ」〈徒然八一〉

しそ・め【為初め】『下二』(継続する行為を)し出す。しはじめる。「むつかしき事も―・めてけるかなと思ひて」〈源氏手

習〉

じぞり【自剃り】自分で髪・髭などを剃ること。「盥(たらひ)の水にて手づから髪を洗ひ、所所をーにしたりける」〈義経記三〉

じそん【慈尊】彌勒菩薩の尊称。慈氏尊。「夜に入りて小僧を招きて、経を供養す。これーの出世を願はんが為なり」〈中右記長治一・一〇・四〉 **ーさんゑ**【慈尊三会】彌勒が、五十六億七千万年の後この世に現われ、龍下(りうげ)樹の下で開くという三度の法会。これによって末世の衆生を済度するという。「ーの暁を待ち給ふこそ遙かなれ」〈盛衰記四〇〉

した【下】《「うは」「うへ」の対。上に何か別の物が加わった結果、隠されて見えなくなっているところが原義。類義語ウラは、物を正面から見たのでは当然見えないところ。シモは、一連の長いものの末の方をいう》❶その上や表面に、別の物が加わっているところ。①内側。「あが衣(上着ノ)ーにを着ませ」〈万三五八四〉 ②物の下部。下方。「この照らす日月のーは天雲の向伏す極み」〈万八〇〇〉。「小松がーの草を刈らさね」〈万一一〉 ③人の支配・庇護を受ける立場。「長女(をさめ)、御厠人(みかはやうど)まで、ありがたき御顧みのーなりつるを」〈源氏須磨〉 ❷隠れて見えないところ。①物かげ。「鹿火屋がーに鳴く蛙(かはづ)」〈万三六五〉 ②(人に隠している)心。心底。「思ほしてー悩ますに」〈万四〇九四〉 ③内内。「ー問ひに、わが問ふ妹を、ー泣きにわが泣く妻を」〈記歌謡七八〉。「世の人のーには鼻まじろきをしつつ(表面デハ)追従し」〈源氏少女〉 ❸①程度などの劣ること。「さては、はや我はー(負ケ)になるごさんなれ」〈義経記三〉 ②地位・身分などが低いこと。「上(かみ)君よりー万民に至るまで」〈成簣堂本論語抄九〉 ❹①あらかじめ存在したこと。前以てしたこと。「前夫(したをとこ)」「下詠(したよみ)」など。「御屏風四帖に、うちの御手書かせ給へる、唐の綾のうす綵に、ー絵のさまなど、おろかならむやは」〈源氏若菜上〉 ②そのすぐあと。「これを聞きて小式部が、声のーにて詠みける」〈古今序注〉。「〔念仏〕すすめ申し侍りし言葉のーに唱へ給へり」〈再昌草二六〉 ③食べ残し。飲み残し。「古へは公方様御ー、土器(かはらけ)に一杯になり候へば、御供衆のうち随分の仁、御頂戴候」〈大内問答〉。「ヲシタ(御下)ヲタベウズ」〈日葡〉 ④下取りの品。「今迄の暦をーにやりますから、取り替へて下さりませ」〈咄・聞上手〉 **ーに置かれ・ず** 丁重に取り扱って、下座に置いてはいけない。「君が若菜ー・ぬ雑煮かな」〈俳・時勢粧三〉 **ーにて済・む** 公事訴訟を御上に訴え出ないで、当事者同士の話合いで解決する。示談・内済にする。「下内(したない)ですむ」とも。「ー・み候はば長介(へ)申し付けられ候へ」〈北野社家日記元和四・七・一〉 **ーに・居(ゐ)る** すわる。うずくまる。「さわぎ立ちたる見物、おのづからー・ゐて、われがちにしづまりし」〈わらんべ草五〉

した【舌】①口中の器官の一。物を味わい、また発音の調節などに関係する。「百年に老いー出でてよよむとも」〈万七六四〉 ②《転じて》言葉。弁舌。「ーはこれ禍の門なりと申す諺がござれば」〈天草本伊會保〉 ③【簧】笙(しやう)・篳篥(ひちりき)などの管楽器の中についている薄い板片。吹くと振動して音を出す。「此竹(笛ノコト)中にーなき竹あり」〈教訓抄八〉。「簧、俗云之太(した)」〈和名抄〉 ④《形が似ているところから》小判の隠語。「憂名(うきな)出さうな(悪イ評判ヲシソウナ)口へー出す」〈俳・正風集一〇〉 **ーを食(く)・ふ** 舌を嚙み切る。「頼朝は求めて恥をかかするか、ー・はん」〈伽・唐糸さうし〉 **ーを振・る** 舌をふるわせる。恐れおののくさま、また、驚嘆するさまなどにいう。「舌を振ふ」とも。「兵どもこれを聞いて物も云はず、ー・りて怖ぢあへり」〈保元中・白河殿へ義朝夜討ち〉 **ーを巻・く** ひどく驚嘆したり、畏怖したりするさまにいう。「陳謝ー・き、面を泥沙に垂る」〈吾妻鏡寿永一・一一・一二〉 **ーを丸(まろ)か・す** 「舌を巻く」に同じ。「ー・し顔を振りつつ恐(お)ぢ居たるに」〈今昔二八ノ四〉

しだ【時】《サダと同根。「行きしな」「帰りしな」などのシナの古語》とき。「吾(あ)が面(おも)の忘れむーは国はふり嶺(ね)に立つ雲を見つつ偲はせ」〈万三五一五東歌〉 ▽中央の語でないらしく、東国方言と肥前風土記に例がある。

したい【四諦】〔仏〕仏教の根本教理である苦・集(じゆ)・滅・道をいう。苦は、生・老・病・死の苦、即ち、現実のこと。集は、現実に苦が現われる原因である過去の煩悩。滅は、煩悩を滅して苦から解脱して得た涅槃の境地。道は、仏道の実践修行で、滅の因。仏が悟りを開き、鹿野苑での最初の説法でこれを説いたという。四聖諦。「如来(によらい)、五人の為に、苦・集・滅・道のーを説き給ふ」〈今昔一ノ八〉

しだい【四大】〔仏〕①万物を構成し、変化の因となる四元素。地・水・火・風の総称。「ーとのほらずして、いよいよ変じて百節皆苦しび痛む」〈今昔一ノ三〉 ②(1)によって構成されている身体。「ーに病なくして至る所に清浄にして、かほかたちうるはしくきよし」〈三宝絵下〉 ③「四大天王」の略。「上は梵天(ぼんてん)帝釈(たいしやく)下はーの文言に、仏そろへ神そろへ紙屋治兵衛名をしっかり、血判を据ゑて差し出す」〈近松・天網島中〉 **ーかい**【四大海】須彌山(しゆみせん)をめぐる九山八海の、一番外側にあるという四方の海。「この御志、須彌山よりも高く、ーよりも深し」〈栄花もとのしづく〉 **ーしゅ**【四大種】「四大」(1)に同じ。「ーの中に水火風は常に害をなせども、大地に於ては異なる変をなさず」〈平家三・大地震〉 **ーてんわう**【四大天王】「四天王」(1)に同じ。「護法・梵王(ぼんわう)・帝釈(たいしやく)・ーの不可思議威神の力により」〈続紀天平宝字一・七・一二〉

しだい【次第】□一《名》①順序。序列。「車のーもなく、まづ、まづと乗りさわぐがにくければ」〈枕二七八〉 ②つぎつぎの経過。過程。なりゆき。いきさつ。「事のーをこまかに問ひければ」〈宇治拾遺三〉 ③どうにもならない成りゆき・仕儀。「忠盛に知られずして、ひそかに参候の条、力及ばざるーなり」〈平家一・殿上闇討〉 ④〔能楽用語〕《読経法の次第音から来た語》㋑能や狂言の囃子事(はやしごと)の一。諸役の登場に使う。「加茂のーの大鼓、扠(さて)もせはしかりし事よ」〈神事能評判〉 ㋺能や狂言の構成部分の一。七五・七五、または七五・七四の二句からなる謡で、第二句に繰返しがある。次第(イ)で登場する役が謡うほか、曲舞(くせまひ)(3)の序歌に用いる。登場人物の紹介、感懐などを低い平坦な旋律で謡い、その曲の中心的気分を出す。「開口人(かいこにん)出でて、指声(さしごゑ)よりー、一歌(ひとうたひ)まで一段」〈能作書〉 □二《接尾》体言または動詞の連用形について、…のまま、…まかせなどの意をあらわす。「それ火は風ーなり」〈孫子私抄〉。「いかやうなりとも、そなたーぢゃ」〈虎明本狂言・鈍太郎〉。「寿命ほど大事の物はなければ、うっかとして死にーにすべからず」〈見聞愚案記二〉 **ーおくり**【次第送り】順送り。「それはーで、〔嫁ハ〕皆しうとめに成る」〈天理本狂言六義・成上り〉 **ーおどり**【次第奢り】時と共にだんだん贅沢になっていくこと。「風俗ーになって」〈西鶴・永代蔵一〉 **ーこつじき**【次第乞食】十二頭陀(づだ)の中の第三。比丘(びく)が家の貧富親疎の区別なく、軒並に物を乞い歩くこと。「仏法の少なからむ所に行きて、身を棄ててーをして」〈今昔一五ノ一五〉 **ーし**【次第司・次第使】奈良・平安時代、臨時に設けられた官名。天皇の行幸・大嘗会御禊(ごけい)・斎王御禊などのとき、路次の行列をつかさどる。「かくて出で給へば、皆人馬に乗りぬ。ー二人事行なひつつ」〈宇津保国譲下〉 **ーに**【次第に】『副』①順を追って。順順に。「帝釈、この申すところの事をーつぶさに聞き給ひて」〈今昔二ノ二五〉。「嫡子には宗(むね)と譲りて、次男よりー少しづつへらして、むらなく譲りてけり」〈沙石集九ノ三〉 ②追い追いに。だんだんと。徐徐に。「もし、ー気色(きしょく)たがひ、息荒き様にならば」〈孝養集下〉。「しばらくこそ拳(こぶし)にてうちのけけれども、ー力疲れにければ」〈保元下・為朝生捕り〉 **ーぶんげん**【次第分限】永くかかってだんだん財産を作った金持。楠木分限。次第長者。「鎌倉牱枝(がし)にかくれなくーとなりて」〈西鶴・永代蔵三〉

しだい【進退】《シンダイのンを表記しなかった形》自由にすること。「もとより〔私ノ〕ーならぬ人の御事なれば」〈源氏真木柱〉

じたい【自体】『副』元来。「地体」とも。「ー、この冠者は、兵法を見奉らぬさきだにも、人に変りたる者なり」〈伽・判官都咄〉

じだい【時代】①年代。「四条大納言撰ばれたる物を道風書かんこと、ーやたがひはべらん」〈徒然八八〉 ②年代がたち、古びていて、値うちがあること。特に、時代絹・時代蒔絵をいう。「ーの金襴」〈近松・丹波与作上〉。「ーの印籠(いんろう)」〈近松・今宮心中中〉 ③古風であること。「ーとは古風なかたくるしき事」〈伝奇作書後上〉 ④「時代物」(2)の略。「ー・世話とも自由にして、…何ひとつ不足なき大名人」〈役者綱目五〉 **ーがみ**【時代紙】時代を経て古びている紙。「見るほどー、正筆に疑ひなし」〈西鶴・永代蔵四〉 **ーぎぬ**【時代絹】室町時代以前に渡来した中国伝来の切れ地。金襴(きんらん)・緞子(どんす)・間島(かんとう)などの類。「品品のー」〈西鶴・永代蔵一〉 **ーきゃうげん**【時代狂言】「時代物」(2)の歌舞伎狂言。「世話狂言とーによりて、仕打ち(演技)に進退甲乙をかんがみ」〈滑・客者評判記中〉 **ーぎれ**【時代切】東山時代以前に中国渡来の、蔓草模様などの地粗く金色の上等な織物の切れ。古代切れ。「東山の秋の錦やー」〈俳・点滴集三〉 **ーちがひ**【時代違ひ】①時代が違っていること。「かかる美女…業平にーにて見せぬ事の口惜し」〈西鶴・五人女四〉 ②当代の風俗・習慣に無知なこと。時代後れ。「ーの親仁(おやぢ)驚かれて」〈西鶴・好色盛衰記二〉 **ーまきゑ**【時代蒔絵】東山時代に製作された優秀な蒔絵。時代物。「花は雲ーの山見えて」〈俳・大矢数二〉 **ーもの**【時代物】①「時代蒔絵」に同じ。「朝顔の花の蒔絵もー」〈俳・難波千句〉 ②《「世話物」の対》近世以前の史実・伝説・物語、あるいは近世の武家社会を題材とする浄瑠璃および歌舞伎狂言の総称。また、狭義には王代物・お家物に対して、軍記に取材した作品をいう。「ーは…軍記にもとづき、武将歴代の名を借るなり」〈伝奇作書初上〉 **ーわたり**【時代渡り】「古(こ)渡り」に同じ。「ーの柿地の小釣(こづる)」〈西鶴・永代蔵三〉 **ーをとこ**【時代男】時代後れの頑固な老人。時代親仁(おやぢ)。「この主ーにて、七十余歳まで、風も引かず、薬も飲まず」〈西鶴・男色大鑑五〉

したいがい したいまま。したいほうだい。「したいやう」とも。「どろく者めがーに踏みつける」〈近松・油地獄中〉 →がひ

しだう【祠堂】①神仏・祖先の霊を祭る建物。たまや。「ー。右は檀越の霊祠を崇め、香火廻向を為すの処なり」〈山城泉涌寺文書承久二・三・一〇〉 ②「祠堂金」「祠堂銭」などの略。「常楽〔庵ニ〕ー三百疋これを納む」〈実隆公記大永八・六・一〉 **ーせん**【祠堂銭】祠堂修復などの名目で寺院に喜捨する金銭。祠堂金。祠堂銀。「徳政条条。…一、ーの事…但し祠堂方の帳に載せずは許容せられ難き歟」〈建武式目追加嘉吉一〉

しだうしゃうぐん【四道将軍】崇神天皇の時代に、北陸・東海・西道(山陽)・丹波(山陰)の四方面に派遣されたという四人の将軍。「ー、戎夷(ひな)を平(む)けたる状(さま)を以て奏す」〈紀崇神十一年〉

したうづ【下沓・襪】「したぐつ」の音便形。「あたらしき油単に、ーはいとよくとらへられにけり」〈枕一〇八〉。「襪、シタウヅ」〈名義抄〉

したうま【下馬】①下等な馬。「次第に疵を見出すー」〈俳・七車集〉 ②粗末な衣服。粗服。「お姫さんになる者が、ーでもいかれめへと、これ見ねへ、総模様の人柄向き」〈合巻・正本製初〉 ③質に入れる品物。質草。「ーと盆呉蓙(ござ)合羽籠の跡」〈雑俳・川傍柳三〉

したおび【下帯】①下着をしめる帯。装束の下、小袖の上にしめる帯という。「〔箱ヲ〕ーして結ひて」〈後撰一一〇五詞書〉 ②ふんどし。「さらぬだに寒きに、ーばかりに裸なり」〈盛衰記一八〉

したおもひ【下思ひ】《シタは心の底。オモヒは胸に秘めた感情》心の中にかくして、表に出さない感情。かくしている恋。「人みな知りぬ我がー」〈万三四六八〉 †sitaömöri

したがさね【下襲】束帯の時、袍(うへのきぬ)・半臂(はんぴ)の下に着る衣。背後の裾(きょ)を長くして袍の下に出す。「桜のーいと長うは裾(しり)引きて」〈源氏行幸〉 「裾(きょ)」とも。 **ーのしり**【下襲の尻】下襲の背部の長い裾。「〔関白殿〈〉〕ー長く引き」〈枕二三九〉

したかぜ【下風】物の下を吹く風。「高浜のーさやぐ」〈常陸風土記〉。「桜散る木のーは寒からで」〈拾遺六四〉 ▽常陸風土記の例は、一説に、南西の風かという。

したかた【下形】《シタは前以て行なうこと》①形木(かたぎ)。模型。雛型。「物のー・絵様(図案)などをも御覧じ入れつつ」〈源氏梅枝〉。「模、シタカタ」〈名義抄〉 ②下地。素質。「大将も、さる世の重しとなり給ふべきーなれば」〈源氏若菜下〉 ③前以ての用意。心得作法。「宮にも、物の心知り給ふべきーを聞え知らせ給ふ」〈源氏鈴虫〉

したがたく【した堅く】『副』しんからしっかり。しん底からしっかり。「ほだり(リッパナ酒瓶)取り堅く取らせ、ー彌(や)堅く取らせ」〈記歌謡一〇三〉 ▽一説、シタはシタタカのシタに同じ、ぬかりのない意。

したがひ【下交ひ】着物の前を重ね合わせる時、下(内側)になる方。下前。「したがへ」とも。「唐衣なれにしつまを打ち返し我がー(従ヒト掛ケル)になすよしもがな」〈かげろふ下〉。「嘆き侘び空に乱るる我が魂(たま)を結びとどめよーの褄(つま)」〈源氏葵〉

したが・ひ【従ひ・随ひ】『四段』《下支ひの意》①(強力なものに)屈服する。降伏する。「西より東のかたにゆき臣(したが)はざるを征伐せむ」〈大唐西域記五・長寛点〉 ②相手の意図の通りにする。「『ぬさを奉り給へ』と言ふ。言ふにー・ひてぬさたいまつる」〈土佐二月五日〉 ③(ものごとの成りゆきに)沿ってゆく。「崖に循(したが)ひて行く」〈金光明最勝王経平安初期点〉 ④動かされるままに動く。まかせる。「松島の風にー・ふ波なれば寄る方にこそ立ちまさりけれ」〈かげろふ上〉 ⑤応じる。こたえる。「〔鐘ノ声ガ〕寒暑にー・ひて上り下りあるべき故に」〈徒然二二〇〉 ⑥従事する。「さ

てしもあらねば参りて御前の役に━・ふに」〈問はず語り三〉

したが・へ【従へ・随へ】『下二』《シタガヒの他動詞形》①言いなりにさせる。服従させる。「人を━・へ、事行なふ身となれば、いみじき面目(めいぼく)と思ひけり」〈源氏玉鬘〉②供につれる。率いる。「三千余騎を━・へてたてごもらせ給ひける」〈太平記五・大塔宮〉

したき【下木】下に生えている木。一説、木の下の方の部分。「冬木のす(ノヨウナ)幹(から)が━」〈記歌謡四七〉 †sitaki

した・き『四段』《室町時代末頃には濁音化してシダキとも》踏み折る。踏みつける。「そこはかとなき水の流れどもを踏み━・く駒の足音も」〈源氏橋姫〉。「をの山や野風に━・く刈萱(かるかや)のしどろにのみも乱れ散るかな」〈夫木抄二・刈萱〉

したぎ・え【下消え】㊀『下二』下の方からとけて消える。「━・ゆる雪間の草の」〈後拾遺六三五〉㊁『名』(積雪の)下の方が消えること。「かきくらし降る白雪の━に消えて物思ふころにもあるかな」〈古今五六六〉

したきりすずめ【舌切雀】《昔話の舌切雀から》よく舌の廻らないもののたとえ。「舌切れ雀」とも。「来鳴かぬは━や郭公(ほととぎす)」〈俳・山の井三〉

したく【支度・仕度】《「支」はこまかい意。「度」ははかる意。「仕」は当て字》①明細に見積もること。「一日に食ふ所五百四十九斛(こく)なり。此を以て━するに、一度の運ぶ所、わづかに十一日を支ふ」〈続紀延暦八・六・九〉②《転じて》計画。用意。準備。「石つくりの皇子(みこ)は、心の━ある人にて」〈竹取〉。「━の如く、さをを打立て、縄を付けて籠を結び付けて」〈今昔一六ノ六〉③腹ごしらえ。食事。「朝夕の━、一汁二菜に仕り候やうにと」〈鸚鵡籠中記元禄五年追記〉

したくくり【下括り】《「上(はう)括り」の対》指貫(さしぬき)の裾の緒を足首のあたりでしめること。「げくくり」とも。「布衣(ほうい)に━して」〈太平記二四・天龍寺供養〉

したくさ【下草】①物の下や蔭に生えている草。「春の野の━なびき」〈万三八〇三〉。「大荒木の森の━老いぬれば」〈古今八九二〉②立花で、心(しん)に添える草木。「高く短く、さのみ枯れたる方なく、強き本をばはやく捨て、弱き所には━しげく」〈専応口伝〉③日蔭にいる者。「〔内大臣ハ〕かかる━頼もしくぞ思しなりぬる」〈源氏玉鬘〉

したぐつ【下沓】束帯のときに靴の下にはく足袋(たび)のようなもの。したうづ。「又、服制に…皆漆の冠・綺(かにはた)の帯・白き━・黒革の舄(くつ)」〈続紀大宝一・三・二〉。「襪、之太久豆(しだぐつ)」〈和名抄〉

したくづ・れ【下崩れ】『下二』心が折れる。「人に━・れたると言ひたるに」〈和泉式部集五〉

したぐみ【下組】前もってのかまえ。準備。「さし籠めて、守り戦ふべき━をしたりとも」〈竹取〉

したぐも【下雲】下の方にかかっている雲。「対馬(つしま)の嶺(ね)は━あらなふ(下雲ハナイ)」〈万三五一六東歌〉 †sitagumo

したぐら【下鞍】馬具の一。鞍の下に敷いて馬の背にあてるもの。「実方朝臣、みちの国へ下り侍りけるに、━つかはすとて」〈拾遺三四〇詞書〉。「韉、之太久良(しだぐら)」〈和名抄〉

したぐるま【舌車】「口車」に同じ。「おっと自慢の━、口に廻せど」〈近松・聖徳太子三〉

したこが・れ【下焦れ】㊀『下二』《シタは隠して見せない所》人に隠して恋いこがれる。「置く蚊火の━・れつつ我が恋ふらくは」〈柿本集上〉㊁『名』人に知らせぬ恋。「あしひきの山田守(も)る翁(をぢ)が置く蚊火の━のみわが恋ひ居らく」〈万二六四九〉 †sitakogare

したごこち【下心地】心の底。内心。「━はいとうれしけれど」〈枕八三〉

したごころ【下心】《シタは隠して見せない所》①心の中。「思ひそ焼くる我が━」〈万五〉。「夏冬の衣服(えぶく)等の事を━にかけ」〈正法眼蔵随聞記三〉②心中のひそかな計画。「是ひとへに天下草創のために、彼の山(延暦寺)を頼み給ふべきとの御━なり」〈江源武鑑一三〉③文章や歌の隠された意味。寓意。「心明らか也。━は、十分ならむと思ふまじき教へ也」〈古今集両度聞書〉 †sitagökörö

したごひ【下恋】《シタは隠して見せない所》ひそかな恋。人目を忍ぶ恋。「━に〔私ヲ〕いつかも来むと待たすらむ」〈万三九六二〉 †sitagoFi

したごろも【下衣】下着。「橘の島にし居れば川遠み曝(さら)さず縫ひし我が━」〈万一三一五〉 †sitagörömö

したさく【下作】近世、小作の別称。年貢納入義務者の下で耕作すること。また、その人。「昨日も飛脚〔ガ来タ〕甥が━〔ノ用件デ〕」〈俳・大矢数二〉。「代代相伝の領地は━に宛てて」〈浮・棠大門屋敷一〉

したさんずん【舌三寸】舌の長さ。転じて、弁舌の意。「━のあやつりで五尺の命を失ふこと」〈伽・小栗〉

した・し【親し】『形シク』《「疎し」の対》本来血縁的関係のない人人の間の、近い関係、なじみの感情。主人と乳母・家司・女房の間、縁戚でいえば婿と舅、異腹の兄妹の間柄などについて用いる。類義語ムツマシは、身内の使用人などに広く用いる点でシタシと重なるが、血縁ある間柄や夫婦などの馴れ・甘えの感情をいう点で相違がある》①近い関係・間柄にある。「時を失ひ、世にわび、━・しかりしも、うとくなり」〈古今序〉。「〔夕霧ト薫トハ〕━・しき御中らひながらも」〈源氏早蕨〉。「この君の、いとさしも━・しからぬ継母(ままはは)の御事を、いたく心しめ給へるかな」〈源氏若菜下〉 ▽近いとはいえ直接の血のつながりのない場合にいう。②身近である。「〔命婦ナド〕御湯殿に━・しう仕うまつりて、何事の御気色をも、しるく見奉り知る」〈源氏若紫〉③なじみである。緊密である。「宮司どもの━・しきばかり、うちうなだれて」〈源氏賢木〉。「若し人の心をして密(たし)しからしめむには、馬の蹄(ひづめ)の穿(うが)げなむことを惜しむこと莫れ」〈遊仙窟(醍醐寺本)鎌倉期点〉④《副詞的に用いて》みずから。身をもって。「是の如き一部の経を我れ親(たし)しく仏に従ひたてまつりて聞くをもって即ち我聞とす」〈法華義疏長保点〉 ▽この語は源氏物語以外の女流文学ではほとんど用いず、漢文訓読に例が多いから、平安時代には漢文訓読体の用語と見られていたであろう。

━・み【親しみ】㊀『四段』親しくする。仲よくなじむ。「妻となり男となり、さまざま━・みたばかりて」〈発心集四〉。「うとき人さへ近づき、親しき仲はなほ━・む」〈伽・浜出草紙〉㊁『名』①親しさ。「ともに法乳一味の━あれば、憚りなくもろもろの上善の人とともに、一処に会(あ)する事を得たり」〈父子相迎下本〉②親しい人。「知音(ちいん)、━ともにいさめらるるところに」〈サントスの御作業二ノ二〉

しだ・し【仕出し】《シイダシの約》㊀『四段』①物事を新しくつくりだす。また、やってのける。「何にても━・したる事は一つもなきが」〈三体詩抄二ノ二〉②仕立てる。「当津より異国に、日本舟を━・し侍れば」〈評判・長崎土産一〉㊁『名』①初めてすること。作り出すこと。「近年━のからくり扇」〈俳・大矢数四〉②新工夫。新案。「人の男を取らること此中の━也」〈西鶴・一代男七〉③よそおい。風体。「銘銘の━・顔付」〈西鶴・一代男八〉④注文に応じて、料理を調えて届けること。「下下〔ノ料理〕をば、町中より—に仕れ」〈咄・昨日は今日上〉。〈日葡〉 ⑤料理に用いる煮出し。出し汁。「何の料理に使ふても—がうまい」〈近松・今宮心中上〉 ⑥歌舞伎で、狂言の本筋に関係がなくて、幕間などにちょっと現われる端役。「女郎買ひの—」〈伎・助六〉 **—いしゃう**【仕出衣裳】新趣向をこらした衣裳。「—の物好み」〈西鶴・五人女三〉 **—ぞめ**【仕出染】新工夫の染め方。また、その染め物。「思ひ思ひの—」〈近松・曾我五人兄弟二〉 **—にょうばう**【仕出女房】流行衣裳を着込んだ、おしゃれな女。「仕出女」とも。「今時の—」〈西鶴・俗徒然四〉 **—にんぎゃう**【仕出人形】新工夫のあやつり人形。「おやま甚左衛門が—」〈西鶴・諸艶大鑑七〉 **—べんたう**【仕出弁当】天和・貞享頃始まった、注文によって調理し配達する弁当。「樗(せんだ)の木筋〔ニアル料理屋〕の—」〈西鶴・一代女五〉 **—めし**【仕出飯】注文によって調理配達する食事。「手づからに飯匙(いひがひ)取って—」〈俳・大坂一日独吟千句〉

したじた【下下】いやしい者ども。しもじも。「—は、主人の好き好む事をまなぶものぢゃ」〈天草本金句集〉

したすだれ【下簾】牛車の前後の簾の内側に懸けて垂らす絹布。その端を簾の下から外に出す。「車の—より女の顔のほのかに見えければ」〈古今四七六詞書〉。「簾うちあげ、—ひきあげて乗せ給ふ」〈枕二七八〉

したぞめ【下染め】本染めの前に、その用意として染めること。「耳梨の山のくちなし得てしがな思ひの色〔緋ノ色ト掛ケル〕の—にせむ」〈古今一〇二六〉

したたか ㊀『名』《シタタメと同根》①手ぬかりが無いさま。手堅いさま。「君だちの御ため、はかばかしく—なる御後見、何にかはせさせ給はむ」〈源氏帚木〉。「訴(うれ)への所は…この人の領にてあるべきよし仰せ下されにければ、もとよりもいと—に領じ給ふ」〈大鏡師尹〉 ②きっちりと固いこと。「帯いと—に結ひ果てて」〈枕六三〉 ③〔性質・身体が〕がっちりして強いこと。「宗長はもとより—なる人にて〔皆ハ逃ゲテモ〕法皇に少しも離れ奉らざりけり」〈延慶本平家八・木曾法住寺殿〉。「身も—に、心も剛(かう)に」〈保元中・白河殿へ義朝夜討ち〉。「健、シタタカ」〈文明本節用集〉 ④手応えあるように十分であること。「大の鞭(むち)をぬきいだし、信頼の弓手(ゆんで)の頬先を—にこそ打たれけれ」〈平治中・義朝敗北〉 ㊁『副』ひどく。十二分に。「『気分は何と』と問ふに病者の云ふは『今朝より—震(ふる)ひ付いた』」〈天草本伊曾保〉 **—もの**【したたか者】しっかりしたぬかりのない者。剛の者。「大の男の—なり」〈保元中・白河殿へ義朝夜討ち〉

したたに『副』《シタシタ(下下)ニの約か》しのびしのびに。ひそかに。「—も寄り寝て通れ」〈記歌謡八四〉

したたま・り『四段』《シタタメの自動詞形》①すっかり始末がつく。すっかりおさまる。「この殿御うしろ見もし給はば、天下のまつりごとは—・りなむ」〈大鏡道隆〉 ②すっかり仕上がる。「右の楽は今日—・りぬ。秘曲をばみな伝へ教へ候ひをはんぬ」〈著聞二七一〉

しただみ【小螺・細螺】小さい巻貝類の総称。「伊勢の海の大石(おひし)に這ひもとほろふ—の」〈記歌謡一三〉 †sita-dami

しただ・み【舌訛み】『上二』《ダミはタミ(廻)と同じ》物言いになまりがある。「東国(あづま)にて養はれたる人の子は—・みてこそ物は言ひけれ」〈拾遺四一三〉

したた・め ㊀『下二』《シタタカと同根》①ぬかりなく準備・用意する。「日暮れぬと急ぎ立ちて、御燈のことども—・めはてて」〈源氏玉鬘〉。「女なりともなほ寝所は—・めてあるべきなり。そぞろに臥したりしかばかく質にも取られたるなり」〈今昔二九ノ八〉 ②すっかり後始末する。片づける。「むつかしき反古など破りて、おどろおどろしく一たびにも—・めず、燈台の火に焼き、水に投げ入れさせなど、やうやう失ふ」〈源氏浮舟〉 ③しっかり取り締まる。「何方(いづかた)にも、若き者ども酔ひすぎ、立ち騒ぎたるほどのことは、え—・めあへず」〈源氏葵〉。「延喜(醍醐天皇)の、世間の作法〔ヲ〕、—・めさせ給ひしかど、過差(華美)をばえしづめさせ給はざりしに、この殿、制を破りたる」〈大鏡時平〉 ④身ごしらえなどを十分に整える。「武具を—・めて、あらけなき姿にて」〈三体詩抄一ノ三〉 ⑤食べる。「酒に望みをなす人もあり、飯(はん)を—・めんとする人もあり」〈義経記五〉 ⑥書く。「一札を—・めすまして」〈バレト写本〉 ㊁『名』①準備。「今宵しもあらじと思ひつる事ども(葬儀)の—、いと程なくきはぎはしきを〔テキパキススムノヲ〕」〈源氏夕霧〉 ②始末。「のちの—(死穢ノ祓)などもいとはかなくして」〈源氏蜻蛉〉 ③食事。「景澄つねに—しけるに…あへて人に見せざりしかば」〈古活字本平治下・悪源太誅せらる〉

したた・り【滴り】㊀『四段』《近世中期ごろまでシタダリと濁音。シタはシタミ(湑)のシタと同根》しずくとなって落ちる。「その矛(ほこ)の末(さき)より—・り落つる塩、かさなり積もりて島と成りき」〈記神代〉。「海は苔の露より—・りて、波濤をたたむ万水たり」〈謡・山姥〉 ㊁『名』しずく。「矛の—、凝り固まりて、一つの島と成れり」〈諸神本懐集本〉

したたる・し【舌たるし】『形ク』①言語・動作が甘えている。しぐさがしつこくべたべたしている。「—・き物、相惚れの目元」〈仮・犬枕〉。「—・さうな物の言ひやう」〈俳・新続犬筑波三〉 ②べたべたと汚れ、垢じみている。べたついている。「—・き物。…露に汚れたる着物」〈仮・犬枕〉。「〔塩〕鯖よりも—・しとやおぼすらん」〈俳・油糟〉

したち【下道】木の下の道。したみち。「遠つ人松の—ゆ登らして国見あそばし」〈万三三二四〉

したぢ【下地】①中世、知行の対象となった土地そのもの。その土地から上がる年貢所当とは区別して用いる。「所当並びに—に於ては、本所の進退たるべき也」〈石清水文書一、弘安一・三・八〉 ②基礎。もと。素地。「これらを—として仏法に入るべし」〈雑談集五〉 ③本来の性質。素質。「—静かなる物は、わざと荒き事あれども、根本静かなる故に、ややもすれば静かなり」〈至道要抄〉 ④しんそこ。底心(そこしん)。「我と心に知りそめて、恋をば人に習ひたき最中。ただし—有るも知らぬが」〈西鶴・男色大鑑六〉 ⑤出し汁。後に、醤油。「—をかへらかして、扨菊の葉を入れて」〈四条流庖丁書〉 **—こ**【下地子】歌舞伎役者または芸妓となるために修業中の少年少女。下地っ子。下地。「—の布子、下女が割りし刺身皿まで、みな大尽の迷惑となって」〈西鶴・椀久二世上〉 **—は好きなり御意は好し** もともと好んでいる所へ、しかもそばからすすめられる好機会の意。「—、〔美男ヲ見ヨウト〕我も我もと引きのけ突きのけ」〈浄・十二段三〉 **—まど**【下地窓・助枝窓】壁下地の一部をそのまま利用したような窓。丸竹・萩(はぎ)・葭(よし)などを縦横に取り付け、藤蔓をからめて格子枠を作ったもの。「手ぎはにもしたる数寄屋の—」〈俳・犬子集一四〉

したづかさ【下司】下役(したやく)。下僚(かりょう)。「尚侍の—、典侍也。典侍の下、掌侍也」〈古今私秘聞〉

したつき【舌つき】舌足らずで物言いの正しくないこと。「声(こわ)づかひの、さすがに—にて」〈源氏槿〉。「譂、シタツキ」〈名義抄〉

したづくえ【下机】箱などをのせる台にする机。「沈(ぢん)の箱に浅香(せんかう)の—」〈源氏絵合〉

したつくに【下つ国】《「上(はう)つ国」の対》地下にある国。死者の国。よみのくに。「吾は—を知らさむ(治メヨウ)」〈祝詞鎮火祭〉

したつづみ【舌鼓】食物を賞味して舌を鳴らすこと。芸能などに感嘆するのにもいう。「—をや打ち鳴らすらん」〈俳・守武千句〉。「すべて女郎の意気地丸裸にして〔演ジ〕、したりやしたり—打って、どうも云へぬと桟敷も下も動くばかり、あっと感じて」〈評判・役者万年暦京〉。〈日葡〉

したつゆ【下露】草木の下葉にやどる露。「—になびかましかば女郎花あらき風には萎れざらまし」〈源氏野分〉。「ほろほろと落つる木木の—」〈新撰菟玖波集五〉

したて【下手】《「上手(うはて)」の対。シタデとも》①下の方。低い方。下位。「心をば上手になし、行業を—になすべきなり」〈一言芳談〉②川の下流。「強き馬をば上手に立てよ、弱き馬をば—になせ」〈平家四・橋合戦〉③比較して劣ること。また、その人。「『それもかたみの有明の月』に並べば—にやなり侍らん」〈千五百番歌合一八〉。「我より上手(うはて)の前にても…—に会ふとも」〈長短抄下〉④相撲などで、組んだ手が相手の腕の下になること。また、その手。「相撲などの時、—になる者はおほかた負くるぞ」〈碧岩抄五〉

した・て【為立て・仕立て】㊀〖下二〗《シは為(し)。タテは立派に目立つようにする意》①教え仕込んで、一人前にそだてあげる。「いかにして人笑へならず—・て奉らむ」〈源氏東屋〉。「弟子持ちて—・てたがらんよりは、仏果に至るまで我が心をぞ—・つべき」〈明恵遺訓〉②ととのえる。用意する。「惟光召して、み帳・御屏風などあたりあたり—・てさせ給ふ」〈源氏若紫〉。「ただ一つ持たせ給へる御里を売りて—・てさせ給へる御装束を持ちて」〈盛衰記三五〉。「急ぎ僧膳—・て、御堂へ送りけり」〈義経記七〉③作りあげる。仕上げる。「恋の心にて—・てたる歌にて候間」〈長六文〉④衣類を裁ち縫う。「あの春服は天上の玉女などが—・てて参らせたものぞ」〈三体詩抄一ノ三〉⑤味をととのえて食物を作る。料理する。「料理〔人〕は魚の類・精進ともに味ひ—・つる者ぞ」〈庭訓抄下〉㊁〖名〗①服装などをととのえること。扮装。「—見苦しければ、更に見所なし」〈風姿花伝〉。「御忍びにて御被(かづ)きの—にて、御女房衆にうちまぎれられ御見物なされ候」〈立入左京亮入道隆佐記〉②作りあげること。仕上げ。「一句の—がわろくては、いかに付けたりとも点はあるまじき也」〈筆のすさび〉③一部始終。始末。「哀れなる—是非なき次第なり」〈信長公記三〉④食物を作りあげること。また、料理。「多き物、人に—する人の、惣の心に適ふやうに、雑餉(ざつしやう)するが如し」〈反古裏の書一〉。「—、平折敷に、鮭〔ノ〕刺身、狸汁」〈宗達他会記永祿三・一・三〉 **—がほ**オガ【仕立て顔】「〔贈物ノ包装ガ〕事いかにも人目につくようにした様子。「〔贈物ノ包装ガ〕事事しく—ならむも、なかなか覚えなく見咎むる人やあらむ」〈源氏宿木〉 **—ぎは**ワギ【仕立て際】縫った衣服の出来ばえ。裁縫の手際。「長崎の遊女、糸針に堪(た)へ也。…くめ・—、なかなか人の妻女も及び難く」〈色道大鏡一五〉

した・で【滴で】〖下二〗したたらせる。「川の向うの流れ州に、鎧の水—・でてぞ立ったりける」〈太平記八・三月十二日〉。「血を—・で、ししむらをけづり」〈サントスの御作業二ノ一六〉

したてだい【下手代】丁稚(でっち)から手代になったばかりの者。「昨日今日前髪取って—」〈近松・今宮心中上〉

したで・り【下照り】〖四段〗下に照る。一説、シタはシタヒと同根で、赤く照る。「春の苑(その)紅にほふ桃の花—・る道に出で立つをとめ」〈万四一三九〉

したど【舌疾】物言いの速いこと。早口。「『…』など宣ふけはひの、—にあはつけきを」〈源氏賢木〉

したど・し【舌疾し】〖形ク〗物言いが速い。早口である。「舌の本性にこそは侍らめ。…いかでこのしたどさ止(や)め侍らむ」〈源氏常夏〉

したどの【下殿】社殿の床下に設けられた祭場。非人などがこもって祈願する所。「—にさぶらふもろもろのかたはうどに交はって、一千日が間朝夕みやづかひ申さむ」〈平家一・願立〉

したどひイドﾞ【下問ひ】人に知られぬように、ひそかに妻問いすること。「—に我が訪ふ妹(いも)を」〈記歌謡七八〉 †sita-döFi

したとよ・み【下動み】〖四段〗大地が鳴動する。「—・み地震(なゐ)が揺(よ)り来ば」〈紀歌謡九一〉 †sitatöyömi

したない【下内】下交渉。下話。内内の話し合い。「百姓立ち合ひ、—検見(けんみ)仕り候」〈宗静日記万治三・九・二九〉

したなが【舌長】①べらべらしゃべること。おしゃべり。「長舌〔ヲ〕こころ(日本)にも—な云ひ言と云ふぞ」〈玉塵抄二〇〉。「言葉多き者を—と云ふ」〈漢語大和故事一〉②身の程をわきまえず、言い過ぎること。過言。「人間(じんかん)=俗世間)の者は—に人の是非を云ふぞ」〈玉塵抄二〇〉

したなが・し【舌長し】〖形ク〗過言だ。広言だ。「君がとは—・い事御代の春」〈俳・俳諧三部抄上〉

したなき【下泣き】《シタは隠して見せない意》忍び泣き。「軽のをとめの甚(たい)泣かば人知りぬべし、波佐の山の鳩の—に泣く」〈記歌謡八三〉 †sitanaki

したなき【舌泣き】舌打ち。「殿上人ども皆—をして」〈今昔二八ノ二一〉

したぬき【下貫き・下抜き】人をだまして私利を計ること。「知音(ちいん=ナジミ客)を恐ろしき—乗せ事(ペテン)に逢はする」〈評判・吉原雀下〉

したね【下根】下方の根。多く蘆(あし)にいう。「沢辺の蘆の—とけ」〈後拾遺九〉

したのはかま【下の袴】《「上の袴」の対》指貫(さしぬき)などの下にはく袴。「うへの袴、—もなし」〈宇津保祭使〉。「褌、シタノハカマ」〈名義抄〉

したば【下葉】下の方の葉。和歌では多く、色づく秋草にいう。「萩の—はもみちあへむかも」〈万四二九六〉

したは・しワシタシ【慕はし】〖形シク〗《シタヒ(慕)の形容詞化》深い関心や愛着の念をいだいて、そのあとを追って行きたいような気持である。「『あまりに—・しく覚ゆるに、しばしばし』と宣ひて」〈平家二・大納言死去〉。「何事も、古き世のみぞ—・しき」〈徒然二三〉

したば・へエ：バ【下延へ】㊀〖下二〗《シタは人に隠した心、ハへは延び広がらせる意》①人しれず思いをいだく。「さ百合花後(ゆり)もあはむと—・ふる心し無くは今日も経めやも」〈万四一一五〉②こっそり知らせる。「黄泉(よみ)に待たむと、隠沼(こもりぬ)の—・へ置きて」〈万一八〇九〉㊁〖名〗人に知られず、心の中に広がっている思い。「足柄の御坂畏(かしこ)み曇夜の吾が—を言出(こち)つるかも」〈万三三七一相模東歌〉 †sitabaFë

したばや【舌早】早口。舌疾(したど)。口早。「—に陀羅尼を誦して」〈三体詩絶句抄三〉

したはら【下腹】 **—に毛の無・い** 《老狼の下腹に毛が無いということから》長年経験を積んで悪賢い者をいう。「下腹はげた」とも。「—・き、何処やらに毛の多き古虫なゆゑ」〈評判・山茶やぶれ笠〉

したばり【下張り】 下地に張ること。また、そのもの。「半屛風—三重、清幸・松本両人これを張る」〈教言卿記応永一三・九・二三〉

した・ひ ㊀『四段』赤く色づく。「秋山の—・へる妹(いも)」〈万二一七〉▽ヒは上代ではFiの音で四段活用。シタビと訓んで上二段活用とするのは誤り。㊁『名』木の葉の赤く色づくこと。「秋山の—壮夫(をとこ)」〈記応神〉†sitaFi

—やま【したひ山】 秋の、色づいた山。「—下ゆく水の上に出でず」〈万一七九二〉▽地名の下樋山とする説もあるが、「樋」はFiの音で別語。

した・ひ(イシタ)**【慕ひ】**『四段』《シタ(下)オヒ(追)の約か。人に隠した心の中で、ある人・物を追う意》①関心・愛着を持ってあとを追う。「筑紫の国に泣く子なす(ノヨウニ)—・ひ来まして」〈万七九四〉。「不思議に思ひて、そのあとを—・ひ見送りければ」〈宝物集下〉②愛惜する。「花の散り、月のかたぶくを—・ふ習ひはさることなれど」〈徒然一三七〉③恋慕する。「〔難題ノ歌ヲ〕この男いかにして詠むべしとも覚えざれども、〔女ヲ〕—・ふあまりに受け取りぬ」〈三国伝記三〉④退いてゆく敵のあとを追いかけて攻める。追撃する。「我が城へ敵取り懸けば日を暮らせ退かん所を—・はんがため」〈義経百首〉⑤従い学ぶ。師事する。「有職の道者(みちしや)＝専門家)に—・ひ」〈西鶴・織留一〉†sitaFi

したび【下樋】 ①土中に埋め、水を通す管。「山田を作り、山高み—を走(わ)しせ」〈記歌謡七八〉②琴の胴のうつろなところ。「琴とれば嘆き先立つけだしくも琴の—に妻やこもれる」〈万一一二九〉†sitabi

したひも【下紐】《万葉集ではシタビモと濁音》下裳(したも)などのひも。「吾妹子し吾を偲(しの)ふらし草枕旅の丸寝に—解けぬ」〈万三一四五〉。「—は人の恋ふるに解くなれば」〈千載七八五〉†sitabimo

—の【下紐の】〔枕詞〕同音で「下ゆ」にかかる。「物思ふと人には見えじ—下ゆ(心ノウチデ)恋ふるに月そ経にける」〈万三七〇八〉

したぶり【舌振り】 ①物の言い方。「『…』と申し給ふ—、いと物さはやかなり」〈源氏行幸〉②怖れ驚いて舌をふるわせること。「人人これを聞き、身の毛もよだつばかりにて、目と目をきっと見合はせて、—をしてゐたりけるが」〈伽・扇合物語〉。〈日葡〉

したへ【下方・黄泉】《地下の意》あの世。「若ければ道行き知らじ幣(まひ＝贈物)はせむ—の使負ひて通らせ」〈万九〇五〉†sitaFe

したま・ち【下待ち】『四段』心待ちにする。ひそかに待つ。「『帰りや出で給ふ』と—・つなりけり」〈源氏末摘花〉

したみ【籭】 底が四角で上の方が丸い笊(ざる)。「女の持(も)たる—には何の入りたるぞ」〈今昔三一ノ三一〉。〈和名抄〉

したみ【下身】《「上身(うはみ)」の対》俎(まないた)の上などに置いた魚の下側になった部分。「二の刀にて上身をおろし、おろしもあへずしっと返し、—をおろし」〈天理本狂言六義・鱸庖丁〉

した・み【湑み・釃み】 ㊀『四段』《シタはシタダリ(垂)のシタと同根》①しずくをしたたらす。特に、酒などを漉(こ)したり、一滴も残さずしぼり出したりするのをいう。「魚類(いろくづ)をのがらかさでも—・む持ち網」〈山家集下〉。「酒を—・みて手向く」〈諸神本懐集本〉。「釃、サケシタム」〈名義抄〉②(しずくのたれるほど)水などを布類などにしみこませる。「着る物にて〔コボレタ酒ヲ〕残らず—・み、かいやり捨てける」〈西鶴・一代男六〉㊁『名』《「湑み酒」の略》枡(ます)などから、したたり溜った酒。「此の一木の陰にて呑み懸け、〔絶エ〕間も無き—露より軽き事なれども」〈西鶴・二十不孝一〉

したみせ【下見世】 近世、商家の店構えで、表の蔀戸(しとみ)の下半分。昼は下ろして見世床にし、夜は上げて戸とする。「荻の上萩の—風吹きて」〈俳・生玉万句〉

したみづ【下水】 物の陰や下を流れる水。「雪の—岩たたくなり」〈千載三〉

したため【下目】 ①下を見るように伏せた目。「姫君、ほうゐみ給ひて—見たまひける御目のうちのけだかさ」〈伽・しぐれ〉。「主人の御前に祗候の時は、御顔を—に掛けて見申すもの也。打ち上げて見申さぬ也」〈人唐記〉②人を見下げて見る目。軽蔑の目。「いかなる手書きの周越をも奴視して、我より—に見るぞ」〈四河入海三ノ一〉。「上を学ぶ下(しも)にて、下下(じたじた)までうらめしく—にかけられしが」〈伽・七夕之本地〉③見下げて見る対象。目下(めした)。「吾よりも—なる人にも問ひ明かす事を恥ぢぬ人ぢゃほどに」〈論語抄公冶長〉

したも【下裳】《「上裳(うはも)」の対》上裳の下に着る裳。腰巻。「うはもの裾ぬれ、—の裾ぬれ、朝菜摘み、夕菜摘み」〈催馬楽我が門に〉。「紅の褌(したも)」〈遊仙窟(醍醐寺本)鎌倉期点〉

したも・え【下萌え】 ㊀『下二』人目につかず芽ばえる。「かげろふの〔ヨウニ〕—・え渡る春の早蕨(さわらび)」〈続後拾遺五八〉㊁『名』人目につかず芽ぶくこと。「尋ねても雪のふる葉の—はあるにもあらぬ若菜をぞ摘む」〈草根集一上〉。「—の草葉にかかる春の雨」〈連歌愚句〉

したも・え【下燃え】 ㊀『下二』心中ひそかに思いを燃やす。「—・ゆる嘆きをだにも知らせばや」〈栄花根合〉㊁『名』ひそかに思い焦がれること。「いつまで我が身—をせむ」〈古今五〇〇〉

したもひ(イ⋮モ)**【下思ひ】**《シタオモヒの約》心の中にかくして、表に出さない感情。人知れぬ恋。「—に嘆かふ我がせ」〈万三九七三〉†sitamöFi

したもみぢ【下紅葉】 下葉(したば)の紅葉。また、高い樹の下陰にある紅葉。「松の—など音にのみも秋を聞かぬがほなり」〈源氏若菜下〉

したや【下屋】 ①縁の下。「〔能〕舞台の—からも、〔白鳥ガ〕数数出入り仕り候」〈沢庵書簡寛永一三・九〉②吹きぬきづくりの一階。納屋などに使う。「—へ廻って探り寄り、闇にも光るだんびらを抜いて突込む二階の板」〈浄・矢口渡五〉

したやしき【下屋敷】「しもやしき」に同じ。「お—〔に〕行きて」〈西鶴・桜陰比事五〉

したやど【下宿】 ①長期の宿泊。また、その宿。「女形の元祖大吉彌が—なるが」〈西鶴・男色大鑑六〉②本陣以外の下等な宿屋。また、そこに泊る客。「これの内(コノ家)はいかなこと、—さへ泊りが無い」〈近松・丹波与作中〉③近世、大阪の東・西町奉行所前にあった下等な宿屋。公事宿(くじやど)に泊れない貧しい訴訟当事者が利用した。「『両方共に罷り立て』と〔奉行〕仰せ出だされければ、皆皆頭を下げ、—に帰りぬ」〈浮・御前義経記六〉

したゆ【下ゆ】『連語』《ユは、…からの意》ひそかな心をもって。人に知られず。「下紐(したひも)の—恋ふるに」〈万三七〇八〉

したよみ【下詠み】 歌会その他に備えて、あらかじめ歌を詠んでおくこと。「ここもとの若い衆の…歌の—をいたされてござる程に、それを教へまらせう」〈虎明本狂言・萩大名〉

しだら 手をたたくこと。手拍子。また、それをする人。「—打てと、父(てて)が宣(の)たへば、打ちはんべり」〈皇太神宮年中行事〉。「荒田開きて—打てと神は宣まふ」〈百錬抄〉

しだら 始末。具合。有様。ていたらく。多く悪い意に使う。

「又候哉(またぞろや)、此の―、我とても其の咎(とが)は遁れず」〈安宅一乱記五〉 **―な・し**『形ク』節度がない。だらしがない。〈嬉遊笑覧五〉

しだらか なよなよとしてしなやかなこと。「玉の体、逶迤(しだら)かにして」〈遊仙窟(真福寺本)鎌倉期点〉。「右歌は、―に、まことに歌めきたり」〈承徳元年東塔東谷歌合〉

じだらく【自堕落】 心がたるんで、する事がだらしないさま。「着物(きるもの)も―に帯ゆるく、化粧も目だつほどして」〈西鶴・一代男五〉。「ジダラクナモノ」〈日葡〉

しだらでん 大風雨。大風大雨。「五月雨や山鳥の尾の―」〈俳・犬子集三〉。「大風雨を謂ひて―と為す。これ震動雷電(しだらでん)の転音也」〈本朝神社考五〉

したり『感』《動詞シ(為)に完了の助動詞タリのついたもの》うまくやった。でかした。「ああ―と思ひ、にこと笑ひて」〈遠近草中〉 **―がほ【したり顔】**(ガオ) うまくやってのけたという表情。得意顔。「僧ども―に汗おしのごひつつ」〈源氏葵〉

しだ・り【垂り】『四段』《シデ(垂)の自動詞形》細かい枝状に分れて、長く下方に下がる。長く垂れ下がる。「垂、此をば之娜屢(しだる)といふ」〈紀孝徳、大化一年〉。「柳もいたう―・りて」〈源氏蓬生〉 **―ざくら【垂り桜】** 枝の長く垂れた桜。「あすも来ん―の枝ほそみ柳の糸にむすぼほれけり」〈散木奇歌集春〉 **―やなぎ【垂り柳】** 枝の垂れている柳。「梅の花―に折りまじへ」〈万一九〇四〉。「柳、一名小楊、之太里夜奈木(しだりやなぎ)」〈和名抄〉 **―を【垂り尾】** 線状に長く垂れ下がっている尾。「あしひきの山鳥の尾の―の」〈万二八〇二〉

したる・し『形ク』①じめじめしている。しめっぽい。「しづの女も大路井筒に夕涼み―・き麻の衣すぎて」〈夫木抄一八・言語〉 ②ぐずぐずしている。のろのろしている。「かやうの後は―・き者は捨つるものぞ」〈別所長治記〉 ③甘ったるい。したたるい。「さても―・き人の心や」〈俳・塵塚誹諧集下〉

したわらび【下蕨】 ものの下蔭に生えたワラビ。「この―は、手づから摘みつる」〈枕九九〉

したゑ【下絵】 その上に歌や詩文を書くために、前以て紙・絹などに描いた絵。「〔扇ノ〕―ほのかにをかしきほどなるに、表のかたには楽府をうるはしく真にかき、裏には御筆とどめて草にめでたくかきて」〈大鏡伊尹〉

したゑま・し【下笑まし】『形シク』《シタは人に隠した心》心ひそかににこにこしたくなる。「明石潟潮干の道を明日よりは―・しけむ家近づけば」〈万九四一〉

したゑ・み【下笑み】『四段』《シタは人に隠した心》心の中で嬉しく思う。「歛咲(したゑ)めるものから」〈遊仙窟(真福寺本)鎌倉期点〉

したを【下夫・前夫】《「後夫(うはを)」の対》前の夫。先夫。「前夫、シタヲ、一云モトノヲトコ」〈名義抄〉

したを【下尾】 尾の先の部分の称。「栗毛なる馬の―白い〔馬〕に乗りかへて」〈平家八・法住寺合戦〉

したを『接続』ところが。しかるに。「狼(おほかめ)はある茂りに入った。―そのほとりに居やうたパストル(牧人)、この狼の隠れた所をよう見たによって」〈天草本伊曾保〉

したをぎ【下荻】 物の下蔭の荻。また、荻の下葉ともいう。「―のなかばは霜にむすぼほれつつ」〈源氏夕顔〉 ▽歌で、「下招(を)ぎ(心待チ)」の意と掛けていうことがある。

したを・れ【下折れ】 ㊀『下二』草木の下枝が折れる。「草葉の上を吹く風に先づ―・るる野辺のかるかや」〈千載三四二〉 ㊁『名』草木の折れた下枝。「いとかじけたる―の、霜も落さずもて参れる」〈源氏藤袴〉

したん【紫檀】 南方原産のマメ科の喬木。心材は暗赤色で堅く、磨くと紋が美しい。器具用の貴重品。「御かざしの台には、沈(ぢん)・―を作り」〈源氏若菜上〉。「小刀〔ハ〕―を以て柄と為す」〈権記寛弘八・五・一六〉

しだん【師檀】 師僧と檀那(施主、信徒)と。師弟。「この人かの律師と年来―の契り深くして」〈今昔一四ノ一〉。〈文明本節用集〉

しち【質】 ①借金の抵当として、また契約などの保証として預けておくもの。「豊富の百姓、銭財を出挙(すいこ)し、貧乏の民、宅地を―と為す」〈続紀延暦二・一二・六〉。「もし金たまはぬものならば、かの衣の―返したべ」〈竹取〉 ②人質。「其の妹を―に取りて、刀をさしあてて」〈今昔三一ノ二四〉
―八を置・く《「質」を七に掛けて八を続けた語》質に入れる。「―・きて朝夕過ごすとも彌陀を頼むを長者とは言ふ」〈後撰夷曲集一〇〉

しち【四知】《後漢書、楊震伝に見える「天知る地知る我知る子知る」の故事を指す》他人の目のとどかない所で行動しても、必ず知る者があるの意。「政に莅(のぞ)まば、―に跨(こ)えて誉を馳せ」〈三教指帰上〉

しぢ【榻】 牛車(ぎっしゃ)の道具の一。牛を取り放した時に、轅(ながえ)の軛(くびき)をもたせかける台。牛車の乗り降りの踏み台ともした。漆を塗り、金具をつけてある。金具は身分によって異なった。「―なども皆押し折られて」〈源氏葵〉

じち【実】《呉音》①《「虚」の対》実際の物事。事実。真実。「聞きにくく―ならぬ事をもくねり言ひ」〈源氏東屋〉。「御子の右大臣不比等のおとど、―は天智天皇の御子なり」〈大鏡藤氏物語〉 ②《「華」の対》内容が充実していること。「〔スグレタ筆跡ハ〕うはべの筆消えて見ゆれど、いま一度取り並べて見れば、なほ―になむ依りける」〈源氏帚木〉

しぢう(ジュウ)**【四重】**〔仏〕四種の重罪。すなわち、邪淫戒・盗戒・殺人戒・大妄語戒を犯す罪。四重禁。「五逆―の辜(つみ)を動かし、三悪八難の苦を免れん」〈本朝文粋一三〉

じちう(ジチュウ)**【侍中】** 蔵人(くらうど)の唐名。「同じき十七日五位の―に補(ふ)せられて、左少弁に成りかへり給ふ」〈平家三・行隆沙汰〉

しちえう(シチヨウ)**【七曜】** 中国の天文説で、日月と、木星・火星・土星・金星・水星の五星の総称。「陰陽医術及び―頒暦等の類は国家の要道」〈続紀天平二・三・二七〉

しちかく【七覚】〔仏〕涅槃に到達する修行道の一科。択法(ちゃくほう)覚(智慧を以て法の真偽を択ぶ)・精進覚(勇猛の心を以て真法を行なう)・喜覚(心に善法を得て歓喜を生ずる)・軽安(きょうあん)覚(心を軽利安適にする)・念覚(定慧を忘れず、これを均等ならしめる)・定覚(心を散乱させない)・捨覚(一切の誤りや法を捨て、平らかな心を持つ)の七つの総称。「菩提樹の下、―の華彌(いよいよ)鮮(あざやか)ならん」〈本朝文粋一四〉。「行ずる事の七歩(しちぶ)なる事は―の心を表はす」〈今昔一ノ二〉

しちく【糸竹】《「糸」は琴・琵琶などの絃楽器、「竹」は笙・笛などの管楽器》管絃。音楽。いとたけ。「伶人を召すに依りて座に着き、―の興有り」〈小右記寛仁一・一二・四〉

しちく【紫竹】 真竹の一種。生えて二年目から黒紫色になる。舜の死を悲しんだ二人の妃の涙によって染まったものという伝説がある。材は杖・家具などに使う。「植ゑおきて侍る―を見るにも、湘浦の昔思ひやられて。紫の深き色にや変りけん涙に染めし窓の呉竹」〈権中納言実材卿母集上〉。「―の鞭(ぶち)を手に持ちて歩め歩めと責めければ」〈伽・小夜姫草子〉。〈文明本節用集〉

しちけん【七賢】 竹林の七賢。昔、中国で俗塵を避け竹林に集まり、酒を飲み清談を交わしたという七人の隠者。稽康(けいこう)・阮籍(げんせき)・阮咸(げんかん)・山濤(さんとう)・劉伶(りゅうれい)・王戎(おうじゅう)・向秀(しょうしゅう)。「晋(しん)の―、漢の四皓(しこう)が住みけん商山・竹林のありさま」〈平家一〇・横笛〉

しちしち【七七】「七七日」の略。「初七より―に至るまで、四大寺に於て斎を設く」〈続紀慶雲四・六・一六〉 **―にち【七七日】** 人の死後、初七日から四十九日まで、七日目ごとの仏事。また、死後四十九日目に当る日。なななぬか。「その後―に至るまで滅後の事を営みて、四十九日畢りて」〈今昔一三ノ二三〉→しじふくにち

しちじふごにち【七十五日】 ①初物を食べると長生きをするという日数。「〔初物ヲ食ベテ〕神に祈る―露の命」〈俳・天満千句〉②この間は、人の噂が消えないという日数。「―と申すには、世の取沙汰も止むと言へど」〈評判・難波の顔三〉

しちしゃ【七社】「山王(さんわう)七社」に同じ。「―の神輿を根本中堂にふりあげ奉り」〈平家一・願立〉

しちしゃう【七生】〔仏〕この世に七度生れ変ること。「―までただ同じ人間に生れて」〈太平記一六・正成兄弟〉

しちしゃう【七星】 北斗七星。「四三(しさう)の星」とも。「霊亀を献ず。…背に―を負ひ、前の脚に並びに離の卦あり」〈続紀霊亀一・八・二八〉

しちじゃう【七情】 七種の感情。儒教では、喜・怒・哀・懼(おそれ)・愛・悪(にくしみ)・欲。また、仏教では、「懼」の代りに「楽」を数えていう。一説、喜・怒・憂・思・悲・恐・驚。「情は―、喜・怒・哀・懼(く)・愛・悪(を)・欲これなり」〈性理字義抄二〉。「大人しき者の病も―より起るとなり」〈盲安杖〉

しちしゅつ【七出】 令制で、妻を離別できる七つの条件。子無きと、淫佚と、舅姑に事(つか)へざると、口舌と、盗窃と、妬忌と、悪疾とをいう。「―無くてたやすく〔妻ヲ〕棄つる者は、徒(ヅ=徒刑)一年半ならむ」〈万四一〇六序〉

しちそう【七僧】 法会(ほふゑ)の際に重要な七つの僧職。講師(こうじ)・読師(どくし)・呪願師(じゅがんし)・三礼師(さんらいし)・唄師(ばいし)・散花師(さんげし)・堂達(どうたつ)の称。「―の法服などしなじな賜はす」〈源氏御法〉

しちだいじ【七大寺】 奈良における七つの大寺の総称。東大寺・興福寺・元興寺・大安寺・薬師寺・西大寺・法隆寺をいう。「太上天皇の初七、―に於て誦経せしむ」〈続紀天平勝宝八・五・八〉。「大番衆の大名げなるが、―詣でしける」〈雑談集五〉

しちだう【七堂】「七堂伽藍」の略。「―の門…悉く開門し畢んぬ」〈建内記文安四・八・二〉 **―がらん【七堂伽藍】** 寺院の規模の典型にかなって具備した七種の堂宇。普通は金堂・講堂・塔・鐘楼・経蔵・僧坊・食堂をいう。七堂。「―供養に勝れり」〈仮・催情記序〉。「奈良の京や―八重桜」〈俳・大井川集上〉。〈日葡〉

しちだう【七道】 畿内(きない)を除いた全国を、東海道・東山道・北陸道・山陰道・山陽道・南海道・西海道の七つに分けたものの総称。「近くは畿内、遠くは―に至るまで」〈保元上・将軍塚鳴動〉→五畿七道

しちぢうほうじゅ【七重宝樹】 極楽浄土にある宝の木。「目を見あけたるに、地は紺瑠璃(こんるり)となり、木は―となりて」〈十訓抄一ノ七〉

しちでう【七条】《「条」の字義は小枝。転じて、すじみち、また、箇条の意》①七箇条。「また―の事を制す」〈続紀慶雲三・二・一六〉②平城京・平安京を東西に通ずる大路の一。「本居を改め、左京―二坊に貫付す」〈続後紀承和七・六・九〉③「七条の袈裟」の略。「慶知客(けいしか)来たりて、―を縫ふ」〈蔭涼軒日録明応一・一〇・二〇〉 **―のけさ【七条の袈裟】** 三衣(さんえ)の一。七幅(ななの)を横に綴って作った袈裟。七条衣(え)。「―〔ニ〕横被を加ふ」〈権記寛弘八・六・二五〉

しちど【七度】 **―はんのつかひ【七度半の使】** 祭の時、神幸(しんかう)や神主などを迎えに出て、七度の無駄足をし、八度目の中途で迎え得る形式の呼び使。また、何度もせきたてに来る使のたとえ。略して「七度半」とも。「―は雨か遅桜〔ニ対シテハ〕」〈俳・毛吹草五〉 **―やき【七度焼】** 幾度も焼き付けて精製した上等な鍍金(めっき)。「金鍔にも―と云ふ事有る程に」〈仮・大仏物語上〉

しちとく【七徳】 ①《左伝、宣公十二年条に見える語》武のもつ七つの徳。一に暴を禁じ、二に兵を戢(おさ)め、三に大を保ち、四に功を定め、五に民を安んじ、六に衆を和し、七に財を豊かにすることをいう。転じて、武そのものを意味する。「罪を討ち辺を威すことは亦―に資(よ)る」〈続紀宝亀一一・三・一六〉②「七徳の舞」の略。「―をかなでて―の歌をば奏しけるやな」〈宴曲集宇礼志喜哉〉 **―のまひ【七徳の舞】** 舞楽の一。唐の太宗の作、秦王破陣楽(はじんらく)のこと。武の七徳を表わす。「―を二つ忘れたりければ」〈徒然二二六〉

しちなん【七難】 ①〔仏〕七種の災難。経典によって諸説がある。法華経では、火難・水難・羅刹難・王難・鬼難・枷鎖(かさ)難・怨賊難をいう。「まことの念仏の行者は、横死・横病・―・九横をのぞきて」〈他阿上人法語一〉②さまざまの欠点。「―の有る癖馬に一能のすぐれたるをし持ちぬるも有り」〈女訓集〉

しちのづ【七の図】《「七の椎」とも書く》上部から七番目の脊椎骨のある背中の部分。「文使ひ夕の露を―まで〔濡ラシ〕」〈俳・談林十百韻下〉

しちはいきげん【七盃機嫌】 酒に酔って上機嫌なこと。「―の大笑ひ止む事なし」〈西鶴・織留二〉

しちふくじん【七福神】 七柱の福神。弁財天・毘沙門天・大黒天・恵比須・福祿寿・布袋和尚・寿老人(または猩猩)。「―は福の神にして、よく七珍万宝を授け給へり」〈評判・吉原七福神序〉

しちぶつやくし【七仏薬師】 ①薬師如来が衆生を救うために、変化(へんげ)・分身して現われる七つの仏体。「丈六の―皆金色におはします。〔薬師ノ脇侍ノ〕日光・月光皆たち給へる御姿どもなり」〈栄花鳥舞〉②京都の七か所の寺にある薬師。祇園の観慶寺、八幡の護国寺、太秦(うづまさ)の広隆寺、蓼倉(たでくら)の法雲寺、延暦寺、珍重寺、平等寺の薬師の総称。「御悩御祈りのため、―に参詣す」〈薩戒記応永三二・八・四〉 **―ほふ【七仏薬師法】** 七仏薬師を本尊とし、七つの壇を築き、息災・安産などを祈る修法。「七壇の御修法(みしほ)」とも。「清涼殿に於て―を修す」〈続後紀嘉祥三・三・一九〉

しちべん【七弁】 太政官に属する弁官七人の総称。大弁・中弁・少弁それぞれ左右二人ずつ、中少弁の中で権官に任ぜられた者一人の、計七人をいう。「子息ども或いは中少将に至り、或いは―に相並ばせ」〈平治上・信頼信西を亡ぼさる〉。「弁は六人あるべけれども、権弁具して―とはいふなり」〈龍鳴抄下〉

しちほう【七宝】《シッポウとも》七種の貴重な宝石。無量寿経では、金(こん)・銀(ごん)・瑠璃(るり)・玻璃(はり)・硨磲(しゃこ)・珊瑚(さんご)・瑪瑙(めのう)をいうが、諸経によって小異がある。「七珍」とも。「この子(ね)の日、お前の物調じて、もてあ

そび物―を尽して」〈宇津保国譲上〉

しちみゃうねん【七明年】気の長いこと。「〔咲クノガ遅イカラ〕―は山中の花」〈俳・大矢数三〉

じちめ【実目】《ジツメとも》まじめ。誠実。実体（じてい）。篤実。「質とは、―にして素直なるを云ふ」〈応永二十七年本論語抄六〉

しちもつ【質物】質に入れる品物。しちぐさ。「ただし―には…本券五通相添へて入れ置き候」〈高野山文書三、弘安九・三・一六〉。〈文明本節用集〉

しちや【七夜】子供が生れてから七日目の夜の祝い。饗宴が行なわれ、親族から産児のための多くの品品が送られた。「―は内裏（ち）より。それもおほやけざまなり」〈源氏柏木〉 **―まち**【七夜待】陰暦十七日の夜から二十三日の夜まで七日間、月待をすること。「十七日、―これを始む。月、子の初兒（こ）に奉拝し了んぬ。…二十三日、…―結願了んぬ」〈多聞院日記永祿九・二〉

しちゃう【使庁】「検非違使庁（けびゐしちゃう）」の略称。「―にして拷訊（がうじん）せられたり」〈保元中・謀叛人〉

しちゃう【紙帳】白紙で作った蚊帳（かや）。安価で貧乏人が用い、また、防寒用にもした。「蚊の為、―これを用意す」〈経覚私要鈔文安四・四・二〉

じちゃう【仕丁】令制で、諸国から徴発して中央官庁の雑役に従事させる人夫。転じて、宮中・官庁・貴族の雑役に従う下人（げにん）。夫丸（よぼろ）。「―は国別に三人を点して、皆悉（ことごと）に京に進めよ」〈続紀天平一四・八・二五〉。〈伊京集〉

じちよう【実用】まじめ。実直。律儀。「いとまめに―にて、あだなる心なかりけり」〈伊勢一〇三〉

しちらい【失礼】《呉音》失態。失敗。「見苦しきをば笑はせ給へば、…天下の―を仕うまつりあへり」〈宇津保国譲下〉。「失礼、シチライ」〈色葉字類抄〉

しちり【七里】 **―けっかい**【七里結界】①〔仏〕七里四方を結界の地とすること。「そもそも高野と申すは…―、平等自力の御山なり」〈説経・かるかや〉②嫌って寄せつけないたとえ。訛って「しちりけっぱい」「しちりけんばい」などとも。「風の音や花には―だう〔海棠ト掛ケル〕」〈俳・山下水三〉 **―けんばい**【七里けんばい】⇒しちりけっかい(2)「大病は―ぢゃ」〈仮・催情記〉

しちりん【七厘】薬を煎じ、酒の燗などをするに用いる土製の焜炉（こんろ）。炭代七厘で煮炊きできるというのでいう。七厘釜。「―響く入相の鐘」〈俳・江戸両吟〉

じちゐき【日域】《日の出る国の意。ジツヰキとも》日本の異称。「漢家・―そのため少なからず」〈十訓抄七ノ一七〉。〈合類節用集〉

しつ【倭文】古い日本風の織物。上代、唐から輸入された織物ではなく、それ以前に行なわれていた織物。「しつおり」「しつり」とも。「ちはやぶる神の社に照る鏡―に取りそへ乞ひ祈（の）みて吾が待つ時に」〈万四〇一一〉

しつ【失】《「得（と）」の対。手から物を落す意》①損失。「世間の浮説、人の是非、自他の為に―多く、得少なし」〈徒然一六四〉②あやまち。失敗。「大かたのふるまひ・心づかひも、愚かにしてつつしめるは得の本なり。巧みにしてほしきままなるは―の本なり」〈徒然一八七〉③欠点。きず。「この事を僧正ねたましくや思はれけん、いかにもして―を見出さんと思ひ給ふところに」〈著聞三六六〉④弊害。「これ皆、争ひを好む―なり」〈徒然一三〇〉

しつ【室】①部屋。「昔は先師の―にして夜話を聞く」〈正法眼蔵供養諸仏〉②貴人の妻。内室。「亡―七七忌也。法事を修す」〈権記長保四・三・四〉

しつ【湿】①うるおい。しめりけ。また、湿気の多い所。「風に当り、―に臥して、病を神霊に訴ふるは愚かなる人なり」〈徒然一七一〉②皮膚病の一。疥癬（かいせん）。湿瘡（しつさう）。「丸九十日―をわづらふ」〈俳・炭俵上〉

しつ【瑟】奈良時代、唐から伝来した楽器。琴より大きく、琴の伴奏楽器。古代は絃数不定、後、二十六絃が標準。「―をひいて慰み給へり」〈平家六・祇園女御〉。「瑟、楽器似ㇾ箏而大」〈和名抄〉

しづ【賤】㊀〔名〕《シヅミ（沈）・シヅカ（静）・シヅク（雫）などのシヅと同根か》卑しいこと。また、身分の低い者。「あやしき―の家」〈枕三〇二〉。「椎（しひ）ひろふ―も道にや迷ふらん霧たちこむる秋の山里」〈建礼門院右京大夫集〉㊁〔代〕《一人称》男性が用いる。拙者。下拙。「見初めしより、―が心を筑紫舟」〈仮・薄雪物語下〉。「―が婿になるぢゃげな」〈近松・卯月紅葉中〉

しづ【鎮】《シヅミ（沈）・シヅカ（静）のシヅと同根》おもり。おもし。「〔帯ノ〕くり目（クケ目）の隅に鉛の―を入れ」〈西鶴・一代男四〉 **―に掛・く** 刑罰として、おもりを付けて、人を水中に投げ入れる。「氷らぬ浪に〔罪人ヲ〕―・くべし」〈俳・花洛六百韻〉

じつ【実】①事実。真実。「真と仮（け）と対し、虚と―と対する故なり」〈和語燈録一〉②実質。内容。「富貴の名のみ有りて、富貴の―無し」〈雑談集三〉。「晩唐の詩は華麗にして意味浅く、―がないぞ」〈錦繡段鈔九〉③〔歌舞伎用語〕㋑「実事（じつごと）」の略。「荒事に―をこめて悪人をとっちめたる勢ひ」〈評判・野郎にぎりこぶし上〉㋺「実事師（じつごとし）」の略。「今は敵〔役〕も立役も白い顔や薄肉〔色〕とかでするゆゑ、どれが―か悪（敵役）かわかりませぬ」〈滑・浮世風呂四下〉

じつあく【実悪】歌舞伎役柄の一。実事（じつごと）の敵役の意で、徹底した悪人を演ずる役。「半道・武道よし。―おし立てての立役、器用成る人」〈評判・役者みかき〉

しついつら はやし詞。「庭に立つふふきの雄鳥（をとり）之都伊豆伊川良（しついつら）いとこせわがせ暁（あかとき）としらにわが寝ば之川伊川伊川良（しついつら）うち起せ雄鳥」〈琴歌譜〉

じつう【実有】〔仏〕《「仮有（けう）」の対》この世の存在は実在性が無くすべて空（くう）であるのに、凡夫は迷いのために、これを実在と誤認すること。「誰か―の相に着（ぢゃく）せざる」〈徒然三九〉

しつうた【志都歌】宮廷歌曲の一。おもに短歌形式で、引声多くゆるやかに歌われたものらしい。挙歌（あげうた）に対し、全体の調子を下げて歌うものか。「この四歌は、―なり」〈記雄略〉 **―のうたひかへし**【志都歌の歌ひ返し】歌曲の一。志都歌に続いて、それと対になる歌を曲調を変えて早い調子で歌うものらしい。「天皇と大后と歌はしし六歌は―なり」〈記仁徳〉

しづえ【下枝】《「上枝（ほつえ）」「中つ枝」の対。シヅはシヅミ（沈）・シヅカ（静）のシヅと同根か》下の枝。したえだ。「ほつえは鳥居枯らし、―は人取り枯らし」〈記歌謡四三〉 † sidue

しつおり【倭文織】奈良時代以前から伝わっていた日本風の織物。また、それを織ること。「しつり」とも。「倭文、此をば之頭於利（しつおり）といふ」〈紀天武十三年〉

しつか【室家】①家。また、家族。家庭。「しかのみならず父子死去し、―離散す」〈続紀養老五・六・一〇〉②夫人の敬称。「坊門大納言忠信卿、正月二十四日鎌倉へ下著、是は―の兄なり」〈承久記上〉

しづか【静か・閑か】《シヅはシヅミ(沈)・シヅク(雫)のシヅと同根。下に沈んで、安定しているさま》①落ち着いているさま。「いみじく—におほやけに御文奉り給ふ」〈竹取〉。「物まめやかに、—なる心の趣ならむよるべをぞ」〈源氏帚木〉②(音などが)やかましくないさま。「声のありさま、聞ゆべうだにあらぬ程に、いと—なり」〈枕二〇二〉③無事で平穏なさま。「保元以後は世も—に治まりて」〈平治上・三条殿へ発向〉

しっかい【悉皆】㊀『名』万物・万事にわたること。全部。「草木国土—成仏と聞く時は」〈謡・殺生石〉。「—の望みをかけ給ふなり」〈こんてむつすむん地一〉㊁『副』①すべて。全く。「女一人〔海へ〕飛び入りたれば波風静まるは、—一人女房を乗せたる故なり」〈奇異雑談集三〉②まるで。「この人のなりは—鳥のはたらきなり」〈三百集坤〉 **—や【悉皆屋】**近世、大阪で衣服・絹布の染色・洗い張りなどを一手に請け負い、京都に送って調製させた業者。「あたりの—へ様子を吹込み」〈浮・友色三点頭中〉

じっかい【十戒】⇒じふかい

じっかい【十界】⇒じふかい

しっかう(シッコウ)**【膝行】**坐礼の一。膝頭で進んで礼拝し、膝頭で退くこと。「重代の家君かへって—の礼をいたす」〈平家四・南都牒状〉

しっかと【確と】『副』「しかと」の促音化。「上帯—締め」〈伽・もろかど物語〉

しっかり ①確かなさま。「物の—と合ふを云ふなり」〈碧岩抄三〉②皮膚などを強く刺激するさま。「—は、毒虫などに刺されて痛む方(かた)か。また、熱湯(あつゆ)などにて痒(かゆ)がりを尋ぬるやうのことか」〈俳・かたこと五〉③沢山。ぎっしり。「葛籠に—溜りました」〈滑・浮世風呂二上〉

じっかん【十干】甲(かふ・きのえ)・乙(おつ・きのと)・丙(へい・ひのえ)・丁(てい・ひのと)・戊(ぼ・つちのえ)・己(き・つちのと)・庚(かう・かのえ)・辛(しん・かのと)・壬(じん・みづのえ)・癸(き・みづのと)の称。木・火・土・金・水の五行(ごぎやう)を兄(え)弟(と)に分けたもので、普通十二支と組み合わせ、年・日などを表わすのに使われた。「甲・乙…壬・癸、これを—と謂ふ」〈口遊〉。「十干十二支、ジッカンジウニシ」〈天正十八年本節用集〉

しつ・き【為付き】『四段』することが身につく。「犬防ぎに簾(すだれ)さらさらとうちかくる〔仕草ハ〕、いみじう—・きたり」〈枕一二〇〉

しづき【四突】九十四文で百文に通用させる銭勘定の仕方という。「煙管(きせる)にて—とがめる五分取(ごふんどり)」〈雑俳・智恵海〉

しづ・き【沈き】『四段』(石や珠が)水の底に沈みつく。「藤波の影なす海の底清み—・く石をも珠とそわが見る」〈万四一九九〉。「桜井に白玉—・くや、よき玉—・くや」〈霊異記下三八〉 †siduki

しづく【雫】《シヅミ(沈)・シヅカ(静)と同根》水のしたたり。「あしひきの山の—に妹(いも)待つと我立ちぬれぬ山の—に」〈万一〇七〉 **—も【雫も】**『副』露ほども。少しも。「—是れに偽(いつはり)ない」〈近松・淀鯉上〉

じづくし【字尽】学習用に、分類別に文字を列挙した書物。「いろはを習ひて後に文を習ひ、又—を習ひ」〈周易抄〉

しつくら【倭文鞍】倭文織の布で作った鞍。「赤駒に—うち置き」〈万八〇四〉

しっくり 物事や人心がぴたりと合うさま。具合よくあわさるさま。「—と手を締めてあれば」〈狂言記・金岡〉

じっくゎんめばこ【十貫目箱・十貫目筥】近世、五百目包みの銀貨二十を詰め入れ、割蓋(わりぶた)の上書に「銀十貫目入」と大書した木箱。「敷金として—」〈俳・江戸三吟〉

しつ・け【為付け・仕付け】㊀『下二』①し慣れる。「上(かみ)つ方にも古く—・けたる事なり」〈雑談集七〉。「年来—・けたる事なれば、後代の長老たちも留め給ふ事なし」〈夢中問答上〉②作りつける。しかけをする。「〔帯ニ〕くちなは(蛇)の形(かた)をいみじく似せて、動くべきさまなど—・けて」〈堤中納言虫めづる〉③習慣・礼儀作法などを身につけさせる。「人種を—・けて、字をも教へ」〈中興禅林風月集抄〉④奉公させる。「それぞれに—・けたり」〈浮・男色今鑑三〉⑤嫁入りさせる。縁づかせる。「その所にて似合ひの男に—・けたり」〈仮・因果物語上〉⑥独立して暮せるようにする。「今年は古老の手代六人まで、一度に—・け」〈浮・立身大福帳四〉⑦ひどい目にあわせて思い知らせる。「〔戦場デ〕働き勝れて相手を—・けたれば」〈バレト写本〉㊁『名』①作りつけること。仕立てること。「鞘をば銀の—にして」〈三好軍記下〉②礼儀作法などを身につけさせること。また、その礼儀作法。「人の—は、かどの無きを吉(よ)きと申し候也」〈宗五大双紙〉。「わらんべは父母の—が大事ぞ」〈春鑑鈔〉。「—も無い奴を使うて面目を失ふ」〈虎明本狂言・察化〉③新調の着物の仕立ての狂わぬように、仮にざっと縫いおさえておくこと。また、その糸。「しつけそ」とも。「蜘蛛(くも)の糸は木の葉衣の—かな」〈俳・毛吹草追加中〉 **—ぎん【仕付銀】**子供を一人前に仕立てるに必要な費用。「子供を—まで取りて置き」〈西鶴・永代蔵六〉 **—どころ【仕付所】**嫁入口。縁付先。「浪人の娘などの—のなくすこし敷銀あるをよび入れ」〈西鶴・織留四〉

しっけ【湿気】①空気中・土地などに水分の多いこと。「—な所に寝(ぬ)れば腰を病むぞ」〈荘子抄一〉②梅毒。「—の患ひになる」〈浮・好色通変歌占上〉

じっけ【習気】《呉音ジフケの転》ならわし。くせ。「それは餓鬼道に久しくありし—なるべし」〈驢鞍橋中〉。「習ひしみたる癖を—と云ふ」〈齊東俗談三〉

じっけう(ジッキョウ)**【実教】**〔仏〕《「権教(ごんけう)」の対》真実な教え。如来の出世の本意を説いたもの。実大乗。「夫れ以て権教—の森羅なり」〈本朝続文粋一三〉

しづけ・し【静けし】『形ク』《シヅカ(静)の形容詞形》①(海面などに)浪がない。あたりが穏やかだ。「いざ児どもあへて漕ぎ出む庭(海面)も—・し」〈万三八八〉。「あかときと夜烏鳴けどこの山上(かを)の木末の上はいまだ—・し」〈万一二六三〉②波乱がない。落ち着いている。「我は浮ばず(不安ガナク)、玉のうてなに—・き身と思ふべき世かは」〈源氏橋姫〉 †sidukësi

しっけん【執権】①政治上の権力を握ること。「左府の—によって、政(まつりごと)淳朴に返るべくは」〈保元上・新院御謀叛思し召し〉②鎌倉幕府の職名。はじめは政所別当(まんどころべったう)の称であったが、北条時政の就任以来、幕政の最高権力となり、幕府滅亡まで北条氏によって世襲された。「然る間、時政、将軍の—として天下の事執(と)り行なふ」〈保暦間記中〉。〈運歩色葉集〉

じっけん【実検】現地に臨んで事の実否をあらため、しらべること。「明日は疵(きず)の—、軍の評定あらむずるに」〈保元中・白河殿へ義朝夜討ち〉

じっこく【十穀】①十種の穀物。「誓願寺〔再建ノ〕…勧〔進〕主、—を断つ」〈親長卿記文明九・六・二七〉②《仏道修行のため、穀物を断った聖(ひじり)の意》勧進聖(くわんじんひじり)の一。堂塔や橋などの建立のために、喜捨をすすめて歩いた

法師。十穀聖。十穀坊主。「清水寺勧進聖ー、去る十三日入滅し了んぬ」〈大乗院雑事記文明一八・五・一六〉

しづごころ【静心】 静かな心。落ち着いた心。「久方の光のどけき春の日にーなく花の散るらむ」〈古今八四〉

しつこ・し 『形ク』①味・色彩などが濃厚である。「わが能は年寄り候ふ程にー・うなり候ふをや」〈禅鳳雑談〉。「見る人も色もー・い紅葉かな」〈俳・沙金袋五〉②くどくどしくうるさい。煩わしい。「あのやうなー・い年寄りに、なおかまやっそ(オ構イアルナ)」〈天理本狂言六義・老武者〉。「なんぼうー・う思はしられうと存じまらする」〈捷解新語三〉

じつごと【実事】 ①心をこめた言動。真剣な振舞。「ーの帰雁友誘ふ声」〈俳・ぬれがらす〉②〔歌舞伎用語〕分別常識ある人物に扮して、現実的な行動を写実的に表現する演技。「ーの立役するや門の松」〈俳・三つ物揃〉

ーし【実事師】 歌舞伎で、実事(2)を演ずる役者。また、それを得意とする役者。実方(じつがた)。「ただ器量と台詞(せりふ)の言ひしなによりて、ーの受けがよいものぢゃ」〈評判・野郎にぎりこぶし下〉

じっこん【入魂】 《ジュコン・ジュッコンとも》①口添えすること。また、頼みこむこと。「件の事は予のーする所也」〈平戸記仁治三・一・一九〉。「諸人然る可きの由ーす」〈実隆公記延徳一・九・一三〉②親密。懇意。昵懇。「これは若年よりーの人とぞ聞えける」〈浅井三代記三〉

じっさいのおきな【十歳の翁】 老人のような智能をもつ小児の意で、利発な子供をほめる語。「冬咲くはこやー草」〈俳・毛吹草六〉

じっさう【実相】 〔仏〕《「諸法実相」の略》すべての物のありのままの姿。生滅・無常の相を離れた真実の姿。真如(しんにょ)。法性(ほっしゃう)。「それ廟は如来の墳墓也。ーは法身の舎利也」〈本朝文粋一三〉

しっ・し【執し】 『サ変』深く心にかける。執着する。執心する。「先祖の御門の、さしもー・し思しめされたる都を、させる故なく、他国他所へ遷さるるこそあさましけれ」〈平家五・都遷〉。「執、シッスル」〈文明本節用集〉

しつじ【執事】 ①院庁(ゐんのちゃう)の長官。「院庁。大別当、大臣・公卿・清華之人之を任ず。ー、名家之人之を任ず」〈職原鈔後付〉②内豎所などの諸所で別当に次ぐ役。「内豎頭幷びにー等事」〈侍中群要一〇〉③摂関家で家政を司った家司の長官。「山城国池田庄の解を朝隆卿ーのをり、とり申されけり」〈十訓抄一〇ノ三三〉。「関白家。ー、年預、弁別当」〈拾芥抄中〉④鎌倉幕府政所(まんどころ)の次官。また、問注所(もんちうじょ)の長官。「ー長崎入道えばし子にして」〈太平記一〇・稲村崎〉⑤室町時代、幕府の管領(くわんれい)の称。「義長は武家ーの職に居て天下の権を司る」〈太平記三五・京勢重南方〉。「管領と申すは近比の事也。本はーと云ひき」〈塵添壒囊鈔二〉⑥禅宗で、事務をつかさどる僧。「教玄…同〔建武三〕年七月五日、社家のー職これを賜はる」〈鶴岡八幡宮寺供僧次第〉

じっし【十死】 ⇒じふし。「ジッシイッシャウ」〈日葡〉

しづしづ【静静】 いかにも静かに事の進むさま。「また、慰めも、かたがたに、ーと聞え給ひつつおはす」〈源氏宿木〉

しっしゃう【湿生】 〔仏〕四生(ししゃう)の一。湿気によって生れるもの。虫などをいう。「『人は父あればこそ母もあれ、我はー・化生(けしゃう)のもの』と言へり」〈伽・暮露暮露のさうし〉

じっしゃう【実正】 ㊀『名』真実。まこと。「一の谷にては、ーに任せて十六歳とぞ名乗りける」〈盛衰記三七〉㊁『副』まことに。本当に。「ー某との縁組は嫌の」〈浄・凱陣八島二〉

ーめいはく【実正明白】 真実であることは明白だの意。証文などに書く文句。「隠し男はー」〈俳・談林三百韻〉

じっしゅかう【十種香・十炷香】 ⇒じしゅかう。「ー幷びに系図香興行す」〈舜旧記天正二三・一・一三〉

しづすげ【しづ菅】 菅の一種。数珠(ずず)菅・小菅・石着(しき)菅などと解され、また神をしずめる菅の意で、神事に用いる菅ともいう。「梯立(はしたて)の倉椅(くらはし)川の川のーわが刈りて笠にも編まぬ川のー」〈万一二八四〉 †sidusugë

しっせい【執政】 政務を執ること。また、その職。摂政・関白など。また、近世では、家老など。「推古女帝につきて〔聖徳〕太子ーして」〈愚管抄三〉。「牛車輦車(れんじゃ)の宣旨を蒙って、乗りながら宮中を出入す。ひとへにーの臣の如し」〈平家一・鱸〉。〈いろは字〉

しっそう【執奏】 取り次いで天子に申し上げること。伝奏。「三井寺に戒壇を立つべき由、ーの臣あり」〈盛衰記一〇〉

じったい【十体】 《詩論・歌論・連歌論などで使われた用語》十種の風体。有名なのは、定家の十体で、幽玄様・事然るべき様・麗様・有心(うしん)体・長高様・見様・面白様・一節有る様・濃様・鬼拉(らき)体をいう。「さてもこのーの中に、いづれも有心体にすぎて歌の本意と存ずる姿は侍らず」〈毎月抄〉

しったう【執当】 寺院の庶務を司る僧職。「ー法眼御房へとぞ有りける」〈盛衰記四〉。〈下学集〉

しったつ【執達】 上の意を受けて下に伝達すること。「仍(よ)ってー件(くだん)の如し」という形で慣用的に公文書の末尾に付ける。お上の意向をこのように取り次ぎますの意。「早く其の身を禁(いまし)め進ぜしむべし。宣旨に依ってー件の如し」〈古活字本保元上・新院御所〉

しつたまき【倭文手纏】 〔枕詞〕倭文織の旧式な手纏(手にまくもの)の意で「数にもあらぬ」「賤しき」にかかる。「ー数にもあらぬ身」〈万九〇三〉。「ー賤しき我がゆゑ」〈万一八〇九〉 †situtamaki

しったん【悉曇】 《梵語の音訳。成就・吉祥の意》梵字の字母。広くは摩多(また)(母音)と体文(たいもん)(子音)を総称し、狭くは母音のみをさす。転じて、インドの音声に関する学問の総称。「西天のーを学ぶ。声韻分明にして、千古疑ふ所、一時に氷釈す」〈三代実録貞観六・一・一四〉。「悉曇、シッタン、梵字也、与二声明(しゃうみゃう)一同」〈文明本節用集〉

しっち【悉地】 〔仏〕《梵語の音訳。成就の意》秘法を修して真言の妙果を成就すること。「青龍寺阿闍梨に随ひてーの大教を学び」〈三代実録貞観六・一・一四〉

じつぢゃう【実定】 確かに定まること。決定。「此の事知らぬ〔トイウ事〕にーして」〈西鶴・新可笑記一〉

しっちん【七珍】 「七宝(しちほう)」に同じ。「心もしやすからずは、象馬(ざうめ)・ーもよしなく、宮殿・楼閣も望みなし」〈方丈記〉

ーまんぽう【七珍万宝】 《中世ではマンボウと発音》あらゆる種類の宝物。「布施にー数を云ふ事なし」〈孝養集上〉

しっつい【失墜】 ①亡失。損亡。損失。「向後永く恒規となし、ーを被るべからず」〈東寺文書二、建久一〇・四・六〉。「失墜、しっつい、損をする也」〈和漢通用集〉②費用。出費。「御銀を入れ、家を作り候ひても、借人これ無く候へば、いらざるーに罷り成り候」〈梅津政景日記慶長一七・七・二七〉

じって【十手】 近世、捕吏の用いた鉄棒。長さ一尺五寸余で、手元近くに鉤(かぎ)がある。「じってい」とも。「下部十人…ー・縄を持ちて押し行き候」〈唐招提寺史料一、慶長一〇・二・一三〉

しってい《シテテイの転》砧(きぬた)を打つ音、機を織る音、または、鼓の音を形容する語。「千声万声の砧に、声の――からころ槌の音」〈近松・嫗山姥四〉

じってい【十体】⇒じったい

じってい【実体】地味な暮し向き。また、実直、律義。「〔派手ナ問屋商売ヲ〕―なる所帯になせば、必ず衰微して」〈西鶴・永代蔵二〉

じっと『副』①力をこめて。ぐっと。「印を―押せば、まづ其の如く紙にうつるやうに、我が心に―印したぞ」〈山谷詩抄一〉。「忍び寄る扉を―さし固め」〈俳・伊勢山田俳諧集〉②押えつけたように動かないさま。「地の中へはいって―止息してをるぞ」〈周易抄三〉

じっとく【十徳】①十の徳。「俊頼は『―なからむもの判者にはあたはず』とぞいはれける」〈十訓抄一ノ三〉②《「直綴(ぢきとつ)」の転という》㋑中世の平服の名。素襖(すあを)に似て、脇をふさいだ着物。下に袴をはく。袴をはかないものは「はなち十徳」といって禁止された。「〔公家〕裏松兵庫へ下向す。…―の姿云云」〈教言卿記応永一三・五・二四〉。〈文明本節用集〉㋺近世、儒者・医師・俳諧師など、俗人ながら剃髪した者が着た着物。胸に紐をつけ、腰から下に襞(ひだ)を入れ、袴を略する点が㋑と異なる。「少しの暇に休む寒山／―を脱ぎてや掛くる棹の台」〈俳・寛永十三年熱田万句六四〉

しっとと『副』《シトトの促音化》①はっしと。ちょうと。「海老錠(えびぢやう)―下ろし」〈説経・小栗〉②ぴたりと。「両方互ひに知り合うて、心得て―なるぞ」〈史記抄一〇〉③しっぽりと。「―逢ふ瀬の波枕」〈近松・油地獄上〉

しっとり ①静かなさま。落ちついたさま。「男が求むれば、女は―として応ずるぞ」〈周易抄四〉。「いかにもしづしづと押し静めて、―とあるがよいものぞ」〈古活字本論語抄一〇〉②湿気を含んでいるさま。「小雨がざっと降りたらば、紅塵は立ちはせいで、―として良かるべきなり」〈中華若木詩抄上〉③むつまじいさま。しっぽり。「せめて一年―と一つ寝臥しもしたいぞ」〈近松・夕霧中〉

しつぬさ【倭文幣】倭文織の布の幣(ぬさ)。「―を手に取り持ちて」〈万三八六〉

しづのを【賤の男】身分の卑しい男。「あやしき―の声声」〈源氏夕顔〉

しつのをだまき【倭文の苧環】倭文を織るのに用いる苧環。和歌で「繰(く)り」「賤(いや)し」などの序詞とする。「いにしへの―くりかへし昔を今になすよしもがな」〈伊勢三二〉

じっぱいきげん【十盃機嫌】酒を十盃ほど飲んだいい機嫌。「松茸狩の―」〈西鶴・男色大鑑七〉

じっぱう【十方】東・西・南・北、乾(いぬゐ)・坤(ひつじさる)・巽(たつみ)・艮(うしとら)の八方、及び上・下の二方の総称。あらゆる方の意。「たへがたげなる目ども見たる者どもの、数もしらず、―より出で来たり」〈宇治拾遺一〇三〉 **―ぐれ**【十方暮・十方闇】陰陽道で、甲申(きのえさる)から癸巳(みづのとみ)までの十日間。十方不和の時で、曇りがちな天候が続き、また、出行・相談事に忌むという。室町時代には、丙申(ひのえさる)から丁未(ひのとひつじ)までの十二日間とする説もあった。「今日は、世の所謂―の初日也。舟人の忌む所也」〈蔗軒日録文明一八・二・九〉 **―せかい**【十方世界】〔仏〕全世界。「―に並ぶ者なし」〈今昔一ノ三〉 **―だんな**【十方檀那・十方旦那】施主・寄付者・得意先などが諸方にあること。また、その旦那。「勧進帳を捧げて、―を勧めありける程に」〈平家五・勧進帳〉

しっぱく【質朴】《「朴」は漢音ハク》①飾り気なく素直であること。「古へは―にして野人の如し」〈成簣堂本論語抄三〉。〈伊京集〉②過度に物惜しみすること。吝嗇(りんしょく)。「―なる念仏者や」〈浄・念仏往生記五〉

しつはた【倭文機】倭文を織る機。また、その織った布。「―の帯ときかへて〔互イニ解キカワシテ〕」〈万四三一〉 **―おび**【倭文機帯】倭文織の帯。「古への―を結び垂れ誰とふ人も君には益(ま)さじ」〈万二六二八〉

しっぱね《シリ(尻)ハネの転》泥水のはね。とばしり。「前途程遠し馬の―」〈俳・両吟名所花〉

しっぱらひ【後払ひ】《シリハラヒの転》しんがり。「後陣の―に成って、無為に皆を落いて、静静と退くぞ」〈論語抄雍也〉。「殿、シツハライ」〈文明本節用集〉

しっぺい【竹篦】《シッは「竹」の唐音》①禅家で、師家(しけ)(指導者)が参禅者の眠りをさますために打つ法具。長さ約一尺五寸。弓のようにそった竹の杖で、籐(とう)を巻き、漆をぬってある。「これに因って、あるいは呵嘖(かしやく)の言を出し、―打擲(ちやうちやく)等の事を行ず」〈正法眼蔵随聞記三〉。「竹篦、シッペイ、人を打つ杖也」〈下学集〉②親指で他の指をはじかせること。また、片手の食指・中指を揃えて相手の手首などを打つこと。「シッペイヲハジク」〈日葡〉 **―がへし**【竹篦返し】竹篦で打たれたのをすぐ打ち返す意で、先方から仕向けられて、すぐに同じ仕返しをすること。「雲門の―か天津雁〔ガ春北へ帰ルノハ〕」〈俳・沙金袋二〉

しっぺい【執柄】①政治上の権力を握る人。「大抵も摂政関白の他に、―の臣相並び給ふ事希代の例とぞ申しあへる」〈保元上・新院御謀叛思し召し〉②摂政・関白の異称。「ただとう―に言ひ合はせて、宗盛ともかうも計らへ」〈平家三・城南離宮〉

しっぽう【七宝】⇒しちほう。「―荘厳(しやうごん)の瑠璃(るり)の座の上に」〈謡・輪蔵〉

しっぽく【卓袱】《唐音。「食卓」とも書く》①中国風の食卓。多く朱塗りで高さ約三尺、幅約四尺。四脚が付き、周辺に紅白の紗綾を垂れる。「〔延宝三年五月中旬〕―をする、非人に粥をくはせ」〈寛宝日記〉②蕎麦(そば)またはうどんを煮たものに、蒲鉾・椎茸・野菜などを入れた料理。「しっぽこ」とも。「〔鼠ヲ〕―のやうにでもしたら食へもしようが」〈洒・即席耳学問上〉

しっぽと『副』しっとりとぬれるさま。「―濡れたる濡れ肌を、今に限らうか、なうまづ放せ」〈宗安小歌集〉

じっぽふ【実法】⇒じほふ。「―の者には物仰せにくければとて」〈盛衰記一六〉

しっぽり ①しっとりぬれるさま。「しっぽ」とも。「いつの間にくだりたるやらん覚えはせねども、―と露が置くぞ」〈錦繡段鈔三〉②しんみりとしたさま。「雨より〔モ一段ト〕詩作―として」〈俳・大坂独吟集下〉③男女間の情のこまやかなさま。「―と七宝の枕織女哉」〈俳・崑山集七〉 **―もの**【しっぽり者】情のこまやかな者。「心も―なり」〈評判・桃源集〉

しつまき【倭文纏き】倭文を巻きつけること。また、巻きつけたもの。「―のあごら(高イ座席)に立たし」〈紀歌謡七五〉 †situmaki

しづま・り【鎮まり・静まり】『四段』《シヅメの自動詞形》①(神霊などが)鎮座する。「神ながら―・りましぬ」〈万一九九〉②(音などが)やむ。静かになる。「いかづちの―・らぬ事は侍らざりき」〈源氏明石〉③眠りにつく。「―・りぬなり。入りてさらばたばかれ」〈源氏空蟬〉④(気性・態度などが)落ち着く。「人―・りて後、長き夜のすさびに」〈徒然二九〉。「ねびまさり給へる心地して、いといたう―・り給ひて」

〈源氏賢木〉⑤(盛んだったものが)衰える。「所せかりし御勢の―・りて」〈源氏野分〉

しづ・み【沈み】『四段』《シヅはシヅカ(静)のシヅと同根。下に落ちて動かない意》①水中に没する。「難波潟潮干なありそね―・みにし妹が姿の見まく苦しも」〈万二二九〉。「没溺、之豆牟(しづむ)」〈華厳音義私記〉②(深みに)落ち込んで脱けられない。「古りにし嫗(おみな)にしてやかくばかり恋に―・まむ手童(たわらは)の如」〈万一二九〉。「罪深かなる底にはよも―・み給はじ」〈源氏総角〉③没落する。「元の品高く生まれながら、身は―・み位短くて」〈源氏帚木〉。「御子なども―・むやうにものし給へるを〔今ハ〕皆浮び給ふ」〈源氏澪標〉④重くわずらう。再起できなくなる。「病に―・みて返し申し給ひける位を」〈源氏澪標〉⑤気分がふさぎ込む。気落ちする。「御命も危きまで―・み給ふらむ」〈源氏蜻蛉〉 †sidumi

じつみゃう【実名】《「仮名(けみやう)」の対》本当の名。本名。「―は知らず、字をば藤二とぞ云ひける」〈今昔一七ノ五〉

しつ・め『下二』《シ(為)ツメ(詰)の意か》精出して事を行なう。「年頃書き集(つ)めさせ給ひける絵物語など、皆焼けにし後、去年今年の程に―・めさせ給へるもいみじう多かりし」〈栄花衣珠〉

しづ・め【沈め・鎮め】㊀『下二』❶《シヅミ(沈)の他動詞形。「浮かべ」の対》①水中へ没入させる。「荒き浪、玉体を―・め奉る」〈平家一一・先帝身投〉②没落させる。失意の状態に落す。「〔人ヲ〕浮かべ―・め、いとかしこくこそは思ひわたい給ふめれ」〈源氏真木柱〉③(名声・評判などを)おとす。「伊勢をの蜑(あま)の名をや―・めむ」〈源氏絵合〉④地獄・苦界などにおとす。「インヘルノ(地獄)ニシヅムル」〈日葡〉❷《シヅマリ(鎮)の他動詞形。活動しているものの動きを沈静させる意》①神霊の活動を落ち着かせる。鎮座させる。「皇孫(すめみま)の命は…平らけく御坐所(おほましどころ)に御坐(おほま)さしめ給へと…―・めまつらく」〈祝詞鎮御魂斎戸祭〉②浮き立って動きまわっているもの・感情などを落ち着かせる。「惑ひの塵を寂(さ)むる甘露雨におほましまします」〈東大寺諷誦文稿〉。「御心を―・め給ふと」〈万八一三〉③乱れをおさめ、落ち着かせる。「住吉の神、近き境を―・め守り給ふ」〈源氏明石〉④物事を乱れなく、やりおおせる。「琵琶なむ誠の手を弾き―・むる人、古も難う侍りしを」〈源氏明石〉⑤(音などを)低く小さくする。「声―・めて法華経を読みたる」〈源氏葵〉⑥寝静まらせる。「夜深き程に、人を―・めて出で入りなどし給へば」〈源氏夕顔〉㊁『名』①安定させること。おさえ鎮護すること。また、その神など。「日の本の、大和の国の、―とも座(いま)す神かも」〈万三一九〉②漁具の一。おもり。「あま〔ノ〕釣縄(つりなは)、泛(けう)・―と云ふ物あなり」〈顕注密勘〉③自在鉤。「ゐるり、―丸釜釣りて」〈宗達他会記弘治三・一一・二七〉

―に掛・く 人に石などのおもりを付けて、水中に沈め殺す。「ここにや―・けん、かしこにてや―・けんと、沈めかねたる有様かな」〈伽・小栗絵巻〉 †sidumë

じつめ【実目】⇒じちめ。「人はかりそめにも―なが良し」〈驢鞍橋上〉

しづやか【静やか】①落ち着いて感じられるさま。「―なる御住ひなどの」〈源氏椎本〉②(音などが)浮き立たず、うるさくないさま。「琵琶は押手―なるを良きにする物なるに」〈源氏紅梅〉

しつら・ひ(シツライ) ㊀『四段』《ツラヒはアゲツラヒ・カカヅラヒのツラヒに同じか》①飾りや調度を、その場にふさわしく設備し配置する。「女衆の行(みゃう)は仏の法を荘(かざ)り厳(しつら)ふ」〈東大寺諷誦文稿〉。「いと清げに故故しく―・はれたる遣水のほとりなる岩に居給ひて」〈源氏東屋〉②造作をする。「あやしの草のいほりを作りてわらといふものかけて―・ひたりけるを人の見て」〈古本説話三四〉。「新理・繕、シツラフ」〈名義抄〉㊁『名』室内などに調和した装飾。設備。「妻戸の間に屏風など立てて、かりそめの―なるに」〈源氏少女〉。「殊なる―なき舟に乗せて」〈源氏玉鬘〉

しつり【倭文】「しつおり」の約。「倭文神、此をば斯図梨俄未(しつりがみ)といふ」〈紀神代下〉 ▽シトリとも訓む。

しづ・り【垂り】㊀『四段』《シヅはシヅミ(沈)・シヅカ(静)のシヅと同根》したたり落ちる。「嘆きより―・る涙の露けきにかごめに物を思はずもがな」〈聞書集〉㊁『名』水滴など、したたり落ちたもの。また、したたり落ちること。「しづれ」とも。「降る雪に逢坂山の旅車杉の―に袖ぞ濡れぬる」〈為忠後百首〉

しづ・れ【垂れ】㊀『下二』《シヅはシヅミ(沈)・シヅカ(静)のシヅと同根》したたり落ちる。「朝まだき松のうは葉の雪は見ん日かげさし来ば―・れもぞする」〈為忠前百首〉㊁『名』したたり落ちること。また、その水滴など。「しづり」とも。「難波江の葦のあさ葉の―こそ下はふ鴛鴦(をし)の上着なりけれ」〈為忠後百首〉

しづわ【後輪】《「前輪(まへわ)」の対。シリツワの転。ツは連体助詞》馬具の一。鞍橋(くらぼね)の後方の高くなった部分をいう。あとわ。「指縄(さしなは)にて鞍の―に締め付けて」〈盛衰記三七〉

しづを【賤男】 いやしい身分の男。「しづのを」とも。「堀江より水脈(みを)引きしつつみ船さす―の徒(とも)は川の瀬申せ」〈万四〇六一〉

して【為手・仕手】①する人。行なう人。また、問題の人物。「無正体に新しく巧みて、我が心に任せて、道の外なる―の名を取る人もあり」〈長短抄上〉。「塔の穴口にて下部一人殺す。―も知らず」〈多聞院日記天正八・七・一六〉②〔能楽用語〕能一番の主役。複式能の場合、中入り前のシテを前ジテ、中入り後を後(のち)ジテという。また、狂言における主役。世阿弥時代は、一般に能を演ずる役者をいう。「脇の―に花を持たせて、あひしらひのやうに少な少なとすべし」〈風姿花伝〉③「してどの」に同じ。「都の―たち恋しやなう」〈松の葉一〉

して『接続』そうして。「―こればかりとおぼしめすか」〈天草本平家一ノ二〉。「―、頼うだ人は何がお好きぞ」〈虎明本狂言・察化〉

して『助』❶《接続助詞。上代において指定の助動詞と同じ役割を果したシ(後の指定の語アリ・ナリにあたる語)と、助詞テとの複合。名詞・動詞を承けることはなく、奈良時代には形容詞の連用形、打消の助動詞「ず」、格助詞「に」「と」を承け、平安時代には形容詞型の活用をする助動詞「べし」「ごとし」をも承けた。シテはこれらの語を承けて、これらの語に欠けている、「状態が…であって」の意を添える。平安時代以後は漢文訓読体とその系譜をつぐ和漢混淆文、および古語として和歌の中に使われた。平安女流の仮名文学では普通この語を使わない》①…という状態で。…であって。「玉くしげ三諸戸山を行きしかば面白く―古思ほゆ」〈万一二四〇〉。「六月(みなづき)の地(つち)さへ割けて照る日にも我が袖乾(ひ)めや君に逢はず―」〈万一九九五〉。「君がため醸(か)みし待酒安の野に独りや飲まむ友無しに―」〈万五五五〉。「旅に―衣貸すべき妹もあらなくに」〈万七五〉。「高き家の子と―官位心にかなひ」〈源氏少女〉②…でもって。「七人のみ―関に入らむと謀りけり」〈続紀宣命二九〉 ▽サ変動詞「し」の連用形の一用法と見る説もある。❷《格助詞。体言及び助詞「を」を承けて、人や物を使役・使用し、それと共に、それと一緒に、それでもって、などの意を表わす。奈良時代末期から例が見えはじめ、平安時代に普通に使われた語》①人や物を使役・使用して。…でもって。「今さらにとふべき人も思ほえず八重むぐら―門させりてへ」〈古今九七五〉。「諸の衆生を―三宝を帰敬して、皆願して菩提の行を修習せしむるなり」〈金光明最勝王経平安初期点〉。「御供にも睦ましき限り―おはしましぬ」〈源氏帚木〉 ②…と共に。…と一緒に。「同じつぼねに住む若き人人など―よろづの事も知らず、ねぶたければ皆寝ぬ」〈枕八〉。「〔老師ハ〕みづからも弟子の中にも験ある―加持しさわぐを」〈源氏手習〉

しで【死出】「死出の山」「死出の旅」の略。「いざ手を取り組みて―三途(さんづ)をも越さん」〈咄・昨日は今日下〉

し・で【垂で】㊀〘下二〙《シヅリ(垂)・シヅミ(沈)のシヅと同根。シダリ(垂)の他動詞形》たらす。たれさがらす。「安是(あぜ)の小松に木綿〈ゆふ〉―・でて」〈常陸風土記〉。「神が崎なる稲の穂の、諸穂(もろほ)に―・でよ」〈琴歌譜〉 ▽祭祀の時に木綿〈ゆふ〉などをたらすのに使った例が多い。㊁〘名〙【垂・四手】①神にささげる幣(ぬさ)の一種。玉串(たまぐし)・注連(しめなわ)などにつけてたらすもの。もと、木綿〈ゆふ〉を使ったが、後には紙を一定の形に切って代用。「皆人の―は栄ゆる大直毘(おほなほみ)」〈神楽歌三四〉。「浄衣(じやうえ)をこしらへて、烏帽子(えぼし)に―を付けさせ」〈義経記四〉 ②槍印としてその柄につける払子(ほっす)状のもの。白熊(はぐま)の毛を使う。「立物(たてもの)・鑓験(やりしるし)ならびに朱―等、累年の如く、相違すべからず」〈甲陽軍鑑二下〉

してう(…チョウ)【翅鳥】《「粘」「征」「止長」「四丁」などとも書く》囲碁で、逃げようとする石の頭を押えて当りとし、斜めに追って殺そうとすること。「第一の無明が滅すれば行が滅し、その如く行が滅すれば、識滅する等也。碁の―の如く」〈御書抄二五〉 **―に掛・く** 追い詰めて、身体の自由を失わせる。行動できなくする。「〔相手ヲ〕―・くる佐野の船橋〔ヲ取リ離シテ〕」〈俳・守武千句〉

しでう・ち【しで打ち】〘四段〙砧(きぬた)で打つことらしいが未詳。一説、四手打ちの意で、ふたり対座して砧をしきりに打つをいう。「さ夜ふけて衣―・つ声きけば」〈後拾遺三三六〉

してうのわかれ(…チョウ…)【四鳥の別れ】桓山(かんざん)の鳥が、生み育てた四羽のひなを送って、別離の悲しみに鳴いたという中国の故事。親と子の悲しい別れのたとえ。「鳥にあらざれども―を悲しみ、魚にあらざれども洪魚の思ひに沈む」〈保元中・為義降参〉

しでか・し【為出かし】〘四段〙事をひきおこす。やってしまう。「公事(くじ)などを―・いて、財宝を公方人(くばうにん)に取られうぞ」〈周易抄〉。「異な事を―・して思ひもよらぬ肝つぶし」〈伽・藤袋〉

してこい【為て来い】〘連語〙さあ来い、と相手に呼び掛けることば。「五百目の馬なら―」〈近松・丹波与作中〉

してして〘接続〙《シテを重ねて意味を強調した語》そうして。「―親ぢゃ人は何としてゐるるぞ」〈虎明本狂言・武悪〉

しててい《鼓を打つ拍子の音から出た語》鼓を打つこと。また、鼓。「此の知康は究竟の―の上手にて、鼓判官と異名に呼びけるを」〈盛衰記三四〉。「巫鼓、シテテイ」〈色葉字類抄〉

してどの【仕手殿】鹿子(かのこ)染屋の女工。「〔下品ナサマハ〕―の見世の先に休めるがごとし」〈評判・桃源集〉

しでのたび【死出の旅】死出の山へ行くこと。死ぬこと。「今は嘆かせ給ひても、返り給はぬ―」〈浄・十二段三〉

しでのたをさ【死出の田長】ホトトギスの異称。「しでたをさ」とも。「いくばくの田を作ればかほととぎす〔自分ノ名ノ〕―を朝な朝なよぶ」〈古今一〇一三〉。「庵(いほ)おほき―はなほ頼むわが住む里に声し絶えずは」〈伊勢四三〉 ▽「たをさ」は農夫のかしらの意。冥途(めいど)から来て、農耕をすすめる故という。また、袖中抄では「賤(しづ)の田長」の意としている。

しでのやま【死出の山】死者の越えるという山。「―越えにし人」〈源氏幻〉。「よみぢをば―といふ」〈能因歌枕〉 **―ぢ【死出の山路】**死出の山への道。「きのふまで千代とちぎりし君を我が―に尋ぬべきかな」〈後撰一四〇六〉

してばしら【仕手柱】能舞台で、橋掛りから舞台へはいる所の角にある柱。仕手の所作の起点・終点となるのでいう。「そっと抜けて、―の所にて」〈虎明本狂言・磁石〉

してまた〘接続〙そうしてまた。さてまた。「―、汝(われ)は確(しか)と往(い)ぬまいと言ふ気か」〈狂言記・貰聟〉

してもちがほ(…ガオ)【して持ち顔】物慣れて得意そうな様子。「所得たる気色〔トハ〕…俗に―と言ふ類なり」〈慰草八〉

してや・り〘四段〙①うまくやってのける。「して取る」とも。「さあ、―・った」〈狂言記・禁野〉 ②食う。たべる。「食事飽くまで―・り」〈浮・人倫糸屑上〉

してん【司天】天文博士(てんもんはかせ)の唐名。「三星合とて大事なる天変のありける。―の輩おほいにおぢ申しけるに」〈愚管抄六〉

してん【四天】①「四天下」に同じ。「それ生死の海たらく、…―の表(おもて)を帯びて、渺瀰として測ること無し」〈三教指帰下〉 ②「四天王」の略。「甲には―をかいて押したりけり」〈平家八・鼓判官〉 **―げ【四天下】**須彌山(しゆみせん)の四方にあるという四大州。東を弗婆提(ふばだい)、南を閻浮提(えんぶだい)、北を鬱単越(うつたんおつ)、西を瞿陀尼(くだに)という。「若し出家に非ずんば、転輪聖王として、―に七宝を満て、千の子を具足せむとす」〈今昔一ノ二〉 **―にてん【四天二天】**《四天の舞と二天の舞とよく似ていることから》互いに優劣のないこと。牛角(ごかく)。「諸〻の御敵信玄公に―の御大将とせり合ひ」〈甲陽軍鑑一九〉 **―わう**(…ノウ)**【四天王】**①須彌山(しゆみせん)の中腹の四つの頂をもつ由揵陀羅(ゆがんだら)山の主。東の持国天王、南の増長天王、西の広目天王、北の多聞天王をいう。「乃ち白膠木(ぬりで)を斮(き)り取りて、疾(と)く―の像に作りて」〈紀崇峻即位前〉 ↓四王天。②臣下・門弟などの中で、最もすぐれたもの四人の称。また、ある部門で最もすぐれたもの四人の称。「〔樋口ノ次郎ハ〕今井・樋口・楯・禰の井とて、木曾が―の其の一つなり」〈平家九・樋口被討罰〉。「―に算へられたる琴の上手を招き」〈盛衰記三〉

しでん【私田】《「公田」の対》令制で、個人の耕作使用が認められた田。口分田(くぶんでん)・位田(ゐでん)・職田(しきでん)・賜田(しでん)などをいう。「わたくしだ」とも。「又濫(みだり)に鎮兵を役して多く―を営ましむ」〈続紀延暦二・四・一五〉

しでん【賜田】令制で、功績あった者、また高位高官の者を優遇するため、特別に勅して与えられた田。輸租田であったが、平安時代に多くなり、私有地となって荘園の一起源となった。「諸王臣等の位田・功田・―幷に寺家神家の地は改め易(か)ふべからず」〈続紀天平一・二・七〉。「凡そ別勅に人に賜はむ田をば―と名づく」〈田令〉

しと【尿】小便。「この宮の御―に濡るるは、うれしきわざかな」〈紫式部日記〉。〈文明本節用集〉

じど【自度】《「度」は仏門に入ること》官の許可を得ず、勝手に僧になること。また、その僧。私度。「我はこれ―なり」〈霊異記下一五〉

しとき【粢】 米または糯米(もちごめ)で作った、神前に供える餅。「狐は墓屋(つか)の辺に行きて人の祭り置きたる―・炊交(かしぎかて)…を持ち来りて」〈今昔五ノ三〉。「粢餅・粢、之度岐(しとき)」〈和名抄〉 ▽朝鮮語 stök(粢)と同源。

しとく【四徳】 ①《易経、乾卦に見える語》天地間に流行する四つの徳。元(仁)・亨(礼)・利(義)・貞(知)をいう。「海は―をたたへつつ」〈宴曲集海路〉 ②《礼記、昏義篇に見える語》婦人の守るべき四つの徳目。婦徳(貞順)・婦言(辞令)・婦容(婉娩)・婦功(糸麻)をいう。「素質(色白ノ肌)は、―と永(とこしなへ)に滅ぶ」〈万巻五・愛河の詩序〉

じどく【侍読】 天皇または皇太子に対し、主として漢籍を講ずる職。当時の学徳の高い学者がこれに当るが、常置ではない。「二条院和歌好ませおはしましける時、岡崎の三位御―にて候はれけるに」〈無名抄〉

しどけな・し 『形ク』《シドはシドロのシドと同根。ケは気。ナシは甚しい意》 ①《服装・態度・性格などについて》少しも取りつくろわず、無造作である。気楽な感じである。「[箏ハ]女のなつかしきさまにて―・う弾きたるこそをかしけれ」〈源氏明石〉。「直衣(なほし)の萎(な)えばめるを着給ひて―・き御さまいと恥かしげなり」〈源氏橋姫〉 ②首尾・順序などが整わない。「ただおぼゆる(思イ出ス)に従ひて―・く申さむ」〈大鏡昔物語〉。「今日の御座席こそ―・う見えさせ給へ」〈平治上・光頼卿〉

しとしと ①もの静かなさま。しとやか。「凡そ大人といふ者は歩み様(やう)も―とあるべし」〈春秋抄三〉 ②ぴったりと着くさま。「貼体とは…身に―と着くを云ふぞ」〈碧岩抄三〉 ③雨などのしめやかに降るさま。また、その音。「―と降る五月雨の比」〈俳・徳元千句〉

しとど【鵐】 ホオジロ・ホオアカ・アオジ・クロジなどの総称。目に菊座のような輪がある。「巫鳥、此をば芝苔苔(しとと)といふ」〈紀天武九年〉 †sitötö ―め【鵐目】《鵐の目の形に似ているのでいう》 刀の鞘の提緒(さげお)を通す穴にはめる金具。また、その穴。柄頭へ柄糸を引き通すのにも用いる。また、和琴(わごん)や箏(しょう)の通絃孔をもいう。「鵐目、シトヽメ、刀の飾也」〈文明本節用集〉

しとど 『副』 ①物が打ち当るさま。はっしと。ちょうと。「―打ち給へば」〈落窪二〉。「心得たりと―受け」〈浄・五太力菩薩二〉 ②密着するさま。ぴったりと。「師は編衣(あみぎぬ)をうち着せ給ひて、帯まで―しめて」〈伽・愛宕地蔵物語〉。「鳥の名の―しめてや契るらん」〈俳・犬筑波〉

しとど 《シトシトの約》 水にぐっしょりぬれるさま。「汗も―になりて、我かの気色なり」〈源氏夕顔〉。「頭も―に露置く」〈更級〉

しどな・し 『形ク』「しどけなし」に同じ。「しどなげに大様(おほやう)にありしが」〈太閤記一八〉。「万(よろづ)―・く商売そこそこになして」〈西鶴・懐硯三〉

しとね【茵・褥】 坐る時などに敷く物。四角な座ぶとんで、普通、畳を芯として布の縁をつけた。中世以降は、寝る時の敷物、または寝る場所にもいう。「簀子(すのこ)にゐたまへば―さし出でたり」〈源氏柏木〉。「長(なが)の枕に広(ひろ)の―」〈隆達小歌〉。「茵、之止禰(しとね)。茵褥、以二虎豹皮一為レ之」〈和名抄〉

しどのつかひ【四度使】 奈良・平安時代、国司から中央政府に、政治の成績を報告するために上京させた使。大(計)帳使・正税使・貢調使・朝集使をいう。「―の外、臨時の諸使、往還繁多にして、民迎送に疲る」〈類聚三代格一三〉

しとみ【蔀】 建具の名。格子組みの裏に板を張ったもの。日光をさえぎり、雨風を防ぐための戸。多くは上下二枚で、下部を立て、上部を金物で釣り上げて光を入れるようにしてある。「風のいとはげしければ、―おろさせ給ふに」〈源氏総角〉

しと・め【仕留め】 『下二』 討ち果す。討ちとめる。「思ひの外、何の造作もなう、一刀にて―・めてござる」〈虎明本狂言・武悪〉

しとやか 言語・動作などの静かに落ち着いているさま。「件の定を出でんとするときは、ゆるゆると身を動かして―に立つべし。卒暴に立つなぞ」〈四部録抄〉

しとり【倭文織】 古い日本風の織物。「倭文神、斯図梨俄末(しとりがみ)」〈紀神代下〉。「委文、シトリ」〈色葉字類抄〉 ↓しつ(倭文)

しと・り【湿り】 『四段』 しめる。しめっぽくなる。「垢付の―・る羽二重や衣更」〈俳・沙金袋三〉

しどろ 《シドはシドケナシのシドと同根。定型にとらわれない意。ロは状態を示す接尾語》 秩序なく乱れたさま。整わないさま。「朝寝髪乱れて恋ぞ―なる」〈後拾遺六五九〉。「座敷―にては、よその聞えあしく存じ候」〈義経記六〉 ―もどろ《モドロはマダラ(斑)の母音交替形》 ①型式にとらわれず、自由なこと。「乱れたる草(さう)の歌を筆にまかせて乱れ書き給へる見所限りなし。―に愛敬づき」〈源氏梅枝〉 ②乱れて収拾がつかないさま。「わが心―になりにけり袖よりほかに涙もるまで」〈狭衣一〉。「初めの勢ひほどもなく―の底ぞ」〈四部録抄〉 ③よろよろ歩くさま。「旅行くや―になりぬらん」〈宗長追善千句〉。「蹉跎、シドロモドロ」〈文明本節用集〉。「左乱足右乱足、シドロモドロ」〈いろは字〉

しな【品・階】 《階段のように順次に高低の差別・序列のあるもの。転じて、序列によって判定される物の質の良否》 ①坂道。「―だゆふ(行キナヤム)ささなみ道(ぢ)を」〈記歌謡四三〉 ②階段。「御階(みはし)の中の―の程に居給ひぬ」〈源氏若菜上〉 ③階級。身分。地位。「御方しも、受領の妻(め)にて、―定まりておはしまさむよ」〈源氏玉鬘〉 ④差別。種別。「弓といへば―なきものを、梓(あづさ)弓・真弓・槻(つき)弓―も求めず(ドレデモヨイ)」〈神楽歌一六〉 ⑤品格。品位。「見知り顔にほのめかす、いと―おくれたるわざになむ」〈源氏若菜下〉。「辺土は、人のふるまひ、ことがらの―なければ」〈仙覚抄九〉 ⑥事の次第。情状。「―有りて浪人して、名草郡に居たりけるが」〈安宅一乱記六〉 ⑦品目。品物。「十二の―で縫うたるかたかた物(ハンパ物)ただ一枚」〈虎明本狂言・吃り〉 ―を遣(や)・る 嬌態を示す。「色を作り、―・れば」〈西鶴・二十不孝二〉

しな 『接尾』《シダ(時)の転》 動詞の連用形に付いて、その折り、…しがけの意を表わす。「行き―に蕾(つぼ)うだ花が来―にはゑじかったりや桶綴ぢの花」〈咄・醒睡笑五〉

しな・え【萎え・撓え】 『下二』 生気を失ってうちしおれる。「うち嘆き―・えうらぶれ」〈万四一六六〉 †sinaye

しなかたち【品形】 身分と容姿と。「―こそ生れつきたらめ、心はなどか賢きより賢きにも、移さば移らざらん」〈徒然一〉

しながどり【しなが鳥】 〔枕詞〕《シは息》 息の長い鳥。鳰鳥(にほどり)の類で、居並ぶ性質があることから、同音をもつ地名「猪名(ゐな)」にかかる。また、地名「安房(あは)」にかかるが、かかり方未詳。「―猪名野を来れば」〈万一一四〇〉。「―安房に継ぎたる」〈万一七三八〉 †sinagadöri

しながは【品川】 ―のり【品川海苔】 江戸の品川・大森の海辺でとれた海苔、及び、その干し海苔。「―一折」〈隔蓂記正保三・九・二七〉 ―ふぐ【品川鰒・品川河

豚】江戸品川海岸でとれたフグ。よく醜女のたとえにされた。「―形や恥づる茶屋女」〈俳・坂東太郎下〉

しながはをどし …ワ…ガ【科革縅】縅の名。藍色地にシダの葉の模様を白く染め出した革を細く切って縅すこと。また、その鎧。歯朶(しだ)革縅。「源三位入道は長絹の鎧直垂(よろひたたれ)に―の鎧なり」〈平家四・橋合戦〉

しなざかる〔枕詞〕《シナは坂、サカルは遠くなる意》多くの坂を越えて遠くにある意で、地名「越(こし)」にかかる。「―越を治めに」〈万三九六九〉

しなさだめ【品定め】人や物の、品位・等級・優劣を論ずること。品評。「ありし雨夜(あまよ)の―の後」〈源氏夕顔〉

しな・し【為成し・為做し】㊀『四段』①配慮して作る。仕立てる。「御しつらひ、様ことに―・して」〈栄花岩蔭〉②とりはからう。処置する。「ただともかくも―・させ給はむままに従ひて候ふ」〈和泉式部日記〉③底意をもってする。仕向ける。「いかでこの東三条の大将〔ヲ〕…なきやうに―・して、この左の大臣をわが次の一の人にてあらせん」〈栄花花山〉㊁『名』やり方。所作。「言語道断、誰が―ぞや、定めて慶乗ぞや、太輔がしわざか」〈本福寺跡書〉 **―たり** しまった。しくじった。「この有様を見るよりも、南無三宝、―」〈浄・諏訪の本地兼家三〉

しなしな しなやかなさま。「五体をも弱弱と、心に力を持たずして、―と身を扱ふべし」〈花鏡〉

しなじな【品品】①それぞれの階級・身分。「その―やいかに。いづれを〔上中下ノ〕三つの品に置きてか分くべき」〈源氏帚木〉。「御使の祿―に〔応ジテ〕賜はす」〈源氏絵合〉②いろいろの種類。「三尺の御厨子(みづし)一具(ひとよろひ)に、―しつらひすゑて」〈源氏紅葉賀〉

しなじな・し【品品し】『形シク』いかにも品格がある。上品である。「田舎びたるされ心もてつけて、―・しからず」〈源氏東屋〉

しなずがひ イ…ガ【死なず甲斐】死なないのが幸い。殆ど死ぬばかり。「―に逢はすや鷹の捕りはづし〔ノ鳥ハ〕」〈俳・詞友集四〉 →がひ

しなせ【仕為せ】ふるまい。身ごなし。「―、しこなしなり。立居・物言ひ・座配・小歌などの事なり」〈浮・好色伊勢一〉 **―ぶり**【仕為せ振り】なまめいて媚びる身ぶり。また、人の気を引くように丁寧にもてなす風。「あるいはかこちて口説(くぜつ)をしかけ、または〔遊女ノ〕―の情(なさけ)を語りなど」〈仮・東海道名所記一〉。〈俳・世話尽一〉

しなたつ【階立つ】〔枕詞〕《シナは坂の意》地名「筑摩(つくま)」にかかる。かかり方未詳。坂の多い地形からともいう。「―筑摩さのかた」〈万三三二三〉 ▽一説、万葉集原文の「立」は「光」の誤りで、この語は「しなてる」であるともいう。

しなだま【品玉】①雑芸の一。毬を使う曲芸。「田楽・傀儡子(くぐつまはし)・唐術・―・輪鼓(りうご)」〈新猿楽記〉。「品玉、シナダマ」〈文明本節用集〉②手品。「―を取り、手鞠を突く」〈仮・浮世物語三〉

しなだゆふ【階だゆふ】『連語』《シナは坂。タユフはタユミ・タユタヒと同根》坂道で早く歩けない。一説、琵琶湖南岸の地名「ささなみ道(ち)」にかかる枕詞。「―ささなみ道を」〈記歌謡四二〉

しなだ・れ【撓垂れ】『下二』①しない垂れる。「軒のつま(端・妻)に―・れ掛る柳かな」〈俳・毛吹草五〉②媚び甘えて人に寄り添う、また、寄りかかる。「門番にとり入り、横目に―・れ」〈西鶴・一代男三〉

しなつ・け【品付け】『下二』表面をとりつくろう。ていさいをととのえる。「無理な口舌(くぜつ)に―・けて、…身にしみじみと嫌なれば、かくは宣ふものならめ」〈浄・大原御幸四〉

しなてる【階照る】〔枕詞〕《シナは坂の意》「片」にかかる。かかり方未詳。坂になっている地形からなどという。「―片岡山に」〈紀歌謡一〇四〉 **―や**【階照るや】〔枕詞〕「片」「鳰(にほ)の湖」にかかる。かかり方未詳。「―片岡山に飯(いひ)に飢ゑて」〈拾遺一三五〇〉。「―鳰のみづうみに漕ぐ舟の」〈源氏早蕨〉

しなとのかぜ【科戸風】《シナトは「息(し)な門(と)」で、風の吹き起る所。神代紀には級長戸辺命(しなとべのみこと)という風の神の名も見える》風を修辞的にいう語。「―の天の八重雲を吹き放つ事の如く」〈祝詞大祓詞〉。「―とは風神の御名なり」〈中臣祓抄〉。「もし―や吹きつらんと思へば、いぶせき匂ひぞや」〈伽・福富長者物語〉 †sinatonö-kaze

しなの【信濃・科野】①旧国名の一。東山道八国の一で、今の長野県。信州。「―なる須賀の荒野に」〈万三三五二信濃東歌〉②《「信濃者」の略》信濃・上州・越後あたりから、農閑期に江戸へ出て町家にやとわれた者の総称。「―をばお寺の〔布施ノ〕やうに直(ね)を極(きは)め」〈雑俳・万句合明和一〉 **―そば**【信濃蕎麦】信濃名産の良質の蕎麦。「月の客慰めかねつ―」〈俳・時勢粧一〉 **―ぢ**【信濃道】信濃国にゆく道。また、信濃国を通る道。「―は今の墾(はり)道刈株(かりばね)に足踏ましなむ履(くつ)はけわが背」〈万三三九九信濃東歌〉

しなひ 二人が協力して仕事をすること。「榎本彦右衛門、大坂の与八郎と―に鰯(いわし)買ひ候て」〈榎本氏覚書〉。「―、しあひとも。…商人の詞、俗言也」〈倭字古今通例全書八〉

しな・ひ シナイ【撓ひ】㊀『四段』《しなやかな曲線を示す意。類義語タワミは、加えられた力をはねかえす力を中に持ちながらも、押されて曲がる意。シナエ(萎)はしおれる意で別語》①しなやかな曲線を描く。「状は垂下(しな)へる娑羅の枝に等し」〈金光明最勝王経平安初期点〉②豊かな曲線の美をなす。春の山、美人の姿などにいう。「春山の―・ひ栄えて」〈万三二三四〉。「立ち―・ふ君が姿を忘れずは世の限りにや恋ひ渡りなむ」〈万四四四一〉。「林樹、扶疏と―・へり」〈大唐西域記一・長寛点〉③しなやかに順応する。「水に―・うて渡せや渡せ」〈平家四・橋合戦〉 ㊁『名』①しなやかな曲線を描くこと。「ゆくりなく今も見が欲し秋萩の―にあるらむ妹が姿を」〈万二二八四〉。「青柳が―を見れば今盛りなりや」〈催馬楽大路〉②垂れた花房。「いと―長く、花面白き藤を」〈栄花歌合〉③竪(たて)だけに竿を入れて、しなうように作った幟(のぼり)の指物(さしもの)。「指物、諸国大なる旗止み候て、―〔ト〕成り候間」〈家忠日記天正一〇・六・三〉④【竹刀】竹でしなうように作った稽古刀。「御小性衆馬上にて―仕合有り」〈梅津政景日記元和八・四・一〇〉。「シナイ」〈日葡〉 †sina-Fi **―ねぶ**【撓ひ合歓木】こんもりしげっているネムの木。「都賀野辺の―」〈万三七五二〉

しな・べ【匿べ】『下二』「匿め」に同じ。「匿、取レ物而蔵、志奈夫(しなぶ)」〈新撰字鏡〉

しな・め【匿め】『下二』つつみ隠す。「天皇の喪(みものおもひ)を―・めて、天の下に知らしめず」〈紀仲哀九年〉 †sinamë

しなめ・し『形ク』ひそひそ…している。こっそり…している。「道の辺の榛と櫟(くぬぎ)と―・くも言ふなるかもよ(ヒソヒソ話ヲスルソウダ)」〈琴歌譜〉 ▽シナメ(匿)と同根か。

しなもの【品者】柔和で嗜みの深い上品な女。「その名も高き―に、よれつもつれつ濡れかけて」〈評判・濡仏上〉

しなやか ①上品なさま。「いと清げに―なる童の、えならずさうぞきたるぞ、歩み来たる」〈源氏夢浮橋〉②しなうさま。

「撫子の花はーに美しければ」〈仙覚抄五〉。「颯纚、シナヤカ・シナフ」〈書言字考〉

しなん【指南】 ①教え導くこと。また、その人。師範。しるべ。「ただ仏道のーこの経におはします」〈孝養集中〉。〈色葉字類抄〉 ②「寄親(よりおや)」に同じ。「ー問答の事、ーとたのむ族(やから)、させる恨みなく余人をたのむにいたっては、相互ひの理非を糺しさぐり、時宜によるべき也」〈塵芥集〉 **ーしゃ【指南車】** 中国古代につくられた一種の車。車の上の人形の指がいつも南をさすしかけになっている。「沙門(ふほし)智踰、ーを造る」〈紀齊明四年〉

し・に【死に】 〔一〕『ナ変』 生命力が尽きる。「朝霧のおぼに相見し人ゆゑに命ー・ぬべく恋ひわたるかも」〈万五九九〉 〔二〕『名』 死ぬこと。「ーも生(い)きも同(おや)じ心と結びてし友や違はむわれも依りなむ」〈万三七九七〉。「横さまのーをすべきものに」〈源氏手習〉 〔三〕『接頭』 人をののしる意を添える。「ーたはけと申しなし」〈西鶴・二十不孝二〉 **死ねがな目抉(くじ)ろ** 死んでしまえばよい、その目を抉り取ろう、の意で、強欲非道のたとえ。「死なば目抉らむ」「死ねかし皮剝(は)がう」とも。「ー、欲の世の中なるに」〈西鶴・諸艶大鑑三〉 **死ね死なう** 相手のためにはいさぎよく命を投げ出すという、朋友または男女間の契りの詞。「死ね死なん」とも。「ー生石のない三角山」〈俳・太郎五百韻〉。「ーいとしさ鸚鵡返しなり」〈雑俳・うたたね上〉

しにあふち(オチ)【死煽ち】 扇で煽(あお)ぎ立てられるように、死を急ぐこと。「死苛(らい)ち」とも。「ええ、死あをちせし奴かな」〈浄・甲子祭三〉

しにいき【死に生き】 死ぬと生きると。いきしに。また、生死にかかわる大事件。「死如たり棄如たりとは、ーのある心ぞ」〈周易抄〉

しにいくさ【死軍】 死を決したいくさ。決死の合戦。「天下分け目のー」〈近松・佐々木大鑑一〉

しにいちばい【死一倍】 近世、高利の遊興費の金融の一法。借り主の親が死ねば倍金を返済する条件で、利子一年分天引きして貸し付ける。死倍銀。「ーを済(な)せ金衣鳥」〈俳・大坂独吟集下〉

しにい・り【死に入り】『四段』 全く死んでしまう。また、気絶する。「ー・る魂の、やがてこの御骸(から)にとまらなむとおもほゆる」〈源氏御法〉。「〔妻ハ〕夫の死するを見て悶絶してー・りぬ」〈今昔二ノ三一〉

しにいろ【死色】 死人のような顔色。青ざめた色。「シニイロニナル」〈日葡〉

しにがね【死金・死銀】 ①死んだ時の用意に貯える金銀。死に料。「ーの少しはここにあばら(マバラナ)竹」〈俳・花洛六百韻〉 ②無駄に使う金。無駄金。「畢竟(ひっきょう)遣ふ金は皆ー、使ふ金に生き金はない」〈洒・徒然睟が川五〉

しにかばね【屍骸】 なきがら。死骸。「しかばね」とも。「天皇勅してその〔長屋王ノ〕ーを城外に捨てて焼き末(だ)きて河に散らし、海に擲つ」〈霊異記中一〉。「犬のー水に流れて下る」〈今昔一〇ノ一〇〉。「屍、シニカバネ」〈下学集〉

しにかへ・り(カエリ)【死に返り】『四段』 ①くりかえして死ぬ。幾度も死ぬ。「恋するに死にするものにあらませばわが身は千遍(ちたび)ー・らまし」〈万三三九〇〉 ②《程度の甚だしいことを表わす》 死ぬばかりになる。死ぬほど…する。「浅はかなる若人どもは、〔絵合ヲ〕ー・りゆかしがれど」〈源氏絵合〉 ③死に瀕する。死の床にある。「親のー・るをば、さしおきて」〈源氏夢浮橋〉　†sinikaFeri

しにがみ【死神】 人を死に誘う神。「ーの導く道や、かげろふのはかなき虫も、たまたまは朝の露に生き残る」〈近松・二枚絵下〉

しにき・り【死に切り】『四段』 死ぬ覚悟をきめる。「かやうの所にてはー・りたる合戦をする故に必ず勝つものなり」〈孫子私抄〉

しにくち【死口】 口寄せで、死人の霊が巫女に乗り移って話すこと。また、その話す言葉。「御用の事ありとは、生き口かーかと言へば」〈近松・卯月紅葉上〉

しにぐるひ(グルイ)【死狂ひ】 死にものぐるい。「〔戦闘ブリハ〕ーとぞ見えたりける」〈盛衰記一五〉

しに・し【死にし】『サ変』《死ぬことを為す意》 死ぬ。「天地の神なきものにあらばこそ吾(あ)が思(も)ふ妹(いも)にあはずー・せめ」〈万三七四〇〉

しにしゃうぞく(ショウ)【死装束】 死ぬ時の装束。死に出立ち。「身を改め、ーにて来りぬ」〈西鶴・新可笑記一〉

しに・せ【仕似せ・為似せ】 〔一〕『下二・下一』 ①巧みに物真似をする。「かやうの万物の品品を、よくー・せたらんは」〈風姿花伝〉 ②家業を続けて、顧客の信用愛顧を増大する。「ー・せ置かれし商売」〈西鶴・永代蔵四〉 〔二〕『名』《「老舗」とも書く》 ①先祖代代の家業を守り継ぐこと。また、その家業・商店。「僅か四貫目に足らざる借銭、これにて数年(多年)のーを止むる事有るべきか」〈西鶴・桜陰比事一〉 ②商店が長年の営業によって得た顧客の信用・愛顧などの無形財産。「商人はただーが大事ぞかし」〈西鶴・永代蔵五〉

しにちゃう(チョウ)【死帳】 ①死人の名前その他を記す帳面。「切支丹転(ころび)の類族忌(い)みかかる程の者…〔ノ〕二人の改め、存命帳一冊、ー一冊両人分二冊、合(が)ふ四冊」〈宗静日記貞享五・四〉 ②《転じて》 回収不能の掛金を記す帳面。「売掛はーに付け捨て」〈西鶴・胸算用三〉

しにでたち【死出立】 死ぬための身ごしらえ。死装束。「かねてのーに、皆曼陀羅(まんだら)を書いてぞ付けたりける」〈西源院本太平記三・陶山小見山〉

しにてんがう(ゴウ)【死てんがう】 いたずらに死ぬ真似をすること。狂言自殺。しにてんご。「無用のーと存じた」〈西鶴・胸算用二〉

しにどり【死捕り】 死んだ者の首を取ること。また、その首。「生捕りもーも、義経にこそ見すべきに」〈平家一一・腰越〉

しにのおほきみ(オオ)【死の大王】《死を王にたとえた語》 死神。死王。「これの身(人間)はー常にたぐへり」〈仏足石歌〉　†sininöoFokimi

しにば【死場】 ①死の場面。死にぎわ。「きたなくも見え給ひつるーかなと、爪はじきせぬ人もなかりけり」〈太平記二七・上杉畠山〉 ②死ぬ所。死に場所。「ここぞ人のーとて定まりし所もなし」〈近松・天網島下〉

しにはだたち【死膚断ち】《「生膚(いきはだ)断ち」の対》 国つ罪の一。死んだ人の皮膚を切る罪。「国つ罪と〔シテ〕、生膚断ち、ー」〈祝詞大祓詞〉

しにはぢ【死恥】 死後に残る恥。「死して死骸を知る人に、そのーも慎ましく」〈近松・卯月紅葉下〉

しにばな【死花】 **ー咲か・す** 立派に死んでほまれを残す。「百騎が一騎になるまでも敵と戦て、ー・せてこそ心地も少しよかるべし」〈新田老談記上〉

しにびかり【死光】 ①死際の立派なこと。「秋に名を残す螢やー」〈俳・崑山集七〉 ②葬式の立派なこと。「後の世も疑ひは無きー」〈俳・伊勢俳諧長帳二〉。「葬りの結構なるをーと云へり」〈俳・類船集七〉

しにぼくろ【死黒子】 人が死ぬ前に身体にできるというほくろ。「楽天が年寄りて身にー」〈俳・犬子集一七〉

しにまうけ(モウケ)【死設け】 死ぬ用意。しにじたく。「『ただ生

死を告げさせ給へ』と申させ給ひければ、…『ただ—をせよ』と夢に見給ひければ」〈栄花玉飾〉

しにみづ【死水】末期の水。「—を誰に取られん」〈近松・反魂香中〉

しにむしゃ【死武者】決死の覚悟の武者。「みな—になりて拒ぎ戦ふ」〈七書評判一〉

しにめ【死目】臨終。「何とて昨日(きのふ)にも帰り、母の—に逢ひ給はぬぞ」〈説経・かるかや〉

しにやまひ(マイ・ヤ)【死病】回復の望みのない病気。死病(しびよう)。「—とは見えぬ夕暮〔時ノ病人ノ様子ダ〕西鶴」〈俳・六日飛脚〉。〈日葡〉

しによく【死欲】死際になってますます欲深くなること。「—をかく早桶の二重底」〈雑俳・広原海三〉

じにん【神人】⇒じんにん

しぬ【篠】「しの」のノに当る万葉仮名「怒」などを江戸時代にヌとよみ誤って作られた語。「—のめの」〈詞草正採鈔〉

しぬ・ぎ【凌ぎ】『四段』「しのぎ」のノに当る万葉仮名「努」などをヌとよみ誤って作られた語。「菅の葉—ぎ降る雪の」〈万葉考一四〉

しぬに『副』「しのに」のノに当る万葉仮名「努」などをヌとよみ誤って作られた語。「こころも—おもほゆるかも」〈万(元暦本訓)三九七九〉。「心も—とは、しのぶ心か」〈袖中抄一三〉

しぬぬに『副』「しののに」のノに当る万葉仮名「努」などをヌとよみ誤って作られた語。「あさぎりに—ぬれて」〈和歌童蒙抄〉。「—ぬれてとは、之怒怒と書きてしとどにぬれてともよみ、又しののにぬれてとも読めり」〈袖中抄一三〉

しぬ・ひ【偲ひ】㊀『四段』《シノヒの母音交替形》思い慕う。「瓜食(は)めば子ども思ほゆ栗食めばまして—・はゆ」〈万八〇二〉 ㊁『名』思い慕うよすが。「わが妹子が—にせよと着けし紐糸になるとも吾(わ)は解かじとよ」〈万四四〇五上野防人〉 ▽奈良時代にはシノヒとシヌヒとが並んで行なわれていたが、江戸時代の国学者はシノヒにあてた万葉仮名「志怒比」などの「怒」「努」の類をみなヌの仮名と認めたので、奈良時代には一律にシヌヒだけであったとした。また、シノヒ(偲)のノ nö と、シノビ(忍・隠)のノ nö とは、発音が異なり、別語であったのを認めず、すべてシヌヒであるとした。→しのび(偲) †sinuFi

しね 生れつき持っている性質。天性。しね根性。「心かたく、悪に染み馴れ、—悪しく」〈こんてむつすむん地三〉。「性根悪、シネガワルヒ」〈俳・反故集下〉

しね【稲】「いね」に同じ。他の語の下につく時に使う。「十握(とつか)—を浅甕(あさらけ)に醸める大御酒」〈紀顕宗即位前〉。「御(み)—つく女(をみな)」〈神楽歌四九〉

じねん【自然】おのずからそうあること。「—に事どもの気色もこそ見ゆれ」〈源氏蜻蛉〉。「よく道を行なうて人に恩を見せて置かるれば—にその国が強くなるぞ」〈三略抄〉。「世話に—と呉音に云へば自然天然の様に心得、自然(しぜん)と漢音に云へば若(しも)の様に心得るなり」〈見聞愚案記五〉

—ど【自然粳】《近世前期ジネンコ》熊笹または老竹などに結ぶ果実。小麦に似て食用とする。この実がなる時は竹が枯れ、また凶年の兆といわれた。じねんごう。「—の病竹を売りかねぬる憂へ」〈三十二番職人歌合〉

しの【篠】細く小さい竹の総称。メダケ・ヤダケなどをさす。矢などにつくる。「神篠、小竹也、此をば斯奴(しの)といふ」〈紀神代上〉。「篻、竹也、細竹也、篠也、志乃(しの)」〈新撰字鏡〉 †sino **—を突・く** 雨がはげしく降るさまにいう。「またかきくもりて—・くが如く降りいでければ」〈吉野拾遺〉

しのうこうしゃう(シ・・ヨウ)【士農工商】武士と農民と職人と商人と。四民を身分の観念の順に並べたもの。「—の家にも生れず」〈謡・善知鳥〉。「—の四民と云ひて、人に四種の品があるぞ」〈史記抄一八〉

しのぎ【鎬】刀剣類の刃と背(みね)との間の、稜(かど)立って高い部分。「〔カブラ矢ノヤジリノ〕手前六寸—をたてて、前一寸には、峰にも刃をぞ付けたりける」〈古活字本保元中・白河殿攻め落す〉 **—を削・る** 刀ではげしく斬り合う。「—・り、鍔(つば)を割り、切先より火焔の(ヲ)出し、ここを先途と切り結ぶ」〈伽・いづみが城〉

しの・ぎ【凌ぎ】『四段』《ふみつけ、おさえる意が原義》①おさえ伏せる。上におおいかぶさる。「奥山の菅の葉—・ぎ降る雪の」〈万二九九〉 ②山・波などを押し分けのりこえる。「天の川白波—・ぎ」〈万二〇八九〉。「秋萩—・ぎさを鹿鳴くも」〈万三四三〉 ③辛抱して困難・障害などをのり切る。「漫漫たる大海に風波の難を—・ぎ」〈平家一一・腰越〉 ④《下にふみつける意から》あなどる。さげすむ。「—・ぎ蔑(あな)りていはく『汝、鷲の噉(く)ひ残し、何故に礼(ゐや)なき』といひて」〈霊異記上九〉。〈新撰字鏡〉 †sinogi

しのきは 矢羽の一。また、その矢。「—を二つ手挟(たばさ)み放ちけむ」〈万三〇二〉 †sinökiFa

しのこ・し【為残し】『四段』やりとげないで残す。「今よりはかなき御具ども、何事を—・さんとおぼしめしたり」〈栄花蕾花〉

しのどの【四の五の】『連語』あれこれと面倒なことを言うさま。なんのかの。「比翼連理〔ノ仲モ今ハ〕—の春」〈俳・幕尽〉

しのすすき【篠薄】①篠やススキ。「妹等(いも)がりわがゆく道の—」〈万一一二一〉 ②まだ穂の出ていないススキの称という。「穂に出でぬもの思ふらし—招くたもとの露しげくして」〈源氏宿木〉 †sinosusuki

しのせんじ【使の宣旨】検非違使(けびゐし)や奉幣使などを任命する時に下される宣旨。「すなはち—を蒙(かう)ぶって、九郎判官とぞ申しける」〈平家一〇・藤戸〉

しのだけ【篠竹】「篠」に同じ。「我なれや風をわづらふ—は起き伏しものの心細くて」〈山家集中〉

しのだのもり【信太森・信田森】和泉国信太村にある森。クスの大樹の下に、白狐の住んだという洞窟がある。後世、葛(くず)の葉の伝説で有名。「この—を道のしるべにてまうで給ふ」〈源氏若菜上〉

しのに【四の二】「六」をしゃれていう語。「降らぬ間や—物思ふ六(むつ)の花(雪)」〈俳・鸚鵡集八〉

しのに『副』①(露などで)しっとりと濡れて。「秋の穂を—押しなべ置く露の」〈万三二五六〉 ②(人の心が)悲しみなどで、しっとり、しみじみした気分になって。「淡海の海夕波千鳥汝が鳴けば心も—古へ思ほゆ」〈万二六六〉 ③《中世以降》しげく。しきりに。「あふことはかたのの里のささの庵(いほ)—露散る夜半の床かな」〈新古今一一一〇〉。「—といへる事は、しげくひまなしといふ事に古き歌に常に使へば」〈俊頼髄脳〉 †sinoni

しのね【羊蹄】ギシギシの根。薬用とする。「—、薬のため求むるを聞きて」〈宗長手記下〉。「羊蹄、之乃禰(しのね)」〈本草和名〉 →し(羊蹄)

しののに『副』しっとりと。「聞きつやと君が問はせるほととぎす—濡れて此ゆ鳴き渡る」〈万一九七七〉 †sinononi

しののはぐさ【篠の葉草】篠に似た形の草の称。また、篠のこと。「散らすなよ—のかりにても露かかるべき袖の上かは」〈新古今一一一一〉

しののめ【東雲】夜明け、わずかに東の空の白む頃。「—の別れを惜しみ我ぞまづ鳥より先になきはじめつる」〈古今六四〇〉。「篠目、シノヽメ、或は東雲と作る。日本の世話、早朝の義也」〈文明本節用集〉

しののをざさ【篠の小笹】「篠」に同じ。「ふしわびぬ—のかり枕はかなの露や一夜ばかりに」〈新古今九六二〉

しのばう ウ…ボ【師の坊】①師匠である僧。師僧。「一休和尚〔ノ〕…—をば養叟和尚と申しける」〈仮・一休咄一〉②《もとは、僧侶がなっていたので》寺子屋の師匠。手習いの先生。また、一般に、師匠。「—の沙汰の限りな筆の海」〈俳・大句数上〉

しのはく【偲はく】《シノヒのク語法》遠くにいる人をはるかに思い慕うこと。「後れにし(後ニ残ッタ)人を—四泥(でし)の崎木綿(ゆふ)取り垂でてさきくとぞ思ふ」〈万一〇三一〉 †sinoFaku

しのば・し【偲ばし】『形シク』偲ばれてならない。慕わしい。恋しい。「昔思ひ出でけるに、—・しき事多く覚えければ」〈今鏡三〉

しのはら【篠原】篠の生えている野原。「里遠み小野の—分けて来て」〈源氏夕霧〉

しの・び【偲び】㊀『四段』《奈良時代にはシノヒと清音》①賞美する。「黄葉(もみち)をば取りてそ—・ふ」〈万一六〉。「あしひきの山下ひかげ鬘(かづら)ける上にや更に梅を—・はむ」〈万四二七八〉②遠い人、故人などを思慕する。「あが思ふ妻ありと言はばこそよ、家にも行かめ、国をも—・はめ」〈記歌謡九〇〉。「直(ただ)の逢ひは逢ひかつましじ石川に雲立ち渡れ見つつ〔亡キ夫ヲ〕—・はむ」〈万二二五〉㊁『上二』故人などを思慕する。「亡き人を—・ぶる宵の村雨に」〈源氏幻〉▽奈良時代にはsinoFiという音で、「忍び」sinöbiとは全くの別語だったが、平安時代に入って、それぞれsinoFi→sinobi, sinöbi→sinobiという音変化を経た結果、連用形どうし、終止形どうしが同音になり、「思慕」と「隠忍」という意味上の近似もあって、両語は多少混同され、思慕する意で上二段に活用する例を生じた。また、この語の万葉仮名の原文は、「志努布」などと書くので、江戸時代の国学者は、「努」をヌと認め、シヌブと訓んだ。しかし、すべてシヌブとすることは、今日では誤りと認められる。→しのび(忍)㊂『名』思い出のよすがとなるもの。偲ぶよすが。「後人の—にせむと」〈万一八〇一〉 †sinoFi —こと【誄】人が死んだ時、生前のことを偲んで死者の霊にささげることば。「—の書(ふみ)に勅(のたま)ひて」〈続紀宣命四〇〉 —どころ【偲び所】なつかしく思うこと。思い出のよすが。「ここら年経給へる御すみかの、いかでか—なくはあらむ」〈源氏真木柱〉

しの・び【忍び・隠び】㊀『上二』①じっとこらえる。じっと我慢する。「万代と心は解けてわが背子が抓(つ)みし(ツネッタ)手見つつ—・びかねつも」〈万三九四〇〉。「—・ぶれど涙こぼれそめぬれば」〈源氏帚木〉②隠す。秘密にする。「—・ぶるやうこそは〔アラメ〕と、あながちにも問ひいで給はず」〈源氏夕顔〉㊁『四段』①こらえる。「わが心にかなはず、—・ばむこと難きふしありとも」〈源氏梅枝〉②人目につかぬようにする。隠れている。「蔭にしもなどか鳴くらむ卯の花の枝に—・ばぬ心とぞ聞く」〈かげろふ下〉→しのび(偲)㊂『名』①人目にたたぬようにすること。隠すこと。秘密。「—なる所なりければ、門よりしもえ入らで」〈古今六三二詞書〉②「忍び歩き」に同じ。「御—でござる程に奥の間を御貸し候へ」〈虎明本狂言・老武者〉③敵の陣中にひそかに入り込み、情勢をさぐる術。忍びの術。また、それにすぐれた者。忍びの者。「或夜の雨風のまぎれに、逸物の—を八幡山へ入れて」〈太平記二〇・八幡炎上〉④窃盗の異称。「窃盗…世間に—と云ふ、是れ也」〈御成敗式目注〉。「窃盗、シノビ」〈易林本節用集〉⑤懐中に隠している小刀。忍び刀。「—の柄に手を掛け」〈近松・吉野忠信一〉 †sinöbi **—あま・り**【忍び余り】『四段』隠しおおせず、表面に出る。「—・り侍る〔気持ノ〕深さ浅さの程」〈源氏橋姫〉 **—あみがさ**【忍び編笠】顔を隠すためにかぶる編笠。遊里通いの客などが用いた。忍び笠。「—深深とかぶり」〈仮・石山寺入相鐘下〉 **—ありき**【忍び歩き】人目に立たぬよう隠れて女の所などへ歩きまわること。おしのび。「かの宮の、御—制せられ給ひて、内にのみこもりおはします」〈源氏総角〉 **—かご**【忍び駕籠】人目を忍んで駕籠に乗ること。また、その駕籠。しのび乗物。「—〔デ〕登り詰めたる峰の松」〈俳・西鶴五百韻〉 **—がさ**【忍び笠】「忍び編笠」に同じ。「踊子や月の顔をも—」〈俳・藤枝集上〉 **—がへし** シガエ【忍返し】門や塀の上に釘などを並べ立てて、盗賊などの忍び込むのを防ぐ設備。「〔番匠〕平二郎来る。—これを申し付く」〈多聞院日記天正七・一〇・一三〉 **—がよひ** イガヨ【忍び通ひ】人目を避けて異性のもとへ通うこと。「身のいかになるとも人はよも知らじ／—のつらき中道」〈享徳千句〉 **—ぐるま**【忍び車】人にかくれて車に乗ること。また、その車。「さ夜ふかす—のうはしろに霜降るまでも外(と)に立てれとや」〈夫木抄三三・車〉 **—ごと** ①【忍び言】ひそひそ話。ないしょの言葉。「ありつる—どもの、御耳とまりつることやまじりたりつらむ」〈狭衣四〉②【忍び事】かくしごと。ないしょごと。密事。「かかる御—により、山里の御ありきも、ゆくりかに思し立つなりけり」〈源氏総角〉 **—ごま**【忍び駒】三味線の駒に紙などをはさみ、弱音で弾くこと。また、その駒。「揚屋の如来(遊女ノタトエ)—にて」〈俳・雪之下草歌仙〉 **—しのび**【忍び忍び】『副』こっそりと。人目を避けて。「わが引かば末(将来)さへ寄りこ—に」〈古今一〇七八〉 **—ぢ**【忍び路】隠れ忍んで行く道。「—を雲井の余所に廻らして」〈謡・蟬丸〉 **—ぢゃうちん** チョウ…【忍び挑燈】「強盗(がんだう)挑燈」に同じ。「—差し上げ」〈近松・碁盤太平記〉 **—づきん**【忍び頭巾】遊里の忍び歩きにかぶる頭巾。「其の男—をなん着たりける」〈評判・吉原伊勢物語上〉 **—づま** ①【忍び夫】隠し男。情夫。みそか男。「—かへる名残りの移り香を」〈玉葉一八五二〉②【忍び妻】隠し妻。情婦。「昔この所に住みける者、—にあこがれ、…夜な夜な通ひけるに」〈謡・舟橋〉 **—どころ**【忍び所】ひそかに通う所。「いといたう色めき給ひて、通ひ給ふ—多く」〈源氏紅梅〉 **—に**【忍びに】『副』隠れて。こっそり。「偽りの涙なりせば唐衣—袖はしぼらざらまし」〈古今五七六〉 **—ね**【忍び音】①忍び泣きの声。また、声をひそめて泣くこと。「心のうちに、恋しくあはれなりと思ひつつ、—をのみ泣きて」〈更級〉。「—の涙たたふる袖のうらに」〈山家集中〉②《姿を隠してかすかに鳴くところから》ホトトギスの初音。「ほととぎす世に隠れたる—を」〈和泉式部日記〉③ひそかにたてる声。小声。「夜の耳にてはあり、しかも—に云ひつれば」〈盛衰記一八〉 **—ぶみ**【忍び文】人目を忍んで送る手紙。恋文。「置き所あらじと思ふ—／形見の扇ただ袖の中」〈看聞御記紙背連歌〉 **—め**【忍び眼】盗み見ること。横目で見ること。「偸眼(しのびめ)に看る」〈遊仙窟(醍醐寺本)鎌倉期点〉 **—もとゆひ** イユ…【忍び元結】外に見えぬように結んだ元結。「—三筋廻し」〈西鶴・一代女六〉 **—やか**【忍びやか】人目を避けているように感じられるさま。ひそか。「—なる声づかひなどを、よろしう聞きなし給へり」〈源氏夕霧〉。「密、シノビヤカナリ」〈名義抄〉

—やど【忍び宿】近世、男女密会の宿。また、野郎・隠し売女を呼んで遊興する宿。中宿。「明神の咎めに逢うた—」〈俳・通し馬上〉 **—をとこ**【忍び男】隠し男。間男。情夫。「月に六斎(ろくさい)の—」〈西鶴・一代女六〉 **—をんな**【忍び女】私娼。「磯島といへるにも舟子の瀬枕、—有る所ぞかし」〈西鶴・一代男三〉

しのぶ【忍】①草の名。しのぶぐさ。「軒の—ぞ所得がほに青みわたれる」〈源氏橋姫〉②「忍摺り」の略。「—の衣ゆきずりの人目ばかりに乱れわぶとは」〈夫木抄三三・衣〉③「忍髷(しのぶわげ)」の略。婦人の髪の結い方の一。「手絡(てがら)〔髷〕より—がよく似合ひます」〈洒・錦之裏〉 **—ぐさ**【忍草】草の名。今のシノブ・ノキシノブの類。岩石や樹皮の表面、古びた軒端や門などに生える。「荒れたる門(かど)の—茂りて」〈源氏夕顔〉。「忘れ草・—包みてやるとて。物思へば我か人かの心にもこれ(忘レ草)とこれ(忍草)とぞしるく見えける」〈和泉式部集二〉 ▽偲ぶの意にかけて用いることがある。 **—ずり**【忍摺・信夫摺】織物の模様を摺り出す方法の一。また、その摺り模様の衣。忍草の葉・茎を布に摺りつけて、捩(もじ)れたような模様をつけたものという。一説、奥州信夫(しのぶ)郡に産する織物の模様。「しのぶもぢずり」とも。「この男、—の狩衣をなむ着たりける」〈伊勢一〉 **—のみだれ**【忍ぶの乱れ】人目を避けた好きごと。「大殿には絶え絶えまかで給ふ。—やと疑ひ聞ゆる事もありしかど」〈源氏帚木〉 ▽伊勢物語に「春日野の若紫のすり衣—限り知られず」とあり、もとは、忍摺りの模様の乱れの意。転じて、ひそかに人を恋い慕う心の乱れの意。 **—もぢずり**【忍綟摺・信夫綟摺】《「忍摺り」の模様が捩(もじ)れ乱れているからとも、捩れ乱れた模様のある石に布をあてて摺ったからともいう》「しのぶずり」に同じ。「みちのくの—誰ゆゑに乱れそめにしわれならなくに」〈伊勢一〉

しのべだけ【忍べ竹】茎細く葉の大きい竹。垣根・壁下地などに用いる。女竹(めだけ)。「うきふしを思ひもいれず—忍べどねこそまづ泣かれけれ」〈新撰六帖六〉。〈日葡〉

しのわかれ【死の別れ】《連れ添った夫婦の一方の死亡が、はじめて二人の別れとなる意》一方が死ぬまで添いとげること。「この男女、互ひに七、八十になるまで栄えて、男子、女子生みなどして、—にぞ別れにける」〈宇治拾遺一〇八〉

しば【芝】山野に生えるイネ科の多年草。庭園などに栽植する。「平等院の門の前なる—の上に物具(もののぐ)ぬぎすて」〈平家四・橋合戦〉。「—を伏せん庭につづかむ所には」〈作庭記〉

しば【柴】山野に生えている小さい雑木(ぞうき)。また、それを薪(たきぎ)用、垣根用に切ったもの。「おはします後の山に、—といふものふすぶるなりけり」〈源氏須磨〉

しば【屢】『副』度数の多い意。たびたび。「あからひく色ぐはし子を—見れば人妻ゆゑにわれ恋ひめやも」〈万一九九九〉。「吾が門に千鳥—鳴く起きよ起きよわが一夜づま人に知らゆな」〈万三八七三〉

しば【暫】『副』《シバシ(暫)・シバラク(暫)と同根》しばらく。しばし。しばらくお待ち下さい。「—させ給へ、とてもさらば、暮るるを待ちて」〈謡・山姥〉。「—待てとは、しばし待てと云ふ事也」〈宗祇袖下〉

しはう(ホウ)【四方】①東西南北。四周。「かうばしき香—にみちて」〈十訓抄一ノ七〉②刳形(くりかた)を四方の脚にあけた、物を載せる台。「各(おのおの)参会の時…大臣などにて御入り候はば〔盃ハ〕—にても据ゑらるべき段、尤も勿論也」〈雑事覚悟事〉。「くりかた四方にあきたるを—と云ふ。三方にあきたるを三方と云ふ」〈神道名目類聚鈔三〉③鎧の指物(さしもの)の名。長さを幅の一・五倍にとった旗。「四半」とも。「高坂弾正、旗、朽ち葉の—」〈甲陽軍鑑八〉 **—がみ**【四方髪】①月代(さかやき)を剃らず、全体の髪を延ばし束ねて結った男の髪。総髪。「東屋の軒のあやめや—」〈俳・発句帳三〉②「撫付け」に同じ。「—の傾城」〈浮・御前義経記六〉 **—どし**【四方輿】輿の一。上皇・摂政・関白・大臣以下、公卿・僧綱などが主として遠出の際に乗った。四方に簾を垂れるのでこの名がある。「関東へ下り給ふべしとて、袖飾ったる—に力者十二人」〈盛衰記四六〉 **—しゃうめん**(ショウ)【四方正面】東西南北の四方どちらから見ても、正面から見るように美しいこと。「四方面」とも。「能は—にて、片向きばかり良く見え、身姿悪しきは嫌ひ申す」〈わらんべ草四〉 **—じろ**【四方白】兜の鉢の前後左右に鍍金(めっき)した板を貼りつけて装飾としたもの。「小桜縅(こざくらをどし)の鎧、—の兜」〈義経記六〉 **—はい**【四方拝】元日の朝、寅(とら)の刻、天皇が清涼殿の東庭で、属星(ぞくしやう)を唱え、天地四方・山陵などを拝する儀式。「主上わたらせ給へども、節会も行なはれず、—もなし」〈平家九・生食〉

しばうち【芝打】①垂らしたものの下端が地面に触れること。「厚総(あつぶさ)の鞦(しりがい)の、ただ今染め出でたる如くなるを—長(たけ)に懸け成し」〈太平記三三・公家一統〉②「しばずり」に同じ。「火屋の荒垣には、白き絹に—を布にしたる幕を張れり」〈万松院殿穴太記〉。「〔引幕ノ〕裾をば沓野または—とも云ふ也」〈伊勢備後守貞明覚悟記〉

しばかか【柴嚊】柴を売り歩く女。「—に茶漬振舞ひけり枝の花」〈俳・ほのぼの立〉

しばがき【柴垣】①《奈良時代にはシバカキと清音》柴を結びあわせて作った垣根。「大君の御子の—」〈記歌謡一〇九〉。「田舎家だつ—して」〈源氏帚木〉②近世初期流行した北国辺の米搗(つ)き歌。胸をたたき、身をよじらせて歌った。柴垣節。「我は—などとしどろもなく唄ひなすに」〈評判・美夜古物語〉 †sibakaki **—ぶし**【柴垣節】「柴垣」(2)に同じ。〈糸竹初心集中〉 **—をどり**【柴垣踊】柴垣節を歌う時の身振り手振り。また、柴垣節そのものの称。「—は知ってか」〈西鶴・一代男三〉

しはが・れ(シワガレ)【嗄れ】『下二』《シハは舌・唇の意の古語。カレは枯レ》声がかれる。しゃがれる。「雲井に大きなる声の—・れたるを以て」〈平家六・嗄声〉

しばき【柴木】「柴」に同じ。「栗毛なる馬に—をおほせて」〈俊頼髄脳〉

しばくさ【萊草】雑草。「立ちかはり古き都となりぬれば道の—長く生ひにけり」〈万一〇四八〉

しばぐるま【柴車】①柴を積む車。「山路の郭公を。—下り立ちぬれば郭公鳴けどもえこそ止まらざりけれ」〈有房中将集〉②刈った柴を山のふもとへ落すために束ねたもの。「—落ち来るほどにあしひきの山の高さを空に知るかな」〈堀河百首〉。「—とは、柴をつかね嶺より下すに、谷底までころび下るをいふとかや」〈当風連歌秘事〉

しばざかな【芝肴】江戸芝浦、品川沖でとれる小魚類。「雪汁に少しあしらふ—」〈俳・当世男下〉

しばし【暫し】『副』《シマシ(暫)の転》少しの間。ちょっとの間。「—河のほとりにおり居て、〔都ヲ〕思ひやれば」〈古今四二詞書〉 ▽平安女流文学で使われた。→しばらく

しばしば【屢】『副』《シバはシバシ(暫)のシバと同根。短い時間の意。従って、シバシバは、ちょこちょこが原義》幾度も。度度。「君が家の池の白波磯に寄せ—見とも飽かむ君かも」〈万四五〇三〉 **—め**【しばしば目】目をしばたたき涙ぐむ目付。「せきあげせきあげ泣きければ、〔ツラレテ〕浄閑も

ー」〈近松・寿門松中〉

しはす シハス【師走】陰暦十二月の称。「十二月(しはす)には沫雪(あわゆき)降ると知らねかも」〈万一六四八〉　**ーあぶら**【師走油】近世、師走に油をこぼしたり身に掛かったりした時、火に祟られると忌んで、水を浴びせて縁起直しをした俗習。「ーは掛らぬ事と言ふなるに」〈咄・醒睡笑三〉　**ーのやうかぶき** ヨウカ【師走の八日吹き】師走の八日に吹く暴風。この日は針千本というフグが海岸に打ち寄せられるといい、また、針供養をした。後には、八日続けて風が吹くことの意にも解された。「折しもあれ今はー」〈俳・大矢数四〉。「ーとて、八日づつ続けて風吹くもの」〈譬喩尽七〉

ーばうず ボウ【師走坊主・極月坊主】年の暮には施しをする者がないので、おちぶれてみすぼらしい坊主。また、姿のみすぼらしい者をたとえていう語。「殊にーとて、この月はいそがしきに取り紛れ、親の命日も忘れ、〔施シヲ〕くれねば是非もなく」〈西鶴・胸算用一〉　**ーびくに**【師走比丘尼】おちぶれて姿のみすぼらしい比丘尼。「ーの唄の寒さよ」〈俳・炭俵上〉　**ーべに**【師走紅粉】「寒紅(かんべに)」に同じ。「冬山に残る紅葉やー」〈俳・崑山集一三〉　**ーらうにん** ロウ【師走浪人】おちぶれてみすぼらしい浪人。「師走坊主・ー、昔は槍(クルワノ遣リ手ト掛ケル)が迎ひに出る。今はやうやう長刀の草履(古草履)を脱いで」〈近松・夕霧上〉

しばすり【芝摺】引幕などのすそ。「狩の幕串をば…、ーと地の上の間、三寸にうつなり。…軍陣の時は芝打ちといふ。常のはーといふなり」〈甲陽軍鑑一六〉

しばすりごろも【柴摺衣】柴にふれる着物の意で、山野などを分けて行く時に着る衣。「岩根ふむ山のたつきも夕さればーうちしめりつつ」〈正治百首上〉

しばたた・き【屢叩き】『四段』目をぱちぱちさせる。何度もまたたきをする。「猿、顔を赤めて、目をー・きて、歯を白く食ひ出して」〈今昔二六ノ七〉

しばつみぶね【柴積舟】「柴舟」に同じ。「ー所所に行きちがひたるなど」〈源氏浮舟〉

しは・て【為果て】『下二』しとおす。「女君も心にいり給へる事にて物怨じもえー・て給はず」〈源氏宿木〉

しばでんがく【芝田楽】芝生で演ずる田楽舞。「あらはれての御祈りには、百番のー」〈平家一・願立〉

しはに【底土】《「端土(はつに)」の対》下の方にある土。「ーは、に黒きゆゑ」〈記歌謡四二〉　▽シ(下)ハニ(土)の合成語という。

しばのいほり イオリ【柴の庵】柴を結んで作ったいおり。粗末な仮の家。「同じーなれど、少し涼しき水の流れも御覧ぜさせむ」〈源氏若紫〉

しばのと【柴の戸】柴を編んで作った粗末な戸、または門。「柴の枢(とぼそ)」とも。「ーおしあけてながめおはします」〈源氏明石〉

しははゆ・し シワハユシ【鹹し】『形ク』《シハは唇・舌の意の古語。ハユシはむずがゆい感じがする意》塩辛い。「七金山の外は乃ち、鹹(しははゆ)き海水なり」〈大唐西域記一・長寛点〉。「水も同じくー・き水なり」〈正法眼蔵随聞記一〉　▽後に転じて「しほはゆし」という。

しばひき【芝引】太刀の金具の一。鞘尻の刃の方に伏せた筋金。「太刀のーで突いて見たれば」〈虎明本狂言・磁石〉

しばびと【柴人】柴を刈り取る人。柴男(しばを)。柴売り。「誠にーの所作、希有の能立てなり」〈政基公旅引付文亀一・七・一六〉

しはぶか・ひ シワブカイ【咳かひ】『四段』《シハブキに反復・継続の接尾語ヒのついた形。→ひ》何度も咳をする。「糟湯酒(かすゆざけ)うちすすろひて、ー・ひ鼻びしびしに(グスグスサセ)」〈万八九二〉　†siFabukaFi

しはぶ・き シワブキ【咳き】□一『四段』《シハは唇・舌の意の古語。ブキは吹キ》①咳(せき)をする。「尼君ー・きおぼほれて起きにたり」〈源氏手習〉　②(訪問のしるしに)咳ばらいをする。「妻戸を鳴らしてー・けば、少納言聞き知りて出で来たり」〈源氏若紫〉　□二『名』①咳。「日ごろ、悩ましうて、ーなど、いたうせらるるを」〈かげろふ上〉。「咳嗽、志波夫伎(しはぶき)」〈天平九年太政官符注〉　②(訪問のしるしの)咳ばらい。「こわづくり給へば、あてなるーと聞き知りて」〈源氏浮舟〉　†siFabuki　**ーやみ**【咳病】咳の出る病気。風邪。「ーにや侍らむ、かしらいと痛くて」〈源氏夕顔〉

しばぶね【柴舟】柴を積んだ舟。柴積み舟。「暮れて行く春の湊は知らねども霞におつる宇治のー」〈新古今一六九〉

しはぶ・り シワブリ【四段】《シハは唇・舌の意の古語。ブリは触り。シャブリの古形》唇でなめ吸う。しゃぶる。「砂糖は甘蔗を煎て出る所の汁なり。幼童は是をー・るなり」〈蕉軒日録文明一八・三・一四〉

しはふるひ シワフルイ《シハは唇・舌の意の古語。フルヒは振ヒ》口をもぐもぐさせる老人。「あやしきーどもも集まりゐて涙を落しつつ」〈源氏賢木〉。「何とも聞き分くまじき、このもかのものーどもも、すずろはしくて」〈源氏明石〉　▽「柴振る人」などとするのは誤り。

しはぶ・れ シワブレ【咳れ】『下二』《シハは唇・舌の意の古語。ブレは振レ》咳こむ。「帰り来てー・れ告ぐれ」〈万四〇一一〉　▽シハは沖縄方言でもシバの形で舌・唇の意に用いる。

しばもの【芝物】「芝肴(しばざかな)」に同じ。「ーの涼しき〔趣ヲ源氏物語ノ〕常夏の巻を見て思ふ」〈俳・田舎之句合〉

しばやま【柴山】柴の生えた山。雑木山。「富士のー木(こ)の暗(くれ)の」〈万三三五五駿河東歌〉

しばらく【暫く】『副』《シマラクの転。シマリ(締)と同根》①少しの間。当分の間。「我今、且(しば)らく是の如き事を説く」〈金光明最勝王経平安初期点〉。「ーはこなたにおはすれば」〈源氏御法〉　②一時的に。かりそめに。「その形いささか異なれども、ともに観音の一躰なり。その名ー変れども、ならびに彌陀の分身なり」〈諸神本懐集本〉。「暫、シバラク・カリソメ・アカラサマ」〈名義抄〉　▽平安時代、漢文訓読体に使われ、女流文学では一般に「しばし」を使ったが、鎌倉時代以後、区別が失われた。

しはらくさ・し シワラ【しはら臭し】『形ク』小便くさい。「婆婆の人の香こそすれ。しはらくさや」〈伽・天稚彦草子〉

しば・り【縛り】『四段』《シマリ(締)の子音交替形》①きつくしめつける。強い力でしめる。「撫剣、此をば都盧耆能多伽彌(つるぎのたかみ)屠利辞魔屢(とりしばる)と云ふ」〈紀神武即位前〉　②(縄などを)からげて強くゆわえる。「ただー・りにー・りて引き出だして足をはさんで問ひけれども」〈今昔二九ノ九〉。「縛、シバル」〈名義抄〉　**ーくび**【縛首】刑罰の一。罪人を麻縄で後ろ手に縛り、首を前に伸べさせて斬り落すこと。「守護したる城を人に追ひ出されて、ーを切られたぞ」〈三体詩抄二ノ三〉

じばり【自針】自分で鍼(はり)を刺すこと。「心地をよげにーひねりぬ」〈俳・信徳十百韻〉

しばゐ【芝居】①芝の生えた所にすわること。「ーする山松かげの夕涼み秋思ほゆる日暮しの声」〈御室五十首〉　②芝の生えた所。芝生。特に、社寺境内の芝生。「何をがな力業して人人に見せんと思ひけれども、ーの事なれば叶はで立ちたりしを」〈曾我一〉　③勧進の猿楽・曲舞(くせまひ)・田楽などで、桟敷席と舞台との間の芝生に設けた庶民の見物席。「六角堂曲舞…—〔見物ノ〕者、人別に一疋宛出し」〈康富記応永三〇・一〇・一〉 ④敵味方対陣して相戦う所。「戦は惣別、—をふまゆるを勝ちと申す事は」〈甲陽軍鑑九下〉 ⑤劇場。「—を建て、操(あやつり)をして浄瑠璃を語る」〈色道大鏡八〉 ⑥演劇。特に、歌舞伎の異称。「—見たる次手(ついで)などに、ちと女郎町をも御目に掛けん」〈色道大鏡五〉 **—かねもと**【芝居銀本】芝居興行の出資者。危険な投資と見なされていた。「—して〔金ヲ〕捨ても」〈西鶴・五人女五〉 **—こ**【芝居子】歌舞伎の少年俳優。歌舞伎若衆。「—に気を取られ」〈西鶴・一代男五〉 **—もと**【芝居本】芝居の座本。「笹の一よ(一節・一夜)の—して」〈俳・大坂一日独吟千句〉 **—もの**【芝居者・芝居物】①歌舞伎芝居に働く者の総称。「毎年四月に馬市立ちて、—・傾城(けいせい)ここに集まる」〈一目玉鉾三〉。〈俳・初本結六〉 ②歌舞伎役者。「難波堀江の—上村吉彌」〈浮・艶道七不思議五〉 **—やぶり**【芝居破り】①芝居で行なわれる演芸をめちゃくちゃにすること。見物の興をさますこと。また、そうした行為をするもの。「野分こそ—のすまひ草」〈俳・崑山集八〉 ②見世物などの終り。また、最後に演ずる最上の芸。「いやいやん〔ト拍手カッサイダ〕—の遅桜」〈俳・犬子集三〉。「はや舞もおさまり時分なれば…風呂上りの遊び踊りを—に仕るべし」〈仮・そぞろ物語〉

しばを【柴男・柴夫】柴を刈り取る男。柴人。「里の牛飼、山家の—」〈西鶴・二十不孝五〉

しばをり【柴折り】山路で、小枝などを折りかけて道しるべとするもの。しおり。「そばの道、—をしるしに過ぎられけり」〈盛衰記九〉

しはん【師範】人の師ともなり、また模範ともなること。また、その人。「法門の—たるべき者、よろしく其の人を挙して高徳を顕表すべし」〈続紀養老二・一〇・一〇〉

しばんじゃう(ジヨウ)【詩番匠】詩人。「—釿始(てうなはじめ)は試筆かな」〈俳・三ツ物揃〉

しひ(イシ)【椎】暖地に生えるブナ科の常緑喬木。葉は楕円形。実は澱粉質の食料となる。「向つ峰(を)の—の小枝」〈万三四九三東歌〉 †siFi

し・ひ(イシ)【癈ひ・痺ひ】㊀〖四段〗《目シヒ・耳シヒ・シヒネ(瘤)のシヒ。シビレ(痺)と同根》感覚・機能を失う。「松反(がへ)り—・ひてあれやは三栗の中上(なかのぼ)り来ぬ麿といふ奴(やっこ)」〈万一七八三〉 ㊁〖名〗感覚・機能を失うこと。ぼけ。ばか。「松反り—にてあれかもさ山田の翁がその日に求め逢はずけむ」〈万四〇一四〉 †siFi

し・ひ(イシ)〖上二〗①【強ひ】相手の気持に逆らっておしつける。強制する。無理にすすめる。「否(な)といはば—・ひめやわが背菅の根の思ひ乱れて恋ひつつもあらむ」〈万六七九〉 ②【誣ひ】事実を曲げて強弁する。作りごとで人をおとしいれる。「互に相ひ欺き…誣(し)ひ詔(へつら)ひかすむ」〈地蔵十輪経三・元慶点〉 †siFi

しび【鮪】シビ科の魚。マグロ・ビンナガ・キハダ・メバチなどの類。「鮪、此をば玆寐(しび)といふ」〈紀武烈即位前〉。「大魚(おふを)よし(枕詞)—突く海人(あま)よ」〈記歌謡一一〇〉 †sibi

しび【鴟尾・鵄尾】宮殿・仏殿など、大建築の棟(むね)の両端に取り付けた魚尾形の飾り物。瓦・銅・石などで作る。「沓型(くつがた)」「とびのを」とも。「鷺あり、豊楽院南門の—上に集まる」〈三代実録仁和三・八・一三〉

じひ【慈悲】①〔仏〕仏・菩薩が衆生すべてに示される最高の友情と同苦の思いやり。楽を与えるを「慈」、苦を除くを「悲」という。「—無き者は、人と雖も鳥の如し」〈霊異記中一〇〉。「人の心をおこさせむとて、仏のし給ふ方便は、—をも隠して、かやうにこそはあなれと思ひつづけ給ひつつ、行ひをのみし給ふ」〈源氏蜻蛉〉 ②いつくしみあわれむこと。「世の中の人は—あれ心あれ心なくとも千とせをば経し」〈世中百首〉

しひがたり(シイ)【強ひ語り】相手のききたくない気持に逆らって語ること。また、その話。「いなといへど強ふる志斐(しひ)のが—このころ聞かずてわれ恋ひにけり」〈万二三六〉 †siFigatari

しび・き〖四段〗《シブキとも》指先で触れて調べる。いじる。「手を入れて—・いてみれば」〈浮・好色小柴垣二〉

しひこと(シイ)【誣言】事実を曲げていうこと。作りごと。「詔、アザムク・イツハル・シヒコト」〈名義抄〉

しひしば(シイ)【椎柴】①椎の枝の、燃料に適する太さのもの。「又越えむ人もとまらばあはれ知れわが折り敷ける嶺の—」〈新古今九七四〉 ▽「楢(なら)柴」「松柴」などの類語。②椎の木。「神山にゆふかけて鳴くほととぎす—がくれしばし語らへ」〈続古今二三五〉 ③《椎を喪服の染料とするところから》喪服の色。また、喪服。「これをだに形見と思ふを都には葉がへやしつる—の袖」〈後拾遺五八三〉

しひそ・し(シイ)【強ひそし】〖四段〗むやみに勧める。悪強(じ)いする。「人人に酒—・しなどして」〈源氏明石〉 →そし〔接尾〕

しひて(テシイ)【強ひて】〖副〗《ものごとの流れに逆らって、無理にことをすすめる意。類義語アナガチニは、人のことなどかまっていられず動く意。セメテは、相手に肉薄して、少しでも自分の思うようにことを運ぶ意》①相手の気持に反して。意に逆らって。「宮仕へ仕うまつらじと思ふを、—仕うまつらせ給はば消え失せなむず」〈竹取〉 ②自然の理に反して。逆に。「兄弟(はらから)の君だちよりも〔他人ノ自分ノ方ガ〕—悲しと覚え給ひけり」〈源氏柏木〉 ③無理を押し切って。しゃにむに。「雪いと深かりけり。—かのむろにまかり至りて拝みけるに」〈古今九七〇詞書〉。「分を知らずして、—はげむは、おのれが誤なり」〈徒然一三一〉

しひと【舅】夫の父。また、妻の父。「婦翁、志比止(しひと)」〈新撰字鏡〉

しびとばな【死人花】彼岸花の異名。「遠里の人に折らせむ—」〈俳・新行事板〉

しひな(ナシイ)【粃】《シヒ(癈)イナ(稲)の約》殻ばかりで実のない籾(もみ)。「しひなせ」とも。「粃、シヒナ、穀実、但(ただ)有レ皮而無レ米也」〈色葉字類抄〉

しひね(ネシイ)【瘤】《シヒ(癈)ネ(根)の意》こぶ。「志比禰(しひね)」〈正倉院文書天平勝宝二・九・五〉。「瘤、之比禰(しひね)」〈和名抄〉 †siFine

しひゃくしびゃう(ヨウ)【四百四病】〔仏〕人間のかかる病気の総称。人体を構成している四つの要素、地・水・火・風すなわち四大(しだい)の調和が破れると、その四病のそれぞれから百病を生じ、あわせて四百四病という。「一には身の病、いはゆる地大百一、水大百一、火大百一、風大百一、已上—なり」〈日蓮遺文富木入道殿御返事〉

しびり【痺】《シビレの転》しびれること。手や足が麻痺すること。「—が起りまらして、立居がならぬ」〈天理本狂言六義・痺り〉 **—京へ上(のぼ)れ** しびれがきれた時、除くために唱えるまじないのことば。「其処なる塵を額に付けて、—〔ト言ウ〕」〈仮・石山寺入相鐘下〉

しび・れ【痺れ】〖下二〗神経が麻痺して機能を失う。「痱は—・るる病ぞ」〈漢書竺桃抄〉。「痺、シビル」〈易林本節用集〉

じびん【自鬢】 自分の鬢髪を自分で結うこと。じび。「人の―に結ふはけなりや（ウラヤマシイナア）」〈俳・続連珠二〉

しふ【執】 執着。執念。「すべていかなる方にも、この世に―とまるべき事なく心づかひをせしに」〈源氏幻〉

しふ【集】 詩・歌・文章などを集めたもの。「ゆゑある古き―の歌など」〈源氏梅枝〉。「―は古万葉、古今」〈枕六八〉

しぶ【渋】 ①熟していない柿の実などの味。渋い味。また、柿渋。「当所の柿取り、―をしぼる也」〈山科家礼記文明三・六・二四〉 ②垢（あか）。さび。「衣手に水（み）―つくまで植ゑし田を引板（ひきた）＝鳴子）わが延（は）へ守れる苦し」〈万一六三四〉 ③舟の進みのおそくなる意か。「沖つ楫やくやく（次第ニ）―を見まくほりわがする里の隠らく惜しも」〈万一二〇五〉 ④「しぶ皮」の略。「児などの面―むけたるに、誑（たぶ）らかされて」〈諸家評定二〉

しぶ【四部】 仏の四種の弟子、比丘（びく）・比丘尼（びくに）・優婆塞（うばそく）・優婆夷（うばい）の総称。四衆（ししゆ）。「過去の諸（もろもろ）の仏も皆―の弟子を具へ給へりき」〈三宝絵下〉

じふあく【十悪】〔仏〕身（しん）・口（く）・意（い）の三業（さんごふ）から生ずる十種の罪悪、すなわち、殺生（せつしやう）・偸盗（ちうたう）・邪淫（じやいん）・妄語（まうご）・綺語（きぎよ）・悪口（あくく）・両舌（りやうぜつ）・貪欲（とんよく）・瞋恚（しんい）・邪見（じやけん）の総称。「十悪罪」とも。「―・五逆の人なれど、ひとたび御名をとなふれば、来迎引接（いんぜう）疑はず」〈梁塵秘抄三〇〉。〈易林本節用集〉

しぶうちは【渋団扇】 柿渋を塗った下等なうちわ。近世、貧乏神の持物といわれた。「肩に〔アルノハ〕―にて候へば」〈多聞院日記天正二三・一二・一三〉

じふかい【十戒】〔仏〕十悪に対する戒律。即ち、殺生戒・偸盗（ちうたう）戒・邪淫戒・妄語戒・綺語戒・悪口（あくく）戒・両舌戒・貪欲戒・瞋恚（しんい）戒・邪見戒をいう。「心うるはしくして因果を知りて、十斎日には身心精進にして、その日日に充（あ）て、―を保ちけり」〈今昔一九ノ三九〉

じふかい【十界】〔仏〕迷いと悟りの世界を十種に分けたもの。凡夫の迷いの世界としての、地獄界・餓鬼界・畜生界・阿修羅（あしゆら）界・人間界・天上界、聖者の悟りの世界としての、声聞（しやうもん）界・縁覚（えんがく）界・菩薩界・仏界の総称。「功徳修むる所―を廻向す」〈本朝文粋一〇〉

しぶかたびら【渋帷子】 柿渋染めの丈夫な帷子。「―の上に俵薦を重ね」〈仮・東海道名所記六〉

しぶかは【渋皮】 垢抜けしない汚い皮膚。「―もむけず」〈仮・新御伽婢子三〉

しぶかみ【渋紙】 柿渋を塗って張り合わせ、敷物や包み紙にする紙。「―仕り了んぬ」〈多聞院日記天文二三・八・一三〉

じふかん【十干】 ⇒じっかん

じふがん【入眼】 ⇒じゅがん

しふき【蕺】 ドクダミの異名という。或いはシブクサ（一名ギシギシ）か。「しりへの方なる池に―といふもの生ひたる」〈かげろふ中〉。「蕺、シフキ」〈名義抄〉

しぶ・き『四段』⇒しびき。「明日江戸へ罷り立ち申すにつき、荷物―・き直し、色色道中の用意仕り申し候」〈森田久右衛門日記延宝六・八・二六〉

しぶ・き【渋き】『四段』とどこおる。「蔀（しとみ）のもとに、風―・かれて、谷底に鳥のゐるやうに、やうやく落ち入りにければ」〈今昔一九ノ四〇〉。「高瀬舟―・くばかりに紅葉葉の流れてくだる大井川かな」〈新古今五五六〉

しぶ・き【し吹き】『四段』はげしく吹きつける。「身にしみし荻の音には変れども―・く風こそげには物うき」〈山家集中〉

じふぎう【十牛】 禅家で、修身証道の順序を十頭の牛にたとえたもの。牧童が牛を尋ね求めて連れ帰るまでを十の段階に分けて表わし、画題にもされる。「清居禅師といふ人が―の図ばかりして置いたを」〈四部録抄〉。「禅録の―」〈書言字考〉

しぶきぞめ【渋木染】 ヤマモモの樹皮の煎汁で、黄褐色がかった茶色に染めたもの。塩水に耐えるのが特長。「初時雨（はつしぐれ）木木の色葉や―」〈俳・一本草四〉

しふぎやう【執行】 ⇒しゅぎゃう

じふきよう【入興】 ⇒じゅきょう

じふく【十九】 数の名。十九歳は女にとって厄年の一とされた。「つづ」とも。「女房は…年―と申すに、つひに出家し」〈伽・雀小藤太〉。「今俗男女の厄を別つ。…女は―・三十三・三十七」〈和漢三才図会五〉 **―どよう【十九土用】** 土用十八日間に、万事に凶という没日（もつにち）があるとき、十九日間に数えるのをいう。「土用の中、勿日（もつにち）有れば、則ち―と曰ふ。これ無ければ、則ち十八土用と曰ふ也。勿日はその数と為さず。故に土用の大数は、十八日を以て根本と為す也」〈陰涼軒日録文正一・五・二六〉 **―もんみせ【十九文見世】** 享保以後、江戸で櫛・笄（かうがい）などの雑貨を十九文均一で売った見世商い。十九文屋。三十八文均一・十三文均一の店もあった。「―に田舎〔者〕が五六人」〈雑俳・万句合明和八〉

しぶくち【渋口】 皮肉を言うこと。にが口。「猫にまで―の〔調子デ〕、茶の間、中の間隅隅見廻し」〈近松・大経師上〉

しぶく・り【渋くり】『四段』①物事がすらすら運ばず、とどこおる。渋滞する。「飛びぬる雲も―・りにけり」〈俳・守武千句〉。「詩七百十九首〔ヲ〕…渋体と云ふたぞ。はんならとずらりとないぞ。―・ったほどに、渋った体と評したぞ」〈玉塵抄二九〉 ②舌が渋く感じる。「ワルイチャ（茶）ヲノ（飲）ウデクチガシブクル」〈日葡〉。「山柿の―・りぬる口にまかせ」〈俳・正友千句序〉

しぶげ【渋げ】 ①心の進まない様子。「この宮づかへを―にこそ思ひ給へれ」〈源氏藤袴〉 ②色つやのないこと。「髪も…けづりつくろはねばにや―に見ゆるを」〈堤中納言虫めづる〉

しふけん【執権】 ⇒しっけん。〈色葉字類抄〉

じふげん【入眼】 宮中の叙位・除目の際、官位のみを記した文書に、自分の名前を署名すること。「次いで―に参ずること常の如し」〈御堂関白記寛弘四・一・二〇〉

じふご【十五】 **―にちがへり【十五日帰り】** 近世前期、庶民の部屋住みの若嫁が、ひと月のうち十五日間実家に帰っていた風習。〈俳・毛吹草二〉 **―にちがゆ【十五日粥】** 正月十五日の朝、神に供え人もたべる粥。古くは小豆粥で、中国の風習をとり入れたもの。年中の邪気をはらうという。「節日（せちにち）の由緒、十五日は粥といへれば」〈二中歴〉 →望粥（もちがゆ） **―や【十五夜】** ①陰暦で、月の十五日の夜。「―、二条京極より参りて、入道殿をたづね申して」〈問はず語り五〉 ②特に、陰暦八月十五日の満月の夜。昔から酒宴などを設けて、月見をした。仲秋。「今宵は―なりけりとおぼし出でて殿上の御遊び恋しく」〈源氏須磨〉

じふこく【十穀】 ⇒じっこく

じふこん【入魂】 ⇒じっこん

じふさいにち【十斎日】 在家の人が一日だけ出家と同じく身心をつつしんで善事を行なう精進日で、毎月の一・八・十四・十五・二十三・二十九・三十の六斎日に、一・

十八・二十四・二十八を加えた十日をいう。「—には身心精進にして、その日日に充(あ)て十戒を保ちけり」〈今昔一九ノ三九〉

じふさにち【十三日】十二月十三日の称。江戸城で煤払いをする式日。一般も多くこの日に行なった。「毎年煤払ひは極月—に定めて」〈西鶴・胸算用一〉

じふさん【十三】 **—ぐゎつ**【十三月】①正月の異称。「年明けて—や人心」〈俳・伊勢俳諧新発句帳一〉②一年が十三か月もあるように、のんびりとした気構えでいること。「十三月生れ」「十三月なる顔つき」とも。「長閑さは—な今年かな」〈俳・糸瓜草一〉 **—ぞくみつぶせ**【十三束三伏】矢の長さをいう語。普通の矢に比して一段と長い。「〔コノ精兵ノ用イル〕矢は—なり」〈雑談集三〉→十二束三伏。 **—ねん**【十三年】十三回忌。「永享六年の冬のころ、東下野守益之、父の—の追善のためとて、法花二十八品を勧進ありしに」〈草根集六〉 **—や**【十三夜】陰暦で、月の十三日の夜。特に、陰暦九月十三日の夜の称。八月十五夜に次ぐ月の良い夜とされ、これを「後(のち)の月」、のちには「豆名月」「栗名月」といって、月見の宴をした。「延喜十九年九月—、その宴せさせ給へり」〈躬恒集上〉。「今夜は—なればとて、発句を。名やおもふこよひ時雨れぬ秋の月」〈筑紫道記〉

しふ・し【執し】『サ変』⇒しっし。「執、シフス」〈色葉字類抄〉

しぶ・し【渋し】『形ク』《シブの形容詞形》①舌を刺激する柿渋のような味がする。「—・き菓(くだもの)、苦き菜(くさびら)を採みて」〈東大寺諷誦文稿〉②なめらかにゆかない。とどこおりがちだ。「うぐひすの声まだ—・く聞ゆなりすだちの小野の春のあけぼの」〈夫木抄二・鶯〉

じふし【十死】①陰陽道(おんやうだう)で、遠行・嫁取り・移転・元服など万事に忌むという大凶日。「十死日」「十死一生日」とも。「—てふ日も遠く行く花見かな」〈俳・玉海集一〉②絶対に生きる見こみのないこと。「—の身をのがれ、殊に手柄を尽し」〈末森記〉 **—いっしゃう**【十死一生】①「十死」(1)に同じ。「東宮始めて内裏に参入す。暦日に—と注す」〈貞信公記延喜九・二・二〉。「国を立ち、家を出づる日、—といふ悪日なり」〈承久記上〉②「十死」(2)に同じ。「かれに向ひ、—の合戦すべし」〈兵法問答〉

じふじ【十字】蒸し餅。饅頭。「新誕の若君五十日百日の儀也。……—を送り給ふ」〈吾妻鏡建久三・二・二九〉。「—は饅頭を云ふぞ。上を十文字に裂くと云ふ説もあるぞ」〈蒙求抄一〇〉

じふしち【十七】 **—や**【十七夜】陰暦で、月の十七夜の月。立待月(たちまちづき)。「その母多年—を信心し、毎月火の物を断ち、日待しける」〈小田原記〉 **—や**【十七屋】飛脚屋の異名。十七夜の「立待月」に「忽ち着き」を掛けていう。「流行風(はやりかぜ)—から引き初め」〈雑俳・万句合宝暦二三〉

しぶしぶ【渋渋】いかにも気が進まないさま。いやいやながらのさま。「人人も傍痛がれば、—にゐざり出でて」〈源氏松風〉

じふじゃう【十成】十分に成ること。最高の所に達すること。「古今集なほ貫之が心には—せざるにや、新撰〔和歌〕をえらびて」〈井蛙抄跋〉。「〔君子可八ト八〕よき人は—せぬぞ。八九成にて保ったぞ」〈文明本節用集〉

じふじょう【十乗】〔仏〕《摩訶止観に説く十種の観法》 **—のかぜ**【十乗の風】十乗の観法が迷いを取り去ることを風にたとえた語。「伝教大師、江州比叡嶺を点じて〔選定シテ〕—を一天に扇ぐ」〈盛衰記三〉 **—のゆか**【十乗の床】心に安住を得るための十乗の観法を、坐る床にたとえた語。「九識の窓の前、—のほとりに、瑜伽(ゆが)の法水をたたへ、三密の月を澄ます所に」〈謡・葵上〉

じふじりつ【十二律】《漢音》中国・日本の音楽で、基準とされる十二段階の音。日本では、壱越(いちこつ)・断金(たんぎん)・平調(ひやうでう)・勝絶(しょうぜつ)・下無(しもむ)・双調(さうでう)・鳧鐘(ふしょう)・黄鐘(わうしき)・鸞鏡(らんけい)・盤渉(ばんしき)・神仙(じんせん)・上無(かみむ)の十二音。「一音より五声・—に転じて」〈神皇正統記嵯峨〉。「十二律、シフジリツ」〈易林本節用集〉

しふしん【執心】事物に執着して離れない心。「—の深き故に、再び馬に生れて心ざしをあらはしける」〈著聞七一九〉

じふすい【入水】⇒じゅすい

しふせい【執政】⇒しっせい

しふせん【集銭】⇒しゅせん

じふぜん【十善】①〔仏〕十悪を犯さないこと。「五戒—を受持し、生物を殺さず」〈霊異記中一三〉②《前世で十悪を犯さなかった者は、その果報により現世に帝王として生れるということから》天子の位をさしていう語。「—の御子種を胎内にてやみやみと泡となさんもいひかひなしと」〈近松・国性爺一〉 **—のきみ**【十善の君】天子の異称。「—、万乗の主、前世の宿業をば猶のがれ給はざりけるにや」〈保元下・新院御経沈め〉 **—のくらゐ**【十善の位】天子の位。「この世にて—を長く保ち」〈讃岐典侍日記〉

しふそう【執奏】⇒しっそう

しぶぞめ【渋染】柿渋で染めること。また、それで染めた丈夫な布。「—の着る物をなむ着たりける」〈仮・仁勢物語上〉。〈日葡〉

じふたい【十体】⇒じったい

じふだい【入内】⇒じゅだい

しふたう【執当】⇒しったう

しぶぢ【渋地】柿渋を塗った和紙を器物に張り、漆で上塗りした漆器。堅地に次ぐ良質品。「—にもせよ青柿の〔載セテアル〕山折敷」〈俳・吉野山独案内三〉

じふぢ【十地】〔仏〕菩薩の修行の階梯を五十二位に分け、その四十一位から五十位までをいう。「徳は—に侔(ひと)しく、道は二乗に超えたり」〈霊異記上序〉

しふぢゃく【執着】強く心をひかれ、それにとらわれること。深く思いをかけること。「沙門と成れりと云へども、房舎を—して慳貪(けんどん)を捨てざりき」〈今昔二ノ三七〉。〈文明本節用集〉

じふとく【十徳】⇒じっとく

しぶと・し『形ク』①心が強くて他に屈しない。一癖ある。「ゆゆしく大きなるむささびの、年ふり、毛などもはげ、しぶとげなるにてぞ侍りける」〈宇治拾遺一五九〉。「かやうに心—・く、身もすこやかにして」〈盛衰記一八〉②強情で人に従わない。「—・き輩(ともがら)に逢うては、こみつけられて尾骨上がらず」〈仮・浮世物語三〉

じふに【十二】 **—いんえん**【十二因縁】〔仏〕過去・現在・未来にわたり、因となり果となる十二の因縁。即ち、無明・行(ぎゃう)・識・名色・六入・触・受・愛・取・有・生・老死の総称。「—の心をめでたく説き聞かせて教化せられたりけるに」〈著聞四三一〉 **—し**【十二支】もと陰陽道で、子(し)・丑(ちう)・寅(いん)・卯(ばう)・辰(しん)・巳(し)・午(ご)・未(び)・申(しん)・酉(いう)・戌(じゅつ)・亥(がい)のこと。十二の動物を配する。時刻や方角の名として使ったほか、十干(じっかん)と組み合わせ、「えと」と称して、暦法にも使った。〈易林本節用集〉 ―じんしゃう【十二神将】薬師如来の眷属または分身といわれ、衆生を守護する十二の大将。すなわち、宮毘羅(くびら)・伐折羅(ばさら)・迷企羅(めきら)・安底羅(あんちら)・頞儞羅(あじら)・珊底羅(さんちら)・因達羅(いんだら)・波夷羅(はいら)・摩虎羅(まこら)・真達羅(しんだら)・招杜羅(しょうとら)・毘羯羅(びから)の総称。「―たけ七尺ばかりにて、色色の衣(きぬ)を着、様様の顔、心心のけしきにて、持たるもの皆ことごとなり」〈栄花鳥舞〉 ―そくみつぶせ【十二束三伏】《「束」はこぶし一握りの幅、「伏」は指一本の幅》矢の長さをいう語。手のこぶしの幅の十二倍に指三本の幅を加えた長さのもので、これが普通の矢。さらに長いものに十三束三伏・十五束三伏などがある。「小兵(こひやう)といふぢやう、―、弓は強し」〈平家一一・那須与一〉 ―だん【十二段】浄瑠璃十二段草子の称。「此の―といふものを見るに、何者のつくりたれば、かかる不都合なる事のみを書きつづけたるぞ」〈色道大鏡八〉 ―てん【十二天】帝釈天(東)・閻摩天(南)・水天(西)・毘沙門天(北)・火天(東南)・羅刹天(西南)・風天(西北)・伊舎那天(東北)の八方天、及び梵天(上)・地天(下)・日天・月天の総称。「矜迦羅(がら)・制多加・―、各各降魔の力を合はせて、みさきを払っておはします」〈謡・善界〉 ―とう【十二燈】銭十二文(閏年は十三文)包んで神仏に供えた、その燈明料。「十二銅」とも。「木屋薬師へ長松丸召し具し参詣、―参らせ候ひ了んぬ」〈言継卿記天文一八・二・八〉 ―とき【十二時】一昼夜。昼の卯・辰・巳・午・未・申と、夜の酉・戌・亥・子・丑・寅との総称。「〔過去聖霊〕大月輪の中か大日輪の中か、天鏡をもって妻子の身を浮かべて―に御覧あるらん」〈日蓮遺文妙一尼御前御書〉。「―今朝来る春や初子日(ねのひ)」〈俳・小町踊二〉。「十二時、ジフニジ・ジフニトキ」〈文明本節用集〉 ―ひとへ【十二単】女官の盛装した装束。下から順に白小袖・紅袴(くれないのはかま)・単(ひとえ)・五衣(いつつぎぬ)・打衣(うちぎぬ)・表衣(うわぎ)・唐衣(からぎぬ)を着、腰に裳(も)を着ける。「彌生の末の事なれば、藤重(ふぢがさね)の―の御衣(おんぞ)を召されたり」〈盛衰記四三〉 ―ほね【十二骨】骨が十二本の扇。また、その骨。十二本骨扇。扇は十本骨が普通。「指折りて読むや扇も―」〈俳・沙金袋三〉 ―りつ【十二律】⇒じふじりつ

じふにん【十人】 ―なみ【十人並】技能・容色などが普通の人なみであること。「大方嗜みて―といへるにはなる物なれども、十一と越ゆる事なりがたし」〈わらんべ草四〉。「面体―」〈評判・野郎児桜上〉 ―寄れば十国(とく)の者 十人の者が集まれば、各〻その郷里・言語・風俗が違っているという意。「―、乗合舟こそをかしけれ」〈西鶴・五人女二〉。〈俳・毛吹草二〉

しふね・し【執念し】《形ク》《漢語「執念(しふねん)」の形容詞化》執念深い。しつこい。「例の―・き御物怪一つ更に動かず」〈源氏葵〉。「さすがに―・き所つきて、物怨じし給へるが」〈源氏澪標〉。「強、シフネシ」〈いろは字〉

じふねん【十年】遊女などの年切(ねんきり)勤め奉公の期間。「恋草の色の道とて―は〔自由ニナラヌ〕」〈俳・大句数上〉

じふねん【十念】念仏を十回となえること。「心を一にして十遍、南無阿彌陀仏と唱ふる、これを―と云へり」〈孝養集下〉

じふはう【十方】⇒じっぱう。「―三世の諸仏」〈諸神本懐集末〉

しふはうしゃ【襲芳舎】内裏五舎の一。内裏の西北隅、凝華舎の北にあり、五間四面。雷鳴壺(かみなりのつぼ)。「襲芳舎、シフハウシャ・カミナリツホ、已上禁中舎名」〈色葉字類抄〉

じふはち【十八】 ―こう【十八公】松の異称。「松」の字は、「十」「八」「公」の三字から成るというのでいう。「―の栄は霜の後に露(あら)はれ」〈和漢朗詠集松〉 ―ささげ【十八大角豆・十八豇豆】ササゲの一種。莢は細長く十六ないし十八個の種子を蔵し、食用にして美味。「十六ささげ」とも。「夏豆・―植ゑ了んぬ」〈多聞院日記天正三・三・一〇〉

しふひつ【執筆】⇒しゅひつ。〈文明本節用集〉

じふぶいち【十分一】十分の一。また、十分の一の金額。近世、妾・奉公人・縁組・売買などの媒介周旋料は、身売り金・敷金・取引き高などの十分の一に定まっていた。「刈りつる柴を取る〔周旋料トシテ〕―」〈俳・正友千句〉 ―ぎん【十分一銀】縁談などの媒介周旋料。「二郎兵衛屋敷帳切り霜月二十八日仕り候ふ也。…―は我等…出し申さず候」〈宗静日記寛文九〉 ―とり【十分一取】縁組などの媒介者。「京に隠れなき―」〈西鶴・武家義理四〉

じふぶん【十分】①全体を十に分けること。「これをありし住まひに比(なら)ぶるに、―が一なり」〈方丈記〉 ②《十に分けたもの全部の意》不足ないこと。十全。完全。「ただ一声に事足りぬべし／月残る夜も明け方の郭公。付けやう―なり」〈撃蒙抄〉。「まことに―に余る振舞ひ、末いかが」〈曾我三〉。「酒は、上戸へは飯椀に―に一杯」〈結城氏新法度〉 ―ぱい【十分盃】二本の柱の中央に盃を紐で支え、八分目に酒を注げばこぼれないが、十分に注ぐと盃が傾いて全部こぼれる仕掛けの盃。「こぼれ落つる―や花の雨」〈俳・犬子集一〉。〈日葡〉

しふへい【執柄】⇒しっぺい。〈色葉字類抄〉

じふまんおくど【十万億土】〔仏〕娑婆世界から極楽世界に至るまでの間にある無数の仏土。転じて、極楽浄土。「これより西方―を過ぎて仏まします。その名を阿彌陀仏といふ」〈盛衰記九〉

じふまんおくのくに【十万億の国】「十万億土」に同じ。「はるかに西の方、―隔てたる」〈源氏若菜上〉

じふもつ【什物】宝として秘蔵する伝来の器物。什宝。「三衣一鉢は…釈子の―なつかしく侍るままに、これを持つ事年久し」〈雑談集三〉。〈易林本節用集〉

じふもん【十文】近世前期、大阪で惣嫁(そうか)の代金。京都では二十文。「定りの―にて、各別の掘出しあり」〈西鶴・一代女六〉 ―いろ【十文色】近世前期、大阪で、惣嫁の異名。揚銭十文なのでいう。夜鷹。「―も出て来るは」〈近松・冥途飛脚上〉 ―もり【十文盛り】近世、道中の茶屋で売った一杯盛り十文の一膳飯。「十文めし」「十文切り」とも。「薄いぞや／―に付けた汁」〈雑俳・住吉踊〉

じふもんじ【十文字】①「十」の字の形。「腹―に掻き切って」〈古活字本平治中・義朝野間下向〉 ②縦に横に、「十」の字のように駆けめぐるさま。「くも手・―にさんざんにかけやぶりてつっと通す」〈保元上・官軍手分け〉 ③太刀・長刀などの使い方の一。両手を交差させて、十文字形に持つ構えをいうか。「くも手・かく縄・―・とんばう返り・水車、八方すかさず切ったりけり」〈平家四・橋合戦〉 ④「十文字槍」の略。「―押っ取り、しばし突き合ひ給ひけるが」〈加沢記四〉 ⑤楮(こうぞ)を原料として縦横十文字にすいた丈夫な厚紙。近世、美濃海津郡森下・紀伊東牟婁(むろ)郡華井(け)などに産し、紙子の材料とした。「縦も横も強

き紙子や—」〈俳・鸚鵡集一〇〉 **—かみこ**【十文字紙子】十文字紙で作った上等な紙子。「—を請け売り致し候へども」〈西鶴・文反古一〉 **—に踏・む** ふらふらとして、足を前後左右に「十」の字のように踏む。千鳥足のさま。「酔ひしれて一文字をだに知らぬ者しが足は—・みてぞ遊ぶ」〈土佐十二月二十四日〉 **—やり**【十文字槍】穂に、左右に突き出た枝があって、十文字の形をした槍。「二間余—の柄の握り太なるを押っ取りのべ」〈荒山合戦記〉

じふや【十夜】浄土宗の法要。陰暦十月五日朝から十五日朝まで、十昼夜の間念仏を修する。十夜念仏。また、浄土宗各寺院では毎夜読経法談を行ない、これを十夜談議という。「さて、主は—へ行く」〈天正本狂言・十夜帰り〉

しふらい【習礼】重大な儀式の行なわれる前に、その礼式を予行すること。「後鳥羽院、ひそかに大内に御幸なりて、白馬節会の—ありけり」〈著聞一〇四〉。〈色葉字類抄〉→しゅらい

じふらく【入洛】⇒じゅらく

じふらせつ【十羅刹】《法華経陀羅尼品の所説》それぞれ形相の違う十人の女の羅刹。もと人の精気を奪う鬼女であったが、後、仏に帰依し、持経者を守護した。十羅刹女。「持経者、これ—の中の皐諦女(かうたいによ)なりと疑ふ」〈今昔一二ノ四〇〉

しぶ・り【渋り】『四段』《シブ(渋)の動詞化》①(気が進まず)事を進めるのにぐずぐずする。「『今宵はえなむ(参レマセン)』などー・らせ給ふに」〈枕一〇四〉②なめらかに進行せず、難渋する。「荒く—・りたる声を出す」〈孝養集上〉。「布は針がー・るものぞ。縫ひにくいぞ」〈山谷詩抄八〉

しぶりかは【渋り皮】①樹木または果実の甘皮。しぶ皮。「疵付けて喰ふは猿柿や—」〈俳・鸚鵡集七〉②垢じみて汚い皮膚。しぶ皮。「折りし手の—をも木槿(むくげ)(=剝クト掛ケル)かな」〈俳・遠近集四〉 **—の剝(む)・ける** 垢抜けして容貌が美しくなる。「—・けたる女」〈西鶴・一代男三〉

じふろく【十六】 **—だいこく**【十六大国】昔、インドにあったという十六の大国。「釈迦如来の師子の座上におはします。…—の王、玉冠を地に付けて恭敬し給へり」〈十訓抄一ノ七〉 **—むさし**【十六六指】盤上の中央に親石一個、周囲に十六個の子石を置き、一区画ずつ動かして、親石は子石を取り尽し、子石は親石を追い詰めることで勝負を決めるもの。後には印刷された図上でも行なわれた。〈遊学往来上〉 **—らかん**【十六羅漢】永くこの世にとどまって、衆生を済度しようと誓った、賓頭盧(びんづる)尊者など十六人の羅漢。「釈尊入滅の時、—、五百人の御弟子、五十二類に至るまで悲しみ奉りしも」〈義経記六〉

じふわう【十王】冥途で亡者の罪を裁くと伝えられる、閻魔王その他十人の王。「その体(てい)、冥途にて娑婆世界の罪人を、七日七日に—の手へ渡さるらんも、かくやと覚えてあはれなり」〈平家一〇・千手前〉

しふゐ【拾遺】①ある選択からもれたものを集めること。「さきの二つの集に入らざる歌を取り拾ひて、—集と名づけたまへり」〈後拾遺序〉②侍従の唐名。「その正本は伝はりて侍従俊貞といひし人のもとにぞ有りける。…侍従を—といへば、宇治拾遺物語といへるにや」〈宇治拾遺序〉

じふゐん【入院】⇒じゅゐん

しふゑ【集会】⇒しゅゑ

じぶん【時分】①何か事をする時機。「—悪しかりなん、しばらくその程を過さむとためらひける程に」〈保元下・為朝生捕り〉②食事すべき時間。食事時。「乾飯(かれいひ)召させん、とのたまふ。いと—こそよけれとて」〈仮・石山寺入相鐘下〉③年頃。嫁入り時。「此方にも—の娘早うお渡し申したさ」〈浄・忠臣蔵九〉 **—がら**【時分柄】①その時節。「—春の事なれば」〈錦繡段鈔一〇〉②時節柄。季節柄。「首服〔ノ祝イヲ〕、—の事に候間に候、昆布・搗(かち)栗の〔簡単ナ〕体(てい)也」〈言継卿記大永七・一二・三〇〉。「大なる柚の如くなる蜜柑、青く黄に少少色付きたるを三つ持ち来るを、—比類無き物なりとて、これを請け取り了んぬ」〈多聞院日記元亀一・五・二四〉 **—のはな**【時分の花】〔能楽用語〕《「真(まこと)の花」の対》年齢の若さから出る一時的な面白さ。「この花はまことの花にはあらず。ただ—なり」〈風姿花伝〉

じぶんあきなひ【自分商ひ】①手代奉公を終って、独立して自分の責任で商売すること。「—に少しの米見世出して」〈西鶴・永代蔵五〉②商家の手代が、番頭などの指図を受けず、自分一人の考えで商売すること。「—を仕掛け、利徳は黙りて、損は親方にかづけ」〈西鶴・永代蔵一〉

しべ ①【蘂】花のおしべ・めしべの総称。「花は限りこそあれ、そそけたる—などもまじるかし」〈源氏野分〉。「蘂、和名之倍(しべ)、花心也」〈和名抄〉②【稭】「わらしべ」の略。「すべ」とも。「氷の鏡〔三〕—を通して」〈俳・ほのぼの立〉〈日葡〉

しへた・げ【虐げ】『下二』①虐待する。いじめる。痛い目にあわす。「往還の商人を凌弊(しへた)げてその物を取るを業と為す」〈霊異記中四〉②だまし、おとしいれる。「又、人を—・ぐるはかりごとは、皆妄語なり」〈伽・じぞり弁慶〉

しべばうき【稭箒・蕊箒】藁しべで作った下等な手箒。「しべはき」とも。「—にて禿(かぶろ)に背を叩かせ」〈西鶴・一代男七〉。「シベバウキ、または、スベバウキ」〈日葡〉

しへん【詩篇】①詩。また、詩章。「秋思の—独り腸を断つ」〈大鏡時平〉②詩を書いた書物。「韓湘(かんしやう)と云ふ者あり。これは文字をもたしなまず、—にも携(たづさは)らず」〈太平記一・無礼講〉

しほ ❶【潮・汐】①海水の満ち干。また、さし引きする海水。「—待ちて水脈(みを)びき行けば(水先案内ヲツケテ行クト)」〈万三六二七〉②海水。「かしらつつみたる女ども、かき集めて、—汲みかけたり」〈宇津保吹上上〉③《さし引きする微妙な動きの意から》適当な機会。好機。「それを—に御馬を入られ尤と申す」〈甲陽軍鑑六〉④近世、大阪新町遊廓で、揚代銀三匁の端(はし)女郎の異名。「大坂の色町、月・影・—と言ふ事、少し至らせ(上品ブラセ)ける」〈西鶴・新吉原常常草上〉 ❷【塩】①食塩。「志賀の海人の一日もおちず焼く—の辛(から)き恋をも吾はするかも」〈万三六五二〉②塩け。塩加減。「『まづ汁を吸うてみよ』といふに、うけとり、…『—がない』」〈咄・醒睡笑三〉③愛嬌(あいきよう)。「にこりと一笑すれば、ゑくぼが出来て、何ともいはれぬ—がこぼれたる愛相らしき事」〈長恨歌聞書〉 **—を付・く** ひどい目にあわせる。「村上殿も数度の—・けられ給ふ」〈甲陽軍鑑九上〉 **—を踏ま・す** 苦労させて渡世の道を覚えさせる。「小さい時には—・する西鶴」〈俳・西鶴五百韻〉

しほ【入】染物をする時に、布を染料にひたす度数。また、酒をかんで醸造する回数。古くは、多く「八(や)しほ」という形で使われる。正確な回数を示すのではなく、古代に聖数とされていた八に結びつけて、回数を多く重ねることに重点がある。「竹敷のうへかた山は紅(くれなゐ)の八—の色になりにけ

るかも」〈万三七〇三〉。「船ごとに其の八—折(りを)の酒を盛りて待ちてよ」〈記神代〉

しぼ【皺】しわ。「皺有る紙を赤く染めて乾し、—を寄せたるさま也」〈百椿集〉

しほあひ シオアイ ❶【潮合】①潮流が流れ出会う所。「わたつうみの沖つ—に浮かぶ泡の」〈古今九一〇〉②潮が満ちたり、引いたりするころあい。しおどき。「あなし吹く瀬戸の—に舟出して早くぞ過ぐるさやかた山を」〈後拾遺五三三〉③頃あい。時機。「もはや—よし、相懸りにかかれ」〈江濃記〉❷【塩合】塩加減。「百(も)川の落ち集まれるわたつ海の辛き—は一つなりけり」〈夫木抄三・海〉

しほう・け【為ほうけ】『下一』しそこなう。しくじる。「江戸店散散に—・けて」〈西鶴・一代女四〉

しほうみ：シオ【塩海・潮海】《「淡海(あふみ)」「水海(みづうみ)」の対》塩分を含んでいる海。海。「—のほとりにて、あざれあへり」〈土佐十二月二十二日〉。「わたの原とは、—をいふ」〈能因歌枕〉

しほがかり：シオ【潮繋り】潮時を待つために船を泊めること。「蕨島に—仕り候」〈上井覚兼日記天正一一・一・一三〉

しほかぜ：シオ【塩風・潮風】海から吹いてくる塩気を帯びた風。「波の音常はかまびすしく、—はげしき所なり」〈平家五・都帰〉

しほかひ シオカイ【潮間】潮が引いて、満ちてくるまでの間。しおま。「—になのりそ(ホンダワラ)や摘まむ」〈催馬楽伊勢の海〉

しほがひ シオガイ ①【潮貝】海に住む貝。「伊勢の海の浦の—拾ひ集め」〈古今一〇〇二〉②【塩貝】アワビの肉を塩漬にした食品。「拾ふ思ひの—の玉」〈俳・花洛六百韻〉

しほがま：シオ【塩釜・塩竈】①海水を煮て塩を作るのに使うかまど。「—にうしほ汲み入れ」〈宇津保吹上上〉②「塩釜桜」の略。「桜珍花異名の事、…—〔八〕中輪なり」〈花壇綱目下〉。〈俳・毛吹草二〉 —**ざくら**【塩釜桜】桜の一種。八重の花弁で、「葉まで美しい(浜で美しい)」の洒落(しゃれ)による命名という。「—、花の振袖八重ひとへ」〈松の葉三〉。〈俳・俳諧初学抄〉

しぼがみ【皺紙】紙子(かみこ)紙を竹に巻いて絞り、美しい縮緬(ちりめん)皺をつけたもの。「—の煙草入れ」〈西鶴・永代蔵六〉

しほからごゑ：シオ【塩辛声】かすれた声。しわがれ声。「子供の小歌に、入道も—にて付けてみつ」〈若輩抄〉

しほがれ：シオ【潮涸れ】「しほひ」に同じ。「—の干潟の浦の離れ洲に鶴ぞ鳴くなる友よばふらし」〈夫木抄二六・洲〉

しほぎ：シオ【塩木】塩を作るため、塩竈に焚く木。「すまの蜑(あま)のこれる—か燃ゆるとも人に知られぬ我恋ならん」〈忠岑集〉

しほぐ・ち：シオ【塩朽ち】『上二』①食べられぬほど塩辛くなる。「中中—・ちて、八月頃の刺鯖の心地ぞする」〈仮・浮世物語一〉。〈日葡〉②どうにも取り柄がない。全然だめになる。「ただ連歌の—・ちたる様にする人も有り」〈俳・玉くしげ〉

しほくび：シオ【入首・潮頸】槍の穂の柄に接した所。穂首。「鑓(やり)の—を握って」〈本福寺跡書〉

しほくみ：シオ【潮汲み】塩をつくるために、海水を汲むこと。また、それに従事する人。「ここは海辺にてもなきに、—とは誤りたるか」〈謡・融〉。「—の雨の日ばかり袖ほして」〈知連抄下〉 —**ぐるま**【潮汲み車】潮水を汲んだ桶を乗せて運ぶ車。「—よるべなき身はあま人の袖ともに思ひを干さぬ心かな」〈謡・松風〉

しほぐもり：シオ【潮曇】潮気で海上が曇って見通しの悪いこと。「—にかきまぎれて、跡も見えずなりにけり」〈謡・融〉

しほけ：シオ【潮気】潮の気。潮けぶり。「—立つ荒磯(ありそ)にはあれど行く水の過ぎにし妹が形見とぞ来(こ)し」〈万一七九七〉 †sifokë

しほけぶり：シオ【塩煙・潮煙】①塩を作る時、塩釜から立ちのぼる煙。「浦風に焼く—吹きまよひたなびく山の冬ぞ寂しき」〈拾遺愚草上〉②潮の飛び散るしぶき。「蹄(ひづめ)に蹴立つる—」〈近松・最明寺殿上〉

しほごろも：シオ【潮衣】潮水を汲む時に着る衣。また、潮水にぬれた衣。「田子の浦、東からげの—」〈謡・融〉

しほざかな：シオ【塩肴】塩を食事のおかずにすること。塩菜(しおざい)。「此の上は二たび飯に—」〈俳・大句数上〉

しほざかひ シオザカイ【潮境・潮界】潮流が分れる境。「唐と日本の—に、ちくらが沖と言ふ所が有る」〈虎寛本狂言・目近〉

しぼさつ【四菩薩】衆生に最も関係の深い、観音・彌勒(みろく)・普賢(ふげん)・文殊(もんじゅ)の諸菩薩。「三如来・—も、皆日域(じちゐき)に地を占めて、衆生を済度し給へり」〈謡・舎利〉

しほさゐ：シオ【潮騒】《サヰはサワキ(騒)のサワと同根》潮のさして来る時、海が波立って、鳴ること。潮流がざわめいていること。「—に伊良虞(いらご)の島辺漕ぐ船に妹乗るらむか荒き島廻(しまみ)を」〈万四二〉

しほしほ シオシオ ①しとしととぬれるさま。涙・雨などについていう。「—とまづぞ泣かるる」〈源氏明石〉。「雨—と花にこそ降れ」〈菟玖波集二〉②悲しく淋しそうなさま。悄然。しょんぼり。「日もやうやう西になりぬれば、—として山の方に立ち帰り」〈伽・をこぜ〉

しほじ・み：シオ【潮じみ】『四段』①潮水または潮気がしみこむ。「〔海辺ノ生活デ〕こころ—・む身となりて」〈源氏明石〉②経験をつむ。慣れる。「年うちねび、世の中のとある事と、—・みぬる人こそ」〈源氏夕顔〉

しほじり：シオ【塩尻】塩田で砂を円く高く塚のように積みあげたもの。これに海水をかけ日にさらして塩分を固着させる。「その山(富士山)は、…なりは—のやうになむありける」〈伊勢九〉

しほせ：シオ【潮瀬】潮の流れる早瀬。「—の波折(なをり)を見れば遊び来る鮪(しび)が鰭手(はたで)に妻立てり見ゆ」〈記歌謡一〇八〉

しほだち：シオ【塩断ち】神仏へ祈願のため、塩気のある食物を取らぬこと。「予—也」〈山科家礼記応仁三・一・一八〉

しほたら：シオ【塩たら】貧にやつれてあくせくするさま。貧乏に追い立てられて見すぼらしいさま。「—とならぬ世帯をする者が」〈浄・信濃源氏三〉

しほた・れ：シオ【潮垂れ・塩垂れ】『下二』①しずくが垂れる。ぐっしょりぬれる。「露霜に、〔着物モ〕—・れて、所定めず惑ひありき」〈徒然三〉②涙にくれる。「御鼻の色づくまで、—・れ給ふ」〈源氏若菜下〉③見すぼらしい様子になる。貧相に元気のない有様になる。「この人が頭をうちたれて、背かがみて、—・れたなりは、老鶴雀の尼鷺のなりのやうなぞ」〈四河入海三四ノ三〉

しほぢ：シオ【潮路】①潮が流れる路。「八—の潮の八百会(やほあひ)に」〈祝詞大祓詞〉②海路。船路。「夕おきに都はるかにながむれば心のはてもなき—かな」〈拾玉集一〉

しぼち【新発意】《シンボチのンを表記しない形》新たに発心(ほっしん)して仏道に入った者。出家して間のない者。「かの国の前(さき)の守—の、娘かしづきたる家、いといたしかし」〈源氏若紫〉

しほちゃ(シオ)：【塩茶】塩を加えた茶。酔い醒しに用いる。「—は腎の毒と医書に有り」〈俳・淀川〉

しほつ・け(シオ)：【塩付け】『下二』ひどい目にあわせる。「思ふさま—・けて、重ねて頭の上らぬやうに」〈室町殿日記一〇〉

しほづる(シオ)：【塩鶴】鶴の肉の塩漬。〈俳・毛吹草四〉

しほで(シオ)：【鞖・四方手】馬具の一。鞍の前輪(まへわ)と後輪(しづわ)の左右四か所につけて鞅(むながひ)・鞦(しりがひ)をとめる紐。「〔首ヲ〕北条乞ひうけて鞍の—にぞ付けたりける」〈盛衰記二〇〉

しほどき(シオ)：【潮時】《シホトキとも》潮がさし、或いは引く時刻。「さす—も早過ぎて」〈謡・融〉。「しほも叶ひぬとは、—のよく成りたる事也」〈言塵集四〉

しほど・け(シオ)：【塩どけ】『下二』《ドケは解けの意か》①（塩が解けるように水や涙に）ぐっしょりぬれる。「雨少しうち降りて、田子の袂(たもと)も—・けたり」〈栄花御裳着〉②深く嘆きに沈む。「いかばかりうちしめりたる座にも、心—・けぬ人の一両輩も交はり侍れば、その座は本意(ほい)なくや侍らん」〈ささめごと上〉

しほどけ・し(シオ)：【塩どけし】『形ク』《シホドケの形容詞化》（水や涙に）ぐっしょりぬれている。「寄る波にたち(立チ・裁チ)重ねたる旅衣—・しとや人のいとはむ」〈源氏明石〉

しほならぬうみ(シオ)：【潮ならぬ海】みずうみ。「わくらばに行きあふ道を頼みしもなほかひ(甲斐・貝)なしや—」〈源氏関屋〉。「—にこがれゆく、身をうき舟の浮き沈み」〈太平記二・俊基朝臣〉 →しほうみ

しほな・れ(シオ)：【潮馴れ】『下二』（衣などに）潮がしみこんでよれよれになる。よごれる。「かのもぬけを、いかに伊勢をの海士(あま)の—・れてやなど思ふ」〈源氏空蟬〉。「形見に添へ給ふべき身馴れ衣も—・れたれば」〈源氏蓬生〉

しほのちゃうじらう(シオノチョウジロウ)【塩の長次郎】貞享・元禄以降活躍した有名な放下師(はうかし)。太刀・牛・馬を呑んだり、くわえた楊枝の先に大梯子を掛けるなどの手品を行なった。一升の塩を五升にも一斗にも計って見せたので、この芸名が付いた。塩売長次郎。塩屋長次。「都の噂、—が手妻(てづま)=手品)の品玉」〈浮・好色年男三〉

しほのめ(シオ)：【塩の目】愛敬ある目付。また、幼児に「塩の目」と呼び掛けて、そういう目付をさせること。「にらむ目もとにまじる—」〈俳・正章千句上〉

しほのやほあひ(シオノヤオアイ)【潮の八百会】潮流がたくさんに集まり合う所。「八潮道(やしほぢ)の—に」〈祝詞大祓詞〉。「—にさすらへなまし」〈源氏明石〉 †siFonöyaFoaFi

しほのやほへ(シオノヤオエ)【潮の八百重】海水が幾重にも重なる所。「滄海原(あをうなはら)の—」〈紀神代上〉 †siFonöyaFoFe

しほばな(シオ)：【塩花】①白波。潮のしぶきを花にたとえていう。「百騎も二百騎も、—蹴立てて押し寄せば」〈盛衰記四二〉②不浄をはらい清めるために振りまく塩。「残らず捨てたら、あとへ—を振らせませう」〈黄・莫切自根金生木下〉

しほばま(シオ)：【塩浜】塩田。「当島—高潮に崩れ失せ候事」〈東寺百合文書と、正応三・一二〉

しほはゆ・し(シオハユシ)【鹹し】『形ク』「しははゆし」の転。「—・く、淡(あは)い物は淡い」〈本則鈔四〉。〈文明本節用集〉

しほひ(シオ)：【潮干】①潮水がひくこと。「難波潟(なにはがた)—のなごりよく見てむ」〈万九七六〉②潮干潟。「小夜ふかき—の鶴(たづ)も妹に恋ひ和歌の浦わの松に鳴くなり」〈草根集三〉。「—はるかにさゆる月影」〈熊野千句〉③潮干狩。「—見物のため、木津浦へ越し候」〈証如上人日記天文七・三・三〉 †siFOFi **—がた**【潮干潟】潮が引いて現われた干潟。「我ながらつらくなる身(鳴海ト掛ケル)の—恨みし(浦見シト掛ケル)末ぞ遠ざかりぬる」〈新後撰一一七八〉 **—のやま**【潮干の山】《生死のある現世を海にたとえ、それに対して》生死を超越した世界。浄土。極楽。「生死の二つの海をいとはしみ—をしのひつるかも」〈万三八四九〉

しほびき(シオ)：【塩引】塩漬の魚。塩魚。主に鮭(さけ)についていう。「—の鮭の塩からげなる、また、切りて盛りたり」〈今昔二八ノ五〉。「塩引、しほびき、干鮭(からざけ)」〈和漢通用集〉

じほふ(ホウ)：【実法】《ジッポフの促音ツを表記しない形》まじめ一方。ばか正直。「—なる人の、ゆきどころあるまじきを〔婿ニシタイ〕とて」〈源氏真木柱〉

しほぶね(シオ)：【潮船】《「河船」の対》潮路をこぎわたる船。海の沖をゆく船。「—に真楫(まかぢ)繁貫(しじぬ)き吾(わ)は帰り来む」〈万四三六八常陸防人〉 **—の**【潮船の】〔枕詞〕海に並んでいるところから「並べ」に、岸に上げておくところから「置き」にかかる。「—並べて見れば」〈万三四五〇東歌〉。「—置かればかなし」〈万三五五六東歌〉

しほふるたま(シオ)：【潮干珠・潮乾珠】《「潮満珠(しほみつたま)」の対。フルはヒ(干)の連体形(奈良時代は上二段活用)》海水をひかせる力のある珠。「—を出して活(い)かし」〈記神代〉 ▽シホヒノタマ・シホフルニとも訓める語。

しほほ(シオオ)《シホシホの約》涙にぬれるさま。しっぽり。「わぎも子が袖も—に泣きしそ思(も)はゆ」〈万四三五七上総防人〉

しほま(シオ)：【潮間】潮の引いている間。「和歌の浦の—に遊ぶ浜千鳥」〈赤染衛門集〉

しぼ・み【萎み・凋み】『四段』生気が抜け、ちぢまる。しなびる。「植ゑし田も蒔きし畠も朝ごとに—・み枯れ行く」〈万四一二二〉。「萎、シワム・ナユ・シボム」〈名義抄〉 †sibomi

しほみつたま(シオ)：【潮満珠・潮盈珠】《「潮干珠(しほふるたま)」の対》海水を満ちさせる力のある珠。「—を出して溺らし」〈記神代〉 ▽シホミチノタマ・シホミツニとも訓める語。 †sifomitutama

しほや(シオ)：【塩屋】①塩焼き小屋。また、塩を売る家または人。「〔明石姫君ガ〕さる—のかたはらに過ぐしつらむこと」〈源氏松風〉。「津の売り買ひ所とてありける—に立ち入りて」〈伽・しほやき文正〉②《近世後期の江戸の遊里語》自慢すること。うぬぼれ。「—、塩屋と書く。自慢する事なり」〈洒・胡蝶の夢〉

しほやいと(シオ)：【塩灸】灸の最後に、塩を塗った上に艾(もぐさ)を置いてすえること。また、その灸。「野の原に煙るや霜の—」〈俳・崑山集一三〉

しほやき(シオ)：【塩焼き】海水を煮て塩を作ること。また、それを仕事とする人。「蘆屋(あしのや)の灘(なだ)の—いとまなみ」〈伊勢八七〉 **—ぎぬ**【塩焼き衣】塩を焼くとき着る衣。「須磨の海人(あま)の—の藤衣」〈万四一三〉 **—ごろも**【塩焼き衣】「しほやきぎぬ」に同じ。「志賀の海人(あま)の—穢(な)れぬれど」〈万二六二二〉

しほゆ(シオ)：【塩湯】①海水をわかした湯。塩風呂。「予—に浴す」〈殿暦康和二・二・二二〉②塩分を含んだ温泉。「わたつみははるけきものをいかにして有馬の山に—出づらん」〈夫木抄二六・温泉〉③塩を入れた湯水。「今日より雑物取り入るるの時、—を灑(そそ)き、家に帰りて、又祓ひす」〈中右記永久二・一・一九〉。「爪の欠けぬやう…—にて時時あらふべし」〈夜鶴庭訓抄〉

しほら・し(シオラシ)『形シク』《シホは愛嬌》①愛らしい。可憐である。「あら—・しやと思うて、通りさまにしっくりと抓(つめ)ったれば」〈虎明本狂言・枕物狂〉②つつましやかである。「構へたるなりかかり、小さく—・しく」〈舞正語磨上〉③

優美である。柔和である。「物を云ふ事、―・しきなり」〈蒙求聴塵中〉 ④けなげだ。感心だ。「お殊勝や。御出家とて―・しや」〈伎・大職冠中〉

しほ・り〔シオリ〕『四段』⇩しをり

しぼ・り【絞り】㊀『四段』①含まれている水分をとるために、そのものを押さえたりねじったりする。「偽りの涙なりせば唐衣忍びに袖は―・らざらまし」〈古今五七六〉。「乳牛に種種の色あれども其の乳を搆(ぼし)りて…白色にして」〈法華経玄賛平安初期点〉 ②目をしばたたいて涙をはらう。「涙にくれて、眼も見え給はぬを、強ひて―・り開けて見奉るに」〈源氏御法〉 ③声を無理に出す。「〔験者ガ〕せみの〔ヨウナ〕声―・りいだして、誦(よ)み居たれど」〈枕二五〉 ④弓をぎりぎりに力をこめて引く。「十三束三伏、さきよりもなほ引き―・りて、手ごたへ高くはたと射る」〈太平記三・笠置軍〉 ⑤絞染にする。「柿にも染むる也。梅にも―・る也」〈今川大双紙〉 ㊁『名』「絞り染」の略。「纈は、日本に云ふ―と云ふ染物の色ぞ」〈四河入海三ノ二〉。「―の手綱」〈証如上人日記天文六・六・一六〉 **―ぞめ**【絞染】染色法の一。模様の部分を糸などでくくって、染め液の浸入を防いでから染め出す方法。また、そのようにして白く染め出された模様。しぼり。くくりぞめ。くくしぞめ。纐纈〈かうけち〉。「帷子〈かたびら〉や片身に袖を―」〈俳・如意宝珠三〉 **―タバコいれ**【絞り煙草入】ちりめん皺をよせた桐油紙または紙子紙で作った煙草入。「―を縫賃綫〈わづか〉を顧みず」〈西鶴・伝来記八〉

しほ・れ〔シオレ〕『下二』⇩しをれ

しほん【四本】 **―がかり**【四本懸】蹴鞠〈しうきく〉の庭の四方に立てる四本の木。艮〈うしとら〉に桜、巽〈たつみ〉に柳、坤〈ひつじさる〉に楓〈かへで〉、乾〈いぬゐ〉に松を立てるのを本式とする。「東南には蹴鞠の坪を構へ、―を植ゑられ」〈庭訓往来三月七日〉。「みな松の―は位ある人の立てたる庭とこそ聞け」〈蹴鞠百首〉 **―ばしら**【四本柱】①四本の柱。「総じて日本には―を立てたを〔亭ト〕云ふ」〈三体詩絶句抄三〉 ②特に、相撲の土俵の四隅に立てる四本の柱。「―の七宝荘厳」〈俳・当流籠抜〉

しま【島】①水に囲まれた陸地。「うち廻(み)る―の埼埼〈さきざき〉」〈記歌謡五〉 ▽朝鮮語 siem(島)と同源。 ②《「山斎」と書く。水に囲まれた築山の意から》泉水のある庭。林泉。庭園。「鴬の鳴くわが―そやまず通はせ」〈万一〇一二〉 ③限られた地域。特定の地帯。上方では、遊廓・私娼窟をさしていうことが多い。「金遣ふ大臣―に残されて」〈俳・大矢数四〉 ④「島物」の略。「―壺二斤半入り」〈多聞院日記天正一五・六・一八〉 ⑤《島物の意から、特に》織柄の一。二種以上の色糸を用いて、たて・よこに種種の筋をあらわしたもの。また、その織物・模様。「―織物の事、人前へは然るべからず候」〈御供古実〉 ▽近世前期までは多く「島」と書き、「縞」なども書いた。「綅、シマ、…縞、同、…繊、同」〈合類節用集〉

しま【四魔】〔仏〕人心を迷わせ、修行のさまたげをする四種の魔。煩悩魔・陰魔・天魔・死魔をいう。「―を随へて仏に成り給へり」〈三宝絵上序〉。〈運歩色葉集〉

しま【志摩】旧国名の一。東海道十五国の一で、今の三重県の一部。志州。「志摩国疫す。薬を給ひて之を救ふ」〈続紀和銅六・二・三〉

しま『接尾』初め、または、早早、または、その折、…しがけ、の意を表わす。「正月―に叩かしゃるは」〈咄・鹿の巻筆五〉。「何としたものぞと云ひ―に、くるりと一円相をまはして」〈従容録鈔四〉。「帰りがてら・帰りがけなど云ふやうなるを、帰り―とも、帰りしなとも云ふ」〈志不可起六下〉

しまいがた【四枚肩】駕籠舁き四人が交代で舁くこと。また、その駕籠。「大坂より―は二十四匁の定まり」〈西鶴・諸艶大鑑六〉

しまう・け〔シモウケ〕【為設け】『下二』しつらえる。準備する。「畳あつらかに敷きて、くだ物食物―・けて、たのしくおぼゆるに」〈宇治拾遺一八〉

しまうたや〔シモウタヤ〕【仕舞うた屋】商売をせず金利で豊かに生活する家。また、その人。しもた屋。「―軒端の山は雲晴れて」〈俳・難波千句〉。「覆面で〔遊ビ歩ク〕―めが暇あれや」〈俳・伊勢宮笥〉

しまがく・り【島隠り】『四段』《カクリはカクレの古形》島かげにかくれる。「―・り我が漕ぎ来れば」〈万九四四〉

しまがく・れ【島隠れ】㊀『下二』島かげに隠れる。「ほのぼのとあかしの浦のあさぎりに―・れゆく舟をしぞ思ふ」〈古今四〇九〉 ㊁『名』島のかげにかくれること。また、そのかくれた所。「―より漕ぎ出でたるを見れば」〈俊頼髄脳〉

しまかぜ【島風】島を吹きわたる風。「―にしば立つ波の立ち返り恨みてもなほ頼まるるかな」〈金葉四三二〉

しま・き【繞き】㊀『四段』①巻きめぐらす。「〔鯉ハ〕江に返りのぼりて、竹生島を―・きてゐぬ」〈今昔三一ノ三六〉。「池のほとりを通りけるに、蛇〈くちなは〉―・きつきて」〈宝物集五〉。「繞、モトホル・シマク・メグル・カクム」〈名義抄〉 ②風などが吹き巻く。「榑船〈くれふね〉よ朝妻わたり今朝なせそ伊吹の嶽に雪―・くめり」〈山家集中〉 ㊁『名』風などが吹き巻くこと。また、その風。旋風。「―して須磨の浦波さわげどものどかに澄める夜はの月かな」〈殿上蔵人歌合〉

しまくに【島国】四方を海でかこまれた国。海国。「―の淡路の三原」〈琴歌譜〉。「渚、シマクニ」〈名義抄〉

しまごん【紫磨金】紫色がかった純粋の金。閻浮檀金〈えんぶだごん〉。紫磨黄金〈わうごん〉。主に仏身の美しさの形容にいう。転じて、美人の形容にも。「金銀のこまやかな光透りて―のやはらかなる膚〈はだへ〉透きたり」〈栄花玉台〉

しまざらし【縞晒・島曝】縞模様の晒し布。「帷子〈かたびら〉を洗へ汗にや―」〈俳・鶉鵡集五〉

しまし【暫し】『副』《シマリ(締)と同根。緊密で、すき間のないこと。転じて、時間のつまっている状態》少しの時間。「ほととぎすあひだ―置け汝が鳴けば吾が思ふ心いたもすべなし」〈万三七八五〉 **―く**【暫しく】『副』《クは副詞語尾》「しまし」に同じ。奈良時代に使われた語。「―も独りありうるものにあれや島のむろの木離れてあるらむ」〈万三六〇一〉

しまじゅす【縞繻子・島繻子】縞模様の繻子。帯地にした。「縞じゅ」とも。「色分けて毛織―袖の花」〈俳・大坂一日独吟千句〉

しま・す『連語』《尊敬の助動詞スとマスとの複合セマスの転。室町時代の語法》尊敬の意をあらわす。お…になる。「宰相にならー・さうとは思ひ寄らなんだ」〈蒙求抄一〇〉。「無理な事を言は―・す」〈虎明本狂言・止動方角〉。「播磨鍋買は―・せ」〈七十一番歌合〉

しまずり【島摺】島や洲崎などの模様を染め草で摺り出したもの。「錦の―の直垂〈ひたたれ〉の上に」〈平治中・信頼降参〉

しまだ【島田】婦人の髪風の一。主に未婚の女が結ったもので、高島田・投げ島田・しめつけ島田・とりあげ島田などがあった。もと、東海道島田の宿の遊女から始まったという。島田まげ。島田わげ。「旅籠屋の女は塵のつくも髪せめて―に結ふ由もがな」〈仮・東海道名所記三〉 **―わげ**【島田髷】「島田」に同じ。「大井川流を立てて住む宿の―にし髪も遊〔結フト掛ケル〕君」〈古今夷曲集九〉

しまだい【島台】婚礼・饗応などの飾り物。蓬萊山を模して、洲浜台の上に、松・竹・梅・尉・姥・鶴・亀などの模型を飾ったもの。「料理出で、ー出し祝ふ也」〈松平大和守日記寛文二・五・一三〉

しまちりめん【縞縮緬・島縮緬】縞模様を織り出した縮緬。近世前期、舶来品は黒糸の碁盤縞が多く、日本産の模様は多種であった。「織出しのー」〈西鶴・一代男六〉

しまつ【始末】①始めと終りと。また、始めから終りまで。事の次第。首尾。「上下の句相叶ひ、ー相応じ候」〈草根集一上〉。「ーよろしからざれば、無念にや思ひけん」〈仮・御伽物語一〉〈文明本節用集〉②きちんと結着をつけること。けじめをつけて処置すること。「殊に財宝のーなどは、あっぱれ龐居士(ほうこじ)のふるまひに異ならず」〈驢鞍橋上〉③無駄使いせず、つつましいこと。節約。「ただ心の卑劣なる人にて、不断所帯のーを肝要とせしなり」〈義残後覚二〉

しまつどり【島つ鳥】《奈良時代はシマツトリと清音》①〔枕詞〕島にいる鳥の意で「鵜(う)」にかかる。「ー鵜飼が伴(とも=部民)」〈記歌謡一四〉②鵜の異称。「奥の海の浪越す岩のー」〈宴曲集海路〉。「鸕鷀、ウ・シマツドリ」〈名義抄〉 †simatutöri

しまと【島門】島と島との間、島と陸との間の瀬戸。「あり通ふ(常ニ往来スル)ーを見れば」〈万三〇四〉 †simato

しまね【島根】《ネは大地にしっかりくいこんだもの》島。「岩が根の荒きーに宿りする君」〈万三六八八〉

しまは・しワシ:マ【仕廻し】〘四段〙まわりを囲む。垣などをめぐらす。「まはりはー・して、口一二などあるやうなる所には」〈夜鶴庭訓抄〉。「十町も二十町も垣をー・し」〈わらんべ草四〉

しまばら【島原】京都六条通りの西、丹波口東の朱雀野にあった遊廓。寛永十七年室町六条三筋町から移転した時、廓の構造が肥前島原に似ていたので名付けたという。近世前期、日本遊廓の模範とされた。「ーにも是れほどの遣手(やりて)はなし」〈評判・まさり草〉

しま・ひイシマ【仕舞ひ・仕廻ひ】㊀〘四段〙①し終える。済ます。すっかりかたをつける。「あう、今までー・はぬ者があらうか」〈虎明本狂言・米市〉②殺してけりをつける。やっつける。「外にー・うてやる思案も有り」〈西鶴・二十不孝一〉

㊁〘名〙①かたをつけること。物事のしめくくり。果て。「来春は罷り上り候て国本一見仕り、年寄りたる者共にも逢ひ申し候て、今生のー仕るべきと存じ候」〈沢庵書簡寛永一九・閏九・八〉②年末の勘定を済ませて正月の支度をすること。「正月仕舞ひ」とも。「わごりょも定めてーがならう」〈虎明本狂言・米市〉③《身仕舞いの意で》化粧などのこと。「お前もうおーが出来たね」〈滑・浮世風呂二上〉④【仕舞】〔能楽用語〕能の見所である特定の部分。原則として一人の役者が紋服・袴を着用し、囃子を伴わない地謡によって舞う。「ー或は能などの地を謡ふときは、〔扇ヲ〕逆に持つべし」〈随一小謡摩訶大成〉 **ーがね**【仕舞銀】年末の貸借決算に要する銀。「これは安きー」〈西鶴・嵐無常上〉 **ーだいこ**【仕舞太鼓】遊廓の大門を閉じる時刻を知らせる太鼓。三番太鼓。限りの太鼓。「ーは修羅道の時の太鼓と響くぞや」〈近松・三世相三〉 **ーだな**【仕舞店・仕舞棚】古道具屋。仕舞物棚。仕舞物屋。古金棚(ふるかねだな)。「町中ーの売り物、庇(ひさし)きりに置き申す可く候」〈正宝事録承応二・六・一九〉 **ー付・く** 始末が付く。引っ込みが付く。「徳兵衛ー・かず、言葉無ければ」〈近松・重井筒上〉 **ーばしら**【仕舞柱】劇場で、ひいきの客から俳優に贈られた纏頭(てんどう)祝儀などを差しておいた柱。「〔能役者ハ〕ーより出入をすべし」〈甲陽軍鑑七〉 **ーぶろ**【仕舞風呂】近世前期、風呂屋で初夜(午後八時頃)にほら貝を吹き、以後は女ばかり入浴させたこと。また、その風呂。仕舞湯。「ー昨日の晩も月入りて」〈俳・独吟一日千句〉 **ーもの**【仕舞物】安く処分する売れ残りの商品。「不動一躰、とっこ・花ざら・れい・錫杖、護摩の壇のー」〈西鶴・胸算用五〉 **ーゆ**【仕舞湯】「仕舞風呂」に同じ。「ーと言ふは、初夜を限りて貝を吹き、それより女中ばかりを入れける」〈浮・好色小柴垣一〉

しまへ【島上・島傍】《シマウヘの転》島のほとり。「鮎こそはーも良き」〈紀歌謡一二六〉 †simaFë

しまみ【島廻】《ミは湾曲すること》①島のめぐり。「八十(やそ)のーを漕ぐ舟に」〈万一三九九〉②島をめぐること。「玉藻刈る辛荷の島にーする鵜(う)にしもあれや家思はざらむ」〈万九四三〉 †simami

しまもの【島物・島者】①中世末から近世初頭にかけて輸入された茶入れ・絵・焼物などで、産地不明の物の総称。「瀬戸肩衝(かたつき)…今はーと云ふ」〈久重茶会記慶長一五・七・三〇〉②出所不詳の正体の知れぬもの。「大和とも唐とも見えぬーを長島屋にて売りかねぞする」〈評判・島原集〉

しまもり【島守】島を守るもの。島の番人。「さきもり」と同じ意にかかうこともある。「ーに我が立ち来れば」〈万四四〇八〉

しまやま【島山】①島と山と。「ーのよろしき国と」〈万三二三〉②川がめぐっていて島のように見える山。一説、島の中にある山。「ーをい行きめぐれる川添ひの岡辺の道ゆ」〈万一七五一〉③庭園の池の中にある山。「ーにあかる(赤ク色ヅイタ)橘(たちばな)」〈万四二六六〉

しまら【暫】《シマリ(締)と同根。緊密の意から、時間のつまっている意》少しの間。「天つ風雲の通ひ路吹きとぢよ少女の姿ーとどめむ」〈東遊歌一〉。「暫、之麻良(しまら)」〈華厳音義私記〉。「暫、シマラ・シマラノアヒ」〈金剛般若経集験記平安初期訓〉 **ーく**【暫く】〘副〙《クは副詞語尾》「しばらく」の古形。奈良時代に使われた語。「ーは寝つつもあらむを夢のみにもとな見えつつ吾(あ)を哭(ね)し泣くる」〈万三四七一東歌〉

しま・り【締まり】〘四段〙《シメ(締)の自動詞形。シマシ・シマラ(暫)と同根》①堅くしっかり結ばれる。「み子の柴垣八節(やふ)じまり、ー・り廻(もと)ほし」〈記歌謡一〇九〉②きちんとしてゆるみがなくなる。「たゆみ怠る事なく、務めー・りて仕へまつれ」〈続紀宣命一〉③法令などが、あまねく正しく行なわれる。「シマックニ(国)、または、ザイショ」〈日葡〉④まとまる。成立する。「大方談合ー・りて」〈西鶴・伝来記八〉⑤節約する。「口に食ふべき物をー・るるは、誠の始末にあらず」〈浮・立身大福帳六〉

しまわうどんウ:オ【紫磨黄金】「紫磨金(しまごん)」に同じ。「釈迦仏、丈六の御姿にて、ーの光を放ちて」〈宇治拾遺一九五〉

しまゑ【島絵】オランダ渡来の油絵の写生画。また、それに似せた画。後には、唐絵まがいの粗雑な画。「掛けしーの表具見事さ」〈俳・寛永十三年熱田万句一七〉。「唐絵には色彩似たるーあり」〈俳・身楽千句〉

しみ【紙魚・衣魚】《「浸(し)み」を作る虫の意》シミ科に属する原始的な昆虫。衣服・紙類などの糊気のあるものを食害。「ーといふ虫の住みかになりて」〈源氏橋姫〉。「衣魚、和名之美(しみ)」〈本草和名〉

し・み【浸み・染み】㊀〘四段〙《ソミ(染)の母音交替形。シメヤカ・シメリ(湿)と同根。気体や液体が物の内部までいつのまにか深く入りこんでとれなくなる意。転じて、そのように心に深く刻みこまれる意》①（十分しみこむように）ひたる。「なかなかに人とあらずは酒壺になりにてしかも酒に—・みなむ」〈万三四三〉。「香にいと深く—・みたる〔紙〕に書き給へり」〈源氏若菜上〉②色などがしみつく。「引きよぢて折らば散るべみ梅の花袖に扱(こ)き入れつ—・まば—・むとも」〈万一六四四〉③心に深く感じる。気持がしみつく。「鶯の声は過ぎぬと思へども—・みにし心なほ恋ひにけり」〈万四四五〉。「わが心ながら、いとかく人に—・むことはなきを、いかなる契りにかはありけむ」〈源氏夕顔〉④しみじみとした趣になる。「その曲めでたくへにして—・みたり。聞く人みな涙落ちぬ」〈著聞二五二〉⑤面白く感じられる。気に入る。「さっと済む物、—・まぬ奴が帰りたる跡」〈仮・犬枕〉⑥刺すように痛む。「ものさびしくも—・まぬなりけり／浅茅生に風の引きたる目の薬」〈俳・守武千句〉㊁『名』（しみこませて）色やにおいをつけること。また、そのようにしたもの。「月草に衣そ染むる君がため—の衣を摺(す)らむと思ひて」〈万一二五五〉。「縹(はなだ)の紙の、いとなつかしう—深うにほへる」〈源氏胡蝶〉 †simi

し・み【凍み】『上二』《凍りつくような激しい寒気でものがかたく冷えちぢむ意。「—・みこほり」という複合形で使われることが多い》①かたくこおりつく。かちかちに冷たくなる。「—・みこほる木の根を床と馴らしつつ行なふ人ぞ仏ともなる」〈曾丹集〉。「凍、シム」〈色葉字類抄〉②（身内が）冷たくちぢみあがる。「朝夕涼みもなき頃なれど〔恥ト恐レデ〕身も—・むる心地して」〈源氏若菜下〉

しみい・り【染み入り・滲み入り】『四段』奥深くいりこむ。しみこむ。「恋歌は、女房の歌に、〔心ニ〕—・りて面白きは多きなり」〈正徹物語上〉

しみかへ・り(カエリ)【染み返り】『四段』①強くしみこむ。「御衣なども、ただ芥子(け)の香に—・りたる」〈源氏葵〉②興が乗って熱中する。「面白き事も、それにのみ—・りては、心一つをやり、人目にあまる難あり」〈十訓抄二序〉

しみこほ・り(コオリ)【凍み氷り】『四段』①氷りつく。「—・りたるにも、また暑く苦しき夏も」〈宇治拾遺三〇〉。「身もきるやうに、心も—・りて、これを聞くに死ぬべき心地す」〈宇治拾遺一〇三〉②《こりかたまる意から》夢中になる。熱中する。「おのづから〔連歌ノ〕一座も—・り、感情興に入り侍るか」〈私用抄〉

しみさ・び【繁さび】『上二』《サビは…の状態であるの意》ぎっしりと繁る。「春山と（トシテ）—・び立てり」〈万五二〉 †simisabï

しみしたた・し【しみ舌たるし】『形ク』ねっとりとしつこい。「しみしつこい」とも。「—・き横恋慕」〈浄・伊呂波物語二〉

しみじみ【染み染み】いかにも深くしみ入るようなさま。しんみりとしたさま。「よき人の、のどやかに住みなしたる所は、さし入りたる月の色も、一きは—と見ゆるぞかし」〈徒然一〇〉

しみづ【角水】《スミヅの訛》 **—をつ・く** ほんのちょっとの事も糺(ただ)し咎める。「若輩者が—・く」〈近松・唐崎八景屏風一〉

しみづ【清水】《シミ（凍）ミヅ（水）の転か》清く冷たい水。「凍水(しみづ)出でし所になも、後も凍水は出づる」〈東大寺諷誦文稿〉。「御井の真(ま)—」〈万五二〉。「いにしへの野中の—〔今ハ〕ぬるけれどもとの心を知る人ぞ汲む」〈古今八八七〉 †simidu

しみつ・き【染み着き】『四段』①（色などが）深くしみこむ。染まり着く。「〔紅ノ色ガ鼻ニ〕さもや—・かむと」〈源氏末摘花〉②深い仲になる。「若き御どち、物聞え給はむは、ふとしも—・くべくもあらぬを」〈源氏東屋〉

しみに【繁に】『副』限られた場所にぎっしりといっぱいになって。「梅の花み山と—ありともやかくのみ君は見れど飽かにせむ」〈万三九〇二〉 †simini

しみみに【繁みに】『副』《シミシミニの約。密生する意》限られた場所にぎっしり一杯につまって。「見まく欲りわが待ち恋ひし秋萩は枝も—花咲きにけり」〈万二一二四〉。「うち日さす都—里家はさはにあれども」〈万四六〇〉 †simimini

しみゃく【死脈】①死に臨んだ人の、早い微弱な脈搏(みゃくはく)。「すでに—打ち申し候ふ」〈甲陽軍鑑一三〉。〈運歩色葉集〉②物事が全く望みのないことのたとえ。絶望的。「露しぐれ随分かかってみたれども／どうで—の浪風の音」〈俳・みつがしら〉

じみゃく【自脈】自分で自分の脈搏(みゃくはく)をみて診察すること。「御簾(みす)の外(と)や朝顔に—取る女」〈俳・京日記〉

しみらに『副』すき間もなくぎっしりと。「あかねさす昼は—ぬばたまの夜はすがらに眠(い)も寝ずに」〈万三二九七〉 †simirani

しみん【四民】社会を構成する四つの階層、士と農と工と商と。「—の徒、おのおのその業あり」〈続紀霊亀一・五・一〉

し・む『助動』→基本助動詞解説

じむしょく【寺務職】その寺のすべての事をとりしまる職。「昔は法勝寺の—にて、八十余箇所の庄務をつかさどられしかば」〈平家三・有王〉

しむらく《使役の助動詞シムのク語法》…させること。「春霞たなびく田居に廬(いほ)つきて秋田刈るまで思は—」〈万二二五〇〉

しめ【鵲】⇒ひめ（鳲）。「鵲、之米(しめ)」〈和名抄〉 †simë

し・め【占め・標め】㊀『下二』《物の所有や土地への立入り禁止が、社会的に承認されるように、物に何かを結いつけたり、木の枝をその土地に刺したりする意》①占有のしるしをつける。「わが—・めし野山の浅茅人な刈りそね」〈万一三四七〉②土地を占有する。自分のものとする。「山里の、のどかなるを—・めて、み堂を造らせ給ひ」〈源氏絵合〉。「古くよりこの地を—・めたる物ならば、さうなく掘り捨てられがたし」〈徒然二〇七〉③食べる。「もう、お昼を—・めたか」〈滑・浮世風呂三下〉㊁『名』①領有または立入り禁止などの標識。縄を張り、杭をさしなどした。「浅茅原(あさぢはら)後見むために—結はましを」〈万一三四二〉②「しめなは」の略。「御服所南廊寮下部等—を引かしめ了んぬ」〈中右記承徳一・五・三〉 †simë

し・め【染め・浸め】『下二』《シミ（浸）の他動詞形》①色を深く浸透させる。しみとおらせる。「秋山の紅葉(もみちば)—・むる白露の」〈歌経標式〉②心に深く刻みこむ。「春の曙に心—・め給へるもことわりにこそあれ」〈源氏薄雲〉

し・め【締め】『下二』《上下または両側面から力を加えて、もののすきまやゆるみをなくす意》①（紐などを）かたく結ぶ。「星白の甲(かぶと)の緒を—・め」〈平家四・競〉②しばりつける。「生捕りにせられたりし侍ども二十余人、白き直垂着て、馬の上に—・めつけてぞ渡されける」〈平家一一・一門大路渡〉③（はなれぬように）力をこめて押えつける。「安芸太郎を弓手の脇にとってはさみ、弟の次郎をば馬手の脇にかいばさみひとしめ—・めて」〈平家一一・能登殿最期〉。「首—・め殺す道具」〈バレト写本〉④圧力を加えてしぼる。「アブラヲシムル」〈日葡〉⑤（戸などを固く）閉ざす。「門—・めて黙って寝たる面白さ　芭蕉」〈俳・炭俵上〉⑥（愛する人の手を）しっかりと握る。「手に手を—・めてほとほと叩く我はそなたの小鼓か」〈隆達小歌〉。「左門、小桜が手をじっと—・め」〈浄・五太力菩薩三〉 ⑦(愛する人を)ぐっと抱く。契りを結ぶ。「じっと—・めてのいとほしさは」〈宗安小歌集〉 ⑧(最終的に)寄せ合わせる。合計する。「いかさま—・めて三百ぐらい、四百とはもう出せぬわへ」〈伎・助六〉 ⑨固く取り決める。まとめる。「内談—・め」〈近松・今川了俊三〉 ⑩《物事の結着を祝い、終りを引きしめる意から》皆でいっせいに拍手する。「目出度く一つ—・めますべい」〈伎・暫〉 ⑪とっちめる。こらしめる。「今度おめへが江戸詞を笑ったら、一番—・めてやらうと思って」〈滑・浮世風呂二上〉 ⑫相手に二盃、三盃とつづけて酒を呑ませる。「押へ」とも。「これは少し—・めましょ」〈西鶴・好色盛衰記三〉

しめ 『助動』 尊敬の助動詞「しむ」の命令形。室町時代末期にはこの形が固定し、同輩や目下の者などに向って命令する場合に使った。「有様(ありやう)に言は—」〈虎明本狂言・磁石〉。「あっちへ疾(と)う疾う去な—」〈虎明本狂言・腹立てず〉

しめあけ【しめ明け】 静かにそっと明けること。「襖をそっと—に」〈近松・嫗山姥一〉

しめうり【占売り】 商品を買占め、値段をつり上げてから売ること。「米貯(ばた)ひ置き、—なされ候ふ」〈仮・薬師通夜物語〉

しめがひ イ…ガ【占買ひ】 商品を買い占めること。「〔土地ノ〕—をして社(やしろ)定めつ」〈俳・雲喰ひ下〉

しめぎ【搾木】 胡麻・菜種などから油を搾る木製の器械。「油屋の—の音をしるべにて」〈俳・大坂独吟集下〉。〈日葡〉

しめころも【染衣】 そめた衣。「染木が汁に—を、ま具(つぶさ)に取り装(よそ)ひ」〈記歌謡四〉 †simëkörömö

しめ・し【示し】 ㊀『四段』《シはス(為)の連用形。メスは見せる意。相手が理解するように、何かの手段・証拠によって具体的に見せる意》 ①形にあらわして見せる。「にほ鳥の潜(かづ)く池水こころあらば君にわが恋ふる情—・さね」〈万七二五〉 ②(証拠として)出して見せる。「真珠(また)なす二つの石を、世の人に—・したまひて」〈万八一三〉 ③(夢などに)お告げがある。「〔舟ヲ〕この浦に寄せよとかねて—・すことの侍りしかば」〈源氏明石〉。「鬼の〔出ルトイウ〕そらごとは、この〔病気ノ〕しるしを—・すなりけり」〈徒然五〇〉 ④さとし戒める。「デウスより告げ給ふを以て—・し給ふやうは」〈バレト写本〉 ㊁『名』 示すところ。教え。「一偈一句の御—をも受け参らせんために、これまで参りて候ふ」〈伽・胡蝶物語〉。「受レ示、シメシヲウケル」〈文明本節用集〉 †simesi

—あは・せ アワセ【示し合はせ】『下二』 前以て相談する。「宇治関白、平等院建立の時、地形(ちぎやう)の事など—・せむがために」〈十訓抄一ノ二〉

しめ・し【湿し】 ㊀『四段』《シミ(浸)と同根》 ①ぬらす。しめらす。「夢さむる砧の音や秋の夜の涙に—・す衣なるらん」〈拾玉集三〉 ②燈心を濡らして、火を消す。「さらば火を—・し候ふべし」〈伽・およう の尼〉 ③《筆先をうるおす意で》書きしるす。したためる。「奉書二枚に長長と—・し参らせ」〈浮・好色万金丹一〉 ㊁『名』 湿りをとる布。おしめ。おむつ。「—には涙にぬるる藤衣しぼるさへこそかはらざりけれ」〈散木奇歌集悲歎〉。「潤衣、シメシ」〈色葉字類抄〉

しめじめ【湿湿】《シミ(浸)と同根。シメリ(湿)の語幹を重ねた語》 ①しっとりとしめりぬれるさま。「菊の色を—〔染メト掛ケル〕と降る雨にざりける」〈源順集〉 ②しんみりとしたさま。「このお前は人気(ひとげ)遠くもてなして、—と物語聞え給ふ」〈源氏総角〉

しめ・す『連語』《シマスの転》…なさいます。「読ま—・す」〈ロドリゲス大文典〉

しめだし ①【締出し】 人を外に追い出し、または、外出した人を門戸を閉じて入れないこと。「—に逢ふた所が面白い」〈俳・大句数上〉 ②【搾出し】 圧搾(あっさく)して液体をしぼりだすこと。「因果は袖の—の露」〈俳・宗因五百句〉

しめつけしまだ【締付島田】 島田髷の前後を同じ長さにして、中程を平元結で強く締め付けた髪風。「城下に流行る—の吹鬢(ふきびん)」〈西鶴・伝来記五〉

しめとり【締鳥】 締め殺した鳥。「—も有り飼鳥も有り」〈俳・当世男下〉

しめなき【しめ泣き】 声をおさえて泣くこと。忍び泣き。「すすり上げすすり上げ、—に声をあげ」〈浮・好色小柴垣二〉

しめなは …ナワ【標縄・注連縄】《シメは占有の意、また、そのしるし》 神前などに、不浄なものの侵入を禁ずるため張る縄。わらを左捻(よ)りに捻り、三筋・五筋・七筋とわらの茎をたらして捻ってゆき、その間間に紙幣(かみしで)をたらしたもの。しめ。「祝部(はふり)らが斎(いは)ふ社の黄葉(もみちば)も—越えて散るといふものを」〈万二三〇九〉 †simënaFa

しめの【標野】《シメは占有の意、また、そのしるし》 貴人が所有し、一般の者を立ち入らせない園。禁野。御料地。「あかねさす紫野ゆき—ゆき野守は見ずや君が袖振る」〈万二〇〉 †simëno

しめのうち【標の内】《「標の外(ほか)」の対。「しめ」によって標示された区域内の意》 神社の境内(けいだい)。また、宮中など特定の区画の中。「—は昔にあらぬ心地して神代のことも今ぞ恋しき」〈源氏絵合〉

しめのほか【標の外】《「標の内」の対》 神社の境内(けいだい)の外。また、宮中など特定の区画の外。「葵葉(あふひば)は—にありといふなり」〈道綱母集〉。「身こそかく—なれそのかみの心の内を忘れしもせず」〈源氏絵合〉

しめやか《シミ(浸)と同根》 ①湿気を帯びたように感じられるさま。しんみりしているさま。「雨など降りて、—なる夜」〈源氏手習〉 ②(人の性質・姿などが)しっとりと感じられるさま。「いとこめかしう—に、うつくしきさまし給へり」〈源氏少女〉

しめゆふ …ユウ【染木綿】 染めた木綿。「肥(こ)人の額(ぬか)髪結へる—の染みにし心われ忘れめや」〈万二四九六〉 †simëyuFu

しめらに『副』《シミラニの転》 すきまなく、いっぱいに。「うるはしみ此の夜すがらに寝(い)もねずに今日も—恋ひつつぞをる」〈万三九六九〉 †simerani

しめ・り【湿り】 ㊀『四段』《シミ(浸)と同根》 ①湿気を含んでいる。「狩衣姿のいと濡れ—・りたる程」〈源氏橋姫〉 ②(風や雨や火などの)勢いがおとろえる。「火炎—・る時に」〈紀神代下〉。「やうやう風なほり雨の脚—・り」〈源氏明石〉。「暁がたに風少し—・りて」〈源氏野分〉 ③しめっぽく態度や気持が沈む。しんみりと沈んでいる。「嘆かしくて、例よりも—・りて居給へり」〈源氏野分〉。「〔斎宮ハ〕人ざまも、いたう—・り恥かしげに」〈源氏絵合〉 ㊁『名』 水気を含むこと。湿気。「この夕暮の—に、〔香ヲ〕試みむ」〈源氏梅枝〉

しめわらひ …ワライ【しめ笑ひ】 笑いをこらえること。「縄に痛む垣穂の花や—」〈俳・玉江草一〉

しめん【四面】 ①四方の面。「—に戸みな開きたり」〈今昔二四ノ五〉 ②四辺。四囲。まわり。ぐるり。「院の御所法住寺殿には、軍兵—をうちかこむ」〈平家三・法皇被流〉 ③母屋の四方に廂(ひさし)のあること。母屋の奥行の柱間は普通二間なので示さず、正面柱間の数を示して「五間四面」などと記す。廂と合わせて、桁行七間・梁行四間である。「我が家に一間—の堂をなむ起(た)てたる」〈今昔二四ノ五〉 ④四つの顔。「—大菩薩、漸く礎計(かば)り残り候」〈上井覚兼日記天正三・五・一〉 **—そか**【四面楚歌】史記、項羽本紀にある故事。漢軍に包囲された楚の項羽が、深夜、四面に漢軍が楚国の歌を歌うのを聞き、楚人はことごとく漢に降伏したのかと驚き嘆いたという。敵にかこまれ孤立状態になることにいう。「夜深けぬれば—の声」〈和漢朗詠集詠史〉

じめん《「直面」「恥面」などと当てる》人を恥ずかしめること。恥辱。「—かかす仕様のあらうものぢゃと云へば」〈評判・役者友吟味京〉

じめんづく【自面尽く】直接に顔を合わせて相対すること。「—に頼むからは」〈近松・淀鯉上〉

しも【下】《「かみ(上)」の対》❶《ひとつづきの長さあるものの終り》①終りの方。末尾。「上つ瀬に斎杭(いく)を打ち、—つ瀬に真杭(まく)を打ち」〈万三二六三〉。「—の十巻を…夜ふくるまでよませ給ひける」〈枕二三〉 ②(時の経過の)終り。「かみ正暦の頃ほひより、—文治の今に至るまで」〈千載序〉 ③月の後半。「彌生の—の十日ばかりに」〈後撰一二三五詞書〉。「月の上(みか)の十五日には仏事を修して、—の十五日には世路(ろせ)を営みけり」〈今昔一五ノ五二〉 ④歌の下句。下の句。「万葉第八尼がしたるを、家持卿これを付く。さほ川の水せき上げてうゑし田を、家持曰く、かるはついねはひとりなるべし、是連歌の根源也。其の後、或いは—を先にし、後に上を付く」〈八雲御抄一〉 ❷《ひとつづきの高さあるものの下部》①低い方。下方。「このつづら折りの—に」〈源氏若紫〉。「家のうへに登りて、—見さけて世の人のさわぎわしるさまを見て」〈著聞四三三〉 ②下半身。「腰よりかみは人にて、—は蛇なる女」〈宇治拾遺五七〉 ③袴。「上下(かみしも)の—が足らぬが」〈虎明本狂言・引敷聟〉 ❸《一連の位・年齢・座席の下位であること》①身分や格式が下であること。また、その人。「人麿は赤人が上(みか)に立たむ事かたく、赤人は人麿が—に立たむ事かたくなむありける」〈古今序〉。「かみ・なか・—の人」〈土佐一月二十日〉 ②下席。下座。「内大臣のおはすれば〔遠慮シテ〕—より出で給へるを」〈栄花初花〉 ③貴人の座から遠い所。女房の局(つぼね)や召使の控えの場所など。「あなうれし。—にありけるよ。〔アナタヲ〕上(うへ=御前)にて尋ねむとしつるを」〈枕八二〉 ④下働きの者。「—など取り次ぎ参るほど」〈枕一〇四〉 ⑤《君主に対して》臣下・人民。「上の奢りつひやす所をやめ、民を撫で農を勧めば—に利あらむこと疑ひあるべからず」〈徒然一四二〉 ❹①《平安京の中で南の方》下京。「—わたりなる家」〈宇治拾遺三三〉。「今日—にて合戦候由申し候」〈言継卿記大永七・一二・一四〉。「上へなりとも—へなりとも、行きたきやうにおぢゃれ」〈耳底記〉 ②《京阪地方を「上(みか)」というのに対して》特に、九州地方。〈ロドリゲス大文典〉 ▽上代、モは mo か mö か不明。

しも【霜】①しも。「ありつつも君をば待たむ打ちなびくわが黒髪に—の置くまでに」〈万八七〉。「少女らが織れる黄葉(もみち)に—な降りそね」〈万一五一二〉。②薬種を黒焼きにしたもの。「—にするとは、薬を黒焼にすることなり」〈譬喩尽七〉 ▽上代、モは mo か mö か不明。

しも『助』→基本助詞解説。 †simö

しもうど【下人】「しもびと」の音便形。「—に問へば」〈徒然四四〉

しもがかり【下掛り・下懸り】①能楽で、金春・金剛・喜多の三流の総称。京都住みの上(みか)掛り(観世・宝生)に対して、奈良住みであったからいう。「右の一冊は—の物と見えたり」〈申楽聞書奥書〉 ②性に関した、みだらなこと。「—の指合ひ多く語りののしるも」〈咄・鹿の巻筆序〉

しもがしも【下が下】身分の最も卑しい者。「—と人の思ひ捨てし住まひなれど」〈源氏夕顔〉

しもかぜ【下風】疝気(せんき)。「畠山右衛門佐義就〔八〕近日—の病ひ以ての外なり」〈大乗院雑事記延徳一・一〇・七〉。「—に振ひ落すや松ふぐり」〈竹馬狂吟集四〉

しもかぜ【霜風】霜の下りる冷えた時分に吹く風。「野辺の—小夜嵐」〈近松・重井筒下〉

しもがち【下勝ち】下半分の方が長く大きいこと。「額つきこよなうはれたるに、なほ—なる面様は、大方おどろおどろしう長きなるべし」〈源氏末摘花〉

しもが・れ【霜枯れ】㊀『下二』霜にあって、草木が枯れる。「—・れ渡れる野原のままに」〈源氏若菜上〉 ㊁『名』①霜にあって、草木などが枯れること。「—の冬の柳は」〈万一八四六〉 ②《「霜枯れ時」の略》草木が霜で枯れて、寒空の淋しい景色の季節。「—の芭蕉を植ゑし発句塚」〈俳・小文庫上〉

しもぎゃう〔‥ギョウ〕【下京】《「上京(かみぎやう)」の対》京都三条通以南の土地の称。商人・工人・職人などが住み、庶民的な雰囲気であった。「その夜は、今日の友に留められて—に留まりて」〈草根集三〉。「さては内内聞き及うだ、—にござる鈍太郎殿の妻でござるか」〈虎明本狂言・鈍太郎〉

しもく【撞木】「しゅもく」の訛。「—を取りて振りまはして、打ちもやらで」〈宇治拾遺二一〉。「鐘杵、シモク」〈運歩色葉集〉 **—づゑ**【撞木杖】⇒しゅもくづゑ。「暮るれば鐘を撞く—」〈俳・望一千句〉

しもくち【霜朽ち】ひび・あかぎれ・しもやけの類。「—まじなはむとて騒ぐも」〈かげろふ中〉

しもぐち【下口】建物のうしろの入り口。裏口。「局(つぼね)の—辺(へん)にたたずんで聞けば」〈平家一〇・内裏女房〉

しもぐもり【霜曇】霜がおりるときに空が曇ること。当時の人人はそう思っていたのであろう。「—すとにかあらむひさかたの夜渡る月の見えなく思へば」〈万一〇八三〉 †simogu-mori

しもけいし【下家司】家司の中で下級の者。四位五位の者を「上(みか)の家司」というのに対し、それ以下の者。「睦ましき—にて、殿にもつかうまつるものなりければ」〈源氏夕顔〉

しもさき【霜先】初冬十月頃、霜が置き始めようとして寒さを覚える時期。防寒に薬食いをし、また、経済上では、一年中で金廻りの最も悪い時期。「薬喰する秋の—」〈俳・底抜臼下〉

しもさぶらひ〔‥サブライ〕【下侍】天皇の侍臣の詰所。清涼殿の殿上の間の南にある。「殿上の—にて酒など飲みけるついでに」〈兼輔集〉

しもざま【下様】《「上様(かみざま)」の対》身分・趣味・教養などの低い層。下層階級。しもじも。「此の如きの失礼は、上ざまは吉事也。—は便無き事也」〈中右記保延三・一〇・六〉

しもじ【し文字】①「し」という字やことば。「心地やはせしなどいへる—は憚らず」〈八雲御抄六〉 ②「四」という字やことば。音が「死」と同じなので忌まれた。「—を嫌ふ人ぞはかなき」〈俳・犬子集一五〉 ③「し(為)」の文字詞。「ほのぼのと見しより恋を—にて」〈俳・守武千句〉

しもじも【下下】《「上上(うへうへ)」の対》卑しい者ども。また、召使たち。「したじた」とも。「あの—の者の申す事が、何の役に立つ物で御座る」〈虎寛本狂言・鬮罪人〉

しもすがた【下姿】役所のつとめから下がってくつろいでいる姿。冠・袍などをつけず、直垂(ひたたれ)でいること。「夜に入り

て参内、—」〈親長卿記文明三・三・一七〉

しもだいどころ【下台所】貴人の家で、家臣・奉公人などの食物を調える台所。「—今日煤払ひ也」〈隔蓂記寛永一八・六・晦〉

しもつ【笞】《シモトの転》罪人を打つための細い木の枝のむち。杖。「[何ノ罪デ]八十余りの老の身に、千筋の—を当つるぞや」〈伽・伊豆国翁物語〉。〈和玉篇〉

しもつ【下つ】『連語』《ツは連体助詞》下の方の。 **—え**【下つ枝】《「上枝(ほつえ)」「中つ枝」の対》下の方の枝。「しづえ」とも。「—に落ち触(ふ)らばへ」〈記歌謡一〇〇〉 †simotuye

—かた【下つ方】①下の方。「立ちさまよふらむ—(下半身)思ひやるに、あながちにたけたかき心地ぞする」〈源氏夕顔〉②下京。「—の京極(きやうごく)わたりなれば」〈源氏澪標〉③下層階級。しもじも。「それより—は、ほどにつけつつ時にあひ、したり顔なるも…いとくちをし」〈徒然一〉 **—せ**【下つ瀬】下流の瀬。「—に真(ま)杭を打ち」〈記歌謡九〇〉

—やみ【下つ闇】陰暦で、月の下旬の夜の闇。「九月の—のころほひなれば、極めて暗くしていかにも物見えず」〈今昔二七ノ二三〉。「—、二十日以後の闇なり」〈匠材集四〉

しもづかへ(ヅカエ)【下仕へ】貴人の家で、下まわりの雑事をする女房。「乳母(めのと)・髫髪(うなゐ)・—」〈宇津保藤原君〉。「童(わらは)・—八人づつさぶらふに」〈源氏宿木〉

しもつき【霜月】陰暦十一月の称。「—ばかりになれば、雪あられがちにて」〈源氏蓬生〉

しもつけ【下野】《「しもつけの(下毛野)」の略》①旧国名の一。東山道八国の一で、今の栃木県。野州。「—にまかりける女に」〈後撰一三〇八詞書〉。〈色葉字類抄〉②《もと、下野国で産したからという》バラ科の灌木。高さ約一メートル。夏、淡紅色の小花が茎の先端に密生する。「草の花は。…—の花」〈枕六七〉

しもつさ【下総】《シモツフサの転》下総(しもふさ)。「昔—の国にまののてうといふ人住みけり」〈更級〉。〈色葉字類抄〉

しもつづら【霜黒葛】霜をうけたカズラの実。黒いところから、「くる」の枕詞に使う。「三身(みつ)の綱(三本綱)うちかけて—くるやくるやに…引き来縫へる国」〈出雲風土記〉

しもつふさ【下総】《ツは連体助詞》⇒しもふさ。「下総、之毛豆不佐(しもつふさ)」〈和名抄〉

しもつ・れ【仕縺れ】『下二』めちゃくちゃになる。どうにもならなくなる。「しもじれ」とも。「これほど身代—・れて、田地に離れ」〈近松・天神記三〉

しもと ①【楉・細枝】若い雑木。木の若枝の細長く伸びたもの。「生(お)ふ—この本山の真柴にも」〈万三四八八東歌〉。「蔞、之毛止(しもと)、木細枝也」〈和名抄〉②【笞】《木の細枝で作るところから》刑罰の具。むち。「—取る里長(さとをさ)が声は寝屋戸まで来立ち呼ばひぬ」〈万八九二〉。「人を打つ杖をば—と申せば」〈伽・はにふの物語〉 †simotö **—がち**【細枝がち】若枝が、ここかしこ数多くさし出ているさま。「桃の木の若だちて、いと—にさし出でたる」〈枕一四四〉

—だ・ち【笞だち】『四段』むちのような形をする。「ちごは、あやしき弓、—・ちたる物などささげて遊びたる、いとうつくし」〈枕五九〉 **—ゆふ**(ユウ)【細枝結ふ】〔枕詞〕刈ったしもとを「かづら」で結うところから、「葛城(かづらき)山」にかかる。「—葛城山に降る雪の」〈古今一〇七〇〉

しもどひや(ドイヤ)【下問屋】近世、大阪で、中国・四国・九州地方に荷を積みおろす問屋。「上問屋(かみどひや)・—数を知らず」〈西鶴・一代女五〉 ↓上問屋

しもの【為物】しごととしてする物。「いかに上手の番匠でまり、その道具の鉋(かんな)や手斧(てうの)が切れずは、—は悪からうぞ」〈論語抄衛霊公〉

じもの『接尾』《ジはシク活用形容詞の語尾のシと同根。モノは物。複合して副詞を作る》①(本来それとは違うものであるが、あたかも)…のよう(な恰好)で。「鹿児—」「犬—」「猪鹿(しし)—」「雪—」など。「[人人ハ]鴨—水に浮き居て」〈万五〇〉②(本当にそのものらしい)恰好で。「[妻ガ死ニ]わき挟む児の泣くごとに、男—負ひみ抱きみ」〈万四八一〉③(本当にそれらしい)…の気持がして。「御命(おほみこと)を畏(かしこ)—受け賜はりて」〈続紀宣命一四〉 ▽「らし」「めき」など、…らしい、…の様子だと訳される接尾語は、共通して二つの意味を持つ。一つは、別のものなのに、あたかもそれらしい感じ、様子だという意味。二つは、事物が本当にそれらしい感じ、様子をしているという意味。「じもの」にもその二つの場合がある。 †zimönö

しものく【下の句】《「上(かみ)の句」の対》短歌の後半の七七の句。また、連歌・俳諧で七七の句。「涙をおさへて、—を『小野とはいはじ薄(すすき)おひたり』とぞ付けける」〈無名抄〉。「『て』と留(と)まる—、多くはあるまじき事にて侍り」〈兼載独吟千句註〉

しものとをか【下の十日】月の下旬。または二十日をいうか。「三月—、京極の藤の花の宴し侍りける時」〈兼輔集〉。「上(かみ)の十五日[法華三十講ヲ]勤め行なはせ給ひて、—あまりには、『競馬(くらべむま)せさせむ』とて」〈栄花初花〉

しものや【下の屋】寝殿造のおもな建物の後に設けた雑舎。雑物を置き、雑事を行なう所。浴室も設けられた。「野分荒かりし年、廊ども倒れ伏し、—どものはかなき板葺なりしなどは骨のみわづかに残りて」〈源氏蓬生〉

しものゆみはり【下の弓張】陰暦の二十日以後の月。下弦の月。「折節秋の始めの月は—なり」〈平家七・福原落〉

しもばかま【下袴】町人などの着用する略式の袴。最も簡単な礼服。「—を著し」〈浮・御前義経記八〉

しもばた【下機】木綿を織る機。「—を織りぬる人の裾見えて」〈俳・玉海集六〉

しもばら【霜腹】霜の下りる前後に冷えこんで起る腹痛。「この二三日—を病み候て」〈西福寺文書応永二〇・三・一六〉

しもばれ【霜腫れ】霜焼け。凍傷。「童部の足の甲より先見えて今朝霜寒くはるる—」〈玉吟抄〉

しもびと【下人】①ごく下の召使。下男・下女。「くはしき事は、—のえ知り侍らぬにやあらむ」〈源氏夕顔〉②身分の卑しい者。「ただいとひなびあやしき—の中に生ひいで給へれば」〈源氏常夏〉

しもふさ【下総】旧国名の一。東海道十五国の一で、今の千葉県北部と茨城県南部。「—国大風。百姓の廬舎を壊つ」〈続紀文武二・九・七〉。〈文明本節用集〉 ▽古くはシモツフサ。

しもふりづき【霜降月】「霜月」に同じ。「面白や頃は—なれば、木木の梢も冬がれて」〈謡・龍田〉

しもべ【下辺】《「上辺(かみべ)」の対》しものあたり。「—にはかはづ(カジカ)妻呼ぶ」〈万九二〇〉 †simobe

しもべ【下部】①雑事に召使われる身分の卑しい者。「—どもなどつかはして、[庭ノ]よもぎ払はせ」〈源氏蓬生〉②検非違使(けびゐし)庁などの役所の下役。検非違使庁では巡査と獄吏の役を兼ねた者をいう。「庁の—といふ放免どもに会ひぬ」〈今昔一六ノ二九〉

しもほふし(ホウ)【下法師】雑役に使われる身分の低い法師。「重代して召し使ふ—」〈雑談集四〉

しもや【下屋】「下(も)の屋」に同じ。「〔従者ガ〕—に曹司してありけるを」〈宇津保俊蔭〉

しもやしき【下屋敷】郊外などに設ける別宅。別荘。「—の垣に〔桐・柳ヲ〕植ゑ候へと七兵衛に申し付くる」〈天正日記天正一八・一〇・一〇〉

しもよ【霜夜】霜のおりる夜。「笹が葉のさやぐ—に七重着(か)る衣に益(ま)せる子ろが肌はも」〈万四三二防人〉 †simoyo

しも・り《四段》沈む。「舟は—・って」〈浄・自然居士三〉

しもわたり【下辺】京都で、下京方面。「宮などとくかくれ給ひにしかば…—に人少なにて過ぐし給ふ」〈堤中納言ほどほどの〉

しもわらは(ワラワ)【下童】雑事に召使う子供。「かしこに侍りける—」〈源氏蜻蛉〉

しもをとこ【下男】下男(げなん)。「〔童ト八〕使ふ下女(しもをんな)や—などの心ぞ」〈玉塵抄一〉。〈運歩色葉集〉

しもをなご【下女子】召使の女。しもおんな。下女(げじょ)。「背戸の月見てや思ひを—」〈俳・紅梅千句〉

しもをんな【下女】①下級女官。「主殿司(とのもづかさ)こそ、なほをかしきものはあれ。—の際〔トシテ〕は、さばかりうらやましきものはなし」〈枕四七〉②下女(げじょ)。下婢。「—に、据ゑてまゐらせよとぞ申しける」〈伽・判官都咄〉。「婢、シモヲンナ」〈文明本節用集〉

じもん【寺門】①寺の門。「すでに—に至りしかば」〈太平記二四・天龍寺供養〉②園城寺(三井寺)の称。比叡山延暦寺を「山門」というのに対する。「山門・—は天台をむねとする故にや」〈神皇正統記嵯峨〉

しや はやし詞。「島国の淡路の三原の小竹—さ根掘(こ)じに—…掘じ持ち来て—」〈琴歌譜〉

しゃ ㊀《代》《サの転か》相手自身を指していう語。おのれ。自分。「—が父なれど驚は」〈宴曲集郭公〉㊁《接頭》名詞に冠して、荒荒しくののしる気持をあらわす。「—顔」「—首」「—尻(しり)」「—面(つら)」など。「八寸ばかりの刀の氷の様なるを抜きて女にさし当てて、『—のど掻き切りてむ』」〈今昔二七ノ三八〉㊂《感》ののしっていう語。「霜の白菊移ろひやすやなう、—、頼むまじの一花ごろや」〈閑吟集〉。「—、取って押へ、頭よりかみひしがれ」〈伽・猫の草子〉

しゃ【者】《「それしゃ」の略》①その道の者。玄人(くろうと)。特に、遊女をいう。「昔が—の果に、時節悪うて茶屋勤め」〈浮・好色十二人男六〉②《江戸で》「芸者」の略。「すべて此の群を—と唱へます」〈洒・舌講油通汚〉

しゃ【斜】**—に構・ふ** ①剣道で、武器を斜めに構える。「—・へたる太刀先の風」〈俳・江戸通り町下〉②身構える。気取った態度をする。「我がために蒲団を持って来いと、これも—・ひ居た」〈従容録鈔四〉。「慶庵、唐扇を—・へ」〈評判・役者口三味線京〉

じゃ【蛇】①大きなヘビ。「えもいはず大きなる—なりけり」〈古本説話六四〉。「虵・蛇、ヘミ・クチナハ、和音ジャ」〈名義抄〉②《「蛇の助」の略》大酒飲み。底抜け上戸。「どちらへ似ても—の子孫」〈近松・淀鯉上〉 **—の道は蛇(へび)が知・る** 同類の者のすることは、その仲間の者がよく推知するの意。「蛇の道は蛇」とも。〈俳・毛吹草二〉

しゃい【差異】ちがい。差異(さい)。「凡聖の—なく、自他の分別なし」〈善悪因果経鑑三〉。〈温故知新書〉 **—も無・し** ①ちがいがない。「差別(しゃべつ)の分れざることを、—・きと云ふは、よろしけれど」〈俳・かたこと三〉②たわいもない。わけもない。「誠に—・き御仕方」〈浄・東山殿子日遊一〉

じゃいん【邪淫・邪婬】〔仏〕五戒の一。妻以外の女、または、夫以外の男と通ずること。「五戒と申すは、殺生・偸盗(ちゅうとう)・—・妄語・飲酒これなり」〈宝物集下〉 **—かい**【邪淫戒】邪淫に関する戒律。「また—とは、妻の上に妻を重ねず。総じて人の妻を犯すを—の戒めとす」〈伽・天狗の内裏〉

しゃう(ショウ)【正】㊀《名》①諸司の長官。「囚獄司—、正六位上飯高朝臣氏文」〈文徳実録天安二・三・五〉②正真正銘。本物。本当。「雷鳥じゃく、生捕じゃく、—の物を—でお目にかけますぞ」〈洒・両国栞〉③実物とそっくりであること。「その中にある姑婆(しゅうとばばあ)の口まねは、あの婆に—だよ」〈滑・浮世風呂二下〉㊁《接頭》①位階の各級を上下二つに分けた上の方を指す語。「—一位従一位。正は定れる心なり。従は正の位に従ふ心なり」〈後妙華寺殿令聞書〉→従(じゅ) ②きっかり、ちょうどの意を表わす語。「—七つの時の御登城」〈浄・忠臣蔵三〉

しゃう(ショウ)【生】《呉音》①《「死」の対》生きていること。「人皆—を楽しまざるは死を恐れざる故なり」〈徒然九三〉②いのち。生命。「一切世間に—あるものは皆滅す」〈栄花疑〉。「ただ末代に—を受けて」〈平家二・烽火〉③生命あるもの。生き物。「—を苦しめて目を喜ばしむるは桀・紂が心なり」〈徒然一二一〉④現物。ほんもの。「当所に〔苗字〕西川とやらん—の〔役者〕歌の助があるげな」〈評判・難波の顔三〉⑤実物とそっくりであること。「〔遊女ト客ノマネガ〕両方ながら出来た。—ぢゃ—ぢゃと嬉しがる」〈浮・分里艶行脚三〉 **—有れば食(じき)有・り** この世に生きている以上、必ず食物を手に入れて生きてゆかれるものである。「—・りと腹ふくるるに」〈西鶴・二十不孝四〉 **—を替・ふ** 生れかわる。「生を転ず」とも。「我が母、いかなる所に—・へたりともあひ見ばや」〈今昔一四ノ八〉 **—を引・く** 思い込んだ一念が後世まで影響する。「此の世へ—・いて」〈評判・難波鉦四〉 **—を隔・つ** 住む世界を異にする。仏教では、一切の生物の生死輪廻(りんね)する世界は、地獄・餓鬼・畜生・修羅・人間・天上の六道(ろくどう)であると考えた。「—・てずして人界(にんがい)に生れたる人は、かくのごとき前世の事を知るなりけり」〈今昔七ノ二六〉

しゃう(ショウ)【庄・荘】⇒さう(荘)。「僧正・僧都にやなるべき、又その寺に—などや寄すべき」〈宇治拾遺一〇一〉。「国は国司に随ひ、—は領家のままなり」〈平家三・大地震〉

しゃう(ショウ)【声】《呉音》アクセント。「しばらくいろはをつねによむやうにて—をさぐらば、お文字は去声なるべし」〈仙源抄〉。「—が少し違へども、節よければくるしからず」〈花鏡〉

しゃう(ショウ)【性】《呉音》本性。性質。「矢は…洗ひみがかば—や弱かりなんとて、節ばかりかいこそげて」〈保元上・新院御所〉

しゃう(ショウ)【姓】《呉音》氏(うじ)。姓(せい)。「〔鎌足薨去〕仍りて—を賜ひて藤原氏とす」〈紀天智八年〉。「一人はその国に住む男、—は菟原(うはら)になむありける」〈大和一四七〉。「姓、シャウ、姓氏」〈色葉字類抄〉 ▽「姓」の字は、カバネにあてても用いた。

しゃう(ショウ)【省】令制で、太政官における中央官庁。中務(なかつかさ)・式部・治部・民部・兵部(ひょうぶ)・刑部(ぎょうぶ)・大蔵(おおくら)・宮内(くない)の八省がある。「弁史各一人、中務・式部・兵部等の—を率(あども)ひ」〈延喜式太政官〉

しゃう(ショウ)【商】五音(ごいん)の一。宮(きゅう)より一段上の音。「然るを世間に白拍子といふ舞あり。その曲を聞けば、五音の中には、これ—の音なり。この音は亡国の音なり」〈続古事談二〉

しゃう(ショウ)【笙】《呉音》「笙の笛」に同じ。〈下学集〉

しゃう(ショウ)【箏】《呉音》「箏の琴」に同じ。〈色葉字類抄〉

しやう(シヨウ)【請】《呉音》要請。依頼。多く、僧などを頼んで招くことにいう。「京になま名僧して、人の—を取りて〔加持祈禱ヲ〕行なひ、世を渡る僧ありけり」〈今昔二六ノ三〉

じやう(ジヨウ)【上】奉るの意。「この袋を見給へば、…—といふ文字を上に書きたり」〈源氏橋姫〉

じやう(ジヨウ)【状】書簡。書状。「まづ山門への—に曰く」〈平家四・山門牒状〉

じやう(ジヨウ)【城】城壁をめぐらした所。「冥官(みやうくわん)に随ひて行くに、大きなる—の門に至りぬ」〈今昔七ノ二〉。「城、ジャウ、要害也」〈黒本本節用集〉

じやう(ジヨウ)【情】①生れつきそなわっている心の動き。「何ぞいはむや人倫、思ひにおいて何か懐土の—なからむ」〈将門記〉②意地。強情。「法(のり)のこはさよ—のこはさよ」〈俳・犬筑波〉。「一言も—を張らじと一筋にたしなむ人は見るも尊し」〈西明寺殿百首〉

じやう(ジヨウ)【鎖・鏁】あけたてする箇所の締りに使う金具。かぎを使って開閉する。錠。「—のいといたく錆びにければあかず」〈源氏槿〉。「かの朱唐櫃の—のかぎを放ち給ひそ」〈古今集註〉

じやうい(ジヨウ)【上意】君主の命令。おかみの思し召し。「—の趣まっすぐに申さばやと存じ候」〈謡・盛久〉。〈文明本節用集〉 **—うち**【上意討ち】主君の命令で罪科のある家臣を手討ちにすること。「いつぞやの—柏崎茂右衛門殿手に掛けて角彌殿を討たれしに」〈西鶴・伝来記四〉

じやうえ(ジヨウ)【浄衣】潔斎の装束。普通は白色。まれに黄色。絹または布で作り、仕立て方は狩衣(かりぎぬ)に似る。神事・祭事のほか、仏事にも使い、修法する僧の着用するものもある。「湯浴み、かしら洗ひ給ひて、—を着給ひて」〈三宝絵中〉。〈文明本節用集〉 **—のはかま**【浄衣の袴】白い布の袴。「—かいとって、立烏帽子を風折り、狩衣の袖をうちかづいて」〈謡・卒都婆小町〉

じやうえど(ジヨウ)【常江戸】近世、大名または臣下が江戸に在勤すること。また、その大名・臣下。「—にすむ(住ム・澄ム)三日月の空」〈俳・ほのぼの立〉

しやうが(シヨウ)【生薑・生姜】①ショウガ科の多年草。根は食用、香辛料とする。はじかみ。〈文明本節用集〉②「生姜手」の略。「『そなたの手ははじかみぢゃ』…『—でおぢゃる』」〈虎明本狂言・芥川〉③けちな人の意の隠語。金を握った手の形からいう。「お前のやうな、あたじけねへ人を—と申します」〈滑・浮世風呂四中〉 **—ざけ**【生姜酒】おろし生姜に味噌を加えて煎ったものを入れて、燗をした風邪薬用の酒。生姜だけでも造る。「〔寒サシノギニ〕—飲みて瓦や造るらん」〈俳・油糟〉 **—で**【生姜手】ハンセン病などで指のくずれた手。「—に取る箱の緒の短くて」〈俳・油糟〉 **—ひとへぎ**【生姜一片】漢方の煎薬には、必ず生姜を一片入れて煎じるのを例としたこと。薬袋にも記した。「—霞(酒)酌まし」〈俳・信徳十百韻〉

しやうが(シヨウ)【唱歌】⇒さうが。「—につきなからぬ(不似合デナイ者)どもは召し出でて、おもしろく遊ぶ」〈源氏宿木〉

しやうがい(シヨウ)【生害・生涯】①殺すこと。「今日仙洞近臣・女房達、紅葉御遊覧あり。近臣達酔中に不思議の振舞どもありて、—に及び了んぬ」〈山科家礼記応永一九・一〇・七〉②自害すること。自殺。「四辻宰相—有る事」〈看聞御記永享四・八・六〉

じやうかう(ジヨウコウ)【上綱】僧職三綱中の上位のもの。「山門の—等、子細を奏聞の為に下洛す」〈平家一・願立〉

じやうかう(ジヨウコウ)【常香】仏前に絶やさず供える香。不断香。「—に地蔵の顔はふすぶりて」〈俳・塵塚誹諧集上〉 **—ばん**【常香盤】常香を焚くようにした香炉盤。鈴を付けた糸が焼き切れて、時報となるように仕掛けてあった。「—は一日一夜さ〔デ燃ェ切ル〕」〈俳・独吟一日千句〉

しやうがく(シヨウ)【正覚】〔仏〕一切の迷いを断ち切った正しい覚り。仏の覚りをいう。「我れ—を成じて一切の衆生を教化するなり」〈今昔二ノ四〉

しやうかん(シヨウ)【傷寒】熱病の名。今の腸チフスの類。「世間に—と号する事にや、温気(うんき)身にありて、四大(しだい)安からず、苦痛心をなやまして、五臓ことごとく痛む」〈最須敬重絵詞五〉

しやうき(シヨウ)【正忌】祥月(しやうつき)の命日。「そもそも当月の報恩講は、開山上人の御遷化(せんげ)の—として」〈御文章〉

しやうぎ(シヨウ)【床几・床杌・将机・牀机】腰掛の一種。皮を張り、脚を打ち違えに組み、畳んで持ち運ぶのに便利に作ってあり、陣中や狩場で用いた。「甲・—等をば僕これを持つ」〈普広院殿御元服記永享二・七・二五〉

じやうき(ジヨウ)【上機】〔仏〕最上の機根。「それは—にてぞ候はん」〈一言芳談〉

じやうき(ジヨウ)【常器】《「定器」とも書く》飯椀。常器椀。〈俳・言葉寄五〉

しやうきさん(シヨウ)【正気散】藿香(くわくかう)・陳皮・厚朴・半夏・甘草等を主成分とした煎薬。寒暑による頭痛・腹痛・感冒等を治す。「声の薬には—を用ゐられき」〈申楽談儀〉

しやうぎだふし(シヨウギダオシ)【将棋倒し】将棋の駒を、少しずつ間隔を取って一列に立て並べ、その端の一つを押し倒すことにより、次次に全部倒してしまう遊び。「—をする如く、寄手(よせて)四五百人、圧(おし)に打たれて死ににけり」〈太平記七・千剣破城軍〉。「わらはべ二三人『—を見よ』これを歌ひ、手を叩きたりける、人いかにぞや聞きけるに」〈平家公達草紙〉

しやうぎやう(シヨウギヨウ)【正行】〔仏〕彌陀の浄土に往生するために行なう、阿彌陀仏への読誦・観察・礼拝・称名・讃嘆の五つの行為。「雑行(ざふぎやう)」の対。「往生の行多しといへども、大きに分ちて二とす。一には—、二には雑行なり」〈和語燈録二〉

じやうぎやう(ジヨウギヨウ)【浄行】〔仏〕清浄な行をおさめること。「兼解礼仏、—三年以上者」〈続紀天平六・一一・二〉。「勤めて—を修し、看病を第一とす」〈霊異記上二六〉 **—ぢりつ**【浄行持律】常に清浄な行を修め、戒律を堅く守ること。「顕密兼学して、—の上」〈平家二・座主流〉

じやうぎやう(ジヨウギヨウ)【常行】 **—ざんまい**【常行三昧】天台宗で、智顗(ちぎ)によってはじめられた四種三昧の一の念法三昧法。九十日の間を限って行なう。阿彌陀仏のまわりを歩きながら、彌陀の名を念誦する。「勝林院に—行なひける時、西方より紫雲現じて」〈著聞五四〉 **—だう**(ドウ)【常行堂】常行三昧を行なう堂。常行三昧堂。「横川(よかは)の—のうち、龍華院と書ける古き額あり」〈徒然二三八〉

しやうきやく(シヨウ)【掌客・請客】上代、外国使臣の接待のために臨時に設けられた役。「をさむるつかさ」とも。「難波の大郡に諸蕃(もろもろのまらうと)を次序(ついで)づるときに、—額田部連・葛城直等、百済の下に列ねしめて引き導く」〈紀欽明二十二年〉 **—し**【掌客使】平安時代、大臣の大饗(たいきやう)の時、客の迎えや前駆をつとめる使者。「大饗を行なふ。…未時—を奉遣す」〈御堂関白記寛弘四・一・二五〉

じやうぎら(ジヨウ)【常綺羅】平常よい着物ばかり着ていること。「—で暮す。常絹物・常小袖也」〈譬喩尽七〉

じやうぎん(ジヨウ)【上銀】上質の銀貨。「—七匁五厘御座

候」〈梅津政景日記慶長一七・四・二一〉

じゃうぐぼだい(ジョウ)【上求菩提】《「下化衆生(げけしゅじやう)」の対》仏道を修行して菩提を求めること。「受戒灌頂といふは、—、下化衆生の秘要なり」〈盛衰記八〉

しゃうくゎ(ショウ)【正花】連歌・俳諧で、真正の花として扱う語。桜を本意とする春の「花」のほか、それを思わせるような華やかなものにいうが、花の名称にはいわない。「移り行く花こそ花の形見なれ。移り行く花とは、—のこと」〈伊勢千句注〉。「花の本意とは、花とばかり申し候は桜の事にて御入り候。桜花と申しては、—にはならず候」〈至宝抄〉。「花鰹、—に成らず、春に非ず」〈俳・毛吹草三〉。「花野、—に非ず、秋の草花也。…花園、—也、春也」〈俳・御傘一〉

じゃうくゎう(ジョウコウ)【上皇】《鎌倉時代はシャウクヮウと清音》譲位した天皇の称。太上天皇。「おりゐのみかど」とも。「さすがに主上・—の国争ひに、夜討ちなんど然るべからず」〈保元上・新院御所〉

じゃうくゎく(ジョウ)【城郭】①城とその外のかこい。「西は一の谷を—に構へ、東は生田(いくた)の森を大手の木戸口とぞ定めける」〈平家九・樋口被討罰〉②城。とりで。「やがてこの御所を—として兵(つはもの)どもを召されて、門門を分けて固めらる」〈保元上・新院御所〉

しゃうぐゎつ(ショウ)【正月】《シャウグヮチとも》一年の最初の月。祝いの行事などを念頭においていうことが多い。「—往来して拝賀の礼を行なふことを禁ず」〈続紀文武一・閏一二・七〉　**—がひ**(ガイ)【正月買ひ】大晦日から正月三日まで遊女を揚詰めにして遊興すること。多くは正月二十五日頃まで買い続け、また、いろいろとしきたりがあって大金を要した。「春の朝の—」〈評判・島原集〉　**—ぎるもの**【正月着物】正月に着る晴着。正月衣(ご)。「いつも女共が方へ—が来るが」〈虎明本狂言・米市〉　**—こそで**【正月小袖】正月の晴着に新調した小袖。「能寿—(ノ)面(おもて)を染め出し」〈陰凉軒日録延徳四・九・一八〉　**—ことば**【正月言葉・正月詞】①新年の挨拶に述べる礼儀正しい祝意をこめたことば。「折目正しき—」〈近松・雪女上〉②《正月ことばにはお世辞が多いことから》お世辞。おべっか。「若やぐと言ふは—かな」〈俳・雀子集一〉　**—じまひ**(ジマイ)【正月仕舞ひ】大晦日の貸借の結末をつけ、正月の支度をすること。「それぞれの—」〈西鶴・永代蔵四〉　**—ぬのこ**【正月布子】正月の晴着に新調した布子。「—の衣紋繕ひ」〈仮・石山寺入相鐘上〉　**—もの**【正月物】正月に用いる物品。「右衛門八、江戸へ…—買ひに越し候」〈家忠日記天正一〇・一一・二七〉　**—やう**(ヨウ)【正月様】正月祝いの儀礼にかなったさま。「書初は—と言ひつべし」〈俳・境海草上〉

しゃうくゎん(ショウ)【賞翫・賞玩】①すばらしいとてもてはやすこと。珍重すること。「去んぬる十六日、仙洞秋十首歌合、二条中将雅経朝臣写し進(まゐ)らす。将軍家殊にこれを—せしめ給ふ」〈吾妻鏡建保二・八・二九〉②敬い重んずること。「〔酒席デハ貧シイ人デモ〕時の綺羅によりて—すべし」〈六波羅殿御家訓〉。「先代は頼朝を始とするなり。よりともとは言はず、らいてうと言ふ。—の称なり」〈貞永式目抄〉③美味を楽しむこと。賞味すること。「鮎を—せよと申す事なりしかば」〈再昌草五〉。「冥加にも叶ひ給へと参らする富貴(蕗ト掛ケル)自在を御—あれ」〈言継卿記永祿二・五・一三〉

しゃうぐゎん(ショウ)【荘官・庄官】荘園領主から任命されて荘園の管理に当る者の総称。荘司(しやうじ)。「古は下司—といふばかりにて、地頭は無かりしを」〈承久記上〉。「庄官、シャウグヮン」〈運歩色葉集〉

しゃうぐゎん(ショウ)【政官】太政官の官人。「上官」とも書く。「かの内記は—なれば、後れてぞ参る」〈源氏浮舟〉

じゃうくゎん(ジョウ)【上官】〔遊里語〕太夫の異名。「さる比(ころ)まで、—にて候へども」〈評判・吉原買物調〉

しゃうくゎんおん(ショウカンノン)【聖観音・正観音】「聖観世音」に同じ。「〔コノ寺ハ〕等身の銅の—の験じ給ふ所なり」〈今昔一六ノ八〉

しゃうくゎんぜおん(ショウ)【聖観世音】六観音、また、七観音の一。相好円満で大慈悲心を表わし、宝冠中に阿彌陀仏を蔵する。また、左手に蓮華(れんげ)を持ち、右手を開く。異相を持たない。三十三に姿を変えて応現し、衆生を救済するという。普通にいう観音。聖観音。「—の化身なりと云ひて隠れぬ」〈盛衰記二九〉

しゃうぐん(ショウ)【将軍】①一軍を統率する武官。出征する地方の名を冠し、征西将軍・鎮東将軍・征夷将軍などという。建久三年、源頼朝が征夷大将軍に任ぜられ、鎌倉幕府を開いてから、将軍といえば、もっぱら幕府の最高指揮官の称となった。「唯(ただ)し海外の荒ぶる俗(ひとども)のみ、騒動(とよ)くこと未だ止まず。其れ四道—等、今急(たちまち)に発(まか)れ」〈紀崇神十年〉②「征夷大将軍」また「鎮守府将軍」の略。「—とて君と摂籙の家とをおしこめて世をとりたることの」〈愚管抄七〉　**—け**【将軍家】征夷大将軍そのものを指す。「—俄かに御不例」〈吾妻鏡寛元三・八・一八〉　**—づか**【将軍塚】京都東山にある塚。桓武天皇延暦十三年、都の守護神として、ここに八尺の武装の土偶を埋めた。「されば天下に事いでこんとては、この塚必ず鳴動す。—とて今にあり」〈平家五・都遷〉

しゃうげ(ショウ)【生気】陰陽道でいう、上吉の方角。儀式の服装の色などがこれによって定まる。たとえばその年の吉の方角が東に当れば青色、西方ならば黄色というように。これは年によって変り、また、人によっても異なる。正月の若水の行事などにこのことを用いる。「御—北に在る時は御緑の色を着す」〈江家次第一・供御薬〉。「蛇はわだかまれども—の方に向ひ」〈曾我五〉

しゃうげ(ショウ)【障碍】さしさわり。さまたげ。「天魔・外道、それに依りて—をなすべし」〈今昔四ノ一〉

じゃうげ(ジョウ)【上下】①上(かみ)と下(しも)と。身分の高い者と低い者と。「京中の—もてなす事なのめならず」〈平家一・祇王〉②都へののぼりくだり。「京都の堪忍、—の路銭、雑用百余貫」〈伊達家文書一、永正一五・一一・三〉。「イヤ、参る程に—の海道ぢゃ」〈虎寛本狂言・三人夫〉　**—やど**【上下宿】道中上下の旅人の荷物運送などに従う人足を周旋する宿屋。「—やそれは旅人の宝船」〈俳・当世男上〉

しゃうけい(ショウ)【上卿】朝廷で公事(くじ)を執行する際の首席者。大臣、大・中納言のうちから決められる。「陣の御座に着きて、—として事定め給ひけるに」〈今昔二八ノ二五〉

しゃうげう(ショウギョウ)【聖教・正教】釈迦の教え。また、それを記した経文・仏典。「一切衆生のために今、—を広め給ふ」〈三宝絵中〉

しゃうけん(ショウ)【相見・相看】《禅宗の用語》対面すること。面会すること。「日来(ひごろ)—のついでに問答申したる事を」〈夢中問答下〉

しゃうげん(ショウ)【将監】近衛府の判官(じょう)、すなわち第三等官。「渡辺の遠藤左近—茂遠が子、遠藤武者盛遠とて」〈平家五・文覚荒行〉

じゃうけん(ジョウ)【常見】〔仏〕《「断見」の対》人の心身は過

去・現在・未来を通じて常住不変で、消滅しないという考え。妄見とみなされた。「愚かに—を成して怨念を含み」〈盛衰記二〉

じやうげん【上元】三元の一。陰暦正月十五日の称。「—は正月の十五日なり」〈長恨歌抄〉→中元・下元

しやうこ【上古】遠くさかのぼった昔。大昔。上代。「—淳朴にして、冬穴夏巣、後世の聖人、代るに宮室を以てす」〈続紀神亀一・二・八〉

しやうご【鉦鼓】雅楽や念仏に用いる、打楽器の一。唐金製で皿形。釣り下げてたたく。「元会の日、—を用ゐること、これより始む」〈続紀霊亀一・一・二〉

じやうご【上戸】《「下戸(げこ)」の対》酒をよくたしなむ人。「—におはすれば、人人ゑはしてあそばむなどおぼして」〈大鏡師尹〉。〈文明本節用集〉▽「上戸」「下戸」は、もとは民戸の家族数による上下をいったが、婚礼に用いる酒の瓶(かめ)数の多少から、飲酒量に関していうようになったという。

しやうこう【相公】《中国で「宰相」の敬称》参議の唐名。「菅右相府に奉る書、善—」〈本朝文粋七〉

じやうこう【成功】《公事を勤めて功を成す意》①平安時代、資財を朝廷に寄付して造営・大礼などの費用を助けた民間人が、その功によって、任官・叙位されたこと。「—まゐらせて信濃守になりたる者なり」〈愚管抄六〉②年功を積むこと。また、その成果。「遊楽の—長じて、用(ゆう)又体(たい)に成れば」〈至花道〉

しやうこく【相国】太政大臣・左右大臣の唐名。「—の一度唇を開くを聞きてより」〈菅家文草三〉

しやうごぐわつ【正五九月】正月と五月と九月との称。この月は、特に不吉な月として忌まれ、縁起直しのため、神仏に参詣、或いは斎戒し、祝い月と称して祝った。「年三(ねざう)など行なひ給ふ。—也」〈源氏物語抄〉。「一年を—に慎むも今日(九月尽)に程なくたつる目出度さ」〈玉吟抄〉

しやうこつ【性骨】天性会得した技芸・文芸などのこつ。性根。「〔邪念ノアル時ニハ〕それ(有心体ノ歌)をよまんくとしのぎ侍れば、いよいよ—もよわりて正体なき事侍るなり」〈毎月抄〉。「口伝(くでん)の上に—を加へて心を入ること」〈徒然二九〉→骨(こつ)(2)

じやうどは【情強】強情。頑固。「—な法花宗にもなるは憂し」〈俳・寛永十三年熱田万句三〇〉。「いつものやうに—をぬかさいで」〈虎明本狂言・察化〉。「情剛、ジャウゴワ」〈文明本節用集〉

じやうどは・し【情強し】『形ク』強情である。頑固である。「かの両人のうち、一人は—・く、御教化を保たず」〈ロザリオの経〉

じやうどふ【成劫】〔仏〕四劫の一。その第一の劫で、世界が成立する時期。「かくて万億の世界同時に成る。これを—といふ也」〈神皇正統記序論〉

しやうどん【荘厳】(仏堂・仏像・僧などを)立派に飾ること。「堂の—甚だ以て美麗也」〈左経記寛仁三・三・一四〉

じやうこん【上根】《「根」は機根・根機の意》①〔仏〕すぐれた生れつき・性質。「さらに—の人のためにはいやしくとも、我らがためには最上の法にてまします」〈歎異抄〉↓下根(げこん) ②根気のよいこと。「これは声の性よく、—の人也」〈わらんべ草四〉

じやうざ【上座】①上の座席。また、それに坐ること。かみざ。「小松殿は弟の右大将宗盛より—し給ひたりけるが」〈盛衰記六〉②教団の長老。また、役僧としては、三綱(さんがう)の一。年長・高徳の僧で、法事などをつかさどり、寺務を統括する上席の僧。「迦葉尊者を以て—として」〈今昔四ノ一〉 **—ほふし**【上座法師】「上座」(2)に同じ。「東大寺に—のいみじくたのしきありけり」〈宇治拾遺一四〉

じやうさい【上裁】お上の裁決。「—を仰ぐ故に、つひに落居せずといふ事なし」〈夢中問答下〉

しやうざう【正像】〔仏〕正法(しやうぼふ)と像法(ざうぼふ)と。「聖教渡るといへども、—すでに過ぎぬれば」〈盛衰記九〉

じやうさく【上作】すぐれた作り。上上の出来。「〔太刀ハ〕いづれも不動の文字ほりつけたる信国・青江の—なり」〈加沢記五〉。〈運歩色葉集〉

しやうさん【生産】出産。分娩。「女人—し難からむ時に臨んで、邪魔遮生(しやしやう)し、苦忍び難からむにも」〈平家三・御産〉

しやうじ【生死】〔仏〕①生・老・病・死の四苦の始めから終りまでの境遇。衆生は無明の迷いにより、生れては死に、生れては死ぬ繰返しをつづけるということ。「我、汝が説くところの—の根本を知りぬ」〈今昔一ノ五〉②死。「我等が—の到来、ただ今にもやあらん」〈徒然四一〉 **—ぢやうや**【生死長夜】衆生が生死の苦に迷って悟れない有様を長い夜にたとえた語。「—の迷情たる事を」〈盛衰記二一〉 **—のうみ**【生死の海】生れ変り、死に変りして輪廻(りんね)する六道(ろくだう)の苦悩を海にたとえたことば。「生死の苦海」とも。「—の船、涅槃の山の粮(かて)なり」〈三宝絵序〉。「もし般若ましまさずは、—を渡る事を得べからず」〈今昔七ノ五〉 **—のみち**【生死の道】生れては死に、死んでは生れる六道。「それ—さまざまにして、輪廻(りん)の迷ひ多し」〈謡・元服曾我〉

しやうじ【床子】⇒さうじ。「其の前に二の—を立て、一には瓶子を置く」〈今昔一〇ノ三二〉

しやうじ【尙侍】⇒ないしのかみ。〈名目抄〉

しやうじ【荘司・庄司】「荘官(しやうぐわん)」に同じ。「尾張の国にて、相伝の家人、長田—忠宗に討たれて」〈古活字本保元下・新院御経沈め〉

しやうじ【掌侍】⇒ないしのじょう。〈名目抄〉

しやうじ【障子】屋内の間(ま)と間との隔てに立てて人目を防ぐもの。襖(ふすま)、衝立(ついたて)、明障子がある。襖障子は板戸で左右引きちがいになり、多くはかけがねがかかる。「—四十六枚西寺に施入す」〈日本後紀弘仁三・二・三〉。「障子、シャウシ」〈色葉字類抄〉 **—のいた**【障子の板】大鎧の部分の名。首を守るため、綿上(わたがみ)の上に立てた半月形の鉄の板。「誤たず為朝の鎧の—を縫ひざまにしたたかにぞ射とどめたる」〈保元中・白河殿へ義朝夜討ち〉

しやうじ【精進】「しやうじん」の「ん」を表記しなかった形。「百日ばかりの—の懈怠とや言ふべからむ」〈枕(能因本)すさましき物〉

しやう・じ【請じ】『サ変』①招く。招待する。「とまれかくまれ、まづ—・じ入れ奉らむ」〈竹取〉②もてなす。「その人より—・ぜらるるならば、我が前に供ゆべき物食せらるべし」〈バレト写本〉

じやうし【上巳】《シャウシとも》五節句の一。三月最初の巳(み)の日。後、三月三日。児女の祝い日。雛祭。宮中では禊祓(みそぎはらえ)・曲水宴(ごくすいのえん)が催された。重三(ちょうさん)。「じゃうみ」とも。「三月の—、後苑に幸して曲水の宴きこしめす」〈紀顕宗一年〉 **—のはらへ**【上巳の祓】上巳の日に行なうみそぎのはらえ。平安貴族の風習。「三月(やよひ)の十のよ日ばかりに、初の巳(み)の日いで来たれば、大将殿には—しに、難波へ」〈宇津保(九州大学

本）菊宴〉

じやうし【上使】お上からの使者。主家からの使者。「いかに上意たりといへども、入道、勘解由の小路の宅へ下って、—相支へべき」〈応仁記上〉

じやう・じ【成じ】『サ変』なしとげる。成就する。「自然に仏道を—・ぜむ事疑ひなし」〈今昔七ノ二四〉

じやうしき【情識】強情。頑固。禅宗の言葉から来た、室町時代の一般用語。「我慢情識」と使うことが多い。一説、諍識（争う心）の意ともいう。「稽古は強かれ、—はなかれ」〈風姿花伝〉

じやうじつ【成実】〔仏〕訶梨跋摩（かりばつま）の成実論に基づく仏教の教義。我が国には推古天皇の頃伝えられ、西大寺・元興寺・大安寺などで研究された。一切皆空と観ずることによって涅槃に到達すると説く。「倶舎（くしや）、—の性相（しやうさう＝本体ト現象ト）より、法相、天台の深義を極（きは）め」〈盛衰記五〉

じやうしばゐ【常芝居】常に興行している劇場。「夷島の—見た事もなくて」〈西鶴・二十不孝三〉

しやうじや【聖者】仏教の真理に対する迷いを断ち、真理を明らかにすることができた人。聖人〈しやうにん〉。「得通の—にあらず、飛行の仙人にもあらじかし」〈盛衰記三六〉

しやうじや【精舎】《智徳を精練する行者のいる屋舎の意》寺院。「塔寺・—を営造修理する分一千戸」〈続紀天平宝字四・七・二三〉

しやうじやう【清浄】①清らかでけがれがないこと。「寄りて庭の前を見るに、—なる池あり」〈今昔六ノ一三〉②〔仏〕煩悩・悪行などから離れてけがれがなく清らかなこと。「仏は—の直身に在す」〈今昔三ノ二一〉

しやうじやう【猩猩】中国における想像上の動物。海中に住み、猿に似て人面獣身、小児のような声を出し、よく人語を解するという。特に、大変な酒好きという点で有名。「猩猩、能言獣也。…獣身人面、好ニ飲酒ニ者也」〈和名抄〉　**—のみ**【猩猩飲み】猩猩のように、多量の酒をがぶがぶ飲むこと。「朝日の出るまで—と」〈西鶴・諸艶大鑑一〉　**—ひ**【猩猩緋】①黒みがかった深紅色。「—の羽織を着」〈伽・酒茶論〉②(1)の色に染めた羅紗（らしや）の敷物。「虎の皮五枚、豹の皮五枚、—二枚」〈家忠日記天正一四・四・一〉

じやうしやう【上生】〔仏〕極楽往生の階級の上品（じやうぼん）・中品（ちうぼん）・下品（げぼん）の各々が更に三段階にわかれる、その各上位。「御位、上品—にのぼらせ給はむは知らず」〈栄花花山〉

じやうじやうきち【上上吉】①この上なく上等であること。最上等。「—よ鳴らす爪琴」〈俳・難波風〉②役者の位付けで、元禄期では最上位、後にはさらに細かく段階を分けるようになった。また、広く芸事の位付けに用いた。「—、嵐三右衛門」〈評判・野良立役舞台大鏡〉　**—もろはく**【上上吉諸白】最上等の清酒の意で、近世、酒屋の看板に記した語。上上諸白。「—の軒並びには出しけれども」〈西鶴・永代蔵二〉

じやうしやうじん【常精進】常に精進すること。「—や恨み寝の露」〈俳・飛梅千句〉

しやうじやうせぜ【生生世世】《鎌倉・室町時代には、シャウジャウセセ》現世も後世もの意。未来永久。「日の本の衆生は—に人の身を受くべき者にあらず」〈宇津保俊蔭〉。「帰命頂礼大権現、今日より我らを捨てずして、—に擁護して、阿耨菩提（あのくぼだい）成し給へ」〈梁塵秘抄四三〇〉

じやうしやひつすい【盛者必衰】《ジャウは呉音》勢いの盛んな者も、必ず衰えるという意。「沙羅双樹（さらさうじゆ）の花の色、—の理（ことわり）をあらはす」〈平家一・祇園精舎〉

しやうじやひつめつ【生者必滅】生ある者は必ず滅びるという意で、仏教の無常観をあらわす代表的なことば。「会者定離（ゑしやぢやうり）」の対句。「—の理（ことわり）、会者定離の習ひ」〈著聞四七〇〉

しやうじゆ【聖衆】浄土における仏弟子たち。「ただかの霊山の法会に、菩薩・—の参り集まり給ひけむも、かくはえやと見ゆ」〈栄花音楽〉

じやうしゆ【上首】第一の上座。首座。「この—の菩薩、蔵満に教へて宣はく」〈今昔一七ノ一七〉

じやうしゆ【城主】①一城の主。一城の主将。城守。「宇佐山城を攻め落し、—森三左衛門可成死するの由告げ来る」〈佐久間軍記〉②近世、国持・准国持について、居城を持った大名の称。これと同等の待遇を受ける者を城主格といった。「国主・—」〈浄・東山殿子日遊一〉

しやうしよ【尚書】弁官の唐名。「弁七人、左右、大弁二人、従四位上に相当す。唐名—左右大丞」〈職原抄上〉　**—しやう**【尚書省】太政官の唐名。「太政官、まさに唐の—に当る」〈職原抄上〉

しやうじよ【生処・生所】①来世で生れる所。即ち、地獄・餓鬼・畜生・修羅・人間・天上の六道。「善と御罪と等しくおはします間、御—定まらせ給はぬよし」〈著聞四五八〉②生れた場所。出生の地。「そもそも山姥は、—も知らず宿もなく」〈謡・山姥〉

じやうじよう【上乗】〔仏〕最上の教法。「真言—の秘法の中に」〈盛衰記一〉

しやうじん【生身】〔仏〕①仏・菩薩が、衆生済度のため、現身を具えて現われた、その姿。父母によって生れ、三十二相を具える父母生身。生身仏。「風に吹かれて動き給ふが—の如くして」〈今昔一二ノ一三〉②凡夫の肉身。なまみ。「まづ—を助けてこそ仏身を願ふ便りもあれ」〈謡・黒塚〉

しやうじん【正身】⇒さうじみ。「先例並びに式部に属す。事に於て便ならず。自今以後、兵部をして掌らしめよ。但し—は旧に依りて、寮に在りて上下せよ」〈続紀天平三・二・二〉

しやうじん【正真】本物であること。まさにその物であること。「この刀はまぎれもなき左文字の—なり」〈仮・霊怪艸一〉。〈日葡〉

しやうじん【精進】①〔仏〕《「懈怠（けだい）」の対》六波羅蜜（ろくはらみつ）の一。善法の実践に怠りなくはげむこと。「菩薩は世世（よよ）に—波羅蜜を行なふ」〈三宝絵上〉。「諸善法に於て勤修無間、故に—と云ふ。精にして雑（まじ）へず、進みて退かず」〈正法眼蔵八大人覚〉②仏事・神事などを控えて、心身のけがれを清めるために行なう忌みの生活。「一年の間—にして、明る年の御祭の日になりて」〈今昔一〇ノ三三〉③魚鳥獣肉など、なまぐさ物を断つこと。「いよいよ験（あらた）におぼゆれど、—をせねば、参らず」〈春のみやまぢ〉。「御精進の日は、必ず松梅院—の御折三合進上申す」〈年中定例記〉　**—あけ**【精進明け】「精進上げ」(二)に同じ。「—として、内儀に於て兼誉夫婦…朝飯に喚び候」〈証如上人日記天文九・一一・二九〉　**—あ・げ**【精進上げ】(一)『下二』精進の期間を終えて肉食する。「今日、遠山理介所にて、—・げ申し候」〈梅津政景日記元和三・一一・晦〉(二)『名』精進の期間が終って肉食すること。精進落し。精進明け。精進どけ。「御—の御肴、在所の干鯛これを進上奉る」〈松平大和守日記寛文六・五・二一〉。「今は早

―に肴売」〈俳・二葉集〉 **―いり**【精進入り】精進の期間に入ること。また、その精進を始める前に生臭物を食うこと。「此の日より拙者―にて候」〈上井覚兼日記天正三・七・二八〉 **―おとし**【精進落し】「精進上げ」(二)に同じ。「精進落ち」とも。「花にこそ覚えず〔飲酒シテ〕―かな」〈俳・熊野鳥〉 **―けっさい**【精進潔斎】身心を清め、不浄を忌むこと。「さばかり十戒を保ち―の道なれども」〈平家一・鱸〉 **―なます**【精進鱠】野菜だけで作った鱠。「―御相伴とぞ見えにける」〈俳・両吟一日千句〉 **―ばら**【精進腹】肉類を食べないで、菜食ばかりしている腹工合。「花車人先づ落ちん―」〈俳・江戸弁慶上〉。「―では酒も飲まれず」〈西鶴・一代男五〉 **―び**【精進日】精進を行なうべき一定の日。「心懸け〔ニ〕薄霧掛かる―」〈俳・大矢数三〉 **―ほどき**【精進ほどき】「精進上げ」(二)に同じ。「鷹司前関白、今日断酒―也」〈後法興院記延徳三・七・一七〉 **―めし**【精進飯】生臭物の無い食事。「―は冷ゆる水漬」〈俳・西鶴五百韻〉 **―もの**【精進物】《「生臭物(なまぐさもの)」の対》材料に魚肉を用いず、野菜・海藻の類を用いた食べ物。「こなたは皆―の事ばかりおしゃる」〈狂言記・俄道心〉

じゃうず(ジョウ:)【上手】①物事に手際の良いこと。うまいこと。また、そういう人。「また絵所(あどころ)に―多かれど」〈源氏帚木〉。「この女の親の易の卜(うら)の―にて」〈宇治拾遺八〉。「常の事をめづらしくするを―とは申す也」〈十問最秘抄〉 ②世辞のよいこと。如才ないこと。「―あしらひ蘆田鶴の声」〈俳・阿蘭陀丸下〉 **―どかし**【上手ごかし】如才なく世辞を言って人のためにするように見せかけること。お為ごかし。「―とは、何としたる事なるや」〈評判・濡仏中〉 **―め・き**【上手めき】『四段』得手らしくふるまう。巧者らしくふるまう。「折節の歌は、例の―・き給ふ男達も、なかなか出で消えして」〈源氏若菜下〉。「万の咎は、馴れたるさまに―・き、所得たる気色して人をないがしろにするにあり」〈徒然二三三〉 **―もの**【上手者】如才なく交際して、人をそらさない者。つきあい上手。「―の骨頂め」〈評判・三幅一対〉

じゃうず(ジョウ:)【上衆・上種】《「下衆(げす)」の対》 **―めか・し**【上衆めかし】『形シク』上流の人らしい。「〔桐壺更衣ハ〕覚えいとやむごとなく、―・しけれど」〈源氏桐壺〉 **―め・き**【上衆めき】『四段』上流らしく行なう。「やむごとなき人に、いたう劣るまじう―・きたり」〈源氏明石〉

じゃうぜ(ジョウ:)【常是】近世、銀座の俗称。銀貨の極印・包装(元禄頃までは鋳造も)は大黒常是の専任であったからいう。「秋風や―の吹出し(鋳造)今朝の露」〈俳・当流籠抜〉 **―づつみ**【常是包】近世、銀座で一定量の銀貨を紙で包装したもの。銀座包。「銀子四拾七匁三分…―也」〈隔蓂記承応三・三・六〉 **―ほう**【常是宝】近世、銀貨の称。大黒天像、および「常是」「宝」の字の三種の極印が打ってあったのでいう。「―と言ふ物を大分取らせし故」〈浮・好色万金丹一〉

しゃうぜい(ショウ:)【正税】①国税の一種。令制で、諸国の官庫(正倉)に貯蔵された租の稲。後、一部を農民に貸し付けて利子を取り、朝集使の滞在の費用などにあてた。「大税(おおちから)」とも。「当年の租調幷びに―の利を収ること勿(な)からしむ」〈続紀大宝一・一〇・九〉 ②律令制崩壊後は、領主などの倉に貯えられた年貢の米を指した。「片道を給はってんげれば、逢坂の関よりはじめて、路次にもって逢ふ権門勢家の―・官物をも恐れず、一一に皆奪ひ取り」〈平家七・北国下向〉 **―ちゃう**(チョウ)【正税帳】令制で、国司が毎年、正税の収支を記録して中央に送った帳簿。「大税帳」などとも。「豊後国天平九年―」〈正倉院文書天平九〉

じゃうせつ(ジョウ:)【浄刹】浄土。仏国。「本願をもちて生を彼(そ)の―に託(よ)せむ」〈万巻五・愛河波浪の詩〉。「いかなる法修行して、長く三界を出でて―に生るる事を得ん」〈孝養集中〉

しゃうぜん(ショウ:)【生前】生きている間。死を前提としていう。「甘泉殿の―の恩も、終りなきにしもあらず」〈平家一〇・維盛入水〉。「永き日を活計ながら暮さばや／我が―の思ひ出はなし」〈宗祇独吟百韻〉

しゃうそう(ショウ:)【請僧】法会に招き請ぜられた僧。「その―どもにも、皆、宮宮より被物(かづけもの)あるべければ」〈栄花もとのしづく〉

しゃうぞ・き(ショウ:)【装束き】『四段』《「装束(しゃうぞく)」の動詞化》盛装する。「賭弓(のりゆみ)の時着たりける装束取り出でて、うるはしく―・きて」〈宇治拾遺一八九〉

しゃうぞく(ショウ:)【装束】《サウゾクとも》①衣服。着物。「未だ―も解かで丸寝にてありければ」〈今昔二五ノ一三〉 ②盛装すること。衣冠束帯などを身につけること。また、その服装。「はたと―したりけるが、田に陥りて、小袖・直垂ぬらして」〈雑談集三〉 ③いでたち。服装。「大将軍の御―、赤地の錦の直垂に、紫裾濃の御着背長」〈謡・八島〉

しゃうたい(ショウ:)【正体】《シャウダイとも》①本当のかたち。本来の姿。「誰ともその―見分けず相変りぬれば」〈保元下・左大臣殿の御死骸〉 ②神体。「七宝の筥(はこ)を宝殿中に安置し、是れを御―と称すと云ふ」〈左経記長元四・一〇・一七〉 ③正常な心。正気。「酒を飲めば酔狂して―もなきぞ」〈中華若木詩抄下〉 **―無・し** ①実体がない。不確かである。「さてはその事―・し」〈著聞四〇三〉 ②心が正常でない。正気でない。「この僧、女狂ひ仕り候て、―・き由」〈北野目代日記長享二・四・二八〉。「我が心ながら―・き事よ」〈古今私秘聞〉

じゃうだい(ジョウ:)【上代】①大昔。上つ代。「―ためしなく、末代にもありがたかるべき兵(つはもの)なり」〈保元上・新院御所〉 ②昔。以前。「―の風残りて、意気大人しく」〈評判・難波物語〉 **―やう**(ヨウ)【上代様】平安時代に行なわれた、空海・小野道風・藤原佐理・藤原行成らの和様の書風。「上代風」とも。「思ひ文―に〔筆ノ〕跡見せて」〈俳・投盃〉

じゃうだい(ジョウ:)【城代】①城主が留守の城を管理する者。「〔ソノ城ハ〕城主無くして―なりければ」〈加沢記三〉 ②近世、大阪・駿府両城を守り、政務を執った幕府の職名。「是の月、松平大隅守重勝、…駿河国府の城の―となる」〈東武実録元和五・一〇〉

しゃうだう(ショウドウ)【正道】①正しい道。せいどう。「仏法修行の―と思ふべからず」〈正法眼蔵辦道話〉 ②正直。誠実。「―を申せし人足」〈西鶴・武家義理一〉

しゃうだう(ショウドウ)【唱導】①仏法を説いて、仏道に導き入れること。「修行者を招請して、―を勤めけるに」〈盛衰記三〇〉 ②《「唱導師」の略》法会の首席の僧。導師。「我が身は小国の比丘なり。大会(だいゑ)の―更に相応せず」〈盛衰記三四〉

しゃうだう(ショウドウ)【聖道】①聖道門のこと。浄土門に対し、自力で悟りを得ようとする法門。「慈悲に―・浄土のかはりめあり」〈歎異抄〉 ②天台宗・真言宗の総称。また、その僧。「また、禅僧に成りたらば、沙彌(しゃみ)・喝食(かっしき)に指をさされ、―に成りたらば、児(ちご)どもに笑はれずといふ事あるべからず」〈太平記二九・松岡城〉 **―もん**【聖道門】

「聖道」(1)に同じ。「―といふは、この娑婆世界にて煩悩を断じ、菩提を証する道なり」〈和語燈録二〉

じやうだう【成道】〔仏〕「成仏得道」の略。悟りを開いて仏陀となること。「今は昔、天魔、種種の方便を儲(うま)けて菩薩の―を妨げ奉らむとすといへども」〈今昔一ノ七〉

じやうだん【上段】剣術で、刀・槍などを頭上にかざした構え。「―に構へ、敵打ちかくる所、一度に敵を打つ也」〈五輪書〉

じやうだんもの【上檀者】大胆な者。「大胆者、肝の太き者…俗に、のぶといやつ、―」〈漢語大和故事一〉

じやうち【上智】《「下愚(かぐ)」の対》すぐれた智恵。また、すぐれた智者。「聖人世に出で、義を教へ道を正す時だにも、―は少く下愚は多ければ」〈太平記三九・大内介〉

じやうぢう【常住】①常に住むこと。「寧楽(なら)の京の馬庭の山寺に一(ひとり)の僧―す」〈霊異記中三八〉 ②〔仏〕生滅変化することなく常に存在すること。「甍(いらか)破れては霧不断の香をたき、とぼそ落ちては月―の燈を挑(かか)ぐ」〈平家灌頂・大原御幸〉 ③いつも。常。「我も、真実の火にあらざれども、思ひの煙に―燃ゆる」〈古今集註〉。「不断―、酒に酔ひ沈んで、ひとへに死人のごとくであった」〈天草本伊曾保〉。「―引き籠る事叶はずは」〈こんてむつすむん地二〉 **―き**【常住着】不断着る着物。不断着。「―や我身一つの秋袷」〈俳・点滴集三〉 **―てい**【常住体】常に変らぬ様子。「〔家ノ中ヲ〕―にもてなし」〈西鶴・伝来記一〉

しやうぢういめつ【生住異滅】〔仏〕生じ、とどまり、変化し、滅するという、万物に普遍の現象。四相。「―の移りかはるまことの大事は、たけき河のみなぎり流るるが如し」〈徒然一五五〉

しやうぢき【正直】心が正しくまっすぐなこと。うそ・いつわりのないこと。「道心(信仰心)はなけれども、心は―なりけり」〈今昔一三ノ三三〉 **―しやはうべん**【正直捨方便】《法華経、方便品から》方便を捨てて正直に教えを説くこと。「―の御恵み、塵に交はる和光の影は狂言綺語にも隔てあらじ」〈謡・賀茂物狂〉 **―の頭(かうべ)に神宿る** 正直な者は神が守ってくれるということ。「神は正直の頭に宿る」とも。「―と申す事がござる」〈虎寛本狂言・禰宜山伏〉

しやうちやう【匠丁】平安時代、飛驒国から毎年奉った匠人(たくみ)(木工)の壮丁。「飛驒国年貢―一百人」〈三代実録貞観八・二・二九〉

じやうつう【状通】手紙をやること。また、その手紙。「―にて〔用事ノ〕とどのひ難き客」〈色道大鏡五〉

しやうつき【祥月】一周忌以後の、年年めぐってくる死者の命日の当月。祥月命日。「―の時は、逮夜日中、花束も打敷もあり」〈本願寺作法〉

しやうでん【聖天】《「大聖(だいしやう)歓喜天」の略》仏教守護の神。魔障を排除し、夫婦を和合させ、子宝を授け、福を与えるという。「十二天・―〔ノ〕両壇加修し、丈六仏を迎へ奉る」〈殿暦永久五・三・二〇〉

じやうでん【上田】地味の肥えた田。田租の等級を定めるため、田を上・中・下・下下等に分けた、その一。「或いは下田を以て―に相易へ」〈続紀延暦一〇・五・二九〉

しやうど【生土】生れた土地。故郷。「生処(しやうじよ)」とも。「人国(ひとくに)とは、他国といふなり。わが―の国にもあらぬ他国といふなり」〈仙覚抄四〉。〈日葡〉

しやうど【正渡・正度・生土】《「生処(しやうじよ)」の転訛》①死後の行く先。あの世。「此の外に地獄に堕つべき者有るべしと見えたり。人の―を失はん事を顧みず、他の難非を顕はす、此等也」〈太平記二四・依山門嗷訴〉 ②落ちつくべき所。行く先。「―も知らず落ちなば、命を失ふべし」〈伽・彌兵衛鼠〉。「どこを―に指して行く、傘屋与兵衛〔ハ〕在所へも、面目なしと戻りかね」〈近松・卯月紅葉上〉 ③目当て。宛てど。「かの書物…置き所―もこれ在るまじきと存じ候」〈細川忠興文書慶長一九・四・二四〉。「下をのぞけば常闇(とこやみ)に、何の―は見えねども」〈近松・大経師上〉 **―も無・し** ①落ち着くべき所も無くて流浪する。「どこまでか流浪して行かうずらうぞ。流落して窮(きはめ)も無いぞ。―・い体(てい)ぞ」〈四河入海一ノ三〉 ②ふらふらして頼りない。とらえ所がない。また、たわいない。「横波は、涙の多うて、水の波の縦横乱れて―・いことか」〈玉塵抄五〇〉 ③でたらめだ。むちゃくちゃだ。「妄言は、妄はみだりにと訓むぞ。―・い跡形もないことぞ」〈玉塵抄三四〉

じやうど【浄土】〔仏〕①《「穢土(ゑど)」の対》仏・菩薩の本願によってできた清浄な国土。東西南北四維上下の十方には諸仏の浄土があり、その数二百十億という。たとえば、釈迦の浄土は無勝世界、薬師の浄土は浄瑠璃世界という。阿彌陀信仰が盛んになってからは、浄土といえば阿彌陀の極楽世界を指すようになった。「経に云はく、不孝の衆生は必ず地獄に落ち、父母に孝養すれば―に往生す」〈霊異記上三〉。「穢土を厭ひ、―を願はむに」〈平家一〇・戒文〉 ②「浄土宗」の略。「―の祖師」〈末燈抄〉 **―ごろも**【浄土衣】浄土宗で用いる法衣。「昔を―〔ニ〕代へて、世を見限りぬ」〈西鶴・諸艶大鑑五〉 **―しゆう**【浄土宗】法然が開いた宗派。浄土三部経(無量寿経・観無量寿経・阿彌陀経)にもとづき、専修念仏(せんじゆねんぶつ)によって彌陀の浄土に往生することを目的とする教え。「今、わが―には、二門を立てて釈迦一代の説教を収むるなり。いはゆる聖道門、浄土門なり」〈和語燈録一〉 **―じゆず**【浄土数珠】浄土宗で用いる、珠の数三十六の輪違い形の数珠。「檀得(草ノ名。種子ヲ数珠玉ニ用イル)の―」〈西鶴・諸国咄二〉 **―しんしゆう**【浄土真宗】《浄土門の真正の宗派の意》親鸞の開いた宗派。浄土宗より分れたもの。真宗。一向宗。「―の心は、往生の根機に他力あり、自力あり」〈末燈抄〉 **―すごろく**【浄土双六】絵双六の一。南無分身諸仏の六字を記した骰子(さい)を用い、南閻浮洲を振出しにし、悪い目を振れば地獄に落ち、善い目を振れば天上に登り、初地・等覚などを経て仏に止るを上がりとする。「未(ひつじ)の刻ばかりに女房奉書到来す。―写し進上すべきの由也」〈実隆公記文明六・八・一三〉

しやうとう【上童】⇒うへわらは。「中宮の御方に候はせ給ふ女房の召し使ひける―」〈平家六・葵前〉

しやうとう【正統】正しい血筋。「頼政卿は、六孫王より以降、源氏嫡嫡の―、弓箭を取て未だその不覚を聞かず」〈平家一・御輿振〉

じやうとう【上棟】棟(むね)上げ。「六月九日、新都の事始、八月十日―、十一月十三日遷幸と定めらる」〈平家五・月見〉

じやうとう【常燈】神仏の前に常にともしておく燈明。常燈明。「御あかしの、―にはあらで」〈枕一三〇〉

じやうどうしやうがく【成等正覚】〔仏〕等正覚(偏りのない、邪のない悟り)を成ずること。すなわち、一切の迷いを払って仏の悟りと等しい位をうること。「難行苦行の功に依て、遂に―し給ひき」〈平家灌頂・大原御幸〉

じやうとうもん【上東門】平安京大内裏の外郭門の一。東面の最北端の門。築地(ついぢ)を切り抜いただけで屋

根のない門。土御門(つちみかど)。「―をからりとやり出す程こそありけれ」〈平治上・主上六波羅〉

じやうとき ジョウ…【常斎】 檀家などで、毎月日時を定めて読経に来る僧に供する斎(とき)。定斎。「明朝の下向用意ゆゑ、亜相へ―に行かず」〈鹿苑日録慶長六・二・二三〉

しやうとく ショウ…【生得】 ①生れつき。「此人は―勢(せい)小さくおはしければ、小別当とぞ人申しける」〈古活字本平治上・源氏勢汰へ〉 ②ありのまま。天然。「―の滝を見るに、高き滝かならずしも広からず」〈作庭記〉 ③《副詞的に》もともと。元来。「『草の戸』は山居には似あはざる也。―、深山には『柴の庵』『苔の戸』などよし」〈兼載雑談〉

じやうなんじまつり ジョウ…【城南寺祭・城南神祭】 ①山城国鳥羽の城南神社の九月二十日の祭礼。「今日―也、院御見物有り」〈殿暦天仁三・九・二〇〉 ②餅を食って腹のふくれたこと。また、満腹。(1)の祭礼に餅・飯などを強いて食わせたのでいう。「世の諺に、腹のふくれたるをば―と言ふ」〈仮・狂歌咄四〉

じやうに ジョウ…【盛に】《副》 多分に。随分と。「余の三刑よりは―重からうぞ」〈史記抄三〉。「物の多き事を、〔京デ〕―と云へるは、盛の字なるにや。関東方にては、猛(もう)にと云へり」〈不断重宝記〉

しやうにち ショウ…【正日】 ①死後四十九日目のこと。「御法事など過ぎぬれど―までは猶籠りおはす」〈源氏葵〉 ②周忌の当日。年年の忌日。「御―にはかみしもの人人みな斎(いも)して、かの曼陀羅など今日ぞ供養せさせ給ふ」〈源氏幻〉

じやうにち ジョウ…【上日】 当番の日。出勤日。「―の者、宮の侍(さぶらひ)、然るべき諸司の尉(じよう)の子など」〈今昔三一ノ五〉

しやうにん ショウ…【上人・聖人】 ①智徳を兼ねそなえた僧。「他国よりやむ事なき―来(き)たるべき相(さう)なり」〈今昔六ノ二〉。「総じて、―とは、一心に阿耨菩提(あのくぼだい)を行じて、心の散乱せぬを―と名づくるなり」〈三百集坤〉 ②僧侶の敬称。多く、浄土門・日蓮宗で用いられる。「それ、槃特尊者は名を忘る。…今、常忍―は持経を忘る」〈日蓮遺文忘持経事〉。「―さま、ござるか」〈天理本狂言六義・若和布〉 ③《近世後期天明頃、京都の遊里で》 太鼓持の隠語。「―とさへ言へば、髭の長い東山辺の和尚様ならんと思ひの外、短い羽織着た太鼓持」〈洒・徒然睟が川四〉

じやうにん ジョウ…【浄人】 在俗のままで寺に住み、僧たちに仕える者。「諸寺の衆僧、―童子等を率ゐて、争ひ来りて会集す」〈続紀天平一七・五・七〉

しやうね ショウ…【性根】《シャウネン(正念)の転》 しっかりした心。正気。「深雪・太山を凌ぎて〔吉野ノ奥ニ〕入りにし―なれば、そのままよく堪忍して、音信もなき意也」〈古今私秘聞〉。「次第に―乱れなん後は」〈義経記六〉。〈文明本節用集〉

じやうねいでん ジョウ…【常寧殿】 後宮七殿の一。皇后・女御などの住居する殿だったので「后町(きさきまち)」ともよぶ。「天慶二年四月五日の大地震には、主上(しゆしやう)御殿をさって―の前に五丈のあく屋をたててましましけるとぞうけたまはる」〈平家一二・大地震〉。「常寧殿、在承香殿北、謂之岐佐岐万知(きさきまち)」〈和名抄〉

しやうねん ショウ…【生年】 人のとし。よわい。「悪右衛門督信頼卿は―二十七」〈平治上・源氏勢汰へ〉

しやうねん ショウ…【正念】 ①〔仏〕仏の教えを信じて、極楽往生を疑わないこと。また、迷いを払って正しく仏を念ずること。「然れども―違はずして法華経を誦し、念仏を唱へて失せぬ」〈今昔一三ノ三三〉 ②しっかりした心。正気。「肝魂忽ちにくれ、―次第に失せしかば」〈保元中・白河殿へ義朝夜討ち〉

じやうねんぶつ ジョウ…【常念仏】 供養のため絶えず唱える念仏。また、その勤行(ごんぎやう)。「春日の御作〔ノ名仏像ニ〕―はっち〔ト唱エル〕」〈俳・七百五十韻〉。「―を執り立て、老母もろともに後の世の願ひ」〈西鶴・懐硯三〉

しやうのこと ショウ…【箏の琴】《シャウは呉音。サウノコトとも》 中国から伝来した十三絃琴。柱(ぢ)を立て、弾くときには人工の爪をはめたらしい。長さ約六尺。琴(きん)や和琴(わごん)よりは広く使われた。「もののあはれに覚えけるままに―を掻きまさぐりつつ」〈源氏野分〉

しやうのふえ ショウ…【笙の笛】 ①《シャウは呉音。サウノフエとも》 雅楽に用いる管楽器の一。匏(はう)を切って、中に普通十七本の長短の管を環状に立て並べ、管ごとに簧(した)をつけ、匏の側面にうたロがあり、吹いたり吸ったりして鳴らす。「笙、シャウノフエ」〈名義抄〉 ②近世、伊勢土産の玩具。小さい笙の形をした笛。「―・貝杓子して世渡る」〈西鶴・永代蔵四〉

しやうばい ショウ…【商売】 あきない。売り買い。「見物の者と云は洛中の地下人(ぢげにん)、―の輩(ともがら)共なり」〈太平記二七・雲景未来記〉

じやうはく ジョウ…【上白】 玄米をよく搗(つ)いて、三割ほど搗き減らした白米。約二割搗き減らしたのを中白、一割のを下白といった。「米を搗いて―にしらげたを白粲(はくさん)と云ふぞ」〈玉塵抄三八〉

じやうばこ ジョウ…【状箱】 書状を入れて、使いに持たせてやる小さい箱。ふばこ。「堀丹州への―に、柳但(柳生但馬守)への状も御座候」〈沢庵書簡寛永一三・九・一〇〉

じやうはり ジョウ…【浄玻璃】 「浄玻璃の鏡」に同じ。「罪をあらはす―や、それもかくれはよもあらじ」〈謡・昭君〉 **―のかがみ**【浄玻璃の鏡】 地獄の閻魔の庁にあって、死者生前の罪業をくまなく映し出すという鏡。「よしなき名聞利養にふけりて作る罪、―に浮ばむ時は」〈孝養集上〉

じやうばり ジョウ…【情張り】 強情を張ること。また、その人。「じやうっぱり」とも。「―の勝つ月弓の寸の論」〈雑俳・譏り草〉

しやうばん ショウ…【相伴】 饗応の時、正客の相手をして、共に御馳走になること。また、その人。「夕方の膳を―すべきよし、かねて約束せしに」〈再昌草四〉。「―は人と共に膳を食する事ぞ。対膳(ついぜん)の事ぞ」〈庭訓之鈔〉。〈下学集〉

じやうび ジョウ…【状日】 飛脚が遠方からの手紙を持参する定期の日。「江戸棚の―を見合せ」〈西鶴・永代蔵三〉

じやう・び ジョウ…【上び】『上一』《「下(げ)び」の対。「上美」「常美」とも書く》 上品めく。上品になる。「この歌は上の〔歌〕より―・びたほどに」〈玉塵抄四八〉。「無事静謐(ひつ)に―・びたる時代なれば、上下万民花車(きやしや)風流を好み」〈仮・可笑記五〉

じやうひやう ジョウヒョウ【上兵】 腕利きの兵士。精兵。「従者の中に―たる者」〈今昔一七ノ四〇〉

しやうぶ ショウ…【菖蒲】《シャウは漢音。サウブとも》 草の名。水辺に生える。葉は剣型で香気がある。邪気を祓(はら)うものとして、五月五日の節句に、屋根に葺き、薬玉(くすだま)をつくり、鬘(かづら)にして、多く使われた。ハナショウブとは別種。「あやめ」とも。「昔五月の節には常に―を用ゐて縵(かづら)とせり」〈続紀天平一九・五・五〉。「わかき人人―の櫛さし」〈枕(前田家本)節は〉。「昌蒲、シャウブ、又アヤメクサ」〈色葉字類抄〉 **―がたな**【菖蒲刀】 五月五日の節句に、子供が差し、また、飾った刀。古くはショウブの根を藁で巻いて刀の形とし、後には、柳の木に金銀箔を置いた木刀などが作られた。菖蒲太刀。「今日差すは印地(ぢいん)の〔勝負ヲスル〕―かな」〈俳・犬子集三〉 **―かたびら**【菖蒲帷子】五月五日から着初めた浅黄色の帷子。「伊達を尽せる―」〈俳・あだ花千句〉 **―がは**【菖蒲革】藍地に白く、ショウブの花・葉の模様を染め出した鹿のなめし革。山城八幡の神官が内職に創製したと伝え、多く武具に用いた。「―の皮袴」〈立入左京亮入道隆佐記〉 **―かぶと**【菖蒲兜】五月五日の節句の祝として、ショウブで作ったかぶとのような冠りもの。「女房たちに―せさせ」〈弁内侍日記〉 **―ざけ**【菖蒲酒】⇒あやめざけ。「今日酌むや五味の味有る―」〈俳・埋草二〉。〈俳・毛吹草二〉 **―ず**【菖蒲酢】五月五日、一尺程の、煮たショウブの根二個、古酒・上醋・清水各一升を甕(めか)に仕込み、約一か月醸造した酢。「―作り入るるなり」〈隔蓂記寛永一八・五・四〉 **―づくり**【菖蒲作り】鎬(しのぎ)高く刀背(むね)薄く、横手筋が無く、ショウブの葉の形をした刀剣。「―の刀売るらし」〈俳・夢見草五〉 **―ゆ**【菖蒲湯】五月五日の節句に、ショウブの葉や根を入れて沸かした湯。これで体を洗えば邪気を払うとされた。あやめの湯。「終日降雨。―に浴す」〈猪隈関白記正治一・五・五〉

しやうふう【正風】①和歌・連歌・俳諧などで、伝統的で雅正な流風を称する語。「〔連歌ハ〕ゆがみたるをば変風と申す。正しきをば―と申す」〈十問最秘抄〉。「―〔ノ句ハ〕誰人の耳にも入まじきに」〈俳・守武千句跋〉 ②芭蕉の俳風。また、その門流。蕉風。「―の血脈を憾に相続する者は湖東の門人也」〈俳・正風彦根体序〉 **―てい**【正風体】①穏当で中正な風体。「―の道に非ずと言へり」〈仮・可笑記評判三〉 ②和歌・連歌・俳諧で、伝統的な純正な風体。「―と点候ふ歌は、口伝ある事に候」〈相良家文書三、宗祇書状〉

じやうふきやう【常不軽】⇒ざうふきやう。「この―そのわたりのさとさと京までありきけるを」〈源氏(御物本)総角〉

じやうぶたい【常舞台】《「〔仮舞台〕」の対》常設の舞台。「―まだ初心なる〔役者ノ〕立ち姿」〈俳・草枕上〉

しやうぶつ【生仏】〔仏〕衆生と仏と。「―の仮名(けみやう)を断つといへども」〈平家五・勧進帳〉

じやうぶつ【成仏】〔仏〕①悟りを開いて仏陀になること。「―の業(ごふ)、般若(はんにや)に離れては成じ難し」〈今昔七ノ五〉 ②死んで仏になること。死ぬこと。「坂本様(さかもとやう)の袈裟切りに―せよ」〈太平記一四・箱根竹下〉

じやうぶみ【状文】手紙。書状。「これは、あの性の良き兄御様より、みづからに付けられたる―なり」〈浄・伊呂波物語二〉

じやうふりばう【常降坊】常に降ることの擬人名。また、その雨や雪。「いつも東風(こち)は―か雨だ〔阿彌陀ト掛ケル〕笠」〈俳・鸚鵡集一〉

じやうぶん【上分】取り分けて神仏に上納する分。後には、一般に年貢・所当のこと。「〔下女ハ〕充(あた)る所の日食(にちじき)を、必ず―を取りて仏に供養じ奉りし功徳の故に」〈宝物集六〉。「氷室宮は、興福寺地主(ぢしゆ)・東金堂鎮守におはしますゆゑに、〔薪ノ〕―を進め」〈教訓抄六〉

じやうぶん【上聞】《シャウブンとも》天子の耳に入ること。後には、将軍にもいった。「大勢にて罷り上らん事―穏便ならず」〈古活字本保元上・新院御所〉。「上聞、ジャウブン」〈文明本節用集〉

じやうへいさう【常平倉】奈良時代、公廨稲(くげたう)を各国から集めて収めた倉。その稲をせり売りし、利益を飢えに苦しむ者に与え、また都の米価を調節するのに使った。「国の大小に随ひて公廨を割出し、以て―と為し、…糴糶して利を取り、普く還脚の飢苦を救ふべし」〈続紀天平宝字三・五・九〉

しやうへう【上表】①上司に意見を申し立てること。また、その意見。「群臣―して賀し奉りて」〈後紀延暦一五・一〇・一五〉 ②辞表を出すこと。また、辞表。「やがてその日内大臣をば―せらる」〈平家六・横田河原〉

じやうへん【常篇】普通。なみなみのこと。「当麻の陳謝、詞を尽すと雖も、所行の企て―に絶するの間、日来の御疑貽に符合す」〈吾妻鏡建久四・八・一〇〉。「常篇、ジャウヘン」〈伊京集〉

じやうほくめん【上北面】《「下(げ)北面」の対》院の御所を警備する武士のうち、四位・五位の諸太夫で昇殿を許されている者。また、その詰所。「為義―に候ふべき由」〈保元上・新院為義を召さる〉。「下北面より―にあがり」〈平家一・鵜川軍〉 ↓北面

しやうぼふ【正法】〔仏〕①《正しい教法の意》仏教のこと。「―を以て世を治め」〈今昔二ノ一四〉 ②正・像・末の三時の一。正しい教法が行なわれている期間で、釈迦の滅後五百年または千年の間。正法時。「釈迦一代の教文を探(あな)ぐるに、三つの時あり。一つには―五百年」〈霊異記下序〉 ↓末法

しやうほん【正本】①根拠となるべき真本。「その―は、伝はりて侍従俊貞といひし人のもとにぞ有りける」〈宇治拾遺序〉 ②正しい拠り所。「仏祖正伝せる袈裟の体色量を、諸仏の袈裟の―とすべし」〈正法眼蔵伝衣〉 ③歌舞伎の脚本、浄瑠璃などで、少しも省略せず、全部記載した本。「千代の大夫―や写す門の松」〈俳・安楽音一〉。「右此の本は、太夫直(ぢき)の―を以て板行致し候」〈近松・出世景清跋〉

じやうぼん【上品】①〔仏〕極楽往生の九つの階級である九品(くほん)のうち、上品上生・上品中生・上品下生の三つの総称。「―の善功徳を修すれば、一丈七尺の長身を得」〈霊異記下三八〉 ②上等。最高級。「―の絹一匹に売りてんや」〈沙石集五ノ六〉。「その色、―の伽羅(きやら)の如くなり」〈バレト写本〉 ↓中品・下品。 **―れんだい**【上品蓮台】極楽浄土における最上級の蓮台。「上下の親俗をすすめて―に歩みを運び」〈平家五・勧進帳〉

じやうまい【城米】⇒ごじやうまい(御城米)。「但馬半国を攻め取るに、―無き故、悉く城を明け逃げて」〈甲陽軍鑑二〇〉。〈日葡〉

しやうみ【正味】現物。「正物(しやうぶつ)」とも。「手を振るはし〔一升ノ塩ヲ〕八合はこぼして、―二合ならでは残らず」〈評判・役者大鑑三〉。〈日葡〉

しやうみやう【声明】仏教の経文を音楽的にうたう、一種の聖歌。インドから中国を経て、平安時代前期には日本へも伝わり、天台・真言二宗がこれを広めた。「善観房といふ僧、節博士を定めて、―になせり」〈徒然二二七〉 **―ごゑ**【声明声】声明を唱えるような声。「浮蔵主が―の浄瑠璃も」〈西鶴・俗徒然三〉

じやうみやうこじ【浄名居士】「維摩(ゆいま)」に同じ。「〔世継ノ雄弁ハ〕―と覚え給ふものかな」〈大鏡藤氏物語〉

じやうめ【上馬】良い馬。駿馬。「世になき―どもをととのへ立てさせ給へり」〈源氏少女〉

しやうめい【正銘】《正しい銘がある意から》本物。「似せ・―を分ち、価を着く」〈驢鞍橋中〉。〈運歩色葉集〉

しやうめつめつい【生滅滅已】〔仏〕生と滅とがともに

滅び已(や)んで存在しないこと。生死を超越して涅槃(ねはん)に入ること。「―は剣(つるぎ)の山を越ゆる宝車なり」〈栄花鶴林〉

しやうめんこんがう【青面金剛】帝釈天の使者。体色青く、六臂の手に弓箭・宝剣を持ち、頭髪はさかだち、足下に一ぴきの鬼を踏みつけている。庚申(かうしん)の本尊とされた。「―は現世の七仏の師なり」〈伽・庚申縁起〉

じやうもの【上物】①上等な物。上等品。「心の賢きが―」〈西鶴・一代男六〉②美人。「―なるを先に立て」〈西鶴・桜陰比事五〉

しやうもんじ【唱門師・唱聞師・声聞師】中世における下級陰陽師(おんやうじ)の称。家家を廻って金鼓(きんこ)を打ち、卜占・祈禱・曲舞(くせまひ)などを行なった。「禁中に千秋万歳参る。桜町の―と云云」〈惟房公記 永禄七・一・五〉。「―有祐に算を置かしめ、祈禱申し付く」〈言継卿記 天正四・九・二六〉。〈壒嚢鈔九〉

しやうや【庄屋】①中世、荘司・荘官の遺称。「百文、同―方(へノ)礼」〈東寺百合文書 れ、享徳四・一・二六〉②近世、領主から任命された一村の長。村内の年貢・土木工事・戸籍・警察・訴訟の各事務など村政万般を統轄した。主に関西でいい、関東では名主(なぬし)と称した。「国中諸奉行并びに―」〈長宗我部氏掟書〉 **―の一番子** 甘やかされて、愚鈍な者をいう。「―も、破魔弓を(持チ歩き)」〈俳・山の井二〉 **―やど**【庄屋宿】近世、江戸・大阪などで、公用で地方から来た庄屋の泊るよう指定された宿屋。「(妾奉公人ノ所在ヲ)―より聞き出し」〈西鶴・置土産三〉

しやうやうじん【上陽人】唐の朝廷の上陽宮に住んだ宮女。「―は楊貴妃にそばめられて」〈大鏡(岩瀬本)道長〉▽美貌の故に楊貴妃によって上陽宮に幽閉され、空しく年老いたという。白楽天の詩によまれ、わが国にも影響を与えた。

じやうやど【常宿】いつも泊ることに定めている宿屋。また、行きつけの揚屋をもいう。「何時ものへ着き」〈仮・智恵鑑六〉

しやうよう【請用】①僧が檀家から加持・祈禱などに招かれること。「―して布施物多くとりて、夜陰に入りて帰りけるを」〈沙石集六ノ一〉②招待すること。「ありがたの、只今の―や」〈伽・鴉鷺合戦物語〉。「季武子よろこんで、吉日を以て、種種の雑餉(ざつしやう)かまへて、臧紇を―す」〈清原宣賢式目抄〉

しやうらうびやうし【生老病死】(仏)人間として避けることのできない四つの苦しみ。四苦。「かの国は、永く三途八難の恐れを遁れ、―の苦しみなき故に」〈孝養集下〉

しやうらかし・い【性らかしい】『形』きちんとして立派だ。ちゃんとしている。「中中―・い名では御座無い」〈虎明本狂言・昆布柿〉

しやうらく【上洛】京へのぼること。「予州より―の日、望郷これを詠ず」〈能因法師集中〉

じやうらく【常楽】(仏)「常楽我浄(がじやう)」の略。「栄啓期が三楽を歌ひし、いまだ―の門に到らず」〈和漢朗詠集帝王〉 **―がじやう**【常楽我浄】涅槃の四徳、常・楽・我・浄をいう。悟りの徳は、絶対の永遠だから「常」、一切の苦しみがないから「楽」、自由で他に拘束されないから「我」、汚れがないから「浄」。「何(な)ぞの湖(みづうみ)、―の風吹けば、七宝蓮華の波ぞ立つ」〈梁塵秘抄二三三〉 **―ゑ**【常楽会】「涅槃講(ねはんかう)」に同じ。「興福寺の―、百花匂をおくり」〈著聞三三〇〉

じやうらふ【上臈】《「中臈」「下臈」の対。↓臈》①修行を多く積んだ高僧。「―、皆、汝が出家を許さず」〈今昔一ノ二七〉②年功を積み、地位・身分の高いこと。また、その人。「―の親王(みこ)たち大臣など」〈源氏宿木〉③貴公子。きんだち。「いづくとも知らず、気高き―の、かの姫君のもとへ通ひ給ふ事ありけり」〈伽・酒呑童子〉④上位の女官。上臈女房。「中将の君とてさぶらひける―」〈源氏宿木〉。「―・中臈」〈紫式部日記〉⑤貴婦人。「これは―のなかにも多かる事ぞかし」〈源氏帚木〉。「それ一切の女人の身は、人知れず罪の深き事、―にも下衆(げす)にもよらぬあさましき身なりと思ふべし」〈御文章〉⑥遊女。女郎(ぢよらう)。「ある出家、傾城町を通る。―袖に取り付く」〈咄・昨日は今日下〉 **―だ・ち**【上臈だち】『四段』見るからに身分の良さそうな様子をしている。「―・つ人人、御消息聞え伝ふ」〈源氏夕霧〉 **―にようばう**【上臈女房】身分の高い女官。御匣殿(みくしげどの)、尚侍(ないしのかみ)、典侍(ないしのすけ)、禁色(きんじき)を許された大臣の女・孫など。「これは花山院殿に―にて、廊の御方とぞ申しける」〈平家一・吾身栄花〉 **―むこ**【上臈婿】娘を身分の高い男性と結婚させること。また、その婿。「『三人の女子は何処にあるぞ』『所所に幸ひて、みな―を取りてわたらせ給ひ候』」〈義経記二〉

じやうらふ・し【上臈し】『形シク』貴人らしい。上品である。「―・しかりける御勘当なりかし」〈著聞五一九〉。「大夫敦盛。…若うをかしく貴やかなるさまし給ひて、―・しくやさしき人の、さるは心も剛にあはれなりしありさまなり」〈平家花ぞろへ〉。「前(句)を―・しく尋常に仕立てたるにてこそ、付くる句も長(たけ)高く幽玄になるべく候へ」〈初学用捨抄〉

じやうらん【上覧】天子が御覧になること。後には、将軍にもいった。「貞敏、遣唐使として、牒状を賜はり、観密府に参じ、―に達して」〈盛衰記一三〉

じやうり【草履・上履】「ざうり」の転。「ざうり」よりも俗な語形。「御―持ち候は…ちと年寄りたる者持ちしと也」〈御供古実〉。「草履、ジャウリ、或は上履に作る」〈文明本節用集〉

しやうりくのまつ【昌陸の松】近世前期、毎年正月の幕府の連歌始めに、連歌宗匠里村昌陸が松を詠みこんだ発句。「―とは尽きぬ御代の春」〈俳・春の日〉

しやうりやう【精霊・聖霊】①仏の霊魂。「唯―の示すところ、更に疑ふべからず」〈霊異記中二六〉②死者の霊魂。「父母師君等の―の重罪を転じて軽罪と成し」〈妻鏡〉 **―ゑ**【聖霊会】二月二十二日、聖徳太子の忌日に法隆寺・四天王寺などで営む盛大な法会。「二月涅槃会(ねはんゑ)より―までの中間(ちうげん)を指南とす」〈徒然三三〇〉

じやうるり【浄瑠璃】平曲・謡曲などを源流とし、近世盛行した音曲語り物。中世末の浄瑠璃姫物語(十二段草子)に始まり、近世初期、三味線・人形舞わしと結合して人形浄瑠璃が成立、以後古浄瑠璃の各流派が行なわれたが、元禄時代に近松と提携した竹本義太夫が集大成し、浄瑠璃は義太夫節の異名となった。後、河東・宮園・常磐津・富本・清元・新内などが派生した。「小座頭あるに、―を歌はせ興じて」〈宗長日記〉 **―きやうげん**【浄瑠璃狂言】(歌舞伎用語)人形浄瑠璃を歌舞伎に直した狂言。操り狂言。丸本物。「(頼光)跡目論(トイウ浄瑠璃)の―、これまであんばいがよかったに」〈浄・夏祭一〉 **―しばゐ**【浄瑠璃芝居】「操り」(二)(3)に同じ。「―須磨の浦風」〈俳・談林十百韻上〉 **―せか**

い【浄瑠璃世界】〔仏〕東方の一世界で、薬師如来の浄土。「東方―の教主医王善逝」〈太平記一八・比叡山〉 ―たいふ【浄瑠璃太夫・浄瑠璃大夫】浄瑠璃の語り手。「此の殿様へ―〔ヲスメル〕」〈俳・談林十百韻下〉 ―ぼん【浄瑠璃本】浄瑠璃の詞を記し、曲節を付した板本。「誹書京中に満ち満ちて、―に異ならず」〈俳・五条之百句〉

しゃうれん【青蓮】ハスの一種。葉は長く広く、あざやかな青白色。仏の眼にたとえる。青蓮華(しゃうれんげ)。「二の眉は三日月の如し、二の―の御眼見(まみ)延びて、漸く月の出づるが如し」〈今昔三〇ノ二〉

しゃうろ【正路】①人の踏み行なうべき正しい道。人倫の大道。「兵権を預る人として、―を踏まざらんにおきて」〈神皇正統記後嵯峨〉②まっすぐで、よこしまのないこと。「正直にして―の人たり」〈実悟記〉

じゃうろん【諍論】言いあらそうこと。論争。「人と―を好む事なかれ」〈正法眼蔵随聞記六〉。〈黒本本節用集〉

しゃうわる【性悪】浮気、好色なこと。また、その人。「―の持病には、かかる事聞くもうるさく」〈色道大鏡五〉

しゃうゐん【荘園・庄園】奈良時代から戦国時代にわたり、貴族・社寺が私的に領有した土地。「河内国、諸家の―往往にして在り」〈後紀弘仁三・一三〉。「西南海の領所を願ひて、東北の―を好まず」〈方丈記〉 ▽奈良時代以来、墾田の私有が認められると、公地公民制はくずれ、貴族・社寺の開墾を主とした墾田地系荘園が発生、平安時代中期以後、地方豪族が所領を中央の貴族・社寺に寄進し、寄進地系荘園が展開した。この間、貴族・社寺は次第に免税や国家権力不介入の特権を得た。鎌倉時代以降、地頭・守護をはじめとする武士の侵略、農民の成長により次第に崩壊、戦国時代を経て、豊臣秀吉の太閤検地によって完全に消滅した。

しゃか【釈迦】《梵語の音訳。能力あるものの意》「釈迦牟尼仏(しゃかむにぶつ)」に同じ。「―は父の如し、我(阿彌陀)は母の如し」〈今昔六ノ一五〉 **―がしら**【釈迦頭】釈迦の頭髪のように縮れた髪の毛の頭。縮み頭。「生髪(はえがみ)やかかれとてしも―」〈俳・坂東太郎下〉 **―に経** 熟知している者になお教えること。無用な事のたとえ。「釈迦に説法」とも。「嵯峨野にて鳴く鶯や―」〈俳・毛吹草五〉 **―に提婆**(だいば) どんな事物にも反対者の有るたとえ。〈俳・毛吹草二〉 **―になひ**【釈迦担ひ】死体を後向きに背負うこと。「片片(モウ一ツノ死骸)は女房に持たす―」〈雑俳・塗笠〉 **―にょらい**【釈迦如来】《「如来」は、真如(しんにょ)より来れる者の意》悟りをひらいてからの釈迦に対する尊称。「まことに―の威徳」〈霊異記下三五〉 **―の私銀**(わたくしがね) 人に知られないへそくり金。「人の知らぬ物、―」〈西鶴・好色盛衰記三〉 **―むににょらい**【釈迦牟尼如来】釈迦牟尼仏のこと。「―、涅槃に入り給ひて後久しく成りぬといへども」〈今昔六ノ一〉 **―むにぶつ**【釈迦牟尼仏】《「牟尼」は聖者の意。「仏」は「仏陀」の略で、覚者の意》仏教の開祖。古代インドの王族シャカ出身。四苦を救うため若くして宮殿を出て苦学苦行し、三十五歳の時仏陀加耶の菩提樹下で正覚を得たという。釈迦牟尼。釈迦。釈尊。「南無無量災難を解脱せしめよ、―」〈霊異記下三五〉 **―も銭**(ぜに)**ほど光・る** 釈迦の仏威も銭の多少による意で、世間の万事は金次第の意。「或は金銀を投げ入れ、―・らせ給ふ」〈西鶴・胸算用五〉

じゃかう【麝香】ジャコウジカの麝香嚢から製した、黒褐色で芳香の強烈な粉末の香料。近世には、雲南・東京(トンキン)などから輸入され、種種の香料・薬料に用いられた。また、「麝香鹿」の略。「―の薫(たきもの)などにも似ず奇異に馥(かう)ばしき香」〈今昔一五ノ四一〉 **―のいぬ**【麝香の犬】ジャコウジカの異名。「―を五疋までこそ持たれけり」〈浄・胸割一〉 **―ぼね**【麝香骨】麝香の匂いをこめた扇の骨。「薫りぬる風や扇の―」〈俳・毛吹草五〉

じゃかご【蛇籠】石を詰めた丸く細長い籠。川の護岸のために用いる。石籠。「氷柱(つらら)さへ角(つの)に見えける―かな」〈俳・鷹筑波三〉

ジャガタラ【咬𠺕吧】《ジャワ島のジャカルタの古称。近世、ジャワ島と誤り、同島から船載した貨物にすべてジャガタラの名を冠した》「ジャガタラ縞」の略。「セイラス―晒す細布」〈俳・物種集〉 ▽Jacatra **―じま**【咬𠺕吧縞】オランダ船がジャワ島から舶載した綿織物。紺と浅黄の二色で細かに縦横の縞を織り出したもの。京都でも織り出したが、下等品であった。盲縞。「―〔ノ〕しゃら解けのする丸ぐけ帯」〈浮・御伽人形二〉

しゃかつらりうわう【沙竭羅龍王】八大龍王の一で、その第三位。海に住み水をつかさどる神。「しゃがらりうわう」とも。「―の第三の姫宮」〈平家二・卒都婆流〉

しゃき《シャッキとも》しっかりしているさま。しゃんとしているさま。「蝟毛(ゐもう=ハリネズミノ毛)のやうに―としたる鬚(ひげ)なり」〈蒙求聴塵中〉

じやき【自焼】在所・城郭などに自分から火をかけて焼くこと。「二十二日に京極殿・武田殿―して、細川殿と一所にならる」〈東大寺法華堂要録〉。「おのおの金の森を―して、在在所所へ散り失せぬ」〈本福寺跡書〉

じゃき【邪気】⇒じゃけ。〈運歩色葉集〉

じゃき【邪鬼】邪悪な鬼。「ほしいまま取って食らうて飲むならばわが身ながらも―強盗(がうだう)」〈遠近草中〉

しゃきば・り《四段》①堅くなる。硬直する。「着る物を洗うて、糊の強(こは)うて―・るを、石の上に置いて、打ってやはらぐるぞ」〈玉塵抄三五〉②ひきつけをおこす。「虫が知らして、―・ったものであろ」〈浄・義経千本桜三〉

しゃきゃう【舎兄】《「舎弟」の対》兄。しゃけい。「―にて候義朝ばかりこそ、手痛く防ぎ候はんずれ」〈保元上・新院御所〉。〈下学集〉

じゃきょう【邪興】戯れの言動。冗談。「じゃけら」「ざけら」とも。「いろいろの―を言ひて、むすぼれかからるる」〈サントスの御作業三ノ一〉。「なう、いかに三郎殿、それは実(じち)か―かや。おどしのために召さるるか」〈説経・さんせう太夫〉

しゃぎり ①笛だけで奏する囃子(はやし)。狂言に用いるときは、めでたい気分を盛り上げる効果がある。「さて女二人ながら立ちて、笛―」〈虎明本狂言・鈍太郎〉②〔歌舞伎用語〕《「砂切」とも書く》笛と太鼓による下座音楽で、一幕の終るごとに奏する儀式的な囃子。「尊像をいただき懐へ入れると、どろどろ止む。拍子幕。すぐに―」〈伎・大商蛭子島三〉

しゃく【勺】体積の単位。合の十分の一。「夕」と書くのは「勺」の草書の転。せき。「田一段、租は穀一斗五升。一歩の租は四―六分之一」〈口遊〉。「勺、シャク、十撮為レ勺」〈色葉字類抄〉

しゃく【尺】①ものさし。「影を測る鉄の―一枚」〈続紀天平七・四・二六〉②長さの単位。寸の十倍。奈良時代には高麗尺(こまじゃく)と小尺とあり、前者は一尺が三五・四センチメートル余りで測地に使われ、後者は一尺が二九・六センチメートル余りで、測地以外に広く使われた。「―の様を諸国に頒つ」〈続紀養老四・五・二二〉。「尺、シャク、十寸為レ尺」

〈色葉字類抄〉

しゃく【杓】 ①ひしゃく。「飲むべき水も無し。汲むべき—もなし」〈正法眼蔵仏経〉 ②宿屋の下女。「ひさく」とも。「上方のはすは女とおぼしき者…異名を所言葉(方言)にて—と言へり。人の心をくむといふ事か」〈西鶴・一代男三〉

しゃく【酌】 酒を杯に酌(く)むこと。また、酌む人。「千手—をさしおいて『…』といふ朗詠を一両返したりければ」〈平家一〇・千手前〉。「思ひざし誰にといふは見ぐるしや—に任せておきたるぞよき」〈西明寺殿百首〉 **—を取・る** 酒の酌をする。「千手の前—・る。三位中将すこしうけて」〈平家一〇・千手前〉

しゃく【笏】《「笏」の字音コツが「骨」に通じるのをきらい、その長さが約一尺であることからシャクと呼んだという》 文官が束帯のとき右手に持ち、心覚えを書きつけた板片。後に儀礼的なものになった。身分によって材質が異なる。長さ一尺二寸が普通。「職事の主典已上に—を把らしむ。其の五位以上は牙の—、散位も—を把ることを聴(ゆる)す。六位已下は木の—」〈続紀養老三・二・三〉

しゃく【釈】 ①解釈。注釈。「云ふ所の十念に多くの—ありといへども」〈孝養集下〉 ②「釈氏」に同じ。「懐紙、—堯空と書く。今日始め也」〈再昌草一六〉。「俗入道も懐紙などに—某と書くなり」〈見聞愚案記一七〉

しゃく【癪・積】 ①胸部または腹部に発作性の激痛を引き起す病気の総称。「肝の—は、…面青く、脇ほがみ引き痛む。或いは咳逆(がいぎゃく)・おこりを病む」〈済民記上〉。「—などは、なかなか針薬などにて殺さるる物にあらず」〈骨董録〉 ②癪にさわることばや事柄。「よせゑ、—を言ふなゑ」〈滑・浮世風呂前上〉

じやく【自薬】 自分で調合した薬。「生(なま)物知りの—は、飲まぬに劣り侍るべし」〈慰草四〉。〈日葡〉

じゃく【寂】 ①無声無音の状態。「—を扣(たた)きて章(あや)を含む(文章ヲツクル)」〈万三九七三序〉 ②〔仏〕「寂滅」の略。「有作無作(うさむさ)の諸法の相を見ざるところ、如なり—なり解脱(げだつ)なり」〈栄花玉台〉 ③入寂・示寂・寂年など、死を意味する語。「眠るが如くして—に帰す」〈法然上人行状絵図〉 ④果て。最後。「傾城狂ひ—は追ひ腹」〈俳・仙台大矢数下〉 **—は雨** 最後は死滅すること。「齢既に七十に余りて、雲の迎へを昨日は西の山の端に待ち、—を今日は此の軒に思ふ身の長案じして」〈俳・祇園奉納発句合三〉。「空空に—かや月の笠」〈俳・崑山集一〇〉

しゃくあく【積悪】《「積善」の対》 つもり重なった悪行。「積善の人はその家栄え、—の者はその門亡ぶ」〈妻鏡〉。〈日葡〉

しゃくぎん【借銀】 銀子(ぎんす)を借りること。また、その銀子。「—四枚の代〔トシテ米〕十五石一斗返され了んぬ」〈多聞院日記天正六・一・二七〉

じゃくくゎう【寂光】 〔仏〕「寂光浄土」の略。「東大寺は常在不滅、実報・—の生身の御仏と思し召しなぞらへて」〈平家五・奈良炎上〉 **—じゃうど【寂光浄土】** 仏の住む世界。生滅変化や煩悩の乱れがなく、智慧の光の輝いている浄土。常寂光土。「法性不二の色身は、—に居(こ)すれども」〈盛衰記一三〉 **—のみやこ【寂光の都】** 「寂光浄土」に同じ。「—、喜見城のたのしみも、かくやと思ふばかりのけしきかな」〈謡・邯鄲〉

じゃくくゎん【弱冠・若冠】《「弱」は二十歳、「冠」は元服。礼記に「二十日レ弱冠」とある》 成年に達した男子。女子に用いた例もある。「また—の女を称(い)ひて放髪丱(はなり)といへり」〈万三八二三序〉。「年—ならず」〈続紀天平宝字六・一〇・一四〉

しゃくけう【釈教】 ①釈迦の教え。仏教。「—陵遅(りょうち)すること、独り近江のみに非ず」〈続紀霊亀二・五・一五〉 ②和歌・連歌・俳諧などで仏教を題材にしたもの。後拾遺集以降、和歌の部立の一。「—。山階寺の涅槃講にまうでてよみ侍りける」〈後拾遺巻二〇〉

しゃくし【杓子・酌子】 ①飯や汁をすくいとる道具。「酌子、シャクシ」〈色葉字類抄〉 ②主婦の座のたとえ。主婦が家族の飯を杓子で盛り分けることから、主婦の権力の象徴。「姑(しうとめ)が—を嫁へ投げ譲り」〈雑俳・広原海一八〉 ③実(み)のないいが栗。「いが栗の中に実の入らぬを—と言へり」〈俳・類船集七〉 ④「杓子面(づら)」の略。「下地の—に焼鉄(やきがね)〔ヲ当テタノ〕で、革足袋のこげたやうな〔顔〕」〈浄・夏祭八〉 **—あてがひ【杓子宛行ひ】** 杓子で飯や汁を盛る時の分量加減。また、それによって示す下女の好意の度合。「杓子当り」とも。「飯炊き女が—に、手代の利兵衛とねんごろしたる面影を合点し」〈浮・傾城辻談義四〉 **—うら【杓子占】** 杓子で行なう占い。「釜の上で杓子を回して、その響きを聞いて占(うら)をする也。—と云ふもの也。また、杓子で釜の湯を汲んで零(こぼ)して、その声を聞いて占ふとも云ふ也」〈大恵書抄四〉 **—かけ【杓子掛け】** 太い竹の節節に差込み口を斜めに切って、杓子などを差す台所用具。「後妻(うはなり)や擂子木(すりこぎ)〔ヲ持ッテナグリコム〕西鶴」〈俳・珍重集〉 **—ぐゎほう【杓子果報】** 汁などを杓子で盛り分ける時、思いがけず自分だけうまいものが分配される幸運。「客となるも—か多賀祭」〈俳・山の井五〉 **—ぢゃうぎ【杓子定規・杓子定木】** 柄の曲がっている杓子を真直な定規に使う意で、一定のもの以外に応用できない標準で、無理に他を律しようとするたとえ。〈俳・毛吹草二〉 **—づら【杓子面】** 額とあごとが張り出て中凹の顔つき。杓子顔。「隣りの御福が三平二満の—」〈碧岩抄〉 **—で宛行(あてが)・ふ**《主婦が食物を分配する時、差別して少なくすることによるか》 粗末に扱う。つらく当る。冷遇する。「〔コノ客ヲ〕—・ふ所也」〈西鶴・椀久二世下〉

しゃくし【釈子】 釈迦の弟子。出家。僧。「法師になし奉り、—に定まらせ給ひて」〈平家四・若宮出家〉。「出家を—と云ひ、釈門と云ふ」〈壒嚢鈔八〉

しゃくし【釈氏】 出家した者が釈迦の法孫であることを示すために用いる氏姓。転じて、僧侶の意。釈。「我ら如き下賤の者の出家して—になる事」〈見聞愚案記一七〉。〈運歩色葉集〉

しゃく・し【釈し・尺し】『サ変』 説明する。解釈する。「『専称名号至西方』と—・して、専ら名号を称すれば、西方にいたる」〈平家一〇・戒文〉

しゃくじゃう【借状】 借用の証文。借用証書。「借書」とも。「しからば—をあそばしたび給へ」〈伽・法妙童子〉。〈文明本節用集〉

しゃくぜつにち【赤舌日】 陰陽道(おんやうだう)で、赤舌神の部下六鬼のうち、最も猛悪な第三鬼羅刹(らせつ)神が、太歳(木星)の西門を守る当番の日。六日ごとに廻って来るので一年に六十日あり、凶日として忌まれた。「赤日(しゃくにち)」「赤(しゃく)の日」「赤(しゃく)」などとも。「—といふ事、陰陽道には沙汰なき事なり。昔の人これを忌まず」〈徒然九一〉

しゃくせん【借銭】 借金。「—をすらりと済(す)まいて、なう嬉しや」〈虎明本狂言・胸突〉。〈文明本節用集〉 **—こひ【借銭乞ひ】** 借金取り。「河豚(ふぐと)に—も和らぎて」〈俳・わたし船〉

しゃくぜん【積善】《「積悪」の対》 積み重ねた善行。「—

の家に余慶あり、積悪の門に余殃とどまる」〈平家二・小教訓〉。〈易林本節用集〉

しゃくせんだん【赤栴檀】「牛頭(ごづ)栴檀」の異称。「―の木を以て…造り奉れる仏まします」〈今昔六ノ五〉

しゃくそん【釈尊】釈迦(しゃか)族出身の聖者、すなわち仏陀の尊称。「かの―入滅の心地して」〈栄花様様悦〉

しゃくたい【石帯】束帯の時、袍(はう)を束ねる帯。黒漆塗りの皮に、玉・瑪瑙(めなう)・犀角(さいかく)・烏犀(うさい)などの飾りをつけたもの。その飾りの形により巡方(角)・丸鞆(まるとも)、飾り彫刻の有無により有文・無文などに分れる。はじめ石飾帯のみ指したが、延喜の頃より、飾り帯全体を称するようになった。着用者の官位、儀式の軽重などにより、着用に種種の規定があった。いしのおび。「せきたい」とも。「白張の上に―犀角丸鞆を当つる也」〈康富記文安五・一・二七〉

じゃくだう…ドウ**【若道】**若衆を愛すること。衆道。男色。「もろこしにも―はある事にて」〈仮・東海道名所記一〉

しゃくたふ…トウ**【石塔・積塔】**①石を積んで作った塔。「今日御産御祈り、賀茂川原に於て家僕等に仰せて八万四千基の―を建てしめ」〈昭訓門院御産愚記〉②「しゃくたふゑ」に同じ。「―の時、助成を賜ふべきの由仰す。〔検校〕長まり申す」〈看聞御記永享四・一〇・二六〉。「―の時に、千艘百艘多村の港へ漕ぎ着けたりと云へば、総の座頭が、えいさえいさと云ふ」〈玉塵抄四五〉。「石塔、シャクタフ」〈易林本節用集〉 **―ゑ【石塔会・積塔会】**二月十六日、京都高倉綾小路の清聚庵に諸国の座頭が集まり、盲人の守り神という雨夜皇子(あまよのみこ)を祭る法会。席上、盲人の官位昇進の事務が行なわれた。初め勾当(こうたう)三人が四条河原へ出て石を積んで塔を組んだのでいう。〈日次紀事二月十六日〉

しゃくぢゃう…ジョウ**【錫杖】**僧侶・修験者の持つ杖。上部は錫、中部は木、下部は牙または角で作り、頭は塔婆の形。これに六個または十二個の環を付す。「―を振りて、大きなる蛇(くちなは)に向ひて云はく」〈今昔六ノ二〇〉

じゃくぢょ【若女】男色と女色と。若衆と遊女と。「じゃくにょ」とも。「金銀を―二つに費やし」〈西鶴・二十不孝一〉

しゃくてん【釈奠】⇒せきてん。〈文明本節用集〉

しゃくとり【酌取り】酒の酌をすること。また、その人。「この―の法師、いかにも御酒参らぬ由を奥の方へいひければ」〈著聞六〇四〉

しゃくのむし【癪の虫・積の虫】怒りの情を起させるもと。また、その怒り。「―強くも腹にこはばりて」〈俳・玉海集六〉。「分限なる家に、不断、丁銀かける音耳にひびき、―が起れり」〈西鶴・永代蔵四〉

しゃくはち【尺八】中国渡来の竹製縦笛。古くは一尺四寸五分(唐尺一尺八寸)、前面五・後面一孔のものが雅楽などに使用されたが、一条天皇の頃より絶え、鎌倉時代中期、宋より一尺八寸、前面四・後面一孔のものが到来。普化(ふけ)宗の法器としても盛行。一節切(ひとよぎり)・天吹(てんぷく)・普化尺八などの種類があり、流儀も明暗流・琴古流がある。現行尺八は孔数も多く、流儀も多い。「玉―一管」〈正倉院文書天平勝宝八・六・二一〉。「尺八、シャクハチ、俗短笛也」〈色葉字類抄〉

しゃくびゃうし…ビョウシ**【笏拍子】**二つの笏形の板を打ち合わせて拍子を取る、一種の雅楽器。「神楽・催馬楽・東遊等の拍子をば、―と云ふ也」〈教訓抄九〉。「―を打ち座敷をしづめ」〈謡・草子洗〉

しゃぐま【赤熊】犛(やく)の尾を赤く染めたもの。また、それに似た毛髪。「目大きに口は広くて―着て」〈俳・守武千句〉。「頭の毛は赤き―の如くにて」〈伽・花世の姫〉

じゃくまく【寂寞】《呉音》ひっそりとして淋しいこと。「―音せぬ山寺に法華経誦(ず)して僧ゐたり」〈梁塵秘抄九八〉

しゃく・み【四段】中がくぼむ。「顔―・みて、猿の面の色白きが如し」〈評判・難波物語〉。「顔の容(かたち)、額と腮(あご)とさし出て、中の低きを―・むと云ふ。其の外、何にても其のやうなるを、皆―・みたると云ふ。是れは杓子のなりに喩へて云ふと見えたり」〈志不可起六下〉。「杓扳、シャクム、人之面」〈運歩色葉集〉

じゃくめつ【寂滅】①〔仏〕《涅槃の訳語》煩悩の世界を離れた境地。「―の理を顕はす」〈本朝文粋一四〉②死ぬこと。また、消えうせること。形を失うこと。「仏像・神体・経論・聖教、忽ちに―の煙と立ちのぼる」〈太平記八・谷堂炎上〉 **―ゐらく【寂滅為楽】**一切の煩悩を滅した涅槃の境地が真の楽しみの境界であるということ。「鬼の云ふ。生滅滅已―となむ云ふ」〈三宝絵上〉

しゃくもん【釈門】仏門。また、僧・出家。「―の棟梁、法家の龍象」〈盛衰記七〉。「出家を釈子と云ひ、―と云ふ」〈塩嚢鈔八〉

しゃくや【借屋】借りて住む家。「才二郎背戸屋焼失し了んぬ。…飴屋―にて火を出し了んぬ」〈多聞院日記永禄三・一・三〉。〈文明本節用集〉 **―うけじゃう**…ジョウ**【借屋請状】**近世、借屋契約の時、借屋人・請人連署して借屋所在地の町役人宛て提出する証文。家賃の支払い、借屋の明渡し、借屋人がキリシタンでないことなどを保証した文書。「―の事」〈西鶴・永代蔵二〉

しゃく・り【四段】《サクリ(決)の転》①すくう。また、すくって掛ける。〈日葡〉②糸などをすくうようにして引き上げ、または、引き寄せる。「〔釣針ノ糸ヲ〕静かに―・りける程に、何の子細もなく抜きける」〈西鶴・織留三〉③中傷する。けちをつける。「やい女め、沢山さうに男を凧(いかのぼり)ぢゃと思うて―・りをる」〈近松・仏母摩耶山二〉④おだてる。そそのかす。「誰に―・られた。いい業晒しだ」〈洒・白狐通〉

しゃく・り【噦り・吃逆】□一〔四段〕《サクリ(噦)の転》声を引き入れて泣く。すすり泣きをする。「男泣きに―・り出せば」〈浮・好色敗毒散五〉□二〔名〕しゃっくり。「―する人、虚言(そらごと)をもし、わびつべき事をもいひつげつれば」〈正法眼蔵随聞記六〉。「啘、シャクリ、息の病」〈文明本節用集〉

しゃけ【社家】神職の家。神官。「この由を―より内裏へ奏聞しければ」〈平家一・鹿谷〉

じゃけ【邪気】もののけ。また、それによって生ずる病気。「例の御―の久しくおこらせ給はざりつるを」〈源氏浮舟〉。「主上御―によって、大極殿へ行幸かなはざりし故なり」〈平家四・還御〉

じゃけら【邪気乱】①「邪興(じゃきょう)」に同じ。「世間の繁多なる―なしの文章は、嫌であるぞ」〈四河入海一九ノ三〉。「狂言は真(しん)なる事をかしくして、―なる事を真にすべし。これ上手也」〈わらんべ草三〉②はでなさま。目立つさま。「―なる綺羅(きら)少しも仕るまじき由、御供の衆へ仰せ付けられ候うて」〈千年の松三〉。「―、〔仙台デ〕着物の模様などの、ぱっと目に立つを云ふ。江戸〔デハ〕はなばなしい、はでなとも」〈浜荻〉

じゃけん【邪見】①〔仏〕因果の理を否定する誤った見解。五見(ごけん)の一。「我、愚痴―にして因果を知らず」〈三宝絵下〉。「日頃の憍慢―・嫉妬、諸(もろ)の悪念をひるがへして」〈孝養集中〉②無慈悲で残忍なこと。「物乞の家に来たりたらんには、形のごとくなりとも急ぎて取らすべし。…いはんや物をこそ取らせずとも、―の言葉をいふべ

からず」〈極楽寺殿御消息〉。「まことに人の心に人をあはれむ心もなく、慳(けん)・―ならば、人にはあられず」〈春鑑鈔〉

しゃこ【硨磲・車渠】シャコ貝。貝殻はみがくと白く光り、美しい。七宝の一。「金銀(こんごん)・瑠璃(るり)・―・碼瑙(めなう)の大殿をつくりかさねて」〈宇津保吹上上〉

しゃざ【謝座】朝廷で宴を賜わる時、それを謝するため、宴の前に群臣の行なった拝礼の儀式。「凡そ公宴酒食を賜ふ。親王以下皆庭中に列し再拝す。これを―と謂ふ」〈延喜式雑式〉

しゃさん【社参】神社に参拝すること。「三千人の大衆、降るにも照るにも、―の時いたはしうおぼゆるに」〈平家一・願立〉

しゃし【社司】神官。神主。「日吉の―、延暦寺の寺官、都合三十余人」〈平家一・願立〉

じゃじゃ 落ち着かず騒がしい物音の形容。ざわざわ。「虫が―と鳴く」〈ロドリゲス大文典〉。「数多の法師、後へ―と引き退(しりぞ)く」〈浄・酒典童子若壮一〉

じゃじゃ【邪邪】足踏みをし、無理わがままを言ってねだること。「―を吐きちらし」〈玉滴隠見二八〉　**―うま**【跳跳馬・邪邪馬】①はね暴れる馬。荒馬。駻馬(かんば)。「蛇ぢゃげなと―荒るる春野かな」〈俳・難波草一〉②無理を言うわがまま者にたとえる。「〔太夫〕金山は立ち姿ちと―なり」〈評判・長崎土産三〉　**―ふ・み**【邪邪踏み】『四段』①はね踊る。「駒は無くて雪や―・む旅の暮 立圃」〈俳・小町踊五〉②無理を言う。「〔盃ヲ〕押へては―・む」〈評判・雨夜三盃機嫌下〉

じゃしゃう【邪正(ジャシヤウ)】邪と正と。よこしまなことと正しいことと。「―の理、善悪の道理をわきまへて」〈愚管抄六〉　**―いちにょ**【邪正一如】邪道と正道とは対立しているが、正道に位して邪に対しても偏見・差別をしないようになるならば、やがてこの二つからも超越することが出来るということ。「―と見る時は色即是空そのままに」〈謡・山姥〉

しゃしゃり・で【しゃしゃり出】『下一』「さし出(で)」をののしっていう語。「曙雲入道―・でて、つくづくと聞きゐしが」〈浮・三千世界色修行一〉

しゃしん【捨身】①菩薩が慈悲を行なうために、自己の肉体を殺して他の者に施すこと。また、報恩のため肉体を傷つけ供養すること。「―の行に、なじかは御身を惜しませ給ふべき」〈平家灌頂・大原御幸〉②身命を投げ出すこと。「発心の道者有り。―焼身して死す。…―者火上に入り、則ち薪を以てこれを掩(おほ)ひ焼く」〈鹿苑日録慶長一八・三・一四〉③水などに身を投げ自殺すること。「此の流れにて首くくり、最期は同じ時ながら、―の品も所も変へて」〈近松・天網島下〉

しゃす【叉手】⇒さす⑴「面を北にして―して立てり」〈正法眼蔵看経〉。〈文明本節用集〉

しゃそう【社僧】神社所属の僧や、神宮寺の僧などの総称。「鎮西に浄土宗の学生の俗ありけり。所領の中の神田を検注して、余田を取る間、―・神官等いきどほり申す」〈沙石集一ノ一〇〉

しゃだん【社壇】神を祭ったやしろ。神殿。「この剣をも天照大神の―にこめ奉らせ給ひけり」〈平家二・剣〉

しゃぢく【車軸】①車の心棒。「折ふし降(だ)る雨、―の如し」〈平家八・太宰府落〉②《⑴のように太い雨の意で》大雨。豪雨。「其の夜半より空かき曇りて…次第に―して大雨降り通しけり」〈室町殿日記八〉。「夕立の降りて―や車坂」〈俳・破枕集上〉

しゃちこは・し【鯱剛(シヤチコワシ)し】『形ク』シャチのようにこわばって固い。「直筆と云ふは―・うて直(す)ぐなるぞ」〈湯山聯句鈔下〉

しゃちこば・り【鯱こ張り】『四段』「鯱張り」に同じ。「―・って、嫌ぢゃと思ふ心が有るぞ」〈毛詩抄二〉

しゃちば・り【鯱張り】『四段』①シャチのようにこわばって固くなる。「しゃちこばり」とも。「―・った事を書いたぞ」〈蒙求抄三〉。「坐禅の床に―・ってゐる」〈俳・天満千句〉②さしでがましく振舞う。「しゃばる、―・る、利口に差し出る者を云ふ」〈志不可起六下〉　**―かへ・り**【鯱張り返(カエリ)り】『四段』いばりくさってこわばった態度をとる。ひどく尊大な様子をする。「―・って帰りけり」〈近松・唐船噺中〉

しゃちほこ【鯱鉾】①海獣サカマタの異称。シャチ。「海こそ、鰐・鱶・鯨・―なんど申して恐ろしき物多く候」〈伽・諏訪の本地〉。「鯆、シャチホコ」〈文明本節用集〉②想像上の海獣の名。虎のような頭で背に鋭い刺(とげ)がある魚という。その形を模して、宮殿・楼門などの棟の両端に付け、火災除けの呪を兼ねて装飾とした。「〔鴟(し)トハ〕本朝の城上に置く―といふものならん」〈禅儀外文盲象鈔二〉。「霧の海に―ぞ立つ天守かな」〈俳・宝蔵五〉

しゃちらさんぼう【しゃちら三宝】めちゃくちゃにしちらかすこと。しちらかし放題。「旦那の掛けも何もかも―」〈近松・氷の朔日上〉

しゃつ『代』第三者をののしって言う語。あいつ。きゃつ。「やがて『―が口を裂け』とて口を裂かれ」〈平家二・西光被斬〉。「すやつばら。―ばら也」〈源氏物語千鳥抄〉

しゃっきゃく【赤脚】軽率。不作法。「畳に頭を突く程、いかにも慇懃に礼をすべし。余りまた久しく礼をするも、わろし。また余り―に頭高きも尾籠(びろう)にわろし」〈鳥板記〉。「シャッキャクナモノ」〈日葡〉。「赤脚者、シャクキャクモノ」〈俳・反故集下〉。〈運歩色葉集〉

しゃっきり しっかりして動かないさま。「茶を飲み給うて、一段―とつかまつりて能く御座あり」〈耳底記〉

しゃっぷり 水などを注ぎかける音の形容。ざぶり。ざんぶり。「〔水鉄砲ヲ〕左手(ゆんで)へ廻って―、右手(めて)へ廻ってまた―」〈近松・曾我会稽山二〉

しゃてい【舎弟】《「舎兄(しやきやう)」の対》弟。「賊首将門が―七八人」〈将門記〉

しゃとう【社頭】社殿。また、社のほとり。神前。「親王・公卿等、又―に向ふ」〈村上天皇御記康保二・二・一九〉。「御賀茂詣での日は、―にて三度の御かはらけ定まりて参らするわざなるを」〈大鏡道隆〉。「―のうしろの山に罷りて」〈新古今一八五三左注〉

しゃな【遮那・舎那】「毘盧遮那(びるしやな)」の略。「我が心は已(す)に已證(いしよう)の―なり」〈孝養集中〉

しゃなしゃな 身のこなしがしなやかで気取ったさま。しゃならしゃなら。しゃらりしゃらり。「―としししに行けば乱れ髪」〈俳・談林十百韻下〉

しゃならしゃなら ⇒しゃなしゃな。「去なうやれ、戻ろやれ、我が古塚へ―と」〈虎明本狂言・釣狐〉

しゃにん【社人】下級の神官。「天水入りたる神水を誤って打ちこぼしたり。―申しけるは、『これこそ失にてあれ。出でさせ給へ』と申しければ」〈古今序注〉

じゃのいき【蛇の息】虹の異名。蛇の吐き出した息と信じられたのでいう。「雲に映りて消ゆる―」〈俳・物種集〉。〈俳・世話尽三〉

しゃのしゃのころも【紗の紗の衣】京都で、「でくる坊」のこと。また、傀儡師。「でくる坊も着るや―がへ(衣更ト掛ケル)」〈俳・天神奉納集二〉

じゃのすけ【蛇之助】大酒飲みの擬人名。底抜け上戸。

「—が恨みの鐘や花の暮」〈俳・蛇之助〉

じゃのすし【蛇の鮓】 ①近世、北陸で石伏魚(ごり)を鮓に作り、その上に海馬(かいば)を一匹載せたもの。「越中〔ノ名物〕…松波鮓、世俗に—と云ふ」〈俳・毛吹草四〉 ②珍稀な食物のこと。「たとへば雪の黒焼喰はう、—喰はうと云ふ程のことぞ」〈毛詩抄一四〉

じゃのめ【蛇の目】 ①太い輪の形。紋所などにする。「雲の袖の—の紋か月の笠」〈俳・続山の井三〉 ②中央と周囲とを紺・赤などに塗り、広げると(1)の形の現われる傘(からかさ)。じゃのめがさ。「〔傘ノ模様ノ〕ぐるりの青きを軒青(のきあを)と言ふ。俗に—」〈万金産業袋一〉 **—灰汁(あく)で洗・ふ** ①眼などがきらきら光っているさまをいう。「蛇の目灰汁であら海照らす月夜かな長頭丸」〈俳・山の井三〉 ②物事を明白にし、きまりをつける。「ちとそれにて見物おしゃれ。—・ったやうに…これは善、これは悪と〔ハッキリサセヨウ〕」〈伎・御摂勧進帳六〉

しゃば【娑婆】〔仏〕《梵語の音訳》 釈迦出現のこの世界、または釈迦の教化が及ぶ世界。俗世界。人間界。「汝たしかに—に帰りて、必ずその願ひを遂げよ」〈今昔一四ノ二九〉 **—いらい【娑婆以来】** 久しぶりで逢った時にいう挨拶の語。珍しい、久しぶりの意。「さても久し—なる空の雲」〈俳・仙台大矢数下〉 **—せかい【娑婆世界】**「娑婆」に同じ。「釈迦は父の如し、我(阿彌陀)は母の如し。—の衆生は赤子の如し也」〈今昔六ノ一五〉 **—で見た彌二郎(やじらう)** 知人を知らぬふりをすることをいう。「彌二郎」は「彌三郎」「彌四郎」「彌十郎」とも。「—かとも言はぬとは何ぞ」〈咄・醒睡笑一〉 **—ふさぎ【娑婆塞ぎ】** 何の役にも立たず生きながらえていること。また、その人。ごくつぶし。「娑婆塞げ」とも。「男児となるならば、一能無うてはぞ。無能では—ぞ」〈杜詩抄一三〉

じゃびせん【蛇皮線】 蛇の皮で胴を張った三絃の撥絃楽器。これを改良し、猫・犬の皮を張ったのが今日の三味線。「じゃみせん」とも。「琉球人ども—引き候て」〈上井覚兼日記天正三・三・二九〉

しゃべつ【差別】 ①区別。「この鬼道の中にも、また—ありて、その主伴を定む」〈今昔九ノ三六〉。〈文明本節用集〉 ②分別。「まだ—有るべきとも思はず」〈西鶴・一代男一〉

しゃべ・り『四段』 騒騒しく話しまくる。ぺちゃくちゃ話す。「扶語は託宣の語と云はんが如し。ものがつきて—・る義なり」〈性理字義抄八〉。〈日葡〉

しゃほんに『連語』《シャは感動詞》 まあほんとに。おやほんとに。「しゃほに」「しゃほんぼに」とも。「浮世狂ひも年による。—をかしいまで」〈近松・出世景清二〉

じゃま【邪魔】 ①邪見(じゃけん)によって仏道を妨害する悪魔。「却(かへ)りて—と成りて、つひには無間(むげん)に落つる」〈月庵法語〉 ②妨害するもの。さまたげ。「佞(ねい)は政道の—となる事」〈恩地左近太郎聞書〉

しゃま・す『助動』《四段活用・ナ行変格活用の動詞の未然形に付いて尊敬の意を表わす》 …なさいます。…せられます。「そんなら斬られて死な—・したか」〈伎・夕霧七年忌〉

しゃまだる・し『形ク』《シャは感動詞》「まだるし」を強めていう語。のろくさい。全く手ぬるい。「やあ其の車引きのけぬか、エエ—・し」〈浄・葵の上二〉

じゃまん【邪慢】〔仏〕 徳がないのにあるとする慢心。七慢の一。「ここに我慢・—の大天狗ども…不退(ふたい)の行学を妨げんとしけれども」〈太平記一八・高野与根来〉

しゃみ【三味】「三味線」の略。「果は—の皮になりて、何のとがにかばちは当ると」〈仮・御伽物語二〉 **—せん【三味線】** ⇒さみせん。「宮の御方、御河原の者山城といふ〔者二〕、—ひかせらるる」〈御湯殿上日記天正八・二・一六〉

しゃみ【沙彌】《梵語の音訳》 出家の男子で、まだ比丘(びく)にならぬ者。「—満誓、綿を詠(よ)ふ歌一首」〈万三三六題詞〉。「其の所に一人の—有り、年七歳より師の阿闍梨(あじやり)に仕へて昼夜に奉仕す」〈今昔六ノ三〇〉 **—から長老にはなられぬ** 物事には順序があって、一足飛びには上位になれぬ意。〈俳・世話尽二〉

じゃ・み『上一』 物事が中途でだめになる。おじゃんになる。「さてこそつぎのあたり〔デ〕—・みたか」〈俳・宗因七百韻〉

しゃむ【社務】 神社の事務。また、それを取り扱う神職。「内内—を召して問はれければ」〈太平記三六・清氏叛逆〉

シャムロ【暹羅】 ①シャム(今のタイ)の古称。「—人罷り下り候」〈梅津政景日記元和七・九・一〉 ②「シャムロ染」の略。「上には京染の—」〈浮・好色小柴垣四〉。〈合類節用集〉 **—ぞめ【暹羅染】** サラサ染。シャムロ。「神主の着たる袷(あはせ)や—」〈俳・細少石三〉。〈俳・毛吹草四〉

しゃめん【赦免】 刑罰を免除すること。「信西の子共配所にありとも、—こそあるべきに、流さるる事心得ず」〈平治中・謀叛人流罪〉 **—じゃう【赦免状】** 赦免の旨をしたためた書状。「都より—を持ちて参りて候」〈謡・俊寛〉

しゃもん【沙門】《梵語の音訳》 出家して仏の道を修める人。僧侶。桑門(さうもん)。「忽ちに一の—有りて、手に梨子を持ちて、吾に与へて之を食はしむ」〈続紀文武四・三・一〇〉

しゃら【沙羅・娑羅】 ⇒さら

しゃら【洒落】 ①意気がっていること。しゃらくさいこと。「いと—なり。金もいと失せなん、〔遊女ヲ〕かくな買ふそ」〈仮・仁勢物語下〉 ②近世、北陸地方で、遊女のこと。おしゃらく。「此の所に名高き—には」〈浮・三代男三〉 **—くさ・し【洒落臭し】**『形ク』 利いた風だ。こしゃくだ。「時時—・き事など唱へ出せり」〈評判・難波物語〉。「当世、不学短才の輩、心のみ高ぶりたるを—・いと云ふ」〈漢語大和故事二〉 **—ごゑ【洒落声】** しゃれて、なまめいた声。「女房が—」〈浮・新色五巻書三〉

じゃらい【射礼】 平安時代、通例、正月十七日に建礼門で行なった弓術の公事。親王以下、五位以上の者、六衛府の官人が弓を射る。天皇が豊楽院に臨御。「建礼門南庭に於て—の事」〈九暦天暦三・一・一七〉

しゃらく【洒落】《字義は、洗い落すこと》 かざり気がなくさっぱりしていること。すっきりとあかぬけしていること。「洒洒落落(しゃしゃらくらく)」とも。「三四の句、等閑(とうかん)もなき—なる体なり」〈三百集坤〉

じゃらくら 男女が戯れ合うさま。でれでれ。いちゃいちゃ。「女房を呼び出して—云うたら」〈評判・役者三鉄輪京〉

しゃらしゃら 街路を雪駄(せった)などで歩く足音。ちゃらちゃら。「雪踏(せった)—春ぞ来にける」〈俳・信徳十百韻〉。〈日葡〉

じゃらじゃら くだらぬことを多言するさま。べちゃくちゃ。「倚子に身のもたれ懸かって—と」〈俳・遠舟千句付〉

じゃらつ・き『四段』 色めいた言動で相手をうわつかせる。いちゃつく。また、ふざける。「人の心任せなるやうに—・きて」〈西鶴・一代女一〉。「—・くか余所見などして来る時は」〈色道大鏡四〉

しゃらどけ【しゃら解け】 自然と帯・紐などが解けること。「雲の帯—するや八重霞」〈俳・沙金袋一〉

しゃらほどけ【しゃら解け】「しゃらどけ」に同じ。「髪は—の後ろ付き」〈西鶴・諸艶大鑑三〉

しゃり【舎利】《梵語の音訳「舎利羅」の略。身体の意》

①〔仏〕仏・聖者の死体または遺骨をいう語。後、一般に人の遺骨にもいう。「三蔵所持する—・経論を以て咸(ことごと)く和尚に授け」〈続紀文武四・三・一〇〉。「父の—を頸に懸け、一千里の山海を経て、甲州波木井身延山に登りて」〈日蓮遺文千日尼御返事〉②米粒の異称。「天竺、米粒を呼びて—と為す。仏舎利亦(また)米粒に似たり。是の故に—と曰ふ」〈秘蔵記本〉　**—かう**ウコ【舎利講】「舎利会(ゑ)」に同じ。「同じき三年十一月三十日、院にて—を行なはれけり」〈著聞二八三〉　**—ゑ**【舎利会】「舎利供養会」の略。仏舎利を供養し、その功徳を礼讃する法会。「比叡—。—は慈覚大師のはじめ行なへる也」〈三宝絵下〉

しゃりむり【差理無理】是が非でもすること。否応なし。しゃにむに。「—に鳴け即子規(そくしき=ホトトギス)の鳥の声」〈俳・崑山集五〉。「—、理に差(たが)ひ、理無き也」〈世話用文章中〉

しゃ・る《助動》《セラルの転。四段活用・ナ行変格活用の動詞の未然形に付いて尊敬を表わす》…なさる。「仏神三宝も相構へて男子を生ま—・っては御情なかるべし」〈長恨歌抄〉。「算木なりとも置か—・れ」〈天理本狂言六義・賽の目〉▽活用は下二段型、のち四段にも活用。

しゃ・れ 一《下二》【曝れ・瀑れ】①「され」の転。「死骨を焼きぬれば、白骨となりて野に—・れぬ」〈伽・常盤嫗物語〉。「風雨にくっと—・れ切って、一点の皮肉も無く」〈勝国和尚再吟三〉②【洒落れ】《「曝れ」の転義》垢抜けした言動をする。意気にふるまう。「—・れたる。人の気の物に馴れていさぎよきを〔イウ〕」〈色道大鏡一〉。「女郎も衣装つき—・れて墨絵に源氏紋所も小さく並べて」〈西鶴・一代男六〉 二《名》【洒落・瀑れ】垢抜けした言動。意気なこと。「律義者(りちぎもの)頓(やが)て—の大将」〈評判・雨夜三盃機嫌下〉。「人の初心を離れ向上の気あるを—と云ふは、されと云ふ義也。…されとは晒の字、さらすと訓ず。さらすは乾(ほ)すの義にて、生(なま)なる物、水気ある物は湿り朽(く)る方なるを、乾して水湿を離るるに譬へて、俗骨を離れたるをしゃれた人と云ふ」〈志不可起六下〉　**—いた**【曝れ板】風雨にさらされて、木目(もくめ)のよく出た板。「水指(みづさし)…蓋は—也」〈久重茶会記寛永一五・一・二八〉　**—かうべ**コウベ【曝れ頭・髑髏】《訛ってシャリカウベとも》風雨にさらされて骨だけになった頭。どくろ。「—に玄昉といふ銘を書いて興福寺の庭に落し」〈平家七・還亡〉　**—がひ**イガ【曝れ貝】水に洗いさらされた貝殻。「水際の—に交り」〈浄・暦四〉　**—ぼん**【洒落本】近世後期、宝暦ごろ上方に起り、江戸で流行して、文化ごろ衰えた小説の一様式。遊里の遊びの生態を、会話を主として、その様相・癖・欠陥を指摘したもので、体裁は半紙四つ折大、一冊数十丁、粗画の插絵があり、多く茶表紙の唐本仕立てであった。作者に山東京伝・蜀山人などがいるが、多くは知識人のすさびで実名が知られない。蒟蒻(こんにゃく)本。小本。通書。「近頃出来(でき)る似た山(似セ物)の—の類じゃござらぬ」〈洒・十八大通百手枕〉　**—もの**【洒落者】気のきいた言動をする者。粋人。「市に隠れし—の窓」〈俳・山の端千句上〉。「人に磨かれたる者を洒落者(しゃれもの)・洒礫者(しゃれもの)と書くとぞ」〈漢語大和故事二〉　**—をんな**【洒落女】遊女。「柴屋町より—呼び寄せ」〈西鶴・永代蔵二〉

じゃ・れ【戯れ】一《下二》《ザレの転》たわむれる。ふざける。「妓女なんどに—・るるやうなる事はないぞ」〈湖鏡集〉 二《名》じゃれること。たわむれること。「その友達が—にかかって云うたぞ」〈玉塵抄五〇〉。「左礼、ジャレ、戯義」〈天正十八年本節用集〉

しゃを《感》叫び声。「今はよ(サア勝ッタ)、今はよ、ああ—」〈紀歌謡一〇〉

しゃんしゃん ①鈴などの鳴る音。「空身(からみ)で馬は—と行く」〈俳・ゆずり物〉②手を拍(う)つ音。また、近世、契約成立の確証として拍手する習慣があったので、物事の決着をいう。「—、さあさあ是からが本酒」〈近松・今宮心中上〉③湯が盛んに沸き立つさま。「据(すゑ)風呂も—」〈近松・丹波与作中〉④物事をてきぱきとするさま。態度がきちんとしたさま。「気立て—と、さらりとして良し」〈評判・まさり草〉

しゃん・す《助動》《四段活用・ナ行変格活用の動詞の未然形について尊敬を表わす》…なさいます。「煎じ茶を飲めと言は—・す」〈伎・面向不背玉中〉

しゅ【守】大宝令に定められた内外文武官の位署にいう名称。役人が、普通その位ではつけない高い官についている場合、公文に署名する時に位と官との間に書き添える語。「三位—大納言」〈宇津保内侍のかみ〉→行(ぎやう)(2)

しゅ【朱】黄のかかった赤色。また、その顔料。「おほかたの調度は赤きに、—ぬりたるさまにて」〈浜松中納言一〉。〈色葉字類抄〉　**—に交はれば赤くな・る** 交友によって、人は善悪いずれにも感化される意。「古き名言に—・り、墨に近づけば黒くなると有るものをや」〈仮・可笑記三〉

しゅ【呪】中国古来の呪禁の法で、敵に禍を被らせ、また、自分の厄を払うために言う秘密の言葉。その目的とやり方が仏教の陀羅尼に似ていることから、古来、陀羅尼の訳として用いられた。「—を誦して祈請すること三箇年なり」〈今昔四ノ二七〉

しゅ【首】詩や歌を数える語。「中大兄三山御歌一—」〈万巻一目録〉。「淡海朝の大友皇子。二—」〈懐風藻〉

しゅ【衆】一《名》多くの人。人人。「すべて人に愛楽(あいげう)せられずして—に交はるは恥なり」〈徒然一三四〉。「後(あと)の—も近く来たれり」〈義経物語七〉。〈色葉字類抄〉 二《接尾》複数の人人に対する尊敬や親しみの気持をあらわす。「迦葉・阿難等の大比丘—一面に座せり」〈十訓抄一ノ七〉。「女三の宮尼にならせ給へりしころ、御ぞ奉るとて、『墨染はうたて目もくるる色にて』と女房—申したる詞の寄せなり」〈矢嶋小林庵何木百韻注〉

しゅ【銖・朱】①秤の重さの単位。一両の二十四分の一。十二分。「〔ソノ薬ヲ〕一—纔(わづか)に服(ぶく)すれば白日(はくじつ)に漢に昇る」〈三教指帰中〉。「銖、シュ、十二分也」〈文明本節用集〉②貨幣の単位。一両の十六分の一。一分の四分の一。平安時代には、一分の六分の一ともされていた。「銖、シュ、六—を一分と為す」〈色葉字類抄〉

じゅ【頌】〔仏〕「偈(げ)」に同じ。一定の法則をもつ韻文をいう。「敷皮の上に居直って、辞世の—を書き給ふ」〈太平記三・長崎新左衛門〉

じゅ【従】《接頭》《「正(しゃう)」の対》位階の各級を上下二つに分けた、下の方を指す語。「中将一人を—四位下の官と為す」〈続紀神護景雲一・二・三〉▽「正」をオホキと訓じ、「従」はヒロキと訓ずる。

しゅいん【手印】①真言宗で、諸仏・諸菩薩・諸天がその本誓を表わすために結ぶ手の形。「九百九十三仏の威儀・—を知らず」〈今昔六ノ二九〉②行者が両手の指で結ぶ印相。「当〔高野〕山結界絵図并びに〔弘法〕大師御—案文等を進覧す」〈吾妻鏡元暦一・七・二〉③手形を押した印。「御—を申し下されし後、寺領に寄付を為し」〈吾妻鏡元暦二・七・一五〉

しゅいん【朱印】①朱肉で押した印章。「—去る七月二十七日に定め了んぬ」〈多聞院日記天正三・五・三〉②⇒ご

しゅいん。「去んぬる二十日、信長の—下(だく)る」〈甲乱記上〉

しゅいんかんくゎ【修因感果】〔仏〕自分のつくった善悪の因によって、苦楽の果を感ずること。「修因得果」とも。「—の道理極上せり」〈平家二・重衡被斬〉

しゅう【主】 仕える主人。主君。「ありがたきもの(少ナイモノ)。…—そしらぬ従者」〈枕七五〉 **—に懸か・る** 主人に仕える。「さて十人の者どもは、—・って非法の死」〈説経・小栗〉

しゅう【宗】 ①経論などのなかで、その核心となる主意、中心的な教義。宗旨。宗要。「般若経の如きは、空恵(くうゑ)をもて—とし、維摩経の如きは、不思議解脱をもて—とす」〈和語燈録三〉 ②教義を同じくする一団。宗門。宗派。「いま浄土宗の名を立つる事は、浄土の正依(しやうえ)の経につきて、往生極楽の義をさとりきはめておはします先達の、—の名をば立て給へるなり」〈和語燈録四〉

しゅう【衆】 ㊀〘名〙⇒しゅ(衆)。「いつも若い—のおなぶりやるによって」〈虎明本狂言・鈍太郎〉。「衆、シュウ」〈和玉篇〉 ㊁〘接尾〙⇒しゅ(衆)。「都(みやこ)—」〈ロドリゲス大文典〉

しゅうあしらひ(ラアイシ)**【主あしらひ】** 主人として待遇すること。「我が女房を常ならぬ出立、やとひ腰本、やとひ下女、己れも与七になって—」〈西鶴・一代男六〉

しゅうし【宗旨】 ①⇒しゅし。「宗旨、シウシ」〈運歩色葉集〉 ②宗門。宗派。「—は天台・禅覚・法華・浄土」〈わらんべ草五〉 **—あらため【宗旨改め】** 江戸幕府の宗教制度。キリシタン取締り、後には更に博奕、及び公娼以外の売色禁止の目的を加え、毎年三月など一定時期に、家持・借地借屋人・下人下女などすべての宗旨手形を徴して、宗旨帳・宗旨巻を作り、支配役所に提出させた。宗門改め。宗旨人別改め。「当庄散郷残らず—これ有るべきの由」〈宗静日記寛文六・七・四〉 **—うけ【宗旨請け】** 近世、寺院で、その人がその寺院の旦那であり、キリシタンなどの邪宗門でないことを証明すること。宗門請合い。「さもこそは宿は変らめ—〔ハ変ラズオコナウ〕」〈俳・昼網上〉 **—うけじゃう**(ヨウジ)**【宗旨請状】** 近世、宗旨請けの証明として寺院の発行した文書。婚姻・旅行・転宅や奉公人の雇入れなどに、身分証明書の如く用いられた。寺請証文。宗旨手形。寺手形。「借屋借る身の習ひ、—無くてはならず」〈浮・曲三味線三〉 **—ちゃう**(チョウ)**【宗旨帳】** 近世、宗旨改めの際に作製した人別帳。前書に、キリシタン宗門・博奕・私娼・若衆の取締りなどの請状を記したものもあり、以下、都市では町年寄・月行司・家持・借屋人及び家族下人下女の、農村では庄屋・年寄以下高持・無高百姓の家族下人下女の人名を記し、菩提寺名を頭書し、寺及び世帯主に捺印させ、支配役所に提出させた。宗旨改め帳。宗門改め帳。宗旨人別帳。「時に〔今ノ〕西行—書く」〈俳・当流籠抜〉 **—てがた【宗旨手形】**「宗旨請状」に同じ。「いづくまで—を送るらん」〈俳・宗因五百句〉 **—を変・ふ** 今までの主義・主張を変える。また、従来仕えて来た主君を見限り、他の人に奉公する。「彼の三百両の大臣に—・へさせたいの」〈評判・難波の顔三〉

じゅうしゃむこ【従者婿】 ①(主人から見て)従者である女と夫婦になった男。「〔逃ゲテ来タ奴〕逃来の処の下女に嫁して、はや子を持つべき也。…—と云ふ也」〈御成敗式目抄〉 ②家来または奉公人を、主人の娘の婿とすること。また、その婿。「ずんざむこ」とも。「北辰の—なり男七夕(をたなばた)」〈俳・唐人踊三〉

しゅうじゅう【主従】 主人と従者と。主人と家来と。「妹尾太郎ただ—三騎にうちなされ」〈平家八・妹尾最期〉。「主従、シュウジウ」〈明応本節用集〉 **—さんぜ【主従三世】**「三世の縁」に同じ。「この旨を背かば—の契り絶え果て」〈謡・巴〉

しゅうてい【宗体】 仏教の宗派本来の趣旨。宗旨。宗風。「—が承りたう候」〈謡・放下僧〉

しゅうひでり【主旱り】 仕えるべき主君のいないこと。「—はいかず(奉公スル主君ハイクラデモ居ル)。斯波に扶持を受けんとは勿体なし」〈近松・雪女中〉

しゅうもち【主持ち】 仕えるべき主人を持っていること。また、主人持ちの者。「そなたも—と見えたが」〈虎明本狂言・末広がり〉

しゅうもん【宗門】 ①宗旨。宗派。「—の正伝にいはく」〈正法眼蔵辦道話〉 ②ある宗派の信者。「—なれば、日親様の御門で死なせて下さんせ」〈近松・重井筒中〉

じゅうるい【従類】 一族および家来などの総称。家の子郎等。「新皇の屋より始めて、其の—共の家等一々に焼き掃ひつ」〈今昔二五ノ一〉

しゅうろん【宗論】 仏教の宗派の論争。法論。「念仏の行を信ぜざらん人に逢ひて御物語候はざれ。いかに況んや—候ふべからず」〈法然上人行状絵図〉

しゅかい【酒海】 酒を入れる容器。「泉水涼気を添へ、—興遊を催すもの也」〈看聞御記応永三三・六・二七〉。「酒海、シュカイ、酒器」〈明応本節用集〉

じゅかい【受戒】 在家・出家の人が仏制の戒律を受けること。師によって受けるものと、自ら定めるものとがあるが、多くは前者。戒の種類によって受け方にもいろいろの種類がある。納戒。「制すらく、七道諸国の沙彌尼等をして当国の寺に於て—せしめよ」〈続紀天平一九・一・二七〉

じゅかい【授戒】 仏門にはいる人に戒律を授けること。「受戒」の対。「七ケ日の間、例(ためし)に依り懺悔を修す。八日より始む。即ち—せしむ」〈続後紀承和一〇・三・二五〉

しゅかう(ウコ)**【趣向】** しくみ。工夫。考え。「句の優美遠長なる体製(ていせい)のみあって、其の—落着の所を知り難し」〈太平記一・無礼講〉

しゅがき【朱書】 楊弓で、二百矢のうち、五十本以上九十九本まで的中させること。また、その射手。その名を塗板に朱書したのでいう。「—くらゐに〔腕前ヲ〕争はれしに」〈西鶴・一代男三〉

しゅがく【修学】 ①学問を修めること。「東大寺に—して」〈梁塵秘抄三七七〉 ②一般に、修業。また、その結果得られた才覚。「しがく」とも。「全盛の女郎に〔起請文ヲ〕書かするといふは、金銀〔ヲ浪費シテ〕の—なくては、ならぬ事と知るべし」〈仮・恋慕水鏡一〉。「譲り銀三百貫目ありしを、—悪しく、次第に減りて」〈西鶴・懐硯五〉 **—しゃ【修学者】** 学問を修めている人。学者。「やごとなき—、智恵ふかき大衆たち」〈平家二・一行阿闍梨〉

しゅがふ(ウゴ)**【衆合】**〔仏〕「衆合地獄」の略。「〔八熱地獄ノ〕三は—」〈孝養集上〉 **—ぢごく【衆合地獄】** 八大地獄の一。殺生・偸盗・邪淫の罪を犯した者が落ちるという。「それ八大地獄は、一には等活地獄、二には黒縄地獄、三には—」〈伽・天神〉

じゅがん【入眼】 物事の成就すること。「女帝の皇極と孝謙とにて侍るめり。女人此の国をば—すと申伝へたるは是也」〈愚管抄三〉。〈文明本節用集〉 ▽画師・仏師などが、最後に眼の瞳を入れて作品を完成したところから出た語という。

しゅき【腫気】腫(は)れむくむこと。また、腫れ物。はれけ。「顔は—のさしたるやうなり」〈評判・桃源集〉。〈日葡〉

じゅき【授記】仏が弟子のそれぞれに対して、その未来の成仏などについて一々予言すること。「なにによりて、仏のわれには—したまはずして、此の女のまづ記をうけつる」〈三宝絵下〉

しゅぎはん【衆議判】《「衆議」は多人数による合議》歌合において、歌の優劣を、判者に任せず、左右の方人(かたうど)の合議で決めること。「歌合ありけり。作者の名をかくして—にて侍りけるに」〈著聞三三〉。〈書言字考〉

しゅぎゃう【修行】①仏道を修め、善行を積むこと。「長往の徒は、其の—することを聴(ゆる)したまへ」〈続紀宝亀一・一〇・二八〉 ②巡礼。托鉢(たくはつ)。「—仕る者どもの道を踏み違へて参りたるなり」〈今昔三一ノ一四〉 ③学問・技芸などを修めること。「幽玄体を中にも心にとめて—し侍るべき事」〈ささめごと上〉 **—じゃ**【修行者】仏道修行のため諸国を行脚(あんぎゃ)して歩く僧。「今一人の僧は年老いたる—なり」〈今昔一七ノ四二〉

しゅぎゃう【執行】①事務を執り行なうこと。「帥殿に天下—の宣旨くだしたてまつりに」〈大鏡道隆〉 ②一寺中の僧務の長。「法勝寺の—、俊寛僧都」〈平家一・鹿谷〉。「執行、シュギャウ」〈伊京集〉

じゅぎゃう【誦経】⇒ずきゃう。「仏寺は、東大寺・興福寺以下十六ヶ所に御—あり」〈平家三・御産〉

じゅぎょ【入御】《「出御」の対》天皇・皇后など尊貴の人が内へお入りになること。「今は—もなりぬらん、誰して申し入るべき」〈平家六・小督〉。〈文明本節用集〉

じゅきょう【入興】興に入ること。喜び興ずること。「彼卿きかれて、—せられけるとなむ」〈著聞五六三〉。〈文明本節用集〉 **—がん**【入興眼】成就すること。「—、俗に成就を呼んで—と云ふ」〈俳・反故集下〉

しゅきん【手巾】僧・尼が手ふきなどに用いた、長い布の腰帯。手巾帯。手巾の上帯。「—は半分は面を拭(のご)ひ、半分にては手を拭ふ」〈正法眼蔵洗面〉。〈易林本節用集〉 **—おび**【手巾帯】「手巾」に同じ。「白縮緬(ちりめん)の—」〈近松・卯月潤色中〉

しゅく【宿】①宿場。宿駅。「駿河国原中の—にて」〈沙石集六ノ九〉 ②星座。星宿。「この—、清明なる故に、月を翫(もてあそ)ぶに良夜とす」〈徒然二三九〉

しゅくい【宿意】①かねて抱いている志。年来の望み。「義仲、去んじ年の秋、—を達せんが為に旗を挙げ剣を取って信州を出でし日」〈平家七・木曾山門牒状〉 ②かねてから心中に含んでいる恨み。遺恨。「これを停廃の間、その—によって門徒の大衆を語らひ訴訟をいたす」〈盛衰記五〉

しゅくいり【宿入り】道中で旅人の一行が宿場にはいって来ること。「其の時は小室節の〔流行ノ〕最中、—に唄ひて」〈西鶴・一代男五〉。〈俳・世話尽一〉

しゅくいん【宿因】〔仏〕前世からの因縁。宿縁。「はからざるに会面せり。これ—なり」〈往生要集下〉

しゅくうん【宿運】〔仏〕前世から定まった運命。「—や尽きにけん、重病を受けて万死一生なりけるが」〈保元下・為朝生捕り〉

しゅくえ【宿衣】内裏に宿直する時などに着る衣。ふだん着。「中門に候ひけるに、—一領給はせければ」〈著聞三六四〉

しゅくえん【宿縁】〔仏〕前世の因縁。宿因。「中にも夫妻は一夜の枕を並ぶるも五百生の—と申し候へば」〈平家一〇・維盛入水〉

しゅくおくり【宿送り】人または物品を、宿(しゅく)から宿へと順次に送ること。「宿継ぎ」とも。「日本に—と云うて、宿から送られて行く様(やう)にぞ」〈史記抄一四〉

しゅくぐゎん【宿願】〔仏〕前世・過去世からの願い。転じて、多年の念願。「我—あるに依て、日頃身心精進にして」〈今昔一四ノ三〉。〈文明本節用集〉

しゅくごふ【宿業】〔仏〕前世においてつくった善悪の業因。前世の報い。「—頻りに遭ふ、世俗の猜(そね)み」〈菅家文草二〉

しゅくし【宿紙】紙屋紙(かみやがみ)のこと。「—を以て書き、見せ参らすべき等の由」〈左経記長元四・一〇・一〉。〈文明本節用集〉

じゅくし【熟柿】熟した柿。「今夕—を進む」〈中右記承徳二・一〇・一五〉 **—くさ・し**【熟柿臭し】《形ク》酒に酔った人の息の臭さの形容。「名にし負ふ熟柿臭さよ垣の下(もと)に人丸ながら面は赤人」〈蔗軒日録文明一八・七・一七〉。「親も子も柿屋は酒を飲みすごし—きと人に言はせん」〈かさぬ草紙〉

しゅくしふ【宿習】〔仏〕前世の習い。それが現世に影響すること。前世からの約束ごと。宿縁。「南海渺茫たる旅泊にただよはせ給ひける—の程こそ浅ましけれ」〈保元下・新院讃州〉

しゅくしふ【宿執】〔仏〕前世から心に執着して離れない善悪の性質。「父を斬る子、子に斬らるる父、斬るも斬らるるも、—の拙き事、恥づべし恥づべし、恨むべし」〈保元中・為義最後〉。〈文明本節用集〉 **—かいほつ**【宿執開発】前世での善根功徳が心に着して離れず、それが原因となり、現世で幸福を得ること。「あなたふとや。—の人かな」〈徒然一四四〉

しゅくぜん【宿善】〔仏〕前世で作った善根・功徳。「我—厚くして地蔵菩薩に値(あ)ひ奉れり」〈今昔一七ノ二〉

しゅくのもの【夙の者・宿の者】近世、下層民の最上位の者。農業を主とし、酒造・商業・遊芸などに従事。法的には平民であったが、社会的には種種の差別があった。「大鳥居より…北の乞食をば、北—進退す」〈大乗院雑事記康正三・六・一六〉

しゅくば【宿場】近世、主要な街道に置かれ、人馬の継立てに当った所。「青山—取り立て候やう、甚之丞申し出る」〈天正日記天正一八・六・一一〉

しゅくばう【宿坊】僧の泊っている坊舎。また、参詣人の泊る僧坊。「夜は—に帰り、昼は三蔵の所に行きて」〈今昔一一ノ四〉

しゅくはつ【祝髪】《「祝」は断つ意》髪を剃ること。また、髪を剃って僧侶となること。「祝髪、シュクハツ、髪断也」〈下学集〉

しゅくほう【宿報】〔仏〕前世の業因で受ける果報。「辺土に於て其の命を失ふ。是れ前世の—也」〈中右記元永二・六・二四〉

しゅくらう【宿老】①物事に経験豊かな老人。老巧な人。「その躰を見れば—の俗なり」〈今昔一三ノ二〉 ②武家の老巧な家臣。また、特に、鎌倉・室町幕府の評定衆・引付衆。あるいは、近世、幕府の老中、諸藩の重臣をもいう。「常胤・広常・義澄・実平已下の—の類、群議を凝らす」〈吾妻鏡治承四・一一・四〉 ③近世、町内の自治を主宰する町役人である名主や年寄の俗称。「町の—来たりて、戒め諫めらるるやう」〈仮・浮世物語一〉

しゅぐゎん【呪願】法会または食事の時、導師が施主の願意をのべて、その成就を祈ること。また、それを勤める僧。「大徳を勧請(くわんじやう)し、—して放つ」〈霊異記中八〉。「—には、同じ寺の善祐律師といふ人なり」〈今昔一一ノ一四〉

しゅけいれう(ヨウ)【主計寮】令制で民部省に属し、調・庸・貢献などの諸費を計算し、年間の支出をつかさどった役所。「かずへのつかさ」とも。「戊申、―云ふ。寮中に厨を置く」〈続後紀天長一〇・五・二三〉

しゅげん【修験】①《修持得験の意》呪法を持し、修行によって霊験を得ること。呪験。「大和国吉野郡深山に沙門あり。名を道珠といふ。…天皇、―あるを聞き…道珠を徴す」〈三代実録貞観一〇・七・九〉②修験道。俗形で密法を修する宗団の称。役小角(えんのおづの)を祖とする。特に教理を研究せず、呪法を修持し、霊験を得るため、山嶽で修行を重ねる。聖護院を本所とし熊野三山修行をする本山派と、醍醐寺を本所とし大峰修行をする当山派と二派がある。また、それを修行する人をもいい、兜巾(ときん)・篠懸(すずかけ)・結袈裟(ゆいげさ)・笈(おい)・金剛杖・法螺(ほら)など、いわゆる十二道具をもつ。山伏。修験者。「天性として―を好みて、諸の山を廻り海を渡りて難行苦行す」〈今昔一七ノ一八〉

しゅご【守護】①守ること。「夜のほど此の御所をよくよく―して」〈保元上・新院御所〉②鎌倉・室町時代の地方官名。後鳥羽天皇の文治元年、源頼朝が国国に設置。大番(おおばん)の催促、謀叛人・殺害人・盗賊の検断などに当らせたもの。後、国司の公事、地頭の所務を侵し、応仁の乱以後には、強大な大名となった。「諸国に―を置き、庄園に地頭を補せらる」〈平家一二・吉田大納言〉 **―しき**【守護職】守護の職。しゅごしょく。「小山左衛門尉朝政を以て播磨国の―に補し畢んぬ」〈吾妻鏡正治一・一二・二九〉 **―じん**【守護神】守護する神。守護の神。「九条殿の御末には、いづれの世までも―と成らん」〈平家五・五節〉 **―だい**【守護代】守護が任地不在の時、その代理をする者。「当国の―細河刑部大輔・八木光勝」〈太平記二七・上杉畠山〉 **―ふにふ**(ユウ)【守護不入】守護がその地域内に立ち入り、罪人逮捕・租税徴収などをすることが出来ないこと。戦国時代以降は、社寺領内の殺生禁断・喧嘩狼藉禁止など、領主が与えた一切の禁制をもいった。社寺領などに与えられた特権。守護使不入。「早く―の地と為し」〈天龍寺文書三、応永二七・四・一七〉

しゅざ【朱座】近世、幕府から朱・朱墨の製造・専売を許されて、堺・京都・江戸・大阪などで営業した特権商人。「―と申し候て、京・堺に一人にて売り候朱」〈梅津政景日記寛永九・一〇・三〉

しゅざう(ウ)【修造】修復。修理。「関寺に住む聖人の、関寺を―する間に」〈今昔一三ノ二四〉

しゅさん【朱三】「重三」「重三(ぢうさん)」に同じ。「重三・重四の目に朱をさされてより以来、―・朱四とこそ呼び候へ」〈平治上・叡山物語〉

しゅし【朱四】「重四」「重四(ぢうし)」に同じ。「三四の目をば重三・重四とこそいふべきに、朱三・―といふ事はいかに」〈平治上・叡山物語〉

しゅし【宗旨】《シュウシとも》宗門の趣旨。教義。「来世の開覚は、他力浄土の―、信心決定の道なるが故なり」〈歎異抄〉。〈運歩色葉集〉

しゅ・し【修し】〘サ変〙課程や義務を正しくおさめる。「人趣に生れて菩薩の行を―・し」〈栄花鳥舞〉

じゅし【呪師】《シュシとも》散楽の一。平安中期ごろから、諸大寺で、修正会(しゅしょうえ)・修二月会の仏事に行なわれた芸能。また、それを演ずる者。法呪師。ずし。すし。「人人相共に東光寺に遊び、―を走りせしむ」〈左経記寛仁一・八・一六〉。「入道殿御覧じて、『よき―の装束かな』とて笑ひ申させ給ひけり」〈大鏡藤氏物語〉

じゅし【豎子】子供。転じて、人を軽蔑していう語。「ああ、―与(とも)に謀るに足らず」〈太平記二八・慧源禅巷〉

じゅ・し【誦し】〘サ変〙⇒ずし。「口には―・し給へども、心は都に通ひけり」〈盛衰記三六〉。「誦、ジュス」〈文明本節用集〉

じゅしゃ【儒者】儒学を修めた者。儒。「殿上人五六人、地下君達、―、合はせて三十人許り」〈中右記元永一・八・一九〉

しゅしゃう(ヨウ)【修正】《正月に行なう修法の意》例年正月に、天下泰平・玉体安穏を祈願して各寺院で行なわれる法会。奈良時代、神護景雲二年に始まる。修正会(しゅしょうえ)。「―など行なふにも必ず此の僧を導師にしけり」〈今昔一九ノ二二〉

しゅじゃう(ヨウ)【主上】《鎌倉・室町時代はシュシャウと清音》天皇の尊称。「さすがに―・上皇の国争ひに、夜討ちなんど然るべからず」〈保元上・新院御所〉。「主上、シュシャウ」〈伊京集〉

しゅじゃう(ヨウ)【衆生】〔仏〕生命を有するものすべて。有情。また、あらゆる人人。一般には、迷える生類を指す。「等しく―を思ふこと羅睺羅(らごら)の如し」〈万八〇二序〉。「―に恩をほどこす」〈三宝絵下〉 **―けど**【衆生化度】《「化度」は教化済度の意》人人を教化して苦しみから救うこと。「その御かげに隠れ仕うまつりたる男女は、ただ観音の―のために現はれさせ給へるとぞ申し思ひたる」〈栄花様様悦〉 **―さいど**【衆生済度】人人を迷いから救い、悟りを得させること。「もとより―の誓ひさまざまなれば」〈謡・竹生島〉

しゅじゃか【朱雀】「朱雀の細道」の略。また、島原遊廓の異名。「通ひ馴れにし―の野辺の露はものかはわが涙」〈松の葉五〉 **―のほそみち**【朱雀の細道】丹波口から島原遊廓の大門に至る野中を通る道。新旧二道があった。島原は葛野郡朱雀村の北に当っていた。「都のあそび所、島原の入口を、小うたにうたふ―といふ野辺なり」〈西鶴・胸算用二〉

しゅじゃく【朱雀】⇒すざく

しゅしょう【殊勝】①特にすぐれていること。「その後法厳、法花の功徳―なる事を知りて」〈今昔一三ノ三九〉②けなげなこと。神妙。奇特。「―なる狂言にをかしき談義」〈俳・世話尽二〉 **―が・り**【殊勝がり】〘四段〙讃美・称讃する。よろこびありがたがる。「談義の説法の庭に、―・って涙を流す者があって」〈虎清本狂言・泣尼〉

しゅす【繻子】絹の練り糸で織り、たて・よこどちらか一方の糸を長く並行に浮かせて光沢を良くし、布面を滑らかにした絹織物。「―・段子(どんす)なども御禁制にて候」〈御供古実〉 **―びん**【繻子鬢】①鬢に伽羅油を多くつけて繻子のように光沢のある髪。「―に口薄化粧」〈評判・役者万石船大坂〉②《繻子の頭巾を被って鬢の代用にする意》「比丘尼(びくに)」(2)に同じ。「―を招かうか」〈用捨箱中〉

じゅず【数珠】⇒ずず。〈文明本節用集〉 **―つなぎ**【数珠繋ぎ】数珠玉を緒に貫いたように、多くのものを縛って繋ぐこと。「付けたりし腰なる銭も―」〈俳・鷹筑波一〉 **―ぶくろ**【数珠袋】《「調度袋」の訛という》数珠・貨幣・鍵など、手廻り品を入れる小さい布袋。「星くだりの梅の霞や―」〈俳・崑山集一〉 **―を切・る** 今までの信仰・主張・趣味などを改める。「―・って捨て、受法する者多かりき」〈日蓮上人注画讃四〉

じゅすい【入水】身投げ。投身。「寿永三年三月二十八

日那智の奥にて―す」〈平家一〇・維盛入水〉

しゅぜいれう(‥リョウ)【主税寮】令制の官司の一。諸国の田租・穀物倉・正税などを扱う。民部省所管。「ちからのつかさ」とも。「―に史生二人を加ふ」〈続紀養老六・四・二二〉。「―、頭一人、倉廩・出納、諸国の田租・舂米(しようまい)・碾磑(てんがい)＝石臼デヒクコト)の事を掌る」〈職員令〉

しゅせん【集銭】頭割りに銭を出し合って酒食の費用とすること。また、その銭。「集銭出し」とも。「去る二十九日の―を以て、餅・田楽・蛤、食籠一、荷樽一荷これを調へ」〈証如上人日記天文二一・四・四〉 **―ざけ**【集銭酒】頭割りに銭を出し合って酒を買うこと。また、その酒。「―を買ふ時も、兄が酒を買へば、弟は買はいで始末する」〈浄・道外和田酒盛五〉 **―だし**【集銭出し】「集銭」に同じ。「―〔ノ銭ヲ〕三百三文つながれて」〈俳・二葉集〉 **―めし**【集銭飯】頭割りに銭を出し合って飯を食うこと。また、その飯。「一年に一度、東山の―」〈浮・好色十二人男六〉

しゅぜん【主膳】「主膳監」の略。「主漿〔署〕を―に併せ、監ごとに令史一員を加へ置くべし」〈令集解職員〉 **―げん**【主膳監】令制で、春宮坊(とうぐうぼう)に属し、東宮の食事をつかさどった役所。長官は正(かみ)。「―、正一人。進食・先嘗、及び諸飲膳の事を掌る」〈東宮職員令〉

じゅぜん【受禅】《「禅」は帝位を譲ること》天子の譲位を受けること。「やがてその夜―ありしかば」〈平家一・額打論〉

しゅぜんじ【修善寺】室町時代以降、伊豆国修善寺近辺で産した和紙。薄紅色または薄赭褐色の雁皮紙で、横に簾目(すだれめ)があった。修善寺の紙。修善寺紙。〈下学集〉

しゅそ【呪詛】恨みある者にわざわいの降りかかるよう神仏に祈ること。のろうこと。ずそ。「新院・重仁親王の御―ふかきゆゑに、近衛院かくれさせ給ひぬと」〈保元上・後白河院御即位〉。〈伊京集〉

しゅそ【首座】《唐音》禅宗で、一座の首位にあって衆僧の導師となる僧。首衆(しゆしゆ)。「長老・―等の見る時は相構へて行道する由をして」〈正法眼蔵随聞記六〉。〈文明本節用集〉

しゅだ【首陀】《梵語の音訳「首陀羅」の略》古代インドの階級制度「四姓」の最下位。農業・屠殺に従事した奴隷階級。シュドラ。「無常の境、刹利(せつり)も―も嫌はず」〈保元上・法皇崩御〉

じゅだい【入内】皇后・中宮・女御などが、正式の儀式を以て内裏に入ること。「后御―あるべき由、右大臣家に宣旨を下さる」〈平家一・二代后〉

しゅだう(‥ドウ)【衆道】男色。若衆道。「―のちなみ御座候間」〈梅津政景日記寛永二・二・二七〉 **―ぐるひ**(‥グルイ)【衆道狂ひ】男色に夢中になること。若衆に溺れること。「―の末の松山」〈俳・続境海草五〉

じゅたうれう(‥トウリョウ)【授刀寮】《「授刀舎人寮」の略》奈良時代に設けられた、帯刀して天皇の身辺近く警護した舎人(とねり)を司る役所。後の近衛府(このえふ)。「勅して刑罰に行なひ、皆―に散禁(禁足)して」〈万九四九左注〉

しゅたら【修多羅】《梵語の音訳。線・条の意から》①教法を貫く綱要の意。広義には、仏の教えの総称。狭義には、三蔵の中の経蔵、または十二部経の散文の部分をいう。「―の中の妙経も、ただ此の一体に備はり」〈拾菓集下〉 ②袈裟などに垂らす七条または五条の飾りの組紐。天台宗・真言宗・真宗などで用いる。「〔袈裟ニ用イル〕飾りの打ち緒を―といふ」〈万金産業袋五〉 **―むすび**【修多羅結び】「修多羅」(2)に同じ。「雲の袖(墨染ノ衣)―に乱れ来て」〈俳・桜千句〉

しゅだん【手談】囲碁の異称。坐隠。「或る時には―して日を移し、或る時には披覧して夜を徹しぬ」〈家伝下〉。〈色葉字類抄〉

しゅちうくゎ(‥チュウカ)【酒中花】山吹の茎の芯(しん)などで、花鳥などいろいろな形に作り、盃の中の酒に浮かべると開くようにした玩具。寛文・延宝頃から流行。「盞(さかづき)に浮けたる花を。―は風を散らして冬もなし」〈俳・桜川九〉

しゅぢゃう(‥ジョウ)【拄杖】禅僧が行脚の際携える長杖。「―に団(うちは)をつけて持ち給ふ」〈謡・放下僧〉。〈文明本節用集〉

しゅちゃうづきん(‥チョウ‥)【首丁頭巾・出張頭巾】僧など剃髪者が軍陣などでかぶる頭巾。黒布を括り、後方を広くして垂らしたもの。「しゅっちゃうづきん」「すっちゃうづきん」「しゅっちゃうときん」とも。「―に腹巻着たりなんどして」〈盛衰記一三〉

しゅちん【繻珍・朱珍・七糸緞】繻子(しゆす)の地合に、黄・赤など数色の緯(よこいと)で文様を織り出した絹織物。「―か段子(どんす)の道服(だうふく)」〈梅津政景日記元和五・三・一七〉

しゅつぎょ【出御】《「入御(じゆぎよ)」の対》天皇・皇后など尊貴の人のお出まし。「主上、南殿に―なりて、公卿僉議あり」〈保元上・官軍勢汰へ〉

しゅっくゎい【述懐】《近世末頃からジュックワイ》①痛切な想いを述べること。特に憂愁・忿懣・不平・愚痴・恨みなどに関する場合が多い。「五言。―。一絶」〈懐風藻〉。「讒を蒙りて外居し、聊かに―し、敬みて金吾将軍に簡す。一首」〈文華秀麗集上〉。「左歌、―の心なり。歌合には詠まずとぞ承る」〈元永二年七月十三日内大臣忠通歌合〉。「身沈み、齢暮れぬる者の―の題にあふことは、愁へを述べ、胸を休むべきたよりには侍れど」〈広田社歌合〉。「身を怨み、身をかこち、咎なき神や仏を―し」〈伽・ふくろふ〉。「シュックワイ。ウラミに同じ」〈日葡〉 ②想いを述べること。「―は、連歌にはかはりて、〔和歌デハ〕何にても心に思ふことを詠む也。懐(おもひ)を述ぶるなれば、祝言をも詠むべき也」〈正徹物語上〉 **―奉公身を持たず** 不平たらたらで奉公していると、終には身を滅ぼす。「述懐奉公身の仇」とも。〈俳・毛吹草二〉

しゅっけ【出家】《「在家(ざいけ)」の対》①仏道修行のため、俗世間を捨て、家を出ること。「終(つひ)に―を楽(ねが)ひ、頭髪を剃除し、袈裟を着て」〈霊異記下一九〉 ②僧尼の総称。「母が―になれと申ししを聞かざりしほどに」〈謡・小袖曾我〉 **―おち**【出家落ち】僧侶が堕落または還俗すること。また、その者。「十二三より上の者、―などを引き連れて御出馬ありて」〈三河物語下〉

しゅっし【出仕】出てつかえること。勤務に参上すること。「嘆きながら時時―せられけれど」〈著聞三〇〉。「みめかたちもよき児(ちご)は…酒宴等に―し遊びて身苦し」〈雑談集四〉

しゅっ・し【卒し】『サ変』死ぬ。四位・五位の者及び天皇の親族の死についていう。「親王及び三位以上は薨ずと称せよ。五位以上及び皇親は―・すと称せよ」〈喪葬令〉

しゅっせ【出世】〔仏〕①仏が衆生済度のために仮の姿でこの世に現われること。「朕、重任を荷負して…、ただ仏―の遺教応感すること有らば、苦は是れ必ず脱し、災はすなはち能く除かむ」〈続紀宝亀一・七・一五〉。「仏の―には値(あ)ひ難し。…汝当(まさ)に仏を見奉り、法を聞き専(もはら)に布施を行ずべし」〈今昔二ノ一三〉 ②世俗を捨てて出家すること。「―の良因と為して、菩提の妙果を成さしめむ」〈続紀天平宝字一・一一・二九〉。「―の師弟は世間の父子」〈愚管抄七〉 ③禅林で、一度隠退した高僧の再び住院すること、高位の寺に転住すること、和尚の位を受けることなどをいう。また、その者。「発心して園頭(ゑんぢう=禅寺デ畑仕事ヲ行ナウ者)をつとむること始終三年なり。のちに—せりし時」〈正法眼蔵礼拝得髄〉④妻帯をしない僧。清僧。出世者。「其の外—・坊官・児・侍法師ども」〈太平記三・佐渡判官〉⑤叡山で、公卿の子息の出家した者。「—なる某の僧やらん云ふ人」〈伽・秋夜長物語〉⑥生い立ち。「そもそもこの玉藻の前と申すは、出生—定まらず」〈謡・殺生石〉⑦《⑤の者は特に昇進の早かったことから》立身出世。「世間の—も好まねば」〈一遍上人語録〉 **—しゃ**【出世者】①俗塵から脱し、修行する者。僧。「仏法を学ぶ者に付いて、世間者・—を分つべし」〈沙石集五ノ三〉②清僧で、持仏堂などの法事を勤める僧。出世。「数輩の童形・—・坊官・侍僧に至るまで、経正の袂にすがり」〈平家七・経正都落〉

しゅっせけん【出世間】〔仏〕《「世間」の対》俗界から抜け出ること。また、煩悩を解脱すること。「凡そ世間・—とて二つの道あり」〈他阿上人法語六〉

しゅったい【出来】「しゅつらい」の転。「一夜も足を留めがたき難儀—いたし」〈近松・万年草上〉

しゅつぢゃう(:ジョウ)【出定】〔仏〕《「入定」の対》禅定を終えて坐禅場から出ること。僧が修行を終えて道場を出ること。「文覚鈴(りん)に驚きて—せり」〈盛衰記一九〉

しゅっちゃうときん(:チョウ:)【出張頭巾・首丁頭巾】⇒しゅちゃうづきん。「法師なれども、常に頭を剃らざりければ、をっつかみ頭に生ひたるに、—ひっこみ、鬼の如くに見えける」〈義経記二〉

しゅっとう【出頭】①頭を出すこと。姿をあらわすこと。「春来れば氷れる波も—すれども」〈竹聞〉②主君の御前に出ること。出仕すること。「数年蟄居の布施・楢原、牢人なりし高田以下、彼等一門悉く—す」〈明応六年記〉③主君の気に入り、その愛顧を受けること。また、その者。「誠有りて善き人も、立身—せず」〈古今私秘聞〉。「—の人の一度は亡ぶが如く」〈建保百首名所註〉。「出頭、しゅっとう、御前よき衆」〈和漢通用集〉 **—からう**(:ロウ)【出頭家老】主君の側近に侍して最も権勢のある家老。「—のもとへ朝夕出入る小田原町の九蔵とて」〈西鶴・男色大鑑三〉 **—にん**【出頭人】主君に取り入り、その愛顧を受けている臣。君側の寵臣。「出頭者(しゅっとうしゃ)」とも。「然るに当御代になりて、—に覚え劣り」〈永享記〉

じゅつな・し【術無し】『形ク』《ズチナシとも。「術」は方法・対策の意》①対処すべき方法がない。どうしようもない。「あ僧は—・き者かな」〈雑談集七〉②こらえきれないほど苦しい。つらい。切ない。「飢渇(きかつ)に責められて—・く候」〈沙石集三ノ六〉。「無レ術、じゅつなし、苦労の義」〈和漢通用集〉

しゅつなふ(:ノウ)【出納】蔵人所の卑職。雑務を扱い、雑具の出し入れを掌る。「すいなふ」とも。「蔵人所の衆・—・小舎人に至るまで」〈今昔二八ノ三五〉

しゅつば【出馬】馬に乗って戦場に赴くこと。出陣。「来月早早信濃国へ御—の旨」〈多聞院日記天正一〇・二・二六〉。〈文明本節用集〉

しゅつぶつ【出物】でしゃばること。さしでがましいこと。「神器以下の事、…—たりと雖も、始終のため、申し入るるの旨、これを申す」〈園太暦観応二・一二・二六〉

しゅっぽん【出奔】①無断で住所を立ち去り、行方をくらますこと。逐電。失踪。「この石田小太郎と申す者は、政宗公へ御奉公仕り候へども、—仕り、大坂へ籠城仕り候」〈伊達家文書三、元和一・八・一三〉②近世、法制上、徒士(かち)以上の武士の失踪をいう。足軽以下は欠落(かけおち)といった。「私手前(私ノ家ヲ)—仕り候に付き、心当りの方相尋ね候処」〈武家用文章〉

しゅつらい【出来】出てくること。起ること。生ずること。「且は余念—するが故なり」〈孝養集下〉。〈文明本節用集〉

しゅつり【出離】〔仏〕生死輪廻から離脱して涅槃(ねはん)に入ること。「あに図らんや—媒(なかだち)無く、永く苦海の浪に溺れんとは」〈本朝文粋一四〉 **—しゃうじ**(:ショウ:)【出離生死】生死をくりかえす迷いの世界から離脱すること。仏道を修めて、生死を超越した悟りの境地に達すること。「三世の諸仏は、—の者を守り給ふ」〈孝養集下〉

しゅでん【主殿】屋敷の中の主な建物。表座敷・寝殿などをいう。「まま母かしづき給ふこと限りなし。—の東に住ませきこえけり」〈はつしぐれ上〉 **—しょ**【主殿署】令制で、春宮坊(とうぐうばう)の官署の一。東宮の湯浴・燈油・薪炭・清掃などを受け持った。「元日の明くる遅(ころほひ)…—火炉を殿庭に立つ」〈延喜式春宮坊〉

しゅてんだい【主典代】主典(さくわん)の代理役の意。院の書記官で、院宣あるいは院中の記録をつかさどる役。「三河守光雅・—置能等、陰陽師宣憲を相具して御葬の地を点ず」〈盛衰記三〉

しゅと【衆徒】僧徒。僧兵。大衆(だいしゅ)。「夜の程この御所をよくよく守護して、南都の—を相待つべし」〈保元上・新院御所〉

しゅとう【手燈】仏道修行の一。てのひらに油を入れて燈心をともしたり、手に脂燭(しそく)をかかげたりすること。また、その燈火。「夏中(げち)は毎夜—かかげて、大経の勤め怠らず」〈西鶴・五人女二〉

しゅはうづけ(:ホウ:)【種方付】薬の材料・分量など調合法を記したもの。処方箋。「—致させ、いづれも吟味の上、御薬調合さすべし」〈西鶴・伝来記五〉

しゅび【首尾】①始めと終りと。始めから終りまで。「生年四十六、〔二十三ノ年カラ〕—二十四年にいたりて」〈著聞五三〉②事のなりゆき。結果。また、事柄が都合よくゆくこと。「下句てどまりの事…百韻には斟酌すべし。よく—したるやうなるは、稀には苦しかるまじきやうに申し侍り」〈矢嶋小林庵何木百韻注〉。「此の秀吉公は、あたる所—して心に叶ふ」〈室町殿日記八〉。「首尾、しゅび、成就也」〈和漢通用集〉③男女相会うこと。「主ある人は、主の目を抜き、—をつくる工夫のみにて」〈評判・難波物語〉。「待つに来るを—よしと云ひ、待つに故障ありて来らざるを、—あしきと云ふ」〈色道大鏡一〉

しゅびき【朱引】漢文体の文章の訓読を示す符号の一。地名・人名などの区別を示すため、文字の中央・左右などに朱線を引くこと。「二階堂政行朝臣の状、江州より到来す。かの御系図—の事也」〈宣胤卿記長享二・三・三〉

しゅひつ【執筆】①書き役。書記。「—役、内大臣自ら勤仕し給ふ」〈中右記元永二・二・六〉②戦場で諸事の記録にあたる者。「手負・死人の実検をしけるに、—十二人、夜昼三日が間、筆をも置かず注せり」〈太平記七・千剣破城軍〉③〔連俳用語〕連歌・俳諧の会席で、宗匠の指図に従い、句を懐紙に記す役。故実に通じ、指合(さしあひ)を指摘したりして、一座の進行係をも勤めた。「連歌—以下文字作法にも故実侍るべきにや」〈筑波問答〉

しゅふく【首服】元服。「手自ら—を加へ、秀衡の猛勢を恃み、奥州に下向し」〈吾妻鏡治承四・一〇・二一〉

しゅほふ【修法】密教で、災害・危難を避けるために加持・祈禱の法を行なうこと。壇を設け、本尊を安置し、供物を供え、誦呪結印を修する。その方法・機構など多くの種類がある。「―の状(かた)有らば、過さずして必ず請けよ」〈霊異記中一五〉。「世に験ある僧をば召し集めて、験者の―あれども、露の験なし」〈今昔二〇ノ七〉

じゅほふ【受法】〔仏〕①師より法を受けること。「―の大師に相代り、金字の大品講ぜしに」〈天台大師和讃〉②師に随って灌頂壇に入り、一印・一明ないし三部・五部の法または真言の法を受けること。「―相承の弟子は、又、経教に別れんだり」〈平家四・三井寺炎上〉

しゅみ【須彌】〔仏〕《梵語の音訳。妙高山・妙光山の意》須彌山(しゅみせん)。「仍(よ)りて―の山の形及び呉橋を南庭(おほば)に構(つ)けと令(おほ)す」〈紀推古二十年〉。「―の頂を見ると雖も、欲の山の頂を見ること得じといふは、其れ斯(こ)れを謂ふなり」〈霊異記中三八〉 **―せん**【須彌山】仏教の世界観で、世界の中心、大海に聳える高山。周囲を八大山・八大海が囲む。諸説によれば、その高さ海面より八万四千由旬(ゆじゅん)、水中に八万四千由旬、縦横の長さもこれに等しく、北面は黄金、東面は白銀、南面は瑠璃(るり)、西面は玻璃(はり)から成り、日月その周囲を回転して地に出入せず、宝光反映して四方の虚空(こくう)を色づけるという。頂上には帝釈天(たいしゃくてん)、山腹には四天王の居城がある。須彌。「この御志、―よりも高く、四大海よりも深し」〈栄花もとのしづく〉 **―だん**【須彌壇】仏像・仏龕(ぶつがん)を安置するため、仏殿の中央正面に須彌山を型どって作った壇。時代により形式に相違がある。仏の座。須彌座。「七重の―を構へ」〈浄・伊呂波物語五〉 **―のづ**【須彌の図】仏説による、須彌山を中心にした世界を描いた絵図。近世初期から刊行された。「詳しくは―を見て分別すべし」〈仮・ふしんせき下〉

しゅ・み『四段』輿に乗る。夢中になる。「―・んだる栗毛が月とかかやく」〈こきりこ踊り歌〉。「世に気づまりなるもの、―・んだる上戸の座敷に下戸の交りゐたる」〈浮・御伽比丘尼二〉

しゅもく【撞木・鐘木】仏具の一。鐘・鉦(かね)・磬(けい)などを打ち鳴らす、丁字形をした棒。「しもく」とも。「杵、シモク、或作鐘木、シュモク」〈文明本節用集〉 **―づゑ**【撞木杖】頭部が丁字形の杖。「五十からは誰許してか―」〈俳・糸屑三〉 **―まち**【鐘木町】京都伏見の遊廓、夷(えびす)町の異称。町の形が撞木に似ているのでいった。「伏見の―は、本名夷町なり」〈色道大鏡一三〉

じゅもん【呪文】祈禱・まじないなどに唱える、呪力のこもった文句。「[馬ヲ静メル]―があると云ひて教ゆる」〈天理本狂言六義・止動方角〉。「何なりとも欲しいがあらば―をとなへて釣れ」〈虎明本狂言・釣針〉

しゅゆ【須臾】しばらくの間。わずかの間。「最上利根の者は、利那に発心して、―に仏に成りぬ」〈孝養集中〉。〈文明本節用集〉

しゅら【修羅】①〔仏〕「阿修羅(あしゅら)」の略。「―の闘諍(とうじゃう)、帝釈(たいしゃく)の争ひもかくやとこそ覚え候ひしか」〈平家灌頂・六道之沙汰〉②戦闘。争闘。「もとより闘諍―を好むものなりければ」〈古活字本曾我六〉③大石を引いて運ぶ時用いる枕木。「石引く物を―と云ふは何事ぞ。帝釈[スナワチ]大石を動かす事、修羅に非ずば有るべからず。よりて名づく」〈壒嚢鈔一〉。「修羅、シュラ、大石を引く材木也」〈文明本節用集〉④大石を運ぶ車。「修羅引き」とも。「俗、石引く車を―と云ふ」〈齊東俗談一〉⑤能の物真似の分類の一。修羅物の成立以前に演じられていた、鬼の能に近い能。「これ体なる―の狂ひ、ややもすれば、鬼の振舞になる也」〈風姿花伝〉⑥人形浄瑠璃で、合戦や激しい闘争の場面。「嘉太夫節の―を語るほどに」〈西鶴・名残の友五〉 **―あふぎ**【修羅扇】能の舞扇、中啓(ちゅうけい)の一。黒骨で、地紙に必ず日の丸を描き、主に修羅物に使う。「馬に乗せ折るは武者絵や―」〈俳・犬子集三〉 **―だう**【修羅道】《「阿修羅道」の略》六道の一。阿修羅の世界で、ここでは絶えず合戦・闘争が行なわれている。「闘諍(とうじゃう)を企て、合戦を好む者は、―に落ちて苦を受くるに暇なし」〈妻鏡〉 **―でたち**【修羅出立ち】死に装束。死に出立。「わたしが為の―」〈近松・反魂香中〉 **―のちまた**【修羅の巷】激しい戦の場。修羅場。「―に寄り来る浪の」〈謡・八島〉 **―ば**【修羅場】阿修羅と帝釈天(たいしゃくてん)とが戦っている場所。転じて、激しい戦の場。「しゅらぢゃう」とも。「齊(せい)の宣王は、みづから楚の短兵と戦って、干戈(かんくわ)に貫かれて―の下に死し給ひき」〈太平記三〇・義貞自害〉 **―を燃や・す**《修羅道の妄執を燃やす意》激しく怒る。強くねたむ。「軍(いくさ)して―・せる螢かな」〈俳・難波草三〉

しゅらい【習礼・集礼】①礼式などの前稽古。「中比(なかごろ)におもしろかりしは、承保の野の行幸也。…かねて関白左大臣、三公以下諸卿を同道して、大井川に向ひて―ありし」〈嵯峨野物語〉。「正月松囃子の時は、―に万疋、当日万疋[観世大夫ニ]下され候ひし」〈宗五大双紙〉②諸費用。雑費。多く飲食費や遊里の諸勘定をいう。「夜見世の間は、挙げ女郎の―を増す」〈色道大鏡一三〉 **―せん**【集礼銭】雑用費。特に、遊里の諸勘定代。「揚げ銭・―急に乞ひければ」〈仮・似我蜂物語中〉 **―だい**【集礼代】「集礼銭」に同じ。「―一人して払ふ時は」〈浮・茶屋調方記〉

じゅらく【入洛】京へ入ること。「東夷・北狄(ほくてき)、党を結び、群をなして―の間」〈平家一〇・請文〉

しゅりしき【修理職】⇒すりしき。「―三百九十人、史生八人・長上十人・将領二十二人・工部六十人・仕丁二百二十七人・飛騨工六十三人」〈延喜式中務省〉

じゅりゃう【受領】①⇒ずりゃう。「総じて、―の人の娘の宮仕へするをば采女(うねめ)といふて」〈伽・石山物語〉。〈下学集〉②刀工・鏡工などの職人や浄瑠璃太夫などの芸人が、国司の四等官の官名を名乗ることを許されること。また、その官名。受領職。「上手とは―に知る刀鍛冶」〈俳・あだ花千句〉 **―がみ**【受領神】受領となって生じるごうまんな心を、憑き神にたとえたもの。「鎌倉殿に―つき給はずは、よも忘れ給はじ」〈平家一二・六代〉 **―は倒るる所に土を掴(つか)め** 転んでもただでは起きない受領の胴欲ぶりをいう。「『―』とこそ云へ」〈今昔二八ノ三八〉

しゅれう【衆寮】禅宗で、衆僧が修行のため寄宿する舎室。「―にて月待ち候」〈上井覚兼日記天正一三・一・二三〉。「衆寮、シュリャウ、兄弟僧の居処也」〈文明本節用集〉

しゅれん【手練】熟練した腕前。錬磨した手並み。「国を乱す―の佞人(ねいじん)」〈浄・東山殿子日遊四〉

しゅろう【鐘楼】寺院で、梵鐘をつるしておく高い建物。鐘つき堂。「今日、吉日にて候間、[鐘ヲ]―へあげ、即ち供養をなさばやと存じ候」〈謡・道成寺〉

じゅゐん【入院】一寺の主となった僧が、その寺院に入ること。〈下学集〉

しゅゑ【集会・衆会】①多人数の集会。「その―の所をば、かねてより定めたりければ」〈今昔二八ノ三五〉。「集会、シュエ、或は衆会に作る」〈文明本節用集〉 ②衆徒(しゅと)の集会。「八院三社の大衆、三寺四社の衆徒、不日に—して、僉議(せんぎ)して云はく」〈盛衰記四〉

しゅん 沈んで淋しいさま。孤独なさま。「物の—なは春の雨、猶も—なは旅の独り寝」〈隆達小歌〉

しゅん【旬】草木などの盛りの時期。また、魚・果物・野菜などの出盛って最も美味な時期や、物事をするのに最もよい時期をいう。「蔓草は秋冬が—なり」〈玉塵抄一四〉。「長き日の霜の剣や—はづれ」〈俳・崑山集一〉。「薪の買ひ—」〈西鶴・諸艶大鑑三〉

しゅんあうてんウ…ノ【春鶯囀】雅楽の曲名。唐楽、壱越調(いちこつてう)。女舞では十人、男舞では四人が舞う。我が国では、平安時代にしばしば行なわれた。「—舞ふほどに」〈源氏少女〉

じゅんえん【順縁】〔仏〕《「逆縁」の対》善事によって仏縁を結ぶこと。「願はくは逆縁を以て—とし」〈平家一一・重衡被斬〉

じゅんぎ【順義・順儀】①道理に叶っていること。「政道—にして、政(まつりごと)賢ならば」〈曾我三〉 ②世間のしきたり。「檀那の施を受けては、礼を云はぬが法度なり。礼を云へば、檀那の功徳が薄きなり、世間の—に同ずる故なり」〈見聞愚案記一〉

しゅんきょうでん【春興殿】内裏十七殿の一。武具を蔵す。紫宸殿の東南、宜陽殿の南、安福殿と向い合う。「此の甲(かぶと)、尋常内裏—に納む」〈三代実録元慶八・二・二〉

しゅんくゎもん【春華門】内裏の外郭門の一。南面の東端にある。「宣旨を蒙り—前に於て之を下す」〈日本紀略応和一・一一・三〉

しゅんけい【春慶】「春慶塗」または「春慶焼」の略。「—〔焼〕は大服(おほぶく)立つる茶入かな」〈俳・藪香物一〉 **—ぬり**【春慶塗】塗漆の一法。木地に渋・礬水(どうさ)などの下塗りをし、上に透き漆を掛け、木理(もくめ)の見えるようにしたもの。和泉国堺の漆工春慶の創始。「伊勢天目〔ノ〕台、—」〈宗湛日記天正一五・一・一六〉 **—やき**【春慶焼】茶褐色の質に黄色の釉(うわぐすり)を点点と掛けた陶器。尾張国瀬戸の陶工春慶の創始。「—と御申し候。…信長殿ふだん茶碗也」〈久重茶会記寛永一四・一〇・五〉

じゅんけん【巡見】①めぐり見歩くこと。見まわること。「西行法師諸国修行しけるが、四国の辺地を—の時」〈保元下・新院御経沈め〉 ②近世、将軍の代替りごとに、幕府から諸国に使番を派遣し、領主・代官などの行政、山海の地勢などを視察させたこと。その使番を巡見使と称した。「国見」「国廻り」とも。「今度、諸国—仰せ付けらるるといへども」〈御触書寛保集成三、寛文四・八〉

じゅんごう【准后】「准三后(じゅんさんごう)」の略。「この珠—へ参らせて給はるべし」〈著聞六七〉

じゅんさつし【巡察使】奈良・平安時代、太政官に直属した臨時の視察官。諸国をめぐり、国司・郡司の行政を調査し、人民の生活を視察して上奏した。天武天皇十四年にはじまる。「—を諸国に遣はす」〈紀持統八年〉

じゅんさんぐう【准三宮】平安時代以降、親王・諸王・女御・外祖父母、または名臣達を優遇するための称号。准三后。「五月八日三宮同様の年給を与えるのが本義。准三后。「五月八日—の位にならせ給ひて、年官・年爵得させ給ふ」〈大鏡道長〉 ▽「じゅさんぐう」とあるものは、ジュンのンを表記しなかった形。

じゅんさんどう【准三后】「准三宮(じゅんさんぐう)」に同じ。「准后(じゅんごう)」とも。「入道相国夫婦ともに外祖父外祖母とて、—の宣旨をかうぶり、年元(年官)・年爵を給はって、上日のものを召し使ふ」〈平家四・厳島御幸〉 ▽「じゅさんごう」とあるものは、ジュンのンを表記しなかった形。

じゅんしゅ【巡酒】順順に主人となって開く酒宴。「日毎に寄り合ひ寄り合ひ、—をしてぞ慰みける」〈平家七・篠原合戦〉

じゅんじゅく【純熟・淳熟】①じゅうぶんに熟すること。「もとより機縁—して、時いたりたる事にて候へばこそ」〈拾遺語燈録中〉 ②親しみなれること。「よく理に—して、窮達の分を知るぞ」〈論語抄為政〉

じゅんのまひイ…マ【順の舞】①順順に舞う舞。「平調小楽—などこれ在り」〈言国卿記明応二・一一・一三〉 ②酒宴の場で、順順にする歌舞音曲の芸。「ずんのまひ」とも。「殿中にての御酒盛の事。…時宜により、御相伴衆・公家衆・御供衆・申次衆・猿楽などまで—などさせられ候事候ひつる」〈宗五大双紙〉。「—の芸尽し面白く」〈西鶴・懐硯三〉

じゅんのみね【順の峰】本山派の山伏が紀伊熊野から大和葛城・大峰に登り、吉野に出ること。近世では秋に行なったが、季語としては春に扱う。順の峰入り。行路を逆に取るのを「逆の峰入り」という。「葛城の峰に入り給ひ、その後熊野山を経て、大峰を踏み分け給ふ。是を春の峰とも申し、又—とも号す」〈本光国師日記慶長一六・三・六〉。

しゅんめ【駿馬】すぐれてよい馬。はやく走る馬。「或る時は峨峨たる巌石に—に鞭うって」〈平家一一・腰越〉。「駿馬、シュンメ、能馬也」〈いろは字〉

じゅんれい【巡礼・順礼】①寺社・霊場を巡り、礼拝して歩くこと。「—果てて今は帰りなんとしける時」〈著聞五五〉。「熊野(ゆや)の—回国は、みな釈門の習ひなり」〈謡・黒塚〉 ②特に、西国三十三所を巡り礼拝する人。笈摺(おいずる)を着て菅笠をかぶり、脚絆・甲掛・草鞋をはき、御詠歌を歌って門ごとに喜捨を乞うて旅した。「上総の—彦内」〈伽・鼠草子〉 **—うた**【順礼歌】順礼が歌う悲哀な調子の歌。一番から三十三番まである。御詠歌。「親と頼みし笈摺(おひずる)をと—なり」〈俳・類船集四〉 **—ひき**【順礼引】順礼を泊める木賃宿の客引。もさ引。「里離れ—のぶらつきて」〈俳・炭俵上〉 **—やど**【順礼宿】順礼を泊める木賃宿。「西国—」〈難波鶴〉

しょ【書】①文字を書くこと。また、書道。「古人の筆論に云はく、—は散なり」〈性霊集三〉 ②文書。書物。「琴(きん)—左右、言笑縦横」〈懐風藻〉 ③書状。手紙。「—を寄せむとして仙鳥止(とど)まる」〈菅家文草一〉 ④「書経」の略。「詩〔経〕・—仁義の跡照然として」〈本朝文粋六〉

じょ【自余・爾余】それよりほか。それ以外。「いはむや—の事をば申すべきならず」〈大鏡師輔〉

じょ【序】《戸口・いとぐち・発端の意》①本文に入る前に書かれる部分。まえがき。「願文(ぐわんもん)・表(へう)・ものの—など作りいだしてほめらるるもいとめでたし」〈枕八八〉 ②和歌などの成立事情をのべて、一首の前に書かれる文章。「世間(よのなか)の住(とど)まりがたきを哀(かな)しぶる歌一首、—を幷(あは)せたり」〈万八〇四題詞〉 ③和歌などで、或る語句を導き出すために置く修飾句。枕詞より長い。序詞。「み吉野の大川のべの藤波のなみに思はば我が恋ひめやは。上〔ノ句〕は—也」〈古今集両度聞書〉 ④⇩じょはきふ(序破急)。「万秋楽の—を唱歌(しゃうが)にせられける」〈著聞二五四〉

じょいん【助音】《ジョオンとも》①歌う人のあとについて、二句めから声を合わせて歌うこと。「〔コノ朗詠ニ〕—しても何かせん」〈平家一〇・千手前〉 ②いっしょに唱和すること。

「弟子、鉦鼓(しやうこ)を叩き―念仏すれば」〈奇異雑談集四〉

しよう【支用】 くだらないこと。つまらないこと。「細細(さいさい)に出仕は―と思ひてひっこうで居るぞ」〈漢書竺桃抄〉。「あら―や」〈謡・熊坂〉

しょう【頌】 漢詩の六義(りくぎ)の一。主君の盛徳をほめたたえたもの。和歌の六義では、古今集序に頌を「いはひ歌」としている。「一に曰く風、…六に曰く―」〈古今真名序〉

じょう ①【判官】令の四等官制の第三等官。官庁によって異なった漢字を当てる。省の三等官を丞(じょう)といったのが、すべて三等官の呼称となったもの。「道別に―一人、主典(さくわん)一人」〈続紀天平一六・九・一五〉 ②【尉】㋑能楽で、翁(おきな)。老翁。「この―も年久しき者なれば」〈謡・八島〉。㋺《転じて、一般に》老翁。「腰は二重にかがみて、白髪(はくはつ)たる―にぞなりにける」〈伽・浦島太郎〉。「―も若く候ひし時、恋をして」〈伽・美人くらべ〉 ㋩下に残り火や燠(おき)がありながら、上の方は白い灰になっている炭火。「木よく燃え上り候時、―にならざるやうに、しげしげと藁を木の上へ掛け」〈上杉家文書二、永祿二・六・二九〉

しょうか【證歌】 証拠となる和歌。用語・語法などの使用上の正しさを立証する古人や先人の和歌。「かうやうの事は―などやいるべからむ」〈応徳三年通宗女子達歌合〉。「―には近代の歌も子細なし」〈連理秘抄〉。「本歌は、おしつけて物を云ふ事。―は、『伊駒』に『萩』を宗祇詠まれ候など云ふ事」〈巴聞〉

しょうがう【称号】 呼び名。名称。「諸国の御家人の―は、頼朝卿の時より有って」〈太平記三三・龍馬進奏〉

しょうき【鍾馗】 唐の玄宗帝の夢に現われ、邪鬼を捕食して病気を直したという鬼神。大きな目、多い髯、黒い衣冠、抜剣して鬼をひしいだ姿で広く知られている。「―の精霊、馬より下り立ち、利剣をひっさげ、袂をかざし、明王鏡に向ひ給へば、鬼神の姿はかくれもなし」〈謡・皇帝〉 **―のふだ【鍾馗の札】** 近世、風邪にかからぬまじないとして、門札に貼った鍾馗の画像の札。「蘆の屋に―や押しぬらん」〈俳・犬子集一四〉

しょうぎ【證義】《「證義者」の略》 最勝会・法華会などの論議の時、問者・講師の問答の是非を判定する役。中世以来、題者が兼任。證誠(しょうじゃう)。「―は大乗院の前大僧正孝覚、尊勝院の慈能僧正にてぞ御坐しける」〈太平記三六・天王寺〉

じょうぎゃうでん【承香殿】 後宮七殿の一。仁寿(じじゅう)殿の北にある建物。内宴や御遊など多くここで行なわれた。中央に馬道(めだう)が貫通し、殿を東西に分ける。南廂の外には簀子(すのこ)、更にその南には露台がある。「―の東面に御局したり。西に宮の女御はおはしければ、馬道ばかりのへだてなるに」〈源氏真木柱〉

しょうくゎ【證果】〔仏〕修行の因によって得る悟りの果。すなわち、真理を証し、悟ること。「一(ひとへ)に在世の御願に准じ、併せて―の良因を攀(よ)ぢん」〈本朝文粋一四〉

しょうぐんぢざう【勝軍地蔵】 地蔵菩薩の一。甲冑をつけ、軍旗・剣または錫杖・如意宝珠を持ち、軍馬に跨る像が多い。勝利の神として武家に信仰された。「―の御鎧誂ふの間、当室のを〔手〕本に見申したき由」〈多聞院日記永祿一〇・七・三〉

しょうし【勝事】 ①人の耳目をひくような事柄。一大事。「此の舞已に絶え…今日初めて世に伝ふ。―と謂(い)ふべきか」〈中右記康和四・三・九〉。「今度の御産に―あまたあり」〈平家三・公卿揃〉 ②⇒せうし(笑止)。「勝事、ショウシ、笑止、同」〈易林本節用集〉

しょう・し【頌し】『サ変』(功績・人格などを)ほめたたえる。「見物の貴賤岐(ちまた)に満ちて、ただ帝徳を―・し奉る声」〈太平記二・正成参兵庫〉

じょうじ【承仕】 ①寺社の内殿・仏具を管理し、閼伽(あか)を汲み、花を盛り、香をたくなど、堂内の雑用をつかさどる役僧。承仕法師。「―・堂童子など、行きつつ、そそのかしまうす」〈栄花玉台〉 ②仙洞(せんとう)・摂家などに仕えて、雑役をつとめた僧形の者。「京極殿にも、大殿〔ノ霊ガ〕御束帯にて、時時―などに見えさせ給ふとかや」〈著聞四八三〉。「承仕、ジョウジ」〈伊京集〉 **―ほふし【承仕法師】**「承仕」(1)に同じ。「たとへば御堂の―でありけるが、御あかし参らせんとて」〈平家六・祇園女御〉

じょう・じ【乗じ】『サ変』①乗る。「黒駒に―・じて、三日三夜の間に日本国を巡見し給ひけるに」〈諸神本懐集末〉 ②それに身をゆだねる。夢中になる。「酔に―・じて本性を失ひ」〈宝物集下〉。「キョウニジョウズル。ヲモシロイコトヲミテイサムコト」〈ヒイデスの導師和らげ〉

じょうしゃう【丞相】 執政の大臣の異称。「あまっさへ―の位に至る」〈平家一・鱸〉

じょうしゃう【縄床】 禅僧が用いる、縄を張って作った腰掛。「人を皆しりぞけて、室の内に入りて―に居て」〈今昔三ノ三三〉

しょうぜつ【勝絶】 十二律(じふにりつ)の一。壱越(いちこつ)より三律高い音で、中国十二律の夾鐘(きょうしょう)に当る。「〔横笛ノ〕干(かん)の穴は平調(ひゃうでう)、五の穴は下無調(しもむでう)なり。その間、―調をへだてたり」〈徒然二一九〉

しょうだいぼだい【證大菩提】 大菩提を證得する意。大きな悟りを得ること。「ただ願はくは、我を哀愍して出離生死の方法を教へ、―の直道(ぢきだう)を示し給へ」〈平家六・慈心房〉

じょうだん【冗談】 ①無駄話。余計な話。「―な事、かしましう言ふまい」〈虎明本狂言・鞍馬参〉 ②戯れ。いたずら。「そちが常常―する故ぢゃ」〈狂言記・荷文〉

しょうでん【昇殿】 清涼殿の殿上の間に昇ること。五位以上の者及び六位の蔵人の中から許された。「陸奥判官義康は―許さる」〈保元中・朝敵の宿所〉

じょうでん【乗田】《剰余の田の意》「公田(こうでん)」に同じ。「正丁若し足らざる国有らば、以ちて―と為(し)て」〈続紀天平宝字四・一一・六〉

しょうにん【證人】 ①証明する人。保証人。「行綱なまじひなる事申出して、―にや引かれんずらむと怖ろしさに」〈平家二・西光被斬〉 ②人質。「駿河へ―に御越し成され候」〈松平記一〉

しょうねん【称念】「称名念仏」の略。「日夜不断に専ら―して未だ睡眠せず」〈著聞五三〉

しょうばん【鐘板】 禅寺で時報に用いる唐金板。「雲板」とも。「―鳴りて食堂に入る」〈俳・奥の細道〉

しょうぶ【勝負】 ①勝利と敗北と。かちまけ。「弓箭の道は、敵に向て―をあらはすのみにあらず」〈十訓抄一〇ノ五五〉 ②勝敗を決すること。「新院・本院、御花合せの―といふ事ありて」〈問はず語り三〉。「『いざ―』と抜きはなせば」〈飛驒国治乱記〉 **―し【勝負師】** ばくち打ち。博徒。「罷り出でたる者は、隠れも無い―でござる」〈狂言記・三人片輪〉 **―づく【勝負尽く】** 勝負によって物事を決定すること。訛って「勝負どく」とも。「―佐々木梶原争ひて」〈俳・二葉集〉 **―わけ【勝負分け】**《ショムワケ(所務分)の転》形見分け。「百姓の―、田分け」〈謎の本〉。「所務分けを〔片言デ〕―」〈俳・かたこと三〉

しょうぶく【承伏・承服】承り従うこと。聞き入れて従うこと。「小殿すなはち―しにけり」〈著聞四二一〉。〈文明本節用集〉

しょうまんまゐり【勝鬘参り】近世、大阪で六月一日に、天王寺勝鬘坂の愛染堂へ参詣すること。大阪の年中行事で、特に色町の大紋日であった。「愛染参り」とも。「六月一日―」〈難波雀〉

しょうみゃう【称名】仏の名をとなえること。特に、南無阿彌陀仏の六字をとなえること。「末法濁乱の機には、―をもってすぐれたりとす」〈平家一〇・戒文〉 **―ねんぶつ**【称名念仏】「称名」に同じ。「もとより三心なくば、―とても往生せず」〈沙石集一ノ一〇〉

しょうめいもん【承明門】内裏の南面中央の正門。建礼門の内にある。檜皮(ひわだ)ぶきで、内二段・外三段の石階がある。「〔雨天ニツキ〕親王已下、座を―東廊に設く」〈貞信公記延喜二一・一二・二九〉

じょうよ【乗輿】天皇の乗物。転じて、天皇。「其の輿紫色。一に―に同じ」〈続紀天平勝宝一・一二・二七〉

しょうよう【松容・従容・縦容】《原義は、師弟間の質問応答の態度の意》①貴人の閑暇。「―を望窺し、上啓せらるれば幸甚幸甚」〈小右記長和四・五・二五〉②貴人に伺候すること。また、貴人と談話すること。「四条大納言示送して云はく、…―の次いで、今日奏侍を洩らす可き者なり」〈小右記長和二・八・六〉③貴人の機嫌。「丹後侍従忠房、去る比密かに関東に下向す。武衛(源頼朝ヲ指ス)の―を伺ふ為なり」〈吉記寿永三・四・二八〉

しょえん【所縁】ゆかり。たより。しるべ。「―ありて、これに此の程侍りつれども」〈盛衰記二五〉

しょえん【諸縁】〔仏〕多くの因縁(いんねん)。多くのゆかり。「よき僧と人にも知られたる人は、みな貧道なり。衣服(えぶく)もやつれ、―ともしきなり」〈正法眼蔵随聞記六〉

しょがく【所学】学問すること。学問。「一乗一味の法門は、三塔三井の―なり」〈盛衰記一六〉

しょき【書記】①書きしるしたもの。書物。「比良麻呂、少(わか)くして大学に遊び、―を渉覧して、大外記に歴任す」〈続紀神護景雲二・六・二八〉②書きしるす役。特に、寺院の文書をつかさどる役。「天童山の―、道如上座と云し人は…道徳人に知られて、大寺の―ともなりしなり」〈正法眼蔵随聞記六〉

しょきしょき 喜びを身にしみて感ずるさま。ぞくぞく。しょぎしょぎ。「聞く人も―不如帰(ふじよき＝ホトトギス)の初音かな」〈俳・細少石三〉

しょぎゃう【所行】おこない。ふるまい。しわざ。「その家の主、聖人の―を見むと思ひて」〈今昔一三ノ九〉

しょぎゃうむじゃう【諸行無常】《「行」は因縁の和合によって造られたものをいう。涅槃経に「諸行無常、是生滅法、生滅滅已、寂滅為楽」とあるのによる》万物は常に変転してやむことがないの意。「祇園精舎の鐘の声、―の響あり」〈平家一・祇園精舎〉

しょく【俗】《漢音》①世の人。俗人(ぞくじん)。「耳を信じて目を疑ふは―の常の弊なり」〈平家三・法印問答〉②《「雅」の対》俗っぽいこと。「姿悪くは―なるべし」〈花鏡〉

しょくえつ【食悦】うまい物や食べたい物を思う存分に食べる喜び。「望み次第の―さすべし」〈西鶴・置土産二〉

しょくかうのにしき【蜀江の錦】《中国の蜀江の水で糸をさらしたからという》蜀の国の成都で産出した美しい錦。「楊州の金、荊州の珠、呉郡の綾、―、七珍万宝一つとして闕けたる事なし」〈平家一・吾身栄花〉

しょくがうろ【卓香炉】卓上に飾る、金属または陶製の、人物・鳥獣などをかたどった香炉。「梅が香や鳥の寝床の―」〈俳・山の井一〉

しょくがたき【職敵】職業上の競争相手。商売敵。「〔ソノ人ヲ〕―のやうに申しなし」〈肖柏伝書〉

しょくだい【燭台】室内照明用具の一。火をともす台。「其の前には多くの卓(しょく)を立て、金襴の打敷、金紗の水引、―、燭切(しょくきり)」〈禅林小歌〉。〈下学集〉

しょくたく【属託・嘱託】懸賞金。「そくたく」とも。「舅中山備中守を、―に耽り殺害し」〈太閤記八〉

しょくたん【食耽・食啖・食啗】むさぼり食うこと。食い意地のはっていること。「雀の子は腹の破るるをも知らず、飯をいくらも食ふものぞ。…此は―な者に喩ふ」〈山谷詩抄一〉。「食耽、ショクタン」〈文明本節用集〉。「食啖、ショクタン」〈温故知新書〉

しょくにん【職人】手工業を職とする者。「〔八朔ノ祝ニ〕地下衆・―・御牛飼・河原者・散所の者まで、似合ひの物を〔将軍へ〕進上」〈年中定例記〉。「かやうに候ふ者は、都に住居する―にて候」〈虎明本狂言・塗師〉。「蒔絵師、マキヱシ、―」〈文明本節用集〉 **―づくし**【職人尽】多種多様な職人の職種を、歌または絵などで表わしたもの。「―の絵に榑剝(くれへぎ)を見て書き付く」〈俳・玉海集三〉

しょくゎ【所課】課せられること。また、課せられたもの。割当て。賦課。負担。「大納言入道、〔賭ケガ〕負になりて、―いかめしくせられたりけるとぞ」〈徒然一三五〉

しょくゎい【初会】遊女が初めての客の相手になること。「―に、座のしめりたるは悪しし」〈色道大鏡二〉

しょぐゎん【所願】願うところ。願いの筋。願いの旨。「我が―既に成就しにけり」〈平家三・医師問答〉

しょくゑ【触穢】死・病・産などのけがれに触れること。その ばあい、一定の期間、神事・参内などができなくなる。「人多く打ち殺され、―出で来にければ、急ぎ六波羅殿へ還御なる」〈平家三・大地震〉。〈文明本節用集〉

しょけ【所化】〔仏〕《「能化(のうけ)」の対》教化される者、すなわち弟子。修行中の僧。広くは、仏・菩薩に対して一切衆生のこと。「那蘭陀寺にて、道眼聖、談義せしに、八災といふ事を忘れて、『これや覚え給ふ』と言ひしを、―皆覚えざりしに」〈徒然二三八〉 **―あがり**【所化上がり】もと所化だった者。所化のなれの果て。「―消ゆる雪間をかき分けて」〈俳・両吟一日千句〉

しょげ 大勢でなぶり、困らせること。「天狗中間が寄って―に致さうぞ」〈評判・役者口三味線京〉

しょこん【初献】酒宴の際、最初に供せられる酒肴。「―の料に海月(くらげ)・熨斗鮑(のしあはび)・海鞘(ほや)」〈庭訓往来五月十八日〉

じょごん【助言】そばから言葉を添えて助けること。また、その言葉。じょげん。「若侍に双六うたせ、―してゐたりけるは」〈幸若・富樫〉。〈文明本節用集〉

しょさ【所作】①〔仏〕身・口・意の三業を「能作」というのに対して、それが発動した結果の動作・行為をいう。転じて、経を読むこと、念仏することなど。「万事を放下して道にむかふ時、障りなく―なくて心身ながく静かなり」〈徒然二四一〉。「異(こと)公達は拝みし、経読みなどし給ひけるに、―もし給はざりければ」〈宝物集四〉②仕事。特に、生業。「常に畋猟(かり)・漁捕(すなどり)を以て―とする国なり」〈今昔三ノ二六〉③為すところ。行い。つとめ。「これ毎日の―として怠る事なし」〈今昔一七ノ一七〉④演技。「あの扇仕(つかまつ)れ。晴れの―ぞ、不覚すな」〈盛衰記四三〉。「今日の〔太鼓打チノ〕

―御褒美なされ」〈戴恩記上〉⑤歌舞伎の舞踊。「〔足〕拍子を強く踏み、かるがると―をなせり」〈舞曲扇林下〉 **―どと【所作事】** 歌舞伎の舞踊および舞踊劇の総称。主として長唄を使う時にいう。「君がやつしの女馬士(まうたか)、浮きに浮いたる―は、千両くれても似(しか)もなるまい」〈評判・野郎楊弓上〉 **―を繰(く)・る** 何度も念仏を唱える。「日増さりに〔亡キ〕玉を思への―・り」〈俳・遠舟千句付〉

しょざい【所在】 ①ありか。居どころ。「未だ敵の―を知らざるを以て」〈将門記〉②社会の中で占める位置。身分・職業など。「―もいろいろに変へ」〈浮・諸国落首咄五〉③しわざ。仕事。「思ふ程泣くを―か」〈近松・反魂香中〉④「所在がない」の略。やるせない、退屈だの意。「つらや―と恨むらん」〈近松・冥途飛脚中〉

じょさい【如在】 《論語、八佾篇に「祭如レ在、祭レ神如二神在一」とある》①神をまつるのに、目の前にいますように、つつしみかしこむこと。「須(すべか)らく長官潔斎し、躬(みづか)ら社頭に向ひ、敬ひて以て奉進すること、必ず―を致すべし」〈類聚国史貞観八・四・一四〉。「如在、ジョサイ、此の二字即ち尊敬の義也。然るに日本の俗、書状に如在を存ぜずと云ふ、大に正理を失す」〈下学集〉②いい加減に取り扱うこと。疎略。手ぬかり。「人の懈怠なるをば―なりとて、わろき事に思へり。…人の―にてわろきと云ふは、形の如くする真似をして、有るか無きかの分なれば、―と書きて、おろそかなる心を嫌ふ」〈塵袋一〉。「誠に―有るまじきの由、堅く申され候」〈蔭涼軒日録延徳三・六・一〇〉

しょさつ【書札】 手紙。書状。「―の絶え絶えなるに寄せて、『雲居の雁見えみ見えずみ』といへる、心をかしく、詞優なるべし」〈六百番歌合恋八〉。「かまへて―の礼みだるべからず」〈六波羅殿御家訓〉

しょし【所司】 ①役人。「〔罪人ノ〕赦令已に降れらば、―をして之を放たしめよ」〈続紀大宝一・二・九〉②役所。「諸寺の田記錯誤するに因りて更めて改正を為して、一通は―に蔵し、一通は諸国に頒つ」〈続紀和銅六・四・一七〉③僧職の名。三綱(さんがう)の別称。また、寺院の雑務を司るもの。「『ただ―開きにせよ』と云ふ音(こゑ)有り」〈今昔二六ノ二一〉④鎌倉幕府の侍所(さぶらひどころ)の次官で、別当を補佐する役。室町幕府では長官の役。「梶原源太、侍の―にて」〈曾我八〉 **―だい【所司代】** ①室町幕府の侍所の所司の代官。「―の勢、已に未明に四方より押し寄せて」〈太平記二四・三宅荻野〉。〈下学集〉②室町末期以後、京都に置かれ、禁裏に関する一切の事務、京都の警備、畿内諸役人の統率に任じた職。また、近世、京都所司代の略称。「洛中の―、若州大守浅野少弼殿を以て、玄以法印に添へらる」〈鹿苑日録天正一七・九・二五〉

しょし【諸司】 多くの役所。また、役人。「勅して曰く、九月九日、十二月三日は先帝の忌日なり。―是の日に当りて、為めに廃務すべし」〈続紀大宝二・一二・三〉。「公卿十六人、殿上人三十余人、諸国の受領、衛府、―、都合六十余人なり」〈平家一・吾身栄花〉

しょじ【諸事】 **―余るは** 万事行き届いて落度のないのを賞美する語。至れり尽せりだ。「―と横手を打つ」〈西鶴・諸艶大鑑三〉

じょ・し【叙し】 『サ変』順序にしたがって、位階・官職を授ける。「次の年正三位に―・せられ」〈平家一・鱸〉

しょしき【諸色・諸式】 いろいろの物品。諸種の貨物。近世には、米以外の諸商品の意にも用いた。「道中を召し、―〔ノ〕代付け(値段ノ記載)これを命ず」〈蔭涼軒日録明応一・一〇・二一〉。「米の値段につれて、―高値になりぬれば」〈浮・西鶴伝授車一〉。〈文明本節用集〉

しょじゃく【書籍】 書物。しょせき。「歴(あまね)く往事を検するに、―の未だ載せざる所、前代の未だ聞かざる所なり」〈続紀天平宝字一・四・四〉。〈伊京集〉

じょしゃく【叙爵】 初めて従五位下に叙せられること。「蔵人にてありければ、え具しても下らずして、―して後にぞ下りけるに」〈今昔三一ノ二八〉

しょじゅう【所従】 従者。家来。「謀叛の輩の妻子・―」〈平治中・義朝敗北〉

しょしょく【所職】 《ショシキとも》任じている職。また、それに伴う経済的得分。「各、―を守りて怠緩有ること勿れ」〈続紀和銅一・七・一五〉。「同五日、南都の僧綱等闕官ぜられ、公請を停止し、―を没収せらる」〈平家六・新院崩御〉

しょしん【初心】 ①《「後心(ごしん)」の対》仏道を修めはじめたばかりの者。「持戒・破戒を論ぜず、―・後心を分たず」〈正法眼蔵随聞記三〉②学問・芸能などを習いはじめたばかりの者。初学。「稽古も―も用意同じき事にて候」〈毎月抄〉③その道にまだじゅうぶん通達していないこと。未熟。「信心をもよほす書籍(しよじやく)ならば、―なりとも、義理深き経文のごとく、心よく読むべし」〈こんてむつすむん地一〉④野暮(やぼ)。「一段こびては見えず候。又道化たる心もなし。何ともなく良き〔茶〕壺なり。…―なる心はなし」〈宗及他会記永祿三・一・九〉。「世の常の女房の―にて見苦しき〔服装〕」〈色道大鏡一四〉 **―かう** ウコ **【初心講】** 連歌の初心者が催す集会。「毎度―へ出候とも、宗祇・兼載の御会席へ出らるると心得、一句をもたしなみ候はば」〈当風連歌秘事〉

しょせん【所詮】 詮ずるところ。つまるところ。結局。「―心と詞と兼ねたらんをよき歌とは申すべし」〈毎月抄〉 **―な・し【所詮無し】** 『形ク』無益である。つまらない。しょうがない。「この地蔵の―・く朝あるきし給ひて」〈雑談集六〉。「无所詮、ショセンナシ」〈色葉字類抄〉

しょぞん【所存】 心に思っていること。考え。「為義既に老骨を振(ふる)って参候の上、―の旨をいかでか一言申さで候ふべき」〈保元中・白河殿へ義朝夜討ち〉

しょたい【所帯】 ①中世、知行の客体である不動産または不動産物権の称。所知。所領。「所職―幷びに境相論の事」〈貞永式目追加文暦二・七・二三〉②一戸を構えて営む独立の生計。世帯。「男、伊勢の国にて―してあらむと云ひければ」〈仮・仁勢物語下〉 **―くづし【所帯崩し】** 一度持った所帯を解いて、夫婦別れすること。また、その人。「所帯破り」とも。「―契りを余所に身を売りて」〈俳・談林十百韻上〉 **―やぶり【所帯破り】** 「所帯崩し」に同じ。「散り行くは―か家桜」〈俳・毛吹草五〉

じょだい【序代・序題】 (一連の和歌の)序文。はしがき。「権大夫なむ、その日の歌の―書き記し給ひける」〈栄花殿上花見〉 ▽一説に、和歌の序と題。

しょだいふ【諸大夫】 摂関・諸大臣家の家司(けいし)などとして仕えた四位・五位の家筋の者。その中で昇殿を許されぬ者を地下諸大夫という。「殿上人・―・院司・下人までの設け、いかめしくせさせ給へり」〈源氏若菜上〉

しょたう ウ…ト **【所当】** ①相当。適当。「よくよく心を静めて後、―の罪科に行なふべし」〈六波羅殿御家訓〉②荘園の土地に課せられる年貢・公事など一切の負担。「年貢・―も上らざりければ」〈盛衰記三四〉

しょだん【初段】 浄瑠璃で、最初の段。「今―大三重に雨過ぎて」〈俳・蛇之助〉

しょち【所知】 「所帯」(1)に同じ。「件(くだん)の庄は、相伝の―

也」〈中右記元永二・二〉 **―いり**【所知入り】①所領を受けた者が、はじめてその領地に入国すること。「急ぎ京上りして―せん」〈義経記四〉 ②歌舞伎で、下座(げざ)音楽の一種。殿様などの出入りに用いる。「―。殿様の御立ちいと言ふと、三味〔線〕テンテテンテンチンツツンツンチリテツトンといふ三味線にて囃(はや)すなり」〈戯場楽屋図会拾遺下〉

しょちうど(ウ:チュ)【初中後】①初めと中と終り。また、初めから終りまで。「〔連歌ノ〕稽古に―侍る由承り候」〈吾妻問答〉。「―の様子、此の吉兵衛見申し候」〈川角太閤記四〉 ②「序破急」に同じ。「拍子の―を心得たるを、拍子利きと申す也」〈囃之事〉 ③《副詞的に用いて》始終。たえず。しょっちゅう。「―一人の太夫を七年が間買ひ続け」〈西鶴・桜陰比事五〉

しょて【初手】手はじめ。最初。「先づ―はただ和らかに話し寄る」〈俳・大矢数四〉

しょてい【所体・諸体】みなり。なりふり。姿。「あまり―過ぎたりと申す」〈評判・朱雀遠目鏡上〉。〈日葡〉

しょてん【諸天】神神。神は天にありと考え、仏典では神を天という。「三宝も―も天地の神たちも」〈続紀宣命四二〉

しょとく【所得】①得ること。得るもの。「神人の一庄を押し取って知行すとも、いかばかりの―か有るべきに」〈盛衰記九〉。「唯むつかしと思はせ給ふばかりにては、御―もあるまじく候に」〈他阿上人法語三〉 ②得をすること。「男、思はぬに―したりと思ひて」〈今昔一六ノ二六〉。〈色葉字類抄〉

しょなぬか【初七日】人が死んで七日目、仏事を営む日。「かの頭を箱に入れて、―に当る日、仏の御前に置きて、斎会をまうけける」〈今昔二〇ノ三七〉

じょはきふ(ユウ:キ)【序破急】音楽・芸能などが時間的に展開してゆく順序。「序」は緩やかな導入部、「破」は緩やかであるが変化に富み、「急」は急速で最高潮。はじめ雅楽における一曲の構成要素。のち、個個の曲の性格をもいう。世阿彌がこの原理を重視して能の芸術的完成に適用、一曲の構成にはもちろん、一興業の曲目の選定・演奏順序にもこれを用いたが、さらに江戸時代には三味線の演奏及び舞踊などにも使われるようになった。「能に―をば、何とか定むべきや」〈風姿花伝〉

しょはん【初般】物事の初め。「物の初を―と云ふ」〈不断重宝記〉

しょばん【諸蕃】①諸外国を卑しめていう語。「百官・―朝賀す。天子蓬萊宮含元殿に於て朝を受く」〈続紀天平勝宝六・一・三〇〉 ②「皇別」「神別」とともに、上代の氏をその系統から分けた三種のうちの一。中国・朝鮮から帰化した子孫の氏。村主(すぐり)・史(ふびと)などの姓(かばね)の氏は多くこれに入る。「山城国―、漢、秦忌寸(はだのいみき)」〈新撰姓氏録三〉

じょびらき【序開き】①〔歌舞伎用語〕㋑上方で、一つの狂言の開幕の部分をいう。「禿となり―よりついて出で」〈評判・役者万年暦京〉 ㋺江戸で、早朝、本狂言の始まる前に下級俳優の演ずる一幕物をいう。「東都(どえ)は初めに―とて、式三番(しきさんば)の次に七福神・大江山などの狂言あり」〈劇場一観顕微鏡上〉 ②はじめ。始まり。発端。「例年の通り、私から―を申すべし」〈評判・役者友吟味京〉

しょぶん【処分】①奈良時代、下からの問合せに対して処置すること。「太政官―すらく、巡察使記する所、諸国の郡司等治能ある者は、式部、令に依て称挙すべし」〈続紀大宝三・一一・一六〉 ②財産などを分け与えること。「そうぶん」とも。「右の家地(ちゃ)、己が女子等に―し給ひ已に了んぬ」〈内閣文庫所蔵文書延喜九・一一・一五〉

じょぼく【如木】《ジョモクとも》糊のよくついてごわごわとした装束。のち転じて、白布の狩衣に糊のよくきいた衣を着て、履・傘を持ち、公家の供をした者。「水干直垂、金銀を展(の)べたる―の雑色」〈太平記二四・天龍寺供養〉

しょぼぬ・れ【しょぼ濡れ】〘下二〙「そぼぬれ」の転。「裾は潮風、袖は涙に―・れて」〈説経・さんせう太夫〉

しょほふ(ウ:ホ)【諸法】〔仏〕①宇宙間の一切の現象。一切の事物。「有作無作の―の相」〈栄花玉台〉。「―の無常を観じて」〈今昔一ノ二六〉 ②仏法。「兵衛佐は―も知らぬ人にてあるなるに」〈義経記六〉 **―じっさう**(ウ:ッ)【諸法実相】①諸法の真実の特質・本性。真理。「静かに―の理を案ずるに、狂言綺語の戯、かへって讃仏乗の縁たり」〈十訓抄序〉 ②現象にあらわれる諸事物が、そのまま絶対真実の姿であるということ。「草木・国土・有情・非情も皆これ―の峰の嵐や谷の水音」〈謡・芭蕉〉

しょむ【所務】①職務に伴う権利・義務。特に荘園管理において、年貢徴収の事務をいう。「西国庄公地頭等―の事、其の沙汰有り」〈吾妻鏡建長六・四・二九〉。「預所とは本所御領―代官なり」〈沙汰未練書〉 ②武家の所領・知行の称。「―沙汰とは、所領の田畠下地相論の事なり」〈沙汰未練書〉 ③年貢。「当秋―取り候までは、今迄の人のほか壱人も抱へ申すまじく候」〈浅野家文書慶長一五・三・二五〉。「所務、ショム、年貢の義也」〈文明本節用集〉 ④財産。または、遺産。「〔夫ノ死ンダ〕跡の宝は、おこまの―となりて」〈浮・好色美人相撲一〉 **―わけ**【所務分け】遺産を分配すること。また、その分け前。「しょぶわけ」「しょうぶわけ」とも。「昔、天竺に盤古大王と申す王あり。御子五人まします。…五郎の王子に―なし」〈八帖花伝書二〉。「―の大法は、たとへば千貫目の身躰(しんだい)なれば、惣領に四百貫目、居宅(ゐたく)に付けて渡し」〈西鶴・胸算用二〉

しょや【初夜】六時(ろくじ)の一。夜を三分した最初の時間。また、その間に行なう勤行。「―の程に、俄に微風吹きて」〈今昔一三ノ一〉。「―より後夜に至るまで」〈謡・実盛〉

しょやく【所役】①役目とするところ。職掌事務。「〔流鏑馬(やぶさめ)ノ〕的立ての役は下職に非ず、…猶、射手の―に越ゆるなり」〈吾妻鏡文治三・八・四〉 ②中世、田租以外の雑税の一。「六波羅の御所造営―の事」〈吾妻鏡嘉禎四・七・二七〉

しょやくごめん【諸役御免】①種種の課役を免除されること。諸役免許。諸役免除。「―の御教書を帯すと雖も、所所先例に任せ、其の沙汰の条、勿論也」〈建内記文安一・一・二九〉 ②武士が、すべての勤務を免除され無役であること。「高家なれば、―あって世を遊楽に其の名を埋み」〈西鶴・伝来記一〉。〈俳・世話尽三〉

しょらう(ウ:ロ)【所労】病気。「賀茂の斎王、日来―有るの由」〈左経記長元四・九・二三〉

じょらう(ウ:ロ)【助老】老僧が坐禅の時に用いる、一種の脇息。「大師座禅せられし時、御胸痛む事まします。是を以て押ふれば止む。是を―と云ふ」〈平治上・叡山物語〉

しより【仕寄り】①敵城を包囲・攻撃する時に設ける臨時の塀・柵などの構築物。また、それを用いて攻め寄せること。「敵城をすくと御覧なされ、取り巻くことを仰せ付けられ、各〻夜日の境、―の塀柵・土囲・堀、幾重と云ふ事もなし」〈小田原御陣〉 ②一般に、物事の攻略法。「〔遊女へノ〕掛り口は、―の十九掛りの内にて品を分かつ」〈色道大鏡二〉

しょりゃう(ヨウ:リ)【所領】「所帯」(1)に同じ。「一相論の事ありて、叔父を殺してけり」〈著聞四四一〉

しょれい【諸礼】諸種の礼式作法。近世では、小笠原流の礼式作法を総称していう。「いかに一の習ひありとは」〈俳・天満千句〉 **一しゃ**【諸礼者】諸礼を心得て教授する人。「小笠原家の記録、これ武家の礼式として庶人に至るの礼法なり。これを知る人を一と言ひ」〈人倫訓蒙図彙三〉 **一ちゃうじ**(チョウ:)【諸礼停止】〔俳諧用語〕俳席では、無礼にならぬ程度に、うるさい礼儀を省略すること。古くは千句興行の掟であった。「千句巻軸に。寝て見るや一の衾(ふすま)雪」〈俳・続境海草四〉

しょろしょろがは(ワ:ガ)【しょろしょろ川】水が少しずつ流れる川。ちょろちょろ川。「一の流れ幾筋」〈俳・底抜臼上〉

しょわけ【諸分】①色道または遊里の作法・慣習などの総称。「一を糺(だた)す」〈色道大鏡一〉 ②諸雑費。「其の一とて金子二分に身を切り売り」〈西鶴・一代女一〉

しょゐ【所為】おこない。しわざ。所行。「堀川四条の倉焼亡す。是れ盗賊の一と云云」〈中右記長治一・三・三〇〉

じょゐ【叙位】①位を授けること。「一節目、具に別紙に列ぬ」〈類聚三代格三〉 ②正月五・六・七日に五位以上の位を授ける公事。奈良時代末ごろから行なわれた。「正月、一の頃、或る所に人人罷りあひて」〈拾遺一〇二七詞書〉

しょゐん【書院】①寺院で、読書・講義などをする部屋。室町時代以後、武家・公家の邸で、居間兼書斎の称。「〔佐々木道誉ノ宿所ノ〕一には、義之が草書の偈(げ)、韓愈が文集」〈太平記三七・新将軍京落〉 ②床の間の脇に張り出して設けた、窓付きの棚。棚板は机の代用ともなる。書院床。付け書院。「北の方東壱間は御一。硯・筆架・筆墨。中に文台、上に歌書一帖置かるる。西の脇に漢書あまた積まるる」〈御飾記〉 ③近世、武家の邸で、床・棚・書院(2)を設けた客間。「しょゑん」とも。「千宗易に一の指図など相談せられ」〈太閤記一六〉。「奥の御一に於て、金地院崇伝和尚御目見え」〈駿府記慶長一八・一・六〉 **一けぬき**【書院毛抜】書院用の毛抜。煙草盆に置いた。「一を落せば」〈西鶴・浮世栄花一〉 **一すずり**【書院硯】書院用の大硯。「一霞を添へて飾られた」〈俳・絵合上〉

しょゑ【諸衛】《ショエイとも》もろもろの衛府(ゑふ)、すなわち五衛府または六衛府。「又一を分遣して、逆党を掩捕(らと)へしむ」〈続紀天平宝字一・七・四〉。「一の官人、兵杖を帯し」〈保元上・官軍召し集めらる〉

しょをり【初折】〔連俳用語〕「一の折」に同じ。「連歌には一の花や花の兄」〈俳・毛吹草追加上〉

しら【白】《シロの母音交替形。多く複合語に残る》①白色。「一雲」「一玉」「一露」など。「一波の千重に来寄する」〈万九三三〉 ②染めたり、塗ったり、焦がしたり、味を付けたりしないでそのままであること。生地のままであること。「一木」「一輿(こし)」「一鞘」「一干」など。「一箆(の)の大矢」〈平家一一・遠矢〉 ③つくり飾らぬこと。ありのまま。あけすけ。「御名を申すは、余り一なれば」〈評判・山茶やぶれ笠〉

じら ①盗賊。「盗人〔ヲ〕美作及び東海道辺にて一と言ふ」〈物類称呼一〉。「大盗をすり、小盗を一〔トイウ〕」〈稚狭考七〉 ②すり。巾着切り。「〔盗賊〕仲間にて、巾着切りを一と云ひ」〈拾椎雑話三〇〉。「一とは、すりのこと」〈新撰大阪詞大全〉

しらあわ【白沫・白泡】白い泡。「秋山にまどふ心をみやたきの滝の一に消(け)ちやはててむ」〈後撰一三六八〉 **一かま・す** 口から泡を吹かせる。馬を勇み逸(はや)らせるにいう。「一・せ、舎人あまたついたりけれども、なほひきもためず」〈平家九・生食〉

しらいと【白糸】①染めない、白い糸。「節(ふし)なくて君が絶えにし一はより(縒リ・寄リ)つきがたきものにぞありける」〈後撰六九二〉 ②生糸の別称。「一三斤遣はされ候」〈上井覚兼日記天正三・閏一一・一八〉 ③ねじって枠(かせ)糸の形に作ったしんこ餅。白糸餅。「西御方より茶の子一〔ヲタマワル〕」〈言経卿記天正一五・二・六〉

しらう(ウ:ロ)【四郎】四番目に生れた男子。四男。「鎌足のおとどの三郎は『宇合』とぞ申しける。一は『麿』と申しき」〈大鏡藤氏物語〉

じらう(ウ:ロ)【次郎・二郎】①二番目に生れた男子。次男。「この家の一を語らひ取りて」〈源氏玉鬘〉 ②いくつかあるものの二番目のものをいう語。「貝の盃取り出す。この貝二つあり。一つをば…提子(ひさげ)五つぞ入りにける。一貝をば…提子三つぞ入りける」〈曾我一〉

しらうと【素人】《シラヒトの音便形》或る事に経験や関係のない者。しろうと。「一に能を教ゆるやう、其の身に似合ひたる能をさすべし」〈反古裏の書三〉

しらか【白香】麻や楮(こうぞ)の類を細かく裂いて白髪のようにして神事に使ったもの。「白紙」とも。「さかきの枝に一つけ、木綿(ゆふ)とりつけて」〈万三七九〉

しらが【白髪】《カはケ(毛)の古形》白くなった毛髪。「一生ふる事は思はず変水(をちみづ)はかにもかくにも求めて行かむ」〈万六二八〉

しらがさね【白襲】白の襲装束。はじめ宿老の人が夏季の料に多く用いたが、後には若年の人も用い、また夏季に限らず半臂(はんぴ)や下襲(したがさね)、または下着の単(ひとえ)や汗とりの肌着などに用いたという。「下襲は。…夏は二藍(ふたあゐ)、一」〈枕二八四〉。「かの御賀の日は赤き白橡(しらつるばみ)に葡萄染(えびぞめ)の下襲を着るべし、…今日は一を着たる」〈源氏若菜下〉

しらかし【白橿・白樫】樫の一種。材質が白いからとも、葉裏が白いからともいう。「一が枝を髻華(うず)に插せ此の子」〈紀歌謡三三〉

しらか・し【白かし】《四段》しらけさせる。「人を一・し、其の座の興をさますなり」〈十訓抄二序〉

しらかは(ワ:カ)【白川】①清冽な川。「尋ね行きて見れば、一あり」〈毘沙門堂本古今集註〉 ②京都の東郊、賀茂川左岸を流れる川の名。また、その流域一帯の称。「前太政大臣(さきのおほきおほいまうちぎみ)を一あたりに送りける夜、詠める。血の涙落ちてぞたぎつ一は君が世までの名にこそありけれ」〈古今八三〇〉。「〔藤原良房〕一にこもり居給へる時にて」〈宇治拾遺一二四〉 **一いし**【白川石】北白川の山中から産する白い石。橋材・石碑・敷石などに用いた。「一の石臼」〈仮・出来斎京土産四〉 **一夜舟**(よぶね)《京見物をしたふりをする者が、白川のことを問われて、川の名だと思い、夜舟で通ったから何も知らぬと答えたということから》熟睡して何も知らないこと。「夢にだに見ざる名所の話こそげにも一なりけれ」〈後撰夷曲集八〉。〈俳・毛吹草二〉

しらかはら(ワ:カラ)【白河原】水が引いたり、涸れたりして、一面に白っぽくなった川原。「三十余町一になって跡だになし」〈発心集四〉

しらが・ひ(シラガイ)《四段》①わざと…する。人目につくように動作をする。「〔男ハ〕いときすぐにもてなし給へり。ことさらに見え一・ふ人(侍女)もあり」〈源氏総角〉。「のちならひたるにやあらむ、常に見え一・ひありく」〈枕八七〉。「衒、テラフ…見シラガフナリ」〈色葉字類抄〉 ②争って…する。「逃げぬるなりけりと思ひて、有る限り追ひ一・ひて」〈今昔五ノ一〉

「〔鬼達八〕奪(ば)ひ―・ひて、これ(男)をやぶり食ひけり」〈宇治拾遺九二〉 ▽この語は「追ひ」「奪ひ」「見え」などの連用形の下についた例だけしか見えない。

しらかべ【白壁】①白いしっくいで上塗りした壁。「―沈(しづ)くや、よき璧(たま)沈くや」〈続紀歌謡八〉 ②〔女房詞〕豆腐。「―・山芋持参す」〈経覚私要鈔文安四・三・八〉

しらき【白木】削ったままの、何も塗ってない木。「―の御倚子(いし)」〈著聞一〇五〉。「―の弓」〈太平記一七・山攻〉

しらき【新羅】朝鮮古代三国の一。四世紀中ごろ朝鮮東南部の辰韓十余国を斯盧(しら)国中心に統一、七世紀に百済(くだら)・高句麗(かうくり)を唐と共に亡ぼして半島を統一し、十世紀前半に高麗(かうらい)に亡ぼされた。日本とは任那(みまな)等をめぐって争いが多く、また、日本に仏教や学問を伝えるなど、影響が大きい。「〔スサノヲノミコトガ〕―の国に降到(くだ)りまして」〈紀神代上〉 †siraki **―こと**【新羅琴】新羅から伝わり、新羅楽につかわれた、十二絃の琴。「新羅人沙良真熊、善く―を弾く」〈文徳実録嘉祥三・二・六〉。「新羅琴、シラキコト」〈名義抄〉 ▽名義抄に清点がある。 **―をの**【新羅斧】新羅から渡来した斧。また、新羅風の斧。「梯立(はしたて)の熊来のやら(沼地)に―落し入れわし」〈万三八七八〉

しらぎく【白菊】①花の白い菊。「初霜の置きまどはせる―の花」〈古今二七七〉 ②一木三名の名香の名。伽羅の一種で、初め「初音」と名づけ、のち「白菊」、更に「柴舟」と命名した。「―は伽羅の名に合ふ薫りかな」〈俳・小町踊三〉

しらくも【白雲】白い雲。「遙遙(はろばろ)に思ほゆるかも―の千重に隔てる筑紫の国は」〈万八六六〉 †sirakumo **―の**【白雲の】〔枕詞〕白雲が立つことから同音をもつ地名「立田山」に、絶えてなくなることから「絶え」「ぬしなき」に、山などにかかることから同音の「斯かる」などにつづく。「―絶えにし妹(いも)」〈万三五一七東歌〉。「―ぬしなき宿」〈後撰一四一七〉。「―かかるそらごと」〈拾遺三三八〉

しら・け【白け】『下二』①白くなる。「黒かりし髪も―・けぬ」〈万一七四〇〉。「秋近く花咲くべき頃は老い草にて、少し色の―・けゆくなり」〈古今秘註抄一〇〉 ②興がさめる。気をそがれる。「晴なるに慎(つつ)みて、付くべき連歌をおそく付くるは、事―・けて、やがて言ひ出でがたし」〈和歌童蒙抄一〇〉。「女出で来て傍らについゐたり。…心も打ち解けぬ程に、―・けて此の女つい立ちて行く方を見れば」〈古今集註〉 ③間が悪くなる。「申しける僧は皆―・けにけり」〈発心集三〉。「含羞、シラケル」〈合類節用集〉 ④ありのままに打ち明ける。告白する。「頭から物事―・けて語りぬ」〈西鶴・一代男三〉

しら・げ『下二』杖でうちたたく。「しら杖をもって彼の聖がうなじを―・げ」〈平家一・鹿谷〉 †sirakë

しら・げ【精げ・白げ】㊀『下二』《白く仕立てる意》①玄米を搗(つ)いて白米にする。精白する。「臼一つに女ども八人立てり。米(よね)―・げたり」〈宇津保吹上上〉。「精、シラグ」〈名義抄〉 ②(皮や汚れを削り落して)清く白くする。「霜柱―・げ減らすや朝日影」〈俳・毛吹草六〉 ㊁『名』精製した米。「しらげよね」「しらげごめ」とも。「用意に持ちたる―取り出し、粥にたき」〈仮・御伽物語四〉。「精米、ジャウマイ、精、シラゲ、共ニ白米」〈文明本節用集〉

しらげうた【志良宜歌】《シリアゲ(尻上)ウタの約》上代歌曲の名。歌の最後の一句を上げてうたう歌。「こは―なり」〈記允恭〉 †siragëuta

しらどかし【白倒し】しらじらしい態度で人をおだてだますこと。「―こそ笑止なれ」〈近松・二枚絵中〉

しらこゑ【白声・素声】《シラは飾りのない意》①平曲において、曲節を伴わぬ語り方をいう。謡曲にも転用された。「又、ただこと、―とも云ふ」〈申楽談儀〉。「―はふしなくて文句に合はせ、何も似合はしく言ひなすわざなれば、おろそかにしては成るべからず」〈西海余滴集〉 ②うわずった声。かんだかい声。「卯の花に鳴くや―時鳥」〈俳・鷹筑波五〉。「玉子玉子の〔売手ノ〕―」〈滑・根南志具佐四〉

しらさぎ【白鷺】全身純白の羽毛におおわれるサギ。多く、春、南から渡り、秋、南に帰る。水辺で魚・虫を捕え、松や杉の林に群集する。「池神の力士舞かも―の枠(ほこ)くひ持ちて飛び渡るらむ」〈万三八三一〉 †*sirasagi

しらざはんぶん【知らざ半分】知らない物事は半分に評価したらよいの意。「知らざ半分値」「知らずば半分値」とも。「千代の春や―五百年」〈俳・塵塚(成之編)一〉

しらさや【白鞘】白木でつくった刀剣の鞘。「白柄(しらつか)に―」〈近松・薩摩歌上〉。〈日葡〉

しら・し【知らし】『四段』《「知り」の尊敬語》お治めになる。「押し照る難波の宮にわご大君国―・すらし」〈万九三三〉 **―め・し**【知らしめし】『四段』《メシは「見(み)」の尊敬語》お治めになる。しろしめす。「天の下―・しける天皇(すめろき)の」〈万四〇九八〉 †sirasimesi

しらしぼり【白絞り】白胡麻の種子から搾り取った、女の髪などに用いる油。「君を待つ夜は、しらじらと、―の油火は、長くもがなと思へども」〈いとなみ六方〉

しらじら【白白】①いかにも白いさま。「雪のいと―と降りたりける折ふし」〈伽・はにふの物語〉 ②夜が明けて、東の空が白むさま。「今は百町ばかりは来ぬらむと思ふ程に、夜―となりぬ」〈今昔三一ノ一四〉 ③あからさま。はっきり。「面影ばかり残して、東の方へ下りし人の名は―と言ふまじ」〈閑吟集〉 ④味気ないさま。興ざめなさま。「貧骨に至るとも、ちとも―ともせぬぞ。いきはたばりて居るぞ」〈山谷詩抄一四〉

しらしら・し【白白し】『形シク』①いかにも白い。また、空が明るい。「いたく―・しくならぬ先にと、公事(おほやけごと)にことづけて急ぎ参りて」〈問はず語り三〉。「皙、シラシラシ」〈名義抄〉 ②味気ない。面白くない。興ざめである。「美美しうてをかしき君たちも、随身なきはいと―・し」〈枕四八〉 ③明白だ。はっきりしている。「―・しくぞ余所に知らるる」〈俳・守武千句〉 ④しらばくれている。そらぞらしい。「いづれも犬とは見けれども、…御馬候ふと、色代(しきだい=挨拶)しける。げに―・しくこそ見えにけれ」〈浄・大友の真鳥一〉

しらす【白洲】①白い砂の洲。「葦辺より浪間をさして行く田鶴は沖の―に帰るなるべし」〈有房集〉 ②神社や邸宅の玄関前・庭などの、白い砂を敷きつめてある所。転じて、玄関前。「宗徒の郎従三十余人、―の上に物具脱ぎ棄てて、一面に並み居て腹ぞ切りにける」〈太平記一〇・大仏貞直〉 ③訴訟を裁判し、罪人を取り調べる所。法廷。「高らかにこそ呼びし―へ」〈俳・わたし船〉

しらずがほ(ォ:ガ)【知らず顔】知らないふり。そしらぬ顔。「御心には知ろしめしてや、―を作らせ給ひけむ」〈源氏若菜下〉

しらすげ【白菅】草の名。湿地に生える白色を帯びたスゲ。「葦鶴(あしたづ)の騒く入江の―の」〈万二七六八〉 †sirasugë

しらだいしゅ【白大衆】官位を持たない僧たち。「しらだいす」とも。「―・神人・宮仕・専当みちみちて」〈平家一・御輿振〉

しらたま【白珠・白玉】色の白い玉。特に、真珠。「奈呉の海人(あま)の潜(かづ)き取るとふ―の見が欲し御面(みおもわ)」〈万四一六九〉。「白玉・真珠、シラタマ」〈名義抄〉 **―つばき**

【白玉椿】花の白い椿の美称。荘子の八千歳の大椿の故事から、長寿を祝う歌に多く用いられる。「君が代は—八千代とも」〈後拾遺四五三〉

しらつか【白柄】白鮫皮を掛けた刀の柄。伊達な風俗であった。「当世流の—を十文字に差しこなし」〈評判・野良役者風流鑑下〉

しらつきげ【白月毛】馬の毛色の名。白みがかった月毛。「西楼といふ—なる馬に乗ったりけり」〈平家九・一二之懸〉

しらつゆ【白露】葉の上などの、白く見える露。「秋草に置く—の飽かずのみ」〈万四三一二〉 **—の**【白露の】〔枕詞〕置く意から同音の「起く」「奥」、形から「たま」、白(しら)と同音によって「知らず」などにかかる。「—起くとはなげき」〈古今四八六〉。「—おくにあまたの声すなり」〈後撰二九三〉。「—たま来ては」〈金葉四四四〉。「—しらずいくよの春かへぬらん」〈新古今七五〉

しらつるばみ【白橡】染色の名。薄いつるばみ色。青白橡・赤白橡の二種がある。「青き赤き—、蘇芳(すはう)・葡萄染(えびぞめ)など」〈源氏藤裏葉〉

しらとほふ〔枕詞〕「にひ」にかかる。かかり方未詳。「—小新田山(をにひたやま)」〈万三四三六東歌〉。「—新治(にひばり)の国」〈常陸風土記〉

しらとりの【白鳥の】〔枕詞〕白い鳥である「鷺(さぎ)」、白鳥が飛ぶ意から同音をもつ地名「飛羽(とば)」などにかかる。「—鷺坂山の」〈万一六八七〉。「—飛羽山松の」〈万五八八〉 †siratörinö

しらなみ【白波】①(立ち騒いで)白く見える波。「伊豆の海に立つ—の」〈万三三六〇〉 ②《後漢書の「白波賊」による語》盗賊の異名。なお、海賊を「白波」、山賊を「緑林」と区別することもある。「風吹けば沖つしらなみたつた山よはにや君がひとり行くらむ。—といふは、ぬす人をいふなり。龍田山をおそろしくや独り越ゆらむと、おぼつかなさに詠める歌」〈俊頼髄脳〉 †siranami **—の**【白波の】〔枕詞〕「かへる」「よる」などにかかる。「—よりくる(寄リ来ル・縒リ繰ル)糸を緒にすげて風にしらぶる琴弾きの松」〈重之集〉

しらに【白煮】塩加減だけで煮ること。「潮(うしほ)煮」とも。「汁は鱸(すずき)の—」〈西鶴・桜陰比事三〉

しらに【知らに】『連語』《ニは打消の助動詞ズの古い連用形》知らないで。「さ夜更けて行方を—吾が心明石の浦に船泊めて浮寝をしつつ」〈万三六二七〉

しらにぎて【白和幣】《「青和幣」の対。奈良時代はニキテと清音。ニギテ・ニキデは後世の形》穀(かぢ)などの皮の繊維で織った白布の幣帛。「下枝(しづえ)に—・青和幣を取り垂(し)でて」〈記神代〉。「白和幣、シラニキデ」〈運歩色葉集〉 †siranikite

しらにせ【白似せ】①よく似せること。「上京の歴歴の至り旦那の風を移せば、誰か—大臣と思ふべき」〈浮・御伽名題紙衣五〉 ②知って知らぬ顔をすること。「—、そんな事はわしゃ知らぬと言ふ顔」〈南水漫遊拾遺四〉

しらぬひ〔枕詞〕地名「筑紫(つくし)」にかかる。領(し)らぬ霊(ひ)がよりつく意からとも、都から知らぬ日(多くの日数)を尽して行く地の意からかかるともいう。「—筑紫の国」〈万四三三一〉 ▽不知火の意とする説があるが、奈良時代には火はFïの音、シラヌヒのヒはFiの音で、別語だから、上代での解釈としては誤り。 †siranuFi

しらぬり【白塗】銀めっきしたもの。白土など白い粉を塗ったものともいう。「—の鈴とりつけて」〈万四〇一一〉

しらの【白箆・竹箆】焦がしたり、塗ったりなど、何ら手を加えていない、そのままの矢竹。「—に白鳥の羽にてはぎたる矢負ひ」〈平治上・源氏勢汰へ〉

しらは【白羽】斑(ふ)のない、まっ白な矢羽。「—の矢負ひ、滋籐の弓脇にはさみ」〈平家一・御輿振〉

しらは【白歯】未婚の女。処女。結婚すれば御歯黒で歯を染めたのでいう。「秋の霜まだ—にて油断した」〈俳・両吟一日千句〉

しらばけ【白化け】「直化(すぐばけ)」に同じ。「—、物事をしらに言ふ謀也」〈色道大鏡一〉

しらはた【白旗】①白い旗。「—を挙げて兵(つはもの)を投げすてしたがふ」〈紀欽明二十三年〉 ②特に、源氏の旗。平家は赤旗。「雲の中より山鳩三つ飛び来って源氏の—の上に翩翻す」〈平家七・願書〉。「白旗、シラハタ、源氏」〈運歩色葉集〉

しらはま【白浜】砂の白い浜。「百世(ももよ)経て偲はえゆかむ清き—」〈万一〇六五〉

しらば・み【白ばみ】『四段』白く色づく。白みを帯びる。「浪の上に—・みたる小さき物見ゆ」〈今昔一九ノ二九〉

しらはり【白針】縫い方が下手で、絎(くけ)目の表に糸が見えること。「ばらばらと／—見ゆる縫習ひ」〈雑俳・手鼓〉

しらはり【白張り】①白地で、糊をこわくつけたもの。狩衣にいうことが多い。「使ひに—一襲(かさね)・袴一具(ぐ)」〈宇津保吹上上〉 ②文字・模様などがなくて無地であること。提燈・傘などにいう。「挑燈も—なれや神祭り」〈俳・牛飼二〉

しらひと【素人】「素人(しらうと)」のもとの形。「ただの—が強盗とみづから名乗りて、命を任せ参らせて、何の詮か候べき」〈著聞四四二〉

しらびゃうし …ビョウ…【白拍子】もと声明で、普通の拍子、または伴奏を伴わない意をあらわす語。後に雑芸で、当世風の即興的な歌舞の名。さらに、その舞を得意とした雑芸の専業者の呼称。初期には男性によっても演じられたが、院政・鎌倉時代には女性に限るようになった。水干・立烏帽子の男装で、今様をうたいながら舞を舞った彼女らの人気は、遊女という身分の低さにもかかわらず、貴族階級の中でも絶大なものがあった。「たとへばその頃都に聞えたる—の上手、祇王・祇女とておとといあり」〈平家一・祇王〉。「白拍子、シラビャウシ、妓女也」〈伊京集〉

しらふ【白面・素面】酒を飲んでいない、平常の状態。「酒飲まぬ鷹師(たかじやう)も今朝—かな」〈俳・鷹筑波一〉

しらふ【白斑】白いまだら。「我が飼ふ真—の鷹」〈万四一五四〉。「御狩する片野の御野に雪降れば黒斑(くろふ)の鷹も—とぞ見る」〈承徳元年東塔東谷歌合〉

しら・べ【調べ】㊀『下二』《楽器の絃の末端(しり)を合わせて音調を整えること。転じて、いろいろの材料を照合して考えること》①楽器の調子を整える。「〔琴ノ〕手馴らし給へるをぞ—・べて奉り給ふ」〈源氏若菜下〉。「箜篌(くご)鼓(ひ)きつつ和(しら)ぶ」〈大唐西域記三・長寛点〉 ②演奏する。「一人—・べ、一人詠じて」〈方丈記〉 ③調子よく話などをする。「わづかに聞きえたることをば、我もとより知りたることのやうに、こと人にも語り—・ぶるもいとにくし」〈枕二八〉 ④吟味する。尋ねる。「百韻の行様に輪廻のなき事を何れの好士も—・べ侍る也」〈当風連歌秘事〉 ㊁『名』①(音律の)調子。「御琴どもは、—変らず、遊び給ふらむかし」〈源氏横笛〉 ②「調緒(しらべを)」の略。「紫檀の胴に羊の皮にて張りたりける啄木(たくぼく)の—の鼓を賜はりて」〈義経記五〉 ③調査。吟味。「盗賊…役人—の節」〈雑件録三〉

—を【調緒】小鼓・大鼓・太鼓の皮を締める麻の撚り緒。表皮と裏皮を結び合わせる竪調(たてしらべ)と、それを横に締める横調をいう。朱色が普通であるが、芸位により、浅黄・紫が許され、公方家では青色が用いられた。「万松院源義晴卿、親賢をして観世座を移さしむ。浅黄の―を賜ふ」〈小鼓紫調記〉

しらぼし【白干】塩を用いずに干した食物。素干(すぼし)。「或る上人、鮎の―を紙に包みて」〈雑談集三〉

しらぼし【白星】かぶとの星が銀色のもの。「―の甲の緒をしめて」〈平治上・源氏勢汰へ〉

しらまか・し【白まかし】『四段』①「しらまし」に同じ。「敵魚鱗に懸け破らんとすれば、味方鶴翼につらなって射―・す」〈古活字本保元中・白河殿攻め落す〉②興をさまさせる。「山里の心の夢にまどひをれば吹き―・す風の音かな」〈山家集下〉

しらま・し【白まし】『四段』《シラミ(白)の他動詞形》相手の気勢をくじく。ひるませる。「楯も鎧もこらへずして、さんざんに射―・さる」〈平家二・鶏合〉

しらまなご【白沙】①白いまさご。白い砂。「―清き浜辺は」〈万一〇六五〉②〔枕詞〕白沙の地の意から、地名の「三津(みつ)」にかかる。「―三津の黄土(はにふ)の」〈万二七二五〉†siramanago

しらまゆみ【白真弓】①白い檀(まゆみ)の木で作った弓。「―張りて懸けたり」〈万二八九〉②〔枕詞〕張る意から同音の「春」、射ると同音ではじまる地名「石辺(いそべ)」、弓の扱いから「おきふし」、弓の末から「末」などにかかる。「―いま春山に」〈万一九二三〉。「―石辺の山の」〈万二四四四〉。「―おきふし夜は」〈古今六〇五〉。「―末の御法(みのり)」〈新続古今二〇四七〉†siramayumi

しらみ【虱】①シラミ。「衣の―は頭に上りて黒くなり」〈霊異記下一四〉。〈和名抄〉②けちん坊。「きかぜ(シラミノ別名)の―のと異名を付けらるるまで、しはく汚なく世を渡って」〈河内屋可正旧記一六〉 **―のかは**ワ:カ【虱の皮】「しらみ」(2)に同じ。「―の何某と名に触れども」〈浮・好色万金丹一〉

しら・み【白み】『四段』①白くなる。「〔滝ノ水〕その石のかしらに当りて、横ざまに―・みわたりて右より落つるなり」〈作庭記〉②しらじらと明るくなる。「夜漸く明け―・む程に」〈今昔一三ノ一二〉③色が薄くなる。「〔紅ガ〕さらにこそ―・まね」〈源氏末摘花〉④弱くなる。勢いがくじける。「夜もすがら庭燎(にはび)の前に吹く笛の声は雪にも―・まざりけり」〈公重集〉。「北条は家の子郎等にあまた手負はせて、馬ども射させて、―・みて立ったる所に」〈長門本平家一〇〉

しらめ【白眼】しろめ。「御目は―にて臥し給へり」〈竹取〉

しら・め【調め】『下二』「しらべ」に同じ。「御琴を、手すさみに―・めさせ給ひたりける程に」〈古本説話一〉。「文正、また盃をば―・めて、中将殿にさしにけり」〈伽・文正草紙〉

しらやき【白焼き】①何もつけずにそのまま焼くこと。「うなぎ。―にして、青酢にてよし」〈料理物語〉②焼いて白骨にすること。「死して―になる迄も」〈仮・浮世物語三〉③〔遊里語〕遊女が客の気に入ろうとして、極端に機嫌を取ること。「あだやき」とも。「―は身はしみて忝(かたじけな)く」〈浮・好色通変歌占下〉

しらゆふウ:ユ【白木綿】白色の木綿(ゆふ)。「雪ふれば―かくる神なびの森」〈詞花一五五〉 **―はな**【白木綿花】白い木綿の造花。水がたぎち落ち、波立つ形容。「山高み―に落ちたぎつ滝(たぎ)の河内は見れど飽かぬかも」〈万九〇九〉。「淡海(あふみ)の海―に波立ち渡る」〈万三二三八〉

しらり 白く明らかなさま。「明け方―松の尾の峰」〈俳・女夫草中〉

しらん【紫蘭】フジバカマの異称。「黄菊・―の野べとぞなりにける」〈平家五・月見〉

しり【尻・後】《「口(くち)」の対。ウシロのシロと同根。口から入ったものが体内を通って出る所。転じて、家の表の出入口に対して裏の出入口など。また、川や道などずっと通っているものの終る所、細長い物の末端。一方、シリのあるあたりの意で臀部、転じて、物の底部。また、後ろの意、下の意にも用いる。→した・しも》❶①肛門。「霍乱、之利与利久智与利古久夜万比(しりよりくちよりこくやまひ)」〈和名抄〉②臀部。「簀子(すのこ)だつものに―かけて、とばかり月を見る」〈源氏帚木〉。「〔猿ハ〕歯は白くして、顔と―とは赤し」〈今昔二六ノ七〉。「尻、之利(しり)、臀也」〈和名抄〉③牛車の後部の乗り口。「御車寄せたれば、くちには宮・中の君、―には嫁の君と我と乗りたまふ」〈落窪三〉④(器物などの)底部。「海の面は、のし(火熨斗)の―のやうにて(真平ラデ)」〈今昔二六ノ二三〉❷①うしろ。あと。「―つ戸よ(カラ)、い行きたがひ、前つ戸よ、い行きたがひ」〈記歌謡二二〉②(道・川などの)終る所。はて。「鹿の―足二つ」〈今昔三ノ二三〉。「道の―こはだをとめ」〈記歌謡四五〉。「大きなる河の海に流れ出でたる―なり」〈今昔一六ノ二四〉③(細長い物・列などの)後尾。末端。「あかがり踏むな―なる子。我も目はあり先なる子」〈神楽歌六一〉。「針をひきぬきつれば、はやく〔糸ノ〕―を結ばざりけり」〈枕九五〉。「筆の―くはへて」〈源氏梅枝〉④(長く後に引いた)裾。「下襲(したがさね)、―いと長く引きて」〈源氏花宴〉⑤しめくくり。また、特に、あとしまつをつけなければならない悪事。失敗。「―の剝げる事を恐ろしく」〈西鶴・男色大鑑七〉⑥文句。とばっちり。「宿下(やどおり)」をそそなかしたる―が来て」〈無而七癖三〉❸他より地位・格式が下であること。「内大臣殿・大納言たち、それより―はた残るなく仕うまつれり」〈栄花紫野〉❹矢羽に用いる鳥の羽を数える語。「白皮百枚、鷲の羽百―、良き馬三匹、白鞍置きて取らせける」〈義経記三〉 **―から抜・ける** 物事にしまりなく、ずるずるになる。「尻へ抜ける」とも。「次男は若衆狂ひに―・けた身代」〈浮・曲三味線一〉 **―喰らへ観音** 恩を仇で返して平然とした態度をいう。「尻喰らひ観音」「尻食へ観音」とも。「始めと終りのは、ちとうち向いて良い〔ガ〕、立ち去る時悪い心ぞ。―と云ふやうな事ぞ」〈玉塵抄四〇〉 **―に聞か・す** 人が話しかけても、後ろを向いて聴こうとしない意。相手の言うことを黙殺するのにいう。「世帯話―・すや郭公(ほととぎす)」〈俳・言之羽織六〉 **―に敷・く** ①他を軽蔑して、いばる意。「強い者〔ガ〕腕の弱い者をせこめ(イジメ)、足に踏みつけ―・くやうにしたぞ」〈玉塵抄四五〉②妻が夫を馬鹿にして、わがままをする意。「去らぬのみか―・かるる百貫目〔ノ持参銀ノ威力デ〕」〈俳・大坂独吟集上〉 **―に火の付・く** 物事がさしせまって来る意。「―・くをも知らぬ螢かな」〈俳・詞林金玉集八〉 **―に帆掛・く** 急いで逃げ出す。「彼の岸や―・けて東風(こち)嵐」〈俳・大矢数一〉 **―も溜め・ず** 落ち着いて坐っていない。尻も据えず。「秋までは―・ざる螢かな」〈俳・伊勢踊四〉 **―も結ばぬ糸** 締め括りなく始末の悪いこと。投げやりで始末のつかぬこと。「綻(ほころ)ぶや―桜」〈俳・犬子集二〉 **―を割・る** 悪事・秘密をぶちまける。「ねばま(財産隠匿)して、身代潰れる商人の課(おほ)せ方(債権者)にやとはれて、てれんの―・る事〔ガ〕一芸にて」〈浮・てれん用心記二〉

し・り【領り・知り】『四段』①占有する。「葛城(かづらき)の高間(たかま)の草野早―・りて〔占有ノシルシノ〕標(しめ)刺さましを今ぞくやしき」〈万一三三七〉②土地を領有する。「平城(なら)の京、春日の里に―・るよしして、狩にいにけり」〈伊勢一〉③統治する。支配する。「汝が御子や遂(つひ)に―・らむと雁は卵(こ)産(む)らし」〈記歌謡七三〉④(妻・愛人として)世話する。めんどうをみる。「この内記が—・る人(妻)の親」〈源氏浮舟〉。「—・る人も無くて漂はむことの、あはれに」〈源氏柏木〉⑤認識する。理解する。「世の中は空しきものと—・る時しいよよますます悲しかりけり」〈万七九三〉⑥考慮する。関心を持つ。「世のそしり、人の怨みをも—・らず、心寄せ奉るを」〈源氏若菜下〉⑦経験する。「かかることこそ、まだ—・らね」〈源氏末摘花〉⑧交わって親しむ。男女の交りをする。「藤原敏行朝臣の、業平の家なりける女をあひ—・りて、文遣はせりける言葉に」〈古今七〇五詞書〉

知った同士は涼し・い 気心の知れあった仲は、ごたごたせずにすっきりしている。「知った仲は涼しい」とも。「みづからちゃっと上(表面)合はせて、はや心得るぞ。—・いと云ふことぞ」〈玉塵抄三一〉 **知らぬが仏** 知らなければ腹が立たず平気でいられる、まるで慈悲深い仏のようである。後に「—知るが煩悩」「—見ぬが秘事」「—密男(まをとこ)は同行衆」とも続けていう。「目の見えぬ者こそ、—」〈西鶴・一代男七〉。〈俳・毛吹草二〉 **知らぬ小歌を歌・ふ** 機嫌のよいさまをいう。「亭主も、一つなる(一杯飲メル)機嫌、—・へば」〈西鶴・桜陰比事五〉。〈俳・毛吹草二〉

しりあし【後足】 あとあし。「鹿の—を取りて肩に引きかけて游(よお)ぎかへるに」〈今昔三三ノ二三〉 **—踏・む** あとじさりする。尻ごみする。「判官は、組みては叶はじと思ひて、—・みてぞ休らひける」〈盛衰記四三〉

しりうど・ち【四段】《シリウゴトを活用させた語》陰口をきく。「『めざましき女の宿世かな』とおのがじしは—・ちけり」〈源氏若菜下〉

しりうごと【尻言・後言】《シリヘコトの転》かげぐち。「あなむくつけや。—やほの聞こし召しつらむ」〈源氏少女〉。「後言は—と読めり。かげ言を云ひそしる事なり」〈孝経大義詳解三〉

しりうた・げ【踞げ】 ㊀『下二』《シリ(尻)ウチアゲの約》①中腰になる。「踞、シリウタグ・ウズヰ」〈名義抄(図書寮本)〉②腰をかける。「胡床(あぐら)に—・げて」〈紀天智十年〉 ㊁『名』腰をかけること。「—は、腰をかけてぞ」〈蒙求抄七〉

しりうと【知り人】《シリヒトの音便形》知る人。知人。「いかに聖の御坊、これ程の事にあうて遠国へ流され給ふに、—は持ち給はぬか」〈平家五・文覚被流〉。「知音、シリウト」〈温故知新書〉

しりうま【尻馬】 **—に乗・る** 他人のあとについて付和雷同する。「ヒトノコトバノシリウマニノル」〈日葡〉

しりがい【鞦】《シリカキ(尻懸)の音便形》①牛車の牛の尻にかける組紐。「牛の—の香のあやしう」〈枕三二四〉②乗馬用の馬の尾から鞍にかけわたす組紐。「あかき馬にあかき—かけて乗りたまふ」〈宇津保吹上上〉

しりかき【鞦】 ⇩しりがい。「鞦、之利加支(しりかき)」〈新撰字鏡〉。「鞦、シリカキ」〈名義抄〉

しりかげ【尻影】 うしろ姿。「—は狸のやうに覚えたる」〈俳・独吟廿歌仙上〉

しりがほ(ガオ)【知り顔】 いかにもわかっているという表情。知っているというふり。「我を—にな言ひそ」〈後撰一〇八五詞書〉

しりからげ【尻紮げ】 着物の裾をまくって、その端を帯に挟むこと。裾からげ。「—して馳走すれど」〈仮・仁勢物語上〉。〈日葡〉

しりかり【後駆・尻狩】 殿(しんがり)。「新手(あらて)入り替りて—し、漸く味方を切り脱けさせ」〈里見代代記〉

しりがる【尻軽】 ①動作のすばやいこと。まめに行動すること。「—に駈け出で」〈浮・好色訓蒙図彙上〉②女の浮気なこと。「世の—なる女に聞かせてしがな」〈仮・御伽物語二〉

じりき【自力】〔仏〕《「他力」の対》自分の力を頼りとして修行にはげみ、悟りを得ようとすること。「—とは我が力をはげみて往生を求むるなり」〈和語燈録二〉

しりきれ【尻切れ】 かかとのない草履。尻切れ草履。あしなか。「—も履きあへず、逃げて車に乗りて散じて」〈今昔二四ノ六〉。「屐、シリキレワラクツ」〈名義抄〉

しりくぎ【尻釘】 **—を打・つ** 違約しないように、前もって強く念を押す。「尻釘をさす」とも。「—・つや言葉の花の垣」〈俳・木玉集一〉

しりくさ【知草・尻草】 草の名。湿地に生える、三角藺(さんかくい)の異名という。「湊葦(みなとあし)に交れる草の—の人みな知りぬわが下思ひ」〈万二四六八〉

しりくせ【尻癖】 ①大小便をもらす癖。「二三歳の子供は—の悪き勝ちなり」〈俳・類船集四〉②色事にだらしない癖。「亭主の—が悪(わり)いとは言ひながら」〈滑・浮世床二上〉

しりくち【尻口】 牛車の後方の乗り口。また一説に、牛車の後ろと前。「尼の車、—より水晶の数珠、薄墨の裳、袈裟、衣(きぬ)いといみじくて」〈枕二七八〉 **—無・し** 前後矛盾して、あいまいである。しどろもどろである。「尻口合はず」とも。「通任の還り参りて、申す所の事、甚だ以て異様にして、—・し」〈御堂関白記寛仁二・四・二〉 **—にて物を言・ふ** 尻口無しにものを言う。「—・ふとは、かやうの事にや」〈俳・蠅打四〉

しりくべなは(ナワ)【尻くべ縄】「しりくめなは」に同じ。「小家(こへ)の門の—」〈土佐一月一日〉。〈和名抄〉

しりくめなは(ナワ)【尻くめ縄】《端(しり)組め縄の意。クメは組ませの意》後端を切り揃えず、組ませたままにした縄。引き渡して、入るのを禁ずる印とした。後には神前にかけ、また新年のかざりなどにした。注連縄(しめなわ)。「しりくべなは」とも。「—をその御後方(みしりへ)にひきわたして」〈記神代〉。「端出之縄、此をば斯梨倶梅儺波(しりくめなは)といふ」〈紀神代上〉
† sirikumënaFa

しりげた【尻桁】 尻。尻のあたり。「逃ぐる者は、—を切り下げ」〈虎明本狂言・空腕〉

しりげた【尻下駄】「馬下駄」に同じ。「—もはねの上がるや五月雨」〈俳・蠅打四〉

しりこた・へ(タエ)【後答へ】『下二』矢が命中したという手答えがする。「音(おと)を推しはかりて射たりければ、—・へつとおぼえて」〈今昔二七ノ三四〉

しりこぶた【尻・臀】 尻の肉の多い部分。「しりこぶら」「しりたぶら」とも。「竹篦(しっぺい)をくるる物とは—」〈俳・大坂独吟集下〉

しりごみ【尻込み】 馬が、前へ進まず、あとじさりすること。「さしもの名馬も身ぶるひし、いななきて、一鞭うてば—し、手綱をひけば左手へ切れ」〈伽・羅生門〉

しりごゑ【尻声・後声】 言葉尻。語尾。「尾も無くて—長き鶉かな」〈俳・鷹筑波三〉

しりさき【後前】 あとさき。前後。「〔雛ガ〕人の—に立ちてありくもをかし」〈枕一五一〉

しりざし【尻刺・尻差】 戸障子・遣戸(やりど)などの戸締りをするために差すもの。さる。「声ばかり通ふ遣戸の—をなほ頼まぬが無き心地する」〈頼政集〉

しりざし【尻ざし】 尻のぐあい。「馬のふるまひ・おもだち・—・足つき」〈宇治拾遺九七〉

しりざや【尻鞘】 雨露を防ぐために太刀の鞘を覆う、毛皮

製の袋。「虎の皮の—を題にて」〈檜垣嫗集〉。「斑(まだら)なる猪の—さしたる太刀をはきて」〈今昔一九ノ八〉

じりじりまひ ィ:マ【じりじり舞ひ】せわしくて、あわてるさま。きりきり舞い。「暑き日を—は茄子かな」〈俳・新玉海集二〉

しりぞ・き【退き】『四段』《シリ(後)ソキ(退)の意。後方へすさる意》①後方へ下がる。後ずさる。「近く侍ふ人も、少し—・きつつ、御几帳のうしろなどにそばみあへり」〈源氏藤袴〉②身を引く。官職を辞す。隠退する。「—・きて、咎なしとこそ、昔さかしき人も言ひ置きけれ」〈源氏明石〉。「これらは諫むべきを見て諫め、—・くべきを見て—・ける類なり」〈十訓抄二ノ三〉③退出する。「童、庭に下りて舞ひて—・き入りければ」〈著聞二五九〉

しりぞ・け【退け】『下二』《シリゾキの他動詞形》①追いはらう。撃退する。「自ら王と称し僧徒を—・け逐(おひす)てて仏法を毀ひ壊る」〈大唐西域記三・長寛点〉。「頼朝、勅勘を蒙(かうむ)るといへども、既に朝敵を—・け」〈盛衰記三三〉②(ある位置から)おろす。「彼の輔臣を責め…或は黜(しりぞ)け或は放ち」〈大唐西域記三・長寛点〉③否認する。「トガ(咎)ヲシリゾクル」〈日葡〉

しりたれおび【尻垂れ帯】帯を下の方でゆるく結び、その端が尻の辺りに垂れ下がっている結び方。また、その帯。尻桁帯。「落雁は—か山の腰」〈俳・玉海集三〉。「—の下女にも惚(ほ)るる」〈俳・時勢粧四下〉

しりつき【尻付き・後付き】①尻の恰好。しりなり。「肉置(ししおき)たくましからず、—ゆたやかに」〈西鶴・一代女一〉②後につき従うこと。「照る月の影や—の駒迎へ」〈俳・渡奉公下〉

しりつと【後つ戸】《「前つ戸」の対》家のうしろの出入口。裏口。「—よい行きたがひ」〈記歌謡三〉 †sirituto

しりつまげ【尻つまげ】「しりからげ」に同じ。「裾野まで雪見の袖や—」〈俳・破枕集中〉

しりで【後手・尻手】うしろ手。「関の戸や—使はぬ御代の春」〈俳・三つ物揃〉 **—を放・す** 少しも制限せず、勝手放題にする。「—・して遣ってのけよ」〈浮・棠大門屋敷二〉

しりなが【尻長】汗衫(かざみ)の裾を後ろに長く引き垂らすこと。「なぞ、汗衫は—といへかし」〈枕一二四〉

しりはげ【尻兀】老練な者。古狸。「いかい—ぢゃもの」〈評判・野良立役舞台大鏡〉

しりばや【尻早】「しりがる」(1)に同じ。「—に渡る世の中夢ぢゃもの」〈俳・談林三百韻〉

しりはら【後陣痛・児枕痛】出産後の腹痛。「あとはら」とも。「産後腹、俗云之利波良(しりはら)」〈和名抄〉 **—病まず** あとぐされのない意。「—・ずに散茶〔女郎〕にかかり」〈浮・傾城色三味線三〉

しりばり【尻張り】物事が尻上がりに盛んになること。「末ばり」「尾ぶと」とも。「若衆方にて情の種を蒔き置かれしにより、漸漸(ぜんぜん)に—に評判が良うなって参る」〈評判・二挺三味線江戸〉

しりびき【尻引き】①後援。後押し。「三井寺にも南都にも、猶—あって」〈盛衰記一六〉②セキレイの異称。「—や筧(かけひ)の水に飛ぶ螢」〈俳・下主智恵二〉

しりぶり【後風】うしろ姿。「里人の見る目恥づかし左夫流児(さぶるこ)にさどはす君が宮出—」〈万四一〇八〉

しりへ ェ:【後方】《「まへ」の対》①うしろ。「父母が殿の—のももよぐさ」〈万四三二六〉②競技・物合せの時の右方の組。「—の方人(かたうど)、さながら集りて、舞はすべし」〈かげろふ中〉 †sirife **—ざま**【後方ざま】うしろの方。「『あなかしこ、あなかしこ』と—にゐざりしぞきて」〈源氏行幸〉 **—で**【後手】後ろの方に手をまわすこと。古代社会では、うしろ手で何かするのは、相手の勢いを弱らせる呪術。「背揮、此をば志理幣提爾布倶(しりへでにふく)といふ」〈紀神代上〉。「—にしばり、大きなる木にしばりつけたり」〈宇津保藤原君〉

しりぼそ【尻細】物事の終りの方が微かになること。尾細(をぼそ)。「遺言も—になる虫の息」〈雑俳・広原海三〉

しりまひ ィ:マ【尻舞】人の後に付いて、そのまねをすること。「大場三郎が—して、迷ひ歩き給ふをぞ人とは言はぬ」〈盛衰記二〇〉

しりみや【尻宮】あとで面倒の生ずる故障。「—が怖い物かと女衒(ぜげん)言ひ」〈雑俳・万句合明和四〉

しりめ【後目・尻目】ひとみだけ動かして、後方を見やること。流し目。「—に見おこせて」〈源氏夕顔〉 **—にか・く** 尻目に見る。「中将かくとは知らず、…—・け、うちゑみたる気色(きそく)をしてぞ通られける」〈伽・しぐれ〉

しりもち【尻餅】 **—を搗(つ)・く** ①尻をつく。「雨降りには、馬も人も滑りて—・く」〈仮・東海道名所記二〉②おどろき喜ぶさまをいう。「—・きて喜ぶ歳暮かな」〈俳・犬子集六〉

しりもち【尻持ち】後援。後押し。うしろだて。「衣服小遣ひの—」〈浮・桐の小枕二〉

しりやう ョウ:リ【死霊】《「生霊」の対》死人の霊魂。「殊には讃岐院の御霊、宇治悪左府の憶念、新大納言成親の—、西光法師が悪霊、鬼界島の流人どもが生霊なんどぞ申しける」〈平家三・赦文〉

しりやう ョウ:リ【私領】個人の領地。「庄園—一所も相違あるべからず」〈平家一〇・三日平氏〉

じりやう ョウ:リ【寺領】寺院の領地。「住僧も安堵(あんど)し、—も豊饒(ふねう)なり」〈著聞二九一〉

しりやけざる【尻焼け猿】そわそわして落ち着かない者をいう語。「早く立つや—の年の暮」〈俳・新続犬筑波九〉

しりよわ【尻弱】押し通す気力のないこと。意気地ないさま。腰弱。「腕立てせし衆徒も皆—になりて」〈太閤記一〇〉

しりわ【後輪・尻輪】「しづわ」に同じ。「—に乗り懸かり、前輪(まへわ)に平(ひら)み」〈盛衰記三六〉

しりゐ【尻居】尻餅をつくこと。「高遠、轡を持ちながら、—にまろびぬ」〈著聞三六七〉

しる【汁】①物からしみ出る、また、しぼり取る液体。「染木(そめき)が—に」〈記歌謡四〉。「—(酒)にも穎(かひ=飯)にも称辞(たたへごと)竟(を)へまつらむ」〈祝詞祈年祭〉。「醨、和名之流(しる)」〈和名抄〉②あつもの。吸いもの。「厨女(くりやめ)…黄葉(さはやけ=大根ノモヤシ)の—して持て来たり」〈宇津保祭使〉。「これが—すすれ」〈宇治拾遺一六八〉③水気が多いこと。うるおいのあること。「〔香ハ〕夏合はするは、固き良し。—になる也。冬は—なれども、又の日は固まりぬ」〈薫集類抄下〉。「塵をなりとも結びて御いとまとて給はらば、顔に—のある時に、似合ひに有りつき候はんに」〈咄・昨日は今日下〉 **—・する** 同業の商人が組合を作る。同業仲間を結成する。「商売の組をするを—・すると言ひ習はせり」〈俳・類船集七〉

しるけく【著けく】《著シのク語法》はっきりしていること。顕著なこと。「神名火の浅小竹原(あさじのはら)のうつくしみわが思ふ君が声の—」〈万二七七四〉 †sirukeku

しる・し【徴し・標し・記し・銘し】㊀『四段』《シルシ(著)と同根。他の事と紛れることなく、すぐそれと見分けのつく形で表現する意》①前兆を示す。「新(あら)たしき年のはじめに豊の年—・すとならし雪の降れるは」〈万三九二五〉。「徴、シルス・シルシ・アラハス」〈名義抄〉②目じるしをつける。「おそろしげなる者ども、その辺の在家を—・しけるに、我が家を—・し除きければ、たづぬる処に」〈宇治拾遺六七〉。「標、シルス・シルシ」〈名義抄〉 ③(忘れぬように)書きつける。「この頃のわが恋力—・し集(こ)め功(く)に申さば五位の冠(かがふり)」〈万三八五八〉。「〔物語ト〕神代よりある事を—・し置きけるななり」〈源氏螢〉 ④脳裏にやきつける。はっきりと記憶する。「積れる年を—・せれば五つの六つ(三十年)になりにけり」〈古今一〇〇三〉 ㊁『名』《ありありと現われ出て、他とまがう余地のないもの》 ①前兆。「剣太刀身に取り副(そ)ふと夢に見つ何の—そも君に逢はむ為」〈万六〇四〉。「古へゆ無かりし—(吉祥)度(びた)まねく申したまひぬ」〈万四二五四〉 ②効験。験。「思ふとも—も無しと知るものを何しかここだわが恋ひわたる」〈万六五八〉 ③霊験。御利益。「神の御—をぞ人知れず頼み思ひける」〈源氏須磨〉 ④証拠。「永き世に—にせむと、遠き世に語り継がむと」〈万一八〇九〉 ⑤目じるし。「大江殿といひける所は、いたう荒れて、松ばかりぞ—なる」〈源氏須磨〉 ⑥合図。「—には墨をにほはさせ給へりし」〈大鏡兼通〉 ⑦皇位継承のしるし。神璽。「御枕がみなる—の箱」〈讃岐典侍日記〉 ⑧討ち取った首。首級。「八十余人が—を持たせ」〈加沢記五〉。「梟首、シルシ」〈いろは字〉 **—のおび**【標の帯】懐妊を祝って、五か月目頃に結ぶ帯。「かの恥ぢ給ふ—の引き結(ゆ)はれたるほど」〈源氏宿木〉 **—のたのみ**【印の頼み】結納品。「婚礼を調へ、—を運ばせ」〈西鶴・伝来記三〉 →たのみ。 **—ばかり** ほんのしるしほど。少しばかり。「—聞えさせ給へ」〈源氏絵合〉。「—とて一つ二つ」〈源氏宿木〉

しる・し『形ク』水気が多い。「大雨にて御庭—・き時は、引敷の下に打板を敷く」〈年中恒例記〉。「その粥が—・うて、水粥であって」〈百丈清規抄三〉

しる・し【著し】『形ク』《シルシ(徴・標)と同根。ありありと見え、聞え、また感じ取られて、他とまがう余地が無い状態》 ①前兆としてはっきり現われている。「わが背子が来べき宵なりささがねの蜘蛛のおこなひ今宵—・しも」〈紀歌謡六五〉。「雲だにも—・くし立たば心遣り見つつもあらむただに逢ふまでに」〈万二四五二〉 ②効験がはっきり現われている。その甲斐がある。「秋の野の尾花が末(うれ)を押しなべて〔逢ヒニ〕来しくも—・く逢へる君かも」〈万一五七七〉 ③予言通りに結果が現われている。「げにかの弟子の言ひしも—・く、いちしるき事どもありて」〈源氏手習〉 ④証拠歴然たるものがある。「人漕がずあらくも—・し潜(かづ)きする鴛鴦(をし)とたかべと船の上に住む」〈万二五八〉 ⑤明瞭で紛れることがない。「大伴の遠つ神祖(かむおや)の奥つ城(き)は—・くしめ立て人の知るべく」〈万四〇九六〉

しるしほヽ:シ【汁塩】うるおい。色気。艶気。「七十に片足踏み込んで、—の有る身でもなし」〈近松・加増曾我三〉

しるところ【知る所】支配する所。領地。「昔、男、津の国に—ありけるに」〈伊勢六六〉

しるへ【後方】「しりへ」の上代東国方言。「—には子をと妻をと置きてとも来ぬ」〈万四三八五防人〉 †sirupe

しるべ ①【導・指南】《知る方(へ)の意》てびきをすること。また、その人。道案内。「蒭蕘(くさかりわらは)の説(こと)といへども、みづから問ひて—にしたまふ」〈紀孝徳、大化二年〉。「優婆塞(うばそく)が行なふ道を—にて来ん世も深き契りたがふな」〈源氏夕顔〉。「シルベヲスル」〈日葡〉 ②【知る辺】知り合い。縁のある人。「思ひつつ経にける年を—にてなれぬるものは心なりけり」〈後撰一〇三三〉

しるまし【怪】《シルシ(前兆)と同根》前兆。不吉な場合にいう。「我が夢にみたる祥(よ)からぬ徴(しるまし)あり」〈金光明最勝王経平安初期点〉

し・る【知れ】『下二』《シリ(知)の他動詞形》知らせる。知られる。「春の野にあさるきぎしの妻恋ひに己(おの)があたりを人に—・れつつ」〈万一四四六〉 **知れた事** わかりきった事。平凡な事。「—よ祈らずとても君が春」〈俳・当世男上〉

し・れ【痴れ】『下二』《シリ(領)の受身形》何物かに心の働きを占領されて麻痺(まひ)・夢中の状態になる。馬鹿になる。「有りと有る上下(かみしも)、童(わらは)まで酔(ゑ)ひ—・れて」〈土佐十二月二十四日〉。「子の大人ぶるに、親の立ち代り—・れ行くことは」〈源氏少女〉

じれうヽ:リョウ【時料】その時の費用。「毎月に—・雑事を運び入る」〈盛衰記一七〉

しれがま・し【痴れがまし】『形シク』ばかげている。「おとどの、つらくもてなし給うしに、世の中の—・しき名を取りしかど、堪へがたきを念じて」〈源氏夕霧〉

しれごと【痴れ事】ばかな事。ばかばかしい事。「—なせそ、尊(みこと)」〈今昔二八ノ六〉

しれじれ・し【痴れ痴れし】『形シク』いかにも無知だ。「〔他人ト〕思ひよらざりける事よと、—・しき心地す」〈源氏行幸〉

しれもの【痴れ者】①ばか者。あほう。「なにがしは—の物語をせむ」〈源氏帚木〉 ②気ちがいじみた者。無茶者。乱暴者。「弁慶もとより—にて、行きあふ者を蹴倒し、踏み倒す事、たびたびなれば」〈伽・弁慶物語〉 ③したたか者。「きゃつらも—、ちっとも臆せず」〈浄・念仏往生記三〉

しれものぐるひヽ:グルイ【痴れ物狂ひ】ばかで気違いじみていること。また、その人。「このをのこをば、かくえもいはぬ—とは知りたりつれども」〈宇治拾遺三三〉

しろ【白】《シロシ(白)の語根》白色。「田児の浦ゆ打ち出でて見れば真—にぞ富士の高嶺に雪は降りける」〈万三一八〉。「〔五色ノ糸ノ〕一つをば—」〈孝養集下〉 †siro

しろ【代】《本物に代って、本物と同じ機能を果すもの》 ①代りの物。代り。「倭の香山(かぐやま)の土を取りて…『これ倭国の物—(倭国全土ニ代ルモノ)』とまうして」〈紀崇神十年〉。「塩—の田(塩ノ代リニ献上スル田)」〈播磨風土記〉。「たな霧らひ雪も降らぬか梅の花咲かぬが—に擬(そ)へてだに見む」〈万一六四二〉。「質、シロ」〈名義抄〉 ②その物の代りとして受け取る物。代価。「硫黄を取って、商人の舟の着きたるに取らせて、形の如くの—を得て日を送り」〈盛衰記二〉。「およそ烏帽子の—は定まりて候ふほどに」〈謡・烏帽子折〉

しろ【域・城・代】《シリ(領)の古い名詞形か。領有して他人に立ち入らせない一定の区域》 ①四方を限った区域。「苗—」〈播磨風土記〉。「神田(みとしろ)=神稲ヲ植エル区域)」〈紀神功摂政前〉 ②《転じて》田の広さの単位。高麗尺の六尺平方を歩といい、五歩を代(しろ)という。「五百(いほ)—小田を刈り乱り」〈万一五九二〉 ③「じゃう」に同じ。「城、シロ、要害也」〈いろは字〉 †sirö

しろあしげ【白葦毛】馬の毛色の名。葦毛の白みがかったもの。「—なる馬に乗り」〈平家一〇・藤戸〉

しろいもの【白い物】《シロキモノの音便形》おしろい。「裳(も)・唐衣(からぎぬ)に—うつりて、〔顔ガ〕まだらならむかし」〈枕一八四〉

しろうすやうヽ:ヨウ【白薄様】①白い薄手の鳥の子紙。「五節には、『—、こぜむじの紙、巻上の筆、鞆絵(ともゑ)かいたる筆の軸』なむど、さまざま面白き事をのみこそ歌ひまはるるに」〈平家一・殿上闇討〉 ②「白薄様」の文句の入った今様。「人人ゑひてのち、—うたひて」〈著聞六三五〉

しろうま【白馬】 毛色の白い馬。「―は泥かたにこそなりにけれ土葦毛(つちあしげ)とやいふべかるらん」〈著聞七二五〉

しろうるり【白うるり】 世の中に存在しないもの。近世ではそういうもののたとえとして用いた。「この〔盛親〕僧都、ある法師を見て、―といふ名をつけたりけり。『とは、何物ぞ』と、人の問ひければ、『さる物を我も知らず。もし在らましかば、この僧の顔に似てん』とぞ云ひける」〈徒然六〇〉。「―とや消ゆる白雪」〈俳・大句数上〉

しろがなもの【白金物】 銀の金具。「黒糸緘の腹巻の―うったる胸板せめて」〈平家二・教訓状〉

しろがね【銀】《近世前期頃までシロカネと清音。白金の意》 ①銀(ぎん)。「―も金(くがね)も玉も何せむに」〈万八〇三〉。「銀、シロカネ」〈名義抄〉。「銀、シロカネ」〈書言字考〉 ②銀泥(ぎんでい)。「―〔デ書写シタ〕法華経一部」〈栄花衣珠〉 †sirokane **―づくり**【銀作り】 銀金具で装飾あるいは製作すること。また、そのもの。「銀装長刀、シロカネヅクリノナガタチ」〈名義抄〉

しろか・へ(エ・カ)【代替へ】《下二》 売って金に代える。「ある時は鏡を―・へ、衣装をこしらへなどして」〈伽・磯崎〉

しろかみ【白髪】 しらが。「死なばこそ相見ずあらめ生きてあらば―子らに生ひざらめやも」〈万三七九二〉 †sirokami

しろき【白酒】《「黒酒(くろき)」の対》 神嘗・大嘗の祭に神前に供える白い酒。「由紀・須伎二国の献れる黒酒・―の御酒を」〈続紀宣命三八〉 †siroki

しろきぬ【白衣】 白い着物。また、黒衣を着る僧に対して、俗人。「俗(しろきぬ)七十五人(ななそぢあまりいつたり)」〈紀推古十七年〉 †sirokinu

しろきもの【白き物】 おしろい。「しろいもの」とも。「―いきつかぬ所は、雪のむらむら消えのこりたるここちして」〈枕三〉。「粉、之路岐毛能(しろきもの)」〈和名抄〉

しろぐつわ【白轡】 白く光るように磨いたくつわ。「白葦毛なる老馬にかがみ鞍おき、―はげ(カマセ)」〈平家九・老馬〉

しろくら【白鞍】 鞍の前輪(まへわ)・後輪(しづわ)に銀を張ったもの。白覆輪の鞍。「秘蔵せられける飛鹿毛といふ馬に―置いて、神馬にひき給へば」〈古活字本平治上・六波羅より紀州へ〉。「銀鞍、シロクラ」〈運歩色葉集〉

しろくりげ【白栗毛】 馬の毛色の名。茶色の毛の白みがかったもの。「或る人のもとに、―なる馬を飼ひたる馬屋に至りて」〈著聞六九八〉

しろくろ【白黒】 白と黒と。是非。こくびゃく。「―未だ定まらず、とかくの問答に月日を移すの上」〈塵芥集〉 **―になる** 混乱する。「―・って追うつまくりつ、鎬(しのぎ)を削り」〈狂言記・双六僧〉 **―のふしもの**【白黒の賦物】 連歌で、百韻全句に白い物と黒い物を交互に詠みこみ、一巻の統一をはかったもの。「後鳥羽院の御時―の連歌召されけるに。乙女子がかづらき山を春かけて／かすめどいまだ嶺のしらゆき」〈菟玖波集一〉 ▽用例では、前句に黒(かつら)、付句に白(しらゆき)が詠みこまれている。

しろこ【白子】 全身または一部の皮膚が先天的に色素欠乏し、白色・淡紅色である人。「愛知川といふ所におりたれば、十一二ばかりなる尼の、―とかやいふなる、髪よりはじめて目のうちまで黒き所なきもの出で来て、物を乞ふ」〈飛鳥井雅有日記都路のわかれ〉

しろこそで【白小袖】 表裏ともに白羽二重または白絹で作った小袖。近世には僧侶・婦女にのみ着用を許され、喪服の時だけ庶民も着ることができた。白無垢(しろむく)。「御装束は―一重ね」〈義経記三〉。「宗碩法師…―一つ着たる胸あらはに」〈再昌草三〉

しろさやまき【白鞘巻】 銀の金具で柄(つか)や鞘をかざった鞘巻。「はじめは水干に立烏帽子、―をさいて舞ひければ、男舞とぞ申しける」〈平家一・祇王〉

しろ・し《形ク》 ❶【白し】 ①白い。「黒髪の―・く成るまで」〈万一四二一〉。「―・き御衣どものなよよかなるに」〈源氏帚木〉 ②色を塗ってない。生地のままである。「―・き御厨子一よろひにまゐりすゑたり」〈紫式部日記〉 ❷【著し】 ①明るくはっきりしている。「春はあけぼの。やうやう―・く成り行く山際少し明りて」〈枕一〉。「庭火―・く焚きたるに」〈宇治拾遺七四〉 ②明確だ。「また―・く院方へ参るよしを言ひて思ひ切りて討死やする」〈保元上・官軍手分け〉 ❸【素し】 その道の作法・慣習に通じない。初心だ。野暮だ。多くは遊興にいう。「―・い客薄い雪降る折節に」〈俳・大矢数五〉 ▽シルシ(著)と同根か。 †sirosi **白い歯も見せ・ず** 少しも笑わないで、いかめしい顔つきでいる、の意。「侍と言ふ者は、女に―・ぬ物ぢゃ」〈伎・好色伝授上〉

しろじた【城下】 大名の居城の周辺の市街。「―の宿中を敵に焼かれぬ先にとてみづから放火す」〈甲乱記上〉。〈日葡〉

しろしめ・し【知ろし召し】《四段》《シラシメシの転》 ①治め給う。「大八洲豊葦原瑞穂の国を安国と平らけく―・せと言寄さし奉り賜ひて」〈祝詞大殿祭〉 ②理解なさる。「心心を見給ひて、さかし愚かなりと―・しけむ」〈古今序〉。「御心明らかに、よく人を―・せり」〈大鏡序〉 ③御存じである。「世尊知(しろ)しめせども故(ことさら)に問はせ給ひけらく」〈地蔵十輪経七・元慶点〉 ④気におかけになる。「命終らむ月日も、さらにな―・しそ」〈源氏若菜上〉 †sirō-simesi

しろしゃうぞく(ウ・ショ)【白装束】 白地ずくめの装束。近世は多く凶時に用いた。「―したる人三十騎ばかり」〈盛衰記二九〉。「―霜に声あり寒念仏」〈俳・坂東太郎下〉

しろじょゐん【白書院】 書院の一。檜(ひのき)柾目(まさめ)を用い、塗料を一切用いない造りで、客と対面する座敷。「御城中にも―・黒書院とて有ると也」〈俳・類船集六下〉

しろずみ【白炭】 ツバキの枝やツジの根などを焼いて、更に灰中に埋めて白色にした茶会用の炭。「かくひ炭」とも。「黒炭と―との十文字〔ノ置キ方〕は嫌はずとなり」〈草人木上〉

しろた【白田】《「畠」の字を「白」と「田」に分けたもの》 畠。「早苗もや栄う源氏のはた―」〈俳・難波草三〉。「うろたへて―へ潜る畠垣」〈近松・氷の朔日下〉

しろだち【白太刀】 銀(しろがね)づくりの太刀。「四尺五尺の―に、虎の皮の尻鞘引き籠め」〈太平記三四・畠山道誓〉

しろたへ(エ・タ)【白栲・白妙】 栲(たへ)で織った白い布。「―に舎人装(よそ)ひて」〈万四七五〉 †sirotape **―ごろも**【白栲衣】 白栲で作った衣。「―垢(あか)づくまでに」〈万三〇二八〉 **―の**【白栲の】〔枕詞〕 白栲の材料である藤と同音をもつ地名「藤江」に、白栲でつくる木綿(ゆふ)と同音から「夕」にかかる。また、白いところから「雲」「波」「幣(みてぐら)」「富士」「羽」などにかかる。「―藤江の浦」〈万三六〇七〉。「―雲か隠せる」〈万一〇七九〉。「―ゆふつけどりも」〈新勅撰三三〇〉

しろちゃ【白茶】 上等の新芽を灰汁に漬けないで、蒸して焙った極上の茶。「初雪もつれて口切る―かな」〈俳・犬子集六〉

しろづか【白柄】 「しらつか」に同じ。「―の脇指に気を付け」〈西鶴・諸艶大鑑四〉

しろづき【白搗き・白突き】 よく白く搗いた米。白米。「氷を砕く下用(げよう)―」〈俳・二葉集〉。〈日葡〉

しろっぽ・い【白っぽい・素っぽい】『形』素人(しろうと)くさい。「―・く田植に嫁の目立つなり」〈雑俳・万句合安永八〉

しろづめ【城詰め】城中に詰めて勤務すること。また、その武士。「お国に居ては毎日の御―」〈近松・堀川波鼓上〉

しろと【素人】「しらうと」の訛。「―細工の竹の露霜」〈俳・二葉集〉。「嬉しがり／〔カルタノ〕虫をあざぢゃと出す―」〈雑俳・塗笠〉 **―すい**【素人粋・素人帥】遊興に不馴れなのに粋人ぶる者。半可通。「まだしき(未熟ナ)―は、恐れてこなす事ならず」〈西鶴・一代女二〉 **―をんな**【素人女】①芸娼妓でない堅気の女。「女の風俗も―よりは見よげに」〈西鶴・男色大鑑六〉②素人仕立ての私娼。貞享頃から京都に流行。「白人(はくじん)」とも。「土手町の―に忍び通ひ」〈西鶴・男色大鑑六〉

しろどり【城取り】城構え。「―・川筋、よく見分して」〈浅井三代記六〉

しろな・し【代為し】『四段』物品を売って金に代える。「売り代なし」とも。「この御経をいづかたにても―・し、世を渡り給へ」〈伽・浦島太郎〉

しろなめし【白鞣】生皮をなめして白色の皮とすること。また、その皮。「鹿の皮や剝がぬも霜に―」〈俳・毛吹草六〉

しろにせ【白似せ】明白なにせもの。多く贋造貨幣にいう。「枝枝も―かづく銀花(銀貨ト掛ケル)かな」〈俳・小川千句〉

しろぬめ【白絖】白色のつやのある絹布。「―の着る物賜はり」〈西鶴・一代男二〉

しろねずみ【白鼠】①純白または斑白の鼠。中・近世、大黒天の使者とされ、その住む家は繁昌すると信じられた。福鼠。「蔵の内の―なり窓の月」〈俳・埋草三〉②《主人を大黒天に、奉公人を白鼠にたとえていう》主家に忠実で功労のある番頭・奉公人などの称。「今この家の―となり給ふ」〈評判・三幅一対〉

しろ・ひ(シロイ)『接尾』《「言ひ」「突き」「引き」などにつく》自分の意見・感想などを主張し合う。「物言ひさがなき御達つき―・ふに、おとど渡りて見給ふぞわりなきや」〈源氏藤裏葉〉。「〔侍従ラガ〕『いとわりなからむ』といひ―・ふ程に、夜もいたく更けゆく」〈源氏浮舟〉 ▽シロヒは、シリ(領)アヒ(合)の転で、相手に負けじと互いに…し合う意か。

しろびくに【白比丘尼】室町時代前期、若狭の生れで、人魚の肉を食べて八百歳まで不老長生したという比丘尼。顔色が白かったのでいう。八百比丘尼。「若狭の国より、―とて二百余歳の比丘尼上洛せしむ」〈康富記文安六・五・二六〉

しろひと【白人】白あざ・白なまずの類のある人。国つ罪の一。「国つ罪と(トシテ)……―・胡久美(こくみ)」〈祝詞大祓詞〉 †siroFitö

しろぶくりん【白覆輪】覆輪の一。銀で縁どりしたもの。銀覆輪(ぎんぷくりん)。「黄河原毛なる馬の太く逞しきに、―の鞍置きて乗ったりけるが」〈保元上・官軍手分け〉

しろべゑ【四郎兵衛】〔遊里語〕江戸吉原遊廓の大門(おおもん)の番所に詰め、出入りの人を監視し、特に遊女の脱出を防いだ役。「門番の―に尋ねければ」〈西鶴・新吉原常常草下〉

しろ・み【白み】㊀『四段』①白色をおびる。白っぽくなる。「まだ暗うてよくも見えざりつるを、―・みたる〔衣服ノ〕者の侍りつれば、花を折りたるにやと」〈枕二七八〉②ひるむ。力がくじける。鈍る。「山名が兵ども進みかねて、少し―・うてぞ見えたりける」〈太平記三三・神南合戦〉。「〔大蛇ノ〕尾に到りて剣の刃少し―・みたり」〈伽・伊吹童子〉㊁『名』白い色合。白い部分。「又、藤も紫には咲きながら、―の多く見ゆれば」〈仙覚抄八〉

しろみづ【白水】①米をといで白く濁った水。とぎ汁。「米を洗ひ捨てたる―」〈阿彌陀経見聞私下三〉②《「泉」の字を「白」と「水」とに分けていう》泉の隠語。「―の国(和泉国)に飯〔トイウ〕名はきつい事〔ピッタリダ〕」〈雑俳・柳多留三三〉 **―を流・す**《米飯を食べる意からという》生活が豊かなさまをいう。「―・すは親の黒い汁(激シイ労働ニヨル)」〈雑俳・長ふくべ〉。「―・すとは長者をいふ」〈譬喩尽七〉

しろむく【白無垢】「白小袖」に同じ。「―も雪に汚るるあしたかな」〈俳・俳諧三部抄上〉 **―てっくゎ**【白無垢鉄火】《シロムクデックヮとも》表面を上品に見せかけた無頼漢。「此の卦の客は、年寄か、旦那か、又は―なるべし」〈洒・擲銭青楼占〉

しろ・め【白め】『下二』①白くする。「衣(きぬ)も―・めず、おなじすすけにてあれば」〈枕八七〉②精白する。しらげる。「米(よね)の―・むる音のしけるを聞きて」〈俊頼髄脳〉

しろもち【城持】一城を持っている武将。「江南の―どもを味方に招くべし」〈浅井三代記一二〉

しろもと【城本】大名の居城のある所。城下(しろした)。「其の夜に―へ引き取り」〈西鶴・男色大鑑二〉

しろもの【白物】①白酒。「御好みの―なればこそ申せ」〈問はず語り二〉②おしろい。「―とは、顔に塗る白粉の事なり」〈御書抄一八〉

しろもの【代物】《シロは、代りの物》①金に代えるべき物品。交易する商品。〈日葡〉②代金。「―をば取り申すまじと言へば」〈仮・浮世物語三〉③曲目。演題。「もっとも三絃も大概で、吉野川・筑波山〔ノ曲ナド〕二つ三つの―にて〔他ノ曲ハ知ラズ〕」〈洒・徒然睟が川三〉④あほう。ばか。「金銀の威勢を鼻の先へ出して、権柄に罵るほど、―とは見ゆれ」〈洒・徒然睟が川一〉⑤人をいやしめていう語。やつ。手合い。「ああいふ―だはな」〈滑・浮世風呂三下〉⑥美女。「無念也／〔仲人口ニカカッテ〕よい―とばかり惚れ」〈雑俳・田植笠〉 **―がへ**(ガエ)【代物替へ】物と物との交換。「秋と冬と―や月と雪」〈俳・鷹筑波三〉

しろり ①白眼で見るさま。にらむさま。「頭を挙げて―と見て」〈臨済録抄〉②落ち着きはらって平然としているさま。「此処は旅〔先〕ぢゃは旅ぢゃはと言うても、―としてゐたり」〈浮・好色小柴垣三〉

しろりくろり はっきりしないさま。「しらりくらり」「しらくら」とも。「〔船カラ見ルト〕―と見ゆる川面」〈俳・鷹筑波二〉

しわ【皺】①皮・布などの表面がたわんで作るすじ。「紅の面(おもて)の上に何処(いづく)ゆか―が来りし」〈万八〇四〉。「皺、之和(しわ)、皮細起也」〈和名抄〉②水面の波紋をたとえていう語。「浪の―にやおぼほれむ」〈古今一〇〇三〉 **―を延ば・す** うさを晴らす。息抜きをする。「此の程の―・さうと思ふ」〈狂言記・花子〉

しわうでん【四王天】六欲天の第一。須彌山(しゅみせん)の中腹にある。東西南北の一天ずつに、持国天・広目天・増長天・多聞天の四天王が配され、仏法帰依の人人を守護しているという。「人間五十年は―の一日一夜なり」〈古今集註〉。「須彌の半ば―へ逃げ上る」〈太平記八・谷堂炎上〉

しわくた【皺腐】ひどく皺が寄っていること。しわくちゃ。「―を今日は熨斗目(のしめ)の袷(あはせ)かな」〈俳・沙金袋三〉

しわ・け【仕分け】『下二』別別に分ける。区分する。「まぎれさうなほどに、この注に―・けたぞ」〈三体詩抄一ノ四〉。「制と

は法度の心ぞ。物の道理を━・け、たち分けする方ぞ」〈春鑑鈔〉

しわざ【為業】《シは為(し)。ワザは意図・もくろみを秘めた行為。平安時代の和文脈系の文章では、あまり良い意味でなく使うことが多い》①(目的をもってする)言行。態度。「一言(ひとこと)の端を以て十の言を知りぬ。一つの行(しわざ)の端を以て百(もも)の行を知りぬ」〈東大寺諷誦文稿〉②持って行き方。事の運び方。「〔子供ガヨクナイノヲ見ルト〕親の━さへ思ひやらるるこそいとほしけれ(気ノ毒ダ)」〈源氏螢〉③仕事。「形を費(つひや)し、身心をば一切人の下に作(な)し、法の事(しわざ)を行なひ仕へまつる」〈東大寺諷誦文稿〉④及ぼした結果。もたらした結果。「船路の━とて少し黒みやつれたる旅姿」〈源氏夕顔〉

しわ・し【吝し】『形ク』けちである。しみったれである。「内の者どもには━・き人あり」〈驢鞍橋上〉。「富者は必ず━・いぞ」〈論語抄学而〉

しわしわ【撓撓】物のしなうさま。しなしな。へなへな。しわりしわり。「細き反橋の上は━たよたよと」〈浄・当麻中将姫一〉

しわた・し【為渡し】『四段』ずっと向うまで作る。「竹編める垣━・して」〈源氏須磨〉

しわたらう【吝太郎】吝嗇(りんしょく)者の擬人名。「いとどだに握り拳の━指を切りなば手をば広げじ」〈新撰狂歌集下〉

しわばら【皺腹】皺の寄った老人の腹。また、その腹を切って自殺すること。「是れにて━仕り、二度(ふたび)御所へは帰らじ」〈近松・吉野忠信一〉

しわ・び【皺び】『四段』「しわみ」に同じ。「〔蕪ヲ〕暫くもてあそびける程に、━・びたりけるを」〈今昔二六ノ二〉

しわ・び【為侘び】『上二』うまく行かずに、なやむ。処置に困る。もてあます。「いみじくほうけて、ものもおぼえぬやうにてありければ、━・びて法師になりてけり」〈宇治拾遺一八五〉

しわ・み【皺み】『四段』しわが寄る。「若かりし膚も━・みぬ黒かりし髪も白けぬ」〈万一七四〇〉。「萎、シワム・ナユ・シボム」〈名義抄〉 †siwami

しわむし【吝虫】けちな人をののしっていう語。吝虫太郎。しわん坊。「蚊蚊(かか)鳴くやげに━と申すべし」〈俳・智恵袋三〉

しわ・め【皺め】『下二』しわを寄せる。しわを作る。「眉を━・むべからず」〈無言抄下〉。「面を━・めて愁(れう)ふるやうなは」〈錦繡段鈔三〉

しわんばう【吝ん坊】けちな人をののしっていう語。せちべん坊。「山寺の花を惜しむや━」〈俳・毛吹草一〉。「如何なる━も、眼の前に取りん坊となり」〈評判・高屛風上〉

しゐぎ【四威儀】〔仏〕行・住・坐・臥の四つの作法。「念仏・読経、━を破る事なかれ」〈宇治拾遺一〉

しゐのじじゅう【四位の侍従】四位で、侍従になっている人。「この━の御ありさまに似る人ぞなかりける」〈源氏竹河〉

しゐのせうしゃう【四位の少将】四位でありながら正五位相当の近衛少将の官にいる者。「━右中弁など急ぎ出でて」〈源氏花宴〉。「君達は。……━」〈枕一七一〉

しゐん【四韻】①詩に用いる四つの韻字。「怱に短筆におほせていささかに━を勒(ろく)す」〈万巻一七・晩春の遊覧序〉②八句の漢詩、すなわち律詩のこと。偶数番の句の終に合計四つの韻を踏むのでいう。「博士の人人は━、ただの人は、おとどを始め奉りて、絶句(ぜく)つくりて」〈源氏少女〉

しゑや『感』《シもヱもヤも感動詞》断念・放任・決意を表現するときに発する掛け声。ええい。ええままよ。「霊(また)ぢはふ神もわれをば打棄(う)てこそ━命の惜しけくもなし」〈万二六六一〉

しをしを ⇒しほしほ

しをに【紫苑】《シヲンのnの後に母音iを加えてniとしたもの。エニ(縁)・ゼニ(銭)の類》キク科の大形多年草。茎は二メートル内外になり、秋、茎の上部に多くの小枝を出し、淡紫色の花をつける。「━。ふりはへていざふるさとの花見むと来しをにほひぞ移ろひにける」〈古今四四一〉。「━といふ草こそ、そを見る人、心におぼゆる事は忘れざなれ」〈今昔三一ノ二七〉

しをら・し『形シク』⇒しほらし

しをり【撓り】「寂び」「細み」と並んで、蕉風俳諧の根本理念の一。対象に対する作者の繊細な感情が、余情となってにじみ出た姿。「━は哀れなる句にあらず。…━は句の姿にあり」〈俳・去来抄〉

しを・り ㊀『四段』①折檻する。「蔵にこめて━・り給うければ、蔵にこもりて泣く」〈伊勢六五〉②たわませる。「秋風は軒端の松を━・る夜に」〈玉葉六七八〉。「〔弓ヲ〕よっぴいて━・り遊ばしければ」〈嘉吉軍記〉③【栞り・枝折り】木の枝を折って道しるべとする。転じて、道案内する。「ふる雪に━・りし柴も埋もれて思はぬ山に冬ごもりぬる」〈山家集上〉。「咲きぬやと知らぬ山路に尋ね入る我をば花の━・るなりけり」〈千載六〇〉 ㊁『名』山道などで、木の枝を折りかけて道しるべとすること。「━して行く旅なれどかりそめの命しらねばかへりしもせじ」〈大和五四〉 **━ど**【枝折戸】木の枝や竹などを折りまげて作っただけの、簡単な開き戸。「立ちいづるささの編戸を引き閉ぢて。これは━にして付くる也」〈三島千句注〉

しを・れ『下二』《シヲリの自動詞形。植物が雪や風に押されて、たわみ、うなだれる意》①押されて、うなだれる。勢いがなくなる。「事繁み相問はなくに梅の花雪に━・れて移ろはむかも」〈万四二八二〉。「吹くからに秋の草木の━・るればむべ山風をあらしといふらむ」〈古今二四九〉②(人の態度・様子が)しょんぼりとする。「〔女君ハ〕すくよかなる折もなく、━・れ給へるを」〈源氏真木柱〉③ぬれて弱る。「君恋ふと鳴海の浦の浜ひさぎ━・れてのみも年をふるかな。…『━・る』と申す事は…ただ濡ると申す事なり」〈国信卿家歌合〉④勢いのなくなった花の風情を持つ。優艶な中に一抹のさびのある美しさを持つ。「━・れたると申すこと、花よりもなほ上の事にも申しつべし。花なくては、━・れ所無益(むやく)なり。それはしめりたるになるべし。花の━・れたらんこそ面白けれ」〈風姿花伝〉

しをん【紫苑】①⇒しをに。〈下学集〉②襲(かさね)の色目の名。「濃きあこめ、━の織物かさねて」〈源氏少女〉

しん【心】①こころ。精神。「浄土に往生せんと思はば、━と行(ぎゃう)との二つ相応すべきなり」〈和語燈録一〉②中心となるもの。「中にくろがねの━立てて、柱のたたずまひのすがたなり」〈源家長日記〉③立花で、中心に立てる枝。主に松を使う。「連歌の花は、発句を聞きたらば、その体にたがはざるていに立つべし。もし聞かずは、松を━に立て、下草に当季のものを用ゆ」〈仙伝抄〉。「〔仏壇ニ〕松の━青く供じ」〈浮・御伽比丘尼二〉④行動の主となるもの。首脳。中軸。「そんなら、おいらも〔芝居事ノ〕━に入れねへナ」〈滑・浮世風呂前下〉 **━から底から** 全く。実に。しんそこから。「花も瓶(びん)も━見事かな」〈俳・口真似草一〉 **━も懲(こ)りも無・い** 少しも懲りない。性懲りも無い。〈続無名抄下〉

しん【身】身体。〈色葉字類抄〉

し

しん【信】 ①疑わず、かたく信頼すること。また、その心。「―とは疑ひに対する心にて、疑ひを除くを―とは申すべきなり」〈和語燈録二〉 ②信心。信仰する心。「心のそみぞみと身の毛もいよだち涙も落つるをのみ―の起ると申すは、ひが事にてあるなり」〈和語燈録二〉 ③儒教で説く五常の一。いつわらない心。まこと。信義。「―をも守らじ。礼義をも思はじ」〈徒然一二三〉 **―あれば徳あり** 信心すれば自然に福徳が恵まれる。「さればこそ―とはかやう事をや言ふらん」〈奇異雑談集二〉 **―を致・す** 信心の限りをつくす。篤く信仰心を表わす。「御心いとうるはしくおはします人の―・させ給ひしかば」〈大鏡昔物語〉 **―を取・る** ①信心する。「源いよいよ―・り、数の礼拝参らせて」〈伽・天狗の内裏〉 ②信用する。「水漿を絶ちて後、五十余日を経る事、殆んど―・り難しといへども」〈法然上人行状絵図〉 **―を成・す** ほんとうだと信じる。「年老いたる尼・法師ども、ひたひに手をあてて、―・しつつ聞きゐたり」〈大鏡後一条〉

しん【神】 ①神霊。神明。神(かみ)。「さてこそ瀬尾太郎兼康をば、―にも通じたる者にてありけりと」〈平家三・無文〉。「―をうやまふをもて国の政(まつりごと)とし、仏(ぶつ)に帰するをもて世の営みとす」〈諸神本懐集本〉 ②心。精神。魂。「鬼に―とられたるやうにて、ともに行くほどに」〈宇治拾遺三八〉 ③霊妙な所。「終に幽を探り―に入る」〈俳・忘梅序〉

しん【真】 ①真実。まこと。「至誠心(しじやうしん)といふは真実の心なり。…至といふは―の義、誠といふは実の義」〈和語燈録三〉。「この―の闇に無案内の勢、敵大勢にて待ちかけたる所へふためき着きて」〈明徳記上〉 ②漢字の書体の一。楷書(かいしよ)。真書。「況むや―・行・草の書の勢ひ、絶えて継ぐものあらず」〈菅家後集〉。「表のかたには楽府(がふ)をうるはしく―に書き、裏には御筆とどめて草(さう)にめでたく書きて」〈大鏡伊尹〉 ③漢字。真字。「―で書いて有るに依って読めぬ」〈虎寛本狂言・粟田口〉 ④「心(しん)」(3)に同じ。「―には相生の松・菊・みやましきび、下草は水仙花。いづれも上様の御立て候」〈空善記〉

しん【親】 親族。「沙門法蓮は…民の苦を済(すく)ひ治む。…其の僧の三等以上の―に、宇佐君の姓を賜ふ」〈続紀養老五・六・三〉 **―は泣き寄り** 不幸に際会したときは、みうちの者だけが集まって来て、慰めあい相談しあうということ。「他人は食ひ寄り」と続けてもいう。「―とやら言ふやうに、兄弟にしく事は候はぬぞ」〈毛詩抄九〉

じん【仁】 ①儒教で説く五常の一。いつくしみ。めぐみの心。「―動植に及び、恩羽毛に蒙らしめんとす」〈続紀養老五・七・二五〉。「外(儒教)には又―・義・礼・智・信の法にも背き候ひなんず」〈平家二・教訓状〉 ②ひとかどの人物。りっぱな人柄。「女姓たりと雖も、其の―たるに依りて…野間内海以下の所所を領す」〈吾妻鏡正治二・六・二九〉 ③人。「あっぱれこの―も内内所望すると聞きし物を」〈平家九・生食〉

しんい【瞋恚】《連声してシンニとも》①〔仏〕三毒の一。いかりうらむこと。「五大より貪欲・―等のもろもろの煩悩を生ず」〈今昔一ノ五〉。〈色葉字類抄〉 ②煩悩。情欲。「―を互ひに燃やし」〈西鶴・五人女一〉 **―のほのほ【瞋恚の炎】** 炎のようにもえるはげしいいかり。「瞋恚のほむら」とも。「我ひとり―にもえこがれて、せんかたなき苦をのみうけ侍り」〈宇治拾遺一三四〉

しんえふ(ヨウ)**【心葉】**「心葉(こころば)」の音読語。「白銀の―に、黄金の盃、瑠璃の壺出す」〈近松・将棋経四〉

しんえん【宸宴】 天子のもよおす酒宴。「―あり。御遊あり」〈平家五・五節〉

しんか【請暇】 禅僧が、修業に出かけるため、しばらく住持に暇を乞うこと。「かくのごとくいひて、すなはち―するに」〈正法眼蔵行持下〉。〈文明本節用集〉

しんがい【新開】 山野を切り開いて、新しく田畠をつくること。また、その田畠。領主から新開と認定された土地は、年貢賦課の対象とされず、私有が黙認された。転じて、私的な蓄積。「武蔵国太田庄内荒野―すべきの事、其の沙汰有り」〈吾妻鏡寛喜二・一・二六〉 →しがい

しんかう(コウ)**【神幸】** 神霊が神輿や御船代(みふなしろ)に乗って渡御すること。「御先をば追はず。―に恐れをなし奉る故也」〈太平記三九・神木御帰座〉

しんかき【真書き】 楷書(かいしよ)を書くのに用いる穂先の細い筆。真書き筆。「筆には色色あり。消息・―・点付け・絵筆・大筆のたぐひ」〈仮・小盃四〉

しんがく【心学】《人間の諸行為も社会一切の事象も、心を本源とするもので、心の働きに収蔵帰納できるとし、真正の学という意で名づけた》①近世前期、朱子学または陽明学の称。「勇士の―好みなるは取り分け〔大事ニスベシ〕」〈仮・童蒙先習上〉 ②近世中期、享保頃、京都の石田梅岩が始めた一種の庶民教育。神・儒・仏の三教を融合し、平易な言葉と通俗な譬喩とで教旨を説き、修練に静座などを重んじ、道話を教化の手段とした。後、手島堵庵・中沢道二・柴田鳩翁などの努力によって大いに普及した。「京近国も殊の外―流行に御座候」〈手島堵庵書簡安永八・三・七〉

しんがり【殿】《シリ(後)カリ(駆)の転》退却の際、軍の最後尾を守ること。また、その軍隊。「しっぱらひ」とも。「岩城―衆敗軍つかまつり」〈伊達日記中〉。〈いろは字〉

しんかん【心肝】 心臓と肝臓と。こころ。「夕べに造仏の功徳深きを聞き、随喜の涙を落し、―春(うすづ)くが如し」〈中右記承徳二・八・二七〉 **―に染(そ)・む** 心に深くしみ入る。「詠吟の声、妙にめでたく、―・みて覚えける程に夢さめぬ」〈著聞三八〉

しんき【心気】《「辛気」とも書く》心がいらいらすること。気がふさいでくさくさすること。病気の一種と考えられていた。「又、―・腹病・虚労等は更る更る発(おこ)り」〈庭訓往来十一月十二日〉 **―が湧(わ)・く** 心が湧き立つように甚だ悩む。我慢出来ぬほどいらだつ。「女子でさへ―・く」〈近松・鑓権三上〉 **―取・る** 憂さ晴らしをする。辛気晴らしをする。「涼風の手や―・る夕涼み」〈俳・大井川集上〉 **―なき【心気泣き】** いらだたしくて泣くこと。もだえ泣き。「これほど思ひ合うた中、なぜに女夫(めをと)になられぬと、―にぞ泣きゐたる」〈近松・五十年忌中〉 **―やせ【心気痩せ】** 心がいらいらして痩せること。「其の中の良さ隠れ無く、聞いて羨む―」〈近松・松風村雨一〉 **―やみ【心気病み】** 心気を病むこと。また、その人。「―のくせで、少しの事を聞いても気にかけ、腹を立つるものぞ」〈三体詩抄一ノ二〉

しんぎ【宸儀】 天皇の御身。天子のお姿。「―南殿に出御し…中儀の節会行なはる」〈平家五・富士川合戦〉

じんき【人気】 体熱。「多い群集には―で汗が出るぞ」〈詩学大成鈔二〉

じんぎ【仁義】 仁と義と。道徳。「道徳―も礼に因りて弘まる。教訓正俗礼を待ちて成る」〈続紀慶雲三・三・一三〉 **―たて【仁義立て】** 仁義を立て通すこと。また、立て通すふりをすること。「―を言ふ者なれば」〈浄・平安城一〉

じんぎ【神祇】 天神地祇。天の神と地の神と。「勅して―に禱祈せしむ。天下の疫病に由りてなり」〈続紀慶雲二・閏一・二〇〉 **―くゎん【神祇官】** 令制で、太政官と並ぶ最高機関。神祇の祭祀・大嘗・鎮魂・卜占などをつかさどる。

「かみづかさ」とも。「一十九社始めて祈年幣帛の例に入る。其の神名、—の記に具す」〈続紀慶雲三・二・二六〉

じんぎ【辞義・辞宜】「じぎ(時宜)」の転。「望む所はさしたる—、尤もなり」〈曾我二〉

しんぎふ【賑給】⇒しんごふ。「賑給、シンギフ、充二人数一施レ物也」〈色葉字類抄〉

しんきやう【神鏡】①三種の神器の一。八咫鏡(やたのかがみ)の称。「天皇東二条宮に在す。親王・公卿、天子に璽綬・—・宝剣等を奉る」〈三代実録元慶八・二・四〉②神の御霊代(みたましろ)としての鏡。「われら三尺の鏡を—として崇め奉りて候」〈伽・花鳥風月〉

しんきやう【新京】新しい都。新都。「—朱雀(すざか)のしだり柳」〈催馬楽浅緑〉。「古京と—と何れか勝れる」〈続古事談二〉

しんきやう【親兄】自分の兄。実兄。「然れども我が君は—の礼を重んじ給ひ」〈謡・舟弁慶〉

しんぎやう【心経】「般若心経(はんにやしんぎやう)」の略。「三宝を信敬し、常に—を誦持して、業行(わざ)となす」〈霊異記中一九〉

じんきよ【腎虚】漢方の病名。心労・過淫などによる強度の心身衰弱症。「君ゆゑに—せんこそ望みなれ」〈俳・犬筑波〉。〈運歩色葉集〉

しんきん【宸襟】天皇の御心。叡慮(えいりよ)。「平氏—を悩まし、仏法を滅す間」〈平家七・木曾山門牒状〉

しんぎん【新銀】享保年間、銀八・銅二の割合で鋳造した良質の銀貨。正徳改鋳の四宝銀に対して、四倍の価値があった。享保銀。「—の光には、少少の刀もねぢゆがめうと思ふもの」〈近松・天網島上〉

しんく【真紅・深紅】紅花で染めた濃赤色。本紅(ほんもみ)。「紅(くれなゐ)や—(真紅・辛苦)をしたる花の種」〈俳・犬子集二〉

しんく【親句】歌の第一句から第五句までの続き具合が、縁語を用いて、または音韻の類似などで親近な感じを与えるもの。「—におきて二種あり。一には響きの—、二には正の—なり」〈竹園抄〉。「歌には—・疎句とて二つの体あり」〈さゝめごと上〉

じんく【神供】神へのそなえ物。供物(くもつ)。「篠竹を棚にかきて、それに—をば備ふ」〈奥義抄〉

じんく【甚句・甚九】近世末期流行した民謡。ふつう七・七・七・五の四句から成る。米山甚句・越後甚句・佐渡甚句など全国各地に存在し、その旋律には相違がある。「—のジャジャンかまびすく」〈洒・廓意気地〉

しんくい【身口意】〔仏〕「三業(さんごふ)」に同じ。「—、これを三業と謂ふ」〈口遊〉

じんぐうじ【神宮寺】神社に付属して建てられた寺院。神も仏教を嘉(よみ)するという考えによる。「宮寺」とも。「〔伊勢〕度会郡の—を飯高郡の度瀬山の旁に徙(うつ)す」〈続紀宝亀三・八・六〉

しんぐわい【心外】意外で残念に思うこと。遺憾至極。「〔評判記〕難波物語批難—なり」〈評判・まさり草〉。〈文明本節用集〉

しんげつ【新月】①陰暦で、月の初めの夜に見える月。「彼(か)の—を見れば、微(かすか)なる其の状(かたち)有り」〈本朝文粋一〉。「—とは、凡そ三日月をいふなり」〈朗詠鈔三〉②十五夜に、東方から上りはじめた月。「名に負ふ今宵は秋も半ば、夜も半ば、—の色まどかに照して」〈伽・かくれ里〉

しんけん【神剣】①神から授かった剣。「定めてこれ—ならん」〈盛衰記四四〉②特に、三種の神器の一、草薙剣(くさなぎのつるぎ)。「日本武尊(やまとたけるのみこと)、—を守る神となる」〈謡・草薙〉

しんけん【真剣】①本物の刀剣。竹刀・木刀などに対していう。「—では拙者え致すまいとおぼすか」〈西鶴・伝来記三〉②真面目。本気。「山吹色の—の商ひ」〈浮・好色敗毒散三〉

しんこ【糝粉】粳(うるち)米を石臼でひいた粉。また、その粉を水でこね、蒸して搗(つ)いて製した餅。白糸。「ねぢ餅に小豆の付きたるを、—と言ふは如何」〈仮・仕方咄一〉 **—うま**【糝粉馬】近世前期、子供の玩弄品とした、糝粉で作った馬。木馬を看板にした。「—も今や引くらん望月夜」〈俳・毛吹草六〉

じんご【尽期】尽き果てるとき。終り。「—有るべからず」〈正法眼蔵随聞記五〉。「—無く憂きは身にしむ荻の風」〈伝阿独吟畳字百韻〉。〈文明本節用集〉 **—も無・し** はてがない。きりがない。「和語を云はば—・い」〈古活字本日本書紀抄上〉

じんこう【人口】世人のうわさ。世の中の評判。「事—にあり、異失するにあたはず」〈平家七・木曾返牒〉

しんござ【新五左】武士の通名。近世後期、明和・安永頃から、江戸で田舎武士を罵倒する語となった。「新五左衛門」「武左」とも。「生駒—が瘧(おこり)も妙薬一服で、影もささず落馬いたす」〈近松・鑓権三上〉

しんごふ【身業】〔仏〕三業(さんごふ)の一。身体による行動。「いはゆる—にかの仏を礼拝せんにも」〈和語燈録一〉

しんごふ【賑給】《ゴフは呉音以前の音。シンギフとも》飢饉・疫病・大風の際、官が人民に米塩をほどこすこと。「讃岐・伊予等の国飢す。之に—す」〈続紀文武一・閏一二・七〉 **—でん**【賑給田】その収穫を賑給にあてるための田。「〔和気清麻呂〕私墾田一百町、備前国に在り。永く—と為す。郷民之を恵とす」〈後紀延暦一八・二・二一〉

しんごん【真言】〔仏〕①真実で理にかない、嘘のない言葉の意。真言宗では、大日如来の説法の言葉とする。「諸尊像を陳列し、供具を奠布し、—を持誦せむ」〈続後紀承和一・一二・一九〉。「仏のいさめ守り給ふ—の深き道」〈源氏薄雲〉②「真言宗」の略。「宣旨に云はく、—の重き道具いまだこの国に伝はらず」〈三宝絵下〉 **—し**【真言師】真言秘密の教法によって加持祈禱する僧。「これらの法をば—を請じて行ぜしめば」〈孝養集下〉 **—しゅう**【真言宗】仏教の一派。真言秘密の教法により、大日如来を教主、弘法大師を宗祖とする。インドに発し、中国に伝わり、日本に渡り、初めて一宗を成した。日本八宗の一。真言陀羅尼宗。真言密宗。秘密宗。「—を申し立てて世に弘む。其の時に諸宗の諸(もろもろ)の学者等有りて即身成仏の義を疑ひて論を致す」〈今昔一一ノ九〉 **—ひみつ**【真言秘密】真言の教法は甚だ深く秘密であるということ。「—の扉(とぼそ)の中には、総角(そうかく)の護法手を束ねて奉仕し給ふ」〈太平記八・谷堂炎上〉 **—ゐん**【真言院】平安時代、内裏(だいり)中和院の西にあった朝廷の修法所。「—に於て、雅慶僧正を以て御修善を初む」〈御堂関白記寛弘二・三・二五〉

じんこんじき【神今食】平安時代、六月・十二月の十一日、月次祭(つきなみのまつり)の夜に行なわれた行事。天皇みずから、火を改めて新たに炊(た)いた米を供し、神と共に召し上がる。「今日の—所司に付して行なはしむべし」〈九暦天慶六・六・一一〉

しんざ【新座】①中世、「本座」に対して、新しく結成された芸能や商工業などの座。「—・本座の田楽を合はせ…能くらべをぞせさせける」〈太平記二七・田楽〉②「新参(しんざん)」に同じ。「人はただいつも—と思ふべし飽かぬは日夜心

気づかひ」〈菅原光高百首和歌〉。〈日葡〉

しんざう(ゾウ)【新造】①新しく造ること。「—の皇居、よく思慮あるべきか」〈平治中・待賢門軍〉②新婦の称。「新婦…また、俗に—といふ」〈日次紀事正月〉③近世前期、新しく客を取るようになった遊女。「かの町(ちやう)に至り、—十八人、一座にまとひ」〈評判・吾妻物語〉④近世後期、禿(かぶろ)上りで比較的若く、姉女郎に付属して自分の部屋を持たない遊女。「—買ひとして、夜更け人静まって、其の〔姉〕女郎が所へ忍び込みの」〈洒・遊子方言〉

じんざもみ【甚三紅・甚左紅】蘇枋(すおう)で下染めし、酢で返した紅染。安価だが、色のさめ易いのが欠点とされた。近世前期、京都の紅染屋、桔梗屋甚三郎の考案による。中紅〈ちうもみ〉。「変り易きは、—と男の心」〈浮・好色酒呑童子一〉

しんざん【新参】《シンサンとも》新たに仕えること。また、その者。「重恩・—の郎従ども」〈太平記三六・清氏叛逆〉。「シンザン、または、シンサン」〈日葡〉

しんさんくしいさん【身三口四意三】〔仏〕人間の身・口・意が造る十の罪悪。身三は殺生・偸盗〈ちうたう〉・邪淫、口四は妄語・悪口・両舌・綺語、意三は貪欲・瞋恚(しんい)・愚痴。「人間の—の十の道多かりき」〈謡・柏崎〉

しんし【簁・篵子】⇒しいし。「—・絹張のやうな物では無いか」〈狂言記・絹粥〉

しんじ【信士】《「優婆塞(うばそく)」の訳語「清信士」の略から》仏式で葬った男子の法名に付ける語。女子は「信女(しんによ)」という。「風そよぐみぞ萩しるし家隆(かりう)—〔ノ墓ハ〕」〈俳・安楽音一〉

しんじ【神璽】三種の神器の一。八尺瓊曲玉(やさかにのまがたま)の称。「践祚の日、中臣、天つ神の寿詞を奏し、忌部、—鏡剣を上(たてまつ)る」〈後紀大同一・八・四〉

しんじ【進士】令制で、大学・国学出身の受験者で式部省の行なう人材登用試験に及第した者。後には文章生をいう。「—无位安倍朝臣黒麿、今月二十三日丙子を以て逆賊…を捕へ獲つ」〈続紀天平一三・二・三〉。「かくて大学の君、その日の詩うつくしう作り給ひて、—になり給ひぬ」〈源氏少女〉

しんじ【進止】進むことと留ること。転じて、進退などの命令。指図。支配。「田園ことごとく一家の—たり」〈平家二・教訓状〉

しん・じ【進じ】『サ変』①さしあげる。奉る。「数通の起請文を書き—・ずと雖も、猶以て御宥免なし」〈平家一一・腰越〉②《動詞の連用形に「て」のついた形をうけ》…してさしあげる。「〔針ノ療治デ腰ヲ〕立て直いて—・ぜう」〈虎明本狂言・雷〉

しんしき【新式】二条為氏によって制定された、連歌をよむための法則規定である連歌式目の称。善阿が制定した本式(古式)に対していう。「—・本式あひわかれ侍りけるに」〈菟玖波集二〇〉

しんじち【真実】《ジチは呉音》しんじつ。まこと。「—の親のやむごとなく思ひ掟て給へらむ〔娘〕をこそ本意かなふにはせめ(妻ニシタラ本望ダ)」〈源氏(三条西家本)東屋〉

じんじつ【人日】正月七日の称。「昔は京にあって、—なんどにはさざめきしが」〈四河入海六上〉。〈文明本節用集〉

しんしゃ【辰砂】水銀と硫黄の化合した深紅色の六方晶形鉱石。水銀・赤色絵具の製造原料、また、薬料。朱砂。丹砂。「風を治する薬には、牛黄金虎丹・—天麻円を合はせて、御療治候ふべし」〈太平記二五・宮方怨霊〉

じんじゃ【神社】神を祭った社(やしろ)。「在在所所の—・仏閣」〈平家一二・大地震〉。「日本六十六箇国の間に、—をあがむる事、一万三千七百余社なり。延喜の神名帳に載(の)する所、三千一百三十二社なり」〈諸神本懐集本〉

しんしゃう(ショウ)【身上】①身の上。「あら定めなの—やな」〈謡・籠〉②財産。身代(しんだい)。「もとの—三十一下され、召し出され候」〈伊達日記中〉③家計。生計。「それがし、塗師(ぬし)の仕事は上手でおりやれども、—ならいで迷惑いたす」〈天理本狂言六義・塗師〉

しんじゃう(ジョウ)【進上】奉ること。進呈。献上。「—餅餤(へいだん)一包、例に依って—如件(くだんのごとし)」〈枕一三三〉　**—かご**【進上籠】進上の魚を入れる籠。「昼の網の物を—に入れて」〈西鶴・名残の友一〉　**—だい**【進上台】進上する品物を載せる木の台。進物台。「口上述べて、—を指し出せば」〈近松・堀川波鼓下〉　**—ばこ**【進上箱】進上物を入れる箱。「—一つ渡して」〈西鶴・男色大鑑八〉　**—もの**【進上物】進上する品物。贈り物。進物。「何方へ—になさるると有っても」〈虎寛本狂言・目近〉

じんじゃう(ジョウ)【尋常】《「尋」は八尺、「常」は一丈六尺で、普通の長さをいう》①普通。まとも。「一人として—なる者なし」〈今昔二八ノ四〉②見苦しからぬこと。立派。「—なる御引出物をも参らせてこそ、御所中をも罷り出で給はめ」〈沙石集六ノ一八〉③態度・物腰などが人なみすぐれて良いこと。品があること。「声、けはひよりはじめて、世に—なる男の」〈著聞四三三〉④態度・行動などに悪びれた所がないこと。けなげ。殊勝。「最後の勤めを仕り候ひて、—に斬られうずるにて候」〈謡・安宅〉⑤きゃしゃ。「—、俗きゃしゃ成事に用ふ」〈蜆縮涼鼓集下〉。「たよはき事を—と云ふは、うるはしくやさしきは、必ずたよはきなれば、是れは当りたるにや」〈志不可起六下〉

しんじゃうゑ(ジョウエ)【新嘗会】「にひなめまつり」に同じ。「—を廃す。諒闇を以ての故也」〈続紀天平勝宝八・一一・一七〉

しんしゃく【斟酌】①汲みはかること。「酌度は…—と汲みはかるなり」〈臨済録抄三〉②時・場合・相手の気持などを十分に考慮しながら、はからい行なうこと。「優の詞(ことば)も事によりて—すべきにや」〈十訓抄一ノ五七〉。「—は、はからひ行なふ心なり」〈左伝聴塵一三〉③さしひかえること。はばかること。「手(筆跡)よくとても、幼き人の文字もととのほらぬをば〔代筆ニ使用スルコトハ〕—すべし」〈極楽寺殿御消息〉。「もっとも御目にかかるべきを、異体(いて)の無骨により て—を致し候」〈曾我六〉④遠慮してことわること。辞退すること。「御家督の儀仰せられ候に、かたく御—候事」〈栄玄記〉。「—と云ふを、日本に辞退する方に心得るはいはれぬなり」〈左伝聴塵一三〉

しんしゅ【新酒】その年の新米で醸造した酒。「当年、在在にて—作り申すまじく候」〈伊達家文書三、寛永一九・七・二五〉。〈文明本節用集〉

じんじょ【尋所・尋承】⇒じんじょう。「未だ案内を知らぬに、—せよ」〈平家一一・大坂越〉

じんじょう【晨鐘】明けの鐘。「—・夕梵の響き絶ゆることなし」〈謡・老松〉

じんじょう【尋承】案内すること。また、その人。尋所。「親家を西国の案内者に憑(たの)む。屋島の—せよ」〈盛衰記四二〉

しんしょく【神職】神主。神官。「そもそもこれは播州室の明神に仕へ奉る—の者なり」〈謡・矢立鴨〉

じんじん【甚深】はなはだ深いこと。「師の法華を誦する功徳—なるによりて」〈今昔一三ノ二一〉。「甚深知音、ジンジンノチイン」〈文明本節用集〉

じんずい【神水】神前に供えた水。また、誓約の一法。「三日といふに、―をうちこぼしければ」〈十訓抄一〇ノ一六〉。「神社に瓶を置きて、それなる水を、無き事など負ひたる者は、―とてこれを飲む也」〈奥義抄〉。「須賀川上下―の事。…明良法印誓文を遊ばし、熊野の牛王を灰に焼きて、酒に入れ呑みける」〈藤葉栄衰記下〉。〈黒本本節用集〉 **―を飲・む** 神前に供えた水を飲み合って互いに誓う。「一足も引かず討死すべしと、―・みてぞ打ち立ちける」〈太平記三五・住吉合戦〉

しんぜ【信施】信者が三宝(仏・法・僧)に捧げる布施。「我、生きたりし時、無慙破戒にして、多くの人の―を受けて、敢て償ふ所なかりき」〈今昔一七ノ三一〉 **―むざん**【信施無慙】信者から布施を受けてこれを償う功徳を営まないこと。「さればかの―の罪によって、今生に感ぜられけりとぞみえたりける」〈平家三・有王〉

しんぜき【新関】新たに設けられた関所。「安宅の湊に―を据ゑ、山伏を堅く留めよとの御意にて候間」〈謡・安宅〉

しんせつ【深切・親切】①心が深く切実なこと。「然れども道心の―ならぬ故に」〈夢中問答中〉 ②思いやり・愛情などが深いこと。「さても君王より此までの御尋ねは、まことに―に忝いと云ひて」〈長恨歌抄〉

しんせん【神泉】「神泉苑」の略。「大師ことばに随ひて、―にして請雨経(しやうう きやう)の法を修(しゆ)せしめ給ふ」〈今昔一四ノ四一〉 **―ゑん**【神泉苑】平安京禁苑の一。桓武天皇の延暦奠都に際し、周の文王の庭園に模して造られた。「真言院より―へ出して」〈徒然一八〇〉

しんせん【新銭】①新たに鋳造・発行した銭。「其の―の文は万年通宝と曰ひて、一を以て旧銭の十に当て」〈続紀天平宝字四・三・一六〉 ②室町末期以後、中国の貨幣に模して中国南部および日本で私鋳し、わが国で流通した悪質の銭。古銭に対し一定の比率で通用した。日本新鋳料足。新悪銭。「〔米〕六拾石…売代―九拾六貫文」〈東福寺文書二、弘治三・三・晦〉 ③近世、寛永通宝の称。寛永新銭。「―拾緡(さし)買ふ」〈隔蓂記寛永一四・一・一七〉

じんせん【神仙】①神または仙人。神通力を得た人。「慮(おも)はざるの外、偶(たまたま)―に逢ふ」〈万三七九一題詞〉。「是、―なめり、誰が末葉なるぞ」〈今昔一一ノ三三〉 ②十二律(じふにりつ)の一。「中と六とのあはひに―調あり」〈徒然二一九〉

しんぞ【神ぞ】『連語』《神かけての意で、自誓の詞》 ほんとうに。まことに。必ず。「思ひの外の御怨み、―聞えぬ御事と、くどき給へば」〈浄・藍染川二〉 **―神(しん)ぞ** 「神ぞ」を重ねた言葉。「―、かやうに迷惑致し候儀御座無く候」〈伊達家文書三、藤堂高次書状〉

しんぞく【真俗】①僧と俗人と。僧俗。「其れ僧綱は、智徳具足して―の棟梁なり」〈続紀養老六・七・一〇〉 ②〔仏〕真諦(しんたい)と俗諦(ぞくたい)と。「―につけて必ず果し遂げんと思はん事は」〈徒然一五五〉

じんだ【糂汰】糠味噌。〈運歩色葉集〉 **―がめ**【糂汰瓶】糠味噌を入れた瓶。「後世を思はん者は―一つも持つまじき物とこそ心得て候へ」〈一言芳談〉

しんたい【神体】神社にまつる神の本体。「件の大蛇は、日向国に崇められ給へる高知尾の明神の―なり」〈平家八・緒環〉

しんたい【真諦】〔仏〕《タイは呉音。「俗諦」の対》 真実の道理。出世間の法。「定(ちやう)に入りて―を思惟し給ふ」〈今昔一ノ七〉

しんだい【身代】①財産。身上。「その負物を償ひて、かの―を請け出す」〈貞永式目追加建長五・一〇・一〉。「無力(ぶりよく)しはてて―をも破り」〈水無瀬三吟百韻注〉 ②生計。暮し向き。「いづ方にてなりとも、―さへよければ、苦しう無い事で御座あると存じ」〈虎明本狂言・雷〉 ③身の上。身分。境遇。「愚僧も其の如くな―な者で御座る」〈虎明本狂言・腹立てず〉 **―明・く** 家財をすっかり失う。「身代打つ」とも。「新地狂ひに―・け」〈近松・二枚絵中〉 **―かぎり**【身代限り】近世、債務者が負債を償還できない時、債権者の申立てにより官憲が債務者の総財産を取り上げ、一定の手続きにより債権者に交付する強制執行。破産。家資分散。〈律令要略〉 **―稼・ぐ** 主君に奉公する。仕官する。「―・ぐ身にもあらず」〈西鶴・懐硯二〉 **―ぐすり**【身代薬】身代を保つためによくきく薬の意で、かたぎの女房のたとえ。「―の女房を早う持って落ち着きや」〈近松・今宮心中上〉 **―畳・む** 財産を全く無くす。破産する。「近年、町人―・み、分散にあへるは」〈西鶴・織留一〉 **―取り組・む** 主君に仕える。仕官する。「身代済む」「身代有り付く」とも。「この御家中にしるべあって、―・みしに」〈西鶴・新可笑記一〉 **―の尾が見・える** 身代が傾きかけて、ぼろが出る。破産しそうな内情が曝露する。「稲荷殿は、―・えぬやうに守らしゃる神」〈西鶴・胸算用一〉

しんだい【進退】①進むことと退くことと。「―拠るところを失ふ」〈続紀天平宝字八・九・一八〉。「進退、シンダイ」〈色葉字類抄〉 ②起居振舞。「―礼なく、陳答度を失す」〈続紀慶雲四・二・二七〉 ③心のままに扱うこと。自由にすること。「屛風の高きをいとよく―して…局(つぼね)に立てて」〈枕二三〇〉。「悪行の僧どもあまたあれども、我らが―にかからぬ者はなし」〈今昔二〇ノ二〉 ④中世、土地に対する支配・占有・処分などの権利を有すること。「田畠・在家等に於ては、小地頭―領掌する所也」〈龍造寺文書嘉禄二・二〉

じんたい【人体・仁躰】①人間の身体。「野干(やかん=狐)の形はありながら、さも不思議なる―なり」〈謡・殺生石〉 ②人物。人柄。人品。「―・心ざま幽玄にましましければ」〈明徳記中〉 **―ら・し**【人体らし】『形シク』 人品が卑しくない。態度・様子などが立派だ。「―・しき者には、詐(かたり)の事を伝へ」〈西鶴・二十不孝二〉

じんだい【神代】①わが国の神話の中で、伊奘諾尊(いざなきのみこと)・伊奘冉尊(いざなみのみこと)以前の時代。また、神が治めていたと伝える時代。「―の事皆由有るにこそ」〈沙石集一ノ一〉 ②古くさいものをいう語。「―とは、久しき事」〈評判・吉原人たばね〉 **―以来(このかた)** 神代から今日まで。大昔から。「―如何なる書にも見えず」〈浮・当世乙女織六〉

しんたう【神道】①《仏教に対していう》㋑神をあがめ祭る日本古来の民族信仰。「仏法を尊び、―を軽(あなづ)りたまふ」〈紀孝徳即位前〉 ㋺異端の神を信ずる宗教。「〔震旦ノ老母〕―に仕へて三宝を信ぜず」〈今昔七ノ三〉 ②平安時代末より⑴㋑が儒仏思想などを習合した宗教。また、その教義。「―には、神が垂跡する時には仏と云ふぞ」〈古活字本日本書紀抄下〉 ③神(かみ)。神明。「且(かつ)は―の冥助にまかせ」〈平家五・福原院宣〉

しんたく【神託】神の託宣。神のお告げ。「―に任せて、勧請のために勅使百官を宇佐に立てられ」〈盛衰記二四〉

しんだん【震旦】中国の異称。「天竺・―の事」〈栄花もとのしづく〉。「震旦、シンダン、唐土之事」〈運歩色葉集〉

しんち【新地】①新しい土地。新たに移ったところ。「故山、澗底を辞す。―、仙亭近し」〈菅家文草五〉 ②(相伝の領地に対して)新しい領地。新知行。「新知」とも。「あづさ弓花にとりそへ春野かな。―の知行、かれこれ祝言にや」〈宗長手記下〉。「安堵の御教書(みげうしよ)を頂き、―を過分に拝領いたし」〈虎寛本狂言・入間川〉③新しく開いた土地。新開地。また、近世、新開地にできた遊里。大阪の堂島・曾根崎、江戸の深川などが有名。「地蔵様の御寺と薬師様の御寺と、今まで並び有り。—にても並び候やう、地割頼み入る」〈天正日記天正一八・九・七〉④近世、新たに寺院を建立した土地。また、その寺院。元禄四年以後幕府から禁止されたが、なかなか止まなかった。「この西生寺は、愚僧建立の—にて御座候」〈本光国師日記慶長一七・一・二七〉 **—がよひ**【新地通ひ】新地の遊里に通って遊興すること。「主の—も、最前、母様・孫右衛門様御出でなされて、段段の御異見」〈近松・天網島中〉

しんぢう【心中】①心。考え。「天下の大慶に候。御—又察し申し候」〈師守記文和一・九紙背文書〉②相愛の者が、相手に対して、その真実を示す具体的な証拠。放し爪・入墨・断髪・切指・誓紙などの類。「手を切るは—なら姫薄」〈俳・渡奉公下〉③相愛の男女が一緒に自殺すること。心中死に。情死。「—をして四つ塚〔ニアル比翼塚〕となる」〈俳・飛梅千句〉 **—だて**【心中立て】相手に対する信義を守り通すこと。「夫よつまよなんどとて、—はしけれども」〈近松・出世景清三〉 **—づく**【心中尽く】「心中」(2)を見せること。「—に指を切り、爪を離し」〈評判・吉原雀上〉 **—もの**【心中者】人に対して義理を立て通す者。情味のある誠実な人。心中人。「〔コノ遊女ハ〕—なり」〈評判・吉原新鑑〉

じんぢう【深重】いくつも重なっていること。「汝、罪業—なりといへども」〈宇治拾遺四四〉

じんづう【神通】〔仏〕神変自在な通力。「かく言ひ終りて、—を現じて虚空に昇りて去りぬ」〈今昔一ノ三〉 **—りき**【神通力】どんな事でも自在に行ないうる不思議な力。「かれは—の者どもなれ」〈伽・伊吹山絵詞〉

しんてい【心底】心の奥底。真情。「—を残さず示さるれば最も本望なり」〈庭訓往来十月三日〉。「この—は、永く後の世までも忘るまじきぞ」〈義残後覚一〉 **—づく**【心底尽く】相手の心底如何によること。心次第。「是れから互ひの—」〈近松・淀鯉上〉

じんでう【晨朝】六時(ろくじ)の一。昼を三分した最初の時間。また、その間の勤行(ごんぎやう)。「常に持斎して日ごとの—に、地蔵菩薩の宝号一百八反唱ふ」〈今昔一七ノ一七〉

しんでん【新田】新しく開いた田。また、土地。「—五十町の事」〈相良家文書一、正和一・二・二〉。「大町宮内少輔起し候—…当年より加増に下し置き候」〈伊達家文書二、元和九・二・一七〉

しんでん【寝殿】奈良・平安時代、皇族・貴族の住宅の正殿。主人の居間または客間として使われた。大きさは大体七間四面。屋根は檜皮葺(ひわだぶき)、四方葺きおろし。殿内は丸柱・総板敷。母屋(もや)・廂(ひさし)・簀子(すのこ)の三部分に分れる。南の正面に階段があり、その両側に高欄がある。寝殿から対(たい)の屋へは渡殿で連絡される。南庭に池がある。「太上天皇—に崩じ給ふ」〈続紀天平二〇・四・二一〉。「—にまゐりたれば、まだ格子もさながら、梅の花をかしきを」〈源氏末摘花〉

しんと【新渡】《シンドとも》海外、特に中国から新しく渡来した品物。「数万貫が銭貨、—の唐物(からもの)等、美を尽して」〈太平記三九・大内介降参〉。「新渡、しんど、唐より今渡る物」〈和漢通用集〉

しんど ⇒しんどう。「いかう—な、此の刀を持ってくれさしめ」〈狂言記・粟田口〉

しんどう《上方で、シンラウ(辛労)の訛》くたびれること。疲労。「しんど」とも。「皆様は、むむ、御—様やの」〈近松・加増曾我三〉

じんどう【神頭】鏃(やじり)の一種。形は鏑矢(かぶらや)に似ているが、中をえぐらず、先端が平らになっている。「—をはげて〔鶯ヲ〕射落して侍る」〈十訓抄七ノ三〇〉

しんどく【真読】《「転読(てんどく)」の対》経文を、略さずに全部読むこと。「貴僧・高僧に仰せて、—の大般若を読ませられければ、雷則ちしづまりぬ」〈平治下・悪源太雷となる〉

しんどり【後取り】《シリトリの転》正月、宮廷で、歯固(はがため)の儀式の後に、天皇の飲み残しの御屠蘇(とそ)を賜わって飲む蔵人(くらうど)。その蔵人は前もって定め、切紙と称する紙に名を書き、柱に貼りつけておく。酒豪の人を選ぶのを常とした。「殿上には、—といひて、こちたく酔ひののしりて、うたてくらうがはしき事どもさし交るべし」〈栄花蒼花〉

しんない【新内】「新内節」の略。「—ござれ歌ござれ、折折事に新町の長屋をそそる流行唄」〈伎・名歌徳三舛玉垣中〉 **—ぶし**【新内節】豊後節から発生した浄瑠璃の一種。宝暦頃、鶴賀若狭掾(わかさのじょう)・同新内が語り始め、安永頃に全盛をきわめた。男女の情話が多く、哀切な節廻しが江戸の人人を魅了したという。「—の正本なぞを見て、玉木屋伊太八・浮世猪之介が身の上をうらやましく思ひ」〈黄・江戸生艶気樺焼上〉

しんに【心耳】心で聞くこと。心。「—を澄ます夜もすがら」〈謡・当麻〉

しんに【瞋恚】⇒しんい。「貪欲(とんよく)・—・猜(そね)みなんどの科(とが)になる程の念が」〈コリヤード懺悔録〉

しんによ【真如】〔仏〕《真実で永久に不変なるものの意》あらゆる現象の根源的な本体で、平等無差別、永久に変らない絶対真理。「霊山の釈迦のみ前に契りてし—朽ちせず逢ひ見つるかな」〈拾遺一三四八〉。「それおもんみれば、—広大なり」〈平家五・勧進帳〉 **—のつき**【真如の月】真如を体得して一切の迷いから解放された心を、夜の闇を照らす明月にたとえた語。「何事も懺悔に罪の雲消えて、—も出でつべし」〈謡・舟橋〉。「—、覚りの事なり」〈和漢新撰下学集〉

じんにん【神人】《ジニンとも》神社に所属し、雑役に従った下級神職。警備・儀仗の役を受け持っていたので、しばしばその武力を行使して、強訴・乱暴を働いた。また、同じく神社に隷属していた手工業者・芸能者たちも「神人」と呼ばれ、やがてその間から、商業・芸能の座が発生した。「件(くだん)の田楽〔ノ芸人〕は、是れ祇園の—也」〈中右記長治二・六・一四〉。「目代右衛門尉正友がもとへ、山門の領平野庄の—が葛を売りて来たりけるに」〈平家二・大納言流罪〉。「神人、ジンニン」〈いろは字〉

しんのざう【心の臓】心臓。「黄鐘調(わうしきでう)と申すは、—より出づる息の響きなり」〈盛衰記一八〉

しんのだいす【真の台子】正式の茶の湯に用いる最も重要な四本柱の茶棚。また、それを用いる茶道の法式。「—の置合せ」〈浄・東山殿子日遊一〉

じんぱい【神拝】①神を拝むこと。神社に参拝すること。「—ことゆゑなく遂げて」〈問はず語り四〉②新任の国司がその国内の神社にはじめて参拝すること。「—といふわざして国の内ありきしに」〈更級〉

しんばしら【真柱・心柱】塔の中心となる柱。「鼓の事。御願寺の棟上げ、塔の—立てにこれを打つ」〈教訓抄六〉

しんはちまん【神八幡】「神八幡も照覧あれ」の意で、自ら誓う詞。神かけて。弓矢八幡。「—口で言うたばかりぞや」〈浄・盛久一〉

じんばり【腎張り】 性欲の強い人。淫乱者。「じんすけ」とも。「若き男―なれば」〈評判・古今若女郎衆序〉

しんぱん【新板】 新しく板木に彫り、刷り上げて売り出したもの。新刊。「―や詞の花の初桜（桜ヲ板木ニスルコトニ言イ掛ケタ）」〈俳・堺絹一〉

しんぴつ【宸筆】 天皇の直筆。「―の御願書を座主の宮へ奉らせ給ひければ」〈保元中・朝敵の宿所〉

しんぶ【親父】 父。父親。「或は―の命を背き、或は兄弟の孝を忘れ」〈保元上・新院御謀叛思し召し〉。〈運歩色葉集〉

しんぶつ【新物】 仕立てたばかりの出来合いの着物。既製の衣服。「―・足袋(たび)・雪踏(せった)」〈西鶴・五人女四〉

じんぶつ【人物】 ①人の外貌。ととのった容姿。「岳は、かう―はよけれども、行跡が比興(ひきょう)なるものぞ」〈四河入海一二下〉。「定国は小官で居たれども―な人ぞ」〈黄烏鉢抄七〉 ②人柄。人品。「無名円、此の―へ合薬(あひぐすり)か」〈滑・八笑人二上〉

しんべ【新部】 ⇒しんべこ。「―の時は、鼻を摘(つま)み上げられて、随分中高に顔を仕立てらるる事」〈浮・諸遊芥子鹿子〉 **―こ【新部子】** 近世、歌舞伎役者や女郎屋にやとわれ、芸を仕込まれる少年・少女。「しんべい」とも。「―も舎利(しゃり)(=米)を握って来たりたり」〈俳・阿蘭陀丸下〉

しんべう(ビヨウ)【神妙】《シンメウとも》 ①あやしく妙(たえ)なること。世にも不思議なほどであること。「双調の調子を吹きて過る舟あり。…聞くに誠に―なりけり」〈著聞二四〉。〈色葉字類抄〉 ②称讃に値すること。殊勝。「日頃の契約を違へず参りたるこそ―なれ」〈平家二・烽火〉 ③落ち着いて思慮深いこと。慎重。「今まで慎みたる志の―さよ」〈浮・好色江戸紫三〉

じんぺん【神変】 通力にもとづく不思議な変化。「王の前にして、飛びて虚空に昇りて―を現ず」〈今昔二ノ三三〉

しんぼく【神木】 神霊の宿っている木。神として祭られている霊木。「当国三輪の明神の―は杉なり」〈謡・龍田〉 **―に釘(くぎ)** 人を祈り殺す呪詛の方法。丑(うし)の刻に神社に詣り、藁人形を神木に釘付けにする。丑の時参り。「素人女の悋気(りんき)は―」〈浮・分里艶行脚四〉

しんぼち【新発意】《シンボツイの転》 ①新たに発心して仏門に入った者。しぼち。「―の出来(しゅつらい)して、道心の事どもいふ程に」〈今昔一九ノ四〉。〈天正十八年本節用集〉 ②剃髪したばかりの小坊主。「山寺の―掻餅(かいもち)亥の子かな」〈俳・犬筑波〉

しんぼつい【新発意】 ⇒しんぼち。「新発意、しんぼつい、剃髪の初心」〈和漢通用集〉

しんまい【新米】 ①今年収穫した米。「彦七・左衛門九郎―くれ候也」〈山科家礼記文明三・七・四〉 ②新しいもの。また他の語に冠して、そのものが新しいことをあらわす語。「―奉公」「―小豆」など。「新米は、米ならでは言ふまじきを、荒和布(あらめ)・煙草やうの物まで、新しきを―などと言ふは、世間の当らぬ詞なるべし」〈不断重宝記〉

しんまく【身莫・慎莫】 物事をきちんと処置すること。物をよく始末すること。「折る人や心―糸桜」〈俳・破枕集上〉。「我身で我身の―が出来かねて」〈洒・玉の牒〉 **―におへ・ず** どうにもならない。始末におえない。進退きわまる。「花の雨琴―・ぬなり」〈雑俳・万句合天明三〉。「しばらく取っ組んでゐたが、身が重くて、―・なんだ」〈滑・浮世風呂四上〉

しんまち【新町】 ①新しく取り立てて町となった土地。新地。新開地。「当地に於いて―を立つる」〈天正本狂言・酢辛皮〉 ②大阪の遊里。寛永年中、市中に散在していた遊女を集めて一廓となしたのに始まる。七町よりなり、揚屋が壮麗なことで有名であった。「―の夜の契りも面白や」〈俳・独吟一日千句〉

しんみ【親身】 ①きわめて近い親族。血族。「色で会ひし は早昔、今日は―の夫婦合ひ」〈近松・冥途飛脚下〉 ②近親のように親切なこと。「涙ぐみたる―の詞」〈近松・生玉心中上〉

しんみち【新道】 ①新しく開かれた道。「戸羽の―にて山城守に行き合はして」〈土岐累代記〉 ②〔江戸語〕町家のあいだの細い路。小路(こうぢ)。「鞘詰りたる―や、ここもさすがに江戸橋の末〔ノ〕広小路」〈評判・吉原こまざらい〉

しんみゃう(ミョウ)【身命】 身体と生命と。しんめい。「日夜に読誦して―を惜しまず」〈今昔一三ノ二五〉

じんみゃうちゃう(ミョウチョウ)【神名帳】《シンメイチャウとも》 朝廷崇敬の官社の神名(社名)を記載した公簿。延喜式第九・十に三千百三十二座記載したもの。これに記載されたのを式内社、されないのを式外社という。これに準じた諸国それぞれの神名帳もある。「社を大きに造らせて、朔幣に参り、―に入れ奉りなどしけり」〈今昔一九ノ三三〉

じんみらい【尽未来】「尽未来際」の略。「―変ぜぬ魂」〈近松・関八州繋馬二〉。〈易林本節用集〉 **―さい【尽未来際】** 未来の際限の尽きるまで。未来永久。「―違乱有るまじき者なり」〈高野山文書三、文永八・一二・二〉。〈文明本節用集〉

じんむこのかた【神武以来・神武此方】『連語』 神武天皇即位以後今日まで。日本はじまって以来。大昔から。「―無い事なり」〈西鶴・好色盛衰記一〉

じんめ【神馬】 神社に奉納する馬。「やがてこれに鏡鞍置いて、白山の社へ―に立てられけり」〈平家七・倶梨迦羅落〉

しんめい【神明】 神。「―・冥道達もきこしめせ」〈大鏡昔物語〉。「―は正直の頭(かうべ)に宿り給へば」〈曾我一〉

しんめう(ミョウ)【神妙】 ⇒しんべう。「―の至りなり」〈西鶴・武家義理三〉

しんめう(ミョウ)【針妙】 寺院・良家などにやとわれて裁縫をする女奉公人。「―、乗物乗せ申すまじき事」〈池田光政日記承応三・一〇・六〉

しんめり しめやかなさま。しんみり。「―の浴衣(ゆかた)の薫るあやめかな」〈俳・新玉海集二〉

しんもじ【心文字】《文字詞》 ①心労。心遣い。「こまごまと申し上げたく御座候へども…かなたこなたと―にて、早早申し上げ参らせ候」〈伊達家文書二、元和九・五・一七〉 ②心。気持。「繰り返しひくり返して見る文の裏表なき御―哉」〈銀葉夷歌集九〉

しんもって【神以て】『連語』《自誓の詞》 神に誓って。神かけて。決して。「―某(それがし)他言申せしにはあらず」〈西鶴・武家義理四〉

しんもつどころ【進物所】 宮廷または貴族の邸で、食事を調理する所。「―に兼安にただ疾く疾くわかさせて参らせよと女房いひたれば」〈栄花玉飾〉

しんもん【神文】 神に誓約する文。神かけて誓う文。誓文。「心底をあらはし候はんために、―にて申すにて候。あなかしこ、あなかしこ」〈了俊一子伝〉

しんよ【神輿】 祭礼などの際、神霊をのせて運ぶ輿。みこし。「白山中宮の―をかざり奉り、比叡山へふりあげ奉る」〈平家一・鵜川軍〉

しんらう(ロウ)【辛労】 ①骨折り。苦労。辛苦。「あづま路の―いつか忘れまし」〈伝阿独吟畳字百韻〉。「辛労、シンラウ」〈文明本節用集〉 ②「辛労分」の略。「松梅院より宮仕(みや)中へ、此の間―とて、桶三荷・折三合御出し候」〈北野目代日記延徳二・三・二四〉 **―ぶん**【辛労分】骨折りに対する報酬。「昨日の馬〔ノ曲乗〕の御―とおぼしめし」〈伽・小栗絵巻〉。「五年の間牛を飼ひし―に、李璡に牛五匹取らすべしとて」〈仮・棠陰比事物語三〉

しんらつ【辛辣】味がぴりりと辛いこと。また、骨身にこたえる程きびしいこと。「ちっとも―なる禅を知らぬ者ぞ」〈蓬左文庫本臨済録抄〉

しんりょ【神慮】神のみこころ。「この番(つがひ)の勝負は―にまかすべし」〈広田社歌合〉

じんりん【人倫】①人間。人類。「寿命終り有るは、―大期(たいご=定メ)なり」〈続紀大宝三・閏四・一〉。「かの男は欲にふけりて恩を忘れたり、畜生と言ふべし。恩を知るをもて―とす」〈宇治拾遺九三〉 ②人のふみ守るべき道。「―の五常三綱(さんかう)をたださしめたほどに」〈春鑑鈔〉 ③連俳の分類用語。人間をあらわす語。「〔式目篇連歌新式〕人・我・身・友・父・母・誰・関守・主、此の如き類―也。月をあるじ・花をあるじ・そうづ・山姫・木玉、已上―に非ず」〈連歌初学抄〉

しんるい【親類】①父方の血縁者。母方のそれは「縁家」「縁者」と呼び、区別される。「或いは縁者、或いは―、知らぬはよもおはせじ」〈盛衰記二七〉 ②近世、祖父母から孫までと、伯父母から甥・姪・従弟女までの親族。公私両面で互助・引受の義務を課せられていた。広義では遠類も合わせていう。「従弟煮(いとこに)もせよ―の年忘れ」〈俳・雀子集五〉 **―えんじゃ**【親類縁者】親類と姻族と。血縁上の親族と婚姻によって生じた親族関係で、広く親族の総称にいう。「世を思ひ捨てえずして、―までも見苦しく思はれん」〈古今私秘聞〉 **―がき**【親類書】親類の関係・氏名などを記した書類。近世、武家の奉公・婚姻・養子縁組などに必要とされた。「今こそ〔落チブレテ〕あれ―に千葉の介〔千葉氏ノ本家〕」〈俳・両吟一日千句〉

しんれい【振鈴】密教の修法で、諸尊を勧請(かんじやう)し、歓喜をあらわすために鈴を振ること。「御歳六十六、倫伽―の響はその夜を限り、一乗案誦の御声はその暁に終りぬ」〈平家一二・六代被斬〉

じんろく【甚六】愚か者の擬人名。ぼんやり。「一人息子の―」〈仮・このごろ草〉

しんわうウ:ノ【親王】天皇の兄弟姉妹、皇子・皇女に賜わる称号。天皇にもっとも親しい王の意。奈良時代末期以後は皇子・皇孫・諸王を問わず、親王宣下によって親王と称した。皇女を内親王、出家後に親王宣下を賜わった人を法親王、親王で出家した人を入道親王という。「凡(およ)そ皇兄弟・皇子、皆―と為す」〈継嗣令〉

しんゐん【新院】上皇が二人以上ある時、あとから上皇になった方。「先帝を―と申し、上皇をば一院とぞ申しける」〈保元上・後白河院御即位〉。「―・本院、御花合せの勝負といふ事ありて」〈問はず語り三〉

す

す【洲】川や海などで土砂が積もって盛り上がり、水面にあらわれた所。「みさご居る―に居る舟の漕ぎ出なば」〈万三〇三〉。「洲、水中可レ居者曰レ洲…四方皆有レ水也、須(す)」〈和名抄〉

す【巣・栖】①鳥・獣・魚・虫のすみか。「甑(こしき)には蜘蛛の―懸きて」〈万八九二〉 ②入れ物。容器。「いへ」とも。「筒の―も筒も、所望して見る」〈久重茶会記寛永一二・四・七〉

す【酢】酸味ある調味料。酒・酒粕・米と麹などで作る。「醤(ひしほ)―に蒜(ひる)つき合(か)てて鯛願ふ」〈万三八二九〉 ▽朝鮮語 sï（酢）と同源。 **―に当て粉(こ)に当て** 何かにつけて。何につけかにつけ。「酢につけ粉につけ」「酢に引き粉に引き」とも。「―一日この事言ひ止まず」〈西鶴・五人女二〉。〈俳・飛梅千句〉 **―に裂いて呑・む** 魚を割り裂いて酢に浸して食う意で、過酷なやり方のたとえ。「都には母の一党が天下を持たうとして、漢筋を絶やさうとする。―・まうとする」〈玉塵抄一四〉 **―の蒟蒻(こんにやく)の** 何のかのと文句を付けること。「酢でも蒟蒻でも」「酢の酒の」とも。「咲かぬ間や―玉椿」〈俳・鸚鵡集一〉 **―を支(か)・ふ** 喧嘩などをするように、人を煽(あお)り、または刺戟する。「酢を乞ふ」「酢を注(さ)す」とも。「色を乞ひ―・ふものか梅の花」〈俳・沙金袋一〉。〈日葡〉

す【簀・簾】①竹・葦などを、すきまを置いてならべたもの。また、それを編みつないだもの。「―十六枚」〈延喜式掃部寮〉。「簀、ス」〈色葉字類抄〉 ②すだれ。「男いたくめでて、―のもとに歩み来て」〈源氏帚木〉 **―に巻・く** 刑罰として水中に投ずるために簀巻きにする。「この者をば―・いて、唐崎の沖に沈むべし」〈御書抄二〇〉

す《接頭》《後世「素」と当て字》①ただそれだけの、また、生地のままの意を表わす。「―腹」「―はだ」など。「倹素、須奈保(すなほ)」〈新撰字鏡〉。「十全丹…一度に十粒を―湯にて流し入るべし」〈教言卿記応永一四・四・四〉 ②まったくの、の意で、軽蔑・罵倒を表わす。「―六法(ケチナ乱暴者)力みて渡る芥川(あくたがは)」〈俳・紀子大矢数上〉。「―寒貧なる作意」〈評判・古今四場居百人一首〉

す《助動》①→基本助動詞解説。②《サウラフ(候)のくずれた形サウの転》室町時代に用いられた丁寧語。「今朝の嵐は、嵐では無げに―よの」〈閑吟集〉。「一つ求めて下(くだ)って―は」〈虎明本狂言・鏡男〉

ず【頌】《ジュの直音化》「偈(げ)」に同じ。「何ともなき経のはしうちよみ、倶舎(くさ)の―など誦(ず)しつつありくこそ所につけてはをかしけれ」〈枕一二〇〉

ず《助動》→基本助動詞解説

すあき【素秋】連句で、秋の句を三句続ける中に月を詠みこまない場合をいい、甚だ嫌われたが、月の座に秋以外の月を詠んだ時には許された。「連歌より嫌ふ―よ月の雨」〈俳・玉海集追加三〉

すあひスァイ【牙儈・牙婆・数間・仲】室町時代以降、生産者と問屋、問屋と仲買、仲買と小売の間にあって、依頼者の名前で売買の契約をし、小量取引を仲介して手数料を取った業者。多くは女であった。すわい。鳶(とび)。才取。また、その手数料。「―。月の着る雲の衣を売物や候ふと言ふ人も買はめや」〈七十一番歌合〉 **―をんな**【牙婆女】近世、呉服・帷子(かたびら)等の売買取次をしながら色も売った女。「室町の―」〈西鶴・一代女五〉

すあま【洲浜】「すはま」の転。「庭の池のせばき―に飼ふ鶴の雲井を恋ふる声ぞかなしき」〈草根集六〉。〈枳園本節用集〉

すあをウ:オ【素襖】直垂(ひたたれ)の一種。室町時代から用いられ、麻布で作り、絹の直垂や大紋より格の低い武士の常服。背・袖付けに家紋を付け、胸紐・菊綴(きくとじ)には皮を使った。普通、同質同色の長袴をつけ、また共片(ともぎれ)の腰紐を使った。近世は、御目見(おめみえ)以上で無位無官の平士の礼服。素袍(すはう)。「大酒の時。…小袖も―も当座に着替へ候」〈宗五大双紙〉 **―ばかま**【素襖袴】素襖の上下。素襖と色の異なる長袴を用いるもの。素袍袴。「―や十徳、布子の表、かたびらをば誰が織りてくれうぞ」〈虎寛本狂言・法師が母〉

すい【粋・水・帥】①まじり気のないこと。純粋。生粋(きっすい)。「―は、全くして疵(きず)無きを云ふなり」〈性理字義抄一〉②物事に精通してすぐれていること。また、その人。「芸能にても商売にても、数年その道になれて、よく心得たる者を―と言へり。…その道道に於いて詳しくも抜けたると云ふの義なるべきか」〈邇言便蒙抄中〉③遊里の事情によく通じ、言動がおのずからその道にかなう、洗練された遊興の態度。また、その人。通者(とほりもの)。「―なる男は口説(くぜつ)せず」〈評判・寝物語〉 **―が川へ陥(はま)る** 老巧な者が、かえって失敗するというたとえ。「粋が身を喰ふ」「粋は粋にて果てる」とも。「―・ると言ふ」〈浮・禁短気三〉

すい【推】推量。おしはかること。「何の勘文に見えたるぞ。また、私の―か」〈明徳記上〉

ずい【末】「すゑ」の訛。「西明寺誓をここに尋ぬれば―の住処は西とこそ聞け」〈淋敷座之慰〉 **―は雨** 人は最後には死ぬというたとえ。「寂(じゃく)は雨」とも。「―に極(きはま)る涙や無常鳥」〈俳・独吟一日千句〉

ずい【随】気まま。勝手。気随。「心敬云く、老いたる徳は、老いの連歌―にすることありしとなり」〈兼載雑談〉

すいあて【推当】あて推量。「皆皆日喩の説の如く―なり」〈紙衣謄〉

ずいい【随意】①心のまま。思うまま。「まにまにとは―と書けり。それがままといふ心なり」〈能因歌枕〉。〈文明本節用集〉②わがまま。気随。「沙汰の限り、能観―にて候。已来さやうの儀申すに於ては、曲事の由申す也」〈北野社家日記慶長三・一二・一〇〉

すいえき【水駅】《陸路の駅に対する水路の駅の意》①舟のとまる所。ふなつきば。「―の路は児店(じてん)の月をうがつ」〈和漢朗詠集水〉。「水駅、スイエキ」〈色葉字類抄〉②平安時代、男踏歌の際、踏歌の人人を簡単にもてなす接待所。みづうまや。「踏歌飯駅・―これを定めらる。中宮は飯、北宮は水」〈九暦承平四・一・二〉③《転じて》実質がないこと。いい加減。粗略。「馬允時経。大虚言(おほそらごと)ばかりを能として、えしらぬ官好みして…あはれ―の人かな」〈吾妻鏡元暦二・四・一五〉。「舟路には〔国司ノ〕祇候のなき故に、むなしきをば―したりといふ也」〈源氏物語抄〉

ずいえん【随縁】〔仏〕①縁に応じて動作を起すこと。とくに、衆生の縁に従って仏が教化をすること。「入定(にふぢゃう)の老僧戸を出でず、―の童子、未だ山を下らず」〈文華秀麗集中〉②仏に帰依すること。「―の心をすすめ奉る」〈雨月二〉 **―しんにょ**【随縁真如】「不変真如」に対する語。絶対不変である真如も、因縁によって活動し、いろいろと変化し、迷悟・染浄等を生ずること。よって不変真如を水に、随縁真如を波にたとえる。大乗起信論の説。「波の立居もおのづから、―を現はせり」〈謡・現在七面〉

すいがい【透垣】《スキガキの転》板または竹を、すきまをおいて並べて作った垣。「―の戸を少し押し開けて見給へば月をかしきほどに」〈源氏橋姫〉。「―、木にても竹にても手軽くしたる垣の事なり」〈和漢新撰下学集〉

すいがき【透垣】⇒すいがい。〈名語記六〉

すいがく【水学・水覚】近世初期、京都出身の技術者・からくり師であった盲人。初名木原佐助。のち水学宗甫と名乗り、長崎港外で沈没船の積み銀を引き揚げ、佐渡金山で排水ポンプを敷設、魚荷の早船を建造するなど、種種の水利技術を考案し、一方水からくりの見世物でも有名であった。その技術は見世物としてだけ後に伝えられた。「―父子来たり、御池の水、操(からくり)を以て陸地に上ぐる也」〈隔蓂記明暦一・五・二八〉 **―ぶね**【水学船】水学が考案した魚荷の早船。大阪に五艘あって客船としても使われた。「―五艘」〈難波鶴〉

すいかん【水干】《水張りして干した衣の意》狩衣(かりぎぬ)を簡素化したもの。胸と袖と袖付けに菊綴(きくとじ)という飾りがつく。上前の襟先と後襟の中央についた紐を結び合わせて着る。平安時代末頃まで庶民が常用、のち、武家や公家の私服として広く用いられた。「着たりける―のあやしげなりけるが」〈宇治拾遺九三〉 **―ばかま**【水干袴】水干を着る際に用いる袴。または、糊を使わず水張りして干した布を使った袴。「紅の衣、すりもどろかしたる―にて、うちつづきてまうでたりけるに」〈枕(能因本)あはれなる物〉

ずいき【随喜】〔仏〕人の善に随順し、喜ぶこと。また、心から喜び仏に帰依(き)すること。心からありがたく思うこと。「厨子の中に安置せらるる阿彌陀小像動かれ給ふ也。これを見奉り、―せらるる也」〈中右記元永二・四・一四〉

すいきゃう(キョウ)【酔狂】①酒に酔って、気違いじみること。「天子出御の振舞をし、―の余りに上﨟女房たち呼び寄せ」〈平治上・源氏勢汰へ〉②ものずき。好事(かうず)。粋狂。「―なる者なれば」〈浮・好色江戸紫四〉

ずいぐきゃう(キョウ)【随求経】随求陀羅尼経。衆生の求願が、陀羅尼の効験によってかなえられるという。「経は。…千手経、―、金剛般若(こんがうはんにゃ)」〈枕二〇九〉

すいくゎじゃうど【西瓜上戸】酔って顔色が青くなる上戸。西瓜の外青く内赤いのにたとえていう。「〔大上戸ノ〕樽次といふ者の孫に逢ひて。その蔓や―の花の種」〈俳・続猿蓑下〉

すいこ【出挙】利子つき貸付の一。口分田・家屋・奴婢などを抵当とし、主として稲、時として銭・粟・酒などを貸し付けた。利子はふつう公出挙(くすいこ)が年五割、営利を目的とした私出挙は年十割。公出挙は初め営農資金援助が目的であったが、奈良時代には租税化し、農民を苦しめた。「私の稲を―せる者は、今より以後(のち)、半の利に過ぐることを得ざれ」〈続紀和銅四・一一・二二〉。「春の―によりて諸郡を巡行し」〈万四〇二九左注〉

すいさう(ソウ)【水晶】⇒すいしゃう。「あてなるもの。…―の数珠(ずず)」〈枕四二〉

ずいさう(ソウ)【瑞相】①めでたい相貌。「この相は必ずこれ仏に成るべき―を現ぜるなり」〈今昔一ノ一〉②不思議な前兆。しるし。「先づ目連尊者に会ひて光の―を問ふ」〈今昔一ノ三〉。「これ不祥の―なるべし」〈盛衰記九〉

すいさん【推参】①呼ばれもしないのに訪問すること。押して参上すること。「遊び者の―は常の習でこそ候(さぶら)へ」〈平家一・祇王〉②さし出がましく無礼なこと。「如何なる―の馬鹿者にてかありけん」〈太平記一六・本間孫四郎〉

すい・し【推し】『サ変』推量する。おしはかる。「ただ歌のことばにて―・し申し候ふばかりにて候」〈著聞四〇二〉

すいしゃう(ショウ)【水晶】石英が六方晶系の形に結晶したもの。無色透明。不純物がまじると紫・黒などの色を生じる。「月のいと明かきに川を渡れば、牛の歩むままに―などの割れたるやうに水の散りたるこそをかしけれ」〈枕(能因本)月のいとあかきに〉。「水精、スイシャウ」〈色葉字類抄〉。「水晶・水精、スイシャウ」〈撮壌集〉

すいじゃく【垂迹・垂跡】〔仏〕《鎌倉・室町時代はスイシャクと清音》仏が衆生を救うために本体(本地)を種種の形に変えて現われること。平安朝以後、日本古来の神も、すべて仏の垂迹であるとする本地垂迹説が行なわれた。訓読して「跡(あと)を垂る」という。「ただ熱田権現の—を恃(たの)む」〈本朝文粋一三〉。「神明は仏陀の—なり」〈諸神本懐集上〉

すいしゅ【水手】舟乗り。舟頭。「—・梶取(かんどり)申しけるは」〈平家一一・逆櫓〉。「水手、スイシュ、舟人」〈饅頭屋本節用集〉

ずいじん【随身】《古くはズイシン》①貴人の外出の際、勅宣をこうむり、剣を帯び、弓矢を持って随従した、内舎人(うどねり)や衛府の舎人。随従の人数は、上皇十四人、摂政・関白十人、大臣・大将八人、納言六人、中将・衛門・兵衛の督四人、少将・佐二人。「鎮撫使三位には—四人。四位には二人。並に弓箭を負持して朝夕祇承す」〈続紀天平三・一一・二八〉。「頭中将の—、その小舎人童をなむ、しるしにいひ侍りし」〈源氏夕顔〉。「随身、ズイシン」〈文明本節用集〉②お供としてつき従うこと。「長官・詔使を追ひ立て、—せしむる事」〈将門記〉。「大将が人に—は悪(わる)いぞ」〈周易抄〉③お供としてつき従う者。従者。「そのあたりに召し置いた私が—をおこされい」〈天草本伊曾保〉④携帯すること。「もし笙や—したると御尋ねありけるに」〈著聞三四八〉　**—どころ**【随身所】随身(1)の詰所。「御随身・小舎人所は酒を飲みののしりてうちあげののしる」〈栄花見はてぬ夢〉　**—もん**【随身門】神社で、兵仗を帯びた随身姿の像を左右に安置する門。「随身門、ズイジンモン、土俗謂二之矢大臣門一」〈書言字考〉

すいぜんじ【水前寺】近世、肥後熊本の水前寺から産した藍藻。暗緑色で、粘液質のため多数集まって方形をなし、煮ても形を乱さず美味。水前寺海苔(のり)。「この寺の海苔ぞ尊き—」〈俳・詞林金玉集三〉

すいたい【翠黛】みどり色の黛(まゆずみ)。「—眉を開きて、わづかに画(ゑが)き出す」〈菅家文草六〉　**—のやま**【翠黛の山】みどりのまゆずみをはいたように見える美しい山。みどりにかすむ山。「緑蘿の牆(かき)、—、画にかくとも筆も及びがたし」〈平家灌頂・大原御幸〉

すいだう(…ドウ)【水道】上水を引く水路。近世初期、玉川・井の頭池等から引き、飲料その他に使用した江戸の上水道。訛って「すいど」とも。「小田原石、—のために江戸に出し商ふ」〈仮・東海道名所記三〉

すいだて【粋立て】粋がって知ったかぶりすること。なまはん

かに粋人ぶること。「—の心せられて」〈評判・難波物語〉

すいちゃうこうけい(…チョウ…)【翠帳紅閨】みどり色のとばりを垂れ、あかく飾った立派な寝室。「—にかはれるは、埴生の小屋の蘆簾」〈平家八・太宰府落〉

すいでう(…ジョウ)【推条】《陰陽道の用語》占いによって推論すること。「—掌を指すが如し」〈平家三・法印問答〉

ずいと《副》①無造作なさま。そのまま。即座に。「布を切らいで—縫ふは非なり」〈六物図抄〉②程度が図抜けているさま。ぐっと。「木が—高くて直(すぐ)なぞ」〈山谷詩抄一五〉

ずいなう(…ノウ)【髄脳】①髄と脳と。また、脳髄。「我が身の—も脳も身体の極めて大切な部分なので》和歌の奥義などを述べた書物。歌学書。「和歌の—いと所せう、〔歌ノ〕病去るべきところ多かりしかば」〈源氏玉鬘〉

すいにち【衰日】《陰陽道の用語》その人の生れた年の干支によって、万事を忌みつつしまなければならないという日。「今日儲君御—、明日内裏御—」〈九暦天暦四・七・二五〉

すいはう(…ホウ)【粋方・推方】《「水法」とも表記》①粋人。粋客。「〔遊女ニハ〕—もよく繋がれ」〈評判・吉原失墜〉②遊廓・芝居に関係する者。堅気でない人。「—共を素人の此の方がなぶって見るのか」〈浮・子息気質三〉③博奕(ばくち)を業とし任侠を売る者の首領。侠客・博徒の親分。主として遊里で使った語。「—仲間の小歩き」〈浄・夏祭七〉

すいばら【杉原】《スギハラの音便形》杉原紙。「—一帖」〈金剛三味院文書弘和三・一〇・二三〉。「播磨—」〈庭訓往来四月十一日〉。〈伊京集〉

すいはん【水飯】飯または乾飯(ほしいひ)を水にひたしたもの。水漬け飯。「氷水(ひみづ)召して—など、とりどりにさうどきつつ食ふ」〈源氏常夏〉

ずいひゃう(…ヒョウ)【随兵】《ズイビャウとも》①つき従う武士。「員(かず)の—を率して既に戦ふ間」〈今昔一七ノ三〉②鎌倉・室町時代、将軍出行の時、武装し、騎馬で警固にあたった武士。「その次に、—の先陣にて…以上十二人」〈太平記二四・天龍寺供養〉

すいふろ【水風炉・水風呂】①茶の湯に用いる銅製の湯沸器。一方に火を入れ、他の一方に鉄製の湯沸しを仕組んだ構造。「大津城を攻め候を、京の町人ども、提重箱・—持たせ…見物いたし候」〈慶長記中〉②下部に焚き口のある風呂桶。また、それで沸かした湯。後、「据ゑ風呂」と訛った。「〔父ハ〕—をこしらへさせ、二人の子どもを入れ、上に蓋をし、大きなる石を置き、我と下知して湯の下をひたもの焚かせ、程なく二人を煎り殺しけり」〈善悪報ばなし五〉。「月経ある女郎は—に入る事あたはず」〈色道大鏡三〉

ずいぶん【随分】㊀《名》①分際に随うこと。分相応。「折節のいらへ心得てうちしなどばかりは、—によろしき〔女〕も多かり」〈源氏帚木〉②可能なぎりぎりの限界。「—の貯へを投げすてて、心を至して法華経一部を書写供養し奉りつ」〈今昔一三ノ四四〉③程度が相当はなはだしいこと。「—の自讃かたはら痛く侍れども」〈雑談集九〉㊁《副》①分に応じてしかるべく。「東国北国の者どもも、—重恩を蒙りしかども」〈平家一一・逆櫓〉②すこぶる。はなはだ。「忠宗、景宗も—血気の勇者にて、抜群の者なりしかども」〈古活字本平治下・頼朝義兵を挙げらる〉③せいいっぱい。極力。「入道—悲涙をおさへて」〈平家三・法印問答〉④《依頼・勧誘などの文に用いて》できるだけ。せいぜい。「—御養生なさるべく候」〈捷解新語一〇〉⑤《下に禁止の語を伴って》決して。「汝らこの事を—他言する事なかれ」〈善悪報ばなし五〉　**—がほ**(…ガオ)【随分顔】当然だというような顔。「執筆の披露もせざる前に、—にて興ある所を人に口をもあかせじと仕るは口惜しきことなり」〈吾妻問答〉

すいへん【水辺】①水のほとり。「—に仮屋を造り並べ、遊君その数呼び集めて、今様うたひ、琴・琵琶ひき」〈盛衰記六〉②連俳の分類用語。水に関連ある事物。「—の体、海・浦・入江…。同じく用、舟・浮木・流れ・水…。—にあらざる物、砂・苫屋・霞の網…布晒す」〈連理秘抄〉

すいめん【睡眠】眠ること。眠り。「一日の内に、飲食(おんじき)・便利・—・言語・行歩(ぎやうぶ)、止(や)むことを得ずして多くの時を失ふ」〈徒然一〇八〉。〈文明本節用集〉

すいもう【吹毛】①《「毛を吹いて疵(きず)を求む」の諺から》他人の欠点や落度をしいてさがし出すこと。「左〔歌〕—なりといへども、見ゆる所あるによりて、右をもって勝とす」〈三井寺新羅社歌合〉。「この—の難の出所、まづ以て疑はしく侍り」〈落書露顕〉②「吹毛の剣」に同じ。「—を提持して、虚空を截断す」〈太平記一〇・塩飽入道〉　**—のけん**【吹毛の剣】鋭利な剣。「—。この剣は一段よう切るる剣なり。毛といふ物は切りにくい物なり。それを吹きかくれ

ば、からりと切るるぞ」〈句双紙抄〉

すいもん【推問】罪人に強く問いただすこと。罪科を糾問すること。「[罪ヲ犯シタ者ハ]―して実を得ば、決杖一百」〈続紀神亀五・三・二八〉

すいらう【透廊】《スキラウの転》寝殿造で、両側に壁がなく、高欄をもうけた廊下。すきわたどの。「西の泉の―南へ長くさし出たる中のほど」〈十訓抄一ノ三〉

すいりん【水輪】[仏] 世界成立の根本である四輪(空輪・金輪・水輪・風輪)の一。水輪の大きさなど諸説あり、一説に、深さ十一億二万由旬(ゆじゅん)、直径十二億三千四百五十由旬という。「其故は此の世界の構ぇ様は、風輪の上に―あり、上に金輪あり、下に地輪あり」〈盛衰記一四〉

すいれん【水練】泳ぎの技術。また、泳ぎの名人。「―の程めでたかりけり」〈著聞三六八〉。「―を語らひて淵に入れ、女の死骸を潜り上げ」〈盛衰記三九〉

すうき【枢機】《「枢」は戸のくるる、「機」は弩(いしゆみ)のはじき金》①事物の肝心となるところ。「これらは皆…世を静め国を治め給ふ―なれば」〈太平記二四・朝儀年中行事〉②近世上方で、親族関係があることをいう。縁続き。筋目。所縁。「百姓ばら以下に至るまで、昔の主の筋と―を立て、相随ふ」〈川角太閤記五〉。「京大坂辺の言葉に、筋目と言ふ事を―と言ふ」〈男重宝記五〉

ずう・じ【誦じ】『サ変』⇒ずんじ。「詩をいとをかしう―・じ侍るものを」〈枕一六二〉

すうぜう【芻蕘】《スウゲウとも》草刈と木こりと。卑しい者。「―のことばまでも捨てず」〈太平記五・大塔宮〉

すうたひ【素謡】舞もせず囃子も用いず、謡だけをうたうこと。番謡。「―・御囃子以上七番」〈隔蓂記寛永一五・九・一三〉

すうとく【宿徳】⇒しうとく。「容貌(かたち)もいとうるはしうけうらに、―にて」〈源氏手習〉

すうわり しとやかなさま。しなやかなさま。「笑渦(ゑくぼ)に溜る愛敬は花の粧ひ、ほっそり―柳の間の廊下伝ひ」〈近松・絶狩二〉

す・え【据え】『下二』《スヱ(据)が、鎌倉時代以後、ヤ行下二段活用に転じたもの》⇒すゑ。「高く大きに盛りたる物ども、持て来つつ―・ゆめり」〈宇治拾遺一一〇〉。「柳筥(やないばこ)に―・ゆるものは」〈徒然二三七〉

す・え【饐え】『下二』食物がくさってすっぱくなる。「―・えた臭い飯なれども」〈人天眼目鈔三〉。「酢、スユル」〈色葉字類抄〉

すおもて【素面】連歌で、懐紙一面(ひとおもて)十四句のうちに恋句・述懐句の詠まれなかった面。「恋か述懐かの無き面をば―といふ也」〈四道九品〉

すか《スは洲、カは処の意か。中部地方以東の地名に多い》海岸の砂丘、小高い所。「美夜自呂の―辺に立てる貌(かほ)が花」〈万三五七五東歌〉

すが【菅】「すげ」の古形。多く複合語に使われる。「―畳」「―原」など。「高山の巖に生ふる―の根のねもころごろに降り置く白雪」〈万四四五四〉

すがが・き【清掻き・菅掻き】[一]『四段』「すががき」の奏法で和琴(わごん)を弾く。「あづまを―・きて、『常陸には田をこそ作れ』といふ歌を、声はいとなまめきて、すさびゐ給へり」〈源氏若紫〉[二]『名』①和琴の弾き方の一。譜にあわせて本式に弾くのでない場合などに使う。「わざともなく掻きなし給ひたる―のほど、いひ知らず面白く聞ゆ」〈源氏常夏〉②歌なしで琴を掻き鳴らすこと。また、その曲。「―。和琴かきならす事也」〈匠材集四〉③歌なしに三味線の二・三の糸を一緒に弾くこと。また、その曲。江戸吉原では遊女が張見世で客寄せに弾いて、見世清掻きといい、歌舞伎では吉原の場面をあらわす囃子(はやし)として使われた。「思ひの色を乱れ―」〈俳・両吟一日千句〉

すががさ【菅笠】スゲの葉で編んだ笠。すげがさ。「押し照る難波(なには)―置き古し」〈万二八一九〉

すがき【簀垣】竹などを、すきまをおいて組み並べた垣。「心あひの風ほのめかせ八重―ひまなき思に立ちやすらふと」〈散木奇歌集恋下〉

すが・き【巣掛き】『四段』蜘蛛が巣を掛ける。「ささがにの空に―・ける糸よりも心細しや絶えぬと思へば」〈後撰一二九六〉。「ただ風の前にささがにの糸を―・くが如くなるべし」〈ぎやどぺかどる下〉

すがく・れ【巣隠れ】『下二』巣の中に入って姿をかくす。「―・れて数にもあらぬかりの子を」〈源氏真木柱〉

すがこも【菅菰・菅薦】①スゲとマコモと。「濁り江に生ふる―水(み)がくれて」〈続古今一〇一六〉②スゲで編んだむしろ。昔、陸奥の産として知られ、後に陸前利生(とふ)の名産となる。「玉江に刈る真菰にまれ、逢ふ事交野(かたの)の原にある―にまれ、ただあらむを貸し給へ」〈堤中納言よしなしごと〉

すか・し【賺し・欺し】『四段』《好キと同根。気持が傾くようにさせる意》①すすめてその気にさせる。「媒(なかだち)のかく言(こと)よくいみじきに、女はまして―・されたるにやあらむ」〈源氏東屋〉②慰め、なだめる。機嫌をとる。あやす。「さまざまに語らひ給ふ御様のをかしきに―・されたてまつりて」〈源氏早蕨〉③巧みに言いくるめる。たらす。「京より浮かれて、人に―・されて来たりける女房のありけるを」〈宇治拾遺九三〉。「あざむくとは―・すといふ事なり。詐の字を読むなり」〈奥義抄〉。「欺の字、―・すとも読む。…世話に童を―・すと云ふ、たらす義なり」〈見聞愚案記一三〉

すか・し【透かし・空かし・洗かし】[一]『四段』《透キの他動詞形》①間をあける。空白をおく。「五節の局を、日も暮れぬ程に皆こぼち―・して」〈枕九〇〉。「疎は―・す。物のとどこったる間を―・す義なり」〈倶舎論頌疏釈疏抄一〉②まびく。へらす。「京中の勢をばさのみ―・すまじかりしものを」〈太平記九・足利殿着御〉③透けて見えるようにする。「二藍の指貫、直衣、[下着ニ]浅葱(あさぎ)の帷子(かたびら)どもぞ―・し給へる」〈枕三五〉④はずす。取り除く。「まづここもとを―・しまして、上の町へ行(い)て買ひませう」〈狂言記・長光〉⑤通り抜けさせる。「[トヲアケテカゼヲスカス]」〈日葡〉⑥油断する。手落ちをする。「万事に一つも―・さぬ人」〈西鶴・織留五〉⑦音を立てないように屁(へ)をする。「音無しに二つ迄―・しければ」〈浮・傾城色三味線五〉[二]『名』透けて見えるように作ったもの。「岩をいろいろの物にて作りて、―の一重をかけらる」〈竹むきが記〉 **―あふぎ**【透扇】彫り透かした杉の薄板に白い生絹などを張った扇。すき扇。「―に唐扇」〈近松・百日曾我四〉

すがしめ【清し女】すがすがしい女。さわやかで気持よい女。「あたら―」〈記歌謡六四〉 †sugasime

すがすが ためらったり、とまったりしないさま。すらすら。「兵部卿宮、[姫君入内ヲ]―とも、え思ほし立たず」〈源氏絵合〉。「沼尻といふ所も―と過ぎて」〈更級〉

すがすが・し『形シク』《スギ(過)と同根》①(物がつかえずに)いかにもすっきりとしている。いかにもさわやかである。「須賀の地に到り坐して詔り給ひしく『吾、此地に来て、我が御心―・し』」〈記神代〉②いかにも滞りがない。すらすらと行っている。「[イロイロノ試験ヲ]―・しう果て給へれば」〈源氏少女〉。「涙にむせて何事も―・しうも申さで、かくてためらひて申す」〈栄花楚王夢〉③いかにもあっさりしている。「〔久久ノ伺候ナノニ〕今宵〔退出ト〕は、あまり—・しうや」〈源氏真木柱〉④(あれこれ考えたりせず)一本調子である。素直すぎる。「—・しき御心にてこの君だちをさへや知らぬ所にゐて渡し給はむとあやふし」〈源氏夕霧〉

すがそ【菅麻】スゲを細く裂いたもの。祓(はら)につかう。「天つ—を本苅(か)り断ち末苅り切りて」〈祝詞大祓詞〉 †sugaso

すがた【姿】《スはスナホ(直)のスに同じか。カタはきちんとした型。ちゃんとした恰好。人ならば、きちんと着物を着た様子に多くいう。万葉集で「光儀」「容儀」「儀」などの字を当てる。「儀」は立派な様子の意》①衣服を身につけた様子。身なり。「吾妹子が裳引きの—朝にけに見む」〈万二八九七〉。「壺装束などいふ—にて」〈源氏葵〉②恰好。様子。「うつたへにま垣の—見まく欲り行かむと言へや君を見にこそ」〈万七七八〉。「花の枝さし、—、…露の光も世の常ならず」〈源氏野分〉。「〔相撲ノ〕裸なる—ども」〈栄花根合〉③外見。見た目。「—は聖人にして、心は濁りに染めり」〈方丈記〉④歌の風体。「心」「詞」が歌の要素をさすのに対して、一首の歌として統一された全体の形。「心—相具することかたくは、まづ心をとるべし。終に心ふかからずは、—をいたはるべし」〈新撰髄脳〉。「やまと歌を詠ずるならひ…或いは風情をむねとするあり、或いは—をさきとせるあり」〈後鳥羽院御口伝〉⑤美貌の人。「—の関守(批評者)、京の四条はいきた花見有り」〈西鶴・五人女三〉 **—かたち**【姿形】①身なりと顔かたちと。容姿。「かたちすがた」とも。「〔元日ハ〕—心ことにつくろひ」〈枕三〉②からだ全体の形。姿態。「平六の—、影の如くに見えけるは」〈狂言記・塗師平六〉 **—つき**【姿つき】からだ全体の恰好。「〔袿ヲヌガセテミルト〕ほそやかなる—いとをかしげなり」〈源氏浮舟〉 **—な・し**【姿無し】『形ク』すぐれた姿でない。恰好がわるい。「—・けれど、棕櫚(すろ)の木、唐めきて、わるき家のものとは見えず」〈枕四〇〉 ↓かたちあり。 **—のいれもの**【姿の入物】近世、遊里通いの三人で舁く早駕籠。「—卸(おろせ=駕籠舁)が急げば」〈西鶴・一代男六〉 **—のはな**【姿の花】美貌。また、美貌の男・女。「老人は—の暮春かな」〈俳・鸚鵡集二〉 **—み**【姿見】全身をうつして見る大型の鏡。「ある鏡の径(わたり)八寸五分ありける—を取り出し給ひて、磨(と)がせ給ふ」〈室町殿日記一〇〉 **—のやま**【姿の山】①美しい形の山。「本朝の—」〈西鶴・俗徒然四〉②美人。「—の影の煩ひ(離魂病)」〈俳・句箱〉③美人の群。「木幡は—となりて」〈西鶴・好色盛衰記三〉 **—ゑ**【姿絵】容姿を写し描いた画。肖像画。「—には書くとも筆には及ばず」〈塩竈大明神御本地〉

すがたたみ【菅畳】スゲの葉を編んでつくった畳。「—いやさや敷きて」〈記歌謡一九〉 †sugatatami

すかたん 当てのはずれること。また、失敗すること。「すこたん」とも。「遅く摘めばすかたんぽぽの野原かな」〈俳・沙金袋三〉。「これは又—な寝言」〈評判・役者初火桶江戸〉

すがどり【菅鳥】不詳。美しい鳥の意でオシドリ、菅は管の誤りでツツドリなど諸説ある。夫婦仲よく、水上で浮寝をし、群集して、年中日本に住む水鳥のようである。「白真弓斐太の細江の—の〔ヨウニ〕妹(い)に恋ふれか眠(い)を寝かねつる」〈万三〇九二〉。「鳰、アマトリ・スガドリ、菅鳥」〈名義抄〉 †sugadöri

すかな・し『形ク』独りいて心楽しまない。「情(こころ)にはゆるふことなく須加の山—・くのみや恋ひ渡りなむ」〈万四〇一五〉。「—・きことを我は聞く」〈催馬楽葦垣〉。「嘻囉、独坐不楽皀、須加奈志(すかなし)・乎佐奈志・佐久佐久志」〈新撰字鏡〉

すかぬ【透かぬ】『連語』《スキ(透)のない意》ずるくて抜け目がない。油断のならぬ。「鑰(かぎ)盗み出して鎖(じゃう)あくる音、火の番の太鼓に合はせて、さても—事なり」〈西鶴・諸艶大鑑六〉

すがぬ・き【菅貫き】㈠『四段』「すがぬき」をくぐって祓をすること。「六月(みなつき)の三たび—・き祈るみそぎに」〈堀河百首〉㈡『名』チガヤを紙で包んで束ね、大きな輪にしたもの。平安時代、六月晦日の夏越(なごし)の祓に使った。家の入口にかけ、これをくぐって疫病よけとした。小さく作って首にもかけたらしい。茅(ち)の輪。「夏はつる今日の祓(はらへ)の—をこえてや秋にならむとすらむ」〈拾玉集三〉

すがのね【菅の根】スゲの根。祓に際して手に持って使い、形を着物に書きつけたりした。「石に生ふる—取りてしのふ草祓へてましを」〈万九四八〉。「—を衣(きぬ)にかきつけ着せむ子もがも」〈万一三四四〉 **—の**【菅の根の】〔枕詞〕スゲの根が長いことから「長」に、また「乱れ」「絶ゆ」「懇(ねもころ)」「すかなし」などにも掛かる。「—長き春日を」〈万一九二一〉

すがはら【菅原】スゲの生えている原。「立ちか荒れなむあたら—」〈記歌謡六四〉

すか・ひ(スカイ)【次ひ】『四段』《スキ(次)アヒ(合)の約。スキは次に続く、一連となる意》①すぐ次にひかえる。「〔娘ヲ后ニト思ッテイタラ〕かういふ幸ひ人の腹の后がねこそ、また追ひ—・ひぬれ」〈源氏少女〉。「前にもうち—・ひたる尼ども二人臥して、劣らじといびき合せたり」〈源氏手習〉②行き違いになる。「—・ひて逢はず」〈散木奇歌集恋下〉 **—すかひ**(スカイ)【次ひ次ひ】『副』つぎつぎ。あとからあとから。「しだり咲く萩の古枝(ふるえ)に風かけて—に牡鹿(をじか)鳴くなり」〈山家集上〉

すがひ(スガイ)【酢貝】紀伊の海岸に産するサザエ形の小さな貝。そのへたを酢の中に入れるとぐるぐる廻るので、近世、子供の玩具にした。「紀伊〔ノ産物〕…—」〈俳・毛吹草四〉

すがまくら【菅枕】スゲをたばねてつくった枕。「足柄(あしがり)のまま(崖)の小菅の—」〈万三三六九東歌〉

すが・み【眇み】『四段』ひとみが片寄る。眇(すがめ)になる。「その後、元帝の一の目—・めり」〈今昔九ノ四〇〉

すがみこ【素紙子】柿渋を塗らない白い紙子。近世、京都清水坂で製したので、清水紙子ともいった。「伊達に着るやためつ—前後」〈俳・鸚鵡集一〇〉

すがめ【酢瓶】酢を入れるかめ。「故聖人の持ち給へりし—はここにこそ有りけれ」〈今昔二〇ノ二三〉

すが・め【眇め】㈠『下二』「すがめ」のようにする。「祐成(すけなり)、こはしと思へば、松明(たいまつ)少し脇へまはし、眼を少し—・めて居たりけり」〈古活字本曾我九〉。「睨は、目を—・めて見るなり」〈中庸鈔〉㈡『名』ひとみを片方へ寄せて見る目つき。斜視。「卒堵婆の方を—に見やりつつ」〈今昔一九ノ三〉。「眇、須加女(すがめ)」〈和名抄〉

すがも【菅藻】未詳。スゲに似た川藻とも、水辺に生えるスゲの一種ともいう。「宇治川に生ふる—を川早み取らず来にけり裹(つと)にせましを」〈万一一三六〉

すがやか《スギ(過)と同根》①とどこおりのないさま。すらすらと事の運ぶさま。「大臣まで、かく—になり給へるを『はじめよし』とは言ひけるなめり」〈大鏡道長〉。「太りたまへる人にて、—にもえ歩みのき給はで」〈大鏡道隆〉②執着・未練のないさま。あっけないさま。「おどろおどろしき御悩みにもあらで—に〔出家ヲ〕おぼし立ちける程よ」〈源氏柏木〉

すがら ㈠『副』《スギ(過)と同根》途切れることなく、ずっと。「この夜―に眠(い)も寝ずに」〈万三九六九〉。「むばたまの夜は―に夢に見えつつ」〈古今五二六〉 ㊁《接尾》《時間的連続が空間的にも使われるようになったもの》 ①…の間中ずっと。「道―面影につと添ひて、胸もふたがりながら」〈源氏須磨〉 ②…の途中で。「道―遊びものども参る」〈増鏡二〉

すが・り ㊀《四段》 さかりが過ぎる。衰える。「鳴き―・る声を聞けども郭公あかでぞ結ぶ山の井の水」〈草根集一下〉。「〔香ノ〕―・らぬ先に疾く聞かせ給へ」〈五月雨日記〉。「新薬師寺…南辺、焼くるを見る。昨日より焼け、今夕は焼け―・りたる分、なかなか申すばかり無し」〈明応六年記〉。「露―・る野のうら枯れのころ。露―・るとは、露の一つ二つ、少し有るか無きかにほのめくこと也」〈伊勢千句注〉 ㊁《名》 ①盛りの過ぎて尽きようとするもの。衰えかかったもの。「青梅は匂ひの玉の―かな」〈俳・鷹筑波五〉 ②香の立ち消えになったもの。「左右、香のにほひよろし。―もあしからず」〈五月雨日記〉

すが・り【縋り】 ㊀《四段》《ツガリ(番)の子音交替形。スゲ(縋・挿)の自動詞形。糸状のものが結ばれ、節(ふし)になるのが原義。転じて、つかまる手がかりによって身をささえる意》 ①結び目ができる。もつれる。「乳母召し出でたれば…髪の―・りかかりたるさま、もてなし、いと清らなり」〈夜の寝覚二〉 ②手がかりとしてつかまる。つかまってたよりとする。「手を以(もち)て斤(はかり)の緒に―・りて力を発(おこ)して強ひて登り給ふに」〈三宝絵上〉。「杖に―・りて歩む」〈宇治拾遺一三六〉。「なでしこは朝おく露に―・られて心弱くぞ折れ伏しにける」〈公重集〉。「縋、スガル」〈名義抄〉 ③よりどころとする。「まことに、させる本文に―・りたる事候はねども」〈北条泰時消息〉。「この譬喩歌(たとへうた)といふは、風月にも寄せ鳥獣にも寄せて、ひとへにかれに―・りてたとへ詠みて」〈仙覚抄三〉。「付合(つけあひ)に―・り候へば越度候はねども、連歌あがるべき事もなく候」〈連歌心附之事〉 ㊁《名》 ①数珠(じゅず)の中央の母珠に、総状につないだ緒の結び目。「ある法師の…ずずの―を落しおけるを」〈後撰一三八五詞書〉 ②樹皮・蔓・麻縄などで編んだ運搬用の丸い網袋。「〔サネカズラデ〕―といふ物を一二人乗る程こしらへ」〈伽・諏訪の本地〉

すがる【蜾蠃】 ①ジガバチ類の古名。胸と腹の境が細いので、腰の細い美女にたとえる。また、広く蜂や昆虫の総称ともいう。「蜾蠃、此をば須我屢(すがる)といふ」〈紀雄略六年〉。「飛び翔(か)ける―のごとき腰細に取り飾らひ」〈万三七九一〉 ②鹿の異称。「―なく秋の萩原」〈古今三六六〉 ▽古今集の例はジガバチ・アブ等の説がある。 **―をとめ【蜾蠃少女】** 「すがる」⑴のように腰の細い、美しい少女。「腰細の―の」〈万一七三八〉

すが・れ 《下二》 さかりが過ぎる。「炭焼の市に出でたる跡なれやただ―・れたるうす煙かな」〈為尹千首〉。「末摘花と云ふ―・れたる大夫」〈咄・初音草咄大鑑一〉

すき【次】 後につづくこと。第二番目であること。「次、此をば須伎(すき)といふ」〈紀天武五年〉 †suki

すき【村】 《朝鮮の古語》 むら。「意流(るお)―、今、州流須祇(つるすき)と云ふ」〈紀神功四十九年〉

すき【襁】 子供を負う帯。「繦、糸有レ節也、負レ児帯也、須支(すき)」〈新撰字鏡〉 †suki

すき【須岐・主基】 《次(すき)で、二番目の意》 大嘗祭において、悠紀(ゆき)の国について新穀を奉る国。また、その国で奉仕する斎場。「新嘗の為に国郡を卜(うら)はしむ。斎忌(ゆき)は尾張国山田郡、―は丹波国訶沙(さか)郡。並びに卜(うら)に食(あ)へり」〈紀天武五年〉。「悠紀に近江国の野洲、―に丹波国の氷上を斎ひ定めて」〈中臣寿詞〉 †suki

す・き【好き】 ㊀《四段》 ①気に入ったものにむかって、ひたすら心が走る。一途になる。熱中する。「昔の若人は、さる―・ける物思ひをなむしける」〈伊勢四〇〉。「善人は善に―・き、悪人は悪に―・くべし」〈妻鏡〉 ②恋に走る。色恋に熱中する。「かやすき程(身分)こそ、―・かまほしくは、いとよく―・きぬべき世にはべりけれ」〈源氏橋姫〉。「かく独りおはしまして、世の中に―・い給へる御名のやうやう聞ゆる、なほいとあしきことなり」〈源氏総角〉 ③(趣味・芸道などに)徹する。身を打ち込む。「そのころ、いたう―・いたる者に言はれ、心ばせなどある人」〈枕一八〇〉。「古き歌仙はみな―・けるなり。しかれば能因は人に『―・き給へ。―・きぬれば秀歌は読むぞ』とぞ申しける」〈袋草紙上〉 ④趣向をこらす。凝る。「大なる屋の―・きたるうちに我居たり」〈著聞八六〉 ⑤気に入る。心をひかれる。「甘いを―・く衆へは甘いを進じやうず、辛いを―・いて参る衆へは辛いを進じやう」〈虎寛本狂言・伯母が酒〉 ㊁《名》【好き・数寄】 ①恋の道。「〔自分モ〕すこしは―も習はばや」〈源氏蜻蛉〉。「男の―といふものは、昔よりかしこき人なく、この道には乱るるためしども侍りけり」〈夜の寝覚二〉 ②芸道に徹すること。風流の道に身を投じること。「人の―と情とは、年に添へて衰へゆく」〈無名抄〉。「楽所の預小監物源頼能は上古に恥ぢざる―の者なり」〈著聞二六四〉 ③片寄った好みを持つこと。僻愛。「連歌張行し、深更に及びて百韻了んぬ云云。―の至り也」〈看聞御記永享四・一〇・二五〉。「数奇、スキ、或作二数寄一。日本世話、呼二僻愛一曰二数奇一」〈文明本節用集〉 ④特に、茶の湯。「古田織部守と申して、隠れなき―の上手なり」〈伽・酒茶論〉。「今は―といへば、茶の湯のことに聞ゆるまま」〈俳・淀川〉 **―に赤烏帽子(えぼし)** 異様な物好きのたとえ。〈俳・毛吹草二〉

す・き【透き・隙き】 ㊀《四段》《スキ(鋤・漉・梳)と同根。互いの間があいて、その間を光や風などが自然に通るようになる意》 ①物の間が緊密でなくなる。まばらになる。「歯はうち―・きて愛敬なげに言ひなす女あり」〈源氏総角〉 ②光などがあき間を通る。通りぬける。「〔板間カラ〕みあかしの影ほのかに―・きて見ゆ」〈源氏夕顔〉。「かりそめの仮屋などいへど、風―・くまじくひきわたしなどしたるに」〈更級〉 ③すき通る。「色はさをに白くうつくしげに―・きたるやうに見ゆる御膚つきなど」〈源氏若菜下〉 ㊁《名》 ①すきま。間隙。「庭の木かげは―もなく」〈曾丹集〉。「物の具の―を射させて」〈承久記上〉 ②ひま。あいま。「―もなく物思ひつる宿なれど」〈曾丹集〉。「御合戦のお―には、各〻寄り合はせられて慰まるる」〈虎明本狂言・武悪〉 ③つけこむべき機会。「よい―と思ひて伏たば鼠と同じぞ」〈論語抄憲問〉

す・き【剝き】 《四段》 薄く切り取る。へぐ。「亀の甲を薄く美しく―・いて」〈尚書抄九〉。「剾、スク」〈名義抄〉

す・き【喰き】 《四段》 食べ、のみこむ。「水を以て飯を送(す)く」〈紀皇極四年〉。「さるべきもの(護符)作りて、―・かせたてまつり、加持などまゐる」〈源氏若紫〉 †suki

す・き【鋤き・漉き・梳き】 ㊀《四段》《スキ(透)と同根。粒子や繊維をほぐし、すきを作って整える意》 ①【鋤き】 農具を使って土を掘り起す。「金鋤(かなすき)も五百箇(いほち)もがも、―・き撥ぬるもの」〈記歌謡九九〉 ②【漉き】 水に溶かした原料をほぐして簀(す)の上に平らに拡げ、紙や海苔を作る。「紙屋の人を召して、…心殊に清らに―・かせ給へるに」〈源氏鈴虫〉。「楮(かうぞ)をこなして料紙―・きける時」〈著聞六九八〉 ③【梳き】 繊維をほぐす。㋑網の目をととのえる。「退きて網を造(す)かむには如(し)かじ」〈東大寺諷誦文稿〉 ㋺《転じて》 網を編む。「皇軍、葛(かづら)の網を結(す)きて、掩襲(おそ)ひ殺しつ」〈紀神武即位前〉㈧櫛で髪をとかす。「〔馬ヲ進上スル時〕髪をまき候はば、―・きたてて進(まゐ)らせらるべし」〈大内問答〉 ㈡『名』土を掘り起し、こまかくならすのに用いる農具。木製と金属製がある。「『吾れ田の水を引かむ』といふ。…十余人して荷(も)つべき―の柄(え)を作りて持たしむ」〈霊異記上三〉。「鋤・鉏、須支(すき)」〈新撰字鏡〉 †suki

すぎ【杉】 スギ科の常緑樹。奈良時代には神事に関する木として扱われた。「味酒(うまさけ)を三輪の祝(はふり)がいはふ―手触れし罪か君に逢ひがたき」〈万七一二〉。「榲、此をば須擬(すぎ)といふ」〈紀顕宗即位前〉 †sugi **―を標(しる)し** 酒屋の軒に杉の葉を束ねて吊し、看板とすること。「酒屋は―の門は変らず」〈西鶴・永代蔵四〉

す・ぎ【過ぎ】『上二』《本質的なものに深く触れずに、どんどん進んで行き、度合を超す意。スガスガシ・スガヤカのスガと同根》①通って去る。「またさらに八十島―・ぎて別れか行かむ」〈万四三四九〉。「新治筑波を―・ぎて幾夜か寝つる」〈記歌謡二五〉②寄らずに行く。通過する。「鹿島の崎を波高み―・ぎてや行かむ恋しきものを」〈万一一七四〉③時がどんどん経って行く。時が或る範囲を超える。「会はぬ日の数多(まね)く―・ぐれば」〈万一七九二〉。「近くあらば今二日だみ、遠くあらば七日のをちは―・ぎめやも」〈万四〇一一〉④世を渡る。生計を立てる。「今は昔、鷹を役にて―・ぐる者ありけり」〈宇治拾遺八七〉。「商人(あきびと)はそれにて身を―・ぐれば、安く買ふも罪なるべし」〈極楽寺殿御消息〉⑤衰える。終る。亡びる。「花は―・ぎつつ」〈万四一九四〉。「香具山の宮万代に―・ぎむと思へや」〈万一九九〉。「道に伏してや命―・ぎなむ」〈万八八六〉⑥消え去る。「清き瀬に朝夕ごとに立つ霧の〔ヨウニ〕思ひ―・ぎめや」〈万四〇〇〇〉⑦度を越える。「よろこび身に―・ぎ、楽しび心にあまり」〈古今序〉⑧他を引き離して、まさる。「きたなき事は死したる犬にも―・ぎ」〈孝養集上〉 †sugi

すきあり・き【好き歩き】『四段』①色事を求めてあちこちめぐり歩く。「なほ同じごと―・きければ」〈源氏夕顔〉②風流な心で歩き回る。「歌よみ、連歌このみて花下月前に―・きけり」〈十訓抄一ノ四三〉

すきがき【透垣】 ⇒すいがい。「―の為、竹三荷、内山に召すの処、二荷到来し了んぬ」〈経覚私要鈔嘉吉三・五・二九〉

すきかげ【透影】 ①物の隙間からもれる光。「火ともしたる―、障子のかみより漏りたるに」〈源氏帚木〉②物越しに映って見える物の形・姿。「鈍色(にびいろ)の御簾(みす)に黒き御几帳の―あはれに」〈源氏槿〉

すきがま・し【好きがまし】『形シク』色事が好きらしい。好色らしい。「―・しきあだ人なり」〈源氏帚木〉。「ただ―・しき事に御心を入れて」〈源氏総角〉 →がまし

すききり【剝切り】 薄くそぐようにして切ること。「この芋をむきつつ、―に切れば」〈宇治拾遺一八〉

すきごころ【好き心】(異性への強い)関心。興味。「ただこの河内守のみぞ昔より―ありて、少し情けがりける」〈源氏関屋〉

すきごと【好き事・好き言】 ①気に入れば他を顧みずにすること。酔狂。「〔龍ノ頸ノ玉ヲ取リニ行ク人ヲ〕かかる―をし給ふこととそしり合へり」〈竹取〉②情事。「いひ消たれ給ふとが多かなるに、いとどかかる―どもを末の世にも聞き伝へて」〈源氏帚木〉③相手が気に入ったと、異性に表明する言葉。「まれまれ、はかなきたよりに―聞えなどする人は…気色ばみかけて」〈源氏椎本〉

すきしゃ【数寄者】 風流人。とくに、茶人。「―の〔千〕宗益、今暁腹切り了んぬと」〈多聞院日記天正一九・二・二八〉

すぎすぎ【次次】『副』つぎつぎ。「入り給ふより、若君たち―うつくしげにて、まつはれ遊び給ふ」〈源氏夕霧〉

すきずき・し【好き好きし】『形シク』①いかにも恋にひたむきである。「人を思ひかけて…物も言はずして、日暮るれば起きもあがらずと聞きて、この思ひかけたる女の許より、などかく―・しくはと言ひてはべりければ」〈後撰六九〇詞書〉②(趣味・芸道などに)いかにも凝っている。「〔古今集ノ暗誦ニ熱中シタ話〕―・しうあはれなる事なり」〈枕二三〉③色めかしく浮いた様子である。「―・しきかたにはあらで、まめやかに聞ゆるなり」〈源氏若紫〉。「今の世には、―・しく乱りがはしきことも類にふれて聞ゆめりかし」〈源氏若菜上〉④いかにも風流である。「―・しき心ある上達部(かんだちめ)・僧綱などは誰かはある。それにや、かれにや」〈枕一三八〉

すぎだち【杉立ち】 両手と頭を地につけ、両足を揃えて逆立ちすること。直立した杉の木の幹の形に似ているのでいう。「日本にはさかさまつぶり立つるとも云ひ、―をするとも云ふなり」〈中華若木詩抄下〉

すぎた・て【杉立て】 ㈠『下二』(酒屋の看板に)杉の葉を丸く束ねて軒に吊す。酒林(さかばやし)を出す。「―・てて請酒屋あって」〈西鶴・一代男三〉 ㈡『名』模様の一種。杉の立った形をいう。「―の袴、越し候」〈家忠日記天正二〇・六・二〉

すきたわ・み【好き撓み】『四段』色好みで、なよやかである。「―・めらむ女には、心置かせ給へ」〈源氏帚木〉

すぎぢう【杉重】 杉のへぎ板で作った白木の重箱。菓子などを入れるに使う贅沢品。「常にも、―の菓子は無用たるべし」〈御触書寛保集成一九、寛文三・九〉

すきと『副』きれいさっぱりと。すっきりと。すきすきと。「昔の二人の心根が―不審もなく晴れたぞ」〈湯山聯句鈔下〉

すぎなり【杉形・杉状】 杉の木のそびえているように、上がとがり、下が左右に張り広がった形。金字形。「―の檜木…進上致し候ひ了んぬ」〈言継卿記天文六・二・四〉。「五百余騎を―に備へ、そのまっ先に進み」〈陰徳太平記一三〉

すぎばえ【杉生え】 ①杉の生えた所。杉生(すぎふ)。「―の中へ小松の生え交り」〈俳・浪花日記三〉②米俵などを三角形に積み重ねること。また、その重ねたもの。すぎなり。「―の俵物」〈西鶴・永代蔵一〉

すきばこ【透箱】 透かしのある箱。「―・唐櫃(からびつ)に絹・綾など入れて」〈宇津保藤原君〉

すぎはひ(イ…ワ)**【生業】** 暮しを立ててゆくための手段。身過ぎ。渡世。「よろづの―をのみ、明け暮れ営むほどに」〈月庵法語〉。「業、スギワイ」〈文明本節用集〉 **―は草の種** 人の生業は多種多様である意。「商売は草の種」「みすぎは草の種」「みすぎは八百八品」とも。「―とや花作り」〈俳・崑山集八〉

すきば・み【好きばみ】『四段』どことなく好色らしく見える。「―・みたる気色あるかとは、思しかけざりけり」〈源氏蜻蛉〉

すぎはら【杉原】 ①杉の生えている原。「神のはふり(神官)がいつく―」〈万一四〇三〉②「杉原紙」の略。「―十帖」〈師守記貞和五・一・一三〉。「―に柑子(かうじ)を包みて持たせ給ひぬ」〈伽・さごろも〉。〈文明本節用集〉 †sugiFara **―がみ【杉原紙】** 平安時代に播磨国杉原で作り出されたといわれる紙。後に諸国で作られた。奉書紙に似てそれより薄く柔らかで、手紙に用いられた。古くは杉原庄紙と呼び、後には、「すいはら」「すいばら」「すいば」「すい」などと訛り、「水原」と表記したこともあった。「―今季最も下品に候の由」〈兵範記仁安二年冬、紙背文書〉

すきひが・み【透き僻み】『四段』歯が抜けて息が洩れ、発

音がゆがむ。「かれたる声の、いといたう—・めるも、あはれに功(く)づきて、陀羅尼読みたり」〈源氏若紫〉

すきびたひ ‥ビタイ【透額】冠で、額ぎわに半月形の穴をあけ、羅(うすぎぬ)で透かしを入れたもの。若年者が使う。「しばしは—の冠にてやと思しけむ」〈今鏡六〉

すきびと【好き人・数寄人】趣味人。「かかる—も、今はなき世なりけり」〈著聞六五六〉

すきま【透間・隙間】①物と物との間のすこしあいている所。「几帳の—」〈源氏空蟬〉。「我も我もと〔車ニ〕乗りこぼれたる下簾垂の—ども」〈源氏葵〉 ②入りこむ余地。つけこむ機会。「—なくて二所さぶらひ給へば」〈源氏絵合〉

—かぞへ ‥カゾエ【透間数へ】①鎧のあき間をよく見抜いて矢を射当てること。また、その人。「あきまかぞへ」とも。「ひわり戸の—〔ト言ウベキ〕や月の弓 季吟」〈俳・紅梅千句〉 ②相手の隙や弱点を見ぬいて、そこにつけこむこと。また、その者。「いやいや、—の秀吉なれば、多勢にて追ひかけられ」〈室町殿日記八〉

すきもの【好き者】①色恋の道にひかれているもの。「心つきて色ごのみなるをとこ、長岡といふ所に家つくりてをりけり。…このをとこのあるを見て『いみじの—のしわざや』とて」〈伊勢五八〉。「よき女のあり所聞きて—どもは去(い)ぬるならむ」〈宇津保俊蔭〉 ②（趣味・芸道などに）凝っている人。「歌なむ詠むといひて、—ども集まりて」〈大和一三八〉。「この〈舞人ノ〉選びに入らぬを恥に、うれへ嘆きたる—どもありけり」〈源氏若菜下〉

すぎもの【過ぎ者・過ぎ物】身分不相応によいもの。過分なもの。「私の聟には—なり」〈西鶴・武家義理五〉

すきや【数寄屋】茶の湯を行なう小座敷。茶席・勝手・水屋などが一棟に備わった建物。「右近の馬場の東西南北に—をぞ立てられける」〈室町殿日記九〉。「総じて—は無言道場とかや」〈俳・かたこと三〉 **—たび**【数寄屋足袋】木綿足袋。革足袋は茶会に用いなかった。「—五足来る」〈本光国師日記元和二・四・四〉

すぎゃう ‥ギョウ【修行】《スはシュの直音化》⇒しゅぎゃう。「去(い)ぬる七月より、—にまかりありくに」〈宇津保忠乞〉

—ざ【修行者】⇒しゅぎゃうじゃ。「たふとき—語らひて、率(ゐ)て来たるか」〈源氏玉鬘〉

ずきゃう ‥キョウ【誦経】《ズはジュ（誦）の直音化》①経を、定まった読み方で声を出してそら読みする意》

読むこと。「かかるとみの事には、—などをこそはすなれ」〈源氏夕顔〉 ②誦経に対して御布施を差し出すこと。また、御布施。「わが装束、上下・帯・太刀までみな—にしけり」〈大和一六八〉

すぎやき【杉焼】①料理の名。杉箱に魚肉・貝・野菜などを入れ、甘塩の白味噌を七分目程詰め、酒をさして焼き、蓋をして客に出す。「—に仕るべしとて無塩(ぶえん)鯛一枚」〈二条宴乗記永祿一三・三・四〉 ②杉板に魚肉などを載せて焼いた料理。「あれは…—と言ふ物で、杉の板に付けて焼いた物ぢゃ」〈咄・初音草咄大鑑三〉

すきわざ【好き業】恋心にひかれた行為。「心のすさびにまかせて、かく—するは」〈源氏葵〉

すぎをり【杉折】杉の薄いへぎ板で作った折。祝儀の菓子・食物を入れる。「奇麗なりけり—の内」〈俳・底抜臼上〉

すく【宿】《シュクの直音化》宿駅。宿場。「駿河の国へ越え侍りしに、関本の—にて」〈仙覚抄八〉

すく【秀句】⇒しうく。「いみじき—のたまへる人なり」〈大鏡伊尹〉

すぐ【直】①まっすぐであること。曲がっていないこと。「麻の中の蓬(よもぎ)は撓(た)めざるに—なり」〈宝物集中〉 ②ありのまま。正直。「ただ—に言はれよ」〈沙石集九ノ四〉。「贔屓(ひいき)・偏頗(へんぱ)なく、—・すなほにあれ」〈三略抄〉 ③正常。普通。「ただし御産—にあるべからず候」〈曾我七〉 ④直接。じか。「まことの信心を得て、—に極楽に生れん人は」〈諸神本懐集末〉。「大納言から〔大臣ニ〕—に成る」〈蕉軒日録文明一八・四・一〉 ⑤即座。そのまま。「これから—に見えぬ国へ去んでくれさしめ」〈虎明本狂言・武悪〉

すくうじん【守宮神】①「すくじん」(1)に同じ。「内侍所に—となむおはします」〈更級〉 ②「すくじん」(2)に同じ。「氏御神、楽所の—、たすけさせ給へ」〈教訓抄一〇〉

すくえう ‥ヨウ【宿曜】《シュクエウの直音化》インド流の、星による運勢判断。人間界・自然界の諸事象が、星の二十八宿・十二宮・九曜星（または七曜星）に反映するとし、それによって人の運命や時・日・方角の吉凶を占う。宿曜道。「—のかしこき道の人」〈源氏桐壺〉 **—きゃう** ‥キョウ【宿曜経】「文殊師利菩薩及諸仙所説吉凶時日善悪宿曜経」の略。二巻。唐の不空訳。宿曜について述べた経。「末世の衆生の為に—を説き給ひて」〈今昔三ノ二〉

すくえん【宿縁】《シュクエンの直音化》⇒しゅくえん。「いかなる過去の—にや」〈伽・福富長者物語〉

すぐさま【直様】①まっすぐ。「直言で、—物を申す者ぞ。さる程に、人の気に合はいで引っこむぞ」〈山谷詩抄一三〉 ②すぐ。ただちに。「鞋をもとかず、—に内裏へ参るといふ心ぞ」〈黄鳥鉢抄七〉

すぐ・し【過ぐし】〘四段〙《過ギの他動詞形》①時を送る。時がたって、ある点を過ぎるままにする。「手折らずてあたら盛りを—・してむとか」〈万四三一八〉 ②物事の消え去るままにする。やりすごす。「『参れ』など、たびたびある仰せ言をも—・して、げに久しくなりにけるを」〈枕一四三〉 ③終らせる。すませる。「初夜(そや)いまだ勤め侍らず。—・してさぶらはむ」〈源氏若紫〉 ④暮す。生活する。「いかでかう人ずくなに心細くて—・し給ふらむ」〈源氏若紫〉。「往き来の人に物を乞ひて世を—・す物ありけり」〈古本説話二四〉 ⑤限度を越す。やり過ぎる。「女君は少し〔年齢ヲ〕—・し給へる程に」〈源氏桐壺〉。「左の大臣は、—・したる事もなきに、かかる横ざまの罪に当るを思し嘆きて」〈宇治拾遺一二四〉

すぐじん【守宮神・守公神・守君神】①宮殿・官衙の守護神。外記庁に祭る。また、災いを予言する神ともいう。「中納言は、—・賢所の御前にて伏しまろび給ひて」〈栄花花山〉 ②種種の技芸を守る神。「昔は、諸道に斯く—たちそひければ、験も冥加もありけるにこそ」〈続古事談五〉

すくすく《スクヨカと同根》強い勢いで、滞りなく進むさま。ずんずん。「—と我が往(い)ませばや」〈記歌謡四二〉。「この児、養ふ程に、—と大きになりまさる」〈竹取〉

すくすく・し〘形シク〙《スクヨカと同根。堅く真直ぐで、しなやかな弾力性に欠けている意》①いかにも堅苦しい。「白き紙の、うはべはおいらかに—・しきに」〈源氏胡蝶〉。「中将などをば、—・しき公け人にしなしてむとなむ思ひ置きてし」〈源氏初音〉 ②いかにもきまじめで、一本調子だ。融通が利かない。「いとあまり乱れたる所なく、—・しく、少しさかしとや言ふべかりけむ」〈源氏若菜下〉。「いと聖だち、—・しき律師にて」〈源氏夕霧〉 ③無愛想である。そっけない。「ものに情けおくれて、—・しき所つき給へる」〈源氏葵〉

すくせ【宿世】《シュクセの直音化》①前世。また、前世からの因縁。「絶えぬ—浅からで」〈源氏帚木〉 ②この世での運命。「女の—は浮かびたるなむあはれに侍る」〈源氏帚木〉

すくだ・ち〘四段〙①きまじめな様子を示す。きまじめな様子になる。「いといたくな—・ちそ」〈落窪一〉 ②健康を回復

する。また、赤子などが丈夫に成長する。「—・つや夜も長の煩ひ」〈俳・続独吟集下〉

すくち【素口・虚口】食物を口にしていないこと。空腹。「—にては福楽無し」〈盛衰記一八〉

すぐち【兎唇・吻】みつくち。また、その人。いぐち。「短足(ちんば)・—に限らず」〈西鶴・一代女二〉。「客は—がゑくぼの思ひ直しも有るべきに」〈浮・好色万金丹一〉

すくと『副』《スクヨカと同根》まっすぐにしゃんとしているさま。すっくと。「座敷中に—立って」〈山谷詩抄三〇〉

すくなくも【少なくも】『副』《打消・反語と呼応して》少し…どころか(非常に…だ)。「かくしても相見るものを—年月経れば恋しけれやも」〈万四一八〉 †sukunakumö

すくな・し【少なし】『形ク』《量が少ししかないことに重きを置く語。類義語スコシは、量がわずかでもあることに重きを置く語》少ししかない。「僧正遍昭は、歌のさまはえたれども、まこと—・し」〈古今序〉。「起きたる人—・き折に」〈源氏手習〉。「王は…勇にして略(はかりこと)—・し」〈大唐西域記一・長寛点〉

すくなひこのくすね【少彦の薬根】ラン科の多年草セッコクの古名。強壮・鎮痛・健胃剤に使う。「石斛、須久奈比古乃久須禰(すくなひこのくすね)」〈和名抄〉

すくね【宿禰】《スクナエ(少兄)の約。皇子をオホエ(大兄)というの対。一説に高句麗の官名から出たという》①上代、人名にそえた敬称。「大前小前(おほまへをまへ)—」〈記歌謡八二〉②天武天皇の時代に定められた八色(やくさ)の姓(かばね)の第三位。それまでの連(むらじ)の姓の有力なものに与えられたが、奈良時代末から乱れ、出身のいかんを問わず有力者に与えられ、朝臣(あそみ)につぐ高い姓になった。「八色の姓を作りて…三に—と曰(い)ふ」〈紀天武十三年〉

すぐばけ【直化け】相手に信用させる手段として、何事もすっかり打ち明けること。白化(しらばけ)。「—か花の姿の雪女」〈俳・智恵袋四〉。「—。実事にはあらず、是は手だての内にて、云ひ廻さず、有りのままに云ひて聞かしむる謀也」〈色道大鏡一〉

すくば・り『四段』《スクヨカと同根》こわばる。硬直する。「筋—・ったものぞ」〈史記抄二一〉

すく・ひ(スクイ)【掬ひ・救ひ】『四段』①くぼみのあるもので物をしゃくってとる。「人人水を—・ひ入れ奉る」〈竹取〉②陥った危難からたすける。「人の火に頭を焼かれ衣を焼かるることを被れるときに、—・ひて速やかに滅(け)たしむ」〈金光明最勝王経平安初期点〉③手前にさらう。「物の築地を越えておりけると見給ふ程に、後よりかき—・ひて、飛ぶやうにして出でぬ」〈宇治拾遺一五七〉④手前へひきしめる。「手綱を—・うて歩ませよ」〈盛衰記一五〉

すく・ひ(スクイ)【巣食ひ】『四段』巣を作る。「高き木のあるに、鷹の—・ひたるを見つけて」〈宇治拾遺八七〉。「巣、スクフ」〈名義抄〉

すく・み【竦み】『四段』《スクはスクスクシ・スクヨカのスクと同根》①硬直して動かなくなる。「やうやう腰痛きまで立ち—・み給へど」〈源氏宿木〉。「やがて絶え入りて、冷え—・みにけり」〈古本説話三八〉②緊張し、堅くなる。しゃちこばる。「けざやかに、いと物遠く—・みたるさまには見え給はねど」〈源氏椎本〉③柔軟性がなく、ごわごわする。こわばる。「唐の紙のいと—・みたるに」〈源氏梅枝〉。「—・みたる衣(きぬ)ども押しやり」〈紫式部日記〉

すぐみち【直道】まっすぐな道。また、近道。「すぐぢ」とも。「鳴海潟しほの干潟の—にみなうち群れて人いそぐなり」〈為尹千首〉。「山を越ゆる—の有りけるより引き返して」〈太平記三八・細川相模守〉

すく・め【竦め】『下二』《スクミ(竦)の他動詞形》①こわばらせる。また、ぎごちなくする。「女文に、〔漢字ヲ〕半ば過ぎて書き—・めたる」〈源氏帚木〉②身動きならぬようにする。「胸がはらをみじと—・め」〈伽・弁慶物語〉 **—わうじゃう**(オウジョウ)【竦め往生】おどしつけて、無理に承知させること。「竦み往生」「往生竦め」とも。「誠に昔よりの諺に—とかや云ひ伝へける」〈仮・堪忍記五〉

すくも【すく藻】アシ・カヤなどの枯れたもの。一説に、藻屑、また、アシの根ともいう。「津の国の難波たたまく惜しみこそ—焚く火の下に焦るれ」〈後撰七七〇〉

すくやか【健やか】《スクヨカの母音交替形》①しっかりしていること。「かくやうに—に異人(ことびと)はえ答へじかしとぞ」〈今昔三七ノ三〉②力が強いこと。「もとよりすぐれて—なる者なれば」〈著聞六〇七〉 **—もの**【健やか者】力が強くしっかりした者。「高範(たかのり)—にて、難波を押へて」〈盛衰記三〉。「強者、スクヤカモノ」〈運歩色葉集〉

すぐやき【直焼】刀の刃の焼き方の一。刃紋をまっすぐに現わし出すもの。「小脇差九寸五分、細—」〈森家先代実録五〉

すくよか《スクミ(竦)・スクスクシと同根。硬直しているさまが原義》①険阻なさま。「—ならぬ山の気色、木深く世ばなれて畳みなし」〈源氏帚木〉②そっけないさま。ぶっきらぼうなさま。無愛想なさま。「〔女ハ〕なやましげにさへし給ふを〔源氏ハ〕いと—につれなくて」〈源氏薄雲〉③真面目なさま。「次の坊がねにて、いと覚え殊におもおもしう、人がらも—になむ物し給ひける」〈源氏匂宮〉。「あづま人は…情おくれ、ひとへに—なるものなれば」〈徒然一四一〉④硬く、しっかりしているさま。くずした所のないさま。「〔歌ハ〕一筋に—になむ詠むべき」〈新撰髄脳〉。「〔手紙ヲ〕いと—に書き給へる」〈源氏橋姫〉⑤丈夫・健康なさま。「女君あやしう悩ましげにのみもてない給ひて、—なる折もなく、しをれ給へるを」〈源氏真木柱〉

すぐらく【過ぐらく】《過ギのク語法》過ぎること。「はなすすき穂に出づる秋の—惜しも」〈万一六〇一〉

すぐり【村主】《古代朝鮮語の村長の意という》天武天皇以前からあった上代の姓(かばね)の一。帰化人の部落の長である小豪族が称したものか。「勝」という姓もスグリとよむ説がある。「身狭(むさの)—青…をして呉(くれ)の国に使はしむ」〈紀雄略八年〉。「村主、スクリ」〈色葉字類抄〉

すぐ・り【選り】『四段』《スグレ(勝・優)と同根》①質や程度の特によいもの・抜きん出たものを選び出す。「えもいはぬもののかぎり—・られたるに」〈大鏡道兼〉②稲の穂などをこく。こき取る。「藁のはかまを取るを—・ると云ふ」〈志不可起七〉

すぐ・り【過ぐり】『四段』《動詞過ギを再活用させた語》「過ぎ」に同じ。「橘の末枝(ほつえ)を—・り〔背ガノビルマデ〕」〈万三〇九〉

すぐ・れ【勝れ】『下二』《スグリ(選)と同根》他より質や程度がまさる。ぬきんでる。「先帝の四の宮の、御かたち—・れ給へる聞え高くおはします」〈源氏桐壺〉。「魁、勝也、大也、須久礼太利(すぐれたり)」〈新撰字鏡〉 **—て**『副』《程度の甚だしいことにいう》他よりぬきんでて。きわだって。とりわけ。「—速きもの、鶻(はいたか)隼(はやぶさ)手なる鷹」〈梁塵秘抄三七四〉。「財を費し、心をなやます事は、—あぢきなくぞ侍る」〈方丈記〉

すぐろ【末黒】春、野の草木を焼いた後の黒くなっていること。また、その黒く焼けた草木。「粟津野の—のすすき角(つの)ぐめば」〈後拾遺四五〉

すぐろく【双六】《スゴロクの古形。スグは「双」の古い字音sungを写したもの》室内遊戯の一。二人が木製の盤を隔てて対坐し、黒白の駒石各十二個を自陣に並べ、別に二個の賽(さい)を交互に振り出して、その出た目の数だけ駒石を送り、早く敵陣に入ったものを勝ちとする。盤上の遊びでは碁とともに最古のもの。中国伝来。「一二の目のみにはあらず五六三四さへありけりーの采(さえ)」〈万三八二七〉。「ー打つ時の言葉にも」〈源氏若菜下〉　†suguröku

すくゐん【宿院】《シュクヰンの直音化》参詣人の宿泊する寺院の坊。「春日へとて、ーのいとむつかしげなるに、とどまりぬる」〈かげろふ中〉

すけ【鮭】サケの大きいもの。「俗(くにひと)の語(ことば)に、鮭の祖(おや)を須介(すけ)と謂(い)ふ」〈常陸風土記〉　†sukë

すけ【次官】《スケ(助)の意》令の四等官制における第二の官の称。官庁によって異なった字を当てる。「かの介(すけ)は、いとよしありて気色ばめるをや」〈源氏帚木〉

すけ【出家】《シュッケの直音化》⇒しゅっけ。「ーの志はもとよりものし給へるを」〈源氏橋姫〉

す・け【助け】㊀〘下二〙たすける。助力する。「ー・けんと申す人は無し」〈伽・弁慶物語〉。「〔盃ノ〕数を参り候とき、たれにても間をー・け参らせ候を、中飲みと云ふ也」〈酌之次第〉㊁〘名〙①たすけること。また、その人。「今ーに来(こ)ね」〈記歌謡一四〉。「薬の資(すけ)無きときには必ず病苦を生ず」〈金光明最勝王経平安初期点〉②家などの傾きを防ぐ支柱。「楮柱、和名須介(すけ)」〈和名抄〉③宴席などで人に差された盃の酒を手伝って飲むこと。また、その人。「三盃はーなりや曾我菊の酒」〈俳・伊勢正直集五〉④助平。「一つの疵有り。今年十五にて大のー也」〈評判・長崎土産四〉　†sukë

すげ【菅】《古形スガの転》カヤツリグサ科の多年草。湿地や草原に自生し、種類が多い。葉は細く先がとがり、夏刈って笠や蓑(みの)をつくる。「かきつばた咲く沼(ぬ)のーを笠に縫ひ」〈万二八一八〉　†sugë

す・げ【插げ】〘下二〙①緒などを穴に通してとりつける。「木に弦(を)をー・げて」〈玄奘法師表啓平安初期点〉。「なま暗うて針に糸ー・ぐる」〈枕一六〇〉②はめこむ。「〔矢ニ〕錐(きり)のやうなるやじりをー・げて」〈宇治拾遺一五五〉

すげがさ【菅笠】「すがさ」に同じ。近世、晴雨両用にし、旅行には必ず使った。「さすが人目繁ければ、ーといふ物を着せ参らせてけり」〈伽・花世の姫〉

すけき【隙】《スキ(透)アキ(明)の約か》すきま。すき。「玉垂の小簾(をす)のーに入り通ひ来(こ)ね」〈万二三六四〉　†su-keki

すけさんばい【助三盃】宴席で人の盃の酒を助けるとき、三盃続けて飲まなければならない慣習。「青梅はーの肴かな」〈俳・堺絹〉

すけだち【助太刀】太刀打ち・果し合いなどの加勢をすること。また、その者。「ーの者八人」〈江源武鑑一〇〉

すげな・し〘形ク〙《スは接頭語、ケは気、ナシは無しの意か。力を添え合うべき間柄にあっても反応せず、相手に手を貸さず、情をかけない意。類義語ツレナシは、無関係・無関心である意》人が相手にしない。つめたい。「世のひが者にて、才(ざえ)の程よりは用ひられず、〔知人モ〕ー・くて身貧しくなむありけるを」〈源氏少女〉。「『とうとうまかり出でよ』とぞ宣ひける。仏御前はー・う言はれ奉って、すでに出でんとしけるを」〈平家一・祇王〉。「無人、スゲナシ、或作二無詮方又無人望一」〈文明本節用集〉

すけなり【祐成】《曾我十郎祐成が貧乏であったという伝承から》貧乏。また、遊里で貧乏な客。「曾我」とも。「巾着底を払って終にー」〈評判・雨夜三盃機嫌上〉

すけのよほろ【助丁】諸国から出て労役につく上丁(うへのよほろ)を助ける者。炊事役の召使かともいう。「ー丈部造人麿」〈万四三二八左注〉　†*sukënoyöförö

すげはら【菅原】「すがはら」に同じ。「言(こと)をこそーと言はめ」〈記歌謡六四〉　†sugëfara

すけべい【助平・助兵衛】《スケは好キの転。「兵衛」を付けて擬人化した語という》好色な人。「すけびゃうゑ」「すけべゑ」とも。「此の君ーらしと言へり」〈評判・吉原芥川〉

すげ・み【皺み】〘四段〙げっそり落ちくぼむ。「〔歯ガヌケテ〕いたうー・みにたる口つき思ひやらるる声づかひ」〈源氏槿〉

すけを【助丁】防人(さきもり)の身分で、正丁に対する次丁をいう。「乎久佐壮子(をくさを)と乎具佐(をぐさ)ーと潮舟の並べて見れば乎具佐勝ちめり」〈万三四五〇〉　†sukewo(方言音)

すけん【素見】廓の中を歩いて見物するだけで、遊女を買わないこと。ひやかし。素見物。「ーの人は花を見て帰る心地せりと也」〈洒・異素六帖下〉　**ーつう【素見通】**素見だけで廓の通になった者。「こいらアーの極意だ」〈洒・廓の大帳〉

すど【素子】《万葉集巻頭の「菜採須児(なつますこ)」や二一五六の「山田守須児(やまだもらすこ)」などを、ナツムスゴ・ヤマダモルスゴと誤読したところから生れた歌語》卑しい者。賤(しづ)。「山田もるーが鳴子に風ふれてたゆむ眠りをおどろかすなり。…『たゆむ眠りを』といへる心、ーとは覚えず。老翁などの守りけるにや」〈六百番歌合秋中〉

すこし【少し】〘副〙《量・程度が、多くないが存在することをいう語。類義語スクナシは、無い方に重きを置く語》ちょっとばかり。「玉櫛笥ー開くに、白雲の箱より出でて」〈万一七四〇〉。「海は荒るれども心はーなぎぬ」〈土佐一月九日〉。「少微(すこし)苦を厭ふ」〈法華経玄賛平安初期点〉

すごし【簾越し】すだれごし。「荒かりし浪の心はつらけれどーに寄せし声ぞ恋しき」〈後撰七四八〉

すご・し【過ごし】〘四段〙《スグシの転》①とどまらせずに行かせる。通過させる。「身を飄(ただよ)はし、迹(あと)を邁(す)ごして」〈玄奘法師表啓平安初期点〉。「ー・し立てて太刀を抜きて打ちければ」〈宇治拾遺一三三〉②日を送る。「三日ー・してぞ上はまかでさせ給ふ」〈源氏藤裏葉〉③生活させる。養う。「うろくづ(魚)を取りて母をー・させんとて」〈伽・蛤の草紙〉④限度を越す。「ちとほめー・したぞ」〈三体詩抄一ノ三〉

すご・し【凄し】〘形ク〙①寒く冷たくて身にこたえる。「あられ降り荒れてー・き夜のさまなり」〈源氏若紫〉。「池の氷も、えもいはずー・きに」〈源氏槿〉。「秋はつる気色のー・きに」〈源氏総角〉②(態度・様子などが)冷たさを含んでいて身にこたえる。「〔別レギワニ〕いはむかたなくー・き言の葉、あはれなる歌を読み置き」〈源氏帚木〉。「山風ひややかに吹きたるに、…すこしねぶたげなる読経の絶え絶えー・く聞ゆるなど」〈源氏若紫〉③おそろしい感じがする。「ー・き山伏の好むものは、あぢきな凍(い)てたる山の芋、わさび・かしよね・水しづく」〈梁塵秘抄四三七〉④(ぞっとするほど)すばらしい。「〔舞楽ガ〕なまめかしく、ー・うおもしろく所がはまして聞えけり」〈源氏若菜下〉

すこしき【少しき】小さいこと。少ないこと。「南に行くこと十余里にしてーなる孤城有り」〈大唐西域記一・長寛点〉。「日食(一日ノ食事)ーにして飢ゑ忍びがたきは」〈著聞五七〉。「〔流レガ〕ーひろまりになりて水の行きよわる所に、白洲をば置くなり」〈作庭記〉。「佡、小貌、須古志支奈留(すこしきなる)」〈新撰字鏡〉

すどすど 気力のないさま。しおしお。悄然。「維行(これゆき)力及ばずしてただ一騎—とぞ控へたる」〈保元中・白河殿へ義朝夜討ち〉

すと・び 『上一』《スは接頭語》ひどくこましゃくれる。いやにませている。「—・びたる人あり。心うきやかにして、行儀しまらず」〈仮・可笑記三〉

すとぶる【頗】『副』《「頗」の字の訓として使われる。「頗」の字が元来、「少し」、「多い・甚しい」の二義を持つので、訳語としてのスコブルもこの二義を持つ》①少し。「皆こそ忘れ侍りにけれ、これはただ—おぼえ侍るなり」〈大鏡 時平〉。「微、スコブル」〈名義抄〉 ②はなはだ。「左方人、右歌のそそやといふことばを—あざけりまうす」〈関白内大臣家歌合〉。「諸僧伽藍、—奇製を極めたり」〈大唐西域記三・院政期点〉

すとも【食薦】 食事の時に机の下に敷くむしろ。普通、竹を細く割って編んだものをつかう。「—敷き青菜煮持ち来(こ)」〈万三八二五〉。「食単、須古毛(すこも)」〈和名抄〉 †su-kömö

すども・り【巣籠り】㊀『四段』 鳥・虫などが巣の中にじっとしている。「秋を経て今宵の琴は松が枝に—・る蟬もしらべてぞ鳴く」〈宇津保 吹上下〉。「蟄、須古毛流(すごもる)、虫至冬隠不出也」〈和名抄〉 ㊁『名』①すごもること。「蘆鶴(あしたづ)の養(か)ひこめ朽つる—のつひにかへらぬ身とやなりなむ」〈古今六帖六〉 ②琴・尺八・胡弓の曲「鶴の巣籠り」の略称。「—を己が連吹く里暮れて」〈俳・大矢数五〉

すとやか【健やか】「すくやか」の転。「與可が筆力ばかり—にして」〈錦繡段鈔一〇〉。「健、すこやかなり、達者の義」〈和漢通用集〉

すどろく【双六】「すぐろく」の転。「百年の久しき世上の事も、わづかに碁・— 一番打つ程の事ぞ」〈錦繡段鈔五〉

すとん 狐の鳴き声の擬音。「〔狐ハ〕——と鳴いて」〈天理本狂言六義・釣狐〉

すさ【茆・寸莎】 壁土に混ぜて亀裂を防ぐ繊維質の材料。刻んだ藁・麻・紙に海草の煮汁を混ぜて使う。「—の加減の悪しき赤土」〈俳・鷹筑波四〉。〈日葡〉

すさ【朱砂】 鉱石の名。水銀と硫黄との化合物。深紅色で、水銀・赤色絵具の主要原料。丹砂。辰砂(しんしゃ)。「桜の花おほく咲かせて、胡粉(ごふん)・—など色どりたる絵どもかきたる」〈枕一四九〉

ずざ【従者】《ジュウシャの直音化。ズンザとも》随従する人。供の者。侍・女房ほどの身分の者に親しくつき従う者。「時方と召しし大夫の—の心も知らぬしてなむ遣りける」〈源氏浮舟〉

すさい【秀才】《スはシウの直音化》⇒しうさい。「人に文読ませなどする程に—四人参れり」〈宇津保沖つ白波〉

すざう スゾウ【素姓】《スジャウの直音化》生れた家の社会的な位置の高下。「ありし(前世ノ)—まさりて、人と生れたるなり」〈更級〉

すさき【洲崎】①洲が崎となって、水中に突き出ている所。「寒き—に立てる鵲(かささぎ)の姿も」〈源氏浮舟〉 ②洲崎形の模様。「萌黄色に染鹿子の—」〈西鶴・胸算用五〉 **—み**【洲崎廻】《ミは湾曲した所》洲の崎のめぐり。「この—に鶴(たづ)鳴くべしや」〈万七一〉 †susakimi

すざく【朱雀】《シュジャク・スジャクとも》①四神の一。南方を司る。鳥の形をなす。「左は日像・青龍・—の幡(はた)」〈続紀大宝一・一・一〉 ②年号の一。「朱鳥」の異称。「白鳳以来、—以前、年代玄遠にして」〈続紀神亀一・一〇・一〉 **—のおほぢ** オオジ【朱雀の大路】 大内裏の南門朱雀門から羅城門(らじょうもん)まで、都を南北に貫く大路。この路を中心にして、左京(東)、右京(西)に分ける。「—の弘さ二十八丈也」〈大内裏抄〉 **—もん**【朱雀門】 大内裏南の正門。朱雀大路に面している。「南島奄美・夜久…等来朝して各方物を貢す。其の儀、—の左右に鼓吹の騎兵を陣列す」〈続紀霊亀一・一・一〉 **—ゐん**【朱雀院】 嵯峨天皇以後歴代の天皇の後院。三条の南、朱雀の西にあった。「神無月に、—の行幸あるべし」〈源氏若紫〉

すさ・び【荒び・遊び・弄び】㊀『上二・四段』《おのずと湧いて来る勢いの赴くままにふるまう意。また、気のむくままに何かをする意。奈良時代には上二段活用。平安時代から多く四段活用》①勢いのままに盛んに…する。勢いのままに荒れる。「朝露に咲き—・びたるつき草の」〈万三二八一〉。「山里の雨降り—・ぶ夕暮の空」〈新古今一六四〇〉 ②気の向くまま…する。興にまかせて…する。「もろともに物など参る(食事ヲナサル)。いとはかなげに—・びさせ給ふあだことこそ思ひ給へしか」〈源氏紅葉賀〉。「絵はなほ筆のついでに—・びて」〈源氏絵合〉 ③もてあそぶ。「窓近き竹の葉—・ぶ風の音に」〈新古今二五六〉 ④勢いのままに進みはてて衰える。「雲間なく降りも—・びぬ五月雨に筑摩(つくま)の沼の水草(みくさ)なみよる」〈堀河百首〉 ㊁『名』①なりゆきのまま。勢いのまま。「ある時はありの—に語らはで恋しきものと別れてぞ知る」〈古今六帖五〉 ②気の向く範囲でことをすること。気まま。慰み。座興。「なげの御—にても、おしなべたる世の常の人をば目とどめ耳立て給はず」〈源氏蓬生〉 †susabi ▽スサノヲノミコトのスサは、このスサビのスサと同根。 **—ごと** ①【遊び事】 気まぐれのこと。その場の気分による事。「はかなき古歌物語などやうの—にてこそつれづれをも紛らはし」〈源氏蓬生〉。「はかなき御—(チョットシタ浮気)をだに、めざましきものに思して」〈源氏若菜上〉 ②【遊び言】 気ままな会話。その場その場で口にする話。「常にうちうちの—にも思し宣はするに」〈源氏若菜上〉 **—わざ**【遊び業】 遊び事。「文作り・韻塞(いんふたぎ)などやうの—どもをもしなど」〈源氏賢木〉

すさま・じ 『形シク』《スは接頭語でスナホ(直)のスに同じく、サマはサメ(冷)・サム(寒)と同根か。期待や熱意が冷えてしまう感じがする意。また、そのような事態から受けるしらけた気分をいうのが原義。日葡辞書には、スサマジイ・スサマシイと清濁両形を掲げる》①進む気持、熱意が冷える感じだ。「われ—・じく思ひなりて〔女ヲ〕捨て置きたらば、必ずかの宮、〔コノ女ヲ〕呼び取り給ひてむ」〈源氏浮舟〉 ②(心持がさめきって)気乗りがしない。「わが心より起らざらむ〔結婚ノ〕ことなどは、—・じくも思しぬべき御気色なめり」〈源氏匂宮〉 ③(期待の気持が冷えつくような事態に直面して)しらけた感じがする。「—・じきもの。…ちご亡くなりたる産屋(うぶや)、…除目(ぢもく)に司(つかさ)得ぬ人の家、…婿(むこ)取りして四五年まで産屋のさわぎせぬ所」〈枕二五〉 ④(然るべき季節などにはずれて)殺風景だ。「—・じきもの。昼吠ゆる犬、春の網代(あじろ)、三四月の紅梅の衣」〈枕二五〉。「〔冬ノ月ヲ〕—・じきためしに言ひおきけむ〔昔ノ〕人の心浅さよ」〈源氏槿〉。「遅桜また—・じ」〈徒然一三九〉 ⑤(色など)さめ切って白っぽい。「〔釈迦入滅ノ時〕沙羅林(しゃらりん)の風止んで、その〔木ノ〕色たちまちに—・じく」〈保元上・法皇崩御〉 ⑥ひややかだ。冷たい。「さばかりの〔イヤナ〕ことを聞かせ給はむには、少し—・じくもてなさせ給ふべけれど」〈大鏡道隆〉。「十一月十九日の朝(あした)なれば、河原の風、さこそ—・じかりけめ」〈平家八・鼓判官〉。「冷、スサマジ」〈名義抄〉 ⑦恐怖でぞっとする。ものすごい。「事の躰(てい)恐ろしく—・じくおぼえて」〈雑談集六〉。「あら—・

じゃ、この法師めが、入道にも取りつき、面面(めんめん)にもつかみつくべき眼(まなこ)ざしなり」〈伽・弁慶物語〉 ⑧(人の性情など)激しく強い。「『〔コノ門ハ〕鎮西の八郎為朝が固めたるぞかし』。清盛、小声になりて、『—・じき者の固めたる門へ寄せあたりぬるものかな』」〈保元中・白河殿へ義朝夜討ち〉 ⑨程度が甚だしい。極端だ。「雨さへ—・じきに」〈仮・可笑記一〉 ⑩〔江戸語〕《相手の言葉をそのまま引き取って、強く打ち消す》聞いてあきれる。とんでもない。「『なんだ、生酔(なまゑひ)だ〔ト嘲ルノカ〕』、…おれが好きでおれが飲むに推参なやつだ』といふ。『推参も—・じい。折介(をりすけ)やい、のろまやい』とはやす」〈咄・無事志有意〉

すさ・み ㊀『四段』《スサビの転》 ①湧いて来る勢いの赴くままになる。「風—・む小野の篠原妻こめて露分けぬるる小男鹿の声」〈新後撰三五〉 ②気のむくまま…する。興にまかせて…する。「筆さしぬらし書き—・み給ふ」〈源氏初音〉 ③詩歌などを吟ずる。くちずさむ。「堂のうちにしのびやかにうち—・むをきけば」〈十訓抄一ノ四三〉 ④もてあそぶ。「何心なきも浮かるるものなれや／乳房を—・む一つ二つ子」〈那智籠下〉 ⑤勢いのままに、盛りを過ぎて衰える。「雪降り—・みて月の明く侍りし暁」〈信生法師集〉 ⑥捨てる。放棄する。「身を—・み、我が存分を捨つるにあり」〈こんてむつすむん地三〉 ㊁『名』慰み。座興。「なげの—に物をも言ひ触れ」〈源氏宿木〉

すさ・め 『下二』《スサミの他動詞形。気分の赴くままにする意。よい意にも悪い意にもいう》 ①心を寄せる。好く。「山高み人も—・めぬ桜花」〈古今五〇〉。「その駒も—・めぬ草と名に立てる汀のあやめ今日や引きつる」〈源氏螢〉 ②(気分のままに)遠ざける。嫌って避ける。「むべ、我をば—・めたりと、気色どり怨じ給ひしこそ、をかしかりしか」〈源氏紅梅〉。「人を—・めさせ給はず、めでたうおはします」〈栄花根合〉。「さめが井の清水は、行く人も氷も、今朝は結ばず。夏ならましかば、かく—・むること無からまし」〈春のみやまぢ〉

すざ・り【退り】『四段』 後ろにひきさがる。しりぞく。しさる。「—・りをれ」〈天理本狂言六義・内沙汰〉

すし 物に馴れ過ぎたさま。少し出過ぎて生意気なさま。「御言葉をもどくは、—にてはべれども」〈評判・難波物語〉。「—。…馴れ過ぎたるといふ心也」〈色道大鏡一〉

すし【鮨・鮓】 魚肉を飯などに押し入れて発酵させ、酸味を生じた保存食。古くは漬けるのに飯を用いず、ただ塩だけで漬けて酸味の生ずるのを待って食したという。「魚の—五六桶ばかり」〈今昔二六ノ五〉。「鮨、須之(すし)」〈和名抄〉

す・し【煤し】『四段』 すすける。「難波人蘆火たく屋の—・してあれど」〈万二六五一〉

す・し【酸し】『形ク』 すっぱい。「酢(す)き子(み)を拾ひて弱き身を助け」〈東大寺諷誦文稿〉。「酒少し濁りて—・き様なれども」〈今昔二八ノ五〉 **酸いも甘いも弁(わきま)へた・り** 世の中の経験を積み、世事・人情によく通じている。「—・る諸人」〈西鶴・椀久一世上〉

ず・じ【誦じ】『サ変』 ⇒ずんじ。「みこ、歌をかへすがへす—・じたまうて」〈伊勢八二〉

すしあはび(アワビ)【鮨鮑】 すしにした鮑。「ほやのつまの貽鮨(いずし)、—をぞ、心にもあらぬ脛にあげて見せける」〈土佐一月十三日〉

すしあゆ【鮨鮎】 すしにした鮎。「—の大きに広らかなるを」〈今昔二八ノ二三〉

すす【煤】 煤煙。「天の新巣の—の八拳垂るまで焼(た)きあげ」〈記神代〉。〈和名抄〉 ▽朝鮮語 sus(炭)と同源。

すす【為為】『連語』《動詞シの終止形を重ねた形》 しつつ。しながら。「かく—そ寝なな成りにし」〈万三四八七東歌〉

すす 『助』「つつ」の上代東国方言。「母(おも)が恋ひ—業(なり)まし(家業ニ励ミ)つつも」〈万四三八六防人〉

すず【鈴】 鳴物の一。古くは神事・鷹狩などに使われ、官用の船で鳴らし、また、駅馬には駅鈴を持つ人が乗った。「鈴鐸、上須受(すず)、下奴利天(ぬりて)」〈華厳音義私記〉。「宮人の足結(あゆひ)の小—」〈紀歌謡七三〉。「白塗(しらぬり)の—取りつけて朝狩に五百(いほ)つ鳥立て」〈万四〇一一〉。「—掛けぬ駅馬(はゆま)下(くだ)れり里もとどろに」〈万四一一〇〉 **—を張・る** つぶらな目の形容。「養叟は目明きにして、両眼—・りたるが如きなれども」〈自戒集〉。「女の目には—・れと、昔からいひ伝へたるに」〈咄・昨日は今日下〉

すず【錫】 錫製の酒入れ。「月蔵坊当年の礼に来たり、—一対これを送らる」〈言継卿記永禄二・一・二六〉

すず【篠・篶】 ①細い竹。小竹。すずだけ。「今夜(こよひ)誰—吹く風を身にしめて吉野の嶽の月をみるらん」〈新古今三八七〉 ②細いたけのこ。「この—は鞍馬の福にて候ふぞ、さればとてまた剝(む)かで食(め)すなよ」〈著聞六四一〉

ずず【数珠】 唱名・念仏などをする時、爪で玉を動かしてその回数を数える道具。じゅず。「金剛子(こんがうじ)の—の玉の装束したる」〈源氏若紫〉。「数珠、ズヽ」〈色葉字類抄〉

すずかけ【篠懸】 山伏が衣の上に着る麻の法衣。「山伏の頭巾(ときん)・—に笈(おひ)掛けて」〈義経記七〉。「篠懸、スズカケ、山臥の衣裳」〈文明本節用集〉

すずがねの【鈴が音の】〔枕詞〕 上代、官命の駅馬(はゆま)には駅鈴を持つ人が乗ったことから、「早馬(はゆま)」にかかる。「—早馬駅家(うまや)の堤井の」〈万三四三九東歌〉

すすき【薄・芒】 ①イネ科の多年草。秋の七草の一。野山に自生し、秋には尾花と呼ばれる褐色の穂を出し、これが白く変る。「山処(やまと)の一本(ひともと)—、項(うな)傾(かぶ)し汝が泣かさまく」〈記歌謡四〉。「女—に文をつけてやりたりければ」〈大和一七〉。「薄、ススキ」〈名義抄〉 ②群生する草の総称。「婦負(めひ)の野の—押し靡べ降る雪に屋戸借る今日し悲しく思ほゆ」〈万四〇一六〉 †susuki

すす・ぎ【濯ぎ】『四段』 水で汚れを落す。「—・ぎ振るをどみの水」〈祝詞神賀詞〉。「沐浴精進にして、手を洗ひ、口を—・ぎ」〈孝養集中〉。「濯・滌、ススグ」〈名義抄(図書寮本)〉 †susugi

すずき【鱸】 スズキ科の魚。口が大きく鱗が小さい。四、五月ごろ川を上り、秋、海に下る。「—取る海人(あま)のともし火」〈万二七四四〉。〈新撰字鏡〉 †suzuki **—ばうちゃう(ボウチョウ)【鱸庖丁】** 口では御馳走してやると言って、実際は食べさせないこと。狂言「鱸庖丁」から起った語。「俗に虚饗を名づけて—と云ふ」〈活所遺藁六〉

すす・け【煤け・悴け】『下二』 ①煤・垢・塵などがついて、うすよごれる。黒ずむ。「山吹の袿の袖口いたく—・けたるを」〈源氏玉鬘〉 ②やつれる。「形(かたち)悴(すす)け躰(からだ)費えて、安き色无し」〈東大寺諷誦文稿〉

すずし【生絹】《平安時代ススシと清音》 生糸を織ったままで練っていない絹布。軽くて薄い。「ひとへも袴も—なめりと見えつる人の御姿なれば、え人も聞きつけ給はぬ」〈源氏蜻蛉〉。「生衣、ススシノキヌ」〈名義抄〉

すず・し【涼し・冷し】『形シク』《乾いた空気によって快く体温の奪われる感じ》 ①空気がひややかで、よい気分である。「初秋風—・しき夕べ」〈万四三〇六〉 ②水などがひんやりとしている。「水は—・しく、湯は暖かなりと」〈沙石集一〇ノ一〉 ③(気分が)すがすがしい。さっぱりしている。「思ふ事かつがつかなひぬる心地して、—・しう思ひゐたるに」〈源氏明石〉

④清い。いさぎよい。「実に思ひ切ったる体かなと、まずー・しくぞ見えたりける」〈太平記三五・住吉合戦〉。「臆したる体もなく言葉ー・しく申すにぞ」〈伽・多田満仲〉 **ー・め**【涼しめ】『下二』①涼しくする。「枕や座を扇(あふ)いでー・めて」〈伽・二十四孝〉②心をすがすがしくさせる。心を清め慰める。「白木綿花を捧げつつ、神慮をー・め奉る」〈謡・蟻通〉

すずしきかた【涼しき方】心が清涼で動じない境地。極楽浄土。「いかなる所におはしますらむ。さりともーにぞと思ひやり奉るを」〈源氏総角〉

すすしきほ・ひ【すすし競ひ】『四段』《ススはススミ(進)のススと同根》進んでせり合う。「ー・ひ相ひよばひしける時は」〈万一八〇九〉 †susuśikiFOFi

すずしきみち【涼しき道】極楽浄土。「ーにも、おもむき給ひぬべきを」〈源氏椎本〉

すずしろ①【蘿】子供の髪を頭上だけ剪(はさ)み残したもの。「蘿、須須之呂(すずしろ)」〈和名抄〉②【清白・蘿蔔】大根の異称。「卯の時にはーといふ草をうちて」〈伽・七草草紙〉

すずすず【涼涼】いかにも涼しくて快いさま。すがすがしいさま。「〔清風ガ〕暑気をことごとく吹きさまして、ーとなるぞ」〈中華若木詩抄下〉。「心もーとして」〈玉塵抄二〉

すすたけ【煤竹】①すすけて赤黒くなった竹。「呉竹なよ竹ーの露」〈俳・花洛六百韻〉②煤払いに天井などを払うに用いる枝葉のついた生竹。「弓ならでーに知れ年忘れ」〈俳・一本草四〉③鼠色の生地を桃皮の煎じ汁で染めた、赤黒い染色。煤竹色。「ーのつめた(布子)に、織物の手覆ひ、宇都宮笠」〈虎寛本狂言・比丘貞〉

すすぢ【すす鉤】《ススはススミ(進)のススと同根》それを持つと活動力が増大するという釣針。「此の鉤(はり)は、おぼ鉤、ー」〈記神代〉

すすど すばやいこと。敏捷なこと。「ーに宇治の方より九郎親能馳せ入りて」〈愚管抄五〉

すすど・し『形ク』①敏捷である。すばしこい。「さればこそと思ひて、ー・く歩みて過ぐるを」〈宇治拾遺一三〉。「進疾、ススドシ」〈易林本節用集〉②はげしく鋭い。「力も強く、気性もー・かりければ」〈伽・じぞり弁慶〉。「驍、ススドシ、武猛也」〈書言字考〉③鋭敏である。かしこく鋭い。「ー・い、とっとかしこい」〈天草本平家和らげ〉

すずのそう【鈴の奏】行幸のとき、供奉の鈴と官印を、出御の前に下賜されるよう願い出ること。還御して返納するにもこの奏がある。少納言の役。「讃岐の院におはしましける折の御幸(みゆき)のーを聞きて詠みける」〈山家集下〉

すずのつな【鈴の綱】内裏の殿上の間から校書殿(きょうしょでん)に渡してある鈴つきの綱。蔵人が小舎人を呼ぶときに引いて鳴らす。「うつほ柱より内、ーの辺に布衣(ほい)の者の候は何者ぞ」〈平家一・殿上闇討〉

すずのま【鈴の間】大名屋敷などの表と奥との境にあった、鈴を鳴らして人を呼ぶ設備のある廊下または部屋。鈴口。「ーの番にあがるに」〈西鶴・伝来記五〉

すすのみ《ススはススミ(進)のススと同根。勢いのままに動く意》荒れ狂うこと。「猖獗、須々乃彌(すすのみ)」〈新撰字鏡〉 **ーぢ**【すすのみ鉤】勢い激しく荒れ狂う釣針。「踉蹡之鉤、此をば須須能美膩(すすのみち)といふ」〈紀神代下〉 †susunömidi

すずのもの【錫の物】「錫」に同じ。「馬二疋引かせて、人あまた走り来たりて、食籠(じきろう)・ーなど持たせたり」〈高野参詣日記〉

すすはき【煤掃】年中行事の一。十二月中の吉日を選んで、屋内を掃除すること。近世は、十二月十三日に行なうのが常であった。煤払い。「ーの先づ掃き初め也」〈教言卿記応永三三・一二・一二〉。「煤掃、ス、ハキ、十二月十三日」〈天正十八年本節用集〉

すすばな【洟】《ススリハナの約》①鼻水をすすること。はなすすり。「ーしありくちご」〈枕(能因本)きたなげなるもの〉②鼻水。鼻汁。「ーをいとものごはぬなめり」〈今昔二六ノ一七〉。「洟、須須波奈(すすばな)、鼻液也」〈和名抄〉。「涕、スバナ」〈黒本本節用集〉

すすはらひ【煤払】「すすはき」に同じ。「御ー例の如し」〈中臣祐賢記文永一〇・一二・二二〉。〈文明本節用集〉

すずふね【鈴船】鈴のついている船。「難波人ー取らせ腰なづみその船取らせ」〈紀歌謡五一〉 →すず

すすま・し【進まし】『形シク』気がすすんでいる。気のりがしている。「御使に参るもー・しくて」〈問はず語り二〉

すす・み【進み】『四段』《ススは、ススシキホヒ・ススノミのススと同根。おのずと湧いて来る勢いに乗って進行・行動する意》①どんどん前へ行く。「ますらをのー・み先立ち踏める足跡(あと)を見つつしのはむ」〈仏足石歌〉②あふれ流れる。「あやしく心おくれてもー・みいでつる涙かな」〈源氏梅枝〉③乗り気でする。自発的にする。「端近く寄り臥し給へるに、〔猫ガ〕来て、ねうねうといとらうたげに鳴けば、かき撫でて、『うたてもー・むかな』とほほゑまる」〈源氏若菜下〉④つのる。はげしくなる。「家思ふと心ー・むな」〈万三六二一〉。「思ふ方の風(順風)さへー・みて」〈源氏玉鬘〉⑤段階があがる。上達する。進歩する。「真名のー・みたるほどに、仮名(かんな)はしどけなき文字こそ混じるめれ」〈源氏梅枝〉。「昇、ススム」〈名義抄〉 †susumi

すず・み【涼み】□一『四段』風に当てて体温を快くひやす。「いと暑き日東の釣殿に出で給ひてー・み給ふ」〈源氏常夏〉□二『名』①涼むこと。「夏ごろも立田河原の柳影ーに来つつならすころかな」〈後拾遺二三〇〉②中世以降、盲人が六月十九日に京都高倉綾小路の清聚庵で催した納涼会。心経を読誦し、平曲を語った。「座頭・検校等ーと号し、会合するもの八十一人」〈教言卿記応永一三・六・一九〉

すずむし【鈴虫】秋の虫の一。りーんりーんと音高く鳴く。「げに声声聞えたる中に、ーのふり出でたる程、花やかにをかし」〈源氏鈴虫〉。「ある時には野辺のーを聞きて谷の水の音にあらがはれ」〈夫木抄一四・虫〉 ▽今の松虫をいうとするは、江戸時代の古今要覧稿以来の説。 **ーのえん**【鈴虫の宴】平安時代、宮廷や貴族の間で行なわれた宴会で、鈴虫の声を聞きながら詩歌管絃の遊びに一夜を過ごすもの。十五夜の夜に行なわれた例が多い。「こよひは、ーにて明かしてむ」〈源氏鈴虫〉

すす・め【進め・勧め】□一『下二』《ススミの他動詞形》①距離・程度を前進させる。前方へ行かせる。「万里の山川、煙霞を撥(はあ)いて影をー・む」〈三蔵法師伝六・院政期点〉②(気持を)はげます。盛んにする。「我をー・むる〔タメノ〕自害にこそ」〈平家九・河原合戦〉。「山海の珍物は飯(はん)をー・めんが為なり」〈伽・猫の草子〉③誘ってその気にさせようとする。「道心はー・むるにおこりければ、翁(おきな)童(わらは)皆なびく」〈三宝絵下〉④(酒などを)相手に飲ませるようにする。献ずる。「次次の御土器(かはらけ)二度三度参り給ふ。源中納言のいたうー・め給へるに」〈源氏宿木〉⑤(人・事がらなどを)推挙する。「王の曰く、我仏法を敬ひて遠く名僧を訪ふ。衆この隷(つかひびと)を推(すす)む」〈大唐西域記四・長寛点〉□二『名』堂塔・仏像などの建立や修

理に寄付をすすめること。勧化(くわんげ)。勧進。「いかに客僧たち、橋の―に御入り候へ」〈謡・舟橋〉

すずめ【雀】 ①燕雀目スズメ科の小鳥。「庭―うずすまりゐて」〈記雄略〉 ②その土地または物事によく馴れた者。「京―」「江戸―」など。「宮―、…宮に住む雀をも云ふ。又〔宮案内ノ〕物貫ひをも云ふ」〈俳・御傘九〉 ▽スズは、鳴声からつけた名か。メは鳥をあらわす語。ツバメ・カマメなどのメに同じ。 †suzumë **―いろどき【雀色時】** 夕暮。たそがれ時。「一むらの竹の葉そよぐ秋の風／やや寒くなる―」〈白山万句慶長三・六・五〉。「―は、夕暮れ深き時也」〈言塵集五〉 **―がくれ【雀隠れ】** 春、草木の葉が茂って、雀が身体を隠す程になったこと。「三月になりぬ。木(こ)の芽―になりて」〈かげろふ下〉。「浅茅生(あさぢふ)も―になりにけり」〈曾丹集〉 **―がた【雀形】** 雀が翼を拡げた形を丸く描いた模様。また、その模様のある襖・屏風。「名に立てる屏風の浦の群千鳥飛ぶを絵様に見る―」〈吾吟我集八〉 **―こゆみ【雀小弓】** 二尺七寸の小弓で、五間先の的や雀を射るもの。平安末期以降、公家の間で行なわれ、後に民間でも児童の遊戯となった。雀弓。雀的。「内裏に―有り」〈明月記元暦一・二・一五〉 **―ずし【雀鮨】** 大阪郊外福島の名物。江鮒を開いて飯を詰め、雀のように脹らませた鮨。「鯔(ない)と言ふ魚の腹に飯を包みて、―と名付け、家家にてこれを売る」〈浮・好色増鏡三〉。〈俳・毛吹草四〉 **―に鞠(まり)** 価値のある物も、その持主によっては何の役にも立たぬたとえ。転じて、少しも感じない意にもいう。猫に小判。〈俳・毛吹草二〉 **―の巣も食ふに溜・る** 雀が僅かな物を集めて巣を作りあげる意から、せっせと努力を重ねれば物事は成就するというたとえ。〈近松・油地獄上〉 **―の千声(せんこゑ)鶴の一声** 雀の千声より鶴の一声がまさっている意で、つまらぬ者の千言より優れた人の一言がまさっているたとえ。「雀の千声より鶴の一声」「雀の千声鷹の一声」とも。〈俳・毛吹草二〉 **―は百になれども踊・る** 幼少からの習性は老いても忘れがたいたとえ。「雀百まで踊忘れぬ」とも。「―・るとは此の時より申すなり」〈伽・小藤太雀〉 **―をどり【雀踊】** ①雀がちょんちょんはね歩くさまをいう。同様の語に「雉子踊」がある。〈俳・乳母二〉 ②「烏踊」(2)に同じ。「大工方の善の綱は右の―よりこれを引き」〈高野山文書六、正徳五・三・一〇〉

すずやか【涼やか】 爽やかにすがすがしいさま。「この桃をとりて食しければ、疲れもたすかりて、身も―になりにけり」〈伽・かくれ里〉

すす・り【啜り】『四段』 口あるいは鼻でずるずる音を立てて吸いこむ。「さしも思はぬ木草のもとさへ恋しからむ事と目とどめて、鼻―・り合へり」〈源氏真木柱〉。「芋粥―・りて、舌打ちをして」〈宇治拾遺一八〉

すずり【硯】《スミ(墨)スリ(研)の転》 ①墨を水にといて研りおろすのに使う具。古くは陶器の破片に丸い墨を入れ、水にとかして使った。正倉院の遺品や古墳から出る猿面硯(えんめんけん)にその姿が見られる。「これに書き給へ。―には書きつけざなり」〈源氏橋姫〉 ②硯箱。「―にある紙のはしに」〈枕八四〉 **―がめ【硯瓶】** 硯に注ぐ水を入れておく器。「御前のなでしこを人の折りて持ち参りたるを、宮の御前の御―にささせ給へるを」〈栄花岩蔭〉 **―ぶた【硯蓋】** ①硯箱の蓋。「梨地に銭葵菱(せんきびし)を高蒔に蒔きたる―の中には」〈問はず語り五〉 ②《(1)の形に似ているのでいう》 祝儀の席などで、口取肴などを盛る食器。また、その料理。「盃―・酒出て」〈洒・遊子方言〉 ▽sumisuri→sumsuri→sunzuri→suzuri.

すずろ【漫】《これという確かな根拠も原因も関係もない、とらえ所のない状態。人の気分や物事の事情にもいう》 ①何ということもないさま。漠然としているさま。「男―に陸奥(みち)の国まで惑ひいにけり」〈伊勢一一六〉。「心憂き身には―なることもいと苦しく」〈源氏浮舟〉。「情徒、スズロ」〈色葉字類抄〉 ②これという根拠もないさま。理由がないさま。「人の妻(め)の―なる物怨(ゑん)じしてかくれたるを」〈枕三五〉 ③かかわりのないさま。無関係なさま。「―なる者に、なにか多く賜(た)ばむ」〈大和一四八〉。「御角髪(びづら)ゆひておりさせ給へるは―なる人だに涙とどまらず」〈栄花紫野〉。「ぬしある家には―なる人心のままに入りくることなし」〈徒然二三五〉 ④覚えずそうなるさま。「不覚(すずろに)眼を転(め)ぐらす」〈遊仙窟(醍醐寺本)鎌倉期点〉 ⑤思いがけないさま。不意であるさま。「―なる死(しに)をすべかめるかな」〈竹取〉。「その大なる台、忽然(すずろに)火起て」〈大唐西域記五・長寛点〉 ↓そぞろ。 **―・き【漫き】**『四段』 そわそわする。落ち着かぬようすをする。「この男いたく―・きて、門近き廊の簀子(すのこ)だつものに尻かけて」〈源氏帚木〉 **―どころ【漫心】** そわそわと落ち着かない心。そぞろごころ。「いと由なかりける―にても、ことのほかにたがひぬる有様なりかし」〈更級〉 **―ごと【漫言・漫事】** ①とりとめもない言葉。雑談。「例は無期(むご)にむかへするて、―をさへ言はせまほしうし給ふを」〈源氏柏木〉 ②根拠のないこと。とりとめもないこと。つまらないこと。「ここら(物語類)の中に誠はいと少なからむを、かつ知る知るかかる―に心を移し」〈源氏螢〉 **―は・し(シワ)【漫はし】**『形シク』 ①何となく落ち着かぬ気持である。「待ちつけさせ給へる宮の御心地は、さりとも少し―・しく思し召されけむかし」〈大鏡師尹〉 ②何となくいやな感じで、じっとしていられない気持である。「うたて雄雄しきけはひなどは見え給はぬ人なれば、けうとく―・しくなどはあらねど」〈源氏椎本〉 **―・び【漫び】**『上二』 どっちつかずのとりとめないさまをする。「うちゑみ給へる気色、はしたなう―・びたり」〈源氏末摘花〉

すすろ・ひ(ススロイ)【啜ろひ】『四段』《ススリに反復・継続の接尾語ヒがついたススラヒの母音交替形。→ひ》 すすりすすりする。「糟湯酒(かすゆさけ)うち―・ひて」〈万八九二〉 †susuröfi

すそ【裾】《上から下へ引くように続いているもの、高く立つものなどの下端の部分》 ①衣服の下の部分。「汝が着(け)せる襲(おすひ)の―」〈記景行〉。「指貫(さしぬき)の―露けげに」〈源氏夕顔〉 ②髪の毛の末端。「いとらうたげなる髪どもの―はなやかにそぎわたして」〈源氏葵〉 ③物の端。「御簾の下より、箏の御琴の―少しさし出でて」〈源氏若菜下〉 ④山のふもと。「山の―に八間の屋をつくりて拝殿と名付けて」〈著聞四二四〉 ⑤川しも。下流。「はるかの―に流れとどまりてましますを」〈伽・もろかど物語〉 ⑥馬の四足。また、それを洗うこと。すそあらい。「馬の―洗ふぞ」〈史記抄一四〉。「―などをも細細(さいさい)してくれさしめ」〈虎明本狂言・人馬〉 †suso

ずそ【呪詛】《ズはジュの直音化》 ⇒しゅそ。「大将の朝臣を仇(あた)にて―し奉るなり」〈宇津保蔵開下〉

ずそう【従僧】《ズはジュウの直音化》 供をする僧。「ある所に説経しはべりける法師の―ばらの」〈拾遺五三二詞書〉

すそがた【裾形】 裾に画いてある模様。裾模様。「千本松の―も古し」〈西鶴・胸算用五〉

すそがち【裾勝ち】 背が小さいため、着物の裾を長く引くさま。「御ぞの―に、いと細くささやかにて」〈源氏若菜上〉

すそがなもの【裾金物】 鎧の袖・草摺(くさずり)、兜の錣(しころ)などの裾をなす菱縫(ひしぬい)の板に打った装飾用の金物。「逆沢瀉(さかおもだか)の鎧、蝶の丸の―繁う打ったるが」〈保元

中・白河殿へ義朝夜討ち〉

すそご【裾濃】染色で、上の方を薄く、裾の方を濃く染め出すこと。「今めきたる—の御几帳」〈源氏蛍〉

すそだか【裾高】着物・袴の裾を高く引き上げて着ること。「裏付けの袴—に」〈西鶴・諸艶大鑑四〉

すそつき【裾付】裾全体のかっこう。「髪、丈に三寸ばかりあまりたる—」〈紫式部日記〉

すそつぎ【裾継】小袖の裏の裾を、種種の布で継ぎ合わせたもの。高価である。「私共に—を只(ただ)呉れいと云ふやうなもの」〈浮・当世乙女織三〉。〈日葡〉

すそとり【裾取】裾をつけること。また、その布。裾廻し。「—の紅裏(もみうら)」〈西鶴・五人女三〉

すその【裾野】山のふもとに広がった斜面。「今こそは出でちがふなれ時鳥しばし—に待つべかりけり」〈中宮亮重家朝臣家歌合〉

ずそのはらへ(ハラエ)【呪詛の祓】人からのろわれた時、災難をよけるための祓。「物よくいふ陰陽師(おんやうじ)して、河原にいでて—したる」〈枕三一〉

すそばり【裾張り】①裾が広がっていること。「富士野川これも—の氷かな」〈俳・一本草四〉②性欲の強いこと。また、その人。すそっぱり。「—の源兵衛殿」〈伊勢参宮〉

すそぶくら【裾膨ら】①下のほうが大きくふくらんでいること。「頭(かしら)小さく—に、折骨(をりぼね)細くさしこみ、力士形(かたち)にして」〈曾我一〉②槍鞘に使う裾のふくらんだ袋。「—の対の御道具」〈近松・薩摩歌上〉

すそみ【裾廻】《ミは湾曲した所》山裾のめぐり。麓のまわり。「筑波嶺(つくばね)の—の田居に」〈万一七五八〉 †susomi

すぞろ【漫】「すずろ」に同じ。「あやしげなる法師の……—に入り来たるありけり」〈発心集一〉。「とにかくに心—に侍り」〈閑居友上〉

すそわ【裾廻】《万葉集の「裾廻(すそみ)」を平安朝以後に誤読して生じた語》山裾のめぐり。麓のまわり。「筑波根の—の田居とは、山の裾めぐりの田とよめるなり」〈和歌童蒙抄三〉

すそわけ【裾分け・下配】貰い物の余分を人に分配すること。また、その分配物。「京兆より送りたび候ふ程に、御—に一桶参らせ候」〈実隆公記永正八・一〇・五紙背文書〉

すた・き『四段』はあはあとせわしく息をする。「あまりに—・きあへぎて、息をつぎ得ざれば」〈バレト写本〉 →すたすた

すだ・き『四段』①集まってさわぐ。「野もさはに鳥—・けりと」〈万四〇一一〉。「底のかはづぞ声—・くなる」〈曾丹集〉②多く集まる。「—・きこし沢の螢は影消えて」〈六百番歌合秋上〉。「集、スダク」〈運歩色葉集〉 †sudaki

すたすた 息ぜわしいさま。はあはあ。「—とあへいで、涎(よだれ)を垂らすぞ」〈玉塵抄二〉 —**ばうず**(ボウ)【すたすた坊主】近世、町人に頼まれて代参し、寒垢離(かんごり)を取った願人(ぐわんにん)坊主。後には、裸体に藁の鉢巻をし、注連縄を腰に巻き、扇・錫杖を手に持ち、良い事尽しをしゃべって踊り、門付けする乞食坊主となった。「難行苦行の—」〈近松・双生隅田川四〉

すだ・ち【巣立ち】『四段』鳥の子が一人前になって、親許の巣をとび立つ。「鳥埘(とぐら)立て飼ひし雁(かり)の子—・ちなば」〈万一八二〉

すたへ《スタは棄テと同根。へは瓮。屍を棄てる瓶の意》柩(ひつぎ)。棺。「棄戸、此をば須多杯(すたへ)といふ」〈紀神代上〉 †sutaFë

すだま【魑魅】山林・木石の精気から生ずるという人面鬼身の怪物。「魑魅、須太万(すだま)、鬼類也」〈和名抄〉▽平安時代にはスタマと清音か。→いきずたま

スタメン【須多綿】オランダ船来の、織耳のない中等の赤い羅紗。唐人羅紗。「とろめん・ふらた・—と…毛織の類ひさまざまあれど」〈色道大鏡三〉▽オランダ stament

すた・り【廃り・捨り】『四段』「すたれ」に同じ。「今生にては弓矢の冥加(みやうが)長く—・り」〈伽・いづみが城〉。「信をとるべきならば身を捨てよ。それは—・らぬぞ」〈実悟記〉。「昔はやり申し候、近年—・り候」〈貞順豹文記〉

すた・れ【廃れ】『下二』《捨テの自動詞形》顧みられることなく捨てておかれる。「この伽藍にして承業して替(す)たれず」〈大唐西域記一・長寛点〉。「これに依りて、国荒れ—・る」〈今昔六ノ二七〉。「廃、スタル」〈名義抄〉 —**もの**【廃者】世の中から見捨てられた者。役に立たない者。すたりもの。「我が身今は—なれども」〈延慶本平家五・文覚が道念〉

すだれ【簾】《簀垂れの意》細竹などを糸で編み、縁をつけたもの。垂れ下げて物の隔てや日光の遮りに使う。巻き上げたときは、鉤(こ)という金物にかけてとめる。伊予産の伊予簾、青竹を編んだ青簾、葦で作った葦簾等がある。「わがやどの—動かし秋の風吹く」〈万四八八〉。「簾、音廉、和名須太礼(すだれ)、編レ竹帳也」〈和名抄〉

すぢ【筋・条】《筋肉の中の強い繊維。転じて、細長く一つづきに通っているもの。人の血統・家系・性分・芸風から、一般的な筋道・方向・宿命などの意》❶筋肉の繊維。「骨・節・筋(すぢ)・脈相連なりて無常なるに喩す」〈法華経玄賛平安初期点〉。「皮をうがちて肉に入り、—を断ちて骨を徹(とほ)す」〈孝養集上〉❷細く長くつづいているもの。①線。線条。「髪も少し落ち細りにたる心地すれど…いとうつくしかりける—などもいとこまかにうつくしげなり」〈源氏手習〉②細長いものを数える語。「その竹の中にもと光る竹なむ一—ありける」〈竹取〉❸一つづきの関係をなすもの。①血筋。血統。家系。「人も賤しからぬ—に」〈源氏夕顔〉②性分。生れつき。たち。「女も、えをさめぬ(ガマンデキナイ)—にて、指(および)一つをひき寄せてくひて侍りしを」〈源氏帚木〉③芸風。書風や奏法など。「[箏ノ琴ノ]今の世に聞えぬ—弾きつけて」〈源氏明石〉④条理。道理。「深き—思ひ得ぬ程の打聞きには」〈源氏常夏〉⑤方角。方向。方面。「二条の院にもおなじ—にて[行カレナイ]。いづくにか[方]違(たが)へむ」〈源氏帚木〉。「九州—、僧俗ともに殊の外無道心に候ひしに」〈反故集下〉⑥その方面の事柄。そのむきの事。「大和言葉(やまとことのは)をも唐土(もろこし)のうたをも、ただその—をぞまくらごとにせさせ給ふ」〈源氏桐壺〉。「上も下もかかる—のことは、おぼし乱るるは、いと悪しきわざなり」〈源氏浮舟〉⑦趣向。おもむき。風。「琴は物の音柄(音色)の—ことなるものなれば」〈源氏末摘花〉。「例のおなじ—の歌ありけり」〈源氏行幸〉⑧因縁。「絶ゆまじき—を頼みし玉かづら」〈源氏蓬生〉。「何の—なれば憂きにしも(ツライコノ世ニ)かく根をとどめけむ」〈源氏玉鬘〉

ずち【術】方法。すべ。「ずつ」とも。「いかなる—ありて、海に沈みて死なざりつるぞ」〈三宝絵中〉▽朝鮮語 tʃul(筋)と同源。

すぢがね【筋金】刀の鞘・槍の柄・杖・門の扉などにはめこむ線状・棒状の金属。「つげの棒を八角にして—わたして金剛杖にしたりける」〈伽・判官都咄〉

すぢか・ひ(イカ)【筋交ひ】㊀『四段』①線が交差する。はすかいになる。斜めにずれる。「ただこの障子口—・ひたる程にぞ臥したるべき」〈源氏帚木〉。「行(くだ)りの程、端ざまに—・ひて、倒れぬべく見ゆるを」〈源氏常夏〉。「天蓋の釣鐘ども通してうちつるに、つゆ—・ひたることなし」〈古本説話四七〉②道理に外れる。筋道に違う。「前前の儀、先代官申すの

は━・ひ候。曲事候」〈政基公旅引付永正一・八・二三〉 ⊟『名』斜めにうち違った状態。はすかい。「向ひの岡へ━にと志す」〈盛衰記三五〉

すぢか・へエ…カ【筋交へ】⊟『下二』斜めにくい違わせる。はすかいにする。「島より橋をわたすこと、正しく橋がくしの間の中心にあつべからず。━・へて橋の東の柱を、橋がくしの西の柱にあつべきなり」〈作庭記〉。「我が太刀横より━・へて、上段に振りあげ」〈五輪書〉 ⊟『名』「すぢかひ」⊟に同じ。「袋の法式…角(すぢかへ)に両(ふた)つの頭(はし)を攝(ひ)めて対(かむ)へる処を縫ひ合はせよ」〈南海寄帰内法伝平安後期点〉。「━に戌亥(ゐぬ)を指して歩行きて、舞台を過ぎてのち立ち返り」〈教訓抄四〉

すぢな・し【筋無し】『形ク』①筋道が通らない。とるにたりない。「あまりの事の御心乱れに、━・き事を仰せ候ふぞや」〈謡・富士太鼓〉。「愚痴なる者が虹を見て、仙人の橋ぢゃと云ふつれぞ。━・い事ぞ」〈本則鈔一〉 ②血縁・家系関係がない。「非人あまた臥しけるが、皆━・き乞食」〈西鶴・永代蔵二〉 ③血筋・家系などがよくない。下賤である。「━・い者」〈平家難語句解バレト書入れ〉

ずちな・し【術無し】『形ク』打つ手がない。何ともしようがない。男性の手になる文章に多く使われる。「うつぶしてなむ、立たむもはしたに、━・かりける」〈大鏡道隆〉。「柱折れ、棟くづれて━・し」〈宇治拾遺一六八〉

すぢめ【筋目】①まっすぐな筋。「網の糸のひとつ━の違ふゆゑ乱れにけりな人の世の中」〈世中百首〉 ②物事の筋道。条理。「言は珍しく聞え候へども、つやつや心の━が立ち候はざるの間」〈了俊一子伝〉 ③家系。血すじ。家がら。「右四人━に於ては余儀なき者どもに候」〈大友記〉

すぢょ【数女】下級の遊女。「分里(ぶんり)の━」〈西鶴・一代女二〉

すぢ・り『四段』①体などをひねりくねらせる。よじる。「黒ききたなき身を肩ぬぎて、目も当てられず━・りたるを」〈徒然一七五〉 ②ひねりくねる。よじれる。「小路にして、しかも━・り曲がったる路なれば」〈三体詩抄一ノ二〉 **━もぢ・り**【すぢり捩り】『四段』①体などをくねらせよじる。「━・り、ゑい声を出して、一庭(ひとには)を走りまはり舞ふ」〈宇治拾遺三〉 ②くねり、ねじまがる。「上にはあまりのびずして…━・りたる枝がいかほども多くあるとぞ」〈三体詩抄二ノ三〉。「━・れる心むつかし」〈俳・鷹筑波一〉

ずつ【術】《ジュツの直音化》方法。すべ。「一生━もなうて居たものぞ」〈三体詩抄一ノ三〉 →ずつなし

すっかり さっぱり。すっきり。「〔鹿ノ〕お姿を見まらすれば、手足も━と軽げに」〈天草本伊曾保〉

ずっかり ①遠慮せず、ずけずけと言動などするさま。「とんとはなして━の声」〈俳・天満千句〉 ②すぱっと切り放すさま。「竹の子は惜しや御汁の身代りに━と切る藪の中光」〈堀河狂歌集下〉

すっきと『副』《スキトの促音化》すっきりと。「庭や内の体は━見えたぞ」〈三体詩抄一ノ四〉。「余人とは━別ぞ」〈碧岩抄〉

すっくと『副』《スクトの促音化》まっすぐにしゃんとしているさま。「身を正しく━して坐せよ」〈四部録抄〉

すっくり ①まっすぐに立ち上がるさま。すっくと。「此の絵の姿で━と現はれ出で」〈近松・今源氏六十帖一〉 ②炊いた飯の、べとべとせず、硬めなさま。「雪の白突(しろづき)━と」〈近松・大職冠四〉

すっすっす 滑らかにすべって行くさま。特に、武家の行列の先手の侍や供奴の足どりにいう。「三人並び手振り鶯━」〈俳・大矢数四〉

すってのこと【既の事】《スッテはスデの訛》もう少しのこと。危機一髪。すんでの事。「━に夕の露と」〈俳・胴骨〉

ずっと ⊟『副』①⇒ずいと(1)「腰の刀をするりと抜き、ともづな━切って」〈説経・さんせう太夫〉 ②⇒ずいと(2)「━あとまで。のちのちまで」〈詞葉新雅〉 ③すべて。ことごとく。「賤しい者までも━残さず救はれうぞ」〈周易抄四〉 ⊟『名』全部。全体。「而の一字を以て━を説くぞ」〈周易抄四〉。「誰でまり、境致の浅深ともに━を全く知る人はないぞ」〈四河入海八上〉

ずつな・し【術無し】⊟『形ク』《ジュツナシの転》何ともしようがない。転じて、せつない。苦しい。「白髪蒼顔なる形も、━・き事も、よく相似たるを咲(わら)ふぞ」〈四河入海二ノ二〉。「じゅつなきを━・き〔ト言ウ〕」〈俳・かたこと三〉 ⊟『名』①無能な者。また、いくじなし。「━の儒者は、一生学問だてで、ぐちぐちと黒豆数へてゐるぞ」〈山谷詩抄七〉 ②怠け者。「━者の節句ばたらき」〈諺苑〉

すっぱ【透波・素波・水波・水破】①戦国時代、大名などに抱えられ、敵陣を偵察し、また謀略を行ない攪乱した野武士。らっぱ。忍びの者。忍者。「軽━は身を重く持たいで、ひょっひょっと躍り歩く者ぞ。そのやうな者を集めて置いたぞ。━どもをぞ」〈蒙求抄七〉。「━と云ふは、唐国にてはこれを間者と言ふ」〈三将軍解一〉 ②詐欺師。すり。かたり。「それがしは京田舎走りまはって隠れもなき━ぢゃ」〈虎清本狂言・禁野〉。「水破、すっは、すり也」〈和漢通用集〉 ③盗賊。「盗人どもこれを聞き、よき物取りとて、信州の━と上州のわっぱども集まって」〈加沢記四〉。「━、盗人を云ふ也」〈俳・反故集下〉 **━のかは**ワ…カ【素破の皮】「すっぱ」(2)(3)に同じ。「盗人を、すっぱ・━など言ふ」〈俳・かたこと三〉

すっぱぬき【すっぱ抜き】だしぬけに刀などを抜くこと。また、そのようにして喧嘩すること。「━それさへゆかし花の跡」〈俳・坂東太郎上〉

すっぱり ①物がきれいに切れるさま。すぱっ。「上身(うはみ)下身(したみ)を━━とおろし」〈天正本狂言・打身〉 ②すっかり。さっぱり。「元手━負けて」〈浄・矢口渡四〉

すっぺのかはワ…カ【すっぺの皮】無一物。また、全然価値のないもの。「━とも思はず」〈俳・毛吹草二〉。「匹如(するすみ)…今はすっぺと云ふ。━も持たぬと云ふ。世下りぬれば、俗語も賤しくなるにや」〈齊東俗談五〉

すっぺり《スベリの転。スンベリとも》①すべすべとしてなめらかなさま。つるりとしているさま。「東坡がこの詩は、句句故事を用ふるが、さて━として、故事とも見えざるが妙なぞ」〈四河入海三下〉 ②何も残らないさま。すっかり。「濡れ事━気(け)も無し」〈評判・野良関相撲下〉 **━ぽん** 全く無くなるさま。すっからかん。「すっぺらぽん」「すっぽらぽん」とも。「針を〔蔵ニ〕積んでもたまらぬ騒ぎ(遊蕩)に、━の棒一本〔ノ駕籠舁トナッタ〕」〈浮・禁短気四〉

すつぼ【酢壺】酢を貯蔵して置く壺。「━の中から天を見て、我が壺の口ほど天はあると思ふぞ」〈山谷詩抄一〉 **━め**【酢壺目】落ちくぼんだ目。「深目は、目は落ち入りて、ここら(日本)に━と云ふことなり」〈玉塵抄二六〉

す・て【捨て・棄て】『下二』①持っているものを、無用として、ほうり出す。「玉きはる命も━・てて」〈万四三二一〉 →うて(棄) ②顧みない。「世を━・てて山に入る人」〈古今九五六〉。「公けに━・てられたるやうにていますかり」〈大鏡昔物語〉 ③葬る。「病を受けて死にぬ。然れば金の山崎の辺(ほとり)に━・てつ」〈今昔一七ノ二六〉

ずて『連語』《打消の助動詞ズに接続助詞テの付いたもの》

…ないで。…ずに。「宮人の安眠(やすい)も寝—今日今日と待つらむものを見えぬ君かも」〈万三七七一〉

すてあふぎ ウギ【捨扇】秋になって、使われずに置き捨てられた扇。秋扇。「道芝やゆかしき秋の—」〈俳・前後園上〉

すていし【捨石】築庭で趣きを添えるために、なにげなく所所に据えて置く石。「—や花のしがらみ散り椿」〈俳・当世男上〉

すてかがり【捨篝】敵の夜襲に対するそなえとして、軍陣から離れた前方の地点に、番人を置かずにたいておく篝火。「ほんかがり」の対。「—・本かがり・相図の火・約束のかがり」〈兵法問答〉

すてか・き【捨て書き】『四段』遊びの気持で書く。「白き紙に—・い給へるしもぞ、なかなかをかしげなる」〈源氏末摘花〉

すてがな【捨仮名】漢文を訓読するために、漢字の右傍などに仮名で書き添えた活用語尾や助詞の類。送仮名。「風の手で—にするいろはかな」〈俳・破枕集下〉

すてがね【捨金・捨銀】雇入れや身請けの場合、支度金として前渡しする金。通常、手付けとちがって契約の拘束力を持たなかった。「すてきん」「すてぎん」とも。「—いくら美目(みめ)は何とか」〈俳・信徳十百韻〉

すてがね【捨鐘】時の鐘を撞く時、注意をひくために、最初に余分に三つ撞く鐘。「三声までは—にせよ時鳥」〈俳・糸瓜草三〉

すてぐるわ【捨郭・捨曲輪】本城の外に築き、堀を廻らした郭(くるわ)。平常は塀・橋等を取り去って居住せず、攻撃された時は敵の進出を妨害する拠点とする。「—と号し」〈北条五代記一〇〉

すてご【捨子】養育を断念して親の捨てた子。「我が身、昔—にて河原に侍りけるを」〈発心集六〉。「—は村の育(はごく)みよ」〈説経・さんせう太夫〉

すてことば【捨言葉】立ち去る時に言い捨てて行く言葉。すてせりふ。「思ひ切るとは、遣る方無さに、思ひ乱るる—」〈評判・濡仏中〉

すてさかづき【捨盃】①(相手を軽んじて)宴席で、差しただけで返盃を期待しない盃。「—給はりて、あなどられ参らせ候はんこそ、口惜しけれ」〈伽・しほやき文正〉②差す相手がなく、酒席に捨てて置かれた盃。「枕に有りし—を取り上げて」〈西鶴・男色大鑑八〉

すてせりふ【捨台詞】①歌舞伎で、役者が花道または奥への出入りに間(ま)を合わせて言う、脚本にない台詞。「二階より、三五兵衛—にて下りて来る」〈伎・五大力恋緘三〉②「捨て言葉」に同じ。「『ハイ、さやうなら』と—にて風呂へ入る」〈滑・浮世風呂二上〉

すてそ【捨訴】近世、評定所・奉行所等の役所や老中などの門前に、訴状をこっそり置くこと。また、その訴状。厳禁されていた。捨て文。「—・捨文の類は、封の儘、焼き捨て候事に候」〈総触留安永五・一一・一三〉

すてっぺい【素頂辺】頭。「—剃り下げたる憎憎しき男の来たり」〈浮・好色年男三〉

すてっぺん【素頂辺】最初。また、最上。最高。「すてんぺん」とも。「鍋鋳掛け—から煙草にし」〈雑俳・柳多留一〉

すでに【已に・既に】『副』《全体が沈まり落ち着く意の動詞スミ(澄)と、道・方向の意の名詞テとの複合したスミテの約スデに助詞ニが添って、副詞として用いられたものであろう。事が今までに全体として落着し、終了している意を表わすのが最も古い用法。平安時代以後は漢文訓読体で用い、女流文学では用いない語》❶《事全体にわたって完了している意》①もはや。「君により吾が名は—立田山」〈万三九三一〉。「—彼岸に至れり」〈金光明最勝王経平安初期点〉②全く。すべて。「天の下—覆ひて降る雪の光を見れば尊くもあるか」〈万三九二三〉。「—訓によりて述ぶれば、詞、心に逮(およ)ばず」〈記序〉③全然。「母をば我あひ代りて飯(い)を分けて養はむ。汝—変らず。飯もまたあひ同じ」〈三宝絵中〉❷《完了の意から、現実に確かである意》①現に。とっくに。「実に前司殿の常陸〔ノ守〕になり給へらば、神の御験(しるし)あはれに微妙なるべき事かな、といふ程に、京より除目の書を持て下りたり。見れば此の国の前司、—常陸の守になりにけり」〈今昔一九ノ三二〉②たしかに。まさしく。「汁垂れて臭き香有り。—此れ魚なり」〈今昔三一ノ二七〉。「生あるもの死の近き事を知らざること、牛—しかなり。人また同じ」〈徒然九三〉❸《まさしくの意を時間的に用いて》①早くも。「以(すで)に散(と)けひく日に至る」〈大唐西域記五・長寛点〉。「弓の弦を打つにすら—此の如し。若し一つの箭(や)をも放たむに、千万の軍なりとも何(かい)ならむぞ」〈今昔三ノ一五〉②今まさに。「汝が父釈迦牟尼仏は—涅槃に入り給ひなむとす」〈今昔三ノ三〇〉③ちょうど。「力者どもに輿(こし)かかせ、いそぎ迎へに遣はしけり。—さがり松の辺にて入道に行きあひ奉り、帰りにけり」〈保元中・為義降参〉

すでのこと【既の事】今まさに起ろうとすること。すんでの事。副詞的にも用いる。「ある夜、炉火のあやまち—なりしを、無事に打ち消ちて」〈宗長手記上〉

すてばうず ウ ボウ【捨坊主】浮世を捨てて出家した坊主。また、坊主を罵る語。「太閤、『—にだまされた。まっぴら許せ』と仰せられて」〈義残後覚五〉

すでひ・き【素手引き】『四段』得る所なくて空しく手を引く。空手で帰る。「盛りなる梅に—・く風もがな」〈俳・続山の井一〉

すてびと【捨人】世捨人。「色染むる木の葉はよきて—の袖にしぐれの降るがわびしさ」〈宇津保嵯峨院〉。「—の横川の水もすみよかれ花の都の春しづかにて」〈再昌草二八〉

すてふだ【捨札】近世、罪人の罪状・氏名・年齢などを書き、街頭に立てて公示した高札。「磔〔ニ八〕…科書の—これを建つ」〈御定書百箇条〉

すてぶち【捨鞭】⇒すてむち。〈日葡〉

すてぶち【捨扶持】近世、役に立たぬ者、特に由緒ある家の老幼婦女または不具者などに、扶助として与える給米。捨知行。「—は御莫座の端に寝た女」〈雑俳・万句合明和八〉

すてぶね【捨舟】乗り捨てて、置き去りにした舟。「引き立つる人もなぎさの—もさすがに法のおしでをぞ待つ」〈十訓抄一〇ノ三四〉

すてぶみ【捨文】①返事を期待しない、遣り棄ての手紙。「いかにと—のおとづれ、言葉のおとづれさへなくして」〈本福寺跡書〉②近世、訴状を裁判関係の諸役所の門前に捨て、役人に拾われて訴状が上達することを計ること。また、その訴状。捨訴(すてそ)。落書。落し文。「—を銭か金かとおもはゆや」〈俳・正章千句上〉

すてむち【捨鞭】馬を早く駆けさせるために、馬の尻をむやみに鞭で打つこと。多く、逃げる時にいう。すてぶち。「馬の息のあらん限りと、東の河原をまっ下りに—打ってぞ逃げける」〈保元中・白河殿攻め落す〉

すてもの【捨物】捨ててふりむきもしないもの。また、役に立たない無価値な物。「えりくづの—・不覚人を法師になして」〈沙石集四ノ三〉。「春過ぐれば、その年ははや—ぞ」〈四河入海八ノ二〉

すてわな【捨罠】仕掛けたままで放置しておく罠。「—と申

す物に致いて置いて御座るが」〈虎寛本狂言・釣狐〉

すてをぶね【捨小舟】「捨舟」に同じ。「引く人もなき—、沈みはてぬる身にしあれば」〈太平記三・俊基朝臣〉

すてんきう ㊀『名』陰茎の異称。「—の絵草紙」〈浮・好色増鏡二〉 ㊁『副』非常に。甚だしく。すてきに。「姉御とは—違ってらア」〈滑・浮世床初上〉

ずと『連語』《打消の助動詞ズに接続助詞トの付いたもの》①…ないで。…ずに。「泣く心なら、行か—おけ」〈伎・夕霧七年忌〉 ②…なくても。「奥様の難儀と有らば、言は—〔金ヲ〕出さう奴が」〈近松・仏母摩耶山一〉

すどほ・り【素通り】㊀『四段』止まらずに通り抜ける。「柴の庵に葉薦(はごも)の囲ひそよめきて—・るものは嵐なりけり」〈散木奇歌集秋〉 ㊁『名』①止まらずに通り抜けること。「下りさせ給ふには前よりこそ下りさせ給へと申しけれども、いかで車ならんからに—をばすべきとて、つひに後ろより下りてけり」〈平家八・猫間〉 ②蹴鞠で、鞠場深く入るなどした時、懸かりの外を迂回して自分の立ち所へ戻ること。「もし不覚あらん時、すぐに—に座に帰るも常の事也」〈遊庭秘抄〉

ずとも『連語』①《打消の助動詞ズに接続助詞トモの付いたもの》…なくても。…ないでも。「逢は—我は怨みじ」〈万二六二九〉 ②《連語ズトに係助詞モが軽く添ったもの》…ないで。「由ない事言は—、サア早う御帰りなされいの」〈近松・姫蔵大黒柱二〉

すどり【洲鳥・渚鳥】洲にいる鳥。「射水川みなと(河口)の—朝なぎに潟(かた)にあさりし」〈万三九九三〉 †sudöri

すな【砂・沙】「すなご」に同じ。「梅に椿・篠・つつじ植ゑそへ、—入れさせて」〈宗長手記下〉。「砂、スナ・イサゴ」〈文明本節用集〉 **—にな・る** 無駄になる。「座敷ふさげの—・る客」〈西鶴・椀久一世上〉

すない【少】《スナキの音便形。同じ官で低い方である意》 **—おほともひ**【少弁】⇒せうべん。「少弁、須奈伊於保止毛比(すないおほともひ)」〈和名抄〉 **—ものまうし**【少納言】⇒せうなごん。「少納言、須奈伊毛乃万宇之(すないものまうし)」〈和名抄〉

すながし【墨流し・洲流し】①《スミナガシの転》染色技法の一。盥(たらい)の水に墨汁・顔料などを流して、水面に流文を描き、これを紙などに染め取るもの。「すみながし。—なり。—とは、紙なんどにする物也」〈古今集註〉 ②洲崎などに生ずる流文、⑴の仕上がりに似た文様などにいう。「さ浪行く—とほく影見えて浜風すずし夏の夜の月」〈草根集一〇〉。「洲流、スナガシ、又作沙流、衣・旗ノ文」〈書言字考〉

すなき【少】《スクナキの音便形スウナキの約。「おほき」の対》年若いこと。「池の龍の少女(すなきむすめ)水浜に遊ぶ」〈大唐西域記三・長寛点〉

すなご【砂子】《平安時代末ごろまでスナコと清音》①砂。まさご。「—のいみじう白きを二三日行く」〈更級〉。「砂、スナコ」〈名義抄〉 ②金・銀の箔の粉末で、蒔絵や紙などに装飾として吹きつけるもの。「京より扇持ち下る。—〔ノ扇〕…二百本持ち下る」〈多聞院日記天正一二・一二・二五〉

すなすな ①すなおなさま。「志の大な者は、—とは無いほどに、薦(すす)め難いぞ」〈山谷詩抄一六〉 ②身のこなしのしなやかなさま。「すならすなら」「すなりすなり」とも。「そのあとに御方様—と御坊を御出であるをとらへ申す」〈本福寺由来記〉。「歩き姿の—と」〈近松・日本西王母一〉

すなせついん【砂雪隠】数寄屋の内路地に設けてある装飾の雪隠。自然石を置き、川砂を盛り、触杖を備えてある。砂せっちん。「—を奇麗に掃除致し置き候へば」〈仮・為愚癡物語七〉

すなてならひ【砂手習】砂の上に字を書いて練習すること。砂手本。「行く水に数書く—」〈西鶴・永代蔵一〉

すなどけい【砂時計・砂土圭】時計の一種。中のくびれたガラス器の上方に入れた砂が落下する時間で時を計る装置。「返す返す待つや程疾き—」〈俳・夢見草二〉

すなど・り【漁り】㊀『四段』浜辺で魚をとる。漁をする。「妹(いも)がため我が—・れる藻臥束鮒(もふしつかふな)」〈万六二五〉 ㊁『名』漁をすること。「塩釜の浦には海人(あま)や絶えにけむなど—の見ゆる時なき」〈大和五八〉 †sunadöri

すなはち【即ち・則ち】㊀『名』《何かをしてすぐさま、即刻という意が最も古く、当座・直後の意の名詞としても室町時代まで使われた。即刻の意から、即座に、直ちにという意の副詞に転用。一方、仏典などの訓読に接続詞として使われ、そのまま、そこで、そのとき、ところでなどの意》①即刻。即座。「ほととぎす鳴きし—君が家に行けと追ひしは至りけむかも」〈万一五〇五〉。「おろさむとて綱をひき過して、綱絶ゆる—に、やしまのかなへの上に、のけざまに落ち給へり」〈竹取〉 ②当座。「〔行列ガ〕渡りはてぬる—は、心地もまどふらむ」〈枕二三三〉。「継母此の児を抱きて…海に落し入れつ。其れを—は言はずして」〈今昔一九ノ二九〉 ③直後。「冷泉院即位の—、兄の為平をおきて、弟の円融院を東宮にたてておはします」〈愚管抄四〉。「静も共に慕ひけれども、堀が妻女申しけるは、『産の—なり』とて、様様に取り止めければ」〈義経記六〉 ㊁『副』①即座に。すぐさま。直ちに。「〔対面ヲ〕例ならず許させ給へりし喜びに、—も参らまほしく侍りしを…今日になし侍りにける」〈源氏宿木〉 ②そのまま。とりもなおさず。「汝らまさに精勤して此の妙経典を修習すべし。是れ—正法を久しく世にとどむるなり」〈金光明最勝王経平安初期点〉。「近き世に、その名きこえたる人は、—僧正遍昭は、歌のさまは得たれども、まこと少なし」〈古今序〉 ㊂『接続』①そこで。そのときに。「其の中に蓋(だけ)し国有らむやとのたまひて、—天の瓊矛(ぬほこ)を以て探りて一の島を成す」〈紀神代上〉 ②そのようなときには。「若し此の身を捨てば、—…百千の怖畏とをも捨てむ」〈金光明最勝王経平安初期点〉。「辞(ことば)達しぬるときんば則(すなはち)足んぬ」〈論語八・鎌倉期点〉 ▽平安時代には、漢文の接続詞「則」をスナハチと読むのは仏教関係者で、儒学関係者はトキニハ・トキンバと読んだが、鎌倉時代以後、仏家の読み方が次第に広まり、スナハチの読みも広く使われるようになった。右の論語鎌倉期点はその例。③しかるに。「山陵造らむが為に予め人夫を差し定めよとのたまふ。—人ごとに兵(つはもの)を執らしむ。臣以為(おも)はく、山陵を為(つく)るには非じ」〈紀天武即位前〉

すなほ【素直】《スは接頭語》①自然のままであること。素朴。「ちはやぶる神代には、歌の文字も定まらず、—にして、ことの心わきがたかりけらし」〈古今序〉。「気序(つきなみ)和暢(のとの)ひ、風俗淳質(すなほ)なり」〈大唐西域記七・長寛点〉 ②まっすぐなこと。よこしまでなく正しいこと。「世の事をよく知り、心ばへ—にて、公(おほやけ)の御政をも、良き悪しきよく知りて」〈宇治拾遺一三〇〉。「御身、心—なるにより、この壺に〔酒ノ〕泉をたたへ、ただ今返し授くるなり」〈謡・猩猩〉 ③従順であること。おとなしいこと。「—に姫を渡さんや」〈説経・天智天皇〉。「葉柳の—に散りし姿かな」〈俳・孤松二〉

すなもち【砂持】社寺の造営・修理等に、氏子や信徒が砂運びをすること。「玉造(たまつくり)に—が始まって…大坂中が—ぢゃ」〈伎・韓人漢文手管始三〉

すね ①【髄】骨の芯にあるあぶら。「髄、須年(すね)」〈華厳音義私記〉②【臑・脛】膝から足首に至る部分。はぎ。「折る人の―に噛みつく犬桜」〈俳・犬筑波〉 **臑から火を取・る** 火をつける道具もないほど貧しい意で、極端な貧乏のたとえ。「臑から火が出る」「向う臑から火が降る」「臑の火」とも。「昔隠居して居た時には、―・るやうに思ひて、殊の外、貧を苦にしたそうなが」〈杜律私記〉

す・ね【拗ね】〘下二〙①根性がひねくれる。「百姓は意地―・ねたる者にて、奉公しても、後は覚えの者になる事多し」〈甲陽軍鑑四〉②(相手に不満を持ち)ねじけた心で、さからう。「公孫慶が―・ねた返り事を云うたぞ」〈漢書竺桃抄〉。「理非は聞き知る人のござらうとて、いよいよ―・ねける」〈咄・昨日は今日下〉

すねあ・し【すね悪し】〘形シク〙《スネはシネの転》根性が悪い。「その雇はれ者、甚だ―・しき奴なれど」〈鸚鵡籠中記元祿四・九〉

すねあて【臑当・脛当】小具足の一。下腿や脛を保護するためにつける防具。特に騎戦から歩戦へと移行する鎌倉後期に至って発達した。「平野平太が左の―を射切られて」〈古活字本保元中・白河殿攻め落す〉

すねおし【臑押・脛押】二人で互いの臑と臑とを押し合って勝負する遊戯。「又―する。又負ける」〈天正本狂言・首引〉

すね・し【拗し】〘形ク〙ねじけている。頑固でひねくれている。依怙地(えこじ)である。「最前から―・い事を言うた程に」〈虎明本狂言・腹立てず〉。「一段―・き人にて、つひに金剛〔大夫〕の跡には付かずと申す也」〈四座役者目録〉

すねのひ【臑の火】極端な貧乏をいう。「〔年貢未進ノ百姓ガ〕水牢にはいれど―は消えず」〈雑俳・広原海四〉

すねはぎ【臑脛】足のすねとはぎと。膝から踝(くるぶし)に至る部分の総称。すねっぱぎ。「いつも私を叱らせらるるとき、『あの―ばかり延び居って』と仰せらるることを」〈天理本狂言六義・萩大名〉

すねもの【拗者】ひねくれ者。「物いはずに候へば、―とて人のにくむ事にて候ふ」〈伽・乳母草紙〉

すのこ【簀子】①竹・蘆などを透かせて並べ編んだ敷物や床。「〔埴生ノ小屋ト〕―も敷かず、あやしき下衆(げす)の家を云ふにや」〈袖中抄一五〉。「簀、床上藉竹名也、須乃古(すのこ)」〈和名抄〉②細い板を横に並べ、その間を透かせて打ちつけ、雨露のたまらぬようにした縁(えん)。寝殿造では、廂(ひさし)の間の四周などにめぐらされた外縁。「簀子縁」とも。「―はかたはらいたければ、南の廂に入れ奉る」〈源氏槿〉

すは(スワ)〘感〙《スは代名詞ソの転。ハは助詞》①相手の注意を強く喚起して発する声。そら。それ。「『―、稲荷より賜はるしるしよ』とて物を投げいづるやうにするに」〈更級〉②驚いて発する声。やっ。「―、悪源太が前使よとて」〈平治上・六波羅より紀州へ〉

ずは〘連語〙《打消の助動詞ズの連用形と係助詞ハとの複合》…でなくて。…せずに。条件句を示す。「なかなかに人とあらずは酒壺になりにてしかも酒に染みなむ」〈万三四三〉。「立ちしなふ君が姿を忘れずは世の限りにや恋ひわたりなむ」〈万四四四一〉

すはう(スオウ)【周防】旧国名の一。山陽道八国の一で、今の山口県東部。防州。「―・淡路・阿波・讃岐・伊予等の国飢ゑす」〈続紀文武一・閏三・七〉。「周防、スハウ、上山陽」〈色葉字類抄〉▽「周芳」とも書く。古くはスハといったと思われる。

すはう(スオウ)【素袍】⇒すあを(素襖)。〈饅頭屋本節用集〉

すはう(スオウ)【蘇芳】①マメ科の灌木。心材及び実のさやを煎じて染料とする。「深蘇芳綾一疋。―大一斤、酢八合、灰三斗、薪一百廿斤」〈延喜式縫殿寮〉②染色の名。黒味がかった紅色。令制によれば、蘇芳色の袍は諸王五位以上、諸臣三位が着用。延喜式には、親王以下参議以上、非参議三位の着用。後に、五位の者が着用。「表着は、おしわたして―の織物なり」〈紫式部日記〉。「―色なる血多く泛(こぼ)れて」〈今昔二七ノ一〇〉③襲(かさね)の色目の名。「青き赤き白つるばみ、―・葡萄染(えびぞめ)など、常のごと、例のみづらに、ひたひばかりのけしきを見せて」〈源氏藤裏葉〉

すはえ(スワエ)【楚・楉】⇒すはゑ

すばく【寸白】《スンバクのンを表記しない形》①サナダムシ・蛔虫の類の異称。寸白虫(すんばくちゅう)。転じて、寄生虫によって起される病気。特に婦人病をいう場合が多い。すばこ。「御ありさまを医師(くすし)に語り聞かすれば、『―におはしますなり』」〈栄花鳥辺野〉②陰嚢の腫れる病。疝気(せんき)。すばこ。「予持病―〔ノ〕虫さし出で、終日平臥也」〈隔蓂記寛永二二・二・二六〉

すばしり【鯐・洲走・簀走】関東で、五、六寸の鯔(ぼら)の幼魚をいう。関西では江鮒(えぶな)という。「小魚―一折これを送らる」〈実隆公記大永五・四・八〉。〈下学集〉

すはすは(スワスワ) ずばりずばり。すぱすぱ。「毛の中より、松茸の大きやかなる物の、ふらふらと出で来て、腹に―と打ちつけたり」〈宇治拾遺六〉。「うちうつぶきて、よによげに―と皆飲みてけり」〈著聞五九六〉

すはすは(スワスワ)〘感〙《スハを重ねた語》それそれ。さあさあ。「―又狂ふはとて、馳せ退き馳せ退き控へたり」〈義経記八〉

すはだ【素肌】着る物を何も身につけていないこと。特に、甲冑を身につけないこと。「是れは―にて、しかも究竟の水練也」〈盛衰記四三〉。「徒膚、スハダ」〈文明本節用集〉

ずはと(ズワ)〘副〙物事をためらわずにするさま。ずばりと。ずばと。「刀を―抜いて」〈四河入海三〇ノ四〉

ずばぬき【ずば抜き】刀を勢いよく抜き放つこと。「―するが合点か」〈近松・曾我扇八景中〉

すはぶき(スワブキ)【咳】せき。せきばらい。しわぶき。「馬の後で―をすれば跳(は)ね落す」〈虎明本狂言・止動方角〉。「咳嗽、スワブキ」〈文明本節用集〉

すはま【洲浜】①洲が海に突き出た浜辺。「島のいとをかしき―に千鳥のゆきちがひたるなど」〈宇津保藤原君〉②洲浜の形に似せて作った台に、木石・花鳥など、種種の景物をあしらったもの。歌会・宴席などの飾物。後の蓬萊(ほうらい)台・島台はこれに類したもの。「―を作りて、菊の花うゑたりけるに」〈古今二七二詞書〉③煎り大豆の粉に飴を入れてねり、竹の皮に包んだ菓子。断面が凹凸の形をし、洲浜を上から見た形に似る。訛って「すあま」とも。「肩に担ぎ給ふは、日頃好ませ給ふなる―・とちまめ・砂糖豆・豆腐なんどや入れ給ふ」〈伽・かくれ里〉

すはまぐり【洲蛤・酢蛤】春とれる蛤または塩吹貝。また、それを芥子(からし)酢で食べる料理。「難波潟や潮干に漁る―」〈俳・境海草上〉。〈俳・毛吹草四〉

すはや(スワ)〘感〙「すは」に同じ。「―、宮こそ南都へおちさせ給ふなれ」〈平家四・橋合戦〉。「驚破、スワヤ」〈文明本節用集〉

すはやり(スワヤリ)【楚割・魚条】《スハエワリの転。楚(すはゑ)のような形に割ったものの意》魚肉を細く切り、塩をつけて乾し固めたもの。削って食べる。「鯔(なよし)の条(すはやり)」〈遊仙窟(醍醐寺本)鎌倉期点〉。「魚条、須波夜利(すはやり)」〈和名

抄〉

すばら【素腹】妊娠しないこと。また、その女。不生女(うまずめ)。「かく御子もおはせぬ女御の后に居給ひぬる事、安からぬ事に世の人なやみ申して『—の后』とぞつけ奉りたりける」〈栄花花山〉

すば・り【窄り】㊀《四段》狭くなる。また、意気消沈する。「クチガスバル」〈日葡〉。「世人みな—・れり。我独り巍巍(ぎぎ)せり」〈評判・役者評判蚰蜒〉㊁《名》①狭くなること。「唐土の倉は、上—に、下広(ひろ)なぞ」〈漢書竺桃抄〉②色を売る少年。陰間(かげま)。若衆。すばり若衆。「『—、里へか、さらばさらば』と言ふ」〈咄・昨日は今日上〉

すば・り【統り】《四段》《スベ(統)と同根》ばらばらに存在するものを一つにまとめる。統一する。「揔、スベテ・スバル、亦総合」〈名義抄〉

すはりすはり(スワリスワリ) 物のこすれるさま。「一尺三寸の鞘巻を抜き、…鬢の髪に—と掻き撫でて」〈盛衰記一〉

すばる【昴】牡牛座にある散開星団。肉眼で見える星の数は六個。中国では二十八宿の一として昴宿(ぼうしゅく)といった。すばる星。六連星(むつらぼし)。「星は、—」〈枕二五四〉 **—ぼし**【昴星】⇒すばる。「我らはこれ—とて」〈伽・七夕之本地〉。〈運歩色葉集〉 **—まんどき**【昴真時・昴満時】すばる星が天の真上に来る時節。この時に蕎麦(そば)の種を蒔けば豊作になるという。「昴満月蕎麦八合」とも。「—沖の汐騒(しほざゐ)」〈俳・談林十百韻上〉

すはゑ(スワエ)【楚・楉】①木の枝や幹などから真直ぐに細く伸びた若枝。「〔蛇〕二つを並べて、尾のかたに細き—をしてさし寄せむに」〈枕二四四〉②刑罰の具。杖(ちやう)・笞(ち)の類。「笞(ほそきすはゑ)・杖(ふときすはゑ)」〈紀孝徳、大化二年〉。「日毎に九百段の鉄の鞭(すはゑ)打ち迫(せ)む」〈霊異記上三〇〉 ▽「すはえ」「すはい」の表記もあるが、平安初期の写本である興福寺本霊異記に「須波恵(すはゑ)」とあるから、古い仮名遣は「すはゑ」と認められる。

す・ひ(スイ)【吸ひ】《四段》《「吹き」「吐き」の対》①口内の空気を体内に引き込む。狭めた唇を通して外の空気や液体を口中に入れる。「入レ口、曰レ吶、倭言須布(すふ)」〈華厳音義私記〉。「押し鮎の口をのみぞ—・ふ」〈土佐一月一日〉。「故御坊も時時酒は—・ひ給ひし」〈行者用心集下〉②(虫などが)さして血をとる。「諸の有情の、諸の毒蛇毒虫の為に螫(す)はれ」〈地蔵十輪経一・元慶点〉③引き寄せる。吸引する。「磁石鉄を—・へども、曲がれる針を—・はず」〈沙石集九ノ一〉 †suFi

すび・き【素引き・白引き・寸引き】㊀《四段》①弓弦を引いて、張り具合をしらべる。「安達の野辺の白檀弓(しらまゆみ)、押し張り—・き肩に懸け」〈義経物語二〉②ためす。試みる。指先でしらべる。「ヒトノココロヲスビイテミル」〈日葡〉。「かかは彼の銀を取って—・いて見」〈浮・好色貝合下〉③筋などがひきつる。「スヂガスビク」〈日葡〉㊁《名》①弓弦を引いて具合をしらべること。「一日に三度は—をもすべし」〈泰時御消息〉②素引きによる剛弓を誇るだけで、実戦の役には立たないこと。「—の精兵(せいびやう)・畠水練の言葉に怖づる人あらじ」〈太平記二九・将軍上洛〉

すひくち(スイ)【吸口】吸物に添えて芳香を加えるつま。柚子・木の芽・蕗の薹(とう)などを用いる。「生鶴料理の事。…—は柚(ゆ)を入れて吉き也」〈大草家料理書〉

すひぢ【沙土】《スは洲。ヒヂは泥》どろ。「沙土、此をば須毗尼(すひぢ)といふ」〈紀神代上〉。「沙土、スヒヂ」〈名義抄〉 †suFidi

すびつ【炭櫃】①炉。いろり。「火桶の火、—などに、手のうらうち返しうち返し、おしのべなどして」〈枕二八〉②灰を盛り、炭火を入れる大きな盆状のもの。また、角火鉢。「くべたる燃えさしをおっ取り、—押しにじりて」〈義経記三〉

すひつけタバコ(スイ)【吸付け煙草】火をつけて人にもてなす煙草。「煙は空に—」〈俳・談林十百韻上〉

すひづつ(スイ)【吸筒】酒や水を入れて携帯する竹筒または筒形の器。「—に酒入れて置く禅坊主」〈俳・鷹筑波二〉

すひもの(スイ)【吸物】野菜・魚肉などを入れたすまし汁。「—にて酒あり」〈言継卿記大永七・一・二七〉

すひん【師兄】《唐音》禅家で、兄弟子のこと。「師弟(すてい)」の対。「—の呼ばるれば、師弟の『よっ』と云ひて相応(こた)へて」〈湯山聯句鈔下〉。〈明応本節用集〉

すぶくろ【寸袋・栖袋】刀・脇差の鞘袋。多くは漆革・ひきはだ製で、旅行の際使用した。すん袋。「—は露に朽ちぬる大刀(たち)刀」〈俳・正章千句下〉。〈日葡〉

すぶ・し【隘し】《形ク》すぼまって狭い。「山極めて峭峻(さが)しくして門径有りと雖も復(また)隘(すぶ)く狭(さ)し」〈大唐西域記三・長寛点〉

すぶすぶ すぼまっているさま。「内はほらほら、外(と)は—」〈記神代〉

すべ【術】《スル(為)へ(方)の約。打消の語を伴うことが多い》しかた。方法。手段。「言はむ—、為(せ)む—知らに」〈万二〇七〉 †sube

す・べ【窄べ】《下二》すぼめる。ちぢめる。「口をつぼめ、肩を—・べたるけしき也。身のさむき体なり」〈類字源語抄〉

す・べ【統べ】《下二》①たばねくくる。ばらばらのものをまとめる。「機衡(よろづのまつりごと)を—・べをさめたまひて」〈紀垂仁二十五年〉。「綜、スブ・フサヌ・イトアハス」〈名義抄〉②支配する。統治する。「有智の得業にして、兼ねて衆才を—・べたる」〈霊異記下三〇〉 †subë

すべがみ【皇神】「すめかみ」の転。「—の御手(みて)に取られて」〈神楽歌七〉

すべからく【須く】《副》《スベクアラクの約。すべくあることの意。漢文訓読に使われた語。多く助動詞「べし」と呼応する》当然なすべきこととして。「もし犯過の比丘に—治すべき者あらば、一月両月苦使せしめよ」〈四分律行事抄平安初期点〉。「応(すべから)く属の字に為(つく)るべし」〈法華経玄賛平安初期点〉。「須、スベカラク」〈名義抄〉

すべ・し【辷し】《四段》《スベリ(滑)の他動詞形》滑らせる。「御衣(ぞ)を—・し置きてゐざりのき給ふに」〈源氏賢木〉

スベタ《もとカルタ用語。つまらぬ札の意》つまらぬ人。また、人を罵る語。女についていうことが多い。「わっちがやうな—客に取り当りなんした時は、さぞ嫌だろうね」〈洒・多佳余宇辞〉 ▽ポルトガル・スペイン espada

すべて【凡て】《副》《スベ(統)テの意》①皆まとめて。「—千歌二十巻(ちうたはたまき)名づけて古今和歌集といふ」〈古今序〉。「綿・絹・袈裟・ころもなど、—ひとくだりのほどづつ」〈源氏橋姫〉②一体に。およそ。「—いはけなき御有様にて」〈源氏若菜下〉③《打消の語を伴って》全然。全く。「—今は恨めしき節もなし」〈源氏若菜上〉

すべな・し【術なし】《形ク》何ともする方法がない。どうしようもなくせつない。「世の中の—・きものは」〈万八〇四〉。「君をばやらじ待てば—・し」〈古今一〇八七〉。「—・しとは、詮尽きたる義也」〈古今集註〉 †subenasi

すべらか【滑らか】なめらか。「ただ、末の『待ちやかぬらむ』などぞ—にも聞えぬやうなれど」〈俊忠家歌合〉

すべらか・し【滑らかし】㊀《四段》滑らせる。「強盗を—・さむ料に〔竹ヲ並ベタガ〕…そのくだの小竹にすべりてまろびにけり」〈著聞五六一〉 ㊁『名』婦人の髪型の一。後ろに長く垂らして結う。「〔傾城ノ〕髪の結ひやうは…島田わげ・兵庫わげ…—・丸わげ等也」〈色道大鏡三〉

すべらがみ【皇神】《スベラはスメラの転》皇祖神。「滝つ瀬にゆふかけ祈る—今日のなごしに岩戸あくらむ」〈夫木抄九・荒和祓〉

すべらき【天皇】《スメラキの転。スベラギとも》天皇。「—のおほせかしこみ」〈古今一〇〇三〉。「皇、スベラギ、天子」〈文明本節用集〉。「天皇、スベラギ」〈いろは字〉

すべ・り【滑り】 ㊀『四段』《物が、他の物の面に沿ってなめらかに移動する意》①つるつるしてとまらずに動く。「〔煎豆ニ酢ヲカケルト挟メルガ〕しからざれば、—・りて挟まれぬなり」〈宇治拾遺六九〉。「雨降り道あしきに、老翁の—・り—・り歩み来て」〈沙石集九ノ一〉 ②するりとぬけ出す。そっとはなれる。「やをら起き出でて、すずしなる単衣(ひとへ)をひとつ着て—・り出でにけり」〈源氏空蟬〉 ③退出する。「庁官、うしろざまへ—・り行く」〈宇治拾遺一八一〉。「唐衣着たりしを脱ぎて、袴ばかりにて局へ—・りて」〈弁内侍日記〉 ④(天子の)位を去る。「俄かに御位を—・らせましますと聞えしが」〈保元上・後白河院御即位〉 ㊁『名』①すべすべした状態。つるりとしたさま。「膚(はだ)(へ)の—としたは、凝った油のやうなぞ」〈毛詩抄三〉 ②位を去ること。譲位。「亀山院の御位の頃、めのとにて侍りし者六位に参りて、やがて御—に叙爵して、大夫の将監といふ者伺候したるが」〈問はず語り三〉

すぼ・し【窄し】『形ク』①すぼまって狭い。「小瓶の口—・きものを地に埋み」〈狐媚鈔〉。「窄、スボシ」〈名義抄〉 ②みすぼらしい。「花の色—・くして恨みを含み」〈高倉院昇遐記〉。「富める家の隣に居る者は、朝夕—・き姿を恥ぢて」〈方丈記〉

すほふ(ウ・ホ)【修法】《スはシュの直音化》⇒しゅほふ。「—など騒げど」〈源氏真木柱〉

すぼ・み【窄み】『四段』ちぢんで狭くなる。小さくすぼまる。「われが肩、あまりに薄く—・みて、貧乏神の居所がなさによ」〈咄・醒睡笑八〉。〈日葡〉

すぼめ【すぼ目】引っこんでくぼんだ目。「人のなりの見たうもないに、出額—と云ふぞ。額が外へ出て、目は落窪なぞ」〈玉塵抄四四〉

すぼ・め【窄め】『下二』つぼめる。「敷島の大和物まで傘は—・め果てぬと思ひやりつる」〈再昌草二七〉。「窄ㇾ肩、カタヲスボムル」〈文明本節用集〉

すぼ・り【窄り】『四段』せばまる。すぼむ。ちぢむ。「物を入れねば、—・って、しわが寄りてあるものぞ」〈四河入海一三上〉

ずぼろ 頭髪を丸坊主に剃ること。坊主頭。「ずぼろぼ」「ずぼろぼん」「ずんぼろぼう」「ずんべらばう」などとも。「敵持ち—姿に様を変へ」〈俳・阿蘭陀丸上〉

すぽんぬき【すぽん抜き】いきなり出し抜くこと。不意打ちをくわすこと。「馴染の已を—に合はせた」〈近松・丹波与作中〉

すまう(スモウ)【相撲】「すまひ」の転。「相撲、スマウ」〈文明本節用集〉 **—も立つ方(かた)** 相撲の見物人が、自分の坐っている側から立つ相撲取に勝たせたいと思うのが人情の常であるという意から、少しでも自分に関係あるものをひいきにすることのたとえ。「—と云ふ程に、我まで面目で有る程に」〈四河入海三ノ四〉

すまき【簀巻】私刑の一。人を簀に巻いて水中に投げ込み殺すこと。「—にしたる浦の里人」〈俳・宗因千句上〉

すま・し【澄まし・清まし・済まし】 ㊀『四段』《スミ(澄)の他動詞形》①澄むようにする。「濁水を澄渟(す)まし清浄にあらしめつる時には」〈金光明最勝王経平安初期点〉。「いとおもしろく—・して弾き給ふ」〈源氏若菜下〉。「心と思ひしづめ、心—・して」〈源氏夕霧〉 ②洗い清める。「御髪(くし)など—・しつくろはせて」〈源氏総角〉。「御手を—・しけり」〈十訓抄六ノ三〉 ③しずかにする。おちつかせる。「大路を—・して歩(ちか)より行くべきなり」〈今昔二八ノ二〉。「一天を鎮め、四海を—・す」〈平家二・土佐房〉 ④理非をはっきりさせる。道理を明らかにする。「理非を—・いて奏聞す」〈幸若・信田〉 ⑤邪念を払って専心する。注意を集中する。「念仏の行者となり…—・しけるとぞ聞え侍りし」〈一遍聖絵四〉。「〔刀ハ〕氷などの様にぞ見えける。諸人目を—・しけり」〈平家一・殿上闇討〉 ⑥専心し、やってのける。「押し返し押し返し、三返歌ひ—・したりければ」〈平家一・祇王〉 ⑦しおおせる。完了する。「まだ全人(またうど)になりは—・さず」〈俳・犬筑波〉。「初心の時は、習ひ覚えたる事、忘れず落さず—・せば」〈わらんべ草三〉 ⑧借りを返す。返済する。「買手、代物(だいもつ)を—・さざる所に」〈塵芥集〉 ㊁『名』①洗いきよめること。「御—のことなどせさせ奉り給へ」〈宇津保国譲中〉 ②清掃・洗濯や御湯殿のことをつかさどる下級の女官。「おほやけびと—・長女(をさめ)」〈枕八七〉。「〔世継ノ妻ハ〕染殿の后の宮の—にてはべりけり」〈大鏡昔物語〉 →ひすまし。 ③すまし汁。「冷汁は海士の刈る藻に—かな」〈俳・堺絹〉 ④返済すること。「吉田へも借銭—に人を越し候」〈家忠日記天正六・三・二七〉 **—じる【澄汁・清汁】** 魚鳥・野菜を実にして、醤油や塩で淡白な味加減にしたてた汁。味噌汁・粕汁など濁った汁に対していう。「—吸ひも敢へず」〈西鶴・諸艶大鑑二〉

すまた【素股】①むきだしの股。また単に、股。「沓音(くつおと)に風は—を吹かせたり」〈俳・大矢数三〉 ②あてのはずれること。要所をはずれること。拍子抜け。「はや散りて桃の花見は—かな」〈俳・夢見草一〉 **—切れ上が・る** 股が長くすらりとしている。小股が切れ上がる。「—・りて大男」〈西鶴・二十不孝一〉

すまに『副』未詳。休めずに、一所懸命に働かせての意か。「戯奴(わけ)がため我が手も—春の野に抜ける茅花(つばな)ぞ食(め)して肥えませ」〈万一四六〇〉

すまぬ【澄まぬ・清まぬ】『連語』合点が行かない。気に入らない。また、うさんくさい。怪しい。「すめぬ」とも。「〔下人下女ノ〕子を持ちたる時分より、其の届けをなし、恩・扶持まぎれなくは〔ソノ子ヲ〕つかふべし。それなくは—義たるべく候」〈結城氏新法度〉。「—挨拶と座を退く」〈慶長記上〉。「殊更偏頗者、—者にて候」〈萩藩閥閲録五三、毛利隆元書状〉

すま・ひ(スマイ) ㊀『四段』【拒ひ】《相手の働きかけを力で拒否する意》①抵抗する。身をもって拒(こば)む。「帯を引き解きてぬがせ給へば、ぬがじと—・ふを」〈源氏紅葉賀〉。「人の犬を引きたるに、犬—・ひて、行かじとしたる」〈著聞三九八〉 ②いやがる。ことわる。「歌のことは知らざりければ、—・ひけれど、強ひて詠ませければ」〈伊勢一〇一〉。「〔法師ニ〕幼くてもなさむと思ひしかども、—・ひしかばこそあれ」〈大鏡道長〉 ㊁『名』【相撲・角力】①二人が組み合って力を闘わせる武技。「当麻蹶速(たぎまのけはや)と野見宿禰(のみのすくね)と—とらしむ」〈紀垂仁七年〉。「角觝、今之相撲也。須末比(すまひ)」〈和名抄〉 ②「すまひのせち」の略。「—など公事(おほやけごと)ども」〈源氏椎本〉 ③「すまひびと」の略。「諸国郡司等、部下に騎射・—・膂力の者有らば、輒(すなは)ち王公卿相の宅に給す」〈続紀神亀五・四・二五〉。「国国の—ども上り集まりて、相撲節(すまひのせち)待ちけるほどに」〈今昔二三ノ二一〉 **—の**

あるじ【相撲の饗】左右の近衛大将が相撲の節の関係者を私邸に呼び饗応すること。「兵部卿の宮、左の大臣殿の賭弓(のりゆみ)のかへりだち、—などにはおはしましを思ひて」〈源氏竹河〉　**—のせち**【相撲の節】毎年七月、宮中で、全国から強力の士を召し集めて相撲を天覧した行事。平安時代に盛行。「勅すらく、—は、ただに娯遊のみに非ず、武力を簡練すること最も此の中に在り。越前・加賀…等の国、膂力の人を捜求して貢進せしむべし」〈続後紀天長一〇・五・一一〉　**—びと**【相撲人】相撲を取る人。力士。後に、「すまうとり」とも。「畿内諸国七道をして—を貢することを停めしむ」〈後紀大同三・五・七〉。「四人の—出して」〈宇津保内侍のかみ〉

すま・ひ(スマイ)【住まひ】㊀『四段』《スミ(住)アヒ(合)の約》①生活し続ける。ずっと住む。「天ざかる鄙(ひな)に五年(いつとせ)—・ひつつ都のてぶり忘らえにけり」〈万八八〇〉②一緒に生活する。居住し合う。「恩に感じて慕ひ従(かつ)ふる者数万余人、海島に棲竄(すざん)ふ」〈大唐西域記四・長寛点〉㊁『名』住居。「軒を争ひし人の—、日を経つつ荒れ行く」〈方丈記〉　†sumaFi

すまふ(スモウ)【相撲】⇩すまう。〈易林本節用集〉

すみ　①【炭】薪を蒸焼きにした黒塊。燃料や貯火用にする。「炏(おこしずみ)を置く…墨坂の名これによって起れり」〈紀神武即位前〉。「阿闍梨のむろより、—などやうの物奉るとて」〈源氏椎本〉②【墨】植物の油や松の根などを燃やして出来るすすを、にかわで練り固めたもの。水ですりとかし、書画をかくのに用いる。また、その墨汁。「わが耳は御—の坩(つぼ)、わが目らは真澄の鏡」〈万三八八五〉　†sumi

すみ【隅】《四角な平面の、はずれの角の所の意。類義語クマは、道や川の曲り目、また、隠れて見えない所の意》はずれの角の所。「大工匠(おほたくみ)拙劣(をぢなみ)こそ〔御殿ノ〕—傾(かたぶ)けれ」〈記歌謡一〇六〉。「〔碁デ〕—の所所いくらと指をかがめて、十・二十…など数ふるさま」〈源氏空蟬〉　†sumi　**—に目を持・つ**《囲碁から出た語》一隅にちゃんと存在している。一定の地盤を確保している。「白黒の—・つ五徳かな」〈俳・沙金袋六〉。「酒に及んで、くすみたるをば、—・つと言ふべきを、〔遊里語デ〕すまめんと言ひ」〈評判・吉原失墜〉

すみ【須彌】⇩しゅみ。「眉の間の白毫は五つの—をぞ集めたる」〈梁塵秘抄四三〉

す・み【棲み・住み】『四段』《スミ(澄)と同根。あちこち動きまわるものが、一つ所に落ちつき、定着する意》①居所と定めてそこにいる。「ほととぎす我が—・む里に来鳴きとよもす」〈万三七八二〉。「遠きよりして此の山に止(す)まむと欲するに、山神震怒して」〈大唐西域記一・長寛点〉②男が女の所に通って、やがて一緒に暮す。妻問婚から婿取婚に移行する中間に現われた結婚の様式。「業平の朝臣、紀有常が女に—・みけるを、恨むることありて、しばしの間、昼は来て夕さりはかへりのみしければ、よみてつかはしける」〈古今七八四詞書〉。「右の大臣—・まずなりにければ、かの昔おこせたりける文どもをとりあつめて返すとて、よみて送りける」〈古今七三六詞書〉　†sumi

す・み【澄み・清み・済み】『四段』《スミ(住)と同根。浮遊物が全体として沈んで静止し、気体や液体が透明になる意。「濁り」の対》①(濁った水が)すき通るようになる。「淵も瀬も清く清(さや)けし博多川千歳(ちとせ)を待ちて—・める川かも」〈続紀歌謡七〉②(光や音に)曇りがなくなる。冴える。「清く—・める月に」〈源氏帚木〉。「ものの音(ね)—・むべき夜のさまにも侍らざめるに」〈源氏末摘花〉③静まって落ちつく。「所以(このゆゑ)に災厲(さいれい)克(よ)く清(す)みて安和にして」〈三蔵法師伝九・院政期点〉。「満座興さめてけり。あまりに—・みて侍りければ」〈著聞一三八〉④心に雑念がなくなる。まじりけのない心に落ちつく。「おほかたの世をも思ひ離れて—・み果てたりし心も濁りそめしかば」〈源氏宿木〉⑤(物の様子・人の態度などが)浮き立たず地味な感じになる。「いといたう筆—・みたるけしきありて」〈源氏梅枝〉。「萱草(くわんざう)など—・みたる色を着て」〈源氏手習〉⑥ものごとが決着する。「ここにては…と見ねば—・まぬぞ」〈三体詩抄二ノ三〉。「さまざまに調儀すれども、未だ—・まずして」〈バレト写本〉⑦清音で発音する。文字を清音で読む。「衆の字を—・む歟、濁る歟の由、相尋ぬ」〈元長卿記文亀二・三・一七〉　†sumi

すみあか・れ【住みあかれ】『下二』散り散りに居を定める。「人人はみなほかに—・れて」〈更級〉

すみあら・し【住み荒し】『四段』人が住まず、荒れるにまかせる。「—・したるさまして、人の影もせざりけり」〈山家集中〉

すみい・れ【角入れ】『下二』「かどいれ」に同じ。「我等〔十六歳ニテ〕袖ふさぎ申し候。額に—・れ候也」〈宗静日記慶安四・三・五〉

すみいろ【墨色】墨で花押(かおう)を書かせ、その一点一画の墨の色合で、その人の運命・吉凶を判断する占い。「薄き霞の—を見て」〈俳・大坂一日独吟千句〉

すみうか・れ【住み浮かれ】『下二』住むのがいやになり、そこから出てゆく。「ゆかりなくなりて—・れにける古里へ帰りゐける人のもとへ」〈山家集中〉

すみう・し【住み憂し】『形ク』住みづらい。「京や—・かりけむ」〈伊勢八〉

すみう・ち【墨打ち】『四段』墨繩で線を引く。「麻の中の蓬(よもぎ)、—・てる木の、自体は正直ならざれども、自然に直ぐなるが如し」〈日蓮遺文妙密上人御消息〉

すみか【住みか】《カは処》住むところ。居を落ち着け、生活をいとなむ場所。「—定めぬ君たづぬとて」〈後撰五四九〉。「此是(これ)は神仙の窟(すみか)なり」〈遊仙窟(醍醐寺本)鎌倉期点〉。「栖、スミカ」〈名義抄〉。「住家、スミカ」〈書言字考〉

すみがき【墨書】日本画の基本的技法の一。墨だけによる描き方。また、彩色を担当する画工に対して、墨だけで描く部門を担当する画工。「絵所に上手多かれど、—に選ばれて、次次にさらに劣りまさるけぢめ、ふとしも見えわかれず」〈源氏帚木〉

すみがさ【墨傘】黒く染めた地紙で張った傘。すみがらかさ。「さぞな都の恋しかるらんと云ふ句に、此のごろは世に—をかたぶけて」〈長短抄中〉。「—の事。私のあるきの時さす也。貴人等御供申す時はさすべからず候」〈伊勢兵庫守貞宗記〉

すみがしら【炭頭】①よく焼いていない炭で、煙るもの。生炭(なまずみ)。「ふすぼるに腹は立てども—しかも固〔く〕て打ちもわられず」〈玉吟抄〉②大きな炭。「池田炭や炭の中での—」〈俳・難波草四〉

すみがた【墨形】墨絵の模様。「思ひに曇る—の月」〈俳・花洛六百韻〉

すみかど【隅角】　**—を立・つ**　隅や角をはっきりと示す。折目正しくふるまう。「物を私せいで公界にして、—・てて、きっぱとしたぞ」〈玉塵抄四七〉

すみかね【墨金】「まがりかね」に同じ。「—の直きを正す身なれども傾く月に甲張(かふばり)ぞ無き」〈東北院職人歌合〉

すみがれ【墨枯れ】文字が正しく読めないくらい、墨がかすれていること。「あるかなきかに―して書きたれど」〈八重むぐら〉。「山と山かさなる道や絶えぬらん／出といふなる文字の―」〈専順独吟〉

すみき・り【澄み切り】『四段』完全に澄む。「天も秋で―・った」〈本則鈔一〉。「影も―・れ湯の山の月」〈俳・正章千句上〉

すみごろも【墨衣】墨染の衣。「髪をも下ろし、―着て」〈伽・朝顔の露の宮〉

すみざけ【清酒】清酒（せいしゆ）。「酒、本は白酒、近年―也」〈高野山文書三、文明五・一・吉日〉。「醎、須美作介（すみざけ）、美酒」〈新撰字鏡〉

すみさし【墨芯】大工道具の一。墨壺に添えて、木材に線を引くために用いる竹筆。〈和名抄〉

すみすり【墨磨】硯（すずり）の古称。「硯、須美須利（すみすり）」〈和名抄〉

すみぞめ【墨染】①墨で染めたような黒い色。「―の衣の袖の干（ひ）る時もなし」〈古今八四四〉②黒く染めた衣。僧衣・喪服など。「老僧姿にやせ衰へ、濃き―に同じ袈裟」〈平家一〇・横笛〉③僧。「僧、スミゾメ・ヨステビト」〈文明本節用集〉④夕暮。「―の空、夕の暗き心也」〈匠材集四〉。「―とは夕暮を云ふ」〈不断重宝記〉 **―ごろも**【墨染衣】「すみぞめ」(2)に同じ。「―裾はいかにぞ」〈俳・守武千句〉 **―ざくら**【墨染桜】桜の一種。小形で白色の一重の花が開き、茎・葉ともに青く、薄墨色に見える。「深草の野辺の桜し心あらばこの春ばかり墨染に咲け。…今に深草の―とて有り」〈宝物集中〉 **―の**【墨染めの】〔枕詞〕「黒し」「暗し」の縁から、地名「くらま」などに掛かる。「―くらまの山に入る人は」〈大和一〇五〉

すみちぎ・り【澄みちぎり】『四段』澄み切る。「〔水ハ〕―・って、少しもくもりないぞ」〈湖鏡集〉 ▽「澄み切り」よりも俗なことばだったらしい。

すみちゃう（…チョウ）【済帳】支払帳。「一銭も残らず―付けて」〈西鶴・永代蔵五〉

すみづ【角水】水盛（みづもり）。また、「すみづをつく」こと。「重ね畳の―うるさき」〈俳・身楽千句〉 **―をつ・く** ①水盛をして僅かな高低までも厳密に検する。「番匠と鍛冶屋は相撲あらそひて／―・き（月ト掛ケル）に名乗る長銘」〈俳・寛永十三年熱田万句六〉。〈日葡〉②微細な点まで厳密に吟味だてする。「―・いて〔牛車ヲ〕下（お）るるに、むつかしい事があらうぞと言うて」〈天草本平家三ノ一二〉。「―・く。そっとした事をも糺し咎むること」〈天草本平家和らげ〉

すみつき【墨付】①墨の付き具合。筆跡の墨の色、濃淡のさま。「浅からずしめたる紫の紙に―濃く薄くまぎらはして」〈源氏明石〉 ▽この例は、一説に「墨継ぎ」の意ともいう。②黒印。また、黒印を押してある文書。「本領并びに摂津〔ノ所領〕のこと―参らすべき候」〈籾井家日記五〉

すみつ・き【住み着き】『四段』①腰を落ち着けて住む。定住する。「まだこまやかなるにはあらねども、―・かばさてもありぬべし」〈源氏松風〉②男が女のもとへ通って、一緒に住むようになる。夫婦として落ちつく。「おほきおとどのわたりに今は―・かれたりとな」〈源氏若菜上〉

すみつぎ【墨継ぎ・墨次ぎ】文字を書くとき、筆の墨汁が乏しくなって、改めてつけて濃く書くこと。書式によりいろいろな礼式があった。「書札―に定まりたる所、書初め二三行の内にこれあり。其の外はさのみこれなし」〈書簡故実〉

すみづきん【角頭巾】後ろに錣（しころ）のような垂れのある頭巾。医者・老人・法師などがかぶる。つの頭巾。「長胴服に―」〈仮・薬師通夜物語〉

すみつぼ【墨壺】①墨縄で直線を引くための大工道具。木をえぐったくぼみに墨汁を浸ませた綿を入れ、他の端にとりつけた糸車から糸がここを通って繰り出されるようになっている。「墨斗、須美都保（すみつぼ）」〈和名抄〉②墨汁を入れて携行する具。「この紙の裏に―の墨して書きてやるは」〈春雨物語〉

すみどころ【住み所】住む場所。「東（あづま）の方に行きて、―求むとて」〈伊勢八〉

すみな・し【住み為し】『四段』（ことさらに）…のような状態で住む。「女どちは草繁う―・し給へりしを」〈源氏夕霧〉

すみなは（…ナワ）【墨縄】墨壺に付属する糸で、直線を引くに用いるもの。墨壺を通してくり出し、木材にさしあて、強く張って指先でひいてはじき、墨のあとをつける。すみいと。「工匠（たくみ）かけし―」〈紀歌謡八〇〉。「かにかくにものは思はじ飛驒人の打つ―のただ一みちに」〈万二六四八〉。「縄墨、須美奈波（すみなは）」〈和名抄〉 †suminaFa

すみのえ【住吉】⇒すみよし。「―の吾がすめ神にぬさまつり」〈万四四〇八〉 †suminöye

すみのぼ・り【澄み昇り】『四段』冴え冴えと空にのぼる。「有明の月―・りて」〈源氏浮舟〉。「〔声ハ〕空に―・りて、めでたく歌を歌ふ」〈更級〉

すみのやま【須彌の山】「しゅみせん」に同じ。「自ら―を右の手に捧げたり」〈源氏若菜上〉

すみは・て【住み果て】『下二』①そこに住んで一生を終える。「この山里に―・てなむとおぼいたり」〈源氏夕霧〉②男女が一緒に住んで、いろいろな経験をしつくす。「斯く世に―・て給ふにつけても、〔志ヲ〕おろかならず思ひ聞え給ひけり」〈源氏若菜上〉

すみはな・れ【住み離れ】『下二』①住みかを離れる。世間を離れる。「今はと〔京ヲ〕―・れなむを、あはれに思さる」〈源氏橋姫〉②別別に住む。「同じ家の内なれど、方異に―・れてあり」〈更級〉

すみひげ【墨髭】墨で書いた髭。「―や生きた達磨の景色とて」〈俳・山の端千句上〉

すみぼうし【角帽子】①「すみづきん」におなじ。「近衛司の鷹飼四人、色色の狩襖…。随身、錦の―、色色の狩襖」〈嵯峨野物語〉②死者にかぶせる頭巾。「白き〔衣〕姿に―して」〈仮・新御伽婢子五〉

すみまへがみ（…マエ…）【角前髪】近世、元服前の少年が額髪を剃り込んで、額の両側を角ばらせた髪風。商家の丁稚（でっち）は十五、六歳で角前髪となり、幼名を改めて半人前と見なされ、手代の業務を見習った。すんま。半元服。「十六になりて―の采体（とりなり）も」〈西鶴・二十不孝四〉

ずみゃうきゃう（…ミョウキョウ）【寿命経】「一切如来金剛寿命陀羅尼経」の略。一巻。不空訳。円珍が日本に持って来た。この経を読誦すれば、三悪道におちることなく、また寿命を増し、夭死（ようし）短命・羅刹（らせつ）鬼神等の恐怖から逃れられると説く。「最勝王経（さいそうわうきやう）・金剛般若・―など、いとゆたけき御祈りなり」〈源氏若菜上〉

すみやか【速やか】《スムヤケシと同根》事の進行・成就や、時機のはやいこと。和文の「とし」「はやし」に対して、漢文訓読に多く使う。「衣を焼かるることを被れるときに救ひて―に滅（け）たしむ」〈金光明最勝王経平安初期点〉。「御舟―にこがしめたまへ」〈土佐一月二十五日〉

すみやか【澄やか】明るく澄んでいるさま。明澄。「音も―に吹き鳴らし」〈謡・清経〉。「眼（まなこ）まろく―なり」〈室町殿日記一〇〉。「備への色は、―の中の濁りと見申し候」〈謙信家記〉

すみや・き【速やき】『四段』心がはやる。せく。いらだつ。「笠取の山に世をふる身にしあればー・き(炭焼ト掛ケル)もをる我が心かな」〈金葉五二七〉。「ほととぎすの声聞けば、なにとなくもの悲しく、心のー・きて」〈奥義抄〉

すみやぐら【隅櫓・角矢倉】城の隅に立てた櫓。「面白の眺めや月もー」〈俳・玉海集三〉

すみよし【住吉】①摂津国の地名。「摂津国住吉、須三与之(すみよし)郡」〈和名抄〉②摂津の住吉神社。古くから国家鎮護・航海安全の神として、また和歌の神・武神として厚く崇敬されてきた。その本殿の特殊な建築様式を住吉造という。「年にふたたびーに詣でさせけり」〈源氏須磨〉。「ー・玉津島は和歌の霊神にてわたらせ給ふなれば」〈伽・神代小町巻〉▽奈良時代には「住吉」をスミノエと読んだが、平安時代に入ってから、スミヨシと読むようになった。　**ーをどり**【住吉踊】近世、摂津住吉神社から始まった踊。赤絹の縁をつけた菅笠を被り、白い着物に赤前垂をつけ、団扇を持った四人の踊子が、笠鉾を立てた一人の唄手の周囲を廻って踊る。後には願人坊主によって広がり、川崎音頭・かっぽれに転化した。「松の花笠はーかな」〈俳・糸瓜草一〉

すみれ【菫】スミレ科の多年草。春、紫色の花をつける。「春の野にー採(つ)みにと来し我ぞ」〈万一四二四〉 †sumire

すみわ・び【住み侘び】『上二』気落ちして、住んでいる力をなくす。「やよやまて山郭公ことづてんわれ世のなかにー・びぬとよ」〈古今一五二〉

すみゑ【墨絵】①墨で輪郭だけ書いてある絵。「白装束どものさまざまなるは、ただーの心地して」〈栄花初花〉②彩色なしに、墨だけで描きあげた絵。水墨画。「薄墨のー一対」〈庭訓往来九月十二日〉。「牧鶏(もっけい)和尚のーの観音をぞ掛けてぞ置かれける」〈伽・みなつる〉　**ーに源氏**　着物などの模様に、源氏物語中の場面や人物を墨で描いたもの。近世前期、流行した。「墨絵の源氏」とも。「給ふ扇見ればーかな」〈俳・細少石三〉

すむつかり【酢むつかり】煎ってあついうちに酢をかけた大豆と、よくこした酒かすと、大根おろしのしぼったものとを混ぜて煮、醤油で味をつけた食物。酢で大豆が不機嫌になるという意からこの名があるか。「温き時酢をかけつればーとて苦(にが)みてよく挾まれ候也」〈古事談三〉

すむやけ・し【速やけし】『形ク』すみやかだ。早い。「ー・く早帰りませ」〈万三七四八〉。「傯・偬、須牟也介志(すむやけし)、又伊止奈志」〈新撰字鏡〉 †sumuyakësi

すめ【素面・青面】「すめん」の転。「ーならぬ顔の色も申(さる)の日」〈俳・漢和俳諧〉

すめかみ【皇神】①一地域を領する最高位の神。「住吉(すみのえ)の我がーにぬさまつり」〈万四四〇八〉②皇室の祖先神。天照大神のこと。「大和の国はーの厳(いつ)くしき国」〈万八九四〉 †sumekami

すめ・き『四段』すうすうと大きな息づかいをする。「時の歌よみども集まり来て…うめきー・きしあひたるに」〈十訓抄七ノ三〇〉

すめみま【皇御孫】①天照大神の孫ニニギノミコトの称。「珠売美万命(すめみまのみこと)、天より降りましける時」〈常陸風土記〉②天照大神の子孫である天皇。「ーの命のうづの幣帛(みてぐら)を」〈祝詞祈年祭〉 †sumemima

すめむつ【皇睦】最高にして、かつ、むつまじい存在である意。カムロキノミコト・カムロミノミコトの形容語。「ー神ろきの命、神ろみの命」〈祝詞祈年祭〉 †sumemutu

すめら【皇】《スメロの母音交替形》最高の主権者。一地域、また、日本全土についていう。天皇。「ー我が珍(うづ)の御手持ち、掻き撫でそねぎ給ふ」〈万九七三〉▽梵語で、至高・妙高の意の蘇迷盧 sumeru と音韻・意味が一致する。また、最高の山を意味する蒙古語 sumel と同源であろう。スメをスベ(統)と同一と見る説もあるが、スメは sume の音、スベは subë の音で母音が相違する。†sumera　**ーき**【天皇】《スメロキの母音交替形》天皇。「ーのあめのしたしろしめすこと」〈古今(元永本)序〉　**ーべ**【皇辺】天皇のそば。「隠さはぬ赤き心をーに極め尽して」〈万四四六五〉　**ーみくさ**【皇御軍】天皇の軍隊。「ーに我は来にしを」〈万四三七〇防人〉　**ーみこと**【皇命・天皇】《ミコトは行為者の敬語》①最高に尊敬されるべき行為者。「倭武(やまとたける)のー」〈常陸風土記〉②天皇の尊称。「神日本磐余彦(かむやまといはれびこの)ー」〈紀神武即位前〉③皇太子の父、天皇の父に追号する称。「日並知皇子命を天下、ーと称せざれども、尊号を追崇するは古今の恒典なり。今より後、岡宮御宇(をかのみやにあめのしたしらしめしし)ーと称へまつるべし」〈続紀天平宝字二・八・九〉

すめろき【天皇・皇祖】《スメロはスメラの母音交替形。キはイザナキ・オキナのキと同根、男性の意》①土地の最高位の男。首長。「こもりくの泊瀬小国によばひせす我がーよ」〈万三三一二〉②天皇。「ーの御代栄えむと」〈万四〇九七〉③天皇の祖先。「やすみししわご大君の高敷かす日本(やまと)の国はーの神の御代より敷きませる国にしあれば」〈万一〇四七〉 †sumeröki

すめん【素面】①化粧をしない自然のままの顔。すがお。「みめが余りよいほどに、けづらうたらば却って顔色がけがれんと思うて、ーにして朝(うて)したぞ」〈三体詩抄一ノ四〉②面をかぶらぬこと。「惣じて面を着ては、ーの時とはちがふ也」〈わらんべ草二〉③酒を飲んでいないこと。しらふ。「花など見歩くにも、ーに歩けば悪いほどに、酒を一盃飲んで春を惜しまいでは也」〈錦繡段鈔一〉

すもじ【す文字】①推量・推察の文字詞。「爰元(ここもと)宿さんざんに候て、万万不自由。ー候べく候」〈伊達家文書三、伊達政宗書状〉②鮨(すし)の文字詞。〈大上﨟御名之事〉

すもどり【素戻り】用事を果さないで帰ること。「梅の雨にーするや川向ひ」〈俳・口真似草二〉。〈日葡〉

すものがたり【素物語】何のもてなしもせず、話だけすること。すばなし。「蝙蝠のーの徒然に」〈俳・守武千句〉

すもも【李】《酸桃の意》バラ科の落葉小喬木。春、白い花が密生して咲く。実は食用。「わが園のーの花か庭に降るはだれのいまだ残りたるかも」〈万四一四〇〉。「房陵、朱仲の李(すもも)」〈遊仙窟(醍醐寺本)鎌倉期点〉 †sumomo

すもり【巣守】①鳥の卵がみな孵化して巣立ったあとに、孵化せずに、巣に残っている卵。「鰕、和名須毛里(すもり)。鰕者卵不孵也」〈和名抄〉②《転じて》あとにとり残される者。「我ぞーになりははてまし」〈源氏橋姫〉。「〔俊寛ハ〕島のーと成りはてて、事問ふ人もなかりけるに」〈盛衰記一〇〉　**ーこ**【巣守子】「すもり」⑴に同じ。「浜千鳥ふみこし浦にーのかへらぬ跡は尋ねざらなむ」〈宇津保藤原君〉

ずもん【誦文】《ズはジュの直音化》まじないの文句を唱えること。「はなひて(クシャミヲシテ)ーする」〈枕二八〉

すや【素矢・徒矢】的をはずれた矢。当てがはずれて無駄働きをすることにいう。「なんぼ射てもー」〈咄・糟市頓作下〉

すやつ【其奴】『代』そいつ。「ーばらを、ひとしなみにはし侍りなむや」〈源氏玉鬘〉

すやり【素槍】穂先がまっすぐで枝のない槍。すぐやり。「かかる処に、ーを持たる敵一人、大膳に突きかかる」〈別所長治記〉。〈日葡〉

すら〘助〙→基本助詞解説

ずらうウ:ロ【受領】《ラウはリャウの直音化》⇒ずりゃう。「よしある—などをえりて」〈源氏澪標〉

すらうにんウ:ロ【素浪人】無一物の浪人。浪人を卑しめていう語。「代代の居城富田を追放せられ、—の身と成り」〈雲陽軍実記一〉

すらく《動詞シ(為)のク語法》すること。「かもかも(アレコレト)—君ゆゑにこそ」〈万一五七六〉

すらり 素直でとどこおりのないさま。順調で円滑なさま。「女房の—とたけの高いを」〈玉塵抄四八〉。「この詩は毎句に古事を用ゐた程に、かしましからうずが、さもなくて—として面白きなり」〈三体詩絶句抄三〉。「七八十首ほども——と二日三日に詠みて」〈耳底記〉

すり【篦】竹細工のはこ。旅行に使う。「篦、須利(すり)、竹篋也」〈和名抄〉

すり【修理】《スはシュの直音化》①修繕。営繕。「かの六条のふる宮を、いとよく—し繕ひたりければ」〈源氏澪標〉②修理職(すりしき)。「忘れがたくすなる—のかみにこそあらめとおぼすに」〈源氏紅葉賀〉

す・り ㊀〘四段〙❶【擦り・磨り・摩り】①物と物とをこすり合わす。「立ちをどり足—・り叫び」〈万九〇四〉。「『あが君あが君』と向ひて手を—・るに」〈源氏紅葉賀〉②こすって磨(み)がく。磨き出す。「〔歯ヲ〕浄く揩(す)りて、涎(よだり)つはきをして流出せしめ」〈南海寄帰内法伝平安後期点〉。「まろほや—・ったる鞍」〈平家二・那須与一〉③碾(ひ)き砕く。「茶垸(ちゃわん)の器にいかなる薬にてか有らむ—・り入れぬる物を」〈今昔三四ノ八〉④使いつくす。すってんてんになる。破滅する。「奪(す)られぬ藪で身を—・る」〈俳・世話尽三〉❷【摺り・刷り】①(草木の汁などを布に)こすりつけて着色する。「小萩が花を衣(きぬ)に—・り」〈万三五七六東歌〉。「山藍(やまあゐ)に—・れる竹の節〔ノ模様ハ〕松の緑に見えまがひ」〈源氏若菜下〉②(版木を使って)印刷する。「紙に—・りたる薬師仏を枕にかけて」〈山王絵詞下〉❸【摺り】①《和歌・連歌などで》草稿を抹消する。「此の〔月下葛ノ〕題、月下菊と見誤り候て『…』と詠む。元長卿に見せしむる処、題相違の由を称す。仍て俄かに上の句を—・り、下の句三字を改む」〈再昌草五〉。「執筆披露せしに…『さては、此の句かへり給へ』とて—・らせられけるに」〈当風連歌秘事〉②連歌・俳諧の会席で、自句を推敲している間に、他人に付けられる。「まづ〔自句ノ〕一句もとまらぬ懐紙には、心おくれて、—・りやせんなどと思ひ候時は、比興の句もせられぬものにて候」〈初学用捨抄〉❹【奪り】かすめ取る。奪い去る。「一は鷹の為に—・られぬ」〈旧石山寺蔵金光明最勝王経平安後期点〉㊁〘名〙【掏摸】他人の金品などをかすめ取ること。また、その者。転じて、巾着切り。「盗人スリ十人、子一人等釜にて煮らる」〈言経卿記文祿三・八・二四〉

すりあ・げ【磨り上げ】〘下二〙①刀身を鑢(やすり)でこすって短くする。「二尺三寸とやらん—・げられ」〈仮・可笑記五〉。〈日葡〉②よりすぐれたものにする。「〔俳諧ノ句作リニ〕古事・古歌を取るには、本歌を一段—・げて作すべし」〈俳・去来抄〉③成り上がる。「賤しき者の—・げたるは、かかる〔滑稽ノ〕たぐひ多しとぞ」〈遠近草下〉

すりうす【磨臼】籾(もみ)などの外皮を取りのぞくために用いる臼。「稲をばこきて、—といふ物に入れて、すりて米にはなすなり」〈袖中抄一六〉。「又、—を取り出して、雌臼(めうす)をば老爺(おほぢ)に負(おほ)せ、雄臼(をうす)をば姥(うば)に負せければ」〈伽・みしま〉

すりかたぎ【摺形木】①板木(はんぎ)。「しからば三百句を—にひらきて、作者ばかりを書き替へ侍れかし」〈落書露顕〉②変り映えしないたとえ。ありきたり。「今更に何さやけしと思ふらん—なる秋の夜の月」〈東北院職人歌合〉。「〔連歌ノ第三ニ〕月ばかりはあまりに—なれば、余(よ)の句をすべきにや」〈千金莫伝抄〉

すりがらし【擦枯し】ひどく世間馴れて厚かましいこと。また、その人。「すれがらし」とも。「鳩の戒(かい)の—坊なれば」〈仮・東海道名所記二〉

すりかりぎぬ【摺狩衣】草木の汁で、種種の模様を染め出した狩衣。「—のたもとに書きつける」〈伊勢一一四〉

すりき・り【摺り切り】㊀〘四段〙①こすって切る。「世間は次第次第に—・りて／ささらの竹の短くぞなる」〈俳・犬子集一四〉②金銭などを使い果して貧乏になる。財産をすっかりなくして素寒貧となる。「百姓御蔵より借銭仕り候へども、其の身—・り、済まし方ならず候者をば、相延ぶべく候」〈上杉家文書三、上杉氏掟書写〉㊁〘名〙①器物の縁とちょうど同じ高さに物を盛ること。「御前への御供、杉盛り四膳・—四膳なり」〈北野社家日記文祿三・一・七〉②金銭などを使い果して無一物になること。また、その人。「かかる人びとのうき世に生れ給ひて、人の用ゐぬ—になり給ひし事よ」〈人鏡論〉

すりこ【磨粉】米の粉。湯にといて、母乳の代用として用いる。「—などを、濃くて流したらむやうに、白き水、早く流れたり」〈更級〉

すりこぎ【擂粉木】すりこ鉢で物をするのに用いる木の棒。山椒で作るのが普通。「麝香は…茶碗の坏(つき)などに入れて、石の—なくは、柳の木の枯れたるして磨(す)りくだきて」〈薫集類抄下〉

すりこばち【擂粉鉢】すりこ木で物をすりくだくのに用いる鉢。すりばち。「—にさし入れて榎の下にぞ置きてける」〈沙石集五ノ一〇〉

すりごろも【摺衣】山藍(やまあい)・月草(つきくさ)などの汁で草木花鳥などの模様を摺り染めた衣。古くは男女貴賤を問わず使ったが、鳥羽天皇の時、一般民間人の使用を禁じたので、高貴の人人だけが着るものとなった。すりぎぬ。「—着(け)りと夢見つ」〈万二六二一〉 †surigörömö

すりしき【修理職】内裏の造営・修理を司る役所。嵯峨天皇のとき設置され、淳和天皇のとき木工寮に併合されたが、まもなく復旧。長官は大夫。「里の殿は—・内匠寮(たくみづかさ)に宣旨下りて、二なう改め造らせ給ふ」〈源氏桐壺〉

すりづくし【摺尽し】染め草でいろいろな模様を摺り出したもの。「間間(あひあひ)引き柿したる—の直垂に」〈義経記一〉

すりつ・け【摺り付け】〘下二〙摺って色をつける。「かきつはた衣(きぬ)に—・け」〈万一三六一〉 †surituke

すりのかみ【修理大夫】修理職(すりしき)の長官。従四位下に相当。すりのだいぶ。「大蔵卿・—などいふは女御にも異腹(ことはら)なりける」〈源氏宿木〉

すりのさいしゃうシ:ヨウ【修理宰相】参議で、修理大夫を兼任する者。「睦ましうおぼす—をくはしく仕うまつるべく宣うて」〈源氏絵合〉

すりばかま【摺袴】①草木の汁で種種の模様を染め出した袴。「祭の使に罷りて出でける人のもとより、—すりに遣はしけるを、遅しと責められければ」〈拾遺一二四七詞書〉②袴の股立(ももだち)を粗い糸で縫ったもの。舞人が着用した。「舞人装束の事。—」〈連阿不足口伝抄〉

すりはく【摺箔】衣類などに金・銀の箔を摺りつけたもの。「上には—の御小袖」〈伽・鉢かづき〉

すりびうち【擦火打・磨燧】火打金で火打石を擦って火

を出すこと。また、それらの道具。「去年よりもあつらへておく—」〈俳・寛永十三年熱田万句一五〉

すりぶくろ【簏袋】竹細工の箱。旅行に使う。「—今は得てしか」〈万四一三三〉 †suribukuro

すりほん【摺本】版木で摺った本。「—三十帖忽ちに書き留むるに能はず」〈中右記元永一・二・一〉。〈運歩色葉集〉

すりも【摺裳】染め草でいろいろな模様を摺り出した裳。「—のさまなど、皆さまざまなり」〈栄花御裳着〉

すりもどろか・し【摺り斑かし】『四段』摺染めをしてまだら模様をつける。「—・したる水干(すいかん)といふ袴を着せて」〈枕二一九〉

すりゃ『接続』《スレバの転》そうすれば。それならば。「はれ—又、仕合せで御座りまする」〈狂言記・吟じ聟〉

ずりゃう【受領】《ジュリャウ・ズラウとも》①国司の交替の際、新任の国司が前任者から事務を引き継ぎ、官物を受けとること。「律の内に淹滞(えんたい)の罪を科すること無し。茲(これ)に因りて新任の国司、—を勤めず」〈続紀天平宝字二・九・八〉②前任者から国の官物を受領する人。すなわち任国で仕事をする国守。「〔橘〕良基五国—の吏を経歴す」〈三代実録仁和三・六・八〉。「—といひて人の国のことにかかづらひいとなみて」〈源氏帚木〉

するが【駿河】旧国名の一。東海道十五国の一で、今の静岡県中央部。駿州。「—なる阿倍の市道(いちぢ)に逢ひし児らはも」〈万二八四〉 ▽「駿(すん)」の最後の音はnだが、それをrにあてて使ったのは、国名を漢字二字で書くための特別の工夫。類例は敦賀(つるが)・平群(へぐり)など。この場合、rの前の音は、ス・ツ・グなどuの母音を持つ。 **—こばん**【駿河小判】慶長小判の一。駿府の金座で鋳造した良質の小判。駿河判。「名に負ふ—にて」〈評判・朱雀信夫摺下〉 **—づつみ**【駿河包み】駿河小判の包み方。「紙押し広げ、くるくると—に手ばしこく」〈近松・冥途飛脚上〉 **—まひ**【駿河舞】東遊(あづまあそび)の歌曲中、駿河国の風俗歌に合わせて舞うもの。四人ないし六人の舞人による円舞が特色。駿河国有度(うど)浜に天女が天降り舞ったのを移したのが起源という。「舞は。—」〈枕二一六〉

するすみ【匹如身・匹如】《スルツミとも。もと、白楽天の詩中に見える「匹如身」の訓読語》体一つしかないこと。裸一貫で、他に何も持たないこと。「世を捨てたる人のよろづに—なるが」〈徒然一四二〉。「匹如、スルスミ」〈色葉字類抄〉

するする ①すくすくと生長するさま。「例よりも—と生ひ立ちて」〈宇治拾遺四八〉②なめらかに滑るさま。「—と寄りて、首の根を強く打ちたりければ」〈著聞七〇七〉③順調に進行するさま。「今は—と事ゆゑなく行なはれて、めでたいといふぞ」〈史記抄八〉

するど【尖・鋭・利】①先がとがっていること。「其の底尖(するど)なるに由りて、鉢動転(かひろ)かず」〈南海寄帰内法伝平安後期点〉。「隋、スルドナリ」〈名義抄(図書寮本)〉②勢いがはげしくきびしいこと。「軍の気は、朝は—にあり」〈孫子私抄〉。「強く—なる人数をむさと攻むべからず」〈孫子私抄〉③頭のはたらきなどが鋭敏なこと。「人の心の—に利根なことは、剣のさきのやうなぞ」〈玉塵抄五〉

するど・し【鋭し】『形ク』①先がとがっている。鋭利である。「巌(いはほ)そば立って、—・き剣のごとく」〈伽・天神〉②勢いがはげしくきびしい。「朝の気は—・く、昼の気は怠る」〈兵法問答〉

するぼ・ひ『四段』《スリ這ヒの転》這いずる。這い歩く。「行綱、竹台の下に—・ひありきければ」〈十訓抄七ノ一七〉

す・れ【摩れ・擦れ】『下二』《スリ(擦)の自動詞形》①物と物とが強く触れあう。「女のなつかしげに立ち寄り—・れつもつれつするこそ」〈仮・女五経五〉②人にもまれて世馴れる。「好けるに従ひ、芝居によく—・れ」〈評判・役者口三味線大坂〉③世間馴れして悪賢くなる。すれからしになる。「—・れた奴思ひ捨てたる虚貝(うつせがひ)」〈俳・花洛六百韻〉

すれあ・ひ【擦れ合ひ】『四段』①触れ合う。「伐りすかす椵(もみ)と檜の—・ひて」〈俳・炭俵上〉②互いに争い憎む。「その後—・ひ、遺恨となるよし」〈森家伝記下〉

すれば『接続』そうすれば。そうすると。それならば。「まづ、賽数(さいかず)が千あるぞ。—目の数が千七百ござある」〈虎明本狂言・賽の目〉

すれもの【擦者・磨者】①世の中をよく知っていて物事に熟練している者。「網の目をぬく落鮎や瀬—」〈俳・沙金袋五〉。「いづれも旅功者なる—」〈西鶴・懐硯一〉②遊興に馴れた粋人。「かかる所にも—ありやと」〈西鶴・一代男三〉

すろ【棕櫚】《スはシュの直音化》シュロ。ヤシ科の常緑高木。「—の木、唐(から)めきて」〈枕四〇〉

すわい【牙儈・女儈】⇒すあひ。「〔銀〕百七十五文目三分に金弐十壱文目五分に替へ、—にこれを遣はす」〈大徳寺文書八、元亀三・一三・八〉。「—。…絹染物など取り扱ひ、頭に戴き売る女なるべし」〈浮・好色伊勢二〉

すわ・り【坐り】『四段』《スヱ(据)の自動詞形》①据えられる。「足柄の山に関—・りたりと聞きて」〈盛衰記二三〉②場を占めて落ちつく。「斎院とは、加茂の宮の后に—・り給ふ事なり」〈新古今注〉③どっしりと落ちつく。厳然とした状態で存在する。「衣の褄(つま)に金色の文字—・れり」〈謡・三輪〉。「—・りたる頼もしき心を持つべきために」〈こんてむつすむん地一〉④少しも動かなくなる。静止する。「上様の御船—・りたると見えし。此の船急げと仰せければ」〈毛利家記三〉。「目の玉—・り」〈西鶴・一代男四〉⑤座について落ちつく。「座上(上座)に—・りし魔王は、そも黄金(こがね)の玉座に—・りけり」〈浄・酒典童子若壮四〉⑥膝を折り曲げて席に落ちつく。「翌(あす)までも何時までも、かうきっと—・って、お膝に手をついて待ってをります」〈浄・伽羅先代萩六〉

すゑ【末】《「もと」の対》①先。端。「佩かせる太刀本(もと)つるき(吊り佩キ)—振ゆ」〈記歌謡四七〉。「秋風の—吹きなびく萩の花」〈万四五一五〉②詩歌などの下の句。「をとこの、歌の本(もと)を言ひ入れて侍りければ、—は〔簾ノ〕内より」〈後撰二九三詞書〉。「『蘭省花時錦帳下』と書きて、『—はいかにいかに』とあるを」〈枕八二〉③末席。「みこたちの御座の—に源氏つき給へり」〈源氏桐壺〉④「おすゑ」に同じ。「一献有り、その後、—に於いて又飲み」〈看聞御記永享九・一〇・六〉⑤はるかな行く先。道の果て。「武蔵野や行けども秋のはてぞなきいかなる風か—に吹くらむ」〈新古今三七八〉。「—よりも跡なる山や霞むらん」〈和歌集心体抄抽肝要中〉⑥《時間に転用して》現在から遠い行く末。のちのち。また、最後。「—果しても闘(あ)はむとぞ思ふ」〈紀歌謡八九〉。「契りふかくて語らふ人の—まで仲よきはかたし」〈枕七五〉⑦未来。後世。「我が悪を未来(あす)の世に伝へむと欲(おも)ふか」〈大唐西域記四・長寛点〉⑧晩年。「五十八を十とりすてたる御齢(よはひ)なれど、—になりたるここちし給ひて」〈源氏柏木〉⑨子孫。「その報いに、かく—は無きなり」〈源氏若菜上〉⑩成行きの終末。結果。「日頃思ひし事の—なくてあるべきにあらずとて」〈撰集抄六ノ九〉。「うらみの—などより事起るなりけり」〈増鏡二〉 **—の露、本(もと)の雫(しづく)** 草木の葉末の露と、根もとにかかっている雫。遅速の別はあるが、いずれもついには落ちてなくなるもの。生命などのはかないことにたとえる。「—や世の中のおくれ先立つためしなるらん」〈新古今七五七〉 **ーも通ら・ず** 終りまで全うしない。中途で挫折する。「ー・ぬ青道心」〈義経記四〉。「ー・ぬあらましどもを談合しつらん恥づかしさよ」〈明徳記中〉

すゑ【陶】 やきもの。陶器。「瓦(すゑ)鉢、少し飲器に充つ」〈東大寺諷誦文稿〉。「陶、スヱモノ・スヘ」〈名義抄〉 →すゑもの

す・ゑ【据ゑ】〘下二〙《もと、ウヱ(植)と同じ。鎌倉時代頃からヤ行に活用する例が見られる》❶ものごとを、根を下ろさせるようにしっかりとそこに置きつける。①植えつける。「世の中の常の道理(ことわり)かくさまになり来にけらしー・ゑし種から」〈万三七六一〉 ②位置を定めてものを置く。「斎瓮(いはひべ)を床辺(とこへ)にー・ゑて」〈万四三三一防人〉 ③設置する。「なこその関をやー・ゑさせ給ひつらむ」〈源氏常夏〉。「番をー・ゑられよ」〈バレト写本〉 ④じっと動かないようにする。「大男の眼(まなこ)をー・ゑ、面魂(つらたましひ)誠にあらけなかるが」〈保元上・官軍手分け〉 ⑤(もぐさを置いて)灸をする。「うぐひすや窓に灸(やいと)をー・ゑながら」〈俳・猿蓑上〉 ⑥書判(かきはん)をする。印判を押す。「御判をー・ゑ」〈伊達成宗上洛日記文明一五・一二〉。「起請文を書き、血判をー・ゑて」〈バレト写本〉 ❷生きもの・人間を、ふさわしい位置におく。①(場所をきめて)とどまらせる。居させる。すわらせる。「鳥座(とくら)結ひー・ゑてそわが飼ふ真白斑(ましらふ)の鷹」〈万四一五四〉。「女、二つの指を以て国の上の居る床(とこ)の端を取り、居(す)ゑ物(なが)ら国府(こふ)の門の外に持ち出で」〈霊異記中二七〉 ②(ある位置・役職に)つかせる。「あしひきのをてもこのもに鳥網(となみ)張り守部(もりべ)をー・ゑて」〈万四〇一一〉。「后にー・ゑ奉らむの御本意なるべし」〈栄花月宴〉

すゑいちだん【末一段】《浄瑠璃の最後の段の意から》終り。最後。これぎり。「六段目」とも。「浄瑠璃かーの年の暮」〈俳・続境海草四〉

すゑどし【居腰・据腰】 腰を据えて上体をくずさぬ姿勢。また、その腰つき。「ー・蹴出しの道中」〈西鶴・一代女三〉

すゑざま【末様】 ①末の方。「やうやうーになりて」〈宇治拾遺七六〉 ②末の頃。「ーには、年の初めの行幸などもせさせ給はずなりにければ」〈今鏡三〉

すゑずゑ【末末】 ①終りの方。年下の方。「弟の君達も、またーの若きは」〈源氏柏木〉 ②のちのち。行く末。「かかる人人のーいかなりけむ」〈源氏末摘花〉 ③子孫。「鎌足の御世より栄えひろごり給へる御ー、やうやう失せ給ひて」〈大鏡藤氏物語〉 ④身分の賤しいこと。しもじも。また、下人。「ーの奴ばらの手にかかりて射殺されんこそ悲しけれ」〈義経記六〉

すゑぜん【据膳】 ①食膳を据えること。また、その膳。「点心壱つ、吸物二つ、ー共」〈高野山文書四、寛永一五・七・一〇〉 ②女の方から男に情事を持ち掛けること。「ーと河豚(ふぐ)汁を喰はぬは男の内ではない」〈浄・夏祭六〉

すゑつかた【末つ方】 ①終りの頃。「秋のー」〈源氏若紫〉 ②終りの部分。「ただーをいささか弾き給ふ」〈源氏横笛〉 ③晩年。「故院のー」〈源氏若菜上〉

すゑつき【末付】 髪のすその様子。「髪は五重(いつへ)の扇を広げたるやうに、こちたきーなり」〈源氏手習〉

すゑつむはな【末摘花】《茎の先につける花を摘みとるのでいう》ベニバナの異称。花弁から紅を作る。「紅(くれなゐ)のーの色に出でずとも」〈万一九九三〉

すゑとほ・り(トオリ)【末通り】〘四段〙 ①終りまで筋が通る。一貫する。「天智の御遺戒こそまことにー・りたれば」〈愚管抄三〉 ②終りを全うする。目的を達する。「その御本懐ー・りにしかば」〈神皇正統記後嵯峨〉

すゑの【末野】 野の果て。野末。「水無月のーにしげる柞(ははそ)原吹き来る風ぞかたへすずしき」〈為家卿集〉。「向ひやいづく舟かよふ見ゆ／ーより月さしいづる水晴れて」〈新撰菟玖波集四〉

すゑのあき【末の秋】 ①陰暦九月の称。季秋。「あじろ打つ田上川(たなかみがは)のー」〈竹林抄三〉。「ー〔ノ言葉〕。一裏枯れの野山、一やや寒し、一翁草」〈至宝抄〉 ②秋の終るころ。暮の秋。「〔コノ歌ノ〕木ずゑの秋とはー也。九月の末つかたのことなり」〈拾遺愚草抄出聞書〉

すゑのはる【末の春】 ①陰暦三月の称。季春。「ーの言葉。一永き日、一巳の日の祓、…一暮の春」〈至宝抄〉 ②春の終るころ。暮の春。「恨みても惜しみ馴れぬるー」〈住吉法楽何船百韻〉

すゑのまつ【末の松】「すゑのまつやま」に同じ。「波越ゆる頃とも知らずー待つらむとのみ思ひけるかな」〈源氏浮舟〉

ーやま【末の松山】 歌枕。東北地方にあったという山の名。左の歌から男女の間の心移りに関して使われることが多い。「君をおきてあだし心をわが持たばー波も越えなむ」〈古今一〇九三〉

すゑのよ【末の世】 ①後の世。「ーにも聞き伝へて」〈源氏帚木〉 ②晩年。「残り少なくなりゆくーに」〈源氏藤裏葉〉 ③末世(まっせ)。末法の時代。「あはれ何の契りにて…いとむつかしき日の本のーに、生れ給へらむ」〈源氏若紫〉

すゑば【末葉】 ①草木の先端にある葉。「萩の枝のーの露のありがたの世や」〈詞花三五二〉 ②子孫。末孫。「枯れはつる藤のーのかなしきは」〈詞花三三八〉

すゑはんじゃう(ジヨウ)【末繁昌】 行くすえ久しく栄えること。「ー、楽しみ栄え給ひけり」〈伽・明石三郎〉

すゑひと【陶人】 陶器をつくる人。すえつくり。陶工。「ーの作れる瓶(かめ)を」〈万三八八六〉 †suweFitö

すゑひろ【末広】 ①末の方になる程広がっているさま。「〔火ハ〕とかく移りゆく程に、扇を広げたるが如くーになりぬ」〈方丈記〉 ②親骨の上端を外へそらせた扇。中啓。末広がり。「大黒は、打出の小槌にーを取り添へて…と舞ひ納め」〈伽・大黒舞〉

すゑひろがり【末広がり】「末広」に同じ。「今の世にもーとて、めでたき名によそへつつ、祝ふべき所には、行く人もこれを持ち、また奉る事もあり」〈伽・末広物語〉

すゑふろ【据風呂】「水風呂(すいふろ)」の転。「ー・行水・昼休み、隙をうかがひ候へども」〈伎・慰曾我上〉

すゑへ【末辺・末方】《「本辺(もとへ)」の対》①末の方。先の方。「本辺は君を思ひ出、ーは妹(いも)を思ひ出」〈記歌謡五一〉 ②山の頂きの方。「本辺は馬酔木(あしび)花咲き、ーは椿花咲く」〈万三二二二〉 †suweFe

すゑもの【陶物】 焼物。陶器。「すゑ」とも。「陶、スヱモノ」〈名義抄〉 ▽陶器は地上に据えて使い、また、陵墓などの周囲に据えたので、スヱモノというらしい。

すゑもの【据物・据者】 ①罪人やその死体を土壇(どだん)に据えて試し斬りすること。また、そのもの。「ーを切って」〈甲陽軍鑑一四〉 ②一定の宿に客を呼んで、外へは出ない淫売婦。「ーは、その内へ客を取り込み」〈西鶴・一代女六〉

ーやど【据物宿】 据物(2)の居る淫売宿。「我また身の置き所なくて、ーに行きて」〈西鶴・一代女六〉

すん【寸】 ①長さの単位。尺の十分の一。「三ーばかりなる人、いとうつくしうてゐたり」〈竹取〉 ②長さ。寸法。特に刀剣の長さについていう。「されども十郎が太刀、ーまさりたりければ」〈曾我九〉。「御太刀一振り、白作り、ーは五

尺」〈伊達成宗上洛日記文明一五・二・六〉③ちょっと。わずか。「用心きびしかりければ―の隙(ひま)もなかりけり」〈曾我五〉。「―の油断も候はず」〈伽・猫の草子〉

ずん《ズイ(髄)の訛という》①ちょうどまんなか。「〔筆先ヲ〕虎の―にさし当て」〈近松・反魂香上〉②ちょうど…の見当。ちょうど…のあたり。「この―と雲に指さす月見哉」〈俳・時勢粧三〉

ずん【順】《ジュンの直音化》盃・詩歌・舞などの回って来る順。順番。「さかづきの―のくるを」〈紫式部日記〉

ずんぎり【寸切り】①まっすぐに切ること。輪切り。「神の代よりも杉の―」〈宗長手記上〉②棗(なつめ)の形で、頭を真平らに切った茶入れ。頭切(ずんぎり)。「―持ちて出づる侘人(わびびと)」〈俳・犬筑波〉 **―まくら**【寸切枕】丸太を輪切りにした粗末な枕。「―引き寄せ」〈浮・御前義経記三〉

ずんざ【従者】《「従」の字音の末尾のngを撥音ンで表記した形。ズはジュの直音化》家来。お供。「この旅人―ども笑ひて」〈宇治拾遺八〉

ずん・じ【誦じ】『サ変』《「誦」の字音の末尾のngを撥音ンで表記した形。ウで表記して、ズウジとも》経・詩文など定まった読み方でよむものを、声を出して読む。「『楚王の台の上の夜の琴の声』と―・じ給へるも」〈源氏東屋〉

すんすん つれなく当るさま。つっけんどん。つんつん。「白梅の―として寄添ひの難きは」〈近松・持統天皇三〉

すんずん【寸寸】《ズンズンとも》きれぎれ。ずたずた。「腸(はらわた)が―に切れたり」〈長恨歌抄〉

すんぜんしゃくま【寸善尺魔】世の中に、良い事は少なく、悪い事は多いということ。「古きことばにも―と申す事あり」〈極楽寺殿御消息〉。〈運歩色葉集〉

すんと『副』①張りがあってさっぱりしたさま。「顔立ち―して見紛ふ」〈評判・役者大鑑〉②すまして愛想のないさま。つんと。「―した花に癖あり女郎花」〈俳・砂川上〉

ずんど『副』《ズントの転》①威勢よく。ぱっと。「諸白(もろはく)殿は―立って」〈伽・酒茶論〉②甚だしく。ぐんと。「太鼓〔持〕と定めて、―親しみ」〈評判・難波物語〉③《打消を伴って》全然。決して。「恋は―思ひ切られぬ」〈俳・塵塚(重徳編)上〉

ずんなが・れ【順流れ】『下二』(盃・詩歌などの)順が回ってゆく。順にめぐる。「大御酒(おほみき)、あまたたび―・れて」〈源氏松風〉。「みな、―・るめれど、酔ひの紛れに〔歌ハ〕はかばかしからで」〈源氏藤裏葉〉

すんのくび【寸の首】のどぶえ一寸ばかりの所。「びんの水に面像を見れば、―剣のさきに懸かって空しくなると云ふ面相あり」〈平治上・信西出家の由来〉

ずんのまひ ィ:マ【順の舞】酒宴などで、座の人人が順次に舞をすること。「みな人も物のね(音楽)仕うまつりあはせて、―し、歌うたひ、猿楽(さるがう)せぬはなし」〈宇津保国譲下〉

ずんば『連語』《ズニハの転》…ないときには。「富と貴きとは是れ人の欲する所なり。其の道を以て得―処(を)らず」〈文明本節用集〉

すんばく【寸白】⇒すばく。「―の大事にて、あさましく候へば、夜など死ぬることもぞ候とて、書き参らするなり」〈大和大宮家文書建久一〇・二・一三〉

すんぱふ ウ:ポ【寸法】①長さ。尺度。「ありのままの―に書きて候はば見所なきものに候故に、絵そら事とは申す事にて候」〈著聞三九六〉②ありさま。形勢。「佐(すけ)殿の当時の―を以て、平家の世を取らんとし給はん事は」〈盛衰記二〇〉

すんぶくろ【寸袋】⇒すぶくろ。「山椒の皮や木立ちの―」〈俳・細少石二〉。〈俳・毛吹草四〉

ずんぶり ①十分なさま。「―とはや暮れにけり旅の道」〈俳・若狐下〉②水にひどく濡れたさま。ずぶり。「―と雨に濡れ屋ぞ家桜」〈俳・鸚鵡集三〉

ずんぼろばう ウ:ポ【ずんぼろ坊】⇒ずぼろ。「髪の毛引き抜き―に仕る」〈近松・女夫池一〉

せ

せ【兄・夫・背】《「いも(妹)」の対》①姉妹から見た兄弟。年上にも年下にもいう。「古は兄弟、長幼を言はず、女は男を以て―と言ふ。男は女を以て妹(いも)と言ふ」〈紀仁賢六年〉。「妹も―も稚(わか)き子どもはをちこちに騒き泣くらむ」〈万三九六二〉②結婚の相手としてきまった男。夫。妻問婚の時代に、訪れて来ることを許した男を女が呼ぶ称。「ながらふる妻吹く風の寒き夜に我が―の君はひとりか寝(ぬ)らむ」〈万五九〉

せ【狭】《セメ(攻)・セマリ(迫)・セキ(塞)などのセと同根》せまいこと。「…も―に」の形でつかわれる。「山も―に咲けるあしびの」〈万一四二八〉

せ【背】《ソ(背)の転》背中。「ゆだけの片の身を縫ひつるが、…御―合はすれば、はやくたがひたりけり」〈枕九五〉▽万葉集の「痛背(あなせ)の河」「打背貝(うつせがひ)」などの表記によって、奈良時代にすでに「せ」という語があったことがわかる。

せ【畝】地積の単位。一段の十分の一。戦国時代末期までは三十六歩(ぶ)、太閤検地以後三十歩を一畝とする。「一段二―二十五歩あり」〈割算書〉

せ【瀬】《セ(狭)と同根か》①川の浅い所。多く、川を渡るのにここを通る。「しましくも行きて見てしか神名火の淵は浅(あせ)にて―にかなるらむ」〈万九六九〉②川の水の浅い流れ。「上つ瀬は―速し。下つ瀬は―弱し」〈記神代〉③《渡るための狭い所の意から》㋑逢う場所。「聞かずともここを―にせんほととぎす山田の原の杉の群立」〈新古今二一七〉㋺ふし。点。「憂きにもうれしき―はまじり侍りけるとて」〈源氏柏木〉㋩機会。「この―にも洩れさせ給ひて」〈平家三・有王〉

せ【石蜐・石花】軟体の節足動物カメノテ類の古称。満潮になると、殻の中から蔓のような脚を出すので「石花」という。「北の海に捕るところの雑(くさぐさ)の物は…―」〈出雲風土記〉。「尨蹄子、和名勢(せ)」〈和名抄〉

せ【施】〔仏〕慈悲の心にもとづいて、人に物をほどこすこと。「もろもろの―の中に、法施(ほふせ)第一なり」〈三宝絵下〉→ふせ(布施)

せ【諾】『感』諒解・承諾を表わす語。「鹿父(かかそ)の曰はく、『―』と言ふ。即ち言ふ所を知るなり」〈紀仁賢六年〉。「親の守りける女を、否(いな)とも―とも言ひ放てと申しければ」〈後撰九三八詞書〉。「―とは諾する心なり」〈奥義抄〉

せ『助動』①尊敬の助動詞「す」の已然形・命令形。②使役の助動詞「す」の未然形・連用形。③回想の助動詞「き」の未然形という。

ぜ【前】『接尾』「ごぜ(御前)」の略。「御車の尻には、尼―一人まゐられたり」〈平家三・法皇被流〉

ぜ『助』係助詞「ぞ」の上代東国方言。「父母が頭かき撫で幸(さ)くあれて言ひし言葉(けとば)―忘れかねつる」〈万四三四六防人〉

せい【制】勅命による裁断。法制。おきて。また、制止。禁制。「正月往来して拝賀の礼を行なふことを禁ず。もし違犯する者あらば浄御原朝庭の―によりて之を決罰す」〈続紀文武一・閏三・二六〉。「かね、錦(にし)など、―と聞えしかど」〈健寿御前日記〉

せい【勢】 ①いきおい。力。「弓の―尽きぬれば、還って地に落つるが如し」〈妻鏡〉②軍勢。兵力。兵数。「其―既に一千余騎に及び、明旦参向とも聞え候」〈保元上・官軍勢汰へ〉③体などの大きさ。なりかっこう。特に、背たけ。「もしこの児、―長ぜば家業ををさむべし」〈今昔一〇ノ三〉。「侏儒は―の低(ひ)き者を云ふ」〈左伝聴塵一四〉。「〔箱ノ〕中に―鞠(まり)ばかりにして音(おと)有る物あり」〈平治上・叡山物語〉

せい【精】 ①魂。精霊。「進(たてまつ)る所の神馬は黒身にして白き髦尾あり。…神馬は河の―なりと」〈続紀天平三・一二・二一〉。「鞠(まり)の―、かかりの柳の枝に顕はれて見えけり」〈十訓抄一〇ノ六九〉②心身の元気。精力。気力。「さしもに猛(たけ)き弁慶も、後には―や尽きぬらん」〈伽・弁慶物語〉③《根本の力の意から》素質。「学問の―いみじき人」〈義経記一〉 **―を出(だ)・す** 精魂の限りをつくす。「なほなほ―・して祈りあらはし申さんずるにて候」〈伽・花鳥風月〉 **―を入・る** 精魂をこめる。精力をそそぐ。「まことにスピリツの徳を求むる道に、なほ―・るべき事疑ひなし」〈こんてむつすむん地一〉

ぜい【贅】 《「盛」とも書く》見栄。「栄花をきはめ、世間の―を止めさせ」〈西鶴・一代男六〉

せいい【征夷】 蝦夷(えみし)を征伐すること。「将軍等、前日―の便宜を奏するに、以為(おもへ)らく、一は伐つべからず、一は必ず伐つべしと」〈続紀宝亀五・七・二三〉 **―し【征夷使】** 奈良時代、東国の蝦夷を征伐するために派遣された令外の官。「征東使」とも。「征東使を改めて―となす」〈日本紀略延暦一二・二〉 **―しゃうぐん**(ショウ)**【征夷将軍】** ①蝦夷征討のため臨時に任ぜられた将軍。「播磨按察使正四位下多治比真人県守を以て持節―と為す」〈続紀養老四・九・二九〉②「征夷大将軍」(2)に同じ。「実朝十二歳にして―の宣旨を蒙(かう)ぶる」〈保暦間記中〉 **―たいしゃうぐん**(ショウ)**【征夷大将軍】** ①蝦夷征討のために任ぜられた臨時の官。「刑部卿陸奥出羽按察使従三位坂上大宿禰田村麻呂を―と為す」〈後紀延暦一六・一一・二六〉②幕府の主宰者で、兵馬の権と政権を握った者の職名。源頼朝がこの職に任ぜられて以来、足利氏・徳川氏に引き継がれた。将軍。「去る十二日―に任ぜられ給ふ」〈吾妻鏡建久三・七・二〇〉

せいか【勢家】 《セイケとも》権勢ある家柄。「神社・仏寺、権門・―の荘領を没倒(もつたう)し」〈平家一・鵜川軍〉

せいが【笙歌】 笙(しやう)に合わせてうたう歌。「―遙かに聞ゆ孤雲の上」〈平家灌頂・大原御幸〉

せいがいは【青海波】 ①雅楽の曲名。唐楽、盤渉調(ばんしきてう)。二人で舞う。舞人は、波に千鳥の模様のある上着をつけ、鳳凰(ほうおう)の頭をかたどった兜をかぶり、剣を帯びる。「源氏の中将は―をぞ舞ひ給ひける」〈源氏紅葉賀〉。「輪台破(りんだいは)にはさす腕、―には開く手」〈伽・浜出草紙〉▽もと、青海国で始まった「青海」という曲の破で、「青海破」といった。後に「輪台」という破の曲を序として、その破に使われ、常にこの二つが合わせて演奏され舞われるに至ったので、「青海波」と転じたという。色葉字類抄には「清海波」とある。②波形を描いた模様。浅黄に藍で渦を四分したような形を並べ重ねたもの。「せいがいなみ」とも。「殊勝なる御扇、絵―」〈教言卿記応永一三・八・九〉

せいがう(ゴウ)**【精好】** 絹織物の一種。たて糸・よこ糸共に練糸、またはよこ糸を生糸で織り出し、厚手で美しい。「―絹三十疋」〈吾妻鏡康元二・一〇・二〉。〈色葉字類抄〉

せいがさ【勢嵩】 軍勢の数。「着到をつけて―を見むとて」〈応仁記下〉

せいき【精気】 心身をはたらかす気力。根気。精力。「五三人づつは打ちけれども、―も切れて、皆打ちとめる事はならず」〈三河物語下〉。〈日葡〉

せいぐゎ(ガ)**【清華・清花】** 中世以降の公家の家格。摂家に次ぐ家柄で、大臣・大将を兼ね、太政大臣まで進むことができた。華族。英雄家。「高貴・―も君主・一の人も共に力を得ず」〈太平記二七・雲景未来記〉

せいぐゎん(ガン)**【誓願】** ①仏・菩薩が必ず成就しようとして立てた誓い。「大いなるかな―、得て之を称する無し」〈本朝文粋一〇〉②誓いを立てて神仏に祈願すること。「時に―を発して言はく」〈霊異記上七〉

せいけん【聖賢】 ①聖人と賢人と。また、聖と賢とを兼ねそなえた人。「―の二類は孝の家より出でたり」〈開目抄〉。「古へ帝に、堯と申しける賢き―の御門(みかど)おはしけり」〈神田本太平記三二・許由巣父〉②清酒と濁酒と。酒の異名。「―を汲む此の名酒」〈近松・将棋経四〉

ぜいこき【贅こき】 自慢や見栄を言うこと。また、それを言う者。「―の彦さん」〈近松・寿門松上〉

せいころ【背頃・背比】 ①身長の程度。背たけ。「せいころあひ」とも。「貴方の長(たけ)程に、その―も有るか。よくあれに似さしまうてさうぞと云ふぞ」〈四河入海一ノ三〉②背たけが一人前であること。「やがて男を持たん〔娘ノ〕―」〈俳・備後表〉

せいこん【精根】 精力。根気。「深き徳を求めんと思はば―を励ます事かんようなり」〈こんてむつすむん地一〉。〈ぎやどぺかどる字集〉

せいこん【精魂】 たましい。精霊。「ただ今、夢中に現はれたるは中将姫の―なり」〈謡・当麻〉

せいごん【制言】 制止することば。いましめのことば。「父母の―をも聞き入れず、日日に悪事を好みけり」〈浄・酒典童子若壮一〉

せいごん【誓言】 かたく誓約することば。神仏などに誓って言うことば。「僧うれしきままに、もろもろの―を立てて」〈今昔三一ノ三〉

せいさい【正載】 十分であること。精いっぱい。「この三句は、―力を尽さいでは成るまじき妙なり」〈三体詩絶句抄六〉。「俗、十分至極する事を―と云ふは、正載〔ノ字〕なり」〈斉東俗談一〉

せいざう(ゾウ)**【星霜】** 《星は一年に天を一周し、霜は年ごとに降るところから》歳月。年月。「その後帝王二十五代、―三百余廻なり」〈保元上・将軍塚鳴動〉。〈日葡〉

せいさつ【制札】 武家時代、禁令などを記し、路傍などに高く掲げた告示板。高札。それを立てた場所を「制札場」といった。「侍所―これを打ち、乗馬これを停止せしめ了んぬ」〈鶴岡社務記録観応二・二・一三〉

せいし【青侍】 公家に仕える若い侍。あおさぶらい。「―の、女を迎へて行くやうにいで立たせ給ひて」〈平家四・信連〉

せいし【勢至】 「勢至菩薩」の略。「観音―、眉間瑩(みが)き出し」〈本朝文粋一三〉 **―どし【勢至腰】** 勢至菩薩のような少しまがった腰つき。「旅にただくたびれけりな―」〈俳・犬子集一一〉 **―ぼさつ【勢至菩薩】** 彌陀三尊の一。阿彌陀仏の右側に立ち、智慧を表わす菩薩。大勢至菩薩。「源空上人は一向専修の人なり。…―の垂跡とも申すとぞ」〈著聞六三〉

せいし【誓紙】 誓詞を記した紙。多くは熊野の牛王(ごわう)を

使った。「侍(さぶらひ)と約束を固うするに、—・誓言をするぞ」〈三略抄〉。〈文明本節用集〉

せい・し【制し】『サ変』①天皇が決裁を下して命令する。「—・すらく、畿内七道諸国の郡郷の名は好き字を著けよ」〈続紀和銅六・五・二〉②行動に制約を加える。禁ずる。「われもし仏の—・し給へる酒を飲まざらましかば」〈三宝絵中〉。「制、セイス」〈色葉字類抄〉

せい・し【征し】『サ変』討って従える。「先にする時は人を—・し、後にする時は人に—・せらるるといふ本文あり」〈保元上・官軍勢汰へ〉

せいじ【世事】《セジとも》①世の中一般の事。俗事。「—期する事なし」〈菅家文草一〉②僧が一日一食の常食以外にとる食事。「今夕—これを送る。菜(さい)三種…汁一桶」〈大乗院雑事記文明三・七・晦〉③食事その他の家事。「朝夕水を汲み、薪を拾ひて、—をし」〈幻中草打畫〉

せいじ【妻児】妻と子と。「胡の地の—をばむなしく捨て捨てつ」〈源氏玉鬘〉

せいじ【青磁・青瓷】磁器の一。鉄分を含んだ青緑色または淡黄色の釉(うわぐすり)をかけたもの。中国で唐代に越州ではじめて造られ、わが国へは平安時代に伝来したという。秘色(ひそく)。「あをじ」とも。「青磁、セイジ、茶碗類也」〈文明本節用集〉

せいしつ【青漆】青緑色の漆(うるし)。あおうるし。「金色(かなかい)の提(ひさげ)、—の鉢」〈庭訓往来五月九日〉。「—の湯桶初めてこれを用ふ」〈蔭涼軒日録明応一・一二・一三〉

せいじゃう【西浄】便所。かわや。「—へ行かむとすれば神無月」〈竹馬狂吟集四〉。〈文明本節用集〉

せいじゃう【誓状】「誓紙」に同じ。「たびたび—をもって申されければ」〈平家一〇・三日平氏〉。〈文明本節用集〉

せいしゃうぐん【征夷将軍】「せいいしゃうぐん」の転。「御位は右大将、—に歴(へ)上がらせ給ひつつ」〈浄・ちうじゃう一〉。〈日葡〉

せいしゅ【西収】秋のとり入れ。四季を方角に配すると、秋は西に当るのでいう。「春は東作の思ひを忘れ、秋は—の営みにも及ばず」〈平家一〇・藤戸〉。〈文明本節用集〉

せいじゅう【西戎】中国で西方の異民族を指していう語。地方の人間をさげすんでいう語。「国母・官女は東夷—の手に従ひ」〈平家一一・内侍所都入〉

せいしょだう【清暑堂】平安京大内裏の中の、豊楽院(ぶらくゐん)九堂の一。大嘗会などの儀式の後、神楽(かぐら)などを行なった。「せいそだう」とも。「福原の新都には…—もなければ御神楽奏すべきやうもなし」〈平家五・五節〉

せいじん【聖人】①智徳が最もすぐれて、万人の手本と仰がれる人。儒家の理想とする人物で、中国では堯(ぎょう)・舜(しゅん)・孔子などの称。「天を以て大と為す。之に則る者は—なり」〈続紀天応一・一・一〉②清酒の異名。「乃米(のうまい)一駄・—一筒…おくり給ひ候ひ了んぬ」〈日蓮遺文上野殿母御前御返事〉→賢人

せいすい【清粋】私意私欲のないこと。清廉潔白。「先先の奉行少しづつの取籠め(横領)御座候ふを—に申し上げ」〈梅津政景日記元和六・一一・二八〉。「名は末代までも—に記録に記しとどむるなり」〈浄・木曾物語三〉。〈日葡〉

せいぜい【済済】数が多いこと。多数。沢山。「雲客六七輩、儒士—」〈中右記寛治八・六・五〉。「御所様より美物ども—賜はり候」〈看聞御記紙背文書貞成親王御書状案〉。「済済、セイゼイ、多義」〈天正十八年本節用集〉

せいぜい【精誠】まごころ。誠心。丹誠。「ひそかに一心の—を抽(ぬき)んで」〈平家五・富士川合戦〉。「精誠、セイゼイ、念比(ねんごろ)義也」〈文明本節用集〉

せいせん【精銭】良質の銭。「悪銭の儀は、涯分—に致すべく候」〈九条家文書永正一三・一〇・一〇〉

せいそう【清僧】戒律を保って品行の正しい僧。「我は—の身として」〈伽・橋弁慶〉

せいそだう【清暑堂】⇒せいしょだう。「—の御神楽」〈讃岐典侍日記〉

せいぞろへ【勢揃へ】①全軍を集結して検閲すること。「浮島が原にて—あり」〈平家五・富士川合戦〉②ずらりと並びそろうこと。「酒でも餅でもうまい物の—」〈近松・吉野都女楠四〉

せいたい【青黛】①青黒色の眉墨。「—の眉のわたり、丹花の口付愛愛しく」〈盛衰記一九〉②役者などが、月代(さかやき)を青くするのに用いる顔料。「月代へは—を塗り」〈黄・江戸生艶気樺焼中〉

せいたい【聖代】聖天子の治める御代。めでたい御代。「—聖主の先規にもたがはず」〈保元上・後白河院御即位〉

せいたう【政道】①政治の道。「—は、一向、卿の局(つぼね)のままなりければ」〈平家一二・六代被斬〉。「—順義にして、政(まつりごと)賢ならば」〈曾我三〉②取締り。また、禁制。「もののふは民をはごくむ守護なればまづ乱妨の—をせよ」〈義経百首〉③制止。「『喧嘩さすな』と親方—して」〈浮・禁短気四〉

せいたか【制吒迦・勢多迦】《梵語の音訳。奴僕の意》制吒迦童子。「我は是、大聖不動明王の御使ひに、金迦羅(こんがら)・—といふ二童子なり」〈平家五・文覚荒行〉 —**どうじ**【制吒迦童子】八大童子の第八。不動明王の右脇侍。矜羯羅(こんがら)と対す。「—の鉄(くろがね)の杖を持(も)て副ひて渡り給はむには」〈今昔二〇ノ二〉

ぜいちゃう【税帳】「正税帳(しゃうぜいちゃう)」に同じ。「或いは国司等、私に—を造りて」〈続紀天平二・四・一〇〉

せいぢょ【青女】①「青女房(あをにょうばう)」に同じ。「女房の局の辺りに於いて、其の—を強姦するの間、事闘諍に及ぶ」〈玉葉承安五・七・七〉②妻。妻女。「民家一宇焼失す。是れ或る—嫉妬によりて焼死せんがため、自ら放火すと」〈吾妻鏡寛喜三・三・一六〉

せいづかひ【勢遣ひ】軍勢をもよおすこと。軍勢の召集。「今度の—、全く余の儀にあらず」〈謡・鉢木〉。〈文明本節用集〉

せいてい【正丁】令制で、成年男子二十一歳から六十歳(のち二十二歳から五十九歳)までの身体に障害のない者。租庸調や兵役などを負担させられた。これよりも年寄り(老・耆という)や病弱な者を「次丁」とした。「—の歳役に庸布二丈六尺を収め」〈続紀慶雲三・二・一六〉

せいてう【青鳥】《東方朔が青鳥の飛来したのを見て、西王母という仙女の使だと言ったという故事から》使い。書面を持参する使者。「—飛び来たりて芳翰(はうかん)を投げたり」〈平家四・南都牒状〉

せいどう【青銅】銭(ぜに)の異名。「—千疋」〈吉川家文書一、天文四・八・六〉。〈下学集〉

せいのことば【制の詞】和歌を詠む際に、使ってはならないとされていることば。「花の宿かせとは、—なり」〈新古今注〉

せいば【征馬】旅で乗る馬。旅路を行く馬。「行人—翠簾の下に駱駅(らくえき)す」〈和漢朗詠集山家〉

せいばい【成敗】①勝と負と。事の成ると成らぬと。「営中に静処して坐(ゐ)ながら—を見る」〈続紀延暦八・六・九〉②《善を助成し悪を敗(やぶ)ること、あるいは敗(みだ)れた政道を成(たひら)げることともいう》政事を執り行なうこと。「いかなる賢王聖王の御政も、摂政関白の御—も」〈平家一・禿

髪〉③とりはからい。下知。「南都炎上の事、故入道の―にもあらず」〈平家一〇・千手前〉④さばくこと。裁決。「代代の御―を顧みず、猥りに面面の濫訴を致さば」〈貞永式目〉⑤処刑すること。多く、斬罪についていう。「獄門は、唐に獄門と云ふ門に人を―する也」〈太平記聞書〉

ぜいば・り【贅張り】『四段』えらぶる。ひどく見栄を張る。「エイあた―・った、聞きともない」〈近松・寿門松上〉

せいびゃう【精兵】①えりぬきのつわもの。「三千余の―を率ゐて…戦を挑みぬ」〈将門記〉。「―あまた討たせ、風に木の葉の散るやうに東西に敗北した」〈天草本伊曾保〉②剛弓の引き手。大兵(だいひやう)。「かかる―どもが射候へば、鎧の二三領をも重ねてたやすう射通し候ふなり」〈平家五・富士川合戦〉。「精兵、セイビャウ、射手」〈饅頭屋本節用集〉

せいふ【青蚨・青趺】銭(ぜに)の異名。「一百の―常に杖の頭に懸けたり」〈三教指帰上〉。「青かもめの目が料足に似たる故に、料足の異名を―と云ふ也」〈御書抄一八〉

せいへん【世辺】世間の事。俗事。「隠居せんは易きことなれども、又―も捨て難くて」〈中華若木詩抄中〉

せいぼ【歳暮】①年の暮。年末。「めでたい―ぢゃ」〈天理本狂言六義・米市〉。〈色葉字類抄〉②年末に祝儀として贈答する品物。「―、大根十把…餅米一斗」〈多聞院日記永正三・一二・二七〉

せいめい【清明】①清く明らかなこと。「流泉の曲の間には月―の光をあらそふ」〈平家三・大臣流罪〉②二十四気の一。陰暦三月の節で、冬至より百五日、春分後十五日目に当る。「―、三月節」〈掌中歴〉

せいめいがはん【晴明が判】悪魔除けの☆の形の印判。安倍晴明に始まるという。「桜が本の―」〈俳・守武千句〉

せいめきめ 一所懸命。一心不乱。「こちとらには―尋ね廻らして」〈浄・夏祭五〉。「聖命貴命と言ふべきを―と言ふは略し過ぎたり、悪しかるべし」〈俳・かたこと三〉

せいもく【聖目・井目・星目】碁盤の目の上に記した九つの黒点。また、碁力に大差がある者が対戦する時、弱い方が、あらかじめ、この九点に一石ずつ置いて勝負すること。「『丸(まろ)が石はまづここに置き給へ』といひて、中の―をさす」〈今昔二四ノ六〉

せいもん【誓文】①神にかけて誓う誓約の文言。起請文。「―をなむ書きてぞ送りたりける」〈発心集三〉②自誓の語。誓って。必ず。決して。「―ぞ唯今なりと〔言ウノハ〕嘘ぢゃない」〈俳・山の端千句上〉 **―腐れ**《「誓文」(2)を強めた表現。「偽ったらこの身も腐れ」の意》誓って。断じて。「誓文くされ」とも。「―、生れてより…雷はふつふつと嫌也」〈浄・柏崎三〉 **―だて**【誓文立て】誓いを立てること。「―申さるる由」〈池田光政日記明暦三・六・三〉 **―ばらひ**【誓文払ひ】近世、十月二十日の恵比須講に、京都で商人・遊女が四条京極の冠者殿社に参詣し、商売のための偽りの誓いで客をだました罪を許されるように祈ったこと。「誓文ほどき」「冠者殿参り」とも。「十月二十日は―」〈西鶴・諸艶大鑑一〉

せいやう【青陽】春。また、春の景物。春色。「苑(その)に入りて―を望む」〈懐風藻〉。「―の春も来たり、浦吹く風もやはらかに」〈平家九・生食〉

せいらい【齊頼】《後冷泉天皇頃の鷹匠の名人源齊頼の名から》特にすぐれた人。物の上手。芸道の名人。「物の長じたるを、何にても、その―と言へるは」〈不断重宝記〉

セイラス オランダ船載の縞木綿。茜(あかね)と白の二色で縦横の小縞を織り出したもの。京都からも模造品を生産した。セイラス縞。せいらつ。「―ジャガタラ晒す細布」〈俳・物種集〉▽オランダ zelas

せいらん【晴嵐・青嵐】①晴れた日のかすみ。晴れた日に山におこる山気。「―夢を破って、その面影もみえざりけり」〈平家三・有王〉②夏に吹くやや強い風。「夜極浦(きょくほ)の波に宿すれば、―吹いて皓月(かうげつ)冷(すさま)じ」〈和漢朗詠集行旅〉

せいりき【勢力・精力】①勢いと力と。また、精かぎりの力。「私(わたくし)の―極めて大きにして」〈今昔二五ノ九〉。「〔切ラレタ〕鬼の手も―尽きて」〈伽・羅生門〉②根かぎり力を尽すこと。「無駄口叩く水鶏(くひな)の―」〈俳・大矢数三〉③骨折り。努力。「これまで付かれし〔後ヲ付イテ来タ〕―を感じぬ」〈西鶴・俗徒然三〉

せいりゃうでん【清涼殿】《古くは「清冷殿」「西涼殿」とも書いた》平安京内裏宮殿の一。紫宸殿の西、校書殿の北にある。天皇常住の御殿。九間四面、檜皮葺、入母屋造。南から五間は母屋で昼御座(ひのおまし)といい、御帳台・大床子の御座などがあり、東庇南隅は石灰壇(いしばひのだん)で毎朝の神宮以下の遙拝所。他に夜御殿(よるのおとど)・萩の戸・弘徽殿上御局(うへのみつぼね)・藤壺上御局・御手水間・朝餉間(あさがれひのま)・台盤所・鬼間・殿上間・二間などがある。四方拝・小朝拝をはじめ、種種の公事(くじ)儀式が行なわれた。「せいらうでん」とも。「やがて仁寿殿より通りて、―の御前の東(ひんがし)の簀子(すのこ)より舞姫をさきにて」〈枕九〇〉

せいろ【世路】世渡りの道。生計の道。「道心ありて、月の上十五日には仏事を修し、下十五日には―を営みけり」〈今昔一五ノ五一〉。〈文明本節用集〉

せいろう【井楼】井桁(いげた)の形に組み上げたやぐら。「―・矢櫓を用意し…城を焼き払はんとの巧み也」〈応永記〉

せいろう【青楼】女郎屋。江戸では、岡場所に対して、吉原の女郎屋の意に用いることが多かった。「―の夜の明り輝き」〈ひとりね序〉

せう【兄鷹・雄鷹】《セウは小で、雄鷹は雌鷹より小形の故という》雄の鷹。「物おぢしたる鳥の―やうのもの」〈源氏夕霧〉。「鷹大者皆名ニ於保多加(おほたか)、小者皆名ニ勢宇(せう)ニ」〈和名抄〉

せう【小】 **―の虫を殺して大の虫を助けよ** 小さいものを犠牲にして、大きいものを助けるが上策。「世話にも申す―と申すも同じ理」〈近松・佐々木大鑑五〉

せう【詔】令制で、改元・立皇后・立太子、その他臨時の大事の際に出された天皇の命令。みことのり。「―有りて、水旱時を失して、年穀稔らざるを以て、課役并びに当年の田租を免ず」〈続紀慶雲一・一〇・五〉→勅

せう【鈔・抄】抜書き。また、注釈書。「―にまた申さく」〈謡・東岸居士〉。「凡そ―と云ふは皆抜書きなり。…俗に物を訳解するを―と云ふ」〈齊東俗談四〉

せう【簫】管楽器の一。長短不揃いの竹の管を、大きいものは二十三管または二十管、小さいものは十六管または十管を編みならべて、鳳凰(ほうおう)の翼の形に作り、吹き鳴らす。簫の笛。「秦の穆公の女、弄玉はただひたすら―を愛し」〈十訓抄一〇ノ六七〉

せう【少輔】《セウの転》令制の八省の次官で、大輔(たいふ)に次ぐもの。「せふ」とも。「殿の御随身、かの―が家にてときどき見るをこなれば」〈源氏浮舟〉▽seufu→seuwu→seuu→seu

せうあんでん【小安殿】大内裏朝堂院の一殿舎。大極殿の後房。儀式などで天皇の大極殿行幸がある時は便殿(べんでん)となる。平安京以前の朝堂院にもあったと思われるが、詳細は不明。「こあどの」とも。「是の夜、子時、大

極殿災(つひ)けり。—…に延焼す。火数日滅(き)えず」〈三代実録貞観一八・四・一〇〉。「—の行幸とて、ののしりあひたり」〈讃岐典侍日記〉

せうえう シヨウ【逍遙】 気まかせにここかしこと遊び歩くこと。遊覧。「むかし、男、—しに、思ふどちかいつらねて和泉の国へ二月ばかりにいきけり」〈伊勢六七〉 **—どころ**【逍遙所】ときどき逍遙して心を慰める所。「その月の二十日の程に宇治殿におはします。そこにて御八講せさせ給ふなりけり。そこを年頃—にせさせ給へりしかば」〈栄花御裳着〉

せうかう シヨウコウ【焼香】 香を焚いて仏に手向けること。「—・散華(さんげ)を奉る参詣の者も無かりけり」〈盛衰記八〉

せうかうじ シヨウコウ:【小柑子】 小さい柑子。ミカンの一種。「その石の上に走りかかる水は、—・栗の大きさにてこぼれ落つ」〈伊勢八七〉

せうかん シヨウ:【小寒】 二十四気の一。冬至後十五日目をいう。寒の入り。〈文明本節用集〉

せうき シヨウ:【小気】《「大気(たいき)」の対》 気の小さいこと。小胆。「人に物をほどこすには—にして」〈こんてむつすむん地四〉。〈文明本節用集〉

せうけいもん シヨウ:【昭慶門】 内裏内郭の十二門の一。朝堂院の北門、北は宮城門に対する。北面の外門で五間、戸三間。北殿門。「一人を—まで送れと仰せごとたべ」〈大鏡道長〉

せうご シヨウ:【笑語】 愉快に談笑することば。笑談。また、冗談。「—家家に満ち、神社所所御能なども御入り候ふ由」〈沢庵書簡寛永八・九・二二〉。〈日葡〉

せうこく シヨウ:【小国】 小さい国。特に日本を指していうことが多い。「わづかに—の王子として来たりて」〈三宝絵中〉

せうこん シヨウ:【招魂】 肉体から離れ去った魂を招きかえすこと。死者の魂を呼びもどすこと。たまよばい。「喚子鳥(よぶこどり)鳴く時、—の法をばおこなふ次第あり」〈徒然二一〇〉。「—の法に、死人の衣服を持ちて屋上に昇り、その名を称して招き呼べば、その魂帰ると云ふ。これを多麻与婆比(たまよばひ)と名づく」〈説法式要五〉

せうさい シヨウ:【小賽】 双六で振り出したさいころの目の数が少ないこと。「双六打ち給ふ。手をせちにおしもみて、—と乞ふ声ぞ、いと舌どきや」〈源氏常夏〉

せうさん シヨウ:【小産・消産】 流産。「—に野辺の草葉や染めぬらん」〈俳・大坂一日独吟千句〉

せうし シヨウ:【笑止】《「勝事(しようし)」の転で、「笑止」は当て字らしい》 ①大変な事。「まことに騒ぎたるけしきにて、『—の候ふ。皇后宮の御方に火の』といふ」〈弁内侍日記〉 ②困ったこと、苦しいこと、悲しいこと。「あら—や候。さらばお帰りを待ち申さうずるにて候」〈謡・鉢木〉。「—や、憂き世や、うらめしや」〈隆達小歌〉。「咲止、セウシ、迷惑の義也」〈いろは字〉 ③他に対する気の毒な気持をあらわす語。「女院、二位殿に憂き目を見せまらせうずるも—なれば」〈天草本平家三ノ八〉。「—なれども京へ上ってたもれ」〈天理本狂言六義・若和布〉 ④気の毒やら、おかしいやら、といった気持をあらわす語。「『やれやれ—や。鳶と思うたればそなたか』と云て笑ふ」〈虎明本狂言・柿山伏〉 ⑤おかしいこと。滑稽千万なこと。「言語道断、これ程おかしう、—なる事はあるまい」〈咄・昨日は今日上〉 **—がほ** オガ【笑止顔】 気の毒そうな顔つき。「大稚児—にて立ち寄り」〈咄・昨日は今日上〉 **—が・り**【笑止がり】『四段』 ①迷惑がる。「〔主君ガ佞臣ヲ重ンズルト〕一軍の者どもが—・りて訴ふるぞ」〈三略抄〉 ②気の毒がる。「隣のおごうは、軟障(ぜじやう)だつ物の破れよりのぞきて—・れど」〈伽・福富長者物語〉

せう・じ シヨウ:【抄じ】『サ変』 作品を抜き集めて一つの書を作る。「延喜の御時に古今—・ぜられし折」〈大鏡昔物語〉

せうしやう シヨウシヨウ【少将】 近衛府の次官。正五位下相当。「—などいふ程の人に見せむも、惜しくあたらしき御さまを」〈源氏東屋〉

せうしやうぎ シヨウシヨウ:【少将棋】 今日の将棋のこと。「執当来られ、—あり」〈言国卿記文明六・閏五・一七〉

せうしよ シヨウ:【詔書】 詔を伝えるために出す文書。漢文体のほかに宣命体のものがあり、それを「宣命」という。「隼人の司は今年正月二十日の—に依りて既に廃省に従ふ」〈後紀大同三・八・一〉。「摂籙の—を下されて、わづかに六十日」〈盛衰記三五〉

せうじよう シヨウ:【小乗】〔仏〕 大乗仏教の立場からいった語で、自己の解脱だけを目的とする消極的な教え。日本では倶舎宗・成実宗。「—の懺悔(さんげ)は、ただ軽き咎(とが)をのみ失ふ。大乗の懺悔は、よく重き罪を救ふ」〈三宝絵下〉 →大乗

せうしん シヨウ:【小臣】 身分の低い臣下。「大臣(たいしん)は祿を重んじて諫めず、—は罪に恐れて申さず」〈平家一・願立〉

せうしん シヨウ:【小身】 身分が低く俸祿が少ないこと。また、その武士。「郷侍の内にても数ならざる—にして」〈浅井三代記二〉

せうしん シヨウ:【少進】 大膳・京・修理・中宮の各職(しき)および春宮坊(とうぐうばう)の判官(じよう)。大進に次ぐ位で、従六位下相当。「—一人」〈続紀神護景雲一・三・二〇〉

せうじん シヨウ:【小人・少人】 ①徳や器量のない者。小人物。「—は才を得て用ゐ難し」〈将門記〉 ②卑賤な者。小身。「—の家の娘、慎て身をもてかろがろしく人に許すことなかれ」〈十訓抄五ノ八〉。「次第に—の身上が上るといふ心ぞ」〈周易抄〉 ③小人(こびと)。「—どもの袖の集り」〈俳・正章千句上〉 ④小さい子供。「三つになる—の、おのおの人人の泣きあひたるを見て『など泣く』と問ひしかば」〈覚綱集〉 ⑤稚児(ちご)。また、男色で、若衆(わかしゆ)。「—たちの所望かく候」〈著聞五四五〉。「—の翫び七百二十五人」〈西鶴・一代男一〉

せうすい シヨウ:【少水】 少量の水。「貧窮にして身の上に衣食なし、ただ、この—あり」〈今昔二ノ七〉 **—の魚(うを)**《法句経などに見える語》 今にも干上がりそうな、少ない水の中にいる魚。生命の危険が迫っているさまのたとえ。「京中の上下の諸人、ただ—に異ならず」〈平家八・法住寺合戦〉

せうせう シヨウシヨウ【少少】 ①少しばかり。いささか。「翁こそ—のことはおぼえ侍らめ」〈大鏡序〉 ②普通。大方。「—の人はえ立てるまじき(イタタマレナイ)殿の内かな」〈源氏行幸〉

せうそく シヨウ:【消息】《「消」は死ぬ意、「息」は生きる意。生き死にの状態の意》 ①動静。「〔我ガ軍ノ〕滞る由と賊軍の—とを具(つばひらか)にして、駅に付けて奏し来るべし」〈続紀延暦八・五・一二〉 ②様子。状態。「其の唐の—は、今の天子は広平王、名は迪、年五十三なり」〈続紀宝亀九・一〇・二三〉 ③ありかた。「これは…学道の—にあらず」〈正法眼蔵行持上〉 ④便り。「入唐の第一船を尋ね訪ふに、その—に云はく、第一船は帆を挙げて奄美(あまみの)島を指して去ると」〈続紀天平勝宝六・三・一七〉 **—が・り**【消息がり】『四段』 消息しようと思う。「すいたる田舎人ども心がけ—・る〔者モ〕いと多かり」〈源氏玉鬘〉

せうそこ シヨウ:【消息】 ①便り。口で言うことも、手紙のこともある。「日頃経るまで—もつかはさず」〈源氏帚木〉 ②〔前以ての〕連絡。「少納言に—して惟光逢ひたり」〈源氏若紫〉 ③挨拶。「かかるついでにいりて—せよ。よく尋ね入りてを〔言葉ヲ〕打ち出でよ」〈源氏蓬生〉 ▽「息」は字音

sokで、sokoと読むのは、kの前の母音oにひかれてkの後にもoをつけたもの。「大徳」をdaitokoとする類。

せうだい【招提】寺院。「故(ことさら)にこの寺は…五山第二の—なれば」〈太平記四〇・中殿御会〉。「招提、セウダイ、今十方住持の寺院也」〈文明本節用集〉

せうち【少知】少しの知行。「—を捨てて帰る雁金」〈俳・談林十百韻上〉

せうちうび【焼酎火】歌舞伎の小道具の一。狐火(きつねび)や幽霊・妖怪の出る場に用いる青白い火。焼酎に浸した布切れを竹の先に付けて火をつける。「薄どろどろにて、髑髏(どくろ)の上へ—燃ゆる」〈伎・名歌徳三舛玉垣中〉

せうぢがくれ【小路隠れ】小路にある出会い宿や妾宅などに入り浸ること。近世、大阪でいう。横町狂い。「小宿ばひり」とも。「商ひを袖にして—の家出のと」〈近松・卯月紅葉中〉

せうてん【少典】大宰府の主典(さくわん)で、大典に次ぐもの。書記を掌る。正八位上相当。大宰府の縁故者を任じた。「—山氏若麿」〈万八二七作者名〉

せうと【兄人】《セヒトの音便形。「いもうと」の対》年齢の上下に関係なく、姉妹から見た兄弟。「この〔浮舟ノ弟ノ〕—の童を、僧都目とどめて」〈源氏夢浮橋〉。「〔玉鬘ノ兄柏木ナド〕—の君だちも、かかる折にとつどひ」〈源氏真木柱〉→せ(兄)

せうなごん【少納言】太政官の少納言局の官。侍従を兼ね、重職とされた。「すないものまうし」とも。「—大伴宿禰家持」〈万四二九四左注〉

せうに【少弐】大宰府の次官。帥(そち)・大弐が赴任しない場合は、庶務を代行。大宰府管内の大社の祭には、祭の使となる。「その御乳母(めのと)のをのこ、—になりて行きければ」〈源氏玉鬘〉

せうねつ【焦熱】「焦熱地獄」の略。「〔八熱地獄ノ〕六は—、七は大焦熱」〈孝養集上〉 **—ぢごく**【焦熱地獄】八熱地獄の一。亡者を炎熱で苦しめるところ。「〔無間地獄ノ〕かの罪人は、—を見れば天上の楽しみを見るが如し」〈孝養集上〉

せうのふえ【簫の笛】「簫(せう)」に同じ。「簫、世宇乃布江(せうのふえ)、形参差象、鳳翼也」〈和名抄〉

せうばう【椒房】皇后の御殿。転じて、皇后の異称。中国で、皇后の御殿の壁に悪気を防ぐため山椒(さんせう)を塗ったところからこの名があるという。「—の嵐声悲しみ、腋庭(宮女ノ居室)の露色愁ふ」〈平家七・聖主臨幸〉

せうはん【小半】田地などの面積で、三分の一。「一つ〔ヲ〕三に分けて、三分一をば—と云ふ」〈江湖風月集抄〉

せうひつ【少弼】①弾正台の次官。大弼の次に位し、正五位下相当。「従五位下小野朝臣篁をして弾正—とす」〈続後紀天長一〇・三・二四〉 ②孝謙天皇の時代、皇后宮職を改組した紫微中台(しびちうだい)の次官。従四位下相当。「従四位下百済王孝忠、…並に兼—と為す」〈続紀天平勝宝一・八・一〇〉

せうぶん【少分】少しの部分。わずか。「仏は御弟子其の数多かり、我に—分け給ふべし」〈今昔一ノ一二〉。〈文明本節用集〉

せうべん【小便】①尿。「まづ—を洗浄す」〈正法眼蔵洗浄〉。「尿、由波利(ゆばり)、小便也」〈和名抄〉 ②買値をつけても買わないこと。約束を取り消すこと。「〔酒注文ノ〕—はさせぬといひて」〈仮・竹斎はなし下〉 **—かひ**【小便買ひ】肥料にするため、農夫などが小便を買い歩くこと。また、その人。「小便貰ひ」とも。「山城の—ものどかなり」〈俳・続の原下〉 **—ぐみ**【小便組】近世後期、支度金を取って妾奉公し、わざと寝小便をしてを暇取る女。「—などと言ふところは、御免だよ」〈黄・江戸生艶気樺焼中〉

せうべん【少弁】令制で、弁官の一。「すないおほともひ」とも。「太政官の—」〈続紀和銅一・七・一五〉→弁

ぜうまう【焼亡】焼けてなくなること。また一般に、火事。「深更に及び、西方に—有り」〈権記長保三・九・一四〉 **—だき**【焼亡焚き】香(かう)を、火事になるくらい惜しげもなくくべること。「ぜうもだき」とも。「—や薫る白菊」〈俳・桜千句〉。〈日葡〉

せうみゃう【小名】①名田(みやうでん)の所有が少ない領主。「国国の大名—並(な)み居たるその中に、京の者どもいくらもあり」〈平家一一・大臣殿被斬〉 ②江戸幕府の制では、一万石以上の将軍直属の武家を大名というが、その中で石高の少ない者。「国国の大名—幷びに諸給人」〈御触書寛保集成一、慶長二〇・七〉→大名

せうもくだい【小目代】目代の下役。「則国、由緒を検非違使所—に申し含め」〈吾妻鏡文治二・九・二五〉。「道誉が—にて、吉田肥前が出雲国に有りけるを追ひ出し」〈太平記三二・山名右衛門佐〉

せうもつ【抄物】《セウモチとも》写したもの、または抜書きしたもの。転じて、注釈書。「和歌・管絃・往生要集ごときの—を入れたり」〈方丈記〉。〈運歩色葉集〉

せうやうしゃ【昭陽舎】内裏五舎の一。麗景殿の東、温明(うんめい)殿の北に位置し、南北の二舎がある。各五間四面。東宮や女房の居所、儀式の控室、また、宿直・休息所などに使われた。梨壺。「—に御しつらひありて渡らせ給ふ」〈今鏡三〉

せうよう【小用・少用】①少しの用事。「小次郎はいさかか—ありて、鎌倉に立ち寄りたりけるが」〈盛衰記二二〉 ②小便。「路に於いて—有り。乃(すなは)ち車を官司に寄す。…水を求めて手を洗ひ」〈花園院宸記正中一・一一・三〉

せうらん【照覧】神仏が明らかに御覧になること。「両所山王定めて—し給ふらん」〈平家二・一行阿闍梨〉

せうりゃう【少領】令制の郡の次官。「豊前の国宮子の郡の—なり」〈今昔二〇ノ二六〉

せおひ【背負ひ】『四段』背に負う。背中にのせる。「粮料—・うて奥州へ落ちまどひし小冠者が事か」〈平家一一・嗣信最期〉

せかい【世界】①国土。四海。「昔の契りありけるによりてなむ、この—にまうできたりける」〈竹取〉 ②世の中。世間。「—の人の言ひけるは」〈竹取〉。「—の栄華にのみたはぶれ給ふべき御身をもちて」〈源氏少女〉 ③世の中の人。国中の人。「—こぞりて申す時に」〈宇津保俊蔭〉 ④地方。田舎。「—にものしたまふとも、忘れで消息したまへ」〈大和六四〉 ⑤「—の」の形で他の語に冠し、世界で一番という賞讃の意を表わす。「月は要(かなめ)風は—の扇かな」〈俳・毛吹草追加上〉 ⑥〔歌舞伎・浄瑠璃用語〕古くから民衆に親しまれている戯曲の時代・人物群とそれに基づく構想の類型。「義経記の世界」「曾我の世界」などという。「竪筋(たてすぢ)は—、横筋は趣向(しゆかう)になる」〈戯財録〉 **—のづ**【世界の図】①近世前期版行された卵形の世界地図。「世界の形」とも。「浪人や—をば知りぬらん」〈俳・犬子集一五〉 ②《世界地図にも見当らないの意から》最上の意でいう賞讃・感嘆の語。「玉顔〔ハ〕—」〈評判・剝野老〉 **—のづはづれ**【世界の図外れ】《「世界の図」(1)の外辺には異常な土地や住人が存在したように画かれていたので》異常で法外な物事。「世界の図はぐれ」とも。「夜

を昼になし、―なる者」〈西鶴・桜陰比事一〉 **―のまんなか**【世界の真中】「世界の図」(2)に同じ。「世界の鉄砲洲」とも。「美しき若衆歌舞伎女形これは―ぞかし」〈仮・東海道名所記一〉 **―は広し**《近世、見聞が広まり、日本・外国の地理の常識が一般化した時の語》世界は広いから種種様様な物事が存在するの意。「―武蔵一国〔ノ物事デハ計ラレヌ〕」〈俳・大矢数一〉 **―みとほし** オシト【世界見通し】森羅万象を未然に察知する意で、八卦見(はっけみ)を賞めていう語。「―と言ふ安部の清明に占はせけるに」〈西鶴・名残の友三〉

せがい 舟の両舷に渡した板。「皆紅の扇の日出したるを舟の―に挟み立てて」〈平家一一・那須与一〉。「船棚とは、―とて船の左右の傍(そば)に縁(えん)のやうに板を打ちつけたる也」〈顕注密勘〉

せかいらぎ【背梅花皮・背鱗】刀の鞘(さや)・柄(つか)を包むに用いる鮫皮。背筋に梅花の形に似た大きい粒が並んでいる。また、これで鞘・柄を巻いた刀。「せかいらげ」とも。「夫(をっと)が差替へ三尺二寸の―」〈近松・持統天皇三〉

せがき【施餓鬼】無縁の亡者のために読経・飲食を施す法会。「朝には放生(はうじやう)し、夕には―すと」〈雑談集六〉。〈文明本節用集〉 **―ぶね**【施餓鬼舟】川で施餓鬼をするために出す舟。「―松を置く場へ飯を盛り」〈雑俳・万句合明和四〉

せかさ【背嵩】身長。背のたけ。「〔猿ノ〕歯を赤く、―を大きに〔縫物ニ刺シ縫イシタ〕」〈浄・浄瑠璃十二段三〉

せかせか こせこせとしてこまかいさま。「苛小は、―とこせた事ぞ」〈史記抄一三〉。「それならば―と置かうより、一度にどうと置かう」〈虎寛本狂言・今参〉

せか・へ セカ エ【塞かへ】《下二》《セキ(塞)アヘ(合)の約。アヘは十分に…しきる意》こらえてせきとめる。しっかりとせきとめる。「年月を―・へ留めて」〈続後紀嘉祥二・三・二六〉

せが・み《四段》①強引に頼み求める。ねだる。「ものくさ祖が姥(うば)、―・みて云ひだたし」〈雑談集三〉。「あまりまた人がたづね来過ぎて、身どもをせぶらかし、―・んで会ひたがって」〈盤珪禅師御示聞書上〉②無理を言って、相手をなやまし、いじめる。「火を早う持っておぢゃと―・みける」〈近松・重井筒中〉

せからし・い《形》忙しい。せわしい。〈日葡〉

せがれ【倅・悴】《「躮」「世倅」「悴子」とも書く》①自分の子の謙称。「いまだ十二十三の―二人、いづれも男子にて」〈信長公記一〇〉。「一人ある―(娘)が後後のためにもよし」〈西鶴・胸算用三〉。「倅、セガレ、本朝俗謂二我子一為レ―」〈書言字考〉②少年。また、少年を罵っていう語。「我ら、―より山寺に住み馴れ」〈咄・昨日は今日上〉。「我等捕へ申し候―五人」〈本城惣右衛門覚書〉

せき【関】①《「塞き」の意》非常に備え、不慮の災いを警戒する所。道路の要所、或いは国境に設置する。令制に、美濃不破・伊勢鈴鹿・越前愛発(あらち)(平安時代には近江逢坂)を三関といい、武器・兵士を常備し、畿内の守護を目的とした。中世には道路・交通施設の使用料・修理費の徴収などを目的として関所が乱設された。「過所(くゎそ)なしに―飛び越ゆるほととぎすまねく吾子にも止まず通はむ」〈万三七五四〉。「夢に道行く心地して、愛発の―をも通り給ふ」〈義経記七〉。「『めでたい御代なれば国国の―さへあがったが、どなたからの―ぞ』といふ。『天下からの―ではないが私の―ぢゃ』といふ。『うぬし達の分で―が据ゑらるるものか、推参なことい ひそ』といふ」〈天理本狂言六義・伊文字〉②一日の取組みで無敗の相撲取の称。古くは最手(ほて)といい、後、関・関取・大関と名称が変った。「近江の住人に小鷹の介といふ者、―をうつ〔大関ノ地位ヲ保ツ〕事、六日なり」〈遠近草中〉③「関船(せきぶね)」の略。「関船。…今―と云ひて通用する者也」〈和漢船用集三〉 †seki

せき【隻・尺】《「尺」は漢音セキ。同音の「隻」の当て字》魚・鳥・矢・舟などを数える語。「鮭(さけ)の一二―」〈宇治拾遺一五〉。「矢の一―」〈太平記九・越後守仲時〉

せ・き【咳き】《四段》《セキ(塞)・セシ(狭)と同根》のどがふさがって、息がつかえる。「御胸―・きあぐる心地したまふ」〈源氏夕顔〉

せ・き【急き】《四段》急いでいらだつ。「口論をして云ひまくり、向ふの者に気を―・かせては、きほひをとる」〈わらんべ草三〉。「かまへて人に悟られ給ふな。―・いて事を仕損ずな」〈近松・出世景清一〉

せ・き【塞き】㊀《四段》《セシ(狭)と同根。ある方向へ動くものを、通路をせばめて止める意》①狭くして流れをとめる。「明日香川しがらみ渡し―・かませば流るる水ものどにかあらまし」〈万一九七〉。「―・きがたき涙の雨のみ降りまされば」〈源氏幻〉②(進む思いを)締めつけてとどめる。おさえる。「愛(うるは)しとわが思ふこころ速河の―・きに―・くともなほや崩(く)えなむ」〈万六八七〉③邪魔する。妨害する。「人気(ひとけ)にこそ、さやうのもの(狐ヤフクロウ)も、―・かれて影隠しけれ」〈源氏蓬生〉④〔遊里語〕相思の遊女と客との仲を妨げて逢わさぬようにする。「深間有るを―・きて見れども」〈評判・吉原雀上〉㊁《名》【塞・堰】せきとめるもの。隔てるもの。「彦星に恋はまさりぬ天の河へだつる―を今はやめてよ」〈伊勢九五〉 →せき(関) †seki

せきあ・げ【咳き上げ】《下二》喉をつまらせてこみあげる。むせてこみあげる。「〔病人ハ〕ただつくづくと音(ね)をのみ泣き給ひて、折折は胸を―・げつつ」〈源氏葵〉

せきあ・げ【塞き上げ】《下二》川などの水をせきとめて、水かさをふやし、田などに入れる。「佐保川の水を―・げて植ゑし田を刈る早飯(わさいひ)は独りなるべし」〈万一六三五〉 †seki-agë

せきあ・ひ イァ【塞き合ひ】《四段》大勢つめかけて押しあう。「六波羅の門前には、馬・車の立ち所もなく―・ひたるに」〈古活字本平治上・主上六波羅〉

せきあ・へ エァ【塞き合へ】《下二》しっかりとせきとめる。「嘆きせば人知りぬべみ山川のたぎつ心を―・へてあるかも」〈万一三八三〉 †sekiaɸë

せきい【赤衣】緋色の袍で、五位の者が着る朝服(てうふく)。あかぎぬ。「―に剣笏をぞ帯したりける」〈平家一〇・内裏女房〉

せきいた【関板】板屋を葺く粗末な板。一間板のつぎ手を羽重(はがさね)にして、上に桟を打ったもの。「四品以下の平侍(ひらざむらひ)武士なんどは、―打たぬ舒葺(のしぶき)の家にだに居ぬ事にてこそあるに」〈太平記二六・執事兄弟〉

せきおくり【関送り】都を離れて旅立つ人を関(特に逢坂の関)まで送って行くこと。「行き帰りぬる道の露けさ／旅人も涙ながらの―」〈汚塵集五〉

せきかぜ【関風】関所の付近を吹く風。「逢坂の関の―吹く声は昔聞きしにかはらざりけり」〈更級〉

せきくゎ【石火】火打石を打って出す火。「―の風に向って敵(う)つことを悲しぶ」〈和漢朗詠集餞別〉 **―のひかり**【石火の光】一瞬の間のたとえ。「老少不定の世の中は―に異ならず」〈平家一〇・横笛〉

せきしゃう セキシヤウ【石菖・石菖蒲】水辺に自生する草。菖蒲(しやうぶ)に似て香気があり、水鉢に植えて鑑賞した。セキショウブ。「―殖(う)ゑたる池水に入りて」〈神道集一〇〉。〈文明

本節用集〉

せきしょ【関所】「関(せき)」(1)に同じ。「淀―、南都相論之時安堵、院宣四通」〈高野山文書二、元亨二・七・一三〉。「両将勢州平均に治められて、五奉行を山田にすゑられ、所所―を破り給ふ。国司国を治むるの時に所所に新関を立て、参宮の上下より銭を取りたる関どもなり」〈江源武鑑一四〉 **―てがた**【関所手形】室町・江戸時代、関所通行の時に必要な身元証明書。通り手形。関手形。通り切手。「―(ニ)書き載すべき覚え(形式)…一、禅尼、これは、よき人の後室、または姉妹などの髪剃りたるを云ふ」〈武家厳制録三七〉

せきせき しきりなさま。さいさい。せつせつ。「御むつかしき事―と申し候て、御心もとなく候」〈言継卿記大永八・二・二紙背文書〉

せきぞろ【節季候】《「節季に候」の意》十二月下旬に門付けした物乞い。二人あるいは四人・六人が一組となり、歯朶(しだ)の葉をさした笠をかぶり、赤い布で覆面して眼だけ出した姿で、一年を無事に過ごして春を迎えるというめでたい文句を唱えて踊り、その間に「せきぞろ」ということばを繰り返したので、この名が付いた。後には四つ竹・三味線などではやすようになった。「御礼は春永に、―――、目出たし目出たし」〈鈴鹿家記応仁二・三・六〉。「―や来む正月の先走り」〈俳・続山の井五〉。「―や年くれなゐの頬かぶり」〈俳・桜川九〉

せきだ【席駄】竹皮草履の裏に牛皮を張りつけたもの。せった。「大徳寺三門に利休木像造り、―といふ金剛(草履)はかせ、杖突かせ」〈晴豊記天正一九・二・二六〉 **―に灸(やいと)** 長座の客の席駄に灸をすえ、早く帰る気を起させるまじない。「なぜにぢゃの/―去(い)なぬぞや」〈雑俳・軽口頓作〉

せきたい【石帯】⇒しゃくたい

せきだい【石台】箱庭風に岩石をあしらった盆栽。「―はやりたり」〈北条五代記八〉

せきたぐ・り【咳き吐り】《四段》せきあげる。「思ひを涙に通はせて、人目を中にはばかりの、―・るこそ哀れなれ」〈近松・夕霧下〉 ↓たぐり(吐)

せきぢ【関路】関所に通ずる道。「今はとて立ちかへり行く故郷の不破の―に都忘るな」〈後撰一三一四〉

せきづる【関弦】弓の弦の一種。弦に絹糸を巻き、その上に渋を引き、漆を塗ったもの。はじめ伊勢国関町で作られた。「持ちたりける五人張りに―かけて嚙(く)ひ湿し」〈太平記一五・三井寺〉

せきて【関手】関所を通過するときに払う金銭。関銭。「昔より今に至るまで、羽黒山伏の渡賃・―なす事はなきぞ」〈義経記七〉

せきてがた【関手形】「関所手形」に同じ。「思ひ余り胸に据ゑたる―」〈俳・江戸新道〉

せきてん【釈奠】《「釈」も「奠」も物をおく意》孔子の祭。二月・八月の上の丁(ひのと)の日、大学寮で孔子およびその十哲の肖像を祭る。文章博士が出題し、孝経・礼記その他を毎年かえて講ずる。中国から伝わった行事で、わが国では大宝元年二月十四日の記録が最も古い。「五言。仲秋―一首」〈懐風藻〉。「中納言に拝任の後、はじめて―の上卿を勤むるに」〈十訓抄一ノ五一〉

せきでん【夕殿】夕方の宮殿。「―に螢飛んでと〈白楽天ノ詩ノ長恨歌ノ〉例の古ことも、かかる筋にのみ口なれ給へり」〈源氏幻〉

せきど【関門・関戸】関所の門。せきのと。「世の中は―にふせぐ逆茂木のもがれ果てぬる身にこそありけれ」〈長秋詠藻上〉。「関、日本紀私記云関門也、世岐度(せきど)」〈和名抄〉

せきとく【尺牘】《シャクトクとも》文書。書状。手紙。「―の書疏は千里の面目なりといへり」〈著聞三八五〉

せきとく【碩徳】徳の高い人。「まことに無双の―、天下第一の高僧にておはしければ」〈平家二・座主流〉。〈色葉字類抄〉

せきとり【関取】「関(せき)」(2)に同じ。「彼の仁(じん)は―にてありし」〈多聞院日記天文一九・閏五・五〉

せきぬひ(イ:ヌ)【関縫】縫目を表に現わさぬようにして縫い合わせること。「散る花に―もがな糸桜」〈俳・沙金袋二〉

せきのと【関の門・関の戸】関所の門。「げに治まれる四方の国、―さざで通はむ」〈謡・老松〉

せきのひがし【関の東】⇒くゎんとう。「この由をも―へぞたまひつかはしける」〈増鏡八〉

せきのぼ・し【逆上し】《四段》のぼせあがる。「―・したる顔色」〈近松・曾我会稽山一〉

せきのぼ・り【咳き上り】《四段》胸がこみあげる。「とざまかうざまに思ふに、胸の―・る心ちして」〈源氏蜻蛉〉

せきのやま【関の山】それ以上なし得ない限度。「奈良屋が仕出し料理、壱匁弐分膳が―なり」〈浮・当世乙女織二〉

せきばく【寂寞】《ジャクマクとも》ひっそりと静かなこと。「幽閑―の御すまひ」〈平家四・厳島御幸〉。〈色葉字類抄〉

せきひつ【石筆】黒石脂(こくせし)という紫黒色の粘土質の石を筆形に削り、管軸にはめて字を書くように作ったもの。また、その石。「―となすや硯の朝氷」〈俳・発句帳四〉。「黒石脂、ヱカキズミ、俗に石筆と曰ふ」〈合類節用集〉

せきふだ【関札】近世、大名・貴人などの宿泊を示すしるしとして、氏名・月日を記して、宿駅の入口と宿屋の前に立てた木の札。宿札。「大名高家は道中に―を立つ也」〈俳・類船集五〉

せきぶね【関船】海船の一。船首が低く船尾は高く、矢倉があって、櫓(ろ)四十挺立てから八十挺立てまでの早船。古くは「高尾船」といい、単に「関」ともいった。「中津の沖へ―を指し出され、島津殿人質船を…討ち沈められ候」〈川角太閤記五〉

せきぶり【席振り】連句の席で、うまく進行させるやり方。「人の機嫌を取り廻りて、―も自堕落になり」〈俳・綾巻〉

せきみち【関路】「せきぢ」に同じ。「名のみしてあと絶えにけり往きかひの逢坂ならぬほかの―」〈相模集〉

せきむかへ(カエ:ム)【関迎へ】都へ来る人を関(特に逢坂の関)まで迎えに出ること。「今日の御―は、え思ひ捨て給はじ」〈源氏関屋〉。「行くもただ帰るも同じ道にして/別れし人に逢坂の関。関送りの人に又―の時逢ふ心なるべし」〈汚塵集五〉

せきもり【関守】関所を守る役人。関所の番人。「わが背子が跡ふみ求め追ひ行かば紀伊(き)の―い留(と)めてむかも」〈万五四五〉

せきや【関屋】関所の番小屋。「―より、さとくづれ出でたる旅姿ども」〈源氏関屋〉

せきゃう(キョウ)【説教】《セッキャウの促音ツを表記しない形》経文の意味や仏教の道理を説き聞かせること。「―などはいとよし」〈枕三七〉

せぎゃう(ギョウ)【施行】①功徳のため、僧や貧人に物をほどこすこと。「舅(しうと)の僧、面(おも)てを包みて、沙彌(しゃみ)の中にまじり居て、その―を受く」〈三宝絵中〉。〈文明本節用集〉 ②命令を広く伝えること。また、その命令。「国国の源氏等に―せらる」〈盛衰記一三〉 ③室町時代、管領より

守護に下す命令書。「将軍家御教書、執事の―」〈庭訓往来六月十一日〉

せきやぶり【関破り】①関所を暴力で、あるいは欺いて通過したり、間道を廻って関所を避けて通ること。また、その人。重罪に処せられた。関所破り。「国を走った―ぢゃと云うて」〈伎・傾城花筏二〉 ②遊女が廓(くるわ)から逃げ出すことを(1)にたとえていう語。「―ぢゃ程に、是非にひとまづ廓へ戻りゃれ」〈伎・傾城暁の鐘中〉

せきやま【関山】関所のある山路。「吾(あ)が身こそ―越えて此処にあらめ心は妹に寄りにしものを」〈万三七五七〉

せきらう ‥ロウ【夕郎】五位の蔵人(くらうど)の唐名。「―の貫首を経、参議・大弁・中納言・大宰帥、遂に正二位大納言に至れり」〈平家二・吉田大納言〉

せぎり【背切り】魚などを輪切りにすること。「庖丁も爰(ここ)を―や桜鯛」〈俳・時勢粧三〉

せきりん【石淋】腎臓または膀胱に石が生ずる病気。「呉王夫差、俄に―と云ふ病を受けて」〈太平記四・備後三郎〉

せき・れ【塞きれ】『下二』《セキ(塞)イレ(入)の約》せきとめて入れる。「千代を経てすむべき水を―・れつつ池の心にまかせたるかな」〈栄花歌合〉

せきれいざし【鶺鴒差し】刀をセキレイの尾のように、後ろに長く突き出して差すこと。「三尺二寸のせかいらぎ、―にぼっこんで」〈近松・持統天皇三〉

せく【節供】「せっく」の促音「っ」を表記しない形。「〔正月〕十五日、―まゐりすゑ」〈枕三〉

ぜく【絶句】「ぜっく」の促音「っ」を表記しない形。「ただの人は、大臣(おとど)をはじめ奉りて、―作り給ふ」〈源氏少女〉

せくぐま・り【跼まり】『四段』《背くぐまりの意》背を丸めてかがむ。「高天に―・り、厚地に蹐(ぬきあし)をせよといふ古きことばのあるものを」〈曾我九〉。「跼蹐、セクグマル」〈名義抄(図書寮本)〉

せくぐ・め【跼め】『下二』背を丸くして、体を前方にかがめる。「あはれなり小鳥一羽を刺さむとて天に―・め地に足をぬく」〈三十二番職人歌合〉

せぐ・り『四段』①咳(せき)や吐き気、抑えきれない泣き声や涙などが、こみあげる。「言はんとすれど―・り来る涙は声に先立ちて」〈近松・浦島年代記三〉 ②臨終の際、しゃくるように苦しい息をつく。「なごり惜しげにのたまふ息も―・り来て、遂に空しくなり給ふ」〈伎・日本八葉峰一〉 **―あ・げ**【せぐり上げ】『下二』せきあげる。こみあげる。しゃくりあげる。「河水嘆泣と―・げ」〈浄・多田院四〉

せぐる・し『形シク』せきこんで苦しい。息苦しい。「―・しや跡から老の年の暮」〈俳・一本草四〉

せけん【世間】①「三界」(1)に同じ。「―の衆生、地獄に至りて苦を受くること二十余年を経て、免(ゆる)されむや否や」〈霊異記下三五〉。「―虚仮」〈上宮聖徳法王帝説〉 ②現世。この世。「つひに空しく見給へなして、―の道理なれど悲しび思ひ給ふる」〈源氏若紫〉。「『何となく翁びたる心地して、―のこともおぼつかなしや』など宣へど」〈源氏常夏〉 ③外界。あたり一面。「鷹つかはせ給ひて、いみじう興に入らせ給へる程に、俄に霧たち、―もかいくらがりて侍りしに」〈大鏡昔物語〉 ④日常の生活。「二人は―貧しかりければ、古き地蔵の相好もととのほらぬを、花香奉りてあがめける」〈沙石集二ノ六〉 ⑤交際。「―する若い者、呼びに来まいものでもない」〈近松・宵庚申下〉 **―が立・つ** 世間への義理がすむ。世間への申し訳が立つ。「それでは―・たぬ」〈近松・冥途飛脚下〉 **―ぎ**【世間気】見栄外聞をつくろう気持。虚栄心。「念仏講仲間に酒屋・両替屋のあるを近き一門に申しなして、ここに来ての―」〈西鶴・諸艶大鑑二〉 **―ぐち**【世間口】①世間話。「観音経の読誦(どくじゅ)の外、―を閉ぢたれば」〈近松・出世景清四〉 ②世間のうわさ。「花に嫌よ―より風の口」〈俳・芭蕉真蹟〉 **―ざた**【世間沙汰】世間のうわさ。「月雪の夜の更くるまで―」〈俳・両吟一日千句〉 **―じゃ**【世間者】①在家(ざいけ)の人。在俗の人。「聖人(しゃうにん)の念仏と―の念仏と、功徳(くどく)ひとしくして、また、かはりめあるべからず」〈和語燈録二〉 ②世の中の人。一般の人。「また―より邪推せられ給ふ事をば何とも思ひ給はざるなり」〈こんてむつすむん地三〉 ③俗物で、世渡りにたけた人。後に「世間師」ともいい、詐欺師の意にも用いた。〈日葡〉 **―すずめ**【世間雀】世馴れた者。「―は友に揉(も)まるる」〈俳・七百五十韻〉 **―そう**【世間僧】俗気の多い僧。生臭(なまぐさ)坊主。「―と云はばや月の影法師」〈俳・鸚鵡集七〉。「―も隠者となすや雪の庭」〈俳・続連珠七〉 **―だうぐ** ‥ドウ【世間道具】外出する時の身のまわりを飾る道具。表道具。「―一つも無かりし」〈西鶴・永代蔵五〉 **―だましひ** ダマシイ【世間魂】世俗の事に関する心のはたらき。世才。「―はしも、いとかしこく侍るを取り所にて」〈大鏡昔物語〉 **―詰・まる** 米が少なく金銀がだぶつき、物価が上がって生活が苦しくなる。「世が詰まる」「世上詰まる」とも。「此の年(文明十五年)売買高くして、―・る事限りなし」〈妙法寺記〉 **―てい**【世間体】世間に対する体面。「―にしたがひ、かくの如きの所に参るべき也」〈殿暦長治二・閏二・三〉 **―晴れて** 公然と。おおっぴらに。「―我が恋人を知らすべし」〈西鶴・諸艶大鑑五〉 **―むき**【世間向き】①世の中に適合すること。世に処すること。「―を嫌がって、家郷の辺に引籠(こ)うで、あちこち往来するぞ」〈江湖風月集略註抄一〉 ②「世間体(せけんてい)」に同じ。「―は〔男女ノ〕中絶えて」〈西鶴・諸艶大鑑七〉 **―を張・る** 手広く商売し広く交際する。「―・って棟の高き内には」〈西鶴・胸算用二〉 **―を止(や)・む** 隠居する。隠居して坊主頭となる。「―・めて忍ぶ閨の戸」〈俳・桜千句〉

ぜげん【女衒】遊女奉公の口入れ業者。「女郎を国国より買ひ出す者あり。―と云ふ」〈評判・吉原失墜〉

せこ ①酒宴の席で、上座の者の指図で末座の者などに酒をすすめること。また、そのための盃。「予も―の御酌仕り了んぬ」〈言国卿記文明八・八・一六〉。「乱酒の時は、―とて、盃いくつも出し、銚子なども幾えだも出し候事、常の事也」〈宗五大双紙〉 ②細かいことにまで気をつけて始末のいいこと。また、精を出すこと。「下焦れてふ薪(まき)までに―」〈雑俳・一騎討後集〉 **―を入・る** ①末座の者に酒を飲ませる。「御狩場にすすむる酒の鳥肴―・れてぞ寒さ忘る」〈玉吟抄〉 ②細かいことにまで気をつけて始末する。また、ぬけめなく精を出す。「せこに入る」「せこが入る」とも。「御供所(ごくしょ)の落ちこぼれまで―・れ」〈俳・功用群鑑下〉。「催併、―・るる」〈中夏俗語藪下〉

せこ【兄子・夫子・背子】《コは親愛の情を表わす接尾語》①同母の兄または弟を姉妹が親しんで呼ぶ語。「我(大伯皇女)が―(弟ノ大津皇子)を大和へ遣るとさ夜ふけて暁(あかとき)露にわが立ち濡れし」〈万一〇五〉 ②夫、または恋人である男性を親しんで呼ぶ語。「我(衣通郎姫)が―(夫ノ允恭天皇)が来べき宵なりささがねの蜘蛛の行ひ今宵著(しる)しも」〈紀歌謡六五〉 ③《転用して》㋑甥を親しんで呼ぶ語。「吾(大伴坂上郎女)が―(大伴家持)が着(け)る衣薄し佐保風はいたくな吹きそ家に至るまで」〈万九七九〉 ㋺男性から男性を親しんで呼ぶ語。「我(大伴池主)が―(大伴家持)を見つつし居れば、思ひ遣る事もありしを」

〈万四〇〇八〉 †seko

せこ【勢子・列卒】 狩場などで、鳥獣を駆りたて、また逃げるのを防ぎ止める人夫。かりこ。「夏狩の―踏みしだき分くる野にしほれやすらんさ百合葉の花」〈夫木抄八・百合〉

せご・し【瀬越し】 〔一〕『四段』 ①試練を経て上達する。関門を越して一段と進出する。「も一色―・して見たや紅葉鮒(もみぢぶな)」〈俳・鸚鵡集七〉 ②他を責め苦しめる。いじめる。しかる。「先の巾着を返せと―・しけれども」〈咄・露がはなし五〉 〔二〕『名』 ①早瀬を越すこと。「―に馬を追ふも苦しき」〈俳・入聟集上〉 ②苦しい目に逢うこと。試練を経ること。「一とせの花の―や菊の淵」〈俳・毛吹草六〉。「二八頃より二十余りは、人の―とかや、先づは友なふ人を選び交らはせよ」〈仮・悔草上〉 ③酒をあまり飲めぬ者が無理に飲むこと。〈俳・世話尽一〉 **―を掛・く** いじめる。「化けねば打殺すがと〔狐ニ〕―・けて」〈浮・近代長者鑑三〉

せごしなます【背越膾】 鮎・鮒を骨付きのまま小口切りに背から切って作った膾。「木津川の小鮎は―かな」〈俳・鸚鵡集三〉

せこ・め 『下二』 責める。いじめる。「人を―・むと言へる詞、如何」〈名語記八〉。「人を侮(あなづ)り、人を―・め痛むる」〈玉塵抄二一〉 **―まは・し【せこめ廻し】** 『四段』 なにかにつけていじめる。常に責め苦しめる。「お亀女夫(めをと)を踏み付けに、―・すといふ事を」〈近松・卯月潤色中〉

せざい【前栽】 「せんざい」の「ん」を表記しない形。「夕ぐれに―見たまふとて」〈源氏物語絵詞〉

ぜさんむしゃべつ【是三無差別】 〔仏〕《出典は華厳経》 心と仏と衆生と、この三つには区別がないということ。「―なに疑ひのあるべきや」〈謡・柏崎〉

せ・し【為し】 『四段』 《シは尊敬の助動詞》 なさる。「やすみしし我ご大君神ながら神さび―・すと、…高殿を高知りまして、登り立ち国見を―・せば」〈万三八〉

せ・し【施し】 『サ変』 ほどこしものをする。「身をば熊・狼にも―・し侍りなむ」〈源氏若菜上〉

せ・し【狭し】 『形ク』 《セ(狭)の形容詞形》 ゆとりがない。窮屈である。「御勢まさりて斯かる御住ひも所―・ければ」〈源氏藤裏葉〉

せじ【世事】 《セイジとも》 ①世間の事。世俗の事。俗事。「また―を返して、飢寒等を忘れて」〈正法眼蔵随聞記一〉 ②《世俗の事の意で》 僧が一日一食の常食以外にとる食事。非時(ひじ)。「夕かた寄り合ひて、事と名づけて、我我―して食すと云へり」〈雑談集三〉

せじ【世辞】 《「口前」とも当て字》 人に応対する時、愛想よくいう言葉。おせじ。追従(ついしょう)。「また文里さんの―が始まった」〈洒・傾城買二筋道〉

ぜじ【禅師】 「ぜんじ」の「ん」を表記しない形。「―たちありければ、夜うち更けて、『護身に』とてものしたれば」〈かげろふ上〉

せじがき【宣旨書】 「せんじがき」の「ん」を表記しない形。「なべての―はものしと」〈源氏夕霧〉

せし・め 『下一』 うまく自分の物にする。奪い取る。「死骸探して金を―・めう」〈俳・難波千句〉

せしめうるし【せしめ漆・石漆】 漆の木から掻き取ったままの、ねばり強い漆液。「せしめる」と掛けていうことが多い。「掻きぬるも啓上―かな」〈俳・点滴集三〉。「一番首を―と勇みをなし」〈近松・百合若一〉

ぜじゃう【軟障】 室内の隔てなどに使う帷(とばり)のようなもので、壁代(かべしろ)の類。白絹に紫などの縁をつけてある。表は生絹(すずし)・唐綾に四季の花などの絵を書き、裏は練絹が多い。「―などひきへだてておはします」〈源氏玉鬘〉 ▽「軟」は漢音ゼン。色葉字類抄には「軟障、ゼムシャウ」とある。ゼジャウはゼンジャウのンを表記しない形。

ぜしゃうめっぽふ【是生滅法】 〔仏〕《涅槃経のことば》 万物は変転生滅して、不変のものは一つもないということ。「―は愛欲の河を渡る般若の船なり」〈栄花鶴林〉

せしゅ【施主】 ①寺や僧に物を施す人。檀那(だんな)。「―の深き願ひの足れる事を皆人貴びけりとなむ」〈今昔一三ノ一〉 ②葬儀・法事などを営む当主。「今日、この家の―に頼まれ、一座の談義を致すことでござる」〈狂言記・泣尼〉

せぜ【瀬瀬】 ①あの瀬この瀬。多くの瀬。「天の河―に白波高けどもただ渡り来ぬ待たば苦しみ」〈万二〇八五〉 ②折折。「身を投げむ涙の川にしづみても恋しき―に忘れしもせじ」〈源氏早蕨〉

ぜぜ【銭】 〔小児語〕 ぜに。「恋しくば―持て来ませわが宿は三味の連れ引きわけ立てる門」〈浄・島原御影供紋日〉

ぜぜがかふ【手手が甲】 手を組み顔に当て、その隙間からのぞき、「ぜぜがこう」と言って子供をおどした遊戯。ぜぜがご。「土佐の―、大和の元興寺(がごじ)に隠期(かくれご)＝カクレンボ)など」〈古今夷曲集序〉

せせが・み 『四段』 いじめる。叱責する。「いま―・みさいなむこと、いとど見苦しかるべし」〈十訓抄七ノ二七〉

せせく・り 『四段』 ①せかせかともてあつかう。せせる。「琵琶は大意、箏(しゃう)のことばを消やすべからず。仍て―・らで大粒に弾くべき也」〈胡琴教録下〉 ②ふざけかかる。いちゃつく。「天の川―・り夜の契りかな」〈俳・難波草三〉

ぜぜく・り 『四段』 どもる。「舌の先にかけて、―・ってどもる事を云ふぞ」〈蒙求抄一〉。「九重に着きにけりけり付きにけり／上は鴨川下は―・り」〈俳・是天道〉

せせなぎ【溝】 《古くはセセナキと清音》 下水。どぶ。「せせなげ」とも。「不浄なる水を―と云ふは何の字ぞ」〈壒嚢鈔三〉。「溷、セセナキ」〈名義抄〉。「剰水、セ、ナギ」〈文明本節用集〉

せせなげ【溝】 「せせなぎ」に同じ。「―の水に音ある蚯蚓(みみず)かな」〈俳・当世男上〉

せせほしゃ ぼしゃぼしゃ小声で話すさま。「―言うて褒め初めける折から」〈評判・役者大鑑〉

せせらか・し 『四段』 もてあそび、からかう。かまう。「母が幼き子を―・すやうに」〈今昔二九ノ二七〉

せせら・き 〔一〕『四段』 《セセラギの古形》 浅瀬の水がさらさらと流れる。「庭の面(おもて)をよくよく薄くなして、水の―・き流るるを堂上より見すべき也」〈作庭記〉。「常には瀬といふは、浅くして、―・き、上波(うはなみ)立つをいひ」〈仙覚抄五〉。「湾、セセラク」〈名義抄〉 〔二〕『名』 《セゼラキとも》 浅い瀬など、水がさらさらと流れる所。小川。「貞範三百余騎、羅城門の前なる水の―に馬の足をひやして」〈太平記八・持明院殿〉。「―は、水の浅く流るる瀬を、俗語に云ふ也」〈謡抄鵜飼〉。「湾、セセラキ」〈和玉篇〉。「潺湲、セセラキ」〈邇言便蒙抄中〉。「湾、セゼラキ」〈饅頭屋本節用集〉

せせらわら・ひ【せせら笑ひ】 『四段』 相手を鼻の先であしらって笑う。「大きな嘘吐(うそつき)と―・ひけるに」〈西鶴・伝来記四〉

せせ・り 『四段』 ①狭い所を無理につつきほじくる。「穴を―・ればかゆさ痛さよ」〈俳・犬筑波〉 ②小さな虫などが、皮膚の表面をつついたり刺したりする。「小さき蟻に―・り殺さるべし」〈古文真宝抄一〉 ③つつき散らしてあさる。ほじくりさがす。「壁のくづれより日影のさし入りたる穴より、犬の鼻をふきてうちをかぎ―・るを」〈著聞二六五〉。「やれ已

(おのれ)は小盗めぢゃ。小屋を―・るせせり盗人ぞ」〈蓬左文庫本臨済録抄〉 ④こまかい点までこせこせと干渉して、相手を悩ませる。「民を強う―・れば分散するぞ」〈毛詩抄七〉 ⑤あれこれとからかいもてあそぶ。「続松(ついまつ)の火を以て〔狐ヲ〕毛も無く、―・る―・る焼きて」〈今昔二七ノ四一〉

―ご【せせり碁】こせこせと切ったり継いだりする碁。「あらもどかしや下手(へた)の―」〈俳・夢見草五〉 ―ばし【せせり箸】膳の食物をあれこれと箸でつついて食べ残すこと。「三つ葉の浸(ひた)し物など―して」〈西鶴・諸艶大鑑二〉 ―ぶしん【せせり普請】家屋をあちこち修繕すること。「つづくり普請」「せせり作事」とも。「いつも唯(ただ)―は絶えやらで」〈俳・徳元千句〉

ぜぜ・り □一『四段』どもる。ぜぜくる。「四郎右〔衛門〕に―・る軽口を言はせ」〈西鶴・一代男七〉 □二『名』どもり。ぜぜ。『いかに年寄でも、どもぢゃ』『いや、われも―ぢゃ』」〈咄・はなし大全二〉

せせわら・ひライ…ワ【せせ笑ひ】『四段』「せせら笑ひ」に同じ。「―・ひて宣(のたま)へば」〈浄・赤染衛門二〉

せそう【施僧】僧に物を施し与えること。「いかなる起立塔婆(きりふたふば)の企て、供仏(くぶつ)・―の営みもあるべかりしかども」〈平家九・三草勢揃〉

せぞく【世俗】①世の中の風習。世間のならわし。「許し奉り給はば、仏法に付いては慈悲なり。―に付けては情なり」〈保元中・左府御最後〉 ②世の中。世間。「―の家を出でて、慈悲の室に入りおはしましぬ」〈盛衰記三四〉 ③世の俗人。世間の人。「―の態(わざ)なればいふに足らず」〈太平記二〇・結城入道〉

せそん【世尊】《世で最も尊いの意から》仏の尊称。また、釈迦の尊称。「身子が助けし鳩も―の御許(もと)に隠れしかば、恐りなかりき」〈三宝絵上序〉

せそんじやうウ…ヨ【世尊寺様】藤原行成を祖とする和様書体の一派。行成創建の寺名による称。世尊寺流。「―の走り書」〈近松・信州川中島三〉

せたい【世帯・世諦】「所帯(しよたい)」に同じ。「今日より―はおほぢ(爺サン)に渡し申すなり」〈伽・火桶の草紙〉。「家産は―の事ぞ」〈蒙求抄五〉 ―ぐすり【世帯薬】世帯のためになること。「とかく年の行きたるが―と存じ」〈西鶴・文反古二〉 ―仏法、腹念仏(はらねぶつ) 仏法も念仏も結局は生活のための手段だ、の意。略して「世帯仏法」とも。

「―と悪い世話(諺)を聞き」〈浮・風流今平家三・四〉 ―もち【世帯持ち】家庭を持っている者。所帯持ち。「―の子供(歌舞伎役者)」〈西鶴・椀久二世下〉 ―やぶり【世帯破り】夫婦別れ。所帯破り。「風の前は―か女郎花」〈俳・玉海集追加三〉。「―といつなりぬらん」〈俳・信徳十百韻〉

せたからげ【瀬田絡げ】着物の左右の褄(つま)をとり、前で帯に挟みこむこと。「釣鐘を―して上げけらし」〈俳・鷹筑波一〉

せた・げ【虐げ】『下二』①いじめ、さいなむ。虐待する。「民が―・げられて、骨と皮とになる様なれども」〈尚書抄五〉 ②はげしくせきたてる。きびしく催促する。「課役・半済、せめ―・げられ」〈応仁記下〉

せた・め【責め】『下二』責める。さいなむ。「『誰(た)がぞ』と帯刀(たちはき)に問ひ―・め給ひければ」〈落窪一〉。「長(をさ)怒りて…と―・めて縛り打ちて追ひ使ふ」〈三宝絵中〉

せたらお・ひイ…オ【背撓負ひ】『四段』《近世、上方でいう》背負う。「涙ながら賤しきは荷を―・ひ」〈俳・底抜臼下〉

せち【切】《呉音》①感情・感興が胸にせまるさま。胸にこみ上げるさま。「物の興―なる程に、お前に皆御琴ども参れり」〈源氏藤裏葉〉。「大宮の亡せ給へりしを、いと悲しと―に思ひしに」〈源氏夕霧〉。「荻吹く風の音ぞ聞ゆると弾きたりしほどこそ―なりしか」〈大鏡道長〉 ②心底から求め、願い、愛する気持を抱くさま。「神無月も―に別れ惜しみつつ過ぎぬ」〈かげろふ中〉。「御暇無きやうにて、―におぼす〔女ノ〕所ばかりにこそぬすまはれ給へ〔ド〕、かのわたりにはいと覚つかなくて」〈源氏末摘花〉 ③ぜひともそうしたいさま。どうしても思うところを貫きたいさま。「―に隠し給ふべき〔手紙〕などは…うちおき散らし給ふべくもあらず」〈源氏帚木〉。「〔女二宮ヲ夕霧ニ許ス〕このこと、いと―にもあらぬことなり」〈源氏夕霧〉 ④無理やり。「かの昔のかんの君を、朱雀院の后の―にとりこめ給ひし折など」〈源氏真木柱〉。「わろび、かたほならむ人を、みかどの取りわき―に近づけて睦び給ふべきにもあらじものを」〈源氏宿木〉

せち【節】《呉音。竹のふし。転じて、文章・楽曲・時季の切れ目をいう》①時節。季節。「彌生(やよひ)の日数のうちに夏の―の来たるをわきまへ」〈経信母集〉 ②季節の変り目などに祝いをする日。元日・三月三日・五月五日・七月七日・九月九日などがある。節句。節日。「元日等の―に及りては、当階の色〔ノ服〕を着せよ」〈続紀神護景雲一・三・一七〉 ③節日の御馳走。特に、正月の饗応。節振舞(せちぶるまひ)。「正月―する所あり」〈忠見集〉 →せつ(節)

せち【世智】①〔仏〕凡夫の知恵。世俗智。「学解(がくげ)の多聞(たもん)は―なれば、いよいよその益少なし」〈沙石集五ノ四〉 ②世渡りがうまく抜け目がないこと。また、勘定高いこと。「偽り飾る事手をくつがへすがごとし。されば…―利根にひすらこくなること、ことわりなり」〈評判・難波物語〉

せちが【世智が】《「世智賢(せちがしこ)し」の略》打算的であること。「おのれも―な奴ぢゃもの」〈近松・生玉心中上〉

せちがい【殺害】《セツガイとも》殺すこと。「一切の人衆は皆善心なくして…―と瞋諍とのみ有りて」〈金光明最勝王経平安初期点〉

せちがしこ・し【世智賢し】『形ク』世渡りがうまく抜け目がない。「〔遊女ノ階級ヲ〕天神・小天神と―・く極めぬ」〈西鶴・一代男五〉

せちが・ひガイ セチ『四段』責めつける。責めたてる。「さも荒気なく―・ふ所へ」〈浄・念仏往生記二〉

せちご【節衣】正月の節日にきる晴着。正月ご。節着。「上品の―を着てや身の祝ひ」〈俳・伊勢踊一〉

せちごと【節事】節(せち)の食事。節供。「水鳥の今朝―に浮かび来て」〈俳・守武千句〉

せちだ【席駄】「せきだ」の転。「―草履の多き浜端」〈俳・紅梅千句〉

せちぶ【節分】「せちぶん」の「ん」を略した形。「九月は、明日こそ―と聞きしか」〈源氏東屋〉。「さて年の境には、―と名づけて、豆を三斗六升入れて、鬼の目を打つとて、『鬼は外へ、福は内へ』と言ひて打つべし」〈伽・貴船の縁起〉

せちぶるまひイ…マ【節振舞】節日の饗応。特に、正月、親戚・知人を互いに招いて宴会をすること。節(せち)。椀飯(わうばん)振舞。「銭蔵をひらきて見れば花の春／―は定まれる宿」〈俳・寛永十三年熱田万句三六〉

せちぶん【節分】季節の移り変る時。立春・立夏・立秋・立冬の前日。のちには、特に立春の前日をいう。「四月ついたち頃、―とかいふ事未だしきさきに渡し奉り給ふ」〈源氏宿木〉 ―たがへエ タガ【節分違へ】平安時代、節分の前夜に居所を変えて方違(かたたがへ)すること。「―などして夜深く帰る、寒きことといとわりなく」〈枕二九八〉

せちべん【世智弁】《「世智弁聡(せちべんそう)」の略》小ざかしく

こせこせしていること。特に、けち。「人は―なるは悪いぞ」〈古活字本論語抄三〇〉。「世智弁、セチベン、世俗所謂悋惜義也」〈文明本節用集〉 ―そう【世智弁聰】〔仏〕八難の一。世渡りの知恵にたけていること。転じて、小ざかしいこと。「なかなか―なるよりも、鈍根なるやうにて切なる志を出す人、すみやかに悟りを得るなり」〈正法眼蔵随聞記三〉 ―たび【世智弁足袋】足袋を汚さないために、その上にはくもの。「唐木綿厭ふまでこそ―」〈俳・東日記上〉

せちみ【節忌】斎日に精進・潔斎をすること。また、その日。せちいみ。「今日―すれば魚(いを)用ゐず」〈土佐二月八日〉

せちれう(‥リョウ)【節料】節句のために要する飲食物や品物。「国国の御庄(みしやう)より―に人の奉る絹・綿など」〈宇津保楼上下〉

せちゑ【節会】朝廷で行なわれる節日の集会。天皇が臨席し、群臣に宴を賜わる。大節(白馬・豊明)、小節(元日・踏歌・端午)のほか、立后・立太子・任大臣・相撲(すまひ)の節会がある。「さるべき―など、五月の節(せち)に」〈源氏帚木〉。「くちをしきもの。……―などに、さるべき御物忌のあたりたる」〈枕九八〉

せつ【切】「せち」に同じ。「〔ツナガレテイル牛馬ハ〕草・水の欲しき思ひ―なりといへども、心にまかせられず」〈孝養集上〉。「切、セツナリ」〈色葉字類抄〉

せつ【節】①大将や使者のしるしとして賜わる旗じるし。羽毛などで作る。「大野朝臣東人を以て大将軍と為し、…東人等に委ねて―を持して之を討たしむ」〈続紀天平一二・九・三〉 ②時期。折(おり)。頃。「隙(ひま)の―」〈文明本節用集〉 ③節日。節句。「まづ大服に御茶ぞかすめる／―毎に集まる類は一ところ」〈俳・寛永十三年熱田万句六三〉 ↓せち(節)

せつ【説】①説明。解釈。「その―まちまちなりといへども、しばらく帰する所の一儀によらば」〈謡・白鬚〉 ②風説。風聞。取り沙汰。「この故にや国中に児女の―まちまちなり」〈伽・七草草紙〉

せつ・い【切い】『形』せつない。苦しい。「一重羽織で―・い町医者」〈俳・大矢数三〉

せついん【雪隠】便所。かわや。せっちん。「雪隠、セツイン、東司(とうす)の事なり」〈伊京集〉

せっかい【説戒】受戒の者に戒律を説き聞かせること。「説法―まことに尊かりければ」〈沙石集六ノ五〉

せつがい【殺害】「せちがい」に同じ。「これ偏(ひとへ)に人を―せる過(とが)なり」〈今昔九ノ三五〉。〈文明本節用集〉

せっかく【折角】㊀『名』骨を折ること。ひとかたならぬ苦労をすること。「中にも―の合戦二十箇度なり」〈古活字本保元上・新院御所〉。「今も骨を折り手柄したる事を―と言ふなり」〈仮・籠耳五〉 ㊁『副』つとめて。精いっぱい。「―習へ、やがて十月十三日になるぞ」〈咄・昨日は今日下〉

せっかひ(‥カイ)【切匙】飯杓子(めしじやくし)を縦に二分した形のもので、擂鉢(すりばち)の内側についたものなどをこそげ落す道具。味噌屋の看板でもあった。「―は〔女房詞デ〕うぐひす」〈女重宝記一〉 ―で腹切・る 不可能なことのたとえ。「連木(れんぎ)で腹切る」「杓子腹」とも。〈俳・世話尽二〉

せっかん【切諫】強くいましめること。きびしくいさめること。「孔子の―あって」〈論語抄泰伯〉

せっかん【折檻】《漢の成帝が、朱雲にいさめられて激怒し、御殿から引き降ろそうとした時、朱雲が檻(てすり)にしがみついたため、その檻が折れたという、漢書朱雲伝の故事にもとづく》①強くいさめること。「予がよき歌を詠まんとすると て、文書して―ありしなり」〈正徹物語上〉。「折檻、せっかん、人を諫むる義也」〈和漢通用集〉 ②きびしく責めこらしめること。「ただ一旦の―なるべし」〈伽・ゆみつき〉

せつ・き『四段』催促する。せっつく。「人をむさぼる風情のことを、―・くと云ふ」〈名語記八〉。「はやはや申され候へと―・かれた」〈寒川入道筆記〉

せっき【殺鬼】人の命を取る恐ろしい鬼。しばしば、死の無常をたとえていう。「かくて無常の―に取られん時は」〈沙石集九ノ二〉

せっき【節季】①十二月の終り。年末。大節季。「月迫の上分、―の年預」〈庭訓往来四月十一日〉 ②盆・暮または各節句前の収支決算期。「夕暮は九月八日の―なるに」〈西鶴・浮世栄花三〉 ―しまひ(‥ジマイ)【節季仕舞・節季仕廻】「正月仕舞」に同じ。「居間では―の咄(はなし)、門を掛乞ひの通らぬばかり」〈西鶴・椀久一世上〉 ―ぞろ【節季候】⇒せきぞろ。「追ひ立つる年や無常の―」〈俳・玉海集四〉

せっきゃう(‥キョウ)【説経】①経文の意味や仏教の道理を説き聞かせること。「東大寺に於て百の高座を設けて仁王経を講ぜしむ。是の日飄風起りて―竟(を)はらず」〈続紀天平勝宝五・三・二九〉 ②(1)に発し、和讃・講式・平曲などを取り入れ、近世前期に流行した歌謡。長柄の傘をさし、三味線・胡弓(こきゆう)・ささらなどを伴奏にして門付けした門(かど)説経(歌説経)、山伏の祭文(さいもん)と結びついた説経祭文などの大道芸から、寛永頃には、操人形劇と提携して劇場演劇に発達し、万治・寛文頃を全盛とし、享保頃、義太夫節に圧倒されて衰えた。説経節。説経浄瑠璃。「赤烏帽子着つつ説くは―」〈俳・鷹筑波三〉 ―し【説経師】「説経」(1)を職とする法師。「嵯峨に能説房といふ―ありけり。随分弁説の僧なりけり」〈沙石集六ノ六〉 ―じゃ【説経者】「説経師」に同じ。「これは自然居士(じねんこじ)と申す―なるが」〈謡・自然居士〉 ―じゃうるり(‥ジョウ‥)【説経浄瑠璃】「説経」(2)に同じ。「天満八太夫は―の太夫にて、芝居は堺町にあり」〈用捨箱下〉 ―とき【説経説き】「歌説経」に同じ。「―を頼み、明日経王堂の脇にて説きたき由申す」〈北野社家日記慶長四・一・二四〉 ―ぶし【説経節】「説経」(2)に同じ。「―のほほんほんに、誠を尽す実語教」〈評判・吉原こまざらい〉

せっく【節供・節句】《もと、節(せち)の日に供えるものの意》季節により、特に定められた祝いの日。正月七日(人日)に七種粥(ななくさがゆ)、三月三日(上巳(じようし))に草餅、五月五日(端午)に粽(ちまき)、七月七日(七夕)に索餅(さくべい)、九月九日(重陽(ちようよう))に栗飯・菊酒を飲食して、この日を祝う。奇数を重んじる中国の習慣が輸入されたもの。〈文明本節用集〉 ―がひ(‥ガイ)【節句買】上巳・端午・重陽に遊女を買うこと。遊女の側からは「節句売」という。「―金の出来たるを怪しみて」〈俳・江戸両吟〉 ―じまひ(‥ジマイ)【節句仕舞】諸入費を調えて節句の準備を完了すること。「西国の大臣、菊の―にとて一歩三百おくられしも」〈西鶴・永代蔵一〉 ―せん【節句銭】江戸で、五節句・盆暮に店子(たなこ)が家主へ付け届けする金品。「―を二百文づつに御定め下されたしと願へば」〈滑・根南志具佐一〉

ぜっく【絶句】①漢詩の一体で、起・承・転・結の四句から成るもの。一句が五言から成る五言絶句と、七言の七言絶句とがある。「寒夜の即事(即興)を、ことば明らかに五言の―にぞ作らせたまひける」〈太平記一三・大内裏〉 ②語句につかえて発音がとぎれること。言葉のつまること。「―するに、本が有っても読めねへから無本同然」〈滑・浮世風

呂三下〉

せっけ【摂家】摂政・関白に任ぜられる家柄。近衛・九条・一条・二条・鷹司(たかつかさ)の五家。五摂家。「本院の大臣と申すは…―といひ高貴といひ、かたがた我に等しき人あらじと思ひ給ひけるに」〈太平記三・大内裏〉。「近九二一鷹司殿、是れを―と申し候」〈大内問答〉

せつげ【節下】①節旗の下の意。「節旗」は大嘗会の御禊(ごけい)などの儀式の時、宮城内に立てるしるしの旗。「先帝の御禊の行幸には、平家の内大臣宗盛公節下にておはせしが、―の幄屋(あくや)につき」〈平家一〇・藤戸〉②《「節下の大臣(おとど)」の略》節旗の下で、事をとり行なう大臣。「―は徳大寺左大将実定公」〈平家一〇・藤戸〉

せつげつくゎ【雪月花】雪と月と花と。それぞれ季節を代表する景物。「抑ゝ天のうるほひに、雨露霜雪の四つをたて、おなじく―の、三の徳をほむるにも」〈五音三曲集〉

ぜっこん【舌根】〔仏〕六根の一。舌。「ただ、かたはらに―をやとひて、不請(ふしやう)の阿彌陀仏両三遍申してやみぬ」〈方丈記〉

せっしゃ【拙者】武士などが自分をへりくだってい言う語。わたくし。「―も同時に罷り向って、合戦を致すべく候へども」〈応仁記下〉。〈文明本節用集〉

せっしゃ【摂社】本社に付属し、本社の祭神に縁故の深い神などを祭った神社。摂宮。「紫野今宮祭。…愛宕本社は地主の神也。故に〔今宮社ノ〕―と為す」〈日次紀事五月十五日〉

せっしゃう【殺生】①〔仏〕十悪の一。生き物を殺すこと。「我が重き病を得しは―の業(ごふ)によるが故に」〈霊異記中五〉②生き物をとること。狩猟・漁猟など。「折ふし川ばたへ出で、―して遊びし前を」〈浅井三代記四〉③かわいそうなこと。気の毒なこと。「―、…かわいそう也」〈浪花聞書〉 **―かい**【殺生戒】五戒・八戒・十戒の一。殺生を禁ずること。「仏の戒め給ふ―をば破るまじ」〈謡・花月〉 **―きんだん**【殺生禁断】仏教の慈悲の精神にもとづいて、狩猟・漁猟などをかたく禁ずること。「この二三年、諸国に―也。大善根を施す也」〈中右記大治四・七・一五〉

せっしゃう【摂政】天皇が幼少または女性の時、天皇の代理として政治を行なう職。「右大臣基経抗表して、―を辞して言す」〈三代実録貞観一八・一二・一〉

せっしゅ【摂取・接取】〔仏〕①阿彌陀が慈悲の光明によって衆生を包み取って捨てないこと。「一念の窓の前には―の光明を期(ご)し」〈平家灌頂・六道之沙汰〉②悪人を折伏し、善人を収め捨てないこと。「折伏―の新義を翻して、仁徳を致されよ」〈古活字本保元上・左大臣殿上洛〉③会得すること。「自今以後、汝を成仏せしめ、仏体真如の善心となさん、―せよ」〈謡・殺生石〉 **―ふしゃ**【摂取不捨】《観無量寿経のことば》「摂取」を強めた語。「〔彌陀ノ〕本願信ずる人は皆、―の利益にて、無上覚をさとるなり」〈正像末和讃序〉

ぜつじゅ【絶入】《セッジ・ゼッニフとも》息が絶え入ること。気絶。「かれが瞋(いか)って向ふ時は、大の男も―す」〈平家五・咸陽宮〉

せっしょ【切所・節所・殺所】道がけわしく、通行の困難な場所。難所。「山陰・山陽の両道を杉坂・舟坂の―にて支へて給はり候へ」〈太平記七・左兵衛督〉。「節所、セッショ、難所」〈温故知新書〉

せつせつ【節節・切切・折折】たびたび。しばしば。しきりに。「丹山にありし時、―つかまつりて見候ひしなり」〈耳底記〉。「切々、せつせつ、さいさいの義」〈和漢通用集〉

せっせん【雪山】ヒマラヤ山の異称。大雪山。「此の朝、誰か―の僧ならざらむ」〈菅家文草五〉。「―に雪の穴を掘りて鳥住む」〈注好選下〉 **―のとり**【雪山の鳥】「寒苦鳥(かんくてう)」に同じ。「維盛が身のいつとなく、―の鳴くらんやうに、今日よ明日よと思ふ物を」〈平家一〇・維盛出家〉。「―。寒苦鳥と云ふ也」〈呉竹集一〇〉

せっそう【拙僧】僧侶が自分をへりくだってい言う語。愚僧。「高野山奥の院へ納め申すべき由にて、―に下され候」〈高野山文書二、慶長二・七・四〉。〈文明本節用集〉

せった【雪駄・雪踏】「せきだ(席駄)」の転。「〔セキダヲ〕せちだ・―など言ふは耳に立ちて悪しし」〈俳・かたこと四〉

せったい【摂待・接待】①慈善のため、往来の僧や山伏などを泊めること。「―とは、宿を定めて往来の僧衆を一宿づつさする也」〈庭訓抄下〉②人人に湯茶を施すこと。近世では特に、寺参りの人に施すのをいった。門茶(かどちや)。「―多しといへども湯摂待に過ぎたる功徳なし」〈伽・もろかど物語〉。「接待、セッタイ、茶を旅人に施す義也」〈文明本節用集〉

せったう【節刀】《「節」はしるしの意》出征する将軍などに、天皇から権力を委任するしるしとして賜わる刀。標(しる)の太刀。「入唐使粟田朝臣真人に―を授く」〈続紀大宝一・五・七〉。「昔は朝敵を平らげに外土へ向ふ将軍は、まづ参内して―を賜はる」〈平家五・富士川合戦〉

せっちうのほととぎす【雪中の時鳥】有り得ないことのたとえ。「雪中の筍(たかんな)」「雪中の芭蕉」も同意。「六百韻するといへども―なり」〈俳・大句数序〉

せっちゃう《「殺生(せっしゃう)」の転とも、「折檻打擲(せっかんちゃうちゃく)」の略ともいう》しつこくいじめること。虐待。「蛇をかいつかみ、色色と―する」〈伎・出世隅田川三〉

せっちん【雪隠】⇒せついん。「湯殿・―、縁つづきにして、風邪をひき候はぬやうにと念入候」〈沢庵書簡寛永七・一〉。〈図書寮零本節用集〉

せっつ【摂津】旧国名の一。畿内五国の一で、今の大阪府の一部と兵庫県の一部。摂州。古くは「難波国」「津国」とも称。「使を河内・―・紀伊等の国に遣はして行宮を営造せしむ」〈続紀大宝一・八・一四〉

せつど【節度】①天皇が、出征を命じた将軍に符節(しる)として賜わる太刀・旗・鈴などの称。「中議の節会行なはれて、―を下さる」〈太平記一四・節度使〉②指図。命令。「東国の官軍ことごとく彼の―に従ふべき由を仰せらる」〈神皇正統記後醍醐〉 **―し**【節度使】令外の官の一。奈良時代、諸道に派遣し、その地方の軍事などを管理した。「酒を―の卿等(まへつきみたち)に賜ふ御歌」〈万九七三題詞〉

せつな【刹那】〔仏〕《梵語の音訳。「劫(ごふ)」の対》極めて短い時間。瞬間。「我がこの苦堪へがたくして―の間も忍ぶべからず」〈今昔七ノ三二〉

せつな・し【切なし】〔形ク〕どうしようもない。つらい。「その御ありさま、あまりに―・く思ひ奉り」〈伽・法妙童子〉

ぜつにふ【絶入】⇒ぜつじゅ。「やがて―したりけるを、人見つけて、房へかき入れて祈りけり」〈沙石集七ノ一〉

せっぱ【切羽・切刃】①刀の鍔(つば)の両面の中心部につける薄い長円形の金具。「九寸五分肝先(きもさき)に―まで刺し通してぞたりける」〈近松・堀川波鼓中〉②物事のさし迫った状態・場合。切迫。「生きる死ぬるの―ぞと」〈近松・雪女上〉③膝づめ談判。「切羽脛金(はばき)」とも。「きさ〔女ノ名〕が懐妊〔ノ責任〕をもたせかける―の只中と、やうやう合点して聞きゐるに」〈浮・手代袖算盤二〉 **―はばき**【切羽脛金】①切羽と脛金と。「春の日や―に磨かるる」

せ

〈俳・難波風〉②「切羽」(3)に同じ。「さっきにから—する通り、銀(ねか)渡したら御損であらう」〈近松・五十年忌上〉

—廻・す 「きっぱ廻す」に同じ。「武士に向って失敬(ぶっ)千万、今一言いって見よと、—・して睨(ね)めつくれば」〈滑・養漢裸百貫四〉

せっぱく【節迫】年の暮。年末。月迫(げっぱく)。「—に及び、江州御陣より、御内書を畠山左衛門督殿になされ」〈蔭涼軒日録長享二・一・二〇〉。〈日葡〉

せっぷく【切腹】①おかしくて腹がよじれること。おかしさにたえないこと。「人人頤(おとがひ)を解き、自ら又以て—する歟」〈玉葉治承三・一一・二〇〉②腹を切って自殺すること。割腹。「鎌倉武衛(足利持氏)—なさるるの条、左右なく有り難きの由」〈建内記永享一一・二・二〉③近世、武士に科した最も重い死罪。検使の前で自ら腹を切ると同時に介錯(かいしゃく)人が首を打ち落す。「山城宮内殿・本田藤四郎殿喧嘩にて、御—の由」〈梅津政景日記元和三・五・五〉

せつぶん【節分】⇒せちぶん。〈文明本節用集〉

せっぽふ〔:ポウ〕【説法】仏法を説き聞かせること。「—の堂の内に我が為に座を敷け」〈三宝絵中〉

せつようしふ〔:シユウ〕【節用集】《古くはセッチョウシュウとも発音》室町時代の普通語彙の漢字の書き方を示し、所所に語釈・語源を記した国語辞書の総称。大部分の本は、いろは引きと分類体を併用。内容が簡単で検索に便利なため、増補を重ねながら、室町時代から明治初期まで広く使われた。著名なものに堺本・易林本・饅頭屋本などがある。「—を遊ばし候て給はり候はば、祝着たるべく候」〈吉川家文書別集吉川元長書状〉

せつり【刹利】《梵語の音訳「刹帝利」の略》古代インドの階級制度「四姓」の第二位。婆羅門(ばらもん)の次に位し、王侯・武人の階級をいう。クシャトリヤ。「無常の境、—も首陀(しゅだ)も嫌はず」〈保元上・法皇崩御〉

せつろく【摂籙】《「籙」は符の意。天子に代って符をとること》摂政・関白の異称。「関白殿はただ—の御名ばかりにて」〈保元上・新院御謀叛思し召し〉

せつろ・し『形シク』小ぜわしい。小いそがしい。また、こせこせとうるさい。「せつろうし」「せつらし」とも。「せはしき事を—・しきと云ふ」〈世話字節用集〉。「—・しう。しきりに」〈詞葉新雅〉

セテン 南蛮渡来の繻子(しゅす)。サテン。サチン。「黒小袖—」〈言経卿記慶長四・閏三・一七〉 ▽〔オランダ〕satijn

せと【瀬戸・迫門】《セはセシ(狭)・セマリ(迫)・セキ(関)のセ、トはカハト(川門)・ノミト(喉)のトと同じ》①海や川が陸や島や岸の間でせまくなっている所。多く通路とする。「天離(さか)る鄙(ひな)つ女(め)のい渡らす—」〈紀歌謡三〉②安危・成敗の分れ目。機会。瀬戸際。「やめうやめうと思ひしが、是れ程の—が無うてうかうかとつくした」〈近松・重井筒上〉 †seto

せど【背戸】家の裏の出入口。裏口。「—の方に、米の散りたるを食ふとて、雀の躍りありくを」〈宇治拾遺四八〉。「小家の後園を—と名付く」〈名語記六〉

せどうか【旋頭歌】《頭三句と同じ形式を下三句でくりかえすので旋頭という》和歌の形式の一。五七七、五七七の六句形式の歌。五七七の片歌形式を、二人が唱和また問答した民謡形式から起ったという。第三句と第六句とにくりかえしが多い。民衆的な謡物が多く、上代に盛んであったが、平安時代に衰えた。双本歌(さうほんか)。「—二十四首」〈万巻七目録〉

せどかど【背戸門】《背戸(せど)と門(かど)との意》裏口と表口と。また、単に門口。「蜘蛛の巣はただ多き—」〈俳・犬子集六〉

せとぎは〔:ギワ〕【瀬戸際】安否・勝敗などの分れ目。大事な分れ目。危機。「この—に思案どころか」〈浄・大塔宮曦鎧三〉

せどひ【世渡扉・世度卑】《「背戸聖(せどひじり)」の略》市中に小庵を設け、卜占・祈禱などを行なった下級の僧あるいは陰陽師。また、その小庵。「賢順と云ふ—、八十歳ばかり、起居軽利、五体五調(がんでう)也」〈多聞院日記天正一六・七・八〉。「世渡扉、セドヒ、或作二世度卑一。京中小庵也」〈文明本節用集〉 **—ぞう**【世渡扉僧】「世渡扉」に同じ。「京洛散在の—」〈高野山文書三、慶長一九・七・一三〉 **—もり**【世渡扉守】「世渡扉」に同じ。「露の情誰かは掛けん—」〈俳・貞徳独吟〉

せどひげ【背戸髭】貧弱な上髭。「門口の—となる穂長(ほなが)かな」〈俳・蛙井集一〉

せともの【瀬戸物】尾張瀬戸産の陶器の称。鎌倉時代、加藤四郎左衛門景正が入宋して陶法を伝来し、瀬戸で始めて製陶した。以後、茶入・茶碗・茶壺などを多く産し、近世後期に磁器の製造が始まった。後には広く陶磁器の総称ともなった。瀬戸焼。「京町の末六大夫肝煎所(きもいりどころ)には、味噌・塩・鍋・釜・—類申し付け候」〈梅津政景日記慶長一七・七・一三〉

せどや【背戸屋】他の家の背戸側にある家。裏店(うらだな)。裏屋。「才二郎〔ノ〕—焼失し了んぬ」〈多聞院日記永祿一三・一・一三〉

せとやき【瀬戸焼】「瀬戸物」に同じ。「皆—に相極め候得ども」〈貞徳文集下〉

せな【夫な・兄な】《ナはラの子音交替形、愛称の接尾語》①夫や兄など男性を女から親しんでいう語。「きはつくの岡の茎韮(くくみら)われ摘めど籠(こ)にも満たなふ—と摘まさね」〈万三四四東歌〉。「明日帰り来む—と」〈源氏薄雲〉②《近世、関東でいう》兄。「田家(ゐなか)にて兄を—と云ふも誤ならぬか」〈志不可起七〉

せなあ【夫なあ・兄なあ】《セナの転》①兄。「惣領式を—と云へり」〈俳・世話尽三〉②青年。「—小声で叺(かます)から鴨を出し」〈雑俳・万句合天明一〉

せなか【背中】①背。「背(せなか)胎(はら)をつかみひきて之を噉食(たんしょく)す」〈法華経玄賛平安初期点〉。「勾欄に—押しつつ」〈源氏花宴〉②背後。「西方を後(うしろ)にせず…入日を—に負はず」〈宇治拾遺七三〉③背後の事情。裏の事情。「—を知らぬ女の知恵こそはかなけれ」〈近松・淀鯉下〉 **—あはせ**〔:アワセ〕【背中合せ】背を向け合うこと。「のけざまに人におはれし我なれや—に人のならむ」〈伊勢集〉 **—の兀(は)げた** 老練な。海千山千の。「初島殿の云ひ分、—事で、云はうやうは御座らぬ」〈評判・古銀買下〉

せなな【夫なな・兄なな】《セナに愛称の接尾語ナをつけたもの》「せな」(1)に同じ。「明日香川した濁れるを知らずして—と二人さ寝てくやしも」〈万三五四四東歌〉

ぜに【銭】銭貨。近世では、ふつう一文銭をいう。「—も持て来ず」〈土佐一月九日〉。「銭、ゼニ」〈名義抄〉 ▽「銭」の字音ゼンに母音iを添えてゼニとしたもの。エニ(縁)・シヲニ(紫苑)の類。 **—の周り程** 僅少であることのたとえ。「物の少しばかりと言ふ喩へを—と言ふは、賤しき喩へかと言へば」〈仮・籠耳四〉 **—は戻りぢゃ** 見世物小屋の木戸番の口上。見物代は帰りに払って下さいの意。「関路の鳥の〔見世物ノ〕—」〈俳・大坂独吟集下〉 **—を撰(え)・ぶ** 銭貨の授受に際して悪銭を選び嫌い、良銭を支払うよう要求し、あるいは数量の不足を検べて正確に支払わせる行為。特に室町時代後期に盛んに行なわれ、貨幣流通の妨害になるので、しばしば禁令が発せられた。えりぜに。「一、一・ぶ事。段銭の事は往古の例たる上は、えらぶべき事勿論たりといへども、地下に宥免の儀として、百文は永楽・宣徳の間、二十文あてくはへて収納すべき也」〈大内氏実録三、文明一七・四〉 **―を買・ふ** 手数料を出して金銀貨を銭に両替する。「一・ふには金銀を手離し、人を頼みて遣はしぬれば」〈仮・東海道名所記一〉 **―を突・く** 銭を手早く数えて、前へ突き出して相手に渡す。銭を出す。「足の筋〔ノ見料〕は一文安いとて、一・かれた」〈咄・露新軽口咄三〉 **―を繫(つな)・ぐ** 銭緡(ぜにさし)へ銭を貫き通す。「咲く華(はな)は見もせで一・ぎ貯め」〈俳・紅梅千句〉 **―を持てば使ひ易・し** なにか利用できる手段や方法があれば、それにたよりたがるたとえ。「誠に、下臈の喩へに、一・きと云ふが如く、逃げ道あれば引きたきものなり」〈浄・今川物語五〉

ぜにうら【銭占・銭卜】一文銭を投げて、その表裏によって吉凶を判ずる占法。〈俳・毛吹草三〉

ぜにうり【銭売】一文銭を金銀貨と両替して手数料を取る行商人。「永楽屋と申す者は、伏見の―にて御座候事」〈高橋正博氏文書元和三・二・三〉

ぜにがさ【銭瘡】たむしの古称。銭癬(ぜにだむし)。「癬、銭加佐(ぜにがさ)」〈和名抄〉

ぜにがた【銭形・紙銭】紙を銭の形に切って神に供えるもの。また、神社で祓(はらへ)をするとき、神前に撒いた紙。「紙銭、加美勢邇(かみぜに)、一云勢邇加太(ぜにがた)」〈和名抄〉

ぜにがみ【銭神】蛇の異名。「倭俗、蛇を―と云ふも、足無うして走る義なるべし」〈齊東俗談四〉

ぜにくび【銭頸・銭首】着物の衿を詰めて着ること。「銭持ち首」とも。「―に着る一貫の紙子哉」〈俳・伊勢踊五〉

ぜにぐるま【銭車】両替屋が銭を積んで運ぶ車。「―女を見ても静かなり」〈雑俳・万句合明和二〉

ぜにごま【銭独楽】一文銭を六、七枚から十枚くらい重ねて、銭の穴に心木を入れた筆の軸を通し、糸を巻いて廻すこま。長く廻るので元祿・享保頃流行した。近世後期にはその形をまねて土製となった。江戸で「銭車(せんしゃ)」とも。「―のために記を書いて」〈浮・新玉櫛笥三〉

ぜにざし【銭差・銭緡・繦】銭の穴にさし通して一束(いっそく)とする細い縄。さし。銭縄。「―ばかり腰にぶらり」〈仮・石山寺入相鐘下〉

ぜにだいこ【銭太鼓】《「銭」は小さいものの形容》小さい太鼓。豆太鼓。「一・唐人笛の響き」〈西鶴・諸艶大鑑一〉

ぜになは(ヅナ)【銭縄】「ぜにざし」に同じ。「九文、―〔代〕」〈教王護国寺文書三、応永一八・閏一〇・二七〉。「紙、つりいと、銭をつなぐ―也」〈韻字記〉

せにふ(ニウ)【施入】寺院などに財物を喜捨すること。また、その財物。「四天王寺に食封(じきふ)二百戸を―す。限るに三年を以てす」〈続紀天平六・三・一五〉。「施入、セニウ」〈色葉字類抄〉

ぜにみせ【銭見世】主として銭の両替をして手数料を取る小資本の両替屋。銭屋。銭両替。「今橋の片陰に―を出しけるに」〈西鶴・永代蔵一〉

ぜにや【銭屋】「銭見世」または「銭売り」に同じ。「譬へば、薬屋、―などと云ふが如く」〈倶舎論頌疏釈疏抄一〉。「次第に衰へて、昔の見世つき替り、―となりて」〈西鶴・好色盛衰記一〉

ぜね【銭】「ぜに」の訛。「五百五十と云ふ―を取換へた」〈近松・夕霧中〉

せは・し(セワシ)【忙し】『形シク』《セバシ(狭)と同根》①間をおかない感じだ。後から後から起る感じだ。「岩間行くいさら小川の―・しきにわれて宿れる有明の月」〈永久百首〉②追い立てられるようにいそがしい。余裕がない。「春過ぎて賤が麻衣解き散らしさはへ―・しとすがく里人」〈為忠集〉③せかせかしている。性急だ。「―・しく申せし呉服屋の左兵衛に遣はし申し候」〈西鶴・一代男七〉 **―な・し**【忙しなし】『形ク』《ナシは甚だしい意》気ぜわしく落ちつかない。せかせかといそがしい。「草の庵の―・き、旅寝の床ぞ物憂き」〈謡・黒塚〉。「貧は朝夕―・いものぞ」〈古活字本論語抄四〉。〈名語記一〇〉

せば・し【狭し・陜し】『形ク』《セシ(狭)・セメ(攻)と同根。「広し」の対》(窮屈に感じるほどに)面積や幅が小さい。せまい。「三蔵の中の修多羅(経)は竪(たたさま)には長く横さまには―・し」〈法華義疏長保点〉。「〔四条宮ハ〕―・く、あつかはしき心地す」〈栄花根合〉

せはせは(セワセワ)①せかせかと落ちつかないさま。「何をおしゃるぞ―と」〈閑吟集〉②こせこせしているさま。けちけちしているさま。「―と始末心の霧晴れて」〈俳・四人法師〉

せはせは・し(セワセワシ)『形シク』①せまくるしい。せせこましい。「広広として―・しうなければ、人が帰服するなり」〈古活字本論語抄一七〉。「倹人(せんじん)とは、心の―・しき、利欲の小人を云」〈尚書抄三〉。「約、セハセハシ」〈名義抄〉②せかせかとして落ちつきがない。いかにもいそがしげである。「昼は蟬も―・しくかしましく鳴くものなるが」〈中華若木詩抄上〉③こせこせとしみったれている。けちけちしてわずらわしい。「―・しく、きぶき人にて」〈仮・見ぬ世の友三〉

せばせば・し【狭狭し】『形シク』いかにも窮屈である。いかにもせまくるしい。「たとひ高位に昇るとも身を―・しくもてなし」〈盛衰記七〉。「房中小小(せばせばし)」〈遊仙窟(真福寺本)鎌倉期点〉。「約、セバシ・セバセバシ」〈名義抄〉

せばみ【狭み】狭い所。「〔敵ヲ〕節所(せっしょ)、―へ引き受け」〈末森記〉。〈日葡〉

せば・め【狭め】『下二』①せまくする。窮屈にする。「平家にうき世を―・められ、かやうにさまよひ候」〈説経・鎌田兵衛正清〉。「〔孔子ハ〕国王に嫌はれ給ひ、山の奥、谷の底、岩のはさまに身を―・め給ふとなん」〈遠近草下〉②迫害する。苦しめていたたまれなくする。「名字の者に―・められ、かやうに落ちぶれて候」〈謡・鉢木〉。「人より―・めらるる事」〈こんてむつすむん地三〉

せは・り(セワリ)【狭り】『四段』①せまくなる。「晒し布幅が―・ってほらほらと」〈俳・両吟一日千句〉②せがむ。強く要求する。「間なく時なく―・る乳呑み子」〈俳・信徳十百韻〉

ぜひ【是非】㊀『名』①是と非と。正と不正と。良し悪(あ)し。「与(と)に合力を被(かう)むらば、将(ま)さに―を定めむ」〈将門記〉②是か非かについての批判。良し悪しを論ずること。「聰明叡心の御企て、凡下(ぼんげ)―すべからずといひながら」〈保元上・新院御謀叛思し召し〉㊁『副』どうしても。必ず。是非とも。「かへすがへすも悲しけれども、―かなはぬ事なれば」〈伽・木幡狐〉 **―に及ば・ず** やむを得ない。しかたがない。「この上ぢゃ程に―・ぬ」〈虎明本狂言・武悪〉 **―も知らず** 何の分別・判断もなく。我を忘れて。「尼〔ハ子供ヲ〕見るままに、―ふしまろびて拝み入りて土にうつぶしたり」〈宇治拾遺一六〉

ぜひとも【是非とも】『副』かならず。きっと。「―参らせんとて取り出ししが」〈善悪報ばなし一〉。〈日葡〉

ぜひな・し【是非なし】『形ク』①是非を越えるほどである。程度などがはなはだしい。「中宮は若宮の御事の定まりぬるを、例の人におはしまさばー・く嬉しうこそはおぼしめすべきを」〈栄花岩蔭〉②強引である。むりやりである。「ー・く位をおし取られ給ひて」〈保元上・後白河院御即位〉③やむを得ない。どうにもしようがない。「そもそも氏清・満幸等が近日の振舞、ー・き次第にて候」〈明徳記上〉

せびらか・し『四段』①無理を言いかけていじめる。責めつける。「齊の威王の酒と色とに溺れて、政をおさめられぬ程に、諸侯のー・したぞ」〈玉塵抄三〉②無理に乞う。せがむ。強請する。「問屋共をー・し、…口銭を取り」〈池田光政日記慶安三・三・六〉。「下戸を見て強ひるはー・すみ(霞ト掛ケル)かな」〈俳・崑山集二〉

せふ(ショウ)【妾】そばめ。めかけ。「長屋王の昆弟姉妹子孫及びー等の縁坐すべき者は、男女を問はず咸(ことごと)くに皆赦除す」〈続紀天平一・二・八〉

せぶし【瀬伏し】川の瀬に伏しひそむこと。「飼ひのぼる鵜舟の縄のしげければーの鮎(あゆ)の行く方やなき」〈永久百首〉

せぶみ【瀬踏み】①川の瀬の深浅を実地に足で測ってみること。「この川は近江の湖の末なれば、待つとも待つとも水干(ひ)まじ。…重忠ー仕らん」〈平家九・宇治川〉②まずためしてみること。試み。「予(かね)てーを聞く郭公(ほととぎす)」〈俳・天満千句〉

せぶらか・し『四段』「せびらかし」に同じ。「男無理なー・しやう」〈評判・古銀買下〉

せぶ・り『四段』強い者が弱い者から、むりやりに求め奪う。圧力を加えて収奪する。強引にまきあげる。せびる。「民の財宝をー・り取りて、奢りたる事をして」〈尚書抄六〉

ぜへろく(ゼエ)【贅六】江戸人が上方人をけなしていう語。才六。「へへ、関東べいが。さいろくをーと、けたいな言葉つきぢやなあ」〈滑・浮世風呂二上〉

せほふ(ホウ)【世法】人間世界の法。世俗の風習。「たとひーにて論ずとも、たとひ仏法にて論ずとも」〈正法眼蔵礼拝得髄〉

せほろぼし【瀬滅ぼし】罪ほろぼし。「崩れ簗(やな)や流るる川のー」〈俳・歌林鋸屑集三〉。「いろいろ手を尽し美を飾りぬる大もめ(散財)、年中のー、前つ方は紋日に事を欠きての思ひつき」〈浮・当世乙女織四〉

せまい【施米】平安時代、毎年六月、京都周辺の不便な山寺に住む貧僧に米塩を施した公事。起源は明らかでないが、すでに文徳実録の天安元年六月二十四日の条に「勅して左右近衛各五六人を遣はし、西北深山に於て、寺ならびに修行者の名を録し、米塩を施供す」とある。「ーは古より公の行なはしめ給ふことなり。…三百石の米をもちて…僧を訪ひ給ふなり」〈三宝絵中〉

せまくら【瀬枕】①早瀬の流れが、岩などの障害物を越えてゆく時にできる丸く盛り上がった形。「白浪おびたたしうみなぎり落ち、ー大きに滝鳴って、さかまく水も早かりけり」〈平家九・宇治川〉②枕を交すことのたとえ。「ーや星逢ふ夜半の天の河」〈俳・牛飼三〉

せま・し【狭し】『形ク』「せばし」に同じ。「〔小人ハ〕気がー・い程に」〈周易秘抄上〉。「狭・窄、せまし」〈蘭例節用集〉

せまち 田の一区画。「山里のそともの小田の一ーあらしめ延(は)へて種まきにけり」〈拾玉集一〉

せま・り【迫り・窮り】『四段』《セメ(攻)の自動詞形》①間がせばまる。近づく。「身心を焼きー・る、これをば火に喩す」〈法華経玄賛平安初期点〉。「死は前よりしも来たらず、かねて後(うしろ)にー・れり」〈徒然一五五〉②生活に困る。貧窮する。「ー・りたる大学の衆とて、笑ひ侮る人も」〈源氏少女〉③きわまる。窮地に立つ。「進退ここにー・りぬる」〈伽・為人びくに〉。「主(ぬし)、聞きつけて、棒をもって散散におどす。〔盗人ハ〕ー・る」〈天正本狂言・梅盗人〉

せみ【蟬】①半翅目セミ科の昆虫。「石(いは)走る滝(たぎ)もとどろに鳴くーの声をし聞けば都し思ほゆ」〈万三六一七〉②《形が蟬に似ているところから》帆柱などの上についている滑車。「我が君の…御座船のーの上に、千代といふ鳥、舞ひて遊ぶ」〈建久三年皇太神宮年中行事〉。「船の帆柱の先をーと名付く。…蟬の形を作り付けたれば言ふ也」〈名語記六〉 †*semi

せみごゑ【蟬声】《蟬の鳴き声に似た声の意》しぼり出すような声。読経の声などにいう。「験者(げんざ)の物の怪(け)調ずとて…ーにしぼりいだし〔呪文ヲ〕誦(よ)みゐたれど」〈枕(能因本)すさまじきもの〉

せみど【清水】「しみづ」の上代東国方言。「青柳の張らろ川門に汝を待つとーは汲まず立処(たちど)ならすも」〈万三五四六東歌〉 †semido

せみのきゃう(キョウ)【蟬の経】蟬の鳴き声のたとえ。「蟬の歌」「蟬の琴」「蟬の時雨」「蟬の滝」などとも。「ー聞きて角折れかたつぶり」〈俳・落穂集三〉

せみのは【蟬の羽】蟬のはね。薄い衣の形容。「ーもたちかへてける夏衣」〈源氏夕顔〉 **ーごろも**【蟬の羽衣】蟬の羽のような薄い着物。「ひとへなるー夏はなほ薄しといへどあつくぞありける」〈後拾遺三一八〉 **ーの**【蟬の羽の】〔枕詞〕蟬の羽が薄いことから、「薄し」「衣」「一重(ひとへ)」などにかかる。「ーひとへにうすき夏衣なればよりなん物にやはあらぬ」〈古今一〇三五〉

せみもと【蟬本】①「蟬」(2)に同じ。「帆をおろさんとすれども、雨に濡れてーつまりてさがらず」〈義経記四〉②旗竿などの「蟬」(2)のついている先端部。「ー白くしたる青竹の旗竿あり」〈太平記二一・筑紫合戦〉

せむかた【為む方】なすべき方法。すればよいと思われること。「ーも無くてただ泣きに泣きけり」〈伊勢四一〉

せむすべ【為む術】なすべき手段。仕方(しかた)。「言はむ術(すべ)ー知らに、石木(いはき)をも問ひ放(さ)け知らず」〈万七九四〉 †semusube

せむゐ【施無畏】〔仏〕①衆生に畏怖の心をなくさせて、やすらかにさせること。観音はこの威力を持つとされる。財施・法施(ほっせ)とともに三施の一。無畏施。「観音おはす。其のーの御手に」〈今昔一六ノ九〉②「施無畏者」の略。「救世のぼさちーの徳を施し給はば」〈伽・伊香物語〉 **ーしゃ**【施無畏者】観世音菩薩の異名。三十三身に姿をかえ、衆生を無畏の安きに置く威力を持つのでいう。施無畏。施無畏薩埵(さった)。「若王子は娑婆世界の本主、ーの大士、頂上の仏面を現じて、衆生の所願を満て給へり」〈平家二・康頼祝〉

せ・め【迫め・攻め・責め】㊀『下二』《セシ・セバシ(狭)と同根》①(相手との)間隔をつめる。迫り近づく。「取り続(つつ)き追ひ来るものは百種(ももくさ)にー・め寄り来たる」〈万八〇四〉。「つぎつぎ、とどこほること繁くて、斯(か)く年もー・めつれば、え思ひの如くしあへで」〈源氏若菜下〉②追いつめる。窮地に追いこむ。「ますらをの高円山(たかまどやま)にー・めたれば里に下りけるむざさびぞこれ」〈万一〇二八〉③はげしく追及する。せめたてる。「荒熊の住むとふ山の師歯迫(しはせ)山ー・めて問ふとも汝が名は告(の)らじ」〈万二六九六〉。「維那等来り、〔銭ヲ〕徴(はた)りてなほ逼(せ)む」〈霊異記下三〉④(戦いで相手を)攻撃する。「征罰して城をー・む」〈三蔵法師伝六・院政期点〉⑤拷問する。「ー・めて問へとの御諚也」〈説経・さんせう太夫〉⑥きつくしめつける。「御襪(しとうづ)のいたうー・めさせ給ひけるに心地もたがひて」〈大鏡兼家〉⑦小きざみで激しい拍子を取る。「仏〔御前〕はこれを聞かぬ由にて猶―・めけるを」〈盛衰記一七〉⑧馬を乗りこなす。馴らす。「月の暮、雪の朝などには、馬に心を掛けて―・むべし」〈伊勢貞親教訓〉㊁『名』①咎め。「かへりては仏の―添ふべき事なるを」〈源氏夢浮橋〉②きびしい催促。「田舎の人人もいみじき公の―をも捨てて、万を欠きて皆上りこみて」〈栄花もとのしづく〉③責任。「時忠こそ―重うして今日すでに配所へ趣(おも)むき候へ」〈平家一二・平大納言被流〉④拷問。「水火の―を当てて問ふ。これにも更に落ちざれば」〈幸若・信田〉⑤歌舞芸能で、終曲近くの調子の急迫する部分。また、その時の足拍子。「この歌を、法性寺の関白家にて白拍子の舞の―に歌ひたりけるを」〈落書露顕〉。「―を踏んで舞ひ入る風体(ふうてい)なるべし」〈能作書〉⑥扇子・刀の鞘・笙などの端を締めつけておく金具の輪。「〔御剣ハ〕白金の―」〈昭訓門院御産愚記〉 †semë

せめうま【責馬】 馬を乗り馴らすこと。また、その馬。「侍あまたうち連れて、ここに栗毛の馬もあり、或いは月毛・鹿毛・糟毛、皆―とうち見えて」〈仮・色音論下〉。〈日葡〉

せめ・ぎ 『四段』《古くはセメキと清音》①反目して争う。「不平なりと懸諍し、自ら闘(せめ)いて散(あか)れぬ」〈三蔵法師伝二・院政期点〉。「佷、セメク・アラソフ」〈名義抄〉②せめたてる。「老いぬとてなどか我が身を―・きけむ老いずは今日に逢はましものか」〈古今九〇三〉

せめせちが・ひ :セチガイ【責めせちがひ】『四段』ひどく責める。責めたてる。「せめせたげ」「せめせったんじ」「せめせっちゃうし」とも。「どうだどうだと―・ふ」〈近松・油地獄上〉

せめだいこ【攻太鼓】 敵に攻め掛かる時の合図に打ち鳴らす太鼓。「范蠡(はんれい)みづから―を打ちて勧め」〈三国伝記六〉

せめつづみ【攻鼓】「攻太鼓」に同じ。「平家、味方勝ちぬとて、しきりに―打って悦びの関をぞ作りける」〈平家一一・鶏合〉

せめて ㊀『副』《セメ(攻・迫)テの意。物事に迫め寄って、無理にもと心をつくすが、及ばない場合には、少なくともこれだけはと希望をこめる意。また、力をつくすところから、極度にの意。→あながち・しひて》①押して。つとめて。無理に。「さきざきかやうの事はいふものをと苦しけれど―賜へば、いとほしうて持て去ぬ」〈源氏少女〉。「おぼししさまかなふと下には思せど、―知らず顔つくり給ふ」〈源氏胡蝶〉。「―しぼり出でたる声声」〈枕一三〇〉②これだけでもと力や心を用いるさま。どうしても。何としても。「とみにも〔コノ話ハ〕打ち出で聞え給はねど、―聞かせ奉らむの心あれば」〈源氏横笛〉③《希望をこめて》少なくとも…だけでも。「都にては粟田口までと思ひ、粟田口にては―関山・大津までと思ひ、うち送り申しけるが」〈平治下・頼朝遠流〉。「忠言をこそ言はずとも、―讒言を吐くな」〈天草本伊曾保〉④極度に。非常に。「高麗の紙の薄様だちたるが―なまめかしきを」〈源氏梅枝〉。「いと―恋しき時はむば玉の夜の衣をかへしてぞきる」〈古今五五四〉㊁『名』①よくよくのこと。やむを得ないこと。「〔痴呆ダト人ニ知ラセルノハ〕―ならであるべきことならぬに」〈大鏡師尹〉。「―の契りのふかさにや、同日に病ついて、同月にぞ失せられける」〈平家六・祇園女御〉②極度。「―の懇切のあまりに、件の僧を召して仰せ合はせられけるに」〈著聞二六五〉 **―は**「せめて」㊀③を強めていった語。やむをえなければ。「御物詣でせさせ給ふに、此れ(兎狩)候ふまじき事也。―還向(帰途)にもあらむず、など言ひて止めけれども」〈今昔二九ノ二七〉。「―一本なりとも都へ伝へてたべ」〈平家二・卒都婆流〉

せめねんぶつ【責念仏】 鉦を鳴らしながら、高声で早口にたゆみなく念仏を唱えること。また、その念仏。「せめねぶつ」とも。「罪科(つみとが)を―の十夜かな」〈俳・糸瓜草六〉

せめはた・り【責め徴り】『四段』(税などを)きびしく取り立てる。「科(おほ)するに千座置戸(ちくらのおきと)を以てして、遂に―・る」〈紀神代上〉 †semëFatari

せめふ・せ【責め伏せ】『下二』①きびしく責めて屈伏させる。強くうながし迫る。「内大臣宗盛〔頼盛ノ言ヲ〕用ひずして、―・せられければ、なまじひに山科へ向ひてけり」〈愚管抄五〉②きびしく問い詰める。「名のれと―・せ候ひつれども、木曾殿は御覧じ知りたるらんとばかり申して、名のり候はず」〈長門本平家一四〉。「国国へ下知し侍れどもいまだ沙汰せず。―・せ侍らん」〈中務内侍日記〉③すっかり疲れさせる。「御方の御勢は七万余騎とは申せども、国国のかり武者共なり。馬も人も―・せて候」〈平家五・富士川合戦〉

せめまどは・し :マドワシ【責め惑はし】『四段』せき立てて困らせる。「いと見苦しと思ひますす程もなく―・せば」〈枕八二〉

せもつ【施物】 布施として与える品物。「天皇叡感ありて勅を下して―ありけり」〈著聞一四三〉

せやくゐん【施薬院】 貧しい病人に薬を施す施設。聖徳太子・光明皇后が設置し、平安時代には京都に置かれ、別当・使以下の職制も定められた。「やくゐん」とも。「始めて皇后宮職に―を置く」〈続紀天平二・四・一七〉。「―使嗣成に、此の事をこそ語りたりけれ」〈太平記三五・宮方怨霊〉

せら・し【反らし】『四段』「そらし」の上代東国方言。「みちのくの安太多良真弓弾(はじ)き(ハズシテ)置きて―・しめきなば弦(つら)着(は)かめかも」〈万三四三七東歌〉

せり【芹】 セリ科の多年草。湿地に自生し、食用になる。春の七草の一に入れられるようになったのは中世以後か。「水葱(なぎ)のもと―のもと」〈紀歌謡一二六〉。「『―摘みし』などおぼゆる事こそなけれ」〈枕二四五〉 ▽宮中の庭掃除の男が、セリを食べている后を垣間見て恋心をおこし、后のためにセリを摘んで御簾のあたりに置いたのに、思いがとげられず死んでしまったという伝承が俊頼口伝にあり、「芹を摘む」とは願いのかなわない怨みにいうことがある。「―つむ。怨ずるを云ふなり」〈匠材集四〉

せ・り【迫り】『四段』《セメ(迫)と同根》①はげしくせまる。「やはらかな日吉の神輿(じんよ)―・り立てて」〈俳・紅梅千句〉②せきたてる。「花車(くわしや)はなぜ遅いぞ。五兵衛行って―・ってくれ」〈近松・冥途飛脚中〉③数量・価格などの差を争う。「これを、『望みはないか望みはないか』と―・りければ、六匁三分五厘づつに落ちける」〈西鶴・胸算用五〉。「売物を―・るなど、逼(せま)るの字の略語ならんか」〈志不可起七〉

せりあ・ひ :イア【迫り合ひ・競り合ひ】㊀『四段』力や技などではげしくせまりあう。互いにしのぎをけずって争う。「火花を散らして―・ひしが」〈説経・伍太力菩薩〉㊁『名』①戦場で両軍が衝突して激しく争うこと。せりあいいくさ。「所所の―止む時なく」〈相州兵乱記三〉②競争。争い。論争。「御譲位の事に付き、公家衆と〔所司代〕板倉、毎日―の由候事」〈細川忠興文書寛永六・一二・八〉

せりいち【迫市・競市】 売手が多くの買手に品物の価格の競合をさせ、最高値の買手に売る市。「金になれとや口に、つけてせるせる―に」〈近松・博多小女郎中〉

せりか・け【迫り掛け】『下二』せめて問いかける。詰問する。「其の名を名乗られいと―・くれば」〈浮・好色敗毒散三〉

せりだし【迫り出し】〔歌舞伎用語〕劇場で、奈落から舞台または花道へ俳優や装置を押し上げて出すこと。また、

その装置。迫り上げ。「仁木弾正で、ーのところをするからの」〈滑・浮世風呂前下〉

せりふ【台詞】 ①役者が舞台で述べることば。「敦盛(能ノ曲名)は、はじめのーのうちに、『方方はいかやうなるお僧ぞ』とたづね」〈わらんべ草五〉 ②論じ争うこと。論判。談判。「親父とのーなら、どこぞ外でしたがよい」〈近松・女腹切中〉 ③口上。言いぐさ。「義理に詰まった女房のー」〈近松・重井筒上〉

せりやき【芹焼】 セリをそのまま鍋で煮た料理。後には、根付きのセリと鴨・雉子の肉とを醤油・酢で煮た寄せ鍋もいう。「ー、中酒七片、菓子蜜柑・薄皮・昆布」〈鹿苑日録慶長八・二・一七〉

せろ【夫ろ・兄ろ】《ロは愛称の接尾語》⇒せ。「武蔵野の小岫(をぐき)が雉(きぎし)立ち別れ去(い)にし宵よりーに逢はなふよ」〈万三三七五東歌〉 †serö

せろ【為ろ】 動詞「し」の命令形「せよ」の上代東国方言。「高麗錦紐解き放(さ)けて寝(ぬ)るが上(へ)にあどーとかもあやに愛(かな)しき」〈万三四六五東歌〉 †serö

せろっぽう【千六本】《センロフ(繊蘿蔔)の転》 大根を細長く切り刻んだもの。「せろっぽん」「せんろっぽん」とも。「又ーに刻むか」〈狂言記・俄道心〉

せわ【世話】 ①世俗で用いることば。口語・俗語の類。「道心直入路」。「日本のことばとヒストリア(歴史)を習ひ知らんと欲する人のためにーに和(やは)らげたる平家の物語」〈天草本平家扉書〉 ②平たく言い表わしたことば。ことわざや平易なたとえの類。「日本のーに、童(わらべ)さかしくして牛売りそこなふと云ふ心ぞ」〈碧岩抄四〉。「ーにも、まぎれもの露(あら)はるるを、尾が見ゆると云ふ」〈無門関私鈔上〉 ③《人のためにことばをさしはさむ、口をきくなどの意から》仲介・斡旋・周旋の労をとること。「どうぞ順路に成る道がござらば、御ーなされて御覧なされませい」〈隣語大方一〇〉 ④人の面倒を見ることから生ずるいろいろな苦労。「日増しの御繁昌を願ふも諸事ー也」〈評判・古今四場居百人一首〉 ⑤浄瑠璃・歌舞伎の世話物。また、その様式。「親父(おや)を女形に変へ、…時代〔物〕をーに引き直しさへすれば」〈戯財録〉 **ーか・く** 人の面倒を見る。「世話焼く」とも。「此の手だては、…御姫様の方にー・き給はねばならぬ也」〈浮・好色重宝記上〉 **ー病・む** 世話を焼いて苦労する。「此のーー・むも己が可愛さ」〈近松・釈迦誕生会三〉

せわきゃうげん ウ…キョ **【世話狂言】**《「時代狂言」の対》 世話物の歌舞伎狂言。「二人が噂ーの仕組の種となるならば」〈近松・重井筒下〉

せわことば【世話詞】 日常使用する普通のことば。俗語。また、諺。「人間はいづくも同じ心にて、詞かはると聞ゆれど、文字に写せば、天竺も日本も同じー」〈近松・釈迦誕生会一〉

せわじ【世話字】 国字の一種。俗語・口語を表現するに用いられた新造の当て字や擬似漢字をいい、近世、盛んに用いられた。世話文字。「ー尽(づくし)。仰〻敷、ぎゃう〳〵しき。…質曲輪、しっくり。発知、はっしり。…閑居理、かんごり。…恥美々、びゝる」〈続無名抄下〉

せわじゃうるり ウ…ジョ **【世話浄瑠璃】** 世話物の浄瑠璃。「竹本〔義太夫〕仕出しのー」〈浄瑠璃連理丸〉

せわにょうばう ウ…ボ **【世話女房】** 家事にはげみ、もっぱら夫の世話をする女房。「源五兵衛様のそばで、ーするがお前の楽しみ」〈伎・五大力恋緘二〉

せわば【世話場】〔歌舞伎用語〕 町家・農家・浪人の住居などの、貧しい生活を展開する場面。「ーは愁嘆事をもっぱらとす」〈劇場一観顕微鏡上〉

せわもの【世話物】 浄瑠璃・歌舞伎狂言・小説などの分類の一。近世の町人社会に取材し、その世態・風俗・人情を描いた作品。「ーでも跡へ付けるか」〈滑・浮世風呂三下〉 ↓時代物

せん【千】 ーも万(まん)も要(い)らじ かれこれ言うに及ぶまい。これだけで十分だ。「ー一木の花盛り」〈俳・一本草三〉

せん【先】 ①他に先んじて事を行なうこと。さきがけ。まっさき。さき。「前代未聞。これ朝敵の最たり…神敵のーたり」〈太平記九・高氏被籠〉 ②(碁・将棋などの)先手(せんて)。「〔碁ノ名人ニ対シテ〕ー二つなむ受けさせ給ひけり(二目置カレタ)」〈今昔二四ノ六〉。「少将殿姫君は幼ければとて、まづ〔碁ノ〕ーをなされて勝ち給ふ」〈伽・扇流し〉 ③まえ。以前。接頭語的に使われる。「ー師の志を遂げむと思ひて」〈三宝絵下〉。「ー年にこの寺の米五斗を借りて使ひたりき」〈今昔一五ノ四〉

せん【専】 ①最も重要な物事。第一。「うき世にながらへ候間は食ひ物がーにて候」〈伽・乳母草紙〉。「セン、即ち、モッパラ。コレ、センデゴザル」〈日葡〉 ②成否のかかった大切な時や場合。先途(せんど)。「ここをーとぞ〔笛ヲ〕吹き給ふ」〈伽・梵天国〉

せん【詮】 ①物事の道理・真理。道理の帰着するところ。所詮。「道理のーのたがはぬほどの事は、げにげにといふをこそ正説(しゃうせつ)とは申すことなれば」〈愚管抄三〉 ②最終的な結論。結局。つまるところ。「しなじなの物を売りても、ーは身を養ふを本意とする事なれば」〈閑居友上〉 ③究極の手段。求め得られる方法。すべ。「のちのちにも、さほどにー尽きむ時は、はばからず来たりて云へ」〈著聞四四〇〉 ④最上。一番。「このたびの撰集の我が歌にはこれーなり」〈後鳥羽院御口伝〉 ⑤行なって張合のあること。効果。しるし。かい。「生きても今はまた何のーかはあるべき」〈保元下・義朝幼少の弟〉

せん【箋・籤】 木・竹などで作り、書名などを記した小札。巻物に結びつけ、または綴じた書冊にはさんで、検索を容易にする。「月日書きてー立てて、御名し給へり」〈宇津保国譲中〉

せん【銭】 ①おかね。ぜに。「〔施シ与エルベキ〕一ーなき人は掌(たなごころ)を合はせよ」〈東大寺諷誦文稿〉 ②貨幣の単位。貫の千分の一。一文。「一銭、イッセン」〈文明本節用集〉

せん【餞】 餞別。「遠くまかりける人にーし侍りけるところにて」〈後撰一三〇七詞書〉

ぜん【善】 ①《「悪」の対》 良いこと。理に叶った正しいこと。「ー伏し、悪起りて仏神験(しるし)なし」〈将門記〉 ②すぐれていること。結構なこと。「されば堂舎の構(かま)へー尽し、美尽せり」〈太平記三・法勝寺塔炎上〉

ぜん【禅】〔仏〕《梵語の音訳。静慮・定・禅定などと訳す》 ①散乱する心を統一し、煩悩の境界を離れて、静かに真理を考えること。「時に天下の行業の徒、和尚に従ひてーを学ぶ」〈続紀文武四・三・一〇〉。「ーとは梵語なり。つぶさには禅那といふ。漢語には正思惟と翻ぜり。または静慮ともいへり」〈夢中問答下〉 ②禅宗。「諸宗いづれも愚ならずといへども、武勇にはーのみ相応せり」〈伽・鴉鷺合戦物語〉

ぜんあく【善悪】 □一『名』 善と悪と。「衆生の作る所のーをしるす」〈三宝絵下〉 □二『副』 ①いずれにせよ。何はともあれ。とにかく。「さては、ー為義まづ命を捨てて左右(さう)ある

べきなり」〈保元中・白河殿へ義朝夜討ち〉。「—其の坊を取らせむ」〈古今序注〉②どうあっても。なにがなんでも。「この人の云はん事は—たがへじ」〈正法眼蔵随聞記三〉。

せんいうが ウ:ユ【仙遊霞】雅楽の曲名。唐楽、大食調。舞がない。「釣殿につづきたる廊を楽所にて…—といふもの遊びて」〈源氏若菜下〉

せんいつ【専一】《センイチとも》①ただ一つの事に心を集中すること。「寸陰捨つる事なかれ。—に工夫すべし」〈正法眼蔵重雲堂式〉②第一。「木曾—の者、樋口次郎兼光」〈吾妻鏡元暦一・一・二〉

せんいんだう ウ:ド【山陰道】七道の一。中国山脈の北側の海道、また、その海道沿いの諸国。今の近畿地方のごく一部と山陰地方に当る。丹波・丹後・但馬・因幡・伯耆・出雲・石見・隠岐の八国。背面道(そとものみち)。「—三国、丹後・但馬・因幡」〈類聚三代格一八〉。「—八ヶ国」〈いろは字〉

せんえ【染衣】墨染の衣。僧衣。「剃髪—すれば」〈正法眼蔵出家功徳〉

せんえ【洗衣】裁縫すること。また、その者。「洗衣、センヱ、把針者也」〈文明本節用集〉

せんえうでん ウ:ヨ【宣耀殿】①後宮七殿の一。麗景殿の北、貞観殿の東にあり、七間四面。「関白殿は—を御宿直(とのゐ)所にせさせ給へり」〈今鏡三〉②(1)に住む女御。宣耀殿の女御。「—は菊と聞えさせむ」〈堤中納言はなだの女御〉▽古写本にnの音を「い」で写して「せいえうでん」としたものがある。

ぜんえん【善縁】仏道修行のためのよい因縁。「冥道神祇、皆—を開く」〈本朝文粋三〉

せんか【泉下】《「黄泉の下」の意》死後の世界。あの世。「一番に討死を仕って—に忠義をあらはすべきにて候」〈明徳記上〉

せんかい【線鞋】履物の一。粗い絹布で作り、紐でむすぶ。男女ともに用いた。「沓(くつ)買はば—の細底(ほそしき)を買へ」〈催馬楽貫河〉。「線鞋、センカイ」〈易林本節用集〉

せんかう ウ:コ【先考】死んだ父。亡父。「—の菩提をも弔(とぶら)ひ奉り候はん」〈保元下・左大臣殿の御死骸〉。〈文明本節用集〉

せんかう ウ:コ【浅香】香木の一種。沈(ぢん)香の類。質が堅く、水に入れても浮かびも沈みもせぬもの。「沈の箱に—の下机」〈源氏絵合〉

せんかう ウ:コ【遷幸】天皇が常住の御所から他所に移ること。「十一月十三日—と定めらる」〈平家五・月見〉。「遷幸、センカウ、内裏移也」〈色葉字類抄〉

せんかう ウ:コ【潜幸】ひそかに行幸すること。「—の儀式を引繕ひ」〈太平記三・天下怪異〉

せんかう ウ:コ【線香】香を線状に細長く作り固めたもの。先端に火を点じて仏前に供える。「—十本、四条中将に遣はし候」〈言継卿記大永八・一・一〇〉。〈運歩色葉集〉

ぜんかふ ウ:コ【禅閤】《「禅定(ぜんぢやう)太閤」の略》太閤の出家した者の称。「宇治の左大臣頼長と申すは、知足院の—殿下忠実公の三男にておはします」〈古活字本保元上・新院御謀叛思し召し〉

せんき【先規】以前からのきまり。前例。「出家の仁、禁中に出入する事、—すこぶる稀なり」〈保元上・官軍勢汰へ〉

せんき【疝気】漢方で、大腸・小腸・腰部などの痛む病気や、睾丸の腫れ痛む病気の総称。下風(しもかぜ)。「〔白〕居易が—思ひ出でられたり」〈曾我一〉。「疝気、センキ、下風」〈文明本節用集〉 **—すぢ**【疝気筋】①疝気の起る筋肉。「葛かづらまで—かや」〈俳・難波風〉②正しくない血筋。傍系。「畠山の重忠も縁者続きの先祖にて、三浦の大介が—」〈近松・雪女中〉

せんぎ【僉議】《「僉」は皆の意》皆で評議すること。一同で相談すること。「公卿(くぎやう)—あり。おのおの意見をいふ」〈平家一・二代后〉。〈文明本節用集〉

せんぎ【詮議】吟味。取調べ。「—に及ぶ白波の音」〈俳・談林十百韻上〉

ぜんきく【禅鞠】坐禅の時、眠りを防ぐため用いた、頭上にのせる毬のようなもの。「大師禅定を修せられし時、睡眠あればこれを頂上に置く。眠れば頂上より落つ。落つれば音あり。音あれば眠り覚む。これを—といふ」〈平治上・叡山物語〉。〈文明本節用集〉

せんく【千句】連歌・俳諧で、百韻を一座で十巻重ねたもの。通常、三日間で詠んだ。「—などになりぬれば、発句より、たけ高く、疵も無き連歌のまことしきを、しとしととし侍る事なり」〈筑波問答〉。「この国の守護代うへ田とかやが館にて、二十四日より—の連歌ありて、二十六日に果て侍りしかば」〈再昌草三〉 **—もの**【千句物】連歌・俳諧で、千句中に一句だけ詠むことを許されているもの。虎・狼・女・鬼など。「鬼女虎狼の—面(おもて)にもすれど一座一句ぞ」〈俳・油糟〉

ぜんく【前駆】《センク・セング・センクウなどとも》騎馬で先導すること。また、その者。「檳榔毛(びんらうげ)の車に乗りて、—など直(うるは)しく具して」〈今昔二〇ノ三〉。「前駆、センクウ、僕従分」〈色葉字類抄〉

せんぐう【遷宮】神殿の改築修理の前後に、神座を権宮(かりみや)または本宮に移すこと。「—の間に不法の事ありける故とかや」〈著聞九〉

せんぐり【先繰り】順を追って次第に繰って行くこと。つぎつぎ。順繰り。「先繰り追繰り」とも。「当代の君死すれば、その廟を立て、—に先より祖の廟をやぶるぞ」〈古文真宝抄九〉

せんくゎう ウ:コ【先皇】先代の天皇。先帝。「旧主—の政にも従はず」〈平家一・祇園精舎〉。〈運歩色葉集〉

せんぐゎん【千貫】千貫目。非常に重いこと。また、非常に価値の高いこと。「近比(ちかごろ)めいわく千万なれど、無いとあるには手がつかず、—のかたに編笠一蓋」〈浄・曾我姿富士〉 **—どひ** イド【千貫樋】用水などに用いる長い樋。「両村の大勢、—に群がり」〈西鶴・諸国咄三〉 **—まつ**【千貫松】①伊勢国河芸郡豊国野(とよくの)にあった銭(ぜに)掛け松。参宮の者がこの松に掛けた銭が積もって千貫にもなったので名づけられたという。「豊国野とて一里の野有り。右の方に—とて笠松有り」〈伊勢参宮上〉②京都北野にあった名松。「—…天道の宮の町なり」〈京羽二重一〉 **—めもち**【千貫目持】銀千貫持った金持。近世、これを長者と称し、その内蔵には常燈をとぼす風習があった。「松浦の人は—」〈俳・独吟一日千句〉

せんげ【宣下】宣旨(せんじ)を下すこと。「讃岐院に崇徳院といふ名をば—せられけり」〈愚管抄五〉

せんげ【遷化】貴人・高僧などの死。「大僧正行基和尚—す」〈続紀天平勝宝一・二・二〉。「遷化、センゲ、大人の死を曰ふ」〈文明本節用集〉

ぜんけ【禅家】禅宗。禅寺。禅僧。「—の金剛の不壊身(ふゑしん)と云ふつれぞ」〈蒙求抄九〉。〈文明本節用集〉

ぜんげう ギ:ヨウ【善巧】〔仏〕人人を教化する手だての巧みなこと。「善巧方便」とも。「衲子(のつす=禅僧)の人を化(け)する—として、その心あるべし」〈正法眼蔵随聞記六〉 **—は**

うべん：【善巧方便】「善巧」に同じ。「金剛蔵王の―にて、三界六道見ぬ所なく経(へ)めぐりけるほどに」〈十訓抄五ノ一七〉

せんけん【嬋娟】《センゲンとも》あでやかで美しいさま。「浅紅―たり、仙方の雪色を媿(は)ず」〈和漢朗詠集紅梅〉。「―は美なる貌」〈中華若木詩抄下〉

せんげん【千軒】 **―あれば友過ぎ** 家数が千軒あれば、何か生活の手段があって互いに暮して行けるの意。「―の秋」〈俳・大矢数一〉

ぜんご【前後】前と後と。あとさき。「六人の子供―に立て、矢種のあらん限り射尽して」〈保元中・為義最後〉 **―に暮・る** 途方に暮れる。「―・れ左右(さう)無く秩父(ちちぶ)に組み敷かれて候」〈浄・ゑしま物語下〉 **―ふかく**【前後不覚】何もわからないこと。「〔マダ少年ダカラ〕弓の本末をも知らじ。ましてや武略の道―の者なれば」〈保元中・為義降参〉。「目も昏れ心も消え果てて、―に覚えけれども」〈平家九・敦盛最期〉 **―も知ら・ず** 深い眠りにおちこんで、全く意識のなくなった状態をいう。連用修飾語としては殆どの場合、「臥す」「酔ひ臥す」などの語に続く。「我が下人を見れば、―・ず酔ひ臥したり。不思議の思ひをなして、下人に問へば、昨日より今まで―・ずと言ひけり」〈長谷寺験記下〉 **―を忘(うば)・ず** どうしてよいかわからなくなる。方角を失う。「これは廻国の聖なるが、行き暮れて―・じて候」〈謡・黒塚〉

せんどく【千石】 **―どほし**【千石簁・千石通し】近世初期創製された篩(ふるい)の一種。それまで使われていた釣簁(つりとおし)の十倍も能率があがったという。後に万石簁も造り出された。「五月雨や―庭移し」〈俳・雑巾上〉 **―とり**【千石取】千石の俸禄を受ける高い身分。「―か嬉しうも御座らぬ」〈俳・物種集〉 **―ぶね**【千石船】江戸時代の大型帆船。米千石を積む船の意であるが、実際はそれよりずっと多く積めるものもあって、大きさは一定しない。「袖の湊に―」〈評判・三幅一対〉

ぜんごふ：【前業】〔仏〕前世で行なった善悪の業因。先業。「これまた―の果す所なり」〈保元中・左府御最後〉

ぜんごふ：【善業】〔仏〕五戒・十善など、善果をもたらすよい行い。「今生に貧しき身と生れけむ。此れ、前生に―を修せざる故なり」〈今昔四ノ一五〉 →善根

せんどり【千垢離・川垢離】神仏に祈願のため、川水に浸って垢離を取ること。「―〔ノソバ〕に抜手を切るは他人なり」〈雑俳・万句合明和三〉

ぜんどん【善根】〔仏〕よい果報をもたらすよい行い。「前世にいかなる―を植ゑて、かくの如き果報を得たるぞ」〈今昔二ノ二三〉。〈文明本節用集〉 **―しゃ**【善根者】善根を積んだ人。「〔臨終ハ安ラカダッタ〕されば―と見えさせ給ふ」〈栄花鶴林〉

せんざい【千歳・千載】千年。ちとせ。長い年月。「―や、ちとせの―や」〈神楽歌五七〉。「―の永き例(ためし)」〈三宝絵下〉 **―らく**【千歳楽】「千秋楽」に同じ。「―や万歳楽、千年の御祝ひやら楽し」〈淋敷座之慰〉

せんざい【前栽】《平安時代はセンサイと清音》①建物の前庭・中庭などに植えこんだ草木。また、植込みのある庭。「やり水かきはらひ、―のもとだちもすずしうしなしなどして」〈源氏蓬生〉。「昔、男、人の―に菊植ゑけるに」〈伊勢五一〉 ②「前栽物」の略。「このごろ江戸へ―をわづか担うて商ひの」〈伎・お染久松色読販中幕〉 **―あはせ**【前栽合】物合せの一。造った前栽の優劣を競う遊戯。「中宮には、―・菊合などせさせ給ひて」〈栄花晩待星〉 **―もの**【前栽物】野菜。青物。「今は、居所の後にても、又は遙かに離れたる野畑にても、菜の類を―と云ふ」〈志不可起七〉

ぜんざい【善哉】㊀《感》善いと感じてほめ、または喜び祝う語。訓じて「よきかな」とも。「帝釈(たいしゃく)『―』と讃(ほ)めて失せぬ」〈三宝絵上〉 ㊁《名》「善哉餅」に同じ。「奉る仏の前の餅の名を―とこそ讃め給ひけれ」〈餅酒歌合〉 **―もち**【善哉餅】つぶし餡の汁粉。「善哉もちひ」とも。「―、一盞これ有り」〈言経卿記天正一四・一二・八〉

せんさいちゃ【千斎茶】染色の名。黒ずんだ緑色で、地味なふけ向きの染色。「―・黄枯茶」〈仮・東海道名所記三〉

せんさき【先先】先頭。第一。「駑馬(どば)のつれと―を争はうず身ではない」〈玉塵抄九〉 **―しだい**【先先次第】先着順。早い者勝ち。「先次第」とも。「所望の者誰にても候へ、又、奏者も誰にても候へ、―に刷(かっ)ふべく候」〈結城氏新法度〉

せんさく【穿鑿】《センザクとも》①穴をうがつこと。「和尚―の玉井、秘密加持の霊水なり」〈勧心寺文書承和四・三・三〉 ②ほじくり探すこと。あなぐり求めること。「前の科(とが)を―して思ひ出し」〈コリヤード懺悔録〉 ③微細にわたって吟味すること。根掘り葉掘り調べること。「いろいろの―の後、板(はん)に開かるるなり」〈天草本伊曾保〉。「道理そのまま聞え侍る事を、さまざま了簡して、注釈すぎたるをも―の学と云ふなり」〈齊東俗談三〉 ④事柄。問題。「飛子(とびこ)の名には奢った―」〈俳・大矢数三〉 ⑤ことの次第。仕儀。「床での有様、なかなか愚かなる―、さもあるべしと」〈浮・禁短気五〉

ぜんさんどしち【前三後七】灸を据える日の前三日間と後七日間は色を慎むという俗信。「―恋忘れ貝」〈俳・絵合下〉

せんじ【宣旨】《勅旨を伝宣する意》①天皇の命令を述べ伝える公文書。詔勅に比して手続きが簡単で、勅旨が蔵人から上卿に伝えられ、外記(げき)・弁官の手を経て、宣旨の形式をもつ文書とされた。勅旨を受けずに太政官の命として出される官宣旨もある。「〔中納言ノ〕職掌は―を敷奏し、参議に待問し」〈続紀慶雲二・四・一七〉。「御前より内侍、―うけたまはり伝へて、大臣参り給ふべき召しあれば、参り給ふ」〈源氏桐壺〉 ②⑴をとり伝えた女官の称。「中宮の宣旨」とは、立后の時の宣旨をとり伝える女房。「〔春宮ノ若宮ノ御湯ノ事ヲ〕春宮の―なる内侍のすけぞ仕うまつる」〈源氏若菜上〉 **―がき**【宣旨書】《宣旨は天皇の言葉を代書したものであることから、一般に》代筆すること。また、代筆した書状。「せじがき」とも。「―は見知らずなむとて」〈源氏明石〉 **―ます**【宣旨枡】宣旨によって定められた公定の枡。延久四年、後三条天皇が簾竹を折って寸法をはかり、定めたものが有名。その一升は京升の八合一勺余にあたるという。「後三条院位の御時、延久の―と云ふ物沙汰有りて」〈愚管抄四〉

せん・じ【先じ】《サ変》先だつ。先をとる。さきんずる。「おほいまうち君に―・ぜられて、ねたくおぼえはべる」〈源氏若菜上〉

せん・じ【煎じ】《サ変》薬草や茶などを、湯で煮出す。「茶を―・じ、菓子をそなふ」〈三宝絵下〉。「煎、センス」〈色葉字類抄〉 **―様(やう)常の如・し** 近世、薬袋に記した文句。一盃半の薬を一盃に煎じ詰める普通の煎じ方にせよの意。「―・くの油紙」〈俳・胴骨〉

ぜんじ【前司】前任の国司。「『殿は何にかならせ給ひたる』など問ふに、いらへには、『何の―にこそは』などぞ必ずいらふる」〈枕二五〉

ぜんじ【禅師】①山林修行して禅定(ぜんぢゃう)を修めた師僧

に対する称号。「—秀南、広達、延秀、…或いは持戒称するに足り、或いは看病声を著す」〈続紀宝亀三・三・六〉②高僧の尊称。「三谷寺は其の—の造立する所の伽藍なり」〈霊異記上七〉③広く、出家・法師の称。「昔、つかうまつりし人、俗なる、—なる、あまたまゐり集まりて」〈伊勢八五〉。「俗五体を地になげて—をがみて申さく」〈三宝絵中〉④鎌倉時代、禅宗伝来以後は、禅僧に対する敬称。また、朝廷から禅僧に贈られた称号。「教外別伝、不立文字といへども、—の人に示す言句多し、不立文字と言はんや」〈夢中問答下〉。「—拝揖(はいいふ)して退出せらる。翌日、別当実世卿を勅使にて—号を下さる」〈太平記四・俊明極参内〉

せんしう…シュウ【千秋】千年。長い年代。千歳(せんざい)。「孫孫永く継ぎて—に〔ソノ姓ヲ〕冠しめて」〈続紀天平二・四・三〉　**—ばんぜい**【千秋万歳】①千年万年。「—の栄花も、破竹の内の楽しみぞ」〈閑吟集〉②めでたさを祝福することば。「今日は最上吉日なり。…重ねて—と、猶喜びの盃の」〈謡・春栄〉　**—らく**【千秋楽】①雅楽の曲名。唐楽。「盤渉調、—、無ㇾ舞」〈拾芥抄上〉②謡曲、高砂のキリに謡う「千秋楽は民を撫で、万歳楽は命を延ぶ…」という文句。祝言用の小謡としても謡われた。「盃も数かさなりてよい年忘れ、ことに長座と、—をうたひ出し」〈西鶴・諸国咄一〉③《演能の最後に、祝言として(2)を謡ったところから》物事の終り。また、興行などの最終日。「武蔵野も果はありけり—」〈俳・俳諧三部抄上〉。「庚申の—や鳥の声」〈雑俳・田植笠〉

せんじふ…ジュウ【撰集】すぐれた作品を撰び集めて、詩・歌・文集を作ること。また、その集。「万葉集の外、古今の和歌一千篇を—せしむ」〈本朝文粋二〉

せんしゃ【前車】《ゼンシャとも》　**—の覆(くつがへ)すは後車の戒め**《中国の諺》前人の失敗は後人の戒めであることのたとえ。「—にて、謀叛をや起させ給ひし」〈保元上・新院御謀叛並びに調伏〉

せんしゃ【銭車】「銭独楽(ぜにごま)」に同じ。「此の車は、京では銭独楽と云ひ、江戸では—と云ふ」〈浮・諸分床軍談五〉

せんしゃう…ショウ【僭上】身分・分際を越えて上の者のまねをすること。身分・分際を越えて奢りたかぶること。「—は、分に過ぎたる物着るを云ふ」〈太平記聞書〉。「無用の—なれども、人間は外聞」〈西鶴・二十不孝三〉

せんじゃう…ジョウ【先生】①〔仏〕前生。先世。「汝、—に人と生れたりしに」〈今昔二ノ五〉②先に生れた人。人名に添えて敬称にも用いる。「かの田光—は燕丹に語らはれし時」〈太平記一〇・赤橋〉③《親愛・軽侮の接頭語「わ」を冠して》あんた。君。大将。「わ—は、いかでこの鮭を盗むぞ」〈宇治拾遺一五〉④帯刀(たちはき)の長官。帯刀先生。「大宮の—義定といふものが歌に」〈著聞一八五〉

ぜんしゃう…ショウ【前生】《鎌倉・室町時代はゼンジャウ》「前世(ぜんせ)」に同じ。「これも皆—の機縁なるべし」〈今昔三〇ノ二〉。「前生、ゼンジャウ」〈饅頭屋本節用集〉

ぜんじゃう…ジョウ【軟障】⇒ぜじゃう。「あらはなるべき所には—をひき」〈源氏藤裏葉〉

せんじゅ【千手】「千手観音」の略。「仏は、如意輪、—、すべて六観音」〈枕二一〇〉　**—きゃう**…キョウ【千手経】「千手陀羅尼(だらに)」に同じ。「—に説くが如し」〈霊異記下一四〉　**—くゎんおん**…カン【千手観音】①六観音の第二。衆生を救う大悲の方法が無量であることを千手で表わし、その智が円満であることを、それぞれの掌にある眼で表わす。千手千眼観音。千眼千臂観音。「極めて窮(まづ)しき女、—の像に憑(よ)り敬ひ、福分を願ひて、大富を得る縁」〈霊異記中四二〉②虱(しらみ)の異名。観音。「この蒲団(ふとん)はどうやらうぢうぢ、—はをらぬかや」〈浄・ひらかな盛衰記三〉　**—せんげん**【千手千眼】千手観音。「南無—」〈近松・出世景清四〉　**—だらに**【千手陀羅尼】千手観音の功徳を説いた陀羅尼。大悲心陀羅尼。「ただ—は間無く誦せり」〈霊異記下三四〉

せんじゅ【専修】浄土宗で、他の行(ぎゃう)を修めず、南無阿弥陀仏の念仏のみを唱えて、極楽往生を願うこと。「—といふは念仏なり。雑修といふは念仏の外の行なり」〈拾遺語燈録中〉

ぜんしゅう【禅宗】仏教宗派の一。文字・言語・経典によらず、心を以て心に伝え、坐禅によって内省自観し、悟りの道に達することを宗とする。六世紀の初め、インドの達磨(だるま)によって中国に伝えられ、日本には、鎌倉時代、栄西が臨済宗を、道元が曹洞宗を宋からもたらし、また、江戸時代、明の隠元が来朝して黄檗宗を開いた。仏心宗。達磨宗。「教外(けうげ)と云ふは、不立文字(ふりふもじ)の宗なり。いはゆる—これなり。学ぶべき師もなし。示すべき機もなし。教ゆべき物もなし。ただみづから覚(さと)る法なり」〈道元法語〉

せんしょ【僭上】「せんしゃう」の訛。「銀(かね)が無いと言へばよい事を…—の有る程、問はず語りをして」〈浮・茶屋調方記〉

ぜんしょ【善所・善処】死後趣くべきよい所。人間界・天上界および諸仏の浄土などにいう。善趣。「彼の経を聞かば必ず蛇の身を捨てて—に生るるを得む」〈今昔一三ノ三六〉

せんしょう【先勝】陰陽家で、急用・訴訟などに幸運があるとする日。各月に五日ずつある。先勝日。「運のさかり刻限—の時至れりと」〈近松・堀川波鼓下〉

せんしょう【先蹤】《センジョウとも》先例。前例。「異国にはその例もやあるらん、吾朝にはいまだ—を聞かず」〈平家一一・大臣殿被斬〉

ぜんじん【善神】仏法および仏法を信奉する者を守護する神。十六善神など。「正(まさ)しく、—来たりて持者(ぢしゃ)を擁護(おうご)す」〈今昔一四ノ四三〉

せんす【扇子】《唐音》「あふぎ(扇)」(二)(2)に同じ。「—二本預り候」〈上井覚兼日記天正一三・一二・九〉。「五明、ゴメイ、—の異名」〈文明本節用集〉　**—ばら**【扇子腹】死刑の一法。切腹を命ぜられた人の前に、扇子一本載せた三方を置き、扇子を取ると同時に首を打ち落す。扇腹。「—と言うて、〔切腹ト〕断罪の間の成敗なり」〈久夢日記〉

せんすい【山水・泉水・前水】①山と水とを備えた景色。さんすい。「例の四季の絵なれど、めづらしき—、潭(ふち)など目馴れずおもしろし」〈源氏若菜上〉②庭先の築山と水と。また、それを備えた庭。「—を作るに、松を植うべき所には岩を立て、池を掘り水をまかすべき地には山を築(つ)き、眺望をなすが如く」〈無名抄〉。「泉水、センスイ、或作二前水一、庭也」〈文明本節用集〉

せんずだらに【千手陀羅尼】《ズはジュの直音化》⇒せんじゅだらに。「かう染めの扇打ちつかひ、—読みゐたり」〈枕（能因本）まへの木たちたかう〉

せんすぢ…スジ【千筋】細密な竪縞模様。さらに細かい縞を万筋という。「—染の黄無垢(きむく)の上に」〈西鶴・一代女二〉

せんずまんざい【千秋万歳】年の始め、家家を訪れて、家門・寿命の長久を祝い、歌舞を演じて回った下級の法師・陰陽師。また、その舞。「今日—参啓、祝言退出」〈公衡公記正応三・一・四〉。「一種の乞食輩、歳首に人家に到り祝言を歌ふ、世に之を—と号す」〈臥雲日件録抜尤文安四・一・三〉　→せんしうばんぜい

せんずるところ【詮ずる所】《連語》《「所詮」の訓読語》究極のところ。結局。つまり。要するに。「―、我ら専ら金輪聖主天長地久と祈り奉る」〈平家七・木曾返牒〉。「所詮、センズルトコロ」〈文明本節用集〉

せんぜ【先世】〔仏〕「前世(ぜん)」に同じ。「六道の衆生は皆これ―の我が父母なり」〈三宝絵下〉

ぜんせ【前世】〔仏〕《古くはゼンゼ》生れ出る前の世。さきの世。先世。前生。「衆生の善悪の果報、皆―の業因に依りてなり」〈今昔一ノ二七〉

ぜんせい【全盛】①盛んであること。「身が―の時、恩を与へた者は今どこにゐるぞ」〈天草本伊曾保〉。〈文明本節用集〉②よくはやること。客の多いこと。「〔大夫〕八千代…―並びなし」〈評判・桃源集〉③見栄。おごり。「かの島原の御―、昔になるや」〈仮・浮世物語二〉。「〔乞食ノ〕―咄(ばなし)松は笑はん」〈俳・投盃〉

ぜんぜい【善逝】如来の十号の一。仏は善く悟りの彼岸に逝き、二度と生死の海に沈むことがないの意。「釈迦尊多宝分身の諸―、我願を増益す」〈本朝文粋一三〉。「衆徒の濫悪を致すは魔縁の所行なり。明王の制止を加ふるは―の加護なり」〈平家一・内裏炎上〉

せんせき【仙籍】《「仙」は山に入って不老不死の術を得た人。転じて、天皇・上皇のことにいう。「籍」は簡(だふ)》殿上に出仕する者の名札。日給簡(にっきふのふだ)。〈伊呂波字類抄〉 **―を許・す** 昇殿を許可する。「殿上の仙籍をば未だ許されず」〈平家一・祇園精舎〉

ぜんぜん【漸漸】しだいしだい。少しずつ。徐徐。「是くの如き、一度にはしがたし。心にかけて―に習ふべきなり」〈正法眼蔵随聞記一〉

せんそ【践祚】天子の位につくこと。「或は援兵を乞ひ、或は―を賀す」〈続紀天平勝宝五・六・八〉。〈色葉字類抄〉

せんぞう【千僧】千人の僧。「使を差して―を供養せしめ給ふ」〈三宝絵下〉 **―くやう**【千僧供養】千人の僧を招いて供養すること。非常に大きな功徳があると考えられていた。「法勝寺―に、鳥羽院御幸ありけるに」〈宇治拾遺九九〉

ぜんそう【禅僧】①もっぱら坐禅によって悟りを得ようと修行する僧。「谷の深きに隠れゐて、嶺の松風に思ひを澄ます―にて」〈撰集抄二ノ七〉②禅宗の僧。「―には、坐禅工夫をもっぱらにして、祖宗を紹隆せよと仰せられて」〈夢中問答上〉

せんそく【洗足】足を洗うこと。また、それに使う湯水。「―参らせ候へ」〈謡・木賊〉。〈文明本節用集〉

せんぞく【氈褥】《ゾクはジョクの直音化》毛皮または毛織の敷物。「―料にこそはならめ」〈枕一〇三〉

せんだい【先帝】《呉音》先代の天皇。さきのみかど。「藤壺〔女御〕ときこえしは―の源氏」〈源氏(横山本)若菜上〉

せんだい【闡提】〔仏〕《梵語の音訳「一闡提」の略。熱望するものの意》迷いの世界に執着・満足する者。仏を信ずる気持がないので、とうてい成仏することができない者。「五逆・重罪を選ばず、女人・―をも捨てず」〈和語燈録三〉

ぜんたい【全体】㊀《名》①からだ全部。全身。「〔狐ハ〕―を泥のうちに投げて、見苦しうけがれて」〈天草本伊曾保〉②その総体。全容。「青柳の翠(みどり)打ちなびきたるは、―貴妃の眉の如し」〈長恨歌抄〉。「螢の色めく影、―露のやうなるを、置かぬ露と云ふなり」〈桂林集注夏〉㊁《副》総じて。本来。「今は―塩なし。何を以てか〔穀類ニ〕かふべき」〈日蓮遺文上野殿御返事〉。「―この身は不浄を錦に包みたるが如くなるを」〈見聞愚案記一七〉

ぜんだい【前代】①前の代。以前の時代。「―にも後代にも類少なきためしなり」〈妙本寺本曾我一〇〉②「前代未聞」の略。「主の宿を忘れて囃子物をして来る、―の曲事(くせごと)」〈天理本狂言六義・麻生〉 **―みもん**【前代未聞】前の代にも未だかつて聞いたことのないこと。「我が朝にはいまだかくの如きの先蹤を聞かず。―の不思議かな」〈古活字本平治上・光頼卿〉

せんだいじゃうるり【仙台浄瑠璃】「奥浄瑠璃」に同じ。「あれは座頭の坊が来たから、大方―だらう」〈滑・浮世風呂前下〉

ぜんだいわう【前大王】さきの親王。「自然(じねん)にかの―の御手に通ひて侍れ」〈源氏明石〉

せんたう【専当】①もっぱらその任に当ること。また、その者。「造行宮司および―の郡司」〈続紀養老一・二・二〇〉②寺院でもっぱら雑務に当った身分の低い僧。「其の寺に―の法師あり」〈今昔一七ノ三五〉。「白大衆(しらだいしゅ=官位ヲモタナイ僧)・神人・宮仕(みやじ)・―満ち満ちて」〈平家一・御輿振〉

せんたう【銭湯】料金を取って入浴させる所。「―風呂の事。今年正月よりこれを立て始む」〈祇園執行日記正平七・二・一〇〉

せんだう【山道】《「海道」の対》①山国を結ぶ主要道路。「始めて美濃国岐蘇(きそ)の―を開く」〈続紀大宝二・三・一〇〉②《「仙道」とも書く》特に、中山道。木曾街道。「六郎殿と甲斐の人人をさしそへて―をさしふさぎ」〈保元中・為義降参〉

せんだち【先達】⇒せんだつ。「〔熊野参詣ノ〕―、この檀那の女房に心をかけて」〈沙石集一ノ八〉。「先達、センダチ、引導人」〈文明本節用集〉

せんだつ【先達】《センダチとも》①自分より先に道に達すること。また、その人。その道の先輩。「逢ひと逢ひし―に随分に尋ね候ひしに」〈俊頼髄脳〉②修験者で、勤行(ごんぎゃう)に年を重ねて、峰入りの時などに同行者の案内・指導をする者。「助の僧正覚讃は―の山伏なり」〈著聞二八〉。「先達、センダツ、山伏」〈運歩色葉集〉③一般に、案内者。指導者。「すこしのことにも、―はあらまほしき事なり」〈徒然五二〉

ぜんだな【膳棚】配膳のため食物や食器を載せて置く棚。後には、食器を納めて置く押入れにもいう。「―・殿上の和琴・書杖等」〈兵範記久寿二・七・二四〉

せんだびつ【千駄櫃】商人が、商品を入れ、高く重ねて背負って歩く櫃。「―にいろいろの物を買ひ入れ」〈伽・むらまつ物語〉。〈運歩色葉集〉

ぜんだま【善玉】《近世、草双紙の挿絵で、丸の中に「善」の字を書いた顔で善魂・善人を表わしたことから》善人。「なんぼ庄さんが―になったとって」〈洒・青楼五ッ雁金〉

せんだん【栴檀】《梵語の音訳》①白檀(びゃくだん)の異称。「昨日まで栄えたる―の樹にはかに枯れぬ」〈三宝絵下〉②「栴檀の板」の略。「二の矢を仕らん。真向・内冑は恐れも候。障子の板か、―、弦走りか」〈古活字本保元中・白河殿攻め落す〉 **―のいた**【栴檀の板・千段の板】鎧の付属具の一。鎧の右肩から胸に付ける板。左に付けるのを「鳩尾(きゅうび)の板」という。「鎧の―を、右の小脇まで篦深(のぶか)にぐさと射込む」〈太平記三・笠置軍〉 **―は二葉(ふたば)より香(かう)ば・し** すぐれた人物は幼少の時から人に秀でたところがあるの意。「―・しとこそ見えたれ」〈平家一・殿下乗合〉

せんち【先知】以前の知行。「―のある侍は…五分一もあ

るべしや」〈仮・子孫鑑中〉

せんち【雪隠】「せっちん」の転訛。「北にある雪隠(せついん)またと五〉

雪陣(せっちん)と云ふか。それを—とは悪しかるべし」〈俳・かたこと五〉

ぜんちしき【善知識】①人を仏道に導く縁となる良い友。「所所(ところどころ)にして五十余人の—に逢ひつつ」〈三宝絵下〉②人を仏道に導く良い機縁となる物事。「この御嘆きを—として」〈沙石集六ノ四〉③人を仏道に導く名僧。「或いは終りの時の—に会ひ」〈栄花玉台〉④真宗で、信徒が門主をさしていう語。「かたじけなき—さまの御勧化のほどを」〈朝鮮日日記〉→知識

ぜんぢやう【禅杖】坐禅の時、居眠りする者に注意を与えるために突く竹の杖。先に柔らかな球がついている。「大師修禅定せられし時、御身苦しき事あり。これを以ておす。おさふればやむ。これを—と云ふ」〈平治上・叡山物語〉

ぜんぢやう【禅定】①「禅」に同じ。「もし—なければ、その心閑(ゴし)まらずして」〈三宝絵上〉。「—と云っぱ坐禅なり。閑かなる処に正しく坐して、心念を動ぜざる、これなり」〈塩山和泥合水集上〉②修験道で、霊山に登って修行すること。また、その山の頂上。「数多の旦那を引き具して、立山の—参詣しけるに」〈妻鏡〉。「なほ一年に一度、伊吹の—に上りて」〈三国伝記六〉

ぜんぢやく【染着】《ゼンは呉音》心が外物にしみついて離れないこと。執着。「—の心の、いとどますますに起りつつ、道心つくべくも侍らぬに」〈大鏡藤氏物語〉

せんぢん【先陣】①先に進む部隊。先鋒。先備え。「—は蒲原・富士川に進み、後陣は未だ手越・宇津谷に支へたり」〈平家五・富士川合戦〉②第一番に進出すること。先がけ。一番乗り。「佐々木四郎高綱、宇治川の—ぞや」〈平家九・宇治川〉

せんて【先手】①勝負事や戦いなどで、先に攻める側。「—後手をあらそひ〔碁ヲ〕うちしに、初度二局負けぬ」〈雲玉和歌抄下〉。〈運歩色葉集〉②他に先んじて行動し、有利な地位をしめること。「—を打って寄する漣濤(さざなみ)」〈俳・大矢数一〉

せんてい【先帝】⇒せんだい。「それより後、—を新院と申し、上皇をば一院とぞ申しける」〈保元上・後白河院御即位〉。〈運歩色葉集〉

ぜんてい【前程】行くさき。前途。「好事を行(ぎやう)じて—を問ふことなかれ」〈徒然一七一〉

せんてう【先朝】①先帝の朝廷。「禽獣を捕ることは—禁断す」〈続紀天平二・九・二九〉②前の天皇。先帝。「—船の上に御坐あって、討手をさし上(のぼ)せられ」〈太平記九・足利殿御上洛〉。「—の御製十八首」〈再昌草五〉

せんと【遷都】都を他の地へ移すこと。みやこうつり。「—の事を議せしむ」〈続紀慶雲四・一・九〉

せんど【先度】先ごろ。せんだって。先日。「—、汝、大般若(だいはんにや)の御読経つかうまつりしに験(げん)ありき」〈著聞三〉

せんど【先途】①行く先。最後に行き着く所。「—何処(いづく)を期(ご)せず、後会その期を知らず」〈平家一二・平大納言被流〉②最後の目標。もっとも重要な課題。「渡海の—をとげて本朝に渡り」〈平治上・唐僧来朝〉。「ひとへに名利を—に思ひて、菩提をよそにする故に」〈沙石集一ノ七〉③事の成否・勝敗など、それによって運命が決してしまうような重大な時や場合。危急存亡の時。「必ず—と思ふ事の折にぞ〔ソノ衣ヲ〕取り出でて着ける」〈宇治拾遺一三一〉。「すは—ぞ」〈明徳記中〉④家柄に応じて進みうる官位・官職などの極限。「命あれば—を達する事、異国本朝に多かりき」〈保元下・左大臣殿の御死骸〉

せんとう【仙洞】《「仙」は山に入って不老不死の術を得た人。転じて、天子・上皇のことにいう。「洞」は山のほら穴》①上皇の御所。「禁中も物さわがしく、—もささやきのみ多かりける」〈保元上・法皇崩御〉②上皇の尊称。「老鶴は従来(もとより)—の翁」〈和漢朗詠集故宮〉

せんどう【千燈】仏に献ずる千の燈明。神仏に捧げる数多くの燈火。「—の御志はなにがしの御ため」〈枕一三〇〉

せんどう【船頭】船長。商船の船頭は、船を操縦するだけでなく、積荷の取引の権限も持っていた。ふなおさ。「—が許(もと)に寄りて、その事ともなく私語(ささめ)きければ」〈今昔二六ノ一六〉。〈文明本節用集〉 **—馬方**(うまかた)**御乳**(おち)**の人**「馬追船頭御乳の人」に同じ。「さてさて利口な野郎ぢゃな、—、こちもそちらと同じこと」〈近松・丹波与作上〉

せんな・し【詮なし】『形ク』《「詮」は物事の理の帰着するところ》無益・無意味である。かいがない。「一人当千と聞ゆる平家の侍どもと軍して死なんとこそ思ひつれども、この御気色ではそれも—・し」〈平家九・生食〉

せんなりひさご【千成瓢】①瓢箪(ひょうたん)の一種。果実が二、三寸の長さで、数多く群がりなるもの。千成瓢箪。千成。「種は一つ数や一—」〈俳・夢見草三〉②⑴をかたどった豊臣秀吉の馬印の称。「—の馬印は、疑ひもなき真柴久吉(ましばひさよし)」〈浄・絵本太功記一〇〉

ぜんに【禅尼】仏門に入った女性。「池の—と申すは、頼朝の御ためにはまことの母」〈平治下・頼朝遠流〉→禅門

せんにち【千日】①一千日。また、長い日数。「—〔ノ精進〕果てて」〈山家集下〉。「—機(ばた)ぢゃ。果てざる謂(いひ)也」〈譬喩尽八〉②近世、大阪道頓堀の南、千日寺(法善寺)付近の称。刑場・墓地などのあった陰惨な土地であった。また、千日寺の称。「霞漂ふ—の水」〈俳・投盃〉 **—かう**【千日講】千日の間、法華経を読誦し講説すること。「その寺に人を勧めて—を行なふ聖人ありけり」〈今昔一五ノ二四〉 **—ごもり**【千日籠り】千日の間、寺社に参籠(さんろう)すること。「高野の—し侍りて後、一長者になりけるころ、大塔の花を思ひ出でて」〈続門葉集八〉 **—まうで**【千日詣で】千日つづけて、神社または仏閣に参詣すること。千度詣で。「する事なきままに、清水へ人まねして—を二度したりけり」〈宇治拾遺八六〉 **—まゐり**【千日参り】①「千日詣で」に同じ。「愚身、—・七月精進・七夜待ち以下の行をするを」〈多聞院日記永祿九・一・二三〉②七月十日、観世音に参詣すること。この日の参詣は平日の千日分、あるいは四万六千日分に当るという。四万六千日。欲日(よくび)。「清水寺—」〈俳・毛吹草二〉

せんにん【千人】一千人。また、多数の人。「僅かに遺(のこ)る所の兵は—に足らず」〈将門記〉 **—ぎり**【千人切り】願を立てて千人を斬殺すること。「五条の橋にて—せよ」〈伽・天狗の内裏〉 **—なみ**【千人並】醜女の称。「やく女房—の下女を置き」〈雑俳・柳多留拾遺二〉 **—りき**【千人力】千人の力。また、千人分の助力に相当するほど頼りになる力。「—の東風(こち)渡るなり」〈俳・江戸三吟〉

せんにん【仙人・僊人】人間界を離れて山中に住み、不老不死の術を会得し、雲に乗じ、風を起し、変幻自在の法を体得したという者。「さがしき山七つあり。その山より—ありて越しつ」〈宇津保俊蔭〉。「昔—在りき。正闍梨(しゃうじゃり)—と名づけき」〈三宝絵上〉

ぜんのつな【善の綱】《善所に導く綱の意》阿彌陀の手に掛けた五色の綱。臨終の際、これを手にすれば極楽へ導かれるといい、また、開帳・万日供養などの時にも、結縁のため参詣人に引かせる。「—とて糸数丈候ひき」〈玉葉文治一

・八・三〇〉

せんばい【千倍】十分満足。大満悦。「花を見るは―なれや桃の酒」〈俳・夢見草一〉

せんばう(ポウ)【先坊・前坊】前皇太子。皇太子のままで亡くなったり、その地位を退いたりした方をいう。「―失せ給ひての春」〈後撰一四〇七詞書〉。「かの六条の御息所の御腹の―の姫君」〈源氏葵〉

せんぱう(ポウ)【仙方】霊妙な方法。仙術。「昔の華陀(くわだ)中国古代ノ名医)が―を伝へ」〈近松・薩摩歌下〉

ぜんばう(ボウ)【禅房・禅坊】寺院内の僧の住む建物。また、寺院。「願はくは―に居宿して、静かに法華経を読誦せん」〈盛衰記二八〉

せんばすずめ【千羽雀】多数の雀。また、それを模様としたもの。「―柳に花の夕べかな」〈俳・四国猿〉

せんばづる【千羽鶴】多数の鶴。また、それを模様としたもの。「松に群れ居る―」〈近松・島原蛙合戦五〉

せんばに【船場煮】塩または粕・味噌漬の魚と大切りの大根・人参などの野菜を取り合わせた鍋料理。船場煎(り)。せんば。「鮭・鰹(ノ)―」〈久重茶会記寛永一〇・一一・九〉

せんばら【先腹】①先妻の子。せんぷく。「かれに三人の娘あり。一は―にて二十一、二三は当腹(たうぶく)にて十九十六」〈曾我三〉②先妻。「兄は―の子ぞ。弟はわが生める子ぞ」〈春鑑鈔〉。〈日葡〉

せんばん【千万】①数のきわめて多いこと。せんまん。「―の軍(いくさ)なりともいかならむぞ」〈今昔三ノ一五〉②程度の甚だしいこと。至極(しごく)。「後悔―悲しんでも余りあり」〈平家二・重衡被斬〉。「ほかの事には不如意―にして」〈こんてむつすむん地一〉③千か万に一つ。万一。「これは―かけあひの軍に打ち負くることあらば」〈太平記一八・瓜生挙旗〉④《副詞的に用いて》状態のさまざまであるのにいう語。いろいろ。「只今は、―かたじけなき仕合せと、三指突きて長口上」〈西鶴・男色大鑑五〉

ぜんばん【膳番】近世、武家で、主君の食事係の役人。膳部係。「御―衆内匠・市右衛門・半左衛門」〈梅津政景日記元和四・九・一四〉

せんぴ【先妣】死んだ母。「先考―もろともに、同じ台(うてな)に生れんと」〈謡・自然居士〉。〈文明本節用集〉

せんひつ【仙蹕】《「蹕」はさきばらいの意》貴人の乗物。「一院第二の親王宮をうちかこむ所に、八幡三所・春日の大明神、ひそかに影向(やうがう)をたれ、―をささげ奉り」〈平家四・南都牒状〉

ぜんぶ【膳部】①食膳の事にたずさわる者。料理方。「かしはで」とも。「或る所に―しける男」〈今昔二七ノ二〉。「膳宰は膳を掌(つかさど)る宰人なり。こなたに―と云ふ者なり」〈左伝聴塵三〉②膳に供える食物。料理。「御祝言の御―のやう、おほかた筑後守存じ候」〈伽・鼠草子〉

せんぷく【先腹】①先妻の子。せんばら。「〔当腹ノ三男ヲ愛シ〕―の兄二人を世にあらせて見むとも思はざりければ」〈太平記三七・尾張左衛門〉②先妻。「此の三人は―一腹なり」〈土岐累代記〉→当腹(たうぶく)

せんぷくりん【千輻輪】仏の三十二相の一。足の裏にある、多くの輻(や)を持つ車輪の文様。また、掌中・歯面にもあるといい、転法輪をあらわすと見られる。「―の趺(あなうら)、東西の石橋を昇降す」〈本朝文粋一二〉

せんぶつ【千仏】過・現・未の三劫(さんこふ)にそれぞれ出現するという一千の仏。単に「千仏」というばあいは現劫の千仏をいう。釈迦はその第四仏にあたる。「三蔵の宣はく、『かく経の中に―現じ給ふなり』と」〈今昔七ノ一〉

ぜんぶつ【前仏】すでに入滅した仏。彌勒菩薩(みろくぼさつ)に対する釈迦牟尼仏(しやかむにぶつ)をいう。「―より後仏に正伝す」〈正法眼蔵 諸悪莫作〉。「それ―は既に去り、後仏は未だ世に出でず」〈謡・卒都婆小町〉

せんぺう(ピョウ)【先表】さきぶれ。前兆。「前表(ぜんぺう)」とも。「平家の世の末になりぬる―やらん」〈平家四・三井寺炎上〉

せんぼふ(ポウ)【懺法】罪障を懺悔(さんげ)する法要。その際誦する経によって法華懺法・観音懺法・阿彌陀懺法・吉祥懺法がある。天台宗は主に法華懺法、禅宗は観音懺法を行なう。「法華三昧(ほけざんまい)行なふ堂の―の声」〈源氏若紫〉

せんぼんだち【千本立】ひと所に多数植え込んだ立ち木。「京の屋敷は千本通り、―の植込みも」〈近松・薩摩歌上〉

せんぼんづき【千本突・千本築】地ならしのため、多人数が小さな棒で突き固めること。千棒突き。「地築・石築・―なども、音頭取の小歌に合せて拍子を取るぞ」〈俳・類船集三〉

せんま ①近世、大阪の祭礼で、神子(みこ)に扮して鼓を打ち滑稽な身振りをする者。多くは前髪の青年が扮した。「―などとて、随分むさき男に白粉塗り、女の鬘(かづら)掛けて、神女(みこ)の姿にして〔祭ニ〕出す事也」〈浮・野傾咲分色孖三〉②《転じて》前髪の青年をののしっていう語。「あの―め、仕様がある」〈浄・新版歌祭文下〉

せんまい【千枚】 **―だうぐ**(ドウ)【千枚道具】骨董評価でいう折紙値段で千枚の価値のある貴重品。刀剣鑑定の折紙は、大判(七両二分に相当)を一枚といった。千枚物。「国の春―運び来て」〈俳・大句数上〉 **―ばり**【千枚張り】①数多く何枚も張り重ねて厚いこと。「川面は―の氷かな」〈俳・発句帳四〉②面(つら)の皮の厚いこと。非常にあつかましいことのたとえ。「外の見る目も厭はぬ此の厚さ、美し顔の―」〈浮・三代男三〉 **―ふんどう**【千枚分銅・千枚法馬】大判千枚で分銅形に鋳造された金塊。始め軍用金として貯蔵されたが、後に多くは貨幣改鋳に使用された。「―の数を悦び」〈太閤記七〉

せんまつ【千松】男の子の通名。「―も虎千代も皆おぢゃ」〈咄・昨日は今日下〉 **―わげ**【千松髷】男子の結髪の称。「―にやれこりゃ、当世流行る象牙・花梨の小枕入れて」〈万葉歌集〉

ぜんまはり(マワリ)【膳廻り】①膳に供えてある菜(さい)。「―外に物なし赤柏(赤飯)」〈俳・猿蓑上〉②料理。膳部。〈詞葉新雅〉

せんまん【千万】⇒せんばん。〈日葡〉

せんみつ【千三つ】《千のうち三つくらいしか真実はない意》うそを言うこと。また、その人。うそつき。「―とかや言へる空言(そらごと)師」〈仮・小盃五〉

せんみゃう(ミョウ)【宣命】《命(みこと)を宣(の)る意》天皇の命令を国語で書いた文書。また、それを宣命使が読み上げること。奈良時代には元日朝賀・即位・改元・立后・立太子など国家の大事に発せられ、平安時代からは神社・山陵・任大臣・贈位などの告文にも使われた。「選叙の日、―以前には諸の宰相等、出でて庁の前に立ち、宣竟りて座に就くこと自今以後永く恒例とせよ」〈続紀神亀五・三・二八〉。「三位の位贈り給ふよし、勅使来て、その―よむなむ悲しきことなりける」〈源氏桐壺〉→詔書。 **―を含・む** 事の由を重重しく言い聞かせる。因果を含める。「かやうなる猛き馬は心も聰(さと)し、―・めて乗らんとて」〈伽・小栗〉。「私がしびりは、やさしいしびりで、―・むれば、なほりまらするよ」〈虎明本狂言・痺り〉

せんみゃうれき【宣明暦】陰暦の一。唐の長慶二年(八二二)に作られた暦。日本では、貞観四年、それまでの大衍(たいえん)暦・五紀暦をやめてこれを採用し、貞享元年まで八百二十三年間施行されてのち、貞享暦に改められた。「始めて長慶―経を頒行す」〈三代実録貞観三・六・一六〉

せんもん【占文】占(うら)の表(おもて)に現われたことば。占いの結果得たことば。「天変地妖、―の指す所その慎み軽からず」〈保元上・将軍塚鳴動〉

ぜんもん【禅門】①禅宗。「然るに近代―世に盛りなるを」〈沙石集五ノ一九〉②《「禅定門」の略》在俗のまま剃髪して仏門に入った男子。「―日来(ひごろ)所労にて侍りけるが」〈著聞三九二〉→禅尼。③隠居して坊主頭になった人。「御隠居の―様」〈西鶴・一代女五〉

せんやうだう【山陽道】七道の一。中国山脈の南側の海道、また、その海道沿いの諸国。大体、今の近畿地方のごく一部と山陽地方に当る。播磨・美作・備前・備中・備後・安芸・周防・長門の八国。「―四国、播磨・美作・備前・備中」〈類聚三代格一八〉。「―八ヶ国」〈いろは字〉

せんやうもん【宣陽門】内裏内郭の十二門の一。東面の正中門で、外郭の建春門に対する。三間。東閤門。東陣。左兵衛陣。「諸司―の外の廊下に侍宿す」〈三代実録貞観七・二・四〉

せんやく【仙薬】飲むと仙人になるという薬。「―を食(じき)して、かく仙となりけり」〈今昔二〇ノ四二〉

せんやく【煎薬】煎じ出して飲む薬。煎じぐすり。「―数貼これを給ふ」〈多聞院日記文祿三・一〇・二〇〉。〈易林本節用集〉

せんやぞめ【千彌染】染め模様の一。宝永の頃、歌舞伎役者中村千彌が着始めて流行した、紫色の大絞り。「―名にめでてこそ着衣(そき)初め」〈俳・不角歳旦帳〉

せんよう【先容】①案内。先導。「蔭涼―して府公至る」〈鹿苑日録長享一・八・二〉。「いかに良い才があれども、―がなければ、枯木朽株にも劣りぞ」〈史記抄二〉②紹介。とりなし。取持ち。口添え。「去夏、阿豊牧(阿部豊後守)の―に依り、官銅瓦壁庫を賜ひ、既に我が宅地に移建す」〈羅山詩集三二〉

せんり【千里】一千里。遠距離、また、遠方をいう。「月―に明らかなり」〈和漢朗詠集雪〉　**―の野に虎を放・つ**　極めて危険な後難を残すたとえ。「たとへば、盗人に鍵を預け、―・ちたるが如し」〈盛衰記一七〉　**―一跳(ひとはね)**　急速に物事がはかどるたとえ。千里一飛び。千里一足。「―や並べて帰る雁」〈俳・鷹筑波二〉

せんりう【川柳】雑俳の一。前句付から独立した十七字の短詩。宝暦・明和頃、柄井(からい)川柳の評点した前句付の付句を川柳といったのに始まる。切れ字・季などの制約がなく、多くは口語で詠み、人情・風俗の機微を衝き、簡潔・滑稽・機知・諷刺・奇警が特色。古くは「川柳点(てん)の前句付」または「川柳点」といった。「仰向いて搗屋(つきや)秋刀魚(さんま)をぶつり食ひ、とは―の名句であった」〈黄・金々先生造花夢下〉

ぜんりつ【禅律】禅宗と律宗と。「寺社・―の繁昌、爰(ここ)に時を得」〈太平記一・後醍醐〉

せんりゃう【千両】①一両の千倍。また、金額の極めて多いこと。「各〻も、二三年勤めたる処を―にも万両にも買はんと云ふ者有るとも、売らんと云ふ機は有るべからず」〈驢鞍橋上〉②価値が非常に高いこと。すぐれたねうちがあること。「同じ―で春の夜の月」〈俳・都懐紙〉　**―だうぐ**【千両道具】非常に価値のある品。「―と此の道の本阿彌が定めたり」〈評判・雨夜三盃機嫌上〉　**―ばこ**【千両箱】千両を入れる檜製の金箱。普通、小判金二十五両包みを四十個入れる。近世後期には二千両入りのものもあった。「哀れさは―に鰹節」〈雑俳・武玉川三〉　**―やくしゃ**【千両役者】一年に千両の給金をとる、技芸のすぐれた俳優。「江戸の繁昌に合はせては、―幾人も有るべき事にこそ」〈劇場新話下〉

ぜんりょ【禅侶】①禅定(ぜんぢやう)を修める僧。転じて、僧。「―を置きて、不退の勤めをいたさる」〈著聞六〉②禅宗の僧侶。〈日葡〉

ぜんりん【禅林】禅宗の寺院。「まのあたり大宋国にして―の風規を見聞し」〈正法眼蔵辨道話〉

せんろふ【繊蘿蔔】《「蘿蔔」は大根》⇒せろっぽう。〈文明本節用集〉

せんゐん【仙院】①「仙洞(せんとう)」に同じ。「此の門主と申すも、まさしき―の連枝にて御座あれば」〈太平記三・佐渡判官〉②皇太后。女院。「この人、女御・后ともてなされ、国母(こくぼ)・―とも仰がれなんず」〈平家六・葵前〉

そ

そ【其】『代』《代名詞シと同根》①それ。そこ。文脈の中ですでに取り上げて、話し手も聞き手も共通に知っている物事や人などを指し示す。「〔田畑モ〕朝ごとにしぼみ枯れゆく、―を見れば心を痛み」〈万四一二三〉②なにがし。某。特定の、あるものを指す。すでにわかっているがしいて明示する必要のない場合や、わざとぼかしていう場合などに使う。「京に、―の人の御もとにとて、文書きてつく(託スル)」〈伊勢九〉▽朝鮮語 tjŏ(其)と同源。→その・それ。†sö

そ【十】とお。十。複合語の場合にだけ使う。「三十(みそ)」「四十(よそ)」「十代(そしろ)」など。「百足らず八十葉の木は大君ろかも」〈紀歌謡五三〉▽朝鮮語 son(手)と関係あるか。世界的に見て、五と十とは「手」と関係ある単語でいうことが多い。例えば、インドネシヤ語では、「五」と「手」を共に lima という。アイヌ語では「五」を ashik、「手」を ashke といい、両者は同根。また「十」を uan(手が両方ある意)という。†so

そ【衣】《ソデ(袖)・スソ(裾)のソ。ソ(麻)と同根か》きもの。衣服。「神衣(かむみそ)を織りつつ」〈紀神代上〉†so

そ【背】《セの古形》背中。うしろ。「辺(へ)つ波―に脱き棄(う)て」〈記歌謡四〉▽朝鮮語 tüng(背)と同源。†sö

そ【麻】アサの古名。複合語に残る。「青―」「打麻(うつそ)」「夏―引く」など。「三輪山の山辺ま―木綿短木綿(みじかゆふ)」〈万一五七〉†so

そ【磯】「いそ」の「い」の脱落した形。複合語の場合に使う。「荒り―」「離り―」など。「離れ―に立てるむろの木うたがたも久しき時を過ぎにけるかも」〈万三六〇〇〉†so

そ【租】口分田(くぶんでん)などの私田に課せられる税。収穫の約三パーセントを徴収。庸・調とともに、令制の税の基本をなす。平安時代には荘園がふえ、租を国に納めないで領主の収入とする不輸租田が多くなり、租に当るものを年貢と称するようになった。「当年の調・―並びに悉く之を免ずべし」〈続紀和銅二・一〇・二八〉

そ【酥・蘇】牛または羊の乳を煮つめて濃くしたもの。練乳。

「諸国貢する所の―」〈類聚三代格一〇〉。〈和名抄〉

そ『副』《サウの約》そう。そのよう。「―ぢゃか、―でないか」〈無門関抄下〉 →そでなし〔形ク〕

そ『感』馬を追う声。「左奈都良(さなつら)の岡に粟蒔きかなしきが駒はたぐとも(食ベテモ)吾(わ)は―と追(も)はじ」〈万三四五一東歌〉 †so

そ『助』→基本助詞解説。 †sö

ぞ『助』→基本助詞解説。 †zö

そい【素意】日頃の思い。素志。「仰山老人の―にあらず」〈正法眼蔵仏道〉

そいつ【其奴】『代』《ソヤツの転》そのやつ。その野郎。ののしって言う場合に使う。「―めをば打ち殺いて、皮をはいでのけうぞ」〈天草本伊曾保〉

そう【叟】おきな。老人。「舟に乗りたる―の帽子したるが、船を葦(あし)につなぎて」〈宇治拾遺九〇〉

そう【僧】《梵語の音訳「僧伽」「僧祇」の略。比丘(びく)の団体の意》三宝(さんぼう)の一。仏門に入って仏道を伝える人。のちには比丘を僧、比丘尼を尼という。「―など召して加持まゐり騒ぐ」〈源氏真木柱〉

そう【総・惣】㊀『名』全部。全体。皆。「汝は大勢の川を渡さん時、―を力にして渡るべし」〈盛衰記三五〉。「―の下り立ったる女房は一向顔色なし」〈長恨歌抄〉 ㊁『接頭』体言に冠して、全部の意を表わす語。「―懸かり」「―大将」など。「足軽の行き重なりて帰らぬは―敗軍の瑞相ぞかし」〈義経百首〉

ぞう【族】《ゾクの音便形》一族。「源氏の御―」〈源氏竹河〉

ぞう【判官】「じょう(判官)」の直音化。「人を召せば、御つかさの―よりかうぶり得たる(五位ニ叙セラレタ)睦ましき人ぞ参れる」〈源氏夕霧〉

ぞう【贈】『接頭』死後に贈る官または位につける語。「―太政大臣」〈後撰一三八詞書〉。「―后」〈大鏡藤氏物語〉

そうあげ【総揚げ・惣揚げ】全部の遊女を買い切って遊ぶこと。「惣買ひ」とも。「今宵はよねしゅ(遊女タチ)の―、見事なことか」〈近松・女腹切中〉

そうか【総嫁・惣嫁】近世、上方で、路傍で色を売る最下等の売女。そうよめ。惣右衛門。夜発(やはつ)。辻君。江戸で夜鷹(よたか)といった。「四面に―の歌唄って来る」〈俳・談林十百韻上〉

そうが【奏賀】元日の朝賀の儀式に、賀詞を奏すること。また、その役。「元良親王、元日の―の声、甚だ殊勝にして」〈徒然一三二〉

そうがう【僧綱】《「綱」はしめくくる意》僧尼を統括し、諸大寺を管理する最高の官僧。僧正・僧都・律師の三階級があり、円融天皇以後、法印・法眼(ほふげん)・法橋(ほつけう)の僧位をもいう。「それ―は智徳具足して、真俗の棟梁なり」〈続紀養老六・七・一〇〉。「―たち、名ある智者(ちさ)など召して、論議などせさせ給ふ」〈宇津保国譲下〉

そうがう【総髪】《ソウガミの転》男子の髪風の一。月代(さかやき)を剃らず、伸ばした髪を頭頂で束ねて結ったもの。後には「そうはつ」と言った。「頭は―ぢゃ」〈伎・参会名護屋二〉 **―びたひ**【総髪額】生え際の髪を抜いて広く作った男の額。十河(そがう)一存の髪風に始まるという。近世前期は女子もした。「そがう額」とも。「―と言ふ事は、十河殿と言ふ武家の人の、頭付きより云ひ出でたる事とぞ」〈俳・かたこと四〉

そうがかり【総懸かり】全軍で攻めかかること。「―に懸かれとて、揉みに揉んで攻めたりければ」〈浅井三代記一〉

そうがまへ【総構】城・砦(とりで)の外部を取り囲んでいる城壁・堀などの総体。総曲輪(そうぐるわ)。「はや―を打ち破り、四方八方より込み入れば」〈浅井三代記一〉

そうがみ【総髪】⇒そうがう。「―撫で付け烏羽の色」〈俳・大坂一日独吟千句〉

そうぎ【僧祇】①《梵語の音訳》比丘(びく)・比丘尼(びくに)の大衆。僧尼の集団。仏教の教団。「前生に―の物を盗み」〈今昔一ノ二六〉 ②《「阿僧祇」の略》無限に長い時間。「永劫の修行を送り、―の苦行をめぐらして」〈拾遺語燈録中〉

ぞうき【増気】《「減気(げんき)」の対》病勢がつのること。病気が悪くなること。「所労―有りと雖も」〈小右記治安三・五・一七〉。「その後種種に療治すれば、少しき減気ありしかども、また―ありて」〈正法眼蔵随聞記一〉

そうぎのかや【宗祇の蚊帳】《連歌師たちが、宗祇と同じ蚊帳に寝て連歌を修行したとうそをついたという話から》うそをついて見栄をはること。「世の諺に、実無く余情(よせい)する事を―と言ふ事あれば」〈俳・崑山集五〉

そうぎゃう【僧形】《ギャウは呉音》僧の姿。髪をそり、袈裟(けさ)を着た姿。法体(ほったい)。「大菩薩の御影二体を造立(ざうりふ)し奉る。一体は―、一体は俗形」〈古事談五〉

そうぐ【僧供】《グは呉音》供養のため、僧に贈る金銭や米穀など。「我、寺にありし時、いたづらに―を請(う)け食ひてのみ過ぎき」〈今昔一九ノ一九〉

そうげき【怱劇・悤劇】忙しくあわただしいこと。「大小事の―にうち紛れて其の後沙汰もなかりけり」〈平家六・横田河原〉。「怱劇、ソウゲキ」〈文明本節用集〉

そうげだ・ち【総毛立ち】『四段』寒さや恐怖のため、総身の毛がさか立つ。「―・って〔顔〕色が悪うなって震うた事あり」〈玉塵抄七〉。〈日葡〉

そう・し【奏し】『サ変』①(天皇や上皇に)申し上げる。奏上する。「しばしこの事漏らし侍らじ。うち(天皇)にも―・せさせ給ふな」〈源氏賢木〉 ②(管絃を)貴人のためにかなでる。「楽の舟ども漕ぎまひて、調子ども―・する程の」〈源氏少女〉 **―くだ・し**【奏し下し】『四段』(天皇や上皇に)奏上し、それを布告する。「おほやけ事おほく―・す日にて」〈源氏紅葉賀〉

そうじて【総じて】『副』①すべて。「皇大后宮は―唐(から)装束」〈大鏡藤氏物語〉 ②全般的に。およそ。だいたい。「―この松の山と申す所は」〈謡・松山鏡〉。「―人の思ひを積む女人は必ず蛇身になると聞く」〈伽・神代小町巻〉 ③《打消を伴って》全く。全然。「経釈の中にその文―見及び候はず」〈法然上人行状絵図〉

そうじぶ【惣神分・総神分】《ソウジンブンとも》法会・講式の初めに、邪鬼を払い善神の守りを乞うために、般若心経を読誦すること。「十方の薩埵(さった)に申して申さく、―に般若心経」〈謡・自然居士〉

そうしゃ【奏者】将軍・大名などに拝謁の取次ぎをする者。また、その職。申次(まうしつぎ)。「―此の由を申し入れず」〈盛衰記一八〉。「所領ども―を頼み望むなりお目に見えたる奉公をせよ」〈江北記〉。〈文明本節用集〉

そうじゃ【総社】《ソウシャとも》数社の祭神をまとめて祭った神社の称。参拝の便をはかって、一国内、一寺院内などに置かれた。「―の宮・八足の南大門…一時の程に焼失して」〈太平記二一・法勝寺塔炎上〉

そうしゃう【宗匠】和歌・連歌の達人で、人の師となるべき者の称。また特に、京都北野神社連歌会所の奉行職。後には、俳諧・茶・香などの師匠の意にも用いた。「日ぐらし〔春宮〕坊に伺候。あすより百日の御歌合たるべしとて、―(藤原為氏)題をいだす」〈春のみやまぢ〉。「連歌の―は、宗砌・宗祇の類ぞ」〈庭訓之鈔〉。「宗匠、ソウシャウ、先達義也。日本俗或指₂歌道達者₁云₂宗匠₁也」〈文明本節用集〉

そうじゃう【奏状】天皇に奏上する文書。「巡察使の―に依りて諸の国司等、其の治能に随ひて階を進め封を賜ふこと各差有り」〈続紀文武四・八・二三〉

そうじゃう【僧正】僧綱〈そうがう〉の一。最高位の僧官。大僧正・僧正・権(ごん)僧正の三階級があり、初め従四位相当、のち次第に高位となり、人数も最初は各一人、のち、数十人となった。「今より已後(のち)、―・僧都を召して、仍(なほ)僧尼を検校(かむがふ)ぶべし」〈紀推古三十二年〉

ぞうじゃうまん【増上慢】〔仏〕七慢の一。まだ悟りを得ないのに、悟り得たと思いこんで心が高ぶること。「独処する、―の誤りなり」〈正法眼蔵四禅比丘〉

そうぜん【僧膳】僧をもてなす食膳。「わざとの―はせさせ給はで、湯漬ばかり賜ふ」〈大鏡昔物語〉

そうそう【怱怱・悤悤】①あわただしいさま。「人間―として冥途の近づく事をも知らず」〈沙石集五ノ二〇〉②事をはぶいて簡略にするさま。「公事(おほやけごと)―にして、しばしばとり申さねばおろかなるやうになん」〈宇津保沖つ白波〉

そうぞう【総総・惣惣】全部。皆皆。一同。「―の価ひを我独りに渡すか」〈浄・当麻中将姫一〉。〈日葡〉

そうぞく【僧俗】僧侶と俗人と。「―・上達部・殿上人・地下(げぢ)・六位」〈枕二七八〉

そうだいしゃう【総大将】全軍の大将。「―義貞、副将軍義助」〈太平記一四・矢矧鷺坂〉

そうぢ【総持】〔仏〕《梵語の漢訳。「能持」とも》⇒だらに。「誰か知る此の会に従ひ、頓に―の国に入る」〈経国集一〇〉。「―といふは即ち陀羅尼也」〈沙石集五ノ一三〉

ぞうぢゃう【増長】①増大すること。しだいに盛んになること。「随喜すれば、いよいよ―するなり」〈正法眼蔵三時業〉。「増長、ゾウヂャウ」〈饅頭屋本節用集〉②「増長天」の略。「其の城(みやこ)を去ること遠からずして一の天神有り、名をば―と云ふ」〈今昔一ノ三〉 **―てん**【増長天】四天王の一。須彌山に住み、南方を守護する。赤色忿怒形。「艫には広目、―」〈幸若・百合若大臣〉

そうづ【僧都】①僧綱〈そうがう〉の一。大僧都・権(ごん)大僧都・少僧都・権少僧都の四階級があり、初めは各一人、のち数十人となった。「詔すらく、僧正の賻物(ふもつ=香典)は従四位に准じ、大少―は正五位に准じ、律師は従五位に准ぜよ」〈続紀宝亀四・閏一・一五〉②⇒そふづ。「水上にまかする水やたゆむらん―の音の稀になりぬる」〈続門葉集八〉。「僧都、ソウヅ、在₂秋田₁驚₂鳥獣₁者也。或搗ᇈ米水器也」〈文明本節用集〉③《ソホヅ(案山子)に僧都を掛けた玄賓僧都の歌から》案山子(かかし)。「―と云ふは山階寺玄賓僧都より起れり。かがしの類也」〈古今私秘聞〉。「秋の田に―はかぶる破れ笠」〈俳・寛永十三年熱田万句一九〉

そうついふし【総追捕使】《ソウヅイブシとも》①平安時代諸国の治安・警備にあたった職。「〔斎藤〕為頼…越前国―」〈尊卑分脈〉②(1)に準じ、公領・荘園・神社に置かれた職。「鹿島三郎政幹を以て、当社―に定め補せらる」〈吾妻鏡 養和一・三・一二〉③鎌倉初期、守護の正式の称。「実平・景時を以て、近国の―に差し定めらる」〈吾妻鏡文治一・四・二六〉▽鎌倉時代、将軍は朝廷より諸国(日本国)総追捕使に任命され、守護・地頭の任免及び命令権を持った。「さる程に鎌倉殿、日本国―を給はって」〈平家一二・吉田大納言〉

そうと【僧徒】僧たち。僧衆。「その後、この伽藍に―数百住して仏法を弘む」〈今昔一一ノ一五〉

そうどしより【惣年寄】近世、都市の自治をつかさどる町役人の最高責任者。土地の有力な商人が世襲することが多く、領主からは手当や種種の特権が与えられた。町年寄・大年寄・惣町代・検断(けんだん)などの名称の都市もあった。「大坂町中〔ノ〕殺生仕(つかまつ)り候者御改め成され候ふ所、町町―より改め申され候ふ、北・南・天満三郷より人数五十一人書上げられ候」〈大坂町触正保二・九・二六〉

そうなみ【総並】全部一様であること。全般にわたること。「―ことごとく沓(くつ)にてあるに、一人履かざるも目に立つべき間」〈雑事覚悟事〉

そうばう【僧坊・僧房】僧尼の起居する坊舎。「来る三年以前を限りて、塔・金堂・―を造りて、悉(ことごと)にをはらしめよ」〈続紀天平一九・一一・七〉

そうばな【総花・惣花】茶屋または女郎屋で、客が一同に祝儀をやること。また、その祝儀。「寄合ひにけり寄合ひにけり/―に珍しい顔二つ三つ」〈雑俳・万句合明和三〉

そうぶつ【惣物】仕着せ。「そぶつ」「そうぶつもの」とも。〈日葡〉

そうぶん【処分】遺産の配分。「御―に〔父帝ヨリ〕おもしろき宮賜はり給へるをつくろひて」〈源氏柏木〉▽ソは「処」の字音ショの直音化。ウはブン(分)のブの前にあった「わたり音」のmが独立した音となってウと書かれたもの。 **―どころ**【処分所】遺産として配分された所。「東(ひんがし)の院をぞ、御―にてわたり給ひにける」〈源氏匂宮〉

そうべう【宗廟】天子の祖先をまつる霊屋(たまや)。特に伊勢神宮・石清水八幡宮を指す。「―の霊を蒙りて久しく神器をたもち」〈続紀神亀四・一一・二〉

そうべつ【総別・惣別】㈠『名』あらゆる事。万事。「人の心も整(ととの)ほらず、世間も落居(らっきょ)せぬさまに成り行くこと、―につけて嘆き思しめせども」〈平家三・法印問答〉㈡『副』すべて。概して。およそ。一体。「天下―驚き入る者也」〈看聞御記応永三三・二・二六〉。「―頼うだ人のやうに不嗜(ぶしな)みな人はござない」〈虎明本狂言・止動方角〉

そうぼり【総堀・惣堀】城の外側にめぐらした堀。外堀。「―の東は…鹿垣(ししがき)をやり通したり」〈伽・鴉鷺物語〉。〈日葡〉

そうほんじ【総本寺】①仏教の一宗・一派を総轄する寺。総本山。「―磨き立てたる露の玉」〈俳・紀子大矢数下〉②一派の総元締め。根本となるもの。「それ芝居は常住不易の色里にして、男道(衆道)の―」〈評判・役者一挺鼓〉

そうめい【聡明】《「聡」は耳のよく聞えること、「明」は目のよく見えること》①物事にさとく道理に通達していること。「第三の宮は…御幼稚の時より利根・―におはせしかば」〈太平記一・儲王〉②釈奠(せきてん)の時の供え物。胙(ひもろぎ)。「―とて、上にも宮にも、あやしきもののかたなど、かはらけに盛りてまゐらす」〈枕(能因本)二月宮の司に〉

そうもん【奏聞】天皇に奏上すること。「五位以上は名を録して―し」〈類聚三代格三〉

そうもん【総門・惣門】外構えの正門。大門。「―は鎖(じやう)のさされてさぶらふぞ。東面の小門より入らせ給へ」〈平家五・月見〉

そうやう【総様・惣様】一同。全部。総並み。「茶屋は―薄塗り」〈久政茶会記天正一五〉 **―さま**【惣様様】御一同様。皆皆様。「切狂言〔ニ見トレテイル見物ノ〕―の鼻の穴」〈俳・大句数上〉

そうらん【奏覧】 天皇に奏上して御覧に入れること。「入道殿(俊成)院に参らしめ給ふ。勅撰集―の為なり」〈明月記文治四・四・二二〉

そうりゃう【総領・惣領】《すべおさめる意》①上代、大国または数か国の政務を司る者。「波多(はたの)朝臣牟後閈(むごへ)を周防の―となす」〈続紀文武四・一〇・一五〉②一族の長。鎌倉時代、地頭職の分割相続によって分立した小地頭である庶子たちを統括する地位に立つ者。総領地頭。総地頭。「早川知行地、課役を免除す可きの由、―に仰せらる可きの旨、これを望み申す」〈吾妻鏡建久三・二・一五〉③家の名跡を継ぐ者。嫡子。家督。「兄弟あまたありて、親の跡を配分して持ちたらんに―たる人は公方をつとめ」〈極楽寺殿御消息〉④長男または長女の称。長子。「育てては五人の中の―なり」〈俳・大矢数二〉 **―しき【総領職】** 鎌倉・室町時代、総領(2)が一族を統制する権限・地位。「頼親父政親は、…―を以って、嫡子頼親に譲り与へ」〈新編常陸国誌一四、弘安九・七・二九幕府裁許状〉

ぞうるい【族類】《ゾクルイの音便形》一族親類。同族。「さる、時にあへる―にて、いとやむごとなし」〈源氏夕霧〉

ぞうゐ【贈位】 死者に対して、その生前の功労によって、位階をあたえること。また、その位階。「故治部卿の朝臣(あそん)三位になん侍りし。―の中納言になさせ給へ」〈宇津保楼上下〉

そうゑもん【惣右衛門】「惣嫁(そうか)」の擬人名。略して「そうゑ」とも。「風〔体ハ〕―のごとし」〈評判・桃源集〉

そが【曾我】《曾我兄弟は貧乏だったから》貧乏の隠語。「思ひ人〔ハ〕必ずも手前すっきり―ぞかし」〈浮・風流今平家九・一〇〉

そが【其が】『連語』それが。それの。「葉広斎(ゆ)つ真椿(まつばき)、―葉の広りいまし」〈記歌謡一〇一〉。「昔、土佐といひける所に住みける女、この船にまじれりけり。―言ひけらく」〈土佐一月二十九日〉 ▽「その」は連体詞としても使われたが、「そが」は、代名詞ソと助詞ガとの二語と意識される度合が強かった。 † sŏga

そかう【蘇香】「蘇合香」(2)の略。「―・万秋楽、残る手なく幾返りとなくつくされたる」〈増鏡一三〉 **―ゑん【蘇香円】** 卒中、小児の脳膜炎、痰(たん)詰り、また気付け用の丸薬。沈香(じんこう)・麝香(じゃこう)・白朮(びゃくじゅつ)・白檀・丁子など、十二味を細かい粉にし、安息香・蘇合油・酒・蜜で煉り合わせたもの。蘇合香円。「朝の間、心神違例す。上気也。よりて―を服し、聊か平癒す」〈花園院宸記正和三・二・二六〉

そがうびたひ【十河額】 ⇒そうがうびたひ。「大躍りの人数六七十人、―に抜き立てはなし」〈三好軍記下〉

そがぎく【承和菊】 承和の帝(仁明天皇)が黄色を賞したことから、黄菊の別名という。「かの見ゆる池辺に立てる―の」〈拾遺一一二〇〉。「また一義には、九日にあはざる十日の菊を―といふ。…俊成の家には、池の端にちと傾きて咲きたるを―といふ也」〈正徹物語下〉 ▽ソは「承」の字音ショウの直音化。ガは「和」の漢音クヮが連濁し、直音化したもの。

そがそが・し【清清し】『形シク』《スガスガシの母音交替形》さわやかで滞るところがない。「菅生山、…水の清く寒きに由りて吾が意(こころ)―・し。故(かれ)宗我富(そがふ)といふ」〈播磨風土記〉 † sogasogasi

そがひ【背向ひ】《ソは背。ソムカヒの約か。ヒムカシがヒガシに転ずる類》①背の方を向き合わせたさま。背中合せ。「わが背子を何処行かめとさき竹の―に寝しく今しくやしも」〈万一四一二〉②うしろの方角。また、斜めの方角。「春日野を―に見つつあしひきの山辺を指して」〈万四六〇〉 † sŏgaFi

そがふ【蘇合】 ①「蘇合香」(1)の略。「玉戸寨(かか)ぐるを愁ふ―の帳」〈文華秀麗集中〉②「蘇合香」(2)の略。「調べは。…―の急」〈枕二一七〉 **―かう【蘇合香】** ①外国産の香の名。種種の香草を煎じた汁で製したもの。〈和名抄〉②雅楽の曲名。新曲。唐楽、盤渉(ばんしき)調。六人舞。インドの阿育(あそか)王が病の時蘇合香を服し平癒した故事によるという。「―の三帖・万寿楽の破、…龍神も納受する程なり」〈太平記一七・金崎船遊〉

そ・き【退き】㊀『四段』《ソ(背)・ソムキのソと同根》遠ざかる。「―・き居りとも、我忘れめや」〈記歌謡五五〉㊁『名』はて。辺境。「山の―野の―見よと伴(とも)の部を班(あか)ちつかはし」〈万九七一〉 † sŏki

そ・ぎ【殺ぎ・削ぎ】『四段』①末端または突出部をけずり落す。「〔髪ノ〕裾も―・がねば、ふさやかならねど、ととのほりて」〈堤中納言虫めづる〉。「亀の肉を薄く―・いで、火に焼いて、文(もん)を見て占(うら)をするなり」〈金頌抄〉②はしばしを省略する。略式にする。「ことさらに―・ぎ給ひて、例のことごとしからぬ御車に奉りて」〈源氏若菜上〉。「掞、ソグ」〈名義抄〉

そきいた【枌板】 木をうすくそいで作った板。屋根板などにする。そぎた。「―もち葺ける板目の合はざらば如何にせむとかわが寝始(そ)めけむ」〈万二六五〇〉 † sokiita

そぎえり【削襟】 半襟。古くは「輪(りん)」とも。「白小袖を重ね、黒き―を掛けて」〈西鶴・一代女一〉

そぎそで【削袖】 かどをそいで丸く仕立てた袖。近世初期流行。「このころは―すたれて丸袖に移り」〈色道大鏡一〉

そきだく『副』《ソコバク・ソコラクと同類の語。ソは代名詞ソと同根。「―も」の形で感動文に使う》甚だしく。「遠近(をちこち)に漁(いざ)り釣りけり、―もおぎろなき(広大デアル)かも」〈万四三六〇〉 →こきだく。 † sökidaku

そぎつぎ【殺接ぎ・殺継ぎ】 ①接合する木材を斜めに切り、合わせて釘付けにする継ぎ方。「鐺(こじり)は白銀(しろかね)にて、八寸ばかり―にはがせたり」〈室町殿日記一〇〉②不調和。不統一。「二の句がさうすれば、なほ―なぞ」〈四河入海一四下〉

そきへ【退き方】《へは辺境》遠くはなれた所。そくへ。「〔遣唐使出発ノトキ〕天雲の―のきはみわが思へる君に別れむ日近くなりぬ」〈万四二四七〉

そぎゃうでん【承香殿】《ソはショウの直音化》⇒じょうぎゃうでん。「坊には、―の御子居給ひぬ」〈源氏澪標〉 † sökiFe

そきら【麁綺羅】 そまつな着物。「常よりも花〔見〕に―は猶(なほ)―」〈俳・正風集七〉

そく【束】 ①たばねたものを数えるのに使う語。たば。「『そのかはりにはこの葦(あし)刈りて少し得させよ』と云ひければ、あるいは四五―、あるいは十―…刈りてとらす」〈今昔二六ノ一三〉②矢の長さを測る単位。拳(こぶし)の幅の長さ。「十二―二つ伏(ぶせ)、よっぴいてひゃうど放つ」〈平家一一・嗣信最期〉③《馬方・駕籠舁きの隠語》一・十・百をいう。「―・がれん(五十ノ隠語)〔ハ駕籠舁キノ使ウ〕正〔当〕の言葉と知られけり」〈俳・江戸広小路下〉

そく【職】《ショクの直音化》官職。職務。「さやうの、事しげき―には堪へずなむとて」〈源氏澪標〉

そく【疎句】〔歌論用語〕歌の上句と下句が、一見、別のことを表現していながら、内面において深く続いているもの。形式面では、一首の中に句切れのある歌。「―といふは、響きも通はず詞も切るれども、心の離れぬ歌なり」〈竹園抄〉

ぞく【俗】①人びとのならわし。世の風習。「風を移し―を易(か)ふるは楽より善きはなし」〈続紀天平宝字一・八・二三〉②《「雅」の対》ありふれていること。日常的であること。いやしくて品のないこと。低俗。「文琳(文屋康秀)は巧みに物を詠ず。しかれどもその体―に近し」〈古今真名序〉③世間。世俗。また、僧に対して、出家していない人。俗人。「緇侶(しりょ)=僧)の行事―と別ならず」〈続紀宝亀二・一・二〇〉。「―ながら聖(ひじり)になり給ふ心のおきてやいかに」〈源氏橋姫〉

そくか【足下】㊀『名』手紙の宛て名の脇に書いて、相手に対する敬意をあらわす語。「侍史」「座右」「玉案下」などの類。「人をうやまうて足下と云ひ、状文(じゃうふみ)に―と書くは、此からの起りぞ」〈詩学大成鈔一〉㊁『代』相手を敬っていう語。貴下。あなた。「―の御恩を承(う)けし事、幾度といふ限りはなきなり」〈三体詩抄二ノ三〉

ぞくかう【辱号】恥辱を受けた名、評判。一説、「辱詬(ぞくこう)」の字を宛て、恥辱の意。「いみじき心ある人と世覚えおはせし人の、くちをしき―とり給へるよ」〈大鏡師尹〉。「小水龍、高名の笛なり。二条院の御時、助種…小水龍を『物の用に立つべき物にも候はず』と申したりけるとかや。助種が―限りなし」〈夜鶴庭訓抄〉。「―に及び候了」〈消息詞〉

ぞくぎゃう【俗形】僧でない俗人の姿。俗体。「―老翁の体(てい)にて、大比叡(おほひえ)大明神と顕はれ給へり」〈盛衰記四〉

そくけつのくゎん【則闕の官】太政大臣の異称。「『太政大臣は一人に師範として四海に儀刑せり。国を治め、道を論じ、陰陽を和らげをさむ。その人にあらずは則ち闕けよ(欠員ニセヨ)』と(職員令ニ)いへり。されば―とも名づけたり」〈平家一・鱸〉

ぞくごのゆみ【賊後の弓】《碧巌録から出たことば》時機におくれること。手おくれなこと。「賊過ぎて後弓を張る」とも。「―ぎゃ、遅い」〈本則抄一〉。〈文明本節用集〉

そくさい【息災】①〔仏〕身の災いを息(と)めること。密教の修法の一つに、「息災法」がある。「此の世にあらば―となれ。亡きものならば、かの世の道ともなれ」〈宇津保忠乞〉②(身体に)障りのないこと。無事。達者。「懈怠なく本役を勤仕し、御―を祈り奉るの由」〈柞原八幡宮文書治安二・六・八〉 **―えんめい**【息災延命】災いをとどめ、命を延ばし長生きをすること。「―のためにとて、金光明の寿量品、説きおきたまへるみのりなり」〈現世利益和讃〉

ぞくざい【俗在】「在俗」に同じ。「―・出家にはよるまじい」〈虎明本狂言・塗師〉

そくさん【粟散】粟つぶをまいたように散らばっていること。仏典では、小王の多いことにたとえる。「我が朝は辺地―の境とは申しながら」〈平家二・教訓状〉 **―とく**【粟散国】粟つぶを散らしたような小国。日本をさしていうことが多い。「五天竺、十六の大国、五百〔ノ〕中国、十千の小国、無量の―」〈日蓮遺文千日尼御返事〉 **―へんち**【粟散辺地】僻遠の地にある小国。「この国は―とて心うき境にてさぶらへば」〈平家一一・先帝身投〉 **―へんど**【粟散辺土】「粟散辺地」に同じ。「この国は―なりといへども」〈平家灌頂・六道之沙汰〉

ぞくしゃう【俗姓】①僧となる以前、俗人であった時の姓。「行基菩薩はもと薬師寺の僧なり。―は高志(こし)氏」〈三宝絵中〉②家の氏姓。家柄。「―も良き上、弓矢取ってもよかりけり」〈平家九・三草合戦〉

ぞくしゃう【属星】《ゾクセイとも》北斗七星の中、その年に当る星。子年は貪狼(たんらう)星、丑・亥年は巨門星、寅・戌年は祿存(ろくそん)星、卯・酉年は文曲星、辰・申年は廉貞星、巳・未年は武曲星、午年は破軍星。「天文博士弓削是雄(ゆげのこれを)と云ふ者を請じ下して、大―を敬(が)ましめむとする間」〈今昔二四ノ一四〉

ぞくじん【俗人】出家しないで、世俗の姿でいる人。「それの小路を行くに、一人の―出で来れり」〈今昔一七ノ二〉

そくしんじゃうぶつ【即身成仏】〔仏〕現世の肉体のままでただちに仏になること。「諸宗の諸学者等有りて、―の義を疑ひて論を致す」〈今昔一一ノ九〉。「―は真言秘教の本意、三密行業の証果なり」〈歎異抄〉

そくしんそくぶつ【即身即仏】〔仏〕煩悩の身がそのまま仏であるということ。即身是仏(ぜぶつ)。「―の山伏をここにて討ちとめ給はん事」〈謡・安宅〉

ぞくぞく 喜びや楽しさ、または恐ろしさや寒気などを強く身にしみて感ずるさま。「心を有頂天に、身柱元(ちりけもと)―として」〈評判・高屏風上〉。「―と恐ろしき心出づるものなり」〈反故集上〉 **―をどり**【ぞくぞく踊り】嬉しさのあまり、じっとして居られず浮かれ出すこと。「新発意(しんぼち)も―や盆の前」〈俳・鸚鵡集六〉

そくたい【束帯】平安時代以降、宮中で文武百官が大小の公事に着用した礼装。昼装束(ひのさうぞく)。その構成は、冠・袍(うへのきぬ)・半臂(はんぴ)・下襲(したがさね)・衵(あこめ)・単(ひとへ)・表袴(うへのはかま)・大口(おほくち)・襪(したうづ)・靴(くわ)・石帯(せきたい)・笏(しゃく)・太刀・檜扇・帖紙(たたうがみ)など。「―正しき上﨟たちあまたおはして」〈平家五・物怪〉

ぞくたい【俗諦】〔仏〕《タイは呉音。「真諦(しんたい)」の対》身近な道理。世間で一般に認める道理。「―の恒沙(ごうしゃ)の法(のり)のなかになほ憂きものはただ我が身なりけり」〈拾玉集三〉。〈易林本節用集〉

そくたく【属託】《ゾクタクとも》①自己の利益のために報酬を払って頼むこと。また、その報酬。「奉行人の賄賂、衆人の―」〈庭訓往来八月七日〉。「いかほどもすぐれて―を取らせて書かすべしと思し召して」〈伽・貴船の縁起〉②懸賞金をつけて罪人を探すこと。また、その懸賞金。「―の高札ありといへども」〈仮・吉利支丹退治下〉

そくた・ひ『四段』《「束帯(そくたい)」の動詞化》①束帯を着ける。「其の夜、鳥羽院の御夢想に、―・うたる老人来て申しけるは」〈古今序注〉②くつろがず、かたくるしくする。「我が内ではさのみ―・うてはゐぬぞ」〈論語抄郷党〉

ぞくのかたのふみ【俗の方の書】仏典以外の書物。主として漢籍。俗典。外典(げでん)。「―を見侍りしにも、又、内教の心をたづぬる中にも」〈源氏若菜上〉

そくばく【若干】『名・副』《ソコバクの転》①数の多いこと。沢山。「一人のゆゑに―の者どもが、皆非分の死を仕り候はん事は不便に候へば」〈伽・中書王物語〉②程度の甚だしいこと。すこぶる。大いに。「谷の―深き事、千丈余に及べり」〈謡・石橋〉。「―損をしてわが宿へぞ帰りける」〈伽・弁慶物語〉。「世語に、―違うたなどと云ふ事、多の心なり」〈見聞愚案記五〉

そくひ【続飯】《ソクイヒの約》飯粒を練ってつくった糊(のり)。「かたく封(ふん)じたる―などあくるほど、いと心もとなし」〈枕一六〇〉

そくび【素首】《ソは接頭語》首をののしって言う語。そっくび。「何者ぞ。―突け」〈平家五・文覚被流〉

そぐ・ひ『四段』《「似ひ」と当て字》うまく釣り合う。叶い適する。「〔狂ハ〕気の高上にして人に―・はぬを云ふ」〈卮言抄下〉。「蒲公英(たんぽぽ)や葉には―・はぬ花盛り」〈俳・続猿蓑下〉

ぞくひじり【俗聖】髪をそらず、俗体で僧の修行をする者。

有髪の僧。「いまだかたちは変へ給はずや。—とか、この若き人人のつけたなる」〈源氏橋姫〉

そくへ【退く方】⇒そきへ。「天雲の—のきはみ天地の至れるまでに」〈万四三〇〉 †sökuFe

ぞくべったうウ:ト【俗別当】俗人で、寺務を統括する者。官より任命されたらしい。「—神祇大副卜部兼友(うらべのかねとも)の朝臣に〔告文ヲ〕下し給ふ」〈盛衰記四一〉。「在中将、仁和寺の—なり」〈毘沙門堂本古今集註〉

ぞくみゃうヨウ:ミ【俗名】《「法名」の対》出家する前の名。在俗の名。「還俗せさせ奉り、大納言大輔藤井松枝と—をぞつけられける」〈平家二・座主流〉

ぞくらうウ:ロ【贖労】《ショクラウとも》勤務する代りに財物を政府に納めて、勤務成績を認めてもらうこと。また、その財物。「続労」とも書く。「或いは自ら官職を望みて、—の料に充(あ)て」〈類聚三代格八〉。「大臣にならむ—を取らむなどぞ、あまりおどろおどろしきことと耳とどまりける」〈源氏東屋〉

そくゎい【素懐】かねての思い。平素からの念願。「仏法を護持する—を忘れず」〈正法眼蔵辦道話〉

そくゑ【触穢】《ソクは呉音》⇒しょくゑ。「『よし、な渡り給ひそ。—の事ありて』とあれば、〔御出産ダト〕驚き給ひて」〈宇津保国譲上〉

そ・け【退け・除け】『下二』《ソキの他動詞形》取りのぞく。切りすてる。「赤見山草根刈り—・け逢はすがへあらそふ妹しあやに愛(かな)しも」〈万三四七九〉 †sökë

そ・げ【削げ】□一『下二』《ソギの自動詞形。欠落する意から》偏屈になる。風(ふう)をことにする。「道林禅師は—・げた人ぢゃに依って、殿堂伽藍にも住せず、松などの屈曲したに鳥の巣のある下に居られた」〈本則抄三〉 □二『名』①竹や木の、端のそがれたもの。「宇治の川霧立つや木の—〔ガ流レテイル〕」〈俳・蛇之助〉。「—、江戸で云ふとげ也」〈浪花聞書〉 ②変り者。奇人。そげ者。「—が身のこのまま五体不具なれども」〈俳・遠舟千句付〉

ぞ・け『下一』①離れ去る。よける。「ぬくもりが来て/—・けるる下女」〈雑俳・不二の高根〉 ②悪くなる。ぐれる。「意見するほど/—・ける意地」〈雑俳・不二の高根〉

そげた・ち『四段』元気がなくなる。しょんぼりする。しょげる。「頼平—・つ顔ふり上げ」〈近松・関八州三〉

そげもの【削者】変り者。奇人。「—よ花なき里に帰る雁」〈俳・続山の井一〉

そけん【素絹】そまつな絹。織り文のない生絹(すずし)。「そけんのころも」の略称にもいう。「長絹・—・袈裟」〈庭訓往来七月日〉。〈文明本節用集〉 **—のころも**【素絹の衣】僧衣の一種。素絹で作った白い衣。後には精好(せいがう)などでも作った。「—を腹巻の上にあわて着に着給ひけるが」〈平家二・教訓状〉

そこ【其処】『代』《ソ(其)コ(所)の意。文脈の中ですでに取り上げて、話し手も聞き手も共通に知っている物事・場所を指示する語。あるいは話し手と聞き手との間で、すでに共通に諒解されている事柄や物として指示する語》①その所。その場所。「島の際(ま)ゆ吾家を見れば、青山の—とも見えず、白雲も千重になり来ぬ」〈万九四二〉。「天ざかる夷(ひな)としあれば—此処も同じ心そ」〈万四一八九〉 ②その点。「語りさけ見さくる人眼乏しみと思ひし繁し、—ゆゑに心和(な)ぐやと」〈万四一五四〉 ③《二人称の代名詞的に、主に懇意な間柄で使う》①そちらの所。君の所。「—にこそ〔面白イ手紙ヲ〕多くつどへ給ふらめ」〈源氏帚木〉 ②そちら。君。「皇子(みこ)たちあまたあれど、—をのみなむかかる程よりあけくれ見し」〈源氏紅葉賀〉 †sökö

そこ【底】①もののいちばん下に当る部分。「渟名(ぬな)川の—なる玉」〈万三二四七〉。「根の国—の国より麁(あら)び疎び来む物に」〈祝詞道饗祭〉 ②奥深い所。「心の—ゆかしきさまして」〈源氏若菜下〉。「この道の—は、昔よりきはめぬ事にて侍れば」〈教訓抄一〉 ③そのものの持つ真の力量。底力。実力。「薄墨(名馬ノ名)にも—は勝りてこそあるらめ」〈盛衰記三六〉 †sökö **—を押・す** たしかめる。念を押す。駄目を押す。「お侍のことば、—・すは如何ながら」〈近松・鑓権三上〉

そこ【塞】国境の要害のとりで。「田道、—を固めて出でず」〈紀仁徳五十三年〉。「塞、曾古(そこ)」〈和名抄〉

そこい【底意】心の底。心底(しんてい)。内心。「—の解けざる子細を尋ぬるに」〈三好軍記中〉

そこいたり【底至り】外観は粗末だが、内実或いは人目につかぬ所は手がこんで立派なこと。「さのみ派手に見せ掛けず、—にして」〈仮・このごろ草〉

そこい・れ【底入れ】『下二』①酒を飲む。まれに、飯を食う意に用いる。「桜狩—・れて出る上戸かな」〈俳・砂燕〉 ②呑みこませる。納得させる。心得させる。「〔身請金八〕七百両の〔コトヲ遊女屋ニ〕—・れたる由を申しぬ」〈浮・傾城辻談義一〉 ▽「底を入れる」「底に入れる」ともいう。

そこしん【底心】底ごころ。心の奥底。「そこしんじつ」とも。「—にはいかが思し召すやら、先づ上向きには…めたもの褒めなし」〈仮・可笑記一〉

そこせい『感』駕籠舁きの掛け声。「『小川ぢゃ』『—』『肩せい』『まっかせ』」〈近松・博多小女郎下〉

そこそこ【其処其処】□一『代』①どこそこ。某所。その場所の名を明示せずに指し示す。「町の小路なる—になむとまり給ひぬ」〈かげろふ上〉。「河内国—に住むなにがしの聖人」〈大鏡藤氏物語〉 ②その場所その場所。そここ。あちこち。「山海の—の年貢・重宝どもをよう収めて」〈山谷詩抄八〉。「〔番匠ハ〕よい材木を揃へて、—に似合ふ木を用ふるぞ」〈玉塵抄二一〉 □二『名』①適宜。いい加減。「よき事をば—に申し上げ」〈仮・智恵鑑一〉 ②急いで落ちつかないさま。そそくさ。「あいあい言ふも—ながら」〈近松・重井筒上〉

そこそばく「そこばく」に同じ。「参り集りたる—の道俗・男女」〈古本説話七〇〉

そこたた・き【底叩き】『四段』中にあるものをすべて出しつくす。残す所なく打ち明ける。底をはたく。底をふるう。「—・く親の銀箱秋の風」〈俳・信徳十百韻〉。「—・く。詰むる・尽す」〈詞葉新雅〉

そこだめ【底溜め】①物が底にたまること。また、底にたまった物。「〔入レ物ノ〕—見れど鳥目は無し」〈俳・紅梅千句〉 ②贈物を持参した使者に与える心付け。「松梅院へ毘沙門の神供参り候。—百文」〈北野目代日記天正四・一・二〉 ③妊娠。懐胎。「腹に八月の—も」〈近松・大職冠三〉

そこつ【楚忽・疎忽】①思慮を欠いて軽はずみなこと。軽率。「—の事は必ず後難侍るべし」〈毎月抄〉 ②ぶしつけなこと。失礼。「道具の事は—に候へども…預り申し候」〈謡・春栄〉 ③いい加減なこと。簡単。「この人の悪い心が—に改まるまいほどに」〈周易抄〉

そこついはねワ:イ【底つ磐根】《ネは大地にしっかりくいこんだものの意》地の深くにある岩。「大宮地(おほみやどころ)の—の極み」〈祝詞大殿祭〉

そこで【其処で】『接続』そこにおいて。そのとき。すると。「そっと寝たと思うたれば客は帰去なり。—主人の眠りもさめたぞ」〈中華若木詩抄中〉

そどころ【其処所】 その所。そこの所。特に一つの所を取り立てて指すに使う。「—ともなく、いみじく苦しくし給ひて」〈源氏若菜下〉

そことな・し【其処と無し】『形ク』 其処だとはっきり決められない。(転じて)全体にわたっている。「—・き怨みぞ常に思ほゆるいかにぞ人のあらずなる頃」〈風雅一三四〉。「—・く分くる野分の跡暮れて」〈言継卿記天文一三・八・二五〉

そこな【其処な】『連体』《「其処なる」の略》 そこにいる。その。「やいやい、—者」〈虎明本狂言・空腕〉

そこなし【底無し】 物事に限度のないこと。また、そのもの。底抜け。底知らず。「—や玉にも抜ける霰酒(あられざけ)」〈俳・俳諧三部抄上〉

そこな・ひ【損ひ・害ひ】(ソコナイ)『四段』《機能を傷つける意》①傷つける。いためる。「はつか、みそかと数ふれば、および(指)も—・はるべし」〈土佐一月二十日〉 ②危害を加える。「かばかり河原のわたりは盗人多くて、人—・ふなり」〈宇津保俊蔭〉 ③悪い状態にする。衰弱させる。「千里の浜といふ所にて御心ち—・はせ給へれば」〈大鏡伊尹〉 ④《動詞の連用形に付いて》 失敗する。しくじる。「し—・うて死んだぞ」〈玉塵抄四九〉。「童(わらうべ)さかしくして牛売り—・ふ」〈碧岩抄四〉

そこぬけ【底抜け】 ①底がぬけていること。また、そのもの。「—椀は用に立たぬものぞ」〈湯山聯句鈔下〉 ②物に限度のないこと。また、そのもの。「酒を飲み給ふ事樽次(たるつぐ=人名)は—なり」〈評判・山茶やぶれ笠〉 ③大酒呑み。「口舌(くぜつ)かな月の〔浮カブ〕盃—が」〈俳・蛇之助〉 ④他の語に冠して、限度のない意を表わす。「—機嫌」「—時雨」など。「壺一つ—上戸寄合ひに」〈俳・独吟一日千句〉

そこ・ね【損ね】 ㊀『下二』 ①いため損ずる。「戸障子まで以ての外—・ね申すほど、諸人群集申され候」〈栄玄記〉 ②機嫌を悪くする。「花を折りたりとて、姫君、御機嫌—・ねんや」〈説経・伍太力菩薩〉。〈日葡〉 ㊁『名』 いたみ損ずること。「今結ひし髪の—の恥づかしく」〈俳・誹諧白眼〉

そこのけ【其処退け】『連語』 ①「そこを退き去れ」の意。「—奴ばら」〈盛衰記三〉。「諸人—、関中の主に、聊示(れうじ)に触れたらば、悪しからんぞ」〈碧岩抄六〉 ②或るものを除き去るほど秀れていること。「挑燈—稲妻の影」〈俳・忘れ貝〉

そこば『副』《バはイクバク・ココバのバに同じ。量・程度について いう接尾語》 ①それくらい。そのくらい。いくらか。「無量の仏に逢ひたまへり。何ぞただ爾許(そこ)のみならむや」〈金剛般若経讃述平安初期点〉 ②そんなに多く。そんなに甚だしく。「神柄(かむから=神ノ品格)や—貴き」〈万三九八五〉 †sököba **—く**『名・副』《ソコバに副詞語尾クのついた形》 ①そんなに多く。「〔仏前ニ〕奉りあつめたるもの千捧(ちささげ)ばかりあり。—の捧げものを木の枝につけて…立てたれば、山もさらに堂の前に動き出でたるやうになん見えける」〈伊勢七七〉 ②あれこれと。「—挑み尽し給へる人の御かたちを見給ふに」〈源氏行幸〉 ③いくらか。多少。「中間に許(そこばく)の時に逢ひて、大乗を教へしが故に」〈法華経玄賛平安初期点〉。「若干・無限・多・多少、ソコバク」〈名義抄〉

そこはかと『副』《ソコ(其処)ハ、カ(彼)トの意で、対象となる事がら、状態を分明に指定する意》 はっきりそれはそれと(認めて)。「—思ひ分くことはなきものから、いにしへの事と聞き侍るも物あはれになむ」〈源氏橋姫〉。「京の方は霧りふたがりて—も見えず」〈はつしぐれ〉 **—な・し【そこはかと無し】**『形ク』 ①それがどれともいえない。さだかでない。「大きなる松に藤の咲きかかりて月影になよびたる、風につきてさと匂ふがなつかしく—・き香りなり」〈源氏蓬生〉 ②どういうこともない。何でもない。大したこともない。「思ひ出づるに随ひて、—・き事を書きつけ侍(はん)べり」〈沙石集一〇ノ七〉。「是は—・き不覚者なり」〈延慶本平家一二・六代御前高野熊野へ〉

そこひ【底ひ】 至り極まる所。際限。はて。「天地の—のうらに吾が如く君に恋ふらむ人は実(さね)あらじ」〈万三七五〇〉。「清浄にして垢を離れ深くして底(そこひ)無くあらしめむ」〈金光明最勝王経平安初期点〉 ▽ヒは、へ(辺)と関係があるか。 †sököfi

そこもと【其処許】 ㊀『名』《モトは場所をしっかりと指示する意。ソコだけよりも、場所を一層たしかに指定する語》 そこの所。「几帳のもとに押し寄せ奉りたれば…—に寄りて〔文ヲ〕奉りつ」〈源氏夢浮橋〉。「成敗したに、何として—にはをるぞ」〈虎明本狂言・武悪〉 ㊁『代』 そなた。同輩以下に使う。「なう—へ物を問はう」〈狂言記・法師物狂〉

そこゆゑ【そこ故】『連語』 それゆえ。そのため。「ぬばたまの夜床も荒るらむ—に慰めかねて」〈万一九四〉 †sököyuwe

そこら『名・副』《ラはイクラ・ココラのラに同じ。数量や程度を示す接尾語。そのくらい、その程度の意が原義》 ①そんなほどに(多く)。「—の年ごろ、—の金(こがね)給ひて」〈竹取〉 ②はなはだ。「—広き野に」〈源氏葵〉。「—多く見聞きはべれど」〈大鏡藤氏物語〉 **—く**『副』《ソコラに副詞語尾クのついた形》 それほど。そんなに多く。はなはだしく。「この篋(くしげ)開くなゆめと—に堅めし言(こと)を」〈万一七四〇〉 †sököraku

そこ・り【底り・底凝り】 ㊀『四段』 ①水が浅くなり、船底に着く。また、潮が引いて水底が現われる。「潮が—・りましたから、どうぞ竹地(ちくち)までお出でなされて下さりまし」〈洒落・名所拝見〉 ②物事がとどこおって進まない。「〔煩悩ノ〕闇きより心の—・る定(ぢやう)の内(入定デキナイディル)」〈俳・其袋下〉 ㊁『名』 潮干で水底が現われること。「水の—にたまる鱗(うろくづ)/海士の子は塩引く跡に集まりて」〈俳・寛永十三年熱田万句六〇〉

そさう【粗相・麁相】(ソソウ) ①そまつなこと。粗略なこと。「扇なども『賜はせたらむは—にぞあらむかし』など思ひて」〈栄花若ばえ〉。「念仏を—に申せば、信が行をさまたぐるなり」〈和語燈録四〉 ②そこつなこと。そそっかしいこと。軽率。「汝—なる者かな」〈浅井三代記一〉。「麁相、そさう、けいはく也」〈和漢通用集〉 ③しそこない。あやまち。「風呂たき、あやまち—致す」〈天正日記残闕下〉

そさま【其様】『代』《「そなた様」の略。親愛・尊敬の意を表わす》 あなた。おまえさま。「—のけしきは、深草の四位の少将のその姿」〈仮・竹斎上〉

そし【祖師】 ①宗門で一宗一派を開いた最初の人。開祖。「苔の袖聞くも尊しいにしへの—の流れの跡し絶えねば」〈新撰六帖三〉 ②学統・流派などをつくり出した偉人。「孔子は儒者の—ぞ。太公望は武士の—ぞ」〈山谷詩抄八〉 ③もと。はじめ。元祖。「昔は万事の—だから、よい事はよいのさ」〈滑・浮世床初下〉

そし【庶子】 ①嫡子以外の子。「惣領たる人は公方をつとめ、—を心やすくあらすべし」〈極楽寺殿御消息〉 ②妾腹の子。「哀れさは空しき跡の—惣領」〈俳・伊勢俳諧長帳三〉

そ・し【殺し】 ㊀『四段』 ころす。「嬌たる鶯も、弄(もてあそ)んで人(われ)を煞(そ)してむ」〈遊仙窟(醍醐寺本)鎌倉期点〉 ㊁『接尾』《動詞連用形について、かえってその効果をそぐほどに度を過ぎて行なう意を添える》 度を越して…する。「『われらがし心得ぬまで好み―・し給へる」〈源氏宿木〉。「『心得ぬまで好み―・し給へる』と心をやりて、したり顔にし―・したり」〈栄花御裳着〉

そしう 語義未詳。「初心」の意か。「〔左大臣ガ〕道道の物の上手ども多かる頃ほひをくはしう知ろしめし整へさせ給へるけ(故)なり…と聞え給へば、〔光源氏ハ〕殊に整へ行なふ事も侍らず。ただおほやけごとに(オ役目トシテ)―なる物の師どもを、ここかしこに尋ね侍りしなり」〈源氏花宴〉

そしき【損色・麁色】 建物の破損修理についての大体の見積り。「〔社殿〕顚倒の時、―を注し、各本役国(やくぐに)等をして勤造せしむるの例也」〈宮寺縁事抄筥崎、文治二・八・一五〉

そしし【膂宍】《ソはセ(背)の古形》 背中の肉。「―のはづれ・肝のたばね・舌の根、鹿の実にはよき処ぞ」〈盛衰記三六〉。「膂、背傍肉、曾志之(そしし)」〈新撰字鏡〉。「脢、セナカ・ソシシ」〈名義抄〉 †sösisi **―のむなくに**【膂宍の空国】 背中には肉が少ないことから、豊かでないたとえ。やせた地。「―を頓丘(ひたを)=岡ツヅキ)から国覓(ま)ぎ行去(ほと)り」〈紀神代下〉

そしもり【曾尸茂利】 ①古代朝鮮の地名。諸神に放逐されたスサノヲノミコトが行ったという所。「素戔嗚尊…新羅国に降り到りまして―の処にまします」〈紀神代上〉 ②高麗伝来の楽曲の一。高麗楽。スサノヲノミコトの伝説にちなむという。蓑笠を着て舞い、雨乞いの時に行なう。「高麗楽曲。…蘇志摩利」〈和名抄〉

そじゃう【訴状】 訴人が訴訟の旨をしたためて提出する文書。申状(まうしじやう)。「弾正台をして其の―を受けしむ」〈続紀天平神護二・五・四〉

そしょう【訴訟】 ①裁判を申し立てること。うったえ。「―は皆下より〔順序ヲフンデ〕始めよ」〈類聚三代格一九〉 ②つつしんでお願い申し上げること。嘆願。「〔主ハ〕汝が―を聞こしめ、叶へ給はんと思し召し、乞ひ奉る事を悦び給ふなり」〈さるばとるむんぢ〉

そしらは・し【謗らはし】『形シク』 けちをつけたくなる。「痩せ痩せに、御髪少なるなどが、かく―・しきなりけり」〈源氏少女〉

そし・り【謗り】 ㊀『四段』(相手を)口で攻撃しおとしめる。悪口を言う。けちをつける。「無知にして正法を―・り父母に孝せずして」〈金光明最勝王経平安初期点〉。「ありがたきもの。…主(しゆ)―・らぬ従者(ずさ)」〈枕七五〉 ㊁『名』 欠点をとやかく言うこと。悪口。「心弱き(気ガ弱イトイウ)のちの―を思せば」〈源氏御法〉 **―どころ**【謗り所】 難癖をつける所。あら探しの対象となる点。「人の―なく、めやすくて過ぐし給ふを」〈源氏夕霧〉 **―はしり**【謗りはしり】「謗り」を強めていう語。「かしましい事かしましい事／裏借屋互ひに―もと」〈雑俳・へらず口〉

そしりはしり【素知り端知り】 ①会話の片はし。ちょっとした談話。「―に兄弟子の中言(悪口)を言ひをるか」〈近松・氷の朔日上〉 ②かたはし。少しばかり。「毎日談義参りして、説経の有難き―を以って来て、殊勝さうに話すを」〈評判・役者座振舞江戸〉

そそ 静かに吹く風の音などの形容。さやさや。そよ。「倭(やまと)は―茅原(ちはら)浅茅原の弟日(おとひ)」〈紀歌謡八三〉。「風の―と吹くにも」〈無名抄〉 †söso

そそ『感』《代名詞ソを重ねた語》 そら。それそれ。人に注意を促していう。「時しもこそあれ、あなたに人の声すれば『―』など宣ふに」〈かげろふ上〉

そそか・し『形シク』《ソソキ(噪)の形容詞形》 せかせかと動きまわって落ちつかない。「〔赤子ハ〕いと―・しう這ひおり騒ぎ給ふ」〈源氏横笛〉

そそかぜ【そそ風】 そよそよと吹く風。「東の方より―吹き、雨少し降りて」〈打聞集〉

ぞぞがみ【ぞぞ髪】 ぞっとして身の毛がよだつこと。「ぞぞ髪立つ」を略したもの。「〔醜イ妻ノ顔ヲ〕うろうろ見るるうちにも、誠に馴染みなればこそ、―もなま立ちなれ」〈仮・是楽物語上〉 **―立・つ** 恐怖または歓喜のあまり、ぞっとして身の毛がよだつ。「いつとなく―・ちて、〔遊廓ニ〕続けて行く」〈仮・東海道名所記六〉

そそ・き【噪き】 ㊀『四段』《ソソは擬態語。そわそわ・せかせか・ざわざわなどの意。キは擬音語・擬態語を受けて動詞を作る接尾語。カカヤキ(輝)・ワナナキ(震)のキに同じ。ソソキ(注・灌)とは別音の別語》 ①せかせかと(仕事を)する。忙しくする。「西面の格子―・き上げて〔光源氏ヲ〕人人のぞくべかめり」〈源氏帚木〉 ②《他動詞として》 ざわざわさせる。毛や繊維をけばだたせる。「これかれ〔綿ヲ〕―・き侍らむもうるさきに」〈大鏡道長〉 ㊁『名』 けばだち乱れること。「取り葺ける草(かや)の―無く」〈祝詞大殿祭〉 †sosoki **―た・ち**【噪き立ち】『四段』《タチは、ひどく…するの意を添える》 せかせかと大急ぎで物事を行なう。「まめやかに院も申させ給へば、〔中宮ハ入内ヲ〕おぼし立たせ給ふ。…―・ちて二月つごもりに参らせ給ふ」〈栄花輝く藤壺〉

そそ・ぎ【注ぎ・灌ぎ】 ㊀『四段』《ソソは擬音語。水の流れる音、かかる音、散る音など。キは擬音語・擬態語を受けて動詞を作る語尾。サワキ(騒)・トドロキ(轟)のキに同じ。江戸時代初期頃からソソギと濁音化した》 ①水や雨、涙がかかって散る。「石(はい)―・く岸の浦廻(うらみ)に寄する浪」〈万一三八八〉。「名ごりの雨少し―・きて」〈源氏蓬生〉 ②水などを、ぱらぱらとかける。「いとのきて痛き瘡(きず)には辛塩を―・くちふが如く」〈万八九七〉。「散杖を取りて、香水にさしひたして四方に―・く」〈宇治拾遺一七三〉 ㊁『名』(水などが)飛び散ってかかること。とばしり。「赤駒の足の―に濡れにけるかな」〈古今六帖三〉 †sösöki

そそ・ぎ【濯ぎ・雪ぎ】『四段』「すすぎ」の転。「濯、ソソグ」〈名義抄〉

そそくさ 落ち着かず忙しいさま。軽率。粗忽。「―と言ふ雲の上人」〈俳・塵塚(成之編)一〉

そそく・り ㊀『四段』《ソソはソソキ(噪)のソソ。クリは繰り》 せかせかと、忙しく手先を働かす。「身体を捫摸(な)でて乳を捉り捺(そそく)るを見る」〈願経四分律平安初期点〉。「ちご(幼児)うつくしみし給ふ御心にて、あまがつ(人形)など御手づから作り―・りおはす」〈源氏若菜上〉 ㊁『名』〔女性語〕手遊び。「―とは手遊びの事」〈不断重宝記〉

そそく・れ『下一』 機会を逃がす。仕損ずる。そびれる。「行き―・れし殿様の前」〈俳・諸国独吟集上〉

そそ・け『下二』(髪・紙・織物などが)けばだつ。ぼさぼさ乱れる。「―・けたる葦の生ひざまなど」〈源氏梅枝〉。「髪は―・けあがりて、鬼などのやうにて」〈閑居友下〉。「支離、ソソケタリ」〈名義抄〉

そそこ・し『形シク』 そそっかしい。「そそかしい」「そそこうしい」とも。「おなじく―・しき人ありしが」〈仮・百物語下〉。「―・しや此の草庵を立ち出でて」〈俳・大坂三吟〉

そそなか・し【唆かし】『四段』「そそなはし」に同じ。「齊侯を語らひ―・して」〈春秋抄五〉。「その人を―・して」〈西鶴・一代女一〉

そそなはか・し【唆はかし】『四段』「そそなはし」に同じ。「勾引は人かどひなり。―・すと読む」〈錦繡段鈔一〉。

「唆・唆、ソ、ナワカス」〈文明本節用集〉

そそなは・し【唆はし】『四段』甘言を用いて、人にその気を起させる。そそのかす。「田蚡が―・いて、謀反を起さしむるなり」〈蒙求聴塵下〉

そそのか・し【唆かし】『四段』《ソソはソソキ(噪)のソソと同根》①せきたててどかせる。せかして行かせる。「いと立ち憂きまであれど、日暮れぬなど―・す」〈かげろふ中〉②せかして勧める。早くするようにせき立てる。「『なほ聞えさせ給へ』と〔返事ヲ〕―・しあへれど」〈源氏末摘花〉③おだてて悪い方へ誘う。「稚児・同宿を―・し、悪行をのみもっぱらとし給へり」〈伽・じぞり弁慶〉 **―わづら・ひ**【唆かし煩ひ】『四段』せきたてるのにてこずる。「人人〔返事ヲ〕―・ひ聞ゆるけはひを」〈源氏絵合〉

そそはゆ・し『形ク』そそっかしい。軽率だ。「物言ひ―・く、初心なるやうなれど」〈評判・まさり草〉

そそめ・き『四段』《ソソはソソキ(噪)・ソソノカシ(唆)のソソと同根》①ざわざわする。ざわめく。「弓鳴らし、沓(くつ)の音し、―・き出づると」〈枕五六〉。「竹台のもとによりて―・かんずるに、『あれは何する者ぞ』と囃(はや)い給へ」〈宇治拾遺七四〉②落ち着かず、そわそわする。「心あわたたしくいそがしきに、こなたにも心のどかにゐられたらず―・きありくに」〈源氏東屋〉

ぞぞめ・き『四段』《ソソメキの濁音化》①ざわざわする。ごそごそ動く。「虫が―・く」〈ロドリゲス大文典〉②そこらじゅうむずむずする。「薬の水を飲むほどに、ひげのまはりが―・いて」〈虎清本狂言・薬水〉

そそや『感』《感動詞ソソに助詞ヤの添った語》①それそれ。そりゃ。驚きや注意をよび起す気持でいう。「こちたく追ひののしる御さきの声に、人人『―』などおぢ騒げば」〈源氏少女〉。「うち驚きたる体を―と云ふ」〈長恨歌聞書〉②それそれ。そうだそうだ。相手の言葉に合点して言う。「〔小君ノ言葉ニ〕―、あな、うつくし」〈源氏夢浮橋〉。「―。そよといふ心なり。又、さればなどいふ心なり」〈匠材集二〉

そそやか・し【唆やかし】『四段』「そそのかし」に同じ。「恋の本意を読み―・す歌」〈魚の歌合〉。〈日葡〉

そそや・き【囁き】『四段』「ささやき」に同じ。「―・きつつやきつつ…とかく議定して、六波羅へ行幸をなさんと議しかためたりけり」〈愚管抄五〉。「嚅、ソソヤク」〈名義抄〉

そそ・り ㈠『四段』《ソソは、ソソキ(噪)・ソソノカシ(唆)のソソと同根。そわそわ・せかせか・ざわざわさせる意。また、人の気持・興味などを搔き立てる意》①さらいあつめる。搔きあつめる。「すなはちまた、これ(骨)を漉(そそ)りて熱き鉄の地上に置きて」〈法華経玄賛平安初期点〉②箕(み)で穀物・茶などをあおってえり分ける。「簸・沙汰、ソソル」〈色葉字類抄〉。「ソソリノクル」〈日葡〉③あおる。そやす。おだてる。「『粋に仕込んで貰ひたし。これへこれへ』と―・りける」〈近松・曾我五人兄弟一〉④うかれ騒ぐ。そわそわする。「上(じゃう)びたる所なし。―・りて賤しめ也」〈評判・吉原新鑑〉⑤遊里などをひやかして歩く。「ぞめき、…―・る、騒ぐ、皆同じ」〈浮・好色伊勢二〉㈡『名』①精選した上等の茶。「―少し入る〔茶壺〕一」〈東寺百合文書を、宝徳三・一〇・七〉②浮かれ騒ぐこと。ぞめき。「笛上手―の翅(はっさ)飛び立って」〈俳・大矢数一〉③遊廓に通うこと。また、その人。「遊客の曲輪に至るを…江戸にて―と云ふ」〈物類称呼一〉

そそ・り【聳り】㈠『四段』《丈高いさまの意のソソロカと同根》①高くそびえ立つ。「白雲の八重を押し分け、天(あま)―・り高き立山(たちやま)」〈万四〇〇三〉②高くする。「物を上さまにあぐるを、―・りあぐなど云ふが如し」〈仙覚抄九〉。「―・り抱くか春の日あひの窓の梅」〈俳・遠近集一〉㈡『名』高くさしあげること。「―とは抱きあげたる義也と」〈言塵集二〉 †sösöri

ぞぞりこ ①【累孫・曷孫・昆孫】曾孫の曾孫。こんそん。〈合類節用集〉②【側子】(里芋の)親芋についた小さい芋。子芋。「―がいとうし(イトオシイ)」〈天正本狂言・芋洗〉

そそろ【〓】鷹が鳥を食べ終って、その毛を吐き出したもの。「〓、和名曾々呂(そそろ)、鷙鳥食已吐二其毛一如レ丸也」〈和名抄〉 **―か**【漗か・粗か】けば立ち、なめらかでないさま。「漗、不レ滑也、曾曾呂加奈利(そそろかなり)」〈新撰字鏡〉。「漗・疎・苛毛、ソソロカナリ」〈伊呂波字類抄〉 **―け・し**【麁けし】『形ク』荒いさまである。「麁・荒、曾曾呂気之(そそろけし)」〈華厳音義私記〉 †sösörökesi

そぞろ【漫】《スズロの母音交替形》①(心持・根拠など)定まらずとらえどころのないさま。何ということなくおのずとそうなるさま。「まことに盗人(ぬすびと)もなければ『障子の―に倒れかかりたりけるなりけり』と」〈今昔二八ノ四二〉②いわれがないこと。むやみやたらであること。「この御寺の辺にて―に人をからむること昔よりこれなし」〈十訓抄四ノ三〉。「道道の物の上手のいみじき事など、かたくななる人のその道知らぬは―に神の如くに言へども」〈徒然七三〉③関係がないこと。つながりがないこと。「まことの左馬頭(さまのかみ)のかうべにはあらず、謀反をすすめ奉らんためのはかりごとに、―なる古いかうべを白い布につつんで」〈平家三・紺掻〉④そわそわするさま。浮き足立つさま。心ここにないさま。「一目見しより恋となり、明け暮れ思ひわづらひて、心も―になり果てて」〈伽・猿源氏草紙〉 **―がみ**【そぞろ神】「あるき神」と同意か。「―の物につきて心を狂はせ」〈俳・奥の細道〉 **―・き**【漫き】『四段』気もそぞろになる。落ちつかず、そわそわする。「兵仗を帯したる者ども―・いてぞ見えける」〈平家二・小教訓〉。「ただ大方いかにもいかにも―・かで、しとやかに立ち振舞ふべし」〈風姿花伝〉 **―ごと**【漫事・漫言】①とりとめもないこと。つまらないこと。「ただこれをさまざまにあへしらひ、―につれづれをばなぐさめつつ」〈紫式部日記〉。「これは―なれば、言ふにも足らず」〈徒然一三五〉②とりとめもない言葉。「〔数珠ヲ〕朝夕身を放たず―云ふうちに」〈発心集三〉③うわごと。「譫言、ソゾロゴト」〈文明本節用集〉 **―さむ・し**【漫寒し】『形ク』何処となく寒けのするさま。ぞくぞくして落ちつけなくなるさま。「またなき手を尽したる入綾〔ノ舞〕の程〔見事デ〕―・くこの世の事とも覚えず」〈源氏紅葉賀〉。「―・し。鳥肌の立つ事なり」〈匠材集二〉。「悪寒、ヲカン・ソゾロサムシ」〈文明本節用集〉 **―は・し**【漫はし】『形シク』落ちつかない気持である。「〔女ノ〕御輿の中も思ひやられて、〔男ハ〕いとど及びなき心地したまふに、―・しきまでなむ」〈源氏紅葉賀〉。「すずろに庭上に倒れ伏して、をかしきさまに貴寵すれば、―・しさ限りなし」〈慕帰絵詞九〉 **―び・き**【漫引き】『四段』弓に矢をつがえて、弦を少し引く。「手ぐすねひき、―・いてぞ向ひたる」〈保元中・白河殿攻め落す〉

そそろか《ソソリ(聳)と同根》(背丈が)すらりとして高いさま。「たけだち(身長)―に物し給ふに」〈源氏行幸〉

そだた・き【素手抱き】『四段』手で抱く。「沫雪(あわゆき)の若やる胸を―・き手抱(だた)きまながり」〈記歌謡三〉 †söda-taki

そだ・ち【育ち】『四段』生い立つ。成育する。「事ゆゑなく―・ちけるよと、思ひ出でても悲しかりけり」〈平家三・少将

都帰〉

そだ・て【育て】『下二』①成育させる。養い成長させる。「『汝これより都へ帰り、姫を━・て置き、義朝を弔はせよ』と宣へば」〈平治中・義朝敗北〉。「生長・育、ソダツル」〈運歩色葉集〉 ②引き立てる。重んずる。「仕手を━・てて、我が身を立てず、一番いできぬれば、あどの手柄なり」〈わらんべ草四〉。「我彼の舟に乗り、島へ行きたらば、定めて舟を覆へし、難儀に及ぶべきに、乞食の道理を━・てしゆゑ、身も恙なかりし也」〈七種宝納記〉 ③相手の満足するようなことを言って喜ばせる。おだてる。のせる。そやしたてる。「三番目の児の前の二首の歌を、いたづらになさぬやうに、━・てて読まれたぞ」〈玉塵抄五三〉。「━・つる。のすると同じ事也。向うの気に随ひて、軽薄し褒美する貌(かたち)也」〈色道大鏡一〉

そだ・り【具足り】『四段』《ソはソナヘ(具)のソに同じか》足り具わる。「三十(みそち)あまり二つの相(かたち)八十種(やそくさ)と━・れる人の踏みしあとどころ稀にもあるかも」〈仏足石歌〉 † södari

そち【其方】『代』《チは方向を示す語》❶①すでに文脈の中でとりあげられて、話し手と聞き手とが共通に知っている方向・場所などを指していう。そっち。「知れる人『…』と呼びければ、━ぞこの男はいにける」〈平中二五〉。「御堂の東のつまに、あまた立ちて向かひければ、━はえ逃げで」〈古本説話四九〉 ▽古くは副詞的に用いられ、格助詞「に」「へ」などを伴わない。②話し手と聞き手との間で、すでに共通に諒解されている方角・場所として指示する語。そちら。また、むこう。「御内は━から逃げさしめ、我はこちから逃げう」〈史記抄二三〉 ❷《二人称》君。おまえ。同等または目下の相手にむかっていう。「━が一族を滅してのけん」〈蒙求聴塵下〉

そち 矢。一説に其方(そち)の意という。「霰なす(ノヨウニ)━より来れば」〈万一九九〉 →さち。 † söti

そち【帥】《呉音。統率の意》大宰府(だざいふ)の長官。そつ。「かの━のむすめの五節」〈源氏明石〉

そちのみこ【帥親王】帥である親王。実際には任地である大宰府には赴任しないのが例であった。「━よく物し給ふめれど」〈源氏螢〉

そちのみや【帥宮】「そちのみこ」に同じ。「━と聞えし〔方八〕今は兵部卿にて」〈源氏少女〉

そちん【訴陳】原告の訴状と、これに対する被告の陳状。互いに訴状・陳状を三回提出して争う。「右、━の趣、枝葉多しと雖も」〈貞永式目追加弘安三・二・三〇〉

そつ【費】無駄にすること。粗末にすること。「杵(きね)の上げ下げ━になるまい」〈咄・醒睡笑三〉。「櫃に付きたる麦飯を、御多賀杓子を取直し、がりがりと掻き集め、ちっとも━にせぬ如く」〈仮・けんさい物語中〉

そつ【帥】⇒そち。「帥、ソツ、在大宰府」〈色葉字類抄〉

そっくり 急にくじけ弱るさま。がっくり。「跛(ちんば)馬、谷の板橋がくり━と歩み泥(づな)むが如く也」〈近松・日本武尊三〉

ぞっとん《近世初期頃まで清音。「底根」「卒根」と書く》㊀『名』心。また、心の底。「丹心は、━のこと也」〈太平記聞書〉。「━よりへりくだる心をもて」〈こんてむつすむん地三〉 ㊁『副』すっかり。全く。「━仏に成るもの也」〈幸若・笛巻〉

そっ・し【卒し】『サ変』死ぬ。「呉の人、陳の子良といふ人あり。━・しぬ」〈今昔九ノ三〇〉

そっ・し【率し】『サ変』ひきいる。引率する。「あまたの人を━・してかの銅溪山に至る」〈今昔六ノ二〇〉

そつじ【率爾・卒爾】①にわか。突然。「人にも見せずして〔歌ヲ〕詠み置きたれば、━の用にもかなひて」〈後鳥羽院御口伝〉 ②かるはずみ。軽率。「━に発向せん事、然るべきとも覚えず」〈保元上・新院御所〉 ③失礼。無礼。聊爾(れうじ)。「〔宿神ヲ〕御影に現はし申すこと、━なりと云へども」〈明宿集〉

そっと【率土】《「率」は長く続く意》地のはて。辺土。「━の民、御門をもてあるじとす」〈十訓抄一ノ一〉 **━のひん**【率土の浜】《「浜」は果て・かぎりの意。詩経、小雅に「━、王臣にあらざるは莫(な)し」とある》国土のはて。陸地のつづくかぎり。「━すでに仁恕に霑(うるほ)ふといへども」〈続紀天平一五・一〇・一五〉

そっと『副』「そと」の促音化。「始には━なれども、後には千里の隔りとなるぞ」〈四部録抄〉。「━うかがひ申せ」〈庭訓抄上〉 **━も**『副』少しも。ちっとも。「━たまるまじきぞ」〈四部録抄〉。「━気にするな」〈虎明本狂言・居杭〉

ぞっと『副』恐怖または魅惑・感動などで、身の毛のよだつ感じがするさま。「鬼といふ声に、━して帰らせらる」〈伽・福富長者物語〉

そっぱう【外方】そとの方。ほかの方。わき。「━な推鉄砲(当テ推量)めった的(盲撃チ)やってのけて」〈浮・魂鍛金衣鳥一〉 **━めっぱふ**【外方滅法】《「滅法」を強めていった語》めったやたら。めちゃくちゃ。「━打立つる」〈近松・博多小女郎上〉

そつはふ【卒法・率法】鎌倉時代、承久の乱後に新補された地頭の、収益の限度を定めた法律。後には、単に法度の意に使われた。「承久以後新補の━」〈太平記三〇・吉野殿〉。「卒法、ソツハフ、法度之義」〈合類節用集〉

そつひこまゆみ【襲津彦真弓】葛城(かづらき)の襲津彦のつかう有名な強い弓。襲津彦は武内宿禰の子で、応神朝、新羅を攻めた勇将。「葛城の━」〈万二六三九〉 † sötuFi-komayumi

そっぽう 頬をののしっていう語。「てっぺい(頭ノテッペン)・━・肩骨・胴骨・頭の鉢」〈近松・傾城酒呑童子一〉

そで【袖】《ソ(衣)テ(手)の意。奈良時代にはソテ・ソデの両形がある》①衣服の、手を通し両腕をおおう部分。古く筒袖で、上流の人のは長く手先にたれた。「白妙の━着そなふ手こむらに」〈記歌謡九七〉。「━垂れていざわが苑(その)に鶯の木伝ひ散らす梅の花見に」〈万四二七七〉 ②たもと。「ふと━をとらへたまふ」〈源氏花宴〉 ③牛車(ぎっしゃ)・輿(こし)などの、前後の出入口の左右の部分。袖の内面を「裏」または「内」、外面を「袖表」という。「その車の有様言へば愚かなり。…━には置口にて蒔絵(まきゑ)をしたり」〈栄花日蔭〉 ④《「奥」の対》文書などの初め、右端の余白の部分。「今夜拝任の官を申文(まうしぶみ)の━に注(しる)し付くべし」〈江家次第四・直物〉 ⑤鎧(よろい)の、肩からひじをおおい、矢・刀などを防ぐ部分。「父の鎧の━、草摺(くさずり)にとりつき」〈平家七・維盛都落〉 † sote, sode **━打ち合はす** 袖をかき合わせる。敬意を表わすしぐさ。「━・せて立ちたるこそをかしけれ」〈枕七六〉 **━返・す** ①袖を折り返して裏側を表に出す。こうして寝ると恋人を夢に見るという俗信があった。「わが背子が━・す夜の夢ならしまことも君に逢へりし如し」〈万二八一三〉 ②舞などで、袖をひるがえす。「立ちてのどかに━・す所を」〈源氏花宴〉 **━に・す**《「手を袖にす」の略。自分から手を下そうとしない。手だしをしない意。転じて》おろそかにする。疎略に扱う。「袖にあしらふ」「袖になす」とも。「商ひは━・して」〈近松・卯月紅葉中〉 **━に湊の騒・ぐ**（港に寄せる波がさわがしく立つように）袖に涙がひどく流れる。「思ほえず—・ぐかなもろこし舟の寄りしばかりに」〈伊勢二六〉 ▽新古今集以後、右の歌を本歌にした歌が多くなり、「袖の湊」という成句が生れた。 —の上の珠砕・く 《愛児のことを「掌珠」という漢語から》最愛の子を失ったたとえにいう。「またたぐひおはせぬをだに、さうざうしくおぼしつるに、—・けたりけむよりも、あさましげなり」〈源氏葵〉 —の振り合せも他生(たしやう)の縁 《「他生」は、正しくは「多生」であるという》 全く未知の人と道で袖が触れ合うのも、実は浅からぬ前世の因縁によるものだ、の意。「袖振り合ふも他生の縁」とも。「—と聞くぞかし」〈伽・蛤の草紙〉 —塞(さふ)・ぐ 「袖を詰む」に同じ。「我等〔十六歳デ〕—・ぎ申し候」〈宗静日記慶安四・三・五〉 —振・る ①着物の袖をひらひらさせる。合図をしたり、別れを惜しみなどして振った。「茜さす紫野行き標野行き野守は見ずや君が—・る」〈万二〇〉。「木の際(ま)ゆも我が—・るを妹見けむかも」〈万一三四〉 ②袖を振って舞う。「唐人(からひと)の—・ることは遠けれど」〈源氏紅葉賀〉 —行く水 涙。「大火事を—に防ぎかね」〈俳・江戸両吟〉。〈日葡〉 —を絞・る 涙でぬれた袖をしぼる。袖をしぼるほど涙を流して泣く。「上一人より下万人に至るまで—・らぬはなかりけり」〈保元下・為義の北の方〉 —を詰・む 近世、元服した青年女子が、それまでの脇明きの着物をやめ、脇下をふさぎ、袖を短くつめた着物に着更える。すなわち、大人の服装になる。一人前の成人になる。「袖を塞ぐ」「脇を詰む」「脇を塞ぐ」「袖を留(と)む」とも。「—・め、衣紋繕ひ」〈浄・東山殿子日遊一〉 —を連・ぬ 互いに袖と袖をつらねるように、相並び、相伴う。「紫の—・ねてきたるかな春立つことはこれぞ嬉しき」〈赤染衛門集〉 —を引・く ①袖をひっぱる。人をさそう動作。「—・きて拝殿へ具しておはしけり」〈沙石集一ノ四〉 ②そっと相手の注意を喚起する。「大井・宇都宮は、—・き、膝をさして、…とぞささやきける」〈義経記六〉 —を広・ぐ 袖をひろげて物を乞う。乞食をする。「世の過ぎがたさに、人の門にたたずみ、—・ぐるわざをし侍るにこそ」〈撰集抄七ノ一〇〉

そでかうろ ｿﾃﾞｶｳﾛ【袖香炉】 着物の袖に入れて、香をたきしめるのに用いる携帯用香炉。「こき入れぬ花の名立てや—」〈俳・境海草上〉。〈俳・毛吹草二〉

そでがき【袖垣】 建物などに添えて短く造った垣根。「こやの—花咲きにけり」〈頼政集〉

そでがき【袖書】 文書の袖(右端)に書き加えること。特に別筆で書き加えること。また、その文言。「返事に—などしていひたり」〈拾玉集五〉。「文こまかに書きて、—にかくぞ書きたりける。流れ名の灘にもとまれ水茎のあはれはかなき身は消えぬとも」〈長門本平家一四〉

そでかぐら【袖神楽】 簡略な神楽。「二十二社拝み納むる—」〈近松・卯月紅葉上〉

そでがさ【袖笠】 袖をかざして笠の代りにすること。また、その袖。「柳の五重ねに紅の袴着て、—かづける女房あり」〈盛衰記四三〉 —あめ【袖笠雨】 袖笠でしのげるほどの少しの雨。「—の濡れ位は、立ち入っても見よかし」〈浮・好色貝合上〉

そでガッパ【袖合羽】 袖付きで丈が短い、徒歩の人の用いる雨合羽。「五月雨に浪の濡衣や—」〈俳・埋草二〉

そできちゃう ｿﾃﾞｷﾁｮｳ【袖几帳】 袖をあげて顔をおおいかくすこと。袖屛風。「さてのちに、—など取りのけて、思ひなほり給ふめりし」〈枕(能因本)頭中将の〉

そでくくみ【袖包み】 袖で包むようにすること。「あやしきものに火をただほのかに入れて、—に持たり」〈源氏末摘花〉

そでくち【袖口】 ①袖の端の、手首の出る所。また、そこに縫い当てた布。「車十ばかりぞ、—、ものの色あひなども、もりいでて見えたる」〈源氏関屋〉 ②文書などの初めの余白。そで。「和歌懐紙書きやう…但し—は、手打ち置き候程候也」〈今川了俊書札礼〉

そでごひ ｿﾃﾞｺﾞｲ【袖乞ひ】 自分の袖をひろげて、他人に物を乞うこと。また、その者。乞食。「夫婦、小次郎が手を引き、—しても過ぐべしといふ処」〈兼山記〉

そでした【袖下】 ①袖付けの下端から袖の下端までの部分。また、その長さ。「—二尺の衣装〔ヲ〕浄身〔ニ着テイル〕」〈俳・紀子大矢数上〉 ②袖の底の部分。袖の下端。「—角に着なして」〈評判・長崎土産一〉

そでじるし【袖標】 戦場で敵味方を識別するため、鎧(よろい)の両袖につけた布切れ。「—の付けやうの事」〈岡本記〉

そですり【袖摺り】 袖が触れて摺れること。また、摺れるほどの狭い空間や高さをもいい、「—岩」「—松」などという。「玉川の里の垣ほの—に雪こぼれさす卯の花のころ」〈為尹千首〉

そでだこ【袖凧】 小形の凧。「肩で風切る若殿(わかとの)の—」〈俳・正風集八〉

そでだたみ【袖畳み】 衣服の畳み方。背を内へ二つに折り、両袖を合わせ揃え、さらに袖付けの辺で折り返し畳むこと。「衣更へや昨日の花を—」〈俳・坂東太郎上〉

そでつ・ぎ【袖つぎ】『四段』 袖を重ね合わせる。共寝する。「たなばたの〔彦星ト〕—・ぐ宵の暁(あかとき)は」〈万一五四五〉 †sodetugi

そでづきん【袖頭巾】 四角な布地に紐をつけ、目だけを出して頭と顔を包むもの。主に婦人の防寒用。おこそ頭巾。「花盛りそれかあらぬか—」〈俳・桜鏡〉

そでつけごろも【袖付衣】《「肩衣(かたぎぬ)」の対》 袖の付いた衣。「禈襹(ひむつき)のはふ児が身には木綿(ゆふ)肩衣…童が身にはゆひはたの—」〈万三七九一〉。「宮人の—秋萩ににほひよろしき高円(たかまど)の宮」〈万四三一五〉 †sodetukëgörömö

そでつま【袖褄】 袖や褄。衣服の総称。「小袖十余領を着、その—これを色を重ぬ」〈吾妻鏡元暦一・二・二〉

そでとめ【袖留】 ①成人した者が、振袖を縮め、普通の長さの袖たけにすること。女子の元服の意にも用いる。「杉崎二郎三郎—、やがて角之介と改号」〈松平大和守日記寛文七・一一・二七〉 ②吉原遊廓で、馴染(なじみ)客のついた振袖新造が、袖を詰めて、一人前の部屋持ち女郎に昇格すること。また、その儀式や女郎。「—に牛の際まで付け届け」〈雑俳・柳多留二三〉。「夏は新造〔ガヨイ〕。—の中にも芸あるが流行り」〈浮・和気の裏甲二〉

そでなし【袖無】 両袖がなく、丈(たけ)の短い羽織。甚兵衛羽織。袖無し羽織。「白き小袖に紺の—着て」〈地蔵菩薩霊験絵詞〉 —ばおり【袖無羽織】 ①陣羽織。「若者三十騎〔ニ〕…唐織の—を御着せ、召し列(つれ)給ひけり」〈最上義光物語下〉 ②「そでなし」に同じ。「小坊主の—旅衣」〈俳・談林十百韻下〉

そでな・し【そで無し】『形ク』《ソは副詞、サウの約》 ①そうではない。違う。「—・い物をそぢゃと云うて」〈虎明本狂言・張蛸〉 ②悪い。いけない。「年来日頃の振舞が—・かったによって」〈天草本平家三ノ五〉

そでのこほり ｿﾃﾞﾉｺｵﾘ【袖の氷】 袖にかかった涙の凍ったもの。「よそにても、思ひ(火ト掛ケル)だにおこせ給はば、—も解けなんかし」〈源氏真木柱〉

そでのしがらみ【袖の柵】（河の水をせきとめる柵のように）流れる涙をおさえとどめる袖。「まして—せきあへぬまであは

れに」〈源氏幻〉

そでのした【袖の下】①袖の下部。また、人目につかないように隠してする形容。「宣命を—よりこれを下す」〈親長卿記明応三・一・二〉②《袖の下からひそかに贈る意》賄賂(わいろ)。「—寝覚めの里の包み銀」〈俳・三鉄輪〉

そでのわかれ【袖の別】男女がたがいに重ね合った袖を分って、離れ離れになること。「白栲(しろたへ)の—は惜しけども思ひ乱れて赦しつるかも」〈万三二八二〉

そではん【袖判】文書の袖(右端)に加えた花押。「その時、当知行分一書にいたし、性熙様、同義祐様御父子の御—を申し上げ」〈赤松記〉

そでひきちゃ【袖引き茶】客寄せのために出す茶。煙草を出す場合には「袖引き煙草」といった。「軒の妻梨〔ヲ見ナガラ〕—待つ」〈俳・京拾遺三〉

そでびゃうぶ(…ビョウ…)【袖屛風】袖で顔を隠すこと。袖几帳。「枕元に—」〈浮・御前義経記三〉

そでふくりん【袖覆輪】飾りのため、または袖口がすり切れるのを防ぐために、別の布切れで袖のふちを包み縫いしたもの。袖縁(そでべり)。「若き者は赤裏あしく候はん由。但し—を取り、裾より見え候得ば、苦しからざる由」〈宗甫公古織へ御尋書〉

そでまくら【袖枕】袖を枕として寝ること。また、その袖。「—霜置く床(とこ)の苔の上に明かすばかりの小夜の中山」〈金槐集雑〉。「—来ぬ夜さびしき寝覚めして」〈看聞御記紙背連歌〉

そと【外】《「うち(内)」の対》戸外。「こちの節分に、鬼は—、福は内と云ふやうに」〈三体詩絶句抄三〉。「前も後も、うち—の隔てもなく」〈万法蔵讃鈔上〉。「外、ソト・ホカ」〈文明本節用集〉 ▽室町時代以降、古くからのトに代って使用される。 **—が内** 外出がちなことをいう。「外を内」「外が家」とも。「旦那殿は—」〈近松・重井筒上〉

そと《副》①少し。ちょっと。「これに粟の飯の候ふを、—聞こし召され候へかし」〈謡・鉢木〉。「一朝は—の間なり」〈長恨歌抄〉②しずかに。こっそり。「—銭を掘りて取り代へ、蛇を入れて置きたり」〈咄・醒睡笑一〉

そとぐるわ【外曲輪・外郭】城・砦(とりで)などの外周に構えた囲い。「寺内を取るべしと調儀をしける処に、あらはれければ、—を燔(や)きて出でて」〈三河物語中〉。「城外を郛郭(ふくわく)と云ふ。今の—なり」〈性理字義抄三〉

そとば【卒塔婆・卒都婆】《梵語の音訳》①仏陀の舎利などを納める塔。「その残りの骨を取りて—の中に置きき」〈三宝絵上〉②死者への供養として、墓の上に立てる塔。方柱状の石、あるいは細長い板の上部に塔の形を刻み出したもの。表面には梵字や経文が記される。「木の間より漏り出でたる月をしるべにて、—・釘貫など、いと多かる中に」〈栄花浦浦別〉。「〔墓ノ上ニ〕—を持て来たりて立てつ」〈今昔三七ノ三六〉

そとはちもんじ【外八文字】太夫が揚屋入りの道中に八文字を踏む時、外輪に足を運ぶこと。「裾蹴出して—、肩据ゑて、ひねり腰、これを道中とて」〈西鶴・新吉原常常草上〉

そとほりひめ(…トオリ…)【衣通姫】《ソは衣。膚の光が衣から透けて美しく照りはえて見えたという姫に対して、世の人がつけた名。古事記・日本書紀ではソトホシノイラツメとも》允恭(いんぎよう)天皇の妃、弟姫(おとひめ)の別名。玉津島明神としてまつられ、中世には住吉明神・北野天神と共に、和歌の神として尊崇された。「小野小町は、いにしへの—の流なり」〈古今序〉

そとも ①【背面】《ソ(背)ツオモ(面)の約。ツは連体助詞。光の射す南に対して、その背面の意。「影面(かげとも)」の対》北。「耳成の青菅山は—の大御門(おほみかど)に宜しなべ神さび立てり」〈万五二〉②【外面】家のそと。「ぬしなくて荒れたる宿の—には月の光ぞひとりすみける」〈能因法師集下〉。「—、家のほかなり」〈八雲御抄四〉 †sötömö

そないな《連体》《近世、上方でいう》そんな。そのような。「薑(はじかみ)の食ひ合はせとやらで—事もおぢゃろ」〈狂言記・胸突〉

そながら《副》そのままで。「海とのみまとゐの中はなりぬめり—あらぬ影の見ゆれば」〈後撰一〇九九〉

そなた【其方】《代》❶《文脈の中ですでに取り上げられて、話し手と聞き手とが共通に知っている方角・場所・物事・人などを指す》①そちら。「東の廂にいとあまた寝たるべし…童べも—に入りて臥しぬれば」〈源氏空蟬〉。「女五宮のそこにおはすれば—(女五宮)の御とぶらひにことつけて」〈源氏槿〉②むこう。「—へと行きもやられず花桜にほふ木かげに立ちょられつつ」〈堤中納言花桜をる〉❷《二人称。同等または目下の相手を呼ぶ語。江戸時代になると殆ど敬意がない。→あなた⑵》そちら。そのほう。「—には興福寺へいませ、我は…東大寺へまからん」〈発心集八〉。「—と我と生生世世に夫婦と成らん」〈長恨歌聞書〉。「—もこなたも老翁となりたぞ」〈錦繡段鈔七〉 **—さま**【其方様】《代》《ソナタより敬意がこもり、多く女が用いる》あなた。「—は何として都の高橋様を見捨て」〈西鶴・諸艶大鑑一〉 **—ざま**【其方ざま】《代》《すでに話題になって、話し手聞き手の共通に知っている場所・物事・人などを指していう》そちらの方。「けふはなほ桂殿にとて—におはしましぬ」〈源氏松風〉

そなは・り(ソナワリ)【備はり・具はり】《四段》①欠ける所なく整って身についている。「博学多才にして諸の技芸—・れり」〈地蔵十輪経三・元慶点〉②十分の資格をもってその地位につく。「十六にて后妃の位に—・り」〈平家灌頂・女院出家〉

そな・ひ(ソナイ)【備ひ・具ひ】《四段》①欠ける所なく身につく。また、完全に整う。「しろたへの袖着—・ふ手こむら(手ノフクラミ)に」〈記歌謡九七〉。「—・はれし玉の小櫛を差しながらあはれ悲しき秋にあひぬる」〈後拾遺五四八〉②欠けることなく相揃う。共に連れ添う。「されば賢き女は互ひに—・へる内、慎しみ従ふのみにあらず」〈十訓抄六ノ二〇〉 †sonaFi

そな・へ(ソナエ)【備へ・具へ・供へ】㊀《下二》《必要な種類と数を欠ける所なく用意する意》①必要な員数を揃える。「私の兵(つはもの)を—・ふと聞こし看(め)して」〈続紀宣命一六〉②欠ける所なく身につける。「三十二の相、遍(あまね)く荘厳し、八十種の好、皆円(つぶ)らに—・へたまひ」〈金光明最勝王経平安初期点〉③(神仏に)お供えをする。「種種(くさぐさ)の色物を—・へまつりて」〈祝詞祈年祭〉④食膳をすっかり整えて、差し上げる。「食(じき)を儲けて、此等〔ノ人タチ〕に—・へむとするに」〈今昔九ノ一八〉㊁《名》①供膳。「朝暮の—に箏(たかむな)を構へ求めて供給して闕(か)く事なし」〈今昔九ノ二〉②いざという時の準備。用意。「甲兵の—有りと雖も闘戦の患(うれ)へ無し」〈文明本節用集〉③軍(いくさ)の陣立て。「五十町浜に—を立ててぞ居たりける」〈浅井三代記一〉 †sonaFë

そな・れ【磯馴れ】《下二》①海岸の木が風波に順応し、磯をはうような姿になる。「荒磯の波に—・れて這ふ松はみさごのゐるぞたよりなりける」〈山家集中〉②《「見馴れ—・れ」の形で》長年馴れ親しむ。「見馴れ」に「水馴れ」をかけ、単に語調をあわせるために「磯馴れ」とつづけたにすぎないとも

いう。「〔男女ガ〕見なれ―・れて別るる程は」〈源氏松風〉

―ぎ【磯馴れ木】 海岸などに傾き生えている木。「―のそなれそなれてむす苔のまほならずとも逢ひ見てしがな」〈久安百首〉。「―、風などになれたる木なり」〈匠材集三〉 ―まつ【磯馴れ松】 海岸などに傾き生えている松。「浪のよる岩根に立てる―まだねもいらで恋ひあかしつる」〈国信卿家歌合〉。「ふりぬれどつれなき色の―」〈連証集〉

そにどり【䴇鳥】 カワセミ。背・尾は美しい青色、足は赤く、ほかは暗緑色。水辺にすみ、小魚をとって食べる。「―の青き御衣(みけし)」〈記歌謡四〉 †sonidöri

そにん【訴人】 ①訴訟の原告。近世には訴訟方・訴訟人といった。「其の族人、官に詣りて〔殺人ヲ〕申し訴ふ。而して…志貴連広田等六人、―の事を理(さを)めざるに坐せらる」〈続紀天平七・九・二八〉 ②戦国時代、武家の職名。種種の内情を察知して主君に知らせる役。目明(めあかし)。「―岩間大蔵左衛門とて、御分国中、万事の儀を申上ぐる侍一人あり」〈甲陽軍鑑八〉 ③近世、犯罪があるといって訴え出ること。また、その者。告発人。「仙台の帯刀、―に罷り出で、申し分は」〈梅津政景日記慶長一七・一一・三〇〉

そね【确・埆】 石の多い、堅いやせ地。「浅茅原(あさぢはら)小(を)―を過ぎ」〈紀歌謡八五〉。〈新撰字鏡〉 †söne

そね『連語』《ソは助詞、語源は動詞シ(為)の古い未然形か。ネはあつらえの意を表わす助詞。上に来る副詞ナと呼応して、やさしく禁止する意をあらわす》 どうか…しないでください。「住吉(すみのえ)の浜松が根の下延へてわが見る小野の草な刈り―」〈万四四五七〉 †söne

そね・び【猜び】『四段』「そねみ」に同じ。「下賤業の中に他の外財を忌(そね)ぶをば嫉とす」〈法華義疏長保点〉

そねま・し【猜まし】『形シク』《動詞ソネミの形容詞形》(他と自分をくらべて)いまいましい。しゃくにさわる。「我をばかやうに供養せずして、他国の僧を重くすること、本意なく―・しく思ひて」〈沙石集三ノ三〉。「まことに―・しげなる御気色」〈伽・七夕の本地〉

そね・み【猜み・嫉み】 ㊀『四段』《相手をソネ(确・埆)と思う意。ごつごつして、とがった、不快なものと思うのが原義》 ①嫌う。憎む。「〔仏教ニ対スル迫害ヲ〕天且つ嫌(そね)み、地また憾(にく)み」〈霊異記上五〉。「嫌・憎、ソネム」〈名義抄〉 ②いやに思って疎外する。「参内し給ふ臣下をも〔入道ガ〕―・み給へば、入道の権威にはばかって、通ふ人もなし」〈平家六・小督〉 ③ねたむ。嫉妬する。「他の良いことを―・む者は、その罪が変じて身に及ぶものぢゃ」〈天草本伊曾保〉 ㊁『名』 嫉妬。「あまたの人の―を負ひ」〈源氏明石〉 ▽万葉集で、「草な刈りそね」などのソネに「嫌」の字を書いているから、ソネミという語は、奈良時代にもあったと思われる。

その【園・苑】 花卉(かき)・果樹・野菜などを植える庭園。「梅の花咲きたる―の青柳は」〈万八一七〉 ▽語源を「背野(その)」とする説は誤り。背野ならば söno である。 †sönö

その【其の】『連体』 ①文脈の中ですでに取り上げられて、話し手も聞き手も共通に知っている人や事物を指す。「手腓(たこむら)に虻(あむ)かきつき、―虻を蜻蛉(あきづ)はや食ひ」〈記歌謡九七〉 ②話し手と聞き手との間で、すでに共通に諒解されている物事として指示する語。「―事とおどろおどろしからぬ御ここちなれど」〈源氏御法〉。「みやま木の―梢とも見えざりし桜は花にあらはれにけり」〈詞花一六〉 ③或る。しかるべき。わざと名をぼかしていう。「―月、なにの折」〈枕二三〉 ④適当な。「左衛門督(さゑもんのかみ)、―人ならぬを奉りて」〈源氏少女〉 †sönö ―事と無・し ①何ということもない。「―・くて御文きこえ承らむもびんなければ」〈源氏手習〉 ②とりたてて何といわず、何事につけても。「堀川相国は美男のたのしき人にて、―・く過差(くゎさ)を好みたまひけり」〈徒然九九〉 ―事に候ふ 応答のことば。その事です。そこなんです。「僧正、『何ぞ』と問ひ給へば、助泥、『―。破子(わりご)五つえ借り得候はぬなり』としたり顔に申す」〈今昔二八ノ九〉 ―手は喰はぬ その計略にはだまされない。「さりながら―」〈評判・難波鉦一〉 ―物と無・し ①取り立てていうほどの物でない。「―・けれど、やどり木といふ名、いとあはれなり」〈枕四〇〉 ②何ともえたいが知れない。「宴の松原のほどに、そのものともなき声どもの聞ゆるに」〈大鏡道長〉

そのかみ【其の上】《時の推移に関係なく、今話題にしていることが起ったその時点を指していう》 ①(話し手から見て)当時。「さて今―を思ひやりてある人のよめる歌」〈土佐一月二十日〉。「―盛りなりし世に」〈源氏紅梅〉。「当時・憶者・曾、ソノカミ」〈名義抄〉 ②その時。「〔男ハ〕『身づからただいま参りて』となむ言ひたりける。かくてすなはち〔女ノ許ニ〕来にけり。―〔女ハ〕塗籠(ぬりごめ)に入りにけり」〈大和一〇三〉

そのがもと【其根が本】《ノはネ(根)の古形か。ガは格助詞》 その根もと。「かみら(ニラ)一本(ひともと)、―」〈紀歌謡一三〉 †sönögamötö

そのぎ【其の儀】 そんな次第。そんな事情。「すべて―あるまじ。ただし祇王があるをはばかるか。―ならば祇王をこそ出さめ」〈平家一・祇王〉

そのはう【其の方】『代』 おまえ。そち。目下の者にも、相手を見くだしたばあいにもいう。「又、見申せば、―にはお供がない」〈天理本狂言六義・鏡男〉

そのひおくり【其の日送り】 その日その日をやっと過ごす、余裕のない生活。其の日暮し。「世を秋の螢は―かな」〈俳・口真似草三〉

そのふ【園生】《フは植物の生えている所の意》「その(園)」に同じ。「み―の韓藍(からあゐ)の花の色に出でめやも」〈万二二七八四〉。「苑圃、ソノフ」〈名義抄〉 †sönöFu

そのまま【其の儘】 ①そのとおり。ありのまま。そっくり。「こまかに問へど―にも言はず」〈源氏手習〉。「〔鬼瓦ガ〕国もとにゐる女共が顔に―ぢゃ」〈虎明本狂言・鬼瓦〉 ②そうした状態のまま。それっきり。「二条院の君は―に起きも上りたまはず」〈源氏須磨〉 ③《副詞的に用いて》 即座に。即刻。すぐに。「歌に作って面白く節をつけ、歌へば―信心を催ほすやうに思案して」〈バレト写本〉

そのもと【其の許・其の元】『代』 おまえ。そこもと。同輩以下の者に向って使う。「諸事―わけよく我等同前に頼む」〈西鶴・一代女二〉

そは【岨】《ソバ(稜)と同根》 山の切り立った斜面。がけ。そば。「山の―より寄せける児玉党」〈平家九・越中前司最期〉。「閣道は山の―などを路に作りたる処なり」〈蒙求聴塵中〉

そば【稜・傍】《ソハと同根。原義は斜面の意。また、鋭角をなしているかど、斜めの方向の意。日本人は水平または垂直を好み、斜めは好まなかったので、斜めの位置、とがったかどの場所の意はやがて、はずれ・すみっこの意に転じ、さらに、すこしばかりのものなどを指すようになった。また、はずれた所の意から、物の脇・物の近くの意を生じた。ソバ(蕎麦)・ソビエ(聳)も同根》 ①斜面。「〔築〕山のみなみの―より〔光源氏ノ〕御前に出づるほど」〈源氏若菜下〉 ②とがったかど。「石の―…に尻をかけて」〈宇治拾遺八七〉。「稜、ソバ・カド」〈名義抄〉 ③斜めに逸(そ)れた方向。脇の方。はずれ。「御几帳の—より御笛を奉る」〈源氏若菜下〉。「妹恋ふとまだ端近きうた寝の枕の—に宿る月影」〈頼政集〉④片はし。すみ。「御簾の—いとあらはに引き上げられたるを」〈源氏若菜上〉⑤(衣の)端。袴のももだち。「袴のくくりを上げ、—を交(けう)して(ハサンデ)」〈今昔三ノ六〉⑥かたわら。近く。「玄宗の御—に人は大勢あれども、さらにお伽になるべき者もなし」〈長恨歌聞書〉。「隣の童(わらべ)に灸(やいと)をすれば、—の童も恐るるぞ」〈周易抄〉。「傍、そば、かたわら也」〈和漢通用集〉⑦本旨から外れること。二の次。わき。「左歌、〔題ノ〕夏衣は—なる事になるやうにこそ」〈六百番歌合夏下〉。「実説は—になりて、謬説をむねとせり」〈教訓抄七〉

そば【鬼箭】⇒そばのき。「—の紅葉(もみぢ)のうちまじりたる枝」〈かげろふ下〉

そば【蕎麦】《ソバ(稜・傍)と同根》そばむぎ。また、そばきり。「家の畠に、そまむぎを植ゑて侍りけるを…盗人は…—を取りてぞ走り去りぬる」〈著聞四四四〉。「昼盛りたりつる—、夢に見えて申すやう」〈伽・六条葵上物語〉

そば・え【戯え】〘下二〙⇒そばへ。「久しう乗らぬによって、殊の外—ゆる事ぢゃ」〈虎寛本狂言・止動方角〉

そはか ソワカ【蘇婆訶】《梵語の音訳。吉祥・円満・息災・成就などの意》密教で、真言・陀羅尼(だらに)の終りにとなえることば。「真言の終りの—」〈雑談集九〉。「唵阿毘羅吽欠(おんあびらうんけん)—」〈謡・黒塚〉。「—は成就也」〈蕉軒日録文明一八・一〉

そばかほ オ:カ【側顔】横顔。「首筋ひきたてて、折れ返りかひろぐ—の、ほのぼの御簾に透きて見ゆるは」〈狭衣三〉。「御—を見参らせさせ給ひて」〈伽・雨若みこ〉。「ソバカヲ」〈日葡〉

そばきり【蕎麦切・蕎切】蕎麦(そばむぎ)の実から製したそば粉を原料とする食品。そば。「—振舞ひ申さるる也」〈慈性日記慶長一九・二・三〉 **—いろ**【蕎麦切色】薄鼠色。薄墨色。使い古して汚れた下着などにいう。「—の下帯」〈浮・好色十二人男三〉。「—の顔」〈評判・役者万年暦京〉

そばさま【傍様・側方】①横にはずれた方。側面。横向き。「—に臥して、鼻の下に物をかひて」〈今昔二六ノ二〇〉。「山がけはしきほどに、林木も—に生える也」〈杜詩抄六〉②真実に背き外れたこと。「されば—なる悪(わる)き心得なり」〈御文章〉

そばそば〘名・副〙《ソバ(稜)を重ねた語》①とがって斜めなこと。「觚稜、ソバソバナリ」〈名義抄〉②斜めからちらっと。「近く侍ひて、—見けり」〈源氏常夏〉③ほんの少しばかり。「その頃ほひ聞きしことの、—思ひ出でらるるは」〈源氏行幸〉④互いに気持がしっくりしないこと。仲が悪いこと。「いつしか東宮の御方にさぶらふ人—に聞えしが」〈神皇正統記後醍醐〉。「—、中の悪き事也」〈匠材集二〉

そばそば・し【稜稜し】〘形シク〙①いかにも角ばっている。近寄りにくい。「優婆塞(うばそく)が行なふ山の椎がもと、あな—・し」〈宇津保菊宴〉。「孫王だちて、—・しう鼻高にきらきらしきかたちにやあらむ」〈狭衣一〉②(人の仲が)しっくりいっていない。よそよそしい。「常は少し—・しく心づきなき人の」〈源氏帚木〉。「—・しく。ただしからぬ心おもふ様ならぬ躰也」〈匠材集二〉

そばだ・ち【喬立ち・峙ち】〘四段〙①かどばって高く立つ。「小土の聚(あつま)りて隅(そばたて)るぞ」〈法華経玄賛平安初期点〉。「まことに希有(けう)の岩ども—・ち並びたり」〈今昔二ノ三〉②斜めに立つ。「廟中に欹器といふものあり。…此の器に水が一杯入れば、転うで水をみなうち零(こぼ)すぞ。水が中程なれば、真直にして零(こぼ)れず、倒れもせず、真直にして正しいぞ。又、水が一向に無うて虚なれば、—・ってかたむくぞ」〈玉塵抄七〉③かどが立つ。とがっている。「ことば—・つ親と親」〈浄・妹背山三〉▽室町時代末期にはソバタチ・ソバダチ両形ある。それ以前はソバタチと清音か。

そばだ・て【欹て】〘下二〙①斜めにたてる。「枕を—・てて物など聞え給ふけはひ、いと弱げに」〈源氏柏木〉。「西坂より山へ登る時は、身を—・てて歩む」〈宇治拾遺七〉②とがらせて立てる。「人人耳を—・てて、いかなる句をか詠ぜんずらんと待つほどに」〈著聞一四〇〉▽室町時代末期にはソバタテ・ソバダテ両形ある。それ以前はソバタテと清音か。

ぞはつかれ ゾワ:ヅ【ぞは労れ】あれやこれやと積み重なった疲れ。疲労の蓄積。「月花〔ノ遊山〕と彼岸参りの—」〈俳・桜山伏〉

そばつき【側つき】斜めからちらっと見た様子。「—されぱみたるも…をかしきもあり」〈源氏帚木〉

そばづたひ ソワヅ:タイ【岨伝ひ】山の岨に沿った所。また、そこを伝って行くこと。「ただ今こそあの—を女院の御帰りにて候」〈謡・大原御幸〉。「古畑をまた作るかの—」〈白川千句〉

そばつら【側面】①かたわら。そば。「偏門とは正門に非ず、—の門なり」〈碧岩抄三〉②横にはずれていること。まともでないこと。「—に修行せば、終に道をば得まいぞ」〈臨済録抄三〉

そばづゑ【側杖・傍杖】とばっちり。巻きぞえ。「—に誰もあふみを遁れきて河内の秋の露と消えめや」〈金言和歌集〉

そばにょうばう ウ:ボ【側女房】妻以外にこしらえた女。妾・情婦など。「男も—をするほどに、我もそば男をして」〈周易抄〉

そばのき【鬼箭・柧棱】錦木(にしきぎ)の古名という。五、六月ごろ新芽が赤味をおび、紅葉したように見える。一説、カナメモチ(バラ科の小喬木)の別名。「—に、『見き』とのみ書きて、おこせたり」〈かげろふ下〉

そばばら【側腹】①脇腹。横腹。「宮の左の御—に矢一筋立ちければ」〈平家四・宮御最期〉②妾腹(めかけばら)。「庶とは、—の子を庶子と云ふ」〈燈前夜話下〉

そばひら【傍平】脇。かたわら。「その山の—をめぐれば」〈竹取〉。「或いは馬の後(しりへ)にあり、或いは—に立ちて打ち行(ある)く」〈今昔二六ノ七〉

そば・へ ソバエ【戯へ】㈠〘下二〙《イソバヒ(戯)の転。→おそばへ》ふざける。じゃれる。「〔子供ガ〕えもいはずと思ひたる〔飾リ〕などを、—・へたる小舎人童(ことねりわらは)などに引き張られて泣くもをかし」〈枕三九〉。「初花の開けはじむる梢より—・へて風の渡るなりけり」〈山家集上〉㈡〘下一〙日照り雨が降る。「船頭詞に曰く、日和(ひより)にて少少雨のはらつくを—・へると云ふ」〈俚言集覧〉㈢〘名〙日照り雨。「室の明神に詣でけるに、時雨しければ。ばらばらの—や神の留守見舞」〈雑俳・西国船〉

そば・み【側み】〘四段〙《ソバ(傍)を動詞化した語》①斜めに顔が向く。横に向く。「恥ぢらひて、少し—・み給へるかたはらめ」〈源氏少女〉②すみっこに寄る。「〔女ハ大臣ニ敬意ヲ表シテ〕さしのきて—・みて居ぬ」〈今昔一四ノ四〉③本筋にはずれる。「はや申楽に—・みたる輪説とし」〈風姿花伝〉④すねる。「何やかやとも—・み聞え給はで」〈源氏螢〉⑤かたよる。一癖ある。「歌も、殊更めき、—・みたる古言(ふること)どもをえりて」〈源氏梅枝〉

そはみち ソワ:ッ【岨道】けわしい山道。そばぢ。「岸の上なる—を、二手に分けて押し寄する」〈西源院本太平記三・笠置合戦〉

そばむぎ【蕎麦】《ソバはソバ(稜・傍)と同根。その実が三角形をしているのでいう》 タデ科の一年草。実からそば粉を製する。「六十日穀は穈穀、小赤穀等ぞ。六十日熱物は、そば麦」〈大智度論平安初期訓〉

そばめ【側目・傍目】①斜めから見ること。また、斜めから見た姿。「御前の方より立ち出で給ふ―に見通し給ひて」〈源氏浮舟〉。「君はうち背きておはする、―いとをかしげなり」〈源氏胡蝶〉 ②《「―にす」の形で》 うとみ軽んずること。「作す可き修行をば―にして、余事に引かれ、世乱に拘はる」〈大淵代抄一〉 **―にか・く** ①横目に見る。「頼政、右の膝をつき、左の袖をひろげ、月を少し―・けつつ」〈平家四・鵼〉 ②斜めから冷たい目で見る。「さればにや、御気色も悪(あ)しく、朋輩も―・けければ」〈古活字本曾我一〉

そば・め【側め】『下二』《ソバミの他動詞形》 ①あらぬかたに向ける。違った方へねじる。「うちとけたる世なく、ひきつくろひ―・めたるうはべ〔ノ姿〕」〈源氏空蟬〉 ②《「目を―・む」の形で》 横目でにらむ。また、視線をそらす。「この院に目を―・められ奉らむことは、いと怖ろしく」〈源氏若菜下〉。「京師(けいし)の長吏(ちやうり)、これが為に〔恐レテ〕目を―・むと見えたり」〈平家一・禿髪〉 ③わきへ寄せる。片寄せる。「太刀を抜き、引き―・めて近づきければ」〈保元下・義朝幼少の弟〉 ④疎んじて遠ざける。「上陽の人、十六にて参りたりけるが、楊貴妃に―・められて六十まで帝にも見え奉らで」〈奥義抄〉。「素盞烏尊は…御代をも継ぎ給はず、御類神達にも―・められ給ひて」〈古今集註〉

そばよ・せ【側寄せ・傍寄せ】『下二』 片寄せる。「遣戸のもとなどに〔身ヲ〕―・せてはえ立たで」〈枕七六〉

そは・り ソワリ【添はり】『四段』(自然に)つけ加わる。「またなかなか物思ひ―・りて、明け暮れくちをしき身を思ひなげく」〈源氏澪標〉

そばをとこ【側男】 夫以外にこしらえた男。間男。「辟陽侯と書きて、和(日本)にては、まをとこと訓じたぞ。又―とも訓じたぞ」〈三体詩抄一ノ二〉

そひ イツ【岨】《ソビエ(聳)・ソバタチ(峙立)などのソビ・ソバと同根》 急斜面。「そは」とも。「伊香保ろの―の榛原(はりはら)」〈万三四一〇上野東歌〉。「岳の上より南の―を下り様におもむけたり(突進サセタ)」〈今昔二五ノ五〉 †sofi

そ・ひ イツ【添ひ・沿ひ・副ひ】『四段』《線条的なもの、あるいは線条的に移動するものに、近い距離を保って離れずにいる意》 ①側にぴったりと寄っている。ぴったりついている。「彼方(をちかた)の赤土(はにふ)の小屋に小雨降り床(こと)さへ濡れぬ身に―・へ我妹(わぎも)」〈万二六八三〉。「大路(おほち)に―・ひてのぼれる青柳が花や」〈催馬楽大路〉 ②夫婦として一緒にいる。連れそう。「もとの如く、あからめもせで―・ひ居にける」〈大和一五七〉 ③つき従う。「初瀬に―・ひたりし阿闍梨」〈源氏手習〉 ④その上にさらに備わる。「わづらはしき気―・ひ給へる人ぞや」〈源氏螢〉。「ただ御位―・ひて牛車許されて参りまかでし給ふを」〈源氏薄雲〉 †sofi, sŏfi

そひ イツ【候ひ】『助動』《ソヘの転》 …なさい。「いやいや、まっとお責め―」〈虎明本狂言・朝比奈〉

そび【鴗】《ソニの転》「鴗鳥(そにどり)」に同じ。「―のゐる堰杙(ゐぐひ)の柳なばえして」〈夫木抄三・柳〉。「鴗、曾比(そび)、小鳥也、色青翠而食レ魚」〈和名抄〉。「鴗、ソビ」〈名義抄〉

そび・え【聳え】『下二』《ソビはソバ(稜)と同根》 ①背たけがすらりとしている。「ささやけ人の、いと細やかに―・えて」〈紫式部日記〉 ②(山などが)高くそそりたつ。「〔ソノ山ハ〕或いは平に、或いは―・え、勢一の儀(よそひ)に非ず」〈三蔵法師伝五・院政期点〉。「―・えつる。けんそなる山を云ふなり」〈匠材集三〉

そびか【纖】 ほそいさま。「纖長…倭言蘇毗加爾(そびかに)」〈大般若経音義奈良朝訓〉。「紅の色の―なりし肘(ただむき)は忽ちに朽ちたる骨と成りぬ」〈東大寺諷誦文稿〉 †sobika

そび・き『四段』 ①力ずくで引く。ひっぱる。ひきずる。「〔ショニンノサイシドモヲサガシイダシテヒキソビク」〈日葡〉 ②引き寄せる。だましさそう。おびく。「よきつぼへ―・き寄せ、心静かに討つべし」〈浅井三代記一三〉

そび・き【聳き】『四段』《ソビはソバ(稜)と同根》 ①高く立つ。「火の光あがり―・けり」〈三宝絵下〉 ②雲などが立ちひろがる。たなびく。「黒雲空に―・きて、甘露の雨降る事」〈今昔七ノ一二〉。「聳、ソビク・タナビク」〈名義抄〉 **―もの**【聳物】 空中に立ちのぼり、たなびく物。連俳の分類用語。「三句を隔つべき物。…霞・霧・雲・煙、此の如き―」〈連理秘抄〉。「霞の海、―なり。水辺(すいへん)にあらず」〈俳・御傘三〉

そび・け【聳け】『下二』 ①「そびき(聳)」(1)に同じ。「富士の山を見れば…群山に越えたり。…人跡(じんせき)歩み絶えて、独り―・けあがる」〈海道記〉 ②「そびき(聳)」(2)に同じ。「雲の、風に吹きなびかされて、―・けわたりたる姿にして」〈作庭記〉

そひふ・し ソイ…【添ひ臥し】㊀『四段』(物や人に)寄り添って寝る。「をかしげなる男女、もろともに―・したるかた(絵)を」〈源氏浮舟〉 ㊁『名』《ソヒブシとも》 ①寄り添って寝ること。添い寝。「いとかう世づかぬ御―ならむとは思はざりけり」〈源氏紅葉賀〉 ②東宮・皇子などの元服の夜、公卿などの娘が選ばれて、添い寝すること。また、その娘。当時の慣習的儀礼で、これに選ばれた人は、後にその配偶者になる例が多い。「いときなきが、元服の―に」〈源氏賢木〉

そびやか【聳やか】 すらりと背たけの高いさま。「らうたげに、白く―に、柳を削りて作りたらむやうなり」〈源氏横笛〉

そびや・き【聳やき】『四段』(背たけなどが)すらりと伸びている。「いたう―・き給へりしが、少しなり合ふ(釣合ガトレル)程になり給ひにける御姿」〈源氏松風〉

そひより ソイ…【添寄り】 ①寄り添って頼みとするもの。「藪構へ―も無し冬牡丹」〈俳・藤の実〉 ②親しむにつれて離れたくなくなる気持。「故人は―がして、互ひに心が和して楽しむぞ」〈玉塵抄三〉。「―のする浮かれ女(め)の袖」〈俳・鳥鷺俳諧〉

そびら【背】《ソはセ(背)の古形。ヒラは平の意》 せなか。「―には千入(ちのり)の靫(ゆき)を負ひ」〈記神代〉 †sŏbira

そびをか・ひ …イ…カ『連語』 ちょっかいをかける。いどむ。「そびを乞ひ」とも。「やあけしからぬ空の雨風、鬼殿―・はるるな」〈近松・振袖始三〉

そふく【素服】《もと、白地の衣服の意》 喪服。「勅して天下悉(ことごと)に―せしむ。是の日、太上天皇を佐保山陵に火葬す」〈続紀天平二〇・四・二八〉

そぶそぶ ①気持がしっくりしないさま。感情的にそりが合わぬさま。「月〔ニ対シテ〕も恥かし―の中」〈俳・歌仙ぞろへ〉 ②なんのかのと言うさま。ぶつぶつ言うさま。「どうやら―言ふによって、お辰さんに預け、磯さんは備中へやる」〈浄・夏祭六〉

そふづ ソウズ【添水】《ソホヅ(案山子)の転。「僧都」とも書く》 鳥獣が田を荒すのをおどす設備。流水が竹筒にたまると筒が転倒して高い音をたてる。唐臼に似るので「添水唐臼」とも。〈下学集〉

そぶつ【衣物・麁物】 奉公人に与える衣服。仕着せ。近世大阪では、衣服以外の物にもいっ「そぶつもの」とも。

た。「冬―に給はり候はん」〈宇治拾遺一〇九〉。「女房達に夏の―共これを賜はる」〈教言卿記応永一三・五・七〉。「―、主人より下女下男等に呉れる物をいふ。四季施(しきせ)をも―と云ふ」〈浪花聞書〉

そ・へ(エツ)【添へ・副へ】㊀『下二』《ソヒ(添)の他動詞形》①そばにつける。「剣刀(つるぎたち)身に佩(は)き―・ふる大夫(ますらを)や恋とふものを忍びかねてむ」〈万二六三五〉②そばに居させる。そばに置く。「身に―・へ寝けむ若草のその夫(つま)の子は」〈万二一七〉③伴う。「年月に―・へて宮の内淋しくのみなりまさる」〈源氏橋姫〉④つけ加える。「かたちのいとも清らなるに―・へて、心さへこそ人にはことに生ひ出で給へれ」〈源氏少女〉⑤【諷へ】《そばに並べる意から転じて》なぞらえる。「たな霧らひ雪も降らぬか梅の花咲かぬが代(しろ)に―・へてだに見む」〈万一六四二〉㊁『名』①添えもの。おまけ。「きつい人ぢゃ。一度は―にめされい」〈天理本狂言六義・鶯〉②入れ毛。かもじ。「添へ髪」とも。「髪は―なしに、自髪ばかりを…結ふなり」〈仮・都風俗鑑三〉

そへ(エツ)【候へ】『助動』《サウ(候)の命令形サウへの転》…なさい。「もそっとお責め―」〈虎寛本狂言・朝比奈〉 †sőfe, sőfe

そへうた:(ソエ)【諷歌】《ソへはなぞらえる意》古今集仮名序にいう、和歌六義(りくぎ)の一。漢詩の六義の「風」にあたる。あるものにことよせて思いをよんだ歌。諷喩(ふうゆ)の歌。「そもそも歌のさま六つなり。…その六種(むくさ)の一つには、―」〈古今序〉

そへごし:(ソエ)【添輿】葬式の時、棺を入れた輿に付き添って行くこと。また、その人。「葬礼有り。我等味兵衛・与兵衛・利兵衛など色(喪服)にて、―いたし申し候」〈宗静日記寛文六・四・七〉

そへこと:(ソエ)【諷言】《ソへはなぞらえる意》正面から言いにくい内容を、比喩・縁語・物名または著名な和歌の一、二句など、技巧を使って遠まわしに言い表わすこと。「『男やある』『いづくにか住む』など口口問ふに、〔女ガ〕をかしき言、―などをすれば」〈枕八七〉。「菓子(くだもの)のほとりに向ひて機警(そへこと)を作りて曰はく」〈遊仙窟(醍醐寺本)鎌倉期点〉。「諷言、ソヘコト」〈色葉字類抄〉

そへことば:(ソエ)【添詞】他の語を修飾するために添える語。枕詞の類。「『唐衣』とは『たつ』といはん―、『朝露』とは『置きて行く』といはん―也」〈古今集註〉

そへじゃう(ソエジョウ)【添状・副状】①人を遣わす時、または物を送る時に、その旨を記して添えてやる書状。添え文。添書(てんしょ)。「上より殺し参らすまじき―下りて」〈日蓮遺文種種御振舞御書〉②近世、為替手形の別称。添え手形。「―は届いたが、銀はなぜ届きませぬ」〈近松・冥途飛脚上〉

ぞべぞべ ①はでに着飾ったさま。「ぞんべり、―は、物のつややかなる心か」〈俳・かたこと五〉。「唐物屋衆さへならぬほどに―と着飾って」〈近松・卯月紅葉中〉②だらしないさま。ぞべらぞべら。「百姓の子は小さうても、―と旦那顔して、埒明かぬ」〈近松・振袖始三〉

そべ・り『四段』①膝をくずして坐る。「衣を解きはだけて―・り、筆をつかへて暫し案じて」〈山谷詩抄一四〉②横になる。寝そべる。「横になるを―・ると云ふ」〈志不可起三〉③すべる。「切り付けけるに、刀―・り候所を」〈森家伝記下〉

ぞべり なめらかなさま。つるりとしたさま。「まっすぐに―と詠むべきなり」〈耳底記〉

そほ【赭】赤土。上代、塗料に使った。「真金ふく丹生(にふ)の真―の色に出て」〈万三五六〇〉 †sőfo

そぼ・ち【濡ち】『四段・上二』《奈良時代はソホチと清音。ソホフリのソホと同根か》しみて内部まで濡れる。「泣き―・ちゆくも影姫あはれ」〈紀歌謡九四〉。「ひきとむるものとはなしに逢坂の関の口目(和琴ノ名器ノ名「朽目」ト掛ケル)の音(ね)にぞ―・つる」〈かげろふ上〉。「我が方は身も―・つまで深き恋路を」〈源氏葵〉。「―・つ。ぬれたる事なり」〈匠材集三〉 †sőfőti

そほづ(ソオズ)【案山子】《ソホドの転》かかし。「あしひきの山田の―」〈古今一〇二七〉。「―とは、田に驚かしに立てたる人形(ひとかた)なり」〈奥義抄〉

そほど(ソオド)【案山子】「そほづ」の古形。「久延毘古(くえびこ)は今に山田の―といふぞ」〈記神代〉 †sőfődő

そぼぬ・れ【そぼ濡れ】『下二』しっとりとぬれる。しょぼぬれる。「露に―・れつつ重家少将おはしたり」〈発心集五〉。「小濡、ソボヌルル」〈運歩色葉集〉

そほぶね【赭舟】(保全のため)赤土を塗った舟。「赤(あけ)の―沖へ漕ぐ見ゆ」〈万二七〇〉 †sőfofune

そぼふ・り【そぼ降り】『四段』《古くはソホフリ。それからソヲフリ・ソボフリの両形が生れた》雨がしょぼしょぼ降る。「伊夜彦おのれ神さび青雲の棚引く日すらこさめ―・る」〈万三八八三〉。「空のくもりて、雨の―・るに」〈宇治拾遺九七〉。「微降雨、ソボフルアメ」〈易林本節用集〉 †sőfőfuri

そぼ・れ【戯れ】『下二』《ソバへと同根》①はしゃぐ。ふざける。「誇りかに打ち解けて、笑ひなど―・るれば」〈源氏空蟬〉。「―・れゐる。たはぶれ居たるなり」〈匠材集三〉②様子がくだけている。「〔書ガ〕上手におはすれど、余り―・れて、癖ぞ添ひためる」〈源氏梅枝〉

そぼろ《ソボはソボフリのソボ。ロは接尾語》①雨がしょぼしょぼ降るさま。「雨は―に降りければ」〈万葉歌集〉②貧しそうに、やつれたさま。多く髪・着物などにいう。「七つさがりの―なる市」〈俳・若葉合〉

そま【杣】①樹木を植えつけて材木をとる山。そまやま。「宮材(みやき)引く泉の―に立つ民の」〈万二六四五〉②杣山から切り出した材木。そまぎ。「―くだし霞たなびく春くれば雪げの水も声あはすなり」〈別雷社歌合〉③杣木を切り出すことを職業とする者。そまとり。そまびと。「南の大門の天井の組入れの斫(うれ)の材木を、吉野の―に三百余物つくらしめて」〈今昔一一ノ二〇〉 ↓わがたつそま。 †soma

そまかた【杣方】①《万葉集一九の初句「綜麻形(へそがた)の」の誤読から生れた歌語》木・草などの生いしげった所という。「―に道やまどへるさを鹿の妻よぶ声のしげくもあるかな。―とは杣方か。或る書に云ふ、萩のしげり咲きたるをいふなり。万葉集には綜麻形と書けり」〈和歌色葉下〉②「そま」(3)に同じ。「―もえらびてや伐(き)る宮柱」〈天正十八年三月二十五日心前追善百韻〉

そまがは:(ワ)(ガ)【杣川】杣木を流し下す川。「―の筏の床の浮枕夏は涼しき臥しどなりけり」〈詞花七四〉

そまぎ【杣木】①杣山に生えている木。「まきもく(地名)の檜原(ひはら)に雪や重るらむ堪へぬ梢に―とる音」〈千五百番歌合〉②杣山から切り出した材木。「まきもくの檜原の―いかが下さん」〈久安百首〉

そまくしゃ【蘇莫者・蘇莫遮】《ソマクサとも》雅楽の曲の一。古楽。唐楽。盤渉(ばんしき)調。山神の舞。天王寺薗家秘曲。「但し後冷泉院の御時、―を召して御覧じけり。この舞は天王寺の舞人の外には舞はぬ舞なり」〈続古事談五〉。〈色葉字類抄〉

そまつ【粗末・麁抹】おろそかに取り扱うこと。不注意。粗略。「今度の事、豊田・古市生涯を懸けたる沙汰の事に候ふ間、―の儀有る可からず候」〈大乗院雑事記長禄三・

四・三〇〉。「物を—にするな」〈周易抄〉。「麁抹、ソマツ」〈文明本節用集〉

そまびと【杣人】「そま」(3)に同じ。「まき柱つくる—いささめに仮廬(かりほ)のためと造りけめやも」〈万一三五五〉 †soma-bitö

そまやま【杣山】「そま」(1)に同じ。「おぼに(オロソカニ)そ見ける和束(わづか)—」〈万四七六〉 †somayama

そ・み【染み】『四段』《シミ(浸・染)の母音交替形》①(染料に)そまる。色がつく。「紅のしぐれなればやいそのかみ降るたびごとに野辺の—・むらむ」〈貫之集三〉②他の風に感化される。なじむ。「〔立派ナ法師デモ〕この世に—・みたる程の、濁り深きにやあらむ」〈源氏若菜上〉③心にしみ入る。深く感じる。「紅の薄花桜心にぞ—・む」〈詞花一八〉

そみかくだ【曾美加久堂・蘇民書札】《いろいろな当て字が使われるが、語源未詳》修験者・山伏などの異称。「—とは修行者を云ふなりとぞ静円僧正は申しける」〈奥義抄〉。「峰とほる—も、篠(すず)を庵とし、木の根を枕ともこそし侍らめ」〈六百番歌合冬下〉。「後先に峰駆けいづる—／一夏こもり何時送るらん」〈白山万句慶長三・二・二五〉

そみんしゃうらい(ウ・・ショ)【蘇民将来】①備後風土記にある神名。「その所に将来二人ありき。兄の—は甚く貧しく、弟の将来は富饒(と)みて屋倉一百ありき」〈備後風土記逸文〉②疫除けの神の名。「蘇民将来」または「蘇民将来子孫」「蘇民将来子孫門戸」などと書いて子供の着物の襟に付け、また門戸に貼って疫除けのまじないとした護符。「濡れ濡れも—朽ちやらで」〈俳・守武千句〉

そむ・き【背き・反き】㊀『四段』《背(そ)向きの意》①背を向ける。さからう。「たのめりし妹にはあれど世の中を—・きし得ねば…入日なす隠りにしかば」〈万二一三〉。「教に—・き理に違ふ」〈東大寺諷誦文稿〉②離れ去る。「何しかも…朝宮を忘れ給ふや、夕宮を—・き給ふや」〈万一九六〉③出家する。「〔尼ニナッテ〕—・きぬる世の、去りがたきやうに」〈源氏夕顔〉㊁『名』①背を向けること。「多うは〔尼ニ〕思ひなり給ひにし御世の—(出家)なれば」〈源氏鈴虫〉②後方。背面。「今見れば—に霞むあはの島山」〈夫木抄三・島〉 †sömuki **—ざま**【背き様】あべこべの状態。「ゆだけの片の身を縫ひつるが、—なるを見つけで」〈枕九五〉 **—そむき**【背き背き】互いに背を向けているさま。離れ離れ。「かたみにうちいで給ふことなくて—に嘆き明かして」〈源氏夕霧〉

そむ・け【背け】『下二』《ソムキの他動詞形》①うしろ向きにする。わきへそらす。「火ほのかに壁に—・け」〈源氏帚木〉②背を向ける。離反する。「〔頼家ハ〕日に添へて、人にも—・けられ」〈増鏡三〉

そ・め【染め・初め】『下二』《染ミの他動詞形》①(衣などに染料で)色をつける。「色深(ふか)く背なが衣は—・めましを」〈万四四二四〉②(染料で色づくように)しみついた状態になる。そのことがずっと消えないでいる。「ねもころに何か深めて思ひ—・めけむ」〈万二四八八〉。「〔源氏ノ〕いはけなくおはせし程より見奉り—・めてし人人(女房タチ)なれば」〈源氏須磨〉③(染色してすっかり変るように)前とちがった状態になる。「春雨に争ひかねてわがやどの桜の花は咲き—・めにけり」〈万一八六九〉。「さ寝—・めていくだもあらねば」〈万二〇二三〉 ▽(3)の意味のソメはハジメ(始)と似るが、ハジメは片端にことがおこり、それが順次続いて行く意で、やがて終りに達する。ソメは、一度そうなったら、その状態からもとへ戻らずに、ずっと続く意味をもつ点に相違がある。④深く思いを寄せる。「とにかくに心を—・めけむだにくやしく」〈源氏総角〉 †sömë

ぞめ【初め】《動詞の連用形について、はじめて行なう意を表わす》一年のはじめに行なうこと。生れてはじめてすること。「〔正月〕十四日、御嘉例の御謡(うたひ)—候」〈伊達日記中〉。「わたくしの弟姫(おとひめ)がいまだ生物を食うた事がない程に、食ひ—に食はせうと存ずる」〈天理本狂言六義・首引〉

そめいろ【蘇迷盧】《梵語の音訳。妙高山の意》「須彌山(しゅみせん)」に同じ。「—山の四方に四つの国あり」〈拾玉集五〉。「—のやま。すみせんなり」〈匠材集三〉

そめがは(ワ・ガ)【染川】川の名。筑前国筑紫郡染川であるという。「思ひを染(そ)む」などの連想から恋の歌に多く使われる。「逢初川」「思川」などとも。「『これは色好むといふ好きもの』とすだれの内なる人の言ひけるを聞きて、『—を渡らむ人のいかでかは色になるてふことのなからむ』」〈伊勢六一〉

そめかみ【染紙】《斎宮の忌詞》仏教の経典。黄や紺に染めた紙を用いるところからいう。「—とは、経をいふ」〈能因歌枕〉。「経、—と称(い)ふ」〈延喜式斎宮寮〉

そめき【染木】染料にする草木。「山県に蒔きし藍蓼(あたて)春(つ)き—が汁に染衣(しめころも)を」〈記歌謡四〉 †sömëki

ぞめ・き ㊀『四段』《古くはソメキと清音》①ざわざわと騒ぐ。「人は佳節とて—・けども、我はなほ悲しいぞ」〈三体詩絶句抄五〉②(遊里や盛り場を)騒いで浮かれ歩く。「—・く。騍と書く。是もさわぐかたちなり」〈色道大鏡一〉㊁『名』①さわがしいこと。「万葉にも、ますらをはとものーになぐさむるこころもあらぬわれぞくるしきと詠める也」〈奥義抄〉。「さし当りたる世間公私の—にうち忘れて」〈沙石集六ノ三〉②遊里を騒いで浮かれ歩くこと。また、その人。そそり。「当時の—は、思ふ友を誘ひ、ここへ渡り、かしこへさしかけ、ざわつき廻る貌(かたち)を云ふ也」〈色道大鏡一〉

そめこそで【染小袖】色染の小袖。「色色の—」〈伽・強盗鬼神〉

そめつけ【染付】①布や衣服などに藍色の模様を染め出したもの。「唐綾(からあや)の—なる二つ衣(ぎぬ)を」〈梁塵秘抄口伝集〉②顔料の呉須(ごす)で藍色の絵模様を描き、無色の釉(うわぐすり)を掛けて焼き付けた磁器。染付け焼。青絵。「—一渡し遣はし了んぬ」〈多聞院日記天文一七・九・九〉

そめどの【染殿】①布を染める所。宮中にあったが、貴族や地方豪族の邸内にもかなり大規模なものがあり、平安時代中期以後は、そこで公用のものも調達した。「これは—。…大きなる鼎(かなへ)たてて、染草色に煮る」〈宇津保吹上上〉②染物屋。また、その職人。「業平の伊達帷子(だてかたびら)か—屋」〈俳・鸚鵡集五〉。〈日葡〉

そめば【染羽】染めた矢羽根。鷲(わし)の白羽を染める。「十二差したる—の矢負ひ」〈平治上・源氏勢汰へ〉

そめもの【染物】布を染色すること。また、染めた布。「ごたちいと多くゐて縫ふ。—す」〈宇津保嵯峨院〉

そも【其も】㊀『連語』それも。「〔鶯ノ声ニ〕簾おろしつべく覚ゆる、—現し心もなきなるべし」〈かげろふ中〉㊁『接続』①《上をうけて下を説き起すことば》それにしても。「聞きしにも過ぎて尊くこそおはしけれ。—参りたる人ごとに山へ登りしは何事かありけむ」〈徒然五二〉②《文を説き起すことば》そもそも。いったい全体。「—この歌と申すは」〈謡・熊野〉。「—わらはが父は」〈伽・小夜姫草子〉

ぞも『助』《奈良時代ではソモと清音。指定の意を表わす助詞ソに助詞モをつけた形。文中で係助詞、文末で終助詞として用いる。ソで強く断定するが、モを添えて不確定の意を加え、やや断定を柔らげる》①そのものがまあ…であるよ。「ひとよりは妹—あしき恋もなくあらましものを思はしめつつ」〈万三七三七〉②《疑問詞と呼応して》…なのだろうかなあ。「よく渡る人は年にもありとふを何時の間に一我が恋ひにける」〈万五三三〉。「流らへ散るは何の花一」〈万一四三〇〉 †sōmō

そもさん【作麼生・做麼生】『副』《中国宋代の俗語、「作麼生」の宋以後の字音。疑問の意を表わす》なに。いかが。いかに。禅宗で使った。「一ならんか、これ仏性」〈正法眼蔵仏性〉。「雪峰いはく、汝一」〈正法眼蔵古鏡〉

そもじ【其文字】『代』[女房詞]「そなた」(2)の文字詞。あなた。「みづからは青柳の糸、一さまは春風にて」〈伽・をこぜ〉

そもそも【抑】㊀『接続』①《其モ其モが原義。漢文訓読系で用いる》物事を説き起したり切り出したりするに使う。いったい。「一百足の虫の死に至るまでに顚(たふ)れぬ事は、輔(たす)けを多みとなも聞し食す」〈続紀宣命五九〉。「一女は人(男)にもてなされて、おとなにもなり給ふものなれば」〈源氏若紫〉。「抑、ソモ〳〵」〈名義抄〉②上をおさえて下を言い起すのにいう。それとも。ただしまた。「之を求むるか、一之を与ふるか」〈論語一・建武四年点〉㊁『名』《物事を説き起したり、切り出したりする語として使われるところから》始まり。最初。起り。「一より覚めにけりまで謡ひなり」〈仮・順礼物語上〉。「月も日も一なれや諷初(うたひぞめ)」〈俳・毛吹草五〉 †sōmosōmō

ぞもと 原因。根源。「十六両ただしられ(奪ワレ)、それが一に嘉平次がうろたへ始め」〈近松・生玉心中中〉

そもや『副』《接続詞ソモに間投助詞ヤを添えて意味を強めた形》それにしてもまあ。一体全体。「一下馬とは心得ぬ。ここは馬上のなき所か」〈謡・蟻通〉 **一そも** 「そもや」を更に強めた言い方。「一なでふ事にて候ぞ」〈謡・翁〉

そや【征矢・征箭】実戦用の矢。「一の験(しるし)[ヲ鬼神ガ]まさに仏経にまさり奉りて恐れむやは」〈今昔二七ノ三〉。「征箭、和名曾夜(そや)」〈和名抄〉 ▽ソはサ(矢)の転か。 †sōya

そや【初夜】《ソはショの直音化》⇒しょや。「寺寺の一も皆行なひ果てて」〈源氏夕顔〉

そや【其や】『連語』それは…か。「小塩山梢も見えず降り積みし一すべらぎのみゆきなるらむ」〈後拾遺一二〇〉

ぞや『連語』《係助詞ゾに間投助詞ヤの添った語》①やさしく質問する意。…ですか。「なに事一」〈源氏若紫〉②相手にやさしく言いふくめる気持。…なんですよ。…ですから。「その際際(きはぎは)をまだ知らぬ、うひ事一」〈源氏帚木〉③自分で自分の考えを確かめる意。…なのだなあ。「[御息所ハ]大方の世につけては、惜しうあたらしかりし人の御有様一」〈源氏絵合〉④自問する気持。…だろうか。「なに事一、またわが心に思ひくははれるよ」〈源氏野分〉

そや・し『四段』①はやしたてる。ほめたてる。「去年よりも一・し立てけり今日の春」〈俳・毛吹草五〉。「まのあたり我にへつらひてほめ一・し」〈管蠡鈔一〉。「一・すは物を強く云ふ意也。…とかく分に過ぎて強く云ふ方也」〈志不可起三〉②おだてる。そそのかす。煽動する。「夜鳥を一・し立てけり鴨の群」〈俳・初蟬下〉。〈日葡〉

そやしまめ【そやし豆】もやしの豆。「一。漁りせし蜑の教へしいづくぞや島廻るとてありといひしは」〈拾遺四〇〇〉

そよ《サヤの母音交替形》葉などが動いてかすかに立てる音。「旗すすき本葉も一に秋風の吹き来る夕(ひ)に」〈万二〇八九〉。「古歌に、昨日まで早苗とりしが何時のまに稲葉も一と秋風ぞ吹く」〈法華経直談鈔六本〉 †sōyō

そよ【其よ】㊀『連語』《代名詞ソに終助詞ヨの添った語》そうだよ。それだよ。「ひとりしていかにせましとわびつれば一とも前の荻(をぎ)ぞ答ふる」〈大和一四八〉。「あれは変化(へんげ)のものぞ。我こそ一」〈宇治拾遺八五〉㊁『感』《相手のことばやその場の状況に関連して、思い出すことがあって言う時に使う》そうだ。それそれ。「『黄金(こがね)求むる絵師もこそなどうしろめたくぞ侍るや』と宣へば『一その工匠(たくみ)も絵師もいかでか心にはかなふべきわざならん』」〈源氏宿木〉

ぞよ『連語』《間投助詞ゾにヨを加えて、更に意味を強調した形》…だぞ。…ですよ。「人に勝たせ奉らじは心一(私ノ心次第デスヨ)」〈沙石集八ノ四〉。「勝たせ奉らむ、勝たせ奉らじは心一(私ノ心次第デスヨ)」〈沙石集八ノ四〉

そよ・ぎ【戦ぎ】『四段』《サヤギの母音交替形》そよそよと鳴る。「昨日こそ早苗取りしかいつのまに稲葉一・ぎて秋風の吹く」〈古今一七二〉

そよそよ《ソヨを重ねた語》物が軽く触れ合って立てる音。「草の中に一しらしたるもの、あやしき声するを、『こは何ぞ』と問ひたれば、『鹿のいふなり』といふ」〈かげろふ中〉。「うつくしい玉を帯びられた、その玉が一といふぞ」〈毛詩抄六〉

そよそよ『感』《其ヨを重ねた語》そうだそうだ。歌では風にそよぐ音にかけていうことが多い。「落葉有ㇾ声といふ事をよめる。風吹けば楢(なら)の枯葉の一と言ひ合はせつついつか散るらむ」〈詞花一四四〉

そよみ【素読】書物の意義を解かず文章を朗読すること。多く経書についていう。素読(そどく)。「四書一部の一やうやうしけるが」〈人鏡論〉

そよめ・き『四段』そよそよ、さやさやと音がする。「たち寄れば袖に一・く風の音の近くは聞けど逢もみぬかな」〈貫之集五〉

ぞよめ・き『四段』ざわざわと音がする。がやがや騒ぐ。ぞやめく。「小草まで共に一・く月見かな」〈俳・韻塞上〉

そよや『感』《感動詞ソヨに、終助詞ヤの添った語》①相手の言葉に同感の意をあらわす。そうだよ。それそれ。「…などいふ人ある時に『一、さる事ありきかし』」〈かげろふ下〉②(話しているうちにふと思い当って)ああそうだ。「[律師ハ]ゆくりもなく『一、この大将は何時よりここには参り通ひ給ふぞ』と問ひ申し給ふ」〈源氏夕霧〉

そより 「そよろ」に同じ。「藪の中に物の一一と鳴りて動(たはら)きけるを見て」〈今昔二六ノ二〉

そよろ 物と物とが触れ合ってたてる音。かさり。「人に見えじと惑ひ入るほどに、物につきさはりて、一と言はせたる」〈枕二八〉

そら【空】㊀『名』《天と地との間の空漠とした広がり・空間。アマ・アメ(天)が天界をさし、神神の国という意味をこめていたのに対し、何にも属さず、何ものもうちに含まない部分の意。転じて、虚脱した感情。さらに転じて、実意のない、あてにならぬ、いつわりの、の意》①空中。宙。「浅小竹原(あさじのはら)腰泥(なづ)む。一はゆかず、足よゆくな」〈記歌謡三五〉。「漠、ソラ」〈名義抄〉②地面に対しての天上の方。「天(そら)の辺、雪落(ふ)る」〈遊仙窟(醍醐寺本)鎌倉期点〉③てっぺん。上。「[女]年伍拾捌(五十八)、正女、右手[ノ]蘇良(そら)[ニ]灸」〈正倉院文書天平十二年越前国山背郷計帳〉。「木の一へ縛りあげて置かれたぞ。したれば、猟人が見つけて、木の一に白鳥があると云ひて射たぞ」〈継天筆語〉④天井。「吾は天地を家の棟木や家の一とし」〈玉塵抄三〇〉⑤天候。天気。「雪かきくれて降る。かかる一にふり出でむ(外出ショウ)も人目いとほしう」〈源氏真木柱〉⑥《何もない空間の意から》うわのそらであること。そぞろであること。「たもとほり往箕(ゆきみ)の里に妹を置きて心一なり土はふめども」〈万二五四一〉⑦心地。気分。多く下に打消の語を伴い、不安を表わす。「旅に行く君かも恋ひむ思ふ—安くあらねば」〈万四〇〇八〉⑧(書いたものなどを)暗誦すること。そらんじていうこと。「春の風は—にいとかしこうもいふかな、などまたうち誦(ず)せさせ給ふ」〈枕二七八〉。「語(らそ)に大小乗経論を解りて」〈三蔵法師伝六・院政期点〉㊁『接頭』①根拠のないこと、あてにならないこと、かいのないことの意を表わす。「—うたがひ」「—だのめ」など。「世の煩はしさの—おそろしう覚え給ふなりけり」〈源氏賢木〉②真実でないこと、いつわることの意を表わす。「—いびき」「—じに」など。「—ごとをして、おぎのりわざをして、銭(にぜ)も持て来ず」〈土佐一月九日〉 †sora **—に目付・く** 空に目があって、物事を看視する。誰彼からにらまれる。「いとつつましく、—・きたるやうにおぼえしを」〈源氏若菜下〉 **—吹く風** 知らぬふりをするさまの形容。「松吹く風に聞きなす」とも。「我等がことは—のやうに、のせをった(ダマシタ)所が憎い」〈浮・禁短気四〉 **—を仰・ぐ** 仰望、感嘆または嘆息する様子をいう。「女ばらも—・ぎてなむ、そなたに向きて喜び聞えける」〈源氏蓬生〉 **—を歩・む** 落ち着かないで、足もとさえおぼつかない様子をいう。「—・むやうにただよひつつ」〈源氏総角〉 **—を眺・む** 物思いにふける様子をいう。「心にはただ—・め給ふ御気色の、尽きせず心苦しければ」〈源氏幻〉

そら『助』「すら」に同じ。漢文訓読系で使われた。「不生不滅の仏—なほ愛別離苦・无去无来を離れ給はず」〈栄花鶴林〉。「虫を—害せず。況や人を殺す事をや」〈今昔二ノ二八〉

そらあはせ(ワセ)【空合せ】いい加減に夢合せをすること。根拠のない夢判断。間違った夢占い。「さればよ、これが—にあらず、いひおこせたる僧の疑はしきなり」〈かげろふ下〉

そらいびき【空鼾】寝たふりをしてするいびき。「おせん—を出せば」〈西鶴・五人女二〉

そらいろ【空色】晴れた空のような色。薄青い色。「〔先方ガ喪中ナノデ〕—の紙の曇らはしきに書い給へり」〈源氏澪標〉

そらうそ【空嘯】①口をすぼめて、息をひゅうひゅうと出すこと。また、口笛。「木の下に休みて、歌を案じて—を吹かせ給ひしためしもあり」〈天正本狂言・渋柿〉。「ソラウソヲフク」〈日葡〉②素知らぬふりをすること。また、虚偽。「御房の御—も…いかがと覚え候なり」〈大和興善寺文書元久一・五〉

そらうたがひ(ガイタ:ウ)【空疑ひ・虚疑ひ】根拠もないのに疑うこと。「人の妻の嫉妬に心深く、—せむは、夫の為にかく吉からぬ事のあるなり」〈今昔二七ノ二一〉

そらうで【空腕・虚腕】実力もないのに腕前を誇ること。「遊俠、ユウケフ、—こいて徒党を立つる者也」〈文明本節用集〉

そらおそろ・し【空恐ろし】『形シク』根拠はないがなんとなく恐ろしい。「夢にや見ゆらむと、—・しくつつまし」〈源氏帚木〉

そらおぼめき【空おぼめき】そらとぼけ。「御心のやうにつれなく、—したるは、世にあらじな」〈源氏螢〉

そらおぼれ【空おぼれ】そらとぼけ。「—してなむ隠れまかりありく」〈源氏夕顔〉。「五月雨は—する時鳥ときに鳴く音は人もとがめず」〈新古今一〇四四〉。「—とは、知りたる事を知らず顔にする也」〈竹聞〉

そらかぞふ(ソウ:カ)【天数ふ】〔枕詞〕地名「大津」にかかる。不確かに数える意から「おほ(凡)」にかかるか。「—大津の子が」〈万二一九〉 †sorakazoFu

そらぎしゃう(ヨウ:シ)【空起請・虚起請】偽って起請すること。また、その起請文。空誓文(そらせいもん)。「定めて—書きて」〈春日神社文書弘安八・三・三某起請落書〉。「さても書きつる—の罰を忽ち与ふべし」〈謡・正尊〉

そらげいはく【空軽薄】心にもない世辞を言うこと。そらぞらしい世辞。「笑顔作って—」〈近松・双生隅田川四〉

そらごころ【空心】偽りの心。「いとゆゆしき事になん、なでふ—にてかは」〈宇津保蔵開中〉

そらごと【空言・虚言】うそ。ありもしない作りごと。「あさましき—にてありければ」〈竹取〉。「—をば、いつはりといふ」〈能因歌枕〉

そらさま【空様】①空の方。上の方。「この鉢に蔵のりて、ただのぼりに—に一二丈ばかりのぼる」〈宇治拾遺一〇一〉。「髪は—へ生ひあがり」〈平家三・有王〉②あおむき。「—に倒れて焼け給ひけるこそ無慙(むざん)なれ」〈盛衰記三四〉

そらざや【空鞘】①刀身にあまる長い鞘。「黄金作りの太刀の—」〈俳・犬筑波〉②実数より大きな数値。または、掛け値。「集百家註と云ふは—も無いぞ。九十八人して注したを取り集めて、王十朋が集百家註と云ふぞ」〈四河入海一ノ一〉③ずるい性格。または、気まぐれで怠けがちな性格。「ソラザヤモナイヒト」〈日葡〉

そら・し【反らし・逸らし】『四段』《ソリ(反)の他動詞形》①背筋を弓なりにする。そりかえらせる。「空を仰ぎ、胸を—・いたり」〈枕二七八〉。「何と向上に云ひ来て鼻孔を—・いたりとも」〈碧岩抄九〉②正規の道筋からはずす。逸脱させる。よそへ行かせてしまう。「いかがし給ひけむ、〔放シタ鷹ヲ〕—・し給ひてけり」〈大和一五二〉③《打消の形で使うことが多い》人の関心をはずす。人の機嫌をそこねる。「親疎人の目に立たぬ躰(てい)に、いづれをも—・さずふるまふべし」〈六波羅殿御家訓〉

そらしらず【空知らず】知らないふりをすること。そ知らぬ顔。「その家の男主(あるじ)も—してある事なりけりと」〈今昔二三ノ一六〉

そらせうそこ(ウ:ショ)【空消息】偽ってその人からのもののようにみせかけた消息。つくりごとの消息。「—をつきづきしく取りつづけて、こまやかに聞え給ふ」〈源氏藤袴〉

そらだき【空薫き】①どこからともなく香りがただよってくるように、香をたくこと。「—などするさまもなべてならずことごとしきさまなり」〈問はず語り一〉②どこからともなく匂ってくる芳香を⑴に擬していう。「匂ひくる花橘の—はまがふ螢の火をや取るらん」〈夫木抄七・橘〉

そらだのみ【空頼み】あてにならぬ事を頼りにすること。「人も許さぬ万乗の—こそ危ふけれ」〈近松・日本武尊二〉。〈日葡〉

そらだのめ【空頼め】あてにならぬ事を頼みに思わせること。「定めなく消えかへりつる露よりも—する我は何なり」〈かげろふ上〉

そらぢ【空路】心もとない旅路。「夢のごと道の—に別れする君」〈万三六九四〉 †soradi

そらつぶて【空礫】目標なしに投げ打つ礫。「若衆の—にや恐るらん」〈俳・底抜臼下〉

そらづもり【空積り】あて推量。「一句一字も、かの経を見ざる愚賤の者なれども、枉惑(わうわく)の心にて、—に、かやうの澆言(げうげん)をさへづるなり」〈禁断日蓮義八〉

そらで【空手】神経痛などで痛む手。「かがみしは痛む蕨(わらび)の—かな」〈俳・鸚鵡集二〉。「枝折れば—の痛む花盛り」〈俳・両吟一日千句〉 **—を合は・す** 相手を拝むふりをする。「まっぴら許し給へやと、—・せ、近付きて、ゐたりやあふと、ひっ組んだり」〈浄・愛宕の本地三〉

そらなき ①【空鳴き】鳴くまね。「天の戸をあけぬあけぬといひなして―しつる鳥の声かな」〈後撰六三〉 ②【空泣き】泣くふり。「『自(おの)から障りもいまうで来なん』と、―し給ひけるは」〈大鏡花山院〉

そらなさけ【空情け】いかにもありそうに見せかけた、うわべだけの愛情。いつわりの愛情。「頼めし兼ね言の末もいつしか変り果て、―とも知らざりき」〈曾我四〉

そらなみだ【空涙】偽って流す涙。うその涙。「敵(かたき)を見る目は―、夫を見る目は誠の涙」〈近松・松風村雨三〉

そらなやみ【空悩み】気分の悪いふり。仮病。「〔宴会ノ〕夜更け行く程に、いたう―して」〈源氏藤裏葉〉

そらに・し【諳にし】『サ変』《ソラは、目の前に何も無い意。ソラニシが転じてソランジとなる》暗記する。暗誦する。「諳、ソラニス」〈名義抄〉

そらにみつ【天に満つ】〔枕詞〕《ソラミツの中にニを入れて五音に整えた形》⇒そらみつ。「―大和を置きて」〈万二九〉 † soranimitu

そらね【空音】①偽ってまねる声。「夜をこめて鳥の―ははかるともよに逢坂の関はゆるさじ」〈後拾遺九四〇〉。「―か正音(まさね)か、現(うつ)なの鳥の心や」〈閑吟集〉 ②聞き違い。そらみみ。「しのびたるほととぎすの、遠く―かとおぼゆばかり」〈枕五〉

そらね【空寝】寝たふり。「煩はしくて、―をしつつ、日高く大殿籠り起きたり」〈源氏初音〉

そらのうみ【空の海】大空を海に見たてた語。「―に雲の波立ち月の舟星のはやしに漕ぎかへる見ゆ」〈拾遺四八八〉

そらのごひゴイ【空拭ひ】ふき取るふり。「〔鼻ニツケタ絵具ヲ〕―をして、…と、いとまめやかに宣ふを」〈源氏末摘花〉

そらはづか・し【空恥づかし】『形シク』根拠もなくなんとなく恥ずかしい。「恐ろしく―・しき心地して」〈源氏若菜下〉

そらばら【空腹・虚腹】①立腹したふり。「此の女―を立ちて、我をすかしけるにこそとて、けしき悪しくて帰りなんとするに」〈古今集註〉 ②切腹のふり。「一文字に切るとぞ見えしが、―切って」〈謡・忠信〉 ③腹痛のふり。「何の―びくともさせじ」〈近松・三世相四〉

そらひじり【空聖】名ばかりのにせひじり。「仁俊は女心あるものの―だつ」〈十訓抄四ノ六〉

そらぼ・け【空惚け】㊀『下二』そらとぼける。「私室に家臣と計るを憂ひて、―・けて云へる也」〈聖徳太子御憲法玄恵註抄〉 ㊁『名』そらとぼけ。「―なしたまひそ」〈著聞五四九〉。「―を好み、諷言(そへごと)を事とす」〈八雲御抄六〉

そらみ【空見】ぼんやりと何気なく見ること。「人びとの―し給ふ間(ま)に、くれに見え給はず」〈伽・鶴の翁〉

そらみだれ【空乱れ】酔い乱れたふり。「いたう―して、藤の花をかざして、なよびさうどき給へる御さま」〈源氏胡蝶〉

そらみつ【虚空見つ・天満つ】〔枕詞〕国名「大和」にかかる。日本書紀に、ニギハヤヒノミコトが天の磐船(いはふね)に乗って空から見下ろし、天降ったので「空見つ大和」といったという起源説話がある。「―大和の国に」〈記歌謡七一〉 † soramitu

そらみみ【空耳】音もしないのに聞いたように感じること。幻聴。「人もなかりけり。―をこそ聞きおはさうじて、夜のほどろにまどはかさるる」〈和泉式部日記〉 **―を潰・す** わざと聞えないふりをする。「この晉卿は、真に聾したか、―・して有るかを知らんと欲して」〈四河入海一九ノ二〉

そらめ【空目】①確かでない観察。見まちがい。「いみじうも物いふものかな。わいても里人をほむるぞ―なる」〈宇津保蔵開上〉 ②見て見ぬふりをすること。「―してそらぞらしき体ぞ」〈春秋抄一三〉。〈文明本節用集〉

そらめ・き【空めき】『四段』しっかりしていない。浮わついた様子である。「宮仕へせず―・きたりとて懲らさむとて」〈大和一〉

そらものがたり【空物語】①とりとめのない話。「雨にも障らず詣(ま)で来て、―などしける男の」〈後撰九七七詞書〉 ②でたらめな物語。「さまでのわきまへおはせぬ若き人人は『―する翁かな』とおぼすもあらむ」〈大鏡昔物語〉

そらやみ【空病み】仮病。「そらやまひ」とも。「三日月のほのかに見えて入りぬるは―とこそいふべかりけり」〈伽・小男の草子〉

そらよろこび【空喜び・空悦び】①何となく嬉しく思うこと。「此の馬こそはや我が物よと思ひつつ、―して」〈盛衰記一九〉 ②喜ぶかいのない事柄を喜ぶこと。ぬかよろこび。「行先見えぬ―」〈浄・舎利三〉

そらりんき【空悋気】定まった相手のない嫉妬。根拠のないやきもち。「独り留守寝の床の内、心も澄みて目も冴えて、辛気辛気の―」〈近松・鑓権三下〉

そらをがみ【空拝み】うわべだけ尊敬する態度を示すこと。表面だけの尊敬。「雪仏作り立ててや―」〈俳・藪香物四〉

そらん・じ【諳んじ】『サ変』「そらにし」の転。「〔誦習ト八〕―・じならふ也」〈首楞厳経鈔四〉。「諳、ソランズ」〈文明本節用集〉

そ・り【反り・逸り】㊀『四段』《ソは背(そ)の意》①背後に弓なりになる。「返(そ)れる字(き)、離(あ)れる甍(いらか)、天を排(おしひら)きて鳳(おほとり)の矯(あ)がるがごとし」〈遊仙窟(醍醐寺本)鎌倉期点〉。「身を軽くして、―・って抜けたぞ」〈漢書竺桃抄〉 ②弧をえがいてまがる。「三日月の如くに―・りたる長刀、杖につき」〈義経記五〉 ③正規の道筋からはずれる。思わぬ方へ行ってしまう。「―・りはてぬるか矢形尾(やかた)の鷹」〈詞花三五三〉 ㊁『名』①そること。弓なりになること。「中の杏葉は―なし。すぐなり」〈公衡公記永仁六・一〇・二五〉。「太刀を捨て腰の刀を抜かんと―反りけるが、まっさかさまになって〔馬カラ〕落ちにけり」〈太平記一六・多々良浜〉 ②(刀や長刀などの)みねのそっている部分。また、そり具合。「梓弓(あづさゆみ)さこそは―の高からめ張るほどもなく返るべしやは」〈金葉五九三〉 **―が合はぬ** 《刀の反りが鞘(さや)に合わぬ意から》気心がぴったり合わない。「―所あるを見るにつけても」〈咄・戯言養気集上〉 **―を直・す** 刀の鞘の反りを上向きにして、抜く構えをする。「反りを打つ」「反りを返す」などとも。「我等下の者追っ懸け候へば、取って返し、指添(さしぞへ)の―・し候間、搦めさせ申し候」〈梅津政景日記元和三・六・二八〉

そ・り【剃り】『四段』毛髪やひげを刃物で根もとから切りとる。「朕は髪を―・りて、仏の御袈裟を服(き)てあれども」〈続紀宣命二八〉。「揃、曾利須豆(そりすつ)、又、支留(きる)」〈新撰字鏡〉 † sori

そ・り【隆り】『四段』隆起する。すっくと高くなる。「隆起、倭言祖利乃保礼留(そりのぼれる)貌」〈華厳音義私記〉。「偃蹇傲慢(そりあがりおごらむ)」〈大智度論平安初期点〉。「擁腫、ソリアガル」〈色葉字類抄〉 † söri

そりくひイ・ク【剃杭】ひげを剃った後に生えた短い毛。地に打ち立てた杭に見立てた語。「法師らがひげの―馬つなぎいたくな引きそ法師は泣かむ」〈万三八四六〉 † sörikuri

そりこぼ・し【剃り毀し】『四段』「そりこぼち」に同じ。「母にも知らせず髪を切りて―・し」〈義経記六〉

そりこぼ・ち【剃り毀ち】『四段』剃り落す。そりこぼす。「髪―・ちて」〈浮・近代艶隠者五〉

そりさげ【剃下げ】近世、頭髪を頂きから広く剃り下げて両鬢(びん)を細く残した髪風。糸鬢。「―頭世の〔流行〕風

俗なり今日の月 西鶴」〈俳・俳諧十二ヶ月帖〉

そりた・ち【隆り立ち】『四段』すっくと立つ。「天の浮橋にうきじまり、―・たして」〈記神代〉 †soritati

そりはし【反橋】中央のそった橋。「道のほどの―、渡殿には錦をしき」〈源氏藤裏葉〉

そりゃ『感』《ソレハの転》①人の注意をうながすに用いる。それ。そら。「―、わごりょは腹立つるは」〈虎明本狂言・腹立てず〉②感動の意を表わす。それはそれは。「―はや、詞に尽されませぬ」〈近松・阿波鳴門 一〉

それ【其】㈠『代』《ソ(其)と接尾語レとの複合》❶《指示代名詞》①主として、文脈にすでに示されて、話し手と聞き手とが共通に知っている物・事を指示する語。また、話し手と相手との間ですでに共通に知られているものとして或るものを指示する語。「これ」が指示するもののようには話し手の領域に属さず、「かれ」「あれ」の指示するもののようには話し手・相手から遠く別の領域のものと見られないものを指す。㋑その物。「わが背子に見せむと思ひし梅の花―とも見えず雪の降れれば」〈万一四二六〉。「〔相手ノ持ッ手紙ヲ〕『―はいづくのぞ』と問へば『斎院より』と言ふに」〈枕八七〉㋺その事。「吾妹子に恋ひつつをれば春雨の―も知るごと止まず降りつつ」〈万一九三三〉㋩その人。「童あり。―が歌ふ船歌」〈土佐一月二十一日〉㊁その時。「昔、破れたる故(ふる)き塔を修治して…、―より以来(このかた)悪道に堕ちずして、天上・人中に生れて常に福を得」〈今昔二ノ八〉㋭そこ。そちら。「穴ごとに燕は巣をくひ侍る。―にまめならん男どもを率てまかりて、足ぐらをゆひあげてうかがはせんに」〈竹取〉。「時時は―より(ソチラカラ)も驚かい給はむこそ思ふさまならめ」〈源氏浮舟〉②多く、漢文訓読系での用法。㋑不定称の時・人・物などを指す。多く「某」の字の訓として使う。「―の年、しはすの二十日あまりひと日の日のいぬの時に門出す」〈土佐十二月二十一日〉。「天帝、照を垂れ、夢に霊書を賜へり。今、某(それ)の山に在り。某の嶺に蔵(かく)さしめたり」〈大唐西域記四・長寛点〉㋺文章を始めるときに、発語として使う。「―まくらことば、春の花にほひ少なくして」〈古今序〉。「―法を聴く者は音を聆(き)きて耳に嘱(あき)かにし、掃き滌(そそ)くがごとく摂持せよといへり」〈法華経玄賛平安初期点〉❷《二人称》そこにいる者。おまえ。「〔清盛ガ重盛ニ向ッテ〕『一院の御幸こそ大きに恐れおぼゆれ。…―にも(オマエトシテモ)うちとけ給ふまじ』とのたまへば」〈平家一・清水炎上〉㈡『感』人に注意を喚起したり、動作をうながしたりする時に発する語。そら。さあ。「さればこそまがひも無い、あれが取ってくらうたものぢゃ。―、打擲(ちゃうちゃく)せい」〈天草本伊曾保〉 †sōre ―かあらぬか それか、ちがうか。「去年(こぞ)の夏鳴きふるしてしほととぎす―と見定めむ」〈源氏浮舟〉 ―からそれまで そうなったらそれまでのことだの意で、運まかせ、または自暴自棄の気持を表わす。「父の敵(かたき)を討ち取らんに、前後を顧みるべきや。討っての後はいかやうに成るべきとも―よと、御立腹甚だしく」〈里見代代記〉。「浮名は何の―」〈俳・談林十百韻上〉 ―とはなし はっきりそれとさだかでない。「ながめわび―に物ぞ思ふ雲のはたての夕暮れの空」〈新古今一一〇六〉 ―ながら (以前の)それのまま。そっくりそのまま(なのに)。「花の色も宿も昔の―変れる物は露にぞありける」〈拾遺一二七六〉。「なれし秋のふけし夜床は―心のそこの夢ぞかなしき」〈新古今七九二〉 ―にとりて ①特にそれについて。その中でも。「―、生涯の忘れがたき一ふし候」〈著聞三三〉②もっとも。ただし。「―、君の御祈のため、しるしあらん僧を召さんには、山山寺寺に多かる人、誰かは参らざらん」〈発心集四〉 ―見たか 自分の期待していたことが実現し、相手に誇る時発する語。それ見ろ。ざまを見ろ。「老尼長生きして、―と云ひたし」〈評判・長崎土産四〉

そ・れ【反れ】『下二』《ソは背(そ)の意》①うしろの方へ弓なりにまがる。のけぞる。「その次に、行綱、脛(はぎ)をかかげて、のけざまに―・れかへりて」〈十訓抄七ノ一七〉②はずれる。「管絃の調子も―・れにけり」〈義経記七〉

それがし【其がし・某】『代』《ガシは接尾語。ガは助詞、シは方向を示す語》①その名を言わずに人を指し示していう。だれそれ。「御随身にある―なむ、殿にもてきたりけるを」〈かげろふ下〉。「三井寺に―といふ僧にあつらへて」〈宇治拾遺一〇二〉②わたくし。男性が使う。「なにがし」よりおくれて現われた。「―多くの丈六を作り奉れり」〈宇治拾遺六三〉。「汝(おのれ)は法師なり。―は俗なり」〈義経記六〉 ―かれがし 「それかれ」に同じ。「『やや、庁にはまた何者か候』といへば、『―』と言ふ」〈宇治拾遺一八一〉

それかれ【其彼】『代』その名を言わずに人人を指し示す。だれだれ。だれかれ。「それがしかれがし」「それそれ」とも。「『院の殿上には誰誰かありつる』と言へば、―など四五人ばかり言ふに」〈枕一〇八〉

それさま【其様】『代』敬意のこもった二人称または三人称。あなたさま。あの方。「そも―はいづくへさして下り給ふぞ」〈伽・ふせや〉

それしゃ【其者】①その道に通じた人。くろうと。専門家。「このたぐひ必ず好き過して、―のやうになるものなり」〈仮・可笑記五〉②遊女。略して「しゃ」とも。「―〔ガ誓イ〕を立てし末の松山」〈俳・談林十百韻下〉。「―の女、あち(色)には気が通ったり、あののものと濡れかける」〈浮・好色貝合下〉 ―あがり【其者上り】遊女または芸者の出身であること。また、その人。「―昔恥ぢけん土用干し」〈俳・坂東太郎上〉

それそれ【其其】㈠『代』「それかれ」に同じ。「『誰誰か』と問へば『―』と言ふ」〈枕一〇六〉㈡『名』それぞれ。めいめい。各自。「―の面は翁や式三番」〈俳・犬子集一七〉。〈日葡〉㈢『感』①《相手の言動が思うつぼだった時などにいう》まさにそれです。「『曾根好忠いかに侍りける事ぞ』と言へば『―、いとけうに侍りし事なり』」〈大鏡昔物語〉②《同感していう》そうそう。それよそれよ。「楽阿彌げにもとや思ひけん、『―』と言うて過ぎぬ」〈仮・東海道名所記六〉③《人に注意を喚起したり、動作をうながしたりする時にいう》さあさあ。「『あまりに御衣裳見苦し。―』とありければ、小袖一かさね参らせたり」〈伽・十本扇〉

それてい【其体】その程度のこと。そのくらい。「児どもは―に臆(お)めぬがよきぞと言ふ」〈沙石集三ノ五〉

それなり【其形】本来自然のままの形。「常の朧(おぼろ)に―の月」〈俳・八重一重〉

それなりけり『連語』それはそれとして問題にしないこと。そのままにして放任して置くこと。「皆人恐れて―に十七の春を過しぬ」〈西鶴・男色大鑑四〉

それに ㈠『代』《二人称のソレと助詞ニとの複合》敬意を含めていう。あなた。「生得(しやうとく)―と我とは深切(しんせつ)の中なれば」〈天草本伊曾保〉㈡『接続』①それなのに。しかるに。「〔源氏ハ二十一歳デ〕宰相にて大将かけ給へりけむ。―、これは〔十九歳デ〕いとこよなく進みにためるは」〈源氏若菜上〉。「汝やむごとなき高相の夢見てけり。―よしなき人に語りてけり」〈宇治拾遺四〉②それによって。それで。「などかかるさま(尼姿)にもなし奉らざりけむ。―〔命ガ〕延ぶるやうもやあらまし」〈源氏早蕨〉③その上に。「池を失ひたらむだに量(はかり)なき罪なり。—此の池のくづるるによりて、…多くの田畠を失ひたる罪も、ただこの守こそは負ふらめ」〈今昔三一ノ三〉④それについて言うと。それは。「法師の着たる衣の袖口きと見ゆ。—、我が夫の着て行きにし布衣(ほい)の、…に似たり」〈今昔二九ノ九〉

それのみ【其のみ】『副』《西鶴独特の用法》それのみか。それのみならず。「—、雨の日の淋しさ、風の夜はなほ待つ人も見えず」〈西鶴・一代男一〉

それは【其は】『連語』それに関しては。「—見たまへず」〈源氏浮舟〉 **—それ** それはそれとして。それはともかく。「—、さて、頼うだ人の手前は何といたさうずるぞ」〈虎明本狂言・武悪〉 **—それは**『副』《ソレハを重ねて、強調したもの》とてもとても。「—にぎやかにござる」〈狂言記・水論聟〉

それや【其屋】①その道の専門家。それ者(しゃ)。「—の師匠を取りて〔字ヲ〕習はせます」〈浮・傾城洗髪三〉②水商売の家。特に、遊女屋。それ宿。また、その人。「—は—を女房にせねば、諸事さばけぬものなり」〈浮・茶屋調方記〉

それらのみ【其等のみ】『連語』《西鶴独特の用法》それらだけでなく。それらのみならず。「—三原十太夫・柴崎林左衛門…など、皆根強き立役勤めけるが」〈西鶴・男色大鑑八〉

そろ『助動』《サウラフの転》…ございます。…ます。「今日は温かに—、寒く—などと云ひて、世話ばかり簡要とするな」〈大智禅師偈頌抄上〉。「女は、おうれしう—など言ふ」〈毛詩抄一〉

そろそろ 動作が静かにゆっくりとしているさま。「虫や蛇(ちくはな)などの—と這ふ〔ノ〕そろ、如何」〈名語記四〉。「歩みやう—とあり」〈禅鳳雑談〉。「なぜに—とせいで、きつう押し付くるぞ」〈虎明本狂言・首引〉

そろばん【十露盤・算盤】室町時代末、中国から伝来した珠算の計算具。「—があるか」〈天理本狂言六義・賽の目〉。「兵之太郎左衛門に—貸す」〈大和田重清日記文禄二・六・二〇〉。〈日葡〉 **—枕** 商人は寝ても勘定を忘れないという商人根性のたとえ。「—すりはづす夢」〈俳・筑紫の海三〉

そろ・ひ ソロイ【揃ひ】『四段』《ソロへの自動詞形》①同じ長さ・大きさのものが並んでいる。「やれやれ見事な材木ぢゃな。このやうに—・うたはまれな事ぢゃ」〈虎明本狂言・三本の柱〉②ととのっている。「京鎌倉をこきまぜて、一座—・はぬえせ連歌、在在所所の歌連歌」〈建武年間記〉③一致する。「君の御運のめでたき故、人の心が一つに—・ひ」〈虎明本狂言・文蔵〉

そろ・へ ソロエ【揃へ】『下二』《剃リ合への転。長さ・大きさ・位置を一様にして、不要の部分を捨てる意》①長さ・大きさを等しくして、一列に並べる。「切先を—・へてここを最後と戦うたり」〈謡・頼政〉。「籤剪、曾呂夫(そろふ)」〈新撰字鏡〉②同じようなものをととのえる。「十四五六の童部(わらはべ)を三百人—・へて」〈平家一・禿髪〉③一致させる。「口を—・へて同音に議定(ぎぢやう)事終ってあった」〈天草本伊曾保〉

そろべくそろ『連語』《中・近世の女の手紙に「候可候(そろべくそろ)」の草書体を、いい加減に書いて通用させたことから》物事を成行きまかせにすること。なげやり。おざなり。いい加減。「—に返事申さん」〈俳・底抜臼下〉

そろま【候間・麁呂間】①野呂間(のろま)人形の一。また、それをあやつる人形遣い。「風惣やう(風モ一度ニドット)—を笑ふ初朝け」〈俳・空林風葉上〉。「平仄(ひやうそく)は分徳(ぶんとく)・—が口拍子に乗せ」〈評判・嚢張草〉②愚鈍な人。のろま。「—とは、ぬるい人のこと」〈新撰大阪詞大全〉

ぞろめ・き『四段』ぞろぞろと続いて行く。「極楽へぞろりぞろりと—・くによって」〈虎明本狂言・朝比奈〉

そろり ①ゆっくりしたさま。そろそろ。そっと。「徳山は—と方丈に帰るなり」〈無門関抄上〉②なめらかに進むさま。するり。「水の高所より平地に下るがごとく、美しく、吟の—と下るやうに節を付くる」〈五音三曲集〉

そわへ 未詳。サバヘ(五月蠅)の転とする説、死者を扱う職業とする説、ソバヘ(側辺)の転で周囲の人とする説などがある。「吾妹子(わぎもこ)に吾(あ)が恋ひ死なば—かも神に負(おほ)せむ心知らずて」〈万三五六六東歌〉 † söwaFe

そゑに【其故に】『接続』《ソ(其)ユヱ(故)ニの約》それ故に。だから。「此の三の障は、聖道に入るを障(さ)ふ。—これを名づけて重罪といふ」〈法華経玄賛平安初期点〉。「—とてとすればかかりかくすればあないひしらずあふさきるさに」〈古今一〇六〇〉 ▽平安時代初期の漢文訓読体に主として使われた語。

そん【孫】子孫。「それより僧迦羅(そうから)が—、今に其の国に有り」〈今昔五ノ一〉 **—は笛吹・く** 子孫は父祖の性格・才能を遺伝するの意。「孫継(つ)ぐ」「孫を引く」とも。「鶯の—・く小春かな」〈俳・毛吹草六〉

そんがう ソンゴウ【尊号】尊んで呼ぶ名。尊称。「〔草壁皇子ヲ〕天下いまだ天皇と称せず。—を追崇するは、古今の恒典なり。今より以後、よろしく岡宮御宇天皇と称へ奉るべし」〈続紀天平宝字二・八・九〉

そんき【損気】損失。損害。「それは—ぞ、たしなまれよ」〈浄・千載集一〉

ぞんき わがままでそっけない性格。また、その者。「—、我儘にて人の謀も聞かぬていの者を云ふ」〈志不可起三〉

ぞんぐわい【存外】①思いがけないこと。思いのほか。意外。「存の外(ほか)」とも。「これまた—の御企なり」〈保元中・関白殿本官に帰復〉②慮外きわまること。もってのほか。「この程、ここもとにて—のふるまひ、何よりもって心得られず」〈伽・橋弁慶〉。「何ぞや、殊の外なる悪口、—なり」〈浄・今川物語一〉

ぞんざい ①物事を粗略にすること。なげやり。いい加減。「風俗よろづ—也」〈浮・好色通変歌占上〉②無礼。無作法。「兄に向って—千万」〈近松・世継曾我二〉。「—。無自ら亢(たかぶ)りて、礼を濫(みだ)る者を云ふ。存在の字なる由」〈志不可起三〉

そんざ・し【損ざし】『四段』そこなう。いためる。きずつける。「あやまちに両足を—・す」〈三国伝記五〉

そん・じ【損じ】『サ変』❶《自動詞》そこなわれる。いたむ。こわれる。「人寄りて取りて見奉れば、かつて塵ばかりも—・じ給ふ事なし」〈今昔一二ノ一八〉。「イヲ(魚)ガソンジタ」〈日葡〉❷《他動詞》①いためる。こわす。きずつける。「多くの人の家どもを—・じ」〈今昔三ノ三〉。「石段にて頭を突き—・じ、目もくれ心も消えけれども」〈伽・羅生門〉②気分・顔つきなどを悪くする。「隣の人どもも皆心地を—・じて」〈宇治拾遺四八〉。「顔の気色を—・じにらみければ」〈伽・じぞり弁慶〉③しそこなう。しあやまる。「なじかは舞ひも—・ずべき。心も及ばず舞ひすましたりければ」〈平家一・祇王〉。「〔狩衣ノ〕色を染め—・じて、よに悪(わろ)く見えけるを」〈著聞五七一〉

ぞん・じ【存じ】□一『サ変』❶《自動詞》①存在する。存続する。「命は亡ずといふとも、いかでか国の恥を思ふ心の—・ぜざらむ」〈平家三・医師問答〉②生存する。「ただしばらくも—・じたるほど、いささかの事につけても人のためによく」〈正法眼蔵随聞記四〉 ❷《他動詞。「存知」は当て字》①存置する。たもつ。「心に忠を—・じ、才芸すぐれて、詞に徳を兼ね給へり」〈平家三・医師問答〉 ②(心に保つ意から)思う。考える。謙譲語としても用いられる。「『—・ずる旨あり、疾(と)く疾く』と宣ひければ」〈平治中・義朝奥波賀に落ち着く〉。「清水の観世音へ祈誓を申さばやと—・ずる」〈虎明本狂言・居杭〉 ③知る。謙譲語としても用いられる。「『いかにして御産なりぬとは知りけるぞ』…『〔障子ガ〕広くあき候ひぬれば、御産なりぬと—・じ候ひつるなり』」〈十訓抄一ノ二〉 □二《名》知っていること。思っていること。「御—のごとく、パテレ様の御逼塞によって」〈コリヤード懺悔録〉 **—た・ち**【存じ立ち】《四段》「思ひ立ち」の謙譲語。「悪逆無道を—・ちて、命も亡び、子孫絶えて」〈義経記八〉 **—つ・き**【存じ付き】□一《四段》《謙譲語として用いる》思いつく。「何も—・かねでもござりませぬ」〈虎寛本狂言・鬮罪人〉 □二《名》思いつき。「何ぞ珍らしい—もござらうほどに」〈虎寛本狂言・鬮罪人〉 **—のほか**【存じの外】「存の外」に同じ。「あの奴(やつ)は—にして、あはてまどはんずれ」〈宇治拾遺一二八〉。「鉄砲打ちかけ候へば、—取り乱して」〈本城惣右衛門覚書〉 **—よ・り**【存じ寄り】□一《四段》《謙譲語として用いる》思い寄る。考え及ぶ。「ゆめゆめ—・らざる事に候」〈義経記四〉 □二《名》思い寄り。考え及んだこと。「然れども—有る身なれば、御情も今宵をかぎり」〈西鶴・伝来記一〉

そんじゃ【尊者】①智徳が兼ねそなわって、尊敬されるべき長老。仏弟子や阿羅漢に対する敬称。「宮の内のもろもろの女人ありて—を請ず」〈今昔一ノ三〉。「老僧の八十あまりなるが、世に尊げにて、その中の—と見えしが」〈沙石集八ノ一一〉 ②大臣の大饗(だいきやう)に第一の客として招待をうけて上座にすわる人。「殿の大饗常の如し。左大臣仲平参入せられず。右大臣恒佐を以て—と為す」〈九暦天慶一・一・四〉 ③目上の人。「ある人の子の、見ざまなど悪しからぬが、父の前にて、人と物いふとて、史書の文(もん)をひきたりし、賢(さか)しくはきこえしかども、—の前にては、さらずともと覚えしなり」〈徒然二三二〉

ぞんじゃう【存生】世に生きていること。生存。存命。「我が母—の時、もし我が為に遺し置き給へる財(たから)あるか」〈今昔九ノ六〉。〈文明本節用集〉

そんしょう【尊勝】「尊勝法」の略。真言宗で、尊勝陀羅尼を読誦して行なう除災・滅罪の修法。「山の僧どもの山籠りしたるして、—の護摩、阿彌陀の護摩などつかまつらせ給ふ」〈栄花玉村菊〉 **—だらに**【尊勝陀羅尼】仏頂尊勝(釈迦の仏頂から出現したとされる仏頂尊の一つ)の功徳(くどく)を説いた陀羅尼。罪障消滅・寿命増長の功徳を有す。仏頂尊勝陀羅尼経。「輪廻生死(りんねしやうじ)の罪をほろぼして人の身を得たるなり。—を念じたてまつる人を供養したる故なり」〈宇津保俊蔭〉。「—の験力に依りて鬼の難を遁(のが)れたる語(こと)」〈今昔一四ノ四二〉

ぞんぞ 寒気を感じ、またはおじけだつさま。ぞくぞく。「風吹けば—と寒き閨(ねや)の内」〈俳・夢見草五〉

そんだ《感》関東方言。そうだ。その通りだ。それよ。「それよと云ふやうの詞を—と云ひ、何ぞと云ふやうの詞をあんだと云ふは関東の詞なり」〈不断重宝記〉

そんだい【其代】「そのだい」の転。その代り。「—にあの飯椀で酒を喰ひ」〈雑俳・村雀〉

ぞんち【存知】知っていること。心得ていること。「朝敵を滅ぼさんとて都を出づる将軍は三つの—あり」〈平家五・富士川合戦〉。「存知、ゾンチ」〈文明本節用集〉

そんぢゃう【連体】《「其の定(ぢやう)」の転》「その」「それ」「そこ」などの語に冠し、具体的な名を出さないで、人・事物・場所などを指示する語。誰それ。何何。どこそこ。訛って「そんじょ」「そんりゃう」とも。「『その外は、—その首、その御首』と申しければ」〈平家一〇・首渡〉。「今夜は—それお参りあれ」〈長恨歌抄〉。「いつ、いく日(か)に、—そこまでと」〈三体詩抄一ノ三〉

ぞんねん【存念】①心に思っている考え。所存。「—有りと称して」〈吾妻鏡治承四・八・二六〉 ②執心。また、恨み。「女郎の—も恐ろし」〈西鶴・諸艶大鑑八〉

ぞんのほか【存の外】思いのほか。存外。「存じの外(ほか)」とも。「合戦の庭に出でて、死ぬるは案の内の事、生きるは—の事なり」〈保元上・官軍勢汰へ〉。〈文明本節用集〉

そんはづれ【孫外れ】父祖の才能・性格を受け継がぬこと。また、その人。「親兄弟の強者(つはもの)に似たる方なき—」〈浄・烏帽子折一〉

ぞんぶり 水中に物が入って立てる音。どんぶり。ざんぶり。ざぶり。「掻取小褄(かいとりこづま)—ぞ—ぞ」〈浄・自然居士三〉

ぞんぶん【存分】①心の中で思っていること。意見。見解。「求め得て後は—変る事あり」〈こんてむつすむん地三〉。「それは何としたる—ぞや」〈咄・醒睡笑七〉 ②恨み。遺恨。意趣。「其の方—達するやうにいたすべし」〈浅井三代記三〉 ③思う通り。思いのまま。「—に、または、ままにいたす」〈ロドリゲス大文典〉 **—だて**【存分立て】自己の意見・見解などを主張すること。「武士に対し、少しなりとも—を仕り候はば」〈高野山文書三、天正一四・七・二八〉

そんぼり 悄然としたさま。しょんぼり。「この人は、なりかかりは、ちと—として、打ち見には下賤不肖の人のやうなぞ」〈山谷詩抄一八〉

そんれ【其れ】《代》「それ」の転。「さても見事な—は御葛籠馬(おつづらうま)や」〈近松・丹波与作中〉

そんれう【損料】衣服・器物などの借り賃。使用料。「簾四十五枚、大坂にて—にて借り申し候」〈堺七堂狂言芝居〉。〈文明本節用集〉

そんわう【孫王】天皇の孫。「天皇不豫なり。…悉く—等を追(め)して、難波の宮に詣(いた)らしめ」〈続紀天平一七・九・一九〉。「賀茂のいつき(斎院)には、—のゐ給ふ例多くもあらざりけれど」〈源氏賢木〉

そんゑんりう【尊円流】「御家(おいへ)流」(1)に同じ。「—の手(筆跡)して、天智天皇秋の田のといふ歌書いたる、この古風さ」〈浮・三代男一〉

た

た【誰】《代》《不定称の人代名詞。多く、助詞「が」を伴う》①だれ。「斎(つ)き余し—にかも寄らむ神の宮人」〈記歌謡九四〉。「恋しとは—が名付けけむ事ならむ死ぬとぞただにいふべかりける」〈古今六九八〉 ②だれそれ。不定の人を仮に取り立てていう。「—がしるし(効験)といふこと知らせ給はずとも」〈古本説話六五〉

た【手】「て」の古形。他の語の上について複合語をつくる。「—玉」「—力」「—枕」「—挟み」など。「天皇(すめろき)の神の御子のいでましの—火の光そここだ照りたる」〈万二三〇〉

た【田】耕して水をたたえ、稲を植える地。「秋の—の穂のへに霧らふ朝霞」〈万八〉 **ーも遣(や)ろ畦(ぜあ)も遣ろ** 愛情におぼれて、相手の言うなり次第に、やたらに物を与えること。「田も畦も」とも。「中良しの春のー」〈俳・宗因七百韻〉

た【為】「ため」に同じ。「龍(たつ)の馬を吾は求めむあをによし奈良の都に来む人のーに」〈万八〇八〉。「法(のり)のーのよすかとなれり」〈仏足石歌〉 ▽上代だけに使われた語。用例は極めて少ない。

た『接頭』動詞・形容詞の上につく。意味は不明。「ー遠み」「ーもとほり」「ーやすし」など。「霜の上に霰(あられ)ーばしりいや増しに吾は参来む年の緒長く」〈万四二九八〉

だ【誰】『代』だれ。「よろしき島島、ーか、た去れ放(あ)ちし」〈紀歌謡四〇〉 ▽上代だけに使われた語。本来は清音の語で、前後の音の影響で濁音化したものか。用例は極めて少ない。

だ【駄】㊀『名』①荷物を負わせる馬。「駄(だ)、負物馬也」〈和名抄〉②牝馬(めうま)。牝馬は乗用に適さないとされ、荷物の運搬など雑用に使うことが多かった。「ーは持ちにくし、雄馬に代ふべしとて」〈梵舜本沙石集八ノ五〉。「牝馬をーと申すは、ーをやがて、めむまと読むか」〈塵袋四〉③馬一頭の負う荷物を数える語。「凡そ一ーの荷、率(おほね)絹七十疋」〈延喜式主税上〉。「大王用(よう)し給はば、この菓子(くだもの)を一ー奉らむ」〈今昔五ノ六〉 ㊁『接頭』《㊀②から転じた用法》名詞に冠して、それが、とるにたりないもの、くだらないもの、つまらないものであることを表わす。「ーじゃれ」「ーぼら」「ー菓子」など。「ー酒でも打ち食らって」〈近松・雪女中〉

だ【攤】《「攤」は開く意》①投げた銭の表裏によって勝負する賭の一種。「上達部ども殿をはじめ奉りて、ー打ち給ふに」〈栄花初花〉②賽(さい)を使ってする賭事。「盃を取れば酒を思ひ、賽を取ればー打たんことを思ふ」〈徒然一五七〉

だ『助動』《デアルの転デアから転じた形》断定の意を表わす。室町時代、多く関東で使われた。「伊勢ー、熊野ー、白山ーと、社を造り立つる処で」〈扶桑再吟四〉。「異国までもその名かくれない人たちー」〈巨海代抄下〉。「気をしづめて、ろくに居るもんー」〈雑兵物語下〉 →ぢゃ

たい【対】①寝殿造で、主人のいる主殿に対して、夫人・家人・女房の居住する建物。南面する主殿の左右や後方に造られ、廊や渡殿で連絡する。対の屋。「ーの前の藤、常よりも面白う咲きて侍るなるを」〈源氏藤裏葉〉②対に住む人。夫人を指す。「ーに聞き置きて常にゆかしがるを」〈源氏薄雲〉

たい【体】《呉音》①身体。からだ。「それ臣は君をもって心とし、君は臣をもってーとす」〈平家一〇・請文〉②すがた。様式。「いづれのーにても、実は心なき歌はわろきにて候ふ」〈毎月抄〉③《「用」の対》㋑本体。本質。「さるほどに、音曲はーなり。風情は用なり」〈風姿花伝〉。「もろもろの理を具するはーなり。万事に応ずるは用なり」〈性理字義抄三〉㋺体言。「譬、たとへ、たとふをーにいへり」〈和字正濫抄四〉④神仏の姿・像などを数える語。「九ーはこれ九品往生にあてて造らせ給へるなるべし」〈栄花玉台〉 →てい(体)

だい【台】①土を方形に高くもりあげ、四方を展望できるようにしたもの。また、高殿。「『楚王のーの上の夜の琴の声』とずんじ給へるも」〈源氏東屋〉②殿舎と殿舎の間にある、屋根のない、床(とこ)張りの所。露台。「ーの前に植ゑられたりける牡丹(ぼうたん)などのをかしきこと」〈枕一四三〉③物を載せる平たいものの総称。「その桶すゑたるーなど、みな白きおほひしたり」〈紫式部日記〉。「篝火(かがりび)のー」〈源氏常夏〉④特に、食物を盛った器を載せる具。台盤。転じて、食事。「御ー八つ、例の御皿など、うるはしげに清らにて」〈源氏宿木〉。「御ーなども参らぬにはあらで、なかなか常よりも物をいそがしう参りなどせさせ給ひけるに」〈栄花初花〉⑤「台閣」の意で、尚書省などの役所をいうか。「常にーの使として四方の貴き客(まらひと)あり」〈今昔九ノ三〇〉

だい【題】《字義は額(ひたい)という。前上部にあって物のしるしとなるもの》①書物の名。標題。「勒して三巻となし、ーを立てて号して曰く『続性霊集補闕抄』」〈性霊集奥書〉②詩歌文章などを作る時の主意。また、それを初めに短く掲げたもの。「『雪に降りこめられたり』といふをーにて、歌ありけり」〈伊勢八五〉

ダイウス【提宇子・大宇須】《ポルトガル語で、神の意》天帝。デウス。また、キリシタン宗門およびその信者。「今日左京大夫(三好長慶)、禁裏の女房奉書を申し出づ、ー之を逐ひ払ふ云云」〈言経卿記永祿八・七・五〉 ▽ポルトガル Deus

だいえ【大衣】袈裟(けさ)の一。僧の三衣のうち、最も主なものなので他の二衣に対していう。僧の読経・托鉢などの際に用いる。九条より二十五条まで九品の別がある。僧伽梨(そうぎゃり)。「袈裟、言はく三衣有り。五条衣と七条衣と九条衣等のーとなり」〈正法眼蔵袈裟功徳〉

だいおんけうしゅ ‥キョウ‥**【大恩教主】**釈迦の尊称。一切衆生に利他の恩徳が広大に及ぶ教法の主の意。「『南無帰命頂礼ー釈迦如来』と唱へて恭敬礼拝するほどに」〈十訓抄一ノ七〉

たいかい【台階】《「三台(さんたい)の位」の意》大臣。「男子、或いはーをかたじけなうし、或いは羽林(うりん)につらなる」〈平家四・南都牒状〉

たいがい【大概】大略。大体。「この詩の意に寄せてーを知るべし」〈夢中問答下〉。「存知の分、ー答へ了んぬ」〈公衡公記弘安六・七・一九〉

だいかい【大海】①大きな海。「ーに入りて財(たから)を求むる事はたやすき事にあらず」〈今昔二ノ三三〉②口が大きく、円く平たい形をした、抹茶(まっちゃ)の茶入れ。「茶壺二大小、ー」〈金沢文庫古文書八、湛円所有軽重物帳〉

だいかう ‥コウ**【大剛・大強】**ずばぬけて強いこと。「父には似ずーの者なり」〈平治中・待賢門軍〉。「他国より猶ーの大将来たって」〈バレト写本〉

たいかうてんわう ‥コウ‥ノウ**【大行天皇】**崩御後、まだ諡号のない天皇の称。転じてまた、先帝。「ー難波宮に幸(いでま)しし時の歌」〈万七題詞〉。「ーの初七に当る。七大寺にて誦経せしむ」〈続紀天応一・一二・二九〉

だいかく【大覚】自から覚り、他をして覚らしめる大覚者、すなわち、仏。「一度此の戒を受くる者、諸仏の位に入り、ーの位に同じ」〈盛衰記三九〉

だいがく【大学】「大学寮」の略。「殿上人もーのも、いと多う集ひて」〈源氏賢木〉 **ーのかみ【大学頭】**大学寮の長官。「ー和気弘世(わけのひろよ)」〈三宝絵下〉 **ーのしゅう【大学の衆】**大学寮の学生(がくしょう)。「せまりたる(困窮シタ)ーとて、笑ひあなづる人もよも侍らじ」〈源氏少女〉 **ーれう** リョウ**【大学寮】**令制官司の一。中央の官吏養成機関。天智天皇の時設置。式部省に属す。平安時代には教課内容として明経・明法・紀伝・算道の四道が確立。それぞれの博士が教授にあたった。文屋司(ふんやのつかさ)。「釈奠す。…ーに就(ゆ)きて勅を宣(の)べ、博士学生等を慰労して其の業を勧勉せしむ」〈続紀天平二・三・二七〉

だいかぐら【太神楽・代神楽】①伊勢神宮で奉納する神楽。太太神楽。また、春日神社の神楽をもいう。「伊勢大

神宮ー有り」〈当代記慶長三・五・二四〉②⑴から出た大道芸。太鼓・小鼓・笛に合わせて獅子舞や滑稽な口上を演じたが、後には品玉などもして、寄席芸ともなった。大道神楽。「ー来る」〈松平大和守日記万治二・三・二九〉

だいがさ【台笠】大名行列などに、袋に包み、棒の先につけて奴(やっこ)に持たせた被り笠。「年徳(としとく)のー立笠(たてがさ)や門の松」〈俳・糸瓜草二〉

だいがしら【大頭】室町時代末期から近世前期に栄えた幸若舞の一流。初めは男舞だけであったが、近世前期には女舞も現われた。「曲舞有り。太夫俗に呼んでーと謂ふ。上京の者也」〈二水記大永三・二・七〉

だいがはり(ガワリ)【代替り】帝王・将軍・戸主などが替って、新しい代となること。「大坂にて、筒井四郎ーの礼これ在り」〈多聞院日記天正三・一〇・一〉

たいかふ(コウ)【太閤】①平安時代、摂政または太政大臣の称。後、関白を辞してなお内覧の宣旨を賜わった者、または関白をその子に譲った者の称。「右ー(右大臣)は賢にして衆望に帰し」〈本朝文粋二三〉②特に、豊臣秀吉の称。「ー若公(秀頼)はじめて出洛」〈義演准后日記文禄五・五・九〉

だいがらうす【台唐臼・台碓】地に埋めず、台を付けた唐臼。踏台に上がって杵(きね)を踏む。「だいがら」とも。「ーの米で儲けて」〈俳・二葉集〉

たいかん【対捍】①官使などに対抗してその命令を拒みさからうこと。「官物を弁済せしめむが為に度度の移牒を送るといへどもーを宗となして、あへて府に向はず」〈将門記〉②特に、荘園制下において、地頭・荘官などが荘園領主の命に従わず反抗すること。「兼ては又、所所の下司・庄官以下、その名を御家人に仮りて、国司・領家の下知をーすと云云」〈貞永式目〉

だいかん【大寒】①非常に寒いこと。非常に冷えること。また、その時期。「大熱・ーにはこれを慎む」〈著聞七五〉。「篠(ささ)は地盤ーの物也」〈古今私秘聞〉②二十四気の一。小寒から数えて十五日目。「その時、ーの比(ころ)なり」〈今昔九ノ一三〉

たいき【大気】気が大きいこと。「さてもーなる事を思ひ立つ者かな」〈浅井三代記三〉。〈日葡〉

たいぎ【大儀】①重大な儀式。大礼。大典。「当年三月七日に行なふべしと沙汰ありしかども、ー事行かず」〈太平記三七・大嘗会〉②重大事。大事件。「天下のー一日に落居して、京都無事になりしかば」〈明徳記中〉③容易でないこと。大変なこと。「人馬にて兵粮を運ぶはーなるほどに」〈蒙求聴塵中〉。「天下のーな事も、この人一人さばく程に、辛労するぞ」〈周易抄〉④骨が折れること。つらいこと。「陶淵明も、脚が痛いと云て、歩く事がーなと云たぞ」〈湯山聯句鈔上〉⑤相手の労をねぎらっていう語。ご苦労。「ーと申し、銀子一枚遣はす也」〈北野社家日記慶長二・七・一〉

だいきち【大吉】非常に吉であること。最上吉。また、大吉である日。大吉日。「行く時、右の手に天の字を持つはー〔ヲ招ク呪〕也」〈左経記長元四・二・二九〉 **ーにち**【大吉日】大吉である日。「鬼宿(きしゅく)日とて、月に一日ーの事」〈慶安二年版大雑書上〉

だいきゃう(キョウ)【大経】最も中心になる経典。天台・浄土・真言などで、それぞれ涅槃経(ねはんぎょう)、無量寿経、大日経・金剛頂経をさす。「ーを読む事ひまもなし」〈恵信尼消息〉

だいきゃう(キョウ)【大饗】①平安時代、正月に年中行事として行なわれた、公家の大きな饗宴。二宮大饗(にぐうのだいきょう)と大臣大饗とがある。摂関・大臣の新任の時にも行なわれた。「上達部(かんだちめ)の祿などーになずらへて、親王達にはことに女の装束、…つぎつぎに賜ふ」〈源氏若菜上〉②盛大な御馳走。珍味佳肴。「月並みの講営とて、ー盛り並べ、盃据ゑて」〈盛衰記四三〉

だいきゃうじ(キョウ・ウジ)【大経師】経巻・仏画などを表装する経師屋の長。京都に住み、朝廷の御用を承り、毎年暦を発行した。「六時礼讃本…ーに剪(き)る事これを申し遣はす」〈言継卿記天文三・九・一〉 **ーごよみ**【大経師暦】近世、大経師が毎年奈良の幸徳井氏、京都の加茂氏から新暦を受けて、印刷発行した暦。京暦。「小さきわらんべのーを売りけるを聞きて」〈評判・野郎虫〉

だいく【大工】①木工寮(もく)または大宰府に所属して諸種の造営に従事した職。「ー二人を山科の山陵に遣はして」〈続紀文武三・一〇・二〇〉。「ー吉忠、中の間(ま)作る長(さを)にて」〈古本説話四七〉②家屋を建築する職人。番匠(ばんじゃう)。「その時、ーの棟梁(とうりゃう)まかり出でて」〈バレト写本〉。〈文明本節用集〉 **ーかね**【大工曲尺】曲尺(かねじゃく)。大工が使うのでいう。「布・木綿の事、壱端に付き、長さーにて三丈四尺」〈御当家令条二九、寛永三・二・七〉

だいぐうじ【大宮司】伊勢・熱田・香取・鹿島・宇佐・阿蘇・宗像(むなかた)・香椎(かしい)などの大社の神職の長。「おほみやづかさ」とも。「〔熱田ノ〕ーの威勢、国司にもまさりて、国の者どもおぢ怖れたりけり」〈宇治拾遺四六〉

たいくつ【退屈】①うんざりして、やる気がなくなること。飽きていや気がさすこと。「いまだ行じてもみずして、かねてーする人は愚の中の愚なり」〈夢中問答中〉②つまらなさ、所在なさにくたびれて身をもてあますこと。「主殿の無力せられし折からに／長在京はさてもー」〈俳・正章千句上〉。「今日は説法が長くて御ーでござらう」〈盤珪禅師御示聞書下〉

だいぐれん【大紅蓮】八寒地獄の一。ここに落ちた罪人は、極寒のため身体が裂けて大きな赤い蓮の花のようになるという。大紅蓮地獄。「紅蓮・ーの氷に閉ぢらるるが如く」〈盛衰記四八〉

たいくゎうたいこう(コウ・ゴウ)【太皇太后】先先代の天皇の皇后。また、中宮・女御などで天皇の祖母になった人にいうこともある。「頃者(このごろ)ー枕席安からず…天下に大赦すべし」〈続紀天平勝宝六・七・一三〉

だいくゎん【代官】①或る官職を代理する者。しろづかさ。「式部輔・丞、皆病を称して不参、ーを召す」〈貞信公記承平一・三・一〉②中世特に、守護代・地頭代の称。「所領を持たずしてーをねがふとも、ーを持たずして所領をねがふべからず」〈極楽寺殿御消息〉③江戸時代、幕府・諸藩の農政を直接担当する役人。幕府では天領、諸藩では蔵入地を主に支配した。「越後出雲崎ー太田久兵衛」〈梅津政景日記慶長一七・八・七〉④代理人。「春日にこもりたりと披露して、ーをこめて」〈問はず語り一〉。「日蓮は、八十万億那由他(なゆた)の諸の菩薩のーとして、これを申す」〈日蓮遺文寺泊御書〉 **ーしょ**【代官所】①代官支配の領地。支配所。「ーの内、百性家居…其様子明細に書上させ申すべき事」〈御当家令条三三、寛永二〉②代官が執務する役所。代官役所。「代官年貢の催促仕り候へば、只今の時分年貢出し申すものにて候やと、散散慮外を申し、其の上ーへ罷り越し、代官を〔脇差デ〕突き申し候所を」〈浅野家文書元和一・閏六・二〉

だいぐゎん【大願】《タイグワンとも》①大きな祈願。「〔初瀬ノ観音ニ〕ーをぞ立てける」〈源氏浮舟〉。「大願、タイグワン」〈文明本節用集〉②仏・菩薩が衆生を救うために立てた誓願。「菩薩―を発して盧舎那仏の金銅像一軀を造り奉る」〈続紀天平一五・一〇・一五〉 ―じゃうじゅ【大願成就】大きな願いがとげられること。「行住坐臥ねんごろに用心せば必らず必らず―すべし」〈月庵法語〉

だいけうくゎん【大叫喚】大叫喚地獄。「残り留まる人人のをめき叫びし声、叫喚・―の炎の底の罪人も、これには過ぎじとこそ覚え候ひしか」〈平家灌頂・六道之沙汰〉 ―ぢごく【大叫喚地獄】八大地獄の一。ここへ落ちた罪人は、責め苦にたえかねて、大声でさけびわめくという。「五には―、叫喚地獄の下にあり」〈日蓮遺文八大地獄鈔〉

だいげき【大外記】⇒げき(外記)(1)「―従六位下白猪史広成を以て、遣新羅使と為す」〈続紀養老三・閏七・七〉

だいげんのほふ【大元法・大元帥法】平安時代、正月八日から七日間、国家鎮護のため、治部省で大元帥明王を本尊として行なった大法会。「―といふ事はただおほやけのみぞ昔より行なはせ給ひける」〈栄花見はてぬ夢〉

だいけんもつ【大監物】中務省に属し、大蔵省・内蔵寮などの出納を監察した役人。「―二人。監察出納管鑰(くゎんやく)を請進することを掌る」〈職員令〉

たいけんもん【待賢門】平安京大内裏外郭十二門の一。東に面して、郁芳門の北、陽明門の南に位置し、その中間にあるので「中御門(なかみかど)」とも。「―に打っ立ってをめきたるばかりにて、し出でたる事はなし」〈平治上・三条殿へ発向〉

たいこ【太鼓】①打楽器の一。雅楽用には大太鼓(だだいこ)・鈞太鼓(つりだいこ)・荷太鼓(にないだいこ)などがある。「大篳篥(ひちりき)、尺八(さくはち)の笛などの大声を吹き上げつつ、―をさへ勾欄(こうらん)のもとにまろばし寄せて、手づから打ち鳴らし」〈源氏末摘花〉 ②遊客の機嫌を取り、酒興を助ける者。たいこもち。「―とは如何に。答へて曰く、座敷を打囃すと言ふ心なり」〈評判・吉原雀下〉 ―いしゃ【太鼓医者】医術は下手で、ただ口先で人の機嫌を取って世渡りする医者。「上手なり／内義を直す―」〈雑俳・たみの笠〉 ―かね【太鼓鉦】迷子や家出人を尋ね探すのに、太鼓や鉦を敲き囃して歩き廻ること。また、その太鼓や鉦。「―の要らぬやうに、鍛錬したる物かな」〈仮・石山寺入相鐘上〉 ―ぐち【太鼓口】大尽の機嫌ばかり取り、他の者の悪口を言う太鼓持の話しぶり。「かりそめの事も悪く申しなす―にて」〈西鶴・諸艶大鑑四〉 ―だる【太鼓樽】平たくて円い酒樽。平樽(ひらだる)。「良真房―一つ持ち了んぬ」〈多聞院日記永禄一一・三・九〉 ―ぢょらう【太鼓女郎】歌舞音曲を奏して、一座を取り持つ囲(かこひ)女郎。「―が小唄三味線ばかりにて、座敷の賑はかしに〔呼バレ〕」〈評判・吉原呼子鳥〉 ―ばり【太鼓張】戸または間仕切りの、両面を張って中空にしたもの。「氷りけり波の鼓を―」〈俳・毛吹草追加中〉 ―もち【太鼓持】①太鼓を持つこと。また、その役。「昔は太鼓、人に持たせて打つ。…―と芸のなき者を云ふは、右のごとく太鼓持たせ打ちし故なり」〈わらんべ草一〉 ②「太鼓」(2)に同じ。「―とは何としたる事なるや」〈評判・濡仏中〉 ―を持・つ 遊客の機嫌を取りむすぶ。「女郎狂ひの―・ちに来たが」〈西鶴・一代男五〉

だいご【醍醐】〔仏〕五味(ごみ)の一。牛や羊の乳を精製して作った濃厚な液。「更に恩沢を凝らしめて―と化(か)へむ」〈菅家後集〉。「醍醐、是酥(そ)之精液也」〈和名抄〉 ―み【醍醐味】「醍醐」に同じ。天台仏教では、五時の第五、法華涅槃時(ほっけねはんじ)の教えをいう。「酪味を煎ずれば乃至(ないし)―となる。―は五味の中の第一なり」〈日蓮遺文曾谷殿返事〉。〈文明本節用集〉

たいこう【太后】①皇后。「天皇聖躬不豫(おほみやまひ)の時に、―の奉る御歌」〈万一四七題詞〉 ②皇太后。「朕(わ)が後に―に能く仕へ奉り助け奉れと詔りたまひき」〈続紀宣命一七〉 ③太皇太后。「御物忌に依りて殿上に参らず、―の御方に参入す」〈小右記寛仁二・閏四〉

たいこう【退紅】①薄桃色。「前の方は―の狩衣をぞ着たりける」〈著聞三四六〉 ②薄桃色に染めた布の狩衣。「あとに立ちたる―の仕丁(じちやう)に」〈伽・秋夜長物語〉

たいこく【大国】①大きな国。「もはやこの年に成りては、―の主と成りても、何に成りても詮なきなり」〈驢鞍橋下〉。〈日葡〉 ②日本を「小国」と呼んだのに対して、中国の称。「―の天狗にてましましければ、小国の人をば心にまかせて凌(れう)じ給ひてむと思ひて」〈今昔二〇ノ二〉 ③令制で、国の格の一。大国・上国・中国・下国の第一。「史生―四人、上国三人、中下国二人。六考を以て成選す」〈続紀神亀五・八・九〉。「日本にても、六十余州を、上国・下国・―などと分けたぞ。国の大小上下によりて守護の位の上下があるぞ」〈三体詩抄三ノ一〉

だいこく【大黒】①「大黒天」の略。「いつぞや―を供養して候ひしその後より」〈日蓮遺文真間釈迦仏御供養逐状〉。「かの恵比須・―は久しき世よりの友だちにて」〈伽・かくれ里〉。「〔東寺ノ〕―は、袋御持ち在り。槌は無し。俵も無し。近頃奇特の本尊云云」〈北野社家日記延徳二・九・一三〉 ②僧侶の隠し妻の俗称。寺院の台所には大黒天が祀ってあったところから、それが食事の用意をする女の意に転じたものという。「宿坊の―晨炊(しんすい＝朝食)を侑(すす)む」〈梅花無尽蔵三上〉 ―かう【大黒講】大黒天を信仰する者の寄合い。「―これを行なひ了んぬ」〈大乗院雑事記文明九・一一・一六〉 ―づきん【大黒頭巾】大黒天がかぶっているような、丸く側辺がふくれ出て襞(ひだ)のある頭巾。僧侶・老人が用いた。焙烙(はうろく)頭巾。「鼠色に染むる―かな」〈俳・破枕集中〉 ―てん【大黒天】もとインドで、三宝を守護し戦闘をつかさどった黒色忿怒相の神。また、飲食をみたす厨房の神でもあった。日本渡来後は福徳の神として人気を集め、室町時代にはすでに七福神の一に数えられていた。梵名、摩訶迦羅(まかから)。「大黒天神」とも。「色黒く、背ひきく、頭巾うち着、大袋をうちかたげ、手には槌を持ち給へるが、肥えふとりたるありさまにて立たせ給へり。いづくよりと尋ね奉れば、我は西天に住むなる―といふ者なりと」〈伽・梅津かもむ物語〉 ―てんじん【大黒天神】「大黒天」に同じ。「鼠は―の使者也」〈盛衰記一〉。「風流の懸物(かけもの)…先づ―。種種の精進物を以て大黒を作る。肩に懸くる袋、足に踏む俵二つ、茶也。形勢、真の大黒に相替らず」〈看聞御記応永三三・三・七〉 ―ばしら【大黒柱】家の上り端の中央、土間・表・内の三合に立つ一番太い柱。亭主柱。長者柱。「棟の槌打つ木も―かな」〈俳・塵塚誹諧集下〉 ―まひ【大黒舞】正月、大黒の面・頭巾をかぶり、小槌(こづち)を持ち、歌い舞いながら門付けした乞食。また、その舞と歌。「かの知客、平日―を好む」〈蔭涼軒日録文正一・閏二・一七〉

だいごく【大曲】琴(きん)の曲の種類の一。琴には大曲・中曲・小曲があり、楽章の構成単位である帖が十数個集まっているものを大曲という。「面白き―ども」〈源氏若菜下〉

だいごくでん【大極殿】大内裏の八省院(朝堂院)の北部の中央にあった正殿。中央に高御座(たかみくら)があり、天皇が政務を見、また、新年・即位の儀式などが行なわれた。治承元年に焼失、後、再建されず、儀式には紫宸殿を代

用。「天皇―に御(おは)して朝を受けたまふ」〈続紀文武二・一・一〉

だいどり【代垢離】 伊勢神宮・富士山などに参詣する人に頼まれて、その人に代って垢離をすること。また、それを業とする者。「米高し―奉加無かりけり」〈俳・蛇之助〉

たいこんりゃうぶのみね【胎金両部の嶺】 胎蔵界・金剛界の両部を修める修験者の本山としての吉野大峰(おおみね)。「役(えん)の行者の跡をつぎ―を分け」〈謡・葵上〉

だいざ【台座】 仏像を載せる台。「高さ一尺二三寸計(ばかり)の古仏、さても見事に候。…―も昔そのまま也」〈宗静日記延宝三・一〇・一七〉 **―後光しま・ふ** 《台座や後光を失った仏像は威厳が無くなることから》面目丸つぶれになる。また、生命を失う。「脛(すね)腰立たぬ老いぼれ、切りはづさして、―・うてくれう」〈浄・夏祭六〉

たいさいじん【太歳神】 陰陽道で、八将神の一。木星の精をいう。「―の方とは其の年の其の方なり。子(ね)の年ならば子の方と知るべきなりと云云」〈簠簋抄上〉

たいざう【胎蔵】 「胎蔵界」の略。「内宮は―の大日、…外宮は金剛界の大日」〈沙石集一ノ一〉 **―かい【胎蔵界】** 〔仏〕密教で説く両部法門の一。大日如来の慈悲が衆生の菩提心を守り育てることを、胎児をそだてる母胎にたとえたもの。「―、金剛界を年へだてつつ互ひに行なふ」〈三宝絵下〉

だいざうきゃう【大蔵経】 「一切経」に同じ。「四箇の大寺に仰せて―五千三百巻を一日の中に書き写され」〈太平記三・公家一統〉

たいざん【泰山】 ①中国の五岳の一。山東省泰安県の北にある。東岳。「―の阿(くま)の中、桂葉霜を蒙(かう)りて猶し緑なり」〈本朝文粋一〉 ②「泰山府君」の略。「―は人の魂を納め給ふ神なり」〈今昔七ノ九〉 **―ふくん【泰山府君】** 《古くはタイサンフクンまたタイサンブクン》道教で、人の寿命をつかさどる神として祭った泰山の神。日本では仏教・陰陽道でこれを祭り、閻魔の書記として、人間の善悪行為を記録するものという。「〔安倍〕晴明朝臣をして―を祭らしむ」〈権記長保四・一一・九〉

だいさん【代参】 当人に代って寺社に参詣すること。また、その人。「代参り」とも。「屋形より今村掃部頭(かもんのかみ)高名を御―に遣はさるる処に」〈江源武鑑一四上〉

だいさん【第三】 連歌・連句で、発句・脇に次ぐ第三句目の称。「―も、脇の句程はなくとも、これも発句に遠からぬ時節をするべし」〈長短抄中〉。「―の手立て、また一きはの事なるべし。脇によく付きたる上にて、一句のことがら長(た)け高く発句めきて、前の句をへつらはぬやうにあるべしとぞ」〈矢嶋小林庵何木百韻注〉。「―は、大略、て留りにて候。さ候はねば、はね字にて候」〈至宝抄〉

たいし【太子】 《中国で古くは天子諸侯の長男をいう》①天子の位を継ぐべきみこ。皇太子。東宮(春宮)。「皇太子薨す。…―幼弱なるが為に喪礼を具へず」〈続紀神亀五・九・一三〉 ②特に、聖徳太子。「―七寺を起す。四天王寺・法隆寺・中宮寺・橘寺…」〈法王帝説〉 ③天子の男の子。「父のおぼえ三人の―に超えたりしかば」〈太平記一三・兵部卿親王〉

たい・し【帯し】 〘サ変〙肌身につける。所持する。「この守る人人も弓矢を―・して」〈竹取〉

だいし【大師】 ①仏・菩薩または高徳の僧の尊称。「―釈迦如来」〈三宝絵下〉 ②朝廷から高僧に賜わる諡(おくりな)。大師号。貞観八年、最澄(さいちょう)に伝教大師の号を贈ったのが最初。「〔空海ニ〕延喜の代に弘法―の名を贈れり」〈三宝絵下〉 ③特に、弘法大師。「高野に参らせ給ひては、―の御入定のさまをのぞき見奉らせ給へば」〈栄花疑〉 **―かう【大師講】** 十一月二十四日、天台宗開祖智者大師の忌日に行なう仏事。近世、民間では小豆粥を枯柴の箸で食べた。これを大師粥・智恵粥といい、蚊・蝿はその粥をなめてからいなくなると信じられた。「〔十一月〕二十四日に―並びに延年、心の如く仕りて」〈日蓮遺文地引御書〉 **―のあれ【大師の荒れ】** 大師講の前夜から烈風の吹く天候。天台大師講荒れ。「―木を動かして是れを訓(をし)ゆ」〈俳・空林風葉下〉 **―りう【大師流】** 弘法大師を祖とする書風。歌人・公卿の間に盛行した。大師様(よう)。「空の海渡る雁字や―」〈俳・小町踊三〉

だいじ【大事】 ①重大な事がら。大事件。「陰陽暦数は国家の重みする所なり。此の―を記す、故に改めて大史局とす」〈続紀天平宝字二・八・二五〉。「はかなき徒事(あだこと)をも、まことの―をも」〈源氏帚木〉 ②大変であること。容易ならぬこと。「我らが涼みに来るだに暑く苦しく―なる道を」〈宇治拾遺三〇〉 ③病気・負傷などが、命にかかわるほど重いこと。「病(やまひ)―に成りて、さま変へむと思ひたちける頃」〈権中納言実材卿母集上〉。「例ならず―にて〔命モ〕限りになりたりければ」〈古本説話五〉 ④大切であること。「―の物を忘れたり。取りて帰りてん」〈発心集六〉 **―無・い** 大したことはない。さしつかえない。かまわない。「よく慎めば―・いぞ」〈春鑑鈔〉。「身どもが合点(がてん)ぢゃほどに―・い」〈虎明本狂言・止動方角〉

たいしきてう【太食調・大食調】 雅楽の六調子の一。平調(ひゃうでう)の音を基音とし、呂(りょ)の旋法をもつもの。「平調より―残りなく尽させられけり」〈十訓抄一ノ三五〉

だいじだいひ【大慈大悲】 仏の広大無辺な慈悲。「観音の―は罪あるも罪なきをも助け給へば」〈平家一三・泊瀬六代〉

たいしゃ【大社】 ①神社の社格を大小(のちに大中小)に分けた上位。「斎宮祈年祭神百十五座。―十七座、…小社九十八座」〈延喜式斎宮寮〉 ②大きな神社。名高い神社。「その国中の名所旧跡、―・験仏、残りなく一覧をとげて帰るなり」〈奇異雑談集一〉

たいしゃ【大赦】 《中世ではダイシャ》天皇が天下の罪囚の刑を免ずること。令制では、常赦に対して大赦があり、常赦では免除されぬ八虐・故殺・謀殺・私鋳銭・強窃二盗をも免ずるのを称した。「太上天皇不豫、天下に―す」〈続紀大宝二・一二・一三〉。「大赦、ダイシャ」〈下学集〉

たいしゃう【大将】 《ダイシャウとも》①禁兵を統率し、天皇の護衛、宮城の警固にあたる役。奈良時代にはそのために設置された中衛府・授刀衛・外衛府の長官。平安時代初期以後は専ら左右両近衛府の長官、即ち左右近衛大将の称となった。「中衛府を置く。―一人、従四位上」〈続紀神亀五・八〉。「宰相にて―かけ給へりけむ」〈源氏若菜上〉 ②ひろく軍隊・軍勢の首領。「興福寺衆徒蜂起、多武峰を焼き払ふべき由、下知し了んぬ。即ち三軒三大夫守延、―として傘岑(かさみね)より打入り焼失せしむ」〈多武峰略記〉 **―ぐん【大将軍】** ①朝廷の命令で全軍を指揮するもの。「広嗣遂に兵を起して反す。勅して従四位上大野朝臣東人を以て―となし…節を持して之を討たしむ」〈続紀天平一二・九・三〉 ②「大将」(2)に同じ。「その外の子共あまた候へども、一方の―をもおほせつけらるべき奴原も候はず」〈保元上・新院為義を召さるる〉 ③三位以上の者が鎮守府将軍に就任した際の特称。建武三年に定められた。「―の号を加へられんことを請ふの状…自

た

今以後、三位以上此の職に任ずるの日、大の字を加へ、以て永格と為さん」〈建武年間記〉④かしら。首領。「袴垂と云ふ極(いみ)じき盗人の―有りけり」〈今昔二五ノ七〉⑤陰陽道で、八将神の一。この神の方角は三年ごとに変って塞がるといって忌まれた。「庶人は四方を拝する後、―を加ふべし」〈江家次第一・九記逸文〉

たいじゃう(ジョウ)【怠状】①過失をわびる文書。詫状。おこたりぶみ。「かくばかり名符(みやうぶ)に―を添へて奉れるに」〈今昔二五ノ九〉②謝罪すること。あやまること。「『さる事いはじ』と―せさせて許してけり」〈十訓抄四ノ三〉 **―こひ**(コイ)【怠状乞ひ・退譲乞ひ】《怠状を出す意から》今後二度と過ちをしないと誓って謝ること。「―、悪事を退け譲りて、善に趣く也」〈世話用文章上〉

だいしゃう(ショウ)【大聖】釈迦の尊称。「至極の―すらに、尙(なほ)し子を愛する心あり」〈万八〇二序〉。「―の方便も、めでたくこそ」〈梵舜本沙石集三ノ四〉

だいじゃう(ジョウ)【大嘗】大嘗祭。「おほにへ」「おほむべ」とも。「十一月…己卯―す」〈続紀和銅一・一一・二一〉 **―さい**【大嘗祭】天皇即位の際に、はじめて新穀を神神に献ずる儀式。天皇一代一度の大祭。「践祚―儀、天皇即位之年、七月以前即位当年行事、八月以後明年行事」〈儀式二〉 **―ゑ**【大嘗会】大嘗祭。また、その節会。「―の事卜定す」〈続後紀天長一〇・三・二三〉。「この帯をさすこと、―、今年の内宴になんさしつる」〈宇津保忠乞〉

だいじゃう(ジョウ)【太政】 **―くわん**【太政官】令制における行政の最高機関。八省以下を統轄し、政務を総理する。「この日、直大参布勢(ふせ)朝臣御主人、―の事を誄(しのびごと)たてまつる」〈紀天武、朱鳥一年〉 **―くわんちゃう**(チョウ)【太政官庁】太政官の役所。大内裏の朝堂院の東にあり、正庁・後房・東庁・西庁・朝所・弁官曹司・文殿などから成り、ここで諸政を見る。中世以降、大嘗祭も行なった。「元暦元年は又―にして即位の事あり」〈代始和抄〉 **―くわんぷ**【太政官符】太政官より、八省や諸国その他の役所に命令を下す公文書。「―、応(まさ)に帯刀舎人二十人を充つべき事」〈類聚三代格四〉 **―だいじん**【太政大臣】太政官の最高官。具体的な職掌なく、後には摂関などが任ぜられた名誉職。「〔源氏ノ〕御子三人、帝、后かならず並びて生れ給ふべし。なかの劣りは―にて位を極むべし」〈源氏澪標〉 **―にふだう**(ニュウドウ)【太政入道】太政大臣で出家した人の称。「―もこの事申さんとて院参せられけれども」〈平家二・座主流〉

だいしゃうこく(ショウ)【大相国】太政大臣の唐名。「日本の平(へい)―と申す人」〈平家六・慈心房〉

だいしゃうじ(ショウ)【大床子】天皇が腰を掛ける台。台上に薄縁を敷き、円座を置く。勾欄も凭(もたれ)もない。「―三脚高麗を敷く。〔厚〕畳に非ず」〈禁秘抄上〉 **―のおもの**【大床子の御膳】天皇の正式の御膳。清涼殿の母屋の大床子に着座して、台盤で御膳を召す。「朝餉のけしきばかり触れさせ給ひて、―などは、いとはるかに思し召したれば」〈源氏桐壺〉

だいじゃうてんわう(ジョウノウ)【太上天皇】天皇の譲位後の尊称。太上皇・上皇ともいい、仏門に入った人に対しては太上法皇・法皇とも。「御たうばりの御封などこそ皆同じごとおりゐの御門と等しく定まり給へれど、誠の―の儀式にはうけばり給はず」〈源氏若菜上〉

たいしゃく【帝釈】梵天とともに仏法を守護する代表的な神。須彌山(しゆみせん)の頂上の忉利天(たうりてん)の主。喜見城に住み、四天王・三十二天を領して阿修羅(あしゆら)を征服するという。天帝釈。帝釈天。「護法梵王―四大天王の不可思議威神の力に依りて」〈続紀天平宝字一・七・一二〉。「人のいみじく惜しむ人は―も返したまふなり」〈源氏蜻蛉〉

たいしゅ【太守】①平安時代から南北朝ころまで、親王の任国であった上総・上野・常陸三国の国守の称。「応(まさ)に親王を国守に任ずべきこと。上総国・常陸国・上野国…件等の国守、官位卑下、宜しく正四位下の官に定め、以て勅任と為し、号して―と称すべし」〈類聚三代格五〉②戦国時代以降、守護・大名の称。国主。「江州の―佐々木政高、師を彌高山に進む」〈船田後記〉

たいじゅ【大樹】《「大樹将軍」の略》将軍の異名。後漢の馮異(ひよう い)は、諸将が軍功を論じ合う時、一人、大樹の下に身を退いていたので、大樹将軍と呼ばれたという後漢書等の故事による。「幕府・幕下・―、皆将軍の名なり」〈職原鈔私記下〉。「―の位に居して、武備の守りを全うせんこと」〈太平記三三・公家一統〉。「―より菊の花を賜ひけるに詠みて奉れる」〈桂林集秋〉〈書言字考〉

だいしゅ【大衆】多くの僧。「―皆堂に集まりて、戒師一人経を誦す」〈三宝絵下〉

たいしょう【太衝】陰陽道で、陰暦九月の称。「―の太の字、点うつ、うたずといふ事、陰陽の輩(ともがら)相論(さうろん)の事ありけり」〈徒然一六三〉

だいじょう【大乗】〔仏〕《「大」は広大・無限・最勝の意。「乗」は乗物》①自分ひとりの悟りではなく、多くの他者を救う大きな乗物のような仏教の意。利他主義の立場から、人間の救済、成仏の教義を説き、それが涅槃への大道であるとする。「一切の―・小乗」〈続紀天平勝宝一・閏五・二〇〉②大乗の経典。特に法華経を指す。「―を写したりといへども、重き罪を作れり」〈霊異記下三〉

たいしょくくわん【大織冠】①孝徳朝の大化三年制定の冠位の最高位。天智天皇八年、藤原鎌足に授与。「後に内臣に任じ大臣に転じ、―となる。又、中臣をあらめて藤原の姓を給はらる」〈神皇正統記皇極〉②藤原鎌足の称。「先祖―は本姓大中臣也」〈左経記長元四・八・七〉

だいじる【大汁】本膳に付く汁。「青鷺は―」〈西鶴・諸艶大鑑三〉

たいしん【大身】《「小身」の対》身分の高い人。位が高く禄の多い人。「長門守政元は嫡家にて―にして海津の城に住す」〈浅井三代記一〇〉

たいじん【大人】《「小人」の対》高徳の、また、高貴な人。近世では、公家・大名をいうことが多い。「―の造り給ふ功徳も祈りも、人目ばかりにて、真実の底には、国の費え、人の嘆きにて候へば」〈吾妻鏡正治二・一二〉。「一万騎持ちたる―あり」〈北条五代記三〉

だいじん【大尽・大臣】①財産を多く持っている人。大金持。富豪。「塞翁が馬を繫いで―様」〈俳・大矢数二〉②遊里で、太夫を揚げなどして金銭を多く費う上客。豪遊する客。「―。傾城買の上客をさして言ふ」〈色道大鏡一〉 **―がね**【大尽銀・大臣銀】「あくしょがね」(2)に同じ。「親の呑み込まぬ―」〈浮・好色敗毒散四〉

だいじん【大臣】太政官の長官。太政大臣・右大臣・左大臣・内大臣の称。「〔大納言ハ〕職掌既に―に比し、官位また諸卿に超ゆ」〈続紀慶雲二・四・一七〉。「同じ―と聞ゆるなかにも」〈源氏紅葉賀〉 **―のだいきゃう**(キョウ)【大臣の大饗】正月、または新しく大臣に任ぜられた時、大臣が諸大臣・公卿・殿上人を招いて催す正宴。「―はさるべき所を申し受けて行なふ、常の事なり」〈徒然一五六〉 **―ばしら**【大臣柱】能舞台から見所(正面)に向って右にある柱。その側に大臣姿のワキが坐るのでいう。脇柱(わきばしら)。「木にあがりて柿を取って食ふまねをする。木は—なり」〈虎明本狂言・柿山伏〉 **—わき**【大臣脇】能のワキで、神能に勅使・神官など大臣姿で出る者。「—の能ぞはじまる」〈俳・寛永十三年熱田万句一五〉。〈日葡〉

だいじん【大進】中宮職・皇太后宮職・大膳職・東宮坊などの大判官(だいじょう)。「—生昌(なりまさ)が家に宮の出でさせ給ふに」〈枕八〉 →じょう(判官)

だいじんぐう【大神宮】《タイジングウとも》伊勢神宮。その内宮と外宮と。「—の封戸の丁(よほろ)、余剰有りと雖も永く減省すること無く、以て神宮に供ふ」〈類聚三代格一〉

だいす【大呪】〔仏〕《スは呉音シュの直音化》真言の長いもの。「われも忍びてうち誦(ず)じたまふ阿彌陀の—、いとたふとくほのぼの聞ゆ」〈源氏鈴虫〉

だいす【台子】正式の茶の湯に用いる四本柱の棚物で、風炉・茶碗・茶入れ・水指しなどを載せておく台。真(しん)の台子・及(きゅう)台子・桑台子などの種類がある。「—・桶・合子(がふし)・柄杓立て」〈宗達自会記天文一七・一二・六〉

たいすう【大数】①おおよその数。概数。概算。「詩経は三百五篇なれども、ここは—を以て三百篇といへり」〈錦繡段鈔六〉 ②おおよそ。あらまし。大概。「唐と日本とのことなれば、地形はちっと違へども、—をしるすぞ」〈中華若木詩抄中〉

だいせいし【大勢至】「大勢至菩薩」の略。「南無帰命月天子、本地—」〈謡・羽衣〉 **—ぼさつ**【大勢至菩薩】阿彌陀三尊の一。阿彌陀如来の右側に立つ脇士(わきじ)で、知恵を表わす菩薩。勢至菩薩。「—は金色の御手をのべて」〈孝養集下〉

だいせう【大小】①大きいものと小さいものと。また、大きいものや小さいもの。「〔五臓六腑ノ〕その中に諸(もろもろ)の—の虫相集まれり」〈孝養集上〉 ②大人と子供と。「男女、—田に出でて見れば」〈今昔九ノ二四〉 ③刀と脇差と。「—を泰貞が小姓に預けて」〈浅井三代記三〉 ④大鼓と小鼓と。「鼓はあれど知らぬ—」〈俳・守武千句〉 ⑤暦の、大の月と小の月と。「月の—」〈春記長暦三・一一・二七〉。「一年十二月に—と云ふ事を作り出して、三年にあたる年は、かのつもりの日三十日あるを、閏月と名付くる也」〈古今集註〉

だいせうねつ【大焦熱】大焦熱地獄。「焦熱・—・無間阿毘(むけんあび)の炎の底の罪人も」〈平家五・奈良炎上〉 **—ぢごく**【大焦熱地獄】八大地獄の第七。最高の炎熱苦を受けるという。大極熱地獄。「七に—、焦熱地獄の下にあり」〈日蓮遺文八大地獄鈔〉

たいせち【大切】⇒たいせつ。「このうちにさやうなる人の—なり」〈讃岐典侍日記〉

たいせつ【大切】《タイセチとも》①非常に切迫したこと。「それがしが—に申すべき事ありて参りたるなり」〈今昔二四ノ一八〉 ②極めて大事なこと。「斯くの如き時、勇士一人も—候歟」〈公衡公記弘安六・七・二〉 ③深く愛すること。「わが秘蔵—にするものに食させい」〈天草本伊曾保〉 ④キリストの愛。「わが身に仇をなす人には、なほ—を以て報ずる道なり」〈バレト写本〉 →愛。 **—な・い**【大切ない】『形』《ナイは甚しい意》大事である。貴重である。「言はば—・い御首」〈浄・菅原伝授四〉

だいぜん【大膳】「大膳職」の略。「やがて—にいらせ給ふ」〈栄花殿上花見〉 **—しき**【大膳職】令制で、宮内省に属し、宴会などに際して臣下の食膳を司る所。「又の年の御禊にぞ、—に渡らせ給ふ」〈栄花紫野〉 **—のだいぶ**【大膳大夫】大膳職の長官。「右の一首は、—道祖王(ふなどのおほきみ)のなり」〈万四二八四左注〉

だいせんかい【大千界】「大千世界」の略。「—の日輪を集めたるが如くして」〈栄花音楽〉

だいせんせかい【大千世界】〔仏〕「三千大千世界」に同じ。「たとひ—に、みてらん火をも過ぎ行きて、仏の御名を聞く人は、永く不退(ふたい)に叶ふなり」〈浄土和讃〉

たいそう【大層】はなはだしいさま。おおげさなさま。「或る説に、大底〔ノ語義ハ〕—の心也」〈朗詠鈔二〉

だいぞう【大乗】「だいじょう」の直音化。「—そしりたる罪」〈源氏常夏〉

だいそうじゃう【大僧正】僧官の最高位。僧正の上位で、薬師寺の僧行基が初任。「詔して行基法師を以て—となす」〈続紀天平一七・一・二一〉

だいそく【大束】薪の小束。また、材木の束。畿内でいう。「釣り鍋に—くべて」〈西鶴・文反古三〉。〈日葡〉

だいそれた『連体』あり得ない。とんでもない。「—匂ひは梅の接ぎ穂かな」〈俳・毛吹草五〉

たいたい【戴戴】小児が両手を重ねて物をねだる時に言う語。ちょうだい。「ていてい」「てえてえ」とも。「餅躑躅(もちつつじ)—するや童の手」〈俳・続山の井二〉

たいだい【大内】《後世、ダイダイとも》皇居。御所。大内裏(たいだいり)。「六代までは—の御宝なり」〈盛衰記四〇〉。〈色葉字類抄〉

だいだいかう【太太講】「伊勢講」に同じ。太太神楽を奉納するのでいう。「—に伊勢へ往っても」〈当風辻談義二〉

だいだいかぐら【太太神楽・大大神楽】伊勢神宮で庶民の奉納する神楽。「太神楽」「太太」とも。「—御祈念幾久しく相極め候」〈梅津政景日記元和八・一・二六〉。「この悦び、—に神慮をすずしめ」〈浮・好色染下地五〉

たいだい・し『形シク』《タギタギシの音便形》①足もとが怪しくて、歩くのに厄介である。「馬にてものせむと宣ふを〔従者ハ〕いと—・しき事と思へど」〈源氏夕顔〉 ②先行きが平らかでなく面倒である。「〔愛スル更衣ヲ失ッテ〕今は世の中を思し捨てたるやうになり行くは、いと—・しきわざなり」〈源氏桐壺〉

たいだいり【大内裏】皇居および諸官庁の所在の区域。「そもそも—と申すは、秦の始皇帝の都、咸陽宮の一殿を模(う)して造られたれば」〈太平記一三・大内裏〉。〈日葡〉 →巻末・大内裏図

だいたう【大唐】①唐の美称。「昔、—の一行阿闍梨は」〈平家二・一行阿闍梨〉 ②赤米(あかごめ)。大唐米。「—をこがしにしてや飲みぬらん」〈俳・犬筑波〉 **—ごめ**【大唐米】「大唐」⑵に同じ。「大唐まい」「たうぼし」とも。「漆石代、五貫文…但し—」〈教王護国寺文書一、延文一・八〉

だいだう【大道】①大通り。「—に赤犬ども多く走り散りて」〈十訓抄四ノ一六〉 ②人のふむべき正しい道。根本の道徳。「しかれば、得失是非、一時に放下して、物我一如、自他平等の—を達すべきをや」〈沙石集三ノ二〉 **—かぐら**【大道神楽】「太神楽」⑵に同じ。「すたれぬは世世の—かな」〈俳・埋草四〉

だいたふ【大塔】南天鉄塔に擬した密教独特の塔。高野山大塔のほか、根来(ねごろ)にも造られた。「高野へ登り、—拝み」〈平家三・大塔建立〉

だいたん【大胆】①胆(きも)が太く物恐れしないこと。「荊公は—なる人で、天変不思議が多きをもちっとも怖ぢぬ人であるぞ」〈湯山聯句鈔上〉 ②図太いこと。ずうずうしいこ

と。「知らぬといふ事はあるまいが、気が―で〔ココヲ〕通った程に取って食はう」〈天理本狂言六義・首引〉

たいぢ【対治・退治】①〔仏〕煩悩を断ち切ること。また、悪魔を退散させること。「念仏申すに妄念の起るをばいかが―すべき」〈沙石集一〇ノ三〉。「もし魔縁なりと知らば、即ち心得て―すべし」〈孝養集下〉②害をなすものを亡ぼすこと。討ち平らげること。「されば神功皇后も、異国―の御為に」〈謡・弓八幡〉

だいぢから【大力】非常に強い力。また、その持主。だいりき。「橘七五郎は美濃・尾張に聞えたる―なれば」〈平治下・義朝内海下向〉

だいちやう⁝チヨウ【大帳】①令制で、調庸徴収のために、諸国が毎年戸口を調査して作製した帳簿。大計帳。「凡そ諸国の―・朝集・税帳の公文は官に進めたる後に、外題して文殿使并びに雑掌に下せ」〈延喜式太政官〉②《「台帳」とも書く》㋑土台となる帳簿。「〔キリシタン取調べノ〕―を作りて」〈仮・吉利支丹退治下〉㋺商家の諸勘定の元帳。大福帳。元帳。「酒の通ひを見れば―」〈俳・世話尽五〉㋩〔歌舞伎用語〕《上演の土台となる帳簿の意から》戯曲のせりふとト書きを書いた本。台本。正本(しやうほん)。「そんなら正本がありやせう。これも芝居の半可通は―といふ」〈滑・見通鄙戯場〉 ―し【大帳使】大帳(1)を中央政府に進上する使。大計帳使。「―に付きて、京師に赴向(おもむ)きて」〈万三九六一左注〉

だいつう【大通】通(つう)の特に勝れたもの。「―、大通と書く。通り者の事を云ふ。古今粋と云ふ」〈洒・胡蝶の夢〉

たいてい【大抵・大底・大躰】㊀《名》たいがい。一般。普通。「院宣は―の規式」〈庭訓往来六月十一日〉。「大底、タイテイ、大宗也」〈色葉字類抄〉㊁《副》①おおかた。普通。「恋しゆかしそれは―常の事」〈俳・鉋屑集五〉②《打消を伴って》なみたいてい。なみ一通り。「―腹立ててゐるなんしたことぢゃないぞへ」〈洒・月花余情〉③《(2)の打消を略して》なみたいていでなく。ひどく。「先途(せんど)のな、たばこ入れのことでな。―腹立ててぢゃわいな」〈洒・月花余情〉

たいてん【退転】①〔仏〕修行によって得た境地を失い、転落すること。「この施(せ)を受けては苦行―しなむ」〈今昔一ノ五〉②中絶すること。とだえること。無くなること。「谷谷の講演磨滅して、堂堂の行法も―す」〈平家二・山門滅亡〉。「堂司(だうす)は諸堂をめぐって花香油の―を告ぐる人なり」〈庭訓抄下〉。「程久しい事なれば、鑿(のみ)と槌(つち)とは―いたす」〈虎寛本狂言・隠れ笠〉③おこたること。中途でなまけること。「命尽きんまで念仏―せずして往生すべし」〈歎異抄〉。「懈怠といふは所作を―する事なり」〈法華経直談鈔七末〉④おとろえすたれること。「今は―してその法なし」〈孝経大義講草鈔三〉。「―、物のすたれてあること」〈字尽節用絵鈔大全〉

だいてんもく【台天目】台子(だいす)に載せた天目茶碗。また、それで貴人に点茶をすすめる法式。「―を持ちて出で、茶立て候」〈宗達自会記天文一七・一二・六〉

だいどうじ【大童子】年かさの寺童子。「御供に―の大きやかに年ねびたる四十人、中童子二十人」〈栄花初花〉→童子

だいとく【大徳】高徳の僧。さらに一般に僧の敬称、また、親称。「だいとこ」とも。「天皇敬ひて四十九座の諸の―等に諮(はか)らく」〈続紀天平一五・一・一三〉。「めのと子の―、それがをぢの阿闍梨(あざり)」〈源氏蜻蛉〉

だいとこ【大徳】⇒だいとく。「いと尊き―なりけり」〈源氏若紫〉▽「徳」は tok の音。母音 o にひかれて toko となったもの。

だいどころ【台所】①「台盤所(だいばんどころ)」の略。「俄かに御幸あり。…供御(ぐご)は臨時の供御をめさる。―の別当一人などにて有りしやらん」〈問はず語り三〉。「常の貴所には―と之を称す」〈海人藻芥〉②食物を調理し、食膳を用意する所。厨房。だいどこ。「その―の大囲炉裏(ゆるり)に、いかにも熱き湯の要ることありとて」〈バレト写本〉。〈書言字考〉 ―たうじん⁝トウ【台所唐人】茶番などで、台所道具を用いて唐人の姿に似せること。転じて、馬鹿げた様子をしている人。「ないとこ唐人」と訛って「無い」の洒落詞にも用いた。「定めこそすれ定めこそすれ／馬鹿らしいのを―に」〈雑俳・万句合宝暦一〇〉 ―にん【台所人】幕府・諸侯の炊事・調理を掌る役人。「柳町勘四郎…―に参り候」〈北野社家日記慶長六・六・一〇〉 ―ぶね【台所船】御座船に付属して料理を調理するための船。「―二艘」〈本光国師日記慶長一九・一〇・二三〉

だいないき【大内記】⇒ないき。「―紀友則」〈古今序〉

だいなごん【大納言】①令制で、太政官の次官。天皇に近侍して大政に参画する。「おほいものまうすつかさ」とも。「―正広参大伴宿禰御行薨ず」〈続紀大宝一・一・一五〉。「―の家にまかりとまらむとするに」〈源氏帚木〉②アズキの一品種。大粒・上等で、粥・飯に炊ぐ。大納言小豆。「赤豆、アヅキ、世俗に当国の赤豆をも―と云ふ」〈俳・毛吹草四〉

だいなし 近世、下男・奴などの着た、紺無地の筒袖の着物。「紺の―なんど着れば」〈評判・高屏風上〉

だいに【大弐】大宰府の次官。「従四位下石川朝臣宮麻呂を―とす」〈続紀慶雲二・一一・二八〉。「かかるほどに、かの家あるじ―になりぬ」〈源氏蓬生〉

だいにち【大日】「大日如来」の略。「南に向ひて―の定印を結びて観念するに」〈今昔一一ノ九〉 ―にょらい【大日如来】密教の根本最高の仏である摩訶毘盧遮那(まかびるしやな)のこと。宇宙の実相を仏格化した根本仏で、一切の諸仏・菩薩もこれより出ると説かれる。遍照如来。「―そらごとし給はずは」〈源氏夕霧〉

だいねんぶつ【大念仏】①「南無阿彌陀仏」と大声で念仏をとなえること。「十五日の日中を結願として―ありしに」〈平家三・燈炉〉②特に、山城国嵯峨の清涼寺釈迦堂で毎年三月六日から十五日まで行なわれた大念仏の法会。「この頃は嵯峨の―にて候ふ程に」〈謡・百万〉

だいのもの【台の物】①大きな台に載せ、松竹梅などで飾った料理。婚礼などに用いる。「食籠(じきろう)・折(をり)・土器(かはらけ)・―、我劣らじと用意して」〈伽・彌兵衛鼠〉。〈文明本節用集〉②江戸吉原で、台屋(仕出し屋)から女郎屋へ納める料理。大きな台に載せ、松竹梅などの造花で飾った。「―隣へ出たで安堵する」〈雑俳・万句合明和四〉

たいのや【対の屋】①「対」(1)に同じ。「いとあやしげなる張り輿を―の端(はし)に寄す」〈問はず語り四〉②母屋(おもや)とは別棟に建てた離れ。「〔先妻ノ娘ガ〕はや成人仕りて候ふ程に、―を作り置きて候」〈謡・松山鏡〉

だいば【大場】広大な場所。また特に、大都会。「いかにもして敵をおびき出し、―にて戦はんには、しくべからず」〈百戦奇法二〉。「―を見たる諷(うたひ)たをやか」〈俳・杜撰集下〉

たいはい【体拝・帯佩】①身のとりまわし。振舞。行儀。「容儀―絵にかくとも筆も及び難し」〈平家五・富士川合戦〉。「舞曲の―を習ふといふは、其の図(基準)あるべし。頭づかひ・頸もち・肩さし・肘つかひ・腰つき・足ふみ、古跡を守るべし」〈教訓抄七〉②太刀や刀の恰好(かつかう)。「倭

俗、太刀・刀を常の帯(おもの)とする故に、太刀・刀の恰好を—と称す」〈齊東俗談三〉。〈日葡〉③姿。恰好。「此の君(遊女)—よし」〈評判・吉原買物調〉

たいはく【太白】太白星。「—昼見(あら)はる」〈続紀養老六・七・一〇〉　**—せい**【太白星】金星。「五星は、彗星・熒(けい)惑星・鎮星・—・辰星なり」〈盛衰記八〉。〈文明本節用集〉

だいはち【大八・代八】近世、江戸で用いた大きな荷車。数人で掛け声を掛けて引いた。発明者の名前を取って名付けたという。大八車。「その車の名を—と名付けて用ゆ」〈仮・江戸名所記五〉

だいばん【台盤・大盤】食物を盛る盤を載せる台。黒塗り或いは朱塗りで、縁が中より幾分高く、四足の、食卓のようなもの。「—などもかたへは塵ばみて、畳ところどころひき返したり」〈源氏須磨〉　**—どころ**【台盤所】①宮中や貴族の邸で、台盤を扱う女房の詰所。宮中では清涼殿の西廂(にしびさし)にあったという。「女御の御方の—に寄りて、『これ参らせ給へ』といふ」〈源氏常夏〉②《転じて》貴人の奥方。みだいどころ。「花山院の左大臣殿の御(み)—にならせ給ひて」〈平家一・吾身栄花〉③貴人などの邸で、台盤を整える所。台所。「さし入りて—に到りければ、…鍋釜据ゑ並べ、魚を切り、水をつみ置く」〈伽・かくれ里〉

だいはんじ【大判事】刑部省の上級の裁判官。「従四位下門部王…—と為し」〈続紀養老五・六・二六〉

だいはんにゃ【大般若】「大般若経」の略。「ゆくすゑはるかなるもの。…—の読経(どきやう)、ひとりしてはじめたる」〈枕一〇七〉　**—きゃう**(キョウ)【大般若経】「大般若波羅蜜多(はらみつた)経」の略。般若部経典の集大成で、全六百巻。唐の玄奘(げんじやう)訳。「四大寺に詔して—を読ましむ」〈続紀大宝三・三・一〇〉→般若。　**—はらみったしんぎゃう**(ギョウ)【大般若波羅蜜多心経】大般若経の要点をまとめたもの。「南無—」〈大鏡昔物語〉

だいひ【大悲】①衆生(しゆじやう)を苦しみから救おうとする、仏・菩薩の慈悲心。「仏は—の心深く、教へは平等の法なり」〈三宝絵中〉②大悲菩薩、即ち、観世音の称。「—をはじめとして、大梵深遠(だいぼんしんをん)に至るまで続き居させ給へり」〈栄花鳥舞〉　**—さ**【大悲者】《サはシャの直音化》大慈悲者の意で、諸仏・菩薩のこと。特に、観世音の称。「—には、こと事も申さじ」〈源氏玉鬘〉

だいひきもの【台引物】膳の脇に引物として台に載せて出す料理。「有がた加太布(かだめ)の—」〈近松・宵庚申上〉

だいひつ【大弼】①孝謙天皇の時代に置かれた紫微中台の次官。「紫微中台の官位を制す、…—二人は正四位下の官」〈続紀天平勝宝一・九・七〉②令制で、弾正台の次官。「参議正四位下行弾正—三原朝臣春上」〈続後紀承和一・二・一九〉

だいひゃう(ヒョウ)【大兵】《「小兵(こひやう)」の対》①強い弓を引く剛力の射手。精兵。「—と申すほどの者は十五束(そく)に劣って引くはござない」〈天草本平家二ノ一〇〉②身体が長大、或いは肥満であること。また、その人。「二王をそねむ—ども」〈浮・新竹斎二〉

たいふ ❶【大夫】令制では、一位以下五位以上の総称。一般には特に、五位の通称。「太政官に於ては三位以上は—と称せよ。…司及び中国以下には五位は—と称せよ」〈公式令〉。「なほこのすき者のし出でつるわざなめりと、—を疑ひながら」〈源氏夕顔〉▽大夫(だいぶ)・大輔(たいふ)とは別。❷【大夫・太夫】《タユウとよむ》①猿楽の座長。江戸時代以降は観世・宝生・金剛・金春の四座の家元をいう。「翁をば、昔は宿老次第に舞ひけるを…—にてなくてはとて」〈申楽談儀〉②能のシテ。「一切の能のつれ、—の前を通る。但、つれ、脇のかたへなほる時は、—のうしろを通る」〈童舞抄上〉③歌舞伎の立女形(たておやま)。「後後には一座の—になる」〈評判・野郎虫〉④歌舞伎の座頭(ざがしら)。「狂言芝居にも、一座の頭を—と云ふ」〈評判・古銀買下〉⑤遊女の最上位。「—の御全盛はいともかしこし」〈評判・吉原失墜〉。「容貌抜群に優れざれば—とは定めず」〈色道大鏡一〉⑥神主の俗称。「諸社の神官を大方—と言ひ慣れたり」〈俳・類船集三〉⑦特に、伊勢神宮の下級神官。伊勢講の者を泊める宿屋などを経営。御師(おし)。「既に伊勢路の—殿より」〈俳・わたし船〉　**—おり**【太夫下り】遊女が太夫の位から一級下がること。また、その遊女。「太夫おろし」とも。「〔天神〕長島、—なり」〈評判・難波物語〉　**—がう**(ゴウ)【太夫号】①遊女の太夫の称号。「—をぞ出しける」〈評判・露殿物語〉②歌舞伎の立女形(たておやま)の称号。「—備はり給ふきりゃう、よそ目より申し習はし候」〈評判・野良三座詫〉　**—かひ**(イカ)【太夫買ひ】遊女の太夫を買うこと。また、買う人。「—・天職買などのわかちにて〔祝儀ノ〕分量の多少もあるべき事なるに」〈色道大鏡三〉　**—と**【太夫子】将来、立女形(たておやま)になるべき素質のある歌舞伎若衆。「よしみの—探せど」〈西鶴・椀久一世上〉　**—さじき**【太夫桟敷】劇場で、舞台の正面の桟敷。「—も不用なりとて」〈俳・山の端千句上〉　**—したぢ**【太夫下地】禿(かむろ)などの中で、将来太夫に取り立てるべき者。「—の天乙女あり」〈俳・ぬれがらす〉　**—しょく**【太夫職】太夫の位の遊女。「—。傾国において最も重んずべき職なり」〈色道大鏡一〉　**—つき**【太夫着き】伊勢参宮の道者が御師(おし)の宿に到着すること。「—変らぬ秋の杉の窓」〈俳・花洛六百韻〉　**—なり**【大夫成・太夫成】《五位に任ぜられることが原義》①中世以後、村落の宮座で、上層身分の大夫になること。また、その儀式・披露宴。「間人(まうと)=小作人)—の事」〈年中神事記〉②歌舞伎の立女形(たておやま)になること。また、その披露宴。「—とて、惣役者を東山にして座振舞の後」〈西鶴・男色大鑑五〉③遊女が太夫に出世すること。「—の日より〔揚屋ニ〕出で続くる事、五十日或は三十日」〈色道大鏡三〉　**—のげん**【大夫監】大宰府の三等官。平安時代には現地の有力者を任ずるようになった。「—とて、肥後の国に族広くて、かしこにつけては覚えあり、勢いかめしきつはものありけり」〈源氏玉鬘〉　**—もと**【太夫本】演劇興行の責任者で、一座の統率・監督をする者。江戸の歌舞伎では座本の別称。京阪では初め座本が兼ねたが、後に名儀だけの役目となって別の俳優が勤めた。「—たとひ倒るる事ありとも」〈俳・難波風〉

たいふ【大副】神祇官の次官。平安時代には大中臣(おおなかみお)氏が世襲して伊勢神宮の祭主を兼任した。「神祇官。…—一人。掌ること伯に同じ」〈職員令〉

たいふ【大輔】八省の次官。少輔(せう)の上位。「従五位下石川朝臣加美を中務の—と為す」〈続紀天平一〇・閏七・七〉

だいふ【内府】内大臣の唐名。「ないふ」とも。「己(おのれ)らは—が命(めい)をば重うして、入道が仰せをば軽うしけるごさんなれ」〈平家二・小教訓〉

だいぶ【大夫】中宮職・春宮職・大膳職・修理職などの職(しき)の長官。「中宮の—兼右兵衛の率正四位下橘宿禰佐為卒す」〈続紀天平九・八・一〉▽八省の次官である大輔(たいふ)との混同を避け、濁ってよむ。

だいふくちゃう(チョウ)【大福帳】近世、商家で売掛を総記した袋綴じの厚い帳簿。上紙に縁起を祝って「大福帳」と記した。大帳。元帳。「―の上紙に引く糊をすらした」〈西鶴・永代蔵二〉

だいふくちゃうじゃ【大福長者】非常に富裕な人。大金持。「―にて、蔵ども多かりけるを」〈雑談集三〉

たいふたう【大補湯】芍薬・人参・白朮(びゃくじゅつ)・甘草・地黄等の十薬種に、生姜・棗を加えて煎じた、虚労の薬。十全大補湯。「加減―の薬方、これを相伝せしむるなり」〈隔蓂記正保二・一・一五〉

だいぶつ【大仏】丈六(一丈六尺)以上の、大きな仏像。「〔東大寺ノ〕―あらはれ給ふ月、堂塔出で来たりぬるに、此の国もと金(こがね)なくして塗りかざるにあたはず」〈三宝絵下〉。「都に名高き〔方広寺ノ〕―や、三十三間ふし拝み」〈説経・鎌田兵衛正清〉　**―でん**【大仏殿】奈良東大寺の、大仏を安置した建物。聖武天皇の発願により天平勝宝三年完工。たびたびの戦火に焼損したがその都度再建された。現在の建物は江戸時代のもの。「其の―の歩廊は、六道の諸国をして営造し、必ず忌日に会せしむべし」〈続紀天平勝宝八・六・二三〉　**―もち**【大仏餅】もと、京都方広寺大仏殿前の餅屋で売り出した名物の餅。大仏の焼印をおしたもの。のち、京都誓願寺前・大阪天満橋筋・江戸芝三田などの餅屋でもまねて売り出した。「越中忠興、折一、―五十、紅梅一枝相添へ、円空を以て音信也」〈舜旧記慶長一三・一・二八〉　▽八文字屋本の作者江島其磧は、方広寺前の大仏餅屋の四代目主人。

だいぶん【大分】数多いこと。たくさん。「だいぶ」とも。「良き馬一疋にても―の金を取る事ぢゃに」〈咄・昨日は今日上〉

たいへいきよみ【太平記読み】近世前期、路傍などで太平記・信長記などを講釈したこと。多くは浪人の生業で、後の講談の初めという。「太平記講釈」とも。「―。近世より始まれり。太平記読みての物貰ひ」〈人倫訓蒙図彙七〉

たいへいふ【太平布】琉球産の芭蕉布。「―百端」〈上井覚兼日記天正一三・五・八〉

たいへいらく【太平楽】①雅楽の一。唐楽に属し、武装して舞うもの。「舞ひは。……―、太刀などぞうたてあれど、いとおもしろし」〈枕二六〉②太平で楽しいこと。「島は繁昌、世の中は―に候」〈浄・恵美酒本地五〉③勝手きままな事をいうこと。出放題。「太平」とも。「―の言ひ次第」〈咄・夕凉新話集二〉

だいべん【大弁】太政官の判官(じょう)である弁官の最上位。四位相当。左大弁・右大弁がある。八省を管掌し、勅命を下達、監察を司る。「なにかさもかたらひ給ふ。―みえば、うちすて奉りてんものを」〈枕四九〉

たいほふ【大法】①重要な規則。重い掟(おきて)。「我らが中に固き―の候ふ」〈謡・自然居士〉②定法。慣例。「法師の稚児をもてあそぶ事、今にはじめぬ―なり」〈伽・ゆみつき〉③〔仏〕密教の修法のうち、もっとも重要とされるもの。東寺の孔雀経法、延暦寺の大安鎮法、三井寺の尊星王法など。「有験の高僧貴僧に仰せて、―秘法を修せられけれども」〈平家四・鵼〉

だいぼん【大犯】大きな犯罪。大罪。「そもそもこの重衡卿は―の悪人たる上」〈平家一一・重衡被斬〉　**―さんかでう**【大犯三箇条】鎌倉・室町時代、大番催促・謀叛・殺害人の三か条。守護の沙汰すべき事項と定められていた。戦国時代以降、放火・殺人・盗みの三つをさした。「諸国守護人は、―の外、過分の沙汰を致すべからず」〈吾妻鏡寛喜三・五・一三〉

たいぼんげじょう【退凡下乗】釈迦が霊鷲山(りょうじゅせん)で説法した時、摩訶陀(まかだ)国の王、頻婆娑羅(びんばさら)がこれを聞くために通路を開き、その中間に立てたという二基の卒都婆。一つには「下乗」と記して、王がこの所から歩いて行き、一つには「退凡」と記して凡人をここから内に入れなかったという。「鷲の山―の卒都婆まで跡ある跡を見るぞうれしき」〈拾玉集五〉

だいまち【代待】日待ち・月待ち・庚申待ちなどに、依頼者に代って行(ぎゃう)を勤め、礼金をもらう乞食坊主。多く悪筆であったことから、後に無筆者の異名となった。「十七夜―〔ノ〕けん蔵主」〈家忠日記天正一九・五・一七〉。「笠の端に筆を差し、腰に矢立を差して、庚申の―、三ヶ月の―などと云ひて大路を呼ばはりありく」〈俳・氷室守四〉。「―。無筆阿呆(あはう)の異名也」〈譬喩尽三〉　**―で**【代待手】下手な筆跡。悪筆。代待ちが依頼者の氏名・年齢を記す筆跡が悪筆だったことからいう。「代待筆」とも。「予が―をやと言ひて笑へば」〈仮・よだれかけ序〉

たいまつ【松明】松などをたばねて火を点じ、照明用としたもの。「―の光に中将見るに」〈宇津保内侍のかみ〉

たいまつ・り【奉り】『四段』⇒たてまつり。「言ふに随ひて、幣(ぬさ)―・る」〈土佐二月五日〉。「父がなま学生に使はれ―・りて」〈大鏡序〉　▽タテマツリの音便形と見るのが普通。ただし、テからイへの音便は他例を見ず、この語の例も極めて少ない。あるいは古語タチマツリがあって、その音便形か。

だいまゐり【代参り】①代参(だいさん)。「日吉の御社へ新庄民部左衛門尉秀豊を歳末の御―に遣はさる」〈江源武鑑三〉。「代参、ダイマイリ」〈運歩色葉集〉②近世、礼銭をくれた依頼者に代って社寺に参詣する人。「銭五百、愛宕様への―」〈西鶴・諸艶大鑑八〉。〈日次紀事正月〉

だいみゃう【大名】《「小名」の対》①平安時代末、大規模な名田(みゃうでん)の領有者。大名主。「偏に耕農を業と為し、更に他計なし。数町の戸主、―の田堵(たと)也」〈新猿楽記〉②平安時代後期から鎌倉時代にかけて、名田を多く領有する地方豪族で、家子・郎党などを養うもの。「当国の―幷びに御方の志あるの武士、且つは参上を企て、且つは同心合力、平家を追討すべきの旨」〈吾妻鏡元暦一・三・一〉③分国の土地・人民を直接一元的に支配する領主。応仁の乱後の戦国大名はその完成した形。南北朝・室町期の守護も同様。「京中―残らずとみえたるに、畠山尾張守出頭せず」〈応仁略記下〉④江戸時代、一万石以上の武家で将軍に直属するもの。「諸―参勤作法の事」〈御触書寛保集成一、慶長二〇・七〉　**―がし**【大名貸し・大名借し】富商が高利で大金を大名に貸し付けること。また、その商人。「―一度話せば千貫目」〈俳・阿蘭陀丸下〉　**―ぎ**【大名気】小事にこせこせしないで大様なこと。寛濶・豪奢な性質。「代代ひとつ金子弐歩づつせしに高うて買はぬといふ事なし。…ここをもって―とは言へり」〈西鶴・胸算用五〉　**―けんどん**【大名慳貪】粗悪な蒔絵または青貝で飾った提げ重箱に盛ったもりきり蕎麦。「―と世間より自ら名を付けて」〈浮・子孫大黒柱二〉　**―は大耳**　高位高禄の人は鷹揚(おうよう)で、小事にこせこせしないの意。大耳の人は果報があるの意にも用いる。「大人(たいじん)は大耳」とも。「―なんどと諺に云へるもこの義なり」〈古活字本論語抄一五〉。「世話に―とて、耳の大きなは果報があると言へば」〈仮・籠耳二〉

だいみゃうじん【大明神】「明神」を更にうやまっていう語。「―、宝殿の戸を開き」〈古事談五〉。「鹿島の―は、本地十一面観音なり」〈諸神本懐集本〉

だいみゃうにちウ…ミョ【大明日・大名日】陰陽道で、万事に大吉とする日。「御普請鍬初めの吉日…―・金剛峰日」〈本光国師日記元和七・三・五〉。〈運歩色葉集〉

たいめ【対面】「たいめん」の「ん」を表記しない形。「今ひとたび―なくてや」〈源氏須磨〉

だいめ【台目・代目・大目】茶室の畳で、六尺三寸の本畳をその四分の一切り落したもの。切り落した部分に台子(だいす)を置く。台目切。「私の牛が左近と申す者の田を…―ほど食べてござる」〈虎明本狂言・右近左近〉

たいめい【大名】大身の武士。幕府の要職にある者や守護大名の称。「〔鶴岡放生会〕―どもみな狩衣にて出仕したる」〈問はず語り四〉。「―どもは、違例または養生など申し候ひて、引き込みて候。昨日も管領は風気候ひて出で候はず候ひつる」〈看聞御記紙背文書八、某書状〉。「大名、タイミャウ、大名(たいめい)は守護、大名(たいみやう)は銭持(ぜにもち)」〈文明本節用集〉

たいめん【対面】顔を合わすこと。面と向って話すこと。「―賜はらむ」〈源氏蓬生〉

だいもく【題目】①書物などの表題。「この経を乞ひ取りて、巻を開きてその―を見るに」〈今昔七ノ四三〉②名目。名称。「教外別伝といへる―はこのいはれなり」〈夢中問答中〉③箇条。項目。「院より御使に参りて物を申されけるに、あまりに多く―重なりければ」〈続古事談二〉④事項。事がら。「事実たらば、希代不思議の―なり」〈明徳記上〉⑤日蓮宗でとなえる法華経の題号「妙法蓮華経」の五字、また、その上に「南無」の二字を冠した「南無妙法蓮華経」の七字。「―の五字を日蓮ほぼ弘め申すなり」〈日蓮遺文四条金吾殿御返事〉。「法華経の―は琥珀(こはく)と磁石との如し。かく思ひて常に南無妙法蓮華経と唱へさせ給ふべし」〈法華題目鈔〉 **―かう**ウコ【題目講】日蓮宗の信者の講中。「鶯の―や園の中」〈俳・洗濯物一〉。「―より外に、一夜出た事もなく」〈浮・傾城洗髪二〉 **―をどり**【題目踊】題目⑸を唱えながらする踊。盆踊にも踊った。「後の世も掛くる―かな」〈俳・毛吹草六〉

だいもつ【大物】《ダイモチとも》大きな物。特に、木材・石材などの大きなもの。「〔大力ノ牛ガ〕車を引き、―を運ぶ」〈東大寺要録二〉。「こなたに―など引く時に、声を一同して『えいさ』と云ふやうに」〈左伝聴塵二九〉 **―は削(はつ)り取り** 大木・大石は、少しずつ削り取れば、しまいに適当な大きさになる意から、大事は徐徐に功を積み、長い間かかって成就するの意。「大の物ははつり取り」とも。〈俳・毛吹草二〉

だいもつ【代物】①代価。代金。「土佐所へ下絵―遣はし候ひ了んぬ」〈言継卿記大永七・八・二四〉。「―はいかほどでござるぞ」〈虎明本狂言・張蛸〉②銭(ぜに)。「あたりを探れば―一銭探り得たり」〈沼田根元記〉

だいもん【大門】家の外構えの正門。寺などの総門。「―のかたに、馬のいななく声して」〈かげろふ中〉

だいもん【大紋】①大形の紋どころ。「―を三つづつ書きたる直垂(ひたたれ)に」〈盛衰記三五〉②大形の模様・紋のついたがら。「小松殿、烏帽子直衣に、―の指貫(さしぬき)そばとって」〈平家二・教訓状〉③大形の紋を五か所に染めた布製の直垂(ひたたれ)。上衣の正面肩下・両袖・背上に紋があり、下は長袴をはく。室町時代以後五位すなわち諸大夫以上の礼服となった。「布直衣は諸大夫着す。これを俗に―と云ふ」〈装束抄〉

だいもんじ【大文字】①大きな字。「―にて四枚に書きみてさせ給ひて」〈著聞二八九〉②「大」という字。「又、―を知らで、またふりのやうなる文字は何ぞと問へる僧ありけり」〈沙石集七ノ二〉③陰暦七月十六日の夜、京都東山如意岳の中腹で、聖霊の送り火として「大」の字形に焚くかがり。大文字の火。〈日次紀事〉

たいや【逮夜】忌日または葬儀の前夜。「御命日の朝、―などに御物語候へば」〈本願寺作法〉。〈文明本節用集〉 **―まゐり**【逮夜参り】逮夜に読経するために、僧侶が檀家に行くこと。「―の更けるを待ちかね」〈西鶴・一代女二〉

だいや 主とすること。主体。本職。「慶庵が―で、ひっきり(余技)に医者をしてゐる己だから」〈黄・人唯一心命下〉

たいやうウ…ヨ【対揚】①対等であること。匹敵すること。「公卿の役、強ひて―を嫌ふ可からざる歟」〈吉記治承四・四・二六〉②対抗すること。相手とすること。「彼の者は他門也。是の者は一門の棟梁也。―すること如何と」〈吾妻鏡文治四・三・一五〉③〔仏〕①仏の説法の会座で、仏に対し問答などをして仏の心を刺激し利益を受けること。「波斯匿王、―の主」〈三代実録貞観二・四・二九〉②法会で、散華の後、仏を讃える偈を唱えること。「散花に次いで、師、―を申す」〈江家次第七・最勝講〉

たいやく【大厄】陰陽家で最も忌む厄年。特に、男の四十二歳、女の三十三歳。「某(それがし)今年は五十七に罷り成り候へば、―の年かと覚え候」〈日蓮遺文太田左衛門尉御返事〉。「今年四十二、―也」〈看聞御記永享七・九・二〇〉

たいらうウ…ロ【大老】豊臣政権および江戸幕府で、執権者を補佐した最上位の非常置の職名。豊臣時代には五奉行の上に五大老を置き、江戸幕府は老中の上に大老一人を置いた。「土井大炊頭利勝、酒井讃岐守忠勝…大政の事あらば、まうのぼり、老臣と会議して、怠るべからざるむね命ぜらる。これ、今の世にいふ―なり」〈大猷院殿御実紀寛永一五・一一・七〉

だいらうウ…ロ【大粮】奈良・平安時代に、諸司・諸寮の下級官人らに食料として支給した米・塩などの総称。大粮米。「穎(えい)を徴すと称し、―を行なはず。封租に宛つるなし」〈類聚三代格一五〉

だいり【大理】検非違使別当の唐名。「金をば看督長(かどのをさ)に持たせて、薄打(はくうち)具して―の許へ参りぬ」〈宇治拾遺三〉

だいり【内裏・内裡】天皇の住む御殿。皇居。禁裏。禁中。大内(おほうち)。「―に召して、御酒并(あは)せて祿を賜ふ」〈続紀神亀二・一一・二五〉→巻末・内裏図。 **―さま**【内裏様】内裏の尊称。また、天子の尊称。「これはこれ―とて、下下(げげ)のたやすく参る所ではないぞ」〈咄・昨日は今日上〉 **―じゃうらふ**ジョウロウ【内裏上臈】宮中に仕えている女官。内裏女臈。「浮名取らるる―」〈俳・正章千句上〉 **―はごいた**【内裏羽子板】京都で作られた、内裏雛を金銀で彩色して描いてある羽子板。京羽子板。「此の女袖より―を取り出し」〈西鶴・諸国咄三〉 **―びな**【内裏雛】天皇・皇后の姿にかたどった男女一揃いの雛人形。内裏様。「桃の花の都なりけり―」〈俳・智恵袋一〉 **―ぶしん**【内裏普請】ぐずぐずして、よく働かないこと。内裏の普請に従事する職人・人夫はてきぱき働かないのでいう。「―と言ふ世話を思ひ、わざとぐにゃぐにゃしてゐたり」〈浄・当麻中将姫一〉

だいりゃう…リョウ【大領】令制の郡の長官。国造(くにのみやつこ)など地方の豪族から選んだ。「こほりのみやつこ」とも。「郡司には並に国造の性識清廉(いさぎよ)くして時務に堪ふる者を取りて―・少領とし」〈紀孝徳、大化二年〉

たいりゃく【大略】①おおかた。およそ。大概。「日本国―

二つに分れて」〈保元上・新院御謀叛思し召し〉。「露涙袖も—ぬれ渡り」〈宗祇独吟〉 ②普通。人並。「顔—なり。心も巧者なり」〈評判・桃源集〉

たいりょ【大呂】 陰暦十二月の異称。「その年もやうやう暮れ、—大晦日に成りにける」〈説経・さんせう太夫〉。〈色葉字類抄〉

たいれい【台嶺】 比叡山の異称。中国の天台山に擬していったもの。「〔白菊ノ〕苗は—より得つ」〈菅家文草四〉

だいろくてん【第六天】 六欲天の第六。他化(たけ)自在天。「その魔王は欲界の—にあり」〈夢中問答上〉 **—のまわう**（ウ:オ）【第六天の魔王】 他化自在天の王、即ち自在天王。「—といふ外道は、欲界の六天を我が物と領じて」〈平家一〇・維盛入水〉

だいゐとく【大威徳】 大威徳明王。「恵亮和尚、—の法を修せられけるが」〈平家八・名虎〉 **—みゃうわう**（ミヨウオウ）【大威徳明王】 五大明王の一。本地は阿彌陀如来。文殊の化身ともいう。西方を守護し、衆生を害する一切の敵を降伏させるという。六頭・六臂・六足の忿怒形で、青水牛に乗る。「東方に降三世明王、南方、軍陀利夜叉、西方、—」〈謡・葵上〉

だいゑ【大会】 大規模な法会。大法会。「宮に—を儲(まう)けて、もろもろの人を集めて問ひて云はく」〈今昔一ノ三〉

たう（ウト）【当】 ㊀『名』 ①「当来」の略。「現には千幸万福に楽しみて、—には補陀洛山(ふだらくせん)に生れんと」〈盛衰記三九〉 ②「当番」の略。「当年は某(それがし)が祇園の—に当ってござあれども」〈虎明本狂言・鬮罪人〉 ㊁『接頭』 この、今の、などの意。「—今(ぎん)」「—家(け)」「—月」「—給人」など。「—国の受領(ずりやう)」〈源氏玉鬘〉。「惟規は—職の蔵人にてありければ」〈今昔三一ノ二八〉

たう（ウト）【党】 平安時代末期から中世にかけて、同族の武士たちなどによって結成された小地域中心の軍事集団。武蔵七党・多田党・松浦党・渡辺党など。地名を冠してよばれた。「横山—二十余人」〈長秋記天永四・三・四〉

たう（ウト）【唐】 中国の王朝名。隋に代って天下を統一。わが国の飛鳥時代から平安時代初期まで続き、その文化はわが国に大きな影響を与えた。「招提寺はこれ、—の大和尚鑑真、聖朝の奉為(おほみため)に建つる所なり」〈後紀延暦二三・一・三〉 **—へ投銀**(なげがね) 近世、朱印船貿易で、中国船・朱印船に対する貸付銀をいう。高利であったが、難破その他で丸損になる危険もあり、投機的投資でもあった。鎖国以後は、中国船のみに行なわれた。単に「投げ銀」とも。「昔、—して仕合せ、次第分限となって」〈西鶴・二十不孝三〉

だう（ウド）【堂】 ①おもて御殿。正殿。「堂、俗云猶堂、高顕壇也」〈和名抄〉 ②神仏を祭る建物。「板屋の傍に—建て行なへる尼の住まひ、いとあはれなり」〈源氏夕顔〉 **—に入・る** 学問・技芸などが深奥に達する。「和僧も今は早—・りたると見えてあれば、心を静めて、よく理(ことわり)を聞くべき也」〈浄・二しんかう地蔵の本地五〉

だう（ウド）『接尾』「だうな」に同じ。「一人づつ殺さん事手間—なりと」〈近松・佐々木大鑑一〉

たうあみ（トウ）【唐網】 投げると円錐形に広がって水中に落ち魚を捕える網。投網(とあみ)。打網。「西京堀にて—打たせ」〈北野社家日記慶長四・六・二〇〉

たういん（トウ）【唐音】《タウオンとも》 わが国に伝来した漢字音のうち、漢音以後の新しい字音。平安時代中期から江戸時代にかけて伝えられた、宋・元・明・清時代の音の総称。たとえば、「行脚(あんぎや)」「行燈(あんどん)」のアン、「茶道(さだう)」のサ、「椅子(いす)」「扇子(せんす)」のス、「和尚(をしやう)」のヲなど。「宋音(そういん)」とも。「挑燈と書きてちゃうちんとよみ、行燈をあんどんとよむ。皆—か」〈壒嚢鈔三〉。「常に亭といふ字をちんと読むなり。—なり」〈庭訓抄上〉。〈文明本節用集〉

たううちは（トウチワ）【唐団扇・唐団】 軍配団扇。戦場で采配の代りとし、また、相撲の行司が用いた。「揺られぬる波間の月や—」〈俳・毛吹草五〉

たうおん（トウ）【唐音】 ⇒たういん

だうか（ドウ）【道歌】 仏法・道徳・処世などに関する教訓を、記憶しやすいように、長歌または短歌に作ったもの。「障子に夢窓国師の—の色紙をおかるる。飛鳥井柏木入道殿御筆」〈御飾記〉。「古人—、坐禅して身はいたづらに成りにけり蒲団破れて敷く物もなし」〈策彦和尚初渡集下ノ上〉。〈文明本節用集〉

だうからだな（ドウコウ）【道幸棚】 茶室の道具の一。点茶のとき主人の坐る畳の横に設け、居ながら茶具の出し入れのできる押入れ。道幸という人の創製という。「洞庫(どうこ)」とも。「—、茶室に致す所也」〈仮名字例二〉

たうがく（トウ）【唐楽】 唐から伝来した雅楽。左楽。「—を庭に奏す」〈続紀天平宝字七・一・七〉

たうがさ（トウ）【唐瘡】 梅毒。楊梅瘡。「からがさ」とも。「道堅法師、—をわづらふ由申したりしに」〈再昌草一二〉

たうぎん（トウ）【当今】 当代の天皇。今上(きんじやう)。「—は御弟にておはしませば」〈保元上・新院御謀叛並びに調伏〉。「当今、タウギン、時之天子」〈易林本節用集〉

たうぎん（トウ）【当銀】 現金。当座銀。「菊の匂ひや—の酒」〈俳・大矢数三〉

だうぐ（ドウ）【道具】 ①その道で使用する器具。仏道では仏具、茶道では茶器など。「それ兵道はいまいましき—なり」〈三略抄〉。「或いは貧にして—調へがたしと云ひ」〈正法眼蔵随聞記六〉 ②家具、器物、食器など。「姫君の御—残る所なく調へ」〈伽・鼠草子〉。「俗、或いは、食器を—と云ふ」〈齊東俗談一〉 ③武具。特に、太刀・刀・槍など。「—の事は、粗忽に候へども、大法と仰せられ候ふ間、預り申し候ふ」〈謡・春栄〉。「『お—を持ちまらせうか』『いやめでたい御代にいらぬ物ぢゃ』」〈天理本狂言六義・花争〉 ④その物に備わっているべきもの。「面—の四つ(目・鼻・口・耳)」〈西鶴・一代女二〉 **—いち**【道具市】 古道具をせり売りする市。多く夜行なわれた。仕舞物市。「武士(もののふ)が声を繕ふ—」〈俳・胴骨〉 **—おとし**【道具落し】 ①槍を巻き落す武器。「鑓梅の—は小枝かな」〈俳・犬子集一〉 ②おとしあな。陥穽。「女郎の—はこれぞかし」〈西鶴・諸艶大鑑八〉 **—と女房は有合せ** 道具と女房は特別なものでなく、有合せのものでも充分まにあうの意。「—、尤もぢゃ尤もぢゃ」〈近松・卯月潤色中〉 **—もち**【道具持ち】 武家で、槍持ちの称。「御道具の者」とも。「小姓・若党・—、そのほか家来の者までも」〈伽・猿源氏草紙〉 **—や**【道具屋】 古道具屋。規模の大きなものをいう。道具店(みせ)。「—伊勢屋五兵衛」〈松平大和守日記寛文七・一一・二九〉

たうくし（トウ）【唐櫛】 梳櫛の一種。歯を細密に作り、虱などを梳き取る。背を水牛の角または鯨の鬐(ひれ)などで作ったものもあった。「黄楊(つげ)の—ささず来にけり」〈俳・それぞれ草下〉。〈運歩色葉集〉

たうげ（トウゲ）【峠】《タムケ(手向)の転》 ①山道の登りつめた所。「のぼる—に汗をほす人」〈心玉集〉。「—。みねの事なり」〈匠材集三〉 ②物事の頂上。「一生の内の盛り—と存じ候」〈榎本彌左衛門覚書〉。「淋し

さの—見しかな秋の暮」〈俳・前後園上〉

だうけ:ドウ【道化】㊀『名』《「道外」「道戯」とも書く》①人を笑わせる言語・動作。おどけ。滑稽。「—、尾籠なる事は、狂言の病也」〈わらんべ草五〉②歌舞伎役柄の一。滑稽な科(しぐさ)や白(せりふ)で観客を笑わせる役。初期歌舞伎の猿若の伝統をひき重要な役であったが、後には端役となった。道化役。道化方。道化者。「—。うつけを第一とし、うそがましき事のみ言ひ、なりふりまでをかしげに見え、見物の方方笑ひをもよほす」〈人倫訓蒙図彙七〉。「夕だちは—ぶりたる天気かな」〈俳・毛吹草五〉㊁【だう・け】『下二』《名詞ダウケの動詞化》滑稽な言動で人を笑わせる。「むさくさ者と云へば、—・けておもしろきと云ふ」〈仮・悔草中〉

たうけん:トウ【唐犬】外国から輸入された犬。近世には、大形強健のものが主に狩猟に用いられ、大名などに飼われた。「今日犬を献ずる者有り。是れ今度新渡の—也」〈花園院宸記元亨三・三・二六〉。「鹿よりも大なる—駆け来りて、大蔵の細頸をただ一嚙みにと跳びかかるを」〈義残後覚一〉。「—は帰朝の時の宮笥(げみや)にて」〈俳・底抜臼上〉

—びたひイビタ【唐犬額】額髪の角が尖るように、広く大きく抜き上げた額。近世、承応頃の侠客唐犬権兵衛の額付に始まるという。町奴・中間〈ちゅうげん〉・小者の間に流行し、卑しい額付とされた。「—に取り上げし男」〈評判・吉原雀下〉

たうげん:トウ【桃源】仙人の住む、俗世間を離れた平和な別天地。桃源郷。仙境。「—は海に通ひて仙舟を浮ぶ」〈万巻一七・晩春の遊覧〉。「かくれ里の—の如くなる所をも見るぞ」〈四河入海九上〉

だうこ:ドウ【道籠】《「洞庫」とも書く》「道幸棚(だうかうだな)」に同じ。「大目(だいめ)の先に—有り」〈宗湛日記天正一五・一・一二〉

だうこにち:ドウ【道虚日】陰陽道で、外出を禁じている日。毎月、一日・六日・十二日・十八日・二十四日・三十日の六か日。「—、必ずしも仏事を忌むべからざる歟」〈小右記長元三・九・一七〉

たうざ:トウ【当座】①その席。その座。その場。「—の公卿、みな長方の議に同ずと申しあはれけれども」〈平家二・座主流〉。「—の景気の面白さに、目を驚かし心を迷はす者もあり」〈盛衰記四二〉②即座。即刻。『いかに』と仰せられける時、—に懺悔して」〈一遍聖絵九〉。「にはかには成らぬぞ。物事が—には成らぬものぞ。自然になるぞ」〈周易抄〉③その場かぎり。さしあたり。「先の忠節をばうち忘れて、—の奉公ばかりを本(ほん)とすることの嘆かしさよ」〈天草本伊曾保〉④その場で和歌・連歌・俳諧などを詠むこと。即題(そくだい)。「近衛院御在位の時、—の御会(ごくわい)ありしに」〈平家一・御輿振〉。「皆皆御短冊を参らせられ候ひて、—を遊ばされ候へ」〈謡・熊野〉→兼日(けんじつ)

—いり【当座入り】その場限りの客。ふりの客。「—の人は鼻であしらふ」〈西鶴・一代女五〉

—うり【当座売り】現金売り。「一日五十両余が—」〈西鶴・織留三〉

—かし【当座貸し・当座借し】①短期間、物を貸すこと。「星の中良きにや物を—」〈俳・如意宝珠四〉②借用証書を取らないで、短期間小額の金銭を高利で貸すこと。「日借しの小判、—のはした銀」〈西鶴・永代蔵一〉

—がひイガ【当座買ひ】小額の現金買い。「束(たば)ね木の—」〈西鶴・一代男三〉

—ぎり【当座切】その場限り。「契りを—に」〈西鶴・懐硯一〉

—ぎん【当座銀】現金。「昔は掛算今は—」〈西鶴・永代蔵一〉

—さばき【当座捌き】その場限りの処置。当座しのぎ。また、でまかせ。「—に語りける」〈西鶴・五人女三〉

—ちゃうチョウ【当座帳】売り渡した商品の個数・代価などを付け込み、仕訳(しわけ)しない帳簿。「夕露に跡付けそむる—」〈俳・大坂一日独吟千句〉

—づけ【当座漬】あっさり漬けた香の物。浅漬。「—の茄(なすび)」〈西鶴・一代女一〉

—のはな【当座の花】一時の慰み物。情人・妾などにいう。「御身が事は—」〈近松・出世景清三〉

—ばらひイバラ【当座払ひ】現金払い。「別れは—」〈西鶴・一代男一〉

—まかなひマカナイ【当座賄ひ】当座ばかりのやりくり。その場のがれの処置。当座しのぎ。当座のがれ。当座ぬけ。「—にたらし」〈浮・茶屋調方記〉

たうざい:トウ【当歳】生れたその年。一歳。「父には—にて別れ」〈浮・御前義経記三〉

—ご【当歳子】その年に生れた子。「今若七歳、乙若五歳、牛若—なり」〈義経記一〉

たうさん:トウ【当参】到着すること。参着。また、到着したその人。「従ひ奉る所の軍兵、—已に二万七千余騎也」〈吾妻鏡治承四・九・二九〉

たうざん:トウ【当山】この山。また、この寺。当寺。「それ—は日本無双(ぶさう)の霊地、鎮護国家の道場」〈平家二・一行阿闍梨〉

たうざん:トウ【唐桟】舶来のサントメ縞。和製に比して上質であった。唐桟留(とうざんとめ)。唐桟縞。「市中、木綿幷びに—を売る」〈日次紀事十月〉

たうし:トウ【唐紙】中国産の紙。主に竹を原料にした、毛辺紙・元書紙・毛泰紙などの類をいう。「件(くだん)の讃、白—二枚に書きたり」〈著聞一七八〉

たうじ:トウ【当時】①現在。いま。「—の帝・后のさばかりかしづき奉り給ふ御子」〈源氏蜻蛉〉②その時点。「心のほしきままに悪しき事をのみ事とするは、—は心に叶ふやうなれども、終り悪しきものなり」〈宇治拾遺一九七〉

だうし:ドウ【道士】①仏道を行(ぎょう)ずる人。僧。「時時は—の許(もと)に行きて約(ちぎり)を結び、道を習ふ」〈三宝絵上〉②道教を修めた人。道教の僧。「—寇の謙之に仕へてその道を習へり」〈今昔九ノ三八〉③神仙の術を行なう人。方士。「—、八月十五夜月の午時(うまのとき)ばかり、庭に立ちて、桂の枝を月に向ひて投げ上げたりければ、銀のきざはし、月の宮につづきけり」〈十訓抄一〇ノ六四〉

だうし:ドウ【道志】大学の明法道を終えて、衛門府の志(さくわん)と兼ねて検非違使の志に補任されるもの。「氏姓を改めて、—に任ず」〈朝野群載九〉

だうし:ドウ【導師】①正道を説いて衆生(しゅじゃう)を教え、悟りに導く者。仏・菩薩などにいう。「今も昔も、釈迦仏の、—とましまして一切衆生をみちびき給ふ広大恩徳は」〈百座法談聞書抄〉②法会・供養などの時、首班となって事を行なう僧。「仏名を行なふには必ず—を請ず」〈三宝絵下〉

たうじき:トウ【当色】①《もと陰陽道で、その年の吉方(えほう)に当る色をいうところから》位階に相当する服色。令制では一位深紫、二・三位浅紫、四位深緋、五位浅緋、六位深緑、七位浅緑、八位深縹(はなだ)、初位浅縹。後、多少変化した。「並に正六位上を授く、—の服を賜ふ」〈続紀神亀五・一・一五〉②公事(くじ)の際、その役を勤める者に賜わった装束。転じて、官給品をもいった。「緑の衣の上に、白き—着て御湯参る」〈紫式部日記〉

だうしゃ:ドウ【道者】①その道に達した人。「さすがよき人にてぞあるらん、まことに—と見えて」〈伽・三人法師〉②仏道修行者。「得道の者を名づけて—と為し、余の家を出づる者の未だ得道せざる者も、亦—と名づく」〈書言字考〉③寺社霊場などに連れ立って参詣の旅をしている人。熊野・伊勢などの参詣者についていう。「この—は誰人にておはしまし候ふぞ」〈盛衰記四〇〉

だうじゃう ドウジヨウ【堂上】《古くはタウシャウ・ダウシャウ》①堂の上。御殿の上。「数万の軍旅は―・堂下に並み居たれども」〈平家六・入道死去〉②昇殿すること。「内記の持ちたる宣命をとらずして―せられにけり」〈徒然一〇一〉③《「地下(げぢ)」の対》五位以上の昇殿を許された者。公卿・殿上人。また広く、公家(くげ)の称。「―の人と北面衆、内内論の事有りて」〈江源武鑑一六〉

だうじゅ ドウ【堂衆】《ダウシュとも》寺院の諸堂に分属して雑用を勤めた下級の僧侶。平安時代後期、武装化して僧兵となった。「〔比叡ノ〕山上には、―・学生不快の事出で来て、合戦度度に及ぶ」〈平家二・山門滅亡〉

たうじん トウ【唐人】「からひと」に同じ。「唐(から)の船まるらせたり。…―ぞ付きてまるりたる」〈厳島御幸記〉。「この句も、―の詩に…と作った心ぞ」〈湖鏡集〉。〈易林本節用集〉 **―がさ**【唐人笠】中央が高く尖り、その頂きに紅布などを付けた笠。祭礼で唐人囃子(ばやし)などをする者もかぶった。「―雨の降る夜も風の日も」〈俳・珍重集〉 **―でら**【唐人寺】近世、黄檗(おうばく)宗の、すべて唐風に建築した寺の称。「―の軒の落書」〈俳・桜千句〉 **―のねごと**【唐人の寝言】何を言っているのかわけの分らぬ言葉。「何とも合点ゆかず、―聞くやうにあるべし」〈仮・いな物下〉 **―ぶえ**【唐人笛】喇叭(らっぱ)。チャルメラ。「―の響き」〈西鶴・諸艶大鑑一〉 **―ぶね**【唐人船】近世、中国人が乗り組んで、南京・広東・マカオなどから長崎に来航した貿易船の称。「―あまた渡りて」〈評判・野郎虫〉 **―をどり**【唐人踊】唐人の服装をし、或いは唐音の歌を歌いながらする踊。「異風にも出で立つ―かな」〈俳・鸚鵡集六〉

だうしん ドウ【道心】①悟りを求める心。「中将の―深げにものし給ふ」〈源氏橋姫〉②仏道に志して出家した人。道心者。「俄かにかやうに―になって御座る」〈狂言記・俄道心〉 **―さ**【道心者】《サはシャの直音化》⇒だうしんじゃ。「としごろきはめたる―にぞおはしける」〈大鏡伊尹〉 **―じゃ**【道心者】①仏法に帰依した人。「濃き墨染めに同じ袈裟、思ひ入れたる―」〈平家一〇・横笛〉②乞食坊主。「世間を廻る鉦叩き・鉢開きを、―と言ふはをかしき事也」〈仮・可笑記評判五〉

だうじん ドウ【道人】神仙の術を修めた者。道士。「所以(ゆゑに)―方士自ら丹経を負ひて名山に入り」〈万巻五・沈痾自哀の文〉

たうせい トウ【当世】①今の世。現今。「―無双の宏才博覧なり」〈平治上・信頼信西不快〉②今の世の流行の風。または、今日の風習。「菜(さい)は盛り難き物なり。でかしだてをすれば、堅うて―にあらず」〈伽・鼠草子〉 **―しだし**【当世仕出し】当世の流行。当世好み。「―の衣服に身を飾り」〈西鶴・織留一〉 **―じたて**【当世仕立て】当世流行の風に着物を作ること。また、その仕立て方。「二尺五寸袖の―」〈西鶴・一代女一〉 **―ふう**【当世風】当世流行の風俗。当世風俗。当世流。「伊達姿―におどろかれ」〈俳・信徳十百韻〉 **―やう** ヨウ【当世様】「当世風」に同じ。「今ほどは―にて、我等がやうなる昔細工はいらぬによって」〈虎明本狂言・塗師〉 **―をとこ**【当世男】当世流行の身なりをした伊達男。「色里色町のつめひらき一度も不覚を取らず、―にしてよね(遊女)の好くべき風俗なり」〈西鶴・諸艶大鑑二〉 **―をんな**【当世女】当世もてはやされるタイプの美女。当世女房。当流女房。「―は丸顔桜色」〈西鶴・一代男三〉

たうせん トウ【唐船】中国の船。また、中国ふうの船。「からふね」「もろこしぶね」とも。「鎌倉の大臣殿、―作りて由比の浜より出して…唐へつかはしける」〈雑談集六〉

だうぞく ドウ【道俗】道人と俗人と。僧と一般人と。僧俗。「―帰敬(ききやう)して化主(けしゆ)とす」〈霊異記下一九〉

だうそじん ドウ【道祖神】道路の悪霊を防いで旅人を守護する神。近世、猿田彦神をこの神として信仰した。道陸神(だうろくじん)。さえのかみ。「道のほとりの神をば―とも云ひ、さへの神ともいひ、手向けの神とも申し、色色のきぬの切れなんどを奉る也」〈顕注密勘〉

たうた【田歌】田植歌。「―といふ事には念仏をなん唱へさせける」〈法然上人行状絵図〉

たうたい トウ【当体】そのもの自体。本体。「―の心はもとより不生不滅なり」〈道元法語〉。「物物皆―のままにして、天下太平なるべきなり」〈大学抄〉

たうだい トウ【当代】①今の時代。当世。「無からん例を―に行なはせ給ひ、誹りを後代まで残させ給はん御事口惜しかるべく候」〈平治上・信頼信西不快〉②《「当帝」とも書く》現在の天皇。今上(きんじやう)。「―の御子」〈源氏明石〉

たうだう トウドウ【当道】①自分の携わっている道。特に芸能関係についていう。「朝親適(たまたま)定家朝臣に属し、―を嗜み、即ち此の集の作者に列する」〈吾妻鏡元久二・九・二〉。「当道、タウダウ、諸芸の道なり」〈下学集〉②盲人の官位を司り、その職業を保護する制度。また、それに属する人人。「―盲目法師座中の事、御管領有るべきの由」〈久我家文書一、永暦一・二・二六〉。「―少少出でて平家を語る。壱人は戒文を語り、一人は宇治川を語る」〈西海余滴集〉

たうだ・き【手抱き】〔四段〕⇒たむだき

だうちう ドウチュウ【道中】①旅行の途中。旅路。「まづ―油断なく心を守り」〈驢鞍橋上〉②遊女が、遊廓の女郎屋から揚屋まで往復すること。また、その時の据え腰蹴出し歩みで、外八文字・内八文字に歩く歩き方。「女郎うちより揚屋へ行くを―といふ」〈評判・吉原失墜〉 **―あふぎ** オウギ【道中扇】宿駅・里程を入れた道中図を記した旅人用の扇。「本海道の―持ち給ふからは、江戸への初下り」〈西鶴・織留四〉 **―き**【道中記】近世、旅路の宿駅・里程・道筋・名所旧跡などを記した横本の案内記。東海道用のが多く刊行された。道中鑑。道中付け。「新版の―」〈西鶴・諸艶大鑑一〉 **―すごろく**【道中双六】絵双六の一種。東海道五十三次の図を画き、振出しを品川、上りを京都とし、賽の目の数によって宿場を進め、早く上がった方を勝とするもの。貞享頃、浄土双六に倣って創られたという。「虞子君に―を打たせたる」〈雑俳・うたたね序〉 **―すぢ**【道中筋】旅人の往来する街道の道筋。「―、駄賃・人足賃二割増しに仰せ付けられ候」〈御触書寛保集成三、延宝九・三〉 **―ばおり**【道中羽織】武士の乗馬・旅行用の羽織。背縫いの下半分を裂けたままにしたもの。打裂(ぶつさき)羽織。野羽織。「猩猩緋の―」〈近松・丹波与作上〉

たうちゃ トウ【唐茶】近世、九州で産した中国明代の製法による出し茶。茶の葉を炒(い)って揉み、陰干しにしたもので性が強い。「―詰めて壺上(ぼの)せけり育王山」〈俳・洛陽集上〉

だうぢゃう ドウジヨウ【道場】《「菩提(ぼだい)道場」の略で、菩提樹の下の、釈迦が成道した場所のこと》①仏道を修行する場所。寺院。「〔行基ハ〕留止する処に皆―を建つ」〈続紀天平勝宝一・二・二〉②特に、浄土真宗・時宗の寺院。「さらば四条の―へ送れ」〈明徳記下〉

たうど【田人】《タビトの音便形》農夫。「この―どもの歌ふ

歌を聞こしめせば」〈栄花御裳着〉

たうど：トウ【唐土】中国。「天竺・―の遙かなる風波を厭はず」〈孝養集上〉

だうどうじ：ドウ【堂童子】①寺で雑役に使う童子。「―・優婆塞、忿忿(そい)ぎ走り来て言はく」〈霊異記下二四〉②宮中の大法会などで花筥(こけ)を配る役。蔵人および五位以上の公家の子息がなる。「―までかづけものなど賜はす」〈栄花疑〉

だうな：ドウ『接尾』《ダクナの音便形》体言または動詞の連用形について、無駄についやす意をあらわす。「ただ今の矢一つでは敵(かたき)十人は防かんずるものを。罪つくりに、矢―に」〈平家九・坂落〉。「ものくらひ―に、無益ぢゃほどに」〈史記抄一五〉

だうにん：ドウ【道人】①仏道を修行する人。「昔、仏法を求むる―ありけり」〈沙石集七ノ三〉②得道した人。悟りを開いた人。「善知識に随(したが)って、衆と共に行(ぎゃう)じて私なければ、自然(じねん)に―なり」〈正法眼蔵随聞記一〉

だうねん：ドウ【道念】道を求める心。「おほかた―ある僧なりけり」〈雑談集二〉

たうのつち：トウ【唐の土】鉛から製造した白粉。鉛白。「神子達の神楽に化粧ふ―更に面は白白として」〈詠百首狂歌〉。〈日葡〉

たうばら：トウ【当腹】「たうぶく」に同じ。「近衛院は第八の御弟、―の宮」〈保元上・後白河院御即位〉

たうばり【似り】『四段』《タグへ(偶)の自動詞形タグハリの音便形。二つ同じものがそろって並んでいる意》似る。「容儀(すがた)能く天皇(すめらみこと)に―・れり」〈紀雄略一年〉

たうばり：トウバリ【賜り】㊀『四段』《タマハリの転》いただく。「鷹の子はまろに―・らむ」〈催馬楽(天治本)鷹の子〉㊁『名』賜わること。また、賜わったもの。祿。「宮の御―にても、必ずあるべき加階などをだにせず」〈源氏賢木〉

たうばん：トウ【当番】《「非番」の対》①その番に当ること。「蟇目(ひきめ)の―と名づけて、夜百人昼五十人の番衆をそろへて蟇目を射させらるるに」〈平家五・物怪〉②泊り番。宿直。「鳥羽の御所に候せられし時には、非番・―して目にかからん詞(ことば)にかからんとこそ振舞ひしか」〈盛衰記七〉

たう・び：トウビ【賜び・給び】『四段』《タマヒの転》①お与えになる。「それは隆円に―・べ」〈枕(能因本)無名といふ琵琶〉②《動詞の連用形について尊敬の意を表わす》…なさる。「御館(みたち)より出で―・びし日より、ここかしこに追ひ来る」〈土佐一月九日〉▽tamaFi→tambi→taubi

たうふう：トウ【当風】今の世の流行のさま。当世風。今様。今風。「大昔・中昔・―と言うて、三段おぢゃるが」〈狂言記・吟じ聟〉。〈日葡〉

たうぶく：トウ【当腹】《「先腹(せんぷく)」の対》現在の本妻から生れたこと。また、その子。「新源納言経房―〔ノ〕太郎…二十六日、首服を加ふるの由」〈小右記長和四・三・三〉

だうぶく：ドウ【道服】①袈裟(けさ)の異称。「或は袈裟と名づけ、或は―と名づけ」〈壒嚢鈔一二〉②中世、公卿・大納言以上の人が普段着として着た上衣。袖広く、腰より下にひだがあり、僧衣に似ている。「忽ちに―を脱ぎ給ひて、錦の直垂(ひたたれ)をぞ召されける」〈太平記一四・矢矧鷺坂〉

たうぶん：トウ【当分】①割り当てられた分。「タウブンツカマツッタ」〈日葡〉②さしあたってのこと。当座。「上下共に、末の難義をば申さず候て、先づ――の賑やかなる事を好み」〈沢庵書簡正保一・八・一〇〉

たう・べ：トウベ【食べ・給べ】『下二』《タマヘ(賜)の転。いただく意》①いただいて飲食する。「酒を―・べてたべ酔うて」〈催馬楽酒を飲べて〉②《動詞の連用形について謙譲の意を表わす》…させて頂く。「そこになむ花見給へむ(拝見ショウ)とて、日ごろ侍り―・ぶ(居サセテ頂ク)なり」〈宇津保梅花笠〉

たうまちくゐ：トウ【稲麻竹葦】《法華経、方便品に見える語》稲・麻・竹・葦(あし)が密生していること。多くのものが入り乱れてぎっしり集まっているさま。「あまりに人参り集(つど)ひて、筍(たかんな)を込み、―の如し」〈平家三・公卿揃〉

たうまる：トウ【唐丸・鶤鶏】①中国原産の大形で尾の短い鶏の一種。近世、闘鶏用に愛玩された。鶏冠(とさか)が大鋸歯の形をしたのを大鋸(だいぎり)といった。「―の気の抜けたる様なり」〈評判・難波物語〉。〈日葡〉②「唐丸籠」の略。「〔バレタ時ハ〕―に乗るべいわさと物師(ペテン師)言ひ」〈雑俳・万句合明和八〉　―**かご**【唐丸籠】近世、平民の重罪人を輸送するに使用した籠。「田舎不義―が二つ出来」〈雑俳・万句合明和五〉

だうみゃうじ：ドウミョウ【道明寺】「道明寺の乾飯」の略。「宗順、茶一・―等持参」〈言経卿記天正一〇・一・一六〉　―**のほしひ**：シイ【道明寺の乾飯】河内国の道明寺で作りはじめたという、糯米(もちごめ)の乾飯。道明寺糒(ほしひ)。「ある時、親しき旦那の、―二袋、よき酒を錫(すず)につきて一対、暑気(あつけ)を散らし給へとて」〈遠近草中〉

だうむかへ：ドウムカエ【道迎へ】旅から帰って来る人を途中まで出迎えること。「―のために一酒を持ちて参りたり」〈謡・俊寛〉→さかむかへ

たうめ：トウ【専女】①老女。「淡路―の歌に愛(め)でて」〈土佐二月七日〉②老狐。「藤原仲季罪名を勘へ土佐国に配流す。斎宮辺に於て白き―を射殺すに依ってなり」〈百錬抄延久四・三・七〉

たうめ：トウ【唐目】重さを量る単位の一種。百六十匁を一斤とするもの。「丁子(ちゃうじ)一斤、―百六十目、一袋摂取院へ遣はす」〈実隆公記享祿一・閏九・二八〉

たうめ：トウメ【専】『副』《タクメの音便形》もっぱら。「汝、―東国を領(をさ)めよ」〈紀景行五十六年〉。「日本紀云、専領二字読太宇女乎佐女(たうめをさめ)。今案、専訓、毛波良(もはら)、専一之義也。太宇女者毛波良之古語也」〈和名抄〉。「専、タウメ」〈名義抄〉

たうもつ：トウ【唐物】《タウブツとも》①中国渡来の品。からもの。〈日葡〉②特に、中国伝来の薬。「和薬」に対していう。「―も和薬も用ゆるに足らぬ」〈天草本伊曾保〉

たうもめん：トウ【唐木綿】舶来の綿布。糸が細く、織幅が広い。「―五反下さる」〈北野社家日記慶長五・三・二九〉

たうや：トウ【当屋】当番の家。「連歌の初心講を取り結んでござれば、則ち今日は某(それがし)が―に当ってござる」〈虎寛本狂言・千切木〉

たうやく：トウ【当薬】センブリの茎根を乾したもの。煎じて健胃剤とし、また、幼児の肌着をこれで黄色に染めれば、蚤虱を避けるという。苦薬。胡黄連。「―の生ふるあたりや分けぬらん野原の中におこる虫の音」〈玉吟抄〉

たうやく：トウ【膏薬】膏薬(かうやく)の忌詞という。「―配れる、例の事どもなり」〈紫式部日記〉

たうゆみ：トウ【唐弓】鯨の筋を絃にした五尺ほどの弓で、繰綿を弾き打って、不純物を去り、柔らかくする具。近世初期、中国人が長崎の人に伝えた。「―と言ふ物始めて作り出し」〈西鶴・永代蔵五〉

たうらい：トウ【当来】来るべき世。将来。未来。「聖人は必ず―に成仏し給はむとす」〈今昔四ノ二八〉　―**のちぐ**【当来の値遇】未来の世で彌勒菩薩に出会うこと。「今生の逆罪を翻して―とや成らん」〈太平記三・桜山自害〉

たうらう（トウロウ）【蟷螂】カマキリ。「—の斧をいからかして隆車に向ふが如し」〈平家七・願書〉。〈色葉字類抄〉 ▽平家物語の例は、文選に「蟷螂の斧を以て隆車の隧(すい)を禦(ふせ)がんと欲す」とある言葉をふまえたたとえで、弱者が身の程も知らずに強者に立ち向う意。

だうらく：ドウ【道楽】酒色・博奕などにふけること。不身持。自堕落。「—坊と名を付きて」〈評判・吉原芥川〉

だうり：ドウ【道理】①物事の、そうあるべき筋道。「此の奸計に依りて利を取ること本に過ぐ。積習俗を成す。深く—に非(そむ)けり」〈続紀養老四・三・一七〉。「〔死ハ〕世間の—なれど」〈源氏若紫〉 ②しかるべき理由があること。もっともなこと。「まことに異名をつけられたも—でござる」〈虎明本狂言・眉目よし〉 **—づめ**【道理詰め】どこまでも道理で押し詰めること。理詰め。「あちらもこちらも—」〈近松・寿門松中〉

たうりう（トウリュウ）【当流】①自分の属する流派。わが流派。「つかさたまはりて〔ト読ムノ〕は、—・京極黄門の流也」〈古今集註〉 ②当世流行の風。当世風。当風。「—の三味線」〈隔蓂記寛永二二・六・二二〉

たうりてん：トウ【忉利天】《「忉利」は三十三の意の梵語の音訳》欲界六天の第二。須彌山の頂上にあり、帝釈天の居城である喜見城を中心に四方に各八天を配す。三十三天。「花を売る女人は—に生れ、毒を供する掬多(きくた)は返りて善心を生ず」〈霊異記中二四〉

たうろ：トウ【当路】要路。「結城郡法城寺の—に打ち着く程に」〈将門記〉

たうろぎ：トウ【蟷螂】カマキリ。とうろう。「足は—、冬の蠅」〈近松・島原蛙合戦四〉

だうろくじん：ドウ【道陸神】「道祖神(だうそじん)」に同じ。「海には海龍王、道には—に至るまで」〈伽・鼠草子〉

たうわ：トウ【当話】《「答話」とも書く》①当意即妙の受け答え。「タウワノヨイヒト」〈日葡〉 ②歌舞伎の道化方の演技の一で、当意即妙の口をきく話術。「藤八が—」〈万歳躍〉

た・え【絶え】『下二』《タチ(絶)の自動詞形。細く長くつづいている活動とか物とかが、中途でぷっつり切れる意。類義語ヤミ(止)は、盛んな活動や関係が急に衰えて終りとなる意。ツキ(尽)は、力が消耗しきる意》①中途で切れる。「設弦(うさゆづる)—・えば継がむを」〈紀歌謡四六〉。「草枕旅の丸寝の紐—・えば」〈万四四二〇〉 ②活動が続かなくなる。死ぬ。「たまきはる命—・えぬれ」〈万九〇四〉。「わたつみの海に出でたる飾磨川(しかまがは)—・えむ日にこそわが恋やまめ」〈万三六〇五〉 ③関係がなくなる。関係がきれる。「親子の御契は—・えてやまぬものなり」〈源氏玉鬘〉 ④人の往来がなくなる。「この御文書き給ひて…かの—・えたる峰にうつろひ給ひにし」〈源氏若菜上〉 †taye

たえい・り【絶え入り】『四段』①全く息が絶える。「いと重くなりて、月日経給へるを、この暁より—・り給へりつるを」〈源氏若菜下〉 ②気絶する。「臆病にやがて—・り給へば」〈大鏡時平〉

たえこも・り【絶え籠り】『四段』関係を切って引きこもる。「山里に今はと思ひ—・るは」〈源氏手習〉

たえ・し【絶えし】㊀『サ変』中途で切れるようになる。「常陸なる浪逆(なさか)の海の玉藻こそ引けば—・すれあどか—・せむ」〈万三三九七東歌〉。「篝火にたちそふ恋の煙こそ世には—・せぬ焔なりけれ」〈源氏篝火〉 ㊁『四段』「絶やし」の転。「桂の眉墨青うして、白粉(はくふん)を—・さず」〈謡・卒都婆小町〉。〈日葡〉 †tayesi

たえず【絶えず】『副』中途で切れずに。ひっきりなしに。「—ゆく明日香の川の淀めらば」〈万一三七九〉 †tayezu

たえだえ【絶え絶え】『副』①今にも途切れそうに。途切れ途切れに。「ねぶたげなる読経(どきやう)の、—すごく聞ゆるなど」〈源氏若紫〉 ②切れ間切れ間に。「霞の—に、梢ばかり見ゆ」〈源氏浮舟〉

たえだえ・し【絶え絶えし】『形シク』いかにも力が尽きそうである。「京に母なる人あれど、〔貧乏デ、朝夕ノ煙ノ〕—・しき様なれば」〈発心集五〉。「なかごろ、なまめきたりける女房、世の中(身ノ上)—・しかりけるが」〈十訓抄一〇ノ一三〉

たえて【絶えて】『副』《下に打消の語を伴うことが多い》①ふっつりと途切れて(…しない)。二度と(…しない)。「御かたがたの御とのゐなども—し給はず」〈源氏桐壺〉 ②全然(…ない)。「わりなう問ひ給へど、その御いらへは—せず」〈源氏浮舟〉 ③《肯定文に用いて》まことに。すぐれて。「無器用かと見れば、—数寄(すき)たる人、必ず作者の名を得るたぐひ、多く見及び侍る也」〈片端〉

たえは・て【絶え果て】『下二』①全く途切れる。すっかりなくなる。「いとど人目の—・つるも」〈源氏椎本〉 ②全く呼吸がとまる。死んでしまう。「只冷えに冷え入りて、息は疾く—・てにけり」〈源氏夕顔〉

たえま【絶え間】ものごとの途切れめ。切れま。「御文なども—なく遣はす」〈源氏薄雲〉

たか【竹】「たけ」の古形。他の語の上について複合語をつくる。「—玉」「—取の翁」など。「あらたまの伎倍(きへ)が—垣編目ゆも妹し見えなばわれ恋ひめやも」〈万二五三〇〉

たか【高】《形容詞タカシの語幹》①《他の語に冠して》㋑高い意を表わす。「—城(き)」「—殿」「—山」など。「—光る日の朝廷(みかど)」〈万八九四〉。「怪しく黒き者の猿のやうなるが、—這ひをして這ひ出でて来れば」〈今昔一六ノ一七〉 ㋺程度の甚しい意を表わす。「—飛車」「—楊枝」など。「—売りをもえせぬぞ」〈山谷詩抄三〉。「どの神の御通りぢゃやら—時雨」〈俳・春鹿集上〉 ②田租または田畑収穫の多少に基づいて土地を量るのに用いた名称で、領主の知行、農民の土地保有・年貢負担の単位。貫高・永高・石高などの別がある。「昔は田畠たりといへども、当分河に成り候はば、〔検地ノ時〕—に結び入れまじき事」〈太閤記八〉 ③合計。総計。「米—二百五十七万二千二百石あり」〈割算書〉 ④大略。あらまし。要点。「—をさへ呑みこめば、その上は時の才覚、手つがひ良うし給へ」〈近松・娥哥かるた五〉 ⑤極限。究極。つまるところ。「死ぬるを—の死出の山」〈近松・曾根崎心中〉 ⑥程度。値うち。「—の知れた百姓」〈近松・冥途飛脚中〉 **—を括(く)・る** 《近世、山間僻地の生産の乏しい村村は、実測で反別を改める作業を略して、検地役人の目測で村高を決定したことから》相手を一人前に見なさず、軽んじ侮る。見くびる。「陰子(かげこ)にさへ—・られ」〈西鶴・男色大鑑七〉

たか【鷹】タカ。飼い馴らして鷹狩に用いた。「朕思ふ所有りて比日の間—を養ふことを欲りせず」〈続紀神亀五・八・甲午〉 **—は死ぬれど穂を摘まぬ** 正義を固く守る人は、貧乏で苦しくても不義の財を貪らないたとえ。「鷹は飢ゑても穂を摘まず」とも。〈俳・毛吹草二〉

たかあがり【高上り・高挙り】①高い所まで上がること。「さて黄鸝(くわうり)は何たるものなれば、—をして深樹のうちに詰め鳴きに鳴くぞ」〈三体詩抄一ノ四〉 ②高い地位に上がること。立身出世すること。「無理に—をしたがる者をば人が悪(に)くむ」〈周易抄〉 ③おごりたかぶること。「位もあがり、国をも知行し、一門も繁昌せし故に、—をなして崇峻天皇を失ひ奉り」〈日蓮遺文四条金吾殿御返事〉 ④身

分不相応に上座に坐ること。「―するは慮外の座蝿（座配ト掛ケル）哉」〈俳・思出草三〉

たかあし【高足】①田楽で用いた道具の一。竹馬のようなもの。また、それを履いて踊った田楽の演技。「所衆四五人相具して―を持たしむ」〈中右記永長一・七・三〉。「永長元年の夏、洛陽大いに田楽の事有り。…―・一足（ひとあし）・腰鼓・振鼓」〈洛陽田楽記〉②下駄の歯の長いもの。「花山法皇紅の袴を継ぎ延べさせ奉り、―にめされ、築垣に御尻をかけさせ給ひて、夜な夜な御遊ある事ありしを」〈保元中・忠正家弘〉③劇場大道具の一。舞台を高くするために土台として置く木製の台（二重）のうち、最も高いもの。「本舞台三間―の二重」〈伎・矢の根〉

たかあふぎ（ウギ）【高扇】①扇を高くあげてゆったりと使うこと。「上下を見上げ見下して―を使ひて」〈今昔三ノ六〉②田楽で使う道具の一。竿の先に大きな扇を付けたもの。「基忠卿は九尺の―を捧げ」〈洛陽田楽記〉

たかい【他界】①ほかの世界。「大士の手よく―になげうつ」〈性霊集八〉②あの世。「この生はいたづらに過ぎて、―に趣かむ事近きにあり」〈今昔三ノ九〉③あの世に行くこと。死去。「故守殿（かうのとの）御―の間、みなし子となり」〈平家一一・腰越〉。「他界、タカイ、死去義也」〈文明本節用集〉

たかうすべう【鷹護田鳥尾】矢羽の名。中にクマタカの羽のような薄黒い文様のあるもの。「二十四差いたる―の矢負ひ、重籐（しげどう）の弓を持ち給へり」〈平家一一・嗣信最期〉→うすべう

たかうで【高腕】臂（ひじ）と肩との間の称。高手。「―取って捻ぢ据ゑ」〈浄・十二段〉

たかうな（タコウナ）【筍】《タカムナの転》たけのこ。「御寺のかたはら近き林に抜き出でたる―、そのわたりの山に掘れる野老（ところ）など」〈源氏横笛〉

たかえびら【竹箙】竹で作った箙。「山うつぼ・―に矢ども少少さし」〈平家八・妹尾最期〉

たかえぼし【高烏帽子】《巫女の用いることば》夫。主人。「われ―をも恨み参らせず、ひとへに清水の観音を恨み申すなり」〈伽・鼠草子〉

たかが【高が】《副》せいぜい。「―後家の身、いたづら者といはるるまで」〈近松・薩摩歌上〉

たかがひ（イ・ガイ）【鷹飼】鷹を飼いならして、鷹狩に従事すること。また、その役目の人。官職では、蔵人所に属する。「大鷹の―にてさぶらはせ給ひける」〈伊勢一一四〉

たかがひ（イ・ガイ）【高買ひ】高い値段で買うこと。「伊勢海老の―」〈西鶴・永代蔵四〉

たかがや【高萱】丈の高いかや。「川上の根白（ねじろ）―」〈万三四九七東歌〉

たかからげ【高紮げ】着物の裾を高くからげること。また、その姿。「狩場へや出づる人まで―」〈俳・夢見草四〉

たかがり【鷹狩】飼いならした鷹を使ってする狩猟。「しも月の二十余日のほどにや、―に式部卿の宮より出でおはしまし御供に」〈大鏡昔物語〉

たかき【高城】野山の高い所につくった、敵を防ぐ設備。高地の城塞。「宇陀の―に鴫罠（しぎわな）張る、わが待つや鴫は障（さや）らず」〈記歌謡九〉→き（城）　†takaki

たかぐくり【高括り】大体の見積り。大よその推測。中積り。「元日より大晦日の算用は、―にして覚え有り」〈西鶴・二所世帯下〉

たかくら【高座】《クラはアグラ（胡床）・ヤグラ（櫓）のクラに同じ。人や物をのせる高い所》高い所に占めた座。法会の講師の登る高い座。「正月最勝王経斎会（さいゑ）の堂の装束。…聖僧の座一具。…―二具」〈延喜式図書寮〉

―の【高座の】〔枕詞〕高座には蓋（きぬがさ）があるので、同音をもつ地名「三笠」にかかる。「―三笠の山に」〈万三七三〉

たかごち【高東風】春、空高く吹く東風。「杉むらを埋む花の散り尽し／吹き送りたる風の―」〈白山万句慶長一三・九・五〉

たかさきたび【高崎足袋】上野国高崎で作り出された刺し足袋。「余所に類ひは荒磯や、立ち舞ふ波も―」〈評判・吉原こまざらい〉

たかさご【高砂】①地名。播磨国加古川の川口にある。歌枕として名高い。「―、住吉（すみのえ）の松」〈古今序〉②催馬楽の曲名。「―うたひし君」〈源氏澪標〉③能の曲名。祝言物として代表的な脇能。古名、相生（あひおひ）。作者は世阿弥。「脇能―、観世大夫、観世小二郎」〈永祿記〉

たか・し【高し】《形ク》《古くは「みじかし」の対。後に「ひきし（低）」の対。タケ（長・丈・闌）と同根。地面から垂直に距離が長いのが原義》①下から上までの垂直のへだたりが大きい。「天そそり―・き立山」〈万四〇〇三〉。「雪のいと―・う降りたるを」〈枕二九九〉②天空のはるか上方にある。「日―・う起き給ひて」〈源氏桐壺〉③突き出ている。隆起が大である。「あなかたはと見ゆるものは鼻なりけり。…あさましう―・うのびらかに」〈源氏末摘花〉④身分や序列が上位にある。「司・位―・き人をば」〈古今序〉⑤音や声が大きい。「―・きもみじかきも女といふものは」〈源氏東屋〉。「風―・く辺には吹けども妹がため袖さへぬれて刈れる玉藻ぞ」〈万七八二〉。「ぬばたまの夜さり来れば巻向（まきむく）の川音―・しも嵐かも疾（と）き」〈万一一〇一〉⑥名声がひびきわたっている。「御かたちすぐれ給へる聞え―・くおはします」〈源氏桐壺〉⑦時間が遠くへだたっている。「よしの川よしとは誰か言はなみの（岩波ト掛ケル）―・き昔の道したへども」〈続後拾遺一一三八〉⑧高齢である。「年も―・く成りたる朕を置きて」〈続紀宣命五八〉。「年―・くなりて西の京に住みけり」〈宇治拾遺三四〉⑨高価である。「何にても安きものを買ひ取り、―・く売りてその利を取り、世を渡らむと国国をめぐり候」〈伽・法明童子〉。「売物―・ければ百姓の宝尽くるなり」〈孫子私抄〉⑩《「―・う出る」「―・う止まる」などの形で》尊大である。「―・う止まるも今の事であらう」〈評判・難波の顔三〉。「横柄（わうへい）な者を―・う吹くと言ふ事も有りげなれども」〈俳・渋団〉

たかし・き【高敷き】《四段》《タカは美称。シキはシリ（領）と同根》①立派に立てる。「績麻（うみを）なす長柄の宮に真木柱太―・きて」〈万九二八〉②立派に治める。「やすみしし わご大君の―・かす倭の国は」〈万一〇四七〉　†takasiki

たかしこ【竹矢壺】箙（えびら）の一種。竹の筒で作った矢壺。「―かき負ひて、真弓うちかたげて」〈著聞四四一〉

たかしほ（オ・シオ）【高潮】潮が高く満ちて陸上に押し寄せること。「―といふものになむ、とりあへず人そこなはるるとは聞けど」〈源氏須磨〉

たかしまだ【高島田】女髪の一種。島田髷の根を高く揚げて結ったもの。「丸島田―・取揚げ島田など、風流の髪の結ひ様なり」〈浮・好色伊勢二〉

たかじゃう（ジョウ）【鷹匠】鷹を飼い馴らし、鷹狩に従事する役。鷹飼。鷹師。鷹据（たかすゑ）。「―のままにや鷹のならざらん」〈俳・油糟〉。〈文明本節用集〉

たかし・り【高知り】《四段》《タカは美称。シリはシキ（敷・領）と同根》①立派にいとなむ。「高殿を―・りまして登りたち国見をせせば」〈万三八〉②立派に治める。「やすみしし わご大君の神ながら―・らします印南野の」〈万九三八〉

たかしるや【高知るや】〔枕詞〕《ヤは間投助詞》高く支配する意で、「天(あま)」にかかる。「―天の御蔭(御殿)天知るや日の御蔭の」〈万五二〉

たかせ【高瀬】①浅瀬。「―さす棹のしづくに」〈源氏橋姫〉②「高瀬舟」の略。「難波江にくだす―のこす棹にいくたびたちぬ鴫の村鳥」〈夫木抄三三・船〉　**―ぶね**【高瀬舟】《高瀬を漕ぎ通る舟の意》川舟の名。昔のは小さくて底が深く、後世のは大きいが、底は平らで浅い。「―はや漕ぎ出でよさはることさしかへりにし葦間分けたり」〈和泉式部日記〉

たがそで【誰袖】《古今集三三「色よりも香こそあはれと思ほゆれ誰が袖ふれし宿の梅ぞも」から》匂袋の一種。着物の袖の形に縫い、紐で二つ繋いで懐中から両袂へ落して持った物。近世後期は香を入れないで、楊枝刺しに使われた。「起上り小法師・張鼓・插櫛・―」〈仮・出来斎京土産三〉

たかたか【高高】①《背のびしての意か》仰ぎ望み、今か今かと人を待つさま。「高山にたかべさ渡り―にわが待つ君を待ち出でむかも」〈万二八〇四〉②丈高いさま。また、高くあがるさま。「僧、男の昇る後(しり)に昇るに、すずろに―と昇らる」〈今昔一九ノ三三〉③声高く、朗朗としているさま。「―と左右(さう)なく称唯(ゐしよう)して」〈愚管抄四〉　**―ゆび**【高高指】「たけたかゆび」の転。「左の手の人さし指・―の間(あひ)へ蓋の把手を挟み」〈大草殿より相伝之聞書〉。〈日葡〉

たかたま【竹玉】細い竹を短く切って玉のように紐に通したもの。神事に用いる。「―を繁(しじ)に貫(ぬ)き垂り」〈万三七九〉

たかだんし【高檀紙】檀紙のやや大型のもの。「たけなが檀紙」「たけ高檀紙」とも。「勘文を外記に付す。―一枚を以て、これを書す」〈編御記建永一・四・二四〉

たかぢゃうちん【高挑燈】(ウ・ヂョ) 長竿の先に付けて高く揚げるように作った丸挑燈。高張り挑燈。「―を厳しく差し上げさせ」〈浄・藍染川五〉

たかつかさ【主鷹司】令制で、鷹・犬の調教をつかさどった役所。兵部省に属す。しゅようし。〈職員令〉

たかつかみ【高つ神】《ツは連体助詞》高い所に居ると考えられた神。災害を加えるもの、雷などをさすという。「―の災(わざはひ)」〈祝詞大祓詞〉　†takatukami

たかつき【高坏】足台のついた坏。食物を盛る器で、土でつくり、古墳時代から祭祀用などに用いられた。後には木製の丸高坏や角高坏などが作られ、黒漆塗や蒔絵などの美しいものもあった。「小螺(したみ)を…―に盛り」〈万三八八〇〉。「御方方、さまざまにしいで給ふ御産養、世の常の折敷(をしき)・衝重(ついがさね)・―などの心ばへもことさらに」〈源氏柏木〉　†takatuki

たかつとり【高つ鳥】《ツは連体助詞》空を飛ぶ鳥。「―の災(わざはひ)」〈祝詞大祓詞〉 ▽神道で天狗のことを「高津鳥」という。　†takatutöri

たかづの【高角】兜の前立ての一種。鹿の角を高く立てたもの。「赤皮縅の鎧着て、―打ったる甲の緒をしめ」〈平家四・宮御最期〉

たかて【高手】肘(ひぢ)から肩までの称。また、後ろ手にしてそこをしばること。「いつの間にか―の縄をすり切って、知らぬ体にて眠りゐたり」〈沼田根元記〉　**―こて**【高手小手】人を後ろ手にして肘を曲げ、首から縄を掛けて厳重にしばり上げること。「―に縛られて恥をさらしたりける」〈盛衰記五〉

たかで【高で】《副》大したことでなく。せいぜい。高が。「これ皆ひとつにしてから、―二貫目か三貫目」〈西鶴・胸算用二〉

たかてらす【高照らす】〔枕詞〕《テラスは動詞「照り」の尊敬語》高く照りたまう意で、「日」にかかる。「―日の御子」〈万四五〉

たかどの【高殿】高くつくった御殿。「―を高知りまして」〈万三八〉。「楼、多加止乃(たかどの)」〈和名抄〉。「楼、タカドノ」〈名義抄〉　†takadönö

たかと・び【高飛び】□一《四段》空高く飛ぶ。「―・ぶ鳥にもがも、明日行きて妹に言問ひ」〈万五四〉。「あまり上りすぎて、鳥の―・びていぬるやうなぞ」〈周易抄六〉□二《名》遠い所へ逃亡すること。高ぶけり。「捕へられぬ内に此の蚤めも―しおったらよかったに」〈浄・夏祭八〉

たかとり【竹取】《タケトリの古形》竹取の翁(おきな)のこと。「―のよに泣きつつとどめけむ君は君にとよひしもゆく」〈大和七七〉

たかなは【高縄】(ワ・ナ) ①鳥を捕えるために、縄に黐(もち)を塗って高く張って置くもの。「忘れ草の追ひ鳥、―を差し引く汐の、末の松山風荒れて」〈謡・善知鳥〉②《「竹縄」の当て字か》測量に用いる、竹で作った縄。「―引きて其の蔵を切り入るべし」〈西鶴・桜陰比事二〉

たかに【高荷】①高く積み上げた荷物。「―どもを集め、東(あづま)へ下らうずるにて候ふ」〈謡・烏帽子折〉②宝暦・寛政頃、木綿・帯・蚊帳などの行商人が、一丈程積み重ねて背負い、竹竿で上げ下ろしした荷物。「仰げばいよいよ―の蚊帳売」〈滑・風流志道軒伝三〉

たがに【鉈】物を切る道具。はさみ。「鉈鐙、波佐彌(はさみ)、又太加尓(たがに)」〈新撰字鏡〉

たかね【高嶺】高い山。富士・生駒などの高大な山。「田児の浦ゆうち出でて見れば真白にぞ富士の―に雪は降りける」〈万三一八〉　**―おろし**【高嶺颪・高根颪】高い峰から吹きおろしてくる風。「比叡の山―のうき雲に雪吹き渡す滋賀の浦波」〈夫木抄一九・風〉

たがね【飴】《束ネの意》米の粉を水で練って一まるめにしてつくった餅また飴(あめ)。「水無しに―を造らむ」〈紀神武即位前〉

たがね【鏨・鑽】金工・石工用ののみ。鋼鉄製。〈和名抄〉

たが・ね《下二》語意未詳。あてる、あてがう意か。つかねる、束にする意ともいう。「手束杖(たつかづゑ)腰に―・ねて、か行けば人に厭(いと)はえ」〈万八〇四〉

たかの【鷹野】鷹狩。「折ふし佐伯(さいき)は―に出で、二三日も帰らず」〈伽・さいき〉

たかのおとし【鷹の落し】《鷹が獲物の鳥をつかみそこねることはめったにないことから》極めて稀なことのたとえ。「三月に一度、―とやらん」〈浮・茶屋調方記〉

たかのつめ【鷹の爪】上製の茶の銘。「―入るる棗(なつめ)の蓋をして」〈俳・犬子集一七〉

たかのは【鷹の羽】鷹の尾の羽。黒と白の斑(ふ)が重なって列をなしている。矢羽に用いられた。また、その形の模様。「―の雁俣(かりまた)」〈庭訓往来六月十一日〉。「―の形〔ノ〕目貫」〈多聞院日記天正一五・九・二〉

たかのやま【高野山】高野山(かうやさん)の別称。「たかののやま」とも。「―奥まで人の訪ひ来ずは静かに峰の月は見てまし」〈新勅撰一〇八五〉

たかは【竹葉】竹の葉。「やまとには聞えゆかぬか大我野の―刈り敷きいほりせりとは」〈万一六七七〉

たかばうず【高坊主】(ウ・ボ) ①背の高い坊主。「―墨の衣は着ずして」〈西鶴・男色大鑑三〉②化物の一種。背高く

坊主頭で、背後から通行人の顔をのぞきこむという。見越入道。「物淋し夜は必ずー」〈俳・大句数上〉

たかばかり【鷹秤・鷹計】尺度の一種。一尺の長さが曲尺(かねじやく)の一尺二寸三分に当るもの。「匕首は一尺八寸と云へども、こちのーでは一尺二寸のものぞ」〈史記抄一一〉。〈名語記一〇〉

たかはし【高橋】高くかけた橋。「石上(いそのかみ)布留(ふる)のー高高に妹が待つらむ夜そ更けにける」〈万二九九七〉

たかはた【高機】手織機の一種。地機もしくはいざり機に対していう。普通、幅四尺、長さ二間。踏み木を踏んで経糸を上下させ、錦・綾などの、花紋のあるものを織る。〈和名抄〉

たかばなし【高話・高咄】大声でしゃべること。高雑談(ざふたん)。「ー寝ても居られぬ夕間暮」〈俳・大矢数四〉

たかはま【高浜】砂の高くつもっている浜。「豊国の企救(きく)のー高高に君待つ夜らはさ夜ふけにけり」〈万三二二〇〉

たかば・り【高張り】『四段』高値で売りつける。高値を言いはる。「誂へるあたひー・る石仏」〈俳・油糟〉

たかび【手柄】《タはテ(手)の古形。カビは柄(え)》剣の柄。「ーを取りしばり」〈紀神代上〉。「み剣のーを以ちて、此の地(ところ)に置きたまひき。よりてーの村といひき」〈日向風土記逸文〉 †takabi

たが・ひ(タガイ)【違ひ・乖ひ】⊟『四段』《タ(手)カヒ(換)の意。相手の意向、自分の予定、正しいことなどに対する現実の手段・実行・行動が入れちがいである意。つまり、相手にそむき、事志に合わず、間違う意。類義語チガヒは、同じ動作が交差することをいうのが原義》①意向にそむく。「駿河の海磯辺(おしへ)に生ふる浜つづら汝(いまし)を頼み母にー・ひぬ」〈万三三五九〉②予測と違った結果になる。「たづさへて共にあらむと思ひしに心ー・ひぬ」〈万四二三六〉。「わが心にまかせつべうおぼしけるに、ー・ひぬるは口惜しうおぼしけり」〈源氏若紫〉③本来の姿と相違する。いつもと相違する。「天の下をたすくるかたにて見れば、またその相ー・ふべし」〈源氏桐壺〉。「御顔の色ー・ひて」〈源氏少女〉④行きちがいになる。「三滝の上人観空の庵にまかりたりしに、折節、上人ー・はれ侍りしかば、待ち侍らんとおもひて」〈撰集抄六ノ一三〉⑤間違う。「訳する所の経論の紕(がた)ひ舛(そむ)けること尤(まこと)に多し」〈玄奘法師表啓平安初期点〉⑥人違いする。「『かかる御文見るべき人も無しと聞えよ』と宣へば…『ー・ふべくも宣はざりしものを』」〈源氏帚木〉⑦《「仲をー・ひ」の形で》仲が悪くなる。仲たがいをする。「御辺(ごへん)と義仲と仲をー・うて平家に笑はれむとは」〈平家七・清水冠者〉 ⊟『名』従来の考えと変ること。「かの本意の(出家ノ)聖心はーやしにけむ」〈源氏宿木〉 †tagaFi

ーめ【違ひ目】①行き違い。「(メデタイ中ニ)ーありて、慎ませ給ふべきことなむ侍る」〈源氏若紫〉②失態。過失。「心ぎたなき末のーに、思ひ知らするなめり」〈源氏蜻蛉〉

たかひかる【高光る】〔枕詞〕空高く光る意から、「日」にかかる。「ー日の御子」〈記歌謡二八〉 †takaFikaru

たがひごと(タガイ)【互ひ事】互いに同様な関係にあること。御互い様。「鵜遣ひや鵜に遣はれてー」〈俳・続連珠五〉

たかひざまづき【高跪き】両膝をついて身体を起している姿勢。「ーといふゐずまひに、御前のかたにむかひて」〈枕五六〉

たかひし・り【高日知り】『四段』《タカヒは天上。シリは領する、治める意》死して天上に上って高い天を治める。天皇・皇子の死をいう。「哭沢(なきさは)の神社(もり)に神酒(みわ)すゑ祈れども我ご大君はー・らしぬ」〈万二〇二〉 †takaFisiri

たがひに(タガイ)【互ひに】『副』《タガヒ(違)から派生。平安時代、漢文訓読系で使った語。女流文学系では「かたみに」を使った》①入れちがいに。「(夫ノ鳥ガ)食を求めて行ける頃(あひだ)に、他の鳥、遞(たが)に来たりて婚(つる)ぶ」〈霊異記中三〉。「これかれー国の境のうちはとて見送りに来る人、あまたが中に」〈土佐一月九日〉②相互に。「一切の人民、自軍他軍更(たが)に相侵し害(やぶ)り」〈地蔵十輪経三・元慶点〉

たかひも【高紐】鎧の胴の綿上(わたがみ)につけてある罠緒(わなお)。「甲をばぬぎーにかけ」〈平家七・経正都落〉

たかふだ【高札】①⇒かうさつ。「その次の日、五条の辻にーを立てて、一首の歌をぞ書きたりける」〈太平記二五・主上還幸〉②一番高値の入札。転じて、高値の意。「江戸子の声色遣うたばかりに、ーで落した」〈滑・浮世風呂四中〉

たかぶ・り【高ぶり】『四段』①高くなる。高まる。亢進する。「脈が殊の外ー・りますが」〈狂言記・針立雷〉②おごり誇る。高慢な態度をとる。「悪人のあやふき事なしと思ふ事は、身をー・る慢気よりおこり」〈こんてむつすむん地一〉

たかべ【鸍・沈鳧】コガモの古名。鴨類中最小。他の鴨より早く来、他よりおくれて北に帰る。「人漕がず有らくも著(しる)し潜(かづ)きする鴦(をし)とーと船の上に住む」〈万二五八〉。「鸍、多加閉(たかべ)、一名沈鳧、貌似レ鴨而小、背上有レ文」〈和名抄〉 †takabe

たが・へ(タガエ)【違へ】⊟『下二』《タガヒの他動詞形》①相手の意志にそむくようにする。「故大納言のいと良きなかにて語らひつけ給へる心ー・へじと」〈源氏夕霧〉②取りちがえる。間違える。「心しらひ教へ聞え給ふさまー・へず、いとよくわきまへ給へるを」〈源氏若菜下〉③方違えをする。「忌(い)み、ー・ふとて、ここかしこになむあくがれ給ふめる」〈源氏東屋〉 ⊟『名』方違え。「方ふたがりける頃ーにまかるとて」〈後撰七八詞書〉

だか・へ(ダカエ)【抱かへ】『下二』抱きかかえる。「小袖・刀をー・へて入る」〈虎清本狂言・禁野〉

たかへ・し(タカエシ)【耕し】⊟『四段』《タガヤシの古形。田返しの意》田畑を掘り起す。たがやす。「桑田といふは、ー・しをはりて未だ下ろさざる(種ヲマカナイ)をいふなり」〈今昔九ノ二四〉。「耕、訓、田反」〈華厳音義私記〉。「耕・畩、タカヘス」〈名義抄〉。「耕、タガヘス」〈和訓押韻〉 ⊟『名』耕作。「ーになんまかれりけるに」〈閑居友上〉

たかまがはら【高天原】⇒たかまのはら。「そも天照大神の我が朝の主とてーに跡を垂れ」〈伽・神道由来の事〉

たかまきゑ【高蒔絵】砥粉(とのこ)などを交ぜた漆で模様を盛り上げ、金粉で仕上げた蒔絵。「鞘二尺五寸、龍の蒔絵あり。ーなり」〈渡唐方進貢物諸色注文〉

たかまくら【高枕】高い枕。また、安心して眠ること。「太郎の介、物くらひはてて、ーして寝(い)ぬ」〈今昔二六ノ四〉

たかまのはら【高天原】《タカマはタカアマの約》①日本の神話で、天つ神の住むとされる天上の国。「根の国」や「葦原の中つ国」に対していう。「たかまがはら」とも。「天照大神は、ーを御(し)らせ」〈紀神代上〉②天。大空。「曇りなくーに出でし月八百万代(やほよろづよ)の鏡なりけり」〈風雅二二五七〉 †takamanöFara

たかみ【手かみ】《タはテ(手)の古形。カミはカビ(柄)の子音交替形》剣の柄。「撫剣、此をば都盧耆能多伽彌層利辞魔屢(つるぎのたかみとりしばる)と云ふ」〈紀神武即位前〉 †takami

たかみくら【高御座】《クラは人や物をのせる高い所》①天皇のすわる高い座。即位・朝賀などの大礼に大極殿(だいごくでん)または紫宸殿(ししんでん)に設けた。玉座。「天つ日嗣とーにまして」〈続紀宣命三〉②天皇の位の尊さを象徴してい

た

う語。皇位。「天つ日嗣—の業(わざ)と」〈続紀宣命一〉 †takamikura

たかみづ【高水】川などの水かさが増すこと。「事の外な—で御座る」〈狂言記・輝〉

たかみや【高宮】近江国犬上郡高宮産の布・生平(きびら)・縞織物の称。「—十端」〈鈴鹿家記宝徳一・四・一〇〉 **—じま**【高宮縞・高宮島】高宮産の麻布に絹糸入りで織った縞物。夏羽織・夏袴・帷子に用いる。「近江なる—の袴着て」〈俳・二葉集〉 **—ぬの**【高宮布】高宮産の真麻(まお)で織った晒布及び生平(きびら)・貲布(さいみ)。帷子に用いた。〈俳・毛吹草四〉

たかむしろ【竹席・簟】竹を編んで作ったむしろ。「たけむしろ」とも。「暑き日もなほ知られけり—」〈言経卿記天正一五・六・二四〉。「—。納涼のために夏敷くむしろなり」〈匠材集三〉

たかむな【筍・笋】たけのこ。「たかんな」とも。「乃ち—生(な)りき」〈記神代〉。「—无(な)ければ飲食(おんじき)する事无し」〈今昔九ノ二〉。「笋、太加無奈(たかむな)」〈和名抄〉

たかむなさか【高胸坂】ねている胸の高まり。胸。あおむけにねた胸を坂に見たてていう。「朝床にい寝し—にあたりて」〈記神代〉。「高胸、此をば多歌武娜娑歌(たかむなさか)といふ」〈紀神代下〉

たかむら【竹叢・篁】《タカはタケの古形、ムラは群》竹の群がり生えている所。竹やぶ。「ゆつ五百(いほ)—生(お)ひ出でむ」〈中臣寿詞〉。「篁、太加無良(たかむら)、俗云、太加波良(たかはら)、竹藂也」〈和名抄〉

たかもも【高股】股の上部。「—ふさと打ち落し」〈曾我九〉 **—だち**【高股立】袴の股立を高く上げて、活動し易い格好になること。「—の歩侍(かちさむらひ)」〈近松・持統天皇一〉

たかや【鷹屋】鷹を飼う小舎。「—に鷹十宛据ゑたり」〈宇津保吹上上〉

たかやうじ ヨウ【高楊枝】無作法に楊枝を使うこと。「真白に化粧(けはひ)ふ女の—」〈俳・犬子集二〉。〈日葡〉

たかやか【高やか】①高さがいかにも高いさま。「この聖もたけ—に、まぶし(眼ツキ)つべたましくて」〈源氏柏木〉。「匙(かひ)に飯(いひ)をすくひつつ—に盛りあげて」〈今昔二八ノ二三〉 ②音声・物音などが高くひびくさま。「—に神楽歌を歌はせ給ひしは」〈大鏡伊尹〉

たかやぐら【高櫓】高く築いたやぐら。「城の面(おもて)の—には、一人当千と聞ゆる四国鎮西の兵(つはもの)ども」〈平家九・樋口被討罰〉

たかやりど【高遣戸】たけ高くつくった引き戸。特に、清涼殿西南の渡殿の南側につけられた引き戸。「予すなはち衣冠を着て、酉の時ばかり殿上口の—のもとに参りて、事のよしを蔵人弁光雅に申す」〈胡琴教録下〉

たかゆくや【高行くや】〔枕詞〕空高く飛び行く隼(はやぶさ)の意から、人名「隼別(はやぶさわけ)」にかかる。「—隼別の」〈記歌謡六七〉

たかゆび【高指】「たけたかゆび」に同じ。「親指(および)—、取り代へ抜き代へ」〈浮・好色青梅一〉

たから【宝】①貴んで大切に秘蔵するもの。「銀(しろかね)も金(くがね)も玉も何せむにまされる—子にしかめやも」〈万八〇三〉。「賤しく貧しき者も、高き世にあらたまり、—にあづかり」〈源氏若菜下〉 ②特に、金銀・金銭。「さあらば—を渡し申すべし」〈伽・法妙童子〉 **—づくし**【宝尽し】如意宝珠・宝鑰・打出の小槌・隠蓑・隠笠などの宝物を集め描いた絵や模様。「よき茶入也。袋、—〔ノ〕純子(どんす)」〈今井宗久日記永禄八・一〇・二〇〉 **—のいち**【宝の市】①陰暦九月十三日、摂津住吉神社で行なわれる神事。升・取鉢の市が立った。升市。「十三日、住吉—」〈難波雀〉 ②あらゆる財宝を売買し得る市場のたとえ。「—に交はり、唐織・薬種・鮫・諸道具見しに」〈西鶴・永代蔵四〉 **—は身の差合せ** 宝は持ち合わせていれば身を救う料となる意。「げにや—といふたとへあり」〈伽・浦島太郎〉 **—は湧き物** 財宝は運次第で得ようとすれば何時でも得られるものであるの意。「—、御命さへあるなれば」〈近松・博多小女郎上〉 **—ぶね**【宝船】宝物と七福神とを乗せた帆掛船の絵に、「ながきよのとをのねぶりのみなめざめなみのりぶねのおとのよきかな」という回文歌を記したもの。除夜または節分(近世中期以後は正月二日夜)に床の下に敷いて寝て、吉夢を見る呪(まじない)にした。「若戎(わかえびす)若戎売り—」〈俳・独吟一日千句〉

たからか【高らか】①いかにも高いさま。「丈(たけ)なる髪—に結ひなして」〈義経記六〉 ②音声・物音などが高くひびくさま。「安芸守、大炊御門の西の門へ押し寄せて…と—に名乗りければ」〈保元中・白河殿へ義朝夜討ち〉。「後より足音の—にしければ」〈平家二・小教訓〉

たからに【高らに】『副』高らかに。「—『物申さん』といへば」〈伽・小男の草子〉。「『…とうとう腹を切るべし』と—呼ばはったり」〈説経・阿彌陀胸割〉

たか・り【集り】『四段』むらがる。寄り集まる。「舟人もみな子—・りてののしる」〈土佐二月十六日〉

たか・れ【集れ】『下二』「たかり」に同じ。「蛆(うじ)—・れころろきて」〈記神代〉。「はや全体ことごとく腐れ、爛れ、蛆の—・れければ」〈ロザリオの経〉。「大蛆わき—・れ、内外ともに傷開き通りければ」〈ロザリオの経〉

たかんな【笋】⇒たかむな。〈黒川本色葉字類抄〉

たき【長・丈】《タカシ(高)と同根》「たけ(長)」[二]に同じ。「身—一丈(ひとつゑ)、力能く鼎(かなへ)を扛(あ)げたまふ」〈紀景行二年〉。「長、タキタカシ・タケ」〈名義抄〉 †taki

たき【滝】《タギチ(激)・タギリ(滾)のタギと同根。奈良時代にはタギと濁音であったろう。平安時代以後タキと清音》①水がわき立ち、激しく流れる所。激流。「石(いは)走る—もとどろに鳴く蟬の声をし聞けば都し思ほゆ」〈万三六一七〉 ②高い崖から流れ落ちる水。奈良時代には「たるみ(垂水)」といった。「布留(ふる)の—御覧じにおはしまして」〈古今三九六詞書〉。「滝、タキ」〈名義抄〉 †*tagi

た・き『四段』《腕を働かして事をする意》①髪をかき上げる。「—・けばぬれ(ホドケ)—・かねば長き妹(いも)が髪この頃見ぬに搔きれつらむか」〈万一二三〉 ②舟を漕ぐ。「大船を荒海(あるみ)に漕ぎ出(で)彌船(やふね)—・けわが見し児らが目見(まみ)は著(しる)しも」〈万一二六六〉 ③馬の手綱をあやつる。「岩瀬野に馬だき行きて」〈万四一五四〉 †taki

た・き【焚き・燻き】『四段』暖を取り、香をくゆらし、食物を煮、塩を取るなど、或る目的のために火を使う。「海人少女(あまをとめ)漁(いさ)り—・く火のおぼぼしく都努(つの)の松原思ほゆるかも」〈万三八九九〉。「名香には唐の百歩の香を—・き給へり」〈源氏鈴虫〉。「かきつめて海人の—・く藻の思ひにも今はかひなき恨みだにせじ」〈源氏明石〉。「湯—・かせて、女中・予、各入り候」〈山科家礼記文明一三・七・二九〉 †taki

たぎ【弾碁】《タンギのンを表記しない形》中国伝来の遊戯で、二人が盤に向って相対し、黒白の石を指ではじいて敵の石に当ったら勝ちとする競技。「碁・双六盤・調度・—の具など、田舎わざにしなして」〈源氏須磨〉

だ・き【抱き】『四段』《ウダキ・イダキの頭母音が脱落したもの》⇒いだき。「いづれの宮をか先づ—・き給ふといどみかはして見るに」〈宇津保国譲下〉

だきうば【抱き乳母・抱き姥】 抱き守りをするだけの乳母。「―は若子様に事寄せて近寄り」〈西鶴・五人女二〉

だきうらく【打毬楽】 雅楽の曲名。唐楽、大食(たいじき)調。競馬・騎射・相撲などの会に行なわれ、通常四人で、まりを打木で掻きながら舞う。「―・落蹲(らくそん)など遊びて、勝負の乱声(らざう)どものしる」〈源氏蛍〉

たきかけ【焚掛け・薫掛け】 ①衣服に香を焚きしめること。また、その香り。「わけらしき小袖の仕立て、―残りて」〈西鶴・五人女四〉 ②髪に香を焚きしめるために、香炉を入れて枕とする箱。「―。…箱に作り、すかしを明けて、中に引き出し有り。これに香炉を入れ、香を焚きて髪に留むる具なり。此の箱を枕とするなり」〈雅遊漫録三〉

たきぎ【薪・焚木】 燃料・照明用に焚く木。「御幣帛(さぬ)取り神の祝(はふり)がいつく杉原―伐(こ)り殆(ほとほと)しくに手斧取らえぬ」〈万一四〇三〉 †takigi **―樵(こ)・る** 拾遺集一三四六、行基作という「法華経をわが得し事は薪こり菜摘み水汲み仕へてぞ得し」に基づき、法華経に奉仕して仏道を修行することをいう。この歌は法華経、提婆達多品の「果(このみ)を採り、水を汲み、薪を拾ひ、食を設け…」という釈迦の修行を述べたものによる。法華八講のうち第五巻を講ずる日、この和歌を誦しつつ行道する讃歎の行事がある。「―・る思ひは今日をはじめにて此の世に願ふ法(のり)ぞはるけき」〈源氏御法〉 **―尽・く**《法華経、序品に「仏、この夜滅度したまふ。薪尽きて、火の滅するが如くなりき」とあるのによる》 ①釈迦が入滅する。「なほ―・きける世のまどひは深かりけるを」〈源氏若菜上〉 ②命の火が尽きる。亡くなる。「惜しからぬ此の身ながらも限りとて―・きなむことの悲しさ」〈源氏御法〉 **―のえん**【薪の宴】 興福寺の修二会に先立って、それに用いる薪を迎える儀式。「―。興福寺東西金堂にこれ有り。二月三日は西金堂の薪と名づけたり。…是は光明皇后に河上にて上分を進めて、御堂家を祝ふ儀式也。…四日は東金堂の薪と名づく」〈教訓抄六〉 **―のさるがく**【薪の猿楽】 薪を燃やし、そのあかりの中で演じられる猿楽。元来は興福寺修二会の一行事。東西の金堂で行なわれ、後、南大門に移った。大和猿楽四座は、これに参勤の義務を負っていた。「薪の能」とも。「〔宝徳三年〕二月九日より―これ在り。次第日記。九日円満寺座…十日雨降りて無し。十一日酒戸座…十二日遊崎座…十三日外山(とび)の座」〈春日拝殿方諸日記〉 **―ののう**【薪の能】 ⇒たきぎのさるがく。「―一見の事を談ず」〈蔭涼軒日録文明一九・二・一六〉

たきぐち【滝口】 蔵人所に属し、宮廷の警衛に当った武士。滝口所に詰めたのでこの名がある。宇多天皇のとき創置。天皇に供奉し、使いその他の雑用を勤めた。「うちをおぼしやりて、名対面は過ぎぬらむ、―の宿直奏(とのゐまうし)いまこそとおしはかり給ふは未だいたうふけぬにこそは」〈源氏夕顔〉 **―どころ**【滝口所】 清涼殿の東北御溝水(みかはみづ)の落ちる所にある、警衛の武士の詰所。滝口。「―の衆もあまたゐたり」〈今昔一九ノ一五〉 **―のぢん**【滝口の陣】「滝口所」に同じ。「内に参りて、―にして」〈今昔二〇ノ一〇〉

たきずみ【焼き炭】 燃料にする木炭。「小野〔産〕の―」〈西鶴・一代男二〉

たきそな・へ ナエ『下二』《タキは腕を働かして事をする意》 手を働かせ、よく用意をする意か。「―・へ植ゑしもしるく出でみれば屋前(やど)の早萩咲きにけるかも」〈万二一一三〉 ▽万葉集の原文「手寸十名相」については諸説がある。 †takisonafë

たぎたぎ・し 『形シク』 ①道がまがりくねり、でこぼこして、歩きにくい。「車駕(みくるま)の経ける道狭(さ)く―・しかりき。悪しき路の義(ここ)を取りて当麻(たぎま)と謂ふ。俗(くにひと)、多支多支斯(たぎたぎし)といふ」〈常陸風土記〉 ②足がよくきかない。「吾が足え歩まず、―・しくなりぬ」〈記景行〉 ▽平安時代の「たいだいし」はこの語の音便形。 †tagitagisi

たぎ・ち【激ち】 ⊟『四段』《タキ(滝)・タギリ(滾)と同根》 ①水がわきかえり、さか巻き流れる。「高山の石本(いはもと)―・ちゆく水の」〈万二七一八〉 ②心が激しくわきかえる。「嘆きせば人知りぬべみ山川の―・つ心をせきあへてあるかも」〈万一三八三〉 ⊟『名』 激流。また、そのしぶき。「武庫川の水脈(みを)を早みか赤駒のあがく―にぬれにけるかも」〈万一一四一〉 †tagiti

たきつ【滝津】 滝。「あられ降る―を見れば夜を寒みこほれる水も玉ぞ散りける」〈秋風和歌集冬下〉。「タキツ、歌語、即ち、タキ」〈日葡〉

たきつせ【滝つ瀬】 水の激しく流れる瀬。「能登湍(のとせ)河音のさやけさ―ごとに」〈万三一四〉。「ふる雪はかつぞけぬらしあしひきの山の―音まさるなり」〈古今三一九〉 ▽タキツはもとタギツとにごり、動詞「たぎち」の連体形であったが、平安時代以後タキツとすみ、タキを滝、ツを助詞とみるようになった。 †tagituse

たきどの【滝殿】 滝にのぞんだ建物。寝殿造の庭の池の滝の近くの亭。「つくらせ給ふ御堂は大覚寺の南にあたりて、―の心ばへなど劣らず面白き寺なり」〈源氏松風〉

たきなみ【滝波】 はげしく落ちる滝の水。「―ばかり響く山かげ」〈新撰菟玖波集一三〉。「まなく散る雪や―天つ空」〈再昌草一五〉

だきに【荼枳尼】《梵語の音訳》 荼枳尼天。「御室殿の御うしろなる杉の洞(ほら)に壇を立てて、―の法を百日行なはせられけるほどに」〈平家一・鹿谷〉 **―てん**【荼枳尼天・吒祇尼天】 胎蔵曼荼羅(たいぞうまんだら)外院南方、閻魔天の傍に住む、三天鬼及び偃臥鬼(えんがき)の総称。夜叉(やしや)の一類で、自在の通力を有し、六か月前に人の死を知り、その心臓を取って食う。わが国では、その本体を狐精とし、稲荷権現などに祀り、これを本尊として修法すれば、通力を得て諸願成就するという。「―の法を習ひて、三七日行なひけるに」〈太平記二六・妙吉侍者〉

たきのいと【滝の糸】 白い筋をなして落ちる滝の水を糸にたとえていう語。「流れくる紅葉(もみぢ)葉見れば唐錦―もて織れるなりけり」〈拾遺三二一〉

たきのしらいと【滝の白糸】「滝の糸」に同じ。「春来れば―いかなれや結べどもなほあわに見ゆらむ」〈拾遺一〇〇四〉

たきふさ【髻】《タキは腕を使って髪をあげる意。フサは房》 髪をあげてたばねたもの。もとどり。「―の中より、設(ま)けし弦を採り出だして」〈記仲哀〉 †takifusa

たきもと【滝本】 滝の下。滝の水が落ちてくる所。「聞ゆる滝にしばらく打たれてみんとて―へぞ参りける」〈平家五・文覚荒行〉 **―りう** リュウ【滝本流】 書道の一派。近世初期、男山八幡の別当で寛永三筆の一人、滝本坊松花堂昭乗を祖とする。滝本様(よう)。松花堂流。「八幡山は―の色葉かな」〈俳・宝蔵五〉

たきもの【薫物】 各種の香木を粉にひき、蜜で煉り合わせた物。煉香(ねりかう)。「正月のつごもりなれば、公私のどやかなるころほひに、―あはせ給ふ」〈源氏梅枝〉 **―あはせ** アワセ【薫物合】 各自で煉香を持ち合わせて、その優劣を競う遊び。「御―はてて人人にもくばらせ給ふ」〈紫式部日記〉

だきもり【抱き守】 幼児を抱いて守りをする女の奉公人。「―の露(小便)を悲しむ和子(わこ)連れて」〈俳・半入独吟集上〉

たぎ・り【滾り】『四段』《タギチ(激)と同根》①水勢で水が湧きかえる。「―・りて流れ行く水、水晶を散らすように湧きかへるなど」〈更級〉②水が湯に沸きかえる。煮え立つ。「この水熱湯に―・りぬれば、湯ふてつ」〈大和一四九〉③心がはげしくたかぶる。「たぎつ心。心滝の水のごとくわくなり。心の―・るかたなり」〈匠材集三〉。「人の善心―・り給へば」〈バレト写本〉④熱中する。「其の役―・らぬ人は、何時からも役替(やくがへ)して見たがよし」〈評判・二挺三味線大坂〉。「止み間なく蟬の―・るや此の日和」〈俳・春鹿集上〉

たく【栲】楮(こうぞ)の古名。樹皮の繊維が丈夫で、綱・領布(ひれ)・衾(ふすま)などの材料となる。「常に―の皮を取りて木綿(ゆふ)を造る。因りて柚富(ゆふ)の郷といふ」〈豊後風土記〉 ▽朝鮮語 tak(楮)と同源。

たくさ【手草】《タはテ(手)の古形》竹や木の葉を手に持つに程よく束ねたもの。神前の歌舞などに使う。「小竹葉(ささば)を―に結ひて」〈記神代〉

たくさい【侘傺】おちぶれること。疲弊。窮乏。「侘傺(たさい)」とも。「国内の荒蕪(くわうぶ)、人民の―、斯(これ)より過ぎたる莫(な)し」〈永延二年十一月八日尾張国郡司百姓等解〉。〈名義抄〉

たくさん【沢山】数や量が多いこと。十分にあること。さわやま。「[米ガ]―なるによって、施行に引きけるとぞ聞えし」〈平家八・征夷将軍〉。「名にし負ふわきもとなればこの里は水―にあらましものを」〈遠近草下〉。「沢山、タクサン、多義」〈文明本節用集〉 **―さうに** いくらでも有るもののように。軽軽しく。無雑作に。粗末に。「ああ、粗相千万(そさうせんばん)、―一つの腹を[切レト言ウノカ]」〈近松・佐々木大鑑五〉

たくしか・け【手繰し掛け】『下二』続けざまにしゃべる。まくしたてる。「たぐりかけ」とも。「―・け―・け、難なく此方の理潤(りじゆん=勝利)にして」〈近松・艶狩二〉

たくじり【手抉】指先で中をくじりくぼめてつくった粗末な土器。「この埴をもちて…天の―八十枚(やそき)を造りて…天神(あまつかみ)地祇(くにつかみ)を祭り」〈紀神武即位前〉

たくせん【託宣】神が、人にのりうつったり、夢のなかにあらわれたりなどして、その意志を告げ知らせること。おつげ。「八幡大神―して曰く」〈続紀勝宝七・三・二八〉。「伊勢・石清水・賀茂・春日より始め奉りて、―の詞は夢想の告げ、いづれも歌にあらざるは少なし」〈盛衰記七〉

だく・つ・き『四段』胸がどきどきする。動悸がする。だくめく。「―・き候て、目痛み出で申し候」〈細川忠興文書寛永一三・四・二八〉

たくづぬ【栲綱】「たくづの」のノに当る万葉仮名「努」などを江戸時代にヌとよみ誤って作られた語。「―、つぬは綱なり」〈詞草正採鈔〉。「―の新羅の国に」〈万葉考一四〉

たくづのの【栲綱の】〔枕詞〕《ツノはツナの転》「たくづの」は楮(こうぞ)の繊維でつくった綱。白いので「白」、また、同音をもつ国名「新羅(しらき)」にかかる。「―白鬚(しらひげ)の上ゆ」〈万四四〇八〉。「―新羅の国ゆ」〈万四六〇〉 †takudunonö

だくな『接尾』⇒だうな。「やれ喰らひ―して、江西・湖南をそのやうにして歩いたか」〈碧岩抄二〉

たくなは(タクナワ)【栲縄】楮(こうぞ)の樹皮で作った縄。「この―を海に浮けてありく」〈枕三〇六〉 **―の**【栲縄の】〔枕詞〕楮(こうぞ)でつくった縄は長いので「長き」にかかる。一説、「千尋(ちひろ)」にもかかる。「―長き命を」〈万二一七〉

たくぬの【栲布】楮(こうぞ)の繊維で織った白布。「いかなれば恋にむさるる―のなほさゆみなる人の心ぞ」〈夫木抄三三・布〉

たくはつ【托鉢】僧が鉢を持って食物を乞い歩くこと。「出家たる者は、古人の高躅を踏んで、糞掃衣(ふんざうえ)などを着して―するが本位ぞ」〈大智禅師偈頌抄下〉。「―とは、鉢をささぐる」〈策彦和尚初渡集下ノ下〉

たくは・ひ(タクワイ)【貯ひ・蓄ひ】『四段』⇒たくはへ。「海神(わたつみ)の神のみことのみ櫛笥(くしげ)に―・ひ置きて」〈万四二二〇〉 †takuFaFi

たくは・へ(タクワエ)【貯へ・蓄へ】㊀『下二』集めたものを大切にしまっておく。「是れ能く解脱の薬を盛り―・ふる器なり」〈地蔵十輪経一・元慶点〉。「年来―・ふる所の書籍を披尋するに」〈正法眼蔵谿声山色〉 ▽奈良時代は四段に活用。㊁『名』たくわえること。また、たくわえたもの。「そのあたりの―の事どもをあやふげに思ひて」〈源氏松風〉

たぐ・ひ(タグイ)【偶ひ・類ひ・比ひ】㊀『四段』《似つかわしいもの、あるいは同質のものが二つそろっている意。類義語ツレは、つながって一線にある意。ナラビは、異質のものが凸凹なくそろう意》①同じものが、二つならんでいる。「鴛鴦(をし)二つ居てたぐひよく―・へる妹を誰か率(ゐ)にけむ」〈紀歌謡一一三〉②つり合う。似合う。「君達の上(かみ)なき御えらびには、ましていかばかりの人かは―・ひ給はむ」〈源氏帚木〉③並んで行く。共に行く。「煙に―・ひて慕ひまゐりなむ」〈源氏夕顔〉④仲間になる。「水の泡とも消え、底の水屑(みくづ)とも―・ひなばやとぞ思し召す」〈保元下・新院讃州〉⑤相応ずる。呼応する。「御前の河波、嵐に―・ひ、山をひびかす」〈保元上・法皇熊野御参詣〉㊁『名』①つり合うもの。「大夫(ますらを)もかく恋ひけるを手弱女の恋ふる心に―有らめやも」〈万五八二〉②つり合い。「―よくたぐへる妹を」〈紀歌謡一一三〉③同胞。はらから。「―おはせぬをだにさうざうしく思しつるに」〈源氏葵〉④仲間。「人人まじなひわづらひしを、やがてとどむる―あまた侍りき」〈源氏若紫〉。「儔、止毛加良(ともがら)、又、太久比(たぐひ)」〈新撰字鏡〉⑤同類。同種。「世にあがむる神の中に、この―また多し」〈諸神本懐集本〉 †taguFi

たくひれの【栲領巾の】〔枕詞〕「たくひれ」は楮(こうぞ)の繊維でつくった領巾。それを首から肩にかけることから「懸け」に、色が白いので「白」、また、白い鷺の意から、地名「鷺坂」にかかる。「―懸けまくほしき」〈万二八二五〉。「―白浜波の寄りもあへず」〈万二八二三〉。「―鷺坂山の白つつじ」〈万一六九四〉 †takuFirenö

たくぶすま【栲衾】〔枕詞〕楮(こうぞ)の繊維で作った夜具。白いので、白と同音をもつ地名「白山(しらやま)」「新羅(しらき)」にかかる。「―白山風の」〈万三五〇九東歌〉。「―新羅へいます君が目を」〈万三五八七〉

たくぶら【手腓】「たこむら」の転。「―に虻(あむ)かき着き、その虻を蜻蛉(あきづ)早や食ひ」〈紀歌謡七五〉

たぐ・へ(タグエ)【偶へ・類へ】『下二』《タグヒの他動詞形》①(似つかわしいもの、あるいは同質のものとして)二つを一緒にそろえる。「花の香を風の便りに―・へてぞうぐひすさそふしるべにはやる」〈古今一三〉②合わせる。「松の響きに秋風楽を―・へ」〈方丈記〉③まねる。ならう。「鳥類・畜類も人に―・へて歌を詠む」〈謡・白楽天〉④(似たものを)ならべる。ひきくらべる。「我に―・へてあはれなるはこの里」〈謡・柏崎〉

たくぼく【啄木】①鳥の名。キツツキ。「啄木、タクボク・ケラツツキ」〈下学集〉②紐の組み方の名。白・萌黄・紫などの色糸をまぜ合わせてまだらに組んだもの。キツツキのついばんだ跡に似る。啄木組。「金(こがね)の菊形打ちたる銅拍子に―の緒を入れて」〈義経記六〉③琵琶の秘曲の名。「琵

琵に流泉・―といふ曲あり」〈今昔二四ノ二三〉

だくぼく 高低が有ること。でこぼこ。「だくりぼくり」とも。「路の高低なることを、だくりぼくり・―など言ふ」〈俳・かたこと三〉。「耳の外輪に―なき也」〈仮・阿倍晴明物語七〉

たくま・し【逞し】『形シク』①存分に豪勢である。豪気だ。「―・しく故京(ふるさと)より食(じき)を備(ま)うけて来たれり」〈霊異記中一四〉②存分に力強く、頑丈である。がっしりしている。「草の中に太(とい)―・しく肥えたる女有り」〈霊異記下一六〉。「奥州より白き馬の太く―・しきを引いて参りたりければ」〈妻鏡〉 **逞しく・す** ①力などを存分に発揮する。「傍に無病の人ありて才芸をほどこし、力量を―・するを見て」〈夢中問答中〉②強力にする。強大にする。「傍に武具を集めて、士卒を逞しうす」〈太平記三・千種殿〉

たく・み【巧み・工み】㊀『四段』①工夫をめぐらす。計画する。「昼夜に妻子眷属を養ふはかりごとを―・む」〈今昔三ノ二九〉②趣向などをこらす。「さても不思議なる所多くありける事かな、―・みも―・みてこしらへける事よ」〈伽・あきみち〉㊁『名』①技巧のすぐれたこと。器用。「文屋の康秀は、言葉は―にて、そのさま身におはず」〈古今序〉②【工・匠】手先の仕事で物を作る職人。細工師・彫刻師・大工などの総称。「その―も絵師も、いかでか心にはかなふべきわざならむ」〈源氏宿木〉。「―・杣人(そまびと)などを雇ひ具して、奥山に入りて材木を造り運びて、即ちその所に堂を造りて」〈今昔一一ノ三五〉③わざにたけた人。達人。「よろづの道の―、我が道を人の知らざるを見て」〈徒然一九三〉④たくらみ。くわだて。「さては我をすかしやりて間男にさせん―なりとて」〈宝物集下〉⑤しわざ。しごと。「明け暮れは物思ふ事を―にてわりなく胸を知る人ぞなき」〈散木奇歌集恋上〉 **―づかさ**【内匠寮】令外官の一。中務省に属し、工匠を司り、調度の製作、装飾などに当った。その仕事は木工寮・修理職(すりしき)に同じ。「うちのたくみのつかさとも。「勅して始めて―を置く」〈続紀神亀五・八・甲子〉。「里の殿は修理職・―に宣旨下りて二なう改め造らせ給ふ」〈源氏桐壺〉 **―どり**【巧鳥】ミソサザイの異名。巣を作ることが巧みだからという。「鳥は。…―」〈枕四一〉。「巧婦、太久美止里(たくみどり)」〈和名抄〉 **―のかみ**【内匠頭】内匠寮の長官。「従五位下池辺の王を―と為す」〈続紀天平九・一二・二三〉

たくめ【専】『副』もっぱら。専一に。「たうめ」とも。「―行暴悪(あしきわざ)す」〈紀皇極二年〉

だくめ・き『四段』胸がどきどきする。「むかし思ひ出で候うて胸が―・き候ひつる」〈実隆公記延徳二・九・二五紙背文書〉

たくらがき【田倉柿】扁平で大形の渋柿。醂柿(あわしがき)にする。たくら。「なり次第己が気儘や―」〈俳・糸屑三〉

たくらた【癡】愚か者。ばか。「―と人を思ひてあなづればなほ―は我にこそあれ」〈西明寺殿御歌〉。「癡の字をば―と読むなり。世間の人の―と云ふは、愚癡の癡の字なり」〈法華経直談鈔一〇本〉

たくら・べ【た比べ・た較べ】『下二』《タは接頭語》くらべる。比較する。「その国のあまたの后を―・ぶるに」〈今昔二ノ二八〉。「較、タクラブ」〈黒本本節用集〉

たく・り【手繰り】『四段』①力ずくで取り去る。ひったくる。「稚児見んとて小袖を―・る」〈天正本狂言・米借〉②はぎ取る。皮をむく。「ひげをむしられ、皮を―・られ」〈天正本狂言・野老〉③強請する。「拝み申す、くれ申せと、―・りかかれば」〈近松・宵庚申上〉

たぐ・り『四段』淫らな行いをほしいままにする。淫乱する。たぐるう。「思ふ程―・りて飽き候ふ時」〈咄・昨日は今日上〉

たぐ・り【吐り】㊀『四段』①吐く。「いづくにそ口より―・れる物をもて、敢へて我に養(あ)ふべけむ」〈紀神代上〉②咳をする。咳き上げる。「お尋ねなくとも言ひたうて言ひたうて胸の―・る折しも」〈近松・嫗山姥二〉㊁『名』吐くこと。また、吐いたもの。へど。「―に生(な)れる神の名は金山毘古(かなやまびこ)の神」〈記神代〉

たぐ・り【手繰り】『四段』綱などを両手を交互につかってひきよせる。「三保の浦の引き網の綱の―・れども長きは春の一日なりけり」〈曾丹集〉。「〔悪馬ノ〕はね走りけるを、さし縄にすがりて―・り寄りて乗りてけり」〈著聞三六四〉

だぐるひ(ルイグ)【駄狂ひ】《「駄」は牝馬(めうま)》牡馬が発情して牝馬にかかること。「―をして、腰がぬけて、馬屋のすみにつないで置いた」〈天理本狂言六義・骨皮〉

たけ【竹】《タカの転》イネ科の多年生常緑木本。「梅の花散らまく惜しみわが園の―の林にうぐひす鳴くも」〈万八二四〉▽タケ(丈)・タカ(高)と同根とする説は、アクセントを考えると成立困難である。 †takë **―植うる日** 五月十三日。この日竹を植えれば繁茂するといい、また、竹の子を採らない。竹酔日。竹誕日。竹迷日。「降らずとも―は簑と笠」〈俳・笈日記中〉 **―に油を塗・る**《すべすべした竹に油を塗れば、よけいすべりがよくなるので》たくみに弁舌をふるうたとえ。「―・って御恨み」〈雑俳・夏木立〉 **―の根を掘・る** 子を産まない女は地獄へ堕ちて、燈心で竹の根を掘る責め苦に会うという近世の俗説。「子の無きや―・る生え止り」〈俳・口真似草二〉

たけ【岳・嶽】《タカ(高)と同根。高い所の意。中世、ダケとも》高くそびえ立った山。また、その山頂。雨・雲などを支配する神が住むと信ぜられた。「あしひきの山川の瀬のなるなべに弓月(ゆつき)が―に雲立ち渡る」〈万一〇八八〉。「ダケ、即ち、ヤマノイタダキ」〈日葡〉 †takë

たけ【茸】《タケ(長)と同根。高くなるものの意》きのこ。「―を詠める」〈万三三題詞〉。「いざ、この―乞ひて食はむ」〈今昔二八ノ二八〉。「菌・菌茸、タケ」〈名義抄〉 †*takë

た・け【長け・闌け】㊀『下二』《タカ(高)の動詞化。高くなる意。フカ(深)・フケ(更)、アサ(浅)・アセ(褪)の類》①丈(たけ)が高くなる。「林に―・けたる木は必ず風に砕け」〈盛衰記七〉②日が高くなる。「日―・くるまで大殿籠れり」〈源氏須磨〉③時がたつ。季節が深まる。「もずのゐるまさきの末は秋―・けてわらやはげしき峰の松風」〈風雅六九三〉④高齢になる。「年―・けて又越ゆべしと思ひきや命なりけりさ夜の中山」〈新古今九八七〉⑤一つのことに長ずる。「坂東育ちの者にて、武勇の道に―・けて候へ」〈保元上・新院為義を召さる〉。「昔、知・行・徳―・けたる高僧おはしけり」〈雑談集七〉㊁『名』【長・丈】①人の身長。「筒井つの井筒にかけしまろが―過ぎにけらしな妹見ざるまに」〈伊勢二三〉。「髪の、まだ―にはづれたる末の」〈源氏野分〉②物の長さ。「袴の―、狩衣の裾まで」〈栄花見はてぬ夢〉。「〔八幡大菩薩ハ〕―一丈の月と現はれさせ給ひ」〈日蓮遺文種種御振舞御書〉③馬の足から肩までの高さ。四尺をもとにして、それ以上を寸(き)でいう。「黒栗毛なる馬の―八寸(き)あまりばかりなる」〈宇治拾遺九七〉④限度。「物思ふ心の―ぞ知られぬる夜な夜な月を眺めあかして」〈山家集中〉。「身の及ぶ―するが好いぞ」〈古活字本論語抄一九〉⑤〔歌論用語〕崇高壮大な美。「かの大納言のうたの風体は、又ことにうたの―をこのみ、古き姿をのみ好める人と見えたれば」〈古来風体抄上〉

た・げ【食げ】『下二』食わせる。飲ませる。「米だにも―・げて通らせ」〈紀歌謡一〇七〉。「斑鳩(いかるが)の富の井の水汝が無

くに―・げてましもの富の井の水」〈法王帝説〉 †tagë

だけ【丈】『助』《「たけ(長・丈)」㈡⑷から転じた語》①それと限る意。「不調法が有っても親―で済めども」〈浄・ひらかな盛衰記三〉②限度・程度を示す。「遁るる―は遁れもせず」〈近松・大経師中〉③身分・事情などに相応する意。…だけに。…だけのことがあって。「小さいからの馴染―我子の様に思はれて」〈近松・重井筒中〉

たけうま【竹馬】①子供の遊び道具。㋑葉のついた一本の生竹にまたがり、そのもとに結んだ綱を手綱に擬して遊ぶもの。竹竿の先に馬の頭の形をつけたものもあった。ちくば。「内より召すに遅く参れば、これに乗りて参れとて、竹を賜はせたれば。―は踏みがちにして悪しければ今夕影(鹿毛ト掛ケル)に乗りて参らむ」〈忠見集〉㋺近世後期、二本の竹竿に足懸けを作ってこれに乗り、両手で竹の上部を握って歩くもの。「今世江戸にて―と云ふ物…七八尺の竿に縄を以て横木を括り付け足懸とす」〈守貞漫稿二五〉②近世、古着行商人などが、古着・衿などの商品を吊して歩いた四足の竹製の台。また、それを使う古着行商人。「木馬の如く、竹にて両足をしつらひて、上の方に長き竹を横たへて、それに呉服物を掛けて商ひたり。これ末代、絹・木綿などの商人、―とて右の如くしつらひ」〈事跡合考〉

たけがうし(ゴウ)【竹格子】竹で作った格子。「煤掃きに洗ふは古き―」〈俳・花月千句上〉

たけがたな【竹刀】①刀身が竹の刀。竹光(たけみつ)。「人のただ差すべき物は―」〈俳・守武千句〉②竹製の馬櫛。「竹はだけ(ヲ)―と云ふ事は誤りなり。刀にて馬をはだくることは、如何にあるべき事にや」〈風呂記〉。〈日葡〉

たけかは(ワ)【竹河】川の名。催馬楽(さいばら)の曲名として有名。「―の橋のつめなるや」〈催馬楽竹河〉。「いたく酔ひ乱れたる様して、―うたひけるほどを見れば」〈源氏真木柱〉

たけがり【茸狩】山に入ってきのこを探してとり集めること。きのことり。「北山に僧正遍照と―にまかれりけるによめる」〈古今三〇九詞書〉

たけくぎ【竹釘】①竹を削って作った頭のない釘。「長押(なげし)の面に―打つべからず」〈極楽寺殿御消息〉②近世、色比丘尼(いろびくに)の異名。「丸太」とも。「此の者の異名を―とは如何なる故にやと問へば」〈浮・三代男三〉

たけくらべ【丈較べ】①身の丈をくらべ競うこと。せいくらべ。「低(ひき)き人の―は、低きを勝とするが如し」〈沙石集一ノ三〉②高さ強さなどを互いに競うこと。「七人が、どれも―に腕をこいて権を争うたぞ」〈玉塵抄三〉③〔連俳用語〕十七字の長句に長句を付け、十四字の短句に短句を付けること。「付句の指合―などする事、頗る恥辱にも似たる物か」〈初心求詠集〉④謡曲で、同じ節の重なること。「謡にも―とて、同じ節の重なるを嫌ひ」〈舞正語磨下〉

たけ・し【長し・猛し】『形ク』《タカシ(高)・タキ(長)・タケ(闌)と同根。背が高い意から転じて相手に対して見くだす態度である意。平安時代の女流仮名文学系では、世間体がたいしたものだ、立派であるの意。転じて、他人の手前、最高に振舞っても、これがせいぜいである、などの意。漢文訓読体では、タケシは「猛」「健」など多くの漢字の訓として、勢いがはげしい、勇武であるなどの意。類義語ツヨシ(強)は、芯がしっかりしていて動じない、強情であるなどの意。タケシが外見を中心にした意味と違う》①威圧的で勇壮である。「鶏が鳴く東男(あづまをのこ)は出で向ひ顧みせずて勇みたる―・き軍卒(いくさ)と労(ね)ぎ給ひ」〈万四三三一〉②たいした勢いである。えらいものである。「わが方―・う思ひがほに、心おごりして」〈源氏藤裏葉〉③世間体が立派である。「逃げ隠れ給ふとも、何の―・きことかはあらむ」〈源氏玉鬘〉④なしうる最高である。これが精一杯である。「〔自分ヲ〕うちすて給へる恨みのやるかたなきに、…―・きこととは、ただ涙に沈めり。母君も慰めわびて」〈源氏明石〉⑤《漢文訓読系で》勢いがはげしい。強く勇武である。「―・き力盛りなる謀は、日日に費(つひ)え衰へぬ」〈東大寺諷誦文稿〉。「性勇烈にして―・き略(はかりごと)多し」〈大唐西域記四・長寛点〉。「暴・猛・勇・烈・壮・武、タケシ」〈名義抄〉 †takesi

たけじざいてん【他化自在天】欲界六天の最高所にある第六天。この天に生れたものは、他の楽事を自由自在に自己の楽とするのでいう。「其れより―に生れて其の王の子と成りて」〈今昔一ノ三〉

たけじゅばん【竹襦袢】篠竹を細く削り、中に糸を通して編んだ肌襦袢。「汗に朽ちば風すすぐべし― 嵐雪」〈俳・虚栗上〉

たけそか《ソカはオロソカ・オゴソカのソカに同じか》語義未詳。不意にの意か。一説、「たまさか」と同じ意。「珠敷きて待たましよりは―に来たる今宵し楽しく思ほゆ」〈万一〇一五〉 †takesoka

たけたか・し【丈高し・長高し】『形ク』①背が高い。「若き犬の―・き、出で来たりて」〈今昔一九ノ三〉②〔歌論用語〕格調が高く、壮大な感じがする。「左歌―・し、勝とや申すべからむ」〈関白内大臣家歌合〉

たけたかゆび【丈高指】中指。「たかたかゆび」とも。「弓手(ゆんで)の―を紅の糸にてぞ結うたりける」〈明徳記中〉

たけだけ・し【猛猛し】『形シク』いかにも激しい。いかにも強い。「心―・しき人なりければ、恐れて口入れする者なし」〈米沢本沙石集六ノ八〉

たけだち【長立】立った身のたけ。背たけ。「―ひとしき限りをえらせ給ふ」〈源氏若菜下〉

たけたば【竹束】丸竹をたばねて楯としたもの。「竹を結ひ集め、それを楯にして―と名づけ」〈相州兵乱記四〉

たけち【高市】《タカイチの転》高い所にある人の集まる所。「大和のこの―に」〈記歌謡一〇一〉 †takëti

たけでっぱう(ポウ)【竹鉄砲】竹で作った玩具の鉄砲。豆や紙玉を玉にする。「藪に降るや―の玉霰」〈俳・鷹筑波四〉

たけながし【竹流し】竹筒に金銀を鋳込み、竿のようにしたもの。必要に応じて切って貨幣とする。竹流し金。「分銅を崩して、竹を割りて、それへ鋳流して、―と名付けて」〈三河物語下〉

たけなは(タケナワ)【酣・闌】《タケはタケ(丈・長・闌)・タケシのタケ。高まる意》①物事の最も高まるとき。最中。「酒―の後(のち)に、吾は起ちて歌はむ」〈紀神武即位前〉。「酣、タケナハナリ・タケナハニ」〈名義抄〉②盛りを少し過ぎたさま。「夜深け酒―にして、次第(ついで)儛ひ訖(を)る」〈紀顕宗即位前〉。「闌、ツクス・タケナハタリ・タケヌ」〈名義抄〉 †*takënaFa

たけのこ【竹の子・筍】竹の地下茎から出る若芽。「たかむな」「たかうな」とも。「今更になにおひいづらむ―の憂きふししげきよとは知らずや」〈古今九五七〉 **―がさ**【竹の子笠】苦竹または淡竹(はちく)の筍の皮で作った、雨降りにかぶる笠。「床に蓑・―掛け」〈宗長手記下〉 **―の親勝り** 子がその親より優れていることのたとえ。「―と言ふ世話に頼りて」〈浄・竹子集〉 **―の番をするやう**《「藪睨み」の洒落で》斜視を嘲っていう語。「竹の子で損をしたやう」とも。「目元何とやらん―なり」〈評判・難波物語〉

たけのこぎり【竹鋸】刑具の一。大竹を二つ割りにして歯を付けたもの。戦国時代以後、土中に埋めた大罪人の首を、希望者が挽くのに用いた。「そのほかの輩(ともがら)も、同じく縄をつけられて、辻辻にさらして、―にて挽かれん事」〈伽・はもち中将〉

たけのその【竹の園】①竹の生えている園。「―籬(まがき)の菊の匂ふ袖いく千代露にぬれてほすらむ」〈壬二集中〉②《中国の漢代、文帝の皇子梁(りょう)の孝王が作った庭園の名から》天子の子、親王の雅語。「朝日かげさし栄えゆく―千代に八千代になほぞ重ねん」〈夫木抄三五・親王〉。「―、親王の名なり。竹園」〈匠材集二〉 **―ふ**【竹の園生】①「竹の園」(1)に同じ。「日暮るれば―にぬる鳥のそこはかとなき音をも鳴くかな」〈散木奇歌集雑上〉②「竹の園」(2)に同じ。「―の末葉まで人間の種ならぬぞやんごとなき」〈徒然一〉

たけのは【竹の葉】《「竹葉」の訓読語》酒の異名。ささ。「―に浮かべる菊をかたぶけて我のみ沈む嘆きをぞする」〈散木奇歌集秋〉

たけのはる【竹の春】陰暦八月の称。竹の新葉の盛りとなるのでいう。「詠八朔紅梅。立つ日から梅こそ匂へ―」〈俳・伊丹発句合〉▽陰暦三月を「竹の秋」という。

たけのみや【多気宮】《伊勢国多気郡にあったので》斎宮の宮殿の異称。「かの斎宮のおはします所は―となむいひける」〈大和三六〉

たけ・び【猛び】『上二』《タケは形容詞タケシの語幹。ビは動詞を作る接尾語》①相手を威圧するような行動をとる。「叫びおらび足ずりし牙(き)かみ―・びて、もころ男(恋敵)に負けてはあらじと」〈万一八〇九〉②精一杯の行動をとる。「丈夫(ますらを)の思ひ―・びて隠せるその妻天地に照りとほるとも顕はれめやも」〈万三三五四〉▽「さけび(叫)」とは、奈良時代にはビの音も別で、別語。†takebi

たけびなは…ナワ【竹火縄】竹の皮で作った火縄。〈日葡〉

たけみつ【竹光】竹を削って刀身とした刀。竹刀。「軽いぞや／中―の犬おどし」〈雑俳・西国船〉

たけ・り【猛り】『四段』①はげしくあばれる。猛威をふるう。「[牛ハ酒粕ヲ食イ過ギ]酔ひて苦しさに―・り吠ゆれば」〈仙覚抄六〉。「迷へる衆生の胸の中に―・る煩悩の火は」〈観音経鈔〉②大声にののしる。「こはいかにせんとぞ―・りける」〈伽・諏訪の本地〉。「口たけだけしくののしるを―・ると云ふ」〈志不可起三〉

たける【梟帥】《タケビ・タケシ(猛)と同根。勇猛な者の意》異種族の勇猛なかしら。「出雲(いづも)―が佩(は)ける太刀」〈記歌謡二三〉。「梟帥、此をば多稽屢(たける)といふ」〈紀神武即位前〉 †takeru

たけを【建男・猛夫】強く勇ましい男。「大久米のますら―を先に立て靫(ゆき)取り負せ山川を岩根さくみて踏み通り国覓(くにまぎ)しつつ」〈万四四六五〉 †takewo

たご【田子】農夫。「時過ぎば早苗もいたく老いぬべし雨にも―は障(はさ)らざらなむ」〈和漢朗詠集田家〉

たご【担桶】肥料や水を入れてかつぎ運ぶための桶。「擔桶、たご、桶也」〈和漢通用集〉

たこく【他国】①自分の生国でない国。よその国。「我が国は―よりもすぐれ」〈正法眼蔵面授〉②よその国へ行くこと。また、よその国へ出奔すること。「所帯なくば―させべし」〈塵芥集〉。「高崎兵部少輔、慮外の事候て―申し候」〈上井覚兼日記天正二・三・二四〉

たごし【手輿】《タはテ(手)の古形》人が手で腰のあたりの高さに支えて運ぶ輿(こし)。「―つくらせ給ひてによふによふ担(にな)はれ給ひて」〈竹取〉

たごし【手越し】《タはテ(手)の古形》手渡し。「石群(いしむら)を―に越さば」〈紀歌謡一〇九〉 †tagosi

たこずれ【胼胝擦れ】 **―の当・る** 経験豊富で、ずうずうしい言動をする。海千山千で、平気の平左な振舞いをする。「胼胝擦れのする」とも。「こんな―・った手管(てくだ)」〈浮・魂胆色遊懐男三〉

たごのばう…ボウ【担桶の棒】《近世、京都で》天秤棒。朸(おうご)。「水汲みが汲んで担ふて持つや―」〈近松・今宮心中上〉

たこのぼり【凧幟】「いかのぼり」に同じ。「町中にて、子ども―堅く上げさせまじく候」〈正宝事録明暦三・一・六〉。「京にはいか幟と言へど、田舎の人は―と云ふとかや」〈俳・類船集三〉

たこむら【手腓】《タはテ(手)の古形。コムラは足の筋肉のふくれた所》手の筋肉のふくらんだ所。「―に虻(あむ)掻き着き」〈記歌謡九七〉 †takomura

ださい【大宰・太宰】大宰府。「左右大臣に―の綿各二万屯…を賜ふ」〈続紀神護景雲二・一〇・二四〉 **―のごんのそつ**【大宰権帥】大宰帥の権官。「藤原朝臣常嗣薨…承和元年改めて近江権守を兼ぬ…四年―を兼ぬ」〈続後紀承和七・四・二三〉 **―のそつ**【大宰帥】大宰府の長官。平安時代には原則として親王の名誉職。だざいのそち。「親王、…三品、四品、…―、諸王諸臣、…従三位、―」〈官位令〉 **―ふ**【大宰府】令制の官庁の名。天智三年、筑前国御笠郡に設けられ、九州および壱岐・津島の二島を管轄し、また、外敵にそなえ、外交にも当った。「―筑前の国を帯す」〈職員令〉

たされあら・ち『四段』未詳。「た(接頭語)去れ放ち」で、分け離す意か。「誰(だ)か、―・ちし」〈紀歌謡四〇〉

たし【大刀】「たち」の上代東国方言。「枕―腰に取り佩きま愛(かな)しき背ろがめき来む月(つく)の知らなく」〈万四四一三防人〉

た・し【足し】㊀『四段』不足なものを加えておぎなう。「輙く軽塵を岳(をか)に―・し、墜露を流に添ふるを以て」〈三蔵法師伝七・院政期点〉㊁『名』おぎない。助け。「勲功にあづかるといへども、愁ひを除くの―にはならぬ」〈古文真宝抄五〉

たし【立し】動詞「立ち」(連用形)の上代東国方言。「足柄の御坂に―て袖振らば家(いは)なる妹は清(さや)に見もかも」〈万四四二三防人〉

た・し『助動』→基本助動詞解説

だ・し【出し】㊀『四段』《イダシのイが脱落した形》⇩いだし。「まそ鏡かけて偲(しぬ)へとまつり―・す形見の物を人に示すな」〈万三七六五〉㊁『名』①幟・冑などの頭に付ける飾り物。「指物(さしもの)の真先に―と云ふ物が有る。旦那が―は酒林(さかばやし)だぞ」〈雑兵物語下〉。「ホロノダシ」〈日葡〉②山から海に向って吹き出す風。風の方向は地方によって異なる。「越後にて東風を―と言ふ」〈物類称呼一〉③護岸・水制のために、川中に突出した築造物。土出し・石出し・籠出し・杭出しなどがある。「川浪叩く―の捨石」〈俳・談林十百韻下〉④城の出丸(でまる)。「城の大手の―に置き申す女房にて候ふ故」〈立入左京亮入道隆佐記〉⑤《味を出すものの意で》鰹節・昆布・椎茸などを醤油とともに煮出した汁。出し汁。「生白鳥料理は…味噌に―を入れてかへらかして、鳥を入れ候也」〈大草家料理書〉⑥口実。方便。「某が悪所狂ひを―に使ひ」〈浮・棠大門屋敷五〉。「―に遣ふ。…人を以て言はしむる喩へ也」〈譬喩尽三〉

たしか【確か】《タシはタシナシ・タシナミ・タシナメのタシ。窮迫・困窮、また、それに耐える意が原義。ゆとりが無い意から転じて、密である、密着している、しっかりしているなどのさまを表わす》①密着しているさま。「綢繆・綢、綢蜜也、…纏綿也、太志加尓(たしかに)、又、牟豆末也加尓(むつまやかに)」〈新撰字鏡〉②しっかりして、確実であるさま。「仕うまつる人の中に、心―なるを選びて」〈竹取〉。「上に過去の事を引くといへども、的(たし)(か)に是れ何の仏と知らず」〈法華義疏長保点〉③深く切実であるさま。「切々、敬也憂也、多志加尓(たしかに)」〈新撰字鏡〉

だしぎぬ【出し衣】 女房が牛車に乗った時、衣の端を外から見えるようはみださせておくこと。また、その衣。いだしぎぬ。「下簾より―を出して、女房車の体に見せ」〈太平記二・天下怪異〉。「御台所は八葉の車に―あり」〈北条五代記一〉

たしけ・し【少し】『形ク』《タシカ(確)の形容詞化》窮迫している。欠乏している。「黄金かも―・くあらむと思ほして心(たし)(た)悩ますに」〈万四〇九四〉 †tasikësi

たしだしに『副』《タシダシはタシカ(確)・タシナミ・タシナメなどの語根タシを重ねた語》しっかりと。固く。「笹葉に打つや霰(あられ)の、―率(ゐ)寝てむ後は人は離(か)ゆとも」〈記歌謡七九〉

たし・で【立し出】『下二』「立ちいで」の約「立ちで」の上代東国方言。「津の国の海のなぎさに船装(よそ)ひ―・でも時に母(あも)が目もがも」〈万四三八三防人〉

たしな・し『形ク』《タシはタシカ(確)・タシナミなどのタシ。窮迫・困窮、また、それに耐える意。ナシは甚しい意》①窮迫状態にある。欠乏している。「此の人を食することを聴(ゆる)し給へ。苦(たし)(な)きを息(し)(の)び、身心楽しくならむとい ふ」〈地蔵十輪経三・元慶点〉。「(旱魃デ)飢饉がいく程に、食物等が―・ければ」〈四河入海一四ノ一〉②はげしく苦しい。「皆まさに無間地獄に墜ち堕(くつ)(がへ)りて諸の劇(たし)(な)き苦を受くべし」〈地蔵十輪経七・元慶点〉③老いやつれて病み、また、物事に失意のさまである。「龍鐘、サスラフ・タシナシ」〈名義抄〉

たじな・し【他事無し】『形ク』①他の事をかえりみない。余念がない。「ただ囲碁を打つほかは―・し」〈宇治拾遺一三七〉②親しくむつまじい。「恋は、―・く人を思ふ」〈春のみやまぢ〉。「況んや同傍輩といひながら、互ひに―・く馴れなじみて」〈明徳記中〉

たしな・び『四段』「たしなみ」に同じ。「労・鄰、タシナブ」〈名義抄〉

たしな・み 〔一〕『四段』《タシナシの動詞形》①困窮する。窮地に立つ。行きづまって苦境に陥る。「異人あり。刃を持ちて王に逆(さか)(む)ふ。王、時に窘(たし)(な)み、迫られて劫(しり)(ぞ)き行きて」〈大唐西域記五・長寛点〉。「塗(み)(ち)にありて水尽きぬ。此に至りて困乏(たし)(な)む」〈三蔵法師伝三・院政期点〉。「苦・厄・困・難、タシナム」〈名義抄〉②苦しさに堪えて一生懸命つとめる。「―・まず、上走りて物を習ふ故なり」〈梁塵秘抄口伝集〉。「道になづまずみだりにせずして年を送れば、堪能の―・まざるよりは、終に上手の位にいたり」〈徒然一五〇〉③強い愛着を持って心がける。「南都北嶺の衆徒逆悪に帰し、武勇を―・むは別段のおきてなり」〈保元中・左府御最後〉。「この道を―・む人は、かりそめにも執する心なくて、なほざりに詠み捨つること侍るべからず」〈毎月抄〉④かねてより心がけ用意する。「春酒をただふくべ一つばかり―・み置き候(そろ)」〈三体詩抄二上〉。「又、檀那をもてなさんとて、煎り豆、坐禅豆を―・み置けば」〈伽・猫の草子〉⑤気を使う。細心の注意を払う。「隠れなき客もじなり。いつよりも―・みて御酌を取り、一さし舞うて御慰め候て給はり候へ」〈伽・彌兵衛鼠〉⑥つつしむ。「さてさて過分な御意見ぢゃ。随分―・み申さう」〈咄・昨日は今日下〉。「酒はただ老いも若きも飲まぬこそ第一なればかねて―・め」〈百首和歌〉 〔二〕『名』①苦しみ。窮乏。「黎元(おほみ)(たから)の―を救ふ」〈紀推古二十九年〉②用意。心がけ。「楊枝(やう)(じ)をつかふ―、やさしく侍り」〈玉吟抄〉。「をぢ御(ご)様のやうに―の深い人はござない」〈虎明本狂言・止動方角〉

たしな・め『下二』《タシナミの他動詞形》困窮させる。苦しめる。「如何にぞ我を陸(くが)に―・めて、また、我を海に―・むや」〈紀神武即位前〉

たしに【確に】『副』《タシはタシカ(確)・タシナミ・タシミのタシ》固く。しっかりと。「いくみ竹い組みは寝ずたしみ竹―は率(ゐ)寝ず」〈記歌謡九一〉

だしぬ・き【出し抜き】 〔一〕『四段』他の隙をうかがい、またはあざむいて、事を行なう。「さては口惜しき事ごさんなれ。義朝は―・きけるよな」〈保元中・為義最後〉 〔二〕『名』出し抜くこと。近世後期は「だしぬけ」とも。「―の生害(死刑)これ有るべからず候」〈毛利家文書三、慶長三・九・三〉

たし・び『四段』《タシミの子音交替形》①困ってしばらくやすむ。「姑息、多志不(たし)(ぶ)」〈新撰字鏡〉②すき好む。「父母(ぶ)(も)に随はん事を欲(お)(も)はずして、ただ糞穢(ふん)(あ)を―・ぶ」〈今昔二ノ三六〉。「嗜、タシブ・タシナム・フケル・コノム」〈名義抄〉

たじま【但馬】 旧国名の一。山陰道八か国の一。今の兵庫県北部。「―の国の朝来(あさ)(こ)の人到来(きた)りて、此処に居りき」〈播磨風土記〉

だしまへ【出し前】 多数の人に等分に割り当てて出させる金額。「観音講の―」〈西鶴・胸算用一〉

たし・み『四段』《タシはタシナシ・タシナミ・タシカ(確)のタシ。窮迫・困窮、また、それに耐える意。ミは動詞化のための語尾》①苦しみをこらえる。「哽咽(む)(せ)びて自ら勝(た)ふるに能はず。侍婢数人、並びに皆歔欷(た)(し)んで、仰いで視るに能はず」〈遊仙窟(醍醐寺本)鎌倉期点〉②対象を強く好きこのむ。「祇陀太子の酒を―・み」〈発心集七〉。「―・むとは、嗜慾(ぎ)(よ)といひて、物を強く好むなり」〈二十四孝抄〉。「婤、太志牟(たし)(む)(「婤」は、このむ意)」〈新撰字鏡〉。「睦、タシム」〈名義抄〉 **―だけ【密生竹】** 密生している竹。「いくみ竹い組みは寝ず、―たしには率(ゐ)寝ず」〈記歌謡九一〉 †tasimidakë

たしゃう【他生】〔仏〕《「今生(こん)(じや)(う)」の対》前世、また、来世。「―にも定めて花を愛する人たらむ」〈発心集一〉 **―のえん【他生の縁】**《「多生の縁」の誤用》前世からの因縁。「一樹の陰に宿るも先世の契り浅からず、同じ流れをむすぶも―なほ深し」〈平家七・福原落〉

たしゃう【多生】〔仏〕何度も生死を経、六道を輪廻して、幾多の生を経ること。「ここに浄蔵は―の行人なりといふ事を知りぬ」〈著聞四六〉 **―のえん【多生の縁】** 多生の間に結ばれた因縁。「一樹の陰に宿り、同じ流れを汲むも、皆是れ―浅からず」〈太平記一・頼員回忠〉

たしやか【確やか】 たしかであるさま。「働きをも―に、音曲をも文字にさはさはと当り」〈風姿花伝〉

たしょ【他所】 ほかの場所。「それさへ―せ(移ス)られなば」〈栄花衣珠〉。「この御所を退いて―へ出でさせましまさん事、一切あるべからず」〈保元中・白河殿へ義朝夜討ち〉

たしろ【田代】 水田用の土地。田地。「六十町の―を実相坊領に寄付せらる」〈盛衰記一〇〉

たじろ・き『四段』⇒たぢろき

たすか・り【助かり】『四段』《タスケの自動詞形》救われる。「歌の徳に〔和泉式部ハ〕後の世も―・りけむ、いとめで

たきこと」〈古本説話七〉

たすき【襷・手繦き】《タはテ(手)の古形》①袖をたくしあげるために肩から脇にかけて結ぶ紐(ひも)。もと、神を祭る時などに供物に袖がふれないようにするためのもの。「白たへの―を掛け、まそ鏡手に取り持ちて、天つ神仰ぎ乞ひ祈(の)み」〈万九〇四〉。「衣(きぬ)ながにて―結ひたるが這ひ出でたるも、また短きが袖がちなる着てありくも、みなうつくし」〈枕一五一〉②紐などをななめにうち違えること。また、その模様。「経文などの紐を結(ゆ)ふに、上下(かみしも)より―に違へて」〈徒然二〇八〉 †tasuki

たす・け【助け・扶け・輔け】『下二』《タは手、スケは助力する意》①手助けする。助力する。支える。「天地の神あひうづなひ皇御祖(すめろき)の御霊(みたま)―・けて」〈万四〇九四〉。「門あけさするより…左右の戸も皆よろぼひ倒れにければ、をのこども―・けて、とかくあけさわぐ」〈源氏蓬生〉②(消沈しないように)元気をつける。気持を奮いたたせる。「おどろおどろしき病にもあらず、―・けて参り給へ」〈源氏若菜下〉。「わりなきさはりあるも、あながちにためらひ―・けつつ参り給ふ」〈源氏若菜上〉③救助する。救済する。「山に鳴く鹿をだに、人に捕へられて死なむとするを見て、―・けざらむは、いと悲しかるべし」〈源氏手習〉 †tasukë

たぜり【田芹】セリの異称。多く田に生ずるのでいう。「いくちたび水の―を摘みしかば思ひしことのつゆもかなはぬ」〈更級〉

たそ【誰そ】『連語』《タは代名詞、ソは指定する意の助詞》だれだ。「―かれと問はば答へむすべを無み君が使を帰しつるかも」〈万二五四五〉 †tasö

たそかれ【黄昏】「黄昏時」の略。「―も過ぎ、心やましき程にまうで給へり」〈源氏藤裏葉〉 **―どき**【黄昏時】《「誰(た)そ、彼は」といぶかる頃の意》うすぐらくなって人の顔が見分けにくい時分。夕暮れ時。「夕風のどかに…あはれなる―なるに」〈源氏初音〉↓彼(か)は誰時

だぞめ【駄染】商人の注文による、大ざっぱな大量加工の紺染。「広庭に青の―を引き散らし」〈俳・寒菊随筆下〉

たた ①自分を卑下していう語。「うら・のの・―・ちゃちゃ・うと・うもなどの言葉、大方みづからの上に云ふこと也。是等は人数ならざる農夫などの、その身を卑下して云へる言葉とぞ」〈俳・かたこと三〉。②母または主婦。また特に、漁夫の妻の生魚行商人。「姥―が参るは春の彼岸にて」〈俳・貞徳誹諧記上〉

たた【楯】「たて」の古形。「―並めて」〈記歌謡一四〉

ただ【直・唯・只】《対象に向って直線的・直接的で、何の曲折も、へだてもない意が原義。転じて、このこと、このもの、この一つ以外何のかざりも加わらず、外の何ものも添わないという意。生地のまま、加工のない意から、平凡・普通・無事の意にも使われ、副詞として、単に、ひたすら、全くなどの意に発展した。類義語ヒタ(純)は、もともとそれ一つ、純粋でまじりけが無い意。ナホ(直)は、変ったこともなく物事が持続して行く意から、変哲もなく平凡の意でタダに近く使われることがある》㊀『名』①一直線。まっすぐ。「尾張に―に向へる尾津の崎なる一つ松」〈記歌謡二九〉。「春霞井の上ゆ―に道はあれど君に逢はむとたもとほり来(く)も」〈万一二五六〉②直接。「―の逢ひは逢ひかつましじ石川に雲立ち渡れ見つつ偲はむ」〈万二二五〉③手を加えてないこと。生地のまま。「―なる絹綾など取り具し給ふ」〈源氏宿木〉④特別なことは何もない状態。「まだいと若うて、后の―に(臣下デ)おはしける時とや」〈伊勢六〉。「(親シイ間柄ダカラ)―なるよりはわが為にをこなることも出で来なまし」〈源氏蜻蛉〉。「かく―ならず(懐妊)ならせ給ひて後は」〈栄花花山〉⑤かざり気がないこと。ありのまま。「(人物ガ)―ありに、おほどかなる方にのみは見え給ひけれ」〈源氏胡蝶〉⑥平凡。普通。「―の殿上人には白き細長一かさね」〈源氏若菜上〉⑦無事。「よも―には候はじとぞ語りける」〈延慶本平家五・佐々木者共〉⑧無料。「少分の事なれば―も取るべけれども、心ざまの憎さに、ふつと一文にては取らじと云ふ」〈沙石集七ノ五〉㊁『副』①一直線に。「磐城山(いはきやま)―越え来ませ」〈万三一九五〉②直接に。「―今日も君には逢はめど人言を繁み逢はずて恋ひ渡るかも」〈万二九二三〉③《数を限定して》たった。わずか。古くは「ひとり」「ひとつ」などと呼応することが多い。「山峡に咲ける桜を―一目君に見せてば何をか思はむ」〈万三九六七〉。「月立ちて―三日月の眉根掻き日(け)長く恋ひし君に逢へるかも」〈万九九三〉④単に。「但(ただ)我らが是の王を捨棄するのみには非じ」〈金光明最勝王経平安初期点〉⑤ひたすら。全く。専一に。「心地―痴(し)れに痴れて、まもり合へり」〈竹取〉。「―(君ノ)御事のみなむあはれに覚えける」〈源氏澪標〉⑥まるで。「御額髪、つらつきのをかしさ、―ちごのやうに見え給ひて、いみじうらうたきを」〈源氏横笛〉⑦つい。ちょっと。「女二の宮の御裳着、―此の頃になりて世の中いとなみののしる」〈源氏宿木〉 **―取る山の時鳥(ほととぎす)** 骨を折らずに物を得ること。「―とて、昔から有る事よ」〈咄・醒睡笑四〉 **―も無・し** 普通の身ではない。妊娠している。「その年の末より―・くして、美しき若を一人まうけさせ給へども」〈伽・あきみち〉

だだ ①怒りもがいて、烈しく地を踏むこと。「―踏んで雲に吠えけん心地して」〈俳・太郎五百韻〉②わがままを言うこと。すねること。「―言ふ」〈続無名抄下〉

だたい ㊀『名』規模・分量などの大きいこと。「(城ノ)廓(くるわ)―に候ふ間、人足数これ無く候はば、一日ばかりの普請には成り難しと存じ」〈梅津政景日記元和六・四・七〉㊁『副』本来。地体。もともと。性格などの甚しさについていう。「―そち(ノ言分)が無理ぢゃ」〈評判・美夜古物語〉。「少将(忠輝)殿御気質―大胆におはして、猛大将ゆゑ」〈玉滴隠見七〉

ただいま【只今】『名・副』①「現在」の意を強めていう語。他ならぬ今。「―は幼き御ほどに、罪なくおぼしなして」〈源氏桐壺〉②すぐ間近の未来。すぐさま。今すぐ。「下(しも)に湯におりて、―参らむと侍るといふ」〈源氏帚木〉③過ぎたばかりの過去。つい今しがた。「―おはするやうにて、うちたたき給ふ」〈源氏末摘花〉

たたうがみ(タトー)【畳紙】《タタミガミの音便形》たたんだ紙を重ねて懐中に入れておき、鼻紙や歌を書き記すことなどに用いたもの。ふところがみ。「たたむがみ」「たたんがみ」とも。「―に手習のやうに書きすさび給ふ」〈源氏空蟬〉

ただうど【直人】「ただひと」の音便形。「―にておほやけの御後見をするなむ、行先も頼もしげなる事」〈源氏桐壺〉

ただか【直処】《タダは直接の意。カはアリカ(在処)のカに同じ》その人自身、または、その様子。「寝(い)も寝ずに我はそ恋ふる妹(いも)が―に」〈万一七八七〉。「聞かずして黙然(もだ)あらましを何しかも君が―を人の告げつる」〈万三三〇四〉

たたか・ひ(タタカイ)【闘ひ・戦ひ】『四段』《タタキ(叩)に反復・継続の接尾語ヒのついた形。相手を繰り返してたたく意。類義語アラソヒは、互いに我を通そうと抵抗しあう意。イサカヒは、互いに相手を拒否抑制しあう意。→ひ》①繰り返して相手をたたく。「一の大僧有り。斧を執りて父を殴(たたか)ふ」〈霊異記上五〉②相手をたたいて勝つ。「あの国の人を、え―・はぬなり」〈竹取〉③戦闘する。「―・へば我はや

餓(ゑ)ぬ…今助けに来(こ)ね」〈記歌謡一四〉 †tatakaFi

ただがほ オ‥ガ【唯顔】化粧しない顔。素顔。「つくろふ所なき御—の…けだかうあざやかに清げに」〈浜松中納言四〉

たた・き【叩き・敲き】㊀《四段》《タタは擬音語。キは擬音語・擬態語を承けて動詞を作る接尾語》①連続して打つ。「門を—・き…と告ぐ」〈竹取〉②水鶏(くひな)がことことと鳴く。戸をたたくように聞えるのでいう。「おしなべて—・く水鶏(くひな)におどろかば」〈源氏澪標〉③むやみに発言する。「みだりに口を—・きまはるは悪しきなり」〈驢鞍橋上〉④神仏にはげしく祈願する。「千社(ちやしろ)を—・いて躍り、百幣(ももみてぐら)を捧げて走る」〈新猿楽記〉。「—・けば必ずこたへ、仰げば必ずのぞむ」〈北野聖廟縁起上〉。「祈る恋。…なにゆゑと人や問ふとて稲荷山思ふ社はうちも—・かず」〈草根集六〉㊁《名》①近世、庶民に対する刑罰の一。牢屋の門前で罪人の肩・背・尻などを五十または百鞭打つもの。「酒狂致し、度度所所の害に成り候ふ者、重(うち)—、所払ひ」〈律令要略〉②近世、編笠をかぶり扇で手を叩いて拍子を取り口早に唄って門付けした乞食。また、その唄。「吉原太夫浮世—」〈淋敷座之慰〉③魚・鳥獣の肉などを叩き砕いた料理。「〔料理八〕汁、…—、飯」〈久政茶会記天正一三・八・二六〉④「叩き土」の略。「路地〔八〕—路地也」〈久好茶会記慶長一・三・八〉 **—あ・げ**【叩き上げ】《下二》金銭を全部使い果す。「遂には皆—・げて」〈仮・浮世物語一〉 **—がね**【敲鉦】仏具の一。座に伏せて撞木で叩き鳴らす小さな鐘。伏鉦。「叩き失ひ」とも。「—一丁」〈多聞院日記永禄一〇・六・四〉 **—ごばう** ‥ボウ【叩き牛蒡】牛蒡を二、三寸に切って茹(ゆ)で、叩き砕いて酢または醤油で味付けした料理。たたきごんぼ。「—を遣はして。知るやいかに蓬(よもぎ)が門もたたきごばうれしからんと待ちわたるとは」〈再昌草一三〉 **—ざや**【叩き鞘】一面に凹凸を出した漆塗りの鞘。「我等大脇差鮫(さめ)鞘にて候ふも、—に仕直し申し候」〈宗静日記承応二・一・一三〉 **—つ・け**【叩き付け】《下二》そそのかす。甘言で喜ばせる。「少人—・けられ—・けられする程に」〈浮・好色江戸紫四〉 **—つち**【叩き土】土間・露地などで、赤土に石灰を混ぜ木槌で叩いて固めること。また、その叩き固めた地面。「露路をつくり、久七に明暮—をさせて」〈西鶴・永代蔵六〉 **—なっとう**【叩き納豆】白大豆で作った納豆を庖丁で叩いて細かくしたもの。野菜・豆腐・芥子を加えて汁とする。味噌納豆。「—、あさりのぬきみ」〈西鶴・好色盛衰記四〉 **—のよじらう** ‥ロウ【敲の与二郎】⇒よじらう。「門口を—いたづらに」〈俳・物種集〉。〈俳・世話尽三〉 **—ばん**【叩き番】近世、都市で、夜中太鼓または拍子木を打って時刻を知らせ、町内を巡視した番人。夜番。「世の憂きよりはまだ—」〈俳・天満千句〉 **—みこ**【敲き巫・叩き神子】「あづさみこ」に同じ。「そくそくと習ひて口を—」〈俳・望一千句〉 **—止(や)めば食ひ止・む** 働くのを止めれば直ぐに食物が無くなるの意。「貧なる鍛冶が言ひける世語(せご)にも、—・むと言ふ古事にも合へり」〈鳥の歌合〉

ただ・き【手抱き】《四段》《タはテ(手)の古形。タキは腕を働かす意》手で抱く。「—・きまながり(手足ヲサシカワシ)」〈記歌謡三〉 †tadaki

ただぎぬ【徒衣】染めたり練ったりなどの特別の加工をしていない衣(きぬ)。「唐綾・—一つまぜず皆赤色」〈宇津保貴宮〉

だだくさ 乱雑なさま。「揃へぬはこれぞ〔七草ナラヌ〕—薺(なづな)かな」〈俳・新続犬筑波四〉。〈俳・世話尽二〉

たたく・り《四段》損じて台なしにする。めちゃめちゃにする。「床を打ちたたき、人をこき—・りて、無理な事を云ひて」〈山谷詩抄一五〉

たたく・れ ㊀《下二》《タタクリの自動詞形》損じる。めちゃめちゃになる。だめになる。「白菊の枯れ—・れば刈り捨て」〈俳・犬子集一六〉㊁《名》衣服の裾などが皺になったり、折り返ったりすること。「畦足袋(うねたび)の筒の—を直し」〈仮・東海道名所記六〉

たたけ【狸】タヌキの異称。「狸、多々既(たたけ)」〈華厳音義私記〉。「狸、タヌキ・タヽケ・メコマ」〈名義抄〉。「貍、タヌキ・タヽケ、野猫」〈名義抄〉 †tatakë

ただごえ【直越え】まっすぐに越えること。奈良からまっすぐに大阪へ越えてゆく道、生駒山の草香越えについていうことが多い。「日下(くさか)の—の道より河内にいでましき」〈記雄略〉 †tadakoye

ただこと【直言・直事】①心を用いない、ありのままのことば。比喩でも歌語でもない、普通の表現。「これは、—に言ひて、物に喩へなどもせぬものなり」〈古今序〉。「—にはうるさく思ひつよりて侍りし」〈枕二七八〉②普通のこと。簡単なこと。「この頃となりては、—にも侍らざめり。いみじく思しなげく事あるべし」〈竹取〉 **—うた**【直言歌・徒言歌】古今集序にいう和歌の六義(りくぎ)の一。物にたとえずありのままに詠んだ歌。漢詩の「雅」にあたる。「五つには、—」〈古今序〉

たたさ【縦さ】《タタはタチ(立)と同根。サは方向をあらわす接尾語》垂直の方向。たて。「—にもかにも横さも奴(やっこ)とぞ吾はありける主の殿門(とのど)に」〈万四一三二〉

たたさま【縦さま】《タタサの新しい形。タタサに接尾語マのついた形》垂直の方向。たて。「琵琶の御ことを—に持たせ給へり」〈枕九四〉

ただし【唯し・但し】㊀《副》《タダ(唯)と強めの助詞シとの複合。古く漢文訓読体で使われ、平安時代の女流の和文脈では使わない語》①たった。わずかに。多くは助詞「のみ」と呼応して使われる。「—諸仏のみは能く法を分別したまふ智有(い)ます」〈成実論天長点〉②ひたすら。専一に。「—願ふ、世尊、我に一つの願を施し給へ」〈金光明最勝王経平安初期点〉。「諸の菩薩は—利他の為にするなり。自利の為にはせず」〈地蔵十輪経七・元慶点〉㊁《接続》①《文の叙述が終った後に、ただ一つこれだけは、と留保の条件を言い添えるに使う》もっとも。しかしながら。「仰せのことはいとも尊し。—此の玉たはやすくえ取らじを」〈竹取〉。「さては互ひに好い敵(かたき)ぞ。—わ殿をさぐるには非ず、存ずる旨があれば名乗るまじいぞ」〈平家七・実盛〉②《推量または疑問・仮定を表わす語句の上に添えて》もしかしたら。あるいは。「—様子変りがあって、さうならぬに於いては」〈コリヤード懺悔録〉 **—は**【但しは】《接続》あるいは。または。それとも。「扨々それは見事な花ぢゃが、其方の庭前か、—外から貰うておりゃったか」〈虎寛本狂言・若市〉

ただ・し【正し・糺し】《四段》《タダ(直・唯)と同根。まっすぐにする意。類義語ナホシは、元通りにする意》①きちんと整える。「ややもすれば喜びの涙ともすれば落ちつつ、目をさへのごひ〔顔ヲ〕—・して」〈源氏若菜下〉②規範にかなうようにする。「此集中、端作の詞といひ、歌の詞といひ、もしは落字、もしは損字、大体—・さるるもの也」〈仙覚抄一〇〉③理非を究明し、罪過の有無を取り調べる。「国つ神空にことわる中ならばなほざりごとをまづや—・さむ」〈源氏賢木〉。「雑犯—・すべきものなかりければ」〈著聞九三〉

ただ・し【正し】《形シク》《タダ(直・唯)と同根。対象に向って直線的で曲折が無い意。従って、規範や道義に対して、まっすぐで、よこしまが無いと感じられるというのが古い意味。転じて、客観的に道理に合う、きまりに合って整然としている意。類義語マサシは自分の見込み通りであると感じられる意》①まっすぐである。よこしまでない。「五つには、ただこと歌。いつはりのなき世なりせばいかばかり人の言の葉うれしからましといへるなるべし。これは事のととのほり、—・しきをいふなり」〈古今序〉。「身端(はな)くして、心—・し」〈法華義疏長保点〉②正統である。「—・しき其の孫なれば、さることもやあるらむ」〈保元中・白河殿へ義朝夜討ち〉③きまりにかなっている。誤りがない。「—・しく名をば知りたる者候はぬ」〈平治上・叡山物語〉

ただすつかさ【弾正台】⇒だんじょうだい。「弾正台、太太須豆加佐(つかさ)」〈和名抄〉

ただすのかみ【糺神】京都下鴨神社の御祖(みおや)の神。「名をば—にまかせて」〈源氏須磨〉

たたずま・ひ タタズマイ【佇まひ】㊀『四段』《タタズミに反復・継続の接尾語ヒのついた形。→ひ》じっと立ちどまっている。「なま夕暮になりにけり。この男門(かど)のかたに—・ひて見けり」〈平中三六〉㊁『名』①一つ所を行きつもどりつすること。「出で居(ゐ)もよく、経行(たたずまひ)もよく、遠見も怞怜(おもしろ)し」〈東大寺諷誦文稿〉②《一つ所に足をとどめる意から転じて》人やものの静止した状態。有様。様子。「親兄(せうと)など言ひつつ人(男女)の—をも見馴れ給へるは」〈源氏総角〉。「はかなき石の—もただ絵に書いたらむやうなり」〈源氏胡蝶〉

たたず・み【佇み】㊀『四段』《立って動きまわっていたものが、やがて立ちどまる意》①同じ場所を、ゆきつもどりつする。歩きまわる。「朝には岑の上に俳(たたず)みて雲霞の飛び交ふを見て父公(ちちぎみ)を憶ひ奉る」〈東大寺諷誦文稿〉②その場所に、じっと立ちつくす。立ちどまる。「その荒れたる簀子(すのこ)に—・ままほしきなり」〈源氏末摘花〉㊁『名』《近世前期、タダスミ・タダズミとも》①そこに身を落ちつけていること。また、その場所。「今日よりして内裏の—あるべからず、いかにも遠き国へ流すべし」〈塩竈大明神御本地〉。「今、身の—のなき故、越前よりの加勢を頼むなり」〈浅井三代記五〉②様子。ありさま。「このほど、ここもとのありさま見侍りけるに、世の常の—とは見え侍らず」〈伽・鼠草子〉 ▽タタ(立)スミ(住)が原義か。

ただただと『副』ひた走りに走るさまにいう語。一目散に。とっとと。「—走り出でられにけり」〈宇治拾遺三四〉

ただち【直道・直路】①まわりみちしない道。「月夜よみ妹に逢はむと—から我は来れども夜ぞ更けにける」〈万二六一八〉。「径、タダチ」〈名義抄〉②通る道すじ。径路。「ながむれば月の—は人知らず満ち欠けするも我ぞ定むる」〈鶴岡放生会職人歌合〉。「径路、多々知(ただち)」〈和名抄〉③物事の成り行き。次第。いきさつ。「敵味方挑(いど)み合ひて打ち合ひけれども、互ひに雌雄の—もなし」〈三好軍記中〉

ただちに【直ちに】『副』《タダチは直道》①まっすぐに。「中有(ちう)の旅にやすらはで、—浄土に参り給ふべきやうは」〈十訓抄一ノ四五〉②じかに。「土器(かはらけ)より〔炭火ヲ〕—移すべし」〈徒然二三〉③すぐに。じきに。「鳥は足は切れ切れたれども、—死なず」〈著聞三四八〉

ただて【直手】人を介さない、直接の手。じかの手。「鈴が音の早馬駅家(はゆまうまや)の堤井の水を賜へな妹が—よ」〈万三四三九東歌〉

ただどころ【唯所】普通のところ。「主殿司(とのもづかさ)、さらぬ—などは」〈枕五七〉

ただなか【只中・真中・正中】①まんなか。特に、矢を射る時、的となったものの中央部をいう。「仁井の紀四郎親清が真っ—を、ひゃうふっと射て」〈平家一一・遠矢〉②中心となるもの。心髄。最上。「あっ〔ウマク〕云ひたり〔トハ〕、—を謂ひたりと云ふ義なり」〈杜詩抄五〉。「知りながら法を破るは、無礼講の—也」〈仮・可笑記評判三〉③まっさいちゅう。「恋草の—なれや嫁が萩」〈俳・沙金袋三〉。「その時吉野恋の—」〈俳・紀子大矢数上〉

たたなづ・き【畳づき】『四段』《タタネ(畳)と同根》重なり合う。重なりつく。「—・く青垣」〈記歌謡三〇〉。「—・く柔膚(にきはだ)すらを剣刀(つるぎたち)身に添へ寝ねば」〈万一九四〉 †tatanaduki

たたなは・り タタナワリ【畳はり】『四段』《タタネ(畳)と同根》より合い重なる。「—・る青垣山」〈万三八〉。「髪のうち—・りてゆるらかなる程」〈枕三六〉。「—・るとは、重なれると云ふなり。…屏風の如くに—・れるなり」〈仙覚抄一〉。「委、マジハル・ツモル・タ、ナハル」〈名義抄〉

たたなめて【楯並めて】〔枕詞〕《タタはタテの古形》楯を並べて射る意から、イの音をもつ地名「伊那佐(いなさ)」「泉」にかかる。「—伊那佐の山の」〈記歌謡一四〉。「—泉の川の」〈万三九〇八〉 †tatanamëte

ただに【唯に】『副』《平安時代以後には、漢文訓読体で使う語。多く助詞「のみ」と呼応する》単に。「大保(たいほう)をば—卿(まへつきみ)とのみは念ほさず、朕(わ)が父と…なも念ほす」〈続紀宣命二五〉

たた・ね【畳ね】『下二』《タタナヅキ・タタナハリと同根》たたむ。「君が行く道の長道(ながて)を繰り—・ね焼き亡ぼさむ天の火もがも」〈万三七二四〉

ただのり【直乗り】一直線に渡ること。「駅路(はゆまぢ)に引舟渡し—に妹は心に乗りにけるかも」〈万二七四九〉 †tadanöri

たたは・し タタワシ【湛はし】『形シク』《タタヒ(湛)の形容詞形》満ち満ちて、立派で盛んである。偉大である。盛大である。「もち月の—・しけむと我が思ふ皇子(みこ)の命(みこと)は」〈万三三二四〉。「偉、タクマシ・イカシ・ウルハシ・タ、ハシ」〈名義抄〉

ただはて【直泊て】船がまっすぐに目的地に行き、港で停泊すること。「大伴の御津(みつ)の浜辺(はまび)に—にみ船は泊(は)てむ」〈万八九四〉

たた・ひ タタイ【湛ひ】『四段』①一杯にふくれ、充満する。「一片之火(ひとつひ)を挙(とも)して視(みそなは)す。時に伊奘冉尊、脹満(は)れ太高(たた)へり」〈紀神代上〉②水が一杯に満ち、あふれるばかりになる。「雪の山も消流る。諸の河、充(み)ち溢(たた)ふ」〈地蔵十輪経六・元慶点〉。「漲、タタヘリ」〈名義抄〉 †tatapi

ただひと【凡人・只人】①(神仏などに対して)普通の人。一般の人。「かぐや姫、きと影になりぬ。…げに—にはあらざりけり」〈竹取〉②(帝王・后に対して)臣下。「—と申せど、帝・春宮の御祖母にて」〈大鏡道長〉③(王侯に対して)庶民。「士庶(ただひと)の百千万なるい、また王に随ひて城を出でぬ」〈金光明最勝王経平安初期点〉④(貴族に対して)官位の低い人。「この中納言ばかりぞ上達部は仕うまつり給ふ。—は多かり」〈源氏総角〉⑤摂関家以外の貴族。「凡人(ぼんにん)」とも。「一(いち)の人の御有様は更なり。—も舎人など給はる際(きは)はゆゆしと見ゆ」〈徒然一〉

ただびろ・し【だだ広し】『形ク』《タダヒロシの転》とてつもなく広い。ばかばかしく広い。「闊は、—・く空しき意」〈古文真宝諺解大成九〉

たたふしのまひ イ゛マ【楯伏舞・楯節舞】よろいを着て、刀や楯を持って舞う舞。「盧舎那大仏の像成る。始めて開眼す。…王臣諸氏、五節・久米儛・楯伏(たたふし)・踏歌・袍袴等の歌儛有り」〈続紀天平勝宝四・四・九〉。「楯臥儛十人。五人土師宿禰等。五人文忌寸等。右甲を著て幷はせて刀楯を持つ」〈令集解職員〉

たた・へ タタエ【湛へ・称へ】『下二』《タタヒ(湛)の他動詞形》①水などを一杯にして、あふれるばかりにする。「山をたたみ、池を―・へしめ給へるを」〈栄花駒競〉②(言葉で)満ち足りるようにする。一杯にほめあげる。「天津祝詞の太祝詞の厚き広き事を―・へ申す」〈大神宮儀式帳〉 †tataFë

―ごと【称へ辞】事や物をほめたたえることば。「天つ社、国つ社と、―竟(を)へまつる」〈祝詞祈年祭〉

ただま【手玉】《タはテ(手)の古形》飾りに手に巻いた玉。「足玉も―もゆらに織る機(はた)を君が御衣(みけし)に縫ひあへむかも」〈万二〇六五〉

たたま・り【畳まり】『四段』かさなる。積もる。たまる。「又も彌生の家賃―・る」〈俳・江鮭子〉

たた・み【畳み】㊀『四段』《タタネ・タタナハリと同根》①長さや幅のあるものを、いくつにも折り返して、小さくまとまったものにする。「ただ衣服(みけし)をのみ―・みて棺(ひつぎ)の上に置けり」〈紀推古二十一年〉。「屛風のひとひら―・まれたる」〈源氏東屋〉②(構築などのために物を)積み重ねる。築き上げる。「かどある巌石を立てならべて、山を―・み」〈栄花駒競〉③分解して片付ける。「会所急ぎ―・み申すとの事候」〈北野社家日記天正一九・三・一七〉④いじめつけて弱らせる。「烏丸の鬼さまといふお敵(客)も夜中すぎより―・まれ給ふ」〈西鶴・諸艶大鑑一〉⑤《自動詞として》幅のあるものが幾重にも積み重なる。重畳する。「呂尚父が面の波、渭水を別れて猶(なほ)―・み」〈新撰朗詠集老人〉㊁『名』①幾重にも積み重なること。「夏山の木蔭だにこそ涼しきを岩の―のさとりいかにぞ」〈夫木抄三四・釈教〉②《筵(むしろ)を厚くたたみ重ねたことによるという》古くは、筵・ござ・しとねなど敷物の総称。平安時代には畳といえば薄縁(うすべり)であったが、厚畳(あつじょう)もすでに出来ていて、寝殿造の廂(ひさし)には、随所に厚畳が敷かれた。縁(へり)の種類によって繧繝縁(うげんべり)・高麗縁(こうらいべり)などがあり、この二つは最上のものとされた。「虎とふ神を生け取りに八頭(やつ)取り持ち来、その皮を―にさし」〈万三八八五〉。「寝殿に高麗縁の―一帖敷きて」〈盛衰記三三〉。「数奇(すき)座敷多くの人は入らねども―の表踏まるるぞ憂き」〈伽・御茶物語〉 †tatami **―おび**【畳帯】心(しん)を入れない、畳み易い帯。「十二色の―」〈西鶴・五人女三〉 **―か・け**【畳み掛け】『下二』①畳みはじめる。「[寝巻ヲ]そこそこに―・け」〈西鶴・一代男二〉②続けざまにする。相手に余裕を与えずに動作する。「―・けて突き殺し」〈信長公記首巻〉 **―がみ**【畳紙】⇒たたうがみ。「―に、にじ書きて奉りて出でにけり」〈十訓抄九ノ二〉 **―けめ**【畳薦】〔枕詞〕《タタミコモの上代東国方言》畳にする薦を績(う)む意から、ムの音をもつ地名「牟良自(むらじ)」にかかる。「―牟良自が磯の」〈万四三三八防人〉 †tatamikëmë **―こ・み**【畳み込み】『四段』①畳んで中に入れる。「乾坤の箱の中にも―・み」〈俳・大矢数三〉②心の中に思い込む。十分了解する。呑み込む。「諸事は此の佐七が―・む」〈浮・好色産毛五〉 **―こも**【畳薦】①畳にする薦。「逢ふよしの出で来るまでは―重ね編む数夢(いめ)にし見えむ」〈万二九九五〉②〔枕詞〕「ひとへ」「ふたへ」と数えることから、への音をもつ地名「平群(へぐり)」にかかる。「―平群の山の」〈記歌謡三一〉 †tatamikömö **―ざはり** ザワリ【畳触り】歩く時足または着物の裾が畳などに触れること。また、その触れ具合。広く動作振舞の意。「―又よき物や花筵」〈俳・藤枝集上〉。「衣紋つき鬢つきをたしなみ、―各別の者に成る也」〈評判・朱雀遠目鏡序〉 **―ざん**【畳算】占いの一。簪(かんざし)を畳の上に落し、その脚の向き方、または落ちた場所から畳の縁までの編目の数の丁半によって吉凶を判じる。「我やいさ行かう行かじの―」〈俳・続境海草五〉 **―ちゃうちん** チョウ【畳挑燈】①畳むことの出来る丸骨の挑燈。丸挑燈。「月も日も―の師走かな」〈俳・鸚鵡集一〇〉②すっかり片が付くたとえ。「膳棚其の外―」〈俳・大矢数一〉 **―の縁(へり)を毟(むし)・る** 恥ずかしそうにうつむくさま、また、手持ち無沙汰で退屈するさまにいう。「畳の塵をひねる」とも。「謡(うたひ)になると、末座へさがらせられて―・らせらるるが」〈虎明本狂言・二千石〉 **―ぶね**【畳船】近世の軍船の一。折り畳んで陸上を持ち運び、河海で組み立てて航行する船。同種に長持船・挾箱船がある。「挾箱に―を仕込み、取り組めば三人乗りて大河を越すに例(ためし)あり」〈西鶴・男色大鑑二〉 **―まくら**【畳枕・摺枕】折り畳みできる木枕。「枕は―なれば、たたむと云へり」〈湯山聯句鈔下〉。〈下学集〉

ただみ【直身・正身】本人自身。他ならぬその人。「―かも過(あやまち)しけむ…遠の国いまだも着かず」〈万三六八八〉 †tadami

たたむがみ【畳紙】⇒たたうがみ。「御―に書き給へり」〈源氏若菜下〉

ただむき【腕】うで。「栲綱(たくづの)の白き―、沫雪(あわゆき)の若やる胸を」〈記歌謡三〉。「腕、太々無岐(ただむき)、一云宇天(うで)」〈和名抄〉 †tadamuki

たたむつき【立たむ月】来月。「例の、―の法事の料に、白き物どもなどやあらむ」〈源氏宿木〉

ただめ【直目】直接に見ること。「真澄鏡―に君を見てばこそ命にむかふわが恋止まめ」〈万二九七九〉 †tadamë

ただもの【直者・唯者】普通の人間。凡人。「よろしき者にやあらむとこそ思ひつれ、更にこれは―にはあらず」〈落窪一〉

ただよは・し タダヨワシ【漂はし】『形シク』《タダヨヒの形容詞形》寄るべもなく浮いている感じである。不安定な感じである。「御後見なくて―・しくおはしまさむよりは」〈源氏若菜下〉

ただよ・ひ タダヨイ【漂ひ】『四段』《タダは、トドメ(止)・トドコホリ(滞)などのトドの母音交替形。物が水上・空中などで、微動はしていても進行の止まっている意。ヨヒはカガヨヒ・モゴヨヒのヨヒで、動揺し、揺曳する意。類義語タユタヒは大きく動揺して身体の安定のないさま》①浮いて揺れ動く。「有情の火の為に焚(や)かれ、水の為に溺(ただよ)はされ」〈地蔵十輪経一・元慶点〉。「海に―・ひて、五百日といふ辰(たつ)の時」〈竹取〉②寄るべのなくあたりをさまよう。「この程(四十九日)までは〔魂モ〕―・ふなるを」〈源氏夕顔〉③ふらふらと落ち着かない様子である。ふらつく。「いかれる手(筆跡)の、その筋とも見えず―・ひたる書きざまも」〈源氏常夏〉④たじろぐ。ひるむ。「懸け入っては討たれ、破(わ)って通れば切って落され、少しも―・はず戦ひける間」〈太平記一四・矢矧鷺坂〉

たたら【踏鞴】足で踏んで空気を吹きおくる大きなふいご。「踏鞴、此をば多多羅(たたら)といふ」〈紀神代上〉

たたり【絡垜】糸をよる時などに使う道具。台の上に棒を立てたもの。「少女らが績麻(うみを)の―打麻(うちそ)かけ績む時なしに恋ひ渡るかも」〈万二九九〇〉。「絡垜、多々利(たたり)と謂ふ」〈肥前風土記〉

たた・り【祟り】㊀『四段』神仏・怨霊などが、人間の行為をとがめて禍をもたらす。「いそのかみふりにし恋の神さびて—・るに我は寝ぞねかねつる」〈古今 一〇二二〉。「祟、タタルナリ、神禍」〈新撰字鏡〉 ㊁『名』たたること。「この君、人しもこそあれくちなは(蛇)領じたまて、その—により、かしらにもの脹(は)れてうせ給ひにき」〈大鏡道兼〉

たた・り【立たり】『連語』《立テリの上代東国方言》 立っている。「松の木(け)の並みたる見れば家人(いはびと)の我を見送ると—・りしもころ(如く)」〈万 四三七五 下野防人〉

ただ・れ【爛れ】『下二』 動物の皮や肉の表面などがあれてくずれる。「腰もかがまり、目も—・れにけり」〈竹取〉。「曦、タダレメ」〈名義抄〉

ただ・ゐ【徒居・只居】㊀『上一』 仕事もせずに遊んでいる。「また一人は—・ゐよりはと、寝ながら編笠の緒こしらえける」〈西鶴・一代男 五〉 ㊁『名』 何もしないでいること。無為に暮すこと。「ただをり」とも。「片時も—をしては、いかがなほどに」〈中華若木詩抄 上〉

たたんがみ【畳紙】 ⇒たたうがみ。「—に書きてとらする名をば」〈後撰(天福本) 一三二二詞書〉

たち【館】 ①地方在庁の官人などの官舎。「娘などは岡辺の宿に移して住ませければ、この浜の—に心やすくおはします」〈源氏明石〉 ②小規模の城。「たて」とも。「貞任が—、厨川の城(じゃう)焼けぬ」〈平家 七・願書〉 ▽タチ(立)・タテ(楯)と同根か。

たち【大刀・太刀】《タチ(絶・断)と同根》 大刀。「馬ならば日向の駒、—ならば呉(くれ)の真さひ」〈紀歌謡 一〇三〉

たち【達・等】『接尾』《複数を示す。神・人などについて尊敬の意をこめる。類義語ドモはトモ(伴)の転で、妻子・若者など気安く対する相手につく。ラは自然物や物体についても複数を示すが、人間についた場合は親愛・卑下・軽蔑・嫌悪などの感情を示す》 ①神や人を表わす名詞について複数を示し、併せて敬意を表わす。「大船に真楫繁貫(しじぬ)きこの吾子(あこ)を韓国(からくに)へやる斎(いは)へ神—」〈万 四二四〇〉。「更衣—はまして安からず」〈源氏桐壺〉。「ゼスキリシトの御弟子—、…伴天連(ばてれん)衆…百姓ども…天狗ら」〈ロドリゲス大文典〉 ②単数の人につけて複数の形式をとり、漠然と敬意を示す。「(朧月夜ノ君ノ)をかしかりつる人のさまかな。女御の御おとうと—にこそはあらめ」〈源氏花宴〉 ▽タチは朝鮮語の複数接尾語 tïl と同源か。

た・ち【立ち】『四段』《自然界の現象や静止している事物の、上方・前方に向う動きが、はっきりと目に見える意。転じて、物が確実に位置を占めて存在する意》 ❶自然界の現象が上方に向って動きを示し、確実にくっきりと目に見える。①(雲や霧などが)たちのぼる。「雲だにもしるくし—・たば何か嘆かむ」〈紀歌謡 一二六〉。「君が行く海辺の宿に霧—・たば吾が立ち嘆く息と知りませ」〈万 三五八〇〉 ②(月などが上方に)はっきりと現われる。「朝づく日向ひの山に月—・てり見ゆ遠妻を持ちたる人し見つつ偲はむ」〈万 一二九四〉。「伊香保ろの八尺(やさか)の堰塞(ゐで)に—・つ虹(のじ)の顕(あ)はろまでもさ寝をさ寝てば」〈万 三四一四東歌〉 ③《「月立ち」の用法が一般化して》 季節や時が新たになる。確かにその時点になる。「秋—・ちて幾日もあらねばこの寝ぬる朝明(あさけ)の風は手本寒しも」〈万 一五五五〉。「月よめばいまだ冬なりしかすがに霞たなびく春—・ちぬとか」〈万 四四九二〉 ④(風や波などが)はっきりと動く。おこる。「古衣うち棄(つ)る人は秋風の—・ち来る時にもの思ふものそ」〈万 二六二六〉。「韓亭(からとまり)能許(のこ)の浦波—・たぬ日はあれども家に恋ひぬ日はなし」〈万 三六七〇〉 ❷事物や現象の度合いが高まり、周囲にはっきり目立つ。①(音などが)高く大きく響く。「堀江漕ぐ伊豆手の船の梶つくめ音しば—・ちぬ水脈速みかも」〈万 四四六〇〉。「潮干なばまたもわれ来むいざ行かむ沖つ潮騒(しほさゐ)高く—・ち来ぬ」〈万 三七一〇〉 ②(周囲に)知れ渡る。「わが背子に直(ただ)に逢はばこそ名は—・ため言の通(かよ)ひに何そ其(そこ)ゆゑ」〈万 二五二四〉 ③《「腹—・ち」の形で慣用句的に》(感情が激して)怒る。「『悪(あ)しく探れば無きなり』と腹—・ちて」〈竹取〉 ④沸く。「熱き湯の—・つ」〈名語記 四〉 ⑤(月日が)更に経過する。「月(正月)も—・ちぬ」〈源氏浮舟〉 ❸【起ち・発ち】ある地点に静止している事物が運動をおこす。①(伏せているものが)身を起す。「川副楊(かはそひやなぎ)水行けば靡(なび)き起き—・ちその根は失せず」〈紀歌謡 八三〉 ②(毛などが)さか立つ。「うるはし髪持たらむ人も、みな—・ちあがりぬべき心地すれ」〈枕 二八〉 ③(鳥などが)ぱっと飛びあがる。「海原(うなはら)は鷗(かまめ)—・ち—・つ」〈万 二〉 ④身を起してその場を離れる。「これに物ぬぎて取らせざらむ者は座より—・ちね」〈大和 一四六〉 ⑤出発する。出かける。「都辺(みやこへ)に—・つ日近づく飽くまでに相見て行かな恋ふる日多けむ」〈万 三九九九〉 ⑥(計画などを)企てる。「私(わたくし)には思ひも—・たず、宮をすすめ申したりけるとぞ後(のち)には聞えし」〈平家 四・競〉 ❹ある地点に自身の力でしっかりと位置を占め、上方に向って身をのばす。①(足でささえて)直立する。「見渡しに妹らは—・たし、この方にわれは—・ちて」〈万 三二九九〉 ②(植物が)高く生えている。のび生える。「槇(まき)—・つ荒山道を、石(いは)が根禁樹(きさへ)おしなべ」〈万 四五〉 ③(丈の高いものが)確かに座を占める。そびえたつ。「大和の青香具山は、日の経(たて)の大御門に、春山と繁(しみ)さび—・てり」〈万 五二〉 ④(針・矢などが)しっかりと垂直に刺さる。「平氏の郎等の射る矢の、源氏の御身に—・つや—・たずや」〈保元中・白河殿攻め落す〉 ⑤(そこに位置を占めて)とまる。「—・てる車どもをただのけにのけさせて」〈枕 二三七〉 ⑥(その場に確かに)位する。ゆるぎなく居る。「少少(せうせう)の人はえ—・てるまじき殿のうちかな」〈源氏行幸〉 ⑦即位する。位にのぼる。「きさいの宮、后に—・ち給ふ日になりければ」〈大和 五〉 ❺【建ち】事物が新しく設置される。①(設備などが)設けられる。「婦負川(めひがは)の早き瀬ごとに篝(かがり)さし八十伴(やそとも)の男(を)は鵜川—・ちけり」〈万 四〇二三〉 ②(建物などが)建設される。「いにしへは、そこになむ市の—・ちけるに侍る」〈閑居友 上〉 ❻ものごとが目立った状態で保たれる。①(すぐれて)用にたえる。「何の用にか—・たせ給ふべき」〈平家 九・老馬〉 ②はっきりと定まる。確立する。「其の首尾—・つまじく候か、また—・つべく候や」〈結城氏新法度〉。「一句の道理—・ち難く候」〈至宝抄〉。「討たずは一分—・つまじきと」〈浄・盛久 二〉 ❼《接頭語的に、他の動詞の上について、その動作・状態が目立つことを示す》 目立って…する。はっきりと…する。「人も—・ちまさり、心ばせまことに故ありと見えぬべく」〈源氏帚木〉 ❽《接尾語的に、体言の下について、そのものの属性が目立つことを示す。多くダチと濁音化する》 …めく。…風(ふう)に見える。「田舎家(ゐなかいへ)—・つ柴垣して」〈源氏帚木〉。「北面(きたおもて)—・つ方に召し入れて」〈源氏藤袴〉 **立つ鳥跡を濁さ・ず** 立ち去った跡が見苦しくないように、よく始末するたとえ。「—・ぬ」〈俳・毛吹草 二〉

た・ち【絶ち・断ち】『四段』《タエ(絶)の他動詞形》 ①細長いもの、長くつづいている活動などを、中途でぷっつり切る。「厩(うまや)なる縄—・つ駒の後るがへ妹が言ひしを置きて悲しも」〈万 四四二九〉。「人の子は祖(おや)の名—・たず、大君にまつろふものと」〈万 四〇九四〉 ②(習慣を)ぷっつりやめる。特に、祈願・治療のために、普段取っている食糧のうち特定の飲食物を取らない。「五穀を━・ちて千余日に力を尽したること少なからず」〈竹取〉③【裁ち】長い布地を目的に合わせて切る。「夏影の房(つま)(や)の下に衣(きぬ)━・つ吾妹(わぎも)裏設(まう)けてわがため━・たばやや大に━・て」〈万一二七八〉

だち〘接尾〙《動詞立チの接尾語化。地名や身分などを表わす語に添えて》…育ち。…出身。「この辺の海賊は定めて熊野━の奴原にてこそあるらめ」〈著聞四五〉。「この馬は信濃の国井上(ゐのうへ)━にてありければ、井上黒とぞ申しける」〈平家九・知章最期〉

たちあか・し【立ち明かし】㊀〘四段〙立ったまま夜を明かす。一晩中立つ。「居るべきやうもなくて━・すも、なほをかしげなるに」〈枕七六〉㊁〘名〙【炬】⇒たてあかし。「━の光の心もとなければ…脂燭(しそく)ささせて人人は見る」〈紫式部日記〉

たちあが・り【立ち上がり】〘四段〙①身を起す。直立する。「大臣はえ━・り給はず」〈源氏葵〉。「うるはし髪持たらむ人も、みな━・りぬべき心地すれ」〈枕二八〉②高くあがる。「流星なんどの如くに、ほのほ空へ━・り」〈平家六・入道死去〉③まさる。すぐれる。たちまさる。「僧をば物貰ひのちと━・りたるやうに言ひ貶(おと)しむれども」〈内外明鑑上〉

たちあ・ひ ィァ【立ち合ひ】㊀〘四段〙①(波などが)共に立つ。川が合流するなどをいう。「川波の━・ふ里と」〈万一〇五〇〉②相手となって立ち向う。互いに勝負する。「これより東に神国あり。…その国の兵(つはもの)なるべし。われ━・ふべからず」〈水鏡上〉③当事者としてその場に臨む。検証などのため同席する。「両方━・ひて私(わたくし)なきやうに検断をなす」〈本福寺由来記〉㊁〘名〙①試合。勝負。「八大名の人人と━を願ひしは」〈安宅一乱記八〉②検証などのためにその場に臨むこと。また、その人。「御銀蔵にて…右━、御銀弐箱へ御符印仕る」〈浅野家文書享保七・二・二五〉③能楽で、数人の役者が一番の能を一緒に演ずること。また、他座の役者との競演。「━は幾人(いくたり)にてもあれ、一手(ひとて)なるべし」〈申楽談儀〉。「金春大夫、観世三郎━云云」〈康富記文安六・五・三〉　†tatiaFi

たちい・で【立ち出で】〘下二〙①出て行く。出て来る。「皆━・で給ふ程に、大将立ちとまり給ひて」〈源氏若菜下〉。「ただ一人、みすの際に━・で給ひて」〈更級〉②現われ出る。起って来る。「俄かに━・づる村雲の気色」〈源氏幻〉。「却りて軽軽しきもどかしさなども━・でて」〈源氏幻〉

たちい・り【立ち入り】〘四段〙①中へ入る。「東塔の南谷の或る坊に━・りて、出家入道して」〈保元中・為義降参〉②深い所まで入る。「まして━・りたる事どもの不審なんど、御文にて申し開くべしとも覚え候はねども」〈和語燈録三〉③出入りする。「かれが女房は羽持の北の方へ常に━・ると承る」〈伽・はもち中将〉④たずさわる。関係する。「世間の中に━・るものの如く也」〈御書抄六〉

たちうち【太刀打】太刀で戦うこと。「堀の底に━の音しけり」〈承久記上〉

たちうり【立売り】路傍で立ったまま物を売ること。また、その商人。「━の勘介が所へ斎(とき)に行く」〈咄・醒睡笑一〉

たちえ【立枝】高く伸びた枝。歌では多く梅にいう。「わが宿の梅の━や見えつらむ思ひのほかに君が来ませる」〈拾遺一五〉。「外山なる柴の━に吹く風の」〈詞花一四五〉

たちおく・れ【立ち後れ】〘下二〙①行動を起すのが他よりおくれる。後になる。後から発つ。「この花の独り━・れて、夏に咲きかかる程」〈源氏藤裏葉〉。「国に━・れたる人人待つとて」〈更級〉②死におくれる。先立たれる。「睦ましかるべき人にも━・れ侍りにければ」〈源氏若紫〉③おくれをとる。他のものに及ばない。「心にくく奥まりたるけはひは━・れ、今めかしき事を好みたるわたりにて」〈源氏花宴〉

たちかか・り【立ち掛かり】〘四段〙①取りつく。よりかかる。「ここかしこの立蔀(たてじとみ)に━・りのぞく人も見えず」〈源家長日記〉②立ち上がり、腕ずくで襲いかかる。「うつぶしに倒れたりけるを、違ひて、━・りて」〈宇治拾遺一三三〉③立っている。また、立つ。歌舞伎脚本のト書きに用いる語。「紺看板一本差し、仲間(ちうげん)にて━・りゐる」〈伎・小袖曾我薊色縫一ノ四〉

たちがく【立楽】庭で伶人(れいじん)が立ったまま音楽を奏すること。また、その音楽。「長慶子。…行幸の━に是をす」〈龍鳴抄上〉。「此の楽(万歳楽)、参り音声ならびに船楽・━に奏す」〈教訓抄一〉

たちかく・し【立ち隠し】〘四段〙立ち現われて隠す。立ちふさがって隠す。「たが為の錦なればか秋霧の佐保の山辺を━・すらむ」〈古今二六五〉

たちかく・り【立ち隠り】〘四段〙ちょっとかくれる。「佐保川の岸のつかさの柴な刈りそね在りつつも春し来たらば━・るがね」〈万五二九〉

たちかく・れ【立ち隠れ】〘下二〙「たちかくり」に同じ。「あらはなるまじき程の霧に、━・れて出で給ふ」〈源氏夕霧〉

たちかけ【太刀懸】《「太刀懸の草摺(くさずり)」の略》鎧の左側の草摺。「弓手(ゆんで)の草摺」「射向けの草摺」とも。「兵庫鎖(ぐさり)の丸鞘の太刀に虎の皮の尻鞘かけたるを、━の半(なかば)に結うて下げ」〈太平記一二・公家一統〉

たちかげ【太刀影】①太刀の映る影。太刀のひらめく光。「夕日輝きて━が障子に映りて見えければ」〈曾我六〉。「━に馬驚きて深田の中へ落ちにけり」〈太平記二九・師直以下被誅〉②太刀の威光。武威。「あはれ朝倉の御━を蒙り、本望を遂げ申したきの条」〈浅井三代記五〉

たちかさ・ね【立ち重ね】〘下二〙重ねて立つ。「恨みても言ふかひぞなき━・ね引きてかへりし波のなごりに」〈源氏紅葉賀〉

たちかさ・ね【裁ち重ね】〘下二〙裁って重ねて着る。「寄る浪に━・ねたる旅衣塩どけしとや人の厭はむ」〈源氏明石〉

たちがしら【立頭】立衆(たちしゅう)の頭。「━幕より出て」〈虎寛本狂言・花盗人〉

たちかぜ【太刀風】①刀を振ったときに起る風。刀をはげしく振る勢い。また、勇ましく戦う勢い。「〔敵ノ〕大将を━にてそっと威し、引きしりぞけんと思ふなり」〈栗栖野物語〉②武威。「近年、毛利の━に随ひ居けるが」〈雲陽軍実記三〉

たちかは・り …カワリ【立ち代り・立ち替り】〘四段〙①古いものが過ぎて、新しいものが現われる。交替する。「━・り月重なりて逢はねども実(さね)忘らえず面影にして」〈万一七九四〉。「うへはまかでさせ給ふ。━・りて参り給ふ」〈源氏藤裏葉〉②《連用形を副詞的に用いて》その代りに。「子の大人ぶるに、親の━・り痴れゆくことは」〈源氏少女〉

たちか・へ …カ【裁ち替へ】〘下二〙別の衣服を仕立てて着替える。衣更えする。「夏衣━・へてける今日ばかり古き思ひもすずみやはせぬ」〈源氏幻〉

たちかへ・り …カエリ【立ち返り】㊀〘四段〙①もとの所にたちもどる。引きかえす。「もろともに隠れなばやと思へど、さもえ━・らで」〈源氏総角〉②昔にかえる。「侍従の君を、なほえ思ひ放ち聞え給はず、懲りずまに━・る御心ばへもあれど」〈源氏澪標〉㊁〘副〙①(はじめから)繰り返して。「━泣けども吾はしるし無み思ひわぶれて寝る夜しぞ多き」〈万三七五九〉②折り返し。「『なか絶えば…』とて〔歌ヲ〕やり給ふ。

ー、『君にかく引き取られぬる帯なれば…』」〈源氏紅葉賀〉③振出しに戻って。あらためて再び。「〔年ノ行ッタ今〕ー今更に若若しき御文書きなども似げなき事とおぼせど」〈源氏槿〉④(機運が)一転して。「〔勝負運ガ〕ー続けて勝つべき時の至れると知るべし」〈徒然一二六〉 三『名』《タチガヘリと濁音》行って、滞在せずにすぐ帰ること。「将監、私に所用ありて、ーに京へ出で了んぬ」〈言国卿記文明六・一・一五〉。〈日葡〉 †tatikaFeri

たぢから【手力】《タはテ(手)の古形》手の力。「岩戸破(わ)るーもがも手弱き女にしあれば術(すべ)の知らなく」〈万四一九〉

たぢから【田租】田に課する租税。「ー賦(みつき)を輸(たてまつ)らず」〈紀雄略十三年〉 →ちから(税)

たち・き【立ち来】『カ変』①現われて来る。わき起って来る。「秋風のー・くる時に」〈万二六二六〉。「わたつみの沖つ白波ー・くらし」〈万三五九七〉②発って来る。家を出て来る。「大君のまけのまにまに島守に我がー・くれば」〈万四四〇八〉 †tatiki

たちぎえ【立ち消え】火が中途で消えること。「何者か鉄炮を打ち懸け奉る。…御運強くーして当らず」〈飛騨国治乱記〉

たちき・き【立ち聞き】一『四段』①立って聞く。「軽の市に我がー・けば…鳴く鳥の声も聞えず」〈万二〇七〉②脇などに〔物語ヲ〕時時読まするをー・けば」〈源氏螢〉。「ー・き、かいまむ人のけはひして、いといみじく物つつまし」〈更級〉 二『名』《室町時代以降、タチギキと濁音にも》脇でこっそり聞くこと。「同じくはけ近きほどのけはひーせさせよ」〈源氏末摘花〉 †tatikiki

たちぎみ【立君】中世、夜、橋のたもとなどに立って客を引いた遊女。「宵の間は選(え)り余さるるーの五条わたりの月独り見る」〈七十一番歌合〉

たちく・き【立ち潜き】『四段』飛びくぐる。「あしひきの木の間ー・くほととぎすかく聞きそめて後恋ひむかも」〈万一四九五〉 †tatikuki

たちくだ・り【立ち下り】『四段』(位置・性質が)目立って劣る。「ー・れる際には物し給はねど」〈源氏若菜上〉

たちくび【立頸】うなじ。えりくび。「やがてーを取りて、かたすみに穴のありけるへ突き入れんとしけるを」〈長谷寺験記下〉

たちぐらみ【立眩み】立ち上がるとき眩暈(めまい)がすること。「たてぐらみ」とも。「癪(しゃく)出で候て、ー仕り候へども」〈細川忠興文書寛永一三・二・二四〉

たちげ【立毛】田畑に生育中の作物。「ーの次第つぶさにこれを云ふ」〈鹿苑日録慶長五・五・三〉

たちこ・え【立ち越え】『下二』①出かけて行く。また、やって来る。「持仏堂にー・え、焼香せばやと存じ候」〈謡・松山鏡〉。「我もこれまでー・えし上は、いそぎ都へ上りて」〈鳥部山物語〉②まさる。すぐれる。「昔にもなほー・えて貢物(つきもの)」〈問はず語り三〉

たちこ・み【立ち込み・立ち籠み】『四段』(人馬などが)ごたごたと多く入り込む。「馬・車ー・み、人さわがしう」〈源氏柏木〉

たちこ・め【立ち籠め】『下二』①とりかこむ。「立て籠め」とも。「京童部(わらんべ)手ごとに刀を抜きて、忠明をー・めて殺さんとしければ」〈宇治拾遺九五〉②霧・煙などが発生して、一面におおう。「河霧のー・めつれば高瀬舟わけ行く棹(さを)の音のみぞする」〈金葉二五六〉

たちこもの〔枕詞〕「立ちの騒き」にかかる。かかり方未詳。「たちこも」は「たちかも(立鴨)」の転とも、立薦(たつごも)の意ともいう。「ー発(た)ちの騒きに」〈万四三五四上総防人〉 †tatikömönö

たちざけ【立酒】①立ったままの姿勢で酒を飲むこと。「ーぢゃ／天蓋(てんがい)＝蛸ノ隠語)で飲む煮売り茶屋」〈雑俳・大花笠〉②葬送の出棺の際、会葬者が立ったままで酒を呑むこと。「ーと申して忌忌しい物で御座ります」〈伎・好色伝授下〉③旅行などの出立の時祝って飲む酒。「面白う遊びて、そのあけの日は、禿(かぶろ)共がー」〈西鶴・一代男五〉

たちさ・へヱ…サ【立ち障へ】『下二』立って行くてをさえぎる。立ち騒いでじゃまをする。「波ー・へて入れずもあらなむ」〈土佐一月八日〉

たちし・き【立ち重き】『四段』後から追い重なる。「英遠(あを)の浦に寄する白波いや増しにー・き寄せ来(く)東風(あゆ)をいたみかも」〈万四〇九三〉 †tatisiki

たちしな・ひナイ…シ【立ち撓ひ】『四段』《シナヒは、しなやかな曲線をえがく意》しなやかに立つ。「ー・ふ君が姿を忘れずは世の限りにや恋ひ渡りなむ」〈万四四四一〉 †tatisinaFi

たちしゅう【立衆】能・狂言で、数人同じ役目で一団となって登場するツレ。「その時ーは入る」〈天理本狂言六義・米市〉

たちすがた【立姿】立っている姿。また、立舞いの姿。「それは御ーまで、よく見ての恋」〈伽・猿源氏草紙〉。「いや、何にてもーが見たう御座る」〈狂言記・笠の下〉

たちすく・み【立ち竦み】一『四段』身体を固くして立つ。身動きもできずに立つ。「やうやう腰痛きまでー・み給へど」〈源氏宿木〉。「各(おのおの)ー・みてさらにする事なし」〈宇治拾遺一一七〉 二『名』《室町時代以降、タチズクミと濁音》①立ったままで、じっと動かないこと。「ーにこそ死に給ひけれ」〈太平記二八・慧源禅巷〉②《斎宮の忌詞》仏。「仏をばー、経をば染め紙」〈沙石集一ノ一〉

たちそば【立杣棱】《タチは植わっている意》ニシキギの古名。「ーの実の無けくを」〈記歌謡九〉 †tatisöba

たちそ・ひイ…ツ【立ち添ひ】『四段』①寄り添って立つ。「少女らに男ー・ひ」〈続紀歌謡六〉。「親などー・ひもてあがめて」〈源氏帚木〉②(煙などと)一緒に立ちのぼる。「ー・ひて消えやしなまし憂きことを思ひ乱るる煙くらべに」〈源氏柏木〉③はっきりと加わる。「ほのめく追風も、いとどしき御匂ひのー・ひたれば」〈源氏螢〉 †tatisoFi

たぢたぢ たじろぐさま。よろよろ。「ーとする所をたたみかけて打つほどに」〈浄・五太力菩薩三〉。「タヂタヂト」〈日葡〉

たちつ・ぎ【立ち継ぎ】『四段』立ってあとにつづく。「世の中にー・ぎ給ふべく、我が御時〔コノ宮ヲ〕もてかしづき奉り給ひける」〈源氏橋姫〉

たちつけ【裁著】袴の一種。裾が脚袢(きゃはん)仕立てで小鉤(こはぜ)でとめたもの。近世、旅行・火事場などに用いた。「皮衣十、ー十くだり」〈毛利家文書三、慶長九・二・六〉。「旅人の雨蓑をかっぱと言ひ、股引脚袢をーと言ふ」〈俳・河船付徳万歳〉

たちつづ・き【立ち続き】『四段』①立って続いて行く。「若き男ども、家の子など、あまたー・きて」〈枕一三〇〉②劣ることなく後につづく。「権中納言・衛門督、また劣らずー・き給ひにける、世世の覚え」〈源氏若菜上〉

たちど【立ち処】立っている場所。立ち所。「青柳の張らろ川門に汝を待つと清水(せみど)は汲まずーならすも」〈万三五四六東歌〉。「年経にける〔几帳ノ〕ー変らず」〈源氏末摘花〉。「足のーも覚えねども」〈宝物集下〉 †tatido

たちどころ【立ち所】 立っている所。立場。たちど。「この中にも―分明なれば、石敲(いしたたき)の儀を用ゐる也」〈古今集註〉。「風かをる奥や屏風の―」〈家忠日記天正一四・六・二七〉 **―に**【立ち所に】『副』その場で。即座に。「高つ鳥の殃(わざはひ)によりて、―身亡(う)せにき」〈祝詞遷却崇神〉。「―例の様にならせ給ひて」〈今昔二六ノ一七〉 **―ゐどころ**【立ち所居所】 ①立ったり坐ったりすること。「〔蛇ヲ〕近くひきよせ給ふも、さすがに恐ろしくおぼえ給ひければ、―蝶のごとく」〈堤中納言虫めづる〉 ②する事なす事。「―にて損銀重なり」〈西鶴・織留三〉

たちとどま・り【立ち留まり】『四段』 他へ行かないでとどまる。そのまま泊る。「―・り給はむも、所のさまよりはじめ、まばゆき御有様なれば」〈源氏蓬生〉

たちとま・り【立ち留まり】『四段』 ①歩みがとまる。足がとまる。「玉桙(たまほこ)の道来る人の―・りいかにと問へば」〈万三二七六〉 ②他へ移らず、そのままとどまる。居残る。「思ひのままならむ人は今までも―・るべくやはある」〈源氏真木柱〉 ③泊る。宿泊する。「かかる所なれど、かやうに―・り給ふ折折あれば」〈源氏薄雲〉 †tatitömari

たちどり【太刀取】 罪人の首を切り落す役目の者。介錯(かいしやく)。「政清が―にて、昨日の暁、七条西の朱雀にて討たれさせ給ひ候ひぬ」〈保元下・義朝幼少の弟〉

たちながら【立ちながら】『副』 立ったままで。ほんの一寸。短時間に、または略式に事をなすさまにいう。「かしこには、常陸守、―来て」〈源氏蜻蛉〉。「人目つつむべきやう有りとも、必ず―も(一寸デモ)物言ひて返し」〈枕二九二〉

たちなほ・り ナオリ【立ち直り】『四段』 ①元にもどる。回復する。「難波潟つでになびく蘆の穂のうらやましくも―・るかな」〈堀河百首〉。「もし不思議にて世も―・らば六代に給ぶべし」〈平家一〇・維盛出家〉 ②立って姿勢をただす。しゃんと立つ。「入道―・って、大の声をもって、侍に、人やある人やあると呼び給ひければ」〈盛衰記六〉。「巖(いはほ)の高き所に―・り、…祈念して祈り給ふ」〈伽・天神〉

たちな・み【立ち並み】『四段』 立ちならぶ。「薬玉、親王達・上達部の―・み給へるに奉れる」〈枕八九〉

たちなら・し『四段』 ①【立ち平し】いつもそこに立って、その所を踏んで平らにする。「勝鹿の真間の井を見れば―・し水汲ましけむ手児奈し思ほゆ」〈万一八〇八〉 ②【立ち馴らし】立つことに馴れるようにする。「などて今まで―・さざりつらむと過ぎぬる方くやしうおぼさる」〈源氏賢木〉

たちなら・び【立ち並び】『四段』 ①並んで立つ。一緒に並ぶ。揃う。「おとど・北方の、さばかり―・びてたのもしげなる御中に」〈源氏竹河〉 ②互角に立つ。「おほきおとどの、万の事に―・びて、勝ち負けの定めし給ひし中に」〈源氏若菜上〉

たちな・れ【立ち馴れ】『下二』 常時、立ち入りまたは出仕してなじむ。「ひとつ院の中に、あけくれ―・れ給へば」〈源氏匂宮〉。「さても、宮仕への方にも―・れ」〈更級〉

たちぬ・ひ ヌイ【裁ち縫ひ】『四段』 布を裁断したり縫ったりする。衣服を仕立てる。「―・はぬ衣(きぬ)着し人(仙人)もなきものをなに山姫の布さらすらむ」〈古今九二六〉

たちの・き【立ち退き】『四段』 ①その場を離れ去る。「立てる所のあらはになれば、怖ろしうて―・きぬ」〈源氏野分〉。「〔病人ガ〕大小便利の時は、少少は心ありて―・くべし」〈孝養集下〉 ②離れる。疎遠になる。「げに兄弟(はらから)といふとも、少し―・きて、異腹(ことはら)ぞかし」〈源氏野分〉

たちのしり【剣の後】〔枕詞〕 剣の鞘の先の方を玉でかざることから「玉纏(たまき)」にかかるという。「―玉纏田井(たゐ)に」〈万三二四五〉 †tatinösiri

たちの・び【立ち伸び】『上二』 身の丈が伸び伸びとする。すらりとする。「―・びたる姿もをかし」〈評判・難波の顔三〉

たちのまま【立ちの儘】 平常着のまま。着のみ着のまま。「行脚の顔たび(顔ツキ)で、―法堂に上る也」〈臨済録抄四〉

たちば【太刀場】 太刀打ちの場所。戦場。「両人―に於て討死」〈惟房公記永禄一・六・九〉

たちば【立ち端】 立ち上がる機会。立ち去るきっかけ。「まことに殊の外の大酒にて、―を忘れて候」〈伽・猿源氏草紙〉

たちはき【帯刀】 ①春宮坊の舎人監(とねりのつかさ)の役人で、刀を帯びて皇太子に侍し、警衛したもの。帯刀舎人。授刀舎人。「たてはき」とも。「―ども小鷹狩に北野に出でて遊びけるに」〈今昔三一ノ三一〉 ②鎌倉・室町時代、将軍の参内・社参などに、刀を帯びて護衛した役。「直垂(ひたたれ)着たる―とやらんなど、思ひ思ひの姿どもめづらしきに」〈問はず語り四〉 **―せんじゃう** ジョウ【帯刀先生】 帯刀の筆頭者。「伯父(はくぶ)―義賢を討ちしより以来(このかた)」〈平治中・待賢門軍〉 **―のぢん**【帯刀の陣】 帯刀の詰所。「春宮の―にて、桜の花の散るをよめる」〈古今八五詞書〉

たちばな【橘】《古くはタチハナとも》 果樹の名。コウジミカンなど食用柑橘類の総称。「―は己が枝枝生(な)れれども」〈紀歌謡一二五〉 **―を**【橘を】〔枕詞〕 橘が珍重されたので、その番人の意で「守部」にかかる。「―守部の里の門田早稲(わせ)」〈万二二五一〉

たちはな・れ【立ち離れ】『下二』 遠くへ離れる。「あしひきの山―・れ行く雲の宿りさだめぬ世にこそありけり」〈古今四三〇〉

たちはめ【履靪】 履物(はきもの)の一種。裏に牛皮を張った草履。身分の低い者が使った。〈和名抄〉

たちばら【立ち腹】 ①腹を立てやすいこと。怒りっぽいこと。「おのが心、本性(ほんじやう)―に侍りて」〈落窪三〉 ②立ったまま腹を切ること。「―切って」〈浮・御前義経記七〉

たちび【立ち日】《あの世へ旅立った日の意》 命日。忌日。「父の―は近くなる、とふ(弔ウ)べきやうは更になし」〈伽・小夜姫草子〉

たぢひ イタドリの古名。「―の花は今虎杖(いたどり)の花なり」〈紀反正即位前〉 †tadiFi

たぢひ【蝮】 蛇の名。マムシ。「蝮之水歯別命(たぢひのみづはわけのみこと)」〈記仁徳〉。「多遅比瑞歯別天皇(たぢひのみつはわけのすめらみこと)」〈紀反正即位前〉 †tadiFi

たちふるま・ひ フルマイ【立ち振舞ひ】㊀『四段』 起居動作する。「〔早ク成人シテ〕人の前にも出でて、―・ふほどにもならば」〈伽・瓜姫物語〉 ㊁『名』 起居動作。たちいふるまい。「よろづの事にさし出でず、身のほど知りたる―」〈宗祇短歌〉

たちぶるまひ ブルマイ【立ち振舞】 旅立ちの祝宴。「鳴をむねと―は奈良茶かな」〈俳・和漢田鳥集中〉

たちぶろ【立ち風呂】 熱く沸かした風呂。「―へ入りたるも気味は好し」〈仮・尤の草紙下〉

たちまさ・り【立ち増さり・立ち勝り】『四段』 ①現われ方が一層多くなる。「山桜咲きぬる時は常よりも峰の白雲―・りけり」〈後撰一二八〉 ②目立って度数が多くなる。「御とぶらひ、今少し―・りてしばしば聞え給ふ」〈源氏澪標〉 ③目立ってすぐれる。「そこはかとなく霞み合ひて、秋の夜のあはれに多く―・れり」〈源氏須磨〉

たちまじ・り【立ち交り】『四段』 異質のものがまざりこんでいる。群の中にまざる。「物言ひさがなき海士(あま)の子もや

—・らむ」〈源氏明石〉。「我が身はかやうに—・り、いたく人に見知られむにも」〈更級〉

たちまち【忽ち】『名・副』《「立ち待ち」の意。立ったままで事の成るのを待つ意から、ごく短い時間を表わす》すぐさま。急。にわか。「—の我が心の乱れにまかせて」〈源氏宿木〉。「杖・棒をおっ取って二三人程立ちかかり—打擲(ちやうちやく)せうとする」〈天草本伊曾保〉 **—に**【忽ちに】『副』①(事の成行きとして)さっそく。すぐさま。即座に。「—我は死ぬべし」〈万三八八五〉。「〔折角ノ遺品ヲ〕—仏の道におもむけむも、尊き事とは言ひながらあへなかるべし」〈源氏横笛〉②前触れなしに。急に。俄かに。「遊覧せしに、—魚を釣る女子(をとめ)らに値(あ)ひき」〈万八五三松浦川に遊ぶ序〉。③現に。「汝が身は既に不浄に成りにたり。我が身—不浄に非ずと云へども、思へばまた不浄なり」〈今昔六ノ六〉

たちま・ち【立ち待ち】㊀『四段』立って待つ。「大伴の御津の松原かき掃きて我—・たむ早帰りませ」〈万八九五〉 ㊁『名』「立待の月」の略。「あやしめん人に言ふべきたより哉こよひは月も—にして」〈草根集六〉 **—のつき**【立待の月】《立って待つ間に出る月の意》陰暦十七日の夜の月。「十七日、甘露寺一位身まかり侍りしに…。我こそは迎への雲を—に先立つ影をしぞ思ふ」〈再昌草二七〉

たちま・ひ【立ち舞ひ】『四段』①立って舞う。「きのふけふ雲の—・ひかくろふは花の林を憂しとなりけり」〈伊勢六七〉。「物思ふに—・ふべくもあらぬ身の袖うち振りし心知りきや」〈源氏紅葉賀〉②積極的にふるまう。「世の中に—・ふべき心地もせず…死ぬべき心地し侍るを」〈宇津保嵯峨院〉③ぐるぐるまわる。徘徊(はいかい)する。「むなしく御所のあたりを—・ひ—・ひしけれども」〈学習院本保元下・新院御経沈め〉

たちまよ・ひ【立ち迷ひ】『四段』(霞・霧・煙などが)立ちのぼってただよう。あたりを去らず立ちこめる。「花の色に天霧る霞—・ひ空さへ匂ふ山桜かな」〈新古今一〇三〉

たちみづ【立水】涌き水。「あはれ、いさぎよき水の流れかな。水には—・伏水(ふしみづ)といふことのあるなり。これぞまことの—にて侍るらん」〈筑波問答〉。「軒端なる山の—ゐながらも結ぶたよりぞさすが住みよき」〈草根集六〉

たちむか・ひ【立ち向ひ】『四段』①立ってむかう。むきあって立つ。「大夫(ますらを)の猟矢(さつや)手挿(たばさ)み—・ひ射る円方(まとかた)は見るにさやけし」〈万六一〉②敵対する。てむかう。「まつろはず—・ひしも露霜の消なば消ぬべく」〈万一九九〉 †tatimukaFi

たちもとほ・り『四段』あるきまわる。徘徊(はいかい)する。「木の間より移ろふ月の影を惜しみ—・るにさ夜更けにけり」〈万二八二一〉。「徘徊・留連・彷徨、タチモトホル」〈名義抄〉 †tatimötöFöri

たちもの【断物】病気や願かけのため、特定の食物を断って食わぬこと。また、その食物。「米山薬師十二〔カ〕月—これを書きて、壁に貼る」〈蔭涼軒日録延徳三・五・一四〉

たちやく【立役】①能・狂言で、地謡・囃方(はやしかた)に対して、立って舞う演技者。立方(たちかた)。「幕を上ぐるに作法あり。—は諸幕(もろまく)上ぐべし。囃方は片幕少し上ぐる。地謡は自身幕」〈わらんべ草一〉②《転じて、初期歌舞伎の男役の総称となり、さらに分化して》若衆役・老役(ふけやく)・敵役・道化役・子役以外の、男の善人の役柄。また、それを専門とする俳優。「—藤田小平次」〈評判・役者評判蚰蜒〉

たちやすら・ひ【立ち休らひ】『四段』立ったまま、ぐずぐずと事をのばす。「雪降りたりし暁に—・ひて、我が身も冷え入るやうにおぼえて」〈源氏幻〉。「下官、遷延(たちやすらひ)て退きて」〈遊仙窟(醍醐寺本)鎌倉期点〉

たちやぶ・り【立ち破り】『四段』席を立ってその座を乱す。「いかに、きんか頭、何とて座敷を—・るぞ」〈義残後覚一〉

たちや・め【立ち止め】『下二』立って雨やどりする。「金門(かなと)かげかく寄り来ね雨—・めむ」〈記歌謡八一〉 †tati-yamë

たちよそ・ひ【立ち装ひ・立ち儀ひ】『四段』立ってまわりをかざる。「やまぶきの—・ひたる山清水汲みに行かめど道の知らなく」〈万一五八〉 †tatiyösöFi

たちよ・り【立ち寄り】『四段』①立って寄る。「ありし世のなごりだになき浦島に—・る浪のめづらしきかな」〈源氏賢木〉②側に近づいてたたずむ。「透垣のただ少し折れ残りたる隠れの方に—・り給ふに」〈源氏末摘花〉③ちょっと訪れる。「『かく数まへ給ひて—・らせ給へること』と喜び聞え給ふ」〈源氏須磨〉

たぢろ・き ㊀『四段』《タヂロは擬態語。タヂタヂのタヂと同根》①前進する気持がひるみ、動揺する。「朝夕につたふ板田の橋なれば桁さへ朽ちて—・きにけり」〈堀河百首〉。「御信心—・かせ給はずして、おのおの御往生候べきなり」〈末燈抄〉②後れをとる。「文の道は〔俊蔭ニ対シテハ〕—・くとも、その筋は多かり」〈宇津保俊蔭〉 ㊁『名』気のくじけ、動揺。「さやうならむ—に、〔男女ノ仲ハ〕絶えぬべきわざなり」〈源氏帚木〉

たちわか・れ【立ち別れ】『下二』別れて行く。「天皇(すめろき)の食(を)す国なれば、命持ち—・れなば」〈万四〇〇六〉

たちわた・り【立ち渡り】『四段』①一方から現われて他方へ移動する。渡って行く。「この夜らはさ夜更けぬらし雁が音(ね)の聞ゆる空ゆ月—・る」〈万二二二四〉②一面に現われる。一帯に起る。「春の野に霧—・り降る雪と人の見るまで梅の花散る」〈万八三九〉③ずらりと立つ。あたり一帯に立つ。「〔車ガ〕ひまもなう—・りたるに」〈源氏葵〉

たちわづら・ひ【立ち煩ひ】『四段』①立っていることに難儀する。「—・はせ給ふに、いとほしう」〈源氏賢木〉②(車などの)置場所に困る。「よそほしう〔車ヲ〕引き続きて、—・ふ」〈源氏葵〉③出発しにくく思う。「—・ひ給ふも軽しう、さすがに人騒がしければ」〈源氏夕霧〉

たち・ゐ【立ち居】㊀『上一』①現われてそこにいる。「中空に—・ゐる雲のあともなく身のはかなくもなりにけるかな」〈伊勢二一〉②立ったり坐ったりする。「—・ゐとかくしつらひ騒ぐ」〈源氏東屋〉 ㊁『名』立ったり坐ったりする様子。日常のちょっとした動作。「たなびく雲の—、鳴く鹿の起き伏し」〈古今序〉。「—につけて、恐れをののくさま」〈方丈記〉

—ふるまひ【立ち居振舞】立ったり坐ったりするような、ふだんの動作。「立ち振舞」「立ち居働き」とも。「下人といふ男は—尋常なり」〈平治下・悪源太誅せらる〉

たちをりがみ【太刀折紙】太刀・馬などを進上する時に用いる折紙。横に半折した折紙を縦三折し、初めに「進上」の字、次に品目・数量など、終りに「以上」の字と署名を記す。甚だ精細な式作法があった。「御太刀一振、…御馬一疋、…五千疋、御—式に進上候」〈伊達成宗上洛日記文明一五・一〇・二三〉

だちん【駄賃】駄荷の運賃。転じて、物を運んだ報酬。運賃。「馬借(ばしやく)は—を取って馬を往来する者なり」〈庭訓之鈔〉。「何荷物成りとも徒(かち＝荷持チ人足)〔ノ〕—を〔馬方ガ〕抑へ、馬に付け申す間敷く候」〈大坂町触寛永二・一一・五〉。〈名語記三〉

たつ【辰】十二支の第五。年・日・時また方角の名などに当てる。①時刻の名。いまの午前七時から午前九時まで。「—の時に船出し給ふ」〈源氏 松風〉 ②方角の名。東南東。「歳破(暦ノ八将神ノ一)—に在り」〈長徳四年具注暦〉

たつ【龍】 想像上の動物。大蛇に似るが、角・耳・ひげ・四足がある。水にもぐり空を飛んで、雲・雨を起すという。りゅう。「—の頸(ぴく)に五色に光る玉あなり」〈竹取〉

たつ【縦・竪】 たて。「—に吹くなり横に吹くなり/尺八に切りたる残り笛にして」〈俳・犬筑波〉。「—横十文字、したいままなり」〈句双紙抄〉

たづ【田鶴・鶴】 ツルの歌語。奈良時代以来使われた。「つる」という語も万葉時代すでにあったが、歌には使われなかった。「難波潟潮干に立ちて見わたせば淡路の島に—渡る見ゆ」〈万二一六〇〉

だつえば【奪衣婆】 三途の川のほとりにいる鬼婆。「—とは女鬼の名なり。…婆鬼は亡人の衣を剝ぎ、翁鬼は是を取りて、衣領樹(えりやうじゆ)の枝に懸くと云ふ」〈十王経注解五〉

たつか【手束】《タはテ(手)の古形。ツカはツカミ(摑)と同根》 手でにぎり持つこと。また、そのにぎる所。「引きながす—の弓の矢を早み共音(とも ね)に的の鳴りかはすかな」〈散木奇歌集 雑上〉 **—づゑ【手束杖】** 手でにぎり持つ杖。「—腰にたがねて」〈万八〇四〉 **—ゆみ【手束弓】** 手でにぎる所を太くした弓か。紀伊国風土記に、紀伊国の雄山の関守が持つ弓であるという。「—手に取り持ちて」〈万四二五七〉

たつがしら【龍頭】 龍の頭の形をしたもの。かぶとの前立物や葬礼の旗頭(はたがしら)につける飾り物などをいう。「—の甲の緒をしめて」〈平治中・待賢門軍〉

たづかな・し【たづか無し】『形ク』《タツカ(手束)ナシ(無)の意か。握って頼りとする所のない意》 頼みとするものがない。頼みにする方途がない。「拙(をぢな)く—・き朕(わ)が時に〔黄金ヲ〕顕はし示し賜へれば」〈続紀宣命一三〉。「—・き雲居に独り音(ね)をぞ鳴くつばさならべし友を恋ひつつ」〈源氏須磨〉

たづがね ①【鶴が音】 鶴の鳴く声。「—の聞ゆる田居に廬してわれ旅にありと妹に告げこそ」〈万三二四九〉 ②【鶴がね】 鶴。「—の今朝鳴くなへに雁がねはいづく指してか雲隠れらむ」〈万二一三八〉

たつかひ(カイ:ツ)**【田令】** 上代、屯倉(みやけ)を管理する役人。必要に応じて中央から出向く。「田令、此をば陁豆歌毗(たつかひ)といふ」〈紀欽明十七年〉 †tatukaFi

たつき【立つ木】 立ち木。「古畑の岨(そば)の—にゐる鳩の友呼ぶ声のすごき夕暮」〈新古今一六七四〉

たつぎ【鐇】 木こりの使う刃の広い斧。「籬(まがき)する飛驒のたくみの—音のあなかしがましなぞや世の中」〈大和四三〉。〈名義抄〉

たづき【方便・跡状】《タ(手)とツキ(付)との複合。とりつく手がかりの意。古くは、「知らず」「なし」など否定の語を伴う例だけが残っている。中世、タツギ・タツキとも》 ①事をし始める方法。手がかり。手段。「恋ふといふはえも名づけたり言ふすべの—も無きはわが身なりけり」〈万四〇七八〉。「み空行く雲も使と人はいへど家づとやらむ—知らずも」〈万四四一〇〉 ②勝手。様子。状態。「あかときのかはたれ時に島陰を漕ぎにし舟の—知らずも」〈万四三八四〉。「世の中の繁き借廬(かりほ)に住み住みて至らむ国の—知らずも」〈万三八五〇〉 †taduki **—な・し【方便無し】**『形ク』 ①頼みとするものがない。頼りない。「母おはせぬ人こそ、—・う悲しかるべけれ」〈源氏東屋〉 ②(生活の)手だてがない。「世の案内も知らず、—・かりしかば」〈大鏡昔物語〉

たづくり【田作り】《近世初期までタツクリと清音が普通》 ①田を耕作すること。また、その人。農夫。「下衆(げす)の為(す)る—、畠作り、木など伐(こ)るなど様の事をも習はぬ心地なれば」〈今昔三〇ノ五〉。「タツクリ」〈日葡〉 ②《田の肥料にするのでいう》 素乾(しらぼし)にしたヒシコ(小イワシ)。ごまめ。煮干し。「—に鯡(にしん)・乾鮭(からざけ)などを、朝夕の餌食には如何」〈伽・猫の草子〉

たづく・り【手装り】『四段』《タはテ(手)の古形》 手で著ける。装う。「大和の忍(おし)の広瀬を渡らむと、足結(あよひ)—・り腰作らふも」〈紀歌謡一〇六〉

たつごも【立薦】 風を防ぐため薦をつなぎ合わせて屏風のようにするもの。神事や野宿などにつかう。「寝むと知りせば、—も持ちて来ましもの」〈記歌謡七五〉。「防壁、多都古毛(たつごも)」〈和名抄〉 †tatugömö

たづさは・り(タズサワリ)**【携はり】**『四段』 ①たがいに手を組んでまつわりあう。連れ添う。「同輩児(よちこ)らと手—・りて遊びけむ」〈万八〇四〉。「思ふどち馬うち群れて—・り出で立ち見ればば」〈万三九九三〉 ②直接関係する。従事する。「弓矢に—・らん者、なにしかは我が身を思はん事は候はん」〈宇治拾遺一五五〉 ③かかずらう。「行客ここに—・りて、しばらく寄せ引く波間をうかがひて急ぎ通る」〈海道記〉 ④寄りかかって身をゆだねる。すがりきりになる。「白髪の老翁、杖に—・りて山によぢ登りけるが」〈著聞五〉

たづさ・ひ(タズサイ)**【携ひ】**『四段』 ①手をとりあう。つれだつ。「人も無き国もあらむか吾妹子(わぎもこ)と—・ひ行きて副(たぐ)ひてをらむ」〈万七二八〉 ②かかわる。関係する。「東国武士は夫(ぶ)までも弓箭に—・ひて候へば」〈愚管抄五〉。「携、タヅサフ・タヅサハル」〈名義抄〉 †tadusaFi

たづさ・へ(タズサエ)**【携へ】**『下二』 ①手にとる。手に持つ。「則ち手を—・へて席(しき)を同(とも)にして」〈紀景行二十七年〉。「母のために餉を放たず—・へ侍るゆゑに」〈芝草〉 ②かかわらせる。関係させる。「業平・源氏の物語に心を—・へ」〈曾我四〉。「和漢に—・へ侍りしるし、身の眉目とも存ずる事也」〈今来風体抄〉

たっ・し【達し】『サ変』 ①至りとどく。十分に及ぶ。「古は、出家十人あれば下部(しもべ)一人で—・するやうなと云ふが」〈百丈清規抄四〉 ②とげる。遂行する。「筋力絶え尽きて、前途(せんど)—・しがたくして」〈著聞三七〉 ③その道に通達する。すぐれる。「詩歌に—・して口利きなりけるが」〈盛衰記四〉。「とかく我らがやうなる者は、算用が—・せねばまかりならぬ」〈虎明本狂言・賽の目〉 **—て【達して】**『副』 十分に。完全に。「さればゼスキリシトの御言葉は、このサントの上に—現はれたり」〈サントスの御作業一ノ一四〉。「草聖。草字を—書くを云ふ也」〈金玉和襟集〉

たつじま【縦縞・竪縞・立島】 縦に縞模様のある織物。「帷子(かたびら)や都の—宇治晒」〈俳・糸屑一〉

たっしゃ【達者】 ①その道に熟達している者。達人。「末代には諸(もろもろ)の道に—は少なきなり」〈今昔二四ノ二三〉 ②その道に熟達していること。「いづれもよろづ—の人なり」〈伽・あきみち〉 ③物事をするのに早くて上手なこと。「その道具を取って、御厨子(みづし)・書棚・卓、又は行燈(あんどん)・まな板・鍋(なべ)のふたまでも—にする所、大工の専(せん)なり」〈五輪書〉 ④身体が強健なこと。元気がいいこと。「四十の歳盛り、力も強う—な時」〈詩学大成鈔三〉。「脚気(かっけ)病み口ばかりこそ—なれ」〈俳・犬筑波〉

たつじん【達人】 ①物事の道理に深く通じた人。「—の人を見る眼(まなこ)は少しも誤るところあるべからず」〈徒然一九四〉 ②学術または技芸に通達した人。「我、敷島の道にい

とかしこく、かつ、神道の―にてありけるが」〈人鏡論〉。「さうなき剣術の―なれば」〈土岐斎藤軍記〉

たつた【龍田川】【龍田・立田】《大和国生駒郡の地名》 **―がは**(ワガ)【龍田川】①龍田の西を南下して大和川に注ぐ川。生駒川の下流。紅葉の名所。「―紅葉乱れて流るめりわたらば錦中やたえなむ」〈古今二八三〉 ②模様の名。流水に紅葉を散らしたもの。「唐紙の―も、紅葉散り散りに破れて」〈西鶴・一代男一〉 **―ひこ**【龍田彦】風の神の名。龍田神社の祭神。「わが行きは七日は過ぎじ―ゆめ此の花を風にな散らし」〈万一七四八〉 ✝tatutaFiko **―ひめ**【龍田姫】《龍田山は奈良の京の西に当り、方角を四季に配当すると西は秋に当るのでいう》秋の女神。春の「佐保姫」の対。「〔染色ノ技倆ハ〕―といはむにもつきなからず」〈源氏帚木〉 **―やま**【龍田山】龍田の西方にある山。奈良と難波との交通の要路に当っていた。「海(わた)の底奥(おき)つ白浪―いつか越えなむ妹があたり見む」〈万八三〉

たった【唯】『副』「ただ」の促音化。「―連れて出でよ、連れて出でよ」〈本福寺跡書〉

たづたづ・し『形シク』「たどたどし」の古形。「夕闇は道―・し月待ちていませ吾が背子その間にも見む」〈万七〇九〉

たっちう(ユウ…チ)【塔頭】〔仏〕《唐音》大寺の中にある寺院。脇寺。もと、禅宗で祖師の塔所をさしたが、後に広く諸宗の寺域の支院の総称となり、「塔中」とも書くようになった。「―の奥に〔祖師ノ〕墓所有り」〈康富記文安一・五・六〉。〈下学集〉

たつづまひ(イ…マ)【殊舞】上代の舞の一種。「殊儛を古に立出儛(たつづのまひ)と謂(い)ふ。立出、此をば陀豆豆(たつづ)といふ。儛ふ状は、あるいは起ち、あるいは居て儛ふなり」〈紀賢宗即位前〉 ▽「殊」にタツという訓があるので、それをタツヅのタツにあてたものか。 ✝tatudumaFi

たって【達て】『副』《タテテの転》無理に。強いて。また、しきりに。切に。「武者ども辞退すれども、―と望みける故、各々焼香をぞしたりける」〈浅井三代記一五〉。「―申すも無益の至りとは思へども」〈浄・甲子祭四〉 ▽「達」は当て字。

たっと・し【尊し】『形ク』「たふとし」の音便形。「此のごろ迄も山中に、―・き御経の声する事侍りき」〈撰集抄二ノ六〉。「尊、たっとし、あがむる也」〈和漢通用集〉

たっと・び【尊び】『上二』《後に四段活用》「たふとび」の音便形。「たっとみ」とも。「人に―・びられじと思はん事、やすき事なり」〈正法眼蔵随聞記三〉。「仏をば―・ばいで」〈四河入海五ノ三〉。「珍重と云ふは―・ぶ意ぞ」〈策彦和尚初渡集下ノ下〉

たづな【手綱・手縄】①馬をあやつるため、轡(くつわ)にとりつけた綱。「弓を投げ捨てて―を引くといへども、走り立ちたる馬なればたやすく留まらず」〈今昔二ノ三〇〉。〈色葉字類抄〉 ②鵜飼(うかひ)が鵜をあやつる綱。「―さへ及ばぬ淵に鵜の入りて」〈心玉集〉 ③烏帽子(えぼし)の上に巻く鉢巻。「烏帽子に―うたせて、鬢(びん)もかかずして申しける事は」〈盛衰記三四〉 ④ふんどし。「物を脱ぎ、―をかきまうけて」〈曾我一〉。「下京にて剝(は)がれ候て、―ばかりにて帰し候由」〈言継卿記大永七・二・二九〉

たづ・ね【尋ね】『下二』《綱につかまって先へ行くように、物事や人を追求する意。類義語モトメは、モト(本・根本)を得ようとするのが原義》①目指し求めて行く。道を求めて行く。「この〔仏ノ〕御足跡(みあと)を―・ね求めてよき人のいます国(極楽)にはわれも参てむ」〈仏足石歌〉。「山川のさやけき見つつ道を―・ねな」〈万四四六八〉 ②目指すものを探し出す。「老いたる父母のかくれ失せて(行方知レズ)侍る、―・ねて都に住まする事をゆるさせ給へ」〈枕二四五〉 ③人を訪問する。「三輪の山いかに待ち見む年経(ふ)とも―・ぬる人もあらじと思へば」〈古今七八〇〉 ④事情を聞きただす。「いかでありつる鶏ぞなど―・ねさせ給ふに」〈枕三三〉。「誰(た)そと―・ね問ひければ」〈後撰六八九詞書〉 ⑤深く気をとめる。「人のそしり、ねんごろに―・ねじと思しける」〈源氏蜻蛉〉 ▽タ(接頭語)ツナ(綱)を活用させた語か。 **―さた**【尋ね沙汰】取り調べること。尋問。詮議。「一々に召し取って―仕るべし」〈平家二・西光被斬〉

たつのいち【辰の市】辰の日ごとに開かれた市。大和国添上郡のものが知られている。「市は。―」〈枕一四〉

たつのま【龍の馬】《「龍馬」の訓読語》すぐれた馬。駿馬。「―を我(あれ)は求めむ」〈万八〇八〉

たつのみやこ【龍の都】龍宮。「わだつみの底ともいさや白波の、―を出づるなり」〈謡・合浦〉

たっぱい【答拝】《タフハイの転。もと、大饗の時など尊貴の人が来たとき、主人が階を下りて迎え、互いに拝すること》①丁寧なあいさつ。「ひとへに念仏こはぎの御かげぞとて、拝み―つかまつり」〈説経・小栗〉 ②丁寧なあしらい。鄭重な待遇。「あまりにわらはを馳走―めされ候ひつる程に」〈伽・彌兵衛鼠〉

だつま【達摩】数珠(ずじゅ)にした玉のうち大きいもの。「小さき柑子を大方の玉にはつらぬかせ給ひて、―には大柑子をしたる御数珠(ずず)」〈大鏡伊尹〉

たつみ【辰巳・巽】①方角の名。辰と巳との間。東南。「わが庵(いほ)は都の―しかぞ住む世をうぢ山と人はいふなり」〈古今九八三〉 ②《江戸の東南部に当るところから》深川にあった岡場所。また、そこの芸者。「―の芸妓(げいしゃ)誉禰八(よねはち)」〈人情・梅暦初ノ一〉 **―あがり**【辰巳上り・巽上り】①〔能楽用語〕上げるべきでない所を上げて、高い音階で謡うこと。「謡ひ替る時、声が―になる」〈禅鳳雑談〉 ②調子外れのかん高い声。「臨済などのやうに、喉(のど)骨をいららげて、―に成って、ほかと喝(かつ)するは」〈勝国和尚再吟二〉 ③むやみに高ぶること。えらぶること。高上(かうじやう)。「万(よろづ)の芸能に人のほむれば、―がして、気を上げて」〈本福寺跡書〉。「近年世の中いつとなく、上〔ッ方〕は前に云ふ―に成り行き」〈民間省要中一〉 ④雨が東南の方角から晴れ上がること。「五月雨は毎日―かな」〈俳・毛吹草追加上〉。「移ろふは―よ花の雨」〈俳・小町踊一〉 **―かど**【辰巳角】東南の方角。また、そこにある角屋敷。「都の―家質に流れ」〈西鶴・好色盛衰記三〉

たづら【田面】①田のほとり。「うちわびて落穂ひろふと聞かませば我も―に行かましものを」〈伊勢五八〉 ②田のおもて。田。「隼や雲にかけると思ふらん―の鷺の立ちかぬる声」〈後京極殿鷹三百首〉。「―の晩稲(おしね)守り明かしつつ」〈連証集〉

たて【盾・楯】《タテ(立)の名詞形》①戦場で立てて体をかくし、敵の矢や槍などを防ぐ武器。儀式の装飾にもつかう。多くはクス・エノキなどの厚板、または、鉄製。「ますらをの鞆(とも)の音すなりもののふの大臣(おほまへつきみ)―立つらしも」〈万七六〉 ②防ぎ守るのにつかうもの。「今日よりは顧みなくて大君の醜(しこ)の御―と出で立つ我は」〈万四三七三下野防人〉 ③もっぱら前面に押し立てるもの。旨とするもの。「よしなしな争ふことを―にして瞋(いかり)をのみも結ぶ心は」〈山家集中〉 **―を築(つ)・く** ①楯を立てる。楯をかまえる。「守屋兵を起して―・いて防き戦ふ」〈三宝絵中〉 ②対抗する。反抗する。「末代は父子兄弟親類骨肉あたを結び、

―・き、問注対決し」〈沙石集六ノ二三〉

たて【館】「たち」に同じ。「―の内は、騒ぎ申すに及ばず」〈伽・もろかど物語〉

たて【縦・竪・経】《タテ(立)と同根》①上下の方向または距離。左右の方向の「横(よこ)」に対する。「池の裏(うち)は―と横と二十町(はたところ)余りばかりなり」〈肥前風土記〉②機織の縦にわたす糸。横糸は「ぬき」という。「―もなく緯(ぬき)も定めずをとめらが織れる黄葉(もみち)に霜な降りそね」〈万一五一二〉

たて【殺陣】歌舞伎で、大勢を相手に太刀打する時の型。修羅場(しゅらば)。相手の少ない時は「立ち廻り」という。「これより―になり、遠攻めの鉦・太鼓になる」〈伎・三十石艠始五〉

た・て【立て】㊀〘下二〙《タチ(立)の他動詞形》❶自然的な現象について、上方に向う運動をおこさせ、姿をあらわに目立たせる。①(煙・湯気などを)盛んにあがらせる。「かまどには火気(ほけ)吹き―・てず」〈万八九二〉②(波などを)おこさせる。「海(わた)の底沖漕ぐ舟を辺に寄せむ風も吹かぬか波―・てずして」〈万一二二三〉❷行為や現象の度合いを高めて、周囲にはっきり目立たせる。①(音や声などを)大きく響かせる。「高山の石本激(たぎ)ち行く水の音には―・てじ恋ひて死ぬとも」〈万二七一八〉。「わざとの声―・てぬ念仏ぞする」〈源氏夕顔〉②(まわりに)知られるようにする。「をのこやも空(むな)しかるべき万世(よろづよ)に語り継ぐべき名は―・てずして」〈万九七八〉。「山守のありける知らにその山に標(しめ)結ひ―・てて結ひの恥しつ」〈万四〇一〉③(表面におし出して)維持する。「はかばかしくもあらぬ心一つを―・ててかうてのみやは見奉らむと」〈源氏総角〉④(誓言や祈願を)はっきりと口に出す。「貴人(うまひと)の―・つる言立(ことだて)」〈紀歌謡四六〉。「多く―・てつる願の力なるべし」〈源氏須磨〉⑤《「腹―・て」という慣用句的語法で》感情を荒立てる。怒る。「道すがらも輿舁(こしかき)どもに逢うて腹―・てて怒(いか)ることなのめならず」〈保元下・為朝生捕り〉⑥(湯を)沸かす。「新造の風呂、これを―・て入り了んぬ」〈大乗院雑事記延徳四・五・三〉⑦かきまぜ泡立たせる。「薬を水に―・てて姫君の口へ含め給ひければ」〈栗栖野物語〉。「一族の寄合ひに本(ほん)の茶を―・てんと」〈天正本狂言・茶ぐり〉⑧(月日を)更に経過させる。過ごす。「五月のころ言ひわたりける男に、この月を―・ててと言ひつかはすとて」〈万代集〉❸【起て・発て】ある地点に静止している事物に身をおこさせ、運動をおこさせる。①(感覚機能などを)働かせる。活動させる。「親などのかなしうする子は目―・て耳―・てられていたはしうこそ覚ゆれ」〈枕二六七〉②(鳥などを)飛び立たせる。「朝狩(あさかり)に五百(いほ)つ鳥―・て」〈万四〇一一〉③出発させる。出向かせる。「公家、男・女使―・てさせ給ひ」〈大鏡藤氏物語〉④(事を)始める。着手する。「拾芥抄中巻〔ノ書写ヲ〕、今日より筆―・て候ひ了んぬ」〈言継卿記大永七・六・七〉❹生きものや事物などをある地点にしっかり位置を占めさせ、上方に向けて直立させる。①(人などを)立たせる。「梓弓欲良(よら)の山辺の繁(しげ)かくに妹ろを―・ててさ寝処(ねど)払ふも」〈万三四八九東歌〉②(丈が高くがっしりとしたものを)すえ置く。位置させる。「淡路島中に―・て置きて、白波を伊予(いよ)に廻(めぐ)らし」〈万三八八〉③(針・杭などを)まっすぐにさす。「札を書きて、大門の前に―・てたりければ」〈平家一・清水炎上〉。「懐より針を取り出し、…腕(かひな)に―・つる」〈天理本狂言六義・雷〉④活け花をさす。「つくりたる八重桜の一間(ひとま)に余るばかりなるを、瑠璃(るり)の瓶(かめ)に―・てられたりしを」〈健寿御前日記〉。「御前にて、花―・てさせられ了んぬ」〈言国卿記文明七・四・九〉⑤(車などを)とめる。「いとあはれなれば車を―・てて眺むるに」〈大和一四八〉⑥(門を)閉じる。「門―・てて戸は閉(さ)したれど盗人(ぬすびと)の穿(ほ)れる穴より入りて見えけむ」〈万三二一八〉⑦(人をしかるべき)位につける。即位させる。「三条院の御時に、后に―・て奉らんと思しける」〈大鏡師尹〉⑧たてまつる。「九重に今日―・てそむる氷こそ風にもとけぬためしなりけれ」〈千五百番歌合二〉❺【建て】事物を新しく設置する。①(家屋などを)作る。「橘の下照(で)る庭に殿(との)―・てて酒(さか)みづきいますわが大君かも」〈万四〇五九〉②(設備などを)設ける。かまえる。「鳥塒(とぐら)―・て飼ひし雁(かり)の子巣立ちなば」〈万一八二〉③(教義などを)新しくうちたてる。「此れは大乗の旨を―・て、彼は半教の宗を―・つ」〈三蔵法師伝七・院政期点〉④(事物を)完成させる。出来上がらせる。「身を―・て、家を興(おこ)すのみならず」〈平家三・紺掻〉❻払う。弁償する。「損銀四拾八貫三百九拾匁俄かにこれを―・てねばならず」〈西鶴・懐硯五〉❼他の動詞の連用形について、その動作を周囲にきわだたせることを表わす。①きわだって…する。「『心ぶかしや』などほめ―・てられて」〈源氏帚木〉②しっかりと…しあげる。「などか翁の手におほし―・てたらむものを心にまかせざらむ」〈竹取〉㊁〘接尾〙動詞の連用形に添えて、動作の終って間もないさまを表わす。「まだ売りもせぬ飴の練り―」〈仮・東海道名所記五〉→だて

たで【蓼】タデの類の草の総称。野山・水辺に自生し、種類が多い。秋、枝の先ごとに紅や白の花の穂を出す。葉・茎は辛く刺戟性。畑に栽培され、辛味料として食用となるものがある。「我がやど(庭先)の穂―古幹(ふるから)採(つ)み生(おほ)し実になるまでに君をし待たむ」〈万二七五九〉。〈名義抄〉

―食ふ虫も好き好き 辛い蓼を好んで食う虫もあるように、人の嗜好が種種さまざまであることのたとえ。「蓼食ふ虫」とも。「―とやらん、我が身の匂ひが御気に入りましたが忝(かたじけな)い」〈評判・難波鉦四〉。〈俳・世話尽二〉

た・で〘下二〙①腫物などの痒(かゆ)みや痛む所を温湯で蒸す。「上人、温室に入って瘡(かさ)を―・でられけるが、心身快うして」〈太平記一八・高野与根来〉②船底を燻(いぶ)して船虫を駆除する。「船を借り据ゑて―・づる時、船を焼き破りたらば借主弁ふべきの事」〈船法〉

だて【伊達】《タテ(立)の転。接尾語ダテの名詞化》①意気をきそい、はでに振舞うこと。「―をし、鷺を烏とあらがひ」〈多胡辰敬家訓〉②けばけばしい服装をすること。華美。「何れも様子―にこしらへ」〈三好軍記下〉③見栄(みえ)を張ること。「今思ふに、山居を好むは異風好きの―な心なり」〈驢鞍橋上〉 **―の薄着** 厚着は不恰好なので、寒くても薄着をして容姿を美しくする意。自己の嗜好を満足させるため、少少の不都合は我慢すること。「今日よりは―か御夏女郎」〈俳・伊勢踊三〉

だて〘接尾〙《タテ(立)の転。名詞・形容詞語幹などに付いて、そのさまをことさらにとりたてて示す意》…の様子を見せること。…ぶること。「さしもはやりたる事に只独りまじり給はざりつれば、賢人―かと思ひて侍りつるに」〈著聞四三三〉。「文字の少なき人が、文章書き―をする」〈古文真宝抄二〉。「人は賢(かしこ)―をして、仕損ふものぢゃ」〈天草本伊曾保〉

たてあかし【立明し】たいまつ。「たちあかし」とも。「祭主、―の光に見れば」〈中務内侍日記〉。「炬火、俗云太天阿加之(たてあかし)」〈和名抄〉

たてあつ・め【立て集め】〘下二〙ひと所に集めて立てる。「屏風(びやうぶ)ども持て来て、いぶせきまで―・めて」〈源氏東

屋〉

たてあ・ひ イ・フ【立て合ひ】『四段』立ち向う。対抗する。抵抗する。「君に―・ひ奉らんと御支度、以ての外の御あやまりなり」〈古活字本保元中・関白殿本官に帰復〉。「―・ふ者少少討たれぬ」〈承久記上〉

たていし【立石】据えてある丈(けた)の高い石。庭石。「ここかしこの―どもも、皆まろび失せたるを」〈源氏松風〉

たていた【立板】①牛車の車箱の両側の板。「未だ車にも乗らざりける者共にて、…あるいは―に頭を打ち」〈今昔二六ノ二〉 ②縦に木目の通った板。「翡翠のかんざし(長イツヤヤカナ髪)は、青黛(せいたい)が―に唐墨をかけたるに異ならず」〈伽・さいき〉

たてうす【立臼】①地上に置いて、米などを搗(つ)くのに使う大きな臼。大木を輪切りにし、凹みをつくったもの。「庭に―二つ並べ、米(よね)を打つ所もあり」〈伽・かくれ里〉 ②肥えて背の低い女を嘲っていう語。「―と言はれて暮す物思ひ」〈俳・藤の実〉 **―に菰**(こも) 背低く肥った醜い女のたとえ。「―の面影も恋しき」〈俳・うちくもり砥〉

たてえぼし【立烏帽子】折烏帽子に対して、本来の烏帽子をいう語。「たちえぼし」とも。「都に候ひし時は、布衣(ほい)に―、衣文(えもん)をつくろひ」〈平家一〇・横笛〉

たてか・け【立て掛け・立て懸け】□一『下二』立てて他の物にもたせかける。「屏風などに強う物を―・くれば倒るるを云ふぞ」〈本則抄一〉 □二『名』髻(もとどり)を大きく取り、髷(まげ)を後頭部に立てかけるようにした男の髪風。立掛け髪。「鬢切して―に結ふ事流行りけるに」〈西鶴・一代男二〉

たてかご【通駕籠・立駕籠】出発地から目的地まで通して雇った駕籠。通し駕籠。「―並べて、男盛りの若い者乗りちらして通りける」〈西鶴・織留四〉

たてがさ【立傘・立笠】近世、長柄の傘をビロードやラシャ製の袋に入れたもの。大名行列などに供に持たせた。「―台笠(だいがさ)引馬に角(つの)」〈俳・飛梅千句〉

たてがみ【立髪】月代(さかやき)を剃らず総髪を伸ばした髪風。「花瓶には―となる柳かな」〈俳・玉海集一〉 **―かづら**【立髪鬘】立髪風にした鬘。「或る時は若衆出立(でたち)、姿を変へて、墨染めの長袖または―」〈西鶴・一代男一〉

たてがらし【立て枯し】草木が立ったままで枯れる意から、見せかけだけで実質のないことのたとえ。「公卿済済たり。〔ソレヲサテ置イテ〕―の老卿〔ノ自分ガ〕領状(りやうじやう)、頗る後悔候」〈園太暦延文一・一・一六〉。「菊は猶捨てじ仏の―」〈俳・韻塞上〉

たてき・り【立て切り】『四段』①閉め切る。完全にとざす。「門の戸を―・って御聞きあるぞ」〈論語抄八佾〉。「大網で川を―・って〔魚ヲ〕取る様な事はせぬぞ」〈論語抄述而〉 ②主張や信念を押し通す。立て通す。「此の僧は一段心強き、―・りたる清僧なるべし」〈甲陽軍鑑一八〉

たてくび【項】頸の後の部分。頸筋。うなじ。「たちくび」とも。「童の―をとりて、引きとどめて」〈宇治拾遺一五〉

だてこき【伊達こき】華美に着飾る人。派手好き。おしゃれ。「色好むから余り―」〈俳・伊勢俳諧長帳一〉

たてこづ・み【建てこづみ】『四段』ごちゃごちゃ家が建ち並ぶ。「雲や霞―・みたる家桜」〈俳・玉海集一〉 →こづみ

たてこ・み【立て込み・閉て込み】『四段』①多人数が混み合う。雑踏する。「寸尺もなく人―・みけり」〈室町殿日記五〉 ②戸障子などを閉め切って入れて置く。とじこめる。「一間なる所へ―・み」〈西鶴・諸国咄三〉

たてこ・め【立て籠め】『下二』①(戸などを)立て切って、とじこめる。「―・めたる所の戸、すなはちただ開(あ)きにあきぬ」〈竹取〉 ②とりかこむ。「京童部(わらはべ)刀を抜きて忠明を―・めて殺さむとしければ」〈今昔一九ノ四〇〉

たてども・り【立て籠もり・楯籠もり】『四段』①(戸などを)立てきって、とじこもる。「院のおはします折は…若き人は局(つぼね)に―・りてぞ寝し」〈健寿御前日記〉 ②城など、本拠とする所に籠もって敵を防ぐ。籠城する。「近江の国甲賀山に―・りて候ひし」〈保元上・新院為義を召さる〉。「楯籠、タテゴモル」〈文明本節用集〉

たてさま【縦さま】《古くはタタサマ》縦の方向。縦向き。縦。「さてこの法師は―に走り、横さまに走り」〈沙石集三ノ六〉

たてじとみ【立蔀】細い木を縦横に組んだ格子に板を張り、全体を衝立(ついたて)のように作ったもの。室内が見えぬよう目隠しとして庭上に立てる。屋内で衝立の用にしたのもある。「月の少し隈(くま)ある―のもとに立てりけるを」〈源氏賢木〉

だてしゃ【伊達者】はでな服装や生活態度を好む者。「だてし」「だてしゅ」「だてもの」とも。「哀れ―の衣春雨」〈俳・望一千句〉

たです【蓼酢】調合酢の一。蓼の葉を摺りつぶしてまぜた酢。魚の膾(なます)や焼物などに用いる。「さしみの事。鯉はわさび酢、鯛は生姜酢、鱸ならば―、鱶は実からしの酢…王余魚はぬた酢」〈四条流庖丁書〉 **―でもいけぬ** 蓼酢を掛けても食べられぬ古い魚の意で、どうにもならない、ひどい人や物にいう。「一人は―悪比丘尼を連れて」〈浮・野白内証鑑三〉

たてずな【立砂】車寄せの前の左右に、編笠形に円く盛り上げた砂。「たてすなご」とも。「―のもとへ御馬を引き立つる時」〈鎌倉年中行事正月五日〉

たてだ・し【閉て出し・建て出し】『四段』①閉め出す。「氏真の家礼に島田右近と申す者、逆心し、信玄に頼まれて計略し、氏真を―・す」〈江源武鑑一三〉 ②主要な建物の外に建てくわえる。「床の間や花を―・す家桜」〈俳・細少石三〉

たてたて・し【立て立てし】『形シク』気性がはげしい。「山伏は―・しきものを、あさましき事なり」〈沙石集六ノ五〉

たてちが・へ ガエ・チ【立てちがへ】『下二』交差させて立てる。「几帳どもの―・へたるあはひより見通されて」〈源氏蜻蛉〉

たてづ・き【楯突き】□一『四段』①戦場で楯を突き立てる。「軍陣は作り侍―・きて/鍬形打ったかぶと数数」〈俳・寛永十三年熱田万句四一〉。「楯衝、タテヅク」〈文明本節用集〉 ②対抗する。反抗する。手向う。「初めは仏に―・いて、仏を殺さんとしたり」〈御書抄三〇〉。「楯人、ヒトニタテヅク」〈運歩色葉集〉 □二『名』《タテツキと清音》①戦場で楯を立てる役の者。「健(すくやか)ならん―を一人たび候へ」〈盛衰記三〇〉 ②対抗。反抗。手向うこと。「かなはぬまでも―などし給へかし」〈宇治拾遺一八九〉

たてつづ・け【立て続け】『下二』続けて駐(と)める。駐め連ねる。「松原にはるばると―・けたる御車どもの」〈源氏若菜下〉

たてて【立てて】『副』《特定のものをことさらにとりたてて、の意》積極的に。特に。「わざとめきて香にめづる思ひをなん―好ましうおはしける」〈源氏匂宮〉

たてど【立て所・立て処】立てるべき場所。「たてどころ」とも。「〔姫君ヲ〕害し奉らむとすれども、…刀の―もおぼえずして涙を流しければ」〈平治中・義朝敗北〉。「陸(くが)行く駒は足の―を失へり」〈平家一二・大地震〉

たてぬき【経緯】機のたて糸とよこ糸と。「蘿席(こけむしろ)誰か織りけむ―無しに」〈万一一二〇〉 †tatenuki

たては【立派】それぞれの拠って立つ派。流派。「たちは」とも。「かの座頭に、だいうすの―聞き候」〈家忠日記天正九・九・八〉

たてば【立場】近世、宿場の出入口にあって、旅人・駕籠舁(かごかき)・人足・伝馬などが小休止した掛茶屋。名物の餅・うどんなどを売るのが常であった。立て場茶屋。「馬駕籠の―の狭き昼休み」〈俳・八重一重〉

たてはき【帯刀】⇒たちはき。「帯刀、タテハキ」〈色葉字類抄〉

たてばな【立花】①仏前に供える花。多く樒(しきみ)をいう。「―上げ候」〈山科家礼記文明三・三・九〉②立花(りっくゎ)。「右〔歌〕の―に、池之坊文阿彌が花瓶に猶こまやかなる枝さしや侍らん」〈玉吟抄〉

たてひき【立引き・達引き】①意地からおこる談判・口論や喧嘩。「この釣船の三ぶが尻持った―」〈浄・夏祭三〉②意気地で張り合うこと。意地を立て通すこと。「たていれ」「いきはり」とも。「吉原に意気地あれば、この土地(深川)に―あり」〈洒・辰巳之園〉③《気前を見せる意から》費用を立て替えること。人に振舞うこと。また、ひいきして加勢すること。「銭五百文と縞(しま)の浴衣(ゆかた)を―させしが」〈黄・忠臣蔵前世幕無中〉。「―をしてあげりゃあ、付け上がらあ」〈洒・闇明月〉

たてぶみ【立文・竪文】㊀《名》書状の形式の一。包紙で縦に包み、余った上下をひねる。「紫の紙―すくよかにて、藤の花につけ給へり」〈源氏少女〉㊁【立てぶ・み】《四段》《名詞タテブミを動詞化したもの》立文の形式に包む。「紙屋紙に―・みたる文を」〈著聞一六一〉

たてまだ・し《四段》使いを立てて奉る。「使を日本(やまと)に―・さむ」〈紀欽明五年〉。「文―・したりける返り事の中に」〈高光集〉。「遣使、タテマダス」〈名義抄(高山寺本)〉→まだし

たてまつ・り【奉り】㊀《四段》《タテは立テで、目立つようにはっきり示す意。マツリは、物を供える意》❶①《相手に物や使者などをおくる意の謙譲語》献上する。さし上げる。「―・る御調(みつき)宝は数へ得ず尽しもかねつ」〈万四〇九四〉。「御子の四位の少将を〔使者トシテ〕―・り給ふ」〈源氏花宴〉②《特に、着せる・乗せるなどの行為をしてさし上げる意》お着せ申し上げる。お乗せする。「夜の明けはてぬさきに〔源氏ノ君ヲ〕御舟に―・れ」〈源氏明石〉❷《献上する意が、その物を貴人がとり入れ用いる意に広がって尊敬語となる》①お召しになる。身におつけになる。お乗りになる。「―・れる御ひとへの御衣をかづけさせ給へりけり」〈大和一六二〉。「〔車ヲ〕ひきつづけたれど一つに―・りて」〈源氏末摘花〉②召し上がる。「壺(つぼ)なる御薬―・れ」〈竹取〉㊁《助動》謙譲の意をあらわす。お…申し上げる。お…する。「松原に御むしろ敷きておろし―・る」〈竹取〉。「仏法僧三宝を供養恭敬し―・るなり」〈正法眼蔵供養諸仏〉→基本助動詞解説。 **―もの**【奉り物】①貴人に献上する物。捧げ物。「供給、タテマツリモノ」〈名義抄〉②貴人が召す(着る・食べる・用いる)物。「公(おほやけ)の―(衣服)は、おろそか(粗末)なるをもてよしとす」〈徒然二〉

たてまつ・れ【奉れ】《下二》《タテマツリ(奉)の使役形か。助動詞タマヒ(給)につづく例が多いが、サセタマヒにつづく例もある。一説、奉リ入レの約》人を仲介または使者として物をおくらせる意の謙譲語。「御対面はなくて、―・れ給ひける」〈後撰一〇八一詞書〉。「〔主人ガ手紙ヲ〕わざと―・れさせ給へるしるしに、…ただ一言をのたまはせよかし」〈源氏夢浮橋〉

だてまゐり【伊達参り】遊山(ゆさん)半分の参詣。「皆一様の―、権現堂へと志す」〈伎・出世隅田川一〉

たてもの【立物・立者】①威容を誇示するために、兜の鉢の頂上または前後左右に付けた飾り。前立・後立(うしろだて)・脇立・頭立(かしらだて)などの別がある。「黒糸威の鎧、同じ毛の兜、朱の半月の―」〈伊達家文書三、元和一・八・一三〉。〈文明本節用集〉②一座中ですぐれた、人気のある役者。「―と人は言ふなり舞台先」〈俳・大矢数三〉③体裁だけで実用に供しないもの。看板。飾り。「あたら花嫁を―にして淋しがらせ」〈西鶴・二十不孝五〉

だてもやう …ヨウ【伊達模様】縫箔・摺箔・友禅染などを用いて作った、大形の華奢(きやしや)な衣服の模様。近世前期、元禄頃まで流行した。「其の身は羽織大小―」〈伎・大一大万大吉二〉

だてもん【伊達紋】多く物語詩歌などに縁のある花鳥・山水・文字などを図案化して、衣服の紋所の位置につけた模様。「水に河骨、或いは折枝に色紙等の紋…これを―と言ふ」〈万金産業袋四〉

たてやしなひ …ヤシナイ【立て養ひ】人の体面を立てながら、その生活の世話をすること。多くは、目下が長上を扶助することにいう。「一代は―に金寒(ひ)えて」〈俳・両吟一日千句〉

たてよこざた【縦横沙汰】種種の評判、取り沙汰。「―を聞き触れて」〈近松・淀鯉下〉

だてら《接尾》《接尾語ダテにラのついた語》その分際にあるまじき不都合、不当の意を表わす。…らしくもなく。…のくせに。「法師―かくあながちなるわざをし給へば、仏の憎みて、かかる目も見せ給ふなり」〈狭衣一〉

たてりあきなひ …アキナイ【たてり商ひ】米市でする相場取引。現米の授受はせず、代金の一部を手付けとして売買契約し、契約の期限日に相場の高下による差額を決算する取引。「帳合米(ちやうあひまい)商ひ」「はた商ひ」とも。「一刻の間に、五万貫目の―も有る事なり」〈西鶴・永代蔵一〉

たてわけ【立て分け】区別。差別。「昔は公家・武家、京・鎌倉、禅家・聖道家などとて、皆少しづつ〔書札ニモ〕―ありしなり」〈書札作法抄〉

たてわた・し【立て渡し】《四段》一方から他方へずっと立てる。「廊の戸口に、御簾(みす)青やかに掛け渡して、今めきたる裾濃の御几帳ども―・し」〈源氏螢〉

たと【田堵・田刀】平安時代、貴族の荘園開発や地子納入を請け負った在地の有力農民。「―依知大富、愁へていはく、この田は唯名ありて実少なし」〈近江国依智荘検田帳貞観一・一二・二五〉

たと【立と】動詞「立ち」の連体形「立つ」の上代東国方言。「―月(つく)の流(ぬが)なへ行けば」〈万三四七六東歌〉 †ta-to

たどき【方便・跡状】《タヅキ(手付)の転》①手をつける糸口。仕方。方法。「せむすべの―を知らに」〈万九〇四〉②様子。ありさま。「曇り夜の―も知らぬ山越えて往(い)ます君をば何時とか待たむ」〈万三一八六〉▽すべて、それが分らないという形で使う。†tadöki, tadoki

たどころ【田所・田荘】①田地。田。「また―を以ちて漢彦(あやひこ)に与へて」〈紀清寧即位前〉②(天皇の私有地である「屯家(みやけ)」に対して)大化改新前の豪族の私有地。「臣(おみ)連(むらじ)…の有(たも)てる部曲(かき)の民、処処の―を罷(や)めよ」〈紀孝徳、大化二年〉③初期の荘園。「大伴家持の、姑(をば)坂上郎女の竹田の―に至りて作る歌」〈万一六一九題詞〉④平安時代後期以降、国司の庁に属し

て、田畠に関する文書を取り扱った役所。また、その役人。「―判官代物部」〈東大寺文書康保一・九・二五〉 ⑤荘官の一。預所の下にあって、荘園の収納・事務などを掌る。「公文(くもん)・―・案主(あんじゅ)・惣追捕使・有司等の事」〈貞永式目追加貞応二・七・六〉 †tadököro

たとしへな・し タトツエ::『形ク』《人物や所の様子などの二つのものを比較して、あるいは、一つのものの過去と現在の状態を比較して、共通点・類似点を見出し得ないことにいう》①似ても似つかない。まるでちがう。「〔アノ人ハ〕いと打ち解けにくく心恥づかしき有様しるきを、〔自分ノ〕いと―・きうらなさを、いかに見給ふらむ」〈源氏若菜下〉。「―・きもの。夏と冬と、夜と昼と、雨降る日と照る日と」〈枕七一〉 ②《連用形を副詞的に用いて》極端に。はなはだしく。「―・く口おほひて、さやかにも見せねど」〈源氏空蟬〉

たどたど・し『形シク』《タヅタヅシの母音交替形。タドリ(辿)と同根か。夕闇の中を手さぐりで行くような気持をいう》①いかにも不案内である。進もうにも状況がよく分らない。「いざ、しるべし給へ。まろはいと―・し」〈源氏竹河〉 ②不確かである。「経など習ふとて、いみじう―・しく忘れがちに」〈枕一五八〉 ③ぼんやりして、様子がよく見えない。「花は皆散り乱れ、霞―・しきに」〈源氏藤裏葉〉

たとひ タトイ 【一】『名』【譬ひ】たとえ。例。「世の―に言ひ集めたる昔語りども」〈源氏若菜下〉。「南殿の鬼の、なにがしの大臣(おとど)をおびやかしける―をおぼし出でて」〈源氏夕顔〉 【二】『副』【仮令】《比較または比喩の例とする話を提出する際に、「仮に」「もし」の意で用いる語。現代では「たとい…とも」という形で逆接の仮定条件句を導く場合だけに使うが、平安初期の漢文訓読体では、現代の「もし…ならば」にあたる順接の仮定条件句を導くにも使った。この語は平安女流文学ではほとんど用いず、用いる場合も、僧侶や国守など漢文を学ぶ者たちの会話の所に使うことが多い》①《「…ば」と応ずるもの》もし。「―汝此の国を治(し)らば、必ず残傷(そこなひやぶ)る所多けむ」〈紀神代上〉 ②《(1)に準ずるもの》かりに。「―虚空を量りて辺際を尽すことは得つべし。…〔シカシ〕釈迦の寿量を度知するひとは有ること無けむ」〈金光明最勝王経平安初期点〉 ③《「…とも」と応ずるもの》よしや…とも。「―王の位を失ひ、また、命を害する縁はありとも、終に悪法を行ぜず」〈金光明最勝王経平安初期点〉。「―清浄の身なりといふとも、その心邪見ならば神は受け給ふべからず」〈諸神本懐集末〉

たと・へ タトエ【譬へ】【一】『下二』《甲を直接的には説明しがたい場合に、別のものではあるが性質・状態などに共通点を持つ乙を提示し、甲と対比させることによって、甲の性質・状態などを知らせる意》なぞらえる。「世の中を何に―・へむ朝びらき漕ぎいにし船のあとなきがごと」〈万三五一〉。「その山は、ここに―・へば、比叡の山を二十(はたち)ばかり重ねあげたらむほどして」〈伊勢九〉 【二】『名』例にひく話。「宇治人の―の網代(あじろ)」〈万一一三七〉。「古の世の―にも」〈源氏若菜上〉 †*tatoFë **―うた**【譬へ歌】物にたとえてよんだ歌。古今集序にいう、和歌の六義(りくぎ)の一。漢詩の六義の「興」に相当。「四つには、―」〈古今序〉 **―ば**【譬へば】『副』①他の物にたとえていえば。「入道殿下の御ありさま、古を聞き今を見侍るに二もなく三もなく、ならびなく、はかりなくおはします。―一乗の法の如し」〈大鏡後一条〉 ②具体的にいうと。詳しく説明すれば。「入道相国…不思議の事をのみし給へり。―、その頃都に聞えたる白拍子の上手、祇王祇女とておとといあり」〈平家一・祇王〉。「かの維義は怖しき者の末なりけり。―、豊後の国の片山里に昔女ありけり」〈平家八・緒環〉 ③手っとり早くいえば。端的にいうと。「義仲も東山・北陸両道を従へて、今一日も先に平家を攻め落し、―、日本国二人の将軍と言はればや」〈平家六・廻文〉 ④《仮定の問題としていうに用いる》仮に。ひょっとして。よしんば。「―一人ながらへて、過ぎにしばかり過すとも」〈堀河百首〉。「―鈍太郎殿でも…〔戸ヲ〕開くることはならぬ」〈虎明本狂言・鈍太郎〉

たどほ・し タドオシ【た遠し】『形ク』《タは接頭語》遠い。「玉桙(たまほこ)の道をたどほみ」〈万五三四〉 †tadöFösi

たど・り【辿り】【一】『四段』《不明な状況の中で、手がかりを探りながら行く意。タドタドシと同根か》①迷いながら手探りで歩く。「或は月を思ふとて、しるべなき闇に―・れる心心を見給ひて、さかし、愚かなりとしろしめしけむ」〈古今序〉 ②はっきりしないことを跡づけて行く。「ひが耳にやと―・るを聞き給ひて」〈源氏若紫〉 ③跡を追って考え知る。「幼き心地に、深くしも―・らず」〈源氏帚木〉 【二】『名』①迷いながら手探りで進むこと。「家を出でて見るだに明かきよはの月入らむ山路に―あらすな」〈隆信集〉 ②経験などをよりどころにして、先の先まで思慮をめぐらすこと。「よろづに―深きこと、とやかくやとおほよそ人の思はむ心さへ思ひめぐらさるるを」〈源氏若菜下〉

たどるたどる【辿る辿る】『副』道を辿りながら。たどりたどり。「―ぞ山は越えつる」〈後撰一二四五〉。「―ただ足に任せて行く間に」〈今昔六ノ六〉

たどろたどろ【辿ろ辿ろ】『副』「たどるたどる」の転。「―政長に参り、この由を申す」〈長祿記〉。「―と行くほどに、嵯峨の道をば知らずして北山に迷ひける」〈伽・横笛草紙〉

たな ❶【棚】①横に平らに渡した板。「板挙、此をば棚(たな)といふ」〈紀垂仁二十三年〉 ②舟べりに沿ってつけた平らな板。「船にことことなる―といふものをかしく作りて…御果物すゑて参らせたり」〈栄花殿上花見〉 →棚無し小舟。③物を置くために、板を横に渡したもの。「房主(ばうず)他行のひまに―に高く置きたる〔飴桶〕を取る程に」〈沙石集七ノ二六〉。「棚閣、和名多奈(たな)」〈和名抄〉 ❷【棚・店】①商品を陳列する棚。見せ棚。また、小売店。「壱所四条町切革座―。…藤原氏女相伝の私領、代代相違無き地也」〈大徳寺文書久安六・四・八〉 ②借家。貸屋。近世大阪では、商売の出来る表通りの借家の特称。「請人を極め、―借し申すべきの事」〈正宝事録慶安四・三・二〇〉 ③商家奉公人の主家。また、職人の得意先。「今っから―へ行きなさるって」〈滑・浮世風呂前下〉

たなあきなひ …アキナイ【店商ひ・棚商ひ】店で品物を売ること。「―に掛けは堅くせぬ事なれども」〈西鶴・一代女四〉

たなうら【掌】《「手(た)な裏」の意。ナは連体助詞》手のひら。たなごころ。「―に取り持ちて」〈紀皇極三年〉

たなおろし【棚卸】①年初、商家で在庫商品の種類・数量・品質などを調査・評価し、財産勘定の修正をし、新帳簿に記入すること。また、決算の意にも用いた。「年に一度―かや藤葛」〈俳・細少石三〉 ②他人の欠点などを一々数え挙げること。「何もそんなに―をするには及ばなへよ」〈滑・浮世風呂二下〉

たなが【た長】《タは接頭語》長いこと。「―の御世(みよ)と…斎(いは)ひまつり」〈祝詞祈年祭〉

たながへ …ガエ【店替へ】借家を替えること。他の借家に引っ越すこと。「雲霞残らず運ぶ―に」〈俳・大矢数五〉

たながり【店借り】家屋を賃借して住むこと。「旅の空出雲の大屋―も」〈俳・山の端千句下〉

たなぎゃう …ギョウ【棚経】盂蘭盆会に、精霊棚の前で僧が経を読むこと。「―誦みに来」〈仮・因果物語中〉

たなきら・ひ【たな霧らひ】『四段』《タナはタナ(棚)と同根。キラヒは霧リに反復・継続の接尾語ヒのついた形。→ひ》一面にくもる。「—・ひ雪も降らぬか梅の花咲かぬが代(しろ)に擬(そ)へてだに見む」〈万一六四二〉 †tanakiraFi

たなぐも【たな雲】《タナはタナ(棚)と同根。タナ霧ラヒ・タナ引キのタナに同じ》空一面にわたる雲。「天の八重—を押し分けて」〈記神代〉 †tanagumo

たなぐも・り【たな曇り】『四段』《タナはタナ(棚)と同根》一面にくもる。「—・り雪は降り来(き)、さ曇り雨は降り来(く)」〈万三三一〇〉 †tanagumori

たなこ【店子】借家人。「惣領の烏帽子着の祝儀として…—連は〔銀子〕十匁出すべき事」〈三条高棚南町法度慶長一〇・一〇・二〉

たなごころ【掌】《「手(た)な心」の意。タはテの古形。ナは連体助詞》手のひら。たなうら。「—を開きて、独鈷(とこ)を浄蔵に与へてけり」〈著聞四六〉。「掌、和名太奈古々呂(たなごころ)、一云太奈曾古(たなそこ)、手心也」〈和名抄〉 **—のうち** 手中にある物のように、思うようになること。簡単、容易なことのたとえ。「朝敵たる上は、逆徒の誅戮(ちうりく)は—に候ふ間」〈古活字本平治中・待賢門軍〉 **—を返・す** 手のひらをかえす。きわめて簡単、容易であるたとえ。「行幸をこの御所へなし奉り、君を御位につけ参らせん事—・すが如くに候ふべし」〈古活字本保元上・新院御所〉 **—を指・す** ①きわめて明白、容易であるたとえ。「怕呼(はくこ)として無為なり。澹然(たんぜん)として事を減(お)す。然うして後に始めて学ぶときは—・すに異ならず」〈三教指帰中〉 ②することがぴたりと適中して正確であるたとえ。「弓射る事、射と射るもの、—・すが如し」〈今昔一〇ノ一六〉。「推条(推論)—・すが如し」〈平家三・法印問答〉

たなごひ【手巾・手拭】《タノゴヒの転》てぬぐい。「御楊枝、御—」〈竹むきが記〉。〈文明本節用集〉

たなさがし【棚探し】①夜中に台所の棚の残り物を探し集めて飲食すること。「風の手を入るるや藤の—」〈俳・夢見草一〉。「鼠ならで二十日団子や—」〈俳・渡奉公下〉 ②揚屋で、客が夜中に起き、遊女・太鼓持などと台所に出て、酒肴を探し集め酒盛りをすること。夜起き。「夜起き…これを俗に—とも云ふ」〈色道大鏡一〉 ③すみからすみまで探すこと。「藤の歌読むや心の—」〈俳・崑山集三上〉 ④他人の欠点・短所を洗いざらい悪く言うこと。「女郎のろくろ首・間夫狂ひの—」〈浮・好色敗毒散五〉

たなざらし【店晒し・棚晒し】商品が長い間売れず、店先で古びてしまうこと。また、その品物。「買食ひし—餅堅からん岩田河原で我は食ひけり」〈仮・仁勢物語下〉

たなした【店下】商家の軒下。見世棚の前。「—へ〔身ヲ〕片付けて通りければ」〈玉滴隠見四〉

たなしね【種稲】《タナはタネの古形。シネはイネに同じ》種にする稲。「百済の佐平鬼室福信に矢十万隻…—三千斛賜ふ」〈紀天智一年〉

たなし・り【たな知り】『四段』《タナはたしかに、しっかりの意》たしかにわきまえる。「其を取るとさわく御民も家忘れ身も—・らず」〈万五〇〉

たなすゑ【手末・手端】《タはテ(手)の古形。ナは連体助詞》手の先。手先。「手端吉棄、此をば多那須衛能余之岐羅毗(たなすゑのよしきらひ)と云ふ」〈紀神代上〉。「千引の石(いは)を—に擎(ささ)げて来て」〈記神代〉 **—のみつき**【手末の調】《手先でつくった調の意》女子の織った織物などを「調」としたもの。「此を男の弭(ゆはず)の調、女の—と謂(い)ふ」〈紀崇神十六年〉 →みつぎ

たなそこ【掌】《「手(た)な底」の意。タはテの古形。ナは連体助詞》手のひら。たなごころ。たなうら。「手掌…、此をば陁那則挙(たなそこ)…と云ふ」〈紀顕宗即位前〉。「掌、和名太奈古々呂(たなごころ)、一云太奈曾古(たなそこ)、手心也」〈和名抄〉 †tanasökö

たなだ【棚田】山の斜面などを耕して段段に作った田。「今は、山田にて棚に似たる故に、—といふ」〈高野山文書三、応永一三・三・晦〉

たなだて【店立て】家主などが借家人を追い立て、宿替えを要求すること。「此の間の—に…家主共難儀に及び候」〈御触書寛保集成四四、正徳三・一一〉

たなづし【棚厨子】棚のある厨子。「高き—一よろひ立て」〈源氏東屋〉

たなつもの【種子・穀】《タナはタネ(種)の古形。ツは連体助詞。種子の物の意》①稲の種。畠作をした粟・稗・麦・豆の種はハタツモノ・ハタケツモノといって区別した。「粟稗麦豆を以ては陸田種子(はたけつもの)とす。稲を以ては水田種子(たなつもの)とす。…即ち其の稲種を以て始めて天狭田(あめのさなだ)及び長田に殖(う)う」〈紀神代上〉 ②穀物の総称。「五(いつくさ)の穀物(たなつもの)を始めて、天の下の公民の作る物を、草の片葉に至るまでに成したまはぬこと一年二年にあらず」〈祝詞龍田風神祭〉 †tanatumönö

たななしをぶね【棚無し小舟】舟棚の無い小さな舟。「棚無し舟」とも。「何処にか船泊(は)てすらむ安礼の崎漕ぎ廻(た)み行きし—」〈万五八〉

たなは【手縄】《タはテ(手)の古形》①鵜飼(うかひ)が鵜につけて使う縄。鵜縄。「玉川の瀬瀬かひのぼるかがり火にさばく—の数を知りぬる」〈承暦四年篤子内親王侍所歌合〉 ②馬をつなぐ縄。さしなわ。「手縄、タナワ」〈黒本本節用集〉

たなはし【棚橋】板を棚のように渡した簡単な橋。「天の川—渡せ織女(たなばた)のい渡らさむに—渡せ」〈万二〇八一〉

たなばた【棚機】《タナ(横板)をつけたハタ(機)の意が原義。タナバタで織る少女をタナバタツメ(棚機女)といい、略してタナバタという》①織女。相愛の織女と牽牛とが仕事を怠った罰として天帝に仲を裂かれ、七月七日の夜、一夜だけ天の川を渡って相会することを許されたという中国の伝説の女性。この伝説は奈良時代に日本に広まり、平安時代には、織女は裁縫に巧みであるとされ、織女を祭って、裁縫・習字の上達を祈る風を生じた。「—の今夜逢ひなば常のごと明日を隔てて年は長けむ」〈万二〇八〇〉。「—の手にもおとるまじく、その方(裁縫ノ技術)も具して」〈源氏帚木〉 ②たなばたの祭。「かかるほどに〔六月晦日ノ〕祓ひのほどもすぎぬらん、—は明日ばかりと思ふ」〈かげろふ上〉 **—つめ**【棚機つ女】《ツは連体助詞》①機を織る女。「わがためと—のそのやどに織る白たへは織りてけむかも」〈万二〇二七〉 ②七夕伝説の織女星の異名。「天の河楫(かぢ)の音聞ゆ彦星と—とこよひ会ふらしも」〈万二〇二九〉。「織女、太奈八太豆女(たなばたつめ)」〈和名抄〉 **—まつり**【七夕祭】陰暦七月七日の夜行なわれる星祭。織女星が牽牛星に会うために、この夜天の川を渡るという中国の伝説によっている。乞巧奠(きつかうでん)。「—、かなたこなたとせさせ給へり」〈宇津保楼上下〉

たなび・き【たな引き】『四段』《タナはタナ(棚)と同根。横になびく意》①雲や霞などがうすく横に長く引く。「白雲の—・く山を越えて来にけり」〈万二八七〉 ②たなびかせる。雲霞(うんか)のように長く引きつらねる。「数千騎の軍兵を—・いて都へ入り給ふ由聞えしかば」〈平家三・法印問答〉 †

tanabiki

たなまた【手俣・手股】《「手(た)な股」の意。タはテの古形。ナは連体助詞》指と指との間。「―より漏(く)き堕(お)ちし者」〈紀神代上〉

たなもと【棚本】流しもと。台所。勝手。「せせなぎ・―まで、魚の小さいを取るは」〈四河入海二三下〉

たなもの【店者】商家に奉公している番頭・手代・丁稚(でっち)などの称。「今時分帰る奴は―ス」〈洒・角鶏卵〉

たなもり【店守・棚守】①店の管理人。「両人―を置く」〈祇園執行日記正平七・二・一〉②近世、商家の出見世を支配し、また従業員を監督する役。「―・手代、それぞれに得意の御屋敷へ出入り」〈西鶴・永代蔵一〉

たなゆ・ひィ:ュ**【たな結ひ】**『四段』《タナはたしかに、しっかりの意》しっかり約束する。「いざ見に行かな、事は―・ひ」〈万三九七三〉 †tanayuFi

たな・り『連語』《完了の助動詞タリの終止形に伝聞の助動詞ナリのついた形タリナリの音便形タンナリのンを表記しなかった形》…たそうだ。…たという。「思ひやり深うおはする人にてききあきらめ、恨み解け給ひに―・り」〈源氏真木柱〉

たなれ【手馴れ】《タはテ(手)の古形》①手に扱い馴れていること。「言問はぬ木にもありともわが夫子(せこ)が―の御琴つちに置かめやも」〈万八一二〉②飼い馴らしていること。「君し来ば―の駒に刈り飼はむさかり過ぎたる下葉なりとも」〈源氏紅葉賀〉

たなゐ【種井】春、苗代を作る時、稲の種をひたすために田の傍に掘る井戸。一説「田な井」で、田の中の井戸。「我がためは―の清水ぬるけれど」〈拾遺六七〇〉

たに【谷】《「峰(を)」の対》山あいの低く窪んだ、水と草のある所。「峰(みね)高み―を深みと」〈万四〇〇三〉。「溪、谿也、太尓(たに)、佐波」〈新撰字鏡〉

たに【商布】調(みつき)などとして官に納める以外の、自家用・交易用の布地。「西大寺に―一千五百段、稲七万四千束…を献ず」〈続紀宝亀八・六・五〉。「商布、タニフ・タニ」〈色葉字類抄〉

たに【為に】『連語』ために。「龍の馬を吾は求めむあをによし奈良の都に来む人の―」〈万八〇八〉

だに【駄荷】駄馬につけて送る荷物。近世、一駄四十貫目と定められていた。「花取りや春加はれる年に―〔ヲ送ル〕」〈宗静日記貞享三・三〉

だに『助』→基本助詞解説

たにぎ・り【手握り】『四段』《タはテ(手)の古形》①手ににぎる。「猟弓(さつゆみ)を―・り持ちて」〈万八〇四〉②手をにぎる。こぶしをにぎる。「面忘れだにも得(え)すやと―・りて打てども懲りず恋といふ奴」〈万二五七四〉 †tanigiri

たにぐく【谷蟆】《ククは蛙の古名、また、その鳴声という》ヒキガエル。「―のさ渡るきはみ聞こし食(を)す国のまほらぞ」〈万八〇〇〉

たには【丹波】旧国名の一。山陰道八か国の一。今の京都府の一部が大半を占め、それに兵庫県の一部を含む。丹州。たんば。「丹波、太邇波(たには)」〈和名抄〉 **―ぢ【丹波道】**山城国から丹波国にゆく道。「―の大江の山の真玉葛(またまづら)絶えむの心わが思はなくに」〈万三〇七一〉

だにをち【檀越】⇒だんをつ。「―や然(しか)もな言ひそ」〈万三八四七〉 ▽「檀」の字音danの末尾にiをつけてダニとしたもの。ゼニ(銭)・ボニ(盆)の類。

たにん【他人】ほかの人。よその人。「その客人(まらうと)、―の馬を盗みて」〈今昔九ノ二九〉 **―むき【他人向き】**他人同士のような、よそよそしく情愛のない態度。他人気(ぎ)。他人ぶり。「男の留守とて遠慮するは―」〈近松・三世相一〉

たぬき【狸】①タヌキ。「其の夜、〔二羽ノ鳥ガ〕樹の上に宿るに、―の為に二の鳥噉(く)はれぬ」〈今昔三ノ一三〉。「狸、和名太奴木(たぬき)、搏ㇾ鳥為ㇾ粮者也」〈和名抄〉②他人をだます人。また、だますこと。「やいやい、そこな―め」〈近松・国性爺後日三〉③《「狸寝入り」の略》寝たふりをすること。そらね。「起きなんしなどと―へ寄り掛かり」〈雑俳・柳多留拾遺六〉 **―じる【狸汁】**①狸の肉を大根・牛蒡(ごぼう)などと煮た味噌汁。「夕飡有り。…―有り」〈康富記嘉吉三・一一・二〉②こんにゃくを味噌汁仕立てにした料理。「小汁〔ハ〕―、引き物〔ハ〕麩(ふ)」〈多聞院日記天正九・三・一三〉

たぬ・し【楽し】『形シク』「たのし(楽)」の「の」に当る万葉仮名「努」などを「ぬ」とよみ誤って作られた語。江戸時代の国学者が多くこれを用いた。「菊の花折りてかざしてゑらゑらにさかみづきあそぶけふのたぬしさ」〈鈴屋集〉

たね【種・胤】《タナ(種)の転。タカ(竹)・タケ、サカ(酒)・サケの類》①果実の中にあって植物の発芽するもととなるもの。「水を多みあげ(高田)に―蒔き」〈万二九九九〉②(父の)血筋。系統。「かかりける―ながら、あやしき小家に生ひ出でけること」〈源氏常夏〉③結果を生ずる基因。仏教的には、因果の因。「世の中の常の道理(ことわり)かくさまになり来にけらしすゑし―から」〈万三七六一〉。「さきの世の―なき者は願へども叶はざれば」〈諸神本懐集末〉。「因、ヨシ・タネ」〈名義抄〉④素材。材料。「女鳥のわが大君の織ろす機(はた)、誰が―ろかも」〈記歌謡六六〉

たねがしま【種子島】火縄式の小銃。天文十二年、ポルトガル人が大隅国種子島に伝来したのでいう。後年の鉄砲より小型。種子島筒(づつ)。「―一放(挺)なりとも、人に借すべからざるの事」〈上杉家文書三、慶長三・六・二八〉

たねがはりハリ:ガ**【種変り】**兄弟姉妹の母が同じで、父が違うこと。「―の兄弟ありて」〈古今八卦大全五〉。「胤替、タネガハリ」〈書言字考〉

たねはら【胤腹】実の父と母と。実の両親。「―一つの兄も有り、妹もあれど」〈近松・氷の朔日中〉

たねん【多念】《「一念」の対》念仏を数多くとなえること。「一念なほ生まる。いかにいはんや―をや」〈和語燈録四〉

たのうだひと【頼うだ人】《頼みにしている人の意。多く狂言で使う》主人。「頼うだ者」とも。「惣別、―のやうに、ぶたしなみな人はござない」〈虎明本狂言・止動方角〉

たのごひゴイ:ノ**【手巾・手拭】**《タはテ、ノゴヒはヌグヒの古形》てぬぐい。「―を披(ひら)き敷きて」〈霊異記下一三〉。「手巾、太能古比(たのごひ)」〈名義抄(図書寮本)〉 †tanögöFi

たの・し【楽し】『形シク』《満腹で満ち足りた気持である意。後に、物質的に充足している意。平安女流文学にはこの語の例が無いが、それは、このような意味が、宮廷の女房社会では口にのぼせるにふさわしくなかった故であろう。中世では「貧し」の対。金銭的にゆたかである意》①(宴会などで酒肴が豊富で)満ち足りた感じだ。盛大で快い。「正月(むつき)たち春の来たらば斯くしこそ梅を招(を)きつつ―・しき終へめ」〈万八一五〉。「倡、太乃之(たのし)」、又、佐加由(さかゆ)」、又、由太介之(ゆたけし)」〈「倡」は楽、優の意〉〈新撰字鏡〉②(物心共に)満足安定している感じだ。「天地に足らはし照りてわご大君敷きませばかも―・しき小里(をさと)」〈万四二七二〉。「むかひて愛語をきくは、おもてをよろこばしめ、心を―・しくす」〈正法眼蔵菩提薩埵四摂法〉③裕福である。金持だ。「もし人、若くして―・しく老いて貧(まど)しきは、先世に、若かりし時功徳を作りて、老いて後邪見になりたる故なり」〈孝養集上〉。「へつらひて―・しきよりもへつらはで貧(まづ)しき身こそ心安けれ」〈沙石集三ノ二〉 †tanosi ―・び【楽しび】㊀〘四段〙身心ともに満たされた気持を味わう。「倶(とも)に林の中に往きて共に遊び賞(たの)しびけり」〈金光明最勝王経平安初期点〉。「婇女の共に高き楼の上に有りて娯楽す。仏、その―・ぶ声を聞き給ひて」〈今昔一ノ二〉 ▽平安時代初期までは上二段に活用したものと推定される。㊁〘名〙身心ともに満たされた気持。「よろこびは身に過ぎ、―心にあまり」〈古今序〉。「天には―に着せるが故に〔般若ヲ〕受持する者なし」〈今昔七ノ七〉 ―・み【楽しみ】㊀〘四段〙①身心ともに満足を味わう。「おのれが身、数ならずして、権門のかたはらに居るものは、深く喜ぶことあれども、大きに―・むに能(あた)はず」〈方丈記〉。「人―・み、人愁ふ、これ皆世上の有様なり」〈謡・熊野〉②物質的に幸福になる。ゆたかになる。「仏御前がゆかりの者どもぞ始めて―・み栄えける」〈平家一・祇王〉。「家富み―・み、子ども孫(うまご)繁盛し」〈伽・雀夕顔〉㊁〘名〙身心の満足。また、富貴安楽。「帝王の深き宮に養はれ給ひて、いろいろの―におごり給ひしかど」〈源氏明石〉。「かの忉利天(たうりてん)の如きは―極まりなしといへども」〈孝養集上〉 ―や【楽し屋】富貴安楽の家。「上長者町に酒造り込み、春夏は暇なる―有り」〈西鶴・諸国咄三〉

たのみ【田の実】田にみのった稲の実。歌では「頼み」とかけていうことが多い。「秋風にあふ―(田ノ実・頼ミ)こそ悲しけれわが身むなしくなりぬと思へば」〈古今八二二〉。「秋の―を刈りをさめ」〈源氏明石〉

たの・み【頼み・恃み】㊀〘四段〙《タは接頭語。ノミは祈(の)みの意か。ひたすらよい結果を祈って、相手に身の将来をまかせる意。類義語タヨリは、何かの手がかりに寄りかかって、相手に依存する意》①全面的に信頼して相手の意のままにまかせる。「汝(いまし)を―・み母にたがひぬ」〈万三三五九東歌〉。「練りの言葉は我は―・まじ」〈万七七四〉②あてにする。期待をかける。「吾妹子(わぎもこ)が袖を―・みて真野の浦の小菅の笠を着ずて来にけり」〈万二七七一〉。「聖人其れを以て本としてまた人を催し、その村の人の与力(協力)を―・みて大きに法会を儲けて供養しけり」〈今昔三一ノ二〉③相手を主人として一身を託する。「頼朝を―・まば、助けてつかはむは、いかに」〈平家一二・六代被斬〉㊁〘名〙①全面的に依存すること。また、その相手。「年頃の―失ひて、心細く思ふらむ」〈源氏夕顔〉②望み。期待。「さりともつひに男あはせざらむやはと思ひて―をかけたり」〈竹取〉。「―を叢祠の露に掛くれば、たちどころに利生にあづかる」〈諸神本懐集本〉③近世、婚約の証として婿方から嫁方へ送る金帛・酒肴。結納。言入(いひいれ)。「冷泉〔家〕より住吉社務妹へ―とて、〔引合せ紙〕一束…板の物…等遣はされ了んぬ」〈言経卿記天正一六・閏一〇・四〉 †tanömi ―がほ【頼み顔】いかにも相手を信頼している様子。「知らぬ人に斯く声を聞かせ奉り、すずろに―なる事などもありつる」〈源氏椎本〉 ―だる【頼み樽】結納として贈る酒樽。「隠れもなき仲人嬶(なかうどかか)有り。是を深く―のこしらへ、願ひ首尾して」〈西鶴・五人女三〉 ―どころ【頼み所】信頼するところ。頼りにするところ。「天の下の―に仰ぎ聞えさするを」〈源氏若菜上〉。「終(つひ)の―(本妻)には思ひ置くべかりける」〈源氏帚木〉 ―なら・ひ【頼み慣らひ】〘四段〙頼ることが習慣となる。常常頼みに思っている。「若きどち―・ひて、おのおのは、またなく契りおきてければ」〈源氏若菜上〉

たの・み【手飲み】〘四段〙手ですくい飲む。歌で「頼み」とかけていう。「山城の井手の玉水手にむすび―・みしかひもなき世なりけり」〈伊勢一二二〉

たのむ【田の実】《タノミの転》「田の実の祝ひ」の略。「―を畠山・甲斐両所へ遣はし了んぬ」〈経覚私要鈔文安四・八・六〉 ―のいはひ【田の実の祝ひ】収穫を控えて、これを予祝する行事であったという。八朔(はっさく)即ち陰暦八月一日の前後に行なわれたが、次第に八朔の日に固定するようになり、新穀を贈答する行事にもなった。「頼む」に通じることから、武家時代には、主君と家人との間で物を贈答し、封建的主従関係を強固にする重要な儀式とされた。「伏見殿より御―の御返し」〈言継卿記天文一三・八・二〉

たのむ【田の面】《タノモの転》田のおもて。田。歌で「頼む」とかけていう例が多い。「みよしのの里は荒れにし秋の野にたれを―の初雁(はつかり)の声」〈秋篠月清集二〉 ―のかり【田の面の雁】田におりている雁。歌では多く「頼む」にかけていう。「わが方によると鳴くなるみ吉野の―をいつか忘れむ」〈伊勢一〇〉。「春はつばくらめ(燕)、秋は―の訪るるやうに」〈平家三・足摺〉

たの・め【頼め】㊀〘下二〙《頼ミの他動詞形》頼みに思わせる。あてにさせる。「言のみを後も逢はむとねもころに我を―・めて逢はざらむかも」〈万七四〇〉。「―・めつつあはで年ふる偽りにこりぬ心を人は知らなむ」〈古今六一四〉㊁〘名〙①頼みに思わせること。期待させること。「この御行先の―は、いでやと思ひながらも」〈源氏宿木〉②結納。たのみ。「えにしをば有るに任せて結ぶべし／―に送る帯の数数」〈俳・寛永十三年熱田万句一三〉 †tanöme

たのも【田の面】《タノオモの約》田のおもて。たんぼ。「坂越えて阿倍の―にゐる鶴(たづ)のともしき君は明日さへもがも」〈万三五二三東歌〉 †tanömö

たのもし【頼母子・憑子】講の一種。鎌倉時代以降近世まで盛行した共済的な金融組織。はじめは無利子・無担保であったが、やがて担保・利子つきとなり、無尽(むじん)と区別がつかなくなった。「〔豊原〕定秋宿所―興行」〈教言卿記応永一二・一二・七〉。「憑母子、タノモシ、或は憑子・頼子・頼支と作る。日本の世俗、少銭を出して鬮を取り多銭を取る、之を―と謂ひ、又合力と云ふ」〈文明本節用集〉 ―かう【頼母子講】「たのもし」に同じ。「―にこれは何事」〈俳・宗因五百句〉

たのも・し【頼もし】〘形シク〙《頼ミの形容詞形》①必ず頼みになるように思われる。「―・しきもの。心地あしきころ、伴僧あまたして修法(ずほふ)したる」〈枕二六五〉②まかせておいて安心である。後顧の憂いがない。「近き程は、おこたる折も、のどかに―・しくなむ侍りけるを。かく遙かにまかりなむとすれば、うしろめたく」〈源氏蓬生〉③期待が持てる状態である。楽しい夢をえがくことができる。「〔夢ノ〕なごり―・しう、うれしうおぼえ給ふ事かぎりなし」〈源氏明石〉④(生活の心配など全然なく)富裕である。「我は、若かりし折は、まことに―・しくてありし身なり」〈宇治拾遺一二三〉 ―だて【頼もし立て】頼りになるように思わせること。侠気のあること。「―仕(つかまつ)り人に誉めらるべき事」〈仮・長者教〉 ―づく【頼もし尽く】互いに信頼できるように誠意を尽すこと。義侠心で付き合うこと。「傍輩に―をして、そちが一大事の時には我ものがれはせまい、そちが死なば我も死なんなどと云ふ事、云はぬものぞ」〈春鑑鈔〉 ―どころ【頼もし所】信頼できると思う人。頼るところ。「このごろわづらふ事侍るにより、…―に、こもりて物し侍るなり」〈源氏若紫〉 ―びと【頼もし人】頼りにする人。信頼する人。「この君を―に思したる」〈源氏野分〉

たばか・り【測り・謀り】㊀〘四段〙《タは接頭語。ハカリは、未知の分量・重さなどを知ろうと計量するのが原義。転じて、物事の処理を工夫し計画する意。さらに、たくらんで人をだます意》①計画をめぐらす。工夫する。「いと賢く—・りて、難波にみそかにもて出でぬ」〈竹取〉②相談する。「かかることなむあるを、いかがすべきと—・り給ひけり」〈大和一七一〉③とりつくろう。「つきづきしきことつけども作り出でて、父おとどなど、かしこく—・り給ひて」〈源氏真木柱〉④だます。ごまかす。「佐々木に—・られにけり。〔川ノ流レハ〕浅かりけるぞや」〈平家一〇・藤戸〉。「謀、たばかる、人をたらす也」〈和漢通用集〉㊁『名』①工夫。計画。「かずまへられ給ふべき—思し構へよ」〈源氏玉鬘〉②策略。謀略。「この女の—にや負けむと思して」〈竹取〉 **—いだ・し**【謀り出し】『四段』工夫して考え出す。案出する。「おほけなき事も—・し侍らば、かばかり小さき御身一つは空より率て奉らせ給ひなん」〈源氏浮舟〉 **—ごと**【謀り事】はかりごと。計略。「かの—を申す。おとど聞き給ひて心魂まどひて」〈宇津保忠乞〉

たは・け タワケ【戯け】㊀『下二』《タハレ(婬)・タハブレ(戯)と同根。常軌を逸したことをする意》①不倫な行為をする。「王、年幼し。木満致(もくまんち)国政を執る。王の母と相婬(あひたは)けて、多に無礼」〈紀応神二十五年〉②愚かしいことをする。ばかげる。「さても—・けた事かな。…何の用にもない物を楽しむ事かな」〈驢鞍橋上〉㊁『名』①性的な不倫。「上通下通(おやこ)—・馬—…の罪の類」〈記仲哀〉②あほう。ばか。「何と見申し候うても、上総介(織田信長)は—にて候」〈信長公記首巻〉 †taFakë **—もの**【戯け者】ばか者。愚か者。「この桑名越前守は—の母方の伯父なり」〈江源武鑑一四〉。〈日葡〉

タバコ【煙草】南アメリカ原産のナス科の一年草。その葉を干し刻んで喫煙し、嗜好品とした。日本には、遅くも近世慶長前期に伝来し、喫煙の風習が一般に流行すると共に、換金作物として広く栽培された。「此の二三ヶ年以前より—と云ふもの南蛮船に〔ヨリテ〕来朝して、日本の上下これを専らにす」〈当代記慶長一三・一〇〉 ▽ポルトガル tabaco **—きり**【煙草切り】葉煙草を手間賃を取って刻み、または小売する商売。また、その職人。「たばこきざみ」とも。「湿りては煙の立たぬ—」〈俳・独吟一日千句〉

たはこと タワ：【狂言・戯言】《タハはタハレ(婬)・タハケ(戯)のタハに同じ》正気を失って口走ることば。「逆言(およづれ)か、わが聞きつる、—か我が聞きつるも」〈万四二〇〉。「既に—に云へるならむ」〈三宝絵上〉。「譫語、タワコト」〈文明本節用集〉 †taFakötö

たばさ・み【手挟み】『四段』《タはテ(手)の古形》手に挟んで持つ。また、わきに挟む。「梓弓(あづさゆみ)八つ—・み」〈万三八八五〉 †tabasami

たは・し タワシ【戯し・婬し】『形シク』《タハケ・タハレ(戯)と同根》女性関係に常軌を逸している。「師輔のおとど、いと—・しくおはして、あまたの北の方の御腹に男十一人・女六人」〈栄花月宴〉。〈名義抄〉

たばし・り『四段』《タは接頭語》あたって飛び散る。「わが袖に霰(あられ)—・る巻き隠し消たずてあらむ妹が見むため」〈万二三一二〉

たば・せ【賜ばせ】『下二』《動詞タビ(賜)の未然形に尊敬の助動詞スのついた形》お与えになる。下さる。「その船こなたへ漕ぎ戻して—・せ給へ」〈太平記二・長崎新左衛門〉。「かの疫病をたちまちに除き—・せ給へ」〈伽・善光寺本地〉

たばなれ【手離れ・手放れ】《タはテ(手)の古形》手から離れること。わかれ。「防人に立ちし朝明(あさけ)の金門出(かなとで)に—惜しみ泣きし児らばも」〈万三五六九防人〉

たば・ね【束ね】㊀『下二』一つにつかねる。束にする。「早苗を取りて—・ね置きたる也」〈仙覚抄八〉。「把・束、タバヌル」〈文明本節用集〉㊁『名』①束にしたもの。また、その数を数える語。「一把と書きては一—と読み、一束と書きては一つかねと読めり」〈庭訓抄上〉②取締り。支配。「主手代助右衛門、この家の—」〈近松・大経師上〉③近世後期、文化ごろ流行した男髪の結い方。「—とは、油を少しも付けず、水髪に結ひて髱(たぼ)をふっくりと出し、刷毛先(はけさき)をばらりと散らして、髷の一を上の方へそらして結ふなり」〈滑・浮世床初上〉 **—ぎ**【束ね木・束ね薪】割った薪(たきぎ)を束ねたもの。「—に松はもとより夕煙」〈俳・独吟一日千句〉

たば・ひ タバイ【惜ひ】『四段』①惜しむ。大切に守る。「身を—・ひ、命を惜しみて」〈他阿上人法語三〉。「未練者は命を全くせず、言葉を—・はず」〈伽・鴉鷺物語〉。「惜、タバフ」〈名義抄〉②貯える。「持、タバウ、嗜み置く義也」〈文明本節用集〉。「物をたくはへ置き侍るやうなることを、—・ふといふ」〈俳・かたこと五〉

たはぶ・れ タワブレ【戯れ】㊀『下二』《タハケ・タハレ(戯)と同根。常軌を逸したことをする、ふざけた気持で人に応接する意》①遊ぶ。ふざける。「立てれども居(を)れども共に—・れ」〈万九〇四〉②かまう。からかう。「をかしく人の心を見給ふあまりに、かかる古人をさへぞ—・れ給ふ」〈源氏玉鬘〉㊁『名』①気軽な行い。「あさか山の言葉は、采女(うねめ)の—よりよみて」〈古今序〉②冗談(じょうだん)。「空酔(そらゑひ)をしつつ斯く宣ふ、—のやうなれど」〈源氏若菜下〉③いいかげんなこと。「天子には—の言葉なし。綸言(りんげん)汗の如しとこそ承れ」〈平家三・頼豪〉 **—がたき**【戯れ敵】遊び相手。「〔若君ヲ〕召しまとはし、—にし給ふ」〈源氏紅梅〉 **—こと**【戯れ言】軽い気持で言った言葉。冗談。「あな物狂ほし。—とこそわれは思ひしか」〈かげろふ上〉 **—にく・し**【戯れにくし】『形ク』軽く考えては済まされない。冗談として片付けていられない。「ありぬやと試みがてらあひ見ねば—・きまでぞ恋しき」〈古今一〇二五〉。「御供の人人、いと—・しと思ひて、ただ急がしに急がし出づれば、我にもあらで出で給ひぬ」〈源氏浮舟〉 **—びと**【戯れ人】遊び者。「〔婿ニナッテモ〕夜を重ね給ひて訪ふなし。あやしき—にてありける」〈宇津保嵯峨院〉

たはみづら【たはみ蔓】蔓草の名。田や池沼に生える。ヒルムシロをさすといい、また、ミクリ・ジュンサイ・ネナシカズラなど諸説がある。「安波峰(あはを)ろの峰(を)ろ田に生(お)はる—」〈万三五〇一東歌〉 †taFamidura

たはむ・れ タワムレ【戯れ】㊀『下二』「たはぶれ」㊀に同じ。「汝は我が娘の嫁するを待たずして帰るやと—・る」〈狐媚鈔〉。「戯、タハムル」〈倭玉篇〉㊁『名』「たはぶれ」㊁に同じ。「笑はるる時にもむげに腹立ちて—知らぬ人ぞうたてき」〈西明寺殿百首〉

たはやす・し タワ：【たは易し】『形ク』《連用修飾語として打消の語を伴って使われることが多い》①手段がとりやすい。容易である。「この玉—・くえ取らじを」〈竹取〉②軽軽しい。「—・く言(こと)出づべき事にもあらねば」〈源氏宿木〉 →たやすし

たはら タワラ【俵】わらを編んで、穀類を入れるもの。「俵、タハラ」〈色葉字類抄〉 **—重・ぬる** 近世、正月に「転ぶ」「つまづく」を忌んでいう言葉。「もしも躓(つま)く者有れば、—・ぬるなどと言ひ」〈仮・案内者一〉 **—どし**【俵腰】俵のように太い腰。「お米(よね)が—に喰ひ付いて」〈近松・丹

波与作中〉 **—むかへ**エムカ【俵迎へ】近世、奈良で年初三日間の早朝、吉野から売りに来た弁財天・多門天・夷(えびす)の福神の札を買って祝った風習。「元日に『——』と売りけるは」〈西鶴・胸算用四〉 **—もの**【俵物】《ヘウモツとも》①俵に入れてある物。米穀・大豆などにいう。「舟着きの岸にはへ置く—」〈俳・絵合上〉②近世、長崎貿易で、重要な輸出品であった水産品。煎海鼠(いりこ)・乾鮑(ほしあわび)。のちには鱶鰭(ふかのひれ)を加えた。俵詰めにして輸送したからいう。「長崎—請け方の者買ひ取り来たり候」〈御触書天明集成四五、宝暦一四・三〉

たば・り【賜り】『四段』《タマハリの転》①いただく。「—・りたる茅花(つばな)を食(は)めど」〈万一四六二〉②神の許可を得る。「色深く背なが衣は染めましを御坂(みさか)—・らばまさやかに見む」〈万四四二四〉

たは・れタワレ【戯れ・婬れ】『下二』《タハブレ(戯)・タハシ(婬)と同根。常軌を逸した行為をする意》①異性と不倫な関係をむすぶ。「人皆のかく迷(まと)へれば、容(かほ)よきによりてそ妹は—・れてありける」〈万一七三八〉②色恋におぼれる。「さりとて、ひたすら—・れたる方にはあらで、女にたやすからず思はれむこそ、あらまほしかるべきわざなれ」〈徒然三〉③謹厳さを欠く。くだけた態度をする。「〔役人トシテハ〕少し—・れて、あざれたる方なりし」〈源氏藤裏葉〉 **—め**【戯れ女】遊女。あそびめ。「河の瀬に浪の浮草うかれありくその—をいかが頼まん」〈夫木抄三五・遊女〉。「—。傾城の事なり」〈匠材集二〉

たはわざタワ…【戯業・戯事】《タハはタハレ(戯)のタハに同じ》たわけたしわざ。たわけごと。「いざ子ども—なせそ天地の固めし国そ大倭島根は」〈万四四八七〉

たはん【打飯・攤飯】僧が食事すること。「—とは飯を腹中へ食うたを云ふぞ」〈玉塵抄三〉。〈運歩色葉集〉

たひタイ【鯛】魚の名。上代から食用魚の中でも特に美味のものとされていたようである。「醤酢(ひしほす)に蒜(ひる)搗(つ)き合(か)てて—願ふ」〈万三八二九〉。「鯛、太比(たひ)、味甘冷無毒、貌似鯽(ふな)而紅鰭者也」〈和名抄〉 ▽朝鮮語 tomi(鯛)と同源。 †tapi

たひ【手火】《タはテ(手)の古形》手にとって道などを照らす火。たいまつ。「秉炬、これを多妃(たひ)といふ」〈紀神代上〉 †tapi

たび①【単皮】靴の一種。一枚の皮で作る。「—といふくつを花につけて得させたる。あしひきの山の桜も見に行かじこのたび得たるくつの惜しさに」〈重之集〉。「野人以₂鹿皮₁為₂半靴₁。名曰₂多鼻(たび)₁」〈和名抄〉②【足袋】防寒・儀礼などのために、足にはく物。「猪のさやつかの尻鞘したる太刀はきて、猿の皮の—に、沓きりはきなして」〈宇治拾遺一三〉

たび【度】①おり。時。「この—はいかでかいなび申さむ」〈竹取〉。「世の常ならずおもしろかるべき—のことなりければ」〈源氏紅葉賀〉②度数。回数。「いにしへゆ無かりし瑞(しるし)—まねく申し給ひぬ」〈万四二五四〉。「此の道を行き交ふ—重なるを思ふに」〈源氏東屋〉 †tabi

たび【旅】住みかを離れて、一時よそへ行くこと。古くは必ずしも遠方へ行くことをいわず、住みかを離れることをすべて「たび」という。「—にして妹に恋ふればほととぎすわが住む里に此よ鳴き渡る」〈万三七八三〉。「あるやうありて、しばし—なる所にあるに」〈かげろふ上〉 †tabi

た・び【賜び・給び】『四段』《タマヒの転》①(目上から目下へものを)お与えになる。「あかねさす昼は田—・びてぬばたまの夜の暇(いとま)に摘める芹子(せり)これ」〈万四四五五〉。「下衆(げす)共の料にとて、布などいふものをさへ召して—・ぶ」〈源氏宿木〉②《動詞の連用形について尊敬を表わす》…なさる。「わが聞きし耳に好く似る葦のうれの足ひくわが背勤め—・ぶべし」〈万一二八〉。「かの衣の質(しち)返し—・べ」〈竹取〉 ▽tamapi→tampi→tambi→†tabi

だび【荼毘】〔仏〕《梵語の音訳。燃焼の意》火葬。「〔仏舎利ヲ〕拾ひし時をかぞふれば、—のけぶり年久し」〈三宝絵下〉

たびいし【礫石】《ツビイシ(粒石)の母音交替形》つぶて。小さい丸い石。「鷺を見て礫(たびいし)・塊(つちくれ)を拾ひ集めて擲(な)げ打つに」〈霊異記中一七〉。「礫、タヒイシ」〈名義抄〉

たびがらす【旅鳥】旅行によく馴れた者。旅巧者。「旅雀」とも。「—古巣は梅になりにけり」〈俳・鳥の道上〉

たびこ【旅子】地方廻りをして色を売る陰間(かげま)。「飛び子」とも。「初芝居心を留むる—も無し」〈俳・堺絹〉

たびごこち【旅心地】旅をする時の心持。旅情。「たびごころ」とも。「秋の山紅葉を幣(ぬさ)と手向(たむ)くれば住む我さへぞ—する」〈古今二九九〉

たびごとに【度毎に】『連語』そのおりごとに。その時いつも。「見奉る—」〈源氏賢木〉。「—乾(いぬゐ)の方より巽(たつみ)へぞ吹きける」〈著聞五八六〉

たびごろも【旅衣】《奈良時代はタビコロモ》旅行中着るもの。「—八重(やへ)着重ねて」〈万四三五一上総防人〉。〈日葡〉 †tabikörömö

たびしかはら…カワラ【礫瓦】《タビシはタビイシ(礫石)の約》物の数でない賤しい者。「—などまで悦び思ふなる」〈源氏蓬生〉。「—といふまで、いつかはそれを恥ぢかくれたりし」〈枕二四〉

たびしばゐ【旅芝居】田舎廻りの小屋掛けの芝居。「笘屋形(とまやかた)都から来る—」〈俳・独吟一日千句〉

たびしょ【旅所】⇒おたびしょ。「祇園—并びに卿相雲客の家、数十ケ所焼け了んぬ」〈葉黄記寛元四・六・六〉

たびすがた【旅姿】旅の衣類を身につけたすがた。旅装。「少し黒みやつれたる—」〈源氏夕顔〉

たびすずめ【旅雀】「旅鳥(たびがらす)」に同じ。「げに武士の習ひとて、時を嫌はぬ—」〈浮・元祿曾我物語一〉

たびすずり【旅硯】旅行用の懐中できる小硯。「書初めや都なれども—」〈俳・桜川一〉

たびずみ【旅住み】自分のきまった住みか以外の所に住むこと。仮の住まい。「年頃ならひ給はぬ—に」〈源氏真木柱〉

たびだ・ち【旅だち】『四段』①自宅以外の所に滞在する。よそに泊る。「かたはらいたきもの。…—・ちたる所にて下衆(げす)どもざれゐたる」〈枕九六〉②旅に出かける。「住みなれし都をふり捨てて—・たん事のさりがたく覚えて」〈撰集抄八ノ二六〉③いかにも旅らしい感じを与える。「旅籠所(はたごところ)とおぼしきかたより、切り大根物の汁してあへしらひてまづ出したり。かかる—・ちたるわざどもを」〈かげろふ上〉

たびたび【度度】『副』何度も。「来むといへり。喜びて待つに、—過ぎぬれば」〈伊勢二三〉

たびたま・ひ…タマイ【賜び給ひ】『四段』《「賜び」よりも一段と敬意のこもった言い方》①お与えくださる。「〔生レタ子ヲ〕わらはに—・へ。養ひたてて一家の形見にもせん」〈古活字本曾我一〉②《動詞の連用形に「て」の付いた語に接続して》…てくださる。「その船これへ寄せて—・へ」〈太平記二・長崎新左衛門〉。「弔ひて—・へ、跡弔ひて—・へ」〈謡・実盛〉。「生きながらこの身を悪鬼となして—・へ」〈伽・かなわ〉 ▽多く「賜び給へ」と命令形で使う。

たびと【旅人】《タビヒトの約》たびびと。「飯(いひ)に飢(ゑ)て

臥(こや)せるその―あはれ」〈紀歌謡一〇四〉 †tabitö

たびどころ【旅所】常の住まいを離れて宿る所。「かかる―に、あまた〔オ供モ〕参らざりけるに」〈源氏夕霧〉

たびね【旅寝】自分のいつもの住みか以外の所で寝ること。旅先で寝ること。「神風の伊勢の浜荻(はまをぎ)折り伏せて―やすらむ荒き浜辺に」〈万五〇〇〉 †tabine

たびのそら【旅の空】①旅にあってながめる空。「初雁は恋しき人のつらなれや―飛ぶ声の悲しき」〈源氏須磨〉②心細い旅の境遇。旅先。「―に、助け給ふべき人もなき所に、いろいろの病をして」〈竹取〉

たびびと【旅人】旅する人。「―の宿りせむ野に霜ふらばわが子はぐくめ天の鶴(たづ)群」〈万一七九一〉 †tabibitö

たびまくら【旅枕】「旅寝(たびね)」に同じ。「草枯れて今朝行く野辺の初霜にさびしかるべき―かな」〈拾玉集三〉

たびやどり【旅宿り】旅先で寝る場所をきめること。旅のやどり。「草枕―せす古へ思ひて」〈万四五〉 †tabiyadöri

たびよぎ【旅夜着】旅人が道中持参する夜着。「―の下に焦がれて物言はぬ契りをこめ」〈西鶴・男色大鑑二〉

たひらラタイ【平ら】①高低のないこと。また、その所。「平処、此をば…陁毗邏(たひら)と云ふ」〈紀神代下〉②あぐらをかくこと。「膝も―に直る宗盛」〈俳・寛永十三年熱田万句五三〉。「さあ、みんな―に―に」〈洒・辰巳之園〉 †tarira

―か【平らか】①高低のないさま。安らかなさま。穏やかなさま。「昔は、人の心―にて」〈源氏若菜上〉②平穏無事。「やよひの十よ日の程に―に生れ給ひぬ」〈源氏若菜上〉。「―に事成り果てぬれば」〈源氏葵〉 **―・ぎ**【平らぎ】『四段』①平たくなる。「山の頂の少し―・ぎたるより、煙は立ちのぼる」〈更級〉②静まる。治まる。「御物怪―・ぎたるさまなれば」〈栄花玉飾〉③(病気などが)直る。平常通りになる。「朱雀院の御薬の事、なほ―・ぎ果て給はぬにより」〈源氏若菜上〉 **―・げ**【平らげ】『下二』①平坦にする。ならす。「夕庭に踏み―・げず」〈万三九五七〉②(敵などを)鎮圧する。平定する。「韓国(からくに)を向け―・げて」〈万八一三〉。「怨敵(をんでき)を、目の前に―・げ」〈平家七・竹生島詣〉 †tarirage **―け・し**【平らけし】『形ク』穏やかである。無事である。「―・くま幸(さき)くませと天地の神祇(かみ)を乞ひ禱(の)め」〈万四四〇三〉 †tarirakesi

だびらひろ【だびら広】《ダビラはダンビラに同じ》太刀の幅の広いこと。「七尺三寸の太刀―に作りたるを」〈太平記三二・神南合戦〉

だびらゆき【だびら雪】春先降る、薄くて大片の雪。「摘み(積ミト掛ケル)ませぬ野辺のたびらこ―」〈俳・小町踊一〉。〈名語記二〉

たひろか・し『四段』手をひらひらさせる。「飄掌、此をば陁毗盧箇須(たひろかす)といふ」〈紀神代下〉 †tarirokasi

たびゐ【旅居】①常の住居を離れて、他の場所に居ること。自宅を離れた生活。「〔オ産ノタメニ〕すずろなる―のみして」〈源氏蜻蛉〉②旅先で宿ること。「我この寺に―して、心をすます折ふしに」〈謡・井筒〉

たふウト【答】①返事。返答。「問はれて、―のなかりけるとかやぞ申す」〈龍鳴抄下〉②先方の働きかけに対してこたえること。返礼。「これが―はかならずせむ」〈枕二七六〉

たふウト【塔】〔仏〕《「塔婆(たふば)」から》仏舎利を安置するため、または供養・報恩のしるしとするため、もしくは霊地を表わすために建てる高層建造物。三重・五重・七重・十三重などがあり、他に、多宝塔・五輪塔など多くの種類がある。「香(こ)塗れる―にな寄りそ」〈万三八二八〉。「知識を引率して、七重の―を建て、その舎利を安みして、供養し了る」〈霊異記中三一〉

たぶ【睡】耳たぶ。「仕合(しあはせ)の善悪を―が善い悪いと云ふ。…耳の―厚うして米粒の坐(すは)るものは仕合善しと云ふ」〈志不可起三〉

たふかトゥ：【踏歌】歌い舞い、足踏みして踊ること。正月に行なわれた宮中の行事。天武天皇三年に男女の別なく行なったのが最初。その後、正月十四日が男踏歌、十六日が女踏歌と定められた。男踏歌には、少年を中心とした殿上地下の四位以下の人人が舞人・楽人となり、催馬楽(さいばら)を歌い、行列を作りながら宮中より外へ出て、夜明けまで踊り歩く。女踏歌には、内教坊の妓女を中心に中宮・東宮の舞妓などが紫宸殿の南庭を三周して舞い、踏歌する。女踏歌は室町時代まで行なわれた。あればしり。「晩頭に皇后の宮に移幸す。百官主典已上陪従し、―して且つ奏し且つ行く。宮裏に引き入りて以て酒食を賜ふ」〈続紀天平二・一・一六〉 →うたがき(3) **―のせちゑ**【踏歌の節会】天皇が紫宸殿で踏歌を御覧になり、そのあと五位以上の群臣に宴を賜わった年中行事。「〔養和二年正月〕十六日には―も行なはれず。当代の御忌月なればなり」〈盛衰記二八〉

たぶさ【髻】髪の毛を頂に集めてたばねた所。もとどり。「今ぞ知る―の珠を得しことは心をみがくたとへなりけり」〈聞書集〉

たぶさ【手房】手首。手。腕。「篠(ささ)の葉を―に取りて」〈神楽歌一五〉。「折りつれば―にけがる立てながら三世の仏に花奉る」〈後撰一二三〉

たふさき【犢鼻褌】今の越中褌(ふんどし)のようなもの。まわし。したのはかま。「我がせこが―にする円石(つぶれし)の」〈万三八三九〉。「犢鼻褌…今三尺布作レ之、形如二牛鼻一者也、松子、毛乃之太乃太不佐岐(ものしたのたふさき)、一云水子、小褌也」〈和名抄〉

たふ・しシタオ【倒し】『四段』《倒レの他動詞形》①しっかり直立しているべきものを、急に横ざまにする。「猛き風の大きなる樹を吹き―・すが如くして」〈金光明最勝王経平安初期点〉②滅ぼす。「身を売り、家を―・すべき者」〈上杉家文書三、元和五・五・一三〉

たぶせ【田伏・田廬】田の中のふせや。田を耕作するために滞在する小屋。「然(しか)とあらぬ五百代(いほしろ)小田を刈り乱り―に居れば都し思ほゆ」〈万一五九二〉

たぶたぶ 量などが十分にあるさま。たっぷり。「打銚子に玄水を―と入れて来たれり」〈雑談集三〉。「篦巻(のまき)より上、十四束に―と切りたるを」〈義経記五〉。「水の色が―とたたへて」〈中華若木詩抄下〉

たふたふにトウトウ：『副』《禁止・打消の語を伴って》かえすがえすも。さらさらに。どんな場合にも。「その琴…ゆめ―人に見せ給ふな」〈宇津保俊蔭〉。「琴はさる世の一なれば―せねど、他遊(ことあそび)は…ものよりことに抜け出でて」〈宇津保俊蔭〉

たぶて【礫】「つぶて」の古語。「―にも投げ越しつべき天の川隔てればかもあまた術(すべ)無き」〈万一五二二〉。「飛礫、タブテ」〈名義抄〉

たふと・しトウトシ【尊し・貴し】『形ク』《タは接頭語。フトシは、壮大であることを表わす語。従ってタフトシは、自然現象を壮(さか)んで立派であるとし、人の身分を高く価値ありと畏敬する心持を表わす。後に転じて、有難いと思う意》①壮大である。神神しくさかんである。「天の下すでに覆ひて降る雪の光を見れば―・くもあるか」〈万三九二三〉。「赤玉は緒さへ光れど白玉の君が装ひし―・くありけり」〈記歌謡七〉②畏敬・尊敬に価する。「父母を見れば―・し、妻子

(めこ)見ればめぐしうつくし」〈万八〇〇〉 ③身分などが高い。立派である。「富めりし門の反(か)りて貧しく、—・かりし人家の忽ちに賤(いや)しく成りては」〈東大寺諷誦文稿〉 ④ありがたい。かたじけない。「声静めて法華経を読みたる。いみじう—・し」〈源氏葵〉 †taFutosi

たふと・び トウトビ【尊び・貴び】〘上二〙《タフトシ(尊・貴)の動詞形》 立派であるとしてあがめ仰ぐ。敬い重んじる。「黄金出でたり…此を聞し食(め)し、驚き悦び—・び念(おもほ)さくは」〈続紀宣命一三〉。「験(げん)物し給ひけりと見給ひてより、こよなう—・び給ひて」〈源氏夢浮橋〉。「男女来たり拝みて喜び—・ぶるものおのづから多かり」〈三宝絵下〉 †taFu-tobi

たふと・み トウトミ【尊み】㊀〘上二〙「たふとび」に同じ。「あまたの経論の疏(しよ)を作り伝へ法を広めて世に—・みらるるを、そねみねたみて云はく」〈三宝絵中〉 ㊁〘四段〙「たふとび」に同じ。「ひとへに垂跡(すいしやく)を—・む者は」〈諸神本懐集本〉 ▽万葉集四〇九四の「撫で給ひ治め給へば、此(ここ)をしもあやにたふとみ嬉しけくいよよ思ひて」のような例は、四段活用か連語か区別し難い。 †taFutomi

たふのはい トウ【答の拝】 拝賀や拝礼などに来る人に答えて、主人が行なう拝礼。答拝(たつぱい)。「おりて—し給ふ御様ども、とりどりにいとめでたく」〈源氏宿木〉

たふのや トウ【答の矢】 敵に射返す矢。「為朝あまりのねたさに、—を射るに及ばず」〈保元中・白河殿攻め落す〉

たふば トウ【塔婆】〔仏〕《梵語の音訳》「卒塔婆(そとば)」に同じ。「あるいは—をたて、堂舎を造る者限りなし」〈今昔一三ノ一三〉。〈文明本節用集〉

たぶやか 十分にあるさま。たっぷり。「散飯(さば)—に取って仏前に備へて」〈盛衰記四五〉

たぶらか・し【誑かし】〘四段〙「たぶろかし」の転。「これ(役行者)は世を—・す悪しきものなり」〈三宝絵中〉。「魔縁魔界にも—・されず」〈孝養集中〉

たふ・れ タオレ【倒れ】㊀〘下二〙 ①しっかり直立しているべきものが、急に横ざまになる。「左の眼白き色に変り、舌黒み、梁(はなばしら)—・れ」〈金光明最勝王経平安初期点〉 ②気がくじける。「〔娘ヲ下サイト〕あながちになど、かかづらひまどはば、—・るる方に〔親ガ〕許し給ひもしつべかめれど」〈源氏螢〉 ③くつがえる。滅びる。「平氏—・れ候ひぬ」〈平家一・鹿谷〉 ④損失が多くて採算が取れない。破産する。「—・れて〔遊興ニ〕来ぬ人」〈西鶴・諸艶大鑑七〉 ㊁〘名〙 ①倒れること。ころぶこと。「いとまめやかに、ことごとしきさましたる人の『恋の山には孔子(くじ)の—』まねびつべきけしきに」〈源氏胡蝶〉 ②損害。損失。「親方の身になって見い、かはいいばかりか、さが死ぬると大きな—」〈近松・生玉心中下〉

たぶ・れ【狂れ・狂れ】〘下二〙 気が変になる。気がくるう。「—・れたる醜(しこ)つ翁の」〈万四〇一一〉。「良からぬ狐などいふなるものの—・れたるが、亡き人の面伏せなる事言ひ出づる」〈源氏若菜下〉

たぶろか・し【誑かし】〘四段〙《タブレの他動詞形》 狂わせる。まどわす。だます。「邪気などの、人の心—・して」〈源氏柏木〉。「かの色声香味触法の六賊に—・されてなり」〈孝養集中〉。「誑、タブロカス・アザムク・イツハル」〈名義抄〉

たぶろ・き【狂ろき】〘四段〙《タブレから派生した語》 心が乱れ迷う。「—・き迷へる故にこの生死には沈めり」〈孝養集中〉

たふわ トウ【答話】 禅宗で、応答のことば。「—せんには古仏心と答取すべし」〈正法眼蔵古仏心〉。〈文明本節用集〉

たぶん【多分】㊀〘名〙 多数。大部分。「神明によって信施を受くる輩は、—は蛇身を受くべし」〈妻鏡〉 ㊁〘副〙 おおかた。大抵。「—人は賢(かし)だてをして、しそこなふものぢや」〈天草本伊曾保〉 **—に付・く** ①多い方に従う。「馬の毛色もさまざまなれども、赤き馬の多ければ、—・きて〔馬ノコトヲ〕赤駒といふ」〈仙覚抄一〇〉 ②一番賛成者の多い意見に従う。多数決の評決法で、鎌倉時代以降武家・寺院などで行なわれた。「詮議する時、わが思はくを立てんと争ふべからず。—・けば失なきものなり」〈わらんべ草二〉

たへ エタ【妙】 ①立派なこと。霊妙。「神の宮の内の重(へ)の、—なる殿に」〈万一七四〇〉 ②優れていること。上手であること。巧妙。「〔山部赤人ハ〕歌に怪しく—なりけり」〈古今序〉 ▽タヘ(栲)と同根か。 †taFë

たへ エタ【栲】 ①楮(こうぞ)の類の皮からとった白色の繊維。また、それで織った布。「臣(おみ)の子は—の袴を七重をし(着用サレテ)」〈紀歌謡七四〉 →たく。②布類の総称。「御服(そみ)は明る—・照る—・和(にき)—・荒—」〈祝詞祈年祭〉 ▽タヘ(妙)と同根か。 †taFë

た・へ エタ【勝へ・堪へ】〘下二〙《タ(手)アヘ(合)の約。自分に加えられる圧力に対して、その圧力に応ずる手段をもって対抗する意。類義語シノビは、目立たないように、自分の気持を押しつけてこらえる意》 ①ささえとめる。防ぎとめる。「勧(す)むらく、毛野臣(けなのおみ)の軍(いくさ)を防遏(た)へよと」〈紀継体二十一年〉 ②持ちこたえる。じっとこらえる。「世の中の苦しきものにありけらく恋に—・へずて死ぬべき思へば」〈万七三八〉。「よはひなどこれよりまさる人、腰—・へぬまでかがまりありくためし、昔も今も侍るめれど」〈源氏行幸〉 ③成し得る。能力がある。「汝は是れ大仙の種なり。良福田とするに堪(た)へたり」〈地蔵十輪経三・元慶点〉。「人の御後見(うしろみ)と頼み聞えむに—・へ給へる御覚えをえらび申して」〈源氏東屋〉 †taFë

たべ【田部】 大化改新以前、屯倉(みやけ)の耕作に従った農民。「諸国(くにぐに)に令(のりごと)して—の屯倉を興(た)つ」〈紀景行五十七年〉 †tabe

た・べ【食べ】〘下二〙《タマヘ(賜)の転》 飲食物をいただく。食う。飲む。「酒をたうべて、—・べ酔うて」〈催馬楽酒を飲べて〉

たへがた・し タエ【堪へ難し】〘形ク〙 こらえようと思ってもこらえきれない。辛い。「み心をのみ惑はして、去りなむことの、悲しく—・く」〈竹取〉。「痛、イタム・タヘガタシ」〈名義抄〉

たへのほ タエ【栲の穂】《ホは色の鮮やかな意》 真白。「—に夜の霜降り」〈万七九〉 †taFënöFo

たべよご・し【食べ汚し】㊀〘四段〙 ①食物を食いちらす。「—・す土器捨つる関の戸に」〈俳・絵合上〉 ②なぐさみものにする。「今新七めが〔オ半ヲ〕—・して」〈近松・淀鯉上〉 ㊁〘名〙〔遊里語〕 傾城(けいせい)狂いをして、どうにも始末に負えなくなること。また、不埒(ふらち)が重なって、どうにもならなくなること。「—。しすぐしと同事也。大酒など呑み過ぐし、えもいはぬ体(てい)を人に見せて、面目なく思ふ心に比して、此の名目あり。…町方にても、借銀・買ひがかりなどの方方にありて、藕次(しらつ)もなきかたちを云ふ」〈色道大鏡二〉

たほう【多宝】「多宝如来」の略。「釈迦・—、座をわけて並ばせ給へる程など」〈栄花駒競〉 **—たふ** ウト【多宝塔】 釈迦・多宝の二仏を安置する塔。一般には二重の宝塔の形式をいう。初重は方三間で、上層の軸部が円筒形、上下の連続部は饅頭形で、これが特色である。わが国では古くは戒壇上にこれを安置したが、平安時代初期、真言宗の伽藍(がらん)にはじめて造られた。「三年が中に—一基を建てて」〈著聞六〉 **—にょらい【多宝如来】** 五如来の一。東方宝浄世界の教主。釈迦が霊鷲山(りょうじゅせん)で法華経を説いた時、地中から大宝塔を湧き出させ、塔中より釈迦説法の真実なことを証明し、塔中の自分の座の半分に釈迦を坐らせたという。「ここにただ今—出現し給ふらむかしと覚えて」〈栄花玉台〉

たぼろか・し【誑し】『四段』「たぶろかし」の転。「欺き—・し、偽りを以て真と為し」〈金光明最勝王経平安初期点〉

たま【玉・珠】 ㊀『名』《タマ(魂)と同根。人間を見守りたすける働きを持つ精霊の憑代(よりしろ)となる、まるい石などの物体が原義》①呪術・装飾などに用いる美しい石。宝石。また、真珠・竹の管など。「水を奉れば、水を飲まさずして、此の—を唾き入れたまひき」〈記神代〉 ②特に、真珠。「わが欲りし野島は見せつ底深き阿胡根(あごね)の浦の—そ拾はぬ」〈万一二〉 ③《転じて》美しいもの。「世になく清らなる—の御子」〈源氏桐壺〉 ④球形をしたもの。「涙の—」〈源氏御法〉 ⑤近世、下女の通名。「隣の—も向ひの鍋(なべ)も」〈俳・俳諧如何〉 ⑥策略の手段に使うもの。計略のたね。「このにせ金を—に使うて」〈伎・韓人漢文手管始一〉 ⑦第一級のもの。上等。「[ウナギ屋ノ中デ]—というたら的等(てきら=アレラ)ぢゃ」〈滑・浮世風呂二上〉 ㊁『接頭』①魂(たま)の宿る、神聖なの意。「—櫛」「—箒」「—梓」など。「玉籤、此をば多摩倶之(たまくし)といふ」〈紀神代上〉 ②玉で作ったの意。「—籠(かつま)」「—盞(うき)」など。「捧(ささ)がせる瑞(みづ)—盞に」〈記歌謡一〇〇〉 ③美しいの意。「—裳」「—藻」など。「みもろに築くや—垣」〈記歌謡九四〉。「—は又何をもほむる詞に侍る上に」〈六百番歌合冬下〉 **—に瑕(きず)** 立派な物事の中に僅かな欠点があることのたとえ。「あたら御身をいみじう沈みてもてなさせ給ふこそくちをしう、—あらむ心地し侍れ」〈源氏手習〉

たま【魂】《タマ(玉)と同根。未開社会の宗教意識の一。最も古くは物の精霊を意味し、人間の生活を見守りたすける働きを持つ。いわゆる遊離霊の一種で、人間の体内からぬけ出て自由に動きまわり、他人のタマと逢うこともできる。人間の死後も活動して人をまもる。人はこれを疵つけないようにつとめ、これを体内に結びとどめようとする。タマの活力が衰えないようにタマフリをして活力をよびさます》①物の精霊。「倉稲魂、此をば宇介能美柂磨(うかのみたま)といふ」〈紀神代上〉 ②人間を見守り助ける、人間の精霊。「天地の神あひうづなひ、皇神祖(すめろき)のみ—助けて」〈万四〇九四〉。「吾が主のみ—賜ひて春さらば奈良の都に召上(さ)げたまはね」〈万八八二〉 ③体内から脱け出して行動する遊離霊。「—合はば相寝むものを小山田の鹿田(ししだ)禁(も)るごと母し守(も)らすも」〈万三〇〇〇〉。「思ひあまり出でにし—のあるならん夜深く見えば—結びせよ」〈伊勢一一〇〉 ④死後もこの世にとどまって見守る精霊。「うしろめたげにのみ思しおくめりし[父宮ノ]亡き御—にさへ疵やつけ奉らんと」〈源氏椎本〉

たま【適・偶】 稀。たまたま。たまさか。「—の御出に何がなと存じ候へども」〈咄・昨日は今日上〉

たまあられ【玉霰】 あられの美称。「深山辺を夕越え来れば椎柴の枯葉につたふ—かな。…左申して云ふ、右歌—聞きよからず」〈六百番歌合冬下〉

たまうき【玉盞】 玉で作ったさかづき。「捧(ささ)がせる瑞(みづ)—に」〈記歌謡一〇〇〉 †tamauki

たまえ【玉江】《タマは美称》美しい入江。淀川下流の地名ともいう。「三島江の—の薦(こも)を標(し)めしより」〈万一三四八〉 †tamaye

たまか ①まじめなさま。実直。堅実。「—に商ひの道精に入れければ」〈西鶴・諸国咄五〉 ②つつましいさま。倹約。始末。「—なる遠里男子(をのこ)かしこまり」〈俳・大矢数三〉。「旦(あした)は暮の儲(まうけ)なく、暮は旦の蓄へなきを旦暮(あしため)なしと云ふ。其の用意をするを旦暮勘(たまか)と云ふ」〈齊東俗談六〉

たまかき【玉垣】《タマは美称》皇居・神社などの垣。「みもろ(神域)に築(つ)くや—」〈記歌謡九四〉 †tamakaki **—の【玉垣の】**〔枕詞〕玉垣を瑞垣(みづかき)ともいうところから、「みつ」にかかり、また、玉垣の内の意から「うち」にかかる。「—みつの湊に」〈曾丹集〉。「—内つみ国の朝霞」〈夫木抄一・立春〉

たまかぎる【玉かぎる】〔枕詞〕《カギルはカガヨヒ・カグヤのカガ・カグと同根。ちらちら光る意》玉がほのかに光を出すことから「ほのか」「はろか」「夕(ゆふ)」「日」にかかり、岩に囲まれた澄んだ淵の水の底で玉のようにほのかに光るものがあるという意から「岩垣淵」にもかかる。「—ほのかに見えて」〈万一五二六〉。「—はろかに見えて」〈霊異記上三〉。「—夕さりくれば」〈万四五五〉。「—日もかさなり」〈万三二五〇〉。「—磐垣淵の」〈万二〇七〉 ▽カカヤクは清音で、カギルとは別。 †tama-kagiru

たまかげ【玉蔭】《タマは美称》ヒカゲノカズラ。常緑の蔓植物で、葉は杉に似ており、頭の飾りなどに用いる。「斎串(いぐし)立て神酒(みわ)すゑまつる神主部(かむぬし)のうずの—見れば羨(とも)しも」〈万三二二九〉 †tamakagë

たまがしは【玉柏】 ①《タマは美称》カシワの木。「美濃山に繁(しじ)に生ひたる—」〈催馬楽美濃山〉 ②石。「難波江の藻にうづもるる—あらはれてだに人を恋ひばや」〈堀河百首〉。「藻にうづもるる—とは、石をかしはといふなり。玉はほむる詞なり」〈色葉和難集四〉。「—と云ふに付きて、石・樹二つあり」〈詞林采葉抄八〉

たまかつま【玉勝間・玉籠】〔枕詞〕《カツマはかごの意》よいかごは蓋と身が合うので「あふ」に、アフと似た音をもつ地名「安倍(あべ)」にかかる。また「島熊山」にもかかる。「—会はむといふは」〈万二九一六〉。「—安倍島山の」〈万三一五二〉。「—島熊山の」〈万三一九三〉

たまかづら ❶【玉葛】①《タマは美称》蔓草(つるくさ)類の総称。「谷せばみ嶺に延(は)ひたる—」〈万三五〇七東歌〉 ②〔枕詞〕蔓が長くのびるので「絶えず」「絶ゆることなく」「遠長く」に、引きよせ繰ることから同音で「来る」に、カヅラの音をもつ地名「葛城」などにかかる。「—絶えぬものから」〈万二〇七八〉。「—いや遠長く」〈万四四三〉。「—たのめくる日」〈後撰一〇〇三〉。「—葛城山の」〈後撰三九一〉 ❷【玉鬘】①《蔓草を頭に巻いたところから》多くの玉を緒に通し、頭にかけて垂れた髪飾り。のちには、かもじや髪の美称。「礼物(ゐやじろ)として押木の—を持たしめてたてまつりき」〈記安康〉。「恋ひわたる身はそれなれど—いかなる筋を尋ね来つらむ」〈源氏玉鬘〉。「タマカヅラ、歌語。即ち、ヲンナノヨイカミゲ」〈日葡〉 →かづら。②〔枕詞〕⑴を「御蔭(みかげ)」ともいうので同音から「影」に、頭にかけることから「かけ」に、また同音から「つらき」にかかる。「—影に見えつつ」〈万一四九〉。「—懸けぬ時なく」〈万二九九四〉。「—つらきながらも」〈後撰八三四〉

たまき【手纏・環】 ①玉または鈴などをひもに通して、手に巻いて飾りにしたもの。腕輪。「海神(わたつみ)の—の玉を家裏(つと)に妹に遣らむと」〈万三六二七〉 ②弓を射る時に左の臂(ひじ)をおおうもの。「韝、多末岐(たまき)、一云小手、射臂沓也」〈和名抄〉 †tamaki

たまきぬの【玉衣の】〔枕詞〕《タマは美称》衣ずれの音から「さゐさゐ」「さゐさゐ」にかかる。「—さゐさゐしづみ家の妹

にもの言はず来て」〈万五〇三〉 †tamakinunö

たまきはる【玉きはる・霊きはる】〔枕詞〕かかり方未詳。タマは魂、キハルは刻む、または極まる意で「命」「現(うつ)」「幾代」「昔」にかかるという。ウチから「心」、地名「内」に、さらにイノチと同音を持つ「磯宮」にかかるという。またタマは玉で、玉の輪をきざむ意から同音の「我(わ)」にかかるという。「—命は知らず」〈万一〇四三〉。「—現の限は」〈万八九七〉。「—幾代経にけむ」〈万四〇〇三〉。「—たちかへるべき昔ならねば」〈新勅撰一一三三〉。「—内の朝臣(あそ)」〈記歌謡七一〉。「—宇智の大野に」〈万四〉。「—磯宮坐(まし)しき」〈皇太神宮儀式帳〉。「—我が山の上に」〈万一九一二〉 †tamakiFaru

たまぎ・り【魂ぎり】『四段』驚く。びっくりする。「主上、夜な夜なおびえ—・らせ給ふ事ありけり」〈平家四・鵼〉

たまくし【玉串】《タマは魂(たま)。神聖なの意》①榊(さかき)の枝に木綿(ゆふ)(のちには紙)をつけて神にささげるもの。「玉籤、此をば多摩倶之(たまくし)といふ」〈紀神代上〉 →ぬさ。②《転じて》榊。「神風や—の葉をとりかざしうちとの宮に君をこそ祈れ」〈新古今一八八三〉

たまくし【玉櫛】《タマは魂(たま)。神聖なの意》神聖な、大切な櫛。「をとめらが玉櫛笥(くしげ)なる—の」〈万五二三〉 **—げ【玉櫛笥】**①玉飾りのある櫛笥(くしげ)。転じて、女の持つ手箱の美称。タマはまた、霊魂を意味し、神仙としての霊性とかかわりのある箱の意。「水の江の浦島の子が—開けずありせばまたも逢はましを」〈丹後風土記逸文〉②〔枕詞〕開けることから「開け」「明け」、アケと同音をもつ地名「蘆城(あしき)」に、見ることからミの音をもつ地名「三室」「三室戸」「三諸戸(みもろど)」に、大事に思うことから「奥に思ふ」に、蓋(ふた)と同音から「二」、地名「二上」「二見」「二村」に、また、箱の音をもつ地名「箱の浦」「箱根」などにかかる。「—明けなむ明日を」〈万二八八四〉。「—蘆城の川を」〈万一五三一〉。「—三室の山の」〈万九四〉。「—奥に思ふを」〈万三七六〉。「—二年あはぬ」〈後撰一二二四〉。「—二上山に」〈万三九五五〉。「—二見の浦は」〈古今四一七〉。「—箱の浦波」〈土佐二月一日〉 †tamakusigë

たまくしろ【玉釧】〔枕詞〕玉でつくった釧を手に巻いてかざることから「手に取り持ち」「纏き」にかかる。「—手に取り持ちて」〈万一七九二〉。「—纏き寝(ぬ)る妹(いも)もあらばこそ」〈万二八六五〉 †tamakusirö

たまくら【手枕】《タはテ(手)の古形》腕を枕にすること。てまくら。多く共寝の相手の場合にいう。「大君の命(みこと)かしこみ愛(かな)し妹が—離れ夜立ち来のかも」〈万三四八〇〉

たまけ【玉笥】《タマは美称》食物を盛る、美しい器(うつわ)。「—には飯(いひ)さへ盛り」〈紀歌謡九四〉 †tamakë

たまご【玉子・卵】卵。「かひご」の俗語として、室町時代末頃から使われはじめた。「雉の卵(かひご)あり。この人雉の—を一つ取って家路に帰り」〈庭訓抄上〉 **—ざけ【玉子酒】**鶏卵・砂糖を加え、かきまぜ、煮立てた酒。「—や帰らん事を年忘れ」〈俳・生玉万句〉 **—のおやぢ【玉子の親父】**鶏。「告げて明けぬ—世界の春」〈俳・三つ物揃〉

—の四角(しかく) 有り得ないことのたとえ。「まことに—と女郎の誠は無いと言ふが」〈洒・愚人贅漢居続借金〉

—を渡・る 危険なことをするたとえ。「乱れて歌ふ鶏の—・る危さの」〈近松・五十年忌中〉

たまさか【偶・邂逅】《偶然出会うさま。類義語マレは、存在・出現の度数が極めて少ない意。ユクリカ・ユクリナシは不意・唐突の意》①ばったり出会うさま。「わたつみの神をとめに—にい漕ぎ向ひ」〈万一七四〇〉。「邂逅、タマサカ」〈名義抄〉②思いがけないさま。偶然。「牢(たまさか)に半升の米を得てば三宝に譲り奉り、希(まれら)には破衣を受けては僧尼に周(あまねは)す」〈東大寺諷誦文稿〉③まれであること。めったにないこと。「山へ登る人なりとてもこなたの道には通ふ人もいと—なり」〈源氏手習〉④万一のこと。ひょっとしたこと。「もし天竺(てんぢく)に—にもて渡りなば」〈竹取〉

たまざさ【玉篠】笹の美称。「拾はば消えなむと見る—の上の霰(あられ)」〈源氏帚木〉

たまさで【玉趕網】小魚を捕る小さい円形の手網。「我が手の内に—や」〈浄・徒然草五〉

だま・し【騙し】『四段』《ダマリと同根》あざむく。いつわりたぶらかす。「兵法の道は、皆いつはりを用ひて敵を—・すを肝要とするなり」〈孫子私抄〉。「我はそれを—・すために初心な者ぢゃと云ひ」〈コリヤード懺悔録〉

たましき【玉敷】玉を敷き詰めた庭のように美しい所。特に、都。「都をば、ももしき・—といふ」〈能因歌枕〉。「—のあられぱしりは明けはてて。—は内裏の庭也」〈竹林集聞書〉

—の【玉敷の】〔枕詞〕「都」にかかる。「—都のうちに棟(むね)を並べ」〈方丈記〉。「—都の宿に妹(いも)を置きて心そらなり旅ゆく我は」〈宗尊親王三百六十首〉

たましづめ【鎮魂】霊魂が肉体から遊離しないようにする祭。宮中では新嘗祭の前日である陰暦十一月の中の寅(とら)の日の申(さる)の刻に天皇・皇后・皇太子などの長寿を祈って行なう。鎮魂祭。「たまふりのまつり」とも。「大忌(おほいみ)・風神(かざかみ)…—・鎮火(ひしづめ)…等の祭を小祀と為す」〈延喜式四時祭上〉

たましひ(タマシイ)【魂】①「魂(たま)」に同じ。「—はあしたゆふべにたまふれど吾が胸痛し恋の繁きに」〈万三七六七〉②生得の心の働き。才気。才智。「筆とる道と碁うつこととぞ、あやしう—のほど見ゆるを」〈源氏絵合〉。「すこし至らぬ事にも、御—の深くおはして」〈大鏡伊尹〉 †tamasiFi

たますだれ【玉簾】玉飾りのある簾。また、簾の美称。たまだれ。「—糸の絶え間に人を見て」〈拾遺六六三〉

たまだすき【玉襷】①襷の美称。「袈裟衣(けさころも)きながら—して、桂河にて、取りもならはぬ魚を取らんとするに」〈沙石集六ノ一五〉②物事のかかずらわしいさまのたとえ。「ことならば思はずとやは言ひはてぬなぞ世の中(男女ノ仲)の—なる」〈古今一〇三七〉③〔枕詞〕玉襷を項(うなじ)に掛けることから「掛く」に、「うなじ」と類音の地名「畝傍(うねび)」にかかり、畝傍の万葉集での表記「雲飛」の誤読から「くも」にかかる。「—掛けのよろしく」〈万五〉。「—畝火の山の」〈万二九〉。「—雲居る山の」〈夫木抄四・花〉 †tamadasuki

たまだな【魂棚】盂蘭盆(うらぼん)に、供物をそなえて死者の霊魂をまつる棚。精霊棚。「—は露も涙も油かな」〈俳・其袋下〉

たまたま【偶・適】『副』《予期もしなかったことに偶然出くわすさま。和文脈系には使われることが少ない》①思いがけず何かのはずみで。偶然に。「覚えぬ罪に当り侍りて知らぬ世に惑ひ侍りしを、—公けにかずまへられ奉りては」〈源氏槿〉。「至りて愚かなる人は—賢なる人を見てこれを憎む」〈徒然八五〉②まれに。万が一。「儻(たまたま)心を遂げずは必ず瞋怒を起し国をも毀(そこな)ひ祀をも滅してむ」〈大唐西域記五・長寛点〉

たまだれ【玉垂】すだれの美称。たますだれ。「—の編み目のまより吹く風の寒くばそへて入れむ思ひを」〈後撰一二五八〉

—の【玉垂の】〔枕詞〕玉を緒に通して垂れることから、緒と同音の「小(を)」、同音をもつ地名「越智(をち)」にかかる。「—小簀(をす)の垂簾(たれす)を」〈万二五五六〉。「—越智の大野の」〈万一九四〉

たまぢは・ひ(ハイ)【魂ぢはひ】『四段』《チは霊。ハヒは動詞化

する語尾》霊力をふるってまもる。「—・ふ神も我をば打棄(う)てこそ」〈万二六六一〉 †tamadiFaFi

たまち・り【玉散り】『四段』①玉となって飛び散る。「奥山にたぎりて落つる滝つ瀬の—・るばかり物な思ひそ」〈後拾遺一一六五〉②刀剣の刃がつめたく光りきらめく。「四尺六寸の太刀抜き、あたりも光りわたり、氷—・るばかりかとおぼしきを抜き持ちて」〈伽・弁慶物語〉

たまづさ【玉梓・玉章】①《タマアヅサの約。梓の杖は使者の持物だった。古く文字の無い社会では使者が伝言などを口で伝えたところから》手紙。たより。「秋風に初雁が音ぞ聞ゆなる誰が—をかけて来つらむ」〈古今二〇七〉②《枕詞「玉梓の」から転じて》使者。「何時しかと待つらむ妹に—の言(こと)だに告げず往にし君かも」〈万四四五〉 **—の**【玉梓の】〔枕詞〕梓の木を杖にして使者に立ったので「使」に、使者が二人の間に通う連想から「妹(い)」にかかる。「—使の言へば」〈万二〇七〉。「—妹は珠かも」〈万一四一五〉

たまつしま【玉津島】①紀伊国和歌浦にあった島。「—磯の浦廻(うらみ)の真砂(まなご)にもにほひて行かな妹が触れけむ」〈万一七九九〉②玉津島明神。中世以降、和歌の神として、住吉明神・北野天神とともに尊崇された。「心づかひを幽玄にやさしく持ち給ひて、住吉・—の冥慮にかなひて」〈筑波問答〉

たまつたから【玉つ宝】りっぱな貴い宝。「持ち渡り来し物は—と云ひて」〈記応神〉

たまつばき【玉椿】椿の美称。長寿を祝う言葉として使われる。「常盤(ときは)山生ひつらなれる—君がさかゆく杖にとぞ切る」〈栄花ゆふしで〉

たまで【玉手】《タマは美称》美しい手。「真—の—さしかへさ寝し夜の」〈万八〇四〉

たまてばこ【玉手箱】《タマは美称》美しい手箱。「—をば姉が持ち」〈伽・三人さんげ〉。「開けてくやしき—とて」〈伽・浦島〉

たまどの【魂殿・霊殿】本葬を行なうまでの間しばらく、遺体を納めた棺を安置する所。霊屋。天皇・皇后・皇族などには「殯宮(もがりのみや)」といった。「この人もなくなり給へる様ながら、さすがに息通ひておはしければ、昔物語に—に置きたりけん人のたとひを思ひいでて」〈源氏夢浮橋〉

たまぬし【玉主】⇒たまもり。「—に玉は授けてかつがつも枕と我はいざ二人寝む」〈古今六帖五〉

たまのうてな【玉の台】《「玉台」の訓読語》玉のように美しい高殿(たかどの)。立派な建物にいう。「〔左大臣邸ヲ〕いとど—に磨きしつらひ」〈源氏若紫〉

たまのこし【玉の輿】貴人の乗る立派な輿。転じて、富貴な身分。「光り輝く—、乗りもならはぬ身の行くへ」〈謡・邯鄲〉。「果報ある身や乗る—」〈俳・犬子集一〉

たまのとぼそ【玉の枢】①立派な門扉。美しい家。「昨日見し宝の宿も、今日は浅茅(あさぢ)が原と露しげく、あしたに通ひし—も、ゆふべには八重葎(やへむぐら)にうづもれて」〈曾丹集序〉②《本朝続文粋、巻十三追善に「玉扃(けい)空しく閉ぢて供奉するや何物ぞ」とある「玉扃」の訓読語》霊殿の扉。「—を閉ぢてよりこの方、供奉(ぐぶ)するや何ぞの人」〈栄花嶺月〉

たまのゐ【玉の井】井戸の美称。「すみそめし元の心の清ければ濁りも果てぬ—の水」〈新後撰七一〇〉

たまのを【玉の緒】①玉をつらぬいた緒。「—を片緒に搓(よ)りて緒を弱み乱るる時に恋ひずあらめやも」〈万三〇八一〉②短いことのたとえ。「さ寝(ぬ)らくは—ばかり恋ふらくは富士の高嶺の鳴沢のごと」〈万三三五八駿河東歌〉。「逢ふことは—ばかり」〈古今六七三〉③《魂(たま)を身体につないでおく緒の意で》命。「ぬきもあへずもろき涙の—に長き契をいかが結ばむ」〈源氏総角〉 †tamanöwo **—の**【玉の緒の】〔枕詞〕玉の緒の長短から「長き」「短き」に、乱れ、切れ、つなぐことから「乱れ」「絶え」「継ぎ」に、玉が並ぶさまから「間も置かず」にかかる。魂の緒の意から命に近い意味の「現(うつ)し」にかかる。「—長き春日を」〈万一九三六〉。「—短き心」〈古今一〇〇二〉。「—思ひ乱れて」〈万三三六五〉。「—絶えたる恋の」〈万三三六六〉。「—継ぎてはいへど」〈万三三五五〉。「—間も置かず」〈万二七九三〉。「—うつし心や」〈万三二一一〉

たまのをぐし【玉の小櫛】玉で飾った櫛。また、玉のように美しい櫛。「さしながら昔を今に伝ふれば—ぞ神さびにける」〈源氏若菜上〉

たまのをこと【玉の小琴】《タマは魂(たま)。ヲは美称》神おろしに奏する琴。「膝に伏す—の」〈万一三二八〉 †tamanöwokötö

たまのを・し【玉の緒し】『形シク』玉の緒のようだ。玉の緒のように短い。「会へらくは—・しけや恋ふらくは富士の高嶺に降る雪なすも」〈万三三五八駿河東歌〉 †tamanöwosi

たまばはき【玉箒】①コウヤボウキ。山地に群がり生えるキク科の落葉小灌木。秋、白いアザミに似た花が枝先につく。一説、ハハキギ。メドハギ。「—刈り来(こ)鎌麿室の樹と棗(なつめ)が本をかき掃かむため」〈万三八三〇〉②《タマは魂。タマを掃き寄せる道具の意》呪物の玉を飾ったほうき。蚕の床を掃く。初子(ね)の日に辛鋤(からすき)と共に飾る。玉箒は后妃が親しく蚕を飼うに用い、辛鋤は天皇が親しく農耕に用いる。天平勝宝二年正月に東大寺から献上した玉箒は、大伴家持によって万葉集に歌われ、辛鋤と共に正倉院に現存する。「初春の初子の今日の—手に執るからにゆらく玉の緒」〈万四四九三〉 †tamabaFaki

たまはやす【玉はやす】〔枕詞〕地名「武庫(むこ)」にかかる。かかり方未詳。「—武庫の渡(わたり)に」〈万三八九五〉

たまは・り(タマワリ)【賜はり・給はり】『四段』《タマヒ(賜)の自動詞形》❶謙譲語。①《目上の者から心を許され、要求・懇願していた事物・事柄をくだされる意》いただく。頂戴する。「足柄のみ坂—・り(通行ノ許可ヲイタダキ)顧みず我は越え行く」〈万四三七二常陸防人〉。「今、金五十両—・るべし」〈竹取〉②《「受け」「盗み」など特定の動詞の連用形について》…させていただく。「かけまくも畏き天皇の、大御髪を盗み—・りて」〈続紀宣命四三〉 →うけたまはり。❷中世以降の用法。①お与えになる。下賜する。「備前の児島を佐々木に—・りける」〈平家一〇・藤戸〉②《動詞の連用形に助詞「て」のついた語に接続して》…してくださる。「我が夫を早早夢の如くに帰して—・れ」〈中華若木詩抄下〉

たまひ(タマイ)【田舞・田儛】舞の名。大嘗祭の時、主基(すき)の人などの奏したもの。「皇太子・群臣宴に侍り。是に—再び奏(つかへまつ)る」〈紀天智十年〉 †tamaFi

たま・ひ(タマイ)【嘔ひ】㊀『四段』《ツダミ(唾吐)のタミと同根か》吐く。へどをつく。「恐りて—・ひいだす」〈紀皇極四年〉㊁『名』吐くこと。へど。「犬吣、イヌノタマヒ、吠吐也」〈色葉字類抄〉 †tamaFi

たま・ひ(タマイ)【賜ひ・給ひ】㊀『四段』《目下の者の求める心と、目上の者の与えようという心とが合って、目上の者が目下の者へ物を与える意が原義。転じて、目上の者の好意に対する目下の者の感謝・敬意を表わす》①(目下の者に)お与えになる。「緑児(みどりこ)の乳(ち)乞ふが如く天つ水仰ぎてそ待つ…との曇り合ひて雨も—・はね」〈万四一二二〉。「吾が主の御霊(みたま)—・ひて春さらば奈良の都に召上(さめ)げ給はね」〈万八八二〉 ②《慣用句として「いざ—・へ」と命令形で》ぜひどうぞ。ぜひ…して下さい。懇願の意を表わす。「見給へ」「来給へ」「止め給へ」などの省略形。「いざー・へ、もろともに見むよとて」〈源氏葵〉。「あなかま(ヤカマシイ)—・へ(オ静カニ)」〈源氏若菜上〉 ㊁《助動》①目上の者の行為に対する感謝・敬意を表わす。…して下さる。「我が大君の諸人をいざなひ—・ひ、善きことを始め—・ひて」〈万四〇九四〉 ②広く動作に敬意を表わす。…なさる。「東宮を互ひにゆづりて、位につき—・はで」〈古今序〉 ③《天皇が自己の動作につけて用いる。天皇は他人から常に敬語を使われる位置にあるので、自分の動作にも尊敬語を用いたもの》…してつかわす。「天皇(すめら)我がうづの御手持ち、かき撫でぞ労(ね)ぎ—・ふ、うち撫でぞ労ぎ—・ふ、還り来む日相飲まむ酒(き)そこの豊御酒(とよみき)は」〈万九七三〉→基本助動詞解説。 ▽タマ(魂)アヒ(合)の約か。(求める)心と(与えたいと思う)心とが合う意で、それが行為として具体的に実現する意。古語では、「恨み」「憎み」「思ひ」など情意に関する語は、心の内に思う意味が発展して、それを外に具体的に行動として現わす意味を持つ。 †tamaFi

たまぶち【玉縁】 近世前期、万治・元禄ごろ流行した、白革で縁取りした浅い編笠。多くは女がかぶった。玉縁笠。「—の笠に貫く涙知れ」〈俳・談林十百韻上〉

たまふ・り【霊振り】 ㊀《四段》 人の霊魂(たま)が遊離しないように、憑代(よりしろ)を振り動かして活力をつける。「たましひは朝夕(あしたゆふべ)に—・れど吾が胸痛し恋の繁きに」〈万三七六七〉 ㊁《名》「たまふり」のためにする儀式。斎院・中宮・東宮その他で行なう。宮内省に大臣・神祇官以下が参集し、歌女を召し、琴を弾き笛をふき、巫女や猿女(さるめ)が舞う。十一月中の寅の日の申(さる)の刻に行なう。「(天皇不豫)天皇の為に招魂(みたまふり)しき」〈紀天武十四年〉。「宮内省に於て鎮魂祭(おほむたまふり)を修すること常の如し」〈三代実録貞観二・一一・一四〉

たま・へ タマエ【賜へ・給へ】《下二》《タマヒ(賜)の受動形。後に夕べ(食)に転じる語》①(飲食物などを)いただく。「黒酒(くろき)白酒(しろき)の御酒(みき)を赤丹の秀(ほ)に—・へゑらき」〈続紀宣命三八〉 ②主として自己の知覚をあらわす動詞「思ひ」「聞き」「知り」「見」などの連用形について、思うこと・聞くこと・知ること・見ることを(相手から)頂く意を表わし、謙譲語となる。存ずる。伺う。拝見する。「是(かく)の如きことを我聞き—・へき」〈金光明最勝王経平安初期点〉。「御心をも悩まし奉るにやとなむ思ひ—・ふる」〈源氏明石〉。「くはしうも知り—・へず」〈源氏東屋〉。「随分によろしきも多かりと見—・ふれど」〈源氏帚木〉 †tamaFë

たまほ【賜ほ】 動詞「賜ひ」の連体形「賜ふ」の上代東国方言。「潮船の舳(へ)越そ白波にはしく(ニワカニ)も負(おふ)せ—か思はへなくに」〈万四三八九下総防人〉

たまほこ【玉桙・玉鉾】《タマ(霊)ホコ(桙)で、陽石のこと。タマボコと濁音にも。「玉桙の」が「道」にかかる枕詞であったことから転じて》道。「この程は知るも知らぬも—の行きかよふ袖は花の香ぞする」〈新古今一一三〉。「—。道なり」〈匠材集三〉 **—の**【玉桙の】〔枕詞〕三叉路や村里の入口に玉桙の類を立てたことから、「道」「里」などにかかる。「—道に出で立ち」〈万三一八〇〉。「—里人皆に吾恋ひめやも」〈万二五九八〉 †tamaFököno

たまま・き【玉巻き・玉纏き】 ㊀《四段》 ①玉を巻きつけて飾る。玉を巻きつけて大事にする。「梓弓(あづさゆみ)末に—・き」〈万三四八七東歌〉 ②若葉の葉先が玉のように巻く。夏の頃葛(くず)の茂るのにいう。「焼き捨てしふる野の小野の真葛(まくず)原—・くばかりなりにけるかな」〈千載一四五〉 ㊁《名》玉をまいて飾ること。また、そのもの。「—のあごら(腰掛)に立たし」〈紀歌謡七五〉 †tamamaki

たままつ【玉松】《タマは美称》 美しい松。「み吉野の—が枝は愛(は)しきかも」〈万一一三〉

たままつり【魂祭・霊祭】 死者の魂を祭ること。「古塚に供へ置きたる茶の湯こそ涙の露の—なれ」〈伽・酒茶論〉。「—。七月十五日尊霊を祭る事なり」〈至宝抄〉

たまみそ【玉味噌】 大豆または空豆を煮て搗き砕き、麹・塩と交ぜて丸め、藁苞に入れて軒下や竈の傍に吊し、一、二年後使用する下等な味噌。味は悪いが保存がきく。粉(こ)味噌。「—の汁は喰ひませぬ」〈西鶴・浮世栄花四〉

たまみづ【玉水】 ①生命をあたえる水。「山城の井手の—手にむすびたのみしかひもなき世なりけり」〈伊勢一二二〉 ②したたり落ちる水。雨だれ。「峰に日や今朝はうららにさしつらん軒の垂氷(たるひ)の下の—」〈曾丹集〉

たまむかへ タマムカエ【魂迎へ】 七月十三日夕暮に、精霊を迎えるため、門口で苧殻(をがら)を焚く行事。迎火。「忘れめや世に有りの身の—」〈俳・仏兄七車下〉

たまむすび【魂結び】 身から浮かれ出た魂を結び止めるまじない。「魂は見つ主は誰とも知らねども結びとどめつ下がひの褄(つま)」という歌を三誦し、衣の褄を結んで、三日後これを解くという。「思ひあまり出でにし魂のあるならむ夜深く見えば—せよ」〈伊勢一一〇〉

たまも【玉裳】《タマは美称》 美しい裳。「をとめらが—裾引くこの庭に」〈万四四五二〉

たまも【玉藻】《タマは美称》 美しい藻。「海人少女(あまをとめ)ども—刈る見ゆ」〈万三六九〇〉。「—に遊ぶ鴛鴦(をし)の声などあはれに聞えて」〈源氏若菜上〉 **—なす** 美しい藻のように。「浮かべ」「依り」「靡き」を修飾する。「—浮かべ流せれ」〈万五〇〉。「—寄り寝し妹(いも)を」〈万一三一〉。「—靡き我が宿(ね)し」〈万一三八〉 **—よし**【玉藻よし】〔枕詞〕《ヨシは良い意》 海岸の美しい藻をほめて、国名「讃岐(さぬき)」にかかる。「—讃岐の国は」〈万二二〇〉

たまもの【賜物・賜】《タマヒモノの約》 たまわった物。くだされ物。「その—に報ひんとて、和韻をばしたれども」〈三体詩抄二ノ三〉

たまもひ タマモイ【玉盌】《タマは美称》 美しい椀(わん)。「—に水さへ盛り」〈紀歌謡九四〉

たまもり【玉主】 玉の持主。「—に玉は授けてかつがつも枕とわれはいざ二人寝む」〈万六五二〉 ▽万葉集の原文「玉主」はタマヌシと読む説もある。

たまや【霊屋・霊廟】 ①埋葬の前にしばらく遺体を納めておく建物。霊殿(たまどの)。「鳥辺野の南のかたに二町ばかりさりて—といふものを造りて」〈栄花鳥辺野〉 ②霊魂をまつってある建物。霊廟(れいびょう)。おたまや。みたまや。「旅あんだ(粗末ナ輿)—の門に着きにけり」〈俳・大坂八百韻下〉

たまやなぎ【玉柳】 柳の美称。「うぐひすの糸によるてふ—吹きな乱りそ春の山風」〈後撰一三二〉

たまゆら 《万葉集三三九一に見える「玉響(たまかぎる)」の古訓から生れた語。歌語》 ①ちょっとの間。ほんのしばらく。「—も恋しと思はん人もがなこはあぢきなの我が独り寝や」〈江帥集〉。「年を経ておつる涙を衣手に—かけぬ時の間ぞなき」〈国信卿家歌合〉。「—の世にかかる春秋」〈夢庵独吟何路百韻〉。「—。しばし也」〈和歌初学抄〉 ②草などに露の玉が宿っているさま。「—。…又、露の多く置きたる躰を云ふ也」〈匠材集二〉

たまよばひ タマヨバイ【魂呼ばひ・魂喚ばひ】 人の臨終または死の

直後、その枕元や病室の上などで、その人の名を呼び返して蘇らせようとする習俗。「たまよび」とも。「去る五日の夜、尚侍殿薨ずるの時、…上東門院東の対(たい)の上にて、尚侍殿の御衣を以て、—を修す」〈左経記万寿二・八・二三〉

たま・り【溜り】㊀『四段』《タメ(溜)の自動詞形。ものごとが満を持した状態のまま、じっと動かずにいる意。転じて、相手の仕打ちに対し、こちらの態勢を変えず、されるがままにじっとこらえ通す意》①(水などが)ひと所に集まったまま流れないでいる。「蓮葉(はちすは)に—・れる水の」〈万三八三九〉。「少府頭(かしら)の中に水有(たまれ)り」〈遊仙窟(醍醐寺本)鎌倉期点〉②(ものごとが)積もって動かずにある。積もる。「御ぐしの—・れる程こちたくゆるらかに」〈源氏若菜下〉。「雪はいくらほど—・りたるぞ」〈著聞四七六〉③とまる。「寺はあばれ(荒廃シ)たれば、風も—・らず、雪もさはらず」〈古本説話五三〉④力の入った状態のままで保つ。「しばらく弓—・って、面に進みたる伊藤六が真中に押しあてて放ちたり」〈保元中・白河殿へ義朝夜討ち〉⑤こらえきる。辛抱する。「伊藤六ひとたまりも—・らず、どうど落つ」〈保元中・白河殿へ義朝夜討ち〉㊁『名』①(水などが)ひと所に集まり動かないこと。また、その所。「水の—ににほといふ鳥のころすごく鳴きたるを」〈宇津保藤原君〉②醤油を仕込んだ後、発酵したもろみ汁。甘く濃厚な味がする。「—二桶・御樽五、進上申し候」〈細川忠利書状寛永八・閏一〇・一五〉

溜らぬ ①こらえきれない。自制のきかない。「もとより—懸け武者なれば」〈太平記九・六波羅攻〉。「五郎—男にて『…』と言ひ捨てて」〈曾我五〉②すばらしい。とてつもない。「百姓等にもたまさかに、—花車(きやしや)なる者も有りと聞きし」〈仮・ひそめ草上〉。〈日葡〉

だま・り『四段』《ダマシと同根》①そ知らぬふりをする。表面をいつわる。「忙がしき事をも—・るなり」〈蒙求聴塵下〉②【黙り】口に出して言うのを控える。黙する。「是非に及ばず、—・りける」〈咄・昨日は今日下〉

たまわた【玉綿】収穫したままで種などのついている綿。実綿(さねわた)。「—を繰らすと見えて笹の雪」〈俳・両吟一日千句〉

たみ【民】治められている人。人民。「宮木引く泉の杣(そま)に立つ—の息(いこ)ふ時なく恋ひわたるかも」〈万二六四五〉▽タ(田)オミ(人・臣)の約か。†tami

た・み【彩み】『四段』《後世はダミと濁音》いろどる。彩色する。「源氏絵十巻—・みたる料紙に書きて」〈著聞四〇三〉。「キンギン(金銀)ヲモッテモノヲダム」〈日葡〉

た・み【廻み・訛み】『上二』①ぐるっとまがる。ぐるっとめぐる。「岡の崎—・みたる道を」〈万二三六三〉。「迂、タミタリ・マガル・メグル」〈名義抄〉②ゆがんだ発音をする。なまる。「若うより、さる東国(あづま)方の遙かなる世界にうづもれて年経ければにや、声などほとほとうちゆがみぬべく、物うちいふ、すこし—・みたるやうにて」〈源氏東屋〉→だみ。†tami

だみ『接尾』以内。「近くあらば今二日—、遠くあらば七日のをちは過ぎめやも、来なむわが背子」〈万四〇一一〉▽タミ(廻)と同根の語か。手前へめぐる意から「以内」の意。ヲチが遠方の意から「以上」の意に転用されているのと対になる。†dami

だ・み【濁み・訛み】『上二』《タミ(廻)の転。真直ぐならずの意から》①ゆがんだ発音をする。なまる。「鶯は田舎の谷の巣なれども—・みたる音をば鳴かぬなりけり」〈西行家集〉②にごる。くもる。「空さへ—・みて更くる夜の」〈近松・持統天皇四〉

たみくさ【民草】民。人民。「—ゆたけく、家の内富み栄えにぎはしく」〈伽・伊香物語〉。「—とは百姓と書くなり。百姓の事なり」〈宗祇袖下〉

たみのかまど【民の竈】人民が飯をたくかまど。人民の暮しをいう。「高き屋にのぼりて見れば煙立つ—はにぎはひにけり」〈新古今七〇七〉

たむかひ カイ・ム【手向ひ】《タはテ(手)の古形。一説、接頭語》反抗。抵抗。てむかい。「蝦夷(えみし)を一人(ひたり)百(もも)な人、人は言へども—もせず」〈紀歌謡一一〉†tamukaFi

たむ・け【手向け】㊀『下二』①道中の安全を祈って、峠の神に幣(ぬさ)などを供える。神仏に供え物をする。「指進乃栗栖(くるす)の小野の萩の花散らむ時にし行きて—・けむ」〈万九七〇〉。「神なびの山をすぎゆく秋なればたつた川にぞぬさは—・くる」〈古今三〇〇〉②旅立つ人に幣などを贈る。餞別を贈る。「老いぬとも又も逢はんとゆく年に涙の玉を—・けつるかな」〈新古今一五八四〉㊁『名』①道中の安全を祈って峠の神に幣(ぬさ)などを供えること。「近江道の相坂山に—して吾が越え行けば」〈万三二四〇〉②(1)をする所。山道ならばその登りつめた所。峠。「畏みと告(の)らずありしをみ越路の—に立ちて妹が名告りつ」〈万三七三〇〉▽「峠(たうげ)」はタムケの転。③神仏への供え物。「霊仏霊社の御—、扇・団扇(うちは)のばさら絵にも」〈太平記二九・将軍上洛〉④餞別。はなむけ。「女房の下らむにとて、—心ことにせさせ給ふ」〈源氏夕顔〉⑤「手向けの神」の略。「あふさか山にいたりて、—をいのり」〈古今序〉†tamukë

—ぐさ【手向け草】《クサは種、材料》手向けの料。手向けする物。布・糸・木綿(ゆふ)・紙など。「少女(をとめ)らに相坂山に—糸取り置きて」〈万三二三七〉

—のかみ【手向けの神】峠にあって、旅行者が道中の安全のため幣(ぬさ)を手向けて、祈禱した神。山・坂・海・川・国境などには、旅人に危害を加える神霊があると信じられていた。「礪波(となみ)山—に幣奉(まつ)り」〈万四〇〇八〉

—ばな【手向け花】神仏や死者の霊などに手向ける花。「—とて、咲きおくれし桜を一本持たせけるに」〈西鶴・五人女四〉

—みづ【手向け水】死者の霊に手向ける水。「涙を子供の—となし」〈西鶴・武家義理一〉

—やま【手向山】そこで「たむけ」をすることになっている山。一般的な名称から固有名詞になった所もある。「このたびは幣(ぬさ)もとりあへず—紅葉の錦神のまにまに」〈古今四二〇〉。「山は。…三輪の山をかし。—」〈枕一三〉

たむざけ【甜酒】《タムは「醰」の字音。味のよい、濃い酒の意》味のよい酒。美酒。「其の田の稲を以て甜酒(あまのたむざけ)を醸(か)みて新嘗(にひなへ)す」〈紀神代下〉。「醰、音覃(たむ)。日本紀私記云、甜酒、多無佐介(たむざけ)、酒味長也」〈和名抄〉†tamuzakë

たむだ・き【手抱き・拱き】『四段』《タはテ(手)の古形。ムダキは身抱キが原義。抱く意》両手をくむ。手をつかねて何もしないでいる。手をこまぬく。「たうだき」とも。「平けく我は遊ばむ—・きて我はいまさむ」〈万九七三〉。「拱、コマヌク・ウダク・タムダク」〈名義抄〉†tamudaki

ため【為】《その人・その事にとって役立つこと、利益になることの意が原義。それが「…のために」「…がために」と広く使われて、奈良時代には、…の役に立つように、…の利益となるようにの意。さらに転じて、…を目的・目標に、…に対しての意に広まり、平安時代に入ると、…の身にとって、…にとっての意にも使われた。一方、「為」の字は漢文の中で受身の「る」「らる」の意味を示す助字としても使われるので、漢文の訓読体では受身を示す「為」を原文についてそのままタメと訓み、下に「る」「らる」という受身の助動詞を補う訓法が固定した。また、漢文の中では「為」の字を、…によって、…が原因で、と解すべき場合があり、それも訓読体の中では原文のままにタメと訓む習慣が定着した。その結果、奈良時代に、将来の利益・目的・目標を示したタメは、平安時代以後、漢文訓読体を中心に、受身・原因・理由を示す用法を持つに至った》①（その人・その事にとって）将来役立つこと。利益あること。「天皇崩(かむあが)りましし後に、八年九月九日に奉為(おほみため)の御斎会(ごさいゑ)の夜に、夢のうちに習ひ給ふ御歌」〈万一六二題詞〉。「姫君の御—をおぼせば、大方の作法も、けぢめこよなからず、いと物物しくもてなさせ給へり」〈源氏少女〉。「おもほす人の—なれば…まめやかなる事までも、あつかひ知らせ給ふ」〈源氏宿木〉 ②贈物を受けた容器に入れるお返し。「おため」「おうつり」とも。「餅配り—にも入れよ吉野紙」〈俳・吉野山独案内四〉 ❷《形式名詞として、「…のため(に)」「…がため(に)」の形で、また、用言の連体形を承けて》①…の役に立つように。…の利益になるように。「大方人の子の福(さきはひ)かがふらまく欲りする事は、親の—にとなも聞こしめす」〈続紀宣命六一〉。「梅の花散らず我が—は照りや給はぬ」〈万八九三〉 ②…を目的として。…を目標として。「初秋風涼しき夕解かむとそ紐は結びし妹に逢はむ—」〈万四三〇六〉。「吾妹子に見せむが—に黄葉(もみち)取りてむ」〈万四二二二〉 ③…に対して。…に向って。「帝と立ちてある人い（デサエモ）、立ちの後に汝の—に礼(ゐや)無くして従はず、なめくあらむ人をば（ナラバ）、帝の位に置くこと得ざれ」〈続紀宣命二九〉。「今聞く、近江朝庭の臣等、朕(わ)が—に害はむことを謀る」〈紀天武一年〉 ④…の身にとって。…にとって。「〔心〕移りやすなる人（男）は、女の—のみにもあらず、〔誰ニモ〕頼もしげなく」〈源氏宿木〉。「今さら人の知り聞えさせむも、亡き御—は、なかなかめでたき御宿世見ゆべきことなれど」〈源氏蜻蛉〉 ⑤《多く、漢文訓読体で》㋑…によって。…が原因で。「若し子、父母の—に売られなば賤(やっこ)につけよ」〈紀持統五年〉。「〔二人ノ仲ハ〕わが—にしもあらじ。〔男ノ〕本性にやありけん」〈かげろふ中〉。「汝、先生(せんじやう)に人と生れたりしに、人に捨てられて寒さの—に死ぬべかりき」〈今昔二ノ五〉 ㋺《「為」と「故」と重ね用いて》…の目的によって。「諸〻の菩薩を利益せむが—の故に是の如き説を作る」〈金光明最勝王経平安初期点〉。「法を聴かむが—の故に、即ち仏前にして儼然にして坐せり」〈地蔵十輪経一・元慶点〉 †tamë

た・め【溜め】〘下二〙《満を持した状態でおく、一杯にした状態のままで保っておくの意》①とめておく。「水脈(みを)速み生ひ—・め難き、石枕蘿(こけ)むすまでに」〈万三二二七〉。「やがて追っかけて討手をだに下したらば、敵、足を—・むまじかりしを」〈太平記八・禁裡仙洞〉 ②集めておく。「梅の香を夜半の嵐の吹き—・めて槇の板戸のあくる待ちけり」〈後拾遺五三〉 †tamë

た・め【矯め・揉め】〘下二〙《タミ（廻）と同根》①弾力のあるものをかがめ曲げたり、真直に伸ばしたりして、形をつける。「揉、太無(たむ)」〈和名抄〉。「矯、タム」〈名義抄〉 ②弓を引きしぼってねらいを定める。「みちのくの安達のま弓君にこそ思ひ—・め(溜メト掛ケル)たることは語らめ」〈後拾遺一一二八〉 ③無理にもとの形をかえる。よくする場合も、悪くする場合もいう。「麻の中のよもぎは、—・めざるにみづから直し」〈十訓抄五序〉 **—つ眇(すが)めつ** 目をためたり、すがめたり。いろいろな角度からよく見ようとするさま。「わらはが顔を—見るが」〈虎明本狂言・鏡男〉

だめ【駄目】①囲碁で、双方の境にあって、どちらの所有ともつかぬ目。闕(ちけ)。「囲碁に—と言へる、めは目也」〈名語記三〉 ②無駄。無益。「定めて—の無き御思案、損得を考への事」〈評判・野郎児桜上〉

ためし【例・様】㊀〘名〙《タは手。メシはシメシ（示）のメシに同じ。手本として見せるものの意。→しめし》①模範。規格。「常の—によりて二十年(はたとせ)に一たび大宮新たに仕へまつりて」〈祝詞伊勢大神宮〉。「始めて制して婦女の衣服の様(ためし)を定む」〈続紀養老三・一二・五〉。「様、タメシ」〈名義抄〉 ②先例。前例。「いにしへにありきあらずは知らねども千年の—君にはじめむ」〈古今三五三〉 ③例。「椎(しひ)の木。常磐木は〔他ニ〕いづれもあるを、それしも葉がへ（落葉）せぬ—に言はれたるもをかし」〈枕四〇〉 ④証拠。「一人を恥ぢがましく悪口したりけるを…『一日悪口したりし—立てんずるぞかし』と云ひけるを」〈沙石集五ノ五〉 ㊁【ため・し】〘四段〙《名詞タメシの動詞化》実際に求めてみる。「修行といふはいか程の大事やらん、—・いてみん」〈平家五・文覚荒行〉 **—もの【様物・試物】**刀剣の切れ味を試みるために切られる人または物。「—など切る時の手の内も、兵法にして切る時の手の内も」〈五輪書〉

ためつ・け【矯め付け】〘下二〙折り目などを損わないように、きちんと着る。「良き小袖に上下を着て、烏帽子—・けて冠(かうぶ)り」〈連歌比況集〉

ためつもの【味物】①大嘗会の時に、臣下に賜わる酒や食物の総称。「次に雑魚幷せて菜一百缶、…已上並びに—」〈延喜式践祚大嘗祭〉 ②おいしいたべもの。「鼻・口及(また)尻(しり)より種種(くさぐさ)の—を取り出して」〈記神代〉 ▽タメはタマヘ（賜）の転か。

ためら・ひ【躊躇ひ】(タメライ)〘四段〙《タメはタメ（矯）と同根。つのる病勢や高ぶる感情などを押える意。転じて、行動に突き進むことをひかえ、逡巡する意》①（感情などを）おさえる。静める。「〔ツノル悲シミヲ〕やや—・ひて仰言(おほせごと)伝へ聞ゆ」〈源氏桐壺〉 ②（病勢などを）落ちつかせる。静養する。「風（感冒）おこりて—・ひ侍る程にて」〈源氏真木柱〉 ③（行動に移ることを）躊躇(ちゆうちよ)する。「別当入道の庖丁を見ばやと思へども、たやすく〔言葉ニ〕うち出でんもいかがかと—・ひけるを」〈徒然二三一〉 ④（進退に迷って）同じ所をさまよう。ゆきつもどりつする。「五六度まで引き返し引き返し—・ひゐたり」〈盛衰記二〇〉。「跟・蹰、タメラフ」〈名義抄〉

ためり〘連語〙《助動詞タリとメリとの複合の音便形タンメリのンを表記しなかった形》…したようだ。「これはいとさま変りたるかしづきぐさなりとおもほい—」〈源氏若紫〉 ▽メリは普通、動詞の終止形を承けるので、この場合も、もとの形は「たりめり」であったと思われる。平安時代の写本に「たるめり」と明記したものはないようである。

ためん【打眠】①眠ること。「飲食(おんじき)・—の中庸を保ちまらせいで」〈コリヤード懺悔録〉 ②ごく普通なこと。「碌碌(ろくろく)は、碌碌の才というて、をかしい—なる人をいふぞ」〈四河入海一下〉 **—ころも【打眠衣】**常に着る着物。「打眠衣、タメンコロモ、褻衣(けごろも)也」〈下学集〉

たも【給】《動詞タモリの命令形タモレの略》ください。「さらば聞いて—」〈浮・好色敗毒散五〉

だも〘助〙…でさえも。だにも。「迷へる時は目をひさぎて我が身を—見ず」〈海道記〉

たも・ち【保ち】〘四段〙《タは接頭語。モチは持チ。十分に維持している意》①相手の様子を変えずに持ちつづける。「永く安寧なるを—・たしめ、国内の居人にも咸(ことごと)く利益を蒙らしめむ」〈金光明最勝王経平安初期点〉。「〔男ニ〕—・たるる女のためも心にくく」〈源氏帚木〉 ②（位などを）保持する。（天皇が）在位する。「慈悲の心広く、世を

—・たせ給へれば」〈栄花月宴〉

たもと【袂】《タ(手)モト(本)の意》①肩からひじまでの部分。また、そこをおおう着物の部分。「若鮎(わかゆ)釣る妹が—をわれこそまかめ」〈万八五七〉②《転じて》袖。袖の形の変るにつれ、下の袋状の部分をいうようになる。「秋の野の草の—か花すすきほに出でてまねく袖と見ゆらん」〈古今二四三〉。「うれしきを何につつまん唐衣—ゆたかに裁(た)てといはましを」〈古今八六五〉 †tamötö **—のつゆ**【袂の露】袂にかかる涙。「ほに出でぬもの思ふらし篠(しの)すすき招く—しげくして」〈源氏宿木〉 **—を絞・る** 激しく泣く。感泣・悲泣するさまをいう。「諸人—・りけり」〈沙石集六ノ三〉

たもとほ・り(タモトオリ)〘四段〙《タは接頭語》①同じ場所をぐるぐるまわる。「—・り君が使を待ちやかねてむ」〈万六一九〉②遠まわりする。「春霞井の上ゆ直(ただ)に道はあれど君に逢はむと—・り来も」〈万一二五六〉③〔枕詞〕めぐる意から地名「ゆきみ」にかかる。「たもとほり往箕(ゆきみ)の里に」〈万二五四一〉 †tamötöFöri

たもり【田守り】田を荒されないよう番をすること。また、その人。「—の物追ひたる声、いふかひなく情なげにうちよばひたり」〈かげろふ中〉

たも・り【給り】〘四段〙《タマハリの転》くださる。もっぱら話しことばに使う。「いつも人を下さるるが、今朝は人を—・らなんだほどに」〈虎明本狂言・布施無経〉。「形見にと—・る小袖を肌に着て」〈俳・寛永十三年熱田万句三六〉。「ひらに戻って—・れ」〈虎明本狂言・鈍太郎〉

たもん【多聞】「多聞天」の略。「〔法華経持経者ハ〕薬王・勇施(ゆせ)・—・持国・十羅刹(らせ)に夜昼まもられ奉る」〈梁塵秘抄一六二〉 **—てん**【多聞天】《常に如来の道場を守って、説法を聞くことが多いので、多聞という》四天王の随一で、北方の守護神。毘沙門天。「観音は毘沙門なり。我、—の侍者、禅僊師(ぜんにし)童子なり」〈今昔一二ノ三五〉

たや【他屋・他家】①忌(いみ)に服するため別に設けた小屋。忌小屋。「宰相中将〔藤原〕家政女(妻)昨日死去と云云。仍りて女房服なり。暫く予—に居る」〈殿暦天仁三・四・三〉②月経の期間中、女が忌み籠もっている別棟の小屋。「—の日数を待つは浮かれ女」〈俳・油糟〉③月経。「龍田姫—をやこぼす下紅葉」〈俳・犬子集五〉④中世、神社仏閣の出張所。また、そこにある参詣人の休息所。「吉崎の当山に於いて、—の坊主達の内方(ないはう)とならん人は」〈御文章〉

たや・し【絶やし】〘四段〙《タエの他動詞形》絶えるようにする。絶えさせる。絶えす。「伊東入道が謀叛(むほん)によって、我等永く奉公を—・す」〈曾我九〉。「末代に至るまで詮なきにが茶を—・すべし」〈伽・酒茶論〉

たやす・し【容易し・輙し】〘形ク〙《タは接頭語》①わけない。容易である。簡単である。「言(こと)に言へば耳に—・し少なくも心のうちにわが思はなくに」〈万二五八一〉。「〔障子ハ〕みなを張りかへ候はむは、はるかに—・く候ふべし」〈徒然一八四〉②軽軽しい。軽率である。「つかさ位高き人をば、—・きやうなれば入れず」〈古今序〉。「それは天人の羽衣とて、—・く人間に与ふべき物にあらず」〈謡・羽衣〉

たゆ・し【懈し・弛し】〘形ク〙①だるい。「京師(みやこ)べに君は去にしを誰解けかわが紐の緒の結ふ手—・しも」〈万三一八三〉。「見るめなきわが身をうらと知らねばやかれなで海人(あま)の足—・く来る」〈古今六二三〉②(性質が)ぐずである。にぶい。「あやしく—・くおろかなる本性にて」〈源氏若菜下〉

たゆたに〘副〙《タは接頭語。ユタは、ゆるやかで定まらない意》気持のゆれて定まらないさま。ゆらゆら。「ゆたに」とも。「わが心ゆたに—浮きぬなは辺(へ)にも奥(おき)にも寄りかつましじ」〈万一三五二〉

たゆた・ひ(タユタイ)【猶預ひ】㊀〘四段〙《タは接頭語。ユタはゆるやかで定まらないさま》①ゆらゆらと動く。揺れる。「海原(うなはら)の—・ふ波に」〈万一〇八九〉②(心などが)不安で動揺する。「天雲の—・ふ心わが思はなくに」〈万二八一六〉③(事を決しかねて)ぐずぐずする。決行しかねる。「〔旅路ノ〕はるけき程に、ことなる勢なき人は—・ひつつ、すがすがしくも出で立たぬ程に」〈源氏玉鬘〉㊁〘名〙気持の動揺すること。「妹(いも)は逢はさず—にして」〈万二六九〇〉 †tayutaFi

たゆ・み【弛み・懈み】㊀〘四段〙《タユシ(懈)の動詞形。持続する緊張がゆるむ意。類義語ウミ(倦)は、長らく事にかかっていて疲れ、途中でいやけがさして投げ出す意》①ぴんと張りつめたものがゆるむ。「耳熱(いき)り、脈(ちのみち)脹(の)び、筋(すぢ)舒(ゆた)む」〈遊仙窟(醍醐寺本)鎌倉期点〉②気持の緊張などがゆるむ。「〔オ産ハ〕まださるべきほどにもあらずと皆人も—・み給へるに、にはかに御気色ありて」〈源氏葵〉③(続行している努力を)途中でおこたる。「御行ひを時の間(ま)も—・ませ給はずせさせ給ふ積りの」〈源氏薄雲〉。「学を好みて倦(う)まず。福を求めて廻(たゆ)まず」〈大唐西域記五・長寛点〉④(病勢などが)一時おとろえる。弱まる。「今夜しもいささか乱れ心地—・ませおはしければ」〈保元上・後白河院御即位〉㊁〘名〙ゆるみ。油断。「関守の固からぬ—にや」〈源氏若菜上〉

たゆ・め【弛め・懈め】〘下二〙《タユミ(弛)の他動詞形》警戒心などをゆるませる。油断させる。「さてもあさましう—・めて入り来たりしさまよ」〈源氏宿木〉

たゆら《タは接頭語。ユラはユタと同根。動揺の意》気持が動揺して定まらないさま。「筑波嶺の岩もとどろに落つる水世にも—に我が思はなくに」〈万三三九二常陸東歌〉

たゆらく【絶ゆらく】《絶エのク語法》絶えること。「世の中は常かくのみか結びてし白玉の緒の—思へば」〈万一三二一〉

たよたよ 力無く弱弱しいさま。なよなよ。「通力自在の勢絶えて、力も—と」〈謡・鉄輪〉

たよら《タユラの母音交替形》⇒たゆら。「世にも—に児ろが言はなくに」〈万三三六八相模東歌〉 †tayora

たより【頼り・便り】㊀〘名〙《タ(手)ヨリ(寄)が原義》①手づる。縁故。寄るべ。「此の木を以ちて十一面観音に作り奉らんと、然れども持ちゆくべき—なくしてむなしくもとの里に帰りぬ」〈三宝絵下〉。「女どもの知る—にて仰せ言を伝へ始め侍りしに」〈源氏東屋〉②ついで。よい機会。「夜いたく更(ふ)けてゆくりもなく物し給へり。おとど驚き給ひて『いづくに物し給へる—にかあらむ』といへり」〈大和一三五〉③便宜。方便。「げに古言ぞ人の心をのぶる—なりけるを思ひいで給ふ」〈源氏総角〉④具合。加減。「わざとならぬ庭の草も心あるさまに、簀子(すのこ)・透垣(すいがい)の—をかしく」〈徒然一〇〉⑤消息。「たれかはと思ふものからふるさとの—待たるる初雁の声」〈李花集上〉㊁【たよ・り】〘四段〙《名詞タヨリの動詞化》①縁を求めて近づく。「晴れ残る雲のひとむら—・り来てまた降りいづる夕時雨かな」〈続門葉集六〉。「家老をのぼせて、日向守義興が許に—・りて、つぶさに始終を語りければ」〈室町殿日記四〉②言い寄る。くどく。「人の嫁など—・るを」〈西鶴・二十不孝四〉③よりどころとする。すがる。「明日より後の恋しさを、何に—・りて慰まん」〈幸若・八島〉。「発句多き故、かくの如きの古事に—・るも、一つのふりなるべし」〈毛利千句注〉 **—ど**【便り言】消息文。音信。「花蝶につけたる—は心ねたうもてないたる」〈源氏胡蝶〉 **—なし**【便り無し】貧乏

人。「徳人(金持)・—の家のうちの作法など書かせ給へり」〈大鏡伊尹〉

たよわ・し【手弱し】《形ク》《タは手。一説に、接頭語》弱い。「岩戸わる手力もがも—き女(をみな)にしあればすべの知らなく」〈万四一九〉 †tayowasi

だら 長脇差。「二尺余りの—をさし」〈咄・当世口真似笑三〉。〈日葡〉

たらう ゥ:ロ【太郎】①長男。「宮、大君(おほいぎみ)・—・二郎・三郎・四郎とりつづき生み給ふ。大殿(おほとの)の御方、五郎・六郎と生み給ふ」〈宇津保藤原君〉②いくつかあるものの最初または最大のものをいう語。「[今年ノ大火ヲ]世人次郎焼亡と号す。—は去年四月二十八日大極殿に至って焼亡す」〈清獬眼抄〉。「軒あれて古き鍛冶屋の—槌ふりさけ見れば月のさやけき」〈七十一番歌合〉。「雲霧に隠れん坊か富士—」〈立圃東の紀行〉 **—くゎじゃ**【太郎冠者】狂言で、大名の召使いとして登場する家来のうち、最も先輩格の者の通称。「殿出て、—・次郎冠者を呼び出し」〈天正本狂言・鳴子〉 **—づき**【太郎月】正月の異名。「正月の月を—と祝ふに」〈中古雑唱集〉

だらけ《接尾》その物が一面に満ちているさまをあらわす。「本のほこり—に、表紙の破れたを」〈山谷詩抄一九〉。「国中がかまびすしく喧嘩—でやまねども」〈三略抄〉

だらごゑ【だら声】だらだらと締りのない声。「奥の客が—にて、『こりゃさがは何してぢゃ、色がなうて飲めぬはい』」〈近松・生玉心中上〉

たらし【執らし】《トラシの転》貴人の弓をいう語。「たとひ千疋万疋にかへさせ給ふべき御—なりとも、いかでか御命にかへさせ給ふべき」〈平家一一・弓流〉

たら・し【誑し・欺し】㊀《四段》うまいことを言ってあざむく。だます。「うそをつき、人を—・すが妄語なり」〈伽・天狗の内裏〉。「誑、たぶらかす、人を—・す也」〈和漢通用集〉㊁《名》人をだますこと。また、その者。詐欺師・すっぱの類をもいう。「—一人出て鏡を売る」〈天正本狂言・松の山鏡〉

だらすけ【陀羅助】《「陀羅尼助」の転。陀羅尼を誦するとき眠気ざましに口に含んだからとも、この経の唱誦度数を製薬時間の基準に用いたから名付けたともいう》黄蘗(きはだ)の樹皮を熱湯で煎じ、濃縮したエキスを、竹の皮に延して乾し固めた苦い腹痛薬。元来、山伏の常備薬であったが、高野山に伝わり、高野聖などによって全国に広まった。近世では、大和国吉野洞川(どろかわ)産が売薬として有名。「洞川[ノ]—」〈童子車〉

たらずまい【足らず前】《タラズマへの転》不足分。足し前。「たらずめ」とも。「まぜこぜに/霰(あられ)は雨の—」〈雑俳・替狂言〉

たらたら ①しずくなどのしたたるさま。「涙の—と流れたなりぞ」〈玉塵抄三五〉②間断なく円滑に行なわれるさま。つるつる。「—と説いたれども、そこに恐ろしい事があるぞ」〈碧岩抄一〇〉③《接尾語のように用いて》好ましくないことばかり言ったりしたりするさま。「悪口—云ひ散らせば」〈雲陽軍実記三〉 ▽(2)(3)は「たらだら」とも。

たらちし【枕詞】「母」にかかる。「垂乳し」(シは意義不明)の意か。また、「足らし」(養育する意)の転か。「—母に懐(だ)かえ」〈万三七九一〉 **—の**【枕詞】「たらちし」に同じ。「—母が目見ずて」〈万八八七〉 **—や**【枕詞】《ヤは間投助詞》「たらちし」に同じ。「—母が手離れ」〈万八八六〉

たらちね【垂乳根】《枕詞「たらちねの」の転用》①母。「たらちめ」とも。「—は黒髪ながらいかなればこのまゆ白き糸となるらむ」〈金葉六〇〇〉②親。父母。「昔だに昔と思ひし—のなほ恋しきぞはかなかりける」〈新古今一八一五〉③《(1)からの類推で生じた語タラチメを母の意とするのに対して》父。「たらちを」とも。「忘るなと契りおきけん—も笑みて見るらん雲のうへにて」〈宇津保国譲中〉。「—もまたたらちめもうせ果てて頼む蔭なき嘆きをぞする」〈拾玉集一〉 **—の**【垂乳根の】【枕詞】《タラは動詞垂ラシの語幹。チは乳。ネは女性を表わす》「母」「親」にかかる。「—母の命(みこと)は」〈万四四〇八〉。「—おやのまもりと」〈古今三六八〉

たらちめ【垂乳女】《タラチネからの類推で作られた語という。「たらちを」の対》母。「—の嘆きをつみて我はかく思ひの下になるぞ悲しき」〈金葉六五五〉

たらちを【垂乳男】《タラチネから生じたタラチメを母の意とするのに対して作られた語》父。「—のかへるほどをも知らずしていかで捨てて雁のかひこぞ」〈元輔集〉

だらに【陀羅尼】[仏]《梵語の音訳。総持・能持・能遮と訳す。すべての無量の仏法を任持して、忘失せぬ能力をいう》梵語による長文の呪(じゅ)。翻訳しないで、そのまま読みあげる。「香をたきて行道し、—を読みて、忽ちに走り転(まろ)ぶ」〈霊異記下三六〉

たらは・し タラワシ【足らはし】《四段》《タラヒ(足)の尊敬語》①欠けた所なく整っておられる。「おほみ形も—・して、ことに好くおほましませば」〈続紀宣命四一〉②《他の動詞と複合して》十分に…しとげなさる。「韓国(からくに)に行き—・して帰り来む」〈万四二六二〉

たらひ イタラ【盥】《タ(手)アラヒ(洗)の約》水や湯を入れて、手や顔を洗うための器。歯ぐろめや口をすすぐためなどにも使った。普通、円形の左右に二本ずつ角(つの)のような取手があるので「つのだらひ」ともいう。「大空の星の光を—の水にうつしたる心地して」〈源氏蓬生〉。「盥、多良比(たらひ)、俗用手洗二字」〈和名抄〉

たら・ひ イタラ【足らひ】㊀《四段》《タリ(足)アヒ(合)の約》(いろいろな条件が)すべてそなわる。欠けることなくそろう。「斯く—・ひぬる人は必ず[命ガ]え長からぬ事なり」〈源氏若菜下〉㊁《名》満ち足りること。「この見ゆる雲ほびこりてとの曇り雨も降らぬか心だらひに」〈万四一二三〉 †taraFi

たらふく《「鱈腹」と当て字》①十分なさま。たっぷり。「これは何となう景を云うたやうな句なれども、懐王の故事を—用ふる也」〈三体詩絶句抄四〉②腹いっぱい飲食したさま。満腹なさま。「後見—に[酒ヲ飲ミ]候て口惜しく候」〈吉川家文書一、藤春房高隆書状〉

だらり【陀羅尼】《ダラニの訛》京都建仁寺で夜半に撞く時の鐘。梵鐘を百八回撞くのでいう。「建仁寺の—に更け行く夜半を恨み」〈浮・好色訓蒙図彙上〉

だらりべんべん ゆるやかで長長しいさま。「此の君が代や—」〈俳・物種集〉

たり【人】人を数える語。「一人(ひたり)」「二人(ふたり)」「三人(みたり)」「幾人(いくたり)」など。「さがしき山も吾妹子(わぎもこ)と二(ふた)—越ゆれば安蓆(やすむしろ)かも」〈紀歌謡六一〉 ▽朝鮮語の複数語尾 tul と同源か。

たり【罇】《タル(樽)の古形》口のついた樽(たる)。酒を入れて盃につぎ入れる道具。「秀罇(ほだり)取らすも」〈記歌謡一〇三〉

たり【鷙】《タリ(垂)と同根》馬の脚が曲がって重く、進まないこと。「鷙、俗云多利(たり)、馬脚屈重也」〈和名抄〉 **—を付・く** 人の欠点を言う。落度を非難する。「いざ一揆をおこして軍(いくさ)に—・けん」〈室町殿日記八〉

た・り【足り】《四段》《条件を十分に満たした状態にある意》①満ちている。枠に一杯である。「望月の—・れる面(おも)わに花のごと笑みて立てれば」〈万一八〇七〉②資質など)十分に備わる。「速く身口の内に入れて、聡明にあらしめ、弁才に—・らしめ給へ」〈金光明最勝王経平安初期点〉 ③(一定の数量に)ちょうど達する。「院の御よはひ〔五十歳ニ〕—・り給ふ年なり」〈源氏若菜下〉 ④(ある条件に)相ふさわしくある。似つかわしくある。「修むる所の善業、物物、美麗にして薬師菩薩の影向に—・れり」〈東大寺諷誦文稿〉 ⑤ふさわしい価値がある。価する。「万事は皆非なり。言ふに—・らず。願ふに—・らず」〈徒然三八〉

た・り【垂り】『四段』《タレ(垂)の古形。自分で自分を支える力をなくして、下方へだらりとのびている。また、その先が切れて下に落ちる。類義語サガリは、支える点があって、それにかかりながら下方に垂れる意》 ①だらりと下にのびる。「〔鼻ハ〕高うのびらかに先の方少し—・りて」〈源氏末摘花〉 ②したたる。したたり落ちる。「栲綱(たくづの)の白鬚(しらひげ)の上ゆ涙—・り」〈万四四〇八〉。「其の像の臆(むね)より桃の脂(やに)の如き物忽然(たちまち)に出で—・る」〈霊異記下一二〉 ③力を落してぐったりする。疲れる。「歩び極(うこ)じてただ—・りに—・りゐたるを」〈今昔一六ノ二八〉

た・り『助動』→基本助動詞解説

だり 近世、駕籠舁きなどの隠語で、四のこと。「言ひも習はぬ駕かき詞、…—・坂東」〈近松・日本西王母三〉

だ・り【疲り・倦り】『四段』 疲れる。倦み疲れる。くたびれる。「倦、ダル・ウム」〈文明本節用集〉。「倦、だる、くたびるる也」〈和漢通用集〉

たりき【他力】〔仏〕 阿彌陀仏の力。彌陀の本願力。「自力と云っぱ、わが力をはげみて往生を求むるなり。—と云っぱ、ただ仏の力を頼み奉るなり」〈和語燈録三〉 **—ほんぐゎん**【他力本願】 衆生を救おうとする阿彌陀仏の本願。転じて、衆生が自己の修行によらず、阿彌陀仏の本願力で成仏するのを願うこと。「深く彌陀の—を信持するなり。信持しぬれば疑ひなし」〈西方発心集下〉

たりき【垂木】「たるき」の古形。「榑木、枡也、介太(けた)又太利木(たりき)」〈新撰字鏡〉

たりひ【垂氷】「たるひ」に同じ。「祓(はらへ)=祓殿)などいふところに—いふかたなうしたり」〈かげろふ下〉

たりひづみ【驁歪】 不正。不公平。また、欠点。難癖。「ためひづみ」とも。「吏官は民の—を見て、むつかしうものを云う者ぞ」〈玉塵抄二一〉。「—の無い弦掛(つるかけ)の升」〈近松・松風村雨三〉

たりふし【垂り伏し】『副』《頭を垂れ伏しての意から》 せつに。折り入って。ねんごろに。「さるほどに前右大将宗盛卿、法皇の御事を—申されければ」〈平家四・鼬〉。「…と度度—云ひければ、ちとゆるくなりけり」〈雑談集六〉。「垂伏(たりふし)申す」〈温故知新書〉

たりほ【垂穂】 稲などの熟して垂れている穂。「其の秋の—八握(やつかほ)に莫莫然(しなひて)」〈紀神代上〉

たりま・ひ(タリマイ)『四段』《タリは垂リの意》 つかれよわる。衰弱する。「—・ひてややみ(悩ミ)たまへば」〈続紀宣命二〉 †tarimaFi

たりよ【足夜】 一晩たっぷり。「うつつには君には逢はず夢(いめ)にだにあふと見えこそ天の—を」〈万三二八〇〉 †tariyo

たりを【垂尾】 たれ下がった尾。しだりお。「庭つ鳥鶏(かけ)の—の乱れ尾の長き心を思ほへぬかも」〈万一四一三〉

たる【樽】《古形タリ(罇)の転》 酒などを貯える器。酒樽(さかだる)。「いろいろの肴、—、筒、瓶子(へいじ)立て並べ」〈伽・弁慶物語〉。〈文明本節用集〉

たるき【垂木】《古くはタリキ》 家の棟から軒へ幾本もつらねて、屋根板などを支える木。「玳瑁(たいまい)のたまの椽(たるき)を施(わたしはへ)たり」〈遊仙窟(醍醐寺本)鎌倉期点〉。「榱、太流岐(たるき)」〈和名抄〉 **—ばな**【棰鼻・椽鼻】 軒下にあらわれた垂木の端。瑠(こじり)。「瑪瑙(めなう)の釘隠し、青貝の—」〈西鶴・永代蔵三〉。〈日葡〉

たるざかな【樽肴】 進物用の酒樽と箱肴。「自筆の書状に月山の刀一腰、—をぞ贈られける」〈加沢記五〉

たる・し【怠し・懈し】『形ク』 疲れて元気がない。だるい。「うつぶき候へば、首—・く候ふ」〈伽・鼠草子〉。「足たゆく。足—・き事なり」〈匠材集三〉

だる・し【怠し・懈し】『形ク』《タルシの濁音化》 ①「たるし」に同じ。「輪機とは、—・うて手をも出さぬを云ふなり」〈本則抄四〉 ②にぶい。「此の男中中—・い事、見て居る事でない」〈西鶴・椀久一世下〉

たるだい【樽代】 祝儀として酒代の名目で贈る金銭。「樽銭」とも。「—三百疋これを送らる」〈実隆公記永正九・閏四・二〉

たるひ【垂氷】 軒の雫(しづく)などがしたたりながら凍ったもの。氷柱(つらら)。「朝日さす軒の—は解けながらなどかつらら(氷)の結ぼほるらむ」〈源氏末摘花〉

たるひ【足る日】 充足した、よい日。「八十日日(やそかび)はあれども今日の生日(いくひ)の—に」〈祝詞神賀詞〉 †taruFi

たるひろひ(ロイ)【樽拾ひ】 酒屋の小僧が、得意先をまわって空樽を集め歩くこと。また、その小僧。「花に身を幾運び行く—」〈俳・坂東太郎上〉

だるま【達磨】《梵語の音訳》 禅宗の始祖。もと南インドの王子で、梁武帝の時、中国に渡って、禅の奥義を伝えた。「今は昔、南天竺(てんぢく)に—和尚といふ聖人ましましけり」〈今昔六ノ三〉 **—うた**【達磨歌】 新古今集当時の新風和歌を非難していう語。自分だけ悟ったようであるが、他人には理解できない傾向を指摘したものか。達磨宗。「文治・建久より以来、新儀非拠の—と称し、天下貴賤に悪(にく)まるるところとなり」〈拾遺愚草員外下〉 **—き**【達磨忌】 十月五日、達磨の忌日に禅寺で行なう法会。「二祖と云ふは—と百丈忌ぞ」〈百丈清規抄一二〉 **—しゅう**【達磨宗】 ①禅宗の異称。「禅宗、…また仏心宗と云ひ、また—と云ふ」〈日蓮遺文一代五時鶏図〉 ②「だるまうた」に同じ。「中頃の体(古今集ノ風体ヲイウカ)を執する人は、今の世の歌をばすずろごとの様に思ひて、やや—などいふ異名をつけてそしり嘲る」〈無名抄〉

たるみ【垂水】 高い崖から流れ落ちる水。たき。「石ばしる—の上のさわらびの萌え出づる春になりにけるかも」〈万一四一八〉 →たき。 †tarumi

たれ【誰】『代』《不定称》 ①だれ。「梅の花—か浮かべし酒杯の上に」〈万八四〇〉 ②だれだれ。だれそれ。不定の人をかりにとりたてていう。「なほ—となくて二条院に迎へてむ」〈源氏夕顔〉 ▽近世初期には濁音形もあらわれる。「今、京の人達の物申さるる言葉を聞くに、或いは、たれと言ふことを、たの字をにごり」〈慰草一〉 **—か有る** 主人が下人や家人を呼ぶ時のことば。誰かおらぬか。「いかに—」〈謡・橋弁慶〉

た・れ【垂れ】『下二』《タリ(垂)よりもおくれて現われた形》 ①先端をだらりとさげる。「眉画(まよがき)濃(こ)に画(か)き—・れ、逢はしし女(をみな)」〈記歌謡四二〉 ②ぶらさげる。垂らす。「袖—・れていざわが苑(その)に」〈万四二七七〉 ③《「垂」の訓読として》 目下の者、後世の者に現わし示す。示し施す。「誠に跡を—・れ給ふ神ならば助け給へ」〈源氏明石〉。「機の熟するを待ちて済ふことを—・るるなり」〈法華経玄賛平安初期点〉 ④大小便などを排泄(はいせつ)する。「真黄な袴は—・れたる物なり」〈伽・福富長者物語〉 ⑤「剃(そ)り」の忌詞。「あんまりよい月影に、額ー・れうと思うて」〈近松・重井筒中〉。〈日葡〉 ⑥《⑸から転じて》 刃物がよく切れる。「鋏(はさみ)をくれる筈ぢゃがー・るるか知らぬ」〈西鶴・一代男二〉

たれがし【誰がし】『代』 特に名を指さずにいう語。だれそれ。誰某。「落ち籠もりたる謀叛人はーぞ」〈盛衰記三四〉

たれこ・め【垂れ籠め】『下二』 すだれやとばりなどをおろして室内にひきこもる。「ー・めて春の行方も知らぬまに待ちし桜もうつろひにけり」〈古今八〇〉

たれしの【誰しの】『連語』《シは強めの助詞》 誰という。「いにしへの狭織(さおり)の帯を結び垂れー人も君にはまさじ」〈万二六二八〉

たれす【垂簾】 すだれ。「玉垂れの小簀(すを)のーを行きかてに寝(い)は寝(な)さずとも君は通はせ」〈万二五五六〉

たれみそ【垂味噌】 味噌一升に水三升五合を加え、三升に煮詰めて袋に入れ、したたらせた汁。煮物に使った。醬油が使われて以後すたれた。「うけいりとは、鯛の躬(み)を摺りて、小梅ほどにまるめ湯びき、ーにて煮る也」〈庖丁聞書〉。「醬・漿、タレミソ」〈文明本節用集〉

たろさく【太郎作】 馬鹿者・阿呆の意の擬人名。「奥山家のー」〈浮・人倫糸屑下〉

たろしろ【太郎四郎】「太郎作」に同じ。「粋方(すいはう)のかかに似合はぬきついーぢゃ」〈近松・阿波鳴門八〉

たろべゑ【太郎兵衛】 駕籠舁きの通名。「抜け参りの奉加帳に、駕籠舁のーが息杖で、一本(四百文)付く」〈吾嬬那万里下〉 **ー歩(あい)びやれ** もともと通り。結局同じ事。「『それ見ねへ』『ヱ、こっちもいはねへ事か』『ーだ』」〈滑・浮世床初上〉 **ーかご**【太郎兵衛駕籠】 ①もともと通り。結局同じ事。「剃髪せし時の奇特もーになる」〈善悪邪正大勘定中〉 ②底抜け。「ーで底抜けの生酔なれば」〈成田道中黄金駕〉

たわ 《タワミ(撓)・タワワのタワ。タヲリと同根》 ①山の稜線で低くたわんだ所。山の鞍部。「山のーより御船を引き越して」〈記垂仁〉 ②加えられた力をはねかえす力を秘めながら、押されてしなやかに曲がるさま。「時わかず降れる雪かと見るまでに垣根もーに咲ける卯の花」〈後撰一五三〉

たわい 思慮分別。正気。「ーは無いが家にじっとな」〈俳・蛇之助〉 **ーな・し**【たわい無し】『形ク』 ①思慮分別がない。正気を失っている。「酒にー・い程酔ひてから」〈評判・難波鉦二〉 ②とりとめもない。「この句何ともー・き事ども也」〈俳・引導集〉 ③張合いがない。手答えがない。「ー・く揉まれて」〈西鶴・三所世帯下〉

たわす・れ【た忘れ】『下二』《タは接頭語》 わすれる。「ぬばたまのその夜の梅をー・れて折らず来にけり思ひしものを」〈万三九二〉

たわたわ【撓撓】 木の枝などがたわみしなうさま。たわわ。「枝もー雪の降れれば」〈万三二一五〉

たわ・み【撓み】『四段』《加えられる力に耐えながら、しなやかに曲がる意。類義語シナヒは、みずから曲線美をなす意》 ①(枝などが)はねかえす力を秘めながら、押されて曲がる。「花は去年(こぞ)の古雪思ひ出でられて、枝もー・むばかり咲き乱れたり」〈源氏若菜下〉 ②(姿が)やわらかにしなう。「〔大君ハ〕あてにけ高きものから、なつかしうなよよかに、かたはなるまでなよなよとー・みたるさまし給へりしに」〈源氏東屋〉 ③(心が)屈する。折れる。「手弱女(たわやめ)の思ひー・みて、たもとほり我はそ恋ふる」〈万九三五〉。「かく少しー・み給へる〔父大臣ノ〕御気色を、宰相の君は聞き給へど」〈源氏梅枝〉 †tawami

たわ・め【撓め】『下二』《タワミ(撓)の他動詞形》 たわませる。曲げる。「この衆は、目をかけて、背をー・めて、違ひければ」〈宇治拾遺三二〉

たわやか 「たをやか」に同じ。「山吹は香りもなつかしく、ーにしなひたる草なれば」〈仙覚抄一〇〉

たわやがひな【撓や腕】《タワヤはタワヤメのタワヤに同じ》 たおやかな腕。「ーを枕(ま)かむ(枕ニシテ寝ヨウ)とは吾(あれ)はすれど」〈記歌謡二七〉 †tawayagaFina

たわやめ【撓や女】《「丈夫(ますらを)」の対。タワはタワミ(撓)のタワ。ヤは性質・状態を示す接尾語。タワヤでやわらかくしなやかな意。万葉集には「手弱女」と書いた例がある》 たおやかな女。しなやかにやさしい女。「ーの思ひたわみて」〈万九三五〉 †tawayame

たわらは(タワ ラワ)【た童】《タは接頭語》 子供。「ーのねのみ泣きつつたもとほり、君が使を待ちやかねてむ」〈万六一九〉

たわわ 《タワタワの約》 たわみしなうほどであるさま。「折りてみば落ちぞしぬべき秋萩の枝もーに置ける白露」〈古今二二三〉

たゐ【田居】 田のある所。たんぼ。田。「大君は神にしませば赤駒のはらばふーを都になしつ」〈万四二六〇〉

たゐなか【田居中】 田居の中。田んぼのまん中。「かく人離れたるーなれば」〈今昔二七ノ三六〉

たゐに【太為爾】 仮名四十七文字を重複しないように全部使って作った歌。「田居(たゐ)に出で、菜(な)摘む我をぞ、君召すと、あさり追ひ行く、山城の、打ち酔(ゑ)へる子等、藻葉(もは)干せよ、え舟繫(か)けぬ」というもの。平安時代初期から同じ役目をしていた「天地(あめつち)の歌」についで平安時代中期に源為憲によって作られたが、これより後に出た「いろは歌」に圧倒された。たゐにの歌。〈口遊〉

たをさ【田長】 農夫のかしら。「いくばくの田を作ればかほととぎすしでのーを朝な朝な呼ぶ」〈古今一〇一三〉

たをたを 《タワタワの母音交替形》 しなやかなさま。やわらかくしなうさま。「細やかにーとして、物うち言ひたるけはひ…いとらうたく見ゆ」〈源氏夕顔〉

たをやか 《タヲはタワの母音交替形》 ①重みでしなっているさま。たわんでいるさま。「萩いと色深うー枝ーに咲きたるが」〈枕六七〉 ②(身のこなしが)いかにものやわらかで優美なさま。「衣(ぬき)のこちたく厚ければーなるけもなし」〈栄花若ばえ〉 ③(人の性質に)加えられる力に耐える柔軟性があるさま。「心ばへもーなる方はなく」〈源氏宿木〉

たをや・ぎ【嫋やぎ】『四段』《タヲはタワの母音交替形》 加えられる力に耐える柔軟性がある。しなやかに見える。「〔女ノ〕人柄のー・ぎたるに強き心をしひて加へたれば、なよ竹の心地してさすがに折るべくもあらず」〈源氏帚木〉。「いと若やかにおほどかにて、やはやはとぞー・ぎ給へりし」〈源氏玉鬘〉

たをやめ【手弱女】「たわやめ」に同じ。「ーの袖にまがへる藤の花みる人からや色もまさらむ」〈源氏藤裏葉〉

たをり 《タワと同根。たわんだ所の意》 ①山の鞍部。鹿や猪などの山越えの通路。「峰のーに射目(いめ)立てて、鹿(しし)待つがごと」〈万三二七八〉 ②小鼻の脇。「婢、刀自女、年四十、鼻太平理(たをり)尓黒子」〈正倉院文書天平勝宝二・九・一四〉

たを・り【手折り】『四段』 手で折り取る。「草ー・り柴取り敷きて床じものうち臥(こ)ひ伏して」〈万八八六〉

たん【丹】 赤色の顔料。鉛に硫黄と硝石を加えて焼いて製する。鉛丹。「身には赤き衣を着、顔にはーを塗り」〈伽・かなわ〉

たん【反・段】①距離の単位。六間。「主の男も二ーばかりを去(の)きて、馬をひかへて立てるに」〈今昔一六ノ二〉②地積の単位。上代より中世末までは三百六十歩(ぶ)の称。近世初期、秀吉の天正の検地では、方六尺三寸を一歩、三百歩を一段とし、慶長・元和以後は、一歩が方六尺の三百歩一段となった。「地子を輸することーごとに粟三升なり」〈続紀養老三・九・二〉「三百六十歩ーと為す」〈口遊〉③布帛の大きさの単位。種類・時代などによりさまざまである。「商布二丈六尺を以てーとなして」〈続紀和銅七・二・二〉。「諸国の調布は長さ二丈八尺、濶さ一尺九寸、庸布は長さ一丈四尺、濶さ一尺九寸をーと為してこれを貢せしむ」〈続紀天平八・五・一二〉。「調布は四丈二尺をーと為し、庸布は二丈八尺をーと為し、商布は二丈五尺をーと為す、或は二丈六尺と謂ふ」〈口遊〉。「一、絹紬の事。壱ーに付き、長(たけ)大工矩(かね)にて三丈四尺、幅壱尺四寸。一、布木綿の事。壱ーに付き、長大工矩にて三丈四尺、幅壱尺三寸」〈御当家令条二九〉④帆の幅を示す語。むしろ一枚の幅で、三尺。「十四五ーの廻船」〈近松・博多小女郎上〉▽(3)(4)は普通「端」と書く。

だん【段】①区切って把握した対象。件。「ただ違例の由言上のー、短慮の至り」〈明徳記上〉。「そのーは、いと易い事ぢゃ」〈天草本伊曾保〉②段階。時点。場合。「手付取って手形して、〔注文品ヲ〕渡すーに変改(へんがい)して、職人が立ちますか」〈近松・氷の朔日上〉③《「ーではない」「ーかいの」「ーか」の形で》程度。…どころ。「はて、軽口のーかいの」〈近松・曾根崎心中〉④語り物・小説などの一章。「島島山山〔ノ景色ヲ〕節(ふし)語るー」〈俳・大矢数一〉

だん【緞】種種の色の糸で作った紐または織物。また、だんだら模様の布帛。「ーの唐組の紐」〈源氏梅枝〉。「領布(れひ)は楝(あふち)ー」〈紫式部日記〉

だん【壇】土を盛り上げて一段高く平らに作った所。祭祀などを行なう。「御修法(ずほふ)のー」〈源氏若菜上〉

たんか【短歌】①《「長歌」の対》和歌の形式の一。五七五七七の五句、三十一音を基準にする。記紀歌謡にはじまり、現在まで盛んに行なわれた。みじかうた。三十一文字(みそひともじ)。「忽に感憐を懐(だ)きて、聊(いさ)かに作るー一首」〈万四七一題詞〉②特に、長歌にそえた反歌。「石見国より妻に別れて上り来る時の歌(長歌)二首、ーを并(はあ)せたり」〈万一三一題詞〉③平安・鎌倉時代の歌学で、長歌のこと。古今和歌集で雑体のうちの長歌を「短歌」と記したことに由来する。「次にーといへるものあり。それは五文字七文字とつづけて、わがいはまほしき事のある限りは、いくらとも定めずいひつづけて、はては七文字を例の歌のやうに二つつづくるなり」〈俊頼髄脳〉

だんかふウ…ゴウ【談合】話し合うこと。相談すること。「仙洞には左大臣殿また為義を召されて、世間の事、のどのど御ーあり」〈保元中・白河殿へ義朝夜討ち〉。〈文明本節用集〉　**ーづく**【談合尽く】物事を相談して定めること。相談尽く。「ーの銭の取り遣り」〈俳・両吟一日千句〉　**ーばしら**【談合柱】相談相手。「安井清一郎…〔主君ノ〕ー故、六千石遣はし、国の仕置き申し付けられ候うて」〈中村一氏記〉

たんぎ【弾碁】⇒たぎ

だんぎ【談義】①意見を述べ合い相談すること。「ここにて軍(いくさ)のーあり」〈盛衰記二〇〉②書物・経典などの意味・内容を解説すること。講義。「四十八日の間、往生要集のーし給ふ事ありけり」〈沙石集四ノ八〉③仏教の教義を話して聞かせること。説法。「在京のうちに寺へ参り、ー・説法を聞いてござるが」〈虎明本狂言・鏡男〉④教えさとすこと。意見すること。「どうでおれがおーは、しげ坊とやらの新内節を聴くやうではないのさ」〈滑・浮世風呂四上〉　**ーばう**ボウ【談義坊】①説教をする僧。談義僧。「津の国の難波の事もー」〈俳・俳諧三部抄下〉②川魚の名。背腹真黒のイシブシ、またはメダカ・イサザの異名という。談義坊主。「余の魚に教化をするやー」〈俳・油糟〉　**ーほん**【談義本】近世、宝暦・明和ごろに流行した読物の一種。談義僧や心学者の講釈口調を真似、江戸語を多用して教訓とおかしみを述べ、社会を諷刺したもの。普通、水色表紙で五冊一部の半紙本。主として江戸で刊行された。教訓本。読本(よみほん)。談義物。「風姿戯言と題せしーを見れば」〈風姿戯言一〉　**ーまゐり**【談義参り】寺院に談義を聞きにゆくこと。「物見の場、ーなどに、知人あり、『爰(ここ)へ来い』といへるは嬉しからずや」〈俳・類船集三〉

だんきん【断金】《易経、繫辞伝に「二人心を同じうすればその利、金を断つ」とある》金をも断つほど友情の厚く強いこと。「我、国異なりといへども、心ーに在り」〈紀推古二十九年〉。「断金之契、ダンキンノチギリ」〈文明本節用集〉

たんくゎ【痰火】痰の激しく出る病。「咳きくるーに息切れて」〈近松・賀古教信三〉

たんぐゎ【旦過】《夕に宿り、早朝に去る意》行脚僧を宿泊させる所。旦過屋。「諸方の接待及び諸寺のー、みな門を閉せり」〈正法眼蔵安居〉。「旦過、タングヮ、旅僧宿所也」〈伊京集〉　**ーや**【旦過屋】「旦過」に同じ。乞食の宿泊所をもいう。「たんぐゎんや」とも。「高野山も昔に替り、今は咎人の身も隠させず、ーも破邪すると聞く」〈仮・武者物語中〉。「乞食部屋をーと曰ふ」〈合類節用集〉。〈日葡〉

たんくゎのくちびる【丹菓の唇】《「丹菓」は赤い菓実。「丹花」の字を当てて、赤い花の意に解した例もある》赤く美しい唇。仏の八十種好(はちじふしゆがう)の一で、しばしば美人の唇をたとえていう。「青蓮の眸、ー、…三十二相八十種好、一つも欠けたる事なし」〈十訓抄一ノ八〉

たんけい【短檠】丈の低い燭台。「このーに火をとぼして置けば」〈中華若木詩抄上〉。〈伊京集〉

だんけん【断見】〔仏〕《「常見」の対》因果の理を否定する邪見で、人は一度死ぬとそのまま断滅して再び生ずることがないという考え。「これーの外道なり」〈正法眼蔵深信因果〉

たんご【丹後】旧国名の一。山陰道八か国の一で、今の京都府の一部。「始めてーの国を置く」〈続紀和銅六・四・三〉　**ーつむぎ**【丹後紬】丹後国与謝郡から産出した紬(つむぎ)の縞織物。丹後縞。「西庵来たり、白絹並びにーを裁ち剪(き)る」〈蔭凉軒日録延徳一・一〇・九〉　**ーぶし**【丹後節】近世初期、江戸の太夫杉山丹後掾が語り伝えた、滝野勾当直伝の浄瑠璃節。「ーの道行ばかりを語り」〈西鶴・諸国咄五〉　**ーぶり**【丹後鰤】丹後沿岸で冬季にとれる鰤。近世、鰤の最上品とされ、特に京阪では正月に賞味された。「昨日かも菖蒲葺きしかー」〈俳・糸屑四〉

たんご【端午・端五】五節句の一。五月五日の節句。「あやめの節句」「重五(ちようご)」「重午」などともいう。「ーに臨む毎に…席を設け觴を行なふこと」〈続紀天平宝字二・三・一〇〉→さつきのせち

たんざく【短籍・短冊】《タンジャクとも》①木や紙の小片に、物の題目などを書いたもの。「門の椅(しは)の所に銭四貫有り。ーを著けて注して謂はく、大安寺の大修多羅供(いだ

すたらく)の銭といふ」〈霊異記中二八〉②和歌などを書く細長い料紙。「興にふれてよみすて給へる―どもの、此彼(ここかしこ)に散り乱れたるも」〈太平記二三・北山殿〉。〈運歩色葉集〉

たんじ【弾指】①つまはじき。排斥する時の所作。「天皇聞かして―し給ひ」〈霊異記下三五〉。「―はたたとす」〈大鏡昔物語〉②きわめて短い時間。二十念を一瞬、二十瞬を一弾指とする。「一―の間に六十五の刹那生滅すといへども」〈正法眼蔵出家功徳〉

たん・じ【弾じ】『サ変』絃楽器をひき鳴らす。「隠君子、琴を―・じ給ひける空より」〈著聞二六〉

だんし【檀紙】和紙の一種。厚手で白色。奈良時代は檀(まゆみ)の樹皮から作ったが、平安時代中期以降、楮(こうぞ)を原料とし、陸奥国の名産。みちのくがみ。「―五十帖」〈御堂関白記長和五・七・一〇〉

だんじゃうダンジョウ【弾正】弾正台の職員の総称。「―の少弼(せうひつ)仲国」〈平家六・小督〉 **―だい**【弾正台】令制の警察機関。京の内外を巡察し、風俗を取り締り、役人の不正を摘発する。四等官のほかに巡察弾正がある。ただすつかさ。「―をして畿内を巡察せしむ」〈続紀大宝一・二・九〉

たんじゃく【短籍・短尺】⇒たんざく。「梅が枝にいつくしき―をつけて」〈伽・鴉鷺物語〉。〈色葉字類抄〉

だんしょく【男色】「なんしょく」に同じ。「いつの程にか、―の販物(ひさぎもの)となり」〈仮・出来斎京土産三〉

だんじり【山車・台尻・檀尻】祭礼の練物。屋台の上に山水・人物・鳥獣・草木などを飾り、車に載せて笛・太鼓・鉦ではやしながら引き廻る。関東では「だし」という。「天王寺土塔会再興也云云。鉾(ほこ)二、―二これ有り」〈言経卿記天正一七・四・一五〉

たんせい【丹青】①赤と青と。「其の轜車霊駕の具には金玉を刻み鏤め、―を絵がき餝ることを得ざれ」〈続紀養老五・一〇・一六〉②絵を画くこと。〈日葡〉

たんぜい【丹誠】①まごころ。赤心(せきしん)。「願はくは八幡三所、我が―を照し給へ」〈今昔二五ノ一三〉。「心のまことを―といふ」〈新古今注〉②まごころをこめて祈ること。「殊に祈請す可きの旨、頻りに綸言を下さるるに依り、各―を凝らすの処」〈吾妻鏡寿永一・五・二九〉。「丹誠、タンゼイ、祈念の義なり」〈文明本節用集〉

たんぜん【丹前】①「丹前風」の略。「其の名も高き―の名のみ残りてなつかしや」〈評判・濡仏上〉②近世上方で、どてらに数か所、綴糸(とじいと)を付けた着物の称。「―、京坂の服名。どてら、江戸の服名也。ともに下民の略服也」〈守貞漫稿一三〉③「丹前節」の略。「―とかや言ふ曲節(ふし)なりとて、ただ『ああ、ああ』と長たらしく引き摺りたるばかりなり」〈仮・東海道名所記三〉④歌舞伎で、丹前風の扮装で廓通いなどの動作をする所作事。後期には、江戸の顔見世興行の風流な舞踊の特称となった。「―(風ノ)出端(では)」〈落葉集三〉⑤他の語に冠して、派手でぜいたくなの意を表わす語。「―編笠」〈仮・よだれかけ六〉 **―ふう**【丹前風】近世初期、丹前風呂の湯女勝山に始まった派手でぜいたくな風俗。一説に、その風呂に通った遊客の風俗に始まるという。丹前姿。丹前流。「―とやらん勝山風とやらん云うて、刀・脇差・月代まで古に違ひてせらるると見えたり」〈仮・理非鑑下〉 **―ぶし**【丹前節】近世初期、丹前風呂の湯女吉野が始めた小唄で、片撥(かたばち)から変化したもの。「―を道中にも唄ひ連れて」〈仮・東海道名所記三〉 **―ぶろ**【丹前風呂】近世初期、江戸神田堀丹後守屋敷門前にあった風呂屋。美貌の湯女を抱え、寛永頃から繁昌していたが明暦三年禁止された。「―も騒ぐ夕暮」〈俳・両吟一日千句〉

たんぞく【短息】①斡旋(あっせん)、世話、介抱などに力をつくすこと。「雲州の儀は、ふかふかしく此の方より仕入れ候間…定めて―の沙汰に及ばざる儀たるべく候」〈毛利家文書二、天文三・三・二九〉。「おれも白犬を―して…人にほめられんと思ひ」〈咄・軽口曲手鞠四〉②熱心に心配りすること。また、焦慮。心配。「余り近年打ち続き御弓矢―だてにて、はや悴(せがれ)家来の者共はたと無力」〈毛利家文書三、小早川隆景書状〉。「養生の儀―仕り候へ」〈毛利家文書三、元和七・一二・一三〉③探し求めること。「細刀―候処に、其の方連連たしなみ候刀差し上げ、一段懇志の至り、祝着に候」〈萩藩閥閲録五五、天正一四・八・一〇〉

だんぞめ【段染】種種の色で横段に染めたもの。だんだら染。「―の一幅帯」〈西鶴・五人女三〉

たんだ【唯】『副』「ただ」の撥音化。「―一度に振るなり」〈池永宗作への書〉。「―汲め星は北野の御手水」〈俳・桜川六〉。「ただと言ふべきを、たった・―」〈俳・かたこと三〉

たんだい【探題】①仏教の経典の論議の時、論題を選び、討論を批判する役僧。儒教の講書にも探題があった。「基継律師―を辞す」〈貞信公記延長五・九〉。「例に依りて尚書を講ず。―藤成佐、問者四人を引く」〈台記天養一・八〉②詩歌の会で、あらかじめ題を定めず、各人がくじで探りとった題によって詩歌をよむこと。探り題。「―の歌よませ給ひけるに、桜をとりよめる」〈散木奇歌集春〉③鎌倉・室町時代、武家の職名。執権・連署を両探題という。また、幕府が要地に置き、その地方の政務・訴訟や内乱外敵の鎮定などの事に当らせた遠国職(六波羅探題・九州探題など)をもいう。「―とは、関東は両所、京都には六波羅殿を云ふなり」〈沙汰未練書〉④穿鑿(せんさく)すること。「山野地境、余郷の入り交る処、このたび―させ」〈新編武州古文書上、天文二・三・二七〉。「今、俗に物を尋ね穿鑿するを―すると云ふ」〈志不可起三〉

だんだうダンドウ【男道】《「男」は武士の意》武士道。「―や表に立つる紙幟(かみのぼり)」〈俳・伊勢踊三〉

たんだ・き【拱き】『四段』「たむだき」の転。「拱、たんだく、こまぬく也」〈和漢通用集〉

だんだばしり【唯走り】《ダンダはタンダの訛》まっしぐらに走ること。ひた走り。「揚屋の門を―して通り」〈笑ひ草の草紙〉

たんだ・へタンダエ【探題へ】『下二』《名詞「探題(たんだい)」の動詞化》さがし求める。追尋する。「この血を―・へ、化生の者を退治仕らうずるにて候ふ」〈謡・土蜘蛛〉

だんだらすぢ【だんだら筋】段染の縞模様。「御女郎衆達の形振(なりふり)は、肩に鹿子(かのこ)の―」〈仮・竹斎下〉

だんだん【段段】㊀『名』①いくつにも小さく切れ離れたさま。多くの断片となったさま。「あらたに曇りなき剣―に折れにけり」〈謡・盛久〉②一々の次第。箇条箇条。かどかど。かずかず。「奉行所にて右の―申さるれば」〈咄・昨日は今日下〉㊁『副』順を追って。しだいに。「―行く程に、近江の国鏡の宿にて年を越し」〈塩竈大明神御本地〉

たんてき【端的】①正しいこと。本当。「いかなるかこれ仏祖―の心(しん)と問へば」〈道元法語〉。「―は正しきを云ふ」〈性理字義抄一〉②その瞬間。まさにその時。「此の如く突き放された―洞山大悟せらるるなり」〈無門関私鈔上〉。「荒野のはげしき風に吹きおどろかされたる―、今まで古郷と思ひしは、ただ野に吹く風の宿りなりけりと」〈老のすさび〉③まのあたりであること。覿面(てきめん)。「さては九字の奇特―なり」〈奇異雑談集三〉。「ただち。真の字也。―の事也」〈匠材集二〉

だんてんもん【談天門】平安京大内裏の外郭十二門の一。西側の南端にあった。「だってんもん」「だいてんもん」とも。「風に依り―顚倒す」〈日本紀略天元五・八・二〇〉

たんと〘副〙①物の多いさま。たくさんに。「馬が物を―負へば」〈碧岩抄三〉②程度のはなはだしいさま。非常に。たいそう。「襟(えり)から膝くだり〔酒ヲ〕うちこぼし、―気の毒がる顔つき」〈西鶴・一代男八〉

だんと【檀徒】檀家の人びと。檀家仲間。檀中。檀方。「皆もって〔本願寺宗ノ〕―となる」〈富樫記〉

だんど【檀度】〔仏〕「檀波羅蜜(だんばらみつ)」に同じ。「舟を置き、橋を渡すも、布施の―なり」〈正法眼蔵菩提薩埵四摂法〉

だんどくせん【檀特山】北インドにある山。元来、須大拏(しゆだいな)太子の苦行した山の名。須大拏太子を釈迦の前身とする経文から、悉達(しつだ)太子の修行の地とする説も生じた。弾多落迦山。「―に入るとも、兼雅ら、けだものに施すべき身かは」〈宇津保俊蔭〉。「昔、悉達太子の―に入らせ給ひし時」〈平家一〇・三日平氏〉

たんな【手綱】《タヅナの転》①馬の手綱。「よい乗り手といふものは、―にあたらいで自由にするぞ」〈毛詩抄六〉②褌(ふんどし)。下帯。「―もかかぬ高砂の浦/汐風にぶらめきわたる松ふぐり」〈俳・犬筑波〉

だんな【檀那・旦那】《梵語の音訳。布施の意》①〔仏〕僧のために衣食など施しを与える信者。施主(せしゆ)。檀越(だんをつ)。「我、汝が為に―となりて、日ごとに供(く)をそなへむ」〈今昔一三ノ三九〉。「施主を―と云ふ。檀越と云ふ。或は檀主など云ふ儀」〈壒嚢鈔一〉②〔仏〕特定の寺社に所属し、その財政を助ける信者。檀家。「永く譲り渡す―の事。…件の―は寂阿が私の物也」〈米良文書一、弘安一〇・一〇・二九〉③家人・奉公人や出入りの者などが主人を呼ぶ語。「当代片田舎人の云へるを聞き侍れば、主君を従者の方より―と云ひ、又は親方がましき人などをも―と云ふ」〈俳・かたこと三〉④妻が夫を呼ぶ語。「仏の道も―殿と一所の法花(ほつけ)になり」〈西鶴・一代男五〉 **―でら**【旦那寺】その家が帰依し、その家の墓・過去帳などのある寺。菩提寺。「最初に―を建立した時の根本の指図ぞ」〈百丈清規抄六〉 **―ば**【旦那場】得意先。「―失念なく廻り」〈西鶴・文反古一〉 **―ばうず**(ボウ)【旦那坊主】旦那寺の坊主。「旦那坊」「旦那ぼん」とも。「折節、―来る」〈咄・昨日は今日上〉 **―まはり**(マワリ)【旦那廻り】檀家を廻ること。また、得意先を廻ること。旦那めぐり。「〔僧ハ〕―したるがましと御諚なされ」〈本光国師日記慶長一九・三・一四〉。「これは…猿引きでござる。今日は天気もようござるによって、―を致さうと存ずる」〈虎寛本狂言・靭猿〉 **―やまぶし**【旦那山伏】日頃出入りして、その家人に信仰されている山伏。「―の多聞院、めでたき事どもを語れば」〈西鶴・諸国咄一〉

だんな・い〘形〙差支えない。構わない。「大事ないを、―・い、だいもない〔トイウ〕」〈俳・かたこと三〉

たんな・り〘連語〙⇒たなり。「かかる御定めども出で来―・るをりに、さやうにおもむけ奉りて、召し寄せられたらむ時」〈源氏(横山本)若菜上〉

たんぬ【足んぬ】《タリヌの音便形。更に語形を転じて、タンノウという語になる》十分に満ち足りること。満足。「心に―せぬとて不足と思はぬ」〈荘子抄三〉

たんのう【堪能】《足リヌの音便形タンヌの転。「堪能」は当て字》十分に満足すること。上方では「たんの」とも。「一銭取らせ―する乞食に、一貫文取らせたる時には胆を潰し」〈七種宝納記〉

たんば【丹波】⇒たには。〈文明本節用集〉 **―いかき**【丹波笊籬】竹で編んだ目の粗い笊(ざる)。「栗を茹で上ぐるも―かな」〈俳・玉海集三〉 **―ぐち**【丹波口】京都、丹波街道の茶屋町。その東方の島原遊廓に通う大尽の中宿(なかやど)があった。「―要らぬ銀がな捨て所」〈俳・西鶴五百韻〉 **―どえ**【丹波越え】京都で、欠け落ち・夜逃げのたとえ。京都居住の者は不首尾になると丹波に逃亡したのでいう。「親に勘当せられ、―に赴くか」〈評判・野郎虫〉 **―たらう**(ロウ)【丹波太郎】陰暦六月ごろ丹波方面から出る入道雲。京阪地方でいう。「―の雲の峰」〈俳・祇園誹諧合五〉 **―のすけたらう**(ロウ)【丹波の助太郎】《近世初期の笑話本の主人公の性格から》滑稽で悪賢い者の通称。「月に懸かる雲や―」〈俳・鸚鵡集七〉

たんばいろ【胆礬色】《タンバはタンバンの約。半透明の青色を呈する鉱物》真青な色。驚いた時の顔色などにいう。「顕はるる/鉄火〔起請〕と云ふと―」〈雑俳・西国船〉

だんぱう(ボウ)【檀方】檀家。「自身の名利のために―の御祈りを申して」〈夢中問答上〉

だんばらみつ【檀波羅蜜】〔仏〕《梵語の音訳》六波羅蜜の一。涅槃(ねはん)に達することが約束される財宝・善行などを布施する菩薩行。「これより後に施す心いよいよ広し。みづからの命を惜しまざりき。これを―を満つるとせり」〈三宝絵上〉

だんびら【段平】広幅の刃の刀。だんびら物。「―抜く手も〔見セズ〕片手切り、あへなく首を打ち落せば」〈浄・鎌倉三代記五〉 **―もの**【段平物】「だんびら」に同じ。「気味がよい/―の大焼刃」〈雑俳・軽口頓作〉

だんぶ 水中に物が落ち入る音。「だんぶり」とも。「馬と馬とを打ち並べて、組んで―と落ちにけり」〈盛衰記三五〉

だんぶくろ【段袋・団袋】《バンブクロ(番袋)の訛か》①蒲団などを入れる布製の大きな荷物袋。「賀茂山を包む躑躅(つつじ)や―」〈俳・鷹筑波四〉②近世後期上方で用いた、方四、五寸ないし七、八寸の布袋。外出の際、食物・紙・煙草などを入れて携えた。「野外などに遊ぶ時、―と云ふを携ふ者有り」〈守貞漫稿後集四〉③広くゆったりした股引。「俗に―或は飛込み袴など云ふ」〈守貞漫稿一三〉

たんぺい【短兵】短い兵器。刀剣の類。また、それを携えた兵士。「斉(せい)の宣王はみづから楚(そ)の―と戦って」〈太平記三〇・義貞自害〉。「―は、長具(ながぐ)を置いて、大刀打・腰刀の勝負ぞ。事の急ぞ」〈蒙求抄三〉 **―きふ**(キュウ)【短兵急】短兵を振(ふ)るって敵に肉迫すること。また、事の急なさま。「三千余騎のまん中に取り籠めて、―に取りひしがんとす」〈太平記一〇・鎌倉兵火〉

たんぼ【旦暮】①朝と夕と。朝晩。「漸く―の心を慰む」〈将門記〉②時機が切迫していること。旦夕(たんせき)。「玉体不豫、…命―に在り」〈春記永承七・七・一三〉 **―な・し**【旦暮無し】〘形ク〙生活にだらしない。家計にしまりがない。「旦(あした)は夕(ゆふべ)の蓄へなく、暮(ゆふべ)は朝の用意なく、その期に臨みて奔走するを―・き人と云ふなり」〈壒嚢鈔三〉

たんぽ【湯婆】《唐音》①湯たんぽ。たんぽう。「居士、予に―を借す。夜間その中に熱湯を含め、足を煖(あたた)むると云ふ」〈蔗軒日録文明一八・一〇・九〉②酒に燗(かん)をつける器。大阪でいう。ちろり。「―に暑燗(あつかん)の酒を急ぎ」〈西鶴・好色盛衰記四〉

だんぽらぽ 深い水中に物が落ち込む音。どんぶり。「大勢掛かって―、辺(ほとり)も知れぬ海の中まっさかさまに打込んで」〈近松・博多小女郎上〉

だんまつま【断末摩・断末魔】〔仏〕《「末摩」は梵語の音

訳。体の中にある特殊の支節で、何かがこれに触れると激しい痛みを起して死ぬという》末摩に触れて命を断つこと。転じて、人が死ぬときの最後の苦しみ。「人、死期(ご)のきはまる時、必ず—の苦しみ身を責むるが故に、臨終正念(しやうねん)ならず」〈宝物集中〉

だんまり《ダマリの撥音化》歌舞伎の演出法の一。暗闇の中で役者どうし無言で探り合い、見得を切る動作を様式的に誇示するもの。「これより鳴物、—になり、暗がりの立廻り」〈伎・四谷怪談三〉

だんりん【檀林・談林】①《「栴檀林(せんだんりん)」の略》仏教の学問所。僧徒を集めて学問を授ける所。「今の世までも浄土宗の—として、所化(しよけ)あまたありといふ」〈仮・東海道名所記一〉②延宝・天和ごろ流行した俳諧の一流派。西山宗因を棟梁に仰ぎ、斬新奇抜な題材・趣向を軽妙な口語及び滑稽な着想で自由に表現して一時隆盛を極めたが、末流は独りよがりと軽口に陥り、蕉風の興るとともに衰えた。談林風。「されば此所(ここ)に—の木有り梅の花」〈俳・談林十百韻上〉③《談林俳諧が風変りな作風だったことから》異風な物事や、変り者のたとえ。「—とは、変り者の事」〈評判・吉原人たばね〉 **—ふう【檀林風・談林風】**①「檀林」(2)に同じ。②「檀林」(3)に同じ。「当世もてはやる—の俳諧師」〈天和笑委集八〉「お仕置きも—になりにけり歌の言葉も出でぬさかいで」〈玉滴隠見三末〉

たんゐん【探韻】韻字を探り、その韻で漢詩を作ること。また、その韻。「皆—賜りて文(漢詩)作り給ふ」〈源氏花宴〉

だんをつ【檀越】〔仏〕《梵語の音訳》寺や僧尼に財物を施す信者。施主。檀那。「だにをち」とも。〈易林本節用集〉

ち

ち【千】①百の十倍。千(せん)。「—年(とせ)の如く」〈万二三八七〉②数多いこと。「百(もも)に—に人は言ふとも」〈万三〇五九〉

ち【父・親】《チチ・ヲヂのチ、祖先・男親の意》男親またはそれに類するものに対する尊称。「甘(まう)らに聞こし以ち食(を)せ、まろが—(我ガ親方ヨ)」〈記歌謡四八〉

ち【血】《古形ツの転》血液。「其の子迦具土(かぐつち)神の頸を斬りたまひき。ここに其の御刀の前(さき)に著ける—、ゆつ石群(いはむら)に走り就きて」〈記神代〉 **—で血を洗・ふ** 血族が相争うたとえ。「伯母なれば—・ふに似たれども」〈浄・牛若千人切四〉

ち【乳】①乳汁。「—飲めや君が乳母(おも)求むらむ」〈万二九二五〉②ちぶさ。乳首。「うつくしげなる御—をくくめ給ひつつ」〈源氏薄雲〉③《形が乳首に似ているところから》㋑幕・わらじ・蚊帳などの縁につけた小さな輪。綱・紐などを通すためのもの。みみ。「物に—を付くると云ふは、乳の字を用ふべきか」〈壒嚢鈔三〉㋺釣鐘の表面に並んでいるいぼ状の突起。「九鐘とは—九つあるか」〈朗詠鈔二〉

ち【茅】《古形ツの転》野山や道ばたに生えるイネ科の多年草。丈の低いのをアサヂ、大きくなったのをチガヤという。春、ツバナという花穂を出す。神聖な植物と見られた。「—の葉のやうに反ったる白柄の大長刀」〈平家五・奈良炎上〉。「茅、智(ち)」〈和名抄〉

ち【風】激しい勢いで吹く風。複合語に用いられる。「東風(こち)」「はやち」など。「春日野の萩し散りなば朝東風(こち)の風にたぐひてここに散り来ね」〈万二一二五〉

ち【道・方向】《道、また、道を通って行く方向の意。独立して使われた例は無い。「…へ行く道」の意で複合語の下項として使われる場合は多く濁音化する》㊀《名》①道。「青丹よし奈良の大路(おほち)は行きよけどこの山道は行き悪しかりけり」〈万三七二八〉②…へ行く道。「道問へば、ただには告(の)らず、当麻(たぎま)—を告る」〈紀歌謡六四〉㊁《接尾》代名詞につけて、方向・場所を表わす。「いづち」「をち」「こち」など。「いづ—向きてか我が別るらむ」〈万八八七〉→みち(道)

ち【鉤】釣針。「其の故(もと)の—を責(はた)る」〈紀神代下〉

ち【箇】《ツの転》物の個数や、数詞の下にそえる語。「金鉏(かなすき)も五百(いほ)—もがも」〈記歌謡九九〉。「三十(みそ)—あまり二つの相(かた)、八十種(やそくさ)とそだれる人の踏みし跡どころ」〈仏足石歌〉

ち【霊】原始的な霊格の一。自然物の持つはげしい力・威力をあらわす語。複合語に用いられる。「いかづち(雷)」「をろち(蛇)」「いのち(命)」「たまぢはふ」など。「次に火の神、軻遇突智(かぐつち)を生む」〈紀神代上〉

ち【知・智】①儒教でいう五常・三徳の一。万事を正しく理解し、是非・善悪を弁別する心の働き。「仁義礼—信の善を修得し」〈続紀天平宝字三・六・三〉②知能。知力。「それ帝王の業は、—を以て競ふべきにあらず。また力を以て争ふべきにあらず」〈将門記〉

ち【笞】律で定められた五刑の一。等級により十回から五十回、笞で打つ刑。杖(ぢやう)より軽い。笞罪。「始めて—の法を制す」〈続紀文武三・七・七〉

ち【徴】五音(ごいん)の一。羽(う)より一段下の音。「管絃のおこり…。宮・商・角・—・羽の五音あり」〈著聞三三〇〉

ぢ【地】《呉音》①大地。土地。地面。「空より華降り—は動き」〈梁塵秘抄五七〉②陸地。「『これはなほ舟津(ふなつ)近うてあしかりなん』とて—へ渡し奉り」〈平家二・阿古屋松〉③素地。したじ。「—には人の心の底まで好かずして、ただ人まねに道を好むが故なんめり」〈無名抄〉④衣服の材料。布地。地合(ぢあひ)。「御大口(おほぐち)〔ノ〕…御—を給はるべきの由申し候」〈建内記嘉吉三・二、紙背文書〉⑤布や紙の模様のない所。生地(きじ)。「紅(くれなゐ)・紫・山吹の—の限り織れる御小袿(こうちき)など」〈源氏紅葉賀〉⑥地紙。「ことさら都より然るべき〔烏帽子ノ〕—を取り下して候」〈謡・烏帽子折〉⑦地謡(ぢうたひ)。また、地謡でうたう詞章。「をさないの能…—をば謡はぬがよく候」〈禅鳳雑談〉。「ここをば—に謡はせたし」〈驢鞍橋中〉⑧その土地。「—の釜屋雇ひ呉れ申し候やうに」〈博多津要録四、天和二〉⑨素人。堅気。「『女郎と—の者とは碁石だと申しましたが、何の事でござります』『はて知れた事、白うと、黒うと』」〈咄・笑嘉登〉⑩実地。実際。「—と狂言との差別はそこだはす」〈滑・浮世風呂四下〉⑪他の語に冠して、本来の、その土地産の、素人の、などの意を添える。「—酒」「—女」など。「宵は高く、朝は—声」〈わらんべ草四〉 **—を引・く** 地ならしをする。「この家を作らむと、山の片岨(かたそば)を崩し、—・きけるあひだ」〈作庭記〉

ぢ【持】《呉音》①勝負事で、双方に優劣勝敗のないこと。もち。あいこ。「左はらむ二つあり、右は山ざくらまたありとて、—になりぬ」〈亭子院歌合〉②囲碁で、互いに接する双方の石が眼(め)を有するか、または眼がなくても勢力拮抗して、ともに活きとなる場合。「そこは—にこそあらめ」〈源氏空蟬〉

ちあきのいほあき(ォ:ィ ォ:)【千秋の五百秋】「ちいほあき」に同

じ。「―に平らけく安らけく聞こしめして」〈祝詞大嘗祭〉

ぢあひ【地合】織物の地質。織地。「小袖の―を見」〈評判・難波鉦六〉 †tiakinöiroaki

ちあらし【血荒し】堕胎。「血おろし」とも。「泪の滴り―の露」〈俳・信徳十百韻〉

ぢい【爺】〔小児語〕祖父。また、老人。じじい。「冷〔泉〕―、ふのやき一鉢送り了んぬ」〈言経卿記慶長二・七・一三〉

ぢいしゃう【地衣裳】歌舞伎役者の平常着。「―は加賀絹に中紅(ちうもみ)の裏を付け」〈西鶴・男色大鑑五〉

ちいほあき【千五百秋】限りなく多い年月。永遠。「―の瑞穂(みづほ)の地(くに)」〈紀神代上〉 †tiiroaki

ちいみ【血忌】暦の用語。鍼灸・嫁入り・雇入れ・殺生などを忌む日。一か月に一日ずつある。血忌日。「―とは、…人間この日血を出せば、彼の鬼神の血と合して調伏し給ふ故に大に凶なり」〈簠簋抄中〉

ちいん【知音】《中国の春秋時代、琴の名手伯牙は、彼の弾く琴の音をよく理解してくれた友、鍾子期の死後、琴の絃を断って再び弾かなかったという列子、湯問篇などの故事にもとづく》①無二の親友。「今は昔、天竺に阿闍世(あじやせ)王、提婆達多(だいばだつた)と得意―にして」〈今昔三ノ二七〉②友達。友人。知合い。「親しき者と云ひ、―と申す人人、面面に打立つ間」〈盛衰記三四〉③愛人。情人。「―ある人とも知らで慕ひ寄り」〈俳・油糟〉④〔遊里語〕特になじみの遊客の称。また、男の情人。「まだいと若かりける〔男〕を、この女(遊女)―しけり」〈仮・仁勢物語下〉⑤情を交すこと。「長三郎〔ニ〕…次左衛門―致し候」〈梅津政景日記慶長一七・八・二六〉。「懇(ねんごろ)する。…密通の懇を云ふなり。是を又―するとも云ふ」〈色道大鏡二〉

ちう【中】□一『名』①(大小・上下・遠近などの)中間。「自今以後、諸国に倉を造りて率(おほむね)三等と為し、大は肆(四)阡斛を受けよ。―は参阡斛。小は弐阡斛を受けよ」〈続紀和銅七・四・二六〉。「諸の流配の遠近の程を定む。伊豆・安房・常陸・佐渡・隠岐・土左の六国を遠と為す。諏方・伊予を―と為す。越前・安芸をば近と為す」〈続紀神亀一・三・二四〉②内部。「制すらく、内外の従五位以上をして今より以後、―に侍して供奉せしむ」〈続紀天平一三・一〇・二二〉③空中。宙。「安からぬ事なり。きゃつ―に提げて参り候はむ」〈保元中・白河殿攻め落す〉④途中。中途。「―にて心をひき返し」〈伽・猿源氏草紙〉⑤一方にのみ偏しないこと。至らないところや行き過ぎがないこと。中庸。「礼も過(す)ぐれば―を失ひ、不及はまた―を失ふ」〈朱子家訓私抄上〉⑥両者の中間に立って得る私利。中途でくすねること。「私が―でも取ったかと、毎日毎夜の使ひだて」〈近松・二枚絵中〉⑦暗記すること。そらおぼえ。「一切経の内、何れの所に如何様の文字これありと、―にて申す程の物知りの由候」〈信長公記一三〉□二『接尾』《ヂウと濁音》範囲内のすべて、の意。「御所―の女房達、みな袖をぞぬらされける」〈平家五・月見〉。「その後、暹俊(せんしゆん)かの相真が弟子―に言ひ送る」〈発心集三〉 **―にぶらり** あれにも付かず此れにも付かないで、はっきりしないこと。中ぶらり。中ぶらりん。「有るか無いか―の花筐(はながたみ)」〈俳・俳諧三部抄下〉

ちう【忠】①まごころ。誠心。「真実の心を―と云ふ時は、日用の間、―の道離るべからず」〈忠経諺解〉②特に、主君のため誠心をつくすこと。忠義。「―を天朝につくし、名を遠近に挙げける」〈十訓抄六ノ一七〉

ぢう【柱】琵琶で、胴の上に立てて絃を支えるもの。一般には四柱だが、琵琶法師のは五柱。琴では「ことぢ」という。「―さすほど(加減デ)撥(ばち)音のさま変りてなまめかしう聞えたる」〈源氏紅梅〉

ぢう【重】①層。段階。「同じ上手なりとも、そのうちにて――あるべし」〈風姿花伝〉②「重箱」の略。「―の肴(さかな)を携へて」〈仮・御伽物語四〉③重なったものを数える語。かさね。「それより一―づつ、次第次第に飛びあがり」〈伽・弁慶物語〉

ちういん【中陰】〔仏〕「中有(ちうう)」に同じ。「忌日の追善、―の作善なんど」〈正法眼蔵随聞記三〉

ちうう【中有】〔仏〕人が死んで(死有)から次の生を受ける(生有)までの四十九日間の中間的存在。霊魂身。中陰。「―を経ず、直ちに西方に至る」〈本朝文粋一四〉。「まづ―といひて、生いまだ定まらぬ程は」〈今昔三ノ二八〉 **―のたび**【中有の旅】中有の間をさまようこと。「その―の空には」〈今昔三ノ二八〉。「―にやすらはで、ただちに浄土に参り給ふべきやうは」〈十訓抄一ノ四五〉

ちうえう【中夭】①若死。夭折。「今―にあはずして命をたもつ事を得て」〈今昔二ノ二六〉②思いがけない災難。「判官はこの―に逢はせ給ひて」〈義経記六〉

ちうか【仲夏】《夏の三か月の中間の月の意》陰暦五月の称。〈色葉字類抄〉

ちうがさ【中蓋】中くらいの大きさの椀の蓋。「―伏せる山更に山」〈俳・独吟廿歌仙上〉

ちうがた【中形】中くらいの大きさの型紙で型置きをした染模様。「小紋の帯…かたは―にて、地はちりめんをよろしとす」〈色道大鏡三〉

ちうかん【中勘】「中括(ちうぐくり)」に同じ。「丁銀拾貫目入の箱弐百ばかり、―にも弐千貫目とは確かに見ゆるは」〈浮・好色敗毒散三〉

ちうがん【中眼】眼を半分開いていること。半眼。「―に開き笑へる顔ばせ」〈西鶴・伝来記一〉

ちうき【中気】「中風(ちうぶ)」に同じ。「年七十三、―にて不行歩に候へども」〈梅津政景日記寛永八・三・二九〉

ちうぎ【中儀】大儀・小儀に対して、中程度の儀式。白馬(あをうま)・端午・豊明(とよのあかり)の節会などをいう。「内弁外弁の公卿参列して―の節会おこなはる」〈平家五・富士川合戦〉

ちうぎ【忠義】真心をもって主君のためにつくすこと。忠節。「―を尽して君に事(つか)へ」〈続紀延暦二・七・三〇〉

ちうきん【忠勤】忠義の心をつくして勤めること。「君の御為にはいよいよ奉公の―を尽し」〈平家二・教訓状〉

ちうぐう【中宮】①平城宮内の主要な殿舎。中宮院。「なかのみや」とも。「―に御し、五位以上に宴す」〈続紀神亀一・一・七〉②皇后・皇太后・太皇太后の称。「―。皇后宮を謂ふ。其れ太皇太后・皇太后宮も亦自ら―也」〈職員令〉③平安初期、皇太夫人の別称。「―(皇太夫人高野新笠)・皇后(藤原乙牟漏)並びに平城より至る」〈続紀延暦三・一一・二四〉④皇后の別称。「―(村上天皇ノ皇后)男子を産む事」〈九暦天徳三・三〉⑤皇后以外の、天皇の正妃。皇后は同時に二人以上立てない制であったが、一条天皇の時、藤原道隆の娘定子が皇后になったほか、道長の娘彰子も入内して中宮と称した。以後、両后並立の場合は、新しく立后したものを中宮と呼び、皇后と区別したが、資格に相異はない。「〔長保二年〕三月に藤壺(彰子)后に立たせ給ふべき宣旨下りぬ。―と聞えさす」〈栄花輝く藤壺〉 **―しき**【中宮職】中務省に属し、中宮(2)(後には(5))に関することをつかさどった役所。長官は中宮大夫。なかのみやのつかさ。「―の官人六人に位

を賜ふ」〈続紀天平九・三・二七〉

ちうぐくり【中括り】①実際に計算せず、目分量で推し計ること。中積り。中勘（ちうかん）。また、よく心得ていることにいう。「天の戸を出る月や秋の―」〈俳・鸚鵡集七〉。「亀井算などは、―に〔計算シ〕」〈西鶴・二十不孝四〉②いい加減にすること。なおざり。「やりくりは―にして、女郎の気を尽かさず」〈西鶴・好色盛衰記五〉

ちうくらゐ【中位】①中等。なかほど。「―なる嫁入りの暮」〈俳・大句数上〉②知能や金などが少し足りなくて、不平な気持にさせるもの。「野暮は嫌なり、―なる客は逢はず」〈西鶴・一代女三〉

ぢうくゎ【重科】重い科（とが）。重罪。「源氏平氏の習、―と申すは首を切られ候ふなり」〈古事談二〉

ぢうくゎしいれ【重菓子入れ】五寸角に二寸五分の縁が付いている、五重一組の漆塗の菓子器。縁高（ふちだか）。「―に焼飯・削楊枝・茶瓶忘るな」〈西鶴・五人女三〉

ちうけい【中啓】親骨の上端を外へそらし、畳んでも半ば開いているように作った扇。「―をくはへ、肌を脱ぎ」〈伎・暫〉

ちうげん【中元】陰暦七月十五日の称。上元（正月十五日）・下元（十月十五日）と共に三元の一。中国古来の道教思想が、仏教の盂蘭盆（うらぼん）と合流し、死者の霊を慰めまつる日となったもの。日本では近世から贈答の風習が加わり、今日に及んでいる。「七月十五日を―といふ」〈奇異雑談集六〉

ちうげん【中間】①二つの事物のあいだ。「二月涅槃会（ねはんゑ）より聖霊会（しやうりやうゑ）までの―を指南とす」〈徒然三〇〉②なかば。なかごろ。「待ちわびてつひに僧膳行ひける―に法印来たり給ふ」〈盛衰記三六〉③どっちつかず。中途半端。「―なる折に」〈枕八〉④公家・武家・寺院などで、侍（さぶらひ）と小者（こもの）の中間の地位にあった奉公人。「中間男（をとこ）」とも。「許されて〔院ノ〕御―になされにけり」〈著聞四四六〉。「馬にて歩（あり）かん時は、徒歩（かち）走りには―・雑色などを召し具すべし」〈六波羅殿御家訓〉。「善勝寺が―、細き文の箱持ちて逢ひたる」〈問はず語り三〉。「―、名字なき者にて候間、時の器用肝要にて候」〈小早川家文書三、小早川弘景置文〉⑤〔仏〕釈迦が入滅して後、彌勒（みろく）仏が出現するまでの中間の世、すなわち、この世。無仏世界。「わづかに人界に生れたりといへども二仏の―闇深く」〈発心集五〉　**―ほふし**【中間法師】雑用などに従事する地位の低い僧。「堂衆（だうじゆ）と申すは、学生の所従なりけるわらはべが法師になったるや、もしは―ばらにてありけるが」〈平家二・山門滅亡堂衆合戦〉

ちうげん【忠言】まごころを傾けていさめることば。「実（まこと）に殊勝の―なり」〈夢中問答上〉　**―耳に逆（さか）・ふ**《孔子家語「孔子曰、良薬苦レ口、而利ニ於病一。忠言逆レ耳、而利ニ於行一」による》忠告のことばは、とかく相手の感情を害するだけで、聞き入れられないものだ。「良薬口に苦く、―・ふといふその故事を悟り給ひ」〈謡・楠露〉。〈下学集〉

ちうごく【中国】①国の中央の部分。都のある地方。うちつくに。「蝦夷は是、本より獣心有りて、―に住ましめ難し」〈紀景行五十一年〉②令制で、都からの遠近によって諸国を遠国（をんごく）・中国・近国と分けたものの一。「調庸の物は…―は十一月の三十日…より以前に納（い）れ訖（はを）れ」〈賦役令〉③令制下の国の格の一。大国・上国・中国・下国の第三位。「正六位…大国の介、―の守」〈官位令〉④畿内と九州との間の地方。はじめは山陽道を指し、のち山陰・山陽両道の称。「備後の鞆（とも）におはし給ひて、―の成敗をつかさどる」〈太平記三六・直冬西国下向〉　**―たんだい**【中国探題】鎌倉後期における長門・周防両国守護の異称。異国防禦などの理由で、一般の守護よりも強大な権力を持っていたので、探題とよばれた。「―北条時直、小島より押し渡り合戦し」〈異本伯耆之巻〉

ちうどしやう【中小姓】児（ちご）小姓と使者役をする大小姓との中間に位置し、時には使者役もする小姓。「上月十左衛門、―に仕り候事」〈池田光政日記寛永三一・三・九〉

ぢうどん【重言】同義の語を重ねて言うこと。また、その語。「うちきらしあまぎる空と詠める、すでに―」〈奈良花林院歌合〉。「また、二親（にしん）といふべきを、二親のふたおやといふ人も侍り。いらざる―なり」〈俳・かたこと三〉

ぢうざかな【重肴】重箱に詰めた酒の肴。「楽しみは其の中に有り―」〈俳・藤枝集上〉

ちうさく【籌策】①はかりごと。計略。「―を帷帳にめぐらし、勝つ事を千里の外に得たり」〈曾我三〉②とりはからい。仲立ち。「両将が間が御―ましまして、無事なさせ給ふやうにと望み給ふ」〈室町殿日記八〉

ぢうさん【重三】《チョウサンとも》双六で、二つのさいころが揃って三の目を出すこと。朱三。「三四の目をば―・重四とこそいふべきに、朱三・朱四といふ事はいかに」〈平治上・叡山物語〉

ちう・し【誅し】〘サ変〙罪ある者を殺す。成敗する。「保元に為義斬られ、平治に義朝―・せられて後は」〈平家一・二代后〉。「誅、チウス、斬レ頸」〈黒本本節用集〉

ぢうし【重四】双六で、二つのさいころが揃って四の目を出すこと。朱四。「重三・―の目に朱をさされてより以来、朱三・朱四とこそ呼び候へ」〈平治上・叡山物語〉

ぢう・し【住し】〘サ変〙①住む。「三人共に一つの家に―・して世を過す」〈今昔一〇ノ二七〉②（ある状態に）とどまる。落ち着く。「苦患しばらく助かりて、少し正念に―・する時」〈沙石集一ノ六〉

ちうしう【仲秋・中秋】①《秋三か月のうち、中の月の意》陰暦八月の称。「琥珀葉（くはくえふ）は―の黄葉の如し」〈栄花音楽〉②《秋九十日のまん中の意》陰暦八月十五日の称。〈文明本節用集〉

ちうじやう【中将】少将と共に近衛府の次官。はじめ左右各一人であったが、後二人となり、白河天皇の時から四人。従四位下相当。三位でなった者を三位中将、参議で兼ねた者を宰相中将、蔵人頭で兼ねた者を頭中将という。「まだ―などにものし給ひし時」〈源氏帚木〉

ちうしやうぎ【中将棋】中世後期から近世初期にかけて行なわれた将棋の一種。盤面縦横十二目、駒数九十二枚で、駒は獅子・龍王・麒麟・鳳凰・猛豹などの名称があり、取捨てにした。「―三番指し候ひ了んぬ」〈言継卿記大永七・九・二七〉

ちうしゆ【中酒】食事の時に飲む酒。「かくて―になりぬれば、寸の延びたる盃に、二つも三つも酒受けて」〈児教訓〉。「―も各盞（かくさん）の時は、上衆次第に受けておかれ候て、人数皆受けて後、貴人より盃を御取り候を見て、各々も飲み候」〈宗五大双紙〉。〈文明本節用集〉

ちうしゆん【仲春】《春三か月のうち、中の月の意》陰暦二月の称。〈色葉字類抄〉

ちうしよ【中書】「中務（なかつかさ）」の唐名。〈運歩色葉集〉　**―わう**【中書王】親王で中務卿に任ぜられた者の称。特に、前中書王（兼明親王）と後中書王（具平親

王)が有名。「四条大納言、―御歌…存日金玉集に入れ、大王歿して後これを除く」〈袋草紙上〉

ちうじろ チュウ【中白】①米を二割搗き減りのする程度に精白すること。また、その米。「新米―踏ませ」〈西鶴・文反古一〉。〈日葡〉②赤味噌と白味噌との中間の淡赤色の味噌。「―とは四方(よも=有名ナ赤味噌屋)のおむし(味噌)でございますよ」〈滑・浮世風呂三下〉

ちうしん チュウ【中心】①内面の心。内心。「『内(うち)空(むな)しくして、外したがふ』といひて、―は我が身なくして、外相は他に従ひもてゆくなり」〈正法眼蔵随聞記三〉②まごころ。「〔白菊ノ花ヲ〕―に愛護すること敦し」〈菅家文草四〉③まんなか。「東方は彼此の俗論にあらず。法界の―なり。拳頭の中央なり」〈正法眼蔵光明〉

ちうしん チュウ【忠臣】忠義な家臣。「これらは高祖の―なりしかども」〈平家二・小教訓〉 **―は二君(じくん)に仕へ・ず**《史記、田単伝に「忠臣は二君に事へず、貞女は二夫を更(か)へず」とあるによる》忠義の臣は、二たび他の主君に仕えることがない。「―・ず、貞女は二夫に見(まみ)えずとも、かやうの事をや申すべき」〈平家九・小宰相〉

ちうしん チュウ【注進・註進】①事を記して上申すること。「平氏調伏の由―したりけるぞ怖しき」〈平家六・横田河原〉②大事や急事を報告すること。「更に我が殿の方へ―すべきひまこそなかりけり」〈伽・あきみち〉

ちうせい 形容詞連体形「ちひさき(小)」の音便形とする説、漢語「中勢」をあてて、中位のかさの意ととる説がある。「姫宮の御前の物は例のやうにては、にくげにさぶらはむ。―折敷(をしき)に、―高坏(たかつき)などこそよく侍らめ」〈枕八〉

ちうぞん チュウ【中尊】中央の尊像。脇侍(わきじ)や眷属(けんぞく)と区別していう。「―は皆金色にて、丈六にておはします」〈栄花玉飾〉

ぢうた【地歌・地唄】①百首歌などで、秀歌をひきたたせる役をする、地味な歌。めだたぬ歌。「百首を詠まんには、―とて、所所にはさる体なる物の、言ひ知りたるさまなるを詠みて」〈詠歌一体〉②その土地の唄。「木の本に落ちては蝉の―かな」〈俳・境海草上〉③近世、京阪地方で行なわれた三味線唄の総称。組唄・長唄・端唄・芝居唄などがあり、組唄以外は琴とも合奏した。その多くは検校・勾当などが作曲・演奏したので、法師唄とも称した。上方唄。「京坂にては―と云ひ、江戸などにては上方唄と云ふ也」〈守貞漫稿二二〉

ちうだい チュウ【中台】①中尊を安置する台。「やうやう仏を見奉らせ給へば、―尊、高くいかめしくましまして、大日如来おはします」〈栄花音楽〉②「中尊」に同じ。「蓮(はちす)の糸を…九体の御手より通して、―の御手にとぢめて」〈栄花玉台〉

ぢうだい ジュウ【重代】①代を重ねること。先祖から代代受け伝えること。相伝。「我等はこれ(コノ土地)の―の者どもにてあるに」〈宇治拾遺一二八〉。「―して、還城楽(げんじやうらく)といふ舞をして君に仕うまつりけるほどに」〈十訓抄一〇ノ二五〉②祖先伝来の宝物。「また、鏡は我が―なり」〈伽・神道由来の事〉③「重代の太刀」の意。「女の形見に―は似合はぬなり」〈伽・唐糸さうし〉

ちうたう チュウトウ【偸盗】①ぬすびと。「或る所に―入りたりけり」〈著聞三〉②〔仏〕五悪・十悪の一。他人の物を盗むこと。「五戒と申すは、殺生・―・邪淫・妄語・飲酒これなり」〈宝物集下〉

ちうだう チュウドウ【中堂】「根本(こんぼん)中堂」の略。比叡山延暦寺の本堂。一乗止観院。「手つから―の薬師如来の像をつくり」〈三宝絵下〉

ちうだち チュウ【中裁ち】五、六歳から十五歳までの子供の衣服の裁ち方。四つ身裁ち。前襟裁ち。「―と言はん霞の衣かな」〈俳・毛吹草追加上〉

ぢうたひ ヂウタイ【地謡】謡のうち、演技する役者の謡わない部分。古くは、ワキの謡に助音することを称した。また、地謡を受け持つ人。地方(ぢかた)。能では六人ないし十二人が、舞台の地謡座でうたう。「―は脇の〔謡ノ〕まま也」〈能口伝之聞書〉。「役者・―、袴肩衣也」〈隔蓂記寛永三・一・四〉

―ぶし【地謡武士】自分は大した働きもしないで、他人の功労を非難する武士。地謡男。「己が無能をば取り置きて、…能の時は地謡の中に居る猿楽の如く、…人の善悪を申し…〔自分ハ〕五十になるまで何もせで、人に悪しう云はるるを大事もなきと申すを、―と是れを云ひ」〈甲陽軍鑑六〉

ちうだめ チュウ【中だめ・宙だめ】①推測。推定。「―に星を見知らす占や算」〈俳・大硯〉②暗誦。「書付いらず、―に言はるる事、名人にあらずや」〈評判・役者大鑑〉

ちうだん チュウ【中段】①剣道・槍術などで、上段と下段との中間の構え方。「―、構への本意なり」〈五輪書〉②太陰暦の暦の中の段に書き入れた、建(たつ)・除(のぞく)・満(みつ)・平(たいら)・定(さだむ)・執(とる)・破(やぶる)・危(あやうし)・成(なる)・納(おさむ)・開(ひらく)・閉(とづ)の十二語。これを各日に配当して吉凶を定める。十二直。また、半夏生(はんげしやう)・日食・月食などの記事も、この段に記す。「〔日ノ吉凶ハ〕大略、暦の―を以て相定め候」〈貞徳文集上〉。〈運歩色葉集〉

ぢうぢ ジュウ【住持】〔仏〕①その地に住み、仏法を持すること。「高雄山の神護寺を修造建立して、仏法を―し」〈盛衰記一八〉②一寺の主長となること。また、その僧。住持職。住職。「其の寺の―の僧有りて」〈今昔一三ノ三〉

ぢうぢう ジュウジュウ【重重】㊀『名』幾重にも重なっていること。「―の微妙(みめう)の宮殿どもあり」〈今昔三ノ一〉㊁『副』かさねがさね。いくえにも。かえすがえす。「これは奥様の―御道理」〈浄・凱陣八島四〉

ちうっぱら チュウ【中腹】①むかむかと腹を立てること。むかっ腹。また、腹を立てやすい性質。「―の中年増」〈滑・浮世風呂三上〉②男らしく、言動が威勢のよい人。勇み肌。競い肌。任侠。侠客。「目に見えぬ鬼神を隻腕(かたうで)に離(あ)りたる―も」〈滑・浮世風呂大意〉

ちうづもり チュウ【中積り】頭の中でざっと計算すること。概算。また、あらましに推測すること。「雪気ぞと言ひふらすもや―」〈俳・鷹筑波四〉

ちうでう チュウジョウ【中条】「中条流」の略。「―に蓋(胎児)を取られし玉かづら(美人)」〈雑俳・雨の落葉〉 **―りう** リュウ【中条流】豊臣秀吉の家臣中条帯刀を始祖とする産婦人科の一派。近世では、堕胎専門の女医の通称となった。「―の雫(薬)を注ぎ、婦人一切の療治…と書き散らしたる門の看板」〈浮・好色不老門一〉

ぢうてん ジュウ【重点】同じ字を重ねるとき使うしるし。「ゝ」「々」「〳〵」など。重ね字。「ここには〳〵と―がちにて返したりけんこそ、なほあるまじけれ」〈かげろふ下〉

ちうてんぢく チュウ【中天竺】五天竺の一で、その中央部をいう。釈迦の遺跡はほとんどここにある。「仏は何処よりか出で給ふ、―よりぞ出で給ふ」〈梁塵秘抄二七〉

ちうとう チュウ【仲冬】《冬三か月のうち、中の月の意》陰暦十一月の称。〈色葉字類抄〉

ちうどうじ チュウ【中童子】寺院で給仕などをつとめる少年。童子は年齢により、大童子・中童子・小童子などの区別があったらしい。「この童、―の見目(みめ)もきたなげなくて」

〈今昔二八ノ二〇〉

ちうな【『連体』】適当な。穏健な。「彼の行平の―分別」〈俳・大坂独吟集下〉。〈日葡〉

ちうなごん【中納言】太政官の次官。令外の官の一。職掌は大納言に同じ。従三位相当。平安時代からは参議・左右大弁・近衛中将・検非違使別当の中の一つをつとめた者か、摂関の子息かが任ぜられた。「なかのものまうすつかさ」とも。「宰相中将―になり給ひぬ」〈源氏藤裏葉〉

ちうにかい【中二階】①普通の二階と平屋との中間の高さの二階。「手の届く枝の椿や―」〈俳・毛吹草追加上〉②《楽屋の中二階の部屋にいたので》歌舞伎の女形の異称。「―は大和屋に紀の国屋」〈滑・浮世床二下〉

ちうにち【中日】彼岸七日間の真中の日。「今日、彼岸―なり」〈言国卿記文明六・八・八〉

ちうにん【中人・仲人】双方の仲立ちをする人。仲裁者。仲介人。なこうど。「道行く人のやうにして、―するていにもてないて」〈虎清本狂言・禁野〉。「まことに諺に云へる―の十八なるべし」〈朱子家訓私抄上〉。〈温故知新書〉

ぢうにん【重任】《チョウニンとも》重ねてその任につくこと。再任。また特に、国司の職にある者が、宮廷の造営・修理、寄進などと引き換えに、任期終了後も継続してその職に留まること。「有賢(ありかた)大蔵卿、備後の国を知られける―の功に、〔御所ヲ〕修理しければ」〈宇治拾遺七五〉

ぢうのうち【重の内】重箱に入れた食物。「―を参らせられたり」〈仮・続一休咄一〉

ちうのり【宙乗】歌舞伎で、宙に身体を吊って空中を行くこと。妖怪・変化(へんげ)・幽霊などを演ずる場合、針金・滑車などを使って行なう。「―などに踏みまたぎ飛びめぐり」〈評判・野良三座詫〉

ちうば【乳母・乳姥】主家の乳児に乳を飲ませる女奉公人。「娘一人まうけて―を取りて育てしに」〈西鶴・諸国咄三〉

ちうばい【中媒・仲媒】媒介人。なこうど。「―に脇差ら、うちして(与エテ)請(こ)はしめむ」〈宇津保藤原君〉

ぢうばこ【重箱】食物を入れる箱形の漆器。二重・三重・五重と積み重ねて使用できる。「昼時分に、盛阿彌、―を持ちてまかり出で」〈咄・昨日は今日上〉。〈天正十八年本節用集〉

ちうばつ【誅伐・誅罰】罪ある者を討伐すること。成敗すること。「すみやかにその輩を―して、宸襟(しんきん)を休め奉らば」〈保元上・官軍勢汰へ〉

ちうはば【中幅】①布帛の、幅一尺二、三寸くらいのもの。「白綸子の―の帯して」〈西鶴・諸艶大鑑五〉②(1)の布で仕立てた帯。中幅帯。「あっち織の―前に結び」〈西鶴・一代男三〉

ちうばらひ【中払ひ】未亡人の髪型。髪の端を首のあたりで切り揃えて垂らしたもの。切下げ髪。「髪は―にして、後家らしき女来たって」〈浮・好色四季咄三〉

ちうはん【中半】物事のなかば。中途半端。中途。「京都へ嘆き申す公事、―にて候間」〈菅浦文書文安六・三・二三〉。「さる奉公人、主の気に違ひ、―に〔奉公先ヲ〕出で」〈咄・日待咄下〉

ちうびねり【中捻り】遊女が道中にする、腰を少し捻る歩き方。「抜足、―の歩き姿」〈西鶴・五人女三〉

ちうぶ【中風】脳溢血などの後遺症としての半身不随や手足の麻痺。中気。「平宰相…言語正しからず、進退例を失す。若しくは―か」〈小右記長和四・三・二九〉

ぢうぶく【重服】《「軽服(きやうぶく)」の対》重い喪(も)。父母の喪をいう。「十月に―になりて侍りけるまたの年の春」〈千載二一三詞書〉。〈色葉字類抄〉

ちうぶん【中分】①半分に分けること。また、その分けたもの。転じて、五分五分。平等。対等。「手巾の―を項(なう)じ)に掛く」〈正法眼蔵洗面〉。「互ひに遺恨なきやうに、―の扱ひ、御了簡に任すべし」〈近松・曾我会稽山一〉②仲裁。「北より高屋彌助取り掛け候所にて取り合ひ候…南は町町者どもと取り合ひ候。伊勢守衆、仁木二郎内中小路山城守等―に入り候て、矢を留め候」〈言継卿記享祿二・一・二〉③中ほど。中くらい。「春の日は、寒(かん)にあらず、熱(ねつ)にあらず、これ即ち―の時節なれば」〈三社託宣略鈔〉

ちうべん【中弁】弁官の一。太政官の判官(じょう)で、大弁の下、少弁の上に位し、左右がある。「なかのおほともい」とも。「左―一人。掌ること左大弁に同じ」〈職員令〉

ちうぼん【中本】近世、書籍の名称の一。大本(美濃紙二つ折)と小本(半紙四つ折)の中間の、美濃紙四つ折の大きさ。また、その大きさで版行された滑稽本・人情本の別称。なお、読本(よみほん)は大本、洒落本は小本であった。「鯉丈が出した和合人と言ふ―のやうに」〈滑・八笑人四上〉

ちうぼん【中品】〔仏〕総じて上・中・下三階級に分けたその第二。上品と下品の間。極楽往生の人には、さらに中品上生・中品中生・中品下生の三に分ける。「―に保つは輪王の位を得て諸〻の楽しびを受く」〈三宝絵下〉→九品(くほん)

ぢうぼん【重犯】重い犯罪。「これまた―なれば、なぜにのがさうぞ」〈天草本伊曾保〉

ぢうもち【重物】貴重な品物。大切なもの。「―をこそ給はりて侍る。…御帯なり」〈宇津保蔵開中〉

ちうもみ【中紅】茜(あかね)草や蘇枋木(すおうぎ)で染めた紅染。紅花で染めた本紅(ほんもみ)にくらべて鮮やかさが劣るのでいう。「―本紅さて緋縮緬(ひぢりめん)」〈俳・天満千句〉

ちうもん【中門】①寺院建築で、南大門の次にあって回廊正面に開かれた門。「金剛力士形弐軀―に在り」〈法隆寺伽藍縁起幷流記資財帳〉②寝殿造で、東西の門の内にあって、寝殿南庭に通ずる門。廊の中ほどを切り通しにして作る。屋根はあるが、冠木(かぶき)も閾(しきみ)もなく、車の通行が可能なようにしてある。普通、客は中門で車を降り、案内を乞う。「御車寄せたる―のいといたうゆがみよろぼひて」〈源氏末摘花〉　**―のらう**【中門の廊】寝殿造で、東西の対の屋から南へのび、中門を経て釣殿に至る廊下。「入道みづから―へ出でられたり」〈平家二・西光被斬〉

ちうもん【注文・註文】①注進の文書。事の次第を明細に書き連ねた文書。「国司の―に任せて、裁許せらるべし」〈石清水文書延久四・九〉②あつらえの文書。また、あつらえる時の希望条件。「―に載せられずといへども進(まゐ)らするなり」〈庭訓往来五月九日〉

ちうや【中夜】六時(ろくじ)の一。夜を三分した真中の時間。「やうやく―に至るほど」〈梁塵秘抄一七四〉

ちうやおび【昼夜帯】黒繻子に白裏を合わせた女帯。後には、ただ表裏違った布で仕立てた帯をもいう。鯨帯。腹合せ帯。「縮緬と黒繻子の―」〈滑・養漢裸百貫五〉

ちうらう【中老】①中年の人。五十歳前後の人。「―程の人…、とかく夜食は多く食ふが毒にて有る由言ふを聞き」〈咄・醒睡笑三〉。〈日葡〉②武家の職名。室町時代は引付衆の別称。織豊時代は家老・年寄の下で大名家の政務を総括する役。近世、諸藩では幕制の若年寄に

相当する役職。「—人衆、其の器用に依るかの由これを申し」〈蔭涼軒日録文正一・七・二五〉

ちうらふ（チュウロウ）【中臈】①宮中に仕える女房で、上臈と下臈の中間に位するもの。内侍以下諸大夫良家の子などで、大抵の者はこの部類に属した。「上臈—のほどぞ、あまりひき入り上衆（ずざう）めきてのみ侍るめる」〈紫式部日記〉②江戸幕府大奥の女官の称。上臈・年寄などの下にあるもの。〈明良帯録〉

ぢうりょ（ジュウ）【住侶】その寺に住む僧。住僧。「ここに西塔の—、戒浄坊の阿闍梨祐慶といふ悪僧あり」〈平家二・一行阿闍梨〉

ちうる（チュウ）【中流】流罪のうち、遠流（をんる）より軽く、近流より重いもの。「信濃・伊予等国を—とす」〈延喜式刑部省〉

ちうろくてん（チュウ）【中六天】物事を馴れ切ったさまに振舞うこと。「此の里の事は—に」〈西鶴・新吉原常常草下〉

ちうわきざし（チュウ）【中脇差】長さ一尺八寸以下一尺までの脇差。「—にて筑前殿手討に仕られ候」〈川角太閤記五〉

ちうわゐん（チュウ）【中和院】大内裏殿舎の一。西南隅にあり、正殿は神嘉殿で、神嘗の儀などが行なわれる。中院。「中重殿坊等、中院の正殿と云也。天子社禝（しゃしょく）の神を祭り給ふ所也。—は内裏の西にあり」〈大内裏抄〉

ちうゑふ（チュウ）【中衛府】宮中にあって、その警備に当った役所。神亀五年はじめて置かれ、大同二年に右近衛府になった。「—を置く。大将一人、従四位上…中衛三百人」〈続紀神亀五・八・一〉

ちえ【千枝】多くの枝。茂った枝。「楠（くす）の木は…—にわかれて恋する人のためしにいはれたるこそ」〈枕四〇〉

ちぇちぇく・り『四段』《「ちぇちぇくり」とも表記》男女が密会して情を通じる。私通する。「ちちくり」とも。「若葉の内侍も—・ったな」〈浄・義経千本桜一〉

ちおろし【血下し・血落し】堕胎。「産み流し三月（みつき）已下—と号す」〈八坂神社文書下、延徳一・一二・八〉

ぢかい【持戒】〔仏〕《「破戒」の対》六波羅蜜（ろくはらみつ）の一。仏の戒律を固く守ること。「また、—にして犯す事なし」〈今昔一三ノ一〇〉。「涅槃経に云はく、大乗を行じて心に怠る事なきを—と名づくと云云」〈夢中問答下〉

ちかおとり【近劣り】《「近勝（まさ）り」の対》近づいて見ると、遠くで見ていた時より劣って見えること。「—するやうもや、などぞあやふく思ひ渡りしを」〈源氏総角〉

ちかがつゑ【近餓ゑ】飲食してまもなく、また食欲を催すこと。また、その人。後には、性欲についてもいった。「大食上戸の—」〈酒飯論〉。「御病後は必ず下（しも）の—」〈俳・糊飯篦後集四〉

ちがき【血書】血で書いた文。起請などに用いる。血文（ちぶみ）。けっしょ。「—は千枚重ね、土中に突き込み、誓紙塚と名付け」〈西鶴・諸艶大鑑八〉

ちかきまもり【近衛】⇒こんゑ。「照る光—の身なりしを」〈古今一〇〇三〉 **—のつかさ**【近衛府】⇒こんゑふ。「『みぎの—のかみ、藤原の仲忠』と申し給ふ声、いと高ういかめし」〈宇津保国譲下〉

ちかけ【近け】形容詞「近し」の古い未然形・已然形。「藐姑射（はこや）の山を見まく—む」〈万三八五一〉。「—ども渡るすべなし」〈万一五二五〉 †tikake

ちかごと【誓言】《チカヒゴトの転》ちかいのことば。神仏にかけてはっきりことばに出す約束。せいごん。「仏のお前にて—も立て侍らむ。うたて、な怖（お）ぢさせ給ひそ」〈源氏総角〉。「うらむる事侍りて、『さらにまうで来じ』と—して」〈新古今一三三七詞書〉

ちかごろ【近頃・近比】①このごろ。さきごろ。近来。「—常陸国多賀の郡に一人の上人ありけり」〈著聞六九八〉。「近比、チカゴロ、或作二近来一」〈文明本節用集〉②《副詞的に用いる。近来になくという気持から》はなはだ。まことに。「これは—狼藉（らうぜき）なる者にて候」〈謡・鞍馬天狗〉③はなはだ結構なこと。「そなたもそれほどに思やれば—ぢゃ」〈虎清本狂言・薬水〉

ちか・し【近し】㊀『形ク』《「遠し」の対》①距離の隔りが小さい。「妹が家路—・くありせば」〈万三六三五〉。「宿直人にて侍らむ人人、—・うさぶらはれよかし」〈源氏若紫〉②時間の隔りが小さい。「君に別れむ日—・くなりぬ」〈万四二四七〉③親密である。「山川を中に隔（へな）りて遠くとも心を—・く思ほせ吾妹」〈万三七六四〉④近親である。「これなむその人の—・きゆかりなるを」〈源氏夢浮橋〉⑤形状が似ている。「卯の花の垣根—・う覚えて」〈枕二二三〉⑥或る数量に達しようとしている。「中将なりける人の…七十—・き親二人を持たるに」〈枕二四四〉㊁『形シク』親しい。親密だ。「烏丸（からすま）のほとりへ、—・しき人ありて、見舞ひしうちに」〈西鶴・五人女二〉

ぢかた【地方】①沖に対して陸に近い方の称。「此の浦続き—浅く、舟掛り悪し」〈一目玉鉾四〉②室町幕府で、京中の家屋・宅地及び訴訟に関する事務を掌った役所。「—沙汰篇」〈武政軌範〉③近世、町方に対して田舎を指し、さらに土地及び租税制度を指し、また、地方民政全般の称となった。「〔長崎代官末次平蔵八〕—に私曲これ無きに付いて、死罪御赦免」〈犯科帳延宝四年〉④「知行」⑶に同じ。「—にて百貫文、并びに合力少少遣はすべく存ぜらるるの旨」〈伊達家文書四、天和一・一二・九〉

ちがたな【血刀】血にまみれた刀身。「—を振るか」〈古今八卦大全六〉

ちかぢか【近近】ごく近いさま。「敵—と来たらば、備へを立てて守れ」〈三略抄〉

ちがちが①ちんばを引きながら歩むさま。「その歩みやうを、えまなび得ずして、ただ腰を—と引いて帰るが如きぞ」〈四河入海二一上〉②片足で跳び歩くさま。ちんちんもがもが。「片足立てて—と」〈近松・百日曾我一〉

ちかつあふみ（チカツオウミ）【近つ淡海】《チカツアハウミの約。「遠つ淡海」の対》⇒あふみ（近江）。「—の国の日枝（ひえ）の山」〈記神代〉

ちかづ・き【近付き】㊀『四段』①（距離的に）近くなる。接近する。「野島の崎に舟—・きぬ」〈万二五〇〉②（時日が）せまる。間近になる。「君が立つ日の—・けば」〈万五七〇〉③親しくなる。ねんごろになる。「兵部卿の宮に—・き聞えにけり」〈源氏紅梅〉㊁『名』知りあっていること。また、その人。知合い。知人。また特に、男女間で恋愛関係にある者。「師、俗の時、—に辻切りをなす者あり」〈驢鞍橋下〉。「それがし、女房を持ちながら、—も持ちまらした」〈コリャード懺悔録〉。「知人、しりうと、ちかづき也」〈和漢通用集〉 †tikaduki **—ぶね**【近付き舟】知合いの舟。「網の者—に声掛けて」〈俳・炭俵下〉

ちかづ・け【近付け】『下二』近く寄せる。「かたほならん人を帝のとりわきせちに—・けてむつび給ふべきにもあらじ」〈源氏宿木〉

ぢがね【地金】①金属製品の下地となっている金属。「刀の切先（きっさき）ばかりに刃（やいば）あり、元は皆—にて」〈甲陽軍鑑四〉②本性。本心。性根。「皆人の—を減らす焼釘は、叩き直いて異見して」〈近松・氷の朔日上〉

ちか・ひ（チカイ）【盟ひ・誓ひ】㊀『四段』違反すれば絶対者によ

って罰せられることを条件に、約束をかわす。「左大臣蘇我赤兄臣等…泣血(な)きてー・ひて曰さく、臣等五人、殿下に随ひて天皇の詔を奉(うけたまは)る。若し違ふこと有らば四天皇打たむ。天神地祇また誅罰(つみ)せむ。三十三天、此の事を証(あきら)め知ろしめせ。子孫まさに絶え、家門必ず亡びむか」〈紀天智十年〉。「庭中にして天地四方を礼拝して、共に塩汁を歃(すす)りてー・ひて曰(まう)さく、…皇太子を退けむ」〈続紀天平宝字一・七・四〉 ▽漢字「盟」は血をすって約束を固くする意というが、日本語のチカヒも「血交ひ」に起源を持つという。 ㈡『名』①神仏にかけて決めた約束。「深きーにて今は命を限りける山ごもりを…壇こぼちて帰り入らむことの面目なく」〈源氏夕霧〉 ②仏が衆生を救おうと立てた誓願。「不動尊のおほんもとのーあり。その日数(六カ月)をだにかけとどめ奉り給へ」〈源氏若菜下〉 †tikaFi　**ーのあみ**【誓ひの網】仏が衆生を苦海から救い上げようとする誓願を網にたとえた語。「一人ーに漏れて、沈み果てなん事は如何に」〈謡・俊寛〉　**ーのうみ**【誓ひの海】仏が衆生を救おうとして立てた誓願の広大なことを海にたとえた語。「今はまたーの渡し守くるしき波に人は沈めじ」〈新千載八九七〉　**ーのふね**【誓ひの船】仏が衆生を極楽の彼岸に渡そうとする救済の誓願を船にたとえた語。「弘誓(ぐぜ)の船」とも。「世に越ゆるーを頼むかな苦しき海に身は沈めども」〈玉葉二六三五〉

ちが・ひ(チガイ)【違ひ】㈠『四段』《チ(方向)とカヒ(交)との複合。同じ種類の動作が互いに交差する意。はじめ、「飛びちがひ」「行きちがひ」など、移動に関する複合動詞の下項として使われた》①交差する。「御供の人人のとかう行きー・ひ、涼みあへるを見給ふなりけり」〈源氏椎本〉 ②相違する。くいちがう。「御夢想に御覧ぜられつるに少しもー・はねば、真実の御託宣よと思し召し」〈保元上・法皇熊野御参詣〉。「知音(ちいん)の仲をー・はするために、片一方のことを悪う云ひなしまらした」〈コリャード懺悔録〉 ㈡『名』誤り。間違い。「家久しう覚えの者をば、かやうにして置かっしゃるのは、殿のーぢゃと有って」〈狂言記・武悪〉　**ーだな**【違棚】二枚の棚板を左右から、上下にくいちがうように釣った棚。書院・床の間などの脇に設ける。「厨子(づし)・ー等に置物これ有り」〈看聞御記応永二六・七・七〉

ちが・へ(チガエ)【違へ】『下二』《チガヒ(違)の他動詞形》①交差させる。「几帳どもの立てー・へたるあはひより見通されて」〈源氏蜻蛉〉。「〔紐ヲ〕たすきにー・へて」〈徒然二〇八〉 ②くいちがわせる。「朝日に向って弓引かんこと便なかるべし。いささか方(はう)をー・ふべし」〈保元中・白河殿攻め落す〉

ちかまさり【近勝り】《「近劣り」の対》遠くで見るより近くで見た方が、すぐれて見えること。「聞こし召ししにも、こよなきーを」〈源氏真木柱〉

ぢがみ【地紙】扇や傘に張る用紙。「扇のーも薄赤き、色は夏野の八重むぐら」〈伽・衣更着物語〉　**ーうり**【地紙売】近世、夏に扇の地紙を売った行商人。若い男が伊達な衣裳に足袋・雪踏などを履き、地紙形の箱を重ねて肩に担いで呼び歩き、役者の声色・物真似をしたり、即座に折り立てたりして売り歩いた。「今日も又その花鳥のー」〈俳・後椎の葉〉

ぢがみ【地髪】自然に生えている頭髪。生れながらの髪の毛。「『ーは十筋右衛門』と恨めしさうに御涙に袖くれて」〈西鶴・一代女三〉

ぢがみなり【地神鳴】地面が鳴動すること。「提槌(さげづち)の音や扇のー」〈俳・山の井二〉

ちがや【茅草】《カヤは屋根などを葺くのにつかう草の意》⇒ち(茅)。「天にあるやささらの小野にー刈り」〈万三八八七〉

ちかやか【近やか】①距離的に隔たりなく感じられるさま。「ーに臥し給へば」〈源氏胡蝶〉 ②親密らしいさま。「ーなる御有様〔ニ〕も、もてなし聞え給はざりけり」〈源氏初音〉

ぢかやき【直焼き】直接火に当てて焼くこと。「鯛の桜(桜鯛)はーにせよ」〈俳・大矢数四〉

ちから【力】①労働する原動力。体力。労力。「ー窮(はき)まり矢尽きぬれば」〈記安康〉。「ーをつくしたる事少なからず」〈竹取〉 ②気力。「出で立たむーを無みとこもりゐて」〈万三九七二〉 ③頼みとなる能力。「こなたにーある心地して慰めしだに」〈源氏夕霧〉 ④効果。効力。「忌む事のーもやとて、御頂のしるしばかりはさみて、五戒ばかり受けさせ奉り給ふ」〈源氏若菜下〉 ▽語源は、体力・気力の源泉と考えられたチ(血)と、イヘガラ(家柄)・ウガラ(族)など、系統の意のカラとの複合か。　**ーあし**【力足】①力をこめて踏みしめる、その足。「ーを踏んでつい立ちあがり」〈平家九・越中前司最期〉 ②四股(しこ)。「真中へ出、ーを踏みて」〈狂言記・料理聟〉　**ーいし**【力石】力を試すための大石。神社の境内などにある。「ーを一人して上げかぬるを、八人よりて上ぐるなり」〈多胡辰敬家訓〉　**ーいり**【力入り】力を入れること。力こぶを入れること。「同じくは我がーをし、直し引き繕ふべき所なく、心に叶ふやうにもや」〈源氏帚木〉　**ーおび**【力帯】身体に力を入れるために強く締める帯。「飾縄や家の柱のー」〈俳・遠近集一〉　**ーがは**(ワガ)【力皮】馬具の名。鐙(あぶみ)の鉸具(かこ)を鐙靼(みづを)につなぐ皮。後世、誤って、鐙靼そのものの称となる。「重病なりしを馬にかき乗せられて、ーに両足を結ひつけさせられけるとかや」〈難太平記〉。「また是には馬道具があるよ。鞍・あぶみ・切付(きっつけ)・膚付(はだつけ)・ー」〈虎明本狂言・磁石〉　**ーがみ**【力紙】①相撲の力士が身体を拭い清めるのに用いる切紙。「ー頼む利生か勝相撲」〈俳・毛吹草六〉 ②力が強くなるように、紙を嚙みしだいて山門の仁王に投げ当てること。また、その紙。「ー当て所(ど)涼しき風落ちて」〈俳・独吟一日千句〉 ③綴じ目などを丈夫にするために、間に張る強い紙。「襖(ふすま)こそ寒さを防ぐー」〈俳・時勢粧三〉　**ーぐさ**【力草】①鳥を捕えた鷹が、身をささえるために片足でつかむ草。「鷹の羽の薄(すすき)や己がー」〈俳・晴小袖三〉。〈日葡〉 ②力と頼むもの。頼り。「国師様をーに致し」〈本光国師日記寛永九・六・一八〉　**ーくるま**【力車】材木など重いものを運ぶ車。一説、租税(ちから)の稲を運ぶ車。「恋草をーに七車」〈万六九四〉　**ーごゑ**【力声】力をこめる時に発する声。「ゑい声」とも。「互に劣らぬー、ゑいやゑいやと引く程に」〈近松・吉野忠信二〉　**ーすぢ**【力筋】力をこめて腕を曲げる時、二の腕の辺に静脈がふくれて浮き上がるもの。「左右の腕と肘にーといふ物が、十四五二三十ふつふつと出にけり」〈幸若・和田酒盛〉　**ーぜめ**【力攻め】謀略を用いず、武力で遮二無二攻めること。「ーにし候はば、左右無く落つべからず候」〈太平記六・赤坂合戦〉　**ーぞん**【力孫】力が強い性質の遺伝。「あたら物/女に渡るー」〈雑俳・歌かるた〉　**ーだて**【力立て】力のほどを示すこと。力を誇示すること。「力とは、大力のーする事ぞ」〈論語抄述而〉　**ーな・し**【力無し】『形ク』《それを支えるだけの力がないという意から》いたしかたない。やむを得ない。「主命なればー・く、輿ども用意して」〈保元下・義朝幼少の弟〉

ちから【税】《チカラ(労力)によって生産されるもの》租税。古くは稲の束をそのまま納めた。「懸税(かけちから)千税(ちちから)余り五百税(いほちから)を横山の如く置き足らはし」〈祝詞伊勢大神宮〉。「税、チカラ」〈名義抄〉 **—ぐら**【税倉】官に納入した年貢米などを貯蔵する倉。「悉(ふっ)に—を焚(や)きて、皆散(あら)けうせぬ」〈紀天武一年〉 **—しろのぬの**【庸布】《力代の布の意》労役の代りに官に出す布。「一戸に—一丈二尺。庸米(ちからしろのこめ)五斗」〈紀孝徳、大化二年〉 †tikarasirönuno **—のかみ**【主税頭】主税寮の長官。「久米朝臣麻呂を—と為し」〈続紀天平四・一〇・一七〉 **—のつかさ**【主税寮】⇒しゅぜいれう。「主税寮、知加良乃豆加佐(ちからのつかさ)」〈和名抄〉 **—のれう**【主税寮】⇒しゅぜいれう。「主税寮、チカラノレウ、唐名、倉部」〈文明本節用集〉

ちからぢから・し【力力し】『形シク』いかにも力の入った感じである。「老い給へる程よりは、爪弾(つまはじき)をいと—・しう給ひて」〈落窪二〉

ちがりちがり「ちがちが」に同じ。「ちんがりちんがり」とも。「槃散は、腰を—と引く体なり」〈蒙求聴塵中〉

ちぎ【千木】屋根の両端の材木が棟で交叉して、棟よりも高く突き出した部分。古代の家は、この突き出た端を切り捨てなかった。現在では、神社建築などに見られる。「氷木(ひぎ)」とも。「高天の原に—高知りて」〈祝詞祈年祭〉 †tigi

ちぎ【杠秤・杜斤】一貫目以上の重さの物を計る桿秤(さおばかり)。「ちぎり」とも。「〔荷ヲ計ルタメ〕そろりそろりと取る—の桿」〈俳・望一千句〉

ぢき【直】直接。じか。「—の御返事を承らで帰り参らむ事こそ世に口惜しう候へ」〈平家六・小督〉

ぢぎ【地祇】《「天神」の対》地の神。「現世には天神—の冥罰を蒙り」〈保元下・大相国御上洛〉

ぢきさん【直参】①直接に主君の前へ出ること。「梶原源太—して真平に申しつれども」〈盛衰記三四〉 ②直接主君に仕えている家臣。特に近世、将軍に直属する一万石未満の家来。旗本・御家人をさす。「勝家へ背き、信長公—となり」〈太閤記六〉。「御—への養子にこれを遣はし候儀は格別」〈御触書寛保集成一八、元祿一三・一二〉

ぢきそ【直訴】一定の手続を経ないで、直接に上級の裁判役所または高官に訴え出ること。「—を用ふ可からざるの由、今日、問注所・政所に仰せ遣はさる」〈吾妻鏡建長二・四・二九〉

ぢきだん【直談】直接当人と談判すること。「ぢか談判」とも。「順慶に—すべき事ありと、飛札を以て日限を究め」〈太閤記三〉。〈文明本節用集〉

ぢきぢき【直直】直接。じか。「観音の応身を—見奉るごとく」〈観音経鈔三〉

ぢきでん【直伝】学芸を直接に師から伝授されること。「たとひ此の伝授の書物をぬすみ得ても、—なくてはその甲斐(かひ)なし」〈仮・小盃四〉。〈文明本節用集〉

ぢきとつ【直裰・直綴】《呉音》僧衣の一。上衣の偏衫(へんさん)と下衣の裙(くん)とを直接縫い合わせたもので、腰から下にひだがあり、衣服の上に着る。「僧坊童部出家せしめ、—着用は過分の振舞也」〈大乗院雑事記寛正四・一〇・一八〉

ぢきに【直に】『副』①直接に。じかに。「日頃の御結構の次第、—承らん」〈平家二・小教訓〉 ②すぐに。ただちに。「—と云ふ事を、大坂及び尾州辺、又は土佐にて、いっきにと云ふ」〈物類称呼五〉

ぢぎぬ【地絹】①染め生地の絹。「〔銀〕四十五匁の—」〈西鶴・胸算用二〉 ②書画を書く絹地。「姿を現はし—の中よりゆるぎ出で」〈浄・十六夜物語五〉

ちぎのかたそぎ【千木の片削ぎ】千木の端の片かどをそいであるもの。「我が恋は—難(かた)くのみ行き逢はで年の積りぬるかな」〈新古今一一一四〉

ぢきめやす【直目安】正規の手続をしないで、直ちに上級の裁判役所または高官に上訴すること。また、その訴状。古来禁止されていた。直訴。「—を以て申し上ぐる事、御制禁の事」〈御制法慶長七・一二・六旗本代官への定書〉

ちぎゃう【知行】①支配すること。職務を執行すること。「僧綱の庶務、事に触れて繁多なり、宜しく件の人をして相共に之を—せしむべし」〈朝野群載一六〉 ②領地を支配すること。土地用益権(職(しき))の行使をいう。「預所職に至っては、重衡子孫相伝に—せしめんがため、寄進件のごとし」〈丹生神社文書永万二・一・一〇〉。「此の仏法を盗んで、天下の祈りするとて、寺領を—し」〈明恵遺訓〉 ③近世、幕府や藩から与えられた封祿。狭義には、切米(きりまい)給与に対して、封地を与えられることを意味した。「—壱万石、渡り候」〈家忠日記天正一九・六・六〉 **—しょ**【知行所】①知行している土地。所領。「長門国、親能の—」〈吾妻鏡建久一・四・一九〉 ②近世、とくに幕府・大名が一万石以下の家臣などに分与した土地。単に「知行」とも。「拙老—の人足」〈本光国師日記元和三・一・一三〉 **—づけ**【知行付】知行所・石高などを記した文書。「其の人人の—、左の如し」〈安宅一乱記八〉 **—でら**【知行寺】幕府から知行として寺領を与えられている由緒ある寺。「草衣〔デモ〕末は知るべき—」〈俳・難波風〉 **—とり**【知行取り】俸祿を知行でうける武士。地方(ぢかた)取り。「寺沢越中守…六万石の—」〈多聞院日記天正二〇・九・五〉 **—ぬすびと**【知行盗人】取っている知行だけの働きのない武士を罵っていう語。祿盗人。「祿を受け身を私するは、諺に云ふ—と云ふなるべし」〈太閤記二〇〉

ぢきゃう【持経】①身近に持って、いつも読誦する経。「自らの御—は院ぞ御手づから書かせ給ひける」〈源氏鈴虫〉 ②経を受持して読誦すること。誦経。「得業(とくご)—せば、御身は念仏申させ給ひて」〈義経記六〉 **—じゃ**【持経者】遁世して、もっぱら経(とくに法華経)を受持し読誦する者。「知者、或いは—、真言師」〈大鏡実頼〉。「ヂキャウジャ、または、ヂキャウシャ」〈日葡〉

ぢぎゃう【地形】①土地のありさま。ちけい。「堀川院は—のいといみじきなり」〈大鏡基経〉 ②建築の土台の地面をならし固めること。地固め。「宇治関白、平等院建立の時、—の事など示し合はせむがために」〈十訓抄一ノ二二〉

ぢきゃうげん【地狂言】①能狂言で、舞や囃子(はやし)のない、科白(せりふ)本位のもの。「足拍子凍(い)の解けたる(自由ニ動ク)—」〈俳・大句数上〉 ②歌舞伎で、科白本位の狂言。「さらば芸は次にやあるか(劣ッテイルカ)と見るに、—なほ良し」〈評判・野良関相撲上〉 ③その土地の人が演ずる素人芝居。「近郷近村が皆—の(ヲ)取り組み申した」〈滑・見通鄙戯場〉

ちきゃうだい【乳兄弟】他人でありながら、同じ人の乳で育った間柄。また、その人。「姫君様と私とは—の事なれば」〈近松・丹波与作上〉

ちきり【巾】かぶり物の一。頭巾。縢(ちきり)の形に似ている。「鍾(かね)撃(つ)かむ吏(つかさ)は、赤(あかいろ)の—を前に垂れよ」〈紀孝徳、大化三年〉 **—かうぶり**【幗】上代、老婦人が喪の時に着用したかぶり物。「幗、知岐利加宇不利(ちきりかうぶり)、今老嫗載レ之、覆二髻上一者也…婦人喪冠也」〈和名抄〉

ちきり【縢】織機の部品の一。たて糸を巻く円柱。「縢、知岐利(ちきり)」〈和名抄〉

ちぎり【杠秤・扛秤】「ちぎ」に同じ。「—にかかる布引の松」

〈俳・物種集〉

ちぎ・り【契り】 ㈠『四段』①約束する。「―・りけむ心ぞつらきたなばたの年に一たび逢ふは逢ふかは」〈古今一七八〉②男女の交りをする。「―・る夜を大人気なくもさまたげて」〈俳・犬筑波〉㈡『名』①約束。言いかわすこと。「心の限り行く先の―をのみし給ふ」〈源氏明石〉②縁。「宇治橋の長き―は朽ちせじを」〈源氏浮舟〉③前世からの因縁。宿縁。「男、女をもいはじ。女どちも―深くて語らふ人の、末まで仲よき人かたし」〈枕七六〉④男女の交り。「月に二たびばかりの御―なめり」〈源氏松風〉

ちぎ・り【捩り】『四段』①つまんで切る。指先でひねってつみ取る。「海松(みる)の引干しの短く―・りたるを」〈かげろふ上〉②動詞の連用形について、そのことが盛んに行なわれているさまをあらわす。「〔山伏ハ〕歯を食ひあはせて、念珠(ねんず)を揉み―・る」〈宇治拾遺三六〉。「月が冴え―・りてあるぞ」〈中華若木詩抄上〉

ちぎりき【乳切木】 武器の一種。両端を太く中央を少し細く削った棒。もとは、物をになうための棒で、織機の部品の膝(ちきり)のような形ゆえの名という。「いさかひ果てての―にてぞあらん」〈保元上・新院御所〉

ちぎ・れ【捩れ】『下二』ねじ切れる。切れ離れる。「―・れたりともこの腹巻を着」〈謡・鉢木〉。「山の―・れたる隙より、わづかに海を見すべきなり」〈作庭記〉

ちく 近世、関東で、虚言・うその意。ちくらく。「関東田舎に偽りの義を―と云ふ」〈志不可起三〉

ちぐ【値遇】《チグウとも》①めぐりあうこと。「在在所所常に三宝に―し奉る」〈三宝絵下〉②親密に結びつくこと。「すべからく平家―の義をひるがへして源氏合力の心に住すべき由」〈平家七・木曾返牒〉③「値遇の縁」に同じ。「まして―のあればこそ、かく宿りする草の枕の」〈謡・錦木〉

ぢく【軸】 ①巻物の芯にする棒。「玉の―、羅の表紙、帙簀(ぢす)の飾りも世になきさまに」〈源氏賢木〉②転じて、巻物。「――読み尽させ給ひて」〈今鏡三〉③筆の柄(え)。「鞆絵(ともゑ)書いたる筆の―」〈平家一・殿上闇討〉④和歌・俳諧・川柳などで、巻末に記す歌・句。優秀な作か点者の詠んだものを記す。「四季の―に此の鏡の歌を入れり」〈古今私秘聞〉。「巻頭御製、―御詠」〈再昌草四〉⑤連歌・俳諧で、千句・万句の最後の百韻。「〔宗長〕宗碩と両人、千句連歌張行すべく…第一発句は高国朝臣にこひ侍り、―の発句をと申しおこせたりしかば」〈再昌草三〉。「千句万句の終りを―とも云へり」〈俳・類船集三〉⑥巻物や掛物を数える語。「〔法華経〕七巻を八―に分ちて」〈今昔七ノ二四〉

ちくあん【竹庵】 藪医者の通名。「竹斎」とも。「―殿に見せけれども」〈浮・小夜衣四〉

ちくえふ【竹葉】 ①竹の葉。「―禊庭に満ち、桃花曲浦に軽し」〈懐風藻〉②酒の異名。「甕(もたひ)のほとりの―は春を経て熟す」〈和漢朗詠集首夏〉③酒や水などを入れて携帯する竹筒。小筒(ささえ)。「胡籙(えびら)に差したる―取り出して、心しづかに兵粮(ひやうらう)つかひ」〈太平記二六・四条縄手〉

ちくご【筑後】 旧国名の一。西海道十一国の一。今の福岡県南部。「権の守は。甲斐、越後、―、阿波」〈枕一七三〉

ちぐさ《チクサとも》❶【千草】①いろいろの草。「白露の―に置ける玉もかひなし」〈後撰三三五〉②「千草色」の略。「浅黄の上を―に色あげて」〈西鶴・永代蔵五〉❷【千種】種類の多いこと。いろいろ。「―に物を思ふころかな」〈古今五八三〉 **―いろ【千草色・千種色】** 空色。もえぎ色。ちぐさ。「―の木綿布子(ぬのこ)」〈西鶴・置土産二〉 **―ぞめ【千草染・千種染】** 千草色に染めたもの。また、特に秋の千草模様を御所染で色変りに染め出した高価な染め方。「鹿皮や己が住む野の―」〈俳・埋草三〉 **―むすび【千種結び】** 男女の名前・年齢を記した紙縒(こより)を社寺の格子や樹木などに結びつけ、縁が結ばれるように願うこと。縁結び。「―は誰〔ノ〕縉(ぜになは)」〈俳・誰袖下〉

ちぐさ・し【血臭し】『形ク』血のにおいがする。「その首どもの―・き中に寝たことでおぢゃった」〈おあむ物語〉

ちくしゃう【畜生】 ①鳥獣虫魚の総称。「人を導き、―を哀ぶこと限りなし」〈今昔一五ノ一六〉②人を罵っていう語。「物知らずの―めが」〈虎清本狂言・禁野〉③〔仏〕「畜生道」の略。「―・修羅の悲しみも、我等にいかでまさるべき」〈謡・歌占〉 **―ざんがい【畜生残害】**《「残害」は、いため、そこなう意》畜生が人間や動物から残害の苦を受けること。また、畜生どうし、互いに殺し合い傷つけあうこと。「おほかた、生ける物を殺し、痛め、闘はしめて遊び楽しまん人は―の類なり」〈徒然一二八〉 **―だう【畜生道】**〔仏〕三悪道(三悪趣)・六道の一。生前の業により、死者が畜生に生れ変って責苦を受けるという世界。「修羅に成りぬと見れば―に堕ちて走る」〈今昔四ノ九〉 **―づら【畜生面】** 畜生のような顔つきの意。義理を知らぬ者を罵っていう語。「己れめは姉を去れの離別のとは、ようも云うた―」〈近松・堀川波鼓中〉 **―もん【畜生門】** 京都東寺南大門の東の築地にある穴門。破戒僧の額に犬の字を書き、この門から追放したのでいう。「―の辺に幕打たせて」〈西鶴・一代男八〉

ちくすいじつ【竹酔日】 陰暦五月十三日の称。中国の俗説に、この日竹を植えればよく育つという。竹迷日。「此の日を―と謂ふ。宜しく竹を栽うべし」〈日次紀事〉

ぢくすだれ【軸簾】 細い篠竹の軸で作った簾。管簾(くだすだれ)。「そよや荻待つ夜のすさみ―」〈俳・富士石三〉。「―の内には人も大勢有ると見えしが」〈西鶴・諸艶大鑑三〉

ちくぜん【筑前】 旧国名の一。西海道十一国の一で、今の福岡県北部。「―国宗形、出雲国意宇(おう)の二郡司」〈続紀文武二・三・九〉

ちくだい【竹台】 清涼殿の東庭にある呉竹(くれたけ)・河竹を植えた台。石灰壇(いしばひのだん)の前あたりに河竹の台、仁寿殿の西北に呉竹の台があった。「人長(にんぢやう)召したてん時、―のもとによりて、そそめかんずるに」〈宇治拾遺七四〉

ぢぐち【地口】 江戸で、駄洒落・語呂合せなどの称。「小新しき―云ひても、座中苦笑ひにして」〈浮・色里徒然草〉

ちくちく《チクトのチクを重ねた形》少しずつするさま。「ただ―と商(あきなひ)などをして身を持つ卦(け)ぞ」〈周易抄六〉。「天瑞―合点し」〈咄・醒睡笑三〉

ちくてん【逐電】《電光を逐(お)う意》①きわめて速いこと。急なこと。「御使―帰参」〈小右記長保一・二・九〉②跡をくらまして逃げ去ること。出奔。逃亡。「御詞(ことば)未だ了(をは)らざるに、成通卿―云云」〈古事談一〉。〈文明本節用集〉

ちくと『副』少し。ちょっと。「賦と雅と相似たり。かるが故に、その儀をいへば―は変るといへども、一つ也」〈古今集註〉。「竹の子の節より―葉は出でて」〈俳・犬筑波〉

ちぐのえん【値遇の縁】 現世でめぐりあうべき前世からの因縁。「こはそも不思議の―」〈謡・忠度〉

ぢくのもの【軸の物】 床の間・壁面などに掛けるように表装した書画。掛物。軸物。「権律師心敬、唐絵の―に賛を歌に書きてとありしに」〈草根集九〉。「―をも方盆にすわり候て〔違棚ニ〕おかれ候事候」〈君台観左右帳記〉

ちくば【竹馬】 たけうま。「—にいざや法(のり)の道」〈謡・百万〉　**—のとき【竹馬の時】** 幼少の時代。「—に御友達とありし和羅多にはあらずや」〈今昔一ノ二五〉

ちくふ【竹符】 中国漢代の郡守のしるし。竹で作り、右半分を都にとどめ、左半分を郡守に与えたので、我が国では国司に任ぜられることを「竹符を割(さ)く」といった。「群弟庶子みな棘路(きよくろ)にあゆみ、その孫かの甥(をひ)ことごとく—をさく」〈平家四・南都牒状〉

ちくふじん【竹夫人・竹婦人】 夏、寝る時に抱いて涼をとる竹製の円筒形のかご。抱籠(だきかご)。竹奴(たけやつこ)。「竹奴・—」〈俳・増山の井〉

ちくへうヒョウ【竹豹・筑豹】 豹の毛皮で、丸い斑点の大きなもの。「その時、『—ぞ、—ぞ』といひて、豹のまねをつくさん」〈宇治拾遺七四〉

ぢくもと【軸本】 巻物の軸に近い部分。巻末。「御暦(巻子仕立テノ具注暦)も—になりぬ」〈かげろふ下〉

ぢくもの【軸物】 ⇒ぢくのもの。〈運歩色葉集〉

ちくら【千座】 **—のおきくら【千座の置座】** 祓物(はらへもの)を置く、多くの台。「—に置き足らはして」〈祝詞大祓詞〉　† tikuranöokikura　**—のおきど【千座の置戸】**《ドは、ネド(寝処)・クマト(隈処)などのド・トと同じ》罪や穢れを祓い贖うために出す品物を載せる、多くの台。「—を負(おほ)せ」〈記神代〉　† tikuranöokido

ちくら【舳艫・筑羅】 どちらつかず。曖昧。「この僧の字は、唐でも無く、和(日本)でも無い、但し—やうでは無いかの」〈碧岩抄〉　**—がおき【舳艫が澳・筑羅が沖】** 韓(から)と日本の潮堺にあたる海。また、どちらつかずのたとえ。「日本と唐との潮堺—に陣を取り」〈幸若・大織冠〉　**—もの【舳艫者】** どこの者とも素性のわからぬ者。「—かと疑へり」〈近松・国性爺四〉

ちくりん 背丈の低いこと。ちんちく。ちんちくりん。「此の男いかにも背が—にて」〈仮・可笑記五〉

ちくりんしゃうじゃショウ【竹林精舎】 天竺五精舎の一。中インド、摩掲陀国、王舎城の北方迦蘭陀長者の竹林に、頻婆沙羅王が建てた、最初の仏教寺院。「遠く天竺に仏跡をとぶらへば、昔、仏の法(のり)を説き給ひし—・給孤独園(ぎつこどくをん)も」〈平家二・山門滅亡〉

ぢぐるま【地車】 車台低く、四輪で、重い荷物を運ぶ車。「—に載せて、力者百人ばかりにて」〈三好軍記下〉

ぢくゎろ【地火炉】《「火炉」は火をおこす器。土の上で火をおこす道具の意》 いろり。「すさまじきもの。…火おこさぬ炭櫃(すびつ)、—」〈枕二五〉

ぢげ【地下】 ①《「殿上」「堂上」の対》 清涼殿に昇殿を許されない、通常、六位以下の官人。また、その家格。五位以上でも、昇殿を許されない地下の上達部(公卿)・大夫があった。「—の卿相等、南殿に候す」〈九暦天暦二・五〉 ②《官に仕えぬ賤しい者の意で》 一般の庶民。農民をさしていうことが多い。「殿も常若(とこわか)、—も常若」〈天正本狂言・楪〉 ③地もと。領内の村落。「—の代官は、殊に清廉故実の輩を撰み」〈東寺百合文書貞治三・二〉

ちけい【昵契】「痴話(ちわ)」に同じ。「間男来たり、さまざま—の余りに」〈咄・昨日は今日下〉

ちけい【致景】《「致」は、おもむき・ありさまの意》 景色。また、よい景色。「難波の浦の—の数数」〈謡・弱法師〉

ぢげちゃうチョウ【地下町】 神社の支配下の氏子が住んでいる町。「—も幣(ぬさ)も取りあへず手向け山」〈俳・物種集〉

ぢげにん【地下人】 ①「ぢげ」(1)に同じ。「予座を起ち、一鴇毛(ときげ)を給ふ。保平朝臣給はらず。—に依るなり」〈九暦天慶五・九〉 ②「ぢげ」(2)に同じ。「葛葉と云ふ処に、—代官を背きて合戦に及ぶ事あり」〈太平記一・頼員回忠〉

ぢげのまひマイ【地下の舞】 地下人の舞う舞。舞楽を職とする舞人の舞などをさす。「—は目馴れたることなれど、をりからにや…めでたく見ゆ」〈増鏡一三〉

ちけん【地券】 土地所有の証書。「十市郡司解(げ)し申し立つ売買—の事」〈東南院文書天平宝字五・一一・二七〉

ちけん【知見・智見】《元来は仏教語で、見てさとる意》 神仏などが御覧になること。「この事、冥衆三宝も—を垂れ」〈沙石集七ノ九〉

ちご【児・稚児】《チゴ(乳子)の意》 ①乳を飲む頃の子。ちのみご。赤ん坊。「めづらかなる—の御かたちなり」〈源氏桐壺〉 ②幼な児。子供。「さてもいとうつくしかりつる—かな」〈源氏若紫〉 ③天台・真言などの寺院で、貴族・武士の子供を預って、俗体のまま学問させたり、給仕に使った少年。僧たちに可愛がられ、しばしば男色の対象とされた。「比叡の山に—ありけり」〈宇治拾遺一三〉 ④寺院の法会の時、美装して行列に加わり、ねり歩く男女の幼童。もとは寺の稚児の役であった。「向ひなる大寺を今朝起きて見たれば、いつくしき—たちが、花折りかざいて、花をかざいて参らう、御所の御堂へ」〈田植草紙〉

ちごいしゃ【児医者】 小児科の医者。ちごくすし。「—の名は久方の秋」〈俳・雪千句上〉

ちごおひオイ【稚児生ひ】 幼児の頃の成長の様子。「大将などの—ほのかに思し出づる」〈源氏柏木〉

ぢこく【持国】「持国天」の略。「多聞・—二人の童子に現じ、薬王菩薩・勇施(ゆぜ)二人の従僧に変ず」〈平家六・慈心房〉　**—てん【持国天】** 四天王の一。須彌山の東面、第四層に住み、東方世界の国土を守護し、衆生を安んずる。持国天王。「昔の兄の終尤は今の多聞天王、此れ也。弟の明尤は今今の—、此れ也」〈今昔五ノ二二〉

ぢごく【地獄】 ①〔仏〕 三悪道・五悪趣・六道・十界の一。現世で行なった悪業の報いで、衆生が死後に赴くと考えられる地下の世界。閻魔大王が主宰し、鬼たちがこれに属して、罪人たちをさばき責めるという。地獄の名称・数・場所については経論によって種種の説がある。地獄道。奈落。「不孝の衆生は必ず—に堕ち、父母に孝養すれば、浄土に往生す」〈霊異記上三三〉。「来む世には—の底に沈みて浮かむ世あらじ」〈宇津保吹上下〉 ②近世後期、江戸の密淫売婦。表面は素人(しろうと)の女で、自宅または中宿でひそかに売色した。「去年の春、中洲で買った—ではねへかしらん」〈黄・江戸生艶気樺焼中〉　**—あみ【地獄網】** 魚が一度入ったら逃れ出にくく、また、多獲し得るような、構造のすぐれた漁網。魚にとって地獄という意の名称で、構造は各地で異なる。鳥網にもいう。「—と云ふ大網を作り」〈北条五代記七〉　**—うつし【地獄移し】** 地獄をそのまま移したようだの意で、多量の物を移し入れるたとえ。「五月雨は—か谷の水」〈俳・破枕集上〉　**—おとし【地獄落し】** 鼠取りの具。鼠が餌を食べようとする瞬間に、上から蓋板が落下して、鼠を打ち殺す仕掛。「〔鼠ドモヲ〕—・下げ罠(なわ)にかけて、獄門にさらし、鳶・烏に食らはすべし」〈伽・かくれ里〉　**—づめ【地獄詰め】** 地獄に罪人を詰めるように、物をぎっしり詰め込むこと。「炭竈へ何梅の木や—」〈俳・沙金袋六〉　**—で仏(ほとけ)** 危難を救われた時の喜びをいう語。「歌人也—時鳥」〈俳・坂東太郎上〉　**—にも知る人** 苦しい境遇でも、知合いがいると心強く助かる意のたとえ。「地獄にも近付き」とも。「やい、—と云ふ事が有るが」〈虎寛本狂言・武悪〉　**—の上の一足(いつそく)飛び** 極めて危険なことのたとえ。「まことに、深淵に臨んで薄氷を踏むと、あぶなき事のたとへに引きけるが、これこそ—なれ」〈義残後覚五〉 **—のかま**【地獄の釜】地獄で亡者を煮るという大釜。盆・正月の十六日だけ蓋を明けて罪人を許すと信じられた。「おのれらの観音を悪口すれば、—へ流さるべきなり」〈盛衰記一八〉 **—のかまこげ**【地獄の釜焦げ】地獄に堕ちた亡者の意で、人をののしるにも使う語。「地獄の釜の焦げつき」とも。「道心も学徳もなくて、とりはむやからは、—なるべき事疑ひなし」〈仮・堪忍記五〉 **—の沙汰も銭がする** 地獄の裁断も金力でどうにでもなるの意で、金銭万能のたとえ。「地獄の沙汰も金次第」とも。「常の人の言ふ—と云ふは、かりそめながら、実義に叶ひたる事也」〈法華経直談鈔六本〉 **—の地蔵** 危難の際に救助者が現われた喜びをいう語。地獄で仏。「お吉と見るより—」〈近松・油地獄上〉 **—へん**【地獄変】地獄のさまざまな状態を図解したもの。地獄変相。地獄絵。「弘高、—の屛風をかきけるに」〈著聞三八七〉 **—みみ**【地獄耳】①一度聞いたら絶対忘れぬ耳。強記。地獄覚え。「さしもぐさ悪しきとなれば—に聞きて忘れぬことぞ悲しき」〈伽・焔魔物語〉。「—とは底に落ちて忘れぬなり」〈譬喩尽三〉 ②人の秘事などを素早く聞き込む耳。「[地獄へ]沈むべき事を恐るる—」〈俳・伊勢山田俳諧集〉 **—も住家**(すみか) 「住めば都」と同じ意。「小人は地を安んじて居(ゐ)つけた処をよがるぞ。—と云ふぞ。悪い処をも住みなれたとて、よそへ行かぬぞ」〈論語抄里仁〉 **—ゑ**【地獄絵】地獄で罪人が責苦にあっているさまを描いた絵。「—の屛風」〈枕八一〉

ぢごぶ【地瘤】《奴詞》山。「ここかしこ—の雪の消えやらず」〈俳・奴俳諧〉

ちごもんじゅ【稚児文殊】童形の文殊菩薩。「本尊には—を作って」〈幸若・満仲〉

ちごわかしゅ【稚児若衆】特に武家・寺院などで召し使われた少年。男色の対象となる事が多かった。「叡山の—、これこそ恋の根本」〈西鶴・男色大鑑三〉

ちごわげ【稚児髷】①少年少女の髪風の一。髻(もとどり)を二分して二つの輪を作り、髪末を根元に巻いて結ったもの。もと、元服以前の公達(きんだち)や寺の稚児が結った。ちごまげ。ちごわ。「力は八十余人が力、頭は今に—に」〈近松・虎が磨中〉 ②近世後期、京阪で流行した、比較的年若な娘の髪風。大きくふくらまして結った髷(まげ)を二分して、中から根掛けの鹿の子の布をのぞかせたもの。〈都風俗化粧伝中〉

ちごゑ【千声】①多くの声。「吾妹子が手玉もゆらに打つ衣—になりぬ夜の長ければ」〈堀河百首〉 ②千代を祝う声。「志賀辛崎の松風まで、—の春の長閑けさよ」〈謡・志賀〉

ちさ【萵苣】野山に生える落葉喬木。エゴノキ。初夏、純白で総状の多数の花が咲く。果実は魚を捕る毒物や、石鹸の代用として用い、種子から油をとる。一説、ムラサキ科のチシャノキ、イワタバコ。「—の花咲ける盛りに」〈万四一〇六〉

ちさ【知者・智者】⇒ちしゃ。「御読経に、物のはじめなりとて、僧綱達、名ある—どもなど召して」〈宇津保国譲下〉

ぢさい【持斎】[仏]斎戒を保つこと。また、特に正午以後食事を取らないこと。「一生の間、—にして、戒律を保ちて破る事なし」〈今昔一五ノ三〉 →斎

ぢざう(ゾウ)【地蔵】[仏]「地蔵菩薩」の略。「仏は。如意輪、千手(せんじゅ)。すべて六観音。薬師仏。釈迦仏。彌勒(みろく)、—、文殊(もんじゅ)、不動尊、普賢」〈枕二一〇〉 **—かう**(コウ)【地蔵講】地蔵菩薩の功徳を講讃する法会。「その夜—を行なふ。近隣の道俗皆来たり集りて聴聞して終夜(よもすがら)礼拝しけり」〈今昔一七ノ三〇〉。「また、一門の中に、—とて、[毎月]二十四日に皆皆寄り合ひける」〈伽・観音本地〉 **—がしら**【地蔵頭】地蔵のように円く美しい頭。「—に飯(いひ)をこそ盛れ」〈俳・犬筑波〉 **—がほ**(ガオ)【地蔵顔】丸く肥えて喜ばしげな顔。「顔白く拵へ、誠に—したる女共の」〈小堀遠州辛酉紀行〉 **—ぼさつ**【地蔵菩薩】釈迦如来(しゃかにょらい)の没後、彌勒(みろく)菩薩の出現までの無仏時代に、六道で衆生の救済にあたる菩薩。その伝来は奈良時代に遡るが、地蔵信仰が飛躍的に盛んになったのは平安時代末頃から。「我が閻羅(えんら)王汝が国に—と称ふ是也」〈霊異記下九〉。「[剃髪シタ]頭つきの青くうつくしげに、—のやうにて」〈枕二七八〉 **—まつり**【地蔵祭】七月二十四日、子供達が町町の辻地蔵に供物燈明を上げて祭る行事。地蔵盆。地蔵会。また、この日降る雨を「地蔵雨」といった。「京中辻辻の—、去年七月より、童(わらんべ)ども見事に致し候」〈反故集下〉

ちざけ【血酒】互いに酒に血をたらして飲み、誓い合うこと。また、その酒。「—の神水を飲み」〈浄・頼政一〉

ちさと【千里】《「千里(せんり)」の訓読語》①長い道のり。「はるばると—のほどを隔てては稀の使もうれしかりけり」〈古今六帖五〉 ②数多くの村里。「植ゑつくす—の田子のいとまなみつげの小櫛も早苗とるころ」〈明日香井集〉

ぢざむらひ(ライ)【地侍】郷村在住の武士。近世、士分に取り立てられた農民にもいう。城下居住の家中武士と区別したもので、一般には低く見られていた。郷侍。郷士。「三淵弾正忠をば、近郷の—に仰せ付けられて不日に誅罰すべき由、御下知下されける」〈室町殿日記一〉

ちさん【遅参】①遅刻して参上すること。「その時に、…といひける者—したりけり」〈今昔二七ノ九〉 ②おじけづき、ためらうこと。「これ程の山河を—し給ふか」〈義経記五〉

ぢざん【地算】《最も基礎の運算の意》①加算。たし算。「ヂザンヲヲク」〈日葡〉 ②加減算。たし算と引き算。「—を始め八算見一(けんいち)」〈俳・信徳十百韻〉

ちじ【知事】《事を知(つかさど)る意》禅宗で、事務をつかさどる役僧。都寺(つうす)・監寺(かんす)・副寺(ふうす)・維那(いの)・典座(てんぞ)・直歳(しつすい)の六知事がある。「寺に帰って—に与へて云はく」〈正法眼蔵随聞記一〉

ちじ【致仕】《「致」は返納の意》①仕官をやめること。辞職。「年老いて—して私第に退居す」〈続紀宝亀一・一〇・九〉 ②《古く中国では、七十歳になると官を辞して引退することを許したので》七十歳の称。「齢(よはひ)すでに—に余れば、身のいくばく後栄をか期せん」〈古活字本保元中・為義降参〉

ぢし【地子】①律令制下で、班給した残りの公田を農民に賃貸し、収穫後に徴収する小作料。畠地からも徴収し、これを畠地子ともいう。「天下の民戸に陸田一町以上二十町以下を給ふ。—を輸すこと、段ごとに粟三升なり」〈続紀養老三・九・三〉 ②荘園制下で、名田以外の領主直属地から徴収する小作料。「当御庄加納田、諸府寮寺社領として、町別所当凡そ絹三疋、傍例の—也」〈白河本東寺百合文書五七、天永三・一・三〉 ③市街地の宅地税。屋地子ともいう。室町時代から江戸時代にかけて一般に行なわれ、早くは平安時代にも例がある。近世、京・江戸・大阪など大都市は免除の特典を得た。「諸寺新たに家地の—を勘ずるを停止す」〈類聚三代格一六〉

ぢ・し【治し】『サ変』①病気や怪我をなおす。治療する。いやす。「腹の中なる蛇(くちなは)ありきて肝をはむ。これを—・せむやうは」〈かげろふ中〉 ②治める。「やうやうに敵(かたき)をほろ

ぼして、天下を—・する事を得たりき」〈平家九・樋口被討罰〉 ③取り極める。決定する。「頼朝に仰せ合はせずして、出家の暇を免さん事、—・し難きの由仰せ下されければ」〈盛衰記三九〉

ちしき【知識・智識】〔仏〕《知人・朋友の意》 ①人を仏道に導く縁となる人。仏法の指導者。善知識。「わが朝の遍方に—をとぶらひき」〈正法眼蔵辦道話〉 ②結縁のため、造寺・造仏その他に私財を寄進すること。また、その人たち(の集団)。「盧舎那仏の金銅像一軀を造り奉る。…広く法界に及ぼして朕が—と為す」〈続紀天平一五・一〇・一五〉。「—を引率して七重の塔を建て、その舎利を安みして供養し了る」〈霊異記中三一〉

ぢしき【地敷】 板敷きの上に敷くござの類。唐筵(からむしろ)に大紋の高麗縁(かうらいべり)を付けたもの。「御—四十枚、御茵(しとね)、脇息(けふそく)など、すべてその御具どもいと清らにせさせ給へり」〈源氏若菜上〉

ちしご【知死期】 陰陽家で、人の生年月日の干支(えと)によって、その死期を予知する方法。また、その死ぬ刻限。「—の時分、殊に御意に懸けしめ給へ」〈吉田家日次記応永九・四・二八〉。〈下学集〉

ぢしせん【地子銭】 南北朝ごろから、銭納化された地子。江戸時代には銀で納めたものもあり、地子銀の称が多く使われた。「壱間分—百六十四文」〈東寺百合文書ク、建武一・一二〉

ぢしでん【地子田】 平安時代、百姓に小作させ、地子を上納させた田。「開発田四百四十七町。太政官処分。未だ班(はん)せざる間、—と為す」〈三代実録貞観八・四・二七〉

ちしね【千稲】 多くのイネ。「初穂は、汁にも穎(かひ)にも、—八千稲(やちしね)にひきするゑて」〈祝詞広瀬大忌祭〉

ちしほオ・シ**【千入・千汐】** 幾度も染めること。「くれなゐの—のまふり山のはに日の入るときの空にぞありける」〈金槐集雑〉 →しほ(入)

ちしほオ・シ**【血潮・血汐】** 流れ出る血。「かほどまで朱(けあ)の—に染み給ふは、彩り給ふぞ」〈バレト写本〉

ちしゃ【知者・智者】 智恵・知識のある人。賢人。賢者。「かしこき—にて、大法など尽してうけたりければ」〈宇津保春日詣〉。「—の念仏と愚者の念仏といづれも差別(しやべつ)なしや」〈和語燈録二〉

ぢしゃ【持者】「持経者(ぢきやうじや)」に同じ。「年ごろの法花の—として」〈今昔一三ノ三四〉

ちしゃうヨウ・シ**【血性】** 血の気。「—が脱けて早い骨の強張りやう」〈近松・振袖始三〉

ぢしゅ【地主】 ①土地の所有者。じぬし。「遂に開熟の人を以て永く彼の—とす」〈類聚三代格一六〉 ②土地の守護神。特に、寺院建立前から其の地に在った神を鎮守として祀ったものを「地主の神」という。「此の山の—の神、われと深き契りあり」〈今昔一三ノ一〉。「〔清水寺ノ〕—の前に猿楽しける所へ」〈明恵伝記上〉 **—ごんげん【地主権現】**「ぢしゅ」(2)に同じ。「有馬の湯より帰るとて、—に参りて」〈惟宗光吉集〉。「山王七社の中に—と申すは本師薬師如来なり。これを—と号する事、この地の主でまします故なり」〈法華経直談鈔一本〉

ぢじり【地尻】 町通りに面しない、宅地の裏の部分。路地の奥。「右手は町、左は屋敷の—なり」〈仮・江戸雀四〉

ぢじん【地神】〔仏〕「堅牢地神(けんらうぢじん)」に同じ。「蓮花の地より生ずる事は—の化する所なり」〈今昔一ノ二〉

ぢしんかみなりのま【地震神鳴の間】 地震・雷の害を避けるため、二重天井や釣天井などの設備をした部屋。「—とて番匠に工(たく)ませ」〈西鶴・織留六〉

ぢす【帙簀】 竹製の帙(ちつ)。竹をすだれ状に編んで、錦の綾でふちどり、金襴(きんらん)などで裏打したもの。組紐がついて、経巻などを包む。「—の飾り」〈源氏賢木〉

ちすい【智水】〔仏〕 ①仏の智恵を水にたとえた語。智恵は煩悩の垢やけがれを洗い流すからいう。「五百余歳の星霜を経て、末世澆漓(げうり)の今に至るまで—流れ清く法燈光明らかなり」〈太平記八・谷堂炎上〉 ②灌頂(くわんちやう)のとき、阿闍梨(あじやり)の手で行者に注ぎかける水。「亀井の水を五瓶(ごへい)の—として」〈平家二・山門滅亡堂衆合戦〉

ちすいくゎふう【地水火風】〔仏〕 物質を構成する四つの元素。四大(しだい)。四大種(しだいしゆ)。「よしなくも—をかり集め我と思ふぞ苦しかりける」〈沙石集四ノ八〉 **—くう【地水火風空】** 万物を構成する五つの元素。五大。「—を詠める。さればこそただ者にあらざりけりと思ふに」〈俊成卿女集〉

ちすぢ【血筋】 ①血管。「〔人ノ身ニ〕三万六千の—あり」〈孝養集上〉。「血眼(ちまなこ)になり、—あらはれて」〈伽・伊吹山絵詞〉 ②血統。血つづき。血の筋。「世嗣なければ、子孫絶えて先祖の—なくなりて」〈童蒙抄中〉

ちすぢごより【千筋紙縒】 こよりを何本もより合わせて作った紐。「—の緒を付け」〈西鶴・五人女三〉

ぢずり【地摺】 白地に藍で、また、織地に金泥・銀泥などで模様を摺り出した織物。「—の唐の薄物に、象眼重ねたる御裳などたてまつりて」〈枕二七八〉 **—はかま【地摺袴】** 地摺の織物で作った袴。「—の中より、氷かと驚くばかりなる打目(うちめ)など、すべていとめでたし」〈枕三一〇〉

ぢぜに【地銭】 室町・戦国時代、国内で作られた私鋳銭。「—の内、よき永楽五文・大観・嘉定以下裏に文字のある銭、よき銭の内たるべし」〈東寺百合文書せ、永正九・八〉

ちそう【馳走】 ①かけ走ること。走りまわること。「声をあげて吠え叫びて、東西に—す」〈今昔二ノ三七〉 ②もてなしのため、忙しく奔走すること。「いろいろ—し、飯(めし)をととのへ、もてなして」〈バレト写本〉 ③酒食などを饗応して歓待すること。「使者を一日—し給ひ、祿を引かせて、返状ありける」〈室町殿日記五〉

ちそばへバエ・ツ**【血戯へ】** 出血に興奮して、ふざけ興ずること。「弁慶は血の出づれば、いとど—して、人を人とも思はず」〈義経記八〉

ぢぞら【地空】《ソラは上の意》 地表。地面。大地。「胸を打ち、—を叩いて」〈碧巌録抜鈔一〉

ぢたい【地体】 □一『名』本性的なもの。本体的な素地。「安念はもとより凡夫の—なり」〈横川法語〉。「きざし出る物はさながらその物の—なりとぞ覚るべらなる」〈拾玉集三〉 □二『副』もともと。本来。元来。そもそも。「—脚気の者なる上に」〈盛衰記四三〉。「—、よき歌を詠みたるには、自然と悦びの来る也。是をば皆、天の納受と云ふ也」〈古今序注〉

ぢだだ【地踏鞴】《ヂタタラの転。足で踏んで空気を送る大きなふいご》 **—を踏・む** 足で激しく急調子に地を踏みつける。「ぢだんだをふむ」「ぢだぢだとする」とも。「下手は、〔馬ニ〕乗りにゆく時、—・みて懸かるなり」〈耳底記〉。〈日葡〉

ちたび【千度】 千回。回数の多いこと。「ただ一目相見し子ゆゑ—嘆きつ」〈万二三六五〉 †titabi

ぢだめ・き『四段』 ばたばたあわて騒ぐ。「人の足ずりして—・く」〈名語記三〉。「上下万民、仰天して走り—・き、七顚八倒し」〈サントスの御作業二ノ五〉

ちだ・り【千足り】『四段』 十分に満ち足りる。「日本(やまと)は…細戈(くはしほこ)の—・る国」〈紀神武三十一年〉

ち

ちち【父】《「母(おも)」「母(はは)」の対》男親。父親。「思ひつつ嘆き臥(ふ)せらく、国にあらばーとり見まし」〈万八八六〉。「よその覚えはー無き人はいと口惜しけれど、さがなき継母(ままはは)に憎まれむよりは、これはいとやすし」〈源氏東屋〉

ちぢ【千箇・千千】《ヂは個数を示すチの連濁形》①千個。「衆(いくさ)三千(みち)を率て、来たりて勅(みことのり)を請(うま)す」〈紀継体二十三年〉 ②多数。「ーの社(やしろ)を引きかけて(証人トシテ)、行く先長き事を契り聞え給ふ」〈源氏総角〉 ③さまざま。「月見ればーに物こそ悲しけれ我が身一つの秋にはあらねど」〈古今一九三〉

ちちう【蜘蛛】クモ。「紀州名草郡高雄村に一つのーあり」〈平家五・朝敵揃〉。〈下学集〉 **ーのあみ**【蜘蛛の網】蜘蛛が網を張って鳳凰(ほうおう)を捕えようとするような身の程知らず。「蟷螂(たうらう)が斧」と同類のたとえ。〈俳・世話尽三〉

ちちかた【父方】《「母方(ははかた)」の対》父の方の血筋。「この宮は、ーにつけて、童より参り通ふ」〈源氏橋姫〉

ちちぎみ【父君】父の敬称。「ーにわれは愛子(まなご)ぞ母刀自(ははとじ)にわれは愛子ぞ」〈万一〇二二〉。「若き君たちーを恋ひつつ、うち泣き給へるを」〈宇津保菊宴〉

ちちく・り『四段』「ちぇちぇくり」に同じ。「ー・るも皆教戒の端となり」〈俳・遠舟千句付〉

ちちくゎい 鶏の鳴声。「ーと鳴く声を」〈俳・山の井三〉

ちぢ・け【縮け】『下二』ちぢまる。ちぢこまる。「人にふと越されてー・けだちぬれば、あがる(上達スル)事なし」〈連理秘抄〉。「齪、チヂク」〈名義抄〉

ちちご【父御】《「父御前(ちちごぜん)」の略》父の敬称。父上。「三人の弟ども…『いづらは、ーは』とて、かなたこなた見廻りけり」〈保元下・義朝幼少の弟〉。「いま一度ーに御対面ありたき由」〈謡・景清〉

ちちぬし【父主】あるじである父。父上。「ーふと寄り来たり」〈源氏少女〉

ちちのまう【乳飲まう】幼児。「乳のも」「飯(まま)食はう」とも。「ー鳴かぬ鳥の恋の闇」〈俳・わたし船〉。「明けて七つのー」〈近松・夕霧上〉

ちちのみの【ちちの実の】〔枕詞〕《チチは銀杏(いちょう)とも天仙果(いちじく)ともいう》同音から「父」にかかる。「ー父の命(みこと)、柞葉(ははそば)の母の命」〈万四一六四〉 ✝titinömïnö

ちちはは【父母】男親と女親と。「一世(ひとよ)には二たび見えぬーを置きてや長く吾が別れなむ」〈万八九一〉 ▽別に「おもちち(母父)」という表現があり、母が先に言われるのは、日本の古い親族組織の考え方によるもので、父を先に「ちちはは」とする表現は、中国思想の影響によって、父系的な考えが日本に固定した後のものという。

ちぢ・み【縮み】『四段』《シジミ(縮)の転》収縮する。短縮する。「かたちあしく、髪ー・み、色黒くして」〈宝物集下〉

ちちみかど【父帝】父である帝。天皇である父。「この宮をーのかしづきあがめ奉り給ひし」〈源氏若菜上〉

ちちみこ【父親王】父である親王。皇子である父。「ーおはしける折にだに」〈源氏末摘花〉

ちちみや【父宮】父である宮。「かのーもえ知り聞え給はざりけり」〈源氏紅葉賀〉

ぢぢむさ・し『形ク』きたならしい。むさくるしい。「ー・くも無く、小ざっぱりと洗濯物が着られるのだはな」〈滑・浮世風呂二上〉

ちぢ・め【停め】『下二』《トドメ(停)の転か》とどめる。「桜人、その舟ー・め、島つ田を十町つくれる見て帰り来むや」〈催馬楽桜人〉

ぢぢめ《ジチメ(実目)の転》真面目。慎重。「今頃そんなーな事などはしてはゐまい」〈浮・野白内証鑑五〉

ぢぢめ・き 〔一〕『四段』やかましく騒ぎたてる。「威勢に誇り、ー・く人を云ふぞ」〈三体詩抄一ノ三〉 〔二〕『名』騒ぎ。そうぞうしさ。「その場のーしばしは止(や)まず」〈バレト写本〉

ぢぢゃう【治定】〔一〕『名』①定まること。決定すること。「成経ばかりは、罪科ーの程は、申し預り候はばや」〈盛衰記六〉 ②決まりきっていること。必定。「四方より関(とき)を作って攻め入る程ならば、御方ーの勝軍(かちいくさ)とこそ存じ候へ」〈太平記一五・三井寺〉。「まことに彌陀を頼み申さば、往生はーよ」〈栄玄記〉 〔二〕『副』きっと。きまって。「今日の軍にはー勝つべきいはれ候」〈太平記一〇・三浦大多和〉

ちちよちちよ ミノムシの鳴声。「みのむし、いとあはれなり。…八月ばかりになれば、ーとはかなげに鳴く」〈枕四三〉

ちちり 畿内で、松かさをいう語。松ふぐり。「松のーのしるき夕露」〈俳・世話尽五〉。〈日葡〉

ちちわくに『副』とやかくと。いろいろさまざまに。「ー人は言ふとも」〈拾遺四七五〉。「ー心はわくとも人に言はめやも」〈金槐集雑〉 ▽万葉集三九八の「千各(かにかくに)」という表記を「千名」「千分」と誤写したことから発生した語。

ぢつ【帙】《呉音》数巻(数冊)一部の書物をまとめ保護するために包む覆い。多く、厚紙に布を張って作る。「〔大般若経〕一ーを書ける人の功徳」〈今昔七ノ三〉

ちづか【千束】《ツカは、たばねたものを数える語》千たば。「思ひかね今日立てそむる錦木のーも待たで逢ふよしもがな」〈詞花一九〇〉

ぢつき【地突き・地搗き】地固め。「鋤・鍬をもって堀をほり杁(あふご)にて石を運び、ーなどしける程に」〈義残後覚七〉

ちっきょ【蟄居】①虫などが地中にこもっていること。また、その所。「〔龍ハ〕陰(いん)の時に至りてはーを閉づ」〈太平記二〇・義貞夢想〉 ②家に引きこもって外出しないこと。〈色葉字類抄〉

ちっくと『副』《チクトの促音化》少し。ちょっと。「〔信長ハ〕ー表裏(へうり)を使って退く男なれば」〈江源武鑑一六〉

ちっくり『副』ちょっと。ちと。ちっと。「三年(みとせ)経てーとなる木の実かな」〈俳・夢見草三〉

ちつけ【乳付】産児にはじめて乳を飲ませること。また、その乳母。「子(ね)の時、平らかに女皇子を降誕し給ふ。…丑(うし)の時、御ー」〈御堂関白記長和二・七・七〉

ちっ・し【蟄し】『サ変』虫が冬になって地中に隠れ住む。また、人が世を逃れて隠れる。「潜龍は三冬にー・して、一陽来復の天を待つ」〈太平記四・備後三郎〉

ちっと『副』「ちと」の促音化。「昔の業(ごふ)がー残りたるを」〈道元法語〉

ちっとも『副』「ちとも」の促音化。「為朝ー騒がず」〈保元下・為朝生捕り〉 **ーそっとも**『副』全然。決して。「ー打越(うちこし)悪しからず」〈俳・特牛〉

ちっぺい 子供をののしっていう語。「思ひもよらぬーめに、あたら骨を折ったよな」〈近松・国性爺後日四〉

ちと『副』ちょっと。少し。「ー試み奉らんとて加持しつるなり」〈宇治拾遺一七三〉。「些、チト」〈温故知新書〉

ぢとう【地頭】①その土地。現地。「ー、水湿あり」〈正親町家旧蔵文書寛平八・五〉 ②平安時代、現地の管理にあたる職。公領に多いが、荘園にも見られる。平氏や源氏が自己の家人を補任したものもある。「任料を京都に進上せしめ、山田村幷びに車内ーたるべきの由、御下文を罷り預かる」〈入来院文書久安三・二〉。「壬生郷に限りては、ー職を停止せしむべし」〈厳島神社文書治承三・一一〉 ③鎌倉・室町幕府の職名。文治元年、頼朝が勅許を得て諸国の公領・荘園に御家人を補任したもので、土地管理権・警察権・裁判権などの権限をもつ。領主に対して年貢を請け負う代りに実質的な支配権を握り、次第に在地領主化した。「国衙・庄園毎(ごと)に守護—を補せらる」〈吾妻鏡文治一・一一〉 ④近世、知行地を給与された小領主。被管百姓を有する地主にもいう。「毛見(みけ)の上を以て、三分の二は—、三分の一は百姓、之をとるべし」〈浅野家文書文祿四・八〉 **—だい**【地頭代】①在地の管理者。一種の荘官。「勧進、奉加帳の事、銭分…五貫文、高宮郷—宗時」〈河内国小松寺縁起〉 ②中世、地頭の代官。「—に於ては、故七郎惟時子息の沙汰也」〈阿蘇家文書上、建仁三・三〉

ちとくゎん【少勧】《「少勧進(ちとくわんじん)」の略》勧進のために少しの喜捨を乞うの意で、熊野比丘尼の勧進の言葉。「——とぞ申さるる」〈浄・盛久四〉

ちとせ【千歳・千年】千の年。数えつくせぬ程の長い年月。「あひ見ては—や去(い)ぬる」〈万三四七〇〉 †tītöse **—どり**【千年鳥】鶴。「—は雲に遊びし」〈西鶴・二十不孝一〉 **—のこゑ**【千年の声】千年の治世または長寿を祈る声。千秋楽・万歳楽を唱える声。「琴の音も竹も—するは人の思ひも通ふなりけり」〈後撰一三七二〉 **—やま**【千年山】千年の寿命を保つという松の茂っている山。松山。「—神の代させる榊葉の栄えまさるは君がためとか」〈千載一二八五〉

ちどほり【乳通り】人の乳までの高さ。「〔狭間(さま)ノ高サハ〕立てば—に切り、下に居ては目通りに切るべし」〈軍法極秘伝書六〉

ちとも《副》少しも。「念仏しける手も、—変らず」〈発心集一〉

ちどり【千鳥】①多くの鳥。「朝猟(あさかり)に五百(い)つ鳥立て夕猟に—踏み立て」〈万四〇一一〉 ②チドリ科の鳥。海や河の水辺に住み、ちちと鳴いて群をなして飛ぶ。「淡海の海夕浪—汝が鳴けば心もしのに古へ思ほゆ」〈万二六六〉 ③「千鳥掛け」の略。「皆皆—に入れ替り」〈伎・暫〉 †ti-döri **—あし**【千鳥足】①馬の足並の、ばらばらと、千鳥が飛ぶ羽音のように乱れること。「侍十二人に雙口(もろくち)押させ、—をふませて、小路を狭しと歩ませらる」〈太平記一三・公家一統〉 ②千鳥の歩むように、足を左右に踏み違えて歩む足つき。また、酒に酔った人が左右によろめいて歩く足つき。「塩枯の難波の浦の—踏み違へたる道も恥づかし」〈新撰六帖五〉 **—がけ**【千鳥掛け】①糸緒などを互いに斜めに打ち違えて掛けること。「〔湯帷子ノ〕裾を—に縫ひ候」〈伊勢貞興返答書〉 ②斜めに打ち違えた形。「横山八十三騎の人人も—にぞ並ばれたり」〈伽・小栗絵巻〉 **—のかうろ**【千鳥の香炉】宗祇・今川氏真・信長・秀吉と伝来したという青磁の香炉。同種の香炉を千鳥手という。「—・宗祇香炉御進献の処」〈信長公記八〉 **—はだ**【千鳥肌】寒気に触れて粟立った肌。鳥肌。「寒い時は、身の肌(はだへ)に粟の散らした如くなる物出来る也。則ち—と言ふ也。鮫肌の事」〈金玉和襟集〉

ぢどり【地取】①家を建てる前、地面の区画をすること。地割。「規といふは、いかほどに家をせうずと云うて、—なんどをするをいふぞ」〈四河入海四上〉 ②下絵を描くこと。「先づ焼筆(やきふで)持参候て、—成さるべく候」〈貞徳文集下〉。〈日葡〉 ③相撲の内稽古。稽古相撲。「何時とても扇相撲は—かな」〈俳・藪香物一〉

ぢどり【地鳥】①その土地に産する鳥。新鮮で美味。「—の鴨」〈西鶴・胸算用三〉 ②日本産の鶏。「合はせたり—・唐丸・ちゃぼ・かしは」〈俳・絵合下〉

ちな【千名】多くのうわさ。「わが名はも—の五百(い)名に立ちぬとも」〈万七三一〉

ぢなし【地無し】①総地を刺繍と箔で埋めた模様の織物。縫箔。「いでや春—小袖の掻い取りせる」〈俳・虚栗上〉 ②生地一面に模様を置いた織物。「千葉の花や—の芥子鹿子」〈俳・落穂集三〉

ちなびに【因に・便に】《副》《チ(道)ナビ(並)ニの意。一つの事が進むのと並んで、別の事が行なわれるのが原義。後にチナミニと転じる》①それと並んで。「本としては大乗を習ひ、末としては玄奥を窮(きは)む。因(ちなび)に毘婆沙論(びばさろん)を覧(み)、業を退けて小乗を学し、数十部論を作る」〈大唐西域記四・長寛点〉 ②同時に。直ちに。「人此の石を軽(あな)づり踏(ふ)むときは、池の中の龍王、便(ちなび)に風雨を興す」〈大唐西域記七・長寛点〉

ちな・み【因み】㊀《四段》何らかのゆかりにもとづいて結びつく。縁を結ぶ。「互ひに竹馬の昔より—・みたる朋友なれば」〈浅井三代記三〉 ㊁《名》つながり結びつくこと。仲よくすること。「しかあれど、東山の麓、草の庵の焼野の原となりにし—に、和歌の浦の藻塩草も同じ煙に立ちのぼりしこそ、いひてもかひなく、惜しみても余りありしか」〈草根集序〉。「それがし、若年より夫婦の—をなし、二世の語らひ浅からず」〈伽・かなわ〉。 **—に**【因に】《副》《チナビニの転》それの縁をもって言えば。「因(ちな)みに護命の事を論ずる、且く復(ま)た其の現行を言ふ」〈南海寄帰内法伝平安後期点〉

ぢにょうばう【地女房】素人女。町方の女。地女。「—の執着の深きを嫌になりて」〈西鶴・三所世帯上〉

ちぬ【海鯽魚・茅渟魚】《チヌは和泉国の南部地方の称。その沖で獲れるのを賞美するところから》黒鯛の異称。ちぬだい。「海鯽、知沼(ちぬ)」〈和名抄〉

ちぬし【乳主】①乳母(めのと)。「かのおとどの御—の娘、あやき」〈宇津保忠乞〉 ②乳母の子。「常にこの小侍従といふ御—をもいひはげまして」〈源氏若菜上〉

ちぬ・り【血塗り】《四段》刀などに血を塗る。戦い、また人を殺すことをいう。「曾(かつ)て刃に—・らずして、虜(あた)必ず自づからに敗れなむ」〈紀神武即位前〉

ぢねんぶつ【地念仏】真宗で、葬式に棺前に立って、歩きながら念仏を称えること。「耳涎れも直りては聞く—」〈俳・両吟一日千句〉

ちのあまり【血の余り】末っ子。「弟は—とてかなしむに、何とて兄を助け、弟切れとは不思議なり」〈浄・小篠五〉

ちのいけ【血の池】地獄にあるという血を湛えた池。「血文・血判の罪は—に向ひ」〈浮・御前義経記四〉

ちのすけ【血之助】血気盛んで向う見ずな人をいう擬人名。「皆皆劣らぬ—にや」〈仮・石山寺入相鐘上〉

ちのなみだ【血の涙】《「血涙」の訓読語。泣きつづけて涙が尽きると出るという》悲しみにたえない時の涙。「—落ちてたぎつ白川は君が世までの名にこそありけれ」〈古今八三〇〉。「いみじう泣けば—といふものはあるものになむありける」〈大和一六八〉

ちのみち【血の道】①血脈。「脈、知乃美知(ちのみち)」〈和名抄〉 ②血統。血すじ。「添はぬ親子なれども、—とかやにてなつかしくおぼすらん」〈伽・さごろも〉 ③婦人病にもとづく身体の変調。また、子宮病の俗称。「青女(愚妻)、昨日より病気。—・風気也」〈実隆公記長享二・三・一八〉

ちのゆかり【血の所縁】血筋の関係。血族の間柄。「久米之介が臨終の暇乞ひをするやうで、心細うて悲しやと、物が知らする—」〈近松・万年草下〉

ちのり【千箭】《チ(千)ノ(箆)イリ(入)の約》靫(ゆ)の中に多くの矢が入ること。「千箭、此をば知能梨(ちのり)といふ」〈紀神代上〉 ✝tinöri

ぢのり【地乗】「地道(ぢみ)」(2)に同じ。「地足(ぢあ)とは—なり。足並そろひ行く足なり」〈小笠原入道宗賢記〉

ちのわ【茅の輪】①チガヤを輪の形にたばねたもの。腰などにつけて病気や災害を防ぐまじないにした。「後の世に疫気(えやみ)あらば…—を以ちて腰に着けたる人は免(まぬか)れなむ」〈備後風土記逸文〉②「すがぬき」に同じ。「みそぎ川流す—のほどもなく過ぐる月日にめぐりあふかな」〈未木抄九・荒和祓〉 ✝tinöwa

ぢば 阿呆の隠語。たわけ。馬鹿。「優れてたはけたる者も、取扱ひならざるゆゑ、—と片名に申す也」〈評判・濡仏中〉

ぢばえ【地生え】その土地で生れ育ったこと。はえぬき。「竹の子や抑(そもそ)も—の夏の頃」〈俳・筑紫の海一〉

ぢはだ【地肌・地膚】①刀身の質・色つや。「[金作ノ太刀ノ]—心も及ばざるを取り出して賜はりけり」〈義経記五〉②生れつきの肌。生地のままの肌。「花の—の窈窕(えうてう)と」〈近松・持統天皇二〉

ちばな【茅花】⇒つばな。「—ぬく交野の原のつぼすみれ若紫に色ぞかよへる」〈江帥集〉

ぢばなし【地放し】**—がならぬ** 何とも取扱いようがないたとえ。また、阿呆のたとえ。「何とも取扱ひのならぬ物は、—と申す故」〈評判・濡仏中〉

ちばな・れ【乳離れ】[一]〘下二〙幼児が母乳を飲まなくなる。離乳する。「まだ—れぬ者なれば」〈浄・弁慶京土産三〉[二]〘名〙離乳。「—しての昨日今日」〈近松・松風村雨一〉

ちばの【千葉の】〔枕詞〕《多くの葉の茂る意か》地名「葛野」にかかる。「—葛野を見れば」〈記歌謡四一〉 ✝tibanö

ちは・ひ イチハ〘四段〙《チは霊力、ハヒはその働く意》威力で助ける。加護する。「女(め)の神も—ひたまひて」〈万一七五三〉。「影護、知波不(ちはふ)」〈新撰字鏡〉。「援、チハフ・タスク」〈名義抄〉 ✝tifaFi

ちはむしろ チワ【茅筵】チガヤを温泉に浸し、やわらかくして織った筵。近世、豊後府内の名産。「敷く物も無きかや恋の—」〈俳・鷹筑波三〉

ちはや【襅・襷襅】①襷(たすき)の類か。「本朝式云、襷・襅各一条、襅、読ニ知波夜(ちはや)一。今案不詳」〈和名抄〉②小忌衣(をみごろも)の類。巫女(みこ)が神事の際用いる。身二幅、袖一幅の白布単衣。山藍で模様を摺る。袖を糸で縫わず、紙捻(こより)でくくる。「宮宮の御方の女官共の唐衣—着て行(あゆ)き」〈今昔二八ノ四〉

ちはやひと【ちはや人】〔枕詞〕《チハヤはチハヤブルのチハヤと同根》勢いつよい人の意で、ウヂ(勢いの意)と同音の地名「宇治」にかかる。「—宇治の渡(わたり)に」〈記歌謡五一〉 ✝tifayaFitö

ちはやぶる【ちはや振る】〘連語〙《チは風、ハヤは速、ブルは様子をする意》①強暴な。「—人を和(やは)せと」〈万一九九〉②〔枕詞〕勢いはげしい意。また、千の磐も破るという意味とも解されたらしく「神」「我が大君」に、また、神の住む「斎(いつ)の宮」、神の名「別雷(わけいかづち)」、神と同音をもつ地名「金の岬」、ウヂ(勢いの意)と同音の地名「宇治」などにかかる。「—神の社に」〈万五五八〉。「—我がおほきみの」〈拾遺五六九〉。「—いつきの宮の」〈千載六一五〉。「—わけいかづちの神しあれば」〈続拾遺一四二七〉。「—金の岬を」〈万一二三〇〉。「—宇治の渡(わたり)に」〈記歌謡五〇〉

ちはら【茅原】《古形ツハラの転》チガヤの原。また、役小角(えんのをづの)の出た大和国の地名。「雲雀(ひばり)あがる大野の—夏来れば」〈山家集上〉。「大和国葛上(かづらきのかみ)郡、—の村の人なり」〈今昔一一ノ三〉

ち・び【禿び】〘上二〙《古形ツビ(禿)の転》すりへる。「歯—びてわづかに残れる杉の屐(あしだ)あり」〈太平記一一・書写山〉。「腐毫(ふがう)と云ふは、—びたる筆なり」〈庭訓抄上〉

ぢびき【地引・地曳】①建築・造営などに当り、地ならしをすること。地曳祭。「伏見の御寺の御—御事始めあり」〈御湯殿上日記文明一一・八・四〉②沖の海底に網を張り、引綱で次第に陸地に引き寄せること。地引網。「堺の浦の桜鯛—をさせて生きた働きを見せんと」〈西鶴・一代男五〉③その土地で産する椀。「常器椀、堺または—の高値なるは損也」〈浮・立身大福帳七〉

ちびきのいは ワィ【千引の岩】千人で引くような大きい岩。「—を手末(たなすゑ)に擎(ささ)げて来て」〈記神代〉。「—を七ばかり首に懸けむも」〈万七四三〉 ✝tibikinöiFa

ちびきのつな【千引の綱】(運ぶ物が重くて)千人もかかって引く綱。「宮木ひく—も弱るらしそま川とほき山のいはねに」〈夫木抄三三・綱〉

ちひさことねり チイサ…【小さ小舎人】「ことねりわらは」に同じ。「大宮の—」〈神楽歌五三〉

ちひさ・し チイサ【小さし】〘形ク〙①体積や面積が少ない。「其の南加羅は、蕞爾(さくじ)狭小(すこし)にして」〈紀欽明二年〉。「—き舟に乗りて」〈源氏若菜上〉。「いと—く書いつく」〈かげろふ上〉②幼少である。年がゆかない。「[御子ノウチ]まだ—き、七つよりかみのは皆殿上せさせ給ふ」〈源氏若菜下〉③音が大きくない。「音勢もとより—くなりたれども、声色すこぶるしなある所出来」〈順徳院御琵琶合〉

ちひさやか チイサ…【小さやか】いかにも小さい感じがするさま。「渚(なぎさ)に—なる舟寄せて」〈源氏明石〉

ちひさわらは チイサワラワ【小さ童】小さい子供。特に、平安時代、宮中の雑用をつとめた少年の称。内竪(じゅ)。「内竪、知比佐和良波(ちひさわらは)」〈和名抄〉

ちひろ【千尋】せんひろ。きわめて長いこと、また、深いこと。「栲縄(たくなは)の—にもが」〈万九〇二〉。「はかりなき—の底の」〈源氏葵〉 ✝tiFirö

ちふ【茅生】チガヤの生えた所。茅原。「浅茅原—に足踏み」〈万三〇五七〉

ちふ【地府】《地の府庫の意で、豊かな地の意》大地。地上。「車馬門前に群集して、—に雲を布き」〈太平記一一・正成参兵庫〉

ちふ チュウ〘連語〙「と言ふ」の約。「とふ」、後に「てふ」とも。「穿沓(うけぐつ)を脱きつる如く踏み脱きて行く—人は」〈万八〇〇〉

ぢぶ【治部】「治部省」の略。また、治部省の役人。「五位以上嫡子を定め—に申し送り、—民部に移す」〈職員令〉

ぢぶきゃう ジキョウ【治部卿】治部省の長官。「従四位下彌努王を—となす」〈続紀和銅一・三・一三〉

ぢふく【地福】①土質。地質。「地子(しち)・年貢は、—地性の上中下によれり」〈多胡辰敬家訓〉②体質。「—良く年より十も顔若し」〈雑俳・替狂言〉

ぢふく【地覆・地栿】門・勾欄の最下部に取り付ける横木。「本丸の[門]は、—にきしりて吉し」〈三将軍解五〉

ちぶくろ【乳袋】乳房。「此方は—も良いによって」〈西鶴・胸算用三〉

ちぶさ【乳房】①雌の胸・腹部にあり、その先に乳頭を持つ隆起。「母その—を出して悲しび泣きて云はく」〈霊異記上三〉。「嬭房、チフサ」〈色葉字類抄〉。「乳房、チブサ」〈文明本節用集〉②(母親の)心をこめた養育。「—の報ひ、今日ぞ我がするや、今ぞ我がするや、今日せでは何かは

すべき、年も経ぬべし、さ夜も経ぬべし」〈百石讃嘆〉

ぢぶしやう（ヂブシヤウ）【治部省】 太政官八省の一。「をさむるつかさ」とも。「—、卿一人、本姓・継嗣・婚姻・祥瑞・喪葬・贈賻・国忌及び諸蕃朝聘の事を掌る」〈職員令〉

ぢぶたい【地舞台】 大芝居の舞台。旅興行の舞台に対していう。また、その土地の芝居の舞台。「[上村千之助]八今度—を踏むとの」〈評判・難波の顔三〉

ぢぶつ【持仏】 いつも身近において信仰する仏像。身につけたり、居間や持仏堂に安置する。念持仏。「—の御飾りばかりをわざとせさせ給ひて」〈源氏橋姫〉 **—だう**（ダウ）【持仏堂】 持仏を安置供養する堂。あるいは、そのために居宅の中に作った一間。「近く寄りて見れば三間ばかりの庵なり。—及び寝所などあり」〈今昔二〇ノ三九〉

ちふね【千船】 多くの船。「神代より—の泊(は)つる大和田の浜」〈万一〇六七〉

ちぶみ【血文】 起請(きしやう)・契約などに用いる、血で書いた文。血書(ちがき)。「—起請、山も崩れ海も埋るほどの罰文を書くべし」〈評判・秘伝書〉

ちふりのかみ【道触の神】 陸路や海路を守護する神。旅行の時、手向(たむけ)して行路の安全を祈る。「わたつみの—にたむけする」〈土佐一月二十六日〉

ちへ（チエ）【千重】 同じものが数多く層をなすこと。「大海の辺(へ)にゆく波の—に積もりぬ」〈万一九三〇〉 †tipe **—の一重**(ひとへ) 幾重もの中の一重。ほんのわずか。「我が恋ふる—もなぐさむる情(こころ)ありやと」〈万二〇七〉

ちへなみ（チエナミ）【千重波】 幾重にもつぎつぎと寄せてくる波。「朝なぎに—寄り」〈万九三一〉 †tipenami

ちべり【乳縁】 蚊帳の天井の周囲を縁取り、四隅に乳(ち)を付けてある布。「[太夫ノ]蚊帳は…—は錦織或いは金入り織物の鎮(しづ)」〈色道大鏡三〉

ちまき【粽・茅巻】《チ(茅)マキ(巻)の意》 もち米・米・葛(くず)などの粉で作った餅を長円錐形に固めて、笹や菰(こも)などの葉で巻き、藺草(いぐさ)でしばったもの。端午の節句に食べる。「人のもとより、かざり—おこせたりける」〈伊勢五二〉。「粽、知万木(ちまき)」〈和名抄〉 **—うま**【茅巻馬】 端午の節句の玩具で、チガヤなどを巻いて作った馬。「わりなくぞあやめのふちをこころざす—をや引きいだすとて」〈著聞六六五〉

ちまた【巷・衢】《チ(道)マタ(股)の意》 ①道の分れる所。辻。「海石榴市(つばいち)の八十(やそ)の—に立ち平(なら)し」〈万二九五一〉 ②町通り。道。「門の内の南北に大きなる一つの—あり」〈今昔七ノ四三〉 ③戦場などのように、互いにはげしく争い合う場所。「この浦は源平両家の合戦の—と承り及びて候」〈謡・八島〉 **—のかみ**【衢の神】 道の分岐点を守り、邪霊の侵入を防ぐ神。「投げ棄(う)つる御褌(みはかま)に成れる神の名は—」〈記神代〉

ちまちだ【千町田】《千町もある田の意》 広い田。「水せき入れて植うる—／照りつづく頃も祈れば天くだり」〈白山万句慶長三・閏四・二六〉

ちまつり【血祭】 戦闘の手初めに、敵を殺して軍(いくさ)の神に供えること。「小次郎が細首打ち落し、九万九千の軍神の—にせん」〈古活字本曾我四〉

ぢまつり【地祭】 土木・建築等の基礎工事を始める前に、土地の神を祀って工事の無事完成を祈る祭。地鎮祭。「—候也」〈山科家礼記長享二・九・一六〉

ちまなこ【血眼】 怒り、または逆上して血走った眼。「眉の毛をさかさまになし、—に見えて、庭上を狂ひ廻りければ」〈盛衰記一八〉

ぢまはり（ヂマワリ）【地廻り】 ①その土地の近辺。また、そこから回送して来ること。また、その産物。「—や今日事欠かぬ草の餅」〈俳・江戸新道〉 ②その土地育ちの者で、特に遊里・芝居などを常にひやかして歩く者。「振袖の子供衆の役にはいかがと、—の者申すげに候」〈評判・野良三座詫〉

ちまやか いかにも小さいさま。ちんまりとしているさま。「まな板持ちて来るを見れば、白く—なる、人のかひな一つ」〈伽・曼殊院本酒呑童子絵巻〉

ちま・り【留り】『四段』《「とまり」の上代東国方言か》 とどまる。「筑紫(つくし)の崎に—・り居て」〈万四三七二常陸防人〉

ぢみち【地道】 ①普通の速度で歩くこと。「遅き物の品品…牛の—」〈仮・尤の草紙下〉 ②馬を普通の足並みで歩かせること。地乗り。「—と今人のよくいふ言葉也。褻道(みけち)といふべし」〈弓張記〉 ③真面目。まとも。「駈けずとも—に鳴けよ時鳥」〈俳・鸚鵡集四〉

ちみどろ【血みどろ】《ミドロは、まみれた状態》 血まみれ。血だらけ。「はては我が舌も唇も皆くひ切りて—になりて狂ひ死ににけり」〈沙石集一ノ一〇〉 **—ちんがい** 「血みどろ」を強めていう語。「目鼻—に」〈近松・生玉心中中〉

ぢみやく【地脈・持脈】 平生の脈搏。平脈。「病人の脈、又は—の悪しきは」〈わらんべ草一〉。〈日葡〉

ちめだま【ち目玉】 目の奴詞。「—を廻し」〈評判・高屏風上〉

ぢもく【除目】《「除」は宮中の階段。階段をのぼる意から、官を拝すること。「目」は書。任官の書の意》 大臣以外の中央官ならびに地方官を任命する儀式。主として地方官を任ずる春の県召(あがため し)の除目と、主として中央官を任ずる秋の司召(つかさめし)の除目とがあり、他に臨時の除目があった。「—に官(つかさ)得ぬ人の家。雨うち降りたるは、まいていみじうつれづれなり」〈枕二三九〉。〈色葉字類抄〉

ちもと【千本】 せんぼん。また、数の多いこと。「我が宿に—の桜花咲かば植ゑおく人の身も栄えなむ」〈玉葉二七三三〉

ぢもの【地物】 その土地の産物。「せたげ取るは、御代官の—と晦日晦日の宿賃」〈玉滴隠見三五〉

ぢもの【地者】 素人女。地女。遊女・芸妓などの玄人(くろうと)女に対していう。「そち(男)次第／それが—の有難さ」〈雑俳・誕生日〉

ちや【茶・梌】 ①ツバキ科の常緑灌木。葉を煎じて飲料とする。「畿内幷せて近江・丹波・播磨等の国をして—を殖ゑて毎年之を献ぜしむ」〈後紀弘仁六・六・三〉 ②茶の嫩葉(わかば)から製した飲料。鎌倉時代、仏家によって愛飲され、以後、次第に一般の飲料として広まった。「木の下に筵をのべ、池のほとりに燈(ともしび)をつらねて、先づひとかめの—すすむべきに」〈躬恒集〉。「[明恵上人ガ]—を愛し給ひけるは、蒙を散じ眠りをさまして道行の資(たすけ)となし給はんためなりき。今時、世間にけしからず—をもてなさるる様を見れば、養生の分にもなるべからず」〈夢中問答中〉 ③人を相手にするようにみせて、内実は取り合わないこと。「相応に—を言うて置きける」〈黄・御存商売物中〉 **—とも思は・ず** 人を馬鹿にして軽んずる。「俄かにのさばり卯平次を—・ず」〈浮・日本荘子五〉 **—に・する** はぐらかす。人をそらす。「茶を云ふ」とも。「—・する。…人の言ふ事をどのやうな事でも、尤もと受けた顔をする」〈洒・胡蝶の夢〉 **—を立・つ** ①抹茶をたてる。「若い衆に茶の立てやうを教ゆべしと、みづから—・つる模様をなして」〈驢鞍橋下〉 ②仏事をする。「世俗に仏事をなすは、—・つる、又、志をすると云ふ也」〈俳・貞徳誹諧記上〉 **—を引・く** 芸娼妓が、客がなくて暇でいる。お茶を引く。「—・きても苦にせず」〈評判・まさり草〉

ぢゃ『助動』《室町時代、デアルのルが脱落してデア・デャとなり、さらに転じてヂャとなったもの。もっぱら口語に使用される》①体言の下について断定の意をあらわす。…である。…だ。「これは敦盛が幽霊―、これは兼平が幽霊―などと云ひて」〈本則鈔一〉。「よい男―ほどに、女どもがじゃれて」〈蒙求抄三〉②体言と体言とをつないで、…であるの意をあらわす。「父―者を諌めよと云はれたぞ」〈論語抄里仁〉

ちゃいれ【茶入】茶を入れておく器。抹茶用は小型で、濃茶のは陶器、薄茶のは漆器・素地物(きじもの)を使い、棗(なつめ)・大海・肩衝(かたつき)など種種の名称がある。「―の蓋を取り、台の脇に置きて、茶をすくひ」〈池永宗作への書〉

ちゃう【丁】《「丁」は当て字》物がはげしくぶつかったり、割れたりする音。「山伏の腰につけたる法螺貝の、―と落ち、ていと割れ」〈梁塵秘抄四六八〉。「―と切れば、はたと合はせ、はたと切れば、―と合はす」〈盛衰記二九〉→ちゃうど

ちゃう【丁】①二および二の倍数。偶数。〈日葡〉②「丁銀」の略。「正月買には、宿屋夫婦に―一つづつ程の花にて良し」〈評判・吉原雀上〉③満(まん)。まる。多く十単位の数に使う。「―九十百になりても踊り出で」〈俳・西鶴五百韻〉④⇒ちゃう(町)。「五百―の良き田を買ひて天台別院に施入し奉れり」〈三宝絵中〉⑤⇒ちゃう(張)。「細字のもの五六十―、老眼をしぼり写すに」〈宗長手記下〉。「鉄砲百七十五―、一度に打ち出しければ」〈簑輪軍記下〉⑥⇒ちゃう(梃)。「一丁、イッチャウ、鉏・鍬」〈易林本節用集〉

ちゃう【庁】①官庁。役所。「今聞く、内外の―の前、皆厳粛ならず。進退礼无し」〈続紀慶雲四・一二・二七〉。「〔閻魔ノ〕―の前に張り据ゑつ」〈今昔一四ノ二九〉②特に、検非違使(けびゐし)庁。「我が朝の―に似たり」〈今昔一七ノ三三〉

ちゃう【町】①土地の面積をはかる単位。一段(いったん)の十倍。「田を作れば、この一段は異人(ことびと)の十―にむかはりぬ」〈古本説話六三〉②距離をはかる単位。一間(いっけん)の六十倍。「七八―行くほどに、後より呼ばひて馬を馳せて来る者あり」〈宇治拾遺一〇六〉③⇒まち(2)「一条に四坊あり。一坊十六―。四―を一保となす」〈掌中歴〉④市場・店鋪の設けられる商業地区。室町時代には、商工業者の居住する、自治組織としての地域をいうようになる。まち。「延徳三年十二月七日の夜、麹屋と油屋との間より火出で、本福寺を焼き、この―残る宅(い)なし」〈本福寺跡書〉⑤近世、官許の遊廓の称。また、特に吉原遊廓の異称。お町〈ちゃう〉。「―通ひ尾頭働く(元気ナ)間也」〈俳・山の端千句上〉 **―には事なかれ** 町内は事件が起らず、平穏無事が望ましい。〈俳・毛吹草二〉

ちゃう【長】①かしら。統領。「いやしくも良兼は彼の姻婭(縁者)の―たり」〈将門記〉②「長者(ちゃうじゃ)」(5)に同じ。「さても遠江の国池田の宿の―をば熊野(ゆや)と申し候」〈謡・熊野〉③「長点(ちゃうでん)」の略。「点取二十六句、此の内―二」〈家忠日記文禄二・三・一四〉

ちゃう【梃・挺】①墨・槍・鍬などを数える語。「大墨一挺」〈和名抄〉。「一挺、イッチャウ、鑓一挺・墨一挺・燭一挺」〈文明本節用集〉②豆腐・昆蒻(こんにゃく)などを数える語。「昆蒻…五十―」〈高野山文書六、天文一三・九〉

ちゃう【帳】①帳台などの上に垂れるとばりの類。「木のめぐりに―を立てて、帷(かたびら)をあげずは、風もえ吹き寄らじ」〈源氏幻〉②「帳台」(1)に同じ。「女君は―の内に臥し給へり」〈源氏夕霧〉③帳面。帳簿。「国司相替るの日、―に依りて承付して、更に勘験せず」〈続紀和銅七・四・二六〉 **―に付・く** 記帳する。特に、公文書に記載する。「〔板倉内膳殿へ〕御見廻に参り、御逢ひこれ無く候。―・け帰る」〈鈴木修理日記寛文一〇・一二・四〉→御帳(おちゃう)に付く

ちゃう【張】①紙の枚数を数える語。「四千三百十一―、一切経〔ノ用紙〕」〈正倉院文書天平一四・六・三〉②弓・琴などを数える語。「真弓の黒塗りなるを一―参らせたりけるを」〈宇治拾遺六六〉。「纐纈(かうけつ)の袋に入りたる琴一―取り出して」〈義経記六〉

チャウ【茶宇】「茶宇縞」の略。「―の袴の恨み重なる」〈俳・独吟一日千句〉 **―じま**【茶宇縞】インド、チャウル(Chaul)産の薄地の多くは縦筋小模様の絹織物。近世初期輸入されたが、天和年間京都から織り出された。茶丸・乱茶宇・紋茶宇などの種類があり、多く袴地に用いた。「帯は…どし・―も模様によりて、これを用ゆ」〈色道大鏡三〉

ぢゃう【杖・丈】《ツヱとも》①「杖罪」に同じ。「犯す所の多少に随ひて―以下の罪に決す」〈類聚三代格一四〉②長さの単位。尺の十倍。「丈、ヂャウ、十尺為丈」〈色葉字類抄〉③鎌倉・室町時代の地積の単位。歩(ぶ)の六十倍。「古閑の村七段三―」〈肥後満願寺文書天文一九・三・八〉

ぢゃう【定】《呉音》①定まっていること。決定的であること。「老病すでに窮まれり。死去―なり」〈正法眼蔵随聞記六〉②真実。本当。「〔極楽トイウモノハ〕有るが―か、また、無いが―か」〈虎明本狂言・武悪〉③規定。禁制。「好色・博奕・大酒…これは清次(観阿彌)の―也」〈申楽談儀〉④〔仏〕三学の一。禅定。「功徳の勝(すぐ)れ、妙なる事、―より過ぎたるは無し」〈三宝絵上〉→戒定慧(かいぢゃうゑ)⑤その通りの方式を踏んでいるさまをあらわす語。「この―に念仏を申さば、疑ひなく極楽に生れなむ」〈今昔一九ノ三七〉⑥程度・限度などをあらわす語。「大矢と申す―の者」〈平家五・富士川合戦〉⑦範囲をあらわす語。「文覚がはたらくところの―を拷(がう)してんげり」〈平家五・文覚被流〉⑧《接続助詞のように用いて》…ても。…ものの。「小兵といふ―、十二束三伏、弓は強し」〈平家一一・那須与一〉 **―に入・る** 禅定に入る。「―・るが如くにて終りぬ」〈三宝絵下〉

ちゃうあひ【帳合・帳相】①商家で帳簿に金銭・商品の出入貸借を記入し、帳面と現品とを照合すること。「入来る銀の済まぬ―」〈俳・住吉物語下〉②計算。「勘定の―は一厘も違ひ無くてこそ」〈俳・類船集六〉

ちゃういはひ【帳祝】近世、正月十一日、商家で帳簿を綴じ、上書をして祝う行事。延宝頃から既製の帳面を求め祝儀だけするようになり、また日取りも二日・四日・十日などに行なう家もあった。帳綴〈ちゃうとぢ〉。帳綴祝。「大黒の袋綴ぢにや―」〈俳・遠近集一〉

ちゃううち【町打ち】一町以上の遠距離を射撃すること。「―の鉄砲を申し立てに、三百石下し給はり」〈西鶴・伝来記三〉

ちゃうおくり【町送り】酒狂人・病人・暴れ者などを、町会所から町会所へ順次に受入れ先まで送り届けること。「今日、疱瘡の悪神を―す」〈親長卿記文明三・閏八・七〉。「この囚人両人…―に念を入れ請取り渡し仕り」〈吉川家文書一、天正一八・六・五〉

ちゃうか【長歌】《「短歌」の対》和歌の形式の一。短歌・旋頭歌(せどうか)・仏足石歌の形式よりも長く、五音七音の句の繰返しの末を七音で終る。万葉集に二百六十余首あるが、古今集以後衰えた。「この短歌は防人の妻の作りし所なり。然れば―もまた此と同作なりと知るべし」〈万三三四五左注〉

ちゃうかうやう【長高様】〔歌論用語〕壮美の感じを持つ歌。「すなほにやさしき姿をまづ自在にあそばししたためて後は、―・見様・面白様…などやうの体は、いとやすき事にて候」〈毎月抄〉

ぢゃうがく【定額】①一定の数。定員数など。「―の散位及び左右の大舎人、六衛府の舎人…及び史生には各布二端」〈続紀天平一・八・五〉②「定額僧」の略。「浄蔵―を御祈の師にておはす」〈大鏡良相〉 **―じ**【定額寺】平安時代、民間で建立した寺の中から、一定数を限って、政府が官寺として認めたもの。専ら鎮護国家・聖体平安を祈願する。「自余の―は寺別に一百町」〈続紀天平勝宝一・七・一三〉 **―そう**【定額僧】国分寺・勅願寺等に一定数を限り補任された僧。「善相公の息、―沙門浄蔵」〈古事談四〉 **―のにょじゅ**【定額の女孺】後宮職員令で定員数をきめられた下級女官。「―といふ事、延喜式に見えたり」〈徒然一九七〉

ちゃうぎ【町儀・町義】①近世、町人の町内の自治に関する権利・義務。「むつかしき―も慾も離れ屋に」〈俳・諸国独吟集上〉②町人が家屋敷売買・相続・嫁入り・婿取り・養子・隠居・元服・家守(やもり)就任等、町内の特定身分を取得した事を、町内の人人に披露すること。また、その披露の儀式。「御公儀並びに―等の御法」〈御当家令条二二〉 **―づきあひ**【町儀付合】町内の人人との公私にわたる交際。「―おろかもなき身」〈近松・博多小女郎中〉

ぢゃうぎ【仗議】《仗座の議定の意》陣の座での評議。「―のありけるを立ち聞きて、四納言の我も我もと才覚をはきつつ定め申しけるを聞きて」〈愚管抄四〉

ぢゃうぎ【定器】「御器(ごき)」に同じ。常器。「上古には一切―を用ふ。関白家大饗に朱器・―を用ひらるる也」〈大乗院雑事記文明四・六・六〉

ちゃうぎゃう【張行】①あえて強行すること。非難などを顧みずに行なうこと。「国務を行なふ間、非法非例を―し」〈平家一・鵜川軍〉②行なうこと。催すこと。興行。「一座を―せんと思はば、まづ時分を選び、眺望を尋ぬべし」〈連理秘抄〉。「張行、ちゃうぎゃう、興行也」〈和漢通用集〉

ちゃうきり【帳切】近世、家屋敷を買い求めて、その水帳(土地台帳)の名義書替えをすること。「あの屋二郎兵衛屋敷―、霜月二十八日仕り候也」〈宗静日記寛文九〉 **―ぎん**【帳切銀】大阪・京都などで、家屋敷の売買の際、買主から町中に納付させた、売価の何分の一かの銀。この納付が無ければ水帳(土地台帳)の名義書替えがされなかった。「家屋敷売買の時、其の家屋敷値段二十分一―…其の町へ下され候」〈大坂町触延宝五・閏一二・一九〉

ちゃうぎん【丁銀・挺銀】近世、銀貨の一。海鼠(なまこ)形で、鋳造者名・大黒像・宝の字などの極印を打ち、重さ約四十三匁の秤量貨幣。慶長銀・元禄銀・宝永銀など種類が多い。「合〔計〕二百五十枚は、但し―」〈国事雑抄一、慶長一三・一二・二〉

ぢゃうぐゎんでん【貞観殿】後宮七殿の一。内裏中央の北端にあり、常寧殿に対する。皇后宮の正庁。装束などの裁縫をする御匣殿(みくしげどの)がある。「かの御方は、宣耀殿・―を通りて童女二人下仕四人して持て参るめり」〈枕一〇四〉

ちゃうけ【茶請・茶受】茶を飲む時に添えて食べるもの。点心(てんじん)。「―とこれを名付けつつ、しほらしき菓子どもを、色色組みて出しければ」〈伽・酒茶論〉

ちゃうげいし【長慶子】雅楽の曲名。散会退出のとき奏する曲で、舞はない。「―をまかで音声(おんじやう)にあそびて(奏シテ)」〈紫式部日記〉

ちゃうけん【長絹】①絹の一種。堅く光沢をもつ。水干・直衣・狩衣などに仕立てる。「―長七丈五尺、広一尺九寸」〈延喜式主計上〉。「六条判官為義、―の直垂(ひたたれ)に」〈保元中・白河殿攻め落す〉②元服前の公家の式服。始めは(1)で作ったが、後、紗(さ)または普通の絹で作った。長絹水干。「生衣(すずし)のかた糸をふしかね染にして、―に付くるごとく付くべし」〈佐竹宗三聞書〉。〈伊京集〉③能装束の一。舞を舞う時、男役女役共に用いる広袖のうわぎ。単衣で絽地に色糸や金銀糸で文様を織り出した装束。「野宮・芭蕉・軒端の梅・采女などのやうなる事には―よし」〈反古裏の書一〉

ぢゃうごふ【定業】〔仏〕《「非業(ひごふ)」の対》受けるべき報いがきまっている業因。また、その報い。「所労もし―たらば、療治を加ふも益なからむか」〈平家三・医師問答〉。「―とは、前世の善悪の業因によりて感得したる善悪の業報なり」〈夢中問答上〉

ちゃうごんか【長恨歌】唐の白楽天の作った叙事詩。唐の玄宗皇帝がその寵姫楊貴妃を失った怨恨の情を歌ったもの。他の白楽天の詩同様平安貴族に愛好され、特に源氏物語に与えた影響は著しい。「この頃あけくれ御覧ずる―の御絵」〈源氏桐壺〉

ぢゃうざ【定者】《ヂャウジャとも》大法会で、行道(ぎやうだう)の時、香炉を持って列の先頭を進む役の小僧。善財童子。「―などいふ法師などのやうにねりさまよふ」〈枕(能因本)正月一日は〉

ぢゃうさい【定斎】暑気払いに飲む粉薬。豊臣秀吉の頃、大阪の薬屋定斎が、明人沈惟敬の薬法を伝えて製したという。毎夏、薬箱を天秤でかつぎ、調子をとって歩き、箱の引出しの蕨手(わらびて)の環をかたかたと鳴らして行商した。延命散。国分散(こくぶさん)。定斎薬。是斎(ぜさい)。「―延命散」〈仮・けんさい物語上〉

ぢゃうざい【杖罪】律で定められた五刑の一。衆人環視の場で、罪人を棒で等級により六十回から百回までの間打つもの。銅を規定の量おさめて罪をあがなうこともできた。笞(ち)より重く、徒(づ)・流(る)・死より軽い。「逆人広嗣の与党、―一百七十七人」〈続紀天平一三・一・二三〉

ちゃうさいばう【長斎坊】⇒てうさいばう(嘲斎坊)。「―にする」〈譬喩尽二〉

ぢゃうさう【定相】〔仏〕いつも変らぬ定まった形。常住不変の相。「物の―なき喩(たとへ)にも如夢幻泡影…とこそ金剛経にも説かれて候へば」〈太平記三五・北野通夜〉

ちゃうざけ【町酒】「町儀」(2)のため、町内の人人を招待する酒宴。「松原〔通リ〕辺の―に呼ばれ、飲み重ねたるよい機嫌」〈浮・新武道伝来記一〉

ちゃうさやようさや『感』山車(だし)を引く時や、輿(こし)をかつぐ時の囃子(はやし)詞。「ちゃうさやようさ」「ちゃうさやちゃうさや」とも。「―神輿(みこし)重しな」〈俳・絵合上〉

ちゃうじ【丁子】①南方原産の常緑喬木。春、香の高い淡紅色の花が群がり咲く。蕾を乾燥したものから香料・染料・薬剤を、葉・枝・実から香料をとる。「褁衣(えびえ)・―、鉄臼(かなうす)に入れて擣かせ給ふ」〈宇津保蔵開上〉②「丁子香」に同じ。「―の香(か)、極(いみ)じく早う聞(が)ゆ」〈今昔三〇ノ一〉③やや黒味がかった香染(かうぞめ)の色。「―に深く染めたるうす物の単衣(ひとへ)を」〈源氏蜻蛉〉 **―かう**【丁子香】丁子の蕾から製した香料。〈和名抄〉 **―がしら**【丁子頭】燈心の燃えさしの頭にできた、丁子の実の形をした塊。俗にこれを油の中に入れれば財貨を得るという。「燈の花、光なり、—とも云ふ」〈匠材集一〉 **—ぞめ**【丁子染】「香染(かうぞめ)」に同じ。「—の扇」〈源氏宿木〉

ちゃうじチョウ:【停止】さし止めること。禁止。「公請(くじやう)を—し、所職を没収(もつしゆ)せらる」〈平家六・新院崩御〉

ちゃう・じチョウ:【打じ】《サ変》《チャウは呉音》罰として打つ。打ってこらしめる。「見るに—・ぜんことといとほしくおぼえければ、何事につけてか、これを許さんと思ふに」〈宇治拾遺二一〉

ちゃう・じチョウ:【長じ】《サ変》①大きくなる。成長する。「父母、手に捧げて養ひかしづく間、やうやく勢(せい=カラダツキ)—・じぬ」〈今昔二ノ二五〉②年齢がまさる。「その中に年—・ぜるを先達に作り立て」〈太平記五・大塔宮〉③ある事、また、その道において、すぐれ秀でる。「関白殿の御手美しくあそばし、和漢に—・じ給へるを」〈保元上・新院御謀叛思し召し〉④はなはだしくなる。増長する。「都には、筑紫の将軍のおごりいよいよ—・じ、君を君ともし給はず」〈栗栖野物語〉

ぢゃうしばゐジョウ:【定芝居】常設の芝居小屋。「—出で入る人は自由にて」〈俳・独吟一日千句〉

ちゃうじゃチョウ:【長者】①「氏(うぢ)の長者」に同じ。「公家に奏し申して、その時に藤氏の—殿占はしめ給ふに」〈大鏡藤氏物語〉②金持。富豪。「神南備の種松といふ—、かぎりなききよらの王にて」〈宇津保吹上上〉③その方面にすぐれ、かしらだつ人。長老。「管絃の道に長じ…一道の—也」〈中右記康和五・三・二二〉④諸徳にすぐれた人。「人に勝れて数多の徳義ある人を—と申すなり」〈観音経鈔〉⑤宿駅の長。多く女主人であり、宿泊する旅人を慰めたところから、遊女のかしら。略して「長」とも。「かの宿の—、熊野(ゆや)が娘、侍従がもとにその夜は宿せられけり」〈平家一〇・海道下〉。「生身の普賢を見奉らむと思はば、神崎遊女の—を見るべきよし」〈十訓抄三ノ一五〉⑥〔仏〕京都の東寺の長。はじめは一人だったが、後に四人となり、それぞれ「一の長者」「二の長者」「三の長者」「四の長者」と呼ばれた。「後には東寺の一の—安井の宮の僧正道尊と申ししはこの宮の御事なり」〈平家四・若宮出家〉⑦くしゃみをした時に唱える、まじないの語。「日本に、はなひる時に、—と云ふは、仏を長寿と云うたを、今—と云ふぞ」〈四河入海六ノ一〉 **—がう**ゴウ【長者号】長者(2)の称号。「長者二代なしとは申せども、—を受け給ひ、親孝行なる人なれば、末繁盛と栄え給ふ」〈伽・小夜姫草子〉 **—かがみ**【長者鑑】金持の姓名・財産・順位などを記した見立て番付。「夫夫の家業に油断なく、—にも入りぬ」〈西鶴・嵐無常上〉 **—きゃう**キョウ【長者経】①金持になる秘訣を記した書物。経文にたとえていう。「長者教」とも。「御持頭(ぢとう)の勤めも総て—」〈雑俳・江戸土産〉②「長者鑑(かがみ)」に同じ。「鎌倉屋の何某、分限—にも入り」〈西鶴・諸艶大鑑一〉 **—ぐゎん**【長者丸】金持になる秘訣を丸薬の成分にたとえたもの。「—と云へる妙薬の方組」〈西鶴・永代蔵三〉 **—けう**キョウ【長者教】「長者経」(1)に同じ。「これ—の心也」〈仮・長者教〉 **—さま**【長者様】乞食が物を乞う時の呼び掛けの詞。「—ああら尊や物貰ひ」〈俳・独吟一日千句〉 **—の脛(はぎ)に味噌を塗・る** 有り余っている上に、また加わる意のたとえ。〈北条氏直時分諺留〉 **—の万燈(まんとう)より貧者が一燈** 《阿闍世王受決経から出たことば》たとえわずかでも貧者が心をこめてする寄進は、富者の虚栄にみちた多額の寄進よりはるかに尊いものだということ。「或る貧女、料足二銭持ちたるも、油に代へて燈(あかし)しければ、残りの火皆消えて、これのみ仏の御為に明らかなり。…これを—とは申すなり」〈宝物集下〉 **—ばしら**【長者柱】四間の部屋の間仕切りの真中の柱。また、大黒柱の意ともいう。「人の家の柱に—と云ふ有り」〈俳・類船集三〉

ぢゃうじゃジョウ:【定者】⇒ぢゃうざ。「—二人を先として二行に列せり」〈今昔一三ノ九〉。〈色葉字類抄〉

ちゃうしゅチョウ:【町衆】①中世、自治組織である町(ちやう)を構成する商工業者。「高屋衆等打ち出で候。此方よりも—出で候」〈私心記天文四・四・七〉。「斎(とき)相伴に—十九人…坊主五人来る」〈証如上人日記天文二一・三・二五〉。〈文明本節用集〉②近世、都市の町役人である名主・月行事・五人組・家主の総称。「お—の曇らば曇れ秋の月」〈俳・都懐紙〉③町内の人人。「嘆き給ひて—一度に〔来ラレタ〕」〈俳・二葉集〉

ちゃうじゅチョウ:【聴衆】①法会の際、聴聞のためにその座に列している僧。「やむごとなくおとなる僧正、あるは—二十人、講師三十人召し集めて」〈栄花疑〉②説法などを聞く人人。「同聞の—も心ならず各別に礼讃をしき」〈一言芳談〉

ちゃうしょチョウ:【町所】近世、都市で、町年寄・名主などの町役人が、町内の事務を執った役所。町会所。「その段は—にて尋ね給へ」〈西鶴・桜陰比事五〉

ちゃうじるチョウ:【町汁】近世、京都・堺などの市中で、各町ごとに寄り合い、法令・町規を読み、会計検査などの問題を処理し、各自持参の菜(さい)・飯で会食したこと。当初は毎月、後には正月・五月・九月に寄り合い、儀礼化したが、正月十日の会合は「十日汁」といい、重視された。「—に連れ立ち行くや桜鯛」〈俳・花摘下〉

ちゃうす【茶臼】葉茶をひいて抹茶とするのに使う石臼。「—は挽木に揉まるる」〈謡・放下僧〉 **—げい**【茶臼芸】①一芸にすぐれて、他から尊敬されること。「己が音は—なり時鳥」〈俳・毛吹草追加下〉②《後、誤って》多くの芸を持っているが、一つとして秀でたもののないこと。石臼芸。「しかも万能に達したとは言ふ物の、近く言はば—で、一種(いろ)も本業にならねへ」〈滑・浮世床初下〉

ちゃうせいでんチョウ:【長生殿】①中国唐代の宮殿の一。太宗が今の陝西省臨潼県驪山(りさん)に設けた離宮。玄宗が華清宮と改め、楊貴妃を伴ってしばしば行幸したことは有名。「—のふるきためし」〈源氏夕顔〉②桃花の一種。「これ(桃花)を見るに、その嬌艶尤も美なり。又凡ならず。これ吾が朝その名を—と曰(い)ふの類ひか」〈蔭涼軒日録文正一・閏二・二〉

ぢゃうせつジョウ:【定説】確定した説。定説(ていせつ)。「さてはこれが—ぢゃ」〈虎明本狂言・武悪〉

ちゃうせんチョウ:【庁宣】①諸国の国守・大介(おおすけ)及び大宰府の長官が、管下・管内に下す文書。「かの国の司(つかさ)に任じて…と云ふ—を下しつ」〈今昔一七ノ三三〉②検非違使庁の長官たる別当から出す公文書。勅宣に準じ重んぜられた。別当宣。「別当宣とは則ち—也」〈職原抄下〉③院の庁から下す公文書。正式には院庁下文(くだしぶみ)という。「院庁下文をも—と云ふ」〈官職難儀〉

ちゃうせんチョウ:【長銭・丁銭】銭百枚で百文と計算すること。九十六枚を百文とする「九六銭」の対。丁百。調百。「今通用する所、—あり、九六〔銭〕あり」〈青蚨秘録〉

ちゃうだいチョウ:【町代】近世、都市の各町の名主または町年寄の下で町政事務を執る有給の補助員。「例へば—などの如くなれど」〈仮・祇園物語下〉。〈日葡〉

ちゃうだいチョウ:【帳台】①寝殿造の母屋(もや)に浜床(はまゆか)

という黒塗りの一段高い床を作り、天井を張って、四方に帳(とばり)を垂れ、帽額(もかう)などで囲んだ座敷。居間・寝室などに用いられた。内裏では常寧殿にあった。「これは殊に沈の華足の机にすゑて、仏の御おなじ—の上にかざらせ給へり」〈源氏鈴虫〉 ②「帳台の試み」の略。「—の夜、行事の蔵人のいときびしうもてなして」〈枕九三〉 ③奥の間。主人の寝室や納戸(なんど)、または妻の居間などに用いる。「我等が—へ一両人も御越し成されて」〈三河物語下〉。「女同士に恥を見せ、男は寝取られ、寝間—は見さがされ、阿呆の数数読み尽され」〈近松・重井筒上〉。「帳台、チャウダイ、或作₂帳内₁、倭俗奥室」〈文明本節用集〉 **—のところみ**【帳台の試み】十一月中の丑の日の夜に、天皇が常寧殿で五節の舞を見る儀式。「五節舞姫参…—有り」〈中右記寛治一・一一・一七〉

ちやうだい チョウ【頂戴】①つつしんで頭上におしいただくこと。「法印の足を取りて—して、泣く泣く仰せられけるは」〈沙石集六ノ一九〉 ②ありがたく拝受すること。「御—ありながら、召し給はず」〈伽・長生のみかど〉

ちやうたらう チョウタロウ【長太郎】馬鹿の異名。「合ひませぬ/太鼓鉦にて—やあい〔ト迷子ヲ探ス〕」〈雑俳・西国船〉

ちやうぢう チョウジュウ【町中・丁中】「町衆(ちやうしゆ)」に同じ。「—の憎み松は知らぬか」〈俳・投盃〉

ちやうちやく チョウ【打擲】打ちたたくこと。なぐること。「放火、刃傷、—蹂躙(じうりん)」〈庭訓往来八月七日〉

ちやうちん チョウ【挑燈】《唐音。「挑灯」「提燈」とも書く》①室町時代、中国から伝来した照明具。竹のひごの輪を幾重にも重ねて骨とし、外側に紙を張って囲いとしたもの。中に蠟燭(らうそく)の火を入れて持ち歩く。近世に入り、種類・形状も多様化した。「夜に入りて—二つ、御門御門に之を釣る」〈細川亭御成記〉。「挑灯と書きて—と読み、行灯をあんどんと読む」〈塵嚢鈔三〉。〈文明本節用集〉 ②「挑燈持」(2)に同じ。「とりどり—の世の中」〈評判・役者大鑑二〉 **—に釣鐘**《形は似ていても重さがひどく違っていることから》非常に釣合いの取れないことのたとえ。「君と我が中を明かさば—荷なふ思ひなりけり」〈古今夷曲集七〉。〈俳・毛吹草二〉 **—程な火が降・る**《「火が降る」を強調した表現》家計が困難であるたとえ。「内證は—・って大晦日の空恐ろしく」〈西鶴・一代男三〉 **—もち**【挑燈持】①夜の外出や葬式などに挑燈を持ち、人の前に先行する役。また、その人。「願証寺葬送は卯の刻也。…—四人は爰許(ここもと)坊主衆の子共也」〈証如上人日記天文五・五・六〉 ②人の手先に使われ、また、その人の長所などを吹聴しあるく者。「どうやら—らしい」〈洒・箱枕中〉

ちやうつけ チョウ【帳付】帳面に記すこと。また、その役。「後は又引き上げられて—に」〈俳・大矢数四〉

ちやうでん チョウ【長点】和歌・連歌・俳諧などで、点者が、特にすぐれた作品に加える点。〽印で示す。「ながでん」とも。「詠みたりし〔歌〕を見せ申しかば、—のおびたたしき合はれたりし」〈京極中納言相語〉。「下品(げぼん)の句と思へども、点者の意巧によりて—などある事、つねの事なり」〈連理秘抄〉

ちやうど チョウ【丁ど・丁度】『副』《擬音語チャウに助詞トの添った形》①物と物とがはげしくぶつかったり、割れたりするさま。「目貫(めぬき)のもとより—折れ」〈平家四・橋合戦〉 ②はげしくぴしりと一撃を与えるさま。「佩添(はきぞへ)の太刀を抜きて、走りかかりて—打つ」〈義経記五〉 ③動作などがぴしりときまるさま。「躍るばかりに舞ひ納め、座敷に—直りけり」〈伽・酒茶論〉 ④過不足がなく、完全な状態。「『また〔酒ヲ〕つがしめ』『心得ました』『—ある』」〈虎寛本狂言・河原太郎〉 ⑤そっくりそのまま。さながら。あたかも。「まー度は—前の如くに、同じ者が来て」〈コリヤード懺悔録〉

ちやうとくじ チョウ【長徳寺】〔遊里語〕金一歩の称。駿河府中片山の長徳寺の座敷の借賃が、一日一歩の定めであったによるという。「是れにも—一つ入るなり」〈評判・吉原恋の道引〉

ちやうどころ チョウ【町所】居住の町名。「奉加帳に—を表はさずとも志(寄進)すべし」〈西鶴・織留五〉

ちやうとぢ チョウ【帳綴】「帳祝」に同じ。「〔長崎デ〕正月…十一日、—」〈色道大鏡一三〉

ちやうなみ チョウ【町並】町内の家家とのつきあい。町儀。「家を持てば、公儀の軍役、—の礼義…の苦有り」〈仮・為愚癡物語三〉

ちやうにん チョウ【町人】「町(ちやう)」(4)の住民。都市商工業者をいう。近世では、身分階層化して士・農と区別され、また町人身分のうちでも土地・家屋を所有する者のみが町内自治に参加できた。「—以下鎌倉中の諸商人」〈吾妻鏡建保三・七・一九〉。〈文明本節用集〉 **—こしらへ**ショエラ【町人拵へ】町人向きに仕立てた刀剣の装飾。「—、七所(ななところ)の大脇指」〈西鶴・一代男七〉

ちやうにん チョウ【停任】罪過により一時官職を免ずること。「死罪・流刑・闕官・—常に行なはれて」〈平家一・二代后〉

ちやうねん チョウ【長年】①長く久しい年。「たとひ愛惜すとも—の伴(とも)なるべからず」〈正法眼蔵行持下〉 ②長命。長寿。「講ずる所は延寿—の方なり」〈正法眼蔵伝衣〉 ③成人すること。成年。「我少年の昔母を失って、—の後継母に逢へり」〈西源院本太平記一三・驪姫〉 ④年季奉公人が、年が明けても、続けてその家に奉公すること。「只今まで到頭—致しましたが」〈滑・浮世風呂二下〉

ちやうば チョウ【町場・丁場】①仕事の受持区域。また、持場。「香西が者は、我が—へ帰りけるに」〈舟岡山軍記〉 ②宿場間の距離。「これから二里半の長(なが)—ぢゃ」〈滑・膝栗毛五上〉 ③馬子(まご)・駕籠舁(かごかき)などの溜り場。「〔馬ヲ〕—の背戸につないで置いたら」〈滑・膝栗毛三下〉

ちやうはい チョウ【停廃】とりやめること。廃止。「加賀国に座主(ざす)の御坊領あり。国司師高これを—の間」〈平家二・座主流〉

ちやうばこ チョウ【帳箱】帳簿類を入れておく箱。「—も壱つ御召し候へと申し候」〈梅津政景日記慶長一七・二・二九〉

ちやうはづれ チョウ【帳外れ】近世、人別帳から、欠落ちした者などの記載を削除すること。帳外れにされた者は、無宿者となる。「花盗む科や閻魔の—」〈俳・懐子九〉

ちやうはん チョウ【丁半】①偶数(丁)と奇数(半)。〈日葡〉 ②特に、賽の目の偶数と奇数。また、そのいずれが出るかによって勝負を決める賭(かけ)。「—なんどさまざまの博奕を、夜昼十夜までぞしたりける」〈神田本太平記三三・新田左兵衛佐〉

ぢやうばん ジョウ【定番】戦国時代以降、武家の職名。城代に属して城門を警護する者(城番)のうち、一定期間交替せずに常駐する者。「—に片平助右衛門を差し置かれ候」〈伊達日記中〉

ちやうはんづきん チョウ【長範頭巾】目の所だけあけて他は全部おおうように作った錣(しころ)付きの丸い頭巾。熊坂頭巾。「寒さをも盗む—かな」〈俳・難波草四〉

ちやうびやく チョウ【丁百・長百】《「調百」とも書く》①「長銭(ちやうせん)」に同じ。「足百銭は—〔ノコト〕也」〈江湖風月集聞書〉 ②ちょうど百。「枝茂り—も咲け金銭花」〈俳・崑山集六〉

ち

ぢゃうぶ(ジョウ:)【丈夫】①しっかりした立派な男。ますらお。「この人―の心根おはして、かやうに思ひ給ひけるこそ頼もしけれ」〈太平記一八・越前府軍〉②強くしっかりしていること。「―に御要害仰せ付けられ」〈信長公記首巻〉。「俗、男子の健(すくやか)なるを―と云ふ」〈齊東俗談三〉。「今の世に、人に限らず、宅舎・器物・衣服なども、しかとして弱からぬを―と云ふ」〈志不可起三〉

ちゃうぶそうし(チョウ:)【長奉送使】伊勢の斎宮を送る勅使。野宮から伊勢の斎宮の御所まで送る。中納言・参議の中から任ぜられた。「―など、さらぬ上達部もやんごとなくおぼえあるをえらせ給へり」〈源氏賢木〉

ぢゃうぶたい(ジョウ:)【定舞台】能・歌舞伎などの常設の舞台。また、そこで行なわれる演芸。「本丸の―にて、毎年能有りて」〈続撰清正記七〉

ちゃうぶるまひ(チョウ::マイ)【町振舞】家屋敷を買い取った者が披露のため、その町内の人人に出金し、馳走すること。「―〔ノ〕御樽として壱間口に銀子十匁宛出さるべし」〈鶏鉾町文祿五年定法度〉

ちゃうぼん(チョウ:)【張本】悪事の首謀者。首魁(しゅかい)。「日吉祭御供を妨げ、幷びに園城寺を焼亡せし―の輩を召し打たる」〈水左記承暦五・八・二〇〉。〈色葉字類抄〉 **―にん**【張本人】「張本」に同じ。「今度徳政―とて闕所候ふなり」〈山科家礼記寛正四・一・一六〉

ちゃうまつ(チョウ:)【長松】商家の子供や丁稚(でっち)などの通名。「山たちならす(山遊ビスル)岩松―」〈俳・大坂一日独吟千句〉

ぢゃうまへ(ジョウマエ)【錠前】錠。「戸棚の―に心を付くれば」〈西鶴・五人女四〉

ちゃうまん(チョウ:)【脹満】腹に腹水やガスがたまる病気。「物は食はねど腹は張りけり／無力者結句―病みいだし」〈俳・犬筑波〉。〈文明本節用集〉

ぢゃうみゃう(ジョウミョウ)【定命】〔仏〕前世の業因により定められている運命、または寿命。「人生はわづかに六十の―なれば」〈錦繡段鈔二〉

ちゃうめいぐゎん(チョウ:)【長命丸】①中世末から近世初期に行なわれた強壮薬の名。「―一包持参」〈北野社家日記長享二・一・六〉②近世、流行した強精剤。特に後期には、江戸両国の四つ目屋で売ったのが有名。「お江戸御評判の―よがり薬」〈浮・好色不老門一〉

ぢゃうめん(ジョウ:)【定免】江戸時代の徴租法の一。過去一定年間の租率を平均して豊凶にかかわらず一定期間、その平均租率で年貢を賦課すること。「―の取り方、用捨有るべし」〈西鶴・新可笑記四〉

ちゃうもん(チョウ:)【聴聞】説法・談義などを聞くこと。「その尼、日日に来て座を欠かず、衆の中にありて―をす」〈三宝絵中〉

ぢゃうもん(ジョウ:)【定紋】その家で代代定まっている紋。「年始の出仕の上着、布子なるべく、幷びに各同名―を付けさせらるべし」〈朝倉英林壁書〉

ちゃうや(チョウ:)【長夜】〔仏〕《ヂャウヤとも。ヂャウは呉音》生死輪廻の境界に迷い、それから覚めないこと。「疎鐘―の眠を覚す」〈三代実録貞観一・四・一八〉。「既に生死の―は晴れ、仏性ここに顕はれて」〈孝養集下〉 **―のやみ**【長夜の闇】煩悩(ぼんのう)のため生死の苦界を脱することの出来ない凡夫の生涯をたとえていう語。「―に惑ふ」〈源氏夕霧〉

ちゃうや(チョウ:)【帳屋】帳面・筆・紙などを売る店。店先に葉付きの竹を立てて看板とした。「御旅町の―に立寄り」〈咄・当世咄揃一〉

ちゃうやく(チョウ:)【町役】①都市居住の町人が町の自治生活のために負担する義務。「末吉勘兵衛殿へ―に年頭礼に出で候也」〈宗静日記寛文七・一・二〉。「―に我も籠もれり自身番」〈俳・阿蘭陀丸下〉。〈日葡〉②都市の各町の自治経費として、その町の住民に課された費用。町人用。町費。「年貢・―・運上は古来ある事にて」〈仮・可笑記評判三〉

ぢゃうやど(ジョウ:)【定宿】①いつもきまって泊まる宿屋。「是が身が―でおりゃる程に」〈虎明本狂言・磁石〉②行きつけの揚屋(あげや)。「手のよきもの。…―に小座敷を作りて話す知音」〈評判・讃嘲記〉

ちゃうらい(チョウ:)【頂礼】古代インドの最敬礼で、尊者の前にひれふし、頭を地につけて、その人の足もとを拝すること。「掌(たなごころ)を合はせ恭敬(くぎやう)して、太子の御足を―して」〈今昔一ノ二〉→帰命頂礼(きみやうちやうらい)

ちゃうらう(チョウロウ)【長老】禅宗で、一寺の住持、または先輩の僧を呼ぶ語。「住持・―にてもあれ、もしくは師匠・知識にてもあれ」〈正法眼蔵随聞記三〉

ちゃうり(チョウ:)【長吏】勧修寺・三井寺・延暦寺などの長老で、寺務を総理した僧官。「本覚院前権僧正、正月になりて本寺(延暦寺)の―し給ひしに」〈覚綱集〉

ぢゃうりき(ジョウ:)【定力】禅定によって、すべての妄念を打破し、心を平静にする力。「上人―堅固なりければ、隙(ひま)を伺ふ事を得ず」〈太平記一八・高野与根来〉

ちゃうれい(チョウ:)【町礼】「町儀(ちやうぎ)」に同じ。「年に稀な人も―を歳暮かな」〈俳・鸚鵡集一〇〉。「町内家屋敷売買の節、…―金銀大分出させ」〈正宝事録宝永三・一・二二〉

ぢゃうろく(ジョウ:)【丈六】①「一丈六尺」の略。普通の人の身長の倍で、化仏(けぶつ)の身長とされた。「百済、―の仏像(みかた)を造りまつる」〈紀欽明六年〉。「〔仏ノ〕歩み出でたるを見れば、長(けた)は―」〈十訓抄一ノ八〉②立てば一丈六尺になる仏の坐像。丈六の仏。「某、数体の―を造立し奉る」〈古事談五〉③《丈六(2)のように足を組んだ坐り方の意》あぐらをかいて坐ること。「独居住の所にても、衣をぬがず、―かかず、片膝を立て」〈実悟記〉

ぢゃうゑ(ジョウ:)【定恵】〔仏〕①三学(さんがく)の中の、定と恵。禅定と智恵。「―実(まこと)に満ち、功徳普く厳(かざ)れる浄く妙なる仏の身を求めん」〈三宝絵上〉②「定」を女に、「恵」を男に配し、陰陽・男女のこと。「凡情の染着をもて―冥合なんど名づけて、不思議の非法邪行を憚らぬも文(もん)の料簡のあしきなり」〈沙石集六ノ六〉

ちゃか・し【茶かし】〘四段〙①ごまかす。ちょろまかす。「変ったる〔掛〕軸／あれも旦那が〔人目ヲ〕―・しをろ」〈雑俳・軽口頓作〉。「―・す。宝永の頃、上方より申し出し、…物をすかしやるの意」〈拾椎雑話一〉②はぐらかす。人をそらす。近世後期の江戸語。「いや呆れた口だぞ。人を―・す男だぜ」〈滑・浮世床二下〉

ちゃがま【茶釜・茶竈】茶の湯または茶を煮出すに用いる釜。上部がすぼまって口が狭く、鍔(つば)がある。鉄・真鍮などで鋳造する。「―の品はさまざまなり」〈伽・酒茶論〉。〈運歩色葉集〉

ちゃがゆ【茶粥】冷飯に煎茶の汁と塩とを加えて炊いた粥。近世、京阪で常用された。特に奈良茶と称して、奈良の名物。「今は―の煙だに立てかねたる浮き身の果て」〈浮・傾城盃軍談一〉

ちゃきちゃき 嫡流。正統。きっすい。ちゃくちゃく。「民五郎と云って、元武士の―ぢゃ」〈伎・傾城暁の鐘上〉

ちゃきん【茶巾】茶の湯で、茶碗をぬぐう布。朝鮮照布(てりふ)や麻布で作る。「茶瓢・茶箋(せん)・茶桶・―・茶杓」〈庭

訓往来十月日〉

ちゃく【笛】《呉音》ふえ。「簫・—・琴(きん)・箜篌(くご)、孤雲の外にみちみちて」〈謡・羽衣〉。〈名義抄〉

ぢやく【持薬】常用する薬。「治薬、ヂヤク、又、持薬」〈文明本節用集〉

ちゃくぎょ【着御】《着くことの敬語》お着き。天皇などにいう。「晩に及び、黄瀬河に—なる」〈吾妻鏡治承四・一〇・一八〉。「先帝已に船上に—なって」〈太平記八・摩耶合戦〉

ちゃくざ【着座】①座席に着くこと。「—の公卿一言も出されず」〈平治上・光頼卿〉②特に、任官して着座すること、また、釈奠(せきてん)に参列して着座すること。「ながき物忌みにうち続き、—といふ業しては、慎みければ」〈かげろふ下〉

ちゃくし【嫡子】正妻が生み、家督を継ぐべき男子。よつぎ。嗣子(しし)。「鎌田庄司政致(まさむね)が—鎌田次郎」〈保元中・白河殿攻め落す〉

ちゃく・し【着し】『サ変』①着る。着用する。「一人の人、青衣(しやうえ)を—・し」〈今昔七ノ九〉②到着する。着く。「天童十人出現して船をになひて岸に—・しけり」〈著聞四九〉

ぢゃく・し【着し】『サ変』執着する。執心する。「その愛欲に—・して、仏法をも信ぜず」〈今昔一ノ一八〉

ちゃくそん【嫡孫】嫡子の嫡子。「—を以ちて継とすれば、封(へひ)を伝ふること得ず」〈続紀大宝二・七・二七〉

ちゃくたい【着帯】妊婦が、懐妊五か月目に腹帯(岩田帯)を締めること。また、その祝の式。「六月一日、中宮御—ありけり」〈平家三・赦文〉

ちゃくたう【着到】①役所に備え付けておき、出勤する官人の姓名を記入した帳簿。「家司—」〈朝野群載七〉②出陣の際、馳せ参じた軍勢の氏名を書き留めたもの。着到状。「御家人等に仰せて面面に手勢を注せらる。仍って各その—を進む」〈吾妻鏡文治五・七・二八〉③知行高及びそれに応じて負担すべき人数・武具などを明細に書いた書付。「右の—、分国中何れも等、申し付け候間、今より以後、此の書出の処、聊(いささか)も相違あるべからず候」〈宮城豊島文書元亀三・一〉④百日を限り、毎日一定の場所に参集し、日日題を変えて、一首ずつ和歌を詠むこと。また、その和歌。着到和歌。「和歌所に於いて—すべし」〈明月記建仁一・八〉

ちゃくちゃく【嫡嫡】嫡子から嫡子へと家系を伝えること。嫡流。「一の宮また—の正統にてわたらせおはします」〈保元中・白河殿へ義朝夜討ち〉

ちゃくちゃくと『副』《チャクトを重ねた形》すみやかに事をはこぶさま。さっさと。「とんぼう返りなどにて、—して、さと入るなり」〈申楽談儀〉

ちゃくと『副』すぐにさっと。「—非を知って機を転じたが奇特ぞ」〈無門関抄上〉

ちゃくなん【嫡男】嫡妻(正妻)から生れた男子。嫡子。「この一の衣をば我が—なる汝に与ふ」〈今昔二〇ノ三三〉

ちゃくにょ【嫡女】嫡妻(正妻)から生れた女子。「其の—有りて、母を恋ひ悲しむ程に」〈今昔七ノ三〉

ちゃくらべ【茶競べ】種種の茶を飲み分ける能力を競う遊び。「今日は東山にておーのお遊びがある」〈天理本狂言六義・止動方角〉

ちゃくりう【嫡流】嫡子の血筋。本家の家筋。正系。「此の宮は、本院の御弟、慈覚大師の—にて」〈太平記三〇・持明院殿〉

ちゃとく【茶国】色茶屋に抱えられている遊女。茶屋女。「—・傾国記すに及ばず」〈評判・難波立聞昔語荒木座〉

ちゃどと【茶事】茶や菓子を用意して、共に飲食しながら世間話などに興ずること。「此処彼処浜辺の里に—して」〈俳・犬子集一四〉

ちゃさかもり【茶酒盛】酒の代りに茶を飲んで興じること。「—を始め、『二度代(よ)を取り、会稽の恥を』と謡ひながら」〈西鶴・男色大鑑二〉

ちゃし【茶師】葉茶または抹茶を製造して売る業者。また特に、近世将軍家御用達の業者をいう。「かやうなる茶入…私方へは毎年宇治の何がしの—より参り候」〈仮・小盃一〉

ちゃじ【茶事】茶会。また、茶道。「召しに依り、帥殿に参る。御—時分也」〈康富記享徳四・二・二〉

ちゃしゃく【茶杓・茶酌】抹茶をすくい取るさじ。竹または象牙で作り、珠光形・利休形などの型式がある。「茶瓢・茶箋(ちゃせん)・茶桶・茶巾・—」〈庭訓往来十月日〉

ちゃじん【茶人】①茶道に通じた人。茶の湯を好む人。「宗春は—也」〈雍州府志七〉②変ったことを好む人。物好き。「おらが若旦那に惚れるとは、千家か古流か遠州か知らぬが、とんだ—だ」〈黄・江戸生艶気樺焼上〉

ちゃせん【茶筅・茶筌】①抹茶を立てる時、茶を搔き廻して泡立たせる道具。三寸余の竹筒の下半を細く割り、その末端を内に曲げたもの。「茶瓢・—・茶桶・茶巾・茶杓」〈庭訓往来十月日〉②「茶筅売」の略。「富田の鉢屋は国中の—の頭にて」〈雲陽軍実記一〉③「茶筅髪」の略。「髪を—に結ふなり」〈今川大双紙〉　**—うり**【茶筅売】「鉢叩き」の別称。茶筅を作り、鷹の羽や千鳥の模様の衣を着て行商したのでいう。「—は鷹の羽の袖をかづき」〈俳・宝蔵二〉　**—がみ**【茶筅髪】髪を元結でくくり、刷毛(はけ)先を茶筅のようにした髪。「下下—に仕り候儀」〈池田利隆法令慶長一三・八・一〇〉。〈日葡〉　**—まつ**【茶筅松】茶筅の形をした二葉の松。立花によく用いられる。二葉松。「—直(すぐ)なるは心(しん)歪めるはまた添へよとてとにかくに切る」〈玉吟抄〉

ちゃだい【茶台】客に茶をすすめる時、茶碗を載せる台。茶托。「大振袖の腰元、御前様近き風俗して—の通ひ」〈西鶴・諸艶大鑑二〉

ちゃたう【茶湯】茶を煎じ出した湯。仏前・霊前に供える。「墓を築(つ)いて、そのそばに、家を仮にして、—をも供へ」〈玉塵抄五〉

ちゃだし【茶出】急須(きゅうす)。「雲水に月さへ匂ふ—かな」〈俳・筑紫の海二〉

ちゃち 安っぽいこと。また、脆弱(ぜいじゃく)なさま。「顔見世の口上—に聞えたと云ふ人あり」〈評判・役者大鑑二〉

ちゃちゃ ①無分別なさま。「燈の上るより早く喚(わめ)き出す有様、—と正体なく」〈浮・好色十二人男三〉②邪魔。妨害。故障。「〔何カ物ヲ〕やろとさへ言へば手代が—入れて」〈雑俳・蓬萊山〉。「—が入る。邪邪が入る也。邪魔が入るなり」〈譬喩尽三〉　**—く・り**『四段』①台無しにする。さんざんにする。「座持ちの女郎二三人借り、—・って、さんさ節のをかしさ」〈浮・曾我鎌倉飛脚三〉②「ちぇちぇくり」の転。「—・る。京にて男女の私戯を云ふ。江戸にて、ちちくると云ふ」〈俚言集覧〉　**—むちゃと**①無茶苦茶。「通ひ馴れて夜の契りは—」〈俳・両吟一日千句〉②台無しになること。さんざん。「野らとなるや冬枯れ薄—」〈俳・阿蘭陀丸上〉

ちゃちゃと『副』《チャトを重ねた形》す早くさっと。ぱっぱっと。「—過ぎて久しく留る事もないは」〈三体詩抄一ノ三〉。「何事も—拍子が合うて」〈山谷詩抄一〉

ちゃつ【楪子】《唐音》底に糸尻のある浅い朱塗りの椀。ちゃつう。「—、大に浅し」〈壒嚢鈔七〉　**—より深い事も**

無・し 物事の浅いたとえ。〈俳・毛吹草二〉

ちゃっと〘副〙①敏速に。さっと。「すみやかに—退(ひ)く程に」〈孫子私抄〉②ほんのちょっと。「ただ今までつぼみてありし花が、—の間にやすやすと開いたぞ」〈三体詩抄一ノ二〉

ちゃつぼ【茶壺】葉茶を貯蔵しておく壺。「—大小六の内、籭屑(ひくづ)の壺三」〈東寺百合文書を、宝徳三・一〇・七〉

—を抱(だ)いたやう 妊娠した腹部の形容。「お夏様のおなかは—になる」〈近松・五十年忌上〉

ちゃつ・り〘四段〙①少しばかり切る。ちょっと切る。「—・りけり衆道の言ひ事一刀」〈俳・信徳十百韻〉②物事の一部分だけを知る。かじる。「儒の道も学びはせねど聞き—・り」〈俳・諸国独吟集下〉

ちゃと〘副〙①す早く。すぐにさっと。「悪き事あらば—のがるるがよいぞ」〈周易抄〉②ほんのちょっと。「〔コノ歌〕—聞きて何とも心得られず、たはことを言ひたるやうに覚ゆべき」〈正徹物語上〉

ちゃのこ【茶の子】①茶うけ。「—など出(だい)してすすめる」〈竹むきが記〉②彼岸会や法事の供物または配り物。「本の母御の十三年忌、—一つ配る事か」〈近松・薩摩歌中〉③物事の容易なたとえ。「お茶の子」とも。「風の手で—にするや姥桜(うばざくら)」〈俳・鸚鵡集三〉

ちゃのま【茶の間】武家で、小間使の奉公人の称。お茶の間。茶の間女。「〔切米〕十石—」〈毛利家文書四、慶長一四・一・一七〉

ちゃのみ【茶飲み】①茶に心得のある人。茶人。「—・連歌師を集めて、朝夕遊び興ぜさせ給ひしかば」〈太平記三〇・持明院殿〉②茶をたくさん飲むこと。また、その人。多く老人にいう。「あのお婆(ばば)は…いかい—ぢゃが」〈近松・冥途飛脚下〉 **—とぎ**【茶飲み伽】①常に寄り合って茶を飲みながら雑談する友だち。「弁当の—なり姥桜」〈俳・玉手箱二〉②老人の後妻。茶飲み友だち。〈俳・世話尽一〉

ちゃのゆ【茶の湯】①茶をたてるためにわかす湯。「石鼎(きせい)に—を立て置きたり」〈太平記三九・諸大名讒道朝〉。〈文明本節用集〉②客を招いて抹茶をたて、会席の振舞などをすること。茶会。「新薬師堂衆方料理並びに—」〈多聞院日記文明一六・三・一〉 **—しゃ**【茶の湯者】茶道に達し、その宗匠となって生活する人。「目利きにて茶道も上手、数奇(茶道)の師匠をして世を渡るは、—と云ふ」〈山上宗二記〉

ちゃのゑ【茶の会】客を招いて、抹茶をたてること。室町初期は、茶の種類を判定して賭物を取る享楽的なものであったが、東山時代頃から、静粛な気分を味わうものとなり、終って会席の料理が出るように変っていった。「—・酒宴に若干(そくばく)の費(つひえ)を入れ」〈太平記二四・天龍寺建立〉

ちゃばうず【茶坊主】「茶道(さだう)」(3)に同じ。「だいすの間へ御座候て、—どもに枕を御取り寄せなされ、御休み候て」〈川角太閤記三〉

ちゃはちゃは 口数の多いこと。べちゃくちゃ。「口が差出て、朝夕に——喧しい癖が有るとぞ申しける」〈近松・百合若四〉

ちゃばら【茶腹】 **—一時(いっとき)** 茶だけ飲んでも一時の空腹はしのぐことが出来る意で、ほんの少しのものでも一時しのぎになるたとえ。「一服飲んで—」〈俳・つげの枕〉

ちゃばん【茶番】近世後期、素人狂言の一種。歌舞伎芝居の楽屋の茶の番に当った下級の役者が座興を出す風習が、天明頃、民間にも広まったもので、手近な材料を使って、仕方または手振りで、地口(ぢぐち)ようの道化た事を演じたもの。京阪の俄(にはか)と同類。後には、底の見えすく物事のたとえにもなった。茶番狂言。「私ども仲間へ—を仰せ付けられ」〈滑・水月ものはなし下〉

ちゃひき【茶引・茶挽】茶臼で葉茶を挽いて抹茶にすること。また、その者。「門番・—・新奉行など一役請け取りて」〈仮・清水物語上〉 **—ぐさ**【茶引草・茶挽草】燕麦の異名。爪の甲に唾を付けその実を載せて吹くと、茶臼を挽くように回るからいう。「薄く濃き野辺の緑や—」〈俳・埋草二〉 **—にんぎゃう**【茶引人形】茶臼を廻す動作をする、からくり仕掛けの坊主人形。「時雨ぞ廻る—」〈俳・独吟一日千句〉 **—ばう**【茶引坊】茶臼で葉茶を引く坊主。多くは盲人で、主人の留守に引かせられた。茶引座頭。茶引坊主。「—その松原を眺めやる」〈俳・大矢数三〉

ちゃびん【茶瓶】①茶を煎じ出す土瓶。「—に面面天目を手に触れ」〈西鶴・俗徒然三〉②薬罐(やくわん)。「茶釜の蓋を切り抜かせて、其の上に銅の—を掛けて」〈浮・新永代蔵二〉③近世、奥方・姫君など貴婦人が物見遊山に外出の際、茶弁当を担いで供をする男。「降り出すと糞だと—まだるがり」〈雑俳・柳多留一〇〉 **—あたま**【茶瓶頭】禿頭。薬罐頭。「—を振り立てて」〈近松・女腹切中〉

ちゃぶくろ【茶袋】①葉茶を入れる紙袋。「打撒(うちまき)取り、—に入れ」〈伽・一寸法師〉②葉茶を煎じるのに使う布袋。「高野山より—の番」〈俳・談林三百韻〉

ちゃぶね【茶船】十石積の荷物運送の川舟。近世、大阪に多く、飲食物販売に用いられ、屋形造の遊山用もあった。「いそがはしき物、—漕ぐ〔サマ〕」〈仮・童蒙先習下〉

ちゃべんたう【茶弁当・茶便道】茶の湯道具を納めた木箱。近世、物見遊山や旅行の時、供人に持ち運ばせた。「挟箱五荷、茶壺・—・具足入れ負ふ」〈慶長自記〉。〈文明本節用集〉

ぢゃまで〘連語〙《指定の助動詞ヂャに終助詞マデの付いたもの》①文の終りに付いて意味を強める。…だな。…だよ。「都に島原と言ふ色里が有る—」〈伎・好色伝授中〉②相手の意志を確かめ、念を押していう語。…だな。…ですね。「何と此中(このぢう)は会はなんだ等と言ふ—」〈伎・好色伝授中〉

ぢゃもの〘連語〙《指定の助動詞ヂャに終助詞モノの付いたもの》文中、または文の終りに付いて、「から」「故に」の意を余情を含めて表わす。…だからなあ。「京—誰が言うても京—」〈俳・阿蘭陀丸上〉

ちゃや【茶屋】①製茶を販売する家。葉茶屋。「福院辻西の—」〈多聞院日記文明一〇・八・一三〉②街道や寺社の境内などで、客に茶を出して休ませた店。茶店。水茶屋。「—の床木(しゃうぎ)に腰かけて、かの僧言ひけるは」〈三国伝記三〉③客に飲食または遊興させることを業として、私娼を抱えていた家。色茶屋。遊山茶屋。「—に一人は許す佐保姫」〈俳・大句数上〉④茶屋者。茶屋女。「—にもあらず、傾城にてもなし」〈西鶴・一代男四〉⑤茶室。「—にて、常の茶の湯也」〈宗達他会記天文三・一一・二五〉 **—ぐるひ**【茶屋狂ひ】色茶屋の私娼に夢中になること。「逢坂の関を過ぎれば—」〈俳・大矢数一〉 **—ざけ**【茶屋酒】色茶屋で遊興して飲む酒。「頭痛の痞(つかへ)の何のとは、皆—が過ぎるから」〈近松・女腹切上〉 **—もの**【茶屋者】色茶屋に奉公して、遊興の相手をする女。茶屋女。「藤のゆかりを契る—」〈俳・大坂一日独吟千句〉

ちゃやま【茶山】茶を摘むこと。「信楽(しがらき)や—しに行く夫婦連」〈俳・猿蓑上〉

ちゃら 口から出まかせに、でたらめを言うこと。また、そんなことを言う人。ちゃらもの。ちゃらくらもの。「—、嘘(そう)つく人に擬(なぞら)へて云ふ」〈洒・辰巳之園〉 **—くら** 「ちゃら」に同じ。「何もかも闇雲介の旅の空／雨よ月よと—の夢」〈俳・俳諧名物鑑上〉

ちゃ・り ㈠《四段》ふざける。「ほほほほ与八様とした事が余り—・って下さんすな」〈浄・難波丸金鶏二〉 ㈡《名》①滑稽な文句または動作。ふざけた言動。おどけ。「むいきの長八、—の八平、腕の三蔵」〈浮・棠大門屋敷五〉 ②《人形浄瑠璃や歌舞伎で》滑稽な段や場面。また、滑稽な語り方や演技。「—まじりにて、白大夫が梅桜松三本の木に膳するゑて、挨拶のせりふ」〈浪花其末葉〉 **—ごゑ**【ちゃり声】滑稽な声。「私は—で、歌事は参りませぬ」〈浄・妹背山三〉

チャルメラ【哨吶】木製の管の下部が銅製で、ラッパ状に開く管楽器。近世初期渡来した。「吹く笛の音—の声」〈俳・難波千句〉 ▽ポルトガル charamela

ちゃわん【茶碗・茶垸・茶椀】①茶を飲むための陶磁器製の容器。「饒州の—」〈庭訓往来十月日〉。「茶垸、チャワン」〈色葉字類抄〉 ②陶磁器の総称。「—の壺もしは坏(つき)などに入れて」〈薫集類抄下〉

ちゃん 近世後期、下層社会で父の称。「坊は—におんぶ、兄さんはあんよ」〈滑・浮世風呂前上〉

ちゃん【銭】《唐音》銭(ぜに)。「ちゃんころ」「ちゃんころり」「ちゃんから」とも。「江戸にて、古銭〔ノ悪質ナ〕—遣ひ候事、堅く禁制也」〈榎本氏覚書〉。〈ロドリゲス大文典〉

チャン【瀝青】油桐の油に松脂を加えたもの。近世、防水用の塗料とする。「〔橋ノ〕板の間へ—を塗り候」〈鈴木修理日記寛文一〇・九・七〉 **—ぬり**【瀝青塗】チャンを塗って、水や油を吸収しないようにしたもの。「滝壺や—となる厚氷」〈俳・智恵袋四〉

ちゃんぎり 祭礼の囃子(はやし)に用いる円形鑵蓋状の小形の鉦。先端が球状の桴(ばち)で磨り、または打って鳴らす。また、その音。「囃し立てて鳴けや—子規の声」〈俳・玉海集二〉 **—しっきり** 祭礼の山鉾や神輿・山車などを曳く時にちゃんぎりを打ち鳴らす囃子の形容。「三社の御神輿ちゃうさやちゃうさや、——」〈浄・信田小太郎三〉

ちゃんころ 「ちゃん(銭)」に同じ。「—が無いと蚯蚓(みみず)を掘って居る」〈雑俳・柳多留八〉

ちよ【千代・千世】千年。数えつくせぬ程の長い年。「—にも偲(しの)ひわたれと、万代(よろづよ)に語りつがへと」〈万三三二九〉。「世の中にさらぬ別れ(死別)のなくもがな—もと祈る人の子のため」〈伊勢八四〉 †tiyö **—に八千代に** 千年の上に更に幾千年も。千万年も。「わが君は—さざれ石のいはほとなりてこけのむすまで」〈古今三四三〉 **—を籠(こ)・む** 幾千年後までも栄えるようにとの願いをこめる。また、千代まで栄えるべき姿をそなえる。「ひとふしに—・めたる杖なれば」〈拾遺二七六〉。「庭の小松も、げに—・めたる霞の洞(ほら)(=上皇ノ御所)なり」〈増鏡一〉

ちよ【千夜】千晩もの夜。数多くの夜。「さ寝ぬ夜は—もありとも」〈万二五三八〉 †tiyo

ちょい ㈠《名》すこし。いささか。「武蔵鐙(あぶみ)か—と(チョットシタ)鞍か」〈評判・吉原こまざらい〉 ㈡《感》賞讃する語。「一能、チョイ、美(ほ)むる也」〈合類節用集〉 **—ちょい**《感》《チョイを重ねた語》物事を見聞して賞讃する声。いよういよう。「御作—死にまするると、声声に呼ばはる」〈評判・野郎虫〉

ちょうきう【重九】「重陽(ちょうやう)」に同じ。〈運歩色葉集〉

ちょうそ【重祚】《「祚」は位の意》一度退位した天皇が、再び即位すること。「—のはじまる事もこの女帝の時なり」〈愚管抄三〉

ちょうでふ【重畳】①幾重にも重なること。「事すでに—せり。罪科もっとものがれ難し」〈平家一・殿上闇討〉。「左歌、『の』字—か」〈六百番歌合春上〉。〈色葉字類抄〉 ②(結構なことが重なり)この上もない満足。しごく好都合。「やあ是れに小袖が有る。是れは—の事ぢゃ」〈狂言記・子盗人〉

ちょうほう【重宝】①貴重な宝物。大切な宝。「種種の—どもの中に方一尺の箱あり」〈平家二・座主流〉 ②珍重すること。大切にすること。「我が物は—せいで、人の物を欲しがるぞ」〈周易抄六〉 ③珍重に値すること。すこぶる有益で便利なこと。調法(てうはふ)。「前にありつる太史公の注も、この小顔の注も—なり」〈史記抄八〉

ちょうやう【重陽】《陽数である「九」が重なる意》陰暦九月九日。重九(ちょうきう)。「菊は—を過ぎて時を失へるに似たり」〈菅家文草四〉。〈色葉字類抄〉 **—のえん**【重陽の宴】重陽の節句にもよおす菊花の宴。「曲水・—も絶えはて、白馬(あをうま)・踏歌(たふか)の節会も行なはれず」〈太平記二一・天下時勢粧〉

ちょうらか・し《四段》からかう。なぶる。馬鹿にする。「大黒が—・さるる寺の中」〈俳・塵塚(重徳編)上〉

ちょか【直下】「ちょくか」の転。「—と見れども底もなく」〈伽・俵藤太物語〉。「人を—とする事なり」〈仮・祇園物語下〉

ぢょがく【女楽】女子の奏する舞楽。特に、宮中で行なわれた内教坊の舞姫の楽。「—を舞台になさしめ、内教坊の踏歌を庭に奏せしむ」〈続紀天平宝字三・一・一八〉

ちょがらか・し《四段》「ちょうらかし」に同じ。「—・されには来申さない」〈近松・油地獄上〉

ちょき【猪牙】「猪牙舟(ちょきぶね)」の略。「—ぢゃと思し召すな」〈滑・当世下手談義三〉 **—ぶね**【猪牙舟】小形で細長く速力の早い舟。近世、江戸では山谷通いに用いられた。ちょき。「—の義、当夏中停止せしめ、残らず解き船に申し付け候」〈御触書寛保集成四二、正徳四・八〉

ちょきちょき ①鋏や庖丁などで物を刻む音。「つい皮剝いてちょきちょきちょき」〈近松・宵庚申上〉 ②すばしこいさま。「打盤出して—と打て」〈近松・宵庚申下〉

ちょきりこきり 全く。全然。ちょきりこっきり。「—小女房」〈近松・今宮心中下〉

ちょく【勅】天皇の命令。令制では臨時の大事に詔を用い、尋常の小事に勅を用いることになっている。勅旨。「王臣京畿に—して戎具を備へしむ」〈続紀文武四・二・二七〉。「—なればいともかしこし鶯の宿はと問はばいかが答へむ」〈拾遺五三一〉

ちょく【猪口・盞】陶磁器製で、上は開き下はすぼんだ小盃。また、刺身・酢の物などを入れるのにも用いる。ちょこ。「菊盆に朝顔の—桔梗皿皆花やかな道具どもかな」〈後撰夷曲集八〉

ぢょくあくせ【濁悪世】〔仏〕《呉音》「五濁悪世(ごぢょくあくせ)」に同じ。末世をいう。「濁世」「濁悪の世」などとも。「—にしも生れあひて、かかる心憂きわざをなん見侍りし」〈方丈記〉

ちょくか【直下】①真下。真下に見おろすこと。「—と見れど底もなく、ほとりも知らぬ海底に」〈謡・海士〉 ②相手を見くだすこと。蔑視すること。「御兄法性寺殿を、『詩歌は楽しみの中の翫(もてあそび)、能書は賢才の好む所にあらず』などとて、—と思し召されけめ」〈古活字本保元中・左府御最後〉

ちょくかん【勅勘】 勅命による勘当。天子のおとがめ。「―の者は月日の光にだにも当らずとこそ申せ」〈平家三・一行阿闍梨〉

ちょくぐゎん【勅願】 天皇の願。勅命による祈願。〈文明本節用集〉 **―じ【勅願寺】** 勅願によって、鎮護国家・玉体安穏などの祈願のため建立された寺。勅願所。「此の寺…総じては公家の―、別しては武家の祈禱所とて一千人の僧衆をぞ置かれける」〈太平記二四・天龍寺建立〉

ちょくし【勅使】 勅命を伝える使者。「―到来すと承れり。其の―は誰とかする」〈続紀天平一三・一〇・九〉

ちょくしょ【勅書】 勅命を布告する公文書。「其の王に―を賜ふ」〈続紀慶雲三・一・一三〉

ぢょくせ【濁世】〔仏〕《呉音》「五濁悪世」の意。濁り汚れた世。末世。また、現世。「汝、ひとへに法花経をたもちて―に法を護る人とあり」〈今昔一三ノ一三〉。〈色葉字類抄〉

ちょくせん【勅宣】 勅命の宣旨。みことのり。「公けの―うけたまはりて定めに参る人とらふるは何ものぞ」〈大鏡忠平〉

ちょくせん【勅撰】 天子自ら詩歌・文章を撰すること。また、勅命によって詩歌・文章を撰すること。「拾遺集の後、抄(拾遺抄)あり。是又―なり」〈袋草紙上〉

ちょくだい【勅題】 勅命によって出された詩歌などの題。「新宰相俊憲は、鳥羽院の御時、春青花中生といふ―を賜ふ」〈平治上・信西の子息遠流〉

ちょくたふ【勅答】 ①天子が臣下の問に答えること。「分明の―を承りけり」〈著聞八三〉。〈色葉字類抄〉 ②《(1)の誤用》臣下が天子の問に答え奉ること。「許由つひに―をだに申さず」〈古活字本平治上・光頼卿〉

ちょくぢゃう【勅諚・勅定】 天皇の仰せ・命令。勅命。「―たりといふとも、いかでか先例をば背くべき」〈保元中・為義降参〉

ちょくろ【直廬】 宮中にあって、摂政・関白・大臣・大納言などが宿直・休息するところ。「御―にしばらく御座あるべきにて」〈平家一・殿下乗合〉

ぢょけん【女衒・女見】 近世江戸で、遊女奉公人の周旋業者。ぜげん。上方では人置(ひとおき)といった。「江戸より―と言ふ者来たりて、我を見立て」〈西鶴・好色盛衰記三〉

ちょこざい【猪口才】 小生意気。小利口。軽蔑してののしる語。ちょこ。「ヤ―な毛才六」〈近松・油地獄上〉

ちょこちょこ ①動作の素早いさま。また、せわしないさま。「―と刻んで、お汁の浮かしにするぞ」〈近松・百夜小町二〉 ②小股に早く歩くさま。「人の小足に歩み侍る事を、―と言ふも、歩き侍る形にや」〈俳・かたこと五〉 ③時時。折折。「秋の霜梅花の形―と」〈俳・独吟廿歌仙下〉

ぢょちう【女中】 ①宮仕えする女。将軍・大名家などに奉公する女。「吉田〔神社〕神主兼豊、状を―の次に進(まゐら)す」〈園太暦文和四・二・一〉 ②婦人の敬称。「元長、―を呼び出し申されけるは」〈細川両家記〉 **―かご【女中駕籠】** 女が乗る自家用の駕籠。女中乗物。「春の野遊とて―つらせて」〈西鶴・五人女二〉

ちょちょら 口だけの世辞を言うこと。また、その人。「あの―のちょいちょいのちょい様めやい」〈評判・古今四場居百人一首〉。「―。弁口にてあやなす人を云ふ」〈洒・辰巳之園〉

ちょっと ―に乗・る おだてられて調子づく。おだてに乗る。〈俳・反故集下〉

ちょっとり 物事の小さいさま。ちょっこ。「小さき物を、ちんまり・ちょっぽり・―・ちぼちぼなど言ふ」〈俳・かたこと五〉

ちょっと『副』《「一寸」「鳥渡」は当て字。「一寸」の字は「一時」と同義、しばしの意》ほんのわずか。ほんのしばし。「剃刀は―とぐにも刃の付いて」〈俳・犬子集一五〉

ちょっぺい【直平】 ①上が平たい頭巾。とっぱい頭巾。「―頭を頭巾ごし、すぽりと抜いて空へ投げ」〈浄・義経千本桜一〉 ②上が平たい頭巾形の兜の鉢。〈武用弁略五〉

ちょっぽかは 口数多くしゃべるさま。ちょっぽくさ。ちょびくさ。「口たたく―辺の水鶏(くひな)かな」〈俳・埋草二〉

ちょっぽくさ 「ちょっぽかは」に同じ。「―と追従言うて酒を進め」〈浮・好色小柴垣一〉

ちょつ・り『四段』 少し切る。ちゃつる。「小鬢先を―・られた」〈近松・寿門松下〉

ちょと『副』「ちょっと」に同じ。「武蔵野に―出したる月の影」〈俳・物種集〉

ちよのあき【千代の秋】 千年の後の秋。幾千年たった時。「雫(しづく)もて齢(よはひ)延ぶてふ花なれば―にぞかげはしげらむ」〈後撰四三三〉

ちよのためし【千代の例】 千年もの長寿の例。「子(ね)の日する野辺に小松のなかりせば―に何を引かまし」〈拾遺二三〉

ちよのどち【千代のどち】 幾千年の後までも変らないと約束する仲間。永遠の親しい友達。「見わたせば松のうれごとに住む鶴は―とぞ思ふべらなる」〈土佐一月九日〉

ちよのはる【千代の春】 ①幾千年も後の春。「―見るべき花と祈りおきて」〈源氏幻〉 ②幾千年もと祝う初春。千代の初春。「―今朝立ち来らし宇禰の野に霞たなびきたづ鳴き渡る」〈再昌草一九〉

ちょび わずかなさま。ちょっと。「―、一寸と書く。ちょっとと云ふ事なり」〈洒・胡蝶の夢〉

ちょびかは 忙しげに、ちょこちょこ振舞うさま。「我が見る前では―して」〈近松・宵庚申中〉

ちょびくさ 「ちょっぽかは」に同じ。「日頃―ようしゃべる雀の忠吉遣らうかい」〈浄・一谷嫩軍記三〉

ちょびちょび ぺちゃくちゃ。「外にて―と口たたく風俗にも見えず、をなごらしき者なれば」〈浮・好色年男四〉

ちょぴり ごく少ないさま。また、非常に小さいさま。ちょっぴり。「此の―とした所は、なんじゃへ」〈洒・辰巳之園〉

ぢょふく【除服】 喪に服する期間がすんで、喪服をぬぐこと。「御―とて御色を召しかふる事なれば」〈盛衰記三五〉

ちょぼ ①少し。ちょっと。「閨(ねや)洩る月が―とさいたよなう」〈宗安小歌集〉 ②しるしに打つ点。「児輩の手習に点を加ふる事を―打つといふも、采のめよりいひならはせる也」〈倭訓栞後編〉 ③《脚本中のその部分に点が打ってあるからいう》歌舞伎で、登場人物の動作・述懐・独白などの部分を浄瑠璃で語ること。「何も慰み、―語らしてやらしましょかいな」〈滑・膝栗毛七下〉 **―がたり【ちょぼ語り】** 歌舞伎で、ちょぼを語ること。また、その人。「―の太夫を同道し」〈滑・八笑人四追加下〉 **―ぐち【ちょぼ口】** 小さくすぼめた口。「白髪歯抜けの―して」〈近松・井筒業平二〉 **―ちょぼ** 所所に小さく、または、少しずつ有るさま。「深草土器に―とよそうて」〈虎寛本狂言・鱸庖丁〉。「小さき物を、…ちんまり・ちんぼり・―・ちぼちぼなどは、やさしう聞え侍るか」〈俳・かたこと五〉

ちょぼいち【樗蒲一】 賭博の一種。一個の賽を投げて、出た目で勝負するもの。ちょぼ。「囲碁・双六・―なんどに心を寄せ」〈評判・三幅一対〉

ちょぼくさ 「ちょびくさ」に同じ。「しぶとい大臣をも、―と〔口車に〕乗せて」〈浮・誰袖の海五〉

ちょぼく・り『四段』 多くの言葉を口早にしゃべる。転じて、うまいことを言って、相手を丸めこむ。「イヤ―・って貰ふまい」〈浮・世間化物気質四〉

ちょぼくれ 近世、享保頃から始まった願人坊主の大道芸。錫杖を伴奏とし、野卑な文句を口早に語り、「ちょぼくれ、ちょんがれ」と囃子詞を入れたので、こう名付けた。ちょんがれ。「—、ちょんがれなど言ふ外国へ漂流し、寒中も大方裸で暮す」〈滑・教訓差出口三〉

ぢょや【除夜】大晦日(おおみそか)の夜。「嘉禎二年臘月(らふげつ)—」〈正法眼蔵随聞記五〉

ぢょらう ヂョ ロウ【女郎】㊀《名》①身分または格式の高い女性。「日の目も遂に見給はぬ—達や御端(はした)也」〈西鶴・一代男四〉 ②遊女。傾城。「傾城の通称として—と言はんに子細有るまじ」〈色道大鏡一〉 ㊁《接尾》女子の名前の下に付けて、親愛を表わす語。さん。「おいま—朝日輝く花見さい」〈俳・宗因千句上〉 **—ぐるひ** イグル【女郎狂ひ】女郎遊びに夢中になること。「琴の音に—も今迄は」〈俳・大句数上〉 **—まち**【女郎町】遊廓。また、遊廓の内、女郎屋の並んでいる町。「袖の香も移り心の—」〈俳・物種集〉

ぢょるい【女類】女たち。「魚類・—は口にも掛けず」〈近松・薩摩歌上〉

チョロけん【チョロ絹・鎖服】《インドのチャウル（Chaul）産という》地質は海気(甲斐絹)に似て、木目の模様の上等な絹織物。近世、オランダや広東から舶来したという。「毛衣と言はば雉子(きぎす)のは—」〈俳・藪香物上〉

ちょろ・し《形ク》手ぬるい。のろい。遅鈍だ。「〔一句ノ意味ノ〕聞きやう—・し」〈俳・蠅打二〉

ちよろづ【千万】数の多いこと。無数。「—の軍(いくさ)なりとも」〈万九七二〉 †tiyörödu

ちょろと《副》物事を手早くするさま。ちょろりと。さっと。「親仁の丸ぐけの帯を、何時の間にやら—はづして」〈浮・新永代蔵一〉

ちょろまか・し《四段》①ごまかす。まぎらかす。「—・すと言ふ流行言葉も是れをかし。…罪にならざる当座の偽を紛らかすと言へる替詞と聞えたり」〈西鶴・好色盛衰記三〉 ②人目をくらまして盗む。だまし取る。掠め取る。「紙一枚—・すと言ふ事無し」〈西鶴・置土産一〉

ぢょわう ヂョ ウオ【女王】皇女(内親王)に対して、二世から五世までの女性皇族。「にょわう」「おほきみ」「ひめおほきみ」とも。「親王・諸臣・内親王・—・内命婦等に位を賜ふ」〈紀持統五年〉

ちょんが・り《四段》べちゃくちゃしゃべる。「錫杖振って—・るには、遙かまされり」〈滑・針の供養序〉

ちょんがれ「ちょぼくれ」に同じ。近世末期には関西での称で、関東では「ちょぼくれ」といった。「—が錫杖を振る」〈滑・なんでも十九論〉

ちょんのま【ちょんの間】①ちょっとの時間。僅かな間。「即座に茶碗をこしらへる芸者を呼び、『サア—の細工が見たい』」〈咄・坐笑産〉 ②岡場所での短時間の遊興。ちょんの間遊び。「これではいかんと、親玉隠れの—と出掛けやした」〈洒・辰巳之園〉

ちょんぼり 僅少なさま。ちょっぴり。「—や露の秋知る初紅葉」〈俳・鶯笛三〉

ちらく【散らく】《散りのク語法》散ること。散るところ。「秋萩のしぐれの降るに—し惜しも」〈万二〇九四〉。「梅の花—はいづく」〈万八二三〉

ちら・し【散らし】㊀《四段》①散り散りにする。散らかす。「何時しかもこの夜の明けむ鶯の木伝ひ—・す梅の花見む」〈万一八七三〉 ②発散させる。「あざやかに物きよげに、若う盛りににほひを—・し給へり」〈源氏夕霧〉 ③誰彼に口外する。言いふらす。「返す返すも、—・さぬ由を誓ひつる」〈源氏橋姫〉 ④散逸させる。紛失する。「〔手紙ハ〕—・してけると、推し量り給ふべし」〈源氏夕霧〉 ⑤散し書きにする。「女房歌のやうに—・して、これを書きたり」〈看聞御記嘉吉三・一・一六〉 ⑥あちこちに分散させる。「人数を—・して置けば、いかに多き人数も少なくなるなり」〈孫子私抄〉 ㊁《名》①とびとびに散らし乱した模様。ちらし模様。ちらし形。「—に付けた菊水の紋」〈俳・紀子大矢数下〉 ②「香煎(かうせん)」に同じ。「花の陰—は呑まじ荷ひ茶屋」〈俳・洗濯物一〉 ③無制限に飯を食わせること。「—だとよ、よ、よけれど、ぶ、ぶ、ぶんぬきにゃあ困るなあ」〈洒・卯地臭意〉 **—がき**【散し書】色紙・短冊などに、歌や文章の一、二句ずつを、墨色を濃く或いは薄く飛び飛びに散らして書くこと。ちらしぶみ。「仙洞より女房奉書到来す。…—也」〈園太暦貞和三・一・二一〉。「いくつらと読む空よりも風立ちて—なる雁の玉章(たまづさ)」〈玉吟抄〉 **—がた**【散し形】「ちらし」㊁(1)に同じ。「藤波や川の瀬中の—」〈俳・伊勢踊二〉 **—ぐすり**【散し薬】皮膚に塗って腫物・疼痛などを散らす薬。ちり薬。「花に唯隠すは—にて」〈俳・守武千句〉 **—だいこ**【散し太鼓】芝居の終りに打って客を退散させる合図の太鼓。「はや今日の御暇と—の下轟き」〈近松・二枚絵上〉 **—もん**【散し紋】「ちらし」㊁(1)に同じ。「雁金や雲の衣の—」〈俳・発句帳三〉

ちらと《副》①ちょっと。ほんのわずか。ちらりと。「御簾(みす)のひまより—見たりし人を」〈伽・猿源氏草紙〉 ②すぐに。即刻。「伏見殿より—参るべき由候間、参り候」〈言継卿記大永七・九・一四〉

ちらはら まばらなさま。ちらほら。「—と米の揚場の行き戻り」〈俳・炭俵下〉

ちら・ひ イチラ【散らひ】《四段》《散りに反復・継続の接尾語ヒのついた形。→ひ》しきりに散る。「もみち葉の—・ふ山辺ゆ」〈万三七〇四〉 †tiraFi

ちらり ①一瞬目にふれるさま。ちらと。「げにも最前—と見えてござったが」〈虎明本狂言・塗師〉 ②またたく間。すぐ。「その間に年が—と寄るぞ」〈山谷詩抄三〉

ちり【塵】《散りと同根》①土や砂などの飛び散ったもの。ほこり。ごみ。「—は積れど」〈源氏蓬生〉。「いとちひさき—のありけるを」〈枕一五二〉 ②ほんの僅かのけがれ・きず・欠点。「おとどの、—もつかず、この世には過ぎ給へる御身の覚え有様に」〈源氏常夏〉 ③ほんの少し。「髪…末まで—のまよひなく、つやつやとこちたう美しげなり」〈源氏椎本〉 ④つまらぬもので価値もないもの。「塵につげとや—の身に積れることを問はるらむ」〈古今一〇〇三〉 ⑤世の中の汚れ。「利欲名利を—と云うたぞ。汚れけがるるほどに塵泥(ちりひぢ)と云うたぞ」〈玉塵抄三二〉 **—に継・ぐ**《先人の歩んだあとに立つ塵につづく意》遺業を継ぐ。「今も仰せのくだれるは—・げとや」〈古今一〇〇三〉 **—に交(まじ)は・る** 仏・菩薩が、衆生を救うため、神となって俗塵の世に現じまじわる。「数ならぬみ屑も捨てず照らすこそ—・る光なりけれ」〈拾玉集三〉 ↓和光同塵(わくわうどうぢん) **—も灰も付かぬやう** きれいさっぱりと決意して、少しも未練を残さぬさま。「ちりもつかぬ」とも。「出家の望み、人の跡式望み無しと、—に」〈浮・男色子鑑二〉 **—も灰も無・し** 全部無くなるたとえ。塵も灰も残らず。「火桜は嵐に—・し」〈俳・難波草一〉 **—を出・づ** 俗世を離れる。出家する。「ます鏡再び世にや曇るとて—・でぬと聞くはまことか」〈元輔集〉 **—を捻(ひね)・る** 恐縮し、または恥ずかしがって、手持無沙汰のさまにいう言葉。「昨日迄は—・り尊敬せし民間の者共も」〈雲陽軍実記五〉。「〔女ニ負ケタ〕西行—・りて帰りけり」〈かさぬ草紙〉 **―を結んでなりとも** しるしばかりのつまらない物でも。「―そなたの手から〔餞別ヲ〕おくりやれ」〈虎明本狂言・箕かづき〉

ち・り【散り】 ㊀《四段》《固まっているものが、砕けて、四方に飛ぶ意》①断片となって方方に飛ぶ。散乱する。「雪のくだけしそこに―・りけむ」〈万一〇四〉 ②ばらばらに別れ去る。離散する。「おのづから参りつきてありしを、みな次次にしたがひていき―・りぬ」〈源氏蓬生〉 ③ぱっと広まる。言いふらされる。「見ぐるしきこと―・るがわびしければ、御文はいみじう隠して、人につゆ見せ侍らず」〈枕一三六〉 ④(心が)乱れ動く。「空のけしき、花の露にも色色目うつろひ、心―・りて」〈源氏若菜下〉 ㊁『名』散ること。また、散るもの。「早漕ぐ船の櫂(かい)の―かも」〈万二〇五二〉

ちりあくた【塵芥】 ①塵やあくた。ごみくず。「美しかりし緑の黒髪は―にむすぼふれ」〈宝物集上〉 ②とるに足らぬもの。「げにも始皇帝を亡ぼすべくは、首を与へんこと―よりもなほ易し」〈平家五・咸陽宮〉

ちりがた【散り方】 散る時分。散りぎわ。「折れる桜の―になれりけるを見て」〈古今八〇詞書〉

ちりか・ひ(イ:カ)【散り交ひ】『四段』交り合って散る。入り乱れて散る。「―・ふ花に道は惑ひぬ」〈古今一二六〉

ちりがま・し【塵がまし】『形シク』塵が一杯ついているような感じである。「夜も、―・しき御帳のうちもかたはらさびしく」〈源氏蓬生〉

ちりけ【身柱】 灸点の名。項(うなじ)の下、両肩の中央にあたるところ。子供の諸病には、ここに灸をすえる。転じて、子供の病名としてもいう。「ちりげ」とも。「病ある子は夜泣きをぞする／寝て聞けば嵐に花の―にて」〈竹馬狂吟集五〉。「―をすゆる手や震ひけん」〈俳・鷹筑波三〉 **―もと【身柱元・天柱本】** ①「ちりけ」に同じ。「―立ち消えのする水煙」〈俳・独吟一日千句〉 ②ちりけの辺り。襟首。首筋。「―を一つ叩きければ」〈咄・昨日は今日上〉

ちりちらず【散り散らず】『連語』散ったか散らないかということ。「―聞かまほしきを故郷(ふるさと)の花見て帰る人もあはなむ」〈拾遺四九〉

ちりちり ①軽快に速く走るさま。「―と水の出づる」〈多胡辰敬家訓〉。「―と走り出で」〈伽・小栗絵巻〉 ②小雨などの降るさま。ちらちら。「苗は、田にさしはさみて植ゆる時は、―と小雨が必ず降るぞ」〈京大本湯山聯句鈔〉 ③縮むさま。しわがよるさま。「春の蕨の―と萌え出でたるは」〈朗詠鈔一〉 ④日影のちらちらしているさま。また、特に夕日影の薄れているさまにもいう。「春はよく晴れたる日、空に糸のやうに―とみだれ見ゆる事あり。それを遊糸とは申す也」〈筆のまよひ〉。「露も葎も―の暮」〈当風連歌秘事〉 **―び【ちりちり日】** 傾いた夕日。ちりちり日脚。「鐘も憂き夕や花の―」〈俳・埋草一〉

ちりぢり【散り散り】 ①ばらばらになるさま。「人人はおのが―別れなば」〈古今一〇〇六〉 ②とりとめもなく思い乱れるさま。「―にうらみし果てはなりぞ行く下葉色づく葛の夕風」〈草根集二〉。「おもへども忍びあまるは夕にて／恋は心をあまたにぞなす。…忍びあまる時は心の―に成る也」〈聖廟千句注〉

ちりちりどり【ちりちり鳥】《チリチリは鳴声》千鳥。「―、千鳥なり」〈匠材集一〉

ぢりつ【持律】 仏法の戒律を固く守ること。「智恵才学身に余り、浄行―の僧おはしけり」〈平家六・祇園女御〉

ちりづか【塵塚】 塵を捨てる場所。「多くて見苦しからぬは、文車(ふぐるま)の文(ふみ)、―の塵」〈徒然七二〉

ちりとり【塵取】 ①ごみとり。「―に掃き入れて投げ捨てて」〈法然上人行状絵図〉 ②屋形はなく、高欄だけ取り付けた、粗末な腰輿(たごし)。塵取輿(ごし)。「―に舁(か)かれて、遙かの跡に来けるが」〈太平記二九・師直以下被誅〉

ちりのよ【塵の世】 汚らわしい此の世の中。濁世。俗世界。「神も交はる―の、花や心に任すらん」〈謡・小塩〉

ちりばかり【塵ばかり】 塵ほど。わずかばかり。「『ただ―この花びらに〔御返歌ヲ〕』と聞ゆるを」〈源氏紅葉賀〉。「人来たりて女を取りて引くに、―も動(はたら)かず」〈今昔二三ノ一八〉

ちりば・み【塵ばみ】『四段』ほこりを帯びる。ごみにまみれる。「台盤などもかたへは―・みて」〈源氏須磨〉

ちりば・め【鏤め】『下二』金銀などを彫りこむ。「玉をみがき、金銀を―・めて作られたりし西八条殿、その夜にはかに焼けぬ」〈平家六・築島〉。「鏤、ちりばむ、ほる也」〈和漢通用集〉

ちりひぢ【塵泥】 ちりとどろ。「―の数にもあらぬ我ゆゑに思ひわぶらむ妹が悲しさ」〈万三七二七〉 †tiriFidi

ちりぼ・ひ(チリ:ボイ)【散りぼひ】『四段』《ボヒはハヒ(這)の母音交替形か》①散らばる。散らかる。「みちのくに紙の…几帳のもとに―・ひたり」〈枕三六〉 ②行方も定まらず離れ散る。さすらう。「〔頼ル人が亡キ後〕思はずなるさまに―・ひ侍らむが悲しさに」〈源氏東屋〉

ちりまが・ひ(ガイ:マ)【散り乱ひ】『四段』乱れ散る。「梅の花―・ひたる岡傍(をかび)には」〈万八三八〉 †tirimagaFi

ぢりん【地輪】 五輪の塔の最下層で、正方形に作った部分。「首をば古き石の卒都婆の―に据ゑて」〈盛衰記四七〉

ぢるい【地類】 地上の神神。「天衆(てんじゆ)・―の集まり給ふを聞きて」〈今昔一九ノ一三〉

ぢれんが【地連歌】 特に趣向をこらさず、ごく軽い気持で付け進めてゆく連歌。すぐれた句を浮き立たせる下地のような役割をしているのでいう。「常の―に、言葉の幽玄はあらはるなり」〈連理秘抄〉

ちろちろ ちらちら。ちょろちょろ。「漁火も―とあるなり」〈三体詩絶句抄三〉 **―め【ちろちろ目】** 酔ったりして、視点が定まらず動いている目。「美酒の麹の花―にて立ち帰り」〈近松・大経師上〉

ちろめ・き『四段』ちらつく。ちらちらする。「空に目星(めぼし)の花のやうなものが―・くぞ」〈山谷詩抄九〉

ちろり ①一瞬目にふれるさま。ちらっと。「―と螢窓に飛ぶ暮」〈俳・犬子集一四〉 ②またたくま。さっと。「世の中は―に過ぐる、――」〈閑吟集〉。「功を成して―と帰るは天の道ぞ」〈古活字本論語抄九〉

ちろり【銚釐】 酒の燗(かん)をするに用いる容器。銅または真鍮製の、下すぼりの筒形で、注口(つぎぐち)や把手(とって)がある。「淋しさに友松虫の寝酒こそちん―にて燗をするなれ」〈後撰夷曲集八〉

ちわ【痴話・呢話・千話】 ①情人たちの戯れてする談話。痴話言。「当世の傾城などの言ひ流行らかす詞有り、―・間夫」〈俳・誹諧初学抄〉 ②情事。色事。「―、女に戯るるかたちなり」〈色道大鏡一〉

ぢわう(ウ:オ)【地黄】 ゴマノハグサ科の多年草。根茎は黄色で大きく、漢方で補血強壮剤・血止薬にする。〈色葉字類抄〉 **―ぐゎん【地黄丸】** 地黄を主薬とした強精剤。他の五味を加えた物を六味地黄丸または六味丸といい、七味加えた物を八味地黄丸という。「―や時鳥聞く待ち設け」〈俳・当世男上〉 **―せん【地黄煎】** 麦のもやし、または米の胚芽の粉末を煎って地黄の汁で練った飴。後には水だけでも練った。虚冷(衰弱)を補い気力を益し胃腸を強くする効があるという。しる飴。「霜白の老を留めま

く欲して、分ちて寄す—」〈菅家文草三〉。「花を訪ふ吉野も大和—草にも木にも心引かれて」〈三十二番職人歌合〉

ぢわかしゅ【地若衆】素人の若衆。「—の情深きに勝れり」〈西鶴・男色大鑑八〉

ちわ・き【道別き・風湧き】『四段』《チは道(ち)とも風(ち)とも解される》道を別けて進む。あるいは、激しい風が巻きおこる。「稜威(い)の—・き—・きて」〈記神代〉 ✝tiwaki

ちわばこ【痴話箱】炬燵(こたつ)。「炬燵蒲団—の名や戯(はた)れ島」〈俳・安楽音一〉。「炬燵を—と言ふは、此の[色ノ]道の大師が見立てられし事也」〈浮・好色訓蒙図彙中〉

ちわぶみ【痴話文】恋文。「筆とめ思案するは—」〈俳・寛永十三年熱田万句四〉

ぢわり【地割】土地の割付け。地面の区画。「初基とは初めて都を立つるを云ふ。総の—などするを云ふ」〈尚書抄八〉

ちゑ【知恵・智恵・智慧】①物事を明確に察知し、正しく判断する心の働き。「—深明(じんみやう)にして無碍(げ)の弁才を得たり」〈三宝絵下〉②[仏]《「愚癡」の対》六波羅蜜(らみつ)の第六。「般若(はんにや)」とも。「その余の五波羅蜜も、もし—なければ成ぜざる故なり」〈夢中問答中〉 **—ない神に智恵付くる** 無心の者に悪智恵を付けるたとえ。〈俳・毛吹草二〉

ちゑつけ【智恵付け】知識・行儀をしつけること。教育。「—や先づ小学の窓の露」〈俳・談林十百韻下〉

ちゑのわ【智恵の輪】いろいろの恰好の輪を、工夫して組み合わせたり抜き差しなどする玩具。九連鐶。「山雀や—抜くる籠の内」〈俳・口真似草三〉

ちゑひ【血酔ひ】出血のため、酔ったように、ふらふらになること。血酔(よ)い。「世の常の人などは、—などするぞかし」〈義経記八〉

ちゑぶくろ【智恵袋】智恵の入っている袋の意で、智恵のありったけ、または智恵者のたとえ。「—の小さき事」〈西鶴・新可笑記序〉

ちゑぼとほり【智恵ぼとほり】小児の智恵付こうとするころ、不意に発熱すること。智恵熱。「暖かなは—の小春かな」〈俳・崑山集三〉

ぢをんな【地女】素人女。「—の袂短き染の帯」〈俳・虚栗上〉

ちん【朕】『代』天子の自称。中国古代では、貴賤ともに自称に使ったが、秦の始皇帝の時から、天子のみに限定された。「—が位を陰子(おん)平将門に授け奉る」〈将門記〉

ちん【亭】《唐音》庭園に設けた風雅な小さい建物。眺望または休息用。あずまや。「それは時雨の—とて由ある所なり」〈謡・定家〉。「亭、チン、訓じて阿波羅耶(あばらや)と云ふ」〈文明本節用集〉

ちん【賃】①報酬としての金銭。「傭耕とは、人にやとはれて—を取って日養(やう)の様に使はれて耕するぞ」〈漢書竺桃抄〉②他の語に冠して、手間賃を取ってする意を表わす。「—舟」「—橋」「—綿」など。「御乗物、—夫に持たせ候の由」〈梅津政景日記寛永八・二・六〉 **—でも嫌(や)い** 金銭を貰ってもいやだの意で、極端に毛嫌いされるたとえ。「遊ぶ頃は—よ横時雨」〈俳・続山の井四〉 **—をか・く** 費用を出す。経費を負担する。「—・きてなりとも、勝ちたるこそ嬉しけれ」〈仮・他我身之上三〉。〈名語記三〉

ぢん【沈】熱帯地方に産する喬木の名。木質が重く、水に沈む。香・薫物(たきもの)として用いるほか、折敷(をしき)・棚など高級調度品の材料となる。香の黒色良質のものを伽羅(きやら)という。沈香。「艶に透きたる—の箱」〈源氏絵合〉

ぢん【陣】①軍勢が屯(たむ)している所。陣営。「あなおびたたしの源氏の—の遠火の多さよ」〈平家五・富士川合戦〉②戦闘のため、兵士の隊伍を編成すること。また、その隊伍・隊列。「ここに魚鱗鶴翼の—」〈平家七・平家山門連署〉③戦場。「鎧に立烏帽子で軍(いく)の—へ出でられたりけるが」〈平家八・鼓判官〉。「陣、ぢん、戦場也」〈和漢通用集〉④宮中などで衛府の官人など警備の者が詰めている場所。また、そこに詰めている者。「四面八町のうちに三重(み)の垣をし、三つの—を据ゑたり」〈宇津保吹上上〉。「北の門より、女房の車どもも、また—のゐねば入りなんと思ひて」〈枕八〉⑤「陣の座」に同じ。「昔、晴明、—に参りたりけるに」〈宇治拾遺二六〉

ぢんがい【塵芥】①塵やあくた。ごみ。「—も残さず横領する間」〈曾我一〉②とるに足りないもの。「そもそも清盛入道は平氏の糟糠、武家の—なり」〈平家四・南都牒状〉

ぢんかう【沈香】⇒ぢん。〈天正十八年本節用集〉

ぢんがさ【陣笠】足軽・雑兵が陣中で兜(かぶと)の代りにかぶった笠。薄い鉄または革などで造り、漆を塗る。近世、木製・漆塗の将士用のものは、出火または非常時にかぶった。「—の浅きをかぶり」〈西鶴・新可笑記三〉

ちんからり ①なんにもないさま。空虚。「ちんぷらり」とも。「倉の内は—となりて」〈浮・三代男三〉②金属が打ち合って響く音。「風鈴もや涼し月見の—」〈俳・懐子九〉③近世、琉球渡来の土製の焜炉。「—くど(竈)に据ゑて」〈久重茶会記寛永一九・五・一五〉

ぢんこ【沈香】《ヂンカウの約》 **—も焚かず屁(へ)も撒(ひ)ら・ず** 香木の沈香を焚くこともなければ、臭い屁もひらない意で、可もなく不可もない平平凡凡なさまの形容。「—・ず、上手名人と言ふはさて置き、下手と言はるる芸もなく」〈滑・放屁論後編〉

ぢんこ【塵壺・塵籠】唾を吐き入れたり、果物の皮や塵を捨てる壺。唾壺(だこ)。「唾壺、今按ずるに、これを—と云ふ」〈訓蒙図彙九〉

ちんこきり【賃粉切り】手間賃を取って葉煙草を刻む職人。「吹殻をじうと言はせる—」〈雑俳・柳多留三〉

ぢんこふ【塵劫】[仏]「塵点劫」の略。永久の意。「—を照彰す」〈三代実録貞観一・四・一八〉

ぢんこふき【塵劫記】吉田光由が著し、寛永四年に初板が刊行された和算書。中国の数学を日本の事情によく適応するよう組み換えた入門書。以後、算書一般の異名となった。「其の首(はじ)に題して、これを名づけて—と曰ふ」〈塵劫記序〉。「千世はあまたの本取り出し、伊勢物語・—、父様の側に有るまい網島の心中もござんする」〈近松・宵庚申中〉

ちんざい【珍財】 **—を投・ぐ** ①金銀財宝を差し出す。「庄園田畠を惜しみ、—・げず、伽藍をも興せず」〈明恵伝記下〉②自分のすべてを投げこむ。物事に全力を打ちこむたとえ。「珍財を投げ打つ」「珍財金財(こんざい)を投ぐる」とも。「—・げて学問させ、終に官位に昇る」〈語園上〉

ちんじ【珍事・椿事】珍しい事。特に、思いがけない事件。突発事件。不祥事件。「先陣を争ひて既に—に及ばんとす」〈古活字本保元中・白河殿へ義朝夜討ち〉 **—ちうえう**【珍事中夭】思いがけない非常な災難。「我も人も世になし者の、—に逢ふ事常の事なり」〈義経記三〉

ちん・じ【陳じ】『サ変』《ことばで述べる意》①言い張る。主張する。「いつかはさは申したると—・ぜしも、をかしかりき」〈建礼門院右京大夫集〉②言い訳する。弁解する。「[左ノ歌ニ]人人難いださる。左方いとえ—・ぜられず」〈文治二年十月二十二日歌合〉

ちんしま【賃縞】 賃仕事に織る木綿縞織物。「―織りても世は渡るべきに」〈西鶴・諸艶大鑑三〉

ぢんじゃ【沈麝】 沈香と麝香と。「かたく小さき蓮の実なり。かうばしきわざ、―物の数にあらず」〈撰集抄八ノ三五〉。「沈麝、ヂンジャ」〈ぎやどぺかどる字集〉

ちんじゃう ‥ジョウ **【陳状】** ①訴訟で、訴人(原告)の出す訴状に対して、論人(被告)が答弁するために出す文書。支状(ささへじやう)。「各―を献ず」〈吾妻鏡文治三・八・八〉 ②歌合の判定についての不満を判者に申し立てる書状。「判者に就きての難は、作者―を出すこと古今の歌合に先例甚だ注するに遑(いとま)あらず」〈六百番陳状奥書〉

ちんじゅ【鎮守】 ①兵をとどめてその土地を鎮め守ること。「此国(日本)よりも彼国(三韓)に―のつかさを置かれしかば、西蕃相通じて国家富みさかりなりき」〈神皇正統記応神〉 ②その土地、その国土を鎮め守る神。「我はこの山の―として貴船の明神といふ」〈今昔二一ノ三五〉。「鎮守、チンジュ、守護神也」〈正宗文庫本節用集〉 **―ふ【鎮守府】** 奈良・平安時代、蝦夷鎮定のため陸奥国に置かれた官府。初め陸前の多賀城、後、陸中の胆沢(いさわ)城に移る。「陸奥―の印一面を賜ふ。元より国印を用ゐたり。今殊に之を賜ふ」〈続後紀承和一・七・一七〉 **―ふのしゃうぐん** ‥ショウ‥ **【鎮守府将軍】** 鎮守府の長官。「〔源〕頼義、―に任じて」〈今昔二五ノ一三〉

ぢんしょ【陣所】 軍陣を張る所。陣場(ぢんば)。「右京大夫高国、去る十六日出陣、〔ソノ〕今熊野の―へ文つかはすとて」〈再昌草一〇〉。〈文明本節用集〉

ちんすい【沈酔】 酒に酔いつぶれること。「月の下にして徒(いたづら)に―することより醒むべし」〈菅家文章二〉。〈色葉字類抄〉

ぢんすいかう ‥コウ **【沈水香】** 《ヂンズイカウとも》「沈(ぢん)」に同じ。「俄かに微妙(みめう)の栴檀(せんだん)・―等の如くなる香出で来たりぬ」〈今昔六ノ六〉

ちんぜい【鎮西】 《天平十四年大宰府を廃し、同十五年から二年間、「鎮西府」を置いていたことから》九州の異称。「―に下りて大宰の少弐として府を政(まつりごと)ちければ」〈今昔一一ノ六〉

ちんそ【賃麻】 手間賃を取って麻を績(う)むこと。「私仕事に―を績み」〈近松・丹波与作中〉

ぢんそう【陣僧】 戦地に従軍して、死者に念仏・回向(ゑかう)を行なう僧侶。主に、時宗の僧がこれに当った。「息男は徳王丸とて童形なるを、―のありけるが、抱き奉り、高市の竹林寺まで落ちて」〈予章記〉。「凡そ室町家の旧例にして、出陣の時、僧一人を伴ひ給ふ。是を―と云ふ」〈京羽二重織留三〉

チンタ 近世、ポルトガルから舶来した赤色葡萄酒。珍陀酒。「―、葡萄酒」〈太閤記或問〉 ▽ポルトガル vinho-tinto

ぢんだい【陣代】 室町中期以後織豊末期まで、武家に置かれた後見人。主君に命ぜられて、被後見人が成人(普通十五歳)するまで、その所領を知行し、眷属を支配し、軍事的勤務に服し、被後見人を扶持する義務を有した。番代。「その間は、―を四郎勝頼と申し付け候」〈甲陽軍鑑一三〉

ぢんたう ‥トウ **【陣刀】** 戦陣に使用する刀。陣がたな。軍刀。「―には名字・名乗をも彫り付け、しほらしく拵へたきものなり」〈備前老人物語〉

ぢんだて【陣立て】 軍陣をかまえること。軍勢を配備して敵に対する体制をつくること。「其の境へ―して、胡を防ぐ者を辺人と云ふなり」〈錦繍段鈔八〉

ぢんぢ【沈地】 沈香の木の木地。「―の机に時の物どもいろいろ」〈宇治拾遺七二〉

ちんちくりん 丈の低いこと。「竹の子の背の低きや―」〈俳・雀子集三〉。「ちんちくり」「ちんちく」とも。

ちんちょう【珍重】 ①珍しいものとして大切にすること。「流俗(りうぞく)の色にはあらず梅の花/―すべきものとこそ見れ」〈拾遺一一七九〉。「―と云ふは尊ぶ意ぞ」〈策彦和尚初渡集下ノ下〉 ②喜び祝う気持をあらわす語。「御消息忽ちに披閲、――」〈庭訓往来二月三日〉 ③俳諧の作品に対する点者の評点の一。句の傍にこの二字を記し、長点と平点の中間の評点とされたが、点者により相異があった。「――〔ノ点ガツク〕四方山の春」〈俳・独吟集下〉

ちんちん 鈴・鉦(かね)などの鳴る音。「この次は明日説き候ふべし。―」〈天正本狂言・鳥説経〉

ちんちん【珍珍】 ①極めてねんごろなこと。「珍珍、チンチン、悃切(こんせつ)の義」〈合類節用集〉 ②特に、男女が情を通じて親密なこと。「ちんちんかもかも」「ちんちんかも」とも。「己が名に合ふ―の中」〈俳・続連珠二〉 **―かものあし【ちんちん鴨の脚】** 「ちんちん」(2)に同じ。「―、変るまじ変るまじ、此の世はさて置き、後の世も」〈松の葉三〉

ぢんぢんばしょり 《ヂヂバショリ(爺爺端折)の撥音化》着物の背縫の裾から七、八寸上をつまんで、帯の結び目の下に端折り込むこと。ぢんぢばしょり。「尻を―にして」〈洒・辰巳之園〉

ぢんでんごふ ‥ゴウ **【塵点劫】** 〔仏〕⇒ぢんごふ。「―を経るとても、浮かむ世もなき苦しみを」〈謡・鯨〉

ちんと 《副》①きちんと。しゃんと。「行儀高に見えるを、―してと云ふ」〈志不可起三〉。「―。江戸で云ふ、ちゃんと也」〈浪花聞書〉 ②世間の雑事から離れて独りぼっちのさま。ぽつんと。「チントシテイル」〈日葡〉

ぢんとう【陣頭】 ①禁中の衛士(ゑじ)の詰所。転じて、内裏の諸門。「軍兵内裏に参じて、四方の―を警護す」〈平家一・清水炎上〉 ②「陣の座」に同じ。「また、禁中―にて公事を行はせ給ふ時」〈古活字本保元上・新院御謀叛思し召し〉 ③軍陣の先頭。部隊の第一線。「究竟の弓の上手を数十人すぐり、みかたの―にひかへさせ」〈栗栖野物語〉

ちんどく【鴆毒・酖毒】 鴆という鳥の羽にある猛毒。この羽を浸した酒は美味であるが、飲めば死ぬという。「ひとへに―の甘きにしたがひて喜悦きはまりなし」〈将門記〉

ちんともかんとも 《連語》一言も言わぬさま。うんともすんとも。「―言はぬ睦言(むつごと)」〈俳・大句数上〉

ぢんど・り【陣取り】 ㊀《四段》陣を構える。陣を張る。「二日より東寺に―って」〈太平記三七・新将軍京落〉 ㊁《名》陣を構えること。また、その陣。「―の時、川ばたより三町あるいは五町も引きのけて侍を立つるはこのこころなり」〈大友記〉。「〔北条〕氏直儀、家康御―に居られ候」〈浅野家文書天正一八・七・一〇〉

ぢんのざ【陣の座】 禁中で節会その他の公事(くじ)の時、公卿が列座する席。左近衛の陣の座は日華門、右近衛のそれは月華門の内にあった。仗座(ぢやうのざ)。「しかる間、大臣、内に参りて―に居給ふに」〈今昔二〇ノ四五〉

ぢんば【陣場】 軍陣を置いている所。「山城守、二千余騎にて打ち出で、秀吉の―近く陣を張る」〈舟岡山軍記〉。「営は、軍営なり、―なり」〈無門関抄下〉

ちんぱう ‥ポウ **【陳防】** 言い訳。弁解。釈明。「新田―しけれども叶はずして、二十七にて討たれけり」〈曾我八〉。「東の奥にも美しき女房のありしこと、見ても心の散らざりし―などして」〈伽・彌兵衛鼠〉。「陳防、チンハウ、侘言(わびこと)の義也」〈文明本節用集〉。〈日葡〉 ▽後には、「陳法」とも書いた。鎌倉時代の訴訟文書に見える「失二陳方一」の「陳方」が語源か。

ぢんばおり【陣羽織】 陣中で、鎧・具足の上に着た袖無し羽織。将士着用のものは絹・羅紗・ビロードなどで作った。具足羽織。押羽織。「猩猩緋の―に、唐冠の甲を着たり」〈明良洪範続編二〉

ぢんばらひライ…バ【陣払ひ】 軍陣を引きはらうこと。「―をして進まんとなり」〈春秋抄一五〉

ちんぴ【陳皮】 ミカンの皮を乾かした薬種。鎮咳・発汗・健胃剤などに用いられた。「西坊へ―十両これを遣はす」〈多聞院日記元亀二・八・一〇〉

ちんぶし【鎮撫使】 奈良時代、諸道に派遣して、地方の凶徒を捕え、流言を取り締り、国司・郡司の政治を監察した官。「始めて畿内の総管、諸道の―を置く」〈続紀天平三・一一・二二〉

ぢんぶれ【陣触れ】 出陣の命令。また、陣中での布告。「急度(きっと)国国へ―いたし候へ」〈大友記〉。〈文明本節用集〉

ちんぷん【珍紛・陳紛・陳奮】 ①近世、中国人の発音を形容した語。「唐人の―と鼻をうごめき作る詩」〈俳・破枕集序〉 ②わけのわからぬ言葉。「心皆連歌なれども詞をば俳諧めかし―と言ふ」〈俳・佐夜中山四〉 **―かん**【珍紛漢・陳紛漢】 わけのわからぬ言葉、或いは事柄。また、それを用いる人。ちんぷんかんぷん。「―と言はれし仕方話」〈仮・他我身之上五〉

ぢんまく【陣幕】 陣屋に張る幕。二張で陰陽一対とし、各布六端を用いる。〈和漢三才図会三三〉

ちんまり 小さく整っているさま。小さく程合いのとれていること。「ちんぼり」とも。「小さき物を、―、ちょっぽり」〈俳・かたこと五〉

ぢんや【陣屋】 ①宿衛の詰所。「御桟敷の前に―据ゑさせ給へる、おぼろけのことかは」〈枕二七八〉 ②軍勢のたむろする所。陣所。「鳥が敵の―の上に集まらば、人が無しと知るべし」〈孫子私抄〉

ちんりん【沈淪】 ①沈んで浮かび上がらないこと。「生死の海に―せり」〈謡・八島〉 ②落ちぶれ果てること。みじめな境遇になること。「父子共に―の愁を懐(だい)けり」〈保元上・新院御謀叛思し召し〉

つ

つ【血】「ち」の古形。「つぬ(血沼)」などの複合語に例が残っている。「禅師信厳は和泉の国泉の郡の大領、血沼県主倭麻呂(つぬのあがたぬしやまとまろ)なり」〈霊異記中二〉

つ【津】《ト(戸)の母音交替形》 ①船の着く所。船着場。港。「君が船こぎ帰り来て―に泊(は)つるまで」〈万四三四六〉 ②渡し場。わたり。「津、豆(つ)、渡ㇾ水処也」〈和名抄〉

つ【唾】 つばき。唾液。「梅の実の酸(す)き声を聞けば、口に―たまりうるほふなり」〈法華題目鈔〉。「吒、ツ、口中液也」〈色葉字類抄〉 **―を引・く** ①口中の唾液を呑みこむ。「大和路や解文(みげぶ)をしのぶ瓜の夫(ぶ)はつをのみ引きて汗ぞ流るる」〈拾玉集二〉 ②強く心を引かれる。感心する。「見る人や―・きぬらん伊勢桜」〈俳・沙金袋二〉

つ【箇・個】 数詞の下にそえる語。「ふた―の石を」〈万八一三〉。「五百(い)―鳥」〈万四〇一一〉 →ち(箇)

つ〘助〙 →基本助詞解説

つ〘助動〙 →基本助動詞解説

づ【図】 ①絵図。図面。「天下諸国をして国郡の―を造りて進(たてまつ)らしむ」〈続紀天平一〇・八・二六〉 ②基準となるもの。「まづ舞曲の体拝を習ふといふは、その―あるべし」〈教訓抄七〉。「当寺の楽はよく―を調べあはせて」〈徒然二二〇〉 ③計画。はかりごと。「などか思ふ―に合戦一度せでは候ふべき」〈太平記二九・宮方京攻〉 ④思うつぼ。おあつらえむきの好機・状況。「これ天の与ふる事なれば、この―を抜かし給ふな」〈浅井三代記一〉 **―に当・る** 思うつぼにはまる。予定した通りになる。「御掟(おきて)最も―・って覚え候」〈江源武鑑一三〉

づ【徒】 律に定められた五刑の一。一ないし三年の年限を罪の軽重に応じ五段階に分け、種種の使役に服せしめた。杖罪より重く、流罪より軽い。「凡そ―を犯して、まさに居役に配すべくは、畿内は京師に送れ」〈獄令〉

づ【頭】 ①あたま。かしら。「江州江田摩村に、二―一身の子産す」〈江源武鑑四上〉。「大刀さいて―を振る猿舞はし」〈俳・寛永十三年熱田万句五九〉 ②牛・馬・鹿などを数える語。頭(とう)。「汝、何の故ありてか牛二―を殺せる」〈今昔九ノ二六〉

づ【出】〘下二〙 ⇩で(出)

つい〘副〙 ①思わず。何の気なしに。「十貫目ほど一息に―」〈俳・飛梅千句〉 ②すぐ。じきに。「染物屋―今云うて其のままに」〈俳・大坂一日独吟千句〉 ③ちょっと。手軽に。「太子の御伝記を―読みて居る面影見るに」〈西鶴・諸艶大鑑四〉 ▽近世「つゐ」の表記も多い。

つい〘接頭〙《突キの音便形》 動詞に添えて、軽く、ちょっと、ひょいとなどの意を表わす。「端のかたに―ゐ給ひて、…つれなく立ち帰り給ふ」〈源氏野分〉。「説法のなかばばかりに―立ちて、高らかにいはく」〈雑談集四〉

ついがうウ…ゴ【追号】 天皇の崩御後に贈る名号。「―あって崇徳院とぞ申しける」〈保元下・新院御経沈め〉

ついがき【築牆・築垣】《古くは清音。ツキカキの音便形》「築地(ついぢ)」に同じ。「麓の里に房を造りて、―を築(つ)きまはして、そこにぞ住みける」〈今昔一三ノ三〉。「垣牆、ツイカキ」〈願経四分律平安初期点〉

ついがさね【衝重】《ツキガサネの音便形》 台の上に、檜の白木で四角に作った折敷(をしき)を重ねたもの。食器などをのせる台付の膳。「女房のお前には、―をばさるものにて、檜破子(ひわりご)三十、さまざまし尽したる事どもあり」〈源氏宿木〉

ついさ・し【突い插し】〘四段〙《ツキサシの音便形》 ちょっと突き插す。「〔立文ヲ〕物忌なれば見ずとて、〔ナゲシノ〕上(かみ)に―・して置きたるを」〈枕一三八〉

ついしょう【追従】 ①人の後につき従うこと。「雛遊(ひひなあそび)の―(オ相手)」〈源氏少女〉 ②御機嫌をとること。おもねること。「かの鹿を馬と言ひけむ人の、ひがめるやうに―するなど」〈源氏須磨〉。〈色葉字類抄〉

ついぜん【追善】 死者の冥福を祈って、遺族などが善事を行なうこと。法事を行なったり、寄進・施し物などをすること。「汝等が―の力に依りて、我、堪へ難き苦を免(まぬか)るる事を得たれども」〈今昔七ノ三一〉

ついそう【追従】《ソウはショウの直音化》 ⇩ついしょう。「さらでは果物(くだもの)の―ならんかし」〈八重むぐら〉

ついたうウ…ト【追討】 賊を追いかけて討ち取ること。追罰(ついばつ)。「〔源為義ヲ〕尋ね差し向けて征伐すること。―すべき由仰せ下さるる間」〈保元中・為義降参〉

ついたけ【対丈】 衣服の仕立て方の一。布丈を身の丈の長さに裁断すること。男用には多くこれで作る。「御袴も―に、内へ折り返し、とぢられ候ひ了んぬ」〈言継卿記大永八・四・六〉

ついたち【朔・朔日】《ツキタチ(月立)の音便形》①月の第一日。多く「ついたちのひ」という。「さながら八月になりぬ。―の日、雨降りくらす」〈かげろふ下〉②特に、元日。「睦月の御装束など…―などには必ずしも内へ参るまじう思ひ給ふるに、何にかく急がせ給ふらむ」〈源氏少女〉③月の初旬。上旬。「―、七八日のほどの昼つ方、右馬頭おはしたりといふ」〈かげろふ下〉。「三月―のほど、〔オ産〕八〕この頃やとおぼしやるに」〈源氏澪標〉

ついたちさうじ ‥ツ ウ‥【衝立障子】《サウはシャウの直音化》ふすま障子の下に木の台を付けたような作りで、室内の仕切りに用いる具。ついたて。「ついたてさうじ」とも。「人の家につきづきしきもの。……―」〈枕三三五〉

ついた・て【突い立て】『下二』《ツキタテの音便形》突き立てる。「火箸を忍びやかに―・つるも、まだ起きたりけりと聞くも、いとをかし」〈枕二〇一〉。「高き屛風を四つ―・てたるが如し」〈日蓮遺文新尼御前御返事〉

ついぢ【築地】《ツイヒヂ(築泥)の転》①土塀。土手のように、泥土を築き固めた垣。のちには、柱を立て板を添え、上に土を塗り固め、屋根を瓦葺きにしたものもあった。「長雨に―ところどころくづれて」〈源氏須磨〉②《もと築地塀は皇族・公家の屋敷に用いたので》皇族および公家衆。築地方。堂上方。「京育ちならば、―の内の御流れかと、いとゆかしさゆかしさ」〈評判・難野郎古畳〉 **―がた【築地方】** 公家衆。堂上方。「―のと隠れ無き」〈浄・都の富士二〉

ついで【次・序】 ㊀『名』《ツギ(継)テ(手)の音便形。一つのことの次は何と順序をつけること。また、一つのことの次に起ることの意》①事の続き。前のことの関連。「京へのぼる―に見れば」〈土佐二月十六日〉。「これはあはれなる事にはあらねど、御嶽〔ノ話〕の―なり」〈枕二九〉②事の縁。事のゆかり。「―なくて軽らかにはひ渡り、花をもて遊び給ふべきならねば」〈源氏胡蝶〉③順序。次第。「寒暑調和して時序(ついで)を乖(そむ)かじ」〈金光明最勝王経平安初期点〉④機会。「若宮など生ひ出で給はば、さるべき―もありなむ」〈源氏桐壺〉㊁【つい・で】『下二』順序をつける。「第・叙、ツイヅ。序、ツイデタリ」〈名義抄〉

ついと『副』素早く。身軽に。さっと。「鞠蹴るとて、何とかして、掛(かかり)より外へ―越え、大道へ落つる」〈咄・昨日は今日下〉

ついな【追儺】「おにやらひ」に同じ。「つごもりの夜、―はとく果てぬれば、歯黒めつけなど、はかなきつくろひどもす」〈紫式部日記〉

ついはう ‥ホ ウ【追放】 追い放つこと。特に刑罰として居住地から強制的に放逐すること。「謀書の罪科の事。…無力の輩に至りては、其の身を―せらるべき也」〈貞永式目〉

ついばつ【追罰】「追討(ついたう)」に同じ。「八幡太郎義家、貞任(さだたふ)―の時」〈保元中・白河殿へ義朝夜討ち〉

ついば・み【啄み】『四段』《室町時代末頃までツイハミと清音。ツキ(突)ハミ(食)の音便形》鳥がくちばしで物をつき食う。「〔鳥ハ継母ノ〕面・眼を―・みうがちて後」〈今昔九ノ二〇〉。「啄、都以波無(ついはむ)」〈和名抄〉

ついひぢ【築泥・築土】《ツキヒヂの音便形。ヒヂは泥》⇒ついぢ。「門よりもえ入らで…―のくづれより通ひけり」〈伊勢五〉。「―の上の草青やかなるも」〈和泉式部日記〉

ついひらが・り【突い平がり】『四段』《ツキヒラガリの音便形》平べったくなる。平らに伏す。「虎、人の香をかぎて―・りて、猫の鼠うかがふやうにてあるを」〈宇治拾遺一五五〉

ついふ【追捕】《ツイフク・ツイホとも》①悪人・犯人を追いかけて捕えること。逮捕。「民私かに銭を鋳る者…皆、鈴を其の鈦(かなき)に著けて以て逃走に備ふ。鳴るを聴いて―す」〈続紀天平神護二、是年〉。「追捕、ツイフク・ツイフ」〈色葉字類抄〉②奪い取ること。略奪。「その家に乱入し、資財雑具を―し」〈高野本平家一・禿髪〉 **―し【追捕使】** 賊徒を鎮圧するために任命された官人。国司・郡司などの地方豪族から選ばれ、初め、臨時の職。後、常置。源頼朝は諸国に総追捕使(守護)を置いた。「今日、東海東山山陽道等―以下十五人を任ず」〈日本紀略天慶三・一・一〉。「国の―に仕へて、名をただす丸といひけり」〈今昔一六ノ二六〉

ついふく【追捕】⇒ついふ。「やがて―の官人ども参り向ひ候うて」〈中院本平家三・俊寛僧都他界〉。「その家に乱入し、資財雑具を―して」〈中院本平家一・忠盛昇殿〉。〈色葉字類抄〉

ついふく【追福】「追善(ついぜん)」に同じ。「故土佐の冠者希義の―」〈吾妻鏡文治三・八・二〇〉

ついほ【追捕】⇒ついふ。「武士、洛中に満ち満ちて、資財を―の間」〈盛衰記三四〉。〈文明本節用集〉

ついまつ【続松・松明】①たいまつ。「杯(さかづき)の皿に―の炭して歌の末をかきつぐ」〈伊勢六九〉。「―、たいまつなり」〈匠材集三〉②歌がるた。「―、歌がるたの事也」〈色道大鏡七〉 ▽ツギマツの音便形という。

ついり【梅雨入り】《ツユイリの約》①入梅。梅雨。「〔俳諧四季ノ詞〕五月…黴(ついり)」〈俳・毛吹草二〉。「五月…さみだれ、梅の雨・黴雨(ついり)」〈俳・増山の井〉②長雨。霖雨。「八月―がして、料簡もないぞ」〈四河入海二四下〉。「長雨。三日降るを霖雨といふ也。十日降るを―といふ」〈源氏物語千鳥抄〉

つい・ゐ【衝い居】『上一』《ツキヰの音便形で、膝を衝いて坐る意。後に、姿勢の如何を問わず一時坐る意》①膝をつき、低く坐る。「階(きざはし)を昇りも果てず―・ゐ給へれば」〈源氏総角〉。「本宮に参りつき、証誠殿の御前に―・ゐ給ひつつ、しばらく法施参らせて」〈平家一〇・熊野参詣〉②ちょっと坐る。「木のまたに―・ゐて物見るあり。とりつきながらいたうねぶりて」〈徒然四一〉

ついんぢ【築地】「ついぢ」の転。「―高き御寺有り」〈浄・都の富士四〉

つう【通】①行き通ること。また、通徹、通暁。「―をして―の礙なからしむるに」〈正法眼蔵画餅〉②通力。神通力。「久米の仙人は―を得て空を飛びありきけれど」〈発心集四〉③《その道に通達するの意から》「粋(すい)」(3)に同じ。近世後期明和・安永頃、漢学の影響で遊里に発生した流行語。「往古は此の道を粋と云ひ、又通り者と名付けたり。今は―と呼ぶ」〈洒・大通法語〉

つうくつ【通屈】 相談。談合。話合い。「権教・権宗の祈りは、仏神の内証に叶ひて、祈りと成らうずるかと云ふに、其の―を遊ばす也」〈御書抄一六〉

つうげん【通言】《ツウゴンとも》通人の用いる言葉。多く遊里で行なわれる特殊な隠語をいう。「青楼の―」〈洒・通言総籬序〉

つうじ【通事・通辞】①通訳。「ある所に唐人のありけるに、―もなくてあひしらひければ」〈続古事談二〉②間に入って取り次ぐこと。「お手が鳴らば、猫までに―させよ」〈西鶴・男色大鑑八〉

つう・じ【通じ】『サ変』①通る。かよう。「息は鼻より—・ずべし」〈正法眼蔵 坐禅儀〉②通す。かよわせる。「その室の壁に穴をあけて、竹の筒を—・じて」〈今昔七ノ八〉③その道を得る。通暁する。「一法を—・ずる者は万法を—・ず。万法に—・ぜざる者は一法に—・ぜず」〈正法眼蔵 諸悪莫作〉④異性と交わる。「我、やもめにして一人ありし間、常に女に—・ぜむと思ひしに」〈今昔一六ノ一七〉⑤発音や意味が通い合う。「塩の八百あひにと誓ひ給ひしも、その心—・じ侍るべし」〈宗長百番連歌合〉⑥大小便が出る。「昨日より小便—・ぜずして、その苦痛言語道断」〈再昌草四〉

つうじん【通人】その道に通じている人。古くは「通り者」ともいった。通。粋人。粋(す)を心得た人。通士。「唐へ渡り—とも出合ひ仕り」〈洒・大通多名於路志〉

つうづ【通途・通塗】普通。通常。並大抵。「世間—の儀に順じて」〈御文章〉。「ただや—の歌にてはあるべからず」〈耳底記〉

つうほう【通宝】①世間に通用する宝の意。銭貨面に鋳付けた語。「其の新銭の文は万年—と曰ひて」〈続紀天平宝字四・三・一六〉②貨幣の通称。金銭。「此の遊び募りて—の才覚に困り」〈浮・好色敗毒散四〉

つうりき【通力】何事をも自由自在に行ないうる不思議な霊力。神通力。「—を以てこの事を知りて」〈今昔一三ノ三〉

つうろ【通路】①通り道。〈文明本節用集〉②交通。連絡。「鎌倉殿の御勘気の人に—して、かへって御咎に逢ひ」〈浄・義経東六法中〉

つ・え【潰え】『下二』つぶれる。くずれる。「潰、ツユ」〈名義抄〉

つか【束・柄】《ツカミと同根》①㋑一にぎり指四本の幅。約二寸五分。「十(と)—剣を抜きて」〈記神代〉㋺たばねたものを数える語。「段ごとに租(たぢから)の稲二—二把(たばり)」〈紀孝徳、大化二年〉②《握る所の意》㋑刀剣または弓などの手で握る所。「太刀の—を返しければ」〈宇治拾遺一三〉。「欛、太知乃豆加(たちのつか)、剣柄也」〈和名抄〉㋺筆の軸。「—短き筆」〈源氏澪標〉③束柱。「引き落すとそのまま足を括って、縁の—に括り付くべし」〈義残後覚六〉 **—を握・る** 学問・芸術などに通達している。特に、色道を好んで、遊里・遊女の諸事情に通暁している。通人である。「此の—・らざるは手持ち無しの塵を捻りぬ」〈評判・野郎大仏師〉

つか【塚】《ツカサ(高処)・ツキ(築)と同根。土を盛りあげた所》①土を盛った墓。「右将軍が—に草はじめて青しと口すさびて」〈源氏柏木〉。「塚・墳・墓・葬、ツカ」〈名義抄〉②土などの小高く盛りあがった所。「大きなるくちなは、数も知らず凝り集まりたる—ありけり」〈徒然二〇七〉

づかう(ツコウ)【頭香】僧侶・山伏などが香を頭上に焚く荒行。「腕香なりと—なりともお焚きやれ」〈虎明本狂言・花子〉

つかうど(ツコウド) 無愛想でとげとげしい態度。つっけんどん。「町人の—にて、ふつつかに賤しき」〈仮・ひそめ草下〉

つかうまつ・り(ツコウ…)【仕う奉り】『四段』《ツカヘマツリの音便形。後にツカマツリに転ずる。主として平安時代に使われた》①御奉公申しあげる。お仕え申しあげる。「紀の有常といふ人ありけり。み世の帝に—・りて」〈伊勢一六〉②《目上の人のために何かをする、作るなどの意》お作りする。してさしあげる。「月を弓張(ゆみはり)といふはなにの心ぞ。そのよし〔歌ニ〕—・れ」〈大和一三三〉。「楫取(かぢとり)答へて申す。神ならねばなに業(わざ)を—・らむ」〈竹取〉。「箏の琴—・り給ふ」〈源氏花宴〉③《話手または第三者のことをへりくだっていう》おります。致します。「『ここには若き女などや住み給ふ。かかる事なむある』とて見すれば、『きつねの—・るなり』」〈源氏手習〉 **—びと**【仕奉人】お仕えする人。奉仕する人。「なべての—こそ…心安かべかめれ」〈源氏常夏〉

つかがしら【柄頭】刀の柄の先の部分。また、それを被う金具。「こじり・—にも獅子すわり候」〈宗五大双紙〉

つかさ ❶【高処・阜】《ツカ(塚)と同根》小高くなった所。「小高る市の—」〈記歌謡一〇二〉 ❷【首】《高く位置するものの意》首長。最上主要なもの。「吾が児の宮の—は、即ち脚摩乳(あしなづち)手摩乳(てなづち)なり」〈紀神代上〉。「万調(よろづつき)奉(まつ)る—と作りたるその農(なりはひ)を」〈万四一二二〉 ❸【司・官・寮】《高く位置して命令するものの意》①官庁。役所。「—にも許し給へり今夜(こよひ)のみ飲まむ酒かも」〈万一六五七〉②官庁・役所に勤務する者。役人。「群臣(まへつきみたち)および百寮(つかさつかさ)を集へて」〈紀仁徳十二年〉③官職。また、職務。役目。「大伴と佐伯の氏は…大君にまつろふものと言ひ継げる言(こと)の—ぞ」〈万四〇九四〉。「—解けて侍りける時よめる」〈古今九九四詞書〉 **—かうぶり**(コウブリ)【官爵】①官と爵位と。官位。「高き家の子として—心に叶ひ」〈源氏少女〉②年官と年爵と。「その秋、太上天皇になずらふ御位得給うて、御封(ぶ)加はり、—などみな添ひ給ふ」〈源氏藤裏葉〉 **—くらゐ**【官位】官職と位と。「罪なくて罪にあたり、—を取られ」〈源氏明石〉 **—ひと**【官人】役人。官吏。「かのつかさの—くらつろまろと申す翁申すやう」〈竹取〉。「鬮、ツカサ人」〈名義抄〉 **—めし**【司召】「司召の除目(ぢもく)」の略。在京諸司の官吏を任命する儀式。「—の頃、この宮の人は賜はるべき司も得ず、…必ずあるべき加階などをだにせずなどして」〈源氏賢木〉

つかさど・り【司り・掌り】『四段』《司(つかさ)取りの意》①主たる位置を占めて物事をとりしきる。「若し信楽の優婆塞(うばそく)…有らば、彼れ—・りて録(しる)すべし」〈願経四分律平安初期点〉②役所の事務に主となってあたる。「公ざまにて、さるところのことを—・り、政(まつりごと)のおもぶきをしたためしらむことは」〈源氏行幸〉。「昔は法勝寺の寺務職にて八十余ケ所の庄務を—・られしかば」〈平家三・有王〉

つかざめ【柄鮫】刀の柄に巻く、大小の粒状の突起の揃っている鮫皮。近世、舶来品を用いた。「—の悪しきは塗りや隠すらん 貞徳」〈俳・犬子集一七〉

つか・し【漬かし】『四段』《ツキ(漬)の他動詞形》つからせる。ひたらせる。「立山の雪し消らしも延槻の川の渡瀬〔デ〕鐙(あぶみ)—・すも」〈万四〇二四〉

つが・し【継がし】『四段』《「継ぎ」の尊敬語》お継ぎになる。「八千年(やちとせ)に生(あ)れ—・しつつ」〈万一〇五三〉

つかつか 少しも遠慮せずに行動するさま。「このうちへ—と入る程に」〈伽・さいき〉。「—と位の程や上げぬらん」〈俳・寛永十三年熱田万句五三〉

つがな・し『形ク』「つがもなし」に同じ。「—・しや大晦日の夜這ひ星(流レ星)」〈俳・忍摺下〉。「—・き小歌はり上げて歌ひ」〈伎・大隈川源左衛門一〉

つかなみ【束並・藁藉】藁を編んで作った敷物。山家や農家で用いた。「—の上によるよる旅寝してくろつの里になれにけるかな」〈散木奇歌集雑上〉。「東にそへて蕨のほとろを敷き、—を敷きて夜の床とす」〈兼良本方丈記〉。〈書言字考〉

つか・ね【束ね】㊀『下二』《ツカ(束・柄)と同根》物を一つにまとめてくくる。一つにまとめたばねる。「か黒し髪をま櫛もちここにかき垂り取り—・ね」〈万三七九一〉。「万善を—・ねて六字につづめたれば、名号は称しやすくて、功徳ははかりがたし」〈西要鈔下本〉。「束、ツカヌ」〈名義抄〉 ㊁『名』一つにまとめたばねたもの。「藁の—といふ物を敷きて、痩せ衰へたる法師あり」〈盛衰記七〉。「一束と書きては一―と読めり」〈庭訓抄上〉 **―を**【束緒】物をまとめたばねるのに用いる紐。「あはれてふことだになくは何をかは恋の乱れの―にせむ」〈古今五〇二〉

つかのあひだ アイダ【束の間】短い間。つかのま。「大名児(おほなこ)を彼方(をちかた)野辺に刈る草(かや)の―もわれ忘れめや」〈万一一〇〉 †tukanöaFida

つがのき【栂の木】《ツガはトガ(栂)の母音交替形》マツ科の常緑喬木。針葉であるが、やや平たく短い。「神さびて立てる―」〈万四〇〇六〉 †tuganöki **―の**【栂の木の】〔枕詞〕ツガと似た音から、「つぎつぎ」にかかる。「―いやつぎつぎに天の下知らしめししを」〈万二九〉

つかのま【束の間】「つかのあひだ」に同じ。「牡鹿の角の―も妹が心を忘れて思へや」〈万五〇二〉。「―も見ざれば心を痛ましめ」〈孝養集上〉 †tukanöma

つかは・し ツカワシ【使はし・遣はし】『四段』《ツカヒ(使)に尊敬の助動詞シの添った形》①お使いになる。お仕えさせになる。「うべしかも蘇我の子らを大君の―・すらしき」〈紀歌謡一〇三〉。「―・しし舎人(とね)の子らは」〈万三三二六〉 ②使としてお行かせになる。命じて行かせる。「大君の―・さなくにさかしらに行きし荒雄ら沖に袖振る」〈万三八六〇〉。「むかし仲麿をもろこしに物習はしに―・したりけるに」〈古今四〇六左注〉 ③使者にもたせてお与えになる。「綿・絹などを―・ししを覚し出でて、やり給ふ」〈源氏椎本〉 ④《尊敬の意から転じて鄭重の意を表わし、自分の行為に使う》使者を立てて手紙や贈物などをとどける。「志賀の山越えに女の多く逢へりけるに、詠みて―・しける」〈古今一一五詞書〉。「色色の染物三十、〔客ノ〕前にて女房どもに小袖に調ぜさせて、後に―・されけり」〈徒然二一六〉 ⑤(人が自分に)与える。よこす。「人の螢を包みて―・したりければ、雨の降りけるに〔自分ガ〕申しつかはしける」〈新古今一四九三詞書〉 **―め**【使はしめ】①使われる者。「むなしく国王大臣の―として、一生を夢幻にめぐらし」〈正法眼蔵出家功徳〉 ②神仏が使役するお使いのもの。動物が多く、代表的なものとして、愛宕(あたご)の猪、稲荷の狐、熊野の烏、八幡の鳩、日吉(ひえ)の猿などがある。「これは伊勢大神宮の御―、天津太玉の神なり」〈謡・金札〉

つか・ひ ツカイ【使ひ】㊀『四段』《ツカヘ(仕)の他動詞形。君主の意向を捧げ持たせる意。つまり、使に行かせる、君主の意向に従わせる、転じて、意向に添うものとして雇い用いる意。ただし、使に行かせる意の動詞の場合は、行かせる主人公に敬意を表して、尊敬の助動詞シを加え、ツカハシの形で用いるのが古い例》①(君主の)意向に従わせる。「己が身は、此の国に生れて侍らばこそ〔帝ガ〕―・ひ給はめ〔ド、私ヲ〕いと率ておはしまし難くや侍らん」〈竹取〉 ②雇って働かせる。「むかし、天皇(おほやけ)思して―・う給ふ女の、色ゆるされたるありけり」〈伊勢六五〉 ③役立て用いる。「竹をとりつつよろづのことに―・ひけり」〈竹取〉 ④役立てるための動作をする。「潮(うしほ)をむすび、手水(てうづ)を―・ひつつ申しけるは」〈伽・蛤の草紙〉 ㊁『名』①㋑使者。「梅の花咲き散る園にわれ行かむ君が―を片待ちがてら」〈万四〇四一〉 ㋺特に神仏の使者をつとめる鳥獣。つかわしめ。「雉を―にせしは、天稚彦の帰りまうさざりし時なり」〈俳・類船集三〉 ②人の用をたしに出かけること。「のさ者を―にやれば、近い所も道寄りをして」〈虎清本狂言・文荷〉 ③費用。遣金。「是れを道の―にして源介殿を国元へ帰して給はれ」〈西鶴・男色大鑑二〉 †tukaFi **―がね**【使金・遣金・遣銀】費消する金銭。また、特に旅費。「つかひきん」「つかひぎん」とも。「心づかひ―まで玉絹も〔呉レタ〕」〈俳・時勢粧五〉。〈俳・木間ざらひ上〉 **―がらし**【使枯らし】ひどく使って疲れ果てさせること。また、その使われた人、または物。「悉皆(しっかい)帝の―」〈近松・振袖始二〉 **―ざかり**【使盛り・遣盛り】①使用人などで、すれていず使いやすいこと。また、そのような使用人。「―這出(はひで)が、『口の世で置いて下されませい』と侘言ふべし」〈西鶴・織留五〉 ②遊興などに金銭を浪費する年頃や境遇。金持で甘い親の息子などにいう。「―の男、しかも良い器量して」〈浮・三代男三〉 **―ざね**【使実】《サネは芯》使の中の主だった人。正使。「―とある人なれば、とほくも宿さず」〈伊勢六九〉 **―ぜに**【使銭・遣銭】費用。また、特に旅費。「使ひ銭(せん)」とも。「―、二貫五十文」〈毛利家文書一、康正三・一〇・二八〉 **―な・し**【使ひ成し】『四段』使いこなす。「たをやかに―・したる撥(ばち)のもてなし」〈源氏若菜下〉 **―にっき**【遣日記】金銭支払帳。「―を御目に掛くる」〈西鶴・二十不孝一〉 **―ばん**【使番】①戦国時代、本陣の命令を伝達する武士の役名。「浅井本陣より―をもって、人数を山本村へ引き取るべき旨、仰せ越されければ」〈浅井三代記七〉 ②江戸時代、将軍・大名家で使者の役を勤めた武士または奥女中。頭脳すぐれて弁舌鮮やか、礼式作法を心得た者を任じた。もと幕府の職名で、使役ともいった。「花咲かば柘(げつ)の櫛させ―」〈俳・時勢粧三〉 **―びと**【使人】①召使。奉公人。「この君を我が娘どもの―に成してしがな」〈源氏蓬生〉 ②「資人(しじん)」の訓読語。「右の五首は、―余明軍(人名)が…犬馬の慕ひ、心の中のおもひに敢へずして作る歌」〈万四五八左注〉 **―もの**【遣物】贈り物。進物。「御出仕の時御―の事。東山御所様へ御太刀一振国綱・砂金百両・御馬二十疋」〈伊達成宗上洛日記文明一五・一〇・一二〉 **―やく**【使役】使者の役。使番(つかひばん)。「風俗を―の女に作り」〈西鶴・伝来記一〉

つか・ひ ツカイ【付かひ】『接尾』《付キに反復継続の接尾語ヒのついた形。→ひ》繰り返し付く。「色―・ひ」「丹―・ひ」「辺―・ひ」など体言について、動詞をつくる。「色―・ふ秋の露霜な降りそね」〈万二二五三〉 †tukaFi

つが・ひ ツガイ【継がひ・番ひ】㊀『四段』《ツギ(継)アヒ(合)の約》①互いに承けついで行く。伝承する。「わが背子が偲(しの)ひにせよと、千世にも偲ひ渡れと、万世(よろづよ)に語り―・へと語りてしこの九月(ながつき)の」〈万三三二九〉 ②二つのものが一組になる。一対のものとなる。「身に異相あり。即ち天に飛び上りて、緊那と番(つが)ひて上下に休む」〈法華義疏長保点〉。「大将殿、随身―・はせ給ふ」〈栄花布引滝〉 ③(互いに不可欠のものを)組み合わせる。「とがり矢を弓に―・ひて」〈宇治拾遺一〇四〉 ④言いかためる。約束する。「しかるに細川右馬頭は、三好長慶に詞(ことば)―・ひし事なれば」〈安宅一乱記九〉 ㊁『名』①組。対(つい)。「文に四の句有り。合して両の双(つがひ)とす」〈法華義疏長保点〉。「この―(左右一対ノ歌)、またいづれ勝ると申しがたくや」〈六百番歌合春上〉 ②つなぎ目。「籠手(こて)の―、膝の節(ふし)」〈義経記四〉。「古屏風―や虫の食ひぬらん」〈俳・天水抄〉 ③機会。折。場合。「是非、明日は一戦のよき―に相あたり申し候」〈浅井三代記一三〉。「―を見て退(の)かせられい」〈虎明本狂言・悪坊〉 †tugaFi

つがふ ツゴウ【都合】《「都」はすべての意》①総計。全部。「大衆三千人、官軍二千余騎、―その勢五千余人」〈平家二・山門滅亡堂衆合戦〉 ②結局。要するに。「―云ひ詰められて、それに任せまらした」〈コリヤード懺悔録〉

づかふくだし ズコウ【頭甲下し】他人の言うことの理非も考

えずに、最初から押しつぶすこと。あたまごなし。あたまくだし。「木枯しの—や松の笠」〈俳・伊勢俳諧新発句帳四〉

つかぶくろ【柄袋】刀・脇差の柄に掛ける蟇肌(ひきはだ)皮の袋。旅行の時、雨・露などを防ぐに用いた。「中脇差に—をはめて」〈西鶴・永代蔵二〉。〈日葡〉

つかふな【束鮒】《ツカは一握り指四本の幅》二寸五分ほどの鮒。「わが漁(すなど)れる藻ふし(藻ニ住ム)—」〈万六二五〉

つか・へ(ツカエ)【支へ・痞へ】㊀『下二』①ささえる。支持する。「斧といへる物を持たりけるを、〔ソレデ身ヲ〕—・へて、この打つ碁を見けるに」〈俊頼髄脳〉 ②突き当って障害となる物のために、ひっかかったり、ふさがったりする。「進退は返す返す右へまはるべし。但し、右—・へば、左へまはりても苦しからず」〈雑事覚悟事〉。「さる程に、〔皆ガ句ヲ付ケカネ〕—・へて侍るを、寿慶の『昔の友や夢のあかつき』と付け給ひしを」〈当風連歌秘事〉。「胸—・へ不食する也」〈八卦抄二〉 ㊁『名』①ささえるもの。つっかえ。「ツカエヲスル」〈日葡〉 ②癪(しゃく)。さしこみ。「村雨の空定め無き—持ち」〈俳・談林十百韻上〉

つか・へ(ツカエ)【仕へ・奉へ】『下二』《ツキ(突)アヘ(合)の約。ツキは、下から上方へ突きあげ、捧げるようにする意。アヘは、相手の重みや心の動きに合わせる意。下で、君主の意向に合わせるように両手で捧げる意。多く「つかへまつる」の形で用いた。漢字「奉」「承」は、古くは共にツカへと読む字であるが、字義はいずれも、捧げて持つ意》①君主・御殿・御陵などに対して、捧げ持つ気持で奉仕する。「遠長く—・へむものと思へりし君いまさねば心どもなし」〈万四五七〉。「恐(かしこ)きや御陵(みはか)—・ふる山科(やましな)の鏡の山に」〈万一五五〉 ②官職・宮廷・薬猟(くすりがり)などに奉仕する。「—・へ来る親の官職(つかさ)と」〈万四四六五〉。「四月(うづき)と五月(さつき)のほとに薬猟—・ふる時に」〈万三八八五〉 ✝tu-kaFë —**まつ・り**【仕へ奉り】『四段』《「つかへ」の謙譲語。主として奈良時代に使われ、平安朝以後はツカウマツリ・ツカマツリと変化する》①(相手を上に捧げるような気持で)御奉公する。御用をおつとめする。「降る雪の白髪(しろかみ)までに大君に—・れば尊くもあるか」〈万三九二二〉 ②職務・任務などを果し申しあげる。「筑紫辺(つくしへ)に舳(へ)向かる船の何時(いつ)しかも—・りて本郷(くに)に舳向かも」〈万四三五九〉 ③《尊く思う相手のために、何かをする、作るなどの意》お作りする。さしあげる。「つれも無き城上(きのへ)の宮に大殿を—・りて」〈万三三二六〉。「天地と久しきまでに万世(よろづよ)に—・らむ黒酒(くろき)白酒(しろき)を」〈万四二七五〉

つかまき【柄巻】刀剣の柄を皮や糸で巻くこと。また、その巻いた刀剣。さらに、それを業とする者。「白き水干を着て、—を差して」〈庭訓抄上〉

つかま・し【摑まし】『四段』だます。わなにかける。「後家らしく作りなして、一盃—・す事なれども」〈西鶴・一代女六〉

つかまつ・り【仕奉り・仕り】『四段』《ツカヘマツリの音便形ツカウマツリの約》①(上へ捧げるような気持で)お仕え申しあげる。御奉公申しあげる。「三業倦(う)めることなくして慈尊に奉(つかまつ)り」〈金光明最勝王経平安初期点〉。「諸鬼〔如来ノ〕教を承り、奉(つかまつ)りて周旋す。是に石を挙げ、仏を請じて安坐す」〈大唐西域記七・長寛点〉 ②《上の人のために何かする、あげるなどの意の謙譲語》し申しあげる。さしあげる。「一品の宮の御物怪になやませ給ひける、山の座主、御修法(みずほふ)—・らせ給へど」〈源氏手習〉 ③《主として漢語について、へりくだった言い方として用いる》…いたす。「為朝幼少より鎮西(ちんぜい)に居住—・りて」〈保元上・新院御所〉。「或る知る人と義絶—・らうと存じて」〈コリヤード懺悔録〉

つかま・へ(ツカマエ)【摑まへ】『下二』《ツカミ(摑)アヘ(合)の約》しっかり相手をつかむ。「頸を掣(つか)まへ、胸を掣まへ、功徳をし修めては」〈東大寺諷誦文稿〉

つか・み【摑み】㊀『四段』《ツカ(束・柄)と同根》①取りついて強く握る。「何処の恋そ—・みかかれる」〈万六九五〉。「長き爪して眼(まなこ)を—・みつぶさむ」〈竹取〉 ②遊女を呼んで遊興する。揚げる。「天神・囲ひ七人—・みて」〈西鶴・一代男五〉 ③身請けする。「早駕籠の大臣と申せし人の—・んで」〈西鶴・諸艶大鑑六〉 ㊁『名』①欲ばり。「高が—なれば」〈浮・役者色仕組四〉 ②草履取。「召連れたる—が云ふやう」〈咄・軽口大矢数四〉 ✝tukami —**からげ**【摑絡げ】遊女が道中する時などに、裲襠(ちうかけ)の裾などをつまみ上げること。「—の脛高く」〈近松・吉野忠信一〉 —**さが・し**【摑み探し】『四段』もみくちゃにする。手荒く扱って駄目にする。「風の手に—・すや米柳」〈俳・鸚鵡集一〉 —**ざし**【摑差し】無造作に差すこと。「〔矢ヲ〕—に差して頭高(かしらだか)に負ひなし」〈義経記五〉 —**ぞめ**【摑染め】「しぼり染め」に同じ。「むら紅葉是れや楓(かへで)の—」〈俳・夢見草三〉 —**づら**【摑面】欲をかく者。欲ばり。「摑み殿(のど)」とも。「—の蝙蝠(かうもり)」〈鳥の歌合〉 —**どり**【摑取り】一時に多くむさぼり取ること。多く、ぼろ儲けの意に用いる。「風の手に小米の花や—」〈俳・沙金袋三〉 —**ぼうこう**【摑み奉公】草履取の奉公。「—致しても、恋しい奴めにま一度と」〈近松・薩摩歌上〉

つがもな・し『形ク』①訳もない。たわいもない。「—・く言ひ、つきもなく言ふ」〈仮・芥物語下〉。「—・い、与惣次、老いにほれたといふことか」〈説経・鎌田兵衛正清〉 ②とんでもない。不都合だ。「つきもなし」とも。「ええ、なんの—・いこと、そんなことは知りませぬ」〈浄・舎利一〉

つかや【塚屋】墓所に設けた小屋。「齢をおもへば、昔ありけん—にこもりては、うとましき齢になりゆけど」〈夜の寝覚三〉

づから『接尾』《連体助詞ツにカラ(族・柄)がついたもの》①…のまま。…をもって。…によって。「口—」「心—」など。「真珠(また)なす二つの石を…海上(うなかみ)の子負(こふ)の原にみ手—置かし給ひて」〈万八一三〉 ②…同士の意を表わす。「鉄炮を傍輩—する稽古」〈俳・寛永十三年熱田万句二〇〉

つからか・し【疲らかし】『四段』①疲れさせる。「阿部野まで馬の足—・して何かはせむ」〈平治上・信西の子息尋ねらる〉 ②疲弊させる。欠乏させる。「両方より京都を攻めて、兵粮を—・し候ふ程ならば」〈太平記一六・正成下向〉

つから・し【疲らし】『四段』《ツカレの他動詞形》疲れさせる。「見まく欲り我が思(も)ふ君もあらなくに何にか来けむ馬—・しに」〈歌経標式〉

つが・り【連り・鎖り】㊀『四段』つぎ合わせる。「摺袴〔ノ〕…股立ち、これを縫ひ合はせず、着袴の際の時、下より組糸をもって、これを—・る。股立ちの程に至りて、これを止む」〈平戸記寛元三・三・四〉 ㊁『名』①つながり具合。「情に好き合(つかり)を存す」〈大唐西域記三・長寛点〉。「また、拍子の—とて、前を静かに謡ひ候へば、後を詰め候」〈謡之心得様之事〉 ②袋の口に開閉用の緒を綴り通したもの。また、その緒。「銭袋の—が、中に銭がなければ再再あけぬ程に渋る」〈湯山聯句鈔上〉

つか・れ【疲れ】『下二』《ツキ(尽)と同根》(体力などが消耗して)ぐったりする。疲労する。「見まく欲(ほ)りわがする君もあらなくになにしか来けむ馬—・るるに」〈万一六四〉。「羈旅(たびびと)の羸(つか)れたる人に何(な)ぞ親しび」〈大唐西域記三・長寛点〉

つ

つき【几】つくえ。「やすみし我が大君の…脇―が下の板にもが、あせを」〈記歌謡一〇四〉 †tuki

つき【月】《古形ツクの転》①月。また、月光。「長浜の湾(うら)に―照りにけり」〈万四〇二九〉。「―入れたる槇の戸口」〈源氏明石〉 ②月が全く見えない夜から、次の見えない夜までの期間の称。二十九日間または三十日間で、一年は十二か月、または十三か月となる。「時も過ぎ―も経(へ)ぬれば」〈万三六八〇〉 ③月経。「さ寝むとは吾は思へど汝が着(け)せる襲(おすひ)の裾に―立ちにけり」〈記歌謡二七〉 ④近世、揚代銀一匁の端(は)女郎の異称。「大坂の色町、―・影(二匁取)・汐(三匁取)と言ふ事、少し至らせける」〈西鶴・新吉原常常草上〉 †tuki **―立・ち** ①月が出る。「向ひの山に―・てり見ゆ」〈万一二九四〉 ②《月の出ない晦日(つごもり)のあと、月が新たに出るようになるの意》月がかわる。新しい月になる。「―・たば時もかはさず」〈万四〇〇八〉 →ついたち。 **―に村雲(むらくも)花に風** 好事に障害の多いたとえ。「世の中は―思ふに別れ思はぬに添ふ」〈日本風土記五〉。〈俳・世話尽二〉

つき【坏】飲食物を盛る、ふっくり丸みのある器。「価無き宝といふとも一―の濁れる酒にあにまさめやも」〈万三四五〉。「盃、ツキ」〈名義抄〉 †tuki

つき【調】みつぎもの。調(てう)。「奉るみ―宝は数へ得ず尽しもかねつ」〈万四〇九四〉 †tuki

つき【槻】《ツクの転》ケヤキの古名。大木になり、神の降って来る木として神聖視された。また、弓をつくる材料。「堤に立てる―の木のこちごちの枝の」〈万二一〇〉。「山城の多賀の―群(むら)散りにけるかも」〈万二七七〉 †tuki

つき【鴾・紅鶴】鳥の名。今のトキ。桃花鳥。「紅鶴、ツキ」〈名義抄〉 †tuki

つ・き【付き・着き・就き】□一『四段』《二つ以上のものが、ぴったりと一つになって離れず、一体化する意。類義語ヨリ(寄)は近づく動きそのものに主点を置いていうに対し、ツキは一体化する結果に主点を置く語。現代におけるよりも、同化・一体化の観念の濃い用法が多い》❶二つのものが離れず同化・一体化する。①(色などが)しみつく。「狭野榛(さのはり)の[色ガ]衣に―・くなす目につくわが背」〈万一九〉。「家の母が着せし衣(ころも)に垢(あか)―・きにかり」〈万四三八八〉 ②印が残る。記される。「あるまじき疵も―・き、恥ぢがましき事、必ずありなむ」〈源氏真木柱〉。「権右衛門殿取次にてお帳に―・き、御褒美として黄金二枚頂戴す」〈土岐累代記〉 ③(性質・才能などが)身にそなわる。「学問に心を入れて侍りしに、才(ざえ)など―・きぬべくや御覧じけむ」〈源氏絵合〉。「すぐすぐしき所―・き給へるあまりに」〈源氏葵〉 ④(感官がはたらいて)消えない状態になる。「目に―・く吾が背」〈万一九〉。「かたちはしも、いと心に―・きて」〈源氏少女〉 ⑤(神や狐などが)のりうつる。とりつく。「大夫(ますらを)に―・きたる神ぞよく祭るべき」〈万四〇六〉。「何ぞのものか―・かせ給はむ」〈源氏総角〉 ⑥(火が)点じられる。「春さり来れば、野ごとに―・きてある火の風の共(むた)なびくが如く」〈万一九九〉 ❷対象のそばを離れず、一体化する。①離れず、つき従う。「われさへに君に―・きなな高嶺と思ひて」〈万三五一四〉。「よき人(女)、男に―・きてくだりて住みけるなり」〈土佐一月七日〉 ②ぴったりと沿う。即する。「沖離(さ)けて漕ぎ来る舟、辺―・きて漕ぎ来る舟」〈万一五三〉。「古の聖代、すべて起請文に―・きて行なはるる政は無きを」〈徒然二〇五〉 ③同調する。同化する。「かやうなる御いさめに―・きて、たはぶれにても外(ほか)ざまの心を思ひかかるはあはれに…おぼえ給ふ」〈源氏梅枝〉。「下﨟(げらふ)の申し易いに―・いてかつらと申し候へども文字には勝浦と書きて候」〈平家一一・勝浦〉 ④味方する。味方となる。「或は源氏に―・かんと申す衆徒も候ふらん」〈平家七・木曾山門牒状〉 ⑤なじむ。馴れる。「様かたちのめでたきを見―・きなば、さりともおろかになどはよも思ふ人あらじ」〈源氏東屋〉 ⑥《「…に―・き(て)」の形で》…に関して。…に就いて。「それに―・き候ては、大納言が事をばいかがきこしめされ候」〈平家二・少将乞請〉 ❸しっかりと或る位置・場所を占める。①定まる。決心する。「尼にもなりなばやの御心―・きぬ(決心ガキマッタ)」〈源氏柏木〉 ②到着する。「家人は待ち恋ふらむに遠の国いまだも―・かず」〈万三六八八〉 ③着座する。「座に就(つ)きて坐して其の供養を受けむ」〈金光明最勝王経平安初期点〉 ④即位する。着任する。「後にさらにみ子にもなり、位にも―・き給ひつるもあまたの例ありけり」〈源氏薄雲〉 ⑤名づけられる。「[蝿トイウ語ガ]人の名に―・きたる、いとうとまし」〈枕四三〉 ❹《他の動詞の連用形や名詞につく。多くはヅキと濁音化する》…のさまを呈する。…らしさを加える。「秋―・けばしぐれの雨降り」〈万四二一一〉。「かく恋ひば老い―・く吾が身けだし堪(あ)へむかも」〈万四三〇〉 □二『名』①寄り近づくこと。手がかり。「逢ひ見まく欲し(星ト掛ケル)は数なく有りながら人に―(月ト掛ケル)無みまどひこそすれ」〈古今一〇二九〉 ②到着。「将軍御―の日」〈問はず語り四〉 ③《名詞の下について》…の様子。「かしら―」「顔―」など。「姿―・もてなし…はなやかにきよげなり」〈紫式部日記〉 †tuki

つ・き【突き・築き】『四段』①棒状のものの先端で、物の表面を瞬間的に強く押す。「物部(もののべ)の利(と)き木を以て指(つ)く指(つ)くぞ指(つ)き腕(まろ)ばし焼きける」〈東大寺諷誦文稿〉 ②針や棒で刺し通す。「鮪(しび)―・く海人(あま)よ」〈記歌謡一一〇〉。「大きなる竹の節(ふし)を―・きて弓を入れさせたり」〈平治上・六波羅より紀州へ〉 ③【築き】土や石を盛って棒でついて固める。「みもろに―・くや玉垣」〈記歌謡九四〉 ④棒を垂直に立てる。つっかえ棒をする。「杖―・きも―・かずも行きて」〈万四三一〇〉。「頬杖(つらづゑ)を―・きて、いみじうなげかしげに思ひたり」〈竹取〉。「御階(みはし)の左右にひざを―・きて奏す」〈源氏藤裏葉〉 ⑤(鐘を撞木で)打って鳴らす。「鐘―・きて閉ぢめむことはさすがにて」〈源氏末摘花〉 ⑥地面に強く当てる。「中門のもとにゐて、いと尊く[額ヲ]―・く…いとあはれなり」〈源氏総角〉 ⑦【舂き・搗き】穀物を杵で押しつぶす。「稲―・けば皹(かか)る我が手を今宵もか殿の若子が取りて嘆かむ」〈万三四五九東歌〉。「或いは[罪人ヲ]臼に入れて―・き砕く事、塵灰の如くになす」〈孝養集上〉 ⑧【嘔き・吐き】(のどを通して)体内のものを口から外へ押し出す。㋑吐く。もどす。「青へどを―・きて宣ふ」〈竹取〉。「三人ながら酔ひぬれば踏板に物―・き散らして」〈今昔二八ノ二〉 ㋺(息を)はき出す。「大息を―・いて申しけるは」〈平家五・咸陽宮〉 ㋩口外する。言う。「ウソヲツク」〈日葡〉。「ぞんざい―・かば」〈浄・賢女手習三〉 †tuki

つ・き【漬き】『四段』水にひたる。「広瀬川袖―・くばかり浅きをや心深めてわが思へるらむ」〈万一三八一〉 †tuki

つ・き【尽き・涸き】『上二』《ツカレ(疲)と同根》①(ある限りのものや力が)消耗し果てる。「栄枝(さかえ)を五百(いほ)経(ふ)る懸きて其(し)が―・くるまでに」〈紀歌謡七八〉 ②(水分などが)かれきる。「[池ノ]其の水涸(つ)きなむとするに十千の魚有りて日の為に曝されて」〈金光明最勝王経平安初期点〉 ③まったく消え失せる。「この山の―・きばのみこそ…ももしきの大宮所止む時もあらめ」〈万一〇〇五〉 †tuki

つぎ【告ぎ】動詞「告げ」(連用形)の上代東国方言。「押

し照るや難波の津ゆり船装ひ吾(あれ)は漕ぎぬと妹(いも)に―こそ」〈万四三六五防人〉　†tugi

つ・ぎ【継ぎ・次ぎ・嗣ぎ】㊀『四段』《ツゲ(告)と同根。長くつづくものが絶えないように、その切れ目をつなぐ意。転じて、つづくものの順位が、前のものの直後にある意》①(あとをすぐ受けて)絶えないようにする。続けてする。「設弦(うさゆづる)絶えば―・がむに」〈紀歌謡四六〉。「妹が家も―・ぎて(イツモ)見ましを」〈万九一〉②(受け伝えるべきものを)継承する。「王増は長ぜるを以て位を―・ぎ徳を以て政を治む」〈大唐西域記五・長寛点〉。「良阿〔ハ〕西行の道を―・ぐ程の上手なり」〈古今連談集上〉③(切れ離れたところを)くっつける。「針袋取り上げ前に置き反(かへ)さへばおのともおのや裏も―・ぎたり」〈万四一二九〉。「人の破り捨てたる文を―・ぎて見るに」〈枕二七六〉④つぎ木をする。「柿の木―・がせ畢んぬ」〈言国卿記明応七・二・一三〉⑤前のものの直後の順位にある。直後に位置する。「秋萩の下葉の黄葉(もみち)花に―・ぎ時過ぎ行かば後(のち)恋ひむかも」〈万三三〇九〉。「聖に亜(つ)ぐを賢と曰(い)ふ」〈法華義疏長保点〉⑥(飲みものなどを容器になくならないように)そそぎ入れる。「よき酒を錫(すず)に―・ぎて一対」〈遠近草中〉。「〔酒ヲ〕―・ぐ時にどぶどぶと云ひて盛る」〈虎明本狂言・丼礑〉⑦「切り」の忌詞。「一の刀にて魚頭を―・ぎ、二の刀にて上身をおろし」〈虎明本狂言・鱸庖丁〉㊁『名』①つづき具合。「三諸のその山並に子らが手を巻向山(まきむくやま)は―の宜しも」〈万一〇九三〉②皇統。「皇綜(きみのみつぎ)をつぎたまひて、億兆に光(てら)し臨みたまへ」〈紀舒明一年〉③跡継ぎ。「何事も上手(名人)の―と言ひながら、斯くしもえ継がぬわざぞかし」〈源氏若菜上〉④代。「かの御代よりこの方、年はももとせ余り、世は十―になんなりにける」〈古今序〉⑤直後の順位・位置。「高天原に成れる神の名は天之御中主神、―に高御産巣日神」〈記神代〉。「―の君は八つばかりにて」〈源氏真木柱〉⑥劣ること。二流。「たとひ能は少し―なりとも、祝言ならば苦しかるまじ」〈風姿花伝〉。「御面相凹(なかくぼ)なり。様子も―なり」〈評判・朱雀遠目鏡下〉　†tugi

つきあがり【付上り】相手のおとなしいのに付け込むこと。増長。つけあがり。「無欲心かなと褒め上ぐれば、それに―をして」〈仮・可笑記一〉

つきあげまど【突上窓】窓の戸を棒などで突き上げて開くようにしたもの。また、屋根を切り破って明り取りとした窓。略して「突上げ」とも。「〔茶室ハ〕二畳半の茅(かや)ぶきに、潜り木戸、下地の窓に―」〈伽・酒茶論〉

つぎあし【継足・承足】踏台。ふみつぎ。「幼主の時、御倚子の前、―を置く」〈江家次第一・小朝拝〉

つきあ・ひ ィ゙ァ【着き合ひ・付き合ひ】㊀『四段』①諸方から一箇所に到着する。〈日葡〉②互いに座につく。同席して交わる。「或は下手、或は初心の者、上手に―・ひて連歌せん時は」〈連歌比況集〉。「兼ねて知る人に候とも、今度の御在京中、余所(よそ)衆と―・ひ申すまじき事」〈伊達家文書三、元和九・六・一四〉㊁『名』諸所に往来して交際すること。同席して交わること。「今度、飛鳥井殿御歌を返して詠み直させ参らせたるも、大勢の―にと存じ」〈耳底記〉。「春の出仕は晴れな―」〈俳・寛永十三年熱田万句一〇〉

つきあま・り【着き余り】『四段』人数が余計で席につけない。席からはみ出す。「数定まれる座に―・りて、帰りまかづる大学の衆どももあるを聞こし召して」〈源氏少女〉

つきい・で【突き出で】『下二』さっと出る。飛び出る。「やがて家を―・でて行くを、夫逃がさじとす」〈沙石集七ノ一五〉

つぎうた【続歌】一定数の題をくじなどで分け、列座している複数の作者が次次に詠む和歌の詠み方。また、その和歌。「百首などの―には、初心は四五首、已達は七八首、よきほどにて候ふべし」〈毎月抄〉

つきうま【付馬】遊里などで遊興した客に付いて、不足または不払いの金を家まで取りにゆく人。「つけうま」「うま」とも。「いつでも―を曳き連れて、あたり近所の恰好も悪(わり)いに」〈滑・浮世風呂三下〉

つぎうま【次馬・継馬】宿(しゅく)に備えた乗継ぎ用の馬。駅馬。伝馬(てんま)。継伝馬。「―を以てこれを送るべく候」〈吉川家文書一、天正一八・五・七〉

つきがかり【月掛り・月懸り】妾など、一か月ずつ契約して関係すること。また、その妾。「月囲ひ」とも。「―の手掛け者」〈西鶴・一代男三〉

つきかげ【月影】①月の光。また、月。「―に我が身をかふるものならばつれなき人もあはれとやみん」〈古今六〇三〉。「はなやかにさし出でたる―」〈源氏胡蝶〉②月の光に映し出された物の姿。「〔姫君達ノ〕ほのかなりし―の見劣りせずは」〈源氏橋姫〉

つぎかご【次駕籠・継駕籠】宿継ぎの駕籠。「―や白波畳む敷き蒲団」〈俳・独吟一日千句〉　⇩たて駕籠

つきがしら【月頭】《「月尻」の対》月のはじめ。「―には東に候、月尻には西に候」〈平家一〇・藤戸〉

つきがね【撞鐘】撞いて鳴らす鐘。釣鐘。「常在光院の―の銘は」〈徒然二二〇〉。「鐘、ツキガネ」〈明応本節用集〉

つぎがみ【継紙】継ぎ合わせた紙。色彩の変化や立体感をあたえるために、さまざまの色紙を継ぎ合わせて一枚の料紙としたもの。歌の書写などに用いた。切り継ぎ・破り継ぎなどの方法がある。「さまざまの―の本ども」〈源氏梅枝〉

つぎかみしも【継上下】肩衣と袴との色の異なる上下(かみしも)。近世、武家の平服とし、京阪の町人は夏季の礼服とした。「浅川様(やう)の―」〈近松・女夫池一〉

つきがんな【突鉋】今日普通に用いる台鉋の古称。「跡へも―、先へも鑓(やり)鉋と」〈俳・時勢粧序〉。〈日葡〉

つぎキセル【継煙管】吸う時に継ぎ合わせて使う、携帯用の長い煙管。「―とてかへる(換エル・帰ル)雁首」〈俳・飛梅千句〉

つきぎゃうじ ギョ゙ウ【月行司】⇩ぐゎちぎゃうじ

つきくさ【鴨頭草・月草】ツユクサの古名。この花はすぐにしおれて色が変る。また、花汁で摺りつけた藍色は水で落ちやすいので、人の心のうつりやすいたとえにいうことが多い。アオバナ。「―に衣色どり摺らめども移ろふ色といふが苦しさ」〈万一三三九〉。「なほ音に聞く―の色なる〔匂宮ノ〕御心なりけり」〈源氏総角〉　†tukikusa　**―の**【月草の】〔枕詞〕「うつし心」などにかかる。「いで人はことのみぞよき―うつし心は色異にして」〈古今七一一〉

つきげ【鴾毛・月毛】《鳥のツキ(今のトキ)のような色であるからという》赤くて白みを帯びた馬の毛色。「よにめづらしき―の御馬」〈栄花初花〉

つきごめ【搗米・春米】臼で米を搗くこと。また、その米。春米(しょうまい)。「主税寮。頭一人、倉廩の出納、諸国の田租、―碾磑(ひきうす)の事を掌る」〈職員令〉

つきこもり【月籠】⇩つごもり。「曖、晦也。豆支己毛利(つきこもり)」〈新撰字鏡〉

つきごろ【月頃】何か月かの間。「かくばかりもとなし恋ひば古郷にこの―もありかつましじ」〈万七二三〉。「―のつもり(御無沙汰ノオ詫ビ)をつきづきしう聞え給はむも」〈源氏賢木〉　†tukigörö

つきごゑ【突声】相手を攻撃したり、なじったりするときに発する、かんだかい鋭い声。「遣手(やりて)が―も聞えず」〈芦分船三〉

つぎさま【次様】一段劣ること。それより下位にあること。「妻を求めんには、上臈は品をえらぶべし。―には、みめ・しなを先とすべからず。こころをえらぶべきなり」〈十訓抄五ノ七〉

つぎさを【継棹・接竿】三味線・釣竿などで、携帯・保管に便利なように、取外しや継合せのできる棹。「工みて是れを作る―」〈俳・山の端千句下〉

つき・し【尽きし】『サ変』《打消の語を常に伴う》なくなる。終る。「〔悲シミハ〕いと―・せずなむ」〈源氏柏木〉。「菩提涅槃に廻向すれば、―・せぬ功徳となる」〈孝養集上〉

つきしな・し【尽きし無し】『形ク』尽きることがない。果てがない。「来し方語るぞ―・き」〈近松・薩摩歌下〉

つきし・み【憑き染み】『四段』執念深くとりつく。「死ぬまじかりける人を、―・み領じたる物の、去らぬにこそあめれ」〈源氏手習〉

つきじり【月尻】《「月がしら」の対》月末。「月頭には東に候、―には西に候」〈平家一〇・藤戸〉

つきしろ【月代】①月の出る直前に、月の近くの空が半円形に白んで見えるもの。「出でぬ間の―に見ん天つ星」〈大斎院御集〉。「いさよふ月など詠めるも、―あかりて出もやらぬほどをいふなり」〈奥義抄〉。「けしきばかりの夕立の空／夏山の―うすき宵の間に」〈新撰菟玖波集三〉。「―は阿彌陀が峰の御光かな」〈俳・犬子集五〉。〈日葡〉②《誤って》月。「見るがうちより昇る―」〈文祿二年六月四日何人百韻〉。「山の端へ入る―に木戸もがな」〈俳・大海集六〉③《半円形に剃り落したことから》「さかやき」に同じ。「近く家を出でにけると見えて、―などあざやかに見ゆるめり」〈撰集抄四ノ二〉

つきしろ・ひロイ
シ【突きしろひ】『四段』《シロヒは、互いに…し合う意》互いに肩・膝などをつつき合う。「さもたゆみなき御忍びありきかなと、―・ひつつ空寝をぞしあへる」〈源氏花宴〉

つきそで【突袖・撞袖】袂の中へ手を突き入れ、前方へ張り出すこと。また、その袖。「―の振り吹きかぬる秋の風」〈俳・乙矢集上〉

つきそめ【桃花染】《鳥のツキのような色に染める意》桃色に染めること。また、染めたもの。「―の浅らの衣浅らかに思ひて妹に逢はむものかも」〈万二九七〇〉 †tukisömë

つきだ・し【突き出し】㊀『四段』①前の方へ出す。「島を―・し、弁才天を勧請申すべきとて」〈言国卿記文明六・六・六〉②《船を河岸から長竿で突き出す意から》愛想づかしを言って男女の縁を切る。また、仲間外れにする。付き合いを断つ。近世後期、深川遊里から流行した語。「娘と向うづら(敵方)へ廻り、貴様を―・す相談さ」〈黄・御存商売物下〉㊁『名』①突堤などのように突き出たもの。「宿浦の―の屋敷」〈青方文書三、永徳三・七・一三〉②本料理の前に出す軽い食物。前菜。「―に煎麩(ふいり)、中に香の物二切れを盛る」〈鹿苑日録寛永一七・三・一三〉③十四、五歳の娘が買い取られて、禿(かぶろ)にならずに、いきなり遊女の勤めに出されること。また、その遊女。「十四五歳、十五六歳にて其の家へ来たり、其のまま傾城に仕立て出すを―と言へり」〈色道大鏡一〉④遊女がはじめて客を取ること。また、その遊女。「この神崎へ身を売り、―のその日より、お前を客の名当てにして」〈浄・ひらかな盛衰記四〉 **―もの**【突出者】突き出された者。仲間外れにされた者。のけもの。「皆城内に入りければ、お通一人が―」〈近松・本朝三国志二〉

つきづき【付付】付添いの下人。従者。「もし蚊の入りなば、―を呼びて焼かすべし」〈色道大鏡四〉

つぎつぎ【次次】①それにつぐべき地位。また、その地位のもの。「―の人も、心の中には思ふ事もやあらむ」〈源氏薄雲〉②子孫。「かの御―になり果てぬる世」〈源氏橋姫〉③順次。だんだん。「―数知らず多かりけるを」〈源氏若菜下〉

つぎつぎ【継継】布帛の小片を寄せ継ぎしたもの。また、布帛の破れをつぎはぎしたもの。「―の小袖着すること」〈色道大鏡一四〉。「―の袋持たせて行くに」〈西鶴・諸艶大鑑五〉

つきづき・し『形シク』《「付き付きし」の意》①いかにもぴったりとはまっている感じである。取りあわせがよい。ふさわしい。「〔主人没後ノ山荘ハ〕あじろ屛風、…朽葉の帷子(かたびら)かけたる几帳どもも、いと―・しきも、あはれとのみ見ゆ」〈かげろふ中〉。「冬はつとめて。…火など急ぎおこして、炭もてわたるもいと―・し」〈枕一〉②もっともらしい。「―・しき言つけども作り出でて、父おとどなどかしこくたばかり給ひて」〈源氏真木柱〉

つきつ・け【突き付け】㊀『下二』無理に押しつける。「牛などの頭(かしら)を―・けて草を食はせんとすれば、食らひたくもながるぞ」〈策彦和尚初渡集下ノ下〉㊁『名』強いてすすめること。押付け。「―や煙草法度の強くして」〈俳・油糟〉 **―あきなひ**アキ
ナイ【突付商】押売り。「突付売り」とも。「『狼の黒焼きは』と声のをかしげに売りて…知るも知らぬもに―」〈西鶴・永代蔵二〉

つぎ・て【序て】『下二』《ツイデの古形》順序立てる。秩序立てる。「見る人の語り―・てて聞く人の鏡にせむを」〈万四四六五〉 †tugite

つぎてんま【継伝馬】「継馬」に同じ。「台所荷は―」〈近松・丹波与作上〉

つきとまり【月止り】《月のものが止まる意》妊娠。「月よどみ」とも。「宵闇は雲のはらみか―」〈俳・玉海集三〉

つきともな・し【付きとも無し】『形ク』途方もない。だしぬけだ。意外だ。「機嫌に向けば、―・き高笑ひ、耳驚かしき程なり」〈評判・難波物語〉

つきな・し【付き無し】『形ク』①手がかりがない。すべがない。「逢ふことの今ははつか(僅カ・二十日)になりぬれば夜深からではつきな(付無・月無)かりけり」〈古今一〇四八〉②(時・所・年齢などが)似合わしくない。ふさわしくない。「かかるもの(女ノ手紙)の散らむも今は―・き程になりにけり」〈源氏松風〉。「今めきたるものの声なれば、清く澄める月に折―・からず」〈源氏帚木〉③不都合である。無理である。「親君と申すとも、かく―・き事を仰せ給ふこと」〈竹取〉

つきなみ【月次・月並】《毎月毎月が、変りもなく並ぶ意》①月月。毎月。「―の御屛風」〈枕二九七〉。「―の絵(十二カ月ノ行事ヤ景物ヲ順次描イテアル絵)」〈源氏絵合〉②つきなみのまつり。本来毎月あるべきを略して、六月及び十二月の十一日に神祇官で行なわれた年中行事の祭祀。「六月の―。十二月は此に准へ」〈祝詞六月月次〉。「六月には…―」〈太平記二四・朝儀年中行事〉③月月催す漢詩・和歌・連歌または俳諧などの会席。「月次の会(ゑ)」とも。「将軍家に―の歌会はじめられて、池水久澄といふことを講ぜられしに」〈頓阿法師詠〉。「御―詩〔ノ題ハ〕花有和気」〈十輪院内府記文明一三・二・二九〉④月の数。「月よめばと云へる、―を数ふればと云へるなり」〈俊頼髄脳〉。「帝は日の数を―の代りにせさせ給ふなれば」〈今鏡六〉

つきな・み【着き並み】『四段』並んで着座する。「いかでか、さ女官などのやうに、―・みてはあらん」〈枕九九〉

つきにけに【月に異に】『連語』月ごとにまして。「―日に日に見とも今のみに飽き足らめやも」〈万九三二〉▽ケはkeの音で異の意、朝ニケニのケはkëの音で日の複数、別音の別語。†tukinikeni

つきにけり【着きにけり】《謡曲・浄瑠璃などの道行文の文末に多く用いたことから》終り。しまい。これきり。「そもそもから―まで」〈俳・世話尽二〉

つきにひにけに【月に日に異に】『連語』月まし日ましに。「吾(あ)は恋ひまさる―」〈万六九八〉†tukiniʀinikeni

つぎねふ〔枕詞〕地名「山城」にかかる。多くの続いた嶺(みね)を経(ふ)る意からかかるという。「―山城川(淀川)」〈紀歌謡五三〉†tugineʀu

つきのえん【月の宴】月を眺めるために開く宴。八月十五夜の内裏の月の宴は、宇多天皇の時代に始まり、文人を招いて詩会が催された。「内裏(うち)のおまへに今宵―あるべかりつるを」〈源氏鈴虫〉

つきのかつら【月の桂】中国の俗信で、月に生えているという丈の高い桂の木。歌語に愛用された。「久方の―も秋はなほ紅葉(もみ)すればや照りまさるらむ」〈古今一九四〉

つきのさはり(サワリ)【月の障り】月経。「今日、女房の陪膳〔役ノ〕三位、午時ばかりより―出来し」〈中右記寛治八・一〇・一五〉。「月水、ツキノサハリ」〈名義抄〉

つきのでしほ(シオ)【月の出潮】月の出と共に満ちてくる潮。「紀の国や由良の港に風立ちて―の空払ふなり」〈玉葉六六二〉

つきのぬの【調布】⇒てう(調)⑴「調布、豆岐乃沼能(つきのぬの)」〈和名抄〉

つきのふね【月の船】天を海に見立て、月が動いてゆくのを漕ぐ舟にたとえた語。「天の海に雲の波立ち―星の林に漕ぎ隠る見ゆ」〈万一〇六八〉†tukinöʀune

つきのまへく(マエ)【月の前句】〔連俳用語〕月を詠む句の前句となるべき句。月の句を付けやすくする配慮を要する。「―に長雨とあるも、付けにくくなるものなり。心得てすべし」〈片端〉

つきのみやこ【月の都】①月の中にあるという都。また、月世界。「この国の人にあらず、―の人なり」〈竹取〉②月の美しくかがやく都。「ならべ見ん秋は千草の露に咲く花の洛(みやこ)と―と」〈草根集八〉

つきばえ【月映え】月の光によって、一段と美しさを増すこと。「〔折角ノアナタノ御姿モ〕闇はあやなきを、―今少し心殊なりと聞えし」〈源氏竹河〉

つぎはし【継橋】川の中に柱を立て、橋板を継いだ橋。「真野の浦の淀の―情(こころ)ゆも思へや妹が夢にし見ゆる」〈万四九〇〉†tugiʀasi

つきばん【月番】一か月交代で勤務すること。また、その番に当った人。「御台所頭―に致し…万事油断なく申し付くべきの事」〈武家厳制録四〇、万治二・九・五〉

つきひ【月日】①月と太陽と。「天なるや―の如く我が思へる君が日にけに老ゆらく惜しも」〈万三二四六〉②月数と日数と。時。「―数(よ)みつつ妹待つらむそ」〈万三九八二〉†tukiʀi ―に随(したが)・ふ 月日の経過につれる。「―・ひては、上下(かみしも)人数少なくなり行く」〈源氏蓬生〉 ―に添・ふ 月日の経過するのにつれてますます加わる。「待ち過ぐす―・へて、いと忍び難きは」〈源氏桐壺〉

つぎびきゃく【継飛脚】①次次と継送させる飛脚。「―などより早く用を達するなり」〈浅井三代記四〉②近世、幕府が各宿駅に常置して、公用の信書・貨物を継送させた飛脚。「板〔倉〕周防殿より…堀田賀州迄、―の状参り候」〈沢庵書簡正保一・一二・一九〉

つきびたひ(ビタイ)【月額】①馬の額に白い斑(まだら)毛のあるもの。「闇なれど妹が宿をざさして行く―なる駒にまかせて」〈夫木抄二七・馬〉②月代(さかやき)。さかやき。「鐘梅の花の顔もや―」〈俳・破枕集上〉

つきひと【月人】月を擬人化して呼んだ語。「―の楓(かつら)の枝の色づく見れば」〈万二二〇二〉†tukiʀitö ―をとこ【月人男】月を擬人化して呼んだ語。「秋風の清きゆふべに天の川舟漕ぎ渡る―」〈万二〇四三〉

つぎびは(ビワ)【継琵琶】柄の取りはずしができるように作った琵琶。「いはゆる折琴・―これなり」〈方丈記〉

つきふさがり【月塞り】陰陽家で、月によって或る方角を忌むこと。「―方〔角〕、正・五・九〔月ハ〕北、二・六・十東、三・七・十一南、四・八・十西」〈運歩色葉集〉

つぎほ【接穂】接木(つぎき)で、台木につぐ苗木。〈日葡〉

つきまうで(モウデ)【月詣で】毎月、社寺に参詣して祈ること。月参り。「賀茂の―のついでに」〈覚綱集〉。「七歳の年より―怠らず」〈平治下・常葉落ちらる〉。〈運歩色葉集〉

つきまぜ【月交ぜ】ひと月置き。「これら、番とて、―に参り代るほどの人人のことなり」〈健寿御前日記〉

つきまち【月待】十五夜・十七夜・二十三夜など特定の月齢の夜、人びとが寄り合い、飲食を共にしながら月の出を待ち、これを拝する行事。後に、遊興を主とするようになった。「二十三日、―に雨の降りしかば、拝み奉るとて。行末の道は迷はじ頼めただ雨夜の月の空を仰ぎて」〈再昌草一五〉。「此の日は晩気―にて候ふ間、終日法花読誦仕り候ふ也。此の夜、茶湯・誹諧・雑談などにて月を待ち取り候ふ也」〈上井覚兼日記天正一一・閏一・二三〉。〈運歩色葉集〉

つぎまつ【続松】たいまつ。「ともしたる―にて打ち落さむとしけるを」〈今鏡七〉。「続松、ツキマツ・タイマツ・ツイマツ」〈色葉字類抄〉

つきみ【月見】月を眺めて鑑賞すること。特に、陰暦八月十五夜、九月十三夜の月を眺めて遊楽すること。「妻戸おしあけて人人出で居て、―などして遊びたる」〈帥大納言家集〉。「明くるまで枯野に残る―して」〈御鎮座次第記裏文書連歌断簡〉

つき・み【拒み】『四段』拒む。辞退する。「―・みて云ふにこそと思ひて『などかくはいふ。ただ来(こ)』といへども」〈宇治拾遺一八二〉

つきめ【舂女】臼をつく役の女。碓女(うすめ)。「雀を以て―とす」〈紀神代下〉†tukime

つぎめ【継目】①つなぎ目。「―ごとに掛け金を掛けたり」〈方丈記〉②骨のつがい。関節。「肩の―離れて、手綱を取るに及ばざりければ」〈保元下・為朝生捕り〉③家督相続。跡継ぎ。「―の御朱印戴かれ候やうになされ候て」〈本光国師日記慶長一七・七・二三〉

つきもの【付物・付者・就者】①《モノは霊魂の意》人に取り憑き、乗り移った霊魂。「―のしなな、神・仏・生霊・死霊の咎めなどは、その―の体を学べばやすく便りあるべし」〈風姿花伝〉。「かの人を頼みて〔天狗ノ〕―を退(の)け給へ」〈バレト写本〉②近世、太夫に付いて一座を取り持つ女郎。引舟女郎。「―の女郎か禿(かぶろ)にても、蚊をよく払はせ」〈色道大鏡四〉

つきやく【月役】《月経の意》板葺き屋根に用いる、長さ一間、幅一寸四、五分の割木。他屋(たや)にいる月経中の婦女の手仕事で作るのでいう。「不破の関や洩る―の板びさし」〈俳・難波草三〉

つきゆみ【槻弓】《古形ツクユミの転》槻の木で作った丸

木の弓。「梓弓(あづさゆみ)真弓ー、品もとめず」〈神楽歌一六〉

つきよ【月夜】①月のある夜。「ーにはそれとも見えず梅の花香をたづねてぞ知るべかりける」〈古今一二〉②月光。「十二月(しはす)のーのくもりなくさし出でたるを」〈源氏総角〉→つくよ。 **ーざし**【月夜ざし】月光のさす夜。「こそこそと草鞋を作るー」〈俳・猿蓑下〉 **ーに釜** 月夜に釜を盗まれる意で、非常に油断しているたとえ。「月夜に釜を抜かる」とも。〈俳・毛吹草二〉 **ーに挑燈(ちやうちん)も外聞(ぐわいぶん)** 無用の見栄を張ること。「月夜に火燈」とも。〈俳・毛吹草二〉

つきよどみ【月澱み】《月経が停止する意》①妊娠。「時遅く見る火桜やーー」〈俳・山下水二〉。「きっかりと／見えて嬉しやーー」〈雑俳・夏木立〉②《月よどみを治療する意から》堕胎。または、堕胎薬。「ーの女医者」〈評判・役者翁叟鏡江戸〉

つきわ・け【築き分け】『下二』境を築いて仕切る。「西の町は、北面ー・けて、御蔵町なり」〈源氏少女〉

つぎわけ【継分け】一本の木に異種または異色の花の枝を接木(つぎき)すること。「ーに咲けるや如意の玉椿」〈俳・犬子集二〉

つきわた・り【着き渡り】『四段』一方から他方へ、ずっとつづいて着席する。「おとどの君をはじめ奉りて、みなー・り給ふ」〈源氏胡蝶〉

つき・ゐ【衝き居】『上二』膝をつき、低くすわる。つくばう。「急居、此をば菟岐于(つきう)と云ふ」〈紀崇神十年〉▽平安朝以後は、音便形「ついゐ」の形で上一段に活用した。†tukiwi

づきん【頭巾】布を袋形に作って頭にかぶるもの。いろいろな形がある。「ー耳の際(きは)まで引っこうで」〈義経記三〉

つく【月】①「つき」の古形。「ー夜」「ーよみ」など、複合語の中に残った。「闇夜(やみ)ならば宜(うべ)も来まさじ梅の花咲けるー夜に出でまさじとや」〈万一四五二〉②「つき」の上代東国方言。「彼の児ろと寝ずやなりなむはだ薄(すすき)宇良野(うらの)の山にーー片寄るも」〈万三五六五東歌〉

つく【鈌】弓につがえた矢が拳から離れないように、弓の握りの上につけたくぎ。「五人張りの弓、長さ八尺五寸にて、ー打ったるに」〈古活字本保元上・新院御所〉

つく【木菟】鳥の名。ミミズク。「ー、産殿(うぶどの)に入(とび)れり」〈紀仁徳一年〉。「木菟、ツク・ミミヅク」〈名義抄〉

つく【三伏一向】樗蒲(かりうち)で、裏が三枚、表が一枚出ること。「春霞たなびく今日の暮三伏一向夜(ゆふづくよ)」〈万一八七四〉▽「ゆふづくよ(夕月夜)」のツクの表記として「三伏一向」を借りた例。

づく【尽】『接尾』名詞につづき、その限りを尽す、それ次第、その結果などの意を表わす。「いかさま銭ーは、連歌には口惜しき事か」〈落書露顕〉。「穆王は遊山ーにありかれた。堯舜の巡狩とは大いに異なり」〈燈前夜話上〉。「諸事、御公儀様の御法度ー」〈石清水文書貞享三・九・三〉

つくえ【机】飲食物など、広く一般に物を載せる台。「銅盤、若しは案(つくえ)、若しは机(たかつくえ)、飲食の須(もち)ゐる物を用ゐて、尽く上に将(も)ち置きて」〈願経四分律平安初期点〉▽古くは和名抄の仮名に従って「つくゑ」という仮名遣とされていたが、右の平安初期の資料の発見により、「つくえ」が古形と認められるようになった。†tukuye

つくし【筑紫】筑前・筑後両国の称。転じて、九州地方の総名。「大君の遠の朝廷(みかど)としらぬひーの国に」〈万七九四〉 **ーごと**【筑紫箏・筑紫琴】雅楽の箏から変化した十三弦の琴。俗箏。「ーにても、何琴にても、その道道の人にさせて置くべし」〈沢庵書簡寛永一七・一三〉 **ーぢ**【筑紫道】筑紫への道。「ーの荒磯(ありそ)の玉藻」〈万三二〇六〉 **ーふね**【筑紫船】筑紫と往復する船。「ーいまだも来ねばあらかじめ荒ぶる君を見るが悲しさ」〈万五五六〉

つく・し【尽し】『四段』《ツキ(尽)の他動詞形》①ありたけの力を使い果たす。「情(こころ)ー・すな大夫(ますらを)にして」〈万四二六六〉②持っているもの全部を出しきる。「内蔵寮(くらづかさ)、納(をさめ)殿のものをー・して、いみじうせさせ給ふ」〈源氏桐壺〉③極限まで達せさせる。極まらせる。「よろづに清らをー・して、いみじと思ひ」〈徒然二〉④〔遊里語〕さんざん遊興し過ごす。「ー・す。うつけを尽すと言ふ上略の詞也」〈色道大鏡一〉

づくし【尽し】『接尾』名詞について、その類のもの全部を挙げる意、または、その限りを尽す意を表わす。「世界国ー」「桜ー」など。「百余帖の草ー、八十二帖の虫ー」〈伽・天狗の内裏〉。「名護屋の御城内にて御能仰せ付けられ、…御結構ーにて候ひつる」〈石川正西聞見集上〉

つくだ【佃】《ツクリ(作)タ(田)の転》①人の耕作する田。「佃、作田也。和名豆久太(つくだ)」〈和名抄〉。「佃、ツクリタ・ツクダ、作田也」〈色葉字類抄〉②中世、荘園領主が下人や農民を夫役として使って作らせる田。正作(しやうさく)。用作。手作地。内作。「早く八幡宮寺三宅御山司ー弐拾町正税を免除すべきの事」〈石清水文書一、延久四・九・五〉。〈運歩色葉集〉

つくづく《「尽(つ)く尽く」の意。力尽きはてでが原義》①力尽きた気持であるさま。気力を失ったさま。「ほれほれしくてーとおはするほどに、日も暮れにけり」〈源氏幻〉。「〔源氏ガ〕尋ね聞え給ふこと、いと難くなんあるべきなど言ひ知らするを〔末摘花ハ〕げにと覚すもいと悲しくて、ーと泣き給ふ」〈源氏蓬生〉。「いとわりなきに、ーと臥せり」〈古本説話五三〉②(力なく)じっとしているさま。「神わざなどの繁き頃ほひ〔ナノニ〕私の志にまかせてーと籠りゐ侍らむも例ならぬことなりければ」〈源氏柏木〉。「ただーと立って、袖を絞りける処に」〈保元下・新院御経沈め〉③物淋しげなさま。なすこともなくぼんやりとしているさま。つくねん。「若宮のさてーと物し給ふを」〈源氏松風〉。「日暮までーと待ちゐたれども、言問ふ者もなかりければ」〈平治下・常葉落ちらる〉④じっと思いをこらすさま。「守(かみ)ーと見聞きゐて」〈今昔一九ノ二〉。「ーこれを案ずるに」〈十訓抄一〇ノ七四〉。「熟、ツクヅク・ツラツラ」〈文明本節用集〉

つくづくし【土筆】ツクシの異称。「わらび・ー、をかしき籠(こ)に入れて」〈源氏早蕨〉。「土筆、ツクヅクシ」〈文明本節用集〉

つくと『副』何もしないでぼんやりしているさま。つっくと。つっくりと。「危(あやふ)きながらーしてこそ立ちたりけれ」〈盛衰記三一〉

づくにう(ニュウ)《「木菟入」とも書く》僧や坊主頭の人をののしっていう語。「隆達と云ふー〔ノ唄〕が流行り出で」〈俳・奴俳諧〉

つく・ね【捏ね】『下二』①手で丸める。「雪をー・ねて机の上に置いて」〈詩学大成鈔一〉②乱雑に積み重ねる。「恋といふ恋をー・ね集めて、一同に煩ひ出し侍り」〈仮・秋の夜の友三〉。「ー・ねて置きし網の露けさ」〈俳・木曾の谷〉

つくねん 何事もせずに物思いにふけっているさま。また、一人さびしくぼんやりしているさま。「写し絵はーなれや花の王」〈俳・毛吹草追加上〉

つぐの・ひ(ツグノイ)【償ひ】㊀『四段』《室町時代までツクノヒと清音。ツクはツキ(調)の古形。ノヒは動詞を作る接尾語ナヒの母音交替形》受けた恩恵、与えた損害、犯した罪や咎(がと)などに対して、代償に価する事物・行為などで補い報いる。埋め合わせる。「或は寺の物に貪(ふけ)り、犢(うしのこ)に生れて、債(もののかひ)を—・ひ」〈霊異記序〉。「寺の物失(う)せたりとも—・ひ返すべし」〈沙石集七ノ一〉。「—・ふは、報ふなり。負ひ目を報ずる義なり」〈二十四孝抄〉 ㊁『名』埋めあわせ。代償。賠償。また、賭物。「『双六打たむ』といへば『よかなり。物見—に』」〈かげろふ上〉。「我らが科(がと)の—を御主ゼズ・キリシトへ調へ奉る事なり」〈どちりなきりしたん二〉

つくのぶね【舶】航海に使う大きな舟。「舶、都具能布禰(つくのぶね)、海中大船也」〈和名抄〉。「舶、ツクノブネ、今云、オホブネ」〈名義抄〉

つくば【筑波】《奈良時代、ツクハと清音》常陸国筑波郡地方、筑波山南西の地。「新治(にひばり)—を過ぎて幾夜か寝つる」〈記歌謡二五〉 **—のみち**【筑波の道】連歌の異称。記紀の、ヤマトタケルノミコトと火焼(ひたき)の老人とが、甲斐国酒折の宮で唱和した片歌の問答を連歌の起源としたのに由来する。「—を尋ね、佐保川の源を知りて」〈菟玖波集序〉。「予、黒衣隠遁の身と成りて、—も忘れ果て侍れど」〈再昌草一八〉 **—やま**【筑波山】①常陸国筑波郡の東北端にある名山。「—隠れぬほどに」〈万三三八九東歌〉 ②〔枕詞〕「繁し」などにかかる。「—しげきなげきのねを尋ね」〈増鏡一〉

つくばう【突棒】罪人召捕り具の一。多くの歯の付いた撞木形の鉄製頭部に長柄をつけたもので、袖などを搦み付けて捕える。袖搦み。「村播(村井播磨守)へ—返し候」〈北野社家日記天正一八・四・二九〉。〈文明本節用集〉

つくばね【突羽根】追羽根。また、それに突く羽根。「—や東方なりの国の春」〈俳・渡奉公下〉。〈俳・乳母五〉

つくば・ひ【蹲ひ・踞ひ】『四段』①よつんばいになる。平伏する。「—・ふ、如何。これは、敬ふ人の御前などに候ときの事か」〈名語記九〉。「誰をうやまひ—・はん」〈伽・弁慶物語〉 ②うずくまる。しゃがむ。「浜辺に—・ひて、小手招きしければ」〈伽・をこぜ〉

つくひ【月日】「つきひ」の上代東国方言。「—やは過ぐはゆけども」〈万四三七八防人〉 †tukuFi

つく・ひ【噤ひ・閉ひ】『四段』きつくとじる。つぐむ。「つくみ」とも。「儵忽(にはかに)に口—・ひて言ふこと能はず」〈紀天武一年〉。「緘、ツクフ」〈名義抄〉 ▽古形はツクビであったかと推定される。 †*tukubi

つくほ・り『四段』未詳。自然に固くちぢむ、衰えしなびる意か。「やくやくに容貌(かたち)—・り、朝な朝な言ふこと止み、たまきはる命絶えぬれ」〈万九〇四〉 ▽ツクヒ(噤)と同根か。「くつほり」の顛倒と見る説もある。

つくま【筑摩】《近江国坂田郡の地名。筑摩神社がある》 **—のかみ**【筑摩の神】筑摩神社の祭神。「おぼつかな—のためならばいくつか鍋(なべ)の数はいるべき」〈後拾遺一〇九九〉 **—のまつり**【筑摩の祭】筑摩神社の祭礼。土地の女は、それまでに関係を結んだ男の数だけの土鍋をかぶって参詣奉納する風習があった。「近江なる—疾(と)くせなむつれなき人の鍋の数見む」〈伊勢一二〇〉

つく・み『四段』《ツグミ(噤)と同根》きつく締めつける。「堀江漕ぐ伊豆手の船の楫—・め音しば立ちぬ水脈(みを)早みかも」〈万四四六〇〉。「箝・箍、ハサム・ツカム・ツクム」〈名義抄〉 →かぢつくめ。 †tukumi

つぐ・み【噤み】『四段』《古くはツクミと清音》口などをきつくとじる。「群臣口を—・み、万人目を以てす」〈太平記四・備後三郎〉。「噤、ツクム」〈名義抄〉。「緘、ツグム」〈文明本節用集〉

つくめ【付目】舟の櫓の腕に櫓綱をかけるための突起物。「妹がりとわが行く道の河にあれば—結ぶと夜ぞ更(くた)ちける」〈万一五四六〉 †tukumë

つくもがみ【江浦草髪・九十九髪】老人の白髪。ツクモは水草の名で、老人の白髪がツクモに似る故という。或いは、ツクモはツグモモ(次百)の約か。百につぐ九十九の意で、百に一画足りない「白」の意を表わし、白髪の意となるという。「百年(ももとせ)に一年(ひととせ)たらぬ—我を恋ふらし面影に見ゆ」〈伊勢六三〉。「一年足らぬ—多かる所にて」〈源氏手習〉

つくもどころ【作物所】《ツクリモノドコロの転》宮中の調度などを作る所。彫刻・鍛冶などの細工をする。長官は別当。下に預(あづかり)があり、職工を細工という。「—の人召して、忍びて、尼の御具どものさるべきはじめ、宣はす」〈源氏若菜下〉

つくゆみ【槻弓】《ツクはツキの古形》「つき弓」に同じ。「—にまり矢を副(たぐ)へ」〈紀歌謡二八〉 †tukuyumi

つくよ【月夜】《ツクはツキ(月)の古形。のちにはユフヅクヨなど複合語の中に残るだけで、多くはツキヨが使われた》①月の出ている夜。「—には門に出で立ち」〈万七三六〉。「梅の花咲ける—に」〈万一四五二〉 ②月影・月光。また、月の出ている空の様子。「ぬばたまのその夜の—今日までに我は忘れず間なくし思へば」〈万七〇二〉 †tukuyo

つくよみ【月読・月夜霊】《ツクはツキの古形。ヨミは数えること。また別に、月の意のツクヨに神の意のミがついた形。古く二つの語源意識があり、混同されたらしい》月の神。月。「—の持てるをち水い取り来て」〈万三二四五〉。「—の光に来ませ」〈万六七〇〉 †tukuyömi, tukuyomi **—をとこ**【月読男】月。「天に坐(ま)す—幣(まひ)はせむ今よひの長さ五百夜(いほよ)継ぎこそ」〈万九八五〉

つぐら わらを編んで作った丸い籠。飯櫃の保温にお鉢入れとして用い、また寒い季節には幼児を入れて遊ばせておく地方もある。いじこ。「山がつの—にゐたる我なれや心せばきを嘆くと思へば」〈夫木抄三六・述懐〉

つく・り【作り・造り】㊀『四段』《材料に人工を加えて、まとまった形にする意》①材料を使用して、目的の物を組み立てる。「妻ごみに八重垣—・るその八重垣を」〈記歌謡一〉。「真木柱ほめて—・れる殿のごと」〈万四三四二〉 ②物に細工をして目的の形があるものとする。「沖つ波寄せ来る玉藻片搓(よ)りに蘰(かづら)に—・り」〈万三九九三〉 ③田を整備して農耕をする。「あしひきの山田を—・り」〈記歌謡七八〉 ④運営する。「力を戮せ心を一にして、天下を経営(つく)る」〈紀神代上〉 ⑤詩歌・文章などを一定の規範にあう形に仕上げる。「御子もいとあはれなる句を—・り給へるを」〈源氏桐壺〉 ⑥表面をいつわってそれらしくみせる。「いひ紛らはして、また人なきさまを強ひて—・り侍るなど語りて笑ふ」〈源氏夕顔〉 ⑦或る形にする。「手を—・りて(合掌シテ)額に当てつつ」〈源氏葵〉。「貝を—・る(ベソヲカク)もいとほしながら」〈源氏明石〉 ⑧粧(よそ)おう。顔の形をととのえる。「馬添童(むまぞひわらは)のほど、みな—・り合はせて、やう変へて装束き分けたり」〈源氏澪標〉 ⑨料理する。「この鳥の生けながら—・りて食はむ」〈今昔一九ノ二〉 ㊁『名』①こしらえ。造作。「御わたましありけり。—どもも、少少改められけり」〈著聞一二〉。「この刀文殊四郎が—にて」〈俳・犬筑波〉 ②【旁】漢字の右側の画の称。「〔倭(ハ)〕篇(へん)人篇、—は千八人女と書けり」〈古今集註〉 ③農作。また、農作物。「農人が—をするに」〈仮・他我身之上三〉。「あの群鳥の多さでは—がたまる事ではござらぬ」〈虎明本狂言・鳴

つ

子〉 三『接頭』 他の語に冠して、いつわり作る意、また、わざと或るさまをよそおう意を表わす。「もし一声も聞かで帰りたらんこと、念なかるべし…とて、―ほととぎすを用意す」〈春のみやまぢ〉。「―宣旨を下し給ふ」〈伽・熊野本地〉。四『接尾』《多く濁音化してヅクリとなる》 ①《材料をあらわす名詞に付いて》…製。「廂(ひさし)なき糸毛三つ、黄金―六つ」〈源氏宿木〉。「木―の地蔵」〈徒然一九五〉 ②《建築様式の基準をあらわす名詞に付いて》…風。…式。「方形(ほうぎやう)―の御堂を建てて」〈盛衰記二一〉 ―あは・せ アワセ【作り合はせ】『下二』 調和するように作る。「殊更に―・せたるやうなる空のけしき」〈源氏若菜下〉 ―いだ・し【作り出し】『四段』 作り現わす。創作する。「木の道の工匠(たくみ)の、よろづの物を心にまかせて―・すも」〈源氏帚木〉 ―えだ【作り枝】 ①金銀などで草木の枝の形に作ったもの。贈物などをつけるのに用いた。「梅の―に雉(きじ)を付けて奉るとて」〈伊勢九八〉 ②手入れして整えた枝。「松の作り木・―」〈近松・傾城酒呑童子四〉 ―がほ オガ【作り顔】 持前でない不自然な顔付をすること。また、その表情。多くは気むずかしい顔付きをいう。「不断―して心の外に恐ろしがられ」〈西鶴・一代女六〉 ―きゃうげん キョウ…【作狂言】 狂言・歌舞伎などで新しく狂言を作ること。また、その狂言。能では「作り能」と言った。「―を仰せ付けらるべし」〈わらんべ草三〉 ―こうた【作小唄】 新作のはやり小唄。「其の時の―唄ひながら」〈西鶴・一代女三〉 ―ごと【作り事】 ①自然の物でない細工物。「この岩根の松も細かに見れば、えならぬ―どもなりけり」〈源氏少女〉 ②ありのままでないこと。こしらえごと。「げに何しにかは、―にても見えむとも思はむ」〈枕二九二〉 ―た【作田・佃】 「つくだ」(1)に同じ。「―の刈るべき君が御代なればいなふさ山の豊なりけり」〈夫木抄三〇・山〉 ―た・て【作り立て】『下二』 ①建築する。建立(こんりゅう)する。「すなはちかれを大工として東大寺をば―・てられけるとなん」〈法然上人行状絵図〉 ②作りあげる。作り成す。「―・てたりける麦を皆引き損ず」〈長谷寺験記上〉 ③いかにもそれらしくしたてあげる。いかにもそれらしく身ごしらえさせる。「年老いたる雑色三人召し寄せ…京上りの夫(ぶ)に―・て」〈盛衰記二七〉 ―たふれ タオレ【作倒れ】 ①栽培した草木・作物などが不出来なこと。また、その物。「―〔ノ〕貧田は質に置くて(手段シカナイ)かな」〈俳・詞林金玉集二〉 ②作物の凶作などによって破産した百姓。「潰れ百姓」「なり倒れ」とも。「ひつぢ田の僧都(カカシ)は―かな」〈俳・智恵袋三〉 ―どり【作取り】 年貢を納めず、田畠の作物の収穫を全部自家の所得とすること。また、年貢免許の田畠。「この者毎年作する所の田畠を、永代―に致し」〈北条五代記六〉 ―な【作り名】 偽名。または、仮名(かめい)。「仲人頼み―して」〈近松・薩摩歌下〉 ―な・し【作り成し】『四段』 つくりあげる。巧みに作りおおせる。「今めかしくをかしきやうに物好みせさせて、人の心つけむ(惹カレル)便り多く―・し給ふ」〈源氏匂宮〉。「いと高う〔雪ノ山ヲ〕―・す」〈枕八七〉 ―ひげ【作り髭・作り髯】 ①奴などが墨・鍋墨などで描いた髭。「水祝ひや墨絵に見ゆる―」〈俳・生玉万句〉 ②こよりなどでつくり、耳に掛けた髭。多く俳優や遊里通いの者が用いた。懸け髭。「熊の皮の―」〈川角太閤記四〉 ―びと【作り人】 ①田を作る人。農民。「農時に農夫(つくりびと)の終日に作りて一日の価(たから)を獲」〈東大寺諷誦文稿〉 ②作者。著者。「物語などこそ、悪しう書きなしつれば、言ふかひなく、―さへいとほしけれ」〈枕一九五〉 ―まなこ【作り眼】 わざと作った眼付。恐ろしいのにも、愛想のいいのにもいう。作り目。「臂(ひぢ)を張り、―する者にてぞあるらんと覚えたる武士七八人」〈太平記三九・光厳院〉 ―み【作り身】 魚肉を薄く切った料理。刺身。つくり。「―、魚の刺身のこと也。又刺身とも言ふ」〈浪花聞書〉 ―もの【作物】 ①農作物。「―などを少しも損さし給ふべからず」〈極楽寺殿御消息〉 ②ことさらに作った物。こしらえ物。「撫子(なでしこ)は秋咲くものを君が家の雪の巌(いはほ)に咲けりけるかも、と詠(よ)めるも、―と聞えたり」〈仙覚抄一〇〉 ③実物そっくりに作った飾物。「金銀にて橘の三つ成り、―の上手が輝くほどに作りたるを」〈伽・花世の姫〉 ④本物に似せているが内実の伴わないもの。「これ皆―なり」〈俳・大矢数跋〉 ⑤能楽で、その都度作られる舞台装置。舟・屋形・車・山など。「『芭蕉』に―出したきよし、くれぐれ申され候」〈禅鳳雑談〉 ⑥詰め碁。詰め将棋。「碁局―等、一見し了んぬ」〈実隆公記文明七・九・九〉 ―やまひ ヤマイ【作病】 ①みずから求めて病気になること。「心と苦を受けて―するは、これ世にある人にこそ」〈撰集抄三ノ五〉。「〔自作自受ト〕我と―をするやうな者を云ふ也」〈句双紙抄〉 ②仮病。作病(さくびやう)。「主君の心いかにかしこき／引きこもる―は知らるべし」〈俳・正章千句下〉 ―やまぶし【作り山伏】 にわか作りの山伏。にせ山伏。「判官殿十二人、―となって」〈謡・安宅〉 ―ゑ【作絵】 墨絵に彩色すること。また、その絵。「此の頃の上手にすめる千枝・常則などを召して―仕うまつらせばやと心もとながりあへり」〈源氏須磨〉

つくろ・ひ ツクロイ【繕ひ】『四段』《ツクリ(作)に反復継続の接尾語ヒのついた形。手を加えて形を整える意。→ひ》 ①きちんと身じまいする。「母氏が整(つくろ)ひ給ひし儀(すがた)は母氏いまさねば整(つくろ)ふ人も無し」〈東大寺諷誦文稿〉 ②補い整える。修繕する。「いぬき(人名)がこれをこぼち侍りにければ、―・ひ侍るぞ」〈源氏紅葉賀〉。「修理・繕・整、ツクロフ」〈名義抄〉 ③病気などの手当てをする。「風邪かとて、とかく―・ふとものするほどになむ」〈源氏椎本〉。「身に悪しき瘡(かさ)出で、―・へどもやまざりき」〈三宝絵下〉 ④(その場だけでも)格好をつける。「少し言(こと)どもりする人のいみじう―・ひ、めでたしと聞かせむと思ひければ」〈枕九〇〉。「〔夫婦仲ノコトヲ〕院に聞こし召さむこともいとほし、このころばかり―・はんと思せど」〈源氏若菜上〉 ⑤化粧などをする。よそおう。「物縫ひいとなみつつ、老い歪めるかたちも知らず―・ひさまよふに」〈源氏早蕨〉

つくゑ【机】 ⇒つくえ。「机、和名都久恵(つくゑ)、案属也」〈和名抄〉

つ・け【付け・着け・就け】 一『下二』《ツキ(付)の他動詞形》 ❶二つのものを同化・一体化させて、離れないようにする。 ①付着さす。しみつかせる。「常陸さし行かむ雁もが吾が恋を記して―・けて妹に知らせむ」〈万四三六六〉。「杜若(かきつはた)衣(きぬ)に摺り―・け大夫(ますらを)のきそひ狩する月は来にけり」〈万三九二一〉 ②(きずあとなどを)残す。印する。「玉の枝にきずを―・けたるを」〈源氏絵合〉 ③縫いつける。「針はあれど妹しなければ―・けめやと」〈万二九八二〉 ④ぬる。「沙門是に竹を抜きて薬を伝(つ)けて、其の裳を裂き其の足を裹(つつ)む」〈大唐西域記三・長寛点〉 ⑤(性質などを)そなえさせる。養わせる。「〔性格ニ〕少し今めきたる気を―・けばや」〈源氏末摘花〉 ⑥(心に)離れなくする。「うつせみの常無き見れば世の中に情(こころ)―・けずて思ふ日そ多き」〈万四一六二〉。「男も女も言ひ交して、をかしき物語して、女も心―・けてもの言ふありけり」〈平中三三〉 ⑦火などを点じる。点火する。「絶えず人さぶらひ、燈火(ともし)―・けよ」〈源氏篝火〉⑧連歌・俳諧などで、前句につづけて句を作る。「これが本(もと)(＝上ノ句)―・けてやらむ」〈枕八二〉。「ゆゆしき難句にて人人案じ煩ひたりけるに、小侍従―・けける」〈著聞一六三〉❷対象のそばを離れず一体になっているようにさせる。①身につくようにする。着用する。「しらぬひ筑紫の綿は身に―・けていまだは着ねど暖かに見ゆ」〈万三三六〉。「鬼神の面を―・けたる時は、鬼神に成り変り」〈三体詩抄一ノ三〉②離れず、つき従わせる。一緒に居させる。「男に―・けてみちのくにへ娘をつかはしたりけるが、その男心変りたりと聞きて」〈後撰一二四三詞書〉③詞章などに節をそえる。曲付けする。「詞(ことば)を集め、曲(ふし)を―・けて」〈能作書〉④物を託す。ことづける。「京に〔向ケテ〕その人の御もとにとて、文書き―・く」〈伊勢九〉⑤尾行する。あとをつける。「良清・惟光(これみつ)を―・けてうかがはせ給ひければ」〈源氏花宴〉⑥《動詞連用形を承けて》常に…し慣れる。「乗り―・けぬ馬に神主のけぞりて」〈俳・犬筑波〉。「〔軍ノ諸道具八〕その国の用ひ―・けたるを用ひよ」〈孫子私抄〉❸ある位置・場所に確かに居を占めさせる。①到着させる。行き着かせる。「両の船を荘(よそ)ひて多く黄金と資粮とを置きて海中に送り―・く」〈三蔵法師伝四・院政期点〉②即位させる。着任させる。「女院の御はからひにて御位に―・け奉らせ給ふ」〈保元上・後白河院御即位〉③名を決める。「〔名ヲ〕なよ竹のかぐや姫と―・けつ」〈竹取〉④(視線などを)じっと当てる。こらす。「この盗人目を―・けて見るに浅ましくなりぬ」〈宇治拾遺一六六〉❹《「…につけて」の形で》ある動作・状態の起る場合にいつも付随して別の何かが起る意を表わす。…につれていつもその度ごとに。それに関連して。「御覧ずるに―・けてもいとど忍びがたく思し召されて」〈源氏薄雲〉。「月日重なるに―・けて、いよいよ所せきやうに見えさせ給ひければ」〈保元上・法皇崩御〉㈡〘名〙書付。特に、勘定書や手紙。「墨跡の―も中に御入り候」〈細川忠興文書〉 ✝tukë

つげ【黄楊】ツゲ科の小喬木。材は古くから櫛・枕・板木・印材などに使われた。「大和の―の小櫛をおさへ挿す」〈万三九五〉。「黄楊、豆介(げつ)、色黄白、材堅者也」〈和名抄〉

▽上代、ゲの音はgeかgëか不明。

つ・げ【告げ】㈠〘下二〙《ツギ(継・次)と同根。言葉を次から次へと伝達する意》(言葉で)知らせつたえる。「狂(たは)れたる醜(しこ)つ翁の言(こと)だにもわれには―・げず」〈万四〇一一〉。「声聞菩薩、衆に―・げて曰(のたま)はく『善哉、善哉』」〈地蔵十輪経七・元慶点〉㈡〘名〙①(言葉での)知らせ。告知。通告。「『母の尼の労気(らうけ)にはかにおこりて、いたくなむ煩ふ』と―に人のまうで来たりしかば」〈源氏夢浮橋〉。「宜しく我らが近発の―を待つべし」〈平家四・南都牒状〉②神仏や夢などの知らせ。「仍(よ)りて、祟りをなす由、その―あり」〈十訓抄一〇ノ二二〉。「その夢の―を家に尋ね問はしめけり」〈今昔九ノ一五〉 ✝tugë

つけあひ【付合】〔連俳用語〕詞・心(意味)・寄合(よりあひ)などによって前句と付句とを関連づけること。また、その関連、その手法。「―は十方より取り寄るべき也」〈十問最秘抄〉。「『賢き人ぞ世には出でたる』と云ふに、『春の暮有明月は今朝入りて』。此の―は、賢人は世に出で、月は今朝入ると付けたり。『月は』の『は』一つにて付けたる也」〈長短抄下〉。「本歌をよくよく心得分けて―にすべき事也」〈砌塵抄〉。「此の前句は―幾らもあれば、其の内よき事をえらびてと思し召すにより」〈俳・天水抄〉

つけいし【付石】金・銀貨を擦りつけて良否を調べる石。近世、黒色緻密な珪石の一種である紀伊国那智産の那智黒が用いられた。「―と岩根に摺るや金銀花」〈俳・玉江草三〉。〈日葡〉

つけいだ・し【付け出し】〘四段〙跡を付けて居所を確かめる。「やがて―・し、心任せに討たすべし」〈西鶴・諸艶大鑑七〉

つけい・り【付け入り】〘四段〙①敵が退くに乗じて攻め込む。「小松原『得たり』と―・り切っ付くる」〈安宅一乱記七〉。「山県三郎兵衛下知を以て藤枝へ―・り」〈甲陽軍鑑一二下〉②隙(すき)や機会にうまく乗ずる。「〔花支巧破ト八〕面白うして―・って盗むを云ふぞ」〈百丈清規抄一三〉

つけうた【付歌】神楽・風俗・催馬楽・今様などで、発声の人が第一句を歌うと、助音の人が第二句目から和して歌うこと。「まことにおもしろかりければ、法皇も―せさせおはします」〈平家五・文覚被流〉

つけがみ【付紙】①読書中、疑問の箇所に、目印として貼りつける紙片。不審紙(ふしんがみ)。下紙(さげがみ)。「籤〔トハ〕今時分、不審なる処に―をつくる様の事なり」〈見聞愚案記七〉②目印として貼り付けた紙片。「以前合点の御句……―を仕り候て」〈相良家文書一、明応四・四・一三〉③金銀を贈答する時に、その数などを記した包紙。「銀子三千枚を三間台に―をして」〈続撰清正記六〉 **―だい**【付紙台】付紙⑶を貼り付けた台。金銀は別に包んで贈る。付台(つけだい)。「―・折紙台三荷に荷はせ」〈近松・薩摩歌中〉

つけがみ【付髪】仮装用の鬘(かずら)。また、添髪。「―は浮世念仏踊かな」〈俳・細少石四〉

つけぎ【付木】檜の長さ五寸くらいの薄片の一端に硫黄を塗り付け、火口(ほくち)から火を他の物に移すに用いられた物。竹製を付竹といった。硫黄。硫黄木。火付け木。「―に霞火も移らざる」〈俳・寛永十三年熱田万句一八〉

つけく【付句】〔連俳用語〕付合の際、前句に付けた句。「けり・けれなどと云ふ詞の前の句には、―も定るてにはを付くべし」〈長短抄中〉

つけこ・み【付け込み】〘四段〙①敵が退くに乗じて攻め入る。「城へ引き取り候へば、四方より―・み」〈伊達家文書三、寛永一五・一二・一三〉②跡を付けて居所を確かめる。「盗人―・む〔時モ時〕鐘響く也」〈俳・西鶴五百韻〉

つけごゑ【付声】①他の声に付いて共に唄ったり言ったりする声。「夏の夜は蚊の―の謡かな」〈俳・犬子集三〉②本人の傍に居て、代りに音声を出すこと。また、その声。「鶯も―をせよ蝶の舞」〈俳・夢見草一〉

つけざ【付差】「つけざし」の略。「―に過す盃の〔楽シミ〕」〈評判・吉原こまざらい〉

つけざし【付差し】自分の口につけた盃または煙草をそのまま相手に差すこと。「約束もせずして、御酒給(た)べ候て、人に遣はし候も―也。又、我一つ二つ呑み、後の一つなど人にさすも―也」〈伊勢貞順記〉。「忍べるか呑みし煙草の―に」〈俳・鷹筑波三〉

つけしろ【付城】敵城を攻める時、それに相対して築く城。「土佐勢は―をこしらへて、番手を置いてぞ引きける」〈三好軍記下〉。〈日葡〉

つけずまひ【付争ひ】馬が、荷を付けたり人を乗せたりするのを嫌ってあばれること。「この馬にはかに―をして、あがっつ跳(をど)っつ狂ひけるに」〈太平記二〇・義貞馬属強〉。「属験、ツケズマイ」〈文明本節用集〉

つけずみ【付墨】和歌・連歌・俳諧などの作品に記された、師匠・判者等の批判・評価の表記。丸点・爪点などの点と批言の表記法があった。合点。批点。点。「善阿の点は、さして風情珍しからざれども誤りなく正しきをえらびて、―をせり」〈長短抄下〉

つけだけ【付竹】 竹製の付木。近世、普通の付木にもいう。「燧(ひうち)—・硫黄など用意して、燧袋にしつらひ入れ」〈盛衰記二六〉。「付木…越後にて—と云ふ。…越後にて—と言ふは、昔は竹を薄くへぎて今の付木の如く用ひたるとぞ」〈物類称呼四〉

つけつけ 無遠慮にするさま。「口の恐ろしき人が物を申し候へば、—と申し候とて、大人も腹を立て候事にて候」〈言継卿記大永八・三・一三〉。「田舎の人または高きも賤しきも、面を—とまぼる事、口惜しき事也」〈人唐記〉

つけどころ【付所】〔連俳用語〕①前句の詞や意味のうち、付句がとりわけ関連づけるところ。「—はただ一かど・一ふしにて、しかも一はた付きたるやうなるが秀逸にてはある也」〈連理秘抄〉。「いくらの前句の—をも、一つも捨てずあひしらひ」〈落書露顕〉②連歌の進行中、自分が句を付けてしかるべき所。句所。「毎度—を人に越され越されし候の間、一座に二三句に過ぎ候ひき」〈了俊下草〉

つけとど・け【付け届け】 ㊀〘下二〙あとをつけて見届ける。「終に初瀬の里に—・けて」〈西鶴・伝来記六〉 ㊁〘名〙①事情を知らせること。通知。「長聞き付けて、此の男をば—しければ」〈仮・仁勢物語下〉 ②謝礼の金品。祝儀。心付け。「すべき—は貧しきうちにも忘れず」〈仮・小盃二〉

つけめ【付目】 ①采(さい)博奕で、自分の得になる賽の目。「—の跡で置かぬかと貫銭の音は小勝負也」〈西鶴・諸艶大鑑五〉 ②目当て。ねらい所。めど。「〔幕府ノ土木普請ノ〕御手伝ひ／大名の泣く—也」〈雑俳・大花笠〉

つけめし【付食・付飯】 食事を提供する下宿。賄付。「付け飯米(はんまい)」とも。「又、茂兵衛も其の身(太兵衛)の所に—にて宿借り」〈梅津政景日記慶長一九・二・一三〉

つけもの【付物】 ①飾りとしてとりつけるもの。「祭の日の放免(はうべん)の—に」〈徒然二二一〉 ②単に添えただけで、深い意味を持たない文字。「付け字」とも。「江湖手熟釣竿雨…雨は—也」〈中華若木詩抄上〉

つこど 「つかうど」に同じ。つっけんどん。「—なる挨拶」〈浮・茶屋調方記〉。「鶩、ツコド」〈合類節用集〉

つごもり【晦・晦日】《ツキコモリ(月籠)の約》①月末。「—になりぬれど、二十八日にぞ例のひもろきの便りに『なやましきことありて』などありき」〈かげろふ下〉 ②月の最後の日。みそか。多く「つごもりのひ」という。「六月(みなづき)の—の日よめる。夏と秋と行きかふ空の通ひ路はかたへ涼しき風や吹くらむ」〈古今一六八〉 **—がた【晦日方】** つごもりに近い頃。月末頃。「睦月(むつき)—」〈源氏宿木〉

づざい【徒罪】 ⇒づ(徒)。「逆人広嗣が与党且つ捉へ獲たる所、死罪二十六人、…—三十二人」〈続紀天平一三・一・二二〉

つし 屋根裏に簀子でしつらえた物置。「社の—に遊ぶ里の子」〈熊野千句〉。「槵、ツシ、屋の上」〈文明本節用集〉

つし【地】 「つち」の上代東国方言。「天(あめ)—の神に幣(ぬさ)置きいはひつつ」〈万四四二六防人〉

つじ 《ツムジの転》❶【旋毛】①つむじ。「毛のおひめぐれる所を—と名付く、如何」〈名語記四〉。「旋、ツジ、馬の旋(じつ)」〈文明本節用集〉 ②頂上。てっぺん。「—無しの傘一本」〈西鶴・懐硯一〉 ③鹿子絞りの絞り上げた突起の頂き。「秋の小袖聴(ゆるし)色にして惣鹿子、此の—を一つ一つ紙燭にて焦がし抜き」〈西鶴・一代女一〉 ❷【辻】①中心点。また、特に道の交点。「歌を詠みて札に書きて、壬生の—に立てられける」〈著聞五六三〉。〈文明本節用集〉 ②他の語に冠して、路傍で行なう意を表わす。「—謡」「—髪結」など。「—唄唄うて、かなたこなたをゆらりぶらりと歩き廻りて」〈身の鏡下〉

づし【図子】 小路。横町。路地。「世上余り物騒の間、此方—の口に囲ひをさせ候」〈言継卿記大永七・一二・二七〉。〈文明本節用集〉

づし【厨子】 ①両開きの扉のある戸棚。仏像・琴などを納める。「御—四前。二前は煎香を以て之を作り、琴四面を納る。二前は蘇芳を以て之を作り、琴譜八十巻を納る」〈続後紀嘉祥三・二・三〉 ②食物を据えておく置き戸棚。後に調度・書画などを載せた。「黒漆—六基。御菜を盛る。…黒漆棚—四十基。二十基は菓子唐餅を盛る。二十基は鮮物乾物を盛る」〈続後紀嘉祥三・一〇・三〉。「まだひらかぬみ—どものめづらしき古集のゆゑなからぬ、少し選りいでさせ給ひて」〈源氏賢木〉

つじあんどん【辻行燈】 町辻にある台付きの行燈。辻あんどう。「—の光を和らげ」〈古今狂歌仙序〉

つじうち【辻打ち】 路傍で行ない、見物人に寄付を願う演芸。「—太鼓始り始りと声立てて、見物集まれば」〈西鶴・俗徒然五〉

つじうら【辻占・辻卜】 ①道の辻に立ち、最初に通る人の発することばを聞いて吉凶を判断する占い。「〔恵心僧都へ〕—を聞かせて往生の得否を決定し給ひき」〈説法式要一〇〉。「夕卜(ゆふけ)も—とかやも同じく夕暮に問ふことなれば」〈六百番歌合恋四〉 ②偶然起った物事を、吉凶の前兆とすること。「物が言はせし—は、後にぞ思ひ当りける」〈浄・津戸三郎四〉

つじかいもと【辻垣下】 道端。路上。「—や通りにくかる」〈俳・身楽千句〉

つじかご【辻駕籠】 町辻で待っていて客を乗せる駕籠。町駕籠。「—や雲に乗行く花の山」〈俳・東日記上〉

つじかぜ【辻風・旋風】 つむじ風。「俄に—の吹きまつひて」〈大鏡昔物語〉。「颷、ツジカゼ」〈文明本節用集〉

つじがため【辻堅め・辻固め】 貴人外出のときなど、道筋・辻辻を警固すること。また、その役。「—の兵(つはもの)十人、長具足を立て並べ、まことにきびしく見えたり」〈曾我九〉。「辻固、ツジガタメ、警固の人義」〈文明本節用集〉

つじがはな【辻が花】 ①紅色その他の色で葉の形などを染め、或いは刺繡した帷子(かたびら)。また、その模様。「春風にわかゆの桶を戴きて袂も—を折るかな」〈三十二番職人歌合〉 ②近世初期、赤色で染めた帷子。また、その染色。「西御方より阿茶丸へ手拭—一つ遣はされ了んぬ」〈言経卿記文禄五・四・二九〉。「赤染の衛門や着ぬる—」〈俳・塵塚誹諧集下〉

づしぎみ【図子君】 中世、市中の図子すなわち小路に、軒を並べて客を引いた遊女。「—。『入らせ給へ』『見知り参らせて候ぞ、入らせ給へ』」〈七十一番歌合〉

つじぎり【辻斬り・辻切り】 刀剣の斬れ味をためし、または武術修練のため、武士が夜間辻に出て、不意に通行人を斬ること。また、その人。「夜毎に京白河を廻りて—をしける程に」〈太平記一二・兵部卿親王〉。〈文明本節用集〉

つじげんくゎ【辻喧嘩】 大道で喧嘩すること。近世、公儀から禁制されていた。「—度度に鎮西八郎兵衛」〈俳・談林十百韻上〉

つじすまひ【辻相撲】 辻や道端で相撲を取ること。また、その相撲。「鎌倉中停止せらるべき条条の事。…辻辻盲法師幷びに—の事」〈吾妻鏡仁治一・二・二〉

つじたち【辻立ち】 ①路傍に立ち止まって商売や見聞をすること。「いらぬ座頭の立聞き—」〈俳・昼網上〉 ②遊廓の辻に立って太夫の道中を見物すること。「—の見物が益(まし)かと思はるる所に」〈評判・吉原こまざらい〉 ③遊女な

どが路傍にたたずんで通行人に媚を売ること。「立ち休らうて、なまめきかはすを―とかや云ふ」〈俳・類船集三〉

つじだんぎ【辻談義・辻談議】路傍で往来の人に説法して喜捨を乞うこと。また、それをする乞食僧。「―坊主の倚子に上りて、厳し顔に説法し」〈信長記一四〉。「―といふは、街談巷語を称し…尤も正法に非ず」〈御当家令条一〇、元和一・七〉

つじつま【辻褄】《裁縫で、「辻」は縫目の十文字になった所、「褄」は左右の合う所から》物事の端端の合うべき所。また、合うべき道理。筋道。「褄辻」とも。「今朝着るやよく―を合はせ縫ひ」〈俳・伊勢踊三〉

つじどり【辻取り・辻捕り】路上で女を捕えて暴行したり、連れ去ったりする犯罪。「一、―の事。右違犯の者、御式目に任せ、侍に於ては百ケ日籠居せしむべし。雑人は或は片鬢片髪を削除し、或は召し籠むべし」〈貞永式目追加仁治三・一・一五〉

つじのう【辻能】大道で演じて見物人の投げ銭を乞う能。「―する小娘までも」〈浮・好色敗毒散三〉

つじばうか(ツジボウカ)【辻放下・辻放家】辻打ちの放下師。大道で手品を演じ、見物人に銭を乞う芸人。「見物に北よ(来タヨト掛ケル)南よ(皆見ヨト掛ケル)西東四つ―品玉の曲」〈後撰夷曲集九〉

つじばん【辻番】近世、江戸市中の武家屋敷地または各藩の城下町の辻辻に、自警のために設けた番所。辻番所。また、その番人。辻番人。「若殿様御屋敷―として罷り上り候…足軽の内壱人、江戸にて欠落ち候由」〈梅津政景日記寛永九・五・二八〉

つしま【対馬】旧国名の一。古くは「津島」。西海道十一国の一で、今の長崎県対馬。九州と朝鮮半島との中間にある。「百船(ももふね)の泊つる―の浅茅山時雨(しぐれ)の雨にもみたひにけり」〈万三六九七〉。「対馬島、都之万(つしま)」〈和名抄〉　**―おん**【対馬音】平安時代、呉音の通俗的呼称。「欽明天皇の代、仏法始めて吾が土(くに)に渡る。此の島、一比丘尼有り。呉音を以てこれを伝ふ。茲に因りて日域の経論皆此の音を用ゐる。故にこれを―と謂ふ」〈朝野群載三〉

つし・み【謹み】『四段』《ツッシミと読む》「つつしみ」の転。「御下文を給はりて―・んで候ところに」〈竹崎季長絵詞〉。「―・んで以て注進せしめ候。…恐惶頓首―・んで啓す」〈蓬左文庫本盛衰記三〉。「ツッシンデマウス、または、イル」〈日葡〉

つし・み【黰み・黮み】『四段』《ツはチ(血)の古形。「血染み」の意》黒ずむ。「青鬱金といふは…わりたれば、黄朽葉の深く―・みたるやうにぞある」〈薫集類抄下〉。「左右の腕―・み、黒くくぼかりけり」〈雑談集六〉。「黰、クロム・ツシメリ」〈名義抄〉

づしやか 重みのあるさま。どっしりした感じ。「いと物覚えず、―なる節料も賜へるかな」〈宇津保蔵開下〉。「もとより―なる所はおはせざりし人の…え心強くもてなし給はず」〈源氏若菜上〉

づしょれう(ズショリョウ)【図書寮】令制の官司の一。中務省に属し、図書の保管、内裏の仏事、及び国史の編纂を司る。「―頭一人。経籍・図書・国史を修撰し、内典・仏像・宮内の礼仏・校写・装潢・功程、紙筆墨を給することを掌る」〈職員令〉

づす【豆子】木製の椀の一種。猪口(ちょこ)と壺との中間の形をしている。「坊主の酒、飯椀・汁椀見悪(にく)く候。小汁椀・笠椀・―はよく候」〈本福寺跡書〉。「楪子(ちゃす)大いに浅し。―小に深し」〈塵添壒嚢鈔一〇〉

つた【蔦】蔓(つる)性木質の多年草。秋の紅葉が賞美された。「這ふ―の別れし来れば」〈万一三五〉。「常盤木(ときはぎ)に這ひまじれる―の色など」〈源氏総角〉

づだ【頭陀】〔仏〕《梵語の音訳。「抖擻(とそう)」とも意訳される》僧が衣食住に対する執着を捨てて仏道を修行すること。特に、行く先先で食を乞いながら行脚(あんぎゃ)すること。「去月二十七日―の次(つい)でを以て、乙訓寺に宿りて、空海阿闍梨に頂謁す」〈伝教大師消息弘仁三・一一・五〉

つだつだ 細かくばらばらに切断されたさま。ずたずた。「其の身―に成りて、浪の上にぞ浮かび出でける」〈壒嚢鈔一二〉

づだづだ 「つだつだ」の転。「づたづた」とも。「ヅダヅダニキル」〈日葡〉。「段の字をば―と読む」〈本願取滴直談八〉。「寸、ツダツダ」〈名義抄〉

つたな・し【拙し】『形ク』①(人品などが)天性劣っている。下等である。「気序風寒にして人性暴犷なり。言辞鄙褻(つたな)し」〈大唐西域記一・長寛点〉 ②(学問・芸術などが)未熟である。才能に乏しい。「本才(政治上ノ学問)のかたがたのもの教へさせ給ひしに、―・きこともなく、また取り立ててこの事と心得る事も侍らざりき」〈源氏絵合〉。「詩歌管絃に長じ、才芸―・からず」〈保元下・左府の君達〉 ③運が悪い。恵まれない。「宿世―・き人にや侍らむ」〈源氏玉鬘〉。「重盛が果報の程こそ―・う候へ」〈平家二・烽火〉 ④見苦しい。汚い。「古く―・き衣を着て」〈今昔九ノ一六〉。「いつまで―・き国に住むべきにもあらず」〈伽・七夕〉

つたは・り(ツタワリ)【伝はり】㊀『四段』①道筋を順次経る。「はるかなる世界(筑紫)より―・りまうで来て」〈源氏橋姫〉 ②(液状のものが)何かに沿ってしたたり落ちる。流れる。「その御涙、経より―・りて、院の御顔につめたくかかりけるに」〈著聞五〇〉 ③伝承される。「〔コノ歌集ガ〕長く―・り、とりのあと(文字)久しくとどまれらば」〈古今序〉 ④伝来する。「この唐櫃(からびつ)は上古より―・りて、その始めを知らず」〈徒然九九〉 ⑤伝授される。「黄帝すでに不老不死の薬を―・り、鼎湖といふ所にしてこれをなめ給ひしかば」〈伽・不老不死〉 ㊁『名』伝えられること。所伝。「かたじけなくも日蓮上人より―の珠数(じゅず)」〈狂言記・宗論〉

つた・ひ(ツタイ)【伝ひ】『四段』《ツタへの自動詞形》①何かに沿って移動する。移り進む。「夜、鳴く声は狼の如し。能(よ)く木に縁(つた)ひ危巌と高木とに巣(す)ふ」〈法華経玄賛平安初期点〉。「御屏風の間(はさま)に―・ひ入り給ひぬ」〈源氏賢木〉 ②(液状のものが)何かに沿ってしたたり落ちる。流れる。「水―・ふ磯の浦廻(うらみ)の」〈万一八五〉。「側・流、ツタフ」〈名義抄〉 ③(点点と)たどってゆく。「〔石畳ノ〕石を―・ひて雪に跡をつけず」〈徒然六六〉 †tutaFi

づだぶくろ【頭陀袋】頭陀の僧が、経巻・僧具などを入れて首に掛ける袋。「―には大豆を入れつつ」〈俳・正章千句下〉。〈日葡〉

つた・へ(ツタエ)【伝へ】㊀『下二』《ツタ(蔦)と同根。蔦のように線条的に長く伸びているものを経て、ものごとを移動させる意》①(何かを経て)相手に渡す。受け継がせる。「書を―・へ、印(しるし)を送りて」〈地蔵十輪経三・元慶点〉。「〔カグヤ姫ハ〕壺の薬添へて頭中将呼び寄せて奉らす。中将に、天人とりて―・ふ」〈竹取〉 ②(人の話などを)受け継いで相手に告げる。伝言する。「ややためらひて仰言(おほせごと)―・へ聞ゆ」〈源氏桐壺〉 ③(教えなどを)承けついで次の人に渡すように教える。「もし髪を剃り衣を染めたる凡夫(ぼんぶ)の僧いまさざらましかば、誰かは仏法を―・へまし」〈三宝絵下〉。「よろづの物の上手におはすれば、いづれも―・へ奉り給ふ」〈源氏少女〉 ㊁『名』①ことづて。伝言。「遠くとも妹がーは早く告げこそ」〈万三〇〇八〉②相伝。伝授。「〔コノ笛ノ〕末の世のーはまたいづ方にとかは思ひまがへむ」〈源氏横笛〉 † tutaFë 　**ーし・り**【伝へ知り】《四段》人から聞いて知る。聞き伝えて知る。「かやうに忍びたらむ事をば、いかでかー・るやうのあらむ」〈源氏薄雲〉 **ーと・り**【伝へ取り】《四段》伝授を受けて体得する。「はかばかしくー・りたる事はをさをさ無けれど」〈源氏若菜下〉 **ーまゐら・せ**【伝へ参らせ】《下二》仲介となって〔物を〕差上げる。「兵衛の尉、取りてまゐれり。宰相の中将取りてー・せ給ふ」〈源氏梅枝〉

つだみ【呪吐】《ツは唾。ダミは動詞タミ(廻)と同根、ゆがめてこぼす意。→むかだみ(嘔吐)》乳児が乳を吐くこと。「此の君いたく泣きたまひてーなどしたまへば、乳母(めのと)ども起きさわぎ」〈源氏横笛〉。「哯、ツダミ」〈名義抄〉

つち【土】㊀《名》①《「天(あめ)」の対》大地。地面。地上。「天へ行かば汝(な)がまにまに、ーならば大君います」〈万八〇〇〉②泥。土壌。「青珠・赤珻(あかだま)をば沙(いさご)ーと齊(ひと)しくせり」〈東大寺諷誦文稿〉。「ーかさなりて山となるなり」〈正法眼蔵菩提薩埵四摂法〉。「乗泥、車乃都知波良非(くるまのつちはらひ)」〈和名抄〉③醜い容貌のたとえ。「よしと見しかど、それはーなりけり」〈狭衣一〉④「地下(げち)」⑴に同じ。「六位といへど、蔵人とにだにあらず、ーの帯刀(たちはき)の」〈落窪一〉⑤田舎者。「御当地の遊所は始めてのふつつかな関東者、万事指図を頼みますと、ふるひ声してーらしく云ひければ」〈浮・三千世界色修行三〉㊁《接頭》卑しめ罵る意を表わす。「これ程の理さへ知らざるー坊主ばかりにて」〈驢鞍橋下〉。「泣くばかり花を見みず(蚯蚓ト掛ケル)やー盲」〈俳・一本草三〉 **ーを忌・む** 「つちいみ」をする。「ー・まじと思し召さば御心ぞ」〈狭衣一〉 **ー犯・す** 「つちいみ」を犯す。「ー・すとて、ほかなる夜しも、めづらしきことありけるを、人告げに来たるも」〈かげろふ下〉

つち【槌】①物を打ち叩く道具。「〔鬼ハ〕ーを腰に差したり」〈今昔二〇ノ七〉。「ー(キヌタ)の音は峰の嵐にひびき来て松の梢も衣うつなり」〈秋篠月清集一〉。「槌、ツチ」〈名義抄〉②裁縫の下手なこと。槌の子。「下手ぢゃとて／ーとはをかし針仕事」〈雑俳・西国船〉③陰暦で、庚午より七日間〔丁丑を間日として除く〕を大槌、戊寅より七日間を小槌と称し、この期間を通して、きまった方向の風が吹くか、或いは晴天または雨天が続いた場合を槌日和という。なお、この期間に生れた子は運が弱く、間日に生れた子は果報があると信じられた。「育つまじーに生れし燕の子」〈俳・鸚鵡集三〉 **ーで庭掃・く** あわてふためいて客をもてなす。また、見えすいた追従(ついしょう)をする。「槌で庭」とも。「もてはやすべき人の来る〔時ノ接待〕をー・くと言へり」〈俳・宝蔵三〉

つちあそび【土遊び】土をこねて物の形を作ったりなどして遊ぶこと。「我もさぞ庭のいさごのーさて生ひ立てる身にこそありけれ」〈聞書集〉

つちいっき【土一揆】室町時代、年貢の減免や徳政の施行を要求して蜂起した、農民・地侍など地下人(ちげにん)の一揆。「近日徳政と号して、ー等、酒屋・土倉において質物を押へ取り、乱入狼藉を致す事」〈東寺百合文書キ、正長一・一一・三〉。「〔享徳二年〕八月の頃より、畠山の家の事に世の中騒がしくなり、ーとかや起りて、都の中あさましかりし事、いづくにも歌などあるべきにあらず」〈草根集二〉

つちいみ【土忌み】「土」は地神の意。陰陽道で、地神のいる方を犯して工事などすることを避けること。止むを得ぬときは、一旦方違(かたたがへ)をして行なった。「三月つごもりがた、ーに人のもとに渡りたるに」〈更級〉

つちおほね(…オ…オ)【土大根】だいこん。「ーを万(よろづ)にいみじき薬とて、朝ごとに二つづつ焼きて食ひける事、年久しくなりぬ」〈徒然六八〉

つちか・ひ(ツチカイ)【培ひ】㊀《四段》植物の生育のために、種子や苗に土をかける。「培、ツチカウ」〈文明本節用集〉㊁《名》つちかうこと。「早瓜(わさうり)を営(つく)ること一段。…壅(つちかひ)并せて芸(くさぎり)三遍」〈延喜式内膳司〉

つちぐも【土蜘蛛】古代、大和朝廷に従わなかった地方の土着民集団の賤称。「此の三処のー並びに其の勇力(たけきこと)を恃みて、来庭(まう)き肯(か)へにす」〈紀神武即位前〉 † tutigumo

つちくれ【土塊】①土のかたまり。「埵、…玉篇には…小なる塊(つちくれ)の累(かさな)れるなりといへり」〈法華経玄賛平安初期点〉。「土塊、和名、豆知久礼(つちくれ)」〈和名抄〉②《斎宮の忌詞》墓。「墓、壌(つちくれ)と称(い)ふ」〈延喜式斎宮寮〉 **ーばと**【壌鳩】最も大形の鳩で、山林に棲み、美味なので食用にする。雉鳩。「ーに山鳩は、鷹の好むと聞くものを」〈虎明本狂言・餌差〉。〈日葡〉

つちけ【土気】土くさい様子。田舎めいたそぶり。「ーを去って〔以後都デ〕相思ふ友」〈俳・山の端千句上〉

つちど【土戸】土・漆喰などを塗った戸。「急ぎ参りて、ーより参らんとするに」〈宇治拾遺七二〉

つちどの【土殿】板敷を取り除き土間とし、喪に服す間、籠るところ。「東三条院の廊・渡殿を皆ーにしつつ、宮・とのばら、おはします」〈栄花様様悦〉

つちにんぎゃう(…ギョウ)【土人形】泥土で作った人形。「都に見しー有り」〈西鶴・五人女三〉 **ーの水遊び** 自分自身を滅ぼす危険な行為のたとえ。「土仏の水遊び」「土仏の水なぶり」とも。「ー、次第に〔身代ガ〕淋しくなって」〈西鶴・置土産三〉

つちのえ【戊】《土の兄(え)の意》十干の第五。「ー。風さむみ衣につくるつちのえの」〈兼輔集〉

つちのこ【槌の子】①木槌。また、その形をしたもの。近世、年越しの夜に独身の女は槌の子を抱いて寝る風習があった。「年越の夜は独寝をせぬものなど言ひて、好ける田舎の下女(げす)ばらはーを」〈俳・山の井四〉②《形が似ているのでいう》前額・後頭部の出張った恰好の頭。才槌頭。「ーの鑓持奴」〈近松・曾我扇八景上〉③裁縫が下手なこと。「大方は針手の利かぬーは、遣手になって果つるも多し」〈浮・禁短気三〉

つちのと【己】《土の弟(おと)の意》十干の第六。「ー。風吹けばゆるぎの杜の一つ松待乳の鳥のとぐらなりけり」〈曾丹集〉。〈名義抄〉

つちはり【土針】草の名。メハジキ。シソ科の二年草で、葉が緑色染料になる。一説、ツクバネソウ。「わが屋前(やど)に生ふるー心ゆも想はぬ人の衣に摺(す)らゆな」〈万一三三八〉

つちほぜり【土穿】土をほじること。また、その人。百姓の卑称に用いる。土ほじり。「身共は和泉の鈍百姓、ーでおぢゃれども」〈近松・五十年忌上〉

つちみかど【土御門】平安京大内裏の上東門と上西門の称。土門である。「雨まことに降りぬ。『などか、こと御門御門のやうにもあらず、このーしも、かう上もなくしそめけんと、けふこそいとにくけれ』」〈枕九九〉

つちもん【土門】左右を築地にした屋根のない門。「ーの所に来たる客人(まらうど)に、しのびて取らせし〔歌〕」〈和泉式部集三〉

つちや【土屋】土蔵。「道実ーに入りて着物どもを取る」〈高野山文書七、正応四・一一・二〇〉

づちゃう(ヨウチ)【図帳】全国の田地台帳。田図と田籍より成る。民部省に保管。御図帳(みづちやう)。水帳。「ー文書の如きは、もし朽残のものは引き取らさるるか」〈明月記安貞一・四・九〉

つちやぐら【土屋倉】土蔵。「五間ばかりなる檜皮(ひはだ)屋のしもにーなどあれど、ことに人などもみえず」〈大和一七三〉

つちろう【土籠】土をうがって作った牢。土牢。「二階堂の谷(やつ)にーを塗ってぞ置き参らせける」〈太平記一三・兵部卿親王〉

つちゐ【土居】①泥土を築きめぐらした築地(ついぢ)・土塀の類。「軒に朽葉深く、ーに苔むせり」〈方丈記〉②帳台などの柱の下の土台。「御帳の外のーに押しかかりて居眠りし給へり」〈宇津保蔵開上〉

つつ 鳥の名。セキレイの古名という。「あめ(雨燕)・ー・千鳥・真鵐(ましとと)」〈記歌謡一七〉

つつ 「つつもたせ(美人局)」に同じ。「ムム聞えた、仕掛け者ーぢゃーぢゃ」〈浄・ゐがらの平太三〉

つつ【筒】①円く長く中空なもの。「もと光る竹なむ一筋ありける。あやしがりて寄りて見るに、ーの中光りたり」〈竹取〉②丸い井戸側。筒井筒。「此の井は五六日もありぬべかんなり。井のーといふ物も立てなどしたらんまでこそは、おはしまさめ」〈狭衣一〉③銃身。転じて、鉄砲。「下され候ーにて雁一仕り候」〈上井覚兼日記天正三・閏一一・二六〉④船の中央に立てる帆柱の控え柱。守り神の船霊を安置。「船作らせ候。ー立て候祝ひとて、加治木但馬丞…越し候也」〈上井覚兼日記天正一一・八・三〉⑤酒を入れる竹筒。「ささへ」とも。「鵞目(がく)一貫、並びにーひとつ給び候ひ了りぬ」〈日蓮遺文富木尼御前御書〉。「飲み手は多し、ーは小さし」〈義経物語五〉⑥花筒。「利休このーへ河骨をいけられし事ありて」〈稽古百首下〉⑦博奕(ばくち)の時、賽(さい)を入れて振る筒。「薬師の前でーをこそ振れ」〈俳・犬筑波〉⑧足袋の踝(くるぶし)を被う部分。「畝足袋のーのたたくれをなほし」〈仮・東海道名所記六〉

つつ『助』→基本助詞解説

つづ ①射芸で、矢が十発十中で、全部的に当ること。また、十の意。「矢所(ぼつ)一寸も退(の)かず、五度のーをし給ひければ」〈太平記三三・大内裏〉②近世、十九の意に用いる。「汝を母が産み落してより…ーや二十になし」〈咄・昨日は今日下〉

つづ【星粒】《粒の意》星の古名。「夕ーも通ふ天道を」〈万二〇一〇〉

づつ『助』→基本助詞解説

つつい【槌い】《ツツはツチ(槌)の古形。イは体言につく接尾語》つち。「頭(くぶ)ー・石ーもち」〈記歌謡一〇〉

つつお【筒落】「つつおごめ」に同じ。また、それを拾う女。「一年に千両二千両はーでも有ること」〈近松・淀鯉上〉

ーごめ【筒落米】米刺からこぼれ落ちた米。また、地上に落ちこぼれた米。「貫へども一粒呉れぬー人は嚙むらし面影に立つ」〈仮・仁勢物語下〉 **ーははき**【筒落箒】筒落米を掃き寄せるに用いる草箒。「母親の持たれしー・藁箒(しべはき)…この家の宝物とて」〈西鶴・永代蔵一〉

つつが【恙】病気。わずらい。故障。異常。「事にふれて、わが身にーある心ちするも、ただならず物嘆かしくのみ思ひめぐらしつつ」〈源氏匂宮〉。「蹴(くゑ)つめられて、必ずその身にもーいできたりにけむ」〈今昔三三ノ二〇〉。「恙病、ツツガ」〈名義抄〉 ▽中世以後、虫の名と解する説もあらわれた。 **ーな・し**【恙無し】『形ク』無事である。異常がない。さしさわりがない。「ー・くて思ふごと見なさむ」〈源氏東屋〉。「もと、脚にー・し。しかるに、にはかにただれたるぞ」〈今昔七ノ四六〉

つっか・け【突っ掛け】『下二』①一定の順序をふまないで、だしぬけに、または直接に物事をする。「下女やはしたにあらざれば、ー・けても口説かれず」〈浄・大覚僧正三〉②差そうとする盃を押し返して重ねて飲ませる。「飲んで差すに、今一つと強ひるを押へると言ふなり。又ー・けるとも云ふ」〈浮・茶屋調方記〉

つづかは・り(ツヅカワリ)『四段』《ツヅキの派生形》遠くまでつづく。「山川連属(つづかは)りて穀稼に宜し」〈大唐西域記七・長寛点〉

つつ・き【突き】『四段』こつこつと、壊すように突く。「小螺(しただみ)をい拾ひ持ち来て、石もちー・き破り」〈万三八八〇〉。「襲・潰・剉、ツツク」〈名義抄〉 ▽ツツは擬音語で、サワキ(騒)・ソソキ(注)・トドロキ(轟)など、擬音語にキがついて動詞とした類か。 †tutuki

つづ・き【続き】㊀『四段』①場所や物が切れずにつながる。「おはしますにー・きたる廊に[雷ハ]落ちかかりぬ」〈源氏明石〉。「これを掘り穿って見ければ、死骸わづかにー・きて、背に肉少し残ったれども」〈保元下・左大臣殿の御死骸〉②とぎれずにすぐ後につながる。「年月は流るる如し。とりー・き追ひ来るものは、百種(ももくさ)に迫(せ)め寄り来る」〈万八〇四〉。「人伝てに聞え侍るは、言の葉もー・き侍らず」〈源氏椎本〉。「たまたまなす句は、きれぎれにてー・かず」〈古今連談集上〉 ㊁『名』①前後のつながり。「言の葉のーも無く、[筆跡モ]あやしき鳥の跡のやうにて」〈源氏柏木〉。「初の文のーがよい程に」〈四部録抄〉②つづいている部分。続編。「紫のゆかり(源氏物語ノ一部)を見て、ーの見まほしく覚ゆれど」〈更級〉③救援。「自然俄かのーなどの時は、役人迄申すべきの由に候也」〈上井覚兼日記天正三・二・一三〉 †tuduki **ーきゃうげん**(キョウ)【続狂言】二幕以上筋の続いた科白(せりふ)中心の歌舞伎狂言。舞踊中心で一幕だけの放れ狂言に対して、野良歌舞伎(やらうかぶき)になって発生した。「[題材ハ]憂き事のみのー」〈俳・大坂一日独吟千句〉

つつくら【つつ暗】まっくら。「つつやみ」とも。「虚空ーに成りて、奇異に恐ろし気なり」〈今昔一〇ノ三六〉。「惣暗、ツヽクラナリ」〈伊呂波字類抄〉

つっくり ①ひとりでぼんやりと淋しそうにしているさま。「岩陰の水乞ひ蛙ーと」〈俳・東日記下〉。〈かたこと五〉②念を入れてするさま。よくよく。つくづく。「ーと月を拝むか鼻むか」〈俳・風光集〉

つづ・け【続け】『下二』《ツヅキの他動詞形》①とぎれることのないよう持続させる。「針袋帯びー・けながら里ごとにてらさひ歩(ある)けど人も咎めず」〈万四一三〇〉。「馬の爪の至り留まる限り、長道(ながち)間(ま)ひ無く立ちー・けて」〈祝詞祈年祭〉。「しめやかにて世の中を思ほしー・くるに」〈源氏賢木〉②ことばをつらねて歌を詠み作る。「判官かくぞー・け給ふ。み越路の八重の白雲かき分けてうらやましくも帰る雁が音」〈義経記七〉③仕送る。財物を供給して人を助ける。みつぐ。「カテヲツヅクル」〈日葡〉。「姪から聟からー・くる柴の戸」〈俳・珍重集〉 †tuduke **ーがひ**(イガ)【続買ひ】遊女を続けて揚げて遊興すること。「よい衆の子供達の真似をして、ーして」〈評判・露殿物語〉 **ーがら**【続柄】[歌論用語]言葉の続けかた。言葉の前後関係。一語一語よりもむしろ重視された。「すべて、詞にあしきもなく、よろしきもあるべからず。ただーにて、歌詞の勝劣侍るべし」〈毎月抄〉

つっけり 愛想がない様子。つっけんどんな態度。「愛想もなきていをーとしてと云ふ」〈志不可起三〉

つ

つつごかし 何くわぬ顔で人を騙すこと。かたり。詐欺(さぎ)。「―の顔で、つらりと九文十文づつ百〔文緡〕の口(端ノ銭)を抜いて置けや」〈近松・万年草中〉

つっこみ【突込み】 髻(もとどり)を高く、元結を一寸余に結ぶ男の髪風。「太夫天神も残らず髪は―大振袖、いづれも美少人のごとく」〈西鶴・諸艶大鑑八〉

つつじ【躑躅】 ①ツツジ科の灌木。晩春から初夏にかけて花が咲く。「―咲く片山かげの春の暮それとはなしにとまるながめを」〈風雅二七九〉。「賀茂山の―を見る」〈後法興院記文亀三・四・一三〉。「―は、上賀茂・壇の上・西賀茂山・鷹が峰・岩倉・松が崎・山鼻・白川・船岡山・衣笠山を以て観と為す」〈日次紀事三月〉 ②襲(かさね)の色目の名。「下襲(したがさね)は。冬は―、桜」〈枕二八四〉 **―はな【躑躅花】** ツツジの花。若い人の美しさにたとえる。「―にほえ少女」〈万三三〇五〉

つつし・み【慎み】 〔一〕『四段』《ツツはツツミ(包)と同根。物のまわりをすっぽり包む意。シミはシミ(凍)・シメ(締)と同根。きつく縮める意。自分の身を包み込み引きしめる意。類義語イミ(忌)は、タブーに触れないように心掛ける意。カシコミは、畏敬すべき物に対して恭順の意を表わす意》 ①尊いものに対して失礼を働かないように、自分の身を引きしめる。「綸言を祇(つつ)しみて奉(うけたまつ)りて」〈玄奘法師表啓平安初期点〉。「また白き石あり、夜光を放つ。帝いよいよ―・み尊び給ひて」〈三宝絵下〉 ②物忌みをする。謹慎する。「―・ませ給ふべき御年(厄年)なるに」〈源氏薄雲〉。「伊予の守の朝臣の家に―・む事侍りて、女房なむ罷り移れる頃にて」〈源氏帚木〉 ③(人目などを)怖れる。おじる。「京中謀叛の聞えありて、軍兵東西南北より入り集まりて、兵具をば馬に負せ車に積み、―・み隠してもてむらがり」〈保元上・新院御謀叛思し召し〉 ④(身辺に)用心する。気をつける。「落馬の相ある人なり。よくよく―・み給へ」〈徒然一四五〉。「縄の災難を―・むべし」〈古今八卦大全三〉 〔二〕『名』 ①咎めなどを受けないよう、身心をひきしめること。「義仲も、まづ都に入るといふとも、その―あって、頼朝の下知を守らましかば」〈盛衰記三五〉 ②物忌み。あるいは物忌みの祈禱。「御目わづらひ給ひて、堪へがたう悩み給ふ。御―うちにも宮にも限りなくせさせ給ふ」〈源氏明石〉。「よくよく兵乱の御―候ふべし」〈平家五・五節〉

つづし・り【嘰り】 『四段』 少しずつ口にする。口の中でもぐもぐする。「『影もよし』など―・り謡ふ程に」〈源氏帚木〉。「この鮭・鯛、塩辛・醬(ひしほ)などの塩辛き物どもを―・るに」〈今昔二八ノ五〉 **―うた【嘰り歌】** 口の中でもぐもぐと歌う歌。「『御―のいとをかしき』と言へば」〈源氏末摘花〉

つづしろ・ひ【嘰ろひ】(ツヅシロイ) 『四段』《ツヅシリに反復継続の接尾語ヒのついた形。→ひ》 くりかえし少しずつ口にふくんで食う。「堅塩を取り―・ひ」〈万八九二〉 †tudusiröFi

つっと 『副』《ツトの促音化》 ①勢いよく。さっと。ぱっと。ぐっと。「鎧の引合せより後へ―射抜きて」〈保元中・白河殿へ義朝夜討〉。「金子―立って、起きも上がらせず、押して首を取ってんげり」〈保元中・白河殿攻め落す〉 ②程度のはなはだしさ、また、かけはなれたさまをいう。非常に。とびきり。「〔一族ノ中デモ〕―親しきと、またいとこ・はとこの末とは違ふぞ」〈春鑑鈔〉。「あれは―心がけた者でござるほどに、むさとしたらば、かへって某がしてとられう」〈虎明本狂言・武悪〉

つつぬかし【筒抜かし】 ①「筒抜け」に同じ。「此方の知音の事を彼方の知音に語らるる事―なり」〈評判・難波物語〉 ②大酒を好むこと。上戸。底抜け。「大酒好むを…今の俗は―など言ひあへり」〈仮・よだれかけ四〉

つつぬき【筒抜き】 首を引き抜くこと。「ねぢ首・―・人つぶて、目を驚かすばかりなり」〈説経・しだの小太郎〉

つつぬけ【筒抜け】 話などがすぐにそのまま漏れること。「御二人の話が奥の座敷へ―」〈近松・夕霧上〉

つっぽり 寂しそうにしているさま。しょんぼり。つっくり。「さすがに恥づかしく―として居て、寝る心は無かりしに」〈浮・好色小柴垣三〉

つつま・し【慎まし】 『形シク』《ツツミ(慎)の形容詞形。事柄や気持を、胸につつんで置きたい、あからさまに人に知られたくない意》 ①気がひける。気がとがめる。「〔忍ンデ〕寄り給ふに、伊予簾は、さらさらと鳴るも―・し」〈源氏浮舟〉。「〔コノ秘密ガ〕夢にや見ゆらむと、そら怖ろしく―・し」〈源氏帚木〉 ②遠慮される。憚られる。「思う給へ怠らずながら〔喪中デ〕―・しき程は、さらにおぼし知るらむや」〈源氏葵〉。「かねてよりさやうに〔オ逢イシタイト〕思ひしかど、ついでなきには―・しきを」〈源氏若菜上〉 ③気乗りしない。気が進まない。「〔匂宮ノ〕頼もしげなき御心のあだあだしさなども、いとど―・しければ…思ほし絶えたるを」〈源氏紅梅〉 ④恥ずかしい。「〔結婚ノ話ヲ〕気色ばみ聞え給ふことあれど、物の―・しき程にて、ともかくもあへしらひ聞え給はず」〈源氏桐壺〉 ⑤遠慮深い。「よろづいと―・しき世の御心もちゐなれば、―・しうおぼしながら」〈栄花花山〉

つつま・ひ【恙まひ】(ツツマイ) 『四段』《恙ミに反復継続の接尾語ヒのついた形。→ひ》 さし障りが重なる。災害が重なる。「事し終らば―・はず帰り来ませと」〈万四三三一〉 †tutumaFi

つつまもり【筒守り】 小児のお守り。一尺位の竹筒に守り札を入れ錦で包み、鈴付きの懸け緒で胸に掛け、外出の際は乗物の前に掛けた。「つつまぼり」とも。「竹の子やおのづから持つ―」〈俳・毛吹草五〉

つづまやか【約やか】 ①切りつめたさま。簡約。手短か。「文集の詞は広けれども、上下の巻に―に」〈宴曲集上下〉。「要約とて、肝要を取って―に云ふをたとふなり」〈尚書抄三〉。「約、ツヅマヤカニ」〈名義抄〉 ②つつしみ深いさま。謙虚。「人は己を―にし、おごりを退けて、財(たから)を持たず」〈徒然一八〉。「綽約(しやく)とは、いかにもゆうゆうと―に女房の礼義を調(とと)のへたるを云ふ」〈長恨歌抄〉 ③倹約。節倹。「豊かなる時、―にせざる人は、貧しうして後、悔ゆるものなり」〈伊曾保物語下〉

つづま・り【約まり】 『四段』《ツヅメの自動詞形》 ちぢまる。小さくなる。短くなる。「歳去(ゆ)けば形も衰へぬ。月来れば命も促(つづ)まりぬ」〈東大寺諷誦文稿〉。「近くなるままに長(たけ)の―・りて、五十丈ばかりになりにたり」〈今昔二六ノ一三〉

つつ・み【包み・裹み】 〔一〕『四段』《ツツはツト(苞)と同根》 ①外部にもれて出ないように、全体を何か別のものでくるむ。「白玉を―・みてやらば」〈万四一〇二〉 ②あらわにならないように中にかくしておく。「たらちねの母にも言はず―・めりし心はよしゑ君がまにまに」〈万三二八五〉 ③水が外に流れ出ないように堤を築く。「坡陂、以レ土壅レ水也。豆豆牟(つつむ)」〈新撰字鏡〉 〔二〕『名』 ❶①包むこと。包みかくすこと。「―もあへず、しほたれ給ふ」〈源氏行幸〉 ②包んだもの。また、それを数える語。「道のほとりを見れば、遺(のこ)したる―の飯(弁当)あり」〈霊異記上三四〉。「進上、餠餤(へいだん)一―」〈枕一三三〉 ❷【堤】 ①土を高く築いて川や池の水の流出を止めるもの。土手。「小山田の池の―に刺す楊(やなぎ)」〈万三四九二〉 ②土俵。「相撲(すまひ)なども清涼殿にて中宮は御覧ず。…御前に―かきて」〈栄花根合〉 †tutumi **―がね【包金・包銀】** ①紙などに包んだ金銀貨。贈物などに使う。「山吹(金貨)や井手の下帯に―」〈俳・坂東太郎上〉 ②少しばかりの金銀貨。「なんぞや僅かの―に眼がくれ」〈近松・曾我七以呂波四〉 **―ぶみ**【包文】 書状を礼紙に重ねて折って、更に薄様(うすやう)に包んで糊づけしたもの。「緑のうすやうなる―の大きやかなるに」〈源氏浮舟〉

―ゐ【包井・堤井】 ①まわりを石などで囲った泉。「鈴が音の早馬駅家(はゆまうまや)の―の水をたまへな妹が直手(ただて)よ」〈万三四三九東歌〉 ②宮中で元旦に若水として奉るために、年末から蓋をしておく井戸。「―、春の若水の事なり」〈匠材集二〉

つつ・み【慎み】 ㊀〘四段〙《ツツミ(包)と同根。悪いことが外に洩れないように用心する意》 ①(外部に)気がねする。はばかる。「人目に―・みて、また会ひがたく侍りければ」〈後撰五一詞書〉 ②用心する。行動を抑制する。「さきのやうにやあらんとて、―・み給ふにやありけん、なほおぼつかなし(ヤハリ何ノ音沙汰モナイ)」〈かげろふ中〉 ㊁〘名〙 はばかること。気がね。遠慮。「―なく物馴れたるも、なまにくきものから」〈源氏橋姫〉 †tutumi

つつ・み【障み・恙み】 ㊀〘四段〙《ツツミ(包)と同根。こもって謹慎する意》 ①(事故・病気など)障りがあって、その害を避けるために慎しんでいる。「春雨に隠り―・むと妹に告げつや」〈万四二三八〉 ②《転じて》 害をうける事故にあう。「行くさ来さ―・むことなく船は早けむ」〈万四五一四〉。「障、サハル・ツツム」〈名義抄〉 ㊁〘名〙 傷病・事故などの障害。「―なくさきくいまして早帰りませ」〈万八九四〉。「瑕(きず)・疵(みっ)の身に付く時には妻子もえ扶けず」〈東大寺諷誦文稿〉 †tutumi

つづみ【鼓】 打楽器の一。筒の両端に皮を張って桴(ばち)で打つ。時刻を知らせるにも使った。「この御酒(みき)を醸(か)みけむ人はその―臼に立てて」〈記仲哀〉。「時守りの打ち鳴す―数(よ)みみれば時にはなりぬ逢はなくもあやし」〈万二六四一〉 †tudumi

つづ・め【約め】〘下二〙 ちぢめる。「彌陀如来、六十万億那由多恒河沙(なゆたがうがしや)の御身を―・め、丈六八尺の御かたちにて」〈平家一〇・維盛入水〉

つつめ・き【詢き・囁き】〘四段〙《ツツは擬音語か》 不満げにぶつぶつ言う。「乃(すなは)ち盗みし衣なることを知り、当頭(めっ)きて求めず」〈霊異記上三四〉。「『怨(ゑ)じもこそしたべ』とて―・きてやみぬ」〈土佐二月一日〉

つつもたせ【美人局】 ①詐欺の意か。「―の儀これ有らば、蔵方(質屋)の誤り有るまじき也。申し掛けたる輩を御成敗有るべき事」〈塵芥集〉 ②夫ある女が夫と馴れ合いで姦通し、相手の男から金銭などをゆすり取ること。「重き情〔ト思ッタ相手〕の―とや」〈俳・難波千句〉

つつや・き【詢き・囁き】〘四段〙《近世、ツヅヤキとも》「つつめき」に同じ。「『人に聞かしめで密かにおはしませ』と―・く」〈今昔二六ノ五〉。「若き公卿殿上人、―・き、ささやき、一度にどっとぞ笑ひける」〈浄・法然記一〉。「詢、ツツメク・ツツヤク」〈名義抄〉

つつやみ【つつ闇】 まっくら闇。「つつくら」とも。「霧の立ちて、―にて物も見えざりければ」〈打聞集〉

つづら【葛・黒葛】 ①ツヅラフジなど、野山に生えるつる草。また、そのつる。「佩(は)ける太刀、―多(さは)巻き」〈記歌謡二三〉。「黒葛・累葛、ツヅラ」〈名義抄〉 ②【葛籠】 ツヅラまたは竹で編んだ櫃(ひつ)のようなかご。衣服などを入れるのに使う。「この―重き故に捨てんと思ひて」〈奇異雑談集一〉。「葛籠、ツヾラ」〈文明本節用集〉 **―うま**【葛籠馬】 道中の伝馬の背の両側に葛籠をつけ、その上に蒲団を敷いて旅客の乗ったもの。乗掛馬。「大名の参勤に、―に蒲団を重ねて〔若衆ガ〕乗りつれたるは、あっぱれ見事なり」〈俳・類船集二〉 **―がさ**【葛籠笠】 近江国水口(みなくち)産の葛細工の笠。女や子供が日よけにかぶったもので、近世前期延宝頃まで流行した。「水口に…―」〈俳・毛吹草四〉

―をり【葛折・九折】《ツヅラの蔓のように折れ曲る意という》 折れ曲った坂道。「この―の下(しも)に」〈源氏若紫〉。「互折、ツヅラヲリ」〈名義抄〉

つづらか 《ツヅは粒の意。ラカは状態をあらわす接尾語》 目のまるまるとしたさま。目をまるくしたさま。「そこに目も―なる法師にてついゐさせ給へるものか」〈栄花花山〉。「盱、憂也、張目之貌、目豆々良加尓須(めつづらかにす)」〈新撰字鏡〉

つづらめ【つづら目】 まるまるした目。「瞿鑠トツヅラメナリ」〈名義抄〉 →つづらか

つづ・り【綴り】 ㊀〘四段〙《ツヅラ(葛)と同根。蔓(繊維)を突き通して、物を縫い合わせる意》 ①繊維でとじ合わせる。「頽網を緝(つづ)る者」〈三蔵法師伝八・院政期点〉。「くさり腹巻―・り着て」〈平家八・妹尾最後〉 ②言葉をつづけ合わせて、文章らしく整える。「申し文を取り―・りて、美しう書き出だされよ」〈源氏行幸〉 ㊁〘名〙 ①繊維でつくろうこと。「百結の納(つづり)せる衣もて、わづかに露(あら)はなる身を隠し」〈東大寺諷誦文稿〉 ②継ぎ合わせて作った着物。粗末な着物。「たむけには―の袖も切るべきに紅葉に飽ける神や返さん」〈古今四二一〉。「世俗に―と申すは、わろき着物なり」〈古今秘註抄九〉。「かしらの髪は三四寸ばかりに生ひて―を着たり。おそろしくきたなくて更に近づくべくもあらず」〈今昔一五ノ二八〉 **―刺せ** コオロギの鳴き声。冬を迎える準備に、着物を縫ったりとじたり刺したりしろという言葉に聞きなしたもの。「秋風にほころびぬらし藤袴―てふきりぎりす鳴く」〈古今一〇二〇〉

つづれ【綴れ・襤褸】「つづり」㊁(2)に同じ。「―を着て、櫂を杖に突き下向す」〈本福寺跡書〉。「褐・縷、ツヾレ」〈文明本節用集〉

つつゐ【筒井】 筒のように丸く掘った井戸。「はかなしやーの蛙ればかりほかをも知らず浅き心は」〈夫木抄五・蛙〉 **―づつ**【筒井筒】 ①丸い井戸にはめてある筒のような井桁(いげた)。「―井筒にかけしまろがたけ過ぎにけらしな妹見ざるまに」〈伊勢二三〉 ②《伊勢物語二十三段から》 幼なじみ。「―より結ぶ玉章(たまづさ)」〈俳・寛永十三年熱田万句三八〉

つ・て【伝て】 ㊀〘下二〙《ツタ(蔦)と同根。蔦のように長く先の方まで言いつづき伝える意》 伝える。「思ほしき言(こと)―・てやらず」〈万三九六二〉。「神代より言ひ―・て来らく」〈万八九四〉 ㊁〘名〙 ①人づて。間接的。「―に承れば」〈源氏若菜上〉。「―に(物ヲ隔テテ)見し宿の桜をこの春は霞隔てず折りてかざさむ」〈源氏椎本〉 ②仲介。「風の―にても我がかくいみじき有様を聞きつけ給はば」〈源氏蓬生〉

つてこと【伝言】 言い伝える言葉。伝言。「何の―。ただに し良(え)けむ(直接言エバイイ)」〈紀歌謡一二八〉 ②噂。「此の流言(つてこと)を聞きて、禍の身に及ばむことを恐る」〈紀雄略三年〉。「玉桙の道来る人の―に我に語らく」〈万四二一四〉 †tutekötö

つと【苞・裹】《ツツミ(包)のツツと同根。包んだものの意》 ①わらなどで包んだもの。「苞苴・荒巻、ツト」〈撮壌集〉 ②贈物。特に、その土地の産物などをみやげとする場合にいうことが多い。「堀江より朝潮満ちに寄る木糞(こっみ)貝にありせば―にせましを」〈万四三九六〉。「―とは、物を持ち来りて、人に参らするをば、―と云ふ。土産と書けり」〈古今序

注〉。「贄、タカラ・ニヘ・ツト」〈名義抄〉③当然準備・用意すべきもの。…に役立つもの。「なむあみだ仏なむあみだ仏と申して候ふは、決定往生の—とおぼえて候ふなり」〈一言芳談〉▽朝鮮語 tot(苞)と同源。 †tuto

つと【髱】《ツト(苞)と同根。形の類似によって名付けたもの》日本髪の後ろに張り出した部分。たぼ。「〔女ノ〕髪の—をする事、いやしき業也」〈色道大鏡三〉。「〔男ノ〕こうたう(上品デ地味)にこしらゆるは、髷(わげ)を出して、髪先長かるべし。—のあるをば良ろしとせず」〈色道大鏡三〉

つと〘副〙①じっと動かずに。状態がそのまま持続するさま。「さやかにも見せねど、目を—つけ給へれば、おのづからそば目に見ゆ」〈源氏空蟬〉。「御胸のみ—ふたがりて、つゆまどろまれず、明かしかねさせ給ふ」〈源氏桐壺〉②ぐっと力を入れて。「食ひあてむとて、筍(たかうな)を—握り持ちて、しづくもよよと食ひぬらし給へば」〈源氏横笛〉。「〔障子ヲ〕例はことにさしかためなどもせぬを〔今夜ハ〕—さして、人の音もせず」〈源氏少女〉③動作の早いさま。すっと。ぐっと。「郎等を肩に引懸け、そこを—逃げて小舟に乗り」〈平家九・六箇度軍〉。「弓手の肩を馬手の脇へ—射抜かれて、暫しもたまらず、馬より倒(さかさま)にどうと落つ」〈平家二・嗣信最期〉

つといり【衝突入り】七月十六日、自由に他人の家にはいって秘蔵の器物や妻女などを見る風習。近世、伊勢国山田に残っていた。「誰とても—で見よ伊勢桜」〈俳・鸚鵡集二〉

つどつど【都度都度】一つ一つ。こまごま。「晴明兄弟へも—の御礼あり」〈浄・京童五〉

つとに【夙に】〘副〙《ツトはツトメテ(朝)・ツトメ(勤)のツト。朝早い意》朝早く。「—行く雁の鳴く音はわが如くもの思へかも声の悲しき」〈万二二三七〉。「—聚落に入ること得ざれ」〈四分律行事抄平安初期点〉 †tutoni

つど・ひ(ツドイ)**【集ひ】**[一]〘四段〙《ツヅ(粒・珠)アヒ(合)の転で、一つの緒に多くの珠が貫かれるのが原義か。類義語アツマリは、同質のものが寄り合う意》①(一人の意向によって召し寄せられて)集合する。「国国の防人(さきもり)—・ひ舟(ふな)乗りて別るを見ればいともすべなし」〈万四三八一〉。「いみじき験者(げんざ)ども—・ひてののしる」〈源氏若菜上〉②(一つのものを中心に)寄り合う。会合する。「大宮人はいとまあれや梅をかざしてここに—・へる」〈万一八八三〉。「一の精廬有り。建立より已来多く年所を歴(へ)たり。遠方輻(つど)ひ湊(あつ)まり高才類聚す」〈大唐西域記一・長寛点〉[二]〘名〙①一つの緒に貫き通すこと。また、貫き通したもの。「白玉の五百箇(いほつ)—を手に結び」〈万四一〇五〉②一人の中心のもとに集まること。集まり。「里人の行きの—に…〔二人ノ仲ヲ〕放ちけむ人しくち惜し」〈万三三〇三〉 †tudoFi

つど・へ(ツドエ)**【集へ】**〘下二〙《ツドヒの他動詞形》①(一人の意向によって召し寄せ)集合させる。「もののふの八十伴の男を召し—・へあどもひ給ひ」〈万四〇九八〉。「仏の威力を以て、欲色界の天と、諸の龍と、鬼神と…無量百千億那庾多の菩薩摩訶薩とを悉く来集せしめ会(つど)へて」〈金光明最勝王経平安初期点〉②そろえて集める。寄せ集める。「事もなき手本多く—・へたりし中に」〈源氏梅枝〉。「頭(かしら)を—・へてただ泣くより外の事はなし」〈盛衰記四七〉 †tudoFë

つと・め【勤め・務め】[一]〘下二〙《ツトニ(夙)のツトと同根。早朝から事を行なう意》①努力する。「しきしまの大和の国に明らけき名に負ふ伴の緒心—・めよ」〈万四四六六〉②きめられた仕事にはげむ。「もと—・めざりける家司(けいし)など、うちつけに参りて、政所などいふ方にさぶらひて営みけり」〈源氏夕霧〉③仏道修行にはげむ。勤行(ごんぎやう)する。「人の身は得がたくあれば法(のり)の為(た)のよすかとなれり—・め諸(もろもろ)、進め諸」〈仏足石歌〉。「〔女三宮ハ〕あけくれ—・め給ふやうなめれど、はかもなく、おほどき給へる」〈源氏匂宮〉[二]〘名〙①はげむべき仕事。従事すべき業。「忠孝の—も医にあらずはあるべからず」〈徒然一三六〉②仏道修行などで、日夜はげむこと。勤行。「昼夜の六時の—に…高き本意かなへ給へとなむ念じ侍る」〈源氏明石〉。「読経・念仏等の—に得る所の功徳を、汝知るや否や」〈正法眼蔵辦道話〉③義務としての参詣。「人の御むすめとて…氏神の御—など、あらはならぬほどなれば」〈源氏行幸〉④遊女・陰間などが客の相手をすること。色勤め。「—の内は〔涙ノ〕雨でたらした」〈俳・大矢数四〉⑤〔遊里語〕遊興費。揚げ代。「—を出して渡す」〈洒・深川新話〉 †tutomë　**—ど【勤め子】**歌舞伎若衆。色子。「—の唐織を着初めしは」〈西鶴・男色大鑑八〉

つとめて《ツトは夙の意。早朝の意から翌朝の意になった。→あした》①早朝。「〔引越シハ〕あすとてのまだ—おはしたり」〈源氏早蕨〉。「暾、日初出時也、明也、豆止女天(つとめて)」〈新撰字鏡〉②(前夜、事のあった)その翌朝。「—少し寝過ぐしたまひて、日さし出づる程に出でたまふ」〈源氏夕顔〉

つな【綱】①植物の強い繊維をよって太く長く作り、物をしばり、連ねるもの。「風をいたみ—は絶ゆとも言(こと=便り)な絶えそね」〈万三三八〇東歌〉②二つの物の間をつなぎ渡すもの。「鼠い此の梯(はし)を縁(つな)として上りて」〈金光明最勝王経平安初期点〉③(血縁・情愛など)人と人との間をしばり、つなぐもの。「思ほし放つまじき—も侍るをなんとらへ所に頼み聞えさする」〈源氏東屋〉。「愛執の—強ければ、浄土を願ふもものうし」〈平家一〇・首渡〉④蔦(つた)。「石(いは)—のまたをちかへり(若返ッテ)」〈万一〇四六〉

つな・ぎ【繋ぎ】〘四段〙《ツナ(綱)の動詞化》①途切れないようにして、ひと続きにつらねる。一連のものとする。「そ根芽—・ぎて撃ちてし止まむ」〈記歌謡一一〉②綱で物と物をむすびつける。「崩岸(あず)の上に駒を—・ぎて」〈万三五三九東歌〉③銭(ぜに)を緡(さし)に通してつらねる。「簷(のき)の下に筵を敷きて銭を—・がしむ」〈狐媚鈔〉④【認ぎ】獣の足跡などを次次にたどって、その行方を追い求める。「射ゆ獣(しし)を—・ぐ川辺の」〈紀歌謡一一七〉。「男の帰らむとき、しるしを付けて、ゆかむ方を—・いで見よ」〈平家八・緒環〉⑤人の心にそうようにして追従(ついしよう)する。人の機嫌を取りむすぶ。「せかせながらぞ、—・ぎける」〈評判・露殿物語〉 †tunagi　**—ぜに【繋銭】**緡(さし)に通した銭。「年玉や礼儀三百—」〈俳・続連珠三〉

つなし【鰶】コノシロの幼魚で、コハダより大きい頃の名。イワシ・サッパなど近海産小魚の総名ともいう。「—取る氷見(ひみ)の江過ぎて」〈万四〇一一〉

づな・し【図無し】〘形ク〙とほうもない。とてつもない。「—・い事をせうとすると知ったぞ」〈漢書竺桃抄〉。「又例の—・い迂濶をせられたよ」〈史記抄六〉

つなしにく・し【つなし憎し】〘形ク〙未詳。冷たく憎らしい意という。「ひげがちに—・き顔を、鼻などうち赤めつつはちぶき言へば」〈源氏松風〉。「…と怨じ給へば、…そよ。誰が習はしにかあらむ。—・くぞ見え給ふや」〈源氏(河内本)澪標〉

つなで【綱手】船具の一。船を引く綱。「人言は暫(しま)しそ吾妹—引く海ゆまさりて深くし思ふを」〈万二四三八〉。「牽紋、豆奈天(つなで)、挽ㇾ船縄也」〈和名抄〉　**—なは**(ワナ)

【綱手縄】「つなで」に同じ。「琴の音にひきとめらるる―たゆたふ心君知るらめや」〈源氏須磨〉

つなぬ・き【貫き】㊀『四段』つらぬく。貫通する。「〔二ツノ銭ハ〕夕には必ずもとの如く―・かれて行き合ふ」〈発心集五〉㊁『名』【綱貫】「つらぬき」に同じ。「山道や―止めぬ溜り雪」〈俳・遠近集六〉

つなね【綱根】《ネは草根のネ、地中にしっかりくいこむものの意》家の材木などをむすびあわせる綱。また、かずら。一説、地にしっかり根をはったかずら。「築(つ)き立つる稚室(わかむろ)＝新シイ家ノ―」〈紀顕宗即位前〉。「下つ―、古語に番縄(つがひなは)の類(たぐひ)、これを―といふ」〈祝詞大殿祭〉

つなひ・き【綱引き】㊀『四段』①(動物が)つながれている綱をひっぱる。手綱に引かれまいと逆らう。「―・く駒もおもなれにけり」〈かげろふ中〉。「猫の―・きたりし夕べのことも」〈源氏若菜下〉②(人が相手に)逆らう。強情を張る。「『しか改めむ』とも言はず、いたく―・きて」〈源氏帚木〉㊁『名』①牛馬が手綱に引かれまいと逆らうこと。「引き寄せばただにはよらで春駒の―するぞなはたつと聞く」〈拾遺二六五〉②遊戯の一。両方に分れて一本の綱をひき合い、勝負を争う。「御堂庭に於いて、町人―せしむ」〈証如上人日記天文二〇・一・一五〉③遊里通いの駕籠(かご)屋。「―。遊客の乗れる籠を出す宿を指して云ふ。籠の問屋なり」〈色道大鏡一〉

つぬ【角】角(つの)のノに当てた万葉仮名「努」「怒」「奴」などをヌの音であると江戸時代によみ誤って作った語。「都奴娑之能瀰野、ツヌサシノミヤ」〈厚顔抄中〉

つぬさはふ(ハウ)〔枕詞〕「つのさはふ」のノに当てた万葉仮名「努」「怒」などを江戸時代にヌとよみ誤って作った語。「―、蘿這ふ石とつづく」〈詞草正採鈔〉

つね【常】《普通と変らずそのままずっと維持されている存在・状態・性質など。類義語トコ(常)は、大地の意から転じて、動かず、変らぬもの、永久の意へと展開した語》①変らずに同じ状態を長く続いて保っていること。「今来む春も―斯くし見む」〈万三九五三〉②成り行きの自然。普通の性質。「かむなづき時雨の―かわが背子が屋戸(やど)の黄葉(もみちば)散りぬべく見ゆ」〈万四二五九〉③ふだん。平常。日常。あたりまえ。「衣手(ころもで)葦毛の馬の嘶(いば)え声こころあれかも―ゆ異(け)に鳴く」〈万三三二八〉④ありきたり。普通一般。陳腐。「うつせみの(世間ノ)―の言葉と思へども継ぎてし聞けば心はまとふ」〈万二九六一〉▽アクセントと意味とを考えると、ツナ(綱)の転か。漢字の「経」もたて糸の意からツネの意に転じた。

つねさま【常様】普通のありさま。尋常。「衣服―ならぬ異人来たって」〈夢中問答上〉。「この御悩(ごなう)は―の御悩にはあらず」〈伽・玉藻草紙〉

つねしき【常式】①普通の程度・水準。通常。常なみ。「―の士をば得とも、すぐれたる士をば得まじきなり」〈中庸鈔〉②平常。つねづね。「―水運ぶ所へ忍び入りしところに」〈安宅一乱記五〉

つねし・き【常敷き】『四段』いつも散り敷く。いつも積もる。「背の山に黄葉―・く」〈万一六七六〉。「白雪の―・く冬は過ぎにけらしも」〈万一八八八〉　†tunesiki

つねな・し【常無し】『形ク』無常である。変りやすい。「うつせみの世は―・しと知るものを秋風寒み偲ひつるかも」〈万四六五〉

つねに【常に】『副』①不変に。そのままで。「赤駒に倭文鞍(しつくら)うち置き、匍ひ乗りて遊びあるきし、世の中や―ありける」〈万八〇四〉②日常。いつも。「行き帰り―わが見し香椎潟」〈万九五九〉

つねは【常は】『副』普通には。いつもは。「―いとすくすくしく心づきなしと思ひ侮づる伊予の方の思ひやられて」〈源氏帚木〉

つねひと【常人】普通の人。ただびと。「―の恋ふといふよりは余りにてわれは死ぬべくなりにたらずや」〈万四〇八〇〉　†tuneFitö

つねめづら・し【常珍し】『形シク』いつもめずらしくてよい。「難波人葦火焚(た)く屋の煤(す)してあれど己が妻こそ―・しき」〈万二六五一〉▽原文中の「常」はトコと読む説もある。　†tunemëdurasi

づねん【頭燃・頭念】頭上に燃えさかる火。寸刻も放置しておけない、はげしい煩悩や迷い。「―を払ふが如く坐禅をこのむべし」〈正法眼蔵坐禅儀〉

つの【角】①動物の頭部にある骨質の突起物。「角、豆乃(つの)、獣頭上出骨也。有レ枝曰レ觡、無レ枝曰レ角」〈和名抄〉②角笛。「酉(とり)の時に至りて、鼓(つづみ)打ち、―を吹く」〈今昔六ノ九〉③突き出した所。「草摺(くさずり)を臥木の―に引き掛けて」〈義経記五〉　†tuno　**―を折・る**　屈服する。我(が)を折る。「たやすく敵対し難き時は、味方―・り、馬を繋ぐていにして、慇懃(いんぎん)にへりくだり」〈百戦奇法二〉

つの【綱】《ツナの母音交替形》「つな」に同じ。「栲(たく)―の白き腕(ただむき)」〈記歌謡五〉　†tuno

つのがみ【角髪】①「あげまき」に同じ。「総角(あげまき)は―とて、幼稚の時、髪を両方へ角のやうに為したるを云ふ」〈杜律集解詳説五言三〉②「すみまへがみ」に同じ。「まだ十七の―や」〈浄・忠臣蔵二〉

つのぎわり【角木割】鏃(やじり)の一種。鹿の角で木割という薪割の形に作ったもの。「―を五六寸ぞ入れたりける」〈義経記四〉

つのぐ・み『四段』新芽が角のように出はじめる。「難波潟浦ふく風に浪立てば―・む蘆の見えみ見えずみ」〈後拾遺四四〉

つのぐ・り【角繰り】『四段』女の髪をちょっと束ねてぐるぐる巻きつけて結う。角繰り髷に結う。「八瀬の男、髪を―・りたるを女ぢゃと心得」〈咄・当世手打笑一〉

つのざいく【角細工】獣の角で細工すること。また、その細工した物。〈俳・毛吹草三〉

つのさはふ(サハウ)〔枕詞〕《ツノはツナ(綱)の母音交替形。サハフはサハ(多)ハフ(這)の約か》ツタが多く這う意で「石(いは)」にかかるか。「―磐媛(いはのひめ)が」〈紀歌謡五六〉。「―石見の海の」〈万一三五〉。「―磐余(いはれ)も過ぎず」〈万二八二〉　†tunosaFaFu

つのだいし【角大師】①元三(がんざん)大師良源の異名。「慈恵大師を―。つの生ひたる故に云ふ」〈太平記聞書〉②(1)の容貌が魁偉(かいい)であったので、その画像として二本の角のある鬼の形を描いたもの。魔除けとして門戸などに貼り、また虫除けのため竹に挟んで田の畔に立てたりした。「元三の心を。守れなほ今年の丑の―」〈俳・続山の井一〉③《(2)に形が似た所から》近世、町家の男児の髪形で、頂と前後左右の五か所で髪を簡単に結んだもの。転じて、十歳前後の子供のこと。「〔素人デモ結エルノニ〕よけいの仕事髪結ひの―」〈雑俳・柳多留三二〉

つのだらひ(ダライ)【角盥】左右に角のように長い柄の出た小盥。多くは漆塗りで、手洗・嗽(くちそそぎ)・鉄漿(かね)付けなどに用いた。「―大小三」〈阿蘇家文書下、至徳三・八・五〉

つのだる【角樽】長方形で両端に角のような把手のある酒樽。結納に用いられた。「―三荷、状を以てこれを送らる。

思ひ寄らざる芳情也」〈惟房公記永祿一・四・一五〉

つのはず【角筈】①《斎宮の忌詞》在家のまま仏門に入った男子。「優婆塞(うばそく)、角筈と称(い)ふ」〈延喜式斎宮寮〉②弓矢の筈を角で作ったもの。「黒つ羽の征矢(そや)の━入ったる二十四さしたるを」〈長門本平家二〉

つのめ【角目】角(かど)を立てた目。「各〻皆━になりて、物を仰せ候ぞ」〈伽・十二類絵巻〉 **━かなめ**【角目かなめ】互いに感情を害してせりあうさま。つのめ立つさま。つのめかのめ。「扇相撲━の勝負かな」〈俳・遠近集三〉 **━だ・ち**【角目立ち】『四段』①とげとげしくにらみつける。目角(めかど)を立てる。「蜂の刺さば━・ちてやしかり顔」〈俳・崑山集九〉。「はやはや悪童召し寄せられよと、━・ってぞ申しける」〈浄・酒典童子若壮二〉②感情を害して互いに争う。かどだつ。「心に蝸牛の━・ち、互に争ひ」〈仮・是楽物語中〉

つのやづくり【角屋作り】近世、農家の主屋を突き出して牛小屋または馬屋とし、土間・台所に続けた家作り。また、竈を設け、二、三男の住居ともした。「━の浅ましく住みなし」〈西鶴・永代蔵五〉

つの・り【募り】『四段』①力がついて強くなる。強大になる。「〔腕前八〕さまでやは━・るべき」〈保元中・白河殿攻め落す〉②力を得ていよいよはげしくなる。ますますひどくなる。高ずる。「次第に怨霊━・りければ、恐ろしく思ひ」〈善悪報ばなし四〉。「論義を両方し━・りた処で」〈漢書竺桃抄〉

つの・り【贖り】『四段』①代償にする。「この得んずる物を━・りて人に物を借りて」〈宇治拾遺一〇九〉。「少将律師は公請(くじやう)の労を━・りて少僧都を望みけるが」〈伽・葦曳絵巻〉。「贖、ツノル」〈名義抄〉②代償を払って集める。募集する。「王遂に令を下し、勇烈(はげしきもの)を招き━・る」〈大唐西域記四・長寛点〉

つはツワ【唾】唾液。「法雷を響(のの)しり、弁を吐(つはは)き」〈地蔵十輪経序・元慶点〉。「唌、口水也、液也、唾也、与太利(よだり)、又、豆波志留(つはしる)」〈新撰字鏡〉 →つ(唾)

つば【端・軒】《ツマ(端)と同根》軒の端。「三━四━に殿造りせりや」〈催馬楽この殿は〉

つば【鍔・鐔】《ツミバの転》刀剣の柄(つか)と刀身の境にはめこんで手を防護する金具。「しのぎを削り、━を割り、切っ先よりも火炎を出し」〈結城戦場物語〉。〈文明本節用集〉

つばいち【椿市・海柘榴市】《ツバキチの音便形》大和国磯城(しき)郡にあった古代市場の名。平安時代、長谷寺参詣の入口として栄えた。「━、大和にあまたある中に、長谷に詣づる人のかならずそこにとまるは」〈枕一四〉

つばいもちひ‥モチイ【椿餅】蹴鞠(けまり)の興の後の軽い宴に、饗応として出されたもの。椿の葉二枚で包んだ、甘葛(あまづら)で固めた餅。薄様の紙を細く切り、帯にして結ぶ。「つぎつぎの殿上人は簀子に円座(わらふだ)召して、わざとなく、━・梨・柑子(かうじ)やうのものども、さまざまに」〈源氏若菜上〉

つばうち【鍔打ち】刀を抜こうとして鍔を打ち鳴らすこと。「二人は身構へ━して立ち止まる」〈近松・井筒業平一〉

つばがたな【鍔刀】鍔をつけた小刀。打刀(うちがたな)にもいう。「打刀をば━とも申し候へば」〈大内問答〉。「革袴着たる男の━」〈二根集五〉

つばき【山茶・椿・海石榴】ツバキ科の常緑喬木。山地に自生。春、花が咲く。古く、神聖視された。「葉広、ゆつ(神聖ナ)真━」〈記歌謡五七〉。「椿、海石榴、豆波木(つばき)」〈和名抄〉 †tubaki

つば・き【唾き】㊀『四段』《古くはツハキと清音。室町時代にはツバキ・ツワキの形があらわれた》つばを吐く。「御頸の璵(たま)を解きて口に含み、其の玉器に唾(つは)き入れたまひき」〈記神代〉㊁『名』唾液。「常には━を求めて命を継ぐ」〈孝養集上〉。「寝て吐く━とやらん云、身の上にかかるべし」〈見聞愚案記一〉。「液、小児口所レ出汁也、豆波木(つはき)」〈新撰字鏡〉。「唌、ツハキ」〈名義抄(図書寮本)〉。「唾、ツワキ」〈文明本節用集〉。「唾、ツバキ」〈明応本節用集〉 ▽古くはツだけで唾液を表わしたが、ツハ(唾)という語もある。 †tufaki **━はき**【唾吐き】唾を吐きかけること。つばけばき。「月を流す雨や神女の━」〈俳・続山の井三〉

つばきち【海柘榴市】《ツバキイチの約》⇒つばいち。「━の巷(ちまた)に待ち奉らむ」〈紀武烈十一年〉。「都波只知(つばきち)上神社二座」〈延喜式神名帳上〉 †tubakiti

つばぎは‥ギワ【鍔際】①つばもと。「━より打ち折って、柄(つか)ばかりこそとまりける」〈伽・もろかど物語〉②物事の大事な分れ目。瀬戸際。「身の捨つるを、━になって少しも惜まぬに」〈西鶴・諸艶大鑑五〉

つばく・み【凸み】『四段』突出する。「沸く浪一たび透(つばく)みて、高山に上るが如し」〈唐大和上東征伝院政期点〉。「凸、ツバクム」〈名義抄〉

つばくらめ【燕】《メは、カモメ・スズメ・ヤマガラメなど、鳥を意味する接尾語》ツバメ。「━巣作れり」〈竹取〉。「燕、ツバクラメ」〈名義抄〉

づはぐれ【図はぐれ】とてつもなく大きいこと。また、そのもの。「大きなや難波━(難波津ト掛ケル)梅の花」〈俳・佐夜中山一〉

つばさ【翼】①鳥が飛ぶためにある、体の両側の一対の羽。「天飛ぶや雁の━の覆羽(おほひば)のいづく漏りてか霜の降りけむ」〈万二二三八〉②鳥類。「韻毛(うもう)しては翎(つばさ)旧谷の雲に帰る」〈新撰朗詠集鶯〉

つはとツワト『副』物を水中に投げる音の形容。ずばっと。「生けながら忍勝(人名)を取りて井(つは)と彼(そ)の釜に投(い)るれば」〈霊異記下三〉 ▽「井」は丼に同じ。水中に物を投げ入れる音の意。

づばと『副』物が十分にあるさま。どっさり。たっぷり。「いづくより呉れ(暮レト掛ケル)たるとなき物ながら年は━ぞまた積もりける」〈再昌草一〇〉。「ミヅ(水)ガヅバトゴザル」〈日葡〉

つばな【茅花】《ツはチ(茅)の古形》チガヤの花。早春つぼみのころは食べられる。後には白い綿毛の密生する長い穂になる。「わけがためわが手もすまに春の野に抜ける━ぞ食(め)して肥えませ」〈万一四六〇〉

つばなか・し『四段』「つばぬかし」に同じ。つばねる。「風の手で━・すみ(霞ト掛ケル)の衣かな」〈俳・鷹筑波五〉。「何芸を覚えたりと云ふとも…其の徳を━・す事なかるべし」〈諸家評定一九〉

つばぬか・し『四段』引き延ばす。引き広げる。また、物を実質よりもよく見せる。「━・す。…帷子や布などのはたばりをひろぐるを、しか申せり。また何事をもせむとて、したためおらせたる気色をも、━・すと名付けたり」〈名語記一〇〉

つばひらか【詳か・審か】《漢文訓読体で使う語》物のはしはしまで、よく分るように行きとどいているさま。「衆人共に委(つばひら)かにせり」〈法華経玄賛平安初期点〉。「委、ツバヒラカ」〈法華文句平安初期点〉 →つまびらか

つばひらけ・し【詳けし】『形ク』《ツバヒラカの形容詞形。漢文訓読体で使う語》はしはしまでよく分るさまである。「中に曲(つばひら)けくいはば、二の疑ひあり。此は初なり」〈金剛般若経讃述平安初期点〉。「我等委曲(つばひら)けく此の

人の咎にあらざることを知り、鬼神の咎なることを識る」〈霊異記中五〉

つばめ【燕】《メは鳥を表わす接尾語》①ツバメ科の小鳥の総称。「―来る時になりぬと」〈万四一四四〉②「燕算用」に同じ。「〔絶句ノ〕三の句で転換するほどに、一・二の句と断ちたるやうなれども、四の句で―を合はするほどに、よく一・二と相続する也」〈三体詩賢愚抄一〉 †tubamë

―ぐち【燕口】椀などで、燕の口のように外を黒く内を赤く塗ったもの。その椀を燕椀という。「―・坩子口・胡桃口・桃尻、是等はいづれも細口の名也」〈池永宗作への書〉。「柄杓立て〔ハ〕―」〈今井宗久日記天正六・九・一五〉

―さんよう【燕算用】収支の決算。しめ。合計。「つばめ」とも。「本利揃ゆる―」〈俳・犬子集七〉

つはもの(ツワモノ)【兵】①武器。武具。「四の仗(つはもの)を執る」〈法華経玄賛平安初期点〉②武士。「勢いかめしき―ありけり」〈源氏玉鬘〉。「―をば、もののふといふ」〈能因歌枕〉

―ぐら【兵庫】武器をあずけ、しまっておく倉庫。「閑曠(いた)(づら)なる所に、―を起造(つく)りて、国郡の刀・甲・弓・矢を収め聚(つあ)め」〈紀孝徳、大化一年〉。「庫、クラ・ツハモノグラ」〈名義抄〉

―のつかさ①【兵部省】⇒ひゃうぶしゃう。「兵部省、都波毛乃都加佐(つはもののつかさ)」〈和名抄〉②【兵司】後宮十二司の一。兵器のことを司る。「―。尚兵一人。兵器の事に供奉することを掌る」〈後宮職員令〉

つばら【委曲】《ツバヒラカ(詳)と同根》くまないこと。まんべんなくすること。「道の隈(くま)い積るまでに―にも見つつ行かむを」〈万一七〉

―か【委曲】まんべんないこと。くまないこと。「いふかりし国のまほらを―に示し給へば」〈万一七五三〉

―つばらに【委曲に】『副』くまなく。まんべんなく。「浅茅原―もの思(も)へば故(ふ)りにし郷(さと)し思ほゆるかも」〈万三三三〉

つは・り(ツワリ) 一『四段』《生物の内部に、新しい生命のきざしが動き出す意》①(内部から)生命あるものがつきあげる。活動しはじめる。「葉隠れに―・ると見えし程もなくこはうみ梅に成りにけるかな」〈金葉六二三〉②つわりになる。「いつしかと―・り給へば『いかで子生ませんと思ふ少将の君の子はいで来(こ)で、このしれもののひろごること』」〈落窪二〉

二『名』①(内部から)生命のきざしがつきあげること。生命が活動し始めること。「粿、豆波利乃止支(つはりのとき)」、孕始兆也」〈新撰字鏡〉。「胚、ツハリ」〈名義抄〉②妊娠初期、食物に片寄った好悪の生じること。「択食、ツハリ」〈名義抄〉

つひ(ツイ)【終】《ツヒエ・ツヒヤシ(弊)のツヒと同根か。ものごとが衰え消耗していってゆきつくところの意》①終り。終局。「―の頼み所には思ひ置くべかりける」〈源氏帚木〉②死期。終焉。「―の別れ」〈源氏椎本〉

つび【粒】《古形ツブ(粒)の転。後に再びツブという形で使われた》粒。「粒、米都非(いなつび)、米都飛(いなつび)」〈華厳音義私記〉。「その器(うつはもの)につきたる―を取りて食(じき)するに」〈今昔三ノ七〉 †tubi

つび【開】《ツブ(粒)・ツビ(海螺)と同根》女陰。「嬢(をみな)の頭足に当てて橛(くひ)を打ちて、懸け釣り、―の口に汁を入る」〈霊異記中四一〉。「玉門、女陰名也、楊氏漢語抄云、屎、通鼻(つび)」〈和名抄〉 †*tubï

つび【海螺】《ツブ(粒)・ツビ(開)と同根》巻貝の総称。「甲贏子、楊氏漢語抄、海贏、豆比(つび)」〈和名抄〉

つ・び【禿び】『上二』《ツブ(粒)の動詞形》①角がとれて丸くなる。(筆の毛先など)すれて丸くなる。ちびる。「刓、ツブ」〈名義抄〉②すり切れて、鋭さがなくなる。「仰せごとの否びがたさに、心もともに―・びにける水茎(筆)して奉り置くその歌ども」〈源順集〉。「弊、ツビタリ」〈名義抄〉

つひ・え(ツイエ)【弊え・潰え・費え】一『下二』《ツヒ(遂・終)と同根か》①生気を失う。しおれる。「妙園林…忽然に皆枯れ悴(つひ)えて、見る人憂悩を生ぜむ」〈金光明最勝王経平安初期点〉②やつれ、衰える。「年頃いたう―・えたれど、なほ、ものきよげに、由あるさまして」〈源氏蓬生〉③形がくずれる。つぶれる。「形貌(すがたかたち)鹿弊(つひ)えたり」〈大唐西域記三・長寛点〉。「潰、ツヒユ」〈色葉字類抄〉

二『名』①使いへること。消耗。「その詞(ことば)、和字を先として、必ずしも筆の―を書かず」〈十訓抄序〉②消費。入費。「軽物を分ちて交易するに、その―多かり」〈今昔七ノ四五〉③損失。損耗。「七珍万宝さながら灰燼となりにき。その―いくそばくぞ」〈方丈記〉

つひしか(ツイ)【終しか】『副』《下に打消の語を伴って》終に。いまだかつて。ついぞ。「終にを、つひど、―」〈俳・かたこと三〉。「―見た事もないにより、書かれませぬ」〈評判・難波立聞昔語嵐座〉

つひに(ツイ)【遂に・終に】『副』《ツヒはツヒヤシ・ツヒエ(弊)と同根か。次第に痩せ衰える、用いて次第に減る意》①次第に衰えて。「衆生は光色減し、勢力尽く衰(つひ)に微(よわ)りなむ」〈金光明最勝王経平安初期点〉②(時がたっていって)最後には。「後―妹は逢はむと朝露の命は生けり恋は繁けど」〈万三〇四〇〉③最後の最後まで。「後―逢はじと言ひし事もあらなくに」〈万三一一六〉。「たとひ日月は地に墜堕し、或は大地は有る時に移転すべくとも、我が此の実語は―虚然にはあらじ」〈金光明最勝王経平安初期点〉④いつまでも。「誰も千年の松ならぬ世は―とまるべきにもあらぬを」〈源氏柏木〉⑤最後に。とどのつまり。「―は仕うまつるべきあたりにこそと思ひ給へしを」〈源氏蜻蛉〉 †turini

つひのこと(ツイ)【終の事】結局そうなること。「―と思ひしかど」〈源氏明石〉

つひのすみか(ツイ)【終の住処】最後に住む所。最後の落着き所。「草枕人はたれとか言ひ置きし―は野山とぞ見る」〈拾遺一三二六〉。「いづくも定めなし。仏になる事こそ―にては候へ」〈日蓮遺文こう入道殿御返事〉

つひのわかれ(ツイ)【終の別れ】最後の別れ。死別。「世のことして、―を逃れぬわざなめれど」〈源氏椎本〉

つひや・し(ツイヤシ)【弊し・潰し・費し】『四段』《ツヒエの他動詞形》①使いへらす。消費する。「心を至して、文文句句に教ふる事、力を―・す」〈今昔七ノ二五〉②疲弊させる。損耗させる。「その物につきて、その物を―・しそこなふ物、数を知らずあり」〈徒然九七〉

つふ【壺】「つぼ」に同じ。「壺、此をば都符(つふ)といふ」〈紀敏達十三年〉

つぶ【丸・粒】《ツブシ(腿)・ツブリ・ツブラ(円)・ツブサニと同根》①丸い小さい立体。「我が畠にまきける芥子(からし)の―を」〈バレト写本〉。「磷、ツブ」〈名義抄〉②小銭。「巾着にして、穴市(あないち)の―入れます」〈近松・万年草上〉

づぶ 全く。すべて。まるで。「ヅブトヲモイキル」〈日葡〉。「―と降られて過ぎる村雨」〈俳・曠野下〉

づふう【頭風】頭痛。「―発動す」〈御堂関白記長和五・一・一四〉。〈運歩色葉集〉

つぶぎれ【粒切れ】小きざみに切れていること。「左歌『鳴門の浦に満つ潮の音』といへる、むげに―に匂ひなくおぼえ侍るに」〈保安二年関白内大臣家歌合〉

つぶぎん【粒銀】豆板銀の異称。「―を業の秤に掛け出だす」〈俳・大坂八百韻上〉

つぶこかし【粒転し】どんぐりなど、小さな円形の物を転が

して遊ぶこと。玉ころがし。「静気(しづけ)なき子やどんぐりの—」〈俳・発句帳三〉

つぶさに【審に】『副』《ツブ(粒)と同根。平安時代には漢文訓読体で主に使った語》①周到に。欠けるところなく。「黒き御衣(みけ)をま—取り装ひ」〈記歌謡四〉。「菩薩は…—諸行を修す」〈法華義疏長保点〉。「曲、ツブサニ・ツバヒラカニ・クハシ」〈名義抄〉②みんな。すべて。「如来の所説、菩薩の所伝…一朝に備(つぶさ)に集まりたり」〈地蔵十輪経序・元慶点〉

つぶし【腿】《ツブ(粒)と同根》丸丸した腿(もも)。「腿、ツブシ」〈名義抄〉

つぶ・し【潰し】㊀『四段』《ツブレの他動詞形》押して形をくずし、機能をこわす。「長き爪して眼をつかみ—・さん」〈竹取〉㊁『名』①不用になった金銀などの細工物を、もとの地金にもどすこと。「金銀にてうるはしく作れる彫物などの、はした物になりて用に立たず、何にも使はれぬを、いけものにならず、—にせよとて打ち潰す故」〈色道大鏡一〉②遊興し過ごして財産を使い果す者。「—。侍・町人によらず、其の身の家業を勤めず、不断遊興のみにかかりて過ぐるに、人これを見て、とても身上を持ちとどけまじき者と側より見立てたる人を、—と云ふなり」〈色道大鏡一〉

つぶた・ち【粒立ち】『四段』①粒となってあらわれる。「其の海水の—・つ時に、名づけて都夫多都(つぶたつ)御魂といふ」〈記神代〉②粒状になる。「鼻の…色は赤く紫色にして大きなる柑子の皮の様にして—・ちてぞふくれたりける」〈今昔二八ノ二〇〉

つぶつぶ《ツブ(粒)と同根》①まるまる太ったさま。「いとよく肥えて、—とをかしげなる胸をあけて乳などくくめ給ふ」〈源氏横笛〉②すべてにわたるさま。ことこまかなさま。「世は憂きものにありけるかなと、気色を—と心得給へど」〈源氏少女〉。「心のうちの苦しきまでなりゆくさまを—と言ひつづけ給ひて許すべき気色にもあらぬに」〈源氏宿木〉③と切れと切れになるさま。ぽつりぽつり。「息も絶えたるやうにおはせしが、引きかへし—と宣ひし事ども覚しいづるに心憂ければ」〈源氏葵〉。「〔手ガフルエテ〕—とあやしき鳥の跡のやうに書きて」〈源氏橋姫〉④粒になって出るさま。「刀にしたがひて血の—と出で来けるを」〈宇治拾遺五九〉。「傍に—と疱瘡の出る事なり」〈病名彙解六〉⑤胸の鳴るさま。どきどき。どきんどきん。「はつかに見ゆる御袖口は、さにこそ(紫上ニコソ)あらめと思ふに、胸—と鳴る心地するもうたてあれば」〈源氏野分〉⑥ばらばらに切りきざむさま。ぶつぶつ。「—と切りて鍋(かなへ)に入れて煮てよく食ひつ」〈今昔二〇ノ三四〉⑦つぶやくさま。ぶつぶつ。「今時も不快の事有れば、口中にて独り—と云ふことが有るぞ」〈杜律七言鈔四〉

づぶづぶ ①勢いをもって突き入れるさま。「その針を…君の御したがひの御首に—長く縫ひつけて」〈宇津保俊蔭〉②水などにつかり沈むさま。「網を入れむとせしが、踏みはづすが如くにして—水の底に沈みけるを」〈吉野拾遺〉。「海の底に—と水練し」〈伽・をこぜ〉③正体なく酔ったさま。ぐでんぐでん。「—酔うた足元」〈近松・寿門松上〉

つぶて【礫】《ツブ(粒)と同根》丸い小石。「飛礫、ツブレイシ・ツブテ、小石同」〈色葉字類抄〉。「捶、ツブテ」〈名義抄〉

つぶと【都】『副』《ツブ(粒)と同根》①すっかり。すべて。「そらだきものたかれたりしかば、二条の大路の—煙みちたりしさまこそめでたく」〈大鏡昔物語〉。「都、ツブト」〈名義抄(図書寮本)〉②《打消と呼応して》ちっとも。全然。「顔を—見せぬが怪しきに」〈今昔二七ノ三八〉

づぶと『副』勢いよく突き込むさま。ずぶりと。「海に—落ち入りぬ」〈発心集三〉

つぶなぎ【踝】《ツブ(粒)と同根》くるぶし。「流るる血、—を没(い)る」〈紀神武即位前〉。「踝、ツブナギ・ツブフシ」〈名義抄〉

つぶに【都】『副』《ツブ(粒)と同根》すっかり。すべて。「都、ツブニ」〈名義抄(図書寮本)〉

つぶね 下部(しもべ)。下男。奴(やつこ)。「仏祖行持の功徳分より生成せる形骸を、いたづらなる妻子の—となし」〈正法眼蔵行持下〉。「奴、豆布禰(つぶね)」〈和名抄〉

つぶふし【踝】《ツブ(粒)フシ(節)の意》くるぶし。「踝、豆不奈岐(つぶなぎ)、俗云二豆布布之(つぶふし)一」〈和名抄〉

つぶふね【船舶】「つむ(船)」に同じ。「大きなる—に諸の財宝を盛(い)れ満て」〈金光明最勝王経平安初期点〉

つぶめ・き【呟き】『四段』《ツブ(粒)と同根》小声でぶつぶつ言う。つぶやく。「—・き申せども、寺は三番に定めけり」〈伽・大仏供養物語〉。「岩に—・く水のさびしさ」〈老耳〉。「雨に蛙(かはづ)の—・きにける」〈白山万句慶長二三・四・二五〉

つぶや・き【呟き】『四段』《ツブ(粒)と同根》ぶつぶつ独りでものをいう。「いつの程に積る御言の葉ならむと—・く老人どももあり」〈源氏宿木〉

つぶら【円】《ツブ(粒)と同根》まるくて、ふっくらしていること。また、そのもの。「円、此をば豆夫羅(つぶら)といふ」〈紀履中二年〉

つぶらは・し【潰らはし】『形シク』《ツブレの形容詞形》押しつぶされそうな感じである。「人人繁く並み居たれば、いと胸—・しくおぼさる」〈源氏賢木〉

つぶり【頭】《ツブ(粒)と同根》あたま。「つむり」とも。「呼び寄せて—はる風わが息子」〈俳・犬筑波〉。〈文明本節用集〉 **—てんてん** 幼児が自分の頭を手で軽く打つこと。後に、「おつむてんてん」とも。「天狗殿—頭振(かぶり)〳〵」〈俳・二葉集〉

づぶり 勢いよく突っ込むさま。「この平張(ひらばり)は川にのぞきてしたりければ、—とおち入りぬ」〈大和一四七〉。「水に—と落ち入りぬれば、翁は見えずなりぬ」〈今昔二七ノ五〉

つぶ・れ【潰れ】㊀『下二』《ツブ(粒)と同根。すり切れたり、毛が抜けたりして丸くなり、機能を果さなくなるのが原義》①こすれて角が丸くなる。「牛疲れ、〔車〕輪刓(つぶ)れて主人愁ふ」〈本朝文粋一〉。「鈋、マロナリ・ツブル・ケヅル」〈名義抄〉②筆の毛先が磨滅する。「筆禿、フデツブル」〈文明本節用集〉③押されて形が平たくなり、くずれてしまう。「天の下に目—・れ、足折れ給へりとも、なにがしは仕うまつりやめてむ」〈源氏玉鬘〉。「上よりうみ柿のおちけるが、この弓とりの法師がいただきにおちて、—・れて散散にちりぬ」〈著聞四三九〉④胸が破れるほどに激しく動悸する。「かぐや姫聞きて、我は此の御子にまけぬべしと胸—・れて思ひけり」〈竹取〉⑤酔って正体がなくなる。「御祝に御酒参る、…奥の茶湯座敷に—・れ申し候」〈二条宴乗記永禄一三・二・二〉⑥財産などが、すっかりなくなる。「跡は子孫もなく—・るる」〈赤羽記〉。〈日葡〉㊁『名』毛の脱けた丸い頭。「〔鶏ノ〕毛を抜き翼を剪りて…競ひて闘はしむ。禿(つぶれ)なる鶏の勝つを見ては、亦、刀を抜きて殺す」〈紀雄略七年〉

つぶれし【円石】《ツブライシの約》まるい石。「我が背子が犢鼻(たふさき)にする—の」〈万三八三九〉

つべ・し『連語』《完了の助動詞ツと、推量の助動詞ベシとの複合。室町時代以後には、ツベシイとシク活用の形にも転じて使われた》確信しているさま、確実に見えるさまをいう。きっと…そうである。必ず…しそうに思われる。「袖振らば見もかはしーく近けども渡るすべなし秋にしあらねば」〈万一五二五〉。「ゆくりなく風吹きて漕げども漕げども後(しり)へ退きに退きてほとほとしくうちはめーし(キット舟ヲ沈メテシマイソウダ)」〈土佐二月五日〉。「ここかしこを尋ぬれども、似合ひーしい御主がおりない」〈虎明本狂言・腹立てず〉。「坊主はあまたござれども、然(しか)りーしい出家がござなうて」〈虎明本狂言・腹立てず〉

つべたま・し『形シク』《ツメタシ（冷）と同根》①冷酷である。「この聖も丈高やかに、まぶしーしくて」〈源氏柏木〉②気味が悪い。「文あり。あさましうーしと思ふ思ふ見ればし」〈かげろふ上〉

つべつべ あれこれ喋りたてるさま。つべこべ。つべらこべら。「つべかしーつべかはは、よく物言ふことに云ひ慣はせり」〈俳・かたこと五〉

つべつべ・し『形シク』「つべたまし」(1)に同じ。「楚では、余りきぶうーしうて、殺されたぞ」〈史記抄一〇〉。「つべたましい。ーしき也。たとへば人憎さうの体也」〈源氏物語千鳥抄〉

つべらし・い『形』むごたらしい。恐ろしい。「〔車裂ノ刑〕あまりにーい刑ぞ」〈史記抄四〉

つぼ【壺】①土器・陶器・漆器の、体が円く、入れ口の狭まりつぼまったもの。「例のーどもに唐のたき物心ことにかをり深くて奉り給へり」〈源氏行幸〉。「壺、和名都保(つぼ)、所ニ以盛レ飲也」〈和名抄〉②《「坪」とも表記》殿中、あるいは垣の内などで、あたかも壺のように周囲をかこまれている所。狭い中庭。坪庭。「お前はーなれば、前栽など植ゑ、笆(ませ)結ひていとをかし」〈枕二四五〉③【坪】地目の広さの単位。六尺四方。段別の歩に同じ。〈文明本節用集〉④器具などのはまるように作った部分。「笙、シャウノフエ。…竹之母曰レ匏…俗云都保(つぼ)」〈京本和名抄〉。「疎句のーに親句の鉤(かぎ)を懸くべし」〈伽・鴉鷺合戦物語〉⑤最も適する所・時をいう語。「太鼓、近真これを打つ。一つもー打ち損ぜず」〈教訓抄一〇〉。「ここにて追腹は切るまじき。追腹の切るーにて切るべし」〈三河物語上〉。「ーなでさする祖母が懐／此の程はここやかしこに灸(やいと)して」〈俳・寛永十三年熱田万句四三〉 ▽奈良時代ツホと清音か。 →つふ

つぼいり【壺入り】①壺焼き。「振舞の膳部に、螺(にし)のー

を据ゆる」〈咄・醒睡笑四〉。〈運歩色葉集〉②酒屋で酒を飲み興ずること。「蚊の市もーしてや酒の酔」〈俳・大井川集上〉③遊女・野郎の抱え主の家で遊興すること。「ー。挙屋にて遊宴せず、傾城の家主の館に行きて女郎と共に興ずる貌(かたち)也」〈色道大鏡一〉

つぼうちのやうじ ウ…ヨ【壺打の楊枝】楊枝の先を砕いて総のようにしたもの。ふさ楊枝。「ー手触れて歯を磨く」〈西鶴・男色大鑑四〉

つぼきりのけん【壺切の剣】代代の東宮が伝える宝剣。宇多天皇が皇太子に伝えたのが最初という。「右近中将光東宮が天皇に即位すると、次の皇太子に伝えていく。宇多天皇が皇太子に伝えたのが最初という。「右近中将光忠朝臣勅使としてーを持参す」〈兵範記久寿二・九・二三〉

つぼぐち【壺口】気取ってすぼめた口つき。つぼつぼ口。おちょぼ口。「身の程をさすが自慢の万太夫たれも望みを掛くるー」〈評判・野郎虫〉

づほくめんさい【頭北面西】釈迦が涅槃(ねはん)に入った時の姿勢。北枕で面を西に向け右わきを下にした形。死者にはこの姿勢をとらせる。「〔源空上人〕ーにして眠るが如くにして終り給ひにけり」〈著聞二六三〉

つぼさうぞく ウ…ッ【壺装束】平安時代、中流以下の女子が徒歩で外出する時の装束。後ろに垂れた髪を袿(うちき)の中に入れ、頭には市女笠(いちめがさ)をかぶって、袿を腰の所で端折り、腰紐で結んだり、裾をつまんで前にはさんだりした。単(ひとへ)の衣を頭から被衣(かづき)にすることもあった。「ーなどいふ姿にて」〈源氏葵〉。「見苦しきもの。…ーしたるものの急ぎて歩みきたる」〈枕(能因本)見ぐるしき物〉

つぼざら【壺皿・壺盤・坪皿】①椀の一。木製漆塗りで、口が狭く底の深いもの。〈日葡〉②大きな眼のたとえ。「此の甘輝が眼はー」〈近松・国性爺後日二〉③博奕の采を伏せるのに用いる壺。「〔音ノシナイヨウニ〕ーへ紙を張るのは〔博奕ノ〕学がたけ」〈雑俳・万句合宝暦一二〉

つぼ・し『形ク』《ツボ（壺）の形容詞化》①入口などがせばまっている。つぼまっている。すぼい。「壺のー・いを開かずは、吾はつひに天地の大全を知るまじきよ」〈荘子抄六〉②心やすい。また、かわいらしい。「馴れてー・いは山伏」〈謡・大江山〉。「ー・いなうせいしやう、ー・いなう」〈閑吟集〉

つぼすみれ【壺菫】スミレ科の多年草。野山に自生し、早春、紫のすじのある白い花が咲く。コマノツメあるいは広くスミレを花の形から呼んだもの。「やまぶきの咲きたる野辺の

ー」〈万一四四四〉 †tuFosumire

つぼせんざい【壺前栽】坪庭に植えこんだ前栽。屋舎・廊などにかこまれた庭の植込・花壇。「お前のーのいと面白き盛りなるを御覧ずるやうにて」〈源氏桐壺〉

つぼそで【壺袖】①鎧の袖の一。下の方が狭くつぼまったもの、あるいは下の広いもので、鎌倉時代末頃から、胴丸(どうまる)・腹巻の付属具として使われた。「黒革縅の腹巻に、ーをゆひつけ」〈大内義隆記〉②袖口の小さい筒状の丸袖。つつそで。「広袖を今ーにする」〈俳・塵塚（重徳編）上〉。〈日葡〉

つぼつぼ【壺壺】子供の玩具または焼塩入れにした小さい壺皿形の土器。近世、伏見稲荷の初午に土産として売られた。「わらんべの縁にて狂ふ薬師堂／玩びぬる瑠璃のー」〈俳・犬筑波〉。「ー・土器・摺粉鉢」〈言経卿記天正一〇・二・五〉

つぼ・ね【局ね・搾ね】㊀『下二』《ツボ（壺）を活用させた語》壺のように、周囲を仕切ってかこう。「物の怪うつりたる人人、御屏風一よろひをひきー・ね、つぼねくちには几帳を立てつつ」〈紫式部日記〉㊁『名』①殿舎・邸宅の一区画を仕切って、女房などの居所にすること。「乳母、若き人人、二三人ばかりして西の廂の北に寄りて、人げ遠き方にーしたり」〈源氏東屋〉②後宮などで女房・女御・后などの居所・居室。「御ーは桐壺なり」〈源氏桐壺〉③局住みの女官・女房。「日本紀の御ーとぞつけたりける」〈紫式部日記〉④近世、女郎屋で下級女郎の居る部屋。「『このーはいかに』といふ。『…これみな端上﨟の憂き住まひなり』とぞ申しける」〈評判・吾妻物語〉⑤局女郎(つぼねぢよらう)。「格子・ーと言ふ事も無く」〈西鶴・一代男三〉 **ーずみ**【局住み】宮中または貴人の家に局(2)を持って住んでいること。「かごやかにーにしなして」〈源氏初音〉 **ーぢょらう** ウ…ロ【局女郎】近世、遊里で最も下級の女郎。局に居て三味線や唄で客引きをした。「けち」「けちぎり」とも。「端女。端女郎とも、ーとも、あそびとりとも云ふ。けちぎり女の事なり」〈色道大鏡一〉 **ーまち**【局町】宮中で女房たちの局の多く連なっている所。「ながつぼね」とも。「ーに走り入り、女房の薄衣一面(ひともて)、笠取り出して」〈盛衰記一三〉

つぼのいしぶみ【壺の石文・壺の碑】陸奥国七戸の北、壺村にあったと伝えられる古碑で、坂上田村麿が蝦夷征

伐に下った時、弓の筈(はず)で「日本中央」と書いたものという。平安時代末頃から歌枕として有名になった。「むつのくの奥ゆかしくぞ思ほゆる―そとの浜風」〈山家集中〉

つぼのくちきり【壺の口切】新茶を詰めた壺の口を切って茶会をすること。また、その茶会。近世は、普通初冬の行事。「―訖(はを)んぬ」〈多聞院日記天正一〇・一・一〉

づぼふし ウ:ボ【図法師】人体の経絡・灸穴を図示した銅製の裸体人形。近世、薬屋の店頭に飾った。「医者の―をして見るやうに、観法の図をして置いて、壁間に掛けてこれを見る也」〈三体詩絶句抄三〉

つぼ・み【窄み・噤み・蕾み】『四段』《ツボ(壺)を活用させた語》①壺の口のように、小さくすぼむ。「大夫口つきが、下口びる引き入れ、―・み候程に、いつもよりも猶口を―・ませ候はんずると」〈禅鳳雑談〉②開いていた花がしぼむ。「蓮(はちす)の花の開くを見て昼と知り、―・むを見ては夜ぞと知り」〈伽・富士の人穴の草子〉③つぼみを持つ。「若木の梅、心もとなく―・みて」〈源氏竹河〉④散らばっていた人数が一か所にまとまる。「我が五百の備へ、―・みて一所に成るべし」〈蒲生氏郷記〉⑤人数をまとめて、ひきこもる。「とかく当城を開き渡し、小谷へ―・み」〈浅井三代記一四〉　**―がさ**【窄笠】つぼまった形のかぶり笠。「濃き墨染の衣に―着て」〈盛衰記三四〉

つぼ・め【窄め】『下二』《ツボミの他動詞形》小さくすぼめる。「唐笠を―・めて頭をさし入れ」〈行者用心集上〉

つぼや【壺屋】臨時に仕切られた部屋。部屋ではなく、ちゃんと仕切りの施されてある部屋。個室。「我が居たる傍なる―に将(ゐ)て入りぬ」〈今昔二六ノ五〉

つぼやなぐひ イ:グ【壺胡籙】胡籙の一。筒状。矢七本を差し、譲位・節会などの警固に近衛武官の帯びたもの。「装束し―負ひたる随身の出で入りしたる、いとつきづきし」〈枕六〇〉

づぼろばう ウ:ボ【づぼろ坊】坊主頭。ずぼろ。「熊谷桜散りにし跡や―」〈俳・太夫桜〉

つぼを・り【壺折り】『四段』着物の裾をはし折る。裾をからげる。「衣を引き―・りて、胡簶(やなぐひ)を掻き負ひて厩(うまや)に走り行きて」〈今昔二五ノ一三〉

つま 料理にあしらいとして添えるもの。「ざこ汁は…―〔八〕牛房(ごばう)・大根・竹の子」〈料理物語〉

つま【爪】《ツマ(端)・ツマ(妻・夫)と同じ》「つめ」の古形。複合語として残っている。「―音」「―印」「つまづき(躓)」など。「梓弓―引く夜音の遠音にも君が御幸を聞かくしよしも」〈万五三二〉 ▽朝鮮語 t'op(爪)と同源。

つま【妻・夫】《結婚にあたって、本家の端(つま)に妻屋を立てて住む者の意》結婚の相手となるもの。男女ともにいう。つれあい。結婚の当事者が互いに相手を呼ぶ称であるが、第三者からいう場合もある。「吾(あ)はもよ女(め)にしあれば汝(な)を置(き)て男(を)は無し汝を置て―は無し」〈記歌謡五〉。「筑波嶺(つくはね)にいほりて―(妻)なしに我が寝む夜ろは」〈常陸風土記〉。「鴨すらも己が―どち求食(あさり)して後るるほとに恋ふといふものを」〈万三〇九一〉

つま【褄】《着物のツマ(端)の意》着物の衽(おくみ)の襟先から下のへり、またその裾先。「御衣(おんぞ)の―を引きならし給ふ」〈源氏賢木〉

つま【端】《物の本体の脇の方、はしの意。ツマ(妻・夫)・ツマ(褄)・ツマ(爪)と同じ》①はし。へり。きわ。「印南(いなみ)―辛荷(からに)の島の」〈万九四二〉。「〔庵室ノ〕前は野辺、―は山路なれば」〈撰集抄五ノ六〉②軒のはし。「梅の木の、―近くて、いと大きなるを」〈更級〉③いとぐち。手がかり。端緒。「物思ひの―」〈源氏須磨〉。「鶯さそふ―にしつべく」〈源氏若菜下〉

つまおと【爪音】①琴爪で琴を弾く音。「箏の琴を…掻い弾いたる―」〈源氏帚木〉②馬のひづめの音。「木の葉散る山路の石は見えねどもなほあらはるる駒の―」〈頼政集〉

つまき【爪木】指先で折り取った木。薪。「磯の上(へ)に―折りたき」〈万一二〇三〉 †tumaki

つまぐ・り【爪繰り】『四段』爪先で繰る。「水晶の数珠を―・り」〈謡・盛久〉。「爪転、ツマグル」〈文明本節用集〉

つまくれなゐ【端紅】端(つ)を紅色に染めること。また、染めたもの。「―の扇の月を出したるを開きて」〈曾我一〉

つまぐろ【端黒・妻黒】ふちが黒いこと。また、そのもの。「―の征矢(そや)、重籐の弓持ちて」〈盛衰記三六〉

つまくゎんおん ン:ノ【妻観音】妻を授け給う観音の意で、京都清水観音の異称。「清水の観世音は―ぢゃといふ程に」〈虎明本狂言・伊文字〉

つまごと【妻琴・爪琴】《爪弾く琴の意》琴。「月あかき夜半の―かきならし」〈白川千句〉

つまごと【女夫事】夫婦の仲。夫婦の関係。「なまなかに親の許さぬ―の約束して居参らせしが」〈浮・好色産毛四〉

つまごひ イ:ゴ【妻恋・夫恋】配偶者を恋い慕うこと。鹿・雉・ホトトギスなどにもいう。「―に鹿(か)鳴く山辺に」〈万一六〇三〉。「―に領巾(ひれ)振りしより」〈万八七一〉 †tumagoFi　**―どり**【妻恋鳥】雉の異称。「―の羽音に怖ぢる身となるは」〈近松・冥途飛脚下〉

つまごみに【妻籠みに】『連語』《コミは他動詞、上二段活用の連用形》妻をこもらせるために。つまごめに。「―八重垣つくる」〈記歌謡一〉 ▽一説に、コミニ・コメニはもろともにの意で、妻と共にの意。 †tumagömïni

つまごめに【妻籠めに】『連語』《コメは他動詞、下二段活用の連用形》⇒つまごみに。「―八重垣つくる」〈紀歌謡一〉 †tumagömëni

つまごもる【妻隠る】〔枕詞〕夫婦がこもる屋(妻屋)の意で、屋と同音をもつ地名「屋上」「矢野」にかかる。また、地名「小佐保」にかかるが、かかり方未詳。「―屋上の山の」〈万一三五〉。「―矢野の神山」〈万二一七八〉。「―小佐保を過ぎ」〈紀歌謡九四〉 †tumagömöru

つまごゑ【端声】(自分の言うべきことを人に言わせ)ときどき端から口出しをすること。「殿より申させ給はば、―のやうにて、御徳をもかうぶり侍らむ」〈源氏行幸〉

つまさ・れ『下二』他人の苦しみに同情される。「我が身に―・れ人知れず泣きけるが」〈西鶴・胸算用三〉

つま・し【約し】『形シク』倹約である。「嗇夫は、嗇はをしむやうな心で、ものをよくしっかと―・しうする小官の名なり」〈史記抄一三〉

つましらべ【爪調べ】琴・琵琶などを弾く時に、まず調子を整えるためにちょっと弾いてみること。「中将―して…といふ朗詠を二三返し給ひけり」〈盛衰記三九〉

つまじるし【爪印】①文章の問題の箇所、または不審の所などに、心おぼえのため、爪でつけるしるし。「至らぬくまなく、かたがたに通はし読み給へる様、―残らず、あさましきまで有り難ければ」〈源氏少女〉②遊女が真情を相手に示すこと。また、その証拠。「傾城の心中を―と云ふ事、古へは、爪を離すを見て、第一の心中となせるゆゑ、―とは云へり」〈仮・恋慕水鏡二〉

つまだか【褄高】着物の褄を高くかかげること。「一つ着る物―に」〈西鶴・一代男一〉

つまづ・き【躓き】㊀『四段』《爪突きの意》①歩く時、誤って足先を物につきあてる。「我が乗れる馬ぞ―・く家(家人ガ)恋ふらしも」〈万三六五〉 ▽奈良時代には、旅先でつまずくのは家人が恋しく思っているしるしであるという俗信があった。②障害につき当る。中途でさまたげがおこる。「おのづから一座などー・く事多く」〈私用抄〉。「当座の威勢におごる者は、以来の難儀にー・かうず」〈天草本伊曾保〉 ㊁『名』つまずくこと。転じて、障害につきあたること。「内典・外典、仏法・世法、何事につきてもーなく、一々に訓釈申すに」〈伽・玉藻草紙〉 †tumaduki

つまつじ【褄辻】「つじつま」に同じ。「ーを合はせ結びの紙子哉」〈俳・崑山土塵集二〉

つまづま【端端】はしばし。「〔衣ノ〕いろいろこぼれ出でたる御簾のー、透き影など、春の手向の幣袋(ぬさぶくろ)にやと覚ゆ」〈源氏若菜上〉。「よく知らぬよしして、さりながら、ー合はせて語るそらごとは、恐ろしきことなり」〈徒然七三〉

つまで【嫣手】《デは材料の意》①角材。「持ち越せる真木のーを百足らず筏(いかだ)に作り」〈万五〇〉 ②木片。「今日明日のかて尽きて、女は水をくみ、男はーをひろひ」〈宗長手記上〉

つまど【妻戸】《端(つま)戸の意》開き戸。寝殿にも対屋にも四隅にあり、出入口とする。両開きで、内外共に鉄具(かなぐ)があり、掛金で止めておく。「まだ夜深う、ひと所起き給ひて、ーおしあけ給へるに、前栽の露いとしげく」〈源氏幻〉。「寝殿の丑寅のすみのーには、人の参りて、女房に会ひて、もの言ふ所なり」〈古本説話一〉

つまど・ひ イ…ド【妻問ひ】㊀『四段』女を訪ねて求婚する。「古(いにしへ)のますら男の相競(あらそ)ひー・ふ時に」〈万二三二〉 ㊁『名』訪婚。「古(いにしへ)のますら男の相競(はき)ひーしけむ葦屋(あしのや)のうなひをとめの」〈万一八〇一〉 †tumadöri, tumadöri

つまど・り【褄取り・端取り・妻取り】『四段』鎧の袖・草摺の両端を、縅糸(をどしいと)とは別色の糸または革で縅す。「洗ひ革の鎧のー・りたるに」〈太平記三・山名右衛門佐〉

つまなし【妻梨】梨。「妻無し」に言いかけてつかう。「もみち葉のにほひは(色美シイノハ)繁し然れどもーの木を手折りかざさむ」〈万二一八八〉

つまのこ【夫の子・妻の子】夫または妻を親愛の情を示していう語。夫または妻である可愛い人。「剣刀(つるぎたち)身にそへ寝けむ若草のそのー(夫)は」〈万二一七〉。「愛(は)しきー(妻)」〈万六六三〉 †tumanöko

つまのみこと【夫の命・妻の命】夫または妻を尊んでいう語。「靡合(なびか)ひしー(夫)の」〈万一九四〉。「はしきよしー(妻)も」〈万三九六二〉 †tumanömiköto

つまはじき【爪弾き】親指の腹に、人さし指または中指を当ててはじくこと。不満・嫌悪・排斥などの気持の時にするしぐさ。弾指(たんじ)。「風やまず。ーして寝ぬ」〈土佐一月二十七日〉。「ーをしつつ恨みたまふ」〈源氏空蟬〉

つまはづれ【爪外れ・褄外れ】身のこなし。動作振舞。態度。「業平のはなやかなりしー紫色のかきつばた哉」〈玉吟抄〉

つまばらみ【代指】《爪孕みの意》爪が化膿すること。瘭疽(ひょうそ)。「みづからの昆布の塩しむー」〈俳・油糟〉。〈易林本節用集〉

つまひ・き【爪引き】㊀『四段』弓の弦を爪先で引く。「梓弓ー・く夜音(よと)の遠音(とほと)にも」〈万五三一〉 ㊁『名』【爪弾き】《ツマビキとも》指の爪で絃を弾くこと。「苦しとおぼしたる気色ながら、ーにいとよく合はせてただすこし掻きならい給ふ」〈源氏紅梅〉 †tumaFiki

つまびらか【詳か・審か】《ツバヒラカの転。鎌倉時代にはツマヒラカと清音》物のはしはしまで、よく分るように行きとどいているさま。「聖人は詳(つまびらか)に慎んで世を越え絶(すぐ)れたり」〈仁治本古文孝経〉。「大納言ーに申す旨なし」〈著聞四〇三〉。「審、ツマビラカ」〈文明本節用集〉

つまべに【爪紅・爪紅粉】女の手の化粧に、爪に紅をつけること。「ーをさすや楓(かへで)のうすもみぢ」〈俳・犬子集五〉

つまま タブノキの古名。暖かい野山、海岸に生える常緑大喬木。「磯の上のーを見れば根を延へて年深からし神さびにけり」〈万四一五九〉

つま・み【摘み】㊀『四段』《ツマ(爪)を活用させた語》①指先ではさみ持つ。「かやうに炭をー・みたる手にて、自然顔をいろひなどする事あるべからず」〈雑事覚悟事〉。「撮、ツマム」〈易林本節用集〉 ②要所のみを取りあげる。摘要する。「大概の簡要をー・うでしるすなり」〈六物図抄四〉 ③なぶる。愚弄する。また、嘲り罵る。「人をー・むといふ事、言語道断也」〈鶯笑子〉。〈日葡〉 ④《受身の形で用いる》狐狸などが人を化かす。だます。「狐に化されることを狐にー・まれると言ふ」〈浪花聞書〉 ㊁『名』①器物のつまむ部分。「鈕、ヂウ、…印鼻也、ツマミ」〈寛永八年刊大広益会玉篇〉 ②つまんで食う肴(さかな)。「まづお肴に出す縞海老／新玉の年の初めのーにて」〈俳・寛永十三年熱田万句一三〉 ーぐひ イグ【摘喰ひ】①箸を使わずに指でつまんで食うこと。また、こっそり食うこと。〈日葡〉 ②一時の慰みに女に手をつけること。「殿の脇心〔カラ〕ーし給ふかと、さかしら(監視)する目代(めしろ)を付け置き」〈浮・好色訓蒙図彙上〉 ーな【摘菜】水菜の三、四葉の芽生えをすかし取った菜。「汁〔ハ〕雁・松露・ー」〈今井宗久日記永祿六・一・四〉

つまむすび【褄結び】着物の褄を結ぶこと。転じて、褄を「つま(夫・妻)」にかけ、男女の縁を結ぶこと。「親の許せしー、心にあまるうれしさをつつみかねたる有様は」〈説経・天智天皇〉

つまや【妻屋】結婚する夫婦のために建てる家。妻問い婚の時代、妻の族の家の端(つま)に作られた小屋。「吾妹子(わぎもこ)とさ寝しーに」〈万四八一〉

つまやか 間がつまっているさま。すきまなどのないさま。「鎧軽(かろ)げに着なし、小具足ーにして」〈保元上・新院御所〉

つまよ・り【爪縒り】『四段』矢を指先で回転させながら、矢がら・矢じり・矢羽などの具合をしらべる。「簾(すだれ)の内に、矢をー・る音のするが」〈宇治拾遺三三〉

つまら・し【詰まらし】『形シク』つまるようである。「心細さの胸ー・しく」〈近松・曾我会稽山三〉

つま・り【詰まり】㊀『四段』《ツメ(詰)の自動詞形》①せばまる。つかえふさがる。「水は、左右ー・りて細く落ちくだる所は早ければ」〈作庭記〉。「万(よろづ)のこと、先のー・りたるは、破れに近き道なり」〈徒然八三〉 ②どうにも動きがとれなくなる。進退きわまる。「番論議の間、清義ー・りて、禁裏より出で」〈古事談三〉 ③窮迫する。窮乏する。「馬を殺して食らふは、兵粮にー・りたると知るべし」〈孫子私抄〉 ④《特に》飲み過ぎて酒が喉を通らなくなる。「乱酒になりてー・りたる人などには、〔酌ハ〕上を心得て入れらるべし」〈宗五大双紙〉。「ー・る物。…肴のなき大酒」〈仮・犬枕〉 ㊁『名』①先のきわまる所。はて。すみ。「ここのーに追っめては、ちゃうど切る」〈平家四・信連〉。「学が広いと云うて、ーの無いが悪いぞ」〈古活字本論語抄六〉 ②窮迫。窮乏。「京中のー、以ての外なり」〈大乗院雑事記永正一・六・二六〉 **詰まらぬ** ①道理に合わない。納得のいかない。「長長とー言ひ分」〈西鶴・好色盛衰記五〉 ②満足しない。面白くない。「何がー事ござんして退かしゃりました」〈評判・難波鉦三〉 ③取るに足りない。馬鹿げている。些細である。「惣別女郎—物でござんすれども」〈評判・難波鉦三〉④困る。うまくゆかない。「会うて—次第とて、立ち隠れんとしたりしに」〈浮・男色今鑑三〉 **—さかな**【詰り肴】①酒宴で、酒が喉を通らなくなった時に食う肴。柚・柑の類や酢の物を用いる。「〔十七献ノ大宴会〕『…—よく候べく候』『はや七献参り候、やがてやがて其の御肴御こしらへ候べく候』」〈伽・猿の草子〉②肴として適当なものが無い時、有合せの物を肴にすること。「これ其所の—よ膾鮒」〈俳・山の井五〉③どうにもならなくて、仕方なしにすることのたとえ。「—に鍋釜まで揚げ〔質屋ニ入レ〕」〈浮・御入部伽羅女二〉

つみ【柘】桑の一種。野桑。山桑。「この夕—のさ枝の流れ来ば」〈万三八六〉 ▽上代、ツミのミの音は、mi か mï か不明。

つみ【罪】《古代では、聖なるものを侵犯する行為、共同体の構成員として秩序を破る行為、またその結果、身に受けるけがれや罰などをいう。類義語トガは、他から非難され、指弾されるような欠点・過失・不用意な行為をいう》①聖なるものを犯す行為。また、その結果として受けるけがれや罰。「うま酒を三輪の祝(はふり)が斎(いは)ふ杉手触れし—か君に逢ひがたき」〈万七一二〉。「罪、ツミ」〈名義抄〉。「罰、ツミ」〈名義抄〉②共同体の秩序を害し、祓(はら)へや贖罪を必要とする行為。「生剝(いきはぎ)・逆剝(さかはぎ)・畔放(あはなち)・溝埋(みぞうめ)・屎戸(くそへ)・親子婚(おやこたはけ)・馬婚(うまたはけ)・牛婚(うしたはけ)・鶏婚(とりたはけ)の—の類を種種(くさぐさ)求(ま)ぎて、国の大祓(おほはらへ)をして」〈記仲哀〉。「天つ罪と〔シテ〕、畔放ち、溝埋み、樋(ひ)放ち、頻蒔き、串刺し、生け剝ぎ、逆剝ぎ、屎戸、ここだくの—を天つ罪と法り別け」〈祝詞大祓詞〉。「国つ罪と〔シテ〕、生膚(いきはだ)断ち、死膚断ち、白人、こくみ、おのが母犯せる—、おのが子犯せる—…、ここだくの—出でむ」〈祝詞大祓詞〉③法制上の違反行為。また、それに対する刑罰。「—有りて、皆獄に下りて死ぬ」〈紀仁賢即位前四年〉。「〔塩焼王ハ〕遠く流す—に配(さを)むべし。然れども、その父新田部親王は、清き明き心を以て仕へ奉れる親王なり。その家門絶つべしやとしてなも此の度の—許し給ふ」〈続紀宣命二〇〉。「—に当りて流されおはしたらむ人」〈源氏須磨〉④仏のいましめを破る行為。また、そのむくい。「大御足跡(おほみあと)を見に来る人の去(い)にし方、千世の—さへ滅ぶとそいふ」〈仏足石歌〉。「慈悲深うおはする仏だに、三宝をそしる—は浅しとやは説き給ふなる」〈紫式部日記〉⑤社交上の心得に反する行為。また、それに対する処罰。「—の限り(償イノ期限)果てぬれば、かく迎ふるを」〈竹取〉。「無礼の—は許されなむや」〈源氏常夏〉⑥やましいところ。屈託。多く「なし」という語を伴う。「—もなく、さりげもなくいふ。いふかひもなし」〈かげろふ中〉。「蛭(ひる)の子が齢(三歳)にもなりにけるを、—なき様なるも思ひ捨てがたうこそ」〈源氏松風〉 †tumi

つ・み『四段』前歯でかじる。「鬚がちなるものの、椎—・みたる」〈枕四五〉

つ・み【抓み・摘み】『四段』《ツマ(爪)を活用させた語。指の先で物を上へ引っぱり上げる意。転じて、植物などを指の先で地面から採取する意》①つねる。「万世(よろづよ)と心は解けてわが背子が—・みし手見つつ忍びかねつも」〈万三九四〇〉。「我が身を—・んで人の痛さを知るほどに」〈論語抄子路〉。「捻、以二指末一豆牟(つむ)」〈新撰字鏡〉②(物を)つまむ。「ははそ葉(ば)の母の命は御裳(みも)の裾—・みあげ掻(か)き撫(な)で」〈万四四〇八〉③植物をつまみ取る。採集する。「夜の暇(いとま)に—・める芹子(せり)これ」〈万四四五五〉 †tumi

つ・み【詰み】『四段』ぎっしりつまる。動きがとれなくなる。「座敷—・みければ、我はのきてその人を我が跡に置き」〈善悪報ばなし四〉

つ・み【積み】『四段』《数あるもの、量あるものを一まとめにうず高く重ねておく意。類義語カサネは、ものを、その上その上と順序をもって置く意》①散らさないように集めて固める。「〔草木ヲ〕已(す)に薀(つ)み、崇(かた)くして猛き焔、将(まさ)に熾(も)えむとす」〈大唐西域記七・長寛点〉②たくわえる。「いましばらく念仏の功をも—・むべう候へども」〈平家三・少将都帰〉③《自動詞として》うず高く重なる。積もる。「降る雪の千重に—・めこそ我立ちかてね」〈万四二三四〉 †tumi

つみえがま・し【罪得がまし】『形シク』罪とされるきらいがある。「後見なき人なむ、なかなかさるさまにてあるまじき名を立ち、—・しき時」〈源氏夕霧〉

つみがみ【摘髪】後家の茶筌(ちゃせん)髪。また、後家の称。「若後家となりて、—に紫帽子」〈浮・好色美人相撲二〉

つみしろ【罪代】罪ほろぼし。罪のつぐない。「かかる御仲らひにまじり侍る—には」〈宇津保菊宴〉

つみつく・り【罪作り】□一『四段』気をもむ。気苦労する。「嫌がることを言うて怨ち—・らせ」〈西鶴・一代男七〉□二『名』罪となるような行いをすること。特に、仏の教えにそむくような行為をすること。「しゃつ搦(から)めよ、—に首な切っそ」〈平家二・大坂越〉

つみな・ひ【罪なひ】(ツミナイ)『四段』《ナヒは、アキナヒ・ウベナヒなどのナヒに同じ》罪とする。罰を与える。「必ず法のまにまに—・ひ給ひきらひ給はむと」〈続紀宣命三五〉。「国族を大臣誅戮(つみな)はれ殲滅(ほろ)びぬ」〈大唐西域記四・長寛点〉 †tuminaFi

つみな・へ【罪なへ】(ツミナエ)『下二』罪にあてる。「彼の国に発向して、討罰(つみな)へしたがへむ」〈金光明最勝王経平安初期点〉。「咎(とが)ある輩(ともがら)を—・へなどして」〈仙覚抄七〉

つみば【鍔・鐔】「つば(鍔)」の古形。「復(また)剣(つるぎ)の—より垂(しただ)る血、激越(そそ)きて神と為(な)る」〈紀神代上〉。「神代紀鐔を訓みて都美波(つみは)と為(な)す」〈和名抄〉。「鐔、ツミバ、タチノツハ」〈名義抄〉 †tumiba

つむ【船・舶】大きな船。「—を聚めて軍の粮(かて)を運ぶ」〈紀推古十年〉。「舶、ツム、今云、オホブネ」〈名義抄〉

つむ【錘・紡錘】糸繰車の付属具の一。綿・繭などから引き出した繊維をより合わせて糸に作り、また、それを巻きつける働きをする棒。「さるほどに—といふ物ほしきよし宣へば」〈伽・蛤の草紙〉。「紡車、ツム」〈運歩色葉集〉 ▽ツムはくるくる廻るものの意。ツムジ(廻毛・旋風)などの語根。 ↓つむぎ

つむがりのたち【都牟刈の大刀】《ツムガリは物を鋭くたち切る形容という》切れ味のよい鋭い大刀をほめたことば。草薙剣をいう。「刺し割きて見たまへば、—在りき」〈記神代〉

つむ・ぎ【紡ぎ・績ぎ】□一『四段』《ツム(錘)を活用させた語》綿・繭などを糸繰車にかけ、引き出して糸に作る。「これを—・ぎ、桛(かせ)にかけ」〈仙覚抄五〉。「紡、豆無久(つむぐ)」〈和名抄〉□二『名』【紬】真綿または屑繭からとった糸で織った絹織物。「女(め)の童は僧の—の衣を借り着て」〈今昔二九ノ三三〉。「紬、ツムギ」〈名義抄〉

つむじ ❶【旋風・廻毛】《ツムはくるくる廻るさま。シは風、アラシ・ハヤチ・コチのシ・チと同じ》①ぐるぐる廻って吹く風。旋風。「—かもい巻き渡ると」〈万一九九〉②頭の毛などの渦巻状に巻いた部分。「廻毛、ツムジ」〈名義抄〉❷

【辻】「つじ」の古形。「その首なき人を取り出して、道の―に捨て置かしめて」〈今昔二〇ノ三〉。「辻、ツムシ」〈名義抄〉

つむり【頭】「つぶり」に同じ。「―につきたる火を払ふごとく」〈伽・ゑんがく〉

つめ【爪】《古形ツマ(爪)の転》①指先に生じる角質の部分。「馬の―い尽す極み」〈万四一二二〉。「―のいと長くなりたるを見て」〈土佐一月二十九日〉②琴をひく際に、指先にはめるもの。「この琴ひく人は、別の―つくりて指にさし入れてぞひく事にて侍りし」〈大鏡藤氏物語〉　†tumë　―**銜**(はく)**・ふ**　①恥ずかしがる様子をいう。「此の頃の浮かれ女なれば―・へ」〈俳・時勢粧五〉②羨望する様子をいう。「乳母も三十以前を思ひ出して―・へける」〈西鶴・嵐無常上〉　―**食・ふ**　手の爪をかむ。恥じらい・不満・甘えなどのしぐさにいう。「なま人わろく―・はるれど」〈源氏帚木〉　―**に火を燈**(ぼと)**・す**　過度に物惜しみすることのたとえ。「たのしい者(金持)は、しわうて―・す者ぞ」〈玉塵抄三〉　―**を放・す**　女が心中立のため、爪を切り放して男に送る。「惚れ合ふや七夕―・す程」〈俳・細少石四〉

つめ【頭】《古形ツマ(端)の転》端。きわ。橋のたもと。「大橋の―に家あらば」〈万一七四二〉　†tumë

つ・め【詰め・蔵め】㊀『下二』《一定の枠の中に物を入れて、すき間・ゆるみをなくす意》①ぎっしりと入れて満たす。一杯にたくわえる。「潮干なば玉藻刈り―・め」〈万三六〇〉。「栂尾(とがのを)へ茶を―・めにやってござる」〈虎明本狂言・茶壺〉。「貯・蓄、タクハフ・ツム」〈名義抄〉②すきまをなくす。ふさぐ。「打ち叩き、押し引けど、内外(うちと)に―・めてければ、ゆるぎだにせず」〈落窪三〉。「新田・足利、多年の憤りもただ今日の軍に定りぬと、気を―・めぬ人はなかりけり」〈太平記一七・義貞軍〉③長さや間隔などをせばめる。短縮する。「切っ先に太刀打ち合はせ、―・めつ開いつ戦ひけるが」〈謡・橋弁慶〉。「眉を延べ、眉を―・むる」〈清原宣賢式目抄〉。「〔柄杓ノ長サヲ〕右の如く五厘ほど―・め候」〈智能抄〉④動きがとれないようにする。追いつめる。「義朝道理にや―・められけん、その後は音もせず」〈古活字本保元中・白河殿攻め落す〉⑤出仕してそこに控えている。「其の夜、右馬頭は本城に―・めけるが」〈安宅一乱記五〉⑥きりつめる。倹約する。「随分わしが身を―・め、三度付ける油も一度付け」〈近松・夕霧中〉㊁『名』①隙間に詰め込む物。つめもの。「ひまの明きたる所に―かふといへる」〈名語記四〉②つきつめた所。究極。終局。「貧も―は愚痴から起るほどに」〈襟帯集〉。「―は京へ上らうずれども、しばらくここにゐる心ぞ」〈山谷詩抄一五〉。「昨日の大坂の相場…―の売買を聞けば」〈浮・立身大福帳五〉③末席。末座。また、特に茶席の末座に坐り正客の介添役をするもの。「この外格子を―に一座の眺め」〈西鶴・三所世帯下〉④詰袖の着物の年増女。「枕の御伽が御用ならば、振袖なりと―なりと」〈近松・丹波与作中〉㊂『接頭』転成名詞に冠して、間断を置かないさま、ひっきりなし、ひたすらの意を表わす。「―言ひ」「―泣き」「―飲み」など。「水は東流して―流れに行きたき様に流るれども」〈三体詩絶句抄四〉。「東風が―吹きに吹いて」〈三体詩抄一ノ四〉　†tumë

つめいし【積石】いしずえ。礎石。「大象の―、紫金銀の棟」〈栄花音楽〉

つめか・け【詰め掛け】『下二』①一所に押し寄せる。「シロヲツメカケテセムル」〈日葡〉。「野送りの衆も宵から―・けて聞かるる」〈西鶴・懐硯二〉②間近く迫り寄る。「すかさず―・けて飲ますれば」〈色道大鏡四〉③詰め寄る。問い詰める。「返答申せ、返答申せと―・け給ふ」〈説経・天智天皇〉

つめがた【爪形】①本などに爪で印をつけて記憶のたよりとすること。また、そのしるし。「―付けて〔居ル時飛ンデ〕行く時鳥」〈俳・桜千句〉②花押や印章の代りに爪に墨を付け証文などに押したもの。爪印。「神鳴すさまじ離す―」〈俳・物種集〉

つめきりがたな【爪切り刀】爪切り用の小刀。女の化粧道具の一。刀身より柄の方が長い。「つめきり」とも。「―にてやすく切れぬ」〈伽・天稚彦草子〉

つめそで【詰袖】①脇を縫い合わせた短い袖。「姪の伯母のと名を付けて美形―に腹をさすらせ」〈浮・新永代蔵六〉②筒袖。「若衆も―を着る涼みかな」〈俳・入船集〉

つめた・し【冷たし】『形ク』《触れる物体が寒冷で痛いように感じられる意》しかし、サムシと同じ意をかねて使われることが多い。類義語ツベタマシは、人の様子・気質などが冷酷に感じられる意》①〈触れる物体が冷えきっていて〉手先が痛いようである。「寒く冴えこほりて、うちたる衣(きぬ)も―・う、扇持ちたる手も冷ゆとも覚えず」〈枕一四二〉②〈気温が〉冷えきって感じられる。ひやりとする。「いと―・きころなれば、さしいでさせ給へる御手のはつかに見ゆるが」〈枕一八四〉。「気序寒(たつめ)し、勁雪多く風少なし」〈大唐西域記三・長寛点〉

つめつめ【抓抓】〔小児語〕つねること。「仕方で威す―の真似」〈俳・昼網下〉

つめのしろ【詰の城・攻の城】本丸。または根城(ねじろ)。「その勢都合六千余騎、東寺を―に構へて」〈太平記三二・神南合戦〉

つめばら【詰腹】強制して切腹させること。また、強制された切腹。「まづ忠衡に―を切らせ」〈伽・いづみが城〉。「明日はやみやみと―を切らん事こそ口惜しけれ」〈大友記〉

つめひも【詰紐】紐をしめてしっかり結ぶこと。「或は柿の直垂(ひたたれ)に―し」〈平家八・妹尾最期〉

つめひら・き【詰め開き】㊀『四段』①声を短くつめたり長く伸ばしたりする。(謡い方を)調節する。「真名(まな)の文字の内を拾ひて〔短ク謡イ〕、てにはの字にて―・きて謡ふべし」〈花鏡〉②駆引きをする。談判する。折衝する。「言(こと)を改めて―・く」〈色道大鏡一五〉。「一つ―・かん」〈近松・二枚絵上〉㊁『名』①謡う声を伸縮・調節すること。「ただ謡は、延べ縮(じし)め・―・受け押し肝要にて候」〈禅鳳雑談〉②蹴鞠で、詰め寄せたり開いたりすること。また、いくさの駆引き。「そもそも―第一の大事なれば」〈遊庭秘抄〉。「敵をただ鞠(まり)と思ひて人人の―せばいかが逃さん」〈義経百首〉③駆引き。応対。談判。「出家の論は―」〈仮・色音論下〉。「歌合せ古事古歌引きて―」〈俳・油糟〉④貴人の前から退出する時、相手に背を向けないように、立つ前に左か右の方へ体を回して立ち上がること。「―と言ふは膝回りの事なり」〈貞丈雑記一〉

つめふ・せ【詰め伏せ】『下二』言いつめて屈伏させる。説いて従わせる。説得する。「これほどに心地よく―・せたる事こそ候はね」〈著聞五三九〉。「いでいで行きて―・せて来んとて」〈沙石集三ノ三〉

つめぼうこう【詰奉公】常に主人の前に詰めていること。常時勤務。「物くさき小性(こしやう)は飽きし―」〈俳・寛永十三年熱田万句六〉

つめ・り【抓り】『四段』つねる。「ワガミヲツメッテヒトノイタサヲシレ」〈日葡〉。「さすりてはまた―・りぬる仲にして／継子と本の子をぞ育つる」〈俳・伊勢山田俳諧集〉

つめろう【詰籠】身動きの出来ない狭い牢。詰牢。「一間

(ひとま)なる所を―の如くに拵へて押し籠め奉る」〈太平記一三・北山殿〉

つめろん【詰論】問い詰めての議論。「『雑色どもはなど鹿をば取らぬぞ』と、はや事実なる―なり」〈古活字本曾我八〉

つもどり【晦日】「つごもり」の音韻顚倒。「晦は月の―の夜の闇をいふ」〈運歩色葉集〉

つもり【津守】津の番人。「住吉の―網引(あびき)の泛子(うけ)の緒の浮かれか行かむ恋ひつつあらずは」〈万二六四六〉

つも・り【積もり】㊀〘四段〙❶大きな量のものがばらばらに散らず、まとまって厚く、自然にうず高くなる。①(量が)うず高くなる。「寝(ぬ)る夜落ちず夢(いめ)には見れど、現(うつつ)にし直(ただ)にあらねば、恋しけく千重に―・りぬ」〈万三九七八〉。「曼陀羅華(まんだらげ)を雨(ふ)りて、―・れること膝までに至せり」〈金光明最勝王経平安初期点〉。「氷雪聚(あつま)り―・れる所にして」〈三蔵法師伝三・院政期点〉。「蘊・薀、アツム・ツモル」〈名義抄〉②数が重なって多くなる。ふえる。「はかなくて〔日数ガ〕―・りにけるも夢のここちのみす」〈源氏 御法〉。「行ひの労(らう)は―・りて公にしろしめされざりけること」〈源氏 若紫〉。「書写の上人は法華読誦(どくず)の功―・りて六根浄にかなへる人なりけり」〈徒然六九〉❷転じて、量・数の厖大なもの、あるいは実体のつかめぬものを大づかみに寄せて、およその結果を出そうとする。①見つもる。おしはかっておおよその計算をする。「たとへば、山の高さ、井の深さ、道の広き遠きを―・るなり」〈大学抄〉②他の心を推測する。推量する。「兄弟の姉女郎の―・らせ給ふも恥づかしと」〈浮・諸分姥桜一〉③一ぱいくわす。見すかしてだます。「何として方様を―・りましょ」〈評判・難波鉦三〉④この酌限りで酒を終りにする。「―・るとは挨拶振りか霙酒」〈俳・夢見草四〉㊁〘名〙①(大量のものが散らずに)山のようにたまること。「〔人ノ〕恨みを負ふ―にやありけむ、いとあつしく(病重ク)なり行き」〈源氏桐壺〉②数が多くなること。数を重ねること。「年ごろの―をつきづきしう聞え給はむも、まばゆきほどになりにければ」〈源氏賢木〉③見つもり。おおよその計算。「これは銭を以て米を買ふに、銭いかほどには米幾石買ふといふ―をいふ」〈大学抄〉④あらかじめ心に思いもうけること。心ぐみ。「この―にて知れば、ここの節文の心も知るるぞ」〈大学抄〉⑤限度。きり。程度。「銀も遣ふ―有り」〈西鶴・俗徒然三〉⑥酒宴の最後の酌。おつもり。「盃の―案ずる今宵かな」〈俳・雀子集四〉

―もの【積り物】大きな数の掛算。「冬は唯何処もそろそろ十露盤(そろばん)に置き添ふ霜も―かな」〈後撰夷曲集四〉

つや【艶】①物の表面の美しくみずみずしい光沢。平安女流文学では、衣服についていう。「濃き衣のいとあざやかなる、―など月にはえて、をかしう見ゆる」〈枕三〇三〉②美しくなめらかなこと。「笛達者にて…拍子に―ありて能く吹く」〈近代四座役者目録〉③愛想。愛敬(あいきやう)。世辞。「―も無くぞ言ひたりける」〈浄・京童三〉④色っぽいこと。「口跡(こうせき)に―なし」〈評判・難波立聞昔語荒木座〉

つや【通夜】《ツウヤの転》社寺に参籠(さんろう)して夜通し祈願すること。「ある夜、下の御社に―したる夜」〈宇治拾遺六四〉。「通夜、ツヤ、仏神前一宿也」〈伊京集〉

つや・し【費し・潰し】〘四段〙すっかりなくす。浪費する。「ゆめゆめ心を―・すべからず」〈私用抄〉

つやつや【艶艶】光沢があるさま。「堅文(かたもん)の表袴(うへのはかま)、―として」〈かげろふ下〉

つやつや〘副〙①完全に。十分に。「さればとて又、―題をも忘れて詠めるも見苦し」〈八雲御抄一〉。「―、たしかにといふ心なり」〈匠材集三〉②《下に打消の語を伴って》全然。少しも。「〔頬ノコブハ〕あとなく、かい拭ひたるやうに―なかりければ」〈宇治拾遺三〉。「法華経をば―唱へず、供養せず」〈法華題目鈔〉

つやめ・き【艶めき】〘四段〙いかにも艶を帯びて見える。「ゆづり葉のいみじうふさやかに―・き」〈枕四〇〉

つややか【艶やか】①表面が美しく光って見えるさま。「見やれば、木の間より水のおもて―にて、いとあはれなるここちす」〈かげろふ上〉。「〔寝殿ヲ〕―にかい掃きなどする人もなし」〈源氏蓬生〉②色めいた感じのするさま。「かしこまりをはなはだしう置きたれば、―なることはものせざりけり」〈かげろふ下〉

つやら・し【艶らし】〘形シク〙①光沢があって麗わしい。「何時と無く―・しき形を失ひ」〈西鶴・一代女四〉②うわついている。御世辞めいている。軽薄らしい。「勤の―・しき事は無くて誠を籠めし筆の歩み」〈西鶴・五人女一〉

つゆ【露】㊀〘名〙①水蒸気が物の表面について、液化してできた水滴。「―こそば朝に置きて夕は消ゆと言へ」〈万二一七〉②涙にたとえていう語。「はつ草の若葉の上を見つるより旅寝の袖も―ぞかわかぬ」〈源氏若紫〉③はかなく、消えやすいものにたとえていう語。「ありさりて後も逢はむと思へこそ―の命もつぎつつ渡れ」〈万三九三三〉④わずかなこと。少しばかり。「―にても心に違ふ事はなくもがな」〈源氏帚木〉⑤盃にわずかに飲み残したしずく。「一―とは、酒をすきと飲みて下を捨て候に、一―落ちたるを申し候。二―とも落ちては曲なく候。又、―の落ち候はぬも曲なく候」〈宗五大双紙〉。「―無しに飲むべし」〈雑事覚悟事〉⑥紐・緒・総(ふさ)などの先端の垂れ下がった部分。「直垂の―結びて肩に掛け」〈曾我六〉。「簾のふさの先に―を下ぐるなり」〈古今私秘聞〉⑦小粒銀。「前巾着に細かなる―を盗み貯めて」〈西鶴・一代男一〉⑧遊里などで祝儀として与える金。多くは小粒銀。「花でも―でも打つやうな男ならば」〈評判・難波鉦三〉㊁〘副〙①《下に打消の語を伴って》少しも。ちっとも。全然。「御胸つとふたがりて、―まどろまれず」〈源氏桐壺〉。「櫃の中を見るに入れる所の物―なし」〈今昔九ノ三七〉②ほんの少し。「〔舟ノ〕水際はただ一尺ばかりだになきに…―あしうもせば沈みやせむと思ふを」〈枕三〇六〉

―打・つ 祝儀の金銀貨を与える。「少し―・つ間が遅ければ」〈西鶴・男色大鑑五〉

つゆ【梅雨】陰暦五月に降る長雨。さみだれ。「雩、ツユ、又作二墜栗一」〈文明本節用集〉

つゆあな【梅雨穴】梅雨の頃、湿った土地に出来る穴。「ついり穴」とも。「―は明きて流るる泉かな」〈俳・桜川五〉

つゆくさ【露草】野草の名。夏に藍碧色の花が咲く。花汁を藍色の絵具や染料に使った。「〔頭ハ青青トシテ〕―していることさらに色どりたらむここちして」〈源氏横笛〉→つきくさ

つゆけ・し【露けし】〘形ク〙①露を含んでいる。露にぬれている。「明けゆく空もはしたなくて出で給ふ。道のほど、いと―・し」〈源氏賢木〉②涙にぬれている。「身にしむばかり思さるべき秋風ならねど、―・き折がちにて過ぐし給ふ」〈源氏御法〉

つゆしぐれ【露時雨】露がいっぱい降りて、時雨が降ったようになること。「―ひつじの時や晴れぬらん」〈兼載独吟〉

つゆじも【露霜】《奈良時代は清音》①露や霜。また、露の凝って霜となったもの。「ぬばたまの吾が黒髪に降りなづむ天の―取れば消(け)につつ」〈万一一一六〉②年月。「―は改まるとも松吹く風の散り失せず」〈新古今序〉▽上代、シモのモの音は、mo か mö か不明。

―の【露霜の】〔枕詞〕「置き」にかかり、また、音の似た「晩手(おくて)」に、降る意から同音で「古里」、地名「布留」などにかかる。一説、

「秋」「消(け)」「過ぎ」などにもかかる。「—置きてし来れば」〈万二三二〉。「—おくての稲葉」〈続拾遺三三〇〉。「—ふるさと人の」〈続後拾遺三七二〉。「—布留の山べは」〈新葉三八八〉

つゆちり【露塵】㊀『名』ほんのわずかのことにたとえていう語。ほんのちょっと。少し。「—のこともゆかしがり(知リタガリ)」〈枕二八〉㊁『副』《下に打消の語を伴って》少しも。全然。「—も疑ふべからず」〈和語燈録三〉。「消えん命は—惜しからず」〈伽・貴船の縁起〉

つゆのいのち【露の命】露のように消えやすい、はかない命。露命(ろめ)。「ありさりて後も逢はむと思へこそ—も継ぎつつ渡れ」〈万三九三三〉。「—ぞかなしかりける」〈後撰八九五〉 †tuyunöinöti

つゆのま【露の間】ちょっとの間。わずかの間。「ぬれてほす山路の菊の—にいつか千年(ちとせ)を我は経にけむ」〈古今二七三〉

つゆのみ【露の身】露のように消えやすい、はかない身。命のもろい身。「草の葉におかぬばかりの—はいつその数に入らむとすらむ」〈後拾遺一〇一二〉

つゆのよ【露の世】露のようにはかない世。無常の世。「とまる身も消えしも同じ—に」〈源氏葵〉

つゆばかり【露ばかり】『副』①《下に打消を伴って》ほんのちょっとも。少しも。「—うれしと思ふべき気色(けしき)もなければ」〈源氏竹河〉②ほんの少し。「—逢ひそめたる男の許に遣はしける」〈後拾遺八三二詞書〉

つゆはら【露原】露の多くおりた原。「朝戸出の君が足結(あゆひ)をぬらす—」〈万三三五七〉

つゆはらひ【露払ひ】①蹴鞠の開始に当り、懸りの木から露を払い落す目的で鞠を蹴ること。また、その役。御所では加茂の社人がこの役をつとめた。「〔二月〕十日、院の御鞠始めなり。…—果てて、立たせ給ふ。仰せによりて御鞠上げぬ」〈春のみやまぢ〉②先導すること。演芸などで最初に演ずること。また、その人。「—は、そのころ槌大夫舞ひし也」〈申楽談儀〉。「花の前の胡蝶の舞や—」〈俳・犬子集一〉

つゆも【露も】『副』少しも。少しでも。「雨ふれど—もらじをかさとりの山はいかでかもみぢそめけん」〈古今二六一〉。「—心のおかれましやは」〈源氏花宴〉

つよざう【強蔵】精力絶倫な者の擬人名。精力家。強手。「—か待て言問はむ聟〔ノ水〕浴びせ〔ニ〕」〈俳・豊世見久佐〉

つよ・し【強し】『形ク』《「弱し」の対。芯(しん)がしっかりしている意。類義語コハシは、表面が硬くて弾力性がない意。カタシ(堅)は形がきちんとしていて、こわれず、くずれない意》①しっかりしている。「菩提樹下のみ〔大地ガ〕堅く全くして、振ひ裂けず」〈東大寺諷誦文稿〉。「夜は門—・くさせ」〈枕一七七〉。「輪—・き御車に逸物の車牛かけて」〈大鏡道隆〉②力がある。「握り給ひたりける指はあまり—・くて、上にこそとほりて出でて侍りけれ」〈大鏡為光〉。「左右の手を取って引き立てんとすれども、かゐなをかがめて延べず。—・きこと、力士のごとく」〈保元上・新院御謀叛並びに調伏〉③気持の芯がしっかりしている。気持を曲げない。「人柄のたをやぎたるに—・き心をしひて加へたれば、なよ竹の心地して、さすがに折るべくもあらず」〈源氏帚木〉。「正身は—・う思し離るとも、かの一夜ばかりの御文をとらへ所にかこちて」〈源氏夕霧〉④しっかりした関係にある。「いま一方(軒端荻)は、主—・くなるとも、かはらず〔源氏ト〕うちとけぬべく見えしさまなるを頼みて」〈源氏夕顔〉。「本妻—・く物し給ふ」〈源氏夕霧〉⑤勝負に負けない。「かの御碁ぞいと—・かりし」〈源氏手習〉⑥身体が丈夫である。「身—・く、病なく」〈徒然一一七〉⑦程度がはなはだしい。「〔冊子・歌枕ノ〕言葉を取りいづるに、読みつぎたる筋こそは—・うは変らざるべけれ」〈源氏玉鬘〉。「病の—・き弱きによらず」〈孝養集下〉

つよつよ【強強】いかにも強いさま。強壮・頑健なさま。「この別当が年は八十に余りたれども、七十になく—としてあるに」〈今昔二八ノ一八〉

つよつよ・し【強強し】『形シク』いかにもしっかりとして強い。まことに強壮である。頑健である。「八十四といひし春、病をしてありしかど、いまだ—・しかりしにあはせて、別の事もなかりしかば」〈梁塵秘抄口伝集〉

つよゆみ【強弓】張りが強く、引くのに力を要する弓。また、その射手。強弓(がうきう)。「究竟の—、精兵(せいびやう)数百人すぐり集め」〈平家八・妹尾最期〉

つよ・り【強り】㊀『四段』①強くなる。強まる。「源氏の世の—・りしのちは…さまざまにへつらひ給ひしかども」〈平家三・吉田大納言〉②(気持を)引き立てる。(気を)強く持つ。「苦しき御心地を思し—・りて御対面あり」〈源氏若菜上〉㊁『名』強みとなるもの。心丈夫なところ。「母宮をだに、動きなきさま(后)にし置き奉りて、〔若宮ノ〕—にと思すに」〈源氏紅葉賀〉

つら《ツリ(釣)・ツル(弦)・ツレ(連)と同根》①【蔓】草のつる。「稲幹(いながら)に這ひもとほろふところ〔芋ノ〕—」〈記歌謡三四〉②【弦】弓の弦。「陸奥(みちのく)のあだたら真弓—はけて引かばか人の吾を言なさむ」〈万一三二九〉③【列】㋑縦に一列につらなるもの。つらなり。列。「秋ごとに—を離れぬ雁がねは」〈後撰四三五〉㋺連れ。仲間。「わが女御子たちの同じ—に思ひ聞えむ」〈源氏桐壺〉。「初雁は恋しき人の—なれや」〈源氏須磨〉 ▽朝鮮語 tʃul(絃)と同源。ツラ(頰)とは起源的に別の語。

つら【頰・面】《古くは頰から顎にかけての顔の側面をいう。類義語オモテは正面・表面の意。カホは他人に見せること、見られることを特に意識した顔面》①頰(ほ)。「かの翁が—にある瘤(こぶ)をや取るべき」〈宇治拾遺三〉。「頰、和名豆良(つら)、一云保々(ほほ)、面旁目下也」〈和名抄〉②あご。おとがい。「頤・腮、ツラ」〈名義抄〉③あたり。ほとり。「山水の—に、いかめしき堂を立てて」〈源氏明石〉④通りに面した側。「〔勘解由小路ノ〕南の—(南側)のいと悪しき泥を踏みこみて候ひつれば」〈大鏡忠平〉。「築地の—、道のほとりに飢ゑ死ぬる者のたぐひ数も知らず」〈方丈記〉⑤顔。卑しめていう。「このひめくま、—を振りて」〈伽・高野物語〉。「いらぬ事を仰せられて、かやうの—におなしやった」〈虎明本狂言・眉目よし〉 **—にて人を切・る** 傲慢な顔をして、人もなげな振舞をする。「彼等が振舞を見及ぶに、俗に云ふ—・るべかりき」〈北条五代記八〉

つらう『連語』《ツラムの転》…たであろう。「大略二三十度ほど、せめて二十度あまりであっ—」〈コリヤード懺悔録〉。「ここは極月にこそし候ひ—ぞ」〈蒙求抄二〉

つらうち【面打・頰打】憎む相手の面前でわざと当てこする言動。つらあて。「〔作者名ヲ〕『正広』と読みたりしを、宗砌法師『思ひよらず。正広の口より出でまじ』と—に云ひし時」〈兼載雑談〉

つらがまち【輔】①上下の歯牙の生えた骨。かまち。「輔車、ツラカマチ」〈下学集〉②顔つき。面貌。「恐ろしげな—かな。誰が面を向けうずぞ」〈人天眼目抄八〉

つらがまへ【面構】顔つき。面貌。「いよいよ逼塞(ひっそく)の諸人の—、曲無く存じ候」〈毛利家文書四、慶長一三・三・一八〉

つらく《助動詞ツのク語法》…してしまったこと。「思ひつつ眠(い)も寝がてにと明かし—も長きこの夜を」〈万四八五〉

つらぐし【面櫛】櫛を前髪にさすこと。「大櫛を—にさしかけて」〈大和一四九〉

つらくせ【面癖】面つき。多く、不機嫌・陰鬱などの顔付にいう。「つらくさ」とも。「機嫌悪さうに—などをして、父母の前へ出づべからず」〈応永二十七年本論語抄三〉

つらけく【辛けく】《辛シのク語法》つらいこと。「世間(よのなか)の憂けく—」〈万八九七〉 †turakeku

つら・し【辛し】『形ク』《人から受ける仕打ちを、こらえかねるほどに痛く感じる意。→からし(辛)》①(世間一般の)仕打ちがたえがたい。こらえがたい。「世間(よのなか)の憂けくつらけく」〈万八九七〉②情がない感じである。薄情である。思いやりがない。「からごろも君が心の—・ければ袂(たもと)はかくぞそほちつつのみ」〈源氏末摘花〉。「御心のまめやかなるにもあらねど、人に恨みられじ、女に—・しと思はれんやうに心苦しかべい事こそなけれ」〈栄花様様悦〉。「猜・薄、ツラシ」〈名義抄〉③苦しい。「親の命をそむかじと—・き道におもむいて、二度憂き目を見つる事の心憂さよ」〈平家一・祇王〉

つらだましひ:ダマシイ【面魂】顔にあらわれたはげしい気性。精悍(せいかん)不敵な顔つき。「器量・事柄・—、まことにいかめしげなる者なり」〈保元上・新院御所〉

つらつき【頰付・面付】①頰から顎のぐあい。「みづら結ひたまへる—・顔のにほひ」〈源氏桐壺〉。「—・目見(まみ)など」〈源氏桐壺〉②顔のようす。顔つき。「ただ赤鬼などのやうなる—にて」〈増鏡二〉

つらつら『副』①よくよく。細かに。「—に見れども飽かず」〈万五六〉。「—この因縁を思ふに」〈正法眼蔵心不可得〉。「熟、ツラツラ・コマヤカニ・クハシ」〈名義抄〉。「細、ツラツラ・コマヤカナリ・クハシ」〈名義抄〉②すらすら。「御涙にぞむせびつつ、—返事もましまさず」〈浄・むらまつ四〉

つらつらつばき【つらつら椿】《ツラは列の意》数多く並んでいる椿。「河の上の—」〈万五六〉 †turaturatubaki

つらづゑ【頰杖】《古くはツラツヱと清音。室町時代末頃からツラヅヱ》ほおづえ。見つめたり思案するときなどのしぐさ。「中将いみじく信じて—をつきて向ひ居給へり」〈源氏帚木〉。「支頤、ツラツヱツイテ」〈名義抄〉

つらな・め【連並め】『下二』つらね並べる。「布勢の海に小船(をぶね)—・め」〈万四一八七〉 †turaname

つらな・り【連なり・列なり】『四段』《ツラネの自動詞形》①一列に揃う。並ぶ。「天人、空に—・りて、微妙の音楽を奏す」〈十訓抄一ノ七〉②列座・列席する。「祇候しながら、その座には—・らざりけり」〈著聞六三五〉③一緒に連れ立つ。「同じ郷の者三人と—・りて、水銀(みづかね)を掘る所に行きぬ」〈今昔一七ノ一三〉④加わる。参加する。「壬生忠峰は舎人なれども古今集の撰者に—・り」〈十訓抄一〇ノ五〇〉

つらにく・し【面憎し】『形ク』顔を見るだけでも憎らしく感ずる。「幼くて張立てするは、小癪に見えて—・きものなれば」〈評判・難波物語〉

つらぬ・き【貫き】㊀『四段』表から裏へ、端から端へ通す。「白虹日を—・けり」〈源氏賢木〉㊁『名』【頰貫】軍陣や狩猟のときにはいた毛皮の沓(くつ)。縁に貫緒(ぬきお)を通して結ぶ。毛沓。「つなぬき」とも。「—を履(は)きたり」〈今昔一九ノ八〉

つら・ね【連ね・列ね】㊀『下二』《ツラ(列)・ツリ(釣)・ツル(弦)・ツレ(連)と同根》①縦に一列に並ぶ。「雁の—・ねて鳴く声」〈源氏須磨〉。「御階(みはし)のもとに、親王達・上達部—・ねて祿ども品品にたまはり給ふ」〈源氏桐壺〉②伴う。ひきつれる。「老人、これを—・ねてありきけると思ひて」〈源氏空蟬〉③順序・序列などをつけて並べる。「町屋の物を—・ねて売る処に」〈策彦和尚初渡集下ノ上〉。「至極孝を尽した人二十四人を挙げ、編み—・ねて二十四章孝行録と名づく」〈二十四孝抄〉④ことばを並べ整えて、歌を作る。「たとひしばしは別るるとも、まつとし聞かば帰り来んと、—・ね給ひし言の葉はいかに」〈謡・松風〉。「まづ初春に事寄せて、鶯一首—・ねけり」〈伽・雀小藤太〉⑤連歌で、前の句を受け、次の句を付けて続ける。「昔は百韻・五十韻など—・ぬる事はなくて」〈僻連抄〉㊁『名』①浄瑠璃・小唄などで、縁語で綴った文句。「余所の—も我が命も一節切(ひとよぎり)なる憂き節や」〈近松・氷の朔日下〉②歌舞伎で、主役が主に花道で朗朗と述べ立てる長台詞。延年のつらねの影響という。「昔は男達などの出端には—と言ふものが有って」〈滑・浮世風呂四下〉 —**うた**【連歌】連歌(れんが)。「昔、一条摂政の御もとにて、人人—侍りけるに」〈撰集抄八ノ二九〉。「恋ひわびて神に手向(たむけ)の—逢坂山を賦物(ふしもの)にせむ」〈七十一番歌合〉

つらのかは:カワ【面の皮】①顔面の表皮。「面皮、ツラノカハ」〈書言字考〉②面の皮が厚いこと。あつかましいこと。鉄面皮。「—な唐人共」〈近松・国性爺後日一〉 —が**厚・い** あつかましい。ずうずうしい。「人が聞き知るまいと思うて、さやうな事を云はるるか、—・い」〈碧岩抄七〉

つらはぢ【面恥・頰恥】「恥」を強めた語。極端な恥。赤恥。「何の面目あって、再び年寄りたちに、—も無う見参せうぞ」〈玉塵抄一〉

つらぶち【面扶持】近世、家族の人数によって割り与えた扶持米。「めん扶持」「顔扶持」とも。「参勤中、召連れ候者共に、せめて—に遣はし度き由申し候へども」〈相良家文書三、寛永一七・八・一〉

つらみ【辛み】つらさ。また、それを相手にあてこする物言い。「恨み—も帰らぬ事」〈浮・新色五巻書三〉。「思ひ切る上は、嘆きも—も無し」〈浮・太平色番匠一〉

つらみせ【面見世】「顔見世」(2)に同じ。「芝居の仕組明日は—」〈俳・大坂独吟集上〉

つらむ『連語』《完了の助動詞ツに推量の助動詞ラムのついたもの》…ただろう。「石見のや高角山の木の間より我が振る袖を妹見—か」〈万一三二〉

つらめ・し【辛めし】『形シク』つらい。せつない。「過ぎし方の艱難の—・しき事を忘れずして」〈四河入海一七上〉

つらら【氷・氷柱】《古くは、張りつめた氷の意。→こほり》①(水面などに張りつめた)氷。「朝日さす軒の垂氷(たるひ)は解けながらなどか—の結ぼほるらむ」〈源氏末摘花〉。「—とは薄氷(うすごほり)をいふ」〈能因歌枕〉②「たるひ」に同じ。今のつらら。「古寺の軒ばの—下がりけり御児の尻もさぞひえの山」〈玉吟抄〉。「朝日さす軒のたるひのかつ解けて古軒ばの—春風に解けぬれば」〈三島千句注〉 —**・ゐ**【氷居】『上一』氷がはる。こおる。「雪降り積り—・ゐて、谷の小河も音もせず」〈平家五・文覚荒行〉

つらら【連ら・列ら】《ツラは連、ラは状態を表わす接尾語》つらなっているさま。ずらり。舟や漁火などにいう。「小船乗り—に浮けり」〈万三六二七〉 —**・き**【連らき】『四段』つながって並ぶ。「沖へには小舟(をぶね)—・く」〈記歌謡五二〉 †turaraki

つらを【弦緒】弓づる。「梓弓—取りはけ」〈万九九〉

つ・り【釣り・吊り】㊀『四段』《ツラ(弦)・ツル(蔓)・ツラナリ(連)と同根。ツル(蔓)を垂れて魚を取り、また物を引っぱりあげる意》①垂らした糸で魚をとる。「鮎—・ると立たせる妹が」〈万八五五〉②上に紐などをかけて、物を一定の高さに保つ。「たしかに其の木、天蓋を―・るべき所に当れり」〈今昔 三ノ二二〉 ③好餌をもって罠などにかける。「愚僧が見る前で狐を―・る道具を捨ててくれさしめ」〈虎明本狂言・釣狐〉 ④往来で相手を物色し、誘惑する。「女も良き者は―・られず。下女を連れたるはむつかし」〈色道大鏡 一四〉 ⑤【系り】系図を書く。系統づける。「一曲未だ伝受せざる人を系図に―・る事、道のため恐れ有る事也」〈看聞御記 応永二三・六・一一〉 ⑥《自動詞として》筋などがひきつる。「あはれ、きゃつめが面(らつ)の焼け―・ったるを言はばやと思ひて」〈かさぬ草紙〉。「スヂガツル」〈日葡〉 ㊁《名》①魚釣り。また、その道具。「奈呉の海人(まあ)の―する舟は」〈万 三九五六〉。「海人ども、網を巻き、―を捨てて」〈太平記 三六・大地震〉 ②系図。または、系統。血統。「つる」とも。「―をせん(書コウ)―をせばやと心掛け」〈俳・望一千句〉 ③釣銭。「壱匁で弐分掛け込み、―の銭持ち来る時」〈西鶴・諸艶大鑑 三〉。「〔浄瑠璃〕太夫の方から―を取る〔美声〕」〈浄・丸腰連理松 中〉

つりあんどう【釣行燈】竹で八角形の骨組を作り、紙を張った覆いのある大行燈。商家の店先・台所の天井などに吊り下げておく。つりあんどん。「八方」「八間(けん)」とも。「―の光をわざとしめして(消シテ)」〈西鶴・一代男 七〉

つりおまへ ヱ:マ【釣御前】掛軸に仕立てた絵像の持仏。「―の下に括り枕」〈西鶴・一代男 三〉

つりがうし ウ:ゴ【釣格子】①横の貫(ぬき)が一本の張出し格子。遊里では下級の遊女の局の外面の構えであった。「陰高き山を見上ぐる―」〈俳・大坂一日独吟千句〉 ②元禄頃、吉原遊廓で三匁取りの局女郎の異称。「―と云ふ〔八〕三寸(三匁取リノ女郎)」〈評判・吉原鹿の子〉

つりがき【系書・釣書・連書】系図書。「代代楠が―家に伝へし」〈西鶴・新可笑記 一〉

つりがね【釣鐘】寺院の鐘楼などに吊してある大鐘。撞木(しゅもく)でついて鳴らす。梵鐘(ぼんしょう)。「永祚の風とて、末の世まで聞ゆる風に、かの―にはかに落ちて」〈撰集抄 七ノ一一〉

つりがへ ヱ:ガ【釣替へ】①取り替えること。交換。「山彦は―の音や金衣鳥」〈俳・早梅集 一〉 ②遊女の体重と同じ重さの金銀貨で身請けすること。「金銀を美女と―にするは物の数ならず」〈仮・為人鈔 六〉

つりどうろう【釣燈籠】軒端などに釣り下げる燈籠。「増上寺へ金燈籠大小四つ御寄進候…是は―也」〈本光国師日記 寛永九・六・五〉

つりどの【釣殿】寝殿造の東西廊の南端、池に臨んで建ててある建物。納涼・遊宴のために使われることが多い。「いと暑き日、東の―に出で給ひて涼み給ふ」〈源氏 常夏〉

つりなは ヷ:ナ【釣縄・鉤縄】①物を釣っておく縄。「城の中より四方の屏の―を一度に切って落したりける間」〈太平記 三・赤坂城軍〉 ②魚をとるために釣糸をたくさんつけ、長く延べた縄。「伊勢の海の海人の―うち延(は)へてくるし(苦シ・繰ル)とのみや思ひわたらん」〈古今 五一〇〉

つりはげ【釣禿】髪をひきつって結うため額際が禿げ上がること。「鏡の影に―の雪〔ノヨウナ白髪ガ見エル〕」〈俳・七百五十韻〉

つりひげ【釣鬚】先を上にはねあげた口鬚。奴などが墨で書いたりした。「―を抜くをさへ嘆く男」〈仮・仁勢物語 下〉

つりぶね【釣舟】釣をする舟。「飼飯(ひけ)の海のには良くあらし刈り薦(こも)の乱れて出づ見ゆ海人の―」〈万 三二五六〉

つりぼく【釣朴】鑑賞用に釣り下げた古い木の株などのぼく。「―と言はなん月の桂の木」〈俳・夢見草 三〉

つりめやす【釣目安】金銭に関する訴状を奉行所の門前に貼って訴えること。また、その訴状。「色になる(紅葉シタ)浅茅が宿に〔テ〕―〔ノ相談ヲスル〕」〈俳・昼網 下〉

つりもの【釣物・釣者】①路傍で異性を誘惑すること。「―といふは、物見、物参りの道路にて、近付きならぬ女を引き行く事也」〈色道大鏡 一四〉 ②路傍で客を釣る女。「―に彌生の別れ惜しまれて」〈俳・花洛六百韻〉

つりよぎ【釣夜着】身体に夜具の重みが掛らぬように、紐で天井から吊すようにしたもの。釣夜具。釣蒲団。「―長枕帯掛の屏風」〈西鶴・諸艶大鑑 四〉

つる【弦・蔓・系】《ツラ(弦・蔓・列)・ツリ(釣)・ツレ(連)と同根》①弓の弦、琴の絃など。「楽弦、又作弦字…倭言都流(るつ)、又、乎(を)」〈華厳音義私記〉 ②つるくさ類の長い茎。「その葛(かっら)や―などがはひかかりて」〈三体詩抄 三ノ二〉。「藤、ツル」〈集韻に「藤、蔓也」とある〉〈温故知新書〉 ③鍋などの釣り下げる部分。「鍋の―の通り程も穴のないやうに物を一杯入れたぞ」〈周易抄〉 ④家系。血統。「総じて、宮王・禅珍などが―、行く先にて物知り顔にて候」〈禅鳳雑談〉 ⑤鉱脈。「間歩(まぶ)より―盗み候大工」〈梅津政景日記 慶長一七・三・一〇〉 ▽朝鮮語 tʃul(絃)と同源。 **―に付・く** 鉱脈を掘り当てる。「良き―・きて…仕合せ有りと云ふ」〈評判・野郎虫〉

つる【鶴】ツル科の鳥の総称。「見渡せば松のうれごとにすむ―は千代のどちとぞ思ふべらなる」〈土佐 一月九日〉 ▽万葉集には、助動詞のツルという箇所に「鶴」の字を宛てた例があるから、当時ツルという語はあったと思われるが、歌の中ではすべてタヅと詠んで、ツルと詠んだ例はない。タヅが歌語であったからだとされている。古今集以後は、歌の中にもツルを用いるが、やはりタヅの方がずっと多く使われている。朝鮮語 turumi(鶴)と同源。 **―の粟**《鶴の食べる粟はごく少量なので》極めて少しずつ物を貯えることのたとえ。「やうやう少しづつ受けたる物、―・蟻の塔、細細に積もれば」〈仮・東海道名所記 三〉 **―の一声**(ひとこゑ) 権威者などの一言によって衆人の言を圧すること。「雀の千声より―の聞かまほしさよ」〈伽・鼠草子〉

つるうち【弦打】矢をつがえずに、弓の弦だけを打ち鳴らすこと。「鳴弦(めいげん)」ともいう。殿上の入浴・出産・病気などの際、物の怪をはらうために行なう。「御湯たびたびまゐりて、―しつつ、こわづくりゐ給へるに〔出産アリ、赤児ガ〕いがいがと泣く」〈宇津保 国譲下〉。「紙燭さして参れ、随身も―して絶えずこわづくれと仰せよ」〈源氏 夕顔〉

つるおと【弦音】矢を射る時、弦の鳴る音。「本より引きまうけたる矢なれば、―高く切って放つ」〈古活字本保元 中・白河殿へ義朝夜討ち〉

つるかけ【鉤掛・弦掛】①吊手のある鍋。「弦鍋、ツルナベ、又云二弦掛一」〈文明本節用集〉 ②「つるかけます」に同じ。「十合入の升を天下に於て用ひる。是れを―と名付け」〈北条五代記 九〉 **―ます**【鉤掛升】鉄製の弦を対角線に渡した升。つるかけ。「白胡麻三升、但し―」〈本光国師日記 寛永九・四・七〉

つるかめ【鶴亀】①鶴と亀と。共に長命のものとして、縁起を祝って用いられる。「―も千歳(ちとせ)ののちは知らなくにあかぬ心にまかせはててん」〈古今 三五五〉 ②亀の背に立つ鶴の頂に蠟燭を立てる形状の燭台。「蠟燭立ちの―」〈西鶴・男色大鑑 四〉

つるぎ【剣】《古事記・万葉集にツルキ・ツルギ両形ある》刀剣類の総称。のちに片刃のものができてからは、多く両刃(もろは)のものをいう。「高麗(こま)―己(な)が心から外のみに見つつや君を恋ひ渡りなむ」〈万 二九八三〉。「剣、タチ、両刃刀、ツルキ」〈名義抄〉 †turuki, turugi **―たち**

【剣刀】《万葉集にツルキタチ、ツルギタチ両形ある》①刀剣類の総称。「―腰に取り佩(は)き」〈万八〇四〉②[枕詞]「身に添ふ」「磨ぎ」「斎(はい)ひ」にかかり、刃(な)と同音から「名」「己(な)」などにかかる。「―身に添ふ妹(いも)し思ひけらしも」〈万二六三七〉。「―磨ぎし心を」〈万三三二六〉。「―斎ひ祭れる神にし坐(ま)せば」〈万三二二七〉。「―名の惜しけくも我はなし」〈万二九八四〉。「―己が心から」〈万一七四一〉 **―のたち**【剣の大刀】《古事記では清音》「つるぎたち」⑴に同じ。「をとめの床の辺に我が置きし―」〈記歌謡三三〉 **―のやま**【剣の山】地獄にあるという剣をさかさに植えた山。「冥冥(めい)たる旅の道、峨峨たる―」〈盛衰記二六〉

つるさし【弦指】「つるめさう」に同じ。「八坂の坂に過ぐる村雨／―やさしも侍らん時鳥」〈俳・俳諧之註〉

つるねぶと【蔓根太】臀部や太股などに出来る、蔓の張ったように凝る腫物。「―他人になって此所をせい」〈俳・大矢数二〉

つるのけごろも【鶴の毛衣】①鶴の全身を蔽う羽毛。多く、白いものを見ていう。「[白イ御衣ヲ被ル姿ハ]千年をかねて遊ぶ―に思ひまがへらる」〈源氏若菜上〉。「白妙の―めでたう」〈栄花初花〉②鶴の羽毛で作ったという仙人などの着る服。鶴氅(かくしやう)。「つばさこそ重ぬる事のかなはずと着てだに馴れよ―」〈問はず語り一〉

つるのこ【鶴の子】曾孫の子。やしゃご。雲孫(うんそん)。「つるのまご」とも。「孫・ひこ栄え、―・やしは子まで栄え」〈伽・彌兵衛鼠〉。「雲孫、ツルノコ」〈運歩色葉集〉

つるのはやし【鶴の林】《「鶴林」の訓読語。涅槃経に「其林変ジ白、猶如シ鶴林ノ」とある》釈迦が入滅した時、鶴の羽毛のように白く変色したという沙羅双樹の林。「鳥辺野は―のここちこそすれ」〈後拾遺五四四〉

つるのまご【鶴の孫】「つるのこ」に同じ。「舞ふ蝶は―かや姥桜」〈俳・玉海集一〉

つるはぎ【鶴脛】衣服の裾が短くて、臑(すね)が長くあらわれていること。鶴の脚を連想させるところからいう。「袴をぬぎて手にさげて渡るを見て。かも(賀茂・鴨)川を―にても渡るかな／かり(狩・雁)袴をばをし(惜シ・鴛鴦)と思ひて」〈金葉七〇〇〉

つるばしり【弦走】鎧の胴の腹に当る部分。弓を射るとき、弦が小札(こざね)の頭にひっかかるのを防ぐため、多くは染め皮で包んであった。「障子の板か、栴檀(せんだん)・―か、胸板の真中か」〈古活字本保元中・白河殿攻め落す〉

つるばみ【橡】①今のどんぐり。「おそろしげなるもの。―のかさ」〈枕一四七〉②濃いねずみ色。どんぐりのかさを煮、その汁を使って染めたもの。喪服の色にもする。「―の衣は人皆事なしといひし時より着欲しく思ほゆ」〈万一三一一〉。「家人奴婢は、―墨衣」〈衣服令〉。「衣の色いと濃くて、―の喪衣一襲、小袿着たり」〈源氏夕霧〉 †turubami

つる・び【交び】《四段》交接する。交尾する。「つるみ」とも。「他の鳥たがひに来たりて―・ぶ」〈霊異記中三〉。「婚、ツルブ」〈名義抄〉

つるぶくろ【弦袋】弦巻(つるまき)の古称。「―つけたる太刀脇ばさんで」〈平家一・殿上闇討〉

つるべ【釣瓶】《ツル(蔓)ヘ(瓶)の意》井戸の水を釣って汲み上げる器。「多く澡鑵(つるべ)・錫杖・扇有り」〈願経四分律平安初期点〉。「鑵、楊氏漢語抄云、都流閉(つるべ)、汲レ水器也」〈和名抄〉 **―おとし**【釣瓶落し】つるべを井戸に落すように、物が垂直に落下すること。「大盤石の苔むしたるが、―に十四五丈ぞ下(くだ)ったる」〈平家九・坂落〉 **―おろし**【釣瓶下し】つるべを下ろしたように垂直なこと。「下を見下ろせば、大磐石の苔むしたるが、―二十四五丈そばだったる」〈七書評判二〉 **―ずし**【釣瓶鮨】藤蔓の手の付いた曲物(まげもの)に入れた鮎鮨。大和吉野川の鮎を材料にした下市製が原産。「松岡寺兼玄、吉野のつるべのすし二桶贈られし」〈再昌草二九〉。〈俳・毛吹草四〉 **―なは**【釣瓶縄】つるべを上下させるために結びつけた縄。「―心ふか井におよばずはたれ汲み知らん思ふ水ぞと」〈草根集二〉。〈黒川本色葉字類抄〉

つる・べ【連べ】《下二》矢先・銃口などを敵に向けて一齊に並べ揃える。また、そうして一齊に発射する。「大筒を―・べて一度に打ち立てける間」〈別所長治記〉 **―や**【連べ矢】射手が並んで一齊に矢を射ること。つるべ打ちに射る矢。「―に射てくれよ」〈義経記四〉

つるまき【弦巻】予備の弓弦を巻いておく道具。籐・葛皮などで丸く輪形に作り、これに弦を巻いて太刀などにさげ、携行する。古くは「つるぶくろ」とも。「―なる弦を取り」〈三国伝記四〉

つる・み【交み】《四段》「つるび」に同じ。「にはとりの―・み始むるを云ふなり」〈塵袋三〉。「馬牛は―・まうと思へば何処(こ)でまりつと行って―・むぞ」〈黄鳥鉢抄三〉。「交接、ツルム」〈運歩色葉集〉

つるめさう ｿｳ【弦召さう】《「弦召さう」と呼び歩いた売り声からついた名》中世、京都祇園八坂神社に隷属し、境内の清掃や祇園会の神輿の先駈・警固などを奉仕した者。ふだんは弓の弦などを作り、行商していた。「つるめそ」「犬神人(いぬじにん)」とも。「洛東祇園の神祠、これを感神院と云ふ。犬神人はこれに事(つか)ふる僕従なり。今の世に―と云ふ者これなり」〈御書音義上〉。「犬神人、ツルメソウ」〈書言字考〉

つ・れ【連れ】㊀《下二》《ツラ(列)・ツリ(釣)・ツル(蔓・弦)と同根。縦に一線につづく意。類義語タグヒは、同質のものが一緒にある意。トモナヒは、主になるものと従になるものが一緒にいる意。ナミ(並)は、横に一列に並ぶ意》①一線につながって並ぶ。つながる。「北へゆく雁ぞ鳴くなる―・れて来し数は足らでぞ帰るべらなる」〈古今四一二〉②同伴する。連れ立つ。「人あまた―・れて、花見ありきしに」〈徒然三八〉③《「…に―・れて」の形で》…に従って。…とともに。「箸鷹の心に―・れて冬枯の野を分くるこそ悲しかりけれ」〈後京極殿鷹三百首〉。「衣服の綺羅も世に―・れて」〈近松・宵庚申上〉 ㊁《名》①連れ立って行く者。同伴者。「千駄櫃(せんだひつ)荷(にな)うて、―は三人なり」〈田植草紙〉。〈名語記四〉②能で、シテやワキに伴って出る助演の役者。シテに属するものをシテツレ、ワキに属するものをワキツレという。「脇の能、老松、―は七郎、わきは藤二郎」〈禅鳳雑談〉③種類。程度。たぐい。「鉛の―は、練り鍛(きた)ひもならぬほどに」〈百丈清規抄四〉。「おのれ打擲せられうと思うて、その―な事をいふか」〈虎明本狂言・右近左近〉 ㊂《接頭》二人以上の者が同じ動作をする意を表わす。「―平家」「―声」「―飲み」「―いびき」など。「酒盛に及び、女中小歌、男共―舞」〈看聞御記永享一〇・四・六〉

づれ《接尾》《「つれ」㊁⑶から転じて、軽侮の気持を表わす》…ごとき。…のようなくだらぬもの。「蝙蝠(かうもり)―の臆病者どもが、五万十万敵に付いたればとて」〈天草本伊曾保〉。「やうやう許州の辺土の守護―になさることのあさましさよ」〈三体詩抄一ノ三〉

つれあ・ひ ｲ・ﾌ【連れ合ひ】㊀《四段》連れ添う。互いに伴侶となる。「夫婦とは、女と男と―・ふを夫婦とは云ふ事なり」〈三世相抄八〉 ㊁《名》夫婦として連れ添うこと。また、連れ添う人。「御身のやうな邪見な人と―をなし」〈伽・

小栗絵巻〉。「久しき—に離れて愁嘆する所へ」〈咄・昨日は今日上〉

つれうた【連歌】 合唱して唄う歌。連節(つれぶし)の歌。「替り籬(まがき)の—」〈西鶴・諸艶大鑑三〉

つれづれ【徒然】《「連れ連れ」の意》 ①物事がいつまでも変らず、長長しく続くさま。「—のながめ(長雨・眺メ)に増さる涙川袖のみぬれて逢ふよしもなし」〈古今六一七〉 ②変ったこともなく、単調で、気のまぎれることのないさま。手持無沙汰で退屈なさま。「よろづ—なる人の、まぎるることなきままに、古き反古(ほんご)ひきさがし」〈紫式部日記〉。「山里の—ましていかに」〈源氏 薄雲〉 ③ひっそりと閑散なさま。がらんとして物さびしいさま。「御室にまうでて〔親王ヲ〕をがみ奉るに、—といと物がなしくておはしましければ」〈伊勢八三〉。「徒然、ツレツレ、無為分、閑詞、トゼン」〈色葉字類抄〉 ④心に求めるところが満たされずに、そのまま続くさま。「—も慰めがたう、心細さもまさりてなむ」〈源氏 賢木〉 ⑤じっと思いをこらすさま。つくづく。つらつら。「—と我が思ふ事いつ尽きん。…この—、つくづく也」〈伊勢千句注〉 ⑥ありふれたさま。普通。「じゃうはり〔釜八〕…大きさ—の手取り〔釜〕ほどなり」〈久政茶会記天正七・四・一〇〉

つれな・し『形ク』《「連れ無し」の意。二つの物事の間に何のつながりも無いさま》 ①(働きかけに対して)何の反応もない。無情である。「我は物思ふ—・きものを」〈万三二四七〉。②(事態に対して)何気ない様子である。さりげない。無表情である。「いみじう聞え給へど、いと—・し」〈源氏夕霧〉 ③(期待や予想にかかわらず)事態に何の変化もない。何事もない。「さて雪の山、—・くて年もかへりぬ」〈枕八七〉。「宮人も待ち聞え、うちにもさる御心設けどもあるに、—・くて〔月八〕立ちぬ」〈源氏 紅葉賀〉 ④(うけた誠意や恩義などに対して)何も感じない。情知らずである。「さのみながらへておのれに憂き目見せむも、我が身ながら—・かるべし」〈平家三・僧都死去〉 **—がほ**ガオ【つれなし顔】 なんでもないような顔。そ知らぬ顔。「—をなむ、めざましうと許し聞えざりしを」〈源氏 若菜上〉 **—づく・り**【つれなし作り】『四段』 何でもないようにとりつくろう。そ知らぬ様子をする。「—・り給へど、物思し乱るるさまのしるければ」〈源氏若菜下〉

つれびき【連弾き】 琴や三味線などを二人以上で弾くこと。「—の琴かは蟬と蟀(きりぎりす)」〈俳・毛吹草六〉

つれぶき【連吹き】 笛などを二人以上で吹くこと。「小座敷に取りこもり、—の横笛」〈西鶴・五人女五〉

つれぶし【連節】 二人以上の者が同時に唄うこと。合唱。「横瀬殿と—の謡を出し給ひける」〈新田老談記中〉

つれもな・し『連語』《「連れも無し」の意》 ①何の関係もない。何のゆかりもない。「栲縄(たくづの)の新羅(しらき)の国ゆ…—・き佐保の山辺に泣く児なす慕ひ来まして」〈万四六〇〉 ②何の関心も持たない。「葦垣の古りにし郷(さと)と人皆の思ひやすみて—・くありし間に」〈万九二八〉 ③(人の切なる気持に対して)なんら応えるところがない。「—・く離(か)れにし妹を偲(しの)ひつるかも」〈万四一八四〉 ④(外部の出来事に)なんら動揺することがない。平然としている。「きこえさすべきこともものしたれど、『つつしむことありてなん』とて—・ければ」〈かげろふ下〉 →つれなし。 ✝turemönasi

つゑ【杖・丈】 ①歩行の際に身を支え助ける棒。「—策(つ)きも衝(つ)かずも行きて」〈万四三二〇〉 ②杖罪。また、杖罪の者を打つ棒。「凡そ—は皆節目を削り去(す)てよ、長さ三尺五寸」〈獄令〉 ③上代の尺度の名。約一丈。「虹(ぬじ)の見ゆること蛇(をろち)の如くして、四五尺(よつつゑいつつゑ)ばかりなり」〈紀雄略三年〉 ④弓一張りの長さ。約七尺五寸。「的場の遠さ、三十三—に打ちて」〈弓馬問答〉 →ぢゃう

つゑたらず【杖足らず】〔枕詞〕《ツヱは一丈》 一丈の長さに足りない意から、「八尺(やさか)」にかかる。「—八尺の(大キナ)嘆き」〈万三三四四〉

つゑぢゃうちんツエヂョウ…【杖挑燈】 杖のような長柄の付いた、ぶら挑燈。「—を提げて行くときも有り」〈西鶴・男色大鑑一〉

つゑつき【杖突】 ①杖をついて歩く者。「いとどだに座頭まがひの—の/浄瑠璃語れ燈火の下」〈俳・守武千句〉 ②江戸幕府または諸藩の建築係の役人であった、小普請方の下級役人の称。竹杖で人夫を指揮したのでいう。「—の者を使にして、相役両人の方へ…と言ひ遣はしければ」〈仮・御伽物語一〉

つんざ・き【劈き】『四段』《ツミサキの音便形》 はげしい勢いで裂く。「龍伯公が力を得ざれば、山をも—・きがたし」〈太平記七・新田義貞〉。「劈、ツンザク」〈運歩色葉集〉

つんぼさじき【聾桟敷】《役者の台詞(せりふ)が聞き取れないのでいう》 歌舞伎芝居で、向う正面の最後部の桟敷。「前桟敷…此の所を俗に—と言ふ」〈戯場訓蒙図彙上〉

て

て【手】 一『名』《古形タ(手)の転》 ❶人体の一部。物を握り、物を作ることができる。①肩から指先までの部分全体。「妹が—を我に巻かしめ」〈紀歌謡九六〉 ②腕。また、手首。「向(むか)つ峰(を)に立てる夫(せ)らが柔手(にこで)こそ我が—を取らめ」〈紀歌謡一〇八〉。「人間は〔脈ガ〕—にござる、雷(かみなり)殿は頭(かしら)にござると聞きまらした」〈虎明本狂言・雷〉 ③手首から先の部分。「まそ鏡—に取り持ちて」〈万九〇四〉。「ひたひに—を当てて喜ぶ」〈土佐二月六日〉 ④手のゆび。「吾が紐を妹が—もちて結ふ八川(やかは)」〈万二一四〉。「—を折りてあひ見し事をかぞふれば」〈伊勢一六〉 ❷手のような形のもの。①本体からさし出て用をなすもの。几帳の横木など。「遣戸(やりど)のそばの、几帳の—のさし出でたるにさはりて」〈枕四九〉。「上矢のかぶらは…薙歯(なぎは)一寸、—(カリマタノ左右ニ突キ出タ部分)六寸」〈保元上・新院御所〉 ②物の一端についていて、それを他の物にとりつける役をするもの。「互ひに旗の—(竿ニツケルタメノ緒)をおろして、東西に陣を張り」〈太平記一五・大樹摂津国〉 ③把手(とって)。「—もなき盥(たらひ)などあり」〈枕一二〇〉。「鐶鈕、斗乃比岐天(とのひきて)、門鉤也」〈和名抄〉 ❸手先の働き。①手を働かせて、仕事や世話をすること。「まま母の—にかかりていますかりければ」〈大和一四二〉 ②文字を書くこと。また、その人・文字・筆跡。「いとをかしげなる女の—にて書けり」〈大和一七三〉。「絵は巨勢の相覧(あふみ)、—は紀貫之書けり」〈源氏絵合〉 ③腕前。技量。技術。「たなばたの—にも劣るまじく、その方(裁縫ノ方面)も具して」〈源氏帚木〉。「何ばかり深き—ならねど、〔琴ハ〕ものの音がらの筋ことなるものなれば」〈源氏 末摘花〉。「舞のさまも世に見えぬ—をつくして」〈源氏若菜下〉 ④小手先の器用さ。小細工。「人の芸能の至らずして、至り顔をするを見ては、『いまだ—を使ひ申す』と言ひき」〈戴恩記上〉 ⑤名手。名人。特に、能筆。「『成村はいかがありつる』と問ひければ、た

だ『ー(ヨイ相撲取)』とばかり答へてける」〈今昔二三ノ二五〉。「後にはー(能書家)にも成らうかと仰せらるる事ぢゃ」〈虎寛本狂言・八句連歌〉 ❹手だて。①手段。方法。「ものかづけなどするに、ーをつくしてものすめり」〈かげろふ中〉。「渡りに出でたる舟に行きあひたるには、まづつかみつきて乗るほかに別のーなし」〈一言芳談〉 ②手間。手数。「いとーはなちに、あらあらしげにて、苫(とま)といふ物を一重うちふきたれば」〈更級〉 ③琵琶などの奏法。「琵琶にはーと申して、めでたき事の候ぞかし」〈著聞二六五〉 ④舞などの型。「舞をもーを定めて、大事にして稽古すべし」〈風姿花伝〉 ⑤相撲のわざ。「今のは爰元(ここもと)にはやる撲(はり)相撲といふーぢゃほどに」〈虎明本狂言・鼻取相撲〉 ❺手の働く、方向・範囲・方面。①かかわりあい。関係。縁。「こや君がーをわかる(縁ヲ切ル)べき折」〈源氏帚木〉 ②仕事の分担範囲。また、それを担当する者。「供の人ーをあかちて(逃ゲタ男ヲ)求めさわぎけり」〈大和一四八〉 ③方向。方面。「兄の越前三位通盛卿相具して山のーをぞ固め給ふ。山のーと申すは鵯越(ひよどりごえ)の麓なり」〈平家九・老馬〉 ④一方面の軍隊。「義経は宇治のーを攻め落いて」〈平家九・河原合戦〉 ⑤手下。部下。配下。「樋口がーに茅野太郎といふ者あり」〈平家九・樋口被討罰〉 ⑥《手(攻撃)を加えることの意から》 攻撃などによって受けた傷。手傷。「賤しき奴がーを負ひてや死なむ」〈記神武〉。「件の盗人、ーを負ひて侍りけるにや、道道、血こぼれたり」〈著聞四三三〉 ⑦手を打つ音。「女房とはおぼえぬーの、しのびやかにをかしげに聞えたるに」〈枕三〇二〉 ⑧風采。体裁。「そのあとからーのよき一連れ」〈西鶴・織留四〉 ❻代りの働きをするもの。①代金。「ほととぎす(沓手鳥)鳴きつる夏の山辺には沓ーいださぬ人や住むらむ」〈寛平御時后宮歌合〉 ▽上代、「価」〈万二九四九〉、「直」〈万二八七七〉をテの仮名として使っているから、この用法は上代からあったと考えられる。②渡し場・関所などを通る時の通行税。また、江戸時代には、山野などの収益に課した雑税をあらわす語。「関ー取りて兵糧米にせよと候ふ間、関ーをたまはり候はん」〈義経記七〉 ❼物事を数える語。①相撲・碁・将棋などの番数または一さしをあらわす語。「相撲(すまひ)出でて五ー、六ーばかりとりて」〈宇津保 俊蔭〉。「二ーあそばせ弈(かうがい)立ての遊びを」〈田植草紙〉。「将棋の…初めの二ー」〈コリヤード懺悔録〉 ②舞の数などをあらわす語。「一ー舞うて東の方の賤しき奴ばらに見せん」〈義経記八〉 ③矢二筋を一組として数える語。「矢を一ー給へかし。その的串の前後ろを射ん」〈著聞三五二〉 ❷〔接頭〕①手で扱う意。「ー箱」「ーぐるま(輦)」など。「ほとほとしくにー斧取らえぬ」〈万一四〇三〉 ②方法・手段・処置・作用などの意。「ー繁し」「ーぬるし」「ーねばし」など。「今はー荒(あら)にふるまはじと思ひて」〈著聞四三三〉。「さてもさても思ふよりもー軽き無造作なる事かな」〈室町殿日記一〇〉 ③自分の手の内にある、自分の自由になる、自分の手で作った、自分でするなどの意。「ー酌」「ー酒」「ー飯米」など。「御ー所には桃生郡、…とて国の内にてよき郡」〈義経記七〉。「金剛大夫、ー能(素人猿楽)の衆と相雑りて能有り」〈蔭涼軒日録延徳四・二・四〉。「織女(たなばた)はー織りにするや湯具の布」〈俳・犬子集四〉 ❸〔接尾〕①《手が方向を指すところから》 ㋑…の方向・位置、物の状態の意。「後ろーは小楯ろかも」〈記歌謡四三〉。「敷き坐(ま)せる国のはたー(端ノ方)に咲きにける桜の花の」〈万一四二九〉。「隈、此をば矩磨泥(くまで)といふ」〈紀神代下〉 ㋺道中・道の意。「今夜(こよひ)さへわれを帰すな路の長ーを」〈万七八一〉 ②《手が働きを意味する所から》 ㋑…する人の意。「通ふべき道にもあらぬ八橋をふみてきとも何たのむらんと、書きーして書いたり」〈かげろふ下〉 ㋺…製などの意。「堀江漕ぐ伊豆(づ)ーの船」〈万四四六〇〉 ③《デと濁音》…風(ふう)。「鴈金文七ーの男伊達にこしらへ」〈浮・傾城伝授紙子三〉 **ーが入(い)れば足も入・る** 少しでも許せば遂には全く侵されてしまう意。「ー・れたき泉かな」〈俳・毛吹草五〉。「次第に自由になるといふやうのことを、ー・るといふ」〈俳・かたこと五〉 **ーが切・れる** 関係が無くなる。「この中はー・れたと聞きまして」〈評判・難波鉦三〉 **ー掻・く** (相手の行動を制止する動作として)ものをひっかくように手をふり動かす。とどめるように手を振る。「よろしきおとな出で来て、『あなかま』とー・くものから」〈源氏夕顔〉 **ーと身とばかりに成・る** 自分の身体一つだけとなる。無一物になる。略して「手と身に成る」「手と身と」とも。「終に打ち負けて、ー・りて、這ふ這ふ京へぞ逃げ延びたる」〈信長記六〉 **ーに足を握・る** ひやひやしながら見聞しているさまをいう。「殿なかなか御機嫌を損ねけるを、御側衆気の毒に思ひ、ー・りけり」〈咄・初音草咄大鑑六〉 **ーに掛・く** ①思うままにする。「ー・くるものにしあらば藤の花松よりまさる色を見ましや」〈源氏竹河〉 ②自分の手で殺す。「人手にかけて御覧候はんより、同じくは御ー・け参らせて」〈古活字本保元中・為義最後〉。「平家の公達(きんだち)敦盛をー・け申し」〈謡・敦盛〉 **ーに立・つ** 手ごたえがある。相手とするに足りる。「我が身ながらも物頼もしうて、ー・つ敵(かたき)の恋しさよ」〈謡・橋弁慶〉 **ーの舞ひ足の踏む所を知ら・ず** 《礼記、楽記篇などに見える句》①あわてふためくさまをいう。「公卿・殿上人、内裏へ馳せ参って、ー・ず」〈保元下・新院讃州〉 ②おどりあがって喜ぶさまをいう。「行隆、手の舞ひ足の踏む所も覚えず、『これはされば夢かや夢か』とぞ驚かれける」〈平家三・行隆沙汰〉 **ーの奴(やっこ)、足の乗物** 自分の手を下部(しもべ)として使い、自分の足を乗物とする意で、何事も他の力を借りず、自分で行なうこと。「ー、よく我が心に叶へり」〈方丈記〉 **ーもすまに** 未詳。一所懸命に手を働かせての意か。「ー植ゑし萩にや却(かへ)りては見れども飽かず心つくさむ」〈万一六三三〉 **ーも無・し** いとも容易である。たやすい。「ー・く射て取ったぞ」〈碧岩抄九〉 **ーを入・る** ①手をさし入れる。手をまわす。「近所の城持(しろもち)どもにー・れ、味方に招くべし」〈浅井三代記一〇〉 ②手入れをする。手を加える。「木をよくー・れ過してなぶれば」〈古文真宝抄六〉 **ーを打・つ** ①両方の手のひらを打ち合わせる。感情が激した時などにする動作。「一言主の大神、手打ちて其の捧げ物を受けたまひき」〈記雄略〉。「この女のー・ちて…いとおどろおどろしく泣く」〈源氏玉鬘〉 ②近世、売買・借金などの契約成立の確認として、当事者双方がしゃんしゃんと拍手する。「売初めや三人ー・つ算用酒」〈俳・名古屋歳旦帳写し〉 **ーを置・く** 手出しをやめる。処置なしと断念する。「斯様(かやう)に天子の御意がよい程に、三公九卿の人もー・かるる也」〈中華若木詩抄上〉 **ーを砕・く** 物事を行なうのに、手段をつくし全力を傾ける。「この度我とー・き合戦仕り候はずは」〈太平記二六・正行参吉野〉 **ーを下・ぐ** ①へりくだる。「〔コノ方方ハ〕連歌師にー・げては習はず」〈三根集一〉 ②あやまる。詫びる。「御許し給はれとー・げて頼みしに」〈西鶴・伝来記三〉 **ーをせ・ず** 手を加えない。「呑み心ー・ぬ酒の引っぱなし(味ノヨサ)」〈俳・続猿蓑上〉 **ーを束(つか)・ぬ** ①両手を組み合わせて敬礼する。手をこまぬく。「この行なひ人に逢ひて、ー・ねて泣く事限りなし」〈宇治拾遺二三四〉。「貴賤ー・ね、緇素(しそ)足をいただく」〈平家七・木曾山門牒状〉②手を出さず、傍観的な態度をとる。「―・ねて、『湯はござるが、つけがござない』と申したるにぞ、どっと笑ひになりにける」〈咄・醒睡笑三〉 **―を作・る** 手を合わせて拝む。合掌する。「―・りて額にあてつつ見奉り上げたるも」〈源氏葵〉 **―を取・る** 相手に立ち遅れて失敗する。相手の計略にかかってひどい目にあう。「ぜんまいと見ては―・るわらびかな」〈俳・伊勢踊三〉。「心安だてをして―・る事、数多し」〈評判・吉原恋の道引〉。〈俳・毛吹草三〉 **―を握・る** 危険な事態を傍で見聞していて、はらはらする。手に汗を握る。「日頃心を寄せ奉りし月卿雲客、両方に引き分って、―・り、心を砕き給へり」〈平家八・名虎〉 **―を放・つ** 束縛から手を放して自由にする。遠慮容赦もなく行う。後には「手を放す」とも。「その後、負けじ劣らじと、―・ちてぞ打ち合ひける」〈曾我一〉。「『鳴けや今日都を庭のほととぎす』。是また、山上の眺望、―・ちたる不可説〔ノ句〕也」〈所所返答〉 **―を払・ふ** 全部失う。すっからかんになる。「手叩いて仕舞ふ」とも。「何程有っても―・ふものなり」〈西鶴・織留一〉 **―を許・す** 碁などで、相手の「待った」を許す。「あはれとて―・せかし生き死にを君にまかする我が身とならば」〈源氏竹河〉

て【風】「ち」の転。「はや―も龍(りう)の吹かするなり」〈竹取〉

て『助』①《接続助詞》→基本助詞解説。②格助詞の「と」の上代東国方言。「父母が頭かきなで幸(さ)くあれ―いひし言葉(けとば)ぜ忘れかねつる」〈万四三四六駿河防人〉③《終助詞》感動の意を表わす。…よ。…わい。「マアわしが物真似は…女形では…崎之介もやりやんす―」〈浄・難波丸金鶏三〉

て『助動』完了の助動詞「つ」の未然形・連用形。

で【出】『下二』《「入り」の対》「いで」の約。「誰やし人も上に出(で)て嘆く」〈紀歌謡九七〉。「今こそば船棚(ふなだな)打ちてあへて漕ぎ出(で)め」〈万三九五六〉。「学人の持って出(づ)る処を」〈蓬左文庫本臨済録抄〉

で『助』→基本助詞解説

てあたり【手当り】①手に触れた感じ。手ざわり。「御髪(ぐし)の―など、いと冷ややかに貴(あて)はかなる心ちして」〈源氏篝火〉②打楽器の打ち方。鳴らしぶり。「テアタリガヨイ」〈日葡〉。「さらに鼓の鳴らぬ―」〈俳・独吟集下〉

てあて【手当て】敵の進攻に備えて、その方面に配置する部隊。「清水寺に人数の―をしてぞ居たりける」〈浅井三代記三〉。〈日葡〉

てあはせ(ア:ワセ)**【手合せ】**①最初の勝負。「源氏は軍(いくさ)の―に、門出(かどいで)吉しとて勇みけり」〈盛衰記三六〉②相撲などで、技量の優劣をくらべること。「かやうの―はさのみこそ侍れ。勝負これによるべきにあらず」〈著聞三八三〉③剃刀(かみそり)の刃を掌に当てたり、ためしたりすること。「剃刀か―をして反り相撲」〈俳・智恵袋三〉。〈日葡〉④自分で薬・墨などを調合すること。「御―の万病円と申す丸薬」〈島津家文書三、元和二・三・二〉

てあひ(イ:ア)**【手合・手相】**①最初の勝負。「一番の―に宮とり逃がし参らせたり、不覚し給ひたり、云ひ甲斐なし」〈盛衰記一三〉②相撲で、力士が場の中央で両手をあげ、または前に出して向い合い、相手の隙をねらいながら進み出て、相手の手を取って取組むまでの動作。「手乞ひ」とも。「左右〔ノ力士〕未だ手合はざるの前、共に乱声を発す。頗る忿(いそがは)しき歟。先例は、―の後、帰り入らんと欲するの間、乱声を発する所也」〈中右記天永二・八・二〇〉。「しばし―をしけるが」〈遠近草中〉③相手をすること。また、適当な相手。「〔客人ノ〕取持として、左平太・孫六呼び申し候。其の外―よき衆、一両人呼び申したく候」〈伊達家文書三、伊達政宗書状〉。「新町に―を拵(こしら)へ」〈西鶴・一代男五〉④仲間。連中。「公事の―をも淵底御存知候に」〈毛利家文書三、僧玄龍外二名連署状〉⑤契約すること。約束。「かねて―の早駕籠」〈西鶴・好色盛衰記四〉⑥具合。状態。事態。「奈良九〔ハ〕段段―悪しく」〈浮・当世乙女織四〉

であ・ひ(イ:ア)**【出合ひ・出会ひ・出逢ひ】**㊀『四段』①ぐうぜん合う。でくわす。「はれさて、よい御坊に―・うた事かな」〈狂言記・宗論〉②その場に出て、喧嘩などの相手になる。「馬の道具を盗みてぞ行く／ただ―・へ今宵はことに月毛にて」〈俳・犬筑波〉㊁『名』①出合うこと。会合。つきあい。「半右衛門所にて、十大夫殿・蔵人殿…拙者、―の夕飯有り」〈梅津政景日記元和七・四・一五〉②男女の密会。逢引。「奔女と云ふは、人の女が邪淫にて、本の男(夫)に隠いて、余所の男をすることぞ。…ここら(日本)にも―と云ふげなぞ」〈玉塵抄二一〉③〔連俳用語〕㋑二人以上の者から同時に付句が出されること。「上手または貴人の案ずる処にて―などせじとたしなみ」〈初学用捨抄〉㋺「出勝ち」に同じ。「『まづこなたから成されい』『その儀ならば―に致しませう』」〈虎寛本狂言・連歌毘沙門〉 **―ぢゃや【出合茶屋】**男女が密会に使用する茶屋。出合宿。出合屋。「―の暖簾に赤手拭結び置きぬ」〈西鶴・一代男四〉 **―ぼし【出合星】**七夕の異名。「此の裏に貸座敷あり―」〈俳・当世男上〉 **―もの【出合者】**情夫と中宿で逢引を楽しむ好色な女。出合妻。出合女。釣者。「きりぎりす鳴くや霜夜の―」〈俳・江戸両吟〉。〈俳・類船集五〉 **―や【出合屋】**「出合茶屋」に同じ。「―の宿堅く仕りまじき事」〈下本能寺前町町中諸法度連判状元和六・九・一五〉 **―ゑんきん【出合遠近】**〔連俳用語〕千句興行の際、同時に付句が出された時、懐紙で付句が遠い方の人の句を採用すること。同時に出されても、先に声が掛かった人のを優先的に採るのを声先次第(こわさきしだい)という。後には、千句以外にも援用された。「―、但し声先次第」〈寒川入道筆記〉 **―をんな【出合女】**「出合者」に同じ。「姿形―に少しも違はず」〈評判・まさり草〉

てあやまち【手過ち】過失。特に、失火。「昼で候へば、―ではよも候はじ」〈平家二・大坂越〉。「失火は―なり」〈蒙求聴塵中〉

である『連語』助動詞「ぢゃ」の原形。「その人の前にては、万事御意―と従ひて」〈古活字本論語抄一六〉。「それがしは雷(かみなり)―が」〈虎明本狂言・雷〉

てい【丁】①十干の第四。ひのと。「四年―卯の春正月」〈万九四八題詞〉②青壮年男子。令制で課役負担を義務づけられた者。「凡そ男女は三歳以下を黄とせよ。…其男は二十一を―とせよ。六十一を老とせよ」〈戸令〉。「丁、テイ・ヨホロ、夫也。仕丁・庖丁等也」〈色葉字類抄〉

てい【体】㊀『名』かたち。ありさま。ようす。「この上人は、目は恐ろしげなるが、―も尊げながら、わづらはしげになんおはしける」〈宇治拾遺一四三〉。「この寺の―を見給ふに」〈打聞集〉㊁『接尾』①名詞や用言の終止形などに付いて、それに類似のもの、同程度のものを表わす。…などのようなもの。…風情(ふぜい)。「銚子(てうし)土器(かはらけ)―の物、続きて落つ」〈沙石集八ノ一一〉。「あなかしこ、中間(ちうげん)―の者には太刀持たすべからず」〈六波羅殿御家訓〉②人称代名詞に付いて、謙遜または軽侮の意を表わす。「そち―さへ知りたる伊勢海老を、我が知らいで居らうか」〈咄・醒睡笑三〉

てい【亭】①屋敷。邸宅。「入道相国の西八条の―に参りて」〈平家二・西光被斬〉②庭園に休憩所として設けた、四方のかこいのない家。あずまや。ちん。「亭、テイ・アバラヤ」〈色葉字類抄〉③「亭主」の略。「—より追ひ手を入れ、探させべし」〈塵芥集〉。「一人出で、茶宿の—と名のる」〈天正本狂言・青海苔〉

でい【泥】 ①どろ。「みな人—のごと酔(ゑ)ひて」〈宇津保蔵開上〉②金や銀などの粉末を膠水(にかわみず)でねって泥状にしたもの。「心ばへある絵を—してかかせ給へり」〈栄花音楽〉③ひどく酒に酔った状態。「—とは、酒に酔ひたること」〈評判・吉原人たばね〉

ていか【定家】 藤原定家。〈文明本節用集〉 **—かなづかひ【定家仮名遣】** 藤原定家が定めた仮名の用い方。鎌倉時代、すでに同音になっていた「お」「を」、「え」「ゑ」、「い」「ゐ」などを含む伊呂波四十七字の仮名を、語によって正確に使いわけるために整理したもの。「お」「を」はその音節のアクセントの低い高いによって決め、他は、平安時代の慣習を取り入れて決めてある。この方式を、鎌倉時代末期になって行阿が「仮名文字遣」として著書にしたものが、定家仮名遣として世に広まった。「—に違・為・委・威・囲・遺・謂の字を、『ゐ』のかなとせり。みな合音の字也」〈和字大観鈔〉 **—やう【定家様】** 藤原定家を祖とする和様書道の一派。定家風。定家流。「書初めの歌や正風—」〈俳・伊勢正直集一〉

でいがき【泥書】 楊弓で、矢二百本のうち、百本以上百五十本まで的中すること。また、その腕前。塗板に金泥や銀泥で記して表彰するのでいう。「此の矢則ち—の時」〈俳・大坂三吟〉

ていきん【庭訓】 ①《孔子がその子伯魚に対し、庭で教えを垂れたという論語、季氏篇の故事から出た語》父から子に与える教訓。家訓。「にはのをしへ」とも。「ただ子孫の—を残すのみなり」〈風姿花伝〉。〈易林本節用集〉②「庭訓往来」の略。室町時代初期に作られた漢文体の往復書簡文例集。一月から十二月まで、往状と返状計二十五通を収める。往来物の代表作。「坊城より和玉篇三冊、—、返され了んぬ」〈言継卿記天文二・二・三〉

ていけ【手生け・手池】 ①自分が持っている池。「秋は広沢の月を—にして」〈西鶴・諸艶大鑑六〉②自分の自由に賞玩するもの。「正月買ひの若男、二十五日までは〔遊女ガ〕—なれば」〈西鶴・諸艶大鑑一〉 **—のうを【手池の魚】** 囲って自分の自由にする女のたとえ。「唐の帝の色好み、—と水深き妹背に国も傾きて」〈近松・用明天皇三〉 **—のはな【手生けの花】** 身請けして囲っておく女のたとえ。「下屋敷に—を植ゑ置きて、中人以上の楽しみとすれば」〈浮・立身大福帳四〉

ていけ【天気】 《テンケのンを「い」で書きあらわしたもの。「めいぼく(面目)」の類》天候。空模様。「—のことにつけて祈る」〈土佐一月二十六日〉

ていご【亭午・停午】 《「亭」は至る、止まるの意。「午」は南》日・月の南中すること。また、正午。また、南。「—の月。秋の月なかばの空のなかばにて光の上に光そひけり」〈拾遺愚草下〉。「日已に—に昇れば、餉(かれひ)まゐらする程とて」〈太平記二・俊基朝臣〉。〈色葉字類抄〉

ていしゃ【手医者】 大名などの召抱えの医者。または、かかりつけの医者。出入りの医者。手医師。「—ども二三人御入り候に」〈細川忠興文書寛永一〇・三・九〉

ていしゅ【亭主】 ①その家の主人。「将軍家、北山の別業に渡御。—并びに一条殿前右府以下、去夜より此所に於て待ち奉らる」〈吾妻鏡嘉禎四・三・一九〉。「それがしが末広がり屋の—でおりゃるよ」〈虎明本狂言・末広がり〉②歌会・連歌会などの主催者。「ただ此の度は—の御定に従ふべきよしを申しこはるれば」〈国信卿家歌合〉③茶の湯で、客に対して茶をたて接待する人。主人。「秀吉公御覧あって、『—は汝か』と仰せらるれば」〈室町殿日記九〉。「松の茶筅は—の手前」〈俳・大矢数二〉 **—くゎんばく【亭主関白】**「主(あるじ)関白」に同じ。「魏魏たる質屋の—」〈俳・風鴬禅師語録〉。〈俳・女夫草上〉 **—ばしら【亭主柱】** 大黒柱の異称。「客を呼ぶ—か家桜」〈俳・夢見草一〉 **—わき【亭主脇】** 客を迎えて連歌・俳諧を興行する時、客が詠む発句を受けて、脇句は亭主が詠むのを作法とすること。「客人発句に—と云ふ」〈虎明本狂言・八句連歌〉。「誹諧の話。…客発句・—」〈俳・世話尽一〉

ていしん【鼎臣】 《鼎(かなえ)は三足であるところから》三公の位にある臣。大臣。「なかんづく本朝—の外相(げさう)をもって」〈平家三・医師問答〉

ていた・し【手痛し】 『形ク』やり方がはげしい。激烈である。「舎兄にて候ふ義朝ばかりこそ—・く防ぎ候はんずれ」〈保元上・新院御所〉

ていたらく【為体】 《体(てい)タリのク語法。体たることの意で》ようす。ありさま。「和歌の—は、いかにまれ避(さ)るものにてぞある」〈奈良花林院歌合〉。「覚明が—、褐(かち)の直垂(ひたたれ)に黒皮縅(くろかはをどし)の鎧着て」〈平家七・願書〉。〈色葉字類抄〉

ていちう【庭中】 ①庭の中。主人の庭は、裁判を行う場、従者と直接対面する場でもあった。「こなたへ参れといへば、—に参りてゐたるに」〈宇治拾遺二二〉。「奉行人もし緩怠せしめ、空しく二十箇日を経ば、—に於てこれを申すべし」〈貞永式目〉②中世、訴訟を達し得ない者が、取次奉行人を越えて直訴すること。将軍などの座所の庭に立ち入って、口頭で自訴した。「『昨日御—候ひけるか』と問ふに、『かたがた御奉行に申し候へども、とり申されず候をもて、直(ぢき)に申し上げて候』」〈竹崎季長絵詞〉。「—とは、直に御所へ参り、御庭に伺候いたして、将軍の御出をうかがひ、直に目安を捧げて、直に事を申し上ぐる也。是を『庭中へ申す』と云へり」〈御成敗式目注〉

ていちがふ【手一合】 両掌に入る量。「一日に—ほど食をくれ」〈本光国師日記寛永四・三・一九〉

ていっそく【手一束】 手一握りの長さで、約四寸という。「隙(すき)をば—にすべし」〈池永宗作への書〉

ていと 『副』《テイは擬音語》①堅い物が打ち当って割れるさま。「山伏の腰につけたる法螺貝(ほらがひ)の、ちゃうと落ち、—割れ」〈梁塵秘抄四六八〉②ぴしりと打つさま。「物を—打つ」〈名語記五〉。「面(つら)を掌(てのひら)をもって—こくぞ」〈蓬左文庫本臨済録抄〉

ていど 『副』《テイトの転》①「ていと」(2)に同じ。「この僧を—棒でやませられたぞ」〈蓬左文庫本臨済録抄〉②しかと。たしかに。「—しそこなはうと思うて、いろいろ案じてあるに」〈虎明本狂言・武悪〉。「制の詞といふは、—禁制するなり」〈耳底記〉

ていとう 鼓の音の擬音語。「人静まりて後、——と鼓を打ちて」〈一言芳談〉

ていばう【亭坊】 寺の主人である坊主。住職。また、隠居剃髪した人をもいう。「此の—、一段心よき物也」〈三藐院記文禄一・一二・二三〉

ていはつ【剃髪】 ①髪をそり落して出家すること。「—の比丘(びく)」〈霊異記中一八〉。「況んや—染衣(ぜんえ)の僧をや」〈盛衰記一八〉②生れた子の産髪をそる祝。うぶぞり。「今日、小児の—の事あり」〈玉蘂承元三・六・三〉

でいびき【泥引き】 金泥・銀泥を刷毛で薄く引くこと。「詩

や歌書ける色紙―」〈俳・鷹筑波五〉

ていもん【貞門】近世初期、寛永初年から約半世紀流行した、松永貞徳が始めた庶民的俳諧の一派。言語の滑稽、古典の通俗化、俳言(はいごん)の拡充等による洒落に特徴があった。「―七誹仙〔ノ一人〕立圃」〈俳・綾錦上〉

ていらず【手入らず】処女。生娘(きむすめ)。「恋ならば、町の娘の―がおもしろし」〈仮・恋慕水鏡一〉

でいり【出入り】①出ることと入ることと。「〔風呂屋ノ前ノ石ガ〕―の人の足をやぶり、傷つけたを」〈天草本伊曾保〉②金銭などの、支出と収入と。「一歳の中の―いくらほどぞ」〈漢書笠桃抄〉③用事または商売のため、親しく人の家に通うこと。また、その人。「御出入り」とも。「親から―大名の息」〈俳・大矢数五〉。〈日葡〉④ごたごた。もめごと。もんちゃく。「博奕打ちの―これ有り候也」〈宗静日記承応三・一・八〉⑤近世、訴訟人の提出した目安(めやす)により、裁判所が原告・被告を呼び出し、対決審問して判決する訴訟。多くは民事訴訟であった。公事(くじ)。出入り物。「源左と申す傾城の―にて、四年以前に籠者致し候」〈梅津政景日記慶長一七・三・三〉 ―ほうこう【出入り奉公】手代奉公を終え、妻帯別家した後、主家に通勤すること。「一日替りに―と定め」〈西鶴・織留三〉

ていゐ【廷尉】《「廷」は平の意で、裁判の公平を期すること。「尉」は武官》検非違使の佐(すけ)および尉(じょう)の唐名。「如何様にも―に下され、馬部(めぶ)、吉祥(きちじやう)に仰せて禁獄流罪にもやと」〈盛衰記三五〉

てう【朝】①朝廷。「―の怨敵を亡ぼしたる者は半国を給はる」〈平家三・吉田大納言〉②君主の治下。国。「およそ我が―は神国として」〈著聞一〉③《市朝の意》市中。まちなか。「かだましき者―にあって罪を犯す」〈平家六・紅葉〉

てう【調】①古代の税制で、穀物以外の絹・綿などその土地の物産を納めるもの。令制では、田からの収穫の一部を納める「租」、労力を提供する「庸」とともに基本税の一。大化改新では戸別に、大宝・養老令では成年男子に人別に賦課した。調布(つきのぬの)。「駕に従ふ諸国の騎士、当年の―・庸および担夫の田租をゆるす」〈続紀大宝一・一〇・二〇〉②《呉音でデウ》音楽の調子。平調(ひやうでう)・双調(さうでう)など。「壱越(いちこち)―の声に発(はち)の緒を立てて」〈源氏若菜下〉③双六で、二つの采(さい)に同じ目が出ること。「てうばみに―多くうち出でたる」〈枕三一〉

でう【条】①古代、都城制の一区画。「坊」を四つあわせたもの。その長官を条令または坊令といった。「―令・坊長・郡司・隣保相隠して告げざるは、並びに与に同罪」〈類聚三代格一九〉②古代、条里制の一区画。土地を一里四方に区切って里とし、里を東西に並べた地帯を条とする。「立券文の事、十―六里五野中田西二段百歩」〈近江国大国郷墾田売券延暦二一・一・一〇〉③《すじ・くだりの意から》(…の)件。(…の)事。(…の)段。「この―荒儀(あらぎ)なり」〈保元上・新院御所〉。「忠盛に知られずしてひそかに参候の―、力及ばざる次第なり」〈平家一・殿上闇討〉④《接続助詞のように用いて》…によって。…ので。「是非に及ばず同心申し候ふ―、御心を安んじおはしませ」〈太閤記一三〉

てうが【朝賀】「朝拝(てうはい)」に同じ。「天皇大極殿に御して―を受く」〈続紀天平一三・一・一〉。「―の事、朝拝とも申すなり」〈壒嚢鈔四〉

でうがく【調楽】儀式・行幸・賀などの舞楽を、楽所で前以て下稽古すること。「臨時の祭の―に、夜更けていみじう霙降る夜」〈源氏帚木〉

てうぎ【調儀・調義】策略。計略。「いろいろ分別・―を巧み出して」〈三略抄〉

でうき【逃毀】中世、年貢未進・負債などのある農民が逃亡した時、その家屋・資財などを毀破または没収すること。また、そのような農民が家財などを残したまま逃亡すること。「此の式目には―と云ひて、百姓已に年貢所当を無沙汰して、其の外または地頭に緩怠を致し、其の地所を自ら退散する百姓を云ふ也」〈蘆雪本御成敗式目抄〉。「理なきに逃散(でうさん)するを―と云へり」〈御成敗式目注〉。〈易林本節用集〉→でうさん

てうきん【朝覲】天皇が、年のはじめに上皇・皇太后の御所へ行幸して挨拶を申し上げる儀式。これは恒例であるが、別に臨時の儀として、即位・元服の後などにも行なわれた。「同十三日、―の行幸ありけり。法皇・女院待ちうけまゐらせさせ給ひて」〈平家一・鹿谷〉。〈色葉字類抄〉▽昔、中国で、諸侯が天子に、春お目にかかるのを「朝」といい、秋お目にかかるのを「覲」といった。

てうけ【誂戯】㊀『名』ふざけること。からかうこと。また、その言葉。「誂戯、テウケ、弄言也」〈合類節用集〉㊁【てう・け】『下二』《「誂戯」を活用させた語》ふざける。からかう。おどける。「誂戯、テウケル」〈俳・反故集下〉

てうさい【調菜】副食物を調理すること。また、その副食物。「―の気味(きび)」〈名語記六〉。「―する者が羹(あつもの)の料理をし違へつれば」〈山谷詩抄一八〉。〈文明本節用集〉

てうさいばう【嘲斎坊】人を馬鹿にしてからかうこと。また、からかわれる人。長斎坊。「一天の主を―にめさるるか」〈浄・大内裏大友真鳥三〉

てうさやうさや『感』京阪で、山車(だんじり)や神輿を引き歩く時の掛け声。「てうさようさ」「てうさやてうさや」とも。「御輿を渡せ。…―」〈伎・好色伝授下〉

てうさん【朝三】《「朝三暮四(ぼし)」の略。列子、黄帝篇や荘子、齊物論篇に載っている寓言。狙公(そこう)という人が、飼っている猿たちに、朝三つ夕方四つのトチの実を餌として与えようと言ったところ、猿が大いに怒ったので、それでは朝四つ、夕方三つにしようと言ったら大喜びしたという》①詐術を用いて人をあざむくこと。「人をたらしあざむいておろかにしなす事を―の術と云へり」〈童観鈔上〉②朝夕の食事。「一寺の学徒これを以て―の資(たすけ)を得て」〈太平記三九・神木入洛〉

てうさん【朝参】在京の官吏が、朝廷に出勤すること。参朝。「五衛府五位以上の―」〈続紀慶雲四・五・二〉

でうさん【逃散】①大勢の者が逃げてばらばらになること。「双林寺・玉泉寺は住侶(ぢうりよ)みな―して」〈宝物集四〉。〈色葉字類抄〉②中世以後、農民が領主または守護・地頭の誅求への対抗手段として、集団で他領や山林へ逃亡すること。逃脱。「百姓―の時、逃毀(でうき)と称して損亡せしむる事」〈貞永式目〉。「非法の課役をかくるか、年貢の未進を譴責するか、土民をいたむる時、―する也」〈清原宣賢式目抄〉。「守護より〔催促ノ〕使を入れば、此方(本所)より相支へん、其の時は―せしむべき也。其は本所に対して忠節たるべき也」〈政基公旅引付文亀一・六・一四〉。「逃散、デウサン、曰下土民背二地頭一出奔上也」〈枳園本節用集〉

てうし【銚子】①酒を入れて杯に注ぐ道具。注ぎ口があり、長い柄がついている。「―に水を入れてもてきて、右の方の膝に沃(い)かくると〔夢ニ〕見る」〈かげろふ中〉。「―に酒の尽るは樽の恥と云ふが如し」〈左伝聴塵二五〉。〈色葉字

類抄〉②燗鍋(かんなべ)。(1)の代用にした。「忙(はせ)しくー代へる事あり」〈西鶴・一代男二〉

てうし(チョウ)【調子】《デウシとも》①楽曲の調子。例えば雅楽の六調子、すなわち、壱越(いちこつ)調・双調(さうでう)・大食(たいしき)調・平調(ひやうでう)・黄鐘(わうしき)調・盤渉(ばんしき)調などをいう。「いとさとくて、難きーどもを、ただひとわたりに習ひとり給ふ」〈源氏紅葉賀〉②舞楽・管絃楽曲の演奏の前に、各楽器の調子をととのえるために演奏される短い曲。同類の音取(ねとり)よりも複雑で長く、規模が大きい。各調子に一つずつある。「日やうやうくだりて、楽の船ども漕ぎまひて、ーども奏する程の、山風の響き面白く吹き合はせたるに」〈源氏少女〉③はずみ。きっかけ。「頂き給ふをーに竹縁にねぢ上がりて」〈西鶴・伝来記三〉

てう・し(チョウ)【朝し】『サ変』朝廷に参る。参内する。「朕、再び南面の徳を治めて、天下の士をー・せしめんずるところを」〈太平記三・主上御夢〉

てう・じ(チョウ)【調じ】『サ変』①こしらえととのえる。「離(か)れがたになりにける男のもとに、装束ー・じておくれりけるに」〈後撰七三五詞書〉②食物を調理する。また、薬などを調合する。「〔魚鳥ナドヲ〕ー・じて御膳(おもの)にまゐる」〈源氏藤裏葉〉。「薬のー・じやうを細細(こまごま)と語る」〈伽・福富長者物語〉③ならし和らげ、手に負えるようにする。調伏する。「月頃、いささかも現はれざりつる物怪(もののけ)、ー・ぜられて」〈源氏手習〉④手玉にとる。からかう。愚弄する。「かかる物も、たちまちにあたをむくふなり。…かやうのものをば、構へてー・ずまじきなり」〈宇治拾遺五三〉⑤こらしめる。「くらもちの皇子(みこ)、〔細工師ヲ〕血の流るるまでー・ぜさせ給ふ」〈竹取〉▽チョウ(懲)を「てう」と表記したものか。

てうしふし(チョウシュウシ)【朝集使】四度使(しどのつかひ)の一。朝集帳(国郡の一年間の政務の記録及び官人の勤務評定書)を中央政府に提出するため国司から遣わされる使者。「国司、状を具してーに付して挙聞せむ」〈続紀和銅五・五・一六〉

てうしふだう(チョウシュウドウ)【朝集堂・調集堂】平安京大内裏の建物の名。応天門内の東西にあり、大礼の時、百官の参集する所。朝集殿。朝集院。「ーに於て王孝廉等を饗し、楽および祿を賜ふ」〈後紀弘仁六・一・二〇〉

てうだうゐん(チョウドウ)【朝堂院】「八省院」に同じ。「ーに於て大嘗を行なふ」〈後紀弘仁一・一一・一九〉

てうち【手討・手打】①自分の手で討ち取ること。「宗(むね)との侍二人、ーにして罷り出づるぞや」〈保元中・白河殿攻め落とす〉②主君が家来など目下の者を斬殺すること。「主人ーにして生害す」〈奇異雑談集三〉③素手で打ち殺すこと。「暴虎とは、空手にして虎をーにするを云ふぞ」〈論語抄述而〉④手ずから作ること。「土蔵ーの普請」〈兼見卿記天正八・一一・一三〉。「西方へそのまま至るー蕎麦」〈俳・談林三百韻〉

てうちてうち(チョウチチョウチ)《手打ち手打ちの意》乳児の芸で、あやして手を打ち合わさせること。また、その囃しことば。つまって「ちょちちょち」とも。「『今度は手を打つやうな事をするが、あれも芸か』『それはーと申す事で御座る』」〈虎寛本狂言・鬼の継子〉

てうづ(チョウ)【手水】《テミヅの転》手や顔を洗い清める水。また、洗い清めること。「夜深く御ー参り」〈源氏須磨〉 ー

てぬぐひ(グイ)【手水手拭】手洗いや洗顔に使用する手拭。「即座に〔詩ヲ〕あそばしーに書き残されし」〈西鶴・男色大鑑四〉 ーのこ【手水の粉】髪や肌を洗うのに使う粉末。小糠(こぬか)、麦のふすま、赤小豆(あずき)の粉、緑豆(ぶんどう)の粉などが使われた。洗い粉。「能に出づる時、ーにて手を洗ふべし」〈反古裏の書一〉 ーをけ【手水桶】手洗いの水を入れておく桶。「〔魚ヲ〕ーの水にすすぎて鍋に入る」〈沙石集三ノ五〉

てうつし【手移し】人を介さずに、直接、手から手へ渡したり、受け取ったりすること。「天竺の国王は、遠き所より持(も)て来たれる物をば、必ずみづからーに取り給ふなり」〈今昔三ノ一一〉

でうづぶくろ(ジョウ)【調度袋】旅人などが、金銭や手廻りの品物を入れる小さい布袋。「でうづ」とも。「旅人の持つーであらう」〈仮・仕方咄一〉

てうてい(チョウ)【朝廷】天子が政治をとる所。「府(大宰府)、解(げ)の状を得て、転じてーに解(げ)す」〈霊異記下三五〉

てうてき(チョウ)【朝敵】朝廷にそむく敵。「王土に住みながら、いかでかーとなり給ふべき」〈保元上・官軍手分け〉

てうど(チョウ)【調度】①室内の手まわりの道具。厨子・鏡・屏風・几帳などの類。「碁・すぐろくの盤・ー・弾碁(たぎ)の具など田舎わざにしなして」〈源氏須磨〉②武家で、武具・馬具などの称。「我もー負ひ、郎等どもにもー負はせなどして」〈今昔二九ノ二二〉。「御ーは弓なり」〈庭訓抄下〉 ーかけ【調度懸】①主人の弓など、武具を持って供をする者。「利仁が供には、ー・舎人(とねり)・雑色一人ぞありける」〈宇治拾遺一八〉②侍烏帽子の上から掛け、あごで結ぶひも。頂頭掛(ちやうづかけ)。〈下学集〉

てうはい(チョウ)【朝拝】①元日、辰の刻に、大極殿に参集した群臣が、天皇に賀詞を申し上げる儀式。朝賀。「監(げん)の命婦、ーの威儀の命婦にていでたりけるを」〈大和七八〉②元朝(ぐわんてう)の拝礼。「初春元三の寅の剋の朝(あした)には、堂内へーとて…各〻参詣せらるる」〈本福寺跡書〉

てうはふ(チョウホウ)【調法】《テウバフとも》①思案し工夫すること。料簡。才覚。「木を削るーもなく、釘をだに作り得ぬ分際ならば、鍛冶・番匠の内にも入るべからず」〈夢中問答中〉。「調法、テウハフ、料簡義也」〈文明本節用集〉②用意。準備。「何とぞ御ーあって御覧候へ」〈伽・御曹子島渡〉。「幼い折よりも教へ来たるーあり」〈伽・小栗絵巻〉③便利なこと。役立つこと。「重宝(ちょうほう)」と同じ意味に使う。「かの者の取り柄には、犬を飼はぬがーぢゃ」〈虎明本狂言・釣狐〉 →てうほふ

てうばみ(チョウ)【調食】双六の用語で、「調」と「半」のこと。振った二つの采(さい)に同じ目の出るのを調、不同なのを半という。一説、二つの采を振って、同じ目のそろって出るのを争う遊び。重食(ちょうばみ)。「心ゆくもの。…ーに調多く打ち出でたる」〈枕三一〉

てうふ(チョウ)【調布】①調として献上する手織の布。「つきのぬの」とも。〈色葉字類抄〉②粗末な衣服。「身にはーの帷(かたびら)、すすぎけむ世も知らず朽ちたるを」〈今昔一五ノ一五〉

てうふく(チョウ)【朝服】朝廷に出仕するときに着用する正服。服色で位階をあらわした。「五世の王のー、格に依りて始めて浅紫を着す」〈続紀慶雲三・二・二五〉

てうぶく(チョウ)【調伏】①〔仏〕身心を調(ととの)えて、もろもろの悪行を排除・制伏すること。「婢、十善を聞きて心にーしぬ」〈今昔三ノ一九〉。「心をよくよくーし修練すべし」〈雑談集七〉②密教で、不動・降三世・軍荼利(ぐんだり)・金剛夜叉など忿怒(ふんぬ)の相をあらわすものを本尊として、これに祈り、怨敵・邪鬼などを降伏させること。「たちまちにその人を請じてーの法を行なはしむ」〈今昔一四ノ四五〉③人をのろうこと。呪詛(じゅそ)。「身にあやまちを持ちながら、人をーする事は、己れと罪を好むなり」〈伽・万寿の前〉

てうへ(ウエ)【手上】「上手(うはて)」(3)に同じ。「幾度も初心に返りて、我等より少しのーの教へに従ふべしと也」〈当風

連歌秘事〉

てうほふ【調法】〔仏〕悪魔などを調伏するための行法・呪法。「それがしが―には叶ひがたく候」〈謡・鉄輪〉

てうもく【鳥目】銭(ぜに)の異称。その形が鵝(がち)(よう)の目に似ていることからいう。鵝眼(ががん)。「娘を質に書き入れ、―を借るの時」〈塵芥集〉。〈下学集〉

てうら【手占】指の屈伸で八卦(はっけ)の象を占うこと。「うち続き候ひてめでたき事のみぞ侍(はべ)らんと、―を引きて申しければ」〈伽・ささやき竹〉

てうらか・し『四段』「ちょうらかし」に同じ。「―・されて口叩くなり／をさないのあわわと言ふぞ愛らしき」〈俳・祇園誹諧合四〉

でうり【条里】①東西の町筋と南北の町筋と。都の大路。「京中の―小路、門門戸戸に耳を峙(そばだ)て」〈盛衰記一〉②市街の区画。町割り。「その地、程狭(ぜば)くて―を割るに足らず」〈前田本方丈記〉

でうろく【調六】双六で、二つ振った采(さい)の目が、そろって六と出ること。畳六(でふろく)。重六(ちょうろく)。「『このはらまれ給へる御子、男におはしますべくは、―いで来(こ)』とて、うたせ給へりけるに」〈大鏡師輔〉

てうをつ【超越】《呉音》越えること。特に、上位の者をとび越えて、位階が昇進すること。「次男宗盛、中納言にておはせしが、数輩の上﨟を―して」〈平家一・鹿谷〉。〈色葉字類抄〉

でえす『助動』⇒です

ておぢ【手怖ぢ】こわがって手を出さないこと。閉口して退くこと。〈俳・毛吹草三〉

ておとり【手劣り】力・腕前などが劣ること。「勝負を決するに至って、手増しは勝ち、―は負くること勿論なり」〈バレト写本〉

てお・ひ【手負ひ】㊀『四段』手傷を受ける。負傷する。「数輩の若党等討死にし、―・ひ候ひぬ」〈保元中・為義最後〉㊁『名』負傷すること。また、負傷者。「―数を知らず」〈保元上・官軍手分け〉

ておぼえ【手覚え】経験で自然に技倆などが身につくこと。また、その身についたもの。「―有るかと尋ねければ」〈近松・薩摩歌上〉

ておほひ【手覆】①鎧の籠手(こて)の、手の甲を覆う箇所。「籠手の―より腕打ち落されて」〈古活字本平治中・義朝青墓に落ち着く〉②布や革で作り、手の甲を覆うもの。手甲(てかふ)。「手冷え候はんとて―の様の物まで給はり候」〈沢庵書簡寛永七・一・二五〉。〈文明本節用集〉

てがい【手蓋】「籠手(こて)」に同じ。「―、臑当(すねあて)」〈庭訓往来六月十一日〉

でか・い『形』非常に大きい。はなはだしい。でっかい。「大仏殿いよそりゃ―・い氷柱(つらら)かな」〈俳・鄙諺集六〉。「これ善にあらず、―・い罪造りなり」〈驢鞍橋下〉

でがうし【出格子】外方に張り出して造った格子。「霧深き―に立ち辻に立ち」〈俳・塵塚(重徳編)下〉

てかがみ【手鑑】①古人の代表的な筆跡を集めて貼り込んだ帳面。古筆鑑定の標準として古筆家が使用。「さしたる道具なければ、―など置く事あり」〈草人木下〉。〈日葡〉②手本。模範。「刀の寸違ひしと不審の時、これは奈良物、―に合うた刀は近江に有りと段段云はるる所よし」〈評判・役者胎内捜大坂〉

てがかり【手掛り】①手の取りつく所。手をかけるべき所。「―が無い」〈碧岩抄一〉。〈日葡〉②「蓬萊(ほうらい)」(3)に同じ。「正月〔ノ〕―の図。蓬萊とも言ふ」〈壺の石文七〉

てかき【手書】①文字を上手に書く人。能書家。「小野道風といふ―を以て書かしめ給ひければ」〈今昔二四ノ三二〉②物を書く役目の者。書記。「―に具せられたる大夫房覚明を召して」〈平家七・願書〉

てがき【手舁】乗物の棒を、肩でかつがず手でささえて運ぶこと。「乗物を―して奥へ入れば」〈浮・風流西海硯三〉

てかけ【手掛・妾女・妾】めかけ。「―を持ちたりや」〈さるばとるむんぢ〉。「妾女、テカケ」〈合類節用集〉。「妾、テカケ」〈書言字考〉　**―うら**【手掛裏・妾裏】妾宅の多い裏路地。「日の出ぢゃて／朝顔囲ふ―」〈雑俳・名付親〉　**―ばら**【妾腹】妾の子。「この人はまさしき大王の子なれども、―にて生れつつ」〈伽・不老不死〉

てが・け【手懸け】『下二』手ずから事にあたる。「私も出家の時分に精進料理を―・けた事がござるによって」〈虎寛本狂言・惣八〉

でか・け【出懸け・出掛け】『下二』①出て行って物事をしようとする。「蔦屋の市左衛門かたへ昼過ぎより―・け、女良を待つ甲斐もなく」〈西鶴・諸艶大鑑八〉②手を着けようとする。しようとする。「さらば京酒一つ―・けましょ」〈近松・浦島年代記三〉③出ようとする。出発する。「サア彌次さん―・けやせう。トそこそこに支度して、おもての方へ―・ける」〈滑・膝栗毛四下〉　**―すがた**【出掛姿】遊女が客に呼ばれて揚屋に出かける時の着飾った姿。「―大坂とは三里の違ひ有る物かな」〈西鶴・諸艶大鑑七〉

でかご【出駕籠・出籠】路傍で客待ちする駕籠。「片原町より―に乗り」〈宗静日記寛文七・三・一三〉

てかし【杻・梏・手械】刑具の一。手にはめてその自由を拘束するもの。てがせ。「奴須久利(ぬすくり)を捉(かす)(ゐ)て、杻(あしかし)械(てかし)枷(くびかし)鏁(かなつがり)して」〈紀継体二十四年〉。「漢語鈔云、杻、天加之(てかし)」〈和名抄〉→枷(かし)

でか・し『四段』《デキの他動詞形》①出てこさせる。できるようにする。「蕨(わらび)を早う―・さうとて〔野ヲ〕焼くぞ」〈玉塵抄四三〉。「時時ふっと短気を―・して、生れつきと思ふは愚かな事でござるわいの」〈盤珪禅師御示聞書上〉②やってのける。うまくしとげる。「毎度―・さんとて〔鼓ヲ〕打ち散らし候はば、此の道の廃(すた)る相(さう)也」〈近代四座役者目録〉　**―だて**【でかし立て】うまくやってのけたという様子を誇示すること。得意然とすること。「―をすれば、固うて当世にあらず」〈伽・鼠草子〉

てがせ【梏・手械】「てかし」の転。「即ち―・足がせを入れて」〈太平記四・備後三郎〉。「械、テガセ」〈文明本節用集〉

てがた【手形】①牛車(ぎっしゃ)の方立(ほうだて)にあるくぼみ。手でつかまるためのもの。また、馬の鞍の前輪(まへわ)の左右にあるくぼみ。乗る時に手をかけるためのもの。「それに候ふ―に取りつかせ給へ」〈平家八・猫間〉。「平治の合戦よりして、鞍の―はありとかや」〈平治中・待賢門軍〉②手の形。「雪に転び―や付くる鞍馬山」〈俳・詞林金玉集一五〉③掌(てのひら)に墨などを塗って、文書などに押した手の形。後日の証などにする。「自ら手に血を塗って押したりし―」〈浄・田村将軍五〉④切手。証文。為替手形・振手形・預手形等の種類があった。「右の金銀請取り申し候―差し上げ申し候」〈梅津政景日記慶長一九・三・二四〉　**―がね**【手形銀】証文を入れて借りた金(かね)。借りることを「手形借り」という。「二日切りの―」〈西鶴・織留一〉

でがたり【出語り】歌舞伎で、浄瑠璃太夫・三味線が、舞台に設置された席に出て語ること。「其の時は―の稽古ぢゃ」〈咄・智恵競咄揃四〉

でがち【出勝ち】連歌・俳諧で、付句が早く出来た者から付けて行くこと。でき次第。「伊勢の神…伊勢桜・伊勢

筵、かやうの類いづれにても―に一たるべし」〈俳・はなひ草〉

てがね【手金・手銀】手許に持っている金。所持金。「三井九郎右衛門といふ男、―の光」〈西鶴・永代蔵一〉

てがはり【手替り】①代理。また、代理の人。「若宮御加持、住心院―参る。誰人か知らず。御加持申す」〈看聞御記嘉吉三・一・二五〉②入れ替り。交替。「十八日より、御前番衆、能玉―能遵」〈北野目代日記延徳二・三〉③体裁・形式などが普通と異なっていること。風替り。「奈良柏此の―のいろはかな」〈俳・毛吹草追加中〉④裏切り。「木曾、勝頼へ―をして、信長を引き〔入レ〕ければ」〈三河物語下〉

でかはり【出替り・出代り】近世、一季・半季の奉公人が、雇傭期限を終えて交替すること。また、その交替期日。初めは二月二日と八月二日。後、幕府の命令で三月五日と九月十日に改められたが、なお、旧習による地方もあった。「京の六尺ども、二八月の―に寄り合ひて」〈寒川入道筆記〉

てが・ひ【手飼ひ】㊀《四段》自分の手で飼う。「秋守りし仮庵の主や―・ひけむ刈田の霜に鶴ぞ落ち来る」〈草根集七〉㊁《名》自分の手で飼うこと。手元で養うこと。「池水を宿のみぎりにたたへもて―にぞするあぢの群鳥」〈重家集〉。「殊に親類・被官人・―の者、余多これを討たせ」〈上杉家文書三、永祿四・九・一三〉

てがへし【手返し】手のひらを返すこと。裏切り行為。「今日随ひても明日は―をし、人質を出しても背く者多かりけり」〈室町殿日記八〉

てがみ【手紙】書簡。「伊賀守は何事やらんと、この―をとくと見て」〈雲陽軍実記三〉

てがゆ・し【手がゆし】《形ク》思うように行き届かず、じれったい。「人に物を遣りたき時、似合しき品も無ければ、―・きやうに覚ゆるなり」〈浮・好色伊勢一〉

てから《連語》《用言の連用形について逆接の意を表わす》…たところで。…たけれども。…ても。…とも。「てからが」とも。「宗説に謡を所望すれば、『かしこまった』と言う―、そのままも謡はず、ちっと逗留して、また、遅くもなく謡ひ出したり」〈耳底記〉。「さてもさても〔昔ノ連歌ハ〕軽く―面白きなり。今時のは重う―悪しきなり」〈耳底記〉

てがら【手柄】①手なみ。腕前。「能を知りたる為手(して)は、わが―の足らぬ所をも知る故に」〈風姿花伝〉②手なみを発揮すること。また、それによる勲功。「佐々木の三郎といふ者が―をして、そこでも平家は打ち負けて」〈天草本平家四ノ一五〉

でがらかひ【出戯ひ】外出に気が進まず出渋ること。「二の息が敵果てし場の―」〈雑俳・江戸土産〉

てき【的】《代》《三人称》あれ。彼。「―が大坂に足のとまるは、狂言をも立てる故か」〈評判・役者色将棊大全綱目大坂〉。「的、テキ、江戸で云ふ、あれ、又、彼なり」〈浪花聞書〉

てき【敵】①敵対する相手。「未だ―の所在を知らざるを以て」〈将門記〉②近世、遊里で客と遊女が互いに相手を呼ぶ称。相方(あひかた)。敵州。「―。客より傾城を指して言ふ。傾城より客をも指して言ふ」〈色道大鏡一〉

て・き《連語》《テは完了の助動詞ツの連用形。キは回想の助動詞》…してしまった。「思ふにし余りにしかばすべを無みわれは言ひ―・き忌むべきものを」〈万二九四七〉 †teki

で・き【出来】㊀《カ変》①出てくる。出現する。「禍といふものは口から―・くるぞ」〈襟帯集〉②物が生成する。仕上がる。完成する。「その心のやうならでは〔田ハ〕―・こまいぞ」〈神代紀桃源抄下〉。「我が恋は飯(まま)の―・くるを待ちかねてひもじな腹に虫騒ぐなり」〈伽・藤袋〉▽室町時代、上二段に活用していた例も散見する。「高祖の―・きられて」〈漢書竺桃抄〉㊁《名》出来ている状態。できばえ。「縄手(なはて)を下りて青麦の―」〈俳・炭俵上〉㊂《接頭》①にわかの、急ごしらえの、の意を表わす。「耳に入りて口に―句や時鳥」〈俳・大井川集上〉②にわかになった、成り上がり、の意を表わす。「―年寄・―出頭」〈黒田故郷物語〉③りっぱな、すぐれた、の意を表わす。「近頃―能にて、今に忘れ難く候」〈禅鳳雑談〉

てきき【手利き】手わざが速く巧みなこと。腕前がすぐれていること。また、その人。「況んやこれは極めたる―にてありければ、たしかに最中(もなか)を射つ」〈今昔二六ノ二四〉。「元来、小林―なれば、…あげ切りにすきもなく二太刀つづけて切ったりけり」〈明徳記上〉。「はげしき母は―の娘を出す。ただ子を養育するには、はげしきに如(し)くはなし」〈童蒙抄中〉

てきざみ【手刻み】煙草の葉に油を引かないで、自分で刻むこと。また、その刻んだ油臭くない良質の煙草。「君が為とや―煙草」〈俳・佐夜中山三〉

てきしう【敵州】「敵」⑵に同じ。「思ひ思ひの―が有ればこそ」〈仮・都風俗鑑四〉 ↓州

できしゅっとう【出来出頭】主君に寵愛されて、にわかに出世した家臣。「此の比(ころ)の―、土仏の水遊びとは是れ也」〈浄・綱金時最後六〉

てきず【手傷】戦いで受けた傷。「その―にては死なずして」〈沼田根元記〉

できた【出来た】《感》うまくいった。でかした。「―、それならこの馬の鞍を踏まへてそっと下りゃ」〈近松・丹波与作中〉

てきた・ひ【敵たひ】《四段》《「敵対」を活用させた語》敵対する。対しさからう。「いづれの国も国中互ひに―・ひぬれば」〈バレト写本〉。「いささかも―・ふ者なし」〈尚書抄四〉

てきでん【的伝】《「的」は明らかなこと、また、正しいこと》正統を伝えること。直伝。「的的相伝」とも。「達摩(だるま)西来して、直指人心、見性成仏の密旨を―せられたぞ」〈百丈清規抄一五〉。〈文明本節用集〉

てきと【的と】《副》必ず。きっと。さだめし。「与的、テキト・テッキリ」〈俳・反故集下〉

てきな・い《形》難儀だ。苦しい。せつない。「喉に詰まってぎっちぎっち、―・いこんでごはりまする」〈近松・宵庚申上〉

てぎね【手杵】杵の一種。くびれた柄の中央を握って、両端で搗く。「―は長さ三尺二三寸」〈百姓伝記一五〉

てぎは【手際】①腕前。技量。手なみ。「炭・花の―より、芸ぶりの見よき人を見て、我が〔茶道ノ〕学文にすべし」〈細川茶湯之書〉。〈日葡〉②手ぎわのよいこと。手なみのあざやかなこと。「さてもさても強者(こはもの)かな。―なる往生なり」〈驢鞍橋上〉

できぶげん【出来分限】《デキブンゲンとも》俄かに金持となった人。成金。にわか分限。「福貴草に今朝咲く花や―」〈俳・鸚鵡集四〉

できふんべつ【出来分別】ふと起った思いつきや考え。出来心。「思ひめぐらすうちの―に」〈仮・小盃二〉

できぼし【出来星】①新しく出現した星。「―と見やは咎めぬ揚げ燈籠」〈俳・毛吹草六〉②にわかに出世したり金持になったりすること。「にはかに富貴なるを―とも言ふ」〈俚言集覧〉

できもの【出来物】①腫れもの。吹き出もの。「母や子の顔の―恥ぢぬらん」〈俳・紅梅千句〉②すぐれた人。すぐれた物。「近き比の遊君の―ぢゃ」〈仮・東海道名所記二〉。「さてもさても神妙に、いかにも太鼓の音小さく、位よく打ちた

る事、今日の囃子(はやし)の—なり」〈舞正語磨中〉。〈日葡〉

てきやく【敵薬】①食いあわせ次第では毒となるもの。「合食禁(がふしよくきん)とは、食に付きて—多きを忌めといふ心なり」〈庭訓抄下〉②食べて毒となるもの。「いや附子(ぶす)と云うて人の身に—ぢゃ」〈虎明本狂言・附子〉

てぎれ【手切れ】相互の結びつきが切れること。断交。「これよりして、信長と江州と—となるなり」〈江源武鑑一七〉

でく【木偶】木彫の人形。また、あやつり人形。てくぐつ。「それぞれに／児(ちご)医者気付く袖の—」〈雑俳・つづら笠〉

てくぐつ【手傀儡】手であやつり舞わせる人形。また、それを舞わせる人。「よくよくめでたく舞ふものは…侏儒舞(ひきまひ)、—、花の園には蝶小鳥」〈梁塵秘抄三三〇〉。「傀儡とは日本の—の事ぞ。でくる法師とも云ふものの事ぞ」〈湖鏡集〉

てぐすね【手薬練】 **—をひ・く** ①薬練(くすね)をぬる。矢を射たときの弓返りによって、弓が掌からとび出さないように、左手の掌にぬる。「手ぐすねひき、そぞろ引いてぞ向ひたる」〈保元中・白河殿攻め落す〉②手に唾して待ちうける。十分に用意して待ちかまえる。「上人うちに—・きて、思ひつる事叶ひたる体(てい)にて、明り障子をあけて待ち出けり」〈井蛙抄六〉。「抱きつかん、口をも吸はばやと思ひて、—・き、大手をひろげて待ち居たり」〈伽・物くさ太郎〉

でぐすね【出ぐすね】ためらってなかなか出ないこと。出渋ること。「でぐすみ」「でぐすろひ」とも。「待ちて居るに—するや月の弓」〈俳・鷹筑波一〉

てぐすみ【手ぐすみ】《テグスネの訛》手ぐすねをひくこと。「—してぞ飛び退(さ)る」〈仮・竹斎下〉

でぐすみ【出ぐすみ】「でぐすね」に同じ。「—する人に見せばや十六夜(いざよひ)月」〈俳・空林風葉下〉

てぐそく【手具足】女の日常の手廻り品。手道具。「唐の鏡やの、十二の—をば、うへの寺へ上げ申し、姫が亡き跡とうて給はれの」〈伽・小栗絵巻〉

てくだ【手管】《「手くだり」の略》①「手くだり」(1)に同じ。「いかなる—か有らん」〈評判・吉原新鑑〉②「手くだり」(2)に同じ。「或は旦那、或は揚屋と—する人も数多なるに」〈評判・難波物語〉

てくだり【手くだり】①人をあやつる方法・手段。人をだます駆引き。「ひあい(危険)なる—、道喜もさいさいは打たぬ事を、わざと毎度打つ」〈近代四座役者目録〉②遊女の情夫。間夫(まぶ)。「てくだ。真夫(まぶ)の事をいふ。—といふ下略の詞なり。しのびてあふ事の手くだりを尽すなどいふ心か」〈色道大鏡一〉

でくのばう(ウ:ボ)【木偶坊・傀儡坊】木偶(でく)の擬人名。「木にて作りし—、糸であやつる面白や」〈徳永種久紀行〉

てくばり【手配り】人員を配置して事にそなえること。てはい。「残る三万八千の人数にて—して川越の城を攻むるか」〈兵法問答〉

てぐみ【手組み】①手を組み合うこと。「三人—して寄る所を、三人ながら掻い摑んで」〈保元下・為朝生捕り〉②部隊の組合せ。「—・手配り、その作法よくして」〈兵法問答〉③計略。手筈。示し合せ。「—はかうと、知恵の有りたけ振ひけるに」〈浮・御前義経記七〉④仲間。連中。「同じ—の客にして」〈西鶴・男色大鑑六〉

てぐら【手暗】「手くだり」(1)に同じ。「ちくら—の一夜検校」〈近松・博多小女郎上〉 **—まぐら**【手暗目暗】人目をくらますこと。ごまかし。瞞着(まんちやく)。「月影を隠すや雲の—」〈俳・鸚鵡集七〉 **—もの**【手暗者・手暗物】見せかけで人をごまかす人間または物。「—と言はん木立ちの継木かな」〈俳・夢見草一〉

てぐり【手繰り】①手で繰ること。たぐること。「夏引きの白糸の—まだしきに夜は短くなりにけるかな」〈曾丹集〉②手繰り網で漁をすること。また、手繰り網・手繰り船。「—する海士(あま)の小船にうち乗って」〈太平記一八・春宮還御〉③順繰りに、手から手に渡して物を運ぶこと。「塩辛壺を—にして揚げさせ」〈西鶴・諸国咄一〉 **—ぶね**【手繰り船】手繰り網を引くのに使う小漁船。また、近世、大阪・伏見間を往復した今井船の別称。「浜の—が急ぐ程にの」〈狂言記・三人片輪〉。〈日葡〉

でくるばう(ウ:ボ)【傀儡坊】《デクルはテクグツの転》あやつり人形。「でくる法師」「でくの坊」とも。「—まはすに、内に引き手があるなり」〈臨済録抄一〉

てぐるま ①【輦車】人の手で引く屋形車。太子・親王・大臣・妃・女御などのうち、特に宣旨(せんじ)を蒙って許された者が乗用する。宮城の中重門(なかへのもん)を出入りするところから「中重の車」とも。「出で給ふ儀式のいとことに装ほしく御—など許され給ひて」〈源氏藤裏葉〉②【手車】二人が両手をさし違えに組み合わせ、その上に人を乗せ跨らせて運ぶこと。子供の遊戯としても行なわれた。「〔猿ハ老爺ヲ〕—に乗せて、山河の早く深きを渡りけるが」〈雑談集三〉。「予、竹馬(たけうま)にむちを打ち、—に乗りし程より」〈教訓抄序〉 **—のせんじ**【輦車の宣旨】輦車に乗ることを許す宣旨。「—などのたまはせても、又入らせ給ひてさらにえ許させ給はず」〈源氏桐壺〉

てくろ【手暗】「手くだり」(1)に同じ。「手苦労」とも。「水をさしぬる秋の中立ち／冷(すさま)しく売るどぶ酒(ドブロク)に—して」〈俳・寛永十三年熱田万句五八〉 **—もの**【手暗物】いかさまな物。偽物。「〔当世ハ〕—がはやる」〈咄・醒睡笑七〉

てけ【天気】《テンケのンを表記しなかった形》天候。空模様。「—のこと楫取(かぢとり)の心にまかせつ」〈土佐一月九日〉

てけ・む〘連語〙《テは完了の助動詞ツの連用形。ケムは回想の助動詞》…してしまったであろう。「沖つ波高く立つ日にあへりきと都の人は聞き—・むかも」〈万三六七五〉

でけもの【出来物】《デキモノの転》すぐれた人。すぐれた物。「山本文右衛門が筆勢、大きに—と沙汰しければ」〈西鶴・織留四〉

てけ・り〘連語〙《完了の助動詞ツの連用形テと、気付きの助動詞ケリとの複合。多く作為的・他動的な意をあらわす動詞の下につく》①気がついてみると、…だった。思えば…だった。「心のうちに『我は、さは、夫(をとこ)まうけ—・り。…我はかくをかしげに若き人をももたりけるかな』」〈源氏紅葉賀〉②…したということだ。「六条のおとども、斯くと聞し召し—・り」〈源氏藤裏葉〉③《詠嘆の気持で》…したものだ。…したのだなあ。「見ぬさまならむも、〔手紙ヲ〕散らし—・ると押しはかり給へし」〈源氏夕霧〉

てこ【木挺・手子・挺子・手木】①大きな物をこじ上げる時などに用いる木の棒。「枕〔ノ付合〕、屏風・蚊屋・香炉・膝…—」〈俳・毛吹草三〉。〈日葡〉②挺子を使って働く、鍛工・土工・石工などの下級労務者。手子の者。手子の衆。「大石の傾く月に—の者」〈俳・大坂独吟集上〉 **—でも動か・ず** どんな手段でも動かせない意。「手子でも行かず」「手子に負へず」とも。「—・ぬ吝ん坊也」〈俳・紀子大矢数下〉

てご【手児】〔上代東国方言〕《いとしい児の意からか》①赤ん坊。「ねをそ泣きつる—にあらなくに」〈万三四八五東歌〉②少女。「埴科(はにしな)の石井の—が言(こと)な絶えそね」〈万三三九八信濃東歌〉 †tego

てごたへ【手答へ・手応へ】①相手に与えた打撃の効果がこちらの手もとに感じられること。「よく引きて射たりければ、—して池へ落ち入るものあり」〈宇治拾遺一五九〉②力で応ずること。応戦。「小谷近辺の小城ども押し寄せ押し寄せ攻めければ、—する者一人もなし」〈浅井三代記五〉

てごと ①【手事】はかりごと。計略。てくだ。策略。「夢の—ぢやアねへかね」〈洒・妓情返夢解〉②【曲事】三味線・箏の手を主として聞かせる技巧的な難曲。「三味線の—に蝶の舞ひ入りて」〈俳・正風集七〉

でごと【出事】①出ること。「入り事は入れど、—はならぬぞ」〈玉塵抄一〉②性交。「一つも—の無いと言ふでは無し」〈滑・五癖論二〉

てごな【手児な】〔上代東国方言〕《ナは愛称の接尾語で、ラの転》少女。「葛飾の真間の入江にうちなびく玉藻刈りけむ—し思ほゆ」〈万四三三〉 †tegona

てこ・ね《下二》《死ぬ意を卑しめていう語》くたばる。「それは—・ねたと言はれける」〈西鶴・五人女三〉。〈続無名抄下〉

てごは・し【手強し】《形ク》手に余るほど相手が強い。「いまだこれ程—き事にあひ候はず」〈平家一二・泊瀬六代〉

てご・め【手籠め】[一]《下二》暴力で人を取り押える。力ずくで他人の身体の自由を奪う。「これほどまで—め申す上は」〈謡・咸陽宮〉[二]《名》①暴力で人を取り押えること。力ずくで他人の身体の自由を奪うこと。「立ち舞ふ気色(けしき)に戯れ寄りて、敵(かたき)を—にしたりけり」〈謡・望月〉②強姦。「一代の女房に振られて男は立たずと、—にせんと立ちかかれば」〈西鶴・嵐無常上〉

てごも・り【手ごもり】《四段》細工などが緻密になっている。手がこんでいる。「—・るは荒れてもしるき書院にて」〈俳・廿会集上〉

てごり【手懲り】手ひどくこりること。「東国の勢共両日の合戦に—をして、今は城を攻めんとする者一人もなし」〈太平記三・赤坂城軍〉

てざいく【手細工】自分で製作すること。「—に一束五帖帳祝ひ」〈俳・大矢数三〉。〈日葡〉

てさう【て候】《連語》《テサウラフの崩れた形。口語で、丁寧な表現に使う》①…ています。「牧出(まきで)の駒を一匹持っ—」〈伽・小栗絵巻〉②…ました。「暇乞ひをも申さいで罷り帰られ—」〈史記抄六〉

てさき【手先】①手の先。〈日葡〉②先端。また、先鋒(せんぽう)。「—をまくりて、中を破(わ)らんとするに」〈太平記二六・四条縄手〉③雁股(かりまた)の鏃(やじり)の先端。「—六寸、鎬(しの)ぎを立てて」〈古活字本保元中・白河殿攻め落す〉④近世、町奉行配下の同心の下働きをする無給の諜者。多くは無頼の徒で町民に害を及ぼした。公式の有給の下働きは小者と称した。御用聞。岡っ引。目明し。「軽罪の囚〈ノ刑〉一等を許して、他賊の巣穴を探らしむる者を岡引と言ふ。…役人より是れを—と言ふ」〈反古の裏書三〉 **—あがり**【手先上がり】手の先が斜め上を向いていること。また、斜めの方向。「—に切って放す」〈近松・曾我七以呂波一〉

てさく【手作】自分の手で作ること。自から耕作すること。また、その田畑。手作り。「父左馬助時より持ち来たり候屋敷・—」〈伊達家文書一、天文三・一・一七〉。「これはわたくしの—でござある」〈虎明本狂言・瓜盗人〉。〈文明本節用集〉

てさぐり【手探り】手先の感触で求め探ること。また、その感触。「人の御けはひ、はた—も著(しる)きわざなりければ」〈源氏夕顔〉

てざし【手差し】①手を出すこと。手出しをすること。「かくて敵味方矢島野を間にして陣を張りけれども、互ひに—もなくして」〈浅井三代記一四〉②手の使いよう。「氏人・氏人の〈舞ノ〉—ふるまひの変りゆかんをも見て」〈教訓抄五〉

てさるがく【手猿楽】①素人の演ずる猿楽。「五歳の時、乞食—示しけるを見て」〈長谷寺験記下〉。「〈農民ハ〉耕作が本ぞ。奢って、—などするやうな事を末技と云ふぞ」〈蒙求抄六〉②大和・近江その他の伝統的な猿楽座に属さない、素人あがりの猿楽者。「近日大内に於て、七条の—これを召され」〈大乗院雑事記長禄三・三・三〉。「其の外〈猿楽座ハ〉おほくにわかるれども、いま京洛上下に—とて、多く出で来侍るたぐひなるべし」〈粟田口猿楽記〉

てし《連語》《テは完了の助動詞ツの連用形、シは過去の助動詞キの連体形》…しておいた。…ておいた。「標結(しめゆ)ひてわが定め義之(てし)」〈万三九四〉。「結び大王(てし)白玉の緒の絶ゆらく思へば」〈万一三二一〉 ▽「義之」「大王」は、晋のすぐれた書家(手師)王羲之のこと。

てじ【手白】「てじろ」の略。「また例の—めが通ふ鰹掛け」〈俳・両吟一日千句〉

でし【弟子】《弟や子として父兄を親しみ尊ぶように、師を尊ぶ者の意》師について教えをうける者。「〈道照ノ〉—等、遺教を奉じて栗原に火葬す。…親族と—と相争ひて和上の骨を取りて斂(をさ)めむとす」〈続紀文武四・三・一〇〉。「弟子、デシ」〈色葉字類抄〉

でしおととい【弟子兄弟】同門の弟子どうし。相弟子。「弟子きゃうだい」とも。「厳子陵と云ふ人と桃源と云ふ人と、両人—にてありしが、厳子陵物知りといひ、弟子兄(あに)にてありし程に」〈水無瀬三吟何人百韻注〉

てしが《連語》《奈良時代はテシカと清音。完了の助動詞ツの連用形テに、回想の助動詞キの已然形シカのついたものが原形。平安時代以後はテシガと濁音になり、シは回想の助動詞キの連体形、ガは願望の助詞とみられるようになった》(不可能だが)もしもそれが可能なら…したい。…したいものだ。「朝なさな(毎朝)あがる雲雀になり—都に行きて早帰りませ」〈万四四三三〉。「あなこひし今も見—山賤(やまがつ)の垣ほに咲けるやまとなでしこ」〈古今六九五〉 **—な**《ナは終助詞》…したいものだな。「みみなしの山のくちなし得—思ひの色の下染めにせむ」〈古今一〇二六〉

てしげ・し【手繁し】《形ク》容赦なく手きびしい。はげしい。「余すなとて—・く戦ひければ」〈盛衰記九〉

でしこ【弟子子】子供の弟子。訛って「でしっこ」とも。「桶屋・鍛冶屋の—までも、暇得顔に」〈俳・己が光〉

てした【手下】《「手上(てうへ)」の対》地位・腕前などが自分よりも低いこと。また、その人。「吾より—な者を引っ連れて」〈玉塵抄三七〉

てじな【手品】①手なみ。技量。「ただ君と我とがおのおの—を知らむとなり」〈今昔二五ノ三〉②手の動かし方。手の使い方。手振り。手付き。「〈細川〉幽斎、鯉の庖丁あり、楽あるによりて—あるなりとのたまふ」〈耳底記〉。「春駒を舞すは人の—かな」〈俳・夢見草三〉③奇術。「有るは無く無きは数数露の玉／—こそよき放家師(はうかし)の術」〈俳・立圃長興両吟奉納俳諧千句〉

てしほ【手塩】膳に置く塩。また、その塩を入れた小皿。「—。焼塩いかにも少し置く」〈山内料理書〉 **—ざら**【手塩皿】塩または醤油を入れる小さく浅い皿。「霜置ける菊やさながら—」〈俳・続山の井四〉。〈日葡〉

でしほ【出潮・出汐】月の出と共に潮のみちてくること。「明石潟月の—や満ちぬらむ須磨の波路に千鳥と渡る」

〈新後撰四七七〉。「その暁の―の舟に乗りに」〈問はず語り四〉

てしま【豊島・手島】「てしまむしろ」の略。「―まくれど雨は降らずや」〈俳・犬筑波〉 **―どざ**【豊島蓙】「てしまむしろ」に同じ。「ひっかけて行くや吹雪(ふぶき)の―」〈俳・猿蓑上〉 **―むしろ**【豊島筵】摂津国豊島郡産の藺(い)製の狭小で粗末な筵。雨具や敷物にした。播磨国北条でも同種の筵を産した。「としまむしろ」「てしま」とも。「摂州浜御年貢の事、御米代弐十貫文。八朔〔ニ〕―十枚」〈大乗院雑事記文明一〇・三・一〇〉

てしゃ【手者】武芸など技芸にすぐれた人。「見れば、―と見えて、弓矢を持ってゐます」〈狂言記・禁野〉。〈易林本節用集〉

てしゅ【手酒】自分で造った酒。手造りの酒。「花〔蔵〕院―上上にて候」〈多聞院日記慶長四・一〇・一九〉

てしゅび【手首尾】具合。都合。便宜。「心至って物のすべをよく知り、一言申す事も―逢うて残るべし」〈甲陽軍鑑四〉

てしょく【手燭】持ち歩きできるように柄をつけた小さな燭台。手燭台。手燈台。「おとなーに蠟燭立てて行き合うたり」〈義残後覚七〉

でじり【出尻】突き出た尻。でっちり。「―の見苦しきといふ事は…記すに及ばず」〈色道大鏡三〉 **―荒・す** 奉公人が暇を取る時に迷惑をかける。「―・したる跡にて見れば、大鍋にひびきを入れ」〈西鶴・織留五〉

てじるし【手印】後日の証拠のために手渡しておく品。「契約のために―をやるべしとて」〈奇異雑談集五〉

てじろ【手白】獣などの前足の部分が白毛のもの。「―の猪子(ゐのこ)」〈三国伝記一〇〉

でじろ【出城】本城の周辺の要害の地に築いた城。つけしろ。出丸。枝城。「摂州大坂表の―森口、信長へ帰参し了んぬと」〈多聞院日記天正七・三・七〉

です『助動』《デサウ(で候)の転》…であります。㋑尊大な態度をあらわす。狂言では多く大名・山伏など、威張った人物の名乗りに使われた。「これはこの辺りに隠れもない大名―」〈虎明本狂言・鼻取相撲〉。「これは出羽の羽黒山より出でたる駈け出の山伏―」〈虎寛本狂言・禰宜山伏〉 ㋺近世前期、「でえす(でゐす)」「でえんす」「でんす」「でえいす」の語形で、粋人・男達(をとこだて)・遊女などが使った。「見ぬ恋に憧れたでえすは」〈浮・分里艶行脚四〉。「人置き口鼻(かか)…物言ひやかましくして、でんす、あんすと〔発音ヲ〕撥ねちらし」〈浮・好色訓蒙図彙下〉 ㋩近世後期、医者・男達・職人・国侍・芸妓・遊女などに使われ、末期には一般に使われるようになった。「わしゃや―(嫌デス)」〈洒・辰巳之園〉

でずいらず【出ず入らず】損得・過不足のないこと。また、ちょうど間に合うこと。程よいこと。「絵に写し見る山月や―」〈俳・破枕集中〉。「袷羽織、小倉に紬裏、―にて木綿衣類にも絹の上にも相応し」〈浮・立身大福帳七〉

てすさび【手遊び】手先で軽く何気なくすること。「―にはかなき跡と見しかども長き形見になりにけるかな」〈栄花蜘蛛振舞〉

てずさみ【手遊み】「てすさび」の転。「〔矢竹ヲ取リ上ゲテ〕―に、節のもとを指にて板敷に押し当ててにじれば」〈宇治拾遺一六六〉

てすぢ【手筋】①文字を書く腕前。「女郎の―文面(ふみづら)は、島原より当所は遙かに劣れり」〈評判・まさり草〉 ②広く、武芸などの能力。「侍を抱ゆるに…専らその心ざしを選び、その―を聞き届けて、扶持すべきなり」〈和論語六〉 ③つて。てづる。「禁中新御殿見物…―無ければ、則ち見物成り難きなり」〈隔蓂記寛永一九・四・一三〉 ④関係あること。また、その人。「―の者三百文づつ…御持参候也」〈宗静日記万治三・五・一八〉

てずまふ【手相撲】腕相撲。腕押し。「春風の―なれや蕨の子」〈俳・沙金袋三〉

てぜい【手勢】手もとにひきいている軍勢。「―五十余騎、河原を上(ぼの)りに落ちられければ」〈平治中・待賢門軍〉

てせいじ【手世事】自炊。てせんじ。「―の鳴の夕はけなりやな」〈俳・和漢田鳥集中〉。「此の山里に隠居して、幼な名染みの媼(ばば)と、―を楽しみ」〈滑・当世下手談義三〉

てせんじ【手煎じ】①自分で茶を煎じること。「福僧も今日や―仏生会」〈俳・富士石一〉 ②自分で炊事をすること。自炊。「―に掬ぶ横川の水の底」〈俳・廿会集下〉 ③手淫。「久三郎までが俄かに―を企つる」〈評判・朱雀信夫摺上〉

てそだて【手育て】自分一人で育て上げること。「肌に添ふは―にする綿子かな」〈俳・鸚鵡集一〇〉

てそぼろ【手そぼろ】手先で何となく弄ぶこと。手ずさみ。近世初期以降、「手そぶり」「手そぼり」などとも。「物恥ぢをして恥づかしがって―してゐられたぞ」〈蒙求抄七〉

てぞめ【手染め】自分の手で染めること。また、そのもの。「河内女(かふちめ)の―の糸を」〈万一三一六〉 †tezōme

てだい【手代】①商家などの奉公人で、丁稚(でっち)と番頭の中間に位する者。「間分(ぶま)主(鉱山ノ所有者)・〔ソノ〕―共に書付けを致させ」〈梅津政景日記慶長一七・七・二三〉 ②近世、郡代・代官・奉行などの配下に属し、雑務をつかさどった下級役人。「御蔵入り(天領支配地)中の町人百姓へ、御代官衆ならびに親類縁者・―等まで借し物仕る間敷く候」〈御触書寛保集成三三、寛文六・四〉

てだうぐ【手道具】「手具足」に同じ。「蒔絵の紋を据ゑし―」〈俳・続独吟集下〉

てたきみづ【手叩き水】少量の水。「米五升・糀(かうぢ)五升―に入れ、掻き合はせ」〈万聞書秘伝〉

で・たち【出立ち】㊀『四段』出かける。また、外出などに際して身を装う。いでたつ。「国士の貴賤上下見物せうと―・つこと限りも無うて」〈天草本伊曾保〉。「馬鞍・鎧・兜・太刀・刀まで照り輝くほどに―・たれたれば」〈天草本平家三ノ九〉 ㊁『名』①出立(しゅったつ)。また、その装い。いでたち。「紅紗の単(ひとへ)を着た冷しい―で」〈天草本平家三ノ一三〉 ②旅行・遊山などに出発する前にする飲食。「まづ―に酒をすすめ候」〈玉塵抄六〉。「いかにも見苦しい―のなりぞ」〈玉塵抄六〉 **―ばえ**【出立栄え】人中に出たときの風采の立派なこと。押出しのすぐれていること。〈言継卿記大永七・三・二七〉。「月や今日十二一夜(十二単ト掛ケル)の―」〈俳・山の井三〉

てだて【手楯】手に持つ楯。持楯。「足軽四五十人に腹巻着せ、―つかせて」〈盛衰記三七〉。「歩楯、テダテ」〈名義抄〉

てだて【手立て】手段。方法。「たまたま学する者は皆仏法を能芸として、渡世の為、枉惑(わうわく)の―とせり」〈妻鏡〉。「手段、テダテ、或作二手立・行・質一」〈文明本節用集〉

でだな【出店・出棚】支店。分店。出張店。でみせ。「藤の花春の隣へ―かな」〈俳・伊勢踊三〉

てたはぶれ【手戯れ】手先でするいたずら。「光遠が―するに、とらへたる腕をとらへられぬれば」〈宇治拾遺一六六〉

てだま【手玉・手珠】①《古くはタダマ》手につけて飾りとした玉。「足玉も―もゆらに織る機(はた)は君が衣に裁たむとぞ思ふ」〈古今六帖五〉 ②投げ上げたりして、手でもてあそぶ玩具。お手玉。「この首を宙に投げ上げては受け取り、受

け取ってはーについてぞ喜びける」〈太平記二六・四条縄手〉③小さなも網。手だも。「小さきーのすくひ網」〈西鶴・置土産三〉

てだまり【手溜り】手をかける所。手がかり。「なめらかにすべりていとど重き上に、ー更になければ」〈バレト写本〉

てだらひ(テダライ)【手盥】手水用の小盥。「口漱ぎするーの月」〈俳・談林十百韻下〉

てだり【手足り】腕前のすぐれていること。また、その者。腕きき。「強弓のー、荒馬乗りの上手」〈盛衰記三五〉

てだる【手樽】長い両手の付いた桶形の樽。「眺むとて花にも抱くーかな」〈俳・境海草上〉

てだれ【手足れ】「てだり」の転。「ーに狙うて射落せとのはかり事と覚え候」〈平家二・那須与一〉

てぢか・し【手近し】〘形ク〙手元に近い。「猛火(みやうくわ)ー・う強けれど」〈説経・しんとく丸〉。「テヂカイ」〈日葡〉

でちが・ひ(デチガイ)【出違ひ】〘四段〙①入れ違いに出る。「本の名を得た士があれば、用ひもせいで、結句よけて、余所へー・ふやうにするぞ」〈玉塵抄五〉②特に、借金取りと入れ違いに外出する。「盆前・大晦日にも、内をー・ふほど(貧乏)にもあらず」〈西鶴・五人女三〉

てぢゃう(テジョウ)【手錠】〘「手鎖」とも書く〙手を動かぬようにする刑具。両手首に鉄環をはめて錠をおろすもの。近世、この刑具を、一定期間施す刑罰をもいった。「ー・足錠を免し候事」〈池田光政日記万治三・二・二〉

でぢゃや【出茶屋】路傍に小屋掛けをして、旅人に煎茶や酒、一膳飯などを売る茶屋。掛け茶屋。「咲く花の下に隠るるーかな」〈俳・時勢粧一〉

でっかちな・い〘形〙〘ナイは強意の接尾語〙非常に大きい。たいへんだ。「でっかちけない」「でかばっちない」とも。「向脛からー・い光物が飛んで出で」〈近松・二枚絵上〉

てつが・ひ(テツガイ)【手結ひ・手番ひ】㊀〘四段〙連れ立つ。「左衛門佐の兵の中に、三村首藤左衛門・後藤掃部助・西塔の金乗坊とてー・うたる勇士五騎あり」〈太平記三一・京軍〉㊁〘名〙①射手を二人ずつ組み合わせて、矢を射ること。騎射・賭弓(のりゆみ)の式日の前にする演習を荒手結・真手結、射礼(じゃらい)の前に行なうのを兵部手結という。「ーにて真弓射るなり」〈枕九九〉②物事の段取り。手順。手続き。手都合。「ーも能(よ)く、緩緩(ゆるゆる)と罷り在り候」〈本光国師日記元和五・三・一四〉

てづかひ(テヅカイ)【手使ひ・手遣ひ】①手のつかいかた。手のはこび。「神さびたる(琴ノ)ー、澄みはてて面白く聞ゆ」〈源氏若菜下〉。「花をかざしの舞のー」〈古今連談集中〉②軍勢を出動させること。「弓取も春夏はーせず、秋冬は軍(いくさ)をする」〈本福寺旧記〉。「翌日は寺本の城へ御ー、麓を放火し」〈信長公記首巻〉③家の間取り。建物の配置。「テヅカイノヨイイエ」〈日葡〉④商品としてでなく、自家用に使用すること。また、その物。「味噌は壱斗ほど御座候。是れはーに御座候」〈梅津政景日記慶長一七・七・一五〉

てつがふ(テツゴウ)【手都合】物事の段取り。手順。「斯様に物のー良くては、今に運の開くべし」〈近松・仏母摩耶山三〉

てづかへ(テヅカエ)【手支へ】故障を生じること。さしつかえ。「さあと云ふ時、御用にー無きやうに」〈近松・孕常盤三〉

てづから【手づから】〘副〙〘「手つ柄(から)」の意。ツは連体助詞。カラは経由・手段の意〙①自分の手で。「真珠なす二つの石を…みー置かし給ひて」〈万八一三〉。「この下蕨(したわらび)はー摘みつる」〈枕九九〉②自分自身で。みずから。「『(父院ハ)いづくにかおはします、おはします』と御ー、人ごとに尋ね申させたまへば」〈大鏡伊尹〉

でっかり 重い物を置くさま。どっかり。また、数などの多いさま。どっさり。「ーと重ね畳に押し直り」〈俳・紅梅千句〉。「ーと/月代(さかやき)欲な在(ざい)若衆」〈雑俳・たみの笠〉

てつき【手付き】①手のかっこう。また、手を動かす時のようす。「ーのつぶつぶと肥え給へる」〈源氏胡蝶〉。「うちそばみて書い給ふー、筆とり給へるさまの幼げなるも」〈源氏若紫〉②(奏楽・筆づかいなどの)技倆。「うちよみ、走り書き、かい弾く爪音、ー、口つき、みなたどたどしからず見聞き渡り侍りき」〈源氏帚木〉

てつぎ【手継・手次】土地所有権の代代の移動を証明する一連の文書。「但し、浄円房方へー一通これ無く」〈高野山文書三、藤原氏女田地質流券〉 **ーしょうもん**【手継證文】「手継」に同じ。「系図並びに代代の御感書、ー残らず相伝なり」〈鎌倉大草紙〉

てっきり まちがいないさま。きっと。必ず。「この君の前にて偽(いつはり)なる事を申したらば、ーと罪に逢ふべきと思ひて」〈大学抄〉。「船がー入る秋の風」〈俳・草枕上〉

でっく【重五】〘「畳五」の字音の転か〙双六で振った二つのさいころに、揃って五の目が出ること。「双六のさいの目に一が二つおりたるをでっちといふ。…ー・重六(ぢろく)といふもいはれたり」〈平治上・叡山物語〉

てづくり【手作り】①手製。また、手製の物。「多摩川にさらすー(ノ布)さらさらに」〈万三三七三〉②自分勝手なやり方。我流。「牛尾藤八…(笛ヲ)よく吹く。併し習ひは委しくなく、ー多し」〈近代四座役者目録〉

でっくり 肥満して重いさま。でっぷり。「ー、どっしりなども重き方(ヲ形容スル語)か」〈俳・かたこと五〉

てっくゎ【鉄火】①まっかに焼けた鉄。「鬼神は黒雲、ーを降らしつつ」〈謡・田村〉②「火起請(ひぎしやう)」に同じ。「八幡宮の庭にてーを取り」〈甲陽軍鑑一七〉③「鉄火打ち」の略。「この頃はーと人が指をさす」〈雑俳・雲鼓評万句合延享中〉 **ーうち**【鉄火打ち】玄人(くろうと)相手の博奕打ち。後には、単に博徒の称。「ーその癖妻は恋女房」〈雑俳・万句合明和一〉

てづけ【手付】売買・請負・雇傭などの契約の時、当事者の一方から他方へ与える金。成約の証拠または条件として、或いは違約の場合の罰として、更には代金の一部として支払われる。「まづーに一貫文渡し申し候ふなり」〈山科家礼記長禄一・一二・一三〉

てっさつ【鉄札】鉄製の帳簿または札。閻魔の庁で、浄玻璃の鏡に掛けて見分けた悪人の名や罪業を記して地獄に送るという。「さればー数を尽し、金紙をよごす事も無く」〈謡・鵜飼〉

てっしと〘副〙必ず。てっきり。「これらがー『初めのどやめき後のささやき』になると見えたり」〈仮・いな物下〉

でっち【丁稚】①商人や職人の家に年季奉公し、雑務に従った十歳から十四、五歳の少年。「ーめが腰に付けたる瓢箪」〈俳・山の井五〉②下男。小者。「ーが才覚いとも長し」〈俳・二葉集〉③子供を卑しめていう語。「これさ、ここもとへ小六方とほざけ出いたるーは」〈俳・貝おほひ〉 **ーあがり**【丁稚上がり】丁稚から成り上がること。また、丁稚であった人。「ーや威を振ふらん」〈俳・信徳十百韻〉

でっち【重一】〘「畳一」の字音の転か〙双六で振った二つのさいころに、揃って一の目が出ること。「いかに双六の賽(さい)の目に、一が二つおりたるをーといふ」〈平治上・叡山物語〉

でっちゃう(デッチョウ)【帖丁】書物のとじ方の一。料紙を一葉ずつ中央で縦に二つ折りにし、これを重ね合わせ、各葉の折り目の外側にのりをつけてかため、これに表紙を加える。糸や紐を用いないで、のりだけでとじたもの。「胡蝶装」とも。明治時代以後、誤られて胡蝶装と別種に扱い、綴帖装をさす場合がある。「帖(デッ)丁、紙付也」〈色葉字類抄〉▽従来、通雅の「粘葉、謂＝蝴蝶装＝」によってデッチャウに「粘葉」をあて、デンエフの約としたが、字音の説明に無理がある。「帖」はデフ・デッの音で、紙を畳み、折り重ねる意。「丁」は、紙の一枚一枚をいう。従って、デッチャウには「帖丁」とある色葉字類抄の用字をあてるべきか。

てづつ【手づつ】不器用。不調法。「一といふ文字をだに書きわたし侍らず、いとーにあさましく侍り」〈紫式部日記〉。「『梢にこぞる』は、少しは思ひがけぬ詞には侍れど、又ーなりとしも云ふべからず」〈六百番歌合秋下〉

でってふ【粘葉】⇒でっちゃう

てっぱう【鉄砲・鉄炮】①火薬を使って鉄丸や石を放つ火器。「ーとて、鞠(まり)の勢なる鉄丸の迸(ほとばし)ること坂を下す輪の如く」〈太平記三九・自太元攻日本〉②小銃。天文年間、ポルトガル人が種子島に伝来したものが急速に普及し、種種改良された。鳥銃。火縄銃。「馬一疋・ー一、志岐殿へ遣はされ候」〈上井覚兼日記天正三・三・二三〉③口からの出まかせ。でたらめ。「只(ただ)口に任せてー物語りした事では無いぞ」〈三百則抄〉④風炉(ふろ)・据風呂に装置して火を焚く、金属製の円筒。鉄砲釜。「ーは風呂の銅釜(どうこ)に名を取られ」〈雑俳・広原海一四〉⑤《当れば死ぬので》フグ。または、フグ汁。「ーと名にこそ立てれふぐと汁」〈雑俳・宝船〉⑥名詞に冠して、弾丸のように早い、の意を表わす。「ー水」など。「ー雨のしだらでん(大雷風雨)」〈浄・忠臣蔵五〉

てっぱつ【鉄鉢】鉄製の鉢。僧が常に所持すべき道具の一つで、食器・托鉢(たくはつ)に用いられた。「さらばーを持てと比丘(びく)に許すぞ」〈六物図抄〉

てっぺい《テヘンの転》①いただき。頂上。「巖下りし山のー」〈俳・続境海草五〉②頭の頂上。「人のつぶり、天窓(あたま)などの時にーと言ふは如何」〈俳・かたこと四〉

てづま【手爪・手妻】①手先でする仕事。また、熟練した腕前。手練。「難波人や己(おの)がーの蘆粽(あしちまき)」〈俳・遠近集三〉。「佐々内蔵助殿は、武功重なり、其の上ーのきたる上手人」〈川角太閤記五〉②手品。「早きーに山を出します」〈俳・大矢数三〉

てづま・り【手詰り】『四段』金銭の融通がつかなくなる。手許が苦しくなる。「当年殊の外ー・り申し候」〈仮・御伽物語五〉

てつむぎ【手紬】手織りの紬。「末末の女にーを織らせて」〈西鶴・五人女三〉

てづめ【手詰め】厳しく攻め寄せること。猶予なく責めかけること。「ーの軍に、我等が手並みの程を御覧じ候へ」〈太平記一四・将軍御進発〉

てつるてん 無一物のさま。「ーの赤裸となりし例珍しからず」〈評判・難波物語〉

てて【父】「ちち」の転。「この子変化のものなれば、この手、母にもまさり、母はーの手にもまさりて」〈宇津保俊蔭〉。「ーこそ。此処こそよき堂所なんめれ」〈大鏡藤氏物語〉

てて『連語』「とて」の転。「亭主が、出来(でけ)たーいかう喜ぶは」〈狂言記・萩大名〉

でてう・せ【出て失せ】『下二』《罵倒していう語》出て行く。「とかふ言ふも恥の恥、勘当ぢゃ、ー・せう」〈近松・二枚絵中〉

ててうちぐり【父打栗】丹波産の大栗。丹波栗。略して「ててうち」とも。「丹波〔名産〕…ー」〈俳・毛吹草四〉

ててき【父君】「ててぎみ」に同じ。「われこそーの恋しくおぼえ給ふに」〈宇津保菊宴〉

ててぎみ【父君】父の敬称。「ーの我を思ほしし時には…かた時たちしぞきしをだに苦しきものにこそし給ひしか」〈宇津保菊宴〉

ててなしがね【父無し金】元手無しで儲けた金。「夕べ夕べに生み出すーのつかみ取り」〈近松・傾城酒呑童子三〉

ててはは【父母】父母(ふぼ)。「十日ばかりありてまかでたれば、ー炭櫃(すびつ)に火などおこして待ちゐたりけり」〈更級〉

ででむし【蝸牛】《出い出い虫の意》カタツムリの異名。でんでんむし。「ーよ出ざ釜を打ちわらんべら」〈俳・口真似草二〉

ててら ①労働用の短い襦袢。「ーは膝丈(たけ)ある着る物也」〈咄・醒睡笑五〉②褌。下帯。「花衣ー二布(ふたの)かな」〈俳・夢見草一〉

ててれ 「ててら」に同じ。「ー二布(ふたの)で涼む尾籠さ」〈俳・正章千句上〉

でどころ【出所】①出て来るもと。出所(しゅっしょ)。「声はただ細きは細く大きなる声は大きにーは胴」〈西海余滴集〉。〈文明本節用集〉②公けの場所。公儀。御役所。でんど。「いや、ーへ連れて出て首に縄を掛けうかと」〈近松・卯月紅葉上〉

てどほ・し【手遠し】『形ク』手元から遠い。遠くて及ばない。「ー・き奉公人、殊に諸役人共は」〈黒田故郷物語〉。「テドヲイ」〈日葡〉

てどまり【て留り】〔連俳用語〕句の末尾に助詞「て」を用いるもの。長句に適し、特に第三は「て留り」が普通。「下句ーの事、千句などには自然一二あるべし。百韻には斟酌すべし」〈矢嶋小林庵何木百韻注〉。「第三は大略ーにて候」〈至宝抄〉

てどらへ【手捕へ】手でつかまえること。手どらまえ。「暫く御待ち候へ、ーにもなるべし」〈西鶴・一代男五〉

てどり【手取り・手捕り】①素手(すで)でつかまえること。「押し並べて組んで落ち、ーにせよや者ども」〈平治中・待賢門軍〉②相撲のわざに巧妙な人。「此の外、随分のーの相撲取共」〈信長公記三〉③難事を楽楽とやってのける才能のある人。「いかやうのー風情にても、〔謙虚ニ〕なげく所、肝要にて候」〈珠光心の文〉④諸雑費を差し引いて、実際自分の手に入る金銭。「千両の物を、ーは四百六拾五両残りしを」〈西鶴・二十不孝一〉⑤「てどりくゎんす」の略。「ー釣りて」〈宗達他会記天文一八・二・一三〉。「ーめよ己が小口をさし出でて雑炊煮たと人に語るな」〈咄・醒睡笑三〉。「手取、テドリ、口有る罐子」〈文明本節用集〉

ーくゎんす【手取鑵子】把手の付いた茶釜・薬罐の類。「色の黒きありさまはーか墨傘(すみからがさ)」〈伽・白身房〉

ーなべ【手取鍋】「手鍋」(1)に同じ。「世俗に云ふーの類也」〈徒然草野槌上ノ五〉

てないばう【手無坊】手のない者の擬人名。てんぼう。「山寺の雪の早蕨やー」〈俳・鸚鵡集一〉

てなが【手長】①手長島に住み、手が非常に長いという想像上の人間。「北のへだてなる御障子は、…ー・足長などをぞかきたる」〈枕二三〉②宮中や貴族の家で、饗宴の際、客膳を運び据えた給仕人。「少納言進みて大臣座前に跪き、笏を措き、ーを奉仕す」〈九暦天慶七・閏一二・九〉。「今日の斎会にはー入るべからず」〈今昔一九ノ二〉③取次をすること。また、その役。「北野に付き御補任取る者、目代ーなくして上より〔本人へ〕直(すぐ)に渡る儀これ無きよし申し候処に」〈北野目代日記慶長三・二・一三〉④「仲居(なかゐ)」に同じ。「御ーの者、おあちゃと申す者」〈おきく物語〉

⑤人の物に手をのばすこと。また、盗癖ある者。「留山(とめやま)の蕨(わらび)を折るは—かな」〈俳・藪香物一〉

てなぐさみ【手慰み】①手でする遊び。また、娯楽。気晴らし。「—に採蘋(さいひん)ひとりはえ行(い)かず」〈三体詩絶句抄三〉。〈文明本節用集〉②ばくち。賭博。「あたりの若い者どもと寄り合うて—を致いてござれば」〈虎寛本狂言・三人片輪〉

てなし【手無し】①衣服の一種。袖無しの類で、ちゃんちゃんこのようなもの。「下臈(げらふ)の着る—といふ布着物きて」〈著聞六九八〉②〔女房詞〕月経。その期間中は供御・調度に手を触れられないことからいう。「祇園の事にて、御—の人は御さふらひ無し」〈御湯殿上日記明応五・閏二・一八〉

てなへ エナ【攣】手がひきつって動かなくなること。また、その病気。「攣、手奈へ(てなへ)」〈霊異記下二〇〉。「攣、手奈戸(てなへ)」〈新撰字鏡〉

てなべ【手鍋】①手のついた鍋。「米を持参、—に入れ候て、食べ候」〈梅津政景日記慶長一七・四・二〉②貧しい、または質素な、自炊の生活をすること。「十六の春まで—しければ」〈浮・傾城辻談義四〉 **—を下・ぐ** 簡素で不自由な自炊生活をする。「手前ひしと成らず、女—・ぐることを仕り候由」〈池田光政日記万治二・二・二三〉

てなみ【手並】腕前。技量。「これこそ為朝が手づから自(みづか)らはぎこしらへたる矢よ、—の程見よや」〈保元中・白河殿攻め落す〉

てなら・し【手馴らし】㊀《四段》①使い馴らす。「かの—・し給へりし螺鈿(らでん)の箱なりけり」〈源氏夕霧〉②手なずける。「—・しし猫」〈源氏若菜下〉㊁《名》使い馴らすこと。「唐の紙はもろくて〔御経トシテ〕朝夕の御—にもいかがとて」〈源氏鈴虫〉

てなら・ひ ライナ【手習ひ】㊀《四段》①習字をする。「この二(ふた)歌は、歌の父母のやうにてぞ、—・ふ人のはじめにもしける」〈古今序〉②むぞうさに歌などを書く。「木幡の里に馬はあれどなど、あやしき硯召しいでて—・ひ給ふ」〈源氏浮舟〉㊁《名》①習字。「ちひさき人には、—・歌よみなど教へ」〈かげろふ下〉②心にまかせて思い浮かぶ歌などを書きながすこと。また、その書。「我ながら口惜しければ、—に『身を投げし涙の川の早き瀬をしがらみかけて誰かとどめし』」〈源氏手習〉③稽古。練習。「馬を馳せ弓を射るも、これは平家を攻むべき—とぞあてがひける」〈盛衰記二六〉 **—こ**【手習子】師匠について習字する子供。手習子供。「顔も手もよくよく洗へ—」〈俳・犬子集一七〉 **—すさ・び**【手習ひ遊び】《四段》気晴らしに、心に思うままを書きながす。「この文をひろげながら、端に—・び給ふを、側目に見れば」〈源氏末摘花〉

てな・れ【手馴れ】《下二》使い馴れる。扱いつける。「鈍色(にびいろ)は、〔尼ノ〕—・れにし事なれば」〈源氏手習〉

てにっき【手日記】手控え。覚え書。「—…此の人数判形〔押ス〕也」〈北野社家日記永正二・一二・三〉

てには【手尓波】①「てにをは」のこと。ヲコト点の一種として、漢字の左下・左中・左上に点をつけ、それをテ・ニ・ハにあてたものがあり、それを連呼した名称にはじまる。「本は円堂点なり。しかうして後に改めて—点とす」〈金剛蔵頂略出念誦経保安四年点〉②《転じて》助詞・助動詞などの用法。「御文の事、文言をかしく、—悪(わろ)くとも」〈空善記〉③連歌の付合の一。主として語法や詞つづきを用いて付ける方法。てには付け。「請取(うけとり)—と云ふは、例へば、『跡つけてとはぬもよしや庭の雪／古りぬる里の友は珍し』。雪ふると請け取る也」〈長短抄中〉

でにょうばう ウボ【出女房】「出女(でをんな)」に同じ。「—に年頃日頃馴れなじみ」〈俳・正友千句〉

てにをは【手尓乎波】①助詞を中心にして、場合によっては助動詞や、動詞語尾までを含む、日本語の付属語の総括的名称。もと漢文の訓読のために使われたヲコト点の一種として、漢字の左下・左上・右上・右下の点を、テ・ニ・ヲ・ハにあてたものがあり、それを連呼してその記号の名としたもの。平安時代、博士家で用いたものに基づく。「点図三を書す。其の一、—点」〈長秋記天永二・三・一四〉②《転じて》助詞・助動詞などの用法。「—の少したがひたるよりは、それを合はせむと、だびて(訛ッテ)聞えたるはまさりてわろし」〈八雲御抄六〉。「『霞かは』といふ—、定家詠みいだし給ふなり。『〔霞〕のみかは』といふ心也」〈拾遺愚草抄出聞書〉

てぬぐひ グイヌ【手拭】手・顔などをふきぬぐうための綿布。「たのごひ」とも。「巾は帨(ぜい)なり。—の事なり」〈錦繡段鈔八〉。「たのごひ。—なり」〈匠材集三〉 **—おび**【手拭帯】手拭で帯をすること。また、その帯。「浴衣の上に—して」〈三壺聞書一四〉。〈俳・世話尽一〉

てぬる・し【手緩し】《形ク》扱い方が、なまぬるい。きびきびしていない。にえきらない。「—・き軍(いくさ)の次第なり」〈浅井三代記一三〉。〈文明本節用集〉

てねば【手粘】仕事がのろいこと。「大勢の薄茶—に同様〔ノ早サデ〕立てては悪しき也」〈石州三百ケ条〉。「最前の鱸(すずき)を—な者が洗ふと見えて、いかう遅い」〈虎寛本狂言・鱸庖丁〉。〈日葡〉

てのうち【手の内】①掌(てのひら)のうち。「天地を—に握る心なり」〈錦繡段鈔四〉②自分の掌中に収めること。また、掌中に収めた物のように、自分の思うままになること。たやすいこと。「二箇所の城を討ち落しぬれば、北国は今は—と思し召さるべし」〈盛衰記二八〉。「本望とげんは—なり」〈近松・曾我会稽山三〉③《刀使いの上手下手は、掌の握り方に左右されるところから》剣術の腕前。「いまだ—極まらず」〈浄・弁慶京土産一〉④掌に感ずる手ごたえ。「手に覚えもなう、水の中へ打ちこうだやうな—でござった」〈虎明本狂言・武悪〉⑤僧・乞食などに施し与える米銭。「行脚の僧ならば、—をも参らせんに」〈説経・小栗〉

てのうら【手の裏】てのひら。「火桶の火、炭櫃(火鉢)などに—うちかへしうちかへし押しのべなどしてあぶりをる者」〈枕二八〉 **—を反(かへ)・す** 急にがらりと一変する。「その後、世間—・す如くなるべし」〈保元上・法皇熊野御参詣〉

てのきは ワキ【手の際】手のつくせるかぎり。力のありったけ。「城の内の兵ども、—戦ひ、討死する者多かりけり」〈平家六・飛脚〉

てのくぼ【手の窪・手の凹】①掌(てのひら)の中心の窪んでいる部分。手の窪み。「—に露を受けたる蕨かな」〈俳・新続犬筑波四〉②水などを掌に掬(す)くうこと。また、掬ったもの。「掬と云ふは、むすぶとも読む也。—の事也」〈法華経直談鈔六末〉③掌に飯をのせて食うこと。また、その飯。「稲束二握りにて—一つも侍らず」〈俳・行脚文集七〉④仮の情交。ちょんの間。「—を二三度させて無心なり」〈雑俳・万句合明和七〉

てのごひ ゴノイ【手拭】てぬぐい。「たのごひ」とも。「ねりぬきの御—取り出し、御手のごはせて奉る」〈伽・しほやき文正〉。「手巾、テノゴイ、又、作二手拭一」〈文明本節用集〉

てのした【手の下】①自分の手のもと。いともたやすいことのたとえにいう。「神力すでにさし添ひたり、〔扇ヲ射ルコト〕—なりと思ひつつ」〈盛衰記四二〉。「この者どもを—に討つは、いかさま鬼神か」〈謡・熊坂〉②手の届くあたり。ごく近くの所。「稲荷山の上の社に陣を取り、伏見・木幡…鳥羽・法性寺小路までーに見て有りければ」〈応仁記三〉③腕前。技倆。「此の武者おのれらがーに及ぶべき物か」〈西鶴・新可笑記三〉

てのすぢ【手の筋】①書風。書きざま。また、文字を書く技量。「御ー、ことにあうよりにたり(古風デアッタ)」〈源氏玉鬘〉②その人の運命・吉凶などを示す掌(てのひら)の線。手相。「子息二人ーこれを見る」〈言経卿記文禄四・二・八〉

てのばし【手延ばし】くだすべき手を遅らせて時機を逸すること。「ーにしては叶ふまじ、ここにて即ち討ち取るべし」〈バレト写本〉

てのび【手延び】打つべき手が遅れ、機を逸すること。手おくれ。「ーにしては叶ふまじと思ひて」〈伽・物くさ太郎〉

てのべ【手延べ】「てのばし」に同じ。「すは、きゃつをーにしてたばかられぬるは。追っかけて討て」〈平家四・競〉

てのほか【手の外】思いの外。意外。予想外。「武士はーを仕り、下より積もられ(推量サレ)ぬが本の大将なり」〈甲陽軍鑑一七〉

てのもの【手の者・手の物】①部下。手下。「〔六波羅探題ノ〕ー、二行に並みゐたるさまなど」〈問はず語り五〉②自分の所有する物。手に入った物。「ーと折るは領地の蕨かな」〈俳・口真似草二〉③熟練して得意とする物事。得手の物。お手のもの。「細工はー曙の海」〈俳・仙台大矢数下〉

では【出羽】《イデハの転》旧国名の一。東山道八国の一で、今の山形県・秋田県。羽州。「あづまに聞ゆるー・陸奥(みちのく)両国も、昔は六十六郡が一国にてありけるを」〈平家二・阿古屋松〉〈文明本節用集〉

では【出端・出羽】《出るきっかけの意》①能の後場で、神・鬼・精霊などが登場する際に演奏する囃子(はやし)。「ー。太鼓、笛、音とり」〈童舞抄下〉②歌舞伎で、重要な役者が花道に登場する際、それを引き立たせるために花道で演ずる舞踊。「橋懸りのーなどのあっぱれ見事さ」〈評判・役者評判蚰蜒〉

では『連語』《接続助詞デに係助詞ハのついたもの》…しないでは。…でなくては。「此の女見ー世にあるまじき心地のしければ」〈竹取〉

でば【出歯】前歯が前方に反(そ)って出たもの。そっぱ。でっぱ。「ーを現はし」〈西鶴・一代男六〉〈名語記五〉

てばう【手棒】①杖などにする短い棒。「ーを振り上げかかり給へば」〈虎明本狂言・若市〉。〈文明本節用集〉②手のない者。てん棒。「吹く風もーにしたし花盛」〈俳・沙金袋三〉

ではうだい【出放題・出傍題】口から出まかせに言うこと。また、特に、嘘をつきちらすこと。でたらめ。「荻の声やげに風口のー」〈俳・夢見草一〉

てばこ【手箱】調度の一。手まわりの小道具を入れる箱。「櫛(くし)ー・唐櫃(からびつ)よろづの物を…みな先立てて運びたれば」〈源氏夕霧〉

てば・し【手ばし】『形シク』「てばしかし」に同じ。「此のー・しき事、見て居る内也」〈西鶴・織留四〉

てばしか・し【手捷かし】『形ク』物事をするのに、素早く機敏である。手早い。「てばしこし」とも。「ー・く切り立て、みなみな命をやうやう拾ふ」〈西鶴・諸国咄三〉。「テバシカイヒト」〈日葡〉

てばたき【手叩き】てのひらをたたいて鳴らすこと。拍手。「その時、鬼面はづしてーする」〈天正本狂言・法華念仏〉

てばてば・し『形シク』けばけばしく派手である。「さのみー・しくはなかりしなり」〈申楽談儀〉

でばな【出端】①出はじめ。「水はーで、新しく生(うしゃ)なぞ」〈三体詩抄一ノ三〉②【出花】番茶・煎茶で、湯の注ぎ立ての香味のよいもの。煮ばな。いればな。「木枯や夜中過ぎたる茶のー」〈俳・己が光〉

てばなち【手放ち】手を加えてないこと。放りっぱなしであること。「これは(コノ家ハ)、男なども添はねば、いとーに、荒荒しげにて」〈更級〉

てばまり【手陥り】自分で自分の計略に陥ること。自分から災いに飛び込むこと。「余り廻り気な故に、ーさしゃんした」〈評判・難波鉦五〉

てばや・し【手早し】『形ク』物事を行なうのに敏捷である。すばしこい。「一期(いちご)にそれほどー・く、心剛なる者見候はず」〈著聞四四二〉

てはらひ【手払ひ】手持ちの物を全部出しつくすこと。「散るは風のー銭か金銭花」〈俳・一本草一〉

てはん【手判】①後日の証拠として、墨で紙におした手形。また、自筆の書判。或いは、印判。「当陣より帰る夫替へ并びに飛脚等、このーを以て通すべし」〈北条氏政印判状天正三・五・一七〉②近世、関所手形の称。「松前へー無くして参り候町人一人」〈梅津政景日記元和五・一・二一〉

てびき【手引き】①手で引き出すこと。「夏びきのーの糸をくりかへし」〈古今七〇三〉②草などを手で引き抜くこと。「おのづから生ひ出でん草をばーにせば」〈広疑瑞決集三〉③手を引いて道案内をすること。また、一般に物事の案内をすること。また、その人。「ーしつる同宿ども」〈太平記一七・山攻〉④盲人の手を引いて案内する人。「これは日本の座頭のーのやうなる者なり」〈古活字本論語抄一五〉

てひと【手人】手に技術ある人。「日鷹の吉士を遣はして、高麗に使して巧手者(てひと)を召す」〈紀仁賢六年〉 †te-Fitô

てびゃうあみがさ【手拍編笠】《持物は編笠だけの意》無一物。無一文。「手び編笠」「手ぶり編笠」とも。「徒に打ち暮らしたる碁カルタの報いか今はー」〈銀葉夷歌集九〉

てびろ・し【手広し】『形ク』①範囲・規模などが広い。「限りなくしてはー・くなるべき故に、いつも六十万人と書くなり」〈他阿上人法語五〉②知識などが広く深い。「おほかたこの頼政は、歌においてはー・き者にぞ思し召されける」〈盛衰記一六〉

てびん【手便】手の届く範囲。手のそば。手元。手廻り。「人前にて飯食ひ候やう…ただーなる物を食ふべし」〈宗五大双紙〉。〈文明本節用集〉

てふ【牒】令制で、主典(さかん)以上の官人が諸司に送る公文書。実際には、直属関係にない諸司間もしくは諸司と社寺などとの間に用いられた。「毎年三月以前僧綱ーを諸寺に放ちて、当年受戒すべき者の交名を進め…しむ」〈三代実録貞観七・三・二五〉

てふ【蝶】①昆虫の名。ちょうちょう。「ー、鳥、飛びちがひ」〈源氏玉鬘〉②優良な綿の幹の、枝・葉の出る所に咲く花の称。その実を桃という。「ーや花と思ひ育つる木綿(きわた)かな」〈俳・埋草三〉③フグの腸胃の後部にある胡蝶形の肝臓。青白色で、猛毒。「鰒(ふぐ)数寄や葱にたはれの夢のー」〈俳・功用群鑑下〉

てふ『連語』「と言ふ」の約。「うぐひすの笠に縫ふー梅の花折りてかざさむ老隠るやと」〈古今三六〉

でふ【帖】①折本(をりほん)。「今の世の色紙はーにしためる」〈栄花御裳着〉②《ものを数えるのに使う》㋑折本を数える語。「かたはなるまじき一ーづつ…選り給ふついでにも

〈源氏絵合〉㋺屏風・楯などを数える語。「御屏風四―」〈源氏若菜上〉㊇幕を二張(はり)ずつまとめて数える語。「白幕五―」〈吾妻鏡文永二・三・七〉㊀雅楽の各楽章を構成する小曲を数える語。「楽の中に蘇合といふ曲あり。これを舞(まひ)には、五―まで帖帖をきれぎれに舞ひ終りて後、破を舞ふ」〈無名抄〉

てふあし(チョウ…)【蝶足】膳などの足の一種。蝶が羽を拡げた形のもの。「―の影膳夫(まつ)の島へ飛べ」〈雑俳・広原海六〉

てぶくろ【手袋】①手を包むためにはめる袋。「―八、指懸(さしかけ)八足」〈厳島神社文書嘉禎二・三・二三〉②鷹が足を腹の毛の中へ差し入る事也」〈龍山公鷹百首〉③手を袖の中に入れたまま出さないこと。「かかる風波の恐ろしき処をも―で見るぞ」〈錦繡段鈔四〉 **―を引・く** ①鷹が足を腹に引き付ける。「―・く大服や鷹の爪」〈俳・大海集一〉。〈日葡〉②手を引っ込める。手出しを控える。「いよいよ―・き、出でざりければ」〈浅井三代記九〉

でふじ(ジョウ…)【畳字】①同じ漢字を二つ重ねて用いること。また、それによる熟語。重字。「悠々」「堂々」「万々」の類。「―を採摭(さいせき)して類を分け、声を辨(わかち)ち」〈畳字訓解鈔下〉②漢字二字から成る熟語。「問、ゆよといへる事如何。答、ゆよは猶豫と書ける―也」〈名語記六〉。「それ得分といふ―は世俗より起れり」〈改邪鈔〉③「畳字連歌」の略。「追加―。執筆予。さざ波の声面白き今夜(こん)かな」〈言継卿記天文三・二・一六〉 ▽(2)は日本の用法らしい。「色葉字類抄」「下学集」など古辞書の「畳字」部に集められている語は、いずれも(2)に属する。 **―れんが**【畳字連歌】各句に畳字を詠み込んで作る俳諧の連歌。二条良基「賦畳字連歌百韻」が現存最古。「―・言捨て等興有り」〈実隆公記長享二・二・五〉

てふそう(チョウ…)【牒送】廻文(くわいぶん)で言い送ること。「衆徒の僉議(せんぎ)かくの如し。仍(よ)って―件(くだん)の如し」〈平家四・山門牒状〉

でふだて(ジョウ…)【畳楯】折りたたみ式の面の広い楯か。地上に立て支える柄が裏についているものらしい。「前に―をつきならべ」〈太平記七・千剣破城軍〉

てふてふ・し(チョウチョウシ)【喋喋し】『形シク』軽薄で馴れ馴れしくお世辞たっぷりである。「あれこれと花に飛ぶもや―・し〈蝶ト掛ケル〉」〈俳・毛吹草五〉

てぶね【手船】自分が所有している船。持ち船。「八木〈運送二〉―を遣はし」〈池田光政日記承応三・八・一七〉。〈日葡〉

てふはながた(チョウ…)【蝶花形】祝宴に使う銚子や提子(ひさげ)などに付ける飾り。蝶の形に折った白紙に、紅白の水引を掛けたもの。男蝶・女蝶の一対とする。「瓶子(へいじ)一具取りいだし、―に口つつみ」〈伽・小栗絵巻〉

てぶり【手振り】①《「手風」とも書く。手の振りかたの意》ふるまい。ならわし。風習。「天ざかる鄙(ひな)に五年住まひつつ都の―忘らえにけり」〈万八八〇〉②供人。従者。「儀式の車にて、ひきつづきたり。下仕へ・―などが具し行けば」〈かげろふ上〉③手に何も持たないこと。手ぶら。「―にても苦しからず候」〈大館常興日記天文一一・閏三・二五〉④《テフリと清音で》近世、両手を振って歩く供廻りの中間(ちゅうげん)。歩行(ちか)の者。「つづきて―の侍あまた」〈西鶴・浮世栄花一〉 **―うぐひす**(ウグイス)【手振鶯】まだ声のよく出せない幼いウグイス。「摘むや今日都の―菜」〈俳・宝蔵五〉。〈俳・乳母五〉

でぶるまひ(…イ…マ)【出振舞】①野外で人を招いて饗応すること。「権兵衛亭主となりて、―」〈隔蓂記寛文六・七・二七〉②出産祝。「―唯我独尊の其の始め」〈俳・二葉集〉

てへ(テエ)《連語》「といへ」の約。「いへ」は「言ひ」の已然形・命令形。「今さらに訪ふべき人も思ほえず八重むぐらして門(かど)させり―」〈古今九七五〉。「我のみや子もたる―ば高砂の尾の上に立てる松も子もたり」〈拾遺一一六八〉

てへり(テエリ)【者】《連語》「と言へり」の約。記録体・書簡などで使う語。「早く戎具を整へて密かに相待つべし―」〈将門記〉。「者、テヘリ」〈色葉字類抄〉

てへれば(テエレバ)【者】《連語》「と言へれば」の約。記録体・書簡などで使う語。「宜しくこの由を以て仰せ遣はすべし―」〈消息文範鎌倉期点〉

てへん【天辺】①兜の部分の名。鉢の頂上。気のこもるのを防ぐため、穴をあけてある。てっぺん。「兜の―に熊手をうちかけ、えいやと引く」〈平治中・待賢門軍〉②《「天窓」とも当て字》頭頂部。てっぺん。「親父頭の―より生面まで、さっと切る気だ」〈浄・道外和田酒盛六〉

てぼこ【手鉾】片手で持てる位の短い鉾。小さな薙刀(なぎなた)の類。「河原兄弟二人が首を―に貫き」〈盛衰記一〇〉

てぼそ【手細】①抱え帯。手で引きしごいて細めて締めるのでいう。「御音信物、御―」〈梅津政景日記寛永五・一〇・二九〉②(1)の紫または紅色の物や、それに裏を付けた物でする頰かぶり或いは覆面。「紅の―に目を塞ぎ」〈西鶴・諸艶大鑑四〉③船形の綿帽子。船綿。「―の綿を肩に掛け」〈浮・武道色八景二〉

てほん【手本】①手習いの模範となる文字が書いてあるもの。「御―にと、人人聞ゆ」〈源氏若紫〉②倣(なら)いのっとるべきもの。模範。「浄妙房が渡るを―にして、三井寺の大衆、渡辺党、走りつづき走りつづき」〈平家四・橋合戦〉

てま【手間】①手を使う合間。ひま。いとま。「ほととぎす鳴くなる声を早苗とる―うち置きてあはれとぞ聞く」〈貫之集三〉。「三尾(みを)の海に網引く民の―もなく立居(たち)につけて都恋しも」〈紫式部集〉。「―とは、人の―ふたがるなどいふこと也。いとまなどふたがる心也」〈奥義抄〉②事をなすのに要する時間または労力。「何の―も入らず撃ちて、これを破る」〈中華若木詩抄上〉。「土俵のこしらへやう、伊豆の者に申し付く。当所の者不案内ゆゑ、―ばかりかかる」〈天正日記天正一八・九・一九〉③労力に対する報酬。手間賃。手間代。「二百二十文…所所修理番匠―」〈教王護国寺文書三、至徳一・四・晦〉 **―を入・る** 事を果すために時間や労力をかける。「粟米は精(しら)くこしらへて、―・れたる物なるに依って、少なく納むるなり」〈尚書抄三〉

てまさぐり【手弄り】手先でもてあそぶこと。また、そのもてあそびもの。「撥(ばち)を―にしつつゐたるに」〈源氏橋姫〉

てまし【手増し】《「手劣り」の対》力・腕前などが上であること。「てまさり」とも。「我よりも―なる人を友とせよぞ」〈論語抄学而〉

てまし《連語》《テは完了の助動詞ツの未然形。マシは反実仮想の助動詞。下に「もの」「ものを」「を」を伴う》…しただろう(に)。…しておけばよかった(のに)。「ぬばたまの夜渡る月のさやけくはよく見―を君が姿を」〈万三〇〇七〉。「わが持てる三相(みつあひ)によれる糸もちて付け―もの今ぞ悔しき」〈万五一六〉

てまだう(…ドウ)【手間だう】《ダウは接尾語》無駄にひまどること。いたずらに手間を費やすこと。手間損。「平氏の侍一人づつ殺さん事―なりと」〈近松・佐々木大鑑二〉

てまた・し【手全し】『形ク』①少しも手を抜かない。「敵押し並べて組まば…やがて刀に心を懸けて―・く幾刀も刺して」〈伽・鴉鷺合戦物語〉。〈文明本節用集〉②おとなし

く真面目である。実直である。「かくばかり—・く見ゆる試筆かな」〈俳・埋草一〉

てまどはし【手惑はし】物も手につかないほどあわてまどうこと。あわてふためくこと。「舎人どもさへ艶なる装束を尽して、〔勝トウト〕身をなげたる—などを見るぞをかしかりける」〈源氏螢〉

てまどひ【手惑ひ】「てまどはし」に同じ。「才あるをのこども—をして一行(ひとくだり)の文も奉らぬに」〈宇津保俊蔭〉

てまど・り【手間取り】㊀『四段』手数がかかる。暇がかかる。「万死一生の合戦、五度も十度もなくては叶ふまじきか。御—・られ候はんと存ずる」〈別所長治記〉 ㊁『名』《テマトリと清音》手間賃で雇われて仕事をすること。また、その人。「紺屋の—者」〈仮・祇園物語下〉。〈日葡〉

てまはし【手廻し】①準備。用意。「ここもとの普請—申し付け」〈細川忠興文書慶長一九・一・二三〉 ②金銭の融通。家計のやりくり。「—ばかりにて、大分の借金の有るも存ぜず」〈西鶴・永代蔵六〉

てまはり【手廻り】①手もと。身辺。「—の調度めく物に、わづかの当てがひを添へて残し置き」〈色道大鏡一五〉。〈日葡〉 ②常に主君の側近く仕える者。また、主将の傍近く守護する者。「—の侍少少召し具し」〈小松軍記〉

てまへ【手前】㊀『名』①自分の手の前。目の前。「この度は—で奇特の見ゆる宝を較(らく)べうとあるが」〈狂言記・宝の笠〉 ②自分の手もと。「かかる徒者(いたづらもの)を—に抱へて」〈伽・かくれ里〉 ③自分の手で行なうこと。「—にて〔茶ヲ〕立てよ」〈室町殿日記九〉。「人にあつらへずしてする事を—の細工と云へり」〈俳・類船集五〉 ④点茶の所作・作法。「宇治の別儀をたて候。拙者—也」〈上井覚兼日記天正一一・九・二八〉 ⑤自分が所有する物、また、抱えている者。「孫三郎殿—にて小姓立ちの赤瀬清六とて、数度武篇を致すおぼえの仁躰」〈信長公記首巻〉 ⑥家計。暮し向き。勝手もと。「—よろしき大名貴人」〈人鏡論〉。「長らへばまたすり切らん我が—」〈俳・鷹筑波二〉 ⑦相手を前にしてのこちらの立場。「そなたの—、面目もおりない」〈虎明本狂言・武悪〉 ⑧ある場所より自分に近い方。こちら。「大井川の—なる島田の駅に至りけるに」〈滑・膝栗毛三上〉 ㊁『代』①《一人称。謙遜していう》われ。おのれ。わたくし。「テマエニカネガナイホドニカサセラレイ」〈日葡〉 ②《二人称。近世末には、目下の者に対する、または、見下げた言い方》そち。汝。「—の居城、随分堅固に相守り申さるべし」〈浅井三代記一五〉 →おてまへ。③自分自身。「すべて—の子に利を付けては済みません」〈滑・浮世風呂二下〉 **—しゃ**【手前者】家計の豊かな人。資産家。「大福(おほふく)は茶の—や今日の春」〈俳・沙金袋一〉。「—と言ふは富める人なり」〈俳・類船集五〉 **—ならぬ**貧乏である。「—親類持ちたる人」〈俳・蠅打三〉 **—よし**【手前よし】「手前者」に同じ。「口切りの主や御茶の—」〈俳・遠近集六〉

でまる【出丸】本城から張り出して築いたくるわ。出城(でじろ)。「—より弓鉄砲にて打立てられば、左右なく攻め入りがたし」〈小松軍記〉

でまれ『連語』《デモアレの約。デマリとも》…であるにせよ。…であっても。「何—、敵(かたき)の方より出できたらんものを遁(のが)すべきやうなし」〈平家九・坂落〉。「茶碗—、なん—」〈耳底記〉

てみきん【手見禁】碁・将棋や双六・博奕などで、待ったなしのこと。相手の応ずる手を見た上で、自分の手をやり直すことを禁ずる意。「花の期や風の—石の竹」〈俳・続山の井五〉。「『これは負けかや、御手にはな』…『—無しよ。金金角』」〈道化百人一首〉

てみせ【手見せ】技倆をはっきり見せること。「今より以後は—かっちり」〈俳・毛吹草七〉 **—きん**【手見せ禁】「てみきん」に同じ。「—の扱ひをも聞き入れず」〈俳・行脚文集六〉。〈俳・世話尽一〉

てむ『連語』《完了の助動詞ツの未然形テと、推量の助動詞ムとの複合》①《強い意志を表わして》きっと…してしまおう。きっと…しよう。「いざ子ども香椎の潟(かた)に白妙の袖さへ濡れて朝菜摘み—」〈万九五七〉 ②《当然の結果を推量して》きっと…してしまうことだろう。「夕霧に千鳥の鳴きし佐保路(さほぢ)をば荒しやし—見るよしを無み」〈万四七七〉 ③《結果が可能なことを推量して》きっと…出来るだろう。「春日野のとぶひの野守出でてみよ今幾日(いくか)ありて若菜摘み—」〈古今一九〉

てむかひ【手向ひ】たちむかうこと。抵抗。「足が立たばこそ—をもせめ」〈保元中・白河殿攻め落す〉

てむかへ【手向へ】「手向ひ」に同じ。「余五がそれに乗りて押しかけたらむは、誰か—はすべき」〈今昔二五ノ五〉

てむさ・し【手穢し】『形ク』汚れている。きたない。むさくるしい。「かたじけなくも御名号様を首にかけまはり、いとど—・くありけるに」〈朝鮮日日記〉。「手貪、テムサシ」〈文明本節用集〉

てめ【手目】①双六の博奕で、いかさま賽を用いて自分に都合よい目を出して勝つこと。転じて、いかさま博奕。「—し博奕打の由」〈御仕置裁許帳二、寛文九・六・五〉 ②人の目をくらますいんちき。ごまかし。詐欺手段。「何事にも、だまされたる事を、—にあうたると申し侍るなり」〈評判・濡仏中〉

でめ【出目】田租・貨幣改鋳などで、差益または余分・余剰の意を表わす語。「一万五千石〔ノ年貢ヲ〕帳面〔デハ〕七千二百石—にこれを取る」〈多聞院日記天正一四・一一・七〉。「砂金七枚壱匁、国にての—八匁、合はせて七枚九匁、慥(たし)かに請け取り候」〈伊達家文書二、慶長五・五・二四〉

ても『助』①仮定の意を表わす。たとえ…たとしても。…ようとも。「命を捨て—、おのが君の仰せごとをば叶へむ」〈竹取〉 ②事実をのべ、それを下文に逆接的に続ける。…たけれども。「輦車(てぐるま)の宣旨などのたまはせ—、また入らせ給ひて更にえ許させ給はず」〈源氏桐壺〉

ても『連語』「てむ」の上代東国方言。「白玉を手に取り持して見るのすも家なる妹(いも)をまた見—もや」〈万四四一五武蔵防人〉

でも㊀『連語』《指定の意のデに係助詞モのついたもの。一往のところ、またはぎりぎりのところを示すのに使う》…なりとも。…であっても。「ぬれの道は忘れて忘れず。今—美少人は訪(と)へかし」〈西鶴・男色大鑑一〉 ㊁『接頭』名詞に冠して、未熟でその名に値しない意を表わす。えせ。「—兄」「—医者」など。「あれでも」の「でも」を独立させた語という。「難病からの—坊主」〈洒・粋宇瑠璃三〉

てもち【手持ち】①物を手に持つ時の持ち方。「〔能ノ〕山姥の鹿杖(かせづゑ)も、短ければ—さがりて見苦しきなり」〈反古裏の書一〉。「人に物を授くる時の—程にするぞ」〈古活字本論語抄一〇〉 ②取り扱いよう。処置のしかた。「—の無さにそぞろになり、梢の花をぞ数へける」〈説経・伍太力菩薩〉

てもと【手元・手許】①手の届く所。手近な所。「我が—をよく見て、ここなる聖目(ひじりめ)を直(すぐ)にはじけば」〈徒然一七一〉 ②手に握り持つ所。手で持つ箇所。「八尺余の鉄撮棒(かなさいばう)の八角なるを、—二尺ばかり円(まる)めて、まことに軽げに提(ひっさ)げたり」〈太平記八・四月三日〉③手なみ。腕前。「為朝が—は覚ゆるものを」〈古活字本保元中・白河殿攻め落す〉④手つき。「又、くだんの—をして見する」〈咄・昨日は今日下〉。「相撲取仁王のやうな—して」〈俳・油糟〉⑤〔女性語〕箸。〈日葡〉

ても の【手物】①自分の所有する物。「今日も—の着到を見る」〈俳・四国猿〉②得手の物。手の物。お手のもの。「彼岸のうちの茶は—也」〈俳・三日歌仙〉

でも の【出者・出物】①さしでがましい者。出しゃばり者。ずうずうしい者。「返す返す酒程ただうとましき物は候はず候。—にも成り候」〈実隆公記永正六・六・一三紙背文書〉②扮装して出るもの。登場人物。「—の品品によりて、この人体にてはいかやうなる言葉を書きてよかるべしと案得すべし」〈能作書〉③腫物。できもの。「惣身に—出で申し候」〈吉川家文書二、吉川広家書状〉④屁(へ)。「—腫物(はれもの)所きらはず」〈浄・ひらかな盛衰記一〉⑤売りに出される物。払い物。「—になって、今はこのざま」〈浄・矢口渡四〉

ても め【手揉め】費用自分持ち。「着類の外は—となって」〈西鶴・諸艶大鑑四〉

ても やう【手模様】手まね。「揶揄は、—をして人をなぶり笑ふ㒵なり」〈禅儀外文盲象鈔三〉

ても り【手盛り】①自分の食物を自分で盛ること。「麦の粉や己が—の猿轡(さるぐつわ)」〈俳・軒端の独活上〉②自分の一存で都合のよいように物事を決めること。「郎中の官でありつる春といふ者を—に丞相にないたほどに」〈史記抄一四〉③人を欺き陥れること。また、謀計。「其の方—の怪我とも音信(おとづ)れ申す中にも」〈俳・石車序〉

て や【手矢・手箭】いつでも射られるように、矢を手に持つこと。また、その矢。「弓うち持ちて、矢二筋を—に持ちて」〈今昔二九ノ三〉。「—取りて、さし矧(は)げ」〈義経記六〉

て や『連語』①《終助詞テ、間投助詞ヤの複合したもの》自他に言い聞かせる気持で用いる。…わ。…よ。「又しても仔細な事が出まする—」〈浄・傾城無間鐘三〉②《接続助詞テに間投助詞ヤが付いたもの》希望・依頼の意を表わす。…してください。「なう駕籠の衆、先づ待っ—」〈近松・生玉心中上〉

で や しき【出屋敷】近世、新田開拓などで新しくできた農村部落の称。今在家。別所。「—の田螺の殻や苣(ちさ)畠」〈俳・流川集〉

て やり【手槍】柄・穂先の細く短い槍。「主の笠を首にかけ、—をかたげて〔主ノ〕あとに行く」〈奇異雑談集一〉

て ゆ【手湯】手洗いの湯。「いま少し雪が残れば—散りて」〈俳・大矢数四〉

て ら【寺】①寺院。精舎。「橘の—の長屋に」〈万三八二二〉。〈名義抄〉②特に、三井寺。比叡山を「山(やま)」というのに対する。「—。山川の一つ流れの三井の水いかでか末の別れゆくらむ」〈拾玉集三〉。「—の金堂供養の故に、山おこりて—に向ふ」〈春のみやまぢ〉③寺子屋。「—に上げて手習をさすれども」〈仮・浮世物語一〉④賭博を主催する人。胴元。また、その開帳場所。博打宿。寺屋。なお、寺銭(てらせん)の意にも用いる。「—と言ふは、己は打たずして、人の打ち金の内を一度一度にはねて…金を取る品の由也」〈民間省要中四〉。「—を取る昼船の中」〈西鶴・懐硯一〉⑤火。また、油代。「火を—〔トイウ〕」〈宝暦雑録〉 —から里へ 普通は檀家から寺へ物を贈るが、却って寺から檀家へ贈物をする意で、物事のさかさまなことをいう。「毎度御芳情、—とは此の事に候」〈貞徳文集下〉 —を開(ひら)・く 僧が寺院から追い出される。寺を退散する。「出家なれば—・く事あり」〈三世相抄八〉

てら あがり【寺上がり】少年が仏道修行のため寺に入ること。てらのぼり。「七つになる某(それがし)が、—の門出でに」〈浄・常盤物語三〉

てら いり【寺入り】①武士で罪を犯した者が、主の許しを求めるため、寺に入って謹慎したり剃髪したりすること。また、主が処分としてそれを命ずること。「侍は遊山し、座にて喧嘩口論し、その座よりすぐに—をするか」〈古今八卦大全四〉。「忠節忠功の武士の子孫ならば…御成敗あるべきをも命をたすけ、改易の科をば—に仰せ付けられ候」〈甲陽軍鑑一三〉②少年が学問修行のため寺へ入ること。「若君の御供申し、—と聞えける」〈説経・しんとく丸〉③寺子屋に入門すること。「虎菊…寺〔井〕与三兵衛へ—也」〈宗静日記明暦四・三・七〉

てら うけ じゃう【寺請状】近世、庶民がその寺院の檀徒であることを証明する証書。初めはキリシタンの改宗者にのみ発したが、後に一般化し、婚姻・旅行・宿替・奉公人雇入等の際、身分証明書のように使用された。寺請。寺証文。宗旨手形。寺請証文。寺手形。「店借り・借屋の者差置き候ふとも、慥(たし)か成る請人を取り、其の上—取り申すべきの事」〈正宝事録寛文一・六・二九〉

てら がかり【寺掛り】寺に世話になっていること。「—十六七なり児(ちご)の花」〈俳・太夫桜〉

てら がた【寺方】①寺の方面。寺院関係。「—の門に五たび立ち帰り」〈俳・鷹筑波四〉。「—へも檀方(だんばう)へも、御公儀よりひしと仰せ付けられば」〈驢鞍橋上〉②寺の僧たちの敬称。お寺様。お寺衆。「ここもとには—も見えぬ。寺町へ参り、頼みましょ」〈狂言記・泣尼〉

てら こ【寺子】寺子屋に通う子供。「—取る家に有りたきや松拍子(まつばやし)」〈俳・塵塚(成之編)一〉 —や【寺子屋・寺小屋】《寺子が学習する家の意》近世普及した、庶民子弟の教育機関。初歩的な習字・読み方または算盤を教えた。教科書には往来物を用い、浪人・僧侶・医師・神官、また教養ある平民などが経営した。「—が折檻の机は、此奴が責道具」〈浄・菅原伝授一〉

てら ごしゃう【寺小姓】寺院に召し使われている小姓。僧侶相手に色を売る若衆や売女が扮した者もいた。寺若衆。「—春夕暮に夕暮に」〈俳・東日記下〉

てら さ・ひ【衒さひ】『四段』見せびらかす。自慢する。「針袋帯び続けながら里ごとに—・ひ歩けど人も咎めず」〈万四一三〇〉→てらひ。†terasaFi

てら・し【照らし】『四段』①光をあてる。光を投射する。「この—・す日月の下は」〈万八〇〇〉②(赤く)輝かす。「山—・す秋の黄葉(もみち)の」〈万一五一七〉③明るく映しだす。「この身心の先後を顧み—・せば」〈正法眼蔵唯仏与仏〉④恥をかかす。てれさせる。「粋自慢せし手代共、口利きの末社迄—・され」〈浮・曲三味線四〉

てら せん【寺銭】博奕を開帳する宿が取る口銭。てら。「宅にて博奕相催し、—を取り」〈雑件録三〉

てら て がた【寺手形】「寺請状(てらうけじやう)」に同じ。「これ—の始まる所なり」〈南蛮寺興廃記〉

てら どうぎゃう【寺同行】同じ檀那寺の信者仲間。「—の仁左衛門」〈西鶴・永代蔵五〉

てら なっとう【寺納豆】年末に、寺から檀家に贈った納豆。「もう起す—の寝入ばな」〈雑俳・広原海八〉

てら・ひ【衒ひ】『四段』《「照らひ」の意》①かがやくようにする。見せびらかす。ほこる。「人—・ふ馬の八匹(やつぎ)」〈紀歌謡七九〉。「色をかざり、花を咲かせて、術と—・ひ」〈五輪書〉。「衒、テラフ・カカヤカス」〈名義抄〉②買手をつのる。売る。「今日其方が―・ひ歩く声を聞けば、『大こ、大こ』と呼ばはる也」〈仮・小盃四〉。「売、ウル・ヒサグ・テラフ」〈四声伊呂波韻大成〉　†terari

てらほふし【寺法師】三井寺の僧徒。「山法師―、大津の浦に市をなしてぞ立ちたりける」〈平治下・頼朝遠流〉

てらまゐり【寺参り】寺院に参詣すること。「女人の―などの時、色よき衣装を着ることはなはだ道理に背けり」〈反故集下〉。〈日葡〉

てらや【寺屋】①寺子屋。また、手習師匠。「反古なり／瘡(かさ)煩うて居る―」〈雑俳・大花笠〉②博奕宿。「博奕宿を―と言ふげな」〈御所謎の本上〉

てらわかしゅ【寺若衆】「寺小姓」に同じ。「硯にも墨黒谷の―」〈俳・寛永十三年熱田万句四〉

てらゐ【寺井】寺の境内にわく水。寺にある井戸。「もののふの八十少女(やそをとめ)らが汲みまがふ―の上のかたかごの花」〈万四一四三〉

て・り【照り】『四段』①四面に強い光を放つ。「六月(みなづき)の地(つち)さへさけて―・る日にも」〈万一九九五〉②つやがある。美しく光る。「その花の〔ヨウニ〕―・りいます、高光る日の御子に」〈記歌謡一〇一〉。「照、テラス・ヒカリ・ツヤヤカナリ・テル」〈名義抄〉③《光を受ける意で》うつむく。また、あおむく。「物前にて甲のうつむきたるを―・ると云」〈当流軍法功者書上〉。「惣じて面を着ては、素面(すめん)の時とはちがふ也。…前へうつむくを、かかると云ふ。あふのくを、のくと云ふ、―・るとも云ふ」〈わらんべ草三〉

てりさつ 未詳。原文「照左豆」を「てるさつ」とも訓み、「てる」は美称、「さつ」は猟師の意とも。また、玉商人の意ともいう。「―が手に巻き古す玉もがもその緒はかへてわが玉にせむ」〈万一三二六〉

てりは【照葉】秋、紅葉して、美しい光沢のある葉。紅葉。「―の岸の面白き月」〈俳・続猿蓑上〉

てりふり【照り降り】①照りと降りと。晴天と雨天と。「鳶で工夫をしたる―」〈俳・続猿蓑上〉②平穏と不穏と。人心の正反対の二傾向をいう。「さてさて揃はぬ人の心の―や」〈浄・川中島合戦三〉　**―無し** 晴雨にかかわらず。確かに。必ず。「照れ降れ無し」とも。「浪人姿は―に紙子一貫」〈浮・傾城請状下〉

てるたへ【照る栲】光沢のある織物。「御服(みそ)は明る栲、―」〈祝詞祈年祭〉　†terutafë

てるひ【照る日】①照りつける太陽。くまなく照らす日光。「六月(みなづき)の地(つち)さへさけて―にも」〈万一九九五〉②天子をさしていう語。「―を代代に助け来し、星の宿りをふりすてて」〈増鏡一〉　†teruri

てれふれなし【照れ降れ無し】『連語』⇒てりふりなし。「―に七百石すれば、お前もお手柄」〈近松・万年草中〉

てれん【手練】人を欺く手段・方法。「女郎の横切るを―使ふと言ふ」〈浮・誰袖の海三〉　**―てくだ**【手練手管】「手練」に同じ。同じ意の語を重ねたもの。「―の紲(きづな)に伸びし鼻毛を抜いて」〈艶道通鑑五〉

てろくじふ【手六十】習字は寿命の尽きる六十歳まで上達の望みがある意。「―と言はん老木の色葉かな」〈俳・毛吹草追加中〉

てわざ【手業】手先でする仕事。手仕事。「この衣(きぬ)と申すは、姉千代鶴の―の衣なり」〈説経・かるかや〉

でゐ【出居】①⇒いでゐ㈡「まらうどの御―、さぶらひ(御供部屋)としつらひ騒げば」〈源氏東屋〉②客と応対する部屋。座敷。客間。「座敷の塵うち払ひ、奥の―へ請じ参らせて」〈伽・ささやき竹〉。〈伊京集〉

でゐしゅ【出居衆】近世、日傭取り・商用・武家奉公などの出稼ぎのため、町方へ出て来た部屋借り人。独立の家計を営み、家主の支配を受けた。「町中借屋店借り地借り候ふ者共方に、―と名付け、徒ら者数多抱へ置き」〈御触書寛保集成四〇、寛文八・一〉

てをけ【手桶】把手(とって)のついた小さな桶。「輪の切れたる―」〈伽・おようの尼〉　**―ばん**【手桶番】月経。上方でいう隠語。「甚兵衛久兵衛／下疳(げかん)が治りゃ―」〈雑俳・不二の高根〉

てをの【手斧】小さな斧。また、斧であらけずりした材木を平らにする道具。鑿(のみ)形の刃に、内へ曲がった柄をつけたもの。ちょうな。「薪伐(こ)りほとほとしくに―取らえぬ」〈万一四〇三〉。「釿、天乎乃(てをの)」〈和名抄〉。「釿・小斧、テヲノ」〈名義抄〉　†tewönö　**―はじめ**【手斧始】造営の仕事始め。「この四月みあれの日より―して」〈栄花蕾花〉

でをんな【出女】近世、宿場にいた客引き女。店先に出て旅人を引き入れ、色も売った。おぢゃれ。飯盛り女。赤前垂。蓮葉(はす)。「―が赤前垂の赤坂のあかぬ姿に泊る旅人」〈古今夷曲集六〉

てん【天】①上空。大空。「この日、白虹―を竟(わた)る」〈続紀養老四・一・一〉。〈色葉字類抄〉②儒教の思想で、万物造化・支配の最高神。天帝・上帝・上天などともいい、天空・上方にあるとする。「―それ何をか言はむや、四時(しじ)行き百物成る」〈本朝文粋一〉。「然れば、父母に孝(けう)する事は、―の哀(かな)しび給ふ事なり」〈今昔九ノ八〉③天命。天運。運命。「―に幸あらず、路に在りて疾(やまひ)をえ」〈万八八六序〉④〔仏〕六道の一。人間界の上にあり、すぐれた果報を受ける者が住む、清浄で、最も勝れている世界。天上界。「―に生るる人の、あやしき三つの途(餓鬼・畜生・地獄ノ三悪道)に帰るらむ一時に思ひなずらへて」〈源氏松風〉

てん【点】①物の表面の小さい形。しみ・ほくろや目印のための小さいしるしなど。また、漢字の字画の一で、一点で示すもの。「太衝の太の字、―打つ、打たずといふ事、陰陽の友がら相論の事有りけり」〈徒然一六三〉②漢文を日本語に読むため、その文字面に直接書き加えた符号や片仮名の総称。ヲコト点・送り仮名など。また、それらを書き込むこと。訓点。「延喜三年閏十二月二十四―了」〈蘇悉地羯羅経供養法〉。「ひがよみを多くす。上、〔平常八〕―一つもよみあやまたぬを、あやしとおぼして」〈宇津保蔵開中〉③和歌・連歌・俳諧などで、師匠・撰者などが、良いと認めた作品の右肩に加える符号。合点(がってん)・長点(ちゃうてん)などの類。「道にて詠みたりし歌とて―申されしかば、…いなみがたくて、おづおづ墨をつけ侍りし」〈小島の口ずさみ〉。「俊成の―の歌に定家の無―なるもあり。また、定家の―ある歌に為家の無―なるもあり」〈古今連談集上〉④人から受ける評価。批判。「人に―付かるべきふるまひはせじと思ふものを」〈源氏若菜下〉⑤《高点の意》高い評価を与えること。また、ひいき。「狂言作りは諸事左交(桜田治助)がことだよ。おいらは―だぞ」〈黄・孔子縞于時藍染下〉⑥おもむき。ぐあい。「『〔新宿ノ廓ハ〕若い者といふやつが…案内なしに人の座敷へのめりこむし』『まあ吉原などにとんとねへ―だ』」〈洒・新宿穴学問〉⑦灸を据えるところに墨でつけるしるし。灸点。「医師の―うけて灸治(きうぢ)しけるが」〈遠近草下〉⑧漏刻(ろうこく)の時刻を計る単位。一時(いっとき)を四等分した時間の単位。「午の二―に参入し、未だ秉燭に及ばざるに退出す」〈小右記治安三・六・二七〉　**―打・つ** 非難する。「我が家にて、汝に武辺に〔関シテ〕―・

て

つ者は有るまじきに」〈三河物語下〉 **—を掛・く** ①了承した証拠に、かぎじるしをつける。「〔借金証文ノ〕折紙—・け返し」〈山科家礼記文明九・三・二七〉 ②評点をつける。「戸部幷びに四辻宰相中将より明後日内裏御会歌密談、—・けて、これを遣はす」〈十輪院内府記文明一三・六・七〉

てんあ・ひ ィ:ア【点合ひ】㊀《四段》同意・了承などのしるしを付ける。合点(がってん)を付ける。「千首の御歌、はじめ一日の分、為氏卿—・ひて進(まゐ)らす」〈春のみやまぢ〉 ㊁《名》《テンナイとも》人の言を聞き入れること。承諾すること。「—なく候はば、検断のままたるべき事」〈相良氏法度〉

てんいち【天一】「天一神」の略。「—、戊亥、夜行を忌み、人を弔はず」〈建久十年具注暦四・二〉 **—じん**【天一神】⇒なかがみ。「なかがみ。—なり。世俗称する所の奈加神なり」〈源氏物語奥入〉 **—てんじゃう** ・:ジョウ【天一天上】天一神が天に上っているという日で、癸巳(みずのとみ)の日から十六日間の称。「三月八日—」〈小右記長和三・三・六〉

てんおん【天恩】①天子の恩。皇恩。「—を戴いて軍門に降参仕って候」〈太平記三六・頓宮心替〉 ②「天恩日」の略。「—とは何ぞや」〈暦林問答集下〉 **—にち**【天恩日】陰陽家で、天が万物に恩沢を下すという最上吉日。七個の善日の一。「—、甲子五日、己卯五日、己酉五日」〈簠簋内伝二〉

てんか【天下】《テンガ・テンゲとも》①《「天上」の対》天の下。地上界。世間。「これ天上—の道得なり。西天東地の道得なり」〈正法眼蔵恁麼〉 ②一国全体。国中。「おほやけの固めとなりて—を助くるかたにて見れば」〈源氏桐壺〉。「—すでに乱れなむとす」〈今昔七ノ二八〉 ③天子をさしていう語。「天下様」「天下殿」など。「君は—に御覚えもいみじくて」〈義経記六〉 ④《「殿下」の当て字として》親王・内親王・摂政・関白・将軍などの敬称。「今、内親王—信心をこらしおはしまして」〈百座法談聞書抄〉。「十万騎をば—の御所に参らせて」〈義経記一〉。「—。関白殿御事也」〈御書抄二五〉 ⑤《天下第一の意》世に類のないこと。力んだ表現に多い。「—の后の位を何にかはせん」〈宇津保蔵開中〉。「大臣(おとど)のきみ—におぼすとも」〈源氏常夏〉 **—いち**【天下一】①天下第一。「されども皆—の堪能(かんのう)也。意地はゆるぐ事なし」〈十問最秘抄〉 ②鏡・櫛・土器・面などの製作者が、天下第一の意で使った称号。主権者から許されて、或いは当人が自分勝手に付けた。「—与三郎へ〔代金〕二百六十文未だ下さざるの内、百六十文しばらくこれを遣はす」〈多聞院日記永祿一〇・七・一三〉 **—げい**【天下芸】天下第一の芸。「声業の—なりほととぎす」〈俳・唐人踊三〉 **—すぢ**【天下筋】手相の一。手首から中指の先まで通っている縦筋で、天下を取る相という。掌(てのひら)の筋まで通ったのは一国を取るという。天下取り。「お主の手の筋は、確かにこりゃあ、—ぢゃあないか」〈伎・傾城吾嬬鑑一〉 **—のちゃうにん** ・:チョウ【天下の町人】江戸・大阪など幕府が直接支配した都市の町人。「—の思ひ出に」〈西鶴・一代男五〉 **—わけめ**【天下分け目】天下を取るか取られるか、どちらかに運命が分れるところ。勝敗の決する大事な分れ目。「戦ひ、—の軍(いくさ)なれば」〈浄・ゑしま物語上〉

でんか【殿下】《テンガとも》①令制で、太皇太后・皇太后・皇后・皇太子に対する敬称。後、親王・女王などにも使われた。「尚侍—は、婦徳の脂粉、女儀の光華」〈菅家文草一〉 ②醍醐天皇朝以後、摂政・関白などに対する敬称。「ただ今の入道—の御有様をも申しあはせばや」〈大鏡序〉。「—は太子ぞ。唐土では太子にいふぞ。日本では執柄家にいふぞ」〈百丈清規抄一〉。「殿下、テンガ、関白摂政」〈易林本節用集〉。「殿下、デンカ、関白摂政」〈合類節用集〉

てんがい【天蓋】①古代インドで、日光をさえぎるために使った絹蓋(きぬがさ)。「その人の上に常に—あり」〈今昔二ノ三三〉 ②仏像・棺などの上にかざす絹蓋。下縁に瓔珞(やうらく)を垂れ、天井または先端の曲がった柄につるすもの。「仏渡り給ひぬれば、—を釣るに」〈今昔一二ノ二一〉 ③虚無僧(こむそう)のかぶる深編笠。「—をぶる〱として吹き初め」〈雑俳・万句合明和四〉 ④僧家で、蛸(たこ)の隠語。「〔出家ハ〕蛸を—」〈評判・難波鉦六〉 **—や**【天蓋屋】葬具店。棺(ひつぎ)屋。「お十九でやれやれと言ふ—」〈雑俳・万句合安永一〉

てんがう ・:ゴウ【癲狂・顚狂】①気が狂うこと。気ちがい。「迷ひたる声聞どもは…くつち—するぞ」〈四河入海二ノ二〉 ②癲癇(てんかん)。「或る里に—の病ある男ありけり。この病は、火のほとり、水のほとり、人の多かる中にしておこる心うき病なり。俗はくつちと云へり」〈沙石集三ノ一〉 ▽(1)(2)は「てんきゃう」とも。 ③《「転合」「転業」とも書く。(2)から転じて》ふざけること。いたずら。戯れ。「人の手ずさみに扇などを鳴らし侍るやうのことを、腕—かくと云へるは、いかなることにや。…癲癇といふ病ひは発り侍る時に、手掻き、あがき侍るものなり。吾妻人は、その癲癇を、癲狂と云へるとかや。然れば、—かくぞ、腕—ぞなど云ふことは、もし吾妻言葉にてや侍らん。かの病ひする人の、手掻くより云ひ出でたることなるべし」〈俳・かたこと三〉 **—がき**【てんがう書き】いたずら書き。「有明や—のへの字なり」〈俳・蛇之助〉 **—ぐち**【てんがう口】冗談。阿呆口。「—叩きて見廻りけるに」〈浮・真実伊勢三〉 **—のかは** ・:カワ【てんがうの皮】ふざけること。いたずら。「—辺(川辺ト掛ケル)も涼し水なぶり」〈俳・後撰犬筑波四〉

でんがく【田楽】①もと、田遊び・田植祭など田の豊作を祈願する民俗から発展し、平安時代末期から室町時代にかけて盛行した神事芸能。また、それを演ずる者。専業者としての田楽法師は、座の組織を持っていた。笛・びんざさら・銅拍子(どびゃうし)・腰鼓などを携え、高足(たかあし)・品玉その他いろいろの芸を演じた。室町時代、猿楽に押されて衰微した。「是の日松尾祭也。恒例たるに依り、山崎津の人—の間、雑人等合戦す」〈日本紀略長保一・四・一〇〉。「—といひて、あやしきやうなる鼓、腰に結(ゆ)ひつけて、笛吹き、ささらといふ物突き、さまざまの舞して、あやしの男ども歌うたひ、心地よげに誇りて十人ばかりゆく」〈栄花御裳着〉 ②田楽に使う鼓。「この白き装束の男どもの馬に乗りたる、或いはひた黒なる—を腹に結ひつけて」〈今昔二八ノ七〉 ③豆腐を角形に切り、串に刺し、味つけした味噌をつけて火にあぶった料理。田楽法師が高足をはいて踊る形に似るのでいう。田楽豆腐。おでん。「—にて酒あり」〈言継卿記大永七・一二・二八〉。「田楽、でんがく、豆腐」〈和漢通用集〉 **—のう**【田楽能】田楽法師による能。鎌倉時代中頃より、猿楽能に対し、田楽も能を演じた。室町時代中期頃までは田楽能が優勢であったが、世阿彌による猿楽能の隆盛で、急速に衰え、その詞章は殆ど残っていない。「その一両年後に、—に四頭八足といふ猿楽(さるがう)せしに」〈了俊一子伝〉

てんがち【点勝ち】ことばの繰り返し記号としての「ゝ」をむやみに使う意か。「あなかしこや〱と—にて」〈源氏常夏〉

てんき【天気】①空の具合。空模様。天候。「十月江南—好(ことむな)し」〈和漢朗詠集初冬〉。「それより—も晴れ、浪風も静まりぬ」〈古今連談集上〉 ②天皇の御気色・御機嫌。天機。「―ことに御心よげにうち笑(ゑ)ませ給ひて」〈平家六・紅葉〉。「四人の撰者の私に是を名付けたるにあらず、―によりて名付けたるにこそ侍るめれ」〈古今集註〉

てんきゃう【癲狂・顚狂】①気が狂うこと。気ちがい。「―は物に狂ふことなり」〈中華若木詩抄下〉。〈文明本節用集〉②癲癇(てんかん)。「一丸では―などをばえ療せぬ」〈本則鈔二〉→てんがう

てんぐ【天狗】①中国で、古くは流星の一種。落下の際、音響を発するもの。天狗星。「漢書の中には『―は流星なり。則ち太白星』と云へり」〈塵嚢鈔八〉②《山海経には「陰山に獣あり、其の状狸の如くにして白首、名づけて―といふ」とある》空を自由にとび廻る想像上の山獣。後には、深山で宗教的生活を営む行者、特に山伏に擬せられ、大男で顔赤く、鼻高く、翼あって神通力を持つものと考えられた。高慢な者、または、この世に恨みを残して死んだ人がなるともいわれる。「―・木魂(こだま)などやうの物の、あざむき率(ゐ)てたてまつりたりけるにや」〈源氏夢浮橋〉。「[コノ山伏ハ]―にこそと思ふより、怖ろしき事限りなし」〈著聞六〇四〉。「この慢心、―となりて、愛宕山、比良の岳なんどに住む」〈他阿上人法語三〉。「『我生きても無益なり』とて、その後は御ぐしをもめされず、…生きながら―の姿にならせ給ふぞあさましき」〈保元下・新院御経沈め〉 **―かぜ**【天狗風】急に空中から螺旋状に吹き下ろして来る風。つむじ風。つじ風。「さても飛んだり立山土産(とつ)の―」〈俳・行脚文集一〉 **―こんじゃう**【天狗根性】天狗のように高慢な性質。「元来―なる上に、慢心強く高声多言にして」〈盛衰記一八〉 **―だう**【天狗道】天狗の境界。高慢の僧やこの世に恨みをもつ者などが落ちこむと考えられた世界。「あな恐ろしや、これなめり、―の苦患(くげん)に、熱鉄のまろかしを日に三度のむなることは」〈太平記二五・宮方怨霊〉 **―たのもし**【天狗頼母子】富突きの一種。曲物(まげもの)の中に一から十五までの木札を入れ、それを錐(きり)で突き当てて勝負をきめる博奕。「―と云ふ事を下下の者仕出し」〈三壺聞書一四〉。〈俳・毛吹草三〉 **―だふし**【天狗倒し】深山で、突然、樹木が倒れるような原因不明の大音響が立つこと。天狗が暴れる音と信じられていたのでいう。また、家などが、突然原因もなく倒れること。「嵐、木枯し、滝の音、―はおびたたしや」〈謡・鞍馬天狗〉。「二百余間の桟敷、皆―に逢てげり」〈太平記二七・田楽〉 **―つぶて**【天狗礫】天狗が投げるという、どこからともなく飛んで来る礫。「木の葉打つ霰は―かな」〈俳・犬子集六〉 **―の媒鳥**(をとり)天狗を釣り寄せる囮の意で、女の鼻の高い者を侮っていうたとえ。「鼻珍しきまで高し、鳥黐(とりもち)を塗れば―になる由」〈評判・桃源集〉

てんくゎにち【天火日】陰陽家で、天に火気が甚だしいというので、棟上げ・屋根葺き・かまど造りなどを忌む日。「今日―たるの由」〈吾妻鏡正嘉二・一・二〉

てんぐゎん【天冠】①仏・天人などがつける美しい冠。「―を戴ける天人、瓔珞(やうらく)をかけたる菩薩」〈今昔一三ノ三六〉②舞楽などの時につける一種の冠。「小野宮右大臣、童にておはしけるが、―をして、納蘇利(なそり)を仕うまつり給ひけり」〈著聞三四三〉

てんけ【天気】①陰陽道でいう天文の気。「いとよきことなり。―の恵方(あはう)にもまさらん」〈かげろふ中〉②天子のおとがめ。勅勘。「世の中にいかなる咎まさりたりけむ、―人人流るるとののしることいできて」〈かげろふ中〉

てんげ・り《連語》「てけり」の語勢を強めた形。「鮭を二つ引き抜きて、ふところへ引き入れ―・り」〈宇治拾遺一五〉。「何事も六波羅様(ろくはらやう)といひ―・れば」〈平家一・禿髪〉

てんげん【天眼】〔仏〕《テンガンとも》五眼の一。天眼通の眼、即ち、神通力をもって自在に見通すことのできる眼。「行基大徳―を放ち、女人の頭に猪の油を塗れるを視て」〈霊異記中二九〉 **―つう**【天眼通】六神通の一。持戒修禅などの功により得られた、遠近・苦楽などを見とおす超人的なはたらき。「六通とは、神境通・佗心通・―・天耳通・宿命通・漏尽通なり」〈正法眼蔵袈裟功徳〉

てんご《テンガウの訛》いたずら。冗談。「―をすな」〈近松・唐崎八景屏風三〉

てんごく【諂曲】①へつらいいつわること。「其の心に―を懐(いだ)きて、並びに悉く非法を行ぜむ」〈金光明最勝王経平安初期点〉②心がねじけまがっていること。よこしま。「心正直にして永く―を離れたり」〈今昔一三ノ一四〉

てんこぞり【てんこ反り】両端が上向きに反ること。また、その反り。「てんかうぞり」とも。「三日月は日に逢ふ故か―」〈俳・夢見草三〉

てんこちな・い【天骨無い】《形》とんでもない。意外だ。思いもよらぬ。「奴の身として、許由が古事迄冷水の清き付け心にて、長の―・い事だな」〈俳・奴俳諧〉

てんこつ【天骨】①生れつきの骨格。「郷土痩せたり。―去来貧し」〈菅家文草三〉②生れつきそなわっている才能。器用な天分。天性。「さきの翁(おきな)よりは―もなく、おろおろ奏でたりければ」〈宇治拾遺三〉。「―の物の上手が無尽の曲を尽して」〈幸若・未来記〉

てんさうちふさい【天曹地府祭】陰陽道で、祈禱のため冥官(地獄の役人)を祭る儀式。「住吉小大夫昌長―に奉仕す、武衛自ら御鏡を取り昌長に授け給ふ」〈吾妻鏡治承四・八・一六〉

てん・じ【点じ】《サ変》①小さくしるしをつける。「朝には鏡に向ひて蛾眉を―・じ」〈伽・神代小町巻〉②それと指定する。選定する。「諸陵を―・ぜむが為に、大納言安陪安仁といひける人、承りてその事を行なひけり」〈今昔二四ノ一三〉③訓点を施す。「この歌も『はす色』と―・じて蓮花かと申す人侍れど、是をも『はねず色』と読むべき也」〈袖中抄三〉④水滴をたらす。「右手をもて滴水を―・じて触手を洗ふ」〈正法眼蔵洗浄〉

てん・じ【転じ】《サ変》①変り移る。また、変え移す。「貞観十六年に選(せん)に―・ず」〈今昔九ノ三四〉。「徳大寺左府を左に―・ぜさせんと思しめして」〈著聞八四〉②経文を転読(てんどく)する。「大般若〔経〕四五六百巻を―・じ」〈蔭涼軒日録明応二・六・二八〉

てんじゃ【点者】連歌・俳諧で、作品に点をつけ、その優劣を判定する人。「京鎌倉をこきまぜて、一座揃はぬえせ連歌、在在所所の歌連歌、―にならぬ人ぞなき」〈建武年間記〉

てんじゃう【天上】①そらのうえ。仏教にいう天上界をさすことが多い。「―・人間〔界〕には子有るを富人とす。子無き人をばいたましき事とす」〈今昔一ノ一五〉。「―をかけまってみたれば、そっとした雲ちぎれのあるを見そこなうて」〈天理本狂言六義・雷〉②天へのぼること。昇天。「おのれは天上より来たり給ひし人の御子どもなり。…親―したまひて後、天つ風につけても訪れたまはず」〈宇津保俊蔭〉③この上もないこと。最上。「いやはや悪俳(わるじやれ)が―いたしました」〈浮・好色扶桑鹿子二〉④二階。「わしと順礼の女の衆は―へあがって寝ますべい」〈滑・膝栗毛三下〉 **―天下唯我独尊**(てんげゆいがどくそん)《釈迦が生れた時、一手は天を指し、一手は地を指し、即行七歩、四方を顧みて言ったという語》宇宙間に自分より尊い者は無いの意。「修理大

夫、定家卿の影をかかせられて、予に賛をして書きてとありしに、書きつけし歌。敷島や此の道さしてしることは―」〈草根集一〇〉。「―。天地の間で一人尊(たっと)いなり」〈句双紙抄〉。〈文明本節用集〉 **―まもり**【天上守り】唐辛子の一種。小さな実が上向きになるのでいう。「天上まぶり」とも。「―唐辛子一枝これを恵まるる也」〈隔蓂記寛文一・一〇・二六〉

てんじゃう【天井】建物内の上部で、屋根裏などを隠すように板を張った所。「楼の―には、鏡形、雲の形を織りたる高麗錦(こまにしき)を張りたり」〈宇津保楼上上〉 **―が抜・ける** 物事が最高調になる。極点まで到達する。「―・けると物に厭きが来る」〈雑俳・蓬萊山〉 **―見・せる** 手ひどくこらしめる。やっつける。へこます。「太吉めエ、お袋に―・せられたナ」〈滑・浮世風呂前下〉

てんじゃう【殿上】①宮殿の上。また、殿堂内。「鶴(おほとり)一百八あり。来たりて宮内の―に集まる。あるいは楼閣の上に集まる」〈続紀天平一三・三・二〇〉。「―に昇らしめ節刀を賜ふ」〈続紀延暦七・一二・七〉 ②清涼殿の殿上の間(ま)。公卿・殿上人などの昇殿伺候する所。「しめやかなる宵の雨に、―にもをさをさ人少なに」〈源氏帚木〉 ③清涼殿または紫宸殿に許されて昇ること。昇殿。「やがてかうぶり賜ひて、―せさせ、上も東宮も召しまつはしうつくしみ給ふ」〈宇津保俊蔭〉 ④「殿上人」の略。「又、―の逍遥侍りしとき、さらなり」〈大鏡伊尹〉 **―のぞう**【殿上の将監】昇殿を許された近衛将監。近衛将監は六位相当だが五位になると昇殿を許されることがあった。「大将の御仮の随身(ずいじん)に、―などのすることは、常の事にもあらず」〈源氏葵〉 **―ののりゆみ**【殿上の賭弓】正月十八日の恒例の賭弓の外に臨時に行なわれるもの。殿上の侍臣に弓を射させる。三月十八日前後に行なわれることが多い。「―、二月とありしを過ぎて、三月はた御忌月なれば、口惜しくと人人思ふに」〈源氏若菜下〉 **―のふだ**【殿上の簡】清涼殿の殿上の間に掛けてある札。昇殿を許された者の官職・姓名などを書いた。日給(にっきふ)の簡。「同じき十六日、平家の一門百六十余人が官職を停めて、殿上の御簡(みふだ)を削らる」〈平家八・名虎〉 **―のわらはべ**【殿上の童部】「てんじゃうわらは」に同じ。「―舞つかうまつる」〈源氏藤裏葉〉 **―びと**【殿上人】昇殿を許された者。通例、四位・五位の者の一部及び六位の蔵人。普通、清涼殿の殿上の間に昇るのにいうが、院・東宮の殿上にもいう。「うへびと」とも。「上達部、―」〈源氏賢木〉。「内、東宮、院の―」〈源氏若菜下〉→地下(げち) **―わらは**【殿上童】公卿の子で、宮中の作法を見習うために、元服前に清涼殿の殿上の間に昇ることを許されて奉仕した少年。「おほきにはあらぬ―の、さうぞきたてられてありくもうつくし」〈枕一五一〉

てんしゃにち【天赦日】陰陽家で、万事につけ、天の禁忌がないとされる最上吉日。七個の善日の一。天赦。「―、春戊寅、夏甲午、秋戊申、冬甲子」〈簠簋内伝二〉

てんしゅ【天守・天主】城の本丸に、もっとも高く築いた物見櫓(ものみやぐら)。天守櫓。「―にて腹切りぬ」〈細川両家記〉 **―まい**【天守米】近世、戦時に城主に供するため天守に貯蔵した良質米を、民間に払い下げて売り出したもの。播磨国の姫路・明石などが有名であった。「豊後日田…上米三四万石―〔ヲ売リ出ス〕」〈古今蘆分鶴大全〉

てんじゅ【転手】琵琶・三味線などの棹(さお)の端にさし込み、絃を巻きつけた横棒。これによって絃を締めたりゆるめたりする。天柱(てんじ)。「琵琶をとり、―をねぢて、皇麞(わうじやう)の急をぞひかれける」〈平家一〇・千手前〉。「今様の三味線を―きりりと押しまはし」〈仮・恨の介上〉

でんじゅ【伝授】学問・技芸などの奥儀・秘伝を伝え授けること。「先仏の―なきやから、誤りて言はく」〈正法眼蔵仏道〉 **―もの**【伝授物】伝授を受けなければ知り得ない物事。伝授事。秘事。秘伝。「―にいざ言問はん都鳥」〈俳・埋草四〉

てんしゅう【天衆】四天王・梵天・帝釈天など天部に属する神神。「翁の法師になるを随喜して、―もあつまり給ひて」〈宇治拾遺一三六〉

てんしょく【天職】遊女の階級の一。太夫の下の天神の異称。「―。天神の事なり」〈色道大鏡一〉

てんしん【天心】①天のまんなか。「地口―を呑むといふ変あれば」〈太平記二七・雲景未来記〉 ②天帝の心。天子の心。天意。「上は―に背き、下は人望に背かる」〈平治上・信頼信西不快〉

てんじん【天神】①《「地神」「地祇」の対》天の神。天上界の神。天(あま)つ神。「―を交野の柏原にまつる」〈続紀延暦四・一一・一〇〉。「これによりて、―感を垂れ、龍神雨を降らす」〈今昔二〇ノ四一〉 ②菅原道真を祭った、天満宮の称。また、祭神としての道真。「―は昔より夢の中に、かく詩を示し給ふ事多かり」〈今昔二四ノ二八〉。「中にも霊験あらたにましますは、天満―にてわたらせ給ふ。一たびもこの本地を読み奉る人をば毎日七度まぼらんと誓ひ給ふなり」〈伽・天神の本地〉。「縁日なりと参る―／連歌する心まことを思ふべし」〈俳・時勢粧六〉 ③近世、太夫に次ぐ遊女の称。寛文頃、揚代が二十五匁だったので、天神(2)の縁日二十五日に掛けていった。「―を呼ぶべき程の者も太夫にかかり」〈色道大鏡五〉 **―ぞ**《誓いのことば》天神に誓って。天神は詩文の神だったので、歌・連歌などをほめるときにいう。「〔コレホドノ歌ハ〕―あるまい」〈虎寛本狂言・輝〉 **―ひげ**【天神髭】菅原道真の肖像にあるような、両端の下がった髭。「ここもと御法度…―、一尺八寸より寸延びたる脇指」〈梅津政景日記元和五・四・一四〉。「北野祭―や歌舞伎者」〈俳・桜川六〉

てんじん【点心】①禅宗で、定時の食事の前後にとる少量の間食。「むなやすめ」とも。「一人の僧をば堂僧とて―を食はせず」〈沙石集一〇ノ一〉 ②《転じて》間食。茶の子。茶うけ。「十番の斎羹(さいかう)、―百種、五味の魚鳥、甘酸苦辛の菓子ども」〈太平記三三・公家武家〉

でんす《助動》⇒です

てんすい【天水】①空と水と。水天。「―茫茫(ばうばう)として、求むる事を得ざりけん蓬萊洞のありさまも」〈平家七・竹生島詣〉 ②雨水。「一人は座の前に鉢を置きて、―を待ちうけて飲む」〈続古事談四〉 ③雨水を溜めて防火用に備えた桶。多く屋根の上や、軒先・町角などに置いた。天水桶。「台所〔ノ屋根〕に―弐つづつ上り候由」〈本光国師日記元和五・一〇・一三〉

でんそう【伝奏】親王家・摂家・武家・社寺などからの奏請を、天皇または上皇に取り次ぎ言上する役。武家伝奏は室町時代に始まり、朝幕の連絡に当る要職。「―の人も色を失ひ、君も叡慮を驚かさせおはします」〈平家三・法印問答〉。「〔将軍足利義教ハ〕急ぎ討手を差し下すべしとて、まづ―を以てこの旨を禁裡へ奏せらる」〈上杉憲実記〉

てんだい【天台】①天台山。「仏法弘むとて、―麓に跡を垂れおはします」〈梁塵秘抄二四四〉 ②天台宗。「さしもやんごとなかりつる―の仏法も、治承の今に及んで、亡びはてぬるにや」〈平家二・山門滅亡〉 **―ざす**【天台座主】比叡

山延暦寺の最高位の僧職。「山(やま)の座主」とも。「あはれ―、戒和尚の一やとこそみえたまひけれ」〈大鏡道長〉

―さん【天台山】①中国浙江省天台県にある山。智者大師が天台宗を開いてより、その根拠地となった。「震旦にも―・五台山・白馬寺・玉泉寺も、今は住侶なきさまに荒れはてて」〈平家二・山門滅亡〉②比叡山の別称。「すぐれて高き山…日本国には白山―」〈梁塵秘抄三四五〉

―しゅう【天台宗】仏教の一派。法華経を根本経典とする。隋の智者大師によって開かれ、わが国には延暦二十四年最澄が伝えて比叡山に開宗。日本八宗の一。法華宗。天台法華宗。「伝教大師もろこしに渡りて顕密の道をならひ、菩薩の戒(いむこと)をうけてより―はじめておこり」〈三宝絵下〉

てんたいしゃく【天帝釈】「帝釈」に同じ。「これ、―・冥官(みやうくわん)の集会し給ひて、衆生の善悪の業を勘(かむが)へ定むる所なり」〈今昔一四ノ七〉

てんたう ‥トウ【天道】《テンダウとも》①天体の運行。「人間の算術を以て―の行度を知る」〈中右記保延一・一二・一六〉②天の道。天の道理。「娘は―に任せ奉る」〈宇津保俊蔭〉③天の神。天帝。「これ、―の給へる子なり」〈今昔二ノ二六〉④太陽。おてんとさま。「早く起き楊枝を使ひ身を清め威儀ととのへて祈れ―」〈見咲三百首和歌〉 **―しだい**【天道次第】自然の成りゆきに任せること。天道まかせ。「力に及ばず―也」〈多聞院日記天正六・二・二〇〉 **―ぼこり**【天道ぼこり】ひなたぼっこ。「ひなたぼこり」とも。「或る田舎人、京上りして侍りけるが、宿にて―してゐたりけるに」〈著聞六九六〉 **―ぼし**【天道干し】日光にさらして干すこと。「てんとぼし」とも。「夏の日に―のお茶なりとわれらがためは飲むぞすずしき」〈伽・御茶物語〉

てんたう ‥トウ【伝道・天道】近世、淀川を航行した荷舟の一種。過書船(くわしよぶね)に似て小さく、二百石積みの川舟。漁船にも同名で異形の舟があった。天道船。「―と云ふ川舟に乗りて」〈俳・遠近集五〉

てんだう ‥ドウ【顚倒】《テンタウとも》①さかさまになること。ひっくりかえること。「京中には辻風おびたたしう吹いて、人屋多く―す」〈平家三・辻風〉②〔仏〕真実の事理に違背すること。実相に反すること。また、そのような妄見。「愚癡―の四生の群類を助けんと」〈沙石集一ノ一〉。「―迷妄して未だ解脱の種を植ゑず」〈謡・江口〉 **―のさう** ‥ソウ【顚倒の相】実相に反するまちがった考え方。「これ―より起りて、そこばくのわづらひあり」〈徒然二四二〉

でんちう ‥チュウ【殿中】《テンチウとも》①御殿の中。「よろしく今より始めて―に近侍すべし」〈続紀延暦九・七・一七〉。「黒煙―にみちみちて」〈平家六・入道死去〉②室町時代以降、天子・将軍・有力大名などの居所。「天下二つに分れて乱れけり。かかる程に、禁裏・仙洞、―に行幸なりて」〈ひとりごと〉。「テンチウ、即ち、クバウ或いはヤカタの御殿」〈日葡〉③近世、大名屋敷の称。「この頃、江戸にて、諸大名衆の屋形屋形、皆―と言へり」〈正事記一〉④「殿中羽織」に同じ。「当世のめった(極端ナ形ノ)―裄(ゆき)短か」〈正事記一〉⑤近世後期流行した、男子用菅笠の一種。武家が旅行および行列の時に多く用いた。一文字笠。「―を額へ当てて馬場へ来る」〈雑俳・万句合安永七〉 **―ばおり**【殿中羽織】袖の無い羽織。胴服。殿中。「七つ八つ十一二歳の童に鉢巻させ、―・繻子(しゅす)の裁付(たつけ)」〈浮・好色旅日記四〉

てんぢく【天竺】①インドの古称。漢訳仏典では魏・晉時代以後に多く用い、唐代以後は「印度」を用いるようになった。「今は昔、震旦の秦の始皇の時に―の僧渡れり」〈今昔六ノ一〉②そら。天。「―様の星の数をば、やれ読み尽せ」〈浄・傾城八花形三〉 **―らうにん** ‥ロウ‥【天竺浪人】住所不定の浮浪の者。宿なし。「あさましき物、―」〈仮・犬枕〉

てんちこくびゃく【天地黒白】両極端の差異のたとえ。「天地懸隔」とも。「闇の夜や―庭の雪」〈俳・遠近集六〉

てんちゃ【奠茶】禅宗で、仏前または祖前・霊前などに茶を供えること。「―は建仁寺の無徳和尚…にてぞおはしける」〈太平記三三・将軍御逝去〉

てんぢゃう ‥ジョウ【点定】①それと指定すること。選定すること。「且つは諸国の受領を―し、且つは王城を建つべき議を成す」〈将門記〉②財産・物品などを徴発したり没収したりすること。「西海運上の米穀、国衙(こくが)・庄園をいはず、兵粮米のために貞能(ガ)―しけり」〈盛衰記三八〉

てんつるてん 裄丈(ゆきたけ)の短い着物を着たさま。また、貧相なさま。「ほろほろとこぼるる如く、身体(しんだい)―となるなり」〈浮・好色通変歌占下〉

でんでんたいこ【でんでん太鼓】玩具の一。小さい太鼓に柄(え)をつけ、左右に鈴などの付いた糸を垂れ、振れば鈴が鼓面を打って鳴るもの。「のの様の土産には、―に笙の笛」〈近松・天神記一〉

てんと『副』全く。まるで。とんと。てんから。すっかり。「てんに」とも。「―聞えぬ(意味ガ通ジナイ)」〈狂言記・釣女〉。「―命をとる」〈浄・大原問答三〉

でんど【出所】《デントウの転》公けの場所。世間・人中・公儀・法廷などの意に使う。「井の内気にて―を知らぬ心」〈俳・山の井一〉

てんどう【天童】仏法を守るため、天人などが子供の姿になって人間世界に現われたというもの。「此の世の人とは見えさせ給はで、―などの降り来たるとこそ見えさせ給ひしか」〈大鏡昔物語〉

てんどう【纏頭】①歌舞・芸能・技芸などの労をねぎらい、褒美として与える衣服あるいは金品。もとは、衣服が与えられ、これをもらった者は頭に纏(まと)ったのでいう。引出物。被物(かづけもの)。はな。「唐綾の染付なる二衣(ふたぎぬ)を―にしてき」〈梁塵秘抄口伝集〉。「―と云ふは、舞を舞ふ者に衣裳を引物にすれば、頭に巻いて舞ふを云ふぞ。さるほどに―とは引物と云ふ義ぞ」〈四河入海三上〉②取り乱すこと。うろたえること。「右御所御社参の事、来月必定の間、余日なきに依て―衆察に過ぐるものか」〈日吉社室町殿御社参記〉。「臨時の客人、―の外他なし。卒爾の経営、周章の至り忙然たり」〈庭訓往来五月九日〉。「怱劇―して東西を忘るる時節也」〈伽・鴉鷺合戦物語〉。「『秋もなほ浅きは雪の夕哉』と侍るに、〔脇句〕『水こほる江に寒き鴈がね』。…水辺の物と冬の物とを尽しては、第三の作者―にや」〈心敬文〉。〈日葡〉

でんとう【田頭】①田のわきの広場。「定綱兄弟、信遠の宅の前の―に留め」〈吾妻鏡治承四・八・一七〉②広場。広広とした所。「―へ押し出し、勝頼に勝つべきとは思はるまじきと仰らるる」〈甲陽軍鑑二〇〉

てんどく【転読】《「真読(しんどく)」の対》巻数の多い経典の、初・中・後の数行だけを読むこと。また、題目・品名(ほんめい)だけを読むこと。「三つの御山に三日づつ籠りて、その間、千手経千巻を―し奉りき」〈梁塵秘抄口伝集〉

てんとり【点取】①連歌・俳諧で、点者に句の批点を請うこと。「ゐなかの連歌師より、紹巴法橋へ―の連歌来たりし中に」〈咄・戯言養気集上〉②点の多数を楽しむ遊戯的俳諧。貞門から行なわれ、俳諧の普及につれて流行し

た。点取り俳諧。「—の誹諧候」〈家忠日記天正六・九・二三〉

てんなが【点長】字画の点を長く書くこと。気取った書風。「手を書きたるにも、深き事はなくて、ここかしこの—に走り書き」〈源氏帚木〉

てんに『副』全く。てんで。てんから。てんと。「—呆れて居たりし所に」〈虎明本狂言・文蔵〉

てんにょ【天女】女性の天人。仏教では、欲界六天に住むという。「切利天(たうりてん)の—を母として」〈宇津保俊蔭〉

てんにん【天人】天上に住む人。あまびと。天女(てんにょ)をさすことが多い。羽衣を着て、舞楽を奏し、空中を飛行するという。仏教では、欲界・色界の諸天に住む人にいい、「飛天」とも。「—の中に持たせたる箱あり。天の羽衣入れり」〈竹取〉。「極楽といふなる所には…—なども舞ひ遊ぶこそ尊かなれ」〈源氏手習〉 **—がらくさ**【天人唐草】唐草模様の一。イヌノフグリを図案化したもの。「片脇には今に—目にしむ(古クサイ)」〈西鶴・胸算用三〉 **—だこ**【天人凧】天人の形をした凧。天女凧。「俄雨—の五衰かな」〈俳・功用群鑑下〉 **—のごすい**【天人の五衰】天人が死ぬ時に示す五つの死相。「時移り事去って世の変り行くありさまは、ただ—に異ならず」〈平家二・大納言死去〉 **—をどり**【天人踊】①近世、大阪新町の揚屋で行なった遊女の総踊。「恋の騒ぎや—」〈俳・胴骨〉②元禄頃、京阪の歌舞伎の切狂言での、天人に扮した役者の総踊。延宝頃までは、天冠を戴き白衣を着して踊ったので、天冠踊といった。「切(きり)は—」〈評判・二挺三味線京〉

てんのあみ【天の網】《老子「天網恢恢疎而不レ漏」から》①天の網は広大で網目が粗いようだが一人も漏らすことがないの意で、善悪にそれぞれ報いがあることのたとえ。「—が来さった、覚悟した」〈狂言記・武悪〉②鳥を捕える霞網。ひるてん。「—を引きはへて、かの鶴を手取りにして」〈伽・鶴草子〉

てんば【転婆】女の言語・動作がうわついて下品なこと。騒騒しく不作法なこと。また、そのような娘。「聞きしより宮司の娘—なり」〈俳・となみ山〉

てんぱい【天杯・天盃】天皇の酒盃。天皇から賜わる盃。「左府、—を給はりて」〈著聞六二四〉

てんばう(ボウ)【手ん棒】《テバウの撥音化》手の無い者。「ちんば・—・せむし」〈評判・濡仏中〉

でんばく【田畠】田や畑。「庄園・—・奴婢・六畜をたくはへず」〈沙石集三ノ一〉

てんぴ【天火】①天の火。雷光。雷火。「—、いなづま、はた雷(かみなり)の如くにて」〈伽・岩竹〉。「釈迦堂火事。—の由」〈梅津政景日記寛永八・閏一〇・一一〉②太陽。「—暑きとて、柿(渋)紙をかぶりて、…臥せりてあるに」〈三河物語下〉③熟柿。「くはっと気上り顔は—」〈近松・女夫池三〉

てんびん【天秤】重量を精密にはかる両皿式のはかり。支点を鳥居型の支えの上からつるす。秤座の検印を必要としなかった。「春の宝になさん—/うち霞む市に商人数多み」〈俳・寛永十三年熱田万句六一〉。〈拉葡日〉

でんぶ【田夫】①農夫。百姓。「今、農業の盛りなり。〔行幸八〕—の愁へ多かるべし」〈今昔二〇ノ四二〉。〈日葡〉②田舎者。また、教養がなく粗野な者。「かく美しき咲きし花、枝もろともに手折る事、風よりもなほ心なし。さても—のしわざやと」〈説経・伍太力菩薩〉

てんぺん【天変】天空に起る異変。暴風雨・雷・日蝕・月蝕・彗星などは悪業の結果や災害の前兆、また、五色雲などは吉祥の前触れとされた。「—しきりにさとし、世の中しづかならぬは此のけ(帝ガ源氏ノ子デアルコトヲ知ラヌタメ)なり」〈源氏薄雲〉。「二月二十三日の夜—あり。太白(たいはく)昴星(こうせい)を犯すと」〈盛衰記三八〉

てんぽ【転蓬】《テンボウの転。運に任せる意から》①調子に乗って行き過ぎること。「女の能いかにも強く候ふがよく候。…又それを過ごせば—になる」〈禅鳳雑談〉②出たとこ勝負で行動すること。また、自暴自棄の行動。「ままよ」という気持でいう。「初めから—と出たる空の月」〈俳・西鶴五百韻〉。「転蓬、テンホ、世俗の常談。止住・意志一定せざるの謂(いひ)」〈書言字考〉③伊達(だて)で華美贅沢なこと。「江戸侍などは着物も—なを好くさうなの」〈評判・難波鉦三〉 **—のかは**(カワ)【転蓬の皮】「てんぽ」(2)に同じ。「ざれ言の葉は—尻(川尻ト掛ケル)広く伝はり」〈俳・塵塚(重徳編)下〉

てんぼう【転蓬】①風に吹かれて根から抜け、風のまにまに飛んで行く蓬(よもぎ)。旅人の身のたとえとしてよく使われる。「これの浮菊の酒を傾けて、願はくは—の憂へを慰めむ」〈懐風藻〉。「—は、不定な程に、不定なる心〔ノ意ニ用イル〕とも云うぞ」〈四河入海一七ノ四〉②運に任せること。てんぽ。「連歌の上手は、下に古き着物(きるもの)を着て、其の上に帯をしたる様にする也。但し初心の時は帯をせぬやうにもすべし。さればとて、—にと事も無きも悪し。大いに長(たけ)高くやさしきが、連歌のあがる相(さう)也」〈知連抄下〉

でんぽふ(ボウ)【伝法】①仏法を授け伝えること。仏法を受け伝えること。「禅林寺といふは、天台大師の—の所なり」〈今昔一一ノ一三〉②《近世、江戸浅草伝法院の下男などが寺の威光を借りて振舞ったことから》㋑劇場・見世物などを無銭で見物すること。また、その人。「読売や大道売の—をして暗(そら)に記(おぼ)えたのさ」〈滑・浮世床二下〉㋺悪ずれして乱暴な言行をすること。また、その人。「江戸で—、上方でもうろくなどと言ふあばづれが有れど」〈滑・浮世風呂四上〉㋩意気で侠気な容姿・気風。また、そのような人。「—一人ずっと来て立ってゐる」〈滑・浮世床初上〉 **—くゎんぢゃう**(ジョウ)【伝法灌頂】密教で、阿闍梨(あじゃり)の位を継ぐ者に対し、大日如来の法を授ける儀式。伝教灌頂。阿闍梨灌頂。「仏法最初の霊地にてぞ—は遂げさせましましける」〈平家二・山門滅亡堂衆合戦〉

てんま【天魔】四魔の一。欲界の第六天(他化自在天)の魔王波旬とその一族。人が善事をなそうとするとき邪魔をするという。「柴の庵に聖(ひじり)おはす。—はさまざまに悩ませど」〈梁塵秘抄三〇三〉。「入道相国の心に—入りかはって、腹をすゑかね給へり」〈平家三・行隆沙汰〉 **—はじゅん**【天魔波旬】「天魔」に同じ。「—も我が辺(ほとり)に寄らず」〈今昔一三ノ二〉

てんま【伝馬】公用輸送にあてるため主要街道に常備した乗りつぎ用の馬。「其れ—は郡ごとに各五、みな官の馬を用ゐよ」〈厩牧令〉。「いかに、所の者共よ、急ぎ—を触れさせて、女房達を都へ送るべし」〈伽・酒呑童子〉 **—ぶね**【伝馬舟】荷物などを運送するはしけ舟。伝馬。「—に乗せ申せば」〈近松・賀古教信一〉

てんめい【天命】①天の命令。天から受けた命令。「下は人事を学び上は—を達(さと)る」〈本朝文粋一〉。「これは—なり。限りある事なり。いかでかとどまらむ」〈古来風体抄上〉②天から定められた寿命。天寿。「そのしるしにや、宿病たちどころにいえて、—を全うす」〈平家一・禿髪〉③天皇の仰せ。「たびたび関東に仰せ給ひしかば、—の理かたじけなく」〈神皇正統記後醍醐〉

てんもく【天目】茶の湯に使う抹茶茶碗の一種。浅くて開いた摺鉢形のもの。もと、中国浙江省天目山から持ち来たったという。天目茶碗。「—に立つる茶の出処は、先づ栂尾(とがのを)の名坊」〈禅林小歌〉 **―ざけ**【天目酒】天目茶碗に注いで飲む酒。茶碗酒。「―も忘れて」〈西鶴・好色盛衰記三〉 **―のみ**【天目呑み】「天目酒」に同じ。「下下―に思出申して」〈西鶴・五人女二〉

てんもん【天文】①日・月・星などの、天体の現象。「―遙かに耀(ひかり)をくだす」〈文華秀麗集下〉 ②日・月・星などの運行をみて吉凶を判断する術。「行心といふもの有り、―卜筮(ぼくぜい)を知る」〈懐風藻〉。「推古天皇の十年、百済の国より暦本・―・地理・方術書をたてまつりて」〈著聞三九四〉 ③「天文博士」の略。「―勘して申さく」〈盛衰記八〉 **―はかせ**【天文博士】陰陽寮に属し、天文の事を司る教授。「―一人。天文気色の候を司る」〈職員令〉

てんや【店屋】①見世棚。商店。「清水坂・三条町等―巡見し了んぬ」〈祇園執行日記康永三・一一・一三〉。「店は日本にての―ぞ」〈三体詩抄三ノ一〉。〈文明本節用集〉 ②飲食物を売る店。茶店。「一の壺を市の―に掛けて置いて」〈玉塵抄四五〉 **―もの**【店屋物】①飲食店で売る食物。「望月や世に隠れなき―」〈俳・尾陽発句帳下〉 ②遊女。「あれは傾城、畢竟―」〈伎・名古屋山三三〉

てんやく【天役】鎌倉時代以後、朝廷が、大儀・造営などの時に賦課した雑税。「仏神領に―課役をかけて、神慮冥慮に背かん事をいたまず」〈太平記三五・北野通夜〉

てんやく【典薬】宮中や幕府につかえた医師。医療・医薬一般を司る。「和気・丹波二流のうち、丹波氏の―はこの時より始まれり」〈伽・末広物語〉。〈運歩色葉集〉 **―のかみ**【典薬頭】典薬寮の長官。「くすりのかみ」とも。「先年、―定成こそ御療治のために召されたりしかば」〈平家四・若宮出家〉 **―のすけ**【典薬助】典薬寮の次官。「くすりのすけ」とも。「五位にて―・主殿頭(とのもりのかみ)などいひて、いとあさくて(官位が低クテ)やみ給ひにき」〈大鏡良相〉 **―れう**(リョウ)【典薬寮】令制の官司の一。宮内省に属し、宮中の医療・医薬のことを司る。「くすりのつかさ」とも。「去夜、大風猛烈…―東檜皮葺屋等、顚倒す」〈日本紀略天暦一・七・四〉。〈色葉字類抄〉

てんり【天理】天が支配する正しい道理。天の道。天道。「世、澆季(げうき)になりぬといへども、―いまだありけるにや」〈太平記七・船上合戦〉。「その心、―にや叶ひけん、不思議なる事こそ出で来たれ」〈伽・七夕物語〉

てんりんじやうわう(…ジョウオウ)【転輪聖王】天から得た輪宝(りんぼう)を転じて、四方を降伏せしめるという王。金輪(こんりん)・銀輪(ごんりん)・銅輪・鉄輪の四王がある。転輪王。輪王。「ただ―などはかくやと光るやうにおはしますに」〈大鏡道長〉

てんわう(…ノウ)【天王】①欲界第六天の最下の神の名に添え、または、その神をさしていう語。「四―」など。「然れば謹み謹みうやまひて、―(毘沙門天)の形を写して王に奉る」〈今昔六ノ九〉 ②特に、牛頭(ごづ)天王。「―さまは〔ハヤスガオ好キ〕(天王祭ノ時ノ囃詞)といふ形(なり)だね」〈滑・浮世風呂前上〉 ③天皇。「神武―七十七〔代目〕後白川院の御宇に当って」〈浄・しんらん記一〉

てんわう(…ノウ)【天皇】《もとは、中国の三皇(天皇・地皇・人皇)の一》政治・宗教上の最高者の称。すめらみこと。「東の―、敬(いっし)みて西の皇帝に白(まう)す」〈紀推古十六年〉。「ま近くは平城(へいぜい)の天子、嵯峨の―に位をこされ、御うらみのあまりに、謀叛をおこし給ひしが」〈保元上・新院御謀叛並びに調伏〉

と

と【十】数の名。とお。じゅう。「十握剣(とつかのつるぎ)」〈紀神代上〉。「かの御時よりこのかた、年はももとせ余り、世は―つぎ(十代)になんなりにける」〈古今序〉 †tö

と【戸・門】《ノミト(喉)・セト(瀬戸)・ミナト(港)のトに同じ。両側から迫っている狭い通路。また、入口を狭くし、ふさいで内と外を隔てるもの》①出入口。「後(しり)つ―よ(ヨリ)い行き違ひ」〈記歌謡二三〉 ②狭い通り路。出入りの路。「奈良〔ヘノ〕―よりは跛(あしなへ)・盲(めしひ)あはむ」〈記垂仁〉 ③水の出入口。瀬戸。「由良の―の―中のいくり(岩)に」〈記歌謡七四〉 ④家の出入口や窓などに立てて、内と外とを隔てるもの。「門(かど)立てて―は閉(さ)したれど」〈万三一一八〉 †to

と【処・所】場所。ところ。複合語に用いられる。「寝屋―」「隠(こもり)―」など。「葦垣の隅―に立ちて吾妹子が袖もしほほに泣きしそ思はゆ」〈万四三五七〉 †to, tö

と【外】《「内(うち)」「奥(おく)」の対。自分を中心にして、ここまでがウチだとして区切った線の向う。自分に疎遠な場所だという気持が強く働く所。時間に転用されて、多くは未だ時の至らない以前を指す。類義語ホカは、はずれの所。ヨソは、無縁・無関係の所》❶《空間的に》①外側。「大宮の内にも―にも光るまで降れる白雪見れど飽かぬかも」〈万三九二六〉 ②戸外。室外。「その愛(かな)しきを―に立てめやも」〈万三三八六東歌〉 ③御簾(みす)の外。「―にも大殿油参らすれど」〈源氏総角〉 ④外部の人。「内にも―にも、本の心を知らぬことなれば…何心も無きを」〈源氏柏木〉 ❷《時間的に》①《多くは打消の助動詞「ぬ」をうけて、「―に」の形で》(…しない)先。「人国は住みあしとそ言ふすむやけく早帰りませ恋ひ死なぬ―に」〈万三七四八〉。「妹が袖われ枕かむ川の瀬に霧立ち渡れさ夜更けぬ―に」〈万四一六三〉。「龍田山見つつ越え来し桜花散りか過ぎなむわが帰る―に」〈万四三九五〉 ②《…しない先にの意が、…しない場合にの意にも解されるところから、用法が広まって》…の場合。…の時。「〔女ト〕しじくしろ熟睡(うまい)寝し―に庭つ鳥鶏(かけ)は鳴くなり」〈紀歌謡九六〉 †to

と【音】「おと(音)」の「お」が脱落した形。「足(あ)の―」「瓊(ぬ)な―」「夜―」など。「遠(ほと)―にも君がなげくと聞きつれば」〈万四二一五〉 †tö

と【砥】《トシ(利)・トギ(磨)と同根》砥石。「道を除(はら)ふ刃鈍(にに)かりき。仍りて勅りたまひしく、『―掘り来(こ)』と勅りたまひき。故、磨布理(とほり)の村といふ」〈播磨風土記〉 †to

と【鳥】「とり(鳥)」が他の名詞の上について複合語をつくる際、末尾の ri と次に来る語の語頭の音とが融合した形。「とがり(鳥狩)」は törikari→törkari→töngari→tögari 「となみ(鳥網)」は törinöami→törnami→tönnami→tönami という変化を経たもの。†tö

と【跡】あと。複合語に用いられる。「野の上には跡見(とみ)すゑ置きて、み山には射目立て渡し」〈万九二六〉 ▽上代、「跡見(とみ)」などの例から tö の音であったと推定されるが、「足跡(あと)」となる場合は、「安刀」「阿都」などと書かれ、トは to の音が多い。おそらく、後舌母音 a と結合するために tö も後舌音に同化され、to となったのであろう。

と『副』①《格助詞トと同根》あのように。そのように。指示副詞「かく」と対になって「とにもかくにも」「ともかくも」などの慣用句を作り、対立する二つの物や事を前提として、「それ」と指定するのに使う。『今すこし、―やれ、かくやれ』

といひつつ、この車をやらせつつ」〈大和一四八〉。「―ぢゃ、かうぢゃと云はんよりは」〈蓬左文庫本臨済録抄〉②ふと。はっと我に返って。「―見渡した所が下戸はおれ一人」〈雑俳・万句合明和八〉

と〘助〙→基本助詞解説。†tö

ど【土】土地。国土。「おのづから人はあれども、この―(日本本土)の人にも似ず」〈平家二・大納言死去〉

ど【度】①〔仏〕《「波羅蜜(はらみつ)」の訳》生死の海をこえて、迷いの世界(此岸)から悟りの世界(彼岸)へ渡ること。また、渡すこと。済度。「煩悩の中流にただよふを彼岸へわたすを―と云ふぞ」〈心経抄〉②官の許しのもとに、人を僧尼にすること。また、出家して僧尼となること。「師たるに堪ふる者は―の色にあらずと雖も、ならびに得度を聴(ゆる)せ」〈続紀養老五・五・六〉③度数。回数。たび。「麿(まろ)は七―詣(まう)で侍るぞ。三―は詣でぬ。いま四たびは事にもあらず」〈枕一五八〉④程度。節度。ほどあい。「仏の涅槃の時は、日月星宿も―を失ひ」〈奥義抄〉

ど【何】〘副〙「あど」の「あ」が脱落した形。「汝(な)を―かも為(し)む」〈万三五五六東歌〉†dö

ど〘接頭〙ののしりいやしめる意を表わす。「肥えて、―ぶくれたるもの」〈四河入海一三ノ三〉

ど〘助〙→基本助詞解説。†dö

とありかかり〘連語〙《トアリカクアリの約》ああだこうだ。「『―』と物ごとに言ひて」〈徒然一三七〉

とある〘連体〙或る。ちょっとした。「宮をば―辻堂の内に置き奉りて」〈太平記五・大塔宮〉

といた【戸板】雨戸の板。それに物を載せて運ぶ時などにいう。「我が屋敷に―を敷き、畳を敷き、あやまたず腹を切って」〈本福寺跡書〉

といち【ト一】《「上」の字を分解したものという》①「上」の字の隠語。「―と云ふは上といふ字の隠し詞也。一トと云ふは下といふ字也と云へり」〈俚言集覧〉②《一番上等な人の意》上物。美人。また、情人。いろ。「よい女郎の事を―、悪い女郎をくはをり、芸者の事をかはと申しやす」〈洒・仕懸文庫〉

どいっき【土一揆】⇒つちいっき

とう【頭】①かしら。かしらの人。「〔前栽合セノ〕左の―には絵所の別当…、右の―には造物所(つくもどころ)の別当」〈栄花月宴〉②「蔵人頭(くらうどのとう)」の略。「こたみの―は疑ひなく、御門の御口づからごて給へるなり」〈源氏東屋〉③祭祀・講会・集会などの世話役の当番。世話人。頭人。「田楽の―に当りたるとて、さる学生奔走する由」〈明恵遺訓〉。「神事の―が当った程にとて、能の道具借りにやる」〈天正本狂言・竹松〉④「音頭(おんどう)」に同じ。「一人―をとりて謡ひ出で候につけて、謡ふべきにて候」〈宗五大双紙〉

とう【疾う】〘副〙《トク(疾)の音便形》いちはやく。すでに。「『正月のお仕舞ひはなされたか』『―仕舞うた』」〈天理本狂言六義・米市〉

どう【胴】①(首・手足を除いた)からだの中間部。「足手・―まで切り」〈伽・酒呑童子〉②鎧・具足などの胴をおおう部分。「鎧の草摺(くさずり)かなぐりすて、―ばかり着て大童(おほわらは)になり」〈平家一一・能登殿最期〉③太鼓・三味線などの、音が共鳴するように設けられた中空の主部。「〔太鼓ノ左ハ〕―も赤く色どる也」〈江談抄三〉④心。きもったま。「吾妻(遊女ノ名)死身と―を据ゑ」〈近松・淀鯉下〉

どう【動】動揺。「心も騒ぎて慕ひ来たれど、〔源氏ハ〕―も無くて、奥なる御座(おまし)に入り給ひぬ」〈源氏帚木〉

どう【筒】①牛車(ぎっしゃ)などの車輪の中心の円木。軸をその中につらぬき、輻(や)を周囲にさしこむ。轂(こしき)。「榻(しぢ)などもみな押し折られて、すずろなる車の―にうちかけたれば」〈源氏葵〉②双六(すごろく)で、賽(さい)を入れてふり出す竹の筒。「『御返しや、御返しや』と―をひねりて、とみにうちいでず」〈源氏常夏〉③賭博の親元。筒元。筒親。筒取り。「博奕にもなりぬれば、―を拵へ、えい衆の子供若衆をたぶらかし」〈仮・けんさい物語下〉

どう〘副〙どのよう。「三ヶ日さへ過しまらしたれば、又―もなりまらする」〈虎明本狂言・米市〉

どう〘接頭〙「ど」の長音化。ののしる意を表わす。「此の日頃―黙り無性者は、成敗仕る儀に候へども」〈毛利家文書三、天文二一・五・一五〉

どうあひ イ:ア【胴間】胴の長さ。胴のたけ。「―短し」〈評判・難波物語〉

とうい【東夷】①中国で、東方の異民族に対する卑称。満州・朝鮮・日本などをさしていう。「日本は九夷の其の一つなるべし。異国には此の国をば―とす」〈神皇正統記孝霊〉②我が国で、東方の異民族蝦夷(えぞ)をさしていう語。「景行天皇の御宇四十年六月に―反逆の間」〈平家二・剣〉③京都の人が東国武士をさしていう語。「あづまえびす」とも。「宗盛の下知に随って、―・北狄を追討すべきの由」〈盛衰記二六〉

とうかい【東海】①東の海。「―の波路はるかに行く船の」〈謡・白楽天〉②「東海道」の略。「さる程に、この人人は九重の都を立って、千里の―に赴き給ふ」〈平家五・富士川合戦〉

―だう ウド【東海道】①七道の一。畿内の東方、主として海に面した国国。伊賀・伊勢・志摩・尾張・三河・遠江・駿河・伊豆・甲斐・相模・武蔵・安房・上総・下総・常陸の十五か国。「正六位下藤原朝臣房前を―に…遣す」〈続紀大宝三・一・二〉②(1)の各国を連ねる道路。平安遷都以後、近江・美濃経由となり、鎌倉時代以後、京都・鎌倉間の主街道となる。近世、五街道の随一として、江戸日本橋を起点に五十三次を経て京都三条大橋に至る経路となった。「わごぜは―の名折(なをり)を申すものかな」〈幸若・烏帽子折〉

とうがく【等覚】〔仏〕等正覚(とうしゃうがく)の意で、仏。また、正覚に等しい覚りの意で、仏果を得ることのできる最後の位。菩薩五十二位中の第五十一位。「汝、法花の光に照らされて―に至るべし」〈今昔三ノ三四〉

どうがな〘副〙どのようにか。なんとか。「今―とさし俯(うつむ)き、恋の仕掛けに気を苦しめ」〈浄・十二段三〉

どうがね【胴金・筒金】刀の鞘・槍の柄の中程にはめる環状の金具。「赤木の柄に銀の―巻きたる刀」〈盛衰記三七〉

どうがへし ヱシ:ガ【胴返し】《剣道で、相手の胴を打った刀を返して、相手の反対の胴または面・小手などを打つことから》同等であること。同じ数量であること。また、元手の金と同額の利を得ること。「長(たけ)六尺、太り六尺なれば、これなん六寸に十倍、六尺―の稀者(まれもの)」〈評判・野良立役舞台大鏡〉。「―の利なればとて儲けるには方図あり」〈近松・博多小女郎中〉

どうがめ【どう亀】「どんがめ」に同じ。「松尾(まつのを)の使者といふなる―を焼き米くれぬ田にや這はせん」〈仮・狂歌咄四〉

とうかん【等閑】①物事をいい加減にすること。なおざり。「今日第二親王御着袴也。…惣じて今日毎事―なるに似たり」〈春記長暦二・一一・二五〉。「仏法修行の―なる人は、生死を出づる事あるまじき故に」〈夢中問答上〉②《「等閑無し」の意に転用して》親切に念入りにするさま。ねんごろ。「始めて知人になりての挨拶に、向後は互ひに―致さんなど云ふ」〈童訓集上〉 **―な・し**

【等閑無し】『形ク』①いい加減にしない。なおざりにしない。「世の中は—・くて慇懃(いんぎん)にあるべき事や然るべからん」〈世中百首〉。「常に—・いと云ふは、大切にする事を云ふぞ。なんともなく投げやりさまにせぬといふ心なり」〈三体詩絶句抄一〉②うちとけて心安い。きわめて懇意である。「折ふしは—・しと思ふまで／さてもまことは知らぬ隔心(きやくしん)」〈宗祇独吟〉。「たとへば—・き間なりとも、思慮肝要也」〈今川大双紙〉

どうぎゃうギョウ【同行】①志を同じくして仏道修行にはげむ者。「—にこの事をつぶさに語る」〈今昔一三ノ二〉②特に、浄土真宗の信者どうしの称。「されば、友・—なるべきものなり」〈御文章〉③社寺参詣・勧進などの道連れ。「—の山伏多く候へども」〈義経記七〉④《一般に》道連れ。「—案内知りの旅の—」〈俳・宗因千句上〉。〈日葡〉

どうぎゃうギョウ【童形】《トウギャウとも》稚児(ちご)の姿。元服・結髪していない、かむろ頭の少年。「幼少にては仁和寺の御室の御所に—にて候はれしかば」〈平家七・経正都落〉

とうぎゃうきギョウ【東京錦】《キはキン(錦)のンの省略形》安南の東京で産出した錦。また、それに似せて我が国で織ったもの。白地に赤く蝶・鳥などの文様を織り出す。「唐の—のことごとしき縁(はし)さしたる茵(しとね)に、をかしげなる琴うちおき」〈源氏(横山本)初音〉

どうぎり【胴切り】胴を横に切ること。「車切り・—・立破(たてわり)に仕り棄てたく存じ候ひつれども」〈太平記一〇・長崎高重〉

とうぐう【東宮・春宮】《御所の東にある宮の意》皇太子の異称。「—のおほぢ大臣など、いかなる事にかとおぼし疑ひてなむありける」〈源氏桐壺〉▽「東宮」は皇太子の御座所、「春宮」は官舎を指すという。令集解に「四時の気、東より発す。即ち、春此れに准(なぞら)ふ。故に東宮・春宮と為す。その義、別無き也」とある。 **—のだいぶ**【春宮大夫】春宮坊の長官。定員一人。ただし権大夫も置かれるのが普通。「藤大納言・—など今は聞ゆる子ども皆なり出でつつ物し給ふ」〈源氏行幸〉 **—ばう**ボウ【春宮坊】令制で、東宮つきの官司。皇太子に奉仕し、内政をつかさどる。「—の少属少初位上朝妻の金作大蔵」〈続紀養老四・一二・二〉

どうくゎ【同火】《「別火」の対》煮炊きの火を同一にすること。「ひとつび」とも。「〔参詣ニハ〕鹿食百ケ日これを禁ず。—三十日」〈石清水八幡宮記録三、寛喜二・七〉

とうくゎつ【等活】「等活地獄」の略。「〔八熱地獄ノ〕一は—、二は黒縄」〈孝養集上〉 **—ぢごく**【等活地獄】八大地獄の一。殺生罪を犯した者が落ちる地獄で、ここに落ちた罪人は獄卒に肉を切り裂かれ、死ぬと涼風が吹いて来て生き返るが、またすぐ肉を裂かれる苦をくりかえすという。「—とは、この世界の下、一千由旬にあり。縦横一万由旬なり」〈孝養集上〉

とうくゎでん【登花殿・登華殿】後宮七殿の一。弘徽殿の北、貞観殿の西にあって、皇后・中宮・女御などの曹司に当てられた。「—のうもれたりつるに、〔今度ハ〕晴れ晴れしうなりて女房なども数知らずつどひ参りて」〈源氏賢木〉

とうくゎん【東関】逢坂の関より東。関東。「或は西海の波の上、或は—の雲の果て」〈平家一三・平大納言被流〉

とうけい【闘鶏】鶏を闘わせること。また、その鶏。鶏合(とりあはせ)。「若君達今—の遊びあり」〈中右記 永長一・三・一三〉。「中将、—一羽…持参す」〈実隆公記大永六・三・三〉

どうご【同居】〔仏〕凡夫も賢人も共に住むこと。また、その国土。釈迦の穢土、彌陀の浄土の二種がある。「愚かなる子を失ひて、跡を—の塵に留めて、二度親子互ひに見る事を得たり」〈盛衰記八〉

とうごく【東国】畿内より東方の国。関東。「大宰府言(まう)す。…—の防人を罷めしより、辺戍(へんじゆ)日に以て荒散せり」〈続紀天平宝字三・三・二四〉

どうごゑ【胴声】調子外れの濁って太く下品な声。胴満声(どうまんごえ)。胴間声(どうまごえ)。「小歌を—に張り上げ」〈浮・好色十二人男六〉

どうざ【動座】貴人・神木・神輿などが座所を他に移すこと。後には、貴人の出陣にもいう。「神輿の御—是れぞ始めなりける」〈盛衰記四〉

とうざい【東西】①東と西と。「宅を楊梅宮の南に起て、—に楼を構へて」〈続紀宝亀八・九・一七〉②東や西や。あちこち。周囲。「—を見めぐらせば、つゆ見るべき物もただ今見えず」〈今昔二八ノ七〉③東に西に移動すること。身動きすること。「〔常陸国府一帯ヲ〕おしつつんで便(すなは)ち—せしめず」〈将門記〉。「ただ袖をとらへて—せさせず〔返事ヲ〕乞ひとりて」〈枕八二〉④歌舞伎・相撲などの興行で、観客の騒ぎを鎮める時、または口上を述べる時などに最初に言う語。「静まるや——御代の春」〈俳・伊勢俳諧新発句帳一〉 **—を失・ふ**①東も西もわからなくなる。方角を失う。「山の中にして道に迷ひて—・ひつ」〈今昔一三ノ一〉②方途を失う。どうしたらよいかわからなくなる。「新院—・はせ給ひ、左府も前後に迷ひ給ふ」〈保元中・新院左大臣殿〉

とうさく【東作】《「東」は春の意。「西収(せいしゆ)」の対》春の耕作。「春は—の思ひを忘れ、秋は西収の営みにも及ばず」〈平家一〇・藤戸〉。〈色葉字類抄〉

とうさん【東山】《トウセンとも》「東山道」の略。「往にし歳は—の役(えだち)、今年(ことし)は西海の行(たび)」〈懐風藻〉 **—だう**ドウ【東山道】《トウセンダウとも》七道の一。東海・北陸両道にはさまれた、山間の国国。近江・美濃・飛驒・信濃・上野・下野・陸奥・出羽の八か国。また、これらの諸国を連ねる街道。「巡察使を—に遣して非違を検察せしむ」〈続紀文武四・二・二三〉

とうじ【刀自】⇒とじ。「美相なき家—」〈源氏帚木〉

とうじ【冬至】二十四気の一。陰暦十一月にあり、古来、陰きわまって陽始まる日として祝われた。「天皇大安殿に御して—の賀辞を受く」〈続紀神亀二・一一・一〇〉

どうし【同志・同士】㊀『名』①志を同じくすること。また、その仲間。同類の者。「似合うた—相対して、酒うち飲うでゐたらばよからうぞ」〈山谷詩抄一九〉。「同志、ドウシ」〈文明本節用集〉②連れ。一緒。「他と連れ立ち行くを、東国にて—に行くと言ふ」〈物類称呼五〉㊁『接尾』同じ仲間であることを表わす。「学文者は学文者—集まり、博奕打(ばくちうち)は博奕打—集まる」〈周易秘抄五〉

どうじ【童子】①こども。わらべ。「伯奇、—の時、継母これを憎みにくむ事限りなし」〈今昔九ノ二〇〉②〔仏〕㋑仏・菩薩・諸天などに随侍する眷属。「諸天の—は遊び戯れ」〈今昔六ノ一五〉㋺まだ剃髪得度していない少年。「弟子三人、—五人連れてありけるが」〈宇津保忠乞〉㋩寺院で、年齢にかかわらず、かぶろ頭の童形のままで雑役をつとめた下級僧侶。「南都の諸寺には堂—といふ下部(しもべ)侍るなり」〈壒嚢鈔一〇〉

どう・じ【同じ】『サ変』同意する。賛成する。「大衆『尤も尤も』とぞ—・じける」〈平家二・一行阿闍梨〉

どう・じ【動じ】『サ変』①動く。「一僧いはく、幡(ばん)の—・ずるなり。一僧いはく、風の—・ずるなり」〈正法眼蔵恁麼〉②動揺する。心を動かす。「ひき動かしつばかり聞えあへるも、いと心うくうとましくて—・ぜられ給はず」〈源氏総角〉

どうしう【銅臭】銅銭。「細川右京兆政元公進納する所の—百緡(しき)」〈蔭涼軒日録延徳一・一〇・三〉

とうじみ【燈心】《「心」の尾子音 n に i を添えて mi と発音したもの》⇒とうしん。「髪は—を戴きたるやうにて」〈今昔二九ノ二六〉。「炷、トウジミ」〈名義抄〉

とうじゃう【闘諍】戦い争うこと。闘争。「修羅の—、帝釈(たいしゃく)の争ひもかくやとこそ覚え侍ひしか」〈平家灌頂・六道之沙汰〉。〈色葉字類抄〉 **—けんご**【闘諍堅固】仏滅後二千五百年を五百年ごとに区切った五五百歳(ごごひゃくさい)のうち、解脱堅固・禅定堅固・多聞堅固・造寺堅固につぐ第五の五百年。仏教がおとろえ、互いに自説に固執して他と争うことのみ盛んである時代。「いはんやこの頃は第五の五百年—の時なり」〈和語燈録三〉

とうしゅ【東首】寝た時、頭が東になるようにすること。東枕。「東を枕として陽気を受くべき故に、孔子も—し給へり」〈徒然一三三〉

どうしゅく【同宿】《ドウジュクとも》①同じ家に宿ること。一緒に住むこと。「—も詮なしとて、北の方が父、九条中納言家に籠居しぬる由」〈問はず語り三〉②同じ僧坊に宿泊する同学の僧。「滝口入道、—の僧に逢うて申しけるは」〈平家一〇・横笛〉③師と同じ寺内に寄宿して師に仕え修行すること。また、その僧。「その弟子にて、年来—したりける僧あり」〈発心集三〉。「師もいと見苦しき事に思ひ、—・同朋もこれを汚み厭ひければ」〈古今集註〉

とうしん【燈心】燈油に浸して火をともすもの。細藺(ほそい)のなかごの白い心(しん)を使ったが、後には綿糸も使った。「とうじみ」「とうすみ」とも。「百二十筋の—を束(つか)ね」〈太平記五・中堂〉 **—にて竹の根掘・る** 近世の俗信で、不生女(うまずめ)が地獄に堕ちて、燈心で竹の根を掘らされるという責苦。後に、果てしない苦しみのたとえにもいう。「—・ると云へり」〈俳・蝿打一〉 **—ひき**【燈心引き】燈心を作るため細藺の心を引き出すこと。また、それを業とする人。「—の娘であらう」〈天理本狂言六義・伊文字〉

とうじん【等身】高さが人の身のたけと等しいこと。「金色—釈迦像」〈権記寛弘八・六・二五〉

どうしん【同心】①心を同じくすること。同じ心。「この三人の兄弟、—に相語りて云はく」〈今昔一〇ノ二七〉②心を合わせて協力すること。味方すること。「何ぞ当山ひとり、宿運尽きぬる平家に—して、運命開くる源氏を背(そむ)かんや」〈平家七・木曾返牒〉③同意すること。承引。「されどもシャント、少しも—なうて」〈天草本伊曾保〉④連れ立って行くこと。同道。「使者の宿へ勘解由殿—にて礼申し候」〈上井覚兼日記天正三・八・九〉⑤戦国時代、軽輩の家士。与力(寄騎)にほぼ同じ。「各—・与力の者、他人をたのみ、内儀と号し、訴訟を申す事、停止せらる」〈今川仮名目録追加〉⑥近世、幕府の所司代・諸奉行などの配下に属し、与力の下にあって庶務・警察などの事務を執った下級の役人。「町奉行与力二十五騎、—六十人宛(づつ)」〈町奉行前録〉

とうす【東司】《唐音》禅宗の寺院で、東序(とうじょ)すなわち仏殿・法堂(はっとう)の東側に列する僧が使用する厠(かわや)。のち、厠の通称となる。「—に到る法は、必ず手巾を持つ」〈正法眼蔵洗浄〉。「東司、トウス、厠也、或云二東浄一又云二西浄一也」〈黒本本節用集〉

とうそ【屠蘇】⇒とそ。「くすし(医師)ふりはへて—・白散(びゃくさん)、酒加へてもてきたり」〈土佐十二月二十九日〉

どうぞ〘副〙なんとか。どうにか。「—扱うてたもれ」〈虎清本狂言・禁野〉。「—して離いて下されい」〈虎清本狂言・蟹山伏〉

とうたい【凍餒】寒さにこごえることと飢えることと。「世治まらずして、—の苦しみあらば、咎(とが)の者絶ゆべからず」〈徒然一四二〉

とうだい【燈台】室内用の燈火具の一種。高燈台(燭台に似て、上に油皿をおくもの)・結燈台(細く丸く削った木を三本組み合わせ、上に油皿をおくもの)・切燈台(白木で作り、小さい木切れを打ち違えて蜘蛛手にした所に油皿をおくもの)などがある。「むづかしき反古など破りて…—の火に焼き、水に投げ入れさせ」〈源氏浮舟〉 **—下(もと)暗し** あまり身近な事は、かえってわかりにくいものだというたとえ。「—とて、いつも仏法を聴聞する身は、御用を厚くかうぶりて、いつもの事と思ひて、法義におろそかなり」〈蓮如上人御物語〉

とうだう【東堂】禅寺で、前の住職のいる所。また、前の住職。「禅家は堂頭・和尚・—・西堂」〈庭訓往来十月三日〉。「前住を—と云ふ」〈壒嚢鈔三〉

とうちんかう【透頂香】外郎(ういろう)の異称。「—、外郎方(ほう)」〈三条家薫物書〉。「大きなりけり小さかりけり／富士の根は—をふもとにて」〈俳・守武千句〉。〈文明本節用集〉

どうづ・き【どう突き】□一〘四段〙はげしく突く。どんと突く。「—・きかかる悋気(りんき)いさかひ」〈俳・二葉集〉。〈日葡〉□二〘名〙【胴突】①はげしく突くこと。「鎌倉建長寺の大鐘などは…日本一の大力がしたたかな—をかけて…突く処で、六十余州へ響き渡り」〈勝国和尚再吟三〉②土木・建築のため、人力で地盤を突き固めること。また、その用具。地突。「作事とは、土木の事を興(おこ)して普請—するを云ふ」〈左伝聴塵三〉。「百突、ドヅキ、又筒突同」〈文明本節用集〉

どうづよ・し【胴強し】〘形ク〙度胸がすわって気が強い。「—・い馬と見たが」〈毛詩抄一〇〉

とう・で【取う出】〘下二〙《トリイデの転》取り出す。「書き給へる冊子どもも、隠し給ふべきならねば、—・で給ひて、かたみに(互イニ)御覧ず」〈源氏梅枝〉

どうで〘副〙どうしても。どうしたとて。つまり。どうせ。「—死脈の浪風の音」〈俳・みつがしら〉

どうてん【動転】①うつりかわること。変転。「〔竹生島ハ〕金輪際より出生せる故に…遠くは三世に—なしとかや」〈盛衰記二八〉②びっくりして仰天すること。「敵方より、かさをかけていさむとも、—するな」〈三河物語上〉

とうど〘副〙①ちょうど。たしかに。ちゃんと。「春の時分には—帰陣したぞ」〈毛詩抄九〉②ゆるりと。気楽に。「まづ—居さしめ」〈虎明本狂言・磁石〉

どうど〘副〙①重い物が急に落ちたり、崩れたり、倒れたりするさま。どっと。どさっと。「馬は一はたらきもはたらかず、—伏しぬ」〈保元中・白河殿攻め落す〉②重態で病人が起き上がることの出来ないさま。どっと。「ぢい様が—床に着いて十死(じっし)一生だはな」〈滑・浮世風呂二下〉

とうとう【疾う疾う】〘副〙早く早く。「『—』とて、出し参らせ給ひぬ」〈平家八・山門御幸〉

とうとく 阿呆者。馬鹿者。「どうとく」とも。「跡先知らずの—め」〈西鶴・好色盛衰記四〉

とうど・り【頭取り】□一〘四段〙頭(とう)の役を占める。主席をつとめる。「春日の宮にこそ神神楽ありとの。…赤熊(しゃぐま)かづきて—・る殿がいとほし」〈田植草紙〉□二〘名〙かしらだつ者。取り締まる者。頭目。「此の度、府中の一揆の儀、定めて二木一門—にてこれ有るべし」〈寿斎記〉。「それがし若く候へども、今度の勧進能の—を仕る」〈わらんべ

草三〉

どうなか【胴中】①胴の真中。「―射られて叶はじと思ひければ」〈義経記五〉②物事の真中。また、最中(さいちゅう)。「夏の―とは、定めて夏の最中と云ふ事だんべいな」〈俳・奴俳諧〉。「野郎〔盛リノ〕―」〈評判・役者大鑑一〉

どうな・し【動無し】〘形ク〙動揺しない。反応する動きを示さない。「〔恋文ヲ受ケ取ッテモ〕更に例の―・きを、〔親ニ〕せめて言はれて〔返事ヲ書ク〕」〈源氏明石〉

どうにょ【童女】女の子供。「なまめかしきもの。…をかしげなる―の、うへの袴など、わざとはあらでほころびがちなる」〈枕八九〉

とうにん【頭人】①鎌倉時代、引付衆などの長官。室町時代、政所・侍所・引付衆の長官。「―と云ひ、奉行人と云ひ、遅参に及ぶ事なかれ」〈吾妻鏡建長二・四・二〉②「頭(とう)」(3)に同じ。「第二度の―は色色の小袖十重(とかさね)づつ置く」〈太平記三三・公家武家〉

どうにんぎゃう(‥ギョウ)【銅人形】漢方医学で、人の血脈・経絡(けいらく)・灸穴などを図示した銅製の人形。薬屋の店頭に看板として出すこともあった。「清右衛門―作る。半身は常の如く、半身は五臓顕露の人形也」〈隔蓂記寛文三・一一・二五〉

とうのせうしゃう(‥ショウショウ)【頭少将】近衛少将で蔵人頭に補せられたもの。「御子の君だち、右大弁・侍従宰相・権中将・―・蔵人兵衛佐など、皆さぶらひ給ふ」〈源氏椎本〉

とうのちうじゃう(‥チュウジョウ)【頭中将】近衛中将で蔵人頭に補せられたもの。「―ばかりを『立ちながらこなたに入り給へ』と宣ひて」〈源氏夕顔〉

とうのべん【頭弁】弁官で蔵人頭に補せられたもの。中弁を補するのを原則とする。「藤大納言の子の―といふが、世にあひ花やかなる若人にて」〈源氏賢木〉

とうばう(‥ボウ)「とんばう」に同じ。トンボ。「居よ居よ―よ、堅塩(かたしほ)参らん、さて居たれ」〈梁塵秘抄四三八〉

とうはちかこく【東八箇国】足柄の関から東の八か国。相模・武蔵・安房・上総・下総・常陸・上野・下野の総称。関八州。「―よりはじめて王城を領せむと思ふ」〈今昔二五ノ一〉

とうはちし【銅鈸子】打楽器の一。仏教で勤行の時に使うもの。銅製の円型のもの二つを、左右の手で打ち合わせて鳴らす。「銅鉢子、トウハチシ」〈名義抄〉

とうはつ【銅鈸】「とうはちし」に同じ。〈色葉字類抄〉

とうぶ【東武】江戸の異称。東府。武江。「―へ下り、観世方頭取仰せ付けらる」〈近代四座役者目録〉

どうぶく【胴服】丈の短い羽織。「三百余騎にて黒き赤き頭巾、思ひ思ひの出立ち、―・皮袴・皮立付(かはたつつけ)にて」〈立入左京亮入道隆佐記〉

どうふくちう(‥チュウ)【同腹中】心を同じくすること。また、その人。同腹。「〔大江〕千里(ちさと)―なる事を知る」〈俳・田舎之句合〉

どうぶくら【胴脹・胴膨】①中心。どまんなか。「随分題目さへ唱へられたら、寂光浄土の―に、何ほどの家なりとも持たれう」〈咄・囃物語中〉②まっ最中。「冬来てや流行り紙子の―」〈俳・埋草四〉

とうふのうば【豆腐の姥】豆腐を作る時に煮汁の表面に生じる皮を取って干した、黄色で皺のある物。煮たり炙(あぶ)ったりして食べる。湯葉(ゆば)。「豆腐の皮」とも。「〔菜(さい)ノ〕一つは―」〈鹿苑日録慶長六・六・五〉

どうぶるひ(‥ルイ)【胴震ひ】寒気や恐怖・興奮などのため、全身が震いわななくこと。「女郎の相宿僧の―」〈雑俳・広原海一六〉

どうへん【同篇】①同じであること。変りのないこと。「かくの如く振舞ふ上は、重ねて何と下知するとも、ただ―なるべし」〈明徳記上〉。「同篇、どうへん、同事也」〈和漢通用集〉②特に、病状の変らないこと。「帝王御悩の様子相尋ね了んぬ。―の由也」〈言経卿記慶長三・一〇・一〉。「―。…今は病の上にのみ言ふやうになりたり」〈新撰用文章明鑑中〉

どうぼう【同朋】①同じ仲間。「此の八木の宿よりは、只―一両輩ばかりなり」〈南海流浪記〉。「―・同侶にもあひて口論をもしては」〈歎異抄〉。〈色葉字類抄〉②室町・江戸時代、将軍・大名に近侍して雑役に使われる僧形の小役人。お坊主。同朋衆。「宇都宮は大名なれば、殿ばら・小姓・―、そのほか小者・中間に至るまで、次第次第の人なくしては成るべからず」〈伽・猿源氏草紙〉

どうぼね【胴骨】①胴の骨。あばら骨。「我が―を推(お)し折られて」〈驢鞍橋上〉②物事の最も秀れた所。「これを俳諧の―と名付け侍る物ならし」〈俳・胴骨〉③度胸。度性骨。きもったま。「顔をあげ、―を据ゑて居習ひめされよ」〈反故集下〉。「本田上野、其の外の衆の―をも良く知りたり」〈三河物語下〉

どうほふ(‥ホウ)【同法】同じ師について仏法修行をした仲間。「その寺の大門に失せにし―の道明立てり」〈今昔七ノ三三〉

どうまる【胴丸・筒丸】鎧の一種。胴を丸くかこんで、右脇で合わせるように作った略式軽装用のもの。どうまろ。「弓よく射る者どもは甲(かぶと)を着ざれ、腹巻・腹当・―などを着て、敵の鎧の胸板をさしつめて射よ」〈盛衰記三三〉

どうまんごゑ【胴満声】「胴声」に同じ。「歌も唄はるるが、―とて笑ふ人あり」〈評判・山茶やぶれ笠〉

とうや【頭屋】氏神の祭礼や講の集会で、神事行事を主宰したり、供饌や饗応のために働く人、また、家。当屋。「若宮祭礼…―の事」〈多聞院日記文明一五・三・一六〉

どうやら〘副〙①なんとか。どうにか。「―仕舞うて曙の春」〈俳・大矢数三〉②何となく。どことなく。「大和路や―わろき詞付き」〈俳・大句数上〉

とうゆ【桐油】①油桐の種子からしぼり取った赤黄色の油。「―引いたる袖の薄霧」〈俳・桜千句〉。〈運歩色葉集〉②桐油を塗った紙。桐油紙。また、それで作った合羽。桐油合羽。「虎の皮、鹿の皮に―」〈細川忠興文書寛永六・四・一三〉。〈書言字考〉

どうよく【胴欲】《トンヨク(貪欲)の転》①欲が深いこと。「御身は、不慈悲・不義理・不行義、―深く」〈仮・可笑記一〉②無慈悲なこと。むごいこと。ひどいこと。「さてさてわごりょは―な人ぢゃ」〈虎明本狂言・武悪〉。「慳貪放逸。―な者」〈天草本伊曾保和らげ〉③程度の甚だしいこと。「―に低し」〈評判・朱雀遠目鏡下〉

とうらい 拳(けん)の用語で、十のこと。「拳の手品の手もたゆく、ろませ(六)・さい(七)・―・さんな(三)」〈近松・冥途飛脚中〉

どうらん【胴乱】方形の巾着。印鑑・薬などを入れ、腰に提げる。「鉄炮数千五百丁分、―二百三十三不足」〈梅津政景日記元和八・一・二〉

とうりう(‥リュウ)【逗留】①とどまって進まないこと。その場にとどまること。「驚き怪(あや)しんで馬より下りて、しばらく―する間に」〈今昔一七ノ四〉②ためらってぐずぐずすること。躊躇すること。「さばかりのことになりて―せさせ給はんやは」〈大鏡師尹〉③滞在すること。「新院御―あって、福原のところどころ歴覧ありけり」〈平家四・還御〉④ひま。いとま。「我が屋に帰り物の具せん―なかりければ」〈太平記二六・四条

縄手〉

とうりゃうヨウ…リ【棟梁】①棟(むね)と梁(はり)と。むなぎとうつばりと。「―はるかに秀でて、四面の椽(たるき)を白霧の間にかけたりき」〈平家二・山門滅亡〉②家の棟や梁にも比すべき重要な人物。「沙門道蔵は、まことにこれ法門の袖領、釈道の―なり」〈続紀養老五・六・二三〉③首長。かしら。首領。頭目。「〔小山〕朝政は…門葉の―たる也」〈吾妻鏡治承五・閏二・二三〉④特に、大工のかしら。「巧匠は番匠のなかの―なり」〈庭訓抄上〉。〈明応本節用集〉

とうるい【等類】連歌・俳諧で、素材や趣向が他の既成の句によく似ていること。古来戒められていた。「これは―、更に有るべからず候」〈宗祇発句判詞〉

どうれ『感』《ドレの転》武士の家などで、訪問客が案内を乞うたとき、家の中から答えることば。どなた。だれですか。「〔客ハ門外カラ〕『ものまう』といふ。…〔主ハ内カラ〕『―』といふ」〈日本風土記三〉

とうれい【東嶺】東の嶺。京都の東山をさしていうことがある。「漢天(天ノ川)すでに開きて、雲―にたなびき」〈平家七・主上都落〉

どうれい【同隷】同じ主人に隷属する仲間。同じ仲間の者。「これを見て―ども十四五人ぞ続いたる」〈平家四・信連〉。〈伊呂波字類抄〉

とうろ【燈炉】「とうろう」の俗語。「―掛けそへ、火あかくかかげなどして」〈源氏帚木〉。「燈炉、トウロ、俗」〈色葉字類抄〉

とうろう【燈楼・燈籠】①照明用具の一。もとは僧房の燈火具であったが、我が国では奈良時代には、主として仏前荘厳の具に使われた。平安時代以降、釣燈籠は宮中や貴族の邸宅の照明具としても使われるようになった。「とうろ」とも。「その指(および)を本より切りて石の筥(はこ)に入れて―の土の下に埋み給ひつ」〈今昔一二ノ二九〉。「内典云燈炉、唐式云燈籠、本朝式云燈楼」〈和名抄〉②盂蘭盆(うらぼん)に、死者の供養のためともす燈籠。盆燈籠。「盆の夕つ方、森の中より―を上ぐるを見て」〈俳・玉海集三〉③江戸吉原仲の町で、六月三十日から七月中、美麗な盆燈籠を軒先につるす風習。「―で甚だ暗い言訳し」〈雑俳・万句合宝暦九〉

とうろく【藤六】野呂松(のろま)人形の一種。道化た顔つきの人形。後に、阿呆の異名ともなった。「―が木末に帰る若葉かな」〈俳・当世男上〉。「心なき―・見斎・粉徳・麦松もうき立つばかり見えわたりて面白し」〈西鶴・一代男四〉

どえん【度縁】令制で、官府が僧に与えた出家の許可証。「天平神護元年よりこのかた、僧尼の―、一切に道鏡が印をもって之を印す」〈続紀宝亀三・一・四〉

とが【咎・科】《他から非難され、指弾されるような欠点、過失、不用意の行為。類義語ツミは、聖なるものを犯す行為》①人がとやかく指弾する欠点。短所。「あしかる―もさね見えなくに」〈万三三九一常陸東歌〉②不用意の過失。「或いは過(とが)有りて死ぬるも有り。或いは過无くして死ぬるもあり」〈地蔵十輪経二・元慶点〉③罪にあたる行為。非行。「真善の婆羅門の等(ごと)きは幾所の福を得む、幾所の罪(とが)を滅すとまうす」〈地蔵十輪経五・元慶点〉。「すみやかに昔の―を観じて懺悔を致さば、その罪を除きてむ」〈今昔六ノ六〉④取り沙汰。非難。「かろがろしきそしりをや負はむとつつしみしだに、なほ、すきずきしき〔トイウ〕―を負ひて」〈源氏梅枝〉⑤譴責(けんせき)。処罰。「〔仏法ヲ排斥シタ〕二人の大臣ことに重き―にあたりて、悔い悲しみて」〈三宝絵中〉 †tŏga **―をばいちゃが負・ふ**《「いちゃ」は守役・乳母・下女などの通名》主家の娘・子供などの科を女奉公人が身代りに引き受ける。「とう下向めされ、―・はんと、たはふれて」〈仮・京童序〉

どか『接頭』体言に冠して、並はずれた、の意を表わす。「―歩き」「―儲け」など。「―雨に算を乱すや山薄」〈俳・笈日記中〉

とかうウ…コ『副』「とかく」の音便形。「―ためらひて」〈かげろふ下〉。「―世をおぼし乱るること多かり」〈源氏若紫〉

とがおくり【科送り】罪のつぐないをすること。「力の及ぶほど―をいたすべき覚悟なるが故に」〈こんてむつすむん地四〉

とがおひびくにイ…オ【科負ひ比丘尼】「悪事負ひの比丘尼」に同じ。「―の妙貞を遣はされ」〈西鶴・好色盛衰記二〉

とかき【斗掻】穀類を枡(ます)に盛って量るとき、それをならすのに使う短い棒。ますかき。「梁(りゃう)は斘(ます)の―と云ふ物ぞ。斘の上に置く物ぞ」〈湖鏡集〉。「概、俗云度加岐(とかき)」〈和名抄〉

とかく『副』《「兎角」は当て字。指示副詞トとカクとの複合。トは、あれ、あのようの意。カクは、こう、このようの意。状態とか立場・条件などが、あれこれと二つまたはそれ以上あって不確定なさま》①あれこれ。ああしたりこうしたり。「夜ひと夜、―あそぶやうにて明けにけり」〈土佐十二月二十五日〉。「親なくなりてのち、―はふれて(オチブレテ)」〈大和五七〉②《はばかりのあること、わずらわしいことなどを婉曲に指す》どうのこうの。とやかく。「この筑紫の女(め)、忍びて男したりけり。それを―いひければ」〈大和一四二〉③《条件・立場の如何にかかわらずの意を示す》㋑どうであれ、こうであれ。いずれにせよ。とにかく。「―浮世は金の世」〈人鏡論〉㋺ともすれば。ややもすれば。「―人といふものは、このやうな事をば、えて例にしたがるものぢゃ」〈虎寛本狂言・抜殻〉

とかげ【常陰】《トはトコ(常)の約という》いつも陰になって日のあたらない所。「もののふの磐瀬の社(もり)のほととぎす今しも鳴きぬ山の―に」〈万一四七〇〉 †tŏkagë

とがとが・し【咎咎し・科科し】『形シク』何かと他人をとがめだてして小うるさい。「―・しき女聞きて…と言ふに、いと憎さまさりて」〈堤中納言虫めづる〉

とがにん【科人】罪人。「―の事にて候程に、かの者を籠舎(ろうしゃ)させて候」〈謡・籠太鼓〉

とがのきの【栂の木の】〔枕詞〕《トガはツガの母音交替形》⇒つがのきの。「―いやつぎつぎに万代(よろづよ)にかくし知らさむ」〈万九〇七〉 †toganökinö

とかへりエリ…カ【十返り】十たび。特に、百年に一度咲くという松の花が十回も咲くこと。千年の齢(よはひ)を重ねること。「松の花―咲ける君が代に何とあらそふ鶴のよはひぞ」〈基俊集〉 **―のはな**【十返りの花】松の花の雅称。祝意をこめて使われる。「―を今日より松が枝にちぎるも久しよろづ代の春」〈新後拾遺一五三六〉

とがへ・りトガ エリ『四段』秋冬の頃、鷹の羽がはえかわる。「はし鷹の―・る山の椎はもみぢず」〈後撰一一七三〉

とかま《トは鋭(と)。カマはカマシ(囂)の語根》鋭くやかましいさま。「―にさ渡る鵠(くび)」〈記歌謡二七〉 †tokama

とが・め【咎め】㊀『下二』《トガ(咎)の動詞形。トガあるものとして指摘・指弾する意》①それはと、耳を立てたり、注目したりする。「針袋帯び続けながら里ごとにてらさひ(ミセビラカシテ)歩けど人も―・めず」〈万四一三〇〉。「〔コノ風流メイタ言葉ハ〕人のほどに合はねば―・むるなり」〈土佐一月二十一日〉②非難する。あれこれ批判する。「あしひきの山にしをれば風流(みやび)なみわがするわざを―・めたまふな」〈万七二〉。「『などかく、まがまがしく』と―・むるまで、いみじう泣かる」〈かげろふ上〉 ③あやしんで尋問する。「『嫌疑の者やある』と―・む」〈枕四五〉 ⊟『名』 ①非難。詰問。「五月雨は〔乗車ノママ陣ヲ通過シテモ〕―なきものぞ」〈枕九九〉。「とぶらひ参るも重き―あり、わづらはしき事まされば」〈源氏須磨〉 ②罪せられること。また、そのような行為。「後の世までの―あるべかりけることを」〈源氏薄雲〉 †tögamë

―い・で【咎め出で】『下二』 口に出してとがめる。「あさましく、―・でつつおろす」〈源氏少女〉

とかや『連語』《格助詞トに係助詞カ、間投助詞ヤのついたもの》 ①《文中に使われて、トの指示するものが、断定はできないが、大体そのように思ったり、聞いたりしたものであることをあらわす》…とかなんとか。…とかいう。「かしこにも、いとなさけなし―あらん、二十よ日、おとづれもなし」〈かげろふ上〉。「嵯峨のへんに、片折戸―したる内にありと申す者のあるぞとよ」〈平家六・小督〉 ②《文末に使われて、「とかや言ふ」の意》 ㋑質問する意をあらわす。…というのかね。「『いづれの国―』『みみらくの島となむいふなる』」〈かげろふ上〉 ㋺伝聞の意をあらわす。…とかいうことである。「『あるかなきかの』と、例の、ひとりごち給ふ―」〈源氏蜻蛉〉 ③断定を避け、詠嘆の気持を添える。「かたじけなくもこの君は…継体天皇と申す―」〈謡・花筐〉

とがり【鳥狩】 鷹を使って鳥を狩ること。鷹狩。「犬呼びこして―する君」〈万一二八九〉 †tögari

とが・り【尖り】『四段』 ①先端が鋭く突き出る。「遠くて見れば筆に似て、まろまろと山の峰の先の―・りたるやうなるを」〈山家集下〉。「尖、スルドナリ・トガル」〈名義抄〉 ②いらだち・気むずかしさなどから、態度やことばつきが鋭くなる。「宿にありし女房、―・りて言ふやう」〈仮・御伽物語三〉

―がさ【尖り笠】 まんなかのとがった笠。「金の―、長さ三尺ばかり、廻り一尺八寸ほど」〈伊達日記下〉 **―ごゑ【尖り声】** 細く高く鋭い声。「秋風の鑓戸の口や―」〈俳・続山の井三〉 **―や【尖り矢・鋒矢】** 先が鋭くとがった鏃(やじり)のついた矢。「弓に―をつがへて」〈今昔二六ノ五〉。〈文明本節用集〉

とき【時】 ❶経過して行く時間。 ①時間。「木のくれの―移りなば逢はずかもあらむ」〈万三三五五東歌〉。「わが背子にわが恋ふらくは止む―も無し」〈万二六二三〉 ②季節。「雁が来鳴かむ―近みかも」〈万三九四七〉。「―は今は春になりぬと」〈万一四三九〉。「―の花いやめづらしも」〈万四四八五〉 ③時代。「天地の分れし―ゆ」〈万一五二〇〉。「八年児の片生(かたおひ)の―ゆ、小放(をはなり)に髪たくまでに」〈万一八〇九〉。「いづれの御―にか」〈源氏桐壺〉 ④時勢。「移りゆく―見るごとに心いたく昔の人し思ほゆるかも」〈万四四八三〉 ❷きまった時刻・時節・期限。 ①きまった時刻。「時守の打ち鳴(な)す鼓数(よ)みみれば―にはなりぬ逢はなくもあやし」〈万二六四一〉 ②きまった時期。「彦星の―待つ舟は今し漕ぐらし」〈万二〇五三〉。「伊香保風吹く日吹かぬ日ありといへど吾が恋のみし―無かりけり」〈万三四二二東歌〉 ③期限。「いつまでか我が恋ひをらむ―の知らなく」〈万三七四九〉 ④一昼夜を区分した時間の単位。一日を十二支に配して十二分し、いまの夜の十一時から一時までを子(ね)の刻に当て、以下、順次に丑・寅…亥と当てた。民間では夜明け・日暮を明六つ・暮六つとし、昼と夜とをそれぞれ六つ・五つ・四つ・九つ・八つ・七つの六区分とした。夜に限って、初更・二更…五更と呼ぶこともあった。「宵うちすぎて子の―ばかりに」〈竹取〉 ❸よい時節。盛りの時期。 ①適当な時節。「大船に真楫しじぬき―待つと吾は思へど月は経につつ」〈万三六七九〉。「―しあらばと聞えて」〈源氏須磨〉 ②盛りの時期。よい時機。「桜花―は過ぎねど」〈万一八五五〉 ③運勢が吉である時。「暦の博士召して―問はせなどし給ふほどに」〈源氏葵〉 ④時めいて栄えている時。「きのふは栄えおごりて、〔今日ハ〕―をうしなひ」〈古今序〉。「いつかまた春の都の花を見む―失へる山がつにして」〈源氏須磨〉 ⑤時に逢い羽振りをきかすこと。権勢。「―とられて(寵遇ヲ奪ワレテ)人わろかめり」〈源氏紅梅〉。「―に随ふ世人」〈源氏少女〉。「何かただ―に移る(権勢ニナビク)心の今はじめて変り給ふにもあらず」〈源氏真木柱〉 ❹①場合。「来むといふも来ぬ―あるを」〈万五二七〉 ②その当時。「―の太政大臣御願ありて、賀茂に詣で給ひけるを」〈宇津保俊蔭〉 ③一時。その当座。「二の松明は―の運〔ノ吉凶ヲ示シ〕」〈謡・烏帽子折〉 †töki **―奏・す** 時刻を奏上する。昔宮中では、夜警の兵士が、亥の一刻から寅の四刻にわたって一刻ごとに時刻を奏上した。「―・する、いみじうをかし」〈枕二九〇〉 **―として** ①《下に打消の表現を伴って》いかなる時も。「―暫(しばらく)も輟(や)むことなし」〈三蔵法師伝四・院政期点〉。「心念念に動きて、―安からず」〈方丈記〉 ②時によると。ときどき。「〔犬ハ〕―、猪(ゐのしし)・鹿(かのしし)にも追ひつかず、あるいはたびたび食ひとめなんだによって」〈天草本伊曾保〉 **―となく** いつという時を定めずに。ひっきりなしに。「忘れ草わが紐に着く―思ひ渡れば生けりとも無し」〈万三〇六〇〉 **―なら・ず** その時節でない。時節はずれである。「耳無の山ならずとも呼子鳥なにかは聞かむ―・ぬ音を」〈後撰一〇三六〉。「―・ぬ霜雪を降らせ」〈源氏若菜下〉 **―に取りて** その時にあたって。当時・当座にあって。「―いみじくなん侍りける」〈著聞二四七〉

とき【斎】《「時」の意。仏教では元来、正午以後の食事を非時食(ひじじき)といって禁じたので、食すべき正しい時の食事をトキといった》 ①仏家の食事。「いちゐ・とち〔ノ実ヲ〕鉢に入れて―せさせたり」〈宇津保貴宮〉。「斎、トキ、一日一度令レ食也」〈色葉字類抄〉 ②仏事のとき、僧に出す食事。転じて、法要・仏事。「明春房、明日入道墓へ参り候ふべき由…寺の局にて―をたび候はば悦びに存じ候べく候」〈金沢文庫古文書一、金沢貞顕書状〉

とき【鬨・鯨波】 合戦のはじめに全軍で発するかけ声。大将が「えいえい」と二声発すると、全軍が「おう」と応じ、これを三回くり返した。「さるほどに、道にて―を作りて、軍をめきしけるに」〈閑居友上〉。「―の声三度あげて、矢合せの鏑(かぶら)を射かけたれども」〈太平記三・笠置軍〉

と・き【着き】『四段』《ツキの母音交替形》⇒つき。「三島に―・き」〈記歌謡四三〉 †toki

と・き【解き・溶き・説き】『四段』《締まり固まっているものをゆるくして流動できるようにする意。類義語ホドキは、固く結ばれたものをばらばらにする意》 ❶①(結んである紐などを)ゆるめる。「独りのみ着ぬる衣の紐―・かば誰かも結はむ家遠くして」〈万三七一五〉。「能く一切の衆生の縛(ばく)を―・きて」〈金光明最勝王経平安初期点〉 ②(縫ったもの、もつれたものなどを)ほぐして分ける。「つるばみの衣―・き洗ひ」〈万三〇〇九〉。「〔髪ヲ〕―・き果てたれば、つやつやときよらなり」〈源氏手習〉 ❷①固く凍りついたものをゆるめる。ゆるめて液状にする。「袖ひちてむすびし水の凍れるを春立つ今日の風や―・くらむ」〈古今二〉 ②(心の中の心配ごとなどを)氷解させる。「『王の所愛の子は今までに求むるに獲ずと雖も、久しからずして当(まさ)に来至してむ』とまをして、以て大王の憂へを釈(と)きき」〈金光明最勝王経平安初期点〉 ❸①道理を立てて説明する。説教する。「仏のいとうるはしき心にて―・き置き給へる御法も」〈源氏螢〉。「初の文に八子を列ぬることは法花を―・き給ふの縁と為(な)して」〈法華義疏長保点〉②（謎や問いかけを）解明する。「近習の人どもなぞなぞを作りて―・かれけるところへ」〈徒然一〇三〉　†töki

とぎ【伽】①相手をつとめること。また、側近く相手をつとめて、退屈・無聊などを慰めること。また、その者。「嫡子に一人あれば心苦し。必ず弟儲けて給へ。―にさせん」〈盛衰記四三〉。「そなたの―をせいと言ひつけられた程に」〈虎明本狂言・察化〉。「談助、ダンジョ、雑談の―也」〈文明本節用集〉②特に、枕席の相手をつとめること。また、その者。「さもあらむ人を語らひて夜の―にせばや」〈発心集一〉。「南蛮人よりその―に取られて、主(ぬし)の宿に四月の間、女房の様に居りまらした」〈コリヤード懺悔録〉▽名義抄に「対、トグ」という動詞が見える。この連用形トギの名詞化した語。→おとぎ

とぎ【刺】とげ。「〔竹木刺トハ〕木竹の―の誤りて身に立ちたるなり」〈病名彙解三〉。「刺、トゲ・トギ」〈書言字考〉

と・ぎ【磨ぎ・研ぎ】『四段』《トシ（利）と同根》①砥石(といし)ですって鋭くする。「つるぎ大刀いよよ―・ぐべし古ゆさやけく負ひて来にしその名そ」〈万四四六七〉②みがいてつやをだす。「まそ鏡―・ぎし心を」〈万六一九〉　†togi

ときあかり【時明り】雨空が、ときどき明るくなること。「五月雨や空めづらかな―」〈俳・埋草三〉

ときあけもの【解明け物】綿入れの中綿を抜いて仕立てた袷(あわせ)。綿貫(わたぬき)。ときあけ。また、「ときわけ」(二)の意にも用いる。「木綿の―を着せて」〈西鶴・一代男六〉

ときあらひきぬ【解洗ひ衣】ときほどいて洗い、仕立て直した着物。ときあらいごろも。「つるばみの―の」〈万一三一四〉　†tökiaraFikinu

ときがし【時貸し】期限も証人も定めず、ほんの一時的に金を貸すこと。「―に貸したるが、三日四日に便宜(連絡)せず」〈近松・曾根崎心中〉

ときかは・し【解き交し】『四段』互いに解きあう。「高麗錦(こまにしき)紐―・し天人(あめひと)の妻問ふ夕(よひ)ぞわれも偲はむ」〈万二〇九〇〉　†tökikaFasi

ときか・へ【解き交へ】『下二』「ときかはし」に同じ。「古にありけむ人の倭文幡(しつはた)の帯―・へて伏屋(ふせや)立て妻問しけむ」〈万四三一〉　†tökikaFë

ときがり【時借り】期限も証人も定めず、ほんの一時的に金を借りること。「春の価や―の金」〈俳・両吟一日千句〉

ときぎぬの【解衣の】〔枕詞〕ほどいた着物の意で「みだれ」にかかる。「―思ひ乱れて」〈万二六二〇〉　†tökikinunö

ときぐし【解櫛】毛髪を解きほぐすのに用いる歯のあらい木櫛。「鬢櫛・―、男のは円棟(まるむね)也」〈山科家礼記寛正四・四・三〇〉

ときさ・け【解き放け】『下二』解き放す。「家にして結ひてし紐を―・けず思ふ心を誰か知らむも」〈万三九五〇〉　†töki-sakë

とき・じ【時じ】『形シク』①時が定まっていない。「―・じくぞ雪は降るとふ、間なくそ雨は降るとふ」〈万二六〉②季節はずれである。「我がやどの―・じき藤のめづらしく今も見てしか妹が笑まひを」〈万一六二七〉　†tökizi

ときじくのかくのこのみ【時じくの香の木の実】《夏から冬にかけて、長く枝にある香りよい木の実の意》橘(たちばな)の実。「この橘を―と名づけけらしも」〈万四一一一〉

ときじけ【時じけ】形容詞「ときじ」の古い未然形・已然形。「河の上のいつ藻の花のいつもいつも来ませ我がせこ―めやも」〈万四九一〉　†tökizike

ときしまれ【時しまれ】『連語』「時しもあれ」の約。「―今日の今日にし逢ひぬれば」〈元輔集〉

ときしも【時しも】『連語』①《打消の表現を伴って》時をさえ。時節までも。「わが頼む君がためにと折る花は―分かぬものにぞありける」〈伊勢九八〉②意外にもちょうどそんな時に。折も折。「あしひきの山に入り日の―ぞあまたの花は照りまさりける」〈風雅一九三〉　**―あれ**　時が、そんな（意想外の、望外の）時であるのに。時も時なのに。「―秋やは人の別るべき在るを見るだに恋しきものを」〈古今八三九〉。「―夢合はする者来たるに、こと人のうへにて問はすれば」〈かげろふ下〉▽已然形で終る句で条件句を構成した上代の語法の踏襲であろう。類似の表現に、「折しもあれ」「今日しもあれ」などがある。

ときしりがほ【時知り顔】時期を心得ているような顔つき。「いと、物すさまじき年なるを、〔草花ハ〕心やりて―なるも、あはれにこそ」〈源氏薄雲〉

ときだいこ【時太鼓】「時の太鼓」に同じ。「加賀の大聖寺の―、夜明けを急ぐ」〈西鶴・一代男四〉

ときづかさ【時司】時刻を知らせることを司る役人。また、その役所。漏刻(ろこく)の司。「―などは、ただかたはらにて、鼓の音も例のには似ずぞ聞ゆるを」〈枕一六一〉

ときつかぜ【時つ風】《ツは連体助詞》①季節・時刻によって吹く風。「―吹くべくなりぬ」〈万九五八〉②ちょうどよい頃に吹く順風。「四海波静かにて、国も治まる―」〈謡・高砂〉③〔枕詞〕時つ風が吹く意から、地名「吹飯(ふけひ)」にかかる。「―吹飯の浜に」〈万三二〇一〉　†tökitukaze

ときつくに【時津国】四時順調によく治まっている国。「景象豊かなる―」〈浄・暦一〉

ときづけ【時付け】急用の使者・手紙などが特定の時刻までに届くように指定すること。「―の状など奉行衆より参り候も」〈細川忠利書状寛永九・九・一二〉

ときとき【時時】その時その時。「望月のいやめづらしみ思ほしし君と―出でまして遊び給ひし、みけむかふ城上(きのへ)の宮を」〈万一九六〉。「―をしも分つ行なひ」〈慶長二年三月四日山何百韻〉。〈日葡〉▽時たま・時折の意では、トキドキと濁音でいう。「時時をときどきと云へば希(まれ)なるやうに意得(こころえ)、…ときときと云へば…其のときときと云ふやうに意得るなり。これ皆云ひ習はしの世話なり」〈見聞愚案記五〉　†tökitöki

ときどき【時時】時たま。時折。「―は宿直(とのゐ)なども仕うまつるべけれど」〈枕一六三〉。〈日葡〉　→ときとき

ときどり【時取り】事を行なうに際し、前もって時刻を選び定めること。「吉日を選び、―をして」〈伽・酒呑童子〉

ときなか【時中】半時(はんとき)。今のほぼ一時間。「さて―ばかりありてぞ」〈大鏡師輔〉

ときな・ひ【時なひ】『四段』《ナヒはアキナヒ・ツミナヒ・トモナヒなどのナヒに同じ》時をわきまえ知る。また、鶏が夜明けの時を告げる。「狗(いぬ)の夜を守り、鶏の曙を―・ひ」〈説法式要一〉

ときのかね【時の鐘】時刻を知らせるために打つ鐘。時鐘。「金沢に初めて―仰せ付けられ候」〈微妙公御直言〉

ときのくひ【時の杭】「時の簡(ふだ)」にさして時刻を示すのに用いた木釘。「―さす音など、いみじうをかし」〈枕二九〇〉

ときのたいこ【時の太鼓】時刻を知らせるのに打つ太鼓。時太鼓。「野村殿にて蓮如上人様、『これに―を打ちたい。不断香なうては』と仰せける」〈本福寺跡書〉

ときのてうし【時の調子】①四季・月・日・時刻などに応じて定められている音楽の調子。春は双調、夏は黄鐘調、土用は壱越調、秋は平調、冬は盤渉調など。「―の調

べをなしては、彌生の日数の内に夏の節の来るをわきまへ」〈経信母集〉②その時その場にふさわしい音楽の調子。「まさしくその座敷にての―はあるものなり」〈中楽談儀〉
ときのはな【時の花】①その季節に応じて咲く花。「―いやめづらしもかくしこそ見(め)し明らめめ秋立つごとに」〈万四四八五〉②《比喩的に》時めく人。「―と見えし維盛おととい」〈平家公達草紙〉 **―をかざ・す**《その時節の花を髪飾りにする意から》時流に乗じてはなやかにふるまう。「なさけだちたる心ばへはなく、―・す心ばへある人にて」〈夜の寝覚三〉。「平家の一族(ぞう)のみ、いよいよ―・し添へて」〈増鏡一〉
ときのひと【時の人】①その頃の人。当時の人。「―、中将の子となむいひける」〈伊勢七九〉②時めく人。時を得て、羽振りのいい人。「我をばおぼさず、なにがしこそただいまの―」〈枕二三〉
ときのふだ【時の簡】清涼殿の殿上の間の小庭にあり、時刻を掲示した札。「時の杭(くひ)」をさして、時刻を示した。「―に杭さす音す。左近の陣の夜行、貂(てん)めきたるありくも、昔にもかはる事なし」〈讃岐典侍日記〉
ときのほど【時の程】しばらくの間。少しの間。「敵三百余騎―にたやすくうち殺されてければ」〈十訓抄一ノ六〉
ときのま【時の間】《一時(いっとき)の間の意》ごく短い時間。ほんのちょっとの間。「―に(庭ノツクロイヲ)いと見所ありてしなさせ給ふ」〈源氏須磨〉。「おぼしおこたる―も無く心苦しくも恋しくも覚しいづ」〈源氏帚木〉
ときは(トキワ)【常磐・常盤】《トコ(常)イハ(磐)の約》①永遠に、しっかりと同一の性状を保つ岩。「―なす斯くしもがもと思へども世の事なれば留みかねつも」〈万八〇五〉②《転じて》永遠に変ることのないさま。永久不変。「大君は―にまさむ」〈万四〇六四〉③樹木の葉が一年中色を変えないこと。常緑。「―なる松のさ枝を」〈万四五〇一〉。「―のかげに花の錦を引き加へたると見ゆるに」〈源氏若菜下〉 †tökiFa
―かきは(カキワ)【永久】《カキハは「堅磐(かきは)」の誤読によって生じた語》⇒かちは。「―に我が君の御代」〈拾遺愚草上〉 **―ぎ**【常磐木・常緑木】一年中緑の葉を保って、枯れない木。常緑樹。「―のかげ繁れり」〈源氏浮舟〉
―のくに【常盤の国】北海道の北方にあって雁・鴨や燕の原住地と信じられた島。常盤島。「―よりも春は来て秋戻る燕といふ鳥、夫婦にて」〈説経・しんとく丸〉

ときひ【時日】時と日。また、時取りと日取り。「棟上げに―を取るは博士にて」〈新撰菟玖波集一五〉
ときぶね【解船】老朽船を解体すること。また、解体された船。「―寄する岸の村竹」〈俳・難波千句〉
とぎぼうこう【伽奉公】下女と妾を兼ねた奉公。「―は春雨の中」〈俳・桜千句〉
ときぼん【斎坊】檀家の斎に呼ばれた僧侶。斎坊主。「月の朝(あした)に参る―」〈俳・懐子一〇〉
ときまい【斎米】斎用に寺または僧に施す米。「―や有るか無きかの草の庵」〈俳・談林十百韻上〉
ときまゐり【時参り】「丑(うし)の時参り」に同じ。「―する牛の身の果」〈俳・飛梅千句〉
ときめか・し【時めかし】『四段』時めくように扱う。特にとりたてかわいがる。「かく殊なる事なき人を率(ゐ)ておはして―・し給ふこそ、いとめざましくつらけれ」〈源氏夕顔〉
ときめき 胸がどきどきすること。「一夜のことや言はむと、心―しつれど」〈枕八〉
ときめ・き【時めき】『四段』よい時機に会って声望を得、優遇される。「あまた参り集まり給ふ中にも、すぐれて―・き給ふ」〈源氏賢木〉。「なべての月には見えぬ物の、師走の晦日(つごもり)のみ―・きて」〈枕四〇〉
ときもり【時守】時刻を知らせる人。陰陽寮に属し、漏刻(ろこく)博士に率いられ、時刻によって鐘鼓を打ち鳴らす役。守辰丁(しゅしんちょう)。「―の打ち鳴(な)す鼓数(よ)み見れば」〈万二六四一〉 †tökimori
どきゃう(ドキョウ)【読経】《ドクキャウの転》経文を声に出して読むこと。「修法(ずほ)・―とののしることも」〈源氏若菜下〉。「御―・御誦経」〈栄花見はてぬ夢〉 ↓読誦(どくじゅ)
―あらそひ(アラソイ)【読経争ひ】経文中の主要な文句を読んで、その声や節廻しを競い合うこと。一説、経文をどこまで読むことができるかを競い合うこと。「そこはかとなき若君達などは、―、今様歌ども声をあはせなどしつつ」〈栄花初花〉
とぎやらう(...ヤロウ)【伽遣らう】近世、大阪港内で、船に乗って漕ぎ廻り、船頭相手に売色した比丘尼(びくに)。その呼び声から名付けられた。「見る人にこや―月の舟」〈俳・糸屑三〉。「夜発(やほ)を小船にのせて男一人さしそひ…『――』といへり」〈色道大鏡一四〉
ときよ【時世】①時代。「―経て久しくなりにければ、その人の名忘れにけり」〈伊勢八二〉②当時の世の中。「―のおぼえ重くてものし給へど」〈源氏須磨〉③その時代の動向。その時代の主流。「大殿ばらの君を、うつくしげなりと、世人もて騒ぐは、なほ―に寄れば(権勢ニヘツラウノデ)人の見なすなりけり」〈源氏松風〉
とぎょ【渡御】おでましになること。貴人・神輿などについていう。「平馬助忠正後陣にて、法住寺殿へ―あるに」〈古活字本保元下・新院御経沈め〉
ときれう(...リョウ)【斎料】①僧の食事の料となる金。「御嶽(みたけ)へ参りて、いま二千日候はんと仕り候ひつるが、―尽きて侍り」〈宇治拾遺五〉②食事の料として、行脚(あんぎゃ)の僧に与えられる米銭。「御門の内に御入りあり、『―』と御乞ひある」〈伽・小栗〉
ときわ・け【解き分け】㊀『下二』袷(あはせ)を解いて単物(ひとへもの)にする。「夏くれば賤(しづ)の麻ぎぬ―・くる片田舎こそ心安けれ」〈夫木抄七・更衣〉㊁『名』袷を解いて単物にしたもの。また、「ときあけもの」の意にも用いる。「朝の伊達染め夕の―」〈俳・江戸十歌仙〉
ときん【頭巾・兜巾】修験者のかぶる黒布製の頭巾(づきん)。「山伏の、―・篠懸(すずかけ)に笈(おひ)掛けて」〈義経記七〉。〈色葉字類抄〉
ときんば『連語』《トキ(時)ニハの転》…の時には。…の場合には。…ならば。「春の令を行なふ―和風生ず」〈文鏡秘府論保延点〉。「人を得つる―治まる。人を失っつる―乱る」〈群書治要三・鎌倉期点〉。「道たがふ―文を以てこれを正(ただ)し、敵おごる―武を以て是を正しくす」〈伽・鴉鷺物語〉。「改むる―皆人これを仰ぐ」〈天草本金句集〉▽平安時代初期、仏典の訓読で「則」をトキニハと読んだところから起った語。
とく【徳・得】①修めて身につけるべき立派な人格。人徳。「願はくは大王勤めて―を修めたまへ」〈懐風藻〉。「(ワガ天子ハ)道をいへば唐(帝堯)と儕(ひと)しく、―を語れば虞(帝舜)とならぶ」〈懐風藻〉②道徳。人間としてふむべき道。「人に本意なく思はせてわが心をなぐさまん事、―にそむけり」〈徒然一三〇〉③功徳。「いみじく思し立ちて仏の御―必ず見給ふべき人にこそあめれ」〈更級〉。「罪を滅して―を得たる事かくの如し」〈今昔一四ノ三四〉④恩恵。めぐみ。お陰。「心のうちに神の御―をあはれにめでたしと思ふ」〈源氏澪標〉。「宰相の中将の―を見ること。その方に向ひて拝むべし」〈枕一六二〉⑤利得。利益。「常に市に行きて価をする間、たやすく其の―おのづから有りて、漸く其の物の員(かず)多くして」〈今昔九ノ三七〉。「深く信をいたしぬれば、かかる―もありけるにこそ」〈徒然六八〉⑥財力。財産。「―いかめしうなどあれば…家の内もきらぎらしく」〈源氏東屋〉⑦はたらき。能力。「〔鵄ノヨウナ〕禽獣もかやうの―を以て君を悩まし奉る事のありけるよ」〈盛衰記一六〉 ―付・く 富がつく。裕福になる。「それよりうちはじめ、風の吹きつくるやうに―・きて、いみじき徳人(とくにん)にてぞありける」〈宇治拾遺九六〉 ―に隠・る 恩恵に浴する。庇護を蒙る。「この御―・れたりしを」〈源氏関屋〉

とくい【得意】①わが意を得ること。自分の望み通りになること。「失意」の対。「〔訴訟ガ〕―になる事を聞きては、類ひなく悦びをいだく」〈他阿上人法語三〉②よく心を知り合っている人。親友。「適(たまたま)―に逢ひて還らむことを言はず」〈菅家文草二〉。「入道はかの国の―にて、年頃あひ語らひ侍れど」〈源氏明石〉③ひいきにすること。また、その人。「御―なり。さらに、よも語らひとらじ」〈枕八七〉④ふだん取引する相手。常に買ってくれる客。「元より商ひの―殊更にあしらひ」〈西鶴・一代男二〉

どくがい【毒害】毒殺。「寺家のため、―を為すの由」〈吉記寿永一・六・八〉

どくがひ【毒飼】毒を飲ませること。「―を仕り、殺し奉り」〈信長公記首巻〉。〈運歩色葉集〉

どくきゃう【読経】⇒どきゃう。「読経、トクキャウ」〈色葉字類抄〉

どくぎん【独吟】①一人で詩歌などを朗吟すること。「平生の作文の席につらなり侍りし事思しめし出でて、―せさせ給ひける」〈著聞四六四〉。「倅(せがれ)畏って、四海波を―に謡ひ納むれば」〈浮・浮世親仁形気三〉②和歌・連歌などを一人で詠吟すること。また、その作品。「予、今夜一身守庚申、十五首和歌―、暁天に及ぶ」〈実隆公記文明八・七・一九〉。「灯庵主の―の連歌とて、あらぬさまなる懐紙、田舎に多く流布し侍り」〈初心求詠集〉。「古来稀なる―千句成就」〈俳・守武千句跋〉

とくこ【独鈷】金剛杵(こんがうしょ)の一。両端が分岐していないもの。密教で、修法などの際、法具として手に握り持つ。「とこ」「とっこ」とも。「―を握りて、脇足(けふそく)に押しかかりて眠り入りたり」〈今昔二〇ノ三九〉

とくごふ【得業】《きめられた年数の修行を終える意》僧の学階の名。奈良の諸大寺で、三会(さんゑ)の竪義(りふぎ)をなしとげた僧に与えられる称号。「有智(うち)の―にして、並びに衆才を統(す)べたり」〈霊異記下三〇〉 ―しゃう【得業生】諸道の学生(がくしやう)の中、成績優秀な数人を選んで補するもの。紀伝道では定員二名の文章得業生があり、その他明経得業生・明法得業生などもあった。「見るにことなることなきものの文字に書きてことごとしきもの。…文章博士、得業の生」〈枕一五四〉

とくさ【木賊】《ト(砥)クサ(草)の意》①草の名。茎は硬いので物をみがくのに使う。「板敷を見れば、―・椋の葉・桃のさねなどして、四五十人が手ごとに居なみて磨きのごふ」〈栄花疑〉。「砥草、トクサ、異名木賊、モクゾク」〈下学集〉②「とくさ色」の略。萌黄(もえぎ)色。「―の狩衣に青袴着たるが」〈宇治拾遺一八一〉

どくし【読師】①法会において経題・経文を読む役僧。講師と併称して講読師ともいう。制度として整えられたのは天平十三年国分寺の制が定められた時で、国ごとに講師とともに読師がおかれたらしい。「金光明最勝王経を大極殿に講ぜしむ。…律師道慈を請じて講師となし、堅蔵を―となす」〈続紀天平九・一〇・二六〉②歌などを披講する式を指導監督し、懐紙・短冊(たんざく)などを整理して講師に渡す役。「次に―文台の下に進み寄り、取り重ねてこれを置く」〈袋草紙上〉

どくしゃう【毒性】意地が悪いこと。「―な事言はんすけれど」〈滑・浮世風呂四中〉。「―に。鬼よりけに」〈詞葉新雅〉

どくじゅ【読誦】《「読」は文字を追って読むこと。「誦」はそらで読むこと》読経(どきやう)と暗誦(あんじゆ)と。声を立てて経文を読むこと。「僧六百人を宮中に請じて大般若経を―せしむ」〈続紀神亀二・閏一・一七〉。「読誦、ドクジュ、対レ文曰レ読、背レ文曰レ誦」〈文明本節用集〉

どくじんたう【独参湯】人参一匁を一合の水に入れ、半合に煎じた湯薬。生姜(しやうが)五分を加える場合もある。気付けの妙薬で、後、よく当る狂言など、効果の著しいもののたとえともなった。「其の独りを慎む上に―」〈俳・山水十百韻下〉

とくせい【徳政】①徳にもとづいて行なう善政。仁政。「須(すべか)らく―を施し、年号を改め、以て災殃を攘(はら)ふべし」〈村上天皇御記康保一・七・一〇〉②中世、幕府から発せられた債務・債権の破棄令。鎌倉幕府が御家人の貧窮救済のために発した永仁の徳政が最初。室町時代には、土一揆(つちいき)がその発布を要求してしきりに蜂起した。「更に他の妨げあるべからず。また、公家武家御―の事ありといへども、此の地に於ては子細を申すべからず」〈東寺百合文書レ、暦応五・一・二三〉。「今日、近辺土一揆蜂起、―と号して下京辺に乱入」〈康富記享徳三・九・八〉

とくせにこ【得選子】《コは親愛の意をあらわす接尾語》⇒とくせん。「―が閨(ねや)なるや、霜結ふ檜葉(ひば)を、誰かは手折りし」〈神楽歌七一〉 ▽セニはセンのnにiを添えた形。ゼニ(銭)・ボニ(盆)の類。

とくせん【得選】《采女(うねめ)の中から選ばれた者の意》御厨子所(みづしどころ)の女官。食事その他の雑用に従事した。とくせにこ。「こはなど、かうおくれさせ給へる。今は―乗せんとしつるに」〈枕二七八〉

とくたい【得替・得代】①守護・地頭・奉行・大番などが交替すること。「庄官―の隙を伺ひ、先例に背き、御目代の御宛文(あてぶみ)を掠め賜ふ」〈高野山文書三、文永八・一〇・二二〉②所領を取り上げられること。「所領―の後は、ひたすら暮露暮露(ぼろぼろ)の如くにて」〈沙石集八ノ一四〉

とくだう【得道】①仏の悟りを得ること。悟道。「聖教に値遇せし逆縁朽ちずして、かへって―の因ともなる」〈平家一二・重衡被斬〉②よくわかること。得心すること。「女郎よりは美形なき事を―して」〈西鶴・諸艶大鑑八〉

とくだつ【得脱】〔仏〕生死の苦海を脱して、菩提を得ること。「来世の―も頼もしくて」〈著聞三三〉

とぐち【戸口】戸のある出入口。宮廷では渡殿や妻戸の口をいい、女房などと会話をかわす場所に多く使われた。「渡殿の―に寄り居給へり」〈源氏空蟬〉

とくと『副』《トクはトクリのトクに同じ》念を入れて。十分。よくよく。「明けやすきよ(夜・世)は―治まる」〈俳・寛永十三年熱田万句三四〉。「―御りゃうけんなされて下されませい」〈改修捷解新語八〉

とくど【得度】〔仏〕「度」を得ること。転じて、髪を剃り出家すること。「―して精(こま)かに勤めて修学し」〈霊異記下三九〉。「得度、トクド、少年始めて髪を剃(そ)る、これを得度といふ」〈運歩色葉集〉

とくとく 水滴がしたたり落ちる音。ぽたぽた。「軒の玉水―

と」〈謡・卒都婆小町〉

とくにち【徳日】「衰日(すいにち)」の忌詞。「御年五十三…御━卯(う)・酉(とり)」〈看聞御記紙背文書巻三・八卦〉

とくにん【徳人・得人】有徳(うとく)な人。金持ち。「━・頼りなし(貧乏人)の家のうちの作法など」〈大鏡伊尹〉。「山城・大和・伊賀三箇国に、田を多く作りて、器量の━にてあるに」〈今昔二八ノ三二〉

とくぶん【得分・徳分】得(とく)として得た分。職(しき)に付随する収益。また、報酬。「信濃国四宮庄地頭、年貢並びに領家━を進(まゐ)らせざる由の事」〈吾妻鏡文治四・二・二〉。「万人集まりて銭米など施するを取りて━とせり」〈雑談集九〉

どくべん【独弁】自分一人分の弁当を携帯すること。また、その弁当。独弁当。「━も二人機嫌の新酒かな」〈俳・千宜理記三〉

とくほふ ウ:ホ【得法】仏法を得ること。悟りを開くこと。「別に━とて、覚りを開く時節あるべしやと承る」〈月庵法語〉

とくまい【徳米】小作人が地主に年貢として納める米。「去年御米八十四石、〔ソノ内〕━二十一石也」〈大乗院雑事記文明一三・二・一四〉

とくまんざい【徳万歳】《トコマンザイとも》くしゃみをした時に称えるまじないの言葉。「くっさめや━の花(洟ト掛ケル)の春」〈俳・発句帳一〉

とくよう【徳用】①徳から発する作用。徳のはたらき。「諸(もろもろ)の聖賢の智力をたくましくし、━をあらはし給ふを見聞(けんもん)して」〈夢中問答中〉②徳があって、応用の才能があること。「汝は坐道場の━を備へたり」〈盛衰記一〉③もたらされた利益。もうけ。「市の仕舞ひぎはには、三尺・四尺の大鯛となって、すぐ売るに凡そ二十五六匁也。これを手代の━にして」〈浮・新永代蔵四〉

とぐら【鳥座・塒】《トリクラの約。クラは人や動物がのり、また物をのせておく設備》鳥の巣。鳥小屋。とや。「━立て飼ひし雁の子巣立ちなば真弓の岡に飛び帰り来ね」〈万一八二〉。「榯・塒、トグラ」〈名義抄〉　†tögura

とくらく【解くらく】《解キのク語法》解けること。「結びし紐の━思へば」〈万二五五八〉　†tökuraku

とくり 念を入れるさま。よくよく。とっくり。「━と見れば、かの僧、目の光が人を射るやうな恐ろしい異相があるなり」〈碧岩抄二〉

とくり【徳利】酒を入れる容器。陶製・金属製で、胴が太く注ぎ口が細長い。「長楽寺へ━持ちて酒あり」〈言継卿記大永七・五・一八〉。「得利、トクリ、入酒物」〈運歩色葉集〉

━ご【徳利子】両手がなくて、徳利のような姿の人。延宝頃、大阪で見世物になった。徳利男。とっくり子。「━となるとも良しや花見酒」〈俳・絵合下〉

とくわか【徳若】《トコワカ(常若)の転》いつまでも若若しいこと。「━に御万歳とは、御家も栄えてましま す」〈中古雑唱集〉。〈名語記九〉

と・け【解け・溶け】『下二』《トキの自動詞形》❶①(結んであるものなどが)ほどける。「真玉つく遠近(をちこち)かねて結びつるわが下紐の━・くる日あらめや」〈万二九七三〉②(身分や役職などから)解任される。役目を免ぜられる。「かの━・けたりし蔵人もかへりなりにけり」〈源氏松風〉❷①固く凍りついたものがゆるんで液状になる。「薄氷━・けぬる池の鏡には」〈源氏初音〉②(心のしこりなどが)いつのまにか氷解する。「御仲の恨み━・けざりし程」〈源氏真木柱〉。「一切の怖畏と煩悩と逼切(ひせち)とを皆━・くること得しむるになりぬ」〈金光明最勝王経平安初期点〉③安心した状態になる。心おきない状態になる。「家の如(ごと)━・けて遊ぶに」〈万一七五三〉　†töke

と・げ【遂げ】『下二』望み、心ざすところを確実に貫き通す。「結びてし言(こと)は果さず、思へりし心は━・げず」〈万四四八一〉。「願求する所に随ひて、意に━・げずといふこと無けむ」〈金光明最勝王経平安初期点〉 ▽上代、トゲは togë か tögë か未詳。

とけいのま【時計の間】将軍・大名・旗本などの居城・邸宅にある、時計を仕掛けた部屋。「何となく━に出でしに」〈西鶴・男色大鑑三〉 ▽トケイは、「斗鶏」「土圭」「斗景」とも書く。

とけしな・し『形ク』じれったい。もどかしい。「たとへば…百馬の中に〔餌トシテ、タッタ〕一豆に逢うたやうなぞ。━・いぞ」〈山谷詩抄九〉。「鎌の刃にかからぬ草は━・し」〈俳・正章千句下〉

とげな・し『形ク』「利気なし」で、しっかりした所がない、賢い様子がないの意。あるいは「遂げなし」で、望みが成就されないの意か。「『かぐや姫あひ給はず』と言ひければ、これを聞きてぞ、━・きものをば、あへなしと言ひける」〈竹取〉

とこ【床】《土台が原義。トコロ(所)と同根。高く盛り上がって平らな区域》①寝床。「をとめの━の辺にわが置きし剣の太刀」〈記歌謡三三〉②坐禅のために設けた場所。「たとひ千経万論を学し得、坐禅━を破るとも」〈正法眼蔵随聞記六〉③床の間。「硯屛・石屛の大なるは…━又は違ひ棚のそばなどにも置かれ候」〈君台観左右帳記〉④牛車の屋形。「御車の━かきおろしておはしまさせ給ふ」〈栄花嶺月〉。「車箱、車乃度古(くるまのとこ)、一云車輿」〈和名抄〉⑤船底に敷くすのこ。船床。「いく夕むなしき━に詠むらむ／身こそ捨ておく海士の釣舟」〈伊勢千句〉⑥網代(あじろ)(1)の末に設けたすのこの台。網代守が座して魚を取る所。「音あらましく早き川波／夜夜の網代の━に明かしかね」〈重綱寿三紹宅夢想連歌三吟〉。「網代の━、水辺也。夜分なり。…冬也」〈俳・御傘一〉⑦涼み床。桟敷(さじき)。「四条川原には…茶屋の━あり。京都の諸人毎夜涼みに出づる」〈仮・案内者三〉⑧髪結床。「三条の橋なる━まで、髪を結はせに出でける」〈西鶴・男色大鑑三〉　†tökö

とこ【独鈷】⇒とくこ。「聖(ひじり)、御まもりに━奉る」〈源氏若紫〉

とこ【常】『接頭』《トコ(床)と同根。しっかりした土台、変化しないものの意》永遠・永久不変であるの意を表わす。「━闇」「━少女」など。「葦原中国悉くに闇し。此れに因りて━夜往きき」〈記神代〉 ▽記紀の国之常立神・国常立尊などのトコも、原義は土台の意であったと思われる。→とこしなへ・とこしへ。　†tökö

どこ【何処】『代』《イドコの転》どの所。「仏は━よりか出で給ふ」〈梁塵秘抄二七〉 →いづく・いづこ。　**━とも無・し**《どこと定まったところがないの意》①節操がない。「下﨟は━・きものなれば」〈平家一〇・藤戸〉②たしかな拠り所がない。「荒唐とは、━・い、うかうかしき事をいふなり」〈中華若木詩抄上〉

とこかみゆひ イ:ュ【床髪結】町内に家を借り、または、木戸際・橋詰・川端などの空地に床見世を構えて営業する髪結。また、その店。「夏草の━と身をなして」〈俳・大坂三吟〉

とごころ【利心】するどい心。しっかりした心。たしかな心。「聞きしより物を思へば我が胸はわれてくだけて━もなし」〈万二八九四〉　†togököro

とこ・し【常し】『形シク』《トコ(常)の形容詞形》永久につ

づくさまである。「皇祖神(すめがみ)の神の宮人ところつらいや―・しくに我かへり見む」〈万一二三〉 †tökösi

とこしなへ(トコシナエ)【永久】《副詞トコシナヘニから転じた名詞》永遠。「鎮・常・恒・終古、トコシナヘ」〈色葉字類抄〉。「―。たえぬといふ事なり、又つねにといふ事なり」〈匠材集二〉 **―に**【永久に】『副』《「床石(とこし)な上(へ)に」の意。ナは連体助詞。しっかりした岩の上での意から、不変永遠にの意》永久に。永遠に。常に変らず。「風鈴を愛して、―つつみもちて、いたる所ごとに必ずこれをかけられけり」〈法然上人行状絵図〉。「鎮、ツネニ・止己之奈へ尓(とこしなへに)」〈金光明最勝王経音義〉

とこしへ(トコシエ)【永久・不変】《「床石(とこし)上(へ)」の意。岩の上にあって不変の意から、永久、絶えずの意》永久。不変のさま。「―に君も逢へやも」〈紀歌謡六八〉。「古沙の山に登りて共に磐石の上に居り。時に百済の王盟(ちか)ひて曰(まう)さく、『若し草を敷きて坐(ゐし)とせば、恐るらくは火に焼かれむことを。また木を取りて坐とせば、恐るらくは水の為に流されむことを。故、磐石(とこしへ)に居て盟ふことは長遠(とこしへ)にして朽つまじといふことを示す。是を以て、今より以後、千秋万歳に絶ゆること無く窮まること無けむ』」〈紀神功、摂政四十九年〉 †tökösirë

とこじもの【床じもの】『副』床のように。「草手折り柴取り敷きて―うち臥(こ)い伏して」〈万八八六〉 →じもの。 †tö-közimönö

とこすずみ【床涼み】近世、京都四条河原で、祇園会の六月七日から十八日まで川中に床を設けて納涼すること。「都出でて今日祇園也―」〈俳・家土産〉

とこそ『連語』《格助詞トに係助詞コソのついたもの》①「と」を強める。「まことに蓬萊の木か―思ひつれ」〈竹取〉 ②《命令形について》命令の意を強める。…とこそ言うものを。「いかに是れなる強力(がうりき)、とまれ―」〈謡・安宅〉

とこつみかど【常つ御門】永久の御所。御陵をさしていう。「よそに見し真弓の岡も君ませば―と侍宿(とのゐ)するかも」〈万一七四〉 †tökötumikado

とこづめ【床詰め】長い病臥のため生じた床ずれ。「―の痛きかと思ひたれば」〈一遍縁起四〉。「破胭(はくん)、俗に云ふ―なり」〈病名彙解二〉

とことばに【常に・永久に】『副』永久に。とこしえに。「これの世は移り去るとも―さ残りいませ後の世のため」〈仏足石歌〉。「知慧の徳水、鎮(とこば)に恒に盈(み)てるに」〈金光明最勝王経平安初期点〉 →とばに。 †tökötöbani

とこなつ【常夏】①《夏がいつまでもつづく意》ナデシコの異名。花の盛りが春から秋にわたるからという。「―のはなやかに咲き出でたるを」〈源氏紅葉賀〉 ②襲(かさね)の色目の名。「俊家の中将、―の出袿(いだしうちき)」〈栄花歌合〉 ③常緑であること。「聟嫁取りの花の事。…二本立ての真(しん)に―なる木を専と用ゐる也」〈仙伝抄〉 **―に** 永久に夏の季節のまま。また、毎年の夏に。「その立山に―雪降り敷きて」〈万四〇〇〇〉 †tökönatuni

とこなつか・し【常懐し】『形シク』いつまでも変らず親しみやすい。常に引きつけられる感じだ。「なでしこの―・しき色を見ばもとの垣根を人やたづねん」〈源氏常夏〉

とこなめ【常滑】岩にいつも生えている水苔。なめらかですべりやすい。また、水苔でいつもすべすべした岩床。「見れど飽かぬ吉野の川の―の絶ゆることなくまた還り見む」〈万三七〉 †tökoname

とこは【常葉】冬も枯れない葉。常緑の葉。「橘は実さへ花さへその葉さへ枝(え)に霜降れどいや―の木」〈万一〇〇九〉 †tökoFa

とこはつはな【常初花】永久に新しい花。「相見れば―に心ぐし」〈万三九七八〉 †tökoFatuFana

とこはな【常花】永久に咲いている花。「たちばなは―にもが」〈万三九〇九〉 †tökoFana

とこはな・れ【床離れ】『下二』①夫婦関係が絶える。「年ごろあひ馴れたる妻(め)、やうやう―・れて、つひに尼になりて」〈伊勢一六〉 ②《トコバナレと濁る》共寝の床から起き別れる。「―・れての朝、夜前の首尾、互ひに聞くこともなし」〈西鶴・諸艶大鑑五〉

とど・ひ(トゴイ)【呪ひ・詛ひ】『四段』のろう。「―・はしめて言ひけらく、『此の竹の葉の青むが如く…青み萎(しな)えよ』」〈記応神〉。「詛は、―・ふぞ。人をのろひ呪詛する方ぞ」〈荘子抄一〉。「詛、トゴフ」〈名義抄〉 ▽上代、トゴはtogoかtögöか未詳。 **―ど**【詛】人をのろうのにつかう呪物。また、呪文。「其の―を返さしめき」〈記応神〉

とこふ・り【床旧り】『上二』夫婦関係が長く続く。「年ふれどいかなる人か―・りて相思ふ人に別れざるらむ」〈拾遺一二九六〉

どこへ(ドコエ)『感』《何処への意。ドッコイの古形》相手の行動などをさえぎり止めることば。「御免と言ひて、つっと通る。―、さてさて、ぞんざい千万なる奴めかな」〈近松・出世景清一〉

とこぼ・え【常吠え】『下一』ながく泣きつづける。「悲しうもないに―・える」〈浮・茶屋調方記〉

とこみせ【床店・床見世】手軽に移動できるような簡易な建て方の店。橋詰・川端・道路上に店を開いた。「湯島か神明前の―をお探しなされい」〈黄・御存商売物下〉 **―しゃうぎ**(ショウギ)【床店将棋】床屋でやっているような下手な将棋。「自身番象戯や―とは段が違はア」〈滑・古今百馬鹿上〉 **―をんな**【床店女】外見は美しいが内容のない、浅はかな女をののしっていう語。「さうした女は見た所ばかり。それを―と言ひやす。ハテ間口ばかりで奥行が無へす」〈滑・素人狂言紋切形下〉

とこみや【常宮】永久の御殿。「御食(みけ)向ふ城上(きのへ)の宮を―と定め給ひて」〈万一九六〉 †tökömiya

どこもと【何処許】どこらへん。どのあたり。「―でござあるぞ」〈虎明本狂言・察化〉

とこやま【床山】歌舞伎役者の髪を結ったり、鬘(かつら)の手入れをする所。また、その職人。後には、相撲取の結髪をする職人もいう。「―。中通り・小詰(こづめ)＝下級役者)楽屋に入りて、此の所にて髪をほどき、鬘下(したじ)にし、又宿に帰る時は、髪月代(さかやき)をするなり」〈戯場楽屋図会下〉

とこやみ【常闇】永久のくらやみ。「天雲を日の目も見せず―に覆ひ給ひて」〈万一九九〉 †tököyami

とこよ【常世】《最も古くは、トコ(床)ヨ(世)の意。土中・地下の世界の意で、異郷・死の国。アマ(天上の国)に対立する観念であったが、蓬萊神仙思想に影響されて、異郷の観念が地下から海の彼方へと移り、不死不老の国と意識されるようになった》①地下の世界。死の国。「―にと我が行かなくに小金門にもの悲しらに思へりしわが児の刀自を」〈万七二三〉 ②永遠の不老不死の国。海の彼方の異郷。「田道間守(たぢまもり)に命(みことおほ)せて―の国に遣はして非時(ときじく)の香菓(かくのこのみ)を求めしむ」〈紀垂仁九十年〉。「遂に―の長鳴鳥を聚めて、互ひに長鳴きせしむ」〈紀神代上〉 ③不変であること。「吾妹子が見し鞆(とも)の浦のむろの木は―にあれど見し人ぞなき」〈万四四六〉 ④「常盤(ときは)の国」に同じ。「―へと帰る雁がね何なれや都を雲のよそにのみ聞く」〈斎宮女御集〉。「彼の国は遠しと聞くも遠からで/―の雁の秋の初声」〈老葉〉 †tököyö **―のむし**【常世の虫】常世から来た虫。大きいアゲハ蝶などの幼虫の類か。「―を取りて、清座(しきゐ)に置きて、歌ひ舞ひて、福を求めて珍財(たから)をすつ。…此の虫は常に橘の樹に生る。…其の色緑にして黒点有り」〈紀皇極三年〉 **―もの**【常世物】常世から渡ったもの。田道間守の伝説によって、橘(たちばな)の実をいう。「―この橘のいや照りにわご大君は今も見るごと」〈万四〇六三〉

とこよ【常夜】永久の闇。昼が無く、夜ばかり続くこと。「天照大神見畏みて天の石屋戸を開きてさしこもりましき。…此れに因りて―往きき」〈記神代〉 †tököyo

ところ【所・処】《トコ(床)と同根。ロは接尾語。一区画が高く平らになっている場所が原義。イヘドコロ・オクツキドコロ・ミヤドコロ・ウタマヒドコロなど、高くなっている区画にいう。転じて、周囲よりも際立っている区域、特に区別すべき箇所の意。貴人の人数をしめす語につくのも、トコロが本来、高い場所を意味したことによる》①(天皇の陵など)土を盛った高い場所。「〔罪人ヲ〕大なる丘壙(ところ)に送りつ」〈地蔵十輪経三・元慶点〉。「陵、トコロ」〈新撰字鏡〉。「壝・壇、トコロ」(「壝」は盛り土、「壇」は祭りのため土を高く盛り固めた場所の意)〈名義抄〉 ②(小高い)区域。場所。「川渚(かはす)にも雪は降れれや宮のうちに千鳥鳴くらし居む―無み」〈万四二八八〉。「〔花ガ〕この―に満ち満ちたり。あくる朝(あした)天皇見給ひてその―に寺を立てしめ給ふ。今の橘寺これなり」〈三宝絵中〉 ③役所。役所のある場所は土地を高くして建てたので、「…どころ」と命名された。「蔵人―」「武者―」など。「あれは先年―(武者所)にありし時も、大番衆がとどめかねたりし強盗六人、ただ一人押っかかって、四人斬りふせ二人生け取りにして」〈平家四・信連〉 ④邸宅などのある場所。「われより高き―にまうでては、『こなたへ』と無き限りは、上(うへ)にものぼらで、下(しも)に立てることになんありけるを」〈大鏡伊尹〉 ⑤居場所。「陰陽師ども―をかへて、慎み給ふべく申しければ」〈源氏若菜上〉 ⑥その区域。「―の長(をさ)なる男の身まかれるありけり」〈閑居友上〉 ⑦(目立つ)箇所。部分。「この歌は隠れたる―なむ無き」〈古今序〉。「〔性格ニ〕直しひきつくろふべき―なく」〈源氏帚木〉 ⑧場合。折。「右の大臣殿左にておはしけるが辞し給へる―なりけり」〈源氏宿木〉 ⑨《漢文訓読で》 ㋑漢文で受身を示す助字「所」をそのままトコロと訓んで、受身の意を示す。「諸の商人の採る―の宝諸のごとし」〈地蔵十輪経一・元慶点〉 ㋺「所謂」の「所」をそのままトコロと訓む。「世俗謂(い)はゆる―の不孝の者五つ」〈伊達本金句集〉 ㋩こと(事柄)の意を示す。「苟しくも言ふ―理に合(かな)へしめつれば」〈三蔵法師伝八・院政期点〉 ⑩貴人を数える語。「〔倉持皇子ハ〕ただ一―深き山へ入り給ひぬ」〈竹取〉。「大臣二―」〈源氏若菜下〉 †tököro **―あらはし**(アラワシ)【所顕し】《男の住みつく家を顕わし示す意》結婚披露宴。結婚数日後に新婦の家で行なわれる。婿と従者をもてなし、新婦の両親や親族と対面した。「四五日ありてぞ御―ありける」〈栄花ゆふしで〉。「伉儷・匹偶、トコロアラハシ」〈名義抄〉 **―・得(う)** (ふさわしい)位置・地位を手に入れる。相当な地位を占める。「〔自身ハ〕かごやかに局住(つぼねずみ)にしなして、仏ばかりに―・えさせ奉りて」〈源氏初音〉。「殿にも文づくり繁く、博士・才人ども―・えたり」〈源氏少女〉 **―えがほ**(エガオ)【所得顔】いかにもふさわしい場所を得たという顔つき。「草青やかに繁り、軒のしのぶぞ―に青みわたれる」〈源氏橋姫〉 **―置・く** 相手をはばかって距離をおく。遠慮する。「公忠が少し控へつつ、―・き申ししを、制せさせ給ひしかば」〈大鏡昔物語〉 **―がへ**(ガエ)【所替】「国替(くにがへ)」(2)に同じ。「松平隠岐守…予州松山城へ―仰せ付けらる」〈江城年録寛永三・七・二八〉 **―から**【所柄】場所の性質。場所がら。「霧り渡れるさま、―のあはれ多く添ひて」〈源氏総角〉 **―ことば**【所言葉】その土地の言葉。方言。「〔蓮葉女ノ〕異名を―にて杓(しゃく)と言へり」〈西鶴・一代男三〉 **―せきな・し**【所狭きなし】《形ク》《ナシは甚だしい意》いっぱいつまっているさまである。「二三百人の者ども―・く並みゐたり」〈伽・しほやき文正〉 **―せ・し**【所狭し】《形ク》①充満して、あふれるほどである。「うち笑みたまへる御愛敬―・きまでこぼれぬべし」〈源氏松風〉。「小さき屋ども作り集めて奉り給へるを―・きまで遊び広げ給へり」〈源氏紅葉賀〉 ②(身動きならず)窮屈である。自由勝手には振舞えない。「親のかふこは―・きものにこそ」〈源氏浮舟〉。「世に抜けいでぬる人の御あたりは―・きこと多くなむ」〈源氏賢木〉 ③厄介である。「箏の琴は、中の細緒の堪へがたき(キレヤスイ)こそ―・けれとて、平調におしくだして調べ給ふ」〈源氏紅葉賀〉。「〔幼イ人ハ〕なほかしこに渡し奉りてむ。何の―・き程にもあらず」〈源氏若紫〉 ④儀式ばっている。「〔源氏ノ〕出で給ふけしきいと―・きを、人人端に出でて見奉れば」〈源氏紅葉賀〉 ⑤仰仰しい感じである。大げさである。「〔見舞ニ〕わざと物せむも―・し。かかるついでに入りて消息せよ」〈源氏蓬生〉。「この餅、かうかずかずに―・きさまにはあらで、明日の暮にまゐらせよ」〈源氏葵〉 **―たがへ**(タガエ)【所違へ】ある場所を他の場所とまちがえること。場所まちがえ。「―にもあらむに、いと傍ら痛かるべし」〈源氏夢浮橋〉 **―で**【所で】㊀《連語》…ほどに。…ゆえに。「無い―進ぜぬ」〈ロドリゲス大文典〉 ㊁《接続》ところが。然るに。「こなたへは参り候ふまいと云ふぞ。―三度まで行かれたぞ」〈蒙求抄一〉 **―どう**【所籐】ところどころに籐を巻いた弓。「白鳥の羽にて作(は)いだる矢負ひ、―の弓もって」〈古活字本平治上・源氏勢汰へ〉 **―どころ**【所所】①諸所。あちこち。「領じ給ふ―もいと多く侍り」〈源氏東屋〉 ②「人人」の敬称。かたがた。「―〔コノ月ヲ〕眺め給ふらむかしと」〈源氏須磨〉 ③別別の所。「一所にも沈みたまはで、―に伏さむことこそ悲しけれ」〈平家一〇・三日平氏〉 **―な・し**【所無し】《形ク》余地がない。すきまがない。「御禊の日…一条の大路、―・くむくつけきまで騒ぎたり」〈源氏葵〉。「公宗卿も辞するに―・く」〈伽・為人びくに〉 **―ならひ**(ナライ)【所習ひ】土地の風習。「所習はし」とも。「―とて、禿(かぶろ)もなく、女郎の手づから燗鍋(かんなべ)の取廻し」〈西鶴・一代男三〉。〈易林本節用集〉 **―に**【所に】㊀《連語》①…という状況において。…する時。「下人どもに荷物を負(おほ)せらるる―、イソポ荷奉行に云ふは」〈天草本伊曾保〉 ②(…した)ところが。「かりそめにここな人の申されたー、御同心あってかたじけない」〈虎明本狂言・腹立てず〉 ③…のに。「身に逢うたらば悦ばう―、却って手向ひするは何事ぞ」〈近松・慰曾我下〉 ㊁《接続》その場所に。ちょうどそこへ。「姫君は…案じわづらひ給ひけり。―、いづくともなく、八しゅんにたけ給ひぬ老僧…姫君のあたりへ立ち寄り」〈浄・一心二河白道四〉 **―に付・く** その場所にふさわしくする。その場所に即応する。「―・けたる御すまひ、やう(様子)変りて」〈源氏須磨〉。「―・けて(ソノ家ニハソノ家ニ応ジテ)我はと思ひたる女房の」〈枕三〉 **―のしゅう**【所衆】「蔵人所衆」の略。蔵人所に属し、種種の雑役をつとめる職員。「―どもの、衝重(ついがさね)とりて、前どもに据ゑわたしたる」〈枕一四二〉 **―はげ**【所禿げ】ところどころ禿げて斑(まだら)になること。訛って「とどろはげ」とも。「掘り崩す山の頭や―」〈俳・桜川三〉 **―へ**【所へ】『接続』ちょうどその場所へ。「たたみかけて切りふする。―、父の源太かけつけ」〈浄・五太力菩薩三〉 **―ぼっそく**【所法則】その土地の風習。「所のしきたりといふ詞の代りに、京都および丹州辺にて―と云ふ」〈物類称呼四〉。〈俳・反故集下〉

ところ【野老】ヤマノイモ科の蔓草。山野に自生。根はひげが多く、苦い。薬用。「すべてもろもろの山にあるところの草木は…葛根(くずのね)・薯蕷(やまついも)・―」〈出雲風土記〉。「そのわたりの山に掘れる―などの」〈源氏横笛〉 ✝tökörö

―づら【冬薯蕷葛・薢葛】トコロ芋のつる。「稲幹(いながら)にはひ廻(もとほ)ろふ―」〈記歌謡三四〉

ところわか【常若】常に若若しいこと。いつまでも若やかなこと。「殿も―、地下(げち)も―」〈天正本狂言・楪〉。〈名語記九〉

とこわき【床脇】床の間の脇。一番上位の客のすわる所。「―に直して」〈仮・他我身之上一〉

とこをとめ【常少女】永久に若い少女。「河の上のゆつ岩群に草むさず常にもがもな―にて」〈万二二〉 ✝tököwötöme

とさ【土佐・土左】①旧国名の一。南海道六国の一で、今の高知県。土州。「大君のみことかしこみ、さしならぶ―の国に出でますや」〈万一〇二〇〉 ②大和絵の流派の一。土佐派。光長・光信・光起は有名。「この絵は―とやらんいふ画士の書きたる絵に侍(はべ)る」〈室町殿日記一〇〉 ③「土佐節」の略。「江戸にては―・半太夫・薩摩・永閑」〈浮・御前義経記三〉 ✝tosa

どざ【土左】《「土左衛門」の略》水死人。溺死人。「さっきの柳橋の―は、よっぽどいい香ひでございましたね」〈洒・にゃんの事だ〉

どざ【土座】板敷でない地面のままのところ。土間(どま)。「―にただ敷ける筵も由なしや」〈俳・寛永十三年熱田万句一六〉

とさい【閾・閫】《トは戸、サイは敷居(しきゐ)の意》敷居。戸じきみ。「妻戸の―につまづきて」〈古活字本曾我七〉。「閫、トサイ・トジキミ」〈黒本本節用集〉

どさう【土倉】鎌倉・室町時代、高利貸業者の称。預った質物を土蔵のなかに保管したところからいう。質屋。「とぐら」「つちぐら」などとも。おなじく高利貸を営んでいた酒屋とともに、しばしば土一揆の襲撃を受けた。「去る晦日より京中―貨物共、悉く以て徳政と称して押し取る」〈大乗院雑事記長祿一・一一・三〉

どさくさ 取り込んで騒がしいさま。混雑。騒動。どっさくさ。「―と道頓堀の春は花」〈俳・大矢数三〉。〈日葡〉

とざ・し【鎖し・扃し】㊀『四段』《戸刺しの意。平安時代にはトサシと清音》戸をしめて戸締りをする。「六爻頤(おとがひ)を探(あな)ぐりても、生滅の場に扃(とざ)し、百物名正しけれども、未だ真如の境を渉(わた)らず」〈玄奘法師表啓平安初期点〉。「諸方の接待、及び諸寺の旦過、皆門を―・せり」〈正法眼蔵安居〉。「鎖、トザス」〈文明本節用集〉 ㊁『名』①入口を閉めること。また、閉めておくために取りつける装置。「鎹(かすがひ)も―もあらばこそ」〈催馬楽東屋〉。「降るままに跡絶えぬれば鈴鹿山雪こそ関の―なりけれ」〈千載四六七〉。「鍵・扃、トサシ」〈名義抄〉 ②入口を閉めた戸や門。「人跡は雪に埋もれて、訪ふべき―もなかりけり」〈平治下・常葉落ちらる〉

とさぢ【土佐道】土佐の国に行く道。「我はぞまかる遠き―を」〈万一〇二二〉 ✝tosadi

とさぶし【土佐節】江戸浄瑠璃の一派。土佐少掾橘正勝が語り出したもの。節事・道行など多くの曲節付けが特徴で、延宝・元祿年間流行した。土佐浄瑠璃。「当世はやる―」〈紫の一本下〉

とさぶらひ【外侍】《「内侍(うちさぶらひ)」の対》武家の邸に設けた警護の武士の詰所。主殿などから離れた中門の際などにあるもの。遠侍(とほさぶらひ)。「―には、家子(いへのこ)郎等肩を並べ、膝を組みて並み居たり」〈平家八・征夷将軍〉

とざま【外様・外方】①(内から見て)外の方。室外。戸外。「おとども立ちて―におはすれば」〈源氏浮舟〉 ②表向き。公式。「―の式はてて、また内へめし入れられて」〈問はず語り一〉 ③外部。たいして親密でない部類。「―がましう『もの申(まう)』と云うたなう」〈虎明本狂言・武悪〉 ④《「御内(みうち)」「御側(おそば)」の対》鎌倉幕府以後、譜代の関係にない家臣または大名。「一族大名・御内・―の人人」〈太平記五・相模入道〉

とざまかうさま《連語》《カウはカクの音便形》⇒とさまかくさま。「世の中の―の有様をも」〈源氏夕霧〉。「兎は空しく還り遊躍(はしど)ること左右(とさまかうさま)にす」〈大唐西域記七・長寛点〉。「左之右之、トザマカウサマ、自由自在義也」〈文明本節用集〉

とさまかくさま『連語』《ト・カクはいずれも指示副詞》あの方面この方面。ああやこうや。「―に思ふに胸のせきのぼるここちして」〈源氏蜻蛉〉

とさをどり【土佐踊】盆踊の一。土佐の念仏踊で、鉦を叩きながら念仏を唱えて輪舞する。「―と云ひて鐘を叩きて念仏あり、これを躍と云ふ。後には刀脇指を抜きて切り合ひて勇み踊る」〈遠碧軒記上三〉。〈俳・世話尽一〉

とさん【土産】その土地の産物。転じて、贈物。みやげ。「知人(しりうと)は持ち給はぬか。―粮料(らうれう)ごときの物をも乞ひ給へかし」〈平家五・文覚被流〉。〈色葉字類抄〉

とさん【渡盞・台盞】盃を載せ、酒のしたみを受ける、漆塗りの木の台。「例の―出でて」〈西鶴・一代男一〉

とし【年・歳】《稲などのみのりの意。一回のみのりに一年かかるところから、後に、年の意。漢字「年」も原義は穀物の熟する意》 ①稲。また、稲のみのり。「わが欲りし雨は降りきぬかくしあらば言挙(ことあげ)せずとも―は栄えむ」〈万四一二四〉。「―つくりたのしかるべき御代なれば稲ぶさ山のゆたかなりける」〈栄花日蔭〉。「稔、ミノル・トシ」〈名義抄〉 ②時の単位。四季一巡する期間。一年。「―にありて一夜妹にあふ彦星も」〈万三六五七〉 ③経過年数。年月。「家離(さか)り―の経ぬれば」〈万四一八九〉 ④年齢。「聞きつる―よりも、いとちひさう、いふかひなく幼げなり」〈かげろふ下〉 ✝tösi

―が寄・る 高齢になる。特に近世、気苦労して早くふける。「いな事で―・らぬと思へば是れぢゃものと、彼の男も羨しく」〈西鶴・浮世栄花三〉 **―高・し** 高齢である。年老いている。「身はいやしくて―・きことのくるしさ」〈古今一〇〇三〉

―を取・る 新年を迎える。「政宗もやがて上洛候て、途(みち)にて年を御取り候はんとの御事にて御入り候」〈伊達家文書三、天正一八・一三・二六〉

と・し『形ク』《トギ(磨)と同根。即座にするどく働きかける力のあるさま》 ①【利し】よく切れる。鋭利である。「剣刀(つるぎたち)もろ刃の―・きに足踏みて死なば死ぬとも君に依りなむ」〈万二四九八〉 ②【敏し】響きに応ずるように機能が活発に働く。機敏である。鋭敏である。「受けたる性、聡(と)く敏(さか)しかりき」〈金光明最勝王経平安初期点〉。「人はみなとりどりにて、こよなう劣りまさることも侍らず。その事―・ければ、かの事おくれなどぞ侍るめるかし」〈紫式部日記〉 ③【疾し】㋑手きびしい。はげしい。「言(ウワサ)―・くは中はよどませ水無し川絶ゆとふことを有りこすなゆめ」〈万二七一二〉。「ぬばたまの夜さり来れば巻向の川音高しも嵐かも―・き」〈万一一〇一〉 ㊁進行がはやい。「とどめあへずむべも―・し(疾シ・年)とはいはれけりしかもつれなく過ぐるよはひか」〈古今八九八〉 ㊂時期的に早い。「春や―・き花やおそきとききわかん鶯だにも鳴かずもあるかな」〈古今一〇〉 †tosi

とじ【刀自】《トヌシ(戸主)の転。戸口を支配する者の意。「家長(いへきみ)」の対》①一家の主婦。老若にかかわらない。「彼の犬の子、毎(ねつ)に家の室(とじ)に向ひて期尅(ごいの)ひて」〈霊異記上二〉 ②《転じて》女性に対する敬称。「小金門(をかなと)にもの悲しらに思へりしわが子の―を」〈万七二三〉 ③内侍所(ないしどころ)・御厨子所(みづしどころ)・台盤所などに勤めて、事務・雑役に従う女房。「御膳宿(おものやどり)の―を呼びいでたるに」〈紫式部日記〉 ▽tonusi→tonsi→tonzi→ †tozi

どし【同士・同志】㊀『名』友達。仲間。「思ふ―、琴・琵琶ひきあはせて遊びしこと、思ひ出でられて」〈有房集〉。〈日葡〉 ㊁『接尾』同じ類・仲間である意をあらわす。「やもめ―ぢゃぞ」〈周易抄下〉。「いとこ―の様なものぞ」〈史記抄一四〉

ど・し【度し】『サ変』《「度」は、わたる意》①〔仏〕生死(しやうじ)の海を渡し、涅槃(ねはん)の岸に至らせる。迷いの世界(此岸)にある衆生を、悟りの世界(彼岸)に導く。済度(さいど)する。「菩薩、道(だう)を成(じやう)じ給はむ時に、まづ我を―・し給へ」〈今昔一ノ六〉 ②官より許可証を下付して、僧尼にする。「四大寺に詔して大般若経を読ましむ。―・する事一百人」〈続紀大宝三・三・一〇〉 ③わけを言い聞かせて承知させる。得心させる。「どうも―・しがたい」〈滑・浮世床初上〉

どしいくさ【同士軍】仲間どうしの戦い。同士討ち。「ただ今ここにて―して、何かせさせ給ふべき」〈平治中・義朝敗北〉

どしうち【同士討ち】「どしいくさ」に同じ。「―もはじまり、他国よりもせめたり」〈日蓮遺文高橋入道殿御返事〉

としうら【年占】年始に、一年間の五穀の豊凶を占うこと。「―や当卦(たうけ)めでたき御代の春」〈俳・洗濯物一〉

としおとり【年劣り】《「年まさり」の対》年少。「〔イトコノ中デ〕我より―をば従弟と云ひ」〈三体詩抄一ノ四〉

としおり【太糸織】平織の絹織物の一種。七子(ななこ)織に似ていて、帯地に用いる。また、高級な唐組の平緒(ひらを)に対して、略式の平緒に用いられた。略して「どし」とも。「丹後紬三端の内、―壱つ」〈細川忠興文書寛永四・九・一八〉

としがまへ マ̈ガ̈【年構へ】相当年を取っていること。年配。「―なる男…女房共を横手によびける」〈西鶴・一代男五〉

としがみ【歳神】「歳徳(としとく)」に同じ。「―も今朝を初めて神楽岡」〈俳・句箱〉

としぎ【年木】新年の燃料用に、年末に切り出して積んで置く薪。「高島の杣(そま)山川の筏師は急ぐ―を積みや添ふらん」〈夫木抄一八・歳暮〉

とじき【屯食】「とんじき」の「ん」を表記しない形。「―十具ばかりにて」〈宇津保蔵開上〉

としきはる【年きはる】『連語』《キハルはキハ(際)を活用させた語か。一説、キヘ(来経)という動詞の自動詞化で、年がたつの意ともいう》年の極まる。老年になる。「―齢(よ)までと定め侍(のた)みたる君によりてし言の繁けく」〈万三三九八〉 †tösikiFaru

とじきみ【戸閾】①門の内外のくぎりに敷きわたした横木。「中御門(なかのみかど)の―引きすぐるほど」〈枕三〉。「閾、之岐美(しきみ)、俗云度之岐美(とじきみ)」〈和名抄〉 ②牛車(ぎつしや)の前後の口に敷きわたした仕切りの横木。「指貫(さしぬき)の片つかたは―のもとに踏みいだしたるなど」〈枕三〇三〉。「軾、車乃度之岐美(くるまのとじきみ)」〈和名抄〉

としぎり【年切り】《トシはみのりの意》樹木の、年によって開花結実しないこと。「花盛り春は見に来む―もせずといふ種は生ひぬとか聞く」〈大和一二〇〉

としぎれ【年切れ】「としぎり」に同じ。「風の実に―のする秋もなし」〈俳・続境海草三〉

としこ・し【年越し】㊀『四段』新年を迎える。「―・すべきやうもなかりしかば」〈十訓抄七ノ二四〉 ㊁『名』旧年を越して新年を迎えること。また、その日。節分の夜、また、大晦日の夜をいう。「難波わたりに―に侍りけるに」〈山家集上〉

としごひ イ̈ゴ̈【祈年】《トシは稲のみのり》農作物の豊作を願う祭。陰暦二月四日に、神祇官および国司の庁で、天下の諸社に奉幣して行なった。民間でも行なわれた。「甲斐・信濃・越中・但馬・土左等の国の一十九社、始めて―幣帛の例に入る」〈続紀慶雲三・二・二六〉

としごもり【年籠り】大晦日の晩から社寺にこもって新年を迎えること。中世には熊野・大峰での年籠りが盛んだった。「―に山寺に侍りけるに」〈後拾遺六詞書〉。「大宰大弐清盛は、子息重盛あひ具して―と志し、熊野へ参詣せられけり」〈平治上・信頼信西を亡ぼさる〉

としごろ【年比・年頃】《奈良時代にはトシコロと清音》①年月の間。多年。年来。「夜泣きかへらふこの―を」〈万一九二〉 ②年齢の程合。年配。「われらが父いまだ生きてましまさば、御僧の―にこそわたらせ給ふべきに」〈伽・三人法師〉 †tösikörö

としだくな【年だくな】年がいもないこと。「年取りだくな」とも。「花遅き姥桜(うばざくら)もや―」〈俳・旅衣集一〉 →だうな

とした・け【年長け】㊀『下二』年が寄る。年老いる。「―・けて、いのち今日明日とも知らず」〈著聞三七一〉 ㊁『名』年齢。「菖蒲(あやめ)が―色貌少しも替らぬ女二人に菖蒲を具して、三人同じ装束」〈盛衰記一六〉

としつき【年月】①年と月。月日。「冬過ぎて春の来たれば―はあらたなれども人は旧(ふ)りゆく」〈万一八八四〉 ②長い年月。多年。「相見てはいく久(ひ)さにもあらなくに―のごと思ほゆるかも」〈万二五八三〉 †tösitukï

としづよ【年強】《「年弱(としよわ)」の対》数え年で年齢をいう時、その年の春・夏に生れたこと。また、その人。「御二つには御―ゆゑか、一段と御かしこく見え申し候」〈川角太閤記二〉。〈運歩色葉集〉

として『連語』《シは、サ変動詞シ(為)の連用形》①…と思って。「此の願に資(よ)て離苦得楽せしめむ―、深く薬師如来の真の身、妙なる躰を慕ひたまへり」〈東大寺諷誦文稿〉 ②《擬音語について》…と音を立てて。「真木の板戸をとど―わが開かむに」〈万三四六七東歌〉 ③…という資格・名目をもって。「師(みふみよみ)―教へ悟しける多(あまた)の年経ぬ」〈続紀宣命四二〉 ④…というような状態で。「なよなよ―われにもあらぬさまなれば」〈源氏夕顔〉 ⑤…そのままで(しかも)。「心は心―事たらず」〈源氏帚木〉 ⑥《打消を伴って》…という名目のものはすべて。いかなる…も。「誠を至して祈請せば、願―遂(な)はずといふことなし」〈三蔵法師伝四・院政期点〉

としとく【歳徳・年徳】一年中の吉方(えはう)を司る女神。婆利塞女(はりさいじよ)または大歳神という。歳徳神。また、その神の居る方角。「―とは何ぞや。…皆十干の徳なり。但し五は陽徳となし、五は陰徳となす」〈暦林問答集上〉。〈下

学集〉 ━じん【歳徳神】「歳徳」に同じ。「それ正月は、━とて、あまねく人の祝ふ事なり」〈浄・しんらん記五〉 ━だな【歳徳棚】正月、吉方に作り、注連(しめ)を引き、供物・燈明を供えて歳徳神を祭る神棚。吉方棚。〈俳・類船集三〉

としと・り【年取り】㊀《四段》新年を迎える。「十二月の末なれば、それにて━・り給ひけり」〈伽・ふせや〉㊁《名》旧年を送って新年を迎えること。また、その日。大晦日の夜、また節分の夜をいう。年越し。「地の侍ども、━用意に皆里へ下りて」〈甲陽軍鑑一〉 **━もの**【年取り物】正月を迎えるために必要な品物。「いつも━をやるものを、〔オ前ノ所ヘハ〕いかなんだか」〈虎明本狂言・米市〉

としなみ【年並・年次】①年ごと。毎年。「八百よろづこらの神の━に夜昼まもる君が御代かな」〈承暦二年内裏歌合〉②年数。また、年齢。歌では、「寄る」の縁から「波」に掛けて用いるのが普通。「和歌の浦に寄る━もかぞへ知る御代ぞうれしき老らくのため」〈源家長日記〉

としに【年に】《連語》①一年中。一年の長きにわたって。「大船に真楫(まかぢ)しじ貫(ぬ)き漕ぐほどもここだく恋し━あらばいかに」〈万二四九四〉②一年に一度。「━ありて今か纏(ま)くらむぬばたまの夜霧隠りに遠妻の手を」〈万二〇三五〉③年ごとに。毎年。「よそのみに見てはありしを今日見ては━忘れず思ほえむかも」〈万四三六九〉 †tösini

としのうち【年の内】①一年の間。「━ゆきかはる時時の花紅葉、空のけしきにつけても」〈源氏薄雲〉②年のあらたまらないうち。年内。「━に春は来にけり一とせを去年(こぞ)とやいはん今年とやいはん」〈古今一〉。「━にと急がせ給ふ」〈源氏賢木〉

としのこなた【年のこなた】今年のうち。「いつしかと山の桜もわがごと━に春を待つらむ」〈後撰四九〉

としのこひ イ:コ【年の恋】一年に一度しかあえぬ恋。「安の河い向ひ立ちて━日(け)長き子らが妻どひの夜ぞ」〈万四一二七〉 †tösinökoFi

としのは【年の端】①年ごと。毎年。「毎年(としのは)に来鳴くもの故ほととぎす聞けばしのはくあはぬ日を多み。毎年は等之乃波(としのは)と謂(い)ふ」〈万四一六八〉②年齢。としは。「君がため野辺の白雪うちはらひいや━を摘む若菜かな」〈夫木抄一・若菜〉③年の初め。「春の始めの心ならば。年越えて、春立ちて、━、氷とけて」〈連珠合璧集下〉。〈日葡〉

としのほし【年の星・歳の星】陰陽道で、各人に属するという星。子(ね)年の人は貪狼星、丑(うし)年の人は巨門星、寅(とら)年の人は禄存星など。その年の人は祭を行なう。「━おこなふとて女檀越のもとより数珠(ずず)を借りて侍りければ」〈後撰一三七七詞書〉

としのゆき【年の雪】年を取るに従って白くなる頭髪を雪に見立てていう語。「あたらしき春さへ近くなりゆけばふりのみまさる━かな」〈拾遺三五五〉

としのよ【年の夜】大晦日の夜。また、節分の夜。「うれしくもなき━や」〈朝鮮日日記〉。「除夜、独世那揺(としのよ)」〈日本風土記四〉

としのを【年の緒】《年を長い緒にたとえた語》年。年月。下に「長く」をともなう。「あらたまの━長く思ひ来し恋を尽さむ七月(ふみづき)の七日の夕は我も悲しも」〈万二〇八九〉 †tösinöwo

としは【年端】年の程。年齢。「━もいかいで、後生も未来も要る事か」〈近松・佐々木大鑑一〉

としば【鳥柴】鷹狩の獲物を人に贈る時に、それを結びつける木。もと柴につけたが、後には季節に応じて松・梅・桜・楓などの枝を使った。「初雪に見えぬ━を折ることも君が御幸になる鷹飼ひ」〈後京極殿鷹三百首〉

としばい【年配・年輩】「としばへ」の転。「同じ━なる草履取に」〈仮・石山寺入相鐘下〉。〈日葡〉

としばっけ【年八卦】人の年齢・干支(えと)によって、その一年間の運勢吉凶、守り本尊、月月の盛衰などを占うこと。また、その書き物。新年、市中を売り歩いた。年筮(ねんぜい)。「万代を亀ぞ知るらん━」〈俳・桜川一〉

としばへ エ:バ【年延へ】年齢の程。年配。「又、御━もあるべし」〈耳底記〉

としび【年日】生れた年の干支(えと)と同じ干支の日。「十七日は御━にて候間、〔開戦ノ日取リトシテハ〕如何に思し召され候」〈上井覚兼日記天正一四・六・九〉

としま【年増】娘盛りを過ぎて、やや年を取った女。「━。お江戸物語に年古りたるを云ふ」〈評判・吉原失墜〉

としまうで ウデ:モ【年詣で】毎年、参詣すること。「年参り」とも。「上総国高滝といふ所の地頭、熊野へ━しけり」〈沙石集一ノ九〉

としまさり【年勝り】《「年おとり」の対》年長。年かさ。「━なる妻を呼ぶ人」〈俳・油糟〉

としまし【年増し】「年まさり」に同じ。「〔イトコノ中デ〕我より━を従兄と云ふぞ」〈三体詩抄一ノ四〉

としまへ エ:マ【年まへ】相当な年輩。「其の女は━なるが、廊下走り様、只者とは思はれず」〈西鶴・置土産三〉

としまむしろ【豊島筵】「てしまむしろ」に同じ。「━の狭きを片手にして敷き」〈西鶴・一代女三〉

としみ【落忌】《オトシイミの約という》精進が終り肉食が許されること。精進落ち。「年かへりて、ましてこの御いそぎのこと、御━のこと、楽人舞人の定めなどを御心に入れて営み給ふ」〈源氏少女〉

どしめ・き《四段》騒ぎたてる。「『ここもとに雁や鴨はないか、買はうず』と云うて━・くによって」〈天草本伊曾保〉

どしゃうぼね ウ:ショ【土性骨】性根をののしり、または強めていう語。土性根。「毛の穴に秋は来にけり━」〈俳・軒端独活上〉。「武士に劣らぬ五兵衛と今日まで人に笑はれぬ、その倅が━」〈近松・生玉心中中〉

どしゃかぢ【土砂加持】真言密教で行なう秘法。洗浄した土砂を本尊に供え、光明真言を唱えて加持する。この土砂を強直した屍体に掛ければ、光明真言の功力によって柔軟となって罪を滅し、墓上にまけば滅罪往生するという。「━あり。…諸人悉くこの土砂を得て、或は護りとして現世の不祥を除き、或は亡者の墓に散ずるに、亡霊の苦器を抜く」〈明恵上人行状下〉

としやく【年役】老人が経験に富んだ者として仕事を宛てがわれること。また、その仕事。「━に咲け三春の姥桜」〈俳・難波草一〉

としゆき【年行き】年のいっていること。また、その人。年寄り。「年いき」とも。「年若くして━のやうにしたがる風義也」〈評判・まさり草〉。〈日葡〉

としよはひ ヨ:ワイ【年齢】年齢(ねんれい)。「何ともなくて積り侍る━に添へて、古の事なむ恋しかりけるを」〈源氏行幸〉

としより【年寄】①年をとった人。老人。古老。「鎌倉の━の申し侍りしは」〈徒然一一九〉。「━の面にしわの━ぱい寄りたやうなものぞ」〈錦繡段鈔一〉②老功で指導的地位にある人。㋑室町時代中期以後、幕府・大名家で、政務に当る重臣の称。宿老。「〔丹羽〕長秀…子共は━衆異見次第に仕る可き旨遺言す」〈多聞院日記天正一三・三・二五〉㋺近世、都市・郷村の民政指導者の称。町年寄・村年寄。「奈良の━四人」〈久重茶会記寛永一六・二・三〉。「忘

却したる村の—」〈俳・遠山鳥下〉

としよわ【年弱】《「年強(としづよ)」の対》数え年で年齢をいう時、その年の秋・冬に生れたこと。また、その人。「此の娘めは—ぢゃ」〈西鶴・諸艶大鑑三〉。〈運歩色葉集〉

としわすれ【年忘れ】年末、家族あるいは親戚・友達を呼び集め、一年の苦労を忘れるために催す宴会。忘年会。「深更に及びて〔連歌〕百韻了りぬ。—と謂(い)ふべきか」〈看聞御記応永元・三・四〉。「修理大夫の家にて—の続歌(つぎうた)ありしに」〈草根集七〉

としをとこ【年男】煤掃き・除夜・追儺(ついな)・若水汲み・神供・門松など、年末年始の諸儀式をつかさどる者。「御—御手水を…御中居まで持ちて参る時」〈鎌倉年中行事〉。「歳徳(としとく)の恵方より—が参りて」〈中古雑唱集〉

とすう【斗藪・抖擻】⇒とそう。〈文明本節用集〉

とすぢゑもん【十筋右衛門】頭髪のごく少ない人をあざけっていう擬人名。三筋右衛門。六筋右衛門。「散る頃や—の柳髪」〈俳・新続犬筑波六〉

とせ【年・歳】《トシ(年)と同根》年を数える語。歳月・年齢いずれにもいう。「天ざかる鄙(ひな)に五—住まひつつ都のてぶり忘らえにけり」〈万八八〇〉。「すでに三—になるまで、脚なほし立たず」〈紀神代上〉 †töse

とぜん【徒然】①ひまで所在ないこと。無聊(ぶりょう)。退屈。「—に皆たへかねて…一万句の連歌をぞ始めたりける」〈太平記七・千剣破城軍〉。「この四五日、いさかひをせずして—なるが」〈伽・弁慶物語〉。〈色葉字類抄〉②孤独でさびしいこと。「何とやらん心細うて—なるに」〈平家二・徳大寺〉。「山林はあまり—なり。市中はあまりかしましきなり」〈中華若木詩抄中〉→つれづれ

とそ【屠蘇】《「屠」は鬼気を去る意。「蘇」は神気を生じる意。トウソとも》元日、邪気を払い延命長寿を保つために飲む薬の名。白朮(びゃくじゅつ)・桔梗・山椒・肉桂・防風・大黄などを細末にして調合した散薬。紅の袋に入れ酒にひたして、度嶂散・白散などと共に、若年の者から年齢順に飲む。屠蘇散。屠蘇延命散。「多く—の酒を勧むることを須(もち)ゐるず」〈菅家文草四〉

とぞ〘連語〙①《古くはトソと清音。トは格助詞。ソは係助詞》引用文を承け、そこまでが引用であることを示して強調する。「〔帰リハ〕早くあらば今二日ばかりあらむ—君は聞こしし、な恋ひそ吾妹」〈万三一八〉②《トは格助詞。ゾは終助詞》文末に使い、人に指示・教示する意。…ということだよ。…ということであった。伝聞の意にして断定をやわらげるばあいもある。「立山に降り置ける雪の常夏(とこなつ)に消ずてわたるは神ながら—」〈万四〇〇四〉。「心ちにおぼゆるやう、…まづそる鷹ぞかなしかりける—」〈かげろふ中〉。「つれなき人よりは、なかなかあはれにおぼさる—」〈源氏帚木〉 †tösö

とそう【斗藪・抖擻】《梵語の音訳。トスウとも》「頭陀(づだ)」に同じ。「この身は—、氷よりも潔(いさぎよ)し」〈菅家文草四〉

とそつ【兜率・都率】《梵語の音訳》「兜率天」の略。「願はくは諸の衆生と共に上—に征き、西のかた彌陀に遇はん」〈本朝文粋一三〉 **—てん**【兜率天】欲界六天の第四天。内外の二院があり、内院には彌勒(みろく)が住み、常に説法しているという。外院は、天衆の遊楽する所とされる。「彌勒は高く—の上にありて」〈霊異記下八〉

とそんど 軽はずみ。粗漏。また、途方もないこと。無茶。「とそんぞう」「とそんどう」とも。「それは—なる言ひ分や」〈咄・当世咄揃五〉。「—に御腹の立つも御子の無さ」〈雑俳・替狂言〉

とたう【徒党】党を結んだもの。事を企てて結集した団体。「—五人、共に誓うて曰く」〈正法眼蔵行持下〉。「同意贔屓(ひいき)の—を尋ね捜って搦め取らるべきなり」〈庭訓往来六月十一日〉 **—だて**【徒党だて】ことさらに徒党を組んで勢威を示すこと。「周末には国が乱れて、大名どもが—をするぞ」〈山谷詩抄序〉

とだ・え【と絶え】㊀〘下二〙《トは跡(あと)の意》とぎれる。途中で切れる。「久しく—・え給はむは心ぼそからむ」〈源氏総角〉㊁〘名〙とぎれること。無沙汰。「年頃の—も、うひうひしくなりにけれど」〈源氏関屋〉。「御対面の—を珍しく思して」〈源氏御法〉。「—。絶え果つる事にはなし。かつ絶えたる事なり」〈匠材集一〉

とだち【鳥立ち】①鳥が飛び立つこと。「みかり野はかつふる雪にうづもれて—も見えず草がくれつつ」〈新古今六八七〉②鷹狩のために、鳥が集まるようにあらかじめ作っておく草むらや沢地。「矢形尾の真白の鷹を引き据ゑて宇陀の—を狩り暮しつる」〈千載四二〇〉。「狩り暮す—の雪の野を分けて／白尾の鷹ぞ草に隠れぬ」〈看聞御記紙背連歌〉

とたていし【戸立て医師】少しも患者の来ない医者。「—軒や深山路諫鼓鳥(かんこどり)」〈俳・金剛砂上〉

とだ・り〘四段〙十分に整っている。「神産巣日御祖命(かみむすひみおやのみこと)の—・る天の新巣(にひす＝新シイ宮殿)」〈記神代〉 †tödari

とだる【斗樽】盥(たらい)形の一斗入りの酒樽。太鼓樽。平樽。「—一…これを遣はす」〈多聞院日記永祿一〇・三・二七〉

とたん【塗炭】《「塗」は泥の意。泥水と炭火と》水火の苦しみ。非常な難儀。「公家の威勢その時より—に落ちしなり」〈太平記二七・雲景未来記〉。〈色葉字類抄〉

どだん【土壇】①土で築いた壇。「かたじけなくも龍の御手に錦の簀(き)を持ち給ひ、—を築(つ)かせ給ふなれば」〈応仁記上〉②特に、斬罪を行なうために土で築いた壇。「炭頭斬り落す炉の—かな」〈俳・一本草四〉。「夕立(太刀ト掛ケル)や水もたまらず—まで」〈俳・当世男上〉

とち 花に実を含んでいるもの。棉の花の類。「箕(み)に干して窓に—吹く(実ヲ吹キ出ス)綿の桃」〈俳・炭俵下〉

とち【栃・橡】トチノキ科の落葉喬木。また、その実。〈色葉字類抄〉 **—程の涙** 大粒の涙。「栃涙」とも。「あまり痛み悲しみ泣きゐければ、—を流すともいふよし」〈咄・醒睡笑二〉。「—も袖に押し包み」〈俳・新続犬筑波六〉

と・ぢ【閉ぢ】〘上二〙①(戸などを)合わせて閉める。「我は当に三悪趣を関(と)ぢ閉(さ)がしめ給ふ」〈金光明最勝王経平安初期点〉。「〔亡キ人ガ〕まなこ—・ぢ給ひし所にて」〈かげろふ上〉②ふさぐ。とじこめる。「まだ夕暮の、霧に—・ぢられて、内は暗くなりにたる程なり」〈源氏夕霧〉③【綴ぢ】一つに縫い合わせる。糸などでつづる。「なまめかしきもの。…薄様の草子むら濃の糸してをかしく—・ぢたる」〈枕(能因本)なまめかしきもの〉。「檜扇—・ぢて遣はし了んぬ」〈言継卿記天文一三・一三・六〉▽朝鮮語 tat(閉)と同源か。

どち【何方】〘代〙どの方。どっち。「—の申すが本ぞ」〈山谷詩抄一二〉。「—へござるぞ」〈虎明本狂言・腹立てず〉

どち ㊀〘名〙親しい間柄の人。仲間。「梅の花今盛りなり思ふ—かざしにしてな今盛りなり」〈万八二〇〉。「見渡せば松の末(うれ)ごとに住む鶴は千代の—とぞ思ふべらなる」〈土佐一月九日〉㊁〘接尾〙それと同類の者の意を添える。…同士。「貴人(うまひと)は貴人—や、親友(いとこ)はも親友—、いざ〔敵ト〕闘(あ)はな」〈紀歌謡二八〉。「うづら鳴く古りにし里の秋萩を思ふ人—相見つるかも」〈万一五五八〉 †doti

どちう【土中】 土の中。特に、物を埋めた地中。「これは夫婦の人の—にて候」〈謡・女郎花〉

どちかぜ【何方風】 どちらの方角から吹いてくる風。何の風。「どちらかぜ」とも。「されども、風の吹くによって、草木の動を見て、これは—と知るなり」〈毛詩国風篇聞書〉 **—が吹いて**《久しぶりの訪問者に対する皮肉な挨拶》どう思い立って。どうした風の吹きまわしで。「なうなう珍しや、是れは—御出でなされた」〈狂言記・墨塗女〉

どぢぐぢ あれこれと入り組んではっきりしないさま。曖昧なさま。「どぢぐぢゃ」とも。「花に出ば無沙汰の事も—ぞ」〈俳・袋角〉

とちぐる・ひ【とち狂ひ】《四段》《ドチグルヒとも》 ふざける。戯れ合う。「—・うてや遊ぶ新発意(しんぼち)」〈俳・奴俳諧〉

とちくゎんめ【十千貫目】《トセンクワンメとも》 非常に多い金額。十千万両。「横手を打つ間に、—が事も埒(らち)を明けぬ」〈西鶴・浮世栄花三〉

とちぶき【栃葺】 最も細密なこけら葺き。その形が栃の木目(もく)に似ているのでいう。綴葺。「二階三階の—・瓦葺」〈慶長見聞集七〉。「今日より—也」〈隔蓂記寛永一九・一一・一八〉

とちめ【栃目】 栃の実のように大きく見ひらいた目。転じて、あわてうろたえるさま。「—に成って眼が坐って落処を知らぬ」〈碧岩抄一〉。「あわてふためき、前後を忘じたるを、—になって尋ねたは、—になりて走り歩きたるは、など言ふ事、何の故ぞや」〈咄・醒睡笑一〉

とぢ・め【閉ぢめ】㊀《下二》①終了させる。決着をつける。「よき程にかくて—・めてむ」〈源氏空蟬〉②生涯を終える。亡くなる。「重き病者(びやうざ)の、俄かに—・めつるさまなりつるを」〈源氏若菜下〉③勤仕する。「十四五年彼の役御—・め候間」〈上井覚兼日記天正三・八・一七〉㊁《名》①終りの部分。末端。「『さゆりばの』と謡ふ—に、中将御かはらけ参り給ふ」〈源氏賢木〉②一生の最後。臨終。「さる—の悲しさも」〈源氏幻〉③縫い糸の末端の留め。「ゆだけの片の身を縫ひつるが…—もしあへず、まどひ置きて立ちぬるが」〈枕九五〉④処分。また、決着。「貴国御—の儀」〈相良家文書天文一四・九・一三〉。「豊前国御闕所—の儀、稠(きび)く仰せ付けられ候」〈大友史料永祿九・二・三〉⑤勤仕。「堅志田番の事、是非共御—肝要の通り申し候」〈上井覚兼日記天正一三・一一・一八〉

とちめ・き《四段》 あわて騒ぐ。うろたえる。狼狽する。「座敷も—・いて、高祖を打たうとする巧みも、打ちさまいたぞ」〈玉塵抄六〉。〈文明本節用集〉

とちめんばう【栃麺棒】 あわて騒ぐこと。泡を食うこと。また、その者。とちめん坊。「跡の路銀の残り少なきを俄かに驚き、是れではならぬと—」〈浮・諸分姥桜五〉 **—を振・る** あわて騒ぐ。「栃麺棒を喰ふ」とも。「急ぐ饂飩(うどん)—・る粉かな」〈俳・鸚鵡集五〉

とちゃう【斗帳・戸帳】 帳台や厨子などに垂らしたとばり。金襴・緞子(どんす)・綾・錦などで作られる。「願書とおぼしきもの、—の紐に結びつけたれば」〈東関紀行〉。「斗帳、トチャウ、掛仏神前帳也、或作戸帳非也」〈文明本節用集〉。〈和名抄〉

とつおいつ【取っ置いつ】《連語》《取ッ置イツの転》 あれやこれやと思案が定まらないさま。「—残暑に思案扇子かな」〈俳・如意宝珠四〉

とつかのつるぎ【十握剣・十拳剣】《ツカは物の長さをはかる語。小指から人差指までの幅》 刀身の長さが十つかもある長い剣。「遂にはかせる—を抜きて、軻遇突智(かぐつち)を斬りて」〈紀神代上〉 †totukanoturugi

とっかは《トハカハの転》 急ぎあわてるさま。「御養生の湯入りの心静かなれや—として上がり給ひそ」〈咄・醒睡笑五〉

とつ・ぎ【嫁ぎ】《四段》《トはト(門)・ノミト(喉)などのトと同根。トナメ・ミトノマグハヒのトに同じ。ツギは欠けた所をふさぐ意。男女交合の意》 結婚する。「神いざなき・いざなみの命、妹妖(いもせ)二柱嫁継(とつ)ぎたまひて」〈祝詞鎮火祭〉。「薪を折ること如何ぞ。斧にあらざれば剋(き)らず。妻を娶(と)げること如何ぞ。媒(なかだち)にあらざれば得ず」〈遊仙窟(醍醐寺本)鎌倉期点〉。「婦人自ら嫁(と)がむことを羞ぢて方便(つきき)しうして渠(み)が招かむことを待つらむ」〈遊仙窟(醍醐寺本)鎌倉期点〉。「聟、トツグ」〈名義抄〉 †totugi **—をしへどり**【嫁ぎ教へ鳥】《日本書紀神代巻の一書に、イザナキ・イザナミ両神に交合の道を教えたとあるのにもとづく》 セキレイの異名。「鶺鴒、ニハクナブリ・トツギヲシヘドリ」〈名義抄〉

とづ・き【届き】《四段》《トドキの古形》 ①(目標とする所に)至り着く。「博麻(はかま)が計のままに、天朝(みかど)に—・くこと得たり」〈紀持統四年〉 ②(限界と思われる所に)立ち至る。「海は艪櫂(ろかい)の—・かん程攻めゆくべし」〈平家一一・逆櫓〉

どづ・き【ど突き】《四段》「どうづき」の転。「隆舜法眼宿所の門をも鉞(まさかり)にて十ばかり切る。継舜家の門をも—・く」〈経覚私要鈔長祿四・四・二九〉

とっ・く【疾く】《副》《形容詞トシの連用形トクの促音化》 ①早く。すみやかに。「朝(あした)—高峰へ来れば」〈四河入海六ノ一〉。「—立ち帰るべし」〈浅井三代記一〇〉 ②すでに。とうに。「〔四百四病〕この身の内に—と具足してある程に」〈万法蔵讃鈔上〉 **—に**【疾くに】《副》 ①いち早く。早くも。「両人の働き—見て取った」〈碧岩抄一〉 ②すでに。とうに。「功徳成就して—眼も開いてあるものを」〈本則鈔一〉

とつくに【外つ国】《ツは連体助詞》 ①畿内以外の諸国。「蝦夷(えみし)は…中国(うちつくに)に住ましめがたし。…—に班(わか)らしめよ」〈紀景行五十一年〉 ②遠い国。また、特に日本以外の諸国。外国。「—とは、遠つ国といへるにこそ」〈閑居友上〉 †totukuni

とっくり《トクリの促音化》 念を入れるさま。よくよく。十分。とくと。「—対すれば、心境ともに円融して、見処もあまねきなり」〈大智禅師偈頌抄上〉

とっくりご【徳利子】 ⇒とくりご。「花見酒強ひて生るるや—」〈俳・塵塚(成之編)一〉

とづ・け【届け】《下二》《トドケの古形》 至り着かせる。とどける。「つひに西方の浄土に送り—・けんとなり」〈諸神本懐集末〉。「形見を—・くる音づれは、なかなか聞いても恨めしきぞや」〈謡・柏崎〉

とっけもな・し《形ク》 途方もない。とんでもない。とっけない。「今咲くや—・し(梨ト掛ケル)の帰り花」〈俳・難波草四〉

とっこ かたり。護摩の灰。「とっこの皮」とも。「—共に付けられ迷惑に及び候」〈浄・柏崎一〉

とっこ【独鈷】 ⇒とこ。〈文明本節用集〉

どっこ【何処】《代》「どこ」の促音化。「本分といふものは—にも主人になるものぞ」〈句双紙抄〉

どっこい《感》《ドコ(何処)への転》 相手の行動などをさえぎり止める時に発する語。「—遣るまいぞ」〈狂言記・今悔〉

とっさか 心のとげとげしいさま。「気の―な姑(しうとめ)にせりせりいぢりたでられて」〈近松・宵庚申下〉

とった【捕った】㊀『感』捕手(とりて)が罪人を捕える時などに発する語。「義秀が後さま、やらぬ―とすがりつく」〈浄・根元曾我三〉㊁『名』捕手。「捕った捕った」と掛け声をするからいう。「訴人有りて―に逢はばそれまで」〈近松・傾城吉岡染中〉

とったり【捕ったり】㊀『感』捕手(とりて)の掛け声。捕えたぞ。「打って掛かるを何処へ―」〈俳・独吟一日千句〉㊁『名』①捕手の役人。「白洲にとろい―の顔」〈俳・糊飯篦後集五〉②歌舞伎で、捕手の役者が演じる「とんぼがへり」の称。〈戯場訓蒙図絵〉③相撲の手の一。両手で相手の片手を取り、ひねり気味に引き落す技。「いでー―にあふせ白波」〈俳・物種集〉

とっつき【取っ付き】《トリツキの音便形》物事をし始めること。また、最初。とっかかり。「『まづは見事なり』と―に言ふなり」〈耳底記〉

とっつけ【取付】《トリツケの転》①鞍の後輪(しづわ)につけた紐。「首ねぢきって、本田次郎が鞍の―にこそつけさせけれ」〈平家九・宇治川〉②刀剣の柄口(つかぐち)の金具。「―・鞘口に倶利迦羅不動明王…ありありと彫って候」〈幸若・烏帽子折〉

とっておき【取って置き】大事にしまって置くこと。また、そのもの。とっとき。「―の分別や出す氷室守(ひむろもり)」〈俳・智恵袋三〉

とってつ・き【取って付き】『四段』すがりつく。たよりとする。相手になる。「何とも―・く所なし」〈西鶴・胸算用三〉

とってもつかぬ【取っても付かぬ】『連語』極端なさま、また、ひどく馬鹿げたさまにいう語。途方もない。とても話にならない。「―物語」〈近松・兼好法師中〉

とっと『副』時間・距離・程度などが大きくかけ離れているさま。ずっと。ぐんと。「―の前に云ふ如く」〈大恵書抄一〉。「―寒い時分は、飛鳥も両翼がすくみ」〈禅林類聚抄一〉「木の―の末」〈碧岩抄一〉。

どっと『副』①多人数が一度に声をあげるさま。「三千余騎にて、関(とき)を―つくりければ」〈平治中・待賢門軍〉。②多人数が一度にわっとくり出すさま。「―こなたより人数を出すぞ」〈孫子私抄〉「後には―笑ふものぞ」〈周易抄〉

とっぱ 軽率で不注意なさま。また、その者。「トッパナモノ」〈日葡〉

とっぱかは(…カワ) 混雑するさま。どさくさ。とっぱくさ。とっぱかっぱ。「浪風の揉(も)むにや―柳」〈俳・崑山集三〉

どっぱさっぱ 「とっぱかは」に同じ。「―と忙しい」〈近松・丹波与作中〉

とっぱな【突端・突鼻】突き出た端。先端。とっぱずれ。「あれなる岩の―に」〈西鶴・諸艶大鑑三〉

とつび【突鼻】主君のお叱りを受けること。主君の機嫌を損ずること。勘当されること。「左親衛―の事、今日免許有り」〈吾妻鏡仁治二・三・五〉。〈文明本節用集〉

どっぴ どっと騒ぐさま。騒動。「ドッピトワメイテトヲル」〈日葡〉

とっほと『副』一人で静かなさま。とっぽり。「我眠らずして―してをるほどに」〈四河入海六ノ四〉

とつみや【外つ宮】《ツは連体助詞》①離宮。「吉野の―に幸(いでま)しし時」〈万九〇七題詞〉②外宮(げくう)。「次に登由宇気神(とゆうけのかみ)、此は―の度相(わたらひ)にます神そ」〈記神代〉 †totumiya ―**どころ**【外つ宮所】①離宮のある所。また、離宮。「三諸(みもろ)の山の―」〈万三三一〉②外宮のある所。「みたらし川の―」〈般富門院大輔集〉

とて『連語』《トは格助詞。テは接続助詞》①《ある言葉の下に続けて》…と言って。「『子となり給ふべき人なめり』―手にうち入れて家へ持ちて来ぬ」〈竹取〉②…と思って。…しようとして。「男もすなる日記(にき)といふものを女もして見む―するなり」〈土佐発端〉③…する際。…の時。「『月夜に梅花を折りて』と人の言ひければ、折る―よめる」〈古今四〇詞書〉。「入道、明日病みつき給はん―の夜」〈盛衰記二六〉④原因・理由を表わす。…という申し立て・理由によって。「まれまれのはらからは、この監(げん)に同じ心ならず―、〔監ト〕中たがひにたり」〈源氏玉鬘〉⑤《下に打消や反語を伴って》…といえども。…といったって。「若き君達―すきずきしくあてびてもおはしまさず」〈源氏東屋〉⑥《固有名詞・呼び名などの下について》…という名で。「其のころ都に聞えたる白拍子の上手、祇王・祇女―おとといあり」〈平家一・祇王〉⑦相応する意を表わす。…だけあって。…だけに。…なので。「しなれぬ業―見付けられ」〈近松・阿波鳴門一〉

どて【土手】①崖のようになっている所。また、堤(つつみ)。「御本丸東の―」〈梅津政景日記寛永八・八・一五〉②特に、江戸吉原日本堤の称。「頼もしげなき物、…―の夜番」〈評判・讃嘲記〉③鮪(まぐろ)などの背の切身。「此の―はいくらだと葱(ねぎ)下げて居る」〈雑俳・万句合天明二〉

とてつ【途轍】《「轍」は車のわだち》筋道。「宗師の手段はすべて定まれる―なし」〈夢中問答中〉 ―**も無・し** 途方もない。とんでもない。「―・き事、御許しましませ」〈浮・諸分姥桜四〉

とても『副』《「とてもかくても」の略》①どうでも。なんとしても。「―のがれ給ふべき御身ならず」〈盛衰記三八〉。「―欲心を発(おこ)すとならば、何ぞかやうの大欲をば発さざるや」〈夢中問答上〉②どうせ。しょせん。「濡れしより―ほされぬ塩風にかけよやせめて袖の浦波」〈草根集一上〉。「―死なん命の、何とて人の恋しきと也」〈水無瀬三吟何人百韻注〉 ―**かうても** 「とてもかくても」の音便形。「―今更に志の隔たることはあるまじけれど」〈源氏真木柱〉 ―**かくても** ①ああであってもこうであっても。いずれにせよ。「わが身は―同じこと」〈源氏薄雲〉②どのようにしてでも。「おのれは―経なむ。女のかく若きほどにかくてあるなむ、いといとほしき」〈大和一四八〉 ―**の事に** どうせおなじことなら。いっそのこと。「―景清に引き合はせ申されて給はり候へ」〈謡・景清〉

とでもな・し【とでも無し】『形ク』まともでない。とんでもない。「―・き今迄の身持さらと止め」〈浮・男色歌書羽織五〉。〈俳・毛吹草二〉

とてん【渡天】天竺(てんぢく)へ渡ること。「玄奘三蔵―し給ひけるに」〈撰集抄一ノ八〉

とと【父】《「かか」の対》①〔小児語〕父。とうちゃん。「これぞかし―の光は七光かかの光は縁の下かな」〈遠近草上〉。「―様、食ひ殺いて下されい」〈虎明本狂言・首引〉②夫。また、茶屋などの主人。「その辺の茶屋の―」〈仮・石山寺入相鐘上〉

とと【魚】〔小児語〕魚。「斗々、トト、倭国小児女呼レ魚曰二斗々一」〈文明本節用集〉

とと『助』「つつ」の上代東国方言。「峰延(は)ほ雲を見―偲(しの)はね」〈万四三二一武蔵防人〉 †tötö

とど《擬音語》どど。ことこと。「馬の音の―ともすれば」〈万二六五三〉。「奥山の真木の板戸を―としてわが開かむに入り来て寝(な)さね」〈万三四六七東歌〉 †tödö

とど 終極。最後。「―を見届けたる人もなし」〈諺鏡前下〉。

「―『どりゃ縫物にでも掛からうか』と言ふ」〈黄・世上洒落見絵図上〉

とど【坐・踞】すわること。「ゆるりくゎんす(ユッタリ)と―をして」〈俳・山の井一〉

とど【禺禺】アシカの類。「等等嶋(とどしま)、―当(たい)り住めり」〈出雲風土記〉

ととかか【夫嬶】夫より妻がいばっていること。かかあ天下。「鎌倉殿は―ぢゃなどと嘲って」〈近松・最明寺殿下〉

とど・き【届き】『四段』《トヅキの転》①至り着く。至り及ぶ。「年の暮、雪中、―・きがたきことにこそ」〈宗長手記下〉。「その終りまで―・かん人は助かるべし」〈バレト写本〉②注意・配慮などが行きわたる。「毎毎句に耳心の―・きて、聞き落さざらん好士」〈ひとりごと〉。「やれやれそなたは―・かぬ」〈虎明本狂言・今参〉

ととく【都督】《「都」はすべての意。「督」はとりしまる意》大宰帥(だざいのそち)の唐名。「―、夢想の事ありて安楽寺の御祭をはじめて」〈著聞一三〇〉

とど・け【届け】[一]『下二』《トヅケの転》①至り着かせる。「同じくはわが思ふ所まで―・けてたび候へ」〈伽・むらまつ物語〉②終りまで完遂する。「奉公を―・けたぞ」〈玉塵抄四四〉。「ただ一時(ひととき)の番をさへ我と共に―・くる事叶はれざるや」〈バレト写本〉。「夷(えびす)殿の御系図の事、承り―・けたり」〈伽・かくれ里〉③申告する。「その下人の主の方へ、『此の如く彼の者〔ソノ子ヲ〕呉れ候間、召し仕ふべく候』と―・け候て、仕ふべし」〈結城氏新法度〉[二]『名』届けること。申告すること。「その親・兄弟、もとの夫(をっと)の方へ―に及ばずして、かの婦(め)、夫を改む」〈塵芥集〉。「この上は御―を申さでは叶ふまじ」〈伽・七夕の本地〉

ととこ【外床】《「奥床」の対》外側の床。入口に近い床。「奥床に母は寝たり、―に父は寝たり」〈万三三一二〉 †totökö

とどこほ・り(トドコオリ)【滞り】[一]『四段』《トドはトドマリ(留)のトドと同根。タダヨヒ(漂)のタダの母音交替形。本来、動き進むはずのものが一つ所に止まって進まず、その場所で小さい動きだけを反復する意。コホリは凝結する意》①ぐずついて動かない。「衣手(ころもで)に取り―・り泣く児にもまされる吾を置きていかにせむ」〈万四九二〉②(性質など)ためらい勝ちである。ぐずぐずする。「猶は、性多く豫(とどこほ)りて人の前に在るが故に、凡そ決せぬ者は、之を猶豫といへり」〈法華経玄賛平安初期点〉③すらすらと運ばない。「押しのごひ紛らはし給ふと思す涙の、やがて―・らずふり落つればいとはしたなけれど」〈源氏蜻蛉〉。「筆―・らず書き流したるさま」〈源氏絵合〉。「寺は法師、社は禰宜(ねぎ)などの、くらからずさわやかに思ふ程にも過ぎて―・らず聞きよう申したる」〈枕三一〉[二]『名』つかえとなるものがあること。さしさわり。「はるばると物の―なき海づらなるに」〈源氏明石〉。「太政大臣にあがり給はんに何の―かおはせん」〈徒然八三〉 †tödököFöri

とどのつまり【とどの詰り】《同義の「とど」「つまり」を重ねて意味を強めた語》結局。「とどのつめ」とも。「―は、てんでんの身が痛しかゆしだ」〈滑・浮世床初上〉

ととの・ひ(トトノイ)【整ひ・齊ひ・調ひ】『四段』《古くは他動詞。後にトトノヘという他動詞が成立して、トトノヒは自動詞となった。一人の指図の声によって多くの人を目指す一線に合わせる意》①一人の指揮によって率いる。「竊(ひそか)に六千の兵を発し―・ひ、又、七人のみして関に入らむと謀りけり」〈続紀宣命二九〉。「啅、調レ人㒵。率ニ下人一也。止止乃布(ととのふ)、又、伊佐奈布(いざなふ)、又、女志止奈布(めしとなふ)」〈新撰字鏡〉②(音が)しっくり合う。「御琴どもの調べども―・ひ果てて」〈源氏若菜下〉③欠ける所なく用意が出来る。きちんとそろう。「人がらも、あるべき限り―・ひて、何事もあらまほしく足らひて」〈源氏紅葉賀〉。「諧・剪・飾・整、トトノフ」〈名義抄〉▽トトは、トニカクニなどのトを重ねた語で、それぞれと指示する意か。ノヒは、オコナヒ・トモナヒなどのナヒの母音交替形。 †tötönöFi

ととの・へ(トトノエ)【整へ・齊へ・調へ】[一]『下二』《トトノヒの他動詞形。類義語ソロヘは、同じ形や寸法になるように、余分の所を切り捨てる意》①一人の指揮によって、散っている人を呼び集め、一致協力させる。「大宮の内まで聞ゆ網引すと網子(あご)―・ふる海人の呼び声」〈万二三八〉②呼び立てる。「さ男鹿の妻―・ふと鳴く声の至らむきはみなびけ萩原」〈万二一四二〉③(音律などを)合わせる。調和させる。「ただ掻き合はせたる菅掻きに、万の物の音―・へられたる」〈源氏若菜上〉。「舟のうちより…二三十人あがり、鼓を打ち、声を―・へて」〈平家二・卒都婆流〉④(そむき反するものを)協調させる。協和させる。「政教明察にして龍(龍馬)に感(こころ)づけ馭(ととの)へ乗る」〈大唐西域記一・長寛点〉⑤欠けるところなくそろえる。(間に合うように)用意する。準備する。「〔邸ノ様子モ〕いとど玉のうてなにみがきしつらひ、よろづを―・へ給へり」〈源氏若紫〉。「さまざまの菓子ども―・へて」〈義経記三〉。「葬礼を―・へたく思ひ侍れどももとより貧(まど)しければかなはず」〈伽・二十四孝〉⑥(乱れなどを)きちんとする。「座より起(た)ちて衣服を整理と―・へ」〈地蔵十輪経一・元慶点〉。「馬いかがおもひけん、足を―・へてはたらかず」〈平家一〇・千手前〉⑦買いそろえる。調達する。「入りもせぬ唐紙を―・へに行くなど」〈西鶴・一代女三〉[二]『名』①(音律などの)調和。「長嘯(うそ)むで悲吟(なか)しびて、箜篌(くご)鼓(ひ)きつつ和(しら)ぶ。王は高楼に在(まし)まし其の雅(まさか)なる唱(ととのへ)を聞くに」〈大唐西域記三・長寛点〉②きちんとそろえること。「仏・経箱・帙簀(ちす)の―」〈源氏若菜上〉③用意。準備。「ただ一時にその―をばいたすべきぞ」〈こんてむつすむん地四〉 †tötönöFe

ととのほ・り(トトノオリ)【調ほり・齊ほり】『四段』①調和がよくなる。「心定まり身平整(ととのほ)り」〈金光明最勝王経平安初期点〉。「舞楽(まひがく)物の音(ね)ども―・りて」〈源氏花宴〉②(人心が)協同一致する。協和する。「須(このごろ)僧徒―・らず、誨馭方に乖(そむ)けるが為に」〈三蔵法師伝九・院政期点〉③欠けたところがなくそろう。「これは事の―・り正しきを言ふなり」〈古今序〉④出来上がる。完成する。「ゾウサクトトノヲッタ」〈日葡〉

とどま・り【留まり・止まり】『四段』《トドは、トドコホリ(滞)のトドと同根。タダヨヒ(漂)のタダの母音交替形。本来、進行するはずのものが進行せず、その場所で小さい動きだけを反復する意。足ぶみしている意。類義語トマリは、進行のみならず、一切の動きを停止してそこにいる意》①(先へ進み得ず)その場にぐずぐずしている。「〔アナタガ〕島伝ひい別れ行かば―・れるわれは幣(ぬさ)引きいはひつつ君をば待たむ」〈万一四五三〉②(進むことを)ためらう。逡巡してそこにいる。「転輪王有て兵衆を将て此の道より過ぎむと欲ひき。而るに兵衆即ち住(とど)まりて行かず」〈法華義疏長保点〉。「にはかに風波高ければ―・りぬ」〈土佐二月一日〉③宿泊する。宿をとる。「『ここに泊らせ給へ』といひて、門(かど)並べに家二つを一つに造り合はせたる、をかしげなるにぞとどめける。さりければ―・りにけり」〈大和付載説話一〉④消えずにある。「人麿なくなりにたれど歌のこと―・れるかな」〈古今序〉⑤(心が)とりついて離れなくなる。「いづれにか御心—・る」〈更級〉⑥(進行しているものが)おさえられ阻まれてとまる。やめになる。「涙のみ—・らぬは」〈源氏藤裏葉〉。「物詣はけがらひ出で来て—・りぬ」〈かげろふ中〉⑦(生き物が)仕とめられる。とどめをさされる。「鹿(し)はしたたかに射られて少しも働かず、矢二つにてぞ—・りける」〈曾我八〉⑧連歌の付句が採用される。「周阿、『また今年めぐりあひぬる月を見て』と申して、—・りぬ」〈初心求詠集〉 †tödömari

ととみ《トトはタタへ(湛)のタタの母音交替形》一杯に満ちた潮合。「夕潮の満ちの—に御船子を率(あども)ひ立てて」〈万一七八〇〉 †tötömi

とど・み【留み】『上二』ひきとどめる。「遊びけむ時の盛りを—・みかね過(す)ぐしやりつれ」〈万八〇四〉 †tödömi

とど・め【留め・止め】㊀『下二』《トドマリの他動詞形》①(先へ進むことをためらい)そこに居るようにする。「多麻(たま)の浦に船を—・めて、浜びより浦磯を見つつ、泣く児なす哭(ね)のみし泣かゆ」〈万三六二七〉②(行こうとするものを)引き留める。(ものごとの進行を)制止する。「焼大刀を礪波(となみ)の関に明日よりは守部(もりべ)遣り添へ君を—・めむ」〈万四〇八五〉。「斯匿王と眷属衆との法の席を避けし時には仏制止(とど)め給ひたり」〈東大寺諷誦文稿〉③(目・耳・心などを他所に向って働かせず、一点に)集中させる。「専ら心を注(とど)めて乱るることなくして」〈金光明最勝王経平安初期点〉。「このわたりの事は耳—・めてぞおとしめ給ふや」〈源氏常夏〉④(病気などの進行を)とめる。治す。「こぞの夏も〔病ガ〕世におこりて人人まじなひわづらひしを、やがて—・むるたぐひあまた侍りき」〈源氏若紫〉⑤あとに残す。「御子をば—・め奉りて忍びてぞ出で給ふ」〈源氏桐壺〉⑥仕とめる。とどめをさす。「その鹿(し)は景季が—・めて候」〈曾我八〉⑦《決着を付ける意で》最高とする。「殊更あはれに聞えしは、民部卿三位殿の御局(つぼね)にて—・めたり」〈太平記六・民部卿〉⑧連歌の付句を採用する。「〔指合ノアル句モ〕宗匠の方を見てひそかに披露すれば、ひきなほし—・められ侍ることもあらんと也」〈連歌初心抄〉㊁『名』生き物を殺す時、最後にのどを刺して仕とめること。「下なる四郎が—を刺しもあへず」〈保元中・白河殿攻め落す〉 †tödömë

どどめ・き『四段』《ドドは擬音語》そうぞうしく騒ぐ。「二郎君・三郎君—・きておはして…競ひ争ひ騒ぎあはせ給へば」〈栄花衣珠〉。「菓子なんどを持ち来て、うち食ひ笑ひ—・くぞ」〈百丈清規抄三〉。「闐、ドドメク」〈名義抄〉

とどろ【轟・動】《擬音語》とどろきひびくさま。どうどう。磯波・激流・馬の音、鹿・鶴・蟬の声、橋板を踏み鳴らす音などにいう。「み吉野の滝(たぎ)も—に落つる白波」〈万三二三三〉 †tödörö **—か・し**【轟かし】『四段』ごうごう・どうどうという音を鳴りひびかせる。「天の原踏み—・し鳴る神も思ふなかをばさくるものかは」〈古今七〇一〉 **—・き**【轟き】『四段』《キは擬音語・擬態語をうけて動詞をつくる接尾語》ごうごう・どうどうと大きく鳴りひびく。「滝の声は、いとど物思ふ人を驚かしがほに、耳かしがましう—・き響く」〈源氏夕霧〉。「風の声、波の音にも胸の—・くも、恋の習ひ也」〈四道九品〉。「轟、トドロク」〈名義抄〉 **—こ・し**【轟こし】『四段』《トドロカシの母音交替形》とどろかす。「うけ(カラノ入レ物)伏せて踏(ふ)み—・し」〈記神代〉 †tödörökösi **—め・き**【轟めき】『四段』とどろくばかり音が鳴りひびく。「谷へ—・きて逃げ行く音す」〈宇治拾遺一〇四〉

とどろは・げ【とどろ禿げ】㊀『下一』所所まだらに禿げる。「ところはげ」とも。「山姫の化粧も—・げ」〈俳・山の井一〉㊁『名』まだらになった禿。「煤掃きや木綿布子の—」〈俳・己が光〉

とな『連語』相手のことばに問い返したり、伝聞したことを確かめるばあいに用いる。…ということだな。…というのだね。「汝は歌よみ—」〈十訓抄四ノ一四〉

となか【門中】《トは狭くなった出入口の意》海峡の中。「—のいくり(海中ノ岩)に」〈記歌謡七四〉 †tonaka

どなた【何方】『代』①どの方。どちら。「そもそも甲斐・信濃と申すは—にて候ふやらん」〈平治中・義朝奥波賀に落ち着く〉②「たれ」の尊敬語。誰様。どちら様。「表に案内申すが、—でござるぞ」〈虎明本狂言・釣狐〉

となぶら【殿油】「おほとなぶら」に同じ。「暗うなれば、御—参り」〈源氏少女〉

とな・へ(トナエ)【唱へ】㊀『下二』《トはコトド(絶妻之誓)のド、ノリト(祝詞)のトと同じ。呪力ある言葉の意。ナへは、オコナヒ(行)・アキナヒ(商)などのナヒの他動詞形》(呪文・経文などを)声高く言い、また、よみあげる。「山鳥の尾ろの初麻(はつを)に鏡かけ—・ふべみこそ汝(な)に寄そりけめ」〈万三四六八東歌〉。「もろもろの乞者(こつじや)を集む。…薬師文殊を—・へしむ」〈三宝絵下〉㊁『名』①口に出して言うこと。取沙汰。評判。「世間の人の—を聞きて、よきを能き師と知るべき物なり」〈西海余滴集〉②発音。「橋と端(はし)とま—変りぬれど、ここにて紛らかして同じ—に云ひてよし」〈玲瓏随筆一〉 †tonaɸë **—うしな・ひ**(ウシナイ)【唱へ失ひ】『四段』①言わなくなる。「末世なに依って、—・ひて、鉗斧住山を色色に云ひ損ふほどに」〈扶桑再吟三〉。「当流の平家の節—・ひたらば、書写山の声明(しやうみやう)を聞きて工夫すべし」〈西海余滴集〉②信仰・道徳・風習・行事、また古跡・名所などを、年月の過ぎるにつれて、人がすっかり忘れてしまう。「其の初めをば—・ひ、神書と云へる物を作り」〈妙貞問答中〉。「必ず一大事をば—・はうず」〈勝国和尚再吟一〉。「古跡・名所の絶えたるもの多し。世の人—・うて後には知らずなりなんことも本意なし」〈仮・京雀七〉

とな・へ(トナエ)【調へ】『下二』《トナへ(唱)と同根。人に率先して呪文などを声高く言う意の「唱へ」から転じて、ある中心となるものに同調させて事を行なう意》①一つにそろえる。「足音どもしてくづれ出づるを、上の御局の東おもてにて、耳を—・へて聞くに」〈枕五六〉。「講師達ことごとなし(モッパラ)、ただこの宮の御悩みの由を、返す返すも心を—・へ祈り申し給ふ」〈栄花玉飾〉②《死をそろえる意で》殉死する。「殉、トナフ」〈名義抄〉

となみ【門浪】瀬戸に立つ波。海峡の波。「明石の—いまだ騒けり」〈万一二〇七〉 †tonami

となみ【鳥網】《トリノアミの約》鳥を捕えるために張る網。とりあみ。「あしひきのをてもこのもに—張り」〈万四〇一一〉 †tönami **—はる**【鳥網張る】〔枕詞〕鳥網を張る所の意で「坂」にかかる。「—坂手(地名)を過ぎ」〈万三二三〇〉

となめ【臀呫】《トはミトノマグハヒのトと同じ》トンボの雌雄が尾をくわえ合い、輪になってとぶこと。「まさき(狭イ)国といへども、蜻蛉(あきづ)の—の如くに〔山山ガツヅイテ囲ンデ〕あるかな」〈紀神武三十一年〉 †tonamë

となめと・ひ【歴め問ひ】『四段』《ト(戸)ナメ(並)トヒ(問)の意》一人一人つぎつぎに問う。「群臣(まへつきみたち)に—・ひてのたまはく」〈紀欽明十三年〉 †tonamëtöɸi

となり【隣】㊀『名』《トはト(外)と同根か》区域が相接した位置にあること。また、その位置にある人・家など。「人妻とあぜかそを言はむしからばかーの衣(きぬ)を借りて着なはも」〈万三四七三東歌〉。「伊勢の国なりける女、またえ逢はでーの国へいくとて」〈伊勢七三〉。「城邑聚落隣市肆、隣、音輪、訓、刀奈利(となり)」〈華厳音義私記〉 🈔【とな・り】『四段』(区域が)密接する。相接する。「周十余里。居人豊楽(ゆたか)にして、邑里相ひー・れり」〈大唐西域記七・長寛点〉 ▽名詞「となり」の動詞化か。 †tonari **―しらず**【隣知らず】①隣近所に知れないように、こっそり行なうこと。「離れ座敷はー」〈浄・義経千本桜三〉 ②《搗(つ)いたのを知らぬの意から》ぼた餅の異名。「母多(ぼた)餅…一名ー」〈本朝食鑑二〉 **―づから**【隣づから】隣り合う間柄。隣どうし。「常に良い中遊山をぞする/身上もーに経上(へあ)がりて」〈俳・寛永十三年熱田万句五八〉

とな・り『連語』《「と言ふなり」の意》①…というような状況・事情である。「この国に生れぬるー・らば、嘆かせ奉らぬほどまで〔オ傍ニオルベキデスノニ〕」〈竹取〉 ②…ということである。「汝が云ふ事に至りては、既に仏の御為に伽藍を建立せむー・り」〈今昔一ノ三二〉

とにかくに『連語』①あれこれさまざまに。何やかや色色に。「ーものは思はず飛騨たくみ打つ墨なはのただ一筋に」〈拾遺九九〇〉 ②いずれにせよ。とにかく。「ーうき世を夢と知りながらさても厭はぬ我や何なる」〈新続古今一九一六〉

とにに『副』《トニは「頓」の字音 ton に母音 i を添えて to-ni としたもの》にわかに。急に。「風波ーやむべくもあらず」〈土佐一月十六日〉 →とみに

とにもかくにも『連語』ああもこうも。なんにしても。「世の中は憂きものなれや人ごとのー聞えくるしき」〈後撰一一七七〉

とね【刀禰】①村長・里長など、すべて公事に関与する者の総称。令制では主典(さくわん)以上の官人をさす。「王等(おほきみたち)・臣(まへつぎみ)等・百(もも)の官人(つかさびと)等、倭の国の六つの御県(みあがた)のー、男女に至るまでに」〈祝詞広瀬大忌祭〉。「右大臣藤原朝臣三守、公卿百官及びー等を率ゐ」〈続後紀承和七・五・九〉 ②伊勢神宮や賀茂神社などにおかれた神職。地方神社の神主をいうこともあった。「伊勢志摩の海人(あま)のーらが焼(た)く火(ほ)の気(け)」〈神楽歌七五〉 ③港湾運輸管理の代官。転じて、船頭にもいう。「当所ー」〈類聚三代格貞観一〇・三・一〇〉。「淀河尻のー」〈庭訓往来四月十一日〉 †tone

とねり【舎人】《トノ(殿)イリ(入)の約か》①天皇または皇族に近侍し、雑役に当る官人。令制には大舎人・内舎人(うどねり)・小舎人などがあり、衛府の兵士をもさす。「ー名は鳥山といふ人をつかはして」〈記仁徳〉。「近衛づかさの名高きー、物の節どもなどさぶらふに」〈源氏松風〉 ②摂関以下貴人の御厩(うまや)の雑人。牛車の牛飼、乗馬の口取など。「上達部の御馬・鞍・馬副(むまぞひ)・随身・小舎人童、次次のーなどまで整へ飾りたる」〈源氏若菜下〉 ③摂関家政所に属し、土地の検注、年貢の催促・運搬など雑役に従事した隷属民。大番舎人。「近江・摂津・和泉この三か国ー等、鮮物を進む」〈執政所抄〉 †*töneri **―をとこ**【舎人男・舎人壮士】①「とねり」(1)に同じ。「さすたけのーも忍ぶらひ返らひ見つつ」〈万三七九一〉 ②「とねり」(2)に同じ。「ーにも楯(たて)わきばさませ、屋形に火かけ」〈平家四・競〉

との【殿】🈩『名』①貴人の邸宅。御殿。「真木柱(まけばしら)ほめて造れるーのごと」〈万四三四二駿河防人〉。「ーのうち、人少なに、しめやかなるほどに」〈源氏葵〉 ②貴人に対する敬称。「我がーの、などかおいらかに此のーの御婿にうちならせ給ふまじき」〈源氏宿木〉 ③妻から夫をさしていう語。主人。「蔵法師をーに持ちて候ふ時」〈伽・乳母草紙〉 ④女性から男性をさしていう語。「京に京に流行る、おきゃがりこぼし、やよ、ーだに見れば、つい転ぶ」〈虎明本狂言・二人大名〉 🈔『接尾』《ドノと濁音》他人の氏名・職名の下につけて敬意をあらわす。室町・江戸時代、「様(さま)」より敬意が低い。「あれはたれがしーと見え給ふは」〈雑談集九〉。「その上、我は人にーの字をつけられた事がない程に、『鈍太郎ーの』と云うてたもれ」〈天理本狂言六義・鈍太郎〉 †tönö

どの【何の】『連体』どれの。いずれの。「あの山は、ー国の、いづくの山ぞ」〈義経物語四〉。「論語のー篇にあるやら」〈玉塵抄四四〉

とのあぶら【殿油】「おほとのあぶら」に同じ。「深更にーほそく有るか無きかに向かひ」〈ささめごと上〉

とのうつり【殿移り】貴人の家の引越し。「この御ーの数のうちには、まじらひ給ひなまし」〈源氏玉鬘〉

とのかた【外の方】そとの方。「ーを見出して臥せるに」〈伊勢六九〉。「〔奥ノ室ト御簾ヲ隔テテ〕ーに、法師ばら…念仏ずする」〈源氏夕顔〉

とのぐも・り【との曇り】『四段』《トノはタナの母音交替形。一面にの意》すっかり曇る。「三諸の神奈備山ゆー・り雨は降り来ぬ」〈万三二六八〉 †tönögumori

とのご【殿御】女が夫または恋人を呼ぶ敬称。「いかにーよ、珍しや」〈謡・鉄輪〉

とのごころ【殿心】男を恋しく思う女心。「しばし針箱によりかかりて、ーのおこり」〈西鶴・一代女四〉

とのごも・り【殿籠り】『四段』《寝殿にこもる意》①(貴人が)お亡くなりになる。おかくれになる。「〔皇子ハ〕ー・り、こもりいませば」〈万三三二六〉 ②寝る意の尊敬語。お休みになる。「弾正の宮に、いとよく聞えん。夜はこなたにー・れなど」〈宇津保国譲上〉 †tönögömori

とのさま【殿様】①貴人または主君の敬称。「鹿苑院ー」〈高野山文書一、永享二・三〉。「ーは舟手(ふなて)の御目付に御成りて」〈朝鮮日記〉 ②大名または旗本の敬称。「ーの先退け先退けたかり蠅」〈俳・昼網下〉 **―かぜ**【殿様風】大名または旗本の何かにつけて威張った言動。殿風(とのかぜ)。「ーもゆるやかな春」〈俳・女夫草中〉

とのじ【との字】泊まる意の文字詞。「ーせし宿に」〈評判・美夜古物語〉

とのしく『副』《トノはタナの母音交替形。一面にの意》全く。全然。「言ひつつも後こそ知らめーも寂(さぶ)しけめやも君いまさずして」〈万八七八〉 †tönösiku

とのちゃ【礪茶・砥茶】赤黒味の勝った茶色。「玄関で打つはーの砧(きぬた)かな」〈俳・雀子集四〉

とのづくり【殿造り】御殿を造ること。また、造った様子。「さき草の三つば四つばの中にーせりや」〈催馬楽この殿は〉。「心やすきーしては、かやうの人つどへて」〈源氏澪標〉

とのど【殿門】①御殿の門。「朝戸にも出でて行かな、三輪のーを」〈紀歌謡一七〉 ②《転じて》相手への敬意をあらわす語。今日の「様」「殿」にあたる。「奴(やっこ)とそ吾(あれ)はありける主(ぬし)のーに」〈万四一三二〉 ③手紙の脇付。「謹上、東大寺長官ー」〈正倉院文書天平勝宝八・四・五〉 †tönödo

とののうへ【殿の上】貴人の妻に対する敬称。「左兵衛督はー(紫上)の御はらからぞかし」〈源氏藤袴〉

とのばら【殿ばら】《バラは接尾語》①複数の貴人・男子に対する敬称。また、親しく呼びかける語。「関白殿、その次次のーおはするかぎり、もてかしづきわたし奉り給ふさまいみじくめでたし」〈枕二七八〉。「『あれ討たすなー』とて…兵三

千余騎抜き連れてぞ懸かりける」〈太平記九・六波羅攻〉 ②武士の下級の従者。「宇都宮は大名なれば、―・小姓・同朋、そのほか小者・中間に至るまで」〈伽・猿源氏草紙〉。「鎌倉御所にて中居―と呼ばるるも士と中間の間に居る士分のものなる故なり」〈武家名目抄三〉

とのび・き【との引き】『四段』《タナビキの母音交替形》たなびく。「青雲(あをくむ)の―・く山を」〈万四四〇三信濃防人〉 †tönöbiki

とのびと【殿人】貴族の家人。また、貴族の家に出入伺候するもの。「御修法・読経、あくる日より始めさせ給はむとて、―あまた参りつどひ」〈源氏総角〉

とのへ ト ノ エ【外の重】《「内の重」「中の重」の対。へは隔てになるもの》宮城の外郭。「武士(もののふ)といはゆる人は天皇(すめろき)の神の御門に―に立ち候(さもら)ひ内の重に仕へ奉りて」〈万四四三〉 †tonöre

とのまち【殿町】大名・旗本など武家の居住する町。武家町。屋形町。武家地。「―や土手の若草萌え出でけり」〈俳・喚続集〉

とのも【主殿】「とのもづかさ」の略。「―の女官御清めなどに参りはてて」〈枕二七八〉 **―づかさ**【主殿司・殿司】《トノモリヅカサの約》①令制で、後宮十二司の一。また、その女官。職掌は(2)に同じ。「文書きて―してもやらんなど思ひしを」〈枕一六一〉 ②【主殿寮】令制で、宮内省に属し、禁中の清掃・燭火・薪炭などをつかさどった役所。また、その職員。「三四人まゐりつる―の者ども、二十人ばかりになりにけり」〈枕八七〉 **―れう** リョウ【主殿寮】「とのもづかさ」(2)に同じ。〈書言字考〉

とのもり【主殿・殿司】《「殿守り」の意》「とのもりづかさ」の略。「とのも」とも。「―の官人、手ごとに箒取りてすなごならす」〈枕一四二〉。「―・掃司の女官、顔も知らぬをり」〈紫式部日記〉 **―づかさ**【主殿司・殿司】⇒とのもづかさ。「―・女官などのゆきちがひたるこそをかしけれ」〈枕三〉

とのゐ【宿直】《トノ(殿)ヰ(居)の意》①夜間、守護奉仕のため、禁中や官署に宿って勤務すること。「橘の島の宮には飽かねかも佐田の岡辺に侍宿(とのゐ)しに行く」〈万一七九〉 ②貴人の夜のつれづれの話相手を勤めること。また、天皇の寝所に奉仕すること。「宮(藤壺)はやがて御―なりける」〈源氏紅葉賀〉 ③《比喩的に》帝が、女御・更衣の局に夜、出向いて泊まること。「程経るままにせむ方なう悲しう思さるるに、御方方の御―なども絶えてし給はず」〈源氏桐壺〉 †tönöwi **―ぎぬ**【宿直衣】「とのゐさうぞく」に同じ。「柚(ゆ)の葉のごとくなる(濃緑ノ)―」〈枕八七〉 **―さうぞく** ソウ【宿直装束】《「日の装束」の対》宿直の時に着用した装束。衣冠・直衣〈なほし〉など、やや略式のものをいう。「―しかへて、召しあればまゐり給ひぬ」〈宇津保蔵開中〉 **―すがた**【宿直姿】宿直装束を着けた姿。「帯しどけなき―」〈源氏槿〉 **―どころ**【宿直所】大臣・納言・蔵人頭・近衛大将などが禁中で宿直する所。直廬(ちよくろ)。「年も暮れぬ。内裏の―におはしますに、大輔の命婦参れり」〈源氏末摘花〉 **―びと**【宿直人】宿直する人。「渡殿(わたどの)なる―起して」〈源氏夕顔〉 **―まうし** モウシ【宿直申し】宮中で宿直した蔵人所の滝口などが、夜中定められた時刻に、その氏名を奏上すること。「右近のつかさの―の声聞ゆるは、丑(うし)になりぬるなるべし」〈源氏桐壺〉 **―もの**【宿直物】宿直のための衣服・夜具など。「東の対に、御―召しに遣はして大殿籠りぬ」〈源氏若紫〉

とはう ト ホ ウ【途方】《「十方」「斗方」などとも書く》①手だて。手段。方法。「また敵に取って返されて、―を失ふ事治定(ぢぢやう)あるべしと覚え候」〈太平記一五・正月二十七日〉 ②分別。「葬らんと思ひて、北原へ(死骸ヲ)連れては行けども、なにとも―も無い也」〈中華若木詩抄上〉

とはかは トワカワ あわて急ぐさま。「とばかは」とも。「いざ急がんとちょこちょこ走り―口(川口ト掛ケル)にぞ着きにける」〈近松・五十年忌上〉

とばかり『連語』《トは副詞。バカリは副助詞》①それだけ。「今はただ思ひ絶えなむ―を人づてならでいふよしもがな」〈後拾遺七五〇〉 ②それほど。いかにもそんなふう。「我ながら思ふか物を―に袖にしぐるる庭の松風」〈新古今一六三六〉 ③しばらく。しばし。「天の戸を明くといふことを忌みし間に―待たぬ罪は罪かは」〈実方中将集〉。「―といへる詞は、ただしばしと申す詞にや」〈永縁奈良房歌合〉

とば・し【飛ばし】『四段』《トビ(飛)の他動詞形》①飛び立たせる。「手に持てる我(あ)が児―・しつ」〈万九〇四〉 ②勢いよく放つ。「矢を―・す事雨のごとし」〈十訓抄六ノ一七〉 ③走らす。「車を―・して西八条へぞおはしたる」〈平家二・教訓状〉 ④ひるがえす。「紅袖を―・して羸(か)れたる形あり」〈新撰朗詠集妓女〉 ⑤〔遊里語〕思いを寄せる客を、遊女が嫌って遠ざける。振り飛ばす。「ふつふつ御目に掛かるまじと、女の方より―・さるるやからは」〈色道大鏡五〉 †töbasi

とばし・り【迸り】㊀『四段』飛び散る。「この雷(らいか)の震(こう)かす柱、やぶれて―・りて」〈今昔六ノ一四〉。「迸、ホドハシル・チル・トバシル」〈名義抄〉 ㊁『名』飛び散ったもの。とばっちり。「その―かかれる人、悪瘡いづべし」〈作庭記〉

とばしる【迸】《トバシリの転》とばっちり。「雲の浪立つ―か村時雨」〈俳・犬子集六〉。「―も顔に匂へる薺(なづな)かな」〈俳・炭俵上〉

とはずがたり トワズ【問はず語り】他人が聞きもしないのに、自ら語り出すこと。「この女(むすめ)のありさま、―に聞ゆ」〈源氏明石〉

とばつ・き『四段』あわただしく騒ぎ立てる。落ち着かずそわそわする。「とはつき」とも。「其の下の奉公人、善悪もしらず、無穿鑿にて、少しの喧嘩(けんくわ)口論にも―・くものなり」〈甲陽軍鑑五〉。〈日葡〉

とばに【永久に】『副』永久に。「津の国のなには思はず山しろのとば(永久・鳥羽)に逢ひ見むことをのみこそ」〈古今六九六〉 ▽万葉集・仏足石歌に「登婆」「止婆」とバの万葉仮名で書かれ、寂恵本古今集にも濁点がある。↓とことばに

とばり【帷・帳】《「戸張り」の意》室内に張り垂れて隔てとするもの。「幌、窓簾也、止波利(とばり)」〈新撰字鏡〉 **―あげ**【帳褰げ】大嘗祭の節会などに天皇出御の時、御帳台の南面の帳をかかげる儀。「大嘗会の事ども急ぎたちて、いと世の中心あわたたしう、―、何くれの作法の事どもいと騒がしう」〈栄花様様悦〉 **―ちやう** チョウ【帷帳】《帷も帳も同様のものだが、帳は鴨居から下げない式のものらしい》「とばり」に同じ。「我家(わいへ)は、―も垂れたるを。大君来ませ」〈催馬楽我家〉

とばゐ【鳥羽絵】《鳥羽僧正の作と伝える高山寺蔵の鳥獣戯画に発するのでいう》近世、日常生活に取材した、略筆で軽妙な戯画。「今の世にも、生きた―の野暮太郎出でて人の目を驚かし」〈浮・風流色図法師一〉

と・ひ イト【問ひ】㊀『四段』《何・何故・如何に・何時・何処・誰などの疑問・不明の点について、相手に直接にただして答えを求める意。従って、道をきき、占いの結果をたずね、相手を見舞い、訪問する意の場合も、その基本には、どんな状態かと問いただす気持がある。類義語タヅネは物事や

人を追い求めるのが原義。トブラヒは相手を慰めようと見舞い、物を贈る意。オトヅレは、つづけて便りをし、見舞う意》①疑問の点を明示して、相手に直接の答えを求める。問いただす。「誰そ彼と—・はば答へむ」〈万二五四五〉。「道来る人の立ちとまり如何にと—・はば答へやるたづきを知らに」〈万三七六〉。「何の故そと—・ふ人も無し」〈万二九六九〉②占いをしてどんなかと結果を見る。占いの結果をきく。「道に出で立ち夕卜(ゆふうら)を我が—・ひしかば」〈万三三一八〉③安否をたずねる。様子はどうかと見舞う。「燃ゆる火の火中(ほなか)に立ちて—・ひし君はも」〈記歌謡二四〉。「かう—・はせ給へるかしこまり(オ礼)は、この世ならでも聞えさせむ」〈源氏若紫〉④訪問する。「真木(まき)の上に降り置ける雪のしくしくも思ほゆるかもさ夜—・へ吾が背」〈万一六五九〉⑤物を言う。「八拳鬚(やつかひげ)心(むね)のさきに至るまでに真事—・はず」〈記垂仁〉⑥とむらう。とむらいをする。「人を—・ふ鐘の声こそあはれなれ」〈詞花四〇三〉⑦責め問う。「はやく河原にゐて行きて—・へ」〈宇治拾遺三〉。「火にて—・はんか、水にて—・はんか、いかがせん」〈伽・弁慶物語〉㊁『名』「問丸(といまる)」「問屋(といや)」に同じ。「船六艘…国并びに庄庄〔ノ〕—の沙汰し進(まゐら)する所也」〈山槐記治承三・二・八〉。「運送とは、余所(よそ)より—の宿へ売物を運び送るを云ふ」〈庭訓之抄〉 †toFi, töFi

とび【鳶・鴟】 ワシタカ科の鳥。とんび。「金色(こがね)の霊(あや)しき—有りて、飛び来たりて皇弓(みゆみ)の弭(はず)に止まれり」〈紀神武即位前〉 †*töbi **—が鷹の子を生・む** 平凡な親が秀れた子供を生む意で、親勝りの子をほめていうたとえ。「鳶が鷹(孔雀)を生む」とも。「—・むとは、かやうの事をこそ申すらめ。かれは一かどの学者になるべきものなれば、いそぎ学問させよ」〈義残後覚六〉 **—を舞は・す** 技芸を自慢するたとえ。「—・す。…己れの技芸を誇るを謂(い)ふ也」〈南浦文集下〉

と・び【飛び】『四段』《鳥が空中を羽で飛行する意。類義語カケリは、鳥にかぎらず馬・龍・蝿などが宙を走りまわる意》①鳥などが飛行する。「あしひきの山—・び越ゆる雁がねは」〈万三六八七〉②(空中を)舞う。「真土山越ゆらむ君は黄葉の散り—・ぶ見つつ」〈万五四三〉③(足ではずみをつけて)はねる。はねあがる。「獅子王の吼(ほ)ゆる声の一たび発(おこ)る時には一切の禽獣、悉皆、驚き怖りて—・び落ち走り伏して」〈地蔵十輪経六・元慶点〉④常識から遠くへだたる。特に、俳諧・狂歌などで、普通の作風とは相違する。「俊頼は最上の上手なれども、—・び過ぎたる歌多し」〈兼載雑談〉。「天(てん)かける鷹も及ばじ此の雉の羽強く—・んだ俳諧の作」〈後撰夷曲集九〉 †töbi

と・び【富び】『四段』《トミの子音交替形》豊かになる。財産がふえる。「盗人に紙一枚とらるる事なかりけり。然ればいよいよ—・びまさりて」〈今昔二九ノ三六〉

とびあがり【飛上り】 陽気無分別で、向う見ずの無茶な言動をすること。また、その者。剽軽(ひょうきん)。「遊女どもの舞ひけるに、瓢金(へうきん)の—どもこれに心をとらかされて」〈仮・東海道名所記一〉

とびいり【飛入り】 ①不意に外から加わること。また、その者。「不慮に客人の—あり」〈俳・類船集一〉②椿などの花の色に、他の色が入り、斑(ふ)を生じたもの。「朝の間は霜を—椿かな」〈俳・毛吹草五〉

とびうめ【飛梅】 太宰府の安楽寺の庭にある梅樹。菅原道真が大宰府に左遷されて家を出る時、庭の梅に別れを惜しみ、「東風(こち)吹かば匂ひおこせよ梅の花あるじなしとて春な忘れそ」と詠んだが、その梅が後に太宰府まで飛んで行ったという。「安楽寺の—を、或る武士の郎等、子細も知らずして枝を折りたりける」〈沙石集五ノ一五〉

とひおと・し トイ【問ひ落し】『四段』ことば巧みに問いかけて、相手に自白させる。「—・したらば過分の御所領を賜はるべし」〈伽・弁慶物語〉

とびか・ひ イカ【飛び交ひ】『四段』とびちがう。「雲近く—・ふたづもそらに見よわれは春日のくもりなき身ぞ」〈源氏須磨〉

とびがみ【飛神】 祭られている他の土地から飛んで来て新しく祭られる神。すぐ廃(すた)れることが多かった。「飛び神明」とも。「—・魔法・奇異・妖怪等の邪説、新儀の秘法門徒に仕り」〈中井家文書明暦三・二・二九〉。「こは不思議の—なり。これは天神の夢想たるべし」〈浄・祇園の本地四〉

とびきり【飛切】 特にすぐれていること。「『嬉し嬉し花に暮せば宵の月』。…殊に五文字花の—、月の晴れやかなる句体」〈俳・蓬島発句合〉。「武道の力身—にては無けれども」〈評判・野良立役舞台大鏡〉

とびく【飛句】 普通の句とは飛び離れて相違した秀れた句。「梅は—桜は軽き詩作かな」〈俳・境海草上〉

とびく・き【飛び潜き】『四段』飛んでくぐって行く。「春の野の繁み—・くうぐひすの」〈万三九六九〉 †töbikuki

とひぐすり トイ【問薬】①病気を判断するために試みに飲ませる薬。「—一服進ずべし」〈蔭涼軒日録延徳四・五・一〉②《転じて》相手に話しかけて、その気を引いて見ること。また、その言葉。「女郎の好く—を申せど」〈西鶴・一代女一〉

とびぐち【鳶口】 先に鳶の嘴(くちばし)のような鉄の鉤(かぎ)をつけた四、五尺の棒。人足・消防夫などが、物を引っ掛けて運んだり、破壊したりするのに用いた。「—の先尖る三ケ月」〈俳・生玉万句〉

とびこ【飛子】 田舎をまわって色を売る若衆。旅まわりの陰間(かげま)。「今時の—禿(かむろ)〔二夢中ニナル〕と言ふ事は」〈俳・筑紫の海三〉

とひころ・し トイ【問ひ殺し】『四段』何度も繰り返ししつこく問い詰める。「さても問うたり、—・すか」〈近松・釈迦誕生会四〉

とひさ・け トイ【問ひ放け】『下二』《サケは間をへだてる意。転じて、遠くから何かをする意》遠くから言葉をかける。「—・くる親族(うから)兄弟(はらから)無き国に渡り来まして」〈万四六〇〉 †töFisakë

とひじゃう トイジヨウ【問状】①鎌倉・室町時代、訴人から提出された陳状にもとづき、被告人に対して出す尋問の書状。「もんじゃう」とも。「執筆、—の奉書を訴人に書き与ふる時」〈庭訓往来八月七日〉②拷問(ごうもん)。「七度八度の—を掛け、責め落させ給へや」〈浄・義氏三〉

とびすけ【飛介・飛助】 軽率で突飛な言動をする者の擬人名。飛上り。「〔遊女ノ〕意気張りの強き弱きに付いて、振られたる—ども」〈評判・吉原呼子鳥〉

とびだうぐ ドウ【飛び道具】弓矢・鉄砲のように、遠くから飛ばして敵を撃つ武器。「一騎合(いっきあひ)合戦に—を持たれ候事、臆病に見え候」〈雲陽軍実記四〉

とひだんかふ トイコウ【問ひ談合】相談。「別れてより以来は、—する人も無い程に」〈四河入海一六ノ一〉

とびてい【飛体】 世間普通の俳風から飛び離れた、自由自在の作風の意で、談林俳諧の称。「今、世間の俳諧より、此方をば—など号(なづ)けて」〈俳・談林十百韻下〉

とひと【鄙人】《外(と)人の意。域外の人》①野蛮な人。「相従ふことは無くして—の仇のあることの如く言ふまじきことも言ひぬ」〈続紀宣命二七〉②いやしいさま。「つらつら世の人を瞰(み)るに、才好くして鄙(とひ)なる行(わざ)あり」〈霊異記序〉 ✝torïtö ―ま【鄙人間】野蛮な人たちの間。「―にも己(おの)が家(やけ)授くる人をば一日二日と撰び十日二十日と試み定むとし言はば」〈続紀宣命七〉

とびにんぎゃう:ギョウ【飛人形】竹串に松脂を塗りつけ、弾力で飛ぶようにした人形。「雲に帰雁―の数連れて」〈俳・桜千句〉

とびのもの【鳶の者】《鳶口を持ったからいう》①土木工事の人夫。「手木(てこ)の者」とも。「―と言ふは鳶口者と言ふ事ならし」〈人倫訓蒙図彙三〉②町火消の人足。仕事師。鳶人足。「―の女房ごねた(死ンダ)を…寺を頼んでやり」〈咄・譚嚢〉

とびのり【飛乗り】始めからの約束でなく、途中で、または臨時に馬・駕籠・船などに乗ること。「私は―の者にて候」〈榎本氏覚書〉

とびのを【鴟の尾】《「鴟尾(しび)」の訓読語》①牛車の背後に突き出た二本の短い棒。「こながえ」「とみのを」とも。「堀のはたへ車を寄せ…―より越え入りにけり」〈著聞三九〉。「小韓、トビノヲ」〈色葉字類抄〉②宮殿・寺院などの瓦葺きの大棟の両端につける魚尾型の飾り。「くつがた」とも。「天井へ上りて見ければ、東の―は未だ焼けざりけり」〈義経記五〉

とびはちぢゃう:ジョウ【鳶八丈】鳶地に黒または黄の格子縞を表わした八丈絹。「―の割り格子」〈浮・浪花の田鶴四〉

とひまる:トイ【問丸】中世、港湾や重要都市にあって、物資の管理・運送、取引の仲介などにあたった業者。平安末期、荘園領主などの旅行の時、水上運輸を勤めたことから始まり、鎌倉時代以降、荘園制下の荘官として水上交通の労力奉仕、年貢米の輸送・揚陸作業監督・倉庫保管・委託販売などに従事し、更に年貢徴収、運上・年貢の貨幣化の請負業者に転化した。室町時代には、商人宿泊・商品運送・倉庫管理・商品取引仲介などを兼業して、商品流通の中枢機関となった。「大津―の事」〈東寺百合文書ル、嘉元四・八・二〉。「泊泊(とまりとまり)の借上(かしあげ)、湊湊の替銭、浦浦の―」〈庭訓往来四月十一日〉

とびもん【飛紋】織物の生地全体に、飛び飛びに織り出し、または染め出した模様。「山に渡る鳥や―唐錦」〈俳・毛吹草追加中〉

とひや:トイ【問屋】①問丸(といまる)が商人を宿泊させた旅館。「問屋、トヒヤ、商人宿」〈易林本節用集〉②問丸の後身。近世、江戸・大阪・京都・城下町・港町などの特権商人として、より盛大に営業した。集荷を主とし、商品の買受、貨物の委託売買・保管、荷主の宿泊などを営んだ荷受問屋と、他地方へ貨物を移出する業務の積問屋との二種類に大別され、共に株仲間を形成して取引の独占を守った。「本座―より塩を請取りて、市屋形に於いて、市の日これを売る事これ在り」〈大乗院雑事記文正一・閏二・一九〉。 **―長者に似たり** 問屋は外観は派手で長者のようだが、内実は苦しく不安定でつぶれ易い意。「家に費へを構はず、投げ遣りにする事なれば、惣じての―」〈西鶴・一代女五〉 **―づき**【問屋着き・問屋付き】貨物が問屋に到着すること。また、商人が問屋に落ち着くこと。「問屋づけ」とも。「高野聖も〔商人ト同ジク〕―する也」〈俳・類船集一〉 **―ば**【問屋場】近世、宿駅で人馬の継立てなどをする事務所。駅亭。とんやば。「改め役人壱人づつ―へ付け置き」〈御触書寛保集成三、宝永一・三〉 **―はすは**【問屋蓮葉】近世、問屋で客接待に雇った女奉公人。蓮葉女。「様子―の如し」〈評判・桃源集〉

とひゃう:ヒョウ【斗柄】《「瓢瓢」とも書く》①思慮が浅く軽率なこと。突飛なこと。剽軽(ひょうきん)。「一段と―なる坊主のありけるが」〈寒川入道筆記〉②極端にばかばかしいこと。ひどく間の抜けたこと。「柴の庵ただ―げに霞ませて」〈俳・埋草五〉。「―にばれ過ぎたる句はあるまじき」〈雑俳・宝の市〉 **―なし**【斗柄なし】《ナシは甚だしい意》「とひゃう」を強めた語。「―の飲助と言ふ男」〈浮・太平色番匠三〉。〈続無名抄下〉 **―もな・い** 大変だ。並外れている。上方でいう語。関東では「とっぴゃうしもない」というのが普通。「毎日毎日、―・く風が吹いて」〈滑・膝栗毛二下〉 **―もの**【斗柄者】あさはかで軽はずみな言動をする者。粗相者。「汝はいかい―や」〈俳・蝿打一〉

とひゃうし トビョウシ 間の抜けたこと。また、法外なこと。「どひゃうし」とも。「花なきや―なりし鼓草」〈俳・糸瓜草一〉

とびゃうし:ビョウ:【銅拍子】鐃鈸(ねうはち)に似た銅製の楽器。二つを打ち合わせて鳴らす。「畠山二郎重忠、―を為す」〈吾妻鏡文治二・四・八〉。〈文明本節用集〉

とびら【扉】開き戸。「傓、扇也、門木也、止比良(とびら)」〈新撰字鏡〉。「扇、度比良(とびら)、扉也、門扉也」〈和名抄〉

とふ:トウ《連語》「と言ふ」の約。「渦潮に玉藻刈る―海少女(あまをとめ)ども」〈万三六三八〉 ✝töFu

とぶさ【鳥総】木の末や枝葉の茂った先。木を伐った後に、山の神に対してその「とぶさ」を立てておく風習があった。「―立て船木伐るといふ」〈万四〇二六〉 ✝töbusa

とぶて【礫】「つぶて」の転。「―をすいと打つ音」〈大恵長書抄〉

とぶとりの【飛鳥の】〔枕詞〕地名「あすか」にかかる。かかり方未詳。「―明日香の里を」〈万七八〉 ✝töbutörinö

とふのすがごも【十編の菅薦】あみ目が十筋ある菅薦。陸奥国利府(とふ)の名産なのでこの名があるともいう。「むべ冴えけらし―」〈経信集〉

とぶひ【飛火・烽】峰などに壇を築き、乾草や薪をもやして、外敵などの変事をしらせたもの。昼は煙、夜は火でしらせた。天智天皇三年にはじまり、西国から大和の都への連絡につかわれたものがその大規模なもの。間隔は四十里が基準であるが、地勢によって変った。「駅(うまや)は九所…―は五所…寺は二所なり」〈豊後風土記〉。「春日野の―の野守出でて見よ今いくかありて若菜つみてん」〈古今一九〉。「烽、トブヒ」〈名義抄〉 ✝töbuFi **―の**【飛火野】春日野の南方、飛火のあったあたり。「野は、嵯峨野さらなり。印南野(いなみの)、…―」〈枕一六九〉

とぶら・ひ トブライ【訪ひ】㈠《四段》《事こまかに問いつめてきく意。また、心をこめて相手を見舞い、慰める意。挨拶・手紙・贈物・供物などによってそれを行なう。類義語トヒは疑問のことを相手に問いただして返事を求めるのが原義。オトヅレは、絶えず引き続いて声をかけ、手紙を出す意》①詳しくきく。問いつめる。「妄理を以ちて他(ひと)を詰(はた)め責(とぶら)ふ」〈雑集論平安初期点〉②手あつく弔問する。「何しかももとな―・ふ、聞けば哭(ね)のみし泣かゆ」〈万三三〇〉③㋑見舞う。慰問する。「国の司、まうで―・ふにも、え起きあがり給はで」〈竹取〉。「命婦の君も御供に〔尼ニ〕なりにければ〔光源氏ハ〕それも心深う―・ひ給ふ」〈源氏賢木〉㋺挨拶をのべる。見舞状を出す。「御ぐしおろし給ふほどに…故院の御子たちは…いとどあはれにおぼされて、皆―・ひ聞え給ふ」〈源氏賢木〉。「今日も―・ひ聞ゆべし。悩ましうて六条にもえ参るまじければ、文をこそは奉らめ」〈源氏夕霧〉㋩贈物をとどける。「何くれの御調度など、いかめしう珍しきさまにて―・ひ聞え給へど」〈源氏賢木〉 ㋥布施をおくる。「のちの御わざなど、あるべき事ども推し量りて、阿闍梨にも―・ひ給ふ」〈源氏椎本〉 ㋭出かけて行く。「遠きを征き、国威を恃みて、道を訪(とぶら)へり」〈玄奘法師表啓平安初期点〉 ④【弔ひ】供養する。とむらう。「父母(ぶも)の後世を―・ひ給ふぞ哀れなる」〈平家三・僧都死去〉 〔二〕『名』見舞。慰問。「わづらひ給ひける―に、薬の酒・肴など調じて」〈大和一七〇〉 †*töburaFi

とふろう【都府楼】《大宰府の唐名を大都督府というので》大宰府正庁の楼(たかどの)。「―には纔(わづか)に瓦の色を看る」〈菅家後集〉

とへはたへ ‥エ【十重二十重】幾重にも重なりあうこと。「矢倉の下には、鞍置馬ども―に引っ立てたり」〈平家九・樋口被討罰〉

とほきこと トオキ‥【遠き事】大便を婉曲に表現した語。「沢の辺(ほとり)に下りて―をするやうにて居たり」〈今昔一六ノ二二〉

とほきまもり トオキ‥【遠き守り】遠くから守ること。冥土から加護を与えること。「草の陰までも―とならせ給ひて、御一門今一度都へ返し入れ給へ」〈盛衰記三二〉

とぼぐち【門口・扉口】出入口。門口(かどぐち)。「―より帰る」〈浮・好色大富帳一〉

とぼ・け【恍け】『下二』①おいぼれる。もうろくする。ぼける。「今時も、修行力なく、機を抜かし居る者は、老いほれて、性―・くるものなり」〈仮・海上物語上〉 ②しらばくれる。知らぬふりをする。「トボケタコトヲマウス」〈日葡〉

とほざか・り トオ‥【遠離り】『四段』遠くに離れる。「雁がねのいや―・る雲がくるらし」〈万二一三六〉 †töFözakari

とほさぶらひ トオサブライ【遠侍】《トホザムラヒとも》「外侍(ときぶらひ)」に同じ。「玄光法師と金王丸とをば、―にて、若者ども中にとり籠め」〈平治下・義朝内海下向〉

とほし トオシ【篵】底の目の粗い竹または銅製の篩(ふるい)。「―の底入れ」〈西鶴・一代男三〉。〈日葡〉

とほ・し トオシ【通し・徹し】『四段』《トホリの他動詞形。途中にさまたげがあっても、物事をこちらから向うまでつきぬけて行き着かせる意。類義語ツラヌキは、向う側まで、すっぽり穴をあける意》①(こちら側からあちら側へ)つきぬけさせる。「石(いは)が根も―・して思ふわが恋ふらくは」〈万二四四三〉。「長戟を以て胸を背を貫き―・す」〈大唐西域記一・長寛点〉 ②(色など)こちら側からあちら側へつきぬけるようにする。「白き生絹(すずし)にくれなゐの―・すにこそはあらめ、つややかなる」〈枕三六〉 ③内部まで入らせる。「いかにして心に思ふことわりを―・すばかりも人に語らむ」〈玉葉二五七九〉 ④通行させる。関所などの通行を許す。「あられもる不破の関屋に旅ねして夢をもえこそ―・さざりけれ」〈千載五三九〉 ⑤始めから終りまでずっと継続させる。「夏―・したる綿衣(わたぎぬ)」〈枕一九八〉 ⑥《他の動詞の連用形を承けて》終りまでしおおせる。徹底的にしつくす。「ほととぎす飼ひ―・せらば」〈万四一八三〉。「いとかう縫ひたる糸、針目までやは見―・しつる」〈枕八三〉 †töFösi **―うま**【通し馬】出発地から目的地まで、途中継ぎ替えずに同じ馬を用いること。また、その馬。「通り馬」とも。「―備前より一匹、味間より一疋出だし了んぬ」〈多聞院日記天正一七・一〇・二七〉 **―えり**【通し襟】上から下まで同じ切れ地で仕立てた着物の襟。「黒き天鵞絨(ビロード)の―」〈久重茶会記寛永一四・一〇・五〉 **―かご**【通し駕籠】途中の宿場で乗り替えず、出発地から目的地まで同じ駕籠に乗り通すこと。また、その駕籠。「通り駕籠」とも。「―止むる時雨の雲晴れて」〈俳・信徳十百韻〉 **―や**【通し矢】大矢数で、京都三十三間堂の六十六間の距離を射通した矢。また、大矢数の異称。「尾州家人星野某の矢数、―八千・惣矢一万余」〈山鹿素行年譜寛文九・五・二〉

とほ・し トオシ【遠し】『形ク』《関係が切れてしまうほど相手との間に距離がある意。空間的にも時間的にも、心理的関係などにも用いる。類義語ハルケシは、両者の中間に広広とした何もない空間が広がって存在する意》①空間的に、相手との関係が絶えるほどへだたっている。「山川を中に隔(へな)りて―・くとも心を近く思ほせ吾妹」〈万三七六四〉。「かくばかり恋ひむものぞと知らませば―・く見つべくありけるものを」〈万三三七二〉 ②時間的に、関係が絶えるほどへだたっている。過去にも未来にもいう。「―・き代にありけることを昨日しも見けむがごとも思ほゆるかも」〈万一八〇七〉。「〔女三宮〕花やかに生ひ先―・く、あなづりにくきけはひにて〔六条院ニ〕移り給へるに」〈源氏若菜上〉 ③心理的に、へだたりがある。「―・き心は思ほえぬかも」〈万三七〇一〉 ④関係がない。縁がうすい。「をかしきさまに、琴笛の道は―・う、弓をなむいとよく引きける」〈源氏東屋〉。「仏のおはすなる所の有様〔六条院ト〕―・からず思ひやられて」〈源氏御法〉 ⑤機能がたしかでない。はっきりしない。「また中風がおこったと見えて、手足がなえて、いかう気が―・うなるやうな」〈天理本狂言六義・雷〉 †töFösi **遠きは花の香(か)も深・し** 遠いものは、なんとなくよさそうに思われ、身近なものは、ついおろそかにしやすい意のたとえ。「遠きは花の香」とも。「―・し、たとへ連理の思ひをなすとも、さのみうちとけたらん、離別のはじめなり」〈伽・七夕の本地〉

とぼ・し【点し】〔一〕『四段』《トモシ(点)の転》①(火を)点ずる。「仏の御前には、必ず香をたき、花を供へ、火を―・せ」〈孝養集下〉。「灶、トボス」〈文明本節用集〉 ②性交する。「夜歩き日歩き―・したて」〈近松・二枚絵中〉 〔二〕『名』あかり。燈火。「照射、トボシ」〈頓要集〉 **―び**【燈】(何かに)火を点じたもの。あかり。「烽、トボシビ」〈文明本節用集〉

とぼ・し【乏し】『形シク』「ともし(乏)」の転。「倉に物が無ければ、一年中―・しうして暮し」〈天草本金句集〉。「昔、―・しき公家あり」〈かさぬ草紙〉。「貧、トボシ。乏、同」〈文明本節用集〉

とほしろ・し トオ‥『形ク』①雄大である。大きい。「天ざかる鄙(ひな)にしあれば山高み川―・し」〈万四〇一一〉。「大小之魚(とほしろくちひさきうを)」〈紀神代下〉 ②気品があって立派である。「姿うるはしく清げにいひ下して、長(たけ)高く、―・きなり。たとへば白き色の、異なるにほひも無けれど、もろもろの色にすぐれたるが如し」〈無名抄〉 ▽トホシロシのロはröなので語源としてはsiro(白)とは関係が無いとする意見に対して、白シのroが前行するtöFöに引かれてröとなったものだとする説もある。 †töFösirösi

とぼそ【扃】《ト(戸)とホソ(臍)との複合》①開き戸の枢(とまら)を受ける穴。「扃、トボソ」〈名義抄〉 ②《転じて》扉。「奥山の松の―をまれにあけて」〈源氏若紫〉

とほそ・き トオ‥【遠退き】『四段』遠のく。とおざかる。「妹(いも)が門いや―・きぬ筑波山隠れぬ程に袖は振りてな」〈万三三八九常陸東歌〉 †töFösöki

とほたふみ トオトウミ【遠江】《トホツアフミの約》旧国名の一。東海道十五国の一で、今の静岡県西部。遠州。「遠江、トヲタウミ」〈色葉字類抄〉

とほつ トオ‥【遠つ】『連語』《ツは連体助詞》関係がたどれなくなるほど隔たっている。遠いかなたにある。「東の方は陸奥(みちのく)、西の方は―値嘉」〈祝詞儺祭詞〉 †töFötu **―あふみ** オウミ【遠つ淡海・遠江】《トホツアハウミの約。都に近い琵琶湖を「近つ淡海」というのに対していう》浜名湖。また、浜名湖のある遠江の国。「―引佐細江(いなさほそえ)の澪標(みをつくし)」〈万三四二九遠江東歌〉 ↓とほたふみ。 ―おや【遠つ祖】①遠祖。先祖。「中臣連(なかとみのむらじ)の―天児屋命(あまのこやねのみこと)」〈紀神代上〉 ▽日本書紀では、だいたい、氏のはじめの祖には「始祖」の字を使い、それより以前の祖先に「遠祖」の字を使っている。②祖父の祖父。高祖父。「上祖、止保豆於夜(とほつおや)」〈和名抄〉 ―かみ【遠つ神】〔枕詞〕人間を遠くはなれた存在である意から「大君」にかかる。「―我ご大君の」〈万五〉 ―かむおや【遠つ神祖】「遠つ祖」の尊称。神である遠い先祖。遠い祖先。「―のその名をば大来名主と負ひ持ちて」〈万四〇九四〉 ―くに【遠つ国】〔枕詞〕遠い国の意で「黄泉(よみ)」にかかる。「―黄泉の界(さかひ)に」〈万一八〇四〉 ―ひと【遠つ人】〔枕詞〕遠い人を待つ意から、同音の「松」、地名「松浦(まつら)」に、また遠くから来る意で、「雁」およびそれと同音をもつ地名「猟道(かりぢ)」にかかる。「―松の下道(したぢ)ゆ」〈万三三二四〉。「―松浦の川に」〈万八五七〉。「―雁が来鳴かむ」〈万三九四七〉。「―猟道の池に」〈万三〇八九〉

とぼつ・き『四段』弱って力ない動作をする。よぼよぼする。「えも言はでうたた―・く蛙かな」〈俳・沙金袋三〉

とほつま：トオ【遠妻・遠夫】遠くに離れている妻、または夫。七夕の歌に多くよまれる。「朝づく日向ひの山に月立てり見ゆ―を持ちたる人し見つつ偲はむ」〈万一二九四〉。「―の来べき秋なり」〈夫木抄一〇・七夕〉 †töFötuma

とほと：トオ【遠音】遠くに聞える音。遠くで聞くうわさ。「―にも君が嘆くと聞きつれば」〈万四二一五〉 †töFötö

とほと『副』一人ぼっちでぼんやりしているさま。とほんと。「床上に閑(しづか)に―してゐれば」〈黄鳥鉢抄一〉

とほどほ・し トオドオシ【遠遠し】『形シク』いかにも遠い。いかにも疎遠である。「―・し高志(こし)の国に、賢(さか)し女(め)をありと聞かして」〈記歌謡二〉。「うたて、―・しくのみもてなさせ給へば」〈源氏総角〉 †töFödöFösi

とほな：トオ【遠名】遠くまで広まる評判。「人の―を立つべきものか」〈万二七七二〉 †töFöna

とほなが・し：トオ【遠長し】『形ク』遠く長い。遠くはるかだ。時間にも距離にもいう。「天地のいや―・く偲(しの)ひ行かむ」〈万一九六〉。「富士のねのいや―・き山路をも」〈万三三五六駿河東歌〉 †töFönagasi

とほね：トオ【遠音】遠くから聞える音。「上手の笛は―おもしろ」〈俳・寛永十三年熱田万句六三〉 **―が差・す** 遠くまで声または音が聞える。「遠音をさす」とも。「口上さわやかにして、しかも―・し、木戸口までも聞ゆ」〈評判・野良立役舞台大鏡〉

とほのくに：トオ【遠の国】遠い所にある国。遠い国。「家人は待ち恋ふらむに―いまだも着かず」〈万三六八八〉 †töFönökuni

とほの・け：トオ【遠退け】『下二』かなりの間を置く。「―・けて薬を飲み申し候へば、珍しく候うて、利き申し候」〈沢庵書簡寛永一五・六・一七〉。〈日葡〉

とほのみかど：トオ【遠の御門】《ミカドは御門。転じて、朝廷・政庁》都から遠い所にある役所。大宰府や地方の国府をいい、新羅にある日本の政庁にもいう。「―に汝等(いまし)しかく罷りなば」〈万九七三〉 †töFönömikado

とほびき：トオ【遠引き】①遠方まで引き退くこと。「敵は今朝の軍に―して、気疲れ勢尽きはてけるぞ」〈太平記三八・太元軍〉 ②鳥を追って鷹が遠くに飛び去ること。「トヲビキヲスル」〈日葡〉

とほひと：トオ【遠人】遠い昔からの人。長生きの人。「汝(な)こそは世の―」〈紀歌謡六二〉 †töFöFitö

とほまけ：トオ【遠負け】敵と近接して戦う以前の段階で勝負がつき、負けてしまうこと。「叶はじとや思ひけん、―にして引き退き」〈平家九・六箇度軍〉

とほみ：トオ【遠見】①遠くを見わたすこと。遠方から見ること。遠望。「経行(たたずまひ)もよく、―も可怜(おもしろ)し」〈東大寺諷誦文稿〉。「高き所に輿を立て、―しけるほどに」〈蓮如上人道の記〉 ②高い所から敵の動静などを見張ること。また、その人。「ただ櫓(やぐら)に登りて―をせよ」〈今昔二五ノ五〉。「今宵(こよひ)―の者ども寝入りたらん折ふし」〈室町殿日記六〉

とほみけ：トオ【遠御食】《遠い将来かけての御食事の意》天皇の食料をたたえていう語。「皇御孫(すめみま)の命の長御食(ながみけ)の―」〈祝詞祈年祭〉 †töFömikë

とほみち：トオ【遠道】①行程の遠い道。「玉ほこの―もこそ人は行け」〈拾遺七三七〉 ②遠い道を歩くこと。遠出。「―のなごりこそ、しばしわづらひ給ひけれ」〈源氏手習〉

とほめ：トオ【遠目】①遠くから見えること。遠くから見えた様子。「山は良らなれや―はあれど」〈東遊歌〉。「蔦(つた)の色なども物深げに見えて、―さへすごげなるを」〈源氏総角〉 ②遠方を見張ること。また、その人。「〔鳶ハ〕城近き森の梢に羽を休め、―を使ひてゐたりけるに」〈伽・十二類絵巻〉。「楼へ上って、―を放つ也」〈中華若木詩抄上〉

とほや：トオ【遠矢】遠方の目標を狙って矢を射ること。また、その矢。「吉野十津河(とつかは)の指矢(さしや＝矢ツギバヤニ射ル矢)三町、―八町のものども」〈保元上・新院御所〉

とほやま：トオ【遠山】遠くの山。「―に霞たなびき」〈万二四二六〉 †töFöyama **―どり**【遠山鳥】ヤマドリの異名。「例の―にて(独リ寝デ)明けぬ」〈源氏総角〉 ▽ヤマドリは雌雄離れて寝るという。

とほよそ：トオ【遠外】遠く離れて直接は関係しないこと。「近くな寄りそ。只―にて守(まぼ)りて有れ」〈今昔二五ノ一二〉

とほらか：トオ【遠らか】いかにも遠く離れたさま。「水の下にて聞けば、―に男の声にて」〈今昔一六ノ二二〉

とほ・り トオリ【通り・透り】㊀『四段』《途中にさまたげがあっても、物事がこちらから向う側までつきぬける意。類義語スギ(過)は、本質的なものに深く触れずに進んでしまい、度合を越す意》①(表から裏へ)つきぬける。「わが袖は袂(たもと)―・りて濡れぬとも」〈万三七一一〉。「雨の脚、当る所―・りぬべく、はらめき落つ」〈源氏須磨〉 ②(物の色や実体が)中途の物をすかして見える。「妙なる色、暎(て)り―・りて金山に等しくして光を流して」〈金光明最勝王経平安初期点〉。「外(と)は暗うなり、内は大殿油(おほとのあぶら)のほのかに、ものより―・りて見ゆるを」〈源氏澪標〉 ③(さえぎられても)通行する。通過する。「若ければ道行き知らじ幣(まひ)はせむ黄泉(したへ)の使ひ負ひて―・らせ」〈万九〇五〉 ④内部まで入ってゆく。「ようこそござったれ、こなたへ―・らせられい」〈虎明本狂言・二九十八〉 ⑤(音響などが)すみずみまで到達する。届く。「横笛吹き給ふ。…雲居―・るばかり吹き立てたり」〈源氏梅枝〉 ⑥(学問などに)通暁する。「文をならひよみたればただ―・りに―・りて、才ある人になりぬ」〈宇治拾遺一六五〉 ⑦終始貫徹する。「ともしくかなはぬ人のみあればおのづから本意(ほい)―・らぬこと多かるべし」〈徒然一四一〉 ⑧事情を察知する。他人の気持を了解する。「ずんど―・らぬ女にて、一向我に従はず」〈浄・滝口横笛五〉 ⑨知れわたる。世間に聞える。「詞遣ひもいけぞんざいが―・った奴なり」〈滑・浮世風呂三上〉 ⑩《他の動詞の連用形を承けて、その作用・状態が徹底する意をあらわす》すっかり…する。「妻戸に明り障子立てたる、すすけ―・りたる事、いつの世に貼りたりとも見えず」〈宇治拾遺七八〉。「冴え―・る風の上なる夕月夜あたる光に霜ぞ散り来る」〈拾遺愚草中〉 ㊁《名》①通路。「御鞠の坪の―に参りて、ついゐて、やがて立たれにしも」〈健寿御前日記〉 ②街路。「二条の―へ駆け出させ給ひ」〈明徳記中〉 ③その筋道のままであること。「人の心得の―申されけるに」〈実悟記〉。「ただだ仰せられた―約束を違へさせられな」〈虎明本狂言・眉目よし〉 ④組・揃になっているものの一式を数える語。「〔馬道具・茶道具ナド〕いづれも一―飾ったよ」〈虎明本狂言・磁石〉 †tŏri ―じ【通り字】人の名のうち、先祖から代代伝わって来た文字。平氏の忠盛・清盛・宗盛の「盛」の字の類。つうじ。「是れも―の何と云うて、付く字があるものぢゃ」〈狂言記・比丘貞〉 ―すぢ【通り筋】市街の大道。大通り。本通り。「大綟(ろは)も破れかぶれに―」〈俳・大句数上〉 ―てがた【通り手形】関所の通行手形。通り切手。「花の色―に載せらるる」〈俳・難波風〉 ―な【通り名】家の主が先祖から代代用いる同一の名。「松右衛門と言ふ―は、養ひ婿に譲りやる」〈浄・ひらかな盛衰記三〉 ―もの【通り者】①通人(つうじん)。粋人。「いかなる―も五月闇の空にあくがれ」〈評判・剃野老〉 ②博突(ばくち)打ち。「今、町にて、男伊達と云ふ者有り。かくじんとも、又―とも、博突打ちとも云ふ。皆同じ類ひの者也」〈御当代記二〉。「―、江戸にて博突する者の別号也」〈滑・当世下手談義三〉 ―や【通り矢】「通し矢」に同じ。「―は堂見ありて、印を引くなり」〈仮・京童三〉

とほりんゑ トオ‥【遠輪廻】〔連俳用語〕制禁の一。句を付け進めてゆく際に、数句をへだてて、また同じような付合(つけあい)が出てくること。「―。仮令(けりやう)、花といふ句に山の霞と付きて、又これを付くべからず。数句を隔つといへども一座にこれを嫌ふべし」〈連理秘抄〉

とほれ トオレ【通れ】関所・番所の役人が通行人に、また、家の者が門に立つ乞食・物貰いに言うことば。さっさと通り過ぎよ。行ってしまえ。「通れ通れ」「通りゃ」とも。「―と言へど門にしたるし(グズグズシテイル)」〈俳・絵合上〉

とほんと《副》「とほと」に同じ。「―や庵はなれぬ世捨て人」〈俳・寛永十三年熱田万句三〇〉。〈日葡〉

とま【苫】スゲ・カヤなどの草を編んだ薦(こも)。小屋の屋根・周囲や船の上部などを覆うのに使う。「秋の田のかりほの庵(いほ)の―をあらみ」〈後撰三〇三〉。「〔小屋ハ〕あらあらしげにて、―といふものを一重うち葺きたれば、月のこりなくさし入りたるに」〈更級〉。「苫、度万(とま)、編〓菅茅〓以覆〓屋也」〈和名抄〉 ▽日本書紀に「大苫辺(おほとまべ)尊」を「大戸摩姫(おほとまひめ)尊」ともあるから、トマ(苫)のトはto の音。†toma

どまぐ・れ《下二》うろたえて心の落着きを失う。まごつく。とまどう。「追はれて狩場―・れる雉子」〈俳・寛永十三年熱田万句五三〉

とまどひ ‥マドイ【戸迷ひ・途惑ひ】周囲の状況が不明で、どうしていいのか分らないこと。「とまよひ」とも。「―や鼻柱より飛ぶ螢」〈俳・金剛砂上〉

とまびさし【苫庇】苫で葺いたひさし。「いっとなく塩焼くあまの―久しくなりぬあはぬ思ひは」〈新古今一二五〉

とまへ ‥マエ【戸前】土蔵の引戸の前にある黒渋塗りの観音開きの戸。転じて、土蔵を数えるのにもいう。「谷の―にうつす落書」〈俳・物種集〉。「まだ奥の蔵の三十―が、手がつかぬ」〈黄・莫切自根金生木下〉

とまや【苫屋】苫葺きの小屋。水辺の粗末な家にいう。「物思ふと行きても見ねばたかかた(地名)の蜑(あま)の―は朽ちやしぬらん」〈後撰一二九四〉

とまら【枢】《ト(戸)とマラ(陰茎)との複合》回転軸として、開き戸の扃(とぼそ)に差し入れる突出部分。「枢、度保曾(とほそ)、俗云度万良(とまら)、門戸之枢也」〈和名抄〉

とま・り【止まり・泊まり】㊀《四段》《タマリ(溜)の母音交替形。物の進行がその地点まで続いて来て、そこで一切の運動は無くなるが、その物はそこにある意。類義語トドマリは、物事の進行はやんでも、やんだ地点での物事の小さい動きはやまない意。ヤミ(止)は、継続している現象や動作がその時点で消えてなくなる意》①流動がひとところで停止し、物はそのままそこにある。「吹く風の見えぬがごとく、逝く水の―・らぬごとく」〈万四一六〇〉 ②鳥や虫などが、物につかまって休む。「春の鳥の桜一つに―・らぬ心よ」〈源氏若菜上〉 ③碇泊する。宿をとる。「今宵浦戸に―・る」〈土佐十二月二十七日〉。「野に―・りぬる君達」〈源氏松風〉 ④(居を定めて)滞在する。在留する。「慇懃に致請を表して心形倶(とも)に到り淹(まと)り、旬日を歴(へ)て僅かに一本を得たり」〈法華義疏長保点〉 ⑤宿直する。「内裏(うち)に参り給ひても、夜―・ることは殊にし給はず」〈源氏宿木〉 ⑥後に残る。「み越路の雪降る山を越えむ日は―・れる我をかけて偲はせ」〈万一七八六〉。「今まで〔此ノ世ニ〕―・り侍るがいと憂きを」〈源氏桐壺〉 ⑦記憶が消えずに残る。「よきあしきことの、目にも耳にも―・る有様を」〈源氏帚木〉 ⑧とりやめになる。中止になる。「かしこには石山も―・りていとつれづれなり」〈源氏浮舟〉。「〔正月〕二日、宮の大饗は―・りて」〈紫式部日記〉 ⑨(動きがおさまって)落ち着く。「ましてことわりも何もいづこに―・るべきにか」〈源氏若菜上〉 ⑩連歌の付句が採用される。「既に、逃歌あらばすべき旨、式目に定め置かるる由を問答して―・り侍りし」〈砌塵抄〉 ⑪子種がやどる。妊娠する。「二人が中にもし―・る子」〈俳・両吟一日千句〉 ㊁《名》①舟の碇泊の場所。「草枕旅行く船の―告げむに」〈万三六三三〉 ②旅人などが宿をとること。また、その場所。宿所。「月に行く佐野のわたりの秋の夜は宿ありとても―やはせむ」〈新後撰五七〇〉。「世をうしとなれし都は別れにきいづこの山を―ともなし」〈新勅撰五三一〉 ③行き着く所。終点。「年ごとにもみぢ葉流す龍田川みなとや秋の―なるらん」〈古今三一一〉 ④(安定しない心の)落ち着く所。「若きほどのすき心には、この人を―(本妻)にとも思ひとどめ侍らず」〈源氏帚木〉 ⑤結着。おさまり。「宿禰も―つかざれば」〈近松・用明天皇四〉 ⑥連歌の作法書などで、句の末尾をいう語。「およそ『こそ』といへる―、五音第四の音(エ列音)にてとまるべし」〈姉小路家手似葉伝〉。「連歌の―に『道のべ』と留めず」〈宗祇袖下〉 †tŏmari ―がり【泊り狩】山野に泊まり朝狩をすること。「泊り山」とも。「―とやあすを待つらむ」〈後普光院殿鷹百韻連歌〉 ―きゃくじん【泊り客人】宿泊客。泊り客。「―殺さるる事、亭主の越度(をつど)也」〈塵芥集〉

とまれかうまれ ‥コウ‥《連語》「とまれかくまれ」の音便形。「忘れがたく、くちをしき事おほかれど、え尽さず。―、疾(と)く破(や)りてむ」〈土佐二月十六日〉

とまれかくまれ《連語》「ともあれかくもあれ」の転。「―、まづ疾(と)くを聞えむ」〈かげろふ中〉

どまんぢう ‥ジュウ【土饅頭】饅頭形に土を盛り上げた墓。「―と云ふは、人の死んだを、墓に築きこめたるを云ふぞ。饅頭のやうに円いほどにぞ」〈湯山聯句鈔上〉

とみ【跡見】《トは足跡の意》狩の時、獣の通った足跡を調

べること。また、その役目の人。「野の上には—する置きて、み山には射目立て渡し」〈万九二六〉　†tömi

とみ【頓】 ぐずぐずできず、即座に事を決しなければならないような事態。さしせまった状況。「母のみこのもとより—の事とて、文をもてまうで来たり」〈古今九〇〇詞書〉。「うれしきもの。…—にて求むる物見出でたる」〈枕二七六〉　▽「頓」の字音tonに母音iを添えてトニとしたものの転。ニの音とミの音との交替例は、ニラ・ミラ(韮)、ニホドリ・ミホドリ(鳰鳥)などがある。

と・み【富み】 □一『四段』《有用のものをたっぷり保有している意》　①裕福になる。「この殿はむべもむべも—・みけり…三つば四つばの中に殿づくりせりや」〈催馬楽この殿は〉　②豊富である。「法師、学—・み、詞(ことば)清くして志堅く」〈三蔵法師伝七・院政期点〉　□二『名』　①富むこと。財産持ち。「直人(なほひと)の限りなき—といふめる勢ひにはまさり給へり」〈源氏東屋〉　②とみくじ。近世流行した懸賞的賭博の一種。興行主から富札(番号を記した札)を一般に売り出し、抽籤で当籤者に規定の多額の賞金を与え、売上げ額から賞金・興行経費を差し引いた残額が興行主の収入となるもの。櫃中の木札を錐で突き刺し、当り籤を定めたので、「富突き」ともいった。享保以後、寺社修復の費用募集の名儀で盛大に行なわれるようになった。突き籤。福富。「—を突いたと聞く松の声」〈俳・独吟一日千句〉　▽ツミ(積・貯)と同根か。トミ(富)のトはtoの音で、toはtuと交替する例がある上、アクセントの点でも一致する。　†tomi

ど・み【曇み】 □一『上二』　①薄く曇る。どんよりとする。「夕日—・みて菅の枯橋に書を荷ふ」〈俳・うちくもり砥〉　②色合や目付きなどがはっきりしない。うるんでいる。「目元—・みて顔立ち怒りたり」〈評判・まさり草〉　□二『名』　どんよりと曇ったり、にごったりしているさま。「いや、きゃつが『ああ』と言うたれば、太刀の肌が—とした」〈虎明本狂言・磁石〉

とみかうみ【と見かう見】『連語』《トミカクミの音便形》　あっちを見たりこっちを見たり。あちこち見まわして。「門に出でて、—見けれど、いづこをはかりとも覚えざりければ」〈伊勢二一〉

とみくさ【富草】《幸福をもたらす力のある草の意》　稲の異称という。「あら田に生ふる—の花」〈風俗歌荒田〉。「民までも治まる世をば楽しみて／ゆるす御貢(みつぎ)は里の—」〈看聞御記紙背連歌〉

とみつき【富突き】「とみ」□二②に同じ。「—と云ふ事、正月七日に箕面(みのお)に有り」〈俳・類船集一〉

とみに【頓に】『副』《トニの転。多くの場合、下に打消を伴って使われる。その打ち消された行動は、実は、即座に為し遂げられることが予想・期待される》　①早急に(は)。さっさと(は)。「その人人には—知らせじ。有様にぞしたがはん」〈源氏手習〉。「居入りて—帰りげもなきを」〈枕七四〉　②《打消の意を含む語を修飾して》ぱったり。とんと。「—はるけきわたりにて(足ガ遠ノイテ)、白雲ばかりありしかば」〈かげろふ上〉　→とみ(頓)

とみのを【鵄の尾】「とびのを」(1)に同じ。「轅(ながえ)・—のなかに入りこみて」〈かげろふ上〉

とみひと【富み人】 富んでいる人。物持ち。「—の家の子どもの着る身無み腐(くた)しすつらむ絹綿らはも」〈万九〇〇〉　▽漢語「富人」の訓読語か。　†tomiFitö

とむね【と胸】 びっくりすること。どきっとすること。「はっと—して」〈浮・色道大鼓一〉　—を衝(つ)・く　びっくりする。どきっとする。「狂歌を見て—・きて立ち休らふ折節」〈仮・竹斎狂歌物語上〉

とむら・ひ【訪ひ・弔ひ】『四段』《トブラヒの子音交替形》　⇒とぶらひ。「須(すべから)くは其の家家をたづね—・ひて、細かにぞ注したく候へども」〈教訓抄四〉。「お僧たちはなど逆縁ながら—・ひたまはぬ」〈謡・忠度〉。「よろづの獣(けだもの)それ(病気ノ獅子)を問ひ—・ふ事、暇(ひま)もなかった」〈天草本伊曾保〉。〈文明本節用集〉　—がっせん【弔ひ合戦】　味方の戦死者の復讐をするための合戦。「弔ひ軍(いくさ)」とも。「主の—する我我をいかなる者と思ふらん」〈浅井三代記八〉

とめ【利目】 するどい目。「をとめに直(ただ)にあはむと我が裂ける—」〈記歌謡一八〉　†tomë

と・め【止め・留め】 □一『下二』《トマリの他動詞形》　①(動き去るものなどを)動かないようにおさえる。制止する。「うち日さす宮に行く児をまがなしみ—・むれば苦しやればすべなし」〈万五三二〉。「流るる涙—・めぞかねつる」〈万一七八〉。「それよりも父を恋しく思ひ奉らば音(ね)を—・めて泣き止み」〈保元下・義朝幼少の弟〉　②(舟などを)碇泊させる。「舟—・めて浮寝をしつつ」〈万三六二七〉　③あとに残す。残留させる。「面影は身をも離れず山桜心の限り—・めてこしかど」〈源氏若紫〉　④(一点に)着かせる。「神などは目もこそ—・め給へとゆゆしく思したり」〈源氏葵〉　□二『名』　①止めること。終り。結末。「この文の—は奇特なぞ」〈古文真宝抄三〉　②富突きの最後の当り籤。「一から—まで、有りたけ出ました」〈黄・莫切自根金生木中〉　†tömë

と・め【尋め・覓め・求め】『下二』《トは跡の意》　あとをつけて行く。たずねる。求める。「川瀬—・め情(こころ)もしのに鳴く千鳥かも」〈万四一四六〉。「香を—・めて来つるかひなく」〈源氏幻〉　†tömë

とめがは【留川・禁川】　漁猟を禁止した川。「—も大きな顔して目代の」〈俳・嗅続集〉

とめぎ【留木】 衣服に焚きしめる香木。「八重煙左に火焔の—有り」〈俳・投盃〉

どめ・き『四段』　騒音を立てる。さわぐ。「大ひげの男がかやうにせらるるをかしがりて、笑ひ—・くなり」〈長恨歌抄〉。「酒を飲んで—・けども」〈山谷詩抄一五〉

とめちゃう【留帳】　忘れないように書き記して置く帳面。控え帳。「須磨の初汐写す—」〈俳・桜千句〉

とめぶろ【留風呂】 自分だけが風呂に入るために、他人が入るのをさしとめること。「—(代)五十疋」〈教言卿記応永一五・一・一二〉

とめや【止矢】 仕とめるために最後に射る矢。とどめをさす矢。「—の源太・佐中次」〈保元上・新院御所〉。「額、左右の手足を釘にて打ちつけて、後より—を射る」〈壒嚢鈔一〉

とめやま【留山】 立入・伐木を禁止した山。山林の保護・取締り、樹木・松茸などの育成、乱伐の制限を目的とする。「是は神木と申し、—にて候間、指し置かるべきの由、其の衆へ申し候へども」〈上井覚兼日記天正一三・一一・一六〉

とめゆ【留湯】 ①自分だけが入浴するために、他人の入湯をさしとめること。「湯屋に—して、女房入れ参らせんとて」〈沙石集八ノ六〉　②江戸の銭湯で、湯銭を入浴のたびに支払わず、月末にまとめて支払うこと。「此処らで—(止メト掛ケル)と固辞すれど」〈滑・浮世風呂三序〉

とめをんな【留女】 宿屋の客引き女。「口のはしたなき事、関坂の下の—に一倍増し候」〈評判・難波立聞昔語荒木座〉

とも【伴・友】 ①(主となるものに)そば近く寄り添って従うもの。常に一緒にいるもの。従者。「戦へば我(天皇)はや飢

(ゐ)ぬ、島つ鳥鵜飼がー今助(す)けに来(こ)ね」〈記歌謡一四〉。「さらば御ーにはゐて行かじ。もとの御かたちとなり給ひね」〈竹取〉 ②仲間。友人。友達。「さ夜中にー呼ぶ千鳥もの思ふとわびをる時に鳴きつつもとな」〈万六一八〉。「諸の破戒悪行の苾芻と相助けて共に非法の朋党(もと)と為(な)る」〈地蔵十輪経三・元慶点〉 †tömö

とも【鞆】弓を射る時、左の臂(ひじ)にまきつける丸い皮製の具。弦のあたるのをふせぎ、また弦があたって高い音を出すようにしたもの。「ますらをのーの音すなり」〈万七六〉。「韛、止毛(とも)、在㆑臂避㆑弦具也」〈和名抄〉 †*tömö

とも【艫】《「舳(へ)」の対》船の後尾。船尾。「大船のーにも舳にも寄する波」〈万二七四〇〉。「船後頭謂二之艫一、度毛(とも)」〈和名抄〉 †*tömö **ーが廻(まは)・る** 調子よく物事を処理するたとえ。「藤吉郎艫の廻りし申しざま、幷びに大志の程を褒め給うて」〈太閤記一〉

とも『助』→基本助詞解説。 †tömö

ども【吃】「どもり」の略。「いかに年寄でもーぢゃ」〈咄・咄大全一〉

ども『接尾』《トモ(伴・友)の転用。お伴をし従うものの意から転じて、人間の複数を示すのが古い用法。敬意をもって遇しない対象について使う。ドモは平安時代に至って、物の複数を示すように用法が拡がった》①人の複数を示す。「子ー」「妻子(こめ)ー」「若子ー」「童(わらは)ー」「舎人ー」「蔵人ー」など。「海人(あま)少女ー玉藻刈る見ゆ」〈万三八九〇〉 ②物の複数を示す。「惟喬の親王の、父の侍りけん時によめりけん歌ーと乞ひければ、書きて送りける奥によめる」〈古今八五四詞書〉。「かの昔おこせたりける文ーを取りあつめて返すとて」〈古今七三六詞書〉 ③一人称を表わす語について、卑下・謙遜の意を示す。「『誰でおぢゃるぞ』『いや身ーでござる』」〈虎明本狂言・萩大名〉 †dömö

ども『助』→基本助詞解説。 †dömö

ともあれ『連語』「ともあれかくもあれ」の略。「同宿めはー、あの女めがようせたことぢゃ」〈天理本狂言六義・若和布〉。「人はー、我さへ仏にならば人にはかまはぬ」〈観音経鈔一〉 **ーかくもあれ** ともかく。何にしても。「ー、夜の明け果てぬさきに御舟に奉れ」〈源氏明石〉

ともうぐひす【友鶯】一緒にいる鶯。「春日野のーの鳴き別れ」〈万一八九〇〉 †tömöuguFisu

ともかうも『副』「ともかくも」の音便形。「いささかも人心地する折あらむに忘れ給はずは、ー聞えむ」〈源氏夕霧〉

ともかがみ【友鏡】合せ鏡。転じて、双方をてらしあわせて見ること。「黒髪と雪との中の憂き見ればーをもつらしとぞ思ふ」〈後撰四七四〉

ともかくも『副』《ト・カクはいずれも指示副詞》①そうするのもこうするのも。いずれにせよ。対立する両者のどちらの方でもよいの意。「さらば、ーきんぢが心〔次第デス〕。出で給ひぬべくは、車寄せさせよ」〈かげろふ中〉。「阡陌、トモカクモ、南北ヲ阡ト云、東西ヲ陌ト云」〈名義抄〉 ②どうにでも。どうでも。不本意な事態をも覚悟する場合に使われる。「かくながらーならむを御覧じ果てむ」〈源氏桐壺〉 ③《下に打消を伴って》どちらとも。なんとも。「すきごとする人人はあまたあれど、ただ今はー思はぬを」〈和泉式部日記〉 ④相手の誘いや依頼などに対して、異存のない意をあらわす。「それならばーでござる」〈虎明本狂言・眉目よし〉

ともがな『連語』《格助詞トに願望の終助詞モガナのついたもの》(無理は承知だが)…としたいものだ。「明日ならば忘らるる身になりぬべし今日を過さぬ命ー」〈後拾遺七一三〉

ともがら【輩】《カラはウガラ(族)・ヤカラ(輩)のカラと同じ》同類のもの。仲間。「沈めるーをこそ多く浮かべ給ひしか」〈源氏明石〉。「徒・侶、トモガラ」〈地蔵十輪経序・元慶点〉

ともぎんみ【友吟味】仲間どうしで批判し調べ合うこと。「撰ぶ歌や松虫の音にー」〈俳・埋草三〉

ともこもづきん【どもこも頭巾】「奇特(きどく)頭巾」に同じ。〈俳・世話尽一〉

ともさげ【艫下げ】川舟が水勢の急な川の橋下を通る時、橋脚に衝突しないように、舟を廻して艫から尻下りに下ること。「帰雁の舟をーにする」〈俳・大坂八百韻下〉

とも・し【点し・燈し・灶し】㊀『四段』(火を)点ずる。(あかりを)つける。「海原の沖辺にー・し漁(いざ)る火は明かしてー・せ大和島見む」〈万三六四八〉。「この螢のー・す火にや見ゆらむ」〈伊勢三九〉 ㊁『名』①ともしび。あかり。「ー消ちなむずるとて」〈伊勢三九〉 ②【照射】夏・秋の候、狩人が鹿をおびき寄せるため、夜、山中の木陰にかがり火をたき、または、火串(ほぐし)に松明(たいまつ)をともすこと。「をぐら山ーの松のいくそたびわれ鹿の音を鳴きてへぬらん」〈古今六帖二〉 †*tömösi **ーび**【燈】木のはしや油などに点じた火。あかり。「ーの光に見ゆるさ百合花後(ゆり)も逢はむと思ひそめてき」〈万四〇八七〉。「智のーを秉(と)りて昏(くら)き岐(ちまた)を照らし」〈霊異記上序〉。「炬、トモシビ」〈名義抄〉 **ーびの**【燈火の】〔枕詞〕「明し」と同音の地名「明石」にかかる。「ー明石大門(あかしおほと)に」〈万二五四〉

とも・し【乏し・羨し】『形シク』《トメ(求)と同根。跡をつけたい、求めたいの意。欲するものがあって、それを得たいという欠乏感・羨望感をあらわす。→うらやまし》①(存在の稀なものに)心ひかれる。めずらしく思う。「八千種(やちくさ)に花咲きにほひ、山見れば見のー・しく、川見れば見のさやけく」〈万四三六〇〉。「心無き雨にもあるか人目守りー・しき妹に今日だに逢はむを」〈万三一二二〉 ②うらやましい。「あさもよし紀人ー・しもまつち山行き来(く)と見らむ紀人ー・しも」〈万五五〉 ③(もっと欲しく思うほど)少ない。不足している。「〔自分ハ子供ガ〕いとー・しきに、さやうならむ物のくさはひ見出でまほしけれど」〈源氏常夏〉。「芳樹を尋ぬるに都盧(すべて)物の花少(とも)し」〈遊仙窟(醍醐寺本)鎌倉期点〉 ④貧しい。貧乏である。「此の国已往(むかし)より多く福舎(ふせや)の有るを以て貧匱(とも)しきに贍(にぎ)はひて、或は薬を施し、或は食を施すところ有り」〈大唐西域記四・長寛点〉 †tömösi **ーつま**【乏し妻】会うことまれな、いとしい妻。多く七夕の歌によまれる。「八千矛(やちほこ)の神の御代よりー人知りにけり継ぎてし思へば」〈万二〇〇二〉 **ー・び**【羨しび】『上二』うらやましがる。「いまだ見ぬ人にも告げむ、音のみも名のみも聞きてー・ぶるがね」〈万四〇〇〇〉 †tömösibi **ー・め**【乏しめ】『下二』もの足りなく思わせる。「恋ふる日は日(け)長きものをこよひだにー・むべしや逢ふべきものを」〈万二〇七九〉。「今だにも目なー・めそ相見ずて恋ひむ年月久しけまくに」〈万二五七七〉 †tömösimë

ともじ【と文字】〔女性語〕「とと(父)」の文字詞。「当世の女子、父をーと云ひ、人の妻をかもじ、母をふもじなど」〈三国塵滴問答三〉

ともしらが【共白髪・友白髪】夫婦共に白髪になるまで長生きすること。偕老。「ーに海老(偕老)を契ると云ふが」〈毛詩抄二〇〉

ともすぎ【共過ぎ・友過ぎ】①共稼ぎして生活すること。「やうやう夫婦のーしかねるも有れば」〈西鶴・永代蔵六〉 ②持ちつ持たれつ世渡りすること。「相互ひ世はーに友千

鳥」〈俳・大句数上〉

ともすれば 〖連語〗《トは指示副詞》どうかすると。ややもすれば。なにかきっかけがあると。「―人まにも月を見ては、いみじく泣き給ふ」〈竹取〉

ともだち【友だち】友人。「昔いと若きにはあらぬ、これかれ―ども集まりて月を見て」〈伊勢八八〉

ともちどり【友千鳥】数多く群をなしている千鳥。「―もろごゑに鳴く暁は」〈源氏須磨〉

ともづな【纜綱・纜】艫の方にあって船をつなぎとめる綱。「―を解かで幾日(いくか)になりぬらむ」〈夫木抄八・五月雨〉。「纜、度毛都奈(ともづな)」〈和名抄〉

ともどち【友どち】友だちどうし。「友だちとも、また、―とも。いづれも苦しからず」〈宗祇袖下〉。「結句、―口論し、引くなよ我も引かじとて、刀の柄に手をかくる」〈虎寛本狂言・文山立〉

ともな・ひ【伴ひ】(トモナイ) □一〖四段〗《トモは伴・友。ナヒはアキナヒ・ツミナヒなどのナヒ。主と従とが友のように同行する意。類義語タグヒは、同質のものが二つ並ぶ意。ツレは、ひとつづきに並ぶ意》①同行する。「人にもいざなはれず、人をも―はずして」〈続紀宣命三〉②同類である。「その操(みさを)を聞けば、則ち盗賊に―・へり」〈将門記〉□二〖名〗同行者。同伴者。また、朋友。友。「玉ぼこの露にし袖や絞らむ／まだき起き行く今朝の―」〈白山万句慶長三・閏四・一〉。「科見許して語る―」〈俳・物種集〉 †tömonaFi

ともな・へ【伴へ】(トモナエ)〖下二〗《トモナヒの古形》連れて同道する。行を共にする。「島つ鳥、鵜飼(うかひ)―・へ」〈万四一五六〉 †tömonaFe

ともに【共に】〖連語〗《トモは友・伴の意から転じたもの》①同類として。一緒に。「天地(あめつち)の―久しく」〈万八一四〉。「天地と―もがもと」〈万三六九一〉②二つながら。両方とも。「処処に妙華あらしめ、果実も並(もと)に滋(こ)く繁くして大地に充満せしめ」〈金光明最勝王経平安初期点〉 †tömöni

とものべ【伴の部】配下の人人。部下の者。「山の極(きそ)野の極見よと―を班(あか)ちつかはし」〈万九七一〉 †tömönöbe

とものみやつこ ①【伴造】大化以前、部(べ)の長として部民を統率する者。「臣(おみ)・連(むらじ)・―・国造、又随ひて続(つ)ぎて貢(まだ)る」〈紀雄略二年〉②【伴の御奴】下役人。「とのもり(主殿寮)の―心あらばこの春ばかり朝きよめすな」〈拾遺一〇五五〉 †tömonömiyatuko

とものを【伴の男】宮廷に仕える男子。「しきしまの大和の国に明らけき名に負ふ―心つとめよ」〈万四四六六〉 †tömonöwo

ともはやし【供拍子】供。従者。「『―とは不思議ぢゃ、供とは聞えたが、拍子が異な物ぢゃ』と言うて、不審する者有り」〈咄・昨日は今日上〉

ともびと【供人】供の者。従者。「かかる御―どもの御心にこそあらめ」〈源氏浮舟〉

ともぶね【友船】いっしょに連れ立って行く船。「さみだれの瀬戸に程ふる―は日影のささむ折をこそ待て」〈清輔集〉

ともべや【供部屋】従者の詰めている部屋。多くは門口の近くにあった。「―の埃は霧に立ち靡き」〈俳・信徳十百韻〉

ともまはり【供廻り】(ワリ)従者の人人。「―目をすりすりの旅衣」〈俳・談林三百韻〉

ども・り【吃り】□一〖四段〗物を言う時、はじめの音が円滑に出ず、ひっかかりつかえる。「口―・りたれども、文章をよう書くぞ」〈山谷詩抄一三〉。〈文明本節用集〉□二〖名〗□一による支障。また、その支障を持つ人。「繰り言を言ふは―には劣りよ」〈碧岩抄三〉 →ことどもり

ともゑ【巴・鞆絵】《昔、鞆(とも)の表面にこの模様を書いたのでいう》わき出てめぐり流れる水の姿を渦巻形に模様化したもの。「□太鼓ノ□左には―の数三筋なり」〈江談抄三〉

―なみのもん【巴浪の紋】浪の渦巻く形を巴のように取り合わせた紋。また、そのように槍・薙刀などをくるくる振り廻すこと。「長刀取り直し、―あたりを払ひ」〈謡・舟弁慶〉

とや【鳥屋】①鷹など、飼い鳥を入れるために作った小屋。鳥小屋。鷹狩の鷹などは、夏の末、羽の抜けかわる時ここにこもる。「―を此の郷(さと)に造り、雑(くさぐさ)の鳥を取りあつめて養(か)ひ馴(な)づけて」〈肥前風土記〉②遊女が梅毒を療養すること。また、梅毒。「一切の勤め女、男数に逢へば必ず定めて湿気(しっけ)を煩ふ。この病中を―と云へり」〈浮・禁短気三〉。「―の養生を教へて」〈洒・徒然睟が川五〉

とや 〖連語〗《「とや云ふ」の略。文末に使う》①伝聞を相手に伝える意を表わす。…とかいうことだ。…とさ。「その入りたる穴、今にありとなむ語り伝へたる―」〈今昔一ノ一〇〉②問い返し、または伝聞を確かめる意を表わす。…というのか。…というのだな。「昔、長柄の山の芋が鱣(うなぎ)になる―」〈西鶴・一代男五〉

とやがへ・り【鳥屋返り】(エリ ガ)〖四段〗鷹が鳥屋に戻る。鳥屋に返った鷹は、夏の末から冬にかけて、羽の抜けかわるまでそこにいるので、鷹の羽のぬけかわる意ともいう。「―・り我が手馴らし鶴(はしたか)のくると聞ゆる鈴虫の声」〈後拾遺二六七〉

どや・き 〖四段〗大声で騒ぎ立てる。わめく。どなる。「―・いて見ても聞かぬ木菟(みみづく)」〈俳・西鶴五百韻〉

とやでのたか【鳥屋出の鷹】鳥屋ごもりの後、羽も抜けかわって鳥屋を出る、元気のいい鷹。「いかにせむ―のあふこともまれなる恋にかかりそめては」〈夫木抄二七・鷹〉

とやま【外山】奥山ではなく、人里に近い山。「深山(みやま)にはあられ降るらし―なるまさ木のかづら色づきにけり」〈古今一〇七七〉。「深からぬ―の庵(いほ)の寝ざめだに」〈新古今三九五〉

どやめ・き 〖四段〗どやどやと騒ぐ。どよめく。「―・く祭はてし夕暮」〈俳・正章千句下〉

とゆ【桐油】桐油(とうゆ)を塗った和紙でつくった合羽。桐油合羽。「秋雨に駕(のりもの)―や掛けぬらむ」〈俳・塵塚(重徳編)下〉

とゆうけのかみ【豊受神】⇒とようけのかみ。「―、こは外宮(とつみや)の度相(わたらひ)にます神ぞ」〈記神代〉 †töyukë-nökami

とよ【豊】〖接頭〗《トヨミ(響・動)と同根。本来、雷の音のように響きわたる音を表わす擬音語。転じて、あたりに音が満ちあふれるように感じられる豊作の感動をいう語》豊作・豊富の意。また、雄大の意。「―秋津島」「―葦原」「―栄(さか)昇り」など。「―寿(ほ)き、寿きもとほし」〈紀歌謡三二〉 †töyö

とよ 〖連語〗《格助詞トに間投助詞ヨがついたもの》①「と」が引用をあらわし、「よ」がそれに念を押す気持を添える。…と思うのだよ。…ということだよ。「わが妹子がしぬひにせよと着けし紐糸になるとも吾は解かじ―」〈万四四〇五上野防人〉②《係助詞「か」につづいた「か―」の形で》疑問に思って念を押す気持、不確かな断定などをあらわす。本当に…なのだろうか。…だったろうか。「まことは、現心(うつしごころ)か―、たはぶれにくしや」〈源氏紅葉賀〉。「夢か―見しに

も似たるつらさかな」〈狭衣三〉 ③《文末に使われて》 ㋑強い感情をあらわす。…よ。「出でて見よ。例ならずいふは誰ぞ—」〈枕一三七〉。「さも候はず—」〈著聞五三〉 ㋺伝聞をあらわす。…ということだ。…そうな。…とさ。「女郎衆が、癪(しやく)とやら疝気(せんき)とやらがおこった—」〈洒・南閨雑話〉 †töyö

とよあきづしま【豊秋津島】《トヨは豊穣の意。アキヅシマは、もと大和の一地名》 日本国の美称。「大日本(おほやまと)—」〈紀神代上〉 †töyöakidusima

とよあしはら【豊葦原】《トヨは豊穣の意。古代、水辺に葦の茂ったさまから》 日本国の美称。「—の千五百秋(ちいほあき)の瑞穂(みづほ)の地(くに)あり」〈紀神代上〉 †töyöasiFara **—のなかつくに【豊葦原の中つ国】**《ナカツクニは天上と地下との中間にある国の意》 日本国の美称。「当(まさ)に—は必ず長夜(とこやみ)ゆくらむ」〈紀神代上〉

どよう【土用】 陰暦で、立夏・立秋・立冬・立春の前、それぞれ十八日間。一般には、夏の土用(立秋の前)だけをさす。「上棟の事、—中はその憚りあるべきの由、親職これを申す」〈吾妻鏡貞応二・六・一三〉 **—さぶらう**ウ・ロ**【土用三郎】** 夏の土用に入ってから三日目の称。この日の天候により、その年の豊凶を占った。「虫干しや—夷(えびす)の絵」〈俳・山下水三〉 **—だけ【土用闌】** 夏の土用明けすなわち立秋後十八日間の残暑の頃。「—は暑し」〈俳・初蟬上〉 **—ぼし【土用干し】** 夏の土用に衣類などを干して、虫やかびなどの害を防ぐこと。虫干し。「大麦—にこれを沙汰す」〈多聞院日記天正三・六・一三〉

とようけのかみ【豊受神】《古くトユウケノカミとも。ウケはウカの転、食物の意》 伊勢神宮外宮に祭る、食物を掌る神。「此の神の子は、豊宇気毘売神(とようけびめのかみ)と謂ふ」〈記神代〉 †töyöukënökami

とよ・き【動き】『四段』《トヨはトヨミ(響)のトヨと同根。キは擬音語・擬態語をうけて動詞をつくる接尾語》 鳴りひびいて騒ぐ。「荒ぶる俗(ひとども)のみ—・くこといまだ止まず」〈紀崇神十年〉 †töyöki

とよさかのぼ・り【豊栄昇り】 ㊀『四段』 朝日などが美しく輝きながらのぼる。「くもりなく—・る朝日には君ぞつかへむよろづ代までに」〈金葉三五四〉 ㊁『名』 朝日などが美しく輝きながらのぼること。「朝日の—に称辞(たたへごと)竟(を)へまつらく」〈祝詞祈年祭〉 †töyösakanöböri

とよとし【豊年】 豊年(ほうねん)。「あらたまの今日—のはじめとて民のかまども煙たちそふ」〈夫木抄一・立春〉

とよのあかり【豊の明り】 ①豊富な酒食で顔が赤らむこと。「平らけく安らけく聞こしめして—に明りまさむ」〈祝詞大嘗祭〉 ②宮中での大きな宴会。後に、新嘗祭の翌日、天皇が新穀を食し群臣に賜う儀式を、特に豊明節会〈とよのあかりのせちゑ〉と称し、吉野の国栖(くず)の奏楽や五節の舞などが行なわれた。「〔正月七日ニ〕群卿(まへつきみたち)を招(め)して—きこしめすこと、日数(へ)ぬ」〈紀景行五十一年〉。「宮人は—といそぐ今日」〈源氏幻〉。「もろもろの節会、—と申す由、宣命に見えたり」〈六百番歌合春上〉 †töyönöakari **—のせちゑ【豊明節会】** ⇒とよのあかり(2) 「五節—の夜、忠盛を闇討ちにせんとぞ擬せられける」〈平家一・殿上闇討〉

とよのあそび【豊の遊び】「豊の明り」の遊宴。「梓弓春来るごとにすめ神の—にあはむとぞ思ふ」〈神楽歌三〇〉

とよのとし【豊の年】 五穀のみのりのよい年。豊年。「新(あら)たしき年のはじめに—しるすとならし雪の降れるは」〈万三九二五〉 †töyönötösi

とよのみそぎ【豊の御禊】 大嘗祭の前月に行なわれる禊。御禊(ごけい)。「あまた見し—の諸人の君しも物を思はするかな」〈拾遺六六二〉

とよはたくも【豊旗雲】 ゆたかに大きくなびいた雲。「わたつみの—に入日見しこよひの月夜さやに照りこそ」〈万一五〉 †töyöFatakumo

とよほ・き【豊寿き】『四段』 にぎやかにことほぐ。「〔酒ヲ〕—・き、寿き廻(もとほ)し〔テ醱酵サセ〕」〈記歌謡三九〉 †töyöFoki

とよ・み【響み・動み】 ㊀『四段』《トヨは擬音語。平安時代末頃からドヨミと濁音》 ①(あたりを)揺り動かすように音や声がひびく。「大海の水底(みなそこ)—・み立つ浪の」〈万一二〇一〉。「堂上堂下一同に『あ』と悦びあへる声、門外まで—・みて」〈平家三・御産〉。「動、ドヨム」〈色葉字類抄〉 ②人人が大声をあげてさわぐ。「小鈴落ちにきと宮人—・む」〈紀歌謡七三〉。「—・みて笑ひける事限りなし」〈今昔二八ノ七〉 ㊁『名』 あたりに鳴りひびくこと。大声でさわぐこと。「御所をはじめ参らせて、公卿・殿上人、—をなして笑ふ」〈弁内侍日記〉 †töyömi

とよみき【豊御酒】《トヨは美称》 美酒。よい御酒。おおみき。「—献らせ」〈記歌謡五〉 †töyömiki

とよ・め【響め】『下二』 あたり一面にひびかせる。とよもす。「夜を長み眠(い)の寝らえぬにあしひきの山彦—・めさを鹿鳴くも」〈万三六八〇〉 †töyömë

どよめ・き【動めき】『四段』 大声でさわぐ。「陸(がく)には源氏、箙(えびら)をたたいて—・きけり」〈平家一一・那須与一〉。「貴賤上下、門前に市をなして—・きわたりける」〈塩竈大明神御本地〉

とよも・し【響もし】『四段』 あたり一面にひびき渡らせる。「山ほととぎす—・さむかも」〈万一九七八〉 †töyömösi

とよ・り【と寄り】『四段』 ちょっと寄る。「白波の立ちながらだに長門なる豊浦(とよら)の里の—・られよかし」〈後拾遺一三一八〉

とよ・り【外寄り】『四段』《源流からはなれて、末流の方に近づく意》 後世になる。近代になる。「妙にをかしき事は、—・りてこそ書き出づる人人ありけれど」〈源氏梅枝〉 ↓あうより

とら【虎】 ①アジア特産で深林にすむ猛獣。「敵(あた)見たる—か吼ゆると」〈万一九九〉 ②飼猫の異名。「全く虎に似たる故、日本で猫を—と呼ぶ」〈浄・下関猫魔達一〉 †töra **—の尾を踏・む**《易経、履卦や、書経、君牙篇などに見えることば》 大きな危険を冒して物事を行なうたとえ。「近代の事、—・むが如し」〈小右記寛仁三・七・一〉

とら【寅】 十二支の第三。年・日・時、また方角の名などに当てる。①時刻の名。いまの午前三時から午前五時まで。「—の時になむ渡らせ給ふべかなる」〈枕二七八〉 ▽古くは、寅の刻を一日の始めとした。「—の一点は、当日の時剋の始めとなす。凡そ神明神道御遊行并びに祝祓を奏すること、必ず—の時を用うべしと云云」〈教訓抄一〉 ②方角の名。東北東。〈色葉字類抄〉

どら「だんびら」に同じ。「身も昔は長う短う—を差いて」〈近松・加増曾我一〉

どら 放蕩。また、放蕩に耽る者。「昔に増さる—となりしと」〈滑・当風辻談義二〉。「向うに休らふ—者」〈浄・忠臣金短冊四〉 **—打・つ**〔遊里語〕 放蕩して財産をつぶす。「—・ってしまうたと見えて、照降なしに紙子一貫」〈評判・役者舞扇子江戸〉

どら【銅鑼・鉦】 法会に用いる打楽器の一。唐金(からかね)で盆形に作り、紐で吊り下げて桴(ばち)で打ち鳴らす。茶席で合

図をするにも用いる。「入相や茶釜に響く―の音」〈俳・江戸両吟〉。〈文明本節用集〉

とらか・し【蕩かし】『四段』《トラケの他動詞形》①ばらばらにする。「根茎を掘(と)り挽(ひ)きて狼藉(とらか)し去(ゆ)きぬ」〈大智度論平安初期点〉②固まっているものを溶解させる。「衆の罪を蕩(とらか)し条(すす)げり」〈玄奘法師表啓平安初期点〉。「蕩、トラカス」〈名義抄〉③心の締りをゆるめほぐす。正体を失わせる。「〔蛇ハ〕女をまぼりて、―・してありけるに」〈今昔二九ノ三九〉

とらがなみだ【虎が涙】五月二十八日に降る雨。大磯の遊女虎御前の、愛人曾我十郎祐成の討死を悲しむ涙が、雨となって降ると伝える。虎が雨。虎が涙雨。「―とぶらひ鳴きか時鳥」〈俳・毛吹草追加上〉

とら・け【蕩け】『下二』《トロケの母音交替形》①ばらばらになる。「残れる骨と余れる髪の縦横(らと)けて地の中にあるを見」〈金光明最勝王経平安初期点〉。「仳、別也、分也、醜面也、和加留(わかる)、又、止良久(とらく)」〈新撰字鏡〉。「散、トラク」〈名義抄〉②固まっていたものが溶解する。「我が心の妄念の皆―・くる也」〈比良山古人霊託〉③とけてやわらぐ。ゆるみなごむ。「魍魎(まうりやう)・鬼神も―・け、善神・護法もめで給ふばかりなりければ」〈盛衰記九〉

とらげ【虎毛】①虎の毛。「〔鎧ノ〕裏を返して見るに、札(さね)のあひあひに―あり。はかり知んぬ、虎の皮にて縅(をど)したりと」〈盛衰記四〇〉②動物の毛色の名。虎のような斑紋のあるもの。「若駒率(ゐ)て来(こ)、葦毛駮(あしげぶち)の―の駒」〈神楽歌八二〉。「―の猫、声うち上げて、ねうねうと鳴きけるに」〈伽・ゑびす大黒合戦〉

とらけん【虎拳】拳(けん)の一種。腰をかがめて杖を突く姿を母親、拳を揚げて虎を打つ形を和藤内、両手を握りうずくまる形を虎とし、それらの身振りで行なうもの。「同じ拳でも、本拳は文の場がござります。―は武の事さ」〈黄・文武二道万石通下〉

とら・せ【取らせ】『下二』①与える。やる。「この女に何をか―・せましと思ひめぐらせども、更に―・すべき物なし」〈今昔一六ノ七〉②《動詞の連用形に「て」のついた形に接続して》やる。つかわす。「今一度、娑婆へ戻いて―・せう」〈伽・小栗絵巻〉

とらのかしら【虎の頭】虎の頭の形に似せた造り物。皇子出産の時などには、魔除けとして、これを映した湯を産湯(うぶゆ)にする。「御佩刀(はかし)小少将の君、―宮の内侍とりて、御さきにまゐる」〈紫式部日記〉

とらのこわたし【虎の子渡し】《虎が三子を生むと、一子は彪(ひよう)で他子を食うから、川を渡るには独特の手段で苦心して渡るという説話による》苦しい生活のやりくり算段のたとえ。「―にはし給へども」〈西鶴・置土産四〉

とらのまき【虎の巻】①中世に流布した兵書四十二巻のうち、もっとも重要とされた一巻の名。「―と申すを一巻残させ給ひて、皆皆に火をつけ、火焔となし捨て給ふ」〈伽・みなつる〉②秘伝を記した書物。「戴いて我が一念は―〔ヲ手ニ入レタ〕」〈雑俳・つづら笠〉

とらは・れ(トラワレ)【捕はれ・捉はれ】『下二』《トラへの受動形。古くは漢文訓読体に多く使われる》取り押えられる。召し捕られる。「囚(こ)め繋(らと)はるる者(ひと)は、光明に照らさるるが故に、皆解脱すること得つ」〈地蔵十輪経一・元慶点〉。「わが子の手に―・れて、相伝の家人(けにん)の手にかかって失はれなんことの不思議さよ」〈保元中・為義最後〉

とら・へ(トラエ)【捕へ・捉へ・執へ】『下二』《トリ(取)アへ(合)の約》①(手で)しっかりと十分につかまえる。「逃げて入る袖を―・へ給へば」〈竹取〉。「汗衫(かざみ)の袖に螢を―・へてつつみて御覧ぜさすとて」〈大和四〇〉②(罪人などを)召し取る。「検非違使参りて、昨日、事いだしたりしわらはべ―・ふべしといふこと、いできにけるものか」〈大鏡伊尹〉③ぴったりくっつく。「あたらしき油単に、襪(しとうづ)はいとよく―・へられにけり」〈枕一〇八〉

とらま・へ(トラマエ)【捕まへ】『下二』つかまえる。とらえる。「討ち手を―・へ、奉行の処におき」〈北野目代日記紙背文書延徳二・三・六〉

とらめん【兜羅綿】《「兜羅」は梵語の音訳、インド産の綿花の一種》綿糸に兎の毛をまぜて織った上質の布地。「上妙の―を以て身にまとへ」〈今昔三ノ三二〉→とろめん

とらやくし【寅薬師】寅の日に薬師仏に詣でること。「十郎殿ぞ塩をたたるる／今日はまた―とや思ふらん」〈俳・守武千句〉

とられんばう(トラレンボウ)【取られん坊】〔遊里語〕遊女に騙されて金銭を取られる客の称。取られんぼ。「―の事」〈評判・吾妻物語〉

とり【酉】十二支の第十。年・日・時、また方角の名などに当てる。①時刻の名。いまの午後五時から午後七時まで。「御湯殿は―の時とか」〈紫式部日記〉②方角の名。西。〈色葉字類抄〉

とり【鳥】①鳥類一般の称。「天(あま)飛ぶや―にもがもや都まで送り申して飛び帰るもの」〈万八七六〉②特に、ニワトリ。「昔、男逢ひがたき女に逢ひて物語などするほどに―の鳴きければ」〈伊勢五三〉③特に、キジ。「盛りなる紅梅の枝に、―一双(ツガイ)を添へて」〈徒然六六〉。「ただ―とばかり云ふは雉の事也」〈四条流庖丁書〉④「鳥の舞」に同じ。「曲(ご)のものは、―の破急をあそぶ」〈紫式部日記〉⑤鳥の肺臓。どり。「鳥の背骨の下に付きて血あり。これを―と名付くるとなり」〈東海夜話上〉 ✝tori ―**が懸か・る** 遊女によい遊客が付くたとえ。多くは金をまき散らす野暮な大尽客にいい、一般に、よい金儲けの種をつかむ意にも用いる。「太夫さまには良き田舎の―・りて、音物(いんぶつ)を参らせぬる」〈色道大鏡一五〉

と・り【取り・捕り】㊀『四段』《タ(手)の母音交替形トを動詞化した語。物に積極的に働きかけ、その物をしっかり握って自分の自由にする意。また、接頭語としては、その動作を、自分で手をくだしてしっかり行ない、また、自分の方に取り込む意。類義語ツカミは、対象を変化させずにそのまま手の中に保つ意。モチ(持)は、物を握りしめる意》❶ものの全体をしっかりと手中に収めて自分のものにする。①(手で)握る。掴む。「梯立(はしたて)の倉梯山を嶮(さが)しみと岩懸きかねて我が手―・らすも」〈記歌謡六九〉②(獲物などを)捕える。「隼(はやぶさ)は…鷦鷯(さざき)―・らさね」〈紀歌謡六〇〉。「鴥は、貍に似て鼠を搏(と)るものをいふ」〈法華経玄賛平安初期点〉③手中に収める。「千万(ちよろづ)の軍(いくさ)なりとも言(こと)挙げせず―・りて来ぬべき男(をのこ)とそ思ふ」〈万九七三〉。「弟(おとと)に国を奪はれ、甥(をひ)に世を―・られ給ふこと」〈保元上・新院為義を召さる〉④評判などを得る。「この人よりは先立ちて世の聞えをも―・り、位をもあがらむと思ひて」〈閑居友上〉 ❷手を動かして物事を思うように操作する。①あやつる。扱う。「漕ぐ舟の楫(かぢ)―・る間なく」〈万四〇二七〉。「筆―・り給へるさまの幼げなるも」〈源氏若紫〉。「ふと思ひ出でられて下りて御馬の口を―・る」〈源氏須磨〉②植えつける。「きのふこそ早苗(さなへ)―・りしか」〈古今一七二〉③音楽に合うように拍子をうつ。「弁の少将拍子―・りて梅が枝(曲名)いだしたるほどいとをかし」〈源氏梅枝〉④相撲をする。「肩の骨くだけて、かたは

ものになりて、相撲(すまひ)—・る事もなかりけり」〈著聞三八〇〉⑤手に触れて見る。「医師に逢ひて脈を—・らする時は」〈今川大双紙〉❸物事を手許へ引き寄せ、こちらの自由にする。①拾う。採取する。「石(いし)隠りかがよふ珠を—・らずは止(や)まじ」〈万九五一〉。「春の野には彩花、死尸(しにかばね)の辺(ほとり)に開(さ)けども、毛(けみの)竪(だいよ)ちて採(と)らずなりぬ」〈東大寺諷誦文稿〉②(首などを)斬り取る。あげる。「首を—・りては無念なり」〈保元上・親治等生捕らる〉③奪う。「いかで—・りつらむと心やまし」〈源氏紅葉賀〉。「この人、妻を—・りて七(なな)歩み行くに太子遂(つひ)に悔ゆる心なし」〈三宝絵上〉④没収する。召しあげる。「つかさも—・られてはしたなければ」〈源氏須磨〉⑤除く。取り去る。「小袖を—・れと云うて、いやと云ふを、男無理に—・ってのくれば」〈虎明本狂言・二九十八〉。「かづきをお—・りやれ」〈天理本狂言六義・二九十八〉⑥人をつかまえる。捕縛する。「生口(いけくち)を—・るのとき…縄にも及ばず、追ひ逃がす事あらんに」〈塵芥集〉⑦婿や嫁に迎え入れる。「我も我もと婿に—・らまほしくする人の」〈源氏東屋〉⑧受け入れる。受け収める。「天のあたへを—・らざれば、かへってその咎を得」〈保元上・新院御謀叛思し召し〉⑨身に負う。こうむる。「女の筋につけてまだ謗(そし)り—・らず」〈源氏手習〉❹物事をこちら側の要求・基準に合うように決定する。①(長所・利点として)認める。「心ばせびとに—・りつつ見そめしより」〈源氏槿〉②(都合の良い日時や場所などを)選び定める。「日(吉日)など—・らせ給ひて」〈源氏薄雲〉。「休み所—・りつつ」〈源氏胡蝶〉③(相手の状態などを)自分なりに解釈する。「けしき—・り、心まうけし給ふを見るにいとほしう」〈源氏紅梅〉□二『接頭』動詞の上について、その動作が、何か手が加えられることで安定・定着することを示す。①(持って)…する。「韓衣(からころむ)裾に—つき泣く子らを」〈万四四〇一〉②(みずから)…してやる。…する。「夜昼これ(鷹)をあづかりて—飼ひ給ふほどに」〈大和一五二〉□三『名』①獲得。入手。「玉の枝—になむまかる」〈竹取〉②最後。しまい。「冷し物出ると盃—になる」〈雑俳・誕生日〉③演芸会で最後に出演すること。また、その芸人。とりかたり。真打(しんうち)。「例のぢゃ例のぢゃ／楽家(がく)戻りが聞かぬ—」〈雑俳・腕くらべ〉 †tŏri, tori

とりあ・げ【取り上げ】『下二』①下にあるものを持ち上げる。「針袋—・げ前に置き」〈万四一二九〉②髪をたぐりあげ、たばね結ぶ。「君の御元服候ひし夜、かしらを—・げられまゐらせて」〈平家一〇・維盛出家〉③申請を受理する。「彼の方より自然頼み申さるるの儀候と雖も、—・げられざるの様に…頼み存じ候」〈言継卿記天文一三・一〇・一〇〉④産婦を助けて、子を生ませる。「挙とは、—・げて養ふを云ふぞ」〈漢書竺桃抄〉⑤挙げ用いる。登用する。「賢人をば高官に—・げて国家の政を助け」〈管蠡鈔一〉⑥租税などを徴収する。「もし年貢・捧げ物を多く—・げて、君の身にのみ奉養して百姓を損ずれば」〈管蠡鈔三〉⑦没収する。召し上げる。「チギャウヲトリアグル」〈日葡〉⑧「取り越し」に同じ。「故女中第三回〔忌〕、来たる七月十三日也。—・げて明後日法事これ有り」〈言経卿記慶長三・六・一一〉 †tŏriagĕ **—がみ**【取上げ髪】無造作に束ね結んだ髪。「—、物塗りたる顔にもあらずして、人は見て、びくりとする程美しく」〈西鶴・諸艶大鑑五〉 **—ばば**【取上げ婆】産婆。「取上げうば」「とらげばば」とも。「—、是は大事の事かなとて」〈仮・竹斎下〉

とりあし【鳥足】行人(ぎやうにん)の履く、鳥の足の形の長い鉄棒をつけた高足駄。鳥足駄。「行人—の高足駄を履きて」〈西鶴・諸国咄一〉

とりあつか・ひ‥アツカイ【取り扱ひ】『四段』①手ずから世話する。処理する。「大宮こそは〔若宮ヲ〕—・ひきこえ給ふべけれど」〈栄花楚王夢〉。「みづから母の大小便の器物(うつはもの)を—・ひて」〈伽・二十四孝〉②とりさばく。斡旋(あっせん)する。仲介する。「あのいさかひ—・ひ給ふべし」〈仮・是楽物語上〉。「数度、信長・義秀和睦の事を—・ふといへども」〈江源武鑑一六〉

とりあつ・め【取り集め】『下二』①手に取って、一つにまとめる。「わが御ぐしの落ちたりけるを—・めて、かづらにし給へる」〈源氏蓬生〉②(さまざまな物事を)一緒にする。「—・めて、忍びがたきこと多かり」〈源氏夕顔〉

とりあはせ‥アワセ【鶏合】闘鶏。禁中では、三月三日清涼殿南面の白洲で行なわれた。また、それにならって民間でも行なわれた。にわとり合せ。「花山院には五六宮をもてはやし聞えさせ給ふとて、—せさせ給ひて見せ奉らせ給ふ」〈栄花初花〉

とりあはせ‥アワセ【取合せ】①組合せ。俳諧では、発句を詠む時、適当な事物を組み合わせて仕立てること。「海棠と梅花との—が妙なり」〈中華若木詩抄中〉。「師の云ふ、発句は—物なり」〈俳・篇突〉②とりなし。斡旋(あっせん)。「互ひに他人の上を—し、言ひ開く者もあるまじき故に」〈こんてむつすむん地一〉

とりあ・ひ‥アイ【取り合ひ】□一『四段』①多人数ではげしく奪い合う。先を争って取る。「倉ども皆開けて、かく宝ども皆人の—・ひたる」〈宇治拾遺八五〉②相手になって争う。「鬼にも神にも—・はむなどこそ思ふべけれ」〈今昔二五ノ一二〉③相手になってかかわりあう。「一向に俗人に—・はず」〈中華若木詩抄中〉④配合する。取り合わせる。「上手のよき装束を着、よく—・ひ着たらば、いよいよよかるべし」〈わらんべ草三〉□二『名』①奪い合い。争奪戦。争い。「泉州近日大乱有り。蓋し阿波守父子の—也」〈蔭涼軒日録延徳一・一二・一三〉②相手になって応ずること。また、相手の申し出を受けつけること。「件の儀言上申すに、一切御—なき様にて」〈甲陽軍鑑一〇下〉③とりなし。斡旋(あっせん)。仲裁。「典厩様の御—を以て〔公方へ〕御対面候間、御礼に典厩様へ御出で候」〈伊達成宗上洛日記文明一五・一一・六〉。「随分—を申したれども、つひに御合点も参らず」〈虎明本狂言・武悪〉④組み合せ。「大方、芸の位は面・衣裳の—にても知るべし」〈わらんべ草四〉

とりあ・へ‥アエ【取り合へ】『下二』取り上げる。係り合う。相手にする。「それには曾て—・へず」〈西鶴・一代男一〉

とりあ・へ‥アエ【取り敢へ】『下二』①前以て心づもりをして対処する。不意の事態にきちんとまにあわせる。「かねてしも—・へたるやうなり」〈源氏胡蝶〉。「—・へざりければ、まづかつがつ三百余騎を奉りける」〈義経記三〉②耐え得る。こらえることができる。「木の葉よりけにもろき御涙はまして—・へ給はず」〈源氏葵〉 →あへ(敢)

とりあへず‥アエズ【取り敢へず】『副』①対策・用意などを講じ得ずに。「高潮といふものになむ—人そこなはるるとは聞けど」〈源氏須磨〉②突然。急に。「あさましく夢などのやうに—ならせ給ひにし、これはあるべきことかはな」〈大鏡道長〉

とりあやま・ち【取り過ち】『四段』失策をする。まちがって自分の思うことをしてしまう。「—・ちて少将も〔消息ヲ〕見つけて、我なりけりと思ひ合はせば」〈源氏夕顔〉。「帝の御妃(め)をも—・ちて、事の聞えあらむに」〈源氏若菜下〉

とりあやま・り【取り誤り】『四段』誤解する。見立て違いをする。「〔結婚スル相手ニ対シ〕—・りつつ見む人の、わが

心にかなはず」〈源氏梅枝〉

とりあらそ・ひ …アラソイ【取り争ひ】『四段』所有を張り合う。「領じ侍る所所、一つにても又—・ふべき人無し」〈源氏東屋〉

とりいだ・し【取り出し】『四段』①選び出す。ぬき出す。「誠のうつはものとなるべきを—・さむには、難かるべしかし」〈源氏帚木〉②身請(みうけ)する。「早—・す談合つのりて」〈西鶴・好色盛衰記四〉③調子がつく。発展する。「次第に—・して、兵作と言へる女郎に指を切らせ」〈西鶴・好色盛衰記二〉

とりい・で【取り出で】『下二』①取り出す。探し出して手にする。「宮仕にいで立ちて、思ひかけぬ幸ひ—・づるためしども多かりかし」〈源氏帚木〉。「懐なりける笛—・でて」〈源氏若紫〉②引き起す。「まして必ず見苦しきこと—・で給ひてむ」〈源氏浮舟〉③敵地に進出する。「城(じやう)より十七八町—・で、あやまたず〔敵将〕日浄坊を討ち取り」〈本福寺跡書〉

とりい・り【取り入り】『四段』①内部へ入りこむ。「こはき御物怪(もののけ)ども—・り奉る」〈平家三・赦文〉。「さて次第に—・りて、宗の大事を問ひ申されける時」〈沙石集一ノ四〉②相手にこびへつらって気に入られる。「太政入道に—・り、大事小事宮仕へつつ」〈盛衰記二六〉③馴染む。親しくなる。「—・りて心強きも有れど、先づ差し寄りに人にうらやかに思はれ」〈仮・為愚癡物語三〉

とりい・れ【取り入れ】『下二』①受け取って中に入れる。持って中へ入れる。「竹取出で来て、〔手紙ヲ〕—・れて、かぐや姫に見す」〈竹取〉②〔物怪が〕人の心身をわが支配下に引きこむ。「—・れたるなめりとて、加持まゐり騒げど」〈源氏夕霧〉③農作物などを刈り収める。「是程に迄〔田ヲ〕作りすまいて、程なう今少しで—・るる所を」〈虎寛本狂言・狐塚〉

とりうち【鳥打】弓の末筈(うらはず)から一尺ほど下のところ。「滋籐(しげとう)の弓の—を、紙を広さ一寸ばかりに切って、左巻きにぞ巻いたりける」〈平家九・河原合戦〉

とりうり【取売り】売買の取次ぎをすること。また、その者。近世では、特に骨董(こつとう)の周旋人または古道具屋をいった。「仲人(ちうにん)は—する者なり」〈庭訓抄下〉。〈日葡〉

とりえ【取柄】(手で持つための)柄(え)。「団扇(うちは)を持ち給ひけるに、—のいささかけがれて侍りける」〈一遍聖絵九〉

とりえ【取得】取るべきところ。長所。「—ある族(やから)を招きするゑ」〈庭訓往来四月五日〉。「かの者の—には、犬を飼はぬが重宝ぢゃ」〈虎明本狂言・釣狐〉

とりお・き【取り置き】㊀『四段』①手に取ってそこに置く。「手向草、糸—・きて」〈万三三七〉。「〔猿ドモハ〕『仏のおはします、供養せむ』とて、山の芋・野老(ところ)・栗・椎など多く持ち来て、山塚と前に—・きて去りにけり」〈雑談集二〉②保存する。貯蔵する。「高麗錦(こまにしき)紐のかたへぞ床に落ちにける明日の夜し来むとし言はば—・き待たむ」〈万三三五六〉③手もとに引きとめて置く。留め置く。「常葉(ときは)十六歳より義朝に—・かれ」〈平治下・常葉六波羅に参る〉。「〔遊君ハ〕梶原の源太殿に—・かれ給ふ」〈曾我五〉④取り片づける。始末する。処置する。「古今の御不審ども書き抜く。人人参りたれば、妨げられてまた—・きぬ」〈春のみやまぢ〉。「火鉢は十月朔日より置かれ候。三月の晦日に—・かれ候」〈君台観左右帳記〉⑤死骸を片づける。埋葬する。「御嘆きはことわりなれど、ひそかに—・き給へ」〈伽・ともなが〉⑥終了する。「今日にて先づ、中陰—・き候ひ了んぬ」〈言継卿記天文一・五・二四〉㊁『名』①大切にしまっておくこと。保存。貯蔵。「しばし御覧じて、また—などせられしそぞろごとまでも」〈健寿御前日記〉②始末すること。処分。処置。「干したる麦を〔雨水ガ〕押し流すをも、—もせいで」〈四河入海九ノ三〉③振舞。言動。「鴨の長明が孔子くさき身の—も」〈西鶴・一代男二〉④死骸を片づけること。埋葬。「死骸—の事」〈醍醐寺文書七、寛永二・八・九〉 †tōrioki

とりおこな・ひ …オコナイ【取り行なひ・執り行なひ】『四段』扱い処置する。執行する。「殿の事—・ふべき上下〔ノ役ヲ〕定め置かせ給ふ」〈源氏須磨〉

とりおひ …オイ【鳥追】①稲をついばむ雀などの鳥を追い払うこと。「—舟に眺め入りて、故郷に帰るべき事を忘れて候」〈謡・鳥追舟〉②近世、京都で、「たたき」㊁(2)の別称。「〔京デハ〕—とも云ふかや」〈咄・醒睡笑一〉③近世、江戸で新年に、女非人が新しい綿服を着て編笠をかぶり、三味線を引き鳥追歌を唄って門付けしたもの。平常は女太夫という。「—や春の物とて唄ひ初」〈俳・洗濯物一〉

とりおや【取親】①養い親。養父母。「その後、〔養女ノ死ニ〕さしつづきて、この—また失せぬ」〈閑居友下〉②奉公人の身許保証などのために、仮に親となるもの。親分。「更に御領掌なきを、色色申さるる処に御許されにて、〔本寺御堂衆ニ〕参らるる。法住を—に参れり」〈本福寺跡書〉

とりかか・り【取り掛かり】『四段』①取りついて相手の上にかぶさる。「宮のうへに〔心ガ〕—・りて、恋しうもつらくもわりなき事ぞ…くやしき」〈源氏蜻蛉〉②襲いかかる。「少しも騒ぎたる気色もなくて、笛を吹きながら見返りたる気色、—・るべくも覚えざりければ」〈今昔二五ノ七〉③専心、事を始める。着手する。「〔コノゴロノ発句ハ〕春は早や夏の事に—・り、夏は秋冬の景色を云ひ出し」〈片端〉。「常に心を大気に持ちて、—・る事に退屈せず」〈古今八卦大全三〉

とりか・け【取り掛け】『下二』①取って掛ける。「大宮人は鶉鳥(うづらとり)領巾(ひれ)—・けて」〈記歌謡一〇三〉②〔ある物事に〕代価として支払う。「楫取(かぢとり)のきのふ釣りたりし鯛に、銭なければ、米(よね)を—・けて」〈土佐一月十四日〉③攻めかける。襲撃する。「一条殿へも—・け候ひつる」〈言継卿記享祿二・一・二〉 †tōrikakē

とりかぢ【取舵】《「面舵(おもかぢ)」の対》船首を左へ向ける舵のとり方。また、左舷の称。「—・面舵取り合はせて、片帆に掛けてぞ馳せたりける」〈太平記七・先帝船上〉

とりがなく【鳥が鳴く】〔枕詞〕地名「あづま」にかかる。東国のことばがわかりにくく、鶏が鳴くように聞えたことから。「—吾妻の国の」〈万一九九〉 †tōriganaku

とりがね【鳥が音】鳥の鳴く声。「浪の間(ま)ゆ—異(け)に鳴く」〈万三三六六〉 †tōrigane

とりか・ひ …カイ【取り飼ひ】『四段』①(動物に)飼料を取って与える。「御馬草(みまくさ)—・へ」〈催馬楽眉刀自女〉②手ずから養う。飼い養う。「夜昼これ(鷹)をあづかりて、—・ひ給ふ程に」〈大和一五二〉

とりかぶと【鳥甲・鳥兜】舞楽の伶人がかぶる冠。鳳凰の頭にかたどり、頂が前方に尖り、錏(しころ)が後方にさし出た形で、金襴・赤絹で作ったもの。「伶人の姿—、皆脱ぎ捨てて」〈謡・富士太鼓〉

とりか・へ …カエ【取り替へ】㊀『下二』①他の物に替える。互いに物を替える。「衣しも多くあらなむ—・へて着ればや君が面(おも)忘れたる」〈万二六二九〉。「同じ所に夜臥して、宿直物(とのゐもの)を—・へて袋に入れて侍りける」〈経衡集〉②金銭を立て替える。「何にても召され候べき御用あらば、—・へて参らせん」〈伽・およう尼〉㊁『名』金銭を立て替えること。「九両弐歩、揚屋の—」〈西鶴・諸艶大鑑八〉

—ぎん【取替銀】近世、奉公人が雇主と奉公契約した際に渡される、前渡し給金。身代(みのしろ)金。「—も値切らず」〈西鶴・一代女四〉

とりかへし【取返し】『副』身近にもどして。もとにもどして。「更に背きにし世の中も、—思ひ出でぬべく」〈源氏明石〉

とりき・り【取り切り】『四段』(軍勢をもって通路を)遮断する。「熱田と清洲の間を—・り、御敵になる」〈信長公記首巻〉。「道を—・り、鉄砲打ちかけ候へば」〈本城惣右衛門覚書〉

とりぐ・し【取り具し】『サ変』①(必要なものを)とりそろえる。そなえる。「『これは、かれは』と—・しつつ入る」〈源氏玉鬘〉②とり添える。付随させる。「御刀に、けづられたるものを—・してたてまつらせ給ふに」〈大鏡道長〉

とりげ【鳥毛】鷹の羽を束ねて、指物(さしもの)の竿の先や槍の鞘などを飾るもの。それで飾った槍を「鳥毛槍」という。「鶯はげに鑓梅(やりうめ)の—かな」〈俳・犬子集一〉

とりこ《取り子の意》①【虜・擒】捕虜。「越(こし)の蝦夷(えみし)伊高岐那等、俘人(とりこ)七十戸を一郡とせむと請(ま)うす」〈紀天武十一年〉。「擒、トリコ」〈名義抄〉②【養子】婿に迎えた男。「あぢきなきもの。…—の顔にくげなる」〈枕七九〉③《(1)の意から》理由や口実として楯に取る物。「父母の言ひ出づる詞を—にして、とかく言ひののしる」〈父母恩重和談抄三〉 †töriko

とりこ・し【取り越し】『四段』一定の期日よりも早くする。また、行事などを繰り上げて行なう。「摂取院に、明日を—・し法事有り」〈言継卿記大永七・二・二六〉

とりこ・み【取り込み】㊀『四段』①中へ持ちこむ。我がものとする。「をかしき古言をも、はじめより〔自分ノ歌ニ〕—・みつつ」〈源氏帚木〉②我が手のうちにまるめこむ。籠絡する。「—・む。しこむと同じ心也。…女郎の利発にて、男によく思ひ入れさする所に言ふ詞也」〈色道大鏡一〉③用事が一時に重なってごたごたする。「公事ことに一ぱい—・うだほどに、機嫌を悪うしていたぞ」〈山谷詩抄一八〉㊁『名』たくさんの用事がたてこんで多忙なこと。「この御所は上の御用の事候ひて、御—にて候へば」〈人鏡論〉

とりこ・め【取り込め】『下二』①手に入れて外へ出さない。「〔猫ヲ〕—・めて、これを語らひ給ふ」〈源氏若菜下〉②(物怪などが)とりついて逃がさない。「こはき物怪に—・められ給へる人に」〈大鏡時平〉③周りを囲んで、出られないようにする。「大勢の中に—・めて、責め給へば」〈平家九・二度之懸〉

とりざかな【取肴】各自に盛り分けて取る酒の肴。「—風情用意せしむべく候」〈尺素往来〉

とりさ・け【取り放け】『下二』取り払う。「御堂の飾り—・け、御しつらひ改むるに」〈源氏蜻蛉〉

とりさ・げ【取り下げ】『下二』取り去って、もとの位置へおろす。「東宮の御位—・げられ給へることは」〈大鏡師尹〉

とりさし【鳥刺し】鳥黐(とりもち)を塗った竹竿で小鳥を刺し捕えること。また、その人。「—、鳥をにがしたるあげくに」〈実悟記〉

とりさた【取り沙汰】①とりさばくこと。とりしきること。「郡司、泣く泣く葬送の事も—しけるとなん」〈宇治拾遺一九四〉②世間のうわさ。風説。「人の口のさがなさは、『大野木殿の姫君は鬼子を生み給へり』などと—しけるが」〈伽・伊吹童子〉。「フウブン。トリサタ」〈ヒイデスの導師和らげ〉

とりさ・へ【取り支へ】『下二』争う者の間に入って制止する。仲裁する。「出でて、—・へんとするに」〈宇治拾遺一一四〉

とりしき・り【取り仕切り】『四段』身に引き受けて行なう。「今聖人は、仏法護持の力に依りて、永永の生死有る間敷き故に、—・って先業を果し給ふ」〈御書抄一七〉

とりしたた・め【取り認め】『下二』心つけて、あるべきように確実に処理する。きちんとする。「女の御心一つに我が御身を—・め」〈源氏夕霧〉。「〔室内ヲ〕みなかき払ひ、よろづ—・めて」〈源氏早蕨〉

とりし・で【取り垂で】『下二』手に取って垂らす。「斎瓮(いはひべ)に木綿(ゆふ)—・でていはひつつ」〈万一七九〇〉 †törisiðe

とりしば・り【取り縛り】『四段』きっちりにぎりしめる。「撫剣、此をば都盧耆能多伽彌屠利辞魔屢(つるぎのたかみとりしばる)といふ」〈紀神武即位前〉 †törisibari

とりじめ【取締め】しまり。まとまり。とりとめ。「—も無い漢(をとこ)と云ふ事なり」〈碧巌録抜鈔七〉

とりじもの【鳥じもの】『副』鳥のように。「—海に浮きゐて」〈万一一八四〉 →じもの。 †törizimönö

とりす・ゑ【取り据ゑ】㊀『下二』取って据える。置き定める。「郎等ども〔食物ヲ〕手ごとに取りて目の上に捧げつつもて来るを、主人寄りて—・う」〈今昔二六ノ一八〉㊁『名』土器(かはらけ)に肴(さかな)を盛ったもの。「粽(ちまき)一盆并びに—…到来也」〈証如上人日記天文五・七・一九〉

とりぜん【とり膳】夫婦または男女二人だけで、一つの膳に向い合って食事すること。また、その膳。「—ながら花の添臥し」〈俳・誰袖下〉

とりぞめ【取染め】絞り染めの一種。細く横段に染めたもの。「かの冠者、赤—の水干に夏毛の行縢(むかばき)をはきて」〈著聞四二四〉

とりたが・へ【取り違へ】『下二』まちがえて手にする。とりちがえる。「人のもとに、さるもの包みて送るやうやはある。—・へたるか」〈枕八四〉

とりだち【取立ち】①取ったばかりで間のないこと。取りたて。「干物ではないぞ。今—の魚や鳥や獣の肉を云ふぞ」〈玉塵抄三七〉②幼児が物につかまって立つこと。取付き立ち。「はや—の時分より」〈西鶴・諸国咄四〉

とりた・て【取り立て】㊀『下二』①ことさらに取り上げる。「つたなき事もなく、また、—・てこの事と心うる事も侍らざりき」〈源氏絵合〉②仕立てる。調える。「小車二つつ、しろかね・こがねの馬さまざま色色—・てて」〈宇津保蔵開下〉③家などを建てる。築く。「沼様(ぬまやう)は…—・てたる島などはなくて、水の面を眇眇と見すべきなり」〈作庭記〉。「誰も誰も石〔ノ塔〕—・てて、数あらそふも興あり」〈春のみやまぢ〉④世話をして引き立てる。目をかけて面倒を見る。「かひがひしく—・て申す人もなくて、母儀ばかりの養育にて」〈明徳記中〉⑤目をかけて挙げ用いる。抜擢(ばってき)して、よい地位や官職につける。登用する。「大野修理大夫の長男義敏を—・て、右兵衛佐と号し、三職の座に置く」〈応仁記上〉㊁『名』登用。抜擢。「佐久間右衛門といふ信長—の者」〈江源武鑑一五〉

とりつ・き【取り付き】㊀『四段』①しがみつく。「門出をすれば…若草の妻は—・き」〈万四三九八〉。「同じ死にを、此の老いたる僧に—・きて死なむ」〈今昔二〇ノ九〉②憑(つ)きものがのりうつる。「御物怪(もののけ)の—・き奉りにければ」〈栄花楚王夢〉③とりかかる。しはじめる。着手する。「やうやう願ひ叶ひ、作事に—・き」〈西鶴・永代蔵六〉㊁『名』①物事をしはじめること。着手。「商ひにまだ—もせず」〈俳・昼網上〉②家または宿場などの入口。「〔家ノ〕—の安らかなるを肝要として」〈仮・可笑記三〉。「御茶屋の見ゆる宿(しゅく)の—」〈俳・炭俵上〉 †törituki **—せたい**【取付き世帯】新世帯。取付き所帯。「壁には蔦(つた)の—」〈俳・昼網上〉 **—だち**【取付き立ち】幼児が物に取り付いて、やっと立つこと。「つかまへ立ち」とも。「山の腰に—や薄霞」〈俳・毛吹草五〉

とりつ・ぎ【取り次ぎ】㊀『四段』人と人との間に立って、品物・用件などを受け取り伝える。「この御方に—・ぎて…返りごとなどせさせ奉る」〈源氏東屋〉。「御手水・御菓子(くだもの)など—・ぎて参るを御覧じて」〈源氏浮舟〉。「ただつぐの訴訟は誰も—・がで」〈俳・犬筑波〉 ㊁『名』取り次ぐこと。また、その人。「一度の御—は頼まれ申さん」〈伽・判官都咄〉

とりつくろ・ひロイ:ツク【取り繕ひ】『四段』手入れをし、体裁をととのえる。「御髭なども—・ひ給はねば、しげりて」〈源氏柏木〉

とりつ・け【取り付け】㊀『下二』①取って付ける。「大黒(鷹ノ名)に白ぬりの鈴—・けて」〈万四〇一一〉 ②憑(よ)りつかせる。のりうつらせる。「和魂(にきみたま)を八咫(やた)の鏡に—・けて」〈祝詞 神賀詞〉 ㊁『名』鞍の後輪(しづわ)につけた紐。とっつけ。「その余五が頭(かしら)はたしかに取りて、鞍の—に結(ゆ)ひつけ給へりや」〈今昔二五ノ五〉 †töritukë

とりつ・め【取り詰め】『下二』①相手や対象がどうにも動けないところまで押しつめる。「とみにえ—・めざりければ、首に緒をつけ、ふぐりを取りなどして殺してけり」〈愚管抄六〉。「あら口惜し。……—・めたるものを逃しつる」〈沙石集四ノ五〉 ②近くつめよる。烈しく迫る。「『御辺(ごへん)の得たる所いかに』と—・めて問ひ侍りしかば」〈雑談集八〉 ③切迫する。危険に瀕する。「にはかに—・め空(むな)しくならせ給ふ」〈浄・一心二河白道四〉

とりて【取手】①相撲を取るわざ。「東国無双の相撲の上手、四十八の—に暗からず」〈盛衰記三二〉 ②相撲を取る人。また、その功者。「その年は相撲(すまひ)の—にも立たざりけり」〈今昔二三ノ二一〉。「互ひに聞ゆる—なれば、更に勝負も見えざりけり」〈伽・かくれ里〉 ③【捕手】罪人などを召し捕る人。また、その役。捕り方。捕吏。「義時—置きて…〔一幡御前ヲ〕刺し殺させて埋みてけり」〈愚管抄六〉

とり・で【取り出】㊀『下二』敵地に進出する。「田むろするとは、敵陣近き所に—・でて、人を集めて其の門を取務する也。屯田と書く也」〈巴聞〉 ㊁『名』①敵地に進出すること。「よき大将の—のはじめのなりは、人の子の娘のなりのやうに弱弱とあるぞ」〈孫子私抄〉 ②《「砦」とも書く》進出した地に仮に設けた堡塁(ほうるい)。「川際に—を構へ」〈信長公記首巻〉 ③《(1)から転じて》物事のし始め。駆出し。未熟。「漸(やうやう)—の男は〔遊女ニ〕振られてそのまま捨てず」〈西鶴・諸艶大鑑一〉

とりで【捕手・取手】人を組み伏せて捕縛する術。「ゆるし共取りし覚え。…小具足、大橋一風印可。—、同断」〈わらんべ草五〉

とりどころ【取り所】①取るべき、よい点。何かの役に立つと認められるもの。とりえ。「なにがし(私)を—におぼしける御心は知り侍らざりけり」〈源氏東屋〉。「—なきもの」〈枕一四一〉 ②(器物の)取っ手。柄(え)。「〔鍋ノ〕蓋には、黒方(くろぼう)を大いなる土器(かはらけ)のやうに作りくぼめて覆ひたり。—には、女の一人若菜摘みたる形を作りたり」〈宇津保蔵開中〉

とりと・め【取り留め】『下二』ひきとめる。「—・むるものにしあらねば年月をあはれあな憂とすぐしつるかな」〈古今八九七〉

とりどり【取り取り】①多くのものの一つ一つに独自性があること。人(もの)それぞれ。「斯く—なる御孫(うまご)扱ひを羨みて」〈源氏若菜下〉。「人人みな—に、ものなど言ひあかして」〈枕一三七〉 ②取りたてであること。また、そのもの。「—でござるによって随分新しうござる」〈虎寛本狂言・雁盗人〉

とりな・し【取り成し】㊀『四段』①手にとって作り出す。「湯津爪櫛(ゆつつまぐし)に、その童女を—・して」〈記神代〉 ②ある意味づけをする。とりざたする。「女の御心をばさるものにて、〔周リノ〕人いかに—・し侍りけむ」〈源氏真木柱〉 ③よいようにあしらう。また、言いつくろう。「〔情ノ深イ女ハ〕—・せばあだめく」〈源氏帚木〉。「〔男トイウモノハ〕思はぬ人を思ふがほに—・す言の葉多かるものと」〈源氏総角〉 ④取り扱う。「散散に—・さるるほどに、命が危い」〈碧岩抄三〉 ⑤仲裁する。調停する。「宜しく—・し申して」〈西鶴・一代男五〉 ⑥連歌・俳諧で、前句の意味や場面をわざと取り違えて付ける。「先句は恋にてつまりたるに、旅に—・す体、尤も風骨あり」〈撃蒙抄〉。「立つ霧を桐の木に—・し候事あるべく候」〈長六文〉 ㊁『名』①もてなすこと。接待。「さるほどに—には道を語り慰め申すのみなり」〈三体詩抄三ノ三〉 ②間に立って取り持つこと。斡旋(あっせん)。仲裁。「御馬下さるるやうに御—頼み入る」〈栄玄記〉 ③〔連俳用語〕付合(つけあい)の手法の一で、前句の意味や場面をわざと取り違えて付けるもの。「左の、いかなる花ぞ残るといふ—、奇妙奇妙」〈宗長百番連歌合〉 †törinasi

とりなはナワ【取繩・捕繩】捕手などが人を捕縛する繩。「壁に懸けたる物とては…鼻ねぢ・—」〈西鶴・一代男四〉

とりなほ・しオナ【取り直し】『四段』①持ち改める。持ち直す。「筆—・し、用意し給へるさまさへ」〈源氏梅枝〉。「おのおの突きひざまつきて、大刀を—・して居たりければ」〈今昔二七ノ一八〉 ②手を加えてあらためる。「さてもあさましの口つき(歌ノヨミブリ)や。…侍従こそ—・すべかめれ」〈源氏末摘花〉 ③もとにもどす。回復する。「心地いまだ—・さず侍りしかども、たびたび催されしに」〈草根集八〉

とりなり【采体】なりふり。姿。身の取廻し。風儀。「—も良し」〈評判・難波物語〉

とりのあしがた【鳥の足形】「鳥の跡」(2)に同じ。「倉頡(さうけつ)と言ふ人、鳥の足跡を見て文字を作り出せり。依って悪筆を—とは言ふ也」〈浮・人倫重宝記三〉

とりのあと【鳥の跡】《中国で倉頡という人が、鳥の足跡を見て文字を作ったという故事による》①文字。筆跡。「—久しくとどまれらば」〈古今序〉 ②一字ずつ離して書いた拙劣な文字。また、すらすらと書けてない下手な書きぶり。「言の葉のつづきもなう、あやしき—のやうにて」〈源氏柏木〉

とりのいち【酉の市】「とりのまち」に同じ。「見て立つや三島暦の—」〈俳・到来集四〉

とりのいはくすぶねワ:イ【鳥の磐櫲樟船】《鳥は地上・海上を自由に交通するものの意》神話に出てくる、堅固な、クスノキで造った丸木舟。「次に—を生む」〈紀神代上〉 †törinöiFakusubune

とりのがく【鳥の楽】舞楽「迦陵頻(かりょうびん)」の異名。「鶯のうららかなる音(ね)に、—はなやかに聞き渡されて」〈源氏胡蝶〉

とりの・き【取り退き】『四段』立ちのく。退去する。「当陣屋勢どもも—・くなり」〈言国卿記文明六・七・二六〉

とりの・け【取り除け】『下二』取りのぞく。「さて後に、袖几帳など—・けて、思ひ直り給ふめりし」〈枕(能因本)頭中将のそぞろなる空ごと〉

とりのこ【鳥の子】①鶏卵。「渾沌(まろか)れたること—の如くして」〈紀神代上〉 ②和紙の一種。雁皮と楮との液に三椏(みつまた)を交ぜて漉いた淡黄色の優良紙。鶏卵の殻の

色に似るのでいう。鳥の子紙。「愚詠五十首料紙―」〈愚管記延文一・一〇・二五〉 †törinöko

とりのした【鳥の舌】鏃(やじり)の一種。形が鳥の舌に似るのでいう。「矢じりは楯破(たつわり)・―にもあらざりけり」〈保元上・新院御所〉

とりのそらね【鳥の空音】鶏の鳴きまね。「夜をこめて―ははかるともよに逢坂の関はゆるさじ。心かしこき関守はべり」〈枕一三六〉▽鶏鳴までは開門しないきまりの函谷関で、従者に鶏の鳴きまねをさせて関守をだまし、夜中に開門させた孟嘗君の故事による。

とりの・べ【取り延べ】《下二》①手に取ってさしのばす。「撥(ばち)を―・べて、やはら〔羯鼓ヲ〕打つ」〈教訓抄一〇〉②長びかせる。延期する。「しばし―・べ候ひし程に、やがて日数経(へ)候とて」〈金沢文庫古文書五・くゎんしん書状〉③心をゆるやかにする。気持をのんびりさせる。「心―・べて参詣するに、別のわづらひなし」〈沙石集一ノ四〉

とりのまご【鳥の孫】曾孫の子。玄孫。「鶴の孫」「鶴の彦」とも。「―曾孫まで」〈西鶴・桜陰比事一〉

とりのまち【酉の町・酉の待】十一月酉の日、鷲(おおとり)神社で行なわれる祭。初の酉の日を「一の酉」といい、順次「二の酉」「三の酉」と呼ぶ。江戸では吉原に近い鷲神社が名高く、富貴・開運を祈り、縁起物の熊手・お多福面・何首烏(かしう)玉・麦餅などを買い求める。酉の市。「―不首尾なやつは屁もひらず」〈雑俳・万句合明和二〉

とりのまひ イマ【鳥の舞】舞楽「迦陵頻(かりょうびん)」の舞。「中将殿の太郎の君、―」〈宇津保菊宴〉

とりの・り【取り乗り】《四段》乗る。「惣じて四人、一つ車に―・って西八条へぞ参りたる」〈平家一・祇王〉

とりばかま【取袴】(走ったりなどしやすいように)袴の股立(ももだち)を取ること。「人も追はぬに―して、急ぎ門外へぞ逃げ出でける」〈平家二・西光被斬〉

とりは・け【取り佩け】《下二》とりつける。「梓弓弦緒(つらを)―・け引く人は後の心を知る人そ引く」〈万九九〉 †törifakë

とりはだ【鳥肌】寒さ・恐怖などのため、皮膚が反射的に鳥の肌のようにざらざらした状態になったもの。「左右の近衛の陣ひきて、左右の楽屋より乱声(らんじゃう)奏して、―立つやうに覚えければ」〈宝物集四〉。「そぞろさむ。…―の事也」〈源氏物語千鳥抄〉

とりはづ・し【取り外し】㊀《四段》①誤って取り落とす。「この生れたる皇子を―・して、この河に落し入れつ」〈今昔二ノ二六〉②取りそこなう。取りにがす。逸する。「〔東宮妃トナル境遇ヲ〕―・して、ただ人の宿世あらば」〈源氏少女〉。「ここを―・しては一大事」〈実悟記〉③警戒するのをつい忘れる。うっかり注意をそらす。「女は、ただやはらかに、―・して、人にあざむかれぬべきが」〈源氏夕顔〉。「―・して海に落ち入りぬ」〈宇治拾遺九ノ二〉④失敗する。「あぶない事をして―・せば」〈中華若木詩抄下〉。「何と―・いたか、〔鹿ハ〕角を茂りにひっかけて」〈天草本伊曾保〉⑤粗相をする。「―・して、さっと散らし侍るは水はじきの如し」〈伽・福富長者物語〉。「笑ふ物の品品。…、―・してのおなら」〈仮・尤の草紙下〉㊁《名》粗相。「大きなる―(放屁)を仕り候」〈評判・讃嘲記〉

とりはな・し【取り離し・取り放し】《四段》①引きはがしてその場からなくす。引き離す。「上毛野(かみつけの)佐野の舟橋―・し親は離(さ)くれど吾(わ)は離かるがへ」〈万三四二〇東歌〉。「御座のかたに、こほこほと物―・す音して人人の声あまたすなり。『何ごとにか』と聞くほどに…『御帳こぼつ音なりけり』といふに」〈讃岐典侍日記〉②(他が所有しているものを)剝奪する。取りあげる。「ヤク・チギャウヲトリハナス」〈日葡〉③逃がす。「汝は馬を―・すな」〈虎明本狂言・止動方角〉 †törifanasi

とりはな・ち【取り離ち・取り放ち】《四段》①くっついているものをはずす。引き離す。「北の御障子(みさうじ)も―・ちて、御簾(みす)懸けたり」〈源氏鈴虫〉。「〔女親ノモトカラ〕―・ち聞え給ひて大宮にぞあづけ聞え給へりける」〈源氏少女〉②(切り離して)別個のものとして扱う。別に取りたてる。「蓬萊など例のことなれど、いまめかしうこまかにをかしきを、―・ちてはまねびつくすべきにもあらぬこそわろけれ」〈紫式部日記〉③(他の所有しているものを)剝奪する。「咎(とが)もなき入道が所領を―・ちて、この十余年妻子・所従餓死させぬ」〈平治中・信頼降参〉

とりはは【取母】養母。「この―の弟のむかへ腹の姫君に」〈発心集六〉

とりばみ【鳥食み・取食み】宴会の後など、残った食べ物を庭へ投げて下賤の者に食べさせること。また、それを拾い食う者。「―といふもの、男などのせむだにいとうたてあるを、御前には、女ぞ出でてとりける」〈枕一四二〉。「そのかみは大饗果てぬれば、―といふ者をば追ひて入れずして、大饗の下(おろし)をばその殿の侍どもなむくらひける」〈今昔二六ノ一七〉

とりはや・し【取り囃し】《四段》座を取りもって効果をあげる。うまく座を取りもつ。「家のあるじ、…などいひて、―・し」〈枕九九〉

とりひそ・め【取り潜め】《下二》①取りまとめて見えない所にかくす。「日暮るれば、家にくだといふ小竹の節(よ)を多く散らし置きて、つとめては―・めけり」〈著聞五六一〉。「死骸どもを―・めて、また城中に火をかけて」〈嘉吉軍記〉②とり静める。静まらせる。「酒宴―・めて、大納言行綱が膝近う居寄りて」〈盛衰記三〉

とりぶき【取葺】屋根の葺き方の一。縦一尺横三寸位の粉板(そぎいた)を薄く重ね並べて、竹や石を押えにした粗末な葺き方。「―は曾てあるべからず」〈応仁記上〉

とりべの【鳥部野・鳥辺野】京都東山にあった火葬場・墓地。鳥部山。「―のかたなど見やりたる程など」〈源氏夕顔〉

とりべやま【鳥部山・鳥辺山】「鳥部野」に同じ。「―燃えし煙(けぶり)もまがふやと海人(あま)の塩焼く浦みにぞ行く」〈源氏須磨〉

とりまう・し モウシ【取り申し・執り申し】《四段》①取り立てて申し上げる。取りはからって申し上げる。「頭の君まめやかに『遅し』と責め給へば、『何事を―・さん』と思ひめぐらすに」〈源氏帚木〉②取り次いで朝廷へ申し上げる。執奏する。「入道随分―・ししかども、遂に御承引なくして」〈平家三・法印問答〉

とりまか・せ【取り委せ】《下二》手に持たせて自由にさせる。「我妹子が形見に置けるみどり児の乞ひ泣くごとに―・する物しなければ」〈万二一三〉 †törimakase

とりまかな・ひ マカナイ【取り賄ひ】《四段》①万端用意する。「御硯ひき寄せ給ひて、手づからおしすり、紙―・ひ書かせ奉り給へど」〈源氏若菜下〉②適切に処理する。とりさばく。「青侍(あをさぶらひ)どもあまた来たって―・へば」〈太平記一三・北山殿〉

とりまぎ・れ【取り紛れ】《下二》当然するべき事があるにもかかわらず、他の事に心を取られる。「乱に―・れ、この殿の空しくなりたるを悲しむべき暇もなかったぞ」〈古文真宝抄一〉

とりまは・し マワシ【取り廻し】㊀《四段》①取ってぐるぐるま

わす。「瓜を―・し―・し見て」〈著聞二九五〉②とりかこむ。とり巻く。「東一方をば、敵未だ―・し候はねば」〈太平記九・主上上皇御沈落〉③取り扱う。「〔好マシクナイ詞ノ中ニモ〕五句三句、救済・周阿の―・さぬは無し。…仕立て大事也」〈長短抄中〉④ふるまう。「どう―・せども憎いとは思はぬ」〈宗安小歌集〉㊁〖名〗①振舞。行動。「カノヒトノトリマワシガハヤイ」〈日葡〉。「―すぐるる」〈色道大鏡一三〉②取扱い。使い方。処置。「女郎の手づから燗鍋(かんなべ)の―」〈西鶴・一代男二〉

とりみ【取実】収穫。「作(さく)もよくでき、―も多く」〈諸国郷村へ仰せ出され慶安二・二・二六〉

とり・み【取り見】〖上一〗①手に取って見る。「織女(たなばた)の五百機(いほはた)立てて織る布の秋さり衣誰か―・みむ」〈万二〇三四〉②世話をする。つくろう。「麻衣肩のまよひ(ホツレ)は誰か―・みむ」〈万一二六五〉③看病する。「家にあらば母―・みまし」〈万八八六〉。「診、トリミル」〈名義抄〉 †tori-mi, törimi

とりみだ・し【取り乱し】㊀〖四段〗動揺や動顚などのため、平静を失う。「やがて〔病気ガ〕重(おも)りぬれば、我にもあらず―・して果てぬ」〈徒然二四一〉㊁〖名〗ごたごたして落着かないこと。「富田殿へ御下向のあしたの事なれば、事のほかの御―にて御座候に」〈空善記〉。「その日の―に、かの甥は未だオラショを勤めざる事を思ひ出し」〈ロザリオの経〉

とりむ・け【取り向け】〖下二〗奉る。手向ける。「山科の石田(いはた)の社(もり)のすめ神にぬさ―・けて我は越え行く逢坂山を」〈万三二三六〉 †törimukë

とりむすめ【取娘】養女。「宮の姫君の身を変へて、按察大納言の―になりて暮す程こそ、いとあらまほしくも覚えね」〈無名草子〉

とりもし【取り持し】動詞「取り持ち」(連用形)の上代東国方言。「白玉を手に―て」〈万四四一五武蔵防人〉 †tori-mösi

とりも・ち【取り持ち・執り持ち】㊀〖四段〗《モチは、対象に変化を与えずに、そのまま手にしている意》①対象をそっと手にする。「白たへのあが衣手を―・ちて」〈万三七七八〉②物を大切にして行なう。㋑政治などを慎重に行なう。「をす国のこと―・ちて」〈万四〇〇八〉。「天つ神御孫(みま)の命(みこと)の―・ちてこの豊御酒を今奉る」〈続紀歌謡三〉㋺大切に世話をする。「宮たちの御扱ひなど、―・ちてし給ふさまも」〈源氏若菜下〉㋩間に立って世話をする。「陳外郎座敷―・つ也」〈蔭涼軒日録延徳四・三・一五〉。「その方こそ、年寄りたる役に、それがしに〔ソノ女ヲ〕―・て」〈説経・鎌田兵衛正清〉③一つことを重大と思って、かかりきる。執着する。「宮もあやにくに―・ちて〔仲介ヲ〕責め給ひしかば」〈源氏総角〉。「いづかたをも捨てじと心に―・ちては、一事も成るべからず」〈徒然一八八〉㊁〖名〗身に引き受けて行なうこと。世話。「猿楽これ在り。竹田法印―にてする也」〈言国卿記文明一三・三・一三〉 †törimöti

とりもの【取物】取るべき物。襲って奪うべき物。「かの追剝ぎ・辻斬りの鬼ども、この由を見るよりも、よき―よと思ひて」〈伽・強盗鬼神〉

とりもの【捕物・捕者】罪人を召し捕ること。また、その罪人。「さあ―と言ふ浪の音」〈俳・物種集〉

とりもの【採物】神楽(かぐら)の時、舞人が手に持って舞うもの。本来、神の降臨する場所、すなわち神座(かぐら)としての意味を持ち、森の代用としての木から、木製品その他の清浄なものにも広がった。榊葉(さかきば)・幣(みてぐら)・篠・弓・剣・ひさごなどが使われる。「―どもたてまつる。うかれ女どもふさなり」〈宇津保祭使〉 **―のうた**【採物の歌】神楽歌の一。採物を持って舞う時に歌うもので、その採物の事が歌われている。「―。神垣のみむろの山の榊葉は神のみまへにしげりあひにけり」〈古今一〇七四詞書〉

どりゃ〖感〗《ドレハの転》どれ。どうした。「―、どこもとにをるぞ」〈虎清本狂言・禁野〉。「いづら。―といふ事なり」〈匠材集一〉

とりや・り【取り遣り】㊀〖四段〗手に取って押しやる。また、取りのける。「あわて惑ひて、火は―・りつ」〈源氏浮舟〉㊁〖名〗物を受け取ったり与えたりすること。やりとり。「大児(おほちご)と小児の文の―に」〈俳・正章千句下〉。〈日葡〉

とりゆ【取揺・取由】琴の弾き方の一。左手で絃を押しつつ右手で弾き、すぐ押しを放し、また押して止めるやり方と、右手で弾いた後、力を抜かずに押し止めを二回行なうやり方とがある。「―の手つき」〈源氏少女〉

とりよ・せ【取り寄せ】〖下二〗①手近に引きよせる。「火近く―・せて、この文を見給ふに」〈源氏若菜上〉。「人召して箏(さう)の御こと―・せさせて」〈源氏宿木〉②(一所に)寄せ集める。「目鼻、一所に―・せたるやうにて、世の人にも似ぬありけり」〈宇治拾遺一一三〉③攻め寄せる。「大垣の城近近と―・せ候ひき」〈信長公記首巻〉

とりよそ・ひ ‥ヨソイ【取り装ひ】〖四段〗(装束など)身支度をする。身ごしらえをする。「黒き御衣(みけし)をまつぶさに―・ひ」〈記歌謡四〉 †töriyösöFi

とりよ・り【取り寄り】㊀〖四段〗①手づるをつかんで近づく。近くに寄り添う。「いとあらまほしく、心かしこく―・りにけりと思ひけり」〈源氏東屋〉。「―・りゃ愛(いと)し、手ぐり寄りゃ愛(いと)し」〈宗安小歌集〉②近づいて取り入る。「さるほどに清水の別当、この姫君を見奉りて、乳母(めのと)に―・り、さまざまに申しける」〈伽・しぐれ〉③攻め寄る。「河内天野金胎寺へ軍兵―・る也」〈東大寺法華堂要録〉④結びつく。関連づける。「小簾(こすだれ)の葵に月の桂のさし加はりけん、珍しくも―・られたりける事かな」〈山家歌合〉。「連歌は心より〔前句ニ〕―・るを第一とし、寄合(よりあひ)にて付くを第二とす」〈砌塵抄〉㊁〖名〗①取り入ること。「〔扇屋ノ女工ヘノ〕―、こなし、糸屋者に変る所あらず」〈色道大鏡一四〉②連歌で、前句との結びつき・関連。「この道は前句の―にて、いかなる定句(ぢゃうく)も玄妙の物になり、いかばかりの秀逸も無下(むげ)のことになるといへり」〈老のくりごと〉

とりよろ・ひ ‥ヨロイ【取りよろひ】〖四段〗未詳。気持や生活のよりどころとする意か。「大和には群山(むらやま)あれど、―・ふ天の香具山」〈万二〉 †töriyöröFi

とりわ・き【取り分き】㊀〖四段〗他と区別する。特別扱いにする。「斯くあまたの〔姫君ノ〕御中に、―・き聞えさせ給ふにつけても、人のそねみあべかめるを」〈源氏若菜上〉㊁〖副〗特別扱いにして。特別に。「心のどかに―教へ聞ゆる事などもなく」〈源氏若菜下〉 **―て**【取り分きて】〖副〗特に(他と区別して)。「〔コノ木ダケガ〕神の御前のものと生ひはじめけむも―をかし」〈枕四〇〉

とりわ・け【取り分け】㊀〖下二〗区別する。特別なものとする。「例の御歌沙汰あれば、恋と恨みとは詞はかはりて侍れど、その心地はいかに―・け侍るべきと申せば」〈春のみやまぢ〉㊁〖副〗その中でも特に。なかんずく。「淵明は、花多しといへども、菊を―愛するなり」〈中華若木詩抄上〉。「特、トリワケ」〈文明本節用集〉

とりゐ【鳥居】①神域を示すため、神社の入口に立てる門。左右二本の柱の上に笠木(かさぎ)を渡し、その下に柱をつなぐ横木を入れたもの。「黒木の―ども、さすがにかうがうしう」〈源氏賢木〉。〈和名抄〉②(1)の形をしたもの。天秤(てんびん)などの部分品にある。「天秤の―、機具の―、から臼の―」〈俳・女夫草上〉 **―だち【鳥居立ち】** 鳥居のように足を踏みひろげて立つこと。「はっと驚き立ち帰る岩影、諸宗(もろむね)が―」〈近松・浦島年代記三〉 **―を越・す** 《稲荷社の鳥居を越えた古狐は神異な能力を備えるという伝承から》経験豊富で老功なことにいう。海千山千。「恐らく―・したる帥(すい)中間」〈西鶴・椀久二世下〉

とり・ゐ【取り率】『上一』つかまえて引き連れて行く。「許さぬ迎へまうで来て、―・ゐてまかりぬれば」〈竹取〉

とりんばう【取りん坊】〔遊里語〕①遊女に騙されて金品を取られる客の称。とられん坊。とりんぼ。とり坊。「如何なる吝ん坊も目の前に―となり」〈評判・高屏風上〉②近世後期、遊里のひやかし客の称。「往古吉原にては―と云ふ。今は素見(すけん)と言ふ」〈洒・娼妓絹籭〉

とれ【照れ】 動詞「照(て)り」の已然形「照れ」の上代東国方言。「日が―ば雨を待とのす(待ツヨウニ)君をと待とも(待ツヨ)」〈万三五六一東歌〉 †tore

どれ【何れ】 〔一〕『代』《イヅレの転。不定称》①《事物をさす》どちら。いずれ。「熊野へ参るには、紀路と伊勢路の―近し、―遠し」〈梁塵秘抄三五六〉②《場所をさす》どこ。いずこ。「『比叡の山は―より』『桜本より』」〈義経記三〉③《人をさす》だれ。何人。「―も我も我もと思ふぞ」〈漢書竺桃抄〉〔二〕『感』①思い立って事をする時に発する声。いざ。いで。どら。「―、見せさっしゃれ」〈狂言記・末広がり〉②訪問者が案内を乞うたとき、返事する声。どうれ。「ものまう、―と云ふ俄か正月」〈西鶴・伝来記一〉

ど・れ 〔一〕『下一』酒に酔ってだらしなくなる。「皆皆―・れて立ち騒ぐは堺のやさ男」〈西鶴・諸艶大鑑七〉〔二〕『名』酒にひどく酔うこと。また、その人。酔どれ。「両方ともに―になって」〈西鶴・諸国咄三〉

どれあひ【どれ合ひ】仲人なく、また両親の許可なく、自分勝手に夫婦となること。また、その夫婦。野合。「これ―夫婦の開山なり」〈浮・好色大神楽三〉

どろ【泥】 ①土が水で溶けたもの。「〔地蔵ヲ〕見れば、御足に―うち付きてぞおはしましける」〈宝物集四〉。「主(あるじ)の面顔に―をぬった事よ」〈扶桑再吟三〉。〈伊京集〉②不身持ちな人。どろ坊。極道。どら。「こちの―めは、山上参りの行者講のと」〈近松・油地獄中〉③「泥坊」の略。盗人。「昔の旦那、今の―」〈黄・心学早染草下〉

とろく 物の奥のどんづまり。「小園の―の奥まで入りて」〈四河入海一四ノ一〉

どろくもの【どろく者】 放蕩者。道楽者。「神仏の罰も思はぬ―」〈近松・油地獄中〉

とろ・け【蕩け・盪け】『下二』①固まっていたものが溶解する。「肉(しし)解(と)け、骨―・けて、たへがたき事限りなし」〈今昔一ノ三〉②怒りなどが解け、心が和らぐ。「入道殿の日頃の御憤(いきどほり)、事の外に―・けてこそ見え給ひつれ」〈盛衰記二一〉③心の締りが無くなる。柔弱になる。また、異性にだらしがなくなる。「驕れば心―・けて婬乱になる」〈童蒙抄中〉。〈日葡〉

とろさく【頓魯作】 ①愚鈍な人の擬人名。「鼻毛…―など、汚れたる異名を授かる」〈浮・諸分姥桜五〉②よっぱらった人の擬人名。「いづれも―のうち続きたる大酒にて」〈評判・家計夢四〉

とろ・し【蕩し】『形ク』頭がにぶく愚かだ。遅鈍だ。「―・き男を取り入るる事などよし」〈評判・まさり草〉

とろっぺき 泥酔して正体のないさま。「―の沈酔」〈浮・鎌倉諸芸袖日記三〉

どろばう【泥坊】①泥まみれになったものの称。「面(つら)押し込めて、―となる故ぞかし」〈鳥の歌合〉。「一人の悪業にて、あまねく町医者の類を―によごし」〈和薬物語〉②不身持ちな人。放蕩無頼。極道。「貧なる者が三谷通ひは、かくじん(博奕打チ)のなり果てか、―か」〈浄・道外和田酒盛四〉③盗人。盗賊。「あちらこちらをするは―」〈俳・奴俳諧〉④人をののしる語。「よしなき―めゆゑ、怪蔵殿さぞ御退屈あるべし」〈浮・優源平歌囊三〉

とろめ・き【蕩めき】『四段』《トロはトロケ(蕩)のトロに同じ》夢心地でとろとろとする。うとうとする。「性(しゃう)もとより―・きてぞありける。ただ寝(い)をのみ眠(ね)るを役とせり」〈今昔四ノ三一〉

とろめん【兜羅綿】《トラメンの転》木綿に兎の毛を交ぜて織った舶来毛布。近世、京都で毛を交ぜないで織り、足袋に用いた。「輭(やはら)かなる事―の如し」〈日蓮遺文千日尼御前御返事〉。〈文明本節用集〉

とろり 《トロはトロケ(蕩)のトロに同じ》①酒に快く酔ったさま。「俗に混じて酒を飲んで―と酔うて」〈山谷詩抄一六〉②気持よくうとうと眠るさま。「夏の時分―と眠るを誰か呼びさますぞ」〈四河入海六上〉

どゐ【土居】 家や城などのまわりにめぐらした土の垣。「つちゐ」とも。「廻りの―を御覧あり」〈空善記〉

とゐなみ【とゐ浪】《トヰはトヲヲ(撓)と同根》うねる波。「沖見れば―立ち」〈万二二〇〉 †töwinami

とゑらひ【撓らひ】動詞「とをらひ」の上代東国方言。「行先(ゆこさき)に波な―」〈万四三八五下総防人〉 †töweraFi

とを【十】 数の名。じゅう。「屈(がか)並(な)べて、夜には九夜(ここのよ)日には―日を」〈記歌謡二六〉。「一言(ひとこと)の端を以て―の言を知りぬ」〈東大寺諷誦文稿〉▽指を撓(とを)めて数を数えるのでそれを数の名とする例が多い。例えば、朝鮮語では五をtat(閉じる)、十をyöl(開く)という。トヲも、撓めきる意か。 †töwö

とをか【十日】 十の日数。また、第十日。「屈(がか)並(な)べて、夜には九夜(ここのよ)日には―を」〈記歌謡二六〉 †töwö-ka **―えびす【十日恵比須・十日戎】** 正月十日、関西の恵比須神社で行なわれる祭。諸商人が参詣して福運を祈り、小宝・米桝・はぜ袋・ゆで蓮などの縁起物を買って帰る。大阪付近では今宮・西の宮の恵比須が有名。〈日次紀事正月十日〉 **―の菊** 《九月九日が菊の節句であることから》時期におくれることのたとえ。「六日のあやめ」と同義。「長月の九日までにふくみたる―の花ひらけなむ」〈永久百首〉

とをだんご【十団子】 駿河国宇津谷峠の茶屋で売った名物の団子。古くは十個ずつすくって売り、後には十個ずつ麻糸に貫いて売った。「此の茶屋、むかしよりの名物―と云ふ」〈宗長手記上〉

とをつら【十列】《ツラは列の意。また、仲間の意》はじめ、十人の意。十人の楽人たちが、賀茂・春日などの社頭で東遊などを舞った後に馬場で競馬をした。その行事をも「とをつら」と称したらしい。「楽人―など、装束を調(との)へ、かたちを選びたり」〈源氏澪標〉。「―の馬ならねども君のれば車も的に見ゆるものかな」〈大鏡道兼〉

とを・み【撓み】『四段』《タワミの母音交替形》うねりたわむ。しなう。「沖つ波―・む眉引(まよびき)」〈万四三三〇〉 †töwö-mi

とをよ・り【撓寄り】『四段』《トヲはタワの母音交替形》①しない寄り添う。たおやかである。若い女性や皇子の形容。「なよ竹の―・る子らは」〈万二二七〉②弓なりの列をなして

寄ってゆく。「あぢ群(むら)の—・る海に船浮けて」〈万三二九九〉 †töwöyöri

とをら・ひ(トオライ)【撓らひ】『四段』《トヲはトヲミ・トヲヲのトヲ》ゆれている。「釣船の—・ふ見れば」〈万一七四〇〉 †töwörari

とをを【撓】《タワワの母音交替形》たわむさま。しなうさま。「秋萩の枝も—に露霜置き」〈万二二七〇〉 †töwöwö

とん【貪】むさぼること。欲深いこと。仏教では三毒の一。「—・瞋(しん)・癡(ち)の三毒が次第に強盛になりもてゆくほどに」〈日蓮遺文智慧亡国御書〉

どん【鈍】間が抜けていること。愚かなこと。「無用の辛労して奔走しまはるは—なる事ぞ」〈中華若木詩抄下〉。「あら—なお人や」〈隆達小歌〉

どんがめ【どん亀】《ドロガメ(泥龜)の転》スッポンの異称。どうがめ。「竹の子の番や—すっぽぬけ」〈俳・山下水三〉

とんぐう【頓宮】かりに設けた宮。行宮(あんぐう)。「車駕還りて竹原井の—に至る」〈続紀養老一・二・一九〉

どんくさ・し【鈍臭し】『形ク』ばかばかしい。のろくさい。間抜けらしい。「—・し。…鈍なるとばかり言へば詞古りたる故に、新しく言ひ添へたる也」〈色道大鏡一〉

どんぐりめ【団栗目】①大きくみはった目付き。「立ち並ぶ木末や睨む—」〈俳・発句帳一〉②丸くて下品な目。「目はあれど—、耳はあれど猿耳」〈説経・鎌田兵衛正清〉

どんげ【鈍げ】愚かなさま。にぶいさま。「三絶とて、才絶・愚絶・痴絶と云ひて、ほうけて—なるものぞ」〈東福寺本湯山聯句鈔〉

どんどん【鈍根】《「利根(りこん)」の対》生れつき愚かなこと。また、その者。「四人は利根にして先にすでに道を得たり。五人は—にして」〈今昔一ノ八〉 **—さう**(ソウ)【鈍根草】ミョウガの異名。「世間に名荷(めうが)と云ふ草は…〔鈍根ダッタ〕槃特(はんどく)の廟より生ふる草なり。故に又は—とも云ふなり」〈法華経直談鈔六本〉。「鈍根草、ドンゴンサウ、茗荷なり」〈慶長九年本節用集〉

とんさく【頓作】①即座・即席に作ること。また、その作品。「その後二十八日より時時の—を書き集めて九十九首に及び」〈今古独語〉。〈文明本節用集〉②機知の働くこと。また、その人。「これも一段と—ぢゃぞ」〈咄・昨日は今日上〉。「—なる人の知らせて」〈西鶴・新可笑記三〉〈日葡〉

とんじき【屯食】強飯(こはいひ)を握りかためて卵形にしたもの。今の握り飯のようなもの。庭上に台などを出し、それにのせて、下郎などにたまわった。「—、祿の唐櫃どもなど、所せきまで、春宮の御元服の折にも数まされり」〈源氏桐壺〉

どんじき【鈍色】僧服の一種。袍(はう)に似て、多くは白色・無紋の絹で作る。「—と云ふは白き練(ねり)の衣なり」〈庭訓抄下〉

とんしゃ【頓写】急いで書写すること。「—の法華経一部を供養せらる」〈吾妻鏡建久三・九・三〉。〈文明本節用集〉

とんしょうぼだい【頓證菩提】〔仏〕すみやかに悟りの證果である菩提を得ること。「—の道、ただ称念の一門にあり」〈和語燈録二〉

どんす【鈍子・段子・端子】《唐音》紋織物の一種。室町時代、中国から渡来した繻子(しゅす)地の絹織物。「—、金襴の小袖」〈神田本太平記三三・土岐頼遠〉。「鈍子、ドンス、或作=段子端子=」〈文明本節用集〉

とんせい【遁世】《トンゼイとも》俗世間あるいは寺院の籍から離れ、山野に閑居して仏道を修めること。「これを聞きて、僧都発心して、—せられけり」〈発心集七〉。「或は—と名づけて、閑居に庵を結び、心静かに念仏すといへども」〈一遍縁起七〉。〈色葉字類抄〉 **—しゃ**【遁世者】《トンゼイジャとも》遁世した人。世捨て人。「—は何事も無きに事かけぬ様(やう)を思ひつけ、ふるまひつけたるがよきなり」〈一言芳談〉。「当世、都鄙に流布して—と号するは、多分、一遍房・他阿彌陀仏等の門人をいふか」〈改邪鈔〉

とんだ【飛んだ】『連体』《飛び離れた意から》①普通とは非常に異なった。異様な。特異な。「これは—事ぞ」〈漢書竺桃抄〉②案外な。意外な。とんでもない。「抱いて往ねとは—勅諚」〈俳・海音集上〉 **—ちゃがま**【飛んだ茶釜】明和頃から江戸で行なわれた流行詞。もと文福茶釜をいったが、笠森稲荷の水茶屋女お仙を指していってから流行詞となり、「とんだ事」の意に用いられた。「—の弁」〈洒・辰巳之園〉 **—れいほう**【飛んだ霊宝】安永頃、種種滑稽な宝物の見世物が興行されたので発生した流行詞。「とんだ事」の意にも用いた。「肴を仏に作り—の見世物となり」〈洒・中洲雀〉

どんだらう(ダロウ)【鈍太郎】愚か者の擬人名。「どんだら」「どんだ」とも。「罷り出たる者は—と申す者でござる」〈虎明本狂言・鈍太郎〉

とんちき【頓痴気】気転のきかぬ人。まぬけ。とんま。近世後期、遊里では、きざな半可通や野暮な客をののしっていうのに用いた。「揃った—だねヱ」〈洒・辰巳之園〉

どんちゃう(チョウ)【緞帳】厚地の織物で作った帳(とばり)。「寝御座の縁(へり)は、たかきいやしきに分ちて有り。…—・綿帳(めんちやう)また同じ」〈俳・類船集二〉

とんぢゃく【貪着】①欲深く執着すること。「五欲に—し、財宝を愛惜し」〈今昔一ノ三〉。「歌の心は、ただ花に—したる故也」〈古今私秘聞〉②《近世、「頓着」とも書く》深く気にかけること。「夜昼をわかず碁に入魂して、他の事は一切—せざるとなん」〈遠近草下〉

とんてき【頓的・頓敵】考えのない軽はずみな者。飛上り者。瓢軽(ひょうきん)者。「浮気なる—の程、我ながらはもじ(ハズカシイ)なれども」〈評判・高屏風上〉

どんど ①音を立てて水の流れるさま。「あの—と言ふは川ではないか」〈狂言記・弁礑〉②どなり立てる声。わっぱ。わいわい。「何者やら—と申す程に、さわたって(小当リニ当ッテ)見ませうず」〈狂言記・末広がり〉

どんど 正月十五日暁、門松・竹・注連縄(しめなは)などを焚く行事。左義長(さぎちやう)。また、それを囃すはやし詞。「十五日の朝暁、大道に立ててほこらかして、—やおほんと囃し」〈俳・山の井一〉

とんに【頓に】『副』「とみに」に同じ。「この故に名利—捨てがたし」〈雑談集九〉。「頓而、トンニ」〈文明本節用集〉

とんばう(ボウ)【蜻蛉】虫の名。トンボ。「此の国の形—に似たり。故に此の虫の形になぞらへて、蜻蛉国と云へり。蜻蛉とは東方といふ虫也。此の虫は、あづまの方より出で来る故に、東方と云ふ也」〈古今序注〉 **—がへり**(ガエリ)【蜻蛉返り】飛んでいるトンボが急に反転するように、身を軽く後へひるがえすこと。「今の『陵王』は、—・髯取る手、事の外にぬるく見ゆる物かな」〈教訓抄一〉 **—になひ**(ニナイ)【蜻蛉荷ひ】担ぎ方の一。トンボの羽根のように、棒の前端に横木を添え、横木の両端を二人で担ぎ、後棒を一人で担ぐこと。とんぼ持ち。「陽炎(蜻蛉ト掛ケル)の石は—かな」〈俳・点滴集三〉

とんびゃうし(ビョウシ)【頓拍子】「とびゃうし(銅拍子)」の転。「鼓・—、取り出でよ」〈十訓抄七ノ二四〉

とんぼさき 物の尖端。先。末。特に、木・竹の先をいう。「九月晦日。今日の暮や梢の秋の—」〈俳・敝帚三〉。「木

竹の末を―と言へるは、京の詞也」〈不断重宝記〉

どんみり 「どみ」に同じ。どんより。「黒う―として、うまさうな物ぢゃ」〈虎寛本狂言・附子〉。「薄曇る日は―と霜折れて」〈俳・ひさご〉

とんよく【貪欲】 むさぼり欲すること。欲が深く、飽くを知らないこと。仏教では十悪の一。「―に纏縛せられて心意を煎迫し」〈三教指帰中〉。〈文明本節用集〉

な

な 『代』①【己】《一人称》われ。自分。「―が心から鈍(おそ)やこの君」〈万一七四一〉 ②【汝】《二人称》あなた。おまえ。「―こそは男(を)にいませば…吾(あ)はもよ女(め)にしあれば」〈記歌謡五〉。「ほととぎす―が鳴く里の」〈古今一四七〉 ▽朝鮮語 na（己）と同源。日本語の一人称代名詞は二人称に転用されることがある。たとえば、オノレ・ワレなど。ナもその類。ナ（汝）は平安時代になるとナガという形の中にだけ残り、やがて使われなくなった。→なれ・なむぢ

な ①【肴】野菜・魚・鳥獣の肉などの副食物。さい。おかず。「前妻(こなみ)が―乞はさば」〈記歌謡九〉 ②【菜】葉・茎・根などを食料とする草本。「この岡に―摘ます子」〈万一〉。「菜、ナ・クサヒラ」〈名義抄〉 ③【魚】食用とする魚。さかな。「帯姫(たらしひめ)神の命(みこと)の―釣らすとみ立たしせりし石を誰見き」〈万八六九〉

な【中】 《ナカの古形。他の語につき複合語をつくる》なか。「三国の坂、中井(なゐ)に聘(かむ)へて」〈紀継体即位前〉

な【名】 ①物・人・観念を他と区別するために呼ぶ語。なまえ。「酒の―を聖(ひじり)と負ほせし古への大き聖の言(こと)のよろしさ」〈万三三九〉。「妹が―呼びて袖そ振りつる」〈万二〇七〉 ②名目。「家島は―にこそありけれ海原をわが恋ひ来つる妹もあらなくに」〈万三七一八〉 ③世間への聞え。評判。「妹が―も我が―も立たば惜しみこそ」〈万二六九七〉 ④【字】文字。「真名(まな)」「仮名(かな)」など。「字、ナ」〈名義抄〉 ▽古代社会では、名は実体と区別され難かったので、みだりに自分の名を他人に教えなかった。女が男に名と家を告げることは結婚の承諾を意味した。また、ナが文字という意を持つのも、文字と物の名称とが区別され難かったことを示している。 **―に負・ふ** ①名として持つ。「祖(おや)の名断つな大伴(おほとも)の氏と―・へる大夫(ますらを)の伴(とも)」〈万四四六五〉 ②名高い。評判である。「所は―・ふ洛陽の」〈謡・誓願寺〉 **―にし負・ふ** 《シは強めの助詞》「名に負ふ」(1)に同じ。「―・はばいざ事問はむ都鳥わが思ふ人はありやなしやと」〈伊勢九〉

な【儺】 鬼を打って追いはらう儀式。中国から渡来した行事。慶雲年間に、疫病をはらうために始まり、奈良・平安時代に盛行。建武年間には衰えて、節分の行事に変った。「是の年、天下諸国疫疾あり。百姓多く死す。始めて土牛を作りて、大に―す」〈続紀慶雲三、是年〉。「年暮れぬと思すも心細きに、若宮の―やらはむと」〈源氏幻〉 →ついな

な 『副』①動詞・助動詞の連用形（カ変・サ変では未然形）の上につき、禁止の意を表わす。…するな。「遠き妹のふりさけ見つつ偲ふらむこの月の面(おも)に雲―たなびき」〈万二四六〇〉。「ほととぎす夜鳴きをしつつわが背子を安眠(やすい)―寝しめゆめ情(こころ)あれ」〈万四一七九〉 ②《「な…そ」の形で》禁止の意をやさしく表わす。どうか…しないでおくれ。「―うとみ給ひそ」〈源氏桐壺〉。「隔ておきて―もてなし給ひそ」〈源氏若菜上〉

な 『接尾』《ラの子音交替形。上代東国で多く使う》体言の下につけて親愛の意を表わす。「児―」「夫(せ)―」「手児(てご)―」など。「うべ児―は吾に恋ふなも」〈万三四七六〉

な 『助』①《終助詞》↓基本助詞解説。②連体助詞「の」の母音交替形。主に母音a・u・o（稀にi）を含む一音節語の下につく。平安時代以後、次第に「の」に代られていく。「手(た)―末」「海(う)―原」「百(もも)―人」「水(み)―門(と)」など。「神(かむ)―びの神依(かむより)板にする杉の」〈万一七七三〉 ③格助詞「に」の上代東国方言。「草蔭の安努(あの)―行かむと墾(は)りし道安努は行かずて荒草立ちぬ」〈万三四四七東歌〉

な 『助動』①完了の助動詞「ぬ」の未然形。②《打消の助動詞ズの古い活用形の一という》⇒なな〔連語〕

な・い 『接尾』指定の助動詞「なり」と同じ働きをする語。「年明き前の女郎の、しかも不敵―・い人」〈西鶴・諸艶大鑑三〉。「恋に心の不敵―・く又ふるさとに立ち帰り」〈近松・薩摩歌中〉

ない 『感』武家奉公の中間(ちゅうげん)などが呼ばれて答える語。はい。「―と応(こた)へて振り出す」〈近松・薩摩歌上〉

ないいん【内印】 《「外印(げいん)」の対》天皇の印。印文は「天皇御璽」。五位以上の位記や諸国に下す公文書に用いられる。「―・外印（太政官ノ印）鋳るべき寸法のこと、正文（規準ノ字体）定めつ」〈今昔三五ノ一〉

ないえん【内宴】 正月二十日頃、宮中の仁寿殿で行なう宴。女楽を奏して詩文を作る。弘仁三年、嵯峨天皇の代に始まった。「年もかはりぬれば内裏わたりはなやかに―踏歌など聞き給ふ」〈源氏賢木〉

ないえん【内縁】 身内の縁故。「この貞親は、甲斐が妹に嫁せし―たるによって」〈応仁記上〉

ないがしろ【蔑】 《ナキ（無）ガシロ（代）の音便形。無いも同然の意》①無視するさま。軽んずるさま。「病者をば卑(やい)しとて―にする事なかれ」〈孝養集下〉。「蔑、ナイガシロ・ナミス」〈名義抄〉 ②気をつかわないさま。無造作。「あやしき馬に狩衣姿の―にて」〈源氏末摘花〉。「うるはしき御姿よりも、かかる―なる御ありさまの」〈狭衣一〉

ないがま【薙鎌】 「なぎがま」の音便形。「あの帆柱に上りて―にて蟬（滑車）の綱を切れ」〈義経記四〉。「長鎌、ナイガマ、或作二薙鎌一」〈文明本節用集〉

ないき【内記】 《「外記(げき)」の対》令制で、中務省に属し、詔勅・宣命の起草、五位以上の位記、宮中の記録などをつかさどった職名。大内記・中内記・少内記各二名であったが、中内記は後に廃せられた。「―は式部の少輔なむかけたりける」〈源氏浮舟〉

ないぎ【内議・内儀】 ①内輪の取りきめ。内内の相談。「大衆(だいしゆ)かかる―をば知らず、兼康が余勢六十余人からめとって」〈平家五・奈良炎上〉 ②内内の事。内証。「澄鶴慶僧の事、―を以て上聞に達すべし」〈蔭涼軒日録明応一・一〇・七〉 ③奥向き。勝手向き。「―に於いて朝飯有り」〈証如上人日記天文一〇・九・九〉 ④主婦。また、その敬称。近世、特に、町人の主婦をいうことが多い。「福勝寺―上り、会ひ候」〈証如上人日記天文五・一・二七〉。「井筒屋左兵衛―、懐妊の由にて頓死也」〈宗静日記万治二・一・二四〉

ないぐ【内供】 「内供奉(ないぐぶ)」の略。「法師は。律師、―」〈枕一七五〉 **―ぶ【内供奉】** 「内供奉僧」の略。宮中の御斎会(ごさいゑ)に奉仕したり、清涼殿の二間(ふたま)で天皇に夜居(よゐ)のつとめをする僧。高徳の僧十人を選んで補する。

内供奉十禅師(じふぜんじ)。「—の竪子、授刀の舎人…夙夜怠らず各誠を竭(つく)さば、位二級を加へ」〈続紀天平宝字一・四・四〉

ないくう【内宮】《「外宮(げくう)」の対》伊勢皇大神宮。「うちつみや」とも。「俊乗坊、東大寺建立の願を発して、その祈請のために大神宮に詣でて、—に七箇日参籠」〈著聞二六〉

ないくゎん【内官】《「外官(げくゎん)」の対》令制における在京の官吏。京官。「—の吏、無禄の人」〈続後紀承和七・五・二〉。「京中のもろもろの官をば—とも京官とも申也。諸国の司をば外官ともあがたとも申也」〈百寮訓要抄〉

ないげ【内外】《呉音》①うちとそとと。「〔宮殿ノ〕—の眷属、皆ことごとく眠り臥したり」〈今昔一ノ四〉②出入りすること。貴人の家、女の自室などの内に入るのにいう。「—など許されぬべき年頃のしるし」〈源氏夕霧〉③奥向きと表向きと。「此の馬をば、大名小名八ケ国の者ども—につけて所望ありき」〈盛衰記三七〉④《仏教界から見て》仏教とその他の教理と。内典と外典と。「真言を極め—の文道に足れり」〈今昔三ノ三〉 **—でん【内外典】**仏教の書物(内典)とその他の教えの書物(外典)。「式部大夫成憲(なりのり)、—につけ心得たりける間」〈保元中・左府御最後〉

ないけう【内教】(ナイキョウ)《「外教(げけう)」の対》仏家が自ら仏教を指していう語。また、仏教の教典。「—にいはく、『人、家家なり』といふは」〈霊異記下三九〉

ないけうばう【内教坊】(ナイキョウボウ) 宮中にあって、舞姫を置き、女楽・踏歌(たふか)などを教習させる所。「—の踏歌を庭において奏せしむ」〈続紀天平宝字三・一・一八〉。「琴・琵琶の師とて—のわたりより迎へとりつつ習はす」〈源氏東屋〉

ないし【内侍】①内侍司(ないしのつかさ)の女官の総称。尚侍(ないしのかみ)二人、典侍(ないしのすけ)四人、掌侍(ないしのじょう)四人。専ら掌侍だけをさす場合が多い。「—宣旨承り伝へて、おとど参り給ふべき召しあれば、参り給ふ」〈源氏桐壺〉②斎宮寮・斎院司などの女官。「〔斎宮ノ〕女別当・—など」〈源氏澪標〉③厳島神社に仕える舞姫。「安芸の国厳島の—が腹に一人おはせしは…女御のやうでぞましましける」〈平家一・吾身栄花〉 **—せん【内侍宣】**古文書形式の一。内侍司の長官の尚侍(ないしのかみ)が天皇の意志を伝達するために発する文書。後世の女房奉書の起源とされる。「凡そ—に依り、位を叙する者は、更に大臣を経て乃ち授くべし」〈延喜式式部上〉 **—どころ【内侍所】**①宮中の温明殿(うんめいでん)の別名。三種の神器の一である八咫鏡(やたのかがみ)を安置する所。内侍が常に奉侍する。「さすがに櫛おし垂れてさしたる額つき、内教坊・—の程にかかる者どもあるはや、とをかし」〈源氏末摘花〉②《転じて》八咫鏡の称。「『神璽・宝剣はいづくに』『夜のおとどに』『—は』『温明殿に』」〈平治上・光頼卿〉 **—のかみ【尚侍】**内侍司の長官。「御匣殿(みくしげどの)は二月に—になり給ひぬ」〈源氏賢木〉 **—のかんのきみ【尚侍君】**「ないしのかみのきみ」の音便形。「—はつとさぶらひ給ひて」〈源氏若菜上〉 **—のじょう【掌侍】**内侍司の判官(じょう)。「—四人。掌ること典侍に同じ。唯、奏請・宣伝すること得ず」〈後宮職員令〉 **—のすけ【典侍】**内侍司の次官。「心肝も尽くるやうになむと—の奏し給ひしを」〈源氏桐壺〉 **—のつかさ【内侍司】**後宮十二司の一。天皇に常侍し、奏請・伝宣・陪膳などを務め、また女孺の監督、命婦の朝参、宮中の儀礼を掌る。「帝、前殿に御せず、陰陽寮来年の御暦を貢献す。—に付して奏す」〈三代実録貞観三・一・一〉

ないし【乃至】『接続』①事物を列挙するとき、はじめと終りだけを示して、中間を略するばあいに用いる語。「或る日は一麻(いちま)を食(じき)し、或る日は一米を食し、或いは一日—七日に一の麻米を食す」〈今昔一ノ五〉②さらにまた。その上。「もしは悪趣に落ちたりとも、もしは善所に生れたりとも、常にこの経を誦し、—仏果に至るまでも、ただこの経を誦せむ」〈今昔一三ノ三〇〉③あるいは。また。「これを三身とも、仏性とも、—真如とも、実相とも申すなり」〈孝養集中〉

ないしつ【内室】貴人の妻。「直義が—の腹に男子と成って生れさせ給ひ候べし」〈太平記二五・宮方怨霊〉

ないしゃく【内戚】《「外戚(げしゃく)」の対》父方の親戚。ないせき。「—にも外戚にも、女といふものなむ乏しくはべる」〈宇津保内侍のかみ〉。〈色葉字類抄〉

ないじゃくり【泣噦】《ナキジャクリの音便形》しゃくりあげて泣くこと。しゃくりなき。「涎(よだれ)をし垂らして後の—」〈俳・正章千句上〉

ないじゅ【内豎】奈良・平安時代、宮中に仕えた使い走りの童子。良家の子弟をあてた。「ちひさわらは」とも。「—時を奏す」〈中務内侍日記〉 **—どころ【内豎所】**内豎を管轄する役所。「凡そ、校書殿及び—は、並に太政官並に弁官の仰する所の事を聴け」〈延喜式太政官〉

ないしょう【内證】①〔仏〕自己の心内に会得した仏教的真理。内心のさとり。「彌陀は賢人の如く穢土(ゑど)を捨て、彌勒(みろく)は聖人の如く欲界にいます。真実の—は同じといへども」〈沙石集二ノ八〉②内に持っている考え。内意。「これ(歌)を詠めば菩薩の御—に叶ひ、成仏得脱の縁となるといへり」〈伽・神代小町巻〉③内密の事。秘密。「—聞きすましたりと悦びて」〈伽・鶴の翁〉④内内の事情。表向きでない事。「公界(くがい)のさばき、或いは—の取扱ひなどは」〈天草本伊曾保〉⑤一家の財政。暮し向き。「今からは仲を良うして、物言ひのないやうに、人目も良いやうに、—ともに良いやうにして添ひまらせう」〈天理本狂言六義・二九十八〉⑥奥の間(ま)。勝手の方。「送りに出でんがために—より出づるとて」〈義残後覚七〉⑦身内。また、一家内。「いや私は—の者で御座る」〈狂言記・鱸庖丁〉⑧他人の妻の敬称。内室。内所。「御内方…御—…御内義」〈手本重宝記一〉⑨遊女屋の主人の居間または帳場。転じて主人にもいう。「内所」とも。「『旦那やかみさんの居る所をお部家と申しやす』『ヲヤ吉原じゃア—と言ひすよ』」〈洒・古契三娼〉 **—かんだう【内證勘当】**(ナイショウカンドウ) 単に口頭または文書で言い渡しただけで、お上に届け出ず、法律上の効果のない勘当。「内勘当」とも。「既に—までに逢はせます」〈浮・好色旅日記四〉 **—は張物(はりもの)** 内情は苦しくても世間体は派手に見せかけるのが世の常というたとえ。「世は張物」とも。「人皆—ぞかし」〈西鶴・椀久一世下〉

ないしんわう【内親王】(ナイシンノウ) 天皇の姉妹・皇女、後には親王宣下を受けた者。「皇太妃、—、及び女王、嬪の封、各〻差有り」〈続紀大宝一・七・一〇〉

ないせき【内戚】⇒ないしゃく

ないぜん【内膳】「内膳司」の略。「—に仰せ言ありければ、御前の物いと清らにてまゐり」〈宇津保内侍のかみ〉 **—し【内膳司】**令制で、宮内省に属し、調理・毒味などを掌る役所。「うちのかしはでのつかさ」とも。「高橋・安曇(あづみ)二氏を以て—に任ず」〈続紀神護景雲二・二・一八〉

ないそう【内奏】(後宮などから)内内で天皇に申し上げること。内密の奏請。「されば御位はこの公にこそと、頻りに—申しけり」〈盛衰記三二〉

ないそん【内損】酒を飲み過ぎて胃腸をこわすこと。「禁裡

御悩…御―なりと云云」〈看聞御記応永二九・六・四〉

ないだいじん【内大臣】太政官の職の一。孝徳天皇のとき中臣鎌子を内臣（うちつおみ）として置いたのがはじめで、天智天皇のときに内大臣と改称し、左右大臣の上にあったが、その後廃せられ、大宝令の制では置かなかった。光仁天皇のとき藤原良継・魚名等が任ぜられ、左右大臣の下に置かれ、以後、令外の官として平安時代にひきつづき置かれた。「源氏の大納言、―になり給ひぬ。かず定まりてくつろぐ所もなかりければ、加はり給ふなりけり」〈源氏澪標〉

ないだうぢゃう（‥ドウ ジョウ）【内道場】宮中におかれた、仏法を修行する所。「尊みて僧正として、―に安置（はべ）らしむ」〈続紀天平一八・六・一八〉

ないだん【内談】内内の相談。密談。「彼の御迎へ以下用意の事、今日―有り」〈吾妻鏡元久一・八・四〉

ないぢん【内陣】神社の本殿または寺の本堂の奥の方にあり、神体または本尊の安置してある所。神官または僧のすわる所で、参詣人は外陣（げぢん）にすわる。「此の寺（薬師寺）の金堂には、昔より―に人入る事なし」〈今昔一二ノ二〇〉

ないづ【無い図】《世界地図にも無い意から》新趣向。新工夫。奇想天外。「見ぬ図」とも。「天地開けしこのかた、近頃―な事」〈評判・二挺三味線江戸〉

ないてん【内典】《「外典（げてん）」の対。ナイデンとも》仏教徒の立場から、仏教の教典をいう称。「―の中に因果経と云ふ経ありなり」〈今昔一一ノ二二〉。「内典、ナイテン」〈色葉字類抄〉

ないない【内内】①正式でないさま。非公式。「この条新院―きこし召されて」〈保元上・新院御謀叛思し召し〉②人にわからないようにするさま。こっそり。人知れず。「されば伝へ承って―涙を流しけり」〈保元中・重仁親王〉。「堀殿の許へ行きて、訪ひ奉る様にて、―こしらへすかし奉らんに」〈義経記六〉

ないはう（ウ‥ホ）【内方】人妻の敬称。内儀（ないぎ）。奥方。「抑、吉崎の当山において、多屋の坊主達の―とならん人は」〈御文章〉。「―、殿へ言へば、殿、大きに怒り」〈奇異雑談集三〉

ないふ【内府】⇩だいふ。「小松の―、賀茂祭見んとて」〈十訓抄一ノ二七〉

ないべん【内弁】《「外弁（げべん）」の対》即位または種種の節会（せちゑ）の時、承明門内で儀式をつかさどった、上席の公卿。「節会以下常のごとし。―をば平家の内大臣宗盛公つとめらる」〈平家六・横田河原〉

ないみゃうぶ（ウ‥ミョ）【内命婦】令制で、五位以上の女官。朝儀に種種の役を勤めた。五位以上の官人の妻を外命婦（げみやうぶ）というに対する称。「皇女・姫王（おほきみ）・―等に、食封（へひと）を給ふこと、各差（しな）有り」〈紀天武五年〉

ないらん【内覧】太政官から天皇に奏上する文書を、天皇が見る前に、目を通し、処置すること。摂政・関白をはじめ、とくに宣旨を受けた大臣が行なった。「件の勅書の―は、大内記義忠、宿所に草・清書を持ちきたる」〈御堂関白記長和五・六・一〇〉 **―のしきじ**【内覧の職事】内覧の文書を扱う蔵人（くらうど）。「〔頼通ハ〕十二月に関白は譲り給ひて、のかせ給へれど、―まゐり物申すこと同じことなりき」〈今鏡四〉 **―のせんじ**【内覧の宣旨】内覧を許すとの宣旨。醍醐天皇以後は摂政・関白以外の大臣・大納言などにこの宣旨が下ることもあった。「翌年仁平元年正月十日万機―をかうむりて」〈保元上・新院御謀叛思し召し〉

ないり【泥梨・泥犁・奈梨】〔仏〕《梵語の音訳》地獄。「わが身は罪業重くして、つひには―へ入りなんず」〈梁塵秘抄二八三〉

ないゐ【内位】《「外位（げゐ）」の対》令制で、内官に与えられた通常の位階。「多（おほ）〔氏〕は朝臣なるによりて―に叙す、狛（こま）〔氏〕は下姓によりて外位に叙す」〈著聞三七三〉

ないゐん【内院】兜率（とそつ）天の内部で、彌勒（みろく）菩薩が常に説法している所。善法堂。「我はむかし兜率天の―の衆生なり」〈宇津保俊蔭〉

なう（ウノ）《感》①相手に呼びかけて発する声。もし。ねえ。「―後世をたすけ給へ」〈一言芳談〉。「―、すけ殿、ただ今、夢に見ることよ」〈伽・雁の草子〉②驚き・喜び・恐れなどの時、発する声。「―うれしや」〈虎明本狂言・鏡男〉。「―恐ろしや」〈虎明本狂言・雷〉

なう（ウノ）《助》《終助詞ナの転》相手の同意を求めつつ訴える意を添える。「まして母とても尋ねぬよ―」〈謡・隅田川〉。「御茶の水が遅くなりそろ、まづ放さい―」〈閑吟集〉

なうそ（‥ノウ）【曩祖】先祖。「―忠仁公より以来（このかた）」〈保元上・新院御謀叛思し召し〉。「曩祖、ナウソ、先祖の義也。曩は昔也」〈文明本節用集〉

なうなう（ノウノウ）《感》《ナウを重ねた形》①相手に呼びかけて発する声。もしもし。「―、そのお舟に物申さう」〈謡・自然居士〉②驚き・喜び・恐れなどの時、発する声。「―うれしや、まんまと申しないた」〈虎明本狂言・眉目よし〉

なうまく（‥ノウ）【那莫】〔仏〕《梵語の音訳》「南無（なむ）」に同じ。「南無、ナウマク、東寺流」〈蔗軒日録文明一八・一〉

な・え【萎え】《下二》①手足の力がぬけて、正常に働かなくなる。「手に力もなくなりて、―・えかかりたり」〈竹取〉②着物などの糊がとれて、くたくたになる。「御なほしなどの、いたう―・えたるしもをかしう見ゆ」〈和泉式部日記〉③しおれる。しなびる。「葵かづらもうち―・えて見ゆる」〈枕(能因本)〉見る物は〉

なえさうぞく（ウ‥ソ）【萎装束】糊をつけず、やわらかに仕上げた装束。「上代は皆―とて、ふくさにて強くは調へざるなり」〈海人藻芥〉→こはさうぞく

なえなえ【萎え萎え】①手足の力が抜けているさま。「―として生ける物にもあらず、物も言はず、ただ目ばかりしばたたきけり」〈著聞六〇五〉②なよなよとやわらかなさま。「―とある衣冠の人参りたり」〈著聞六六二〉

なえば・み【萎えばみ】《四段》衣服の糊がぬける。「人人の姿も―・みたるうちまじりなどして、いと静かに見まはさる」〈源氏宿木〉

なえやか「なよよか」に同じ。「―なる直垂の腰つき」〈延慶本平家五・文覚が道念〉

なえよか「なよよか」に同じ。「上の御衣など―に着なし給へるに」〈今鏡六〉

なか【中】《古くはナだけで中の意。カはアリカ・スミカのカと同じで、地点、所の意。原義は層をなすもの、並立するもの、長さのあるものなどを三つに分け、その両端ではない中間にあたる所の意。空間的には上下、左右、または前後の中間。時間的な経過についてはその途中、最中。さらに使い方が平面的なとらえ方にも広まり、一定の区域や範囲の内側、物の内部の意を表わすに至って、ウチと意味が接近してくる》❶《空間的に》①（上中下の）中。「上（ほ）つ枝は天を覆（お）へり。―つ枝は東（あづま）を覆へり。下（し）づ枝は鄙（ひな）を覆へり」〈記歌謡一〇〇〉。「御階の―のしなの程に居給ひぬ」〈源氏若菜上〉②両端でない所。真中。「三枝（さきくさ）の―にを寝むと」〈万九〇四〉③物と物との間。中間。「海神（わたつみ）は奇（すく）しきものか、淡路島―に立て置きて、白波を伊予に廻らし」〈万三八八〉。「安の河―に隔て

て」〈万四二五〉④ある区域の、端でない所。「簀子(すのこ)の―の程に立てたる小障子」〈源氏帚木〉⑤半分。「其の〔墓ノ〕外の域(めぐり)は方五尋(いつひろ)高さ二尋半(ふたひろなか)」〈紀孝徳、大化二年〉❷《時間的に》①はじめと終りとの中間。「さ夜深けて夜―の方(かた)におぼぼしく呼びし舟人泊(は)てにけむかも」〈万一二二五〉▽夜を三つに区分して、はじめをヨヒ、終りをアカツキといい、その真中をヨナカという。②途中。中途。「言(こと)出しは誰が言なるか小山田の苗代水の〔ヨウニ〕―淀にして」〈万七七六〉③最中。「いと若くきびはなる限り十二三〔人〕ばかり…持ちちがひ騒ぐ―に、母屋の簾に添へたる几帳のつまうち上げて、さし出でたる人」〈堤中納言貝あはせ〉④中旬。「彼の二月の―の五日の〔釈迦ノ〕御入滅には」〈保元上・法皇崩御〉⑤連続する期間の始めと終りのはんぱを除いた、まるまるの日数・月数を数えるにいう語。「春の御方たがへの行事のついでに、―一日おはします」〈健寿御前日記〉⑥(時間の流れの中の)その頃。「襁褓(むつき)の―より、肩頸にのせたてまつり、膝の上に抱きそだてまゐらせ」〈保元下・義朝幼少の弟〉❸《ウチ(内)に意味が近づいて》①内部。「あかざりし袖の―にや入りにけむわが魂の無き心地する」〈古今九九二〉。「迦陵頻(かりょうびん)といふ鳥は、卵(かひご)の―にて鳴く声も衆鳥にすぐれ」〈保元下・義朝幼少の弟〉②内心。「―に思ひはありやすらむ。いとあさへたるさまどもしたり」〈源氏常夏〉③ある区域・範囲の内。「山の―にえもいはず行なひて過すほどに」〈古本説話六五〉❹《抽象的に》①多くの同類のうちの一つ。「わご大君の敷きませる国の―には都し思ほゆ」〈万三二九〉。「女御・更衣、あまたさぶらひ給ひける―に、すぐれて時めき給ふありけり」〈源氏桐壺〉②中流。中位。「かみ―しも酔ひすぎて」〈土佐十二月二十二日〉③(二人の)間。「わが―の生れ出でたる白玉の吾が子古日(ふるひ)は」〈万九〇四〉④間柄。(人人の)仲。関係。「親子の―よりも、また、さるさまの(夫婦ノ)契りは殊にこそ添ふべけれ」〈源氏若菜上〉。「或る百姓、子を大勢持ったが、その子どもの―が不和で」〈天草本伊曾保〉

ながあめ【長雨】幾日も降りつづく雨。梅雨をさすことが多い。「―例の年よりもいたくして晴るるかたなく」〈源氏螢〉。「霖、三日以上雨也、奈加阿女(ながあめ)」〈和名抄〉

なかいま【中今】過去と未来との真ん中の今。遠い無限の過去から、遠い未来に至る間としての現在。現在を讃美していう語。「―に至るまでに」〈続紀文武一・八〉

なかいり【中入】①対陣中、増援部隊が加わること。「人数千ばかりにて、堅田へ―仕り候処」〈信長公記三〉②前後二段に分れる能で、前段がすみ、役者が楽屋または作り物の中に退場すること。「常の―より、思ひ入て、静なる心有るべし」〈叢伝抄〉③芝居・寄席などの興行で、中途で暫く休むこと。また、その休み時間。「此の所愁嘆〔場〕にて、―したき所」〈評判・役者大鑑三〉

ながうた【長歌】①《「短歌(みじかうた)」の対》和歌の一体。五・七・五・七の音節を繰り返して終りを多く七・七の形で結ぶもの。上代に栄えた形式。「古歌奉りし時のもくろくのその―」〈古今一〇〇二詞書〉②【長唄】近世前期、上方で、盲人によって演奏された古風で流麗な長編の三味線組曲。宝永年間、歌舞伎と結びついて江戸に下り、劇場に用いられ、江戸長唄といわれたが、享保頃、上方長唄が地唄と称されるに至って、江戸長唄は単に長唄と呼ばれるようになった。歌舞伎の所作事の地を謡い、明快な詞章、寛濶陽気で爽快な曲風をもって世人に歓迎された。江戸長唄には、めりやす・唄浄瑠璃・大薩摩も含まれている。「美人揃〔トイウ題名ノ〕―」〈長歌古今集〉

なかうち【中打】①魚の両側の肉を取り去った中央の背骨の所。中落(なかおち)。「魚頭や―は其方食うて」〈虎寛本狂言・枕物狂〉②作物の生育の途中で、表土を浅く耕すこと。「花曇り麦の―日和なり」〈俳・蝶姿〉

なかうど(ナコウド)【仲人】《ナカビトの音便形》中に立つ人。特に、婚姻の仲立ちをいうことが多い。「『―は面白うしたるものを』と宣へば」〈平家一〇・千手前〉。〈文明本節用集〉 **―かか**【仲人嚊】持参金の一割の手数料を目的に、仲人を商売にしている女。仲人屋。「〔嫁入リノ〕約束も時付けをして―」〈俳・大坂独吟集上〉 **―ぐち**【仲人口】仲人が縁談をまとめるために、程良く取りなして言う言葉。転じて、誇張や嘘が多くてあてにならぬたとえにもいう。「云ひ出づる―に花を咲かせ」〈俳・歌仙ぞろへ〉

ながえ【長柄】①《「轅」とも書く》牛車などの車の軸から前方に長く出ている二本の長い柄。その先に軛(くびき)をつけ、牛にひかせる。「―ほうとうちおろすを、いかにぞと問へば」〈枕二三五〉②長い柄。「あらたに作りたる命―の柄杓(ひしゃく)を持ち」〈伽・養老縁起〉③長柄の槍。また、それを持って戦う兵。「―にも槍奉行あり」〈兵法問答〉④長い柄のついた輿。板輿(いたごし)。「それぞれに輿や―に乗せ給ひ」〈説経・さんせう太夫〉 **―のからかさ**【長柄の唐傘】馬上の貴人などに後ろから差し掛けるように作った、柄の長い傘。近世では遊女の道中にも用いた。「空が曇れば、―なき事を悲しみ」〈西鶴・諸艶大鑑三〉

ながえぼうし【長烏帽子】たけの長い立烏帽子(たてえぼし)。「忍び来る所に―して…物につきさはりてそよろといはせたる」〈枕二八〉

なかおび【中帯】動きやすくするため、衣を少しひきあげて結ぶ腰帯。「白き布の襖(あを)といふもの着て、―して若やかにきたなげなき下衆(げす)の女どもの」〈今昔二六ノ一七〉

ながおひ(イオ)【長追ひ】相手をどこまでも遠く追いかけること。「―して、判官殿おしへだてられ、あしかりなん」〈保元中・白河殿攻め落す〉

なかがき【中垣】両者の間の隔ての垣根。「〔隣家ト〕―こそあれ、一つ家のやうなれば」〈土佐二月十六日〉

なかがき【中書】草稿と清書との間にする中間的な書写。「彼の集、千首に撰び果てて、―の時上覧する時、天気によりて四人の撰者の歌を九十首まで入れられければ」〈古今集註〉

ながかたな【長刀】刀身の長い刀。「時花(はやり)もの天満が説経―お山編笠河岸端(かしばた)の蔵」〈玉滴隠見一〇〉

なかがみ【天一神・中神】暦神の一。陰陽家で祭る神の名。己酉(つちのととり)の日に天から降り、東・西・南・北の四方にそれぞれ五日、北東・南東・南西・北西の四方にそれぞれ六日ずつ滞在する。地上にいること四十四日、癸巳(みずのとみ)の日に正北から天に上り、天上にいること十六日で、己酉の日に再び降り、また八方を遊行する。この神のいる方角は、その方位に当る年まわりの者にとって、方塞(かたふさがり)となり、門を閉じて物忌みをした。また、移動するには、その方向を避けなければならなかった。「こよひ―、内裏(うち)よりはふたがりて侍りけりと聞ゆ」〈源氏帚木〉。「天一神也、世俗称する所の奈加神、中神也。…天一方、俗に之を長神と謂ふ」〈紫明抄一〉。「天一神、和名奈加加美(なかがみ)、天女化身也」〈和名抄〉

ながかみしも【長上下】武家の礼服。同じ色の肩衣・長袴を着用する。近世、大名・高家・旗本の通常礼服。「―、小さ刀にて御登城」〈赤羽記〉

ながきねぶり【長き眠り】いつさめるとも知れない長い眠

り。仏教的には、生死の闇に迷い、悟りを得ない状態のたとえ。「長夜(ちやうや)の眠り」とも。「逢ふと見しその夜の夢の覚めであれな—はうかるべけれど」〈千載八七四〉。「—の衆生をおどろかし、群迷の結縁をすすむ」〈一遍縁起一〉

ながきひ【永き日】 春分後、日中の長いこと。多く春の日にいう。永日。「梅の花咲き散る春の—を見れども飽かぬ磯にもあるかも」〈万四五〇二〉。「あやしく春のいづち行くらん／—も霞みてつひにくれは鳥」〈連証集〉

ながぐそく【長具足】 槍・薙刀(なぎなた)などの武具。長道具。「辻固めの兵(つはもの)十人、—をたてならべ」〈曾我九〉

なかくぼ【中窪・凹】 ①周囲が高く中央が低いこと。「二つに取らば、中厚にはすとも—になどし過ぐすべからず」〈八音抄〉。「凹、ナカクボ」〈運歩色葉集〉 ②鼻の低い醜い女を嘲っていう語。中低(なかびく)。ぐるり高。「顔—に、鼻筋通らず」〈評判・難波物語〉

なかくみ【中汲・中酌】 濁酒(どぶろく)の一種。上澄(うわずみ)と沈澱(よどみ)との中間を汲み取った酒。「富田の—の酒壱樽」〈隔蓂記寛永二〇・三・二六〉

なかぐろ【中黒】 矢羽の名。上下が白く、中の黒いもの。黒い部分の広いものを大中黒(おおなかぐろ)、狭いものを小中黒(こなかぐろ)という。「二十四指したる—の矢負ひ、二所籐の弓持って」〈古活字本保元中・白河殿へ義朝夜討ち〉

ながくゑにち【長凶会日】 陰陽道でいう凶会日(万事に凶とされている日)が長く続くこと。「—のやうに、『はこ(大便)すべからず、はこすべからず』と続け書きたれば」〈宇治拾遺七六〉

ながけ【長け】 ①形容詞「長し」の古い未然形・已然形。「越え隔(へな)りなば恋しけく日(け)の—むそ」〈万四〇〇六〉 †nagake ②形容詞「長し」の連体形「長き」の上代東国方言。「大君の命かしこみ弓の共(たみ)さ寝か渡らむ—この夜を」〈万四三九四防人〉 †nagakë

ながけ・し【長けし】『形ク』《長シの古い活用形長ケを語幹として平安時代に作られた語》 長い。「—・くも頼めけるかな世の中を」〈大和一二六〉

なかご【中子】 ①中心。「心は身中にあるが故に、されば心といふ字を—とも読むなり」〈壒嚢鈔一〉 ②果実の種子を含んだ部分。「瓜の—が苦いぞ」〈毛詩抄八〉 ③刀剣の柄(つか)の中に入る刀身の部分の称。こみ。刀心。「又、刀は一尺二寸、広さ一寸二分、厚さ六分、—二寸八分」〈義貞軍記〉。〈文明本節用集〉 ④鏃(やじり)の、矢柄(やがら)の中に入った部分。「鏃の—を筈本(はずもと)まで打ち通しにしたる矢」〈太平記一五・三井寺〉 ⑤《斎宮の忌詞》 仏。厨子(ずし)の中に安置するからという。「仏を—と称す」〈延喜式斎宮寮〉 ⑥兄弟姉妹のなかの、まんなかの子。「—の三郎殿を一人やり給ふ」〈伽・彌兵衛鼠〉

なかごと【中言・中事】 ①自分とある人との間にある第三者の言。主に中傷。「汝をと吾(あ)を人そ離(さ)くなるいで吾君人の—聞きこすなゆめ」〈万六六〇〉。「中言、ナカコト」〈色葉字類抄〉。「中言、ナカゴト」〈文明本節用集〉 ②仲が悪いこと。不和。仲違い。「八幡別当慶清夜打ちを為す。木津殿より武士等群り来り、兼ねて依り—有れば、…合戦に及ぶ」〈吉記養和一・一一・一〇〉 †nakagötö

ながごと【長言】 長ばなし。「憎きもの。急ぐ事ある折に来て—するまらうど」〈枕二八〉

ながこひ【長恋】 年月長く恋しく思うこと。「—しつつ寝(い)ねかてぬかも」〈万三二九三〉 †nagakoFi

なかごみ【中込】 中にこみ入れること。また、その物。「畳表は猩猩皮、……—には越前綿」〈宗湛日記天正二〇・五・二八〉

なかごろ【中頃】 ①ひところ。「—身のなきに沈み侍りし程」〈源氏薄雲〉 ②今と昔との中間。「いにしへの人多く本に歌枕をおきて末に思ふ心をあらはす。…貫之・躬恒は—の上手なり。今の人の好むは、これがさまなるべし」〈新撰髄脳〉。「昔—だにかやうに侍りけり。末代よくよく用心あるべきことなり」〈著聞八三〉

なかさうじ【中障子】《サウはシャウの直音化》 二つの部屋の隔ての襖障子。「人しづまるほどに、—を引けど、例はことにさしかためなどもせぬを、つとさして、人の音もせず」〈源氏少女〉

ながさきタバコ【長崎煙草】《長崎に最初に渡来したのでいう》 近世初期、刻み煙草の称。「—を前に置き、十一銭、さあ御座れ御座れとて」〈評判・露殿物語〉

なかざし【中差・中指】 ①《箙(えびら)の正面左上に差す二本の鏑矢(かぶらや)または雁股(かりまた)を上差(うはざし)といい、その次に差すのでいう》 箙に差し入れた、上差以外の矢。「—にて下野殿を射落し奉らんと思へども」〈保元中・白河殿攻め落す〉 ②女の髻(もとどり)の中央にさす笄(かうがい)の一種。近世後期には平常用。「ひとへ帯のときは両てんの花をとり、—ばかり差してゐる事あり」〈洒・客衆肝照子〉

なかさだ【中さだ】《サダは時の意》 上代風と当世風との中間。時代おくれの意。書風について、行成風以前の、まだ草仮名の流行していた時代の道風や佐理などの書風をいうという。「手はさすがに文字強う—の筋にて上下ひとしく書き給へり」〈源氏末摘花〉

ながさ・ひ【流さひ】『四段』《流シに反復・継続の接尾語ヒのついた形。→ひ》 流しつづける。「ますらをの清きその名を古よ今の現(をつつ)に—・へる」〈万四〇九四〉 †nagasaFi

なかさまく【泣かさまく】《動詞泣キの尊敬語泣カシに推量の助動詞ムのついた泣カサムのク語法》 お泣きなさろうこと。「項(うな)傾(かぶ)し汝(な)が—」〈記歌謡四〉

なが・し【流し】 [一]『四段』《ナガレ(流)の他動詞形。ナガシ(長)・ナゲ(投)と同根》 ❶液体などを線条的に移行させる。①水などを低い方へ移行させる。「松をのみ常磐と思ふに夜と共に—・す泉も緑なりけり」〈拾遺二九一〉 ②したたらす。こぼす。「御供の人ども皆涙を—・す」〈源氏須磨〉 ❷物を線条的に移行させる。①水と共に移行させる。「飛驒人の真木(まき)—・すとふ丹生の川」〈万一一七三〉 ②流して失う。「伊勢の海女(あま)も舟—・したる心地して」〈古今一〇〇六〉 ③流罪にする。「伊豆の国に—・され侍りけるに」〈後撰一三三〇詞書〉 ④垢を洗い落す。「御—・し申しませう」〈滑・浮世風呂三下〉 ❸広める。①広く伝える。流布する。「軽びたる名をや—・さむと忍び給ひける隠ろへごとを」〈源氏帚木〉 ②(考えを)めぐらす。「ともかくも身のならむやうまでは思しも—・されず」〈源氏椎本〉 ③「流し」[二](2)を打つ。「雨乞の能には鼓・太鼓を—・し」〈舞正語磨上〉 ④ぶらつく。「十月頃の水鳥のやうに、あちらへ—・し、こちらへ—・し」〈洒・徒然睟が川二〉 ⑤遊廓で居続けする。流連する。「居続けをうつを—・すと云ひ」〈洒・阿千代の伝〉 ❹そらす。①打ちこんでくる刀などを受けてそらす。「互ひに手なみの程を見せんとて、受けつ—・しつして」〈伽・弁慶物語下〉 ②心に留めないようにする。「親の名残も身の憂さも、何のままよと—・せども」〈近松・冷泉節上〉 ❺無効にする。①流産させる。「コヲウミナガス」〈日葡〉 ②質草(しちぐさ)を、期限が来ても受けもどさず、所有権を放棄する。「かの銭を今年の十二月を過ぎ候までになし参らせ候はずは、ながく—・し参らせ候べし」〈高野山文書三、永仁七・四・二八〉。「うき世といへばあさましや、多賀の久徳は[人質ノ]親—・す、新庄駿河は[人質ノ]子を—・す、とかく惜しきは我が命」〈浅井三代記一〇〉 ③言い掛けられた謎が解けないまま他に譲る。「―・すか解くか謎の事訳」〈俳・大矢数二〉 ㊁〘名〙 ①生花で、横に長く流した形に出した枝。ながしえ。「真副(まそえ)・真隠(まかくし)・見越(みこし)・―の枝」〈池坊専応口伝〉 ②能楽で、大鼓・小鼓及び太鼓が、同じ調子で連続して打ち流すこと。「〔能ノ〕松風有り。…一声(いっせい)に―など打つ」〈近代四座役者目録〉 ③物事にかまわず、さらさらと済ますこと。淡泊。恬淡。「―。…物に構わぬ事なり。難しくなる事を難しくせず、さらさらとすます心なり」〈洒・胡蝶の夢〉 **―め**【流し目】 横目で見ること。男女間などで思いをこめて横目をつかうこと。また、その目つき。「眄は―に見るぞ」〈古文真宝抄三〉。「この美人頭をめぐらし、―にして此方へ向きたらば」〈錦繡段鈔一〇〉。「流睇、ナガシメ」〈名義抄〉

なが・し【長し・永し】〘形ク〙《「短し」の対。ナガレ(流)・ナゲ(投)と同根。ナガは線条的に伸びて行くさま》 ①線条としての伸び方が大きい。「人皆は今は〔髪ガ〕―・しとたけ(搔キアゲヨ)と言へど」〈万一二四〉 ②時の経過が大きい。「栲縄の―・き命を欲りしくは」〈万七〇四〉 **長う短うなる** 待ちかねてじりじりする。「長う細うなる」とも。「―・って御待ちになってござります」〈浮・風流今平家五六の巻〉

なかじま【中島】 庭園の池の中につくった島。「山の木立、―のわたり色まさる苔のけしきなど」〈源氏胡蝶〉

なかじゃく【中酌】 仲介すること。また、その人。なかだち。「―の月やは物をうそばかり」〈俳・功用群鑑下〉

なかしゅ【中衆】 船に積み下ろしする米俵などの荷物を運ぶ人夫。仲仕。小揚(こあげ)。「―が指(さ)いて取ったる米の露」〈俳・天満千句〉

ながすびつ【長炭櫃】 長い炭櫃。「御前近くは例のすびつに火こちたくおこして、それにはわざと人もゐず。…次の間に―にひまなくゐたる人人」〈枕一八四〉

なかせんだう【中山道・中仙道】 近世、五街道の一。京都から近江草津を経て、近江・美濃・信濃・上野の諸国を通り、武蔵板橋から江戸日本橋に達する街道。道程百三十余里、宿駅六十九。木曾路。「諸街道に一里塚築き申すべきの由…東海道・―より築き初むる」〈慶長年録〉

ながそで【長袖】 丈の長い袖。大袖。また、長袖を着用した者。長袖者(ちょうしゅうしゃ)。「我は―の身でもなし、武士の家に生れた者が」〈天草本平家一ノ二〉。「神職の者、家業を忘れ、―の名を避けば、武家の風儀をうらやむに外なし」〈神家常談上〉 ▽武士が鎧(よろい)を着るとき、袖をくくって短くしたのに対し、常に袖くくりをしないで長袖を着る公卿・僧・神官・学者などにいう。文弱の者としてあざけっていうのに使われることが多い。

なかぞら【中空】 ①空の中ほど。また、空。「―に立ちゐる雲の」〈伊勢二〇〉。「月はなほ―高く残れども」〈風雅六三三〉 ②(道の)途中。「道遠み―にてや帰らまし」〈後拾遺一一九五〉 ③《中途で浮いている意》 ㋑足が地につかないような状態。うわの空。「初雁(はつかり)のはつかに声を聞きしより―にのみ物を思ふかな」〈古今四八一〉 ㋺中途はんぱ。どっちつかず。「いづかたにも寄らず―に憂き御宿世なりければ」〈源氏柏木〉

ながだうぐ【長道具】「長具足(ながぐそく)」に同じ。「―持たる徒(かち)武者、馬武者と組み合ひ」〈大友記〉

なかだか【中高・凸】 ①中央部が高いこと。「斗(ます)に米を入れて…―にちっとこもりて入れたを満量と云ふぞ」〈襟帯集〉。「凸、ナカダカ」〈運歩色葉集〉 ②鼻筋の通った美しい顔かたち。また、その人。「此の家の―には、よほど、ひいきと云ふ者あらんか」〈評判・吉原三茶三幅一対〉。〈日葡〉 ③近世、白粉屋の入口に置いた、凸字形の箱看板。白張で、正面に白鷺を画いたのもあった。「白粉有り―の峰雪の富士」〈俳・江戸蛇の鮓〉

なかだち【中立ち】 ①《「媒」とも書く》 間に立ってとりもつこと。また、その人。「―の、かく言(こと)よくいみじきに、女はましてすかされたるにやあらむ」〈源氏東屋〉。「基俊の〔歌ノ〕弟子にならむとて和泉の前司入道道経を―にて」〈無名抄〉 ②媒介物。「〔歌ハ〕世をさめ、物をやはらぐる―となりにけり」〈十六夜日記〉 ③茶会で、会席が終って次の濃茶の手前が始まるまで、客がいったん席を立って待合または腰掛に行くこと。「露地に水打ちしまひたる時、―する也」〈利休客之次第〉

なかだな【中棚】 町通りの中央に臨時に小屋掛けした店。近世、江戸通り町の市のものが有名。中見世。「町筋に―を出して、商ひに暇なく」〈西鶴・胸算用五〉

ながたな【菜刀】 野菜を切るに用いる薄刃の庖丁。「弐百五十文、―十箇〔代〕」〈大徳寺文書七、文亀三・一〇・二九〉。「昔の剣は今の―」〈かたこと五〉

なかたび【中度】 初・中・終と三回あるうちの第二回目。「〔三回目ノハ〕世にも弘まらで、―のが世には散れるなるべし」〈今鏡七〉

なかだをれ【中だをれ】《タヲレはタヲリ(撓)・タワと同根。峰のくぼみの意》 中途がたわんで低くなっている所。転じて、緊張した関係のゆるむこと。「吾背(せな)の子や等里(とり)の岡道(をかち)し―吾を哭(ね)し泣くよ息づくまでに」〈万三四五八東歌〉

なかち【仲子】 長男・末男以外の男の子。「上志太(かむしだ)の殿の―し鷹狩(とがり)すらしも」〈万三四三八東歌〉

ながち【長道】 長い道のり。遠い道。ながて。「あまざかるひなの―ゆ恋ひ来れば明石の門(と)より大和島見ゆ」〈万二五五〉

なかつかさ【中務】「中務省」の略。「寺奴婢家人の籍…官に送りて―・治部に入る」〈令集解職員〉 **―しゃう**【中務省】 八省の一。太政官に属し、天皇に侍従し、詔勅・女官のことをはじめ宮中一切の事務、皇居の警護に任じた。「なかのまつりごとのつかさ」とも。「始めて―の史生十員を加ふ」〈続紀和銅六・三・二〉 **―のきゃう**【中務卿】 中務省の長官。「なかつかさのかみ」とも。「正四位上小野朝臣毛野を以て―とす」〈続紀慶雲二・一一・三〉 **―のみこ**【中務親王】 中務卿である親王。中務卿は平安時代中期以後は四品以上の親王が任ぜられる名誉職となり、親王で適当な人がいない場合は欠員とした。「只今殿上にたれたれかと問はせ給ふに、―、上野(かんづけ)の親王、中納言源の朝臣さぶらふと奏す」〈源氏宿木〉 **―のみや**【中務宮】「なかつかさのみこ」に同じ。「母君の御おほぢ―と聞えけるが領じ給ひける所」〈源氏松風〉

なかづかひ【中使】 中間に立って双方の意志を伝達する者。「牧野太郎兵衛尉を―となす」〈吾妻鏡正嘉二・六・一〇〉

なかつかみ【中つ神】 豹(ひょう)の古名。「豹、日本紀私記云、奈賀豆可美(なかつかみ)」〈和名抄〉。「豹、ナカツカミ・ヘウ」〈名義抄〉 ▽八将神の豹尾神が中央に位置するによる名。

ながつき【長月】《後世ナガヅキとも》 陰暦九月の称。「―のしぐれの雨にぬれとほり春日の山は色づきにけり」〈万二一八〇〉。「―の有明の月を待ちいでつるかな」〈古今六九一〉。「玄月、ナガヅキ」〈伊京集〉 †*nagatuki

なかつくに【中つ国】「あめ(天上の国)」と「ねのくに(地下の国)」との中間の国。人間の生きている地上の国を指す。「高天(たかま)の原皆暗く、葦原の—悉に暗し」〈記神代〉▽常に「葦原の」という語と共に使われた。

なかづな【中綱】木遣(きやり)で物を運搬する時、力の中心となる綱。中の綱。「追懸け—さあやるぞやい」〈俳・絵合上〉

なかつに【中つ土】《「端土(はつに)」「底土(しはに)」の対》中層の土。「その—を…眉画(まよが)き」〈記歌謡四二〉

ながつぼね【長局】①宮中や幕府の大奥で、長い一棟の中に多くの女房の部屋(局)の続いた建物。また、そこに住む御殿女中の称。「その餅をみなみな—の局ごとへ配られける」〈おきく物語〉②武家の御殿女中の称。「のぞきつつ／殿見減らすな—」〈雑俳・赤烏帽子〉

なかて【中手】《「早生(わせ)」「奥手(おくて)」の対》①早咲きと遅咲きの中間の頃。また、その頃に咲く花。「わせに咲く花、—に咲く花、奥手に咲く花」〈東大寺諷誦文稿〉②稲の種類の名。早稲(わせ)と奥手(おくて)の中間の頃に実るもの。「わせとは早田の稲也。中田をば—と云ひ、晩田をばおくてと云ふ也」〈袖中抄一六〉。「中稲、ナカテ」〈文明本節用集〉

なかで【中手・点】①囲碁で、相手の目(め)を作らせないように、中に石を打ちこむこと。また、その石。「たとえば、碁の—下ろす程の事ぞ。敵の石の中へ打ち入れて生くるは不思議でこそあれ」〈山谷詩抄一六〉。「点、ナカデ」〈文明本節用集〉②両者の間を裂くこと。また、その人。「阿蘇家、当方御和平候の処、頃(このごろ)ふと手切れ候。…いかなる佞人の—などにて候哉」〈上井覚兼日記天正一二・一〇・一〉

ながて【長手】「ながち」に同じ。「常知らぬ道の—をくれくれといかにか行かむ糧米(かりて)は無しに」〈万八八八〉

ながでん【長点】《チャウデンとも》①和歌・連歌・俳諧などで、すぐれたものに付ける点。「北山殿(足利義満)十首御歌の内、耕雲庵—を申さる」〈教言卿記応永一四・一二・二四〉②物事のすぐれていること。また、すぐれた物。「若宮のお乳(ち)の人—なりとありければ」〈近松・松風村雨一〉

なかど【中戸】民家で、店から奥に通じる土間の入口の仕切り戸。よく男女密会の場所とされた。「—を明けて暖かになる」〈俳・独吟一日千句〉

ながと【長門】旧国名の一。山陽道八国の一で、今の山口県西北部。長州。「—なる沖つ借島」〈万一〇二四〉 †nagato

ながときん【長頭巾】うしろに布切れが長く垂れ下った頭巾。八尺頭巾・五尺頭巾などがある。「白髪なる山臥(やまぶし)の—かけて出で給ふ」〈一遍聖絵三〉

ながとこ【長床】①(寺院の)板敷の上に長く畳を敷いた所。「寺房の—のやうに」〈栄花もとのしづく〉②長い床の間。「大書院の—に甲立てを飾り」〈西鶴・新可笑記五〉

なかどし【中年】まる一年間一日も欠けない年。丸年(まるどし)。「三十七に伯とはなったれども、幾程もなうて、三十九年に卒した程に、只一年で」〈史記抄三〉。「丸年とは、奉公に来る年と年あきて出る年とを捨てて、—を丸年と言ふ」〈万案紙手形鑑中〉

ながとの【長殿】大蔵省の倉庫の一。長屋造りで、諸国からの貢納物を収めた。ながくら。「—より辛櫃を渡し〔神鏡ナドヲ〕入れ奉り」〈御堂関白記寛弘二・一一・一五〉

なかどほり【中通り】(ナカドオリ)①上下の中間に位するもの。「中庸は、—の常の人といふ義なり」〈古文真宝講述九下〉②上女中と下女との中間の、小間使の女奉公人。「中通り女」とも。武家では「御茶の間」ともいう。中居(なかゐ)。御居間。「契の—の女、半季に六十目の銀の別れ」〈西鶴・一代女四〉③〔遊里語〕太夫に次ぐ遊女の位「天神」の異称。「—。天職(天神)をさして言ふ」〈色道大鏡一〉

なかとみのはらへ【中臣祓】(…ハラエ)「おほはらへ」に同じ。「麻苧(を)の注連(しりくへ)を木の本に引き廻らして、木の本に米散じ幣(みてぐら)奉りて、—を読ましめて」〈今昔一一ノ三〉

なかどり【中取】「中取りの案(つくえ)」の略。食器や織物などを載せる台。「蘇芳(すはう)の脚付けたる—五つに、東絹(あつまぎぬ)つみて、御前に舁(か)きたてて」〈宇津保俊蔭〉。〈和名抄〉

なかなか【中中】□一『名』《ナカ(中)を重ねた語。古くは、ナカは中央として価値高い所であるよりも、両端ではない中途の所を意味していた結果、ナカナカと重ねると、どっちつかず、中途半端、不十分の意。なまはんかよりもむしろ一方に徹する方がましだと思う気持から、いっそ、むしろ、かえっての意に発展。中世以後、否定表現と共に用いて、到底の意、肯定に用いて、まことになど、物事の程度を表わすようになった》①中途。「岩橋の—にても帰りぬるかな」〈後撰九八六〉②中途半端。不徹底・不十分で不満な状態。「限りかと思ひつつ来(こ)しほどよりも—なる〔後朝ノ別レ〕はわびしかりけり」〈かげろふ上〉。「明けゆく気色なるに、〔別レテ〕出でむ方なく、—なり」〈源氏若菜下〉③(胸のうちなど)とつおいつ、はっきりとは決めかねるさま。「中将も—なる事を打ちいでて、〔女ガ〕いかに思すらむと」〈源氏藤袴〉④かなり・相当な状態。「今は—の上臈になりにて侍り」〈源氏蜻蛉〉□二『副』《副詞「なかなかに」の略として》①中途半端に。なまじ。「—ほのかに〔顔ヲ見セテ〕かく急ぎ渡り給ふを、いと飽かずくち惜しく」〈源氏若菜上〉②かえって。「〔月ノ〕光をさまれるものから、影さやかに見えて—をかしき曙なり」〈源氏帚木〉。「口ずさみのやうに歌はせ給ひしが—優に覚え侍りし」〈大鏡昔物語〉③《打消を伴って》到底。「あれほどの不覚仁(弱兵)あれば、—軍(いくさ)もせられず」〈平治中・待賢門軍〉④まことに。全く。「山なども—高く、海もことのほか深し」〈仮・仕方咄三〉□三『感』《相手の言葉を受けて》その通り。いかにも。「意見をば召されなんだか。—、教訓を召されてござる」〈天草本平家一ノ四〉。「『太郎冠者か』『—』」〈虎明本狂言・止動方角〉 **—しげ【中中しげ】**いかにももっともらしい様子。「『…をさなき者どもを失はんことふびんにおぼゆるぞ』と—に宣ひける」〈平治下・常葉六波羅に参る〉 **—に【中中に】**『副』①中途半端に。なまじっか。「—なにか知りけむ我が山に燃ゆる煙の外に見ましを」〈万三〇三三〉②《中途半端であることを嫌う気持から》いっそ徹底して。「—死なば安けむ君が目を見ず久ならばすべなかるべし」〈万三九三四〉。「—人とあらずは酒壺になりにてしかも酒に染(し)みなむ」〈万三四三〉③かえって。「あさましう見奉り給へど、人人の見るに制し申さむも—見苦しければ」〈大鏡伊尹〉④全く。まことに。「君達の御嘆きを見申し候に、—目もくれ」〈伽・三人法師〉 **—の事** いうまでもないこと。勿論。「『何と勧進帳を読めと候ふや』『—』」〈謡・安宅〉

ながなが・し【長長し】『形シク』①いかにも長い。久しい。「常に—・しうえ添ひさぶらひ給はじ」〈源氏藤裏葉〉。「笛の音を—・しく吹かるる程に」〈中華若木詩抄中〉②ゆっくりしている。悠長である。「人君は—・しうては叶うまいぞ。敏達になうてはさてぞ」〈論語抄陽貨〉

ながなきどり【長鳴鳥】《声を長く引いて鳴くので》ニワト

リの異称。「つひに常世(とこよ)の——を集めて、たがひに長鳴きせしむ」〈紀神代上〉 †nagakidōri

なかなは【夭】若死にすること。夭折。「命福共に存(たも)ち、世を逕(へ)て——になりぬること无(な)し」〈霊異記上五〉

なかなほし(‥ナオシ)【仲直し】仲直りをさせること。仲裁。「別の人がつき合うて、しきりに——をめされたによって」〈コリヤード懺悔録〉

なかな・れ【中なれ】㊀《下二》《ナレは古びてよれよれになる意》相当に使い古される。「四尺の屛風の——・れたる立てたり」〈今昔二四ノ三一〉 ㊁《名》相当古びたさま。「——なる浴衣(ゆかた)」〈西鶴・五人女三〉

なかに【中に】《副》多くある中でとりわけ。「——かしづく娘とのみ聞き侍れば」〈源氏東屋〉 **——ついて**【就中】《副》《漢文の「就中」の訓読語》なかでもとりわけ。なかんずく。「世の中といふもの、さのみこそ今も昔も定まりたる事侍らね、——も女の宿世はいと浮かびたるなむあはれに侍る」〈源氏帚木〉。「就中、ナカニツイテ」〈名義抄〉 **——も** そのうちでも。とりわけ。「——酒肉・五辛、これらを食したらむ人〔病者ノ近クニハ〕寄すべからず」〈孝養集下〉

なかぬき【中抜】①鼠のしっぽくらいの大きさになった大根を抜き取ること。また、その大根。中抜大根。「——の大根揃へる片手に」〈西鶴・諸艶大鑑一〉 ②藁草履の一種。藁しべで作り、藁緒に白紙を巻いたもの。中抜草履。阿波草履。「——の細緒を履き」〈西鶴・一代男七〉

なかの【中の】 **——いつか**【中の五日】十五日。「二月(きさらぎ)の——は、鶴の林に薪(たきぎ)尽きにし日なれば」〈増鏡序〉 **——おほともひ**(オオトモイ)【中弁】⇒ちゅうべん。「中弁、奈加乃於保止毛比(なかのおほともひ)」〈和名抄〉 **——きみ**【中の君】第二女の敬称。二番目の姫君。妹が幾人あってもいう。「この御腹には…——、四の君、五の君とおはす」〈源氏夕霧〉 **——このかみ**【中の兄】兄弟または姉妹のなかでの最年長者。「——にて年も大人び給ふを」〈源氏東屋〉 **——ころも**【中の衣】上着と下着の間に着る衣とも、共寝の時に着る衣ともいう。相愛の男女の仲といいかけた歌語。「みなれぬる——と頼みしをかばかりにてやかけはなれなむ」〈源氏宿木〉。「ただ人と添寝する時きる衣をば、夜の衣とも——ともいふなり」〈正徹物語上〉 **——しな**【中の品】①中段。「御階(みはし)の——のほどにゐ給ひぬ」〈源氏若菜上〉 ②中流階級。「——の、けしうはあらぬ(悪クナイ者)えり出でつべき頃ほひなり」〈源氏帚木〉 **——たい**【中の対】「北の対」に同じ。「かの明石の御町の——に渡し奉り給ふ」〈源氏若菜上〉 **——と**【中の戸】殿舎内の隔てをなす戸。「——あけて宮にも対面(たいめ)し給へり」〈源氏若菜上〉 **——とをか**【中の十日】①中旬。「〔出産予定ノ〕十月といふかみの十日(上旬)過ぎぬ。ひとびと心もとながり給ふに、——も過ぐれば」〈宇津保国譲下〉 ②二十日。「文治三(み)つの年の秋長月(ながつき)の——に撰び奉りぬるになんありける」〈千載序〉 **——へ**(エ)【中の重】《「外(と)の重」「内の重」の対》内裏の四方に築地をめぐらした一郭をいう。建礼・建春・朔平(さくへい)・宜秋などの各門があり、兵衛(ひやうゑ)府がこれを守る。また、これらの門を輦(てぐるま)に乗って出入することを許される宣旨を「中の重の輦の宣旨」という。「同じき三年正月、——の輦の宣旨ありき」〈今鏡四〉。「天徳四年九月二十三日の子(ね)の刻に、内裏——にはじめて焼亡(ぜうまう)ありき」〈平家一・鏡〉 **——ほそを**【中の細緒】中で最も細い絃の意で、箏の絃の巾(きん)の緒(第十三絃)。また、細緒(斗・為・巾)の中央の絃の意で、第十二絃(為)ともいう。「箏の琴は、——の堪へがたきこそ所せけれ」〈源氏紅葉賀〉 **——ま**【中の間】几帳を立て隔てて作った室の中の一区画。「御几帳ばかりをけぢめにて、——は院のおはしますべき御座(おまし)よそひたり」〈源氏若菜下〉 **——まつりごとのつかさ**【中務省】⇒なかつかさしょう。「中務省、奈加乃万豆利古止乃豆加佐(なかのまつりごとのつかさ)」〈和名抄〉 **——みかど**【中御門】①《外がこいの表門に対して》内がこいの門。「東の——ゆ参り来て」〈万三八八六〉 ②待賢門の称。大内裏東面に門が四つあるなかで、南から二つ目。「——のとじきみ引きすぐる程」〈枕三〉 ③平安京の、東西に通ずる大路の一。近衛御門大路の南、大炊(おほい)御門大路の北にあり、待賢門などに通ずる。「土御門・近衛・——・大炊御門大路、各十丈」〈掌中歴〉 **——みやのつかさ**【中宮職】⇒ちゅうぐうしき。「中宮職、奈加乃美夜乃豆加佐(なかのみやのつかさ)」〈和名抄〉 **——ものまうすつかさ**(‥モウス‥)【中納言】⇒ちゅうなごん。「中納言、奈加乃毛乃万宇須豆加佐(なかのものまうすつかさ)」〈和名抄〉 **——を**【中の緒】琴の、中の緒。和琴では第二絃、箏では第八・九・十絃とも、第六絃から第十絃までともいう。夫婦の仲の意をかけて使われる。「しか伝はる——はことにこそは侍らめ」〈源氏横笛〉

ながの【長の・永の】《連体》長い。「——在京なれば」〈虎明本狂言・鏡男〉。「この中、——旅をいたいたれば」〈虎明本狂言・首引〉

なかのぼり【中上り】①平安時代、国守が在任中に京へ上ること。「かの陸奥の守の——といふ事して、北の方・娘などのぼせけるが」〈今昔二六ノ一四〉 ▽奈良時代にもあったか。「松反(がへ)り痴ひてあれやは三栗の——来ぬ麿(まろ)といふ奴(やつこ)」〈万一七八三〉 ②上方から江戸に修業・奉公に下っている者が、中途で一時帰郷すること。「鳥は古巣に〔人ハ〕——して」〈俳・江戸十歌仙〉 ③関東に修業に下った僧が、京都の本山に帰ること。「長老を望む——の出家も、只は道中を通らじと言ふ」〈西鶴・三所世帯下〉

なかのり【中乗り】船などの、乗物の中央部に乗ること。また、その人。「船に召して渡りをせんとし給ふに…——に乗ったる男、弁慶をつくづくと見て」〈義経記七〉

なかば【中ば・半ば】《バは端。明確に半分の所の意。→なから》①ちょうど半分。「世の中のこと、ただ——を分けて、太政大臣(おほきおとど)とこの大臣の御ままなり」〈源氏澪標〉 ②真中。「枝の——に鳥を付く」〈徒然六六〉 ③最中。「信心をして、祭文を読む——と見えし時」〈伽・玉藻草紙〉。「談合——であったところに」〈天草本伊曾保〉 **——のつき**【半ばの月】①半円形の月。半月。「涙ゆゑ——はかくるとも共に見し夜の影は忘れじ」〈太平記三・主上御没落〉 ②陰暦十五日の月。特に、仲秋の名月。「末の世をてらしてこそは二月(きさらぎ)の——はくもがくれけれ」〈続千載九七二〉。「それさへあるに秋の空、余りに堪へぬ——」〈謡・雨月〉 ③《腹板に半月形の穴があることから》琵琶の異名。「山ふかく入りにし人をかこちても——をかたみとは見ん」〈源家長日記〉

ながばかま【長袴】裾が長く、後ろに引きずるようにした袴。「盗人は——をや着たるらんそばを取りてぞ走り去りぬる」〈著聞四四四〉

なかばし【中橋】江戸の日本橋と京橋との中間にあった橋の名。また、その付近の町名。近世初期消滅したので、「無い」の通言に用いられた。「——に初めて住みける年。謡ひ初めや酒宴——春の今日」〈俳・洗濯物一〉。「ナント理州、思召しは——か」〈洒・当世左様候〉

ながはし【長橋】①長い橋。「幾代へぬらむ瀬田の——」〈新古今一六五四〉 ②清涼殿から紫宸殿に通じる廊下。「——よりおりて」〈源氏桐壺〉。「南殿(紫宸殿)へのぼらせ給ひし——の朽ちたるを」〈栄花晩待星〉

なかばしら【中柱】部屋の中の空間に立ち、壁と接していない柱。「母屋の—にそばめる人」〈源氏空蟬〉

ながはま【長浜】長長とつづく浜。「豊国の企救(きく)の—行き暮し日の暮れぬれば妹をしそ思ふ」〈万三二一九〉

なかばらひ【中払】盆と暮との中間、十月中の支払。「なから節季」とも。「大分の用なれば、—の間に合ふやうに帰るは不定」〈近松・天網島下〉

ながひ【長日】日暮れまでの時間が長い日。また、そのように感じる春のうららかな日。永日。「霞立つ春の—を」〈万三一五〇〉 ✝nagaFi

なかびく【中低】鼻の低いこと。転じて、女の醜い容貌の形容。「—な其の顔付は小松殿／男ぶりなら髭の盛久」〈俳・物種集〉。「横太って—に、出尻にして口広く」〈西鶴・諸艶大鑑一〉

ながひつ【長櫃】①形の長い櫃(ひつ)。「川のも海のも、こともの ども、—に担(にな)ひつづけておこせたり」〈土佐一月七日〉②「長炭櫃(ながすびつ)」に同じ。「—に火多く」〈今昔二六ノ一七〉

なかびと【中人・仲人】なかだちをする人。仲介。なこうど。「誰ぞこの—立てて…訪(とぶら)ひに来るや」〈催馬楽朝津〉。「かの—にはかられて」〈源氏東屋〉

ながひと【長人】長生きの人。「汝(な)こそは世の—」〈記歌謡七一〉 ✝nagaFitö

ながぶ【長夫】長期の夫役(ぶやく)。領主・大名などが農民に課した長期間の労働課役。また、それに徴発された者。「我らがやうなる百姓の中より都へ人を上(のぼ)せてつかはせ参らするを—とは申すなり」〈伽・物くさ太郎〉。「播州揖保庄〔ヨリ〕—上るなり」〈山科家礼記応仁二・四・一三〉

ながふくりん【長覆輪】《ナガブクリンとも》太刀の鞘(さや)の、峰と刃にあたる部分を、先端まで細長く金具で覆い飾ったもの。「萌黄(もえぎ)の匂ひの鎧(よろひ)きて、—の太刀をはき」〈平家七・経正都落〉

なかへ【中重・中倍】中にはさみ込むもの。中のへだてに加えるもの。布または紙についていう。「薄様の—〔ノ紙〕を破(や)りて此の歌を書きて、思ひかけぬ間(はさま)に隠して入れられたりける」〈著聞一九六〉。「三重かさねのはかま、中倍ある袴也、一説、中重ある躰也」〈河海抄一八〉

なかへだて【中隔て】間を仕切るもの。「—の壁に穴をあけて」〈大鏡師輔〉

なかま【仲間・中間】①二人以上の者が一つの物を共用すること。「—の焼炭」〈西鶴・諸艶大鑑三〉②組になっている者たち。同類。同士。「—に子細(しさい)あれば、大仏の鐘を撞き鳴らし、これ相図に集まり」〈西鶴・二十不孝三〉③近世、商工業者の独占的な同業組合。株仲間。「新規の商売人—へ入り候へば、或は大分の礼金、或は過分の振舞ひ致させ候故」〈正宝事録明暦三・九〉 **—ごと**【仲間事】①仲間同士でする仕事。「其の里にはらから(同胞)住みて—」〈俳・四人法師〉②共同して事業をした場合、その利益配分に関する仲間同士の争いで、裁判沙汰にまでなるもの。幕府法では、当事者間で解決すべきであるとして、訴訟しても受理されなかった。「〔事業ノ〕夢は破れて又—」〈俳・四人法師〉

ながまき【長巻】長い柄(つか)を細縄などで鍔元まで巻いた太刀。長太刀。また、その太刀を持って出陣した兵士。「—は、三尺余有りし刀を鞘無しに、柄四尺余にして、歩(かち)立の士に持たせしなり」〈太閤記八〉

ながまくら【長枕】二人用の長いくくり枕。「—にし話す睦言」〈俳・花鳥千句〉。〈俳・毛吹草二〉

なかまな【中まな】未詳。一説、川のなかす。「—に浮き居る船の漕ぎて去(な)ば」〈万三四〇一東歌〉

なかみち【中道】道の中ほど。「いそのかみふるの—なかなかに見ずは恋しと思はましやは」〈古今六七九〉

なかむかし【中昔】大昔と今の中間の時期。中頃。「—、伊豆の国の或る所の地頭の、若く田猟(かり)のついでに猿をとりて」〈雑談集二〉

ながむしろ【長筵】たけの長いむしろ。「『旅の具に、むしろ・たたみ・たらひ・はんざふ貸せ』と言ひたりければ、女、—何やかや一つやりたりける」〈堤中納言よしなしごと〉

ながめ【長雨】「ながあめ」の約。平安時代以後の歌では「眺め」にかけていうことが多い。「秋萩を散らす—の降る頃は」〈万二二六二〉。「つれづれの—にまさる涙川袖のみぬれて逢ふ由もなし」〈古今六一七〉 ✝nagamë

ながめ【長海布】たけの長い海草。「—(眺メト掛ケル)かる海人(尼ト掛ケル)のすみかと見るからに」〈源氏賢木〉

なが・め【眺め】㊀『下二』《ナガ(長)メ(目)の意。「目」は見ている意》①じっと長い間見ている。「大空は恋しき人の形見かは物思ふごとに—・めらるらむ」〈古今七四三〉②ぼんやりと見遣(や)る。物思いにふけりながら見る。「起きもせず寝もせで夜を明かしては春の物とて—・め(長雨ト掛ケル)暮しつ」〈古今六一六〉。「物思ふに月見ることは絶えねども—・めてのみも明かしつるかな」〈新勅撰九六〇〉。「—・むといふ詞は、世間万物を観じたる心を含みていふ詞なり。物をただ見るとばかりに詠みては誤りなるべしと、先達示し給へるにや」〈桂林集注雑〉③見渡す。「ほととぎす鳴きつるかたを—・むればただ有明の月ぞ残れる」〈千載一六一〉 ㊁『名』①物思いにふけって、じっとひと所を見ていること。歌では多く長雨の意に掛ける。「花の色は移りにけりないたづらに我が身世にふる—せしまに」〈古今一一三〉②遠くを見渡すこと。眺望。「天の原春とも見えぬ—かな去年の名残の雪の曙。…左『天の原』とおけるより宜しく聞え侍るを、此の『—かな』といふ詞の近来見え侍る、未だ甘心せず覚え侍る。定めて僻心に侍らんかし」〈六百番歌合春上〉 **—いだ・し**【眺め出だし】『四段』内から外をじっと見やる。「端近う臥して—・し給へり」〈源氏浮舟〉 **—い・で**【眺め出で】『下二』外の物をじっと見る。「みな出で立ちけるを—・でて」〈源氏手習〉 **—い・り**【眺め入り】『四段』①物思いにふける。「『雨気なり』と人人のさわぐに、なほ—・りて居給へり」〈源氏藤裏葉〉②じっと見入る。「夕暮の空を—・りて臥し給へるところに」〈源氏夕霧〉 **—く・れ**【眺め呉れ】『下一』わざわざ眺める。よくよく眺める。「どうも言へぬ姿の花。参宮の者—・れて」〈浮・好色旅日記四〉 **—もの**【眺物・詠物】眺めて気晴らしになるもの。楽しませるもの。「一生の—ながら、女の姿過ぎたるは悪しからめ」〈西鶴・一代女三〉。〈日葡〉

なが・め【詠め】『下二』①声を長く引いて吟ずる。「真日中に声をあげて—・めけむ、まことに怖るべき事なりかし」〈今昔二七ノ二八〉②詩歌などをつくって口ずさむ。「中将かくぞ—・め給ふ。『人知れず思ひかなひて行く道になに夕霧の袖ぬらすらむ』」〈伽・しぐれ〉 **—ごと**【詠め辞】長く引いて吟ずる言葉。「弟儛はむとする時に詠(ながめごと)して曰ひしく」〈記清寧〉 ✝nagamëgötö

ながめい【長銘】刀剣に刻みつける字数の多い銘。人名にもいう。「二字銘に国吉と打つもあり。…—に打ちたるもあり」〈本朝古今銘尽〉

なかめ・り『連語』《ナシ(無)とアリとの複合ナカリと、推量の助動詞メリとの複合の音便形ナカンメリのンを表記しなかった形》無いらしい。無いようである。「さらばこの折の後見—・るを、添ひ臥しにもともよほさせ給ひければ」〈源氏桐

壺〉

ながもち【長持】衣類・調度などを入れる、蓋のある長方形の箱。「かかる晴(れは)に—を持たせずして、長櫃のかかせやうしかるべからず」〈平治上・六波羅より紀州へ〉

ながもの【長物】蛇の異称。長虫。「—とせば、蛇と聞ゆべし」〈俳・蝿打四〉

ながや【長屋】①棟(ねむ)の長い建物。細長い形の家。「橘の寺の—にわが率宿(ねゐ)し」〈万三八二三〉。「十一間の—」〈宇津保藤原君〉②一棟の中に数戸の家を作った建物。棟割長屋。「侍中家居…表向塀・—見苦しくこれ無きやうに仕り」〈長宗我部氏掟書〉 **—もん**【長屋門】武家屋敷で、周囲に塀のように長屋を建て構え、その所所に明けた門。正面に三間の扉を設ける。「出水通りの—」〈近松・薩摩歌上〉

ながやか【長やか】長いさま。「世尊の耳は厚く広く大に脩長(しゅちやう)とながやかに」〈彌勒上生経賛平安初期点〉。「〔手紙ヲ〕うちかへし見給ひつつ、あはれと—にひとりごち給ふを」〈源氏澪標〉

なかやしき【中屋敷】近世、大名や富裕な町人が上屋敷(本宅)の控えとして設けた屋敷。「江戸御—御袋様より御飛脚下され候」〈梅津政景日記寛永八・六・二三〉

なかやど【中宿】①旅の途中で宿をとること。また、その宿。なかやどり。「件(くだん)の—に、ただしばらく休む所に喜びをなして」〈孝養集中〉。「初瀬に—と云ふ事あり。小野より奈良などへ参る—也」〈竹聞〉②近世、奉公人を周旋し、その請人となるのを商売とする家。奉公人宿。人置。請人屋。「—へ人に負はれて帰りぬ」〈西鶴・一代女五〉③男女の密会宿。「世に賤しげなる六尺風情〔ノ家〕を—として深く語らふ」〈評判・難波物語〉④上方で、遊里の入口にある茶屋。「—の貸編笠の目付け紋」〈浄・暦二〉

なかやどり【中宿り】道の途中で宿をとること。また、その宿。「初瀬に詣でて侍りしかへさの—に、宇治の院といひ侍る所にまかり宿りしを」〈源氏手習〉

なかやま【中山】①山の中。「黄金(こがね)の—に、鶴と亀とはもの語り」〈梁塵秘抄三三〇〉②二地域間の交通路の境界をなす山。峠などの地名として全国に残る。「まがねふく吉備の—帯にせる細谷川の音のさやけさ」〈古今一〇八二〉。「美作と伯耆との—を越えさせ給ふとて」〈承久記下〉

なかゆ・ひイ・ユ【中結ひ】㊀『四段』動きやすくするため衣を少しひきあげて腰帯をしめる。「女の—・ひて市女笠(いちめがさ)着たる、築垣に向ひてうづくまりに居たり」〈今昔二九ノ三九〉㊁『名』衣を少しひきあげ、腰の辺りを帯で結ぶこと。また、その帯。「〔僧正ハ〕—にして高足駄をはきて、杖をつきて、ただひとり寺の許に歩みいでて」〈今昔三三ノ二〇〉

ながよ【長夜・永夜】夜明けまでの時間が長い夜。また、そう感じられる秋の長長しい夜。「秋の—を寝(い)ね臥さくのみ」〈万三三〇三〉 †nagayo

なかよど【中淀】途中ですらすら流れないこと。「小山田の苗代水(なはしろみづ)の—にして」〈万七七六〉 †nakayödö

なから【中ら・半ら】《ラは漠然と場所・方向を示す接尾語。従って、ナカラは、明確にはとらえられない途中・中頃を指すのが原義。のち、ナカバ(ちょうど半分)との区別を次第に失った》①およそ半分。「〔男ハ〕いと馴れ顔に、—は〔簾ノ〕内に入りて添ひ伏し給へり」〈源氏宿木〉。「得たりける田を—は人に作らせ、いま—は我が料に」〈古本説話五八〉②《時間的に》およそ半分の頃合。「あな面白と聞くほどに、—ばかりより〔笛ヲ〕うち添へて吹きのぼりたる」〈枕二八〉 **—じに**【半死】半死半生。「—に過ぐるほど打擲しけり」〈伽・鴉鷺物語〉 **—はんじゃく**【中ら半作】①中途半端。いいかげん。「なまはんじゃく」とも。「つはらずに割るるや—ろ(柘榴(じゃくろ))ト掛ケル〕」〈俳・反故集下〉②愚鈍なこと。また、だらしないこと。「—な。をれたる・をれをれしき」〈詞葉新雅〉

ながら『助』↓基本助詞解説

なからひナカ・ライ【仲らひ】《中ラと合ヒとの複合。ナカラの持つ、明確に言えない中頃とか中間とかいう意味をひびかせて、種種の微妙な間柄・人間関係をいうことが多い。類義語ナカは、親子・夫婦・兄弟など、社会的にはっきりときまった間柄をいう》①人人の関係や間柄。「人の—は〔他人ニ〕忍ぶることと思へど、隠れなきものなれば」〈源氏真木柱〉。「〔葵上ト六条御息所ノヨウナ〕かかる—は、なさけをかはすべきものとも思いたらぬ御おきて(心構エ)に従ひて」〈源氏葵〉②関係ある人人。一族。「上達部の筋にて、—も物きたなき人ならず」〈源氏東屋〉 ▽平安女流文学でも、源氏物語がほとんどすべての用例を持つ語。

ながら・ひナガ・ライ【流らひ】『四段』《流レに反復・継続の接尾語ヒのついた形。→ひ》つづけて流れる。「雉(きぎし)鳴く高円の辺に桜花散りて—・ふ見る人無しに」〈万一八六六〉 †nagaraFi

ながら・へナガ・ラエ【長らへ】『下二』《ナガシ(長)のナガに状態の接尾語ラのついたナガラに、動詞ヘ(経)の複合した語か。ナガラヒ(流)とは別語》①長い間経て行く。伝わる。「世の中は常なきものと語りつぎ—・へ来たれ」〈万四一六〇〉②長い間つづく。持続する。長つづきする。「沫雪かはだれに降ると見るまでに—・へ散るは何の花ぞも」〈万一四二〇〉。「—・ふべきものとしも思ひ給へざりしかど、馴れゆくままに、あはれと覚えしかば」〈源氏帚木〉③世の中を生きて渡る。生きつづける。「君に逢はむと—・へわたる」〈万三二四五〉。「今宵なむはじめて憂しと世を思ひ知りぬれば、恥づかしうて、—・ふまじくこそ思ひなりぬれ」〈源氏空蟬〉④長い間、時をすごす。「—・へし都を捨てて、かしこに沈みゐしをだに」〈源氏若菜上〉 †nagaraFë

なかりせば【無かりせば】『連語』《セは、回想の助動詞キの未然形とも、サ変動詞シ(為)の未然形ともいう》なかったならば。「ちはやぶる神の社し—春日の野辺に粟まかましを」〈万四〇四〉。「世の中に絶えて桜の—春の心はのどけからまし」〈伊勢八二〉 ▽漢文訓読体では促音便をおこしてナカッセバと訓み、それを「なかせば」と表記することが多かった。「吾が狄の士を獲たるは子が功なり。子、微(なか)せば、吾、伯氏を喪(うしな)はまし」〈群書治要五・鎌倉期点〉

なかれ【勿】『連語』《ナク(無)アレの約。漢文訓読体で使う語》動作の禁止に用いる。…するな。「供養し誦持せむこと心に捨つること—」〈金光明最勝王経平安初期点〉。「努努(ゆめゆめ)他念—」〈孝養集下〉

なが・れ【流れ】㊀『下二』《ナガシ(長)・ナゲ(投)と同根。ナガは主に平面上を、線条的に伸びて行くさま》❶液体などが線条的に移行する。①川の水が川下に移動して行く。「いはばしりたぎち—・るる泊瀬河」〈万九九一〉②こぼれてつたわる。落ちる。降る。「情(こころ)むせつつ涙し—・る」〈万四五三〉。「子松が末(うれ)ゆあわ雪—・る」〈万二三一四〉❷物が線条的に移行する。①川水に浮かんで、水とともに移行する。「柘(つみ)のさ枝の—・れ来(こ)ば」〈万三八六〉②(押し流されて)溺れる。「鰻(むなぎ)を取ると河に—・るな」〈万三八五四〉③盃が順順に人人の手を経てめぐる。「かはらけあまたたび—・れて、みな酔ひになりて」〈源氏行幸〉④流罪になる。「いかなる咎(とが)まさりけむ…人人—・るるとののしること出で来て」〈かげろふ中〉 ⑤《比喩的に》時が過ぎ去る。「—・れて早き月日なりけり」〈古今三四一〉 ❸広まり伝わる。①広がる。「春霞—・るるなへに(ト共ニ)青柳の枝くひ持ちて鶯鳴くも」〈万一八二一〉 ②伝わる。「妹が名は千代に—・れむ」〈万二二八〉 ❹効力を失う。①力が入らない。すわらない。「脛が—・れて〔長刀ガ〕使はれぬ」〈狂言記・悪坊〉 ②質物を請け出す期限が過ぎて、所有権がなくなる。「月日を限り、質に置き候所帯—・るるの時」〈塵芥集〉 ③流産する。「中宮様御誕生の王子—・れ申す由に候」〈細川忠興文書寛永七・八・二三〉 ㊁『名』①流れること。流れるさま。「山のたたずまひ、水の—」〈源氏帚木〉 ②流水。川の水。「一つ木陰に休み、同じ—を汲むだにも、…前世の契りと申したり」〈孝養集上〉 ③(盃など)経めぐること。経めぐるもの。「—の御かはらけ賜はらばや」〈宇津保蔵開上〉 ④系統。流派。「小野の小町は、古の衣通姫(そとほりひめ)の—なり」〈古今序〉。「凡そ弘法の—に広沢・小野の二つあり」〈神皇正統記宇多〉 ⑤飲み残して、盃の底にある雫。「—を残して、口のつきたる所をすすぐなり」〈徒然一五八〉 ⑥期限が来ても請け戻さないで、所有権を失った質物。「からげ置く質の—のさび刀」〈俳・寛永十三年熱田万句一八〉。「—のなまくら物を所望して」〈浮・傾城洗髪二〉 ⑦遊女。「百人の女房たち、—をのがるるさへうれしきに」〈説経・小栗〉 ⑧縦に並んでいる行(ぎょう)・列を数える語。「総じて座敷は十三—、人数三百四人」〈説経・しだの小太郎〉。「文字三—あり」〈伽・御曹子島渡〉 ⑨旗などを数える語。「まづ白旗三十—先だてて、黒坂の上にぞうっ立てたる」〈平家七・願書〉 **—くゎんぢゃう**【流れ灌頂】難産で死んだ女の霊、または一般に水死人の霊を供養する法会。卒都婆(そとば)を流水の中に立て、旗・樒(しきみ)などを添えて回向したり、その他種種の方法がある。「いかにせむ五条の橋の下むせび果は涙の—」〈七十一番歌合〉。〈壒嚢鈔一〇〉 **—だいもく**【流れ題目】①日蓮上人が佐渡に流された時、風波を鎮めるため水面に書いたという題目。後世、晴天の日には波の上にその題目が現われるという。波題目。「妙法の蓮花散り浮く池見れば心の水の—」〈吾吟我集三〉 ②下手な、力の抜けた題目の文字。「似ても似つかぬ—」〈俳・大句数上〉 ③流暢に唱える題目。「法花寺の山より出る和田川の—唱ふ鶯」〈仮・河内鑑名所記一〉 **—のさと**【流れの里】遊里。遊廓。「—も火の用心」〈近松・曾我扇八景中〉 **—のひと**【流れの人】遊女。「流れ者」とも。「ぼっとりとして、—とは見えず」〈評判・吉原新鑑〉 **—のみ**【流れの身】流れ漂う境界の者。遊女。「憂き節繁き川竹の—こそ悲しけれ」〈謡・班女〉 **—や**【流れ矢】ねらいをはずれて飛ぶ矢。どこから射たのかわからないで飛んで来る矢。「頼時遂に—に当たりて…死にぬ」〈今昔二五ノ一三〉 **—わたり**【流れ渡り】①川の流れに任せて渡ること。「水に従ひて—に渡すべし」〈盛衰記一五〉 ②世の中の成行き任せに暮すこと。また、放浪して世を渡ること。「世の中を憂しとも今は石清水—を神のまにまに」〈仮・浮世物語二〉 **—を立・つ** 流れの身すなわち遊女として世を渡る。「—・つる身の、かほどの志あるべしとは思はざりしに」〈曾我一〇〉

ながわきざし【長脇差・長脇指】①長い脇差。幕令では、一尺八寸以上の脇差をいい、町人は差すことを禁止された。大脇差。「—出来。…一尺八寸ばかり歟」〈兼見卿記天正二・九・二八〉 ②近世後期、長脇差を差して、関東地方を横行した博奕打ちの異名。通り者。「無宿・—の外、火付け・盗賊・人殺し等、すべて悪党ども村方へ立ち入り候節は」〈地方落穂集追加四〉

なかわん【中椀】親椀に次ぐ大きさの椀。汁を盛るのに用いる。「常器の—にて〔酒ヲ〕五盃」〈鹿苑日録慶長六・一・一九〉

なかゐ【中居・仲居】①宮中・殿中や公家・武家邸の奥向きにあった詰所。また、そこに詰めて奥への取次ぎなどをする者。「北の台の方に—する女童に」〈太平記三二・塩冶判官〉。「御心寄せに思しける常磐と申す—あり」〈伽・明石三郎〉。「さる高家の内に—の役する人」〈仮・御伽物語三〉 ②民間で、腰元と下女との中間に位する女中。中通り。「東にて、都の若き商人と、その宿なる—の女房に相馴れ」〈咄・醒睡笑六〉 ③遊女屋・料理茶屋などで客に応接する女中。「花車(くゎしゃ)や娘・—まで仕着せをして取らしょと」〈近松・二枚絵中〉

ながゐ【長居】ひとところに長くいること。「よし、—し侍らむも、すさまじき程なり」〈源氏藤袴〉

なかをどり【中踊】円形で踊る場合、輪の中で小人数の者が踊って導くこと。また、その踊り手。「—十余人、品品の鳴り物を鳴らし」〈三好軍記下〉

なかをり【中折】①中ほどで二つに折ること。「紙を—に折りて」〈金沢文庫古文書九、書札式〉 ②鼻紙用などの粗末な半紙。「公事紙の事、…—を八十枚御免候て」〈東寺百合文書サ、応仁三・一・一三〉

なかんづく【就中】『副』《ナカニツクの転。漢文訓読系で使う。特別の事情や条件を説明するときに用いる語》特に。とりわけて。「—に伊勢の国は…弱き者の持(も)たる物をば憚らず奪(ば)ひ取りて」〈今昔二九ノ三六〉。「—天下の乱をしづめ給はむずる人の身にて」〈保元上・新院為義を召さる〉。「就中、ナカンヅク」〈文明本節用集〉

な・き『四段』《ナはネ(音)の古形》①【泣き】人間が声を立てて涙を流す。「わが—・く涙いまだ干(ひ)なくに」〈万七九八〉 ②【鳴き】鳥・獣・虫などが、声を立てる。「春されば木ぬれがくりて鶯ぞ—・きて去ぬなる梅が下枝に」〈万八二七〉。「かはづ—・く清き川原を」〈万一一〇六〉 †naki **—の涙** 泣き悲しんで涙にくれること。「残りたる鼠ども、—になりて逃げ帰る」〈伽・かくれ里〉 **泣く子も目を見よ** どんなに思慮が無くても、周囲の情勢を見て振舞え、という意。泣く子も目を明け。〈俳・世話尽三〉

なぎ【梛・南木・竹柏】マキ科の常緑喬木。熊野地方に多く、神木とされた。葉は竹の葉に似、災難よけになるという俗信があり、熊野道者はこれを売って廻った。「御熊野にたのみをかくる諸人の、かざしにさしたる—の葉を」〈平治上・六波羅より紀州へ〉。「梛、ナギ、熊野の神木」〈天正十八年本節用集〉

なぎ【水葱】ミズアオイの古名。一年生の水草。夏から秋にかけて、紫色の花が咲く。庭などに栽培し、若葉・若芽を食用にする。「我にな見せそ—のあつもの」〈万三八二九〉。「水葱、奈木(なぎ)」〈和名抄〉 †nagi

な・ぎ【薙ぎ】『四段』横ざまに払って切る。「多くの官兵、馬の足—・がれて討たれにけり」〈平家五・奈良炎上〉 ▽この語は古事記神代に「草那藝(くさなぎ)の大刀」として見える。

な・ぎ【凪ぎ・和ぎ】㊀『上二』《ナゴヤカ(和)のナゴと同根》①波風がおだやかになる。「海つ路の—・ぎなむ時も渡らなむ」〈万一七八一〉。「雲もなく—・ぎたる朝の我なれやいとはれてのみ世をば経ぬらん」〈古今七五三〉。「—・ぎたりとは、海・空などの浪立たず騒がぬを云ふ」〈能因歌枕〉 ②(心の)動揺が静まる。「ここだくも繁き恋かも—・ぐる日も無く」〈万四〇一九〉 †nagi ㊁『四段』波がおだやかになる。「ひびきの

な

灘の―・ぐをこそ待て」〈実方集〉 三『名』凪ぐこと。「朝―」〈万三三四三〉。「風(ハ)沖西。然(しかも)―なり。故を以て出船せず」〈策彦和尚初渡集下ノ下〉。「无波、ナギ」〈文明本節用集〉 †nagi

なきい・り【泣き入り】『四段』泣きに泣く。「とばかり―・りて」〈宇津保俊蔭〉

なきかげ【亡き陰・亡き影】①死後。「生きたまひての御宿世(すくせ)は、いとけだかくおはせし人の、げに―にいみじきことをや疑はれたまはむ」〈源氏蜻蛉〉②亡き人のおもかげ。また、亡き人。「―やいかが見るらむよそへつつながむる月も雲がくれぬる」〈源氏須磨〉

なきがしろ【蔑】《「無きが代」の意》⇒ないがしろ。「この御方をば―にふるまふが本意なく思しめさるるに」〈問はず語り三〉

なぎがま【薙鎌】物を薙ぎ切る鎌。また、草刈り鎌の形をした武器。ないがま。「郎等・下部まで熊手―持ちて」〈盛衰記三六〉

なきがら【亡骸・屍】魂のぬけがら。死骸。「今ひとたび、かの―を見ざらむが」〈源氏夕顔〉

なきこと【無き事】身に覚えのない事。無実。「―をいはれの池のうきぬなは苦しき物は世にこそありけれ」〈拾遺七〇二〉

なぎさ【渚】波うちぎわ。「玉敷ける清き―を潮満てば飽かずわれ行く帰るさに見む」〈万三七〇六〉 †nagisa

なきしみづ・き【泣き染みづき】『四段』泣き濡れる。「蟬も来て―・くや髫髪(うない)松」〈俳・山の井五〉

なきな【無き名】《ナ(名)はうわさ・評判の意》ほんとうは何もないのに立つ評判。事実無根のうわさ。「風吹かぬ浦に波立つ―をも我は負へるか逢ふとはなしに」〈万二七三六〉 †nakina

なぎなた【長刀・薙刀】《「薙ぎ鎌(なた)」の意》①長柄の先に、幅広の長くそった刃をつけた武器。平安時代末期から室町時代にかけて、接近戦に有効な武器としてさかんに用いられたが、のち槍(やり)がこれにとって代り、江戸時代には僧と女子の武器となった。「―を取り直して前に立ってぞ走りける」〈保元中・白河殿へ義朝夜討ち〉②「長刀あひしらひ」の略。「高の知れたる客故に大―にして置いて」〈浮・野白内証鑑四〉③履き古して、長刀形にゆがんだ草履。長刀草履。「皮草履の―になった如く、行方知れず」〈浮・好色小柴垣四〉 **―あひしらひ**(アイシライ)【長刀あひしらひ】長刀で相手を扱うように、受けつ流しつ程よく相手に応対すること。「長刀あしらひ」とも。「〔客ニ対シテハ〕せめて―になるとも〔留守居ヲ〕仕れ」〈天理本狂言六義・長刀会釈〉

なぎは【薙歯】雁股(かりまた)のやじりの、内側の刃のついている部分。「上矢のかぶらは……―一寸、手六寸、わたり六寸の大雁股ねぢすゑたり」〈保元上・新院御所〉

なきふる・し【鳴き古し】『四段』しばしば鳴いて耳新しくなくする。長いこと鳴く。「去年(こぞ)の夏―・してしほととぎすそれかあらぬか声の変らぬ」〈古今一五九〉

なきみ・ち【泣き満ち】『四段』満座の者が泣く。みな泣く。「宮の内、ゆすりてゆゆしう―・ちたり」〈源氏賢木〉

なきめ【泣女・哭女】葬式のときの泣き役をする女。「雉(きぎし)を―とし」〈記神代〉 †nakime

なきよ【無き世】死後。「あやしきありさまをもし給はば、―なりとも必ず恨みきこえんずるぞ」〈大鏡道隆〉 **―がたり**【無き世語り】死んだあとで世の語りぐさになること。死後の評判。「かりそめに現はれ出でたる実盛が名をもらし給ふなよ、―も恥づかし」〈謡・実盛〉

なぎ・れ『下二』《ナグレの転》横にそれる。「風雲やいづこ―・れて船の月」〈俳・流川集〉

なきわ【泣輪・鳴輪】樽・桶の一番下部に締める竹のたが。締めるのに職人が苦労するのでいう。「鶯の―を入るる籠桶哉」〈俳・伊勢俳諧新発句帳一〉

なく《打消の助動詞ズのク語法》…しないこと。「山吹の立ちよそひたる山清水汲みに行かめど道の知ら―」〈万一五八〉

なぐさ【慰】《ナグはナギ(凪)やナゴヤカ(和)のナゴと同根。サは漠然とした方向・場所・場合を示す接尾語》心の波立ちを静め、おだやかにする意。心の波立ちを静めるに役立つかもしれないもの。気休めのもの。「空言(むなごと)〔トシテ〕も逢はむと聞こせ恋の―に」〈万三〇六三〉

なぐさ・み【慰み】一『四段』《ナグサの動詞形。はじめ他動詞。平安時代に入ってから自動詞の用法が現われた。奈良時代には、自動詞的な意味ではナグサモリがあり、下二段活用のナグサメは、むしろ受身的な慰められる意に使われていた》①心の波立ちを静める。「隠りのみ居ればいぶせみ―・むと出で立ち聞けば来鳴くひぐらし」〈万一四七九〉。「かの御祖母(おば)北の方―・む方なく思し沈みて」〈源氏桐壺〉②気をまぎらす。心を楽します。「つれづれ―・むもの。碁、すぐろく、物語」〈枕一四〇〉。「人に本意(ほい)なく思はせて我が心を―・まん事、徳にそむけり」〈徒然一三〇〉③気持が静かになる。気がまぎれる。「やうやうおそろしさも―・みて」〈源氏総角〉。「見る程ぞしばし―・むめぐり会はむ月の都ははるかなれども」〈源氏須磨〉④もてあそぶ。なぐさみものにする。「此の年寄を―・んで、今逃げることは御座らぬ」〈滑・膝栗毛三上〉 二『名』①心の静まること。「おもだたしく今めかしき事どもの多かれば、すこし―もやし給ふらむ」〈源氏宿木〉②楽しみ。あそび。「紙漉(かみすき)〔ノ男〕はさして志はなかりけれども、―がてらにまじはりて」〈宝物集中〉③からかうもの。なぶりもの。「さてもさても良い―で御座る」〈狂言記・丼礑〉 †nagusami **―ごと**【慰み事】博奕。手慰み。「子曰く三人寄れば―」〈俳・西鶴五百韻〉 **―もの**【慰み者・慰み物】人が慰みの対象としてもてあそぶ者。遊女をいう場合が多い。「此所の―はと尋ねければ」〈西鶴・一代男三〉

なぐさ・め【慰め】一『下二』《奈良時代にはナグサミの受身形。なぐさめられる意。平安時代に入って、ナグサミに自動詞としての用法が広まるにつれ、ナグサメは他動詞としての意味に専ら使われた》①気持の波立ちがやわらげられる。「家にありて母が取り見ば(看病シタラ)―・むる心はあらまし死なば死ぬとも」〈万八八九〉②気持をやわらげる。なだめる。自分の気持にも、他人の気持にもいう。「〔女ハ〕―・めがたく憂しとおもへれば」〈源氏帚木〉③(心配や苦痛を)まぎらわす。「鳥羽法皇御灸治の時、あつさ―・めさせおはさむとて」〈古事談五〉④(疲れを)いたわる。慰労する。「京へ寄りて四五日も―・め」〈西鶴・五人女三〉 二『名』なぐさめること。また、胸の思いをしずめやわらげるもの。「ほのかなる御声を―にて」〈源氏桐壺〉。「涙やは又も逢ふべきつまならむ泣くよりほかの―ぞなき」〈後拾遺七四二〉 †nagusamë **―ぐさ**【慰め種】心をなぐさめる材料。「朝夕の―にて見すぐしつべし」〈源氏東屋〉 **―わ・び**【慰め侘び】『上二』うまくなぐさめることができず、気力を失う。「たけき事とは(セイゼイ出来ルコトトシテハ)ただ涙に沈めり。母君も―・びて」〈源氏明石〉

なぐさも・り【慰もり】『四段』《奈良時代、ナグサミの自動詞形》おのずからなぐさめになる。「わが恋ふる千重の一重も―・る情(こころ)もありやと」〈万五〇九〉

なぐ・し【和し】『形シク』《ナゴシの母音交替形》おだやかである。「船木の里の奈具(なぐ)の村に至りて、即ち村人等に言ひて云はく、此処にして我が心ー・しくなりぬといひて、古事に平善をば奈具志(なぐし)と云へり」〈丹後風土記逸文〉

なくなく【泣く泣く】『副』泣きながら。「相坂の木綿付鳥(ゆふつけどり)にあらばこそ君が行き来をーも見め」〈古今七四〇〉

なくな・し【無くなし・亡くなし】『四段』①存在しないようにする。「いかでこの大将をー・してばや(失脚サセタイ)」〈栄花花山〉。「昔の五戒の功徳を行末ー・し果てん悲しさよ」〈撰集抄七ノ一五〉 ②死なせる。亡くす。「人をー・して限りなく恋ひて」〈後撰一四二二詞書〉

なくな・り【無くなり・亡くなり】『四段』①そこに存在しなくなる。無いようになる。「弓矢を取り立てんとすれども、手に力もー・りて萎(な)えかかりたり」〈竹取〉 ②死ぬ。亡くなる。「父の大納言はー・りて、母北の方なんいにしへの人のよしあるにて」〈源氏桐壺〉

なくに『連語』《打消の助動詞ズのク語法ナクと助詞ニとの複合》…でないのに。「明日香川川淀(かはよど)去らず立つ霧の思ひ過ぐべき恋にあらー」〈万三二五〉。「花だにもまだ咲かーうぐひすの鳴く一声を春と思はむ」〈後撰三六〉

なぐは・し【名細し】『形シク』名の美しい。「ー・し吉野の山は」〈万五二〉 →くはし

なぐひ 未詳。なごり、余波か。一説に、「ならび」「なたぐひ」の誤りとも。「昔、しばしありし所のーにぞあなる」〈土佐一月二十九日〉

なぐ・り【殴り】『四段』横ざまに打つ。「持ちたる太刀と草摺(くさずり)にて、近座の人人の頸のまはり・側顔(そばかほ)打ちー・り、さし越えさし越え、向ひ座にゐたる義盛の下の畳に直りけり」〈曾我六〉

なぐるさ【投ぐる箭】《サは矢》投げる矢。遠ざかるたとえにいう。「鮎を取らむとーの遠離り居て」〈万三三〇〉

なぐ・れ ㊀『下二』①横へそれる。逸脱する。「四五寸の間あてがひて矢を放さば、鹿(しし)ー・るとも外れまじきなり」〈就弓馬儀大概聞書〉 ②横にくずれる。「塩物に酔ひても膝のー・れけり」〈俳・若葉合〉 ③売れ残る。「売り粽(ちまき)笹の一夜をー・れけり」〈俳・空林風葉上〉 ㊁『名』①横にそれること。「なぎれ」とも。「矢田の野や浦のーに鳴く千鳥」〈俳・猿蓑上〉 ②売れ残ること。「ーの秋に気の腐る祖父」〈俳・当流籠抜〉

な・け【泣け・鳴け】『下二』《ナキ(泣)の他動詞形》泣かせる。「しまらくは寝つつもあらむを夢(いめ)のみにもとな見えつつ吾(あ)をねしー・くる」〈万三四七一〉 ▽主として「吾をねし泣くる」という慣用句に使われる。 †nakë

なけ【無け】形容詞「無し」の古い未然形・已然形。「わが背子は物な思ほし事しあらば火にも水にもわれーなくに」〈万五〇六〉。「うらもなく去にし君ゆゑ朝な朝なもとなそ(無性ニ)恋ふる逢ふとはーど」〈万三一八〇〉 †nake

な・げ【投げ】『下二』《ナガ(長)を活用させた語。ナガレ(流)と同根》①手元から物を遠くへほうる。「礫(たぶて)にもー・げこしつべき天の河」〈万一五二二〉 ②(命や宝を)ほうりすてる。「同じくは君とならびの池にこそ身をー・げつとも人に聞かせめ」〈後撰八五六〉。「金(こがね)は山に捨て、玉は淵にー・ぐべし」〈徒然三八〉 ③手紙を送る。「文章を送るをー・ぐるとかや云ふ」〈俳・類船集三〉 †nagë

なげい・で【投げ出で】『下二』投げ出す。「東絹(あづまぎぬ)どもをおしまろがしてー・でつ」〈源氏東屋〉

なげい・れ【投げ入れ】㊀『下二』投げ込む。「燈台の火に焼き、水にー・れさせなど、やうやう失ふ」〈源氏浮舟〉 ㊁『名』花道で、花の生け方の一形式。人工を加えず、無技巧に插して自然の風姿を表わすもの。投込み。「ーと云ふは、船(花生ケ)などに生けたる花のことなり」〈仙伝抄〉

なげう・ち【投げ打ち・擲ち・抛ち】『四段』①物を投げつけて打つ。「聖、腹立て、枕をもてー・ちに打ち給へば」〈法然上人行状絵図〉 ②惜しげもなく投げ出す。「金銀珠玉をー・って、是(伊吹山ノ大明神)を祈念し」〈伽・酒呑童子〉

なげかく【嘆かく】《嘆キのク語法》嘆くこと。「思ふそら安くあらねばーを止めもかねて」〈万四〇〇八〉 †nagëkaku

なげか・け【投げ掛け】『下二』①投げつける。「手礫(たぶて)を雨の降るやうに車にー・けてあらがへば」〈落窪二〉 ②投げて打ち掛けるようにして着せる。「静(しづか)〔ハ〕きせなが(鎧)取ってー・け奉る」〈平家一二・土佐房〉

なげか・し【嘆かし】『形シク』なげかわしい。「俄かにはしたなかるべきがー・しきなめり」〈源氏宿木〉

なげがね【投銀・投金】①⇒たう(唐)へなげがね。「ーを船に積みての唐渡り」〈俳・俳諧万句四〉 ②《転じて》投機的投資。「『これは何になる小判』と申す。『揚屋へー』と仰せられしに」〈西鶴・好色盛衰記二〉

なげか・ひ【嘆かひ】《嘆キに反復・継続の接尾語ヒのついた形。→ひ》嘆きをくりかえす。幾度も嘆息する。「隠(こも)り居て思ひー・ひ」〈万三九六九〉 †nagëkaFi

なげ・き【歎き・嘆き】㊀『四段』《ナガ(長)イキ(息)の約。息は生キと同根》①(感にたえず)長い息をする。ため息をつく。「君が行く海辺の宿に霧立たば我(あ)が立ちー・く息と知りませ」〈万三五八〇〉。「喉、出二気息一心也、奈介久(なげく)」〈新撰字鏡〉 ②悲しみを態度や言葉にあらわす。「誰やし人も上に出てー・く」〈紀歌謡九七〉。「心憂のわざや。いかにしつることぞとー・けば」〈源氏東屋〉 ③嘆願する。愁訴する。また、切望する。「死罪に行なはるべかりしを、故池殿のあながちにー・きのたまひし間、流罪に申しなだめたり」〈平家五・大庭早馬〉 ㊁『名』①ため息。「我が嘆く八尺(やさか)のー」〈万三二七六〉 ②なげくこと。悲嘆。「ーもいまだ過ぎぬに憶(おもひ)もいまだ尽きねば」〈万一九九〉 ③悲しむべき事。人の死など。「我が家近きあたりにーのあらん時は」〈真宗教要鈔下〉 ④実情を打ち明けて強く訴えること。嘆願。愁訴。「御身に誤り無き通りを御ー有るべきため」〈謡・舟弁慶〉 †nagëki **ーぐさ【嘆き種】**なげきのたね。「位をえ譲りきこえぬことをなむ朝夕の御ーなりける」〈源氏藤裏葉〉

なげぐし【投櫛】夫が妻から逃げる際に櫛を投げること。日本神話ではイザナキがイザナミのもとから逃げる際に、カヅラや桃とともに櫛を投げた。後世、夫婦別れを意味するとして嫌われた。「今、世の人、夜一片之火(ひとつひともすこと)を忌む。また、夜ーを忌む。此れその縁(ことのもと)なり」〈紀神代上〉 †nagëgusi

なげくび【投首】投げ出すように首を前に傾けること。思案にくれたさまにいう。「長長しくも鶴のー」〈俳・鷹筑波五〉

なげさかづき【投盃】酒席で盃を無造作に差すこと。「ーを戴きては」〈仮・よだれかけ六〉

なげざや【投鞘】槍の鞘の一種。毛皮製で、末端を長く折りたらしたもの。「長柄鑓(やり)は柄を金に仕るべく候。毛ーは無用に候」〈豊臣太閤御事書〉

なげざん【投算】算木(のちには銭も)を投げ、その表裏によって吉凶を占うこと。「これは天狗のーと申して、余の者の存ぜぬ算でござる」〈虎明本狂言・居杭〉

なげし【長押】①寝殿造で、母屋(もや)・廂(ひさし)・簀子(すのこ)

の間仕切りとして柱から柱へ横に渡した材木。上部のが上長押、下部のが下長押。「大方のけはひわづらはしけれど、御簾ばかりはひき着てーにおしかかりて居給へり」〈源氏賢木〉 ②書院造や一般の家屋で、鴨居などの上を覆った装飾的な横材。「柱物の釘はーより五寸下なり。…書院又小座敷のもの也」〈仙伝抄〉

なげしまだ【投島田】島田の根を低く髷(まげ)を後ろへそらして結った、傾城好みの派手な髪風。「いやしからぬ女の、髪はーに結うて」〈西鶴・諸艶大鑑三〉

なげたいまつ【投松明】焼討ちにするために敵陣などに投げこむたいまつ。「ーのさきに火を付けて、橋の上に薪をつめるが如くに投げ集めて」〈太平記七・千剣破城軍〉

なげづきん【投頭巾】先をうしろへ折ってかぶる角頭巾。「日頃馴れにしー」〈伽・ゑんがく〉

なけなくに【無けなくに】『連語』《ナケは形容詞ナシ(無)の古い未然形。ナクは打消の助動詞ズのク語法。二重否定で肯定の意を表わす》ないことはないのに。あるのに。「吾が背子(せこ)は物な思ほし事しあらば火にも水にも我ー」〈万五〇六〉 †nakenakuni

なげの【無げの】『連語』《ゲはウレシゲ・サビシゲなどのゲに同じ》①あるかなきかのさまの。「たつた山ー紅葉もあるものを無き名をさへも流しつるかな」〈古今六帖五〉 ②特にとり立てて言うほどのこともないような。かりそめの。また、何気ないさまの。「ーことばなれど、せちに心に深く入らねど」〈枕二六九〉。「ー筆づかひにつけたる言の葉、あやしくらうたげに、めとまるべきふし加へなどして」〈源氏夕顔〉 **ーあはれ**アワレ【無げのあはれ】通りいっぺんのなさけ。真実のこもらぬ同情。「横さまの人の(他人ガ)ーをもかけ」〈源氏若菜上〉 **ーすさび**【無げのすさび】ほんの慰みごと。「なげの御すさびにても、おしなべたる世の常の人をば、目とどめ耳たて給はず」〈源氏蓬生〉 **ーなさけ**【無げの情】真心からではない、かりそめの愛情。「さはとだにーに言へかしな有りのすさみのこととやは見る」〈新中将家歌合〉。「偽りを何時かまことと思はまし／ーか文の一筆」〈看聞御記紙背連歌〉。「ーとは、そとの情の事」〈宗祇袖下〉

なげぶし【投節】近世前期の流行小歌。京島原大坂屋抱えの河内が始めたという。七七七五形で、終りを「やん」と投げて唄う、淋しい歌詞で幽婉な曲風。「君を思へば歌ふー」〈俳・二葉集〉

なげや【投矢】手で投げ放つ矢。「君が佩(お)ばしーし思ほゆ」〈万三三四五〉 †nagëya

なげやり【投遣り】物事をいい加減にして、うっちゃっておくこと。「やりばなし」とも。「万事大略にして置けなんどと云ひてーなるものぞ」〈古活字本論語抄六〉。「等閑とはーさまな事ぞ。なにとも思はざるやうな意ぞ」〈三体詩抄一ノ一〉

など「なんご」の転。「ー呼ぶに六百貫や負けぬらん」〈俳・守武千句〉。〈名語記四〉

なごし【夏越・名越】「夏越の祓(はらへ)」の略。「けふよりはーの月になりぬとて荒ぶる神にもの馴るな人」〈曾丹集〉 **ーのはらへ**ノハラエ【夏越の祓】六月の晦日(みそか)に民間や朝廷で行なった大祓(おほはらへ)の行事。菅や茅で作った輪をくぐったり、人形(ひとかた)を作って身体をなで、それを川へ流したりして、浄めた。「六月のーする人は千年の命延ぶとこそ聞け」〈皇太神宮年中行事〉

なご・し【和し】『形ク』《ナグシの母音交替形》①おだやかである。「〔海上ガ吹キ荒レテ〕かた時にさばかりー・かりつる海とも見えずかし」〈枕三〇六〉 ②ものやわらかな感じである。「高麗(こま)の紙のはだこまかにー・うなつかしきが」〈源氏梅枝〉。「猫のいとー・う鳴いたるを」〈更級〉

なごは・しナゴワシ【和はし】『形シク』「なごし」に同じ。「葦の若葉のー・しみ、風も音せで寄る波の」〈謡・梅〉

なご・み【和み】『四段』なごやかになる。やわらぐ。「こしらへ聞えなぐさめ給へば…おのづからー・みつつ物し給ふを」〈源氏夕霧〉

なご・め【和め】『下二』なごやかにする。やわらげなだめる。「水無月(みなつき)のつごもりの日は〔荒ブル神ヲ〕祓へー・むるなり」〈俊頼髄脳〉

なごや【和や】《ヤは接尾語。ニコヤ・タワヤメのヤに同じ》やわらかであること。「むしぶすまーが下に臥せれども妹とし寝ねば肌し寒しも」〈万五二四〉 †nagoya

なごや【名古屋】 **ーうち**【名古屋打】①中世末から近世初期に用いられた帯の織り方。糸を真田(さなだ)紐のように丸打または平打・袋打に織ったもの。「名古屋織」とも。もと肥前国名護屋で産したからいう。「ーの帯」〈西鶴・一代女五〉 ②近世後期、金または銀製の琴柱(ことぢ)形の簪(かんざし)。「ーの銀簪」〈滑・四十八癖三〉 **ーおび**【名古屋帯】名古屋打の紐の両端に総を付けた帯。「紫と浅黄と打交ぜのー」〈西鶴・三所世帯中〉

なごやか【和やか】《ナゴはナゴシ(和)・ナギ(凪)と同根。波立たず、おだやかなさま》①(体つき・身のこなしが)しなやかで、なよなよとしたさま。「女衆は…窕(なご)やかなる形を現はすと雖も」〈東大寺諷誦文稿〉。「『よそにても〔私ヲ〕思ひだにおこせ給はば、袖の氷も解けなむかし』などーに言ひ居給へり」〈源氏真木柱〉。「逶迤、ナゴヤカナリ」(「逶迤」は、長くうねってななめに行くさま)〈色葉字類抄〉 ②波立たず、静まっているさま。「昔の山里よりは、水の音もーなり」〈源氏手習〉 †nagoyaka

なごり【余波・名残】㊀『名』《ナミ(波)ノコリ(残)の約という。波のひいたのち、なおも残るもの。さらに、あることの過ぎ去ったのちまでも尾を引く物事や感情の意》❶①潮のひいたのちに、なお残された水や藻。波のひいたあと。「難波潟潮干のーよく見てむ」〈万九七六〉 ②風が静まってのちも、なおしばらくは立っている波。余波。なごろ。「風しも吹けばーしも立てれば」〈催馬楽紀の国〉 ③余震。ゆりかえし。「かくおびたたしくふる(震動スル)事は、しばしにて止みにしかども、そのーしばしは絶えず」〈方丈記〉 ❷①物事の過ぎ去ったのち、なおその気配の残っていること。余韻。「夕されば君来まさむと待ちし夜のーそ今も寝(い)ねかてにする」〈万二五八八〉。「をかしかりつる人のー恋しく、ひとりゑみしつつ臥したまへり」〈源氏若紫〉 ②故人を偲ぶよすが。形見。「昔の御ーにおぼしなずらへて、け遠からずもてなさせ給はば」〈源氏澪標〉 ③忘れ形見。子孫。「后の御末〔ハ〕今まで帝(みかど)におはしますめり。尚侍(ないしのかみ)・六の女御などきこえし〔方ハ〕御ーも見えきこえたまはぬに」〈栄花様様悦〉 ④心残りな別れぎわ。「長月のーを惜しといひひて何時か我が身の秋に別れむ」〈続後撰一〇八一〉。「〔能楽デ〕急と申すは…その日のーなれば、限り(最終)の風なり」〈花鏡〉 ⑤別れたのちに心の残ること。なごり惜しさ。「いつまでもーはさらに尽きすまじ」〈謡・蝉丸〉 ⑥連歌・俳諧で、最後の懐紙。「名残の折」とも。その表裏を、それぞれ「名残の表」「名残の裏」という。「月は一面(おもて)に一つづつ、已上八つ也。ーの裏には無くてもありても苦しからず」〈梅薫抄〉。「うちけぶる香はーの懐紙にて」〈俳・時勢粧四下〉 ㊁【なご・り】『四段』《名詞ナゴリを活用させた語》なごり惜しく思う。「秋風をー・るか待乳山涼み」〈俳・虚栗下〉 †nagöri **ーのしも**【名残の霜】八十八夜に降る霜。春の最後の降霜なのでいう。忘れ霜。「摘まぬ葉もーに白茶哉」〈俳・鷹筑波二〉　**ーのつき**【名残の月】残月(ざんげつ)。ありあけの月。「ーの西の海、潮の蛭子(ひるこ)の浦遠し」〈謡・雲林院〉

なごろ【余波】《ナゴリの転》風が静まってのちも、なおしばらくは立っている波。「あなし吹く浦のーは高けれど月はのどかに澄みわたりけり」〈殿上蔵人歌合〉。「波、ナゴロ」〈名義抄〉

なざうナゾウ【菜候】《ザウはサフラフの略》室町時代以後近世初期、菜を行商する呼び声。また、その商人。「市女・商人さりあへず、ー、芋候、茄子候、白瓜候と声声に」〈宗長手記上〉

なさか 悪い噂。汚名。悪評。「ー立つ雲井の雁の音に鳴きて」〈俳・若狐上〉

なさけ【情】《他人に見えるように心づかいをするかたち、また、他人から見える、思いやりある様子の意が原義。従って、表面的で嘘を含む場合もあり、血縁の人の間には使わない。ナサはナシ(作為する)と同根、ケは見た目・様子の意の接尾語ケに同じであろう。ただし、漢文訓読体では「情」(真情・内情)にナサケの訓をあてたので、平安女流文学系の用法と相違がある》①(うわべの)心づかいの様子。「男は、さしもおぼさぬ事をだに、ーのためにはよく言ひつづけ給ふべかめれば」〈源氏賢木〉。「はかなきことのーもさらに作らず」〈源氏澪標〉②見た目の風情。「枝もーなげなめる花をとて取らせたれば」〈源氏夕顔〉。「立石どもも皆まろび失せたるを、ーありてしなさばをかしかりぬべき所かな」〈源氏松風〉③好意。「少しーある気色見せば、それにつけて人のとがめ出づることもこそとのみ〔女ハ〕ひとへに思ししのびつつ」〈源氏須磨〉④思いやり。いたわり。「〔桐壺更衣ノ〕人柄のあはれにーありし御心を、上の女房なども恋ひしのびあへり」〈源氏桐壺〉。「〔殺サズ〕ゆるし奉り給はば、仏法については慈悲なり。世俗につけてはーなり」〈保元中・左府御最後〉⑤情趣。「物のー知らぬ山がつも花のかげにはなほやすらはまほしきにや」〈源氏夕顔〉⑥物や人の微妙な風情を感じる心。「ーある人にて、瓶に花をさせり」〈伊勢一〇一〉⑦《漢語「情」の訓として》真情。感情。情愛。「人木石にあらざれば皆ーあり」〈白氏文集四・天永点〉。「或る殿上人の形吉く、心にー有りけるを〔娘ニ〕さり気なくて合はせてけり」〈今昔一六ノ三三〉⑧男女の情愛。「〔若イ時ハ〕このむ所、日日に定まらず、色にふけりーにめで」〈徒然一七二〉⑨義理。「ーの兄の次信が行方を尋ね出づるにぞ、心も乱れ」〈浄・津戸三郎三〉　**ーが・り**【情がり】『四段』好意を示す。「昔より好き心ありて、少し〔女ニ対シ〕ー・りける」〈源氏関屋〉　**ーしり**【情知り】人情、特に恋情を解する人。「恋知り、わけ知り、ー」〈仮・名女情比五〉　**ーだ・ち**【情立ち】『四段』①目に立つように心づかいを示す。好意を示す。「〔男ニ対シテ〕あまりー・たむもうるさし」〈源氏椎本〉。「ー・ち給ふ若人は〔妻ガキマッタト聞イテ〕恨めしと思ふもありけり」〈源氏藤裏葉〉②情趣がある。「古の人は誠にかしこき方やすぐれたる事も多かりけむ。ー・つ筋は此の頃の人にえしもまさらざりけむ」〈源氏初音〉　**ーづく・り**【情作り】『四段』心づかいしている恰好をする。「ー・れど、うはべこそあれ、つらきこと多かり」〈源氏関屋〉　**ーな・し**【情無し】『形ク』①情愛がない。思いやりがない。「せちに宣ふを聞きすぐしてやみなばー・きやうにもあり、人の御恥にもあり」〈宇津保忠乞〉②風情がない。情趣がない。興ざめである。「白き単衣(ひとへ)の、いとー・くあざやぎたるに」〈源氏手習〉。「この頃の人は、うたてー・きまで着重ねても」〈栄花輝く藤壺〉③むごい。冷酷だ。「丞相(しようじやう)大臣の墳墓(ふんむ)を忽ちうがって、死骸を実検せらるること、いたはしくー・くぞ聞えし」〈保元下・左大臣殿の御死骸〉④なげかわしい。残念だ。「腹立ちて俄かにも死し別れん事ほいなくー・し」〈雑談集四〉　**ーのみち**【情の道】人情の道。また、恋の道。「色に添ふーに誘はるる、老な厭ひそ花心」〈謡・小塩〉　**ーのやま**【情の山】多くの人の恋心をたとえていう語。「都にーを動かし」〈西鶴・五人女三〉　**ーは人の為ならず** 人のために善行を施しておけば、めぐりめぐって自分によいむくいが来る。「〔泰時ハ〕かかりし人にて、子孫いよいよ繁昌せり。ー」〈沙石集三ノ二〉　**ー・び**【情び】『上二』①情趣あるらしくふるまう。風情あるようにする。「おほやけがたは、やうやう大人ぶめれど、かうやうにー・びたるかたは、もとよりしまぬにやあらむ」〈源氏若菜下〉②情深い態度をとる。親切にふるまう。「さてもさてもありがたき御よしみにぞものし給へ。…かうー・びおはしましけるを、うばに語りて喜ばせ侍らん」〈伽・福富長者物語〉　**ーびと**【情人】①「情知り」に同じ。「菊井松三郎とて隠れなきー」〈西鶴・男色大鑑四〉②色を売る人。「此所に名高きー」〈浮・三代男三〉　**ーやど**【情宿】男女密会の中宿。「雪の夜のー」〈西鶴・五人女四〉　**ーら・し**【情らし】『形シク』情があるようだ。情深そうだ。「ー・しく言ひけるに」〈伽・おようの尼〉

なさぬなか【生さぬ仲】《ナシは生む意》継(まま)親と継子との間柄。「今も昔も、ーの習ひにて、此の継娘を、あながちに憎みけり」〈北野聖廟縁起〉

なさ・れ【為され】『下二』《動詞の連用形をうけて、他人の行為に敬意を表わす》…あそばす。「疾(と)く疾く御帰りー・れ候へ」〈伽・竹生島本地〉。「伯楽(はくらう)の真似をしー・れて」〈雑兵物語下〉

なし【梨】バラ科の落葉喬木の一。実は食用。「ー棗(なつめ)黍(きみ)に粟つぎ」〈万三八三四〉。「ー・柑子(かうじ)やうのものども」〈源氏若菜上〉→ありのみ

な・し【生し・成し・為し】『四段』《ナリ(生・成)の他動詞形》❶【生し・為し】以前には存在しなかったものを、積極的な働きかけによって存在させる。①作り出す。創造する。「皇(おほきみ)は神にしませば真木の立つ荒山中に海をー・すかも」〈万二四一〉②子をつくる。産む。「おのがー・さぬ子なれば心にも従はずなむある」〈竹取〉③意志によって行為をおこす。「霊怪多しと雖(い)ども物害を為(な)さず」〈大唐西域記四・長寛点〉❷【成し・済し】すでに存在しているものに働きかけ、別なものに変化させる。①(別個のものに)変える。「大君は神にし坐(ま)せば水鳥のすだく水沼(みぬま)を都とー・しつ」〈万四二六一〉②(すでにあるものを他のものに)代えて用いる。「沖つ藻を枕にー・し」〈万三三三六〉。「孔雀の羽を以て幢旗に作(な)して」〈金光明最勝王経平安初期点〉③(ものごとをある過程をふんで)出来上がらせる。成就させる。「身を投げ死にたるものならば、その道ー・し給へ」〈大和一六八〉④役・位などに任ずる。「太政大臣にはおぼろけの(イイカゲンナ)人はー・すべからず」〈大鏡後一条〉⑤課せられた仕事を完全に果す。「たとひ百千人をして、時(とき)三月を経とも、また終ふる事あたはじ。況や我一身のみして、しかも堪へて済(な)し弁(はた)さむや」〈金光明最勝王経平安初期点〉⑥借金などを返済し終る。「かの銭(ぜに)を今年の十二月を過ぎ候までにー・し参らせ候はずは、ながく流し参らせ候べし」〈高野山文書三、永仁七・四・二八〉。「貧児の古い債(おひめ)をー・したかったほどの事ぞ」〈碧岩抄一〉❸①「言ひ」「聞き」「思ひ」「見」などの動詞の代りをする。「当(まさ)に心を至して是の金光明最勝王経を聴き奉るべし。諸の経の中に最も殊勝にいますと為(な)す」

〈金光明最勝王経平安初期点〉。「願楽といふは解かむと希(ねが)ふ意を為(な)すぞ」〈法華経玄賛平安初期点〉 ②動詞の連用形について、その動作が作為的に行なわれることを示す。㋑巧みに…する。…を仕上げる。「味飯(うまいひ)を水に醸(か)みー・し」〈万三八一〇〉 ㋺ことさら…する。故意に…する。「せめてわれがしこにかこちー・し給へば」〈源氏若菜下〉 ㋩自分の気持によって事を解釈する。「ほのかにいふ〔ヲ〕、をかしと思しー・す」〈源氏夕顔〉 **済せど八百(はっぴゃく)** 借金がなかなか返済しきれない意。「ー借銭の淵」〈俳・大句数上〉

な・し【寝し】『四段』《「寝(ね)」の尊敬語》 おやすみなさる。「門に立ち夕占(ゆふけ)問ひつつ吾(あ)を待つとー・すらむ妹(いも)を逢ひて早見む」〈万三九七八〉

な・し【鳴し】『四段』《鳴りの古い他動詞形》 鳴らす。「〔竹ノ〕末辺(すゑへ)をば笛に作り、吹きー・す」〈紀歌謡九七〉。「鳴をよみて那志(なし)といふ」〈記神代〉

な・し【無し】『形ク』《不存在をあらわす。→あり(有)》 ①存在しない。「汝(な)を置(き)て夫(つま)はー・し」〈記歌謡五〉。「つらき心の有りー・しを見む」〈和泉式部日記〉 ②その場にいない。不在である。「老いらくの来むと知りせばかどさしてー・しと答へて会はざらましを」〈古今八九五〉 ▽上代語では、現代語の人の在・不在をいう「いる」「いない」に対し、「あり」「なし」を使う。③此の世にいない。生存していない。「吾妹子が見し鞆(とも)の浦のむろの木は常世にあれど見し人ぞー・き」〈万四四六〉。「名にし負はばいざ言問はむ都鳥わが思ふ人は有りやー・しやと」〈伊勢九〉 ④無いも同然である。あるかなきかである。「中頃ー・きになりて沈みたりし憂へに」〈源氏絵合〉 ⑤またとない。「ー・きすきものにて、朝夕琴を指しおくことなかりけり」〈十訓抄一〇ノ六二〉 ⑥陳述の意を表わす。…ない。「我が身もつきせぬもの思ひにたへしのぶべうもー・し」〈平家二・大納言死去〉。「意は、引く所の詩どもの如くにはー・いぞ」〈四河入海六ノ一〉。「人は正しうー・ければ、人が用いぬぞ」〈周易秘抄下〉 ▽存在をいうには出生の意に関係あるアリという動詞を使うに対し、不存在にはク活用形容詞ナシを使う。ク活用形容詞は事物の状態を静止的に時間によって動くことのないものとしてとらえる性質があるによる。 **無い袖は振られ・ず** 実際無い物はどうする事もできない意。「ー・ぬ〔神子ノ〕鈴や神楽銭」〈俳・寛伍集四〉。〈俳・毛吹草二〉 **無いもせぬ** 「有りもせぬ」の洒落詞。「ー内を喰ひ費やすも気の毒なり」〈西鶴・好色盛衰記四〉 **無い物食はう** 無理なことを言って困らせる。「ーと、言ひたいままに月日を重ね」〈西鶴・二十不孝二〉 **無き手を出(だい)・す** あらゆる手段をめぐらす。とてもできそうもない事にまで懸命の努力をつくす。「もとより思ひ至らざりける事にも『いかでこの人のためには』とー・し」〈源氏帚木〉

な・し『接尾』《状態を表わす語についてク活用の形容詞をつくり、程度の甚だしい意を表わす》 実に…である。甚だ…である。「いらなし」「うつなし」「おぎろなし」など。「きたー・き佐保川の髑髏(ひとがしら)に入れて」〈続紀宣命四三〉

なしうちえぼし【梨子打烏帽子】 揉(も)み烏帽子の一種。表はふしかね染めの綾、裏は薄様〈うすやう〉に黒漆を塗ってある。武将が兜の下にかぶった。「なしうち」とも。「頼政その日の装束に、褐(かちん)の直垂(ひたたれ)に、黒革縅(をどし)の腹巻を草摺長(くさずりなが)に着くだし、ーに白鉢巻をつかまつり」〈伽・あやめのまへ〉

なじか『副』《ナニシカの転》 どうして。なんで。「すずろにあれが物失はんとはー思しめさん」〈古本説話五六〉 **ーは**『副』 ①疑問の意をあらわす。なにゆえ。なぜ。どうして。「ー罪深くかかる物をば取らむとする」〈発心集一〉 ②反語の意をあらわす。なんで。どうして。「ーたまるべき」〈保元中・白河殿へ義朝夜討ち〉

なしくづし【済崩し】 借金などを少しずつ返却していくこと。「春毎に必ず雪はー」〈俳・天満千句〉

なした・て【成し立て】『下二』 ある状態にちゃんとしたてる。「御子どもみな物めかしー・て給ふを」〈源氏玉鬘〉

なしぢ【梨子地】 蒔絵〈まきゑ〉の一種。下地漆を塗った上に金銀の粉末を蒔き、さらにその上に黄色の透明な漆(梨子地漆)を塗ってとぎ出し、梨の実の膚のような感じにしたもの。「ーに蒔(ま)きたる金覆輪の鞍」〈曾我一〉

なしつぼ【梨壺】《壺(中庭)に梨が植えてあるのでいう》 内裏の五舎の一、昭陽舎〈せうやうしや〉の別名。「この大臣(おとど)の御とのゐ所は昔の淑景舎(しげいさ)なり。ーに東宮はおはしませば、近どなりの御心寄せに」〈源氏澪標〉

なじに『副』《ナニシニの転》 何ゆえ。どうして。「祖(あこめ)袴着たる女の走りて来(こ)しかば…『これはー来るぞ』と問へば」〈大弐高遠集〉

なじ・み【馴染み】 ㊀『四段』 なれ親しむ。「同傍輩と云ひながら、互に他事なく馴れー・みて」〈明徳記中〉 ㊁『名』 ①なれ親しむこと。また、長年月、親しく接して来た人やもの。「御年少より奉公の御ーをすて、国国拝領の御恩を忘れて」〈明徳記中〉。「われら(私)もー(夫)に離れまらして迷惑いたす」〈天理本狂言六義・塗師〉 ②同じ遊女に久しく通い馴れた客。また、その相手になる遊女。「ー。…女郎に心変らずして久しく会ひたる男を指して云ふ詞也」〈色道大鏡一〉

なしもの【鱁鮧】 塩辛の類をいう。「重宝のー下され、過分の至り、一段と賞翫比類無く候」〈宣胤卿記永正一四・閏一〇・一四紙背文書〉。〈文明本節用集〉

なしよ・せ【済し寄せ】『下二』 借金を少しずつ返していって全部すます。「〔返済金ヲ〕相拵へ、ー・するの間」〈慶長日件録慶長九・七・九〉

なじ・り【詰り】『四段』 非難して問い責める。「一切の外道〈げだう〉の来て相ひー・り難して」〈金光明最勝王経平安初期点〉。「詰、ナジル」〈名義抄〉

なしわり【梨子割り】 梨の実を割るように、さっくり切り割ること。「科(とが)は有りの実をーの木立ち(太刀ト掛ケル)かな」〈俳・牛飼三〉

なしゑ【梨子絵】 梨子地〈なしぢ〉の蒔絵〈まきゑ〉。「沈(ぢん)の御火桶のーしたるに」〈枕一八四〉

なす『接尾』《似ス・ノスの母音交替形》 名詞または動詞の連体形について、…のように、…のような、の意を表わす。「くらげーただよへる時に」〈記神代〉。「へそがたの林のさきの狭野榛(さのはり)の衣に着くー目につくわが背」〈万一九〉

なすび【茄子】 野菜の一。ナス。「茄子、奈須比(なすび)」〈和名抄〉

なずら・ひ(ナズライ)**【準ひ・准ひ・擬ひ】** ㊀『四段』《ナゾラヒの母音交替形》 ①甲でない乙が甲と同格の価値・資格をあらわす。準ずる。匹敵する。釣り合う。「帰り来る道にぞけさはまどふらむこれにー・ふ花なきものを」〈後撰一二三〉。「その秋、太上天皇にー・ふ御位得給うて御封(みふ)加はり」〈源氏藤裏葉〉 ②…並みになる。類する。「なほ世人にー・ふ御心づかひをし給ひて」〈源氏橋姫〉 ㊁『名』 ①同格であること。また、そのもの。「此君たちをおきて外には、ーなるべき人を求め出づべき世かは」〈源氏匂宮〉 ②近似すること。また、そのもの。「我も劣らじともてなし給へる中にも、すこしーなるだに見え給はぬものかな」〈源氏初音〉

なずら・へ(ナズラエ)【準へ・准へ・擬へ】『下二』《ナゾラへの母音交替形》①甲でない乙を甲と同格の扱いをする。同類と見なす。擬する。「秋の夜の千夜を一夜に—・へて八千夜し寝ばや飽く時のあらん」〈伊勢二二〉②標準に合わせる。比較する。「塗路(道のり)をはからひ—・ふるに、師今夜必ず至り給ふことを知りき」〈三蔵法師伝一・院政期点〉。「今の世中のありさま、昔に—・へて知りぬべし」〈兼良本方丈記〉③模する。似せる。「良房の大臣と聞えける古への例に—・へて白馬(あをうま)引き」〈源氏少女〉 **—うた**【準歌】古今集序にいう和歌の六義(りくぎ)の一。物になぞらえて思いを述べる歌。漢詩の六義の「比」に相当する。「三つには—、『君にけさあしたの霜のおきていなば恋しきごとに消えやわたらむ』」〈古今序〉

なすれぞ【何すれぞ】『連語』《ナニスレゾの転ナンスレゾのンを表記しなかった形》詰問の意を表わす。どうして。「—長劫は短時とすること能はざらむや」〈法華義疏長保点〉

なせ『代』《ナは古くは一人称の代名詞》親愛の情をもって男性を呼ぶ語。わがせ。あなた。「いとこ、—の君、居り居りて物にい行くとは」〈万三八八五〉。「吾夫君、此をば阿我儺勢(あがなせ)といふ」〈紀神代上〉 ↓せ(夫)

なぜうに(ナジョウニ)『連語』《ナニ(何)セムニの転》何ゆえに。どういうわけで。「老いたるとて、—我が身を歎きつらん。老いずは、かかる大御遊びの面白きをも見ざらまし」〈古今集註〉

なぜに【何故に】『連語』「なぜうに」の転。「天の中に居するを—北辰とは云ふぞ」〈策彦和尚初渡集上〉。「夜もふけたほどに—方丈を下り去らぬぞ」〈無門関抄下〉

なぞ【何ぞ】㊀『連語』《ナニソの転》何であるか。「人知れぬ思ひや—と」〈古今五〇六〉。「こは—。あな若若し」〈源氏宿木〉 ㊁『副』①なんで。なぜ。「—ここば眠(い)の寝らえぬも独り寝(ぬ)ればか」〈万三六八四〉。「—ただ言(こと)なる」〈土佐二月一日〉②《反語として》どうして。「君なくは—身よそはむ匣(くしげ)なる黄楊(つげ)の小梳(をぐし)も取らむとも思(も)はず」〈万一七七七〉 ㊂『名』【謎】「なぞなぞ」に同じ。「たとへば、童(わらは)の—を立つるに」〈二根集四〉。「謎、ナゾ」〈運歩色葉集〉 ▽naniso→nanso→nanzo→†nazo

なぞだて【謎立て】なぞを作ること。なぞ。「今日新作の—、これを注進す」〈宣胤卿記文明一三・三・四〉。「謎、ナゾダテ、迷言也」〈伊京集〉

なぞなぞ【謎謎】《「何(なに)ぞ何ぞ」の意》言葉の中に、或る意味を隠してあてさせる遊び。「〔万葉集ニ八〕唯—などのやうなる事もあり」〈八雲御抄六〉。「近習の人ども—を作りて、解かれける所へ」〈徒然一〇三〉 **—あはせ**(アワセ)【謎謎合】物合せの一。左右二組に分れて謎謎をかけ合い、それを解き合って優劣を争う遊戯。「—しける…こなたの人あなたの人、みな心もとなくうちまもりて『なぞ、なぞ』と言ふほど心にくし」〈枕一四三〉 **—ものがたり**【謎謎物語】「なぞなぞ」に同じ。「—しける所に」〈拾遺五三六詞書〉。「院に於て和歌有り。…事畢りて、連歌幷びに—の事等有り」〈長秋記保延一・六・六〉

なぞの【何ぞの】『連語』《ナニソノの約》何という。どういう。「—文ぞ」〈源氏少女〉

なぞ・へ(ナゾエ)【準へ・擬へ・比へ】㊀『下二』《奈良時代はナソへと清音》甲でない乙を甲であると見たてる。あるものを他のものと同じ資格・価値を持つものとして特別に扱う。「うるはしみ吾が思ふ君はなでしこが花に—・へて見れど飽かぬかも」〈万四四五一〉 ㊁『名』別のものを同等のものとして扱うこと。対等のものと見なすこと。「あふなあふな思ひはすべし—なく(対等ノ資格トシテデナシニ)高き卑しき苦しかりけり」〈伊勢九三〉 †nasofë

なぞも【何ぞも】『連語』《モは係助詞》どうしてまあ。「いく世しもあらじ我身を—かくあまの刈る藻に思ひ乱るる」〈古今九三四〉

なぞや【何ぞや】『連語』《ヤは係助詞》①どうして…か。「—、心づから今も昔もすずろなる事にて身をはふらかすらむ」〈源氏明石〉②《反語として》どうして。「おほかたは—我が名の惜しからむ昔のつまと人に語らむ」〈後撰六三四〉

なぞら・ひ(ナゾライ)【準ひ・准ひ・擬ひ】『四段』《ナゾへの派生語。ナズラヒの母音交替形》甲でない乙が甲とほぼ同様の資格・価値をそなえていて、甲と同様に機能する。類する。準ずる。「見ぬ人にかたみがてらは折らざりき身に—・へる花にしあらねば」〈後撰五三〉

なぞら・へ(ナゾラエ)【準へ・准へ・擬へ】『下二』《ナズラへの母音交替形》①甲でない乙を甲と同格の扱いをする。そのものと同じに見なす。擬する。「譲位(おりゐ)の帝(みかど)に—・へて女院と聞えさす」〈栄花見はてぬ夢〉。「かくの如き事多しといへども、これに—・へて用意すべし」〈孝養集下〉②他のものに比較する。てらしあわせる。「今の世のありさま、昔に—・へて知りぬべし」〈方丈記〉③それらしく見せる。それにことよせる。「『苦しからぬ者にて候ふ故は土屋殿の御使なり』と—・へて通る」〈曾我九〉④かたどる。模写する。「六道の様をあらあら—・へて申さうず」〈天草本平家四ノ二七〉

なそり【納蘇利・納曾利】高麗(こま)舞楽の曲名。壱越(いちこつ)調の小曲。「春宮大夫、—舞はせ給へりしめでたさはいかにぞ」〈大鏡昔物語〉

なた【鉈】木・柴などを刈る厚い刃物。「鉇、ナタ」〈色葉字類抄〉 ▽朝鮮語 nat(鎌)と同源。

なだ【涙】《ナンダの転。奴詞》涙。「紅の—を押へて」〈評判・高屛風上〉

なだ【灘・洋】《ナはナゴリ(余波)・ナヲリ(波折)のナと同じで波、ダはアヒダ(間)のダに同じ。波の立つ所の意》①水路の難所。「いさなとり比治奇の—を今日見つるかも」〈万三八九三〉。「今日からくして和泉の—より小津のとまりを追ふ」〈土佐二月五日〉②岸近くの海。「その浦の海人(あまびと)は—の塩焼くいとま無み」〈説経・石山記〉

なだい【名代・名題】①名義。名目。題目。「物真似歌舞伎の—を下され」〈評判・可盃〉②有名。高名。「札有りけり—の〔座元〕亀屋殿初芝居」〈俳・加賀染上〉 **—かんばん**【名題看板】江戸歌舞伎の看板の一。縦長の板に、狂言の題名を墨書し、上部に大立者(おおだてもの)の役を絵組で表わしたもの。京阪では、一枚看板または外題(げだい)看板といった。「—と云ひて、京坂〔ノ〕一枚看板に似たる物あり」〈守貞漫稿三二〉 **—もの**【名題物】歌舞伎で、幹部級の役者。名題看板に入れられた役者の意。名題役者。「大坂も、昔の—は絶えて」〈西鶴・諸艶大鑑八〉

なだいめん【名対面】①平安時代、宮中で、夜中定刻に宿直の者がその名を名乗ること。「とのゐまうし」ともいうが、名対面は殿上人以上についていう。「内裏(うち)をおぼしやりて、—は過ぎぬらむ。滝口のとのゐまうし、今こそと、推し量り給ふ」〈源氏夕顔〉②戦場で互いに名乗りあうこと。「梶原源太景季と—して切り合ひたり」〈盛衰記三七〉

なたか・し【名高し】『形ク』聞えが高い。有名である。「—・き帯、御はかしなど」〈源氏若菜上〉

なだ・し【撫だし】『四段』《「撫で」の尊敬語》お撫でになる。「庭に立たして足結(あよひ)—・すも」〈紀歌謡七四〉

なだた・し【名立たし】『形シク』評判が立ちそうである。「ましてこれはよく言ひなしつべき便なりとおぼすにいと—・しう」

〈源氏葵〉

なだた・り【名立たり】『ラ変』《ナタチタリの転。多く連体形で使う》有名である。「二葉より—・る園の菊なれば」〈源氏藤裏葉〉

なだて【名立て】評判を立てること。「うつろはぬ松の—にあやなくも宿れる藤の咲きて散るかな」〈貫之集三〉

なだ・め【宥め】『下二』《ナダはナデ(撫)・ナダラカと同根、ノドカ(長閑)のノドの母音交替形》①(規則などを)ゆるやかに取り扱う。寛大に処する。「〔死罪トナルトコロヲ〕免(ゆる)し賜ひ—・め賜ひて、遠流の罪に治め賜はくと」〈続紀宣命五三〉。「はばかるところなく例あらむにまかせて—・むる事なくきびしう行なへ」〈源氏少女〉。「寛、ナダム・ユルス」〈名義抄〉②怨念などをしずめる。機嫌などを取りなす。「治承の頃怨霊どもを—・められし時、追号あって崇徳院とぞ申しける」〈保元下・新院御経沈め〉。「入道相国やうやうに—・め給へば、山門の大衆静まりぬ」〈平家四・厳島御幸〉 †nadamë

なだらか《ナデ(撫)・ナダメ(宥)と同根。ナダはノドカ(長閑)のノドの母音交替形》①表面が角立たず、なめらかなさま。「—なる石、かどある岩など」〈宇津保祭使〉。「心のどかに、—なるさまにて、音なく、いづ方にも人のそしり恨み無かるべく」〈源氏真木柱〉②肌などの色つやがなめらかなさま。「〔ソノ牛ノ〕光色姝(うるわ)しく悦(なだ)らかにして、鳴き吼(ほ)ゆること常に異なり」〈三蔵法師伝四・院政期点〉。「膩、アブラコシ・コエタリ・ナダラカナリ」〈名義抄〉③すらすらと、円滑であるさま。「ひびきの灘も—にすぎぬ」〈源氏玉鬘〉。「才芸つたなからず、手跡も—に、詞(ことば)の花も尋常なり」〈保元下・左府の君達〉④広くゆったりしているさま。「其心休休とは、心の—なる体なり」〈大学抄〉⑤無難で程よいさま。「〔女一人ノ家ハ〕ものかしこげに、—に修理して」〈枕一七八〉⑥人の容貌などが、整って円満なさま。「月の光に見れば、若き女房のみめかたち—なりければ」〈梵舜本沙石集三ノ四〉

なだら・め『下二』《ナデ(撫)・ナダラカと同根》①なめらかにし、凹凸をなくする。「鏟、タヒラク・ナラス・ケヅル・ナダラム・ヤスリ」〈名義抄〉②むらなくする。「おほきおとどの后がねの姫君、ならはし給ふ教へはよろづのことに通はし—・めて」〈源氏常夏〉

なだ・れ【頽れ】㊀『下二』①くずれる。崩壊する。「雪おもる岨(そは)の下柴岩根松—・れてうづむ谷の篠原」〈草根集一〇〉。「葉武者—・れてのきにける」〈応仁記下〉②傾きくずれる。「馬ははやり、主は弱らせ給ひて、—・れ落ちさせ給ひけり」〈保元中・新院左大臣殿〉③傾斜する。「西へ—・れたる尾崎は平地に続きたれば」〈太平記三〇・八幡炎上〉④流れくだる。「〔壺ノ〕上薬、飴色に黄黒く有り。両方より—・れて薬の内にて留る」〈宗湛日記天正一五・三・一九〉㊁『名』①雪が斜面をどっと崩れ落ちること。また、その雪。「雪頽、ナダレ」〈文明本節用集〉②崩れ落ちるもの。流れくだるもの。「蠟燭の先は…まづ蠟の—を取りて、さて下ろして取るべし」〈伊勢備後守貞明覚悟記〉。「—〔ノ付合ニ〕雪、茶入の薬、灸の膿(うみ)、墨、山、膏薬」〈俳・類船集三〉

なちぐろ【那智黒】紀伊国那智産の堅硬緻密な黒い粘板岩。試金石・碁石等に用いる。那智石。「石は—〔ヲ使ッテ〕六番の負」〈俳・面面硯〉

なちはちじふ【那智八十】那智山では八十歳の老年の若衆があるということ。「高野六十」に続けてもいう。〈俳・世話尽一〉

なつ【夏】四季の第二。立夏から立秋の前日まで。陰暦四月(うづき)・五月(さつき)・六月(みなづき)の頃。「鮎(あゆ)走る—の盛りと」〈万四〇一一〉 ▽朝鮮語 nyörəm(夏)と同源。

なつかぐら【夏神楽】六月祓(みなづきのはらへ)などに神を祭るため、河のほとりに棚を設け、榊(さかき)・篠竹を立てて供物をそなえ、河社(かはやしろ)とし、そこで奏する神楽。「—。行く水の上にいはへる河やしろ河波たかく遊ぶなるかな」〈貫之集四〉

なつかげ【夏陰】夏の木かげ。「—の房(つま)の下に衣(きぬ)裁つ吾妹(わぎも)」〈万一二七八〉 †natukagë

なつか・し【懐かし】『形シク』《動詞ナツキの形容詞形。相手が気に入って、密着していたいと思う意》①そばについていたい。離れがたい。「今見れば山—・しも風吹くなゆめ」〈万一三三三〉。「よろしき男を下衆女などのほめて『いみじう—・しうおはします』などいへば、やがて〔ソノ男ハ〕思ひおとされぬべく」〈枕二九三〉②昔のことが思い出されて慕わしい。「昔忘れぬ心とて、さも—・しく思ひ出の、時も来にけり静の舞」〈謡・二人静〉

なつかし・み【懐かしみ】『四段』なつかしく思う。昔の事を慕わしく思い出す。「—・む心を知らば行く先を向ひの神のいかが見るらん」〈中務内侍日記〉

なつがひ【夏飼】夏季、飼い養うこと。鷹についていう。鷹狩は冬を主とし、春秋にも行なわれるから、夏はその準備期間にあたる。「鷹の—の程は〔餌トシテ〕多くの生物を殺す事、その員(かず)を知らず」〈今昔一九ノ八〉

なつかり【夏刈】草などを夏に刈ること。また、その草。歌では主にアシにいう。「—の玉江の蘆を」〈後拾遺三一九〉

なつき【夏季・夏期】春の出替りから秋の出替りまでの半年間の奉公期間。他の半年を冬季という。「我—より奉公を止めて」〈西鶴・一代女四〉

なつ・き【懐き】『四段』離れがたく親しみ、まつわりつく。馴れ親しむ。「—・きにし奈良の都の荒れゆけば」〈万一〇四九〉。「猫はまだよく人に—・かぬにや、綱いと長く付きたりけるを」〈源氏若菜下〉。「馴、従也、奈豆久(なつく)」〈新撰字鏡〉 †natuki

なづき【脳】脳(のう)。脳髄。「みづからの頭(かうべ)を割りて、—を取りて食(くら)ふ」〈孝養集上〉。「脳、奈豆技(なづき)」〈華厳音義私記〉 †naduki

なづき【名付・名符】⇒みゃうぶ。「人のそこら奉る—をとどめさせ給ひて」〈宇津保藤原君〉

なづきだ【なづき田】《ナヅキはナヅミ(泥)と同根》水に漬かっている田。「其地(そこ)の—に匍匐(はらば)ひ廻(もとほ)りて」〈記景行〉 ▽新撰字鏡に「漚、漬也、奈津久(なづく)、又、比多須」とある。 †nadukida

なつきり【夏切】六月初め、宇治の茶家が、茶壺に入れて得意先に贈る新茶。夏切茶。その茶壺を夏切壺という。「—の壺こそ月の白茶哉」〈俳・寛永十三年熱田万句四一〉

なっく『副』たやすく楽楽と。いとも容易に。「そこを—逃げのびて」〈米沢本平家九・六箇度合戦〉。「五六日して〔切ラレタ片腕ヲ〕—取って来たり候とて」〈伽・曼殊院本酒呑童子絵巻〉

なつくさ【夏草】①夏生い茂っている草。「この頃の恋の繁けく—の刈り掃(はら)へども生ひしく如し」〈万一九八四〉②特に、布を作るためにとる夏葛をさす。「葛引く吾妹(わぎも)真袖もち(両手デ)〔私ニ〕着せてむとかも—刈るも」〈万一二七二〉

—の【夏草の】〔枕詞〕夏草が生い茂る意から地名「野島」に、しおれ伏す意から「あひね」などにかかる。「—野島の崎に」〈万二五〇〉。「—あひねの浜の」〈記歌謡八七〉

なつくずの【夏葛の】〔枕詞〕夏に刈る葛が長く丈夫で絶

えない意から、「―絶えぬ」にかかる。「―絶えぬ使の」〈万六四九〉

なつ・け【懐け】《下二》《ナツキの他動詞形》なつかせる。手なずける。心服させる。「春の野に鳴くや鶯―・けむとわが家の園に梅が花咲く」〈万八三七〉。「智深くして人を―・け、慮(おもんばかり)遠くして主を諫む」〈太平記四・備後三郎〉 †na-tukë

なつげ【夏毛】鳥獣の夏の毛。特に、鹿の夏の毛をいう。夏の半ば以後、暗褐色から黄色に変り、白斑があざやかに出る。その毛は筆、毛皮は行縢(むかばき)によいとされた。「色も変らで帰れとや、峰に起き臥す鹿だにも―冬毛は変るなり」〈梁塵秘抄三八〇〉。「―の行縢の星付き白く色赤きを」〈今昔二八ノ三七〉

なづ・け【名付け】□一《下二》名をつけて呼ぶ。「石花(せ)の海と―・けてあるも」〈万三一九〉 □二《名》いいなずけ。許嫁。「妹は忍びの妻、姉は又―の妻」〈近松・日本西王母三〉 †nadukë

なつこだち【夏木立】夏の青青と繁っている木立。「―繁き梢になく蟬の声聞くからに暑くもあるかな」〈散位源広綱朝臣歌合〉。「花の枝(え)もかくなるものか―」〈竹林抄一〇〉

なつごろも【夏衣】①夏着る衣服。「蟬の羽のひとへに薄き―」〈古今一〇三五〉 ②《枕詞》「うすし」「かとり」「ひとへ」、また衣の縁で「たつ」「着る」「ひも」「すそ」などにかかる。「―うすきながらぞ頼まるる」〈拾遺八二三〉。「―かとりの浦のみじか夜の月」〈新葉二三八〉。「―ひとへに春を惜しむ身なれば」〈金葉九九〉。「―立田川原の柳影」〈後拾遺二二〇〉。「―着たるをうすき心とぞ見る」〈源氏紅葉賀〉。「―日も夕暮の雨のなごりに」〈新古今二六四〉

なつざしき【夏座敷】夏、襖障子などを外して風通しをよくした座敷。「玉垂を捲(ま)き上げけりな―」〈俳・寛永十三年熱田万句四三〉

なづさは・り ナズサワリ《四段》《ナヅミと同根》なじみになる。「憂き世とし思はでも身の過ぎにける月のかげにも―・りつつ」〈山家集下〉

なづさ・ひ ナズサイ《四段》《ナヅミ(泥)と同根》①水にひたる。漂う。「鵜養(うかひ)が伴(とも)は行く川の清き瀬ごとに篝(かがり)さし―・ひのぼる」〈万四〇一一〉。「漁(いさり)する海人の燈火(ともしび)沖に―・ふ」〈万三六二三〉 ②(水にひたるように)相手に馴れまつわる。「常にまゐらまほしう、―・ひ見奉らばやとおぼえ給ふ」〈源氏桐壺〉 †nadusaFi

なっしょ【納所】①年貢などを納入する所。「その下文(くだしぶみ)をば、伊賀の国の―になすべきにあらず」〈今昔二八ノ三一〉 ②寺院で、施物を納める所。また、その係の僧。「和尚、―に命ず」〈驢鞍橋下〉 **―ばうず** ボウ【納所坊主】納所の係の僧。納所坊。「身の行衛―の塗り坊主(好色坊主)」〈俳・大矢数三〉

なつそ【夏麻】夏、麻畑から取った麻。「山里に―引きをるしはぶるひ人(老人)」〈頼政集〉 **―びく**【夏麻引く】《枕詞》夏の麻の糸を引いて績(う)む意から、績むと同音をもつ地名「海上(うなかみ)」「宇奈比(うなひ)」にかかり、糸(い)と同音をもつ「命」などにかかる。「―海上潟の」〈万三三四八東歌〉。「―宇奈比を指して」〈万三三八一東歌〉。「―命かたまけ(傾ケ)」〈万三二五五〉 †natusobiku

なっそり【納蘇利・納曾利】⇒なそり。〈伊呂波字類抄〉

なつぢゃわん【夏茶碗】夏季に用いる、底の浅い平形の抹茶用茶碗。錫製もあった。「侘数寄や今は同じ―」〈俳・懐子三〉

なっとうじる【納豆汁】味噌納豆を叩き刻み、菜っ葉や豆腐または魚鳥の肉を入れ、塩と酒で味を加減した汁。なっとじる。「―の事。豆腐いかにも細かに切りて、ふくさ味噌にてよくよく立て」〈大草家料理書〉。〈日葡〉

なづな【薺】アブラナ科の越年草。春から夏にかけて白い小十字花が咲く。春の七草の一。ぺんぺん草。「庭の面(おも)に―の花の散りかふを春まで消えぬ雪かとぞ見る」〈曾丹集〉

なつねぶつ【夏念仏】夏の土用に念仏修行すること。「手廻しに朝の間涼し―」〈俳・続猿蓑下〉 →寒念仏(かんねぶつ)

なつの【夏野】夏の野。「―ゆく牡鹿の角の束(つか)の間も妹が心を忘れて思へや」〈万五〇二〉 †natuno

なづのき【漬の木】《ナヅはナヅサヒのナヅ》水につかっている植物。「門中(となか)=海峡)の海石(いくり)に振れ立つ―のさやさや」〈記歌謡七四〉 †nadunöki

なつはぎ【夏剝ぎ】夏に麻の皮をはぎ取ること。「―の麻の苧幹(をがら)とあだ人の心軽さといづれまされり」〈曾丹集〉

なつばらへ ハラエ【夏祓】「夏越(なごし)の祓」に同じ。「鴨川のみな底すみててる月のゆきて見むとや―する」〈後撰二一五〉

なつびき【夏引き】夏、糸をつむぐこと。麻糸の場合と絹糸の場合とある。「―の白糸七はかりあり」〈催馬楽夏引〉。「―の手引きの糸を繰返し」〈古今七〇三〉 **―の**【夏引きの】《枕詞》夏引きの糸ということから、「糸」と同音の「いと(副詞)」「いとほし」「いとま」などにかかる。「―いとことわりや」〈かげろふ上〉

なづましげ【泥ましげ】事をすらすらと運べないで困っている様子。「(正装ガ必要デ)心苦しげに、うちうち―なりつる人も、こと限りありければ織物の唐衣を着」〈栄花日蔭〉

なづ・み【泥み・阻み】□一《四段》《ナヅサヒと同根》①行き悩む。難儀する。水・雪・草などに足腰を取られて、先へ進むのに難渋する意。転じて、一つことにかかずらう意。「降る雪を腰に―・みて参り来し験(しるし)もあるか年の初に」〈万四二三〇〉 ②離れずにまつわりつく。「誠にこの君、(母ノ傍ニ)―・みて泣きむつかり明かし給ひつ」〈源氏横笛〉 ③ひとつのことにとらわれて悩む。こだわる。「ますらをの心は無しに秋萩の恋のみにやも―・みてありなむ」〈万二一二〇〉。「一芸一能に―・みかかはる時は、それに溺れて本心を乱る」〈匠言抄下〉 ④ひたむきに思いをかける。ぞっこん惚れこむ。「照日を一目見て大きに―・み」〈浄・三社託宣三〉 □二《名》惚れること。恋着。「あらき男も―をくれ」〈評判・可盃〉 †nadumi

なつむし【夏虫】①夏に飼うかいこ。夏蚕(なつご)。「―の蠶(ひむし)の衣二重きて」〈紀歌謡四八〉 ②夏に出てくる虫。蛾・蚊・蟬・蛍など。「―の火に入るが如(ごと)、水門(みなと)入りに船漕ぐ如く(寄リ集マッテ)」〈万一八〇七〉。「―の声よりほかに問ふ人もなし」〈後撰一九四〉

なつめ【棗】①クロウメモドキ科の落葉小喬木。初秋に熟する楕円球形の実が薬用・食用となる。「梨―黍(きみ)に粟(あは)つぎ」〈万三八三四〉。「棟、夏女(なつめ)」〈新撰字鏡〉 ②茶入れの一種。形がナツメの実に似ているのでいう。棗茶入れ。〈宗達他会記永禄五・一・一〇〉 ▽ナツ(夏)ウメ(梅)の約か。 †*natumë

なつやせ【夏痩せ】夏、暑さに弱って体のやせること。「―に良しといふ物ぞ鰻取り食(め)せ」〈万三八五三〉

なつやま【夏山】夏の山。「―の木末(こぬれ)の繁(しげ)にほととぎす鳴き響(とよ)むなる声の遙けさ」〈万一四九四〉

な・で【撫で】《下二》《ナダラカ・ナダメ(宥)と同根》①手のひらや道具で、物の表面をすべるようにさする。「我が母の袖持ち―・でて我がからに泣きし心を忘らえぬかも」〈万四三五六〉。「相好の手を以て其の地を按(な)でたまふ。時に大地六種に震動す」〈金光明最勝王経平安初期点〉 ②やさしくいつくしむ。「もののふの八十伴男(やそとものを)を—・で給ひとの へ給ひ」〈万四〇九四〉 ③くしけずる。「梳、ナヅ」〈名義抄〉 ④《斎宮の忌詞》打つ。「打を撫(なづ)と称す」〈延喜式斎宮寮〉 ⑤穀物などをひきくだく。粉にする。「コメヲナヅル」〈日葡〉

なで〘連語〙《完了の助動詞ヌの未然形ナに、打消の意をもつ助詞デのついた語。一説に、ナは打消の助動詞、デは完了の助動詞ツの連用形テの転。動詞の未然形を承ける》…しないで。…せずに。「見るめなきわが身をうらと知らねばやかれ—海人の足たゆく来る」〈伊勢二五〉。「かひもなき草の枕に置く露の何に消えー おちとまりけむ」〈後撰一三八六〉。「霞み—都の方の見えよかし」〈老葉八〉

なでかく【撫角】①四隅の角を落した丸みのある方形。鍔の形などにした。「—の金鍔」〈西鶴・男色大鑑八〉 ②天明四年、仙台藩で鋳造流通した鉄銭。撫角形だったのでいう。三文で寛永通宝一文に通用した。「—を〔ケチナ〕伊勢屋〔ガ〕六文入れて遣り」〈雑俳・柳多留三六〉

なでぎり【撫で切り】①なでるようにして切ること。薄くそぐように切ること。「薄き刀の長やかなるを以て、この署預(やまのいも)を削りつつ—に切る」〈今昔二六ノ一七〉 ②片端から斬り捨てること。「男女の差別なく—にする間」〈別所長治記〉

なでぐひイ…グ【撫で食ひ】片端から食いつくすこと。「『居ぐひか、—か』『—でござる』」〈天理本狂言六義・内沙汰〉

なでしこ【撫子】①ナデシコ科の多年草。八、九月頃淡紅色の花を開く。秋の七草の一。「一本(ひともと)の—植ゑしその心誰に見せむと思ひそめけむ」〈万四〇七〇〉。「草の花は。—、唐(から)のはさらなり、大和(やまと)のもいとめでたし」〈枕六七〉 ②襲(かさね)の色目の名。「—の細長(ほそなが)」〈源氏胡蝶〉 †nadesiko

なでつ・け【撫で付け】㊀〘下二〙①髪など撫でて整える。「御髪の末の所せう広ごりたるを、いと苦しとおぼして、額など—・けておはするに」〈源氏柏木〉 ②やさしくいつくしんで従わせる。「近き所の民を—・けて」〈古活字本論語抄一三〉 ㊁〘名〙毛髪全体を頭頂の後ろに撫で付け垂らしておくこと。また、その髪風。撫付け髪。「頭付き—にして長羽織」〈俳・絵合上〉

なでふナジョウ【何でふ】㊀〘連体〙《ナニトイフの転。疑問・反語・打消などの表現を伴う》何という。「あやし。こは—ことぞ」〈宇津保内侍のかみ〉。「しもがしもの中には—ことか聞こしめし所はべらむ」〈源氏帚木〉 ㊁〘副〙どうして。なんで。「—かかるすきありきをして、かくわびしき目を見るらむ」〈大和一〇三〉。「今更に—さることか侍るべき」〈源氏椎本〉 ▽nanitoiɾu→nanteɾu→nandeɾu→nadeɾu

なでもの【撫物】祓(はらへ)の時に用いる紙製の人形、また、衣服。それで身体を撫で、罪・けがれ・災いなどを移して、水に流す。かたしろ。「みそぎ川瀬瀬に出さむ—を身にそふかげとたれか頼まむ」〈源氏東屋〉

なでん【南殿】《ナンデンの上のンを表記しなかった形》紫宸殿(ししんでん)の別称。「—の桜はさかりになりぬらむ」〈源氏(陽明家本)須磨〉

など ㊀〘副〙《ナニトの転》どうして。なぜ。「—裂ける利目(とめ)」〈記歌謡一七〉。「—かく久しうはありつる」〈かげろふ上〉 ㊁〘名〙謎(なぞ)。なぞなぞ。「謎子とは日本の—の事ぞ」〈湖鏡集〉 ▽nanitö→nandö→†nadö

など【等】〘助〙→基本助詞解説

などころ【名所】有名な所。めいしょ。「さてもこの程お供して、見せ申したる—の、ある時は愛宕(あたご)高雄の初桜、比良や横川(よかは)の遅桜」〈謡・鞍馬天狗〉

などて〘副〙《ナニトテの転》どうして。なぜ。「殿の御ふみは—返し奉らせたまひつるぞ」〈源氏浮舟〉 ▽nanitote→nantote→nandote→nadote

などや〘連語〙どういうわけで。どうして。「—かくさも暮れがたき大空ぞ我が待つ事はありとしらずや」〈千載七四三〉。「—さやう御沙汰は候はぬ」〈広義門院御産愚記〉

などやうウ…ヨ〘連語〙《例示し、それをほのめかして》…なんかのよう。「めのと—の思ふべき人」〈源氏夕顔〉

などやか おだやか。平穏。のどやか。「きはめて世間も—に」〈長祿記〉

なとり【名取り】《ナドリとも》①名声を得ること。「〔東国へ〕まかり下って、上手の—をいたさうずると存じ」〈虎明本狂言・雷〉 ②名声の高いこと。また、有名な人。「中にも—衆は、高雄・唐崎・千歳とかや」〈仮・東海道名所記一〉

—ぐさ【名取草】牡丹(ぼたん)の異名。「牡丹…日本の俗、二十日草と云ふ。又—と云ふ也」〈下学集〉

などり【汝鳥】あなたの心に従う鳥。「今こそは我鳥(わどり)にあらめ、後は—にあらむを」〈記歌謡三〉 †nadöri

なな【七】ななつ。しち。また、数の多いこと。「—行くをとめども」〈記歌謡一五〉。「わが恋は千引の岩を—ばかり首にかけむも神の諸伏(もろふし)」〈万七四三〉 ▽満州語nadan(七)と同源。七を大切な数として多く使用するのは、中国から渡来した風習。日本では、古くは七よりも八を聖数として重んじた。

なな〘副〙《「なな…そ」の形で用いられる。「な…そ」にさらにナの加わった形》強い禁止の意をあらわす。「そこに—居りゃっそ」〈古活字本日本書紀抄下〉。「卯の花襲(がさね)—召さいそよ、月にかかやきあらはるる」〈閑吟集〉

なな〘連語〙①《完了の助動詞ヌの未然形ナに、自己の意志をあらわす終助詞ナのついた語》…してしまいたい。必ず…したい。「秋の田の穂向きの寄れること寄りに君に寄り—事痛(こちた)かりとも」〈万一一四〉 ②〔上代東国方言〕《打消の助動詞ズの古い未然形ナに、助詞ニの転ナのついた語》…ないで。「末枯(うらが)れせ—常葉(とこは)にもがも」〈万三四三六東歌〉

なないろ【七色】近世前期、庚申〈かうしん〉に供えた価一文の七種類の菓子。のちには大黒や天神にも供えた。七色菓子。それを売り歩く者を七色売といった。「門も霞みて売るは—」〈俳・世話尽五〉

ななくさ【七種・七草】①七つの種類。「将(も)て来る物は、羽太の玉一箇…幷(あは)せて七物(ななくさ)あり」〈紀垂仁三年〉 ②秋の七草。萩・尾花・葛花・瞿麦(なでしこ)・女郎花(おみなえし)・藤袴・朝貌(あさがお)の七種。なお、朝貌については、今の朝顔・昼顔・ムクゲ・キキョウ等の諸説がある。「秋の野に咲きたる花を指(および)折りかき数ふれば—の花」〈万一五三七〉。「七夕に七つの草花を摘みて、七月七日に手向け候事也。此の—の発句、『今日つむや秋の—花盛り』」〈梵燈庵袖下集〉 ③正月七日、七種の節句の日に、邪気を払い万病を除くため、羹(あつもの)として食した若菜。時代・土地によって種種異なったが、後世、芹(せり)・薺(なずな)・御形(ごぎょう)・繁蔞(はこべ)・仏座(ほとけのざ)・菘(すずな)・蘿蔔(すずしろ)の七種に定まった。また、その節句。「春日野の今日—のこれならで」〈赤染衛門集〉。「賤の女が摘むや根芹を籠に入れて／今日—を祝ふ初春」〈看聞御記紙背連歌〉。「六日。聞けば今朝あすの子(ね)の日を松の戸に—たたく賤が家」〈再昌草三六〉。「今は昔、正月七日の朝(あした)—を叩く。寅の一点より、拍子を取りて、喧(かしま)しく打ち叩く」〈仮・浮世物語四〉。〈運歩色葉集〉

—のたから【七

な

種の宝】七種類の宝物。金・銀・瑠璃(るり)・玻璃(はり)・珊瑚(さんご)・瑪瑙(めのう)・硨磲(しゃこ)。仏教経典によっては、玻璃・珊瑚の代りに真珠・玫瑰(まいくわい)を入れる。七宝(しっぽう)。七珍(しっちん)。「世の人の貴び願ふ—も我は何せむに」〈万九〇四〉

ななこ【魚子・斜子・七子】①彫金の技法の一。金属面に細粒を一面に凸起させたもの。「〔安土城殿中ノ〕金具所は悉く黄金を以て仰せ付けられ、—をつかせ、唐草を地彫りに」〈信長公記一五〉②帯・羽織用の絹織物の一。二本または数本ずつ並んだたて糸・よこ糸を平織にし、織目が方形で魚卵のように打ち違いに粒立って見えるもの。魚子織。「—潰れて袖の波寄る」〈俳・花洛六百韻〉

ななこまち【七小町】小野小町を題材にした七つの謡曲。関寺小町・鸚鵡小町・卒都婆小町・通小町・草紙洗小町・高安小町・清水小町の称。「七夕に手向けの星や—」〈俳・富士石三〉

ななころびやおき【七転び八起き】七度転んで八度起き上がる意で、人生の盛衰の変化の甚だしいたとえ。また、数度の失敗にも屈せず奮起するたとえ。「七下り七上り」とも。「世の中は夢幻、—」〈評判・吉原人たばね〉

ななしおよび【名無し指】くすりゆび。無名指。「王みづから右の—を以て御燈明を挑(かか)げ給ひて、その指を本より切りて石の筥(はこ)に入れて」〈今昔一二ノ二九〉

ななせ【七瀬】①多くの瀬。「あすか川—の淀(よど)に住む鳥も心あれこそ波立てざらめ」〈万一三六六〉②「七瀬の祓(はらへ)」をする七か所の瀬。「難波(なには)の御祓、—によそほしう(イカメシク)つかまつる」〈源氏澪標〉 **—のはらへ**(ハラエ)【七瀬の祓】朝廷で毎月または臨時に行なった祓。災いを移した人形を、七か所の瀬に七人の勅使が流した。鎌倉幕府でもこれに準じた。「皇子の御祈り始めさせ給ひ、七瀬の御祓へに…時にあへる七人、御衣函取りてたつ程など」〈今鏡三〉

ななそ【七十】《ソは十》しちじゅう。「七十度、ナナソタビ」〈名義抄〉 **—ぢ**【七十】《ヂは接尾語》しちじゅう。七十歳。「—・やそぢ(八十)は海にあるものなりけり」〈土佐一月二十一日〉。「—に満ちぬる潮の浜楸(はまひさき)久しくよにも埋もれぬるかな」〈金葉七二一〉

ななそが【七曾我】曾我兄弟を題材にした七つの謡曲。調伏曾我・小袖曾我・夜討曾我・元服曾我・禅師曾我・切兼曾我・伏木曾我の称。「さまざまに／替る—七小町」〈雑俳・江戸雀〉

ななたびまうで(ナナタビモウデ)【七度詣で】一日に七度坂道などを往復しておまいりすること。伏見稲荷(いなり)などで信者が行なった。「まろは—し侍るぞ。三度(みたび)は詣でぬ。いま四たびは事にもあらず」〈枕一五八〉

ななつ【七つ】①数の名。しち。七歳。「—になり給へば、書始めなどせさせ給ひて」〈源氏桐壺〉②昔の時刻の名。寅(とら)の刻と申(さる)の刻。七つ時。「〔コノ野ハ〕—鳴ってから人の通らぬ野ぢゃと聞き及うだ」〈虎明本狂言・首引〉 **—いろは**【七つ以呂波】いろは文字を片仮名・平仮名・万葉仮名など七体に書き分けた習字の手本。寺子屋などで用いられた。「七葉の楓は—かな」〈俳・毛吹草六〉 **—げ**【七毛・聚】手足の指に生える毛。「踏む足の—隠せ六つの花(雪ノ異称) 貞室」〈俳・玉海集追加四〉 **—さがり**【七つ下がり】①暮の七つを過ぎた時刻。「その日—に、伊奈衆ことごとく陣を払って罷り退く」〈甲陽軍鑑九上〉②盛りを過ぎたこと。「—の一群の松」〈俳・大矢数五〉③特に、着物の古びたこと。七つ過ぎ。「—の唐衣の歌」〈俳・山水十百韻下〉 **—だうぐ**(ドウグ)【七つ道具】①戦場で用いる七種の武具。具足・刀・太刀・矢・弓・母衣(ほろ)・兜(かぶと)の称。また、打刀・太刀・箙(えびら)刀・首搔刀・薙刀・小反刃・熊手の七種の武具、あるいは鋸・熊手・斧・槌・鎌などをいうこともある。「猛将の—をさしかためてはあれども」〈碧岩抄四〉②大名行列に用いた、槍・長刀・台笠・立傘・大鳥毛・馬印などをいう。「—の奴ども」〈近松・慰曾我上〉③立花(りっか)用語。しん・小しん・うけ・ながし・ひかえ・そえ・まえおきの七種の枝の称。「立花師の—は御代の戈(ほこ)」〈雑俳・広原海二〉 **—だち**【七つ立ち】朝の七つに出発すること。「—半季〔奉公ノ〕をなごの袖の露」〈俳・都懐紙〉 **—のほし**【七つの星】①北斗七星。「あひにあひて日吉の空ぞさやかなる—の照らす光に」〈新後撰七四八〉②中国暦法でいう日・月及び木・火・土・金・水の五星。七曜。日本の暦にも用いられた。「松の内—をよくおぼえ」〈雑俳・柳多留初〉 **—ばうず**(ボウズ)【七つ坊主】近世後期、江戸増上寺の修行僧が、毎日暮七つ頃に拍子木を叩き念仏を唱えて、江戸市中を托鉢したもの。「僧正は—の化身なり」〈雑俳・柳多留六七〉 **—ばち**【七つ鉢】七つの鉢を入子(いれこ)にしたもの。「あら恐ろしや、膝がふるひて—も打ち割りさうに御座候」〈伽・鼠草子〉 **—はん**【七つ半】《午後の七つ半は日の暮れ近いので》品物のかなり古びていること。「帯は古い—頃の博多縞」〈洒・山下珍作〉 **—ぶとん**【七つ蒲団】道中の乗掛け馬の背中に七枚重ねて敷いた蒲団。「八重霞—をのべ付けて」〈俳・雪之下草歌仙〉 **—もん**【七つ紋】衣服の背に一つ、両袖の前後に一つずつ、胸前の両方に各一つ、合計七つ紋所を付けること。また、その紋。七所(ななところ)紋。「名古屋三左・加賀の八などと、—の菱に組して」〈西鶴・一代男一〉 **—や**【七つ屋】《「七」と「質」との音通からいう》質屋。「この直垂(ひたたれ)をはがれ、—に置かれ」〈浄・道外和田酒盛五〉 **—を**【七つ緒】七本の絃。また、多くのひも。「—の八絃(やつを)の琴を調べたるごとや」〈東遊歌〉

ななところ【七所】刀剣の縁(ふち)・頭・目貫・折金・栗形・裏瓦・笄(かうがい)を揃いの図案で作ったもの。七所拵(ごしらへ)。「町人拵へ—の大脇指」〈西鶴・一代男七〉 **—ごしらへ**(ゴシラエ)【七所拵へ】「ななところ」に同じ。「—の脇差」〈浮・禁短気五〉 **—もらひ**(モライ)【七所貰ひ】娘が始めてお歯黒をつける時、七軒の家から鉄漿(かね)を少しずつ貰って来ること。「女子や—茄子の皮〔デ真似ヲスル〕」〈俳・金剛砂上〉

ななぬか【七七日】人の死後四十九日に当る日。「失せたまひて—のみわざ(御法事)安祥寺にてしけり」〈伊勢七七〉

ななのさかしきひと【七の賢しき人】竹林の下に集まり、琴酒をもてあそび清談を事とした、晉の阮咸以下の七人。竹林(ちくりん)の七賢。「古の—どもも欲(ほ)りせしものは酒にしあるらし」〈万三四〇〉

ななのやしろ【七の社】日吉(ひえ)山王神社の本社から末社までの総称。山王七社。「我が頼む—の木綿(ゆふ)だすきかけても六つの道にかへすな」〈新古今一九〇三〉

ななはかまゐり【七墓参り】七月十五日の宵から徹夜して、七か所の墓地を念仏回向して廻ること。また、その人。「—に逢ふは昔の〔遊女〕」〈西鶴・諸艶大鑑四〉

ななひかり【七光】主君・親などのおかげで、永く余光の及ぶこと。「これぞかしとと(夫)の光は—かか(妻)の光は縁の下かな」〈遠近草上〉

ななふすげ【七ふ菅】七節もある長い菅。一説、七筋に敷

物を編む材料の長い菅。「天にあるささらの小野の—」〈万四二〇〉 †nanaFusugë

ななへ ェ:【七重】①七枚かさなっていること。また、そのもの。「さてこのいたはりなき(大切デナイ)白妙の衣は、—にもなどか重ね給はぬ」〈源氏初音〉 ②数多くのかさなり。「我が身一つに—花咲く」〈万三八八五〉 †nanaFe **—の膝を八重に折・る** 極めてへりくだって嘆願し、または詫びる。「交らへば—・る袴のひだの難しの世や」〈吾吟我集九〉。〈俳・毛吹草二〉

ななまはり ワリ:マ【七廻り】干支(えと)六十年が七回廻って来ることという。長寿を祝う語。「男『其方と身方が命は五百八十年』女『—』」〈狂言記・箕被〉

ななむ 『連語』《完了の助動詞ヌの未然形ナに誂えの助詞ナムのついたもの》…てしまってほしい。「おしなべて峰も平らになりー山の端なくは月も入らじを」〈伊勢八二〉

ななめ【斜め】《ナノメの母音交替形》①傾斜していること。「虹の如くに斜(なな)め)なり」〈三蔵法師伝院政期点〉。「九品(くほん)蓮台の聖衆(しゃうじゅ)、紫雲にのりて—にくだり」〈宝物集下〉 ②はすかい。「二人の童、寝殿の前を経て、階(はし)の子(階段)を—におり下りて御車へ参りけるさま、いみじく優に」〈著聞四七五〉 ③日が西へ傾くこと。また、時刻などの、半ば過ぎて終りに近いこと。「申(さる)の—に湯井の浜に落ち着きぬ」〈海道記〉 ④ひと通りなさま。尋常。「事—なる時こそ恥も人目もつつまるれ」〈曾我三〉 ⑤《「なめならず」の意で》ひと通りでないさま。「虎〔御前〕—に喜うで」〈幸若・和田酒盛〉 **—なら・ず** 一通りでない。甚だしい。「十九の君—・ずに喜びて」〈曾我二〉

ななよ【七代】七代(しちだい)。また、多くの代。「古へに君が三代経て仕へけりわが大主は—申さね(政務ヲ奏上ナサイ)」〈万四二五六〉 †nanayö

ななよ【七夜】①七日間もの夜。七晩。「月かさねわが思ふ妹に逢へる夜は今し—をつぎこせぬかも」〈万二〇五七〉 ②「しちや」に同じ。「たけならぬ二葉の松のおひそめてこよひ—に成りにけるかな」〈永久百首〉 †nanayo

なな・り 『連語』《ナンナリのンを表記しなかった形》①…であるらしい。「あぢきなき物隠し—・り」〈源氏橋姫〉 ②…であるという。「御仲どもにまかせて見放ち聞ゆべき—・りな」〈源氏若菜上〉 ▽伝聞のナリは終止形を承けるのが原則であるから、ナナリの上のナは、指定の助動詞ナリの終止形の音便形である。これを、ナルナリの音便とする説もあるが、古い写本にナルナリとするものはほとんどない。

ななを【七条・七緒】七すじのひも。また、多くの緒。七つ緒。「我がうなげる(首ニカケテイル)珠の—と」〈万三八七五〉

なに【何】㊀『代』①どういうこと。どういうもの。「家に行きて—を語らむあしひきの山ほととぎす一声も鳴け」〈万四二〇三〉。「かれは—ぞ」〈源氏手習〉 ②名がわからない時、はっきり指して言わない時に用いる語。なんとか。某。「『たれがし房は。—あみだ仏』など呼びありくも」〈問はず語り一〉 ㊁『副』《相手に対する反問・詰問の意を含むことが多い。類義語イカ(如何)は単に状態に対する疑問だけを表わす。ただし、ナニも後には、単なる疑問の意をあらわすに至る》なんで。なぜ。どうして。「花に飽かで—帰るらむ」〈古今三三八〉。「夕べは秋と—思ひけむ」〈新古今三六〉 ㊂『感』①問い返していう語。なんだって。なにと。「—、酒がない」〈狂言記・富士松〉 ②《下の反語表現と呼応して》どうして。「—、みやげがいりまらせうぞ」〈虎明本狂言・鏡男〉

なにか【何彼】①あれこれ。なにやかや。「この歌どもを人の—と言ふを、ある人聞きふけりてよめり」〈土佐一月十八日〉。「顔よりはじめ、着たるもの、馬、—に至るまで」〈宇治拾遺八九〉 ②《副助詞のように用いて》…なんか。など。「然るべき公卿・殿上人・宮—、皆武士にとられにけり」〈愚管抄五〉 **—なしに** 何やかやとぐずぐずしないで。さっさと。何はともあれ。「—心得申し候よし申し候」〈北野目代日記文禄二・六・二六〉

なにか【何か】㊀『連語』①《不定代名詞ナニに係助詞カのついたもの》何が…か。「世の中は—常なるあすか川きのふの淵ぞ今日は瀬になる」〈古今九三三〉 ②《副詞ナニに係助詞カのついたもの》⑦《詰問・問責の気持をこめて理由を問う》なぜ…か。「めづらしき君が来まさば鳴けと言ひし山ほととぎす—来鳴かぬ」〈万四〇五〇〉 ⓐ《反語として》どうして…か。「散る花を—恨みむ世の中に我が身も共にあらむものかは」〈古今一一二〉。「君だちの御事—おぼし嘆くべき」〈源氏椎本〉 ㊁『感』①《相手の言葉に反対したり、質問を軽く受け流す時などに使う》なあに。いやなに。「『いとかたはなる程になりぬ』など急げば『—、いまは粥など参りて』」〈かげろふ上〉 ②《相手の意を確かめるために問いかける語》なんだって。なにと。なに。「ムムそんなら—、踏まれても撲たれても、言分無いと言ふのか」〈浄・関取千両幟二〉

—は【何かは】㊀『副』なぜ…か。どうして…か。「うばたまの夢に—なぐさまむうつつにだにもあかぬ心を」〈古今四四九〉 ㊁『感』なあに。いやなに。「『心苦しう』など宣へば、『—、心ぼそくとも、しばしはかくておはしましなむ』」〈源氏若紫〉

なにが【何が】『副』①《原因となる語句の上に置いて、下に来る結果が当然の帰結であることをあらわす》なにしろ。「—日数を経(へ)てはるばると下ったほどに」〈虎明本狂言・雷〉。「—鞍馬の申し子の事なれば」〈伽・小栗絵巻〉 ②《反語として》どうして。「—我らはそのやうなる時務をば知らうぞ」〈三体詩抄一ノ四〉。「水を荷うて河のあたりへ持って行(い)て売らば、—人が買はうぞ」〈句双紙抄〉 **—さて** 何はさておき。何はともあれ。「—御暇乞をなされいで叶はぬ事でござる」〈虎明本狂言・墨塗〉

なにがし【何がし・某】『代』《ガシは接尾語。事物や人の名を明確に言わずに、およその方と指していう語》①なんとか。なにやら。「—の院におはしまし着きて」〈源氏夕顔〉。「五つの—(五障)もなほうしろめたきを」〈源氏匂宮〉 ②《男性が自己をへりくだっていう》わたくし。拙者。「—が侍らむかぎりは仕うまつりなむ」〈源氏手習〉 **—くれがし** だれそれ。「それがしかれがし」などとも。「—と数(かず)へしは」〈源氏夕顔〉

なにくれ【何くれ】《人や事物の名を明示せずに列挙していう》何やかや。あれこれ。だれかれ。「中少将、—の殿上人」〈源氏行幸〉。「よろづの御よそひ、—とめづらしきさまに」〈源氏帚木〉

なにごころ【何心】どんな心持。どういう考え。多く問責・反語・打消と呼応する。「わが屋戸の葛葉日にけに色づきぬ来まさぬ君は—そも」〈万二二九五〉。「—ありて海の底まで深う思ひいるらむ」〈源氏若紫〉 †nanigököro **—無・し** 何の心もない。無心だ。何気ない。「—・き空のけしきも、ただ見る人から、艶(えん)にもすごくも見ゆるなりけり」〈源氏帚木〉。「姫宮のいとうつくしげにて、若く、—・き御ありさまなるを」〈源氏若菜上〉

なにごと【何事】①いかなる事柄。どんな物事。「妹と我—あれぞ紐解かざらむ」〈万二〇三六〉 ②《多く助詞「も」を伴って》あり得るどんな事。万事。いっさい。「おもほし放たず、—をも教へさせたまへ」〈源氏東屋〉 ③《多く助詞「ぞ」を伴い、詰問・問責の気持で》どうしたこと。何たること。「『こと絶ゆる』は—ぞ。あなまがまがし」〈かげろふ上〉 ④《不

定の事柄をさす》なになに。「ーの式といふ事は」〈徒然一六九〉 †nanigötö

なにさま【何様】㊀『名』どのよう。「宣はすべからむ事はーの事にかは」〈源氏行幸〉。「ーにも院宣の御返事に参るべきよし申さるべし」〈保元上・新院為義を召さる〉 ㊁『副』①いかにも。なるほど。ほんとうに。「音声の聞き事かな。ー只人にてはなし」〈義経記五〉 ②なにしろ。とにかく。「ーまづ奥州に談合して一合戦せんずるものを」〈明徳記上〉。「ー瀬田の橋へ行きて人にも尋ねてみん」〈伽・はにふの物語〉

なにしか【何しか】『連語』《シは強め、カは疑問の助詞》どういうわけで…か。「見まく欲りわがする君もあらなくにー来けむ馬疲るるに」〈万一六四〉 **ーも** 《モは詠嘆の助詞》①《詰問の意をこめて》なんだってまあ…か。「佐保川に鳴くなる千鳥ー川原を偲ひいや川のぼる」〈万一二五一〉 ②《反語として》どうしてまあ…か。「ー人を恨みむ」〈古今一〇〇一〉

なにしに【何しに】『連語』①何をするために。なんのために。「まうとはー此処にはたびたび参るぞ」〈源氏(三条西家本)浮舟〉 ②《理由を問う形で、そんなことはしなくてよかったのにの気持を含める》どうして。なぜ。「わが心よーゆづり聞えけむ」〈源氏宿木〉 ③《反語として》どうして。「ー悲しきに見送り奉らむ」〈竹取〉

なにすとか【何すとか】『連語』①《問責・後悔の気持で》どうするとて…か。どうしようとてか。「なかなかに黙(もだ)もあらましをーあひ見そめけむ遂げざらまくに」〈万六一二〉 ②《反語として》どうして。「ー君を厭(いと)はむ秋萩のその初花の嬉しきものを」〈万二二七三〉 †nanisutöka

なにすれそ【何すれそ】『連語』《ソは強めの助詞》どうあるからか。どうして。「時時の花は咲けどもー母とふ花の咲き出来(こ)ずけむ」〈万四三二三防人〉 †nanisuresö

なにせ【何せ】『副』なににせよ。なにしろ。「ー賢者ぞ」〈古活字本論語抄五〉

なにせむ【何せむ】『連語』何にしよう。何になろう。「玉敷ける家もー八重むぐらおほへる小屋(をや)も妹(いも)とし居らば」〈万二八二五〉 **ーに** ①《反語として》どうして。「ー命(いのち)継ぎけむ吾妹子に恋ひざるさきに死なましものを」〈万二三七七〉 ②《問責・後悔の気持で》何をしようために。どうしてまあ。「ー命をかけて誓ひけむ」〈拾遺八七一〉。「ー参りたまへるぞ」〈大鏡道隆〉

なにぞ【何ぞ】『連語』①《不定代名詞ナニと係助詞ゾとの複合》㋑何であるか。何物か。「草の上におきたりける露を『かれはー』となむ男に問ひける」〈伊勢六〉 ㋺《体言に助詞カのついた形に添えて、例示する》…(か)何か。「山吹〔色〕かー色色みえて」〈源氏末摘花〉 ②《副詞ナニと係助詞ソ(ゾ)との複合》なぜ。どうして。「ーこの児のここだ愛(かな)しき」〈万三三七三〉 †nanisö **ーの** 何という。どういう。「『ー僧の何(いづこ)より来たれるぞ』と問へば」〈今昔二四ノ二六〉 **ーは** 《ナニゾを強めて言う表現》①(それが)何だろう。そのものの価値を認めたくないときにいうことが多い。「命やはー露のあだものを逢ふにし替へば惜しからなくに」〈古今六一五〉 ②どうして。なぜ。「滝つせのー袖に絶えず落つらむ」〈続古今一三二八〉

なにぞろかぞろ【何候彼候】なにやかや。「〔年末ハ〕急がしやー節季候(せきぞろ)」〈俳・音頭集四〉

なにたる【何たる】『連体』どんな。いかなる。「ー悪人も、妻子の言ふ事にはなびくものなれば」〈見聞愚案記一六〉

なにと【何と】『連語』《不定代名詞ナニと格助詞トとの複合》①何であると。「ー分くまじき山伏などまで」〈源氏薄雲〉 ②《副助詞ナドの原形》…やなんか。…など。「これかれ〔ノ人〕、酒ーもて追ひ来て」〈土佐十二月二十七日〉 ③どうして。なぜ。「草の庵にー心のとまるらむはなれて物を思ふべき身の」〈拾玉集四〉 ④どのように。「さても維盛卿の子息ー候ふやらむ」〈平家三・六代被斬〉 ⑤《感動詞的に用いて》相手に強く問いせまる語。なんだって。なに。いかに。「ー、御子は持たれぬと仰せ候ふか」〈謡・檀風〉。「ー、これがうそか」〈虎明本狂言・鏡男〉。「ー、合点めされたか」〈驢鞍橋下〉

なにとかも【何とかも】『連語』どうして。「本(もと)毎に花は咲けどもー愛(うつく)し妹がまた咲き出来(こ)ぬ」〈紀歌謡一一四〉 †nanitökamö

なにとした【何とした】『連語』①どうした。どんな。いかなる。「ー敵にも左右(さう)なうとりひしがることあるまじいぞ」〈天草本伊曾保〉。「歌といふもの、ーけだかきものやらん」〈耳底記〉 ②どうしたらよい。どうすべき。「某が烏帽子が剝げて有ったが、ー物であらうぞ」〈狂言記・烏帽子折〉

なにとぞ『副』①なんとか。「この上はー祈念して、御命を転じかへて参らせむ」〈伽・かなわ〉 ②どうか。どうぞ。是非。「ー御方便あれかし」〈驢鞍橋上〉

なにとて【何とて】『連語』《詰問・不審・不満の気持をこめて》どうして。なぜ。「見し人も宿も煙になりにしをー我が身消え残りけむ」〈源氏橋姫〉。「ーこよひ尋ね来つらむ」〈更級〉

なにとな・し【何と無し】『連語』《主として連用修飾語、ときに連体修飾語として用いられ、特にこれと指定するほどでない意を表わす》①なぜということもない。「ー・くものぞ悲しき秋風の身にしむ夜半の旅の寝覚は」〈千載一二六五〉 ②ことさらにではない。何気ない。たまたま。「ー・く取りて出したるが判官の笈(おひ)にてぞありける」〈義経記七〉 ③特にきまっていない。とりとめもない。「よべー・う世の物さはがしう候ひしを」〈平家二・少将乞請〉。「ー・き世の御物語ども有りて」〈愚管抄四〉 ④普通である。平凡である。「我はかくー・きやうなる身なれど世をば久しく見たり」〈愚管抄六〉 ⑤かすかである。軽微である。「この童は、世を経てー・く口をぞ動かしける」〈今昔一五ノ五四〉 ⑥これということもしない。無為なさま。「ー・くいたづらに捨つべき命を」〈沙石集一ノ八〉

なにとも【何とも】『連語』①何であるとも。なんとも。物の数とも。「舟子・かぢ取りは舟唄うたひてー思へらず」〈土佐一月九日〉 ②全く。一向に。「ー答へざらむも口惜し」〈宇治拾遺一四四〉 ③どうにも。いかにも。なにぶんにも。「終にまだ聟入を致さぬによって、ー参りにくう御座る」〈狂言記・貰聟〉 **ーなや** 《感動詞「あら」に付いて、失望・落胆・自嘲等の気持を表わす語》何としたことだろう。しようもないことよ。「頼みても頼み無きは人の心なり、あらー候」〈謡・舟弁慶〉

なにとやらん【何とやらん】『連語』《ナニトヤアランの約。更に転じて、ナニトヤラとも》①なんであろうか。何かしら(あるもの)。「ー、物を木のまたに置くやうにするを見れば、子猿なりけり」〈著聞七一七〉 ②なんとなく。どうやら。「これはー似合はぬ所望にて候へども」〈謡・景清〉

なにならず【何ならず】『連語』なんでもない。物の数でない。何ほどのことでもない。「いつの程にてかはー・ぬ御名告りを聞えたまはむ」〈源氏夕顔〉。「この世は仮りの宿りなり。恥ぢても恥ぢでもー・ず」〈平家一・祇王〉

なにに【何に】『連語』《多く後悔の気持をこめて》何のために。なんで。何しに。「ーかかる睦物語(むつものがたり)をしけむ」〈源

氏少女〉

なにの【何の】『連語』《不定代名詞ナニに連体助詞ノの加わったもの》①何者の。「いかにぞ。—しわざとよく調じて問へ」〈源氏手習〉②《人や事物の名を明示せずにいう》何何の。何某の。「—親王(みこ)、くれの源氏など」〈源氏少女〉。「雪—山に満てり」〈枕一八一〉③《問責の気持で》どういう。なんのつもりの。「—伝言(つてごと)直(ただ)にし良(え)けむ」〈紀歌謡三八〉④《打消や反語の意となることが多い》どんな。なにほどの。「まめやかにも宣へど—かひなし」〈源氏末摘花〉。「—咎(とが)かは侍らむ」〈源氏夢浮橋〉

なには ナニワ【難波・浪速】今の大阪市およびその付近の古称。「—の碕(みさき)に到るときに奔(はや)き潮有りて太(はなは)だ急(はや)きに会ひぬ。因りて名(なづ)けて浪速(なみはや)の国とす。亦、浪花(なみはな)といふ。今—といふは訛(よこなま)れるなり」〈紀神武即位前〉 **—え**【難波江】大阪市淀川河口付近の海の古称。また特に、難波の堀江。「—の潮満つまでに」〈平中三〉 **—がた**【難波潟】「難波江」に同じ。「—潮干に立ちて見渡せば」〈万一一六〇〉 **—ぐさ**【難波草】アシの異称。「—とは蘆の事也」〈宗祇袖下〉 **—すがかさ**【難波菅笠】難波産のスゲで作った笠。難波はスゲの産地として有名。「おし照る—置き古し」〈万二八一九〉 **—ぢ**【難波路】難波に通う道。「—を行きて来までと」〈万四四〇四防人〉 **—づ**【難波津】①難波の船着場。「—に御船泊てぬと」〈万八九六〉②幼児が手習の初めに学んだ歌。すなわち王仁(わに)が仁徳天皇に奉ったと伝えられる古今集仮名序の「難波津に咲くやこの花冬ごもり今は春べと咲くやこの花」の歌をいう。「まだ—をだにはかばかしう〔書キ〕続け侍らざめれば」〈源氏若紫〉▽この歌はその一部が法隆寺五重塔の内部から万葉仮名で書いたものが発見されたので、奈良時代のものといえる。 **—と**【難波門】難波の港。「—を榜(こ)ぎ出て見れば」〈万四三八〇防人〉 **—の葦は伊勢の浜荻**(はまをぎ)《菟玖波集巻十四にある「草の名も所によりて変るなり難波の葦は伊勢の浜荻」の連歌の付合いによる》同じ物でも所によって呼び名がちがうということのたとえ。「和歌にも、『草の名も所によりて変るかな—』とよむぞ。伊勢には荻と云ひ、摂国では蘆と云ふぞ」〈湯山聯句鈔上〉 **—のみや**【難波宮】難波に営まれた仁徳・孝徳・天武・聖武天皇それぞれの皇居。「皇弟・公卿等を率て—に赴く」〈紀孝徳、白雉五年〉 **—ほりえ**【難波堀江】仁徳天皇が水害を防ぎ湿地を開くために難波高津宮の北に切り開いた掘割。「おし照る—の葦辺には」〈万二三五〉

なにはにつけても【何はに付けても】『連語』何事に関しても。「京のならひ、—みなもとは田舎をこそ頼めるに」〈山田本方丈記〉。「ことさら—迷惑の所なれば」〈朝鮮日日記〉

なにはのこと【何はの事】あれはこれはのこと。万事。歌で、「難波の事」にかけていう。「数ならで—もかひなきになどみをつくし思ひそめけむ」〈源氏澪標〉。「いにしへの—は変らねど」〈後拾遺五九五〉

なにへん【何篇】《「篇」は篇目の意》なにの題目。どういう目的。「—に齊のために志を運ぶ」〈燈前夜話下〉 **—とも無・し** 取り立てていうほどのものでない。何のかいもない。何のとりえもない。「道俗男女群集せしむといへども、さらに—き体(てい)なるあひだ」〈御文章〉

なにも【汝妹】《ナノイモの約。ナはもと一人称》男から女を親しんで呼ぶ語。「汝妹、此をば儺邇毛(なにも)と云ふ」〈紀履中五年〉。「愛(うつく)しき我(あ)が—の命を」〈記神代〉 †nanimo

なにも【何も】『連語』《体言にモのついた形に添えて、上の体言と同類のものすべてを含むことを示す》(…でも)なんでも。「蓑も—涙のかかりたるところは血の涙にてなむありける」〈大和一六八〉。「鬼も—食ひ失へ」〈源氏手習〉 **—彼**(か)**も** なんでもかんでも。「ありける物どもを—残さず」〈今昔三〇ノ一〇〉

なにや【何や】『連語』なにか(と)。…なんか。…など。「御物忌、—とむつかしう慎ませ奉りたまふ」〈源氏夕顔〉。「破籠(わりご)や—とこなたにも入れたるを」〈源氏宿木〉 **—彼**(か)**や** あれやこれや。いろいろさまざま。「かう—と聞ゆるをも」〈源氏胡蝶〉

なにやう ナニヨウ【何様】どんな様子。どのよう。いかよう。「—のもの、かく人をまどはしたるぞ」〈源氏手習〉

なにやつ【何奴】罵り卑しめていう語。どんなやつ。どいつ。「ヤア大事の敵を遁したる、方人は—と振返れば」〈近松・関八州二〉

なにやら【何やら】『連語』《ナニヤランの転》なにものか。なにかしら。「世の中は—かやら暇(いとま)なみせりせり川に行く月日かな」〈玉吟抄〉。「観音寺山に—光る、御屋形様の太刀の鍔」〈江源武鑑一八〉

なにゆゑ【何故】《詰問する気持ちで》どういうわけ。なんのため。なぜ。「—か思はずあらむ紐の緒を心に入りて恋しきものを」〈万二九七七〉

なにをがな【何をがな】『連語』《ナニガナに格助詞ヲの入った形》何かを。何か適当なものがあればそれを。「—参らせばやと思へども達磨宗には一物もなし」〈法華経直談鈔五本〉

なぬか【七日】①月の第七日。なのか。「—の月の、さやかにさし出でたる」〈源氏早蕨〉②七日間。「君が経む八百万代を数ふればかつがつ今日ぞ—なりける」〈拾遺二六八〉③人の死後、七日目にあたる日。初七日(しょなぬか)。「—より始めて、三十五日、四十九日、一周忌、第三年の御孝養」〈伽・明石三郎〉 **—なぬか**【七日七日】初七日(しょなぬか)から七七日に至る間の各七日目。人は死後、七日を一期として、遅いものでも四十九日には次の世に生れかわるというので、七日目ごとに死者の追福を営む。「—の事ども、いと尊くせさせ給ひつつ」〈源氏総角〉 **—のおんよろこび**【七日の御賀】正月七日の年賀。平安時代には宮中及び貴族の屋敷で青馬を引き、宴会が行なわれた。「参り集ひ給ふめる人の大人しき程のは、—などし給ふ」〈源氏薄雲〉 **—のひのせちゑ**【七日の日の節会】「あをうまのせちゑ」に同じ。「—果てて」〈源氏末摘花〉 **—のよ**【七日の夜】①月の七日の夜。特に、七月七日の夜。たなばた。「一年(ひととせ)に—のみ逢ふ人の」〈万二〇三二〉②生れて七日目の夜。「—、内よりも御産養(うぶやしなひ)のことあり」〈源氏若菜上〉↓しちや。 **—まうで** モウデ【七日詣で】七日間、神仏に日参して祈願すること。七日参り。「春日の明神へ—をなされて」〈伽・岩竹〉

なぬし【名主】①近世、主として関東で、村の長である村役人の称。「今宵見る月は所の—かな」〈俳・小町踊三〉↓庄屋。②近世、都市の町役人の一。町名主。御触の伝達・人別改め・火気取締り・訴訟・諸証文の処理等を職務とした。「川越町五町の—中…へ申し上げ候」〈万之覚〉

なね《ナノエ(我の年長者)の約か。ナは古い一人称代名詞。ネは親愛の意の接尾語ともいう》私の愛する人。兄・姉・恋人・親しい女子など、男女に通じて使う。「神沼河耳命(かむぬなかはみみのみこと)、その兄神八井耳命(かむやゐみみのみこと)にまをしし

な

く、『―、汝命(いまし・みこと)』」〈記神武〉。「朝髪の思ひ乱れてかくばかり―が恋ふれそ夢に見えける」〈万七二四〉

なの【名の】『連語』名詞に冠して、有名な、名の通ったの意をあらわす。「―酒」「―月」「―筆」「―娘(むすめ)」など。「〔木曾ノ〕懸橋は勢田にもまさる―所」〈俳・寛永十三年熱田万句五五〉

なのき【名の木】①有名な香木。名木。名香。「初瀬と言へる―留めけるに」〈西鶴・男色大鑑七〉②遊里で、太夫の隠語。太夫を名香に擬していった。「―は今も格別なり」〈西鶴・好色盛衰記五〉

なのめ【斜め】《ナナメの母音交替形。日本人は垂直・水平であることを、きちんとしていてよいこととしたので、ナノメは、いい加減、おろそか、どうでもよい扱いの意となった。ナナメは漢文訓読体に使い、ナノメは平安女流の仮名文学で用いた。→そば》①ゆるやかに傾斜しているさま。「嵰、奈女佐可(なめさか)。又、奈乃女尓(なのめに)」〈新撰字鏡〉②おろそか。いい加減なこと。どうでもよいこと。「いかでかは、かからむ〔美〕人を、―に見聞き過ぐしては止まむ」〈源氏竹河〉。③平凡なさま。ひと通りなさま。「〔女ノ〕かくあたらしき御有様を、―なる際の人(男)の見奉り給はましかば、いかに口惜しからまし」〈源氏総角〉。「つらき事ありとも念じて、―に思ひなりて、かかる〔嫉妬ノ〕心だに失せなば、いとあはれとなむ思ふべき」〈源氏帚木〉④《「なのめならず」の意で》ひと通りでないさま。「あるじ―に喜びて、またなき者と思ひける」〈伽・文正草紙〉 **―なら・ず** 普通でない。並みでない。「よろしき人だに見えずなりにたるを、―・ぬけはひして、かろらかに物し給へる」〈源氏椎本〉。「地体、あの家の人人は、―・ず家を重くせられ候」〈問はず語り二〉

なの・り【名告り】㊀『四段』《ノリ(告)はタブーにふれることを公式に口にする意》①名を明らかにいう。「暁に―・り鳴くなるほととぎす」〈万四〇八四〉。「『釈迦牟尼仏弟子』と―・りてゆるるかに〔経ヲ〕読み給へる」〈源氏須磨〉②(特に戦場で)自分の家柄・氏名などを高らかに告げる。「『大和の国の住人、宇野七郎親浩(ちかひろ)』と申す者なり』と高らかにこそ―・りけれ」〈保元上・官軍手分け〉③名前として持つ。「〔清盛ハ邦綱ノ〕子息一人養子にして清国と―・らせ」〈平家六・祇園女御〉④(身分・地位などを)関係者に告げ示す。宣言する。「その時に太子、柴を焼きて手に付けて『天皇の位に昇りぬ』と―・る」〈今昔一〇ノ三二〉㊁『名』①名を言うこと。名を告げること。「たしかなる―せよ」〈源氏若菜下〉②売り物の名を呼びながら行くこと。「大路近き所に、おほどれたる声して、いかにとか聞きも知らぬ―をして、うち群れて行くなどぞ聞ゆる」〈源氏東屋〉③公家・武家などの男子が元服する時つける実名。親または元服親の名を一字とってつけることが多い。諱(いみな)ともいい、普通は、もう一つこの他につけた通称で呼ばれる。「やがて年・―書きつけて、晴明がもとへやりつ」〈発心集六〉 ▽「名乗」と書くのは当て字。 †nanöri **―か・け**【名乗り掛け】『下二』特定の相手に向って名乗りをあげる。即ち、自分の名を言い掛ける。「―・け、名乗りすて、組んでおつる者もあり、落ちかさなる者もあり」〈保元中・白河殿攻め落す〉

なのりそ ホンダワラの古称。海中に生える大きな褐色の藻で、食用・肥料として生活に縁が深く、また、「名を告るな」という意になるので、しばしば歌によまれた。「みさごゐる荒磯(ありそ)に生ふる―のよし(ママヨ)名は告らせ親は知るとも」〈万三六二三〉。「神馬藻、奈乃里曾(なのりそ)」〈和名抄〉 †nanöriso **―も**【なのりそ藻】「なのりそ」に同じ。「浜藻を号(なづ)けて奈能利曾毛(なのりそも)と謂ふ」〈紀允恭十一年〉 ▽奈良時代すでに促音便形ナノッソモがあったので、正倉院文書には「奈乃曾毛」とあるものが多い。

なは ワナ【縄】《ナヒ(綯)と同根》藁・麻などをなったもの。「厩(うまや)なる―絶つ駒の」〈万四四二九〉 ▽朝鮮語 no(縄)と同源か。

なは ワナ【納】『接尾』《「納」の呉音 nap の末尾の p に母音 a を付してナハ、naFa と日本語化したもの》容量の限度を示す。…入り。「五六寸ばかり掘るほどに、五斗―ばかりなる銅(あかがね)の提(ひさげ)を掘り出でたり」〈今昔二七ノ六〉

なは『助動』〔上代東国方言〕打消の助動詞「なふ」の未然形。「会津嶺の国をさ遠み会は―ば」〈万三四二六東歌〉

なはうち ナワ【縄打】①縄を張りめぐらして、境界または建物の位置を定めること。なわばり。「平城は始めてこしらへ候時、先づ―をする也」〈築城記〉。「はや聚楽の―と云云」〈鹿苑日録慶長六・五・二五〉②検地。なわ入れ。「今度国中―」〈気多神社古文書一、天正一七・一〇・四〉

なはえい ナワ【縄纓】縄と布、またはあらぎぬをより合わせて作った、黒と黄の二筋の纓。天皇が重い喪に服する時などに用いる。「帝、御妹におはしませば御服奉りなどしけり。文もなき御冠、―など聞えて」〈今鏡六〉

なはきり ナワ【縄切】手品の一。長い縄を幾筋かに切り、その切口を結び合わせて投げると元の長縄となるもの。「とてもの事に―所望」〈俳・大矢数一〉

なはしろ ナワ【苗代】《ナハはナヘの古形。シロは四方を限った区域》稲の苗を生育させるところ。苗代田。「―の子水葱(こなぎ)が花を衣(きぬ)に摺り馴るるまにまに何(あぜ)か愛(かな)しけ」〈万三五七六〉 †naFasirö

なはすだれ ナワ【縄簾】幾筋も縄を垂れて簾としたもの。縄のれん。「軒口に下る氷柱(つらら)や―」〈俳・鷹筑波三〉

なはぜみ ナワ【蚱蟬】セミの一種。大きなセミで、熊蟬・山蟬などともいう。「よひぞよひぞと言ふ―、来にけるは。虫だに時節(ときせち)を知りたるよ」〈かげろふ下〉。「蚱蟬、奈波世美(なはせみ)、雌蟬不能鳴者也」〈和名抄〉

なはたらし ナワ【縄たらし】手品の一。一人は盗賊、他の一人は捕手になり、盗賊を縛って歌舞伎を演じ、終るときに縄が自然と解けるもの。「縛りやう見るに〔解クノハトテモ〕なるまい―」〈俳・鷹筑波二〉

なはつき ナワ【縄付】縄で縛られていること。また、その罪人。「露と命はいづれ―」〈俳・談林十百韻上〉

なはて ナワ【縄手・畷】①縄の筋。「いかりおろす船の―は細くとも命のかぎり絶えじとぞ思ふ」〈続後拾遺八五二〉②捕縛。「右の様子迄にては、―に及ぶ程の事にては、これ無く候へども」〈梅津政景日記寛永八・閏一〇・二〉③田の間の道。あぜ道。「木曾は今井を振り捨てて、―に任せて歩ませ行く」〈盛衰記三五〉。「畷、田間道、奈八天(なはて)」〈和名抄〉

なはとり ナワ【縄取】①罪人の縄を取る役。「大納言殿―にひかへられて中門へ出で給ふ」〈太平記一三・北山殿〉②「縄張り」(1)に同じ。「院の御所の御屋敷五十間四方に―これを沙汰す」〈多聞院日記天正一三・一〇・一六〉

なはのり ナワ【縄苔】《縄のように細長い海苔(のり)の意》ウミゾウメンの古称。本州各地海岸の干潮線付近の岩に生える円柱状・暗紅色の海藻。食用にする。「夕凪に来寄る―」〈万三三〇二〉 †naFanöri **―の**【縄苔の】〔枕詞〕「引けば」にかかる。「―引けば絶ゆとや」〈万三三〇二〉

なはばり ナワ【縄張】①縄を張りめぐらして一定の境界を定めること。「―の地形(ぢぎやう)に月の影移り」〈俳・鷹筑波一〉。「町に成り候とて、―これ有り候也」〈宗静日記承応三・六・六〉 ②建築の敷地に、建物の位置を定めるために縄を張ること。「その後、多勢を寄せ、—を取って、夜を日に継いで普請せしかば、程なく〔城ヲ〕造畢したりけり」〈室町殿日記六〉

なはめ ナワ【縄目】 ①縄の縒(よ)り目。「〔海士ノ栲縄ノ図案〕彩色の事。縄、黄土に胡粉まぜたる歟。—は金泥なり」〈五月雨日記〉 ②縄の結び目。「結びし—に封まで付けられ」〈西鶴・諸艶大鑑三〉 ③縛られること。「—に添へて〔関係ヅケテ〕申したりけるにこそ」〈盛衰記五〉

なば・り【隠り】『四段』 かくれる。「既に惶急走る鼠、竹林に—・る」〈金剛般若経集験記平安初期訓〉

な・ひ イナ【綯ひ】『四段』《ナハ(縄)と同根》 太い繊維をより合わせる。「意は—・はるる義也」〈仙覚抄三〉。「搓・索、ナフ」〈名義抄〉

な・ひ イナ『接尾』 名詞を承けて四段活用の動詞を作る接尾語。「とも—・ひ」「うべ—・ひ」「とき—・ひ」「かず—・ひ」など。「必ず法のまにまに罪—・ひ給ひ嫌ひ給はむと」〈続紀宣命三五〉。「斎宮(いつきのみや)に幸(いでまさ)むとしてうら—・ふ」〈紀天武七年〉 ▽ナヒ(綯)と同根か。手先を用いて物事をつくりなす意から、上の体言の行為・動作をする意に転じたものであろう。 †naFi

なびか・し【靡かし】『四段』 ①先の方をゆり動かす。「竹敷の玉藻—・し漕ぎ出なむ君が御船をいつとか待たむ」〈万三七〇五〉 ②意に従わせる。服従させる。「時の有職と天の下を—・し給へるさま」〈源氏賢木〉 †nabikasi

なびか・ひ ナビカイ【靡かひ】『四段』《ナビキアヒの約》 たがいになびきあう。なびきよる。「玉藻なす(ノヨウニ)か寄りかく寄り—・ひし妻のみことの」〈万一九四〉 †nabikaFi

なび・き【靡き】㊀『四段』《ナビは擬態語。元がささえられながら、先がしなやかに揺れ動く意。擬態語を語根とし、接尾語キをつけて動詞を作るサワキ(騒)・カカヤキ(輝)・トドロキ(轟)などの類》 ①(根元が押えられていて)先の方がゆらゆらと横に揺れ動く。「秋風に末吹き—・く萩の花」〈万四五一五〉。「八重波に—・く珠藻の」〈万四三一一〉 ②(心や態度が、ある人の方へ)揺れ動いて寄る。「白栲の袖さし交へて—・き寝るわが黒髪のま白髪になりなむ極み」〈万四八一〉。「奥つ藻の〔ヨウニ心ガ〕—・きし君が言(こと)待つ我を」〈万二七八二〉 ③従う。服従する。「下(しも)は上(かみ)に—・きて」〈源氏帚木〉 ㊁『名』 なびくこと。なびくさま。「捧げたる幡(はた)の—は」〈万一九九〉 †nabiki

なび・け【靡け】『下二』《ナビキの他動詞形》 ①先の方をゆり動かす。なびかせる。「ぬばたまのわが黒髪を—・けて居らむ」〈万三五三二〉 ②服従させる。自分の方にひきつける。「九国を—・けんとするに、誰かはさうなく随ふべき」〈保元上・新院御所〉 ③傾ける。斜めにする。「皆、肩を—・けて〔弁慶ヲ〕通しけり」〈義経物語三〉。「車切りにも、又は—・けても切り候也」〈大草殿より相伝之聞書〉 †nabikë

なびと【汝】《ナ(汝)ヒト(人)の意》 おまえ。なんじ。「汝、此をば那鼻苔(なびと)と云ふ」〈紀允恭二年〉 †nabitö

なびなび《ナビはナビキ(靡)と同根》 優美でやわらかな感じ。流麗なさま。なびやか。「句移りの文字ぐさりのすべやかに聞きよくて、—とあるやうに節をば付くるなり」〈花鏡〉。「昼夜の修行怠らず、まづまづ—と口軽(がろ)に読みつけなば」〈正徹物語下〉

なひまぜ ナイ【綯交】 種種の色糸をより合わせて組紐を作ること。「菅笠に紅裏(もみうら)打って、—の紐を付け」〈西鶴・一代男五〉

なびやか《ナビはナビキ(靡)と同根》 いかにも優美で柔和なさま。しなやか。なよやか。「右歌はめづらしき言なけれども—なれば勝つ」〈永久四年六月四日参議実行歌合〉

なびらか 「なびやか」に同じ。「左の歌はいと—に詠まれて侍(はべ)めり」〈嘉保元年八月十九日前関白師実歌合〉

なふ ウノ【衲】「衲衣(なふえ)」に同じ。「暑げなるもの。随身の長(さを)の狩衣(かりぎぬ)、—の袈裟」〈枕一二三〉

な・ふ『助動』〔上代東国方言〕 ①動詞の未然形を承けて打消の意を表わす。未然形ナハ・終止形ナフ・連体形ナヘ・已然形ナヘと活用。この連体形ナヘが、後世ナエと発音され、今日の関東・東北方言の打消のナイの源となった。「会津嶺(ね)の国をさ遠み逢は—・はば偲ひにせもと紐結ばさね」〈万三四二六〉。「児ろが上に言(こと)をろはへて未だ寝—・ふも」〈万三五三五〉 ②《ニ合フの約。打消の形で使われることが多い。下二段型に活用》 …できる。「障(さ)へ—・へぬ(コバムコトガデキナイ)命(みこと)にあれば」〈万四四三二防人〉

なふえ ノウ【衲衣・納衣】 朽ち古びたぼろ布を集め綴って作った法衣。「衲子(のっす)の行履(あんり)、旧損(くそん)の—等を綴り補うて捨てざれば、物を貪惜(とんじゃく)するに似たり」〈正法眼蔵随聞記三〉。「衲子とは僧を云ふ。—とて綴りたるを披(き)る故なり」〈無門関私鈔上〉

なぶさ ①蛇。「青—三尺ばかり」〈中臣祐重記養和二・六・二〇〉 ②《虹を蛇に見立てたところから》 虹。「葛城山に虹の立ちければ。さらにまた反橋(そりはし)わたす心地して—かかれる葛城の山」〈夫木抄一九・虹〉

なふさなふさ 気まま。気がむくまま。「随分(なふさなふさ)の管絃は還りて自ら足りぬ」〈和漢朗詠集管絃〉。「随分、ナフサナフサ」〈名義抄〉

なふじゅ ノウ【納受】 受け入れ、聞きとどけること。「一心実(まこと)に静まらば、三宝の—ここにあり」〈孝養集下〉

なふしょ ノウ【納所】 ⇒なっしょ

なふす ノウ【衲子】 ⇒のっす

なふそう ノウ【衲僧・納僧】 衲衣〈なふえ〉を着した僧。禅僧をいう。「ただみだりに—・衲子と自称して」〈正法眼蔵発菩提心〉

なふそり ノウ【納蘇利・納曾利】 ⇒なそり

なぶ・り【嬲り】㊀『四段』 ①相手を困らせておもしろがる。からかいもてあそぶ。「壮(をとこ)しひて入りて—・る」〈霊異記中三四〉。「まだし(年少デアル)とて、問ひみ問はずみ—・るらん、いとほしや」〈梁塵秘抄三六四〉 ②責めさいなむ。いじめる。「小童部の多く来て—・り候ふが、あまりにわびしく候」〈沙石集八ノ一二〉。「路で強者が弱き者を—・るを見て」〈碧岩抄一〇〉 ㊁『名』 からかい、もてあそぶこと。「さす竹の大宮人は今もかも人—のみ好みたるらむ」〈万三七五八〉

なへ エナ【苗】《古形ナハの転》 ①草木の種子から芽の出たもの。「三島菅いまだ—なり時待たば着ずやなりなむ三島菅笠」〈万二八三六〉 ②特に、稲の苗。「かみつけの佐野田の—の占苗(むらなへ)に事は定めつ今はいかにせも」〈万三四一八〉 †naFë

なへ『助』《ナは連体助詞、へはウヘ(上)のウの脱落形。ウヘには物に直接接触する意があるので、ナヘは、「…の上」の意から時間的に同時・連続の意を表わすようになった。用言の連体形を承ける》 …と共に。…と同時に。…につれて。「今朝の朝明(あさけ)雁が音(ね)寒く聞きし—野辺の浅茅そ色づきにける」〈万一五四〇〉 ▽この語は長らくナベと読まれて来たが、万葉仮名の研究から、奈良時代にはナヘと清音であったとされるようになった。「…なへに」の形でも使われる。 †naFë

なへ『助動』〔上代東国方言〕 打消の助動詞「なふ」の連体形・已然形。「昼解けば解け—紐の」〈万三四八三東歌〉。

な

「栲衾(たくぶすま)白山風の寝ーども」〈万三五〇九東歌〉 †naFe

なべ【鍋】《肴(な)瓮(へ)の意》 食物を煮る器。「さしーに湯わかせ子ども」〈万三八二四〉 †nabë

な・べ【並べ】『下二』《ナメの子音交替形》 ならべる。「〔指ヲ〕屈(かが)ーべて、夜には九夜(ここのよ)、日には十日を」〈記歌謡二六〉 †nabë

な・べ【靡べ】『下二』 なびかせる。「婦負(めひ)の野の薄(すすき)押しー・べ降る雪に」〈万四〇一六〉 †nabë

なへ・ぎ(ナエギ)【蹇ぎ】『四段』 びっこをひく。歩くに足が不自由である。「ひるつかたー・ぐー・ぐと見えたりしは何事にかありけむ」〈かげろふ中〉。「跛、那閇久(なへぐ)」〈和名抄〉

なべじり【鍋尻】 **ー焼・く** 結婚して新世帯を持つ。「かの下なるきざみ(身分)の室迎えて、家の内の後見など頼めるを、ー・くなど言へる」〈俳・宝蔵四〉。〈俳・世話尽一〉

なべせん【鍋銭】 鍋鉄すなわち銑鉄で鋳造した銭。づく銭。「ーや筑摩祭の御散銭(おさんせん)」〈俳・崑山集五〉

なべて【並べて】『副』《ナベ(靡)の副詞形。なびかせる意から》 ①すべて。一帯に。全般に。「知るも知らぬもー悲しも」〈古今一〇九六〉。「世の中ーうしろめたく」〈源氏 若菜下〉 ②普通。なみ。「わが宿の花しーの色ならば何かはさらに君を待たまし」〈源氏花宴〉 **ーなら・ず** 普通ではない。なみなみでない。「心ばせ有様ー・ずもありけるかなと、ゆかしう」〈源氏明石〉

なべとり【鍋取】 ①鉉(つる)のない熱い鍋・釜などを手に取るときに用いる藁製の具。古くは扇形、後には足半(あしなか)形に作った。「茶碗・茶筅・ーは前へ掛くる」〈虎寛本狂言・煎じ物〉 ②《⑴と形が似ているので》 冠の老懸(おいかけ)の称。また、それを付けた冠をかぶる人。「釜取り」とも。「ーを冑の脇に飾り付け」〈俳・油糟〉 **ーくげ**【鍋取公家】 老懸の付いた冠をかぶる公家。また、一般に公家を嘲っていう語。「昔からーとてあるほどに」〈咄・醒睡笑二〉。「ーと言ひなすは、筑摩の神の末末かと誤り」〈仮・京童序〉

なへに 『助』「なへ」に同じ。「あしひきの山河の瀬の鳴るー弓月が嶽に雲立ち渡る」〈万一〇八八〉。「うぐひすの声(おと)聞くー梅の花我家(わぎへ)の園に咲きて散る見ゆ」〈万八四一〉 †naFëni

なべのぞき【鍋覗き】 ①鍋の蓋を取って、中の煮物をのぞき見すること。「御趣向に仁徳帝もー」〈雑俳・宝船〉 ②主婦などが台所の炊事・調理に気を付け過ぎること。炊事にうるさく口出しすること。「ーする宿の親しき」〈俳・或時集〉

なべらか【滑らか】「なめらか」の転。「ーなる布衣、常のさまに変らず」〈発心集四〉

なほ(ナオ)【直・尚・猶】《ナホザリ(等閑)のナホに同じ。変ったこともなく、物事が時間的に持続していくさまをいうのが原義。変りなく同一であるから、事もない、平凡、また比較に使って、ちょうど同じの意。さらに時間の持続・延長の観念から発展して、加えて、その上、の意。類義語タダは平面上を一直線に、直接にの意から転じて、何の曲もない、何ということない、何でもないの意を表わす》 ㊀『名』 ①(前と)何の変りもない状態。「〔アナタノ気持ガ〕まーにしあらば何か嘆かむ」〈万一三九三〉 ②何の変哲もないさま。平凡。「天の下の色好みの歌にては(トシテハ)ーぞありける」〈伊勢三九〉 ③そのまま何もせずにいること。「〔匂宮ハ〕いとすき給へる宮なれば『かかる人なむ』と聞き給ふが、ーもあらぬすさびなめり」〈源氏椎本〉 ㊁『副』 ①もと通り。変らず引続いて。「旅衣八重着重ねて寝ぬれどもー肌寒し妹にしあらねば」〈万四三五一〉。「ーしばし試みよ」〈源氏桐壺〉 ②やはり何といっても。「つるばみの馴れにし衣(きぬ)にーしかめやも」〈万四一〇九〉。「此の度はー限りなり(最期ダ)と思し召したり」〈源氏若菜上〉 ③同じように。「久方の月の桂も秋はーもみぢすればや照りまさるらむ」〈古今一九四〉 ④再び。「いにしへにー立ちかへる心かな恋しきことにもの忘れせで」〈古今七三四〉 ⑤さらに。もっと。一層。「ほととぎすーも鳴かなむ」〈万四四三七〉。「大路より東へ入る事一丁余…墓のー東へ」〈保元下・左大臣殿の御死骸〉 ⑥その他に。「ーある〔人〕をば良しとも悪しとも〔言葉ニ〕かけ給はず」〈源氏螢〉 ⑦それでも。それにもかかわらず。「我身の嘆きを数へんには、河原の石は崩るともーいかばかりかは積もらまし」〈保元下・為義の北の方〉 ⑧《助詞のように用いて》 …まで。…でさえも。「胡馬北風にいばへ、畜類ー故郷の名残を惜しむ」〈平治下・頼朝遠流〉 ⑨《古くは「なほし」の形で使ったのを略して》 ちょうど(…のようだ)。まるで(…のようだ)。「御首は敷皮の上に落ちて、むくろはー坐せるが如し」〈太平記三・長崎新左衛門〉

なほあらじ(ナオ…)【猶有らじ】『連語』 そのまま何もせずにいることはできまい。「うちみじろき給ふ程近う聞えければ、ーに(ジットシテイラレズ)」〈源氏椎本〉

なほかし(ナオ…)【猶かし】『副』 さらに。いよいよ。その上に。「未来はー覚束なや」〈近松・今宮心中下〉

なほさら(ナオ…)【猶更】『副』 さらにその上。いよいよ。「さてその後には舟の行き方も見えず、水遠山長ばかりぢゃほどに、ー愁殺したぞ」〈三体詩抄一ノ一〉

なほざり(ナオ…)【等閑】 ①特別な関心を払わずに何かをし、また時をすごすこと。深く意に介しないさま。「ーに秋の山辺を越え来れば織らぬ錦を着ぬ人ぞ無き」〈後撰四〇三〉 ②本気でないこと。いいかげん。かりそめ。おろそか。「ーのすさびにても懸想だちたる事は、いとまばゆく」〈源氏総角〉 ▽ナホ(直)とサリ(去)との複合か。 **ーごと**【等閑言・等閑事】 ①さして深い意味を含ませていないことば・行為。「我ながら心よりほかなるーにてうとまれ奉りしふしぶしを」〈源氏明石〉 ②冗談。「ーなど宣ふ」〈源氏椎本〉

なほし(ナオシ)【直衣】《ただの衣、平常着の意》 貴人常用の略服。形は袍(はう)に似て、やや短く狭い。好みで種種の色を用いる。地は、主として綾・平絹・織物等で、同じ地質の腰帯をする。直衣には石帯・平緒・表袴・魚袋を必要とせず、袴は指貫を用い、また冠の代りに烏帽子を用いる場合もある。「桜の唐の綾の御ー、葡萄染(えびぞめ)の下襲、裾いと長くひきて、皆人は袍なるに、あざれたる大君姿の」〈源氏花宴〉 ▽ナホシは、音韻の時代的変化をうけて、後世、ノウシともよむ。naFosi→nawosi→naosi→no:si **ーすがた**【直衣姿】 直衣を着た姿。「このーを見つくるに」〈源氏蜻蛉〉 **ーはじめ**【直衣始め】 直衣を着て参内すること。直衣姿で参内することをゆるされた者が、はじめて直衣姿で参内すること。「同二十七日に、内大臣ーにて出仕せられけり」〈盛衰記三八〉

なほし(ナオシ)【尚し・猶し】『副』《ナホに強めの助詞シのついた語。平安時代には、漢文訓読体で使われた》 ①それでもやはり。依然として。「泡沫(みつぼ)なす仮れる身そとは知れれどもー願ひつ千歳の命を」〈万四四七〇〉 ②《「…すらー…いはむや…」の形で使うことが多い》 …の場合でさえ。「是の如き悪人は大乗の名字をすらー聞くこと得がたし。いはむや当に能く無上の仏果を証せむや」〈地蔵十輪経三・元慶点〉。「弟子童子を見ることそらー稀なり。いはむや他の人を見ることは無し」〈今昔一五ノ二六〉 ③《同様にの意で「ごとし」と呼応して》 あたかも。ちょうど。「大金鼓の光明、晃(かひ)り耀(かかや)けること、ー日輪の如くあるを見つ」〈金光明最勝王経平安初期点〉。「汝を守る事、ー眼精(まなこ)を

守るが如くなり」〈今昔一七ノ一七〉

なほ・し【直し】『四段』《ナホリ(直)の他動詞形》①間違いや曲ったことを、もとの状態に戻して、その状態が続くようにする。「その杆(まが)れるを矯(はな)さむとして生める神を、号(な)づけて神直日神(かむなほびのかみ)とまうす」〈紀神代上〉。「―・しひきつくろふべき所なく、心にかなふやうにもや」〈源氏帚木〉②然るべきさまに改める。かえる。「詠果てて、袖うち―・し給へるに」〈源氏紅葉賀〉③然るべき位置に改めて据える。「人目もつつましくて、女房どものはるかの末座に遮那王殿を―・しける」〈義経記三〉。「藁人形を作りなして…松飾りの中に―・して」〈西鶴・永代蔵四〉④治療する。「わが身も肉が損じたれば肉にて―・すべしと云ひけると云へり」〈雑談集三〉⑤片付ける。しまいこむ。「請け取った五十両は―・して置いて」〈洒・色深狭睡夢下〉⑥間違いなどを訂正するため、もう一度はじめから行なう。「算用し―・いてみ申さう」〈虎明本狂言・賽の目〉⑦《忌詞で》切る。「斧取りて水尾(みを)の杣人(そまびと)―・す木に／泊瀬の仏いつ造りけん」〈宗祇独吟名所百韻〉 **―た・て**【直し立て】『下二』きちんともとに戻す。「〔源氏配流ヲ〕ものの報いありぬべくおぼしけるを、―・て給ひて、御心地すずしくなむおぼしける」〈源氏澪標〉 **―どころ**【直し所】①直す所。直すべき点。欠点。「さ―なく、誰も物し給ふめれば、心安くなむ」〈源氏若菜上〉②直しがい。「心もとなくとも、―ある心地すべし」〈源氏帚木〉 **―もの**【直し物】除目(ぢもく)の誤りを直して任官すること。除目の後、二、三か月を経て行なうこともあり、また、翌年行なうこともある。「二月の朔日頃に―とかいふことに権大納言になり給ひて」〈源氏宿木〉

なほ・し【直し】『形ク』《ナホの形容詞形》①ゆがんでいない。曲がっていない。「心を改めて―・く浄くあらば」〈続紀宣命四五〉。「―・き木にまがれる枝もあるものを」〈後撰一二五六〉②平らである。でこぼこしていない。「荒畠(あらはたけ)といふものの、土うるはしうも―・しからぬ」〈枕一四四〉③尋常で、難がない。「あれ(老女房)が程にはあらず、目も鼻も―・しとおぼゆるは心のなしにやあらむ」〈源氏総角〉

なほなほ【直直・尚尚・猶猶】『副』《ナホを重ねた形》①もと通り。「ひさかたの天路は遠し―に家に帰りて業(なり)をしまさに（シナサイ）」〈万八〇一〉②それでもやはり。「『―』とせちに宣へば」〈源氏夕霧〉。「―これまでの御下向、思ひ寄らず有り難く悦び入り候」〈盛衰記三九〉③もっともっと。更にいっそう。「近頃辛労なり。―つとめよ」〈尚書抄八〉④書状の追伸の書きはじめに用いることば。付け加えて。追って。「―、祈り事、能く能く御沙汰候べく候」〈金沢文庫古文書一、金沢貞顕書状〉 **―がき**【尚尚書き】書状の本文に追加して書き添える文言。〈ロドリゲス大文典〉

なほなほ・し【直直し】『形シク』①いかにも無難である。「〔大シテ気ニ入ラヌ女ニ〕『忘れで待ち給へよ』など―・しく語らひ給ふ」〈源氏空蟬〉②いかにも平凡だ。いかにもありきたりだ。「やむごとなき筋ながらも、心すこし―・しき御叔母にぞありける」〈源氏蓬生〉③いかにも下品だ。「見給へよ。懸想びたる文のさまか。〔ソレヲ取ルトハ〕さても―・しの御さまや」〈源氏夕霧〉

なほびと【直人】平凡な家柄の人。「―の上達部などまでなりのぼりたる」〈源氏帚木〉

なほもって【猶以て】『副』①それでもやはり。「数通の起請文を書き進ずといへども、―御宥免(いうめん)なし」〈平家二・腰越〉②なおその上に。なおいっそう。「殊に我仏前にあるをも知り給はず、一目も見給はざる事、―不審なるに」〈奇異雑談集四〉③書状の追伸のはじめに用いることば。なおなお。追って。「―、伯耆守如在無く、彼の口へ申し付け候間、珍説候はば、則ち註進申し上ぐべく候」〈上杉家文書一、永禄三・三・二七〉

なほもの【直者】取り立てていう程の事もない人。普通の者。「ゆゑある者にやあらむと思ふほどに…『まろを宣ふか』と言ふを聞くにぞ―なりけりと思ひぬる」〈かげろふ下〉

なほらひ【直会】《動詞直リに反復・継続の接尾語ヒのついたナホラヒの体言形》神事(異常なこと)が終った後、平常に復するしるしにお供物を下げて飲食すること。また、その神酒。「今日は大嘗(おほにへ)の―の豊明(とよのあかり)聞こしめす日にあり」〈続紀宣命三八〉 †naForaFi

なほ・り【直り】『四段』①(悪天候・不機嫌・不安などが)静・平常にもどる意》①(険悪・異常な状態からもとの平静・平常にもどる意》①(悪天候・不機嫌・不安などが)回復する。平穏になる。「からうじて今日は日のけしきも―・れり」〈源氏帚木〉。「聞えなほし給へどことに御けしきも―・らず」〈源氏賢木〉②(病気が)回復する。「〔薬湯ヲ〕飲みなどして身なども―・りもてゆく」〈かげろふ上〉③(配流などの拘束が解けて)許される。赦免される。「その子八九人ばかり浦浦へと聞え侍りき。事―・りしかば、その人人は召し還して」〈今鏡三〉④きちんとすわる。しかるべき位置に着座する。「御曹司しばらく辞退して敷皮にぞ―・られける」〈義経記四〉⑤《斎宮の忌詞。事態を逆に表現して》死ぬ。「死を奈保留(なほる)と称す」〈延喜式斎宮寮〉

なま【生】㊀『副』なんとなく。どことなくはっきりせずに。「―、物のゆゑ知らむ、と思へる人、さるもの要じて」〈源氏蓬生〉。「―、目とまる心も添ひて見ればにや、〔ソノ子ハ〕眼居(まなこゐ)など…いとよく〔実ノ父ニ〕おぼえ(似)給へり」〈源氏横笛〉㊁『接頭』①未熟、不完全、いい加減、の意。それらの状態に対して好感をもたない場合に使うことが多い。「―学生」「―聞き」「―道心」など。「その所に有りける侍ども―六位などのありけるが」〈今昔三一ノ二六〉②転じて、度合が不十分の意から、中途半端に、なんとなく、わずかながら、の意。「何やらん―白き物うちかづきて」〈伽・およう の尼〉㊂『名』①生きていること。食べ物など、火を通したり、乾かしたりしていないこと。「左右の手には小さき―魚(を)を二三づつ把(と)り」〈盛衰記一〇〉。「―柴を小釜の下に折りくべて」〈俳・犬筑波〉。「ここもとは―な物がおりない所で」〈虎明本狂言・察化〉②中途半端。不完全。「くちばしも翼もなくて、―の天狗なるべし」〈仮・御伽物語一〉③生酔い。「ひょろりひょろりと―になり」〈近松・二枚絵草紙下〉④現金の隠語。げんなま。「銭を―と言ふ」〈洒・品川楊枝〉⑤生意気。「やい、与三、―言ふなえ言ふなえ」〈伎・与話情浮名横櫛二〉

なまいた【生板】 **―に釘** たやすいことのたとえ。「生木に釘」とも。「―は片野を分け入りて〔ノ散歩ダ〕」〈俳・俳諧或問下〉

なまいだばうず【なまいだ坊主】《ナマイダは南無阿彌陀仏を早く唱える発音》鉦を叩き、念仏を囃子に入れ、浄瑠璃小唄などを唄う乞食坊主。「―が、てんがう念仏申して来る」〈近松・天網島上〉

なまうかび【生浮び】中途半端に仏道に入ること。「濁りにしめる程よりも、―にては、かへりてあしき道にもただよひぬべく」〈源氏帚木〉

なまお・い【生老い】『上二』年寄りというほどでないが、それに近くなる。「―・いたる女法師の、いみじうすすけたる衣(きぬ)を着て」〈枕八七〉

なまおぼえ【生覚え】①うろ覚え。「〔男ハ自分ノ〕よみたる歌などをだに―なるものを」〈枕一六一〉②おぼえがよくないこと。気に入られていないこと。「―、あざやかならぬ〔従者〕や暗きまぎれに立ちまじりたりけむ」〈源氏宿木〉

なまかく・し【生隠し】『四段』何となく秘密にする。「―・す気色なれば、人にも語らず」〈源氏手習〉

なまがくしゃう【生学生】未熟な学生。「父が―に使はれたいまつりて」〈大鏡序〉

なまかたほ【生片ほ】どことなく欠点があること。「―なること見え給はば、かうまでことごとしうもてなし給はじ」〈源氏行幸〉

なまかは【生かは】怠けること。また、怠け者。「役に立たぬ者の歌。物書かず、どんで、ぶがんで、昼寝して、引込み思案、病者、―」〈仮・長者教〉

なまがひ【生貝】鮑(あはび)の生肉。「生海鼠(なまこ)有り―有れば栄螺(さざえ)有り」〈俳・大矢数一〉

なまかべ【生壁】塗り立てで、まだ乾ききっていない壁。「―〔ハ使用ニ〕かたがた然る可からざる歟」〈中臣祐春記弘安一〇・六・一〉 **―に算盤(そろばん)** 生壁を算盤で叩いたように、ひどいあばた面のたとえ。「―の大菊石(みっちゃ=アバタ)」〈浮・分里艶行脚五〉

なまき【生木】まだ枯れきっていない木。「山寺の鐘の撞木(しもく)は―にて」〈俳・犬筑波〉 **―に鉈(なた)** 《生木を鉈で打つのは木の毒、という洒落から》気の毒。「あただ浮世は―ぢゃとなう、思ひ廻せば気の毒やなう」〈阿国歌舞伎歌〉

なまぎき【生聞き】いいかげんに聞くこと。しっかりと聞かないこと。「主君の御使を申す時は…―なる事をば、押し返して不審を申すものなり」〈今川大双紙〉。「真実におもひいれてをしふること、―にし信ぜずと御述懐にて候ひき」〈空善記〉

なまきんだち【生公達】公達とよべるかよべないかぐらいの公達。「むすめ多かりと聞きて、―めく人人も、音なひいふ、いとあまたありけり」〈源氏東屋〉

なまく【曩謨】「なうまく」の転。南無(なむ)。「一祈りこそ祈ったれ。―さまんだばさらだ」〈謡・葵上〉

なまぐさ・し【生臭し・腥し】『形ク』①生魚・肉類・生血などの臭気がある。「鯉のいろこ・骨をくひちらしたり。…始めは―・かりつるが」〈打聞集〉。「鮏、奈万久佐志(なまくさし)」〈新撰字鏡〉②あやしげな臭気がある。「洞の内―・き事限りなし」〈今昔一三ノ一七〉③戒行を守らず不品行である。堕落している。「昔―・き坊主と山伏と」〈仮・仕方咄一〉④生意気だ。しゃらくさい。また、うろんだ。うさんくさい。「―・き事共これ有らば、告げ知らせ候へ」〈細川忠興文書寛永一・四・七〉。「や―・い男呼ばり、置け置け、置いてくれ」〈近松・寿門松上〉

なまぐち【生口】生意気な口のききよう。「父大きに怒って『いやいや、ごへんは―聞いて、承引せじとの申事』」〈浄・ゆみつき上〉

なまくび【生首】切ったばかりのなまなましい首。「昨日あざやかにさかさかしげなりし有様に、今日は魂もなき―」〈盛衰記九〉

なまくら【鈍】刀の切れ味のにぶいこと。また、その刀。「―を拝め爪ったほどの疵」〈雑俳・あらみ〉

なまくら・し【生暗し】『形ク』うす暗い。「御車のあたりに、―・き折に立てりけり」〈大和一六一〉

なま・け【怠け】『下二』生気がなくなる。だらける。「すくすくとしたる文章…―・けたる文章」〈女房進退〉。殊に坊主の―・けたふり見たくなし」〈驢鞍橋下〉

なまごころ【なま心】異性を恋い慕う感情。色情。色気。「女郎花露をかざすや―」〈俳・毛吹草追加中〉

なまさぶらひ【生侍】官位が低く、一人前の侍らしくも見えない侍。青侍(あをさぶらひ)。「京に―の年若き有りけり」〈今昔一六ノ三三〉

なま・し【生し】『形シク』①なまである。生身(なまみ)である。「―・しきと乾したるといふことの有りしに」〈八雲御抄一〉。「火をたくに、―・しき木は吹き調ずれども故(ことさら)もえず」〈雑談集一〉。「さすが―・しき身なれば、三日といひける日は、息絶え身すくみて、死人の如し」〈盛衰記一八〉②未熟である。不十分である。「譬へば、熟(う)める腫れ物は壊することすなはちやすし。―・しき時はすなはち破ること難きが如く」〈成実論天長点〉。「―・しとは、し習はぬすがたなり」〈沙石集七ノ一〉

なまし『連語』《完了の助動詞ヌの未然形ナと、推量の助動詞マシとの複合》①きっと…しただろうに。「〔ソノ女ヲ〕長く見るやうも侍り―」〈源氏帚木〉②《助詞「や」と相伴って》判断の逡巡を示す。…するだろうか、どうだろうか。「立ち添ひて消えやしー憂きことを思ひ乱るる煙くらべに」〈源氏柏木〉

なましぞく【生親族】《シゾクはシンゾクのンを表記しなかった形》親類といえるかいえないかぐらいの関係の人。「又の日―だつ人とぶらひ(見舞)にものしたり」〈かげろふ中〉

なまじひ【生強ひ】《ナマは中途半端の意。シヒは気持の進みや事の進行、物事の道理に逆らう力を加える意。近世初期まで、ナマジヒ・ナマシヒと両形あった。近世ではナマジとも》①自分の気持に反する無理な抵抗。「物思ふと人に見えじと―に常の面貌(おもへり)ありそかねつる」〈万六一三〉。「強、ナマジヒ」〈名義抄〉②〈世間の通例にそむくような〉無理な事の進め方。「数ならぬ身に〔夫婦トイウ〕及びがたき御中らひに、―に〔皇女ヲ〕許され奉りて」〈源氏若菜下〉③余計なこと。なまじっか。「―に究竟の水練にておはしければ、沈みもやり給はず」〈平家一一・能登殿最期〉④行為などがいい加減であること。「ただし、この観念を―の智者などはかなふべからず」〈宝物集下〉⑤いやいやながらすること。「心に非ずといへども僧の心にたがはじと思ふ故に、―に参るべき由をうけて(承知シテ)」〈今昔一三ノ四〉

†namasiFi

なます【膾・鱠】生魚の肉などを細かく切って作った食品。「我が肉(しし)はみ―〔ノ〕料(はやし)」〈万三八八五〉

なま・す『助動』《近世後期、遊里の女性語。一般にも行なわれた》動詞及び動詞型活用の助動詞の連用形に付き、尊敬を表わす。なさいます。「不夜国〔島原デハ〕し―・せ〔ト言ウ〕」〈洒・六丁一里〉→なんす

なまずりゃう【生受領】なんということもない国司。「ことなる事なき―などやうの家にある人は」〈源氏蓬生〉

なまそんわう【生孫王】なんということもない孫王。「―めく賤しからぬ人」〈源氏椎本〉

なまづめ【生爪】 **―放・す** 生爪をはがして客に送る。遊女の心中立ての一法。「―・す佐野の夕闇」〈俳・通し馬上〉

なまづら【生面】 **―下・ぐ** 人の平気でいるさまを罵る語。しゃあしゃあとした様子だ。「―・げて漕がれ行く船」〈魚の歌合〉

なまづを【鯰尾】①刀剣類の形の名。菖蒲(しょうぶ)作り。「―槍一百八竿」〈三代実録元慶五・四・二五〉②兜の形の名。鯰の尾にかたどり、両ひれの立て物をつける。「金の―の兜に、金の六本菖蒲の指物(さしもの)して」〈浅井三代記九〉

なまどしよ・り【生年寄り】『四段』いい年配になる。「―・

りて嫌と云ふ者を」〈漢書竺桃抄〉

なまなか【生半】『副』①どっちつかず。中途半端。「―云ひ掛かり、首尾悪しく退かんより、始めより辞すべし」〈仮・悔草上〉②むしろ。かえって。なまじっか。「時鳥―鳴かぬ里もがな」〈俳・玉海集追加二〉

なまなま【生生】①いかにも未熟であること。「御琴を取り依せて―にひき出でて」〈記仲哀〉②いかにもなまであるさま。「腥(なまぐさ)いとは、殺して―として未だ煮ざるを云ふ也」〈応永二十七年本論語抄三〉

なまなま・し【生生し】『形シク』①いかにもなまである。いかにも生身(なまみ)である。「君を思ひ〔ソノ火デ〕―・し身を焼く時は煙(けぶり)多かるものにぞありける」〈大和六〇〉②未熟だ。「上臈・権門達、数を知らず入り給へる其の内に、よろしからぬ、―・しくあらあらしき歌も多かるべくや」〈ひとりごと〉。「今時の―・しき男女が、我こそ悟道の者なりと云ひて、仏神を軽しめ仏教を嘲り」〈仮・紀物語下〉

なまなり【生成り】①十分出来上がっていないこと。未成熟。「一円に―なるにもあらず。又煮えたるにもあらず」〈成簣堂本論語抄三〉②魚肉を塩・飯と漬け込み、おしをして作る鮓(すし)の半熟なもの。なまなれ。「―三十、例年これを進上す」〈殿中申次記〉

なまなれ【生馴れ・生熟れ】①「なまなり」(1)に同じ。「―や叩いて去んぬ舟西瓜」〈俳・江戸新道〉②「なまなり」(2)に同じ。「月も花も―をこそ鮒の鮓(すし)」〈俳・懐子二〉

なまにょうばう(ウ:ボ)【生女房】未熟な年若い、宮仕えの女房。また、地位の低い女房。「ある人のもとに―のありけるが」〈宇治拾遺七六〉

なまにんじゃく【生にんじゃく】「なからはんじゃく」に同じ。「居続けへ―な母の文」〈雑俳・万句合明和一〉

なまば・み【生ばみ】『四段』あやしく見える。うろんな感じがする。「用心の最中、―・うたる人の疲れ乞ひするは」〈太平記三三・飢人投身〉

なまふがふ(ウ:ゴ)【生不合】何となく金に困っていること。「大学の衆どもの―にいますがりしを問ひ尋ね」〈大鏡時平〉

なまぶし【生節】「なまり節」に同じ。「珍しや／―木曾の初鰹」〈雑俳・雪の笠〉

なまぶろ【生風呂】生ぬるく沸かした風呂。腫物の化膿を早める療法にも用いた。「―に入りにし事のあやなしや」〈俳・底抜臼下〉

なまべいはふ(ウ:ホ)【生兵法】未熟な兵法。また、未熟な知識のたとえにも用いる。なまびょうほう。「なかなかに止めよ兎の―犬にかまるる創(きず)の基(もと)ぞ」〈吾吟我集七〉 ―**は大疵(おほきず)の基(もと)** 少しばかりその道を心得た者が、その知識を頼んでかえって大失敗を招くたとえ。〈仮・清水物語下〉

なまみやづかへ(カエ:ヅ)【生宮仕】何ということもない宮仕え。「この男、―しければ」〈伊勢八七〉

なまむつか・し【生むつかし】『形シク』何となく厄介だ。小うるさい。「〔妻ノ騒ギタテルノモ〕しばしは―・しう煩はしきやうに憚からるる事あれど」〈源氏夕霧〉

なまめか・し『形シク』《ナマメキの形容詞形。色・様子・形・人柄などのよさ、美しさが、現われ方としては不十分なように見えながら、しっとりと、よく感じられるさまをいうのが原義》①花やか、派手でなく、しっとりとして美しい。何気ないようで美しい。「花紅葉の盛りなるよりは、ただそこはかとなう茂れる蔭ども―・しきに」〈源氏明石〉。「白装束どもの様様なるは、ただ墨絵の心地していと―・し」〈栄花初花〉。「内のおとどの、花やかに、あな清げとは見えながら、―・しう見えたる方のまじらぬに」〈源氏玉鬘〉②(男女関係について)何となく、気をひかれるさまである。「色めかしくあだにおはしますも、若き折に、さ物せさせ給はぬ人やはある。さればこそ、をかしく―・しき事もいでくれ」〈栄花根合〉③優雅で魅力的である。「ただ人も舎人(とねり)など給はるきははゆゆしと見ゆ。その子孫(むまご)までは、はふれにたれどなほ―・し」〈徒然一〉

なまめ・き『四段』《ナマは未熟・不十分の意。あらわに表現されず、ほのかで不十分な状態・行動であるように見えるが、実は十分に心用意があり、成熟しているさまが感じとられる意。男女の気持のやりとりや、物の美しさなどにいう。従って、花やかさ、けばけばしさなどとは反対の概念。漢文訓読系の文章では、「婀娜」「艶」「窈窕」「嬋娟」などをナマメク・ナマメイタリと訓み、仮名文系での用法と多少ずれて、しなやか、あでやかな美の意。中世以降のナマメキは、主としてこの漢文訓読系の意味の流れを受けている》①何気ないように振舞う。何でもなげに振舞いながら気持をほのめかす。「この車を女車と見て、〔色好ミノ男〕寄り来てとかく―・くあひだに」〈伊勢三九〉。「泣き給ふさまあはれに心深きものから、いとさまよく―・き給へり」〈源氏葵〉②(色・人柄・態度など)けばけばしくなく、しっとりと控え目である。「〔紙ノ〕色などは花やかならで―・きたるに」〈源氏梅枝〉。「〔夕霧ハ〕あざやかに、けだかきものから、〔柏木ノ悲シミヲ聞イテ〕なつかしう―・いたり」〈源氏柏木〉。「黒き袷一かさね、〔中君ト〕同じやうなる色あひを着給へれど、これ(大君)はなつかしう―・きて、あはれげに心苦しうおぼゆ」〈源氏椎本〉③なんとなく、はっきりしないさまである。「月は霧に隔てられて、木の下も暗く―・きたり」〈源氏総角〉。「まほならねど、その夜のかたちほの見し、琴の音の―・きたりしも、すべて御心とまれるさまに」〈源氏澪標〉④あでやかである。「いと―・きたる女房、忍んで七日参籠せり」〈三国伝記三〉。「〔上臈ノ〕―・ける有様は、楊柳の風も物こはき心地して」〈伽・三人さんげ〉。「婀娜、ナマメク」〈高山寺本名義抄〉。「窈窕、ナマメイタル」〈文明本節用集〉。「なまめく。美しき体(てい)なり」〈和漢新撰下学集〉

なまもの【生者】一人前でない者。未熟者。「田舎びたる人をば、かやうの所(初瀬)には、よからぬ―どものあなづらはしうするも忝(かたじけな)きことなり」〈源氏玉鬘〉。「今は昔、京に極めて身貧しき―ありけり。相知りたる人も無く、父母類親もなくて」〈今昔三〇ノ五〉

なまもの【生物】とりたての加工していない食料品。「よそへは十六の―・干物(からもの)よりはじめて貝甲をつくして」〈宇津保吹上下〉

なまやいと【生灸】据えてまもない灸。「―思ひも痛く悲しきに」〈俳・山の端千句上〉

なまやか しっとりとして美しいさま。優雅であるさま。「強盗の中にいと―にて声けはひよりはじめて世に尋常なる男の」〈著聞四三三〉

なまゆふぐれ(ウ:ユ)【生夕暮】夕暮になりかけた頃。薄暮(はくぼ)。「近衛の御門の内に、大きなる蝦蟆(かへる)一つありて、―になりぬれば出で来て」〈今昔二八ノ四一〉

なまよみの〔枕詞〕国名「甲斐(かひ)」にかかる。かかり方未詳。「―甲斐の国」〈万三一九〉 †namayömino

なまり【錫】金属元素の一つ。鉛。「錫、ナマリ」〈名義抄〉

なま・り □『四段』①【訛り】言語・音声などに方言的な濁りや癖をおびる。「声―・りたる人」〈俊頼髄脳〉。「田舎人の声を―・るといふは何の字ぞ」〈壒嚢鈔一〉②【鈍り】するどさや勢いがにぶる。なまくらになる。「出づる日に―・るは霜の剣哉」〈俳・崑山集一三〉。「余寒も―・り」〈俳・行脚文集四〉。〈日葡〉 ㊁『名』【訛】 言語・音声などの方言的な濁りや癖。「坂東・筑紫などの—も凡そ似たる物なり。四国—は別なり」〈毛端私珍抄〉。「譬へば日本にても都にては—直る如くなり」〈倶舎論頌疏釈疏抄二〉

なま・り【隠り】『四段』《ナバリの子音交替形》 かくれる。「盧(はい)作り—・りて居る葦蟹を」〈万三八八六〉

なまりぶし【なまり節】〔江戸語〕 蒸した鰹(かつお)の肉を半乾しにした食品。上方では生節(なまぶし)という。略して「なまり」とも。「ともかくもけづりかねたり—」〈雑俳・丹舟評万句合宝永中〉

なまわかんどほり【生王家裔】《ワカンドホリは皇室の血統の意》 いくらか皇族の血をひく者。「〔浮舟ハ八宮ノ妾腹ダカラ〕—などいふべき筋にやありけむ」〈源氏夢浮橋〉

なまわろ【生悪】 どことなく劣っていること。「無才の人、—ならむ振舞など見えむに恥づかしくなむ見え侍り」〈源氏帚木〉

なまゑひ【生酔ひ】 ①少し酒に酔うこと。また、その人。「—をすかしおくべき陰も無し」〈俳・談林三百韻〉 ②よっぱらい。「熟柿臭し。さては—なるぞ」〈仮・杉楊枝四〉

なまをんな【生女】 ①未熟で世馴れない女。まだ一人前でない女。「片すみに籠りゐたる—の着るべきものかは」〈宇津保蔵開下〉 ②若くて身分の低い女。青女房。「〔普通ノ人ハ〕案内(あない)するたより、もしは—などして言はすることこそあれ」〈かげろふ上〉

なみ【波・浪】 ①海などの水面に生ずる起伏の動き。転じて波のように起伏やでこぼこのあるもの。また、その形。「清き磯廻(いそみ)に寄する—見に」〈万三九五四〉。「天の海に雲の—立ち」〈万一〇六八〉 ②年老いて出来る、顔のしわのたとえ。「年毎に鏡の影に見ゆる雪と—とを嘆き」〈古今序〉。「額(ひたひ)には—を畳みたり」〈はつしぐれ〉 ③波乱。騒乱。「我が君の天の下知ろしめしてよりこのかた、四つの海、—の声きこえず」〈後拾遺序〉 †nami **—にも磯(いそ)にも付か・ず** どちらつかずの中途半端な状態、拠る所とてない不安定な気持の形容。「なまじひに一門には離れ給ひぬ、—・ぬ心地ぞせられける」〈平家七・一門都落〉

な・み【祈み】『四段』《ノミ(祈)の母音交替形》 いのりねがう。「かくだにも我は祈(こ)ひ—・む君に逢はじかも」〈万三二七九〉 †nami

な・み【並み】㊀『四段』《横に凹凸なくならぶ意。縦に一列にならぶのはツレ(連)という》 横に一列にならぶ。「御舟出でなば〔見送リノ人ハ〕浜も狭(せ)に後れ—・みゐてこいまろび恋ひかもをらむ」〈万四三七五〉 ㊁『名』 ①横に一列にならぶこと。また、ならんだもの。「歯—は椎菱(しひひし)なす」〈記歌謡四二〉 ②同じようにならんだもの。同類。「かの中の品に取り出でて言ひし〔階級ノ〕、この—ならむかし」〈源氏帚木〉 ③毎月、毎日繰返されること。「今年の六月の月—の幣帛(みてぐら)を」〈祝詞六月月次〉 ④なみ一通り。普通。「—にし思はばわれ恋ひめやも」〈万八五八〉 ⑤《接尾語的に用いて》 同程度であること。「わくらばに人とはあるを人—に吾も作るを」〈万八九二〉。「御小性—に召し遣はれ候様に仰せ上げられ下さるべく候」〈浅野家文書天正一九・一〇・四〉 †nami

なみかぜ【波風】 ①波や風。「ひねもすに—立たず」〈土佐二月四日〉 ②波乱。騒乱。「京都にいささかのわづらひもなさず、—もたてずして下りにけり」〈平家一二・判官都落〉

なみがへし【波返し】 ①うち寄せる波を受けて返すこと。また、そのもの。「池の石は海をまなぶ事なれば、必ず岩根、—の石を立つべし」〈作庭記〉 ②雅楽の青海波にある、秘伝の太鼓の打ち方。「青海波の—」〈謡・梅枝〉

なみくもの【波雲の】〔枕詞〕「愛(うつ)くし妻」にかかる。「百足(ももた)らず山田の道を—愛し妻と語らはず別れし来れば」〈万三二七六〉 †namikumonö

なみざくら【並桜】 桜並木。並木の桜。「法花寺といふ寺の総門の外(と)の—」〈権中納言実材卿母集上〉

なみ・し【無みし・蔑し】『サ変』 ないがしろにする。軽んずる。「是を衆生をば—・して本のみを有すと名づく」〈金光明最勝王経平安初期点〉。「无・蔑、ナミス」〈名義抄〉

なみだ【涙・涕・泪】《古くはナミタとも。万葉の後期からナミダ》 涙。「あが兄(せ)の君は那美多(なみた)ぐましも」〈記歌謡六三〉。「ま袖持ち奈美太(なみだ)をのごひ」〈万四三九八〉 ▽朝鮮語 nunmil(nun は目、mil は水で、涙の意)と同源か。 †namita, namida **—かたて**【涙片手】 涙を片手で押えるさま。涙を拭き拭き。涙ながら。「—夜すがら咄(はな)し」〈西鶴・五人女三〉 **—がね**【涙金・涙銀】 同情して与える金銭。情の金。なみだきん。「流れては浮世へ出づる—」〈俳・分外集下〉 **—がは**【涙川】 涙の川。主に恋の涙を誇張した表現。「—枕流るる浮寝には」〈古今五二七〉。「行く人もとまるも袖の—」〈土佐一月七日〉 **—ぐま・し**【涙ぐまし】『形シク』《ナミダグミの形容詞形。奈良時代にはナミタグマシと清音にも》 ひとりでに涙が出て来る感じがする。「山城の筒木の宮にもの申す吾(あ)が兄(せ)の君は—・しも」〈記歌謡六二〉 **—ぐ・み**【涙ぐみ】『四段』《グミはツノグミ・ミヅグミなどのグミ》 涙がひとりでに出る。「『罪得(う)らむかし』とて—・ませ給ふに」〈源氏須磨〉 **—のいろ**【涙の色】 ①《「血涙」「紅涙」などの漢語から》 くれないの涙の色。「濃さまさる—もかひぞなき見すべき人のこの世ならねば」〈後撰八一〇〉 ②泣き悲しむ様子。「先非を悔ゆる父が心、—にも見ゆらんものを」〈謡・雲雀山〉 **—もろ・し**【涙脆し】『形ク』 すぐに涙を流してしまいやすいたちである。「櫂(かい)しのびやかなれば、よろづにつけて—・くおぼゆ」〈かげろふ上〉

なみたち【並立ち】 並んで立つこと。「ふた神(男女二峰)の貴き山の—の見が欲し山と」〈万四〇〇三〉 †namitati

なみぢ【波路】 波の上の、船の通る道すじ。船路(ふなぢ)。航路。「沖つ船よるべ—(寄辺無ミト掛ケル)に漂はば棹さしよらむとまり教へよ」〈源氏真木柱〉

なみなみ【並並】《並ミを重ねた形》 ①ひとしなみ。同様。「否(いな)も諾(を)も友の—我も依りなむ」〈万三七九八〉 ②普通。平凡。ひととおり。「—の人」〈源氏東屋〉 †naminami

なみのつづみ【波の鼓】 波の音を鼓を打つ音にたとえていう語。「白河の—や風のささら」〈謡・東岸居士〉

なみのはな【波の花】 ①波の白いしぶきやあわだちを花に見立てていう語。「風吹けば—さへ色見えて」〈源氏胡蝶〉 ②〔女性語〕 塩。「しほは、—」〈女重宝記一〉。〈日葡〉

なみのほ【波の穂】《ホは稲の穂・国の秀などのホ。ぬき出ている意》 波の高い所。波がしら。「—の〔ヨウニ〕いたぶらしもよ(ヒドク落チ着カナイ)昨夜(きそ)独り寝て」〈万三五五〇東歌〉 †naminöfo

なみま【波間】 ①波と波とのあいだ。「—より見ゆる小島の」〈伊勢一一六〉 ②波の絶え間。「袖うちぬらし—なき頃」〈源氏明石〉

なみまくら【波枕】 波を枕にすること。波の上、波のほとりに旅寝すること。「—いかに浮き寝を定むらんこほる益田の池のをし鳥」〈金葉三八〉

なみまつ【並松】 松並木。並木の松。「—の間に竿結び渡して、切って懸けたる首三千七百六十人」〈盛衰記三〇〉

な・みゐ【並み居】『上一』 一列に並んですわる。「殿上人、

四位五位こちたくうち連れ、御供にさぶらひて—・ゐたり」〈枕二七八〉

なむ【南無】〔仏〕《梵語の音訳。帰命(きみやう)・敬礼(きやうらい)などと訳す》仏・法・僧の三宝に帰依信順する意をあらわす語。南謨(なも)。「—観自在菩薩」〈菅家文草二〉。「古の人の形見と是を見て一声—と唱へ給へよ」〈極楽寺殿御消息〉

なむ『助』→基本助詞解説

なむ『助動』推量の助動詞「らむ」の終止・連体形の上代東国方言。「鎌倉の美奈の瀬川(稲瀬川)に潮満つ—か」〈万三三六六東歌〉。「橘の古婆(こば)のはなり(振分髪ノ少女)が思ふ—心愛(うつ)くしいで吾は行かな」〈万三四九六東歌〉

な・む『連語』《完了の助動詞ヌの未然形ナと推量の助動詞ムとの複合。主に自動詞を承けて、確実な推量を表わす》①かならず…しよう。たしかに…しよう。「うつたへに(決シテ)忘れ—・むとにはあらで」〈土佐二月五日〉。「いざ桜我も散り—・む」〈古今七七〉 ②きっと…であろう。たしかに…であろう。「春ごとに花の盛りはあり—・めど逢ひ見むことは命なりけり」〈古今九七〉

なむあみだぶつ【南無阿彌陀仏】《梵語の音訳》阿彌陀如来にひたすらすがる信仰心をあらわす語。これを六字の名号(みやうごう)といい、これを唱えるのを念仏という。「ただ往生極楽のためには、—と申して、うたがひなく往生するぞと思ひとりて」〈一枚起請文〉。「今この—は、僅かに六字なれども、この名号の内には、大善根力、大功徳がこもるが故に、如何なる无善の凡夫なれども、これを信ずれば往生を得るなり」〈万法蔵讃鈔上〉

なむおみどうふ【南無阿彌豆腐】《南無阿彌陀仏の唐音「なむおみどう」に掛ける》豆腐の洒落詞。「なもおみ豆腐」とも。「提重(さげぢう)に—取組みて」〈俳・見花数寄〉

なむきみゃう(‥ミョウ)【南無帰命】《梵語「南無」に漢訳の「帰命」を重ねた語》「南無」に同じ。「—月天子、本地大勢至」〈謡・羽衣〉　**—ちゃうらい**(チョウ‥)【南無帰命頂礼】身命を捧げて仏に帰依する意。仏をおがむ時唱える語。「—八幡大菩薩、君をはじめまゐらせて、我等都へ帰し入れさせ給へ」〈平家七・一門都落〉

なむさん【南無三】『感』《「南無三宝」の略》失敗した時に発する語。しまった。さあ大変だ。「—瀬田の橋は引いたり」〈俳・山の端千句下〉

なむさんぼう【南無三宝】①仏・法・僧の三宝に帰依することを表わす語。「げに何事も一睡の夢、—」〈謡・邯鄲〉。「をう、—と高く云ひ」〈説経・しだの小太郎〉 ②驚き・感動・失敗した時などに発する語。「—、をかしの人の心や」〈謡・放下僧〉。「—と悦びて」〈応仁略記上〉。「ええ無念やな、—、—、思へば思へば口惜しや」〈浄・今川物語二〉

なむ・ず『連語』《完了の助動詞ヌの未然形ナと、助動詞ムズとの複合》…してしまうだろう。きっと…するにちがいない。「しひて仕うまつらせ給はば、消え失せ—・ず」〈竹取〉

なむだち【汝達】『代』《ナムヂタチの転》おまえたち。「仏の御弟子の云はく、—の心甚だ悪し」〈三宝絵下〉

なむぢ【汝】『代』《ナは古い一人称代名詞。ムヂは奈良時代には清音ムチで、スメムツカムロキなどのムツと同根、貴く、むつましく思う対象。従ってナムチは、我が貴くむつましい人の意が原義。のちに、相手を対等に、または低く見て使う語。ナムヂは漢文訓読系で用いる語で、平安女流文学系では男子が用いる》①相手を尊敬・親愛して呼ぶ語。「『咨(あ)、爾(なむち)軽皇子』と云云」〈紀孝徳即位前〉。「汝、ナムヂ」〈名義抄(図書寮本)〉 ②相手を対等に、または見下して呼ぶ語。「—が持ちて侍るかぐや姫奉れ」〈竹取〉

なむはちまん【南無八幡】弓矢の神である八幡神に呼びかけて、武運の加護を願うことば。南無八幡大菩薩。「弁慶は手を合はせて、—と祈念して」〈義経記七〉

なむめうほふれんげきゃう(‥ミョウホウ‥キョウ)【南無妙法蓮華経】日蓮宗で、その依り所とする妙法蓮華経即ち法華経に帰依する心を表わして唱える語。「法華経一部の肝心は—の題目にて候ふ。朝夕御唱へ候はば正(まさ)しく法華経一部を真読あそばすにて候ふ」〈日蓮遺文妙法尼御前御返事〉

なめ ①【滑】なめらかなこと。なめらかなもの。「見れど飽かぬ吉野の河の常滑(とこなめ)の絶ゆることなくまた還り見む」〈万三七〉 ②【痢】白痢。「赤痢、知久曾(ちくそ)。白痢、奈女(なめ)」〈和名抄〉 ③【無礼】無礼(ぶれい)。無作法。「—げなることを聞えさする山賤(やまがつ)なども侍らましかば」〈源氏浮舟〉 ④【緡・幕】銭の裏の文字が無くて滑らかな面。「字か—か咲くと散るとの金銭花」〈俳・鸚鵡集三〉　†name

な・め【並め】『下二』《ナミの他動詞形》一列にならべる。「友—・めて遊ばむものを馬—・めて行かまし里を」〈万九四八〉　†namë

な・め【嘗め・舐め】『下二』①舌先で触れる。「塩酢の味はひ、口にあれども—・めず」〈紀推古二十九年〉。「〔壺ノ薬ヲ〕わづか—・め給ひて」〈竹取〉 ②女にちょっと手をだす。「弟五郎時宗に—・められたる〔遊女ノ〕手越の少将〔ト〕虎程にはあらねど」〈浮・諸分姥桜一〉 ③あまくみる。あなどる。「管絃者はよくよく心あるべきもの也。箏・琵琶など、ゆめゆめ—・めて仕るべからず」〈胡琴教録下〉。「—・め過ぎて負けけると思へば」〈義残後覚五〉　†namë

なめ『助動』推量の助動詞「らむ」の已然形「らめ」の上代東国方言。「妹(いも)が心は揺(あよ)く—かも」〈万四三九〇下総防人〉　†namë

なめくぢり《ナメは滑(なめ)の意》①【蛞蝓】ナメクジ。「蝮は虺(なめくぢり)にして博さ三寸なり」〈法華経玄賛平安初期点〉 ②【蚰蜒】ゲジゲジ。「蚰蜒、ナメクジリ」〈伊京集〉

なめし【滑】動物の皮などを加工してなめらかにすること。また、そうして作った皮。なめし皮。「虎豹の斑文の美なる皮を—にして」〈古活字本論語抄三〉。「—革十枚」〈公衡公記正和四・六・二三〉。「滑、ナメシ」〈文明本節用集〉

なめ・し【無礼し】『形ク』《ナメ(無礼)の形容詞形》無礼である。無作法である。「無礼(ゐやなく)して従はず、—・くあらむ人をば」〈続紀宣命二九〉。「文、言葉—・き人こそいと憎けれ」〈枕二六二〉　†namesi

なめづ・り【嘗り・舐り】『四段』舌でくちびるなどをなめまわす。「舌を—・り唾を飲み」〈霊異記中五〉。「味・啜、ナメヅル」〈伊呂波字類抄〉

なめらか【滑らか】つるつるすべるさま。「蒼苔路—にして僧寺に帰る」〈和漢朗詠集鹿〉。「滑・沢、ナメラカナリ」〈名義抄〉

なめらさんぼう【なめら三宝】〔江戸語〕「南無(なむ)三宝」(2)の転。「—、さう何もかも目算のもくが割れては(真相ガバレテハ)」〈伎・傾城金秤目五〉

なめ・り【滑り】『四段』ぬるぬるとしてすべる。「—・り朽ちたるもの、酢(す)き子(み)を拾ひて」〈東大寺諷誦文稿〉。「滑、ナメル」〈色葉字類抄〉

なめ・り『連語』《指定の助動詞ナリと、推量の助動詞メリとの複合》…であるようだ。…であるらしい。「坊にもようせずは、この御子の居給ふべき—・り」〈源氏桐壺〉　▽普通、ナリの連体形ナルにメリのついた形とされているが、平安時代の古写本などでは、ナルメリの形は見当らない。推量の助動詞は普通、終止形を承けるもので、アリに伝聞・推量の助動詞ナリのついたアナリという形も、ナメリの場合も、奈良時代にはアリナリであった証拠があるから、終止形ナリとメリとの複合形ナリメリの音便形ナンメリのンを表記しなかった形と認める方がよい。 narimeri→narmeri→nanmeri→nameri

なめんだら ①無秩序なさま。めちゃめちゃ。「―に盲打ちに棒喝す」〈碧岩抄九〉。「在在所所、―に、ここに一手、かしこに一手」〈伽・鴉鷺物語〉 ②甚だ無礼なこと。「俗に、なめ過ぎると云ふも―と云ふも、無礼の過ぎる心なり」〈漢語大和故事二〉

なも【南謨】 ⇒なむ(南無)。「そこら満ちたる人人、身のならん様も知らず『―』とをがみ奉れば」〈栄花鳥舞〉

なも 『助』 ①《係助詞ナムの古形》 承ける語を丁寧に指示して、相手に親愛の気持を表わし、また念を入れていう場合に使う。歌の中ではほとんど使われず、会話や書簡の中で多く使う。「百の官人等の…輔佐(たす)け奉らむ事に依りてし、此の食国(をすくに)天下の政事は平けく長く在らむと―念ほします」〈続紀宣命三〉 ②《終助詞ナムの古形》「何時は―恋ひずありとはあらねども」〈万二八七七〉 ②《終助詞ナムの古形。誂えの助詞ナに感動の助詞モのついたもの》 動詞の未然形につき、他に誂えのぞむ意を表わす。…してほしい。…であってほしい。「三輪山をしかも隠すか雲だにも心あら―隠さふべしや」〈万一八〉 †namö

なも 『助動』 推量の助動詞「らむ」の上代東国方言。「立と月(つく)の流(のが)なへ行けば恋(こふ)しかる―」〈万三四七六東歌〉

なもあみだぶつ【南謨阿彌陀仏】「なむあみだぶつ」に同じ。「外山なる照射(ともし)のかげを見てもまづ―深き窓には」〈拾玉集三〉

なもたうらいだうし(…トウ…ドウ…)**【南謨当来導師】**《「当来導師」は、未来の世に出現すべき彌勒菩薩の意》 彌勒菩薩に帰依信順することをあらわす語。「―とぞ拝むなる」〈源氏夕顔〉

なもろ 『連語』《上代東国方言。ナモは助動詞、ロは間投助詞》 今ごろ…ているであろうよ。「真人言(まひとごと)=他人ノウワサ)思ほす―わが思(も)ほのすも」〈万三五一二東歌〉 †namorö

なや【納屋】 ①物置。特に中・近世、商品の保管倉庫。また、倉庫を賃貸する業者、または問屋。「―にて彦太夫振舞ひ有り」〈梅津政景日記元和四・一〇・七〉 ②《「魚屋」とも書く》 さかな屋。また、魚問屋。「光陰や―がそろばん仕切りの暮」〈俳・空林風葉下〉

なや・し【萎やし】 『四段』《ナエの他動詞形》 ①やわらかにする。「着―・したる〔ハ〕、物の色も、あらぬやうに見ゆ」〈かげろふ上〉 ②(鉄など打ちきたえて)やわらかにする。粘りやしなやかさを出す。ねやす。「鍛、キタフ・ネヤス・ナヤス」〈名義抄〉 ③(打ち叩いて)くたくたにする。ぐったりさせる。「太刀のみね、長刀の柄にて打ち―・してからめ取り」〈平家一二・六代被斬〉

なやま・し【悩まし】 『四段』 ①(心や体の力を)衰えさせる。「此は魔の嬈(なや)ませるならくのみ」〈大唐西域記七・長寛点〉 ②困らせる。難渋させる。「疾(と)くと思ふ舟―・すは」〈土佐二月七日〉

なやま・し【悩まし】 『形シク』《ナヤミの形容詞形》 ①力がぬけて、病気のような感じである。気分がすぐれない。「にはかにいと乱り風邪(かぜ)の―・しきを心安き所にうち休み侍らむほど」〈源氏真木柱〉 ②心労である。「昨日のおぼつかなさを―・しく思されたなる」〈源氏浮舟〉

なや・み【悩み】 〔一〕『四段』《ナエ(萎)と同根。体力がぬけて弱る意。類義語ワヅラヒは、困難がまつわりついて、身動きのとれなくなる意》 ①(体力が衰えて)病む。「わらは病みに久しう―・み給ひて」〈源氏賢木〉 ②ものごとを進行させるのに難儀する。難渋する。「わたつみのかしこき道を、安けくも無く―・み来て」〈万三六九四〉 ③心痛する。「黄金(くがね)かも、たしけくあらむと思ほして心(した)―・ますに」〈万四〇九四〉 〔二〕『名』 ①病気。「御目の―さへこの頃重くならせ給ひて」〈源氏明石〉 ②心の苦しみ。心痛。「女宮のかく世を背き給へる有様、おどろおどろしき御―にもあらで、すがやかに思し立ちける程よ」〈源氏柏木〉 †nayami

なや・め【悩め】 『下二』《ナヤミの他動詞形》 なやます。苦しめる。「暫くも―・められん事こそ深き憂へにて候へ」〈曾我九〉

なゆた【那由多】《梵語の音訳》 阿由多(あゆた)の百倍で、千億。厖大な数をあらわす。「それより西方にまた無量無辺不可思議―恒河沙(ごうがしゃ)の国土を過ぎ行きて聞くに」〈今昔三ノ三〉

なゆたけ【なゆ竹】《ナヨタケの母音交替形》 ⇒なよたけ。「―のとをよる皇子(みこ)さ丹(に)つらふわご大王(おほきみ)は」〈万四二〇〉 †nayutakë

なゆ・み【悩み】 『四段』「なやみ」の上代東国方言。「足(あ)―・む駒の惜しけくもなし」〈万三五三三東歌〉 †nayumi

なよし【名吉・鯔】 魚の名。ボラの異称。「しりくべ縄(シメナワ)の―の頭(かしら)、柊(ひひらぎ)ら」〈土佐一月一日〉。「鯔、奈与之(なよし)」〈本草和名〉 ▽成長にしたがって呼び名が変るので、「名吉し」といって出世魚とされた。

なよせ【名寄】 物の名称を寄せ集めたもの。「連歌には稽古、何書肝用たるべく候や。…名所は―第一也」〈九州問答〉。〈運歩色葉集〉

なよたけ【弱竹】《ナヨはナエ(萎)と同根》 細くしなやかな竹。女竹(めだけ)をいうか。「―のとをよる(シナヤカナ)子らは」〈万二一七〉。「人がらのたをやぎたるに強き心をしひて加へたれば―の心ちして」〈源氏帚木〉。「篁竹、ナヨダケ」〈名義抄〉 †nayotakë **―の【弱竹の】**〔枕詞〕 竹の節(よ)と同音から「夜」「世」などにかかる。「―夜ながきうへに」〈古今九九三〉。「―世にへぬものと」〈後撰九〇七〉

なよなよ 《ナエ(萎)と同根》 芯に力がなく、しなやかにたわむさま。また、弱って力無くたわみやすいさま。「萩いと色深う枝たをやかに咲きたるが、朝露にぬれて―とひろごりふしたる」〈枕六七〉。「まみなどもいとたゆげにて、いと―と我かのけしきにて臥したれば」〈源氏桐壺〉

なよ・び 『上二』《ナヨはナエ(萎)と同根》 ①衣服や紙などが、しなやかである。やわやわとしている。「いといたう―・びたる薄様に」〈源氏明石〉。「―・びたる御衣(ぞ)ども脱い給うて」〈源氏夕霧〉 ②性質が弱弱しくものやわらかである。「〔朱雀院ハ〕御心―・びたる方に過ぎて強き所おはしまさぬなるべし」〈源氏賢木〉 ③風流である。頑固・窮屈でない。「〔螢兵部卿宮ハ〕あまりいたく―・びよしめくほどに重き方おくれて」〈源氏若菜上〉。「あらき言葉も、―・びたる詞(こと)をも」〈今鏡一〇〉

なよびか 《ナヨはナエ(萎)と同根》 ①芯に力がなく、しなやかなさま。なよなよとしているさま。「青鈍の紙の―なる」〈源氏槿〉 ②人柄がものやわらかで優しいさま。「御心いとをかしう―におはしまし、人をすさめさせ給はず」〈栄花根合〉 ③艶(やつ)っぽいさま。「〔コノ恋ハ〕世の常に、―なる筋

にもあらずや(真剣ナ恋ダ)」〈源氏総角〉

なよよか 《ナヨはナエ(萎)と同根》①衣服など柔らかな感じのするさま。しなやかなさま。「―なる直衣、しをれよい程なる掻練(かいねり)の袿」〈かげろふ下〉②態度が弱弱しくものやわらかなさま。「〔大君ハ〕あてに気高きものからなつかしうーに、かたはなるまでなよなよとたわみたるさま」〈源氏東屋〉。「艶、ナヨヨカナリ」〈名義抄〉

なよらか 《ナヨはナエ(萎)と同根》①柔らかなさま。しなやかなさま。「桜の細長―に着なしてなに心もなくてものし給ふ」〈源氏末摘花〉②態度が弱弱しくものやわらかな感じ。「けはひども、衣(きぬ)の音もせず、いと―に心ぐるしくて、いみじうあてに風流(みやびか)なるを」〈源氏橋姫〉

なら【楢】 ブナ科の落葉喬木。イチイやシイなどを含めてよぶこともある。「―の葉の名に負ふ宮の」〈古今九九七〉。「楢、奈良(なら)、堅木也」〈和名抄〉

なら【奈良】 ①《古くは「寧楽」「平城」とも書く》大和盆地東北部の地名。和銅三年以来七代七十四年間、帝都となった地。「あをによし―の都に行きて来むため」〈万八〇六〉▽「平城」の用字はナラシと訓む好字「平」を当てたもの。②奈良の興福寺。「山(比叡山延暦寺)・―をはじめて諸寺諸社にいたるまで」〈平家五・都帰〉

なら 『助』名詞の並列に用いる語。でも。なり。「米―金―銭―蔵―」〈俳・大矢数四〉

ならうちは 【奈良団扇】奈良春日神社の禰宜(ねぎ)の製作した、竹骨で上等の渋団扇。「三笠山に出でし月かも―」〈俳・毛吹草五〉

ならえん【那羅延】 《梵語の音訳。堅固・金剛などと訳す》梵天または毘紐(ひちゅう)天と同一視される天。また帝釈(たいしゃく)天の眷属で仏法守護の神ともされ、仁王門の右に立つ、口を閉じた像。「餅を作りて三宝に供養すれば、金剛―の力を得」〈霊異記中二七〉

ならがた【奈良方】 奈良興福寺の方式。「修法は―」〈枕三六〉→奈良(2)

ならがたな【奈良刀】 ①中世、大和国奈良居住の刀工の鍛えた刀。「嵯峨土器、―、高野剃刀、大原薪」〈庭訓往来四月十一日〉②近世、肥前などで生産し、奈良の刀屋で販売した、安価で下等な刀。奈良物。「―のつれ(同類)で、一文目も価ひは付きさうまい」〈大淵代抄七〉。「はじめきらめき―」〈俳・毛吹草二〉

ならく【奈落】 《梵語の音訳》①地獄。「いかでか―の苦しみを受けざらんや」〈日蓮遺文星名五郎太郎殿御返事〉②はてのはて。とことんの場所。「私は此方様と一所に―までも夫婦でござる」〈近松・傾城仏の原三〉 **―のそこ【奈落の底】** ①地獄の底。「空しく五欲のきづなに引かれて、終に―に入りなんとす」〈発心集序〉②物事のどんぞこ。はてのはて。「―まで、此の与次兵衛が切ったになって、相手が死んだら切らるる覚悟」〈近松・寿門松中〉

ならく ①《指定の助動詞ナリのク語法》…であること。「一句の文―のみ」〈法華義疏長保点〉。「其の務むる所は祭祀―のみ」〈貞観政要鎌倉期点〉②《伝聞・推定の助動詞ナリのク語法》…ということ。「言ふ―、その地に珠宝多し」〈三蔵法師伝四・院政期点〉。「聞説、キクナラク」〈文明本節用集〉

ならぐそく【奈良具足】 奈良の具足屋、半田・岩井・左近次・春田四家製造の鎧。奈良の名産。「甲(かぶと)には鹿の角打て―」〈俳・破枕集下〉

ならごよみ【奈良暦】 奈良の陰陽師、幸徳井家の発行した暦。「大和―一部」〈本光国師日記寛永九・一〇・一八〉

ならざ【奈良座】 奈良春日神社禰宜の能役者が奉仕する素人能楽座。奈色猿楽。「―かや此の如月(きさらぎ)の神事能」〈俳・小町踊一〉

ならざうり 【奈良草履】大和国葛上郡小林村産の草履。奈良金剛。「春日野の雪間分くるや―」〈俳・遠近集一〉

ならざらし【奈良晒・奈良曝】 奈良名産の、上等な生平(きびら)の晒布。近世前期、行商人が売り歩いた。「都の内には三条五条の晒しの布、大和には―」〈伽・強盗鬼神〉

なら・し【平し・均し・馴らし】 一『四段』《ナレ(慣)・ナラヒ(習)と同根》①物の表面を幾度も叩いたり削ったりして凸凹をなくする。平らにする。「大宮人の踏み―・し通ひし道は」〈万一〇四七〉。「鏟、ナラス、平二大石一也」〈色葉字類抄〉②一つことを繰返し行なって、そのことについて落度がなくなるようにする。練習する。「十よ日と定めて、舞ども―・し、殿の内ゆすりてののしる」〈源氏若菜下〉③馴れ親しませる。「かの薄衣は…なつかしき人香にしめるを身近く―・しつつ見居給へり」〈源氏空蟬〉④なれなれしく、心安く扱う。「おもらかに詞すくなにて、人をも―・さず、人にも―・されず」〈十訓抄一ノ二八〉二『名』①身に慣れさせること。練習。「安元〔二年〕御賀―に、青海波のありしに」〈教訓抄一〇〉。「迎へ講となづけて…臨終の―にもせばやと思ふ事侍り」〈沙石集九ノ七〉②衣類などを掛けるために、寝室などに横につるした竿(おさ)。ならしだけ。「ナラシ、または、カケザヲ」〈日葡〉③平均。「〔雪〕深さ弐尺五寸―に積もり申し候」〈万之覚〉

ならし 『連語』《指定の助動詞ナリの連体形ナルに推量の助動詞ラシのついたナルラシの転》①…であるらしい。「世の中はかくのみ―」〈万八八六〉②転じて、指定の「なり」の意と同じで、詠嘆的表現。「右〔ノ句〕は、『ぬれて時雨に』の詞もさる事にて、句の様もやさしく侍る―」〈宗長百番連歌合〉。「〔光広〕問、―といふてには、疑ひか。〔幽斎〕答、疑ひにあらず、ある―といふも、あるといふ心なり」〈耳底記〉

ならしば【楢柴】 ナラの木の小枝。「御狩する雁羽の小野の―の馴れはまさらず恋こそまされ」〈万三〇四八〉

ならず【成らず】 「ならず者」に同じ。「婿の―はまだ留主か」〈近松・大職冠三〉 **―のもり【成らずの森】** 不可能の意の秀句。「ならずの宮」「ならずの森の時鳥」とも。「これは―の柿の木」〈西鶴・一代男三〉 **―まげ【成らず髷】** 形をなさぬ無造作な束ね髪。「ならずわげ」とも。「頭は―にして」〈浮・真実伊勢三〉 **―もの【成らず者】** ①一人前でないこと。また、その人または物。或いは、生活が思うようにならない人。「身過ぎ(酸キト掛ケル)をも知らぬ小梅や―」〈俳・沙金袋三〉②品行の悪い者。また、悪事を働く者。ごろつき。無頼漢。「あのやうな―」〈浮・曲三味線三〉

ならそ【奈良苧】 奈良晒の原料になる出羽国最上産の真苧(まを)。「青丹(あをに)よし―〔モユデラレテ〕もっとも村紅葉〔ノヨウダ〕」〈俳・難波草三〉

ならだいしゅ【奈良大衆】 「奈良法師」に同じ。「明日までも延びばこそ、吉野法師も―も入るべけれ」〈古活字本保元上・新院御所〉

ならぢ【奈良路】 奈良に行く道。奈良を通る道。「あをによし―来通ふ玉梓(たまづさ)の使絶えめや」〈万三九七三〉

ならちゃ【奈良茶】 《奈良の大寺院で始めたのでいう》茶飯の一種。炒(い)大豆・黒豆・小豆・ささげ・くわい・焼栗などを加えた、塩味のもの。近世前期、料理茶屋の軽便な食事としても流行した。奈良茶粥。奈良茶飯。「後に、―・栄螺(さざい)貝焼き・煮餅〔等〕…肴(さかな)様様」〈久重茶会記寛永一三・四・一〇〉

な

ならで『連語』《断定の助動詞ナリの未然形ナラに、打消の助詞デの接した形》…でなくて。…以外に。「君―誰にか見せん梅の花色をも香をも知る人ぞ知る」〈古今三八〉。「鳥―は来ぬ処」〈三体詩絶句抄五〉

ならはか・し（ナラワカシ）【習はかし】㊀『四段』思い知らせる。目に物見せる。こらしめる。「わ法師めが、人あなづりして…ねたき目見するに、物―・さん」〈著聞三八一〉。「弓は的射んため、又はかかる落花らうぜきの小鳥をも―・さん為ぞかし」〈謡・花月〉㊁『名』ならわし。習慣。「我が国の―には、神代よりも和歌といへる事を詠み習らして侍る」〈伽・住吉縁起〉

ならは・し（ナラワシ）【慣らはし・習はし】㊀『四段』①習慣とする。「月頃黒く―・したる御姿、薄鈍(うすにび)にて」〈源氏総角〉②練習させる。学習させる。教える。「御琴なども―・しきこえ給ふ」〈源氏篝火〉③思い知らせる。こらしめる。「八郎においては義朝〔ガ〕―・すべし」〈保元中・白河殿攻め落す〉。「恨み深くして、―・し奉らむと思ひて累(なは)をかけて、…ねらひけるに」〈雑談集六〉㊁『名』①慣れさせること。習慣づけること。「いでや〔妻ノワガママハ〕わが―ぞや」〈源氏夕霧〉②習わせること。練習。「舞―などは里にていとようしたてて」〈源氏少女〉③習俗。風習。しきたり。「されども神慮は人知らず。宜禰(ねき＝神官)が―に従ひて、伏し拝みて通りぬ」〈海道記〉 **―もの**【慣はし物】習慣で左右できるもの。忍耐力など、慣れで身につけることのできるもの。「人の身も―を逢はずしていざ試みん恋ひや死ぬると」〈古今五一八〉

ならひ（ナライ） 冬季に最も多く吹く寒冷な強い風。三陸海岸から伊勢湾にかけていう。ならい風。「むら菊や波の調子の朝―」〈俳・分外集下〉 **―かぜ**【ならひ風】「ならひ」に同じ。「花の色や落つれば変る―」〈俳・一本草二〉

なら・ひ（ナライ）【慣らひ・習ひ・倣ひ】㊀『四段』《ナラはナラシ（平・馴）と同根。物事に繰返しよく接する意》①繰返しによって馴れっこになる。なれる。「鳥、常に啄(は)み―・ひて、日毎に来り候(もら)ふ」〈霊異記下序〉。「―・はねば世の人毎に何をかも恋とは言ふと問ひし我しも」〈伊勢三八〉②見ならって練習する。学習する。「わが娘、もの―・ひつべき程になりにたり。わが身を捨てて―・ひし琴、この娘に―・はさむ」〈宇津保俊蔭〉。「才(ざえ)よく―・へ」〈かげろふ中〉。「〔歌人〕満沙彌が風情(ふぜい)を盗み、〔琵琶ノ名手〕源都督が行ひを―・ふ」〈方丈記〉㊁『名』①習慣。「かごか（閑静）なる―にて、年ごろ、かくろへ侍りつるなり」〈源氏松風〉②風習。習俗。しきたり。ならわし。「祖(おや)死にて後…三日の内に必ず葬する事、定まれる―なり」〈今昔二〇ノ三三〉③通例。よくありがちのこと。「左様の者の―と云ひながら、仏法の名ただに知らず」〈発心集三〉④練習。学習。また、それによって習得したもの。技術。「われ昔、生きたりし時、仙の法をならひて行なひき。其の―今に忘れず」〈今昔二〇ノ一四〉。「食ひ―に生き物を食へ」〈虎明本狂言・首引〉

なら・び【並び】㊀『四段』《二つのものがそろって位置している意が原義。類義語ナミ（並）は三つ以上のものが凹凸なく横にならぶ意》①一対になって存在する。「羨(とも)しくも―・び居るかも妹と背の山」〈万一二一〇〉。「鳰鳥(にほどり)の二人―・びゐ」〈万七九四〉。「いたう進みぬる人の命〔ト〕幸ひと―・びぬるは、いと難きものになむ」〈源氏絵合〉②匹敵する。肩をならべる。「行幸に―・ぶものは何かはあらむ」〈枕三一〉。「比・雙・駢・方、ナラブ」〈名義抄〉③同列にそろう。「―・びて集まりたる屋どもの前に、舟どもを岸にならべ寄せつつ」〈かげろふ中〉㊁『名』①ならぶこと。ならんださま。また、ならび接するもの。隣り。「手に刀杖を執りて羂索を以て行列(ならび)して」〈法華経玄賛平安初期点〉。「下座の僧『承仕、火かきあげよ』といふ。―の座の僧『無言道場に物申すやう候はず』といふ」〈沙石集四ノ一〉②肩をならべるもの。匹敵するもの。同類。「学問においては、羽黒には―もおはしまし候はず」〈義経記七〉③一定の序列に格付けされるもの。「〔大安寺ハ〕七大寺の―にて、居たる僧のむろに烟を立つることなし」〈発心集五〉④物語の本筋と平行する話を追加挿入した巻。並びの巻。「〔源氏物語ノ〕―の一、ははきぎ。うつせみ〔ノ巻〕は奥にこめたり。二、ゆふがほ」〈源氏物語奥入〉⑤志を同じくする人人。一味。「―。男女に限らず、一味する者をいふ。おしならべて心を同じうするといふ心也」〈色道大鏡一〉 †narabi **―な・し**【並び無し・双び無し】『形ク』肩を並べるものがない。匹敵するものがない。無双である。「入道殿下（道長）の御有様…二もなく三もなく、―・く計りなくおはします」〈大鏡大臣序説〉。「弓矢を取って―・きのみならず、歌道もすぐれたりけり」〈平家四・鵼〉 **―に**【並びに】㊀『接続』《漢文の訓読によって生じた語》二つの相並ぶ事柄を続けるのに使う語。それと同時に。および。「木を植うる志は、その菓(このみ)を得、―その影に隠れむが為なり」〈霊異記中三〉㊁『副』軒並みに。全部。ことごとく。「其の罪―懺悔(さんげ)しをはりて、罪を滅除せり」〈今昔七ノ四八〉

なら・べ【並べ】『下二』《ナラビの他動詞形》①一対のものとして存在させる。一対に置く。「衣(ころも)こそ二重もよき、〔ケレド二人ノ女ノ〕さ夜床を―・べむ君は恐(かしこ)きろかも」〈紀歌謡四七〉。「羽を―・べ枝をかはさむ」〈源氏桐壺〉②いくつもつらねる。「臂を雙(なら)べて宴(うたげ)して、定まり無き家に遊ぶ」〈東大寺諷誦文稿〉③比較する。「をくさ男(を)とをぐさ助丁(すけ)と潮舟の〔ヨウニ〕―・べて見ればをぐさ勝ちめり」〈万三四五〇〉。「〔雌雄ノ蛇〕二つを―・べて…尾はたらかさんを女(め)と知れ」〈枕二四四〉④匹敵する。かなう。「大乗の妙典は、蕩蕩にして雙(なら)ぶること牢(かた)し」〈東大寺諷誦文稿〉。「〔誰モ私ニハ〕書き―・べじやと我ぼめし給ふ」〈源氏梅枝〉 †narabë **―もん**【並紋】紋所を二つ横に並べた紋。二つ紋。比翼紋。「黒羽二重の大振袖に梧(きり)銀杏の―」〈西鶴・五人女四〉

ならほふし（ナラホウシ）【奈良法師】奈良の東大寺・興福寺などの僧徒。中世、僧兵として活躍、特に興福寺の僧徒は、延暦寺の山法師と共に強力をもって知られた。「―、山門を攻むるとて、一万人の大勢にてまかり上り候ひしを」〈保元上・新院為義を召さる〉

ならもろはく【奈良諸白】奈良産の清酒。南都諸白。奈良酒。「―・伊丹酒」〈伽・かくれ里〉

ならゆえん【奈良油煙】奈良産の墨。胡麻または松の油煙を主成分とする。「―二丁これを下し候ひ了んぬ」〈言継卿記天文二一・二・一二〉

な・り㊀『四段』【成り・為り・生り】《植物の実が「なる」ように時が自然に経過してゆくうちに、いつの間にか、状態・事態が推移して、ある別の状態・事態が現われ出る意》❶何もなかったところに、自然に何かが形をなして現われる。①（この世に）存在するようになる。生れ出る。「親無しに汝(なれ)―・りけめや」〈紀歌謡一〇四〉②実を結ぶ。実る。「橘は己が枝枝―・れれども」〈紀歌謡一二五〉❷ある状態が自然に変化していき別の状態に至る。①おのずと或る時刻・時期に達する。「夕星(ゆふつづ)の夕べに―・ればいざ寝よと」〈万九〇四〉②別のものに転化する。「黒髪の白く―・るまで妹が声を聞く」〈万一四一一〉③変って別の地位につく。「すまひ果て給はで太政大臣に—り給ふ」〈源氏澪標〉。「位なくて王に近づくためしには歩兵も—・れば金とこそいへ」〈寒川入道筆記〉 ❸ものごとが成長発展して、そのものとして完成された形に至る。①仕上がる。成就する。「たらちねの母に障(さ)らばいたづらに汝(いまし)もわれも事—・るべしや」〈万二五一七〉。「思ふ事—・らでは世の中に生きて何かせん」〈竹取〉 ②生活が営んでいける。「防人に発たむ騒きに家の妹(むい)が—・るべきことを言はず来ぬかも」〈万四三六四常陸防人〉。「業、ナリハヒ・ナル」〈名義抄〉 ③可能である。かなう。「その躰(てい)にて算用は—・るまい」〈虎明本狂言・賽の目〉 ④酒が飲める。「[盃ヲ]重ね重ね祝はれ、日比(ひごろ)—・る者はと云ふさへ、早や訳も聞えず」〈西鶴・俗徒然一〉 ❹《事柄が自然に成就すると表現することによって、高貴の人の行為を表わす》 お出ましになる。…あそばす。「行幸他所へ—・らば御輿(こし)に矢を参らすべし」〈保元上・将軍塚鳴動〉。「これが天子の御殿へ出御—・る時警固をいたすぞ」〈蒙求抄三〉 ▢二《名》【成り・形・態】①(ある事の自然の結果として)形成された様態。形状。恰好。「その山(富士山)は…—は塩尻のやうになむありける」〈伊勢九〉 ②身なり。なりふり。「童(わら)べなどの—あざやかならぬ」〈源氏宿木〉 ③有様。状態。様子。「この—で日月を送ってゐた」〈三体詩抄一ノ三〉。「人の音もせず、朝夕の煙をたいた—もない」〈三体詩絶句抄三〉 ④《他の語について》 その形をしていること、その通りであること、そのままなどの意をあらわす。「蛾はひいるといふ虫なり。三日月—なる虫なり」〈長恨歌抄〉 ⑤なりわい。生業。「ひさかたの天路は遠しなほなほに家に帰りて—をしまさに(シナサイ)」〈万八〇一〉 ▢三《接尾》ある地位につくこと。ある資格を得ること。また、その祝いまたは儀式。「太夫—」「僧正—」「おかた—」など。「浄喜、地下(げち)おとな—[ノ祝ヲ]今日経営す」〈看聞御記 永享六・二・三〇〉 **—に似せて綜苧(そ)を巻く** 人は自分の形に似せて綜苧を巻く意で、各々その性癖に応じた言動をするということ。「—と言ふ世語によく叶ひたる歌ざまなり」〈鳥の歌合〉

な・り【鳴り】▢一《四段》《ネ(音)の古形ナに、語尾リを添えた語。ナシ(鳴)の自動詞形》 音がする。ひびく。「負ひ征矢(そ)のそよと—・るまで嘆きつるかも」〈万四三九八〉。「[和琴ノ]音(ね)も、いとよく—・れば」〈源氏常夏〉 ▢二《名》 鳴ること。声を立てること。また、高い音。ひびき。「—高し。—やまむ。はなはだ非常(ひざう)なり」〈源氏少女〉。「楽(がく)は金石の声、管絃の—を云ふにあらざる也」〈伽・鴉鷺合戦物語〉 **—を静・む** 物音を立てないよう、ひっそりとする。「講説の折は、大方の—・めて、のどかに物の心も聞き分くべき事なれば」〈源氏鈴虫〉。「龍玄寺の山林に逃げ入て、—・めて隠れ居たりけるを」〈新田老談記上〉 **鳴るは滝の水** 平安時代中期におこり、鎌倉・室町時代に盛行した延年舞の歌詞の一部。「人ならば二三十人が声して『うれしや水、—』といふ拍子を出して舞ひをどり」〈平家六・築島〉

な・り《助動》→基本助動詞解説

なりあが・り【成り上がり】▢一《四段》《「成り下がり」の対》 身分の低い者が栄進して高い地位にのぼる。貧乏な者が成功して金持になる。出世する。「その後、—・りて僧都まで成りて」〈今昔一五ノ四〉 ▢二《名》 成りあがること。また、成りあがり者。「小稚児の—こそ大稚児なれ」〈咄・昨日は今日上〉。「—家中に人もなき様に」〈俳・談林三百韻〉。〈日葡〉 **—もの**【成上り者】卑賤から身を起して出世した者。「羽柴は—なれば、歌など詠む事は知らざりければ」〈身自鏡〉

なりあ・ひイ・フ【成り合ひ】▢一《四段》①よくととのった姿になる。申し分なく出来上がる。「吾(あ)が身は、成り成りて—・はざる処一処あり」〈記神代〉。「人の程ささやかにあえかになどはあらで、よき程に—・ひたる」〈源氏宿木〉 ②一つになる。一緒になる。「[舞姿ハ]腰と云ひ膝と云ひ、たわやかに、[身体ガ]上下のよくよく—・ふべき也」〈教訓抄七〉。「北白河へ打廻って、赤松が勢と—・ひ、新田が勢を一あてあてて見ん」〈太平記一五・建武二年〉 ▢二《名》 物事を成るがままにすること。なりゆきまかせ。転じて「なりわひ」とも。「—よ一日暮し[ヲシテ来テ]年の果て」〈俳・沙金袋六〉。「偸安、ナリアヒ・ユキナリ」〈書言字考〉 †nariaFi

なりあま・り【成り余り】《四段》 できあがって、余分が生ずる。「我が身は、成り成りて—・れる処一処あり」〈記神代〉

なりい・で【成り出で】▢一《下二》①生れ出る。「始めて起る畑の末より—・づる児」〈紀神代上〉 ②一人前に成長して世の中に出る。「[我ガ子ガ]いつしかも人と—・でて悪(あ)しけくも善(よ)けくも見むと」〈万九〇四〉 ③立身出世する。「身の—・でぬ事など嘆きはべる頃」〈後撰四三詞書〉。「ただ今の見る目よりも行末—・でぬべき人なり」〈宇津保藤原君〉 ④変化して別物となる。「[毛虫カラ蝶ヘノ]そのさまの—・づるを取り出でて見せ給へり」〈堤中納言虫めづる〉 ▢二《名》 生い立ち。また、できぐあい。「[入内ノオ供ニハ]物きよらかに—よきを選(え)らせ給へり」〈栄花輝く藤壺〉

なりかかり【形懸り】 すがたかたち。なりかたち。なりふり。なりかっこう。「窈窕といふを、女のうつくしい—かと思へば」〈毛詩国風篇聞書〉 →かかり

なりかは・り【成り変り・成り代り】《四段》①変って別物になる。すっかり変化する。「淵は瀬に—・るてふ飛鳥川」〈後撰七五二〉 ②代って、そのものとなる。代りとなる。「[新国守ガ]三月のうちになくなりて、また—・りたるも、このかたはらに書きつけられたりし人なり」〈更級〉。「この詩は兄弟の心に—・りて作れり」〈錦繍段鈔六〉

なりかぶら【鳴鏑】「かぶら矢」に同じ。射ると音を立てて飛ぶのでいう。「—を大野の中に射入れて」〈記神代〉

なりかへ・り【成り反り】《四段》①もとのさまにもどる。「今めかしく—・らせ給ふめる御心ならひに…御すさび事どもこそ時時いでくれ」〈源氏若菜上〉 ②裏返しになる。「秋萩は下葉や上に—・るらむ」〈拾遺五一四〉 ③すっかりそのものになりきる。「頼政卿はいみじかりし歌仙なり。心の底まで歌に—・りて」〈無名抄〉

なりくだ・り【成り下り】《四段》「なりさがり」に同じ。「不奉公の天罰にて、あらぬさまに—・り」〈近松・丹波与作下〉。〈日葡〉

なりこだ・れ【生りこ垂れ】《下二》 果実などがたわわに実って枝がたれ下がる。「夏なれや茄子(なす)と梨の—・れ」〈遠近草下〉 →こだれ

なりこ・み【鳴り込み】《四段》 大声で騒ぎながら入り込む。「東の門よりさざめいて—・めば」〈浮・傾城色三味線三〉

なりさが・り【成り下がり】《四段》《「成り上がり」の対》 おちぶれる。零落する。「花ならば折りてぞ人の問ふべきに—・りたる身こそつらけれ」〈沙石集五ノ四〉。「道理の上からでない時は、富貴はかへって—・るもとゐぞ」〈天草本伊曾保〉

なりさま【形様】 ありさま。様子。「世上の—を、ちと見んと思ふたに比したぞ」〈三体詩抄二ノ三〉

なりしだい【成り次第】 なるがまま。なりゆきまかせ。「夢の浮世の、露の命の、わざくれ(エエママヨ)—よの」〈隆達小歌〉。〈日葡〉

なりすま・し【成り澄まし】《四段》 そのものに成りきる。「物

の其の物に―・した処を化といふぞ」〈古文真宝抄五〉

なりたかし【鳴り高し】『連語』人人の騒がしいのを静めるのにいう語。やかましい。静粛に。「音なせそや。密(み)かなれ。大宮近くて、―」〈風俗歌鳴り高し〉。「人人みなほころびて笑ひぬれば、『―、鳴りやまむ。はなはだ非常なり』」〈源氏少女〉

なりた・ち【成り立ち】『四段』①一人前となって、世に立つ。立身する。「[有力者ニ疎外サレテハ]人にも―・たむこと難し」〈源氏真木柱〉②はっきりと或る状態になる。「[疫病デ]世の中きはめて騒がしきに、又の年いとどいみじく―・ちにしぞかし」〈大鏡道長〉

なりたて【成立て】①(その状態に)なったばかりであること。また、そのもの。「[隠者ニ]―の人朝顔の種取りて」〈俳・河内羽二重〉②由来。経歴。「貧乏人の娘の―を聞く時」〈評判・けしずみ〉

なりどころ【業所・田宅】《ナリは生産の意》①田と宅地と。「逆流(さかふみ)を塞ぎて―を全くせよ」〈紀仁徳十一年〉②生産を管理するために荘園に建てた別宅。「近江国の高島郡の三尾の―より、使をつかはして」〈紀継体即位前〉†naridökörö

なりな・り【成り成り】□一『四段』①だんだんとできあがる。「我が身は―・りて成り余れる処一処あり」〈記神代〉②順順にそうなる。「男子をんな子あまた生みつづけて、又それが妻男(めをとこ)に―・りしつつ」〈宇治拾遺五六〉□二『名』なりゆき。「世と推移すとは、世の―に随ふなり」〈古文真宝抄一〉

なりのぼ・り【成り上り】『四段』「なりあがり」に同じ。「―・れども、もとよりさるべき筋ならぬは、世の人の思へることも、さはいへど、なほ異なり」〈源氏帚木〉

なりは・て【成り果て】□一『下二』①《多くは㋺の意で使う》事が定まってしまう。㋑すっかり済む。ちゃんと終る。「たひらかに事(御産)―・てぬれば」〈源氏葵〉㋺もはやこれまでという状態になる。すっかりだめになる。「[夫ガ見舞ニ]急ぎ見えし夜夜もありしものを、ましても―・てにけるあさましさかな」〈かげろふ下〉。「[死骸ノ]―・てむさまを見む」〈源氏夕顔〉②《時の経過の結果として、よくない状態になるのにいうのが普通》すっかり…になる。…になってしまう。「頼む陰なく―・てて」〈古今一〇〇六〉。「[重態ナガラ]さりとも、いたづらに―・て給はじ」〈源氏夕顔〉③すっかり落ちぶれてしまう。成り下がり果てる。「―・つる世の習ながら」〈西鶴・好色盛衰記三〉□二『名』なれのはて。「我は壮年にて天下の奇才となりて、叢林を中興せんと思ひてあるその―にてあるが」〈中華若木詩抄上〉

なりはひ イワイ【生業】《ナリは植物が成ること、ハヒはサキハヒのハヒと同じ》①植物を栽培すること。農作。また、作物。「作りたるその―を」〈万四一二二〉②暮しを立てること。生業。職業。「飢ゑ疲れたる者、農営(つた)ることあたはず、産業(なりはひ)をおこたらしむ」〈霊異記中一六〉。「今年こそ―にも頼む所少なく」〈源氏夕顔〉†nariFaFi

なりびさご【生瓢】ひょうたん。「ちぢに枝させ―」〈梁塵秘抄三七一〉。「瓢、和名奈利比佐古(なりびさご)」〈和名抄〉。「瓢、ナリビサコ」〈名義抄〉

なりひらづくり【業平作り】在原業平のような、いかにも美男子らしい風体。「花橘の袖の香に昔男の―」〈近松・五十年忌下〉

なりまさ・り【成り勝り】『四段』ますます…になる。その状態がつのる。「みよしのの山の白雪つもるらしふるさと寒く―・るなり」〈古今三二五〉。「御悩みまことに重く―・らせ給ひて」〈源氏若菜上〉

なりもの【生物】果実のなるもの。また、その果実。くだもの。「島の体(てい)を見れば、水など流れ出でて、―の木などもありげに見えければ」〈今昔二六ノ九〉

なりもの【鳴物】①《「吹物(ふきもの)」「弾物(ひきもの)」と区別していう》打ち鳴らす楽器。打物。「吹物・―なんどのわざはなかなか申すに及ばず」〈真宗教要鈔下〉②楽器の総称。「種種の―[ニ]心をすましぬ」〈西鶴・諸艶大鑑五〉 **―ちゃうじ** チョウ【鳴物停止】近世、朝廷・幕府または諸藩で葬儀がある際、一定期間歌舞音曲を禁止すること。「鳴物無用」とも。「今度甲府[ノ藩主]様御逝去に付き、町中―の御触これ在るの所」〈正宝事録延宝六・九・一六〉

なりや【鳴矢】「鏑矢(かぶらや)」に同じ。「紀の国の昔猟夫(さつを)の―もち鹿(か)取り靡けし坂の上にぞある」〈万一六七八〉

なりわひ イワイ【成りわひ】《ナリアヒ(成合)の転》なりゆきまかせ。「―に一生を送らんは心の取置き一つなり」〈西鶴・二十不孝三〉

なる【成】暦の中段の十二直の一。造家・結婚・立願・入学・元服・袴着等に大吉の日。「―とは人のなり始まる日なり」〈慶安二年板大雑書上〉

なるかみ【鳴神】雷。「―の少しとよみてさし曇り雨も降らぬか君を留めむ」〈万二五一三〉。「雷公、ナルカミ」〈色葉字類抄〉†narukami **―の**【鳴神の】[枕詞]雷の意から「音」にかかる。「―音のみ聞きし」〈万九一三〉

なるくち【成る口】酒が飲める人。一杯いける人。なる者。「鎌田下地(したぢ)は―」〈近松・鎌田兵衛下〉

なるこ【鳴子】鳥や鹿・猪などをおどし追うため、田畑の上に仕掛けるもの。細い竹管を並べて、小さい板につけ、縄を引いて鳴らす。引板(ひた)。「朝霧に山田の庵は見えねども―の音の隠れなきかな」〈公重集〉。「鳴子、ナルコ、驚鳥物也」〈文明本節用集〉

なる・し『形ク』ゆるい。なだらかである。「尾通(をどほ)り―・うして、味方の働き自由なり」〈浅井三代記四〉。「―・う。温。圭角の無きを云ふなり」〈仮名字例三〉

なると【鳴戸】平安時代、宮中にあった戸の名。あけたてする時、大きな音がした。「東宮に―といふ戸のもとに女と物いひけるに」〈後撰六三詞書〉

なると【鳴門】《トは両側からせまった狭い出入口。セト(瀬戸)・ノミト(喉)のトに同じ》潮の満ち干の時に、潮流がゆきあい、音を立てて鳴りひびく海峡。「これやこの名に負ふ―の渦潮に」〈万三六三八〉†naruto

なるほど【成程】『副』①出来るだけ。可能な限り。なるたけ。「随分それに念を入れ、―働いたれども」〈コリャード懺悔録〉。「―人を抱へよとて、また金銀多く取り出させ」〈豊後陣聞書〉②確かに。「いやいや―甘う御座る」〈狂言記・合柿〉③相手の言を肯定する意を表わす。いかにも。げに。「―初心な心かな」〈驢鞍橋下〉

なるや【鳴矢】「なりや」に同じ。「それをなむ―を以て射たりければ」〈今昔二七ノ三三〉

なれ【汝】『代』親しいものや、目下のもの、動物などに対して使う。おまえ。「親なしに―成りけめや」〈紀歌謡一〇四〉。「この川に朝菜洗ふ児―も吾(あれ)も」〈万三四四〇〉。「―だにも語らひ捨つなほととぎすもの思ふころの夜半の寝覚を」〈新千載三三七〉。「われが、―がと、互に言葉を卑しう、互に云ひて」〈玉塵抄四四〉

な・れ【馴れ・慣れ・穢れ】『下二』《ナラシ(均)・ナラヒ(習)のナラと同根。物事に絶えず触れることによって、それが平常と感じられるようになる意》①度度の経験によって、疎遠な感じを持たなくなる。「見てもまたも見まくの欲しければ―・るるを人はいとふべらなり」〈古今七五二〉②着物が古びてよれよれになる。「下に着て―・れにし衣(ぬき)を」〈万一三一二〉③【熟れ】交り合って良い味になる。味がこなれる。「〔鮨ガ〕一夜に―・れ申し候」〈料理物語〉

なれあ・ひ イ:ア【馴れ合ひ】『四段』悪事をするために共謀する。ぐるになる。「代官〔ノ〕昱蔵主、百姓と―・ひて候間、差替へ代官下すの由に候」〈証如上人日記天文八・八・六〉

なれがほ オ:ガ【馴顔】馴れた様子。「いとど引き入り給へば、それにつきていと―になからは内に入りて」〈源氏宿木〉

なれこ【馴事・馴子】よく馴れたこと。たがいによく馴れること。なれっこ。「鹿は鳴子に―にて驚かぬ」〈俳・山の井三〉

なれこまひ イ:マ【馴子舞・馴小舞・馴講舞】①熊野詣でなどの際、道中の王子神をまつる社で、神仏に親しむために手向ける舞。「王子王子の―、世の常ならず」〈保元上・法皇熊野御参詣〉②初対面の際、互いに親しむために歌舞などすること。「芸に従ひて思ひ思ひの―する中にも」〈義経記五〉③初めて知り合った人が親しみを増すためにする宴会または食事。「牢舎初入りの―に酒飲ません」〈浄・惟喬惟仁四〉④歌や舞などを強要して、新参者をなぶること。「―〔ニ〕何にても芸をせよといぢる」〈西鶴・一代男四〉。「―さす。…新参者をなぶるなり」〈譬喩尽三〉

なれどろも【穢衣】着なれてよごれ、よれよれになっている着物。「別れにし妹(いも)が着せてし―袖片敷きて独りかも寝む」〈万三六二五〉 †naregörömö

なれすがた【馴姿】平常の衣服を身につけた恰好。「あやしき―」〈源氏若菜下〉

なれなれ・し【馴れ馴れし】『形シク』いかにも馴れている感じである。「その事となくて聞えさせむも、なかなか―・しきとがめもやと、つつみ侍る程に」〈源氏早蕨〉

なれば『接続』それだから。ゆえに。従って。「始めは嘘なれども、女房になれば男を真実に思ふ。―是れを嘘の誠と言ふ」〈伎・傾城浅間嶽上〉

なれもの【馴者】老練な者。達人。「この元輔(もとすけ)は―の、物をかしく云ひて人わらはするを役とする翁にてなむありければ」〈今昔二八ノ六〉

なろ『接尾』〔上代東国方言〕体言について、親愛の意をあらわす。「妹(いも)―が使ふ川津(川辺ノ洗場)のささら荻」〈万三四四六防人〉 †narö

なゐ【地震】《ナは土地、ヰは居。本来、地盤の意。「なゐ震(ふ)り」「なゐ揺(よ)り」で地震の意であったが、後にナヰだけで》地震。「ありつるよりも声の響き高くまさりて、神いとさわがしくひらめきて、―のやうに土動く」〈宇津保楼上下〉。「地震、ナヰ」〈名義抄〉

なゐふ・り【地震り・地動り】『四段』大地が震動する。地震が起る。「―・りて舎屋(やかず)ことごとくにこほたれぬ」〈紀推古七年〉 →なゐ

なをり【名折】名誉を傷つけること。また、その事がら。不名誉。名折れ。「源氏の―とは思しめさずや」〈盛衰記三五〉

なをり【波折】波が幾重にも重なること。「潮瀬の―を見れば」〈記歌謡一〇八〉

なん【難】①非難。難くせ。「これを弾く人良からずとかいふ―をつけてうるさきままに、今はをさをさ伝ふる人なし」〈源氏若菜下〉②欠点。「あまり情にひきこめられてとりなせばあだめく。これをはじめの―とすべし」〈源氏帚木〉。「右歌、姿はあしからねども、二つの―ぞ侍るめる」〈長承三年中宮亮顕輔歌合〉③わざわい。災厄。「その―をのがるる事もやと思ひはかるなり」〈保元上・新院為義を召さる〉④困難。難儀。「さしもの大敵を二日が間に―無くせめ滅ぼされける武略の程を、感じさせ給ひける」〈栗栖野物語〉

なん『助』⇩なむ

なん『連語』⇩なむ

なんえんぶだい【南閻浮提】《須彌山(しゅみせん)の南にある閻浮提の意》人間世界の称。南閻浮。南浮。南洲。「また、経にいはく、正月五月九月には、帝釈(たいしゃく)―に向ひて、衆生の作る所の善悪を記す」〈三宝絵下〉

なんかい【南階】①南向きのきざはし。寝殿では正面の階段になる。普通五段で、通常の出入りには使わない。「一の大納言にて、尊者として、―よりねり上りて〔先任ノ大臣ノ〕対座に居なん」〈著聞一七〇〉②特に、紫宸殿(ししんでん)南面(正面)のきざはし。「村上の御時、南殿(なでん)〔=紫宸殿〕に出御ありけるに、諸司の下部の年たけたるが、―の辺に候ひけるを召して」〈著聞七六〉

なんかいだう ウ:ド【南海道】七道の一。畿内や山陽道の南にあるのでいう。今の紀伊半島と四国地方に当る。紀伊・淡路・阿波・讃岐・伊予・土佐の六か国。「従七位上小野朝臣馬養を―に…遣はす」〈続紀大宝三・一・二〉。「山陽道八か国、―六か国」〈平家九・樋口被討罰〉

なんぎ【難義】解しにくい意義。また、意義の解しにくい論理、言葉、事柄。「―など申すことは、家家に習ひ、所所に立つる筋、おのおの侍るなれど」〈近代秀歌〉

なんぎ【難儀・難義】①とても困難なこと。大変で容易ならぬこと。「宮は此の事いづれも―なりと思し召して」〈太平記五・大塔宮〉②傷や病気が重いこと。「―の手なれば、一足も引かれざりしを」〈謡・朝長〉③つらいこと。苦しいこと。「―をばかりにも人の言はぬかな／芹摘みにして世をし過ぐせば」〈散木奇歌集雑下〉。「この年月の憂き―、思ひやられて痛はしや」〈説経・しだの小太郎〉④迷惑。面倒。「あの盗人ゆゑに―をかけまする」〈狂言記・長光〉

なんきゃう ヨウ:キ【南京】《「北京」の対》「南都(なんと)」(1)に同じ。「―・北京ともにもって如来の弟子たり」〈平家四・南都牒状〉

なんぎゃう ヨウ:ギ【難行】①きびしく困難な修行。「―・苦行して、名は遠国に伝はる」〈霊異記上序〉②浄土教で、自力による聖道門(しゃうだうもん)をいう。他力による浄土門を易行(いぎゃう)と呼ぶのに対する。難行道。「学問を宗(むね)とするは聖道門なり。―と名づく」〈歎異抄〉

なんきん【南京】①近世、中国南京から渡来の染付けの焼物。南京焼。「山吹は―も何〔デ比較デキョウ〕花の色」〈俳・破枕集上〉②中国方面から渡来した物、または珍奇な物、或いは小さく愛らしい物に冠した語。「―綿」「―鉢」「―鳥」「―金巾」など。「―獅子笛の細工」〈西鶴・二十不孝一〉

なんくせ【難癖】非難すべき点。きず。欠点。「〔漢詩ノ〕首尾率直(しゅっちょく)とは、始めから終りまで、なにの―もなく、まっすぐに作る事ぞ」〈三体詩賢愚抄一〉。「難曲、ナンクセ、或作＝難僻＝」〈文明本節用集〉

なんくゎ【南華・南花】愚鈍な者。馬鹿。阿房。「心立ての二番なる紀三井寺の輩、中頃は―とかや名付けし」〈仮・浮世物語一〉。「―。うつけたる者をいふ。昔は鈍なる者の異名には云はず。常と変りたる人を云へり。その心は、南華は荘子なり。荘子が寓言の儒に変りたるによりて云ひたる名なるを、今誤りて、鈍なる方に是れを寄す」〈色道大鏡一〉

なんど【何箇】碁石などを掌に握って、相手に数を当てさせる遊び。「なご」とも。「廻碁、予・重賢・伊成・重仲打ち、勝負付かざるの間、―呼び(ナンゴノ賭ヲシテ)、重仲勝

つ」〈看聞御記嘉吉一・四・一〉。「をさあいは宝引(ほうびき)—友として」〈俳・底抜臼上〉

なんざん【南山】高野山の異称。「弘法高祖は紀州に—をしめて」〈保元上・将軍塚鳴動〉

なんし【男子】《呉音》おとこ。おとこの子。「苦しび漸くやすまりて、—を産せり」〈今昔六ノ三〉

なん・じ【難じ】『サ変』難ありとする。非難する。「よき限りを取り具し、—・ずべきくさはひ交ぜぬ人はいづこにかはあらむ」〈源氏帚木〉

なんしゅう【南宗】《「北宗」の対》中国禅宗の一派。主として中国江南地方で行なわれた。「近代となりて—の流れ多くつたはる。異朝には—の下に五家あり」〈神皇正統記嵯峨〉

なんしょく【男色】①男子の美貌。「法師丸の—にめで、度度艶書を通じたりければ」〈土岐累代記〉。「色とは女の眉目(みめ)のよき顔色(がんしょく)を云ふ也。…女をば女色(ぢょしょく)と云ふ。若衆をば—と云ふ也」〈謡抄楊貴妃〉②男の同性愛。衆道(しゅだう)。若道(にゃくだう)。「漢家に—の事ありや」〈続古事談六〉

なん・す『助動』《ナマスの転か。動詞及び動詞型活用助動詞の連用形に付き》…する意の尊敬を表わす。主として近世の遊里に行なわれた。「起きて居—・せな、明日の夜も有るに」〈松の落葉三〉

なん・ず『連語』⇩なむず

なんすれそ【何すれそ】『連語』《ナニスレソの転》どうあるからか。どうして。後世「なずんそ」「なんそれぞ」とも。「若し君無かりせば何為(なんすれぞ)此(ここ)に処(を)らましや」〈毛詩二・宣賢点〉。「胡為・孰為、ナンスレソ」〈伊呂波字類抄〉

なんせい【難勢】①論難、詰問してきびしく回答を迫ること。するどい論鋒。「密宗の明匠に問答ありけるも、この上人の—を申し述べらるる人もなし」〈沙石集六ノ九〉②非難。言掛り。「今そなたの—の通りに、諸法実相ならば、好色の書も苦しかるまじきなどとの大悪義を云ひ出すが笑止さに」〈好色破邪顕正中〉

なんせんぶしゅう【南贍部洲】「南閻浮提(なんえんぶだい)」に同じ。「—とて仏の出で給ふ国なり」〈拾玉集五〉

なんぞ【何ぞ】『連語』《ナニゾの転》①《疑問または反語として》なぜ。どうして。「なに故父の借られし所の銭の代をば—今に返さぬぞ」〈今昔二ノ三〉。「—いたづらに休み居らん」〈方丈記〉②なにか。「この世において—望みはないか」〈天理本狂言六義・雷〉。「酒か—食らうてゐたか」〈天理本狂言六義・止動方角〉

なんだ【涙】「なみだ」の音便形。「泣涕(なんだ)連連たり」〈遊仙窟(醍醐寺本)鎌倉期点〉。「濟・泗、ナムダ・ナミダ」〈名義抄〉

なんだ【難陀】《梵語の音訳》①「難陀龍王」の略。「霧の帳、雲の幕、時時—が冪𢌞(へきれき＝住マウコト)するなり」〈性霊集二〉。「—・跋難陀、二つの龍の空にて〔釈迦ヲ〕湯あむし奉りたる」〈栄花音楽〉②釈迦の異母弟の孫陀羅難陀、あるいは釈迦の弟子の牧牛難陀等をいう。「仏の御弟に—と云ふ人あり」〈今昔一ノ一八〉 **—りゅうおう**【難陀龍王】八大龍王の一。跋難陀龍王と兄弟で、常に摩伽陀(まかだ)国を護るという。「八大龍王あり、—、跋難陀龍王」〈盛衰記一八〉

なん・だ『助動』《打消の過去を表わす。なんだら・なんで・なんだ・なんだる・なんだれと活用》…なかった。「なんとも仰せられ—・でござるか」〈虎明本狂言・釣針〉。「昨日今日とは思は—・だといふ義なり」〈見聞愚案記一〉。「御供せ—・だる故に」〈錦繡段鈔一〇〉。「約束をせ—・だれども」〈三体詩抄三ノ一〉

なんだいもん【南大門】都城・仏寺などで、南方に面した大門。正門である。「—に人人居たるなかをおはしければ」〈大鏡師尹〉

なんだち【汝達】『代』⇩なむだち。「いかに兄弟なる鳥ども、—は、はや久しく、デウスをたっとみ奉りたり」〈サントスの御作業一ノ一四〉

なんだべんけい【なんだ弁慶】何でもないの意の洒落。「あんだ弁慶」とも。「向う歯そったる猿眼〔ノ義経ナゾハ〕、—だ」〈俳・蝿打三〉

なんたる【何たる】『連体』どんな。いかなる。「—野の末山の奥までも御幸のお供をつかまつらうとは思はぬか」〈天草本平家三ノ八〉。「—早い馬も、え追ひ付かぬぞ」〈句双紙抄〉

なんぢ【汝】『代』⇩なむぢ。「—も連れて参りたいが」〈天理本狂言六義・長刀会釈〉。「〔娘ガ大蛇ニ〕—心あらば、しばらくものを聞け」〈伽・七夕〉。「汝・爾、ナンヂ」〈文明本節用集〉

なんちん【難陳】論難と陳弁と。歌合で、相手方の歌への批難と、それに対する反論。「次第に歌を講じ、彼是相互に—す」〈袋草紙上〉

なんてい【南庭】《「北園」の対》殿舎の南にある庭。特に、紫宸殿正面(南面)の広場。諸種の儀式や公事がとり行なわれる。「—に花を御覧ずれども袖をつらねしにほひもあらず」〈保元上・法皇崩御〉

なんてう(…チョウ)【南朝】①中国の王朝名。漢民族が華南に立てた宋・齊・梁・陳の四王朝の総称。華北の北朝に対していう。「—北朝」〈愚管抄一〉②平安時代に、奈良朝および同朝の天子をいう。「—登祚」〈類聚国史延暦一三・八〉③延元元年以来、吉野にあった大覚寺統の朝廷。京都の北朝と対立。後醍醐・後村上・長慶・後亀山の四代にわたる。「—の勅使葉室中納言光資卿…武家の第に参り向ふ」〈師守記正平三・四〉

なんでふ(…ジョウ)【何でふ】㊀『連体』《何トイフの約》①なんという。いかなる。「召し寄せたりとも—事かあらむ」〈源氏花宴〉②《下の体言と共に独立格をつくって、そのものを頭ごなしに否定する意をあらわす》何が…だ。…が何だ。「山座主が首をとりて木曾に斯う斯うと云ひければ、『—神』といふものをや。あらきたなの心や」〈愚管抄五〉。「『—さる者』と云ひければ」〈沙石集一ノ一〇〉㊁『副』《反語として》どうして。なんだって。「—さることかし侍らん」〈竹取〉㊂『感』《「なんでふ事を言ふぞ」の意。相手の言い分を頭ごなしに否定する時に使う》何をいうか。「—、この御所ならではいづくへかわたらせ給ふべかんなる」〈平家四・信連〉。「清盛は『—』とて顔をふりければ」〈愚管抄五〉 ↓なでふ

なんでも【何でも】『連語』①何事でも。どんな物でも。「—あれ、存ぜぬことはない」〈天草本伊曾保〉②何はともあれ。とにかく。「—〔鶯ヲ〕刺いてくれう」〈狂言記・鶯〉 **—無・し** 特別の物事でもない。平凡だ。つまらない。「只世間の事は、畢竟なにも—・い事ぞ」〈四河入海一八ノ三〉

なんでん【南殿】①南の御殿。「この—は中納言の君なん給はり給へる」〈宇津保国譲中〉②紫宸殿の別称。内裏の南面に位置する最も大きな宮殿なのでいう。「天皇、群臣を—に宴す」〈続紀天平八・一・一七〉

なんてんぢく【南天竺】①五天竺の一。南方インド。「—より渡るに、自然(じねん)に年の経にたれば」〈宇津保内侍のかみ〉②ナンテンの異称。「前なる—の枝を折りて」〈問はず語り四〉

なんと【南都】①奈良の異称。京都を北京というのに対す

る。「—の僧綱は闕官(けつくわん)ぜられぬ。北京の僧綱をもっておこなはるべきか」〈平家六・新院崩御〉。「奈良、ナラ、南都」〈明応本節用集〉 ②奈良興福寺の異称。延暦寺を北嶺というのに対する。「—北嶺の衆徒、逆悪に帰し、武勇をたしなむは別段の掟(おきて)なり」〈保元中・左府御最後〉 **—しちだいじ**【南都七大寺】奈良の七大寺。東大寺・興福寺・元興寺・大安寺・薬師寺・西大寺・法隆寺の総称。「—とは何ぞ」〈壒嚢鈔一二〉

なんと【何と】『連語』《ナニトの転》①どのように。どう。「ここでは—読むやら」〈玉塵抄四四〉。「—富み栄えたくとも、無理にはならぬぞ」〈天草本金句集〉 ②《反語として》どうして。「踏まれて—男がならうか」〈狂言記・文山立〉 ③《感動詞的に用いて》人に呼びかける語。どうだ。「先へ行く事が叶はぬが—」〈天草本伊曾保〉 **—して** ①どうして。なんのために。「其方は此処へは又、—おりゃったぞ」〈狂言記・内沙汰〉 ②《反語として》どうして。「それがしの食ひ残いたをば—参らせうぞ」〈天草本伊曾保〉 **—様(やう)** いかよう。どのよう。「この人は—なる人であると、名を付くべきやうなきなり」〈老子経抄〉 **—やら** なんとなく。どうやら。「—恥づかしき事にぞあれど」〈西鶴・武家義理一〉

なんど【納戸】《ナフドの転》衣服・調度・金銀などを収蔵しておく奥の間。主人の寝室、主婦・娘などの居間としても使用した。「—には右に長刀、左に太刀、中に具足を置きて、其の上に甲を置かるべし」〈専応口伝〉。「—。…田舎には奥深くしつらひて、女房の居所とする也」〈浮・好色伊勢一〉 **—めし**【納戸食】遊女が、揚屋の納戸などの物陰で、空腹しのぎに茶漬飯を食べること。また、その飯。「—。傾城の食する事に言へり。…あながち納戸ならでも、物陰をかまへて食するゆゑに、—と言ふ」〈色道大鏡一〉

なんど【等・抔】『助』「など」の撥音化。「おとなわらは下衆(げす)—かたちよし」〈宇津保藤原君〉。「つひにクルスに懸からせられて死なせられた事—は」〈コリヤード懺悔録〉。「日本にも赤飯食うたり—するやうにぞ」〈百丈清規抄一四〉

なんどり なごやかなさま。おだやかなさま。「上は—としたが、底がおそろしい」〈碧岩抄三〉

なんな・り『連語』⇒ななり

なんなんと・す【垂んとす】『連語』《ナリナムトスの音便形。漢文訓読体で使う語》まさに…になろうとしている。「殆(ほとほと)暁に—・す」〈大唐西域記七・長寛点〉

なんの【何の】『連語』①どういう。どんな。「—子細があらうぞ」〈天草本伊曾保〉 ②《反語として》どうして。「—、添はいでは」〈天理本狂言六義・二九十八〉 ③《感動詞的に》反問する時にいう。何。何だって。「—、親ぢゃ者に逢うた、なかなかの事ぢゃ」〈虎明本狂言・武悪〉 ④なにやかや。かれこれ。とやかく。なんのかの。「二叔か—と云うて」〈史記抄一九〉 **—かの** なにやかや。あれこれ。つべこべ。とやかく。「最前、それがしが叱ったによって、—とぬかいてその叱り返しをせうといふ事な」〈虎明本狂言・止動方角〉 **—その** 何程のことがあろうか、何でもない。「一霞み当らば当れ—」〈俳・当世男下〉 **—糸瓜(へちま)の団袋(だんぶくろ)** 何とも思わず、少しも問題にしない意。「何の糸瓜」「何の糸瓜の皮」とも。「露の命—」〈俳・飛梅千句〉

なんばう【男房】《「房」は部屋の意》宮中に局(つぼね)を与えられている男子。蔵人(くらうど)などをいう。「御所中の女房・—・官次・公卿・殿上人、皆涙を流し」〈保元上・法皇崩御〉

なんぱうげぬき【南方毛抜・南方鑷】尾張国名古屋に住む、南方という鍛冶の製造した良質の毛抜。〈俳・毛吹草四〉

なんぱうむくせかい【南方無垢世界】《法華経にある説話による》仏法の力により男子となった龍女(りゅうにょ)が、そこにおもむいて成仏したという浄土。「龍女がごとく我もはや変成男子(へんじゃうなんし)なり。…しかも、所は補陀落(ふだらく=興福寺ヲサス)の南の岸に至りたり。これぞ—」〈謡・采女〉

なんばん【南蛮】①南方の野蛮人または賊の称。「—・西戎(せいじゆう)はすでに乱れぬ。東夷(とうい)・北狄(ほくてき)も、又いかがあらんずらんと」〈太平記三・笠置軍〉 ②室町時代以後、ルソン・タイ・ジャワ・マレーなど東南アジア諸国の称。また、そこに植民し、或いは経由して日本に渡来した、ポルトガル人・スペイン人の称。「—にある木ぞ。日本にて譬ゆべき木はないぞ」〈三体詩抄二ノ三〉。「鳥の羽で—の字を書けども、日本の筆では書かぬものぢゃ」〈ロドリゲス大文典〉 ③南蛮⑵から渡来した物。または珍奇・異風な物。他の語に冠して使うことが多い。「—漬」「—鉄」「—犬」「—酒」など。「床〔ニ〕根太(ねぶと)香合、—香炉」〈宗及他会記元亀三・一〇・九〉 ④「南蛮流」の略。「—膏薬を付くれば、二日三日の間に、すきとなほる」〈咄・昨日は今日下〉 **—きび**【南蛮黍】トウモロコシの異称。略して「南蛮」とも。「—〔ト、更ニ南蛮鉄製ノ〕放し目貫(めぬき)も有らまほし」〈俳・空林風葉下〉 **—ゴロ**【南蛮呉絽】南蛮渡来のゴロフクレンに似た、刀の鮫鞘(さめざや)の称。「—の大小」〈近松・反魂香中〉 **—しゅう**【南蛮宗】南蛮渡来の宗旨の意で、キリシタン宗のこと。「宗徒(むねと)の御方方を初め申し、老若男女ともに—とやらんにならせられ、寺社を破却あり」〈大友記〉 **—じん**【南蛮人】日本に渡来したポルトガル人・スペイン人などを呼んでいう語。「—よりその伽に取られて、主の宿に四月の間、女房の様に居りまらした」〈コリヤード懺悔録〉 **—りう**【南蛮流】①南蛮人伝来、または南蛮渡来の流儀。「沖津波—の菓子袋」〈俳・紀子大矢数下〉 ②織豊時代、南蛮人、特にポルトガル人伝来の腫物・金瘡の治療を主とした外科医術。南蛮流外科。「—外科薬方写す」〈松平大和守日記寛文二・一〇・一六〉 ③西洋流の古砲術の一派。「—の〔大砲デ撃タレタ〕海士の破れ舟」〈俳・珍重集〉

なんぴん【難平】《米相場で損失を平均する仕掛け方の一法をいい、相場の見通しがきかず、資力が無いと大損をするので》身の程知らずの大馬鹿者。また、愚か者。「〔愚カナ〕槃特(はんどく)の—様をそだて(オダテ)てまた」〈俳・遠舟千句付〉

なんぷう【南風】《南風はぬるいので》阿呆。馬鹿。「—とは。されば、阿呆と申す唐名ぢゃ」〈伎・女郎来迎柱一〉

なんぼ【何ぼ】『副』《ナンボウの転》①どれほど。どの程度。「—なりとも〔茶ヲ〕参りませう」〈狂言記・薩摩守〉 ②どんなに。いかに。いくら。「若男の—隠しても田舎めきて」〈西鶴・椀久二世上〉 ③《感動詞的に用いて》なんとまあ。いかにも。「—こじれたい新発意(しんぼち)心ぢゃ」〈閑吟集〉。「—面目もなき事の候」〈伽・いづみが城〉

なんぼう【何ぼう】『副』《ナニホドの転》①どれほど。どの程度。「此の馬—の馬にて候ぞ」〈盛衰記三四〉。「その罠(わな)で—の狐を殺いつらう」〈天理本狂言六義・釣狐〉 ②どんなに。いくら。「こなたさへくたびれさせられずは、私は—なりとも語りまらせう」〈天草本平家一ノ二〉 ③《感動詞的に用いて》なんとまあ。いかにも。実に。「—恐ろしき物語にて候ぞ」〈謡・道成寺〉。「…と、—けなげに申して候」〈謡・満仲〉

なんめ・り『連語』《指定の助動詞ナリと、推量の助動詞メリとの複合》…であるようだ。「良清などは、おろかならず思すー・りかしと憎くぞ思ふ」〈源氏(大島本)明石〉。「下草のりんだうはさすがー・り。一品の宮と聞えむ」〈堤中納言はなだの女御〉▽伊勢物語・源氏物語・枕草子などの鎌倉時代以前の古写本には、一般にナメリとある。これはナリメリの約であるから、実際にはナンメリと発音されていたのであろうが、筆写ではンを書かず、ナメリとする習慣であったと考えられる。ナンメリと書くのは、一般には室町時代以降の写本からのようである。→なめり

なんめん【南面】《中国で、君主は南に面して坐して臣下に対したので》天子の位に即いて天下を治めること。「ーにして一日万機の政をさめ給ひしに准(なぞ)らへて」〈平家一・額打論〉

なんれう ‥リョウ【南鐐】①上質の銀。「砂金千両、ー百、御剣七振(ふり)」〈盛衰記一〇〉。「南鐐、ナンリョウ、又軟鐐」〈文明本節用集〉②近世後期の貨幣、二朱銀の異称。「最前の約束がー三片ぢゃと言ふわい」〈滑・浮世床初中〉

に

に【土】つち。多く、土器の材料や顔料にするつち。「丸邇坂(わにさ=地名)のーを、端土(はつに)は膚赤らけみ、底土(しはに)は丹黒きゆゑ」〈記歌謡四二〉

に【丹】《ニ(土)と同根》①朱色の砂土。顔料にした。「ー塗り矢になりて」〈記神武〉。「此の山のすなごを取りてーにあてき。因りて丹生(にふ)のさとといふ」〈豊後風土記〉②赤色の顔料。鉛に硫黄と硝石とを加えて焼いて製したもの。鉛丹。黄丹。「顔にはーを塗り」〈謡・鉄輪〉

に【荷】《古形ノ(荷)の転》①荷物。「東人(あづまど)の荷向(のさき)の箱のーの緒にも妹は心に乗りにけるかも」〈万一〇〇〉②負担。責任。任務。「ー重く力弱くして負ひ荷(も)ちあへず」〈続紀宣命三三〉

に【瓊】《ヌ(瓊)の母音交替形》玉。特に、美しい玉や赤い玉をさすらしい。「八坂(八尺)ーの五百箇(いほつ)の御統(みすまる)」〈紀神代上〉

に【二】《呉音》①数の名。ふたつ。「一ーの目のみにはあらず五六三四さへありけり双六の采(さえ)」〈万三八二七〉。「ただいまの入道殿下の御ありさま…ーもなく、三もなく、並びなく、はかりなくおはします」〈大鏡大臣序説〉②二番目。「ーの車に忍びて、…御たたむ紙にかき給へり」〈源氏若菜下〉

に【似】『上一』《ノリ(似)の語根ノの母音交替形。物の形や性質が、甲と乙と同じように見える意。類義語アエ(肖)は、別のものの形や現象がそっくり同一である意》①物の形が見た目に同じである。「酒飲まぬ人をよく見れば猿にかも似る」〈万三四四〉②事の性質がほとんど同じように見える。「わが屋戸の梅咲きたりと告げやらば来(こ)ちふに似たり散りぬともよし」〈万一〇一一〉③相応する。適合する。「着たるものの、人のさまに似ぬは」〈源氏玉鬘〉 **似るを友** 性質や好みの近い者どうしが互いに投合すること。「ーとかやの風情に、忠盛も好(す)いたりければ、かの女房も優なりけり」〈平家一・鱸〉

に【煮】『上一』水を沸き立たせ、中に入れた食料などに熱を通す。「食薦(すごも)敷き青菜煮持ち来(こ)」〈万三八二五〉

に『助』①→基本助詞解説。②《ナの母音交替形》動詞の未然形につき、他にあつらえのぞむ意をあらわす。な。「ひさかたの天路は遠しなほなほに家に帰りて業(なり)を為(し)まさーに」〈万八〇一〉

に『助動』①完了の助動詞「ぬ」の連用形。②指定の助動詞「なり」の連用形。③打消の助動詞「ず」の古い連用形。

にあがり【二上り】三味線で、本調子より二の糸が一音高いもの。また、その曲。二上り調子。「軒端の松やーの吟」〈俳・投盃〉

にあは・し ‥アワシ【似合はし】『形シク』似合っている。ふさわしい。「ー・しき夫(つま)を持った程に開くる事はならぬ」〈虎明本狂言・鈍太郎〉

にあ・ひ ‥アイ【似合ひ】㊀『四段』互いにふさわしくある。「(夫婦トシテ)御かたちども、いと清らにー・ひたり」〈源氏東屋〉㊁『名』互いにふさわしいこと。「都へ上り、(一間四面ノ堂ニ)ーな仏を求めまらせうと存ずる」〈天理本狂言六義・仏師〉

にうち【荷打】船舶が遭難した場合、船足を軽くするため、積荷を海中に投げ棄てること。また、その荷。刎荷(はねに)。捨荷(すてに)。「廻船が積み荷物を売って退けて、ー船ぢゃとちょろまかす」〈浮・魂鍛金衣鳥五〉。「諸廻船…万一ー・破損の時分」〈船法御定并諸方聞書〉

にうめん ニュウ‥ ⇒にふめん。「其の後ー出づ」〈宗湛日記天正一四・一二・三〉

にうり【煮売】道ばたの茶屋などで、飯および魚・野菜・豆などの副食物を煮て売ること。また、その食物。その茶店を煮売屋、煮売茶屋といった。「ー・焼売、色色あり」〈仮・東海道名所記一〉。「ーとなれる鵜遣ひの果」〈俳・大坂独吟集下〉

に・え【煮え】『下二』《ニ(煮)の自動詞形》①沸き立った湯の中で、食料などに熱が通る。「熟、ニュル・カシク」〈名義抄〉②水が加熱されて沸騰する。「そのー・えたる湯を穴の口に汲み入れ給へ」〈著聞六九九〉③ひどく腹を立てる。激怒する。「石山荒王に投げられ、せいてー・えらるる所よし」〈評判・役者舞扇子江戸〉④大騒ぎする。上を下へと混雑する。「ここぢゃあそこぢゃと云うてー・えければ」〈咄・竹斎ばなし上〉

にえい・り【にえ入り】『四段』めりこんで没する。「余りに多く込み乗りたりければ、大船二艘ー・りたり」〈延慶本平家九・越中前司〉。「(女ハ)忽ちに大蛇となり、鐘を巻きて大地にー・りける」〈伽・磯崎〉

にえこ・み【にえ込み】『四段』陥ってくいこむ。はまりこむ。「大方は真砂にー・み、骸骨(あばらぼね)砕けて」〈西鶴・二十不孝五〉

におもひ ニオモイ【漿】《ニは煮(に)》湯ざまし。「つくりみづ」とも。「漿、和名豆久利美豆(つくりみづ)、俗云邇於毛比(におもひ)」〈和名抄〉→みもひ・もひ

にかい【二階】①棚の二段ある厨子(づし)で、扉のないもの。また、その棚。「沈(ぢん)のーなんどやうのを立てて」〈源氏夕霧〉。「厨子・ーなど、あやしきまでし加へて」〈源氏東屋〉②二階建て。また、その上階。「ーの宮殿あり」〈十訓抄一〇ノ六四〉。「ーならば、せめてなるべし。天井は、埃だらけで怖物(こはもの)」〈耳底記〉

にかう ‥コウ【二更】⇒かう。「ー、月を待つ」〈菅家文草一〉

にが・き【瑑き】『四段』《ミガキの子音交替形》みがく。「屑(くだ)けたる玉は器に盈(み)つともー・きて為(つく)るべからず」〈東大寺諷誦文稿〉

にがくち【苦口】ひどく気にさわることば。憎まれ口。毒舌。「はて、ー言ひな兄弟子かな」〈近松・曾我七以呂波四〉

にがざれ【苦戯】悪ふざけ。「殿は今にはじめぬーかなと知る人のやうにぞもてなしける」〈伽・弁慶物語〉

にが・し【逃し】『四段』《ニゲの他動詞形》①逃げさせる。「雀の子をいぬき(人名)がー・しつる」〈源氏若紫〉②脇や後ろへそらす。「足を後ろへー・し、頭を進むるはよしといふ」〈成通卿口伝日記〉

にが・し【苦し】『形ク』①苦味(にがみ)がある。「先に生ひし甘美の果を、これによりて皆減損してー・く渋くして、滋(こ)き味はひ無けむ」〈金光明最勝王経平安初期点〉②不愉快である。「饗応しもてはやし聞えさせ給ひつる興も醒めて、事ー・うなりぬ」〈大鏡道長〉

にがたけ【苦竹】マダケ、またはメダケの異名。「朽木(くちき)に生ひたる茸(くさびら)ども糞物(あついもの)にさせ、ーなど調じて」〈宇津保国譲下〉

にがて【苦手】爪が苦く毒のある特殊な手。腹痛をおさえて静めたり蛇を捕えたりする能力があるという。「をさあい(幼児)の腹をさするはーにて」〈俳・底抜臼上〉

にがにが・し【苦苦し】『形シク』いかにも不愉快である。「おほかたの道理をこそ申しつれ、これほどにー・しく思ひ取り給ふべき事かは」〈著聞五四七〉。「やらー・しや」〈虎明本狂言・雷〉。「苦苦敷、にがにがしく、笑止なる義」〈和漢通用集〉

にかはニカワ【膠】《ニ(煮)カハ(皮)の意》獣の骨・皮・腸などを煮つめてその液をかわかし固めたもの。ほぼ透明で、弾力・粘着性に富み、接着材に多く使われる。「朱沙十二両。ー八両」〈延喜式主鈴〉。「膠、尓加波(にかは)」〈金光明最勝王経音義〉

にがびゃくだう…ドウ【二河白道】〔仏〕《善導の観経疏散善義に説く》恐ろしい火の河と水の河とにはさまれた幅のせまい一条の白道が、此岸から彼岸に通じているとする比喩。火の河は衆生の瞋恚(しんい)、水の河は衆生の貪欲、白道は浄土往生を願う清浄の信心で、いかに水火におびやかされても、仏の言葉を信じて疑いなければ西方浄土に至り得ることを説いたもの。二河。二河喩。白道。「ーもかくやと覚えたる道一通り顕はれ出でたり」〈太平記三八・彗星客星〉

にがふはん…ゴウ…【二合半】①二合五勺。飯米一食分の量。「ーの飯(めし)は武家にさだまる所」〈室町殿日記九〉②近世、中間(ちうげん)・奴など、下級の武家奉公人の扶持米。一食分が二合五勺であった。また、その奉公人をさげすんでいう称。「親の代より此のー」〈俳・宗因千句下〉

にが・み【苦み】㊀『四段』①にがいという顔をする。不快に感じて顔をしかめる。「暑きにと、ー・み給へば、人人笑ふ」〈源氏帚木〉②ちぢまって、しわが寄る。「(大豆ノ)あたたかなる時、酢をかけつれば、酢むつかりとて、ー・みて、よく挟まるるなり」〈宇治拾遺六九〉㊁『名』①苦い味。「そのーをば、はや、君の味はひ果し給ふを以て」〈バレト写本〉②不快そうな様子。「腰が痛く候などとてーにて候」〈言継卿記大永八・二・一二紙背文書〉③顔付がひき締まってりりしいこと。苦み走っていること。「顔付ー有って、憎い奴には良く映るなり」〈評判・役者大鑑〉 **ーはし・り**【苦み走り】『四段』顔付がひき締まって、きりっとしたさまである。「にがりはしり」とも。「宮崎式部…御色黄菊のー・りて香りあり。荒き事によし」〈評判・雨夜三盃機嫌上〉

にが・め【苦め】『下二』苦い顔をする。不快に感じて顔をしかめる。「先王の舞を舞ふなるには、面模(めんも)=仮面)の下にて鼻をー・むる事に侍るなり」〈盛衰記四〉。「口をすぼめ、眉間(まゆあひ)をー・め」〈法華経直談鈔七本〉

にが・り【苦り】『四段』①苦いものを食べた顔をする。顔をしかめる。いやな顔をする。「然らざらむ人は、きはめてー・りて、ともかくもえ言はでゐたらむは、いみじくいとほしかりなむかし」〈今昔二八ノ一〇〉。「儒者ー・りて言ふ事なかりけり」〈十訓抄三ノ八〉②不愉快になる。不快・不満の感をもよおす。「それはー・った事でござる」〈虎明本狂言・福の神〉 **ーわら・ひ**…ワライ【苦り笑ひ】㊀『四段』苦笑する。「戯れなれば、え腹立たずしてー・ひて止みにけり」〈今昔二八ノ二三〉㊁『名』にがにがしげに笑うこと。「春を憎憎(にくにく)とーに笑ふなり」〈三体詩絶句抄三〉

にき【和】《ニコ(和)と同根。平安時代以後はニギと濁音。「粗(あら)」の対》粗い布などがよく打たれてやわらかになるように、表面がこなれて、しなやかなさま。また、やわらか、おだやかなさま。「ーたへ」「ー膚(はだ)」「ー藻(め)」など。「ー膚の衣寒らにぬばたまの髪は乱れて」〈万一八〇〇〉 ▽朝鮮語nik(熟)と同源。ニギハヒ(饒)のニギとは起源的に別。 †niki

にき【二季】①四季のうちの二つ。多く、春と秋。「ーの彼岸の仏聖田」〈吾妻鏡元暦一・三・一六〉。「ーの月次神今食」〈禁秘抄上〉。「春秋ーの七種(ななくさ)の事」〈梵燈庵袖下集〉②盆と暮の二節季。「毎年ーに心付(こころづけ)いたさうか」〈咄・昨日は今日下〉。「眺めたしーの際無くて宿の月」〈俳・空林風葉下〉

にき【日記】⇒にっき。「男もすなるーといふものを女もしてみむとてするなり」〈土佐発端〉。「その奉行のせられた事どものーはどこにあるぞ」〈コリヤード懺悔録〉

にきしね【和稲】《「荒稲(あらしね)」の対。平安時代以後はニギシネと濁音》籾(もみ)をすり去った米。「奉るうづの幣帛(みてぐら)は、御服(そみ)は明るたへ・照るたへ…ー・荒稲」〈祝詞広瀬大忌祭〉 †nikisine

にきたへ…タエ【和栲】《「荒栲(あらたへ)」の対。平安時代以後はニギタヘと濁音》打って柔らかにした布。神にたむける。「片手には木綿(ゆふ)取り持ち、片手にはーまつり」〈万四四三〉 †nikitaFë

にきたま【和魂】温和な徳を備えた神霊。「大君の親魄(にきたま)会へや豊国の鏡山を宮とさだむる」〈万四一七〉 →にきみたま

にきて【和幣】《平安時代以後はニギテと濁音。テは接尾語で、手でそなえるものの意。あるいはタヘ(栲)の転か》楮(こうぞ)や麻の繊維で織った布で、木の枝などにかけて神にささげるもの。後には布の代りに紙などを使った。「和幣、此をば尼枳底(にきて)といふ」〈紀神代上〉 †nikite

にぎにぎ【握握】幼児が拳(こぶし)を握って見せること。「『今度は手をにぎる様な事をするが、是も芸か』『それは、ーと申す芸でござる』」〈虎寛本狂言・鬼の継子〉

にぎにぎ【賑賑】大そうにぎやかであるさま。はでに盛んなさま。「康頼などいふ猿楽狂ひ者などーと召し使ひて」〈愚管抄五〉

にぎにぎ・し【賑賑し】『形シク』いかにもにぎやかである。「酒に酔ひたる人あまた出入りして、いそがはしき体(てい)にて、ー・しき所なり」〈伽・彌兵衛鼠〉

にぎは・しニギワシ【賑はし】『形シク』「にぎははし」の約。「賑・饒、ニギハシ」〈色葉字類抄〉

にきはだ【和膚】《平安時代以後はニギハダと濁音》やわらかい膚。やわはだ。「たたなづくーすらを剣刀(つるぎたち)身に添へ寝ねば」〈万一九四〉 †nikiFada

にぎはは・しニギワワシ【賑はし】『形シク』《ニギハヒの形容詞形》①富み豊かである。「(女ヲ選ブニハ)すべてー・しきによるべきななり」〈源氏帚木〉②物が多い。豊富だ。「御硯

のあたり—・しく草子ども取り散らして」〈源氏初音〉 ③にぎやかだ。活気がある。「末つ方の楽花やかに—・しく聞ゆるに」〈源氏御法〉。「—・しく愛敬づきをかしげなる」〈源氏空蟬〉

にぎは・ひニギワイ【賑はひ・饒ひ】『四段』《ハヒはサキハヒ(幸)のハヒに同じ》 ①富み栄える。「飢饉の悪しき時を能く豊稔(にぎは)ひてあらしむ」〈金光明最勝王経平安初期点〉 ②繁盛する。にぎやかになる。「寺の内僧坊ひまなく住み—・ひけり」〈今昔二八ノ二〇〉 ③人に物を与えて豊かにさせる。「此の国已往(むかし)多く福舎の有るを以て、貧匱(ともしき)に—・ひて、或は薬を施し、或は食を施すところあり」〈大唐西域記四・長寛点〉 †nigiFaFi

にき・び【和び】『上二』《「荒(あ)らび」の対》 やわらぐ。なれ親しむ。「—・びにし家をおき(捨テ)」〈万七九〉 †nikibi

にきみ【痤・面皰】《ニキはニキ(和)と同根》 小さなはれ物。一説、今のにきび。「内に御—おはしまして、くすしども参りなどして」〈栄花蜘蛛振舞〉。「痤、邇岐美(にきみ)、小瘡也」〈和名抄〉

にきみたま【和御魂】《「荒御魂(あらみたま)」の対。平安時代以後はニギミタマと濁音》 温和な徳を備えた神霊。「—は王身にしたがひて寿命(みいのち)を守らむ」〈紀神功摂政前〉 †nikimitama

にきめ【和海藻】《やわらかな海藻の意》 わかめの類。「角島の瀬門の若海藻(わかめ)は人のむた荒かりしかど我がむたは—」〈万三八七一〉 †nikimë

にぎめ・き【賑めき】『四段』 にぎわう。繁盛する。「往来(ゆきき)—・く折ふし」〈伽・雪女物語〉

にぎ・り【握り】『四段』《手の指を内側に曲げて、しっかりと保つ。類義語ツカミは、対象に荒荒しく取りついて握るのが原義》 ①手の指をしっかりと内側に曲げる。「面忘れだにもえすやと手—・りて打てども懲りず恋といふ奴(やっこ)」〈万二五七四〉。「手を強く—・りて…病ひづきて七日といふに失せ給ひにしは。—・り給ひたりける指は、あまりつよくて、〔手ノ甲ノ〕うへにこそ通りていでて侍りけれ」〈大鏡為光〉 ②手の指を内側に曲げてしっかり物を保つ。「手に平めるものさはる時に、『われ物—・りたり…』との給ふ」〈竹取〉 ③自分の物にする。掌握する。「入道相国、一天四海を掌(たなごころ)に—・って」〈平家灌頂・女院死去〉 †nigiri

—こぶし【握拳】 ①固くにぎりしめたこぶし。げんこつ。「面白し蕨も手をやここもとに—(辛夷ト掛ケル)の花咲ける山」〈再昌草五〉 ②けちんぼの称。近世、「にぎりこ」「にぎり坊」とも。「纖嗇(せんしよく)とは、一文銭をも二文にへぎたう思うて…—なる、ちゃうど固まりたる者ぞ」〈史記抄一八〉。「中の良い—と柿のさね(金持)」〈俳・風光集〉

—ぶと【握太】 弓の握り持つ部分を皮などで厚く巻いて太くし、撓(わた)まないようにしたもの。「二所籐(ふたところどう)の弓の—なるにとりそへ」〈太平記二六・本間孫四郎〉

にく【褥】 敷物。しとね。「—と思ひし苔にも、初霜降り積みて」〈梁塵秘抄三〇五〉

にくいけ【憎い気】 ①憎いようす。憎らしい態度。「うち笑うて、—もなく言ひける気色」〈沙石集七ノ六〉。「—せずは、誰の人かありてあだをなすべきや」〈歎異抄〉 ②とくに和歌などで、いやみな表現、きざないいまわし。「おほかた歌の姿にて、—もよきやうにてあれど、いたく秀句などをするほどに、あしざまになることあり」〈八雲御抄六〉

にぐうのだいきゃう‥キョウ【二宮の大饗】 正月二日、親王・公卿以下が后宮・東宮の二宮を拝賀し、賜わる饗宴。「〔正月〕二日—なり。近頃は絶えたればその儀をしるさず」〈建武年中行事〉

にくげごと【憎気言】 憎憎しげな言葉。「いとしも思はしからぬ人の—したる」〈枕(能因本)文ことばなめき人こそ〉

にくさう‥ソウ【憎相】《ニクザウとも》 憎らしいありさま。「いかなる—の者かしたりけん、その札の側に『…』と、秀句をしてぞ書きそへて見せたりける」〈太平記二五・将軍都落〉

にくさげ【憎さげ】 見た目にかわいげがないさま。「同じ男、知れる人のもとに常に通ふに、いと—なる女のあるを」〈大和付載説話二〉。「上童(うへわらは)のいと—なるが」〈宇治拾遺一八〉

にく・し【憎し】『形ク』 ①憎らしい。「我こそは—・くもあらめわが宿の花橘を見には来じとや」〈万一九九〇〉。「〔浮気ナアナタヲ〕見れば—・し。聞けば愛敬なし。見捨てて死なむはうしろめたし」〈源氏夕霧〉 ②癪にさわる。腹立たしい。「—・きもの。いそぐ事ある折に来て長言する客人(まらうど)、…すずりに髪の入りてすられたる、…しのびて来る人見知りてほゆる犬、あながちなる所に隠し伏せたる人のいびきしたる」〈枕二八〉 ③しゃくにさわるほどあっぱれである。「—・い剛の者かな」〈保元中・白河殿攻め落す〉 ④《動詞連用形を承けて》…するのが、すらすらと行かない。…しづらい。「いと立ち離れ—・き草のもとなり」〈源氏桐壺〉。「立ち出で—・けれど、忍びやかに打ち音なひて歩みいで給へるに」〈源氏野分〉

憎から・ず ①愛情がなくはない。「御返り言さすがに—・ず聞えかはして」〈竹取〉 ②かわいらしい。「恨むべからむふしをも—・ずかすめなさば」〈源氏帚木〉

にくじ《「にくぢ」とも書く》 物事のおびただしいさま。ぎょうさん。「物のいかめしく大きなることを、でこ・でっかい・—など云ふ」〈俳・かたこと二〉。「物のおびたたしきを…伊勢にては—といひ」〈男重宝記五〉

にくじ【悪じ】 憎らしさ。憎憎しさ。「強く—に云うたぞ」〈史記抄一〇〉。「極めて色は黒くして、まなこに—を持ったるが」〈幸若・とがし〉

にくてい【憎体】 憎らしいさま。「石立(いしだて)賽を取るよりもはや—に利口して」〈児教訓〉。〈日葡〉

にくにく・し【憎憎し】『形シク』 いかにも憎い。「実平これを聞きて、俣野が言葉の—・しさに、〔相撲ヲ〕取らんとぞいふらん」〈曾我一〉

にく・み【憎み】『四段』《愛情や親密感を拒否され傷つけられて、不愉快・抵抗を感じ、時にはそれを口にし、また阻害者を傷つけたいと思う意。類義語キラヒは相手との関係を切り捨て、離れようとする意。イトヒは相手から顔をそむけたい意。ソネミは、相手を不快なものと思う意》 ①憎く思う。「か行けば人にいとはえ、かく行けば人に—・まえ、老男(およしを)は斯くのみならし」〈万八〇四〉。「〔外ノ女ニ出来タ子ヲ〕呼びにやりて見せ奉らむ。—・み給ふなよ」〈源氏澪標〉。「人、死を—・まば生を愛すべし」〈徒然九三〉 ②憎い思いを口に出す。非難する。「いたう言籠(ことこ)めたれば、『よからぬわざしけり』と—・めば」〈源氏少女〉。「『例の艶なり』と—・み給ふ」〈源氏末摘花〉。「濡れたるものどもしぼり着て、泣く泣く京へ上りたれば、—・まぬものこそなかりけれ」〈平家四・宮御最期〉 †nikumi

憎まれ子世に出づる 人に憎まれるような人間がかえって出世して、威張って暮すものだ。憎まれ子世にはびこる。〈俳・毛吹草二〉

にくらか【憎らか】 憎らしい様子。「おほどかなるものの、さるべき方には卑下して、—にもうけばらぬなどを、ほめぬ人なし」〈源氏若菜上〉

にぐろ・し【土黒し】『形ク』 土色で黒い。「端土(はつに)は膚赤らけみ、底土(しはに)は—・きゆゑ」〈記歌謡四二〉 †nigurosi

にげ【二毛】馬の毛色の名。白と黒のまじった毛。「忠清は—(逃ゲト掛ケル)の馬にぞ乗りにける上総(かづさ)しりがいかけてかひなし」〈平家五・五節〉

にげ【似気】につかわしい様子。「いとめでたうのみ見え給ふを、—なからぬほどには見なし給へれば」〈源氏葵〉。「—無きもの。下衆(げす)の家に雪の降りたる」〈枕四五〉

に・げ【逃げ】『下二』①相手にとらえられないように、相手の力のとどかない所へ去る。「わが—・げ登りしありをの上の榛が枝」〈紀歌謡七六〉 ②責任を避ける。「女楽に、えことまぜでなむ—・げにけると、伝はらむ名こそ惜しけれ」〈源氏若菜下〉 †nigë

にげあし【逃足】逃げようとする足つき。また、す早く逃げること。「馬を取りて返して、—になるを」〈今昔二三ノ二六〉。「—のみぞ踏みたる者、多く参り籠りける。物の用に立つべき者、一人もなかりけり」〈長門本平家一五〉

にげか・み【齝み】『四段』《ニレカミの古形》反芻(はんすう)する。「飯を嫌ひて草を噉(らく)ひ、食ひをはれば齝齣(にげか)む」〈霊異記下二六〉

にげじり【逃尻】逃げて行く人の尻。「一矢で追つめて—を射られた」〈本則鈔一〉

にげぼえ【逃吠え】①犬などが逃げながら吠えること。「行く雲や犬の—村時雨」〈俳・江戸新道〉 ②負けて逃げながら、負け惜しみをいうこと。「我が身を知らぬ—して」〈近松・佐々木大鑑一〉

にげまうけ(…モウケ)【逃設け】逃げる用意。「もとより—しては何のよからうぞ」〈平家二・逆櫓〉。「座頭は杖をひっさげて—する有様は、絵にかくとも筆にも及びがたし」〈伽・鼠草子〉

にげみづ【逃水】汲もうとして近寄ると、遠くに逃げてしまう幻の水。武蔵野にあるといい伝えられた。「東路(あづまぢ)にありといふなる—の逃げかくれても世を過ぐすかな」〈散木奇歌集雑上〉

にけ・む『連語』《ニは完了の助動詞ヌの連用形。ケムは回想・推量の助動詞》…てしまったであろう。「などかも妹(いも)に告(の)らず来—・む」〈万五〇九〉 †nikemu

にげめ【逃目】逃げようとする時の目つき。にげまなこ。「—を使ひて」〈源氏帚木〉

にけらし『連語』《ニは完了の助動詞ヌの連用形。ケラシはケルラシの約。ケルは気付きの助動詞ケリの連体形、ラシは推量の助動詞》…てしまったらしい。「年魚市潟(あゆちがた)潮干—鶴(たづ)鳴き渡る」〈万二七一〉 †nikerasi

にけ・り『連語』《ニは完了の助動詞ヌの連用形。ケリは気付きの助動詞》多く、自然推移の意を表わす動詞の下につき、気がついてみると…だったと確認し、また強く詠嘆する意。「ここにして家やも何処(いづく)白雲のたなびく山を越えて来—・り」〈万二八七〉。「今は我はわびそし—・る息の緒に思ひし君をゆるさく思へば」〈万六四四〉 †nikeri

にこ【和・柔】《「あら(荒)」の対。ニキ(和)と同根。ニコシ・ニコヤカなどの語根》①(材質が)柔らかいこと。「足柄(あしがり)の箱根の嶺(ね)ろの—草の」〈万三三七〇東歌〉 ②笑うさま。にっこり。「そのやうな者も、この兄殿が行けば—と笑はるるぞ」〈蒙求抄三〉。「莞爾、ニコトワラフ」〈温故知新書〉 †niko

にこう【尼公】尼になった貴婦人の敬称。「母の—も連れて参る」〈平治下・常葉六波羅に参る〉

にこぐさ【和草】葉や茎のやわらかな草。「蘆垣の中の—」〈万二七六二〉 †nikogusa

にこげ【柔毛】鳥・獣の、手ざわりのやわらかい毛。「毳、爾古計(にこげ)、細弱毛也」〈和名抄〉

にここ《ニコを二つ重ねた形》笑顔の形容。にっこり。にこにこ。「面(おもて)を見れば、—に咲(ゑ)みて宣(のたま)はく」〈今昔四ノ六〉。「囅然、ニコヽニ・ニフヽニ」〈名義抄〉

にこ・し【和し・柔し】『形ク』《「荒(あら)し」の対》手ざわりが柔らかい。細かい柔らかなものが密集して作り出す状態をいう。「毛の—・き物、毛の荒き物」〈祝詞広瀬大忌祭〉。「和、ニコシ」〈名義抄〉 †nikosi

にご・し【濁し】『四段』《ニゴリの他動詞形》にごらせる。「苗代の水汲み—・し今日よりは早苗とるらんかつま田の里」〈夫木抄三一・里〉。「後の世の月は何とか照らすらん胸の鏡よ心—・すな」〈謡・歌占〉

にこすみ【和炭】《「荒炭(あらすみ)」の対》軟らかい質の木炭。鍛冶という特定の用途に使われる。鍛冶炭。「和炭、ニコスミ」〈名義抄〉 †nikosumi

にこで【柔手】《「裂手(さきで)」の対》手ざわりが柔らかい手。感触が柔らかく快い手。「向つ峰(を)に立てる夫(せ)らが—こそ我が手を取らめ、誰(た)が裂手(さきで)裂手そもや我が手取らすもや」〈紀歌謡一〇八〉 †nikode

にこや【柔や】《ニコはニキ(和)と同根。ヤは接尾語》こなれてやわらかく快いさま。「むしぶすま—が下に…股長に寝(い)をしなせ」〈記歌謡五〉 †nikoya

にこやか【和やか・柔やか】《ニコヨカの母音交替形。ニキ(和)と同根》①ものの手ざわりが、きめ細かく柔らかに感じられること。「其の窣堵波の基の下(もと)に石有り。色黄色を帯びたり。常に津(うる)ひ膩(こ)やかなること有り」〈大唐西域記三・長寛点〉 ②人の性情・表情・筆跡が、温和で柔軟に感じられること。ものやわらかなこと。「〔ソノ女ハ〕夫(をうと)に随ひ—に儒(はや)らかにして、練りたる糸綿の如し」〈霊異記中二七〉 ③建築物などが美しく立派なこと。「城の中に天祠あり。瑩飾(かざれること)輪奐(にこやか)なり」〈大唐西域記五・長寛点〉

にこよか【和よか】①(気持の上で)ものやわらかく親しみやすく感じるさま。温和でおだやかに感じるさま。「秋風になびく河傍(かはび)の和草(にこぐさ)の—にしも思ほゆるかも」〈万四三〇九〉 ②にこやかなさま。にこにこ。温和。「—に我とゐまして人に知らゆな」〈万二七六二〉 †nikoyöka

にご・り【濁り・渾り】㊀『四段』《「澄み」の対》①水などに汚れがまじる。「明日香川下(した)—・れるを知らずして」〈万三五四四東歌〉 ②邪念を持つ。心に煩悩がおこる。「大方の世をも思ひはなれてすみはてたりし方の心も—・りそめにしかば」〈源氏宿木〉。「『…いつかこの世を背き果つべき』かつ—・りつつ」〈源氏賢木〉 ③濁音になる。濁音にする。「『行法(ぎやうぼふ)』も、法の字を清(す)みていふ、悪し。—・りていふ』と、清閑寺僧正仰せられき」〈徒然一六〇〉 ㊁『名』①汚れ。「はちす葉の—にしまぬ心もてなにかは露を玉とあざむく」〈古今一六五〉。「この世にそみたる程の、—深きに」〈源氏若菜上〉 ②不正。けがれ。「—なき心にまかせて」〈源氏須磨〉 ③煩悩。邪念。「五つの—深き世になどて生れけむ」〈源氏蓬生〉 ④濁点。「仮名に書くとも、—をよくさすべき事にとぞ」〈義残後覚三〉 †nigöri **—え**【濁江】水の濁っている入江。「—の澄まむ事こそ難(かた)からめいかにほのかに影をだに見む」〈伊勢集〉 **—ざけ**【濁酒】《古くはニゴリサケと清音》糟(かす)をこさない酒。どぶろく。「醪、ニゴリサケ」〈名義抄〉。「醪、にごりさけ、濁酒也」〈和漢通用集〉。「ニゴリザケ」〈日葡〉

にさい【二歳・二才】若者を卑しめていう語。「青—」「小—」など。「未だ—の気を離れず、あどけなき所も有れば」〈評判・吉原呼子鳥〉。「なんの—め討取れ」〈近松・蟬丸二〉

にざう【二蔵・仁蔵】 近世、鍛冶屋の弟子の通称。「鍛冶屋の―が居眠り細工で、拍子が合はぬ」〈万葉歌集〉

にし『代』《ヌシ(主)の訛。東国方言》 あんた。おめえ。「―が話おもしろいぞ」〈雑兵物語下〉

にし【西】 ①方角の一。日月の入る方。「ぬばたまの夜渡る月を留めむに―の山辺に関もあらぬかも」〈万一〇七七〉 ②西風。「大和へに―吹きあげて」〈記歌謡五五〉 ③極楽浄土のある西の方角。西方極楽浄土。「―へ行く心は誰もあるものを」〈金葉六二六〉。「―の迎へを急ぐ老が身」〈心玉集〉 ▽ニは動詞イニ(去)の名詞形の頭母音イの脱落した形。シは風向きの意から方角を表わす。つまり、日没の方向。沖縄首里方言ではイリ(入)と呼ぶ。インド＝ヨーロッパ語などにも、西を、沈む・消えるなどの語で表わす例がある。

にし【辛螺】 小さい巻貝の総称。「備後の鞆の島…―無し栄螺(さだえ)無し」〈梁塵秘抄三四九〉。「蝉、爾之(にし)」〈新撰字鏡〉。「小辛螺、和名仁之(にし)」〈和名抄〉

にじ【虹】 雨前・雨後など、太陽と反対側の空に現われる七色の円弧状の色帯。「―立ちては必ず雨の降れば」〈仙覚抄八〉。「日影さすそなたの空に―見えて／あしたは市に出づる里人」〈看聞御記紙背連歌〉。〈和名抄〉

にじ【二字】 ①《人名はふつう漢字二字で書かれるところから》実名(じつみゃう)、または名乗(なのり)。「義光喜悦の色有り、…忽ち―を書きてこれを献じ、退出し了んぬ」〈古事談一〉 ②《武士は二字の実名を名乗るところから、特に》武士の実名。また、武士の身分。「―を蒙った者を、いつまでなぶらうぞ」〈虎明本狂言・昆布売〉 **―を首に懸・く** 名乗を持つ身分である。また、武士の身分である。「二字を帯す」とも。「―・けたる侍の役なれば」〈近松・今川了俊五〉

にしおもて【西面】 ①西側。「葦垣しこめたる―をやをら少しこぼちて入りぬ」〈源氏浮舟〉 ②殿舎の、西側の部屋。「宿直人(とのゐびと)がしつらひたる―におはしてながめ給ふ」〈源氏橋姫〉 ③「西面(さいめん)」に同じ。「―・北面の者ども、面々(めんめん)に『これを見あらはして高名せん』と、心にかけて用心し侍りけれども」〈宇治拾遺一五九〉

にしかは【西川】 京都の西を流れる大堰川・桂川の異称。「法皇―におはしましたりける日」〈古今一〇六七詞書〉

にしき【錦】 ①絹織物の一。金糸銀糸色糸を使って織り成した、華麗な厚手の織物。「―綾の中につつめる斎児(いつきご)も」〈万一八〇七〉 ②模様の華麗なものをたとえていう語。「みわたせば柳桜をこきまぜて都ぞ春の―なりける」〈古今五六〉 †nisiki **―がは**【錦皮・錦革】 紫の地に白く模様を染め出した染め皮。「そのほか色色の―、藍革・藍白地、おのおのけぢめわかるべし」〈増鏡一〇〉 **―ぎ**【錦木】 陸奥地方で、男の恋心を示すために女の家の門口に立てたという木片。「―の千束(ちづか)も待たで逢ふよしもがな」〈詞花一九〇〉。「陸奥国の奥の夷(えびす)は、男、女をよばはんとする時、文をやることはなくて、一尺ばかりなる木をまだらに色取りて其の女の家の門に立つるに、逢はむと思ふ男なれば、其の―を程なく取り入れつ、遅く取り入るれば、しひてなほ立てて、千束をかぎりに立つれば、まことに心ざしありけりとて、其の時に取り入れて逢ふといへり」〈袖中抄一八〉 **―で**【錦手】 染付の磁器に五色の釉(うはぐすり)で模様を描いたもの。近世、中国から舶来。後に我が国でも製造。「今小路殿より…―茶碗三ケ、并びに桂飴一包み、これを恵まるる也」〈隔蓂記寛文五・一・八〉 **―のみはた**【錦の御旗】 錦の地に日月を金銀で描き出した旗。朝敵討伐の時、天皇の軍の標章とした。「金持(かなぢ)の大和守、―を差して左に候し」〈太平記二・諸将被進〉 **―はし**【錦端】 畳のへりが錦のもの。親王・内親王用。後に、「錦べり」とも。「―・高麗(かうらい)はし・繧繝(うげん)・紫はしのたたみ」〈堤中納言よしなしごと〉 **―ゑ**【錦絵】 浮世絵の色摺り版画の総称。鈴木春信を創始者とし、明和頃から江戸を中心として興隆。おもな画家は、鳥居清長・喜多川歌麿・東洲斎写楽・葛飾北斎・安藤広重など。江戸絵。東(あづま)錦絵。「此の郡の名産は、気にも及ばぬ―の姿也」〈洒・滸都洒美撰〉

にしぐに【西国】 京都より西にある国。特に西海道をさすこともある。「〔土佐ハ〕―なれど、甲斐歌など言ふ」〈土佐十二月二十七日〉

にしざかな【にし肴】 喰積(くひつみ)の別称。蓬萊(ほうらい)。近世後期は、鰊(にしん)・螺(にし)の意ともされた。「三方に積みしをいかに―」〈俳・犬子集一〉。「―、蓬萊の義也」〈俳・俳諧の口伝〉

にしざま【西方・西様】 西の方。「―に見通し給へば」〈源氏空蟬〉

にしだん【尼師壇】《梵語の音訳。坐具・敷具の意》 比丘(びく)が肩に掛け、坐る時は敷物にする布片。「舎利弗、定より起って衣服を整へ、―を左の肩に著け」〈太平記二四・依山門嗷訴〉

にしちにち【二七日】 十四日間。物忌み・参籠などの期間についていうことが多い。「中堂に参らせ給ひて、―こもりて、『ただ生死(いきしに)を告げさせ給へ』と申させ給ひければ」〈栄花玉飾〉

にして『連語』《シは「有り」の意の古語》 ①…にあって。…に居て。「此処―家やも何処(いづく)白雲のたなびく山を越えて来にけり」〈万二八七〉 ②…であって。「何時かまた春の都の花を見む時失へる山がつ―」〈源氏須磨〉

にしのいち【西の市】 平城京・平安京の西部、右京にあった市。「―にただ独り出でて眼並べず買ひてし絹の商(あき)じこりかも」〈万一二六四〉 **―のつかさ**【西市司】 右京に公設された西の市を管理した役所。右京職(うきゃうしき)に属する。「西市司、爾之乃以知乃豆加佐(にしのいちのつかさ)」〈和名抄〉

にしのうみ【西の海】 西海道、即ち九州。「―のはてまで」〈源氏橋姫〉 **―へさらり** 厄払いの口上の結びの文句。悪事・凶事・災厄などを払いのけて西の海へ流してしまう意。「―こきゃくゎう(鶏ノ鳴声ノ真似)」〈評判・朱雀信夫摺下〉

にしのきゃう【西の京】 都を東西に分けた、その西の区域。右京。平安京の頃は土地低湿で、源氏物語のできた時代には著名な邸宅などはなかったという。「〔夕顔ノ遺子ガ〕―にて生ひ出で給はむは心苦しくなむ」〈源氏夕顔〉

にしのたい【西の対】 寝殿の西側にある対の屋。「五条のきさいの宮の―に住みける人」〈古今七四七詞書〉

にじふご【二十五】 **―う**【二十五有】〔仏〕 衆生の流転する二十五種の世界。欲界の十四有、色界の七有、無色界の四有、合わせて二十五となる。「あるいは十二輪の転、―の境界と思ひ」〈正法眼蔵辨道話〉 **―のぼさつ**【二十五の菩薩】 彌陀来迎の時に従って来る二十五の菩薩。すなわち、観世音・大勢至・薬王・薬上・普賢・法自在王・師子吼・陀羅尼・虚空蔵・宝蔵・徳蔵・金蔵・金剛蔵・山海慧・光明王・華厳王・衆宝王・月光王・日照王・三昧王・定自在王・大自在王・白象王・大威徳王・無辺身の諸菩薩。「―聖衆のみのりには、紫雲たなびく夕日影」〈謡・誓願寺〉

にじふさんや【二十三夜】 二十三日の夜。この夜、月待ちをすれば願い事が叶うという信仰があった。「年来―を信仰申しけるが」〈沼田根元記〉。「遅きものの品品。

…、—の月待ち」〈仮・尤の草紙上〉

にじふしどき ウ…ジュ【二十四時】十二時の倍。まる二日。近世では、死者は二十四時を過ぎなければ埋葬しなかった。「死骸そのまま相置くべしといへども、当所—相過ぐれば…葬礼す」〈鹿苑日録慶長一〇・二・二二〉

にじふにしゃ ウ…ジュ【二十二社】円融天皇以来、京都の宮城鎮護の神と定めて奉幣せられた二十二所の神社。伊勢・石清水・賀茂・松尾・平野・稲荷・春日・大原野・大神・石上・大倭・広瀬・龍田・住吉・日吉・梅宮・吉田・広田・祇園・北野・丹生・貴船をいう。「四月二十日臨時に—に官幣あり」〈平家六・横田河原〉

にじふはちぶしゅ ウ…ジュ【二十八部衆】千手観音の眷属として従う二十八の守護神。「龍神はすなはち千手の—の其の一つなれば」〈平家二・卒都婆流〉

にじふはっしゅく ウ…ジュ【二十八宿】中国・インドなどで、太陽・月・惑星、その他の天体の所在を表わすために、天の赤道または黄道にそって取った区分。月が天球を一周するのにほぼ二十八日を要するところから、このように区分したという。「天には日月・衆星・—・七星・九曜・五星」〈日蓮遺文戒法門〉

にじふろくやまち ウ…ジュ【二十六夜待】正月・七月の二十六日の夜半、月の出を待って拝むこと。月中に彌陀・観音・勢至三尊の像が現われるという。六夜待。「—は、物になる客を欠いてなりとも勤め給へ」〈浮・野傾旅葛籠二〉

にしまくら【西枕】西の方を頭にして寝ること。死人の寝かし方なので、不吉として忌まれた。「家の縁(えん)のほとりに、大きなる石を北枕ならびに—に臥せつれば、あるじ一季を過ごさず」〈作庭記〉

にしもの【賊】ぞく。悪者。「東の夷(えみし)の荒ぶる—を平討(う)たむとして」〈常陸風土記〉

にしゅ【二朱】 **—ぎん**【二朱銀】銀貨の一。小判一両の八分の一に相当。長方形で、安永・文政・安政年間に鋳造。南鐐。南鐐二朱銀。「—両替に付き、切賃の儀、是れ又金と同様相心得、取遣り致すべき事」〈御触書天明集成四四、明和九・九〉 **—ばん**【二朱判】金貨の一。小判一両の八分の一に相当。長方形で、元祿・天保・万延年間に鋳造。二朱判金。二朱金。「ぎう(牛太郎)が恨みは—で散る」〈俳・延命冠者〉

にしょさんけい【二所参詣】二所の権現、すなわち伊豆山権現と箱根権現に参詣すること。特に、鎌倉時代における将軍の参詣をいう。「〔文治三年〕正月十五日に、鎌倉殿—とぞ聞えける」〈曾我四〉

にじ・り【躙り】『四段』①平面に押しつけてねじりまわす。「心を諦理に疑ふいは、践(ふ)み蹋(にじ)るが如し」〈法華経玄賛平安初期点〉。「手ずさみに〔矢竹ノ〕節のもとを指にて板敷に押しあてて—・れば」〈宇治拾遺一六八〉 ②押しあててこすりつける。「〔体ガカユイノデ〕身を樹に押しあててすり—・るぞ」〈山谷詩抄九〉 ③じりじりと擦るように動く。「膝行は膝にて—・り寄るを云ふ」〈蒙求聴塵下〉 **—あがり**【躙上り】茶室特有の小さな出入口。身体をにじって出入りするのでいう。にじり口。くぐり口。「—の内へ入りさまに、両脇、次に上を見て、さて床を見やりて入る事よき也」〈利休客之次第〉 **—がき**【躙書】にじるように筆を紙に押え付けて下手に書くこと。また、そのように書いた文字。「色葉をやいざる子共は—」〈俳・鷹筑波五〉 **—こ・み**【躙り込み】『四段』無理に入り込む。「台所に—・み、ぐるり高なる娘をほめ」〈西鶴・諸艶大鑑四〉 **—つ・け**【躙り付け】『下二』①強く押しつける。こすりつける。「ひめくまを思ふ心は瘡頭(かさがしら)塩と煤(すす)とを—・けつつ」〈伽・高野物語〉 ②むりやりに句を付ける。「連歌は、よき前句だにあらば、形の如くには—・けんと思ふなり」〈耳底記〉

にすけ【二助・仁介】鍛冶屋・馬方・船頭・中間・小者などの通称。「霞めるかな新安の—畏まり」〈俳・独吟廿歌仙下〉

にせ【二世】①〔仏〕現世と来世と。「かつは自(みづか)らの—の願かなひぬべくは」〈栄花疑〉 ②二代目。「石頭は曹鶏の—なり」〈正法眼蔵仏向上事〉

に・せ【似せ】㊀『下二』似るようにする。また、本物のように見せかける。「楊貴妃の帝の御使にあひて泣きける顔に—・せて」〈枕三七〉 ㊁『名』本物のように見せかけること。また、そのもの。「—・正銘を分ち、価を着く」〈驢鞍橋中〉

にせのえん【二世の縁】《仏説で、親子は一世、夫婦は二世、主従は三世の縁があるというところから》現世から来世まで続く夫婦の縁。「松浦の川や—、げにありがたき心かな」〈謡・籠太鼓〉

にせのつま【二世の夫・二世の妻】来世までもと約束した夫、または妻。「景清殿に限りさやうのことは候まじ。…わらはが—ぞかし」〈近松・出世景清二〉

にせもの【似せ物・贋物】①和歌・連歌などで、見立てること。よそえること。また、よそえられたもの。「歌には—といふ事あり。桜を白雲によせ、散る花をば雪にたぐへ、梅の花をば妹が衣によそへ、卯の花をば籬島の波かと疑ひ、紅葉をば錦にくらぶ」〈俊頼髄脳〉。「一座三句物。…花三、懐紙をかふべし。—の花この外に一」〈連歌初学抄〉 ②本物のように見せかけたもの。「皆—ぞ。真実の法ではないぞ」〈蓬左文庫本臨済録抄〉。「贋、ニセモノ」〈文明本節用集〉

にせゑ【似絵】肖像画。「同じ〔後堀河院ノ〕御時、—を御好みありけるに」〈著聞四〇四〉。「しるしおく其の代を見るや筆の跡/—は親にあふごとくせよ」〈文安雪千句〉

にそくさんもん【二足三文・二束三文】①近世初期、金剛(大形の藁草履)の値段。「金剛(謡ノ金剛太夫ト掛ケル)は—するものを三十〔文〕取るは席駄太夫か」〈咄・昨日は今日下〉 ②物数が多くて値段が極めて安いことのたとえ。「盗み出して売る時は、—売り散らし」〈仮・けんさい物語下〉

にた 湿地。また、湿って水気の多いさま。「—の水もちて、乾飯(かれいひ)—に食(を)しまさむ」〈出雲風土記〉

にた・し『形シク』湿って水気が多い。「こは—・しき小国(をぐに)なり」〈出雲風土記〉

にだしかご【煮出籠】弦(つる)のある底の浅い竹籠。中に魚肉を入れ、汁と一緒に煮て、他の菜と混ぜないために使用する。「川除け〔籠〕や解く雪汁の—」〈俳・早梅集一〉。「—とて料理に使ふ事あり」〈俳・類船集三〉

にたやま【新田山・仁田山】「新田山紬」に同じ。「薄絹によく—の霞かな」〈俳・牛飼一〉 **—つむぎ**【新田山紬】上野国新田山産の太織の紬。普通の紬に似ているが質が悪かったので、まがい物のたとえにも用いられた。新田山絹。「—をかりやす染にしたる小袖」〈遠近草中〉

にた・り『連語』《完了の助動詞ヌの連用形ニと完了の助動詞タリとの複合》…してしまっている。「おほかたの皆荒れ—・れば、『あはれ』とぞ人びと言ふ」〈土佐二月十六日〉

に・ち【詰ち】㊀『上一』なじり問う。理屈をこねて責めただす。ねだる。「—・ちる。ねちるも同意。…物をねだる心なり」〈色道大鏡一〉 ㊁『名』ねだること。強請。「—を入る手段も有り」〈色道大鏡一四〉

にちう【鈍者】未熟。下手。「—が語る一中が節」〈俳・正風集三〉

にちゃうだて【二挺立】二挺の櫓をつけて漕ぐ快速の細長い小船。江戸で、吉原通いの猪牙船(ちよきぶね)の異称。二挺だち。「金龍山を目当に、浅草川の—」〈西鶴・一代男七〉

にちれんしゅう【日蓮宗】日本仏教十三宗の一。日蓮を祖とし、法華経を所依の経とする。「千本新亜相母儀、葬礼に於て—これを沙汰す」〈実隆公記文明一三・二・二九〉

にぢん【二陣】陣立で、一陣の次の備え。「二陣は相模守時房、—武蔵守泰時」〈承久記上〉

につかは・し【似つかはし】『形シク』《似ツキの形容詞形》似合っている。相応している。「〔コノ歌ハ〕言ふかひなき者のいへるには、いと—・し」〈土佐一月十五日〉。「身をはたかへぬものなれば、—・しからぬ袖の香を人ごとにとがめられ」〈源氏橋姫〉

につか・ひ【丹着かひ】『四段』《丹着キに反復継続の接尾語ヒのついた形。→ひ》赤味がかる。「さ—・ふ色なつかしき紫の大綾の衣(きぬ)」〈万三七九一〉 ✝nitukaFi

につ・き【似つき】『四段』様子がぴったり似る。「偽りも—・きてぞする顕(うつ)しくもまこと吾妹子われに恋ひめや」〈万七七一〉 ✝nituki

にっき【日記】①その日の事を記した記録。公日記・私日記の別がある。内務省の内記、太政官の外記などが公日記。公家の女性による仮名文のものは私日記の例。にき。「委(くは)しき事はこの僧の行業の—に注されたり」〈今昔一七ノ六〉 ②目録。「幽王始めて是(宝玉ヲ納メタ唐櫃)を開き給へり。—の如くにはあらず、忽然として青亀也」〈盛衰記一六〉。「食物の—を唱へて人の飢ゑをやめんと欲するが如し」〈塩山和泥合水集中〉

にっきふ【日給】宮中で、清涼殿の殿上の間に出仕すること。その日直の姓名・当直日を記した名札を殿上の間の北西の壁にたてかけた。「一条院の御時、束帯にて殿上の—にはあふべきよし起請なりけるに」〈著聞九〇〉 →ひだまひのふだ

にっくわう【日光】①日の光。〈日葡〉 ②「日光菩薩」の略。月光(ぐわっくわう)菩薩とともに薬師如来の脇侍(けふじ)。「七仏薬師ならばせ給へり。はしばしに—・月光たち給へり」〈栄花鳥舞〉 **—ぜめ**【日光責】日光山東照宮の儀式の一。祭礼の日に、山法師が山伏姿で社参の大名などに食を強いてすすめるもの。強飯(ごうはん)。「餅雪の—か越の雪」〈俳・貞徳誹諧記下〉。「あたたかな—に逢ひにけり」〈俳・西鶴五百韻〉

にっこ《ニコ(和)の促音化》①なごやかなさま。「この道は礼楽に取らば楽(がく)なり。人の中を—となすべし」〈申楽談儀〉 ②笑うさま。にっこり。「—と笑ひ、笑壺(ぼ)に入りて」〈盛衰記三〉。「莞爾、ニッコワラウ」〈文明本節用集〉

につこら・し【似つこらし】『形シク』似合わしい。本当らしい。「せい高く首長くして、しんにょろう(南蛮船ノ船長、セニョール)が妻に—・し」〈評判・難波物語〉

にっしょさ【日所作】毎日の仕事。「また—は、五万六万乃至十万などとこそ勧め給ひたれ」〈和語燈録一〉

にったう【入唐】《ニフタウの転》中国へ行くこと。「伝教大師—帰朝の後」〈平家七・平家山門連署〉

にっちう【日中】《ジッチウとも》①六時(じ)の一。正午。また、正午に行なう勤行(ごんぎやう)。「—の御加持果てて」〈源氏夕霧〉。「七月の修法(ずほふ)の阿闍梨。—の時(じ=修法ノ一定ノ時刻)などおこなふ、いかに暑からんと思ひやる」〈枕一三三〉 ②昼間。昼日中。「何ぞ—に京入りをばせで、道にて日の暮しやうぞ」〈義経物語四〉

につつじ【丹躑躅】赤い花のさくツツジ。特に、ヤマツツジ。「龍田道の丘辺の道に—のにほはむ時の桜花咲きなむ時に」〈万九七一〉。「茵芋、仁豆々之(につつじ)、一云乎加豆々之(をかつつじ)」〈和名抄〉

にってん【日天】「日天子」の略。「—に祈誓を一心不乱念じける」〈伽・上野国赤城山御本地〉。「—とは、日天子と云ふ略言なり。日輪の事なり」〈安心決定鈔註解八〉

—し【日天子】①十二天の一。太陽を神格化したもの。観世音菩薩または日光菩薩の化身という。日宮天子。宝光天子。「—こそ世を照らし給ふ徳めでたけれと思ひて」〈沙石集八ノ四〉 ②太陽。「毎朝—の出でて照らさせ給へども」〈戴恩記下〉

にっと『副』笑うさま。にっこり。にったり。「耳の聞えぬ者は人が何事を云ふにも、—笑て居るぞ」〈山谷詩抄一七〉

にっとり 柔和なさま。ゆったりしているさま。「内心に別して、上の言には、いかにも—とうつくしうものを云ふものぞ」〈周易抄三〉。「宿持ちしめて—となる」〈俳・追鳥狩〉。「—とした暮し」〈浮・太平色番匠五〉

にっぱい【日牌】死者の位牌を安置して、毎日供養読経すること。毎月の忌日に行なうのを月牌(ぐわっぱい)という。「涙のさまを祭る—」〈俳・信徳十百韻〉。「日牌、ニッハイ、亡者祠堂日牌、月牌」〈文明本節用集〉

にっぽん【日本】わが国の自称。「粟田朝臣真人…初めて唐に至るときに、人有りて来たりて問ひて曰はく、何れの処の使人ぞと。答へて曰はく、—国の使ぞと」〈続紀慶雲一・七・一〉。「エソポのファブラス。ラチンを和して—のくち(言葉)となすものなり」〈天草本伊曾保〉 ▽ロドリゲス大文典・日葡辞書に Nippon と綴った例があり、文明本節用集・易林本節用集にニッポンとあるのも同じ発音と思われる。しかし、ロドリゲス大文典・日葡辞書には Nifon と綴った箇所もあり、Nifonjin(日本人)などの例がある。右の続日本紀の例も、ニホンかニッポンか、厳密には定め難い。 **—いち**【日本一】①日本国中で第一。「—の不覚仁かな」〈平治中・義朝敗北〉。「さてこそ—といふ宣旨を下されたりしか」〈義経記五〉 ②もっともすぐれていること。最上。最良。「福力(人名)に命じて、—の黍団子をつくり」〈陰涼軒日録延徳四・九・二〇〉。「—の折かな」〈室町殿日記四〉。「仕事も無うて、夏あつい時分、昼寝したらば、—であらんぞ」〈荘子抄一〉 **—国の神(ん)ぞ神(ん)ぞ**「神ぞ神ぞ」に同じ。「日本の神ぞ」「日本の神ぞ神ぞ」などとも。「かやうの儀は古今御座あるまじと、—拙者満足仕り候儀、なかなか申し上ぐべきやう御座なく候」〈浅野家文書慶長三・三・三〉 **—ばれ**【日本晴】日本国中、晴れわたっていること。一点の雲もなく、快晴であること。「去年(こぞ)は雨—や今日の春」〈俳・犬子集一〉

につら・ひ【丹つらひ】『四段』《ツラは頰。ヒは動詞化する接尾語》赤く美しい頰をしている。美しい顔色をしている。男にも女にも使う。「—・ふ妹(いも)は如何にかあるらむ」〈万一七八六〉 ✝nituraFi

にて『助』→基本助詞解説

にて『連語』①《完了の助動詞ヌの連用形ニに接続助詞テの添ったもの》…てしまって。活用語の連用形につく。「老い—あるわが身の上に病をと加へてあれば」〈万八九七〉。「家の妹に物言はず来(き)—思ひ苦しも」〈万三四八一〉 ②《指定の助動詞ナリの連用形ニに接続助詞テの添ったもの》…であって。「むつましき下家司—、殿にもつかうまつる

ものなりければ」〈源氏夕顔〉

にてん【二天】①日天子と月天子と。また、帝釈天と梵天と。「二王―に四天王出づべきしるしと聞えける」〈近松・嫗山姥二〉②四天王のうち、増長天王と多聞天王と。あるいは持国天王と広目天王と。「二聖―、十羅刹女も十三大会菩薩聖衆も、いかにあはれとおぼしけん」〈盛衰記一三〉 **―してん**【二天四天】「四天二天」に同じ。「いづれ山は―の六つの花(雪)」〈俳・崑山土塵集一〇〉

にな・し【二無し】『形ク』二つとない。又とない。「いどましく尽したるよそほひども、あざやかに―・し」〈源氏若菜下〉

にな・ひニナイ【荷ひ・担ひ】『四段』《ニは荷。ナヒは動作を表わす接尾語》荷をかつぐ。「常の恋いまだ止まぬに都より馬に〔ノセテ〕恋来(こ)ばー・ひあへむかも」〈万四〇八三〉。「担、ニナフ」〈名義抄〉 †ninaFi **―いだ・し**【荷ひ出し】『四段』かつぎ出す。やっと持ち出す。「かの人人の口網ももろもちにて、この海辺にて―・せる歌」〈土佐十二月二十七日〉 **―うり**【荷売】商品を荷って売り歩くこと。また、その商人。荷い商い。「恋すてふいとど重荷を―」〈俳・信徳十百韻〉 **―がひ**イガ【荷買】天秤棒に掛けて荷うように、同時に両方を等分に買うこと。「なほ奢(おご)りて、島原の野風、新町の荻野、この二人を毎日―して」〈西鶴・五人女二〉 **―ぢゃや**【荷茶屋】茶の道具を天秤棒で前後に荷い歩いて、通行人の求めに応じて茶を立てて売る商売。また、その道具・商人。「―に『利久亡魂』と額打って、荷ひて出で候也」〈久好茶会記慶長四・三・六〉

にに【二二】四。シが「死」に通ずることを忌んでいう語。「承安―の年十二月十七日」〈東大寺文書四、承安四・三・一七〉。「問。―天王寺といへる、―如何。答。―は四也。四天王寺也。しかるを、四には、しぬといふ読みのあれば、禁忌の字なれば、憚りて―と書けりとも申せり」〈名語記三〉

にぬり【丹塗り】丹または朱で赤く塗ること。また、塗ったもの。器物を赤く塗ることには、呪術的な意味もあったらしい。「―矢になりて…溝(みぞ)より流れ下りて」〈記神武〉。「奥つ国うしはく君が塗り屋形―の屋形神の戸渡る」〈万三八八八〉

にの【布】「ぬの」の上代東国方言。「かなしき児ろが―乾さるかも」〈万三三五一常陸東歌〉 †nino

にの【蓑】《ミノの子音交替形。ニナ・ミナ(蜷)の類》みの。「蓑、爾乃(にの)」〈新撰字鏡〉

にのあし【二の足】 **―を踏・む** 足を踏み出すのをためらう。躊躇(ちゅうちょ)する。「躊躇は、立ちもとほるなり。進みかねて―・んだ事ぞ」〈無門関私鈔上〉。「この事をなしたらんは誤りにやなるべきと、―・みて思案するほどならば」〈真宗教要鈔上〉

にのいき【二の息】精神の不安動揺が静まった時つく息。「―をほっとつき」〈浄・田村三〉。「当時の人気を鎮むるとては、言葉を作りて静かに見せ、間間(まま)に溜息をつき、いかつなるは、諺(俗語)に言へる―なるべし」〈仮・為人鈔三〉

にのうで【二の腕】肩とひじとの間。「御頬さき、―をつかれて」〈太平記七・吉野城軍〉

にのかはりニノカワリ【二の替】〔歌舞伎用語〕①顔見世狂言の次に十二月のうちに上演する狂言。また、その時の興行。「申(さる)の十二月八日より、―狂言番付」〈番付元文五年〉②初(はつ)狂言の次に上演する狂言。また、その時の興行。普通、正月下旬以後に始まった。春狂言。「近年は―傾城事(けいせいごと)、盆〔狂言〕曾我とお定まりのやうになりしは」〈評判・役者口三味線大坂〉

にのぐも【布雲】〔上代東国方言〕布を引き延べたように、横に長くひろがった雲。「夕さればみ山を去らぬ―の」〈万三五一三東歌〉 †ninogumo

にのどう【二の胴】人体の胴の下部。「二の胴にても―にても御望み次第、づでんどうと斬れば」〈浮・人倫糸屑下〉

にのひと【二の人】「一の人」に次ぐ人。「〔兄ノ頼通ハ関白左大臣、弟ハ〕内大臣にて左大将かけて、教通のおとどと聞えさす。世の―にておはしますめり」〈大鏡道長〉

にのほ【丹の秀】《ホはきわだつ意》目立って赤いこと。「秋づけば―にもみつ」〈万三二六六〉 †ninöFo

にのまち【二の町】《「上(かみ)の町」あるいは「一の町」に対して、第二流の町の意から》第二位。第二流。「―の心やすき〔手紙〕なるべし」〈源氏帚木〉

にのまひイマ【二の舞】①舞楽で、案摩(あま)の舞がすんだ後、その所作をまねて、醜い面をつけた二人の者が演ずる滑稽な舞。「―。面二様有り。上﨟は咲面(ゑみおもて)をす。下﨟は腫面(はれおもて)をす」〈教訓抄二〉②人の真似をすること。前者の失敗を再びくりかえすこと。「山門の大衆に向って軍(いくさ)せん事、少しもたがはぬ―なるべし」〈平家七・木曾山門牒状〉。「かくては国忠が―なり」〈長恨歌聞書〉

にのみや【二の宮】天皇の第二の御子。「この宮の御姉の―をなむ得奉りてける」〈源氏若菜下〉

にはワニ【庭・場】《作業・仕事をする平らな一定の地域。神事・狩猟・漁業・農事作業などが行なわれる。転じて、今日の庭の意》①神事の場。「すなはち霊時(まつりのには)を鳥見山の中に立てて…用(も)て皇祖天神を祭りたまふ」〈紀神武四年〉②狩猟の場。「猟場(はに)のたのしびは、膳夫(かしはで)をして鮮(なます)を割(つく)らしむ」〈紀雄略二年〉③漁場。「武庫の海の―よくあらし漁(いざり)する海人(あま)の釣船波の上ゆ見ゆ」〈万三六〇九〉④邸内の、農事をする平らな場所。「―に立つ麻手刈り干し布さらす東女(あづまをみな)を忘れたまふな」〈万五二一〉⑤説教などの行なわれる場所。「その時に、その―に道俗男女、皆驚き騒ぐ事限りなし」〈今昔七ノ四二〉。「道場をば法(のり)の―と読むなり」〈法華経直談鈔九本〉⑥〔邸内・階前などの平らな〕庭園。「遊ぶうちの楽しき―に梅柳折りかざしてば」〈万三九〇五〉。「立ち出でて―の木立、池の方などのぞき給へば」〈源氏若紫〉。「浅茅は―の面も見えず繁り、蓬は軒をあらそひて生ひのぼる」〈源氏蓬生〉⑦台所などの土間。「柴折りかくる旅の仮庵／―中の明日は忍ばん宿もなし。…此の―は、屋の内のかまどの前也」〈芝草〉

にはワニ【日和】《「には(庭)」(3)の意から転じて》風がなく、海面の静かなさま。「海上の風波静まりてなぎたるをば―と云ふなり」〈仙覚抄三〉。「舟路は―よくとも慎み有り」〈仮・悔草中〉 →ひより

にはうくゎうじんニワコウジン【二方荒神】馬の両側に付けて二人乗れるようにした枠。二宝荒神。「松に薄(すすき)を―」〈俳・勧進牒下〉

にはかニワカ【俄か】㊀『名』①急激な変化が起るさま。だしぬけ。いきなり。「死なむ命―になりぬ」〈万三八一一〉。「くちをしきもの。…いとなみいつしかと待つことの、さはりあり、―にとまりぬる」〈枕九八〉②【俄・仁輪加】もと、座興のために素人が演じたことから始まった、洒落・滑稽を主とした一種の茶番狂言。享保頃遊里に発生し、後、専門の芸人が演ずるようになった。俄狂言。「よいや、だんじり、獅子舞太鼓、―ぢゃ、―ぢゃ」〈浄・伊豆院宣源氏鏡三〉㊁『接頭』他の語に冠して、急に行なわれる、または突然に変化した意をあらわす。「―雨」「―道心」「―剃り」「―分限」など。「思ひ設けぬ―事ではあり」〈平家五・文覚被流〉。「今年も人多く―病(やみ)して死ぬる中に」〈増鏡一五〉

にはかまど :ニワ【庭竈】正月三が日、土間に竈を新造し、家族が集まり、飲食して楽しむ行事。「—へっついたちの始め哉」〈俳・崑山集一〉

にはき :ニワ【庭酒】《ニハは斎庭(ゆには)の意、キは酒》神に供える酒。「酒を醸(か)(も)さしめて、—にたてまつりて、うたげしき」〈播磨風土記〉

にはくさ :ニワ【庭草】①庭に生えた草。「—に村雨降りて」〈万二一六〇〉②ホウキグサの異名。まきくさ。「地膚、一名地葵、邇波久佐(にはくさ)、一云末木久佐(まきくさ)」〈和名抄〉

にはくなぶり :ニワ《庭で尾を振り動かすものの意》セキレイの古名。「時に—有りて、飛び来たりて其の首尾(かしらを)をうごかす」〈紀神代上〉。〈和名抄〉

にはぐら :ニワ【庭蔵】庭内に建て雑物を入れておく蔵。「—見れば、元渡りの唐織山をなし」〈西鶴・五人女五〉

にはこ :ニワ【庭籠】庭に置き、小鳥などを入れておく籠。「—の御鷹四足(よも)(と)、御飼ひ育てなされ候」〈信長公記一一〉

にはご :ニワ【庭子】奉公人同士夫婦となって生んだ子で、引き続きその主家に奉公する者。庭の者。竈子(かまこ)。「本のよりーの母の美しき」〈俳・乙矢集下〉

にはざくら :ニワ【庭桜】庭に植えた桜。「朝ごとに我が掃く宿の—」〈拾遺六一〉

には・し ニワシ『形シク』《ニハカ(俄)と同根》急激である。突然である。「潮船の舳(へ)越そ白波—・しくも負(おふ)せ賜ほか思はへなくに」〈万四三八九防人〉

にはすずめ :ニワ【庭雀】家の前後の空地に来る雀。「—〔ノヨウニ〕うずすまりゐて」〈記歌謡一〇三〉 †nifasuzumë

にはせん :ニワ【庭銭】①嫁入り・舅入りの際、先方の奉公人に与える祝儀の銭。「〔祝言ノ〕道具を遣はす次第は、先づ一番に—」〈女重宝記三〉②〔遊里語〕買手が出費して、遊女が抱えの女郎屋と揚屋の奉公人に贈る祝儀の銭。「—合力(かふりよく)下され」〈評判・寝物語〉③近世、宿駅の問屋場で、駄馬・人足のいないとき、荷物留置き料として、規定の駄賃のほかに取る賃銭。「駄賃銭の外に、—と申し、臨時の賃銭取り候所もこれ有る由、不届に候」〈御触書寛保集成三三、正徳二・四〉

にはたづみ :ニワ【水潦・庭潦】《ニハはニハカ(俄)と同根》①急にひどく降る雨。急にひどく降ってあふれ流れる水。「庭中に跪(ひざまづ)きし時、—腰に至りき」〈記仁徳〉。「潦、爾八太豆美(にはたづみ)、雨水也」〈和名抄〉②雨後の庭の溜まり水。「よとともに雨ふる宿の—すまぬに影は見ゆるものかは」〈拾遺一二五四〉。「庭の水をば、あまたづみ・—といふ」〈能因歌枕〉③〔枕詞〕「川」「流る」などにかかる。「—川行き渡り」〈万三三三五〉。「—流るる涙」〈万一七八〉 †nifa-tadumi

にはち【二八】①十六。「—の齢に東闕に入る」〈権記長保六・二・七〉。「〔小野小町ハ〕よはひ—になん及びければ」〈伽・神代小町巻〉②「二八そば」の略。「どうして〔一度ニ食ベラレヨウ〕と嫁は—を分けて食べ」〈雑俳・柳多留九〉

—そば【二八蕎麦】うどん粉二、そば粉八の割合で作ったそば。後、一杯十六文のそばの意にもいった。〈絵本江戸土産中〉

にはつとり :ニワ【庭つ鳥】《ツは連体助詞》①にわとり。「朝けにはわびて鳴くなり—さへ」〈万三〇九四〉②〔枕詞〕庭にいる鳥の意から、「鶏(かけ)」にかかる。「—かけは鳴く」〈記歌謡二〉 †nifatutöri

にはとり :ニワ【鶏】「にはつとり」の約。「—も、いづかたにかあらむ、ほのかにおとなふに、京思ひ出でらる」〈源氏総角〉

—あはせ アワセ【鶏合】①「とりあはせ」に同じ。「—、〔三月〕三日大内に有り」〈俳・毛吹草二〉②闘鶏。「—今や勝ち負け」〈初瀬千句〉

にばな【煮端・煮花】煎じたての、香味のある茶。にえばな。でばな。「—には茶筅や冬の朝嵐」〈俳・智恵袋四〉

にはなひ ニワナイ【新嘗】《ニハはニヘ(贄)の古形。ナヒは接尾語》「にひなへ」に同じ。「天照大神の—きこしめす時を見て」〈紀神代上〉 †nifanafi

にはのり :ニワ【庭乗・場騎】庭さきで馬を乗り馴らすこと。「汝ほどの者が、貞弘を呼びて—せさせてみるべきことかは」〈著聞三六二〉

にはのをしへ ニワノオシエ:【庭の訓】《「庭訓(ていきん)」の訓読語》家庭で授ける教育・教訓。親の教え。「聞き置きし言の葉ごとに忘れぬは—の秋の白露」〈新千載一七五五〉

にはび :ニワ【庭火・庭燎】神楽を奏する場所を浄化し、明るくするたき火。「—も影しめりたるに、なほ万歳万歳と榊葉を取りかへしつつ、祝ひ聞ゆる御世の末、思ひやるぞいとどしきや」〈源氏若菜下〉

にはまち :ニワ【日和待ち】港で船が、航行によい穏やかな天候を待つこと。「—しける旅人の徒然さに、舟より上がり、彼方此方を見廻り」〈仮・堅田物語〉

にば・み【鈍ばみ】『四段』《ニビと同根》鈍色(にびいろ)になる。喪に関することに使われる。「よき童のこまやかに—・める汗衫(かざみ)のつま、頭つきなどほの見えたる。をかしけれど〔喪ノ〕なほ目驚かるる色なりかし」〈源氏柏木〉

にはもせ :ニワ【庭面】《「庭も狭(せ)に」のニハモセを名詞と解して生れた語。ノモセ(野面)の場合と同じ》庭の表面。「ふるさとなれば荒るる—／虫の音も月の夜な夜な鳴き枯れて」〈看聞御記紙背連歌〉。〈日葡〉

にはん【二半】物事をどちらとも決定しないこと。煮え切らないこと。ぐずぐずためらうこと。「姚は、—な貌(かたち)ぞ。しかと定当せぬ方ぞ」〈荘子抄一〉。「二半、ニハン、不定の言」〈合類節用集〉

にばん【二番】①人や物の中位のもの。「中間(ちうげん)のうちにても、末末の中間にてはなくて、—の中間に〔轂ヲ〕付けさせられける」〈雑事覚悟事〉。「—の木地長持」〈西鶴・五人女三〉②愚かな者。「紀三井寺(きみゐでら)」とも。「—に構へられたる男」〈咄・醒睡笑三〉。「心だての—なる紀三井寺なるともがら」〈仮・浮世物語一〉

—つづき【二番続】二幕よりなる歌舞伎狂言。寛文初期頃発生した。「今また仕組みを替へて、—始まりぢゃ始まりぢゃ」〈俳・阿蘭陀丸上〉

—ばえ【二番生】①二度目に生えて来るもの。ひこばえ。「旗薄いかさまあれは—」〈俳・蛇之助〉②二番目のもの。特に、次男以下の男子。「大きなる物…—の叩き口」〈評判・讃嘲記〉

にひ ニイ【新】『接頭』《ニヘ(贄)と同根》まだ誰も手をつけていない、その年の新穀の意。転じて、まだ誰も手をつけていない、未経験の、の意。「—膚」「—防人」など。また、はじめての、…したばかりの、の意。「—草」「—桑繭(くはまよ)」「—室(むろ)」「—墾(ばり)」など。「若草の—手枕を枕(ま)きそめて」〈万二五四二〉 →うひ(初) †nifi

に・び【鈍び】□一『上二』《ニブシ(鈍)と同根》鈍色(にびいろ)がかる。「—・びたる御衣どもなれど」〈源氏槿〉□二『名』「鈍色」の略。「あをにび」「うすにび」など。「いときなき手して、薄—の紙にて樒(しきみ)(ろむ)の枝につけ給へり」〈かげろふ中〉

にびいろ【鈍色】染色の名。橡(つるばみ)で染めた濃い鼠色。喪に服す人や出家の人がこの色を使った。「—の紙のいとかうばしうえんなるに墨つきなどまぎらはして」〈源氏澪標〉。「中将の君、—の直衣、指貫うすらかに衣がへして」〈源氏葵〉

にひくさ ニィ【新草】まだ人が踏まない、芽生えの草。「おもしろき野をばな焼きそ古草に一まじり生ひは生ふるがに」〈万三四五二東歌〉 †niFikusa

にひぐはまよ ニイグワ【新桑繭】春新しく萌え出た、誰も手をつけていない桑の葉で育てた蚕のまゆ。「筑波嶺の一の衣(きぬ)はあれど君が御衣(みけし)しあやに着欲しも」〈万三三五〇常陸東歌〉 †niFiguFamayo

にひさきもり ニィ【新防人】経験のない防人。「今代る一が船出する海原のうへに波な開(さ)きそね」〈万四三三五〉 †niFisakimori

にひ・し ニィシ【新し】『形シク』まだ誰も使わず、新しい。「故(かれ)、別(こと)に一・しき鉤(ち)を作りて兄に与ふ」〈紀神代下〉 †niFisi

にひしまもり ニィ【新島守】新任の島守。未経験の島守。「今年行く一が麻衣」〈万一二六五〉。「我こそは一よ隠岐の海の荒き波風心して吹け」〈増鏡二〉 †niFisimamori

にひす ニィ【新巣】誰も住んだことのない、新しいすみか。「天の一の凝烟(すす)の八拳(やつか)たるまで焼きあげ」〈記神代〉 †niFisu

にひたまくら ニィ【新手枕】誰ともしたことのない、はじめての手枕。最初の共寝。また、その人。「若草の一を枕(ま)きそめて夜をや隔てむ憎くあらなくに」〈万二五四二〉。「一の心ぐるしく(イジラシク)て『夜をや隔てむ』とおぼしわづらはるれば」〈源氏葵〉 †niFitamakura

にひなへ ニイナエ【新嘗】《ニヒ(新穀)ノ(助詞)アヘ(饗)の約。新穀を差しあげる神事の意》誰もまだ手をつけていない新穀を捧げて神を祭り、自らも食べて、その年の収穫を感謝する祭儀。潔斎して、他人を家に入れなかった。「にはなひ」「にひなめ」とも。「新粟(わせ)の一して、家内諱忌(ものいみ)せり」〈常陸風土記〉。「今日は一の直らひの豊明(とよのあかり)聞こし召す日にあり。然るに昨日の冬至の日に雨ふりて、地(つち)も潤(うるほ)ひ」〈続紀神護景雲三・一一・二八〉 †niFinaFë

一や【新嘗屋】新嘗を行なう御殿。「一に生ひ立てる百(もも)足る槻(つき)が枝は」〈記歌謡一〇〇〉

にひなめ ニィ【新嘗】「にひなへ」の転。「新嘗、ニヒナメ」〈名義抄〉 **一まつり**【新嘗祭】「にひなへ」に同じ。「この節会を一と申すなり。今年の初稲を神神に供し奉らせ給ふなるべし」〈壒嚢鈔五〉

にひはだ ニィ【新肌】まだ誰も手を触れていない膚。「はつはつに一ふれし児ろしかなしも」〈万三五三七〉 †niFiFada

にひばり ニィ【新墾】まだ人の手の入っていない土地を切りひらくこと。また、その土地。「一の今作る道さやかにも聞きてけるかも妹が上のことを」〈万二八五五〉 †niFibari

にひまくら ニィ【新枕】「にひたまくら」に同じ。「あらたまの年の三年(みとせ)を待ちわびてただ今宵こそ一すれ」〈伊勢二四〉

にひむろ ニィ【新室】新築のむろ。「一の壁草刈りにいまし給はね」〈万二三五一〉 †niFimuro **一のうたげ**【新室の宴】家の新築を祝う祭事の宴。「いとみ(人名)が一によりて、二人のみ子たちに火ともさしめ」〈播磨風土記〉

にひも ニィ【新喪】はじめての喪。「(当時ノ事ハ)知らねども一の如も音(ね)泣きつるかも」〈万一八〇九〉 †niFimo

にぶいろ【鈍色】「にびいろ」に同じ。「一のうすらかなる一かさねに書き給ふ」〈宇津保国譲上〉

にふぎん ニュウ【入銀】①手にはいる金銭。入金。「過分の一算用なしに遣ひかかり」〈西鶴・好色盛衰記三〉 ②内金を払うこと。また、その金。入金。「普燈録一金子壱歩壱ケ…持たせ遣はすなり」〈隔蓂記万治三・八・三〉 ③出版費を出して、作品の刊行を本屋に依頼すること。「素人作者の板元へ金を送りて、彫刻料を資(たす)くるを一と云ふ」〈近世物之本江戸作者部類二上〉

にふくゎん ニュウ【入棺】死体を棺に入れること。「御棺はなやみそめさせ給ひし日より造らせ給へれば、やがて一し奉りつ」〈栄花鶴林〉

にふじ ニュウ【入寺】①寺に入ること。寺に入って、僧・住持などになること。「一院第二の王子、不慮の難をのがれんが為に、にはかに一せしめ給ふ」〈平家四・南都牒状〉 ②真言宗における僧侶の階級の一。衆分の上、阿闍梨の下の位。「その人、いまだ若くして東寺の一に成りて拝堂しけるに」〈今昔二八ノ九〉

にぶ・し【鈍し・頓し・拙し】『形ク』《ニビ(鈍)と同根》①(考え方・動作などが)のろい。おそい。「思し立つ程、一・きやうに侍らむや」〈源氏幻〉 ②切れ味が悪い。「いと一・き刀して切るさまは」〈枕二五九〉

にふしつ ニュウ【入室】《ニッシツとも》師匠の室に入って親しく法門を受けること。「慈覚大師は、伝教大師の一写瓶(しやびやう)の弟子として」〈今昔一一ノ二七〉。「妙法院の門跡に御一有って、釈氏の教へを受けさせ給ふ」〈太平記一・儲王〉

にふたう ニュウトウ【入唐】⇒にったう

にふだう ニュウドウ【入道】①世をすてて仏の道に入り、修行すること。「浄行の男女一百人を簡(え)らび取りて一して道を修せしむ」〈続紀養老五・五・六〉。「一の御本意は昔より深くおはせしかど」〈源氏椎本〉 ②俗人で剃髪し、僧衣を着てはいるが、まだ寺に入らず、家にいる者。「一の領じ占めたる所所」〈源氏明石〉。「本朝の俗、剃髪して未だ其の任を罷めざる者、呼びて一となす」〈碧山日録寛正三・二・二四〉

一しんわう シンノウ【入道親王】親王宣下ののち、入道した人。「一尊号ありて太上皇と申して、世をしらせ給ふ」〈神皇正統記後堀河〉 **一のみや**【入道の宮】入道した親王・内親王・女院など。「一は東宮の御事をゆゆしうのみおぼししに」〈源氏須磨〉

にふぢゃう ニュウジョウ【入定】〔仏〕①禅定(ぜんぢやう)に入ること。「その後、弘明、永興に至りて石姥巖(しやくむがん)にして一しぬ」〈今昔七ノ一七〉 ②高僧が死ぬこと。「承和二年といふ年の三月二十一日の寅の時に、結跏趺座(けつかふざ)して、大日の定印を結びて、内にして一せり」〈今昔一一ノ二五〉

にぶつ【二仏】二体の仏。「釈迦・多宝の一、塔中に並座して」〈日蓮遺文最蓮房御返事〉 **一のちうげん** チュウ【二仏の中間】釈迦が既に滅し、彌勒が未だ出現しない間、即ち、今の世。「いはんや一の衆生として」〈謡・木賊〉

にふぶ 大いに笑うさま。「夏の野のさ百合の花の花ゑみに一にゑみて」〈万四一一六〉。「囅然、ニコ、ニ・ニフ、ニ」〈名義抄〉

にふぶ ニュウ【入部】国司・領主などが、任国や領地に入ること。入府。「正(まさ)しき国の司に成らずして、押して一す」〈今昔二五ノ一〉

にふぶか 《ニフブと同根》風が急に吹くさま。「思はぬに横しま風の一におほひ来たれば」〈万九〇四〉

にぶ・み【鈍み】『四段』鈍色(にびいろ)になる。「世中の十が九はみな一・みわたりたり」〈栄花鶴林〉

にふめつ ニュウ【入滅】〔仏〕滅度(めつど)に入ること。仏、とくに釈尊の死をいい、転用して、貴人の死にもいう。「静かに法花経を誦してぞ一しける」〈今昔一三ノ三四〉。「修理大夫内方、夜半より悩気あり、已にして一す。悲嘆極まり無し」〈権記正暦四・二・二九〉。「入滅、ニウメツ、僧死也」〈色葉字類抄〉

にふめん ニュウ【入麵】《「煮麵」とも書く》そうめんに野菜などを加えて味噌汁で煮たもの。後には醬油汁で煮たのもい

う。「にうめん」とも。「—・天酒等を賜はる」〈宣胤卿記文亀二・一・二五〉

にぶら・し【鈍らし・淬らし】『四段』鉄などを焼いて水に入れ、きたえる。焼きを入れる。「干将、この鉄(くろがね)を賜はって…龍泉の水に—・して、三年が内に雌雄の二剣を打ち出せり」〈太平記一三・兵部卿宮〉

にへ(ニエ)【贄・苞苴】《古形ニハの転。ニヒ(新穀)と同根》①古く、新穀を神などに供え、感謝の意をあらわした行事。また、その供物。東国ではその夜は物忌が厳重で、その饗応にあずかる神以外は、家人はすべて外に出された。「鳰鳥(にほどり)の葛飾早稲を—すともその愛(かな)しきを外に立てめやも」〈万三三八六下総東歌〉②神または朝廷にその年の産としてたてまつる土地の産物。特に、食糧としての魚鳥など。「調(みつぎ)の副物(そはりもの)の塩と—とは、また郷土(くに)の出せるに随へ」〈紀孝徳、大化二年〉③贈物。進物。「人のたてまつりたる—などいふものは、御前の庭にとりおかせ給ひて」〈大鏡師尹〉　†nirë

にべ【鰾膠】①海魚のニベの鰾(うきぶくろ)から製する、粘着力が極めて強い膠(にかわ)。「〔弓ノ〕木と竹とを寄せて、あはひに—を付くる」〈三略抄上〉。「漆膠、ニベ、弓」〈文明本節用集〉②愛想。世辞。つや。「拈古とは、…古人の語を拈して、善悪ともに逃がさず、ひしひしと—も無く云ふ」〈真歇拈古鈔〉。「—を言ふ」〈俳・毛吹草二〉　**—もしゃしゃりも無・し**《粘り気も無ければ、しゃりしゃりした所も無くて無味である意から》全く愛想が無い。とてもそっけない。「なんの—・う一打ちにしてやらるるは定の物」〈近松・傾城懸物揃下〉

にへさ(ニエサ)【多・甚】《ニヘは贄。サはサハ(多)と同根であろう》物のたくさんあるさま。また、程度のはなはだしいさま。「俗(くにひと)、多(さは)なる物を見て、即ち尓陪佐尓(にへさに)といふ」〈肥後風土記逸文〉。「天皇、—によろこびたまひて」〈紀神武即位前〉　†nirësa

にへどの(ニエ…)【贄殿】①諸国の貢物を収めておく殿舎。「—に収む。其の贄を収むる日は、省の丞録各一人、史生二人を率て、共に—に就(ゆ)きて検納す」〈延喜式宮内省〉②貴人の家で、魚鳥などを納めたり料理したりする所。「人の奉りたる贄などいふものは、御前の庭に取り置かせ給ひて、夜は—に納め」〈大鏡師尹〉。「—は魚鳥を料理する所なり」〈庭訓抄上〉

にへびと(ニエ…)【贄人】贄にする魚や鳥などを取り集める役の者。「たが—ぞ鴫(しぎ)突きのぼる、網おろし小網(さで)さしのぼる」〈神楽歌四四〉

にほ(ニオ)【鳰】水鳥の一。カイツブリ。湖沼にすみ、水中にもぐるのが得意。カモに似て小形。背は青黒く、腹はやや白い。「中島に水のたまりに、—といふ鳥の、心すごくなきたるを」〈宇津保藤原君〉。「はかなしや風にただよふ波の上に—の浮き巣のさても世に経(ふ)る」〈新千載一八三四〉。「鸊鷉、邇保(にほ)」〈和名抄〉

にほうくゎうじん(…ウ…コ…)【二宝荒神】⇒にはうくゎうじん。「恋に荷かぶる—」〈俳・二つ物〉

にほ・え(ニオエ)【匂え】『下二』赤い色が美しく出る。「春花の〔ヨウニ〕—・え栄えて」〈万四三二一〉　→にほひ。　†*niroye　**—をとめ**【香え少女】紅顔の美しい少女。「つつじ花〔ノヨウナ〕—」〈万三三〇九〉

にぼく【二木・似卜】色茶屋に奉公して、酒の給仕をし、また色を売った女。「—がやりくり合点か」〈西鶴・一代男一〉

にほ・し(ニオシ)【匂し】『四段』《ニホエの他動詞形》草木・赤土等で色に染める。「ま榛(はり)もち—・しし衣に」〈万三七九一〉

にほてる(ニオ…)【鳰照る】〔枕詞〕語義未詳。「鳰の海」(琵琶湖)を詠む歌の中に使われ、「蜑(あま)」「海」「浦」「沖」「月」などにかかる。「志賀の浦の汀(みぎは)ばかりは氷にて—月をよする白波」〈秋篠月清集三〉。「—海は水海也。…おしてる海は塩海也」〈宗祇袖下〉。「湖、ニヲテル」〈和歌集心躰抄抽肝要下〉

にほどり(ニオ…)【鳰鳥】「にほ」に同じ。「—の潜(かづ)く池水」〈万七二五〉。「—に(鳰鳥ノヨウニ)影を並ぶる若ごまは」〈源氏螢〉　†nirodöri　**—の**【鳰鳥の】〔枕詞〕鳰鳥が水にもぐる習性を持つところから、「潜く」「葛飾(かづしか)」「息長(おきなが)」などに、また、繁殖期に雌雄並んで泳ぐところから「二人」に、水の上を泳ぐ習性から「なづさふ」にかかる。「—葛飾早稲を」〈万三三八六東歌〉。「—二人並び居」〈万七九四〉。「—なづさひ行けば」〈万三六二七〉

にほのみづうみ(ニオ…)【鳰の湖】琵琶湖の異名。「にほのうみ」とも。「しなてるや—に漕ぐ船の」〈源氏早蕨〉

にほは・し(ニオワシ)【匂はし】『四段』《ニホヒの他動詞形》①赤く映えさせる。色濃く映す。「紅(くれなゐ)の衣—・し」〈万四一五七〉②色を染めつける。色どる。「草枕旅行く君と知らませば岸の埴生(はにふ)に—・さましを」〈万六九〉。「馬並めて多賀の山辺を白たへに—・したるは梅の花かも」〈万一八五九〉③ほのかに色どる。ぼかす。「輻(や)などのしるしには、墨を—・させ給へりし」〈大鏡伊尹〉④それとなくほのめかす。「〔出家ハ〕今なむとだに—・し給はざりけるつらさを」〈源氏若菜下〉⑤香りを立たせる。「空薫物(そらだきもの)心にくき程に—・して」〈源氏螢〉

にほは・し(ニオワシ)【匂はし】『形シク』《ニホヒの形容詞形》色濃い感じである。「あざやかに—・しき所は、〔夕霧ノ方ガ〕添ひてさへ見ゆ」〈源氏藤裏葉〉

にほ・ひ(ニオイ)【匂ひ・薫ひ】㊀『四段』《ニは丹で赤色の土、転じて、赤色。ホ(秀)はぬきんでて表われているところ。赤く色が浮き出るのが原義。転じて、ものの香りがほのぼのと立つ意》①赤く色が映える。「春の苑紅(くれなゐ)—・ふ桃の花」〈万四一三九〉②色に染まる。「住吉の岸の黄土(はにふ)に—・ひて行かむ」〈万一〇〇二〉③色美しく映える。「多祜(たこ)の浦の底さへ—・ふ藤波を」〈万四二〇〇〉。「まみのなつかしげに—・ひ給へるさま」〈源氏賢木〉④美しい顔色である。「筑紫なる—・ふ児ゆゑに」〈万三四二七東歌〉。「如来の面貌は…光り潤(ほに)ひ鮮やかに白くして…猶し満月の空界に居せるが如し」〈金光明最勝王経平安初期点〉⑤香りがほのぼのと立つ。「露にうちしめり給へる香り、例のいとさま殊に—・ひ来れば」〈源氏宿木〉⑥こまやかですぐれている。「四海にあらゆる土地をも、また肥え濃(ほに)ひ、田疇をも沃(こ)え壌(やま)き、常の日より倍勝してあらしめむ」〈金光明最勝王経平安初期点〉㊁『名』①赤く色が映えること。「黄葉(もみちば)の—は繁し」〈万二一八八〉②色美しいこと。色つや。「宮人の袖付衣秋萩に—よろしき高円(たかまと)の宮」〈万四三一五〉。「花びらのはしに、をかしき—こそ」〈枕三七〉。「はかない言葉の—も見え侍るめり」〈紫式部日記〉。「うぐひすの声の—」〈正徹物語下〉③人の気質などが、美しく目立つこと。気品。「かどかどしう、らうらうじう、—多かりし心ざま」〈源氏幻〉④光。威光。花やかに栄えるさま。「つかさ位、世の中の—も」〈源氏椎本〉⑤香り。「しぼめる花の色なくて—残れるが如し」〈古今序〉⑥襲(かさね)の色目にいう語。濃い色から薄い色へ、またはその逆に衣を重ねること。「浮織物の紅梅の—の三つ小袖」〈問はず語り二〉⑦鎧の縅(おどし)にいう語。上の方を色濃く、だんだん薄くぼかして染めたもの。「萌黄の—の鎧着て」〈平家七・経正都落〉⑧連歌で、挙句(あげく)の直前の句。一巻の余韻をなす。「—の句、発句などは、一座の様(やう)によりて心有るべき事也」〈矢嶋小林庵何木百韻注〉。「亡きを恋ふる泪は年に月にそひ。…句躰、千句満座—と御覧あるべし」〈称名院追善千句注〉 ⑨俳諧で、句の気分・情調・余情をいう。前句の余情を感じ取って、それに応ずるように付句することを「匂ひ付け」という。「今は移り・響き・—・位を以て付くるをよしとす」〈去来抄〉 →かをり。 †niFOFi **—あぶら【匂油】** 白檀(びやくだん)・丁子(ちやうじ)などを胡麻油に浸した理髪用の香油。「—花園山に薫り来て」〈俳・大矢数二〉 **—か【匂香】** ほのかな色と香りと。「梅の花折ればこぼれぬわが袖に—移せ家づとにせむ」〈後撰二八〉 **—だま【匂玉】** 球形の匂い袋。多く蚊帳に掛けた。匂の玉。「夕風に露こそ袖の—」〈俳・大海集五〉 **—どり【匂鳥】** 鶯の異名。「—、鶯の事也」〈匠材集二〉 **—ぶくろ【匂袋】** 丁子・麝香・龍脳等の香料を調合して入れた絹の小袋。紐を付け頸に掛けて懐に入れたので掛香(かけがう)といったが、後には袋のみを懐中した。誰袖(たがそで)。「御扇・—等これを進(まゐら)せられ候」〈島津家文書二、天文二一・六・二八〉 **—やか【匂ひやか】** ほんのりと赤く映えるさま。「小さくうつくしげにて、ただ御ぞのみある心地す。—なる方はおくれて」〈源氏若菜下〉

にほ・へ(ニオエ)**【匂へ】**〘下二〙《ニホヒの他動詞形》染める。「住吉(すみのえ)の岸野の榛(はり)に—・ふれど」〈万三八〇一〉 †niFOFë

にほん【二本】 大小の刀。また、それを差す武士。「五十石に五人扶持、—差いた人の子なれども」〈近松・氷の朔日上〉 **—ばう**(ウボ)**【二本棒】** ①武士をののしっていう語。「なぜとめねえのだ。張り合ひのねえ—めだ」〈伎・名歌徳三舛玉垣大詰〉 ②まぬけな人や女に甘い男をののしっていう語。「悋気(りんき)せぬ女房は馬鹿者。…お前を世間では、女の—ぢゃと笑うて居るぞえ」〈伎・青楼詞合鏡大切〉

にほん【日本】 ⇒にっぽん。 **—ぎ【日本紀】** 日本書紀のこと。「一品舎人親王、勅を奉じて—を修す」〈続紀養老四・五・二一〉。「—などは〔コノ世ノコトノ〕ただかたそばぞかし」〈源氏螢〉

にまい【二枚】 **—がた【二枚肩】** 駕籠を二人でかつぐこと。また、その駕籠。「—にも、え乗らいで」〈松の葉三〉 **—てがた【二枚手形】** 近世、遊女や年季奉公人の雇用期間は十年のため、それ以上雇うのに必要とした、二枚の奉公人請状(うけじやう)。「かやうの太夫は末に出来まじきに、—にして二十年も勤めさせたし」〈西鶴・諸艶大鑑七〉

にもち【荷持】 旅人に雇われて荷物を運ぶ職業の人。「日傭・船頭・—やうの者、煙管を持たぬは無し」〈俳・類船集三〉。〈易林本節用集〉

にもんめ【二匁】 近世、揚代銀二匁の端女郎の称。二匁取り。二寸。「夕淋しき—も恋」〈俳・西鶴五百韻〉

にゃくぞく【若族・若俗】 ①若い人。十四、五から十八、九歳頃までの若者。「児(ちご)・—の能かと見え」〈風姿花伝〉 ②特に、男色の対象としての若衆。「昔、色を以て幸する者多しといふは、皆今の—といふ者ぞ」〈史記抄一六〉

にゃくだう(ウド)**【若道】**《ジャクダウとも》男色の道。男色。「自然—などの縁を以て譲らるる様なる儀、仏法破滅の基に候」〈高野山文書三、文祿二・一・一六〉

にやこ・い〘形〙女にのろく甘い。やにこい。とろい。「下地が—・い旦那様」〈近松・夕霧中〉

にょい【如意】 ①思うまま。思い通り。「入宋の本意も—なるべし」〈正法眼蔵随聞記六〉 ②《もと、背中などかゆい所を思うままに掻く道具として「如意」と呼ばれたもの》説法や法会の際に講師が手に持つ道具。骨・角・竹・木などで作られ、孫の手のような形をしている。「—を高く捧げ肱(かひな)を延べて、今説かむとするに」〈今昔二〇ノ三六〉 **—ほうじゅ【如意宝珠】** 種種の物を意の如く出すという宝珠。如意輪観音・地蔵菩薩などの持物として、人人の心願を満足させるものとされた。「露重げにきらきらと置き渡したるは、—の玉かと見ゆ」〈狭衣三〉 **—りん【如意輪】**「如意輪観音」に同じ。「弓削道鏡と聞えし僧、—の法成就せし故に」〈保元上・官軍勢汰へ〉 **—りんくゎんおん**(ンノ)**【如意輪観音】** 六観音の一。一切衆生の願望を満たし、苦を救うという観音。如意宝珠を持ち、多くは六臂で金色の形像。「いはの上に—を造りすゑ奉りて」〈今昔二ノ二三〉

にょうくゎん【女官】 ⇒にょくゎん

にょうご【女御】 天皇の寝所に侍する女官。中宮の下、更衣の上の位にある。四位・五位が多い。宣旨によって補せられた。桓武天皇の代から始まる。また、上皇・皇太子の妃をもいうことがある。「正五位上紀朝臣乙魚に従四位下を授く。柏原(桓武)天皇の—也」〈続後紀承和三・八・二〇〉。「〔桐壺ノ更衣ヲ〕—とだにいはせずなりぬるが、飽かず口惜しうおぼさるれば」〈源氏桐壺〉 ▽源氏物語や枕草子の古写本には「女御」とあって仮名書はなく、院政時代の前田本色葉字類抄に「女御、ニョゴ、后妃部」とあるから、当時はニョゴと呼んだのであろう。しかし、文明本節用集など室町時代の辞書にはニョウゴとあり、江戸時代書写の黒川本色葉字類抄の書入れには「私曰、ニャウト引ガ名目遺也」とあるから、室町時代以後ニョウゴに転じたものと思われる。これはニョゴがもともと nyo^{n}go と発音されたので、その ^{n}go の n が独立して、nyo^{n}go→nyougo となったものであろう。 **—だい【女御代】** 大嘗会の御禊の儀に奉仕する女御または大臣・納言の女。「大嘗会の御禊、これより—出でたたるべし」〈かげろふ上〉 **—まゐり【女御参り】** 女御が入内(じゅだい)すること。「ひとへに—の如くにてぞありける」〈平家六・廻文〉

にょうばう(ウボ)**【女房】**《「房」は部屋の意》①宮中・院中などに仕える女官の賜わっている部屋。「昔は—入立ちにてありし人の、今はさしもなかりければ」〈十訓抄一ノ二六〉 ②一房を賜わって仕える女官。上臈・中臈・下臈の三階級に区別する。「うへびと(殿上人)・—などは」〈源氏桐壺〉。「御所中の—・男房」〈保元上・法皇崩御〉 ③貴人の家に仕える女。「童(わらは)にはべりし時、—などの物語読みしを聞きて」〈源氏帚木〉 ④妻。妻女。「—も近く居寄りて…と嘆きけるも理(ことわり)なり」〈曾我一〉。「いまだ—も持たず候」〈伽・蛤の草紙〉。「さあらば〔コノ鏡ヲ〕買ひ取って、—に土産にせう」〈天理本狂言六義・鏡男〉 ⑤婦人。女。「—の物ねたみの事、されば罪深く候ふな」〈和語燈録五〉。「—の身として二人の肌を触るることは、なかなか男の二張の弓を引くよりもなほ〔罪〕深し」〈伽・あきみち〉 ▽はじめはニョバウと発音されていたと思われるが、バウの音は、古くは ^{m}bau と発音されたので、その m が独立して nyombau→nyoubau と転じたもの。「女房、ニョウバウ」〈文明本節用集〉 **—いへぬし**(イェ)**【女房家主】** 一家の主婦。または、女主人。「家主女房」「いへとうじ」「いはらじ」とも。「人の—の世智弁なる事を思へば」〈西鶴・諸艶大鑑一〉 **—ぐるひ**(イグル)**【女房狂ひ】** 女色に溺れること。女ぐるい。「〔大将タル者ガ〕—をしらるれば、下下の者どももいたづらになるぞ」〈三略抄〉 **—ぐるま【女房車】** 女房乗用の牛車。主として糸毛の車を使用。后宮・中宮は青糸毛、更衣・典侍・尚侍は紫糸毛と一応の定めがあった。「よきー多くて、雑雑の人なき隙を思ひ定めて、皆さしのけさする中に」〈源氏葵〉 **ーのさぶらひ**【女房侍】清涼殿内の女房の詰所。台盤所。「ーに御座よそはせて、北南かたがたに別れて侍ふ」〈源氏絵合〉

にょうゐん【女院】《ニョヰンとも》天皇の生母、内親王、先帝の後宮の人たちなどで、特に院号を授けられた人の称。待遇は院(上皇)に準ずる。「〔マダ若クテ出家サレタノハ〕あさましうくちをしき御事なれども、譲位(ゐ)のみかどになぞらへてーと聞えさす」〈栄花見はてぬ夢〉。「一条院の御母は東三条院と申すは、ーのはじめはこのーなり」〈愚管抄三〉。「ー、ニョウヰム。常の音ニョ也。名目の時は之を引く」〈名目抄〉。「女院、ニョウイン」〈文明本節用集〉

にょぎ【女儀・女義】女。女性。「ーの事にて候へば、未だ遠くは落ち給はじ」〈浄・三社託宣三〉。〈日葡〉

にょくどころ【女工所】大嘗会の時、悠紀方(ゆきかた)と主基方(すきかた)との両方に臨時に設ける司。装束を調進した。「大嘗会のころ、信実朝臣といひし歌よみのむすめ少将内侍、大内のーにさぶらふに」〈増鏡五〉

にょくらうど【女蔵人】禁中に仕える下臈の女房。御匣殿(みくしげどの)の装束・裁縫のことなどをつとめ、雑役に従事した。「采女・ーなどをも、かたち心あるをば、ことにもてはやし思し召したれば」〈源氏紅葉賀〉

にょくゎん【女官】宮中・後宮に奉仕する女性の総称。その中、上級者を女房と言うのに対して、主に下級者を女官と言っている例も少なくない。「文武の職事五位以上及びーに祿を賜ふこと各差有り」〈続紀和銅一・七・一五〉。「大方さるまじききはのーなどまで〔藤壺ヲ〕しのび聞えぬはなし」〈源氏宿木〉 ▽源氏物語・枕草子などの古写本に、大部分「女官」とあり、稀に「女くゎん」とある。また、文明本節用集に「女官、ニョクヮン」とあり、日葡辞書にもNhoquan とある。ニョウクヮンとする故実読みは、ニョウバウ(女房)・ニョウゴ(女御)にひかれて江戸時代以後に作られたものであろう。

にょご【女御】⇒にょうご。〈色葉字類抄〉

にょごのしま【女護島】①《古くはニョウゴノシマとも》日本の東方海上にあり、女だけが住むという想像上の島。古地図に羅刹(らせつ)国と書かれ、女は南風によって妊娠すると信じられた。近世、元祿頃から、八丈島の意にも用いられた。「この島は隠れもなきーとぞ申しける」〈伽・御曹子島渡〉。〈下学集〉 ②女性だけが住んでいる場所のたとえ。「尼寺は油気のないー」〈雑俳・京祇園奉納一万句寄〉

にょしゃう【女性】女として生れたもの。女性(じょせい)。「もしーにて候へば」〈平家一〇・内裏女房〉

にょじゅ【女嬬・女孺】後宮に仕え、種種の雑務をした下級女官。「太政大臣家の資人・ーに至るまでに祿を賜ふこと各差有り」〈続紀神亀四・一〇・六〉。「ー、ニョジュ、掃部寮(かもんづかさ)の女官也」〈名目抄〉

にょぜがもん【如是我聞】私は仏の説かれるところをこのように承ったの意。経典の冒頭に置くことば。釈迦常随の弟子であった阿難が、仏から親しくこれを聞いたことをあらわし、経典編集者が、経が仏の自説であることを示そうとしたもの。訓読して、「かくの如くわれ聞きたまへき」とも。「然れば、阿難、礼盤にのぼりて『ー』と云ふ」〈今昔四ノ一〉

にょたい【女体】①女性としての体。女身。「住吉四所の御前にはかほよきーぞおはします」〈梁塵秘抄二七三〉 ②能の基本的風体としての三体の一。女の風体。「ーの能姿、風体を飾りて書くべし」〈能作書〉

にょだう【女道】女狂いすること。女道楽。女色。「衆道・ーを昼夜の分ちも無く」〈西鶴・五人女三〉

にょっと『副』だしぬけに物が出現するさま。ぬっと。「化生と云ふも、今まで無い者がーでくるを云ふぞ」〈玉塵抄三三〉

にょにん【女人】女。婦人。僧などの言葉に多い。「そのー、此の度まかりいで侍りつるたよりに」〈源氏手習〉。「五障のー跡絶えて」〈平家二・座主流〉 **ーきんぜい**【女人禁制】霊場など特定の地域に女性の出入りを禁止すること。女人結界。「この島はーの由承りて候に」〈謡・竹生島〉 **ーだう**【女人堂】女人禁制の寺院の境外にあって、女子が参籠・念仏する堂。特に高野山の女人堂が有名。「これかやー」〈西鶴・椀久一世上〉

によ・び【吟び・呻び】『四段』《古くはニヨヒと清音か》うめく。うなる。「しりぞくに随ひ、先の如くまた呵(さけ)びー・ふ」〈霊異記中三三〉。「手輿(たごし)つくらせ給ひてー・ふー・ふ担はれ給ひて、家に入り給ひぬるを」〈竹取〉。「吟、ニヨウ」〈文明本節用集〉

にょべたう【女別当】《ニョベッタウの促音を表記しない形》斎宮寮や斎院司にあって、斎宮あるいは斎院に仕えた女官。「殿も〔斎宮ノ御方ニ〕渡り給へるほどにてかくなむとー御覧ぜさす」〈源氏絵合〉

にょほふ【如法】①仏の教えにかなっていて、そむかないこと。法式通り。また一般に、型通り。「ーに写し奉る法華経、火に焼けぬ縁」〈霊異記下一〇〉。「功徳も御祈りもーに行なはせ給ひし」〈大鏡頼忠〉 ②性質が篤実温厚なこと。「その身のーなるに任せて、京童の口ずさびをまことと思ひ」〈伽・羅生門〉 ③《副詞的に用いて》まったく。文字通り。「ー夜半の事なれば、内侍も女官も参りあはずして」〈平家一一・鏡〉

にょぼん【女犯】僧が淫戒を犯して、女性とまじわること。「この行者になりぬれば、ーを好むも魚鳥を食ふも、阿彌陀仏は少しもとがめ給はず」〈愚管抄六〉

にょらい【如来】《梵語の訳。如(真理)から到来したものの意。また、如に来至したものの意ともいう》仏の尊称。釈迦・彌陀・薬師などにいう。「涅槃(ねはん)の時に、衆生のともがらはーを恋ひかなしび奉りて」〈三宝絵下〉 **ーで**【如来手】囲碁で、相手をだますような打ち方。〈俳・女夫草上〉 **ーばい**【如来唄】仏の徳をたたえた偈(げ)を梵唄(ぼんばい)の調子でうたうもの。「ほのかにーを引き給ひしかば、梵音遠く叡山の雲に響いて」〈太平記一二・書写山〉 **ーはだ**【如来肌】①如来像のように美しく柔らかな女の肌。「ーを寄せて、たとひ命を契るとも」〈仮・京童一〉 ②如来像の肌から感じられるような暖いぬくもり。「きゃつが寝たあとを探ってみたれば、ーな程に、まだ遠くへは行くまい」〈虎明本狂言・磁石〉。〈日葡〉

によ・り【似寄り】『四段』よく似る。類似する。「此の二つがよくー・りて紛るるぞ」〈史記抄二〉

にょんにょ 物が引き続いて幾つも現われるさま。にょきにょき。「ーと出づる花のひこばえ」〈俳・望一千句〉

にらぎ【菹・葅】ニレの樹皮の粉末を入れた塩に菜を漬け、食品としたもの。「葅、邇良木(にらぎ)、菜鮓なり」〈和名抄〉

にら・ぎ【焠ぎ】『四段』①鉄などを焼いて水にひたす。刀を鍛える時などに行なう。「ー・ぐとは、剣を焼きてよく鍛ひ、これを水に入れひたして固むる時は焼刃(やきば)つくなり」〈古文真宝講述六上〉。「焠、ニラグ」〈名義抄〉 ②どもる。「大弁は訥(にら)ぐがごとし」〈三蔵法師伝八・院政期点〉

にらま・へ【睨へ】『下二』にらみつづける。にらみつける。「大の眼(まなこ)を見いからかし、しばしー・へ奉り」〈平家二・一行阿闍梨〉

にら・み【睒み・睨み・睚み】『四段』けわしい目つきで見つめ

る。「御気色いとあしうて、—・み聞えさせ給ふを」〈源氏明石〉。「睚眦と—・める光、熱鉄のほとばしるに似たり」〈海道記〉

にる【似る】『上一』⇒に(似)

にる【煮る】『上一』⇒に(煮)

にれか・み【齝み】『四段』《古くはニゲカミ》牛などが反芻(はんすう)する。「〔牛八〕大理の座の浜床(はまゆか)の上にのぼりて、にれうちかみて臥したりけり」〈徒然二〇六〉。「呞の字を、古点に、にげかむと点せり。世語には、—・むと云ふ也」〈見聞愚案記一七〉

にろくじちう【二六時中】《昔の時制で、昼夜の各六時を合わせての意》一昼夜。終日。「放下の処について、—猛烈に参究せば、時節到来して、本分の大智に契当すべし」〈夢中問答中〉

にわう【仁王・二王】金剛力士の異称。仏教の守護神として、寺の門の両側に安置される。もとは一体であったのを、左、密迹(みっしゃく)金剛、右、那羅延(ならえん)金剛の二像に分けたものという。また、梵天・帝釈(たいしゃく)天の二天をさすものもあった。「〔中尊ノ〕御そばに十弟子並(な)んだり。—など立ち給へり」〈栄花玉飾〉。「両金剛の前に太刀をさかさまにつき、上咀(うはぐひ)して立ちたるは、いづれを—、いづれを孫三郎ともわけかねたり」〈太平記九・六波羅攻〉 **—だち**【仁王立ち】仁王像のように、力強く立つこと。「広言はいて—にぞ立ったりける」〈太平記八・四月三日〉

にん【任】①任務。「慚(おそ)るらくは石を練る才無くして徒に鏡を握る—に奉(つか)へまつることを」〈続紀慶雲三・二・三〉 ②任期。「国司—に在るの日は、墾田一に前格に依れ」〈続紀天平一五・五・二七〉。「少弐(せうに)—果てて上りなどするに」〈源氏玉鬘〉

にんあい【人愛】交際。つきあい。「今まで親しき中を捨てて、従ふべき者に従はざれば、天道にも背き、—にも外れなんず」〈伊曾保物語中〉。〈文明本節用集〉

にんうん【任運】自然のなりゆきにまかせて、人が手を加えないこと。「まさに—として心をおく事なかれ」〈正法眼蔵随聞記三〉。〈文明本節用集〉

にんがい【人界】〔仏〕十界の一。人間界。「我、かの経を書き終へ奉らむが為に、—に生れてこの国の守と任ぜり」〈今昔一四ノ六〉

にんがのさう【人我の相】人身は五蘊(ごうん)が仮に集まってできているということを悟らず、人間の本質として、固定した実体的なものがあると考えている迷いの様相。転じて、自己中心の考えかた。「女の性は皆ひがめり。—深く、貪欲(とんよく)甚だしく、物の理(ことわり)を知らず」〈徒然一〇七〉

にんぎゃう【人形】①人体をかたどって作ったもの。ひとかた。「茅(ち)の—を人尺に作り」〈謡・鉄輪〉。「—を作り、鎧を着せ、長刀を持たせ」〈伽・あきみち〉。「いつくしき—を買ひ得て我に給はらば、よきに御留守いたすべし」〈浄・五太力菩薩四〉 ②操り人形。傀儡師などが糸や手で操り、見世物にした。「傀儡棚頭に—を数数弄出すれども、糸をつけて舞はす者はただ一人なり」〈無門関私鈔上〉 **—しばゐ**【人形芝居】「あやつり」(二)(3)に同じ。「仲国といふ—」〈俳・紀子大矢数上〉 **—だる**【人形樽】柄の長い酒樽の称。柄の上に編笠を被せ、人形に見立てたのでいう。「影うつせ—の鏡餅」〈俳・沙金袋一〉 **—ふで**【人形筆】「有馬筆」に同じ。〈俳・毛吹草四〉 **—まはし**【人形廻し】人形を操ること。また、その人。人形遣い。「横笛に—始まりて」〈俳・大坂一日独吟千句〉。〈俳・類船集五〉

にんぎょ【人魚】①想像上の生物。普通、上半身は女人で、下半身は魚の形をし、その肉を食う者は長寿を保つとされた。近世、人魚と称した見世物もあった。「大きなる魚の、かしらは人のやうにてありながら、歯はこまかにして魚にたがはず…そのあぢはひ殊によかりけるとぞ。—といふなるは、これていの物なるにや」〈著聞七一三〉。「このごろ、唐津海辺に—出づ」〈南塾乗延宝五・八・二八〉 ②サンショウウオの異称。「—の油十万石、銀の御錠(あぶらつき)に入れて長時に燈(とぼし)をかかげたれば、石壁暗しといへども青天白日の如くなり」〈太平記二六・慧源禅巷〉

にんぐゎい【人外】人非人(にんぴにん)。人でなし。「人間はづれ」とも。「『武士の法を知らぬか。—め、畜生め』とわめきあせれど甲斐もなし」〈飛驒国治乱記〉

にんげん【人間】①〔仏〕「人間界」に同じ。「天上・—には子有るを富人とす」〈今昔一ノ一五〉 ②この世。世の中。世間。「—の儀式いづれの事か去り難からぬ」〈徒然一二三〉 ③人間界に住む者。ひと。「天人はまじろかず、—はまじろく」〈今昔五ノ三〉 **—かい**【人間界】〔仏〕十界の一。人間の世界。人界(にんがい)。「それ生死に流転して、—に生るれば」〈謡・春栄〉 **—万事塞翁(さいおう)が馬** ⇒さいおうがうま。「しかるに世の中は—なれや」〈謡・綾鼓〉

にんこく【任国】国司として任命された国。「件(くだん)の卿、—に在りながら、頗る不例なるを以て」〈中右記承徳一・閏一・二三〉

にんさう【人相】人の顔立ち。「是には亦万機無双の—御在(おはしま)す」〈妙本寺本曾我一〉。「—を見るも習有り」〈わらんべ草五〉 **—がき**【人相書】犯人・逃亡者などを探すために、その者の人相の特色を記して方方に配布するもの。「両人の—を以て御尋ねの御触れこれ有り」〈正宝事録延宝五・一〇・一六〉 **—づら**【人相面】しかつめらしい無愛想な表情。不人相な顔。「女房を持って—になり」〈雑俳・万句合安永八〉

にんじ【人事】人間界の事。人のなし行なう事。「—多かる中に、道をたのしぶより気味深きはなし」〈徒然一七四〉

にんじゃう【刃傷】刃物で傷を負わせること。「件(くだん)の男は、先日頭の弁実行の小舎人童を—せし者也」〈中右記永久二・八・二一〉

にんじゃうぼん【人情本】近世末期の小説の一種。江戸町人の恋愛や人情の葛藤を題材とし、平易な文章と写実的な会話で筋を運ぶ。三冊を一編とし、数編で一部をなす中本形式で刊行された。十辺舎一九・曲山人・為永春水・松亭金水などが代表的作家。「中本」「泣き本」「粋書本」などとも称した。「中形の読本を……—と唱へるも」〈人情・春色由縁の梅序〉

にんじゃく【人尺】人の身長。「茅(ち)の人形を—に作り」〈謡・鉄輪〉。「姿はかやうに—だになけれども」〈伽・ひめゆり〉

にんじゅ【人数】①人の数。人数(にんずう)。「焔の中にて焼け死ぬる—を記いたりければ」〈平家五・奈良炎上〉 ②一団を構成する人人。なかま。顔ぶれ。「しかるをこの—に入れられけるは」〈平家四・鼬〉。「念仏の—に参り候ふべし」〈謡・隅田川〉 ③軍勢。特に、騎馬武者の隊伍にいう。「七段に—を備へ候」〈信長公記首巻〉。「—は一人も連れ申さず、鉄砲ばかり持たせて参り候」〈義残後覚三〉 **—だて**【人数立て】人数(3)の配分・手配。「『それぞれ人数組いたされよ』とありければ、俊孝『かしこまりたり』とて—をぞ定めける」〈浅井三代記三〉

にんじん【人身】人間としてのからだ。「たまたま受け難き—を受け」〈孝養集上〉

にんぜん【人前】人の前。人の面前。「—を憚らず、万民に出向ひ」〈ロザリオの経〉。〈日葡〉

にんそく【人足】人夫。「—・夫駄(だ)もさこそ苦しく思ひ侍るらんと」〈朝鮮日日記〉。〈文明本節用集〉

にんだう…ドウ【人道】〔仏〕「人界(にんがい)」に同じ。「まさに—に生(しやう)を受くべしといへども」〈今昔七ノ四二〉

にんぢう…ジュウ【人中】人間界。「最後の身に—に生れて、財(たから)豊ならむ」〈今昔一ノ三〉

にんちく【人畜】①人間と畜生と。「草木の—の如くなるあり」〈正法眼蔵 無情説法〉 ②畜生のような非道な行いをする人間。人畜生。人皮畜(にんぴちく)。「—のやうに言ひなされて商売も捗らず」〈色道大鏡三〉

にんぢゃう…ジョウ【人定】《ジンヂャウとも》夜がふけて人の寝しずまる時刻。亥(ゐ)の刻。今の午後十時。「夜深け—の後、武衛(頼朝)鶴岡へ御参」〈吾妻鏡寿永一・二・七〉

にんぢゃう…ジョウ【人長】神楽を奏する人の長。近衛の舎人(とねり)が当る。「心地よげなるもの。卯杖の法師、御神楽の—」〈枕(能因本)心ちよげなるもの〉

にんでん【人天】人間界と天上界と。人間と天人と。「公(きみ)、徳至り給ひて、—にうやまはれ給ふこと限りなし」〈今昔一ノ六〉

にんにく【忍辱】〔仏〕《梵語の訳》六波羅蜜(ろくはらみつ)の一。忍耐すること。迫害や辱しめなどをじっとこらえて、怒りや恨みの心を起さないこと。「我はただ—を行なふ人なり」〈三宝絵上〉 **—のころも**【忍辱の衣】忍辱の心は一切の外障を防ぐというので、身を守る袈裟をいう語。「忍辱の袈裟」「忍辱の鎧」とも。「—を身に着つれば、戒香匂にしみかをりて」〈栄花玉台〉

にんぴにん【人非人】《人にして人にあらずの意》仏法守護の八部衆の総称。また、その一である緊那羅(きんなら)の別称。比喩的に、人間とはいえない人間、人でなしの意。「あはれの—やとこそ申さまほしくこそありしか」〈大鏡道隆〉。「この一門にあらざらむ人は皆—なるべし」〈平家一・禿髪〉

にんぶ【人夫・人歩】①公役に徴用される人民。「命を請けて橋本に向ひ、要害を構へんと欲するの間、—を召すの処」〈吾妻鏡養和一・三・一三〉 ②貨物の運送その他の肉体労働に使われる労働者。人足。「是を舟元まで下させ候て進むべきの由承り候間、即ち寄—申し付け候也」〈上井覚兼日記天正一二・一一・二〉

にんべつ【人別】①人ごとに割り当てること。各人別。「相模の国中、宗とたる百姓等に糜牙(白米)を給はる。—に一斗と云云」〈吾妻鏡文治二・六・一〉 ②人ごとに課する租税・関税など。「路次両方より…—一文づつこれを取る」〈多聞院日記永禄一〇・二・一四〉 ③近世、住民を一人一人記した帳簿。人別帳。「われは店子の内の居候、—にも無いから、人間の内ぢゃあ無いは」〈伎・壮平家物語三ノ序〉 **—ちゃう**…チョウ【人別帳】「人別」(3)に同じ。「—の詮義に困り、気の毒なるてい」〈評判・役者御前歌舞伎江戸〉

にんわうゑ…ノウエ【仁王会】朝廷で、鎮護国家万民豊楽のため、大極殿・紫宸殿・清涼殿などで仁王護国般若経を講じた行事。毎年三月と七月に行なわれ、臨時にも行なわれた。「—を宮中及び京師の大小の諸寺、并せて畿内七道の諸国分金光明寺に設く」〈続紀宝亀三・六・一五〉

ぬ

ぬ【沼】ぬま。「あぢの住む須佐の入江の隠(こも)り—の」〈万三五四七東歌〉。「沼、奴(ぬ)」〈和名抄〉 ▽朝鮮語 nop(沼)と同源か。

ぬ【野】①「の(野)」の上代東国方言。「千葉の—の児手柏(このてがしは)の」〈万四三八七防人〉 ②江戸時代の国学者が、万葉仮名の「努」「怒」などをすべてヌと訓むものと誤認した結果生じた語。「かづぬ(葛野)をみれば…野をぬと云、古語也」〈詞草正採鈔〉

ぬ【瓊】《に(瓊)の母音交替形》玉。「—な音(と)ももゆらに」〈記神代〉。「瓊は玉なり、此をば努(ぬ)と云ふ」〈紀神代上〉

ぬ【寝】〔下二〕⇒ね(寝)

ぬ《助動》①《完了の助動詞》→基本助動詞解説。②打消の助動詞「ず」の連体形。

ぬえ【鵺・鵼】①トラツグミの異称。ぬえ鳥。「青山に—は鳴きぬ」〈記歌謡三〉 ②怪鳥の名。「—といふ化鳥(けてう)禁中に鳴いて、しばしば宸襟をなやます事ありき」〈平家四・鵺〉。「鵺、沼江(ぬえ)、怪鳥也」〈和名抄〉 †nuye

ぬえくさ【萎草】⇒のえくさ。▽古事記の古写本には「怒延久佐」とあるので、ノエクサと訓むべき語。

ぬえことり【鵼子鳥】①「ぬえ」(1)に同じ。「ぬえ。—・ぬえ鳥と云ふ」〈八雲御抄三〉 ②〔枕詞〕悲しげに鳴くことから、「うらなけ」にかかる。「—うらなけ居れば」〈万五〉 †nuye-kodöri

ぬえどり【鵼鳥】「ぬえ」(1)に同じ。「—も喚子鳥のことざま(様子)に通ひて聞ゆ」〈徒然二〇〉 **—の**【鵼鳥の】〔枕詞〕力なく悲しげに鳴くことから、「片恋嬬(づま)」「のどよひ」「うらなけ」にかかる。「—片恋嬬」〈万一九六〉。「—呻吟(のどよ)ひ居るに」〈万八九二〉。「—うら嘆(な)け居りと」〈万二〇三一〉 †nuyedörinö

ぬか【糠・粳】玄米を精白するときに、皮が粉になったもの。「集ひて稲舂(つ)きき。其の—聚りて丘と為(な)る」〈播磨風土記〉。「糠、沼賀(ぬか)、米皮也」〈和名抄〉 **—に釘(くぎ)打つ** 何をしても手ごたえなく効果のないことのたとえ。「豆腐に鎹(かすがひ)」「土に灸(きう)」の類。「糠に釘」とも。「堅からぬ人の言葉のあさましや—打つ心地こそすれ」〈見咲三百首和歌〉

ぬか【額】①ひたい。「わぎもこが—に生ひたる」〈万三八三八〉。「額、ヒタヒ・ヌカ」〈名義抄〉 ▽平安時代以後は「ぬかをつく」など特別の場合を除き、もっぱら「ひたひ」という。②ぬかずくこと。礼拝。「よろしき男の、いとしのびやかに、—など立ち居の程も、心あらんときこえたるが」〈枕一二〇〉

ぬか《連語》《打消の助動詞ズの連体形ヌに疑問の助詞カのついたもの》願望の意を表わす。…ないものかなあ。…てほしい。「吾が命も常にあら—」〈万三三二〉

ぬかがみ【額髪】額の前髪。ひたいがみ。まえがみ。「肥人(こまひと)の—結へる染木綿(しめゆふ)の染(し)みにし心われ忘れめや」〈万二四九六〉。「髫、ヌカガミ」〈名義抄〉 †nukagami

ぬかご【零余子】ヤマイモなどの葉のつけ根に生ずる長円形の芽。食用になる。ムカゴ。「多くの—芋、出できぬべし」〈宇津保藤原君〉。「—をもり(モギトリ)、芹(せり)を摘む」〈方丈記〉。「零余子、ヌカゴ」〈名義抄〉

ぬか・し【吐かし】〔四段〕「言ひ」を卑しんでいう語。言いやがる。「何の道理を見て—・すぞ」〈蓬左文庫本臨済録抄〉。「身どもが言ふやうに—・せ」〈虎明本狂言・察化〉

ぬかづき【酸漿】草の名。ホオズキの異名。「[夕顔ノ実モ]—などいふもののやうにだにあれかし」〈枕六七〉。「酸醤、奴加豆支(ぬかづき)」〈新撰字鏡〉

ぬかづ・き【額突き】『四段』額を強く地に突き当てて礼拝する。ていねいにおがむ。「相思はぬ人を思ふは大寺の餓鬼の後(へり)に—・くがごと」〈万六〇八〉 †nukaduki —**むし**【叩頭虫】虫の名。今のコメツキムシ。「—またあはれなり」〈枕四三〉。〈和名抄〉

ぬがな・へ ヌガナエ『下二』《ノガナへの母音交替形》⇒のがなへ。「立と月の—・へ行けど吾(わぬ)行がのへば」〈万三四七六東歌〉 †nuganaɸe

ぬがに『連語』《完了の助動詞ヌに副助詞ガニのついたもの》…てしまいそうに。「秋田刈る仮廬もいまだ壊(こぼ)たねば雁が音(ね)寒し霜も置き—」〈万一五五六〉

ぬかぶくろ【糠袋】糠を入れた小さい布袋。入浴の時に肌をこすって洗うのに用いる。「そこらも—に乱れて、かきわたる湯玉油ぎりてなん」〈西鶴・一代男一〉

ぬかぼし【糠星】大空に散らばっている多くの微小星。「何程有っても皆—で役に立たぬ」〈咄・昨日は今日上〉

ぬかも『連語』《モは詠嘆の助詞》願望の意をあらわす。…ないものかなあ。「ぬば玉の夜渡る月は早も出で—」〈万三六五一〉→ぬか

ぬかよろこび【糠喜び】当てがはずれて無駄になった喜び。小糠祝い。小糠喜び。「咲きしより散るに間も無き小米花—をしたる主(ぬし)候(ぞろ)」〈後撰夷曲集一〉

ぬか・り『四段』地面が泥深くなる。ぬかるみになる。「こひぢとは、沼池などの—・るを申す」〈雲玉和歌抄上〉。「泥濘、ヌカル」〈書言字考〉

ぬか・り【抜かり】『四段』油断する。うっかりする。「—・らば影法師にたらされうず」〈大恵長書抄〉。「勇鋭は、—・らぬすすどい武者」〈太平記聞書〉

ぬ・き【抜き・貫き】□一『四段』《物を引いて取り去り、後にすっぽり穴を残す意。また、穴に物を通す意》❶①生えているもの、はまっているものを引いて取り去り、後に穴を残す。「春の野に—・ける茅花(つばな)そ召して肥えませ」〈万一四六〇〉。「眼(まなこ)は—・いて取りたいぞ」〈天草本伊曾保〉②一部分を取り出す。「抄、ヌク・ヌキヅ」〈名義抄〉③取り除く。「一切衆生を導きて、苦を—・き、楽を与ふべきが故なり」〈諸神本懐集末〉④攻め落す。陥落させる。「人の城を—・く事はすみやかにせい」〈三略抄〉⑤だます。ごまかす。「人の目を—・きて、いつはり数へて商(あきなひ)などする時」〈三社託宣略鈔〉。「—・かれはせまいぞ」〈虎明本狂言・鏡男〉❷①穴を作って緒を通す。「紫の糸をそ我が搓(よ)るあしひきの山橘を—・かむと思ひて」〈万一三四〇〉②穴に物を通して固定させる。「さつ矢—・き筑紫の島を指して行く我は」〈万四三七四防人〉。「難波津に船を浮け居(す)ゑ八十楫(やそか)—・き水手(かこ)整へて」〈万四四〇八〉□二『名』①【緯】《「経(たて)」の対》機織(はたおり)の横にわたす糸。織物のよこ糸。「誰か織りけむ経—なしに」〈万一一二〇〉。「緯、沼岐(ぬき)、織横糸也」〈和名抄〉②【貫・貫木】家屋の柱と柱との間を横につらぬいて連繋する材。「銀(しろがね)の柱、瑪瑙の—、珊瑚の梁(うつばり)、琥珀(こはく)の棟木」〈伽・かくれ里〉 †nuki

ぬ・ぎ【脱ぎ】『四段』《奈良時代はヌキと清音。平安時代末には濁音》身に着けたものをはずし、また解きすてる。「わぎもこが形見の衣下に着て直に逢ふまではわれ—・かめやも」〈万七四七〉。「脱・袒、ヌグ」〈名義抄〉

ぬきあし【抜足】足を抜くように上げ、音を立てずに歩くこと。「我と知られじと、—に歩みのき給ふに」〈源氏末摘花〉

ぬきあは・せ ヌキアワセ【抜き合はせ】『下二』応戦のため、こちらも刀を抜く。「衛府の太刀なれども身(み)をば心得て造らせたるを—・せて、散散にこそ斬ったりけれ」〈平家四・信連〉

ぬきい・で【抜き出で】『下二』①抜いて中から出す。抜きだす。「剣刀(つるぎたち)鞘ゆ—・でて」〈万三三四〇〉②一部分を取り出す。えらび出す。「要を—・でて、少少記し侍りし」〈教訓抄七〉③他に卓越させる。ぬきんでる。「たとひ志を—・でて社檀に詣づとも」〈諸神本懐集末〉 †nukiide

ぬきい・れ【貫き入れ・抜き入れ】『下二』①輪を通してはめる。「鞭(むち)手に—・れて」〈今昔二七ノ一三〉。「黒木の数珠(じゅず)手に—・れておはします」〈平家一二・六代〉②袖から手を内に抜いて懐に入れる。「天然寒き時には、手を—・れて居るべきが」〈四河入海一八ノ一〉 —**で**【抜入手】袖から手を抜いて懐に入れること。また、その手。ふところで。「抜入れ袖」「ぬきれ手」とも。「二人の者は—で見るぞ」〈湯山聯句鈔上〉

ぬきうち【抜打ち・抜討ち】刀を抜くと同時に切りつけること。「髭切(ひげきり=太刀ノ名)をもって—にしとと打たれければ」〈古活字本平治中・義朝青墓に落ち着く〉

ぬきえもん【抜衣紋・抜衣文】衣服の襟(えり)を後方に押し下げ、襟足が見えるように着ること。抜襟。ぬけえもん。のけえもん。「退衣紋(のけえもん)、今は誤って—と言へり」〈松屋筆記九三〉

ぬぎかけ【脱掛】衣紋を押し下げること。肩脱ぎや抜襟など。「—や片方(かたへ)涼しき夏衣」〈俳・境海草上〉。〈日葡〉

ぬきぐし【抜櫛】髪を櫛で強く梳(す)き通すこと。「—に顔そむけしな貴(あき)の方」〈俳・花蒋上〉

ぬきさし【抜差】抜くことと差しこむことと。転じて、身動きすること。「角(つの)を茂りにひっかけて、—も叶はいで」〈天草本伊曾保〉。「茶屋の払ひは一寸のがれ、—ならぬ此の二百匁」〈近松・油地獄下〉

ぬきす【貫簀】竹で編んだ簀。手洗の水が自分にかからないようにする道具。「古人の食(た)へしめたる吉備の酒病まば(吐クト)すべなし—賜(たば)らむ」〈万五五四〉。「女の、手洗ふ処に—をうちやりて」〈伊勢二七〉 †nukisu

ぬき・て【脱き棄】『下二』《ヌキウテの約》脱ぎすてる。「穿沓(うけぐつ)を—・つるごとく」〈万八〇〇〉 †nukite

ぬき・で【抜き出】『下二』ぬき出す。「擢、ヌキヅ、取也」〈金剛般若経集験記平安初期訓〉

ぬきと・め【貫き止め】『下二』ちりぢりにならないように緒を通して綴る。つらぬきとめる。「—・むる秋しなければ白露の千草に置ける玉もかひなし」〈後撰三三五〉

ぬきぼ【抜穂】神饌の料として大嘗会の斎田の稲穂を抜き取ること。また、その穂。「国郡を卜定あって—の使を丹波国へ下さる」〈太平記二五・持明院殿〉

ぬきみ【抜身】①刀・槍などの鞘から抜き放った刀身。白刃。「面面—にて立ち騒ぎける」〈雲陽軍実記四〉②【貫実】蛤・浅蜊などの貝殻から取り出した肉。「蛤の—」〈西鶴・諸艶大鑑三〉

ぬきみだ・り【貫き乱り】『四段』貫いた緒を抜き取って、玉などを散らす。「—・る人こそあるらし白玉のまなくも散るか袖のせばきに」〈古今九二三〉

ぬきもの【抜物・貫物】綿入れの綿を抜いて袷(あはせ)にしたもの。綿抜き。その抜いた綿を抜出(ぬきで)綿という。「下に—の菜種色なるを着て」〈西鶴・諸艶大鑑五〉

ぬきを【貫緒】鎧の鉄板などを綴る緒。「其の鎧の—は悉に爛(ただ)り絶えぬ」〈肥前風土記〉 †nukiwo

ぬきん・で【抽んで】『下二』《ヌキイデの転》①抜いて中から出す。「抽刀、カタナヲヌキンヅ」〈温故知新書〉②他に卓越させる。「志をはげまし、忠節を—・でて軍功を極め」

〈保元中・白河殿へ義朝夜討ち〉。「抽・挺、ヌキンヅ」〈文明本節用集〉

ぬく【温】 愚鈍な者。のろま。ぬく助。ぬく太郎。「其のとき彼のおー、『いやとよ…緋羽二重と言はでは』と言へば」〈咄・一休関東咄中〉

ぬく・し【温し】『形ク』あたたかい。「あたたかなるをー・しといへる」〈名語記三〉。「温、ヌクシ」〈運歩色葉集〉。「温、ぬくい」〈日本風土記四〉

ぬくと・し【温とし】『形ク』あたたかい。ぬくい。「春雨過ぎて後のぬくとさ」〈俳・玉海集追加五〉。「家に居る時と同前にー・く候也」〈榎本彌左衛門覚書〉

ぬくぬく ①ずうずうしいさま。しゃあしゃあ。うまうま。「女中の勤めをして、ーと良い事をして」〈西鶴・浮世栄花三〉 ②できたてのさま。ほやほや。「夕呼んだーの〔花嫁ノ〕酌馳走也」〈雑俳・和国丸〉

ぬぐひうるし ヌグイ…【拭漆】 ざっと拭ったように漆を塗ること。「忍び車ーの艶(つや)抜きて」〈俳・雪之下草歌仙〉

ぬく・み【温み】『四段』暖まる。「すさまじや寝屋の埋み火みな消えて灰もー・まぬ暁の袖」〈伽・聖徳太子本地〉

ぬく・め【温め】『下二』暖める。「これにて少し腹をー・めて、息をつく」〈咄・昨日は今日下〉 **ーどり【温め鳥】** ①寒夜、鷹が脚を暖めるために小鳥をつかむこと。また、その小鳥。鷹は翌朝これを殺さずに放してやり、その日は小鳥の飛び去った方へは行かないといわれた。「鷹の取るこぶしの内のー氷る爪根の情をぞ知る」〈後京極殿鷹三百首〉。〈運歩色葉集〉 ②親鳥がひなを抱いて暖めること。「羽交(はがひ)の下のー、恩愛こそは哀れなれ」〈近松・百合若三〉

ぬくわか【温若】 愚鈍な若者。「如何にも源氏の末のー」〈俳・蛇之助〉

ぬ・け【抜け・貫け】『下二』《ヌキの自動詞形》 ①生えているもの、はまっているものが引き去られ、あとに穴が残る。「ありがたきもの。…毛のよくー・くるしろかねの毛ぬき」〈枕七五〉。「其の時に鷲…きと引きて踏まふれば、觜(くちはし)を呑みたりつる蛇(くちなは)の頭もー・けて離れぬ」〈今昔二九ノ三三〉 ②今ある状態から脱出する。「永く琰魔王界たる地獄餓鬼傍生の苦をー・け出ぬ」〈金光明最勝王経平安初期点〉 ③まわりより、とび離れてすぐれる。「いたくしづまり思ひあがれる気色、人にはー・けて、才(ざえ)なども事もなく」〈源氏若菜上〉。「馬居(むまゐ)・事柄、群(くん)にー・けてあっぱれ大将軍なり」〈保元中・白河殿攻め落す〉。「天性よき人の、心に入れて好むが、ー・けたる上手にはなる也」〈残夜抄〉 ④力などが消え失せる。「児(ちご)も法師もいかで驚かであるべき。腰やー・けたりけん」〈義経記五〉 ⑤智恵が欠ける。注意が不足する。「酒屋の親父、ー・けた息子を近付け」〈咄・当世咄揃三〉。「いかに美しくても、ー・けたる者は思ひ劣り」〈評判・朱雀遠目鏡上〉 **抜くる程** 徹底的に。「夕立やー降るさやの山」〈俳・崑山集六〉

ぬ・げ【脱げ】『下二』《ヌギの自動詞形》 身につけていたものがはずれる。外側を覆い包んでいたものがとれてしまう。「〔モテナシニ〕粟飯の糠(ぬか)をついて、肌皮のー・げたばかりの黒米の飯(いひ)を据ゑたぞ」〈玉塵抄四〉

ぬけい・で【抜け出で】『下二』 ①離れて出る。「山海錯峙(ぬけいで)で」〈沙門勝道歴山瑩玄珠碑平安初期点〉 ②高く現われ出る。「葦牙(あしかび)のー・でたるが如し」〈紀神代上〉 ③他のものにすぐれる。「世にー・でぬる人」〈源氏賢木〉 †nukeïde

ぬけがけ【抜駆け・抜懸け】 ひそかに味方の陣から抜け出し、先んじて敵に攻撃をかけること。「高橋又四郎、ーして独り高名に備へんとや思ひけん」〈太平記三・笠置軍〉

ぬけがら【抜殻・脱殻】 ①脱皮・脱魂などの結果、うつろとなって残った形骸。「汝等が魂は皆東国にこそあるらんに、ーばかり西国へ召し具すべき様(やう)なし」〈平家七・聖主臨幸〉。「空蟬・移蟬、これは蟬のー也」〈和歌集心体抄抽肝要下〉 ②形だけあって内容のなくなったもののたとえ。「花の発句に、花咲く植物〔ノ脇句ハ〕致さぬ事也。発句の花ーになる故也」〈梵燈庵返答書下〉 ③〔連俳用語〕句の表面に明示しないで、余意で暗示するような句作り、または付合(つけあひ)の方法。連歌・貞門俳諧では排斥されたが、談林俳諧では頻用された。「ぬき」「ぬけ」とも。「当世の嫌ひ物は、打着せ連歌、嚀付、一句のー、遠輪廻(とほりんゑ)」〈仮・竹斎上〉

ぬけく【抜句】 責任のがれのことば。逃げ口上。「抜け口」「抜け言葉」とも。「人の陰にて、短気は未練または損気也とーを言ふは、かへりて短気にて未練なより遙かに劣るべし」〈仮・他我身之上四〉

ぬけくび【抜首】 ときどき胴から抜け出て長く伸びるという首。ろくろ首。「ーの女房と知らず添ひ寝して」〈俳・四国猿〉

ぬけさく【抜作】 ①特にすぐれて素晴らしい物事。「さて踊の体(てい)、是れ世界のーなり」〈評判・朱雀諸分鑑下〉 ②愚鈍な者の擬人名。抜作左衛門。抜蔵。抜様。「ーの男…いづくにてか取られけん、脇差の身を抜いて取られ」〈咄・当世口真似笑三〉

ぬけざや【抜鞘】 ー持たん (喧嘩などの)加勢をしよう。尻押ししよう。〈俳・毛吹草三〉

ぬけしう（シュウ）**【抜州】** ①魂が抜ける程の美貌の者。抜者。「かかるーに馴れはせでと」〈評判・可盃〉 ②愚鈍な者。抜作。抜太郎。「又一人ー〔ガ居テ〕」〈評判・難波の顔三〉

ぬけ・で【抜け出】『下二』《ヌケイデの約》 離れる。「地獄餓鬼傍生の苦を抜(ぬけ)でぬ」〈金光明最勝王経平安初期点〉

ぬけに【抜荷】 密貿易。抜買・抜商・抜荷密買ともいう。また、それによって得た物品。抜買荷物。抜荷物。「唐船持渡りの諸色(しよしき=諸品)ー仕り、売買の者今以て相止まず、不届きに候」〈御触書寛保集成三五、享保三・六〉

ぬけぬけ【抜け抜け】 ①目立たないようにこっそりと抜け出すさま。また、少しずつひそかに行動するさま。「先駆けの兵(つはもの)ども、ーに赤坂の城へ向って討死する由」〈太平記六・赤坂合戦〉。「兵衛佐の郎従どもをば、かねて皆ーに鎌倉へ遣はしたり」〈太平記三三・新田左兵衛佐〉 ②いかにも抜けているさま。頭の働きがにぶく、他にだまされるさま。「蚯(うき)ーとして帰りぬ」〈沙石集五ノ八〉 ③あつかましいさま。また、しらばくれているさま。「嘘ばかりーと云うて」〈評判・難波鉦三〉。「いつもの食時分に行きければ、食ひしまひたる跡なれば、面目なげにーとして帰りぬ」〈仮・堪忍記五〉

ぬけぶね【抜船】 ①番を定めて役目を持っている舟を、臨時に他の用に使うこと。「二千里のーと見ん空の月」〈俳・難波千句〉 ②遊客が、約束していた相手の遊女または友人を出し抜いて、他の遊女に逢うこと。「ー。抜船遣ふとも言ふ。抜駆けと同事なり」〈色道大鏡一〉 ③対朝鮮密貿易をいう。「喜三郎。…朝鮮国へ相渡り候節…此の者何方よりもーの分けまへも取り申さず」〈犯科帳寛文七年〉

ぬけまゐり【抜参り】 もと、参宮を許されなかった庶民がこっそり伊勢神宮に参詣すること。後に誤って、夫・親・主人に無断で、妻・子・奉公人が参宮する意となった。抜参宮。「慶安四卯年三月十日時分より、江戸町中の十二

三歳の子、伊勢参宮—にて仕り候」〈榎本氏覚書〉

ぬさ【幣】 ①神に祈る時のささげ物。また、罪けがれを祓(はら)うためのささげ物。主として木綿(ゆふ)・麻を使ったが、後には布・帛(はく)・紙などを使うこともあった。「佐保過ぎて奈良の手向(たむけ)に置く—は妹を目離(か)れずあひ見しめとそ」〈万三〇〇〉。「—とは、神に奉る絹なり」〈能因歌枕〉 ②《旅立つ人に途上の道祖神に手向ける(1)を贈ったことから》餞別。はなむけ。「陸奥守平よりすけ朝臣の下るに、—の洲浜の鶴の羽に書ける〔歌〕」〈貫之集七〉。「旅に行くには扇を—にする也」〈宗牧独吟注〉

ぬさぶくろ【幣袋】 道祖神にささげる幣を入れた袋。「いろいろこぼれ出でたる御簾(みす)のつま透影(すきかげ)など、春のたむけの—にやとおぼゆ」〈源氏若菜上〉

ぬし【主】 〔一〕『名』《「…の主人(うし)」のつづまった「…ぬし」が独立して名詞となったものか》 ①主人・主君の敬称。「我が大国—、汝こそは男(を)にいませば」〈記歌謡五〉 ②主となって事を行なう人。「意富多多泥古(おほたたねこ)の命を以て神主(かむぬし)として御諸山に意富美和(おほみわ)の大神の前を拝(いつ)き祭る」〈記崇神〉 ③《自分に対して主人の位置にあるものとして扱う意から》人・相手の敬称。「吾(あ)が—の御魂(みたま)たまひて春さらば奈良の都に召上(さめ)げたまはね」〈万八八二〉。「まらうどの—」〈源氏浮舟〉 ④所有者。持主。「—知らぬ香こそにほへれ秋の野に誰が脱ぎかけし藤ばかまぞも」〈古今二四一〉 ⑤夫。「たれぞ此の—ある人を呼子鳥声のまにまに鳴きわたるらん」〈古今六帖五〉。「—ある俺を何とかせうか」〈閑吟集〉 ⑥本人。当人。「さるべきやう候はず。—を御使にてこそ仰せ候はめ」〈問はず語り二〉 ⑦山河や湖沼に古くから住み、霊力があるといわれる動物。「この沼の—」〈沙石集七ノ八〉 〔二〕『代』《敬意をこめていう》 ①二人称。あなた。「奴(やっこ)とそ吾(あれ)はありける—の殿門(とど)に」〈万四一三二〉 ②三人称。あのかた。近世、多く遊女が用いた。「—がでに(アノ方自身デ)目鏡も当てず、いろいろ好み書きして、判を据ゑさせ」〈浮・好色小柴垣二〉

—ある詞(ことば) 〔歌論用語〕所有者のある詞の意。歌の名人が詠んだ歌句で、後の人には禁制の詞。「一句なれども—を嫌へる、二代の訓説明らかなり」〈源承和歌口伝〉

ぬし【塗師・塗士】 《ヌリシの転》 漆細工の職人。漆工。「ぬっし」とも。「—の平六の宿は是にて候ふか」〈虎明本狂言・塗師〉。「塗士、ヌシ」〈饅頭屋本節用集〉

ぬしがら【主柄】 作った人の品位。作者などの人がら。「和歌は—なむをかしさはまさる」〈栄花輝く藤壺〉

ぬしさま【主様】 近世、女が男を敬って呼ぶ語。「—とわしが間は、よもさけじ」〈近松・曾根崎心中〉

ぬしづ・き【主付き】 『四段』《主(ぬし)として付く意》 持主となる。自分の所有とする。「この尼、ともにさせる住所もなくて、浮かれありく尼なれば、おのおの一つづつ〔空地ヲ与エラレテ〕—・きつ」〈雑談集四〉

ぬしどの【主殿】 お前さん。同輩以下に対して用いる。「いかに—は拝み奉るや」〈宇治拾遺一〇四〉

ぬすだ・ち 『四段』 ひそかに飛び立つ。鷹狩の用語。「霰ふる交野の御野の小夜衣—・つ鳥を知らぬ若鷹」〈鷹三百首和歌〉。「—・つと云ふ事あり。是は、鷹に追はれて疲れたるが、山陰・物陰などにて、犬に跡を隠さむために少し飛びて行くを云ふ也」〈禰津松鷗軒記〉

ぬすびと【盗人】 《ヌスミヒトの転》 ①こっそり他人の物を奪う者。どろぼう。「—のほれる穴より入りて見えけむ」〈万三一八〉 ②人をののしっていう語。「かぐや姫てふ大—」〈竹取〉 †nusubitö

—あめ【盗人雨】 こっそり音もなく降る雨。「音もせぬ—の春の夜を誰が濡れ衣になさんとや降る」〈詠百首狂歌〉

—じゃうど(ジョウド)**【盗人上戸】** 大酒を飲んでも顔や姿に酔いが出ないこと。また、その人。「世は紅葉—や峰の松」〈俳・坂東太郎下〉

—猛猛(たけだけ)し 盗みなどの悪事をしながら、ずぶとくしゃあしゃあとしている態度をののしることば。「ヤアア、—・しく、そのざまになってさへ、まだ惣嫁(そうか)めをいたはるか」〈近松・女腹切上〉。

—に追ひ 《「追ひ」は追銭の意》 盗人にさらに金を与えてやるようなものだという意で、損をした上にさらに損を重ねるたとえ。「盗人に追銭」とも。「—といふ事も、この時よりも始まりけれ」〈天正本狂言・盗人連歌〉

—の昼寝 盗人が夜活動するために昼寝する意で、他人には理解できない行動でも、当人には明白な目的があっての行為であるたとえ。「花を吸ふ蝶も—かな」〈俳・細少石二〉。〈俳・世話尽二〉

ぬすま・ひ(ヌスマイ)**【盗まひ】** 『四段』《ヌスミに反復・継続の接尾語ヒのついた形。→ひ》 くり返し盗む。盗み続ける。「山川に筌(うへ)をし伏せて守(も)りあへず年の八歳(やとせ)を吾が—・ひし」〈万二八三二〉 †nusumaFi

ぬす・み【竊み・偸み・盗み】 〔一〕『四段』《他人に気づかれぬように、他人のものを自分のものにする意》 ①こっそり…する。「己(おの)が命(を)を—・み殺(し)せむと」〈記歌謡二二〉。「夜中ばかりに…人二三人ばかりして—・まれ出でさせ給ふ」〈栄花浦浦別〉 ②他人の知らぬうちに、他人のものを自分のものとする。「人の娘を—・みて、武蔵野へ率(ゐ)てゆくほどに」〈伊勢一二〉 ③無断でそっくりまねする。「岡の屋に行き交ふ船を眺めて満沙彌が風情を—・み」〈方丈記〉。「上手の連歌をば一度なりとも—・み候ては、道の外の越度第一なるべし」〈初学用捨抄〉 〔二〕『名』 盗むこと。盗む人。「—をし、人を殺し」〈バレト写本〉。「この月、—に逢ひ大損あるか」〈古今八卦大全三〉 †nusumi

—あひ(イアイ)**【盗み逢ひ】** 他の客が揚げている遊女と密会すること。「—と申す事に定めぬ」〈西鶴・一代男七〉

—に【盗みに・竊みに】 『副』 人に知られず。秘密に。さりげないふうをして。「其の天師の像は—如来に類せり」〈大唐西域記三・長寛点〉。「初霜のおきのこしたる白菊を露や—うつろはすらむ」〈散木奇歌集秋〉

ぬた ①沼地。「おくろ崎—の根蓴(ねぬなは)踏みしだきひもゆふましに蛙鳴くなり」〈散木奇歌集夏〉 ②泥。泥土。「君恋ふと猪(ゐ)の刈る藻より寝ざめしてあみける—にやつれてぞふる」〈夫木抄二七・猪〉。「—は泥の事を云ふぞ」〈玉塵抄一四〉 ③魚肉・野菜などを酢味噌であえた料理。「此の度は—に取りあへよ紅葉鮒」〈俳・毛吹草一〉 ④しまりがなく、だらしないさま。ゆるくたるんでいるさま。「あまり—ではぞ。美しう流麗にするぞ」〈山谷詩抄序〉。「行は—なよりは、きぶいがよいぞ」〈周易抄四〉 ⑤ぐうたら。怠惰。「—に骨をも折らぬ者には〔酒ヲ〕飲ませぬぞ」〈玉塵抄四四〉。「坐禅工夫もせず、勤行に—なる者はなにとあらうぞ」〈百丈清規抄三〉

ぬたう・ち【ぬた打ち】 『四段』 ①猪が泥土に臥しころがる。「恋をして臥す猪(ゐ)の床(とこ)はまどろまで—・ちさます夜半の寝ざめよ」〈夫木抄二七・猪〉。「家(ゐのこ)は山の中にゐて、—・つとて、土を身に塗って、夏、あぶ蚊にくらはれじ用心をするぞ」〈周易抄四〉 ②だらしなく寝ころがる。「—・つ泥だらけな豚にならうずものを」〈史記抄一〇〉 ③あなどる。軽んずる。「事を広く欲しいままに云へば、これは何でかあらう、—・ちて、我をあなづりて云ふと思ふぞ」〈史記抄一〇〉

ぬたく・り 『四段』 泥の中をくねりまわる。「みみず殿泥の中のみ—・りて」〈俳・犬筑波〉

ぬたはた【鮐】 鹿の角の表面の波紋。ぬた。ぬため。「鮐、沼太波太(ぬたはた)、角上浪也」〈和名抄〉

ぬためのかぶら【鮐目の鏑】 ぬためのある鹿の角で作った鏑矢。「ぬため」は「ぬたはた」に同じ。「薄切斑(うすぎりふ)に鷹の羽はぎまぜたる―をぞ差し添へたる」〈平家一一・那須与一〉

ぬち 『連語』《ノウチの約》…の内部。「梳(くし)も見じ屋―も掃かじ草枕旅行く君を斎(いは)ふと思(も)ひて」〈万四二六三〉

ぬっくり ①あたたかなさま。ぬくぬく。「嫁の手織を―と着る」〈雑俳・住吉みやげ〉 ②何げないさま。平気なさま。また、そしらぬふりをするさま。ぬっけり。「―と雪舟(そり)に乗ったる憎さかな」〈俳・曠野上〉。「―と。さりげなく」〈詞葉新雅〉 ③首尾よく事を行なうさま。うまうま。「本国に帰り、―と両替〔屋〕の跡を取り」〈浮・連三味線五〉 ④沢山あるさま。たんまり。「―と持って居らるる程はある」〈雑俳・雲鼓評万句合元文二〉

ぬっぺらぼん つかみ所のないさま。のっぺらぼう。ぬっぺらぼう。ぬぺらぼん。「霞では／―のこの世界」〈雑俳・住吉踊〉

ぬっぺり ①そしらぬふりをするさま。ぬっくり。ぬけぬけ。「有りもせぬ名に、又良き口を以て―と言へば」〈仮・見ぬ京物語上〉 ②小綺麗だがしまりのない顔つき。のっぺり。「茗荷喰うたる顔の―」〈俳・一幅半上〉

ぬっぽり ①そしらぬふりをするさま。ぬっくり。ぬけぬけ。「数年―と親をよう欺したなア」〈近松・振袖始三〉 ②うすのろ。ぼんやり。間抜け。のっそり。「―の豊成には随分と取り入って」〈浄・当麻中将姫三〉

ぬて【鐸】《ヌリテの転》 鈴の大型のもの。「百伝ふ―ゆらくも」〈記歌謡一一〉 ▽nurite→nurte→nutte→nute

ぬなかはワ…カ**【渟名川】**《ヌは玉、ナは連体助詞》 空想上の川。天上にあるという説もある。また、越後国姫川支流、摂津国住吉神社付近の川などともいう。「―の底なる玉」〈万三二四七〉

ぬなた【渟浪田】《ヌは沼、ナは連体助詞》 水田。「―の稲を用(も)て飯(いひ)に為(かし)きて」〈紀神代下〉

ぬなと【瓊音】《ヌは玉、ナは連体助詞》 玉の音。「―ももゆらに(ジャラジャラト)天の真名井に振り滌(すす)ぎて」〈記神代〉 †nunatö

ぬなはヌナワ**【蓴】** ジュンサイ。沼などの泥に根をおろし、まるい葉を水面にうかべる。初夏の日中、紫紅色の花が咲く。若芽は食用。水にただようさまを心のゆれるたとえに使う。「我が心ゆたにたゆたに浮き―」〈万一三五二〉

ぬなゐ【渟名井】《ヌは玉、ナは連体助詞》 聖なる水の湧き出る井、また泉。「天(あま)の―に濯(すす)ぎ浮く」〈紀神代上〉

ぬの【布】 絹に対し、植物の繊維で織った織物の総称。麻・苧(からむし)などの繊維を使った。「棚機(たなばた)の五百機(いほはた)立てて織る―の」〈万二〇三四〉。「―四千段…絹四百匹をわかちて」〈源氏若菜上〉。「布、沼能(ぬの)、織二麻及紵一為レ帛也」〈和名抄〉 †*nuno

ぬのかたぎぬ【布肩衣】 布で作った袖なし。下層民の着るもの。「綿もなき―の、海松(みる)のごとわわけ(ヤブレテ)さがれる」〈万八九二〉 †nunokataginu

ぬのきせ【布着せ】 漆塗りの一種。木地に麻切れをかぶせ、その上に漆を塗る堅牢な仕立て方。また、そのようにして作った漆器。堅地塗(かたじぬり)。「滝の白波―の山」〈俳・大矢数五〉。「此の後家の堅い事、―の岩に粉糞(こくぞう)かうた(詰メタ)如く」〈浮・野白内証鑑二〉

ぬのきぬ【布衣】 布で作った着物。「荒栲(あらたへ)の―をだに着せがてにかくや嘆かむせむすべをなみ」〈万九〇一〉。「毛をもて作れるは褐(ぬのきぬ)なり」〈法華経玄賛平安初期点〉 †nunokinu

ぬのこ【布子】 ①麻布の袷(あはせ)または綿入れ。「人の小袖を着る処で―を着るを倹の義なり」〈老子経抄〉 ②木綿の綿入れ。「かちん染の―」〈西鶴・一代男三〉

ぬのさうじ…ソウ…**【布障子】** 布で張った襖(ふすま)。「―張らせて住まひたる」〈枕一七七〉

ぬのひき【布引き】 ①さらすために布を引き張ること。「久かたのあまつをとめが夏衣雲居にさらす―の滝」〈新古今一六五二〉 ②平安時代、相撲の節会などで、布を互いに引き合って勝負をすること。「ほで(相撲ノ上手ナ者)出で来て―などするに」〈宇津保俊蔭〉 ③布を引いたように、一つづきにつづいているさま。「参詣の貴賤―なりけるが」〈太平記二三・土岐頼遠〉

ぬのびゃうぶ…ビョウ…**【布屛風】** 布で張った屛風。田舎風なものとされた。「いやしげなるもの。…―の新しき」〈枕一四九〉

ぬばかま【奴袴】「指貫(さしぬき)」に同じ。「公卿殿上人は―の稜(そば)を取り」〈盛衰記三三〉

ぬばたまの 〔枕詞〕「ぬばたま」は黒い珠。また、黒いヒオウギの実ともいう。「黒」「夜」「宵」、夜に関係ある「月」「夢」などにかかる。「―黒き御衣(みけし)を」〈記歌謡四〉。「―夜は出でなむ」〈記歌謡三〉。「―今宵の雪に」〈万一六四六〉。「―月に向ひて」〈万三九八八〉。「―夢に見えつつ」〈万六三九〉 †nubatamanö

ぬは・れ 『下二』 物かげにかくれひそむ。「藤袴ほころびわたる野辺にこそ―・れて伏せる鶉鳴くなれ」〈実家卿集〉。「畔を伝ひ、藪を潜って、とある畔の陰に―・れ伏し」〈太平記九・久我畷合戦〉

ぬひ【奴婢】《室町時代にはヌビ》 ①令制における賤民身分。「奴」は男、「婢」は女。官有か私有かによって公奴婢・私奴婢の別があり、身分的に最も低いものとされた。「公私の―民間に亡(に)げ匿(かく)れ」〈続紀文武二・七・七〉 ②下男と下女と。召使。「わが身を―とするにはしかず」〈方丈記〉。「奴婢、ヌビ、下人」〈黒本本節用集〉

ぬ・ひヌイ**【縫ひ】**『四段』 ①針に糸を通して布などを刺しつづり、着物などを作る。「衣に―・ひて君待つ吾を」〈万二〇六四〉 ②編んで作る。「うぐひすの―・ふといふ笠は…梅の花笠や」〈催馬楽青柳〉 ③刺繡をする。「藤の村濃(むらご)の打敷(うちしき)に折り枝―・ひたり」〈源氏宿木〉 ▽朝鮮語 nup(縫)と同源。 †nuFi

ぬひくく・みヌイ…**【縫ひ含み】**『四段』 中に縫いこめる。「衣の襟に尊勝陀羅尼を―・み持ち給ふ」〈宝物集中〉

ぬひしろヌイ…**【縫代】** 布などを縫い合わせるとき、その端の縫込みにする部分。「布の長さは…四尺九寸也。但し端の―まで也」〈北野社家日記延徳二・一・一四〉

ぬひどのヌイ…**【縫殿】** 縫殿寮(ぬひどののつかさ)にあって裁縫をつかさどる所。「中宮などには、―より御薬玉とて、色色の糸を組み下げて参らせたれば」〈枕三九〉 **―のぢん【縫殿陣】** 兵衛府の陣のあった朔平門の異称。縫殿寮に面しているのでいう。「其の勢わづかに三百余騎、北の門、―をかため給ふ」〈平家一・御輿振〉 **―のつかさ【縫殿寮】** 令制の官司の一。中務省に属し、女王・命婦・宮人の名簿・考課などを管理し、また、衣服の裁縫、組紐のことを扱う。「是より先、内蔵寮人の死穢あり。仍ち、勅して、―より進発せしむ」〈三代実録貞観三・四・一七〉。〈和名抄〉

ぬひのつかさヌイ…**【縫司】** 後宮十二司の一。衣服の裁縫、組紐のことをつかさどり、紡織などの仕事、女官の参仕のことなども管理する。「―。尚縫(ぬひのかみ)一人…典縫(ぬひのすけ)一人…掌縫(ぬひのじやう)四人」〈後宮職員令〉

ぬひはくヌイ…**【縫箔・縫薄】** 絹布に刺繡し、所所に金銀の箔を摺りつけたもの。近世初期、婦女の小袖とし、礼服に用いた。「五色の地に四季の花鳥を、唐織・浮織・立紋・ーなどにして」〈太閤記二一〉 **ーや**【縫箔屋】縫箔を職業とする家。また、その職人。暖簾(のれん)に松を画いて看板とした。「ーねたしや花に四方の山」〈俳・坂東太郎上〉

ぬひはり：ヌイ【縫針】針仕事。裁縫。「御召し物のーをもさせられ」〈伽・おようの尼〉

ぬひぼとけ：ヌイ【縫仏】刺繡で仏の像をあらわしたもの。「御仏は、極楽浄土をーにせさせ給ふ。御経は金泥」〈栄花鶴林〉

ぬひめ：ヌイ【縫目】縫い合わせた部分。縫い合わせた糸目。転じて、縫い方。「年の経ば見つつ偲へと妹が言ひし衣のー見れば悲しも」〈万二九六七〉。「七僧の法服など、すべて大方の事どもは、皆紫の上せさせ給へり。綾のよそひにて、袈裟のーまで、見知る人は世になべてならずとめでけり」〈源氏鈴虫〉 †nuFimë

ぬひもの：ヌイ【縫物】①衣服などを縫うこと。また、仕立物。「旅にてはーやあらむとする」〈落窪二〉 ②【繡】縫取り。刺繡。「むつかしげなるもの。ーの裏」〈枕一五五〉

ぬひもん：ヌイ【縫紋】①刺繡した模様。「ーに立ちぬる雲や見せぬらん」〈俳・難波風〉 ②刺繡した紋所。「ーを乳を呑み呑みむしるなり」〈雑俳・万句合宝暦一〇〉

ぬべ・し『連語』《完了の助動詞ヌに推量の助動詞ベシのついたもの》完了した結果を推量し、また強調する。…てしまうであろう。「妹(いも)が見し樗(あふち)の花は散りー・しわが泣く涙いまだ干なくに」〈万七九八〉 †nubësi

ぬべみ『連語』《ヌベシのヌベに、理由をあらわす助詞ミのついたもの》…てしまいそうなので。「秋萩を散り過ぎー手折り持ち」〈万三二九〇〉 †nubëmi

ぬほこ【瓊矛】玉で飾った矛。「天のーを以て指し下(おろ)して探(かきさぐ)る」〈紀神代上〉 †nuFökö

ぬま【沼】湖の小さいもの。「ー二つ通(かよ)は鳥が巣」〈万三五二六東歌〉。「ーとは、流れぬ水の深くたまれるをいふ」〈能因歌枕〉 ↓ぬ

ぬまたらう：ウロ【沼太郎】雁鴨目の大形の鳥、菱喰(ひしくい)の一種。恵登(とえ)菱喰。「広沢やひとり時雨るるー」〈俳・猿蓑上〉

ぬみ【要・要害】①険しい水陸による要衝の地。「両国の境に大きなる江水(はか)有り。ーの地(ところ)なり」〈紀欽明五年〉 ②物事の枢要な点。「事機(ことはかり)のーとする所を相謀るべからくのみ」〈紀天智二年〉

ぬみぐすり ①シャクヤクの古名。「芍薬、和名衣比須久須里、又沼美久須里(ぬみぐすり)、薬草可レ和レ食」〈和名抄〉 ②クコの古名。「枸杞、和名奴美久須利(ぬみぐすり)、俗音久古」〈和名抄〉

ぬめ【絖】《ヌメリ(滑)と同根》絹織物の一。地薄く表面滑らかで光沢に富む。絵絹などに用いる。「黒い綸子のーの蛇」〈俳・独吟廿歌仙上〉

ぬめ・り【滑り】㊀『四段』①ぬるぬるとすべる。「泥濘は泥土のー・る事ぞ」〈杜律五言鈔一〉。「忽滑、ヌメル」〈饅頭屋本節用集〉 ②色っぽくふるまう。「余所目はいかにー・る若僧」〈俳・鷹筑波二〉 ③うかれ歩く。遊蕩する。「夢の浮世をー・ろやれ」〈仮・恨の介上〉 ㊁『名』ぬるぬるとしてなめらかなさま。また、ぬるぬるとした液。「顔はーと色白く瓜実顔にして、眉もなく鼻もなく」〈義残後覚三〉。「道筋には丸太を敷きて、其の上に荒布(あらめ)を巻かせてーをもって〔修羅車ヲ〕やりにけり」〈室町殿日記一〇〉 **ーちゃう**：ヨチウ【滑町】遊里。「見知ったと言ふ声あなりー」〈俳・信徳十百韻〉 **ーぶし**【滑節】遊里をひやかして歩く時に口ずさむ小唄。ぬめりうた。「ふけ田なる蛙の歌やー」〈俳・馬鹿集四〉

ぬらく《完了の助動詞ヌのク語法》…たこと。「君が手もいまだ枕(ま)かねば夜の深けー」〈万二〇七一〉

ぬらくら 怠けてしまりのないさま。のらくら。ぬらりくらり。「小児の悪利根(わるりこん)にして、分(わけ)もなくーとして日を送るやうなる者を無頼子といふ」〈杜律集解詳説五言六〉

ぬら・し【濡らし】㊀『四段』《ヌレの他動詞形》濡れるようにする。「朝戸出の君が足結(あゆひ)をー・す露原」〈万三三五七〉 ㊁『名』人の喜ぶように言い聞かせること。また、そのことば。「ー功者也」〈評判・剃野老〉

ぬら・し『連語』《完了の助動詞ヌに推量の助動詞ラシのついたもの》…たらしい。「さ夜中と夜は深けー・し」〈万一七〇二〉

ぬらり なめらかなさま。「脚に何もはかいでーとしたを赤脚など云ふ」〈漢書竺桃抄〉。「昔の如く、歌ーと詠むことならぬとも見ゆる」〈耳底記〉 **ーひょん** ぬらぬらしてとらえ所のないさま。また、そういうもの。化物の一種の名称にもいう。「ー(瓢ト掛ケル)の花見は散ってすげもなし」〈俳・落穂集三〉

ぬ・り【塗り】『四段』《ヌレ(濡)と同根か》①物の表面に、塗料・顔料などを一面になすりつける。「母(おも)の乳汁(ちしる)をー・りしかば、麗(うるは)しき壮夫(をとこ)に成りて」〈記神代〉。「うるはしき屋を造り給ひて、漆をー・り」〈竹取〉 ②土・石灰などを塗って壇などを築造する。「ひんがしの放出(はなちいで)に修法の壇ー・りて」〈源氏夕霧〉。「この庭に…大きなる釜をー・り侍りつるを」〈発心集三〉 ③《特に》漆を塗る。「白箆(しらの)に節かげばかり少しー・って」〈太平記三・公家一統〉 ④自分の責任や罪を他人になすりつける。「馬祖は智蔵にー・り、智蔵は海兄にー・り、三人ながらー・り合うた」〈碧岩抄八〉

ぬりあしだ【塗足駄】漆塗りの下駄。特に近世前期では、台が楕円形の女下駄。塗下駄。塗木履(ぬりぼくり)。「〔山門〕堂衆、長絹衣・ーの事」〈葉黄記寛元四・閏四・八〉。「女のはけるーには漆べらも取り付くと云ひ伝へ侍る」〈俳・それぞれ草上〉

ぬりうちは：ウチワ【塗団扇・塗団】両面漆塗りの網代(あじろ)団扇。「ー三本」〈金沢文庫古文書八、正安二・七・二四〉

ぬりがさ【塗笠】ヒノキの薄板を紙で張り、黒漆を塗った笠。「ー・手拭ひ頬かぶり、見物人になるもあり」〈若輩抄〉

ぬりごめ【塗籠】①寝殿造の室の名。壁で四方をかこみ、妻戸から出入りする。衣服・調度など手近な器具を納めて置く所。「我にもあらでーに押し入れられておはす」〈源氏賢木〉 ②「塗籠籐」の略。「弓は本重籐(もとしげどう)・ー・糸裏(いとつみ)等也」〈庭訓往来六月十一日〉 **ーたぎゃう**：ギョウ【塗籠他行】塗籠にかくれて、外出したといつわること。居留守。「ーといふ事も、この時よりこそはじまりけれ」〈虎明本狂言・塗師〉 **ーどう**【塗籠籐】弓の柄を籐ですきまなく巻き、その上を漆で塗りこめたもの。「黒漆(こくしつ)の太刀はき、黒津羽(くろづは)の矢を負ひ、ーの弓持って」〈平治中・六波羅合戦〉

ぬりしたぢ【塗下地】塗物の下地。「湯の山(有馬温泉)物香箱、ー用もやと給(た)び候」〈言継卿記大永七・三・二〉

ぬりだる【塗樽】両手のついた漆塗りの酒樽。柳樽。「柳に吹く風上戸にー」〈俳・胴骨〉

ぬりだれ【塗垂】家の造り方の名。庇(ひさし)を作り出して、外側の壁に土を厚く塗った家。「ーに妻も籠りて恙(がっつ)なし」〈俳・談林十百韻下〉。〈易林本節用集〉

ぬりつ・け【塗り付け】〘下二〙①塗ってつける。「血をあやして、この卒都婆に―・けて」〈今昔一〇ノ三六〉②罪や責任を他になすりつける。転嫁する。「誰に―・けんとて、かくほどに人を出だし抜かんとするぞ」〈著聞五九〉

ぬりて【鐸】《ヌテの古形》⇒ぬて。「縄の端に―を懸けて…入(ま)りては鳴らせ」〈紀顕宗一年〉。「鐸、奴利天(てぬり)」〈華厳音義私記〉

ぬりの【塗箆】矢の柄を漆で塗ったもの。「―に黒母衣(ろくろぼ)はいだる大の矢をもって」〈平家一一・弓流〉

ぬりべのつかさ【漆部司】令制の官司の一。大蔵省に属し、漆塗りのことを管轄。大同三年内匠(たくみ)寮に合併。「―。正一人…佑一人、令史一人、漆部二十人」〈職員令〉

ぬりまくら【塗枕】黒漆塗の木枕。「―のみ知らん睦言」〈俳・藤枝集上〉

ぬる・し【温し】〘形ク〙《ヌルヌルと同根》①なま暖かい。「琴酒を押垂(おしたり)小野ゆ出づる水―・くは出でず」〈万三八七五〉。「[焼イタ餅ヲ]焼き石のやうに御身に当てて持ち給へりけるに、―・くなれば」〈大鏡時平〉②するどさが足りず、にぶい。ぴりっとした所がない。また、のんびりしている。「心のいと―・きぞくやしきや」〈源氏若菜下〉。「御本性も父帝よりは少し―・くおはしましけれど」〈増鏡一〉。「長袖の―・き立ちふるまひを見なれて」〈咄・昨日は今日上〉③いい加減である。おろそかである。「はかばかしき方には―・く侍る家の風の」〈源氏若菜上〉。「―・くはとは、なほざりならばとなり」〈新古今注〉

ぬるぬる《ヌルシ(温)と同根》❶髪や蔓などがゆるみ抜けるさま。ずるずる。「入間道(いりまぢ)の大家(おほや)が原のいはゐ蔓(つら)引かば―吾(わ)にな絶えそね」〈万三三七八東歌〉❷【温温】①なま暖かいさま。「塩湯―として用ひ給へ」〈伽・福富長者物語〉②動きや反応がにぶいさま。のんびりしているさま。のろのろ。「―としてはなるまい。急に眼を着けよ」〈碧岩抄三〉

ぬる・み【温み】㊀〘四段〙①なま暖かくなる。水温などがやや上がる。「人恋ふる涙は春ぞ―・みける絶えぬ思ひのわかすなるべし」〈後撰五四七〉②体温がやや上がる。熱を持つ。「御身も―・みて、御心地もいと悪しけれど」〈源氏若菜下〉㊁〘名〙①流れなどのゆるやかな所。「今宵また浪の―に停めてけり興津島守舟迎へして」〈草根集六〉②温度の低い湯。ぬるま湯。ぬる湯。「―一つと望む六尺」〈俳・鄙懐紙〉③〔遊里語〕湯漬飯。「茶碗に湯漬出し、―と名付け」〈評判・寝物語〉

ぬるらか《ヌルはヌルシ(温)と同根。ヌルシの度合をやわらげたさま》きびしくないさま。ゆるいさま。「[娘ニ]かどかどしき故もつけじ、たどたどしくおぼめく事もあらせじと、―にこそ掟(おき)て給ふなれ」〈源氏常夏〉

ぬ・れ〘下二〙《ヌルシ(温)・ヌルヌルと同根》髪などがゆるんでほどける。「たけば(カキ上ゲルト)―・れたかねば長き妹(いも)が髪」〈万一二三〉

ぬ・れ【濡れ】㊀〘下二〙《ヌリ(塗)と同根か。湯・水・涙など水分が物の表面につく意。類義語ヒチは、物がとっぷり水につかる意》①水気がつく。「寄せ来る波に衣手―・れぬ」〈万三七〇九〉②水分にまみれる。「身において血に塗(ぬ)れ…悲しび哭きつつ」〈金光明最勝王経平安初期点〉③色事をする。情交する。「見るからそれと―・るる出女」〈俳・二葉集〉㊁〘名〙①ぬれること。ぬれたさま。「道の露けさもいと所せし。…殿におはせば、女君の、かかる―をあやしとがめ給ひぬべければ」〈源氏夕霧〉②色事。情事。色道。また、情交。「―。当世の名目なり。惚(ほれ)たる貌(かたち)なり。思ひ寄りたる風情を、しなし言ひなす処をさして言ふ」〈色道大鏡一〉

ぬれいろ【濡色】濡れた色。また、しめりやうるおいを帯びた色。「『五月雨にしをれつつ鳴くほととぎす―にこそ声は聞ゆれ』…左の歌『しをれつつ鳴く』などいへるはほどをかしく聞ゆるを、声はいかに―なるならむとぞ覚ゆれど、物の色をほむる時、―なりなどいふなるべし。又、声色(こわいろ)などいふこともあれば、などかさもなからむ」〈中宮亮重家朝臣家歌合〉

ぬれかか・り【濡れ掛かり】〘四段〙色っぽい様子をして誘惑する。色事を仕掛ける。「―・る心を合はせ手を合はせ」〈俳・山の端千句下〉。〈日葡〉

ぬれか・け【濡れ掛け】〘下二〙「ぬれかかり」に同じ。「身にしめて―・けられる痴話言葉」〈俳・寛永十三年熱田万句一九〉

ぬれぎぬ【濡衣】①濡れた衣服。「あぶり干す人もあれやも―を家には遣らな旅のしるしに」〈万一六八八〉②無実の罪や無根の浮名。「春雨に―着せて君をとどめむ」〈古今四〇二〉。「憎からぬ人ゆゑは―をだに着まほしがるたぐひもあなればにや」〈源氏紅葉賀〉 †nureginu

ぬれごと【濡事】①情事。情交。「昼の―は思ひもよらず」〈西鶴・一代女三〉②歌舞伎で、男女の情事の場面の演技。「―の開山、これに究まり」〈評判・野郎にぎりこぶし一〉

ぬれごろも【濡衣】①「ぬれぎぬ」(1)に同じ。「行く年を小島(をしま)のあまの―かさねて袖に浪やかくらん」〈新古今七〇四〉②「ぬれぎぬ」(2)に同じ。「―は、なほ、えほさせ給はじ」〈源氏夕霧〉

ぬれでのあは【濡手の粟】何の苦労もせずやすやすと大儲けするたとえ。濡手で粟。「ここら(日本)に―と云ふは、物のたやすい事に云ふか」〈玉塵抄一七〉

ぬれぬれ【濡れ濡れ】濡れているさま。「[頭ヲ]かいさぐるに、何となく―とありけるを」〈著聞四三九〉

ぬれねずみ【濡鼠】びっしょりと水に濡れた鼠。衣服を着たまま全身ずぶぬれになった人のたとえ。「まつげひげ涙にぬれん折ふしは―とや人の笑はん」〈伽・彌兵衛鼠〉

ぬれば【濡場】歌舞伎で、濡事を演じる場面。濡幕。濡事場。「[芸者]小春の―を見たら内へ帰るがいやになって」〈評判・役者花見幕江戸〉

ぬればうず【濡坊主】好色な坊主。「―強ひて折りぬる小藤かな」〈俳・太夫桜〉

ぬれば・み【濡ればみ】〘四段〙濡れているように見える。「鼻のさきは赤みて、穴のめぐりいたく―・みたるは」〈今昔二八ノ二七〉

ぬれひ・ち【濡れ漬ち】〘四段〙濡れてびっしょりになる。「降り降らずとの曇る夜は―・つと」〈万三七〇〉 †nurefiti

ぬれぶし【濡節】色恋を題材とした唄。「―やこれも他生の縁となる」〈俳・大坂一日独吟千句〉

ぬれぶみ【濡文】恋文。「―が法印様の御手に入り」〈近松・万年草中〉

ぬれもの【濡者】性的魅力に富んだ美貌の人。また特に、好色の者をいう。「すすり泣きには袖の―」〈俳・談林十百韻上〉。「―。色好む女をも云ひ、すぐれたる姿をも―」〈浮・好色伊勢一〉

ぬれわらぢ【濡草鞋】①濡れた草鞋。「―のままで、孤峰に『独宿の時如何(いかん)』と問ふほどに」〈扶桑再吟二〉②《旅先で濡れた草鞋を脱ぐ意から》旅先で初めて草鞋を解き世話になる家。また、その家の主人で、外来者の保証後見の役をする者。また、その外来者。「年神の―なり千代の宿」〈俳・功用群鑑下〉。「夜の雨に今朝来る春や

―」〈俳・犬子集一〉。「中村四郎五郎…元来―の古半四郎〔ノ〕芸の行き方を良く飲み込まれ」〈評判・二挺三味線京〉

ね

ね【子】 十二支の第一。年・日・時、また方角の名などに当てる。①時刻の名。いまの午後十一時から午前一時まで。「然して寝てある―の時に夢に見る」〈霊異記下三八〉②方角の名。北。「―は北の方なり」〈盛衰記三六〉〈色葉字類抄〉

ね【音】《ナキ(鳴・泣)のナの転。人・鳥・虫などの、聞く心に訴える音声。類義語オトは、はっきり聞える物のひびきや人の声など。コヱは、人の発声器官による音をいうのが原義》①声。「鶴(たづ)が―の悲しき宵は国辺し思ほゆ」〈万四三九九〉②楽器などの音。心に訴えてくるものをいう。「鈴が―の早馬駅家(はゆまうまや)の堤井(つつみゐ)の」〈万三四三九〉。「琴笛の―にも雲居をひびかし」〈源氏桐壺〉 **―に泣・く** 訴えるような声で泣く。「思ひ出でてねには泣くとも」〈万二六〇四〉 **―を入・る** 鳴き声または音を立てなくなる。「琵琶琴も世の騒ぎには―・れて」〈俳・塵塚(重徳編)下〉 **―を泣・く** 声を立てて泣く。悲しい声で泣く。「ねをそ泣きつる手児(てご=赤ン坊)にあらなくに」〈万三四八五〉。「女は船底にかしらをつきあててねをのみぞ泣く」〈土佐一月九日〉

ね【根】《ナ(大地)の転。大地にしっかりと食い込んでいるものの意》①植物の、地中に張って、幹を支える部分。「巻向(まきむく)の日代(ひしろ)の宮は…竹の―の―足(だ)る宮、木の―の―這(は)ふ宮」〈記歌謡一〇〇〉②起源。由来。根源。「愛著の道その―深く、源とほし」〈徒然九〉③《接尾語的に用いて》㋑大地にしっかり食い込んでいるもの。「岩―」「岩が―」「垣―」など。「名くはしき稲見の海の沖つ波千重に隠りぬ大和島―は」〈万三〇三〉㋺しっかりもとに食い込んでいるもの。「羽―」「眉―」など。「板ぶきの黒木の屋―は山近し明日の日取りて持ち参り来む」〈万七七九〉 **―を押・す** たしかめる。念を押す。「富士の―・して聞きたや子規(ほととぎす)」〈俳・名取川二〉。「物事の極まりを知り侍ることをば…片つ田舎人は、―・してなど云へり」〈俳・かたこと五〉

ね【値・直】 あたい。値段。「盗んだ物を安い―に引かれて買ひ取る事はならぬによって」〈コリヤード懺悔録〉。〈名語記二〉

ね【鼠】 ねずみ。「鼠(ね)い此の梯(はし)に縁りて上りて」〈金光明最勝王経平安初期点〉

ね【嶺】《ネ(根)と同根。大地にしっかり食い込んで位置を占めているものの意。奈良時代には東国方言になっていたらしく、独立した例は東歌だけに見える。大和地方ではミネという。類義語ヲ(峰)は稜線の意》大地に聳え立っている山。「高き―に雲のつくのす(ヨウニ)我さへに君に着きなな高―と思ひて」〈万三五一四〉。「我が面の忘れむ時(しだ)は国溢り―に立つ雲を見つつ偲はせ」〈万三五一五東歌〉 ▽「あだたらの―」「会津―」など地名と結合する例が多い。

ね『接尾』 親しい人を呼ぶにつける。男女ともにいう。「神沼河耳命(かむぬなかはみみのみこと)、其の兄、神八井耳命(かむやゐみみのみこと)にまをしく、な―(我ガ兄)、汝命」〈記神武〉。「小垣内の麻を引き干し妹な―が作り着せけむ白栲の紐をも解かず」〈万一八〇〇〉

ね【寝】『下二』《ナシ(寝)のナと同根》①横になる。臥す。「秋の夜の長きに一人寝(ぬ)るが苦しさ」〈万一六三二〉②共寝する。「ま愛(かな)しみ寝(ぬ)れば言に出(づ)」〈万三四六六〉③ねむる。「安眠(やすい)も寝(ね)ずて我が恋ひわたる」〈万三六三三〉④麹などが熟する。発酵する。「浜名納豆は…薦(こも)を蓋にして三日ばかり置きてみれば、よく寝(ね)申し候」〈料理物語〉→いね(寝) **寝た間(ま)は仏(ほとけ)** 誰でも寝ている間は極楽浄土の仏のように楽しい境地にあるの意。「寝た間は如来」「寝たが仏」とも。「身の楽や―今朝の雪」〈俳・桜川七〉 **寝ぬに夢・見る** あまり意外で全く信じられないたとえ。「酔の内や―・見る一夜酒」〈俳・細少石三〉 **寝よとの鐘** 人定(にんぢやう)の時刻に打つ鐘。人の寝しずまる時刻に四つ打ち鳴らした。「皆人を―は打つなれど君をし思へば寝(い)ねかてぬかも」〈万六〇七〉。「―の聞え来る空」〈宗長追善千句〉

ね『助』→基本助詞解説

ね『助動』①打消の助動詞「ず」の已然形。②完了の助動詞「ぬ」の命令形。

ねあはせ[:アワセ]【根合】 物合せの一。平安時代、五月五日の端午の節句に行なわれた遊戯。左右に分れて菖蒲(しやうぶ)の根の長さを競い、また、歌をよみ添えたりして勝負をきめた。菖蒲合せ。「あさて―し侍るを、いづかたにかよからむとおぼしめす」〈堤中納言逢坂越〉

ねいじん【佞人】 口先がうまくて、心のよこしまな人。人にへつらう者。「―を誇(そし)る歌」〈万三八三六題詞〉。「君―を用ゆるときんば禍殃(くわあう)を受く」〈天草本金句集〉。「佞人、ネイジン、意地の悪しき者を云ふ。心には思はねども人の機に合ふやうに表裏する人なり。媚(こ)びへつらふも皆―の事なり。口ききがましき者なり。よろづにねぢけたはけたる者をさして―と云ふ」〈和漢新撰下学集〉

ねいみ【子忌み】「子の日」にする遊び。初子(はつね)の忌み。「むつきの初子の日、―と云ひて、家を出でて野にいきて、ひねもすに居くらし」〈散木奇歌集春〉

ねいも【根芋】 ①芽生えを食用とする里芋。「生米(きごめ)の俵一つ、瓜籠(うりこ)一つ、―、品品の物給ひ候ひ畢んぬ」〈日蓮遺文浄蔵浄眼御消息〉②盆踊などの集団の踊りが解散すること。また、その時唱える詞。「京にては、踊の崩れるを―と言ふ」〈浮・好色四季咄三〉 ▽「寝いもせで迷(ま)よ)たえ」の歌詞によるか。〈譬喩尽三〉

ねい・り【寝入り】『四段』 深いねむりにはいる。ぐっすりねむる。「ふとも―・られ給はぬを」〈源氏若菜上〉 **―ばな【寝入端】** 寝入ったばかりの時分。熟睡し始めた時。「麹屋(かうぢや)は―とて起きまする」〈新撰狂歌集下〉。〈日葡〉

ねう[ニョウ]【鐃】《呉音》 中国から伝わった楽器の一。鈴に似て大きく、柄があり、中に銅の玉が入っていて、振って音を出すという。鐃鈸(ねうはち)と同じだとする説もある。「楽の声、簫(せう)・笛(ちやく)・琴(きん)・箜篌(くご)・琵琶・―・銅鈸(どうばち)をしらべ合はせたり」〈栄花鳥舞〉

ねうねう[ニョウニョウ]《擬音語》 猫の鳴き声。「来て、―といとらうたげに鳴けば」〈源氏若菜下〉

ねうはち[ニョウ:]【鐃鈸】 法会などの時に使う銅製の打楽器。銅拍子(とびやうし)の大きなもの。「時時(ときとき)―を打ち、旁旁(かたかた)画讃をとなふ」〈三宝絵下〉。〈文明本節用集〉

ねお・き【寝起き】 〔一〕『上二』 横になった体を起す。眠りからさめて起き上がる。「夜は風のさわぎに寝られざりければ、久しう―・きたるままに、母屋よりすこしゐざり出でたる」〈枕二〇〇〉。「日高う―・き給ひて」〈源氏若紫〉 〔二〕『名』 目ざめて起き上がること。「まだ―の顔」〈長恨歌聞書〉

ね

ねおどろ・き【寝驚き】『四段』はっと眠りからさめる。「七月ばかりいみじう暑ければ、よろづの所あけながら夜も明かすに、月の頃は—・きて見いだすに、いとをかし」〈枕三六〉

ねおひ(ネオイ)【根生ひ】生れ。家柄。素姓。「—より大名竹の子共かな」〈俳・毛吹草五〉

ねおび・れ【寝怯れ】『下二』睡眠中に恐ろしい夢などを見ておびえる。また、ねぼける。「若君の—・れて泣き給ふ御声に」〈源氏横笛〉。「三つばかりなるちごの—・れてうちしはぶきたるも、いとうつくし」〈枕一二〇〉

ねがはくは(ネガワク)【願はくは】『連語』《願ヒのク語法に、係助詞ハのついた形。願うことにはの意》なにとぞ。どうか。「庶(ねが)はくは此の教を長く懸けて、永く来者を済せむ」〈地蔵十輪経序・元慶点〉。「—わが子を守り助けて飢ゑ苦しむ事なからしめ給へ」〈三宝絵上〉

ねがは・し(ネガワシ)【願はし】『形シク』《願ヒの形容詞形》望ましく感じているところである。希望するところである。「汝(いまし)たち、おのおの—・しき物をまうせ」〈紀垂仁三十年〉。「いかめしき御よそひを待ち受け奉り給はむこと、—・しくも思すまじく」〈源氏若菜下〉

ねが・ひ(ネガイ)【願ひ】㊀『四段』《ネギ(労)と同根。神などの心を慰め和らげることによって、自分の望むことが達成されるような取計らいを期待する意。類義語イノリは、タブーとなっていることを口にする意。神の名とか仏の名号とかを口にして呼ぶのが原義》①神仏などに、望みをかなえてくれるように、ねんごろに頼む。「泡沫(みつぼ)なす仮(か)れる身そとは知れれどもなほし—・ひつ千歳(ちとせ)の命を」〈万四四七〇〉。「馬車に乗りて父君が慈山に遊ばむと欲(ねが)ひしものを、我が父君はいづれの国を指してか往きたまひにけむ」〈東大寺諷誦文稿〉②どうかして得たいと思う。乞い求める。「世の人の貴び—・ふ七種(ななくさ)の宝も我は何せむに」〈万九〇四〉③特に、長寿や恩恵や救済などをこいねがう。「さざれ石にたとへ、筑波山にかけて君を—・ひ」〈古今序〉。「後世(ごせ)を—・はば、世路(せろ)をいとなむが如し」〈一言芳談〉④専念する。志す。「自力の三心ひるがへし、如来利他の信心に通入せんと—・ふべし」〈浄土和讃〉㊁『名』①望みがかなうよう神仏を念ずること。祈願。「一度も名を唱ふるに罪をほろぼす—を満て給ふ」〈三宝絵上〉②願望。のぞみ。「ここに使はるる人にもなきに、—をかなふることのうれしさ」〈竹取〉③誓願。「われ世を救ふ—あり。願はくはしばらく御腹に宿らむ。我は救世菩薩(くせぼさつ)なり」〈三宝絵中〉 †negaFi **—のいと**【願ひの糸】七夕に、少女たちが機織(はたおり)の上達などを願って竿の先にかけ、織女星にそなえた五色の糸。「七夕を祭る心は一つにて—はおのが筋筋」〈為忠後百首〉

ねかへり(ネカエリ)【寝返り】寝ていて体の向きを転ずること。「反側とは—をするをいふぞ」〈湖鏡集〉。〈日葡〉

ねから【根から】『副』①根もとから。初めから。そのまま。「苦い瓜は—苦いなり」〈句双紙抄〉②《打消を伴って》全く。一向。少しも。ねっから。「—行くまい物でも御座らねど」〈評判・難波鉦一〉 **—葉から** 何もかも。何から何まで。いっさい。「根から底から」とも。「歌仙の俳諧…あらあらしなど〔ト批評サレテ〕…その我(が)の折りやう真実に—とぞ」〈俳・うちくもり砥〉

ねがら【音柄】《カラは生れつきの性質》音(ね)の本来の品。「深き手ならねど、物の—の筋殊なるものなれば、聞きにくくも覚されず」〈源氏末摘花〉

ねき【根際】①そば。かたわら。ふち。「消ゆるこの垣根の—か残る雪」〈俳・口真似草一〉②麓。「ねぎは」とも。「河内にて東の山の—…これを〔奪イ〕取る」〈多聞院日記天正一〇・七・七〉

ね・ぎ【祈ぎ・労ぎ】㊀『上二』①神などの心を安め和らげて、その加護を祈る。「和魂(にきみたま)を—・ぎて、王船(みふね)の鎮(しづめ)としたまふ」〈紀神功摂政前〉②慰労する。ねぎらう。「天皇(すめら)朕(わ)がうづの御手もちかき撫(な)でぞ—・ぎたまふ」〈万九七三〉。「喧、トブラフ・ネグ」〈名義抄〉㊁『名』【禰宜】《神の心を慰め和らげ祈請の事にあたる者の意》神職の一。通常、宮司または神主の次、祝(はふり)の上に位した。「太神宮(おほみかみのみや)の—・祝に大御物(おほみもの)たまふ」〈続紀宣命二四〉。「こころゆくもの。…寺は法師、社は—などの、くらからずさわやかに、思ふ程にも過ぎて滞らず聞きよう申したる」〈枕三一〉 †negi

ねぎごと ①【祈事】祈願する事。願い事。「—をさのみ聞きけむ社こそはてはなげきのもりとなるらめ」〈古今一〇五五〉②【労事・労言】慰める事。また、慰めることば。「志深き私の—に靡き」〈源氏若菜下〉

ねぎら・ひ(ネギライ)【労ひ】『四段』《ネギはネギ(祈・労)と同じ》相手の労苦を慰め、それに感謝の意を表わす。「幷せて五十許の人、朝堂に奉進(たてまつ)る。…十九日、賜労(ねぎら)ふ」〈紀斉明六年〉。「犒、ネギラフ、饗応詞也」〈色葉字類抄〉

ねくさ・り【寝腐り】『四段』①腐る。「うどんの粉を—・らせぬは、鉄(くろがね)を入れて置く也」〈多聞院日記永祿二・五・二一〉②寝る。ののしっていう語。「この夜着蒲団に、今の奴が—・るはず」〈近松・万年草中〉

ねくた・れ【寝腐れ】㊀『下二』《クタレはクサレ(朽・腐)の子音交替形》寝てしどけなくなる。「二十日ばかりに、人—・れたる程見え」〈かげろふ下〉㊁『名』寝てしどけなくなること。「殿おはしませば、—の朝顔も、時ならずや御覧ぜむと引き入る」〈枕二七八〉 **—がみ**【寝腐れ髪】寝て乱れた髪。ねみだれ髪。「わぎもこが—を猿沢の池の玉藻と見るぞ悲しき」〈拾遺一二八九〉

ねぐら【塒】《寝(ね)座(くら)の意》鳥の寝る所。「花のいろはあかず見るとも鶯の—の枝に手なふれそも」〈拾遺一〇〇九〉

ねこ【猫】《擬音語ネに接尾語コを添えたものという》①食肉目に属する小動物。「ねこま」とも。「我、正月一日、狸(ねこ)に成りて汝が家に入りし時」〈霊異記上三〇〉。「猫、尼古(ねこ)」〈華厳経音義〉②《猫の皮を胴張りに使うところから》三味線。また、三味線を使うところから、芸妓の異名。「おもしろい/生きた—より死んだ—」〈雑俳・軽口頓作〉。「三絃の皮、猫皮を良とす。故に三都とも弾妓を異名して—といふ」〈守貞漫稿二二〉 †neko **—の額(ひたひ)ほど** 極めて狭い面積の形容。後に略して、「猫の額」とも。「牡丹畑空き地や—」〈俳・六百番発句合三〉

ねこあし【猫足・猫脚】①猫の走るように走ること。「馬に—と云ふ事はあるべし。馬の猫の走るやうに走るを申す也」〈岡本記〉②猫のように足音を立てないでそっと歩くこと。抜き足。「—。抜き足也」〈浪花聞書〉③膳・机などの脚の猫の脚に似た形のもの。「—の行器(ほかゐ)に山吹にても卯花にても敷きて取り積みて」〈武家調味故実〉。「—の膳にて食ふや鼠茸」〈俳・犬子集五〉

ねこおろし【猫下し】猫が物を食べ残すこと。「猫殿は小食におはしけるや。聞ゆる—し給ひたり」〈平家八・猫間〉

ねこんじゃう(ネコンジョウ)【猫根性】欲深い本心を隠して、外に表わさない性質。猫性根(ねこじやうね)。「—や持てる若衆」〈俳・玉海集追加六〉

ねござ【寝御座】寝る時、蒲団の上に敷くござ。「床夏の花は夫婦の—かな」〈俳・糸瓜草四〉

ねこ・じ【根掘じ】㊀『動詞』《活用は上二段か四段か不

明》①木を根のついたまま掘り取る。「去にし年ー・じて植ゑし我が宿の若木の梅は花咲きにけり」〈拾遺一〇〇八〉②深くつっこんでほじくりかえす。穿鑿(せんさく)がすぎる。「この頃はー・じたるいりほがの多く侍る」〈八雲御抄六〉 ㈡『名』木を根のついたまま掘り取ること。「五百(いほ)つ真賢木をーにこじて」〈記神代〉 †neközi

ねど・し【寝濃し】『形ク』眠りが深い。寝坊である。「龍はー・いものなり」〈荘子抄一〇〉。「いぎたなき。ー・きことなり」〈匠材集一〉。「寝濃、ネゴイ」〈運歩色葉集〉

ねこだ【藁藉】藁製の広いむしろ。「ーと言ふ物を取り出でて敷かせ侍りし」〈俳・玉海集四〉

ねこづな【猫綱】①猫の首に繋いだ綱。「高荷のそばに繋ぐー」〈俳・正友千句〉②強情で、飽くまで人のことばに従わないこと。「執拗とは、我が言ひたる事を立てて、他人の言ふ事は良しといへども用ひず、人に筋かひもとる事なり。世俗にーと云ふ類なり」〈性理字義抄一〉

ねこなで【猫撫で】「猫撫声」の略。「なにがーには生れうず」〈扶桑再吟二〉 **ーごゑ**【猫撫声】猫が人に撫でられて出す声のように、やさしく甘えるような声。「嗔(かい)る時もあり、またーになる時もあり」〈人天眼目抄〉

ねこのはな【猫の鼻】いつも冷たいもののたとえ。「ー思ひやらるる余寒かな」〈俳・音頭集一〉

ねこのめ【猫の目】《猫の瞳の形が、時刻によって変化するところから》非常に変化し易いもののたとえ。「ーのやうな酒ぢゃといひて誉むる」〈天理本狂言六義・舟渡聟〉。「昼顔もーで知れ花盛」〈俳・毛吹草五〉

ねこま【猫ま】ネコの古称。「狸の字をたたげとよむ。またーともよむ。ただ、ねこと同じ事なり」〈壒嚢鈔五〉。「猫、和名禰古万(ねこま)」〈和名抄〉

ねこまた【猫股】想像上の怪獣で、猫が年をとって、犬のような大きさになったもの。化けて人を害するという。「奥山にーといふものありて人をくらふなる」〈徒然八九〉

ねごみ【寝込み】①敵が寝ている時に攻め込むこと。「神田将監ーに逢ひ、討死仕り候。……ーとは夜打の事也」〈寿斎記〉②寝ている最中。「ーを切って討ち取るべし」〈近松・文武五人男一〉

ねごめ【根ごめ】根のついたまま。根ごと。「垣越しに散り来る花を見るよりはーに風の吹きもこさなむ」〈後撰八五〉

ねこんざう(ゾウ)『副』すっかり。残らず。根こそぎ。「ねこんざい」「ねごんぞ」とも。「ー知ってゐまする」〈浮・好色小柴垣二〉

ねざう(ゾウ)【年三・年星】《ネンサウのンを表記しない形》二説あり、一は「年三」で、年に三度すなわち正月・五月・九月に仏事を行ない、長精進すること。一は「年星」で、その人の生れた年にあたる属星(ぞくしやう)を祭って福運を祈ること。「世をいと憂きものにおぼして、ーなどし給ふ」〈源氏玉鬘〉

ねざさ【根笹】 **ーに霰(あられ)** さわれば落ちる意のたとえ。「ーと候ふは、触らば落ちよと宣ふか」〈浄・十二段三〉

ねざ・し【根差し】㈠『四段』①根が延びて土中に深く入る。根がつく。「しほの峰(ね)にー・す小菅(こすげ)の」〈古今六帖六〉②もとづく。原因する。「ます鏡かけし榊を植ゑ置きて／心にー・す花のおもかげ」〈宝徳四年千句〉 ㈡『名』①根が土中に深く延びること。また、その根。「岩に生ひたる松のーも」〈源氏明石〉②家筋。生れ。「世の覚えくちをしからず、もとのーいやしからぬが」〈源氏帚木〉③根源。原因。「この六欲に六種のーあり」〈仮・竹斎上〉

ねさ・せ【寝させ】『下二』麹(こうじ)・味噌などを室(むろ)に入れて、かびを発生させる。ねやす。ねかす。「今日唐味噌ー・せ了んぬ」〈多聞院日記永祿一〇・六・二四〉

ねざ・め【寝覚め】㈠『下二』《当然もっと続くはずの眠りから覚める意》眠りの途中で目をさます。「夜ぐたちに(夜中過ギテ)ー・めて居れば」〈万四一四六〉。「さよふけて山ほととぎす鳴くごとに誰もー・めて」〈古今一〇〇二〉 ㈡『名』①目がさめること。また、その状態。「あかときのーに聞けば…浦渚(うらす)には千鳥妻呼び」〈万一〇六二〉。「秋ならで置く白露はーするわが手枕のしづくなりけり」〈古今七五七〉②「寝覚提重(さげぢう)」の略。「扇屋のあるじ、秋のーにもろこし餅・酒など持たせて」〈西鶴・一代男六〉 †nezamë **ーさげぢう**(ジュウ)【寝覚提重】遊山などに携える手軽な提げ重箱。「ーを預けける」〈西鶴・浮世栄花一〉

ね・し【熱し】『サ変』《ネッシの促音ツを表記しない形》熱が出る。「女院もの(腫物)ー・せさせ給ひて、悩ましうおぼしめしたり」〈栄花鳥辺野〉

ねじめ【音締め】三味線などの絃を巻き締めて調子を合わせること。また、その音の冴(さ)え。「ーの糸を放さず」〈西鶴・一代男三〉

ねじゃか【寝釈迦】涅槃の時の釈迦の寝ている像。寝ぼとけ。「君も又一夜はーとなり給へ」〈浄・自然居士三〉

ねじろ【根白】根の白いこと。「つぎねふ山代女(やましろめ)の木鍬持ち打ちし大根(おほね)〔ノヨウナ〕ーの白腕(しろただむき)」〈紀歌謡五八〉 †neziro **ーたかがや**【根白高萱】根が白くむき出しになっている高いカヤ。「川上のー」〈万三四九七〉

ねじろ【根城】全軍の本拠となる城。「武衛の構へをーにして」〈応仁記下〉

ねずなき【鼠鳴き】《ネズミナキの転》①鼠のような声をたてること。「うつくしきもの。…雀の子のーするにをどり来る」〈枕一五一〉②鼠の鳴きまね。人をひそかに呼んだり、子をあやしたり、遊女が客の注意を引くときなどにする。「ーをして…わらはが側(そば)へ寄りて」〈伽・高野物語〉。「子を愛するにーなど」〈俳・和歌竹四〉

ねずばん【寝ず番】一晩中寝ないで番をすること。また、その人。寝ずの番。「始めてー仕り候也」〈山科家礼記延徳三・九・一八〉

ねす・み【寝住み】『四段』定まった女を妻として通い続ける。「鼠の琴の腹に子を生みたるを。年を経て君をのみこそー・みつれ異の腹にや子をば生むべき」〈拾遺四三一〉

ねずみ【鼠】齧歯目(げっしもく)ネズミ科に属する小獣。「禰須彌(ねずみ)の家」〈歌経標式〉。「ーは大黒天の仕者なり」〈盛衰記一〉。「雪薄き片岡の辺に住むー／ありもやすらん世に隠れ里」〈俳・新続独吟集下〉。「鼠、和名禰須美(ねずみ)、穴居小獣種類多者也」〈和名抄〉 ↓かくれざと。†nezumi **ーいらず**【鼠入らず】台所に置き、鼠の害を受けないように作った、食物その他を入れる戸棚。「大工新四郎来て、ーの穴を塞ぐ」〈鹿苑日録慶長五・四・二〇〉 **ーおひ**(オイ)【鼠生ひ】生れたばかりの鼠のように、ひ弱な状態。「ちひさきよりも、世にいふなるーのほどにだにあらぬを」〈かげろふ下〉 **ーが塩を引・く** 鼠が極めて少量ずつ塩を引き去り、知らぬ間に多量になるように、物事が、少しずつでも目立たぬ内に大きく変るたとえ。「眺むれば顔の黶(あくぼ)ぞ皺(しわ)となる月のー・くかよ」〈古今夷曲集三〉 **ーきど**【鼠木戸】小さい潜り戸。劇場や見世物小屋などのものにもいう。鼠戸。鼠戸口。「ーに足踏込むと其の儘、ためつすかしつ難を見出さんとす」〈浮・元祿大平記八〉 **ーこんじゃう**(ジョウ)【鼠根性】盗人根性。「枉惑(わうわく)なるーなるかな」〈咄・醒睡笑四〉 **ーざん**【鼠算】《鼠が非常に多産であることを利用した塵劫記の問題から》和算で、等比級数的な計算。また、それを使って解く問題。数が急速にふえることのたとえにも用いる。鼠算用。鼠(ね)の子算用。「行く年をよむや月日の—」〈俳・毛吹草六〉 **—つき【鼠突き】** 槍を使う術の未熟なこと。また、その槍。「武家ならぬ人のもてなす槍を—と言へり」〈俳・宝蔵三〉 **—ど【鼠戸】** 木戸門の扉などに設けた小さい潜り戸。鼠木戸。「諸士蔵近日—を結ひ、質物を取らず、用心を致す」〈建内記嘉吉一・七・一三〉 **—とうだい【鼠燈台】** 油皿を鼠の形にして仕掛けをした燈台。「—壱(台)」〈駿府御分物御道具帳上〉 **—なき【鼠鳴き】** ①鼠が鳴くこと。また、その声。「三五夜ちうちうとや月の—」〈俳・玉海集三〉 ②「ねずなき」(2)に同じ。「主、—をして下人を呼びたつる」〈虎明本狂言・察化〉。「ある家の内より、—して手叩けば」〈浮・三代男五〉 **—び【鼠火】** 葦の管に火薬を詰め込んだ花火。火をつけると鼠のように地を走り廻る。鼠花火。「—・流星、其のほか花火の類」〈正宝事録慶安一・六・二七〉 **—まひ** ィマ**【鼠舞】**《鼠が穴から出ようとしては引っ込み、引っ込んでは出兼ねるさまの意》他を恐れはばかって、まごまごすること。ねずまい。首鼠(しゅそ)。「群雲にかがむや月の—」〈俳・犬子集五〉

ねすり【根摺り】 植物の根の色を衣に摺りつけて染めること。「恋しくは下にを思へ紫の—の衣色にいづなゆめ」〈古今六五二〉

ねす・り『四段』あてこする。あてつける。嫌味を言う。「—・らるるを苦にしてか」〈浄・お初天神記〉 **—ごと【ねすり言】** わざと他人の気にさわるように言うことば。あてつけ。嫌味。「色色の—の有る程言ふものなり」〈浮・茶屋調方記〉

ねそ・め【寝初め】『下二』男女が共寝するようになる。「そぎ板以ち葺ける板目の合はざらばいかにせむとか我が—・めけむ」〈万三八五〇〉 †nesömë

ねた【妬】《ネタシの語幹》ねたましいこと。「我こそかかる目も見むと思ひしか、—のわざや」〈源氏宿木〉 **—に込・む** 遺恨に思う。根に持つ。「きさとねんごろ致せしを由兵衛めが—・み」〈近松・今宮心中中〉

ねた【種】《タネの倒語》たね。材料。「鶉巻きの足袋の—かやぬくめ鳥」〈俳・崑山土塵集二〉

ねだ【根太】 床(ゆか)の敷板を支えるために渡した横木。「悪しき(大工)には—を張らせ」〈五輪書〉。〈日葡〉

ねたが・り【妬がり】『四段』①負けたと感じて、くやしがる。残念がる。「いといたく—・り給ひて」〈宇津保楼上下〉 ②恨めしく思う。「汝を—・りて、『よびて給はらむ。そのあた報ぜむ』とうれへ(訴エ)申せば」〈宇治拾遺一〇三〉

ねだぎり【ねだ切】 全部。ありったけ。根こそげ。「その—の張合ひに、心程なる引出物」〈評判・吉原こまざらい〉

ねたけく【妬けく】《ネタシのク語法》憎らしいこと。しゃくにさわること。「ほととぎすいと—は橘の花散るときに来鳴きとよむる」〈万四〇九二〉 †netakeku

ねた・し【妬し】『形ク』《相手に負かされ、相手からすげなくされなどした場合、また、つい不注意で失敗した場合などに感じる、にくらしい、小癪だ、いまいましい、してやられたと思うなどの気持。類義語クヤシは、自分のした行為を、しなければよかったとくやむ意。クチヲシは期待通りに行かないで残念の意》①憎らしい。癪である。「ほととぎすいとねたけくは橘の花散るときに来鳴きとよむる」〈万四〇九二〉。「—・きもの。…とみの物縫ふに、かしこう縫ひつと思ふに、針をひき抜きつれば、はやくしりを結ばざりけり。また、かへさまに縫ひたるも—・し」〈枕九五〉 ②(相手にされず)いまいましい。「つれなき心は—・けれど」〈源氏夕顔〉 ③やられて残念だ。「(碁ヲ)打たせ給ふに、三番にかず一つ負けさせ給ひぬ。『—・きわざかな』」〈源氏宿木〉。「今日すでに逃がしつる、—・きわざかな」〈発心集四〉

ねたば【寝刃】 切れ味のなまった刃。「刀・脇指の—、吉泉頼みて合はする」〈大和田重清日記文禄二・六・二九〉。「寝刃、ネタバ」〈文明本節用集〉

ねたまき【ねた巻】 矢の篦(の)のもとを細い糸で巻いたもの。「沓巻(くつまき)の上を、琴の糸を以て—に巻いて」〈太平記一五・正月二十七日〉

ねたま・し【妬まし】『形シク』《ネタミの形容詞形》うらやましく、にくらしい。「この事を僧正—・しくや思はれけん、いかにもして失(欠点)を見出さんと」〈著聞三九六〉

ねた・み【妬み】 ㊀『四段』①(負かされたり、他人の方が幸せであったり、まさっていたりする立場におかれて)相手をうらやみ、憎む。いまいましく思う。「(姉ノハ良田、自分ノハ痩地ナノデ)素戔嗚尊(すさのをのみこと)—・みて、姉(なねのみこと)の田を害(やぶ)る」〈紀神代上〉。「女は今のかた(男)に今少し心寄せまさりてぞ侍りける。それに—・みて、終に(前ノ男ガ)今のをば殺してしぞかし」〈源氏浮舟〉 ②くやしく思う。癪にさわる。「(男ハ)簾のもとに歩み来て『庭のもみぢこそ踏み分けたる跡も無けれ(別ノ男ガ来タ様子モナイ)』など(女ヲ)—・ます」〈源氏帚木〉 ㊁『名』①ねたむこと。「さすがに腹悪しくて、物—うちしたる」〈源氏若菜下〉 ②くやしく思って、今一度勝負をいどむこと。雪辱戦。「一日(ひとひ)の鞠の御わきまへ、今宵あるべし。まづ人人参りたれば、—あるべし」〈春のみやまぢ〉 †netami

ねだ・り『四段』言いがかりをつける。文句を言う。ゆすり求める。「例年より当年は餅の廻り小さく御座候と—・る」〈水谷蟠龍記〉。「これより河原へ参り、(酒ヲ)—・ってたべうと存ずる」〈虎寛本狂言・河原太郎〉

ねだ・り【根足り】『四段』根が十分に張る。根が張って栄える。「朝日の日照る宮、夕日の日がける宮、竹の根の—・る宮、木の根の根這ふ宮」〈記歌謡一〇〇〉

ねだ・れ『下二』言いがかりをつける。ゆする。強請する。「かの男—・れんやうもなかりし」〈咄・醒睡笑八〉。〈日葡〉 **—ごと【強請言】** 言いがかりのことば。ゆすり文句。「—言うて叩かれな」〈近松・鎌田兵衛下〉 **—もの【強請者】** ゆすり。「おのれめは、法師かと思へば、大盗人の—」〈浄・甲子祭一〉。〈日葡〉

ね・ち『上一』「にち」に同じ。「にちる。—・ちるも同意。…物をねだる心なり」〈色道大鏡一〉

ね・ぢ【捻ぢ・捩ぢ】『上二』ひねりまげる。ねじる。「鳴かぬ雁の頭を—・ぢて、殺して、調(ととの)へて、御肴に備へたり」〈今昔一〇ノ一三〉

ねぢくび【捻首】 素手で首をねじ切ること。「上なる道口をかいつかんで—にせんと振りかへりて見ける処を」〈太平記二九・越後守〉

ねぢ・け【拗け】『下二』《ネヂ(捻)の自動詞形》よじれる。ひねくれる。「すべて—・けたる所なく、をかしげなる人と見えたり」〈源氏空蟬〉。「八重桜はことやうのものなり。いとこちたく—・けたり」〈徒然一三九〉 **—がま・し【拗けがまし】**『形シク』ねじけているきらいがある。「—・しきおぼえだに無くは…つひの頼み所には思ひ置くべかりける」〈源氏帚木〉 **—ひと【佞人】** 心のねじけた人。口先と腹の中とのちがいのひどい人。「奈良山の児手柏(このてがしは)の両面(ふたおもて)にかにもかくにも—のとも」〈万三八三六〉 †nedikëritö

ねちみゃく 思い切り悪く、ぐずぐずするさま。「楚辞は、屈(原)が心に深く世を恨むによって、辞が—して、人をとがめ身を怨みなどした心あるぞ」〈古文真宝抄一〉

ねぢむ・き【捩ぢ向き】『四段』体や首をねじって、その方向を向く。「礼盤(らいばん)にゐながら、あちこちー・きて、人に見えけり」〈雑談集三〉

ねぢもち【捻餅】粳(うる)米の粉を水で練り、細くねじって蒸した餅。白糸餅。痩馬。「ー二十文・りんご・桃…これを遣はす」〈多聞院日記永祿九・六・八〉

ねちゃう【根帳】大福帳。「年久しき手代、ーを締め」〈西鶴・永代蔵三〉

ねぢ・り【捩り】『四段』《ネヂから派生した動詞》ひねりまげる。「ー・り殺さうの、投げ棄てうのと、どしめけども」〈仮・可笑記一〉

ねつ・い『形』①念入りで丁寧である。「ネツイヒト」〈日葡〉②くどい。執念深い。ねちこい。「ー・い親仁が明暮の露」〈俳・投盃〉

ねつか・ひ【哭ひ・発哀ひ】『四段』《ネは泣声。ツカヒは仕ヒの意》喪にあって悲しみ泣く。「百寮(つかさ)の者従ひてー・ふ」〈紀天武九年〉

ねつぎ【根継ぎ】①柱の根の朽ちた部分を除き、他の材木で継ぎ足すこと。「門柱ー、屏ー、これを申し付け」〈多聞院日記天正二・五・九〉②跡を継ぐこと。また、その人。あとつぎ。「蚊柱のーは残る暑さかな」〈俳・続連珠六〉。「富貴なる人のーならば」〈浮・立身大福帳一〉

ねつけ【根付】①巾着・印籠・煙草入れなどを腰に下げる時、帯から落ちないように、緒の端に付けるもの。珊瑚・角・象牙などに細密な彫像をした小工芸品が多い。「胴乱のーに、さすがとて小刀を指す也」〈俳・類船集五〉②いつも連れそって離れない人。腰巾着。「ーにする一文奴よ」〈伎・幼稚子敵討六〉

ねつこぐさ【ねつこ草】植物名。未詳。オキナグサを「ねこぐさ」ともいうので、それをさすとの説がある。「しばつきの御宇良崎なるー逢ひ見ずあらばあれ恋ひめやも」〈万三五〇八東歌〉 ✝netukogusa

ねっそり ぐずぐずしたさま。鈍重。また、そのような人。ねそ。「ー者」〈続無名抄下〉。〈俳・反故集下〉

ねったい【妬い】《形容詞ネタシの転》感動詞的に用いて、「ああ残念」「ちくしょう」などの意をあらわす。「ー、さらば景季(かげすゑ)も〔ソノ馬〕盗むべかりけるものを」〈平家九・生食〉。「女の男に愛せらるるを見て、ー、尼になりつる事よ、あらうらめしや、昔なつかしやとて」〈伽・富士の人穴の草子〉

ねづよ・し【根強し】『形ク』①根元が強くて動揺しない。「ー・きものにこそ、岩根の松など、昔も諷(そ)へ侍めるに」〈国信卿家歌合〉②基礎がしっかりしていてぐらつかない。「此の身代、鬼に金持たせ、ー・い事隠れ無し」〈西鶴・二十不孝四〉

ねど【寝所】ねどころ。寝る場所。「吾(あ)は至らむーな去りそね」〈万三四九九陸奥東歌〉 ✝nedo

ねとうしん【子燈心】近世、大黒天の縁日である甲子(きのえね)の日に売った燈心。これを買うと、家が富み栄えるという。ねとうじみ。ねとうずみ。「祭にも伝ふ油やー」〈俳・糸屑四〉

ねどころ【根所】根源の場所。「吹き出づるー高く聞ゆなり初秋風はいざ手鳴らさむ」〈後撰二三八〉

ねどころ【寝所】寝る所。「からすのーへ行くとて」〈枕一〉。「ーとおぼしき所に五位入りて寝むとするに」〈宇治拾遺一八〉。「蓐、ネドコロ」〈名義抄〉 ▽この語は、人にも鳥にもいう。類義語ネド・ネヤは人にいい、ネグラは鳥にいう。

ねどひ【根問】しつこく事細かに問うこと。「物事に御念を入れ、ーをなさるるぞ」〈咄・昨日は今日下〉 **ーはどひ**【根問葉問】隅隅まで残り無く問いただすこと。「ーするや詞の花盛」〈俳・毛吹草五〉

ねとり【寝鳥】ねぐらに寝ている鳥。「池中の島に種(う)ゑ置きし樹どもには、ーどもがいかほども多いぞ」〈三体詩抄三ノ一〉。「宿鳥、ネトリ」〈色葉字類抄〉

ねと・り【音取り】□『四段』(雅楽で)試みに楽器を奏して音程をきめる。「藤兵衛尉、琵琶をしらぶ。一巡、笛をー・る」〈著聞六三五〉□『名』試みに楽器を奏して音程をきめること。一種の前奏。「左右舞人・随身・滝口とどのひて後、笛ーを吹きて」〈教訓抄三〉。「ーには、笙・ひちりき・琵琶・笛とりつづきて次第に始めて、一度に果つ」〈木師抄〉

ねなしぐさ【根無草】根が地についていない草。浮草。浮動して一所に定着しないもののたとえ。「明日知らぬみ室(む)の峰のー何あだし世に生ひ始めけむ」〈千載一一二八〉

ねぬき【根抜き】生え抜き。生粋。「ーの法華〔ノ信徒〕でなければ信心うすし」〈西鶴・懐硯四〉

ねぬけ【根抜け】①最も古い上等品。「周の時代の物なれば、ーとは申し難し」〈仮・智恵鑑一〉②陶磁器で、同系統の窯中の最古の製品。「瀬戸ー、また中興などの〔焼物〕」〈仮・ひそめ草下〉③古く中国・朝鮮などから渡来した最上の陶器。「喩へを取らばーの呉須手(ごすで)を見るがごとし」〈評判・遠目鏡跡追〉④物事を根本からすること。徹底的にすること。「病のーこれからの風」〈俳・大矢数三〉。「ーの愚人」〈評判・難野良古畳〉

ねぬなはの【根蓴菜の】〔枕詞〕《ネヌナハはジュンサイの古名》同音から「寝ぬ」に、また、ジュンサイの根の長いところから「長き」「くる(繰)」「くるし(苦)」などにかかる。「かくれぬのしたよりおふるー寝ぬ名はたてじくるないとひそ」〈古今一〇三六〉

ねのかたすくに【根の堅州国】黄泉(よみ)の国。死後行く国。「根の国」とも。「吾は母の国、ーに罷らむとおもふ」〈記神代〉 ▽ネはナ(大地)の転。カタスクニは方ツ国の転か。大地の方角にある国の意で、現世の地上の国に対して、地下の国。「州」は古くは片仮名ツの字源となった文字なので、このまま、カタツクニと訓むべきか。

ねのくに【根の国】⇒ねのかたすくに。「ー底の国に気吹き放ちてむ」〈祝詞大祓詞〉

ねのひ【子の日】《後にネノビと濁音にも》正月の初めの子の日にする遊びの行事。この日、野外に出て小松を引き、若菜をつんだ。中国の風にならって、聖武天皇が内裏で宴を行なったのを初めとし、宇多天皇の頃、北野など郊外に出るようになった。「今日はーなりけり。げに千年の春をかけて祝はむにことわりなる日なり」〈源氏初音〉 **ーのまつ**【子の日の松】子の日に引く小松。「引きてみるーは程なきをいかでこもれる千代にかあるらむ」〈拾遺一〇二三〉

ねば『連語』《ネは打消の助動詞ズの已然形、バは助詞》①…ないから。「世の中を憂しとやさしと思へども飛びたちかねつ鳥にしあらー」〈万八九三〉②…ないのに。「婚(よば)ひにあり通はせ、太刀が緒もいまだ解かずて、襲(おすひ)をもいまだ解かー〔朝ニナッテシマッテ〕…青山にぬえは鳴きぬ」〈記歌謡二〉 ▽古くは「ね」だけで(1)(2)両方の意を表わしていたが、その後「ね」の下に「ば」を添えるようになったもの。平安時代以後は(1)の意だけを表わすようになった。

ねば・し【粘し】『形ク』①ねばりついて離れない。ねばねばしている。「土泥がついてー・うて、〔車ノ〕輪が回りかぬるぞ」〈周易抄〉②ねばり強い。堪える力が強い。「この人はー・い弓矢取りぞ。脆(もろ)うはないぞ」〈山谷詩抄一〉

ねばま【寝石・宿石・寝浜】①囲碁で、石を隠し持って不当な利を得ること。また、その石。「譬へを取るに、碁ならばーを仕勝ちたる心なり」〈甲陽軍鑑一九〉②他人に隠して持っている財貨。「一声はーと云はん郭公(ほととぎす)」〈俳・堺絹〉。「地獄も銭次第、桑名屋ーを持ちし故、不慮に呵責(かしゃく)を許さるる」〈浮・元禄大平記三〉

ねば・り【粘り】〘四段〙①柔らかで密着性が強く、べたべたする。「〔鯉ハ〕膠(にかわ)にも作るものなれば、ー・りたるものにこそ」〈徒然一一八〉。「飴のー・りたるをもって」〈童観鈔上〉②離れずしっかり付く。「敵受くる時、我が太刀敵の太刀に付けて、ー・る心にして入る也」〈五輪書〉

ねはりあづさ【根張梓】根を張る梓。転じて、梓弓。「さしやなぎーを大御手に取らしたまひて」〈万三三二四〉

ねは・れ【寝腫れ】〘下二〙寝て顔がはればったくなる。「つやめきー・れて、ようせずは、頬ゆがみもしぬべし」〈枕一〇九〉

ねはん【涅槃】〔仏〕《梵語の音訳》①一切の煩悩から脱し、生死輪廻の迷いの世界に再び生れる要因を滅した、無苦安穏のさとりの境地。「生死海の船、ーの山粮」〈三宝絵序〉②仏・聖者などの死。入滅。入寂。「正覚成就の日より、ーに入り給ふ夜にいたるまで」〈三宝絵中〉 **ーかう**(コウ)【涅槃講】二月十五日、釈迦入滅の日に行なわれる法会。涅槃会(ねはんゑ)。「山階寺のーにまうでてよみ侍りぬ」〈後拾遺一一八詞書〉

ね・び〘上二〙《年をとったのにふさわしい行動をする意》①いかにも年のいった様子をする。類義語オイ(老)は、年をとって衰えに近づく意。「〔五十歳ノ尼ハ〕ー・びにたれどいと清げによしありて、ありさまもあてはかなり」〈源氏手習〉。「御供に、大童子の大きやかに年ー・びたる四十人、中童子二十人、召次ばら、もとの俗ども仕うまつれり」〈栄花初花〉②(年齢の割に)おとなびる。成熟する。「〔十四歳ノ〕御門は御年よりはこよなうおとなおとなしうー・びさせ給ひて、世の政(まつりごと)も、うしろめたく思ひ聞え給ふべきにはあらねども」〈源氏薄雲〉

ねびき【根引き】①根こそぎに引き抜くこと。「三抱(みかかえ)ばかりありさうなる栗の木柱を…ーにさせて」〈伽・小栗絵巻〉②身代金を出して遊女を遊廓から請け出し、妻妾とすること。身請け。「ー。…年季の内に、金銀をもて身請けさするを云ふなり」〈色道大鏡一〉

ねびごたち【ねび御達】年をとって経験を積んだ女房たち。古参の女房たち。「物裁ちなどするー、御前にあまたして」〈源氏野分〉→ごたち

ねひとつ【子一つ】子の第一の時刻。いまの午後十一時。「ーより丑三つまであるに、まだ何事も語らはぬに帰りにけり」〈伊勢六九〉→刻(こく)

ねびまさ・り〘四段〙(比較して)成熟の度がきわだつ。より成育して見える。「御おとうとにこそものし給へど、ー・りてぞ見え給ひける」〈源氏螢〉

ねび・れ〘下二〙《ネビの派生語》年とったようになる。「鼻なども、あざやかなるところなうー・れて、匂はしきところも見えず」〈源氏空蟬〉

ねぶ【合歓木】マメ科の落葉喬木。葉は羽状複葉で、日があたると開き、あたらなくなると閉じて眠ったような感じを与えるので、この名がある。ねむのき。「吾妹子が形見のーは花のみに咲きてけだしく実にならじかも」〈万一四六三〉

ねぶか【根深】ネギの異名。特に、冬用いるネギにいう。「鳥一番ひ。ー五百本出し候也」〈山科家礼記長禄一・一二・二三〉

ねぶた・し【眠たし・睡たし】〘形ク〙《ネブリ(眠)イタシ(甚)の転か》ねむたい。「なほいと悪(あ)し。ー・くも侍り」〈かげろふ中〉

ねぶつ【念仏】「ねんぶつ」に同じ。「阿彌陀経よむこと、ー申すこと、限りなし」〈古本説話七〇〉

ねぶと【音太】音声が重く低いさま。「卯月来てーになくやほととぎす」〈俳・犬筑波〉

ねぶと【根太】①腫物の一種。皮膚が赤く腫れて硬く、中心部が膿んで激しく痛む。「ー持つ膏薬売りに契りして」〈竹馬狂吟集九〉。「癤、ネブト」〈文明本節用集〉②根の方が太いこと。「香炉、ー香合」〈宗達他会記天文一八・三・二〉

ねぶ・り【眠り】㊀〘四段〙①居ねむりをする。「上のお前の、柱に寄りかからせ給ひて、すこしー・らせ給ふを」〈枕三一三〉②ねむる。寝る。「合掌してー・るが如くにてぞありける」〈発心集一〉。「八箇月ー・らず休まず、昼夜に米を搗く」〈正法眼蔵行持上〉㊁〘名〙①居ねむり。「困(こう)じてうちねぶれば、『ーをのみして』などもどかる」〈枕七〉②睡眠。「まづ朝にーさめば」〈さるばとるむんぢ〉 **ーごゑ**【眠り声】ねむそうな声。「困(こう)じにけるにや、ゐる(坐ル)ままにすなはちーなる、いとにくし」〈枕二八〉 **ーさまし**【眠りさまし】ねむけをさますもの。「この君だちのおはせざらましかば、今宵のーはなからまし」〈栄花花山〉 **ーめ**【眠り目】①ねむそうな目。「目をも人に見あはせず、ーにて、ときどき阿彌陀仏を申す」〈宇治拾遺一三三〉②《転じて》地味で目立たないさま。ぱっとしないさま。「さればとて、ーにおだしくのみ歌を詠めとにはあるべからず」〈ひとりごと〉

ねぶ・り【舐り】〘四段〙なめる。しゃぶる。「〔蛇ハ〕夜ごとにその堂に入りて、仏前の常燈の油をー・り失ひき」〈今昔一四ノ一九〉。「舐、ネブル」〈名義抄〉

ねぼ・け【寝惚け】〘下二〙目ざめても、なおぼんやりしている。「ー・けにける心地に…たづぬる事もなし」〈堤中納言思はぬ方に〉

ねほ・れ【寝惚れ】〘下二〙ねぼける。「もし、現(あら)はに持て来たりけるを、我がー・れて夢と思ゆるか」〈今昔一七ノ九〉

ねまち【寝待】「寝待の月」の略。「あはれ今日は春のなかばの月、ーを昨日といひて」〈宇津保春日詣〉 **ーのつき**【寝待の月】《寝て待つ頃に出る月の意》陰暦十九日の月。「ーの山のは出づるほどに、〔男〕いでむとする気色あり」〈かげろふ上〉

ねまつり【子祭】①十一月甲子(きのえね)の日に大黒天を祭る行事。神前に、玄米に大豆を炊き込んだ飯と二股大根などを供えて商売繁昌を祈る。「甲子…今夜ー例の如し」〈実隆公記大永四・一一・三〉②情交のたとえ。「内方を大黒と言ふ事、ー一種の思はくゆゑ也」〈浮・好色貝合上〉

ねまど・ひ(ネマドイ)【寝惑ひ】〘四段〙ねぼける。「にげなきもの。…老いたる男のー・ひたる」〈枕四五〉

ねま・り〘四段〙①にらむ。「人の意趣ありげにて、ことばをもとがめ、気色をも変へ、ー・るは如何」〈名語記七〉②むっつりとしている。また、じっとうずくまる。「年老いつれば、ひそとして、ものくさうなりてー・るぞ」〈山谷詩抄五〉③居る。「亭にー・り候ほど者、皆皆召し出し」〈伊達家文書一、天正三・三・吉日〉④楽にすわる。あぐらをかく。「端居にー・り呑むは大酒」〈俳・奴俳諧〉⑤腐る。「ウヲ・モチ・メシナドガネマル」〈日葡〉

ねみみ【寝耳】眠っている時の耳。「後夜など果てて、少しうちやすみたるーに…〔経ヲ誦ム声〕ふとうちおどろかれて、あはれにきこゆ」〈枕一三〇〉 **ーに入・る** 眠っている時に耳に聞える。「盗人よと言ふ声ー・り」〈西鶴・桜陰比事三〉 **ーに水** 不意の出来事に驚くたとえ。「音するはーよ小夜時雨」〈俳・小町踊四〉

ねむごろ【懇】《ネモコロの転。平安朝以後の形》⇓ねんごろ。「固(ねむごろ)に一乗を説けと請はしめむと欲するが故になり」〈法華経玄賛平安初期点〉

ねむ・り【眠り】㊀『四段』《ネブリの転》睡眠する。「われ大切に思ふラザロー・りければ」〈バレト写本〉㊁『名』睡眠。「犬はーをさまいて、たちまち狐に飛びかかって」〈天草本伊曾保〉

ね・め【睨め】『下二』ぐっとにらむ。「ー・めつつ見かへり見かへりにらみけり」〈著聞五四三〉

ねめか・け【睨め掛け】『下二』にらみつける。「ー・けて帰りにければ」〈宇治拾遺一〇九〉

ねもころ【懇・惻隠】『副』《根モコロの意。モコロは、同じ状態にある意。草木の根が、こまかにからみ合って土の中にあるのと同様にの意》①こまやかに情のからむさま。「見渡しの三室の山の巖菅(いはほすげ)ー我は片思ひぞする」〈万二四七二〉。「奥山の磐かげに生ふる菅の根のー我も相思はざれや」〈万七九一〉②こまかに、周到にものを見るさま。「あしひきの山に生ひたる菅の根のー見まく欲しき君かも」〈万五八〇〉③こまかに心をつかうさま。「菅の根のー君が結びてし我が紐の緒を解く人はあらじ」〈万二四七三〉 †nemökörö ー**ごろに**【懃懇に・惻隠惻隠に】『副』《ネモコロのコロを重ねた形》①心こまやかに。「菅の根のーわが思へる妹(いも)に縁(よ)りては」〈万三八四〉②すみずみまで。至らぬところなく。「菅の根のー照る日にも乾(ひ)めや我が袖妹に逢はずして」〈万二八五七〉。「菅の根のー降りおく白雪」〈万四四五四〉 †nemörögöröni ー**に**【懇に】『副』「ねもころ」に同じ。「ー心尽して恋ふる我かも」〈万六八二〉。「ー君が聞こして」〈万六一九〉

ねもじ【ね文字】〔女房詞〕練貫(ねりぬき)。「ーうちかづきて出で給ふ御ありさま」〈伽・花世の姫〉

ねものがたり【寝物語】寝ながら話し合うこと。また、その話。「ーは人のさまたげになって悪いものぞ」〈天草本金句集〉

ねや【根矢】征矢(そや)・鏑矢(かぶらや)・雁股(かりまた)などの矢の俗称。「精兵の放てるーは如何ばかり」〈俳・闇夜船千句〉

ねや【寝屋・閨】人が寝るための建物。寝室。また、奥深い部屋。「ことばに随ひて許し、ーの裏(うち)に交はり通ふ」〈霊異記中三三〉。「おもひやりことなる事なきーの内に、いといたく思ひあがり」〈源氏帚木〉

ねや・し【錬し】『四段』金属・土・飯粒などに、ねばりを与える。練りこねる。「真金あり、鎔(たき)ひ銷(け)し冶(う)ちー・す」〈金光明最勝王経平安初期点〉。「〔御所へ〕遊びに行きて、縁にて土くー・して」〈木師抄〉。「続飯(そくひ)をよくよくなどー・し」〈老人雑話〉。「鍸・粘・鍛・鋳、ネヤス」〈名義抄〉

ねやど【寝屋戸】寝屋の戸口。「笞(しもと)取る里長(さとをさ)が声はーまで来立ち呼ばひぬ」〈万八九二〉 †neyado

ねら・ひ【狙ひ】㊀『四段』ひそかにこれを獲ようと、目ざす。「この丘に小牡鹿(をしか)ふみ立て窺(かう)ー・ひ」〈万一五七六〉。「覘、ネラフ」〈温故知新書〉㊁『名』①ひそかにこれを獲ようと、目をつけること。「山辺には猟夫(さつを)のーかしこけど」〈万二一四九〉②照射(ともし)で鹿狩をすること。狙い狩。「此の晩、ーに登り候へども、遅く候て、鹿に見合はず候」〈上井覚兼日記天正二・二・二六〉 †neraFi

ね・り【練り・錬り】㊀『四段』《糸・布・金属・土などを柔らかにし、ねばり強さを与えるのが原義》①糸・布などを灰汁(あく)で煮て、柔らかにする。「ー・りたる糸、宮に参らすとて」〈和泉式部集三〉②土をこねて、ねばるようにする。「足を抜かんとすれども叶はず、ただ泥にー・られたる魚の如くにして」〈太平記一八・瓜生挙旗〉③薬などをこね合わせて作る。「教へのごとくにこの薬をー・りつつ、みづからこれを服せしかば」〈伽・不老不死〉④金属を焼いてきたえる。「錬、ネル」〈色葉字類抄〉⑤ゆるりゆるりとねり歩く。ゆっくり歩く。「銀(しろかね)の目抜きの太刀をさげはきて奈良の都をー・るは誰が子ぞ」〈拾遺五八三〉。「わが門をとさんかうさんー・る男」〈催馬楽我が門を〉。「遅歩、ネル」〈文明本節用集〉⑥ひねる。「焼太刀の手柄(たかみ)押しー・り白檀弓(しらまゆみ)靫(ゆき)取り負ひて」〈万一八〇九〉㊁『名』①よくきたえてあること。「言問はぬ木すら〔色ノ変リヤスイ〕あぢさゐ諸茅(もろち)らがーの腎(むらと=心)にあざむかえけり」〈万七七三〉②よく構えてあって巧みであること。「諸茅らがーの言葉は我はたのまじ」〈万七七四〉③「練絹」の略。「裏を白く、表はーをあくまで紅に染むるなり」〈庭訓抄下〉④「練貫(ねりぬき)」の略。「使の女房など〔ノ能衣裳〕は、ーをも、白衣(はくえ)などの小袖よし」〈反古裏の書一〉

ねりい・で【練り出で】『下二』ゆるりゆるりと歩み出る。「儀式官のー・でたる臂もちおぼえて〔ニ似テ〕」〈源氏末摘花〉

ねりいろ【練色】薄黄色を帯びた白色。「単(ひとへ)は、白き。…ーの衣どもなど着たれど、なほ単は白うてこそ」〈枕二八三〉

ねりうし【練牛】のろのろと歩く牛。「日本の諺に、早牛もーも淀に着くといふ心ぞ」〈本則鈔二〉

ねりかね【錬鉄】鉄材。鉄ののべがね。「あはせてー四十枚(よそねり)を以て爾波移(にはや)に与ふ」〈紀神功、摂政四十六年〉

ねりきぬ【練絹】砧で打ち、または灰汁(あく)で練ってやわらかくした絹布。「〔字ノ書イテアル、烏ノ〕羽を飯(いひ)の気(け)に蒸して、ーを以て羽に印(お)して、ことごとくに其の字を写す」〈紀敏達一年〉。「〈和名抄〉 →生絹(すずし)

ねりくやう【練供養】来迎の諸菩薩に扮して寺内を練り歩く仏教行事。来迎会の俗称。近世、最も有名だったのは、四月十四日に大和国当麻寺で行なわれた中将姫の忌日法要。「平野にーとて、大念仏〔寺ノ〕上人し候」〈私心記天文二・九・二六〉。「当麻寺の法事を急げー」〈俳・犬子集一三〉

ねりざけ【練酒】「練貫酒(ねりぬきざけ)」に同じ。「博多のー」〈伽・かくれ里〉

ねりじま【練縞・練島】純白で光沢があり、大口・白袴などに仕立てる絹織物。「ーの安う吹きぬる松の風」〈俳・雪之下草歌仙〉

ねりそ【練麻】木の細枝や藤蔓(ふぢづる)などをやわらかにして、縄の代りにするもの。薪(たきぎ)を束ねたり、粗末な垣根をゆわえたりするのに使う。「縄を無み練るやーの砕けてぞ思ふ」〈拾遺八一三〉。「梅が枝はーもて結(ゆ)ふ垣根にもあはれやつれずにほふなりけり」〈経信集〉

ねりつば【練鐔】革を数枚重ねあわせ、膠(にかわ)で固めて作った鐔。「ーの黒漆の太刀三尺八寸ありけるに、熊皮の尻鞘入れてぞ佩(は)きたりける」〈保元上・新院御所〉

ねりぬき【練貫】①生糸を経(たて)、練糸を緯(ぬき)として織った絹布。「一つには白き綾(りよう)、一つにはー、…物うるはしき入れたり」〈宇津保蔵開上〉②練貫酒。「遠国なれども、筑前にー」〈伽・酒茶論〉 ー**ざけ**【練貫酒】白酒の一種。筑前国博多の名産だった。「ーのしわざかや、あちよろり、こちよろよろよろ」〈閑吟集〉

ねりばかま【練袴】練絹で作った袴。「鈍色(にぶいろ)の二つ衣うちかづき、ーの稜(そば)高くはさみ」〈平家二・先帝身投〉

ねりひとへ【練単衣】練絹の一重(ひとへ)衣。「紅のーを水にぬらして着せたるやうに」〈宇治拾遺三〉

ねりべい【練塀】練った土と瓦で築き、上を瓦で葺いた土

塀。「水仙や―割れし日の透き間」〈俳・続猿蓑下〉

ねりもの【練物】 ①諸原料を練り固めて作った、珊瑚・宝石などの似せ物。「―細工の布袋の根付」〈浮・好色小柴垣四〉。〈運歩色葉集〉 ②祭礼などに練り歩く仮装または作り物・山車などの行列。「荷ひ物次ぎに―続き来て」〈俳・独吟一日千句〉

ねん【年】 契約して定めた奉公人を雇う年限。年季。「―近くならば浮気を退けて由ある客に深く親しめ」〈色道大鏡四〉。「―を切り増しても苦にせず」〈評判・まさり草〉

ねん【念】 ①思い。心。「娑婆にて、男に―をかけられて、その思ひをはれやらぬ女」〈伽・富士の人穴の草子〉 ②いちずにうちこんだ心。執心。執念。「世間かりの事にも念力を入れねばならず。されば仏法もあのごとく―を入れてこそ」〈空善記〉 ③注意ぶかい心。こまかく気をくばること。「湯殿・雪隠、縁つづきにして、風邪を引き候はぬやうにと―入れ候」〈沢庵書簡寛永七・一・二五〉 ④かねての望み。宿願。「―は生(しゃう)を引きける」〈西鶴・好色盛衰記三〉 ⑤〔仏〕きわめて短い時間。一刹那・六十刹那・九十刹那などを一念という。「在在処処に於て此の経に遇ひ奉り、わづかに一―と雖も敢へて廃忘(はいまう)せず」〈中右記承徳二・六・二五〉

ねんあき【年明き】 年季の終ること。また、その奉公人。「ねんあけ」とも。「―前の女郎」〈西鶴・諸艶大鑑三〉

ねんいう(ユウ)**【念友】** 「念者(ねんじゃ)」に同じ。「浅からず―せしに」〈西鶴・五人女五〉

ねんき【年忌】 毎年めぐってくる死者の命日。回忌。「今日は定家卿の―なり」〈再昌草一六〉。「年忌、ネンキ、亡者忌日」〈文明本節用集〉

ねんき【年季・年期】 ①一年を単位とする期間。「―以後は返進せらるべきの由、愚状を遣はし了んぬ」〈看聞御記応永三三・一〇・五〉 ②奉公人を雇っておく約束の年限。普通は十年が限度であった。「女房四人―明き候て、京都へ上せ申し候」〈梅津政景日記寛永八・八・二〉 ③「年季奉公」の略。「いまだ―の小者あがり」〈西鶴・織留六〉

―**ぼうこう【年季奉公】** 商工業者などに年季を定めてやとわれる、徒弟または雇傭契約。年切り奉公。「暇を貰ふ――」〈俳・半入独吟集上〉

ねんぎゃう(ギョウ)**【年行】** 毎年の修行。「―の功を積む事一千余箇日」〈謡・野守〉

ねんぎゃうじ(ギョウ)**【年行事】** 一年ごとに交互に勤める行事。また、その勤番の役人。「―職等仰せ付けられ候」〈上井覚兼日記天正一三・五・二七〉

ねんきり【年切り】 年季を切って雇傭契約をすること。また、その奉公人。「摺箔屋の―の弟子」〈仮・東海道名所記六〉

ねんぐ【年貢】 平安時代、荘園発生以後、田地の面積を単位として、農民が領主に納める租税。近世では、畑地・宅地に課する租税その他の雑税も含めての総称や、小作料の意にも用いられた。多く米で上納されたが、金銭物品などで代納することもあった。「馬并びに―絹十四疋」〈小右記寛弘二・五・一三〉

ねんくゎん【年官】 平安時代以降、天皇・上皇・三宮・皇太子・女院・親王・女御・尚侍・典侍・公卿などの所得とするために、毎年の除目(ぢもく)に、下級の国司や京官を一定数推薦させ、その任料を収入とさせた制度。「即位の年、摂政の詔あり、―・年爵たまはり給ふ」〈大鏡良房〉

ねんけみせう(ショウ)**【拈華微笑】** 釈迦が霊鷲山(りょうじゅせん)で説法した時、手に持った花を拈(ひね)って示したのを、迦葉(かしょう)が真意を悟って微笑したという故事。禅宗で、以心伝心の意味につかう。「〔釈迦ガ〕―して迦葉に付属し給ふといふもこれ教なり。不立文字といふ四字も即ち教なり」〈日蓮遺文聖愚問答鈔下〉。〈文明本節用集〉

ねんごろ【懇・念比】《ネモコロの転》 ①こまやかに情愛のからみ合っていること。仲が親密であること。「さる仲らひといふなかにも心かはして―なれば」〈源氏若菜下〉 ②こまかに心づかいするさま。「願主の恩を報いんと思ふ心の―に誠を致せる力なり」〈三宝絵中〉 ③入念、丁重なさま。「地蔵を田の中の水に押しひたして―に洗ひけり」〈徒然一九五〉 ④情交。「―する。…密通の―を云ふなり」〈色道大鏡一〉

―**あひ**(アイ)**【懇合ひ】** 互いに親しい間柄であること。「聞きに寄る／―に極仕舞(きはじまひ)＝年末ノ総決算)」〈雑俳・軽口頓作〉 ―**が・り【懇がり】**『四段』 親しい態度を示す。ねんごろな様子をする。「―・らむ人のねぎごとに、な誓し靡き給ひそ」〈源氏常夏〉

ねんさく【年作】 その年の作物のでき高。「経の威力に依りて、種をまかず、苗をうゑずして、―を増さしめ給へ」〈今昔一三ノ四〇〉

ねん・じ【念じ】『サ変』 ①強く心に持つ思いの実現を願って、心中に祈る。祈誓する。「『我を助け給へ。師に恥見せ給ふな』と―・ず」〈三宝絵中〉 ②思うことを果すために、ぐっとこらえる。がまんする。「中に心さかしき者―・じて射んとすれども」〈竹取〉 ―**あま・り【念じ余り】**『四段』 こらえきれない。「しづ心なく、この御つぼねのあたり思ひやられ給へば、―・りて聞え給へり」〈源氏真木柱〉 ―**い・り【念じ入り】**『四段』 ひたすら心の中で祈る。「『あが姫君〔ヲ〕…当国の受領の北の方になし奉らむ…』と額に手をあてて―・りて居り」〈源氏玉鬘〉 ―**かへ・し**(カエシ)**【念じ返し】**『四段』 思い返して、がまんする。「人やりにもあらねば、―・せど、え堪へず」〈かげろふ中〉 ―**すぐ・し【念じ過ぐし】**『四段』 気持を抑え、がまんして時を過ごす。「心変りし給へるやうに人の言ひ伝ふべきころほひをだに思ひのどめてこそは〔出家ショウ〕と、―・し給ひつつ、憂き世をもそむきやり給はず」〈源氏幻〉 ―**は・て【念じ果て】**『下二』 がまんしおおせる。最後まで辛抱し通す。「われらも〔コンナ見込ミノナイ所ニ〕えこそ―・つまじけれ」〈源氏蓬生〉

ねんしゃ【念者】 物事に念を入れてする人。「其の上証拠のために、采配を皆取り添へたるは――」〈見聞軍抄八〉

ねんじゃ【念者】 男色関係で兄分にあたる若者。「小人でゐられし時に、この人によって―が人を殺したほどに」〈史記抄五〉

ねんしゃく【年爵】 平安時代以降、上皇・女院・三宮などの所得とするために、毎年、従五位下を受ける者を一定数推薦させ、その叙料を収入とさせた制度。「年官・―たまはり給ふ」〈大鏡良房〉

ねんじゅ【念珠】 「数珠(ず)」に同じ。「一人は―を持たり」〈今昔一七ノ二三〉

ねんじゅ【念誦】《ネンズとも》 心に念じ、口に仏の名号・経文などを唱えること。「念誦、ネンジュ」〈色葉字類抄〉

ねんず【念誦】 ⇒ねんじゅ。「夜深く御手水(てうづ)まゐりて、御―などし給ふもめづらしきことのやうに、めでたうのみ覚え給へば」〈源氏須磨〉 ―**だう**(ドウ)**【念誦堂】** 念誦の行(ぎゃう)をするための堂。一室でも別棟でもいう。「人の見とがめつべければ、御―にこもり居給ひて日一日泣きくらし給ふ」〈源氏薄雲〉

ねんだいき【年代記】 年代順に、著名な史実・天変地異などを記した書物。「常の―にはこの年号は書きのせぬなるべし」〈愚管抄一〉

ねんぢうぎゃうじ(ジュウギョウ)**【年中行事】** 一年間の特定の日

に宮中で行なわれる一定の公事(くじ)。後には、民間でもいうようになった。「後白河院の御時、—を絵にかかれて、御賞翫のあまり」〈著聞三九七〉 **—のみさうじ** …ソウ…【年中行事の御障子】年中行事の名目を両面に書いた衝立(ついたて)障子。清涼殿の上戸(かみのと)に面して立てられた。「—にも書き添へられたる事ども」〈栄花玉村菊〉

ねんとう【年頭】年始。また、年始の礼。「あらたまの年の始に左京進殿へ—に罷るとて」〈遠近草中〉。〈文明本節用集〉

ねんな・し【念無し】『形ク』①残念である。くちおしい。「都にありながらこの歌をいださん事、—・しと思ひて」〈著聞一七一〉 ②容易である。たやすい。「射落さむ事はむげにやすけれども、これほどの剛の者を—・う失はん事なさけなかるべし」〈保元中・白河殿攻め落す〉 ③意外である。案外である。「—・う早かった」〈狂言記・粟田口〉

ねんにょ【年預】⇩ねんよ。「年預。…預〔ノ〕字、にょと云ふべきなり。連声なり」〈名目抄〉

ねんにん【念人】賭弓(のりゆみ)・笠懸・競馬・菊合・歌合などの勝負事のとき、競技者の世話をしたり、勝負の判定をする人。「対の東庭に於て、賭弓の事あり、前方—中務卿親王、後方—下官」〈九暦天暦二・三・一三〉

ねんねこ〔小児語〕寝ること。「胡蝶もや—(猫ト掛ケル)眠る花の陰」〈俳・毛吹草五〉

ねんねん【念念】〔仏〕刹那刹那。一瞬一瞬。「—の間、行者この道理を忘るる事なかれ」〈正法眼蔵発菩提心〉

ねんばらし【念晴らし】執念または疑念を晴らすこと。「妻を恋ふ猫や日向(ひなた)を—」〈俳・山下水二〉

ねんぶつ【念仏】観想念仏、すなわち静坐して心に仏の相好(さうがう)・功徳(くどく)などを観ずること。また、称名念仏、すなわち口に仏の名をとなえることなどをいう。浄土教では主として後者の意で使われ、南無阿彌陀仏(なむあみだぶつ)の六字の名号をとなえる。「—は慈覚大師の、もろこしより伝へて、貞観七年よりはじめ行なへるなり」〈三宝絵下〉 **—かう** …コウ【念仏講】①念仏宗徒の講。信者が当番を定めて集まり、念仏・読経・会食などを行ない、また、掛金をして相互の親睦扶助をはかった。「一反、—〔用ノ〕田」〈大乗院雑事記長祿二・七・一六〉 ②輪姦。「小遣銭少しくれて—にせよ」〈浮・御前義経記三〉 **—しゃ**【念仏者】念仏をとなえ、極楽往生を願う人。念仏宗の信者。「ある—すすめて、念仏門に入れて」〈梵舜本沙石集一ノ一〇〉 **—しゅう**【念仏宗・念仏衆】阿彌陀仏の救いを信じ、念仏をとなえることによって極楽往生を願う宗門。浄土宗・浄土真宗・時宗・融通念仏宗などをいう。「凡そ—の流れまちまちなりといへども」〈沙石集一ノ一〇〉。「命惜しく候はば、今夜すみやかにもとどりを切て、僧か—かにならせ給ひて」〈太平記二九・師直以下被誅〉 **—そう**【念仏僧】念仏する僧。法会などで念仏を役目とする僧。「御送りの人ども、寺寺の—など、そこら広き野に所もなし」〈源氏葵〉 **—まうし** モウシ【念仏申】首に掛けた鉦(かね)を打ち鳴らしながら和讃念仏して、門付けした乞食坊主。空也上人あるいは時宗の流れを汲むと称した。鉦打(かねうち)。鉦扣(かねたたき)。「—雨にぬれけり」〈俳・犬筑波〉 **—もん**【念仏門】念仏をとなえて浄土に往生することをめざす法門。特に、念仏宗をいう。「中頃—の弘通(ぐづう)さかりなりける時は」〈沙石集一ノ一〇〉 **—わうじゃう** オウジョウ【念仏往生】一心に念仏をとなえて極楽に往生すること。「我、—の志あるにより」〈謡・道明寺〉 **—をどり**【念仏踊】太鼓・鉦・瓢簞などを打って踊りながら念仏すること。空也・一遍等が始めたという。後には小歌踊り化した。踊念仏。「室町殿・同御方御所・御台、三十三間御参りあり。四条道場—御聴聞」〈言国卿記文明一〇・二・一九〉。「まづ—をはじめ申さう」〈国女歌舞妓絵詞〉。「太鼓鉦で囃すは—かな」〈俳・発句帳三〉

ねんまへ …エ…マ【年前】年季の明ける前。「名残惜しきは今少しの—」〈西鶴・一代男六〉

ねんよ【年預】《ネンニョとも》①院別当の中で当番として雑務に当るもの。他の役所や斎院・摂関の家司にも置かれた。「斎院の—にてなむ有りけるに」〈今昔二七ノ三二〉 ②祭の当番。「其の社に毎年(ごとし)に祭有り。此の男、其の祭の—に差し充(あ)てられたり」〈今昔一六ノ三五〉

ねんりき【念力】一念をこめた力。強い執念の力。「かの—に答へて、山王七社、官軍に入りかはらせ給ひけるにや」〈保元中・朝敵の宿所〉 **—岩を透(とほ)・す** 一念をこめた力の前には、不可能なことなどあり得ないという意。「されば十郎、日頃の—・し、富士の裾野にて敵を討ち」〈仮・名女情比五〉。〈日葡〉

ねんれい【年礼】年始の廻礼。「末吉勘八郎殿へ、我等も—に参り候」〈宗静日記万治三・一・二〉

の

の【荷】「に」の古形。複合語だけに残っている。「東人(あづまど)の—前(さき)の篋(はこ)の荷(に)の緒にも」〈万一〇〇〉。「荷持、此をば能登利(のとり)と云ふ」〈紀神功摂政前〉 †nö

の【野】《ナヰのナ(地)の母音交替形》①広い平地。多く山裾の傾斜地などにいう。「春の—に鳴くや鶯なつけむと」〈万八三七〉。「野、能(の)、郊外牧地也」〈和名抄〉 ▽日本書紀に「奴」と表記し、また、万葉集に「奴」と書いた例もあるので、ヌという語形もあったように見る説もあるが、書紀では「奴」はノ(甲類)にも用いたし、万葉集の例は東国方言か、あるいは平安朝の誤字と見られる。野筋。「—になるみぎり虎や臥すらん／築山に古りたる石の横たはり」〈行助句集〉 ②庭園で、築山につづく緩やかな起伏の部分。③火葬場。「夜半に葬礼有り。我等も—へ出で候也」〈宗静日記明暦一・八・一八〉 ④布を幾幅(の)か縫い合わせて仕立てた衣類などの、各一幅分の布の称。「主やたれ知る人なしに藤袴見れば—ごとにほころびにけり」〈詞花一一三〉 †no

の【幅】布のはばを数えていう語。一幅は普通、鯨尺で九寸から一尺。「このごろ京(みやこ)にはやるもの…四—の指貫」〈梁塵秘抄三六九〉。〈和名抄〉

の【篦】矢の竹。矢がら。「—を撓(た)むるに、片目をふさぎてよく撓めらるるやうに」〈一言芳談〉。〈和名抄〉 ▽万葉集に「篦」を助詞のノに使う例から、nö と知る事ができる。

の『接尾』《接尾語ナの母音交替形》人名または人を表わす語の下について、親愛の意を表わす。「否と言へど強ふる志斐—が強語(しひがたり)この頃聞かずて我恋ひにけり」〈万二三六〉。「背な—が袖もさやに振らしつ」〈万三四〇二〉 †nö

の『助』→基本助詞解説。 †nö

のあひ …イ…ア【野合ひ】両軍が野で出合うこと。「—の合戦に、二三日が間は互ひに勝負はなかりける」〈浅井三代記八〉

のいずみ【肉刺・芒墨】《ノギスミの音便形》はきものの固い部分に擦(す)れてできる足の炎症。まめ。「肉刺、乃以須美(のいずみ)、脚指間生肉。如レ刺。由レ著ニ靴小一、相揩而所

レ生也」〈和名抄〉

のいふ・し【偃し】『四段』倒れ伏す。横に伏せる。「翁らが賤しき宿りも、帯紐を解き、門をだにささで、やすらかに―・したれば」〈大鏡 藤氏物語〉。「偃、フス・タフル・ノイフス」〈名義抄〉

のう【能】①才能。能力。「―のなき輩をも、あはれみはぐくむべし」〈十訓抄一序〉②技能。芸能。「いと―などおはせねども、笙の笛吹き、琵琶ひき給ひき」〈今鏡六〉。「姫君の御心慰むるやうに、面面―を尽されよ」〈伽・藤袋〉③効力。効能。「言はばやものを膏薬の―」〈俳・時勢粧四上〉④劇。演劇。「祇園の勧進の田楽侍りしには、四足の鬼といふ―をせしに」〈落書露顕〉。「貴賤群集の人、―毎に感声を尽す」〈文安田楽能記〉⑤日本芸能の一。外来の舞楽や古来の田楽・猿楽、諸種の舞や節を折衷して、足利義満のころ、観阿彌(結崎清次)・世阿彌(元清)父子が大成した仮面楽劇。能舞台に仕手(して)・脇(わき)・連(つれ)などの役者が登場し、笛・大鼓・小鼓・太鼓の囃子(はやし)に合わせて謡・舞を演じる。武家の式楽となり、観世(かんぜ)・宝生(ほうしよう)・金剛(こんごう)・金春(こんぱる)の大和猿楽の四流を四座(よざ)と称し、近世初期、喜多(きた)流が一派を立てた。「此の比の―の稽古、必ず其の物自然と仕出す事に、得たる風体有るべし」〈風姿花伝〉

のうけ【能化】〔仏〕能(よ)く他を教化する者の意で、仏・菩薩などの称。所化である衆生に対していう。「其の世界の―の仏、これを見て」〈今昔三ノ三〉

のうげい【能芸】身につけた芸。芸能。「―優長にして才智人にすぐれたり」〈古活字本保元中・左府御最後〉

のうじゃ【能者】①才能のある人。物事に堪能な人。「三位の中将は、無双の―にておはすなり」〈盛衰記三九〉。〈日葡〉②能の役者。「十ばかりの―にも、この位(能ノ芸位)おのれと上がれる風体あり」〈風姿花伝〉

のうしょ【能書】文字を書くのが上手なこと。また、その人。「和歌の道に足れり。また、きはめたる―にてぞありける」〈今昔一四ノ二九〉

のうひつ【能筆】「能書(のうしよ)」に同じ。〈文明本節用集〉

のうまい【能米】黒米。玄米。乃米。「―一駄…送り給び候ひ了んぬ」〈日蓮遺文 上野殿母尼御前御返事〉。〈文明本節用集〉

のうやうウ:ヨ【濃様】〔歌論用語〕艶麗な歌体。濃体。「長高様…有一節様・―などやうの体はいとやすき事にて候」〈毎月抄〉

のうらく【能楽】のらくらと遊び暮すこと。また、その人。のらくら。「所所方方の世に無し、―、寝惚れ者」〈浮・諸分姥桜二〉　**―もの**【能楽者】遊び好きの怠け者。のらくら者。「のうらくじん」とも。「―の癖として」〈いろは短歌〉

のうりき【能力】寺院で力仕事に従事する下級の僧。寺男。「いかに―、はや鐘をば鐘楼へ上げて有るか」〈謡・道成寺〉

のうれん【暖簾】《唐音ノンレンの転》もと禅家で、冬の隙間風を防ぐのに用いた垂れ布。転じて、一般に、垂れ布、帳(とばり)。近世、商家の店先に家号などをしるして垂らした。「大王扇取り直し、錦の―かきあげて」〈伽・御曹子島渡〉。「―にしるしを見する縫物屋」〈俳・犬子集一五〉。「暖簾、ノウレン、帳也」〈黒本本節用集〉

のえくさ【萎草】《ナエクサの母音交替形》なよなよとした草。やさしい女性にたとえる。「―の女(め)にしあれば我が心浦渚の鳥ぞ」〈記歌謡三〉▽ナとノ(甲類)との交替は、ナヰのナ(地)・ノ(野)、ツナ・ツノ(綱)の類。†noyekusa

のえふ・し【偃し】『四段』「のいふし」の転。「始め手づから植ゑ給ひし松は、旧房の前に―・してあらん」〈三体詩抄三ノ一〉。「玉笹もかしけて立てる岩が根に/松は―・す橋の一すぢ」〈聖廟千句〉

のおくり【野送り】遺骸を火葬場または墓地まで送ること。葬送。野辺送り。「―、二十三日と聞く」〈多聞院日記元和三・一・二二〉

のがけ【野懸け・野駆け】花見・紅葉狩など、飲食物持参で山野を遊び廻ること。野遊び。野懸遊び。「ある時、玄旨をはじめとしてさるべき各(おのおの)―に出で給ひて」〈室町殿日記一〇〉　**―ふるまひ**イ:マ【野懸け振舞】野懸けで飲食すること。また、その馳走。「幕打ち廻し―」〈俳・時勢粧四上〉

のが・し【逃し】『四段』《ノガレの他動詞形》にがす。「なんでまれ、敵(かたき)の方より出で来たらんものを―・すべき様なし」〈平家九・坂落〉

のかぜ【野風】野を吹く風。「吹きまよふ―を寒み秋萩のうつりもゆくか人の心の」〈古今七八一〉

のかづき【篦被】矢の部分の名。鏃(やじり)が篦(の)の中にくいこんでいる所。両者の接合部。「やがて二の矢を射たりければ、押付(おしつけ)にちゃうど当って、―砕けて跳り返れり」〈古活字本平治中・待賢門軍〉

のがな・へノガナエ『下二』「長らへ」の上代東国方言。「立と月(つく)の―・へ行けば恋(こ)しかるなも」〈万三四七六東歌〉†noganaFe

のかぬなか【退かぬ仲】切っても切れぬ間柄。肉親・親戚関係などにいう。のがれぬ仲。「鶯と―かや花の兄(梅花)」〈俳・伊勢正直集一〉

のが・ひイ:ガ【野飼ひ】□一『四段』家畜をつながずに、放し飼いにする。多く、馬にいう。「みちのくの尾駮(をぶち)の駒も―・ふには荒れこそまされなつくものかは」〈後撰一二五三〉□二『名』放し飼い。放牧。「―に放つ馬ぞ悲しき」〈後撰一三一三〉

のがらか・し【逃らかし】『四段』のがれさせる。にがす。「見るも憂きは鵜縄(うなは)に逃ぐる鱗(いろくづ)を―・さでもしたむ持網」〈山家集上〉

のが・れ【逃れ】『下二』《ノガはニゲ(逃)の母音交替形》①宿世・物の怪・いやな相手などから逃げきる。まぬかれる。「さかさまに行かぬ年月よ。老いは、えー・れぬわざなり」〈源氏若菜下〉。「―・れがたかりける御宿世をぞ命婦はあさましと思ふ」〈源氏若紫〉②言いのがれをする。「気色ばませ給ひしにはとかく―・れ聞えしを」〈源氏若菜上〉

のき【軒】屋根の端の、四方へ垂れてさし出た部分。「わが屋戸の―のしだ草生(お)ひたれど」〈万二四七五〉。「檐、能岐(のき)」〈和名抄〉▽上代、ノキの甲乙類不明。　**―を争・ふ**　軒と軒がはげしくせり合って並ぶ。家がぎっしりと建てこんでいるさまにいう。「―・ひし人の住ひ、日を経つつ荒れゆく」〈方丈記〉

のき【野木】野に立っている木。「吉隠(よなばり)の―に降り覆ふ白雪のいちしろくしも恋ひむわれかも」〈万二三三九〉†noki

の・き【仰き】『四段』上を向く。あおのく。「烏帽子は―・きすぎぬやうに深く着なすべし」〈蹴鞠百五十箇条〉。「前へうつむくを、かかると云ふ。あふのくを、―・くと云ふ」〈わらんべ草二〉

の・き【退き】『四段』《ノコリ(残)と同根。現在自分の居る所や、居る予定の所から引きさがって、他の人にその所をゆずる意。類義語ソキ(退)はソ(背)と同根、相手に背を向けて遠くへ離れる意》①現在地から引きさがる。「〔クヤシサヲ〕つつみもあへず、物ぐるはしき気色も〔相手ニ〕聞えつべければ〔自分カラ〕―・きぬ」〈源氏手習〉②退却する。

「人目ばかりに矢一つ射て—・かんとこそ思ひけるに」〈平家九・六箇度軍〉③現場などから離れて位置する。隔たる。「居給ふべき所と見ゆるは、寺よりは少し—・きてぞありける」〈狭衣四〉④地位を離れる。また、退位する。「小一条院、わが御心とかく—・かせ給へることは、これをはじめとす」〈大鏡師尹〉⑤辞退する。「〔東宮ヲ〕—・かせ給ふ事はさりともよにあらじ」〈大鏡師尹〉⑥関係を離れる。手を引く。「思ひもゆづりつべく、—・く心地し給へど」〈源氏浮舟〉⑦関連が薄くなる。遠のく。「下手の句は、いかにも付きたるやうなれども、心が—・くなり」〈連歌十様〉⑧男女関係を絶つ。手を切る。「—・く。当道(色道)、男女離別の義なり」〈色道大鏡一〉 **退けば他人** 一旦離婚すれば、夫婦の間柄も他人同様に冷淡薄情になるの意。「誠に—、さても恐ろしの人心や」〈西鶴・織留四〉

の・き【残き】『四段』《ノキ(退)・ノコリ(残)と同根。他ととりわけてそこに置く意》残し置く。「いかなるや、人に坐(いま)せか、石(いは)の上を土と踏みなし、足跡(あと)—・けるらむ」〈仏足石歌〉 †nöki

のぎ ①【芒】稲などの穂の籾(もみ)の先についている針のような堅い毛。のげ。「なかての稲も—は落ち」〈曾丹集〉。「芒、乃木(のぎ)、禾穂の芒なり」〈和名抄〉②【鯁】のどに刺さった魚の骨。「喉(のみど)に—ありて、物え食はず」〈記神代〉。〈和名抄〉 ▽上代、ノギの甲乙類不明。

のきざり【退去り】妻と夫婦の縁を切ること。離縁。離別。「—のなかなか今は悔しやな」〈俳・正章千句下〉

のきのすずめ【軒の雀】かくれんぼ。軒端の雀の意で、その人を恐れるさまが、かくれんぼの鬼に見つけられるのを恐れるのに似ていることからの命名という。「道すがら、目なしどち・—遊ぶ童の手さし指さして笑ふ」〈伽・福富長者物語〉

のきば【軒端】軒の端。また、軒下。「稲妻の光だにこぬ屋がくれは—の苗も物思ふらし」〈かげろふ中〉

のくれやまくれ【野暮れ山暮れ】《野で日を暮し、山で日を暮しの意で》長い旅路。「野暮れ里暮れ」とも。「恋しくは—たづねみん春はあづまへ帰るとぞ聞く」〈拾玉集二〉

の・け【仰け】㊀『下二』《ノキ(仰)の他動詞形》上を向くようにする。あおのける。「まことに寒げなりけるに、衣(きぬ)くれて、—・け張りて出できたりける気色(けしき)、いみじかりけりとぞ」〈俊頼髄脳〉。「〔石ノ〕そばだてるもあり、—・けふせるもあれども」〈作庭記〉 ㊁『名』①あおのけ。「八町二郎—に倒れて、三転(ころ)びばかり転びける」〈平治中・待賢門軍〉②《接頭語のように用いて》後の方に傾くように被(かぶ)るさまを示す。「義朝・清盛、—兜(かぶと)になって馳せ参る」〈保元中・朝敵の宿所〉。「帽子を—帽子に着て」〈四河入海三ノ一〉

の・け【退け・除け】『下二』《ノキ(退)の他動詞形》①現在いる所から、他へ引きさがらせる。現在いる場所を他のものにゆずらせる。「立てる車どもを、ただ—・けに—・けさせて」〈枕三三七〉②遠ざける。「〔相手ガ勧メル食事ヲ〕忌みたらんやうに口をふたぎ、顔をもて—・くべきことにもあらねば」〈枕一九六〉。「蚊やり火は夏するものなれば、宿の内は暑さに耐へで、—・けて焼(た)くなり」〈俊頼髄脳〉③《動詞連用形に助詞「て」のついた形に続いて》あえて…する。…してしまう。「対面して決断して—・けん」〈古活字本論語抄一七〉。「引き裂いて—・けう」〈虎明本狂言・雷〉

のけえもん【仰衣紋・退衣紋】「ぬきえもん」に同じ。「羽織は…—にぞ着なしける」〈仮・竹斎下〉

のけくび【仰領】衣服を抜き衣紋に着ること。「見ぐるしきもの。…—したる人」〈枕一〇九〉

のけさま【仰け様】あおのけ。「鼎(かなへ)の上に—に落ち給へり」〈竹取〉。「仰、ノケサマ」〈温故知新書〉

のけぞ・り【仰け反り】『四段』あおのけにそる。うしろにそりかえる。「乗りつけぬ馬に神主—・りて」〈俳・犬筑波〉

のこぎり【鋸】《古形ノホキリの子音交替形》木などをひき切る道具の一。「鋸、ノコギリ」〈名義抄〉 **—あきなひ**【鋸商】《鋸は押しても引いても切れることから》商売の駈引きを巧みにして、両方から利益を得ること。また、その商人。鋸儲け。「—にして、十年たたぬ内に千貫目余の分限とはなりぬ」〈西鶴・永代蔵四〉 **—びき**【鋸引・鋸挽】罪人の首をのこぎりでひき殺す刑罰。「江戸へ逃げて—に逢ひぬる」〈浮・二休咄五〉

のこ・し【残し・遺し】『四段』《ノコリ(残)の他動詞形》①他のものは退けて、それだけをあとに存在させる。「妹が為命—・せり刈薦(かりこも)の思ひ乱れて死ぬべきものを」〈万二七六四〉②それだけを隠しておく。「しばし心に隔て—・したることあらむもいぶせきを」〈源氏若菜上〉③もとの所にとどめておく。「散りぬとも香をだに—・せ梅の花」〈古今四八〉④後世にまで消えないようにする。「時じくの香(か)の木の実をかしこくも—・したまへれ」〈万四一一一〉⑤例外的にそれだけ手をつけずにおく。「その詞を、ただまかせて—・し給へ」〈枕一四三〉 †nökösi

のご・ひノゴイ【拭ひ】『四段』「ぬぐひ」の古形。「真袖持ち涙を—・ひむせひつつ」〈万四三九八〉 †nögöri

のこらず【残らず】『副』例外もなく。ことごとく。「下葉—色づきにけり」〈古今二六〇〉

のこ・り【残り】㊀『四段』《ノキ(退・残)の受身形。ヨシ(寄)と受身形ヨソリ(寄)の類。相共に存在した仲間に退(の)かれて、そのまま、あとにとまる意》①他のものが消滅したのに、そのまま、あとに存在している。「—・りたる雪にまじれる梅の花早くな散りそ雪は消(け)ぬとも」〈万八四九〉②置きざりにされる。「御身は〔障子ノ向ウニ〕入り果て給へれど、御衣(そ)の裾の—・りて」〈源氏夕霧〉③死におくれる。生き残る。「われひとり—・りて」〈源氏東屋〉。「よそながらのむつびかはしつべき人は、斎院とこの君とこそは—・りありつるを」〈源氏若菜下〉④死後も消えずに後代に伝わる。「恋しきにわびて魂まどひなば空しきからの名にや—・らん」〈古今五七一〉 ㊁『名』①残ったもの。残されたもの。余地。「—をいはせんとて」〈源氏帚木〉。「来し方のつらさは、なほ—ある(今後ニ希望ノ余地ガアル)心地して、よろづに思ひ慰めつる給ひて」〈源氏蜻蛉〉。「—の人(遺族)をはぐくませ給へ」〈源氏総角〉②心残り。「人恋ふる我が身も末になり行けど—多かる涙なりけり」〈源氏幻〉 †nököri **—な・し**【残り無し】『形ク』残りがない。余す所がない。連用修飾語として、残らず、すっかりの意に使われることが多い。「春たてば消ゆる氷の—・く君が心はわれに解けなむ」〈古今五四二〉 **残る所無・し** 完全である。遺憾な点が少しもない。「秘事口伝さらに—・し。殆ど手に取るが如し」〈後伏見天皇御記元亨二・八・一三〉。「御前の仕合せ、—・く候」〈相良家文書二、文祿四・八・一六〉

のこんの【残んの】『連体』《残リノの音便形》残っている。「遠山の花は—雪かと見えて」〈平家一〇・海道下〉

のさ ①のんびりしているさま。ゆったりしているさま。「〔大人トイウモノハ〕心の大(おほ)くれにしてこめかしあらず、—なるを云ひならはせるか」〈塵袋五〉②緊張感がなく、たるんでいるさま。「又、大様(おほやう)にせんと心がくれば、見所(けんしよ)も少なくて、—になる相(さう)あり」〈花鏡〉。「せめては身の毛もいよたつほどに思ふべきにて候を、—におぼしめし候はんは本意なく候へども」〈拾遺語燈録下〉

のさき【荷前】《ノは二(荷)の古形。サキは最初、第一の意》毎年諸国から奉る貢(みつぎ)の初物。初穂。平安時代、それを皇太神宮や山陵などに奉り、残りを天皇が受納した行事。「東人(あづまど)の—の篋(はこ)の荷(に)の緒にも」〈万一〇〇〉。「一条宮には御—御覧ずるにつけても、夢とのみおぼしめさる」〈栄花ゆふしで〉 †nösaki **—のつかひ**カイ(ッ)**【荷前使】** 荷前を諸陵などにたてまつるためにつかわされる勅使。「先づ七、八日に—を定む」〈小右記治安三・一二・九〉

のさのさ《ノサを重ねた形》①緊張をゆるめ、のんびりかまえているさま。「いと静かに馬を飼ひて、—としてぞゐたりける」〈太平記三六・秀詮兄弟〉。「壮なりとも—としては叶ふまいぞ」〈周易抄六〉 ②神経を使わない、鈍感なさま。無為にして平然としたさま。「遂に矢の一つをも射かけずして、城の麓を—と通しければ」〈太平記三三・直冬上洛〉

のさば・り『四段』 大きくのびひろがる。横柄にふるまう。「人の見るをも知らで—・れば」〈仮・仁勢物語下〉

のさび《ビは接尾語》 のんびりしているさま。ゆったりしているさま。「この曲は頗る—に舞ふ所に候を、天性無骨者候の間、幽玄の所をえ舞はぬなり」〈古事談六〉。「右〔歌〕はいま少し姿もうるはしく、—に詠みすまして」〈仁安二年経盛家歌合〉。「鞠、枝にかかりて移らむを見ては、躰をせめて走りまはるべし。—なるは、事をすとも見えず」〈成通卿口伝日記〉

のさもの【のさ者】 怠け者。愚か者。横着者。「源三といふ—を遣はしたれば」〈義経記四〉。「—にてたばからるるなり」〈春秋抄三〉。「—を使ひにやれば、近い所も道寄りをして一日かかる」〈虎清本狂言・文荷〉

のざらし【野晒し】 山野で風雨に晒されること。また、晒されたもの。特に曝頭(されかうべ)をいう。「今日もはかなし—の骨」〈俳・虎溪の橋〉。「野髑髏、ノザラシ・ノザレ、又作二野晒一」〈書言字考〉

の・し【伸し】 ㊀『四段』 ①大きくのばす。「先づ太鼓前にて腰—・す時、〔太鼓〕一打」〈教訓抄四〉。「鶩鳥のしばし羽を—・す石の上」〈享徳千句〉 ②熨斗(のし)をあてて、しわなどをのばす。「熨斗に火を入れて、懐妊したる腹を—・しければ」〈沙石集七ノ一〉 ③横柄にふるまう。「大名になりて今さらことの外に—・さるるよ」〈四河入海一〇上〉 ㊁『名』【熨斗】 ①火熨斗(ひのし)。「海の面は—の尻(底面)の様にて浪もさぶらはぬに」〈今昔二六ノ一二〉。〈和名抄〉 ②熨斗鮑(のしあはび)。「漬物、—あへて」〈久政茶会記弘治二・三・九〉

のじ【虹】「にじ」の上代東国方言。「伊香保ろの八尺(やさか)の堰塞(ゐで)に立つ—の顕はろまでもさ寝をさ寝てば」〈万三四一四上野東歌〉 †nozi

のしあはびワビ(ア)**【熨鮑・熨斗鮑・引鮑】** アワビの肉を薄くそぎ、のばして干したもの。はじめは儀式用の肴(さかな)として用いられ、また、祝儀の食品としても贈答されたところから、後世、形式化して贈答品に付ける飾物となった。「初献の料に、海月(くらげ)・—」〈庭訓往来五月日〉

のしば・り【伸し張り】『四段』 勝手気ままに振舞う。横柄な態度を取る。「のじばり」とも。「悪く—・るものならば」〈浄・信濃源氏一〉

のしひとへトエ(ヒ)**【伸単衣】** のりをつけ、火のしを掛けて張った練絹の単衣。薄くて透けて見える。「—めく物に着こめ給へる髪の透き影」〈源氏(肖柏本)玉鬘〉

のしぶき【熨斗葺】 精製した檜皮(ひはだ)で、葺足を小さく葺いた最上の檜皮葺。「四品以下の平侍武士なんどは、関板うたぬ、—の家にだに居ぬ事にてこそあるに」〈太平記二六・執事兄弟〉

のしめ【熨斗目】 ①練貫(ねりぬき)の一種。たて糸は生糸、よこ糸は練糸を用い、袖の下部と腰の辺に縞のある無地の織物。近世、麻上下(かみしも)の下着とし、五位以下の武家の礼服とされた。「古年(こぞ)の師走今年—の小袖かな」〈俳・沙金袋一〉 ②能衣裳の一。無地・色段・縞段の三種ある。「下には紅梅の御小袖、上には段段の御—」〈虎寛本狂言・麻生〉

のじめ【野締】 ①鳥など、野外で捕えて、すぐ締め殺すこと。また、そうして殺した鳥。「高縄に色鳥鳥を—かな」〈俳・玉海集三〉。「—、九月より正二月迄用ふべきか」〈古今料理集三〉 ②生簀(いけす)の魚に対して、海・川で捕えた魚。「今日日の—ぢゃア二階へは使はれねへス」〈洒・玉の牒〉

のしろ【箆代】 鏃(やじり)の、矢竹の中に差し込まれてある部分。「七寸五分の丸根の、箆中(のなか)過ぎて—のあるを打ちくはせ」〈古活字本保元中・白河殿へ義朝夜討ち〉

のす『接尾』「なす」の上代東国方言。「下毛野(しもつけの)みかもの山の小楢(こなら)—まぐはし児ろは誰が笥(け)か持たむ」〈万三四二四下野東歌〉。「利根川の川瀬も知らずただ渡り波にあふ—逢へる君かも」〈万三四一三上野東歌〉 †nösu

のすぢ【野筋】 庭園に設けた山裾の斜面。「山も—もなくて平地に石を立つる、常事也」〈作庭記〉。「北面の小壺に—を築き、秋草を栽う」〈看聞御記応永二九・四・一四〉

の・せ【乗せ・載せ】『下二』《ノリ(乗)の他動詞形》 ①物の上にしっかりと位置させる。「君をば天(あめ)とす。臣(やつこらま)をば地(つち)とす。天は覆ひ地は—・す」〈紀推古十二年〉 ②運ぶ道具に物を積んで、動きのままに移動するようにする。「此の船を以て蛭児(ひるこ)を—・せて、流(づみ)のまにまに放ち棄つ」〈紀神代上〉 ③掲載する。記載する。「これらの集に入りたる歌は、海士のたく繩くり返し、同じ事を抜きいづべきにもあらざれば、この集に—・することなし」〈後拾遺序〉 ④相手を計略に乗せ、一ぱい食わせる。また、相手の喜ぶような事を言ってだます。「後、居杭、頭巾はづして、—・す」〈天正本狂言・居杭〉。「—・する。其の者の満足がるやうに言ひなして歓ばする貌(かたち)を言ふ」〈色道大鏡一〉 ⑤調子を合わせる。「流行り唄…三味線に—・せ」〈榎本彌左衛門覚書〉 †nöse

のぞ・き【除き】『四段』《奈良時代はノソキと清音》 ①排斥し、取り去る。「大御足跡(おほみあと)を、見にくる人の去(い)にし方、千世(よち)の罪さへ、滅ぶとぞいふ、—・くとぞ聞く」〈仏足石歌〉 ②(邪魔者などを)殺す。「四兵を厳(かざ)りて彼の国に発向して討罰(のぞ)かむとしてゆかむときには」〈金光明最勝王経平安初期点〉 †nösöki

のぞ・き【覗き・臨き】『四段』《ノゾミ(望)と同根か》 ①相手に知られないように、相手の様子をうかがい見る。「物のはざまより—・けば、この男の顔〔以前〕見し心地す」〈源氏玉鬘〉 ②ちょっと立ち寄って様子を見る。「〔坊ヲ〕—・き給へば、…仏すゑ奉りて行なふ尼なりけり」〈源氏若紫〉 ③《漢字「臨」をノゾクと訓読したことから》 上から見おろす。「人人渡殿より出でたる泉に—・きゐて酒飲む」〈源氏帚木〉。「川近き所にて水を—・き給ひて、いみじく泣き給ふ」〈源氏手習〉 ㊁『名』 箱の中に幾枚かの絵を入れておき、順次に入れ換え、箱の前方の眼鏡から覗かせる見世物。のぞきからくり。「これよりは—の奥に春の山」〈俳・大矢数三〉 **—からくり【覗機関】**「のぞき」㊁に同じ。「—のあしらひと思ひ」〈俳・本朝文鑑五〉 **—を呉(く)・る** わざわざ覗く。「のぞきをやる」「のぞきをかく」とも。「—・るる格子のさま」〈評判・吉原こまざらい〉

のぞこ・り【除こり】『四段』《ノゾキ(除)の自動詞形》 除かれる。除去される。「病ひ悉く—・りぬ」〈百座法談聞書

抄〉。「その苦しみ皆—・りて」〈閑居友上〉

のぞ・み【望み・臨み】㊀『四段』《ノゾキ(覗)と同根か》①物事を求めて、遙か遠くまでを見る。「また一辺に望(ぞの)みて見れば、大樹有り」〈金光明最勝王経平安初期点〉②遠くから見やる。「唐詩(からうた)に『日を—・めば都遠し』などいふなることのさまを聞きて」〈土佐一月二十七日〉③希望する。待望する。切に願う。「御後見—・み給ふ人人は、あまた物し給ふめり」〈源氏若菜上〉④《漢字「臨」をノゾムと訓読したことから》㋑むかう。事の局にあたる。直面する。「これより大きなる恥に—・まぬさきに、世をのがれなむと思う給へ立ちぬる」〈源氏須磨〉。「死に—・みて死をおそれば」〈徒然九三〉㋺臨席する。「〔幼帝ヲ〕母后抱いて朝に—・むと見えたり」〈平家四・厳島御幸〉㊁『名』①遠望。「青波に—は絶えぬ」〈万一五二〇〉②希望。願い。「おとど此の—を聞き給ひて」〈源氏行幸〉。「遙かに西の方十万億の国隔てたる九品の上の〔往生ノ〕—は〔成就〕疑ひなくなり侍りぬれば」〈源氏若菜上〉

のたうばく【宣ばく】《ノタウビのク語法》おっしゃること。副詞的に漢籍の訓読に使う。「子の—、学びて時に習ふ、亦説(よろこ)ばしからずや」〈論語一・建武四年点〉。「謂、ノタウバク」〈名義抄〉

のたう・び【宣び】『四段』《ノタマヒの転》おっしゃる。「『例のごと—・べかし』などのたまひて」〈宇津保藤原君〉

のたく・り『四段』「ぬたくり」に同じ。「書くと申す程ではござらぬが、みみずの—・ったるやうな事や鳥の踏んだ足跡のやうな事を致いて心覚えを仕る」〈虎明本狂言・腹立てず〉

のだけ【篦竹】矢の篦(の)にする竹。「直(す)なる物は、ただ、連枷(からさを)や—、仮名(かんな)のし文字」〈梁塵秘抄四三五〉

のだち【野太刀】①野外を歩く時に帯びる鞘(さや)巻の刀。「刺刀、能太知(のだち)、短刀也」〈和名抄〉。「短刀、ノダチ」〈名義抄〉②「衛府(ゑふ)の太刀」の異名。「左の手には黄金作りの小太刀を持ち、右の手には—の大きなるを持たれたり」〈平家一三・泊瀬六代〉③長太刀(ながだち)。「足もなくて大なる太刀を—といふは、鷹野などに持つ太刀か」〈塩嚢鈔一〉。「薙刀(なぎなた)を—の鞘にさしこみて」〈俳・犬筑波〉

のたばく【宣ばく】《ノタマヒの転ノタビのク語法》おっしゃること。「ちちの実の父のみことは…涙垂り嘆き—」〈万四四〇八〉 †nötabaku

のたまはく【宣はく】《ノタマヒのク語法》おっしゃること。「皇子(みこ)答へて—、『…』とのたまへば」〈竹取〉

のたまは・せ【宣はせ】『下二』《ノタマヒに尊敬の助動詞セのついた形。ノタマヒよりも一層あつい尊敬を表わす》おおせられる。言葉をおかけになる。「何ざまの事にも…—・せ合はせしを、絶えてさる御消息もなし」〈源氏若菜下〉

のたま・ひ【宣ひ】『四段』《ノリ(宣)タマヒ(給)の転。下位の者に対して、上位者が自己の犯すべからざる意向を表明し、下賜するのが原義》①言い聞かせる。「『たいだいしきこと侍るなり。いまは、え顧みるまじくなん』とばかり〔ワガ子ニ〕—・ふことありし」〈宇津保忠乞〉。「いとかしこき仰せごとに侍るなり。姉なる人に—・ひみん」〈源氏帚木〉②おっしゃる。お話しになる。言葉をおかけになる。「もの知らぬことな—・ひそ」〈竹取〉

のため【篦撓・篦矯】矢竹の曲がったのを撓(た)め直す道具。細い木に筋かいに溝(みぞ)を彫り、その中に篦(の)を入れて直す。「弓撓(ゆため)も—も持ちながら、讃岐の松山へ入りにしは」〈梁塵秘抄四〇六〉 —がた【篦撓形】篦撓に似た形。ななめ。すじかい。「梶原が乗ったりける磨墨(するすみ)は、河なかより—に押しなされて」〈平家九・宇治川〉。「鴻雁行は、つらなりて次第に—なぞ」〈山谷詩抄二〉

のたり ゆったりとしたさま。「のたら」とも。「建て詰めた中に—と増上寺」〈雑俳・卯花かつら〉

のた・り『四段』のたくる。這う。「御口よりは恐ろしき息を吐き出し、御口は紅の御舌を出し給ひて、頭には角を頂き、頼家の御座敷へ—・り出で給へば」〈伽・頼朝最後の記〉

のち【後】《古くは空間的に、川の流れのような、長い延長を持つものの先の方、末、下(しも)の意。転じて時間に用い、流れて行く時の中の、ある一点から見た後刻、以後、将来、死後などの意》❶《空間的に》末。下(しも)。「鴨川の—瀬静けく後も逢はむ妹には吾は今ならずとも」〈万二四三一〉❷《時間的に》①(ある時点の)以後。「含めりし花の始めに来し我や散りなむ—に都へ行かむ」〈万四四三五〉②後刻。あと。「さねかづら—も逢はむと大船の思ひたのみて」〈万二〇七〉③将来。行末。「梓弓引かばまにまに寄らめども—の心を知りかてぬかも」〈万九八〉④死後。「—のしたため(用意)なども、いとはかなくしてけるを」〈源氏蜻蛉〉⑤来世。「—にまたあひ見むことを思はなむ此の世の夢に心まどはで」〈源氏浮舟〉⑥子孫。「大臣の—にて」〈源氏若紫〉⑦順序があと。二番目。「わが里に大雪降れり大原の古りにし里に降らまくは—」〈万一〇三〉。「この姉や、まうとの—の親」〈源氏帚木〉。「—の御文には…白き色紙にて立文なり」〈源氏浮舟〉⑧後産(あとざん)。「程なく生れ給ひぬ。…—の事またいと心もとなし」〈源氏葵〉⑨おくれ毛。「髦、ノチ」〈名義抄〉 †nöti

のぢ【野路】野道。「雪降れば—も山路も埋もれて遠近(をちこち)知らぬ旅の空かな」〈山家集上〉

のちおひ【後生】①あとから生ずること。また、そのもの。「—のつのぐむ蘆のほどもなき憂き世の中は住みうかりけり」〈曾丹集〉②後に生れる人。後生(こうせい)。「などか実忠をしもおぼし落すべき。—ともいふものなり」〈宇津保藤原君〉

のちくい【後悔】後悔(こうかい)。「後悔不及、乃知久伊矣与保須奈(のちくいよぼすな)」〈華厳音義私記〉 †nötikui

のちぐすり【後薬】あとで身のためになること。また、そのもの。「民を民とおぼす卯杖(うづゑ)や—」〈俳・沙金袋一〉。「打つ杖にも、親・師の諫めの杖は—なりけれど」〈俳・宝蔵三〉

のちくち【後口】ものを飲食した後に口に残る感じ。あとくち。「総じて茶は初は苦(にが)きやうなれども、—は甘いものなり」〈禅儀外文盲象鈔七〉

のちごと【後言】死にのぞんで言い残すことば。遺言。「あまりに強く投げられて、—もせず死にけり」〈盛衰記四二〉

のちざま【後様】のち。後日。後年。「『大鼻の蔵人得業』といひけるを、—には、言(こと)長しとて『鼻蔵人』とぞいひける」〈宇治拾遺二三〇〉

のちせ【後世】後の世。末代。「筆も有れかし、我が心書いて—に留めたや」〈近松・今宮心中下〉

のちせ【後瀬】①下流の瀬。「鴨川の—静けく」〈万二四三一〉②後に会う時。後会の折。「—を契りて出で給ふ」〈源氏総角〉 †nötise

のちとげ【後遂げ】最後まで物事をなしとげること。「〔雷八〕ひときははいと高く鳴れど、—のなきなり」〈大鏡道長〉

のちのあした【後の朝】男女が一夜を共にした翌朝。きぬぎぬ。「—は残り多かる心ちなんする」〈枕(能因本)頭弁の職に参り給ひて〉

のちのあとのな【後の跡の名】死後まで残り伝わる世評。「—を省く(除ク)とても、たけき事もあらじ」〈源氏明石〉

のちのおや【後の親】実の親と死別・生別して以後、親と頼む人。まま親。「〔娘ヲ〕—に譲らむ、いとあいなしとて…

大宮にぞ預け聞え給へりける」〈源氏少女〉

のちのくい【後の悔】後悔。「限りとて物し給はむことを聞き過ぐさむは、—、心苦しうや」〈源氏柏木〉

のちのくれ【後の暮】男女が一夜を共にした翌夕。後の夕べ。後の夕暮。「かへるさの物とや袖をぬらすらむ／—まで人はおもはじ」〈新撰菟玖波集八〉。〈連珠合璧集下〉

のちのこと【後の事】①それ以後のこと。「…とばかり言ふを聞くに、ものおぼえずなりて、—どもはおぼえずなりぬ」〈かげろふ上〉②納棺や葬送など、死後の諸事。のちのわざ。「命尽きぬと聞こしめすとも、—思し営むな」〈源氏松風〉

のちのち【後後】それより後。以後絶えて久しい間。「あひ知りて侍りける人、—まで来ずなりにければ」〈後撰四三五詞書〉　**—のわざ**【後後の業】死後の七日目ごとの仏事。「のちのちの御わざなど孝(けう)じつかうまつり給ふさま」〈源氏賢木〉

のちのつき【後の月】①閏月(うるうづき)。「去年(いにし)の閏月(のちのつき)の四日(よかのひ)」〈紀欽明十五年〉②《八月十五夜の月に対して》九月十三夜の月。「舟で出る相談止むや—」〈俳・曠野後集上〉

のちのでかはりヂカワリ【後の出替り】半季奉公人の春秋二回の出替りのうち、秋の出替り。八月二日・九月五日・九月十日など、時代・地域により相違があった。「契りもあだに—」〈俳・時勢粧五〉

のちのはる【後の春】翌年の春。「桜花まだ見ぬほどに散りにけり—だに心あらなん」〈藤原義孝集〉。「去年の秋、女(むすめ)におくれて侍りけるに、孫(うまご)の—兵衛佐になりて侍りける喜びを、人人言ひ遣はし侍りければ」〈拾遺五四四詞書〉

のちのほとけ【後の仏】《「後仏(ごぶつ)」の訓読語》彌勒仏(みろくぶつ)をいう。「釈迦の御足跡(みあと)石(はい)に写し置き敬ひて、—に譲りまつらむ捧げまうさむ」〈仏足石歌〉

のちのもの【後の物】産後に出る胎盤・卵膜など。「寅(とら)の時ばかりに生れ給ひて声高(こわだか)に泣き給ふ。…—もいとたひらかなり」〈宇津保蔵開上〉

のちのよ【後の世】①後代。後世(こうせい)。「大夫は名をし立つべし—に聞き継ぐ人も語り続ぐがね」〈万四一六五〉②後世(ごせ)。来世。「—の事を勤め」〈源氏絵合〉。「—には必ず生れ逢ひ奉らん」〈平家一〇・内裏女房〉　**—ざま**【後世様】《サマは方向》後世(ごせ)の安楽をめざすこと。「—の心ばへにてすすみ参りそめしを」〈源氏総角〉

のちのわざ【後の業】葬儀。また、法要。「ただし其の—は軽易(おろそか)なるを用ゐむ」〈紀天智八年〉。「はかなく日頃過ぎて、—などにもこまかにとぶらはせ給ふ」〈源氏桐壺〉

のづかさ【野司】《ツカサは塚のように高い所》野の小高くなった所。「あしひきの山谷越えて—に今は鳴くらむ鶯の声」〈万三九一五〉　†nodukasa

のっけ【仰っけ】《ノケの促音化》①あおのけ。「武蔵—にまろび」〈伽・弁慶物語〉。「をかしくて笑うて—に倒れたぞ」〈大恵書抄二〉②初め。いきなり。「一声や—に空の郭公(ほととぎす)」〈俳・伊勢踊三〉。「—。初め也」〈浪花聞書〉　**—晴れて**　公然と。おおっぴらに。「—今夜や逢ふ瀬夜這星(流星)」〈俳・伊勢踊四〉

のっす【衲子・納子】《ナフスの転》衲衣(なふえ)を着た僧。禅僧。衲僧(なふそう)。「今の—もこれほどの心を一度発(おこ)すべきなり」〈正法眼蔵随聞記二〉

のづち【野槌】《「野つ霊(ち)」の意》①野の精霊。「次に野の神、名は鹿屋野比壱神(かやのひめのかみ)を生む。亦の名は野椎神(のづちのかみ)」〈記神代〉②マムシ・サソリの類。「蝮、ハミ・ノヅチ」〈名義抄〉③年功を経たマムシの妖怪という。いろいろな伝承がある。「—といふは常にもなき獣なり。深山の中にまれにありといへり。形は大にして目鼻手足もなくして、ただ口ばかりある物の、人を取りて食らふといへり」〈梵舜本沙石集五ノ二〉。「—、蝮蛇、年を経て、体の太さ米搗杵の如くにして、丈短し。草を分けて飛び来る。その速き事たとへなし」〈裏見寒話付録〉

のっそっつ【伸っ反っつ】『連語』《ノリツソリツの音便形》伸びたり反ったりして苦しむさま。「のっつかへしつつ」とも。「こかされて—の相撲かな」〈俳・鸚鵡集六〉

のっと【祝詞】「のりと」の音便形。「宮人にてましまさば—を参らせられ候へ」〈謡・蟻通〉。「鹿島の明神の御前にて—を申して」〈玉伝深秘巻〉。「祝、ノト・ノット」〈色葉字類抄〉

のっと・り【則り・法り】『四段』「のりとり」の音便形。「君子の言には、後人が従って—・り行なふやうな事を云ふものぞ」〈論語抄為政〉。「則・法、ノットル」〈運歩色葉集〉

のっと・り【乗っ取り】『四段』「のりとり」の音便形。「已れが守ったる一城をさへ保たずして、人に—・られたぞ」〈三体詩抄一ノ四〉。「範レ城、ジャウヲノットル」〈いろは字〉

のっぴき【退っ引き】《ノキヒキの音便形》避け退くこと。のがれること。「—はなるまいぞ」〈浄・柏崎四〉

のっぽり　のんびりと間が抜けたさま。「疾(と)う疾うと言ひてまだ来ぬ—と」〈俳・花の雲〉

のづら【野面】①野外。野原。「姫路とて—も化粧(けはひ)ふ粉雪かな」〈俳・音頭集四〉②石・板などの、加工しないで自然のままの状態の物。「石垣は切石・—〔デ作ル〕」〈軍法極秘伝書五〉

のでっぱうノデッポウ【野鉄砲】①目当ても無く撃つ鉄砲。「—の目当てもなく」〈俳・奴俳諧〉。「それは当らぬ事、—ぢゃ」〈従容録抄二〉②度はずれたこと。度の過ぎたもの。無鉄砲。むちゃくちゃ。「やい—め、出るまかせに当りもせぬ才覚をぬかすな」〈評判・二挺三味線京〉

のでら【野寺】野中の寺。「郭公いづかたとだに聞き分かず—の寅の貝のまぎれに」〈為忠後百首〉。「静かなる—の花の陰に来て」〈新撰菟玖波集一〉

のと【祝詞】「のりと」の音便形「のっと」の促音を表記しない形。「御船ごとに—申して、一度に御祓(はらへ)するほどに」〈宇津保菊宴〉。「祝、ノト・ノット」〈色葉字類抄〉

のと【能登】旧国名の一。北陸道七国の一で、今の石川県北部。能州。「越前国の羽咋(はくひ)・能登・鳳至(ふげし)・珠洲(すす)の四郡を割きて、始めて—国を置く」〈続紀養老二・五・二〉

のど【和】《ナダラカのナダの母音交替形》おだやか。のどか。ゆったり。「吹く風も—には吹かず」〈万三三三五〉　†nödö

のど【喉】《ノミドの転》①のど。「御—かはかせ給ひて、水ほしがらせ給ふに」〈宇治拾遺九六〉。〈文明本節用集〉②物の開口部の奥の称。「滝の—あらはに見えぬれば、あさまに見ゆる事あり」〈作庭記〉

のどか【長閑】①日がやわらかく照るさま。「風はいとよく吹けども、日—に曇りなき空の」〈源氏常夏〉②動作や作用が、急激でないさま。ゆっくりしているさま。「檳榔毛(びらうげ)〔ノ車ハ〕—にやりたる。急ぎたるは、わろく見ゆ」〈枕三三〉③気持がのんびりしているさま。おっとりしているさま。「—に思せ。心いられして、な恨み聞え給ひそ」〈源氏総角〉

のどくび【喉頸】のどのあたり。のどもと。「九寸五分を—へさしつけて」〈碧岩抄七〉

のどけ・し【長閑けし】『形ク』《ノドカ(長閑)の形容詞形》①日の光がやわらかである。「久方の光—・き春の日にしづ心なく花の散るらむ」〈古今八四〉 ②あわただしくなく、のんびりとした様子である。「まらうどの御かた、男なんどたちまじらねば―・し」〈かげろふ上〉 ③性質がのんびりしている。おっとりしている。「〔女ガ〕かう―・きに、おだしくて(安心シテ)久しくまからざりし頃」〈源氏帚木〉

のどのくさり【喉の鎖】《気管は九節から成ると考えられていたのでいう》のど。のどぶえ。「―を一刀、うんとばかり目もくれなゐのうすもみぢ」〈近松・女腹切下〉

のどのど《ノドを重ねた形》①気分がいかにものんびりとしたさま。「人目も見えず、―と霞み渡りたるに」〈更級〉 ②ゆっくりとしたさま。「―と馬を歩ます程に」〈今昔二八ノ七〉

のどぶえ【喉笛】のどの気管の通じているところ。「狩衣の頸かみに刺すと思ひつる針は、すなはち大蛇の―にこそ刺いたりけれ」〈平家八・緒環〉。「吭、ノドブエ」〈運歩色葉集〉

のどま・り【和まり】『四段』《ノドメ(和)の自動詞形》気分がのどかになる。激しく動揺した心が落ちつく。「心も―・らず、目も暗き心地して」〈源氏蜻蛉〉

のど・め【和め】『下二』《ノドカと同根》①気分をゆったりさせる。激した心などを落ち着ける。「乱りがはしく騒ぎ侍りけるに、みづからもえ―・めず心あわたたしき程にて」〈源氏若菜下〉 ②(事の進行を)ゆるくして延ばす。猶予する。「限りある御いのちにてこの世尽き給ひぬとも、ただ、今しばし―・め給へ」〈源氏若菜下〉 ③控え目にする。さしおく。「そのたなばたの裁ち縫ふ方を―・めて、長き契りにぞあえまし(アヤカリタイ)」〈源氏帚木〉

のどやか【長閑やか】いかにものんびりとしたさま。「火取りに火深う埋みて、心細げに匂はしたるも、いと―に心にくし」〈枕一九三〉

のどよ・ひ ノドヨイ『四段』弱弱しい声を立てる。「飯(いひ)炊(かし)く事も忘れて、鵼鳥(ぬえどり)の―・ひをるに」〈万八九二〉。「男女の哭く声を聞く。細細声(のどよふこゑ)報へて云はく」〈金剛般若経集験記平安初期訓〉 †nödöyöFi

のとろ ①度を過ぎているさま。また、だらしないさま。「学校も耐えで崩れて、垣も無う―に現はれて見えたぞ」〈玉塵抄一四〉。「悪い事巧む者が―に何所も歩き廻り」〈詩学大成鈔二〉 ②ねっとりとねばりけのあるさま。「―なるはとろろ汁」〈俳・独吟集下〉

のなか【野中】野原の中。「磐代(いはしろ)の―に立てる結び松情(こころ)も解けず古へ思ほゆ」〈万一四四〉 †nonaka ―

のしみづ【野中の清水】①野の中にわく冷たい水。特に、播磨国印南野(いなみの)にあったという名水をさし、歌枕として有名。「いにしへの―ぬるけれどもとの心を知る人ぞくむ」〈古今八八七〉。「―、印南野にあり。また、河内にあり。播磨を以て本となす」〈八雲御抄五〉 ②《(1)の古今集の歌以来しばしば歌の中で使われて》古くからあったもの、旧知の人、昔親しくして今は疎遠になった女などのたとえ。「もとの女にかへりすむと聞きて…。わが為はいとど浅くやなりぬらむ―深さまされば」〈後撰七八五〉

のなか【篦中】篦の中ほど。「〔鏑矢ハ扉ノ〕金物ぐくみに―過ぎてぞ立ったりける」〈保元中・白河殿攻め落す〉

のねいた【野根板】土佐国野根山産の薄板。野根木。野根物。「―三間」〈鹿苑日録慶長四・五・一二〉。「―の薄き情もあるならば涙の雨の洩止めてまし」〈後撰夷曲集七〉

ののじ【のの字】「の」という字。また、その形。「〔連歌ノ句末二〕―、一座一句といへども、いまだ一切見ざる所也」〈連理秘抄〉。「年寄の袴の紋に―付け」〈俳・寛永十三年熱田万句六〉 ―書・く 真面目な姿のたとえ。字の形からいう。「真面目なる姿を―・くとかや言ひ慣はせり」〈俳・類船集四〉

ののし・り【罵り】㊀『四段』《ノノは大音・大声を立てる意。シリは思うままにする意。類義語サワギは、音・声と動きとが一緒に起る意》①大音を響かせる。「法雷を響(ののし)りて、弁を吐き」〈地蔵十輪経序・元慶点〉。「高さまに昇るを起となす。隠隠と―・りて声あるを震とす」〈法華義疏長保点〉 ②わめく。「〔物怪ガ〕この僧都に負け奉りぬ。今はまかりなむと―・る」〈源氏手習〉。「里びたる声したる犬どものいで来て―・るもいと恐ろしく」〈源氏浮舟〉 ③罵倒する。「恒水の神を罵(のの)しりき。仏、因りて之を誡(いまし)めて」〈法華義疏長保点〉 ④《世人が大声に言う意》評判が立つ。「この世に―・り給ふ光源氏、かかるついでに見奉り給はむや」〈源氏若紫〉 ⑤大騒ぎする。盛大にする。「うちに御薬の事ありて、世の中さまざまに―・る」〈源氏明石〉。「〔住吉ノ社ニ〕―・りて詣で給ふ人のけはひ、渚に満ちて」〈源氏澪標〉 ⑥羽振りをきかす。「そののち左の大臣の北の方にて、―・り給ひける時」〈大和一三四〉 ⑦大声で叱りつける。「汝なぜに我を礼拝せぬぞ、唯今われを踏み倒さうも身がままぢゃと、ゆゆしげに―・って過ぎたが」〈天草本伊曾保〉 ㊁『名』さわぎ。騒動。「この兄殿の御―にかかりて(連坐シテ)、出雲権守になりて」〈大鏡道隆〉

ののはな【野の花】秋の野に咲く草花。「―。秋の野の千種の花は女郎花まじりて織れる錦なりけり」〈貫之集三〉

ののみや【野宮】《皇居の外にあって、極めて簡素な構えであったのでこの名があるという》斎宮もしくは斎院になる皇女または王女が、皇居内の初斎院から移って、さらに潔斎生活をする宮。斎宮のは嵯峨に、斎院のは紫野にあった。「伊勢斎宮御禊、―に入る」〈貞信公記承平二・九・二八〉。「斎宮は去年(そこ)内裏(うち)〔ノ初斎院〕に入り給ふべかりしを、さまざまさはる事ありて、この秋入り給ふ。九月にはやがて―に移ろひ給ふべければ」〈源氏葵〉

ののめ・き『四段』《ノノシリと同根》①声高にさわぐ。「見る人、皆―・き感じ、或いは泣きけり」〈宇治拾遺一四二〉 ②ざわざわとざわめく。騒音がたつ。「正月に成て山も河も―・き渡て面白い春ぞ」〈碧岩抄五〉

のばか【野墓】火葬場。また、遺骸を葬る墓地。「南無阿彌陀仏―なりけり」〈俳・飛梅千句〉

のばかま【野袴】裾に黒ビロードで広い縁を付けた袴。近世、旅行・火事などに武士や御用達の町人がはいた。「―の裾高く挾んで」〈近松・信州川中島〉

のば・し【伸ばし・延ばし】『四段』《ノビ(伸)の他動詞形》①遠くへ逃がす。「乗りたる馬…いみじき逸物(いちもつ)にてありければ、いくばくも―・さずして、とらへたる所に」〈宇治拾遺一八〉 ②時間を長びかせる。「程を―・さんが為に、長長とぞ僉議したる」〈平家四・永僉議〉 ③時間的あるいは心理的に、ゆとりを与える。「目も利き、心も早い宗匠ぢゃ程に、―・さず、ひしと打った」〈本則鈔二〉。「…と、―・さず問うた」〈本則鈔四〉 ④のんびりさせる。ゆったりとくつろがせる。「キヲノバサウトテスズミドコロヘアガッタ」〈日葡〉。「美しき姿に気をとらかして、心を―・すと也」〈浮・好色伊勢三〉 ⑤ふやす。節約して貯える。「四、五年〔ノ間〕に、せっかく―・しける甲斐無し」〈西鶴・二十不孝二〉

のばは・り ノバワリ【延ばはり】『四段』《ノバヘ(延)の自動詞形》十分に長くのびる。また、気分がのびやかになる。「〔上賀茂ノ辺リハ〕いつもめづらしき心ちする所なれば、今日も心―・る心ちあらん」〈かげろふ下〉

のば・へ ノバエ【延ばへ・述ばへ】『下二』《ノビ(伸)アヘ(合)の約》①十分に長く延ばす。「数知らず君がよはひを―・へつつ」〈後撰三九四〉 ②のんびりさせる。ゆったりとくつろがせ

の

る。「老楽の憂へを—・へ、羇中の病(やまひ)をいやすばかりなり」〈老のくりごと〉③十分に述べる。「いかにして思ふ心を—・へまし」〈古今一〇〇三〉

のび【野火】農作物を作るため、春、枯草を焼きはらう火。「春野焼く—と見るまでもゆる火をいかにと問へば」〈万二三〇〉 †nobï

の・び【伸び・延び】㊀『上二』❶《空間的に》①(曲がったり縮んだりしているものが)広くなる。「大方例の見奉るに、しわ—・ぶる心地して、めでたくあはれに見まほしき御かたち有様を」〈源氏総角〉②縦に長くなる。「〔娘ハ嫁ニ行コウトモセズ〕もはやせい長(けた)も—・び、何とも迷惑いたす」〈虎明本狂言・眉目よし〉③ゆるむ。「腹帯の—・びて見えさうぞ。締め給へ」〈平家九・宇治川〉④逃げて遠くに行く。落ちのびる。「行幸〔ノ一行〕は遙かに—・びさせ給ひぬらん」〈平家七・維盛都落〉⑤量がふえる。金銭がたまる。「親方に渡されし〔銀〕弐百貫目、今に—・びず」〈西鶴・織留二〉❷《時間的に》①長くなる。「疾病を離れて寿命—・びて長からむ」〈金光明最勝王経平安初期点〉。「老いも忘れ齢(よはひ)—・ぶる心地してゐみさかえて」〈源氏明石〉②延期になる。「御まゐり—・びぬるを、宮にも心もとながらせ給へば」〈源氏梅枝〉❸①のびのびとくつろぐ。「三月の十日の程なれば、空もうららかにて、人の心も—・び、物おもしろき折なるに」〈源氏絵合〉②間のびする。たるむ。ゆるむ。「この道理もなほ—・びたる事なり」〈正法眼蔵随聞記三〉③惚れ切る。女にでれでれする。「〔客ノ〕—・びたる景色の見ゆる」〈評判・吉原雀上〉④でれでれする。甘い態度になる。また、馬鹿げている。「—・びたる男。鼻毛ののびたるといふ上略なり。うつけたる事にもいひ、又は人にほれ過ぎたる白(かた)ちにもいふ」〈色道大鏡一〉。「主人〔ヲ〕脇から見て、ぎゃうさん—・びて見え侍るなり」〈浮・男色十寸鏡上〉㊁『名』あくびなどとともに、手足を長くのばすこと。「〔起キテ〕うつつになりて、顔をなで、—をゆたかにかきて」〈伽・一尼公〉。「熊が山中にて—をするに」〈蒙求聴塵中〉

のびすけ【延助・延介】女色や男色に溺れ易い男を馬鹿にしていう擬人名。でれ助。「人の心も—の〔如ク〕のびのびとなりて」〈評判・野郎大仏師〉

のびのび【伸び伸び】①長くのびたさま。「第十の念仏一返をば、殊に声うちあげて、思ひ入れて—と申して」〈沙石集九ノ八〉②いそがないさま。悠悠としているさま。「—なる御心候べしと存じつるに違はず」〈曾我四〉。「従容に—として褊急なく、和するやうにすべきなり」〈尚書抄二一〉③ゆったりとくつろいださま。「遊山して一生の間を—と豊かに栄ゆるぞ」〈三世相抄三〉④延引するさま。「今生の名残りに、よそながら見見(みみ)えばやと思ひ、事—につかうまつる」〈伽・為人びくに〉

のびやか【伸びやか】「のびらか」に同じ。「昔より今に至るまで、女はやさしく、事の—なるを本(ほん)とせり」〈極楽寺殿御消息〉

のびらか【延びらか・伸びらか】①いかにも長く伸びたさま。「あなかたはと見ゆるものは鼻なりけり。…あさましう高う—に、先の方すこし垂りて」〈源氏末摘花〉②いじけた所がなく、いかにものびのびとした感じのするさま。「いつしかとけしきだつ霞の、木の芽もうちけぶり、おのづから人の心も—にぞ見ゆるかし」〈源氏初音〉

のふうず【野風俗・野風図】無作法。粗野。また、横着で生意気なさま。「のふうぞ」「のふず」とも。「—の外に出づる事を得て」〈評判・姿記評林序〉

のぶか【箆深】《「箆」は矢の幹》矢が深く突きささること。「〔鎧ノ〕引合(ひきあはせ)を—に射られて落ちにけり」〈保元中・白河殿攻め落す〉

のぶし【野伏・野臥】①野宿すること。特に、僧が修行のため人里離れた山野で野宿して暮すこと。また、その僧。「山伏も—もかくて試みつ今は舎人(とねり)の閨(ねや)ぞゆかしき」〈拾遺五三九〉②《「野武士」とも書く》山野に隠れ住み、追剝ぎ・強盗などを常習とする武装した土民や武士の集団。「和泉・紀伊国の—二万余人引き具して」〈太平記三六・四条縄手〉。「野武士、ノブシ、或野伏、又云野臥」〈伊京集〉③蹴鞠で、鞠足(まりあし)の補助にあたる出場者。「心あらむ—四人立つべし」〈成通卿口伝日記〉。「—と云ふは、八人の蹴手(けて)のうち弱き蹴手の後へ立ちて、弱き蹴手の合力にするをいふ也」〈松下十巻抄〉

のぶと・し【箆太し・野太し】『形ク』とても横着である。ひどく大胆である。ずぶとい。「さても—・い心ならずや」〈俳・蠅打序〉

のへ〔上代東国方言〕打消の助動詞「なへ」の転。「遠しとふ故奈の白嶺に逢ほしだも逢は—しだも汝にこそ寄され」〈万三四七八東歌〉 †nöpe

のべ【野辺】①野のあたり。「春霞たなびく—のうぐひす鳴くも」〈万一八八八〉②葬送の野。埋葬地。また、火葬場。野。「去りて二度(ふたたび)と帰らぬ習ひ、力及ばで泣く泣く—にぞ送りける」〈曾我二〉 †nobe

の・べ【伸べ・延べ・述べ】㊀『下二』《ノビの他動詞形》①(曲がったり、巻いたりしてあるものを)平面的に長く広げる。「位をもかくし奉りて侍るに、私ざまには腰—・べて」〈源氏須磨〉。「直衣束帯を引きかへて、鉄(くろがね)を—・べて身にまとひ」〈平家灌頂・六道之沙汰〉②時間的に、長く大きく持続させる。「われ一人さかしがり抱き持ち給へりけるに、この人〔ガ来タノ〕に息を—・べ給ひて(安心シテ)」〈源氏夕顔〉。「静かにこもり居て、後の世の事を勤め、かつは齢(よはひ)をも—・べむ」〈源氏絵合〉③延期する。「日を—・べてもさる〔葬送ノ〕事はするものを、いとかろらかなるさまにて急ぎせられにける」〈源氏蜻蛉〉④心をのびやかにする。くつろがせる。「春の野に心—・べむと思ふどち来し今日の日は暮れずもあらぬか」〈万一八八二〉⑤申しのべる。くわしく説明する。「彼の仏の名と此の経の名号を称して、礼敬することを申(の)ぶ」〈金光明最勝王経平安初期点〉。「聊も—・べ申す事なくて、『術なく候ひて』とばかり申しき」〈教訓抄五〉⑥水などを加えて薄くし、量を増す。「汁の味噌の濃きは湯にて—・ぶる」〈仮・尤の草紙上〉㊁『名』「延紙(のべがみ)」の略。「—を枕に恋はもみくしゃ」〈俳・西鶴五百韻〉 ▽朝鮮語 nöp(広)と同源。 †nöbë

のへいとう【野平等】①際限・限界のないこと。べた一面。むやみやたら。へいとう。へらへいとう。「山も谷も—なる雪見かな」〈俳・夢見草四〉②きちんと締りのないこと。無作法。無礼。「—なるとりなり見にくし」〈評判・吉原呼子鳥〉。「和らか過ぎれば、—になりて終に礼儀を失ふ」〈諺合鏡五〉

のべかがみ【延鏡】三つ折の布地の中央に鏡をつけた、折畳式の懐中鏡。「—価ひ一匁」〈家乗元祿六・三・二四〉。「懐へ縦(たて)に入れたる—」〈俳・心葉〉

のべがみ【延紙】縦七寸横九寸くらいの白色小形の杉原紙。大和吉野産を上等品とし、鼻紙に用いる。極上等品を三栖(みす)紙という。「—に数楊枝を見せかけ」〈西鶴・一代男一〉

のべごめ【延米】現米を借り入れて、すぐ現金化して融通し、米代金の支払は何か月か後に延ばしてもらう方法。支払時までの利子を含めて時価より高く買わされるが、現金が早急に必要な場合に利用され、また特に、遊興費な

どの資金調達法としても利用された。「—・延大豆買ひ申す者これ有り候はば」〈博多津要録二、寛文二・五・七〉

のべのおくり【野辺の送り】遺骸を火葬場または埋葬地まで送ること。葬送。野辺送り。「死し給ひたりと思ひて、—をして、塚につきこめたれば」〈伽・伊吹童子〉

のべのけぶり【野辺の煙】火葬の煙。「あはれ君いかなる—にてむなしき空の雲となりけん」〈新古今八二二〉

のほきり【鋸】「のこぎり」の古形。「利鋸、乃富岐利(のほきり)」〈華厳音義私記〉。「鋸、削刀也、割也、乃保支利(のほきり)」〈新撰字鏡〉。「鋸牙、ノホギリバ」〈名義抄〉 †nöfökiri

のぼ・せ【上せ】『下二』《ノボリの他動詞形》①上流へやる。さかのぼらせる。「持ち越せる真木の嬬手(つまで)を百足らず筏(いかだ)に作り—・すらむ」〈万五〇〉②登らせる。高い所へあがらせる。「すだれの内よりまろび出でて、〔師ヲ〕縁の上に引き—・す」〈発心集一〉③貴人のもとに参上させる。「下なるをも呼び—・せ」〈枕四九〉④都へ行かせる。上京させる。「侍一人したてて都へ—・せられけり」〈平家一〇・首渡〉⑤刺激してあおり立てる。上気させる。「—・すると云ふは、脇より其の者をせかせて、上り詰めにさするやうの手段なり」〈色道大鏡一〉 †nöböse

のぼり【幟】丈が長く幅の狭い布の横に多くの乳(ち)をつけ、竿に通して立てる標識。戦陣・祭典・儀式などに立てる。のぼりばた。「—少少張り立たせ、取り合はせたる躰を見する」〈小松軍記〉。〈天正十八年本節用集〉

のぼ・り【上り・昇り】㊀『四段』《川や山道などを線条的に上方へ移動する意。移動してもその物自身は変質しない。類義語アガリは、一気に上に移動して、下との関係が切れて別の状態になる意がある》❶上方へ線条的に移動する。①水などが、柱状に上にはねあがる。「江も海も皆勝(あが)り躍(のぼ)り、波驚(さ)き水逆に流れ」〈金光明最勝王経平安初期点〉②煙などが、線をなして上へ流れる。「志賀の白水郎(あま)の塩焼く煙風をいたみ立ちは—・らず山に棚引く」〈万一二四六〉。「〔亡骸ハ〕いとはかなき煙(けぶり)にてはかなく—・り給ひぬるも」〈源氏御法〉③音などが高くひびく。「これはいとわらかに—・る音(ね)のなつかしく愛敬づきたるを」〈源氏若菜上〉④気分が、のぼせる。逆上する。「足の気の〔頭ノ方へ〕—・りたるここちすと押しくださせ給ふ」〈源氏夕霧〉⑤のぼせあがる。夢中になる。ほれこむ。「上り詰め。下略して、—・るとも言ふ。人のことわりをも聞きいれず、我が思ふままに言ひのぼるを言ふ」〈色道大鏡一〉❷道具・手段などを用いて、上方に線条的に移動する。①鳥などが地上から上空へ移り進む。「隼(はやぶさ)は天(あめ)に—・り、飛び翔(かけ)り」〈紀歌謡六〇〉②舟を上流へ漕ぎ進める。「夏の夜は道たづたづし船に乗り川の瀬ごとに棹(さほ)さし—・れ」〈万四〇六二〉③岡や山などを歩いて上にゆく。「春されば殖槻(うゑつき)が上(へ)の、遠つ人松の下道(したぢ)ゆ、—・らして国見遊ばし」〈万三三二四〉。「若き人人二十人ばかり、そなたにいきて、階(はし)より高き屋に—・りたるを」〈枕一六一〉❸高い位置へ進む。①参内する。参上する。「はや—・らせ給へ」〈枕一〇四〉②位が昇進する。「浅緑聞えごちし御乳母どもに納言(なふごん)に—・りて見えむの御心深かるべし」〈源氏梅枝〉③地方から都へ行く。上京する。上洛する。「この心がけし娘、こと男して京に—・りたりければ」〈大和五八〉④京都で、南から北へ向って行く。「朱雀を—・り、行列の作法まことに貴し」〈今昔二三ノ九〉⑤昔にさかのぼる。「—・りての代を聞き合はせ侍らねばにや」〈源氏若菜下〉㊁『名』①上方へ進むこと。「なほ河—になづみて」〈土佐二月八日〉②京都で、南から北に向って行くこと。「童は、大宮を—に、泣く泣く行きけるを」〈宇治拾遺一三二〉 †nöböri —しほ(シオ)【上潮】満ちて来る潮。あげしお。「—に障(さ)へられ」〈謡・大原御幸〉 —づき【上月】朔月から満月になるまでの月。「—十五日路を峠かな」〈俳・富士石三〉 —ひげ【上髭】薄く末端のはねあがった口髭。「山口の春の苔地や—」〈俳・犬子集三〉 —りう(リュウ)【上龍・昇龍】天に上ろうとする龍。また、その図形。絵画・彫刻の題材にされた。のぼりりょう。「夕立ち(太刀ト掛ケル)に下緒(さげを)見するや—」〈俳・沙金袋三〉

のまき【篦巻】矢の篦(の)の鏃(やじり)を差しこんだ所に糸を巻いたもの。沓巻(くつまき)。「—より上、十四束(そく)にたぶたぶと切りたるを」〈義経記五〉

のまく【祈まく】《ノミ(祈)のク語法》祈ること。「幣(ぬさ)奉(まつ)り吾が乞ひ—」〈万四〇〇八〉 †nömaku

のみ【蚤】ノミ。「蚤、乃美(のみ)」〈新撰字鏡〉 —が茶臼《蚤が茶臼を背負って富士山を飛び越したという童謡から》有り得ない誇張した話のたとえ。「嘘になれ—を老の春」〈俳・俳諧三部抄上〉 —の息天へ上(のぼ)る 力弱い者も一心不乱になれば志望を達するたとえ。「蚤の息も天へ上がる」「蚤の息天に至る」「蚤の息」とも。〈名語記一〇〉

のみ【絮・袽】檜(ひのき)の内皮を柔らかく砕いたもの。舟の漏水部につめる。「矢口の渡りの船の底を二所彫(ゑ)りぬいて、—を差し」〈太平記三三・新田左兵衛佐〉。〈名義抄〉

のみ【鑿】木や石に穴をうがつ道具。「鑿、乃未(のみ)」〈霊異記上三六〉 ▽万葉集に、「鑿」を助詞ノミに使う例から、nömi と知ることができる。

の・み【祈み】『四段』首をたれて祈る。「天地の神をそ吾(あ)が—・む」〈万三六八四〉。「叩頭、此をば廼務(のむ)と云ふ」〈紀崇神十年〉 →いのり。 †nömi

の・み【飲み・呑み】『四段』①液体を、喉を通して胃におさめる。特に、飲酒する。「わが妻はいたく恋ひらし—・む水に影(かご)さへ見えて世に忘られず」〈万四三二二防人〉。「青柳梅との花を折りかざし—・みての後は散りぬともよし」〈万八二一〉②固形物を、かまずに腹におさめる。「〔一寸法師ヲ〕口より—・み候へば、目の中(うち)より出でにけり」〈伽・一寸法師〉③つつみこむ。手中に収める。「憂の火に逼(せ)めらるることを被(かうむ)れり。其の第三の王子は已(すで)に無常に—・まれ給ひにけり」〈金光明最勝王経平安初期点〉。「もはらに天下を—・む心をさしはさめるによりて」〈松浦宮物語二〉 †nömi —も切らず噛みも切ら・ず 一向にはっきりしないたとえ。「果敢決断と云ふことあり。…〔ソノ反対ノ〕—・ぬが悪いぞ」〈玉塵抄三五〉

のみ『助』→基本助詞解説。 †nömi

のみいらち【蚤苛ち】蚤に喰われていらいらすること。「—して脱ぎし着る物」〈俳・伊勢山田俳諧集〉

のみがくし【飲隠し】飲んでいながら飲まぬふりをすること。「汝は、青原白氏が家の名酒を三盞飲み了ても、未だ唇を霑(ぬ)らさずと—をする者よ」〈無門関私抄上〉

のみど【喉】《「飲み門(と)」の意》のど。「のむど」「のんど」とも。「喉、乃美土(のみど)」〈華厳音義私記〉 †nömido

のみとりまなこ【蚤取眼】蚤を探し捕るときのような、あちこち気を配って見る鋭い目付。「鵜の鳥は魚を—かな」〈俳・鸚鵡集五〉

のみのめをと【蚤の女夫・蚤の夫婦】《蚤は雄より雌が大きいところから》夫より妻の方が身体の大きい夫婦。「これも似合ひの—に 西鶴」〈俳・飛梅千句〉

のめ・し『四段』《他の動詞の連用形について》むやみに…する。盛んに…する。「喰ひ—・す」「しゃれ—・す」など。「打

ち―・しても腹瘂(い)ねど」〈近松・寿門松下〉

のめのめ 恥知らずなさま。おめおめ。「釈迦が―とした偽をつき置き」〈西鶴・浮世栄花三〉

のもせ【野も狭・野面】㊀《連語》野も狭いと思われるほどいっぱい。野原一面。「秋くれば―に虫の織り乱る声の綾をば誰か着るらむ」〈後撰三六二〉。「―とは野に満ちたりといふ心なり。多くひまなきなり」〈奥義抄〉 ㊁《名》野原。「もみぢの秋は、―の虫の霜にかれゆく声をわが身の上と悲しみつつ」〈問はず語り四〉

のもり【野守】野の見張りをする人。野の番人。「―は見ずや君が袖振る」〈万二〇〉 **―のかがみ**【野守の鏡】《雄略天皇が鷹狩の時、逃げた鷹を、野守が水にうつった鷹の影を見て発見したという故事にもとづく》野中の水に物影のうつるのを鏡にたとえていう語。「はし鷹の―見てしがな思ひ思はずよそながら見ん」〈新古今一四三一〉。「―とは、野なる水を云ふなり」〈奥義抄〉

のや【箆矢・野矢】矢羽の端を切らない簡単な征矢(そや)。狩猟の時などに使う。「重籐(しげどう)の弓に―負ひて、竹の笠を着たりけり」〈著聞四二四〉

のやき【野焼き】早春に、草がよく生えるように野の枯れ草を焼くこと。「―などするころの、花はあやしうおそきころなれば」〈かげろふ下〉

のやま【野山】野や山。一説、野の中で山のように高くなった所を指すこともあるという。「我が標(しめ)し―の浅茅人な刈りそね」〈万一三四七〉 †noyama **―つかさ**【野山司】野山の高い所。「―の色づく見れば」〈万二〇三〉

のら【野ら】《ラは接尾語》①野原。草などの茂っている所。やぶ。「紅の浅葉の―に刈るかやの」〈万二七六三〉。「藪、オドロ・ノラ・ヤブ」〈名義抄〉 ②耕地。畑。「郭公は―をもよほす鳥にて…農は五月にするものなれば、郭公も五月に鳴く鳥也」〈古今集註〉。「田・―の物盗み取り候を見つけ、仕留め候はば」〈日吉神社文書天正一六・七・一〉 †nora

のら【野良・野等】①仕事もしないで遊び歩くこと。放蕩。また、怠け者。遊蕩者。のら者。「我が家職精に入れず、―をする町人の子供」〈評判・難野良古畳〉。「勝左衛門と申す者、―共と申し合はせ、…盗み物を買ひ申し候」〈大坂町触正保二・閏五・一六〉 ②《名詞に冠して》うろつき廻る、または、ふらふら遊び歩く意を表わす。「―猫」「―丁稚」など。「葛葉乱れて―犬の声」〈俳・阿蘭陀丸上〉

のらかは・きヮキ:カ【野良かはき】《四段》怠ける。遊び暮す。「―・いて、しべい役をほからかし」〈近松・釈迦誕生会四〉

のらく【告らく】《告リのク語法》つげること。「夕ト(ゆふうら)の我に―」〈万三八一八〉 †nöraku

のらもの【野良者・野等者】怠け者。道楽者。のらくら者。野良蔵・野良松なども呼んだ。「予なども また誹諧の―」〈俳・談林三百韻序〉

のらろ【告らろ】《連語》《告レルの上代東国方言》示し告げている。「夕占(ゆふけ)にも今夜(こよひ)と―わがせなは何(あぜ)そも今夜寄しろ来まさぬ」〈万三四六九東歌〉 †nöraro

のり 《ノイリ(箆入)の約》靫(ゆぎ)に入れる矢柄の数量を示す語。「千箭、此をば知能梨(ちのり)と云ふ」〈紀神代上〉 †nöri

のり【糊】物を張りつけ、衣服の形を整えるなどに使う粘りのあるもの。米・麦・大豆などを煮て作る。「又下白米弐升、右合二白土一能理(のり)汁料」〈正倉院文書天平宝字六〉 †nöri

のり【生血・血】《もと「糊」に同じ》まだ乾いていない、粘り気のある血。血糊。「手ん手に松明持たせつつ、血の―をしたひて(辿ッテ)急ぎける」〈浄・伊吹山〉

のり【海苔】海藻の一。食用にする。「海苔、俗に乃理(のり)と云ふ」〈常陸風土記〉 †nöri

の・り【伸り】《四段》①うしろへ伸びる。反(そ)る。のけぞる。「敵三騎切って落し、―・りたる太刀を押し直して、閑閑(しづしづ)と引きて返れば」〈太平記三一・八幡合戦〉。「敵の顔・身も―・るもの也」〈五輪書〉 ②横柄に身を反らす。「玉を出す時に、隠公が―・りきって緩怠にして出す。魯の定公、玉を受くる時、うつぶき過ごして慇懃過ぎたり」〈応永二十七年本論語抄二〉

の・り【似り】《四段》《ニ(似)の母音交替形ノを四段活用にした語》似る。「此の神の形貌(かたち)おのづからに天稚彦(あめわかひこ)とひとしくあひ―・れり」〈紀神代下〉 †*nöri

の・り【宣り・告り・罵り】㊀《四段》《神や天皇が、その神聖犯すべからざる意向を、人民に対して正式に表明するのが原義。転じて、容易に窺(うかが)い知ることを許さない、みだりに口にすべきでない事柄(占の結果や自分の名など)を、神や他人に対して明かし言う意。進んでは、相手に対して悪意を大声で言う意》①神や天皇が聖なる意向・判断を人民に表明する。「天の益人(ますひと)らが過ち犯しけむ雑雑(くさぐさ)の罪は、天つ罪と〔シテハ〕畔放ち・溝埋み…許多(ここだく)の罪を天つ罪と―・り別けて」〈祝詞大祓詞〉。「〔仏ハ〕普(あまね)く衆の為に諦究竟堅の法を弘め宣(の)りたまひて、諸の有情の類をして苦と苦の因とを滅せしめたまひぬべし」〈地蔵十輪経一・元慶点〉 ②神意を形にあらわす。「夕ト(ゆふけ)にも占(うら)にも―・れる今夜だに来まさぬ君を何時とか待たむ」〈万二六一三〉 ③規範となる。「至言は物に範(の)りたれども、時に邪弁に淪滞せらる」〈地蔵十輪経序・元慶点〉 ④みだりに口にすべきでないことを正式に表明する。大切にしていることを打ち明ける。「天つ祝詞の太祝詞事を―・れ。かく―・らば、天つ神は天の岩戸を押し披(ひら)きて天の八重雲をいつの千別きに千別きて聞こしめさむ」〈祝詞大祓詞〉。「畏(かしこ)みと―・らずありしをみ越路の手向(たむけ)に立ちて妹が名―・りつ」〈万三七三〇〉。「下毛野(しもつけの)阿蘇の河原よ(カラ)石踏まず空ゆと来ぬよ汝が心―・れ」〈万三四二五〉 ⑤大声でののしりの言葉を口に出す。「おのれゆゑ(親カラ)―・らえてをれば驄馬(あをうま)の面高夫駄(おもたかぶた)に乗りて来べしや」〈万三〇九八〉。「比丘尼は比丘を罵(の)るべからず」〈願経四分律平安初期点〉 ㊁《名》①法律。「商変(あきかへし)領(し)らすとの御法(みのり)あらばこそわが下衣返し賜らめ」〈万三八〇九〉 ②規準。規矩。「其の宮を造る制(のり)は、柱は高く太く、板は広く厚くせむ」〈紀神代下〉 ③仏法。「―のもと花咲きにたり今日よりは仏のみ―栄え給はむ」〈東大寺要録二〉 ▽朝鮮語nil(云)と同源。 †nöri

の・り【乗り】《四段》《自分の身全体を、下になる物にまかせきるのが原義。下になる物を自分で操るにも、下になる物の動きのままになるにもいう》①物の上に自分の重みをすべてかける。「たわやめの匣(くしげ)に―・れる鏡なす御津の浜辺に」〈万五〇九〉 ②舟・馬などに身をまかせて行く。「大舟に妹―・るものにあらませば羽ぐくみ持ちて行かましものを」〈万三五七九〉。「我が―・れる馬そ爪づく家恋ふらしも」〈万三六五〉 ③とりついて離れない。「ももしきの大宮人は多かれど心に―・りて思ほゆる君」〈万六九一〉 ④霊魂などがとりつく。乗りうつる。「われに十禅師権現―・りゐさせ給へり」〈平家二・一行阿闍梨〉 ⑤路にまかせて行く。路のままに進む。「其の道に―・りて往(い)でまさば、魚鱗(いろこ)なす造れる宮あらむ。其れわたつみの神の宮そ」〈記神代〉 ⑥勢い・気分のままに、調子づいて進む。「酒あまたたびの後、酔ひに

―・りて子供の上など申しけるついでに」〈後撰一一〇三詞書〉⑦つけ込む。乗ずる。「あまの戸のあくるまをだに許されでまだ夜に―・りて帰りぬるかな」〈朝忠集〉⑧人の言葉のままになる。だまされる。いっぱい食わされる。「虎に乗り片割れ舟は乗れるとも人の口には―・るな世の中」〈世中百首〉⑨掲載される。記載される。「詠み給へる歌は、大納言の歌とて、金葉和歌集に―・れる程に侍れば」〈撰集抄三ノ八〉。「延喜以後勧請の神は、神名帳に―・らず」〈尙書抄五〉 †nöri

の・り【賭り】『四段』 物をかけて勝負を争う。賭けをする。「人たはぶれをしてかたみに賭(のり)などして後、久しく音もせぬに…春駒の―・るを苦しと思ふにや、などやうに云へりける返しに」〈続詞花集二〇〉。「今も、かけものするに―・るといふ詞あり」〈和訓栞〉

のりあひ イ：ア【乗合】①乗物に乗って出会うこと。特に、道で貴人の乗物に会ったとき、身分の低い方が乗物から降りずにいる失礼をいう。「しかるに、汝、何によりて我に―をして無礼(むらい)をいたせるぞ」〈今昔一七ノ四一〉②船・車など同じ乗物に乗り合わせること。「―〔ノ船賃〕は、一人は四銭」〈仮・東海道名所記三〉。〈日葡〉

のりいち【乗り一】乗り心地が一番よいこと。「これは―の馬で候」〈平家四・競〉

のりい・れ【乗り入れ】『下二』 馬などをよく乗りならす。「芝田が馬は鹿毛(かげ)なるが、手飼(てがひ)にて未だ―・れざれば」〈承久記下〉

のりうち【乗打】 馬や乗物に乗ったままで、神仏または貴人の前などを通過すること。「又、―にしたりけるを御尤(とが)め有りけん、菊池が乗ったる馬俄かにすくみて」〈太平記二一・筑紫合戦〉

のりうつ・り【乗り移り】『四段』 ①べつの乗物に乗りかえる。「悪風にあひて、すでに船くだけんとしければ、ことといふ小船に―・りけり」〈著聞七〇〉②神や霊魂などが人にとりつく。「〔三社ノ神ガ〕吉田の神主に―・り給ひて」〈三社託宣略鈔〉。「その時、天狗善人に―・る」〈バレト写本〉

のりかけ【乗掛・乗懸】 荷物を付けた駄馬に客を乗せること。特に近世、宿駅の駄馬に二十貫目の葛籠荷(つづらに)を付けて旅客を乗せること。また、その駄馬。乗掛馬。「馬二疋これを申し付く。一疋予―也」〈言継卿記永祿三・七・一〇〉。「―の〔駄賃〕分三十五匁宛…御借し成され候」〈梅津政景日記元和二・五・五〉

のりがへ ‥ガエ【乗替・乗換】 乗り継ぎ用の予備の乗物。特に馬についていう。「―の馬などに乗りて、行きたゆみてありければ」〈今昔二五ノ一〇〉。「その後、畠山、―に乗って打ちあがる」〈平家九・宇治川〉。「乗替、ノリガヘ」〈伊京集〉

のりくち【乗口】 馬のひき方で、馬の口につけた差縄で引くこと。また、手綱で引くことともいう。「多くの馬どもを見ければ…或は―にひかせ」〈平家九・宇治川〉

のりくづ・し【乗り崩し】『四段』 敵陣に馬で攻め入り、崩れ立たせる。「浅井が先手三千騎、信長九番十番の陣を―・す」〈江源武鑑一五〉

のりご・ち【令ち・宣ち】『四段』《ノリゴト（宣）の動詞化。日本書紀の傍訓にある語》 命令する。「皇后親(みづか)ら斧鉞(をのまさかり)を執りたまひて三軍(みたむろのいくさ)に―・ちて曰はく」〈紀（北野本）神功摂政前〉

のりこぼ・れ【乗り溢れ】『下二』 ①乗物の外にはみ出すほど多く乗る。「物見のかへさに―・れて」〈枕三二〉②大勢で牛車(ぎつしや)などに乗って、その着物の一部が下簾(したすだれ)などから、はみ出る。「常よりも好み整へたる車どもの、我も我もと―・れたる下簾の」〈源氏葵〉

のりこ・み【乗り込み】『四段』 騎馬で乗り入れる。騎馬で攻め込む。「その脇に昔の古城あり。それへ逃げ入り申し候。責め候て―・み申し候」〈本城惣右衛門覚書〉

のりした【乗下】 ①馬の鞍の下。転じて、乗り心地。「あのやうな―のよき馬があるならば」〈伽・小栗絵巻〉②乗掛馬の腹の両側に葛籠荷(つづらに)二個合計二十貫目を付けること。また、その荷物。乗掛下。乗掛下荷。「大津馬に四斗入の酒樽を―に付け」〈西鶴・一代女三〉

のりじり【乗尻】 騎手。乗馬のじょうずな者。「主も究竟の―なり、馬も実にすくやかなり」〈盛衰記四二〉

のりた・ち【乗り立ち】『四段』 船や馬などに乗って出立する。一説、道に出で立つ。「近江路にい行き―・ち」〈万三九七八〉 †nöritati

のりと【祝詞】《ノリは宣の意。トはコトド（絶妻之誓）のドと同じで呪言の意》 神神の徳をほめたたえ、神に種種の物を奉り供えることを申し述べて、神のめぐみ（生活の安穏、多収穫、罪の祓）を得たい旨をねがう神聖な言葉。延喜式第八に収めてあるものなどが古い。「天つ―の太(ふと)―ごとを宣(の)れ」〈祝詞大祓詞〉 †nörito

のりと・り【則り・法り】『四段』 手本とする。「前典に徴(のり)とれり」〈玄奘法師表啓平安初期点〉。「五(ご)とものの文よむ人は段楊尓(だにやうに＝人名)これを宗とぞ共に―・る」〈日本紀竟宴歌〉

のりと・り【乗り取り】『四段』 敵の城などに攻め入って、それを奪い取る。のっとる。「龍神の中に国祇神と云ふ神、此の島を―・りて領じけり」〈古今序注〉。「まづその構へを攻め崩し、その後城を―・るが如く」〈ぎやどぺかどる上〉

のりのかど【法の門】「法門(ほふもん)」の訓読語。「尋ね入る道とは聞けど―開けぬものは心なりけり」〈玉葉二六九一〉

のりのころも【法の衣】「法衣(ほふえ)」の訓読語。「いにしへは思ひかけきや取り交しかく着むものと―を」〈千載一〇九七〉

のりのこゑ【法の声】 読経・説法などの声。「などてかく思ひそめけむほととぎす雪のみ山の―かは」〈千載一九二〉

のりのし【法の師】「法師(ほふし)」の訓読語。「―の世の理(ことわり)説き聞かせむところの心ちするも」〈源氏帚木〉

のりのすべらぎ【法の皇】「法皇(ほふわう)」の訓読語。「我が―に仕へ奉りては」〈千載序〉。「―。法皇也」〈匠材集三〉

のりのちから【法の力】「法力(ほふりき)」の訓読語。「かぎりなき―にとき添ふる守りはいとど頼もしきかな」〈公任集〉

のりのとも【法の友】 共に仏道に精進する者。「かへりては心恥づかしげなる―にこそはものし給ふなれ」〈源氏橋姫〉

のりのともしび【法の燈火】《「法燈(ほふとう)」の訓読語》 ①仏法を、現世の闇を照らす燈火にたとえた語。「あきらけき―なかりせば心の闇のいかで晴れまし」〈玉葉二六一九〉②仏前の燈明。「あきらけく後の仏の御代までも光つたへよ―」〈新拾遺一四五〇〉

のりのふね【法の舟】 生死の苦海を渡り、極楽の彼岸へ衆生を運ぶ舟の意で、仏法をたとえていう語。「―さして行く身ぞもろもろの神も仏も我をみそなへ」〈新古今一九二二〉

のりのみち【法の道】 仏法の道。仏道。「―教へし山は霧こめて踏みみしあとになほや迷はむ」〈新勅撰一一九三〉

のりのみづ【法の水】「法水(ほふすい)」の訓読語。「―にすます心の清ければ」〈続後撰一二三二〉

のりのむしろ【法の筵】 ①《「法筵(ほふえん)」の訓読語》 仏法を説く場所。「鷲の山（釈迦説法ノ山）―の暮れがたの空」〈千載一二四三〉②仏事の席。仏道にはげむ場所。「このごろは御経習はせたまひければ『…―に居ればたたぬぞ』」〈和泉式部日記〉

のりもの【乗物】①乗る道具。「〔姫君ノ鼻ハ大キクテ〕普賢菩薩の―と覚ゆ」〈源氏末摘花〉②近世、上等な駕籠(かご)の称。武家・僧・医者・婦女及び特に許された者以外は使えなかった。「御―にて〔江戸城西ノ丸〕玄関まで御出で候やうにと、しきりに仰せ出し候へども」〈梅津政景日記寛永五・八・三〉 **―いしゃ**【乗物医者】よく流行って乗物を使用する医者。駕籠医者。「―の療治専らに流行りける人」〈浮・真実伊勢三〉

のりもの【賭物】勝負事のさいに賭ける金品。「よき―はありぬべけれど、かるがるしくはえ渡すまじきを」〈源氏宿木〉。「賭、ノリモノ」〈名義抄〉

のりゆみ【賭弓】朝廷で正月十八日に、近衛・兵衛の舎人の弓射を試みる儀式。天覧があり、賭物(のりもの)を出される。「―、内宴などすぐして心のどかなるに」〈源氏浮舟〉 **―のかへりあるじ**(リ…カエ)【賭弓の還饗】賭弓が終って後、勝った方の大将の邸で行なわれる饗宴。「―のまうけ、六条の院にていと心ことにし給ひて」〈源氏匂宮〉 **―のかへりだち**(リ…カエ)【賭弓の還立】「のりゆみのかへりあるじ」に同じ。「兵部卿の宮、左の大殿の―、相撲のあるじなどにはおはしましを思ひて、今日の光と請じ奉り給ひけれど、おはしまさず」〈源氏竹河〉

のれん【暖簾】「のうれん」の転。「暖簾、ノレン、垂席(たれむしろ)也」〈下学集〉

のろし【狼煙・烽火】戦争などの火急の場合に、合図のためにうちあげる煙。飛ぶ火。「狼烟は陣中にて焼く―の事なり」〈大智禅師偈頌抄下〉。〈運歩色葉集〉

のろ・し〘形ク〙①にぶい。遅い。「さまざまに云はれて漸く悟ったは―・いぞ」〈無門関抄上〉②手ぬるい。あまい。「なぜに棒こきにせぬぞ、―・い」〈碧岩抄九〉③女に特に甘い。色情に溺れやすい。「忽ち―・くなりて」〈滑・膝栗毛初〉

のろのろ・し【呪呪し】〘形シク〙相手を呪いたい感じである。いまいましい。「『久しからぬものなり』など、聞きにくく―・しき事ども多かり」〈栄花花山〉

のろ・ひ(ノロ イ)【呪ひ・詛ひ】〘四段〙《ノリ(告)に反復・継続の接尾語ヒのついた形。→ひ》恨みのある人などに悪いことがおこるようにと、神仏などに祈る。「汝、牛を―・ひて殺せり」〈霊異記上三〇〉

のろま【鈍間・野呂間】①寛文・延宝頃、江戸の人形遣野呂松勘兵衛が遣い初めたという、青黒い変てこな顔付の道化人形。滑稽な狂言を演じた。「そろま」「むぎま」なども同種の人形。「時時は／―芝居の益気湯(えききたう)＝特効薬ノ名」〈雑俳・投頭巾〉②気のきかぬこと。気のきかぬ人。まぬけ。とんま。「鈍きを卑しめて―と言ひ、痴漢(あはう)に比したり」〈近代世事談三〉 **―にんぎゃう**(…ギョウ)【鈍間人形・野呂松人形】①「のろま」(1)に同じ。「江戸和泉太夫が芝居に、野郎松勘兵衛と云ふ者、頭平たく色青黒き、卑しげなる人形を遣ふ。此れを―と云ふ」〈近代世事談三〉②「のろま」(2)に同じ。「世帯の事は―」〈俳・仙台大矢数下〉

のわき【野分】《野の草を吹き分ける風の意》秋、二百十日・二百二十日頃に吹く激しい風。「草も高くなり、―にいと荒れたる心地して」〈源氏桐壺〉 **―だ・ち**【野分だち】〘四段〙風が野分のように吹く。「風、―・ちて吹く夕暮に、昔の事おぼしいでて」〈源氏御法〉

のんき【暖気】《ノンは唐音》①暖かいこと。温暖。「春来たりて―になれば」〈錦繡段鈔七〉。「やうやく四月の時分に―を得るぞ」〈三体詩抄二ノ一〉②気がのんびりしていること。「藪入りは鶯神の―かな」〈俳・新玉海集一〉③気ばらし。なぐさみ。「―・遊山までにて夜を明かし日を暮しける処に」〈伽・東勝寺鼠物語〉。「暖気、ノンキ、遊也」〈伊京集〉

のんこ ①道楽者。怠け者。のら者。「腰打掛くる―らし」〈近松・油地獄上〉②近世、髪の結い方の一。男女ともに結い、伊達とされた。のんこまげ。のんこわげ。「―に髪結ふて野良(のら)らしい」〈近松・天網島下〉

のんど【喉】《ノミドの転》のど。「お茶を参れや、鞠(まり)蹴て―かわくに」〈田植草紙〉。〈和玉篇〉

のんどり のどかなさま。のんびり。「雪の消えて、―となったことぞ」〈玉塵抄三〉

のんれん【暖簾】《唐音》⇒のうれん。「暖簾、ノンレン、帳也」〈伊京集〉

は

は【刃】刀などの縁の鋭く、物を切るところ。「剣の―より垂る血、是れ、天安河辺に在る五百箇(いほつ)磐石(いはむら)となる」〈紀神代上〉

は【羽】《鳥の全身をおおう毛。転じて、翼・翅(はね)など空中を飛行するためのもの》①鳥の全身をおおう毛。「水鳥の鴨の―の色の春山の」〈万一四五一〉②虫の翅(はね)。「蟬の―もたちかへてける夏衣」〈源氏夕顔〉③つばさ。「群鳥のたちさまよふ―風近く聞ゆ」〈源氏総角〉。「羽、波(は)、鳥翅也」〈和名抄〉④矢につける鳥の羽根。矢羽根。「白鳥の―にてはぎたる矢負ひ」〈平治上・源氏勢汰へ〉。「羽、ハ、箭羽也」〈色葉字類抄〉⑤ふち。つば。「一夜のうちに天下に穀しげり、釜の―より雉の立つ事ありしなり」〈宝物集六〉⑥羽振り。威勢。「―が利(き)くぞ只一言の神の秋」〈俳・紀子大矢数上〉

は【葉】草木の葉。軽く散りやすいもののたとえに数多く使われる。「橘は実さへ花さへその―さへ枝に霜降れどいやとこはの樹」〈万一〇〇九〉

は【歯】①動物の歯。「此の天皇、御身の長(たけ)九尺二寸半。御―長さ一寸広さ二分。上下等しく齊(とと)ふ」〈記反正〉。「歯、波(は)」〈和名抄〉②器具などの縁に歯の形をして並び出ている部分。「御使、櫛の―の如く走り重なって」〈平家八・名虎〉。「一二一二と文字ぞ見えける／雪降りに―欠け足駄を履き連れて」〈俳・犬筑波〉 **―に掛・く** 取り上げて相手とする。「歯牙(しが)に掛く」とも。「もし疾く不義の財たる事を知りて、なほ此の利を貪らば則ち不義の輩にして、―・くるに足らず」〈増補広類願体俚諺鈔後編四〉 **―の根も喰(く)ひ合・ふ** 極めて親密な間柄のたとえ。「両方心底見届け、―・ふ念比(ごろ)」〈近松・生玉心中上〉 **―を嚙(か)・む** いらだったり、くやしがったりして、歯ぎしりする。切歯(せっし)する。「いかなる鬼が城なりとも、恐らくは責め落さんずるものをと、平生―・むほどの人ぞかし」〈応仁記上〉 **―を出(だ)・す** 怒って歯をむきだす。「歯をむく」とも。「一老宿の怒って大いに―・されたし事があるぞ」〈史記抄一五〉

は【端】はた。へり。「軒―」「言―」など。「山の―にさし出づる月のはつはつに」〈万二四六一〉。「髪のさがり―」〈源氏夕顔〉 →はし・はた

は【破】《「序破急」の破》①雅楽の曲で中間の部分。次第に拍子が細かになり、変化に富んでゆく部分。「楽の―の歌」〈栄花日蔭〉②能楽で、一日の演能、一番の能などを時間的な流れの上で各三段階に分った、その中間の部

分。「―と申すは、序を破りて、こまやけて色色(技巧)を尽す姿なり」〈花鏡〉

は『助』①→基本助詞解説。②助詞「へ」の上代東国方言。「我が夫(せ)なを筑紫―やりて」〈万四四二八防人〉

ば【場】①所。場所。「城の四方二三里が間は、見物・相撲の―の如く打ち囲んで」〈太平記七・千剣破城軍〉。「その―にありし程の人人」〈バレト写本〉。「場、バ」〈黒本本節用集〉②特に、合戦の行なわれる場所。戦場。軍場(いくさば)。「味方逃ぐるに敵勝つに乗り、敵逃ぐるに味方勝つに乗る。一日のうち両度―をふまへたると、進藤自讃申したるは、此の合戦なり」〈江源武鑑一七〉 **―を取・る** ①場所を占める。〈日葡〉②派手で、世間の目をひく。また、大袈裟な言動をする。「有るが中に―・る花ぞ赤椿」〈俳・毛吹草五〉。〈日葡〉

ば『助』→基本助詞解説

はあ『感』①笑う声。「家の軒にあまた声して、―と笑ひて」〈著聞六〇五〉②驚いた時発する声。やあ。「―、引き裂いた」〈虎清本狂言・文荷〉

はい【杯・盃】①さかずき。「天皇、忠誠の至りを誉めて、―に浮かぶる橘を賜ひ」〈続紀天平八・一一・一一〉。〈色葉字類抄〉②さかずきなどにみたして物の量を計り数える語。「数(す)―の温酎(うんちう)は雪の中の春」〈和漢朗詠集冬夜〉③物の数や回数を数える語。「鯛一懸けにて十―」〈山科家礼記長享三・一・四〉。「お斎(とき)は月に十五―ある」〈俳・砂川上〉

はい【拝】おがむこと。頭を下げて敬礼すること。特に、拝舞すること。その種類には、立拝・座拝があり、立拝にも再拝・四度拝・八度拝がある。「下りて、答の―し給ふ御様ども、とりどりにいとめでたく」〈源氏宿木〉

ばい【枚】夜討ちなどの際、人馬に声を立てさせないため、口にくわえさせる箸状の木。両側に紐をつけ、うしろで結びあわせる。枚木(ばいぎ)。「合戦の時、忍びて敵を伐つには、士卒に物を云はせまじきために、―といふ物を含ますなり」〈錦繡段鈔九〉

ばい【唄】「梵唄(ぼんばい)」に同じ。「―引くほどに、例の眠りけるを」〈沙石集七ノ一〉

ばい【陀螺・海螺・貝】巻貝のバイの殻の頭部を平らにすり、尻をすり尖らし、紐で廻す独楽(こま)。後には殻に鉛・蠟などを溶かしこんで作った。ばいごま。不精独楽〈ぶしやうごま〉。「バイヲウツ、または、マワス」〈日葡〉

はいが【拝賀】①目上の人に謹んで新年のおよろこびを申し上げること。「正月往来して―の礼を行なふことを禁ず」〈続紀文武一・閏一二・二八〉②任官・叙位などにあずかった時、参上して御礼を申し上げること。「十六日やがて―せられにけり」〈愚管抄六〉。「―。任官の時、天子を拝するを云ふ。又、奏慶とも云ふなり」〈公事言葉考〉

はいかい【誹諧・俳諧】①おもしろおかしいこと。滑稽。「漢書に云、―は滑稽也」〈奥義抄〉②たわむれのことば。ざれごと。「―の字はわざごととも読むなり。これによりて皆人ひとへに戯言と思へり」〈奥義抄〉。「俳諧、ハイカイ、戯の義」〈下学集〉③和歌の一体。古今集以来、ことばづかいや意味の上で、滑稽を主とした歌をいう。誹諧歌。「―歌」〈古今巻一九雑体〉。「それ歌のさまをたづぬるに、長歌・短歌・旋頭歌、折句・―・混本歌・鸚鵡返し・廻文歌なり」〈謡・鸚鵡小町〉。「ざれうた、―なり」〈匠材集四〉④「俳諧の連歌」の略称。室町末期、山崎宗鑑・荒木田守武などの頃から盛んになった、卑近・滑稽を主とする連歌をいい、近世に入って、貞門・談林と詠風が変遷し、芭蕉以後は幽玄閑寂を重んずるようになり、単に「俳諧」とのみ称した。広義には、俳文・俳論などを含めて、俳文学の総称。「連歌士の―と申すは、狂句の事に候なり」〈吾妻問答〉。「炉辺六七人集まりて、田楽の塩噌のついで―たびたびに」〈宗長手記上〉。「―に名を残す宗鑑」〈俳・油糟〉 **―うた【誹諧歌】**「誹諧」(3)に同じ。古今集巻十九に誹諧歌(はいかいか)として五十八首あるのが名称の起源。「―、是はいかなるをいふにかあらむ。まさしき様知る人なし。…大かたは、ざれよめる事やらむなどは推せらるれども、其の様知る事なし」〈八雲御抄一〉

はいがい【沛艾】馬の性質が荒っぽくて、はね狂うさま。「―の馬なれば、海の中にてはやりけり」〈盛衰記四三〉。「文選に―とをどりあがると読む」〈壒嚢鈔一〉

ばいくゎ【梅花】①梅の花。「―景春に灼(かかや)く」〈懐風藻〉②梅の香のする薫物(たきもの)の名。梅花方。「―はなやかに、いまめかしう」〈源氏梅枝〉③梅花香を蠟・胡麻油などで練った頭髪用の水油。梅花香油。梅花の油。「鬢の香の―の薫り」〈近松・今宮心中中〉 **―かう**ウコ**【梅花香】**①丁子・白檀・梅花など十一種を刻み合わせた煉香。梅花の香に似ているのでいう。「―一箱」〈上井覚兼日記天正一三・一〇・一四〉②「梅花」(3)に同じ。「―の雫(しづく)を含ませ」〈西鶴・一代女六〉

はいごん【俳言・誹言】〔俳諧用語〕和歌や連歌では使用せず、俳諧でのみ使用することば。漢語・俗語など。「―無し。上上の連歌なり」〈俳・淀川〉。「―で申すや慮外御代の春」〈俳・歳旦発句帳〉。「『めぐみ』といへば歌になるを『慈悲』とよめば―なり」〈浄土真宗小僧指南集末〉

はい・し【拝し】『サ変』①おがむ。敬礼する。謹んでおよろこびを申し上げる。「拝賀の礼を行なふことを禁ず。…ただし祖父兄及び氏の上たる者を―・することを聴(ゆる)す」〈続紀文武一・閏一二・二八〉②任官・叙位・賜禄などに際し、庭上で、舞踏を伴う感謝の礼をする。「御衣奉りかへて、下りて―・し奉り給ふ」〈源氏桐壺〉③官を授かる。また、官を授ける。「いはむや労を朝家に積む。いよいよ朱紫の衣(高位高官ノ意)を―・すべし」〈将門記〉

はい・し【配し】『サ変』①流刑に処する。遠島・僻地などに流す。「既に越州に―・せられて泥人となる」〈今昔九ノ三三〉②割りあてる。「〔五音ヲ〕或は五行に―・し、或は五常に―・す」〈著聞三三〇〉

はいしょ【配所】罪人の配せられた所。配流の地。「其の流人―に到る」〈続紀天平一七・四・二七〉。「―にして故郷(ふるさと)に遣はしける〔歌〕」〈古来風体抄下〉

ばいしん【陪臣】臣下の家来。又家来。又者。「況や其の跡絶えて、後室の尼公、―の義時が世になりぬれば」〈神皇正統紀仲恭〉

はいずみ【掃墨】《ハキスミの音便形》胡麻油・菜種油などの油煙を掃き落して取ったものから作った墨。眉墨・塗料・薬として使った。「―入りたる畳紙(たたうがみ)を取り出でて」〈堤中納言はいずみ〉

ばいぜん【陪膳】天皇に供御(くご)や御褉(ごけい)の形代(かたしろ)などを奉るとき、給仕として伺候すること。また、その人。典侍(ないしのすけ)・釆女(うねめ)や殿上人が勤める。略式の朝餉(あさがれひ)には女房、正式の大床子の御膳には殿上人が奉仕する。また、武家で、儀式などの時の膳部の給仕を勤める者。「―にさぶらふ限りは心苦しき御気色を見奉り嘆く」〈源氏桐壺〉

ばいそく【牧束】集めたばねた薪(たきぎ)。ばいぎ。ばいた。「斧鉦(まさかり)にて粗く割りたる、割らざる、集め束(つか)ねて、此れを商ふ。―とも、牧木(ばいぎ)とも言へり」〈色道大鏡一四〉

ばいた ①「ばいそく」に同じ。「山より出(だ)す薪に牧田(ばいた)といふあり。…牧束(ばいそく)とも、牧木(ばいぼく)ともいへり」〈色道大鏡一四〉②下女。「―とは…荒荒しき下女の事なり。…下女の手足荒れて強強しくふつつかなるを、ばいたに比して、此の名を云へり」〈色道大鏡一四〉③《「売女」「買女」と書く》下級の遊女、端(は)女郎。また、蓮葉(はす)・夜鷹の称。「―をば十八人すぐりたて」〈浄・道外和田酒盛一〉。「清く健やかなる蓮葉を―と云ふなり。又、傾城の端女(はしをんな)を―と云へり」〈色道大鏡一四〉④女をののしっていう語。「とても姉の大―に添ふ男は有るまじきに」〈近松・日本西王母一〉

はいたい【廃帝】《ハイテイとも》他から強要されて退位した天子。「―、諱(いみな)は大炊王」〈続紀天平宝字二・八〉

はいたう(ハイトウ)**【配当】**①くばり分けること。割り当てること。「寺門―〔ノ米〕七石四斗八升請け取り了んぬ」〈多聞院日記天正一五・四・七〉②近世、吉・凶事のあった家に行って物を乞うた座頭。配当座頭。「―の勢ひ死ねかし皮剝(がは)う〔トイウ強欲ブリダ〕」〈雑俳・千代見草下〉

はいだう(ハイドウ)**【拝堂】**僧侶が大寺の住職となってその寺に入る時に行なう拝仏の儀式。「その人、いまだ若くして、東寺の入寺(にふじ)に成りて―しけるに」〈今昔二八ノ九〉

はいたか【鷂】「はしたか」の音便形。「すぐれて速きもの、―・隼(はやぶさ)・手なる鷹」〈梁塵秘抄三七四〉

はいだて【脛楯】《ハギダテの音便形》鎧の下に着て、腰の前から左右に垂れて股と膝とを覆うもの。佩楯(はいだて)。「いつ装束と云ふは、籠手(こて)・―・甲・鉢巻・臑当(すねあて)、是也」〈今川大双紙〉

はいてう(ハイチョウ)**【廃朝】**近親・重臣の喪、天変などの際に、天皇が朝廷で政務をとらないこと。「―す。諒闇を以ての故なり」〈続紀天平勝宝七・一・一〉

ばいてぎ【貝伽・海螺撃】子供の遊びで、蓆製の盆の上で貝独楽(ばいごま)を撃ち合わせ、はじき出した独楽を勝ちとするもの。「ばいまはし」「ばいつく」「ばいうち」とも。「盤石の石きり―軒石に」〈俳・夏木独吟百韻〉〈日次紀事九月〉

はいどくさん【敗毒散】漢方薬の一種。独活(どく)・桔梗・人参など十種を調合した風邪薬。「―三服これを送らる」〈実隆公記明応五・一〇・九〉

ばいにん【売人・買人・商人】商人。あきんど。売買人。「計策を以て、―の如くやつれさせ」〈上井覚兼日記天正一三・九・二四〉。〈文明本節用集〉

はいはい ①馬・犬などを追うのに掛ける声。「犬を遣(や)る声、―と掛くる」〈基盛朝臣鷹狩記〉②取るに足らぬさま。くだらぬさま。「―の寺小姓、多くは根差し下輩民間より起る」〈浮・人倫糸屑上〉

はいばん【杯盤】杯と皿と。酒宴に用いるいろいろな食器。「―ゆたかにして美麗なり」〈平家八・征夷将軍〉

はいふ【配符】①中世、徴税その他の用件を記し、御上から配布した命令書。「釘比(くぎ=寸法)・員数以下は、其の時御―を以て、仰せ出さるべきの事」〈伊豆浜村文書永祿二・六・六〉。「配符、ハイフ、田銭」〈文明本節用集〉②近世、御上の命令を伝達するために、民間に配られた書類。御触。「朝居る雲の〔如ク〕―〔ノ効果〕跡無き」〈俳・幕尽〉

はいぶ【拝舞】《ハイムとも》官位昇進の場合や祿を与えられた場合、天皇または上皇を拝して謝意を表わす礼。舞踏。「次に左方の公卿侍臣、前庭にして―ありけり」〈著聞四九〉。「―。先づ再拝次いで立ちながら左右左、次いで臥して左右左、次いで居ながら小拝、次いで立ちて再拝、次いで小揖」〈侍中群要一〉

はいまう(ハイモウ)**【廃忘・敗亡】**①忘れ去ること。「―して覚え候はず」〈日蓮遺文十王讃歎鈔〉②不意の出来事の処置に迷いあわてること。とまどうこと。「大名の御前たるに依って、―して、『駒に棹さし、舟に鞭うつ』と語ったれば」〈寒川入道筆記〉

ばいまはし(ワシ)**【陀螺廻し・貝廻し】**「ばいてぎ」に同じ。「浄瑠璃語り、―、小鳥を集め」〈若輩抄〉

はいらい【拝礼】《呉音》頭を垂れて礼をすること。おがむこと。特に正月の院や東宮・中宮・摂関家などでの拝賀をいう。「としかへりて正月一日、院の―に殿ばら数をつくして参り給へり」〈和泉式部日記〉

はいりやう(リョウ)**【拝領】**主君や貴人などから物品をいただくこと。「右の膝をつき、左の袂(たもと)をひろげ、かしこまってこれを―す」〈盛衰記一六〉

はいる【配流】流罪に処すること。「死一等を降して、三宅麻呂を伊豆の島、老(おゆ)を佐渡の島に―す」〈続紀養老六・一・二〇〉

はう(ホウ)**【方】**《「方」の字音としてハウ・ホウの二音が古くからあり、意味によって使い分けた。たとえば、方角などの意のときにはハウ、四角・医方などの意のときにはホウ。しかし、近世初期ごろから混乱が見え始める》①方向。方角。方面。方位。「四大天王の勢、四―を守るも」〈三宝絵下〉。「鬼門の―には山王二十一社まします」〈保元上・将軍塚鳴動〉②てだて。方法。「何をしるしにてか時を量(はか)らむ。すべき―なし」〈今昔三一ノ三一〉。「〔貧乏デ〕すべき―もなかりけるままに」〈古本説話五八〉 →ほう(方)

はう(ホウ)**【袍】**束帯や布袴(ほうこ)・衣冠などの時に着る上衣。天皇・親王・諸臣らによって、色・織り文に違いがある。天子・文官用の縫腋(ほうえき)と武官用の闕腋(けってき)との区別がある。「〔天皇〕行きて経(よ)る所の国の司、目(さくわん)以上に―、袴各一領を賜ふ」〈続紀和銅一・九・二三〉 →うへのきぬ

ばう(ボウ)**【坊】**《字義は、方形に堤でかこまれた土地。転じて、町の区画、別棟の建物の意》①京のまちの行政区画の名。四保(ほ)を一坊、四坊を一条とする。「所在の条―及び要路に於て明かに牓示(ぼうじ)を加へよ」〈類聚三代格一六〉②建物の一画。「夜、太政官の―に入りて、塩汁を飲みて誓ひて」〈続紀天平宝字一・七・二〉③「春宮坊(とうぐうばう)」の略。転じて、東宮をさす。「―にも据ゑ奉らずなりにしを、飽かずくちをしう」〈源氏紅葉賀〉④僧の住んでいる所。僧房。寺。「―の外に出づる事なかりけり」〈今昔二〇ノ三〉⑤僧・出家の称。「希有(けう)のことい御―かな」〈宇治拾遺三六〉⑥幼児を親しんで呼ぶ称。江戸では女の子をもいった。「―はちゃん(父親)におんぶ」〈滑・浮世風呂前上〉→ばう(房)

ばう(ボウ)**【房】**《字義は、堂のかたわらのこべや》①へや。「珍重たり紅―(女人ノ小室)の玉簾に透けること」〈菅家文草五〉②僧の住んでいる所。僧房。「三蔵特に愛して同―に住せしめて」〈続紀文武四・三・一〇〉。「師失せなば、―をも取り、財(たから)をも得、法文をも伝へむ」〈今昔一九ノ二四〉③僧をさして呼ぶ語。また、僧の名前の下につけていう。「かしこのおはする御―、われを助け給へ」〈今昔四ノ六〉。「唯円―は、わがいふことをば信ずるか」〈歎異抄〉→ばう(坊)

ばう(ボウ)**【棒】**①木の枝や竹を手頃な長さに切って手に持つようにしたもの。「―を以て君が頭(かしら)を撃つ」〈今昔七ノ三〇〉②棒術。棍棒を使って敵を打つ武芸。棒の手。「―を使うて見せい」〈天理本狂言六義・棒縛〉③他の語に冠して、棒のようにまっすぐの意をあらわす。「―松」「―樫」「―立ち」など。「夕霧晴るる庭の―杉」〈俳・玉海集追

加五〉

はうい：ホウ【芳意】ありがたい御意向。「しかるに昔の洪恩を忘れ、―を存ぜず」〈平家一〇・請文〉

はういつ：ホウ【放逸】①逃がすこと。「―せる鷹を思(しの)ひて、夢に見て感悦(よろこ)びて作る歌一首」〈万四〇一二題詞〉②ほしいままにふるまうこと。わがまま勝手。「入道もとより心うるはしくして、邪見―を離れたりとや」〈今昔一五ノ三二〉③相手に対して情容赦もないこと。残忍無慈悲。「小舎人(ことねり)ばら―に散散に打つ」〈義経記六〉。「ひとへに夜叉の如く、御心あくまで―に生れつかせ給へば」〈説経・天智天皇〉

はうえん：ホウ【芳縁】因縁(いんねん)をたたえていう語。結構な因縁。「前世の―も浅からずや思ひ知られけん」〈平家三・少将都帰〉

はうか：ホウ【放下・放家・放歌】《ハウゲとも》もと禅宗で、一切を放下(はうげ)した僧。後、鎌倉時代末・南北朝の頃、かれらの中から現われた異端の芸能者。髪を剃らず烏帽子をかぶり、異様な姿をして、手に小切子(こきりこ)・編竹(ささら)などをもてあそびながら、街頭で滑稽な歌舞・曲芸を演じた。「小切子は―に揉(も)まるる」〈謡・放下僧〉。「放家、ハウカ、シナダマトルモノ、術者」〈運歩色葉集〉 **―し**【放下師】「放下」に同じ。「梯(かけはし)を―鼻に立てすまし」〈俳・犬筑波〉 **―・し**【放下し】『四段』投げすてる。ほかす。「庭なかに歯かけの足駄脱ぎ捨ててはくやうなくて谷へ―・す」〈虎明本狂言・伯養〉 **―そう**【放下僧】「放下」に同じ。「この頃人のもてあそび候ふは放下にて候ふほどに、御身は―に御成り候へ」〈謡・放下僧〉

ばうがね：ボウ【坊がね】《ガネは接尾語》皇太子候補。「二宮…次の―にて」〈源氏匂宮〉

はうき：ホウキ【箒】①「ははき」の転。「袖も―も雪によごれり／わが宿に掃く煤鼻(すすはな)を押しのごひ」〈俳・犬筑波〉②花柳界で、相手構わず女に関係する男。「あれこれよね(遊女)の数替へて気儘に、―となりと、塵取りとなりと、云はば云へ」〈浮・分里艶行脚三〉 **―ぼし**【箒星】彗星(すいせい)の俗称。「今夜客星東に出現云云。病患又兵革云云。―云云」〈北野社家日記延徳二・一一・二八〉

はうき：ホウキ【伯耆】旧国名の一。山陰道八国の一で、今の鳥取県西部。伯州。「まさに健児(こんでい)を差(えら)ぶべき事。大和の国三十人…―の国五十人」〈類聚三代格一八〉

ばうぐみ：ボウ【棒組】①荷物などを一緒に舁(か)く相手。特に、駕籠舁きの相棒。「今日は東山へ花に弁当、明日は嵯峨嵐山の桜に乗物、肩安からぬ―」〈俳・六百番発句合三〉②一緒に物事をする相手。仲間。徒党。「そちとこち荷ひ合ふたる友なれば―なりと人や言ふらん」〈後撰夷曲集九〉

はうくゎ：ホウ【半靴】《ハンクヮの転》靴の一種。深履(ふかぐつ)の頭の短いもの。「―はきたるなど木の下に立ちて」〈枕一四四〉

はうぐゎん：ホウ【判官】《ハングヮンの転》①⇒じょう(判官)(1)「左右の衛門の尉(ぞう)を、―といふ名つけて、いみじうおそろしう、かしこき者に思ひたるこそ」〈枕三一三〉②検非違使の尉である源義経の称。「本朝の―、逆櫓(さかろ)を立てぬと同じ事なり」〈四河入海二上〉 **―だい**【判官代】①院の庁の事務に当る官。五位または六位。「―には、宮司ども、蔵人など代るべきにあらず」〈大鏡師尹〉②在庁官人の一。平安中期以後、諸国の行政実務に当った幹部。「―国府に参りて公事を勤めて家に帰る間」〈今昔一六ノ三〉 **―びいき**【判官贔屓】義経を不幸な英雄として愛惜同情すること。転じて、一般に弱者に対する同情のたとえ。「世や花に―春の風」〈俳・毛吹草五〉

ばうくゎん：ボウ【坊官】①春宮坊(とうぐうばう)の官人の総称。「―の労に三位ばかりし給ひて」〈大鏡道隆〉②《「房官」とも書く》門跡家(もんぜき)に仕え、雑事をつとめた僧。諸太夫・北面(ほくめん)の子がなり、僧ながら妻帯・帯刀していた。「又、御室の御所に―ありけり」〈沙石集三ノ二〉。「房官、バウクワン、門跡之奉公人」〈天正十八年本節用集〉

はうげ：ホウ【放下】《投げすてること。ハウカとも》①禅宗で、一切の執着を放擲してしまうこと。「我が身心を―して、一向に仏法に入るべし」〈正法眼蔵随聞記四〉②放下した禅僧。特に、放下師(はうかし)・放下僧(はうかそう)をいう。「又、一種の国賊あり。―の者と号して、三衣一鉢を捨てて、身に衣を着ずして、或は烏帽子を着、或は狗(いぬ)・猫・兎・鹿(しし)の皮を着て、舞をなし、歌を歌ひて、正法を謗し、人家の男女を誑謔(わうごう)して世を渡る類あり」〈塩山和泥合水集下〉

ばうざ：ボウ【病者】《ビャウジャの直音化》病人。「―のことを思う給へ扱ひはべるほどに」〈源氏夕顔〉

はうさい：ホウ【泡斎】念仏踊の一種。慶長の頃、常陸の僧泡斎が寺院修繕の勧進に江戸市中で始めたという。その踊が激しく狂気を帯びていたので、気違いや馬鹿の異名ともなった。後には、下総葛西(かさい)の土民が行なったので、葛西念仏とも称した。泡斎念仏。「出でて行かば心軽しと笑はれむ世の―を人の知らねば」〈仮・仁勢物語上〉

はうさう：ホウソウ【方相】「方相氏」の略。宮中で追儺(ついな)の式の際、悪鬼を追う役。黒い衣に朱の裳(も)をつけ、黄金四つ目の面をかぶり、手に戈(ほこ)と楯(たて)を持って、内裏の四門をめぐって鬼を追いまわした。大儺(たいな)。また、同じ装束で、天皇・親王・太政大臣などの棺(ひつぎ)の車の先導をしたもの。「〔太上天皇崩御〕従五位下大蔵の忌寸(いみき)麻呂を造―司となす。六位已下二人」〈続紀天平勝宝八・五・三〉

ばうざや：ボウ【棒鞘】白木の鞘。「作り杉は―なれや夏木立(木太刀ト掛ケル)」〈俳・落穂集三〉

はうさん：ホウ【放参】禅寺で、他の仏事や所用のため、臨時に、晩参(ばんさん)すなわち夜の参禅をとりやめること。「臨時に祈禱なんどする時に―と云ふぞ」〈百丈清規抄一一〉

はうし：ホウ【拍子】《ハクシの音便形》①ひょうし。また、ひょうしをとること。「〔和琴ハ〕さながら多くの遊び物(楽器)の音、―を調へとりたるなむ、いとかしこき」〈源氏常夏〉②「笏拍子(さくはうし)」の略。「笛吹き立て―うちて遊ぶを」〈枕一四三〉

はう・し：ホウ【謗し】『サ変』そしる。悪く言う。「『これほどの大事…延引せしめ給ふ事、然るべからず』と―・すること限りなし」〈宇治拾遺二三九〉。「これ仏を―・し、法を―・する者なり」〈道元法語〉

はうじ：ホウ【方士】方術(はうじゅつ)に通じた人。神仙の術を行なう者。道士。「―と云ふは、蓬萊(ほうらい)に行く人を云ふなり」〈今昔一〇ノ七〉

はうじ：ホウ【牓示・傍爾】土地の境界にしるしとして立てる杙(くい)。傍爾杭。「早く庁宣に任せて四至―を庄領に打ち定むべき事」〈朝野群載七〉

ばう・じ：ボウ【亡じ】『サ変』①ほろびる。滅亡する。「王法(わうぼふ)尽きんとては仏法まづ―・ず」〈平家二・善光寺炎上〉②死ぬ。死亡する。「その父―・じて、母存せり」〈今昔九ノ一〉

ばう・じ：ボウ【忘じ】『サ変』わすれる。「魔界の相を―・ずれば則ち仏界なり」〈夢中問答上〉。「故郷―・じがたしと申す」〈天理本狂言六義・雷〉

ばうしばり（ボウ）【棒縛り】人の身体を棒に縛り付けること。処罰として行なわれた。「銅瓦盗人、―に前を捲り、放し申し候」〈松平大和守日記万治二・六・二七〉

はうじゃう（ホウジヤウ）【放生】《「殺生（せつしやう）」の対》いったん捕えた生き物を逃がしてやること。功徳のためや仁政を示すためなどに行なう。「諸国をして毎年―せしむ」〈続紀文武一八・一七〉。「もし人、位を得むと思はば―をせよ」〈三宝絵下〉 **―ゑ**【放生会】捕えた魚鳥などを、特定の人の供養のため、山野や池沼に放つ法会。普通、陰暦八月十五日に行なう。宇佐と男山八幡の放生会が名高い。「ここに託宣ありてのたまはく、『兵人等多く殺しつ。其の罪を失はむが為に、―を毎年に行なふべし』」〈三宝絵下〉

ばうじゃく（ボウ）【傍若】「傍若無人」の略。「平山が言葉―なり」〈盛衰記三六〉 **―ぶじん**【傍若無人】人前をはばからず、自分本位に遠慮会釈もなくふるまうさま。「天下の権威―なり」〈中右記保安一・七・三〉。「―をば、かたはらに人無きが如しと読むなり。たとへば、また人も無きやうに自由なりと云ふ詞なり」〈壒囊鈔七〉

はうじゅつ（ホウ）【方術】不老不死などの仙人の術。「暦の本また天文地理の書、幷（あは）せて遁甲（とんかふ）―の書を貢（たてまつ）る」〈紀推古十年〉

はうしん（ホウ）【芳心】《ハウジンとも》①親切な心。情心（なさけごころ）。「慈悲も深く、―ありと聞ゆ」〈沙石集六ノ一三〉。「芳心、ハウシン」〈色葉字類抄〉②親切にすること。情深い心で接すること。「そのよしみにや、―しけるとぞ聞えし」〈平家七・一門都落〉

ばうしん（ボウ）【亡心】亡霊。「恐ろしや、おことは誰（た）そ。なに、小竹田男（ささだをとこ）の―とや」〈謡・求塚〉

ばうず（ボウ）【房主・坊主】①僧房のあるじ。一坊の主たる僧。「その―常に法花経を誦（じゆ）し奉るに」〈今昔四ノ一八〉。「房主、バウズ、或作二坊主一」〈文明本節用集〉②僧侶一般の称。「―にやなすうつくしき児（ちご）」〈俳・独吟集上〉 **―おち**【坊主堕ち・坊主落ち】坊主が堕落あるいは還俗すること。また、その人。「坊主還り」とも。「―にて覚えも無き者なれども」〈甲陽軍鑑八〉 **―ガッパ**【坊主合羽】桐油紙製の袖無し合羽。木綿製を「引廻し合羽」という。「子規（ほととぎす）―の不自由さは（耳ニ手ヲ当テテ聞ケナイ）」〈雑俳・童の的一〉 **―ごろし**【坊主殺し】坊主相手の私娼または若衆。「坊主おとし」とも。「中寺町・小橋の―」〈西鶴・一代男二〉 **―へり**【坊主縁】畳の縁（ふち）取りの布のないこと。また、その畳。「蚤（のみ）嫌ひ仮寝も嬉し―」〈俳・金剛砂上〉 **―もち**【坊主持ち】同行者の荷を持つ役を途中で坊主に出逢うごとに交替する仕方。「五升樽―して」〈近松・油地獄上〉 **―ゆ**【坊主湯】素湯（さゆ）。「―と世に忌む素湯を我が寝酒」〈雑俳・江戸土産〉

ばうずくめ（ボウ）【棒竦め】多人数で取り囲み、棒で身動き出来ぬようにすること。「百姓等に云ひ聞かせ、―にして召し捕るなり」〈川角太閤記二〉

ばうせい（ボウ）【昴星】すばる星。七曜星・二十八宿の一。「二月二十一日、太白―を侵す」〈平家六・横田河原〉。「昴星、須八流（すばる）」〈和名抄〉

ばうぞく（ボウゾク）《放俗の意か》たしなみのないこと。ぶしつけ。「人多く見る時なむ透きたる物着るは―におぼゆる」〈源氏蜻蛉〉

はうた【端唄・端歌】近世俗曲の一。三味線を伴奏にして歌われる短い曲。前期の上方端唄と、後期の江戸端唄とがあった。「―・舟歌・田植歌」〈俳・伊勢踊序〉

はうだい（ホウ）【放題】①きまりのないこと。自由勝手なこと。「蹲（つくば）ふかと思へばやがて行ずるは―な事ぞ」〈百丈清規抄三〉。「次第―に庭中で御目にかかるぞ」〈蒙求抄七〉。「放題、ハウダイ、詩歌に言ふ所なり。日本の俗、或は放埒（はうらつ）の人を云ふなり」〈下学集〉。「放題、はうだい、狼藉の義」〈和漢通用集〉②《名詞または動詞連用形などにつけて》きまりなく自由に行なう意をあらわす語。「日未だ落ちざるに門を閉づる事もあり。又、半夜に門を開きて月を見る事もあり。ただ機嫌―也」〈杜詩抄七〉。「〔短尺ノ〕下絵様様急ぎ候て、出来―に先づこれを進じ候」〈実隆公記永正四・一・四紙背文書〉

ばうだい（ボウ）【傍題】①和歌・連歌・俳諧で、主題以外のものを中心にして詠むこと。例えば「月前薄」という題の時に、月を主に、薄を従にして詠むこと。「―を侵すは、歌合には憚りの主たる付所に付けないこと。付合（つけあひ）では、前句侍るにや」〈文治二年十月二十二日歌合〉。「『幾代になりぬ住吉の松』と云ふに、『呉竹の青葉も雪に埋れて』。…住吉を傍（そば）になして代と松に付くること、―の句也」〈長短抄上〉②歌など数多くよむ場合に、同じ事のまじっていること。「また歌数よむに同事のあるをも―と申すなり」〈今来風体抄〉

はうたう（ホウトウ）【餺飥】「はくたく」の音便形。〈色葉字類抄〉

はうだたり（ホウ）【方祟り】陰陽道で、金神の居る方位を犯した時に受ける災難。「露も減気のあらぬ病人／かへて行く花咲く酒も―」〈俳・蛙井集五〉。「この末世に何の―」〈西鶴・織留四〉

ばうだら（ボウ）【棒鱈】①鱈の干物の一種。真鱈を三枚におろし、頭・背・骨・尾を除き、日干しにしたもの。「―や霞を遠く渡り来て」〈俳・俳諧三物〉②〔江戸語〕酒に酔った人を罵っていう語。酔っぱらい。「群集さこそ―も多からめ」〈俳・二度の懸上〉

ばうちぎり（ボウ）【棒乳切】「ちぎりき」に同じ。「人供・行堂―を持ちつれて」〈明徳記中〉 **―き**【棒乳切木】「ちぎりき」に同じ。「多人数―をもって押し入り」〈本光国師日記慶長一八・八・七〉

はうちは（ウチワ）【羽団扇】鷲または鷹の羽で作った団扇。「―や由緒残って年古りぬ」〈俳・信徳十百韻〉。〈日葡〉

はうちゃう（ホウチヤウ）【庖丁】《「庖」は「くりや」、台所の意。「丁」は「よぼろ」、下ばたらきの人》①料理人。「料二理魚鳥一者、謂二之庖丁一」〈和名抄〉②料理すること。割烹（かつぽう）。「この〔銀製ノ〕鯉は生きたるやうなる物かな。ほとほと―望まんとぞ思へる」〈宇津保蔵開上〉③「庖丁刀」の略。「庖丁、ハウチャウ、刀の名也」〈下学集〉 **―がたな**【庖丁刀】料理専用の刀。「そばなる遣戸（やりど）に、―の指（さ）されたりけるを見つけて」〈今昔二六ノ二三〉 **―じゃ**【庖丁者】料理人。庖丁使い。「庖丁人（じん）」とも。「園（その）の別当入道は双（さう）なき―なり」〈徒然二三一〉

はうづ（ホウ）【方図】限度。際限。〈日葡〉 **―も無・い**限りも無い。「牓示（はうじ）も無し」とも。「やい、おのれ、云はして置けば、―・い事を云ふやつかな」〈伎・好色伝授上〉

ばうつかひ（ボウツカイ）【棒使】棒術の使い手。「あいつは―ぢゃ程に」〈天理本狂言六義・棒縛〉

ばうつき（ボウ）【棒突】社寺の境内など雑踏する場所を、棒を突きながら警戒して廻る番人。「下馬には―あり」〈驢鞍橋上〉

ばうて【場打て】その場の雰囲気におされて気おくれすること。人中に出ておじけづくこと。「人は花に―をせうを舞ふ胡蝶」〈俳・新玉海集一〉。〈俳・毛吹草二〉

ばうてふり（ボウ）【棒手振】魚・青物などを天秤棒でになって

振売りに歩く商人。「ぼてふり」とも。「―は氷魚(ひを)の使ひかゆきの島」〈俳・松島眺望集上〉

はうどうきゃう【方等経】《時間的にも空間的にも不変で平等な実相の妙理すなわち方等を説いた経典の意》大乗経の総称。一説、釈迦が方等時(成道後十二年から八年の間)に説いたという経典の総称、華厳・般若(はんにゃ)・法華・涅槃(ねはん)の諸経以外の大乗経典。「説きおき給へる御法(みのり)も、方便といふ事ありて、さとりなき者は、ここかしこ、たがふ疑ひを、おきつべくなん。―の中に〔方便ノ旨〕おほかれど」〈源氏蛍〉

ばうねぢ【棒捻】遊戯の一。二人が向い合って棒の両端を持ち、互いに反対に捻り合って、捻り取った方を勝とする。「松の木の―なれや藤葛(かづら)」〈俳・埋草一〉

はうばい【傍輩】仲間(なかま)。朋輩。「―口をふさぎ、世の人これを許しき」〈十訓抄三ノ一〇〉 ―**づき**【傍輩付き】傍輩の気受け。仲間との折り合い。「傍輩合ひ」とも。「やがて―悪くなりて追ひ出されぬべし」〈人鏡論〉

ばうばな【棒端・棒鼻】①棒の先端。棒先。「下男つかつかと寄って―取り」〈近松・二枚絵中〉 ②《近世、街道筋の宿(しゅく)境に牓示杭(はうじくひ)があったところから》宿駅のはずれ。宿場の両端。「―の茶屋女」〈滑・膝栗毛三下〉

ばうびや【棒火矢】鉄筒に火薬を込めて発射する火矢。「枳(からたち)へ―を雨の降るほど射かけければ、程なく燃え上がりて」〈義残後覚五〉

はうべん【方便】①〔仏〕人を仏の道に導くための、折に応じたよい手段。「仏のし給ふ―は、慈悲をも隠して、かやうにこそはあなれ」〈源氏蜻蛉〉 ②目的を達するためにとる便宜的な手段・方法。「此の恩借に縁って妄りて―を生す。政を害し民を蠹(と)すること斯れより甚しとなすこと莫(な)し」〈続紀和銅五・四・五〉。「内内(ないない)平家―を作る由承り候ひし間」〈義経記四〉

はうめん【放免】①罪人を放ちゆるすこと。「養老二年以前を限りて公私を論ずること無く、皆―に従はむ」〈続紀養老四・三・一七〉 ②平安・鎌倉時代、検非違使庁(けびゐしのちやう)の下で犯人捜査などに従事した下部(しもべ)。刑期終了後に放免された罪人をこれに使用したのでいう。「盗みして獄にゐて、後―になりにける者なりけり」〈今昔二九ノ二三〉

ばうもん【坊門】《「坊」はまちの意》①平安京の坊の門。朱雀大路に面して作られ、三条以下九条まで十四門あったという。「左右の京職をして、朱雀路―毎に兵士十二人を置き、分番掌護せしむ」〈三代実録貞観四・三・八〉 ②平安京で、各坊門に通ずる東西の道。「九条―東洞院の辺には雪も降りたりけり」〈著聞五八六〉

ばうよみ【棒読】漢文を返り点によらず、まっすぐ読みくだすこと。「大唐は無点して―にする也」〈杜律考〉

はうらつ【放埒】《ハウラチとも。馬が埒(らち)から解放されること》おきて・しきたりなどを無視して勝手気ままにふるまうこと。「その人、道の掟(おきて)正しく、これを重くして―せざれば」〈徒然一五〇〉。「放埒、ハウラツ」〈色葉字類抄〉

はうりゃく【方略】平安時代、官人登用試験において、文章得業生(もんじやうとくごふしやう)が宣旨を受け、策(論文)を提出すること。また、その策。これに及第すると、文筆家として叙位任官する。「すなはちおもしろき文作れり。進士になされて―の宣旨下りぬ」〈宇津保吹上下〉

はうろくづきん【炮烙頭巾】丸くて浅い炮烙形で老人のかぶる頭巾。大黒頭巾。「はうらく頭巾」とも。「あなたへは―」〈西鶴・諸艶大鑑二〉

は・え【生え】㊀『下二』《ハヤシ(林)・ハヤシ(早・速)の語根ハヤを活用させた語。物が勢いを得る意》枝や新芽、髪の毛など、将来伸びるものが、もとからわずかに姿をあらわす。「川藻もぞ干(か)るれば―・ゆれ」〈万一九六〉 ㊁『名』生えること。「柳こそ伐れば―すれ」〈万三四九一〉 †Faye

は・え【映え・栄え】㊀『下二』《ハエ(生)と同根》①他から光や力を受けて、そのものが本来持つ美しさ・立派さがはっきりと現われる。「をかしげなる姿、頭つきども月に―・えて」〈源氏槿〉。「御涙のこぼるるをかき払ひ給へる御手つき、黒木の御数珠に―・え給へる」〈源氏須磨〉 ②他のものの存在によって(かえって)勢いを得る。「まことや暮れにも参りこむと思ひ給へ立つは、〔貴女ガ私ヲ〕厭ふに〔私ノ恋心ガ〕―・ゆるにや侍らむ」〈源氏常夏〉 ㊁『名』他の物に引き立てられて輝く美しさ・良さ。「御袴着の程も…かかる深山隠れにてはなにの―かあらむ」〈源氏薄雲〉

はえな・し【映えなし】『形ク』引き立てるべき光がなくて、良さ・美しさが発揮されない。ぱっとしない。さえない。「〔源氏亡キ後〕世はただ火を消ちたるやうに、何事も―・き嘆きをせぬ折なかりけり」〈源氏匂宮〉

はえばえ・し【映え映えし】『形シク』①いかにも物の映えがある。場に引き立てられて立派である。「〔積善寺供養ノトキ〕女房の中に〔松君ヲ〕抱き入れ奉るに、何事のあやまりにか泣きののしり給ふさへ、いと―・し」〈枕二七八〉 ②はなやかである。明るく陽気である。「御幸も成りしかば、―・しき御遊びどもなり」〈中務内侍日記〉。「いかに遠き国、知らぬ里の人なりとも、親子のごとくあひしらひ候へば、―・しき人とてほめらるるなり」〈伽・乳母草紙〉

はえやま【生山】草木の茂った山。「―を柴を逆さまに引くやうなとて進退にはならぬ也」〈説経・さんせう太夫〉

はお・り【羽織り】㊀『四段』着物の上に、帯をしないで着る。「上の人は下の人の服を―・らぬぞ」〈毛詩抄一〉 ㊁『名』①小袖の上に着る短い上衣。衿の折り返し、脇入れ、小袖式の袖などが特徴。室町時代、その着用は武士に限られ、特に胴服(どうぶく)・陣羽織として発達した。江戸時代に入ってからは、次第に礼服として民間でも用いられるようになった。「又、唐織の―を御手づから下され」〈東奥軍記〉 ②近世後期、江戸深川の女芸者。羽織を着て客席に出たのでいう。「―にしやせうか。男芸者にしやせうか」〈洒・辰巳之園〉

はか【計・量・捗】《ハカリ・ハカドリ・ハカナシなどのハカ》①イネやカヤなどを植え、また、刈ろうと予定した範囲や量。「秋の田のわが刈り婆可(ばか)の過ぎぬれば」〈万二一三三〉 ②およその目安。見当。「からをだに憂き世の中にとどめずはいづこを―と君も恨みむ」〈源氏浮舟〉 ③しごとなどの進捗状態。「歩むやうにはしけれども、―もゆかず、よろよろとして出で来たり」〈平家三・有王〉。「二僧が―もゆかざる議論をするほどに」〈無門関私鈔下〉

はか【墓】死者を葬る場所。「やすみししわご大君のかしこきや御陵(みはか)仕ふる山科の鏡の山に」〈万一五五〉

はか『助』下に打消の語を伴って、それに限る意を表わす。よりほか。ほか。のみ。「唯一杯―飲ませいで」〈伎・好色伝授中〉

はが【擌・黐擌】鳥を捕える道具。竹串(たけぐし)や木の枝などに黐(もち)を塗り、おとりの傍に立てる。はご。「わらはべ―立てて鳥とる」〈恵慶法師集〉。「擌、漢語抄云波加(はが)、所ニ以捕ㇾ鳥也」〈和名抄〉。「擌、ハガ」〈名義抄〉

ばか【馬鹿】①愚かなこと。また、その者。「好き僧も―も多かったと云ふぞ」〈蕉窓夜話〉。「まづ第一に―なる大将。これを所によりて、うつけ・たはけ・ほれ者とも申すなり」〈甲陽軍鑑三〉。「それづれの―を云ふか。道理であほ腹を切る也」

〈驪鞍橋中〉。〈文明本節用集〉②《接頭語的に用いて》度はずれて、の意をあらわす。「―力」「―律義」など。「猿引は―慇懃を本として」〈俳・底抜臼上〉▽語源未詳。

はかい【破戒】仏門に入った者が、戒律を破ること。「―の諸(もろもろ)の比丘(びく)はなほ外道(げだう)にまさる」〈霊異記下三〉 **―むざん**【破戒無慙】仏の戒律を破って、心に恥じないこと。「これは―の法師なり」〈今昔二ノ三五〉

はかう(ウ:コ)【八講】「はっかう」の促音「っ」を表記しなかった形。「菩提(ぼだい)といふ寺に結縁の―せしに」〈枕三四〉

はがき【羽搔き】鳥が羽ばたくこと。主に鴫(しぎ)にいう。「はねがき」とも。「暁の鴫のはねがき百(もも)―君がこぬ夜は我ぞかずかく」〈古今七六一〉

はがく・れ【葉隠れ】㊀『下二』草や木の葉かげにかくれる。「峰しめてはやす梢に―・れて空にも響く蟬の声かな」〈為忠前百首〉㊁『名』木の葉の間にかくれていること。「―に散りとどまれる花のみぞ忍びし人にあふ心地する」〈山家集中〉

はかし【佩刀】《ハキ(佩)と尊敬の助動詞シとの複合》お佩きになるもの。貴人の刀剣。皇子誕生の際などに、悪魔をはらう守りとされた。「御」を冠して使う。「〔姫君ノ御守リノ〕御―、天児(あまがつ)やうのもの」〈源氏薄雲〉

はがし【放し】動詞「はなち」(連用形)の上代東国方言。「赤駒を山野に―捕(と)りかにて」〈万四四一七武蔵防人〉

ばか・し【化かし】『四段』《バケ(化)の他動詞形》心を迷わせ、たぶらかす。「聖(ひじり)なれど、無智なれば、かやうに―・されけるなり」〈宇治拾遺一〇四〉。「その時、関守、鳥のそら音(ね)に―・されて」〈平家四・大衆揃〉

はかじるし【墓標】死者を埋葬したところに立てるしるし。必ずしも、卒塔婆(そとば)・石塔の類に限らない。民間には、目籠を伏せたり、三本の棒を組んで石をぶらさげたり、古鎌を立てたり、いろいろなものがあった。「かの―を他所へ移し候はん程は、御待ち候べし」〈太平記二六・執事兄弟〉

はかせ【佩刀】「はかし」の転。「これぞ判官の賜(た)びたりし御―」〈義経記六〉。「帯刀、ハカセ」〈文明本節用集〉

はかせ【博士】①官名。大化改新のときに国務顧問として国博士が設けられたのがはじめ。令の規定でも各種の博士があるが、平安時代には更にふえて、大学寮に紀伝・明経・明法・算・音、陰陽寮に陰陽・天文・暦・漏刻、典薬寮に医・針・按摩などの諸博士があり、いずれも教授および試験をつかさどっていた。「釈奠す。…大学寮に就て勅を宣(の)べ、―、学生等を慰労して、其の業を勤勉せしむ」〈続紀天平二・二・二〉。「まだ文章の生に侍りし時…ある―の許に学問など侍りとて、まかり通ひし程に」〈源氏帚木〉②広くその道に通じた人。学識者。また、一道の指導者。「馬の頭、物定めの―になりてひひらき居たり」〈源氏帚木〉。「〔清輔ハ〕この道の―なれども」〈無名抄〉③《「陰陽の博士」の意》陰陽師の異称。「相人(さうにん)」とも。「さらば占(うら)を申すべしとて、―を召され」〈伽・熊野本地〉。「博士、ハカセ、陰陽士也」〈文明本節用集〉④《「節博士(ふしはかせ)」の意から》標準となるもの。定められた基準。「太子の御時の図、今に侍るを―とす」〈徒然三〇〉⑤《博士家の点の意から》訓点。「天照大神・正八幡宮、願はくはこの書を読ませ給へと祈念せしに、則ち冠の巾子(こじ)より蜘蛛下がりて彼の書のうへ糸を引きて這ひまはりけり。是を―として読むに、難きことなし」〈古今集註〉

はかぜ【羽風】①鳥・虫などが飛ぶ時、その羽によって生ずる風。「木伝へばおのが―に散る花を」〈古今一〇九〉②舞人のひるがえす袖のあおり。「求子(もとめご)舞ひてかよる袖どものうちかへす―に、御前近き梅の…にほひのさとうちちりわたれるに」〈源氏匂宮〉

はがため【歯固】元日から三日までの間、歯(よはひ)すなわち年齢を固める意味で歯の根を固め、健康増進を願って食べる食物。宮中では、天皇が清涼殿の昼御座(ひのおまし)に出御され歯固めの祝が行なわれた。食物は大根・苽(まこも)・串刺・押鮎・煮塩鮎・猪宍(ししにく)・鹿宍(しかにく)などで作られ、平安中期からは餅鏡(もちひかがみ)も加えられるようになり、戴餅(いただきもちひ)といって、朝廷および公卿の家では、五歳までの子の頭に餅をのせ、前途を祝う儀式をした。「元日…芋茎(いもじ)、荒布(あらめ)も、―もなし」〈土佐一月一日〉

はがち【歯がち】《ガチは接尾語》歯があらわに目立つこと。すなわち、出っ歯。「笑へば―なる者の齗(はじし)は赤くなむ見えける」〈今昔二八ノ二〉

はが・ち【放ち】『四段』「はなち」に同じ。こわす。「春は渠槽(ひ)廃(はが)ち、及び埋溝(みぞうめ)、毀畔(あはなち)又、重播種子(しきまき)す」〈紀神代上〉。「廃渠槽、此をば秘波鵝都(ひはがつ)と云ふ」〈紀神代上〉

はかどころ【墓所】墓のある所。はかしょ。「この乳母―見て泣く泣く帰りたりし」〈更級〉

はかな《ハカナシの語幹》たしかな内容がなく、つかみどころのないこと。「ねぬる夜の夢をはかなみまどろめばいや―にもなりまさるかな」〈古今六四四〉 **―ごと** はかない事、また、はかない言葉。「『春の日のうららにさして行く船は棹(さを)の雫(しづく)も花ぞ散りける』などやうの―どもを」〈源氏胡蝶〉 **―だ・ち**『四段』《ダチは接尾語》機能や所作などに、はかなさがはっきり見える。「…と宣ふさま―・ちていとをかし」〈源氏賢木〉。「手は―・ちてよろぼはしけれど」〈源氏玉鬘〉 **―・び**『上二』はかない様子が示される。「―・びたるこそはらうたけれ。かしこく人になびかぬ、いと心づきなきわざなり」〈源氏夕顔〉 **―・み**『四段』むなしく思う。「此の世を―・み、必ず生死をいでんと思はんに」〈徒然五八〉 **―もの** ①ごくつまらないもの。「悪霊は執念きやうなれど…―なり」〈源氏夕霧〉②思慮の及ばぬもの。「まだ知らぬ―にこそあれ」〈宇津保祭使〉

はかな・し【果無し・果敢無し】『形ク』《ハカは、ハカドリ・カリバカなどのハカ、仕上げようと予定した仕事の進み。ハカナシは、つとめても結果をたしかに手に入れられない、所期の結実のない意。→むなし》①これといった内容がない。ちゃんとしたところがない。とりとめない。「―・くて年月も重なりて」〈源氏若菜下〉。「―・き心ちに煩ひて」〈源氏桐壺〉②手ごたえがない。頼りない。むなしい。「行く水に数書くよりも―・きは思はぬ人を思ふなりけり」〈古今五三三〉。「いとも―・き御かばねばかりを御なごりにて」〈源氏葵〉。「いつとも無くて―・き世に、命も知りがたし」〈大鏡師尹〉③あっけない。「桜は―・き物にて、かく程なくうつろひ候なり」〈宇治拾遺一三〉④みじめで情ない。「山代の淀の若薦かりにだに来ぬ人頼む我ぞ―・き」〈古今七五九〉⑤とるに足りない。愚かである。「罪の深き、浅き、賢(かしこ)き、―・き」〈孝養集上〉。「愚なる哉、―・き哉や」〈孝養集中〉 **はかなくな・る** 死ぬ。「男子一人は、はかなうなり給ひにけり」〈栄花月宴〉

はがね【刃金・鋼】刀剣類の刃の部分に用いる硬質の鉄。鋼鉄。「鋼鉄、ハガネ」〈合類節用集〉。〈日葡〉 **―背(むね)に廻(まは)・る** 刃物の切れ味が鈍くなる意から、一般に、物の働きが鈍くなって、使い物にならぬたとえ。「―・りて分別拙く」〈仮・可笑記評判六〉 **―を鳴ら・す** 羽振りをきかす。「舜老夫も其の頃、天下悪辣(あくらつ)の大宗匠

と—・してござある」〈巨海代抄上〉。「—・す、端利(はき)也」〈譬喩尽一〉

はかばか・し『形シク』《ハカは、ハカドリ・ハカナシのハカ、予定した仕事の進み方。いかにも「はか」の進む感じだ、の意》①(予期される仕事の進め方・始末などが)しっかりしていて、頼みがいがある。「取り立てて—・しき御後見し無ければ…心細げなり」〈源氏桐壺〉 ②行動・判断などが、はっきり、はきはきしている。多く打消の形で使い、可能と思われる程度にもそれが出来ない意を表わす。「『疾く参り給へ』など—・しうも宣はせやらず」〈源氏桐壺〉。「まだ—・しう人の面むけをも見知り給はず、中空なる御程にて」〈源氏若紫〉 ③(花鳥風月や遊びごとに対して)世間的な実務に堪能である。「—・しき方に見れば〔光源氏ハ〕いつくしくあざやかに…、又打ち解けてたはぶれごとをもいひ乱れ遊べば、その方につけては似るものなく愛敬づき」〈源氏若菜上〉 ④立派で、社会的に勢力がある。「此の魚、已れら若かりし世までは、—・しき人の前へ出づる事侍らざりき」〈徒然一一九〉 ⑤いかにも物事をしそうである。「あら—・しや盗人よ。目垂り顔なる夜討ちはするとも、我にはかなはじものを」〈謡・烏帽子折〉

はがひ【羽交】①鳥の左右の翼の交わる所。「葦辺ゆく鴨の—に霜降りて」〈万六四〉 ②羽根。つばさ。「翁(おきな)、やがてこの鶴の左の—に飛び乗り、宗房殿を右の—にうち乗せ」〈伽・鶴の翁〉 †Fagaiː **—じめ**【羽交締め】相手の背後から両手を腋(わき)の下へ通し、襟首の所で組み合せて身動き出来ないようにさせること。「得手物か部領使(ことりづかひ)の—」〈俳・崑山集七〉

はがへ【葉替へ】葉が枯れて生えかわること。「椎の木、常磐木はいづれもあるを、それしも—せぬためしに云はれたるもをかし」〈枕四〇〉

はかま【袴】《ハカはハキ(穿)の古い名詞形。マはモ(裳)の母音交替形か》①腰から下にまとう下衣。股がわれていて、膝のあたりや足首を紐でしばることもあった。もと、男子の着用するもの。平安時代以後は女子も使用。「臣(おみ)の子は褄(たへ)の—を七重をし〔オ召シニナリ〕庭に立たして」〈紀歌謡七四〉 ②ふんどし。「はらみやすき者は、褌(はかま)を以て体(み)に触(かから)ふに、すなはちはらみぬ」〈紀雄略一年〉 ③ツクシの茎などを、輪状におおう癒合した葉。「はや土筆(つくつくし)—をぞ脱ぐ」〈俳・犬筑波〉 **—かたぎぬ**【袴肩衣】①近世、武士の礼装。同じ生地・染色の袴と肩衣。かみしも。「御奉公の衆は、—にて股立(ももだち)取り」〈本城惣右衛門覚書〉 ②近世、町人の礼装。袴と肩衣。「襟垢も付けじと思ふ晴小袖／皺をのばせる—」〈俳・寛永十三年熱田万句八〉。「七町人衆—にて社参」〈宗静日記万治三・五・二三〉 **—ぎ**【袴着】幼児が初めて袴を着ける儀式。三歳から七歳の間に行なわれた。着袴(ちやくこ)。「この御子三つになり給ふ年、御—のこと、一の宮の奉りしに劣らず…いみじうせさせ給ふ」〈源氏桐壺〉 →もぎ(裳着) **—どし**【袴腰】袴の背部の腰に当る部分。「—や白きを見れば雪の花」〈俳・智恵袋四〉

はがま【羽釜・歯釜・端釜】鍔(つば)のある飯炊き釜。飯釜。「長板に—・雷盆(すりばち)」〈久政茶会記弘治二・一三・一七〉。〈文明本節用集〉

はがみ【歯嚙】歯ぎしり。「—をなして強盛に信力を出し給ふべし」〈日蓮遺文四条金吾殿御返事〉。「目を見張り、歯を食ひしばり、常に—をしける間」〈三国伝記一一〉。「齘歯、波賀美(はがみ)」〈和名抄〉

はから・ひ【計らひ】㊀『四段』《ハカリ(計)とアヒ(合)との複合。一緒にはかる意》①相談する。論じ合う。「更に諸々の将軍を留めて議(はから)ひたまふ」〈紀崇神十年〉。「学頭の僧等、集ひ会して怪しび…〔女人ノ答ヲ〕衆僧聞きて商量(はから)ひて言はく」〈霊異記中二八〉 ②(この辺がよかろうと)見当をつける。見はからう。「〔婚礼ノ〕日を—・ひて、いつしかと思ほすほどに」〈源氏東屋〉。「人まを—・ひて〔歌ヲ送ル〕」〈源氏明石〉 ③推しはかる。推量する。「仏道を—・ふこと能はず」〈正法眼蔵谿声山色〉 ④計画を立てる。「為朝、合戦の次第—・ひ申せ」〈保元上・新院御所〉 ⑤処置をきめる。「三百貫の物(銭)を貧しき身にまうけて、〔スベテヲ芋頭ニシテ食ベルヨウニ〕かく—・ひける、誠に有り難き道心者なり」〈徒然六〇〉 ⑥手加減する。あんばいする。「武家の台所に、飯を—・ひ盛り、人に進むる役者」〈咄・醒睡笑一〉 ㊁『名』①自分でとりはからうこと。「さらば、ともかくも皆—にあるべきことなるを、まづと思はれんを、誰も誰も〔任命ナサイ〕」〈宇津保国譲上〉 ②計画。「今度の合戦の躰、内裏には信西が—に随はせおはしまし」〈保元下・為朝生捕り〉 ③取り扱い。「『成親朝臣をば重盛に給ひ候へ』と申されければ、清盛、『ともかくも御辺の—』とのたまへば」〈平治中・信頼降参〉

はか・り【計り・量り】㊀『四段』《ハカ(量・捗)の動詞化。仕上げようと予定した仕事の進捗状態がどんなかを、広さ・長さ・重さなどについて見当をつける意》①予測する。推測する。見当をつける。「みづから忖(はか)るに、衆の病を救療するに堪能しぬべしとおもひぬ」〈金光明最勝王経平安初期点〉。「あに—・りきや、太政官の地の今やかうの庭とならむことを」〈枕一六一〉 ②広さ・重さ・値段など計量する。「麗(しく)の皮一枚を持ちて其の価を称(はか)りて曰はく、『綿六十斤』といふ」〈紀齊明五年〉。「心の大小は—・るべからず、物の大小も—・るべからざれども」〈正法眼蔵菩提薩埵四摂法〉。「蘇香円を合はせ、これを—・るに即ち三十二文目これあり」〈蔭涼軒日録延徳四・四・一五〉。「度・計・測、ハカル」〈名義抄〉 ③よい機会かどうかなど見当をつけて、えらぶ。「病をうけ、子をうみ、死ぬることのみ〔ハ〕、機嫌(時機)を—・らず」〈徒然一五五〉 ④よいわるいなど見当をつけながら、論じる。「詛議、波加留(はかる)、又阿良曾不、阿比論須」〈新撰字鏡〉 ⑤もくろむ。企てる。「女房をつくりたて〔局カラ〕出し給ひて、便よくは〔男ニ対シテ〕ことばなどをかけむものぞ。そのありさま参りて申せ。興あらむとて、—・り給ひけるとぞ」〈徒然二三八〉 ⑥だます。「誠はいと少なからむを、…すずろごとに心を移し、—・られ給ひて」〈源氏螢〉 ㊁『名』①(わからないことに対してつける)見当。「いづこを—とか我も尋ねん」〈源氏夕顔〉 ②限度。「この看病の功徳は—もなき事にこそ」〈孝養集下〉。「声を—にぞをめきさけび給ひける」〈平家七・維盛都落〉 ③【蹤血】手負いの動物が逃げて行ったあとに、点点と残っている血のしたたり。これを「はかり」として追って行くのでいう。「認(と)めゆかんつぶさに跡は見えずとも鹿の—は知るといふなり」〈柿本集下〉。「蹤血、波加利(はかり)」〈和名抄〉 ④【秤】目方をはかる道具。「〔金ヲ〕—にかけて見れば十八両ぞありける」〈宇治拾遺三〉 **計らざるに** 予測もしていなかったのに。思いがけず。「—宝出で来て、家の内ゆたかになりぬ」〈宇治拾遺一五四〉 **—ど・ち**【謀りごち】『四段』《ハカリコトを活用させた語》①はかりごとをめぐらす。「秘術を相競べむ事を—・つ」〈今昔一ノ九〉 ②はかりごとで人をひっかける。「人を—・ちて西の海の果てまで取りもてまかりにしかば」〈源氏橋姫〉 ▽ハカリコトは近世前期頃まで清音であったから、この語も、ハカリコチと清音であったろうと推定される。 **—ごと**【謀】《「計り事」の意。近世前期頃までハカリコトと清音》計略。「勇にして略(はかりこと)寡(すく)なし」〈大唐西域記一・長寛点〉。「謀略・計略・籌策、ハカリコト」〈書言字考〉 **―ざ【秤座】** 近世、幕府の監督の下に、秤の製作・販売・検定の独占を許された特権商人。江戸の守随氏、京の神氏がそれぞれ東・西三十三か国を独占販売区域とした。「―、日本橋南一丁目、守随彦太郎」〈延宝八年板武鑑〉 **―無・し** 非常に大きく、あるいは甚しくて、見当をつけることもできない。「一日の出家の功徳は―きものなれば」〈源氏夢浮橋〉 **―・み【計り見】**〘上一〙考えてみる。おもんみる。「これを―みるに、…と見えたり」〈愚管抄三〉。「計、ハカル・ハカリミル」〈名義抄〉

ばかり〘助〙→基本助詞解説

はか・れ【別れ】〘下二〙「わかれ」の転。「道のべの荊(うまら)の末(うれ)に這ほ豆のからまる君を―れか行かむ」〈万四三五二防人〉

ばかをどり【馬鹿踊】 盆踊の異称。「―にぞ夜を更かしぬる」〈俳・若狐上〉

は・き【吐き】〘四段〙①口中より物をぱっと外へ出す。「唾(つはき)を―きて言はく」〈地蔵十輪経七・元慶点〉。〈名義抄〉②ことばに出してぶちまける。大言・罵言・長広舌などをふるう。「まことに富楼那(ふるな)の弁説を―きて」〈著聞四三〉 †Faki

は・き【佩き・着き・穿き】〘四段〙《細長い本体に物をとりつけたり、はめこんだりする意。類義語オビ(帯)は、巻きつける意》①太刀を身につける。腰にさす。「やつめさす出雲建が―ける太刀つづら多(さは)纏き真身(さみ)なしにあはれ」〈記歌謡二三〉②弓弦を弓にかける。「陸奥(みちのく)の安太多良(あだたら)真弓はじき置きて(弦ヲハズシテオイテ)反(せ)らしめきなば(ソラシテオイタナラ)弦(つら)―かめかも」〈万三四三七陸奥東歌〉③袴・くつ・足袋などを着用する。「信濃道は今の墾道(はりみち)かりばねに足踏ましなむ履(くつ)―け吾が背」〈万三三九九信濃東歌〉 †Faki

は・き【掃き】〘四段〙①ほうきなどで、払い清める。「梳(く)も見じ屋中(やぬち)も―かじ草枕旅行く君を斎(いは)ふと思ひて」〈万四二六三〉②祓(はら)い除く。「まつろへぬ人をも和(やは)し―き清め」〈万四四六五〉③特定の遊女に定めず、手あたり次第に買いちらす。「お客に一度も―かれた事はないわいなあ」〈伎・伊勢音頭三〉④眉墨・白粉などを塗る。塗りつける。「美しい／朝から―いてゐるお家(良家ノ主婦)」〈雑俳・笠付類題集〉 †Faki

はぎ【脛】 脚の、膝より下、足首より上の部分。多く、後の部分をいう。すね。「国巣、俗の語に都知久母(つちくも)、又、夜都賀波岐(やつかはぎ＝八束脛ノ意)といふ」〈常陸風土記〉。「袴を褰(かか)げて脛(はぎ)を見れば」〈霊異記中一〇〉▽朝鮮語 pal(脚)と同源。 †Fagi **―に挙(あ)・ぐ** ①衣の裾を脛まで上げる。「いずし・すしあはびをぞ、心にもあらぬ―げて見せける」〈土佐一月十三日〉②《転じて》やたらに見せてはならないものを表わし示す。「いつしかとまたぐ心を―げて天の河原をけふや渡らん」〈古今一〇一四〉

はぎ【萩・芽子】 ①秋草の一。紅紫色または白色の小さい花を総(ふさ)状に開く。万葉集以来、和歌の世界の題材として非常に愛好された。「秋の野をにほはす―は咲けれども」〈万三六七七〉②襲(かさね)の色目の名。「朽葉の唐衣、薄色の裳に、紫苑(しをん)・―など、をかしうて居並みたりつるかな」〈枕一四三〉 †Fagi

は・ぎ【矧ぎ】〘四段〙《ハキ(佩)と同根。古くは清音》竹に矢じりや羽をはめて、矢に作る。「淡海のや矢橋(やばせ)の小竹(しの)を矢造(は)かずて」〈万一三五〇〉。「鷲の本白(もとじろ)を…篦(の)に―きて」〈梁塵秘抄四〇五〉。「作レ矢、ヤヲハグ」〈天正十八年本節用集〉 †Fagi

は・ぎ【剝ぎ】〘四段〙①表皮をむき取る。「もむ楡(にれ)を五百枝(いほえ)―ぎ垂り」〈万三八八六〉。「汝が身の皮を―ぎて紙とし」〈梵舜本沙石集二ノ一〉②身につけたものをぬがせ取る。はだかにする。「盗人のみつどひて人の衣(きぬ)を―ぎとり」〈宇津保祭使〉。「三途(さんづ)にて衣を―がるる程の者、娑婆に帰ることなし」〈八幡宮巡拝記下〉③官位などを剝奪する。「善勝寺の大納言、故なく―がれぬる事」〈問はず語り三〉 †Fagi

はきかけ【刷掛・掃掛】 ①刀身の焼頭から鍛目に沿い、刃から地の方へ筋違いに、箒で掃き掛けたような短い数条の毛線。「刃の縁沈んで―有り」〈新刊秘伝抄〉②色彩を刷いて中止したように物の一方または縁だけを彩った模様。「赤紅―・紅梅・綾杉」〈女諸礼集一〉。「鹿子百合。花白に赤―、紫の星あり」〈花壇綱目上〉③裾廻し。すそつぎ。はっかけ。「雲絹の―裏」〈浮・徒然時世粧二〉

はきき【羽利き】 羽振りのよいこと。権勢のあること。幅のきくこと。また、その人。「今日は名に負う紋日にて、―の女郎様に御隙は一人も候はず」〈近松・大磯虎稚物語三〉

はぎしば【萩柴】 萩の枯枝。雑穀の殻に交ぜなどして柴に用いるのでいう。「わっぱが行衛―の陰」〈俳・大矢数三〉

はぎしみ【歯軋み】 歯ぎしり。歯ぎり。歯がみ。「散るまいと―をせよ華の口」〈俳・口真似草三〉。「歯怒、ハギシミ、イカル面」〈天正十八年本節用集書入〉

はぎしめ【歯軋め】「歯ぎしみ」の転。「―して立ちけれども」〈西鶴・五人女三〉

はきぞへ【佩添】 予備のために、太刀にそえて腰に帯びた太刀。脇差(わきざし)。もとは、必ずしも小刀に限らなかった。「太刀を打ち折りて候。御―候はば、御恩にかうぶり候はん」〈古活字本平治中・六波羅合戦〉

はぎだか【脛高】 すねの上まで露出していること。衣の短いさまにいう。「高野檜笠(かうやひがさ)に、―なる黒衣着て」〈沙石集一ノ三〉

はきちぎ・り【掃きちぎり】〘四段〙すっかりきれいに掃いてしまう。徹底的に清掃する。「居る所を奇麗に―り、掃除をして」〈玉塵抄三〉。「内証―る竹箒屋」〈西鶴・二十不孝一〉

はきと〘副〙はっきりと。きっぱりと。「衣装を色どり、飾り―仕立て、目に立つ小袖」〈八帖花伝書五〉

はぎのと【萩の戸】 清涼殿の一室の名。前庭に萩などが植えてあったのでいう。「―に面変りせぬ花見ても昔を忍ぶ袖ぞ露けき」〈讃岐典侍日記〉。「―の花の下なる御川水千年の秋の影ぞ映れる」〈秋篠月清集一〉。「―、萩に限らず、色色の秋花、皆これを栽ゑらる」〈禁秘抄上〉

はぎのはな【萩の花】 ①ハギの花。秋のはじめ紅紫色または白色に咲く。摺染めに用いた。秋の七草の一。「秋風の末吹きなびく―」〈万四五一五〉②ぼた餅の異称。かい餅。萩が花。「―と云ふ餅類を喫する時」〈四河入海一〇ノ三〉

はぎはら【萩原】 萩の生い茂った原。「さ男鹿の妻ととのふと鳴く声の至らむ極みなびけ―」〈万二一四二〉 †Fagifara

はぎれ【歯切れ】 言行などのはきはきした調子。「―のせぬ〔付句ノ〕付け方」〈俳・珍重集〉

はく【白・珀】 ①近世上方で、素人仕立ての私娼。白人(はくじん)。「壱匁三分五厘程は―達の御蔵入りと思はる」〈浮・五箇の津一〉②元禄末頃より、上方で、官許の遊廓以外の色町の遊女の称。白人。「廓様(くるわさま)今は向かぬと縫箔の、それにはあらぬ―の風〔俗〕」〈近松・卯月紅葉

上〉

はく【箔・薄】金銀などを紙のように薄く打ち伸ばしたもの。物に押しつけて飾りにする。「〔衣裳ニ〕—押しなどせられたりければ」〈大鏡藤氏物語〉。「薄、ハク、金銀—也」〈色葉字類抄〉

はく【魄】死後もこの世にとどまる霊魂。本来、霊魂には、身体から離れない内在魂と、身体からぬけだす遊離魂の二種があり、前者が魄、後者が魂(こん)にあたるらしい。「魂は冥途にありながら、—はこの世にとどまりて」〈謡・実盛〉

はぐ【半具】数のそろわぬこと。はした。はんぱ。「盃は花見花見に—になり」〈雑俳・うたたね上〉

ばく【獏・貘】中国で想像上の動物。体は熊、鼻は象、目は犀、尾は牛、脚は虎に似て、毛は黒白の斑で頭が小さく、人の悪夢を食うと伝え、その皮を敷いて寝ると疫病を避け、形を画くと邪気を除けるという。近世、初夢の時、床に敷いて寝る宝船の絵の帆に「獏」の字を書いた。「今宵見し夢をば—に喰はしつつ悪しきは消えてよきぞ栄ふる」〈俳・吉野山独案内四〉。〈文明本節用集〉

はくうち【箔打】箔を作る人。箔師(はくし)。「今は昔、七条に—あり」〈宇治拾遺三〉

ばくえう(ヨウ)【博奕】⇒ばくやう。▽大和物語・大鏡などの古写本の例は、すべて、「はくやう」とある。

ばくえき【博奕】《エキは漢音》ばくち。樗蒲(ちょぼ)・双六など、盤・骰子(さい)を用いて行なう賭の総称。「裸身—する者」〈菅家後集〉。「博奕、バクエキ」〈色葉字類抄〉

はくおき【箔置き】金・銀箔を器物・衣類などに貼り付けること。また、その器物・衣類。箔押し。「上着(うはぎ)に唐織物、—の小袖などは着せべからず」〈宗筠袖下〉

ばくか【幕下】①将軍。大将軍。「左武衛の賢息、—の甥、彼の御亭に坐せらるべし」〈吾妻鏡建久一・三・一〇〉②将軍の配下。勢力下。「是に依て近国、大方、〔上杉〕定正の—に属せり」〈室町殿日記一〉

はぐくみ【育み】㊀〘四段〙《ハ(羽)ククミ(含)の意》①親鳥が子を自分の羽の下でかばい、育てる。「わが子—・め天の鶴(たづ)群」〈万一七九一〉②親が子を養い育てる。「命の限りは、せばき衣にも—・み侍りなむ」〈源氏明石〉③親切にいたわり世話する。かばう。「大船に妹乗るものにあらませば—・みもちて行かましものを」〈万三五七九〉㊁〘名〙親身の世話。「ありがたき御—をおぼし知りながら」〈源氏若菜上〉→そだて・やしなひ。†Fagukumi

はぐくもり【羽ぐくもり】〘四段〙《ハグクミの受動形》羽につつまれている。大切にされる。「入江の洲鳥—・る君を離れて」〈万三五七八〉

はくこ【白虎】⇒びゃくこ。「左青龍、右—、前朱雀、後玄武」〈平家五・都遷〉

はくこう【白虹】**—日を貫・く**《戦国策に「摂政の韓傀を刺すや、白虹日を貫く」とある》白い虹(にじ)が太陽をつらぬく。実際には、太陽の両側に太陽の影のようなものが現われ、この三個の太陽を、白雲のようなものが一線に結んだようになる現象。兵乱のある天兆などとされた。「日三輪出づる事、又—・く事〔アリ〕」〈九暦天徳三・一二・九〉。「—・けり、太子懼ぢたり」〈源氏賢木〉

はぐさ【莠・稂】水田の雑草。「あらしおく田の面(も)の—しげりつつ世の営みのほかや住みうき」〈夫木抄三二・田〉

ばくしう(シュウ)【麦秋】麦が熟する季節。初夏の頃。「五月の蟬の声は—を送る」〈和漢朗詠集蟬〉

はくじゃう(ジョウ)【白状】①罪人の自白の内容を記録した書状。「—四五枚に記せられ」〈平家二・西光被斬〉②罪を自白すること。「身も疲れ心も弱くなりけるにや…—せられけり」〈太平記二・三人僧徒〉。「もし—せずは頭(かうべ)をはねよ」〈伽・高野物語〉

はくじん【白人】《「白人(しらうと)」を音読したもの》①素人(しろうと)。「京の色里にて手弱き客を—と言へり、是れ素人(しろと)の事也」〈西鶴・新吉原常常草上〉②「白(はく)」(1)に同じ。「茶屋・風呂屋、又は手掛物・—・舞子探し」〈西鶴・好色盛衰記四〉③「白(はく)」(2)に同じ。「—呼びに走る足もと」〈近松・女腹切中〉

はくすいらう(ロウ)【白水郎】海人(あま)の異称。万葉集では歌ことばとしては、みなアマとよむ。白水は、中国の鄮県の地名。白水郎は、白水の地の漁夫または海上交通をつかさどった者のようで、遣唐使などが、日本と中国との交通路にあたっていた白水の地の名を、アマに宛てたのであろうという。「豊前国—の歌一首」〈万三八七六題詞〉

はくせっかう(コウ)【白雪糕】乾菓子の一種。米粉・白砂糖・蓮の実の粉末などを混ぜて製した落雁(らくがん)。幼児に乳の代用として食べさせた。〈男重宝記四〉

ばくだい【莫大】《これより大なるは莫(な)しの意。近世前期頃までバクタイと発音》①きわめて大きいこと。はかり知れないほど多いこと。「今これらの—の御恩を忘れて」〈平家二・教訓状〉。「莫大、バクタイ、多義」〈文明本節用集〉②《副詞的に用いて》はなはだ。大変。非常に。「仏恩が尊く候などと申すは聞きにくく候、聊爾(れうじ)なり。仏恩をありがたく存ずと申せば、—聞きよく候由」〈蓮如上人御一代聞書末〉

はくたく【餺飥】《ハウタウとも》食品の名。小麦粉をこねて作ったもの。煮たりゆでたりして食べる。「餺飥、ハクタク・ハウタウ、又作二麪䴵一」〈色葉字類抄〉

はくぢ【薄地】〔仏〕凡夫の境界をいう。下劣・無知・凡庸など。「我等は—の凡夫なり」〈梁塵秘抄八二〉

ばくち【博打・博奕】《バクウチの約》①博奕(ばくえき)に勝負を争うこと。賭博(とばく)。「我が子は二十になりぬらん、—してこそありくなれ」〈梁塵秘抄三六五〉。「十三の年より—を打ちそめ」〈伽・三人さんげ〉②博奕を専業とする者。ばくちうち。「かしこき—の、迫(せま)りまどひたるを召して」〈宇津保忠乞〉。「—の好むもの、平骰子(ひらさい)・鉄骰子(かなさい)・四三骰子(しさうさい)」〈梁塵秘抄一七〉　**—うち**【博奕打】「ばくち」(2)に同じ。「—こそ罪は深けれ」〈俳・犬筑波〉　**—じる**【博打汁】豆腐を采(さい)の目に切って実とした味噌汁。「—、豆腐采の目に切る事」〈料理物語〉

はくちゃう(チョウ)【白丁・白張】①白張りの布狩衣。下級の官人が貴人の供をする時着るもので、糊をこわく張ったもの。「布衣侍一人、—仕丁一人」〈言継卿記永禄六・八・六〉。〈書言字考〉②(1)を着た下級の官人。傘・沓(くつ)などを持ち、また、馬丁(ばてい)の役などをする。「逃すまじと、—ども一度にどっとこみ入りたり」〈近松・松風村雨三〉

はくのおび【薄の帯】縫薄の幅のせまい帯。近世初期流行した。「白き肌着に京染の縮(しめ)の一重衣(ひとへぎぬ)を着、—を結び」〈三好軍記下〉

ばくのなは(ナワ)【縛の縄】不動明王の手に持った縄。悪魔を縛るもの。「左の御手なる—」〈浄・鳥羽恋塚四〉

ばくふ【幕府】《戦陣で幕を張って設営した役所の意》①将軍の居所。本営。「将軍の御居所は—と称す」〈吾妻鏡文応一・四・二六〉②皇居警固の陣である近衛府の唐名。また、近衛大将・将軍の称。「抑(そもそも)我台嶺の幽渓に栖(す)んで…—の上将に居し、遠く一天下を静む」〈太平記三・公家一統〉。「左右近衛府、大将、唐名羽林大将軍、常は—と云ふ、又幕下と云ふ」〈職原抄〉③右近衛大将源頼朝の居館。「明日鎌倉に大火災出来し、若宮・—殆んど其の難を免かるべからず」〈吾妻鏡建久二・三・三〉▽やがて頼朝は征夷大将軍に任ぜられて武家政権を起し、「幕府」はその政府の称ともなる。

はぐま【白熊】犛(やく)の尾の毛。払子(ほっす)に作り、また、旗・槍・兜(かぶと)などの飾りにする。「武蔵野の尾花に入るか大—」〈俳・椎の葉〉

ばくや【莫耶・鏌鎁】①中国、春秋時代の有名な刀鍛冶の名。「干将(かんしやう)莫耶」と併称され、干将は夫、莫耶はその妻だという。干将のきたえた太刀を陽(雄剣)、莫耶のきたえた太刀を陰(雌剣)とし、一対をなすという。「干将この鉄を賜はって、その妻の—と共に…三年が内に雌雄の二剣を打ち出せり」〈太平記一三・干将莫耶〉②莫耶がきたえた雌剣。「三尺の—を手中に握って」〈本則抄一〉③すぐれた刀鍛冶。「昔、頼光の時、大国より武悪太夫といふ—を召して」〈曾我八〉

ばくやう【博奕】《ヤウは「奕」の呉音ヤクの音便形》⇒ばくえき。「—をして、親にもはらからにもにくまれければ」〈大和五四〉

ばくらう【博労・馬口労・馬喰】《ハクラク(伯楽)の転》馬の良し悪しを鑑定し、その売買や周旋を業とする者。「—のあぶ三郎と言ひかはし、馬一匹に替へ取り」〈説経・しだの小太郎〉。「博労、バクラウ、馬商人也」〈文明本節用集〉

はくらく【伯楽】《中国で周の時代、馬の良し悪しを見分ける名人の名》馬を鑑定し、売買する商人。「—と云ふ事、京都にて室町より始まれり。又、—は戦国の時に、馬を相する人なり。是に由て、日本にも亦馬を相する人を呼んで—と云ふなり」〈庭訓抄下〉

はくり《擬音語》ぱたん。どたん。「おとどの御前にひき出で来て、—とついするゑられて」〈落窪二〉

はぐ・り《四段》①めくりかえす。「股(もも)を—・りて、これへこれへといへば」〈仮・名女情比五〉②《他の動詞の連用形に付いて》…することに失敗する。…しそこなう。「これは皆、釣られ—・りし輩なり」〈黄・即席耳学問下〉

はくりく【博陸】関白(くわんぱく)の唐名。「—を海城の絶域に流し奉る」〈平家七・木曾山門牒状〉

はぐ・れ《下二》①はずれ離れる。「手だてに—・れて擬議した処で」〈蓬左文庫本臨済録抄〉②《他の動詞の連用形に付いて》…しそこなう。「高麗笛の平調にて合はせ吹く。吹き—・れば横笛の下無調になる」〈龍鳴抄下〉。「出—・れたらば、出る事なり難し」〈三河物語下〉

はぐろ【歯黒】「はぐろめ」に同じ。「皓歯とは、昔の女は—のかねをつけなんだ故に云ふぞ」〈杜律考〉

はぐろめ【歯黒】成人のしるしに、鉄片を酒または酢に浸して酸化させた液で歯を黒く染めること。また、その液。鉄漿(かね)。おはぐろ。はぐろみ。「—もまだしかりけるを」〈源氏末摘花〉。「若う、きたなげもなき女ども五六十人ばかり…—黒らかに」〈栄花御裳着〉

はくわかう【百和香】種種の香料を合わせた薫物(たきもの)の名。伝説的なものか。「—。花ごとにあかず散らしし風なればいくそばくわがうしとかは思ふ」〈古今四六四〉

はくをく【白屋】白い茅(かや)で屋根をふいたみすぼらしい家。「紛紛たり専夜の雪、近く—の埋れるを看(み)る」〈菅家後集〉。「—苔(こけ)深くして、涙(なんだ)東山一庭の月に落つ」〈平家灌頂・女院出家〉

はぐん【破軍】「破軍星」の略。「北斗…世に謂ふ貪根〔星〕・—の名、皆異端の説也」〈建天全書〉 **—せい**【破軍星】北斗七星の第七番目の星。北斗七星は剣の形に見なされ、陰陽道では、その剣先の方向を万事につけ不吉であるとした。「はぐんしゃう」とも。「軍の陣をば—の者こそ破るなれ」〈保元中・白河殿攻め落す〉。〈口遊〉

は・け【佩け・着け】《下二》《ハキの他動詞形》①はかせる。身につけさせる。「一つ松人にありせば大刀—・けましを」〈記歌謡二九〉②弓に弦(つる)をつける。「牛にこそ鼻縄—・くれ」〈万三八八六〉。「安太多良〔産ノ〕真弓弦(つら)—・けて」〈万一三二九〉 †Fake

は・げ【矧げ】《下二》《ハギ(矧)の他動詞形》弓の弦に矢をはめる。弓に矢をつがえる。「弓を取りて矢を—・げて、天に向ひて日を射るに」〈今昔一〇ノ一六〉

は・げ【剥げ・禿げ】㊀《下二》《ハギ(剥)の自動詞形》①表面がむけ離れる。はがれる。「皰(う)める瘡(かさ)の潰(は)げて、膿血流出して」〈法華経玄賛平安初期点〉②頭髪が抜け落ちる。「年七十余ばかりなる翁の髪も—・げて」〈宇治拾遺二六〉㊁《名》頭髪の抜け落ちること。はげあたま。「—はよいもの、鬢櫛(びんぐし)・毛抜いらいで」〈田植草紙〉。「頊、ハゲ、無レ髪也」〈文明本節用集〉

ば・け【化け】㊀《下二》人をたぶらかすために、姿を変ずる。「古き塚の狐の夕暮に—・けたらんやうに」〈厳島御幸記〉㊁《名》【術・化】①変化(へんげ)の術。「汝…必ず良き術(ばけ)有らむ。願はくは〔ワガ命ヲ〕救ひたまへ」〈紀神代下〉。「同学、鞍作得志(くらつくりのとくし)虎を以て友として、其の術(ばけ)を学び取れり。或いは枯山をして変へて青山にす」〈紀皇極四年〉。「術、バケ」〈名義抄〉②化けること。狐狸妖怪などが人をだますために姿を変ずること。「狸を射殺し、その—をあらはしけるなり」〈宇治拾遺一〇四〉③人をあざむくために、なにかをよそおうこと。ごまかし。「あまりに知らぬ歌をも知りげにする間、なかなか—あらはれにけるが」〈梁塵秘抄口伝集〉④歌舞伎の所作事で、役者が姿を変えながら一つの外題のもとで数種の舞踊を連続的に演ずる時、その一つ一つの舞踊をいう。「—。歌舞伎所作事七変化九変化を、七—九—と唱ふ」〈浪花聞書〉

はげ・し【烈し・激し】《形シク》①風や浪が激烈である。「さばかり—・しかりつる浪風」〈源氏明石〉②性質が強烈である。「智有り、性、勇烈(げは)し」〈大唐西域記四・長寛点〉③山などがけわしい。「山のさま高く—・しくて」〈浜松中納言一〉

はけついで【刷毛序・刷毛次手】或る事をするついでに他の事をもするたとえ。「これは楊公済の梅花〔ノ詩〕の—也」〈四河入海一四ノ三〉

ばけばけ・し【化け化けし】《形シク》いかにも化物めいている。妖怪じみている。「異は怪異ぞ。—・しき物ぞ」〈人天眼目鈔一〉

はげま・し【励まし】《四段》《ハゲミ(励)の他動詞形。人の気持をはげしくさせる意》①気持をふるい立たせる。「『春待つ園は』と—・し聞え給へりし〔歌ヘノ〕御返りも」〈源氏胡蝶〉②景気をつける。「右の方は心地よげに—・し聞ゆ」〈源氏竹河〉

はげ・み【励み】《四段》《ハゲシ(烈)の動詞形。自分の心をはげしくする意》①自身で気力をふるい立たせる。「広く方便を設けて策(はげ)み勤めて怠ること無し」〈金光明最勝王経平安初期点〉。「万事をおきて一心に各(おのおの)—・み給ふべきなり」〈孝養集上〉。「慨、ハゲム・イキドホル」〈名義抄〉②一事に打ち込む。「分を知らずして強ひて—・むは、己れが誤なり」〈徒然一三一〉

ばけもの【化物】狐狸妖怪などが人をたぶらかすために姿を変じたもの。「まめやかに—の心地して、あららかに『あな、か

なし』といふ」〈問はず語り三〉。〈文明本節用集〉

ばけらし・い【化けらしい】『形』化物めいている。「道士と云ふは、あまり―・いぞ」〈三体詩抄一ノ四〉

はこ【箱・函・筥】《大事なもの、人に見せてはならないものを入れ収めておく、蓋のある入れもの。古くは、箱の中に魂を封じ込めたり、人を幸せにする力をしまったり出来ると考えられた。→こ(籠)》①ものを納めておく入れもの。「この―を開きて見てばもとのごと家はあらむと」〈万一七四〇〉②【糞器】大便をする箱。「この人、かくめでたくをかしくとも、―にし入れらむ物は、我等と同じ様にこそあらめ」〈今昔三〇ノ一〉③《転じて》大便。「また、あるいは、―すべからずと書きたれば」〈宇治拾遺七六〉。「しと(小便)・―の時、西に向ふべからず」〈拾遺語燈録中〉④得意の技芸。得手。十八番。おはこ。「外の太夫衆を写す(真似ル)事も―と見えます」〈評判・闇の礫中〉。「―ぢゃ。箱入りとの事。其の芸の手に入りし〔意ノ〕語也」〈譬喩尽一〉▽朝鮮語 pa-koni(筺)と同源。†Fako

はごいた【羽子板】「こぎいた」に同じ。「同―内蔵頭進上候ひ了んぬ」〈言継卿記永禄一・一・九〉

はごく・み【育み】『四段』「はぐくみ」の転。「―・みたてよ大鳥の神」〈古活字本平治上・六波羅より紀州へ〉。「今は思ひのままに親を―・み、孝行をする程に」〈伽・大黒舞〉

はこざかな【箱肴】進物用の箱入りの魚。多く干鯛を用いる。「太刀魚や納まる御代の―」〈俳・点滴集三〉

はこぢゃうちん〔…ヂョウ…〕【箱挑燈】上下に円く平らな蓋が有り、畳めば全部蓋の中に納まるしくみの挑燈。「乾坤の―か夜半の月」〈俳・伊勢俳諧新発句帳三〉

はこでんじゅ【箱伝授】①古今集の秘伝を箱に入れて密封し、師弟相伝としたもの。「年の内の春や古今の―」〈俳・夢見草四〉②一般に、諸道の秘伝または金銀・財宝などを箱入りにして相伝すること。「明けて見ぬ浦の文月や―」〈俳・伊勢踊四〉

はこどり【箱鳥】未詳。容鳥〈かほとり〉またはカッコウの一名という。「深山木にねぐらさだむる―もいかでか花の色に飽くべき」〈源氏若菜上〉

はこね【箱根】①相模・駿河両国にまたがる山。箱根山。蘆ノ湖東南岸の町は、近世、東海道五十三次の一で、有名な関所があった。「足柄の―飛び越え行く鶴(たづ)のともしき見れば大和し思ほゆ」〈万一一七五〉②「箱根権現」の略。今の箱根神社。鎌倉幕府の信仰が厚かった。「一年(ひととせ)鎌倉殿―御参詣の時」〈曾我四〉†Fakone

―ぢ【箱根路】箱根山中を通る道で、小田原・箱根・三島約八里の間をいう。足柄路に対するもの。元和年中、官道が完成したが、それ以前の三島からの箱根路は数条あったらしい。「―をわが越えくれば伊豆の海や沖の小島に波の寄る見ゆ」〈金槐集雑〉

はこばしご【箱梯子・箱階子】段板だけで蹴上板(けあげいた)のない、箱を重ねた形の階段。多くは側面を抽出(ひきだし)などに利用する。はこばし。「―の半ばに大笑して佇(たた)ずむ」〈評判・長崎土産二〉

はこ・び【運び】『四段』①物を馬・舟・車などに積んで行く。「黒塚の稲は―・びてき」〈正倉院文書書簡〉②事柄を押し進める。はかどらす。「相与に謀議して諸の籌と策とを―・びて」〈地蔵十輪経三・元慶点〉③《「歩みを―・ぶ」などの形で》あるく、行くの意。「東西南北へは、歩みを―・ぶに…つひに辺際ありぬべし」〈古今集註〉。「かほどゆゆしき上臈の…みづから―・び給ふこそ怪しさよ」〈評判・吾妻物語〉④気持を進め寄せる。「大寺の池の蓮の花ざかり―・ぶ心に手向けてぞ見る」〈拾玉集六〉†Fakobi

―あめ【運び雨】止んでは降り、降っては止む雨。「夜に至りて魄飛雨(はくひあめ)降る。世俗―と云ふ。本説魄飛雨也」〈看聞御記嘉吉三・七・二〇〉。「魄魂飛雨、ハコヒアメ」〈温故知新書〉

はこぶみ【筥文】叙位・除目〈ぢもく〉のとき、箱に入れて御前に置く関係書類や申文〈まうしぶみ〉。「除目の時に、陣の定めに陣の御座に召されて、清忠・時棟ならびて―をたまはる」〈今昔二八ノ二六〉

はこ・へ〔ハコエ〕『下二』衣の裾をたくしあげる。「宿直姿(とのゐすがた)にて―・へて、紫の〔指貫〕も雪に映えて濃さまさりたるを着て」〈枕(能因本)雪たかう降りて〉▽「はこえ」とヤ行の活用とする古写本もある。→ひきはこえ

はこまくら【箱枕】箱形で上に括(くくり)を乗せた木枕。「明けの雪見松ぞ十返り―」〈俳・東日記下〉

はこまはし〔…マワシ〕【箱廻し】①近世、箱型の小舞台を紐で肩から下げ、大鼓・小鼓で囃しながら人形を手遣いする門付け芸人。「箱てづし」「箱でくるぼ」、後期には「山猫廻し」ともいった。「燕(つばくろ)について這入るや―」〈俳・笈日記下〉②三味線箱などを持ち、客の座敷に行く芸者の供をする男。箱持ち。「小三のあとより、―の仁介、三味線箱を背負ひ」〈人情・娘節用五〉

はこや【箱屋】箱を作り、または売る人。また、その家。「―が弟子となるあだ狂ひ」〈俳・昼網下〉

はこやのやま【藐姑射の山】《荘子、逍遥遊に「藐姑射之山に神人の居有り」とある》①中国の伝説で、仙人の住むという想像上の山。「心をし無何有の郷(さと)に置きてあらば―を見まく近けむ」〈万三八五一〉▽「まこやのやま」と訓む説もある。②上皇の御所を祝っていう称。仙洞。「四方(よも)の海の浪の外(かほ)まで聞ゆなり―の万代の声」〈千五百番歌合一一五〉

はごろも【羽衣】天人が空中を飛行する時に着る霊力のある衣。羽で作るという。「天の―打ち着せ奉りつれば、翁をいとほしく悲しと思しつることも失せぬ」〈竹取〉

はざ・け【挾け】『下一』はさむ。「具足の上に小脇差を―・ける」〈雑兵物語上〉

はささ・け【馳さけ】『下二』《馳サセ明ケの約か。アケは束縛をなくして自由にする意》自由に馳(か)けさせる。「小林(をはやし)に駒を―・け」〈万三三八八東歌〉†Fasasakë

はさ・せ【馳させ】『下二』《馳セの他動詞形》馳せさせる。走らせる。「細石(さざれいし)に駒を―・せて」〈万三五四二東歌〉

はざふ〔…ゾウ〕【半插】「はんざふ」の「ん」を表記しなかった形。「御手水(てうづ)参らせむと、―求めありきて」〈落窪一〉

はざま【狭間・迫間・間】《平安時代までハサマと清音。室町時代には濁音》①山と山の間にはさまった所。谷あい。「あをによし奈良の―にししじもの水漬(づみ)く辺隠り」〈紀歌謡九五〉②物と物との間のせまい所。すきま。「〔清涼殿ト〕後涼殿の―を渡りければ」〈伊勢一〇〇〉。「柱のひわれたる―に笄(かうがい)の先して〔紙ヲ〕押し入れ給ふ」〈源氏真木柱〉③事と事との間。「時時、阿彌陀仏を申す。その―は昼ばかり働くは念仏なめりと見ゆ」〈宇治拾遺一三三〉→さま(狭間)

はさま・り【挾まり】『四段』《ハサミの自動詞形》狭い間隙に入って両側から圧迫される。「ただ犯しに犯さんとて、股(また)に―・りてある折」〈宇治拾遺一七四〉。「親方の前にて、あまり狭(せば)からん所にて、―・りてゐる事、人気(ひとげ)なき事なり」〈六波羅殿御家訓〉。「間、ハサマル」〈名義抄〉

はさ・み【挾み・插み】㊀『四段』《ハサマと同根か》①物と物とで、その間にあるものを両方から押しつける。「みどり児

の乞ひ泣くごとに…男じものわき―・み持ち」〈万二一〇〉②【剪み】はさみで切る。「御頂しるしばかり―・みて五戒ばかり受けさせ奉り給ふ」〈源氏若菜下〉㊁『名』【鋏】物をはさみ切るのに使う刃物の称。「御髪をかき出し給ひつるが、いとあたらしく…しばし―をもてやすらひける」〈源氏手習〉†Fasami　**―だけ**【挟竹】衣服などを二枚の板で上下から覆い、更に竹で挟み担いだもの。挟箱(はさみばこ)の前身。「十五人―を持ち」〈甲陽軍鑑一九〉。〈日葡〉　**―ばこ**【挟箱】衣服などを入れ、棒を通して従者に担がせた箱。「夫(ぶ)に―持たせ来る」〈大和田重清日記文祿二・九・一〇〉　**―むすび**【挟結】帯の端を結ばずに、帯の間に折り込んで置くこと。「茶繻子の幅広〔帯〕―にして」〈西鶴・一代男二〉　**―もの**【挟物】的の一種。板・扇・紙などを串に挟み、歩立(かちだち)で射たもの。「―には串を射」〈幸若・那須与一〉

はざむらひ【端侍・葉侍】取るに足らぬつまらない侍。「春狩や宮城野青き―」〈俳・坂東太郎上〉

はさめ【狭め・間】《狭目か》物と物とのさかいめの部分。「〔硯箱ノ〕おき口の―に塵ゐなど、うち捨てたるさまに」〈枕(能因本)覗きたなげにちりばみ〉

はさ・め【挟め・插め】『下二』物と物との間に入れて落ちないようにする。「翁が家の女どものもとなるくしげ鏡の、影見えがたく、研ぐわきも知らず、うち―・め置きたる」〈大鏡後一条〉

はざめ【挟め・插め】『接尾』…おき。「はざみ」とも。「〔進物ハ〕献(こん)―にも進上候」〈宗五大双紙〉。「日虐とは一日―のおこり也」〈首楞厳経鈔一〉

ばさら【婆娑羅】①華美な服装でかざりたてた伊達(だて)な風体。室町時代の派手な洒落者についていう。「近日、―と号し、専ら過差(くわさ)を好み、綾羅・錦繡・精好・銀剣・風流・服飾、目を驚かさざるなし。すこぶる物狂(ぶつきやう)と謂ふべきか」〈建武式目〉②派手・乱脈にふるまうこと。はた迷惑になるような、ふざけた無法なふるまい。「いつもこの両郡の若兵(つはもの)等、―を仕って下民を煩はしむるに依って」〈江源武鑑一六〉　**―あふぎ**【婆娑羅扇】「ばさら絵」を画いた、はでな扇。「この頃都にはやるもの…―の五つ骨」〈建武年間記〉　**―ゑ**【婆娑羅絵】扇・団扇・絵馬などに書いた粗放な風流絵。「霊仏霊社の御手向、扇・団扇の―にも」〈太平記二九・将軍上洛〉

はし①【梯】はしご。「天―も長くもがも、高山も高くもがも」〈万三二四五〉②【橋】同一平面上の端と端との間の通路とするもの。「天の河―渡せらばその上ゆもい渡らさむを」〈万四一二六〉③【階】階段。きざはし。「―をのぼりも果てず、つい居給へば」〈源氏総角〉　**梯を立てても及ばず**　《梯(はし)を立てても届きがたいの意から》どんな手段をもってしても到達することはできない。どうしてもかなわない。「道心は―・ぬに天須菩提(てんしゅぼだい)の跡ぞまねたき」〈雑談集三〉

はし【端】《端(は)と同根。「奥」「中」の対。周辺部・辺縁部の意。転じて、価値の低い、重要でない位置や部分》①物の先端。「短き物を―切ると言へるが如く」〈万八九二〉②へり。ふち。「御簾の―、御几帳も青鈍にて」〈源氏賢木〉③すみ。はずれ。「梓弓末は寄り寝む現在(まさか)こそ人目を多み汝(な)を―に置けれ」〈万三四九〇〉。「吾(わ)に寄そり―なる(仲間ハズレノ)子らしあやに愛(かな)しも」〈万三四〇八〉④片はし。一部分。「古物語の―など見れば」〈かげろふ上〉⑤ほんの短い時間。「ほととぎす鳴く初声を、橘の珠に合へ貫き、かづらきて遊ばふ―も」〈万四一八九〉⑥物事の端緒(たんしょ)。いとぐち。「人の心のまがれるをも引き直す―ともせんと思ひて」〈沙石集六ノ九〉。「物をいたみあはれむ心は仁の―なり」〈三略捷抄〉⑦近世、女郎屋の端局(はしつぼね)に出ている下級の遊女。端女郎。局女郎。「これなるは格子の君、さてまた―の上郎なり」〈評判・吾妻物語〉

はし【箸】食事の道具。食物を挟んで口に運ぶもの。「―其の河より流れ下る。ここに須佐之男命、人、其の河上に有りと以為(おも)ひて」〈記神代〉。〈名義抄〉　**―に目鼻をつけたるやうな男**　やせて貧弱な男。また、とるにたりない男。「箸に目鼻」とも。「たとへば―であらうとままよ」〈虎明本狂言・右近左近〉

はし【嘴】《ハシ(端)と同根》鳥の口先。くちばし。「白き鳥の―と脚と赤き」〈伊勢九〉

は・し【愛し】『形シク』いとしい。可憐だ。したわしい。「梅の花折りて贈らむ―・しき子もがも」〈万四二三四〉→うつくし

はじ【櫨・梔】ハゼノキ。ウルシに似た落葉小喬木。暖地の野山に生え、秋の紅葉は殊に美しい。実から蠟をとる。上代では弓の材料にした。ハゼウルシ。「―弓を手(た)握り持たし」〈万四四六五〉。「―・楓(かへで)の色美しうもみぢたるを」〈平家六・紅葉〉

はじ【土師】「はにし」の転。「駒造る―の志婢麻呂」〈万三八四五〉　▽Fanisi→Fansi→Fanzi→Fazi

ばし【破志】言行が軽はずみで、せっかちで、品のないさま。「―なる事を好み玩び」〈仮・可笑記一〉。〈日葡〉

ばし『助』《バは係助詞ハの濁音化したもの。シは副助詞。鎌倉・室町時代に頻用された語法》上のことばを強調する語。疑問・推量・命令・禁止・仮定などの文中で用いられることが多い。…なんか。…でも。「骸(むくろ)に手(傷)―負ひたりけるか」〈著聞四三九〉。「敵に首―取らすな。味方取れ」〈平治中・義朝六波羅に寄せらる〉。「籠を―出でさせ給ひ候はば、疾く疾く来たり給へ」〈日蓮遺文土籠御書〉

はしうら【橋占】占いの方法の一。橋のほとりに立って、通行する人のことばを聞き、それによって吉凶を判ずること。京都一条堀川「戻り橋」の橋占は特に有名。「父母あやしみて、一条堀川の―を問ひけるに」〈法然上人行状絵図〉

はしか【芒】稲や麦ののぎ。「ハシカ、または、ノギ」〈日葡〉

はしか【麻疹】《芒(はしか)に触れたように痛がゆいのでいう》赤い発疹を全身に生ずる小児の急性伝染病。あかもがさ。「殿中母儀違例せらると云云。―歟」〈経覚私要鈔康正三・六・四〉

はしがかり【橋掛・橋懸】①能舞台で、楽屋の鏡の間から舞台の後座への通路として、斜めに掛け渡した欄干付きの板張りの長廊下。「東西に幄(かりや)を打て、両方に―を懸けたりける」〈太平記二七・田楽〉。「男、―へ行(い)て笑うて」〈天理本狂言六義・鞠座頭〉②歌舞伎舞台の上手にあるチョボ床の下の廊下状の板敷。〈戯場楽屋図会拾遺上〉

はしがき【端書】①本文の端に書き添えたことば。手紙の余白にそえたものを「おってがき」「なほなほがき」ともいう。「なほただ。この―のいとほしげに侍るぞや」〈源氏若菜下〉②「はしづくり」に同じ。「発句に―肝要なり。吉野・立田・泊瀬などにて仕りしとあらば宜しからん」〈二根集三〉

はしがくし【階隠】寝殿などの正面中央にある階段を覆うためにさし出した屋根の部分。「―のもとの紅梅、いととく咲く花にて」〈源氏末摘花〉　**―のま**【階隠の間】《間(ま)は柱と柱との間の意》寝殿造の廂(ひさし)の間で、階隠のある柱と柱との間。日隠しの間。「寝殿の南面の―、一間ばかり〔半蔀ヲ〕あけて」〈狭衣四〉

はしか・し『形ク』①《ハシカ(芒)の形容詞形》皮膚に触れて、いらいら感じる。痛がゆい。むずがゆい。「―・くは今からな寝そ稲筵」〈俳・鸚鵡集七〉。「ハシカイ」〈日葡〉②頭の働きが鋭敏で、挙動がすばやい。敏捷だ。はしこい。「気を―・う持たいで、やはらかながよいぞ」〈聖徳太子御憲法玄恵註抄〉。「相生・弓八幡などのやうなる―・き舞には、捻り返す扇似合はず」〈毛端私珍抄〉

はしがはし【端が端】最も周辺に位置するもの。殆ど物の数にも入らないほどのもの。「げに人にめでられむと、なり給へる御有様なれど、―にも覚え給はぬは」〈源氏紅梅〉

はじかみ ①【椒】サンショウの古名。「垣もとに植ゑし―口ひひく」〈記歌謡一三〉②【薑】《「呉(くれ)のはじかみ」の略》ショウガの古名。「生薑、久礼乃波之加三(くれのはじかみ)」〈和名抄〉 †Fazikami

はじ・き【弾き】『四段』①(もののひずみに貯えられた力を利用して)はねあげる。はねとばす。「陸奥(みちのく)の安太多良(あだたら)真弓―・き置きて(弦ヲハズシ)反(せ)らしめきなば弦(つら)着(は)かめかも」〈万三四三七東歌〉②指先で押しはねて、そこからどかす。「弓弾、ハジク・ヒク・ツルウチ」〈名義抄〉。「我が手もとをよく見て、ここなる聖目(ひじりめ)を直ぐに―・けば、たてたる石必ずあたる」〈徒然一七一〉。「撥、ハジク」〈名義抄〉③のけ者にする。「心得つ雁(かり)食はむとて若党が老いたる者を―・き出すとは」〈著聞六四五〉④鉄砲などをぽんぽん打つ。「皆〔ガ鉄砲ヲ〕―・かせらるるを、そばで見てさへびっくりといたすものが、手にとる事もなりまらすまい」〈虎明本狂言・八幡の前〉 †Faziki

はしきやし【愛しきやし】『連語』《ヤシは間投助詞》いとしい。愛すべき。「ああ」という嘆息の語とほとんど同義になる例が多い。亡くなったものを愛惜し、また自己に対して嘆息する意に多くつかう。はしきよし。はしけやし。「玉ほこの道は遠けど―妹(いも)をあひ見に出でてそ我が来し」〈万一六一九〉。「―栄えし君がいましせば昨日も今日も吾(わ)を召さましを」〈万四五四〉 †Fasikiyasi

はしきよし【愛しきよし】『連語』《ヨシは間投助詞》⇒はしきやし。「―妹(いも)を相見ず」〈万三九六四〉 †Fasikiyösi

はしくやう【橋供養】橋の完成にあたり、橋の上で行なう供養。「その年の三月中旬に、渡辺の―あり」〈盛衰記一九〉

はしけ【艀】㊀『名』大きな船に積んでおき、沖合と波止場(はとば)との連絡にあてる小船。また、伝馬船をもいう。はしけぶね。はしぶね。「―を一艘引き下して」〈伽・中書王物語〉

㊁【はし・け】『下一』《名詞ハシケの動詞化》①艀(はしけ)で本船の貨客を少しずつ陸地へ運ぶ。「供船へ客を―・ける鑓を取り」〈雑俳・橘中仙続編〉②少しずつ移し取る。また、ひそかに移る。こっそり盗み取る。「鎌倉の生贄(いけす)へ嫁は身を―・け」〈雑俳・万句合宝暦一三〉

はしげいせい【端傾城】下級の遊女。端。端女郎。「夕立ちは―の涙かな」〈俳・夢見草二〉

はしげた【橋桁】橋板を支えるために、橋杭(はしぐい)の上に横に渡した板。「馬より下り、弓杖(ゆんづゑ)つき、―を渡らんとしけり」〈盛衰記三五〉

はしけやし【愛しけやし】『連語』《ハシケはハシの古い連体形。ヤシは間投助詞》⇒はしきやし。「―我家(わぎへ)の方よ雲居立ち来も」〈記歌謡三二〉 †Fasikeyasi

はしとく【波斯国】ペルシャに対する中国での呼称。「唐土(もろこし)にいたらむとするほどに、あたの風吹きて…俊蔭が舟は―に放たれぬ」〈宇津保俊蔭〉

はしさま【端様】端の方。「くだりの程(書キ下シタ行ノ具合)―にすぢかひて」〈源氏常夏〉

はじし【歯肉・齗】《シシは肉の意》歯ぐき。「咲(わら)へば歯がちなる者の、―は赤くなむ見えける」〈今昔二八ノ二一〉。「齗、波之々(はじし)、歯之肉也」〈和名抄〉

はした【半端】《ハシはハス(斜)の古形。∧の形であること。このような斜めの形は、円形、正方形、二つ揃っていることなどを愛好した古代日本人に喜ばれなかった。それでハシタは不足であること、一定の規格に達しないこと、不快で気まずいことなどを意味した。アクセントの型から見ても、ハシ(端)とは起源的に別と認められる。→はしは》①足りないこと。「昔、神、諸村に菓子を班(わか)ちたまひしに、此の村に至りて足らず。故(かれ)仍りて『間(はした)なるかも』とのりたまひき。故、端鹿(はしか)と名づく」〈播磨風土記〉。「乏、ハシタナリ」〈名義抄〉。「間・半、ハシタ」(「間」はすきまがあく意から不足の意)〈色葉字類抄〉②状態が、普通以下であること。「人人あかれて宿求むるところ『―にて、いとあやしげなる下衆の小家なむある』といふ」〈更級〉③中途はんぱなこと。「今日、日―になりぬ。奈良坂のあなたには人の宿り給ふべき家もさぶらはず、ここにとまらせ給へ」〈大和付載説話一〉。「むすめにや、孫にや、―なる大きさの女の」〈源氏末摘花〉④中途はんぱな状態できまりがわるく、引込みがつかないこと。「〔嘘ガ露見シテ〕御子は立つも―、居るも―にて居給へり。日の暮れぬれば、すべり出で給ひぬ」〈竹取〉。「仕ふる人も…うつ伏してなむ、立たむも―に、術なかりける」〈大鏡道隆〉⑤ひとまとまり以下の少額の金銭。「―には壱歩〔金〕をも取りやり仕るべき者也」〈東南院文書三、寛永一三・一一・二八〉⑥召使の女。はした者。はした女(め)。「下女・―の数」〈細川忠興文書寛永一〇・七・七〉

―な・し『形ク』《ナシは甚だしいの意》①無作法である。ぶしつけである。その結果、体裁がわるくて引込みがつかない状態。また、まともな愛想や情が欠けている意。一方、ハシタの鋭角の意から、鋭く強い、烈しいの意。ソバ(稜)からソバソバシ・ソバダチなどが派生した類》①無作法である。ぶしつけである。「南面(みなみおもて)の格子をあげたる間(ま)に〔車ヲ〕寄せたれば、いとど―・しと思したれど」〈源氏蓬生〉。「〔溝ヲ〕いと物軽う越えさせ給へば、路行き人立ちとどまって『はしたなの女房の溝の越えやうや』とて、あやしげに見まゐらせければ」〈平家四・信連〉②(相手に対して無作法なことなどをして)引込みがつかない。体裁がわるい。「―・きもの。別人(ことひと)呼ぶに我ぞとてさし出でたる。物などとらする折はいとど。おのづから人の上などうち言ひ、そしりたるに、をさなき子どもの聞きとりて、その人のあるに言ひ出でたる」〈枕一二七〉③みっともない。間(ま)がわるい。「あまりにをさまらず乱れ落つる涙こそ―・けれと思へば」〈源氏柏木〉。「帰るもなさけなけれど、明け行く空も―・くて殿へおはしぬ」〈源氏若紫〉④情が欠けている。無愛想だ。手紙なら、返事をくれないことにいう。「気色ばみ聞え給ふ折折もあるに、―・きやうはなどてかあらむ」〈源氏宿木〉。「深き心をも尋ねず〔話ヲ〕もて出でて、心にもかなはねば、かく―・き〔仕打ヲナサル〕なるべし」〈源氏篝火〉⑤鋭く強い。烈しい。「多くの悪僧どもと打ち合ひつれども…殿の御大刀打つほどに―・き敵に合ひ候はず」〈延慶本平家三・斎藤五長谷寺へ〉。「野分―・う吹いて」〈平家六・紅葉〉。「―・き。たけくこはしといふ也」〈八雲御抄四〉

―な・め『下二』《半端(はした)ない思いをさせる意》①とりつくしまのないような思いをさせる。恰好(かっこう)のつかない、みじめな思いをさせる。「えさらぬ馬道(めだう)の戸をさしこめ、こなたかなた心をあはせて―・めわづらはせ給ふ時も多かり」〈源氏桐壺〉②立つ瀬がないと思わせるほど、つめたくあたる。

にべもなくつきはなす。「ひとへに知らぬ人ならば、あな物狂ほしと―・め、さし放たんにもやすかるべきを」〈源氏宿木〉

―もの【半者・半物】①《一人前でない者の意から》召使の女。はしため。「人の家につきづきしきもの…おほきやかなる童女。よき―」〈枕三三五〉。「中宮の御方の御―に沙金といひてならびなき美女ありけり」〈著聞五七五〉②数量などが完全にまとまっていない物。はんぱ物。「なうなう、〔米ノ〕―があると云ふが」〈天理本狂言六義・米市〉 **―わらは**【端童(ワラワ)】召使の少女。「―のあるに装束き替へさせて」〈落窪一〉

はしたか【鷂】鷹の一種。小型で鷹狩に使う。はいたか。「―のとかへる山の」〈後撰一一七三〉。「鷂、波之太賀(はしたか)、似レ鷹而小者也」〈和名抄〉

はしたて【梯立】はしごを立てかけること。立ったはしご。「神の神庫(ほくら)も―のまにまに」〈紀垂仁八十七年〉 **―の**【梯立の】〔枕詞〕地名「倉梯」「熊来」などにかかる。昔の倉は床が高いので、はしごを立てて上ったことから「倉」に、また倉と音の似た「熊」にかかる。「―倉梯山を嶮(さが)しみと」〈記歌謡六九〉。「―熊来酒屋に」〈万三八七九〉

はしぢか【端近】①家の内で、端に近い所。「いと―なりつる有様を、かつはかろがろしと思ふらむかし」〈源氏若菜上〉②《転じて》おくゆかしくないこと。あさはかで軽軽しいこと。「御心おきて、有様などは、いかでかく古体ならず今めかしう、さりとて―にやはおはします」〈栄花浅緑〉

はしぢょらう(ウ:ロ)【端女郎】「はし(端)」(7)に同じ。「―はや色に出る恋の山」〈俳・飛梅千句〉。「局女郎(つぼねぢょらう)と言ふは―を言ひます」〈評判・難波鉦三〉

はしづくり【端作】書き物の冒頭に記すことば。標題・題目・題詞・題など。「とのとは、―に書ける書殿なるべし」〈仙覚抄四〉

はしつぼね【端局】女郎屋の見世先の下級遊女の居る部屋。また、その遊女。「名も吉野命なりけり―」〈俳・当世男下〉

はしづま【愛し妻】かわいい妻。「吾(あ)が―にい及(し)き会はむかも(追イツイテクレ)」〈記歌謡五九〉

はしづめ【橋詰・橋爪】橋のたもと。「すでに―に行きかかる程」〈今昔二七ノ一三〉

はしどの【橋殿】池や谷などの上に、橋のように掛け渡して造った家。「―に局(つぼね)をしてゐて、よろづの事をいひかはしけり」〈大和一三三〉

はじとみ【半蔀】①戸の一種。下半を格子または鰭板(はたいた)など、上半を蔀(しとみ)にして、外側へ揚げるようにしたもの。「上(かみ)は―四五間ばかりあげ渡して」〈源氏夕顔〉②「小蔀(こじとみ)」に同じ。「殿上の淵酔あり。…主上―より御覧ず」〈建武年中行事正月〉 **―ぐるま**【半蔀車】半蔀を物見に取り付けた網代(あじろ)車。摂政・大臣・大将・高僧・女房または上皇の乗用。「出車(いだしぐるま)三つ…思ひ思ひなる―の透きとほりたるなり」〈栄花殿上花見〉

はしなく【端無く】〔副〕これといったきっかけもなく。なんとなく。「―もこの鯖(さば)世界をふりすて」〈伽・魚鳥平家〉

はじにほひ(オイ:ニ)【黄櫨匂】鎧の縅(をどし)の名。上部のはじ色(赤みがかった黄)が、下の方へ行くにつれて薄くなっているもの。「―の鎧に、薄紫の母衣(ほろ)かけたる武者ただ一騎」〈太平記九・六波羅攻〉

はしのこ【梯の子・階の子】《「はしご」の古形。コは、踏んで登る横木のこと》①はしごの横木。「十二の桄梯(くわうだい)とは、―の十二ある梯ぞ」〈六物図抄〉②はしご段。階段。「―をななめに下りくだりて」〈著聞四七五〉

はしのり【端乗り】端の方に乗ること。また、ちょっと乗ること。「この馬、―に給はり候はん」〈宇治拾遺一〇九〉

はしは【圭】《ハシは斜でとがっているさま。ハは端》物の端が∧型に鋭角をなしていること。「圭、ハシハ」〈名義抄〉 **―かうぶり**(コウブリ)【圭冠】「はしは」の型の冠。烏帽子。「男子のみは―有れば冠して、括緒褌(くくりをのはかま)を着よ」〈紀天武十三年〉

はしばし【端端】①ひろがりを持つ事柄のいずれか一端。「又おぼさるらむ―をも、あきらめ聞えまほしくなむ」〈源氏椎本〉②あちこちの末端。「かのわなの―を食ひ切り、獅子王を救ひてけり」〈伊曾保物語中〉③物のはしくれ。とるにたりないもの。「数ならぬ身を宇治川の―といはれながらも恋ひわたるかな」〈金葉五四二〉

はしばしら【橋柱】橋げたを支える柱。橋が老朽して、橋の柱だけ残っていることがあり、長柄(ながら)の橋のが有名であったらしい。男女の中の絶えたことや、身の老い果てたことを嘆く場合にこの語を使う。「限りなく思ふ長柄の―思ひながらに中や絶えなむ」〈拾遺八六四〉。「思ふこと昔ながらの―古りぬる身こそ悲しかりけれ」〈一条摂政集〉。「引き放ちて出で給ふを、せめておよびて『―』(私ガ年寄ダカラ)と恨みかくるを」〈源氏紅葉賀〉

はしひめ【橋姫】橋を守る女神。特に宇治橋にいるという神をさす。宇治にいる愛人に擬していうことが多い。「我を待つらむ宇治の―」〈古今六八九〉。「我が心乱りたまひける―かな」〈源氏蜻蛉〉

はしぶね【端舟】①小舟。「―を編みて橋となして、御在所(みましどころ)に通ひき」〈常陸風土記〉。「游艇、波之布禰(はしぶね)」〈和名抄〉②本船に付属して、その用事をする小舟。「康定が―に乗って、御前を漕ぎ通りけるを召して折りにつかはす」〈平家四・還御〉

はじべ【土師部】《ハニ(埴)シベの転》土器の製造を職業とした部民。埴輪をつくり、葬礼にも従事した。土師器(はじき)はこの部民のつくった土器という。「自ら―等を領(かつ)ひて埴(はにつち)を取りて」〈紀垂仁三十二年〉 ▽Fanisibe→Fanzibe→Fanzibe→†Fazibe

はじま・り【始まり】〔四段〕《ハジメ(始)の自動詞形》事があらたにおこり、行なわれるようになって、それ以後つづく。「天地の開け―・りける時より」〈古今序〉。「六日のつとめてより雨―・りて三四日ふる」〈かげろふ下〉。「月花やかにさしいづる程に大御遊び―・りて」〈源氏松風〉

はしむかふ(カウ:ム)【箸向ふ】〔枕詞〕折箸の形のように向い合う意で「弟(おと)」にかかる。「―弟の命(みこと)は」〈万一八〇四〉

はじ・め【始め】㊀〔下二〕《「をへ(終)」の対。ハ(端)とシメ(占)との複合が連濁を起した語。物事の端緒・先の方を占有・占領する意。明確に区域や時期を画して一端を占め、そこから持続的に進展・拡大する行為や状態をいうのが原義。上代ですでに時間についていう例が多いが、本来は場所や状態について使ったものが時間に転用されたのであろう。類義語ソメ(初)は、いつの間にかそのことがしみついて、もはや元に戻らない意》①端(はし)から事が広がって行く。「立田山今こそ黄葉(もみち)―・めてありけれ」〈万三二二〉②端緒を開く。「皇祖(すめろき)の神の命(みこと)の、畏くも―・め給ひて、貴くも定め給へる、み吉野のこの大宮に」〈万四〇九八〉③新たに事を起す。「諸人をいざなひ給ひ善き事を―・め給ひて」〈万四〇九四〉④最初とする。…を最初として後まで続く。「今日を―・めて万代に見む」〈万一五三〇〉⑤第一とする。…を第一として他にまで及ぶ。「親を―・めて何とも知らず」〈竹取〉⑥開始する。「御修法ども―・むべきことのたまふ」〈源氏総角〉⑦《他の動詞の連用形をうけて》

ある時を境にはっきりとその状態になり、その状態や行為が続く。「をみなへし・桔梗など咲き―・めたるに」〈源氏手習〉。「しののめの別れを惜しみ我ぞまづ鳥より先に泣き―・めつる」〈古今六四〇〉 ㊁『名』①発端。序の口。「天地の遠き―よ(カラ)」〈万四一六〇〉。「その―の事、すきずきしくとも申し侍らむ」〈源氏帚木〉 ②初期。「ふふめりし花の―に来し我や散りなむ後に都へ行かむ」〈万四四三五〉 ③最初。「むつき立つ春の―に」〈万四一三七〉 ④前の部分。「〔絵日記ノ〕これが―、残りの巻巻ゆかしがらせ給へど」〈源氏絵合〉 ⑤以前。「初瀬の御寺に詣でて帰り給へるなり。―も此処になむ宿り給へりし」〈源氏宿木〉 ⑥第一。「これを―の難とすべし」〈源氏帚木〉 ⑦《「―に」の形で》 何はさておき。「初瀬に詣づれば、―に、こよなく物たのもし」〈更級〉 ⑧はじめおわり。一部始終。「呼び返して、正気の時、様子を問へば、―を語る」〈西鶴・一代男四〉 †Fazimë

―て【始めて】『副』①最初に。皮切りに。「もの言ひつぐ人あり。…―、『かづらきや神代のしるし深からばただひとことにうちもとけなん』」〈かげろふ下〉 ②改めて。新規に。「仏御前がゆかりの者どもぞ―楽しみ栄えける」〈平家一・祇王〉 ③間もなく。すぐ。「生れて後―、般若〔経〕の名を唱ふ」〈今昔七ノ四〉

はしもと【橋本】橋のたもと。「うゑしより―さらぬおそ桜春の暮をや待ちわたるらん」〈為忠後百首〉

はしもり【橋守】橋を守る者。橋番。「ちはやぶる宇治の―汝(なれ)をしぞあはれとは思ふ年の経(へ)ぬれば」〈古今九〇四〉

ばしゃう(ヨウ)【馬上】①馬の上。「―にして尺八を遊ばしけるに」〈教訓抄四〉 ②馬に乗ること。騎馬。また、騎馬で戦うこと。「随身の前駆(さき)は皆―にて」〈愚管抄四〉。「―・徒立(かちだち)、並ぶ人なし」〈曾我四〉 **―ぢゃうちん**(チョウ)【馬上挑燈】乗馬の時携帯する丸い挑燈。鯨の鰭製の長柄を付け、腰に差す。馬挑燈。「真丸に／―形(なり)が良き」〈雑俳・手鼓〉

はしや・ぎ『四段』《ハシャギとも》①からからに乾きあがる。乾燥する。「冬は物にさはりて、〔爪〕―・ぎて折れ候ぞ。夏は折れず」〈夜鶴庭訓抄〉。「火の焼えてゆくも―・ぎたる木次第に燃ゆる物ぞ」〈策彦和尚初渡集下ノ下〉。「その後千煙に和して火を覓してねんごろに炙(あぶ)り立てたれば…第一番の―・ぎ切ったよき茶なりとぞ」〈禅儀外文盲象鈔七〉 ②浮かれさわぐ。「声のみや雨に―・ぐ時鳥」〈俳・毛吹草五〉

ばしゃく【馬借】①中世、馬を使って商品を輸送した交通労働者。京都を中心に畿内地方に多く、輸送商品の販売も営み、しばしば土一揆の先鋒もつとめた。「大津坂本の―」〈庭訓往来五月十一日〉。「洛中の―」〈東大寺法華堂要録〉。〈文明本節用集〉 ②近世、宿駅で駅馬・人足などの指図をした宿役人。馬差(うまさし)。「馬借、バシャク、伝吏也」〈書言字考〉

ばしゃ・れ【婆娑れ】『下一』《「婆娑羅(ばさら)」の動詞化》はでで締りがなくなる。自堕落になる。「舞振り、扇の手、芸の仕出しに似て―・れぬ所有れば、打ち付いて良し」〈評判・役者大鑑〉

はじゆみ【櫨弓・梔弓】ハゼノキでつくった弓。「―を手(た)握り持たし」〈万四四六五〉 †Faziyumi

はじゅん【波旬】《梵語の音訳。悪者・殺者などと訳す》人の命や善根を断つ悪魔。欲界第六天(他化自在天)の魔王を指して「天魔波旬」という。「天魔―も我が辺(ほとり)に寄らず」〈今昔一三ノ二〉

はしら【柱】《立って本体をささえるもの。ハシ(箸)と同根》①家・門・橋などの全体をささえて立つ長い木。「天の御―を見立て、八尋殿(やひろどの)を見立てたまひき」〈記神代〉 ②鼻のみね。はなばしら。「舌黒み、鼻の梁(はし)欹(ふた)れ」〈金光明最勝王経平安初期点〉 ③中心のささえとして、最も力にし頼みとするもの。「平家(ひらや)なる棟守り(宗盛ト掛ケル)いかにさわぐらむ―と頼むすけ(支柱ノ意ト権亮維盛トヲ掛ケル)を落して」〈平家五・富士川合戦〉 ④建物の中心・ささえとして尊重する意から、神・仏・貴人など、信仰・尊敬の対象を数えるに使う語。「伊邪那岐(いざなき)伊邪那美(いざなみ)二―の神」〈記神代〉。「此れが子、多遅麻毛理(たぢまもり)、次に多遅摩比多訶(たぢまひたか)、次に清日子(きよひこ)、三―」〈記応神〉。「国家の動(ゆる)ぎ無きことは太政大臣一―に依りてなり」〈三代実録貞観七・九・三〉。「軀、ミ・ハシラ」〈名義抄〉 **―がくれ**【柱隠れ】柱の陰にかくれること。「―に居隠れて涙をまぎらはし給へるさま」〈源氏須磨〉 **―ごよみ**【柱暦】柱に掛ける短冊形の暦。「本屋仁左衛門刊の―」〈隔蓂記正保三・一二・二六〉 **―だて**【柱立て】新築に際してまず中心となる柱を立てること。また、その儀式。「鹿島社に参りて宮造りの―を見侍りて」〈前長門守時朝入京田舎打聞集〉 **―まつ**【柱松】地に立てて燃やす大きな松明(たいまつ)。「夜暗ければ、所所に―を立てたり」〈今昔二五ノ四〉 **―もち**【柱餅】年末の餅搗きの最後の一臼分を、大黒柱に打ちつけて練り上げて餅にする風習。また、その餅。肥前長崎が有名であった。「福沸し菜(な)にこそ立てれ―」〈俳・遠近集一〉 **―よせ**【柱寄せ】門柱などに寄せて打ちつけた長い木。「大勢の中をかきわけて―に上り、手をかけて見ければ」〈義経記四〉

はしらか・し【走らかし】㊀『四段』①走らせる。「人里の見えけるに、そなたへ馬を―・して行きけるほどに」〈宝物集七〉 ②煮立たせる。「煎り酒に酢を加へ―・し」〈料理物語〉 ③屏風・幕などを引き廻す。張る。立て廻す。「新村は柳の紋の幕を―・したり」〈本福寺跡書〉 ④《忌詞》物を割る。「舟中にて物を割るを、味方〔ハ〕―・す、敵〔ハ〕割る〔トイウ〕」〈軍語摘要上〉 ㊁『名』【走汁】手軽にざっと煮立たせて作った汁。走らかし汁。「汁にせん先づたんぽぽの―」〈俳・毛吹草二〉 **―じる**【走汁】「はしらかし」㊁に同じ。「紅葉折り焼く―」〈俳・独吟一日千句〉

はし・り【走り】㊀『四段』《ハセ(馳)と同根。勢いよくとび出したり、す早く動きつづける意》❶一つの方向に向って足や身体を、す早く動かす。①ぱっと飛び出す。かけ出す。「術(すべ)もなく苦しくあれば出で―・り去(い)ななと思へど」〈万八九九〉。「歩み疾(と)うする馬をもちて―・らせん」〈竹取〉 ②逃げる。逃亡する。「誰と知られで出でなばやと思せど、しどけなき姿にて冠(かうぶり)などうちゆがめて―・らむうしろで」〈源氏紅葉賀〉 ③欠落ちする。「七蔵下女…連れて―・り候男」〈梅津政景日記慶長一七・四・二〉 ❷内部から発現する力で激しく飛び散る。①はじけ飛ぶ。はねる。ほとばしる。「霜の上に霰(あられ)たばしり」〈万四二九八〉。「水の深くはあらねど人などの歩むに―・りあがりたるいとをかし」〈枕二三三〉。「血―・ること限りなし」〈今昔二八ノ三〉。「栗の―・る仕舞(しまひ)あるべし」〈天理本狂言六義・栗焼〉 ②おのずと外に飛び出す。「油断すれば、上なる御小袖二三も―・りて落つること有り」〈鎌倉年中行事〉 ③すばやく動く。「なげの―・り書い給へる御筆づかひ言の葉も」〈源氏椎本〉。「チエノハシッタモノヂャ」〈日葡〉 ④胸の鼓動が打つ。「胸―・りていかで取りてしがなと、御息所の御文なめり」〈源氏夕霧〉 ⑤《忌詞》割れる。ひびがいる。「舟では割れたといふは忌ま忌ましい。頭の皿が―・った―・った」〈近松・博多小女郎上〉 ㊁『名』①高い所から木をすべりころがすこと。また、その木。走り木。「橋桁を渡る者あらば、―を以て推し落すやうにぞ構へたる」〈太平記一四・将軍御進発〉②台所の流し。「成身院と一乗院と―の〔汚〕水の事申し出され、種種問答に及ぶ」〈多聞院日記天正三・九・一四〉③魚鳥・野菜などの初物。はしり物。はつ。「俎(まないた)を―の江鮭(あめ)が跳ねてゐる」〈俳・たかね中〉。「―の竹の子」〈近松・宵庚申下〉 **―うま【走馬】**①競馬。また、競馬用の馬。「臨時の祭のさまなり。よろづの事をととのへ、…はしりむま十疋」〈宇津保春日詣〉②急使を乗せた早馬。「『京よりの―』といへば、何事ならんと驚きながら」〈増鏡四〉 **―こぐら【走競】**競走。はしりくら。はしごく。「野路の月―に息切れて」〈俳・花摘下〉。「行越、ハシリコグラ」〈文明本節用集〉 **―ぢゑ【走り智恵】**浅はかな思慮分別。「己れが智恵は―と言うて何の役に立たぬ」〈狂言記・伊呂波〉 **―で【走り出】**家から走り出た処。門口。一説、山勢の走り出たようなさま。「―のよろしき山」〈万三三三一〉 **―び【走り火】**炭火などの、ぱちぱちと飛びはねる火の粉。「母氏が―にだに当てじと」〈東大寺諷誦文稿〉。「さわがしきもの、―」〈枕二五六〉 **―まは・り**(マワリ)**【走り廻り】**《四段》①ぐるぐると走りめぐる。「細脛(ほそはぎ)を出して、庭火を―りて」〈十訓抄七ノ一七〉②あちらこちらかけめぐる。「中間・雑色ども―りて見るに」〈雑談集五〉③骨身を惜しまず奔走し、尽力する。「昼夜共に粉骨を抽(ぬき)んで、―るべく候」〈加沢記三〉 **―ま・ひ**(イマ)**【走り舞ひ】**□一《四段》はげしい勢いで走りまわる。奔走する。「竹の棹さしたる馬のゆゆしげなるが、物に驚きて―ひける」〈著聞三八一〉。「門開けんとする者もあり。橋渡さんとする者もあり。―ふ所に」〈義経記三〉□二《名》①奔走。馳走。尽力。「御所の―とて、ことさらもてなしひしめかる」〈問はず語り三〉。「ささて長篠にての―手柄、云ふに及ばず」〈三河物語下〉②気に入り者。「使は右筆とて、良永、一段―の人也」〈宇野主水日記天正一一・一〇・一三〉 **―めうと**(ミョウト)**【走り女夫・走り夫婦】**正式な結婚をせず、欠落ちして夫婦となったもの。「鵲(かささぎ)の―か星の中」〈俳・細少石四〉 **―もの【走り者・奔り者】**欠落ち者。出奔人。走り人。「―の明屋敷の儀は、公儀の家屋敷候」〈梅津政景日記慶長一九・八・一三〉。〈文明本節用集〉 **―もの【走り物】**①雅楽で、走るように舞う曲目。「―、散手・陵王・抜頭・還城楽・貴徳・納曾利」〈教訓抄七〉②魚鳥・野菜・果実などの食品で、その季節の初めに食べるもの。はしり。「年の始めの―を生けて食はざらむはいまいましきことなり」〈今昔二九ノ二七〉 **―ゆ【走り湯】**《勢いよくわき出る湯の意》温泉。いでゆ。「―の神とはむべぞ言ひけらし速き効(しるし)のあればなりけり」〈金槐集下〉 **―ゐ【走り井】**水がほとばしり出る泉。「落ちたぎつ―の水の清くあれば」〈万一一一二七〉

はしりこぎ 「あしりこぎ」に同じ。「はしりこぎり」とも。「飛梅の一本立ちや―」〈俳・鸚鵡集二〉

はし・ゐ【端居】□一《上一》「はしゐ」をする。「―ゐつつ結ぶしづくのささ波にうつるともなき夕月夜かな」〈鴨長明集〉□二《名》家の端近く、縁先などに出て、すわっていること。「―もし飽かぬに親王の入らんとし給ふを」〈古今集註〉。「螢飛ぶ空に夜深く―して」〈湯山三吟〉

はしん【把針】裁縫。針仕事。また、それをする人。おはり。「社頭にて、―する事また髪けづる事、然るべからず」〈厳島野坂文書庚、宝治二・五〉

はす【蓮】「はちす」の転。「君にも―の実などやうの物出したれば」〈源氏手習〉。「いくたびか西に心の通ふらん―の浮葉の露の夕暮」〈拾玉集四〉。「荷、ハチス、俗、ハス」〈色葉字類抄〉 ▽Fatisu→Fatsu→Fassu→Fasu

はず【筈】①弓の両端の、弦(つる)をかける所。ゆはず。「下がらうものをば、弓の―に取りつかせよ」〈平家四・橋合戦〉②矢の末端の、弦をかける所。やはず。「矢の―を以て燈明をかかぐ」〈今昔二ノ一九〉③《転じて、当然合致すべきものの意》㋑そうなるべき予定。見込み。「善人たちにはゴロリアの充満の快楽(けらく)を与へさせらるる―でござる」〈コリヤード懺悔録〉㋺そうなるべき必然性。道理。わけ。「この傘をくれう―はないが、何と思うてくれた、合点がいかぬ」〈狂言記・秀句大名〉。「その―と云ふも賤し、その理(ことわり)なんど云ふべし」〈浄土真宗小僧指南集末〉

はずさし【筈刺】小刀。「―一つ持ちたらむ者の大仏を作らんと思ひ」〈連歌比況集〉。「筈刺、ハズサシ、小刀」〈明応本節用集〉

はずだか【筈高】矢を箙(えびら)に入れて負うたとき、矢筈が高くあらわれて見える状態。「鵠(くぐひ)の羽を以て矧(は)いだる征矢(そや)の三十六指したるを―に負ひなし」〈太平記一三・公家一統〉

はすなは(ワ…ナ) 浮き草の一種。蔓(つる)になって海上に浮かび、裏には小さな貝がついているという。「―の上はつれなき裏にこそ物あら貝(諍ヒト掛ケル)はつくといふなれ」〈後撰九〇四〉

はすね【蓮根】頭にできる腫物。「―〔用ノ〕膏薬、老母より伝〔授〕」〈聾盲記永正一七・五・一八〉

はすのいと【蓮の糸】蓮の葉柄からとった繊維。大和の国当麻寺の曼荼羅(まんだら)は、中将姫がこれを用いて織ったものという。「中将姫、―を染め給ひしによって」〈謡・当麻〉

はすのうてな【蓮の台】「はちすのうてな」に同じ。「恋くさの露の命のはかなさを―に移してしがな」〈有房集〉

はすのは【蓮の葉】一時的な間に合せの粗末な物をいう。「よろづ軽行(かるゆき)にして、麁相(そさう)な道具を―と言ふごとく」〈浮・好色貝合下〉 **―あきなひ**(アキナイ)**【蓮の葉商】**盂蘭盆(うらぼん)の蓮の葉のように、その季節の行事の短時日にしか売れない安価な生物(なまもの)を商うこと。売れ残りは丸損になる投機的な商いであった。「なぐれ(売レ残リ)物を―と言(ゆ)へば」〈評判・吉原芥川〉。「されば世の世話にも言ふ―、朝の間に一把十五文に付けても、はねぎって(コトワッテ)出でしを、日暮れには、味噌屋・鮓屋へ突付け売りにして、二束三文にもならざりき」〈浮・商人世帯薬三〉 **―もの【蓮の葉物】**「はすのは」に同じ。「物の宜しからぬを―と言ふ心也」〈西鶴・一代女五〉

はすのめし【蓮の飯】「はすはめし」に同じ。「―、各々に食はす」〈三藐院記文祿三・七・一五〉

はすは【蓮葉】《ハスワとも》①近世、上方の問屋で、泊っている諸国の商人の世話をし、色も売った下女。はすはめ。はすは女。問屋はすは。「下待ちし―に〔恋ノ〕波や越えぬらん」〈俳・難波風〉。「蓮葉、ハスハ、問屋女也」〈俳・反故集下〉②はでで陽気なこと。だて。「其の方のなりふりが―なるにより」〈仮・他我身之上三〉③言行の軽はずみなこと。軽佻浮薄。軽率。また、浮気で身持の悪いこと。また、その者。はすっぱ。「下方七十郎すぐれて―につくり〔シ故〕…前へ出で候事無用」〈池田光政日記承応四・一・二七〉 **―めし【蓮葉食】**盂蘭盆(うらぼん)に、仏前に供える蓮の葉に盛った強飯。近世、これに刺鯖を載せて、七月十五日親戚知友に贈答した。蓮飯(はすめし)。蓮の飯。「今日―例の如し」〈師守記貞和五・七・一五〉 **―をんな【蓮葉女】**「はすは」(1)に同じ。「上方の―と覚しき者十四五人も居間に見え渡り」〈西鶴・一代男三〉

はすぼくたう(ウ…ト)**【蓮木刀】**蓮で作った木刀の意で、外形

だけで実用にならないことのたとえ。「折らせじと―や花の番」〈俳・埋草二〉

はせ【初瀬・長谷】《古くはハツセ》⇒はつせ。「九月二十日あまりのほど、―に詣でて、いとはかなき家にとまりたりしに」〈枕三八〉

は・せ【馳せ】『下二』《ハシリ（走）と同根》①走らせる。「駕を驟(は)せて前(す)み行き」〈金光明最勝王経平安初期点〉②走る。走るように早く行く。「錦の袋に姫君を入れて、我が御頸にかけて、高野山へ―・せ上りて」〈沙石集九ノ六〉。「一周忌までは、とかく思ふばかりにて―・せ過ぎにけり」〈伽・葦曳絵巻〉

は・ぜ【爆ぜ】㊀『下二』裂けて開く。はじける。「死骸を見れば、膚(はだ)(へ)は白はぜに―・ぜて、皮はち切れ」〈バレト写本〉㊁『名』【粽・葩煎】糯米(もちごめ)を煎ってはぜさせたもの。近世、新年に食べ、元旦には売って歩いた。また、魚の餌にした。「十肴の内、南伯出す所の物これを―と謂(い)ふ。愚、試みに一粒を把(と)り、舌上に置けば、則ち雪消の如く、その味太(はな)(は)だ淡く」〈陰凉軒日録長享三・三・一〉

ばせうぬの【芭蕉布】芭蕉の茎皮を晒して紡いだ糸で織った布。琉球に産し、夏着・蚊帳などに用いた。「ばせうふ」とも。「帷子三つ、一つ―、今二つ常の如し」〈証如上人日記天文五・五・四〉

はせつかべ【丈部】《ハセツカヒベの約》上代、走り使いを職業とした部民。「防人山名郡―真麿」〈万四三二三左注〉▽「丈」は「杖」に通じる。杖を持って急ぐ意。

はせひき【馳引き】疾走する馬上から弓を射ること。「はせゆみ」とも。「―、逸物(いちもつ)の馬の上にて敵に押し並べ引組んで落つる様(やう)、武芸の道をぞ習ひける」〈平治上・信頼信西不快〉

ばせん【馬氈】《「氈」は毛むしろ・毛織の敷物》馬の鞍にかぶせ敷く毛皮・織物など。「望月黒と申す名馬に…金の―うちかけさせ」〈加沢記三〉

はそん【破損】①破れこわれること。破りこわすこと。「所所の―並びに築垣等を修理せしめたり」〈九暦天暦四・七・二〉。「さらずは、長者父子五人・眷属数万人、みな一時に―すべし」〈古今集註〉②修理。「御―奉行」〈山鹿素行年譜万治二・二・一六〉。「家の損ねたるを繕ふを見て、―があるなどと云ひ」〈新撰用文章明鑑中〉

はた①【機】布を織る道具。「未通女(をとめ)らが織る―の上(へ)を」〈万一二三三〉。「機、ハタモノ・ハタ・タカハタ」〈名義抄〉②【服】機(はた)で織った布。「我が王(おほきみ)の織ろす―」〈記歌謡六六〉▽朝鮮語 poit'ïl（機）と同源。

はた【杯】「杯(はい)」に同じ。「湯舟に藁(わら)を細細(こまごま)と切りて、一―入れて」〈宇治拾遺三七〉。「これに白き米(よね)一―入れて送り給へ」〈地蔵縁起〉

はた【畑・畠】はたけ。「畯、ハタ・ヤキハタ」〈名義抄〉▽朝鮮語 pat（畑）と同源。

はた【端】《内側に物・水などを入れてたたえているものの外縁・側面。ハ（端）・ハシ（端・末）と同根》①器物の外側面。へり。「火桶の―に足をさへもたげて、物いふままに押しすり」〈枕二八〉。「舟の―に寄りかかりて眠り給へる御まみ」〈狭衣三〉②川や池のふち。「河の―に進み出で水の面を見渡して」〈平家九・宇治川〉③かたわら。わき。そば。「ませた口を利きますに、―から付け智恵が御座いますから、いとどおしゃべりになります」〈滑・浮世風呂三下〉④現物を持たず、思惑で売買して値鞘を稼ぐこと。思惑売りを「はた売り」、思惑買いを「買持ち」という。近世、大阪の米・銭小判相場でよく行なわれた。空売買。「米―商売・つめ商売、常常、御法度の事に候」〈宗静日記元禄六・七・六〉。「北浜の米市に―をして」〈浮・好色小柴垣二〉▽朝鮮語 pas（外）と同源。

はた【旗・幡】①長い布などの一端を竿頭などに固定し、他の端を垂らしたもの。また、幟(のぼり)の類をもいう。目標や飾りとし、戦争や祭礼などにつかった。「捧げたる―の靡きは…風の共(むた)靡くがごとく」〈万一九九〉②仏・菩薩の威徳を示す荘厳具。法会などの時に、寺の境内に立てたり、本堂に飾ったりした。「御念誦堂の具ども…―のさまなどなつかしう、心ことなる唐の錦を選び」〈源氏鈴虫〉 **―を挙(あ)・ぐ** 軍(いくさ)の旗をかかげる。兵を起す。「―・げ、剣を取って信州を出でし日」〈平家七・木曾山門牒状〉 **―を立・つ** ①軍(いくさ)の旗を立てる。「万鬼父子も仙の畑に御―・てられければ」〈加沢記二〉②武威を示す。「今この時に上洛し、天下に―・て」〈江源武鑑一五下〉 **―を巻・く** ①軍(いくさ)の旗を巻きおさめる。「旗をば巻かせて…都へとって返すほどに」〈平家九・木曾最後〉②軍の旗を巻きおさめて、敵に和を乞う。「早く甲(かぶと)を脱ぎ、―・き、降人に来たれかし」〈加沢記二〉

はた【鰭】魚のひれ。魚の左右のわきひれ。「鵜川立て取らさむ鮎の其(し)が―は」〈万四一九一〉。「鰭、波太(はた)、俗云比礼」〈和名抄〉▽アクセントの型から見てハタ（端）と同根。両脇にあるものの意であろう。

はた【二十】にじゅう。平安時代にすでに用例が少ない。「すべて千歌―巻、名づけて古今和歌集といふ」〈古今序〉。「指をかがめて『とを―みそよそ』など数ふるさま」〈源氏空蟬〉。「廿七、ハタナナ」〈名義抄〉▽両手・両足の全部の指の数を基礎として二十進法の数詞が発達し、二十を「全部」または「一人」という単語で示す言語は少なくないから、ハタは恐らく動詞ハテ（果）と同根で、これ以上数えられない、両手・両足の指すべてを数えきった数の意であったのだろう。

はた【将】『副』《甲乙二つ並んだ状態や見解などが考えられる場合に、甲に対して、もしや乙はと考えるとき、あるいは、やはり乙だと判断するときなどに使う》①もしや一方で。あるいはひょっとして。「将(はた)、敗らるること無からむや」〈紀崇峻即位前〉。「痩す痩すも生けらばあらむを―や―鰻(むなぎ)を取ると川に流るな」〈万三八五四〉②《対立する判断・意向を提示する前に使って》それとも別に。「許勢臣、王子恵に問ひて曰はく、為当(もし)此間(ここ)に留まらむとや、為当(はた)本郷(もとつくに)に向(い)なむとや欲(おも)ふ」〈紀欽明十六年〉。「是の諸(もろもろ)の行相は一人に具せりとやせむ。当(はた)、多人に具せりとやせむ」〈蘇悉地羯羅経略疏二・寛平点〉③（対立的な状況の下でも）やはり。「見ても思ふ、見ぬ―いかに嘆くらむこや世人(よのひと)の惑ふてふ闇」〈源氏紅葉賀〉。「〔行ケナイト〕知りながら―ゐて下りねと許し乞ふべきにもあらず」〈源氏玉鬘〉④（別のことを考えてみても）どう思ってもやはり。「み吉野の山のあらしの寒けくに―や今宵も我が独り寝む」〈万七四〉。「ほととぎす初声きけばあぢきなくぬし定まらぬ恋せらる―」〈古今一四三〉。「〔コノ男ハ〕人もあてなり。これよりまさりて事事しききは（身分）の人、―、かかる〔受領風情ノ〕あたりを…尋ね寄らじ」〈源氏東屋〉⑤（いろいろの条件があるが）ともかくも。「この女の家、―、避ぎぬ道なりければ」〈源氏帚木〉。「あはれに―聞え給ふなり」〈源氏東屋〉

はだ【膚・肌】《本体をおおっている表層の部分の称》①皮膚。「わが泣く妻、今夜(こぞ)こそ安く―触れ」〈紀歌謡六九〉。「膚、波太(はだ)、音、普(ふ)」〈華厳音義私記〉②上層部。表面。「端土(はに)(はつ)は―赤らけみ」〈記歌謡四二〉③

きめ。「高麗の紙の━細かに」〈源氏梅枝〉④気前。気風。気質。「かういふ━の客は、女郎をひいて遊ぶをのみ色男とさだめ」〈洒・傾城買四十八手〉 **━許・す** 油断する。気を許す。「寒かりし━・されぬ嵐かな」〈俳・伊勢俳諧新発句帳三〉。「蚊の声や━・されぬ夜の友」〈俳・伊勢正直集二〉 **━を合は・す** 親しみあう。また、しめしあわす。ぐるになる。「年頃、北条に━・せぬ故により、関東さだかならず」〈国府台戦記〉。「これは我も人も━・せたりと云ふなるべし」〈俳・懐子序〉

はだ『副』《ハナハダ(甚)のハダと同根》非常に。ひどく。「命あらば逢ふこともあらむわがゆゑに━な思ひそ命だに経ば」〈万三七四五〉

はたあきなひ(:アキナイ)【端商】「端(はた)」(4)に同じ。「北浜の━する人」〈西鶴・一代女三〉

はたあし【旗脚】長い旗の先の風になびきひるがえる部分。旗のあし。「旒、波太阿之(はたあし)」〈和名抄〉

ばだい【馬代】武家間の進物として、馬の代りに送った金銀貨。大判一枚を大馬代、南鐐一枚を小馬代という。馬代銀。「━三百疋進上候」〈上井覚兼日記天正三・九・二八〉。〈文明本節用集〉

はたいた【鰭板・端板】板囲い・板塀などに用いる幅広の板。また、その板囲い・板塀など。「大炊御門面(おもて)に━を立て、穴をあけたる処ありけり」〈古事談三〉。「人の家の━は、内の見苦しき事隠さむためなるに」〈沙石集三ノ三〉

はたいろ【旗色】①軍(いくさ)の旗のひるがえる様子。「小浅間山の麓、花田坂を御覧ありければ、━少少見えたり」〈加沢記四〉②軍の旗のひるがえり具合。また、それを通して知る戦況の優劣。「御仁徳冥慮に叶ひ、御━すくやかに、御枠先つよく」〈沼田根元記〉。「敵、南へ向ふとひとしく、味方の━直りて」〈兵法問答〉

はたう・ち【畑打ち】『四段』鍬などで畠の土を掘りかえす。「侘びぬれば我も━・つ世を出でて」〈心敬句集苔莚〉

はたおり【機織】①機(はた)で布を織ること。「秋をかごとと急ぐあらまし／しづはたも虫の鳴くねに織り初めて。賤の━を虫の促織(はたおり)によそへていへり」〈春夢草注秋〉②今のキリギリスという。古語の「きりぎりす」は今のコオロギという。「虫は。…きりぎりす、━」〈枕四三〉 **━め**【機織女】①機(はた)で布を織る女。「天の服織女(はたおりめ)見驚きて」〈記神代〉②今のキリギリスという。「━の〔模様ノ〕小袿(こうちき)」〈堤中納言虫めづる〉。「促織、波太於里米(はたおりめ)、鳴声如‸急織‸機」〈和名抄〉

はだか【裸】《膚赤の意か》①衣類をまったくつけないさま。「相撲(すまひ)なども、清涼殿にて中宮は御覧ず。…━なる姿どもの並み立ちたるぞ、うとましかりける」〈栄花根合〉。「躶、波太加奈利(はだかなり)」〈新撰字鏡〉②《他の語に冠して》覆う物のないこと。むきだし。「恋はただ━刀の如くにて」〈俳・犬筑波〉。「岾、ハダカヤマ」〈合類節用集〉③包み隠しのないこと。赤裸裸。「我が身の上を━になして語りません」〈浮・御前義経記三〉④所持品がまったくないこと。無一物。「する程の事左前に成りて、もとでをへらし、━になりぬ」〈西鶴・二十不孝四〉 **━うま**【裸馬】鞍を置かない馬。「鞍置き馬三十四、━三十四」〈平家一〇・三日平氏〉 **━じろ**【裸城】むきだしになった城。周囲に櫓(やぐら)・塀などの防御施設を持たない城。「搦手(からめて)へうち廻り、本折町を焼き払ひ、━にして」〈小松軍記〉。〈日葡〉 **━で呼・ぶ** 何一つ支度のない嫁を迎える。「花の縁━・ぶ人候はば」〈俳・飛梅千句〉 **━百貫** 男は身体だけでも百貫文の価値があるの意。「小糠三合持たずとも、━の百ぬらり」〈浮・好色十二人男三〉 **━まゐり**【裸参り】寒中などに裸で神仏に参詣して祈願すること。寒参り。「━斎宮(いつきのみや)に忍びしは」〈俳・誹枕下〉 **━むし**【裸虫】①《人は生れつき、羽や毛がないところから》人間。「人をも━と云ふなり」〈春秋抄二六〉②貧しくて衣服のない人。「秋は道理泣くこそ人も━」〈俳・崑山集九〉 **━やき**【裸焼】上薬(うわぐすり)をかけず、素焼きにすること。また、その陶器。「紐解きし花の壺も━」〈俳・玉海集追加二〉

はたがしら【旗頭】①旗の上。「白旗一流れおり下って、判官の━にひらめきて」〈盛衰記四三〉②地方の大・小名の中で頭株のもの。また、一部隊の長。「懸(あがた)下野守を━として、その勢五千余騎」〈太平記三六・四条縄手〉

はだがたな【肌刀】懐中に所持する小さい守り刀。懐剣。「霜の剣も山懐や━」〈俳・玉江草四〉

はだかたびら【肌帷子】汗取り用に直接肌に着る帷子。「中扃は━ぞ」〈漢書竺桃抄〉

はだか・り【開かり】『四段』《ハダケ(開)の自動詞形》①大きく開く。うんと広がる。「奇異に目口━・りておぼゆること限りなし」〈今昔一九ノ一八〉②両足を開いて立つ。「其の戸に━・りて、多くの人に告げていはく」〈今昔四ノ二七〉

はた・き【砕き】『四段』①搗(つ)いて細かくする。「ささ餅。うるの米上白にして、よく粉(こ)に━・き」〈料理物語〉②叩いて外に出す。「輪廻きはまりなく、無量の苦を受けて、万劫千生が間、我作りたる罪業を我また━・くに隙なし」〈盤珪禅師御示聞書上〉

はだぎぬ【肌衣】肌に直接つける衣類。肌着。「御━も紅(くれなゐ)に染みて、目も当てられぬ有様なり」〈謡・朝長〉

はたくも【旗雲】旗のようになびいた雲。「わたつみの豊━に入日見し」〈万一五〉 †Fatakumo

はたけ【畠・畑】《水田に対して、水を引かない農耕地》林野を焼くなどして土壌を肥やして、耕地としたもの。「植ゑし田も蒔きし━も朝ごとに凋み枯れ行く」〈万四一二二〉。「田笠着て━に通ふ翁かな」〈散木奇歌集雑下〉 ▽朝鮮語pat(畑)と同源。 †Fatakë **━すいれん**【畠水練】畠で水練する意で、実用にならぬ空理空論のたとえ。「余(よ)此の道の事は更にわきまへ知らず。ただ旧記を披覧の次でに、さることありしと思ふことばかりを記し侍るなり。━とかやの風情ばかり多く侍り」〈嵯峨野物語〉 **━つもの**【畑つ物】畠でとれる作物。麦・アワ・ヒエ・豆など。「陸田種子、ハタケツモノ」〈名義抄〉

はだけ【疥】《ハダ(膚)ケ(病)の意》皮膚病。「疥(はだけ)搔きて、目所もなく腫れ合ひて」〈東大寺諷誦文稿〉

はだ・け『下二』こする。搔く。搔きなでる。「牙(きば)の根、宿穢積り久しくして堅く成さば、之を刮(はだ)けて尽さしめて、苦(あつ)き湯をもて浄く漱(がう)へ」〈南海寄帰内法伝平安後期点〉。「我が顔の白き物を━・けて」〈雑談集三〉。「刷、ハダク、刷牛馬也」〈色葉字類抄〉

はだ・け【開け】『下二』ひらく。ひろげる。「この尼、とりもあへず、また前を━・け」〈著聞五七六〉。「目は思ふさまに━・け」〈晩学抄〉。「開、ハダクル」〈運歩色葉集〉

はたこ【畠子】農夫。また、ヤタコとよみ、奴(やっこ)の意ともいう。「━らが夜昼といはず行く道を」〈万一九三〉 †Fatako

はたご【旅籠】①旅行の時、馬の飼料を入れて持ち運んだ籠。「篼、波太古(はたご)、飼馬籠也」〈和名抄〉②旅行用の食糧や手廻り品を入れる器。また、その食糧。「━ふたかけに道の程の物(道中必要ナ食糧)いれて、よき馬に負はせたり」〈宇津保吹上上〉③宿屋の食事。「出立(でたち)の━をうち食ひ、藁沓(わらうづ)締めはき、笠うち着て」〈仮・東海道名所記三〉。「旅籠、ハタゴ、旅宿の食也」〈文明本節用集〉④宿屋の食事代。旅籠銭。「公方様御—三百文、往生院殿二百文、その他は百五十五文宛(づつ)」〈大乗院雑事記寛正三・七・五〉

—うま【旅籠馬】「はたご」(2)を運ぶ馬。「—・皮籠(かはご)馬などもて来たりぬ」〈今昔一六ノ二〇〉

—どころ【旅籠所】旅中、荷をおろして休んだり、食事をしたりした所。「—とおぼしき方より、きりおほね、ものの汁してあへしらひて、まづ出したり」〈かげろふ上〉

—ぶるひ(イブル)【旅籠振ひ】旅立ちまたは旅帰りの時に催す祝宴。旅籠振舞。「院よりいでたる人の〔任国へ出立ノ〕—のあるじする日」〈宇津保祭使〉

—や【旅籠屋】旅人を泊め、または、その食事をまかなうのを業とする家。庶民向きの宿屋。旅籠宿。「—無縁堂〔へ〕池端御童子初めて参る」〈大乗院雑事記文明八・六・二六〉。〈文明本節用集〉

はだこそで【肌小袖】小袖を重ねて着る時の最下の小袖。肌につける小袖。肌着。「—〔ヲトラレルコト〕は女の恥にて候へば許し給へ」〈伽・三人法師〉

はたさし【旗差・旗指】軍陣で、馬に乗り、大将の旗を持つ侍。旗持ち。「まづ—を先立てて」〈平家七・願書〉。「佐々木が—堀次郎」〈太平記三・京軍〉

はた・し【果し】『四段』《ハテ(果)の他動詞形。事の成行きを終極まで行かせる意。転じて成行きに決着をつける意。類義語トゲ(遂)は目標を貫徹する意》①事にきまりをつける。「大太刀を垂れ佩き立ちて抜かずとも末—・しても〔妹ト〕会はむとぞ思ふ」〈紀歌謡八九〉②(かねて取り決めてあることを)実現させる。現実のこととする。「玉の緒の絶えじい妹と、結びてし言は—・さず、思へりし心は遂げず」〈万四八一〉。「今日の法事は、二親存生の日に遂(はた)し行ひ仕へ奉り」〈東大寺諷誦文稿〉③(神にかけた願がかなったので)願ほどきをする。「ねがひ満ち給はん世に、住吉の御社を始め—・し申し給へ」〈源氏若菜上〉④しとめる。殺す。「是非出でよ、—・さんと罵るに」〈咄・醒睡笑八〉

—じゃう(ジョウ)【果状】果し合いを申し込む手紙。決闘状。「—をしたため」〈西鶴・男色大鑑一〉

—て【果して】『副』《予感・予測・予言などが、その通り実現したときに用いる》やはりその通り。果然。案の定。「夜の一更許(かば)りに至りて王果して来る」〈三蔵法師伝五・院政期点〉。「その後、—皇子御誕生ありて」〈十訓抄一ノ二〉

—まなこ【果し眼】相手を打ち果そうとする決死の目付き。「—に成り、じりじりと懸かる時の心なり」〈驢鞍橋下〉

はだし【跣】①素足(すあし)。「蹝跣、波太志(はだし)」〈新撰字鏡〉②《はだしで逃げる意》負けること。対抗出来ないこと。「〔深草〕少将も—なるべし我が恋は」〈俳・山の端千句上〉

—で逃・げる《とても対抗できず、はだしのままで逃げ出すの意》負ける、または、比較にならないことにいう。「迦陵頻が—・げるやうなる、そもじさまの御声にて」〈わらひ草のさうし〉

—まゐり【跣参り】はだしで神仏に参詣し祈願すること。「熊野路や—の花を踏み」〈俳・干網集〉

はたした【旗下】旗頭の下に直属していること。また、その者。部下。配下。「我等—に極まり候間」〈甲陽軍鑑一〉。〈文明本節用集〉

はたじるし【旗印】戦場で用いる、それぞれ特有な文字や文様を記した旗。「竹に積もる雪や源氏の—」〈俳・野犴集七〉

はたすすき【旗薄】①穂が旗のようになびいているススキ。「—本葉もそよに秋風の吹き来る夕(ひよ)に」〈万二〇八九〉②〔枕詞〕ススキの穂と同音ではじまる「屠(ほふ)り」にかかる。「—ほふり分けて」〈出雲風土記〉

はだすすき【皮薄】《ハタススキの転か》 †Fatasusuki ①「はたすすき」に同じ。一説、穂が出ずに皮を被っているススキ。「—穂に出(づ)る秋の萩の花」〈万三九五七〉②〔枕詞〕ススキの穂から「穂」、地名「三穂」にかかり、末梢(うら)の意から地名「うら野」にかかる。「—穂に出し君」〈万三五〇六東歌〉。「—久米の若子(わくご)がいましける三穂の岩屋」〈万三〇七〉。「—宇良野の山に」〈万三五六五東歌〉 †Fadasusuki

はだせ【肌背】「はだせうま」に同じ。「当座の曲乗りに、—に乗りて見せばやと思し召し」〈伽・小栗絵巻〉。「裸馬、ハダセ」〈易林本節用集〉

—うま【肌背馬】鞍を置かない馬。裸馬。「鞍を置くべきひまなくて、—に乗り」〈曾我六〉

はたそで【端袖・鰭袖】袍(うは)・直衣(なほし)・直垂(ひたたれ)などで、袖を広くするために、奥袖の先に更に半幅付け足した袖。「『わが御直衣よりは色深し』と見給ふに—もなかりけり」〈源氏紅葉賀〉

はたたがみ【霹靂・霆】《ハタハタガミの約》強烈な雷鳴。「嵐の雲の晴るるともなし／聞くに猶をやみもやらぬ—」〈白山万句慶長三・三・五〉

はたた・き『四段』《ハタタはハタメキのハタを重ねた形》並はずれて激しい音をたてて雷などが鳴る。「水無月の照り—・くにもさはらず来たり」〈竹取〉

はたたぎ【羽たたぎ】鳥が羽ばたきすること。転じて、着物の袖を上げ下ろしすること。「沖つ鳥〔ノヨウニ〕胸(むな)見る時—もこれはふさはず」〈記歌謡四〉 †Fatatagi

はたち【二十】《チは、イホチ(五百箇)のチと同じ。ヒトツ・フタツのツと同根。個の意》①二十個。「その山は…比叡の山を—ばかり重ねあげたらんほどして」〈伊勢九〉②二十歳。「としは—ばかりになり給ひぬらんかし」〈源氏宿木〉

はだ・ち『四段』始める。着手する。「荒川山〔銀山ノ採掘〕—・ち候時分」〈梅津政景日記慶長一九・一・一八〉

はだつき【肌付】①肌の様子。「—のこまやかに美しげなるに、なかなかなる物思ひ添ふ心地し給ひて」〈源氏胡蝶〉②じかに肌につけて着る衣。肌着。下着。肌つけ。「空色の御—」〈西鶴・一代男六〉

はたつもり【畑つ守】木の名。リョウブ(令法)の異名。若葉は食用となるので、官令を以て植えさせたという。「わが恋はみ山に生ふる—つもりにけらしあふよしもなし」〈古今六帖六〉

はたて【極】《ハタはハテ(極)の古形。テはチと同根、方向の意》はて。「敷きませる国の—に咲きにける桜の花の」〈万一四二九〉

はたで ①【鰭手】ひれ。また、袖。一説、ハタに傍(はた)をかけていう語。「鮪(しび=人名、マグロノ意ヲ掛ケル)が—に妻立てり見ゆ」〈記歌謡一〇八〉②【端手】脇。一説、家の左右に出ている軒。「をとつ(アチラノ)—隅傾(かたぶ)けり」〈記歌謡一〇五〉

はたと『副』①物がはげしく打ちあたるさま。ぽんと。「『あなおもしろ』といひて、手を—打ちければ」〈今昔二七ノ四五〉。「この鬼の頭を—蹴たりければ」〈今昔二八ノ二九〉②事態や動作などの変化が急激なさま。急に。突然。ぱっと。「南の戸より入らむとするに、その戸—閉づ」〈今昔二四ノ五〉。「少し歩みのきて、経を—うちあげてよみたりけり」〈宇治拾遺三五〉。「知足院殿当時関白なるを、—勅勘ありて」〈愚管抄四〉。「逢うた嬉しさに—忘れた」〈宗安小歌集〉③予期しない事にぶつかって、驚いたり窮したりするさま。はっと。ぐっと。「いかなる事ぞと、—驚き」〈伽・三人さんげ〉。「大納言、—つまりて」〈徒然一三五〉④思いがけなく出くわすさま。ぱったりと。「赤壁といふ所にて、—曹操に相逢ふなり」〈中華若木詩抄上〉⑤はげしくにらみつけるさま。「たけ三尺ばかりなる眼(まなこ)の四五十あって、しかも逆なるを以て、入道を—にらみたり」〈盛衰記二六〉⑥完全に。すっかり。「雪は未だ—氷りぬれども、鶯は時節を知りて」〈桂林集注春〉⑦しっかりと。ちゃんと。「儼は、身持ちの—したをいふ」〈毛詩抄七〉。「この人は、一夜酒を飲みあかせども、ちともくたびれず、—して、香を焼いて、日の出るまでゐるぞ」〈山谷詩抄一五〉→はったと

はだぬ・ぎ【肌脱ぎ】『四段』袖を脱いで上半身をあらわにする。「—・がれしに、片腕なし」〈雲玉和歌抄上〉。「袒、ハダヌグ、肩の衣を脱ぐ」〈下学集〉

はだのおび【肌の帯】下帯。ふんどし。「宿より…—一筋づつ来る」〈多聞院日記天正四・八・六〉。〈運歩色葉集〉

はたのさもの【鰭の狭物】ひれのせまい魚。小魚。「鰭の広物(ひろもの)・—を取り」〈記神代〉 †Fatanösamönö

はたのひろもの【鰭の広物】ひれの広い魚。大魚。「—・鰭の狭物(さもの)」〈祝詞祈年祭〉 †Fatanöfirömönö

はだばかま【肌袴・褌】素肌に着る短い袴。「鎧脱ぎ置き、—をかき」〈盛衰記三五〉

はたはた ①物がぶつかって鳴る音。「暁がたに、戸を—と叩けるに」〈宇治拾遺三六〉②特に、雷がはげしくとどろく音。「雷が—と鳴り来れば」〈周易抄〉 **—がみ**【霹靂神】はげしくとどろく雷。はたたがみ。「雷も—には鳴らず、いかにも静かにどろどろと鳴り」〈三体詩抄三ノ一〉

はだはだ【肌肌】離れ離れになって、しっくり合わぬこと。また、互いの気持がぴったり和合しないこと。「何処も—になりて悪しきなり」〈耳底記〉

ばたばた ①鳥の羽ばたきする音。「阿刺刺は、鳥の羽を拍つ声なり。—とする声なり。急の謂なり」〈碧岩抄一〇〉②あわただしいさま。「松風と言へる女を—と取り巻き」〈西鶴・武家義理二〉③〔歌舞伎用語〕舞台の上手または下手で拍子木を軽くばたばたと打ち、役者が早足に舞台に出て来たりはいったりする足音を表わすもの。「橋懸りより、—にて、雁平、深雪を捕へて出て」〈伎・三十石艠始五〉

はたば・り【端張り】㊀『四段』①幅が広くなる。横に張りひろがる。「丈(たけ)こそちと低(ひき)かりけれども、太くたくましく、こたへ馬(耐久力ノ強イ馬)の、—・りたる逸物(いちもつ)なり」〈盛衰記三六〉②意気さかんである。「貧骨に至れども、ちともしらじらともせぬぞ。少しもへこたれぬ。いき—・りて居るぞ。元龍が豪気の如くなぞ」〈山谷詩抄一四〉③幅をきかす。威をふるう。「執権の威を—・り」〈浄・鎌倉三代記三〉㊁『名』①幅。「水うみに秋の山辺をうつしては—広き錦とぞみる」〈拾遺三〇三〉。「福隆寺縄手(なはて)は—弓杖(ゆんづゑ)一たけばかりにて」〈平家八・妹尾最後〉②財産・才能など社会的に有利な資格。「侘びぬれば—もなき庵の中」〈行助句集〉。「—も無き身にて」〈謡・錦木〉。〈日葡〉③権勢。貫録。「仰せは、ただ諸法の—をこそ仰せ候へ」〈正源明義抄三〉。「それそれに年・—迄も、違はせぬやうに真似候てこそ、直面(ひためん)の〔能ノ〕習ひとは申すべく候」〈宗筠袖下〉

はだへ【膚・肌】《ハダ(膚)へ(上)が原義か。後世はハダと同じに使われた》皮膚の表面。はだ。「皮膚、波太閇(はだへ)」〈華厳音義私記〉。「紫磨金(しまごん)の—は耀きて塵なし」〈三宝絵上〉。「帝ばかりは御衣に—をかくす」〈十訓抄五ノ一七〉 †Fadafë

はたほこ【幡幢・宝幢】幡をつけたほこ。法会などで寺の庭に立てる。「婆羅門の作れる小田を喫(は)む烏瞼(まなぶた)腫れて—に居り」〈万三八五六〉 †Fatafökö

はたまた【将又】『副』あるいはまた。それとも。もしくは。「もしこれ、貧賤の報(むくい)のみづからなやますか、—、妄心のいたりて狂せるか」〈方丈記〉。「将又、はたまた、重ねていふ義」〈和漢通用集〉

はため・き『四段』《ハタは擬音語》①鳴りひびく。はげしくひびきわたる。「隠隠とののしりて声有るを震とす。砰磕(はためかし)とはためいて響を発するを吼とす」〈法華義疏序・長保点〉。「〔太刀ヲ〕打ち合はする音の—・く事」〈義経記五〉。「にはかに雷の—・く音して」〈北条五代記三〉②ばたばたと動く。「〔大蛇ドモノ〕舌は炎のやうに—・き合ひたり」〈今昔一四ノ四三〉。「沢中へ落ち入りて、—・く間に、漢の軍追ひ付きたるぞ」〈三略抄〉

はたもと【旗本】①軍陣で大将の居る所。本陣。「六角勢大いに崩れて、—まで騒ぎけり」〈浅井三代記三〉。〈文明本節用集〉②本陣に詰める大将直属の家臣。「皆長野が聟に取りて—となる」〈相州兵乱記四〉③近世、徳川家臣の一階級。家禄一万石未満、御目見(おめみえ)以上の者。「いかさまこれは—の風(威風)」〈俳・二葉集〉

はたもの【機物】①布を織る道具。はた。「—の蹋木(まねき)持ち行きて」〈万二〇六二〉②機で織ったもの。織物。「織りつがむ我が—の白麻衣」〈万一二九八〉。「機、ハタモノ・ハタ」〈名義抄〉③磔(はりつけ)に用いる台木。「縄を以て四の支(えだ)を—に張りつけて」〈今昔一六ノ二六〉④磔(はりつけ)。「津国にて、成敗・焼打・—、京にての車裂き」〈立入左京亮入道隆佐記〉 †Fatamönö

はだら《ホドロの母音交替形》雪がはらはらと散ってつもるさま。はだれ。「庭も—にみ雪降りたり」〈万三三一八〉 **—ゆき**【はだら雪】はらはらとまだらに降りつもる雪。はだれ雪。「今年いたう荒るることなくて、—ふたたびばかりぞ降りつる」〈かげろふ下〉

はたら・き【働き】㊀『四段』①動作をする。動く。「俄かに弓に箭(や)を番ひて、本の男に差し充て強く引きて、『おのれ—・かば射殺してむ』と云へば」〈今昔二九ノ二三〉。「死にて六日といふ日の未(ひつじ)の時ばかりに、にはかにこの棺—・く」〈宇治拾遺四五〉。「覚えず知らず手が—・きて舞になり、足を踏んで拍子になる」〈毛詩国風篇聞書〉②〔情意などが〕活動する。「たとひ一度は心つよくとも、又も慕ふ事あらば、心も—・き候ひぬべし」〈平家一〇・横笛〉。「さるにつけても、いよいよ心の—・く事静めがたけれども、猶とかく心にからかひて、その年も暮れぬ」〈著聞五五一〉③積極的に活動する。仕事に身を入れる。「常にありき、常に—・くは養性なるべし」〈方丈記〉。「晩に来たってただ一時—・きける者と、我ら終日の炎天をしのぎ辛労しける者と」〈バレト写本〉④出撃して戦う。戦闘する。「おのれは戦場に出て楯鉾(たてほこ)を取っては—・かねども」〈天草本伊曾保〉⑤〔資本などが〕有効性を発揮する。活用される。「その銀(かね)—・かずして居喰(ゐぐひ)の人は〔傾城買ナド〕思ひも寄らぬ事」〈西鶴・一代女三〉⑥《文法用語》語尾などが変化する。活用する。「この『ぬ』は…万葉に去の字を書きて、な、に、ぬ、ねと—・く辞なり」〈詞の玉緒六〉㊁『名』①動くこと。動作。「〔蛇ガ〕大きなる釘に打ちつけられて年ごろ—もせでかくてありけるなり」〈著聞六九五〉②出撃。戦闘。「—は卯辰の時に打ち出でて巳午の刻に精を入るべし」〈義経百首〉

はた・り【徴り】『四段』（税など）責めて取り立てる。催促する。「里長(さとをさ)が課役(えつき)—・らば」〈万三八四七〉。「債・徴、セム・モトム・ハタル」〈名義抄〉。「徴、ハタル、税」〈色葉字類抄〉 ▽朝鮮語 pat（徴）と同源。

はだれ《ハダラの転》①雪がはらはらと散ってつもるさま。

「沫雪か—に降ると見るまでに流らへ散るは何の花そも」〈万一四三〇〉 ②はらはらと散る雪。「笹の葉に—降りおほひ」〈万二三三七〉 **—しも【はだれ霜】** はらはらと、うっすら見える霜。「天雲のよそに雁が音(ね)聞きしより—降り寒しこの夜は」〈万二二三二〉 **—ゆき【はだれ雪】** まだらに降りつもる雪。はだらゆき。「天雲のよそに雁が音(ね)聞きしより—降り寒しこの夜は」〈古今六帖一〉

はち【蜂】 昆虫の一。人を刺す。また蜜蜂として飼う。八幡の使者とも言われた。「呉公(むかで)と—と、室に入る」〈記神代〉。「百済の太子(こんきし)余豊、蜜—の房(す)四枚(つよ)を以て三輪山に放ち養(か)ふ」〈紀皇極二年〉。「八幡大菩薩の御使とて、大なる—の四五寸ばかりなる飛び来たりて」〈明恵伝記上〉 ▽朝鮮語 pöl(蜂)と同源。朝鮮語の語末のlは日本語のtと対応するものがある。tïl(人の複数語尾)とtati(達)、sal(矢)とsati(矢)など。 **—を払・ふ** 飛んで来た蜂を払うように、手を振ってこばむ。はげしく拒否する。「されどもシャント少しも同心なうて、『かつてあるまじい事ぢゃ』と—・はれたれども」〈天草本伊曾保〉

はち【鉢】《梵語の音訳「鉢多羅」の略。飯器の意》 ①僧が施しを受けるのに使う器。皿よりは深くすぼみ、椀よりは浅いもの。「沙門道信に仏像一軀、灌頂幡・鍾・—各一口…賜ふ」〈紀持統三年〉。〈和名抄〉 ②(1)のような形の食器。多く、神への供物などを盛るのに使われた。また、それに盛った食物。「いもひの御—(精進ノ料理)参るべきを」〈源氏若菜下〉 ③植木鉢。「—に植ゑられける木ども」〈徒然一五四〉 ④兜(かぶと)の部分の名。頭部をおおっているところ。皮製のものもあるが、多くは鉄製。「兜の—をまっ二つに打ち破(わ)らんと」〈太平記三・師賢登山〉 ⑤頭蓋骨。「カウベノハチ」〈日葡〉 ⑥「托鉢(たくはつ)」のこと。「武田御先祖の忌日には—を行なひ」〈甲陽軍鑑一〉 **—を開・く** 托鉢(たくはつ)する。「西行法師修行に出でて、ある所にて—・き給ひけるに、女片ふちの欠けたる折敷に米を入れて参らせけり」〈かさぬ草紙〉

は・ぢ【恥ぢ】 □一『上二』《自分の能力・状態・行為などについて世間並みでないという劣等意識を持つ意》 ①自分が劣っていると思われ気が引ける。また、相手がまばゆくてしかたがない。「夢にだに見ゆとは見えじ朝な朝な我が面影に—・づる身なれば」〈古今六八一〉。「かく語らふとならば、なにか—・づる。見えなどもせよかし」〈枕四九〉 ②人の批評など気にかかって、尻ごみする。人目をはばかる。「国人の心の常として『いまは』とて見えざなるを、心あるものは—・ぢずぞなむ来ける」〈土佐十二月二十三日〉。「人目も—・ぢず如何にもして命生かうと思ひしも」〈平家三・僧都死去〉 ③他に対し負い目を感じ、申し訳ないと思う。面目ないと自責する。「王業を堕廃し、宗祀を亡滅す。上は先霊を愧(は)ぢ、下は黎庶(みた)に慚(は)づ」〈大唐西域記四・長寛点〉 ④ひけをとる。見劣りする。「絵師巨勢(こせ)の広高と云ふ者ありけり。古へにも—・ぢず、今も肩を並ぶる者なし」〈今昔三一ノ四〉。「摂録の臣たる事、古今を—・ぢ給はず」〈保元上・新院御謀叛思し召し〉 □二『名』 ①世間並みでないとされるような、人に顔向けもできないような過失・失敗。「山守のありける知らにその山に標(しめ)結ひ立てて結ひの—しつ」〈万四〇一〉 ②人並みでないとして人から受ける侮辱・物笑い。「—を忍び—を黙して事も無くもの言はぬ先に我は依りなむ」〈万三七九五〉。「さが尻をかき出でて、ここらの公人に見せて、—を見せん」〈竹取〉。「わが幸ひなく、—を見るべき宿世のありければ」〈宇津保蔵開下〉 ③不名誉。「おほきなる—にのぞまぬさきに世をのがれなむ」〈源氏須磨〉。「人に疑はれぬるに過ぎたる—こそ無けれ」〈平家五・咸陽宮〉 ④世間から人並みでないとされるような弱味。「人げなき—を隠しつつまじらひ給ふめりつるを」〈源氏桐壺〉 ⑤羞恥心。「面(おも)なき事をば—を捨つとは言ひける」〈竹取〉 ⑥恥部。「山法師おりのべ衣薄くして—をばえこそ隠さざりけれ」〈平家四・南都牒状〉。「或は破(や)れたる蓑を身に纏ひて膚(はだへ)ばかりを隠し、或は草の葉を腰に巻いて—をあらはせる落人ども」〈太平記七・千剣破城軍〉。〈日葡〉 **—あ・り** 名誉・体面などを重んずる。恥を知る。「されどもそれに籠りたるほどの郎等の—・るは出でざりければ、皆うち殺してけり」〈愚管抄六〉

ばち ①【撥】 琵琶を弾き鳴らす道具。黄楊(つげ)で作り、長さ六寸五分、厚さ一分八厘、本は細く、端は大いに開き扁平。その角で絃を弾く。「たをやかに使ひなしたる—のもてなし、音を聞くよりも又ありがたくなつかしくて」〈源氏若菜下〉 ②【桴・槌】 太鼓などを打ち鳴らす棒。「楽の程早くなりぬと思はば、—を取り延べて〔太鼓ヲ〕やはら打つ」〈教訓抄一〇〉。「枹、豆豆美乃波知(つづみのばち)」〈和名抄〉

ばち【罰】《バツの転》 犯した罪に対して与えられる返報。「汚(けが)すときんば—を当る」〈成簣堂本論語抄三〉。「無奉公なによって、その—ぢゃ」〈天理本狂言六義・抜殻〉

はちえふ【八葉】 「八葉の蓮華」の略。「胎には—にかたどりて、八人女(やをとめ)とて八人あり」〈沙石集一ノ一〉 **—のくるま【八葉車】** 屋形に八葉の紋をつけた牛車。紋の大小によって大八葉・小八葉の別がある。「この大宮のすみに故ある—立ちたるを」〈問はず語り一〉。「—・六葉車、公卿三公の乗る車なり」〈庭訓之鈔〉 **—のれんげ【八葉の蓮華】** 八弁の蓮の花。密教では仏・菩薩の座に用い、また、人の心臓の形とする。「八目(やつめ)の草鞋(わらんづ)は、—を踏まへたり」〈謡・安宅〉

ばちおと【撥音】 撥で琵琶・三味線などを弾く音。「同じこと(絃楽器)を掻き鳴らす爪音・—も人にはまさり」〈源氏蜻蛉〉

はぢかくし【恥隠し】 人に見られては恥ずかしい所を覆いかくすための物。「世を捨つる姿と見えて墨染の袖は貧しき—かな」〈雑談集三〉。「紅の—(腰巻)一重の有様」〈西鶴・伝来記六〉

はぢかは・し【恥ぢ交はし】『四段』 互いに相手を意識して、距離を保ちあっている。「おなじ所に住む人の、かたみに—・し、いささかのひまなく用意したりと思ふが、つひに見えぬこそ難けれ」〈枕七五〉。「互ひに親ありければ、—・して過ぎゆくに」〈守武随筆〉

はぢかは・し【恥ぢかはし】『形シク』 なんとなく恥ずかしい。気はずかしい。「大人しく、—・しく、互に今はなりにけり」〈謡・井筒〉。「恥敷、ハヂカハシク」〈易林本節用集〉

はぢがま・し【恥ぢがまし】『形シク』 恥をさらすような感じがする。「親と聞えながらも、年頃の御心を知り聞えず馴れ奉らましに、—・しき事やあらまし」〈源氏篝火〉

はぢか・り『四段』 大きく拡げる。股を踏み開く。「燕の尾の両方へ—・ったやうに、葉が—・って燕の尾に似たほどに」〈玉塵抄三三〉。「とても咲かばくわっと—・れ桃の花」〈俳・犬子集二〉

はちかんぢごく【八寒地獄】 亡者が極寒の責苦を受ける八つの地獄。頞部陀(あぶだ)・尼剌部陀(にらぶだ)・頞哳陀(あせちだ)・臛臛婆(かかば)・虎虎婆(ここば)・嗢鉢羅(うばら)・鉢特摩(はどま)・摩訶鉢特摩(まかはどま)の八地獄の総称。「寒しと言はば—を教へよ」〈日蓮遺文聖人御難事〉

はちかんはちねつ【八寒八熱】 南瞻部洲(なんせんぶしゅう)の地下

五百由旬(ゆじゅん)に隣り合って存在する八寒地獄と八熱地獄との総称。「―の底までも、悪業の猛火たちまちに消えて」〈太平記二〇・結城入道〉

はちぎゃく【八虐・八逆】律でもっとも重いと規定された八種の罪。謀反(むへん)・謀大逆・謀叛(むほん)・悪逆・不道・大不敬・不孝・不義の総称。「其の―常赦の免ぜざる所は、赦の限にあらず」〈続紀 慶雲二・八・二〉。「まことに日来(ひごろ)は相伝の主、今は―の凶徒にあらずや」〈保元中・白河殿攻め落す〉

はちくざうり【淡竹草履】淡竹の淡赤色の皮でつくった草履。「隠れぬ足の八文字、―の甲斐性無く」〈近松・虎が磨中〉

はちくどくすい【八功徳水】極楽浄土などにあり、八つの功徳をもつという霊水。八功徳とは、「清」「冷」「軽」「美」「香」「飲む時心に適(かな)ふ」「飲み已(をは)って患(うれへ)なし」「臭からず」の八種。「―その〔七宝ノ池〕中に充満せり。その水清く涼しくして味(あぢはひ)甘露の如し」〈孝養集中〉

はちげん えらそうに言うことば。高慢なことば。自慢して言うことば。「―を放ちて後の中直り」〈俳・貞徳独吟〉

はちけんあんど【八間行燈】大形で平たく、天井の梁などに釣る掛け行燈。八方行燈。八間。さんとく。「夜見世の格子に燈す―を見るに、大なるは四尺四五寸四方もありて、高さ七尺ほどあり」〈浮・誰袖の海三〉

はちこくり【鉢こくり】《コクリは擦(す)る意》「鉢たたき」に同じ。〈ロドリゲス大文典〉

はちざ【八座】《定員が八人だったのでいう》参議の異称。「―・七弁・五位・六位…悉く階下庭上に立ちつらなる」〈太平記二七・御所囲〉

はちざう【八蔵】職人の弟子、手間取、下男などの通名。「―が木綿着物の濡るるも、悲しさは同じ事と笑ふ」〈西鶴・諸艶大鑑三〉

はちじふ【八十】 **―がは**【八十川】少し増水して、川越賃が八十文の時の大井川。「水の出端(でば)の―の、島田・金谷に二日の淀み」〈近松・丹波与作上〉 **―しゅがう**【八十種好】仏が備えている八十種のすぐれた相好。「仏この座の上におはしまして、三十二相・―あらたにて」〈栄花鳥舞〉 **―まっしゃ**【八十末社】①伊勢内宮に属する末社の総数。「内宮の御社―、外宮の御社四十末社」〈虎明本狂言・禰宜山伏〉②多くの配下。沢山の取巻きのたとえ。「御蔭を蒙る―」〈近松・淀鯉上〉

はちじふはち【八十八】 **―の升掻**(ますかき) 八十八歳は米寿にあたるので、その老人に升掻を切って貰って、商売の幸運を祝う行事。「智恵を計る―」〈西鶴・永代蔵六〉 **―や**【八十八夜】立春から八十八日目の日。霜の降るのは、この日を限りとするという。「今夜―也。然りといへども、霜降らず」〈鹿苑日録 慶長九・四・五〉

はぢし・め【恥じしめ】『下二』①恥ずかしがらせる。「みづからを『ほけたり、ひがひがし』と宣ひ―・むるはことわりなることになむ」〈源氏 真木柱〉②(恥を知るように)いましめる。「千騎が一騎になるまでも、引くなと互ひに―・めて」〈太平記一五・大樹摂津国〉

はぢしら・ひ『四段』相手を意識して、恥ずかしがる。はじらう。「うち―・ひて、例のやうにものも云はで、しめりたるを」〈堤中納言はいずみ〉。「よろづを語らふに、女すべて物を云はねば、しばしは、―・ひたるかと思ふに」〈今昔一六ノ三三〉

はちす【蓮・荷】《蜂巣の意》①ハスの古名。「日下江の入江の―花蓮身の盛り人羨(とも)しきろかも」〈記歌謡九五〉。「はすを―といふは、ただいふにあらず。はすの実の蜂といふ虫の巣に似たればいふなり」〈俊頼髄脳〉②《聖衆は蓮の花を持って来迎するので》極楽からの聖衆のお迎えの意。「今はただ〔私ヲ〕迎ふる―を待ち侍る」〈源氏若菜上〉③極楽往生したものがすわる蓮の座。「同じ―に住むべきのちの世の頼みをさへかけて」〈源氏若菜上〉 **―のうてな**【蓮の台】極楽浄土に往生した者がすわる蓮の座。蓮台(れんだい)。はすのうてな。「草の庵(いほり)を東山のふもとに占めて、―を西の雲に望む翁」〈十訓抄序〉 **―のうへ**【蓮の上】蓮の花の上。極楽浄土をいう。「心ばかりは―に思ひのぼり、にごりなき池にも住みぬべきを」〈源氏橋姫〉 **―のうへのねがひ**【蓮の上の願】極楽往生の願い。「みづからの―をばさるものにて」〈源氏明石〉 **―のざ**【蓮の座】極楽往生したものが浄土ですわる蓮の台。「後の世には同じ―をも分けんと契りかはし」〈源氏御法〉 **―ののり**【蓮の法】法華経。「いさぎよく―を写してぞ鳩も硯の水を添へける」〈夫木抄三一・硯〉 **―のみ**【蓮の身】蓮台(れんだい)の上にすわる身。極楽浄土に生れる身。「経には聞法歓喜讃、聞く人―とぞなる」〈梁塵秘抄六五〉 **―のやど**【蓮の宿】極楽で、蓮の上に生れること。「へだてなく―を契りても君が心や住まじとすらむ」〈源氏鈴虫〉 **―ば**【蓮葉】蓮の葉。「―に渟(たま)れる水の行方無み」〈万三二八九〉

はちだいぢごく【八大地獄】「八熱地獄」に同じ。「まづ地獄は、―とて八つの地獄あり。いはゆる一に等活、二に黒縄、三に衆合、四に叫喚、五に大叫喚、六に焦熱、七に大焦熱、八に無間地獄なり」〈日蓮遺文十王讃歎鈔〉

はちだいりうわう【八大龍王】法華経、序品に見える八体の龍神。難陀(なんだ)・跋難陀(ばつなんだ)・沙伽羅(しゃから)・和修吉(わしゅきつ)・徳叉伽(とくさか)・阿那婆達多(あなばたつた)・摩那斯(まなす)・優鉢羅(うばつら)の総称。俗に雨をつかさどる神と考えられていた。八大龍神。「時によりすぐれば民のなげきなり―雨やめたまへ」〈金槐集雑〉

はちたたき【鉢叩・鉢敲】《古くは鉢を叩いたのでいう》瓢箪を叩き鉦を鳴らしながら唱名念仏して歩いた托鉢僧。茶筅を売った。もと京都空也堂の有髪妻帯の僧で、十一月十三日の空也忌から除夜まで、毎夜半、洛内外の墓地を巡行した。「鉢こくり」とも。「―の祖師は空也といへり」〈七十一番歌合〉。〈文明本節用集〉

はちぢく【八軸】法華経八巻の称。「―の妙文、九帖の御書も置かれたり」〈平家灌頂・大原御幸〉

はちぢゃう【八丈】①絹の一種。一疋の長さが八丈あったことからついた名だという。尾張八丈・美濃八丈・信濃八丈などが有名。「―売る者など、あまた呼び入れて」〈宇治拾遺三三〉。「尾張―、能き絹なり」〈蓬左文庫本庭訓往来鈔〉②八丈島産の紬(つむぎ)織物。古くは山繭糸で織り、島内産の植物染料で黄・鳶(とび)・黒色に染め、縞織にした。後に京都でも、まがい物を織り出した。八丈絹。八丈縞。八丈紬。黄八丈。「―や手織山吹伊豆は春」〈俳・江戸弁慶上〉 **―じま**【八丈縞・八丈島】「八丈」(2)に同じ。「御礼の事…藤黄門〔へ〕―一端」〈兼見卿記 天正八・二・八〉

はちぢん【八陣】中国の孫子・呉起・諸葛亮が創案したという八種の陣立。魚鱗(ぎょりん)・鋒矢(ほこや)・鶴翼(かくよく)・長蛇(ちょうじゃ)・偃月(えんげつ)・方円(ほうよう)・衡軛(こうやく)・井雁行(せいがんぎょう)の八種。または、天・地・風・雲・龍・虎・鳥・蛇の八種という。「諸葛亮が―」〈続紀 天平宝字四・一一・一〇〉

はちつけ【鉢付】「鉢付の板」の略。「―をしたたかに突かれけれども、頸には仔細なし」〈義経記五〉 **―のいた**【鉢付の板】兜の左右・後部に垂れている錏(しころ)の第一枚

目の板。「左の頬先(ほうさき)を射けづりて、甲(かぶと)の―にしたたかにぞ射つけたる」〈保元中・白河殿攻め落す〉

はぢな・し【恥なし】『形ク』①恥ずかしくない。ひけをとらない。「今のあさはかなる〔新画〕も昔の跡(古画)―・くにぎはしく、あな面白と見ゆるすぢはまさりて」〈源氏絵合〉②恥ずかしがらない。ひけ目を感じない。「装束どものうちあはずかたくなしき姿などをも―・く」〈源氏少女〉

はちなん【八難】①仏を見ず、正法を聞くことができない八種の境界。地獄・畜生・餓鬼・長寿天・鬱単越(うつたんをつ)・盲聾瘖瘂(まうろういんあ)・世智弁聡・仏前仏後の称。「鐘を搥(う)ちて五更を報(つ)ぐ、三塗(さんづ)―一時に驚く」〈菅家後集〉②飢・渇・寒・暑・水・火・刀・兵の八種の災難。〈枳園本節用集〉

はちにん【八人】《「火」の字を分解すると八と人とになるので》火の隠語。「八人童子」とも。〈運歩色葉集〉

―がた【八人肩】駕籠舁(かごかき)八人が交代で舁くこと。また、その駕籠。八枚肩。八人廻し。「―の大乗物」〈西鶴・一代男七〉

―げい【八人芸】近世、一人で八人分の楽器を曲弾きする見世物。多くは座頭の芸であった。八人座頭。「―の所作、今見るやうです」〈評判・古今四場居百人一首〉

―づき【八人突き】《八人がかりで地突きをすると地響きが激しいので》はげしい振動のたとえ。「胸はだくだく、―の石を突く突く」〈傾城踊り歌〉

はちねつぢごく【八熱地獄】亡者が熱火の責苦を受ける八つの地獄。等活・黒縄・衆合・叫喚・大叫喚・焦熱・大焦熱・無間の八地獄の総称。八大地獄。「法華経を持ち参らせぬれば、八寒地獄の水にもぬれず、―の大火にも焼けず」〈日蓮遺文本尊供養御書〉

はちのき【鉢の木】鉢植えの木。盆栽。「御秘蔵の―切り給ふべき事、思ひも寄らぬ事にて候」〈謡・鉢木〉

はちのこ【鉢の子】托鉢(たくはつ)に持ち歩く鉢。また、その形の椀。「聖僧〔用ノ〕―」〈東寺百合文書へ、文正一・二・晦〉。〈運歩色葉集〉

はちはい【八盃】細く薄く切った豆腐を、醬油一盃・水八盃の割合に酒塩を加えた汁で煮た料理。八盃豆腐。「―とは頓(みと)の料理なり。醬油一盃に水八盃入れて、酒塩に加減あり」〈俳・和漢文操一〉

はちばう(ボウ)【鉢坊】「鉢坊主」に同じ。「―になりて暮せ」〈天正本狂言・鉢坊〉

―ず【鉢坊主】托鉢(たくはつ)して歩く乞食坊主。鉢坊。鉢ひらき。はっち坊主。「―に衣の日借を渡世にする出家あり」〈西鶴・織留五〉

はちはち【鉢鉢】鉢坊主が門口に立ち、物を乞うときに言うことば。はっちはっち。「御存じの坊主―」〈西鶴・椀久一世下〉

はちはら・ひ(ハライ)【蜂払ひ】『四段』①近くに飛んで来た蜂を手で払いのける。「―・ふ花の木陰に油断すな」〈俳・漢和俳諧〉②手を振ってはげしく払いのける。相手をきびしく拒絶する。「丸頭の手探りを―・ひつらん寝覚の程」〈俳・祇園誹諧合三〉

はちはん【八判】近世、評定所に提出する訴状の裏書に捺した、勘定奉行二人・町奉行二人・寺社奉行四人の印判。また、その加印した裏書。八判裏書。「―・十判の申下しには、御勘定頭も御連判なれば」〈糸乱記三〉

はちびたひ(ビタイ)【鉢額】広くつき出た額。おでこ。「額こそは高けれ。―で候(さうら)もの」〈天正本狂言・今参〉

はちひらき【鉢開】「鉢坊主」に同じ。鉢開き坊主。「〔米ヲ〕御出頭の人の召し候とも、行脚・往来・―買ひ候とも、たて候桝目少しも違はざる様に、役人に申し付くべく候」〈結城氏新法度〉

ばちびん【撥鬢】元禄・宝永頃流行した男の髪風。両鬢を三味線の撥先の形に剃り込んだもの。「―・糸鬢」〈浮・好色万金丹二〉

はちぶ【八部】仏法を護る八つの部衆。天・龍(りよう)・夜叉・乾闥婆(けんだつば)・阿修羅・迦楼羅(かるら)・緊那羅・摩睺羅伽(まごらが)の称。八部衆。龍鬼八部。「天龍―、悉く霊神の威を助けて」〈太平記二七・田楽〉

はちぶ・き【蜂吹き】『四段』《蜂を吹きはらう意》嫌悪の気持をあらわして口をとがらせる。「そのあたりの貯へのことどもをあやふげに思ひて、ひげがちにつなしにくき顔を、鼻などうち赤めつつ―・きいへば」〈源氏松風〉。「『いとむくつけき事をもおぼし寄りけるかな。何しに参りつらむ』と―・く」〈源氏若菜下〉

はちぶん【八分】

―に見下・す 相手を自分よりも劣った者と侮り見る。相手を見下す。「はちぶに見下す」「はちぶに見なす」とも。「芸能有りとて自慢をいたし、傍輩を―・し、人を侮り」〈仮・堪忍記二〉

はちぼく【八木】《「米」の字を分解すれば八と木とになるので》米の異称。八の木。「―百石」〈小右記天元五・五・一七〉。〈文明本節用集〉

はちまいがた【八枚肩】「八人肩」に同じ。「乗物やれ参れと伝へて―」〈近松・曾我会稽山一〉

はちまき【鉢巻】①武装した時、兜の下にかぶる烏帽子が落ちないように、幅のせまい布を頭にまきつけること。また、その布。「揉み烏帽子引き立てて、薄紅梅の―して」〈盛衰記四二〉②頭に手拭などを巻きつけること。また、その手拭。「本結(もとゆひ)の上を、渋手拭をよりて二重にまはして―にし」〈三好軍記下〉

はちまん【八万】

―しせん【八万四千】仏教で数の多さをあらわす語。「―の塔を造るにまされり」〈三宝絵下〉。「朝(あした)の床を起くるより、枕さだむる夕べまで、―の念(おもひ)ありとかや」〈唯心房集〉。「千に余り、万に余り、―に余り、無量無辺に余る」〈正法眼蔵観音〉

―ぢごく【八万地獄】人が煩悩のために受ける数多くの苦しみを地獄にたとえた語。八万奈落。「これこそ―のはじめにて候へとて、即得往生と念じ給ひて過ぎさせ給へ」〈伽・毘沙門本地〉

はちまん【八幡】①八幡神。八幡宮。豊前国宇佐八幡を本源とし、平安初期、京都石清水に勧請され、朝廷の尊崇を受けたが、その後、清和源氏の氏神とされるに至って、広く武人の守護神となり、全国に分祀された。祭神は、応神天皇・神功皇后・姫大神の三柱といわれる。「南の大門の前に、昔より―を振り奉りて、寺の鎮守とせり」〈今昔三ノ二〇〉②《八幡宮に誓っての意》自誓の詞。誓って。断じて。弓矢八幡。「たとひ樊噲・張良なりとも、―通すまじと」〈驢鞍橋上〉

―さんじょ【八幡三所】八幡宮に祭られた、応神天皇・神功皇后・姫大神の三神。「願はくは、―、我が丹誠を照らし給へ」〈今昔三五ノ一三〉

―ぞ《八幡(2)を強めた言い方》八幡宮に誓って。「―思ふと言ふにつれなくて」〈俳・犬筑波〉

―だいぼさつ【八幡大菩薩】八幡神の尊称。本地垂迹(ほんぢすいしやく)の思想にもとづく名。「はじめ、大隅国に―と現はれましまして」〈今昔一二ノ一〇〉。「―も照覧あれ」〈慶長治乱誌〉

はちもん【八文】近世、酒・料理・入場料などの最低の料金。「かねごとも―づつに定まりて」〈俳・紀子大矢数上〉

―もり【八文盛り】代金八文の盛切りの食物。「洛中洛外を尋ぬるためと口過ぎと、一荷に荷なふ蕎麦切り売、―の延びもせず」〈浮・今川当世状一〉

は

はちもんじ【八文字】①「八」の字の形。「狭間(まさ)の板―に排(らひ)いて」〈太平記一・頼員回忠〉②太夫が揚屋入りの道中をする時の足の踏み方。爪先を内に曲げて歩くのを内八文字、外へ曲げて歩くのを外八文字という。「―にや踏める足元」〈俳・鷹筑波一〉　**―やぼん**【八文字屋本】元祿から明和まで、京都の出版屋八文字屋八左衛門方から刊行された浮世草子の称。前半期の中心作者である江島其磧が、他の出版屋から刊行したものをも含めていう。広義には、同時期の同傾向および亜流作品をもいう。八文字屋物。「近頃行なはれし―」〈忠孝振分道中双六一〉

はちゃ【葉茶】茶の芽葉を摘んで煎じて飲むようにした茶。「―を用ゆる人は、寿命長遠・富貴繁昌あるべきものなり」〈伽・御茶物語〉。〈運歩色葉集〉

はぢら・ひ(ハジライ)【恥ぢらひ】『四段』相手の何らかの意思表示などに対し、恥ずかしそうな素振りをする。はにかむ。「幼き心地にすこし―・ひたりしが、やうやう打ち解けてもの云ひ笑ひなどして」〈源氏松風〉

はちりはん【八里半】甘藷、または蒸芋・焼芋の異名。栗(九里)に近いほど美味という洒落。また、栗より(九里四里)うまいの洒落で十三里ともいった。「―と言ふ芋、栗に似たる風味とて四国に有りとかや」〈浮・心中大鑑三〉

はちわりまし【八割増】他に較べて程度の甚しいのをいう語。一段とすぐれたさま。「郭公(ほととぎす)―の名を上げて」〈俳・大矢数一〉

はつ【初】《ハツ・ハツカのハツと同根。最初にちらっと現われる意。→うひ(初)》①最初。初めて。「―垂(たり)をから く垂り来て」〈万三八六六〉。「ミヤコヘマイッタコトハイマハツデゴザル」〈日葡〉②その季節最初。走り。「九月(ながづき)のその―雁の使にも」〈万一六一四〉。「新内侍殿より―とて白御瓜参る」〈御湯殿上日記天文四・四・二八〉③新年最初。「正月の「おとづれそむる松の―声」〈千五百番歌合一〉。「正月の―の夢を見て」〈説経・かるかや〉

はっ『感』①急に笑う声。「これを聞き伝へたる者ども、一度に―ととよみ笑ひけりとか」〈宇治拾遺一八三〉②突然ものに驚いたさま。「―と驚きさまに、ナザレトのサンタマリヤ助け給へと申し上ぐる」〈バレト写本〉③かしこまって返事をする声。「男、肝つぶして、―と云ひてかしこまる」〈虎明本狂言・右近左近〉

はつあらし【初嵐】秋になってはじめて吹く嵐。「来る秋もわくるか荻の―吹けば影入る閨の三日月」〈草根集二〉。「神や聴く岩山松の―」〈吉備津宮法楽万句〉。「―。七月一日に吹く風の名也。七月二日三日の比まではすべし」〈梵燈庵袖下集〉。「―。七月二十日より八月半まで吹く風也」〈伊呂波式目〉

はついろ【初色】若若しく美しい女性。「九条の町の仮臥しと、何時―や染めなして、若紫に色深く」〈近松・吉野忠信二〉

はつうま【初午】二月の初めの午の日。京都の稲荷神社の神の降りた日がこの日であったと伝えられるため、京都はじめ全国各地の稲荷神社でこの日祭礼が行なわれる。「きさらぎの―の日は、昔より京中に上中下の人、稲荷詣でとて参り」〈今昔二八ノ一〉

ばつえふ(ウ:ヨ)【末葉】《マツエフとも》子孫。末孫。後胤(こういん)。「鎌倉の権五郎景政が四代の―」〈保元中・白河殿攻め落す〉。〈色葉字類抄〉

はつか《ハツ(初)と同根》①物事のはじめの一小部分が、ちらっと現われるさま。瞬間的なさま。「春日野の雪間をわけて生ひいでくる草の―に見えし君はも」〈古今四七八〉②しばらくの間。ちょっと。「物越しに―なりつる対面なむ残りある心地する」〈源氏若菜上〉。「おのがじし―なる別れ惜しむべかめり」〈源氏須磨〉　▽類義語ワヅカは、少量がかろうじて存在する意。

はつか【二十日】《ハタ(二十)カ(日)の転。フタカがフツカとなるに同じ》①月の二十番目の日。「―の夜の月出でにけり」〈土佐一月二十日〉②二十日間。「日の経ぬる数を、けふいくか、―・みそかとかぞふれば、指(およ)びもそこなはれぬべし」〈土佐一月二十日〉　**―あまり**【二十日余り】二十日過ぎ。二十一日から二十五、六日まで。「賀茂の祭など騒がしき程過して―の程に、例の宇治へおはしたり」〈源氏宿木〉　**―ぐさ**【二十日草】牡丹(ぼたん)の異称。「牡丹…日本の俗、二十日草と云ふ」〈下学集〉　**―しゃうぐゎつ**(ショウ:ガツ)【二十日正月】正月二十日の称。近世、上方では、小豆団子を食べ、また塩鰤(ぶり)の骨をお菜にし、鏡台の鏡餅開きをした。骨正月。女の正月。「餅をとりくふ―」〈俳・寛永十三年熱田万句六五〉

はっかう(ウ:コ)【八講】「法華八講」の略。「この―いよいよ大きに行なふ」〈三宝絵中〉。〈色葉字類抄〉

はっかう(ウ:コ)【発向】①目的地に向って出発すること。特に、討伐のため軍勢が出動すること。「下毛野の国を指して、地を動かし草を靡けて一列に―す」〈将門記〉②勢いづくこと。盛んなこと。全盛。繁昌。「聞く、此の間、京中化物―し、種種不思議ありと」〈看聞御記応永二五・三・二四〉。「当代若衆方すたりて、女方の上手は次第次第に―する故」〈評判・三国役者舞台鏡〉③流行。「―、…世に用ひて流行りもてなすをも言ふ也」〈新撰用文章明鑑中〉

はづか・し【恥づかし】『形シク』《ハヂ(恥)の形容詞形。自分の能力・状態・行為などが、相手や世間一般に及ばないという劣等意識を持つ意》①自分の至らなさ・みっともなさを思って、気がひける。人とまともに目を合わせにくい。「里人の見る目―・しさぶる児にさどはす君が宮出後風(みやでしりぶり)」〈万四一〇八〉。「―・しきもの。色好むをとこの心のうち」〈枕二三四〉②相手が立派に思えて、自分は気おくれする。「みやす所は心ばせのいと―・しく、よしありておはするものを」〈源氏葵〉。「心うつくしきものから、またいと―・しきところ添ひたり」〈紫式部日記〉③顔まけである。「雪―・しき霜かな」〈かげろふ中〉④何となくてれくさい。「へだてなく馴れぬる人も、程経て見るは―・しからぬかは」〈徒然五六〉　**―げ**【恥づかしげ】こちらが恥ずかしく感じるほどの相手の(立派な)様子。「〔光源氏ガ〕ほほゑみて見給ふ、いと―なり」〈源氏須磨〉　**―・め**【辱しめ】『下二』①恥ずかしい思いをさせる。恥をかかす。侮辱する。「―・め給ふめるつかさ位、いとどしく何につけてかは人めかむ」〈源氏帚木〉②物の値打をけがす。「なき親の面をふせ、かげを―・むる類多く聞ゆる」〈源氏若菜上〉

はつかぜ【初風】その季節のおとずれを告げる風。秋季に多くいう。「わがせこが衣の裾を吹き返しうらめづらしき秋の―」〈古今一七一〉。「恋ひわたる涙の川の朝氷吹きもとかなむ春の―」〈千穎集〉

はつがつを【初鰹】初夏、初めてとれた鰹。江戸では特に珍重された。「―参り候」〈梅津政景日記元和五・五・一〉

はつがひ(イ:ガ)【初買】①新年初めて買物をすること。買初。「―や富める事を知って若夷(わかえびす)」〈俳・雑巾上〉②大晦日から正月三日まで遊女を揚げ詰めにすること。多額の費用がかかった。正月買。「―や添ひ果てもせぬ道の者(遊女)」〈俳・堺絹〉

はつかり【初雁】その年の秋、初めて北方から渡ってきた雁。「九月(ながつき)のその―の使にも」〈万一六一四〉。「―の今朝鳴く声のめづらしきかな」〈古今二〇六〉 **―がね**【初雁が音】初雁の鳴き声。また、初雁。「秋風に―ぞ聞ゆなる」〈古今二〇七〉

はつき【八月・葉月】陰暦八月の称。「八月、ハツキ」〈色葉字類抄〉。「葉月、ハツキ、八月異名」〈伊京集〉

はっきと『副』《ハキトの促音化》はっきりと。きっぱりと。「それぞれの道を―守(まも)らねば悪いぞ」〈周易秘抄下〉。「さすが男の魂は、―したる人をこそ、奥ゆかしくも思ほゆれ」〈児教訓〉

はっく【八苦】〔仏〕人生における八つの苦しみ。「これは人間の―のうちの死苦にて候へば」〈拾遺語燈録下〉。「八苦、ハック、生苦・老苦・病苦・死苦・愛別離苦・怨憎会苦(をんぞうゑく)・求不得苦(ぐふとくく)・五陰盛苦(ごおんじやうく)」〈伊京集〉→四苦八苦

はつくさ【初草】新しく生い出たばかりの草。幼少なことをあらわすのに使うことが多い。「―のなどめづらしき言の葉ぞ」〈伊勢四九〉。「―の若葉の上を見つるより」〈源氏若紫〉

はっくどくすい【八功徳水】⇒はちくどくすい。〈下学集〉

はつくに【初国・肇国】はじめて作った国。「出雲の国は狭布(さの)の稚国(わかくに)なるかも。―小さく作らせり」〈出雲風土記〉

はづくろひロイ…ヅク【羽繕ひ・羽刷ひ】くちばしなどで羽の乱れを整えること。鳥が飛ぶ前などに行なうしぐさ。「はねづくろひ」とも。「身ぶるひうちして―し、尾などうちふりて」〈今昔二九ノ三三〉。「翮、波都久呂比(はづくろひ)、鳥理毛也」〈和名抄〉

ばっくん【抜群】《室町時代末頃からバッグンとも》①多くのなかで特にぬきんでていること。「別して仰せをかうむる事、まことに武勇の道―によってなり」〈保元上・新院御所〉②程度のはなはだしいこと。大層。「忠信一人討たん事も―の逗留にて候ふべし」〈謡・吉野静〉。「御辺(ごへん)の年より―行きたる人は、在在所所に数知らず候」〈伽・鶴の翁〉

はつけ【磔】《ハッツケの転》はりつけ。「深山に―にもせよ」〈義経記三〉

はっけ【八卦】①《ハックヮとも》周易で、陽爻(やうかう)・陰爻を計三個組み合わせることによって出来る八種の形で、自然界・人事界のすべての現象を示すもの。乾(けん)・兌(だ)・離(り)・震(しん)・巽(そん)・坎(かん)・艮(ごん)・坤(こん)。「伏犠氏の時には亀―の文を負ひて来る。人の吉凶を占へり」〈盛衰記一九〉②うらない。「ありのぶ御―参らする」〈御湯殿上日記文明一六・一二・一三〉。「易に―に長じたりけり」〈俳・信徳十百韻〉

はっけん【法眷】《ハフケンの転》同法の眷属(けんぞく)。同じ法を学ぶ兄弟弟子。「ここに夢窓国師の―に妙吉侍者といひける僧」〈太平記二六・妙吉侍者〉。〈文明本節用集〉

はつごよみ【初暦】新年、暦を用い始めること。また、その暦。「―これを進(まゐ)らす」〈大乗院雑事記長祿一・一二・八〉

はつこゑ【初声】①鳥などの、その季節に初めて鳴く声。「ほととぎす―聞けば」〈古今一四三〉②新年になって初めて聞く声。「春風の尾のへの雪を吹くからにおとづれそむる松の―」〈千五百番歌合一〉③暁の最初の鶏鳴。一番鶏の声。「思ふどち昔語りに夜は更けて臥すかとすれば鳥の―」〈正治後度百首〉④子供の生れた時に初めてあげる泣き声。「子の―も聞かず」〈西鶴・諸艶大鑑一〉

ばつざ【末座】《マツザとも》もっとも下手(しもて)の座。末席。「その時はいまだ左大弁宰相にて、―に候ひけるが」〈平家二・座主流〉

はっさい【八災】禅定(ぜんぢやう)をさまたげる八種の災い。喜・憂・苦・楽・尋・伺・出息・入息の称。「道眼聖、談義せしに、―といふ事を忘れて」〈徒然二三八〉

はっさい【発才・八才】小利口で、おとなしくない女。また、その性格。京阪でいう語。江戸では「おちゃっぴい」という。「おてんば。「頭に口が明いたと思うて、『あの女めが―な事は。ていど〔持物ヲ〕おこすまいか』と云ふ」〈天理本狂言六義・痩松〉。〈日葡〉

はっさうソウ…ッ【八双】剣・薙刀(なぎなた)などを、正面より右の方に寄せて立てる構え方。「怖ろしさに、剃刀(かみそり)を抜いて―に構へ」〈咄・昨日は今日下〉。「開いてかかれば―に受け流し」〈館林盛衰記〉

はっさうソウ…ッ【八相】釈尊が衆生済度のために、此の世に出現して示した八種の相。降兜率・入胎・住胎・出胎・出家・成道・転法輪・入滅の八種。または、降兜率・入胎・出胎・出家・降魔・成道・転法輪・入滅の八種。「曾成(そうじやう)＝久遠ノ完成)の道、―に始まり」〈三教指帰下〉 **―じゃうだう**ドウジョウ【八相成道】「八相」に同じ。成道を特に重んじていう。「ある折は七仏薬師を造らせ給ふ。ある時は―をかかせ給ふ」〈栄花疑〉

はっさく【八朔】八月一日の称。祝日とされ、白帷子を着て、主君・親分などに進物を献上した。特に農家では田実(たのみ)の節句といい、また天正十八年徳川家康江戸入城の記念日なので、将軍は登城の諸大名・旗本から祝詞を受けた。上方では、乳母が乳子に行器(ほかゐ)を送り、子供どうしは手製の玩具を贈答した。江戸吉原では、遊女が白小袖を着る物日(ものび)であった。「禁裏より―御返しこれを拝領す」〈実隆公記長享一・八・二〉 **―のすずめ**【八朔の雀】上方で、八朔に主従・朋友などに送る進物に添えてやった、数珠玉の枝に付けた玩具の雀。「―・張子(はりこ)等送らる」〈十輪院内府記文明一六・八・三〉

はつざくら【初桜】その年はじめて咲く桜の花。「宿からや春の心もいそぐらむ外にまだ見ぬ―かな」〈風雅一三六〉。「―花の盛りをなほ待ちて」〈北野社一万句御発句脇第三〉

はっさん【八算】和算で、一桁の割算をいう。「―の次第」〈割算書〉。〈日葡〉

はっし ①堅い物がはげしく打ち当る音。「突く長刀(なぎなた)を〔太刀デ〕―と打って弓手(ゆんで)へ越せば」〈謡・熊坂〉。「我が君の御着背長(きせなが)の草摺(くさずり)に〔矢ヲ〕―と射留む」〈謡・摂待〉②物がはじける音。「その薪が生(なま)しいほどに、これを焼けば――と鳴りて」〈山谷詩抄九〉③物言いが的確ではきはきしているさま。「便便と弁舌あって、物を―と云ひて」〈論語抄郷党〉

はづ・し【外し】『四段』《ハヅレ(外)の他動詞形》①外方へそらす。「袋重くして、手を―・して、これを覆(くつがへ)して」〈三蔵法師伝一・院政期点〉。「此の矢―・させ給ふな」〈平家一一・那須与一〉②(手に入りそうなものを)のがす。「〔娘ヲ〕さて―・してむは、いと口惜しかべければ」〈源氏若紫〉③避ける。遠慮する。その場を退く。「始皇を刺し殺さうとする勢を見せたほどに、始皇も―・されたぞ」〈玉塵抄五〉

はっしき【八識】〔仏〕人間が持っている八種の識別・認識の作用を有するもの。目・耳・鼻・舌・身・意・末那(まな)・阿頼耶(あらや)の称。「一切衆生に―あり」〈沙石集三ノ一〉

はつしぐれ【初時雨】その年初めて降る時雨。「ひとりぬる人の聞かくに神無月にはかにも降る―かな」〈後撰四四七〉

はつしばゐ【初芝居】正月二日に始まる歌舞伎の正月興行。初狂言。二の替り。「賑ひけり煙草の煙―」〈俳・大矢数五〉

はつしほオ…シ【初入】染色にあたって、初めて染め汁の中に

入れひたすこと。多く、雨などを染め汁に見立て、それによって草木の葉が萌え始め、または、もみじし始めることに使う。「浅みどり―染むる春雨に野なる草木ぞ色まさりける」〈風雅一〇三〉

はつしほ ‥シオ【初潮・初汐】秋の大潮。特に、八月十五日の大潮。「色に見よ初しほ風の秋のこゑ。―は八月十五夜よりみつるといへり。秋の季なり」〈春夢草注〉。「浦とほく見えたる月の難波潟／葦辺や浸すのぼる―」〈伊勢千句〉

はつしも【初霜】秋も末になって初めて置く霜。「心あてに折らばや折らん―の置きまどはせる白菊の花」〈古今二七七〉

はつしもがれ【初霜枯れ】草木が初めて霜枯れること。「山里は雪より先も住みわびぬ―の長月の空」〈郁芳三品集〉。「秋草は―になりにけり」〈和歌集心体抄抽肝要中〉

はっしゃう ‥ショウ【八省】①令制で、太政官に置かれた八つの中央行政官庁。中務(なかつかさ)・式部・治部・民部・刑部(ぎやうぶ)・兵部(ひやうぶ)・大蔵・宮内の各省の総称。「太政官及び―各〻表を上(たてまつ)りて皇子の誕育を賀し奉り」〈続紀神亀四・一一・二〉 ②「八省院」の略。「出で給ふを待ち奉るとて、―に立て続けたる出車(いだしぐるま)ども」〈源氏賢木〉 **―ゐん**【八省院】朝堂院の別称。大内裏の内、内裏の南西、朱雀門の北にあって、八省の庶政が行なわれるところ。その正殿が大極殿。「―と中務省の東の道との間に、人馬の声、東に向ひておほく聞えけり」〈著聞五九三〉

はっしゃうだう ‥ショウドウ【八正道・八聖道】仏教的理想の世界に到達するための八つの実践項目。正見・正思惟・正語・正業(しやうごふ)・正命(しやうみやう)・正精進・正念・正定(しやうぢやう)の八種。「御念仏の声に響きて、池の波も…―を述べ説くと聞ゆ」〈栄花玉台〉

はっしゅう【八宗】奈良・平安時代にひろまった仏教の八宗派。南都六宗(華厳・法相・三論・成実・倶舎・律)と平安二宗(天台・真言)との総称。禅宗を加えて九宗という。「南都の七大寺荒れはてて、―・九宗も跡絶え」〈平家二・山門滅亡〉 **―けんがく**【八宗兼学】①広く八宗の教義を学び修めること。「京中に―の名誉まします」〈口伝鈔中〉 ②広く諸種の物事に通じていること。「―いろは〔茶屋〕の品川〔遊廓〕の」〈雑俳・柳多留一三〉

はっすん【八寸】①八寸四方の盆。「飯引きて、―」〈久政茶会記天正一六・一〇・一六〉 ②京都島原遊廓の囲(かこひ)女郎の異名。揚代が十八匁なので一尺八寸と称したものの略。「京の―は揚屋に呼びて八匁」〈西鶴・新吉原常常草上〉

はつせ【泊瀬・初瀬】《初瀬(はせ)の古称》①大和国磯城(しき)郡の地名。泊瀬朝倉宮などのあった上代帝京の地。「河風の寒き―を」〈万四二五〉 ②泊瀬にある寺。長谷寺(はせでら)。また、その本尊の観音。天武年間の開基といい、石山の観音とともに人人の信仰を集め、参詣・参籠するものが多かった。「―・石山などに願をなむ立ててはべる」〈源氏浮舟〉 **―ぢ**【泊瀬道】泊瀬の地を通る道。「こもりくの豊(とよ)―は常滑(とこなめ)のかしこき道ぞ」〈万二五一一〉 **―まうで** モウデ【初瀬詣で】長谷寺参詣。古く、この寺の観音が信仰され、貴賤を問わず参詣した。物詣での代表的なもの。「―のたよりに対面して侍りし」〈源氏宿木〉 **―め**【泊瀬女】泊瀬地方の女。「―の作るゆふ花」〈万九一二〉 **―をとめ**【泊瀬少女】泊瀬地方の少女。「―が手にまける玉」〈万四二四〉

はっせい【八姓】天武天皇の時に定められた八種の姓(かばね)。真人(まひと)・朝臣(あそみ)・宿禰(すくね)・忌寸(いみき)・道師(みちのし)・臣(おみ)・連(むらじ)・稲置(いなき)。八色姓(やくさのかばね)。「浄御原の朝庭、―を定め給ふ時」〈続紀勝宝三・二・二六〉

はっせい【発声】歌会の時、最初に歌を詠みあげる役。「御会始めなり。…―大納言入道各一反」〈二水記永正一五・二・一七〉

はっせん【八専】陰暦で、壬子(みづのえね)の日から癸亥(みづのとゐ)の日までの十二日間の内、四日の間日(まび)を除いた八日間。一年に六回ある。この期間は雨が多く、気悩・頭痛などの病人に忌まれ、嫁取り・造作・仏事などにも忌まれた。「―に物詣でせずと申すは、まことにて候か」〈和語燈録五〉

はったい【糗・麨】生麦または生米を炒(い)り、引いて粉にしたもの。夏、冷水と練り合わせ、または砂糖を加えて食べる。水の粉(こ)。「麦粉…或いは―と謂ふ」〈本朝食鑑二〉。〈日葡〉

はったと《副》《ハタトの促音化》①物がはげしく打ちあたるさま。「走りかかって―打つ手にむずと組んで」〈謡・大江山〉。「〔ツブテハ〕弁慶が頂上に―当りて」〈伽・弁慶物語〉 ②事態や動作などの変化が急激なさま。急に。突然。ぱっと。「手拍子を打てば、〔声ヲ〕―あげて歌うた処に」〈四部録抄〉 ③予期しなかった事にぶつかって、驚いたり窮したりするさま。たちまち。ぐっと。はっと。「大夫の前のことばに―事を欠いたよ」〈伽・小栗絵巻〉。「―詰まった」〈碧岩抄一〉 ④はげしくにらみつけるさま。「弁慶まなこに角(かど)を立て、大衆たちを―にらんで」〈伽・弁慶物語〉 ⑤完全に。すっかり。「明けても暮れても、さよ姫恋しやと嘆かせ給ふとて、両眼―泣きつぶし」〈伽・小夜姫草子〉。「―失念致いた事があるが」〈虎明本狂言・察化〉 ⑥しっかりと。ちゃんと。「今は腸(はらわた)に愁(うれひ)のあるべきに、さもなくて、―して居る程に」〈湯山聯句鈔上〉。「心を―持て」〈虎明本狂言・胸突〉 ⑦決して。断じて。「―信濃へ帰るまじ」〈伽・唐糸さうし〉

はつたり【初垂】海水をこして塩をつくるときに、最初にたれた濃い塩汁。「―をからく垂り来て」〈万三八八六〉

ばったり「添水(そうづ)」に同じ。「山田のそうづ…山家などにては―と云ふ」〈俳・暁眠起〉

はったんがけ【八端掛・八反懸】八丈島産の諸撚り糸で綾織にした帯地織物。織り上げるのに手間がかかり、上品堅牢で、一反の価格が黄紬八反に相当するのでいう。略して「八端」とも。「浅黄八丈の―」〈西鶴・一代男八〉

はっち【鉢】《ハチの促音化》托鉢(たくはつ)。「―に入るる善六(京都ノ大名貸)が門」〈俳・西鶴五百韻〉 **―ばうず** ‥ボウ【鉢坊主】「はちばうず」に同じ。はっちぼん。「―を上へあがらす」〈俳・炭俵上〉 **―はっち**【鉢鉢】「はちはち」に同じ。「行脚の僧に鉢を開き申す、―」〈虎明本狂言・悪坊〉 **―ひらき**【鉢開】「はちひらき」に同じ。「―も宿ぞ借りよる」〈俳・寛永十三年熱田万句四〇〉

はっちゃ《感》《もと、蜂を恐れて発した語》恐ろしい時に、思わず出る声。「夜討ちを見れば―怖さよ」〈俳・鷹筑波三〉。「清水に鬼がゐる。―恐物(こはもの)」〈虎寛本狂言・抜殻〉

はっちゃうがね ‥チョウ【八丁鉦】大道芸人の一。八個の叩鉦を紐に付けて首からつるし、風車のように廻しながら、鳥居形の槌で曲打ちし、傍の者が太鼓を打って囃した。古くは念仏しながら踊った。「やからがね」とも。「―唐門の外にて舞はさせられて御覧ぜらるる」〈御湯殿上日記天正一五・八・一四〉

はっちん【八珍】シナでいう八種の珍味。牛・羊・麋(となかい)・鹿・麕(くじか)・家(ゐのこ)・狗(いぬ)・狼をいう。異説もある。転じて、ぜいたくな御馳走。「身には五色をかざり、食には―を

尽し」〈太平記三四・天龍寺建立〉。〈下学集〉

はつづき【初月】①新月(しんげつ)。「まだ—の宵宵に、影も姿も少なきは」〈謡・融〉②正月。「ハッツキ」〈日葡〉

はっつけ【磔】「はりつけ」の音便形。「又は—にしたりとも聞えけり」〈平家六・飛脚〉。〈文明本節用集〉 **—ば**【磔場】罪人をはりつけにする所。処刑場。「城中方は—の高き所に白旗を立靡かし」〈藤葉栄衰記下〉 **—ばしら**【磔柱】《磔柱に乗せられる人の意》人をののしっていう語。磔野郎。「エエ—め」〈近松・丹波与作中〉 **—やらう**【磔野郎】人をののしっていう語。「いまいましい、—」〈滑・根南志具佐自序〉

はつつる【初鶴】毎初冬、鷹狩で初めて捕えた鶴。大名は将軍に献じ、将軍は宮中に進上し、その余を大名・旗本などに賜り、祝宴を催した。「—一つ、樽三つ添へ給はり候」〈細川忠興文書寛永二一・九・二二〉

ばってうがさ【ばってう笠】真竹の皮で作った、大形で浅く、晴雨兼用の粗製の笠。ばっち笠。「—の軒ふかき、小家の歩(あり)くに異ならず」〈近松・聖徳太子一〉

はっと【法度】《ハフトの転》①おきて。さだめ。法律。転じて、禁令。禁制。「昔よりの—に」〈バレト写本〉。「一向宗の事、いよいよ—たるべく候」〈相良氏法度〉。〈文明本節用集〉②近世、幕府が旗本・御家人、幕領地の庶民を支配するために発した法令。特に、禁令・禁制。「御—の外の銭撰り候者これ有るに於ては」〈御当家令条三九、元和四・二・一三〉

はっとく【八徳】《十徳に似ているのでいう》胴服(どうぶく)の一種。「八徳、ハットク、日本の俗、表衣(うはぎぬ)也」〈文明本節用集〉

はつどこ【初床】①新枕。「仮寝の—に」〈浮・好色敗毒散二〉②《遊里で》㋑水揚げ。「—、一名水揚げ」〈浮・好色伊勢三〉㋺初会の床入り。「七日の—に、朝を待たぬ別れも惜しみ」〈西鶴・諸艶大鑑二〉

ばっとした『連語』人目を驚かすほど派手な。「花麗なる体を見て、当世—と言へり。これ呆れたる気味なり」〈浮・日本好色名所鑑三〉

はつとら【初寅】新年初めての寅の日。近世、京都では鞍馬の毘沙門天に参詣して福徳を祈った。「今日—也。女房〔等〕…鞍馬寺へ参詣す」〈元長卿記永正二・一・三〉 **—まゐり**【初寅参り】初寅の日、鞍馬に参詣すること。「此の月初寅日、獅子頭山鞍馬寺詣で、是を—と謂ふ」〈日次紀事正月〉

はつとり【初鳥】①暁、最初に鳴く鶏。「鶏をば八声の鳥と云ふ。…常に八声鳴くにはあらず。暁には—・中鳥・しば鳥と三頻り鳴くに、—には必ず八声鳴く也」〈奥義抄〉。「うちも寝ぬ夜半の莚に月落ちて／—鳴きぬ明け方の空」〈河越千句〉②元日の暁に鳴く鶏。「—。春也。元日の朝の鶏の鳴くをいふ。…寅の刻鳴き初むる鳥也」〈俳・御傘一〉

はっとりタバコ【服部煙草】摂津国島上郡服部村産の葉煙草。香味共によく、最上とされた。略して「服部」とも。「知る人ぞ知る—伊勢海鼠腸(いせなまこ)」〈俳・雑巾下〉

はづな【端綱・絆綱】馬の口につけて引く綱。「〔馬ハ〕—食ひ切りてかけ出で」〈遠近草上〉。「鼻綱、ハヅナ、又作ニ端綱一」〈文明本節用集〉

はつなり【初生】その年初めて出来た果実・野菜。「手作瓜—取り候」〈家忠日記天正一九・五・二二〉

はつに【初荷】新年またはその季節に、初めて運び出す商品の荷物。「—取る馬子も好みの羽織着て」〈俳・続猿蓑上〉

はつに【端土】《「底土(しはに)」の対》上の方の土。「—は膚(はだ)赤らけみ」〈記歌謡四三〉

はつね【初子】正月の最初の子の日。古く、この日は、小松を引き、若菜を摘み、宴を催して祝った。「初春の—の今日の玉箒(たまばはき)手に取るからにゆらく玉の緒」〈万四四九三〉

はつね【初音】①「初声」(1)に同じ。「けふ鶯の—聞かせよ」〈源氏初音〉②近世、細川家所蔵の黄熟香の名。金葉集の歌「聞くたびにめづらしければ時鳥いつも初音の心地こそすれ」により名づけたという。「いづれ聞かん伽羅の—と時鳥」〈俳・小町踊三〉

はつの【初野】新年初めて鷹狩すること。初鷹野。「毎年のごとく、今日御—なしおかるべき由仰せ出され候処に」〈梅津政景日記元和三・一・四〉

はつのを【発の緒】箏の調絃をするとき、最初に音を定める絃。「壱越調の声に—を立てて」〈源氏若菜下〉

ぱっぱ 桜花のような斑点のある鮫皮。刀の鞘・柄を巻くのに用いる。「—大小奉りけり」〈俳・四人法師〉

はっぱう【八方】「八方行燈」の略。「—の下に腰掛けながら」〈洒・つれづれ睟が川三〉 **—あんどう**【八方行燈】「八間行燈(はちけんあんどう)」に同じ。〈浮・茶屋調方記〉 **—よし**【八方好し】四方八方どこもよいこと。少しも欠点の無いこと。また、そのもの。「木の振りは—ぞ八重桜」〈俳・毛吹草五〉

はつはつ『副』《ハツ(初)・ハツカと同根》ちらっと。「白たへの袖を—見しからに(見タダケデ)かかる恋をもわれはするかも」〈万二四一一〉

はつはな【初花】①その草木またはその季節などに、初めて咲いた花。「君が家に植ゑたる萩の—を」〈万四二五二〉。「谷風にとくる氷のひまごとに打ち出づる波や春の—」〈古今一二〉②年ごろの娘のたとえ。「十八九なるかほよ花、今咲き出しの—に」〈近松・曾根崎心中〉 **—ぞめ**【初花染め】①ベニバナの初花で染めること。また、染めたもの。「くれなゐの—の色ふかく」〈古今七二三〉②初咲きの花で染めること。また、染めたもの。「月草の—のした衣下に移るを見る人ぞなき」〈新拾遺九三二〉

はつはる【初春】春の初め。新春。「新(あら)たしき年の始の—の今日降る雪のいや重(し)け吉事(よごと)」〈万四五一六〉

はつはるさめ【初春雨】その年初めて降る春雨。「正月元日に雨降りけるに。いつしかも—ぞ降りにける野辺の若菜もおひやしぬらむ」〈山家集下〉。「若菜つむ我は家路を急ぐ日に／—の足はのどけし」〈享徳二年千句〉

はっぴ【法被】《ハフヒの転》①禅宗で、倚子(い)の覆いに使う布。「竹篦(しっぺい)・曲彔(きょくろく)・—」〈庭訓往来十月日〉②能衣裳の一。「鬼・龍神などに、頭に物を頂かぬには、狩衣着ず。—・小袖・袖無などよし」〈反古裏の書一〉

はっぴゃく【八百】物事の数多い意を表わす語。「八百八」とも。「吝い事の嘘—」〈近松・博多小女郎上〉 **—はちねぎ**【八百八禰宜】奈良春日神社に仕える数百人の下級の神職の俗称。「糟禰宜」「油煙取」「五合禰宜」などとも。「済せど—(「済せど八百」ト掛ケル)住む里」〈俳・物種集〉 **—や**【八百八】「八百」に同じ。「—公家誰を忍び路」〈俳・新続独吟集下〉 **—やちゃう**【八百八町】江戸の町数の俗称。「町の並びを尋ぬれば、—にありとかや、数を言はんは限りなし」〈仮・色音論下〉 ↓江戸八百八町

はつぶり【半首・半頭】鉄面(かなめん)の一種で、兜などの下につけ、額から両頬を保護する面具。「よっぴいて放つ矢が、御曹子の—にからりと当って」〈古活字本保元中・白河殿

攻め落す〉

はつほ【初穂】①その年最初にみのった穀物などで、まず神社や朝廷などにたてまつるもの。「―をば千穎(ちかひ)八百穎(やほかひ)に奉り置きて」〈祝詞祈年祭〉。「官物の―」〈大鏡師尹〉②お供えとして神仏に奉る米穀・金銭など。「鋳作る所の―二十文を」〈三代実録貞観一三・一一・一七〉③その年見える穂のはしり。稲やススキなどにいう。「風わたる野田の―のうちなびきそよぐにつけて秋ぞ知らるる」〈夫木抄一三・秋田〉。「かれねただ―のすすき手枕にむすばば露の散りもこそすれ」〈夫木抄一二・薄〉④魚鳥または野菜などの初物。「物毎の―を手向けて」〈俳・宝蔵一〉

はづ・み【弾み・勢み】〘四段〙①打ち当ってはねかえる。「〔太鼓ノ〕鰭(はた)の皮は引き張りけるが故に、―・みて早く中(あた)る也」〈教訓抄九〉。「浪分の曲とは高く蹴上げつつ―・むをおひて蹴るをいふなり」〈蹴鞠百首和歌〉②息づかいがはげしくなる。「〔馬ガ〕―・まば、かい繰って泳がせよ」〈平家四・橋合戦〉。「〔馬ノ下帯ヲ〕これほどに息の―・むほど締めても」〈咄・昨日は今日上〉③勢いに乗ずる。つけこむ。「項籍は急に―・んで云うたが聞えたぞ」〈史記抄五〉④奢る。多額の金を出す。気前を見せる。「投節唄ふ女に紫檀(したん)の接棹(つぎざを)を―・み」〈西鶴・一代男六〉

はつむかし【初昔】《「昔」の字を分解すれば「廿一日」になるのでいう》三月二十一日に初芽を摘んで製した最上の宇治茶の銘。一説に、八十八夜から二十一日目に摘んだ茶という。「口切の茶袋壱、竹庵詰め―」〈松平大和守日記寛文六・一〇・六〉

はつめい【発明】①みずから発(ひら)いて明らかにすること。「経書によれる―、必ず正師の印可を求むるなり」〈正法眼蔵面授〉②賢いこと。利発。「さてさて―なる子なりとて、洛中もてはやしけるが」〈人鏡論〉

はつめいげつ【初名月】八月十五夜の月。芋名月。「―や一口(いもあらひ)堤伝ひの長縄手」〈近松・淀鯉上〉

はつもとゆひ イュ【初元結】元服のときまで童形に下げている髪のもとどりを結うこと。また、その時に使う紫色の組紐。「いときなき―に長き世をちぎる心は結びこめつや」〈源氏桐壺〉

はつもの【初物】その季節に初めて出来た野菜・果実などの称。「この御瓜…かやうの―など、御心にかけさせおはしまし候て賜はり候。返す返すめでたく御うれしくおぼえさせおはしまし候よし、よくよく御披露候べく候」〈看聞御記紙背文書永享一〇〉

はつやいと【初灸】二月二日に据える灸。この日の灸は功能が著しく、年中息災になるという。「心せよ焼く塩煙―」〈俳・桜川一〉

はつやま【初山】正月最初の山入り。その年初めて薪を伐る付近に、しめ縄をはり、酒・餅などを供えて祝う。「この国の―が正月十六日と聞いてあり」〈説経・さんせう太夫〉

はつゆ【初湯】新年初めて入浴すること。また、その湯。近世、銭湯は正月二日が初湯であった。初風呂。若湯。初湯殿。「―ある間、入り了んぬ」〈多聞院日記天文一一・一・四〉。「二日の―から大晦日の夜半まで」〈滑・浮世風呂前下〉

はつゆめ【初夢】古くは、節分の夜から立春の朝にかけて見る夢。後には、大晦日の夜から元旦にかけて見る夢また は正月二日の夜見る夢をいうようになった。「年暮れぬ春来べしとは思ひ寝の正しく見えて叶ふ―」〈山家集上〉。「―、元日の夜の夢を云ふ也」〈呉竹集一〉。「―を二日にするは得手勝手」〈雑俳・万句合寛政一〉

はつよ【初夜】その季節初めての夜。「冬来ては今宵ぞ―いつのまに片敷く袖のさえわたるらん」〈堀河百首〉。「三日月にまたある春の―哉」〈吉備津宮法楽万句〉

はつ・り【削り】㊀〘四段〙①皮などをはぐ。「兎を取りて、皮を―・りて、野に放つ」〈霊異記上一六〉②少しずつけずり取る。へつる。「もみぢ葉は峰の嵐に―・られて織りとめがたき錦なりけり」〈長承三年顕輔家歌合〉。「季氏は魯国の蚕と云て、魯を―・り食ふ者ぞ」〈古活字本論語抄六〉㊁〘名〙【剟】絹布の類をほぐして縫糸にしたもの。「手作りの針の、耳いとあきらかなるに、しなのの―をいとよきほどにすげて」〈宇津保俊蔭〉

はつ・れ【剟れ】〘下二〙《ハツリ(削)と同根》織った物・編んだ物・束ねた物などが、端から解けほぐれる。ほつれる。「藤衣―・るる糸はわび人の涙の玉の緒とぞなりける」〈古今八四一〉。「板屋形の車の、輪欠けたるに…―・れたる伊予すだれをかけて」〈宇津保藤原君〉

はづ・れ【外れ】㊀〘下二〙《ハヅシ(外)の自動詞形。肝心な所をそれて、外縁部の方へ物が行ってしまう意》①あるべきところから位置が狂う。位置がそれる。「胸板の金物少し―・れて見えける」〈平家二・教訓状〉②その場をはなれる。「関屋よりさと―・れ出でたる旅姿ども」〈源氏関屋〉③逃げる。遁走する。「人をあやまり(殺シ)―・れ候者」〈結城氏新法度〉④当らずに過ぎる。「〔矢ガ的ニ〕―・れんは知り候はず」〈平家一一・那須与一〉⑤選ばれずに除外される。洩れる。「その夜の除目(ぢもく)には―・れにけり」〈著聞三〇〉。「朝飯とまた夕飯に―・れじと日に二たびは物をこそ思へ」〈咄・昨日は今日上〉⑥逸脱する。「これこそ姨捨て山の本意は―・れざることに侍りと」〈文治二年十月二十二日歌合〉。「その御掟に少し―・れて」〈コリヤード懺悔録〉㊁〘名〙①はし。末端。「砥浪山の北の―、羽丹生に陣をぞ取ったりける」〈平家七・火打合戦〉。「たとへ化物にてもあれ、手足の―の美しさよ」〈伽・鉢かづき〉②人の特徴が言語動作のはしばしに感じ取られること。また、その特徴。「いかさま見物の者は唯者では無いぞ、〔コチラノ〕―を見出されぬさきに…引籠め」〈勝国和尚再吟一〉

はつれい【初礼】年賀。年始。廻礼。「京都―、近衛殿…御対面す」〈舜旧記慶長五・一・二四〉

はつを【初尾】⇒はつほ(初穂)。「初尾、ハツヲ、世俗用ニ此字ー也」〈明応本節用集〉

はつを【初麻】その年初めてとれた麻。一説、尾の中で最も長い尾。「山鳥の尾ろの(尾ノヨウナ)―に鏡かけ」〈万三四六八東歌〉

は・て【果て・泊て】㊀〘下二〙《時の流れとともに一つの路線を進んでいる物事の成りゆきが、いつの間にか限界・終極に達する意。類義語ヲハリ(終)は、時間とともに展開することが一つ一つ順次なしとげられて、完結する意》①(舟がその航路を経て)港に碇泊する。「大伴の美津のとまりに舟―・てて龍田の山をいつか越えゆかむ」〈万三七二二〉②(月日・季節・時間が次第に経過して)終りとなる。「昨日こそ年は―・てしか春霞春日の山にはや立ちにけり」〈万一八四三〉。「秋―・つる野辺の景色も」〈源氏宿木〉③(犯した罪などの)全部の償いが終る。「罪の限り―・てぬればかく迎ふるを」〈竹取〉④(催事・儀式などが)次次に行なわれて、すっかりすむ。「日中の御加持―・てて」〈源氏夕霧〉。「まだ事(試楽ノ宴)も―・てぬに」〈源氏若菜下〉⑤死ぬ。亡くなる。「〔重体ト〕聞え給ふ程に、ともし火などの消え入るやうにて―・て給ひぬれば」〈源氏薄雲〉⑥《他の動詞の連用形について、その動作が、終極に達する意を表わす》…し終る。すっかり…する。終りまで…する。「人にみな〔歌ヲ〕よませ―・てて〔自分ガ〕よめる」〈伊勢八二〉。「今は北の方も大人び―・てかの昔のかけかけしき筋思ひ離れ給ふにや」〈源氏 若菜下〉。「残りをと思し召す御心侍らば、のどかになむ聞こし召し―・て侍るべき」〈源氏橋姫〉 ⊟『名』①舟が港に碇泊すること。「いづくにか舟(ふな)―すらむ」〈万五八〉 ②季節・年月などのまさに終る時。「春の―の歌」〈古今二三四詞書〉。「思ひつめつる年頃の―に」〈源氏若菜上〉 ③最期。「今はとなり給ひにし―にも」〈源氏宿木〉 ④喪の終る時。四十九日または一周忌の法会。「年かはりて宮の御―も過ぎぬれば、世の中色改まりて」〈源氏少女〉。「御―のこといそがせ給ふ」〈源氏総角〉 ⑤最後。「左なほ数一つある―に、須磨の巻出で来たるに」〈源氏絵合〉 ⑥末末の人。「かかる思ひかけぬ―〔ノ娘タチ〕まで思ひあつかひ」〈源氏蜻蛉〉 ⑦〔道程などの〕行きどまり。「西の海の―まで」〈源氏橋姫〉 ⑧どんじり。「おのれらが様なる下臈の―を君の召仕はせ給ひて」〈平家二・西光被斬〉 ⑨身の行く末。なれの果て。「今は疑ひ不審もなし。御身は小町が―ぞとよ」〈謡・関寺小町〉

はて『感』①怪しむ時や迷う時に発する語。「これは―訳も無い」〈伎・丹波与作手綱帯一〉 ②疑問を説き明かす時に言う語。それは。「―、無い物を有る有ると思うて喰ふは、有財我鬼では無いか」〈虎寛本狂言・宗論〉

はで ①【破手・端手・葉手】三味線の賑やかにくずれた弾き方。「虎沢また―組と云ふ事を作り出す」〈糸竹初心集下〉 →本手(ほんて) ②《「派手」とも書く》けばけばしく品のないこと。「ちと心―にして大口をきかる事」〈評判・吉原大豆俵評判〉

はてく【果句】歌の終りの句。結句。「左歌、―弱し」〈六百番歌合春上〉

はてくち【果口】①ほろびるきっかけ。破滅のもと。「此の女を嫁などに取りたらば、家―ぞ」〈周易抄〉 ②終り頃。しまい時分。「娑婆(しゃば)は―と思ふ男も有れば」〈評判・吉原雀上〉

はてし【果てし】「はて」に同じ。「はて」が「はてしなし」「はてしなければ」というように、助詞「し」をともなって使用されているうちに、固定して一語となったもの。「げにや東(あづま)の―まで、人の心の奥ふかき、その情こそ都なれ」〈謡・千寿〉。「玉の緒の―を契る法(のり)の道」〈心玉集〉。「うかれ女の齢(よはひ)たけたる身の―」〈白山万句慶長三・二・二五〉

はてのつき【果の月】一年の最後の月。十二月。「―の十六日ばかりなり」〈かげろふ中〉

はてのとし【果の年】諒闇(りゃうあん)の終る年。「円融院の御―、みな人御服ぬぎなどして」〈枕一三八〉

はてのひ【果の日】法事の終る日。また、物忌みの明ける日。「〔法華八講ノ〕―わが御事を結願にて」〈源氏賢木〉

はては【果ては】『副』そういうことのつづいたあげくには。遂には。「ねぎ事をさのみ聞きけんやしろこそ―なげきの森となるらめ」〈古今一〇五五〉

はてはて【果て果て】あげくのはて。とどのつまり。「ねたましの―は腹立ち給ひぬ」〈源氏総角〉。「もの思ふ身聞ゆれば…―ははかなしや」〈慶長二年三月四日山何百韻〉

バテレン【伴天連】①キリスト教が我国に伝来した時、宣教に従事した人の称号。司祭。神父。「南蛮国―、邪法を以て正法を排す」〈鹿苑日録天正一九・六・三〉 ②近世、キリスト教。また、その信徒。「―吟味有りぬべら也」〈俳・信徳十百韻〉 ▽ポルトガル・スペイン・イタリア padre ラテン pater

はと【鳩・鴿】ハト科の鳥の総称。速く飛ぶので、早く行くことのたとえに使われ、また、八幡の使者ともされた。「波佐の山の―の下泣きに泣く」〈記歌謡八三〉。「―軍(いくさ)の上に翔(かけ)る」〈今昔二五ノ一三〉。「国俗―を呼びて八幡の使鳥と為す」〈本朝神社考一〉 †Fato

ばとう【抜頭・撥頭・髪頭】雅楽の一。もと西域の舞楽で、長い髪のついた大きな面をつけて一人で舞う。胡人が父を殺した猛獣に復讐する姿にかたどるという。「―は、髪ふりあげたる。まみなどはうとましけれど」〈枕二二六〉

ばとうくゎんおんソンノ【馬頭観音】六観音の一。観音菩薩の化身で、一切の煩悩をうちくだく威力を示す。人身馬頭、あるいは人頭に馬頭をいただくものもあり、三面八臂(はっぴ)・四面八臂など、その形態はさまざまである。民間では、広く馬の守護神として信仰され、全国各地にその碑が立てられている。「宇都宮大明神御本地―、等身泥仏に作り参らせて、彼の神宮寺に安置し奉りて」〈前長門守時朝入京田舎打聞集〉。「畜生なりといへども、馬は―の化身なり」〈伽・鈴鹿山物語〉。「則ちその麓にこの馬を埋め、其の所に―を立てられけり」〈簑輪軍記上〉

はとこ【再従兄弟】またいとこ。「叔父・甥・従兄弟・―を打死にさせて」〈三河物語下〉

はとのかい【鳩の戒】《カイはカヒ(飼料)の転。もと、熊野の縁起を語って鳩の飼料を勧進して歩いたのでいう》近世、勧進聖・八卦見・医師などに扮して言葉たくみに金銭を詐取してまわった詐欺師。「大和には有りと言ふなる―」〈俳・貞徳独吟〉

はとのつゑ【鳩の杖】にぎりの部分に鳩の形を刻んだ老人用の杖。鳩は飲食にむせないといわれるので、それにあやかって、八十歳以上の功臣に宮中から与えた。「君が経ん千年の坂をまつ人の―をばつくにぞありける」〈源家長日記〉

はとのはかり【鳩の秤】《智度論などに見える故事》釈尊が尸毗(しび)王であった時、鳩の命を救うため、ももの肉を裂き、秤にかけ、鳩と同量を鷹に与えたという、その秤。「これやこの白斑(しらふ)の鷹に餌を乞はれ―に身をかけし人」〈大恵長書抄〉

はとのみね【鳩の峰】男山の石清水八幡の異称。鳩は八幡の使者と信じられ、この山に多数放し飼いにされていたのでいう。「みさき(御使)飛び散る―」〈謡・放生川〉。「心も清き石清水、―吹く風の音」〈伽・武家繁昌〉

はとのめ【鳩の目】伊勢神宮にだけ通用した鉛の穴あき銭。銭穴が鳩の目に似ているのでいう。六百文を一貫文と勘定し、一匁が四、五分(ふん)に売られ、参宮の賽銭に用いた。伊勢の宮銭。「散銭も所によりて変りけり難波はあし(銭)を伊勢は―」〈後撰夷曲集五〉。〈ロドリゲス大文典〉

はとふ・き【鳩吹き】『四段』秋、狩人が鹿を呼ぶため、掌を合わせて鳩に似た声を吹き鳴らす。「―・くは、鳩のまねびて、人の吹くなり」〈能因歌枕〉

はとむね【鳩胸】①前方へ張り出た胸。「骨前、ハトムネ」〈名義抄〉 ②鐙(あぶみ)の前方の高くそり返った部分など、前方に張り出したもの。「鞍と鐙と一度に持ちて御目に掛くべし。鐙をば―を主人の方へすべし」〈今川大双紙〉

はとり【服部】《ハタオリ(機織)の約》機を織ること。また、それを職とする者。「―・麻績(をみ)の人どもの常も仕へまつれる和(にき)たへ・荒たへの織(はた)の御衣(みそ)」〈祝詞伊勢大神宮〉 †Fatöri

はな 組になったものを数える語。「松拍子(まつはやし)、悉皆、十―也」〈満済准后日記正長二・一・一三〉

はな【花】❶①草木の花。「橘は実さへ―さへその葉さへ」〈万一〇〇九〉。「春べは―かざし持ち」〈万三八〉 ②《特に》桜の花。「近代はただ―と云は皆桜也」〈八雲御抄三〉。「惣じて日本で―と云ふは桜なれども」〈朗詠鈔一〉 ③《特に》

仏に供える樒(しきみ)などの枝葉。「持仏する奉りて…―奉るめり」〈源氏若紫〉 ❷花によって作るもの。①露草の花からとった青い顔料・染料。「頭(かしら)には―を塗り、顔には紅(に)・白い物をつけたらんやうなり」〈栄花もとのしづく〉。「色は―を塗りたるやうに青白にて、まかぶら窪(くぼ)く」〈宇治拾遺一二四〉 ②はなだ色。露草の花の色。「[積モッタ雪ガ着物ノ]御うへにはらはらとかかりたりしが、御なほしの裏の―なりければ、返りていとまだらになりて侍りしに」〈大鏡伊尹〉 ③花の形をしたもの。花模様。「あざやかなる―のいろいろ、似つかはしからぬをさし縫ひ着つつ」〈源氏総角〉 ❸花のような美しさ。 ①花やかなさま。美しいさま。「見つる―の顔ども思ひくらべまほしうて」〈源氏野分〉。「無常の春の風、忽ちに―の御姿を散らし」〈平家一一・先帝身投〉 ②栄誉。「時の―をかざす心ばへにや」〈栄花初花〉 ③表面にあらわれたはなやかさ。表現の美しさ。「古の歌はみな実を存して―を忘れ、近代の歌は―をのみ心にかけて実には目もかけぬ」〈毎月抄〉。「何事も実(み)ありて―ある語らひ互ひにせよ」〈世鏡抄上〉 ④あだあだしいさま。実意のないこと。「霞立つ春日の里の梅の花―に問はむと我が思はなくに」〈万一四三八〉。「御心の―にて、一時のみ[デアッテ]盛りすくなく聞えしに、これぞ常磐(ときは)に聞え給ひて」〈今鏡七〉 ⑤世阿彌の能楽論における重要な美的理念の一。演者の年齢や力に応じて表現される能の美しさ、面白さ。また、それを生み出す演者の心のはからい。「そもそも花といふに、万木千草において四季折節に咲くものなれば、その時を得て珍しき故にもてあそぶなり。申楽も人の心に珍しきと知る所、即ち面白き心なり。―と面白きと珍しきと、これ三つは同じ心なり。何れの花か散らで残るべき。散る故によりて咲く頃あれば珍しきなり」〈風姿花伝〉。「―とて別には無きものなり。物数をつくして工夫を得て珍しき感を心得るが―なり」〈風姿花伝〉 ⑥見栄えのすること。全盛。「人の風俗も産まぬ内が―ぞ」〈西鶴・五人女三〉 ❹《纏頭》とも書く》 ①芸人などに当座に賞として与える金品。「[能見物]当坊より―を出す」〈北野社家日記慶長四・一〇・四〉。「与蔵へ三両―出し申し候」〈宗静日記万治三・三〉 ②遊女・野郎を呼ぶ遊興費。揚代。「いづれにても―と言ふ一字にて自由に眺めらるる事なればこそ人死の無けれ」〈西鶴・男色大鑑七〉 **―を咲か・す** ことばや文章などに、はなやかな技巧をこらして表現する。「華弁は、文章を―・せて書く方なり」〈蒙求聴塵下〉。「言葉に―・せて申しければ」〈伽・鶴草子〉 **―を散ら・す** ①花をまき散らす。仏への供養として行なわれた。法会などでは、切紙の五色の蓮華の花びらを読経・行道(ぎやうだう)しながらまき散らした。「水をあみ、香をたき、―・して、弟子どもに念仏もろともに申させて、西に向ひてゐたり」〈宇治拾遺一六九〉 →散華(さんげ) ②花花しく激しく戦うさまをいう。火花を散らす。「両方の兵(つはもの)ども、軍は―・すべしと、かたづをのみて」〈伽・かくれ里〉 **―を持た・す** 相手に栄誉をになわせる。おもいやり深く、相手を立てる。「[アナタノオカゲデ]かつて手も砕かで候などと、―・せていひければ」〈浄・今川物語三〉 **―をや・る** 陽気に派手に振舞う。また、富み栄える。「紅葉にて又―・る桜かな」〈俳・犬子集五〉。「ここの都に―・って、豊かに暮され」〈西鶴・永代蔵一〉 **―を折・る** 《花を枝ごと折ってかざす意から》 容姿をはなやかにする。「花など折らせて…金鼓(こんく)うつこそをかしけれ」〈枕二一〇〉。「先少将挙賢(たかかた)・後少将義孝とて―・り給ひし君達の」〈大鏡伊尹〉

はな【端】《ハナ(鼻)と同根》 ①先端部。突端。「靴片し、草鞋(かい)片し、踵(きびす)をば[履物ノ]―に穿(は)きて」〈宇津保貴宮〉。「後陣におとす人人のあぶみの―は先陣の鎧甲にあたるほどなり」〈平家九・坂落〉 ②でだし。先頭。「卯(う)の花を腐(くた)す霖雨(ながめ)の水―に」〈万四二一七〉

はな【鼻】 ①呼吸・嗅覚をつかさどる器官。「仏造る真朱(そほ)足らずは水たまる池田の朝臣(あそ)が―の上を掘れ」〈万三八四一〉 ②《洟》と書く》 鼻水。「咳(しはぶ)かひ―びしびしにしかとあらぬ鬚(ひげ)かき撫でて」〈万八九二〉。「恋しからむ事と目とどめて―すすりあへり」〈源氏真木柱〉 ③くしゃみ。「あさましう―こそ[私ヲ中傷スルヨウナ]そら言はしけれと思ふ」〈枕一八四〉 ④《自分の鼻を指し示して、自分の存在を相手に強く印象づけるところから》 男が自分自身をいう語。自分。おのれ。多く「この鼻」という。「どこへ済みませうも―がままでござる」〈浮・好色難波男一〉 **―明か・す** だしぬく。「[花ヲ散ラシテ]あへて人に―・せたる嵐かな」〈俳・伊勢正直集三〉 **―明・く** 期待外れになる。また、物事が意外で呆れる。「流通(るつう)の閻魔(えんま)も―・きて」〈評判・吉原人たばね〉。「―・いて来る文の腹立ち」〈俳・己が光〉 **―に当・つ** 鼻にかける。自慢する。「ただひたすらに物を知りたると云ふ事を―・てて」〈仮・可笑記四〉 **―に乗・す** ①(放下師(はうかし)などが、鼻の先に物を乗せてもてあそぶように) 相手を鼻先にかけて軽く翻弄(ほんろう)する。「よもさうじと―・せてあざむくなり」〈三体詩絶句抄五〉 ②相手を皮肉る。「聖明は、天子の不明を―・せていふぞ」〈四河入海一六上〉 **―弾(はじ)・く** ①強い匂いや辛い味などが、はげしく鼻を刺激する。「いと辛うして―・くらん」〈俳・山の端千句上〉 ②自慢している者をへこます。鼻をくじく。鼻を折る。「木枯しに―・かれてくさめかな」〈俳・伊勢踊五〉 **―も動かさ・ず** 素知らぬ顔つきで、平然とした態度をとる。ぬけぬけとした態度をとる。「鼻もゆるがず」とも。「―・ず偽言へば」〈西鶴・織留六〉 **―を欠・く** 得るところよりも失うところが多い意。損をする。「一日―・くの心有るか」〈明衡往来上〉 **―を突・く** 主君の機嫌を損じる。譴責される。「留守事に近所の人を呼び寄せて我こそあらめ―・かすな」〈江北記〉。「突鼻、ハナヲツク、日本の世話、嗔(かい)りて追ひ出さるるの義歟」〈文明本節用集〉 →はなつき。 **―を並・ぶ** 鼻先をそろえて並ぶ。隣接して並ぶ。「東大寺と―・べて造られけり」〈愚管抄六〉。「一家に二人の主ありて、―・べ出仕をいたす事」〈応仁略記下〉 **―を吹・く** 鼻息を荒くする。「目は大きなる鈴をつけたるが如くして見めぐらし、―・きいらかして」〈今昔一〇ノ一五〉

はなあしらひ ‥アシライ【鼻会釈】 相手を極めて冷淡にもてなすこと。鼻の先であしらうこと。「弟子どもを―に謡の師」〈雑俳・広原海一五〉

はなあはせ ‥アワセ【花合】 左右の組に分れ、花(主に桜)を持ちより、その花によせる歌を詠みあって、優劣を争った遊び。「―、菊の宴などをかしき事を好ませ給ひて」〈栄花根合〉

はなあぶら【鼻油】 小鼻のわきなどに分泌するあぶら。「射手と覚しき者ども…中差(なかざし)に―引いて[寄手ヲ]待ちかけたり」〈太平記三・笠置軍〉

はなあやめ【花菖蒲】 アヤメ科の多年草、アヤメ・ハナショウブの類。古来の「あやめ」即ちショウブと区別していう。「―といふ事、招月初めて歌に詠めり。花菖蒲(はなしやうぶ)と世俗にいうて、軒には葺かぬあやめなり」〈兼載雑談〉

はなあらし【花嵐】 花を吹き散らす嵐。「霜や散る吹きしく荻の―」〈吉備津宮法楽万句〉。「さざ浪の雪吹きよする―」〈看聞御記紙背連歌〉

はなあらし【鼻嵐】 馬などの立てるはげしい鼻息。「芝田が

馬は…驚いて、―吹いて取って返す」〈承久記下〉

はないかだ【花筏】 散った花びらが水面に浮かび、流れて行くのを筏に見立てていう語。また、それを形どった模様などの名。「吉野川の―、うかれて漕がれそろよの」〈閑吟集〉

はないくさ【花軍】 二組に分れ、花の枝で打ち合う遊び。「―、…これは玄宗と楊貴妃と立ち別れ、花にて打ち合ひ遊ばされし事と云へり」〈俳・御傘一〉。〈日葡〉

はないけ【花生・花活】 花をいけて置く水入りの容器。「この瓶(めか)を取りて見給へば、去年、翁の岩屋にて見し―なり」〈伽・鶴の翁〉

はないろ【花色】 ①花の色。「はや夕かげも深みどり、草の―露深き」〈謡・松虫〉 ②薄い藍色。はなだ色。長持ちして染め返しのきく実用的な染色。「―の木綿袷」〈正宝事録万治一・二・四〉 **―ごろも**【花色衣】 ①花を衣に見立てていう語。「山吹の―ぬしや誰問へど答へず口無しにして」〈古今一〇一二〉 ②その花の色の衣。「くちなしの―ぬぎかへて藤のたもと(喪服)になるぞかなしき」〈建礼門院右京大夫集〉 ③露草で染めた衣。「露かかる―あさはかに移りやすくはなどちぎりけむ」〈続後拾遺八七〇〉

はなうるし【花漆】 薄紙で漉(こ)して精製された生漆に適量の油分を混入したもの。油分を原則として加えない蠟色(ろいろ)漆とちがって、塗り放しで研磨作業を行なわなくても、十分な光沢を持つ。「昔は―、今は年たけ蠟(老ト掛ケル)色の」〈虎明本狂言・塗師〉

はなが【花香】 ①茶の香気。「いかに栂尾(とがのを)・宇治茶などにてありとも、仕立てわろくては、己(おの)が―もいたづらごと也」〈十問最秘抄〉。〈日葡〉 ②色香。魅力。また、すぐれた点。「―あるは俗ならぬ句也」〈十問最秘抄〉。「―ある人はお茶をもこしめすかこちゃまた跡に残る壺底」〈かさぬ草紙〉

ばなか【場中】 町・広場などのまんなか。人が大勢集まっている所。人前(ひとまえ)。「殊に―の高名、其の心懸け一入(ひとしほ)勝れて」〈武家雲箋天正一三・八・二六〉

はなかいらぎ【花梅花鮫】 鮫皮の地粒の中に白い花のような大粒のが交った物。刀の鞘・柄の飾りに用いる。「花かいらげ」とも。「―の鮫鞘」〈仮・薬師通夜物語〉

はなかご【花籠・花筥】 ①花籠(はなこ)。「一人は―を持(も)たり。一人は念珠を持たり」〈今昔一七ノ三三〉 ②花を摘み入れ、また、花の枝を盛る籠。はながたみ。「―に月を入れて、漏らさじこれを、曇らさじと持つが大事な」〈閑吟集〉

はなかず【花数】 花として、数に入れて考えること。花の仲間。「松の花―にしも我がせこが思へらなくにもとな咲きつつ」〈万三九四二〉

はなかぜ【花風】 花の盛りに吹く風。花を吹き散らす風。「やよひばかりの夕暮にゆるく吹きたる―、いとあはれなり」〈枕(能因本)風は〉

はながたみ【花筐】 ①花や菜などを摘み入れるかご。花籠。「打ち群れて若菜つむ野の―」〈続古今三〉 ②〔枕詞〕かごの編目がこまかく並んでいるところから「めならぶ」にかかる。「―めならぶ人のあまたあれば」〈古今七五四〉

はなかつみ【花かつみ】 水辺の草の名。秋、ヨシに似た穂が出る。一説、マコモ。「をみなへし咲く沢に生ふる―」〈万六七五〉 †Fanakatumi

はなかづら【花鬘】 ①花を蔓(つる)や糸に通してつくったかずら。髪にかざる。「今日そ我がせこ―せな」〈万四一五三〉 ②山の上に咲いた花を、花でつくったかずらに見立てていう語。「初瀬女(はつせめ)のみねの桜の―」〈続古今一〇三〉

はながみ【鼻紙】 常に畳んで懐中し、鼻汁を拭き、また不時に用いた紙。古くは、懐紙・畳紙〈たとうがみ〉と称した。「扇や―を忘れたやうに、路にて思ひ出て」〈六物図抄〉 **―いれ**【鼻紙入】 鼻紙・耳搔き・金銭などを入れ、外出の時に懐中する、革または絹製の袋。鼻紙袋。「近代、―を用ひる事盛んなれば」〈色道大鏡三〉

はながら【花殻・花柄】 ①仏に供えた花で、用済みになって捨てるもの。「閼伽棚(あかだな)の下に―多く積みたり」〈今昔一〇ノ三八〉 ②《仏前から取り下げたものという意》 ほどこし与えるもの。恵み与える金銭。「尼公、ふところより―一包み取りいでてあたへ給ふ。…ひろげて見れば、銭十文あり」〈伽・梅津かもむ物語〉 ③神前に供え、または乞食などに与える銭。「―を笠に受け止め給ふ事、いかなる事と言ひければ」〈仮・色音論下〉 ④近世、京都で、散米(さんまい)の称。うちまき。「―か寺の地に散る米桜」〈俳・智恵袋一〉

はなき・り【劓り】《四段》 鼻をそぎおとす。古代中国で五刑の一として行なわれた。「堯は仁義を以て汝を黥(けい)し、是非を以て汝を―・るよ」〈山谷詩抄一〉。「劓、ハナキル」〈名義抄〉

はなぐすり【鼻薬】 少額の賄賂(わいろ)。「―を飼ふべし」〈評判・吉原恋の道引〉

はなくそ【鼻糞・鼻屎】 ①鼻腔の中で、鼻汁のかたまったもの。〈日葡〉 ②《「花屑(はなくづ)」の訛という》 近世、上方で、涅槃会〈ねはんゑ〉に仏に供えた、正月の餅花や霰餅を煎ったもの。⑴に似ているのでいう。「としてかくして残る―」〈俳・山の端千句下〉

はなくた【鼻腐】 梅毒などで鼻が損われ、声の濁ること。また、その人。「―も袖には薫る花見かな」〈俳・六百番発句合二〉

はなぐはしワシ:グ【花ぐはし】〔枕詞〕 花が美しいの意で「桜」「葦」にかかる。「―桜の愛(め)で」〈紀歌謡六七〉。「―葦垣越しに」〈万二五六五〉

はなぐもり【花曇り】 桜の咲く頃の曇り空。「なにとなく雨にはならぬ―咲くべき頃や二月(きさらぎ)の空」〈為尹千首〉。「―して面白き程に、杖を突いて、花の多き処に入りたぞ」〈四河入海三ノ二〉

はなくやうウ:ヨ【花供養】 四月八日、いろいろの花で飾った御堂に釈迦像を安置し、甘茶を灌(そそ)いで供養すること。京都ではこの朝、長竿に樒(しきみ)・躑躅(つつじ)の花を插して立てた。灌仏会。「卯月八日の―」〈近松・釈迦誕生会一〉

はなぐるま【花車】 ①花見の車。「ここより―おりゐの衣」〈謡・熊野〉。「―桜に立つる春野かな」〈心玉集〉 ②花で飾った車。また、花のように美しく飾った車。「野の宮の秋の千種(ちくさ)の―」〈謡・野宮〉

はなげ【鼻毛】《鼻毛が長い意から》 ①愚者。「咲き散るも知らぬは春の―かな」〈俳・犬子集三〉 ②女に甘い男。「高きもの…―の揚ぐる傾城」〈仮・尤の草紙上〉 **―かり**【鑷】 毛抜き。「鉗鑷、倭言、鼻毛艾利(はなげかり)」〈華厳音義私記〉 **―読・む** 女が、自分にのぼせている男を思うままにもてあそぶ。鼻毛を数える。「我が物数寄にて―・まれて遊ぶに」〈西鶴・椀久一世下〉 **―を延ば・す** ①ばかみたいにのんびりとする。「あまり汝等―・して大ぶせりをする故なり」〈浅井三代記三〉 ②女の色香に迷う。女に溺れる。「玄宗皇帝の―・されし楊貴妃といふ濡れ者」〈浮・好色旅日記四〉

はなこ【花籠】「花籠(けこ)」に同じ。「―に花のあれば…散らさせ給ふ」〈栄花玉台〉

はなごころ【花心】 ①移り易い心。あだ心。「月草の―とは君をこそ見れ」〈古今六帖六〉 ②はなやかな心。また、風流

は

な心。「ふるき軒端の梅の花…なべて世に聞えたる名残かや。和泉式部の—」〈謡・軒端梅〉③花の心。花を擬人化していう。「情(風雅)の道に誘はるる老な厭ひそ—」〈謡・小塩〉

はなごめ【花ごめ】《ゴメは妻ゴメ・根ゴメのゴメに同じ。もろともの意》花もろとも。「わが屋戸の花橘を—に珠にそ吾(あ)が貫(ぬ)く待たば苦しみ」〈万三九九八〉

はなごろも【花衣】①桜襲(さくらがさね)の衣。「今日といへばはや脱ぎかへぬ—」〈新後拾遺一六五〉②花見の衣裳。「色めく—、袖をつらねて行く末の、雲かと見えて八重一重」〈謡・熊野〉③(舞などの)はなやかな衣裳。「袖ふれて舞人の返すは—」〈謡・軒端梅〉 †Fanagŏmë

はなごゑ【鼻声】①鼻にかかった声。「〔涙ヲ〕おしのごひ鼻うちかみ給ふ。…御息所も—になりたまひて」〈源氏柏木〉②特に、梅毒のために鼻にかかった声。「鼻金剛と云ふ人有りけり。少し—なりければ、世の人此の異名をぞ付けける」〈仮・為愚癡物語四〉

はなざくら【花桜】①桜の花。一説、桜の一種。「—咲くとみしまにかつ散りにけり」〈古今七三〉②襲(かさね)の色目の名。「—の、濃く、よきほどに、いとうすきと、みな三重にて」〈夜の寝覚三〉

はなざら【花皿】花籠(こけ)の俗称。「洗へば落つる—の露」〈宗砌法師付句〉。「さ夜深く—すすぐ音はして」〈園塵二〉

はな・し【放し】『四段』❶「はなち」の上代東国方言。「上毛野(かみつけの)佐野の舟橋取り—・し」〈万三四二〇東歌〉❷①自由に行かせる。逃す。「そこに持て行きて—・さむ」〈宇治拾遺一九六〉。「この牛—・すべきにもあらず」〈伽・ささやき竹〉②手放す。放棄する。「侍は家に伝はる太刀を—・す」〈八卦抄一〉③見放す。遠ざける。「聟には成り損じつ、千鳥には—・されつ」〈伽・鴉鷺物語〉④追放する。破門する。「加州一国の一揆、御門徒を—・さるべきとの義にて」〈実悟記〉⑤除外する。別にする。「日蓮—・して日本国に助くべき者一人もなし」〈日蓮遺文高橋入道殿御返事〉。「勲功をば、—・して申さすべし。…我が分に込めんとすべからず」〈相良家文書一、延慶四・三・五〉⑥射る。発射する。「二人の者、互ひに矢を—・したり」〈わらんべ草三〉。「用心せよと—・す鉄砲」〈俳・寛永十三年熱田万句五六〉。〈日葡〉⑦散りひろがるようにする。ふりかける。「〔汁ニ〕鳥を入れ、心見て、胡椒の粉を—・し、柚を入れ奉る也」〈庖丁聞書〉

—がめ【放し亀】亀を川または池に放してやって、後世(ごせ)を祈ること。また、その亀。放生日などに、寺院の境内で売った。放ち亀。「—買うて女の逃げ廻る」〈雑俳・よせだいこ〉

—どり【放し鳥】「放ち鳥」(2)に同じ。「三拾文—三羽」〈西鶴・諸艶大鑑八〉

—めしうど【放し召人】罪人を一つ所に拘留する刑。また、その刑に処せられた人。放ち召人。「唯尋常の—如くにて、侍所にぞ預け置かれける」〈太平記一・資朝俊基〉

—めぬき【放し目貫】刀・脇差の目貫の彫刻を見せびらかすために、糸などで巻き固めないもの。放ち目貫。「柄の辺り—や黄金菊」〈俳・雀子集四〉

はな・し【話し・咄し・噺し】㊀『四段』①おしゃべりをする。雑談する。「武者小路へ罷り候て、暫く雑談仕り候。次に広橋へ罷りて、また暫く—・し候」〈言継卿記大永七・五・七〉。「来臨、書院に於て少少雑談。茶にて—・す」〈耳底記〉。「咄、ハナス、雑談」〈経亮本節用集〉②遊女を買う。「天神を—・したる者は〔次ニ〕太夫を買ふ」〈評判・難波物語〉。「—・す。言語の事にあらず。傾城を買ふ事をいふ。傾城を呼びて—・し遊ぶ心よりいふなるべし」〈色道大鏡一〉㊁『名』おしゃべり。雑談。「お—のついで遅れまるしたに」〈捷解新語九〉。「重なれる山の辺には口見えて／咄(はなし)とよめる文字をえ読まず」〈俳・鷹筑波四〉。「噺、ハナシ、本朝の俗字」〈書言字考〉

—とぎ【話伽・咄伽】そばに居て、話相手となって退屈を慰める者。「—集めて向ふ月涼し」〈俳・懐子一〇〉

—のしゅう【咄の衆】安土・桃山時代以来の職制で、将軍・大名などに近侍して話相手をつとめた者。学識経験ゆたかな者、または頓才のある者が任ぜられた。「関白秀次公の御—に、曾呂利と申す者、あまりよく話を仕り候ふ故」〈咄・昨日は今日上〉

—ぼん【咄本】笑話・落語などの本。「—は後に残り」〈黄・御存商売物上〉

はなしづめのまつり【花鎮めの祭】陰暦三月の落花飛散する時には、疫神分散して病をはやらせると信ぜられたので、それをしずめるために行なった祭。鎮花祭。「三月には…同日—あり」〈太平記二四・朝儀年中行事〉

はなしね【花稲】神に供えるため、米を紙に包んで、木の枝などに結びつけたもの。「山桜吉野まうでの—を尋ねむ人のかてに包まむ」〈聞書集〉

はなしほ(オ・シ)【花塩】花形の壺に入れて焼いた塩。花焼塩。

「—もこぼれて春の湊かな」〈俳・続境海草五〉

はなしゃくはち【鼻尺八】鼻を鳴らすことを、尺八の音にたとえた語。鼻笛。「—を鳴らす乞食(こつじき)」〈俳・追善九百韻〉

はなじろ【鼻白】気おくれしたさま。「彌五郎隙間(すきま)もなくつつと入りて、と足をかきて、—に押し据ゑたり」〈曾我二〉

—・み【鼻白み】『四段』気おくれした顔色をする。「さての人人は皆臆しがちに—・める多かり」〈源氏花宴〉

はなすすき【花薄】①《ハダススキの子音交替形》穂の出たススキ。「—穂に出づる秋」〈万一六〇一〉②〔枕詞〕穂と同音をもつ「ほ(表面)に出づ」「ほのか」にかかる。「—ほにいだすべき事にもあらず」〈古今序〉。「—ほのかに見てぞ人はこひしき」〈拾遺七三二〉 †Fanasusuki

はなすすり【洟啜り】鼻水をすすりあげること。すすり泣くこと。「しのびがたげなる—を聞き給ひて」〈源氏東屋〉。「歔欷、ハナススリシカナシムデ」〈名義抄〉

はなずまう(…ズモウ)【花相撲】臨時に興行する相撲。もと入場料は取らずに纏頭(はな)だけ受けたのでいう。「難波津に梅待ちかぬる—」〈雑俳・よせだいこ〉

はなすり【花摺】萩や露草の花の汁を布地にすりつけて色を染めること。また、染めたもの。「わが衣(きぬ)は野原篠原萩の—や」〈催馬楽更衣〉

—ごろも【花摺衣】花摺にした衣服。「秋萩を折らでは過ぎじつきくさ(露草)の—露に濡るとも」〈新古今三二〇〉

はなせん【花氈】花模様を織り出した毛氈。花毛氈。「車三輛の上に—を敷かせ」〈西鶴・一代男八〉

はなぞの【花園】花の咲く草木を多く植えた園。「春は、梅の—を眺め給ひ」〈源氏匂宮〉

はなぞめ【花染め】①露草の花などで染めること。また、その色。色の消えやすいたとえにいう。「世の中の人の心は—の移ろひやすき色にぞありける」〈古今七九五〉②桜の花の色に染めること。また、その色。「忘るなよ木曾の麻衣やつるともなれし吉野の—の袖」〈新葉五三七〉

—ごろも【花染衣】

はなぞろへ(…ゾロエ)【花揃へ】いろいろの花を集めて飾ること。花染にした衣服。「たなばたに—ぬぎ貸せば」〈千載三三九〉

はなだ【縹】①色の名。うすい藍色。「—の帯」〈催馬楽石川〉。「唐の—の紙」〈源氏胡蝶〉。「碧、波奈太(はなだ)」〈新撰字鏡〉。「縹、アヲシ・ハナダ」〈名義抄〉②〔女房詞〕

「世の常ならぬ菊、—に奉れ」〈伽・かざしの姫〉

海鼠(なまこ)。「すけ殿より―まゐる」〈御湯殿上日記永祿八・一・三〉

はなだい【花代】遊女または野郎を買って遊ぶ代金。揚代(あげだい)。「―のそれ一枚が安い事」〈俳・大矢数三〉

はなだか【鼻高】①鼻の高いこと。「―なる者の、鼻の先は赤みて」〈今昔二六ノ一七〉②猿田彦の異名。「花こそ散らめ―の面」〈俳・宗因七百韻〉③天狗の異名。「麓の里は―が飛ぶ」〈俳・阿蘭陀丸下〉

はなたちばな【花橘】①花の咲いている橘。橘の花。「あやめ草―を、玉に貫きかづらにせむと」〈万四一三三〉②柑橘類の一。「盧橘、ハナタチバナ」〈名義抄〉→たちばな

はなだら【洟垂】馬鹿。間抜け。はなたらし。「うつけたる者を…―」〈俳・かたこと三〉。〈日葡〉

はなだんぎ【花談義】花見時分に行なわれる寺院の説教。「東山の―聞く程、後家は殊勝なる心底の事」〈西鶴・桜陰比事一〉

はな・ち【放ち】『四段』《物の中心・本体との連続や関係を絶ち切って自由にさせ、何処へでも行かせる意。室町時代以後、ハナシという形も現われる》①(ひと続きに続いているものを)切ってこわす。「〔田ノ〕畔(あ)を毀(はな)つ。毀、此をば波那豆(はなつ)と云ふ」〈紀神代上〉②本体から切り捨てて、関係を絶つ。関係がないものとする。「いとはるる我が身は春の駒なれや野飼ひがてらに―・ち捨てらる」〈古今一〇四五〉。「世の常のすきずきしき筋には、思し召し―・つべくや」〈源氏橋姫〉③手放す。「〔姫君ヲ〕―・ち聞えさせむことは、なほいとあはれにおぼゆれど」〈源氏薄雲〉④除外する。別にする。「小侍従と弁と―・ちて、また知る人侍らじ」〈源氏橋姫〉⑤追放する。流罪にする。「遠く―・ちつかはすべき定めなども侍るなるは」〈源氏須磨〉⑥(弓を)射る。「引き―・つ矢の繁けく」〈万一九九〉⑦(光・音声などを)発する。「この御足跡(みあと)八万光を―・ち出し諸諸救ひわたし給はな救ひ給はな」〈仏足石歌〉。「音(ね)を―・ち叫ぶ」〈今昔一九ノ三〉⑧火をつけて燃えるにまかせる。「大臣の宅を囲み、火を縦(はな)ちて燔(や)く」〈紀武烈即位前〉⑨放し飼いにする。「この野に虫ども―・たせ給ひて」〈源氏鈴虫〉⑩大きく開けはなす。「戸―・ちつる童も、そなたに入りて臥しぬれば」〈源氏空蟬〉⑪証文などを発行する。「後日の沙汰のために売券を―・つなり」〈高野山文書三、弘安七・一〇〉 **―いで**【放ち出】寝殿などに続けて外へ建て出した建物とも、母屋を南北に妻戸・障子などで区分した南の半分とも、廂(ひさし)の間を几帳や障子などで仕切って設けた部屋ともいう。「寝殿の―を、例のしつらひにて、螺鈿(らでん)の倚子(いし)立てたり」〈源氏若菜上〉。「西の対の南の―の簀子(すのこ)につい居て」〈今昔一九ノ一八〉 **―がき**【放ち書き】文字を続けて書かずに、一字一字放して書くこと。多く、幼い子の筆跡にいう。「かの御―なむ、なほ見給へまほしき」〈源氏若紫〉 **―こま**【放ち駒】放し飼いの馬。放ち馬。「―荒びにけらし」〈万二六五二〉 **―どり**【放ち鳥】①羽を切って放し飼いにしてある鳥。「―つばさのなきを問ふからに雲路をいかで思ひかくらむ」〈古今六帖五〉②死者の追善のためにおこなう放生(はうじやう)として、飼っている鳥を放してやること。放し鳥。「島の宮まがりの池の―人目に恋ひて池に潜(かづ)かず」〈万一七〇〉。「―。人死時、飼鳥を放つなり」〈匠材集一〉

はなつ・き【鼻突き】㊀『四段』主君の機嫌を損じ、きびしいおとがめを受ける。勘気をこうむる。鼻を突く。「傍輩などの、主人より―・く事あらば、わが身の上の事より歎き給ふべし」〈極楽寺殿御消息〉→突鼻(とつぴ)㊁『名』突然ばったり出くわすさま。出会いがしら。「殿下(てんが)の御出に―に参りあふ」〈平家一・殿下乗合〉。〈日葡〉

はなづくえ【花机】仏前で、花籠(けこ)・経・仏具などを載せる机。脚に花形の彫物などがある。「仏の御飾り―のおほひなどまでまことの極楽思ひやらる」〈源氏賢木〉

はなつづま【花つ妻】「はなづま」(1)に同じ。「足柄(あしがら)の箱根の嶺(ね)ろの和草(にこぐさ)の―なれや紐解かず寝む」〈万三三七〇東歌〉

はなづま【花妻】①花のように美しく、触れてはいけない妻。一説、結婚以前の或る期間、花婿と花嫁が厳粛な隔離生活をする、その期間中の妻。「なでしこがその―にさ百合花後(ゆり)もあはむと」〈万四一一三〉②花である妻。萩の花を鹿の妻に見なしていう。「初萩の―問ひに来鳴くさ男鹿」〈万一五四一〉

はなづら【縻・牛縻】《鼻葛(はなづら)の意か》牛の鼻につける綱。鼻縄(はななわ)。「信施物は後には牛になるといへば今日は甘葛(あまづら)明日は―」〈雑談集一〉。「馬は轡(くつわ)にしたがひ、牛は―にしたがふ」〈真宗教要鈔下〉

はなどうろう【花燈籠】盂蘭盆(うらぼん)に用いる、造花で飾った戻子(もぢ)または紙張りの燈籠。「―あるは木槿(むくげ)の地蔵かな」〈俳・崑山集七〉

はなどころ【花所】花の名所。特に、桜の名所。「咲かでだに吉野泊瀬は―」〈看聞御記紙背連歌〉

はなとり【花鳥】花と鳥と。花は見た目の、鳥は声色の美しいもののたとえ。自然風物の美にいう。「目移りて、えこそ―の色をも音をもわきまへ侍らね」〈源氏薄雲〉 **―のつかひ**(カイツ)【花鳥の使】《唐の玄宗が天下の美女を求めて派遣した使の称にもとづく》恋のなかだち。「歌はよく妹背(いもせ)の中をやはらぐる媒(なかだち)たるにより、色めくたぐひ、これを―とす」〈十訓抄一〇ノ三九〉 ▽古今集、真名序には「好色の家には此(和歌)をもちて花鳥の使とし」とある。

はなどり【花鳥】花に宿る鳥。「待ち惜しむ―の音のあとさきに霞ぞ春の匂ひなりける」〈草根集四〉。「―、花に宿れる鳥也」〈俳・増山の井〉

はななは(ナワ)【鼻縄】牛の鼻につなぐ縄。鼻綱。「牛にこそ―帯(は)くれ」〈万三八八六〉

はなにほひ(オイ)【花にほひ】花に美しく映えること。一説、花が美しく映えること。また、花のように美しく映えること。「をとこをみなの―見に」〈万四三一七〉 †FananiFoFi

はなぬすびと【花盗人】花の枝を盗みとる者。「あかつきに『―あり』といふなりつるを」〈枕二七八〉

はなぬり【花塗】漆塗りの一種。木地の接目(はぎめ)・節(ふし)などに紙を貼った上を糊で固め、漆を塗った粗造品。黒塗。糊地。「塗師二人、車の―〔ノ〕事」〈教言卿記応永一四・二・七〉

はなねぢ【鼻捻・鼻搯】鼻先を捻って馬を制する道具。先に緒のわなが付いた一尺数寸の棒で、近世前期には武家は道中に携え、喧嘩にも用いた。はなねじり。「左右の居飼ひ二十人、…蒲扇・―已上腰に插み」〈兵範記仁安二・一〇・二五〉

はなの【花野】花の多く咲いている野。後に、秋の野についていう。「秋萩の―のすすき」〈万二二八五〉。「河風の吹上ににほふ―かな」〈竹林抄一〇〉。「―。…秋の草花也」〈俳・御傘一〉 †Fanano

はなのあに【花の兄】梅の雅称。他の花にさきがけて咲くのでいう。「花の中にも始めなれば、梅花を―ともいへり」〈謡・難波梅〉

はなのえん【花の宴】①桜の花を観賞しながら行なう酒宴。弘仁三年、嵯峨天皇の御代に始まる。「ひととせの―

に、院の御けしき、内の上のいときよらになまめいて、わが作れる句を誦(ず)し給ひし」〈源氏須磨〉 ②秋草などを観賞しながら行なう酒宴。「かくて八月中の十日のほどに、みかどー し給ふ。かんだちめ・みこたち残りなく参り給ひて御あそびし給ふ」〈宇津保吹上上〉

はなのおえど【花の御江戸】 江戸の繁昌をほめたたえていう語。「武蔵の国ーに着きしかば」〈評判・吾妻物語〉

はなのおとと【花の弟】 菊の雅称。他の花に遅れて最後に咲くのでいう。「ももくさのーとなりぬれば八重八重にのみ見ゆる白菊」〈御室五十首〉

はなのが【花の賀】 花の季節に行なう賀の祝。「春宮の女御の御かたのーに召しあづけられたりけるに」〈伊勢二九〉

はなのき【花の木】 花の咲く木。花を咲かせる樹木。「ーも今は掘り植ゑじ春たてばうつろふ色に人ならひけり」〈古今九二〉

はなのくやう ゥ:ョ【花の供養】 仏に供えるために切り取られた花花を供養する仏事。「われ夏(げ)中、花をたて候へども、いまだーをなさず候ふ程に」〈謡・半蔀夕顔〉

はなのこころ【花の心】 ①花の気持。はなごころ。花を擬人化していう。「うちはへて春はさばかりのどけきをーや何急ぐらむ」〈後撰九二〉 ②花のようにうつろいやすい心。はなごころ。「枯れ果つるーはつらからで時過ぎにける身をぞ恨むる」〈後撰五四一〉 ③花の風情。「春の歌、ーなど…ふたつみつばかり書きて」〈枕二三〉

はなのころも【花の衣】 ①はなやかな服装。「皆人はーになりぬなりこけの袂よかわきだにせよ」〈古今八四七〉 ②花を着物に見立てていう語。「春風のけさはやければ鶯のーもほころびにけり」〈拾遺四一四〉 ③花染めの衣。「降る雪にさてもとまらぬみかり野をーのまづかへるらむ」〈拾遺愚草上〉

はなのざ【花の座】〔連俳用語〕 一巻のうちで、花の句を詠むべき場所。花の定座(ちやうざ)。「ー月雪〔ノ句〕の積もれば一千六百韻」〈俳・大句数序〉

はなのさき【鼻の先】 ①自分のすぐそば。目の前。「小知のーばかりまもりて、遠い所は見ず知らずな者ぞ」〈玉塵抄四一〉 ②浅はかな考え。鼻の先智恵。鼻の先思案。「皆ー合点なれば」〈仮・可笑記四〉 **ーぢゑ**【鼻の先智恵】「鼻の先」(2)に同じ。「敷銀必ずー」〈俳・絵合下〉

はなのした【鼻の下】 鼻と口との間。また、口。「それなら道理素浪人、花よりも先づー、物欲しからう」〈近松・聖徳太子一〉 **ーが干上(ひ)が・る** 食物がなくて口が干上がる。生活できない。「年寄った此の親がー・る」〈近松・女腹切中〉 **ーの建立(こんりふ)** 寺社の本堂・本殿建立と称して、僧侶・神主が勧進して歩くが、実は自分達の生活費稼ぎであるという意。後には、単に生活のためにすること、また、物を食うことの意にも用いた。「今も町中を笈摺掛けて、口養(くやう)仏と、ー」〈滑・当世下手談義四〉 **ーの童子格子(どうじかうし)** 《江戸でいう》 鼻の下に太い筋を伸ばしている意で、女にでれつく者のたとえ。鼻の下の二本棒。鼻下長。童子格子。「それにーを染め出して、茶屋知り自慢の高話し」〈洒・一騎夜行一〉 **ーの長い** 《鼻の下の長いのは間が抜けて見えるので》 愚かである。特に、女に甘い。また、長寿の相という。「少しーこそ寿命薬なれ」〈浮・傾城色三味線二〉

はなのしたひも【花の下紐】 花のつぼみを、固く結んだ下紐にたとえていう語。花の紐。「ふして思ひおきて詠(なが)むる春雨にーいかでとくらむ」〈新古今八四〉

はなのたもと【花の袂】 ①はなやかな衣服。「なれみてしーをうちかへし法の衣をたちぞかへつる」〈新古今一七〇九〉 ②花を袂に見立てていう語。「かりにのみ人のみゆれば女郎花ーぞ露けかりける」〈拾遺一六六〉

はなのつゆ【花の露】 蜜蠟・杉脂・胡麻油・龍脳を練り合わせた、髪・皮膚の艶出し用化粧油。「梅壺に掛かる薬かー」〈俳・続山の井一〉

はなのなかのやどり【花の中の宿り】 極楽で、蓮の花の中に身を置くこと。はちすのやど。「よし後(のち)の世にだにかのーに隔てなくとを思ほせ」〈源氏鈴虫〉

はなのはる【花の春】 ①花咲く春の季節をたたえていう語。「ー紅葉の秋にあへれども郭公をやまづ尋ねまし」〈禅林瘀葉集〉。「明日はとて今日別るともー」〈春夢草〉。「をりを知れ梅は冬こそー」〈自然斎発句冬〉 ②特に、新春。新年。「ー立つやおもかげ朝霞」〈再昌草九〉。「正月一日独吟の連歌し侍りしに。月の秋ー立つあしたかな」〈萱草〉

はなのひも【花の紐】「花の下紐」に同じ。「百草(ももくさ)のー解く秋の野に思ひたはれむ人なとがめそ」〈古今二四六〉

はなのひる【花の昼】 花の満開の時。「朝顔や只六つ時をー」〈俳・毛吹草六〉

はなのぼうし【花の帽子・縹の帽子】 法体(ほったい)・尼僧などが用いた頭巾。花色に染めた袖形のもの。はなだ帽子。はなのぼし。「髪をば剃らでありながら、ーにて髪包み、墨染に姿を変へ」〈伽・大橋の中将〉

はなのまへく ェ:マ【花の前句】 花を詠む句の前句となるべき句。花の句を付けやすく作る配慮を要した。「花の前」とも。「ーに村雨は似合はず。春の花の咲くころほひは、のどのどと降る雨也」〈片端〉。「『浮雲さびしかかる山もと』。…宗牧、『ーよな、ーよな』と褒美有りし」〈二根集四〉

はなのみやこ【花の都】 ①花の盛りの都。「咲きてとく散るは憂けれど行く春はーを立ちかへり見よ」〈源氏須磨〉 ②都の美称。はなやかな都。花洛(くわらく)。「御かたち心ざまに至るまでーにならぶ人もなし」〈伽・朝顔の露の宮〉

はなのもと【花の本・花の下】 ①花の咲いた木の下。花かげ。「うぐひすの鳴きつる声にさそはれてーにぞわれは来にける」〈後撰三五〉 ②《鎌倉時代以後、連歌が広く普及するようになり、春ごとに桜の花の下で連歌の会が行なわれたことから》 古くは、庶民の連歌愛好者の称。転じて、連歌の名匠への尊称。室町時代、連歌師のうちの最高権威者の称号となり、江戸時代には、里村紹巴の子孫が代代継承した。「今は、新古今の作者の歌は連歌の本歌には取るべき由、ーに申し侍る間」〈連証集〉 ③ほまれ高い第一人者。「上杉管領入道輝虎につづきては、織田右大臣信長とて…両大将を弓矢のーに申す」〈甲陽軍鑑六〉

はなは ハナワ【塙】 土の高く盛りあがった所。小高い所。「武隈(たけくま)のーの松は親も子も並べて秋の風は吹かなん」〈宇津保内侍のかみ〉

はなばしら【鼻柱】 鼻梁。鼻筋。「〔地獄ニ落チル人間ノ十五相ノウチ〕十一は、ーそばたち、そばむ」〈孝養集上〉。〈和名抄〉

はなはだ【甚だ】『副』《ハダ(甚)を重ねた語の転か。平安時代には漢文訓読体に使われた》 ①程度を大きく超えているさま。非常に。「端厳にしてー愛楽すべきことを得しむ」〈地蔵十輪経一・元慶点〉。「鳴り高し。鳴り止まむ。ー非常なり〔博士ノ言葉〕」〈源氏少女〉 ②全く。全然。「天地の神もー吾が思ふ心知らずや」〈万三二五〇〉 ③《打消の語を伴って》 たいして。「ーも降らぬ雨ゆゑ(雨ダノニ)にはたづみいたくなゆきそ人の知るべく」〈万一三七〇〉

はなはだ・し【甚だし】『形シク』 度を超えている。「是れ方便なりといはば…即ち誘法の—・しきなり」〈法華義疏長保点〉。「かしこまり(遠慮)を—・しう置きたれば、つややかなることはものせざりけり」〈かげろふ下〉

はなばちす【花蓮】 花の咲いた蓮。「入江のはちす、—」〈記歌謡九五〉

はなばな・し【花花し】『形シク』 いかにもはなやかである。「君故に我が名は—・しく世の中に聞ゆるばかりに立ちにけりと詠める也」〈古今集註〉

はなばなと【花花と】『副』 ①花のように。ぱっと目をひいて美しく。「御顔は、殊更に染め匂はしたらむやうにいとをかしく—して」〈源氏総角〉 ②(動作など)派手に。「—もてかしづき、さるべき人添ひ給へらむ」〈栄花殿上花見〉

はな・ひ【嚔ひ】『上二』《奈良時代は上二段活用》 くしゃみをする。上代では、人に恋され、また、恋人が訪れる前兆とされた。平安時代以後は、悪い事の起る前兆と考えられたようである。「眉根掻き—・ひ紐解け待てりやも」〈万二八〇八〉。「—・ふともあが愛者(はしもの)に逢はずはやまじ」〈琴歌譜〉。「人の家の男主ならでは、高く—・ひたる、いとにくし」〈枕二八〉。「凡そ人の家を出づる時、隣に—・ひる音を聞きぬれば、必ず留まる也。是皆、世俗の習ひ也」〈古今集註〉。「嚔、ハナヒル」〈名義抄〉 †Fanafi

はなび【花火】 火薬と発色剤とを包んだものに火をつけて、色・音などを楽しむもの。「一条殿より—参る」〈御湯殿上日記天正一六・一〇・二〇〉 **—せんかう**【花火線香】 火薬をこよりに仕込んだ花火。線香花火。「涅槃とて一枝の—かな」〈俳・堺絹〉 **—ぶね**【花火舟】 近世、江戸隅田川などで、花火を打ち上げた遊山舟。「追風にまかせ筒出せ—」〈俳・玉江草三〉

はなびら【花弁・花平】 ①花弁(かべん)。「大きにてよきもの。…桜の—」〈枕三三〉。「葩、波奈比良(はなびら)」〈和名抄〉 ②正月、鏡餅の上に載せる薄い菱形の餅。菱餅。菱花弁。花弁餅。「大宅(郷)より上がり候物…—百十枚」〈山科家礼記文明九・三・二七〉 ③「散華(さんげ)」に同じ。「禁中御懺法講なり。二十五日結願ありしに、伝奏中御門大納言—に〔歌ヲ〕書きて」〈再昌草六〉。「—。僧衆の、紙にて円くして、行道の時散らさるるを云ふ」〈俳・御傘一〉

はなぶえ【鼻笛】 ①口をつぐみ、鼻から声を出すこと。また、その声。「又、—を吹いて吟ずる事か」〈中華若木詩抄上〉 ②呼び子の笛。「腰より—取り出し」〈近松・艶狩二〉

はなふ・き【嚔き】『四段』《鼻吹きの意》 くしゃみをする。「つぎねふ山城川に蜻蛉(あきづ)—・く」〈琴歌譜〉 †Fanafuki

はなぶくろ【花袋】 花形に仕立てた匂袋。「紐解くやげに千金の—」〈俳・犬子集二〉

はなぶさ【花房】 ①萼(が)。「萼、花ブサ」〈名義抄〉 ②花が枝に群がって咲き、房のようになっているもの。藤・梅・山吹などにいう。「枝のさま、—、色も香も世の常ならず」〈源氏紅梅〉

はなべ【花辺】 花の咲いているあたり。「ほととぎす卯の—から鳴きて越え来ぬ」〈万一九四五〉 †Fanabe

はなまじろき【鼻まじろき】《マジロキは目をまたたく意》 鼻をひくひくさせること。心服しない様子にいう。「時に従ふ世の人の、下には—をしつつ追従し」〈源氏少女〉

はなみ【花見】 花を見て遊び楽しむこと。多く桜の花についていう。「さきの春も—に尋ね参り来し」〈源氏総角〉 **—こそで**【花見小袖】 近世、花見に着た婦女の豪華な小袖。「—の上のさげ帯」〈俳・鷹筑波一〉 **—じらみ**【花見虱】 花見時、着物の表にはい出る虱。「空にわくは—か春の雪」〈俳・夢見草一〉 **—づき**【花見月】 陰暦三月の異称。「頃(ころ)待ちえたる—、都の春ぞのどけき」〈謡・西行桜〉

はなみ【歯並】 歯の並んださま。「—は椎(しひ)菱(ひし)なす(ノヨウニ白ク)」〈記歌謡四二〉 †Fanami

はなみだう【花御堂】 四月八日の灌仏会に、釈迦仏を安置する、種種の花で葺き飾った小さい堂。花堂。〈俳・滑稽雑談七〉

はなみづ【花水】 仏前の手向け花に用いる水。「庭の板井を掬び上げ—とし」〈謡・井筒〉

はなむけ【餞・贐】《「うまのはなむけ」の意から》 門出する人への贈物。詩歌・金品など。「御先祖累代の白旌(しらはた)あり。…これを今度の—に進じ候ふなり」〈太平記九・足利殿御上洛〉。「餞別、ハナムケ」〈下学集〉

はなむこ【花婿】 結婚したての婿の美称。新郎。「—の冬の夜早くお寝ありて」〈俳・貞徳独吟〉

はなむしろ【花蓆・花筵】 ①花見の宴席に敷く蓆。また、花見の宴席。花の上に坐ることにもいう。「—、花の座也」〈匠材集二〉 ②近世、藺草(いぐさ)を赤・黒色に染めて、模様を織り出した蓆。古くは中国南京から輸入したが、後、長崎・大阪で多く生産するようになった。絵蓆。「—とは、紋に花を織り付けたる也」〈呉竹集一〉

はなむすび【花結び】 ①衣服・調度などの飾りに、糸を花の形に結ぶこと。また、その結んだもの。「若きは唐衣に紐つけ、—などしたる見えき」〈健寿御前日記〉 ②花結びの職人。「日本名誉の—」〈浄・浄瑠璃十二段三〉

はなむらさき【花紫】 藍色の勝った紫色。江戸紫。「—の藤枝の幾春かけて匂ふらむ」〈謡・賀茂物狂〉

はなめがね【鼻眼鏡・鼻目鏡】 鼻筋を挟んで掛ける蔓のない眼鏡。「—は重宝なる物に御座候ふ間」〈唐通事会所日録寛文八・五・二三〉

はなめ・き【花めき】『四段』 ①今を盛りと栄える。時めく。「桜とて—・く山の谷ほこりおのが匂ひも春はひととき」〈海道記〉 ②はなやかに浮きたつ。「いかにもうきうきと、やがてよき能をして、人の心—・くは陽なり」〈風姿花伝〉

はなもち【花餅】 菱餅。「—並びに部屋部屋へ遣はす餅代百疋」〈大乗院雑事記長祿一・一二・三〇〉

はなもち【鼻持ち】 **—のせられぬ** 《臭気が堪えきれないほどひどい意から》 見聞きに堪えぬほど、醜く下劣なさまのたとえ。「鼻持ちがならぬ」「鼻向けのならぬ」とも。「—ことを云うたぞ。恥を知らぬぞ」〈三百則抄〉

はなもの【花物】 花のように散りやすく変化しやすいもの。「人は—そうつせみの世人」〈万三三三二〉 †Fanamono

はなもみぢ【花紅葉】 花や紅葉。自然の人目に立つ美しさにいう。「折節の—につけてあはれをもなさけをもかよはすに」〈源氏椎本〉

はなもり【花守】 花を守る人。花の番人。「よしありげなる姿にて玉帚(たまはき)を持ち、花のかげを清め給ふは、—にてましますか」〈謡・田村〉

はなやか【花やか・華やか】 ①花のようであるさま。花のように美しいさま。「紫の綵色(しみ)のかづらの—に今日見し人に後恋ひむかも」〈万二九九三〉 ②ぱっと目をうばうようであるさま。「朝日—にさし出でたらむやうに」〈栄花布引滝〉。「甎(かはらぶき)皆黄赤色にして甚だ浄光(はなやか)なり」〈大唐西域記四・長寛点〉 ③(音が)大きくはっきり感じられるさま。にぎやかに感じられるさま。「いと—に言ひなす」〈源氏手習〉。「ひぐらしの—に鳴くに」〈源氏若菜下〉 ④陽気で元気なさま。勢いが盛んなさま。景気の良いさま。「童よりらうらうじう—なる心ばへ物し給ひし人にて」〈源氏紅梅〉。「世の覚えーなる御方方も」〈源氏桐壺〉。「か様にーにめでたき事共ありしかども」〈平家四・源氏揃〉 ⑤はなばなしいさま。美しくいさぎよいさま。「皆ーに討死にす」〈浄・今川物語二〉

はなや・ぎ【花やぎ・華やぎ】『四段』《ハナヤカの動詞形》①花のようにふるまう。「痩せ痩せに青みて、例も誇りかにー・ぎたる方は、弟の君だちには持て消(け)たれて」〈源氏若菜下〉 ②時めく。「世の中すさまじきにより、かつは籠り居給ひしを、取り返しー・ぎ給へば」〈源氏澪標〉

はなゆ【花柚】ユズの一種。花・蕾(つぼみ)・皮の切片を酒や汁に入れて香味を賞し、柚味噌にも用いる。小柚。「佳例のー等到来す」〈言継卿記天文一四・七・七〉。「酒好きは人の心のーかな」〈俳・埋草二〉

はなよめ【花嫁】結婚したての嫁の美称。新婦。「新婦子はーぞ」〈蓬左文庫本臨済録抄〉

ばならし【場慣らし】芸能を演ずる場所で、上演前に練習すること。「歌七八返うたひ、ーをしてぞ納めたり」〈三好軍記下〉

はなり 明るくはなやかなさま。はんなり。「安宅〔冬康ノ連歌〕はーとしたる事はありしが、しおとしありし也」〈耳底記〉

はな・り【離り・放り】㊀『四段』「離れ」の上代東国方言。「うつくしけま子(妻)が手ー・り島伝ひ行く」〈万四四一四防人〉 ㊁『名』少女が肩までつくように垂らしていた「うなゐ」の髪を、肩から離れる程度にあげること。また、その少女。「橘の光(て)れる長屋にわが率寝し童女〔ハ〕ーに髪上げつらむか」〈万三八二三〉。「八年児(やとせご)の片生ひの時ゆ小ーに髪たくまでに」〈万一八〇九〉 **ーそ**【離り磯】⇒はなれそ。「ーの〔ヨウニ〕母を離れて行くが悲しさ」〈万四三三八防人〉 **ーのかみ**【放りの髪】「放り」㊁に同じ。「をとめらがーを結ふの山」〈万一二四四〉

はな・れ【離れ・放れ】『下二』《ハナチ(放)の自動詞形。物の中心や本体との連続や関係が切れて、間に距離を置いたり、自由に距離を保つように移動したりする意》①間がへだたる。間がひらく。「しましくも一人あり得るものにあれや〔ドウシテ〕島のむろの木ー・れてあるらむ」〈万三六〇一〉。「とかう探り給ふにー・るる所もありけり」〈狭衣二〉 ②遠ざかる。「母をー・れて行くが悲しさ」〈万四三三八〉 ③関係がなくなる。縁が切れている。「この尼君もー・れぬ人なるべし」〈源氏手習〉。「ものねたみしける男ー・れ侍りて後に」〈拾遺二三詞書〉 ④(官職とか、疑いとかが)解かれる。「さやうに嫌疑ー・れても又かの遺言はたがへじ」〈源氏夕霧〉 ⑤別にする。「松の千年よりー・れて(以外ニハ)今めかしきこと無ければ」〈源氏若菜下〉。「琴の音をー・れては、何事をか物をととのへ知るしるべとはせむ」〈源氏若菜下〉 ⑥相違する。類を異にする。「〔本当ノ春日大明神カドウカ〕なほ疑ひあり。すみやかに凡夫の振舞ひにー・れたらんことを示し給へ」〈著聞六四〉 **ーうま**【放れ馬】(綱がはずれたり切れたりして)綱から放れた馬。放れ駒。「〔逃ゲル好忠ヲ〕ーなどの様に追ひののしる事いとおびたたし」〈今昔二八ノ三〉 **ーごま**【放れ駒】「放れ馬」に同じ。「たづねつる雪のあしたのー君ばかりこそ跡を知るらめ」〈後拾遺九九〇〉 **ーそ**【離れ磯】《ハナレイソの約》陸地から離れた所にある磯。はなりそ。「ーに立てるむろの木」〈万三六〇〇〉

はなゑみ【花咲み】花が咲いていること。人が笑みをふくんでいるのにたとえる。「道の辺の草深ゆりのーに咲(ゑ)みしがからに妻といふべしや」〈万一二五七〉 †Fanawemi

はに【埴】赤黄色の粘土。瓦や陶器をつくり、また、上代には衣にすりつけて模様をあらわした。「やまとの宇陀の真ーのさ丹つかばそこもか人の吾(わ)を言(こと)なさむ」〈万一三七六〉。「土黄而細密曰レ埴、波爾(はに)」〈和名抄〉

はにか・み『四段』①歯が重なって生える。歯ならびが不揃いである。「齵、歯重生、波尓加无(はにかむ)。齗、歯不正也、波尓加牟(はにかむ)」〈新撰字鏡〉 ②歯をむく。「その犬の子…睚(にら)み、眥(はにか)み、嘷吠(ほ)ゆ」〈霊異記上三〉

はにし【土師】上代、埴輪など土器をつくり、葬礼・陵墓などを管理した品部の名。はじ。「〔陵守等ヲ〕またー連等に授く」〈紀仁徳六十年〉 ↓はじべ

はにふ ハニウ【埴生】《埴(はに)の生(ふ)の意》①粘土のある所。赤土の地。「草枕旅行く君と知らませば岸のーににほはさましを」〈万六九〉 ②「埴生の小屋(をや)」の略。「旅のそらなれぬーのよるの床」〈金槐集雑〉 **ーのこや**【埴生の小屋】「はにふのをや」に同じ。「ーとは、あやしき家なり」〈奥義抄〉 **ーのをや**【埴生の小屋】赤土のところの小屋。いやしい家。「彼方(をちかた)のーに小雨降り床さへ濡れぬ身に添へ吾妹」〈万二六八三〉

はにわ【埴輪】《埴(はに)の輪の意》古墳時代、豪族の墓である古墳のまわりに輪をなして並べられた素焼の土器。円筒形のほかに人物・動物・器具・家屋にかたどったものがある。「仍(よ)りて是の土物(はに)を号(なづ)けてーと謂ふ」〈紀垂仁三十二年〉

はぬけどり【羽抜け鳥】①羽毛の抜けた鳥。また、羽の抜けかわるころの鳥。「夏草の野沢かくれのーありしにもあらずなる我が身かな」〈新撰六帖六〉。「逃げんとすれど立ちえぬはーのむくひか」〈謡・善知鳥〉 ②身動きできないことのたとえ。「ーの体(てい)に候」〈輝資卿記慶長一〇・二・一四〉

はぬひ イヌ【端縫】布の端を細く折り返して縫うこと。これで布のほつれを防ぐ。はしぬい。「女、昼つれづれなりけるに、ーといふものして」〈著聞五四七〉

はね【羽根・羽】①鳥の羽の根もと。「翮、八禰(はね)、羽根也」〈和名抄〉 ②つばさ。「天雲にーうちつけて飛ぶ鶴の」〈万二四九〇〉 ③虫の翅(はね)。「蝶のーを広げたる様に左右の袖をひろげて」〈平家八・猫間〉 ④鳥の全身をおおう羽毛。「ーのぬけたる黒き唐丸(たうまる)」〈俳・ひさご〉 **ーが生えて飛・ぶ** 商品が非常によく売れるたとえ。「其の年世間に少なき物を、ー・ぶとは商人の申せし言葉なり」〈俳・西鶴自註独吟百韻〉 **ーを交(かは)・す** 比翼(ひよく)の鳥のようになる。長恨歌の「天に在りては比翼の鳥となり」による表現。「〔玄宗ト楊貴妃トノ〕長生殿の古きためしはゆゆしくて(不吉ダカラ)ー・さむとはひきかへて、彌勒の世をかね給ふ」〈源氏夕顔〉 **ーを並・ぶ** ①「羽根をかはす」に同じ。「ー・べ、枝をかはさむと契らせたまひしに」〈源氏桐壺〉 ②《「臣者君之羽翼」などとあるのをふまえた語か》輔佐の臣が相並ぶ。相協力する。「心のへだてなく大小のこと聞え承り、ー・ぶるやうにて、おほやけの御うしろみをも仕うまつるとなむ思う給へしを」〈源氏行幸〉

は・ね ㊀『下二』❶【跳ね】①はずみをつけてとびあがる。おどりあがる。「〔相手ハ〕射られてやがてー・ねてかかるに」〈著聞四四一〉。「ー・ねばー・ねよ躍らば躍れ春駒の法(のり)の道をば知る人ぞ知る」〈一遍聖絵四〉 ②はじける。とび散る。「これはいかな事、〔栗ガ〕さんざんにー・ねた」〈虎寛本狂言・栗焼〉 ③成功する。当りを取る。「貴公のおかげで、昨夜(ゆふべ)はー・ねました」〈咄・坐笑産〉 ④その日の興行が終る。「芝居がー・ねたから、丸三(まるさぶ)へ寄って、三さんに礼を云って出たらの」〈滑・浮世風呂二上〉 ❷【撥ね・刎ね】①(首を)払い斬りにする。「すみやかにめしとりて死罪に行なふべし。かうべをー・ねんこと両三人に及ばんか」〈保元上・新院御所〉 ②ほうり出す。はじきとばす。「帆を引き、沈石

(いかり)を下ろし、荷を―・ね、船を直しけれども、いとど波風はげしくしてせん方なければ」〈盛衰記一八〉。「折ふし浪風荒くして、人あまた海の中へ―・ね入れられしを」〈伽・浦島太郎〉 ③除く。へらす。へつる。「肝煎(きもいり)十分一〔銀〕を―・ねる」〈浮・好色貝合下〉 ④「ん」「ン」の仮名であらわされる音節を発音する。撥音(はつおん)を用いる。「えにとは縁といふなり。何事も真名には―・ねたる文字、仮名には、にと書くなり」〈奥義抄〉。「ぬの字と―・ぬるとは黒白有無のかはりあり」〈浄土真宗小僧指南集末〉 ㊁『名』①終り。しまい。芝居・見世物などの興行のその日の終了にいうことが多い。「頤(おとがひ)の掛金も外るるほどの大笑ひ、これを今日の〔桜狩ノ〕―にして」〈浮・優源平歌嚢三〉 ②兜を数えるときに用いる語。「龍頭(たつがしら)・四方白の甲(かぶと)各一―」〈庭訓往来六月十一日〉

はねうまのしゃうじ【跳馬の障子】跳ねている馬の絵を画いた衝立(ついたて)障子。清涼殿の渡殿に立ててあった。「ありつる女房の装束をば―になげかけ、南殿の方へ参れば」〈平家六・小督〉

はねがき【羽掻き】「はがき」に同じ。「暁の鴫(しぎ)の―百(もも)はがき君がこぬ夜は我ぞかずかく」〈古今七六一〉

はねかづら【はね鬘】鳥の羽で作った鬘。また、菖蒲(しょうぶ)の葉や根を鬘にして五月五日に戴くものともいう。うら若い少女がつける。成年式に鬘をつけた風習の名残か。「―今する妹(いも)をうら若み」〈万一一一二〉

はねき・り【羽霧り】『四段』水鳥が翼を強く振ってしぶきを立てる。「埼玉の小埼(をさき)の沼に鴨そ―・る」〈万一七四四〉
†Fanekiri

はねじ【撥字】撥音。また、撥音で終る語。「―分別の事」〈連歌初心抄〉。「〔連歌ノ表八句ノ〕第三は、て留り、―なりとかや」〈謡・花丸〉

はねず【唐棣】今のニワウメか。また、その変種ニワザクラとも。春、紅色の花が咲く。「夏まけて咲きたる―ひさかたの雨うち降らば移ろひなむか」〈万一四八五〉。「朱花、此をば波泥孺(はねず)と云ふ」〈紀天武十四年〉 **―いろ**【唐棣色】「はねず」の花の色。その色は、変りやすいという。「―の赤裳の姿」〈万二七八六〉

はねだいもく【跳題目・撥題目】「南無妙法蓮華経」の七文字の各画の端をはね上げて書いたもの。鬚(ひげ)題目。「まねき(幟ノ一種)には…―を書き付けたる」〈信長記一五下〉

はねづくろひ【羽繕ひ】①「はづくろひ」に同じ。「鷺―して立たんとす」〈平家五・朝敵揃〉 ②《転じて》身支度。用意。「軒端の鳥にはあらねども、―して待ちゐたり」〈伽・鉢かづき〉

はねつるべ【撥釣瓶・桔槹】竿(さを)などの一端に石を、他端に釣瓶をとりつけ、石の重みで釣瓶をはねあげて水を汲み上げる仕掛け。「その木を伐りて、―にして水をかくれば」〈中華若木詩抄中〉

はねばかま【撥袴】糊を強く付け、端が撥ね上がった袴。「―着てや立ち来る酉の年」〈俳・崑山集一〉

はねばし【跳橋】所要に応じ、はねおろしたり、つりあげたりできるようにした橋。城門・外堀の要害などに設けた。「今はかなはじと、わが館(たち)へつつと入り、堀の―引きはづし、四方の木戸をちゃうど打つ」〈説経・鎌田兵衛正清〉

はねもとゆひ【撥元結】針金を入れて先を撥ねかえらせた平元結。金・銀紙で作り、若い女が用いた。「柳髪の―か三日の月」〈俳・山の井五〉

はは 大蛇の古語。「古語に、大蛇を羽羽(はは)といふ」〈古語拾遺〉

はは【母】《平安時代以後ハワと発音が変化したが、ロドリゲス大文典などによると、室町時代には、再びハハとする発音もあったらしい》①自分を生み、育てた女。「筑波嶺の彼面(をても)此面(このも)に守部(もりべ)据ゑ―い守れども魂そ逢ひにける」〈万三三九三〉 ②育ての親。「鶯の生卵(かひご)の中に、霍公鳥(ほととぎす)独り生れて、…己(な)が―に似ては鳴かず」〈万一七五五〉 ③物事の根源。母体。「それ摩訶般若波羅蜜(まかはんにやはらみつ)は諸仏の―なり」〈続紀宝亀五・四・一一〉 ▽チチ(父)と共にいう場合、奈良時代ではすでにチチハハと父を先にいう例が多いが、類義語オモ(母)の場合は、オモチチと複合する。チチハハを用いる社会と、オモチチを用いる社会とは、社会の親族構造が相違すると考える説もある。

はば【幅】①横の広さ。「かはらけの物三立ての時は、台の―・長さはかくの如し」〈大草殿より相伝之聞書〉。〈日葡〉 ②威勢。はぶり。「武道は知らねども、時の―にまかせ」〈甲陽軍鑑四〉 **―を・する** 威勢を誇示する。見栄を張る。「幅を取る」「幅をやる」とも。「御本尊様より―・して」〈浮・好色貝合上〉。〈日葡〉

ばば【屎】大便。糞。「―は、したたか垂れてあった」〈咄・昨日は今日上〉

ばば【婆】①父母の母親。祖母。また、祖母にあたる人。「まろはうちのうへ(父)よりも、宮(母)よりも―をこそまさりて思ひ聞ゆれば」〈源氏御法〉 ②年取った女。ばばあ。「八十ばかりなる―」〈咄・昨日は今日下〉

ばば【馬場】馬術の練習場。うまば。「さては―ごさんなれ。鹿の通はう所を馬の通はぬ様やある」〈平家九・老馬〉

ははうき【羽帚】鳥の羽で作った小さな帚。鳥はばき。はね帚。「棚に野雁の―を置く」〈俳・犬子集一六〉。〈日葡〉

ははうへ【母上】母の敬称。「―の…あがめかしづかると聞き侍りしかば」〈源氏東屋〉

ははおとど【母おとど】母である女房・乳母などの敬称。「―あけくれなげき、いとほしがれば」〈源氏玉鬘〉

ははか ウワミズザクラの古名。「天の―を取りて〔鹿ノ骨ヲ焼キ〕占合へまかなはしめて」〈記神代〉。「朱桜、波々加(ははか)、一云加邇波佐久良」〈和名抄(十巻本)〉

ははかた【母方】《「父方」の対》母の方の血筋。「―の叔父」〈源氏椎本〉 **―から**【母方柄】母の生家の素姓。「―こそ、帝の御子もきはぎはにおはすめれ」〈源氏薄雲〉

ばばがた【婆方・祖母方】歌舞伎で、老婆に扮する役柄。また、その役者。「これなる人こそ当所の―」〈俳・物種集〉

はばか・り【憚り】㊀『四段』《ハバメ(阻)と同根。相手の力や大きさに直面して、それを恐れ、あるいはそれを障害と意識して、相手との間に距離を置くのが原義》①さしさわりとして敬遠する。遠慮する。「不尽(ふじ)の嶺(ね)を高み畏み天雲もい行き―・り」〈万三二一〉。「身命を惜しまず、疲労を―・らずあるべし」〈金光明最勝王経平安初期点〉 ②相手を気にして、さしひかえる。「たとひ大なる火の聚(らむ)、百踰繕那に満ちたりとも、此の経王を聴かむが為には、直ちに過ぎて辞(はばか)り苦しぶことなかれ」〈金光明最勝王経平安初期点〉。「人のそしりをもえ―・らせ給はず」〈源氏桐壺〉 ③周囲にさしさわりとなる程一杯にふさがる。大きくのさばる。「夜入道の臥し給へる所に、一間に―・る程の物の面出で来て、のぞき奉る」〈平家五・物怪〉。「大空に―・るほどの餅もがな」〈伽・乳母草紙〉 ④はびこる。幅をきかす。「雲孫(つるのこ)玄孫(やしはご)まで栄え繁昌して、…ひとり子国に―・るとは此事をこそ申しけれ」〈伽・彌兵衛鼠〉 ㊁『名』①(神などに対する)恐れ。慎み。「榊(さかき)の―にことつけて、心安くも対面し給はず」〈源氏葵〉 ②遠慮。ひけ目。

さしさわり。「世を保たせ給はむに—あるまじく」〈源氏明石〉。「心に相ひ体(さと)り信(いっ)むで、入出に難(はばかり)無し」〈妙法蓮華経平安後期点〉 ③さしひかえるべきこと。失礼にわたること。「すもじ今日—の日ゆゑ、御配膳に御事欠けて」〈御湯殿上日記明応三・四・一三〉。「—の段、まっぴら許させ給へ」〈浄・酒典童子若壮三〉 ④《人の親切に対して恐縮に堪えない意》感謝して言う言葉。どうもありがとう。「〔背中ヲ〕流しておくれか、それは御—だね」〈滑・浮世風呂二上〉 ⑤《人目を憚る所の意》便所。「—の咳ばらひ」〈徳和歌後万載集序〉 **—ながら** おそれ多いことながら。口はばったいことですが。「—その由を書き付け侍るなり」〈文治二年十月二十二日歌合〉。「いかに父御に、—、一つの不審を申し上げうず」〈天草本伊曾保〉

ははき【帚・箒】《羽掃キあるいは葉掃キか》ほうき。「—を以て路を掃ひて」〈霊異記下三〉 **—ぎ【帚木】** ①ホウキグサの別名。また、昔、信濃の園原にあったという伝説の木。遠くからは、あるように見えるが、近づくと、消えて見えなくなるという。「園原や伏屋に生ふる—のありとて行けどあはぬ君かな」〈古今六帖五〉 ②《①の古今六帖の歌から》居るのに人に会わず逃げる人のたとえ。「—の心を知らでその原の道にあやなくまどひぬるかな」〈源氏帚木〉 **—ぼし【帚星】** 彗星(すいせい)。ほうきぼし。「承元四年九月三十日、—とて、久しく絶えたる天変の中に第一の変と思ひたる彗星いでて」〈愚管抄六〉。〈和名抄〉 **—もち【帚持ち】** 古代の葬送のとき、喪屋(もや)を掃く箒を持つ者。「川雁をもて持傾頭者(ききりもち)および—とし」〈紀神代下〉

はばき【鎺】 刀・長刀などの鍔(つば)の上下にはめて、刀身が抜けないように締めておく金具。はばきがね。「一振(ひとふり)には、銀を以て金—の上に鬼切(おにきり)といふ文字を沈めたり」〈太平記二〇・義貞自害〉 **—もと【鎺本・鎺元】** 刀などの「はばき」の在る所。「向坂が太刀を—よりずんと切って落し」〈浅井三代記一三〉。〈日葡〉

はばき【脛巾・行纏】 脛(はぎ)に巻くもの。後世の脚絆(きゃはん)に当る。藁・蒲などの草製もあった。「深き沓(くつ)、半靴(はうくわ)などの—まで、雪のいと白うかかりたる」〈枕二四七〉。〈和名抄〉

ははきさき【母后】 以前または現在、きさきで、かつ実母に当る人。「〔帝ハ〕—・祖父大臣(おほぢおとど)取りどりし給ふ事は、えそむかせ給はず」〈源氏賢木〉

ははきたのかた【母北の方】 実母であり、父の正妻である婦人の敬称。「父の大納言はなくなりて、—なん、いにしへの人のよしあるにて」〈源氏桐壺〉

ははぎみ【母君】 母の敬称。「—は故北の方の御姪なり。弁も離れぬなからひに侍るべきを」〈源氏宿木〉

ははくそ【黒子】 ほくろ。後に「ははくろ」とも。「腰のほどに—といふものの跡ぞさぶらひし」〈宇治拾遺八五〉。〈和名抄〉

ははくろ【黒子】「ははくそ」に同じ。「七つ星の—のかく候ひて、弓矢の冥加一度も不覚候はず」〈愚管抄四〉

ははこ【母子】 ハハコグサ。春の七草の御形(ごぎやう)。「三日の夜の餅(もちひ)はくはじ煩はし聞けば淀野に—つむなり」〈後拾遺二〇五〉 **—もちひ**(モチイ)**【母子餅】** 草餅の一種。ハハコグサをつきまぜた餅で、三月三日に用いた。「はなのさと心も知らず春の野にいろいろつめる—ぞ」〈和泉式部集三〉

ははご【母御】「母御前(ははごぜん)」の略。「—しきりに諫(いさ)めて、…と泣き悲しみて止めければ」〈太平記二・長崎新左衛門〉

ははごぜ【母御前】「ははごぜん」の転。「産み落した—も七つの年迄養育」〈近松・薩摩歌中〉

ははごぜん【母御前】 母の敬称。「ははごぜ」「ははご」とも。「—も今は八幡(やはた)より御下向あらん」〈保元下・義朝幼少の弟〉

はば・し『形シク』はでで人目を引くさまである。はなばなしい。「ばばし」とも。「苔の細道なめらかに、おのづから塵もなく、心—・しく住みなれたる古寺あり」〈仮・可笑記四〉

はば・し【憚し】『形シク』はばかられる。「歌詠じ声など人に聞かるるは、—・しきことなり」〈伽・乳母草紙〉

ははしろ【母代】 母に代って世話する人。天皇の場合は、准母といい、実母の身分が低い時などに定められた。「この一宮の御事を故宮よろづに聞えつけさせ給ひしかば、ただこの宮の御—によろづ後見聞えさせ給ふ」〈栄花初花〉

ははそ【柞】 ①ブナ科の落葉喬木。ナラ。一説、ナラやクヌギの総称。「佐保山の—のもみぢよそにても見ん」〈古今二六六〉。「楢、堅木也。波々曾(ははそ)乃木、又奈良乃木」〈新撰字鏡(享和本)〉 ②母の意をかけていう語。また、母の雅語。「時ならで—の紅葉散りにけりいかに木の下〔＝子ノ許(もと)ト掛ケル〕さびしかるらむ」〈拾遺一二八四〉。「さきだちて消えゆく露の命より残る—の歎きをぞ思ふ」〈瓦林政頼記〉 **—ばの【柞葉の】**〔枕詞〕同音から「母」にかかる。「ちちの実の父の命(みこと)、—母の命」〈万四一六四〉 †FaFasobanö

ははぢゃひと【母ぢゃ人】《母である人の意》子が母を親しんで呼ぶ称。「母ぢゃ」「母ぢゃ者」「母びと」なども。「—御煩ひの時」〈北野社家日記天正一八・一二・二五〉

ははとじ【母刀自】《トジはトヌシ(戸主)の約。主婦の意》一家の主婦権を持つ母の尊称。おもとじ。「—に我は愛子(まなご)ぞ」〈万一〇二二〉 †FaFatozi

ははのみこと【母の命】 母の敬称。「たらちねの—は」〈万四三四二〉 †FaFanömikötö

はばひろ・し【幅広し】『形ク』行動・振舞が、おおっぴらである。「一年(ひととせ)、ある女房と手管(てくだ)の男を争ひたりし事は、まことに—・き取沙汰なりき」〈評判・難波物語〉

ははみや【母宮】 皇女・女王で、人の母である御方。「—内のひとつきさい腹になんおはしければ」〈源氏桐壺〉

はば・め【阻め】『下二』他の動きをくい止める。阻止する。「彼の二(ふたり)の兄い…共に留め難(はば)めて、祈(ねが)ふ所を果さずあらむかと慮(おも)ふ」〈金光明最勝王経平安初期点〉

はばめ・き【幅めき】『四段』幅がきく。はぶりをきかせる。「則政公旗本にて—・く親類傍輩どもの中に」〈甲陽軍鑑五〉

ははや【羽羽矢】《ハハは蛇の意》蛇のように威力ある矢。「天の—」〈記神代〉

はばや・し【刃早し】『形ク』①すばやく切れる。切れ味がするどい。「剃刀の—・い事を示した」〈碧岩抄一〇〉 ②頭の働きや動作が鋭い。「いやいや—・い振舞ぞ」〈碧岩抄一〇〉

ばは・れ【場晴れ】『下二』《多く「—・れて」の形で使う》少しも隠さずにふるまう。公然とする。おおっぴらに行なう。「公然公行は、人を憚からず、人を避けもせず、—・れて人にも隠す行ひすることぞ」〈玉塵抄五〇〉。「満ずるやげにも—・れた月の顔」〈俳・沙金袋四〉

ばはん【八幡】 倭寇(わこう)の異名。倭寇が舟に立てた「八幡大菩薩」という幟(のぼり)の字に由来する呼称というが、語源については諸説あり、未詳。「—海賊の儀、先年より御停止なされ候処」〈饅頭屋本節用集〉。「奪帆、バハン、又作二八幡一、蛮夷奪二他船一云レ爾」〈書言字考〉 **—ぶね【八幡舟】** 海賊船。「ばはん船(せん)」「ばはん舟(しう)」とも。「白波に散りし一葉や—」〈俳・詞林金玉集一〇〉。〈日葡〉

はひ ハイ【灰】①物が燃えつきて、残るもの。特に、紫染めの媒染剤として用いた。「紫は—さすものぞ」〈万三一〇一〉。「火桶の火も白き—がちになりて」〈枕一〉②火葬にした骨。「うつそみと思ひし妹が—にてませば」〈万二一三〉▽上代、ヒの音は Fi か Fï か未詳。

はひ ハイ【蔤】《「這ひ」の意》蓮の根の古称。蓮根(れんこん)。「蓮葉の—にぞ人は思ふらむ世には恋路(「ひぢ(泥)」ト掛ケル)の中に生ひつつ」〈後撰一〇八九〉。「蔤、ハチスノハヒ・ハチスノネ」〈名義抄〉

はひ ハイ【蠅】①「はへ」の転。「ハイ」〈日葡〉②名詞に冠して、軽蔑すべき、または、取るに足らぬ意を表わす。「—武者」「—末社」など。「—若衆に蚊坊主」〈俳・世話尽三〉。「軽い事ぢゃ／あの帆柱を—唐人」〈雑俳・軽口頓作〉

は・ひ ハイ【這ひ・延ひ】[一]《四段》①蔓草や綱などが、物にからみついて伝わって行く。「谷狭み峰に—・ひたる玉かづら」〈万三五〇七〉②動物が腹部を物の表面につけて、伝うように移動する。「伊勢の海の大石に—・ひもとほろふ細螺(したみ)のい—・ひもとほり」〈記歌謡一三〉③《他の動詞の上について》そっと…する。人目に立たないように…する。「深き山里、世ばなれたる海づらなどに—・ひかくれぬかし」〈源氏帚木〉。「なほこの内侍にぞ思ひ離れず—・ひまぎれ(コッソリ逢イ)給ふべき」〈源氏藤裏葉〉[二]《接尾》あたりに這うように広がる意を添えて動詞をつくる。「さきはひ」「にぎはひ」など。「言霊(ことたま)のさき—・ふ国と語りつぎ言ひ継がひけり」〈万八九四〉 †Fafi **延ふ葛(くず)の** 地をはう葛が、長く伸び、ひろがっているところから、「引かば寄る」「いや遠永く」「下よ」「絶えず」「行方を無み」「後もあはむ」などの比喩に使う。「—引かば寄り来ね」〈万三三六四〉 **延ふ蔦(つた)の** 蔦が方方に別れるところから、「おのが向き向き」「別れ」「行き」などの比喩に使う。「—おのが向き向き」〈万一八〇四〉。「—別れし来れば」〈万一三五〉。「—行きの別れの」〈万三二九一〉 **這へば立て立てば歩め** 子の生長を待ちこがれる親心をいうことば。「蝶よ花よと守り育て—と言ふ老の身の」〈浮・好色勘忍記四〉

ば・ひ バイ【奪ひ】《四段》《ウバヒの頭母音ウの脱落した形》他人のものを無理に取る。「例の文をぞ急ぎ書き給ふ。〔妻ハ〕いと心づきなしとおぼせど、ありしやうにも—・ひ給はず」〈源氏夕霧〉。「奪、バフ」〈色葉字類抄〉

はひい・り：ハイ【這ひ入り】[一]《四段》①這って入る。「〔夫ガ〕出でにけるすなはち、〔子ハ〕—・りておどろおどろしう泣く」〈かげろふ上〉②内に入る。「あるじもおどろき騒ぐに、ふと—・りて」〈かげろふ中〉[二]《名》入る所。邸宅の入口。「はひり」とも。「妹が家の—にたてる青柳に」〈後撰四一〉

はひうら：ハイ【灰占】うずみ火などの灰を掻いて吉凶を占うことという。「寝ざめする夜半(よは)の埋(うづ)み火かきのけて問ふ—も憂き身なりけり」〈拾玉集一〉

はひおく・れ：ハイ【灰後れ】《下二》紫などの染色が白茶ける。色素が揮発して、媒染剤である灰の成分が後に残るのにいう。「紫の紙の年経にければ—・れ」〈源氏末摘花〉

はひがしら：ハイ【蠅頭】①細字のこと。「細字をば—とも云うたぞ。蠅の頭の如くなぞ」〈玉塵抄四六〉②馬の尾または鯨の鬚で蠅の頭を模造した擬餌鉤(ぎじばり)。鮠釣(はえづり)に用いる。「—幾代継竿若夷(わかえびす)」〈俳・三つ物揃〉

はひかへ・り ハイカエリ【灰返り】《四段》「灰おくれ」に同じ。「葡萄染(えびぞめ)の織物—・りたる」〈枕一六三〉

はひき【刃引】刃を引きつぶした刀。「—をば漆にて塗るべし」〈走衆故実〉。「高麗人は、半弓并びに鉄砲の様なるを持ち、刀は—の様なり」〈当代記天正一九冬〉。〈饅頭屋本節用集〉

はびこ・り《四段》《ホビコリの母音交替形》①ひろがる。充満する。「香の煙は…谿谷に—・れり」〈大唐西域記四・長寛点〉。「西に望めば潮海広く—・りて」〈海道記〉②(草木などが)延び広がる。「思ふ人来むと知りせば八重葎(やへむぐら)—・る庭に玉敷かましを」〈古今六帖二〉③勢いが盛んになる。幅をきかす。「朝廷再び傾いて武家また—・るべき瑞相にや」〈太平記三・兵部卿親王〉

はひすべ・り：ハイ【蠅滑り】蠅も滑り落ちるほど、つるつるに禿げている頭をあざけっていう語。はえすべり。「許さぬや貴人頭上も—」〈俳・続連珠五〉

はひで：ハイ【這出】田舎から出て来て奉公したてであること。また、その奉公人。新参。山出し。ぽっと出。「はへで」とも。「其の給仕は此の程の—にて候」〈咄・醒睡笑五〉

はひはらひ ハイハライ【蠅払】払子(ほっす)のこと。「飾りぬる注連(しめ)や神馬の—」〈俳・熱田宮雀下〉。〈枳園本節用集〉

はひぶき：ハイ【灰吹】①冶金(やきん)法の一。また、その方法で得た良質の銀。南鐐(なんりょう)。灰吹銀。「准后よりの—一枚遣はしかくる」〈三藐院記文禄三・四・二七〉。「灰吹屋の長右衛門、院内にて—を致し候に」〈梅津政景日記慶長一七・三・九〉②《ハヒフキと清音》煙草盆についている灰落し。「いく薬か与えけるを、飲む顔して—に捨てて」〈西鶴・一代男七〉

はひぶし：ハイ【這臥し】腹ばいになって伏すこと。「例の—にならはせ給へるおまへたちなれば」〈枕九九〉

はひまゐり：ハイ【蠅参り】参宮の道者の尻に付いて伊勢参りする者の称。蠅が馬の尻尾に付いて遠行するにたとえていう。〈運歩色葉集〉

はひよせ：ハイ【灰寄せ】火葬の翌日、骨を拾い集めること。骨上げ。骨寄せ。「—帰りにも、…正信偈・短念仏廻向也」〈私心記天文五・五・六〉

はひ・り ハイリ【這入り】《ハヒイリの約》[一]《四段》内に入る。「〔長櫃ノ中ニ〕姫をこそ入れてこすべきに、かかる牛の—・る故はあるまじき」〈伽・ささやき竹〉。「まづこれへ—・っておくつろぎやれ」〈虎明本狂言・磁石〉[二]《名》①入る所。邸の入口。「わが宿の—の柳下払へども」〈和泉式部集一〉②やっと入れるほどであること。きわめて狭いこと。「呉竹の—の小屋の日は暮れて。〔注〕くれ竹の—のこや、ちひさき家也」〈伊勢千句注〉

はびろ【葉広】葉の広いこと。また、その草木。葉の栄えることをほめていう。「其(し)が下に生ひ立てる—斎(ゆ)つ真椿」〈記歌謡五七〉 †Fabirō

はふ【破風・搏風】屋根の切妻(きりづま)についている合掌形の板。「—・懸居(けんぎょ)・鵃子(かうし)・遣戸(やりど)…皆よく造りたり」〈今昔一三ノ一〉

はぶ・き【省き】《四段》①けずり捨てる。一部分を捨て去る。「刪、去也。刪、音讃。訓波夫久(はぶく)」〈華厳音義私記〉。「異人(ことひと)の〔私ヲ〕言ひおとしめむをだに、—・き隠し給へ」〈源氏若菜下〉②節約する。簡素にする。こまかくけずって減らす。「家の内に足らぬ事など、はた無かんめるままに、—・かず、まばゆきまでもてかしづける娘など」〈源氏帚木〉。「力を—・くとは、百人してする普請(ふしん)などを、五六十人にてするが—・くなり」〈碧岩抄三〉③こまかく分ける。分割する。配分する。「一人が食物を三人に—・き」〈盛衰記一一〉。「各忠を君に致し、功を民に—・きて、怨讐を止(や)めよ」〈三国伝記六〉 †Fabuki

はぶ・き【羽振き】[一]《四段》《フキは振りの古語》羽を振る。羽をふるわせる。はばたきする。「さ夜更けて—・き鳴く鴫(しぎ)誰が田にか住む」〈万四一四一〉[二]《名》はばたき。「をしど

りの―やたゆき」〈曾丹集〉 †Fabuki

はぶくら【羽ぶくら】矢の上端の、羽根のついている部分。「喜三太が弓手(ゆんで)の太刀打(たちうち)を―せめてつと射通す」〈義経記四〉

はふこ(ホウ)【這児】這う幼児にかたどった人形。あまがつ。「作る―は幾秋の伽」〈俳・花月千句下〉

はふさう(ホウソウ)【法曹】法律家。明法家。法家。「起請文といふこと、―にはその沙汰なし」〈徒然二〇五〉

はぶし【羽節】羽の茎。「雉の―を細かに〔庖丁デ〕たたきて」〈宗五大双紙〉。「つっつっと―強げに帰る雁」〈俳・望一千句〉

はぶし【歯節】歯ぐき。はじし。また、歯。「我も人も―は強けれども」〈仮・一休咄序〉 **―へ出・す** 口に出す。しゃべる。「今日の事、重ねて歯節へも出さば、命が無いぞ、合点せい」〈近松・国性爺後日三〉

はふに【白粉】《ハクフンの転》おしろい。「―といふ物むらはけ(マダラニ塗ッテ)化粧じて」〈栄花御裳着〉。〈名義抄〉 ▽FakFun→FakFuni→FaFuni

はふはふ(ハウハウ)【這ふ這ふ】〘副〙①やっとの思いで歩くさま。はうようにして。「常の事なれば、嫗(おうな)―上りにたり」〈今昔一〇ノ三六〉 ②体裁の悪いのも何もかまっていられないさま。ほうほうのていで。「『早う立ちね、立ちね』と宣へば、男―立ちて去りぬ」〈今昔一九ノ九〉

はぶらか・し【放らかし】〘四段〙ほうるようにする。「かくながら身を―・しつるにやと、心細うおぼせど」〈源氏明石〉

はぶら・し【放らし】〘四段〙「はぶらかし」に同じ。「身は捨てつ心をだにも―・さじ遂にはいかがなると知るべく」〈古今一〇六四〉

はふ・り【溢り】〘四段〙あふれる。「射水川雪消(ゆきげ)―・りてゆく水のいや増しにのみ」〈万四一一六〉

はふ・り【羽振り・翥り】〘四段〙鳥が羽ばたきをする。「〔嬰児ヲ〕鷲擒りて空に騰(あが)りて、東を指して―・りいぬ」〈霊異記上九〉。「翥、波布流(はふる)、飛挙也」〈和名抄〉。「翥、トブ・ハフル」〈名義抄〉

はふり【祝】《ハブリ(放)と同根。罪・けがれを放る人の意》神主・禰宜(ねぎ)に次いで、神に仕える人。また、広く神職。令制では神戸(かむこ)の中から国司が選ぶ。「―らが斎(いは)ふ社のもみち葉も」〈万二三〇九〉。「凡そ禰宜・―、人と闘打し、また他の犯し有らば其の由を詳にして此の官に移送し、国司、輙(たやす)く決罰すること勿れ」〈延喜式臨時祭式〉 **―こ**【祝子】「祝(はふり)」に同じ。また、巫女(みこ)。「―が木綿(ゆふ)打ちまがひ置く霜はげにいちじるき神の験(しるし)か」〈源氏若菜下〉。「―とは、みやじの事也」〈言国卿記文明七・四・六〉 **―べ**【祝部】「祝(はふり)」に同じ。「凡そ諸国の神税調庸帳及び神戸計帳、―等の名帳、毎年勘造して此の官に送れ」〈延喜式臨時祭式〉。「祝部、ハブリベ」〈名義抄(図書寮本)〉

はぶり【羽触り】羽を触れること。一説、「羽振り」で、羽を振ること。はばたき。「遙遙に鳴くほととぎす、立ち潜(く)くと―に散らす、藤波の花なつかしみ」〈万四一九二〉

はぶ・り【放り・屠り】〘四段〙①斬ってばらばらにする。「ほふり」とも。「また、その軍士(いくさびと)を斬り―・りき」〈記崇神〉 ②放ち捨てる。ほうり出す。「みまし大臣の家の内の子等をも―・り賜はず、失ひ賜はず」〈続紀宣命五一〉

はぶ・り【葬り】㊀〘四段〙《ハブリ(放)と同根》①ほうむる。埋葬する。「神はぶり―・りいまして」〈万一九九〉。「殯、ハブル」〈名義抄〉 ②火葬にする。「その後、たきぎを積みて―・りて、上に石の卒都婆を立てたりけり」〈著聞四六六〉 ㊁〘名〙ほうむること。葬送。「その―の墓をも知らず」〈東大寺諷誦文稿〉 **―つもの**【喪具】《ツは連体助詞》葬送に必要な品物。「その妻須世理毘売(すせりびめ)は―を持ちて哭(な)きて来」〈記神代〉

はぶ・れ【放れ】〘下二〙《ハブリ(放)の自動詞形》放ち捨てられる。放浪する。おちぶれる。「我さへうち捨て奉りて、いかなるさまに―・れ給はむとすらん」〈源氏玉鬘〉

はへ(ハエ)【栭】材木や米俵などを積み重ねたもの。「幾―か庭に五つのたなつ物(穀物)」〈近松・宵庚申中〉

はへ(ハエ)【蠅】昆虫の一。「五月蠅、此をば左魔倍(さばへ)と云ふ」〈紀神代下〉。「蠅、波閉(はへ)」〈和名抄〉 †Farë

は・へ(ハエ)【延へ】〘下二〙《ハヒ(這)の他動詞形》①這わせる。張る。さし渡す。「墨縄を―・へたる如く」〈万八九四〉 ②心をくばり、相手にとどかせている。「ぬなはくり(ジュンサイ)―・へけく知らに」〈記歌謡四四〉 †Farë

はへき(ハエキ)【桷・榱・椽榱】《「延へ木」の意》「たるき」に同じ。「―・梁(うつはり)・柱・楹(うだち)、藻飾(あかきかざ)らず」〈紀仁徳一年〉。〈和名抄〉 †Farëki

はべめ・り〘連語〙《ハベンメリのンを表記しない形》有るようです。…ようです。「不定(ふぢやう)なる事どもも―・れば」〈かげろふ下〉。「春の花の錦にしくものなしと言ひ―・り」〈源氏薄雲〉 ▽古い形では、終止形ハベリにメリが接続したハベリメリで、ハベンメリはその音便形と推測される。

はべ・り【侍り】㊀〘ラ変〙《ハヒ(這)アリ(有)の約ハヘリの転。数多く使われるうちに「へ」が有声化してハベリとなった。神・天皇・貴人の傍に、這ってお仕えしている意。その行為は、神・天皇・貴人に対する慎み深いへりくだりの気持を表わすもので、その気持を保ちながら、それらの傍に居る意。後に用法を拡げ、一般的に話の場全体に対して、自分自身や物事の存在やを卑下して表現するのに用い、今日の「ございます」「ます」にあたる意味にも使われたが、平安後期以降にはサブラヒという別の単語によって、その役目を取って代られた。サブラヒは、待って様子を見る意から用法を拡げ、ハベリに代る位置を占めた》①神仏・天皇・貴人の傍や前に敬意を抱きながら、お仕えしている。「昼も夜も倦み怠ること無く、謹み礼まひ仕へ奉りつつ―・り」〈続紀宣命四一〉。「阿難は是れ仏の得道の夜半に生れたり。年二十五に方に乃(いま)仏に―・れり」〈法華義疏長保点〉。「雨のいたう降りければ、ゆふさりまで―・りて、まかりいでける折に、盃を取りて」〈古今三九七詞書〉 ②(神・天皇・貴人の支配的な勢力の下に)居る、ある。謙譲の表現。「策文に曰はく…大法師平勢、公に仕へて年久しく、今、身重病に沈みて起ち居、便りを失ひて波部利(はべり)」〈三代実録貞観一二・一二・二九〉。「心地そこなひてわづらひける時に、風にあたらじとて、おろしこめてのみ―・りけるあひだに、折れる桜の散りかたになれりけるを」〈古今八〇詞書〉 ③《一般的に物の存在を丁寧にいう》ございます。「〔積モッタ雪ハ〕正月の十よ日までは―・りなむ」〈枕八七〉 ㊁〘助動〙話し相手に対する畏まりの気持を表わす。…ます。「さらば、かく申し―・らむといひて入りぬ」〈竹取〉。「宮仕へ久しうつかうまつらで、山里にこもり―・りけるによめる」〈古今二〇〇詞書〉。「妻(め)のおとうとを持て―・りける人に、うへのきぬ送るとてよみてやりける」〈古今八六八詞書〉 →基本助動詞解説。 †Faberi **―たう・ぶ**《タウブはタマフの転》「はべり給ふ」に同じ。「〔博士ノ言〕おほし(大体)垣下饗(かいもと=あるじ)(相伴ノ役人)はなはだ非常(ひざう)に―・ぶ」〈源氏少女〉。「〔近江ガ内大臣ニ向ッテイウ。私ノ早口ハ私ノ出産ノトキ〕妙法寺の別当大徳の産屋に侍りける〔ソレノ〕あえものとなん〔母ガ〕嘆き―・びし」〈源氏常夏〉 **―給・**

ふ…(で)ございます。「〔八宮ハ〕出家の志はもとより物し給へるを…『心苦しき女子どもの上を、え思ひ捨てぬ』となん〔八宮ハ〕嘆き―・ふと〔阿闍梨ハ帝ニ〕奏す」〈源氏橋姫〉 ▽自分(甲)よりも目上の人(乙)の行為を、一層高貴な人(丙)に向って説明する場合の、博士や僧などのかしこまった表現。乙の行為を、丙に対するものとしては「侍り」と卑下して表現しながら、甲としては「給ふ」を添えて乙に対する敬意も表明する語法。用例は極めて少ない。

はほ【這ほ】 動詞「這ひ」の連体形「這ふ」の上代東国方言。「道の辺(へ)の茨(うまら)の末(うれ)に―豆のからまる君を別(かは)れか行かむ」〈万四三五二防人〉

はぼね【歯骨】 歯。「―の続かん程はかぶらん」〈伽・彌兵衛鼠〉。〈日葡〉

はま【浜】 ①海や湖などの水際の平地。石のある「いそ」に対して、砂地にいうことが多い。「―つ千鳥―よは行かず磯伝ふ」〈記歌謡三七〉。「この泊りの―には、くさぐさのうるはしき貝石など多かり」〈土佐二月四日〉 ②《囲碁で》 囲んで殺した相手の石。あげいし。「―の真砂(まさご)の数ぞつもれる」〈拾遺五三二〉。「打ちはつる囲碁に白き―あり」〈撃蒙抄〉 ③大阪で、河岸(かし)のこと。京都では「川端(かはばた)」という。「則ち―に一葉の舟」〈俳・大矢数五〉

はま【破魔・浜】 破魔弓の的。正月、子供が転がして矢の的にする、藁(わら)または藺(い)で作った輪。また、その遊戯。「京へ上ればまづ室(むろ)の宿でほてを射たり、―射たり」〈田植草紙〉。「破魔、ハマ、正月小児の戯れ物」〈文明本節用集〉 ▽「破魔」は当て字。

ぱま【八】《「八」の唐音の訛》 唐拳で、八の称。「拳の手品の手もたゆく、…―・さんきう・ごう」〈近松・冥途飛脚中〉

はまいで【浜出で】 春、浜に出て潮干狩や飲食などを楽しむこと。浜遊び。「ただ今、大殿の御―とて」〈慕帰絵詞四〉

はまかぜ【浜風】 浜を吹く風。「淡路の野島が崎の―に妹が結びし紐吹きかへす」〈万三五一〉

はまがは ワ:ガ【浜側・浜川】 大阪道頓堀の川沿いの芝居茶屋などのある側。反対側の芝居小屋の並んでいる場所を芝居側という。「芝居の花は散って―」〈俳・両吟一日千句〉

はまぐら【浜蔵】《上方で》 河岸(かし)に建てた土蔵。はまなや。「方四十間―を建て」〈俳・七百五十韻〉

はまぐり【蛤】《浜栗の意》 浅海の砂泥の中に産する貝の一種。「螺(にし)・―は、まさしく生きたるを食ひ侍れば」〈著聞七〇九〉。「蚌蛤、波万久理(はまぐり)」〈和名抄〉 **―ば**【蛤刃】 刃物の鎬(しのぎ)と刃との間に、食い合った蛤の貝のような形のふくらみのあるもの。また、そのようなふくらみ。「―に搔合はせ」〈太平記三三・神南合戦〉。「丸釜…刃はしころ刃、又―、一枚刃もあり」〈古伝書〉

はましばゐ【浜芝居】 近世、大阪道頓堀の河岸にあった、からくり・浄瑠璃・見世物などの小芝居。後には、単に小芝居の称となった。「―一度浮かび出でたる(大当リシタ)ぞや」〈俳・二葉集〉

はますどり【浜渚鳥】〔枕詞〕 浜の渚にいる鳥がよちよち歩く意で「足悩(あなゆ)む」にかかる。「―足悩む駒」〈万三五三三東歌〉 †Famasudöri

はまぜせり【浜ぜせり】 上方で、河岸(かし)の土蔵や納屋の物陰に出没する売女をあさって遊ぶこと。「日が暮れると―」〈近松・夕霧中〉

はまちどり【浜千鳥】 浜にいる千鳥。はまつちどり。「―ゆくへも知らぬ跡をとどむる」〈古今九九六〉

はまつづら【浜つづら】 浜に生えるつる草。「駿河の海磯(おし)辺に生ふる―」〈万三三五九東歌〉

はまつと【浜苞】 浜のみやげ。「家の妹(いも)が―乞はば何を示さむ」〈万三六〇〉 †Famatuto

はまづら【浜面】 浜べ。「人人もろともに―をまかる道に」〈後撰三八七詞書〉

はまな【浜菜】 浜べに生える食用の植物。海藻。「阿胡の海の荒磯(ありそ)の上に―つむ海少女(あまをとめ)ども」〈万三二四三〉

はまび【浜廻】《ビはミ(廻)の転。湾曲したところ》 浜の曲がって入りこんだ所。「をとめらは赤裳裾引く清き―を」〈万一〇〇二〉 ▽ハマビのビはbïの音、ハマベ(浜辺)のべはbeの音で別語。 †Famabï

はまひさき【浜楸・浜久木】 浜べのひさき。「波の間ゆ見ゆる小島の―」〈万二七五三〉 †FamaFisaki

はまびさし【浜庇】《万葉集の「浜久木(はまひさき)」を伊勢物語で読み誤ったためにできた歌語という。多く「久し」を導く序として使われる》 浜べの家のひさし。浜べの家。「四方の海も煙にきほふ―久しき千代に君ぞさかえん」〈拾遺愚草上〉。「海人の住家ぞ―なる/賤しきは鄙の習ひと聞くものを」〈看聞御記紙背連歌〉

はまべ【浜辺】 浜の水ぎわ。「松かげの清き―に」〈万四二七一〉 →はまび。 †Famabe

はままつ【浜松】 浜べに生えた松。「いざ子ども早く日本(やまと)へ大伴の御津(みつ)の―待ち恋ひぬらむ」〈万六三〉 **―の音(おと)はざざんざ**《ザザンザは松風の音》 室町時代から近世初期にかけて、酒宴の時うたわれた小唄の一節。「ざざんざ、―」〈虎明本狂言・抜殻〉

はまも【浜藻】 ①浜にある藻。浜に寄った藻。「山の―のすみかなりけり」〈為忠後百首〉 ②ホンダワラの異称。「海の―の寄る時時を」〈紀歌謡六八〉

はまや【破魔矢】 破魔を射る矢。近世前期には、弓と共に金箔付の贅沢品となり、後期には、押絵人形を飾りつけた、男児の正月祝の贈答用飾物となった。「正月の破魔弓・―」〈正宝事録慶安一・一二・一九〉

はまやき【浜焼】 鯛を竹串に刺し、刀目を入れて塩焼にし、醬油をさした酒塩で食べる料理。「二階堂殿より、鯛―五、貴殿へ参る」〈親元日記文明九・五・三〉

はまゆか【浜床】 帳台(ちやうだい)の床として設けられた、高さ二尺ほどの方形の台。その上に畳を敷いて座所とする。「〔牛ガ〕大理(だいり)の座の―の上にのぼりて」〈徒然二〇六〉

はまゆふ ウ:ユ【浜木綿】《白い花を木綿(ゆふ)に見たてた語》 ハマオモト。暖国の海浜砂地に自生する多年草。葉が重なり合って成長するので、幾重にも重なる意に使われる。「み熊野の浦の―百重(ももへ)なす心は思へど直(ただ)に逢はぬかも」〈万四九六〉

はまゆみ【破魔弓】 破魔を射る弓。「せがれの時、―を射たと申す事でござる」〈虎明本狂言・八幡の前〉。〈日葡〉

はま・り【塡まり・嵌まり】 [一]〘四段〙《ハメ(嵌)の自動詞形》 ①落ちこんで身動きができなくなる。「堀へ―・る程の赤松衆三百人とぞ聞えける」〈応仁記下〉。「水の淵へ―・らうぞ」〈周易抄〉 ②熱中して動きがとれなくなる。ふける。耽溺する。「平生いろいろの事に―・ってゐる所で、御ミサの中にも念があち散りこち散りすれば」〈コリヤード懺悔録〉 ③計略にかかってどうにもならなくなる。だまされる。ひっかかる。籠絡される。「粋になる程―・る事が有るものでござんす」〈評判・難波鉦三〉 [二]〘名〙 だまされること。いっぱい食わされること。失敗。「主も大きな―に会ひます」〈評判・朱雀諸分鑑上〉

はまわ【浜曲】《万葉集の「浜廻(はまみ)」を平安時代に誤読

は

してできた語》浜の曲がって入りこんだ所。「浦曲(うらわ)」とも。「さてありし—に至りたれば、迎への車いできたり」〈かげろふ中〉

はまをぎ【浜荻】①浜べに生えている荻。「神風の伊勢の—折り伏せて」〈万五〇〇〉②葦(あし)の別名。「かの神風伊勢志摩には—と名付くれど、難波わたりには葦(あし)とのみいひ、東の方には葭(よし)といふなるが如くに」〈嘉応二年住吉社歌合〉。「草の名も所によりてかはるなり／難波のあしは伊勢の—」〈菟玖波集一四〉 †Famawogi

はみ【蝮】マムシの古名。くちはみ。「蝮、和名波美(はみ)」〈和名抄〉 ▽朝鮮語 peiyam(蛇)と同源か。

は・み【噬み・食み】㊀『四段』《「歯」を動詞化した語。歯をかみ合わせて、しっかり物をくわえる意。転じて、物を口に入れてのみ下す意。クヒが、口にくわえる意から、食べる意に転じた類》①口にものをくわえる。「噬、ハム」〈名義抄〉②かんで飲みこむ。「草—・む駒の口やまず」〈万三五三二〉③飲む。「雲に飛ぶ薬—・むよは」〈万八四八〉㊁『名』①動物の食いもの。はみもの。近世では、人の飲食物をも戯れていった。「ある片目な鹿、海ばたをまはって、—を尋ぬるが」〈天草本伊曾保〉②【馬銜】轡(くつわ)の部分の名。馬が口でかみ合わせる所。「轡の—を取り違へ」〈川中島合戦評判〉。「ハミ、即ち、クツワノククミ」〈日葡〉 †Fami

ば・み『接尾』《ハミ(噬)の転。その動作・状態になりきらず、一部分に食いついている意》体言・動詞連用形・形容詞語幹などについて、そのような性質を帯びる、そういう感じのさまにふるまう、などの意をあらわす。「懸想—・み」「けしき—・み」「あざれ—・み」「なえ—・み」「くろ—・み」など。「なよらかにをかし—・めることをこのましからずおぼす人は」〈源氏夕霧〉

はみかへ・り(カエリ)【食み返り・癈り】『四段』①魚が水面に出て口をぱくぱく動かし、また、水中にもどる。「このいるか、—・り候はば、源氏ほろび候ふべし」〈平家一一・遠矢〉②一旦よくなった病気がまた悪くなる。ぶり返す。「本尊君が形見の誹瘡—・り」〈俳・行脚文集一〉

はみだし【食出】主として短刀の鞘および柄に少しはみだしている鍔(つば)。はみだし鍔。「—と見る小椿の木立(小太刀ト掛ケル)かな」〈俳・洗濯物一〉。「金鍔の—に、後藤が打ったる金目貫(めぬき)」〈仮・元の木阿彌上〉

はみもの【食物】①動物の食いもの。餌(えさ)。「馬弱くして は高名なし、さればその—の料に」〈盛衰記三四〉。「牛馬の—、人の食物」〈朝鮮日日記〉②《戯れていう》人の食物。「旅の道に—なきに足食ひて薬ぐつのみや飽き満ちはせし」〈玉吟抄〉

はむ・き【刃向き・歯向き】『四段』敵対する。はむかう。「斬って掛かれば、こらへずして—・いたる兵(つはもの)は、四方へばっとぞ逃げにける」〈謡・景清〉。「獅子児は生れて三日になれば親を—・きあり」〈長短抄中〉

はむけ【葉向け】(風などが)草木の葉を一方に向けなびかせること。「いつしかと荻の—の片寄りにそそや秋とぞ風も聞ゆる」〈新古今二八六〉

はむしゃ【端武者・葉武者】取るに足りない武者。木葉(このは)武者。雑兵(ぞうひょう)。「—どもに目なかけそ」〈平治中・待賢門軍〉。「葉武者、ハムシャ」〈運歩色葉集〉

は・め【食め】『下二』《ハミ(食)の他動詞形。ハメ(嵌)と同根》たべさせる。飲みこませる。「夜も明けば狐(きつ)に—・めなで〔オクベキカ〕」〈伊勢一四〉 ▽用例のキツを水槽の意、ハメを嵌めの意に解する説もある。

は・め【塡め・嵌め】『下二』①狭くくぼんだ所、底の深い所などに落して身動きならなくする。「鶯の鳴くくら谷に打ち—・めて(身ヲ投ジテ)焼けは死ぬとも君をし待たむ」〈万三九四一〉②くぼみに入れて固定する。「さあらば弓に矢を—・めて、籠(かご)の葛(かづら)を射切らばや」〈伽・藤袋〉③深入りして動きをとれなくさせる。おぼれさせる。ふけらせる。「嘉平次故に身を—・めて、変るまいとの七枚起請書いて」〈近松・生玉心中下〉④だます。いっぱい食わせる。「男—・める談合のむごき事を聞き出し」〈西鶴・新吉原常常草上〉 †Famě

はも『連語』《係助詞のハとモとの複合したもの》①《文中で用いて》特に取り立てて提示しようとするそのものに、強い執着や深い感慨を持ちつづけている場合に使う。「わが名—千名(ちな)の五百名(いほな)に立ちぬとも」〈万七三一〉。「うらめしく君—あるか」〈万四四九六〉②《文末の体言について》強い愛惜や執心などをこめた詠嘆をあらわし、…はどうしたろう、…はどうなったろう、などの意に使う。「燃ゆる火の火中(ほなか)に立ちて問ひし君—」〈記歌謡二四〉。「ささの葉にふりつむ雪のうれを重みもとくたちゆくわが盛り—」〈古今八九一〉

はもじ【は文字】「恥づかし」の文字詞。「御—ながら、近年は一向御寺領ども違ひ候て」〈大徳寺文書一〇、文明二一・二・一三〉

はもりのかみ【葉守の神】樹木に宿って、葉を茂らせ守る神。「柏木(かしはぎ)いとをかし。—のいますらむもかしこし」〈枕四〇〉。「—は木の神なり」〈奥義抄〉

はや【甲矢】一手(ひとて)の矢のうち、一本目の矢。「つい立ちて—を射るに、まへの串にあたりぬ」〈著聞三五一〉 ↓おとや

はや【早】『副』①はやく。さっさと。命令文などに使って、催促の気持を表わす。「わが宿の松の葉見つつ我待たむ—帰りませ恋ひ死なぬとに」〈万三七四七〉②はやくも。すでに。「昨日こそ年は果てしか春霞春日(かすが)の山に—立ちにけり」〈万一八四三〉③意外にも。実は。もともと。「変化(へんげ)のものにてはなかりけり。—人にてぞ有りける」〈平家六・祇園女御〉 ▽ハヤシ(囃)・ハヤシ(生)・ハヤリ(流行)などと同根。

はや『助』《係助詞ハと間投助詞ヤとの複合したもの。文末につけて》①深く感動し、なげく気持を表わす。…は、ああ。「御真木入彦—」〈記歌謡二三〉②亡失したものを愛惜する気持を表わす。「吾妻—」〈記景行〉。「我が命も長くもがと言ひし工匠(たくみ)—、あたら工匠—」〈紀歌謡七八〉

ばや『助』↓基本助詞解説

はやう(ハヨウ)【早う】『副』⇩はやし(早)(4)

はやうた【早歌】①神楽(かぐら)歌の一。歌詞短く、調子の早いもの。早歌の「早」は問答のすばやさ、頓智のあざやかさを示すともいう。「薦枕(こもまくら)より千歳(せんざい)・—などはてぬれば」〈建武年中行事十二月〉②今様歌謡の一。謡い運びが比較的早い。「婆羅林・—などわきまへ謡ふこと、心得たる上手なるが」〈梁塵秘抄口伝集〉③歌を迅速に詠むこと。また、その歌。「一夜百首・一日千首などの—をも詠みたり」〈正徹物語下〉

はやうち【早打ち・急打ち】①急用で馬をいそぎ走らせること。また、その使者。「関東より城介(じゃうのすけ)義景—にのぼりて、ひそかに承明門院へ参りて」〈著聞三三一〉。「かかりける所に、—、馬に乗りて駆け来たり」〈伽・かくれ里〉②急使のもたらす通達。非常召集。「今度の—に、上り集まる兵(つはもの)、きら星のごとく祗候せり」〈謡・鉢木〉

はやうま【早馬】早打ちの使者の乗る馬。また、それに乗る急使。「—と覚えて、揉みに揉うで出で来る」〈平治上・六波羅より紀州へ〉

はやおひ(イ・オ)【早追ひ】近世、急使を駕籠に乗せて昼夜兼

行で伝送すること。また、その駕籠。早駕籠。はや。「三条堀川迄、—の通しにて来ました」〈近松・碁盤太平記〉

はやかご【早駕籠】①「早追ひ」に同じ。「—で度度の文も今は早」〈俳・見花数寄〉②近世、遊里通いなどに早く走らせる駕籠。「宮川町に—」〈西鶴・一代男五〉

はやがね【早鐘】火事などの急事を知らせるため、続けざまに激しく打ち鳴らす釣鐘または半鐘。「院院に—撞いて」〈太平記一七・山攻〉 **—を撞(つ)・く** 不安・恐れ・驚きなどで激しく動悸する意。どきどきする。「心の内は—・く／書置も見たし薬も煎じたし」〈雑俳・よせだいこ〉

はやかは【早川】流れの早い川。「水こもりに息づき余り—の瀬には立つとも人に言はめやも」〈万一三八四〉 **—の**【早川の】〔枕詞〕「行く」にかかる。また「塞(せ)きに塞くとも」にもかかるという。「—行くも知らに」〈万三二七六〉

はやくち【早口】①早く物を言うこと。「〔連歌ノ〕句数を多く、—にするは、句を案ぜんためとありしとなり」〈兼載雑談〉②同音重複して発音しにくい台詞(せりふ)・俗謡などを、すらすらと節(ふし)面白く言うこと。早口そそり。「—の座頭も我折れ夏の月〔ノ沈ム早サニ八〕」〈俳・敝帚二〉

はやごしぬ・け【早腰抜け】『下二』すぐ腰が抜ける。「生れつき臆病なる人は、—・けて一向に働く事かなはず」〈仮・可笑記四〉

はやこと【急事】急いですること。あわてたこと。「—なさばいや(イヨイヨ)あはざらむ」〈万二四五九〉 †Fayakötö

はやさめ【速雨】にわか雨。「波夜佐雨(はやさめ)久多美(くだみ)の山」〈出雲風土記〉 †Fayasamë

はやし【林】《「生やし」の意》①樹木を植えて生やしてある所。「橘の—を植ゑむ霍公鳥(ほととぎす)常に冬まで住み渡るがね」〈万一九五八〉②樹木の群生した所。「へそかたの—の前(さき)のさ野榛(はり)の衣(きぬ)に付くなす目に付くわが背」〈万一九〉

はや・し【生やし】『四段』《ハエ(生)の他動詞形》①はえさせる。「森を—・したらむごとく」〈宇津保 俊蔭〉②「切り」の忌詞。「刈り—・す麻の立ち枝にしるきかな夏の末葉になれるけしきは」〈夫木抄二六・麻〉。「今夜、愛千代丸、部屋に於いて髪を一束切りに—・す」〈大乗院雑事記文明一三・一〇・二九〉。「剪、ハヤス、爪ヲ」〈温故知新書〉

はや・し【映やし・囃し】㊀『四段』《ハエ(映)の他動詞形。ハヤシ(早)・ハヤリ(流行)と同根。(前進の)勢いをはげしくする意。他から光や音をその物に加えて、その物が本来持っている美しさ・立派さ・勢いを輝かし、力あらしめる意》①引き立たせる。「七重花咲く八重花咲くと申し—・さね」〈万三八八五〉。「御光に—・されて、色をも音をも増すけぢめ」〈源氏 初音〉②傍で鼓を打ったり、声を出したり、手拍子を打ったりして、歌曲・舞踊などを活気づける。「傀儡子(くぐつまはし)ども其の気色を見て…たちまちに詠ひ—・す」〈今昔二八ノ二七〉。「都にて内侍所に召されし時は、内蔵頭(くらのかみ)信光(鼓打ノ名人)に—・されて舞ひたりしぞかし」〈義経記六〉 ㊁『名』①【料】その物のそばに添って、一層、効果を加えるもの。飾り。また、その物をよく作るための材料。「取り挙ぐる棟梁(むねうつばり)は此の家長(いへのきみ)の御心の—なり」〈紀顕宗即位前〉。「我(鹿)が角はみ笠の—…我が毛らはみ筆(ふみて)—」〈万三八八五〉②【囃・囃子】㋑能楽・歌舞伎その他の演芸で用いる伴奏音楽。能楽は大鼓・小鼓・太鼓・笛の四器で四拍子(しびょうし)といい、神楽囃子は笛・太鼓を主とし、しばしば鉦を加える。歌舞伎では各種の打楽器を用いて演劇の効果を上げるに用い、下座(げざ)またはお囃子とよぶ。「〔能ノ〕天女〔ノ舞〕は、いかにも身を砕きて、浮き沈む所あり。—肝要なり」〈毛端私珍抄〉㋺能楽の略式演奏の一。囃子を主とし、舞う場合も扮装しない。「—一二番あり。〔太鼓〕玄旨西行桜、笛小笛、小鼓小八、大鼓忠五郎、謡勘四郎」〈耳底記〉 **—かた**【囃子方】能・歌舞伎・寄席などで囃子をする人。「—・地謡」〈西鶴・一代男八〉 **—もの**【囃子物】①囃子をすること。また、その音楽。囃子事。「—して遊び候はん」〈曾我三〉②囃子を職業とする者。「—を呼びにやらうか」〈狂言記・二千石〉③中世に行なわれた、囃子や歌をも伴う、仮装をこらした団体舞踊。風流(ふりう)。「貞隆所にて—ありける、見物すとて」〈再昌草二〇〉。「笛ひっと吹きて太鼓とうとうと打ち鳴らし、—が通るぞ」〈二根集四〉。「日本の俗—を呼びて風流と曰ふ」〈下学集〉

はや・し【速し・早し】『形ク』《「おそし」の対。ハヤシ(囃)・ハヤリ(流行)と同根。ハヤは活動力をもって前へ進む意。時間に転用して、時の経過が少なくて事が済む意。類義語トシ(疾・鋭)は、即座にするどく他のものに働きかける力あるさまをいう》❶①(水流や風などの)動きの速度が大きい。「婦負川(めひがは)の—・き瀬ごとに」〈万四〇二三〉。「能く臭穢を除すること疾(はや)き飄風(つむじ)の如し」〈地蔵十輪経元慶点〉②動作がすばしこい。敏捷である。勢いがある。「ちはやぶる宇治の渡りに、棹(さを)取りに—・けむ人しわが仲間(もこ)に来む」〈記歌謡五〇〉 ❷①(香りなどが)強い。強烈である。「梅花花やかに今めかしう、少し—・き心しらひを添へて、めづらしきかをり加はれり」〈源氏 梅枝〉②はげしい。激烈である。「いみじく—・き毒附子(どくぶし)を、その胙(ひもろぎ)の上に塗りて置きて」〈仙覚抄七〉③鋭い。鋭利である。「くろがねのつめの剣(つるぎ)の—・きもてかたみに身をもほふる悲しさ」〈聞書集〉④切迫している。また、危篤である。「—・くにておはしませば申すばかりなし」〈健寿御前日記〉 ❸①ついやす時間が短い。「久にあらば今七日ばかり、—・くあらば今二日ばかり、あらむとぞ君は聞こしし」〈万三三一八〉②時の経過が少ないうちである。「明日よりは恋ひつつあらむ今夜(こよひ)だに—・く宵より紐解け吾妹(わぎも)」〈万三一一九〉 ❹《連用形を副詞的に用いて》①以前に。せんに。「わが知る人にてある人の、—・う見し女のことほめ言ひ出でなどするも、ほどへたることなれどなほ憎し」〈枕二八〉②すでにもう。とっくに。「心もまどはしてこの使に問へば『—・う御ぐしおろし給うてき』」〈大和一〇三〉③《「—・く…けり」の形で。「すでに」の意から》㋑なんとまあ。驚きの気持をこめて言う。「〔雪ハ〕—・く失せ侍りにけりといふ」〈枕八七〉。「〔昔〕見し心地する木立かなと思すは、—・う、この宮なりけり」〈源氏 蓬生〉㋺さては。案の定。果して。「『これも—・う猿なりけり』と見て心安く成りぬ」〈今昔二六ノ八〉 **早いが賞翫(しゃうぐわん)** 見世物の木戸番などの口上。お早く試しなさいの意。「秋はあれど—早(さ)松茸」〈俳・四十番俳諧合〉

はやずし【早鮨・早鮓】「一夜鮨(いちやずし)」に同じ。「—やなれし昔の桜鯛」〈俳・俳諧三部抄上〉

はやせ【早瀬・早湍】《「平瀬(ひらせ)」の対》水の早く流れる瀬。「落ちたぎつ—渡りて」〈万二〇八九〉

はやち【疾風】《チは風の意》突風。はやて。「名おそろしきもの。…—」〈枕一五三〉。「暴風、八夜知(はやち)、又乃和木乃加世(のわきのかぜ)」〈和名抄〉

はやぢゃうちん【早挑燈】飛脚など、急ぎの用で早く走る人の持っている挑燈。「あれあれ、あれへ見える—、走り飛脚と覚えたり」〈近松・丹波与作下〉

はやて【疾風】《テは風の意》「はやち」に同じ。「—も龍の吹かするなり」〈竹取〉

はやと【隼人】「はやひと」の転。「雑賀(さいが)―の佐(すけ)を使にて」〈太平記三・僧徒六波羅〉

はやなはワナ【早縄】《すばやくかける縄の意》捕縄(ほじょう)。とりなわ。また、その術。「後よりも取って伏せ、―をかけたり」〈室町殿日記一〇〉

はやにへエニ【速贄】⇒もずのはやにへ

はやばや【早早】〘副〙たいそう早いさま。「さても―と快気を得たるものかな」〈朝鮮日日記〉。〈日葡〉

はやばや・し【早早し】〘形シク〙たいそう早い。「まづこのたびは―・しう御子息二人ともに上(のぼ)せ参らせられて然るべう存ずる」〈ロドリゲス大文典〉

はやびき【早引】真宗で、念仏を略し、和讃だけを続けて誦する勤行。「―の後の短念仏は昔は五十返なり」〈本願寺作法〉

はやびきゃく【早飛脚】①大至急で行かせる飛脚。「京より―来て、…信長公自害おはします由、注進ありければ」〈三好軍記下〉②近世、毎月定期の日に書状を取りまとめ、昼夜兼行で早く送る飛脚。さらに急ぐのは、書状の依頼ありしだい出立して急送したので「仕立て飛脚」と称した。早便。「―を以て、鹿王院呼びに遣はし候」〈本光国師日記慶長一六・一一・三〉

はやひと【隼人】《動作が勇猛敏捷な人の意》上代、薩摩・大隅地方に住み、大和朝廷に反抗した種族。令制下では、交替で上京し、衛門府に属して、宮中警衛の任にあたった。はやと。はいと。「―の名に負ふ夜声いちしろく(ハッキリト)」〈万二四九七〉→くまそ。†Fayafitö

はやぶさ【隼】ワシタカ科の猛禽。飛ぶのが早く、鷹狩などにつかわれた。「―は天(あめ)にのぼり」〈紀歌謡六〇〉

はやぶね【早舟】《古くはハヤフネとも》①舟足の早い舟。「わが船は能登の―」〈神楽歌九六〉②軍船の一。打櫂(ちょうかい)または櫓(ろ)を使って漕ぐ、快速の舟。近世、二挺立から四十挺立を小早(こはや)、四十挺立から八十挺立を関船(せきぶね)と称した。「百の―に乗せて出し立てらるべし」〈今昔五ノ一〉。「飛州さまへ御留守よりの音信(いんしん)とて―参り候ふ由」〈朝鮮日日記〉

はやま【端山】①《連山のはしの方の、平地に接する山の部分》人里に近い山。端(はし)の山。「山の足を麓と曰ふ。此をば簸耶磨(はやま)と云ふ」〈紀神代上〉②小山。「数さしの金の洲浜に、さしでの岡をつくりて、―に松おほく植ゑたり」〈著聞三九三〉

はやま・り【早まり】〘四段〙早くなる。急ぎすぎる。早くしすぎて勢いがあまる。「追ふ者、走り―・りて、えとどまりあへずして」〈今昔三三ノ一五〉

はや・み【早み】〘四段〙勇みたつ。はやりたつ。「五節に蔵人の頭たちの舞ひ給はざりければ、殿上人たち―・みて」〈今鏡六〉

はやみち【早道】①道を足早に行くこと。また、その能力のある人。「人〔ノ中〕に―と言ひて、四十里五十里行く者もあり」〈五輪書〉②飛脚。「一里一里に二人づつ―置き候て」〈太閤記一三〉。〈日葡〉③馬を足なみ早く歩ませること。「―に乗り候へば」〈亜相公御夜話上〉。〈日葡〉④銭入れ。銭袋。「―忘れなと心付けて」〈浮・三代男一〉

はや・め【早め】〘下二〙早くする。急がせる。せきたてる。「笹のくまを駒ひきとどむるほどもなく打ち―・めて、片時に参り着きぬ」〈源氏椎本〉　**―ぐすり**【催生薬・催産薬】出産の時、分娩をうながす薬。後、略して「はやめ」とも。「―所望の間、二包遣はし了んぬ」〈言経卿記天正一三・一〇・二三〉

はやもの【逸者・早者】血気にはやる者。気負いたつ者。逸り者。逸り男〈を〉。「武蔵・相模の―どもはいかに。…太刀と刀の鉄(かね)の程を見せよかし」〈曾我九〉

はやものがたり【早物語】《早口に語る物語の意》室町時代、琵琶法師が平家物語を語ったあとで、座興に添えた、こっけいな早口の物語。近世には、酒宴の座興などに語られた。東北や越後地方では、これを「てんぽう物語」とよび、現在もわずかに残っている。長さは長短いろいろなものがある。「座頭十八人来る。稲花語の後、平家並びに―これを為す」〈経覚私要鈔文明四・一・一〇〉。「をかしき秀句の―を肴に参らせんとて語りけり」〈仮・よだれかけ四〉

はやらか【早らか・速らか】はやいさま。「〔車ヲ〕家へ―にやりて」〈宇治拾遺三七〉。「小さき男の見るとも覚えぬが―に歩みて来れば」〈発心集七〉

はや・り〘四段〙《ハヤシ(速)・ハヤシ(映・囃)と同根。直線的に前方へ活力がはげしく働く意》❶【逸り・早り】①勢いに乗る。勢いづく。「面白き手どもを遊ばし―・りて人の有り無しもしろしめさず」〈宇津保国譲上〉②勇みたつ。「御続松(さいまつ)ともしわたして―・る馬に乗り」〈宇津保蔵開下〉③せきこむ。あせる。「このいとこも、はた、〔勝チタイト〕けしき―・れる」〈源氏常夏〉❷【流行り】①勢い盛んになる。時に会って栄える。時めく。「堀河摂政の―・り給ひし時に」〈大鏡兼家〉②世にもてはやされる。盛んに行なわれる。「ここやかしこにて曲(きょく)をし、人を慰めけるほどに、猿楽とて―・りけり」〈庭訓抄上〉③はびこる。蔓延する。「天下に疫病(やくびょう)―・りたりけるに」〈著聞二一七〉④商売などが繁昌する。「仕合せが悪うて、医者が―・りまらせぬによって」〈天理本狂言六義・雷〉　**―か**【逸りか】①調子が速く、軽快な感じのするさま。「―なる曲(ごく)の物など教へて」〈源氏東屋〉。「―に走り書きて」〈源氏若菜上〉②すぐ調子に乗るようなさま。上調子な感じのするさま。「田舎びたるされ心もてつけて、しなじなしからず―ならまし」〈源氏東屋〉③血気にかられて、すばやく事をするさま。「心にまかせて―なるすき事、をさをさ好まず」〈源氏匂宮〉　**―がみ**【流行神】ある時期とくに信仰されて参詣者の多い神。「歳徳(としとく)や来る春ごとの―」〈俳・小町踊一〉　**―どころ**【逸り心】はやりたつ心。せっかちな、軽率な心。「仮にもおはし通はむを咎め給ふべき人なしなど、あだめきたる―はうち思ひて」〈源氏末摘花〉　**―やまひ**ヤマイ【流行病】流行病。伝染病。「又この度天下一同の―請け留め、熱気頭痛、殊の外大儀に相煩ひ」〈沢庵書簡寛永一三・一二・二八〉　**―を**【逸り男・逸り雄】血気にはやる若者。「―の若者ども、我も我もと進みけるなかに」〈平家五・文覚被流〉

はやわざ【早業】すばやい業。「力わざ」に対して、敏捷な身体的動作をいう。「能登殿は―や劣られたりけん、やがて続いても飛び給はず」〈平家一一・能登殿最期〉。「そのほか、―・力わざもしつ」〈伽・弁慶物語〉

はやを【早緒】①舟の櫓(ろ)に付ける綱。「―と〔名ヲ〕つけて、櫓とかにすげたるものの弱げさよ」〈枕三〇六〉②橇(そり)や車などにつける引綱。「たゆみつつ橇の―も著けなくに積もりにけりな越(こし)の白雪」〈山家集上〉

はやをけ【早桶】粗製の棺桶。「人穴深き―の底」〈俳・江戸両吟〉

はゆ・し【映ゆし】〘形ク〙まばゆい。おもはゆい。「おほんかへし聞えむも―・ければ」〈和泉式部集三〉

はゆま【駅・駅馬】《ハヤウマ(早馬)の約》役人の旅行用に、諸道の宿駅におかれた公用の馬。駅馬(えきば)。「鈴(駅鈴)かけぬ―くだれり」〈万四一一〇〉→うまや(駅)　**―う**

まや【駅家】駅馬をおく駅舎。街道にそって三十里(約十六キロメートル)ごとにある。駅家(えきか)。「鈴が音(ね)のーの堤井の水をたまへな妹が直手(ただて)よ」〈万三四三九東歌〉 ーぢ【駅路】駅馬の通る道。駅に通じる道。駅路(えきろ)。「ーに引舟渡し」〈万二七四九〉 ーつかひ【駅使】駅馬を使って旅行する官の使者。「ーを四方(よも)に班(あか)ちて」〈記崇神〉

はら《ハラハラ・ハラメキのハラに同じ》ばらばら。はらはら。花などの散るさま。「このごろ庭もーに花降り敷きて」〈かげろふ下〉

はら【原】《ハレ(晴)と同根か》手入れせずに、広くつづいた平地。「埴安(はにやす)の御門のーに」〈万一九九〉。「この車をむかひの山の前なるーにやりて」〈源氏蜻蛉〉

はら【腹】①動物の体で、背骨と反対側の、骨に覆われていない部分。内臓が入っている部分。腹部。「大猪子(おほゐこ)がーにある肝(きも)」〈記歌謡六〇〉。「保食神(うけもちのかみ)、まことにすでに死(まか)れり。ただし…ーの中に稲生(な)れり」〈紀神代上〉 ②(子のやどる)母胎。胎内。「我、必ず日本の国王の夫人(ぶにん)丹治比の嬢女(をみな)のーに宿りて、王子に生れむとす」〈霊異記下三九〉 ③その胎(はら)から生れた子をいう。「時の人、中将の子となんいひける。兄の中納言行平のむすめのーなり」〈伊勢七九〉 ④血筋。血筋の者。「皇子たち大臣の御ーといへど」〈源氏薄雲〉 ⑤ものの側面の中ほどの部分。「御酒(みき)は、瓺(みか)の上(へ)高知り、瓺のー満(み)てならべて」〈祝詞道饗祭〉。「築地(ついぢ)のー、もしは檜牆(ひがき)のーなどをも走られけり」〈著聞四二〇〉。「指のー」〈正法眼蔵洗面〉 ⑥切腹のこと。「御ーの御供をこそ仕らず候へども」〈浅野家文書天正一〇・一〇・一八〉 ⑦《転じて》㋑本心・真情・性根などを宿す所。心底。「この歌は、あるが中に面白ければ…ーにあぢはひて」〈伊勢四四〉 ㋺意趣・遺恨などを含んでいる、内心。「限りなきーをたてて…いかにともおとづれこず」〈かげろふ中〉。「入道相国の心に天魔入りかはって、ーを据ゑかね給へり」〈平家三・行隆沙汰〉 ⑧甕(かめ)など、胴部のふくらんだ容器を数える語。「八ーの酒を以て口ごとに沃入(いい)れたまふ」〈紀神代上〉 ▽朝鮮語 *peri(腹)と同源。 **ーが細・る** 腹がへる。空腹になる。「今朝よりの駈走りで、がいにー・った」〈雑兵物語下〉 **ーからの** 生れつきの。「元来それがしが義はー乞食にもあらず」〈浮・今川当世状三〉 **ー高・し** 腹が大きくふくらんでいる。妊娠のさまにいう。「にげなきもの。…老いたる女のー・くてありく」〈枕四五〉 **ーに毛の無い** 老獪(ろうかい)である。海千山千である。せちがらい世を渡ってきた狡猾な人にいう。「下腹に毛の無い」とも。「ー名取り女郎」〈浮・好色大富帳序〉 **ーは借物** 宿った母親の腹は一時の借物で、生れた子の貴賤は父によって決まる。「腹はかしもの」とも。「鶯の生むてふーよ父にぞ声も似る時鳥」〈吾吟我集三〉 **ー召・す** 切腹する意の尊敬語。「叶はぬ所にて御ー・されん事、何の義か候べき」〈古活字本平治中・六波羅合戦〉 **ーを切・る** ①大笑いするさまの形容。腹筋をよる。「これを聞きて離れ給ひしもとの上は、ー・りて笑ひ給ふ」〈竹取〉 ②切腹する。自害する。「ー・らんと腰を探れば」〈平家四・信連〉

はら【大角】「はらのふえ」に同じ。「大角」を唐代の宮門の警衛を司った武官が持ち、それを「簸邏廻(はらくわい)」と称したことによる。「ー・小角(くだ)・鼓(つづみ)・吹(ふえ)…の類は私の家(やけ)におくべからず」〈紀天武十四年〉

ばら『接尾』人に関する名詞について、…の如き仲間・階層の人の意をそえる。対象に対する敬意に欠けた表現に使われることが多い。「弟子ー」「法師ー」「女ー」など。「御子どもの殿ー、さらぬ上達部・殿上人なども」〈源氏宿木〉

はらあ・し【腹悪し】『形シク』腹だちやすい。怒りっぽい。「さすがにー・しくて、物妬みうちしたる」〈源氏若菜下〉。「聖いとー・しく咎めて」〈徒然一〇六〉

はらあて【腹当】①鎧の一種。袖も草摺(くさずり)もなく、ただ腹部をおおうだけのもので、腹巻よりもさらに身軽に行動できる。多く、雑兵が使用。「片小手に、ーして諸具足(もろぐそく)したる中間(ちゆうげん)五百余人」〈太平記六・関東大勢〉。〈下学集〉 ②近世、荷馬につけた腹掛け。旅人を祝って、「門出吉」「仕合吉」などの文字を記した。「荷馬ー」〈俳・毛吹草四〉

はらいっぱい【腹一杯】思う存分。たらふく。腹存分。十二分。「秋の野のーの花見かな」〈俳・伊勢俳諧新発句帳三〉。「追ってーに書き尽し、申し進(まゐ)らすべく候」〈芭蕉書簡元禄七・一・二〇〉

はらおび【腹帯】①⇒はるび。「腹帯、ハラヲビ」〈下学集〉 ②妊婦の下腹に巻く帯。妊娠五か月目の戌(いぬ)の日から巻き始めた。〈日葡〉

はらか【腹赤・鰚】《ハラアカの約》魚の名。今のニベ。一説にマスの異称ともいう。「筑紫にーと申す魚(いを)の釣りをば十月のついたちに下ろすなり。師走にひきあげて、京へは上(のぼ)せ侍る」〈山家集下〉 **ーのつかひ**【鰚の使】毎年、正月の節会に鰚を献上するため、大宰府から上京する使者。「筑紫の太宰府より都へーの上るこそ、片路(かたぢ)十五日とは定めたれ」〈平家三・阿古屋松〉

はらがはり【腹変り】父が同じで、母がちがうこと。腹ちがい。異母兄弟。「庶兄といふは、ーの兄といふ心ぞ」〈古活字本論語抄一八〉

はらから【同胞】《ハラは腹、カラは族。もと、同母から生れた血縁の者。後に父系的社会になったからか、同父異母の場合にもいう》兄弟姉妹。「問ひ放(さ)くる親族兄弟(うがらはらから)無き国に渡り来まして」〈万四六〇〉。「〔小君ハ〕幼き心地にもーは多かれど〔異父同母ノ〕この君(浮舟)のかたちをば、似るものなしと思ひしみたりしに」〈源氏夢浮橋〉。「頭中将(柏木)も、〔同父異母ノ〕このかんの君(玉鬘)をいとなつかしきーにて、睦び聞え給ふものから」〈源氏真木柱〉。「〔猫ノ〕ーどもの、所所にあかれて、この宮にもまゐれるが」〈源氏若菜下〉

はら・き【開き】『四段』《ハル(晴)アキ(開)の約か》晴らす。「開、波羅企(はらき)」〈紀継体元年〉 ▽古事記では同じ所に「波流岐(はるき)」とある。

はらぎたな・し【腹汚し】『形ク』ふくむ所があって、物の考え方、受取り方が素直でない。意地が悪い。「御前わたりも見苦しなど仰せらるれど、ー・きにや、告ぐる人も無し」〈枕二九二〉。「継母のー・き昔物語も多かるを」〈源氏螢〉

はらぐろ【腹黒】心がきたないこと。また、その人。「他人の我をさまざまに悩まし、ーをなし、憎みそしり」〈孝養集中〉

はらぐろ・し【腹黒し】『形ク』心がきたない。意地が悪い。「あさましうて『ー・う、消えぬとものたまはせで』といへば」〈かげろふ下〉

はらけ【腹気】①腹の具合がおかしいこと。下痢。「主上頗(すこぶる)御ーにおはします」〈猪隈関白記建仁三・七・二九〉 ②陣痛。「四つ時分、東御方御ー出来、御産所へ御出あり。九つ時分御産」〈言国卿記文明八・五・二四〉

はらけがみ【散髪】ばらばらと散り乱れた髪。みだれ髪。「御笠が下のー」〈近松・天智天皇四〉

はらごころ【腹心】①腹。また、腹の状態。「憂き旅の寝冷えにわろき―」〈俳・寛永十三年熱田万句三五〉②心。気持。「河豚汁(ふくとじる)空空寂寂(食フト掛ケル)―」〈俳・西鶴五百韻〉

はらごもり【腹籠り】 腹にある子。胎児。「胎は母の腹中に在って未だ出でざるをいふ。―なり」〈月令抄上〉

はら・し【晴らし】〘四段〙①晴れさせる。「これなる宿りに立ち寄り、時雨を―・さばやと思ひ候」〈謡・定家〉②晴れやかにする。解消させる。「さるべき宿に休息して、諸勢も疲れを―・しける所へ」〈室町殿日記三〉。「筮とりて不審を―・すものぞ」〈周易抄〉

ばら・し【殺し】〘四段〙①殺害する。「―・してくれんと追っ取り廻し」〈近松・加増曾我一〉②売り払う。「差し出す古草履、一つに合し―・しても二足三文」〈浄・鎌倉三代記五〉③《特に》安売りする。「―・す、なげるとも」〈大坂繁花風土記〉

はらすぢ【腹筋】 ①腹部の筋。「馬の―馳せ切り、脛(ねす)の砕くるをも知らず、揉みに揉うで馳せ上る」〈義経記三〉。「―切れて息止まる」〈伽・毘沙門本地〉②おかしくてたまらぬこと。腹筋をよること。「此の衆が武辺沙汰の事、をかしき―なる事なり」〈三河物語下〉 **―を縒(よ)・る** おかしくてたまらない。「腹筋を切る」とも。「―・って打笑ひ」〈近松・世継曾我四〉

はらだた・し【腹立たし】〘形シク〙いかにも腹が立つ気分である。「この子を見れば苦しきこともやみぬ。―・しきこともなぐさみけり」〈竹取〉

はらだ・ち【腹立ち】㊀〘四段〙《ハラは胸の中・心・気持の意。タチは活発に運動をはじめる意》①立腹する。おこる。「あしく探れば無きなりと、―・ちて」〈竹取〉②喧嘩する。「何事ぞや。童べと―・ち給へるか」〈源氏若紫〉㊁〘名〙腹が立つこと。「あら―や」〈謡・自然居士〉。「―な事ぞ」〈三体詩抄一ノ二〉

はらだ・て【腹立て】〘下二〙腹立つようにする。「『すべてこの子は、心地なりさしすぐして侍り…』など憎めば、『あなかま。をさなき人な―・てそ』と宣ふ」〈源氏浮舟〉

はらつづみ【腹鼓】《「鼓腹」の訓読語か。荘子、馬蹄篇に「哺(ほ)を含みて熙(よろこ)び、腹を鼓して遊ぶ」とある》腹を鼓のように打って鳴らすこと。衣食に満ち足りて幸福をよろこぶさまにいう。「飽き満ちて舟子どもは―を打ちて」〈土佐一月七日〉

はらとり【腹取り】 腹をあんまするこ と。按腹。「痛き所やある。―の女にとらせよかし」〈栄花布引滝〉

はらぬち【腹内】《ハラノウチの約》腹の中。「―はいさご(小サナ石)あれや」〈紀歌謡二八〉

はらのかは(カワ)【腹の皮】《腹の皮をよる意》おかしくてたまらないこと。「泳ぎ得ぬ稽古を見れば瓢箪の〔浮キニスガッテ〕浮きつ沈みつ―かな」〈堀河狂歌集下〉

はらのふえ【大角】 上代の軍事用吹奏楽器の一。はら。「大角、ハラノフエ、征戦具」〈名義抄〉→小角(くだのふえ)

はらば・ひ(イ・バ)【腹這ひ・匍匐ひ】〘四段〙腹を地につけて手足ではって行く。また、はうようにして進む。「赤駒の―・ふ田井を」〈万四二六〇〉。「嬰児の女有り。中庭に―・ふを、鷲擒りて空に騰(あが)りて」〈霊異記上九〉。「匍匐・蒲伏、ハラバフ」〈名義抄〉 †Farabafi

はらはら ①物と物とのふれあうさま。また、その音。「衣(きぬ)の音なひ―として」〈源氏帚木〉②髪などのこぼれかかるさま。「紅梅の御衣(おんぞ)に、御ぐしのかかり―ときよらにて」〈源氏若菜下〉③乱れ散るさま。「若干(そこばく)の軍(いくさ)ども馬より―と下りて」〈今昔二五ノ九〉。「算(算木)を―と出せば」〈今昔二四ノ二二〉④涙・雨・木の葉などの落ちるさま。「御衣の袖に御涙を―とこぼして」〈沙石集四ノ八〉⑤次次と物を閉じ、また、扇を使うなどの音。「〔格子ヲ〕―と参り渡しければ」〈大鏡兼家〉。「紅の扇を―と使ひて」〈愚管抄四〉⑥裂け破れてぼろぼろになっているさま。「紙きぬのきたなげに―と破れたる上に」〈発心集七〉⑦物の焼けてはねる音。「件(くだん)の雀を―とあぶりて」〈古事談三〉⑧あれこれと気をもむさま。「もっとも、手をあてて、―するてい」〈滑・浮世風呂二下〉

はらはら【腹腹】〘感〙腹の痛いときなどに発する語。「『あな―。いま聞えん』とて過ぎぬるに」〈源氏空蟬〉。「『あな―』と言ふ声も息の下なれば」〈伽・福富長者物語〉

はらばら【腹腹】 一夫多妻で、その子どもを生んだ夫人たち。「―に御子ども十よ人」〈源氏少女〉

ばらばら 乱れ散らばるさま。「疫神ども―と出でぬ」〈沙石集五ノ一〉。「国中が―になれども」〈応永二十七年本論語抄一六〉。「女房涙を―と流し」〈浄・今川物語四〉 **―どり【ばらばら鳥】** 一番鶏・二番鶏も過ぎて、夜明け前にばらばらに鳴き立つ鶏。また、その声。なお、その頃を「ばらばら時」という。「涙もや―に目〔ニアフレル女〕七夕」〈俳・山の井五〉。「涙さへ―に月更けて」〈俳・玉海集追加六〉

はらはれ【腹腫れ・腹張れ】 ①腹のふくれていること。また、その人。〈日葡〉②金持。多く嘲っていう。腹ふくれ。腹ぼて。「堺町人の―どもを召し寄せ」〈信長記一三〉。〈日葡〉

はらひ(ハライ)【祓】「はらへ」の転。「法師陰陽師、紙冠をきて、―するをみつけて」〈宇治拾遺一四〇〉。「旅の手向(たむけ)に―よくせよ/帰るべき門出を祝ふこの朝(あした)」〈連歌百句付〉 **―ど【祓戸】**「はらへど」に同じ。「―の神達は、法師をば忌み給へば」〈宇治拾遺一四〇〉 **―ばこ【祓箱】** 祓串(はらひぐし)を入れた箱。「はらへばこ」とも。「宗春僧伊勢より下向し、―を頂戴す」〈蔭涼軒日録長享二・五・二九〉

はら・ひ(ハライ)【払ひ】〘四段〙《ハラはハラシ(晴)のハラと同根。いらないものをすっかり捨て去るように、振ったり、ゆすったりする意》①(ごみなどを)振って散らす。「埼玉の小埼の沼に鴨ぞ羽根きる己が尾に降り置ける霜を―・ふとにあらし」〈万一七四四〉②刈ってすっかり除く。「しのぶ草―・ひてましを」〈万九四八〉③賊を追い散らす。「天降(あも)りまし―・ひことむけ」〈万四二五四〉④すっかりきれいに片づける。「対どもは人の局局にしたるを―・ひて、…下人まで設けいかめしくせさせ給へり」〈源氏若菜上〉⑤追放する。また、追放の刑に処する。「別当をも―・ふべしとののしりけり」〈沙石集六ノ三〉。「扶持を放し、御分国中―・ひ申し候」〈梅津政景日記慶長一七・三・二〇〉⑥渡すべき金銭を渡す。支払う。「いや、茗荷の奇特が見えて、はたご代を忘れて―・はずに去(い)んだ」〈咄・水打花三〉。「テマエヲハラウ」〈日葡〉 †Farafi

はらふくれ【腹膨れ】「腹腫(は)れ」(2)に同じ。「腹っぷくれ」とも。「もとより―の、町のゆゆしくもかはゆき子供に」〈評判・吉原こまざらい〉

はら・へ(ハラエ)【祓へ】㊀〘下二〙《ハラはハラシ(晴)のハラと同根。何もひっかかるものが無い意。へはアヘ(合)の約。事の軽重に合わせる意。自己の犯した罪過や、受けた穢(けが)れ・災(わざわい)を無くすために、事の度合に応じて、相手や神に物を差し出して、罪過穢災をすっかり捨て去る意》神に祈って、災や罪を捨て去る。「中臣の太祝詞(ふとのりとごと)言ひ―・へ贖(あか)ふ命も誰がために汝(なれ)」〈万四〇三一〉㊁〘名〙①相応の物をそなえて神に祈り、災や罪・けがれなどを除くこと。また、その行事。本来、禊(みそぎ)とは別であるが、平安時代以降は混同されるようになった。「今日はここに留まりて

―をして、明日まゐでて神の宮を拝(をろが)まむとす」〈記履中〉。「難波(なには)に―して」〈大和一四八〉 ②罪を犯した者に、その罪をつぐなうための料物を出させること。また、その物。弁償。「その甑(こしき)、物に触れてくつがへる。ここに甑の主、すなはち―せしむ」〈紀孝徳、大化二年〉 †Farafë

―ど【祓戸】《ドはヤド・コモリドなどのドと同じ、場所の意》祓を行なうところ。「上卿、弁・氏人等を率ゐて参向し、各―の座に著く」〈江家次第五・春日祭〉 ―どの【祓殿】神社などで、祓を行なう殿舎。「からうじて―にいたりつきけれど」〈かげろふ中〉 ―どのかみ【祓戸の神】大祓(おほはらへ)をする所に祭る神。瀬織津比咩(せおりつひめ)・速開津比咩(はやあきつひめ)・気吹戸主(いぶきどぬし)・速佐須良比咩(はやさすらひめ)の四神。「―の飾りのみてぐらに」〈紫式部集〉。「―達は法師をば忌み給へば」〈今昔一九ノ三〉 ―つもの【祓つ物】《ツは連体助詞》祓の時、罪を贖(あがな)うために出すもの。「祓具、此をば波羅閉都母能(はらへつもの)といふ」〈紀神代上〉 ―のぐ【祓の具】祓のとき使う道具。「陰陽師、巫(かんなぎ)よびて、恋せじといふ―〔ノ用意ヲ〕してなむいきける」〈伊勢六五〉

はらまき【腹巻】略式の鎧の一種。腹に巻き、背中で合わせるようにしたもの。草摺(くさずり)はあるが袖はない。「教長卿・成雅朝臣以下上北面は水干袴に―を着す」〈保元上・新院御所〉。「薄青の狩衣の下に萌黄威(もよぎをどし)の―を着」〈平家一・殿上闇討〉

はら・み【孕み】『四段』《「腹(はら)」の動詞化》①(人・動物が)胎内に子をやどす。みごもる。「或いは―・みたる人に薬を与へて子を堕させたる人」〈孝養集上〉。「胎、博羅無(はらむ)」〈霊異記下三九〉 ②(植物の)穂が出ようとしてふくらむ。穂ばらみする。「若苗の生ひたりしを…植ゑさせしが、いとをかしう―・みて」〈かげろふ中〉 ③(負債を)抱えこむ。「御領所の百姓中、数年未進を―・みければ」〈室町殿日記三〉 ―く【孕句】①〔連俳用語〕会席で付けるために、あらかじめ用意句案しておいた句。「かねての―よりも当意即妙の句を希(こひねが)ふべし」〈俳・誹諧初学抄〉 ②以前から心に思っていたこと。「常常気に入らぬ女ぢゃと―に思うてゐたに」〈狂言記・箕被〉

はらみつ【波羅蜜】〔仏〕《梵語の音訳。完成・熟達・通暁の意。到彼岸・度彼岸などと訳す》菩薩の修する大行。波羅蜜多(はらみつた)。「かくの如きもろもろの相は…もろもろの―のなせる所なり」〈三宝絵上〉

はらめ・き『四段』①ぱらぱらと音をたてる。「雨の脚、あたる処とほりぬべく―・き落つ」〈源氏須磨〉 ②ばらばらと散乱する。乱れ飛ぶ。「車のうらうへ(左右)の物見に、〔蜂ガ〕―・きけるを」〈十訓抄一ノ六〉 ③ぼろぼろになる。「紙ぎぬなむどの、云ふばかりなくゆゆしげに破(や)れ―・きたるを」〈発心集一〉

ばらもん【婆羅門・波羅門】《梵語の音訳》インドの四姓の中の最高の階級。婆羅門教の祭典・儀礼をつかさどる僧。「唐僧道璿、―僧菩提尼等に時服を施す」〈続紀天平八・一〇・二〉。「一人の―来たりて王にまうさく『我、貧しく苦し。願くは物を賜へ』と」〈三宝絵上〉

はらや【軽粉・汞粉】水銀粉に明礬塩を和して製した白粉(おしろい)。近世、伊勢国飯野郡射和(いさわ)地方の名産。伊勢白粉。「女房衆へ―箱二つ祝儀也」〈舜旧記天正一一・一・八〉。「松笠に付くる―か木木の雪」〈俳・沙金袋六〉

はらら《ハラと同根》散り散りになるさま。ばらばら。「海人(あま)小舟―に浮きて」〈万四三六〇〉 ―か・し【散かし】『四段』ばらばらにする。「蹴散、此をば倶穢簸邏邏箇須(くゑはららかす)といふ」〈紀神代上〉

はららご【鮞】魚類の腹中の卵。また、それを塩づけにした筋子(すじこ)などのような食品。「わきて見よこの―の数数に栄えゆくべきためしなりとは」〈再昌草三五〉。〈伊京集〉

はらり ①ものが軽快に、たやすく解けたり、散ったり、離れたりするさま。また、その音。「鏑(かぶら)は、ざっと割れて―と落つ」〈保元中・白河殿攻め落す〉。「いま結(ゆ)た髪が―と解けた」〈閑吟集〉。「むめ(梅)は―こぼれる」〈田植草紙〉 ②未練・執着することのないさま。あっさり。「過あるを改むる事は、物を惜しまざるやうに―と捨つるなり」〈尙書抄四〉

ばらりさん【ばらり散】なにも残らぬさま。また、すっかりきまりがつくさま。残る所なく。きれいさっぱり。完全に。「ばらりしゃん」「はらりさん」とも。「花花や―月今日の暮」〈俳・沙金袋三〉。「西行桜はや―」〈俳・続連珠一〉

はらろ【張らろ】『連語』《張レルの上代東国方言》芽をふいている。「青柳の―川門(かはと)に汝を待つと清水(せみど)は汲まず立処(たちど)ならすも」〈万三五四六東歌〉 †Fararo

はらわた【腸】①大腸。「大腸、和名波良和太(はらわた)」〈和名抄〉 ②《転じて》広く、臓腑・内臓。「〔猿ノ〕母が腹を開きて見るに、―ずたずたに切れたり」〈雑談集三〉 ―を切・る あまりのおかしさにたえきれないさまの形容。「満座興に入りて―・りけるとぞ」〈著聞一三三〉 ―を断(た)・つ ①悲傷・悲痛な気持の形容。腸をずたずたにする思いだ。「さしも秋の夕は―・ち侍るうちにも、さすがに感情深き雲風のけしき、捨てがたしと云へるか」〈心敬連歌自註〉 ②「はらわたを切る」に同じ。「主上群臣も笑ひ給ひて―・ちけり」〈著聞二四六〉

はら・ゐ【腹居】『上一』《「腹立ち」の対》腹がおさまる。怒りが静まる。「重方、家に帰り来たりてをこつりければ、妻(め)―・ゐにければ」〈今昔二八ノ一〉

ばらを【ばら緒】麻・苧(からむし)または棕櫚(しゅろ)緒を芯にして、細裂した竹子皮または棕櫚葉を巻いた鼻緒。近世前期から藁草履・雪駄に用いるのが流行した。りんぼう緒。「―の雪駄」〈西鶴・一代男三〉

はり【針・鍼】①縫針。「―そ賜へる縫はむ物もが」〈万四四二〇〉 ②釣針。「二人ながら通夜をして〔イル所ヘ〕―を投ぐる」〈虎明本狂言・釣針〉 ③鍼治(しんじ)に用いる針。「御―をば玉体に憚るの間、如何が仕るべきやの由を申す」〈康富記嘉吉三・一〇・一七〉 ―が利・く 裁縫が上手だ。「縫物などして、巧みに美しうするを、…―・いた人ぢゃと云ふぞ」〈玉塵抄二七〉 ―刺すばかり 針を突き立てるくらい些少であること。「然れども、其の子孫、世に―の所を知らず」〈今昔一〇ノ一五〉 ―を蔵に積みても溜ら・ず 小さな針を蔵に積んだように、無限の財産が有っても、浪費すれば到底足らない、の意。「針を蔵に積んでも足らぬ」とも。「―・ぬ内証」〈西鶴・永代蔵三〉 ―を棒に言ひな・す 物事を大げさに言う。針小棒大に表現する。「針を棒に取りなす」「針を棒」とも。「ちっとの事を、―・して」〈史記抄一七〉

はり【梁】うつばり。「たかやの―上げ候」〈伊達輝宗日記天正二・六・二六〉

はり【榛】ハンノキの異称。野原や川岸に密生する落葉半喬木。実と樹皮は黒・茶色の染料とする。「住吉(すみのえ)の岸野の―ににほふれど(染メルガ)」〈万三八〇一〉

はり【玻璃】七宝(しっぽう)の一。今の水晶という。「玉の御姿をかたぶけて、―をかけ…人を教へて書写せしめ給ふ」〈百座法談聞書抄〉

は・り【張り・貼り】㊀『四段』《糸・綱・布・網などで作られたものを、ぴんとたるみなく引きわたし拡げるのが原義》①

(面を)たるみなく延べ拡げる。「鳥網(となみ)―・り守部をすゑて」〈万四〇二一〉。「あま小舟帆かも―・れると見るまでに」〈万二八二〉②(紙や板などを)他の面に拡げてつける。「障子―・らすべきこと」〈源氏浮舟〉③(線を)たるみなく伸ばす。「天の原ふりさけ見れば〔三日月ガ〕白真弓―・りてかけたり」〈万二八九〉。「琴の緒もいとゆるに―・りて」〈源氏若菜上〉④ふくらます、また、ふくらむ。はちきれそうになる。「青柳の―・りて立てれば」〈万三四四三〉。「我が―・らぬ乳(ち)を夜もすがら吸はすれば」〈今昔一九ノ四三〉⑤突き出して構える。「志を下さず肘を―・ってゐたを何かは堪(こら)へう」〈天草本伊曾保〉⑥心をゆるみなく緊張させる。「いとさがなげににらみて―・り居たれば」〈源氏真木柱〉⑦強引に意地を押し通す。「かやうの証拠正しき所にも情(じやう)を―・り給ふなり」〈驢鞍橋中〉⑧物を広げるようにして設ける。「宇陀の高城(たかき)に鴫(しぎ)わな―・る」〈記歌謡九〉。「平家は陣を五つに―・る」〈平家八・室山〉⑨(ひら手やこぶしなどで)打つ。なぐる。「簾中より走り出て、この僧が頭を―・りて」〈沙石集九ノ九〉⑩勝負事に賭物をする。「百切り―・って見たれば」〈近松・丹波与作中〉㊁〘名〙①意地を張って負けまいとすること。また、その気力。意気張。「―。張合と言ふ下略なり。是れ心の―にて、強き弱きと言ふ品有り」〈色道大鏡一〉②女を手に入れようと付け狙うこと。「もうよもや―には歩けめへ」〈滑・浮世床二下〉③弓・琴・幕・挑燈などを数える語。「イッチャウ、即ち、ヒトハリ」〈ロドリゲス大文典〉

は・り【墾り】〘四段〙新しく土地をひらく。開墾する。「住吉の岸を田に―・り蒔きし稲のさて刈るまでに逢はぬ君かも」〈万二二四四〉。「墾、ハル・カヘス・オコス・ホル」〈名義抄〉

ばり【尿・馬痢】①《イバリの転。室町末期から近世前期まで》馬その他動物の小便。「〔馬ガ〕―二度出し、立上り身振ひし、平癒申し候」〈梅津政景日記元和四・一・一八〉。「バリヲック」〈日葡〉②《卑俗な語》人の小便。「バリ」〈日葡〉

はりあ・ひイア【張り合ひ】㊀〘四段〙①なぐり合う。「打ち合ひ―・ひしける程に」〈平家一・鵜川軍〉②対抗する。負けまいとせりあう。「互ひに強く―・ひて、はかゆかざると見れば」〈五輪書〉㊁〘名〙①なぐり合い。「―やせんこの仏たち／彌陀薬師にぎりこぶしの木で作り」〈俳・犬子集一三〉②対抗すること。負けまいとせり合うこと。「御坊主達もきっと弓を張りたるが如く、―の心出づるや」〈驢鞍橋下〉。

「―の道絶えては、傾城の道すたる故に」〈評判・難波物語〉③かいのあること。効果。ききめ。しるし。「敵に引かれて、―なく力なし」〈吾妻記〉 **―にんぎゃう**ギョウ【張合人形】竹を骨とした紙人形の両足を長くし、両手の端に重りを付けて平均を取り、中央を支えるだけで倒れないようにしたもの。釣合人形。張人形。「―の重りの如しと知るべし」〈評判・役者三世相京〉

はりおこな・ひオコナイ【張り行なひ】〘四段〙強引に行なう。わがもの顔にふるまう。「上よりも給はらざる九国の総追捕使と号して鎮西を―・ひ」〈保元上・新院御所〉。「平家は西国に、兵衛佐は東国に、木曾は都に―・ふ」〈平家八・法住寺合戦〉

はりがさ【張笠】竹の骨組に紙を厚く張り、渋をひいた笠。また、薄板で作り、渋をひいた笠をもいう。「編笠よりは―しかるべし」〈諸家評定八〉

はりぎぬ①【張衣】板に張ってつやを出し、ぴんとさせた布で仕立てた衣。「―のあざやかなるに、長絹の五帖の袈裟のひだ新しきかけたる老僧」〈著聞五四五〉②【張絹】張りめぐらした絹布。「御簾の内に、金襴にて―これ在り」〈多聞院日記天正一一・八・一六〉

はりぐち【針口】天秤の支柱上部にあって針の平均を示す所。計る時は小槌で叩いて、針の動きを調節した。〈日葡〉

はりこ【張子】木製の型に紙を重ねて張り、乾いてから、内部の型を抜きとって作ったもの。はりぬき。「―の犬二箱」〈鹿苑日録天文一〇・一二〉。〈運歩色葉集〉

はりどし【張輿】屋形および左右両側に畳表を張り、押縁を打った略式の輿。「我が身はあやしげなる―にやつれ給ひて」〈保元上・左大臣殿上洛〉

はりしづ・め【張り鎮め】〘下二〙絃を張って落ちつかせる。「箏の御琴は…琴柱(ことぢ)のたちど乱るるものなり。よくその心しらひ整ふべきを、女はえ―・めじ」〈源氏若菜下〉

はりすり【榛摺】榛(はり)の木の皮で染めること。また、染めた衣。「―の御衣」〈紀天武、朱鳥一年〉

はりたて【針立・鍼立】①綿・毛髪などを布片で包んで、針を刺し止めて置くもの。針山。「―も所によりて替る秋」〈俳・大矢数一〉②鍼医。「常常―を呼びて〔鍼ヲ〕立てさせけるが」〈咄・昨日は今日上〉。〈日葡〉

はりつ・け【張り付け・磔け】㊀〘下二〙処刑のため、罪人の体を台木に縛りつけ固定する。磔(はりつけ)にする。「縄を以て、四つの支(えだ＝四肢)を機物(はたもの)に―・けて、弓を以て射しむるに」〈今昔一六ノ二六〉㊁〘名〙罪人を台木に縛りつけて処刑すること。「さて東坂へ下りて、正祐を三津浦にて―にぞしたりける」〈日吉山王利生記八〉。「〔人質ノ〕老母を―にかけ、了野山にさらし置き」〈浅井三代記一四〉

はりつづみ【張鼓】曲物(まげもの)の太鼓の両側に糸を付け、その先端に大豆を結び、柄を振って鳴らす玩具。振り鼓。〈俳・和歌竹四〉

はりて【針手】裁縫をする人。縫い手。「彼方此方の―を頼み」〈近松・曾我五人兄弟三〉

はりで【針手】裁縫の針を運ぶ手の動き。運針。「ハリデガキク」〈日葡〉

はりにんぎゃうギョウ【張人形】①「はりあひ人形」に同じ。「―、世にこれを起上り小法師と云ふ也」〈俳・毛吹草四〉②張子の人形。「紙子着る人や其のまま―」〈俳・鸚鵡集一〇〉。〈俳・毛吹草三〉

はりぬき【張抜・張貫】「はりこ」に同じ。「浅草の―の大頭(つぶり)」〈浄・道外和田酒盛五〉

はりのかがみ【玻璃の鏡】「浄玻璃(じやうはり)の鏡」に同じ。「―にむかはば、気悪しく腹立つる姿、ただ貪着恋慕の形のみこそ、見え侍らんずれな」〈撰集抄一ノ八〉

はりのくやうクヨウ【針の供養】乞食の一種。近世前期、折れた針の供養をしなければ地獄に落ちると言って、家家をめぐり、主婦・娘などから折れた針と供養の銭を貰い集めた。「箸(はし)の供養」も同類。〈人倫訓蒙図彙七〉

はりはら【榛原】榛(はり)のはえている原。「引馬野(ひくまの)ににほふ―入り乱り衣にほはせ旅のしるしに」〈万五七〉

はりはり①堅い物をかじる音や物の焼ける音。〈ロドリゲス大文典〉②《噛む音から》大根を薄く輪切りにして干したもの。酢の物などにする。「鈴一対、漬物―これを給ふ」〈多聞院日記元亀一・五・九〉

はりばん【張番】見張りの兵。「切所切所に―を置きて、往来をあらためたり」〈慶長治乱誌〉。〈日葡〉

はりひぢ【張臂】臂を左右につっ張ること。また、その臂。「身丈(みたけ)に及ぶ太刀・刀をさし、―にて、大路狭しと多勢歩く事の面憎さよ」〈室町殿日記一〇〉

はりぶくろ【針袋】針を入れておく袋。「―これは賜(たば)りぬ」〈万四一三三〉 ✝faribukuro

はりぶみ【張文・貼文】 ①命令・禁止・通達などを書いて貼り出した紙。張紙。壁書。「或いは道場に―をして」〈歎異抄〉 ②恐喝の目的で、人の悪事を捏造(ねつぞう)したり、その家に放火するなどの文言を記して張り出した紙。張札。「火を付け申すべしと―仕り」〈御仕置裁許帳四、万治三・三・四〉

はりぼうじゃう(ヨウ・ジ)**【針ぼうじゃう・張帽紗】** 古着を洗い張りして仕立て直すこと。また、その衣服。「はりぼうじょ」とも。〈日葡〉

はりま【播磨】 旧国名の一。山陽道八国の一。今の兵庫県西南部。播州。「―・備前…伊予等国飢ゑす。之に賑給す」〈続紀文武一・閏三・七〉 **―なべ【播磨鍋】** ①播磨国飾磨(しかま)郡野里産の底の薄い鉄鍋。火廻りがよく早く煮えるので喜ばれた。「名にし負へば秋の中にも―再びに煮る月を見るかな」〈七十一番歌合〉 ②浮気な女の称。尻軽女。淫奔女。「相模女に―と〔言〕って、尻の早へに喩へてあるはさ」〈洒・粋町甲閨〉

はりまくら【張枕】 はりこの枕。「ありゃ笹の―、主(ぬし)ぞ恋しかりける」〈天正本狂言・恋の祖父〉

はりみち【墾道】《ハリは開墾すること》 開通した道。「信濃道(しなのぢ)は今の―」〈万三三九九東歌〉 †Farimiti

はりむしろ【張筵】 雨覆いなどのために張り渡した筵。「わびしげに見ゆるもの。…雨降らぬ日―したる車」〈枕一二三〉

はりめ【針目】 針で縫ったあと。縫目。「わが背子が着(け)せる衣の―おちず」〈万五一四〉 †Farimë **―ぎぬ【針目衣】** つぎはぎだらけの衣。また、ぼろを綴り合わせた着物。はりめごろも。ぼろ。つづれ。「―。つづり也」〈匠材集一〉

はりもの【張物】 洗った布にのりをつけ、板張りまたは籡子(しんし)張りにすること。また、その布。「女のかぎりにて、―多くとり散らしてあるにあはせて」〈宇治拾遺三三〉

はりや・り【張り破り】『四段』(布帛などを張板に)強く張りすぎて破る。「うへのきぬを洗ひて、手づから張りけり。…うへのきぬの肩を―・りてけり」〈伊勢四一〉

はりゆみ【張弓】 ①弦を掛けて張った弓。また、その形のもの。「〔ナゾナゾノ題〕天に―」〈枕一四三〉 ②弓状に竹を張って仕掛けるわな。「古きつづらをあけて、鳴子・―取り出し」〈西鶴・一代男四〉

はる【春】 四季の最初の季節。立春から立夏まで。陰暦の一月二月三月をいう。「み冬つぎ―は来たれど」〈万三九〇一〉 ▽語源を「張る」とする説はアクセントの点から成立困難。 **―立・つ** 春となる。立春になる。「袖ひちてむすびし水のこほれるを―・つけふの風やとくらん」〈古今二〉

はる【針】「はり」の上代東国方言。「草枕旅の丸寝の紐絶えばあが手とつけろこれの―持し」〈万四四二〇防人〉

はる【遥】 間に妨げるものがなく、ずっと果ての方まで見渡せるさま。「むらさきの色こき時は目も―に野なる草木ぞわかれざりける」〈古今八六八〉 ▽「目も―に」の形で使われることが多い。

はるあき【春秋】 ①春と秋と。「年ごとの―ごとに」〈源氏明石〉 ②年。歳月。四季を代表させていう。「いくめぐり過ぐし来ぬらん―に染むる衣をうつろはせつつ」〈堀河百首〉。「ながめんも今いく程の身の向後(ゆくへ)／四十(よそぢ)のあとは夢の―」〈二根集二〉

はるか【遥か】《ハレ(晴)と同根。途中に障害となるものが全くなく、そのままずっと、かなたの果てまで見えているさま》 ①空間的にかけ離れているさま。また、到底とどきがたいさま。奥深いさま。「ほととぎす梢―に今ぞ鳴くなる」〈古今一四二〉。「あふ事は雲ゐ―になる神の」〈古今四八二〉。「大乗経は仏法の中の究竟の説なり。名味泯(ことごと)く絶(す)れ、理致(ねむ)幽玄(はるか)なり」〈大唐西域記四・長寛点〉 ②時間的にかけ離れているさま。「殿の御許されは、みち無くなりにたり。そのほど―におぼえ侍るを」〈かげろふ下〉 ③心理的にかけ離れているさま。とうていその気になれないさま。「朝餉(あさがれひ)の、けしきばかり触れさせ給ひて、大床子のおものなどは、いと―におぼしめしたれば」〈源氏桐壺〉 ④程度の甚だしいさま。「〔仏入滅後〕わづかに百年ばかりにこそ成り侍りぬらめ。其の間、仏法の衰へたる事―なり」〈今昔四ノ七〉

はるか・し【晴るかし・霽るかし】『四段』 晴れるようにする。あかるくする。「大御鏡の面(おも)をおし―・して見そなはす」〈祝詞 神賀詞〉。「愛執の罪を―・し聞え給ひて」〈源氏夢浮橋〉

はるがすみ【春霞】 ①春の霞。「情(こころ)ぐく思ほゆるかも―棚びく時に言(こと)の通へば」〈万七八九〉 ②〔枕詞〕同音のくりかえしで「春日(かすが)」に、また、春霞が居るの意で「井(ゐ)」などにかかる。「―井の上ゆ直(ただ)に道はあれど」〈万一二五六〉 †Farugasumi

はるかぜ【春風】 春吹く風。氷・雪をとかし、花や柳などの若芽に吹き、梅の香をつたえ、桜の花を散らしなどする。東風。「青柳の糸のくはしさ―に乱れぬい間に見せむ子もがも」〈万一八五一〉

はる・き【晴るき・霽るき】『四段』 ①閉じているものなどを、あけて広広となるようにする。「天国押波流岐(あめくにおしはるき)広庭命」〈記継体〉 ②気持が解けて晴れ晴れとする。「物思ひ―・けるやうにぞおぼゆる」〈かげろふ中〉 †Faruki

はるぎりまい【春切米】 ①江戸幕府の切米取に、二月に支給される扶持(ふち)米。正しくは「春借り米」。夏・冬にも支給され、それぞれ「夏借り米」「冬切り米」と称した。「浅草や―の払ひ方」〈俳・当世男下〉 ②《一般に転用して》 奉公人が春に受け取る給金。「―を借り越し、遣はし参らせ候」〈西鶴・永代蔵一〉

はるくさ【春草】 春になって萌え出る草。しなやかで愛らしく、よく繁るとされた。若草。「―の繁く生ひたる、霞立つ春日(はるひ)の霧れる、ももしきの大宮処見れば悲しも」〈万二九〉

はる・け【晴るけ・霽るけ】『下二』《ハルキの他動詞形》 ①晴れるようにする。ややもやしたものをすっかり無くさせる。「いぶせかりし霧のまよひも―・け侍らむ」〈源氏橋姫〉 ②(障害となっていたものを)とり除く。払いのける。「岩隠れに積もれる紅葉の朽ち葉すこし―・け、やり水の水草(みくさ)払はせ」〈源氏総角〉 **―どころ【晴るけ所】** ①思いを晴らすことができる場所。物思いのはけ口。「少し物思ひ―に思されて、例の様にも急ぎ渡り給はず」〈源氏夕霧〉 ②気持の処理が自分でちゃんと出来るよりどころ。「女はかう―無うなよびたるを、人もあなづらはしきにや…心つよからぬ過ちはしいづるなりけり」〈源氏若菜下〉

はるけ・し【遥けし】『形ク』《ハルカ(遥)の形容詞形。類義語トホシ(遠)は、関係が切れてしまいそうなほどに距離のある意》 ①空間的に、対象までの間に何もなく、へだたっている。「ほととぎす鳴く音―・し里遠みかも」〈万三九八八〉 ②時間的に、はるかにへだたっている。「人目ゆゑ後に逢ふ日の―・くはわがつらきにや思ひなされん」〈古今四三四〉。「薪木樵(こ)る思ひ(法華経ニ奉仕スル願イ)は今日を始めにて此の世に願ふ法(のり)ぞ―・き」〈源氏御法〉 ③心理的に、無縁のもののように、遠く感じられる。「もろこしも夢に見しかば近かりき思はぬ〔男女ノ〕仲ぞ―・かりける」〈古今七六八〉 †Farukësi

はるこま【春駒】 ①春の野に放し飼いにした馬。「立ち放れ沢べに荒るる―は」〈後拾遺四六〉 ②新年、木または土製の馬の首をかぶり、あるいは手に持って、太鼓・三味線の囃子で唄い踊る門付けの乞食。「―を廻すは人の手品かな」〈俳・夢見草二〉

はるさめ【春雨】春に音もなく降る雨。「くれなゐの赤裳のすその―ににほひづちて」〈万三九六九〉 †Farusamë

はるさ・り【春さり】〘四段〙《サリは移動する意》春になる。「―・ればまづ咲くやどの梅の花」〈万八一八〉

はるつかた【春つ方】春の季節。春のころ。「―人の来たりければ」〈和泉式部集二〉

はるとりの【春鳥の】〔枕詞〕春鳴く鳥は悲しい声でながくように聞えたことから、人の「吟(さまよ)ひ」「音(ね)泣き」にかかる。「―吟ひぬれば」〈万一九九〉。「―音のみ泣きつつ」〈万一〇四〉 †Farutörinö

はるなが【春永】春が来て日が長く感じられるころ。のどかな春。特に、新春・正月。「[今日ハ大晦日デ]はや蔵に納めた。―(新春)にやらう」〈天理本狂言六義・米市〉。「この姫君、十三と申せし―(正月)の六日に」〈伽・為人びくに〉

はるなぐさみ【春慰み】春の季節、特に正月に、慰みにする遊戯や世間話。「女子の―」〈西鶴・五人女三〉

はるの【春野】春の野。草が延び花が咲いて、鶯などの鳥が鳴き、人人は草をつみ、野火を焼きなどする。「をとめらし―のうはぎ(ヨメナ)採みて煮らしも」〈万一八七九〉 †Faruno

はるのくれ【春の暮】①暮春。春の終り頃。行く春。「もののはえなき―なり」〈源氏薄雲〉。「山吹の垣ほ荒れゆく―」〈新撰菟玖波集三〉 ②春の夕暮。「山寺の―。山里を春の夕暮来てみれば入相の鐘に花ぞちりける」〈能因法師集中〉。「―、秋の暮としたるは…時分の暮(夕暮)なり」〈産衣四〉

はるのさかづき【春の杯】春のころ酒を飲む杯。また、曲水の宴に水に浮かべる杯。「『酔ひの悲しび、涙そそく―のうち』と、もろ声にずし給ふ」〈源氏須磨〉

はるのしらべ【春の調べ】音楽で、春の調子。琴で、双調〈さうでう〉をさす。「からことといふ所にて春のたちける日よめる。波の音の今朝からことにきこゆるは―や改まるらむ」〈古今四五六〉 →秋の調べ

はるのとなり【春の隣】すぐそばまで春が来ていること。立春の日の前日などにいう。「あす春立たんとしける日、隣の家のかたより風の雪を吹きこしけるを見て…。冬ながら―の近ければなか垣よりぞ花は散りける」〈古今一〇二一〉。「送り来て―の夕煙／霜の葉ふかき竹の一村」〈秋津洲千句〉

はるのとり【春の鳥】春に鳴く鳥。特に、鶯。「―の桜一つにとまらぬ心よ、あやしとおぼゆる事ぞかし」〈源氏若菜上〉

はるのはな【春の花】①春咲く花。特に、桜。「―いづれとなく開け出づる色ごとに目驚かぬはなきを」〈源氏藤裏葉〉 ②つかの間の栄花にたとえていう語。「昔は九重のうちにて―を玩び、今は八島の浦にして秋の月に悲しむ」〈平家一〇・藤戸〉

はるのふるさと【春の故郷】《拾遺集の歌「花も皆散りぬる宿は行く春のふる里とこそなりぬべらなれ」による》春の去った跡。「明日よりは志賀の花園まれにだに誰かはとはむ―」〈新古今一七四〉

はるのみなと【春の湊】春が行きついてとどまる所。春の果て。「なごりをば夏にかけつつ百年(ももとせ)の―に咲ける藤波」〈天徳内裏歌合仮名日記〉

はるのみや【春の宮】「春宮(とうぐう)」の訓読語。「秋の夜召しありて春宮(とうぐう)に参りて…。鳴く雁は来るか帰るかおぼつかな―にて秋の夜なれば」〈頼基集〉。「春宮をば―と云ふ」〈能因歌枕〉 →秋の宮。 **―びと**【春の宮人】春の宮に仕える人。春宮坊の役人。「朱雀院春宮におはしましける時…。さみだれに―来る時はほととぎすをやうぐひすにせむ」〈後撰一六八〉

はるのよのゆめ【春の夜の夢】春の夜に見る夢。短くはかないもののたとえ。「まどろまぬかべにも人を見つるかなまさしからなむ―」〈後撰五一〇〉。「おごれる人も久しからず、ただ―の如し」〈平家一・祇園精舎〉

はるはな【春花】春咲く花。咲き栄え、また、うつろいやすいことから、女性の美しいさかりの比喩などにいう。「―の咲ける盛りに」〈万三九八五〉 **―の**【春花の】〔枕詞〕「にほふ」「めづらし」「たふとし」また「うつろふ」にかかる。「―いやめづらしき」〈万一八八六〉。「―うつろひかはり」〈万一〇四七〉

はるばる【遥遥】①はるかに遠いさま。転用して、時間についてもいう。「松原、目も―なり」〈土佐二月五日〉。「―来ぬる旅をしぞ思ふ」〈伊勢九〉。「行く末―と栄えさせ給ひ候はんこと、疑ひあるまじきことなり」〈伽・瓜子姫物語〉 ②《比較していう語》はるかに。ずっと。「世上の者の見解は、―我より下にして」〈三体詩抄二ノ一〉。「顔(かほばせ)の美しき事、前よりも―まさり」〈バレト写本〉

はるひ【春日】①春の日。多く日の長いことにいう。「霞立つ長き―の暮れにけるわづきも知らず」〈万五〉 ②春の日ざし。「霞立ち―の霧れる」〈万二九〉 ③〔枕詞〕春の日のかすむことから同音をもつ地名「かすが」にかかる。この枕詞によって地名「かすが」に「春日」の字をあてるようになった。「―かすがを過ぎ」〈紀歌謡九四〉 †Faruri **―の**【春日の】〔枕詞〕地名「かすが」にかかる。「―かすがの国に」〈紀歌謡九六〉 **―を**【春日を】〔枕詞〕《ヲは間投助詞》地名「かすが」にかかる。「―かすがの山の」〈万三七二〉

はるび【腹帯】《ハラオビの転》鞍を固定するため、馬の腹にかける帯。「馬の―をかため、甲(かぶと)の緒をしめ」〈平家二・教訓状〉

はるべ【春べ】《べはユフベのべと同じ。辺・方の意》春のころ。「鶯の来鳴く―は」〈万一〇五三〉 †Farube

はるめ・き【春めき】〘四段〙春らしい様子になる。「霜枯れの野原のけぶり―・きにけり」〈拾遺二一五四〉

はるやなぎ【春柳・春楊】〔枕詞〕春のやなぎをかずらにすることから「鬘(かづら)」、地名「葛城(かづらき)」にかかる。「―鬘に折りし梅の花」〈万八四〇〉。「―葛城山にたつ雲の」〈万二四五三〉 †Faruyanagi

はるやま【春山】春の山。雲や霞が立ち、青青と繁り、花が咲き散り、鶯などの鳥が鳴くことが歌われる。「―の霞壮夫(をとこ)」〈記応神〉。「―の咲きのををりに(咲キ繁ッテイル所ニ)」〈万一四二一〉

は・れ【晴れ・霽れ】㊀〘下二〙《ハラ(原)と同根か。ふさがっていた障害となるものが無くなって、広広となる意》①雲・霧などが消え去る。また、雨・雪などが上がる。「天雲―・れて月夜さやけし」〈万二二七〉 ②物思いや悩みなどが解消する。「―・れずのみ思ひ尽きせぬ世の中の憂さ」〈古今九三五〉 ③広広とした趣きになる。「やり水などの行きあひ(合流スル所)、―・れて、由あるかかり(鞠場)のほどを尋ねて」〈源氏若菜上〉。「谷しげけれど、西―・れたり」〈方丈記〉 ㊁〘名〙①雲・霧などの消散すること。また、晴天。「虹霓(こうげい)の細(くは)しき舞ひは、―に因(よ)りて見る」〈菅家文草三〉。「霽、ハレ」〈名義抄〉 ②日のあたるところ。ひなた。「―に出でて、蔭を離れむと走る時には」〈今昔一〇ノ一〇〉 ③広広としたところ。「海づらもゆかしうて出で給ふ。…御さま、さる―に出でていふよしなく見え給ふ」〈源氏須磨〉 ④はれがましいところ。公衆の面前。人まえ。「おのづから―に

ては、これは人前ぞかしと思ふ心候ひて」〈著聞五四二〉⑤《「褻(け)」の対》ふだんと違う、あらたまった場合。正式。「一門の月卿雲客、今日を—ときらめきて」〈盛衰記四〇〉。「褻にも—にもそれがし一人でござる所で」〈虎明本狂言・止動方角〉。「晴、ハレ。褻、ケ」〈色葉字類抄〉⑥嫌疑をはらすこと。「〔自分ハ〕双方へ金を取られ候のみならず、我等盗人に罷り成り、この—を仕らず候へば、所に居り候事罷り成らず候間」〈梅津政景日記寛永八・二・一八〉

は・れ【腫れ】㊀『下二』皮膚などがふくれ上がる。膨張する。「婆羅門の作れる小田をはむ烏まなぶた—・れて幡幢(はたほこ)にをり」〈万三八五六〉㊁『名』皮膚がふくれあがること。「薬調合したれど、熱と—とはいやましなり」〈本朝俗談正誤一〉

はれ『感』はやしことばの一。やれ。まあ。「袖つくばかり、や、浅けれど、—、浅けれど」〈催馬楽沢田川〉

ば・れ㊀『下二』物事をはばからず、むきだしに行なう。「—・るる、—・れたるなど言ふは、互に忍ぶ恋の色重くなりて、外の見聞をも恥ぢず、人目をも憚らぬ貌(かた)(ち)なり」〈色道大鏡一〉㊁『名』性に関する下品な事または言葉。「それぞれで囲はれ(妾)の下女—を云ひ」〈雑俳・万句合明和五〉

はれうて【晴打て】晴れの場所で気後れすること。「—か月夜の螢今朝の月」〈俳・沙金袋三〉。〈俳・毛吹草二〉

はれがま・し【晴れがまし】『形シク』①いかにも晴れの場らしい。また、表立っている。「〔上皇ガ〕これへ入らせおはします。—・しくなる」〈中務内侍日記〉。「〔貧乏ナノデ〕—・しき時は、何もかも借り物ぢゃ」〈咄・昨日は今日上〉②いかにも晴れの場にいるようで、かたくるしい気分である。「ここ〔自分ノ実家〕には、あまたの中に、数ならず思ひ入るる人、ひとりもなけれど、—・しくまじる人なきばかりに、心をなぐさめて」〈健寿御前日記〉③人目が気になっておもはゆい。「手綱をばかかず袴はほころびて／—・しきを言ふも何時まで」〈俳・守武千句〉

はればれ【晴れ晴れ】はれやかなさま。すがすがしいさま。「我が心地も—として、生き返るやうに覚えつるほどに」〈長谷寺験記下〉

はればれ・し【晴れ晴れし】『形シク』①いかにも晴れたという感じである。「ただむつかしう、今朝まで—・しかりつる空ともおぼえず」〈枕二九二〉②心にわだかまりがなくて、きわめて明るい。「北の方いと—・しく今めきたる人にて」〈源氏紅梅〉③表立っている。公的である。「堀川院をば、さるべき事の折、—・しき料にせさせ給ふ。閑院をば、御物忌みや、又疎き人などは参らぬところにて」〈大鏡基経〉④はれがましい。はなやかである。盛大である。「御簾(みす)の外にも、上達部あまたさぶらはる。いと—・し」〈増鏡一〉

はれま【晴間】①雨などがやんで青空の見える間。また、霧などの晴れあがってゆく間。「長雨—なきころ」〈源氏帚木〉。「朝霧の—も待たぬけしきにて花に心をとめぬとぞ見る」〈源氏夕顔〉②ふさいだ心のはればれするような時期。「心の闇—なく歎きわたり侍りしままに」〈源氏松風〉

はれまじらひ【晴交らひ】はれがましい交際。宮中での宮仕え。「—し給はん女などは」〈源氏紅梅〉

はれもの【腫物】おでき。「頸に癭(はれ)(もの)あり」〈法華経玄賛平安初期点〉 **—に触(さ)(は)るやう** 機嫌を損じないように、おそるおそる取り扱うさまの形容。「二股膏薬の看板出し、これを口過ぎに危き世渡り、—にして暮しぬ」〈浮・今川当世状五〉

はれやか【晴れやか】①いかにも晴れた感じのするさま。くもりがなくすがすがしいさま。「五障の霞の—なる春の夜の一時」〈謡・舟橋〉②明るく目立つさま。はでやか。「さて、姫君、化粧(けし)(やう)はなやかに—にぞましましける」〈伽・しぐれ〉

はれやれ『感』やれやれ。なんとまあ。「村雲も—見事今日の月」〈俳・鸎鵡集七〉。「—是非もなき事ぢゃが」〈盤珪禅師御示聞書上〉

はれらか【晴れらか】①一点の曇りも感じられないさま。いかにも明らかなさま。「何にても尋ね給へ。鏡にかけたるよりも—に知れるなり」〈伽・鶴の翁〉②いかにもあらわなさま。「女は額髪(ひたひ)(がみ)—に掻きやり、まばゆからず顔うちささげてうち笑ひ」〈徒然一七五〉

ばれん【馬簾】纏(まと)(い)などのまわりにたらす総(さ)(ふ)のようなもの。「大旗・小旗・馬印・—・指物・吹流し、風にまかせてひるがへるは」〈説経・伍太力菩薩〉

はろか【遙か】《ハルカの母音交替形》遠く離れているさま。「恋は皆我が上(へ)に落ちぬたまかぎる—に見えて去にし子ゆゑに」〈霊異記上三〉

はろばろ【遙遙】《ハルバルの母音交替形》はるかに遠いさま。「—に言(こ)(と)そ聞ゆる島の藪原」〈紀歌謡一〇九〉 †Fa-robaro

はわけ【葉分け】葉と葉のあいだを分けること。また、一枚一枚の葉に配り分けること。「はわき」とも。「玉笹の—の霜を消(け)たずもあらなむ」〈源氏藤袴〉。「我が庵はいとひかねたる深山木の—の月の影ぞ悲しき」〈拾玉集三〉

はん【半】①半分。なかば。「その身大きにして—由旬(ゆじ)(ゆん)なり」〈孝養集上〉。「御簾、それも—にあげて」〈問はず語り五〉②奇数。「—なる数を奇数と云ふ」〈応永二十七年本論語抄一〉。〈日葡〉→丁(ちや)(う)

はん【判】①見分け。判定。特に歌合・絵合などで、その優劣を判定すること。「仰せ言ありて、御前に〔絵合ノ判者トシテ〕参り給ふ。この—仕うまつり給ふ」〈源氏絵合〉。「おほかたは、歌合の—は、殊に褒めず、殊に難ぜずとかやぞ、様様しく申す者は申すことに侍れど」〈慈鎮和尚自歌合〉②書判(かき)(はん)。花押(くわ)(あふ)。これに対し、印を「印判(いん)(ばん)」といった。「其の瓜取りたる児を永く不孝(ふけ)(う)して、此の人人(町ノオモダッタ人人)の—を取るなりけり」〈今昔二九ノ一一〉

ばん【番】①順を追って交替で事を行なうこと。「諸国の兵士、国別に分ちて十—と為し、毎—十日武芸を教へ習はしめて」〈続紀慶雲一・六・三〉。「—をもて夜に三四人づつ宿直(との)(ゐ)たしかにめぐらひてさぶらはせ」〈浜松中納言三〉②当番。「田舎人どもの宿直人にて代り代りさぶらへば、『おのが—に当りていささかなる事あらせじ』など」〈源氏浮舟〉③《転じて》警固。見張り。「女どもを—にをりてまもらす」〈竹取〉④物合せなどで勝負を争う組。また、一対一で行なう勝負を数えるのにいう語。「第四—の題は菖蒲なり」〈関白左大臣頼通歌合〉。「〔碁ヲ〕うたせ給ふに三—に数ひとつ負けさせ給ひぬ」〈源氏宿木〉。「番、バン・ツガヒ」〈色葉字類抄〉⑤等級・順序などを示すのにいう語。「兵藤次秀遠は九国一—の勢兵(せいび)(やう)にてありけるが」〈平家一一・鶏合〉。「奥の座の三—にゐたる鬼」〈宇治拾遺三〉⑥《接頭語的に用いて》粗製の意を表わす。「バングソク(番具足)」〈日葡〉。「あんまりぢゃ／干菜のやうな—煙草」〈雑俳・住吉踊〉

ばん【盤】①皿などの食器類を載せる盆のようなもの。「御膳(おも)(の)まゐるとて女房八人…白き御—もてつづきまゐる」〈紫式部日記〉。「御台や—などまで手づから拭はせ給ふ」〈大鏡師尹〉②碁・双六・弾碁(たぎ)をする台。「碁・双六・—・調度・弾碁の具など田舎わざにしなして」〈源氏須磨〉③たらい。「香露の—にはぬるは」〈枯木稿〉

ばん【幡】仏・菩薩の威徳を示す荘厳具(しやう)(ごんぐ)。垂れ絹で、

柱や天蓋の端などに懸ける。これに触れると滅罪の功徳があるという。「幡、バン、仏具也」〈色葉字類抄〉

ばんいち【万一】万の中に一つ。もしも。ひょっと。まんいち。「もし―も仏儀を知らば、仏衣を破るべからず」〈正法眼蔵伝衣〉

はんえり【半襟】衣服の襟の上に掛ける細長い装飾的な襟。後には、専ら襦袢に用いた。そぎ襟。「青き木綿の―」〈若輩抄〉 **―うり**【半襟売】古着を解き分けて、襟・裏地その他を四足の竹馬に掛けて歩く行商人。「―が明き屋なりけり」〈俳・独吟一日千句〉

はんえん【攀縁】《よじのぼる意》①《猿が木によじのぼり飛びめぐるのにたとえて》俗縁にかかずらうこと。心が外界のために煩らわされて平静を失うこと。「よろづに―しつつせん念誦・読経は、かひはあらんとすらんやは」〈栄花初花〉②《転じて》いきどおり。「これを聞きて―をおこして隠れ居ぬ」〈今昔三・四〉。「されば心に―とて、少少思はずなる事あれども」〈極楽寺殿御消息〉

はんか【反歌】長歌の終りの部分が繰り返しなどによって分離・独立した歌。多く短歌、まれに旋頭歌形式。数首つくこともあり、全くつかない場合もある。長歌の内容を繰り返したり、補ったりする。〈万四題詞〉▽中国の「反辞」にならった語か。

はんか《助》《係助詞ハカの転》下に打消の語を伴い、それに限る意を表わす。だけしか。しか。「此方の女房は、日本に俺―無い」〈伎・夕霧七年忌〉

ばんか【挽歌】《「挽」は柩（ひつ）をひく意》①葬式のとき、棺を乗せた車をひく者が歌う歌。「山中の御葬礼なれば、ただいたづらに鳥啼（な）きて―の響きをそへ」〈太平記三九・法皇御葬礼〉②死者をいたむ詩歌。万葉集では、広く人の死に関係した歌をいい、雑歌・相聞と共に万葉集の分類の一。中国の文選に拠ったもの。平安時代以後には哀傷の部とされた。「右の件（くだ）の歌どもは、柩を挽く時作る所にあらずといへども、歌の意をなずらふ。そゑに―の類に載す」〈万一四五左注〉

はんがい【半蓋】衣服を入れる小型の長持。半櫃（はんびつ）。「此の方に御座候―一つ」〈宗静日記貞享一・九・二〉

はんかう【半髪・半頭・半額】①頭髪の前半ばかり剃って、後ろは残しておくこと。また、その髪風。「はんかうぞり」「はんこ」とも。「―にする頭多しも」〈俳・備後表〉②小児の髪を両耳脇の部分だけ残して剃ること。また、その頭髪。やっこ。そりかけ。「小児の耳の脇に毛を残すを―と言ひしを、近年は奴と言ふ」〈歴世女装考三〉

ばんがしら【番頭】武家で、番衆の長。ばんとう。「田上甲斐守実国を六角の館の―に仰せ付けらる」〈江源武鑑四下〉。〈文明本節用集〉

はんき【半季】六か月。半年。その期間の奉公をいう。「―には五十目ほどの兼言（かねごと＝約束）に」〈俳・昼網上〉 **―ゐ**【半季居】半年間雇われる契約をした奉公人。半季居り。「―の雄鳥（をんどり）なるか雁金も違へず帰る出替りの頃」〈後撰夷曲集一〉

はんぎ【板木】印刷用に、文字や絵を彫る木の板。近世では、主に桜を使ったので、「桜板木」ともいった。「仁王経―」〈東寺百合文書へ、文正一・三・晦〉。「年代記の―」〈御湯殿上日記享禄五・六・七〉

はんきう【半弓】大弓の半分ほどの長さで、坐っても射ることのできる弓。「城よりも放つ鉄砲―に思ひ寄らずの人ぞ死にける」〈朝鮮日日記〉。〈易林本節用集〉

はんぎゃう【判形】書判（かきはん）。花押（かおう）。「所労の間―を加へず候ふ事、恐れ入り候」〈日蓮遺文波木井殿御報〉 **―にん**【判形人】他人の債務契約の媒介・保証をする者。債務者の証文に加判したのでいう。「加判の輩」ともよばれ、近世には「判人」とも称した。「万が一、不慮の事出来たらん時は、―あひともに、不日に十ケ日の中に、本銭一倍を弁へ沙汰すべし」〈東寺百合文書へ、暦応三・一・七〉

はんぎり【半切】①能装束の一。大口袴（おほくちばかま）に似た形の袴で、武将の怨霊・荒神・鬼畜などを演ずる者が着用。「恐ろしき鬼の面、―に頭（ら）添へて貸し給へ」〈伽・磯崎〉②底の浅い盥（たらい）形の木桶。「強飯をたくね（マルメ）―五つに入れて」〈宗湛日記天正二〇・一〇・晦〉

はんきん【判金・板金】⇒おほばんきん。「或は金の内にも―・砂・吹目、又は半分銀、皆目銀にて請け取り申す儀も御座候」〈梅津政景日記慶長一九・二・八〉

ばんぐみ【番組】①殿中や営中に宿直勤番する武士の組。〈日葡〉②演芸・勝負事などの組合せや、その出場者の役割などの称。また、それを記した紙。「料足一銭にて―を売れり」〈舞正語磨上〉

ばんぐり【番繰り】順番の割当。「それより明くる迄勤むる―なり」〈西鶴・伝来記七〉

はんぐゎん【判官】⇒はうぐゎん。〈易林本節用集〉

ばんげい【晩景】夕方。晩方。「遥かに想ふ、蘭亭―の春」〈菅家文草四〉。「詠に曰く。日は―になりにたり、我が行くさきは遙かなり」〈教訓抄三〉。「晩景、ユウカケ、バムゲイ」〈色葉字類抄〉

はんげしゃう【半夏生】夏至から十一日目の称。梅雨があがり、田植の終るころで、毒草の半夏（カラスビシャク）が成長する時節。近世、この朝毒気が降るといって、井戸に蓋をし、野菜を食べず、諸事に忌み慎む日とした。「―の事。…此の日不浄を行なはず、婬欲を犯さず、五辛酒肉を食はざる日也」〈簠簋内伝三〉

はんげんぶく【半元服】近世、元服一、二年前にした略式の成年式。武士は小鬢を剃らず、町人の男は前髪の額の角を剃り込む。女は眉毛を剃り落さず、鉄漿（かね）をつけ、丸髷を結った。「当年十八歳になれば―もせしが」〈浮・好色江戸紫一〉

ばんごや【番小屋】江戸市中の四辻にあった自身番または木戸番の詰めていた小屋。普通九尺に一間の大きさであった。「かの―へ入りて」〈伎・傾城隅田川二〉

はんごん【反魂】死者の魂を呼び返すこと。死人に魂を入れて生き返らせること。「沈（ぢん）と香とをたきて―の秘術を行なひ侍りき」〈撰集抄五ノ一五〉 **―かう**【反魂香】死者の魂を呼び返し、その姿を煙の中に現ずるといわれる霊香。「―といふ物あり。死人の魂を返す香なり」〈続古事談五〉 **―たん**【反魂丹・返魂丹】熊胆・陳皮・麝香など二十一味を細末にし、麦粉・蕎麦粉で丸めて辰砂を衣にした丸薬。心痛・腹痛・小児の疳病などに利き、また、気付け薬とする。麝香丸。「御薬―・養心丹・養胃丸御合はせ成され候」〈梅津政景日記寛永五・八・一八〉

はんざ【半座】①座席の半分。「如来ねんごろに迦葉（かせふ）を召して、―を譲りまします」〈正法眼蔵行持上〉②座の中途。話なかば。「夜談義を―で母は連れて逃げ」〈雑俳・柳多留三〉

はんざ【判者】《ザはジャの直音化》物合せ・歌合せなどの折にその優劣を判定する人。「いと苦しき―にもあたりて侍るかな」〈源氏梅枝〉

はんさい【半斎】禅家で、早朝の粥（かゆ）と昼の斎（とき）との中間に食べる簡単な食事。「点心と斎とのあはひにするほ

どに—と云ふぞ」〈百丈清規抄三〉

はんざいのおび【斑犀帯】斑(まだら)な紋のある犀の角を石の代りにつけた石帯(しゃくたい)。「よき—、太刀のをかしきなど」〈源氏蜻蛉〉。「斑犀、帯分、ハンザイ」〈色葉字類抄〉

はんざく【半作】造作(ぞうさく)なかばであること。作りかけ。半造作。「—の家なれば、足代(あしじろ)といふ物の上に大きなる木どもを横ざまに結(ゆ)ひつけて置きたりけるが」〈今昔一九ノ三九〉。「ハンザク」〈日葡〉

はんざふ(ゾウ)【半插】湯や水をものにつぐ器。水の差し口が、器の本体の方へ半分插しこまれているのでいう。「—に手水(てうづ)入れて、手もなき盥(たらひ)などあり」〈枕二〇〉

はんし【判詞】判者が歌や句の優劣・可否を判定することば。判の詞(ことば)。「—の判者たるの人は、歌を詠まざるが例也」〈袋草紙下〉

はん・じ【判じ】《サ変》①判定する。判別する。「歌を—・ずるには、作者をかくすといひながら、ひとへに知らぬもゆゆしき大事なり」〈無名抄〉②推定する。解読する。「文字(もんじ)の所謂(いはれ)を読み現はいて申すは、…と—・ずれば」〈天草本伊曾保〉 **—もの**【判じ物】《「判字物」「判事物」とも書く》物事の意味を文字や画に託して、謎として示し、人に判じ当てさせるもの。「生え出る千本松も—」〈俳・物種集〉

ばんじ【万事】①すべての事。「諸縁を放捨し、—を休息すべし」〈正法眼蔵坐禅儀〉②「万事限り」の略。「この夏西瓜に今当てられ、—の枕なりと」〈西鶴・椀久二世上〉 **—かぎり**【万事限り】手段の施しようのないこと。「〔姫君ハ〕御年七歳、五月五日の誕生なるが、業病を受け、—におはしける」〈栗栖野物語〉 **—は夢** 世の中のすべては夢幻のようにはかない。「—今日と暮して明日の春」〈俳・生玉万句〉。〈俳・世話尽三〉

ばんしきでう(ジョウ)【盤渉調】雅楽で、盤渉を主音とする調子。冬の調子で、軽い音調。「盤渉」は日本の十二律の一で、壱越(いちこつ)より九律高い音。西洋音階のロにあたる。「箏の琴を—にしらべて今めかしくかい弾きたる爪音」〈源氏帚木〉

はんした【板下】木版・印材を彫る時に、板木に貼り付ける下書。文字や絵を薄い紙に描き、裏返しに貼る。「—の紙を貫く糸時雨」〈俳・見花数寄〉

はんじゃ【判者】⇒はんざ。〈日葡〉

ばんじゃう(ジョウ)【番上】順番に交替で勤務すること。また、その官。これに対し、毎日出勤すべき官を、長上〈ちゃうじゃう〉といった。「無位の宗室、諸司の—及び両国の郡司ならびに妻子に、酒食ならびに祿を賜ふ」〈続紀神亀一・一一・二六〉

ばんじゃう(ジョウ)【番匠】①大工(だいく)。もとは番上〈ばんじゃう〉の木工をいう名であったらしい。中世、社寺の保護のもとに座(ざ)を組織していた。「仁和寺の破れたる所修理せさすとて、—どもあまたつどひて作りけり」〈宇治拾遺一七六〉②近世前期、大工の徒弟または傭われ職人。「十二三歳より大工に従ひて、その術を学ぶ者を—と称す」〈雍州府志七〉 **—わらは**(ワラ)【番匠童】「番匠」(2)に同じ。「番匠わらう」「番匠わら」「番匠わろ」とも。「—才槌をもて打ちけるは普請の用に立てん匠(たくみ)か」〈銀葉夷歌集九〉

ばんじゃう(ジョウ)【盤上】盤を使って遊ぶ、碁・将棋・双六のこと。「盤の上」とも。「終夜—などにて、月待ち取り候てより帰宅申し候」〈上井覚兼日記天正一一・七・二三〉

はんしゃうぞくのじゅず(ショウ)【半装束の数珠】玉の半数が水晶、他の半数が瑪瑙(めのう)または琥珀(こはく)などでつくられている数珠。玉がすべて水晶から成る数珠を「本装束の数珠」というのに対していう。「—持ちて香(かう)の直垂着たる人は、いかなる者にてあるやらん」〈曾我四〉

ばんしゅう【番衆】《バンシュとも》交替勤務して警衛などの任に当る者。番方(ばんかた)。「中の御所—」〈吾妻鏡文応一・七・二九〉。「—、『たぞ』ととがむるものならば」〈伽・小栗絵巻〉

はんしゅっけ【半出家】半僧半俗の出家。「われらみな—なり」〈伽・三人法師〉

ばんしゅっけ【晩出家】晩年になってから出家すること。また、その人。「—と覚しくて、月代見ゆる禅僧あり」〈梅松論上〉

ばんしょ【番所】《バンドコロとも》①番人・番兵の詰所。「〔城ノ〕—へ参じ、奏者を頼み、披露いたし申すに」〈伽・東勝寺鼠物語〉②関所。「道中に公儀よりの—有りければ」〈仮・智恵鑑九〉③近世、河海沿岸に設けられ、船舶の監督、積荷の検査、船税の徴収等に当った役所。船改め番所。「—より改めて、限りの舟下ると言へば」〈西鶴・懐硯二〉

ばんじょう【万乗】《「乗」は車の意。天子は一万の兵車を出すといわれたところから》天子の位。天子。「十善の余薫朽ちずして、—の尊位に備はれり」〈保元上・新院御謀叛思し召し〉

はんじり【半尻】裾(すそ)の後ろの方が前より一尺ほど短い狩衣(かりぎぬ)。「小狩衣」ともいい、鎌倉時代からあったが、後には貴族の子供の着るものとなった。「使にとりつづきて、—なる狩衣にて出で給ひて」〈今鏡六〉

ばんすらく【万春楽】《スはシュン(春)を直音化したスンを表記しない形》男踏歌〈をとこだふか〉のときに奏せられる楽。また、その時に唱う八句の詩。その句毎の末に、「万春楽」ととなえる。「舞人等進んで竹架の東頭に到る。列立して先づ調子を奏す。次に—を奏す」〈河海抄一〇〉

はんぜい【半済】南北朝時代に行なわれた、荘園の年貢の半分を兵粮米として守護に引き渡させる制度。「或は先納分を除きて—と称し」〈建武式目追加観応三・八・二一〉

ばんぜい【万歳】①万年。「橘氏の殊名を流(つた)へ、—窮り無く、千葉相伝へん」〈続紀天平八・一一・一一〉。「天子宝算千秋—」〈平家灌頂・女院死去〉②永遠に栄えること。めでたいこと。「ただ君—の御守りと」〈謡・代主〉③死を婉曲にいう語。「—の後の御事…悉く仰せ置かれ候て」〈太平記三・先帝崩御〉。「後見尤も憚り有り。……—以後、須く火中に投ずべし」〈看聞御記応永三三奥書〉④めでたいことを祝って叫ぶ語。ばんざい。「山門の衆徒までも—を呼ばひき」〈神皇正統記後醍醐〉。「呉の兵三十万騎、勝ちどきを作って、皆—をとなふ」〈三国伝記六〉

ばんそう【伴僧】法会・修法などの時、導師につづく従僧。阿闍梨(あざり)などの主僧以外の伴の僧をいう。「たのもしきもの。心地あしきころ、—あまたして修法したる」〈枕二六五〉

はんぞく【半俗】俗体の僧。なかば俗人、なかば僧であること。「屋形を頼んで落ち下りて—になり」〈江源武鑑一三〉。〈文明本節用集〉

ばんた【番太】《「番太郎」の略》①近世、町村役人の指揮を受け、火の番・夜番・報時等に勤務した者。多くは非人がなった。「町家の非常を糺す故—なども云ふ也」〈雲陽軍実記一〉②江戸市中の木戸番勤務の番人。「—が心月や知るらん」〈俳・江戸両吟〉 **—らう**(ロウ)【番太郎】《バンタロとも》⇒ばんた。「—五人来たり、布施の訴奏あり」〈鹿苑日録慶長四・六・二三〉

はんだい【判代】近世、借金その他の証文に保証人として連判する手数料。保証人料。「小判百両借れば、口次—

に拾五両引きて渡す」〈西鶴・諸艶大鑑八〉

はんだい【飯台】幾人かが並んで食事をする高い食卓。多く寺院で用いた。「同じ―に据ゑ並べて置きたれば」〈咄・醒睡笑六〉。〈文明本節用集〉

はんだい【盤台・板台】魚屋が用いる浅くて大きな楕円形の盥(たらい)。「魚売―の上へ乾魚を並べて来る」〈滑・浮世風呂四中〉

はんだいふぶし【半太夫節】江戸浄瑠璃の一派。貞享・元禄頃、江戸半太夫を祖として起り、優雅な詞章で流行したが、享保頃、河東節に圧倒されて衰えた。「素人末社が―の習ひのない浄瑠璃」〈浮・傾城色三味線三〉

はんだう【半道】歌舞伎役柄の一。半道化。おかしみを帯びた敵役。半道方。ちゃり敵。「―になり、立役半分の芸をさせたき事や」〈評判・役者評判蚰蜒〉

ばんぢゃう【番長】平安時代、近衛府などの舎人の長。弓馬にすぐれたものがえらばれ、随身となった場合は騎馬で前駆をつとめる。「上﨟(じゃうらふ)の随身」とも。「壬生忠岑…和泉大将定国の随身也。…官はもとは左近衛―、後には右衛門府生也」〈古今集註〉。〈文明本節用集〉

はんづくし【判尽し】①いろいろな書判(かきはん)を集成したもの。「宮宮の下緒の紋は―」〈俳・貞徳独吟〉②近世初期刊行の、日本古来の名将の花押(くわあふ)を集めた本。後には内容を増補して「花押藪(やぶ)」といった。「捨てぬ世や昔を残す―」〈俳・難波風〉

ばんづけ【番付】①番号を順序に記すこと。また、その記した物。「―の懐紙」〈俳・大句数序〉②演芸・相撲などの番組・配役等を決めること。また、それを記したもの。特に歌舞伎には、役割・顔見世・絵本・辻の各番付があった。「当世は、云合(いひあはせ)もなく、―・役まで御書出し有る故、寄り合ひ申す事も是なし」〈わらんべ草二〉

ばんて【番手】①城に在番する警固の武士。城番。「土佐勢は付け城をこしらへて、―を置いてぞ引きける」〈三好軍記下〉②順番をきめて交代で仕事をすること。また、その順番。番代り。「板木校合の五山衆…―に候て」〈本光国師日記元和二・五・二九〉

はんでふ【半畳】一畳の半分の畳。特に、歌舞伎芝居などで、土間の見物人に賃貸した、半畳ほどの薄縁(うすべり)製の敷物。「―の数数に見え侍れども」〈評判・野郎大仏師〉。〈易林本節用集〉 **―うり**【半畳売】芝居の座方で、見物人に半畳を賃貸する者。「この所―や初芝居」〈俳・旅衣集二〉 **―を打ち込・む**《芝居で、役者に対する不満・反感を示すために、見物人が半畳を舞台に投げ込んだことから》役者または他人の言動に非難やからかいの掛声・言葉を浴びせる。やじる。半畳を入れる。半畳を飛ばす。「―・むばかり春雨に」〈俳・宗因七百韻〉

はんでん【班田】⇒あかちだ。「印南郡は戸口稀少にして田数巨多なり。今、―に当れり。請ふ、餝磨郡を遷して印南郡に置かむ」〈続紀延暦五・四・一六〉

ばんとう【番頭】①⇒ばんがしら。「―大音上げ」〈近松・釈迦誕生会三〉②商家の奉公人の長。手代の長上の者で、店頭の商務を主宰し、奉公人を統率する。「当地の店を預けられ、―として下りし」〈浮・好色敗毒散五〉

ばんどう【坂東】①逢坂関以東を漠然とさす語。「事の縁あるによりて―の方に下るに」〈今昔二三ノ三〉。「関東とも―とも書くなり。相坂の関より東は皆皆―の内なるべし」〈庭訓抄下〉②足柄・碓氷(うすい)以東の諸国。関八州。「河内守頼信、上野守にてありしとき、―に平忠恒といふ兵(つはもの)ありき」〈宇治拾遺一二八〉③《八百屋・魚屋・駕籠舁きなどの隠語で》八・八十・八百の称。「引違へてはころり(百文)―」〈俳・珍重集〉 **―ごゑ**【坂東声】関東人の発音。関東なまり。「声は―にて候ひつる」〈平家七・実盛〉。「しかるにいま生得(しゃうとく)になまらざる声をもて、生得になまれる―をわざとまねびて字声(じしゃう)をゆがむる条」〈改邪鈔〉 **―たらう**【坂東太郎】①《坂東第一の川の意で》㋑隅田川の異名。「―とて、関東第一の大河なり」〈延慶本平家九・兵衛佐の軍兵〉㋺利根川の異名。「郭公―水増しけり」〈俳・坂東太郎上〉②《江戸で》入道雲の称。「夏の雲、江戸にて―と云ふ」〈物類称呼一〉 **―むしゃ**【坂東武者】関東生れの武者。関東武士。「その時すでに―攻め上ると聞きて」〈愚管抄五〉

はんとき【半時】今の一時間。「はんし」とも。〈日葡〉

はんどく【槃特】釈迦の弟子の名。初めは仏弟子中、最も愚鈍な者であったが、後、奮起して修業につとめ、悟りを得た。周利槃特。「―これを信じ行じて羅漢果を得たり」〈沙石集二ノ一〉 **―が愚癡も文殊が智慧** 愚者も修行すれば智者と同じ悟りを得る意で、智愚無差別のたとえ。〈謡・卒都婆小町〉

はんなり ①明るくはなやかなさま。「晩唐の詩は当座は―とすれども」〈中興禅林風月集抄〉。「その時また―となりて」〈評判・難波物語〉②気がさっぱりとすること。はればれ。「急ぎ髪を剃り、―と数寄(すき)にあはん事をのみ思ひ」〈咄・戯言養気集上〉

はんにゃ【般若】〔仏〕《梵語の音訳》①実相・真如を達観する智慧。「汝、金剛般若経をたもち奉るといへども、いまだ―のことわり(一切皆空ノ理)をばあらはさず」〈今昔一三ノ四一〉②「大般若経」の略。「―畢竟空(くう)の理は、斯くの如くぞ思ふべき」〈梁塵秘抄五三〉 **―きゃう**【般若経】「大般若経」の略。「―の残り二十巻を今年書き終るべき宿願」〈問はず語り五〉 **―しんぎゃう**【般若心経】「般若波羅蜜多心経(はんにゃはらみたしんぎゃう)」の略。さらに略して「心経」とも。大般若経六百巻の精髄を一巻に要約したもの。「法師、これを見てすべき方(はう)なく、―を声をあげて誦(じゆ)し給ふ」〈今昔六ノ六〉 **―たう**【般若湯】僧家で、酒の隠語。「或は僧の中には〔酒ヲ〕―ともいへり」〈雑談集三〉 **―のふね**【般若の船】真の智慧を船にたとえていう語。それによって悟りの彼岸に達する。「諸行無常は天上にのぼる智慧の橋なり。是生滅法は愛欲の河を渡る―なり」〈栄花鶴林〉

はんにん【判人】証文に連判して保証する者。加判人。保証人。特に、近世後期、遊女の保証人となって女郎屋に売り込む者。女衒(ぜげん)。「どんなこけな―に見せても」〈洒・錦之裏〉

はんのことば【判の詞】「判詞(はんじ)」に同じ。「人人あまた詠みたりし広田の歌合を、―などうるはしく書きて、彼の宝殿に納むべきを」〈実家卿集〉

はんはんじ【判判じ】花押(くわあふ)の形・墨色を見て、その人の運勢の吉凶を判断すること。また、その占者。「―・五音の占など言へる者に」〈仮・他我身之上四〉

はんぴ【半臂】束帯を着る時、袍(うへのきぬ)と下襲(したがさね)との間に着た短い衣。唐服に由来するものと思われ、装飾的な衣料。「大井河に行幸あり。…十皇子舞を奏す。了りて御―を賜はる」〈貞信公記延長四・一〇・一九〉 **―のを**【半臂の緒】半臂の腰をくくる紐。後には、この紐は分離して、小紐で腰をくくってから、さらに「忘れ緒」という一丈二尺の紐を三段に畳んで左腰にかけることになった。「火のかげに、―、衣のつやも、昼よりはこよなうまさりてぞ見ゆる」〈枕一四二〉

はんびつ【半櫃】やや小形の長櫃。衣類諸道具を入れるに用いる。半蓋(はんがい)。「——や天の浮橋背負ひ行く」〈俳・幕尽〉

はんぷう【半風】シラミの異名。「虱の字は、風の片方なれば、虱を—と云ふ異名有り」〈壒嚢鈔七〉

ばんぶくろ【番袋】①営中・城中などに宿直詰番する武士の寝具を入れる大きな布袋。宿直物(とのゐもの)袋。「あるいは—・挟箱、いろいろの財宝に火を射かけ候へば」〈朝鮮日日記〉②雑多な物を入れる大きな袋。「道道の者、—に張破るるばかりの貯も余念無げにて」〈仮・よだれかけ一〉

はんぺい【藩屛・蕃屛】《蔽い防ぐ垣根の意》①垣根として朝廷を護るもの。「〔神功皇后〕かの国を平定し給ひしより始まって、今に至るまで、我が—となる」〈続紀天平勝宝四・六・一七〉②直轄の領域。「—の中にして使節を誅戮(ちゅうりく)する条、罪科軽きにあらず」〈太平記一〇・新田義貞〉

はんべ・り【侍り】『ラ変』「はべり」の転。「はばかること多くて—・るを」〈源氏(大島本)蓬生〉。「ゆふさりまで侍りて。—・りてと読む」〈六巻抄〉

はんぼほ【半頰】鉄面(かなめん)の一種。頰から下を覆うもの。「籠手(こて)・臑当(すねあて)・—・膝鎧(ひざよろひ)、透(す)き所なく」〈太平記一七・山攻〉

はんぽん【板本・版本】板木(はんぎ)に彫って印刷した書物。刊本。木版本。「今の—に一十二億とあるは〔四十二億ヲ〕錯ったか」〈無門関抄下〉

はんめう【斑猫】細長い体形で、緑紫色の光沢のある甲虫。古来薬料として用いられ、また、砒霜石(ひそうせき)と共に猛毒物とされた。「世の中に毒のはげしきは…鳥に鴆(ちん)あり、虫に—あり、石に砒霜あり」〈真宗教要鈔上〉

はんや【半夜】①真夜中。中夜。「其の—の時、其の諸楽(なら)の京の葛木の尼寺の前の南の蓼原に、哭(な)き叫ぶ音(こゑ)あり」〈霊異記中三〉②囲女郎で、昼夜に分けて客を取る者。「伽のためには、—・囲・瞽女(ごぜ)・座頭を呼び集めて」〈仮・浮世物語一〉

ばんや【番屋】番人の詰所。番小屋。「—に壁書(かべがき)候ひき」〈本願寺作法〉

パンヤ【木綿・斑枝花】パンヤ科の熱帯産常緑喬木。近世、その種子の白色長軟毛を南方から輸入して、枕・蒲団などに入れた。「蘆の穂は浪の枕の—かな」〈俳・底抜臼下〉。「—の括り枕」〈西鶴・永代蔵四〉 ▽ポルトガル panha

ばんゑ【蛮絵】《「盤絵」の当て字という》袍(うへのきぬ)や舞楽の装束・調度などにつけた模様で、鳥獣・草花などを円く図案化したもの。「—に蒔(ま)きたる硯(すずり)の箱の蓋に」〈今昔二四ノ三〉。「—着たる童の鬟(みづら)結ひたる」〈今昔三一ノ五〉

ひ

ひ【日】《太陽をいうのが原義。太陽の出ている明るい時間、日中。太陽が出て没するまでの経過を時間の単位としてヒトヒ(一日)という。ヒ(日)の複数はヒビというが、二日以上の長い期間を一まとめに把握した場合には、フツカ(二日)・ミカ(三日)のようにカ(日)という》①太陽。太陽の光。「青山に—が隠らば」〈記歌謡三〉。「六月の地(つち)さへ割けて照る—にも」〈万一九九五〉②昼間。日中。「夜はも夜のことごと、昼はも—のことごと」〈万一五五〉③一日。「妹を思ひ出泣かぬ—はなし」〈万四七三〉④天気。日より。「この楫取(かぢとり)は—もえはからぬかたゐ(馬鹿者)なりけり」〈土佐二月四日〉⑤祭日・忌日など、予定されている日。きまった日。「御裳着の—」〈源氏花宴〉。「八日は薬師の—なれども」〈平家二・山門滅亡〉。「〔今日ハ〕祖父の—(忌日)也」〈言継卿記大永八・六・二八〉⑥日取り。日がら。「今日はいまいましき—なりけり」〈源氏葵〉。「長者よろこびて『婿に取らん』とて、—を取りて契りてけり」〈宇治拾遺二三〉⑦時機。折。「帰り来む—相飲まむ酒(き)そ」〈万九七三〉⑧《他の語に冠して》毎日の意。「—参り」「—日記」「—風呂」など。「—歌・—連歌など稽古になるといへり」〈兼載雑談〉▽上代、「日」はFïの音、「火」はFïの音で、別語。†Fi **—に添へて** 日が経つに従って一層。日ましに。「人の聞き笑はん事を—思ひ給ひければ」〈竹取〉

ひ【火】《古形はホ。ヒ(日)とは別語》①熱や光を伴って、ものを焼き、燃やすもの。また、炎。「君が行く道の長路(ながて)を繰りたたね焼きほろぼさむ天の—もがも」〈万三七二四〉。「さねさし相模(さがむ)の小野に燃ゆる—の火(ほ)中に立ちて問ひし君はも」〈記歌謡二四〉②火事。「夜中ばかりに—の騒ぎするところあり」〈かげろふ下〉③炭火。おき。「うづみたる—おこしいでて御火桶参らす」〈源氏幻〉④燈火。あかりの火。「海原(うなはら)の沖辺にともし漁(いざ)る—は明かしてともせ大和島見む」〈万三六四八〉。「御さきの—もほのかなるに」〈源氏夕顔〉⑤戦いの時などにかかげる、のろし。「天下に兵革おこる時、所所に—をあげ」〈平家二・烽火〉⑥火の粉。火花。「橋の上の戦(いくさ)、—出づるほどぞ戦ひける」〈平家四・橋合戦〉⑦火のように光るもの。「この螢のともす—にや〔女ノ顔ガ〕見ゆらん」〈伊勢三九〉⑧《比喩的に》(恋や怒りなどで)火のように激しく燃える感情。「言ふすべのたどきを知らに、心には—さへ燃えつつ、思ひ恋ひ息づき余り」〈万四〇一一〉⑨月経の隠語。「元祐女房衆は近日—とまり候よし候」〈毛利家文書二、毛利元就書状〉。「女房は—の有る故か殿に向ひややともすれば身を燃やすらん」〈後撰夷曲集七〉▽朝鮮語 pïl(火)と同源か。†Fi **—危(あやふ)し** 夜番が見廻りの時に呼びかけることば。今の「火の用心」の意。「あやしき男(をのこ)どもの声どもして—などいふも、いと心あわたたしければ」〈源氏浮舟〉 **—が降・る** ひどい貧乏暮しのたとえ。「火が降る」とも。「何も焚かずに—・る」〈俳・二葉集〉 **—の無・し** ①全く無力なさまのたとえ。「今ぞ暑き火吹く力も夏の風」〈俳・口真似草二〉②ごく貧乏なたとえ。「日なたに氷の如く水ばかり残りて、後は—・く」〈西鶴・二十不孝四〉 **—を摺(す)・る** 内面はきわめて不和であることのたとえ。「法華・念仏は互ひに—・りたる間なり」〈伽・鴉鷺合戦物語〉

ひ【氷】《古くは固まりの氷にいうことが多い。コホリ・ツララは平安時代には水面などに張った氷にいう》①こおり。氷室(ひむろ)に貯蔵し、夏期の用に供した。「おく霜も—に冴えわたり」〈万三二八一〉。「〔夏〕手に—を持ち」〈源氏蜻蛉〉②雹(ひょう)などにいう。ひさめ。「つぶてのやうなる—降り」〈宇津保吹上上〉 †Fi

ひ【杼・梭】機織(はたおり)の具。経(たて)糸の間に緯(ぬき)糸を通すのに使う舟形の道具。緯糸を巻いた管を入れる。「天の服織女(はたおりめ)見驚きて、—に陰上(ほと)を衝きて死にき」〈記神代〉 †Fi

ひ【霊】原始的な霊格の一。活力のもととなる不思議な力。太陽神の信仰によって成立した観念。「皇産霊、これをば美武須毗(みむすひ)といふ」〈紀神代上〉。「御床(かゆか)つ—のさや

ぎ、夜女(よめ)のいすすきいつづしきことなく」〈祝詞大殿祭〉 †Fi

ひ【樋】 ①竹・木などで作った長い管で、水を流し送るもの。懸樋(かけひ)・下樋(したび)などがある。「水やりたる—の上に」〈かげろふ中〉 ②【械】厠(かわや)の道具。大小便を受ける箱。〈和名抄〉 ③刀身に刻んである細長いみぞ。刀身を軽くするため、また、血のしたたりを早くするためのものという。「金(こがね)作りの太刀の二尺七寸ありけるに、剣の—かきて」〈義経記五〉 †Fi

ひ【檜】 ヒノキの古称。山地に自生する常緑喬木。建築・造船用の材木となる。「衣手の田上山(たなかみやま)の真木さく—のつまで(角材)を」〈万五〇〉。「檜、非(ひ)」〈和名抄〉。「檜、ヒノキ・ヒ」〈名義抄〉 ▽ヒノキを「火の木」とみる説があるが、「火」はFiの音、「檜」はFïの音で、この語源説は成立困難。 †Fï

ひ【比】 漢詩の六義(りくぎ)の一。物事にたとえて情意をのべるもの。和歌の六義では、古今集仮名序にこれを「なずらへうた」としている。「和歌に六義あり。一にいはく風、二にいはく賦、三にいはく—」〈古今真名序〉

ひ【妃】 令制で、天皇の配偶として、皇后の次位、夫人や嬪(ひん)より上位にあるもの。皇族出身で定員二名。皇族以外の場合もある。後には、上皇・東宮・親王など皇族の妻をいう。「納(めし)れて—とす」〈続紀天平宝字四・六・七〉

ひ【婢】 《身分の低い女の意》 ①女の奴隷。「東大寺に封四千戸、奴百人、—百人を施す」〈続紀天平勝宝一・三・二七〉 ②女の召使。「—清売には姓を忍坂と賜ふ」〈続紀神護景雲一・三・一四〉。「寝屋へ入らむとするに、その道に、一人の—ねぶりたり」〈今昔九ノ三二〉 ③女が自分を卑下していう語。「—を使として仏師の許に遣はして」〈今昔六ノ一三〉

ひ【緋】 燃えるような、黄ばんだ赤色。また、緋色の糸もしくは絹。「其の朝服は…正の八級には赤紫。直(ぢき)の八級には—」〈紀持統四年〉。「みみなしの山のくちなし得てしがな思ひ(緋ト掛ケル)の色の下染にせん」〈古今一〇二六〉

ひ【干・乾】 〔一〕『上二』《奈良時代には上二段活用。水分が自然のままの状態で蒸発し、または力衰えてなくなる意。類義語カワキは、熱気あるいは火気にあたって、水分が蒸発する意》 ①かわく。「わが泣く涙いまだ干(ひ)なくに」〈万七九八〉 ②潮がひく。「潮干(ひ)なばまたも吾来む」〈万三七一〇〉 ③作用・効力が消え失せる。「我と身を大きにほむる者は、まだその言葉も干(ひ)ぬうちに面目を失ふものぢゃ」〈天草本伊曾保〉 〔二〕『名』潮がひくこと。「潮—のかたに鶴(たづ)が声すも」〈万三五九五〉 †Fi

ひ【嚔】 『上二』《ヒ(鏃)と同根。奈良時代には上二段活用》 くしゃみをする。「うち鼻ひ鼻をそ嚔(ひ)つる剣刀(つるぎたち)身に副ふ妹し思ひけらしも」〈万二六三七〉。「鼻嚔(ひ)る事は、人に上云はるる時、嚔(ひ)るとぞいへる」〈俊頼髄脳〉 †Fï

ひ【簸】 『上一』《ヒ(嚔)と同根。奈良時代には上二段活用》 箕(み)で穀物を勢いよくふるって、籾殻(もみがら)・屑などを除く。「大嘗会に米(よね)をひるとて歌へる歌也」〈顕注密勘〉。「米(よね)をひる声は霰と替りけり」〈竹林抄九〉。「簸、ヒル」〈名義抄〉 †Fï

ひ 『接尾』 四段活用の動詞を作り、反復・継続の意を表わす。例えば、「散り」「呼び」といえば普通一回だけ散り、呼ぶ意を表わすが、「散らひ」「呼ばひ」といえば、何回も繰返して散り、呼ぶ意をはっきりと表現する。元来は四段活用の動詞アヒ(合)で、これが動詞連用形のあとに加わって成立したもの。その際の動詞語尾の母音の変形に三種ある。(1)〔a〕となるもの。例えばワタリ(渡)がワタラヒとなる。watariaFi→wataraFi (2)〔o〕となるもの。例えばウツリ(移)がウツロヒとなる。uturiaFi→uturoFi (3)〔ö〕となるもの。例えばモトホリ(廻)がモトホロヒとなる。mötöriaFi→mötöröFi これらの相違は語幹の部分の母音a, u, öが、末尾の母音を同化する結果として生じた。 †Fi

び【廻・傍】 『接尾』《ミ(廻)の転》 めぐり。めぐっている所。「川—」「浜—」「岡—」など。「山—には桜花散り」〈万三九七三〉 ▽奈良時代にはベ(辺)という類義語があるが、ベ(辺)はbeの音、ビ(廻)はbïの音で別語。ベ(辺)は、はずれの所、近辺の意。ビ(廻)は周回の意。 †bï

び 『接尾』 名詞または形容詞の語幹について、上二段活用の動詞を作り、そのようなふるまいをする、または、そういう様子であることをはっきり示す意を表わす。「荒び」「うつくしび」「宮び」「都び」など。「今日見れば木立繁しも幾代神(むか)びぞ」〈万四〇二六〉 †bï

ひあい【非愛】 ①思いやりのないこと。「これも公任卿の—なるにてぞありける」〈十訓抄四ノ一八〉 ②気短かで危険なこと。「この馬があまり—で、乗りたまるべしとも覚え候はず」〈平家八・法住寺合戦〉。「短慮に危きを—なると云ふは何事ぞ」〈塵嚢鈔一〉

ひあし【日脚・日足】 ①雲間などから洩れる日差し。また、太陽が空を行く速さ。「—の内へさす時、隙間に見ゆる塵也」〈古今私秘聞〉。「—かるがる出づる山あひ」〈俳・寛永十三年熱田万句一四〉 ②昼間の時間。「ひなたぼこそ寿命の薬、永き—のべらべらと」〈近松・天神記三〉

ひあせ【冷汗・寒汗】 「ひやあせ」の転。「—を流して、忙然としてゐたりしが」〈浮・好色年男五〉

ひあはひ ワイ **【庇間・塀間】** 「ひあひ(庇間)」に同じ。「—や雪の朝(あした)の滝津川」〈俳・江戸弁慶〉

ひあひ イア **【火相・火合】** 火加減。「香炉取渡し・—(ノ秘伝)…残らず相伝在り」〈山上宗二記〉

ひあひ イア **【庇間】** 家と家との間の狭い通路。「ひあはひ」とも。〈日葡〉

ひあふぎ ウギ **【檜扇】** 檜(ひのき)の板扇。位階に応じて枚数のきまっている薄板を、要(かなめ)の所で白い絹糸でとじたもの。公家貴族が笏(しゃく)に代えて用い、また、顔を隠し、合図に鳴らし、契りの証拠に交換したりした。また、アフの音が「逢ふ」に通じるので、再会を願って餞別に贈った。貴婦人正装用の衵扇(あこめあふぎ)をもいう。「右は綿入れず、紅葉(もみぢ)の人達、瑠璃(るり)をのべたる扇どもをさしかくしたり。…左の人人—どもなり。衣(きぬ)には皆綿入れたれど」〈栄花根合〉。「—のさきにて少し〔雪ヲ〕すくひて」〈著聞四〇八〉

ひあぶり【火焙り】 刑罰の一。火で罪人を焼き殺すこと。近世、キリシタンや放火犯などに行なった。火罪。「高野聖殺し候悪党ども、昨日町中を引き、—に仰せ付けられ候」〈梅津政景日記元和四・二・三〉

びいう ウユ **【美遊】** 遊女を相手に遊興すること。女郎買。「世界の偽(そう)固まって一つの—となれり」〈西鶴・置土産序〉

ひいき【贔屓・贔負】 《ヒキの転》 好意をもって力添えすること。「同意—の徒党を尋ね捜(さぐ)って搦め捕(と)らるべきなり」〈庭訓往来六月十一日〉。「贔屓、ヒイキ」〈色葉字類抄〉 **—へんば【贔屓偏頗】** 特に一方にばかりひいきすること。依怙(えこ)贔屓。片贔屓。「民を治めば—なく等しくせよぞ」〈三略抄〉

ひい・で【秀で】 『下二』《ホ(穂)イデ(出)の転》 ①ぬきんでる。「秀。勝なり。須久礼尓多留(すぐれたる)」、また、備伊弖尓多留(ひいでにたる)といふ」〈霊異記中三〉。「棟梁遙かに―・でて」〈平家二・山門滅亡〉 ②でしゃばる。「いふかひなき物の―・でて、いろふまじき事にいろひ」〈平家二・西光被斬〉

ビイドロ 近世、ガラス、またはガラス製品。「―馬上盞一」〈言経卿記慶長八・八・二六〉 ▽ポルトガル vidro **―がみ**【ビイドロ紙】ところてん草の煮汁を薄く板に流し、乾して作った水晶のように美しい紙。夏障子・団扇の透しなどの小細工に用いた。紙水晶。ところてん紙。「水張るは―か薄氷」〈俳・伊勢踊五〉 **―を逆さまに吊・る** 美女を形容していう言葉。「―・ったやうで、素顔で、きゃうといものぢゃといの」〈咄・智恵競咄揃一〉

ひいな【雛】「ひひな」の転。「絵などの事、―の捨てがたきさま、若やかに聞え給へば」〈源氏若菜上〉

ひいひいたもれ【火い火い給もれ】①近所に火種をもらいに行く動作をする子供の口遊びの詞。「童の螢取るを見て。風の手に―飛ぶ螢」〈俳・晴小袖三〉 ②近世後期、江戸で、子供、特に女の子の称。また、若い女を嘲けっていう語。「まだおめへ、―だ物を」〈滑・浮世風呂三下〉

ひいふっ 「ひい」は矢が風を切って飛ぶ音、「ふっ」は命中した音。「二の矢に小鏑とってつがひ、―と射切って」〈平家四・鵼〉

ひいれ【火入】煙草を吸う時に用いる、炭火を入れる小さな器。「呑みさしたる煙草を―に打ちあけ」〈色道大鏡四〉

ひうが【日向】「ひむか」の転。「御めのとの大輔の命婦、―へくだるに」〈枕二四〇〉

ひうち【火打・燧】①石と金とを打ち合わせて火花を出すこと。また、その火打石と火打金。火を取るため、清めるために使う。「嚢(ふくろ)の口を解き開けて見たまへば、―その裏(うち)に有りき」〈記景行〉 ②紙子・合羽などの袖付けの下部に当てた三角形の紙・布の小片。「紙子にも―が城や風防ぎ」〈俳・糸屑四〉 †Fiuti **―いし**【火打石】石英など、火を打ち出すための堅い石。「礬、出火之石、火宇知石(ひうちいし)」〈新撰字鏡〉 **―ば**【火打羽】未詳。タカなどの翼のつけ根にある小羽をいうか。「藤の先は、―の長(たけ)に比べて切りて」〈徒然六六〉 **―ばこ**【火打箱】火打石・火打金・火口(ほくち)などを入れて置く小箱。「民間の―と言ふは」〈俳・宝蔵四〉 **―ぶくろ**【火打袋】火打の道具を入れて持ちあるく袋。「燧・付けだけ・硫黄など用意して、―にしつらひ入れ」〈盛衰記一六〉

ひえ【稗】水田や池のそばに生えるイネ科の一年草。種を食用とするが、粗末なものとされる。稲作には雑草として扱われる。「打つ田には―はあまたにありといへど」〈万二四七六〉。「䅢、比衣(ひえ)、草之似ㇾ穀者也」〈和名抄〉 †Fiye

ひ・え【冷え】㊀〘下二〙《ヒはヒ(氷)と同根。エは自然に状態がそうなる意》①いつのまにか、氷のような低い温度になる。つめたくなる。「〔雪ノ中デ待ツコト〕こよなく久しかりつるに身も―・えにけるは」〈源氏若菜上〉 ②淡淡とした中に、深い興趣がこもって冴える。「かくかくと謡ひ、様もなく、さと入る、―・えに―・えたり」〈申楽談儀序〉 ③恐ろしさなどで、ぞっとする。「さる程に、身の―・えたる危き事あり」〈信長公記首巻〉 ㊁〘名〙①冷えること。冷えこみ。「冴え返っては不破の関守/身の―は氷もとけぬ川越に」〈俳・寛永十三年熱田万句六〇〉 ②下半身の冷える病気。「ほしいままにきこしめさるな夏の水つもれば冬の―となるもの」〈再昌草三〉。「この御労(いたは)りは―の故なり」〈行者用心集下〉

ひえい・り【冷え入り】〘四段〙すっかりひえきる。「ただひえに―・りて息はとく絶え果てにけり」〈源氏夕顔〉

ひえものごめん【冷え物御免】入込みの風呂へ入る時の挨拶の語。身体が冷たいが御免なさいの意。「冷え物でござい」とも。「―と足を差し込めば」〈西鶴・諸艶大鑑一〉

ひえん【飛檐・飛簷】①仏寺の建築で、軒の垂木(たるき)を二重に用いたばあい、奥の地棰(じだるき)の上に、前方へ突き出してつけた垂木。飛檐棰(ひえんだるき)。「法勝寺九重塔はあだには倒れず、傾きて、―は重ごとに皆落ちにけり」〈愚管抄五〉。「飛簷、比衣無(ひえむ)」〈和名抄〉 ②《飛檐の下に席があるのでいう》門徒宗の僧席の順序で、最末席。「―仲間の光いさよふ」〈俳・桜千句〉。「東派浄土真宗一派官職衣鉢の次第。…―は、年齢に定めこれ無く、剃刀を免され候事」〈諸宗階級下〉

ひか【非家】《「専家」の対》専門家でないこと。しろうと。「よろづの道の人、たとひ不堪(ふかん)なりといへども、堪能(かんのう)の―の人にならぶ時、必ずまさる事は」〈徒然一八七〉

ひが【僻】㊀〘接頭〙自分自身の片寄った能力や思い込みによって、事実を取りちがえたり、誤解したりする意を表わす。「―聞き」「―目」など。「―こころを得つつ、かかる筋とは思ひ寄らざりけり」〈源氏行幸〉 ㊁〘名〙《「非我」「非雅」とも書く》やぼ。不粋。「金持自慢するは―の随一」〈洒・徒然睟が川一〉

ひがいす 痩せ細って弱弱しいこと。虚弱。また、その人。「ひがやす」「ひがへす」とも。「―なる者にて遅く罷り帰り」〈細川忠興文書寛永九・三・一三〉。「―な河津なれども投げにけり」〈俳・末若葉上〉

ひかう【披講】《懐紙を披(ひら)き、歌を講じる意》詩歌の会で、作品を読み上げること。はじめふしをつけず、次にふしをつけて歌う。「長能、―せらるるをも聞きはてず出でにけり」〈十訓抄四ノ一七〉。「披講、ヒカウ、詠和歌云―」〈天正十八年本節用集〉

ひかう【飛行】《ヒギャウとも》所領・所帯などが亡失すること。「山田の庄の―、僧正内外に付して、これを執り申す」〈葉黄記宝治二・閏一二・一〉

ひがおぼえ【僻覚え】思いちがい。誤った記憶。「この世のほかなるやうなる―どもに取りまぜつつ」〈源氏若菜上〉

ひがかぞへ【僻数へ】数えちがい。「いと若く清らにて、かく〔四十歳ノ〕御賀などいふ事は―にやと覚ゆるさまの」〈源氏若菜上〉

ひかき【火搔】①薪の燠(おき)などを搔き出す、火熨斗(ひのし)形の銅鉄製の道具。「鍛冶、―・火箸進上了んぬ」〈大乗院雑事記文明一五・一二・晦〉 ②炭火をのせて運ぶ柄のついた道具。十能。「―に二三杯持っておぢゃ」〈近松・重井筒中〉

ひがき【檜垣】①檜(ひのき)の薄い板を網代(あじろ)のように斜めに編んで張った垣根。「この家の傍に―といふ物新しうして、上は半蔀(はじとみ)四五間ばかりあげ渡して」〈源氏夕顔〉 ②近世、江戸に定期に航海した大阪廻船問屋の貨物船。垣立(かきだつ)に檜垣の筋のある二百石以上の荷船。檜垣造り。檜垣船。檜垣廻船。「―、摂州大坂廻船問屋の仲間船を云ふ」〈和漢船用集四〉

ひがきき【僻聞き】聞きちがい。「もし―かと、人を代へて聞かするに」〈著聞七〇一〉

ひがく【非学】〔仏〕学問修行を積んでいないこと。「何と言ふぞ、非修・―の男」〈徒然草一〇六〉 **―しゃ**【非学者】非学の者。無学の者。「―論議に負けずとやらん」〈伽・白身房〉

ひがくしのま【日隠の間】「はしがくしのま」に同じ。「寝殿の―に棚をして」〈大鏡時平〉

ひかげ【日影・日蔭・日陰】《ヒは日、太陽。カゲは光。また、それが物に当って後ろに生ずる像。光の当らない所》①陽光。「かきくもり―も見えぬ奥山に心をくらす頃にもあるかな」〈源氏総角〉②「ひかげのかづら」の略。「蘿、此をば比舸礙(ひかげ)といふ」〈紀神代上〉。「あしひきの山下―かづらける上にやさらに梅を賞(しの)はむ」〈万四三七八〉③日光の当らない所。また、下積みの境遇。「頼まれぬ憂き世の中を嘆きつつ―におふる身をいかにせむ」〈後撰一一三六〉④日光の直射を避けるための覆い。「ヒカゲヲスル、または、コシラユル」〈日葡〉⑤世を隠れ忍ぶこと。また、その人。日陰者。「―の牢人の娘なりしが」〈西鶴・伝来記六〉 †Fikagë

―ぐさ【日陰草】「ひかげのかづら」に同じ。「―輝く影やまがひけむますみの鏡くもらぬものを」〈後拾遺一一二三〉 **―のいと**【日陰の糸】「ひかげのかづら」に同じ。「故入道殿、中納言為雅の朝臣のむすめを忘れ給ひにけるのち、―、『むすびて』とてたまへりければ」〈道綱母集〉 **―のかづら**【蘿葛】ヒカゲノカズラ科の常緑のシダ類。細毛の密生した茎が岩石などに這いまつわり、長さ数尺に達する。色が深緑で美しく、日がたっても変色しない。上代には、神事や大嘗祭に、手繦(たすき)や、冠の掛物にした。後には青い組紐で代用した。「践祚の大嘗祭、凡そ斎服には…親王以下女孺以上、皆―云云」〈延喜式践祚大嘗祭〉。「ときはなる―今日しこそ心の色に深く見えけれ」〈後撰七三六〉 **―もの**【日陰者】罪を犯したり、おちぶれたりして、世間に出られぬ者。世を隠れ忍ぶ者。「有明や明くるわびしき―」〈俳・埋草三〉。「―。かげかげしき身。妾などをも云ふ」〈詞葉新雅〉

ひがけ・り【日翔り】『四段』日の光が走り、射す。「朝日の日照る宮、夕日の―・る宮」〈記歌謡一〇〇〉 †Figakëri

ひがごころ【僻心】(先入観による)間違った考え。誤った見込み。「〔親ノ〕―にて〔娘ノ〕我が身を、さしもあるまじきさまにあくがらし給ふと中頃思ひただよはれしことは」〈源氏若菜上〉

ひがこと【僻事・僻言】《行為者の力の不足や偏りなどがもとで犯す間違いの意》①間違い。見違い。とり違い。「下衆は―も言ふなり」〈源氏蜻蛉〉②覚え違い。「〔古今集ノ歌ノ暗誦ニツイテ〕少し―見つけてをやまむと、ねたきまでに思し召しけるに、十巻にもなりぬ」〈枕二三〉③書き違え。「いかに―多からむと…いと見まほしきそば目なるを」〈源氏明石〉④調子はずれ。「〔田舎デ習ッタ和琴ダカラ〕―にもやとつましくて」〈源氏常夏〉⑤中傷。「―聞えなどせむ人のこと聞き入れ給ふな」〈源氏若菜上〉⑥愚痴。「〔人ニ対シテ〕心をさめむと思ふとも…かたくなしき―まじりて、末の世の人にもて悩まれむ」〈源氏幻〉

ひがさ【日傘・日笠】日除けに用いる差傘。近世、子供用のものには、鶴亀松竹や紋所などを画いた。近世後期には、婦人も藍色の日傘を用いた。ひがらかさ。ひよけがさ。ひでりがさ。「公方様の御―は、御小者にささせられ候。雨傘は、随分の衆ならではささせられず候」〈河村誓真聞書〉。「―に残る暑さ忘れず」〈俳・信徳十百韻〉

ひがさ【檜笠】檜(ひのき)の薄板で作った網代(あじろ)笠。「―の上を又おとがひに縄にてからげつけて」〈宇治拾遺一〇〇〉

ひがざま【僻様】とり違ったふう。変なふう。「年ごろかくてはぐくみ聞え給ひける御心ざしを、―にこそ人は申すなれ」〈源氏藤袴〉

ひかさ・れ【引かされ】『下二』我にもあらず他のものにひきつけられる。「あやしう短かかりける御契に―・れて、我も世にえあるまじきなめり」〈源氏夕顔〉。「悪い者が一人もあれば、それに―・れて皆悪くなるぞ」〈百丈清規抄三〉

ひか・し【引かし】『形シク』《動詞ヒキ(引)の形容詞形。ユキ(行)・ユカシの類》引きたい。「足柄(あしがり)の安伎奈の山に引こ舟の後(しり)―・しもよここばこがたに」〈万三四三一東歌〉 †Fikasi

ひがし【東】⇒ひむがし。「御前の―の山際、滝の落ちてまことに面白き所に」〈撰集抄三ノ四〉。「―が白(しら)うだ」〈天理本狂言六義・成上り〉 **―ふさがり**【東塞がり】①陰陽道で、東方を中神(なかがみ)が塞ぐ日にあたるとして、そちらに向って行くことが禁ぜられること。「―なる上、朝日に向って弓ひかん事恐れありとて」〈古活字本保元中・白河殿へ義朝夜討ち〉②京都賀茂川東側の色茶屋の遊興費が払えず、遊びに行けなくなること。(1)の意味に掛けた洒落。「此処ら辺りの払ひさへ埒(ちら)明かず、―になった者」〈近松・女腹切中〉

びかしゃか ①すねるさま。「そばへ寄れば、―とすね言の有る条(アリッタケ)」〈近松・今宮心中中〉②気取るさま。つんつん。「少しよめなる(美シイ)女房の―振るは科(がと)ならず」〈近松・薩摩歌上〉

ひがしやまじだい【東山時代】①室町中期、足利義政が東山の山荘銀閣寺に移って、風流三昧の生活に入り、能・絵画・工芸・茶道・造園・建築などが特殊な発達を遂げた時代。義政は東山殿と言われ、この時代に作られた工芸品は、近世、時代物と称された。「東山殿時代」とも。「茶の湯の流の末までも―とて世以て是れを賞翫す」〈浄・東山殿子日遊二〉②大昔または古物のたとえ。「―から此の里住居の色(遊女)にて」〈浮・好色床談義三〉

ひかず【日数】①明確に数えられる日数。「行ひもつとめむなど思ひ立ち侍りし―を、心ならずやとてなん日頃になり侍りにける」〈源氏賢木〉②いくつもの日。「ある時はかきくらし失せて、―になるまで見えぬ事もあり」〈閑居友上〉

ひかた【干潟】潮がひいて露出した遠浅の海岸。「―とて、海越しなりし里までも、千賀(近ト掛ケル)の塩がま身を焦がす」〈謡・善知鳥〉

ひかた【日方】《日の方から吹く風の意》東風、または東南風。また、西南風。「天(あま)霧らひ―吹くらし水茎の岡の水門(みなと)に波立ち渡る」〈万一二三一〉。「―といへる風あり、たつみの風なり」〈俊頼髄脳〉 †Fikata

ひがないちにち【日がな一日】朝から晩まで。一日中。「昼は―、手足の乾く隙も無く働けば働く程」〈近松・用明天皇三〉

ひかひか 光りきらめくさま。「雷の鳴る時、―としたは金蛇のやうなぞ」〈江湖風月集略注抄三〉。〈日葡〉

ひがひが・し【僻僻し】『形シク』①いかにも能力が足りず、ゆがんでいるようである。「着たるものの人(自分)のさまに似ぬは―・しくもありかし」〈源氏玉鬘〉②思いちがいも甚だしい。「―・しく聞えなす人ありとも、ゆめ心置き給ふな」〈源氏若菜下〉③気でもちがっているかのようである。「いとど―・しきさまをのみこそ〔夫ニ〕見え果て給はめ、と諌(いさ)め申し給ふ」〈源氏真木柱〉④いかにも変り者という感じがする。「〔出家シナガラ〕すこし奥まりたる山住みもせで、さる海づらに出でゐたる、―・しきやうなれど」〈源氏若紫〉

ひか・へ【控へ・扣へ】[一]『下二』《ヒキ(引)アヘ(合)の約。引いて、相手の力や動きに合わせる意》①袖などを引っぱって、相手の動きを押えとめる。「煩はしさにとて〔源氏ノ〕立ち給ふを―・へて」〈源氏紅葉賀〉②身の動きを押えて事の成行きを見る。「この君をいかになし聞えぬるにかと、わびしきに、ふるふるふ、つと―・へたり」〈源氏紅葉賀〉③態勢を整えて物事を待つ。待ち構える。「判官八十余騎、矢比に寄せて―・へたり」〈平家一一・嗣信最期〉④頼りにするものを背後に持っている。「此の山は密宗を—・へて退転なし」〈平家三・大塔建立〉 ⑤空間的・時間的に近くにある。「此のわたりに名所ども多かり。しがの島先づまのあたりに—・へり」〈九州下向記〉 ⑥表に出さずにおく。「その一事をば—・へて教へざりけり」〈宇治拾遺一〈五〉。「かやうの荒言はよくよく—・ふべき事也」〈著聞五三三〉 ⑦抑制する。節する。限度を守る。「貪食(とんじき)を—・へば、色神の傾く所をもやすく—・へべし」〈こんてむつすむん地一〉 □二『名』①傍にいて加護すること。「仏神の—にして、二たび蘇りの有るまじき事に非ず」〈西鶴・新可笑記二〉 ②生花で、主な枝のほかに添えに出す枝。〈男重宝記三〉

ひが・み【僻み】□一『四段』《判断力や能力の不足・偏りや先入観による間違いをする意》①物の見方が片寄る。間違う。「かの鹿を馬と言ひけむ人の—・めるやうに」〈源氏須磨〉 ②すねる。「参らざらむも—・みたるべしと思して参り給ふ」〈源氏蜻蛉〉 ③正気をなくす。「母君も、さこそ—・み給ひつれど、現心(うつしごころ)出で来る時は」〈源氏若菜下〉 ④耄碌(もうろく)する。「[母尼ハ]いとこよなくこそ—・み給ひにけれ。あはれにも侍るかな」〈源氏手習〉 □二『名』物の見方のゆがみ。「こめたる所(胸中ニシマッテオクコト)おはせぬ本性に、いとど老いの御—さへ添ひ給ふに」〈源氏賢木〉

ひかみなり【火神鳴】落ちて物を焼く雷。「—に取り成す也。[コノ]雷の落ちたる跡は地の裂け侍るものとぞ」〈俳・俳諧之註〉

ひがみみ【僻耳】聞きちがい。「—にやありけむ。聞きよくもあらずぞ」〈源氏野分〉。「あやし。—にや」〈源氏若紫〉

ひがめ【僻目】①横目。また、斜視。「眺、与己目(よこめ)、又比加目(ひがめ)、又須加目(すがめ)」〈新撰字鏡〉 ②見まちがい。「一人見たる事ならばこそ—とも疑ふべきに、皆同じく見れば」〈今昔三ノ三〉

ひが・め【僻め】『下二』《ヒガミの他動詞形》先入観などで事実を曲げてとる。「もし[何カ]おぼし—・むる方ある」〈源氏槿〉。「人に似ぬ心ばへにより、世をもて—・むるやうなりしを」〈源氏若菜上〉

ひかめ・き『四段』ぴかぴかときらめく。「稲妻—・きしに」〈義経記六〉。「いかほどに蛍は—・いて飛びまはるとも」〈四河入海二上〉

ひがもの【僻者】①ひねくれ者。変人。「世の—にて、まじらひもせず」〈源氏若紫〉 ②狂人。「母君はあやしき—に年頃に添へてなりまさり給ふ」〈源氏若菜下〉

ひがら【日柄】①暦に照らしていう、その日の吉凶。「明日は申(さる)の日にて吉き—なり」〈伽・藤袋〉 ②近世後期、上方遊里で、芸娼妓を紋日(もんび)に買い切りの予約をしておくこと。「日柄約束」とも。「あなた(客)から—極めらるるもをかしく」〈浮・傾城手管三味線一〉 ③日数。「なまじ、ていよく別れただけに、—たつほど思ひ出す」〈人情・春色辰巳園後ノ五〉

ひか・り【叱り】『四段』《シカリの訛》叱責する。「人をしかるを—・る」〈俳・かたこと三〉。「つまりは私(わし)らが—・られます」〈浮・魂鍛金衣鳥五〉

ひか・り【光り】□一『四段』《ヒカメキ・ヒカヒカと同根。瞬間的に光線が射す意。テリ(照)は四面に光りわたる意》①さっと閃光を発する。「天雲(あまくも)に近く—・りて鳴る神の」〈万三三六九〉 ②一面に輝く。反射して輝く。「松浦(まつら)川川の瀬—・り鮎釣ると」〈万八五五〉。「あしひきの山した—・る黄葉(もみちば)の」〈万三七〇〇〉 ③つややかに光沢がある。「顔の色あひまさりて、常よりも—・ると見え給ふ」〈源氏紅葉賀〉 ④美しさが際立つ。「今は又、その世にもねびまさりて、—・るとはこれをいふべきにやと見ゆる匂ひなんいとど加はりにたる」〈源氏若菜上〉 □二『名』①光線。「月(つく)よみの—を清み」〈万三六三二〉。「徒(ともがら)は蛍の暉(ひかり)を慧の日に戢(をさ)め」〈地蔵十輪経序・元慶点〉。「稲妻の—の間にも」〈古今五四八〉 ②一面に輝くもの。「降る雪の—を見れば尊くもあるか」〈万三九二三〉 ③(照明としての)明り。「あぶら火の—に見ゆるわが蘰(かづら)」〈万四〇八六〉。「今すこし—見せむや」〈源氏玉鬘〉 ④光沢。つや。「—もなく黒きかいねり」〈源氏初音〉 ⑤仏の後光。光背。「時に薬師の仏像を造らんとて、—の料にうちのべたる銅(あかがね)少分ありき」〈正法眼蔵随聞記三〉 ⑥輝くような美しさ。「—隠れ給ひにし後かの御影にたちつぎ給ふべき人」〈源氏匂宮〉 ⑦威光。威勢。「おはせぬ名残も、ただこの大臣(おとど)の御—によろづもてなされ給ひて」〈源氏澪標〉 ⑧おどし。威嚇。「—は喰はぬ、出直しゃ」〈近松・嫗山姥二〉 †Fikari —か【光りか】いかにもつやつやと光るように美しいさま。「ただ影のやうにならせ給へるものから、御色の白くうるはしく—におはします」〈栄花嶺月〉 —だう【光堂】金色に塗った堂。金色堂。黄金(こがね)堂。「—の中へ逃げ入らせ給ふ」〈太平記三・佐渡判官〉 —のかげ【光の陰】「光陰(くわういん)」の訓読語。月日。歳月。「—を惜しめども、月日の数は程ふりて」〈謡・朝長〉 —もの【光り物】①光を放って動く、流星・鬼火・電光の類。「御堂のかたはらに—出で来たり。…片手には光る物をぞ持ったりける」〈平家六・祇園女御〉 ②連俳の分類用語。天空に光る物。天象。「三句を隔つべき物。月・日・星、かくのごとき—」〈連歌初学抄〉 ③金銀貨。「日頃貯へたる—をば空しく蔵に残し置き」〈浮・元禄大平記三〉 —を遣(や)・る 動作や言葉で相手をおどす。「少しの事にも刀脇差を抜きひらめかすれば、稲妻の如くにひかひかといたし申す故に、さやうなるものを—・るると申し候。また言葉にて人をおどし申すも、—・るると申し侍るなり」〈評判・濡仏中〉

ひかるかみ【光る神】[枕詞]雷が鳴りはためく意から、「なりはたをとめ」にかかる。「—鳴り波多少女たづさへて共にあらむと」〈万四二三六〉 †Fikarukami

ひがれ【日枯れ】日照りのため枯れること。「田地なども—の心あり」〈古今八卦大全六〉

ひかれもの【引かれ者】刑場に引かれて行く死刑囚。「—木の葉衣を高手小手」〈俳・談林十百韻上〉。転じて、敗者。 —の歌 引かれ者が、平気な顔をして歌をうたうこと。転じて、敗者の負け惜しみのたとえ。引かれ者の小歌。「口合ひやら泣き事やら、—同前、夢中になるを踏み飛ばし」〈浄・夏祭二〉

ひがわざ【僻業】間違った考えによるしわざ。「ゆめをこがましう—すまじきを」〈源氏東屋〉

ひがん【彼岸】[仏]《「此岸(しがん)」の対》①煩悩を解脱して達する涅槃(ねはん)の境地。悟りの世界。「願はくは太上天皇、大夫人藤原氏…同じく此の福に資(よ)り、倶に—に向はん」〈類聚三代格三〉 ②春分・秋分を中心にした各七日間。この期間に法会が行なわれる。彼岸の初めの日と終りの日は、事を行なうのによい日とされたらしい。「[裳着ノタメ]十六日、—のはじめにて、いとよき日なりけり」〈源氏行幸〉。「[結婚ノタメ]二十八日、—の果てにて、よき日なりければ」〈源氏総角〉 —ざくら【彼岸桜】桜の一品種。春の彼岸ごろ淡紅色の五弁花が咲く。「桜花二枝これを恵まる。所謂—と云ふ物也」〈蔭涼軒日録明応二・三・六〉 —じょ【彼岸所】彼岸会に説法の行なわれる場所。坂本の山王(日吉神社)二十一社に各一か所設けられた。「大行事(二十一社ノ一、大行事権現)の

―にして」〈平家六・横田河原〉

ひき【匹・疋】 ①布を数える単位の一。二反を一匹とする。「いつつぎぬ五十―取らせてのたまふ。いとすくなけれど心ざしなり」〈宇津保忠乞〉。「匹、ヒキ、絹等員(かず)」〈色葉字類抄〉 ▽「匹」は字音ヒツ。もともと、一対をなすものの意。ヒキは、布をさらすために引く意から、引キの意で用いる。ただし、日本書紀の古訓などでは、布の単位の「匹」はムラと訓む。②獣や虫などを数える語。「馬三―引かる。一―に鞍置いたり」〈平家八・征夷将軍〉。「一疋、イッヒキ、馬或絹の数也」〈文明本節用集〉 ▽中国で、馬を数える助数詞に「匹」を使うので日本でもこれを使った。ただし訓み方は、布の単位の訓ヒキを、馬を牽(ひ)く意に用いたのであろう。室町時代の字書類では、漢字の字音による助数詞を用いた「一枚(いちまい)」「一帖(いちでふ)」「一貫(いっくわん)」などと同等に「一匹(いっぴき)」としているから、その頃はヒキを「匹」の字音と認めていたように見える。③銭の単位。古くは十文を一匹とし、百文を十匹、一貫文を百匹とする。「たとひ千―万―に代へさせ給ふべき御だらしなりとも」〈平家一一・弓流〉。「十文を以て一―と為す」〈平記嘉禎四・八・二三〉

ひき【低】 丈などの低いこと。「生得の滝を見るに、高き滝かならずしも広からず、―なる滝かならずしも狭(せば)からず」〈作庭記〉。「侏、ヒキナリ」〈名義抄〉

ひき【蟇・蟾蜍】 ヒキガエル。「いづこにか見む、―老いにたりといふことを」〈菅家文草三〉。〈和名抄〉

ひき【鑽】 火鑽(ひきり)臼と火鑽杵でもみ合わせて発火させること。また、その道具。「鑽燧、上謂木中取火也、倭云比岐(ひき)」〈華厳音義私記〉

ひき【贔屓】 「ひいき」の古形。力添え。「これすなはち法華経の神力、観音の―なり」〈霊異記下一三〉。「贔屓トチカラオコシス」〈名義抄〉。「贔屓、ヒキ」〈色葉字類抄〉

ひ・き【引き・曳き】 一〘四段〙《相手をつかんで、抵抗があっても、自分の手許へ直線的に近づける意。また、物や自分の身を、自分の本拠となる場所へ戻す意》❶位置の定まらないものを直線的に自分の側へ近寄せる。①(多く綱・紐・茎など、線状のものの端を)手で持って、自分の方へ寄せる。「綱手(つなで)―・く海ゆまさりて深く思ほゆ」〈万二四三八〉。「玉藻こそ―・けば絶えすれ」〈万三三九七〉 ②ひっぱり出す。「繭作らせて糸―・きなさめ」〈催馬楽走井〉 ③中心となるものの方へ物を直線的に移動させる。ひきずる、連れ立つ、ひき移す、など。「紅の裾―・く道を中に置きて」〈万二六五五〉。「昔こそ難波田舎と言はれけめ今は都―・き都びにけり」〈万三一二〉。「大臣、夜に入りてまかで給ひ、〔源氏ハ〕―・かれ奉りて大殿におはしましぬ」〈源氏末摘花〉。「阿彌陀仏、阿彌陀仏と―・き(繰リ寄セ)給ふ数珠の数に」〈源氏御法〉 ④(自分の方へ相手の気持を)誘う。いざなう。「梓弓―・かば〔御意ノ〕まにまに寄らめども後の心を知りかてぬかも」〈万九八〉 ⑤(目に見えぬ力などが)一筋に導く。「宿世の―・く方侍るめれば」〈源氏帚木〉。「悪縁に―・かれて御運つひに尽き給ひぬ」〈平家灌頂・六道之沙汰〉 ⑥身の中にとりこむ。風邪にかかる。「このもかのもの、しはぶる人ども、すずろはしくて浜風を―・きありく」〈源氏明石〉 ⑦(目くばせしたり、鼻を鳴らしたりして)相手の注意を自分の方へ向けさせる。合図する。「侍ども梶原に恐れて高くは笑はねども、目―・き鼻―・ききらめき合へり」〈平家一一・逆櫓〉 ❷位置の定着しているものを、そこから離して、自分の側に近づける。①(根を据えているものなどを)こちらへぬき取る。「剣太刀鞘ゆ納野(いりの)に葛(くず)―・く吾妹(わぎも)」〈万一二七二〉 ②(多くの中から)えらび取り出す。「扇ひき…まづ―・けと仰せられしかば―・きしに」〈讃岐典侍日記〉 ③(多くの中から)引用する。例としてあげる。「心憂く世のためしにも―・かれ給ふべきなめり」〈源氏夕霧〉 ④予定の日時を現在点の方へひきのばす。「今日主上初めて新女御御方へ渡らしめおはす也。…入内の後、三ケ月と雖も、已に日次無く、……―・いて今日に及ぶ也」〈中右記承徳二・一二・八〉 ⑤(湯を汲み出して)浴びる。「湯殿しつらひなどして御湯―・かせ奉る」〈平家一〇・千手前〉 ⑥ぬき取る。盗み取る。「〔番帳ヲ〕鼠巣に―・き申し候やらん」〈北野社家日記慶長六・三・晦〉 ⑦贔屓(ひいき)する。「濡事師よりは敵役や半道(はんだう)を―・く世の中」〈滑・浮世風呂二下〉 ❸端から端へ万遍なくゆきわたらせる。①線を描く。「白き色紙の結びたる上に、―・き渡しける墨の」〈枕二九四〉 ②(幕などを)張りめぐらす。「東(ひむがし)の対に帳を立てて壁代を―・き」〈大鏡道長〉 ③(でこぼこのものを)ならす。たいらにする。「この家を造らむと、山の片岨(かたそは)をくづし、地を―・きける間」〈作庭記〉 ④整列させる。「近衛階下に陣を―・き」〈平家五・富士川合戦〉 ⑤配り当てる。配付する。「御布施を―・かれ、口別に帖絹三疋」〈吾妻鏡元久一・二・五〉。「宿宿十石づつの米を置かる。沢山なるに依て施行に―・きけるとぞ聞えし」〈平家八・征夷将軍〉 ⑥引出物とする。「馬三匹―・かる。一匹に鞍置いたり」〈平家八・征夷将軍〉 ❹(物や自分の身を)もとの位置へさげる。①後へさがる。立ち退く。退却する。「恨みても言ふかひぞなき立ち重ね―・きてかへりし波の名残りに」〈源氏紅葉賀〉。「後へは一引きも―・かず」〈平家九・二之懸〉 ②物を今ある所から後方へ取りのける。取り除く。「〔敵ハ〕定めて宇治・勢田の橋をば―・いて候らん」〈平家九・生食〉 ❺①弓の弦をひきしぼる。弓に矢をつがえて射る。「梓弓弦緒(つらを)取りはけ―・く人は」〈万九九〉 ②【弾き】《絃楽器の糸を爪で手前にひく意》絃楽器を演奏する。「荒れたる家に女の琴―・きけるを聞きて」〈古今九八五詞書〉 ❻【挽き】(刃のあるものなどで)削る。切る。「齧(く)ひ―・くを齰(いせ)と曰ふ」〈法華経玄賛平安初期点〉。「一尺二寸ばかりの唐輪に、轆轤(ろくろ)に―・きて」〈宇津保吹上上〉 ❼【碾き】臼などをひいてまわしてすりくだく。「飲めばまた眠りをさます徳ぞある―・きし茶臼や松風の音」〈伽・酒茶論〉 二〘名〙①(自分の方へ)引き寄せること。率いること。「大君の―のまにまに」〈万一〇四七〉 ②つて。手づる。縁故。「方方より―を求めて目見えする」〈近松・薩摩歌上〉 ③〔女房詞〕引合せ紙をいう。「椙原(すぎはら)をばすいは、引合をば―と申すなり」〈海人藻芥〉 ④「引き物」の略。引出物。「これは当座の御―なり」〈伽・小栗絵巻〉 ⑤【弾き】絃楽器を演奏すること。また、演奏者。「琴―と吾(わ)を召すらめや」〈万三八八六〉 †Fiki **引くの山** 物事がこみいって、ごたごたしていること。「引くの山」「ひくのこくの」とも。「綿よ絹よ―と言ひ廻り」〈俳・底抜臼上〉

ひぎ【氷木】 「千木(ちぎ)」に同じ。「高天の原に―高知りて」〈記神代〉 †Figi

ひきあけ【引明け】 夜明け。暁。「夜の内に杭を打ち、夜の―に〔竹束ヲ〕作るなり」〈当流軍法功者書上〉

ひきあ・げ【引き上げ】 〘下二〙①引っぱって上げる。「馬の頭沈まば―・げよ」〈平家四・橋合戦〉 ②上位に挙げ用いる。登用する。「青女房をなむ―・げて、妻の方とてありけるが」〈伽・葦曳絵巻〉。「子細あって下人を―・げ、近習の者に召しつかふところに」〈塵芥集〉 ③予定を繰り上げる。「〔遷都ハ〕三日と定められたりしが今一日―・げて二日になりにけり」〈平家五・都遷〉 ④撤退する。「采配を振

り、早早ー・ぐる」〈甲陽軍鑑九下〉

ひきあは・せ【引き合はせ】㊀『下二』①取り持って会わせる。手引きして会わせる。「とにかくにー・せて給はり候へ」〈謡・春栄〉②ひきくらべる。対照する。「是より次次の巻共をば、此の時代にー・せつつ見るべき也」〈愚管抄三〉③【弾き合はせ】合奏する。「師と、をかしき夕暮などにー・せてあそぶ時は」〈源氏東屋〉㊁『名』①鎧(よろい)の胴の前と後とを引き締め合わせる所。右脇の脇楯に接する部分。「〔忠度(ハ)〕鎧のーより〔巻物ヲ〕取り出でて、俊成卿に奉る」〈平家七・忠度都落〉②上衣などの前身を左右合わせるところ。「たべ残したるをば、いかにも小袖のーに懐中也」〈雑事覚悟事〉③手引きして会わせること。「ふしぎや神のーかや」〈謡・歌占〉④とりなし。仲裁。斡旋。調停。〈日葡〉⑤檀紙の一種。引合せ紙。「ー百帖」〈実躬卿記正安四・二・二〉

ひきあ・ひ【引き合ひ】『四段』①助け合う。「平一揆は葛山とー・ひて、畠山御方を討たんとするものなり」〈太平記三七・畠山入道〉②取引する。約束する。「先刻内内ー・うて置いた、アノ美しい可愛らしい弁才天女のおべん女郎といふおやまさん」〈滑・膝栗毛五追加〉③儲けがある。割が合う。「やっぱりー・ひません」〈滑・浮世風呂四上〉

ひきいた【引板】鳴子(なるこ)。「ひきた」とも。「引板、ヒキイタ、鳴子之類也。驚レ鳥物也」〈下学集〉

ひきい・で【引き出で】『下二』①引いて出す。「御車ー・でよ」〈源氏帚木〉②引用する。「楊貴妃のためしもー・でつべう」〈源氏桐壺〉③物のはずみにひき起す。「あはあはしき事、この君ぞー・でむと、ともすれば御胸つぶし給へど」〈源氏真木柱〉④【弾き出で】思うままに弾奏する。「次次ー・で給ひて、壱越調(いちこつてう)の心に桜人遊び給ふ」〈源氏椎本〉 **ーもの**【引出物】《もとは馬を引き出して贈物にした所からいう》祝宴・饗応に際して、主人から客に贈る物品。ひきでもの。「皇子たち、大臣の御ー、しなじなの禄ども何となうおぼし設けて」〈源氏幻〉

ひきい・り【引き入り】『四段』①ひきさがる。身を奥にひっこめる。「今日は御簾の中に入れ奉り給ひて、母屋の簾に几張添へて、我は少しー・りて対面し給へり」〈源氏宿木〉②遠慮する。「万の事思ひ知りてー・りつつ」〈愚管抄五〉③黙っている。「さすがにきびしうー・りがたいふしぶしありて、我も人も答へなどするを」〈更級〉④息が絶える。「ただ弱りに弱くなりてー・り給ひければ」〈宝物集七〉

ひきい・れ【引き入れ】㊀『下二』①引き寄せて中に入れる。「袖の重なりながら長やかに出でたりけるが…見つけてー・れ給ふ」〈源氏東屋〉②深くかぶる。「烏帽子をー・れたりければ」〈徒然三三五〉③顔を着物の襟(えり)の中に埋める。「さし寄りて聞え給へば、顔ー・れて」〈源氏螢〉④連れこむ。ひっぱり込む。「さる弱目(よわめ)に例の物の怪のー・れ奉るとなむ見給へし」〈源氏夕霧〉。「夜盗をー・るるの事発見す」〈蔭涼軒日録延徳四・二・五〉㊁『名』①《髻(もとどり)を冠の中に引き入れるので》元服の時に、冠をかぶらせること。また、その役をする人。徳望ある人が選ばれた。加冠。「ーに源氏の大納言、物し給へり」〈かげろふ中〉②ひっぱりこむこと。仲間に誘い入れること。「盗人のーを致すもの」〈仮・浮世物語三〉。〈日葡〉 **ーえぼし**【引入烏帽子】懸緒(かけお)をかけずに頭に引き入れて深くかぶる烏帽子。「はなだの一種狩衣にあをばかま着て、ーしたる男」〈著聞三五五〉 **ーごゑ**【引入れ声】声をひっこめるような発音。「ことなること無き男のーして艶だちたる」〈枕(能因本)文ことばなめき人〉 **ーのおとど**【引入の大臣】元服の時に冠を被らせる役の大臣。「ーのみこばらに、ただひとりかしづき給ふ御女…この君に奉らむの御心なりけり」〈源氏桐壺〉

ひきいろ【引き色】退却の気配。「寄せ手すでにーに成って候」〈太平記七・先帝船上〉

ひきうと【低人】《ヒキヒトの転》背の低い人。「石見の国の者とてーの参るを行き連れて」〈問はず語り四〉。「侏儒、ヒキウト」〈名義抄〉

ひきうま【引馬】貴人または大名などの外出の際、鞍覆いをかけて引いて行く馬。「さてはとて、やがてーにうち乗せて下りぬ」〈沙石集二ノ四〉

ひきおと・し【引き落し】『四段』①引いて下へおろす。「うちとけなえばめる姿に〔衣架カラ〕小袿(こうちき)ー・して〔着テ〕けぢめ見せたる」〈源氏野分〉②引き去る。減ずる。差し引く。「百石借米を、口入・判代万事にー・して…六拾五石渡しけるとや」〈西鶴・椀久二世下〉

ひきお・ひ【引き負ひ】㊀『四段』奉公人が主家の金を使いこむ。「商売に怠り、手代にー・はれ」〈浮・日本新永代蔵三〉㊁『名』①金を使いこむこと。また、使いこんだ金。「わが恋はーのある代官の胸算用をする如くなり」〈堀河狂歌集下〉②借金。負債。「男の方に〔ハ〕すきと吹き上げ(財産ヲ使イ果シ)、ーをして」〈評判・吉原雀上〉

ひきおび【引帯】袍(はう)・直衣(なほし)などの衣服の上につかう小さい帯。「水縹(みはなだ)の絹の帯をーなす韓帯(からおび)に取らし(外国風ノ帯ニシテ結ビ)」〈万三七九一〉。「衿帯、ヒキオビ」〈名義抄〉 †Fikiöbi

ひきか・き【引き掻き】『四段』身請けする。請け出す。「ひっかき」とも。「ー・いで宿の花となして眺めくらしぬ」〈浮・傾城色三味線三〉

ひきがき【曳柿】布などに柿渋を引いたもの。或いは、所所に柿色で霞などの棚引いているように横ざまに引いたものともいう。また、その布。「ーの直垂の下に腹巻を着す」〈吾妻鏡養和一・七・二〇〉

ひきか・け【引き掛け】『下二』①引っぱって掛ける。「末枝(えほつえ)に黐(もち)ー・け」〈万三三九〉②引き寄せて、かぶせる。身にまとう。「白き衣ども…あまたかさねて衾(ふすま)ー・けてふし給へり」〈源氏柏木〉。「褶(しびら)だつもの、かごとばかりー・けて」〈源氏夕顔〉③一端が物にひっかかった状態のまま強く引く。「衣の裾をものにー・けてよろぼひ倒れて」〈源氏夕顔〉④引合いに出す。ことさらに関係をつける。「千千の社をー・けて行先長きことを契り聞え給ふ」〈源氏総角〉⑤口実にする。「袖の色(喪中)をー・けさせ給ふはしも、ことわりなれど」〈源氏総角〉 †Fikikakë

ひきかぜ【引風】風邪を引くこと。「ー也。事の外熱気也」〈言継卿記天文一八・一二・一四〉 **ーげい**【引風芸】一時流行する芸。「詩歌・連俳・茶・香・鞠・生花の類、惣じて何によらず流行る事甚だしけれども、止む事も又速やかか也。これをーと言ふ。流行る側から止むと言ふ心なるべし」〈洒・娼妃地理記〉

ひきか・へ【引き替へ】㊀『下二』①(その時までのものを)引っこめて、他のものと替える。取りかえる。「車ー・へて祓へしに行く」〈かげろふ中〉②すっかり替える。「公わたくしー・へたる世のありさまに、もの憂くおぼして」〈源氏賢木〉㊁『副』打って変って。「世の中改まりてー今めかしき事ども多かり」〈源氏澪標〉㊂『名』交替用のもの。牛馬にいう。「女車、牛のーなど〔用意〕して、『遠き程よりか』と見ゆるに」〈狭衣一〉

ひきかへ・し【引き返し】㊀『四段』①もとに戻す。「御馬に乗り給ふほど〔別レガタクテ〕ー・すやうに、あさましけれど」〈源氏浮舟〉②繰り返す。「御文を、うちも置かず—・し見居給へり」〈源氏宿木〉③裏返す。くつがえす。「…と書きて、紙の一重を—・して」〈和泉式部日記〉④がらりと変る。一変する。「〔死ンダ柏木ガ〕あはれに惜しければ、めざましと思ふ心も—・し、うち泣かれ給ひぬ」〈源氏柏木〉⑤とってかえす。元へ戻る。「景綱これを見て急ぎひっかへして」〈保元中・白河殿へ義朝夜討ち〉[二]『副』①—打って変って。「初めより懸想びても聞え給はざりしに、—懸想ばみなまめかむもまばゆし」〈源氏夕霧〉②それとは違って。それとは逆に。「誰も誰も許しそめ給へることなれば、〔自分ダケガ〕—許さぬ気色を見せむも人のためいとほしうあいなし」〈源氏真木柱〉[三]『名』①連歌で、懐紙の表を終えて裏へ移った初めの部分。「初の懐紙の—に、恋・述懐などの、表にせぬものどもを取り出す事、おもはしからず」〈初心求詠集〉②着物の裾廻し・袖口に表と同じ布を用いるもの。「砥茶(とのちゃ)小紋の—」〈西鶴・一代男三〉

ひきぎ【挽木】碾臼(ひきうす)を引き回すための、肘(ひじ)の形をした柄。「茶臼は—に揉(も)まるる」〈謡・放下僧〉

ひききう(：キュウ)【引灸】腫物・痔瘻などの患部に蒜(にんにく)・韮(にら)・生薑・味噌などを載せた紙を敷き、その上に艾(もぐさ)を置いて灸をし、紙を引き去って患部を温める方法。「三本木覚—する」〈松平大和守日記寛文五・八・二三〉

ひききり【引切り】性急に物事に決着をつける性質。「正身(さうじみ)＝本人)はしか—に際際しき心もなきものを」〈源氏真木柱〉

ひきぐ・し【引き具し】『サ変』①ひっぱって一緒に連れて行く。伴う。「中将、人人—・してかへり参りて」〈竹取〉②(優れた技量・素質などを)すべてしっかりと身につける。「〔琵琶ヲ〕少しかき合はせたる、いかでかうのみ—・しけむとおぼさる」〈源氏薄雲〉

ひきげた【引下駄】駒下駄。「—や時雨降り止む奈良草履」〈俳・捨舟四〉

ひきこ・し【引き越し】『四段』《引っぱって物の上を越えさせる意》①後ろから前へ(肩を)越させる。「〔ウシロニ垂レルベキ〕纓を—・して顔にふたぎて去ぬる」〈枕二四八〉。「犬飼ひの、犬の前足を二つながら肩に—・して深き川の瀬渡りしこそ…みかども労ありげにおぼし」〈大鏡道長〉②上位にあるものをさし置いて、その上の扱いをする。「兄君たちよりも—・し、いみじうかしづき給ふ」〈源氏竹河〉③(位など追い越す。「中納言は…大納言に成り給ひにき。御兄の左衛門督を—・させ給ひて」〈栄花布引滝〉④移転する。「皆皆、家宅—・し候へと御掟候て」〈信長公記首巻〉

ひきごし【引腰】平安時代、婦人の正装の際、裳(も)のうしろに長く垂れた二本の飾りひも。「わぎもこが御裳(みも)の—長き夜をかけてぞ契るあかぬ余りに」〈新撰六帖五〉

ひきこと【引き言・引き事】古言故事。引用。古言故事などを引用して説明すること。また、その古言故事。「引事、ヒキコト」〈文明本節用集〉。「これに—あり」〈春鑑鈔〉

ひきこな・し『四段』けなす。そしりあなどる。「頭から、どうぢゃと—・し」〈浮・茶屋調方記〉

ひきこ・み【引き込み】『四段』①ひっこむ。内にひきこもる。「過ぎし冬の中は、風霜を畏れて—・みて居たりしが」〈三体詩抄三ノ一〉②隠退する。隠棲する。「なかなかに小官に仕へて南国にあらんより、故郷へ—・みたいと思うたぞ」〈三体詩抄三ノ一〉

ひきこ・め【引き籠め】『下二』①出ているものを、中に引き入れてしまいこむ。「御琴どももすさまじくて(ツマラナクテ)、皆—・められ」〈源氏若菜下〉②外に出さずに、内にこもらせる。「〔姫君タチヲ〕かかる山懐に—・めてはやまずもがな」〈源氏椎本〉③口を堅くする。「この尼は…京の者にて、万づ口をかしくて、—・めたる事無くて、彼の老僧の振舞なむど人に語りけるは」〈梵舜本沙石集四ノ六〉④【弾き籠め】自分のものとした弾き方をかくす。「只今世に名をとれる人人掻き撫での心やりばかりにのみあるを、ここにかう—・め給へりける、いと興ありける事かな」〈源氏明石〉

ひきさかれ【引き裂かれ】女をののしっていう語。「ヤイここな—、その涙は与作に泣け」〈近松・丹波与作中〉

ひきさ・げ【引き下げ】『下二』①一端をひっかけ、他端を垂らして持つ。つるして持つ。「よべ縫ひし御衣ども—・げて、みづからもよろしき衣着かへて乗りぬ」〈源氏若紫〉②尊貴な方の前などから、物を引き取ってさげる。「心もとなく、〔薬湯ヲ〕—・げながら、いそぎ来てぞ見るや」〈枕一本二三〉③世話のやける子供などを、引き連れる。「子—・げてゐたらむいと見苦しからむ」〈落窪四〉④低くする。「我が身を—・げて〔ソノ人ヲ〕敬はばよからうぞ」〈周易抄〉

ひき・し【低し・卑し】『形ク』《「高し」の対。丈・高さ、のちに身分・声などにもいう》低い。「馬は…頭(かしら)高く、起くる時は頭より起く。…牛は頭—・く、起くる時尻より起く」〈雑談集一〉。「小丈、ヒキシ」〈色葉字類抄〉▽平安時代まで、漢文訓読ではヒキナリが使われた。仮名文ではヒキシ・ヒキナリ共にその確かな例はなく、ミジカシ・イヤシなどを用いていた。室町時代頃からはヒクシという形が使われるようになった。

ひきしの・び【引き忍び】『上二』《忍ビと偲ビとが混同して、四段活用になった例もある。→しのび(忍)》身を引いて人目をさける。「『御前より宰相の君して、忍びて賜はせたりつる』といひて、ここにてさへ—・ぶるもあまりなり」〈枕一四三〉。「何の惜しげある身にてか、をこがましう若若しきやうには—・ばむ」〈源氏夕霧〉

ひきしほ(：シオ)【引潮】干潮時、海の水が沖の方へ退いてゆくこと。「—神前を去る時は」〈盛衰記七〉

ひぎしゃう(：ショウ)【火起請】起請の一。神前または判者の前で、赤熱した鉄を握らせ、手のただれた者を不正ときめる法。「湯起請・—を取るか、人に取らするかせし事ありや」〈さるばとるむんぢ〉

ひきしら・ひ(：ライ)【引きしらひ】『四段』《ヒキシロヒの転》のびのびになる。長びく。延引する。「半年ほど—・ふ内に、西鶴此の世を去り」〈浮・元禄大平記三〉。「今—・ふと云ふは、延引の義也」〈志不可起七〉

ひきしろ・ひ(：ロイ)【引きしろひ】『四段』互いに引っぱり合う。「〔帯ヲ〕ぬがじとすまふを、とかく—・ふほどに、ほころびはほろほろと絶えぬ」〈源氏紅葉賀〉。「同じ形なる乳母(めのと)二人が中に、この児(ちご)を置きて、左右の手足を取りて—・ふ」〈今昔二七ノ二九〉→しろひ

ひきす・ぎ【引き過ぎ】『上二』(馬・車などを)引いて通り過ぎる。「やがて馬—・ぎて〔京へ〕赴きぬべくおぼす」〈源氏明石〉。「まして五節の君は綱手—・ぐるもくち惜しきに」〈源氏須磨〉

ひきすぐ・れ【引き勝れ】『下二』他を引きはなしてすぐれる。抜きんでる。「いかで—・れておもだたしきほどにしなしても見えにしがな」〈源氏東屋〉

ひきすま・し【弾き澄まし】『四段』綺麗に弾きこなす。「広陵といふ手を、あるかぎり—・し給へるに」〈源氏明石〉

ひきずみ【引墨】①手紙の封じ目に墨を引くこと。また、その墨の印。「封上に近代、封の字を書かず、只—す」〈中右記大治二・四・六〉②眉毛を剃った跡に墨を引くこと。また、その墨。「眉の—男眉」〈近松・雪女中〉③俳諧の批点の

ひ

内、長点・平点を記すこと。また、その記号。その形が墨で長く引いた形なのでいう。「—の住み荒しては候へど／点者とあれば是非に及ばず」〈俳・天満千句〉

ひきず・り【引き摺り】㊀〘四段〙地面などを摺って引く。「沓(くつ)をあまりに—・る事わろし」〈蹴鞠百五十箇条〉㊁〘名〙①《裾を引きずる意から》なまめかしくしゃれこんで、ぐうたらな女をののしる語。おひきずり。ひきたれ。「—めがうせてから」〈浮・元祿曾我物語三〉②駒下駄の一種。台を中央で横に二つに切り分け、前後を革でつなぎ、表をつけたもの。引摺下駄。中切下駄。折れ下駄。「嬉しや雨も上がったさうな。近所の徳は—で軒伝ひ」〈浄・双蝶蝶曲輪日記四〉

ひきそば・め【引き側め】〘下二〙①身を引いて、斜めの姿勢になる。横を向く。「—・めて急ぎ書き給ふは、かしこへなめり」〈源氏松風〉②引いて片寄せる。「几帳をすだれのつまよりすこし押しいでて、裾を—・めつつゐたり」〈源氏夕霧〉③引きよせて構える。「旗竿ども—・め—・め…只今皆うったたむずるけしきどもなるに」〈平家二・教訓状〉。「五尺二寸の太刀を—・めて」〈太平記八・四月三日〉

ひきそ・へ【引き添へ】〘下二〙①そえて引っぱる。「大船に小船—・へ潜(かづ)くとも」〈万三八六九〉②引合いに出す。「こと人を問ひ奉るたびには、この入道殿を必ず—・へ奉りて申す」〈大鏡道長〉 †Fikisöfë

ひきた【引板】《ヒキイタの約》板をひもでつるし、それを引き鳴らして、鳥や獣を追いはらう道具。鳴子(なるこ)。「—我が延(は)へ（引キ渡シテ）守れる苦し」〈万一六三四〉 †Fikita

ひきたが・へ【引き違へ】〘下二〙当然の成行きと思われることと違った態度を取る。期待を裏切る。予想を狂わせる。「まれには、あながちに—・へ、心づくしなることを御心におぼしとどむる癖なむあやにくにて」〈源氏帚木〉。「院より御気色あらむを—・へ横取り給はむを」〈源氏澪標〉

ひきた・て【引き立て】〘下二〙①引っぱって立たせる。「寄り居給へるに…御手をとりて—・て給ふ」〈源氏明石〉②引っぱってしめる。「障子を—・て」〈源氏帚木〉③引いて立ち並ばせる。「寮の御馬に四手つけて数十匹—・てたり」〈平家三・御産〉④強いて連れて行く。「後に廻り—・てませい」〈俳・阿蘭陀丸上〉⑤まっすぐに立てて深くかぶる。「立烏帽子—・てておはします」〈平家一〇・内裏女房〉⑥特に目をかける。目をかけて用いる。「重代稽古のものなりけれども—・つる人もなかりけるに」〈著聞二九〉⑦心をはげます。「ワレトココロヲヒキタツル」〈日葡〉⑧退却する。一齊に逃げる。「—・つる勢の習ひなれば大将と同心になって今一軍(ひといくさ)せんと思ふ者なかりけるにや」〈太平記一四・官軍引退〉

ひきぢうばこ【引重箱】引出物として膳部に添えて出す重箱。「初献の肴は、鮹(たこ)の足一切れ当ての—」〈近松・宵庚申上〉

ひきちが・へ【引き違へ】〘下二〙交差させる。「紙を二枚—・へて包みたれば」〈宇治拾遺五三〉

ひきちゃ ①【引茶】季の御読経(みどきやう)の時、僧に賜わった茶。「今日—也」〈殿暦天永三・五・一二〉②【碾茶・挽茶】碾いて粉末にした茶。抹茶。「供僧等七人参る。各—持参す」〈政基公旅引付文亀二・一・二〉

ひきつくろ・ひ【引き繕ひ】〘四段〙①（着物の着付けを）あちこち引っぱってきちんと整える。「御衣のうしろ—・ひなど」〈源氏紅葉賀〉②とりつくろう。はしはしを直して恰好をつける。「例よりは—・ひて書きて」〈かげろふ上〉。「南の廂(ひさし)—・ひて入れ奉る」〈源氏若紫〉

ひきつ・け【引き付け】㊀〘下二〙①ひっぱって、その場所につける。「護法〔童子〕憑きたる法師、〔院ノ〕おはします御屏風のつらに—・けられて、ふつと動きもせず」〈大鏡伊尹〉。「力を加へて共に〔木ヲ〕曳く程に…当麻の郷に—・けつ」〈今昔一一ノ三一〉②そばにひきよせる。手もとに置く。「国の目代として万の事を知らせて、—・けて仕ひけるに」〈今昔二八ノ二七〉。「馬どもを…舟に—・け—・け泳がせよ」〈平家一一・勝浦〉③（証拠として）引き出して、それと明示する。また、書き留める。「市町において盗物を買ふのところに、本主くだんの買手を盗人のよし申す。しかるに買手、売手を—・け候はば、買手越度(をつど)有るべからざる也」〈塵芥集〉㊁〘名〙①後日の覚えとして、事柄の要旨をその都度書きとめたもの。「肥前の国の御家人白石の六郎みちやす証人に立て候て〔大将軍〕景資の—に一番に付き候ひし事」〈蒙古襲来絵詞〉②鎌倉・室町幕府の訴訟機関。執権北条時頼の時、裁判の正確・円滑化を目的として設置された。引付頭人(とうにん)が、引付衆・引付奉行人を率いて訴訟の審理に当る。「諸人訴論の事、—に於て文書の理非を勘決するの間」〈吾妻鏡建長二・四・二〉。「—とは、頭人・上衆・奉行会合御沙汰の事也」〈沙汰未練書〉③室町時代以後、諸事裁決の記録をいう。「永享十一年評定衆の時の—」〈大乗院雑事記長祿二・一〇・一七〉。「是を—勘録と号す歟」〈武政軌範〉 **—しゅう**【引付衆】鎌倉・室町幕府の職名。評定衆を輔佐して訴訟を審理し、庶務を施行し、政所の記録書を注記などした。「建長元年…—十二月十三日これを始む」〈関東評定伝〉

ひきつ・け【弾き付け】〘下二〙わがものにして弾きこなす。「今の世に聞えぬ筋—・けて、手使ひいといたう唐めき」〈源氏明石〉

ひきつぼ・ね【引き局ね】㊀〘下二〙几帳などを引きめぐらして囲う。「台盤所にて、はかなく屏風几帳ばかりを—・ねて、ひまもなくゐたり」〈栄花若ばえ〉㊁〘名〙屏風・几帳などを引きめぐらして、小さな部屋のようなものを作ること。「おのがじし、—などしつつあめるなかに」〈かげろふ上〉

ひきつ・め【引き詰め】〘下二〙①手早く次次に弓を引いては射る。「弓の上手共が矢先をそろへて差詰め—・め散散に射る」〈平家四・橋合戦〉②一すじに思いこんで、あくまで押し通す。一徹にふるまう。「ココロヲヒキツメタヒト」〈日葡〉③長く継続する。存続する。「師走まで—・め咲くや枇杷(はび)の花」〈俳・鸚鵡集一〇〉

ひきつ・り【引き攣り】〘四段〙痙攣する。「余り腰の—・り、おなかの痛むにたえずして」〈伽・福富長者物語〉 **—ひっぱ・り**【引き攣り引っ張り】〘四段〙①多くの人が誘う。多くの人がもてはやす。四方から人気が集まる。「—・り欲しがられ候こそ、いと頼もしからね」〈仮・清水物語下〉②あばたや火傷で皮膚がひどく縮れている。「—・りたる御面付きにて」〈浮・曾我鎌倉飛脚四〉

ひきつ・れ【引き連れ】〘下二〙ぞろぞろ連れ立つ。「内の御猫の、あまた—・れたりけるはらからどもの、所所にあかれて」〈源氏若菜下〉

ひきて【引手】①戸などをあけたてする時に手をかける所。また、そのための金具。「我が恋は障子の—峰の松火打ち袋に鶯の声」〈仮・夫婦宗論物語〉。〈和名抄〉②綱などを引っぱる人。「心ありて—の綱のたゆたはば」〈源氏須磨〉③手引きする者。案内人。「六方蜂起し、所所進発す。これ伊勢道者の—〔ニヨル〕なり」〈大乗院雑事記明応七・三・二五〉。「引手、ヒキテ、案内者の義」〈文明本節用集〉

ひきで【引出】①引き出すこと。「〔厩カラ〕—せず吾が飼ふ駒を人見つらむか」〈紀歌謡一二五〉②「引出物」の略。「饗応—品品にて」〈近松・佐々木大鑑三〉　†Fikide　**—もの**【引出物】①「ひきいでもの」に同じ。「まことにうれしとおぼしめさば、心ことならむ—を給へ」〈今昔二三ノ八〉②進物。褒美。「これは当座の—なり」〈伽・ささやき竹〉。〈日葡〉

ひきとど・め【引き留め】『下二』(動こうとするものを)引き寄せ、しっかり押えて、行かせないようにする。「携(たづさ)はり別れかてにと—・め慕ひしものを」〈万四四〇八〉。「〔命ヲ〕—・むべき方なく」〈源氏総角〉　†Fikitödömë

ひきと・り【引き取り】『四段』①手許に引き寄せて取る。「蔦(たつ)の色ぞまだ残りたる。…少し—・らせ給ひて」〈源氏宿木〉②引っぱって奪い取る。「君にかく—・られぬる帯なれば」〈源氏紅葉賀〉③自分の方にひきうける。自分の方へ引き戻す。「其の外の失墜(失費)をば、集銭(しゅせん)の内にて—・るべし」〈証如上人日記天文二・三・五〉④息が絶える。死ぬ。「—・る息や波の泡、終にはかなくなりにけり」〈近松・大職冠三〉⑤【弾き取り】弾き方を会得する。教え通りに弾けるようになる。「故大宮の教え聞え給ひしかど…—・り給はで」〈源氏若菜下〉

ひきどり【引鳥】①鶴・鴨などの渡り鳥が春先北方に帰ること。また、その鳥。「—の中に交るや田螺取(たにしとり)」〈俳・続猿蓑下〉②長く引いて鳴く、声のよい鶉(うずら)。「尾にも似ず音は—の鶉哉」〈俳・伊勢俳諧新発句帳三〉

ひきな・し【引き成し】『四段』①引っぱって、ある状態にする。「しどけなき姿に—・されて皆〔外ニ〕出で給ひぬ」〈源氏紅葉賀〉②【弾き為し】巧みに弾く。十分に弾く。「黄鐘調(わうしきでう)のかきあはせをいとあはれに—・し給へば」〈源氏宿木〉

ひきなほしオシ【引直衣】裾を長くした直衣。天皇の常服に用いられた。これを着る時は、長い緋の袴をはく。「うつくしげにしたてられ、—にておはします」〈讃岐典侍日記〉

ひきぬ・き【引き抜き】『四段』①ひっぱって抜く。すっぽりと抜き取る。「太刀を—・けば」〈源氏紅葉賀〉。「釜ばしも—・かれなばいかにすべきぞ」〈更級〉②身請けする。「女郎を—・き、妻の如く宿に置きて」〈西鶴・好色盛衰記四〉

ひきの・き【引き退き】『四段』身を引いて離れる。ひきしりぞく。「浅ましく思ひて、—・かんとすれば」〈宇治拾遺一七四〉

ひきは・き【引き佩き】『四段』下げて、身につける。「なよよかなる直衣、太刀—・き」〈かげろふ下〉

ひきは・ぎ【引き剝ぎ】㊀『四段』はぎ取る。「此の女房の御衣を—・ぎて、盗人はすてて逃げにけり」〈今昔二九ノ八〉㊁『名』追いはぎ。「大路に女の音(こゑ)にて『—有りて人殺すや』と叫ぶなり」〈今昔三一ノ二六〉

ひきはこ・え【引きはこえ】『下二』着物の裾をたくしあげる。「四十余ばかりなる女の、壺装束などにはあらで、ただ—・えたるが」〈枕一五八〉▽能因本枕草子では「ひきはこへ」とハ行の活用になっている。→はこへ

ひきはだ【皺文・引肌】《ヒキは蟇(ひき)の意》①ガマの肌のような、しわのある革。「皺文、ヒキハダ」〈名義抄〉②ひきはだ革で作った、刀の鞘を保護する袋。「八剣や—掛くる村時雨」〈俳・熱田宮雀下〉

ひきはな・ち【引き放ち】『四段』①引いて放す。弓を引いて矢を飛ばす。「—・つ矢の繁けく」〈万一九九〉②無理に遠ざける。「『今聞えむ思ひながらぞや』とて—・ちて出で給ふを」〈源氏紅葉賀〉。「昨日までは親子一所におはしけるを今朝より—・って別の所に居(す)ゑ奉りければ」〈平家一・大臣殿被斬〉③ひっぱって取り除ける。ひっぱってはずす。「御直衣の袖も〔目カラ〕え—・ち給はぬに君もえ心強くもてなし給はず」〈源氏須磨〉。「—・いて逃ぐるを、追っかけてまたつかまへて」〈天理本狂言六義・賽の目〉④はなち書きにする。「手はいと悪しうて、歌は、わざとがましく—・ちてぞ書きたる」〈源氏早蕨〉　†FikiFanati

ひきは・り【引き張り】『四段』ひっぱる。「我を搦めて—・りて将(ゐ)て行けば」〈今昔一四ノ二九〉

ひきび【引日】遊女が自分の都合で勤めを休む日。「—の立て前(費用ノ支弁)」〈近松・二枚絵上〉

ひきひき【引き引き】①《「心の—」の形で》めいめいが心の引く方にまかせること。思い思い。「おのが心の—、太子を立てむと思ひて」〈続紀宣命三三〉②各人がそれぞれに人を引き立てること。めいめいの紹介。「〔侍女タチハ〕これかれにつきつつ、—に参れば」〈落窪二〉　†FikiFiki

ひきひと【低人・侏儒】背の低い人。「大きに—・倡優(わざをき)を進めて、みだりがはしき楽(うたまひ)をおこし」〈紀武烈八年〉。「侏儒、ヒキヒト、短人也」〈色葉字類抄〉

ひきふね【曳舟・引舟】①舟に綱をつけて引くこと。また、その舟。「—に渡りも来ぬか夜の更けぬ間に」〈万二〇五四〉②上方の遊里で、太夫に付き添い、座を取り持った囲(かこひ)女郎。引者。引女郎。引舟女郎。「—の女は後に帰し」〈西鶴・一代男六〉③〔歌舞伎用語〕舞台から見て、正面の二階桟敷(さじき)。向う桟敷。狭義には、向う桟敷の前に張り出した部分をいう。「土間・—いづれ大入りの折からは」〈芝居乗合話三〉　†FikiFune

ひきぼし【引干・曳干】《引き張って干したものの意》①海藻を干した食品。「海松(みる)の—の短くちぎりたるを」〈かげろふ上〉。〈色葉字類抄〉②菜や大根を軒下につるして干したもの。「旅歩きとて—の飯」〈俳・時勢粧六〉

ひきぼん【挽盆】挽物細工の木地盆。「—拾枚」〈隔蓂記寛文七・二・四〉

ひきまう・けウケ：モ【引き設け】『下二』弓を引きしぼり、いつでも発射できるようにかまえる。「維行、—・けたる事なれば、内甲(うちかぶと)を志してひゃうど射る」〈保元中・白河殿へ義朝夜討ち〉

ひきまど【引窓】屋根に明け、綱を引いて開閉する窓。「—や鼻に寄せ来る若煙草」〈俳・江戸新道〉

ひきまは・しワシ：マ【引き廻し】㊀『四段』①長く引いてめぐらす。「帯は端は左右に分るれども—・して前に合へば」〈奥義抄〉。「海賊が船に幕—・して」〈著聞四三五〉②ぐるりと取りかこむ。包囲する。「味方の軍兵一千余騎、足軽に出立ちて高松山を—・し」〈盛衰記四二〉③引いてまわす。ひっぱりまわす。「左手(ゆんで)の脇〔腹〕にがばと〔刀ヲ〕立て、右手(めて)へきりりと—・し」〈伽・いづみが城〉。「男を—・して、女入るを」〈天理本狂言六義・鏡男〉④(目下の者や新参の者を)親切に教え導く。目をかけて面倒をみる。「少者(年若イ者)には恩をも見せて、ようー・すほどに」〈論語抄公冶長〉⑤引廻しの刑を行なう。「右の者、江戸中—・し、浅草に於いて斬罪」〈御仕置裁許帳一、寛文四・九・一〇〉㊁『名』①いろいろと世話をやくこと。指導。「御百姓をも御—有るべく候」〈政基公旅引付永正一・四・四〉②近世、死罪以上の重罪人の付加刑として、処刑前に、罪人を縛って馬に乗せ、市中を引き廻して公衆の見せしめにしたこと。「小児を切り殺し捨つる者、獄門、尤も江戸中—」〈元祿御法式上〉③木綿製の袖無し合羽。「木綿を以て製すを—と云ふ」〈守貞漫稿一四〉。「紺縞の洗濯したる—を着て」〈滑・膝栗毛五下〉

ひきまひイ：マ【侏儒舞】《「ひきひと舞」の意》小人の道化役が舞う舞。「よくよくめでたく舞ふものは…八千独楽(ちゃまこ)—手傀儡(てくぐつ)」〈梁塵秘抄三三〇〉

ひきまゆ【匹繭】一匹の蚕が作った繭。一つ繭。これに対して、一つの繭に蛹(さなぎ)が二匹入っているのを双繭(ふたつまゆ)という。「行方なくかき籠るにぞ—のいとふ心の程は知らるる」〈金葉五〇七〉。「独繭、比岐万遊(ひきまゆ)」〈和名抄〉

ひきみんたん【引みん丹】《薬の名に擬した、江戸の通語》①遊客が、揚代を遊女に出させたり、金を貢がせたりすること。「これも色仕掛けと申して、とかく—のにんちくりん」〈洒・舌講油通汚〉②金を払わずに、物を只取りしたり、貰ったりすること。「四季の移り替への算段も遣手が請込みの、呉服屋を—が重なれば」〈洒・後編婭意忙思〉

ひきむす・び【引き結び】『四段』①枝・紐・糸や巻き畳んだ書状などの端を組み合わせ、ほどけないようにする。「磐代(いはしろ)の浜松が枝を—・び」〈万一四一〉。「—・びたる文、御枕のもとにあり」〈源氏葵〉②編み作る。「柴の庵を—・び」〈平家一・祇王〉 †Fikimusubi

ひきめ【蟇目・引目】鏃(やじり)の一種。朴(ほお)や桐の木で作り、中を空洞にし、数個の穴をあけたもの。発射すると高く音を発する。標的を傷つけないので、犬追物・笠懸など競技用に使われた。また、その高い音で魔物を威嚇し退散させるために射ることもあった。「御弓と—とを給ひて、かの辰巳の檐(のき)にある狐を射よと仰せ給ひければ」〈今昔二五ノ六〉。「鳴箭、ヒキメ」〈温故知新書〉 **—のたうばん**(…トウ…)【蟇目の当番】蟇目を射て、その音で魔物を退散させる役目の侍。「天狗の所為といふ沙汰にて、—と名付けて、夜百人昼五十人の番衆をそろへて」〈平家五・物怪〉

ひきもの【引物】①壁代(かべしろ)・几帳・とばりなど、すべて布を引きまわして隔てとするものをいう。「—の内に垂れこめて、人にも見え給はで」〈今鏡六〉②引出物。特に、膳に添えて出す肴(さかな)や菓子の類。「公方より宿へ、御—三貫文これを下され了んぬ」〈大乗院雑事記寛正三・七・五〉。「是は—の肴ぞ」〈毛詩抄一七〉③【挽物】轆轤(ろくろ)で挽いて作った木製器具。「有馬〔産ノ〕—」〈俳・毛吹草四〉④「引舟」(2)に同じ。引者。「上職(太夫)は常に—を連るる」〈色道大鏡三〉⑤【弾物】絃楽器の総称。琴(きん)・箏・琵琶・和琴など。「—、琵琶・和琴ばかり」〈源氏松風〉

ひきゃうしゃ(…キョウ…)【飛香舎】《後世、ヒカウジャとも》内裏五舎の一。清涼殿の北、弘徽殿の西にあり、皇后・女御等の在所。女御入内の式も行なわれた。庭に藤を植えてあるので「藤壺」とも。藤の宴、菊の宴などがよく行なわれた。

〈色葉字類抄〉

ひきやか【低やか】低いさま。「この衆の中に丈(たけ)—なりける男の」〈今昔三一ノ二一〉

ひきゃく【飛脚】①急用を報ずる使の人夫。「同十六日、伊予国より—到来す」〈平家六・飛脚〉。「飛脚、ヒキャク、急使」〈下学集〉②近世、手紙・金銀・小荷物などの送達を業とする、定置的な通信機関。また、その業者。幕府の信書を宿次に逓送した継(つぎ)飛脚、諸藩が江戸と任国との間に設けた大名飛脚、民間の町飛脚などの別があった。「才右衛門所へ—越し申し候」〈梅津政景日記元和五・四・一五〉

ひきや・り【引き遣り】『四段』構わずに引っぱってのける。「御ふすま—・り給へれば〔女君ハ〕汗におしひたして額髪もいたうぬれ給へり」〈源氏葵〉

ひきょう【比興】《詩経の六義(りくぎ)のうちの「比」と「興」。「比」は類似のものにたとえること。「興」は本旨を述べる前にたとえをもってくること》①他のものにたとえておもしろく述べること。「—争ひ宣(の)べて気質衝揚(しょうよう)せり」〈性霊集序〉②おもしろく興あること。「—の事なり。かの卿聞かれて入興(じゅきょう)せられけるとなむ」〈著聞五六二〉③笑ってすまされないこと。不都合なこと。「—の事なりとて、それより供米(くま)の沙汰きびしくなりて」〈著聞三九五〉④くだらないこと。下等・下劣であること。「いかなる—なる奴婢の如き者までにも官爵を与へられた程に」〈四河入海三ノ一〉。「遠国は君あるといへども—なり。都辺は君なしといへども礼儀あり」〈成簣堂本論語抄三〉⑤卑劣なこと。「一国の主として境目を争ふ事は—な事かな」〈春鑑鈔〉⑥勇気のないこと。臆病。「いかに前髪—さばくな」〈俳・談林十百韻上〉。「—・腰抜け、一体二名なり」〈浮・人倫糸屑上〉↓ひけう

ひきょう【非興】興ざめなこと。また、あさましいこと。「今時、侍の子どもが出家して、死人の皮をはぎ、世を渡る者多し。究めたる—なり」〈驢鞍橋上〉

ひきよ・き【引き避き】『四段』避けて通る。敬遠し、素通りする。「〔病人ガ〕くるしげに侍るをえ—・かでなむ」〈源氏葵〉。「〔東宮ヲ〕—・きて〔姫君ヲ〕この大将の君に聞えつけ給ひし御心を」〈源氏賢木〉

ひきょく【秘曲】秘密にして容易に人に伝えない大事な楽曲。秘伝の曲。「然らば青海〔波〕といふ—を授くべし」〈保元下・左府の君達〉

ひきよ・せ【引き寄せ】『下二』①ひっぱって手許に近づける。「障子の中より御袖をとらへて—・せ」〈源氏総角〉。「所もげによきわたりなれば〔車ヲ〕—・せさせ給ひて」〈源氏葵〉②二つのものの間をひき縮める。短縮する。「初めの切(前段)を—・せて短く書くべし」〈能作書〉

ひきよ・ぢ【引き攀ぢ】『上二』つかんで引っぱる。「—・ぢて折らば散るべみ梅の花袖に扱入(こき)れつ染まば染むとも」〈万一六四四〉 †Fikiyödi

ひきらか【低らか】低いさま。ひきやか。「丈(たけ)—なる衆の」〈宇治拾遺三一〉

ひぎり【日切り・日限り】物事をなしとげる期限の日を定めること。また、期限の日。にちげん。「約束の—なれば、広庭に夜更けて引き出し」〈西鶴・男色大鑑三〉

ひきりうす【火鑽臼】細い棒を当て、もんで火を起すのに用いる、小穴のある板。「海布(め)の柄(から)を鎌(か)りて—に作り」〈記神代〉 †Fïkiriusu

ひきりきね【火鑽杵】火鑽臼におしあてて火をすり出す、先のとがった棒。「海蓴(こも)の柄(から)を以ちて—に作りて」〈記神代〉 †Fïkirikine

ひき・れ【引入れ】㊀『下二』《ヒキイレの約》引っぱりこむ。「小林(をばやし)に我を—・れて」〈紀歌謡一一二〉㊁『名』入れ子づくりの合子(がふし)・皿などの称。「斎(とき)の散飯(さば)をば…我が—の皿に取り候べきか」〈和語燈録五〉 †Fikire

ひきわか・れ【引き別れ】『下二』①わかれて別別の方向へ車を引く。「もろともにまかで給ひけるを、やがて…—・れ給ひけるを」〈源氏末摘花〉②別れがたいのを、しいて別れる。「頼むべき子供にも—・れてなむ」〈源氏玉鬘〉

ひきわ・け【引き分け】㊀『下二』分割して別別にする。離してそれぞれ自立させる。「此の介の殿の御財(たから)を—・くる方なく、わが君に伝へしめたらば」〈今昔二六ノ五〉㊁『名』引き離して分けること。特に、毎年八月の駒引(こまひき)の際に、諸国の牧場から貢進した馬を、院や東宮に分けて賜わること。「後白河院、栖霞寺におはしましけるに、駒引の—の使にて参りけるに」〈新古今一六四四詞書〉

ひきわた【引綿】もめん綿の上にうすくひきかぶせた真綿。もめん綿が切れないようにする。「雪降りの御幸に—の狩衣着給へりとて」〈今鏡六〉

ひきわた・し【引き渡し】㊀『四段』①一方から他方にか

けて長くひっぱる、届かせる。「端出之縄(しりくめなは)を界(ひきわた)す」〈紀神代上〉。「白き色紙の結びたる、上に―・しける墨の」〈枕二九四〉。「―・す瀬田の長橋霧はれてくまなくみゆる望月の駒」〈堀河百首〉②一方から他方へ一面に引き広げる。「海の面のいみじうのどかに、浅緑打ちたるを―・したるやうにて」〈枕三〇六〉。「山の端に雲―・す秋の空」〈享徳千句〉③完全に他人の手に渡す。「ジュデウらピラトの許へゼズスを―・し」〈バレト写本〉④「ひきまはし」(一)(5)に同じ。「その後、洛中を―・し」〈浄・今川物語六〉 (二)『名』①一方から他方へ、長くひっぱること。また、一面に引き広げること。「かりそめの仮屋などいへど、風すくまじく〔幕ナド〕―などしたるに」〈更級〉②女郎を客に引き合わせる儀式。「かか衆が―の酒事(ささごと)過ぎて」〈西鶴・一代男七〉③本膳に盃を三つそえた膳部。また、その盃の前に組み付ける、削りかけた打鮑(うちあはび)のこと。「―に組み付くる橘皮は、柚の皮の事也」〈庖丁聞書〉。「打鮑、尾の方を左へなすべし。削りかくべし。此の打鮑を―と云ふ」〈宗五大双紙〉 †Fikiwatasi

ひき・ゐ【率ゐ】『上一』《ヒキ(引)とヰ(率)との複合》引率する。連れ従える。「もろもろの大法師等を―・ゐて…理の如く勧め行なはしめ」〈続紀宣命四一〉 †Fikiwi

びく 耳たぶ。耳朶(だじ)。厚く大きいのは幸運の相、薄く小さいのは不運の相という。「耳の―が薄くおはしけり」〈太平記九・主上上皇御沈落〉。「すべてよろづの人、ただ耳の―次第也」〈仮・可笑記評判三〉 **―が強・い** 幸運だ。「世話にも、果報の有るを―・いと昔より言へば」〈仮・籠耳二〉

びく【比丘】《梵語の音訳》出家して具足戒を受けた男子。「其の金の山の頂に、ひとりの―居り」〈霊異記上五〉

びく【尾句】《漢詩の末尾の句の意から》①短歌の第三句以下。「或る本の―にいはく、白栲(しろたへ)のわが衣手に露ぞ置きにける」〈万三〇四四左注〉②短歌の第五句。「腹句(歌ノ第四句)すでに放髪丱(うなゐはなり)といへれば―に重ねて着冠の辞を云ふべからざるか」〈万三八二二左注〉

びぐき【鬢茎】「びんぐき」の「ん」を表記しない形。「御―のしどけなきをつくろひ給ふ」〈源氏(三条西家本)末摘花〉

ひく・し【低し】『形ク』「ひきし」の転。「長(たけ)―・きも高きも、また肥えたるも痩せたるも」〈見聞愚案記二〉。「位の―・いは安い玉を持つぞ。圭は高い玉なり、宰相が持つ玉なり」〈玉塵抄四四〉

ひぐち【樋口】 樋の水の出口。水門。「千早振る神もみまさば立ちさわぎ天の戸川の―あけ給へ」〈小町集〉

ひくて【引く手】 ①引っぱる人。誘う人。「大幣(おほぬさ)の―あまたになりぬれば思へどえこそ頼まざりけれ」〈古今七〇六〉②《「差す手」の対》舞で、手を元にもどすこと。また、その手。「花衣、さす手も―も伶人の舞なれば」〈謡・富士太鼓〉

びくに【比丘尼】《梵語の音訳》①出家して具足戒を受けた女子。尼。「天竺に一人の羅漢の―有り」〈今昔二ノ三一〉→比丘。②近世、尼姿の下級売笑婦。勧進比丘尼。歌比丘尼。「遊女か―有りや無しやと」〈俳・独吟一日千句〉 **―おち【比丘尼落ち】** 比丘尼から還俗した女。比丘尼ころび。「―のるり(女ノ名)」〈西鶴・三所世帯上〉 **―ぶね【比丘尼舟】**「勧進舟(くわんじんぶね)」に同じ。「―の仕出し」〈西鶴・諸艶大鑑三〉

びくにん【比丘にん】「びくに」の転。「―の烏帽子子(えぼしご)取るは、これが初めの祝言なり」〈天正本狂言・比丘貞〉。「身どもがをばに―がおぢゃる」〈虎明本狂言・磁石〉

ひくらうど【非蔵人】 蔵人所の職名。蔵人の見習として、殿上で雑用をつとめる。良家の子息の六位の者の中から補せられた。非職(ひしき)。「白河院の御時は、清盛―などいひて」〈今鏡四〉

ひぐらし【蜩】 セミの一種。秋の日暮にかなかなと鳴く。万葉集では、広くセミ一般をいう場合もあったらしい。「夕されば―来鳴く生駒山」〈万三五八九〉。「―、蟬也。夏もよみたれども、多くは古歌の思へる所、秋也。よて、此の集にも秋に入りたり」〈古今集註〉。「―は、夕とまた明闇(あけぐれ)・朝(あした)などに鳴く物也」〈雪の煙〉。「―、初秋也」〈竹聞〉 †Figurasi

ひぐらし【日暮し】 朝から夕暮までの一日中。「霞立つ春の―まそ鏡見れど飽かねば」〈万三三二四〉。「昼は―夜は目のさめたる限り」〈更級〉 †Figurasi **―のもん【日暮しの門】**《その建築の美観に見とれて、日の暮れるのに気がつかぬ意》近世初期、大名高家の美麗な御成門(おなりもん)の称。日暮し門。「伊与殿御門磨かせ給ひて、彫物結構せられ、―など世の物語にて、行末までと願ひしさへ」〈俳・それぞれ草中〉

ひくれがた【日暮れ方】 ①日ぐれ時。「外に行きて酒を飲みて、酔ひて―に家に帰る」〈今昔二ノ三二〉②品物のかなり古びていること。「上着が空色の熨斗目(のしめ)で、―と言ふ着物に」〈滑・古今百馬鹿下〉

ひぐろみ【日黒み】 日に焼けて黒くなること。日焼け。「児(ちご)を見れば、―にや、事もあらぬ児なり」〈正源明義抄二〉

ひくゎらくえふ【飛花落葉】 花が散り、葉が枯れ落ちること。無常のたとえ。「―を見て、ひとり諸法の無常をさとり」〈和語燈録一〉

ひくゎん【被管・被官】 ①令制で、上部の官庁に直属する下部の官庁。たとえば、大学寮は式部省の被管。「―は、移(い)を以て直ちに他司に向ふを得ず」〈令義解公式〉②中世以降、大・小名に仕え、その支配下にあった武士。たとえば、地頭は守護の被官。「熊谷次郎直実以下平家―の輩」〈吾妻鏡治承四・八・二三〉③中世以降、公家・武家に従属した奉公人。下人。「小原、子息は前管領斯波義廉内板倉―也」〈晴富宿禰記文明一一・五・二三〉④戦国時代以降、代代、地主に隷属する零細小農民。譜代下人。「子共を人の―になし」〈仮・浮世物語二〉

ひぐゎん【悲願】 仏・菩薩が大慈悲の心から立てる誓願。阿彌陀仏の四十八願、薬師如来の十二願など。慈悲の本願。「心には引摂(いんぜふ)の―を念ず」〈平家六・慈心房〉

ひ・け【引け】 (一)『下二』《ヒキ(引)の受動形》①引かれる。「引け鳥の我が―・け往なば」〈記歌謡四〉②気おくれする。ひけ目を感じる。ひるむ。負ける。「女郎買の張り合ひて負けたるを、―・けたり、―・けて見ゆるなど言ふ事ぞ」〈浮・好色伊勢二〉 (二)『名』【引け・卑気】①勝負に負けること。おくれ。「かるがゆゑに仏教の威少なし。これ天台の―なり」〈驢鞍橋下〉②肩身の狭い思い。不名誉。恥辱。「彼等が―は、某(それがし)が―なり」〈室町殿日記七〉。「我等ども見申さずと申し上げたる衆は、日本一の―と云ふ」〈三河物語下〉③近世、江戸吉原遊廓で、遊女が張見世(はりみせ)を引き上げる時刻。午前二時頃で、拍子木で知らせた。引け四つ。「―前に素見(すけん)と茶引いぢり合ひ」〈雑俳・万句合明和三〉 †Fike

ひげ【髭・鬚・髯】 ①頰や顎、口のまわりなどに生える毛。「しかとあらぬ―かき撫でて」〈万八九二〉②〔江戸語〕うぬぼれ。高慢。また、その態度。「あんまり―が多過ぎやす」〈洒・美地の蠣殻〉③《接頭語的に用いて》細い根が沢山生えている意を表わす。「橘や宗祇の匂ひ―野老(ところ)」〈俳・雑巾上〉 ▽ヒは朝鮮語 ip(口)と関係あるか。ケは毛で、口毛の意か。 †Figë　**—喰ひそら・す** 口にくわえられるほど髭をはやして、その先をぴんと上へはねているさまをいう。また、得意満面のさまのたとえ。「今時の宰相は、顔色は厳かにして、威儀堂堂と—・いて廻れども」〈中華若木詩抄下〉

ひげ【卑下】 へりくだること。遠慮がちにすること。「さりとて思ひ劣り、—せむも、かひなかるべし」〈源氏紅梅〉

ひけい【秘計】 ①ひそかに便宜をはかること。なかだち。周旋。「便宜(びんぎ)をうかがひ高聞に達せしめ、—を廻らし、誤り無き旨を宥(うい)ぜられ」〈平家二・腰越〉。「白拍子を—し、君の御目にかけぬる由」〈浄・今川物語一〉 ②都合をつけること。工面。金策。「今七八万疋、公家御—更に達し難きか」〈園太暦貞和五・二・二五〉

びけい【美景】 ①美しい景色。「世間の—を捨てがたき事多かり。まして浄土のかざりいかに風情多からん」〈発心集七〉 ②美しい容姿。また、その人。美形。「其の—、島原中頃の吉野に比べて二割半程よくて」〈西鶴・好色盛衰記四〉

ひけう 《ヒキョウ(比興)の転。「卑怯」とも書く》 ①いやしいこと。下等・下賤なこと。「—なる破れ船に乗るなり」〈蒙求抄一〇〉 ②心の卑劣なこと。「本の貞なる道から見れば悪いぞ。賤しく—な人ぞ」〈周易抄〉。「比興、ヒケウ」〈伊京集〉 ③勇気のないこと。臆病なこと。「御—な、どこへ逃げさせらるるぞ」〈虎明本狂言・武悪〉。「卑怯、ヒケウ、臆病なる事を云ふ」〈齊東俗談六〉

ひげこ【鬚籠】 果物などをいれて携える竹編みの籠。竹の端を長く残しておき、それが鬚のように見えるところからいう。「ちひさき—を小松につけたる、またすくしき立文とり添へて」〈源氏浮舟〉

ひげだいもく【髭題目】 日蓮宗で、「南無妙法蓮華経」の「法」の字以外の文字の筆端を髭のように伸ばして書いたもの。はね題目。「横時雨—か日蓮忌」〈俳・時勢粧三〉

ひけとり【引け鳥】 《ヒケは引かれる意》 連れ立って飛んで行く鳥。「—の我が引け往なば」〈記歌謡四〉 †Fikëtöri

ひげまん【卑下慢】 謙遜しながら自慢の気持を表わすこと。「高き名を—(満ト掛ケル)月の今宵かな」〈俳・伊勢俳諧新発句帳三〉

ひげやっこ【髭奴】 近世、頰髭のある武家奉公人。多くは作り髭または墨髭をした。「赤坂奴、—」〈近松・双生隅田川四〉

ひけらか・し 『四段』 見せびらかす。自慢する。「〔詩ヲ作ッテ〕来て見せたぞ。…—・さうためか」〈玉塵抄二〉

ひけん【疋絹】 《ヒッケンのツを表記しない形》 疋(布地二反)にととのえてある絹。「使部ばらに—賜はずる程のめでたさを」〈栄花衣珠〉

ひこ【彦】 《「姫(ひめ)」の対。ヒは日・太陽。ムスヒ(産霊)・ヒモロキ(神籬)のヒと同じ。コは男子の意。太陽の子、あるいは太陽の神秘的な力をうけた子の意。尊称として男神の名に冠せられ、また男の名前の下につけて使われた。後に、一般的に男の尊称。なお「彦」の字は美男の意》 ①立派な男子。「名は天邇岐志国邇岐志(あめにぎしくににぎし)天津彦(あまつひこ)彦番能邇邇芸命(ひこほのににぎのみこと)ぞ。此の子を降すべし」〈記神代〉 ②《広く》 男子。「此の速秋津彦(はやきつひこ)・速秋津姫の二柱の神、河海に因りて持ち分けて生める神の名は」〈記神代〉 ▽魏書、東夷伝に「始めて一海を度(わた)る千余里、対馬国に至る。其の大官を卑狗(ひこ)と曰ひ、副を卑奴母離(ひなもり)と曰ふ」とある「卑狗」は彦か。 †Fiko

ひこ【孫】 まご。「子之子為ﾚ孫、無万古(むまご)、一云、比古(ひこ)」〈和名抄〉 †Fiko

ひこ【曾孫】 「ひひこ」の転。「子・孫・—・玄孫(やしはご)に至るまで」〈宇治拾遺一三四〉

ひご【肥後】 旧国名の一。西海道十一国の一で、今の熊本県。肥州。「出でて筑後守となり、兼ねて—国を治む」〈続紀養老三・四・一〉

びご【備後】 《ビンゴとも》 旧国名の一。山陽道八国の一で、今の広島県東部。備州。「備中・—・安芸・阿波の四国、苗損す」〈続紀慶雲一・四・二七〉。「備後、ビゴ」〈色葉字類抄〉

ひこえ【孫枝】 幹のわきから出た新しい枝。「春されば—萌(も)いつつ」〈万四二一一〉。「柯、比己江(ひこえ)」〈霊異記下一四〉 †Fikoye

ひこしちがかほ【彦七が顔】 《南北朝時代の武将大森彦七が鬼女に襲われたとき動転しなかったという故事から》 落ち着きはらって物事に動じないさま、また、素知らぬふりをするさまのたとえ。「—をするとも咳気ゆゑ隠れぬ咳を今は止めてよ」〈仮・仁勢物語上〉

ひこしろ・ひ【引こしろひ】 『四段』 思うようにしようとあれこれして引っぱる。「〔女ノ手紙ヲ〕惜しみ顔にも—・ひ給はず」〈源氏夕霧〉。「〔猫ノ〕綱いと長く付きたりけるを、物に引き掛けまつはれにけるを、逃げむと—・ふ程に」〈源氏若菜上〉

ひこぢ【彦舅】 よい夫。「〔妹〕玉依毘売に付けて歌を献りたまひき。…ここに其の—答へて」〈記神代〉 †Fikodi

ひこづら・ひ【引こづらひ】 『四段』 《ツラヒは連リ合ヒの約、アゲツラヒ・カカヅラヒのツラヒと同じ》 ①あれこれと力を入れて引っぱってみる。「板戸を…—・ひ我が立たせれば」〈記歌謡二〉。「掔、ヒク・ヒコヅラフ」〈名義抄〉 ②からむ。「太鼓の…台には八龍を—・はせたるが」〈太平記三六・大地震〉 †Fiködurafi

ひどと【火事】 火災。火事(かじ)。「十六日、内へ参りたれば、よべまた火をつけたり。俊光見て、消ちぬ。かやうに御所御所—にて、人人おほく伺候したり」〈春のみやまぢ〉

ひこば・え【蘖】 ㊀『下二』 《孫(ひこ)生(は)えの意》 切った草木の根や株から再び芽が出る。「あらを田の去年(こぞ)の古跡(ふるあと)の古蓬(ふるよもぎ)今は春べと—・えにけり」〈新古今七七〉。「蘖、ヒコバユ、斬而復生、曰ﾚ蘖」〈色葉字類抄〉 ㊁『名』 切株から出た芽。「その木は風に伏して、今また若木のやうに—して」〈草根集一〇〉。「萴、死木更生也、比古波江(ひこばえ)」〈新撰字鏡〉 †Fikobaye

ひごふ【非業】 〔仏〕 前世の業因に依らないこと。災難・事故などで死ぬことなどについていう。非命。「所労もし定業たらば、療治を加ふも益無からむか。又—たらば、療治を加へずとも助かる事を得べし」〈平家三・医師問答〉

ひこふね【引こ船】 「引く船」の上代東国方言。山中で丸木舟を作り、引きおろすことなどにいう。「足柄(あしがり)のあきなの山に—の」〈万三四三一東歌〉 †Fikofune

ひこぼし【彦星】 《奈良時代はヒコホシと清音。男の星の意》 牽牛星。天の河を中に隔てて、妻の織女星と向い合っている。「年にありて一夜(ひとよ)妹に逢ふ—も我にまさりて思ふらめやも」〈万三六五七〉。「牽牛、ヒコボシ」〈名義抄〉 †Fikofösi

ひごろ【日頃】 ①何日もの間。「〔病気ニナッテ〕—経ればにや今日はいと苦しくなむ」〈源氏総角〉 ②このところ。近頃。「—おこたりがたくものせらるるを、やすからず嘆きわたりつるに」〈源氏夕顔〉 ③常常。平生。「—もまたあひ給ふまじきことを聞え知らせつれば、今はまして」〈源氏椎本〉

ひどん【秘錦】 「緋金錦(ひごんき)」に同じ。「二三十万疋の綾、

—を数へ収めて」〈宇津保吹上上〉　**—き**【緋金錦】錦の一種。緋色の金襴の類。「高麗人の奉れりける綾、—どもなど」〈源氏梅枝〉

ひさ【久】《形容詞ヒサシの語幹》永く時を経ること。「—にあらば今七日ばかり、早くあらば今二日ばかり」〈万三三一八〉。「住の江の松ほど—になりぬれば」〈古今七七九〉　†Fisa

ひざ【膝】腿(もも)と脛(すね)の間の関節部。「鹿猪(しし)じもの—折り伏せて」〈万三七九〉。「人の—の上わが枕かむ」〈万八一〇〉　†Fiza　**—とも談合**(だんかふ)　一人で考えるより、だれかと相談した方がよい知恵が浮かぶ意。〈俳・毛吹草二〉　**—を組・む**　①あぐらをかいて坐る。「家の子・郎等肩を並べ、—・みて並み居たり」〈平家八・征夷将軍〉　②同席する。転じて、対等に交際する。「〔仇敵ト〕肩を並べ—・む時世にしたがふ習ひ、これを恥といはずしてこそ、所領をば持て」〈曾我四〉。「此の頃まで—・みし常陸坊、仙人になったるとは」〈近松・将棋経四〉　**—を抱**(だ)**・く**　媚びへつらって人に取り入る。「御—・き入り頼み奉るべきと」〈甲陽軍鑑一七〉

ひさうヒソウ【非想】「非想非非想天」の略。「—の八万劫、なほ必滅の愁へに逢ふ」〈平家灌頂・六道之沙汰〉　**—てん**【非想天】「非想非非想天」の略。「今宵の燈火(ともしび)の光…上は—までに至るらんと見え」〈栄花御裳着〉

ひひさうでんヒヒソウ…【非想非非想天】〔仏〕三界にある諸天の中の最高の天。有頂天。非有想非無想天。「天をうつせば—まで隈(くま)なく」〈謡・野守〉

ひざうヒゾウ【非常】《ザウはジャウの直音化》①普通でないこと。尋常でないこと。変ったこと。「これは人なり。さらに—のけしからぬ物にあらず」〈源氏手習〉。「鳴り高し(ウルサイ)。鳴りやまむ(静カニセヨ)。はなはだ—なり」〈源氏少女〉　②死を間接的にいう。「わが—の時にもあひ見でやみぬべきか」〈宇津保国譲上〉

ひざうヒゾウ【秘蔵】《近世初期頃までヒサウと清音》大切にしまっておくこと。この上なく大切なものとして人目にさらさないでおくこと。また、そのもの。「殊に御—と覚えて御封つけられたり」〈保元下・新院讃州〉。「〔コノ美女ヲ〕兵庫頭仲正なん思ひて—しけり」〈著聞五七五〉

びさうビソウ【美相・美粧】①美しい顔立ち。「耳はさみがちに—なき家刀自(いへとうじ)の、ひとへに打ちとけたる後見ばかりをして」〈源氏帚木〉。「『此れ見よ。京の〔女〕がしたてたる様の—』とぞ言ひける」〈今昔三〇ノ四〉。「美相、ビサウ」〈文明本節用集〉　②美しいよそおい。美しいかざり。「祇園会、雨によりて美荘(びさう)無し」〈看聞御記永享四・六・一四〉

ひざかき【膝掻き】あぐらをかくこと。「ながめうちして、—しつつ、大息をはは〳〵とつきゐたるも」〈源家長日記〉

ひさかた【久方・久堅】《枕詞「ひさかたの」が天(あめ)・空・月などにかかる所から》天・空・月など。「—のなかにおひたる里なれば光をのみぞたのむべらなる」〈古今九六八〉　**—の**【久方の】〔枕詞〕《「日射す方の」の意か。或いは、万葉集に「久堅」とあるによれば、永く堅いの意がこめられていたか》①「天(あめ)」、転じて「雨」にかかる。「—天金機(あめかなばた)」〈紀歌謡五九〉。「—雨は降りしく」〈万四四四三〉　②「月」「雲」「光」など、天空に関するものにかかる。「—月は照りたり」〈万三六七二〉。「—光のどけき」〈古今八四〉　③「都」にかかる。「—都を置きて」〈万三三五三〉　†Fisakatanŏ

ひさき【楸】アカメガシワ。川原や野山に生える落葉喬木。夏、梢に白い花を穂状につける。葉は食物をのせ、神前に供えたりする。一説、キササゲ、また雑木・柴の類。「—生ふる清き川原に」〈万九二五〉　†Fisaki

ひさ・ぎ【拉ぎ】『四段』①強い力で押しつぶす。「釣鐘俄かに落ちて、人の家十ばかり打ち—・がれて、命を失ふ人数あまた侍り」〈撰集抄七ノ二〉。「拉、ヒサグ・ヒシグ」〈色葉字類抄〉　②強く目をつぶる。「魔縁は目を—・ぎて見るに見えず」〈孝養集中〉。「ひまひまに目を—・ぎつつ、常に仏をぞ念じ奉りける」〈発心集二〉

ひさ・ぎ【販ぎ】『四段』《近世初期頃まではヒサキと清音》売る。「異国に於て賤しき人を買ひ鬻(ひさ)く」〈大唐西域記三・長寛点〉。「されば棺を—・く者、作りてうち置くほどなし」〈徒然一三七〉。「販、ヒサク・ウル」〈名義抄〉　**—め**【販婦】行商する女。「しゃ顔は猿のやうにて、心は—にてあれば」〈今昔二八ノ一〉。「販婦、比佐岐女(ひさきめ)」〈和名抄〉

ひさく【杓】「ひさこ」の転。ひしゃく。「大海を芥子の—にて汲みつくさんが如し」〈和語燈録二〉

ひざぐち【膝口】膝がしら。「弓手(ゆんで)の—を射させ、痛手なれば」〈平家四・宮御最期〉

ひざくりげ【膝栗毛】《膝を栗毛の馬の代用とする意》徒歩。「馬で行かぬ今日の月見や—」〈俳・山の井三〉

ひさ・げ【拉げ】『下二』《ヒサギの受身形》押されてつぶれる。「家の—・げける時」〈撰集抄七ノ二〉

ひさ・げ【提げ】㊀『下二』《ヒキサゲの音便形ヒッサゲの転》手にさげて持つ。「両手ともに物を—・げざるには、両手を叉して揖すべし」〈正法眼蔵洗浄〉。「提、ヒサグ」〈名義抄〉　㊁『名』【提子】銚子の一種。長柄がなく、鉉(つる)のついた鉄瓶のような形のもの。酒などを注ぐのに使う。「—の柄の倒れ伏すも、耳こそとまれ」〈枕三〇一〉　**—の水は湯となな・る**　女の嫉妬に燃える胸に当てた提子の水が沸騰して湯となる意で、嫉妬の甚だしいたとえ。「胸の焔(ほむら)を冷ますにぞ、—・れど」〈淋敷座之慰〉

ひさご《古くはヒサコと清音。室町時代にはヒサコ・ヒサゴ両形ある》①【瓢・瓠】ヒョウタン・ユウガオなどの総称。また、ヒョウタンの果実の内部をくりぬいて乾燥させたもの。「黒髪首に靡けども、反りて白き瓠(ひさこ)と作(な)りぬ」〈東大寺諷誦文稿〉　②【杓】水などを汲む容器。今のひしゃく。もと、ひさごの実をたてに二つに割って作った。「せが井の清水—もて…遊ぶ瀬を汲め」〈神楽歌二七〉。「酒壺にさし渡したる直柄(ひたえ)の—」〈更級〉　**—はな**【瓢花】①古代の髪形の一。十五、六歳の少年の髪形で、ひさごの花に似た形であったらしい。「厩戸(うまやど)皇子、束髪於額(ひさごはな)して、軍(いくさ)の後に随へり。古の俗、年少児の年、十五六の間は束髪於額す。十七八の間は分けて角子(あげまき)にす」〈紀崇峻即位前〉　②ひさごの花の形の造花。相撲節会〈すまひのせちゑ〉で、左右に分れて仕合をする時の右方の印であったらしい。「みな相撲の装束し、—插頭(かざし)などいとめづらかなる事どもしつつ」〈宇津保内侍のかみ〉

ひささ【久さ】《ヒサヒサの約》久しいこと。長い間であること。「相見ては幾—にもあらなくに」〈万二五八三〉　†Fisasa

ひさし【庇・廂】《「日差し」の意》①寝殿造の母屋(もや)の四面にある細長い一間。母屋は廂より少し高く、四方とも柱の間ごとに格子または妻戸があって廂との区切りとなる。廂は天井を張らない。「〔紅葉ハ〕瓶にささせて、—の柱のもとにおしやらせ給ひつ」〈源氏賢木〉　②出入口・窓などの上に設けた小屋根。「こもりといふ者の築土(ついぢ)のほどに—さしてゐたるを」〈枕八七〉　**—のくるま**【廂の車】牛車の一。院・親王・大臣などの身分の人が乗る。「廂の御車にて」〈源氏宿木〉　**—のだいきゃう**…キョウ【廂の大饗】大臣の大饗の一。始めて大臣になった時の大饗。廂の間で行なう。「—せさせ給ひけるにも、よこざまに(上座ノ方ニ)するまらせさせ給ひける」〈大鏡仲平〉

ひさ・し【久し・尙し】『形シク』①時の経過が長い。過去についても未来についてもいう。「―・しき時を過ぎにけるかも」〈万三六〇〇〉。「天地の共に―・しく言ひ継げとこの奇魂(くしみたま)敷かしけらしも」〈万八一四〉 ②ひさかたぶりである。「〔アド〕『―・しい』と云ふ」〈天理本狂言六義・仁王〉 ③馴染だ。親しい。「亭主は―・しい客の事〔ナノデ〕よしあしの返答なく」〈近松・曾根崎心中〉 ④古くさい。ありふれている。紋切型だ。「これ手燭の始まりなりと言ふも―・しいやつさ」〈黄・大悲千祿本〉。「―・しいものだ。江戸の流行詞也。能く聞くとの事、古い事との事也」〈譬喩尽八〉 †Fisasi

ひさつ【飛札】急用の手紙。「急ぎ京都へ―をもって老中へぞ」〈室町殿日記六〉

ひざつき【膝突】敷物の一種。膝の下に敷く薄縁(うすべり)で、半畳ほどのもの。内裏で儀式が行なわれる時、大臣・上卿などが、仮にひざまずいてものなど言う時に使う。「―一枚を敷き、御酒を嘗(な)むる所司の座と為す」〈江家次第一・供御薬〉。「軾、ヒザツキ」〈名義抄〉

ひざなほし(ナオシ)【膝直】祝言後、花嫁の実家で花婿を招き、一家一門への披露宴を開くこと。また、その祝宴。「又三郎―の振舞申され候由」〈宗静日記寛文八・四〉

ひざのさら【膝の皿】膝頭の、皿のような形の骨。膝蓋骨(しつがいこつ)。「ひざかはら」とも。「人ごとに持ちたるものは―」〈俳・犬筑波〉 **―から火が・出る** ひどい貧乏をするたとえ。「膝頭から火が出る」とも。「―・出ると語り散らして通りけり」〈近松・嵯峨天皇三〉

ひざまづ・き【跪き】『四段』両膝または片膝を地などにつけてかがみ、かしこまる。「悲号して前に跪(ひざまつ)きて伏せつ」〈地蔵十輪経三・元慶点〉。「こよなく見ゆる五位四位どもあひ―・きさぶらひて」〈源氏東屋〉

ひさめ【大雨】ひどく降る雨。大雨(おほあめ)。「雷(いかづち)なりて―降る」〈紀皇極一年〉。「大雨、比左女(ひさめ)」〈和名抄〉 †Fisamë

ひさめ【氷雨】雹(ひょう)。また、みぞれ。「忽然(たちまち)にして天陰(ひし)けて―ふる」〈紀神武即位前〉。「雨氷、比左女(ひさめ)」〈和名抄〉 †Fisamë

ひさめ・き『四段』多人数がひしめきざわつく。「京中の道俗男女…結縁せんとてこころ集まり―・きて」〈沙石集四ノ六〉

ひざもと【膝元】①膝のすぐそば。膝下(しっか)。「我が〔伏見稲荷ノ〕―にて生れながら、我を忘れたるものなり」〈著聞三〇〉。「いもがしらといふ物を好みて…大きなる鉢にうづだかく盛りて、―に置きつつ」〈徒然六〇〉 ②天皇・将軍など主権者の所在地。「御―を騒がせしは、先づ上へ対して狼藉者」〈近松・虎が磨下〉 **―さらず**【膝元去らず】いつも主君の側に召されている寵愛の臣。御側去らず。御前去らず。「義朝公の―渋谷金王丸」〈浄・烏帽子折一〉。〈日葡〉

ひざら【火皿】①火縄銃の口薬を盛る所。「〔鉄砲ノ〕―の下を取って放したるか」〈三河物語下〉。〈日葡〉 ②キセルの刻み煙草を詰める所。雁首。これを叩き潰して一文銭にごまかして用いることもあった。「〔キセルノ〕飲口と―ばかり仰せ付けらるべく候」〈伊達家文書三、寛永六・二・一九〉

ひさんぎ【非参議】①三位以上で未だ参議にならない者。「凡そ蘇芳(すはう)の色は、親王以下参議以上、―三位、及嫡妻女子、并せて孫王、並びに着用を聴(ゆる)せ」〈延喜式弾正台〉 ②四位ではあるが参議になる資格のある者。「〔玉鬘ノ子ハ〕右兵衛督、右大弁にて、皆―なるを、うれはしと思へり」〈源氏竹河〉

ひし ①密着した物が強く押されて鳴る音。「この床の―と鳴るまで」〈万三二七〇〉 ②密着するさま。ぴったり。「〔毒虫ガ〕身に―と取りついて刺し食ひなんどしけれども」〈平家五・文覚荒行〉 ③すきまのないさま。びっしり。「兵―と並み居たり」〈平治中・待賢門軍〉 ④強く圧迫するさま。ぐい。「歯を―と食ひ合はせて入れず」〈今昔二八ノ三二〉 ⑤遠慮容赦もなく打つさま。ぴしり。「また―と打った処で」〈碧岩抄三〉 †Fisi

ひし 災難。破滅。失敗。「漢の―になるやうな処をば計らぬぞ」〈史記抄一四〉。「毒味噌をねぶりて口のゆがみしはただ身の―を知らぬ故なり」〈仮・杉楊枝四〉

ひし【洲】洲(す)。「大隅国風土記に云はく、必志(ひし)の里、昔、此の村の中に海の洲ありき。因りて必志の里と曰ふ。海中の洲は隼人の俗語に必志と云ふ」〈仙覚抄七〉 ▽万葉集三四八に「比自尓(ひじに)」とあるのは、「に」の音にひかれて濁音化したものらしい。 †Fisi

ひし【菱】①ヒシ科の一年草。池や沼の底に根をおろし、水面に菱形の光沢のある葉を浮かばせる。夏、四弁の白い花が咲き、秋のはじめ、とげのある実をむすぶ。実は食用・薬用。「―取ると我が染(し)めし袖ぬれにけるかも」〈万一二四九〉 ②兵器の一。鉄製。菱の実の形に作る。地上に設置し、その尖った先で敵を苦しめ、進入をさまたげる。「岸の二丈ばかりありける下に―を植ゑて、上より突き落し奉れば、―につらぬかって」〈平家二・大納言死去〉 ③菱餅。「大服(おほぶく)・―例の如し」〈三藐院記文祿三・一・一〉 †Fisi

ひし【斐紙】雁皮紙(がんぴし)の古称。雁皮の繊維から作った薄い上品な和紙。「―七千五十帳」〈正倉院文書天平勝宝三・六・一〉

ひ・し【秘し】『サ変』①大事にしまう。「和琴は、かのおとどの、第一に―・し給ひける御琴なり」〈源氏若菜上〉 ②奥深くひめる。「年来御心中に―・せられたりし一心三観の血脈(けちみゃく)相承をさづけらる」〈平家二・座主流〉

ひじ【非時】《「斎(とき)」の対》僧が日中(じっちう)から後夜(ごや)までの間にとる食事。非時食(ひじじき)。「鑑真和尚、日本へ渡り給ひたりし昔は、寺寺はただ一食にて、朝食一度しけり。次第に器量弱くして、―と名づけて、日中に食し、後には山も奈良も三度食す」〈雑談集三〉 ▽日中から後夜までは食事をとってはならない定めだったので「非時」という。

ひじ【秘事】秘密の事。「三塔の―どもを、一々に申しければ」〈古活字本平治上・叡山物語〉 **―は睫(まつげ)の如・し** 秘事というものは、まつげのように、見えないけれどもごく近い所にある。「是も―・しぞ」〈古活字本日本書紀抄下〉

ひしがら【菱茎】菱の茎(くき)。一説、菱の実の殼。「堰杙(ゐぐひ)築く川俣江の―のさしけく〔伸ビテイルコトヲ〕知らに」〈紀歌謡三六〉 †Fisigara

ひし・ぎ【拉ぎ】『四段』①強く押しつぶす。「よもぎの車に押し―・がれたりける」〈枕二二四〉 ②目をつぶる。「目を冥(ひし)いで坐り」〈三蔵法師伝五・院政期点〉

ひじきも【ひじき藻】海藻の一種。ヒジキと同じという。「懸想じける女のもとに―といふ物をやるとて」〈伊勢三〉

ひしきもの 「引き敷き物」か。敷物の意という。「思ひあらば葎(むぐら)の宿に寝もしなん―には袖をしつつも」〈伊勢三〉

ひし・け【天陰け】『下二』日が暗くなる。空模様が悪くなる。「忽然(たちまち)にして―・けて雨氷(ひさめ)ふる」〈紀神武即位前〉

ひし・げ【拉げ】『下二』《ヒシギの受身形》力を加えられて、つぶれる。ひしゃげる。「空しく見なしていかなる心地せむと

ひ

胸もー・げておぼゆ」〈源氏総角〉

ひしこ【鯷】カタクチイワシの異称。小さなイワシで、塩漬にしたものを鯷漬といい、茄子・生薑・生蓼などと漬け合わせたものもあった。「鰯のー参著候事」〈細川忠興文書元和一・四・二一〉。〈文明本節用集〉

ひしづめのまつり【鎮火祭】火災を防ぐために朝廷で毎年六月・十二月に行なう祭。卜部の所管。新しい火を鑽(き)ってつくり、古い火を土に埋める。鎮火祭の祝詞が延喜式にある。「ー、宮城の四隅に於て祭る」〈延喜式四時祭上〉

ひじに【干死】餓え死に。「この御前にしてーに死なむ」〈今昔一六ノ二八〉

ひしぬひイ:ヌ【菱縫】鎧の袖・草摺(くさずり)、兜の錏(しころ)の裾板に、緘(をどし)と同じ糸で横に二通り×形に綴じ付ける飾り。また、その飾りを付けた裾板。菱縫の板。「長宗が鎧のー、甲の吹返しに立つ所の矢、少少折りかけて」〈太平記九・六波羅攻〉 **ーのいた**【菱縫の板】菱縫をほどこした、兜・鎧などの裾板。「袖の冠板よりーまで、片筋かひに懸けず切って落す」〈太平記三・唐崎浜合戦〉

ひしはなびら【菱花平】「はなびら」(2)に同じ。「ーにて〔酒盃ヲ〕一位に勧む」〈言継卿記永祿八・一・三〉

ひしひし ①物が強く押されて鳴る音。みしみし。ぎしぎし。「足音ーと踏み鳴らしつつ」〈源氏夕顔〉。「〔強イ風ニ〕はかなきさまなる蔀(しとみ)などは、ーと〔鳴ッテ、足音ノ〕紛るる音に」〈源氏総角〉 ②密着するさま。ぴったり。「互ひにーと取り組みて」〈著聞五二〇〉。「近づかまほしき人の、上戸にてー馴れぬる、またうれし」〈徒然一七五〉 ③すきまのないさま。「名虎・能雄寄り合うてーとつま取りして」〈平家八・名虎〉 ④行動にすきがないさま。しっかり。「『天照大神の御告やらん』とて、ーと思し召し立たせ給ひけり」〈平家四・源氏揃〉 ⑤少しも遠慮容赦をしないさま。ぴしぴし。「しのび音(ね)もせずしてーと云ひ合ひたりける」〈今昔二三ノ二五〉。「ーとただ食ひに食ふ音のしければ」〈宇治拾遺二〉

ひしほヒシ:オ《干(ひ)塩(しほ)の意》①【醤】もろみのようなもの。麦と大豆から作った麹(こうじ)に塩水を加えて貯え、後、天日に干す。塩とともに調味料として使った。「ー参拾玖斛伍斗陸升」〈正倉院文書天平六・五・一〉。「酢・ー・つけもの、みな同じごとしたり」〈宇津保吹上上〉。〈名義抄〉 ②【醢】塩漬にした肉や魚の類。「鰺(ちあ)の塩辛、鯛のーなどのもろもろに塩辛き物どもを盛りたり」〈今昔二八ノ五〉。「醢、ヒシヲ、肉魚鯛等」〈色葉字類抄〉 †FISIFO **ーす**【醤酢】醤と酢と。「ーに蒜(ひる)搗(つ)き合(か)てて鯛願ふ」〈万三八二九〉

ひしめ・き【犇き】『四段』《擬態語ヒシと接尾語メキとの複合》大勢の人が押し合いへし合いする。集まって騒ぎ立てる。「集ひたるものども、こち押しあち押し、ー・き合ひたり」〈宇治拾遺一三〉。「躁、ヒシメク」〈文明本節用集〉

ひしや【飛車】①空中を飛ぶ車。「我がーに相乗せて仏の御許に率(ゐ)て参りて」〈今昔一ノ二九〉 ②将棋の駒の一。〈象戯馬法〉

ひしやうヒ:シヨウ【火性】五行の中の「火」を人の生年月日時に配して定めた性。「ただし荊軻が性はーなり。始皇帝は金性なり」〈盛衰記一七〉

ひじやうヒ:ジヨウ【非常】⇩ひざう。「非常、ヒジャウ」〈易林本節用集〉

ひじやうヒ:ジヨウ【非情】《「有情」の対》感情を持たないもの。植物・鉱物などの類をいう。「有情・ー皆成仏の旨を悟らしめて」〈今昔一一ノ一〇〉

びしやもん【毘沙門】《梵語の音訳》「毘沙門天」に同じ。「舎利弗(しやりほつ)の方よりー出でおはして降伏(がうぶく)し給ひつ」〈今昔一ノ九〉。「良し悪しにつけても思ふ鞍馬寺／貧も福者も詣れー」〈俳・野犴集六〉 **ーでん**【毘沙門天】四天王の一。須彌山(しゆみせん)の北面に住んで、人間世界の北方を守る神。夜叉などの鬼神を従え、仏法を護ることから、十二天の一、福徳を授けることから七福神の一とされる。多聞天(たもんてん)。「願はくは、大師、ーを請(しやう)じ奉り給ひて、此の難を救ひ給へ」〈今昔六ノ九〉

びしゆかつま【毘首羯磨】《梵語の音訳。種種工業と訳す》帝釈(たいしやく)の臣で、建築を司る神。「ー天を以て工(たくみ)として造り奉れる仏まします」〈今昔六ノ五〉

ひしよ【秘所】あの世。冥途。「三月にーへ赴くべき事も人間不定の掟なれ」〈明徳記下〉。「その年ーに行く」〈咄・醒睡笑一〉

ひしよ【秘書】秘密の文書。秘伝を記した書物。「打物(うちもの)は子房が兵法を得給へば、一巻のー尽されずと云ふ事なし」〈太平記二・南都北嶺〉

ひしよく【非職】①職でないこと。自分のなすべき業以外のこと。「近年武芸廃れ、自他門共にーの才芸を好み」〈吾妻鏡建長六・閏五・一〉 ②官職に在任していないこと。「ー・凡下を云はず伊勢の車間庄(くるまのしやう)を恩賞に充(あ)て行なはるべき由」〈太平記五・大塔宮〉

ひじり【聖】㊀『名』①神聖な霊力を左右できる人。天皇をいう。「橿原のーの御代ゆ」〈万二九〉 ②神通力のある人。仙人。「天竺のー此の国にもてわたりて侍りける」〈竹取〉 ③優越した能力ある人。「柿本人麿なむ、歌のーなりける」〈古今序〉 ④高徳の僧。「法師はーといへども、あるまじき横さまのそねみ深く」〈源氏薄雲〉。「俗書を数千余部製し、先進(ひじり)の作る所の典論を非(そし)り庤(きら)ふ」〈大唐西域記四・長寛点〉 ⑤行者(ぎやうじや)。修験者。「ーの住居はどこどこぞ。大峰・葛城・石の槌…南は熊野の那智の新宮」〈梁塵秘抄二九八〉 ⑥遁世廻国の僧。時宗の僧などをいう。「道心を発し、出家遁世して蓮誉と名のり、諸国一見のーとなりたりけるが」〈保元下・新院御経沈め〉。「文永八年の春、ー善光寺に参詣し給ふ」〈一遍聖絵一〉 ⑦特に、高野聖(かうやひじり)。「ーなど申すは…諸国を笈負ひて勧進して廻る者どもにて候」〈沢庵書簡寛永一六・閏一・二六〉。「高野山谷の蛍もー(火尻ト掛ケル)かな」〈俳・犬子集三〉 ⑧下級の僧・陰陽師の称。「背戸のー」〈伽・おようの尼〉 ⑨儒教でいう聖人。「人の才能は、文あきらかにしてーの教を知れるを第一とす」〈徒然一三二〉 ⑩清酒の異称。中国で清酒を「聖人」とも言ったのを和訓したもの。「酒の名をーとおほせし古への大き聖(ひじり)の言(こと)のよろしさ」〈万三三九〉 ▽この語はヒ(日)シリ(領・知)の複合と見るのが普通。㊁【ひじ・り】『四段』《名詞ヒジリの動詞化》聖(ひじり)としてふるまう。僧としての戒律を守る。「あひかまへてー・るべきなり」〈一言芳談〉。「〔コノ僧ハ〕年たくるまでー・りて侍りしが、七旬の齢に及びて、若き尼を語らひて庵室に置き」〈梵舜本沙石集四ノ六〉 †Fiziri **ーあんどう**【聖行燈】《高野聖の笈の形に似ているのでいう》半円形太鼓張りの掛け行燈。ひじりあんど。「ーの光を請けて」〈西鶴・諸艶大鑑七〉 **ーき・り**【聖切り】『四段』戒律を守って心身ともに純潔な言動をする。出家として品行を正しくする。「一遍のー・っての廻国に」〈俳・雪千句上〉。「ヒジリキッタヒト」〈日葡〉 **ーごこち**【聖心地】現実生活に対する欲望や執着を捨てた人としての気持。「さるーにもいと嬉しく」〈源氏若菜上〉 **ーごころ**【聖心】①聖者の心。「いみじう泣き給へばーにいといとほしく思ひて」〈源氏手習〉②聖になろうと思う心。道心。「かの本意の—はさすがにたがひやしにけん」〈源氏宿木〉 **—ことば**【聖言葉】①僧侶のよく口にする言葉。「殊にをかしき節もなき—なれど」〈源氏横笛〉②僧侶めいたせりふ。「おどろおどろしき—、見果ててしがな」〈源氏橋姫〉 **—ざま**【聖様】聖僧らしい有様。世間離れした様子。「いとよづかぬ—にてこちごちしうぞあらむ」〈源氏橋姫〉 **—だ・ち**【聖だち】『四段』いかにも聖らしい言動をする。「—・ちこの世はなれ顔にもあらぬものから、下の心はみなあらぬ世にかよひすみにたるとこそみえしか」〈源氏若菜上〉 **—づか**【聖柄】上に鮫の皮をかけず、唐木などで作ったままの刀の柄。「—の刀押しくつろげてさすままに」〈平家二・小教訓〉 **—のみち**【聖の道】現世を超越した仏道修業。「遂に—にも入り侍りにける」〈源氏宿木〉 **—まど**【聖窓】箱のように作り出した連子(れんじ)窓。「学びぬる宿や螢の—」〈俳・雀子集三〉 **—め**【聖目】「聖目(せいもく)」の訓読語。「我が手もとをよく見て、ここなる—をすぐに弾(はじ)けば、立てたる石必ず当る」〈徒然一七一〉

ひしろ【樋代】神社で、御神体を容れる器。特に伊勢皇大神宮のをいう。「大神宮船代(ふなしろ)三具…—一具」〈延喜式伊勢太神宮〉

ひすい【翡翠】①小鳥の名。カワセミ。背・腰が美しい青色で、水辺にすみ、水中の小魚をとる。そにどり。「夜(よひ)—の(ヲ描イタ)帳(とばり)を同じくす」〈文華秀麗集中〉②鳥の尾の長い羽。〈和名抄〉③カワセミの羽のように長く美しくつやのある、女の黒髪。「御髪(みぐし)はゆらゆらと、—とはこれをいふにやと見えて」〈夜の寝覚五〉 **—だ・ち**【翡翠だち】『四段』いかにも翡翠らしい感じがあらわれる。「髪さはらかなる程に落ちたるなるべし、末すこし細りて、色なりとかいふめる、—・ちていとをかしげに、糸をよりかけたるやうなり」〈源氏椎本〉 **—のかんざし**【翡翠のかんざし】翡翠の羽のようにつややかで長い黒髪。「—今は付けても何かはせさせ給ふべきなれば、御様を替へさせ給へり」〈盛衰記四四〉

ひずか・し【嚚し・佷し】『形シク』《後世、ヒスカシと清音にも》口やかましく、愚かである。「佷、ヒズカシ」〈名義抄〉。「嚚、ヒスカシ、愚也」〈色葉字類抄〉 **—ま**【佷しま】愚かで口やかましいさま。「忿と恨とを先となし、…佷(ひすかしま)に戾(もとほ)るを以て性とす」〈成唯識論六・寛仁点〉

ひすがら【終日】一日中。ひねもす。「長しと思ふ春の—まなこをば霞む山辺にきはめつくし」〈曾丹集序〉→すがら

ひす・し『形ク』欲が深く悪賢い。「—・いぞ、—・きぞと言ふも、ひすましきの心なるべきか」〈俳・かたこと三〉。「買手の心ざし、昔と変り果てて—・くなりにたれば」〈色道大鏡〉

ひすまし【樋洗】《「樋(ひ)」(2)を洗い清める意》下級女官の名。便器の掃除などを受け持った。御厠人(みかはやうど)。「—めく者、ふるき下衆(げす)女二人ばかり」〈源氏玉鬘〉 **—わらは**(ワラワ)【樋洗童】便器の掃除などをする童女。文の使などのごく私的な仕事もした。「—しも、いと馴れて清げなる今参りなりけり」〈源氏常夏〉

ひすら・ぎ【磷ぎ】『四段』うすくなる。うすらぐ。「劫石は縦ひ—・ぐとも、垂迹権化の霜露きゆる事なく」〈耀天記〉。「磷、ヒスラグ」〈名義抄〉

ひすらこ・し『形ク』「ひすし」に同じ。「ひすらし」とも。「—・く賤しき女にて」〈評判・まさり草〉

びせう(シヨウ)【美少】《「美児」とも書く》美貌の若衆。美少人〈びせうじん〉。「秀峰—、盃これを領す」〈蔭涼軒日録長享一・二・二五〉。「また有るまじき—」〈西鶴・五人女五〉。〈運歩色葉集〉

ひぜに【日銭】毎日一定額ずつ支払い、何回かで元利とも弁済する、無担保で高利の貸金。日済銭(ひなしぜに)。「高利並びに—等の質物」〈建武式目追加文安三・九・二九〉

ひぜめ【火攻め・火責め】①火を掛けて攻めること。焼打ち。「時刻な廻らしそ、—にせよと下知しければ」〈盛衰記三四〉②罪人を火で拷問すること。「—にすべきか、水責めにすべきかとささやきけるを」〈伽・弁慶物語〉

ひぜん【肥前】①旧国名の一。西海道十一国の一で、今の佐賀県と長崎県。肥州。「—国松浦郡にして広嗣・綱手を斬ることすでに訖(はを)りぬ」〈続紀天平一二・一一・五〉②【皮癬・肥前】《「肥前瘡(がさ)」の略》疥癬(かいせん)。寛永八年、肥前国から流行り始めたのでいう。「見る人聞く人—発(おこ)りたると言はぬ者なし」〈仮・薬師通夜物語〉

びぜん【備前】旧国名の一。山陽道八国の一で、今の岡山県東南部。備州。「播磨・—・備中・周防…伊予等国飢ゑす。之に賑給す」〈続紀文武一・閏一二・七〉 **—もの**【備前物】①備前国の刀工が鍛えた刀。備前は平安時代から幕末に至るまですぐれた刀工が出て繁栄し、古備前・一文字・長船(おさふね)などの各派があった。備前打ち。備前刀。「刀は〔銘ニ〕国と云ふ字あるが、また—なり」〈八卦抄七〉②「備前焼」に同じ。「水指(みづさし)・水こぼし、—」〈宗達他会記天文一八・一二・一三〉 **—やき**【備前焼】備前国和気郡伊部(いんべ)村産の陶器。酒瓶・藍壺・徳利・擂鉢・茶入などが多く造られた。「—の御水指」〈梅津政景日記元和五・一一・一三〉

ひそ《ヒソカ・ヒソメ(潜)と同根》静かにものさびしいさま。ひっそり。「晩景には—とするぞ」〈山谷詩抄五〉

ひそか【密か】《ヒソ・ヒソメ(潜)と同根。漢文訓読体で使う。平安女流文学系では主にミソカを使う》目立たぬように静かなさま。表立たず、内密のさま。「〔ソノ僧ヲ〕宴嘿(ひそかにして)浄屋に居(す)ゑ、絵師を召し請けて言はく」〈霊異記上三〇〉。「敵を避(さ)り国を棄(す)て潜(ひそか)に行きて此に至る」〈大唐西域記三・長寛点〉

ひそ・き【閉き】『四段』目をそっと閉じる。「目を—・きて心を発(おこ)す」〈金剛般若経集験記平安初期訓〉

ひそく【秘色】《唐代には庶民に使用を許されなかったための名という》中国の越(えつ)の国で産した青磁の磁器。わが国には平安時代に伝来し、後には天皇の食事を盛るために使用された。染色名としては、空色程度の藍色をいう。「台二具(よろひ)、—の坏(つき)ども」〈宇津保藤原君〉。「〔食器ハ〕—やうの、もろこしの物など」〈源氏末摘花〉

ひそひそ《ヒソを重ねた形》①ひっそりと静かなさま。「—として姫君は見え給はず」〈伽・花世の姫〉②小声でささやくさま。「—と言ひ触らしけるは」〈仮・智恵鑑八〉

ひそま・り【潜まり】『四段』《ヒソメ(潜)の自動詞形》①静かになる。ひっそりとなる。「見る人上下恐れをなして、—・る気色なりけるに」〈盛衰記四六〉②寝込む。「心地悪しみして、物もものしたばで、—・りぬ」〈土佐一月九日〉

ひそ・み【潜み】『四段』《ヒソメ(潜)の自動詞形》人目をはばかって、ひっそりと隠れるようにする。「前をかい撫でて心細げに—・みぬる老女あり」〈守武随筆〉

ひそ・み【顰み・嚬み】『四段』①眉根にしわがよる。べそをかく。「背きぬる世の、去りがたきやうに、みづから—・み」〈源氏夕顔〉。「つつむとすれど、うち—・みつつ泣くを」〈源氏東屋〉②口のあたりがゆがむ。非難する時などの表情にいう。「姫宮の、御心を、あやしくひがひがしくもてなし給ふを、もどき口—・み聞ゆ」〈源氏総角〉。「天神は嚬嚱(ひんせん)と口—・んで賊類非分の望みをそしる」〈将門記〉

ひそ・め【潜め】『下二』《ヒソカ(密)と同根。激しい感情などを人に見せまいと押え控える意》①ひっそりと静かにする。「いたうかい―・めてかたみに心づかひしたり」〈源氏玉鬘〉。「三業を―・めて、声高くする事あるべからず」〈孝養集下〉②控え目にする。「よからぬ中となりぬるあたりはわづらはしき事もありぬべし。かくし―・めてさる心し給へ」〈源氏浮舟〉③かくす。「日暮るれば家にくだといふ小竹のよを多く散らしおきて、つとめてはとり―・めけり」〈著聞五六一〉

ひそ・め【顰め】『下二』眉根にしわを寄せる。「いと堪へがたげに眉を―・め」〈徒然一七五〉

ひそめ・き『四段』ひそひそと音がする。また、ささやく。「はるかに夜更けて、内陣に―・きたり」〈義経記三〉

ひそやか「ひそか」に同じ。「延徳二年十一月報恩講は…いかにもひそかに御勤行ありたき由なり。…下向ありて―に御勤行然るべく候か」〈空善記〉

ひぞ・り　㊀『四段』《室町時代ヒソリと清音》①そりかえる。それまがる。「一箭が脇へ―・った」〈碧岩抄八〉。「此の表具…定めて―・り申すべし」〈伊達家文書一〇、寛永一五・一〇・二二〉。「俺は屈む事は無うて、背後へ―・るやうな、まだ味な事があるわ」〈近松・姫蔵大黒柱二〉②腹を立ててすねる。「此の客が―・って帰る」〈伎・女郎来迎柱三〉㊁『名』①反りかえること。反りかえったもの。「―仕直し、上下を盤に掛けて打ちけるが」〈近松・今宮心中中〉②すねて怒ること。立腹。「心据わらずぶりしゃりの、いぶりぶり独楽(こま)、そりゃ―独楽」〈近松・松風村雨四〉③ひどく貧乏すること。貧窮。貧困。「宇八殿も永永の―」〈浮・御入部伽羅女三〉

ひた【引板】《ヒキイタの転》鳴子(なるこ)の類。流れ落ちる水口に板を当て、板が揺れて鳴り響くように仕掛けたものなど。「ひきた」とも。「鹿はただ籬(まがき)のもとにたたずみつつ、山田の―にも驚かず」〈源氏夕霧〉

ひた【直】『接頭』《ヒト(一)の母音交替形》いちず・一面・直接・純一・ただちなどの意を表わす。「―面(おもて)」「―趣(おもむき)」「―道」「―騒ぎ」「―照り」など。「―土に足踏み貫き」〈万三三九五〉→ただ。†Fita

ひだ【飛驒】旧国名の一。東山道八国の一で、今の岐阜県北部。飛州。驒州。「―国、神馬を献ず」〈続紀大宝二・四・八〉。「仮令、此の当国方言・毛人方言・―方言・東国方言」〈東大寺諷誦文稿〉▽この地方は、言語的にも飛驒方言として平安時代初期にすでに区別されていた。†Fida

びた【鐚】室町末期から近世初期にかけて流通した質の悪い銅銭。破損したり焼けたりした銭や、中国や日本の私鋳銭などを称した。また、近世には、鉄銭をも称した。悪銭。びたぜに。「礼の為…各―二十疋づつ」〈多聞院日記天正四・一三・一六〉。「鐚、ビタ、悪銭之義。所出未詳」〈書言字考〉

ひだう【非道】①道理にはずれたこと。「―にも〔内侍ノ督ノ地位ヲ〕おぼしかけけるかな」〈源氏行幸〉。「いみじき―事も、山階寺にかかりぬれば、又ともかくも人もの言はず、『山階道理』とつけて、おきつ」〈大鏡藤氏物語〉②その道でないこと。専門外のこと。「此の道に至らむと思はむ者は―を行ずべからず。但し歌道は…もっとも之を用ふべし」〈風姿花伝〉③男色。衆道。「この道(男色)を―と名付けしと言ひ伝へたれど」〈仮・よだれかけ五〉▽色葉字類抄にはヒタウと清音。易林本節用集にはヒダウ。

びだう【美道】男色。衆道。「―前髪の事は止め難し」〈西鶴・五人女五〉

ひたうち【直打ち】①しきりに打つこと。「―に打ちければ多く打ち殺されけり」〈盛衰記三四〉②一面に叩いて延ばすこと。「銀(しろかね)にて―にして」〈増鏡八〉

ひたおもて【直面】①物越しでなく、直接顔をさらすこと。じかに顔を見せること。「―にはいかでか現はし給はむ」〈源氏賢木〉②まともに顔を合わせること。面と向きあうこと。「―にはあらねど、這ひ寄りつつ見奉り給へば」〈源氏総角〉③真っ正面。「遣水の石を立つる事は、―にしげく立てくだす事あるべからず」〈作庭記〉

ひたおもむき【直面向き】ひたすら一つの方向に向うこと。脇目もふらぬこと。いちずであること。「さま悪しき人なれど、―に二心なきを見れば」〈源氏東屋〉

ひだか【日高】まだ日が高いこと。正午をやや過ぎた頃。「思ひの外に―に泊りへ入り給へば力なし」〈伽・鶴の翁〉

ひたかぶと【直兜・直甲】全員が甲冑に身をかためること。「―一千人、新宮の湊へ発向す」〈平家四・源氏揃〉

ひたき【鶲】燕雀目の鳥の名。雄は美声で鳴く。「鳥は。…しぎ、都鳥、ひわ、―」〈枕四一〉

ひたき【火焼き】①照明や警備のために、夜、火をたくこと。また、その役の人。「み―の老人(おきな)」〈記景行〉。「―の少子(わらは)」〈記清寧〉②【火炉】火をたくところ。「火炉、俗、ロ・ヒタキ」〈色葉字類抄〉†Fitaki

―や【火焼屋】①宮中で、衛士(ゑじ)が篝火などをたいて夜警をする所。「―の上に〔雪ガ〕降りつみたるも」〈枕一八四〉②斎宮の野の宮で、神膳を整えるための火を神聖視して消さずに保って置く所。「―かすかに光りて」〈源氏賢木〉

ひたぐろ【直黒】一面にまっ黒なこと。「鉢の、―に墨つきたるを取りて」〈竹取〉

ひたごころ【直心】いちずな心。思いつめる心。「―になくもなりつべき身を、そこに障りて今まであるを」〈かげろふ中〉

ひたさら『副』「ひたすら」の転。「―足を洗ふことをばやめよ」〈中華若木詩抄中〉。「―お許しあれ」〈伽・鼠草子〉

ひたさを【直さ麻】《ヒタはまじりけのない意。サは接頭語》純粋な麻の糸。「麻衣に青衿(あをくび)付け―を裳には織り着て」〈万一八〇七〉†Fitasawo

ひた・し【浸し】『四段』《ヒチ(漬)の他動詞形》水のなかにつける。「氷水(ひみづ)に手を―・し、もてさわぐほどに」〈枕一九二〉。「―・すとは物を水に入れむをぞいふべき。松の枝などこそ―・すべけれ、物の影は水の底にうつるものなれば、影―・すといはむ証歌なくば、いかが侍るべからむ」〈永縁奈良房歌合〉

ひだ・し【養し】『四段』《ヒ(日)とタシ(足)の複合。タシは十分に満足な状態にする意》養い育てる。「いかにして―・し奉(まつ)らむ」〈記垂仁〉†Fidasi

ひたすら【一向・只管】『副』《ヒタはヒト(一)の母音交替形。古くは、去る、なくなる、離れるなど、すっかり失せる意を表わす動詞を形容する。後に一般化して用い、一途にの意。類義語ヒタブルは、あたりかまわず積極的にの意から転じて、もっぱら、一途にの意となり、ヒタスラと接近した》①跡かたもなくすっかり。「諸の神たち我を逐(やら)ふ。我今まさに永(ひたすら)に去(まか)りなむ」〈紀神代上〉。「女御・更衣、或るは―亡くなり給ひ、或るは〔生キル〕かひなくて」〈源氏権〉②一途に。ただただ。「―憂しとも思ひ離れぬ男、〔女ガ尼ニナッタト〕聞きつけて、涙おとせば」〈源氏帚木〉。「〔四十歳ヲスギルト〕かたちをはづる心もなく…―世をむさぼる心のみ深く」〈徒然七〉†Fitasura

ひたそら『副』「ひたすら」の転。全く。「―の山がつにて侍ればば」〈沙石集一〇ノ七〉

ひたた【纔】『副』わずかに。ついちょっと。「国の体勢(なり)をほめて曰く、『纔(ひた)その所を観るに、病自づからにのぞこりぬ』〈紀齊明三年〉。「〔犬ヲ〕纔(ひた)放てば病める弟子の室に走り入り、狐を咋(く)ひて引き出しつ」〈霊異記下二〉

ひだだくみ【飛驒工】⇨ひだのたくみ。「とにかくに物は思はず―うつ墨縄のただ一すぢに」〈拾遺九九〇〉。「番匠。―」〈八雲御抄三〉

ひたた・け【混け】〘下二〙《ヒタタはヒタヒタの約。ケは擬態語を承けて動詞化する接尾語キの他動詞形。いかにも一つであるかのような形にする意》①入りまじえて一体とする。渾然一体とする。「濁りあるも濁りなきも、経渭を一流に―・く」〈将門記〉②多くのものがこみ合ってごたごたする。「人繁く―・けたらむ住ひは、いと本意なかるべし」〈源氏須磨〉。「混沌、ヒタタク」〈色葉字類抄〉③混同する。「禅と教と方便をいはば、―・けて同ずべからず」〈梵舜本沙石集五末ノ一〇〉④節度を欠く。つつしみを失う。「あまり―・けて頼もしげなきもいとくちをしや」〈源氏若菜上〉。「浪、ウカル・ヒタタク・ミダリガハシ」〈名義抄〉

ひたたれ【直垂】①もとは、布製の、庶民の常服。平安時代には、上・中流階級の男の常服として、布よりも絹などが使われた。平安末期以後、鎧直垂(よろひひたたれ)と称する武士用のものも現われ、室町時代からは出仕の服となり、これから分化した大紋・素襖(すあを)よりも上級の礼服とされた。平安時代のものの形状は不明だが、鎌倉時代以降は、角襟(かくえり)・垂頸(たりくび)で、胸紐が二本あり、袖下に露という紐が垂れているのが普通。「―乞ひにつかはしたるに『裏なむ無き。それは着じとや、いかが』といひたれば」〈後撰一〇九七詞書〉②襟と袖をつけ、直垂のような形をした夜具。ひたたれぶすま。「そこに綿四五寸ばかりある―あり」〈今昔二六ノ一七〉

ひたち【常陸】旧国名の一。東海道十五国の一で、今の茨城県の大部分。常州。「衣手(ころもで)―の国、二(ふた)並ぶ筑波の山」〈万一七五三〉 †Fitati **―おび**【常陸帯】正月十四日に行なわれた常陸国鹿島神宮の年中行事。この日、男女が、布の帯に自分が想っている相手の名を書いて神前に供え、神官がこれを結び分けるのを受け、結婚の成否を占ったという。「なほ思ひそめし心たえず…『道のはてなる―の』と手習にも言ぐさにもするは」〈源氏竹河〉。「憑むぞよ祈るしるしの―／所鹿島は遠き御社」〈看聞御記紙背連歌〉

ひだち【非太刀】《「―を打つ」「―を入る」などの形で用いる》批難。「何をしても我する事に―はうたるまじと」〈甲陽軍鑑四〉。「批難、ヒダチ」〈俳・反故集下〉。〈日葡〉

ひだ・ち【日立ち】〘四段〙《日が経過する意》だんだん成長する。また、病後・産後などに、だんだん身体がもとにもどる。「〔田ノ稲〕雨を待ちて、やうやく稲葉になる比(ころ)は、―・つ時也」〈遊楽習道風見〉。「平産の上―・ち候はば、則ち登せ申すべし」〈伊達家文書四、伊達綱宗書状〉。「日起、ヒダツ、病後」〈俳・反故集下〉

ひたつち【直土】じべた。「―にわら解き敷きて」〈万八九二〉 †Fitatuti

ひだつむぎ【飛驒紬】飛驒高山地方から産する紬縞。格子縞が多い。飛驒縞。「上下共に―に着替へ」〈西鶴・永代蔵三〉

ひたてり【直照り】一途に照りかがやくこと。照りに照ること。「橘(たちばな)のなれるその実は―にいや見がほしく」〈万四一一一〉 †Fitateri

ひたと〘副〙①密着するさま。ぴったりと。「押しはかりて―抱きつきて」〈今昔二七ノ三五〉②動作・行動などが敏速で的確なさま。ぱっと。「鞍置くに及ばず、―乗って罷り出でぬ」〈保元中・白河殿へ義朝夜討ち〉③ひたすら。いちずに。「勝たまいぞと心得て、わが身をよく弁明にして、―負けているほどに」〈周易抄一〉。「―鶏の鳴くまねをしける事三十日ばかりして」〈善悪報ばなし三〉

ひだのたくみ【飛驒の匠】令制で、飛驒の国から公事に奉仕するため京へ奉った木工労務者。後世、伝説化して個人名となり、その名技が喧伝された。「籬(まがき)する―の鐇(たつぎ＝手斧)音のあなかしがましなぞや世の中」〈大和四三〉。「そのころほひ、―といふ工(たくみ)ありけり。…〔絵師川成ガソノ家ニ〕入らむとするに…〔戸〕閉ぢつ開きつ入る事を得ず」〈今昔二四ノ五〉

ひたひ(ヒタイ)【額】《前額、また、前額をおおう髪などをいう》①髪のはえぎわから眉のあたりまでの広がり。おでこ。「御前に参りたれば、中納言―を合はせてむかひ給へり」〈竹取〉。「顱、ヒタヒ、カシラノカハラ」〈名義抄〉②「額髪」の略。「―は僧都ぞそぎ給ふ」〈源氏手習〉③冠などの、頭上を覆う部分。「冠(かうぶり)の―少しくつろぎたり」〈源氏若菜上〉④へり。ふち。「身を観ずれば岸の―に根を離れたる草」〈和漢朗詠集無常〉。「あやふ草は、岸の―に生ふらん(トイウ)も、げにたのもしからず」〈枕六六〉 **―えぼし**【額烏帽子】男の子が、烏帽子に摸して額につける黒い三角形の紙。ぬかえぼし。「篠ためて雀弓はる男の童―のほしげなるかな」〈聞書集〉 **―がみ**【額髪】前髪で二つに分けて、額から左右の頰にかけて垂らし、肩の辺で切りそろえたもの。女が顔をあらわに見せないための髪形。「顔に―をひきかけつつ」〈源氏総角〉 **―ざま**【額様】額の方向。「目はただざま(タテノ方向)につき、眉は―に生ひあがり」〈枕四九〉 **―たれ**【額垂】顔を剃る小形の剃刀。「これもかか様の―とて譲り也」〈近松・卯月紅葉下〉 **―つき**【額月】男子が髪の毛を額より半月形に剃りあげた部分。「―の跡以ての外にさがりたれば、公家にも付かず、武家にも似ず」〈太平記三・天下時勢粧〉 **―つき**【額付】額の様子。額ぎわの恰好。「心ばへありて、おくおしはからるるまみ、―なり」〈源氏紅梅〉 **―つき**【額突】壁の中央に作った出入口で、その上部を半月形に塗ったもの。「内へ攻め入りて寝殿をさしのぞいて見れば―あり」〈盛衰記三〇〉 **―に角(すみ)を入・る** 前髪の生え際の左右を少し剃り込み、角を立てる。半元服の角(すみ)前髪となる。「御前にて―・れよとて」〈浄・東山殿子日遊一〉 **―に手を当・つ** ①額に両手の掌をあてる。礼拝する様子、また、感極まった時のしぐさ。「―・てて喜ぶことふたつなし」〈土佐二月六日〉②目の上に手をかざす。疑う時のさま。「―・てて、『怪し。これは誰そ』と、しふねげなる声にて見おこせたる」〈源氏手習〉 **―わた**【額綿】綿帽子。「峰の雪こや山姫の―」〈俳・塵塚誹諧集上〉

ひだひ(ヒダイ)【干鯛】干した鯛。進物にする。〈運歩色葉集〉

ひたひた ①密着するさま。「笑うつ物語りして、―と親しうしたぞ」〈玉塵抄二四〉②動作・行動などが敏速で的確なさま。ぱっぱっ。「なぎさ近くなりしかば、―と〔馬ニ〕うち乗って、喚(をめ)いてかくれば」〈平家一一・大坂越〉

ひだひと【飛驒人】飛驒の国の人。工人(たくみ)として知られた。「かにかくに物は思はじ―の打つ墨縄のただ一道に」〈万二六四八〉 †Fidafitö

びたひらなか【鐚半銭】鐚半文の意で、ごくわずかな銭のたとえ。「手一つで―の恩も着ず」〈俳・桃舐集〉

ひたぶる《態度が一途で、しゃにむに積極的に、あたりかまわず振舞うさまをいうのが原義。後に広く使われて、一途にの意。平安時代に、「獫狁(けんいん)」(中国で野蛮人とされた匈奴)や「敢死」をヒタフルと訓むのは、原義をよく伝えるものであろう。平安女流文学でも、「捨つ」「逃ぐ」「否ぶ」「…し果つ」などの強い動作を形容するのに多く使う。類義語ヒタスラは、古くは、すっかり亡くなり失せる意の動詞を形容したが、後に一般化して、一途にの意となり、ヒタブルと接近した》 ①一方的で、乱暴な性質。乱暴な人。「海賊の―ならむよりも、かの恐ろしき人の追ひ来るにやと」〈源氏玉鬘〉。「―の鷹飼にて候ふ者の殿上に候こそ見苦しけれ」〈大鏡昔物語〉。「獫狁、ヒタフル」〈色葉字類抄〉 ②向う見ずなさま。無茶なさま。「〔女ガ無情ナラバ〕いと心憂くて、なかなか―なる心もこそつき侍れ」〈源氏若菜下〉。「〔男ガ女ノ家ニ泊ッタノデ〕かくさへ―なるを、あさましと〔女二〕宮はおぼいて、いよいようとき御気色のまさるを」〈源氏夕霧〉 ③むやみなさま。「思ふ心の程を宣ひつづけたる言の葉、大人大人しく、―にすきずきしくはあらで、いとけはひことなり」〈源氏螢〉。「いと―に、な騒ぎそ」〈源氏若菜下〉 ④一途。すっかり。全く。「灰になり給はむを見奉りて、今は亡き人と―に思ひなりなむ」〈源氏桐壺〉。「さりとて、―にはた打ち解けず、故ありてもてなし給へり」〈源氏幻〉。「―の世捨て人は、なかなかにあらまほしきかたもありなん」〈徒然一〉 **―どころ**【ひたぶる心】 ①どうしようもなく募る気持。「言に出で給へるついでの御―にや…近やかにふし給へば」〈源氏胡蝶〉 ②乱暴に我を押し通そうとする気持。「盗人などいふ―ある者も」〈源氏蓬生〉

ひたへ(エ:)【一重】「ひとへ」の転。「伊香保ろの岨(そひ)の榛(はり)原我がきぬに着き良らしもよ―と思へば」〈万三四三五東歌〉 ▽一説、ヒタタへ(直栲)の転で、まじりけのない白栲(しろたへ)の意。ただしタヘ(栲)のへはFëの音、ヒタへのへはFeで別音。或いは、中央ではFëと発音したのを、上代東国方言でFeと発音したものか。 †Fitaфe

ひだまひのふだ(イ:ダマ:)【日給の簡】 宮中で、清涼殿の殿上の間に出仕する朝臣の、姓名・当直日を記した名札。殿上の間の北西の壁にたてかけた。「にっきふのふだ」とも。「御前なる―に内侍督になすよし書かせ給ひて」〈宇津保内侍のかみ〉

ひたみち【直道】 一筋に進むこと。ただ一つの態度・方針を守りつづけること。ひたすら。「よろづのあはれを思し捨てて、―に出で立ち給ふ」〈源氏賢木〉

ひだ・め【襞め】《下二》 ひだをつける。「角(すぢ)(かへ)に両(ふた)(つ)の頭(はし)をー・めて対(む)(か)へる処を縫ひ合はせよ」〈南海寄帰内法伝平安後期点〉

ひためん【直面】 能で、シテが面をつけないこと。現在物など、この種の能を直面物(ひためんもの)ともいう。「よきほどの人も、―の申楽は、年寄りては見られぬもの也」〈風姿花伝〉

ひたもの【直物】《副》 ひたすら。「―みだりなり」〈蔗軒日録文明一八・一・二三〉。「〔散ル花ガ〕舟の方へ―飛びゆくなり」〈錦繍段鈔二〉

ひたもののぐ【直物具】 全員が甲冑など物具を身につけること。「国国の兵をば、―にて三千余騎」〈太平記三・公家一統〉

ひたやごもり【直屋籠り】 ①ひたすら家の中にじっとしていて、外に出ないこと。引きこもってばかりいること。「えんなる歌もよまず、気色ばめる消息もせで、いと―に、なさけなかりしかば」〈源氏帚木〉。「憂きによりーと思ふとも近江の海はうちでてを見よ」〈和泉式部日記〉 ②もっぱら心の内にこめておくこと。「ただ一言聞えさすべき事なむ侍るを。…いと恥づかしけれど―にてはえやむまじきを」〈源氏総角〉。「あきらめ聞えさする(弁解申シ上ゲルノ)もあやなけれど、よべの〔私ガ伺ワナカッタ〕罪は―にや」〈源氏夕霧〉

ひだら・し【日足らし】《四段》《シは尊敬の助動詞。ヒダリはヒダシ(養)の自動詞形》 成長なさる。「いつしかもー・しまして」〈万三三二四〉 †Fidarasi

ひた・り【浸り】《四段》 水の中につかる。「文覚、滝つぼにおり、―・り、首きはつかって」〈平家五・文覚荒行〉

ひだり【左】《「右(みぎ)」の対》 ①太陽の光が注ぐ南に向いた際、東にあたる方。「吾妹子は釧(くしろ)にあらなむ―手のわが奥の手に巻きて去なましを」〈万一七六六〉 ②左方。概して年齢や位の上の人が集まる。「〔歌合デ〕―の頭、女六の宮。…右の頭、女七宮」〈亭子院歌合〉。「〔賭弓ニ〕―あながちに勝ちぬ」〈源氏匂宮〉 ③東。「―・右の対、わた殿など〔ニ〕も御局しつつおはす」〈源氏初音〉 ④酒を好み飲むこと。左ぎき。また、酒。「―あがる(ヨク飲メルヨウニナル)」〈俳・世話尽一〉 ▽古代日本ではヒダリはミギより重んじられ、「左手の奥の手」といわれ、左大臣は右大臣より上位だった。しかし世界中では右を重んじる民族が多く、右は光・聖・男性・正しさを意味し、一の腕のように呼ぶ言語がある。英語のrightも、「右」と「正しい」とを意味する。これに対し、ヒダリは闇・曲・俗・女性・汚れを意味する民族が多い。英語のleftも古くは「弱い」を意味した。ただし、日本語のように「左」を神秘的な方向とするものもある。ヒダリは、太陽の輝く南を前面として、南面して東の方にあたるので、ヒ(日)ダ(出)リ(方向)の意か。→北。 †*Fidari **―あふぎ**(ギオゥ)【左扇】 ゆったりとして気楽なさま。左うちわ。「我れ―で、ねまらんとせん」〈荘子抄二〉 **―がま**【左鎌】 左手に鎌を持つこと。また、その鎌。近世、身持の女の死骸は左鎌で腹の子を取り出してから葬った。「かくある死人は―をうたせ、その身二つになさでは浮かむ事なく」〈西鶴・二十不孝三〉 **―ぎっちゃう**(ギッチョウ)【左ぎっちゃう】 右手よりも、左手のよく利くこと。また、その人。左ぎっちょ。ぎっちょ。左利き。〈日葡〉 **―ざ**【左座】 第一番目の座席・地位。「相撲―につく。武蔵は右座につきたりければ」〈伽・むらまつ物語〉 **―ずまふ**(ズモウ)【左相撲】 物事に勝つ見込みのないたとえ。「冬枯れは―の草葉かな」〈俳・伊勢正直集六〉 **―づま**【左褄】 着物の左側の褄。近世後期、左手で左褄を取って歩くので、芸妓の異名ともなった。「―にしゃんと摑み上げ」〈俳・花見車二〉 **―なは**(ワナ)【左縄】 ①普通とは逆に、左へ撚ってなった縄。「御祓する今日の浅茅の―荒ぶる神も心解くらし」〈夫木抄九・荒和祓〉 ②不運で、自分の思うようにならないこと。「つらかりし夢は覚めても変らぬに逢ふと見つるぞ―なる」〈夫木抄三六・夢〉 **―のうまづかさ**【左の馬寮】 ⇒さまれう。「右近、―見つけて」〈宇津保祭使〉 **―のうまのかみ**【左の馬頭】 ⇒さまのかみ。「―、藤式部の丞、御物忌に籠らむとて参れり」〈源氏帚木〉 **―のおとど**【左の大臣】 左大臣に対する敬称。「―、恨めしさも忘れて涙おとし給ふ」〈源氏花宴〉 **―のおほいとの**(イ:オオ:)【左の大殿】 左大臣(家)に対する敬称。「―もすさまじき心地し給ひて」〈源氏賢木〉 **―のおほいまうちきみ**(イ:オオ モウチ:)【左の大臣】 左大臣である人に対する敬称。「河原の―のみまかりて後」〈古今八五二詞書〉 **―のかた**【左の方】 相撲用語で、東方をいう。「―にも右の方にも負くることなかりければ」〈今昔二三ノ二三〉 **―のつかさ**【左の司】 ①「左近衛府(さこんゑふ)」に同じ。「―にいとよしある官人多かる頃なり」〈源氏螢〉 ②「左馬寮(さまれう)」に同じ。「―の御馬、蔵人所の鷹すゑて賜はり給ふ」〈源氏桐壺〉 **―まへ**(エマ)【左前】 ①着物の右衽(おくみ)を左衽に重ねる、普通とは逆の着方。「左衽とは…衣裳を—に着るを云ふ」〈応永二十七年本論語抄一四〉 ②物事が思うようにならず不運なこと。逆運。「弓矢取の御運の—に候事」〈籾井家日記四〉 **—みぎに**【左右に】『副』どちらを向いても。どちらにも。どれにもこれにも。「—安からずは、わが身も苦しくこそはあらめ」〈源氏 若菜上〉 **—ゆがみ**【左曲み】夫婦の身分のどちらかが劣っていて不つりあいなこと。「貧しき者、たのしき(富ンダ)妻をまうくるは、—といふ事なれば」〈盛衰記一〉 **—をり**【左折り】烏帽子の先を左に折ること。「源氏の先祖八幡殿は左烏帽子を著給ひしより、当家代代の大将軍、—の烏帽子なるに」〈盛衰記三〉

ひだり【一人】《ヒトリの母音交替形》ひとり。「—百(もも)な人(一騎当千ダト)人はいへども」〈紀歌謡一〉 †Fidari

ひだるがみ【ひだる神】人に取り付いて空腹にさせるという神。「—花の辺りに暮れにけり」〈俳・若葉合〉

ひだる・し『形ク』空腹である。ひもじい。「この一両日食物絶えて術なく—・く候ままに」〈著聞四四〇〉

ひたを【頓丘】《ヒタはまじりけのない意》丘ばかりつづく地形。「—から国覓(ま)ぎ(求メ)行去(ほと)りて」〈紀 神代下〉 †Fitawo

ひ・ち【漬ち・沾ち】『四段・上二』《室町時代までヒチと清音。奈良時代から平安時代初期には四段活用。平安時代中頃から上二段活用》びっしょりぬれる。「白栲の袖—・つまでにねのみし泣くも」〈万六一四〉。「袖—・ちてむすびし水のこほれるを春立つけふの風やとくらん」〈古今二〉。「袖—・つる時をだにこそ嘆きしか身さへしぐれのふりも行くかな」〈かげろふ中〉 †Fiti

ひぢ【肘・臂】腕の関節の屈曲する部分。「—を並べて宴(うたげ)して定まりなき家に遊ぶ」〈東大寺諷誦文稿〉。「肘、比地(ちひ)」〈華厳音義私記〉 ▽朝鮮語 *p'ïl(臂)と同源。 †Fidi

ひぢ【泥】どろ。「塵泥(ちりひぢ)」「築泥(ついひぢ)」など複合語で使うことが多い。「塵—の数にもあらぬ我故に思ひわぶらむ妹が悲しさ」〈万三七二七〉。「泥、ヒヂ」〈名義抄〉 †Fidi

びちう【備中(ユウ チ)】旧国名の一。山陽道八国の一で、今の岡山県西部。備州。「—国浅口郡の犬養部鴈手…誤りて賤例に入る」〈続紀霊亀二・七・二〇〉。〈色葉字類抄〉

ひぢがさ【肘笠】雨を凌ぐため、肘を頭の上にかざすこと。「難波女の、難波女の、かづく袖笠—の」〈謡・蘆刈〉。「—あめ【肘笠雨】にわか雨。笠がまにあわず、肘を頭にかざして、袖を笠代りにする雨の意。「—とか降り来て、いとあわたたしければ皆帰り給はむとするに笠もとりあへず」〈源氏須磨〉。「—といふは、俄かに降る雨をいふべきなめり。俄かに笠も取りあへぬ程に袖をかづくなり。されば—といふなり」〈俊頼髄脳〉

ひぢく・り『四段』手でこねまわす。「今一つの物は野老(ところ)・合せ薫(たきもの)を蘡(あまづら)に—・りて」〈今昔三〇ノ一〉。「武者だちて力ある者なりけれども、〔刀ヲ〕え抜き得ずして—・りけるに」〈今昔二六ノ二三〉

ひぢしり【肘尻】肘の中央の関節。「膝には頭(かしら)手には—」〈俳・犬子集一四〉

ひちちか《ヒチは擬態語。ヒチメキ・ヒチヒチと同根。ナヨ(萎)とナヨヨカに類する語構成》活気のあるさま。ぴちぴちしているさま。「かたちは—に、さすがに愛敬づきたるさまして」〈源氏常夏〉。「御ぐしのかかりたるほど、頭つき、けはひ、あてにけ高きものから、—に愛敬づき給へるけはひしるく見え給へば」〈源氏澪標〉

ひぢは【岸】《肥前の方言》岸(きし)。「土歯池、俗言岸為比遅波(ひぢは)、在郡西北」〈肥前風土記〉

ひちひち《ヒチチカ・ヒチメキと同根》びちびちと音のするさま。「腹そこなひたる上に衣いと薄し。…〔腹〕こほめきて—と聞ゆるは」〈落窪二〉

ひぢまが・り【肘曲がり】『四段』「ひぢをり」に同じ。「ひぢたをり」「ひぢたわり」なども。「〔最上川ハ〕ただ鞍馬の七曲がりの坂のやうにて、—・りて流れたれば」〈奥義抄〉

ひちめ・き『四段』《ヒチチカ・ヒチヒチと同根》①早口でしゃべる。「譶、ヒチメク」〈名義抄〉 ②水が音を立てて流れる。「滗、ヒチメク」〈名義抄〉

ひぢもち【肘持ち】《モチは、オモモチのモチと同じく、意識して保たれた状態》肘を張った様子。「儀式官のねり出でたる—おぼえて」〈源氏末摘花〉

びぢょ【美女】①美人。「みづからーの姿を作って高き岡に立つ」〈平家一・剣〉。〈文明本節用集〉 ②美しい侍女。また、召使の若い女。「片貝というて優なる—を召し使ひけり」〈曾我四〉。「紫の上の—に、いぬきと申す女ありき」〈梵燈庵袖下集〉。〈名語記五〉 ↓びんぢょ

ひちりき【篳篥】雅楽用の管楽器。中国から伝来。大篳篥と小篳篥とがあるが、普通小篳篥をさす。長さ六寸。管は竹で、表七孔、裏二孔。音は哀調を帯びて鋭い。吹く時強い息が必要で、顔がみにくくなるため、高貴の人はあまり吹かなかったらしい。「—吹く随身」〈源氏若紫〉。「—はいとかしがましく」〈枕二一八〉

ひぢりこ【泥】どろ。「ただ足を—にする思ひのみあり」〈海道記〉。「泥、比知利古(ひぢりこ)、一云、古比千」〈和名抄〉

ひぢわた【肘綿】肘に掛けて真綿を広げること。また、その広げた真綿。特に、越前産の真綿の称。「腕木有れば—ならし軒の雪」〈俳・沙金袋六〉。〈俳・毛吹草四〉

ひぢを・り【肘折り】『四段』直角に曲がる。道の角を真横に折れる。「—・りたる廊」〈枕二三五〉。「その道を回って、こちへ—・っておぢゃれ」〈天理本狂言六義・仏師〉

ひつ【弼】弾正台の次官(すけ)。大弼・少弼がある。「弾正の—及び武官の職事の五位を召す」〈続紀和銅一・七・一五〉

ひつ【櫃】蓋のある大形の箱。唐櫃(からひつ)・長櫃などがある。「家にありし—に鏁(くぎ)さし」〈万三八一六〉 †Fitu

ひづ【氷頭】鮭などの頭の軟骨。氷のように透きとおり、柔らかい。食用。「鮎の鮨など…食ひやうの事、—の辺より食ひはじめて、残さず食ひたるが良しと」〈雑事覚悟事〉。〈和名抄〉

ひついで【日次】(暦の上で定まった)日の吉凶の順番。ひなみ。ひがら。「御服もこの月には脱がせ給ふべきを、—なむよろしからざりける」〈源氏藤袴〉

ひっかへし【引返し(エシ カ)】⇩ひきかへし㊂(2) 「裏葉まで紅葉や紅(もみ)の—」〈俳・難波草三〉

ひつき【日月】太陽と月と。「—は明(あか)しといへど我がためは照りやたまはぬ」〈万八九二〉 †Fituki

ひつぎ【棺】《櫃(ひつ)城(き)の意》人の死体を入れる木の箱。室町時代まではヒツキと清音。「一つ—に盛(い)れて…合はせ葬(はぶ)る」〈紀雄略即位前〉。「棺(かん)」。「棺、ヒトキ・ヒツキ」〈名義抄〉 †*Fituki

ひつぎ【日次】①連日。「吹き渡す比良の吹雪の寒くとも—の御狩せでやまめやは」〈堀河百首〉 ②日毎に奉るみつぎ物。「朝まだききりふの岡に立つ雉は千代の—の始めなりけり」〈拾遺二六六〉

ひつぎ【日嗣】天皇の位。また、皇位の継承者。「高御座天の—と天皇(すめろき)の神の命の聞こし食(を)す国の真ほらに」〈万四〇八九〉 ▽「火継」の意で神火を継承する者の意とする説があるが、「火」は上代 Fï の音、「日」は Fi の音で

別。従って「火継」とする説は誤り。ヒ(日)の音は、ムスヒ(産霊)・ヒモロキ(神籬)のヒに通用するので、霊(ひ)または日(太陽)を嗣ぐ者の意と解される。†Fitugi **―のみこ**【日嗣の御子】皇位を継承する皇子。皇太子の尊称。「年十五にして立ちて―となりたまふ」〈紀神武即位前〉

ひっきり【引切り・挽切り】《ヒキキリの音便形》①茶席で用いる、竹を引き切った形の釜の蓋置。「めんつう(水コボシ)・―」〈宗凡他会記天正一八・一二・二九〉②女を罵る語。「ひっきれ」「ひっさかれ」とも。「ヤア女と思ひ用捨すりゃ、付け上がったる―め」〈浄・源平布引滝三〉③従。副。また、内職。余技。「慶庵がだいや(本職)で、―に医者をしてゐる俺だから」〈黄・人唯一心命下〉

ひっこき【引扱】鬢や髱(つと)を出さずに、ひきつめて結う髪風。ひっこき髪。「―に髪結うて」〈浮・好色産毛二〉 **―おび**【引扱帯】兵児(こ)帯。「―など前結びに」〈浮・好色床談義三〉

ひっこな・し【引っこなし】『四段』《ヒキコナシの音便形》①思うままに扱う。意のままにする。「頼むとばかり―・す〔依頼ノ手紙ノ〕文章も」〈近松・聖徳太子一〉②手軽に扱う。見下す。「小姑を―・した。目を明いておっしゃれとは何ぢゃの。嫂(あによめ)顔まだ早い」〈近松・持統天皇三〉

ひっこ・み【引っ込み】『四段』《ヒキコミの音便形》①内に引きこもる。隠棲する。「有徳で―・みた者ぞ」〈古文真宝抄六〉②引きさがる。「己が酒でいかほど飲まうとも、我がまでこそあれ、〔オマエハ〕―・めと云ふ也」〈杜詩抄八〉③深くかぶる。「古りたる頭巾(ときん)目の際まで―・うで」〈義経記七〉

ひっさ・げ【提げ】『下二』《ヒキサゲの音便形》手に下げて持つ。たずさえる。「長刀手手に―・げて」〈義経記五〉

ひっし 「ひし」を強めた形。「兵具を―と立て置かれ候ふは、何と申したる御事にて候ふぞ」〈謡・熊坂〉

ひつじ【未】十二支の第八。年・日・時、また方角の名などに当てる。①時刻の名。今の午後一時から三時まで。「―下(だく)る程に南の寝殿に移りおはします」〈源氏藤裏葉〉②方角の名。南南西。「この風、―の方に移り行きて」〈方丈記〉 †Fituzi **―さる**【未申・坤】方角の名。未と申との間。西南。「―の方(かた)」〈源氏夕霧〉

ひつじ【羊】家畜の一。「百済、駱駝(らくだ)一匹、驢(うさぎうま)一匹、―二頭(ふた)、白雉一隻を貢れり」〈紀推古七年〉 †Fituzi **―の歩み**《摩訶摩耶経に「羊を駆りて屠所に就くに、歩歩死地に近づくが如し。人の命はこれよりも疾(はや)し」とある》屠所にひかれて行く羊のあゆみの意。人が刻刻死に近づくのにたとえる。「明けたてば、川の方を見やりつつ、―よりも程なき心地す」〈源氏浮舟〉。「極楽へまだ我心ゆきつかず―暫しとどまれ」〈新古今一九三四〉

ひっしき【引敷】《ヒキシキの音便形》①腰当て。「毛のあるものはさせぬなりけり／―に高野聖は紙をして」〈俳・犬筑波〉②敷物。「―を敷いて門にゐたれば」〈史記抄一〇〉 **―のいた**【引敷の板】鎧の後腰の草摺(くさずり)。「陶山が―を畳み上げ、あげさまに三刀刺したりければ」〈太平記二九・越後守〉

びっしゃり ①物を打つ時に発する音。「上髭の面をばーつ―と」〈俳・桜千句〉②物の潰れる時の音。「―は、物の潰れたる方か」〈俳・かたこと五〉③物と物とがしっくり合うさま。「まづ―と合ひました」〈浮・好色万金丹三〉 **―ぽん** ①物を打つ時発する音。「『誰に問うて此の頭付き』と、―と叩き立ちにして行く事」〈西鶴・一代女一〉②全く潰れてしまって勢いのなくなるさま。無能力で手も足も出ないさま。「一戦で―」〈評判・朱雀信夫摺上〉

ひっしゅ【苾蒭】〔仏〕《梵語の音訳》「比丘(び)」に同じ。比丘尼は「苾蒭尼」という。「かの唐家清涼一山の―」〈平家四・南都牒状〉

ひつじゅ【筆受】経典を漢訳する際、訳主のことばを受けて筆記する人。「金光明最勝王経を訳し畢(を)りぬ。沙門彼崙・恵表治等―と有り」〈今昔六ノ四二〉

ひっしょな・し『形ク』用捨ない。無遠慮だ。邪慳(じゃけん)だ。「要らぬとて菜売に玉(下女ノ名)が―・い」〈雑俳・西国船〉

ひっそく【逼塞】①世を隠れ忍ぶこと。「虚病を構へて、いづかたへも出でず、―したりける」〈義残後覚一〉。〈文明本節用集〉②近世、士分・僧侶に科せられた刑。一定期間門を閉じて自宅にこもる。ただし夜間潜り門からの出入は許された。「流罪仰せ付くべき処、家の筋目・先祖の忠勤これあるによって、このたびは赦免遊ばされ、雅楽頭儀、江戸屋敷において―」〈憲教類典四、天和一・四・一三〉

ひっそば・め【引っ側め】『下二』「ひきそばめ」の音便形。「九寸五分を袖裏に―・めて来るもあり」〈人天眼目抄三〉

ひった【直・頓】『接頭』「ひた」の促音化。「斬新は―新しい義也」〈本則鈔一〉 **―と**『副』ひたすら。全面的に。「帰といふは、―たのむといふ事ぞ」〈史記抄一一〉 **―もの**【直物】『副』ひたすら。無我夢中で。「―普請の絵図を取って置き」〈俳・住吉物語上〉。〈かたこと三〉

ひった・て【引っ立て】『下二』《ヒキタテの音便形》①引き起す。「伏木に馬を乗り懸けて、足並み乱るる所に下り立ち、馬―・つる其のひまに」〈曾我八〉。「下なる股野を―・て、鎧のほこりを打ち払ひ」〈虎明本狂言・文蔵〉②引いて立たせる。「〔馬ヲ〕請け取り、東がしらに―・て候を」〈常徳院殿御乗馬始記〉③無理につれて行く。「内裏の内で―・てて走るほどに、どこもかしこも身が痛うて悲しいぞ」〈漢書竺桃抄〉

ひつぢ【稲】《室町時代末期までヒッチと清音》刈った稲の切株からまたのび出す芽。「刈れる田におふる―の穂にいでぬは世も今更に秋はてぬとか」〈古今三〇八〉。「稲、ヒッチ」〈名義抄〉。「秋再米、ヒッヂ」〈伊京集〉

ひづ・ち【泥ち】『四段』《ヒヂ(泥)ウチ(打)の約》泥でよごれる。泥にまみれる。「朝露に玉裳は―・ち」〈万一九四〉 †Fiduti

びっちう〔・・チュウ〕【備中】「びちう」の促音化。「備中、ビッチウ」〈文明本節用集〉

びっちうひげ〔・・チュウ・・〕【髯毛・備中鬚】ほおひげ。「髭(うはひげ)・鬚(したひげ)・―の有る奴二人」〈咄・座敷咄一〉

ひつぢゃう〔・・ジョウ〕【必定】①確かであること。「入道相国朝家を恨み奉るべき事―と聞えしかば」〈平家三・法印問答〉②《副詞的に用いて》きっと。必ずや。「人のする事にあらず、―神のしいださせ給ひぬるよ」〈愚管抄七〉

ひっつりひっぱり【引攣り引張り】①痘痕(あばた)。「―へ持参形見分け」〈雑俳・万句合天明一〉②入り組んだ関係。親族関係などにいうことが多い。「因縁も色色、―の有るものなり」〈黄・忠臣蔵前世幕無下〉

ひっとき【引解】《ヒキトキの音便形》綿入れの綿を抜いて袷(あわせ)、さらに解いて単衣(ひとえ)にしたもの。「―の帷子雪は春日かな」〈俳・早梅集一〉

ひっぱぎ【引剝】《ヒキハギの音便形》追剝ぎ。「高市の山にて―に逢ひ、手をすって命ばかり生き」〈平家二三・六代〉

ひっぱなし【引放し】《ヒキハナシの音便形》動作・言葉の最後。「五節句の―良し菊の酒」〈俳・難波草三〉

ひっぱ・り【引っ張り】『四段』《ヒキハリの音便形》①引いて長くのばす。「四の枝(四肢)を—・りて、斧を以て頸と腰とを切って、三段になすぞ」〈漢書竺桃抄〉②強い力で引ったてる。強引に連行する。「門外に—・られながら、御所の方をにらまへて」〈盛衰記一八〉③わざと遅らせる。「入相時分に膳立てして、夕食夜食を—・り」〈近松・薩摩歌中〉④磔(はりつけ)にする。「木の空(磔柱)に—・らるるは今の事」〈近松・博多小女郎中〉⑤着る。引っ掛ける。「上に衣を—・って」〈近松・堀川波鼓下〉 **—ぎり【引張切り】** 死刑の一種。肢体を強く引っ張って切る。「—にぞし給ひける」〈信長記一三〉 **—だこ【引張り蛸】** ①蛸の足を竹串で四方に引き拡げて干すこと。また、その干蛸。「〔蛸ニ〕烏賊のいはく、其の方は…何とて—にはなるぞ」〈仮・仕方咄四〉②《罪人が十字形の柱に手足を括られた形が干蛸に似ているので》磔刑。「一人の悴が木の空で—になるのが、そもや見て居られうか」〈近松・五十年忌上〉③一人の人または一つの物を、多くの人が自分の手に入れようと望み競うこと。また、その人や物。「—に風邪の流行医」〈雑俳・俳諧けい一六〉

ひづ・み【歪み】 ㊀『四段』ゆがむ。曲がる。ねじれる。「弓の—・み反(そ)った心なり」〈玉塵抄四一〉。「愚鈍に心の—・みひがみ、ゆがみすぢった者」〈玉塵抄五〇〉〈名語記八〉 ㊁『名』ゆがんでいること。いびつ。「糊をよく押して紙の—をしらべて続(つ)ぎ候へば」〈当風連歌秘事〉。「一念の—が直って」〈見聞愚案記一五〉

ひづめ【蹄】《平安時代までヒツメと清音》牛や馬の足先にある硬い角質の爪。「蹄、孫愐切韻云、畜足円曰レ蹄、和名比豆米(ひつめ)」〈和名抄〉。「蹢、ヒツメ」〈名義抄〉。「蹄、ヒヅメ」〈文明本節用集〉

ひづ・め【歪め】『下二』①ゆがめる。ねじる。「弓の反(そ)ったを押し当てて、ためつ—・めつする木あり」〈玉塵抄四一〉。「人を教へ、ため—・めて、よう仕直す事ぞ」〈玉塵抄五〇〉②屈める。小さくする。「もし細道辻小路なれば身を—・めて、それを通して」〈浮・男色十寸鏡上〉③責め苦しめる。叱りこらす。「〔継母ハ〕万事、蓮如上人の御方をば—・め参らせられける」〈実悟記〉。〈名語記八〉

ひつら【純裏】《ヒタウラの約。ヒタはヒト(一)の母音交替形》表も裏も同じ布であること。また、その衣。共裏。一説、総裏のこと。「赤絹の—の衣」〈万二九七二〉 †Fitura

びづら ⇒みづら。「—ひきみだり、御装束はらはらとひき破(や)り給ふに」〈大鏡道兼〉

ひづらは・り【火面張り・火頬張り】『四段』しつこく論争し、興奮して真赤な顔つきになる。「婿や嫁と—・って泣きわめいて」〈教訓続下手談義五〉

ひ・て【漬て】『下二』《ヒチ(漬)の他動詞形》液体の中にひたす。「手を—・てて寒さも知らぬ泉にぞ」〈土佐二月四日〉

ひ・で【秀で】『下二』《ホ(穂)イデ(出)の転ヒイデの約》穂が出る。「—・でずとも縄(しめ)だに延(は)へよ」〈万一三五三〉。「秀・穂、ヒヅ」〈名義抄〉 †*Fide

ひてつくるま【一つ車】「ひとつ車」の訛。「『—に』と言ひし人もありき」〈枕一九五〉

ひで・り【日照り】 ㊀『四段』日光が照りかがやく。「朝日の—・る宮」〈記歌謡一〇〇〉 ㊁『名』①晴天が続いて水が涸れること。「醍醐の御時に—のしければ、雨乞ひの歌よむべき宣旨に」〈小町集〉②物の不足すること。「世界に男の—は有るまじ」〈西鶴・五人女三〉 †Fideri **—がさ【日照笠】** 日傘。「宝物ども正蔵主取り出し、目録校合す。金襴・緞子・盆・香合…—」〈看聞御記永享六・六・六〉

ひでん【悲田】〔仏〕三福田の一。貧者・病者など、あわれむべき人人。「貧病孤独の—にも施さず」〈沙石集四ノ二〉 **—じ【悲田寺】** 悲田院の別称。中世以降乞食のすみかとなったので、近世、京都では乞食の異称となった。「京の—にて勧進能を致さる」〈近代四座役者目録〉 **—ゐん【悲田院】** 貧民・孤児・病人を収容する施設。奈良時代に仏教の慈悲の思想から光明皇后が創設した。都・諸国・諸寺におかれたが、平安中期以後おとろえ、京都のものは平安後期に焼失、江戸幕府が再興した。「悲田施薬の両院を設けて、天下の飢病の徒を療養す」〈続紀天平宝字四・六・七〉

ひと【一】 ①一つ。一度。「ただ—目相見し児故千たび嘆きつ」〈万二五六五〉②ほんの少し。「わが屋戸の—村萩を思ふ児に見せずほとほと散らしつるかも」〈万一五六五〉③第一。一番。「—きざみに選ばるる人人」〈源氏若菜下〉④同じ。「—所におはして」〈源氏賢木〉⑤全体。「—宮のうち…泣きあへり」〈源氏須磨〉。「涙を—目浮けて」〈源氏須磨〉⑥或る。「—夜のしりうごとの人人」〈源氏少女〉⑦常と異なる。「—節もてかしづかれぬる人」〈源氏薄雲〉 †Fitö

ひと【人】《生物としての人間。社会的に一人前の人格として認められる人間。また、特に自分が深い関心や愛着を抱いている人物。また、社会的に無視できない人物をいう。↓もの(者)》❶物や動物に対する、人間。「わくらばに—とはあるを、人並に吾も作るを」〈万八九二〉。「—ならば母が最愛子(まなご)そあさもよし紀の川の辺の妹と背の山」〈万一二〇九〉❷《完成された一個の人格として世間で認められる人間》①一人前の人間。おとな。「何時しかも—と成り出でて悪しけくも善けくも見むと」〈万九〇四〉②立派な人。すぐれた人物。「我を除(お)きて—はあらじと」〈万八九二〉③物の数に入る身分・家柄の生れ。「高き—と聞ゆる中にも」〈源氏橋姫〉④人柄。人品。「—もたちまさり」〈源氏帚木〉❸《深い関心・愛情の対象としての人間》①意中の人物。夫。恋人。「わが思ふ—の言(こと)も告げ来ぬ」〈万五八三〉。「人柄は、宮の御—にて、いとよかるべし」〈源氏藤袴〉②相手の人間。「暇(いとま)無く—の眉根をいたづらに掻かしめつつも逢はぬ妹かも」〈万五六二〉③家来。女房。召使。「使はしし御門(みかど)の—も白栲の麻衣着て」〈万一九九〉。「をかしげなる女ごども、若き—(女房)わらはべなむ見ゆるといふ」〈源氏若紫〉。「たとひ重科を蒙って遠国へ行く者も—一人身に添へぬ者やある」〈平家二・大納言流罪〉④《代名詞的に用いて》あなた。「前世の契りありければ、—こそ憐れみ給ふとも」〈平家七・維盛都落〉❹《社会的に自分と対立する人間》①広い世間の人人。「汝をと吾(あ)を—そ離(さ)くなる」〈万六六〇〉。「—は皆今は〔ワガ髪〕長しとたけと言へど君が見し髪乱れたりとも」〈万一二四〉②敵。他人。「ちはやぶる—を和(やは)せ」〈万一九九〉。「—のみかどのためしまで引き出で」〈源氏桐壺〉。「受領と言ひて—の国のことにかかづらひ営みて」〈源氏帚木〉③他人の目。外聞。「誇りかなる御気色、なごりなく、—わろし」〈源氏柏木〉④人気(ひとげ)。人里。「ただ—に遠くて生ひ出でさせ給ふめれば」〈源氏総角〉 †Fitö **—と成・る** ①成人する。一人前になる。「何時しかも—・り出でて」〈万九〇四〉。「—・りて後」〈源氏夕顔〉②正気になる。意識を回復する。「やうやう生き出でて、—・り給へりけれど」〈源氏夢浮橋〉 **—は盗人(ぬすびと)火は焼亡(ぜうまう)** 人と火は油断がならないという意。〈俳・毛吹草二〉 **—は人果(ひとはて)** 人間にはそれぞれの果報があって一生を過すという意。〈俳・毛吹草二〉

ひとあきびと【人商人】人の子をかどわかして売買する者。多く畿内地方から、東国・西国に売り飛ばした。「―、鎌倉中幷びに諸国市の間に多く以てこれ在り」〈貞永式目追加建長年中か〉

ひとあなづられ【人侮られ】人に軽く見られること。「近き程にまじらひては、なかなかいと目馴れて、―なる事どももぞあらまし」〈源氏薄雲〉

ひとあひ イ‥ア【人間】人づきあい。人に対する愛想。人あたり。近世、「人愛(ひとあい)」とも。「―、心ざま優に情けありければ」〈平家八・妹尾最期〉

ひといへ エ‥イ【一家】家族一同。家の人全部。「いかにいかにと、―おぼし嘆く程に」〈栄花花山〉

びどう【美童】美少年。「さても世にかかる―も有るものぞ」〈西鶴・五人女五〉

ひとうけ【人請】近世、奉公人・雇人の身元その他で迷惑をかけないことを主家に保証すること。また、その保証人。「―などに立たん事、たとへ親しき人なりとも、辞退有るべし」〈仮・悔草上〉

ひとうち【一内】《ウチは家の内の意》屋内全部。家中。「もの言へば―響きてぞ聞えける」〈今昔二八ノ三一〉

ひとうと・し【人疎し】『形ク』人になじまない。人とあまりつきあわない。「姫君は、斯く―・き御癖なれば、むつましくも言ひ通ひ給はず」〈源氏蓬生〉

ひとうり【人売】「人商人(ひとあきびと)」に同じ。「『やい―よ』『おのれこそすっぱなれ。やるまいぞ』」〈虎明本狂言・磁石〉。〈貞永式目追加正応三〉

ひとおき【人置】近世、奉公人・雇人を周旋し、その請人(うけにん)となり、周旋料・判賃(証文に証人として判を押す手数料)などを受け取る業者。遊女・女奉公人などを扱うのは女が多く、これを「人置のかか」といった。奉公人宿。請人屋。慶安(けいあん)。「―の祖母(ばば)が参って申すやう」〈俳・大矢数一〉

ひとおと【人音】人のいるらしい音。また、人のやってくる音。人のけはい。「朝日照る島の御門におぼぼしく―もせねばまうら悲しも」〈万一八九〉 †Fitoötö

ひとか【人香】人の移り香。また、思う人などの常用する香の匂いが、その衣料などにしみこんでいるのをいう。「和琴をひきよせ給へれば…いとよく弾き馴らしたる―にしみて、なつかしうおぼゆ」〈源氏横笛〉。「細長の―なつかしうしみたるを」〈源氏竹河〉

ひとかけ【一掛】①鯛二尾を向い合せに並べたもの。「鯛―」〈古文書纂二七、安元一・三・二六〉 ②近世、上方で、薪二十貫目をいう。「薪―」〈浮・好色敗毒散四〉。「大坂では江戸と違って、薪を目に掛けて売りやす。二十貫目を―としやして」〈滑・街能噂三〉

ひとがしら【髑髏】風雨にさらされて白くなった頭蓋骨。されこうべ。「―奈良山の溪(はさ)にありて」〈霊異記上一二〉。〈名義抄〉

ひとかず【人数】①人並みの者として数えられる人間。「世にあるべき―とは思はずながら」〈紫式部日記〉 ②人間の数。頭数。「―を知らむとて、四五両月を数へたりければ」〈方丈記〉 ③大勢の人。特に、軍勢。「もはや―入り申し候。〔敵方ハ〕それを見、崩れ申し候」〈本城惣右衛門覚書〉

ひとかた【一方】①一つの方向・方面。「わが御身のより所あるは、―の思ひこそくるしげなりしか」〈源氏蓬生〉 ②ひとりの人。「やんごとなく思したるは、かぎりありて、―なめれば、それに事寄りて、かひなげなる住ひし給ふ方こそは多かめるを」〈源氏若菜上〉 ③一方的。一概。「人めかしからぬ心どもにて、ただ、―にいふにこそは」〈源氏総角〉 ④一通り。一応。「知らざりし大海の原に流れ来て―にやはものは悲しき」〈源氏須磨〉 **―ならず** あれやこれや。さまざまに。「むすめをばさるべき人に預けて、北の方をばゐて下りぬべしと聞き給ふに、―心あわたたしくて」〈源氏夕顔〉

ひとかた【一方一方】どちらか一方。「―におぼし定めてよ」〈源氏浮舟〉

ひとかた【人形】①人のかたちをかたどったもの。人形(にんぎょう)。像。禊(みそぎ)や祈禱の際に使う形代(かたしろ)にもいう。「昔覚ゆる―をも作り、絵にもかきとりて」〈源氏宿木〉。「〔巳ノ日ノ祓ニ〕舟にことごとしき―のせて流すを」〈源氏須磨〉 ②身代りの人。「物など言ひたるも、むかしの人の御様に、あやしきまで覚えたてまつりてぞあるや。かの、―求め給ふ人に、見せたてまつらばや」〈源氏東屋〉 ③人の形をしているもの。「流産の穢れの事、〔妊娠〕四ケ月以後、三十ケ日。―出現の故なり」〈中臣祐春記弘安一〇・九・二八〉 ④《ヒトガタと濁音》人相書。「権八が―を返せ戻せとおっしゃるは」〈伎・傾城吾嬬鑑二〉

ひとがち【人勝ち】《「人少な」の対》人の大勢いること。「かく―なるにだにけしき覚ゆ(異様ナ感ジガスル)。まして物離れたる所などいかならむ」〈大鏡道長〉

ひとかど【一廉・一角】ひときわ目立つこと。すぐれたこと。「いっかど」とも。「常の人は―ある歌をば文と心得」〈愚問賢注〉。〈文明本節用集〉

ひとかどひ ドイ‥カ【人勾引】人の娘などをかどわかすこと。また、それを業とする者。「ひとかどへ」「ひとかどはし」などとも。「〔蓮性・景家〕相論の事、一決を遂ぐ。景家、蓮性を以て―たるの由訴へ申すに依って也」〈吾妻鏡寛元二・六・五〉。〈消息詞〉

ひとかひ イ‥カ【人買】「人商人(ひとあきびと)」に同じ。「折ふし―あまた着きければ」〈伽・はもち中将〉 **―ぶね**【人買舟】人買が買った女・子供を乗せて運ぶ舟。「―は沖を漕ぐ」〈閑吟集〉

ひとかへり エリ‥カ【一返】始めから終りまでの手順を一わたりふむこと。一回。「ただ―舞ひて入りぬるは」〈源氏若菜下〉。「今―悲しさの数添ふ心地し給ひて」〈狭衣四〉

ひとがま・し【人がまし】『形シク』どうやら一人前らしい。「世の中に少し人に知られ、―・しき名僧などは」〈栄花輝く藤壺〉 ▽好意的でない評価の言い方。→がまし

ひとかまへ マエ‥カ【一構へ】①一区画。「白瓜を作る畑や―」〈俳・詞林金玉集九〉 ②一つの独立した建物。「杉の目村の内、―の所、政宗祖母居住の儀に候間」〈伊達家文書三、天正一八・八・九〉

ひとがら【人柄】①生れながらの性格。ひととなり。「―は、心うつくしくあてはかなることを好みて」〈伊勢一六〉 ②人相。人品。風体。「―の良き皮着たる犬も有り面(おもて)にめでて心許すな」〈仮・為愚癡物語六〉。「御公家様に参り合ひ、―作って気がくたびれ」〈近松・百合若一〉。〈日葡〉

ひとき【棺】「ひつぎ」に同じ。「棺、比止岐(ひとき)、所ニ以盛ニレ屍」〈和名抄〉。「棺、ヒトキ・ヒツキ」〈名義抄〉

ひとき【一木】木一本。「森などいふべくもあらず。ただ―あるを、なにごとに付けけむ」〈枕二〇七〉。「人の世は―の陰を契りにて」〈心玉集〉

ひとき【一季】一年の奉公期間。「いっき」とも。「―だにも、〔奉公ヲ〕立て兼ねゐるを知らざらんや」〈仮・悔草中〉

ひとぎき【人聞き】①他人に聞かれること。外聞。「―をはばかり給ふなむ、あぢきなかりける」〈源氏御法〉 ②他人が聞いて思うこと。「いまいましき身(不浄ナ身)の添ひ奉らむ

も―憂かるべし（人ガ聞イテ憂シト思ウダロウ）」〈源氏桐壺〉。「―なさけなくや（人ガ無情ダト思ウダロウカ）と思し起して」〈源氏賢木〉 ③（外聞を顧慮しての）言い訳。「今日より後、日ついで悪しかりけりなど―には宣ひて」〈源氏夕霧〉

ひときは ワキ【一際】①（身分・位などの）一つの段数。一階級。「権中納言、大納言になりて、右大将かけ給へるを、いま―あがりなむに何事もゆづりてむ」〈源氏薄雲〉 ②一つの分際。「身の数ならぬ―に、人より深き志を空しくなし侍りぬること」〈源氏若菜下〉 ③一度。「〔雷ハ〕―はいと高く鳴れど、のちとげのなきなり」〈大鏡道長〉 ④一概。「世の中は常なきものを―に思ひ定めて、はしたなくつききりなる事な宣ひそよ」〈源氏若菜下〉 ⑤《副詞的に》特に際立って。「鬼の顔などのおどろおどろしく作りたるものは、心に任せて―人の目を驚かして」〈源氏帚木〉

ひときゃう キョウ【一京】都じゅう。「ひとつ車にはひのりて―ひびきつづきて」〈かげろふ上〉

ひときり【人切り】人を切り殺すこと。また、切り殺す者。「それがしは隠れなき―なり」〈驢鞍橋下〉。〈日葡〉 **―ばうちゃう** ボウチョウ【人切り庖丁】刀の異名。「三尺三寸の―」〈評判・高屛風上〉

ひときれ【一切れ】一回の情交。「ひときり」とも。「第一美しければ目利（めき）買には―は食ふ男有り」〈評判・朱雀遠目鏡上〉

ひときれ【人切れ】人のはしくれ。「人すげ」とも。「西隣は七十余りの婆、しかも耳遠し。向ひは五加木（うこぎ）の生垣にて―なし」〈西鶴・一代女四〉

ひとく ウグイスの鳴き声の擬声語。人が来る意にかけて使う。「梅の花見にこそ来つれ鶯の――といとひしもをる」〈古今一〇一一〉

ひとくさ【人草】《人のふえてゆくのを、草の生い茂るさまにたとえた語》人民。庶民。「いましの国の―、一日に千頭（ちがしら）くびり殺さむ」〈記神代〉。「人民、ヒトクサ」〈色葉字類抄〉 †Fitökusa

ひとくだり ①【一行】手紙などの一行。「はかなき―の御返りの、たまさかなりしも絶えはてにけり」〈源氏若紫〉 ②【一領】（装束など）一そろい。「御装束―、御髪上げの調度めくもの添へ給ふ」〈源氏桐壺〉 **―もの**【一行物】掛軸に一行に文字を書くこと。また、その軸物。一行書（ひとくだりがき）。「床に夢窓国師―」〈久重茶会記寛永六・六・五〉

ひとくち【一口】①一度に口に入れること。「鬼はや〔女ヲ〕―に食ひてけり」〈伊勢六〉 ②少しばかり飲食すること。また、その量。「―も召上げらるる酒では御座らぬ程に」〈虎寛本狂言・河原太郎〉 ③二つ以上の物事を同様に言い表わすこと。「牛の子と竹の子とは―には言はれまい」〈狂言記・竹子争〉 ④短く話すこと。一言。「道すがらの―話にも人の耳を擦りて」〈西鶴・一代男三〉 **―あきなひ** アキナイ【一口商ひ】一言で売買の決定をする意から、一言で諾否の決定をするたとえ。「頼まれうか頼まれぬか―」〈近松・国性爺三〉

ひとぐち【人口】人の言葉。人の噂。「めでたき歌とて、世の―に乗りて申すめるは」〈宇治拾遺一〇〉

ひとくに【人国・他国】よその国。他国。遠い国。「―は住み悪（あ）しとそいふ」〈万三七四八〉 †Fitökuni

ひとげ【人気】①人のけはい。人の存在を感じさせるもの。「火焚き屋かすかに光りて―少なくしめじめとして」〈源氏賢木〉 ②世間並みの人らしい雰囲気。「いひしらずかしづく物の姫君も、すこし世の常の―近く」〈源氏総角〉 ③《多く「―なし」の形で使われる》まともな人らしく見えるさま。人並みらしいさま。「身は沈み、位短くて―なき」〈源氏帚木〉

ひとけぶり【人煙】群衆を遠くから眺めた時の形容。雲霞（うんか）のような人数。「塩竈の桜に立つや―」〈俳・俳諧三部抄上〉

ひとごこち【人心地】正常な意識・感覚。正気。「いささかも―する折あらむに、忘れ給はずは、ともかうも聞えん」〈源氏夕霧〉。「常葉を内へ入れてさまざまにもてなしければ―になりにけり」〈平治下・常葉落ちらる〉

ひとごころ【人心】①人間の心。多く、相手に対する愛情や誠意にいう。「――いさやしら波高ければ」〈後撰一二五五〉。「この春は欲しや惜しやの―うすく成りゆけ国ぞ栄えん」〈草根集九〉 ②正常な意識。正気。「聖は―もなくて、二日三日ばかりありて死にけり」〈宇治拾遺一六九〉

ひとこし【一腰】《コシは刀を数える語》刀一本。「公方様〔引出物〕御剣―」〈鎌倉年中行事〉。「資財をも尽して出し、なほ足らずは―一振をも出し」〈清原宣賢式目抄〉。「一腰、ヒトコシ、刀之数也」〈下学集〉

ひとこと【一言】一つの言葉。ほんの少しの言葉。「悪事（まがごと）も―、善事（よごと）も―、言ひ離つ神」〈記雄略〉。「物―云ひ置くべき事ありけり」〈竹取〉 †Fitökötö

ひとごと ❶【人言】①他人の言葉。②相手の言葉。世間の噂。「―の繁きによりて」〈万三四六四〉 ❷【人事】①他人に関する事。「かく世の―のうへを思ひて」〈紫式部日記〉 ②自分に関係のない事。よその事。「人の国にかかる習ひあなりと、これらになき―にて伝へ聞きたらんは」〈徒然一七五〉 †Fitö-götö **―言はば目代（めしろ）置け** 人の噂をすれば、必ずその人が来るから、見張番を置いて話をせよ。噂をすれば影。「―と言ふべきを、筵（むしろ）しけと言ふは如何と云へり」〈俳・かたこと五〉

ひとどのかみ【魁帥・首長】《人の兄（このかみ）の意》一群の人の長。「魁帥、此をば比登誤廼伽瀰（ひとごのかみ）といふ」〈紀神武即位前〉 †Fitögonökami

ひところし【人殺し】《近世、ヒトゴロシとも》①殺人。殺人者。「―とて、とがめかこたれんずるにやと心得て」〈沙石集八ノ一五〉 ②《人を悩殺する意》美女。「こちの―と美人をいふ如くに」〈三体詩絶句抄二〉

ひところ・ひ ヒトコロイ【僭ひ】『四段』臣としての分限を越えて、自身を君主になぞらえる。匹敵する。「独り―・ひ立たむことを謨（はか）る」〈紀皇極二年〉。「偶・匹、ヒトコロヘリ」〈名義抄〉

ひとこゑ【一声】①ほんの少しの声や音。一鳴き、一言、一曲など。「朝には門に出で立ち夕には谷を見渡し恋ふれども―だにも〔ホトトギスハ〕未だ聞えず」〈万四二〇九〉。「〔琴ノ〕ただ―も催し聞えよ」〈源氏末摘花〉 ②大勢が一つに声をそろえること。異口同音。「つどひて見る者ども―に『むざう（無慙）の申し様かな。ゆゆしき罪にも候…』と言ふとき」〈宇治拾遺三六〉。「御前に候ふ公卿、みな―に笑ひののしる」〈問はず語り三〉 †Fitököwe

ひとさかり【一盛り】盛んな一時（ひととき）。また、一時期だけ盛んなさま。「いざ桜我も散りなむ―有りなば〔後ニハ〕人に憂きめ見え（見ラレ）なむ」〈古今七七〉。「花の色はただ―濃けれども」〈古今四五〇〉。「人―絵にも心を」〈俳・百千万中〉

ひとさし【一差・一指】①相撲・舞などの、一番・一曲。「『勝負これによるべきにあらず、―仕う奉るべし』と言ひて」〈著聞三八二〉 ②【一緡・一繦】銭百文、または千文。「薄

暮鹿苑〔寺〕に詣づ。持するに—を以てす」〈蔭涼軒日録延徳二・一・一〉

ひとさしのおよび【人差の指】ひとさしゆび。「頭指、ヒトサシノオヨビ」〈名義抄〉

ひとざま【人様】《サマは漠然と様子・方向を示す語》(人柄の現われとしての)身の様子。人品。「思ふには頼もしく、見るにはわづらはしかりし—になん」〈源氏 若菜下〉。「式部卿宇合(うまかひ)と云ひける人の子なれば、品も高く、—もよかりければ」〈今昔二ノ六〉

ひと・し【人し】『形シク』一人前である。人並である。「〔ソノ男ヲ〕呼びて見て—・しく見えば、婿に定むべし」〈伽・日光山宇都宮因位御縁起〉。「命生きても、人に—・しく思はれんとも存ぜず」〈浄・石橋山七騎落三〉　**—けな・し**【人しけ無し】『形ク』人間として恥ずかしい。人並でない。「折り散らす人や—・し(梨ト掛ケル)の花」〈俳・伊勢正直集一〉。〈俳・毛吹草二〉

ひと・し【等し・均し・齊し】『形シク』《ヒト(一)の形容詞化。異なるように思われるもの二つまたはそれ以上を比べてみて、その程度・量が一つであると感じる意。漢文訓読体などでオナジと同意で使われる場合がある》①(二つのものの程度が)同じである。差異がない。「時にこの神の形貌、自づからに天稚彦と恰然(ひと)しく相似(の)れり」〈紀神代下〉。「人の心ざし—・しかんなり。いかでか中に劣り優(さま)りは知らむ」〈竹取〉②(数量が)同等である。「〔取リエノナイ女性ト、申シ分ノナイ女性トハ〕数—・しくこそ侍らめ」〈源氏 帚木〉③(高さ・長さなどが)そろっている。「仁寿殿の東面の砌(みぎり)のほどに、軒と—・しき人のあるやうに見え給ひければ」〈大鏡道長〉④(身分・価値などが)同列・対等である。「黄金・白玉をば瓦・石と同じくせり。青珠・赤珻(まだ)をば、沙土(いさごつち)と齊(ひと)しくせり」〈東大寺諷誦文稿〉。「—・しきほど、劣りざまなど思ふ人にこそ、ただならず耳立つことも、おのづから出で来るわざなれ」〈源氏 若菜上〉⑤《「…と—・しく」の形で》…と同時に。「暮るると—・しく参り給ひて、うち見参らせて」〈讃岐典侍日記〉†Fitösi　**—ど**【等碁】碁の力が同程度であること。互角の碁。「頭中将と—なり」〈枕一六一〉　**—なみ**【等し並】同格に並ぶこと。同列のもの。「君をこそ末の松(心変リスル人)とは聞きわたれ—(波ト掛ケル)には誰か越ゆべき」〈和泉式部日記〉　**—・め**【等しめ】『下二』ひとしくする。同等にする。「—・めて同じ程と申すべきにこそ」〈二十二番歌合〉。「吹きわたす風にあはれを—・めていづくもすごき秋の夕暮」〈山家集上〉

ひとしきり【一頻り】しばらくの間勢いが盛んであるさま。「—山路にしつる夕立の過ぎてぞ濁る谷川の水」〈大納言為氏卿集〉。「—竹吹きしほる風荒み」〈老葉六〉

ひとしほ(ヒトシオ)【一入】①布などを染め汁に一度入れて浸すこと。「—も染むべきものか紫の雲よりふれるをとめなりとも」〈宇津保菊宴〉②ひときわ。一層。「今—悲しみの色をぞ増し給ふ」〈平家二・重衡被斬〉

ひとしれ・ず【人知れず】『連語』《知レは知リの使役形。知らせる意。転じて、知られる意》①人に知らせない。また、人に知られない。内密である。「—・ず心づかひして」〈源氏総角〉②《主として、「—・ぬ」の形で》他人にはわからないような。言うに言われぬ。「今また〔捕虜ノ身トイウ〕—・ぬ有様を見候ふは、再びあひ見奉るべきで候ひけり」〈平家一〇・内裏女房〉

ひとすぢ【一筋】①(細長いものの)一本。一条。「もと光る竹なむ—ありける」〈竹取〉②一つの系統。同じ血筋につながること。「多くは、ただこの九条殿の御—なり」〈大鏡師輔〉③他にまどわされず、一事に専心すること。いちず。「御服の程は、—に、思ひ乱るる事なくてだに過ぐさむ」〈源氏夕霧〉。「—に思ひ切りて、兄と同じく仏道を成り給へ」〈日蓮遺文兵衛志殿御返事〉④一つ調子で変化がないこと。一通りであること。「いと若くおほどき給へる—にて」〈源氏 若菜上〉。「—ならず物ぞ悲しき」〈新千載一七四七〉⑤《緡(さし)に一文銭を百個または千個繫ぐところからいう》銭百文、または千文。「世間の女言葉に銭百文をおあし—と申すも」〈三国塵滴問答五〉

ひとすぢ【人筋】りっぱな家柄。「この嫁まことに—の果てとて、露いささか心の怠り無く宮仕へけるぞ女の手本ならめ」〈浮・本朝女二十四貞三〉

ひとぜり【人競り】人がせり合い混み合うこと。人ごみ。「—に押し倒され」〈西鶴・伝来記一〉

ひとぞう【一族】《ゾウはゾクの音便形》一族。一門。「今はいとど—のみ、かへすがへす栄え給ふ事限りなし」〈源氏賢木〉

ひとそばへ(ヒトソバエ)【人戯へ】人に甘え戯れること。「—なる事はすまじく候」〈太閤記一四〉

ひとたがへ(ヒトタガエ)【人違へ】相手をまちがえること。人ちがい。「—にや侍らむ」〈源氏玉鬘〉

ひとだ・ち【人立ち】㊀『四段』一人前の人間らしくなる。おとならしくなる。「おのづからさて—・ち給ひなば、大臣の君も尋ね知り聞え給ひなむ」〈源氏玉鬘〉㊁『名』人だかり。「こちらに夥しう—が有るが、あれは何事ぢゃ」〈虎寛本狂言・磁石〉

ひとだね【人種】人類。人間。「治承養和の飢饉、東国西国の軍に、—ほろび失せたりといへども」〈平家二・一門大路渡〉

ひとだのめ【人頼め】《タノメは頼ませる意》人に頼もしく思わせること。人が頼るようにしむけること。実際は頼りにならなかったという意に歌でよく使われる。「かつ越えて別れも行くか逢坂は—なる名にこそありけれ」〈古今三九〇〉

ひとたび【一度】①いちど。いっぺん。いったん。「—も名を唱ふるに罪を滅す」〈三宝絵上〉。「—家を出で給ひなば、かりにもこの世をかへりみんとはおぼしおきてず」〈源氏御法〉②同時。一緒。「—にと定めさせ給ひしかど…中宮は少しのべさせ給ふ」〈源氏少女〉

ひとだま【人魂】夜、空中を飛ぶ光り物。実際は燐火などであるが、人の死ぬとき、その体からぬけ出した魂だと思われていた。「—のさ青なる君がただ独り逢へりし雨夜の葬(はぶ)りをそ思ふ」〈万三八八九〉。「いみじく大きなる—のたちて、京ざまへなむ来ぬると語れど」〈更級〉†Fitödama

ひとだまひ(ヒトダマイ)【人給ひ・人賜ひ】①人人に賜わること。また、その物。「—ならむ御几帳」〈宇津保内侍のかみ〉②随行者に賜わる牛車。「—に、よろしき若人、童など乗せて御送りに参らす」〈源氏薄雲〉。「副車、曾閉久流万(そへぐるま)、俗云、比度大万比(ひとだまひ)」〈和名抄〉③《誤用して》人人が集まっている場所。人溜り。「—にぞ入りにける」〈近松・世継曾我一〉。〈日葡〉

ひとたまり【一溜り】ちょっとの間、持ちこたえること。「伊藤六、—もたまらず、どうど落つ」〈保元中・白河殿へ義朝夜討ち〉

ひとだめ【人為】他人の利益。他人のため。「これほどに梶原、—に善き事申したることは無し」〈義経物語六〉。「—の春を祝へる言の葉に」〈秋津洲千句〉

ひとちか・し【人近し】『形ク』《「人遠し」の対》人が身近にいる。人気(ひとけ)に近い。「その—・からむなむ嬉しかるべ

き」〈源氏帚木〉

ひとぢくしゃう…ショウ【人畜生】人をののしる語。畜生のような見下げたやつ。「恥を知らぬ者は、ーまでぞ」〈玉塵抄九〉

ひとつ【一つ】《ツは数詞の下に添える語》①二つに区別できないこと。㋑不可分のもの。「妹も我もーなれかも三河なる二見の道ゆ別れかねつる」〈万二七六〉㋺同所。「〔夕霧ハ雲井雁ト〕ーにて生ひ出で給ひしかど」〈源氏少女〉㋩同一。同等。「緑なるー草とぞ春は見し秋は色色の花にぞありける」〈古今二四五〉㋥全部。全体。「わが身ーは君がまにまに」〈万三六九一〉②一個。「飛ぶ車ー具したり」〈竹取〉③昔の時刻の数え方。一刻を四分した第一。「子(ね)ーより丑(うし)三つまであるに」〈伊勢六九〉④それだけで他にないこと。唯一。「ー子」「ー娘」など。「春の鳥(源氏)の桜(女三宮)ーにとまらぬ心よ」〈源氏若菜上〉⑤《ものを列挙する場合に》第一。筆頭。「そのむくさ(六義)のーには、そへ歌(風)…二つには、数へ歌(賦)」〈古今序〉⑥一方。一面。「これもーは家のつと(土産)なれば、花一本(ひともと)を手折らんと」〈謡・女郎花〉⑦《副詞的に用いて》わずかばかり。試みに。ともかく。ちょっと。「那智新宮の者共に矢ー射懸けて、平家へ仔細を申さん」〈平家四・源氏揃〉。「あの様な者をあらだつれば、あたをなすものぢゃ。ー振舞うて帰さう程に、かう通せ」〈虎寛本狂言・察化〉⑧容器に満ち満ちているさま。いっぱい。「『何と酒が行くか』『なかなか、はやー有るは』」〈虎寛本狂言・樋の酒〉 †Fitö-tu

ーあな【一つ穴】①《同じ墓穴に埋葬することから》死を共にすること。「契は偕老同穴と、一つ棺にー」〈近松・鑓権三上〉②一緒になって事をたくらむこと。ぐる。「なま見られぬーの狐」〈浄・伊呂波物語三〉 **ーがき**【一つ書き】項目を分け、「一つ何何」と箇条書きにすること。また、その文書。「一二三とは次第せずして毎度『一』と置く事、条条の式目二に落ちず、三に落ちずと云ふ心也。二三と対する一にはあらず。物にーをするも此の心也」〈清原宣賢式目抄〉。「拙者働きのーを仕り」〈蘆田記〉〈日葡〉 **ーがひ**イガ【一つ買ひ】遊女や色子(いろこ)を一回買うこと。「たったーの跡もつづかぬ倒れ病ひ(貧乏)」〈評判・吉原こまざらい〉 **ーきるもの**【一つ着る物】下着・中着を重ねずに、上着一枚だけ着ること。「ー褄(つま)高に」〈西鶴・一代男二〉 **ーくち**【一つ口】①相手と同じ立場で口をきくこと。対等の口のききかた。「いまはーに言葉なまぜられそ」〈源氏常夏〉②口をそろえて言うこと。異口同音。「おのおのーに申しけるは、『その柿をばいそほこそ知り侍らめ』」〈伊曾保物語上〉③色色のものを同列に論ずること。ひっくるめて言うこと。「ーにて、女道・衆道を申す事のもったいなし」〈西鶴・男色大鑑一〉 **ーご**【一つ子】①ひとりご。「ーにさへありければ、いとかなしうし給ひけり」〈伊勢八四〉②一歳の子。「〔平家ノ子孫ハ〕ーふたつ子を残さず…尋ねとって」〈平家一二・六代被斬〉 **ーこと**【一つ事】同じ事。「どれもーぞ」〈永平録抄中〉 **ーな・る** 少しは酒が飲める。ちょっといける。「今日は誰もー・るてふ桃の酒」〈俳・懐子三〉 **ーばし**【一つ橋】一本橋。丸木橋。「津の国の難波の浦のー君をし思へばあからめもせず」〈古今六帖三〉。「ーあやふがりて帰り来たりけん物のやうに」〈源氏手習〉 **ーはちす**【一つ蓮】「一蓮(いちれん)」に同じ。死後、極楽浄土で、同じ蓮の花の上に生れること。「飽かで別れし妹背のなからへ、必ずーに迎へ給へ」〈平家九・小宰相〉 **ーばなし**【一つ話】珍しい話。取っておきの話題。「三国のーや富士の雪」〈俳・毛吹草六〉 **ーまつ**【一つ松】一本松。「ー人にありせば、太刀佩(は)けましを、衣着せましを」〈記歌謡二九〉 **ーまへ**エマ【一つ前】二枚以上の着物を重ね着して、前を一つに揃えること。「山は雲霞の衣やー」〈俳・沙金袋一〉 **ーむすめ**【一つ娘】姉妹のいない女の子。一人娘。「又なくかしづくーを」〈源氏賢木〉 **ーもの**【一つ物】神社の祭礼の時、神幸の行列の中にあって、美しく扮装をこらし、馬に乗って出て来る童子。造り物の人形を用いるばあいもある。「あらはれての御祈りには、百番の芝田楽、百番のー」〈平家一・願立〉 **ーもん**【一つ紋】着物の背中にだけ紋を一つつけること。また、その紋。「春の日や霞の衣のー」〈俳・詞林金玉集三〉 **ーや**【一つ家・一つ屋】ただ一軒だけぽつんと離れて立っている家。「わが庵はーながら年くれて春の隣に成りにけるかな」〈庵百首〉

ひとづて【人伝て】他人を通してことばなどを伝えること。「この御文をーならで奉れ」〈源氏夢浮橋〉

ひとつぶて【人礫・人飛礫】人を礫のように軽軽と投げ飛ばすこと。「そのーに当りける武者二人、馬より倒(さかさま)に打ち落されて」〈太平記一〇・長崎高重〉

ひとづま【人妻・他妻・他夫】《「おのづま(己妻・己夫)」の対》他の人の妻、または夫。「ー故に(ダノニ)われ恋ひにけり」〈万三〇九三〉。「ーの馬より行くに己夫し歩(かち)より行けば」〈万三三一四〉。「ーは森か社か唐国の虎臥す野辺か寝てこころみん」〈古今六帖五〉 †Fitöduma

ひとつら【一列・一連】①ひとつらなり。一列。「ーの雁飛び渡る」〈平家二・蘇武〉②同列。同じ程度。「下ざまの祝言とーにゃあ言はれねへ」〈洒・世説新語茶〉

ひとづら・し【人辛し】『形ク』人の仕打がつらく感じられる。「わりなく、身心憂く、ー・く、悲しくおぼゆる日あり」〈かげろふ中〉

ひとづゑ【人杖】人を杖のようにあしらうこと。「尻蹴むとしつる相撲をも取りてーに使ひて投げ捨てつ」〈今昔二三ノ二一〉

ひとて【一手】①一つのわざ。「弁慶も長刀ー習うたり」〈伽・橋弁慶〉②弓術で一回に射る二本一対の矢。甲矢(はや)と乙矢(おとや)。一手矢。「この弓に箭ーを取り具し」〈今昔三ノ一五〉③一組(ひとくみ)。「人、『末葉の露』『海人の刈藻』とーに申すめれど」〈無名草子〉。「船漕ぐ者をば、幾手と云ふ也。方方(かたがた)に一人づつ合はせて、二人をばーと云ふ也」〈奥義抄〉④一隊。「七千余騎をーになして」〈太平記一四・箱根竹下〉

ひとで【人手】①人間のわざ。人工。「ーには染むとも見えぬもみぢ葉の色は錦にたちぞまされる」〈輔親集〉②《「ーに掛く」で、処理を他人の手にゆだねる、他人の手によって死なすの意》他人の手。「ーにかけじと、伊藤五馬より飛んでおり、首をとる」〈保元中・白河殿へ義朝夜討ち〉

ひとでだい【人手代】手代。一般に、商家の使用人の意。「ー見る目なければ昼寝しに」〈俳・七百五十韻〉

ひととき【一時】①ほんの短い期間。しばらくの間。「あなかしがまし花もー」〈古今一〇一六〉②同時。いちどき。「春の花秋の紅葉もいろいろに桜のみこそーは見れ」〈栄花ゆふしで〉③今の二時間。「寄り合ひ寄りのき、ーばかりぞ戦うたる」〈平家一二・泊瀬六代〉

ひとところ【一所】①《身分の高い人について》単身。おひとり。「唯ー深き山へ入り給ひぬ」〈竹取〉。「兵部卿宮、なほーのみ(独身デ)おはして」〈源氏若菜下〉②一か所。「〔凶作ハ〕ーならず…皆かやうに候」〈恵信尼消息〉③同じ場所。「みなーにねぬ」〈源氏手習〉

ひととせ【一年】①一年。「ーにふたたび行かぬ秋山を」〈万二二一八〉。「いまーふたとせあらば、衰へまさりなむ」〈源氏総角〉②或る年。先年。「一所(御一人)はー失せ給ひに

き」〈源氏手習〉　†Fitötöse

ひととなり【為人】①身長。「―すこし細高にて」〈宇治拾遺三四〉。「長、ヒトトナリ・タキタカシ」〈名義抄〉②もちまえの性分。天性。「天骨(ひととなり)邪見にして」〈霊異記中一〇〉。「性(ひととなり)恬簡(てんかん)にして」〈三蔵法師伝一・院政期点〉

ひとどほ・しヒ・ドオシ【人遠し】『形ク』《「人近し」の対》人気(ひとけ)から遠く離れている。人里離れている。「―・く水草清き所にさまよひありきたるばかり、心慰む事はあらじ」〈徒然二一〉

ひととほりヒ・トオリ【一通り】①一筋に通ること。ひとつづきに通ること。「ちと傍(そば)へ行く道にこそ宿(しゅく)などもあれ、はるばる―は、来しかた行くすゑ野原なり」〈問はず語り四〉。「立ちつづきてや雲の見ゆらん／山越えて行く旅人の―」〈知連抄上〉②一度通り過ぎること。また、そのもの。「折節、雨―降りけるに」〈伽・小式部〉。「また―雲や立つらん／夕日影むかひの山の虹きえて」〈宗砌法師付句〉③物事を一度大まかに行なうこと。ひとわたり。「〔古歌・書籍ハ〕―見て、そのうち面白き所の耳近なるを再見して覚え侍れば」〈当風連歌秘事〉

ひとどめをんな【人留女】宿屋の客引き女。出女。おじゃれ。「〔金ヲ〕―に呉れて立ちけるとなり」〈西鶴・諸艶大鑑七〉

ひとなか【人中】①多くの人人の間。衆目の中。「にはかにまばゆき―いとはしたなく」〈源氏松風〉②世間。世の中。「いざ折りて―見せん山桜」〈俳・新玉海集一〉

ひとな・し【人成し・長成し】『四段』①生長させる。一人前にする。「―・しし胸の乳房をほむらにて焼く墨染の衣着よ君」〈拾遺三九四〉。「養って―・いたぞ」〈史記抄三〉。「花を養ふと云ふは、花を植ゑて―・すを云ふぞ」〈湯山聯句鈔下〉②人の形にする。「沢べなる浅茅を仮りに―・していとひし身をもなづる今日かな」〈堀河百首〉。「―・すとは、人になす事也。…人形に作りて川に流す也」〈宗長連歌自註〉

ひとなぶり【人嬲り・人弄り】人をからかい、もてあそぶこと。「―のみ好みたるらむ」〈万三七五八〉　†Fitönaburi

ひとなみ【人並み】一般の人と同様の程度・状態。世間並み。「わくらばに人とはあるを、―に吾も作るを」〈万八九二〉
　†Fitönami　**―なみ**【人並み並み】「人並み」を強めた言い方。「乳母、よろづにいかで―になさむと思ひ苛(いら)れしを」〈源氏手習〉

ひとならはしヒ・ナラワシ【人習はし】人をこちらのやり方に馴らすこと。人に感化を及ぼすこと。「深き情けをもならひ給ひにける。いとほしの〔故宮ノ〕―やとぞ」〈源氏宿木〉。「さらでだに月を袂のやすらひに／―の荻なそよぎそ」〈秋津洲千句〉

ひとな・り【人成り】『四段』成長する。「凡そ人は…一年に四寸づつ長ずる程に、十五年に六尺―・るぞ」〈論語抄泰伯〉。「木を―・らせんために」〈大恵長書抄〉。「〔蚕二〕桑を参らせければ、次第に―・り給ふ」〈伽・戒言〉

ひとな・れ【人馴れ】『下二』①人ずれがする。男馴れがする。「男の御教へなれば、〔少女ガ〕少し―・れたる事やまじらむと思ふこそうしろめたけれ」〈源氏花宴〉②動物が人間になつく。「唐猫…心をかしく―・れたるは、あやしくなつかしきものになむ侍る」〈源氏若菜下〉

ひとにく・し【人憎し】『形ク』人から見て憎らしい。「〔女ノ仕打チガ〕いとあまり深く―・かりける事と」〈源氏総角〉

ひとぬし【人主】①中世、譜代下人の所有者、または奉公人の主人。「〔下人ノ〕逃げ人見付け…遠き境よりつけ来たらば、路銭・雑事以下―の方より償ふべし」〈塵芥集〉②近世、人請(ひとうけ)の一種。雇主に対して奉公契約を保証し、請人(うけにん)に対して奉公人を保証する者。初めは奉公人の父兄・親類縁者がなったが、中期以降は形式的な請状の連署者に過ぎなかった。「六尺小者、私に草履取を抱へ、―に成り、奉公に出し候事、これ又停止せしめ候間」〈正宝事録慶安五・四・八〉

ひとねろ【一嶺ろ】《ロは接尾語》一つづきの山。「―に(一心同体ダト)言はるものから青嶺ろにいさよふ雲の寄そり夫(つま)はも」〈万三五二三東歌〉　†Fitönerö

ひどの【樋殿・械殿】かわや。便所。「つとめて、おとど―におはしけるままに、落窪をさし覗いて見給へば」〈落窪一〉

ひとのあき【人の秋】《秋に「飽き」を掛ける》愛する人の心に飽きがくること。男が通って来なくなること。「―に庭さへあれて道もなく蓬(よもぎ)しげ〔れ〕る宿とやは見ぬ」〈平中三六〉

ひとのおや【人の親】①祖先。「―の立つる言立(ことだて＝誓イ)」〈万四〇九四〉②世間一般に、親たるもの。「なのめにかたほなるをだに―はいかが思ふ」〈源氏葵〉　†Fitönööya

ひとのこ【人の子】①子孫。「―は祖(おや)の名絶たず大君にまつろふものと」〈万四〇九四〉②世間一般に、子たるもの。「なかりしもありつつかへる―をありしもなくてくるが悲しさ」〈土佐二月九日〉③すでに他人のものである女。「あしひきの山川水の音に出でず―ゆゑに恋ひわたるかも」〈万三〇一七〉
　†Fitönöko

ひとのことなしがほヒ・・オ・ガ【人の事成し顔】他人の事を、いかにもうまくやってあげる、というような顔つき。「頼もしげなきもの。…そら言する人の、さすがに―にて、大事請けたる」〈枕一六四〉

ひとのすし【人の鮨】多くの人が隙間もなく集まっているたとえ。「花を見る―なり小塩山」〈俳・鸚鵡集三〉

ひとのほど【人の程】①身分。分際。「〔船頭ノ風流メイタ言葉ガ〕―にあはねば、とがむるなり」〈土佐一月二十一日〉②人品。人がら。「様かたちも―もこよなく見ゆる五位・四位ども」〈源氏東屋〉③年の頃。年配。「―だに物を思ひ知り、『女の心かはしける事』と〔人カラ〕推し量られぬべくは、世の常なり」〈源氏若紫〉④体つき。「―ささやかにあえかになどはあらで、よき程になりあひたるここち し給へるを」〈源氏宿木〉

ひとのよ【人の世・人の代】①神代に対して、人間の時代。古事記・日本書紀では、神代七代以後を指す。普通、神武天皇以後の人皇の統治する世をいう。「―となりて、すさのをの尊よりぞ、みそ文字余り一文字はよみける」〈古今序〉②他人の男女の仲。「―の憂きをあはれと見しかども身にかへむとは思はざりしを」〈源氏夕霧〉

ひとのわざ【人の業】故人のための法事。「下出雲寺(しもついづもでら)に―しける日」〈古今五五六詞書〉

ひとは【一葉】①草木の葉一枚。「下紅葉―づつ散る木のもとに秋と覚ゆる蟬の声かな」〈詞花七八〉。「―散ると云ふ句に桐・柳付けられ候、同事候」〈連歌心附之事〉②小舟一艘を水面に浮かぶ木の葉に見立てていう語。「波の上にも秋は見えけり／舟人は身を―にやのせぬらん」〈老耳〉　**―ぶね**【一葉舟】水面に浮かんで、舟のように見える桐などの一葉。「木隠れに浮かべる秋の―誘ふ嵐を川長(かはをさ＝船長)にして」〈廻国雑記〉

ひとばえ【人ばえ】他人の前で、他人の存在に引き立てられて、本来の美しさを発揮すること。また、他人の存在に影響されて、一層、ことがはなはだしくなること。「―するもの。ことなる事なき人の子の、さすがにかなしうならはしたる。しはぶき。恥づかしき人にもの言はむとするに〔一層ヒドク〕先に

ひ

立つ」〈枕一五三〉 ▽古写本にはみな「ひとはへ」とあるが、ハへはハエの誤りと見られる。

ひとばし【人橋】 **—懸(か)・く** 急用の時、何度も使を出して催促する。「思ひ川隔てて来ねばしき浪に—・けて恋ひ渡りぬる」〈吾吟我集六〉。〈俳・毛吹草二〉

ひとばしら【人柱】 築堤・架橋などの水利土木工事に当り、人を生けにえとして埋めること。「かやうに架けがたき橋には、まことやらん、—といふ物を立てつれば架けらるる也と云ひければ」〈古今集註〉。「夜昼もなぎさの千鳥の、啼くや苦患(くげん)も長柄の橋の、恨めしかりつる—」〈謡・長柄〉

ひとはだ【人肌】 人の肌の温み。「吾〔不動明王ノ〕御肌を探るに—なり」〈瘖瘂集〉

ひとはな【一花】 ①一輪の花。「一切経を蓮の花の赤き—づつに入れて」〈枕二七八〉 ②一時の栄華。「春秋もただ—ぞ山里は峰の嵐ぞたえず音する」〈康資王母集〉 **—ごろも【一花衣】** 染め汁に一回入れた程度の淡い色の美しい衣。「紅の—薄くともひたすら朽(くた)す名をしたてずは」〈源氏末摘花〉

ひとばなれ【人離れ】 人気(ひとけ)を離れている所。人家から遠くへだたっている所。「—の野中なれば」〈バレト写本〉

ひとばば【一馬場】 馬を休ませず一気に駆けさせること。「二十余町のその間を、ただ—に駆け通し」〈曾我六〉

ひとひ【一日】 ①いちにち。「—も妹を忘れて思へや」〈万三六〇四〉 ②ある日。先日。「—の源氏の御夕影」〈源氏紅葉賀〉 ③朔日。ついたち。「とはいかに今日は四月(うづき)の—かはまだきもしつる衣更へかな」〈今昔二八ノ三〉 †Fitöfi **—ぢ【一日路】** 一日を要する距離。一日分の行程。「—国を隔てたる所に母あるに」〈雑談集七〉。「既に振り捨てて—まで出で侍るに」〈信生法師集〉 **—まぜ【一日交ぜ】** 一日置き。隔日。日まぜ。「〔地震ハ〕若(も)しは—、二三日に一度など、おほかたそのなごり、三月ばかりや侍りけむ」〈方丈記〉 **—めぐり【一日廻り】** 陰陽道で、戦争・凶事をつかさどる神。毎日居所をかえる。この神の居所の方角は避けるものとする。「太白神、和名比止比米久利(ひとひめぐり)」〈和名抄〉

ひとひ【一炷】 一回灸をすえること。「—で験(げん)が見えましょ」〈近松・今宮心中中〉

ひとびと【人人】 ①あの人、この人。諸人めいめい。「にくみ給ふ—多かり」〈源氏桐壺〉 ②《代名詞のように用いて》あなたがた一人一人。皆さん。「また参りて—に見え奉らむことも」〈源氏総角〉

ひとひと・し【人人し】 『形シク』 いかにもひとかどの人間らしい。「これに侍へと許させ給ふ程は—・しき心地すれど」〈源氏宿木〉。「〔蠅ハ〕—・しう、敵(かたき)などにすべきものの大きさにはあらねど」〈枕四三〉

ひとふし【一節】 《竹の節の一つをいうのが原義》 ①歌曲のひとくぎり。また、一曲。「竹河の橋(心ノ「端」ト掛ケル)うちいでし—に深き心の底は知りきや」〈源氏竹河〉 ②気持にひっかかる一つのこと。一件。「はかなき—に御心とまりて」〈源氏夕顔〉 ③他と異なる一点。ひとかど。一趣向。「人にまさりける志の程知らせ奉るべき—なんある」〈源氏宿木〉。「この歌、艶なる所こそなけれど、—いひて、さる躰(てい)の歌と見給へしを」〈無名抄〉

ひとふでがらす【一筆鳥】 一筆書きにした鳥の絵。「蚊はたき団扇—明けにけり」〈俳・金剛砂上〉

ひとぶるまひ イ:マ **【人振舞】** 来客をもてなすこと。饗応。「—にもこれにて埒(らち)を明け」〈西鶴・永代蔵五〉

ひとへ エ: **【一日】** 「ひとひ」の訛。「—あはぬさえ面影まぼろしに見えけるに」〈西鶴・五人女五〉

ひとへ エ: **【一重】** ①重ならないで一枚だけであること。「刈薦(かりこも)の—を敷きてさ寝(ぬ)れども」〈万二五二〇〉。「御几帳のかたびらを—うちかけ給ふに」〈源氏螢〉 ②単弁の花。「ほかの花は、—散りて、八重咲く花桜、盛り過ぎて」〈源氏幻〉 ③【単】「単衣(ひとへぎぬ)」の略。「うすものの直衣(なほし)、—を着給へるに、透き給へる肌つき、ましていみじう見ゆるを」〈源氏賢木〉 ④《「今—」の形で副詞的に》 (もう)一段。(さらに)いっそう。「なほ今—まさりて、いみじと思ふ」〈源氏浮舟〉 †Fitöfe **—がさね【単襲】** 平安時代、女房の夏の装束の一。「白き羅(うすもの)の—、二藍(ふたあゐ)の小袿(こうちき)だつもの、ないがしろに着なして」〈源氏空蟬〉。「女房の装束五月五日よりは—を着る。ひとへ二つをひねり重ねたる物也。此時は更にひとへを着ず」〈花鳥余情〉 **—ぎぬ【単衣】** 裏のない衣。表着の下に着る。男子用と女子用があり、男子は、若い時は紅色で重菱(しげびし)などの織模様、老年は遠菱、極老は白色。女子の場合は五衣の下に着用する。単(ひとへ)。「—ぬぎて、かづけて、さながらさしわたりぬめり」〈かげろふ上〉 **—やま【一重山】** 《「百重(ももへ)山」「五百重(いほへ)山」の対》 幾重にもかさなってはいない、一脈の山。奈良と山城をへだてている奈良山・佐保山など、一つづきの山をいう。「—隔(へな)れるものを月夜(つくよ)よみ門に出で立ち妹か待つらむ」〈万七六五〉

ひとへに ヒト エ:: **【偏に】** 『副』 もっぱら。まったく。「—御琴に心入れておはす」〈源氏若菜下〉。「恐ろしき事は—鬼に異ならず」〈孝養集上〉

ひとぼうこう【人奉公】 ①「奉公(ほうこう)」に同じ。「実に—にありては、大身は大身、小身は小身に似せ、相応の辛苦憂へ隙無し」〈仮・可笑記五〉 ②一生懸命働いても、自分の利益にならず、すべて他人の儲けとなってしまうようなこと。また、そのような労働。「鵜の鳥も—よ使ひ物」〈俳・玉手箱二〉

ひどほり :ド オリ **【日通り】** その日の内に行き着くこと。「浜松より—に岡崎へ帰り候」〈家忠日記天正六・三・一九〉

ひとま【一間】 ①寝殿造などで、柱と柱との間一つ。「御格子—あげて」〈源氏夕顔〉 ②縦横とも柱と柱との間一つしかない小さい部屋。「—の庵、みづからこれを愛す」〈方丈記〉 ③障子の一区切り。「〔障子ノ破レヲ〕なほ—づつ張られけるを」〈徒然一八四〉 **—どころ【一間所】** 「ひとま」(2)に同じ。「わが館の—へ押しこめて」〈伽・天神〉

ひとま【人間】 ①人のいないすき。「—守り葦垣越しに吾妹子を相見しからに言そさだ多き」〈万二五七六〉 ②人の訪れの絶えま。来訪のとだえること。「少し契りのさはりある、—をまことと思ひけるか」〈謡・女郎花〉 †Fitöma

ひとまづ【一先づ】 『副』 一応。とにかく。「いざや—落ちて、身をも助からん」〈義経記五〉

ひとまど 『副』 「ひとまづ」の転。「—も延びんとや思ひけむ、都の方へ馳せのぼりけるほどに」〈東関紀行〉

ひとまはり :マ ワリ **【一廻り】** ①七日間。一七日(いちしちにち)。「湯の山(有馬温泉)に入る月や夜を—」〈俳・小町踊三〉 ②十二支で、生れ年の再び廻って来る間の年数。即ち十二年間。「—また立ち帰り春も今朝北の翁の馬(午ト掛ケル)の歳かも」〈銀葉夷歌集一〉

ひどまり【日泊り】 《「夜泊り」の対》 日中、投宿すること。「願ひ物をもしたる—」〈俳・寛永十三年熱田万句六三〉

ひどまり【火留り・経水止】 月経がとまること。妊娠すること。「五行にも夏は—や飛ぶ螢」〈俳・鸚鵡集四〉

ひとみ【一身】 全身。からだじゅう。「目鼻とも言はず、—にとりつきて刺せども」〈宇治拾遺四八〉

ひとみ【人見】①他人の見る目。よそめ。「此の心を得て、〔太鼓ヲ〕渋かし押さへて打てば、ーには打たるるなり」〈教訓抄九〉 ②幕・障子などの、内から外を見られるようにした隙間。「幕のーより目を離さず」〈西鶴・五人女二〉

ひとみごく【人身御供】生贄(いけにえ)として人身を神に供えること。また、その人。犠牲。「ひとみごくう」とも。「うたた寝や蚊に供へたるー」〈俳・毛吹草追加上〉

ひとみせ【人見せ】他人に見せるためにすること。見栄。見せかけ。「皆ーの菩提心なり」〈伽・為人びくに〉

ひとみち【一道】一筋。「飛驒人(ひだひと)の打つ墨縄のただーに」〈万二六四八〉 †Fitömiti

ひとむかし【一昔】遠く過ぎさった年月。長くは六十六年、短くは十年を指していう。「昔は三十三年を以てーとしき。今は二十一年を以てーとす」〈長門本平家一〇〉。「みな人間二十年をーと云ふも」〈仮・衆道物語下〉。「十までの唯ーー」〈評判・吉原こまざらい〉

ひとむき【一向き】①一つの方向・方面。「余の書は大部なれども、其のーの理ばかりに明らかにして」〈応永二十七年本論語抄序〉 ②その事のみに心を寄せて他をかえりみぬこと。いちず。ひたすら。ひたむき。「ー二人を恨みに、ふつくむぞ」〈毛詩抄一四〉。「いかに国を持つとも、片落ちてーなるはこれ少身なり」〈甲陽軍鑑三〉

ひとむくろ いちずなこと。ひたむきなこと。「女心のー、思ひやられて哀れなり」〈近松・女護島三〉

ひとむら【一群】《ムラはムレの古形》ひとかたまり。ひとまとまり。「わが屋戸のー萩を思ふ子に見せずほとほと散らしつるかも」〈万一五六五〉。「風吹けば小篠(をざさ)の原にすむ人はただーの雨かとぞ聞く」〈江帥集〉 †Fitömura

ひとめ【一目】①一度見ること。ちょっと見ること。「桜花いまだふふめりー見に来ね」〈万四〇七七〉 ②目全体。「涙をー浮けておはするに」〈源氏宿木〉 ③双六などで、盤の目一つ。いちもく。「ーなりとも遅く負くべき手につくべし」〈徒然一一〇〉 †Fitömë

ひとめ【人目】①他人の見る目。世人の注目。「止まず行かばーを多み、まねく行かば人知りぬべみ」〈万二〇七〉 ②人の見る目を意識すること。「ーをしつつ恋の繁けく」〈万二八〇七〉 ③人が見て思うこと。見る人の気持。「大方のーに、何ばかり惜しげなき人だに」〈源氏幻〉 ④人が会いにくること。人の出入り。「山里は冬ぞさびしさまさりけるーも草もかれぬと思へば」〈古今三一五〉。「宮のうち、やうやうー見え」〈源氏蓬生〉 †Fitömë **ーつつみ**【人目包み】他人に見つからないように心を使うこと。歌では多く、「堤」にかけていう。「たぎつ瀬の早き心を何しかもーのせきとどむらん」〈古今六六〇〉

ひとめか・し【人めかし】『四段』《ヒトメキの他動詞形》人並みに扱う。一人前に扱う。「斯く物めかす(大事ニスル)とて、かのおとどもー・い給ふなめり」〈源氏藤袴〉。「わざととりたててー・すべくもあらぬさまなれど、かまつかの花らうたげなり」〈枕六七〉

ひとめか・し【人めかし】『形シク』《ヒトメキの派生語。内容はともかく、表面は人間らしくしている意》①いかにも一人前らしいさまである。「中の宮をなむいかでー・しくもあつかひなし奉らむと思ひ聞え給ふべかめる」〈源氏総角〉 ②人間臭い。俗っぽい。「入道の宮も、この世のー・しき方は、かけ離れ給ひぬれば」〈源氏横笛〉

ひとめ・き【人めき】『四段』①いかにも一人前の人間に見えるようになる。「恥づかしめ給ふめるつかさ位、いとどしく何につけてかはー・かむ」〈源氏帚木〉 ②人間のようにみえる。「かの白く咲けるをなむ夕顔と申し侍る。花の名はー・きてかうあやしき垣根になむ咲き侍りける」〈源氏夕顔〉

ひとめぐり【一廻り】①ひとまわりすること。ひとわたり移り行くこと。「ただー秋ぞしぐるる」〈菟玖波集四〉 ②一周忌。「ーの仏事に亀山殿へおはしまして」〈増鏡一〇〉

ひとも・し【火点し】『四段』《花の蕾(つぼみ)は夕方から夜にかけて開くと信じられていたのでいう》花の蕾がほころぶ。「線香かー・す梅の花の枝」〈俳・毛吹草五〉

ひともじ【一文字】①字一つ。一字。「ーをだに知らぬ者しが足は十文字に踏みてぞ遊ぶ」〈土佐十二月二十四日〉 ②〔女房詞〕《「葱(き)」が一音なのでいう》ネギ。「葱実…和名ー」〈康頼本草〉

ひともと【一本】草や木など一本。「ーのなでしこ植ゑしその心誰に見せむと思ひそめけむ」〈万四〇七〇〉 †Fitömötö **ーすげ**【一本菅】一本または一株だけ生えているスゲ。孤独な女性にたとえる。「ーはひとり居りとも」〈記歌謡六五〉 **ーすすき**【一本薄】一本または一株だけ生えているススキ。孤独な女性にたとえる。「山処(やまと)のー、うなかぶし(ウナダレテ)汝が泣かさまく」〈記歌謡四〉

ひともの【一物】『副』満満と。いっぱい。転じて、一面に。「大きなる壺のありけるに、水をー入れて」〈今昔二八ノ一三〉

ひとや【人屋・獄】罪人を閉じ込めておく建物。牢獄。「人の召し侍りける男の、ーに侍りて、めのとの許に遣はしける〔歌〕」〈拾遺一一三五詞書〉。「獄、比度夜(ひとや)、窂ニ罪人ノ所也」〈和名抄〉

ひとやど【人宿】①旅人を泊める宿屋。旅宿。「去ぬる年、越中の国に入りて、あるーに立ち寄り、一夜を明かし侍りけるに」〈室町殿日記一〇〉 ②近世、江戸で、地方から出稼ぎに来た奉公人の周旋をし、その請人(うけにん)となる業者。宝永七年以後、営業には許可を受け、義務を伴った。奉公人宿。人請屋(ひとうけや)。「やがて下り着きて、かのーの出居衆(でゐしゆ=出稼ギ)となって」〈西鶴・諸国咄五〉

ひとやま【一山】山全体。全山。「それより西を行けば、虎狼ーさわぐ所あり」〈宇津保俊蔭〉

ひとやま【人山】人が多く集合しているさまを山にたとえた語。人の山。「敵勢五万十万もあらばあれ、味方に兄弟候はば、〔殺シタ敵兵ノ〕ーを築くべき也」〈浄・常陸坊かいぞん三〉

ひとやり【人遣り】自分の意志でなく、他が強制すること。「ーの道ならなくにおほかたはいきうしといひていざかへりなむ」〈古今三八八〉 **ーなら・ず** 他からの強制でなく、自分の心からする。「ー・ぬ独り寝し給ふ夜な夜なは」〈源氏宿木〉。「ー・ず心細く思ひ続くるに」〈源氏少女〉

ひとよ【一世】一生。「ーには二度見えぬ父母を置きてや長く我(あ)が別れなむ」〈万八九一〉 †Fitöyö

ひとよ【一枝】《ヨはエの転》ひとえだ。「この花のーのうちに百種(ももくさ)の言(こと)そこもれるおぼろかにすな」〈万一四五六〉 †Fitöyö

ひとよ【一夜】①ひとばん。「あまたは寝ずにただーのみ」〈紀歌謡六六〉 ②ある晩。先夜。「ーも今宵も」〈栄花嶺月〉 †Fitöyo **ーざけ**【一夜酒】一夜の間に熟する酒。あまざけ。「六月…造酒司(さけのつかさ)の醴酒(ひとよざけ)」〈太平記二四・朝儀年中行事〉 **ーづま** ①【一夜夫】(永続的な関係ではなく)一晩とめて、もてなした相手(男性)。「吾が門に千鳥しばなく起きよ起きよ我がー人に知らゆな」〈万三八七三〉 ②【一夜妻】一晩だけ訪れる男をとめ、その相手をする女性。また、一般に、遊女の異称。「遊女…これを、たはれめとも、たをやめとも、ーとも云ふ」〈色道大鏡一〉 **ーめぐり**【一夜廻り】「ひとひめぐり」に同じ。「あふことの方はさ

のみぞふたがらむ―の君となれれば」〈大和八〉。「大白神、ヒトヨメグリ」〈色葉字類抄〉

ひとよぎり【一節切】《一節の竹で作るからいう》長さ一尺一寸一分の竹管の笛。「尺八の―こそ音もよけれ」〈隆達小歌〉

ひとり【一人・独り】《リは人数を表わす接尾語。一人の意から、単独・孤独・独身の意。他と関連を持たないという点から、自力で、自然になどの意へと展開した》①一人。「わが思ふ君はただ―のみ」〈万三八二〉②自分だけで、相手がいないこと。㋑単独。他に誰もいないこと。「梅の花―見つつや春日暮さむ」〈万八一八〉㋺孤独。誰にも気持が通じないこと。「情(こころ)悲しも―し思へば」〈万四二九二〉㋩独身。「―のみもあらざりけらし」〈伊勢二二〉③《擬人化されたものなどについて》そのものだけであること。「虚戸荒野に残り留まり、魂孤(ひとり)三途に馳す」〈東大寺諷誦文稿〉。「この花の―たち遅れて」〈源氏藤裏葉〉④ある個人。「或る人の…と云ひしに、又―…と争ひしこそ」〈徒然二二〉⑤ある行為が他と関連を持たないこと。㋑独断で行なうさま。「―ひきこめ侍らむも、人の御心たがひ侍るべければ」〈源氏末摘花〉㋺自力でなすさま。人に頼らずするさま。「この人―のみ扱ひ行なふ」〈源氏夕霧〉 †Fitŏri ―**きゃうげん**キョウ:【一人狂言】一人で何人かの真似を演じ分けて見せる芸。後には「独芸(ひとりげい)」「一人芝居」ともいった。「先づも出来(でか)いた―」〈俳・寛永十三年熱田万句二七〉 ―**と**【独子】ただひとりの子。兄弟姉妹のない子。「ただ―にあるが苦しさ」〈万一〇〇七〉 ―**ど・ち**【独りごち】『四段』《ヒトリゴトを活用させた語》相手なしに一人でつぶやく。「宿に通はばと―・ち給ふも飽かねば」〈源氏蜻蛉〉 ―**ごと**【独言】相手なしに一人でものを言うこと。また、そのことば。「心地も老いすぎて、例のかひなき―もおぼえざりけり」〈かげろふ下〉 ―**ごと**【独琴】《なぐさみなどに》ひとりで弾く琴。「思ひ寄らざりし―を聞き給ひけんだにあるものを」〈源氏橋姫〉 ―**ころび**【独転び】自然に倒れること。また、自分で失敗するたとえ。「身上破滅して、―となるやから多しと見えたり」〈仮・色物語〉。「弾正の忠と合戦の(ヲ)するならば、内膳を踏み潰すに及ばず、―にならん」〈三河物語上〉 ―**すぎ**【一人過ぎ】一人で生活すること。ひとりぐらし。「―都鄙(ひと)安全になすべしと」〈俳・桃青三百韻〉。 ―**ずみ**【一人住み】男が、女と共に住まずに暮していること。独身や、やもめ暮しだけでなく、正妻があって別居している場合にもいう。「かぐや姫のみ御心にかかりて〔帝ハ〕ただ―し給ふ」〈竹取〉。「ゆきかかづらふ方も侍りながら、…―にてのみなむ」〈源氏若紫〉 ―**ね**【独寝】ひとりで寝ること。男女どちらの場合にもいう。「心安き―の床にてゆるひにけりや」〈源氏末摘花〉 ―**ばみ**【一人食み】①自分一人だけで食うこと。「―して毒の虫を呑み給ふな」〈俳・氷室守一〉②自分一人の力で物事をなすこと。独立。自主。一本立ち。「巣を出でて―する燕かな」〈俳・鸎鵡集三〉 ―**ひとり**【一人一人】どちらか一人。だれか一人。「思ふどち―が恋ひ死なば誰によそへてふぢ衣着む」〈古今六五四〉。「御娘達を―は〔トツガセヨウ〕と志し給ひながら」〈源氏匂宮〉 ―**ぼふし**ボウ:【独法師】①ひとり住みの法師。「僧答へていはく…わらは如きの―」〈伽・猫の草子〉②世間から取り残されてただ一人でいること。孤独。また、その人。「―思ひ合ひつつ寄り合ひて」〈俳・油糟〉 ―**み**【独身】①未婚の身。独身。「物思ひ知るまじき程、―をえ心にまかせぬ程こそ〔ハズカシガルノモ〕ことわりなれ」〈源氏末摘花〉②頼るべき人を持たない身。「又、勢ある者は貪欲ふかく、―なる者は人に軽めらる」〈方丈記〉 ―**むしゃ**【一人武者】多数の中で、特に一人だけ勝れて強い武者。「頼光の御内に、其の名を得たる―」〈謡・土蜘蛛〉 ―**も一人から** 子供がたった一人しかないこと。「岩の介しかも―」〈俳・大矢数五〉 ―**ゑみ**【独笑み】ひとりでにやにやすること。「心知らぬ人人は『なぞ御―は』とがめあへり」〈源氏末摘花〉

ひとり【火取】①香炉の類。香をたくのに使う。外側は木、内側は銅または陶器で、上を銀や銅の籠でおおい、衣類を薫ずる。「大きなる籠の下なりつる―を取り寄せて」〈源氏真木柱〉②「火取の童(わらは)」の略。「―、水取りばかり参らせて、我は参らじとなん思ふ」〈讃岐典侍日記〉 ―**のわらは**ワラワ:【火取の童】五節(ごせち)の舞姫の参入するとき、舞姫の衣などに香をしませるための火取を持って先に立つ童女。「―、小忌(をみ)の君達もいとなまめかし」〈枕(能因本)なまめかしきもの〉

ひど・り【日取り】㊀『四段』期日を選定する。吉日を選ぶ。「四月二十日のほどに―・りて来むとするほどに」〈源氏玉鬘〉㊁『名』あらかじめ日を選んできめること。「悦びて―などして、迎へにやるべき約束しけり」〈雑談集五〉

ひど・り【火取り】『四段』火であぶる。「昔は竹を割って、―・ってあぶって編(あ)うで、それに物を書いたぞ」〈玉塵抄二〇〉

ひとるい【一類】親類縁故者からなる一族。「―この里に満ちて侍るなり」〈源氏浮舟〉

ひとるたま【火取る玉】太陽の光線を集め、その焦点から火種を取った玉という。凸レンズの一種。「火珠、一名陽燧、比止流太万(ひとるたま)、火精也」〈和名抄〉

ひとわき【人別き】人を差別待遇すること。相手によって態度をかえること。「―しけると思ふにいとねたし」〈源氏末摘花〉

ひとわたり【一渡り】①ひと通り。一往。「―よませ奉り給ふに」〈源氏少女〉②一回。特に、一曲を一回奏すること。「難き調子どもを唯―に習ひ取り給ふ」〈源氏紅葉賀〉

ひとわらはれワラワレ:【人笑はれ】人に笑われるさま。人のもの笑いになること。「いとかう、身の人げなく、―に恥づかしかるべきこと」〈和泉式部日記〉

ひとわらへワラエ:【人笑へ】「ひとわらはれ」に同じ。「世の人聞きも、―にならむ事と思す」〈源氏葵〉

ひとわろ・し【人悪し】『形ク』他人に対して体裁が悪い。みっともない。「〔ツレナイ女ニ〕あながちにかかづらひ辿り寄らむも―・かるべく」〈源氏空蟬〉。「〔食器ナドハ〕唐土(もろこし)の物なれど、―・きに」〈源氏末摘花〉

ひとゑひイエ:【人酔ひ】人混みのために気分が悪くなること。「上下北面・武者所・蔵人所はじめられて、―もしぬべき程参りこみたり」〈源家長日記〉

ひとをり【一折】①連歌で、懐紙一枚を横折にした表裏二面。「連歌―して、日暮るれば、ゑひ乱れて帰るに」〈嵯峨のかよひ路〉。「御事始に―遊ばさんとて、『卯の花の雪をあつむる木陰かな』とありけるに」〈初心求詠集〉。「―の内にて花を肝要に仕り候間、よく思案をなして仕るべき也」〈至宝抄〉②折櫃(をりびつ)など一つ。多く進上物にいう。「山の芋を―冷泉大納言もとに送るとて」〈再昌草九〉

ひな【鄙・夷】①いなか。開けていない、都から遠い地方。「天ざかる―に五年(いつとせ)住まひつつ都の手ぶり忘らえにけり」〈万八八〇〉。「鄙、ヰナカ・ヒナ」〈名義抄〉②天皇家に従わないえみし。えびす。「四道将軍戎夷(ひな)を平(む)けたる状(さま)を以て奏す」〈紀崇神十一年〉 †Fina

ひな【雛】①ひよこ。「にはとりの―の、足高に、白うをかしげに」〈枕一五一〉。〈和名抄〉 ②他の語に冠して、小さく、かわいい意を表わす。「西御方より、やや方へ―駒給はり了んぬ」〈言経卿記天正一五・一・一七〉 ③「ひひな」の転。「忍ぶ間のわざとて―を作り居る」〈俳・冬の日〉

ひなあそび【雛遊び】⇒ひひなあそび。「雛遊、ヒナアソビ、児女之所作」〈天正十八年本節用集〉

ひながた【雛形】①実物を型どって小さくしたもの。模型。また、物の手本。様式。特に近世では、衣服の模様・染色の見本を称した。「春を夏へ移す―の袷かな」〈俳・細少石三〉 ②折烏帽子の前方、山形の下の小さく突出した部分。「烏帽子の―引揃へ」〈近松・佐々木大鑑三〉

ひなくもり〔枕詞〕《ナは連体助詞》日の曇る薄日(うすひ)の意から同音の地名「碓氷」にかかる。「―碓氷の坂を」〈万四四〇七防人〉 †Finakumori

ひなさか・り【鄙離り】『四段』いなかの方に遠く離れる。辺鄙である。「―・る国治めにと」〈万三九一〉 †Finasakari

ひなし【日済し】毎日一定額ずつ支払って、元利とも返済する無担保の借金。また、その貸主。「呵責(かしやく)の鬼の催促は、―の親方火の車をめぐらし」〈滑・根無草後編一〉

びな・し【便無し】『形ク』「びんなし」の「ん」を表記しない形。「女いと―・き心地すれど、『なし』と聞えさすべきにもあらず」〈和泉式部日記〉

ひなた【日向】《「日な手(た)」の意。ナは連体助詞。タは方向の意》日のあたる方。「さしてこし―の山を頼むには目もあきらかに見えざらめやは」〈相模集〉。「陽炎、ヒナタ」〈色葉字類抄〉 **―くさ・し**【日向臭し】『形ク』①日光にさらされた臭いがする。「日に当てぬれば、―・くて悪しき故、陰に干す事宜しきなり」〈仮・為人鈔四〉 ②田舎じみている。粗野で下品だ。「歌さへぞ―・かりける」〈仮・仁勢物語上〉 **―ほこり**【日向ほこり】暖をとるため、日向で日光に当ること。「春の節(とき)になりて、日うららかにて、―もせむ、若菜も摘みなむと思ひて」〈今昔一九ノ八〉 ▽「ひなたぼっこ」の原形の語。後に、「ひなたぼかう」「ひなたぼくり」などとも。

ひなつめ【鄙つ女】いなかの女。いなか娘。「―のい渡らす瀬戸」〈紀歌謡三〉 †Finatume

ひなのひつ【雛の櫃】雛祭に用いる、飯櫃形の曲物(まげもの)で、柳・桃・松などを描き、方形の蓋の付いたもの。草餅・赤飯などを入れる。雛の絵櫃。雛の行器(ほかい)。「―には相生の松」〈俳・飛梅千句〉

ひなのわかれ【鄙の別れ】都を離れて、辺鄙ないなかへ赴くこと。「おもひきや―におとろへて海士(あま)の縄たきいさりせんとは」〈古今九六一〉

ひなはヒナワ【火縄】檜皮(ひはだ)・竹の繊維・木綿糸などで作り、硝石をしみこませた縄。火持ちがよいので、鉄砲・煙草などに点火するのに用いた。「木綿―五筋」〈梅津政景日記慶長一九・三・七〉 **―うり**【火縄売】①火縄の行商人。「咲く花の道幾筋ぞ―」〈俳・加賀染上〉 ②劇場や船宿での火縄の商人。「―その中を通りけるに」〈浮・真実伊勢三〉

ひな・び【鄙び】『上二』《「みやび」の対》田舎めく。「歌さへぞ―・びたりける」〈伊勢一四〉。「都の手振り忽ちに改まりて、ただ―・びたる武士(もののふ)に異ならず」〈方丈記〉

ひなぶり【夷振・夷曲】①上代歌曲の名。歌詞から名づけたものか。「この歌は―なり」〈記神代〉 ②狂歌。「―の歌は始まれりけり」〈古今夷曲集序〉 †Finaburi

ひなぶり【火弄り】火をもてあそぶこと。「人待つ宵の―や」〈近松・重井筒中〉

ひなべ【鄙辺】ひなのあたり。いなかの地方。「大君の命(みこと)かしこみ、天ざかる―に退(まか)る」〈万一〇一九〉 †Finabe

ひなみ【日次・日並】①毎日。連日。「今日いくか―の御狩かりくらし」〈文治六年女御入内屏風歌〉 ②日の良し悪し。日がら。「―よろしからざるに依りて、弟子等、これを忌みて七日葬せず」〈今昔一三ノ一三〉 ③物事を行なうために日を定めること。また、その日。日どり。「〔島原遊廓ノ〕煤払ひ、其の家家によりて―同じからず」〈色道大鏡一三〉

ひなもり【夷守】地方を守る官。「兄―・弟―二人を遣はして」〈紀景行十八年〉 ▽魏書、東夷伝に「始めて一海を度(わた)る千余里、対馬国に至る。其の大官を卑狗(ひこ)と曰ひ、副を卑奴母離(ひなもり)と曰ふ」とある。 †Finamöri

ひなら・べ【日並べ】『下二』日を重ねる。日数が多くたつ。「わが背子が屋戸のなでしこ―・べて雨は降れども色は変らず」〈万四四四二〉 →けならべ。 †Finarabë

びなんせき【美男石・美軟石】モクレン科のビナンカズラの茎を水に浸して得る粘り汁。近世初期、鬢付油の代用とした。「びなんかづら」とも。「髪をば―にて、鬢を高くつき上げ給へり」〈北条五代記五〉

ひにく【皮肉】皮と肉と。「打擲の杖にて御―を打ち裂き奉りたる上に」〈バレト写本〉 **―こつ**【皮肉骨】和歌・連歌・能楽・書道などで、三体を示す語。「皮」はやさしさ、「肉」は愛、「骨」は強くしたたかな風体を表わすというが、各芸道で多少の相違がある。「〔手跡ノ〕―の三体を立てて申したるに、道風・佐理・行成等の三人に三得三失を立てて侍り」〈愚秘抄〉 **―の晴れた** 芸能などのすぐれた、見てびっくりする程上手なの意。「皮肉を晴れた」「皮肉を離れた」とも。「―手習ぞする」〈俳・紅梅千句〉

ひにけに【日に異に】『連語』《ケは異なっている意》日日に変って。日ましに。「秋風は―吹きぬ」〈万二二一二〉 →朝に日(け)に。 †Finikeni

ひにっき【日日記】①日日の出来事・雑事を記した日記。「まことにめでたき手跡にて―をし侍り」〈撰集抄七ノ九〉 ②毎日つかった金銭を記した帳簿。「―も指引き残る暑さかな」〈俳・埋草三〉。〈日葡〉

ひにひに【日に日に】『連語』毎日毎日。「山吹は―咲きぬ」〈万三九七四〉 †FiniFini

ひにん【非人】①人間でないもの。天龍八部や、夜叉・悪鬼の類。「今この経の徳用にて、天龍八部、人与(にんよ)―、皆遙見彼、龍女成仏」〈謡・海士〉 ②《世の常の人ではないという意で》出家遁世した沙門。また、乞食や貧乏人たち。「大内裏の墻(かき)の外に、諸の―・乞丐(こつがい)・病者の出されたるに、加持してたびければ、多くは病も癒えにけり」〈沙石集九ノ六〉 ③近世、士農工商の下におかれた最下層身分。年貢の賦課を受けず、下級の遊芸や乞食などをして生活し、罪人の送致、刑屍の埋葬などに従事した。「今度町中にて改め候―の儀…もはや埒明き候間、前前の如く、―の心次第何方をも乞食致させ申すべく候」〈御触書寛保集成四二、延宝三・一二〉 **―せぎゃう**ギヨウ【非人施行】窮乏した人、乞食などに米銭を施し与えること。「―。非人に施行すと云は、毎日あらざる者の門乞ひをそらさず、物を引く是也」〈庭訓抄下〉

ひね【古・陳】㊀『名』古くさいこと。「古き物を―と名づく」〈名語記六〉。「古、ヒネ」〈運歩色葉集〉 ㊁〔ひ・ね〕『下二』《名詞ヒネの動詞化した形》古くさくなる。年を経る。「―・ねたる鹿の角はなきかと仰せ出されければ」〈義残後覚五〉。「恋の―・ねたが夫婦いさかひ」〈浮・三代男四〉

ひねくさ・い『形』いかにも古びている。古くさい。「易以下の書は、古文にて―・いと云て嫌ぞ」〈古文真宝抄三〉

ひねく・り【捻り】『四段』①手先でいじりまわす。「〔観音カラ授カッタ薬シベヲ〕不思議ながら—・りて」〈伽・大黒舞〉 ②理屈をこねまわして、相手を閉口させる。手数がかかる。「とちめん屋の彌次郎兵衛様と云っちゃア、ちと—・った奴さまだア」〈滑・膝栗毛五追加〉

ひねく・れ【陳くれ】『下二』古びる。すっかりひねている。「千代も今度が三度目の嫁菜盛りも—・れて」〈近松・宵庚申下〉

ひねくろ・し【陳くろし】『形シク』年寄くさく地味だ。「ぼんぼり綿〔綿帽子ノ一種〕も—・しく」〈近松・女腹切上〉

ひねずみ【火鼠】南方の火山に棲むという白ネズミ。中国の想像上の動物で、その毛を織って火に燃えない布をつくるという。「黄金を捨てて〔求メタ〕—の思ひ〔火ト掛ケル〕片時に消えたるも、いとあへなし」〈源氏絵合〉。〈和名抄〉 **—のかはごろも**(カワ)【火鼠の裘】火鼠の毛で織った、火に燃えない衣料。「—、此の国になき物なり」〈竹取〉 ↓火浣布(くわくわんぷ)

ひねひね・し『形シク』いかにもひからびて古くなった感じである。盛りをすぎた感じである。「新墾田(あらきだ)の鹿猪田(ししだ)の稲を倉に蔵(つ)みてあな—・し我が恋ふらくは」〈万三八四八〉 ▽ヒネはヒ(干)イネ(稲)の約か。 †Fïnefïnesi

ひねみみ【陳耳】聞き古したこと。旧聞。「去年(こぞ)聞きしままや—ほととぎす」〈俳・伊勢正直集二〉

ひねもす【終日】朝から晩まで一日中。日がな一日。「ひめもす」とも。「—に見とも飽くべき浦にあらなくに」〈万四〇三七〉。「御堂の勤め—よもすがら怠らせ給はず」〈栄花疑〉 †Finemosu

ひね・り【捻り・撚り・拈り】㊀『四段』《指先で物の一小部分をつまみ、つまんだ部分を、右または左に廻す意。類義語ネヂは、物の両端を互いに逆の方向に廻す力を加える意》 ①指先でものの一部分をつまんで廻す。「撚は両の指面を合はせ、物を捩(ねひ)るぞ」〈蘇悉地羯羅経略疏寛平点〉。「御胸をひきあけさせ給ひて、乳(ち)を—・り給へりければ、御顔にさと走りかかるものか」〈大鏡兼家〉 ②(腰などを)よじるように曲げる。「横ざまに立てたる几帳のつらにゐたれば、外様(とざま)に—・り向きて」〈枕二三〉 ③縫物の耳(へりの所)を折り返して縫う。「物をいと、うつくしう—・らせ給へば、とて小袿(こうちき)の単衣(ひとへ)奉るを」〈源氏手習〉 ④《ものをつまんで廻してみる意から転じて》(歌などを)やっと曲りなりに工夫する。「からくしてあやしき歌—・りいだせり」〈土佐二月七日〉 ⑤試みる。「若い時は小相撲の一番も—・った已ぢゃ」〈近松・五十年忌上〉 ⑥しゃれた工夫をする。一風変ったことをする。「ぐっと—・って俗物なる跋」〈滑・浮世風呂三下〉 ㊁『名』①「ひねりぶみ」(2)に同じ。「日暮れて、宗湛を呼びに御—参り候ふほどに」〈宗湛日記天正一五・三・四〉 ②罪人などを捕えるのに用いる具。そでがらみ。ねじ。「討手の人人は、或いは鑓(やり)、或いは—・琴柱(ことぢ)などにて…生捕りにせんと進みけれども」〈室町殿日記一〇〉。「捻止(ねじ)。—とも云ふ」〈武家重宝記四〉 ③相撲の手の一。相手の身体を捻り倒すわざ。「十二の—、十二の投げ」〈近松・井筒業平五〉 **—がさね**【捻重】単(ひとへ)の袖口を重ねた所に糊をつけ、内側に折り返して端を固くしたものをいうか。「よを安み民のわづらひかへりみて—は着る人もなし」〈夫木抄九・夏衣〉 **—ぶくさ**【捻服紗】服紗をねじったもの。金銭を入れるのに用いる。「ねぢ服紗」とも。「—より細銀取り出して」〈西鶴・一代女四〉 **—ぶみ**【捻文】①くじの一種。幾枚かの細い紙片にそれぞれ別の事を書いて捻っておき、探り取ってうらない、また当てる。「—を取りて謀反(みかどかたぶ)けむ事を卜(うらな)ふ」〈紀齊明四年〉 ②「たてぶみ」に同じ。包紙の上下を捻るのでいう。「腰文・—」〈鎌倉年中行事〉 **—もち**【捻餅】身体の一部を指先で捻って傷ませるのを、餅にたとえていう語。「ここな餓鬼めとて、—を喰はせたる」〈俳・特牛〉

ひのあし【日の足】①雲間などから漏れてくる日ざし。「向ひたる廊の、上もなくあばれたれば、—程なくさし入りて」〈源氏末摘花〉 ②「ひあし」(2)に同じ。「まだ—も南へと、駕籠の息杖息つがず走らせ」〈近松・卯月紅葉上〉

ひのいへ(エ…イ)【火の家】「火宅」の訓読語。「世の中に牛の車のなかりせば思ひ〔火ト掛ケル〕の家をいかでいでまし」〈拾遺一三三一〉

ひのいるくに【日の入る国】《日の沈む西方の国の意》上代、日本から中国をさしていう称。「直(ただ)渡り—に遣はさる我がせ(夫)の君を」〈万四二四五〉 ▽聖徳太子の隋への国書にも「日没する処」とある。

ひのえ【丙】《火の兄(え)の意》十干の第三。「—。…照る日のえしもさやけからぬは」〈曾丹集〉 **—うま**【丙午】迷信の一。丙午の干支(えと)の年は災害が多く、また、その年生れの男・女はそれぞれ妻・夫を殺すと信じられた。後には女についてだけいわれ、今日に至った。「女を殺す男有り。—・己亥・癸酉〔生レ〕也」〈慶安二年板大雑書〉。「—ならずと男食ひなまし」〈俳・身楽千句〉

ひのおまし【日の御座・昼の御座】昼間の御座所。通常は、清涼殿の天皇の日中の御座所をいう。ひるのおまし。「—のかたにはおもの参る足音高し」〈枕三三〉

ひのき【檜】⇩ひ(檜)。「—は以て瑞宮(みつのみや)を為(つく)る材(き)にすべし」〈紀神代上〉。「檜、栢葉松身、比乃木(ひのき)」〈新撰字鏡〉 †Finöki **—がさ**【檜笠】檜の薄板を編んで作った笠。「片かた破れ失せたる—を着たり」〈発心集七〉。「左の手には—を黒革にて綴ぢたるを肘にかけて」〈諸国一見聖物語〉

ひのぎぬ【日野絹】近江国日野産の絹織物。また、それに地質のよく似た上野国藤岡付近産の絹織物。着物地のほか蒲団・下帯などにも用いた。略して「日野」とも。「—のどかに紫の袖」〈俳・花洛六百韻〉。〈俳・毛吹草四〉

ひのくち【樋の口】水を取り入れたり流したりする口。水門。「そののち、—より七たびまゐらす」〈建武年中行事六月〉

ひのくるま【火の車】「火車」の訓読語。「その時に、この人の目に—見えけり」〈今昔一五ノ四七〉

ひのぐれに【日の暮に】〔枕詞〕夕方の薄日(うすひ)と同音の地名「碓氷」にかかる。一説、枕詞でなく単に、夕方にの意。「—碓氷の山を越ゆる日は」〈万三四〇二東歌〉 †Finöguréni

ひのけ【日の気】太陽の光。日光。「天てるや—に干(ほ)し」〈万三八八六〉 †Finökë

ひのござ【昼の御座】「ひのおまし」に同じ。「—の御剣などもとりわすれさせ給ひけり」〈平家七・主上都落〉

ひのこし【火の輿】内に燈をともした輿。葬送のとき使った。「香の輿・—など、みなあるわざなりけり」〈栄花月宴〉

ひのさうぞく(ソウ…ゾ)【日の装束・昼の装束】《「宿直(とのゐ)装束」の対》正装。すなわち、束帯をつけた姿。「ひのよそひ」「ひのしゃうぞく」とも。「—の、くれなゐの単(ひとへ)の袒(あこめ)など」〈枕二八三〉

ひのさしあひ(イ…ア)【火の差合】出産・病死・自害人などのある所または忌中の家に行き合わせた者の受ける穢れ。水を浴びてその穢れを払うという。「火の踏合ひ」「火の穢れ」「火の忌み」とも。「当年祖父死去ゆゑ—候ひつるゆゑ、延

引にて、今日参る」〈北野社家日記慶長六・三・晦〉

ひのし【火熨斗・火斗】柄杓(ひしやく)形の金属製の器具。炭火を入れ、底を布に押し当てて皺を伸ばすもの。「熨斗は一の事なり」〈碧岩抄五〉

ひのした【日の下】①天の下。天下。世界。「忠信は一において隠れましまさず」〈謡・摂待〉②武芸・遊芸などの第一人者。また、天下一の意にも用いる。「筆取りの一なる九右衛門が名刺をばいかにして見損じけん」〈浮・新武道伝来記一〉　**一かいさん**【日下開山】《「開山」は開祖の意。江戸幕府が天和二年「天下一」の称号を禁止して以後、使われ初めたという》武芸・相撲などで、天下無敵の称。日本一。天下一。「羽折(羽織)に、一明石志賀之助と紋所を縫はせ」〈関東潔競伝〉

ひのしゃうぞく ‥シヨウ‥【日の装束】⇒ひのさうぞく。「一してやがて神の御前にてかき給ふ」〈大鏡(蓬左文庫本)実頼〉

ひのたたし【日の縦】《「日のよこし」の対。タタはタチ(立)の名詞形。シは方向。日の登る方向の意》①東。「一日の横(よこし)、陰面(かげとも=南)背面(そとも=北)の諸国人(くにぐにひと)」〈高橋氏文〉②《誤用して》東西。「東西を以て一とし」〈紀成務四年〉▽東を日の立つ(出る)方向の意で把握する例は世界に多い。†Finötatasi

ひのたて【日の経】《「日のよこ」の対。タテはタタの転。→ひのたたし》東。「大和の青香具山は〔藤原宮ノ〕一の大御門(おほみかど)に春山としみさび(茂ッテ)立てり」〈万五二〉†Finötate

ひのためし【氷の様】元日の節会に、宮内省から去年の氷の厚さを奏上した儀式。厚い時は豊年、薄い時は凶年の兆とした。「左大臣、忠君をして御暦・一等を奏せしむ」〈九暦天徳四・一・一〉

ひのちゃ【非の茶】山城国栂尾産の茶を「本の茶」というのに対して、他の土地の茶。「おれが主殿は、中国一の法師にて、一をたてぬ事なし」〈虎寛本狂言・茶壺〉

ひのちりちり【日のちりちり】夕日が没しようとして僅かに残るさま。「一に野に米を刈る」〈俳・冬の日〉→ちりちり

ひのて【火の手】燃えあがる火炎。「焚く一天にのぼるは勝ぞかし地に這ふ時は負と知るべし」〈義経百首〉　**一を上・ぐ**①火をつけて燃えあがらせる。「何とか遅れけん、丑(うし)の下刻まで一・げざりけるに」〈浅井三代記一〇〉②軍隊などが、行動を起す。「はや手出しをし給ひて、広忠の御領分に一・げ給ふ」〈三河物語上〉

ひのと【丁】《火の弟(おと)の意》十干の第四。「一。…春の日の疾(と)く暮れぬこそわびしかりけれ」〈兼輔集〉

ひのはかま【緋の袴】緋色の袴。紅の精好(せいがう)で作る。もっぱら女官が用いた。「かづける衣は紅葉襲(かさね)、一踏みしだき」〈謡・雲林院〉

ひのばん【火の番】火の番人。特に近世、火災予防のため、拍子木または太鼓を打ち、或いは金棒を引いたりして、夜中、町内を巡視する者。「一等仰せ付けられ」〈上井覚兼日記天正二・四・九〉。「一の太鼓に合はせて」〈西鶴・諸艶大鑑六〉

ひのふだ【日の札】「日給(ひだまひ)の簡(ふだ)」に同じ。「近侍の人人も周章(あわ)てたりけりと覚えて、明星・一、二間の御本尊まで皆すておかれたり」〈太平記一四・主上都落〉

ひのふだ【火の札】①火伏せの護符。近世、京都愛宕山で出したものが有名。「一制止の事。…札を立てたる本人は、放火人に准拠して重科に処すべく」〈西方寺町文書明暦一・二・二六〉②付け火をするという威しの文言を記して、怨みのある家の門戸に貼り、または門前などに捨てておく札。「遺恨ありて立てつる一を」〈仮・小盃三〉

ひのみかげ【日の御蔭・日の御影】①太陽を避けて蔭となる所。殿舎をいう。「高天の原に千木高知りて、天の御蔭一と定めまつりて」〈祝詞春日祭〉②日の神の御威徳。「宮柱したつ岩根にしきたててつゆも曇らぬ一かな」〈新古今一八七七〉③太陽の御姿。「天津風あめの八重雲吹き払へ早や明らけき一みむ」〈新勅撰五七〇〉†Finömikagë

ひのみかど【日の御門】①日の神の子である天皇のすむ宮殿。皇居。「我が作る一に」〈万五〇〉②朝廷。天皇。「高光る(枕詞)一神ながらめでの盛りに(深ィ寵愛ニヨッテ)」〈万八九四〉†Finömikado

ひのみこ【日の御子】《太陽の子の意》天皇・皇太子・皇子の美称。「高光る一」〈記歌謡二八〉†Finömiko

ひのもと【日の本】《太陽が出現するはじめの所の意。「日の入る国」の対》日本。「絵のさまも、唐土(もろこし)と一とをとりならべて」〈源氏絵合〉。「一に咲ける桜の色見れば人の国にもあらじとぞ思ふ」〈拾遺一〇五〇〉　**一の**【日の本の】〔枕詞〕「やまと」にかかる。「一大和の国の」〈万三一九〉

ひのやまひ ‥ヤマイ【火の病】熱病。「一にてうづく向かふ歯」〈俳・貞徳独吟〉

ひのよこ【日の緯】《「日のたて」の対。「日のよこし」の略》西。「畝火(うねび)のこの瑞山(みづやま)は〔藤原宮ノ〕一の大御門(おほみかど)に瑞山と山さびいます」〈万五二〉†Finöyökö

ひのよこし【日の横】《「日のたたし」の対。ヨコはヨキ(避)と同根。日の没する方向の意》①西。「日の縦(たたし)一、陰面(かげとも=南)背面(そとも=北)の諸国人(くにぐにひと)」〈高橋氏文〉②《誤用して》南北。「南北を一とす」〈紀成務四年〉†Finöyökösi

ひは ワヒ【鶸】燕雀目の鳥の一。美声で鳴く。腹は黄色で、雄は殊に美しい。「鳥は。…しぎ、都鳥、一、ひたき」〈枕四一〉

ひば【干葉・乾葉】大根の茎・葉を陰干ししたもの。食用・薬用にする。「暮の月一の茹(ゆで)汁悪臭し」〈俳・炭俵上〉

びは ワビ【琵琶】絃楽器の一。木製で長円形の平らな胴を持ち、通常、絃は四本。琴柱(ことぢ)は四枚あり、左手の指でこれを押し、右手に撥を持って絃を弾く。「この内侍一をいとをかしう弾き居たり」〈源氏紅葉賀〉。〈和名抄〉

ひばう ‥ボウ【誹謗】《近世前期頃までヒハウと清音》悪口を言うこと。あしざまに非難すること。「朝廷を一し人臣の礼無し」〈続紀天平勝宝八・五・一〇〉。「いかばかりそしりーせまし」〈枕三三〉。「誹謗、ヒハウ」〈書言字考〉

びはえふたう ビワヨウトウ【枇杷葉湯】①枇杷葉・肉桂・甘草などを細切混合して煎じた汁。暑気を払い、霍乱(かくらん)・痢病などを防ぐ清涼飲料として、京都烏丸の薬店を本家とし、三都で行商された。「辻駕籠に一の振り残し」〈雑俳・橘中仙三〉。〈和漢三才図会八七〉②《枇杷葉湯を行商する時、宣伝のため誰にでも無料で飲ませたところから》多情な者の称。「とんだ情無しで、そのくせ醜男さ。仇名を一とも、能の面とも言ひやした」〈洒・古契三娼〉

ひはが・ち【樋放ち】『四段』水を引き入れる管をこわす。「廃渠槽、此をば秘波鵝都(ひはがつ)といふ」〈紀神代上〉†Fiфagati

ひはぎ【引剝ぎ】《ヒキハギの音便形ヒッパギのツを表記しない形》追剝ぎ。「『いかなる者ぞ』と問へば…『一に候』といへば」〈宇治拾遺三八〉

ひはし【檜橋】ヒノキでつくった橋。「一より来む狐(きつ)に〔湯ヲ〕浴(あ)むさむ」〈万三八二四〉†FiFasi

ひはだ【檜皮】《ヒワダともよむ》①ヒノキの皮を小板に作ったもの。屋根を葺(ふ)く材料とする。神殿・皇居・貴人の殿舎などの屋根に多く使われる。「枝ども多く折れ伏した

り。くさむらはさらにもいはず、—、瓦、所所の立蔀(たてじとみ)、透垣(すいがい)などやうのものみだりがはし」〈源氏野分〉。「檜皮、ヒハダ」〈色葉字類抄〉 ②「檜皮葺き」の略。「町ひとつに—の大殿(おとど)・廊・渡殿・庫(くら)・板屋など…本家の御料に造らせ給ふ」〈宇津保藤原君〉 ③《「檜皮色」の略》 赤色の薄ばんだ色。襲(かさね)の色目などにいう。「下仕(しもづかへ)八人、—の唐衣、袿(うちき)ども着たり」〈宇津保国譲下〉 **—ぶき**【檜皮葺き】 檜皮で屋根を葺くこと。また、その屋根。「なまめかしきもの。…いたうものふりぬ—の屋に、ながき菖蒲をうるはしうふきわたしたる」〈枕八九〉。「檜皮葺、ヒワダブキ」〈文明本節用集〉 **—や**【檜皮屋】 檜皮葺きの家。「五条油の小路辺に荒れたる—の内になむ下し置きつるとぞ云ひける」〈今昔二四ノ四八〉

ひはづ(ヒワヅ)【繊弱・怯弱】《ヒハはヒハボソ・ヒハヤカのヒハと同じ》 きゃしゃ。ひよわ。「いとささやかなる人の、常の御悩みに痩せ衰へ、—にて」〈源氏真木柱〉

ひはなち【樋放】 天(あま)つ罪の一。水を引き入れる管をこわすこと。「放樋、古語、斐波那知(ひはなち)」〈古語拾遺〉 †FiFanati

びはのこと(ビワ:)【琵琶の琴】《コトは広く絃楽器をいう》「琵琶」に同じ。「無名といふ琵琶の御琴」〈枕九三〉

ひはぼそ(ヒワ:)【繊細】《ヒハはヒハヤカ・ヒハヅのヒハと同じ。よわよわしい意》 かよわく細いこと。「—たわや(タオヤカナ)腕(がひな)」〈記歌謡二七〉 †FiFabösö

びはほふし(ビワホウ:)【琵琶法師】 中世、琵琶をひきながら平家物語などの語り物を語って、各地を遍歴した盲法師。「—を召し、才芸を尽さしむ。少祿を給ふ」〈小右記逸文寛和一・七・一八〉。「—…平治保元平家の物語何れも暗(そら)んじて滞(とどこほり)無し」〈普通唱導集〉。「中比は盲たる者は入道して鼠色なる衣を着て、琵琶を袋に入れて廻るなり。これを—といへり」〈庭訓抄上〉

ひはやか(ヒワヤカ)【繊弱】《ヒハは、ヒハヅ・ヒハボソのヒハと同じ》 見るからにひよわなさま。きゃしゃな感じ。「いみじう—に美しうおはします」〈栄花もとのしづく〉

ひはら【檜原】 ヒノキの茂っている原。上代では初瀬・巻向(まきむく)・三輪が有名。「いにしへにありけむ人もわが如か三輪の—にかざし折りけむ」〈万一一一八〉 †FiFara

ひばり【雲雀】 ヒバリ。「うらうらに照れる春日に—あがり」〈万四二九二〉。「雲雀、似レ雀而大、比波里(ひばり)」〈和名抄〉 †Fibari **—ぼね**【雲雀骨】 雲雀の脚のように、細細とやせた骨格。「浅大夫は—なる者なり」〈大恵書抄三〉。「あっぱれ名にし負ふ—やとぞ、一度にどっとぞ笑ひける」〈伽・鴉鷺物語〉

ひはん【裨販】 いやしい物売り女。販女。「女御百人—、公卿百人伊勢平氏」〈盛衰記三〉

ひばん【日番】 毎日交代で行なう警護。「—をも頼方はからひにして守護しける」〈義経記一〉

ひばん【非番】《「当番」の対》 当直でないこと。また、当直でない人。「内に入り御覧ずれば、—当番の者ども臥したり」〈義経記三〉

ひひ 鹿・ぬえなど、獣や鳥の鳴き声。「一つの鹿、此の丘に走り登りて鳴きき。其の声は—といひき」〈播磨風土記〉。「ぬえの声して—なきて」〈盛衰記一六〉 †FiFi

ひび【皹】 小さいあかぎれ。「あかがりは忍ぶ恋路にさも似たり—にまさりて物をこそ思へ」〈伽・白身房〉。「皸、ヒビ」〈名義抄〉

ひび【篊】 海中に枝のついた竹・木を立て並べ、魚が入ったら逃げられないようにしたもの。また、牡蠣・海苔などの養殖のため、海中に立てて置く粗朶(そだ)。「敷きわたす月の氷を疑ひて—の手まはる味鴨(あぢ)の群鳥」〈山家集下〉

ひび【日日】 一日ごと。「—に重りたまひて、ただ五六日のほどにいと弱うなれば」〈源氏桐壺〉

ひびか・し【響かし】『四段』《ヒビキの他動詞形》 ①びりびりと震動させる。反響をおこさせる。「楽の声、鼓の音、世を—・す」〈源氏紅葉賀〉。「をめき叫ぶ声山を—・し」〈平家九・坂落〉 ②(聞く人の)心をゆさぶり、大きな反響をおこさせる。「かく世を—・す御孫のいでおはしましたる、…いとよし」〈大鏡藤氏物語〉

ひひ・き【疼き】『四段』《ヒヒは擬態語。キは擬態語を受けて動詞をつくる接尾語》 ぴりぴりと痛いほどに感じられる。「垣下に植ゑしはじかみ口—・く」〈記歌謡一二〉 †FiFiki

ひび・き【響き】 ㊀『四段』《ヒヒキと同根。名義抄には「響、ヒヒク」ともあり、古形はヒヒキと清音であったと考えられる。音や評判がぴりぴりと感じられる意。→とどろき》 ①鳴りわたる。「大きに梵(な)り—・き震(ふ)る雷と音との如し」〈金光明最勝王経平安初期点〉 ②音がきこえる。「夜深きあしたの鐘の音かすかに—・く」〈源氏総角〉 ③さわぎとなる。「〔ナキガラヲ〕をさめ奉るにも世の中—・きて悲しと思はぬ人なし」〈源氏薄雲〉 ④世間の評判となる。「御裳着のこと世に—・きていそぎ給へるを」〈源氏早蕨〉 ⑤ひびが入る。「瑲瑤、常に薬の—・きたるを云ふ」〈君台観左右帳記〉 ㊁『名』 ①遠くまで伝わって聞える音。音響。「琵琶の声の—なりけり」〈源氏橋姫〉 ②余韻。「鐘の音の絶ゆる—にねをそへてわが代つきぬと君に伝へよ」〈源氏浮舟〉 ③反響。「あまびこ。—なり」〈匠材集三〉 ④語末の韻。語尾の母音。「きとりと同じ—也」〈袖中抄一〇〉。「さの—、あ也」〈古今集註〉。「滝の—に夢ぞおどろく。〔答〕あいさめ」〈なぞだて〉 ⑤ある事柄について、世間で騒ぐこと。「御賀の—もしづまりぬ」〈源氏若菜下〉 ⑥世の反響。評判。「いみじき世の—なり」〈増鏡一〉 ⑦割れ目。ひびわれ。特に、陶磁器の釉薬のひび。貫乳(くわんにう)。「古寺に有りける撞鐘…打ちくだかんとするに、かつて—もゆかず」〈室町殿日記一〇〉。「番炉…—大小あり」〈久政茶会記天文二三・二・二七〉〈合類節用集〉 **—がら**【響柄】(名器のもつ)本来の音質。「御ことの—にやとこそ思う給へしか」〈源氏橋姫〉

ひひくめ 童戯「子とろ子とろ」の古称。「たとへば童部の取(と)てう取てう—といふ戯れをしたるが如し」〈作庭記〉。「小童部(こわらべ)どもの多く集まりて、—と云ふ事をして、もの騒がしければ」〈耀天記〉 →ひふくめ

ひひこ【曾孫】《ヒコは孫》 孫の子。「ひこ」「ひまご」とも。「天日槍(あめのひほこ)の—清彦に詔(みこと)して」〈紀垂仁八十八年〉。〈和名抄〉 †*FiFiko

ひひさう(:ソウ)【非非想】〔仏〕「非想非非想天(ひさうひひさうでん)」の略。「上は—をきはめ、下は黄泉まできはめ給へるとも承りしが」〈伽・大原御幸草子〉

びび・し【美美し】『形シク』 ①(身なり・容姿などが)華やかである。派手である。「いみじう—・しうてをかしき君だちも、随身無きはいとしらじらし」〈枕四八〉 ②(文章・振舞などが)見事である。立派である。「中文(まうしぶみ)を取り作りて、—・しう書き出だされよ」〈源氏行幸〉。「〔返事ヲ〕—・しくも言ひたりつるかな」〈枕一三三〉。「これも時にとりては—・しかりしかとも申してん」〈問はず語り二〉 ③(催などが)盛大である。豪華である。「酒盛—・しき事限りなし」〈伽・さいき〉

ひひとひ【日一日】 朝から日暮まで。一日中。「—、よもすがら、神仏をいのる」〈土佐二月二日〉。「—入り居て語らひ申し給ふ」〈源氏真木柱〉

ひひな(ヒイナ)【雛】 紙で小さく作った人形の玩具。幼女などの

もてあそぶもの。「いとうつくしげに―のやうなる御有様を」〈源氏藤裏葉〉 **―あそび**【雛遊び】雛人形に調度や供え物などを飾ってする女子の遊び。上巳(じやうし)の祓と結びついて、三月三日の節句に固定した行事となったのは近世初期頃らしく、中期以降、雛祭とも称して盛んに行なわれるようになった。ひなあそび。雛事(ひなごと)。「十に余りぬる人は―は忌み侍るものを」〈源氏紅葉賀〉

ひひめ・き『四段』ぴいぴいと鳴く。「鵼(ぬえ)、鏑(かぶら)の音に驚いて、虚空にしばし―・いたり」〈平家四・鵼〉

ひひら・き『四段』《ヒヒは擬音語》①いななく。「嘶、イナナク・ヒヒラク」〈名義抄〉 ②続けざまにぺらぺらしゃべる。「馬頭、物定めの博士になりて―・きゐたり」〈源氏帚木〉。「囀、サヘヅル・カマビスシ・ヒヒラク」〈名義抄〉 ③音が割れてひびく。また、物が音を立てて割れる。「井手。…たとひ力を尽してこれを弾くといへども、聊も―・く所なし」〈順徳院御琵琶合〉。「甄、ヒヒラク、器破声」〈名義抄〉

ひひら・き【疼き】『四段』《室町時代にはヒビラキ》ひりひり痛む。「諸(もろ)の瘡(ひひら)く病を成す」〈地蔵十輪経一・元慶点〉。「切り焼くが如くうづき―・き」〈発心集四〉

ひひらぎ ヒイラギ【柊】モクセイ科の常緑樹。節分の夜、イワシとこの木の枝を門戸に插すと悪鬼をはらうという風習がある。葉にとげがあって、手に触れるとひりひり痛む(ひひらく)ことからの命名という。「比比羅(ひひら)木の八尋矛(やひろほこ)」〈記景行〉。「元日、…けふは都のみぞおもひやらるる。小家(こへ)のかどのしりくべなはのなよしの頭(かしら)、―ら、いかにぞ」〈土佐一月一日〉 †Fifiragi

ひひ・り【飄り・沖り】『四段』ひらめき飛びあがる。「物ありて、…風に随(したが)ひて、松林と葦原とに―・る」〈紀天武七年〉。「沖・翔、ヒヽル」〈名義抄〉 †*Fifiri

びび・り『四段』①気おくれがする。はにかむ。恥じらう。「唯今出ぬものならば、―・ったりと思ふべし」〈浄・道外和田酒盛三〉。〈俳・世話尽一〉 ②物惜しみをする。けちな振舞いをする。けちけちする。「人の嗇(しわ)くて物惜しむを―・ると云ふ」〈志不可起七〉

ひひる【蛾】《ヒヒリ(飄)と同根か》①蛾(が)の古称。「越前国司、白き―を献れり」〈紀持統六年〉。「蛾、比々流(ひひる)」〈霊異記下一八〉。「蛾、比々留(ひひる)」〈和名抄〉 ②《特に》蚕の蛾。「蝅、比々流(ひひる)、蠒内老蚕也」〈和名抄〉 †*Fifiru **―は**【蛾羽】蛾の羽。また、薄いもののたとえにいう。「―の衣(きぬ)だに着ずに」〈万三三六〉

びび・れ【震れ】『下二』音が震動する。ひびく。「〔尺八〕少しも―・れたる音色〔ハ〕悪しく」〈紙鳶上〉

ひふ【一二】《一つ、二つと数える意で》玉などを手玉に取る芸。品玉(しなだま)。「片手を以て数百千の―を突き」〈盛衰記三四〉

ひふ【秘府】貴重な品物を秘蔵する倉庫。また、帝室の御蔵。秘閣。「則ち―の銀鑰(やく)を開いて、金軸の書一巻を取り出せり」〈太平記六・正成天王寺〉

ひふあひ イフア【皮膚合】身体。「髪膚。―」〈両国訳通上〉 **―の良い** 腹工合がよい。胃腸の調子が良い。「腹中合ひのよきを、―と云ふ」〈志不可起七〉

ひふくめ 子供の遊戯「子とろ子とろ」の古称。中世では、背後にとりついて隠れた比丘・比丘尼・優婆塞・優婆夷をかばう地蔵菩薩と、それを奪い取ろうとする地獄の鬼との争いをかたどったものと解されていた。「小童部の遊戯に―といふ事あり、如何。…取り親が取らう取らう―と言へるは、獄卒が取らう取らう比丘・比丘尼と言へる義なり」〈名語記〉

びふくもん【美福門】大内裏十二門の一。古くは壬生門(みぶもん)といった。大内裏の南面、朱雀門の東にある。「―の前の程を行くに」〈今昔二四ノ四二〉

ひぶせ【火伏せ】(呪力・通力などで)火災を押え防ぐこと。「故に其の〔鴟(し)トイウ魚ノ〕像を屋背に設けて、もって―とするなり」〈禅儀外文盲象鈔三〉

ひぶた【火蓋】①火縄銃の火皿の火口を被う蓋。「山彦や―迷はす鹿の声」〈俳・江戸蛇の鮓〉 ②火事の時、蔵の窓を遮閉し延焼を防ぐ金属製の窓蓋。「窓には赤銅の―」〈西鶴・桜陰比事三〉

びぶつ【美物】おいしい食べ物。主に魚肉をいう。「雑事厨、種種の―調(ととの)へ」〈庭訓往来十二月三日〉。「身は精進(しやうじ)にて候へば、―は食ふまじく候」〈伽・稚児今参物語〉

ひぶみ【日文】毎日送る恋文。「―と云ふを取り交し」〈浮・傾城武道桜一〉

ひぶろ【日風呂】毎日入浴すること。「―に入りし草の下萌え」〈俳・難波千句〉

ひふゑんまん【皮膚円満】栄養がよく、膚が脂づき肥えていること。身体つきが生き生きとして元気がよいこと。肥膚円満。「―に墨染の袖」〈俳・昼網下〉

ひぶん【非分】①分際に合わないこと。分不相応。「此の大納言―の大将を祈り申されければにや」〈平家一・鹿谷〉 ②道理・条理に合わないこと。不合理。不正。「思ひかけず―に命をなむ失ひてけり」〈今昔二七ノ二二〉

ひへぎ【引倍木】通説、袷(あはせ)の裏を取り去って作ったもの。また、その表地を板引き(のりを付けて板に張って干すこと)にしたものをもいったらしい。平安時代末期から夏の衣料としてしばしば現われるが未詳。「紅・撫子などの―どものかかやき渡れるに」〈栄花音楽〉

ひぼ【紐】「ひも」に同じ。「紐(ひぼ)をもて絢(わひぼ)に内(い)れて、廻らして肩の後に向ふべし」〈南海寄帰内法伝平安後期点〉

ひぼくのまくら【比目の枕】《「比目」は比目魚(ひらめ)で、その目が二つ並んでいるところから》二つ並んでいる枕。夫婦が共寝するたとえ。「―の上には、波を隔つる愁有り」〈謡・砧〉

ひぼとほり ヒボトオリ【日熱り・火熱り】残存している熱気。「残りぬる暑さや夏の―」〈俳・夢見草三〉

ひほふ ヒホウ【非法】法にはずれたこと。「二十一ヶ条の地頭の―を、皆とどめられて候ひけり」〈十六夜日記〉。〈色葉字類抄〉

ひほふ ヒホウ【秘法】密教で行なう秘密の加持・祈禱。「又、真言の―を受け習ひて、日ごとに法を行なふ事断たず」〈今昔一七ノ四一〉。「東三条に或る僧をこめて―を行なはせ、内裏を呪咀し奉らるる由」〈古活字本保元上・新院御謀叛露顕〉

ひぼろき【神籬・胙】⇒ひもろき。「神籬・胙、ヒボロキ」〈名義抄〉

ひま【隙・暇】《ヒは物の割れ目。マは間。空間的なせまい割れ目、すきまを指すのが原義。転じて、時間的・心理的な割れ目にもいう。類義語イトマよりは意味がひろい。↓はざま・をり》①物と物との割れ目。孔。すきま。「他の家の嚮(まど)の孔(ひま)の中に看ること」〈願経四分律平安初期点〉。「谷風にとくる氷の―ごとに打ち出づる波や春の初花」〈古今一二〉。「見ゆやと思せど―もなければ、しばし聞き給ふに」〈源氏帚木〉 ②事と事とのすきま。物事の起らないあいだ。絶え間。「―なくそ雨は降るとふ」〈万二六〉。「―なき御前わたり」〈源氏桐壺〉 ③人と人との心のすきま。通じあわない所。「うはべはいとよき御仲の、昔よりさすがに―ありける」〈源氏常夏〉 ④乗ずべきすき。機会。「大人びたる人や、さるべき―をも作り出づらむ」〈源氏少女〉 ⑤別の事にふりむけられるべき時間。「或る時よそより客人来たり、夜更け方まで―入り」〈伽・鉢かづき〉 ⑥休暇・免職・離縁などにいう。「三日の―の欲しさよな、よき御機嫌をまもりて、―請(こ)はばやと思し召し」〈伽・小栗絵巻〉 ⑦時間が空いていること。「私は年を取らう物を持ちまらせねば―でござる」〈虎明本狂言・米市〉 †Fima ―行く駒(こま) 家の外を通る馬を家の内部で壁の隙間から見ると、その通過することの早いこと。時が早く過ぎていくことのたとえ。「たとへば独りながらへて、過ぎにしばかりすぐすとも、夢に夢見るここちして、―にことならじ」〈千載一一五七〉 ―を明・く ひまを作る。「胸(物思イ)のひまをいつしか明けむとこそは思ひつれ」〈浜松中納言四〉。「先立つもしばし残るも同じ道此の世のひまをあけぼのの空」〈堂洞軍記〉 ―を偸(ぬす)・む 忙がしい時に、無理に空いた時間を作る。「夕暮の―・んで居たりける」〈俳・山の端千句上〉

ひまうで〔ウデ：モ〕【日詣で】神社仏閣に日参すること。日参り。「醍醐より常に吉野へ―し給ひける」〈雑談集九〉

ひまけ【日負け】皮膚が日光にこがされること。日焼け。「旅の話。…足だこ・草鞋ずれ・馬やつれ・―」〈俳・世話尽一〉。〈日葡〉

ひまじゃう〔ヂャウ：ジョウ〕【隙状】離縁状。三下り半。去り状。「―取るべき事もならねば」〈西鶴・二十不孝一〉

ひまぜ【日交ぜ】一日おき。隔日。「―などにうち通ひたれば」〈かげろふ中〉。「夜の月―の瘧(おこり)落さばや」〈竹馬狂吟集七〉

ひまだうな〔ドウナ：ウナ〕【隙だうな】「ひまづひやし」に同じ。「エエ―と小腕取って突離され」〈近松・国性爺後日三〉 →だうな

ひまち【日待】正・五・九・十月の十五日または吉日の夜、潔斎して夜を明かし、日の出を拝み、供物を献じて祈願する行事。眠らないために、親類・友人・座頭・山伏などを集めて終夜酒宴歌舞し、後には単に遊興の会合となった。「今夜―と号し、世俗寝ねざるを以て事と為す」〈実隆公記文明一五・一〇・一五〉

ひまづひやし〔ヅイ：ヤシ〕【隙費やし】無駄に手間を費やすこと。徒らに隙どること。「隙つぶし」「隙づやし」とも。「高慢魔心の―を皆殺しにせんとなるべし」〈俳・行脚文集六〉

ひまつり【火祭】民間の、火災よけの祈りの祭。「里の刀禰(とね)、村の行事いできて、―やなにやとわづらはしくせめしこと、今は聞えず」〈大鏡藤氏物語〉 →ひしづめのまつり

ひまはし〔マワシ：ワシ〕【火廻し】遊戯の一種。紙燭に火を付けて人に廻しつつ、文字鎖(くさり)の歌を読み、または、頭に「ひ」の字の付く物の名を言い合い、言い詰まって火の消えた者を負けとする。火わたし。火文字ぐさ。「竹の子の―するか飛ぶ螢」〈俳・発句帳三〉

ひまゐり【日参り】「日詣(まう)で」に同じ。「日詣で―、夜も昼も踵(くびす)を継ぎて参る上下男女道俗貴賤は」〈盛衰記一八〉

ひみづ【氷水】氷を入れた水。雪を凍らせたのを入れる場合もあった。夏の日、涼をとるために使った。「―召して、水飯などとりどりにさうどきつつ食ふ」〈源氏常夏〉

ひむか【日向】旧国名の一。西海道十一国の一で、今の宮崎県。転じて「ひうが」。「筑紫の―小戸の橘の檍原に至りまして」〈紀神代上〉 †Fimuka

ひむがし【東】《「日向(むか)し」の意。シは風の意から転じて、方角を示す語。上代ではヒムカシと清音。平安時代にヒムガシ、鎌倉時代以後ヒンガシからヒガシにと音が変化した》日の出に向いた方向。東方。「―の野にかぎろひの立つ見えて」〈万四八〉。「東、ヒムガシ」〈名義抄〉 †Fimukasi ―のいち【東の市】平城・平安京の東西におかれた官設の市の東の方。平城京では左京八条三坊、平安京では櫛笥の東、油小路の西、佐女牛の南、塩小路の北にあり、平安後期以後おとろえた。「東の市」は月の前半に、「西の市」は後半に開かれ、規模などに違いがあった。「―の植木の木垂(こだ)るまで」〈万三一〇〉 ―のいちのつかさ【東市司】左京職(さきやうしき)に属し、東の市を管理した役所。「東市司、比牟加之乃以知乃官(ひむかしのいちのつかさ)」〈和名抄〉 ―のたい【東の対】寝殿造で、寝殿の東にあたる対の屋。「えもいはぬ―には、内の大殿(おほいどの)住ませ給へば」〈栄花様様悦〉

ひむかひ〔カイ：ム〕【日向】日のさす方。東。「高北のくくりの宮に―に」〈万三二四二〉 †FimukaFi

ひむし【蛾】蛾(が)。特に、蚕の蛾。「夏蚕(なつむし)の―の衣(ころも)二重着て」〈紀歌謡四九〉 ▽ヒヒルムシ(蛾)の略か。ヒムシのヒはFiの音、「火」はFïの音で、火虫の意とする説は誤り。 †Fimusi

ひむつき【裶襁】小さい子供の着る着物。「襁、ヒムツキ・チコノキヌ」〈名義抄〉 →むつき

ひむろ【氷室】冬の氷を夏まで貯えておく所。山陰に穴を掘り、厚い氷を入れて貯蔵した。「『かの野の中に有るは何の窨(むろ)ぞ』…『―なり』」〈紀仁徳六十二年〉。〈色葉字類抄〉 ▽延喜式に、朝廷供御のための氷室は山城・大和・河内・近江・丹波にあり、四月一日から九月三十日の期間に献上するなど、規定がある。 †Fimuro

ひめ【姫】《「ひこ(彦)」の対。ヒは日・太陽。ムスヒ(産霊)・ヒモロキ(神籬)のヒと同じ。メは女子の意》 ①立派な女子。また、女子に対する尊称。「またの名は―多多良伊須気余理(たたらいすけより)―」〈記神武〉 ②貴人の娘。貴人が自分の娘にもいう。「この皇女(みこ)は昔名高かりける―、手書き歌よみなり」〈宇津保蔵開中〉 ③遊女。「おやま。遊女なり。…女中・―などと唱ふ」〈浪花聞書〉 ④飯(めし)。姫飯(ひめいひ)。「強飯(こはいひ)」に対していう。「『困じにたり』とて御―してまゐる」〈宇津保俊蔭〉 ⑤他の語に冠して、かわいらしい、きゃしゃで小さいの意を表わす。「ちはやぶる賀茂の社の―小松よろづ世経(ふ)とも色は変らじ」〈古今一一〇〇〉。「―鏡、小鏡也」〈俳・乳母二〉 †Fime

ひめ【鴟】スズメ科の小鳥。しめ。一説、「しめ」とは別の鳥。「花橘を末枝(ほつえ)にもち引きかけ…下枝(しづえ)に―をかけ」〈万三二三九〉。「鴟・鶍、ヒメ・シメ」〈名義抄〉 †Fime

ひ・め【秘め】〘下二〙大事にしまい、人に示さない。奥深くしまう。「〔絵合ノ〕片端をだにえ見ず、いといたう―・めさせ給ふ」〈源氏絵合〉

ひめうり【姫瓜】マクワ瓜の一品種。小形で扁円形の実は食べられず、子供が目鼻口を画いて人形にする。「―や几帳隠れの御顔ばせ」〈俳・洛陽集上〉。〈日葡〉

ひめがき【姫垣】小さい垣根。低い垣根。「あばらなる―を囲ひて園とす」〈兼良本方丈記〉

ひめかぶら【ひめ鏑】《ヒメはヒメ矢のヒメと同じ》割れ目をつくる、先のするどいかぶら矢。「―八つ手挾(たばさ)み、鹿(しし)待つと」〈万三八八五〉 †Fimëkabura

ひめぎみ【姫君】貴人の娘の敬称。既婚者にもいう。「この君一人ぞ―(葵上)の御ひとつ腹なりける」〈源氏紅葉賀〉

ひめごぜ【姫御前】《ヒメゴゼンの転》①姫君。「今―ばかり、奈良のをば御前の御もとに御渡り候」〈平家三・僧都死去〉 ②若い女。「―は誰でも愚痴(ぐち)なものでござんす」

〈伎・心中鬼門角上〉。〈日葡〉

ひめごぜん【姫御前】《ゴゼンは敬称》姫君。「この屋地をば—に譲り渡す」〈東大寺文書六、天福二・三・一五〉

ひめつ【非滅】〔仏〕釈迦(しゃか)の本身は常住であり、その入滅は方便であって本当の滅ではないということ。転じて、釈迦の入滅。「ただしこれは非生に生を唱へ、—に滅を現じ給ひしが如く」〈栄花鶴林〉

ひめとね【命婦】五位以上の女官。「酒(おほみき)を内外—等に賜ふ」〈紀仁徳四十年〉

ひめなそび【姫遊】《ヒメノアソビの転》女にたわむれること。「ぬすまく(ウカガッテイルノヲ)知らに—すも」〈紀歌謡一八〉 †Fimenasobi

ひめのり【姫糊】飯で作り、洗い張りなどに用いる糊。「紺屋に使ふは賤が—にてある」〈狂言記・絹粥〉

ひめはじめ【飛馬始・姫始】①《暦の用語》新年始めて、馬に乗る日。他に、姫飯〈ひめいひ〉を食べ始める日、衣の縫い初めの日、などの説がある。「陽の者乗り静むとや—」〈俳・糸屑一〉②新年始めて情交すること。「年に似げ無き—、うひうひしき乙女の化粧(けはひ)」〈俳・望一千句跋〉。「夫婦こそ凸凹の文字よ—」〈俳・雀子集一〉

ひめまうちきみ【姫大夫】《ヒメマヘツキミの転》宮中の女官。内侍司に属し、行幸の際には馬に乗って供奉した。「あづまわらは」「姫松」とも。「えせ者の所得る折。…行幸の折の—」〈枕一五六〉

ひめまつ【姫松】①小さな若松。若い人の前途を祝して使うことが多い。「人のむすめの裳きたる時に。この春ぞ枝さしそむる行末は千年(ちとせ)をかねて思ふ—」〈躬恒集下〉②《ヒメは美称》松。「住吉の岸の—人ならば幾世か経(へ)しと問はましものを」〈古今九〇六〉③「ひめまうちきみ」に同じ。「内侍司の被官にあづまわらはといふ者あり。御幸の時、—とて、をかしき馬に乗りて供奉する、是が事なり。是は三子を用ゐらるるとかや申し侍る」〈年中行事歌合〉

ひめみこ【姫御子】《「ひこみこ」の対》皇女。内親王。ひめみや。「—・女王・内命婦等に位を賜ふ」〈紀持統五年〉 †Fimemiko

ひめみや【姫宮】「ひめみこ」に同じ。「后(きさい)の宮の—」〈源氏桐壺〉

ひめもす【終日】「ひねもす」に同じ。「中門の脇に—にかがみゐたりつる、覚えなかりしに」〈宇治拾遺一九一〉。「尽日、ヒメモスニ」〈名義抄〉

ひめや【ひめ矢】《ヒはヒビ(皹)のヒと同じ。ヒメは割れ目の意》木を割る時、割れ目にはさむくさび。「—をその木に打ち立て」〈記神代〉 †Fimëya

ひも【紐】①糸を撚ったり、布帛を細長く裁ったりしたもの。結んだり巻きつけたりするときなどに使う。「吾妹子(わぎもこ)が結(ゆ)ひてし—を解かめやも」〈万一七八九〉。「近き几帳の—に」〈源氏明石〉。「草子ども…表紙、—などいみじうせさせ給ふ」〈源氏梅枝〉②手づる。手がかり。「—にさへ取りついたら、どうせうとままぢゃ」〈伎・韓人漢文手管始三〉▽古く、契り合った男女は、別れに際して互いに衣服の紐を結う習慣があり、それを勝手に解くことは心変りを意味した。また、下紐が自然に解けるのは、思う人に逢える前兆とされた。 †Fimo

ひも【氷面】《ヒオモの約》張った氷の表面。歌では、多く同音の「紐」にかけていう。「うはごほり淡(あは)に結べる—なればかざす日かげにゆるぶばかりを」〈枕九〇〉

ひもかがみ【紐鏡】〔枕詞〕《つまみに紐のついた鏡の意》鏡につけた紐を解くなの意「な解か」と音の通じる地名「能登香(のとか)」にかかる。「—能登香の山も」〈万二四二四〉 †Fimokagami

びもく【眉目】面目。ほまれ。名誉。「最も道の—と云ひつべし」〈十訓抄一〇ノ二〉

ひもじ【ひ文字】「ひだるし」の文字詞。腹が空くこと。「—に見ゆる山寺の暮」〈俳・犬筑波〉。「寒いかよ厨子王丸、—なるよ厨子王丸」〈説経・さんせう太夫〉

ひもと・き【四段】①《「紐解き」の意から》つぼみが開く。花がほころびる。「ももくさの花の—・く秋の野に」〈古今二四六〉②【繙き】《巻物の紐を解く意》書物を開いて見る。「品品に—・く法の教にて」〈玉葉二六七三〉

ひもの【檜物】檜・杉などの薄板を曲げて作る器物。檜物細工。また、その職人。「〔麻布〕三段、—三人料」〈醍醐寺文書一、建仁三〉 **—き**【檜物木】曲物(まげもの)を作るための、下等な材質の檜や杉。「ひさくの柄は—とかや言ひて」〈徒然三三〉

ひものをの【紐の緒の】〔枕詞〕紐をむすぶのに一端を輪にして他端をそれに入れてむすぶので「入り」にかかる。また「い繋(がつ)り」にもかかるという。「—心に入りて」〈万二九七七〉。「—いつがり合ひて」〈万四一〇六〉 †Fimonöwonö

ひもろき【神籬・胙】《ヒは霊力の意。モロはモリ(森・杜)の古形、神の降下して来る所。キは未詳。ヒボロキとも》①上代、神の降下を待つ所として作るもの。「神籬、此をば比莽呂岐(ひもろき)といふ」〈紀崇神六年〉。「神なび(神域)に—立てて斎(いは)へども」〈万二六五七〉②(1)に供えるもの。祭の時、神に奉る肉・餅などの供物の称。「れいの—の〔オサガリヲ届ケル〕たよりに」〈かげろふ下〉 †Fimoröki

ひや【火矢・火箭】火をつけて射放つ矢。「かっせんの最中は、或は—をけさんため」〈太平記七・千剣破城軍〉

ひや【火屋】火葬するための小屋。火葬場。焼き場。「物へいく道に、かはらやに—といふものを作るを見て」〈和泉式部集一〉

ひゃう(ヒョウ) 矢を射る時の音。「二の矢つがひて—ど射ければ」〈平治中・待賢門軍〉 **—ふっ** 矢が風を切って飛んで命中した音。「これを見てよっぴいて—と射る」〈平家九・二度之懸〉

びやう(ビョウ)【未央】《漢音》「未央宮」の略。漢の高帝の時、長安に作られた宮殿。「太液の芙蓉、—の柳もげに通ひたりしかたちを」〈源氏桐壺〉。「未央、ビヤウ、宮名」〈色葉字類抄〉

ひゃうかく(ヒョウ)【兵革】《ヒャウガクとも。「兵」は武器、「革」は皮製の武具、鎧・甲(かぶと)の類》戦争。「鳥羽院御晏駕(あんが)の後は、—うちつづき」〈中院本平家一・二代后〉

ひゃうご(ヒョウ)【兵庫】「つはものぐら」に同じ。「宜しく権(かり)に軍営を立て、—を禁守すべし」〈続紀和銅四・九・四〉 **—ぐさり**【兵庫鎖・兵庫鏁】《兵庫寮の工人の作った精巧な鎖の意》太刀の足に付ける組緒のようにした銀鎖。「太刀は—」〈庭訓往来六月十一日〉 **—れう**(リョウ)【兵庫寮】兵庫に収めた兵器の出納・修理などをつかさどった役所。平安中期に、令制の左右兵庫を併合して兵庫寮とした。「つはもののくらのつかさ」とも。「太政官去る八月二十九日の奏に偁(い)はく、左右兵庫・造兵・鼓吹等の四司すべて一寮と為し」〈類聚三代格四〉

ひゃうど(ヒョウ)【兵庫】《摂津国の地名》「兵庫曲(まげ)」の略。「髪は—・勝山流」〈浮・諸分姥桜一〉 **—まげ**【兵庫曲】女の髪風の一。髪を頂後に集め結い、末を捻じ巻いて頂上に突き出し、髱(つと)は下に出し、左右の耳の後に鬢(びん)そぎのある結い方。近世初期流行した。摂津兵庫の遊女が結い始めたという。兵庫わげ。兵庫。「其の時に変

り、—古し」〈西鶴・一代女三〉

びゃうざ（ビョウ）【病者】《バウザとも》病人。「重き—のため」〈源氏手習〉▽平安時代には、男の使う固い表現。

ひゃうし（ヒョウ）【拍子】《ヒャクシの音便形》①打楽器の一種。木で作った笏（しゃく）のような形のもの。二枚で打ち合わせて音を出す。神楽・催馬楽などで、歌をうたう人が曲節の間にこれを打って調子をとる。扇などで掌を打って代用とする場合も多い。「琴にうち合はせたる—も、鼓を離れてととのへとりたる方、おどろおどろしからぬ」〈源氏若菜下〉②曲節。リズム。「〔踏歌ノ人人ガ〕をこめきたることもことごとしくとりなしたる、なかなか何ばかりの面白かるべき—も聞えぬものを」〈源氏初音〉③足を踏み鳴らして取る調子。足拍子。「観世・今春などは、何と—を踏めども踏みちがへぬなり」〈臨済録抄三〉④調子。具合。「字が不足して—がわるさに〔「頭」ノ字ヲ入レテ〕首頭足、胗と置いたぞ」〈史記抄一七〉⑤はずみ。とたん。「万句—に磯（そ）馴れ松陰」〈俳・胴骨〉 **—に掛か・る** ①拍子に合わせる。拍子に乗る。「鈴の声と連れて、—・りて舞ふぞ」〈湯山聯句鈔上〉②調子に乗る。調子づく。「—・って。のりて、心にのりて」〈詞葉新雅〉

ひゃうじ（ヒョウ）【兵士】令制で、農民から徴発して騎兵・歩兵としたもの。「始めて畿内の—を差して宮城を守衛せしむ」〈続紀養老三・二・三〉

びゃうすい（ビョウ）【瓶水】師から弟子に伝授すること。瓶（かめ）の水を他の瓶に移すのにたとえていう。「青龍寺の大和尚に謁して、三密五智の—を受く」〈盛衰記三四〉

ひゃうせん（ヒョウ）【兵船】いくさ舟。「摂津国神崎より—を揃へて山陽道へ赴かんとす」〈平家二・逆櫓〉

ひゃうぢゃう（ヒョウジョウ）【兵仗】①武器。「其の庭に弓箭を棄て、—を投げて」〈今昔一九ノ一二〉②随身（ずいじん）が持つ儀衛の武器。転じて、随身。「高く相国にのぼり、かねて—を給はる」〈平家四・南都牒状〉

ひゃうぢゃう（ヒョウジョウ）【評定】大勢の者が相談して物事を決めること。「家の子郎等召し集めて—す」〈平家七・木曾山門牒状〉 **—しゅう**【評定衆】①鎌倉・室町幕府の職名。嘉禄元年、執権を輔佐するために設置。六波羅・鎮西両探題、関東管領にもおかれた。「—助教中原師員」〈関東評定伝〉②鎌倉時代、院政下の職制。寛元四年、後嵯峨上皇が、幕制に倣って設置。訴訟を審議させた。「院評定衆」「仙洞評定衆」とも。「議奏公卿並びに—は御計ひたるべし」〈管見記弘安二・一〉③近世、評定所の会議に参加する諸役人。「—寄合場へ卯の刻半時罷り出で」〈御当家令条三四、慶長三・三・三〉 **—しょ**【評定所】①評定衆の会議所。「相州・武州—に参り給ふ」〈吾妻鏡寛喜三・一〇・二七〉②江戸幕府最高の裁判所。老中または寺社・町・勘定三奉行などが、重大事件を合議した。「—に於て批判相談の時」〈御当家令条三四、慶長一九・二・一四〉

ひゃうでう（ヒョウジョウ）【平調】十二律の一。西洋音階のホにあたる。また、それを主音とする旋律。雅楽の六調子の一。「箏の琴は、中の細緒の堪へがたきこそところせけれとて、—におしくだして調べ給ふ」〈源氏紅葉賀〉

ひゃうと（ヒョウ）『副』ひょいと。ひょっと。突然、気軽にする動作にいう。「ここにある人—寄り来て言ふ」〈かげろふ中〉

びゃうのりもの（ビョウ）【鋲乗物】近世、高貴の婦人の乗物の一。乗物全体を青漆・押縁黒・銅具で仕立て、鋲を打ったもの。幕府の中位の女官、大名の上中位の女官などが用いた。鋲打ち乗物。「—の深窓の内」〈俳・通し馬下〉

ひゃうはふ（ヒョウホウ）【兵法】⇒へいはふ。「義経—その術を得て」〈盛衰記三六〉。〈黒本本節用集〉

ひゃうばん（ヒョウ）【評判】①世間の人が批評して言いふらすこと。噂。取沙汰。世評。「道中の—頼み奉る」〈俳・わたし船〉②噂の高いこと。有名。「これこれ御—の狼の生捕り」〈浮・世の昼狐下〉 **—ぼん**【評判本】遊女や役者などの容姿・技量を品評した書物。近世後期には「評判記」ともいった。「古来から、さまざま評いたしおかれました—に頼り」〈評判・役者三世相京〉

ひゃうひゃく（ヒョウ）〔江戸語〕滑稽（こっけい）。じょうだん。ふざけたこと。「これが本の後家の一心（「虚仮（こけ）の一心」ノ洒落）、のろまの玉子（馬鹿ナ子弟ノタトエ）と、涙片手に—」〈浮・潤色栄花娘三〉

ひゃうぶ（ヒョウ）【兵部】「兵部省」の略。「相撲の節、…進退の儀は、すべからく—に隷すべし」〈類聚三代格一八〉 **—きゃう**（キョウ）【兵部卿】①兵部省の長官。正四位相当であるが、公卿の兼官が多い。「衆議兼—正四位下橘朝臣奈良麿…はじめて伝法会をこの寺に行なふ」〈三宝絵下〉②掛香（かけがう）用の、数種の香を配合した香組の名。「身に—袖に焼き掛け」〈西鶴・一代男一〉 **—しゃう**（ショウ）【兵部省】太政官の八省の一。諸国の兵士及び軍事に関する一切の事をつかさどった役所。「つはもののつかさ」とも。「左右兵庫・造兵・鼓吹等の四司、すべて一寮となし、すなはち—の管隷となさん」〈類聚三代格四〉

びゃうぶ（ビョウ）【屏風】《「屏」はふせぎまもる意》室中に立てて、物のへだてとし、また、装飾とする家具。古くは衝立障子（ついたてしょうじ）のようなものであったが、後に襖（ふすま）のようなものをつなぎ、折りたたむように作った。即位・大嘗会その他の儀式には必ず使用した。「すだれに—をそへてぞおはする」〈源氏総角〉 **—がへし**（ガエシ）【屏風返し】あおむけに倒れること。屏風倒し。「—にひったと返し」〈浄・高館三〉

ひゃうまづ・き（ヒョウマズキ）『四段』嘲りなぶる。からかう。「—・きて褒めそやし」〈仮・百物語下〉

ひゃうもん（ヒョウ）【平文・狂文】①金銀などで模様をかたどったものを漆地にぬり込め、みがき出して平らにしたもの。「えもいはぬ馬に、めでたき—の移（うつし＝鞍）を置きて」〈今昔二六ノ三五〉②装束の文様を色変りに染め、または織り交ぜたもの。「—の狩衣」〈平家三・御産〉。「—色色の水干・狩衣・襖（あを）」〈基盛朝臣鷹狩記〉。「—の唐衣」〈庭訓往来七月五日〉。「—の直垂」〈いろは字〉。「色を尽して染めたるを—と申し候。御禁制にて候」〈公方様正月御事始之記〉。「狂文染、ヒャウモンゾメ」〈下学集〉

ひゃうらう（ヒョウロウ）【兵粮・兵糧】軍隊の糧食。「塩竈宮、此の神は、田村将軍夷を討つ時、五万八千人の—を炊（かし）きたる竈也」〈袖中抄九〉 **—づめ**【兵粮詰め】兵粮を断って敵を苦境に追いこむこと。「粮道を打ち留め、—となすべし」〈富樫記〉 **—まい**【兵粮米】兵粮用の米。「—尽きぬれば」〈平家五・富士川合戦〉

ひゃうゑ（ヒョウ）【兵衛】①兵衛府に属する兵士。「凡そ—は、国司・郡司の子弟の強幹にして弓馬に便なる者を簡（えら）び、郡別に一人を貢せよ」〈軍防令〉②「兵衛府」の略。「諸司の官人并びに近衛—二宮の舎人」〈類聚三代格一五〉 **—ふ**【兵衛府】内裏の警衛、行幸の供奉を重要任務とした役所。左兵衛府・右兵衛府があった。「つはもののとねりのつかさ」とも。「始めて左右—に医師各一人を置く」〈続紀養老五・六・二八〉

ひゃく【百】十の十倍。「百、モ、・モ、チ・ヒャク」〈名義抄〉 **—の口が抜けたる**《一緡（さし）百文の銭が幾つか抜け落ちて百文に足らぬ意から》頭の働きが一人前に足らな

ひ

い。馬鹿者の形容。「—俳諧師が何の役にか立つべし」〈俳・石車三〉

びやくえ【白衣】①白色の衣服。白衣(はくい)。「—黒衣の天人の数を三五に分かって」〈謡・羽衣〉②僧侶が墨染の衣の下に着る白い衣。また、その白い衣だけの姿でいること。「—なる法師どもに具しておはしけるが」〈平家八・鼓判官〉③僧侶が墨染の衣をつけず、武士が袴をつけずにいるなど、非礼な服装。「召し使ふ者なりとも、おとなしき者のあらむ所にて、もとどり放ちて、—にて見べからず。…かやうに無礼に振舞へば人にいやしく思はるるなり」〈六波羅殿御家訓〉。「盗人有り…その体—にして袴を着けず」〈花園院宸記元亨二・八・二九〉④俗人。「我はこれ—なり。—には教へざるなり」〈今昔二ノ三四〉

びやくがう【白毫】眉間にある白毛。清浄柔軟で、右に旋転して常に光明を放つという。仏の三十二相の一。白毫相。「丈六の彌陀如来…眉間の—は右にめぐりて、宛転せること五の須彌の如し」〈栄花玉台〉

ひやくかにち【百箇日】人の死後百日目。また、その日に行なう法要。「明日は皆皆の—にて候へば」〈曾我一〇〉

ひやくぎく【百菊】百種の菊。「—と名付くも星の位かな」〈俳・毛吹草追加中〉。〈運歩色葉集〉

ひやくきやぎやう【百鬼夜行】夜中に種種の鬼や化物が列をなして通行すること。尊勝陀羅尼の功徳によりその難をのがれたという話が多い。「この九条殿は—にあはせ給へるは」〈大鏡師輔〉。「供奉の輩、或は裸行を以てし、或は烏帽子を放ち、異体奇異也。道に遇ふ者、以て—と為す」〈中右記寛治八・五・二〇〉

ひやくくわん【百官】数多くの官。多くの官吏。「大臣公卿よりはじめて—皆現(あらは)にこの鬼を見て」〈今昔二〇ノ七〉 **—な【百官名】**中務・式部・民部・大蔵・主水、または何兵衛・何右衛門・何左衛門など、京官名を通称とするもの。「銭持った徳に県(あがた)の—」〈俳・豊の蟬〉

ひやくくわん【百貫】 **—に一蓋(いつかい)** 銭百貫の借りに編笠一つしか返済しない意で、得失が相当しないたとえ。「百貫に編笠」「百貫のかたに編笠一蓋」などとも。「—と、ぬからぬ顔して申す」〈西鶴・諸艶大鑑三〉 **—の馬にも蹇(たり)** 高価な名馬にも「たり」という脚が屈まって重くなる病気がある意で、物事には意外な欠点があるたとえ。〈俳・毛吹草二〉

びやくげつ【白月】陰暦で、月の一日から十五日までの称。「—黒月(こくげつ)のかはり行くを見て三十日をわきまへ」〈平家三・僧都死去〉

びやくこ【白虎】《ハクコとも》四神の一。西方を守る神。「この地の躰(てい)を見るに、左青龍、右—、前朱雀、後玄武、四神相応の地なり」〈中院本平家五・都遷〉

ひやくざ【百座】仏典などを講説する百の講座。「内親王殿下の—の御講を始めおはしまして、又重ねて二百日行なはせ給ふ御功徳」〈百座法談聞書抄〉

ひやくざし【百緡】銭百文をつなぐ緡。また、それにつないだ銭。「—になはずとも、貫ざしになへ」〈狂言記・緡縄〉

びやくさん【白散】酒に浸して元旦に薬酒として飲むもの。「くすしふりはへて、とうそ(屠蘇)—、さけくはへてもてきたり」〈土佐十二月二十九日〉→屠蘇(とそ)

ひやくし【拍子】「ひやうし」(1)に同じ。「拍子、俗云百師」〈和名抄〉。「拍子、百シ」〈名義抄〉

ひやくしやう【百姓】《呉音》①一般の人民。「民—に至るまで、いはけなき子の母を失へるが如く」〈源家長日記〉②農民。「あれこそ娑婆にて地頭にてありしが、咎もなき—に悪く当り」〈伽・富士の人穴の草子〉。「—はただ殿の田作り」〈俳・犬子集一六〉→ひやくせい。 **—たらう【百姓太郎】**農民の擬人名。「—となって農作をしわざとしてゐるぞ」〈三体詩抄三ノ三〉

ひやくしゆ【百首】①百の歌。「一夜—・一日千首などのはや歌をも詠みたり」〈正徹物語下〉②「百首の歌」の略。「まことにや、—にはおなじ五字の句をばよまざるなるは」〈著聞一六九〉 **—のうた【百首の歌】**いくつかの題につき、各題ごとに一定数の歌を詠み、合計百首になるようにする題詠法。「堀河院の御時—召しける時、立春の心を詠み侍りける」〈金葉一〉

びやくじゆつ【白朮】オケラの若根の外皮を除き、乾燥して製した芳香性健胃薬。正月の屠蘇散(とそさん)にも用いた。〈文明本節用集〉

びやくしん【柏槙】イブキの一品種。庭に植えて糸葉を賞する。特に、這(は)ひ柏槙は横に数丈も延びるので、龍・虎・船・車の形に作って鑑賞する。びやくし。「かのあじかを担(にな)うたる杖は—の木なり」〈伽・石山物語〉。「作れば動く—の虎」〈俳・宮古の枝折〉。〈文明本節用集〉

ひやくせい【百姓】《ハクセイとも》百官。また、一般の人民。「公卿以下天下—相継ぎて没死すること、勝げて計ふべからず」〈続紀天平九・是年春〉。「大臣百官及び—、皆、喜ぶ事限りなし」〈今昔三ノ三三〉。「公家には百官を呼びて—と為す。式目には土民を呼びて—と為す」〈御成敗式目栄意注〉→ひやくしやう

ひやくぜに【百銭】銭緡(ぜにさし)に貫いた銭百文。普通は実数九十六文さしてあった。百緡(ひやくざし)。百つなぎ。「手元に有りし—を抜きて」〈西鶴・一代男七〉

びやくだん【白檀】熱帯地方に産する木の名。材は白く、強い香気があり、薫物にし、仏像・器具などに作る。また、皮は香料・薬料などにした。「此の経入れ奉らむとて筥(はこ)を作らむと思ふ。—紫檀を求む」〈三宝絵中〉

ひやくだんな【百檀那・百旦那】《盆・暮などの布施に百文しか出さない檀那の意》貧乏な、または、けちな檀那を侮っていう称。「粗相也／薄茶一服—」〈雑俳・紅葉笠〉

ひやくづら【百面・百頰】不愛想な顔付。憎憎しい容貌。「古諫(医者ノ名)を—と言ふ」〈咄・醒睡笑八〉。「十度会ふに、十度ながら渋面(じふめん)つくるを—と云ふ」〈仮・籠耳二〉

ひやくどまうで【百度詣】社寺の境内の一定の距離を百回往復し、その度に礼拝すること。百度参り。お百度。「鶴岳(つるがをか)—有り」〈吾妻鏡文治五・八・一〇〉

ひやくなりべうたん【百成瓢箪】《百成は、一つの茎蔓などに百ほども実が成る意》五寸から七寸程の長さの瓢箪。「さび色に—(ノ形)の立て物」〈浄・常陸坊かいぞん三〉

ひやくにぎり【百握り】掌にある横一文字の筋。この手相の者は米銭に恵まれるという。ますかき。「金銭花取る風の手や—」〈俳・蛙井集一〉

ひやくにじふまっしや【百二十末社】①伊勢神宮の末社。内宮八十社、外宮四十社という。「—の中に夷(えびす)殿」〈俳・玉江草四〉②《客を大尽(大神)というところから、伊勢神宮の末社にたとえて》多くの太鼓持ち。「—どもを集めて、大大大臣とぞ申しける」〈西鶴・一代男四〉

ひやくにち【百日】「百箇日(ひやくかにち)」に同じ。「此の日、若宮御—也」〈猪熊関白記正治二・二・二〉 **—かづら【百日鬘】**歌舞伎で用いるかつらの一。百日も月代(さかやき)を剃らないほど、髪が長く伸びた形のもので、盗賊・囚人・

病人などに扮(ふん)する時に用いる。「ー、百日伸びたる月代のごとし。俗に病ひ鬘と云ふ」〈戯場楽屋図会拾遺下〉

ーせんぼふ【百日懺法】百日間の法華懺法。「桂川に身投げんずる聖とて、まづ祇陀林寺にしてー行なひければ」〈宇治拾遺一三〉

ーほっけ【百日法華】他宗の者が、病気平癒を祈るために、一時、日蓮宗の信徒になること。「代代の念仏捨てーになる」〈近松・油地獄中〉

ひゃくぬらり【百ぬらり】出まかせを並べて相手を丸め込むしゃべり方の形容。「ーの嘘つき、追従らしきへつらひ者なりければ、主君の気に入りて」〈仮・浮世物語一〉

ひゃくねんめ【百年目】運命の極まる時。おしまいの時。「散る花や胡蝶の夢のー」〈俳・懐子二〉。〈俳・毛吹草二〉

ひゃくはち【百八】 **ーのじゅず**【百八の数珠】百八煩悩になぞらえ、木欒子(もくれんじ)百八個を貫いて作った数珠。「簓(ささら)のこにはー」〈謡・自然居士〉 **ーぼんなう**【百八煩悩】〔仏〕百八種の煩悩。眼・耳・鼻・舌・身・意の六官の感覚にそれぞれ苦・楽・不苦不楽の三を数えて十八類とし、これを貪者・不貪者に二分し、更にこの三十六類を過去・現在・未来の三に配当して百八とする。「ーを象る数珠の」〈謡・道明寺〉

ひゃくひとくち【百一口】銭百文で一口の量しか買えない高価な物のたとえ。「味はひはーの早桃(さもも)かな」〈俳・口真似草二〉。「ーの菓子あり」〈仮・東海道名所記六〉

ひゃくひとつ【百一つ】《百に一つの意》真実または可能性のほとんどないことのたとえ。また、ほとんど取るに足りないことのたとえ。「我が里の寒さぞ富士のー」〈雑俳・村雀〉

ひゃくぶ【百歩】百歩も歩くほどの距離。「遠く隔たる程の追風に、まことに、ーのほかも薫りぬべき心地しける」〈源氏匂宮〉 **ーのほう**【百歩の方】薫香の名。白檀・零陵など十一種を調合したもので、二十一日間土中に埋め、取り出してたくと百歩の外まで薫るので、この名があるという。「公忠の朝臣の、ことに選びつかうまつれりしーなど」〈源氏梅枝〉

ひゃくまんべん【百万遍】百万遍念仏。念仏を百万回となえること。京都北白河知恩寺で、病気や災厄を除くために行なわれる、大数珠を繰り回しながらの百万遍念仏は特に有名。「ーは七日申すべきにて候へども」〈拾遺語燈録下〉。「ーの念仏など申してあかしくらすほどに」〈問はず語り四〉

ひゃくみ【百味】たくさんの、さまざまな味。また、いろいろな御馳走。「時に偉(はた)しくーをまうけて、門の左右に祭り」〈霊異記中二五〉

ひゃくめらふそく【百目蠟燭】百匁ほどの目方のある大きな蠟燭。「百目がけ」とも。「ー立たぬ日は無し」〈俳・都懐紙〉

ひゃくものがたり【百物語】夜、人が集まって怪談をし、一話毎に燈心一筋を減らし、百話して百筋の燈心が尽きて暗闇となると、物語の怪異が出現するとされた遊び。「何にてもーをすれば、必ず怖き物現はれ出づると承りし」〈仮・百物語序〉

ひゃくやう【百様】さまざまの状態。〈運歩色葉集〉 **ーを知るとも一様を争ふこと勿れ** どんなに博識の人でも、知らないことは無理に人と争ってはいけない。〈俳・毛吹草二〉

ひゃくやくのちゃう【百薬の長】《漢書、食貨志に見える「酒百薬之長」から》酒をたたえていう語。「ーとはいへど、万の病は酒よりこそおこれ」〈徒然一七五〉

ひゃくやまゐり【百夜参り】百日間、毎晩、神仏に参詣すること。「貴布禰へーして」〈発心集八〉

びゃくらい【白癩】①癩病の一種。皮膚が白くなるという。「現世にはー・黒癩の身を受け、後世には無間地獄の底に堕ち」〈播磨浄土寺文書建久三・九・二七〉 ②自誓の語。この誓を破る時は白癩の業病を受けるに違いないという意。決して。どうしても。「白癩がったい」「白癩黒癩」とも。「ー聞くまい」〈俳・蠅打一〉

ひゃくわう【百王】《ハクワウとも》①代代の、数多くの帝王。「節を制し度を謹みて奢淫を禁防するは…ー不易の道なり」〈続紀養老五・三・九〉 ②《平安時代末期ごろ、神武天皇より数えて百代を皇統連続の限度とする百王説が行なわれたところから》神武天皇から百代までの天皇。「それ天照太神はー鎮護の御誓浅からず。しかるにいま二十六代御門をのこし奉りて、当今(たうぎん)の御代に王法の尽きむことの口惜しさよ」〈保元上・将軍塚鳴動〉

ひゃくわかう【百和香】⇩はくわかう。〈色葉字類抄〉

ひゃくゐん【百韻】連歌・俳諧の一巻が、発句から挙句(あげく)まで百句あるもの。「大納言殿に参る。…中の終りばかり〔人人〕参入。連歌ーを始む。檀紙を置き、何声・片何を賦す。亥の始めばかり事了って帰廬。窮屈堪へ難し」〈明月記嘉禄二・二・一八〉

ひゃくゑ【百会】頭の中央。脳天。また、百病を治す灸穴。「するにけるーの灸(やいと)ぼうじ果て(膿ミ終ッテ)」〈俳・寛永十三年熱田万句三五〉。〈日葡〉

ひやけ【日焼け】①雨が降らず、田畠が干あがること。旱魃(かんばつ)。「ー・大水・地震・雷・焼亡の災なんどは」〈伽・かくれ里〉 ②顔・体などが日に焼けること。「雪焼けを。…俗にーと云ふ心なるべし」〈狭衣物語下紐三〉

ひや・し【冷やし】『四段』《ヒエ(冷)の他動詞形》①つめたくする。「御馬ども池に引き立ててー・し」〈宇津保祭使〉 ②恐ろしさなどで、心をひやりとさせる。「夜となく昼となく魂を消し胸をー・し候ひける」〈北条五代記二〉。「胆をー・し、目を駭(おど)ろかす」〈西鶴・伝来記七〉 ③刀で人を斬る。「〔近江坂本ノ日吉山王ノ祭デ〕武具をしたためて、あらけなき姿にて、さはらばー・せ、さはらばー・せと云ふぞ」〈三体詩抄一ノ三〉 **ーもの**【冷し物】①身体を冷やす食物・薬などをいう。「大豆・小豆等憚りこれ有り云云。五、六日を過ぎて飲食すべき也。件(くだん)の物等ー也」〈後二条師通記寛治六・六・一〉 ②大根・瓜・蓮根・桃・栗・梨などを水で冷やした夏向きの肴。料理の終りに出す。「ー・菓子・餡餅(あんもち)・麩」〈久重茶会記寛永六・六・六〉。〈日葡〉

ひゃっぱいきげん【百盃機嫌】酒をたくさん飲んで上機嫌な事。「ーの時節」〈浮・日本荘子序〉

ひやま【檜山】ヒノキのしげる山。「斧取りて丹生(にふ)のーの木折(こ)り来て」〈万三三二〉 †Fiyama

ひやみづうり【冷水売り】夏季に冷水を市中に売り歩く行商人。近世後期、江戸では砂糖や白玉(しらたま)を入れて売った。上方では砂糖を入れて売り、「砂糖水売り」といった。「呼ぶ声や秋に驚くー」〈俳・江戸広小路上〉。「年寄のーは流行らない」〈雑俳・柳多留三〇〉

ひややか【冷やか】《ヒエ(冷)・ヒ(氷)と同根》いかにも冷え冷えしているさま。いかにもつめたいさま。多く風や雨にいう。「風ーにうち吹きて」〈源氏紅葉賀〉

ひやりばんじゃう【日遣り番匠】①仕事の途中に休みの多い大工。「遅咲きやー家桜」〈俳・旅衣集一〉 ②物事を投げやりにすることのたとえ。「吾が学する…ーにしてはならぬぞ」〈玉塵抄三〉

ひよう【日傭・日用】一日を限って雇われる者。日用稼ぎ。日用取り。「史記に断養と云ふは、賤しい者のことぞ。…

ーとこころ(日本)に云ふ心ぞ。日毎に使はれて、賃取って過ぐる者ぞ」〈玉塵抄二八〉

ひょか【傴下】かるはずみな言動。また、それをする人。「ひょかすか」とも。「いかにも身持ち軽軽しく、麁相(そさう)なる人は、世にーーと言ふ者なり」〈仮・可笑記評判一〉

ひよく【比翼】①「比翼の鳥」の略。「ーと申す鳥は、身一つにて頭二つあり、二つの口より入る物一身を養ふ」〈日蓮遺文兄弟鈔〉 ②和服の袖口・衿・裾廻しを二枚重ねのように見せ、胴だけ一枚に縫い上げる仕立て方。本比翼・付比翼の別がある。人形仕立て。「間着(あひぎ)はずっと茶返しのーで緋縮緬の繻絆」〈滑・浮世風呂三下〉 **ーギセル**【比翼煙管】雁首は一つで吸口が二本に分れ、男女が同時に飲める煙管。「ーの薄煙」〈近松・冥途飛脚下〉 **ーござ**【比翼茣蓙・比翼御座】夫婦用に寝茣蓙を二枚縫い合わせたもの。「密夫(まをとこ)へちゃうど参ったりー」〈俳・正風集六〉 **ーづか**【比翼塚】情死または後追心中した男女を一緒に葬った塚。女夫塚。「ーを立てて」〈宮川舎漫筆三〉 **ーのとり**【比翼の鳥】雌雄それぞれ一目一翼で、いつも一体となって飛ぶという、想像上の鳥。男女の間のむつまじいことにたとえる。「天に住まばー、地に住まば連理の枝とならんと」〈平家六・小督〉 **ーもん**【比翼紋】相思の男女の二つの紋所を組み合わせたもの。二つ紋。「ー目黒辺から流行り出し」〈雑俳・万句合天明六〉 **ーれんり**【比翼連理】比翼の鳥と連理の枝と。男女の間のむつまじいことにたとえる。「君と交せし睦言のーの言の葉も」〈謡・楊貴妃〉

ひよこ ひな。ひな鳥。「連れて来たもの、まだ人馴れぬーを」〈田植草紙〉

ひょっと《副》ふっと。ひょいと。「偶作とは、ー我が旨に出た事を頌するを云ふぞ」〈大智禅師偈頌抄下〉

ひよひよ ①ひよこなどの鳴き声。また、ひよこ。「ーとかしがましう鳴きて」〈枕一五一〉。「ーより御所に御手馴らさせおはしまして」〈弁内侍日記〉 ②弱弱しく動くさま。また、身体が弱弱しいさま。「まだーの子供かはゆき」〈俳・身楽千句〉 ③乳児の、ひよめき。「三歳までは懐に抱かせず、添寝をせず、独寝させたるがよし。ーに〔親ノ〕鼻息あたれば、幼少の内は洟(はな)を垂るものなり」〈七種宝納記〉

ひよみ【日読】《ヨミは数える意》暦(こよみ)。また、十二支の異称。「ーの午(うま)といふ字を、頭をさし出して書きたるを、牛といふ字にてあれば」〈今昔一〇ノ九〉 **ーのとり**【日読の酉】①「酉」の字を「鳥」「隹」と区別していう称。「酒といふ文字は三水(さんずい)にーを書けり」〈餅酒歌合〉 ②酒の隠語。「明樽の古巣に帰れーー」〈俳・おくれ双六〉

ひより【日和】①海上の天気のよいこと。「はるばると浦浦けぶり立ちわたるあまのーにもしほやくかも」〈曾丹集〉。「待ちえたるーを道のたのみにて遙かにいづる浪の上かな」〈拾遺愚草上〉 ②天気の良いこと。好天。「ーの日と云ふ事を、ひをりと申しなしたりと云ふ義侍り」〈袖中抄一〉。「うららに照れるーに花咲きて/池波立ちぬ庭の夕風」〈大永二年三月十八日万葉集詞百韻〉 ③天気。空模様。「洗濯せんを案じこそすれ/うち続きーは悪き師走にて」〈俳・油糟〉。「日和、ヒヨリ」〈文明本節用集〉。〈日葡〉 ▽「日和」の字は、万葉集二五六「飼飯の海の庭よくあらし」、同三六〇九「武庫の海の爾波よくあらし」のニハを、後世、日の和いだことと解して当てた「日和(には)」という字面が、同義のヒヨリの語に当てられて新しく成立したもの。→には(日和) **ーみ**【日和見】①空模様を見ること。また、天気を観測する人。「ーも無き世なりけり神無月」〈俳・埋草四〉。「碇(いかり)よ綱よ楫(かぢ)よー」〈俳・西鶴五百韻〉 ②事の成行ばかりを見ていて、自分の態度をはっきりさせないこと。「前句の逃れ(去り嫌イ)知らぬー」〈俳・見花数寄〉

ひょんな《連体》とんでもない。奇妙な。意外な。「これは何とした事をおすなるぞ…ー事を言はるるぞ」〈碧岩抄四〉。「俗に物のよからざる事をすべてーと云ふ。凶の字の華音ひょんと云ふより、言ひ伝へて常語となり」〈同文通考二〉

ひら ❶【平】①薄くてたいら。「平、此をば毗羅(ひら)と云ふ」〈紀齊明五年〉。「さながらーに倒れたるもあり」〈方丈記〉 ②物の平らな面。「先にとりつきたりし手を太刀のーにて打ちのけ候と思ひ候へば」〈伽・高野物語〉。〈日葡〉 ③浅くて平たい椀。平椀。「椀家具・壺・ー」〈西鶴・五人女二〉 ④《他の語に冠して》㋑なみ。普通。「かかるー凡夫のために起し給へる本願なればとて」〈和語燈録四〉。「ー殿上人にて」〈盛衰記三〉 ㋺ひたすらの意を表わす。「ーじひ」「ーぜめ」など。「学問せざるー信じの念仏は」〈法然上人行状絵図〉 ❷【枚・片】①紙・葉など、薄くて平らなものの称。「〔冊子ノ料紙ノ〕白き赤きなど、けちえんなるーは、筆取り直し用意し給へる」〈源氏梅枝〉 ②薄く平らなものを数える語。「〔六枚折ノ〕屏風のひとー畳まれたる〔スキマ〕より」〈源氏東屋〉。「畳ふたーばかり敷くほどにて」〈栄花煙後〉 †Fira

ひらあき【平秋】〔連俳用語〕ただの秋の句であること。恋の意の添うた「恋の秋」に対していう。「ーの句に恋の秋の句付けて、またーの句、これを憚るべし」〈僻連抄〉

ひらあしだ【平足駄】《「高足駄(たかあしだ)」に対して》今の、普通の下駄。日和下駄(ひよりげた)。「ーを履きながら走り下りて」〈今昔一五ノ一五〉

ひらう ウ:ロ【疲労】①疲れ。くたびれ。「路次のー、長途の窮屈、只忙然の外他(た)無し」〈庭訓往来十二月三日〉 ②窮乏。貧乏。「殊に殊にーの人には情をかけて置く事なり」〈極楽寺殿御消息〉。「ーしたる人の、人に金銀をいださむと思ふが如し」〈兼載雑談〉。「窮困、キウコン、疲労」〈天正十八年本節用集〉

びらうげ ウ::ロ【檳榔毛】《ビリャウゲとも》「檳榔毛の車」の略。「ーはのどかにやりたる。いそぎたるはわろくみゆ」〈枕三〇〉 **ーのくるま**【檳榔毛の車】牛車の一。ビロウ(ヤシ科の亜熱帯性喬木)の葉を細くさいて糸のようにし、車の箱の屋根をふき、左右の側にも押しつけたもの。上皇・親王・大臣以下、公卿・女官・僧侶などの乗用とする。ビロウのないときはスゲを使う。「毛車」「檳榔の車」とも。「こがね造りの車一、ー二」〈宇津保藤原君〉

ひらうち【平打ち】紐を平たく編むこと。また、平たく編んだもの。「ヒラウチノヲビ」〈日葡〉

ひらおび【平帯・褶】①⇒ひらび(褶)。「皇太子、諸王・諸臣に命(みことおほ)せてー著(き)しむ」〈紀推古十三年〉 ②平打ちの帯。「糸打ちのー」〈西鶴・男色大鑑二〉

ひらか【平瓮】《カはケの古形》平たい土器の皿。「平瓮、此をば毗邏介(ひらか)といふ」〈紀神武即位前〉。「瓫、比良加(ひらか)、俗云、保止岐、瓦器也」〈和名抄〉 †Firaka

ひらかど【平門】柱二本で、屋根の上を平らに造った門。ひらもん。「棟門・ーの内に、四五百人の所従眷属に囲繞せられてこそおはせしか」〈平家三・有王〉

ひらがな【平仮名】《ヒラは、並、普通の意》「女手(をんなで)」に同じ。「女手」という語がすたれて後に使われるようになった語。「笠置の解脱上人の遺戒とて、ーに書きつけたる物あり」〈見聞愚案記二〉

ひらが・り【平がり】『四段』体を平たくする。はいつくばう。

ひれふす。「立ち上がらずして、門の脇に―・りゐて侍る」〈今昔四ノ二五〉

ひら・き【開き・啓き】㊀『四段』《ものの閉じ目を前後左右、上下などに広くあける意》①(左右に押しやって)間を広くする。「天の原岩戸を―・き」〈万一六七〉②(中身を)ひろげる。「この箱を―・きて見てば、もとのごと家はあらむと」〈万一七四〇〉③開花する。蕾をほころばせる。「つひに蓮花(れんげ)はじめて―・きて、極楽の依正(えしやう)を見る」〈宝物集七〉。「垣ほにまがふ梅も―・けり」〈熊野千句〉。「三千年にして花を―・き、二千年にして実を結ぶなり」〈伽・不老不死〉④展開する。くりひろげる。「物候(風物気候)韶景(せうけい＝春景)を―・き」〈懐風藻〉⑤新しく始める。「重震(シキリニ鳴ル雷)秋声を―・く」〈懐風藻〉⑥開催する。催す。「水に臨みて良宴を―・き」〈懐風藻〉⑦滞りを除き、通じよくする。開通させる。「汝等(いましら)…新羅を撃ちて其の道路(みち)を―・け」〈紀応神十六年〉⑧開墾する。「始めて田を―・くを新墾(あらき)はりと云ふぞ」〈周易抄〉⑨明らかにする。解明する。「すでに麻耶、悟りをなむ―・き給ひぬ」〈孝養集中〉。「此の事―・きがたし。なほ尋ぬべし」〈教訓抄四〉⑩理解させる。晴らす。弁明する。「御身に誤なき由を仰せ―・かれんが為」〈謡・舟弁慶〉⑪初めて披露する。「茶椀―・き申し候」〈宗達自会記天文二〇・一二・二三〉⑫開板する。「しからば、三百句を摺形木(すりかたぎ)に―・きて」〈落書露顕〉⑬「退く」「落つ」などの語を忌んで、その代りに使われる。「今は叶はせ給ふべからず。急ぎいづ方へも御―・き候ふべし」〈古活字本保元中・新院左大臣殿〉。「都を―・かせ給ふ上は、一段その礼儀なきにあらず」〈浄・今川物語三〉㊁『名』①開墾。「畑―の儀申し候へば」〈梅津政景日記慶長一七・九・六〉②披露。「歌仙屏風―〔ノ連歌〕…。風薫る奥や屏風の立ちどころ」〈家忠日記天正一四・六・二七〉③差。「二百貫目の―」〈西鶴・置土産二〉④退去。また、解散。おひらき。「熊野のかたへ御―あって」〈明徳記下〉 †Firaki

ひらぎぬ【平絹】平織りにした絹布。模様のない絹。羽二重の類。へいけん。「色ゆるされぬは、無文・―などさまざまなり」〈栄花初花〉

ひらきばしら【葱台】《ヒラ(平)キ(葱)ハシラ(柱)の意》橋の柱で、擬宝珠(ぎぼし)のついたもの。「牛は御橋の―につなぎ」〈大鏡基経〉。〈和名抄〉

ひらく【開】暦の中段(ちうだん)に記される十二直の一。諸芸を学び、建築・出行・移転・結婚・元服などに吉い日という。ひらくにち。「開日と云ふは、暦の中段に―と云ふものぞ」〈四河入海一六ノ三〉 **―にち**【開く日】「ひらく」に同じ。「―は最中段か梅暦」〈俳・鸚鵡集一〉

ひらく【平句】〔連俳用語〕発句・脇・第三・挙句など重要な句を除いた一般の付句。「―のすわり候はぬ事、不堪(ふかん)のうへ誰にも侍るにや。『草はみな枯野の松の霜ふりて』…枯野のと候所を、枯野にと切り候へば能(よ)く候」〈肖柏伝書〉。「懐紙の初めに置く発句にて候へば、―めきてはぬるく候」〈永文〉

ひらぐけ【平絎・平絣】平たくくけること。また、芯を入れずに平たくくけた幅の狭い帯。「ヒラグケノヲビ」〈日葡〉。「黒琥珀(こはく)の―」〈洒・錦之裏〉

ひらくび【平頸】馬・鹿の首の左右。「首の手縄、おもがいを押し外して―をうちてけり」〈著聞三六七〉

びらくら ふしだら。不始末。不義理。「銀盗み、所所の―を仕舞はんと」〈近松・二枚絵下〉

ひら・け【開け・啓け】『下二』《ヒラキの自動詞形》①(閉じ目がはなれて)間が広くなる。「この歌、あめつちの―・け始まりける時より出で来にけり」〈古今序〉②蕾などが、ほころぶ。「あらゆる蓮花の池は、日の光の照らし及ばむ時に、尽く―・け咲かずといふ事無けむ」〈金光明最勝王経平安初期点〉。「藤の色もこまやかに、―・けゆきにけり」〈源氏胡蝶〉③(閉ざされた心などが)開放的になる。晴れやかになる。「ひさかたの月夜を清み梅の花心―・けてわが思へる君」〈万一六六一〉。「〔花ガ人ノヨウニ〕ひとり笑みの眉―・けたる」〈源氏夕顔〉④良い方向に向いはじめる。道がひらける。「若し不思議に運命―・けて」〈平家七・聖主臨幸〉⑤開化する。「―・くる代代の恵を受くる」〈謡・難波〉 †Firakĕ

ひらことば【平詞・平言葉】平易な語。口語や俗語。「目安とは…―にても聞ゆるやうに書くもの也」〈二根集一〉

ひらざやのたち【平鞘の太刀】「衛府(ゑふ)の太刀」に同じ。「蒔絵の―を佩(は)き」〈太平記三・藤房卿〉

ひらさら【平皿・平盤】浅く平たい漆塗りの椀で盞(ふた)付きの食器。「花に酔ふや熊谷(盃ノ一種)―二盃飲み」〈俳・太夫桜〉

ひらさら【平更】『副』ひらに。ひとえに。「―髪を剃って出家にないて給はれと」〈説経・かるかや〉

ひら・し【平し】『形ク』平らである。平たい。「〔ソノ鷹〕肩―・くして身に添うたり」〈白鷹記〉。「木のあらあら立てる―・き岩たてのあたり」〈元和航海書〉

ひらしきのござ【平敷の御座】《「高御座」に対して》敷きつめた畳の上に、天皇の御座として、雲繝縁(うんげんべり)の畳二帖を敷くもの。「―にて召さる」〈竹むきが記〉

ひらじひ ィ・ジ【平強ひ】むりやりに強いること。押し付けてさせること。多く、酒を呑ませることにいう。「下戸にもかはいらしき事がある。〔上戸ニ〕―をするので捨てられぬ」〈仮・可笑記評判三〉

びらしゃら たえず左右にゆれ動くさま。また、しなを作り男になまめいた容姿を見せつけて振舞う女のさま。ひらりさらり。びらりしゃらり。「菖蒲帯は―くさや伊達結び」〈俳・伊勢踊三〉。「生れつき色白にして―と」〈俳・難波風〉

ひらじろ【平城】平地に築いた城。「ひらじゃう」とも。「陣所をばかねていづくと定むべし山城(やまじろ)も取れ―も取れ」〈義経百首〉

ひらせ【平瀬】《「早瀬」の対》水のしずかに流れる瀬。平らな瀬。「―には小網(さで)さし渡し、早瀬には鵜(う)を潜(かづ)けつつ」〈万四一八九〉 †Firase

ひらぜめ【平攻め】ひたすら攻めまくること。「軍(いくさ)は唯―に攻めて勝ったるぞ心地はよき」〈平家一一・逆櫓〉

ひらた【艜・平田】《ヒラダとも》底の平たく浅い、細長い川舟。平田舟。「船四五艘、―など具して、難波の辺に行きて」〈今昔二六ノ一三〉。「艜、和名比良太(ひらた)、俗用平田舟」〈和名抄〉

ひらたくた・い『形』平易である。卑俗である。また、無礼である。無遠慮である。「―・い口上が、どう主人へ云はるるもの」〈近松・艶狩三〉。「〔主人ガ〕なぶらるる／それで下女めが―・い」〈雑俳・西国船〉

ひらだる【平樽】桶に似て平たく、把手のない酒樽。「―や手無く生るる花見酒」〈俳・大句数上〉

ひらつ・き『四段』ひりひりと痛む。ずきずきする。「柊の葉鬼の眼も―・きぬべき尖り」〈俳・山の井四〉

びらつ・き『四段』絶えずこきざみに動く。「顔小さく体―・き、のっしりとしたる所無し」〈評判・難波物語〉。〈日葡〉

ひらづけ【平付】①乗物をぴたりと寄せ付けること。「船―につけ、踏みかたぶけて馬おろさんとせば」〈平家一一・勝浦〉

②〔連俳用語〕句の付け方の一。前句に対し、特に変化を求めず、目立たない普通の付け方をすること。「—の句。これは様(やう)もなく、見る所をありのままに付けたり」〈連理秘抄〉

ひらづつみ【平包】衣類などを包む布または絹。後の服紗・風呂敷に当る。平油単(ゆたん)。「三つ小袖・二つ小袖など—にてあり」〈問はず語り二〉

ひらで【枚手・葉盤】《ヒラはヒラ(平)と同根》数枚の柏の葉を合わせてつくった皿。「葉盤、此をば毗羅耐(ひらで)といふ」〈紀神武即位前〉。「箸また—を多(はさ)に作りて」〈記仲哀〉 †Firade

ひらてん【平点】和歌・連歌・俳諧などで、すぐれた作品に加えられる評点のうち、普通の出来のもの。「これこそ我がためには秀逸とも申し侍るべきなどと思ふ句には—もなくして、思ひもよらぬ荒句どもに長点(ちやうてん)などのある事も、常の習ひなり」〈初心求詠集〉

ひらと〘副〙すばやく身軽に行動するさま。ひらりと。「堀を—飛び越え」〈承久記下〉

ひらなか【平半】半文。半銭。びたひらなか。「利欲の事は、一文—までの利を大切にして、人のを取り、人には遣らぬぞ」〈玉塵抄四五〉

ひらに【平に】〘副〙①無事に。平穏に。「直実だにも—渡りつく事難かるべし」〈盛衰記三五〉②ひたすら。全面的に。「深信はただ少しも疑はず、仏教を—信ず」〈沙石集三ノ二〉。「—さやうではござらぬ」〈天理本狂言六義・首引〉③懇願・懇請の気持をあらわす。ぜひとも。どうぞ。「囚人七人を—御助け候へ」〈謡・春栄〉。「〔コノ菊ヲ〕—と乞ひとりて」〈草根集一〇〉

ひらのめ【平野目】近世、木綿一斤を二百二十匁とする秤目。河内国の木綿の集散地、平野で行なわれたのでいう。「河内—、一斤二百二十目」〈新刊算法起上〉

ひらばり【平張】仮屋を作るときの幕の張り方の一。棟がなく、天井をたいらに張る。屋外で催しのある時などに設ける。「舞台の左右に楽人の—打ちて」〈源氏若菜上〉↓幄(あげばり)

ひら・ひ イヒラ【拾ひ】〘四段〙「ひろひ」の転。「爪木を—・ふ袖の哀れさ」〈白川千句〉

ひらび【褶】《ヒラオビ(平帯)の約》上代の衣料の一。礼服の裳に似たもの。男子は袴の上につけた。「大神の—、此の村に落ちき。かれ—の村といひき。今の人は比良美(ひらみ)の村といふ」〈播磨風土記〉 †Firabi

ひら・び【平び】〘四段〙「平み」に同じ。「掌を合はせて拝みて—・び居ぬ」〈発心集四〉

ひらひら ①光のひらめくさま。ぴかぴか。「霊剣を抜かせ給ひければ、夜の御殿(おとど)—として、電光にことならず」〈平家二・剣〉。「雨はらはらと降り、雷(かみなり)、稲妻—として」〈伽・天稚彦物語〉②ひるがえるさま。「〔蛇ハ〕舌なめずりを—としてあれば」〈今昔三ノ二〉。「—と立つは旗雲花の雲」〈俳・正章千句下〉

ひらひら【平平】薄くて平らなさま。「磐は—とした石ぞ」〈周易抄五〉

ひらぶがひ イ・ガ【ひらぶ貝】貝の名。月日貝(帆立貝の類)かという。「〔猿田彦ノ神〕—にその手を咋(く)ひ合はさえて」〈記神代〉 †Firabugari

ひらへいとう【平平等】「野平等(のへいとう)」(1)に同じ。ひらへいと。「大潮は—に満ちて来て」〈俳・寛永十三年熱田万句一三〉

ひらぼね【平骨】扇の親骨の一種。扇の地紙の折り幅に同じ幅のもの。「—扇子壱握持参」〈隔蓂記寛永一三・一一・二〉

ひらみ【褶】「ひらび」に同じ。「褶、ウハミ・ヒラミ」〈名義抄〉

ひら・み【平み】〘四段〙①平たくなる。「手に—・める物さはる時に」〈竹取〉②はいつくばう。ひれふす。「近衛の御門の内に蝦蟆(かへる=ガマ)—・みて居けり」〈今昔二八ノ四二〉

ひら・め【平め】㊀〘下二〙《ヒラミの他動詞形》ひらたくする。平らにする。「兵(つはもの)ども恐れ奉り、弓を—・め、矢を引きそばめて通し奉る」〈平治上・光頼卿〉。「鼻を押し—・めて、顔を〔鼎ノ中ニ〕さし入れて」〈徒然五三〉㊁〘名〙①平らなさま。「居所(ゐどころ)の—になるを恥ぢらひて」〈俳・正章千句上〉②平易。平俗。「我が分際より言葉をも—に人に使ひ」〈仮・他我身之上一〉

ひらめか・し【閃かし】〘四段〙《ヒラメキの他動詞形》①きらめかす。(太刀などを)ぴかぴかさせてふりまわす。「太刀を—・して走りかかりける時に」〈今昔二七ノ二九〉②ひらひらとひるがえす。「紅旗を—・す軍(さいく)の時の事ぞ」〈襟帯集〉。「右の手にて扇を高くさし上げ、—・かし」〈舞正語磨中〉

ひらめか・し【平めかし】〘四段〙ひらたくする。「硯きたなげにちりばみ、墨の片つ方にしどけなくすり—・し」〈枕(能因本)すずりきたなげにちりばみ〉

ひらめ・き【閃き】〘四段〙①閃光を放つ。ぴかっと光る。「神(カミナリ)は落ちかかるやうに—・く」〈竹取〉②ひらひらとひるがえる。「例の如く〔蛇ガ頭ヲ〕さし出でて、〔舌ガ〕—・くに」〈今昔三ノ二〉。「〔扇ハ〕暫しは虚空に—・きけるが」〈平家一一・那須与一〉

ひらもとゆひ イ・ユ【平元結】丈長紙(たけながかみ)を平たく畳んだ元結。「幅広奉書の—」〈万葉歌集〉

ひらやなぐひ グイ・ヤナ【平胡籙】形の平たい胡籙。行幸その他儀式の時、近衛の武官・随身などが帯びた。「嫡子権亮少将維盛、束帯に—負うて参られけり」〈平家一・内裏炎上〉

ひらり すばやく身軽に行動するさま。「—と坂を逃ぐる奈良稚児」〈竹馬狂吟集一〇〉

びらりしゃらり 《「東来西来」「右往左往」などの字を当てる》「びらしゃら」に同じ。「袖振るは伊達肩—かな」〈俳・山の井五〉。〈日葡〉

びらりぼうし【びらり帽子】紫帽子の一。近世、女が外出の時、菅笠の下にかぶった帽子。紫縮緬で額を覆い、その左右の端がびらびらと翻えるのでいう。「—に加賀菅笠」〈近松・卯月潤色中〉

ひらわけ【平分】対等であること。平等。等分。「天道は正直にして、善悪—なるべし」〈結縄集〉

ひらを【平緒】束帯の時に佩用する儀仗の太刀の緒。平たい組緒で、緒の結びあまりを長く垂れたが、垂緒を別に仕立てたものも、後にはあった。「細太刀に—つけて、きよげなる男の持てわたるもなまめかし」〈枕九二〉

ひ・り【放り・痢り・発り】〘四段〙体外に放出する。排泄する。「或いは隠れも求めあへず糞(くそ)—・りまどひたり」〈今昔二八ノ五〉。「放屁、倍比流(へひる)」〈和名抄〉

びり ①女、または遊女。また、女をののしっていう語。「こりゃ—め」〈近松・傾城酒呑童子四〉。「人情を知っては、—の商売は、マア出来ねへかたちさ」〈洒・妓娼精子〉②尻、または女陰。また、男女間の情事、もめごと。「恥づかしい事恥づかしい事／—出入大屋もちっと生臭し」〈雑俳・万句合明和三〉。「—好きの焼餅客」〈洒・金枕遊女相談〉③いちばんあと。最後。「〔順番ヲ〕聞いて来てくれ。…ム、—か」〈咄・立春噺大集坤〉

ひりうづ ウ・リュ【飛龍頭・飛龍子】《ヒリョウヅとも》上方で、

がんもどきの称。〈書言字考〉 ▽ポルトガル filhos

ひり・ひヒリイ【拾ひ】『四段』「ひろひ」の古形。「家つとに貝を—・ふと」〈万三七〇九〉 †Firifi

びりゃうげウ…リョ【檳榔毛】⇒びらうげ。「なでふこともなき—」〈かげろふ下〉

びりゃうのくるまウ…リョ【檳榔の車】⇒びらうげのくるま。「—を率(ゐ)て来て、我が家の車寄せに立つといふ夢を見て」〈平家六・祇園女御〉

ひる【昼】《ヒ(日)と同根》①朝と夕との間。太陽が高く上っている間。「畝火山—は雲とゐ夕されば風吹かむとそ木の葉さやげる」〈記歌謡二一〉。「夜明け方になりぬ。帰りいらむ道も—ははしたなかるべしと急がせ給ひて」〈源氏柏木〉→あさ(朝) ②昼食。「ここに御—が御座りまするぞ。九つをうったらば、こしめせ」〈咄・昨日は今日下〉 ③まっさかり。最中。全盛。絶頂。「朝顔や日の出ぬ前は花の—」〈俳・沙金袋四〉 ④他の語に冠して、全然、全くの意を表わす。「唐人は詩句にげうげうしう作るぞ。—空言(そらごと)と云ふつれぞ」〈玉塵抄四〇〉 †Firu

ひる【蛭】環形動物の一。人畜・魚などに着いて血を吸う。雌雄同体。〈新撰字鏡〉 **—に塩(しほ)**《蛭は塩をかけられると弱り死ぬところから》恐れ、また忌むものに出合って、萎(おし)れ縮むたとえ。「花の露も日影移れば—昼はしをしをとなれる朝顔」〈雄長老百首〉

ひる【蒜】ノビル・アサツキ・ニンニクなどの総称。葉・鱗茎を食用・薬用にする。「醤酢(ひしほす)に—つき合(か)てて」〈万三八二九〉 ▽朝鮮語 p'ïl(蒜)と同源。 †Firu

ひる【干る・乾る】『上一』⇒ひ(干・乾)

ひる【嚔る】『上一』⇒ひ(嚔)

ひる【簸る】『上一』⇒ひ(簸)

びる【毗盧】〔仏〕「毘盧遮那(びるしやな)」の略。「炎魔の身も、—の形も」〈沙石集一ノ三〉

ひるあんどう【昼行燈】《役にたたないところからいう》ぼんやりした人。また、愚かな人。昼あんどん。「内に思案も何も無い事—の如し」〈浮・人倫糸屑上〉

ひるがへ・しヒルガエシ【翻し】『四段』《ヒルガヘリの他動詞形》①(風などによって)ひらひらさせる。「風の為に飄(ひるか)へされ」〈地蔵十輪経一・元慶点〉。「風白浪を—・す花千片」〈和漢朗詠集眺望〉 ②裏返しにする。「故基綱の中納言十三回の前に、観普賢経、彼の遺札を—・して摺写せしめて」〈再昌草一六〉 ③(心や態度などを)俄かに変える。一転させる。「来迎にあづかりて蓮台にのる時こそ、妄念を—・して悟りの心とはなれ」〈横川法語〉

ひるがへ・りヒルガエリ【翻り・飄り】『四段』①ひらりと裏返る。また、ひらひらとゆれ動く。「堤上糸柳—・り、波中錦鱗浮かぶ」〈懐風藻〉 ②くるりと転換する。反対になる。「たのまれつる大友・塩冶(えんや)はたちまちに—・って、親王に向ひ奉って弓をひき」〈太平記一四・箱根竹下〉

ひるがんだうウ…ド【昼強盗】日中、大胆に強盗をすること。また、その者。「太郎は—が上手。次郎は忍びが上手」〈幸若・烏帽子折〉

ひるぎつね【昼狐】①昼間、姿を現わした狐。「しらけて見ゆる—かな」〈沙石集五ノ三〉 ②《夜行性の狐が昼間出現することから》日中、人をだますずうずうしい人間のたとえ。「吉原の—と沙汰して、人をば化かすうるさい事だと云ふ族(やから)も有り」〈評判・高屏風上〉

ひるこ【蛭子】《ヒルのように手足のなえた子の意》イザナキ・イザナミ二神の間の第一子。三歳になっても足が立たなかったと伝える。「ひるのこ」とも。「—。此の子は葦船に入れて流し去(う)てき」〈記神代〉。「—と申し奉るは、夷三郎殿の御事なり」〈伽・住吉縁起〉 †Firuko

ひるごろ【昼頃】事物が、古くもなく新しくもない、ちょうど用い頃であること。昼時分。「長公は、加賀の梅染めの—なるを着給ふ」〈二根集二〉

ひるさがり【昼下り・午下り】真昼の少し後。九つ時を過ぎたころ。昼過ぎ。「—から七つまで」〈近松・丹波与作中〉

ひるじぶん【昼時分】①昼どき。「思ひ寝の床起き上がる—」〈俳・正章千句下〉 ②全盛のとき。まっさかり。「昼」とも。「諸芸今が—なれば」〈評判・役者大鑑二〉 ③事物が、ちょうど用い頃であること。ひるごろ。「下に黒羽二重の—に、浅黄の…木綿合せ」〈浮・三島暦一〉

びるしゃな【毘盧遮那・毘盧舎那】〔仏〕《梵語の音訳。光明遍照、遍一切処の意》⇒びるしゃなぶつ。「釈迦牟尼仏を—と名付け奉る」〈栄花玉台〉 **—きゃう**キョウ【毘盧遮那経】「大毘盧遮那神変加持経」の略称。全七巻。「大日経」とも。「一日に二十巻の—を書写、供養し奉れり」〈今昔五ノ二三〉 **—ぶつ**【毘盧遮那仏】仏智の広大無辺なことの象徴で、華厳教の本尊。密教では大日如来と同体という。「毘盧遮那大仏頭、自ら落ちて地に在り」〈文徳実録齊衡二・五・二三〉

ひるすぎ【昼過ぎ】①正午を過ぎたころ。昼さがり。「明日の御能、今日—に御役付出る」〈わらんべ草五〉 ②事物が相当古いことのたとえ。九つ過ぎ。「紫鼻緒の—なる雪踏を、しかも取り合はせ」〈浮・好色十二人男一〉

ひるたうはんウ…ト【昼当飯】旅中または外出先で食べる昼食。「ひるたうば」「ひるとば」とも。「この臨時の祭の—を大行事殿よりしさせ給ふ」〈貞和五年春日社臨時祭次第〉

ひるつ・け【昼付け】『下二』昼ま近になる。正午になる。「—・けて殿まゐらせ給ひて」〈讃岐典侍日記〉

ひるとば【昼当飯・昼当場・昼休場】「ひるたうはん」の転。「足引の山越えかぬる—に真粉(しんこ)馬こそゆかしかりけれ」〈古今夷曲集六〉

ひるとび【昼鳶】小泥棒。また、すり。ひるとんび。「これ—の逐電(ちくてん)盗人」〈浮・てれん用心記二〉

ひるなか【昼中】まっぴるま。ひどく明るい時。「ただかく曇りなき—に、扇もはかばかしく持たせず」〈紫式部日記〉

ひるね【昼寝】昼寝ること。「—の夢に故宮の見え給ひければ」〈源氏蓬生〉

ひるのおまし【昼の御座】昼間、貴人が坐臥する所の敬称。ひのおまし。「—にゐざり出でておはします」〈源氏賢木〉

ひるのこ【蛭の子】⇒ひるこ。「—は三とせになりぬ足立たずして」〈日本紀竟宴歌〉。「—が齢(三年)にもなりにけるを」〈源氏松風〉

ひるぶね【昼船・昼舟】昼間航行する船。特に近世、大阪伏見間を、朝出帆して夕方到着する三十石船の称。「—に乗りて」〈仮・御伽物語五〉

ひるま【昼間】①昼の間。「例の、方ふたがると知る知る—に見えて、御たいまつといふほどにぞ帰る」〈かげろふ下〉 ②昼食。昼めし。「—食べだち、中の懸子(かけご)を休めた」〈田植草紙〉

ひるまき【蛭巻】槍・長刀の柄、刀の鞘など円柱状のものに、籐(とう)や銀を、間をおいて斜めに巻きつけること。また、それを施した物。蛭が巻きついたような形になるのでいう。「銀(しろかね)の—したる小長刀」〈平家二・教訓状〉

ひるまへエ…マ【昼前】事物の、まだ新しいことのたとえ。「よく其の皮を見たがよい。まだ—で尻垢も付かない」〈黄・金銀先生再寝夢中〉

ひる・み【痿み・怯み】『四段』①なえる。麻痺する。「痿痺、比留無夜末比(ひるむやまひ)」〈和名抄〉。「痿、ヒルム」〈名義抄〉 ②傷などを受けて、萎縮する。また、そのために体力・気力がにぶる。「景経、内甲(うちかぶと)を射させて―・む所に」〈平家一一・能登殿最期〉 ③はげしい相手の勢いに、たじたじとなる。押されて萎縮する。くじける。「源太もさる者なりければ、少しも―・む気色もなくて」〈曾我八〉

ひるみせ【昼見世】遊女が、昼過ぎから夕暮近くまで、見世に出て客を引くこと。「―といふには、客も早く仕舞ひければ」〈浮・好色万金丹三〉

ひるめのみこと【日女の命】《ヒルは太陽、メは女。太陽に仕える女の意》天照大神をさす。「天照らす―天をば知らしめすと」〈万一六七〉 †Firumenömikötö

ひるよる【昼夜】昼も夜も、毎日。「―の六時のつとめに」〈源氏明石〉

ひるわりご【昼破籠】破籠に入れて携帯した、昼の弁当。「奈島の丈六堂の辺にて―食ふに」〈宇治拾遺六七〉

ひれ《ひらひらするものの意》❶【領巾】①上代から平安時代にかけての女子装身具。首にかけ左右に長くたらす布。魔よけなどの呪力をもつと考えられ、別れなどに振った。「夫(つま)恋に―振りしより」〈万八七一〉 ②男性が肩にかける布。「―掛くる伴の男」〈祝詞大祓詞〉 ❷【鰭】①魚の泳ぐための器官。「鰭、波太(はた)、俗云比礼(ひれ)」〈和名抄〉 ②才能。徳量。「本本(ほんぼん=本来)の良い者が無うなって、そばつらな塵芥(ちりあくた)のつれが、―(アル様子)をする」〈玉塵抄五〉 ③身体の恰好がよいこと。また、貫祿。「とりなり―有りて見立てあれど」〈評判・まさりぐさ〉。「器量よきを―のある男といひ」〈仮・籠耳三〉 †Fire

び・れ『接尾』《ビの転》名詞または形容詞語幹について下二段活用の動詞を作る。…らしくなる。…らしく見える。「悪(わろ)―・れたる景気もなし」〈平家二・西光被斬〉。「白骨髑髏などの如く、皮肉一点も無く、人間―・れた事が無い時」〈勝国和尚再吟二〉。「相模小田原生れの人は、男女共に形義・郷談、万づ田舎―・れず」〈北条五代記八〉

ひれふ・し【平伏し】『四段』ばったりと伏す。「打ち泣きて―・し給へれば」〈源氏夢浮橋〉

ひろ【尋】両手を左右へ広げた長さ。水深や縄の長さなどを測るときの単位として使う。一尋は五尺または六尺。「総角(あげまき)や、とうとう、―ばかりや、とうとう、離(さか)りて寝たれども」〈催馬楽総角〉 ▽朝鮮語 pal(尋)と同源。 †*Firö

ひろい【従】《ヒロキ(広)の音便形》同じ位階のうちの低い方。正位を「おほい」というに対する。「従八位下、比呂伊(ひろい)夜豆乃久良井乃之毛豆之奈(やつのくらゐのしもつしな)」〈和名抄〉

ひろう【披露】①あまねく人に触れ知らせること。「『我を我と思はん者どもは、皆、物の具して馳せ参れと―せよ』と宣へば、この由―す」〈平家二・烽火〉 ②貴人に申告すること。上申。「孝長、帰参してこの旨を―ありければ」〈古活字本保元上・新院御謀叛露顕〉

びろう【尾籠】《「をこ」の当て字「尾籠」を音読したものという》①礼を失すること。無礼。不作法。「重盛が子どもとて候はんずる者の、殿の御出に参り合うて、乗物より下り候はぬこそ―に候へ」〈平家一・殿下乗合〉 ②汚いこと。けがらわしいこと。「食べると―ながら吐きまする」〈滑・浮世風呂前上〉

ひろえん【広縁】①寝殿造の廂(ひさし)の間。広廂(ひろびさし)。「瓶子の首を貫き捧げて、一時舞うて―を三度持て回して」〈盛衰記五〉 ②幅の広い縁側。「腰をかがめて―の先」〈俳・天満千句〉。〈日葡〉

ひろが・り【広がり】『四段』広くなる。広まる。「末―・りていつまでも栄え久しき扇とかや」〈伽・末広物語〉

ひろ・ぎ【広ぎ】『四段』①広くなる。広がる。「訓(くん)の読みなれど、心をさしつめて字釈にあらはしたる事は、なほ心―・がぬなり」〈愚管抄七〉 ②他人の行為・状態などを示す語について、それをののしっていう。…やがる。「又うつけ―・ぐよと叱り候へば」〈寒川入道筆記〉

ひろ・げ【広げ・展げ】『下二』①広くする。あけて見せる。「御手を―・げ給へるに」〈竹取〉。「御ふところを―・げて立ち給へりければ」〈大鏡道隆〉 ②(巻いたもの、たたみこんだものなどを)ひらき延べる。「わうけい文を―・げて見て、返事書く」〈竹取〉 ③(しまってあるもの、秘めてあるものなどを)四方に散らかす。「小さき屋ども作り集めて奉り給へるを、所せきまで遊び―・げ給へり」〈源氏紅葉賀〉。「あはあはしうなどは言ひ―・げずとも」〈源氏椎本〉 ④繁栄させる。「そこにこそは門(かど=子孫)は―・げ給はめ」〈源氏幻〉

ひろどしょ【広御所】御所内の広間。御殿内の広間。「法住寺の―にして、今様の会あり」〈梁塵秘抄口伝集〉

ひろど・り【広ごり】『四段』《ヒロゲの自動詞形》①あけひろげになる。「口つきなどは見苦しく―・りたれど」〈源氏若菜上〉 ②いちじるしく幅や面積が増す。「御髪の末の所せう―・りたるをいと苦しとおぼして」〈源氏柏木〉 ③(うわさなどが)広く知れわたる。「かうやうの御ありきは忍び給ふとすれど、おのづから事―・りて」〈源氏総角〉 ④繁栄する。「末末に―・りて」〈源氏若菜下〉 ⑤後後までつづく。「連綿(ひろご)らずといへども、時に一発(ひとやみ)動(おこ)る」〈大唐西域記三・長寛点〉

ひろ・し【広し】『形ク』《「狭(さ)し」「狭(せ)し」の対》①面積・幅などが大きい。「天地は―・しと言へど、吾が為は狭(さ)くやなりぬる」〈万八九二〉 ②まんべんなく行き渡っている。「あまねきおほんうつくしみの波…―・きおほんめぐみの陰(かげ)」〈古今序〉 ③寛容である。寛大である。「御心は―・く、人の御為などにも思ひやりおはしまし」〈大鏡師輔〉 ④数が多い。「伴の男(宮廷ニ仕エル男)―・き大伴に」〈万一〇八六〉 †Firösi

ひろしき【広敷】台所の板敷の上り口。「―に居眠る月の宵惑ひ」〈俳・信徳十百韻〉

ひろせ【広瀬】大きな川にある幅の広い渡り瀬。「忍(おし)の―を渡らむと」〈紀歌謡一〇六〉 †Firöse

ひろそで【広袖】袖口の下部を縫い合わせてない袖。近世前期の伊達風俗。「秋風通へ踊る―」〈俳・時勢粧四〉

ひろには(ニワ)【広庭】①玄関先の広い庭。「時綱はわざと敵を―へおびき出し」〈太平記一・頼員回忠〉 ②近世、民家の台所の土間。「―には延米を借りて積重ね」〈西鶴・椀久一世下〉

ひろはし【広橋】幅の広い橋。一説、間を広くおいて石を並べた石橋。「―を馬越しがねて心のみ妹がり遣りて我はここにして」〈万三五三八東歌〉 †Firöfasi

ひろ・ひ(ヒロイ)【拾ひ】『四段』《奈良時代ではヒロヒ・ヒリヒの両形が行なわれた》①(落ちこぼれているものを)とりあげる。「信濃なる筑摩(ちぐま)の川の細石(さざれし)も君し踏みてば玉と―・はむ」〈万三四〇〇東歌〉。「滑(なめ)り朽ちたるもの、酢(す)き子(み)を―・ひて弱き身を助け」〈東大寺諷誦文稿〉 ②思いがけず手に入れる。また、幸運にも失わずにすむ。「明智め、山科の藪の中へ北(に)げ入り、百姓に首を―・はれ申し候事」〈浅野家文書天正一〇・一〇・一八〉。「女ぢゃと思うて油断して、天(あま)の命を―・うた」〈虎明本狂言・痩松〉 ③一歩一歩あるく。「足を―・ふには、袍(うはぎ)の尻を高く跪上(あけ)ぐる」〈教訓抄三〉。「—・ふ。ありく事なり」〈匠材集四〉④一つ一つとる。「花も老木や年—・ふらん／またや見ん程ふる里の春の友」〈文安月千句〉⑤相撲で、つぎつぎに勝ちぬく。「二十人ばかりの取手どもをことごとく—・ひけり」〈義残後覚二〉⑥〔能楽用語〕《引き気味に謡うのを「持つ」というのに対し》短く早めに謡う。「真名の文字(漢字)の内を—・ひて、てにはの字にて詰め開きて謡ふべし」〈花鏡〉　†Firöfi　**—もの【拾ひ物】**①物を拾うこと。また、拾った物。「道のほとりにて見付け候—の事」〈塵芥集〉②意外な儲け物。幸運な取得物。「壺の儀、—と思し食し候べく候」〈千利休書簡〉

ひろびさし【広廂】 寝殿造の母屋(もや)の外、簀子縁(すのこえん)に面した細長い部屋。広縁。「放出(はなちいで)の—有る板屋の平みたるが」〈今昔二四ノ六〉

びろびろ 食物・金銭・異性などに飢えて、きょろきょろ探し廻って落ち着かないさま。「女子を見ては—と」〈浄・十二段一〉。〈続無名抄下〉

ひろぶた【広蓋】 衣服などの引出物を載せる木製の容器。もと、衣裳箱の蓋を用いたのでいう。近世では、食物を給仕するのにも用い、小形のものを硯蓋と呼んだ。「いろいろの絹四十領、銀剣七つ、—に置かせ」〈平家三・御産〉

ひろま【広間】 大名・武家などの邸宅の、表向の広座敷。武器を飾り、警護の者が詰めている場所。「只今頼うだ人—へ出させられた」〈狂言記・秀句大名〉

ひろまへ(エ…マ)**【広前】** 神の前をいう美称。「大前」が天照大神につかうのとくらべ、広前は次位の美称。「四柱の皇神等(すめがみたち)の—に白(ま)(を)さく」〈祝詞春日祭〉　†Firömafe

ひろま・り【広まり】『四段』広く伝わる。流行する。「いにしへよりかく伝はるうちにも、奈良の御時よりぞ—・りにける」〈古今序〉

ひろみ【広み】 広い所。広場。「左右なう—へ打ち出でて…取り籠められては叶ふまじ」〈平家七・願書〉

ひろ・め【広め・弘め】 ㊀『下二』広範囲にわたって行き渡らせる。広く伝える。「身を忘れて正法を—・め」〈金光明最勝王経平安初期点〉 ㊁『名』広く一般に知らせること。公示。特に、近世町方で、嫁入り・養子・隠居・家屋敷相続など、あらたに町の一員として加入したことを町内に知らせること。また、その儀礼。町儀。「取るや花嫁花婿—」〈俳・浜荻〉。〈日葡〉

ひろめか・し『四段』《ヒロメキの他動詞形》(見せびらかすように)ひらひらさせる。「雪降りかかりたる枝に文をつけたる持て来て『宮の御文』とささげて、—・す」〈宇津保蔵開中〉。「色色様様にて赤き扇を—・し使ひて、御棧敷の前あまたたび渡り歩かせ給ふ」〈栄花初花〉

ひろめ・き【䙱き・閃き】『四段』《ヒロは擬態語。メキは接尾語。ものがひらひらゆらゆらと止まずに動く意。室町時代にはビロメキという形もあった》①ひらひらと降る。「雪霏(ひろめ)くこと五尺」〈大唐西域記三・長寛点〉②あちこちふらふらしてまわる。「〔扇デ〕こなたかなたあふぎ散らして、塵掃きすて、居も定まらず—・きて」〈枕二八〉。「顕證にて〔アラワニ〕出で—・かばこそはあらめ」〈和泉式部日記〉③くねって、のたうつ。「〔熱湯ヲ穴ニ注グト〕蛇出でてびりびりと—・きて、やがて死ぬ」〈著聞六九九〉④ぴかぴかと光る。「大蛇を捉取(とらと)へて天皇に示(み)せ奉る。天皇斎戒(ものいみ)し給はず。その雷(みかみ)虺(ひか)り虺(ひろ)めきて目精(まなこ)赫赫(かか)やく」〈紀雄略七年〉　†*Firömeki

ひろらか【広らか】 広いさま。ひろやか。「—なる溝あり」〈盛衰記一三〉

ひろ・り【広り】『四段』ひろがる。ひろやかにゆったりする。「其(し)が葉の〔ヨウニ〕—・りいますは大君ろかも」〈記歌謡五七〉　†Firöri

ひわか・し【ひ若し】『形ク』可憐で若若しい。「声どもの—・く細くうつくしげに、聞かまほしき事、迦陵頻伽(かりょうびんが)の声もかくやと聞えたり」〈栄花もとのしづく〉

ひわりご【檜破籠】 ヒノキの薄板で作った破籠。旅や遊山のときなどに、食物を入れて携える。また、その中の食物。「こなたばかりに、をかしげなる—などばかりを、色色にて参れる」〈源氏葵〉

ひゐ【非違】「検非違使(けびゐし)」の略。「かの中納言、—の別当し給ひける折」〈栄花衣珠〉

ひ・ゑ【弭ゑ】『下二』肉などを、うすく小さくへぐ。そぎ取る。「立ちそばの実の無けくをこきし—・ゑね」〈記歌謡九〉　†Fiwe

ひを【氷魚】 鮎の稚魚。琵琶湖・宇治川のものが有名。延喜式内膳司式によれば、供御(くご)の魚として、毎年九月から十月三十日までの間、貢進した。また、九月九日の重陽の宴には、これを群臣に給わるならわしがあった。「わが背子が犢鼻(たふさき)にする円石(つぶれし)の吉野の山に—そさがれる」〈万三八三九〉　†Fiwo

ひをけ【火桶】 木製の丸火鉢。桐の木を丸くくりぬいて作り、内側を真鍮(しんちゅう)で張り、胴には彩色した絵を描いたりする。「よく調じたる—の灰の際きよげにて、おこしたる火に、内にかきたる絵などの見えたる、いとをかし」〈枕二〇一〉

ひをどし【緋縅・火縅】 鎧の縅の一種。あざやかな緋色の革で縅したもの。紅縅(くれなゐをどし)。「木蘭地の直垂に—の鎧着て」〈平家二・教訓状〉

ひをむし【蜉】 朝生れ夕方死ぬという虫。カゲロウの類か。「—の一日を暮し、草葉の玉の風を待つほどなれば…春の夢よりも異ならず」〈曾丹集〉

ひをり【引折・日折】 平安時代、五月五日に左近衛の舎人(とねり)が、翌六日に右近衛の舎人が、馬場で競馬・騎射の真手番(まてつがひ)をしたこと。また、その日。「右近の馬場の—の日」〈古今四七六詞書〉

ひん【貧】 貧乏。また、貧乏人。「身—にして善根を作す力なし」〈発心集七〉。「痩せたるは—の相なり」〈無門関抄下〉。「—に子あり、長者に子なしと申すなり」〈説経・しんとく丸〉　**—の盗みに恋の歌** 貧乏にせまられれば盗みをし、恋をすれば歌をよむ意で、必要にせまられると人間は何でもすることのたとえ。「—、恋をむねとする身の〔詠歌〕せぬは不覚と思ひ立ちて」〈俳・鱗形〉

びん【鬢】 頭の側面、耳の上のあたりの髪。「銀(しろかね)の笄(かうがい)を入れて使の君の—掻き給ふべき具」〈栄花初花〉

ピン《点または一の意》①カルタ・采(さい)の目で、一の数。「—よどうよに、現(うつつ)たわいも内証は、ほつき揚句に逐ひ出され」〈浄・甲賀三郎窟物語四〉②《一割の意》うわまえ。かすり。「—、かすり取り」〈南水漫遊拾遺四〉▽「ぴんはね」「ぴん行く」などの語は、(2)の語意による。ポルトガル pinta

びんかがみ【鬢鏡】 鬢などを見るのに用いる、懐中用の小さな鏡。「この—を進ずる」〈虎明本狂言・墨塗〉。〈日葡〉

ひんがし【東】 ⇒ひむがし。「あゆの風といへる風あり、それまた—の風なり」〈俊頼髄脳〉。「二十二日より二十六日まで、天一—に遊ぶ」〈広義門院御産愚記〉。〈いろは字〉

びんぎ【便宜】 ①便利なこと。好都合なこと。「〔コレホド立派ナ人ガ〕国の内に居たるは、きはめたる—なりと思ひて」〈今昔二〇ノ三五〉②よい機会。「おのづから—ありて助くべからむ事あらむ時は、かくやうの獣をば必ず助くべきなり」〈今昔二七ノ四〇〉③何かの機会やついでを利用して、したため送る手紙。「―を喜び受けて候」〈金沢文庫古文書三、そぁみ仏書状〉。「鈍太郎殿からは―の訪れもないによって」〈虎明本狂言・鈍太郎〉 ▽ロドリゲス大文典につぎのような説明がある。「書状は、他人の返事であるか、彼等のいうようにわざわざ書かれたものであるか、差し出すのに何かの機会または便宜を以て書かれたものかであって、それぞれに発端に於ける特定のいい方がある。第一類を「返札（へんさつ）」「返事」といい、第二類を、わざわざ遣わしたものという意で「わざとの状」といい、第三類を「びんぎ」「便り」という」

びんきり【鬢切】 前髪を切って耳の前に垂らすこと。また、その髪風。近世、元禄以前に、若衆・少女・禿（かむろ）が結った。「―をするこそ道理至極なれ」〈俳・備後表〉

びんぐう【貧窮】《ビングとも》 貧乏。「一生の間に七度富貴に成り、七度―に成れりけり」〈今昔一ノ三一〉。〈饅頭屋本節用集〉

びんぐき【鬢茎】 結い上げた鬢髪の毛筋。「しどけなくうちふくだみ給へる―、あざれたるうちき姿にて」〈源氏紅葉賀〉

びんぐし【鬢櫛】 歯のこまかい木櫛。水をつけて鬢をかきあげるのに用いる。水櫛。「紅皿一口・鉄漿（かね）付筆・眉作・―五」〈公衡公記正応二・一・七〉。「自ら―をもって髪をかきあげ」〈太平記三〇・義貞自害〉

びんご【備後】「びご」の転。〈文明本節用集〉 **―おもて**【備後表】 備後国産の最上の畳表。「―畳二十帖」〈多聞院日記天正一六・一三・二三〉 **―ずな**【備後砂】 備後帝釈天産の盆山用の白い砂。「―の事、涯分尋ね申すべく候」〈上杉家文書一、享祿三・二・二六〉

びんざさら【編木・拍板】 田楽などに用いる楽器の一。長さ五寸、幅二寸ほどの薄い小板数枚ないし数十枚を紐でつらね、両端の把手を持って小板が互いに打ち合うように動かして音を出す。近世、説経者や熊野比丘尼も用いた。「腰鼓・振鼓・銅鈸子・―」〈洛陽田楽記〉

ぴんしゃん《ヒンシャンとも》 ぴんとして弾力性のある言動のさま。また、こましゃくれた生意気な態度のさま。「―とするこそ晴れね胸の霧」〈俳・続独吟集下〉

ひんじゅつ【擯出】《「擯」は、捨てる、しりぞける意》 人を拒みしりぞけること。しりぞけ、追い出すこと。「何を以てか汝に出家を許さむと―しつ」〈今昔一ノ二七〉。「擯出、ヒンジュツ、拒レ人義」〈下学集〉

びんせん【便船】 ①幸便の船。「伊予の国に下る―を尋ねて」〈今昔一五ノ一五〉 ②幸便の船に乗ること。舟に便乗すること。「なうなう、あれなる舟に―申さう」〈謡・兼平〉

びんそぎ【鬢除・鬢曾木】 女子が、満十六歳の六月十六日、左右の鬢の先を切りそぐ儀式。男子の元服に当る。「女三の宮の御方、御―にて、御樽三色三荷参る」〈御湯殿上日記慶長一三・六・一六〉

ひんそく【秉燭】《唐音。ヘイショクとも》 火をともす頃。夕方。「必ず―にてする事なりとて、戌の時とぞ定められける」〈承久記上〉

ひんだう（ヒンドウ）【貧道】 ①仏道の修め方が貧しいこと。僧が自分のことについていう。「我―にして、何ぞ一日の中に書き終らむや」〈今昔七ノ二三〉 ②僧が自分をへりくだっていう称。拙僧。愚僧。「―二十八歳の時、遁世の門に入りて」〈雑談集三〉。「―とは僧の自称することばぞ」〈蠡測集〉

びんだらひ（ビンダライ）【鬢盥】 ①鬢をなでつけるための水を入れる小さな盥。「立春の出仕にむかふ―」〈俳・寛永十三年熱田万句三九〉。〈運歩色葉集〉 ②〔江戸語〕 得意先をまわる髪結が下げて歩く、結髪用具一式を入れた箱。上方では「台箱」という。「髭切を研ぎすましてる―」〈雑俳・万句台安永八〉

びんぢょ【美女・便女】《ビヂョの転。「便女」は当て字》 美人。転じて、美人の侍女。「木曾殿は信濃より、巴・山吹とて二人の―を具せられたり」〈平家九・木曾最期〉

びんぢょう【美女】「びんぢょ」の転。「翁の―婚（ま）り得ぬ独り臥し」〈梁塵秘抄三八二〉

ひんづ【平頭】《唐音》 意外なこと。予期しないこと。また、余計なこと。無用なこと。無駄。「月の夜に―の損は螢かな」〈俳・鸚鵡集四〉

びんづら 「みづら（角髪）」の転。「山鳩色の御衣に―結（い）はせ給ひて」〈平家灌頂・六道之沙汰〉。「総角、あげまきと読む。わらべの―結ひたるをいふなり」〈源氏物語抄〉

びんづら【鬢】 鬢の髪。鬢のあたり。「青き衣（きぬ）着たる乙女の―上げたる」〈俊頼髄脳〉。「雲の―花のかほばせ」〈謡・楊貴妃〉

びんづる【賓頭盧】《梵語の音訳》 十六羅漢の第一尊者。白頭長眉の相を持つ。俗に、その像の頭・体などをなでて病気回復を祈った。「―の前なる鉢のひた黒に墨つきたるを取りて」〈竹取〉

ぴんとこな ①つんとして相手を突き放すさま。ぴんしゃんするさま。ぴんとこ。「山家者とておなぶりかと、袖振り放し―」〈浄・弁慶京土産三〉 ②ぴんしゃんする人。「べったりに惚れるあれば、―に惚れるあり」〈洒・虚実柳巷方言中〉 ③歌舞伎の役柄の一。和事役のうち、柔らかいだけでなく、きっとした強さのある役。たとえば、「伊勢音頭」の貢（みつぎ）。「和実（実事ヲ加味シタ和事）は人品の軽き役者のできぬ事にて、これまた容易に入りやすからず。よってかの―と称する風できしなり」〈劇場一観顕微鏡上〉

びんな・し【便無し】『形ク』《「便」は都合の意。不都合だととがめる意。また、客観的に、具合がわるい意。主観的には、そのような事態で困る意》 ①よろしくない。不都合だ。「〔女ノ所ニ〕立ち寄り給はむも、人目繁からむ所に―・き振舞やあらはれむと〔女ノ〕人のためもいとほしく」〈源氏帚木〉。「すきずきしうあざれがましき今やうの人の〔女ニ対シテ〕―・い事しいでなどする、男のとがにしもあらぬことなり」〈源氏胡蝶〉 ②具合がわるい。「もとありける池山をも、―・き所なるをばくつがへして、水の趣き、山のおきてを改めて」〈源氏少女〉。「〔御多忙ト聞キ〕折―・く思ひ給へつつみてなむ、斯くなども聞えさせ侍らざりし」〈源氏宿木〉 ③（具合が悪くて）困る。「さやうの〔宮中出仕トイウ〕まじらひにつけて、心よりほかに〔帝ノ寵愛ナド〕―・き事もあらば…はしたなからむ」〈源氏藤袴〉。「暁がたより御胸をなやみ給ふ。…御消息聞えさせむと聞ゆるに、いと―・い事と制し給ひて、堪へがたきをおさへて」〈源氏若菜下〉 ④いたわしい。かわいそうである。「きのふの価（あたひ）返しくれたびてむやとわぶ。いと―・ければ、許しやりぬ」〈風俗文選五〉

ひんなり しなやかなさま。「姿容婦人に似たりとあり。―として柔弱にあったぞ」〈詩学大成鈔二〉

ひんぬき【引ん抜き】《ヒキヌキの音便形》 ①特にすぐれていること。また、そのもの。極上。「花花の―なれや富貴草」〈俳・渡奉公下〉 ②純粋。「善光寺といふ浄瑠璃を、角太夫節の―に語り」〈咄・囃物語下〉

ひんのやまひ（ヤマイ）【貧の病】 貧乏の苦しみを病気にたとえた語。「―に肩身もすぼり」〈近松・卯月潤色中〉

びんぼうし【鬢帽子】 ①布を鬢まで引き垂れて冠ったもの。「―したる雲容」〈太平記三五・北野通夜〉 ②手拭いで鉢巻し、結んだ端を鬢の所へ垂れたもの。「ひんぼうし」とも。「菊の露凋（し）をるる人や―」〈俳・曠野上〉。〈合類節用集〉

ひんぼく【貧乏】「びんぼふ」に同じ。「―なりし家にはかに富貴になりしは」〈二十四孝抄〉。〈文明本節用集〉

ひんぽつ【秉払】《「秉」は手に持つ意。「払」は払子(ほっす)》禅宗で、首座が住持に代って払子を取り、法座にのぼって説法すること。また、その首座。「小参(せうさん)のついでに、―を請ふ」〈正法眼蔵随聞記五〉

びんぼふウ:ボ【貧乏】《中世、ヒンボク・ビンボクとも》貧しいこと。貧窮。「―の寺の作法」〈雑談集六〉。「秋風の明日より吹く(福ト掛ケル)を身にしめて今日―の祓(はらへ)をぞする」〈玉吟抄〉。「誰に問はまし―の事」〈俳・俳諧三部抄中〉。「貧乏、ビンボウ」〈天正十八年本節用集〉 **―がみ**【貧乏神】人に取りついて貧乏にするという神。その恰好は甚だ小さく痩せこけて色青ざめ、破れた渋団扇を手に持つと信じられた。「―ども多く家の内に住みて、福の神を追ひ出す故に」〈伽・梅津かもむ物語〉 **―くじ**【貧乏鬮】他に較べて不利益な鬮。また、損な役廻りのたとえ。「一村の者―仰せ付けられ、頭人尋ね出さず候はば、御成敗有るべき由」〈梅津政景日記元和五・三・一〉 **―ゆるぎ**【貧乏揺ぎ】膝をたえずこまかくゆすること。貧乏ゆすり。「我と花の散るは―かな」〈俳・鷹筑波一〉

びんみづ【鬢水】鬢のほつれを撫でつけるのに用いる、伽羅(きやら)の油またはサネカズラの液。「―を運び、鏡貸すやら、そのもてなしいづくも替る事なし」〈西鶴・一代男一〉 **―いれ**【鬢水入れ】鬢水を入れる小判形の平たい小箱。「蒼海は―の底の月」〈俳・独吟廿歌仙下〉 **―いれのそこ**【鬢水入れの底】小判形のこと。「鬢水入れの蓋(ふた)」とも。「―のやうなる黄色の物」〈西鶴・好色盛衰記三〉

びんらうじウ:ロ【檳榔子】①ヤシ科の常緑喬木の檳榔樹の果実。健胃・利尿などの薬用または染料として、近世、長崎に輸入された。「故〔一条〕院頰腫れ悩み給ふの時、―と大黄と交ぜ磨りて、縛し給ひ」〈小右記長和三・五・二四〉 ②檳榔樹の実の煎汁で染めた赤みを帯びた黒色。檳榔子染。「煤竹(すすたけ)・唐染・鳶色や、しゃれ柿染や―」〈評判・おもはく哥合〉

ひんらく【貧楽】貧乏ゆえにかえって屈託がなく心楽しいこと。貧を楽しむこと。「世の楽しみのなきも―」〈二条良基畳字連歌〉

ふ

ふ【火】「ひ」の上代東国方言。「家(いは)ろには葦―焚けども住みよけを筑紫に到りて恋しけもはも」〈万四四一九防人〉

ふ【生】(草木などの)群生する場所。「芝―」「蓬(よもぎ)―」など、多く接尾語的に使われる。「白檮(かし)の―に横臼(よくす)を作り」〈記歌謡四八〉。「粟(はあ)―には臭韮(かみら)ひともと」〈記歌謡一一〉。「生、フ」〈名義抄〉

ふ【斑】まだら。ぶち。「切―」「虎―」「―入」など。「鳥座(とぐら)結ひ、据ゑてそわが飼ふ真白―の鷹」〈万四一五四〉

ふ【節】①ふし。「七(なな)―菅手に取り持ちて」〈万三三〇〉 ②むしろ・畳・すだれなどの編み目。「まをごもの―の間近くて」〈万三五二四東歌〉 ③垣の結い目。「大君のみ子の柴垣八(や)―結(じ)り結り廻(もと)し」〈記歌謡一〇九〉

ふ【府】《役所の意》①「衛府(ゑふ)」の略。「中務省、臨時に名を録して、―に付けよ」〈宮衛令〉 ②「大宰府」の略。「大宰の管内大隅・薩摩…等の司、闕あらば、―の官人を選びて、権(かり)に補せよ」〈続紀養老六・四・一六〉 ③「鎮守府」の略。「陸奥国鎮守府、公廨(くがい)事力(じき)を給ふ事…件の―の官人、家を離れて遠任す。理すべからく矜恤(きようじゆつ)すべし」〈類聚三代格六〉 ④「国府」の略。「海水漲移して―の六里の所に迫る」〈三代実録仁和三・五・二〇〉

ふ【封】《呉音》封地(ほうち)。「山田寺に―三百戸を施す」〈続紀文武三・六・一五〉。「御寺の―など加へさせ給ひて」〈栄花鳥辺野〉→封戸(ふこ)

ふ【符】①上級官庁から管轄下の官庁に下す公文書。太政官符はその代表的なもの。「―到りて五日の内は逃亡隠蔵を問ふこと无く、並に自首せしめ」〈続紀和銅二・一〇・一四〉。「赤―といふは国司の―なり。国印あるが故に赤―といふ也」〈今昔二五ノ一三〉 ②護符。お札(ふだ)。「東山観勝寺の上人の―をかけさすれば、物狂ひの者も験ありと聞えければ」〈沙石集九ノ九〉 ③運。「めでたい―がある」〈黄鳥鉢抄一〉。「唐糸が―の悪さ」〈伽・唐糸さうし〉

ふ【傅】《守り役の意》東宮の職員で、皇太子の補導役。「藤原朝臣縄麻呂…宝亀の初め中納言を拝し、尋(つ)ぎて皇太子の―、勅旨卿を兼ぬ」〈続紀宝亀一〇・一二・一三〉

ふ【賦】①土地・人口などを計量して割り当てたみつぎもの。租税。「糸に精粗あり。―に貴賤なし」〈続紀養老一・一一・二二〉 ②漢代以後盛んになった韻文の一種。対句を使い、句の末に韻をふむ美文。また、それを作ること。「又文人を召して曲水(ごくすい)の詩を―せしむ」〈続紀神亀五・三・三〉 ③長歌。「三上山の―一首」〈万三九八五題詞〉 ④漢詩の六義(りくぎ)の一。心に感じる所をありのままにうたうもの。和歌の六義では、古今集仮名序にこれを「かぞへ歌」としている。「和歌に六義あり。…一に曰く―」〈古今真名序〉。「―はかずへ歌なり。物にもたとへずしていへり。…ただこと歌といへるなむ是にはかなふべきとしるせり」〈八雲御抄一〉

ふ【譜】①系譜。「―を案ずるに江流(大江氏ノ系統)、親しみ隔てず」〈菅家文草一〉 ②楽譜。「世にありとあり、ここに伝はりたる―といふものの限りを」〈源氏若菜下〉

ふ【嘘】『上二』⇩ひ〔嘘〕

ふ【乾】『上二』⇩ひ〔乾〕

ふ【経】『下二』⇩へ〔経〕

ふ【綜】『下二』⇩へ〔綜〕

ふ『接尾』⇩ひ〔接尾〕

ぶ【分】《俗に「歩」とも書く》①戦国時代末期以後の金貨の単位。一両の四分の一。一朱(しゆ)の四倍。〈ロドリゲス大文典〉 ②長さの単位。一寸の十分の一。ぶん。「一―、十合はせて一寸」〈ロドリゲス大文典〉 ③歩合算の単位。十分の一。「一―二―」〈ロドリゲス大文典〉 ④利息算の単位。百分の一。パーセント。「一割一―」〈ロドリゲス大文典〉 ⑤歩合。利廻り。「手形貸の―に気を付け」〈浮・傾城辻談義一〉 **―に掛か・る** 投下資本の金利と同等以上の利益を収める。利廻りがよい。「歩に合ふ」とも。「―・る家よりは安し」〈西鶴・諸艶大鑑七〉

ぶ【夫】①徴発された人夫。また、その労役。夫役。「始めて八幡比売神宮寺を造る。其の―は、すなはち神寺の封戸を役す」〈続紀神護景雲一・九・一八〉。「一日に五六百人、千人の―どもを奉るにも」〈栄花疑〉 ②《「歩」とも書く》雑兵。足軽。卒。「―にも使はれて、ひたすら奉公すれど」〈仮・悔草中〉。〈日葡〉

ぶ《擬声語》蜂の羽音。ぶんぶん。「馬声蜂音石花蜘蟵(いぶせくも)あるか妹に逢はずして」〈万二九九一〉▽形容詞「いぶせし」のブの表記として「蜂音」を借りた例。

ぶ『接尾』⇒び〔接尾〕

ぶあい【無愛】①不愛想。「なにがしぬしの引留められけるこそ、いと―のことなりや」〈大鏡師尹〉②不都合。「宵・暁に殿の内より出入りする、極めて―なり。いざ、此れ立て籠め討たむ」〈今昔三ノ六〉

ふあひイ：ア【不合・不相】仲の悪いこと。不和。「はや御姫君も二人出来させ給へども、御―にも有りつるか」〈三河物語下〉

ぶあんない【無案内】物事の様子・勝手の分らぬこと。また、その人。「敵は―なり、信連は案内者なり」〈平家四・信連〉 **―に御座る** 初対面の挨拶語。初めて御目に掛かります。「『ただ今申した人はこれでござる』『―』」〈虎明本狂言・腹立てず〉

ふい【不意】①思いがけぬこと。偶然。「―にて見奉りそめしも、さるべき昔の契りありけるにこそと思ひ給へて」〈源氏手習〉。「―に、見知りたる人出で来て言ふやう」〈古本説話六九〉②いきなり。だしぬけ。「かの水精(すいしやう)の念珠を物にかけたるを見て―に阿闍梨に問ひて」〈今昔一六ノ三〉

ふいうウ：ユ【蜉蝣】虫の名。かげろう。人の命のはかなさにたとえられる。「―といふ虫は朝に生れて夕に死するなり」〈曾我一〉。「蜉蝣、フイウ、朝生夕死」〈易林本節用集〉

ふいがうウ：ゴ【鞴・吹革】《フキガハの転》鍛冶屋などで用いる金属精錬用の送風器。狸の皮などで作り、押し手を前後して風を送る。足で踏むものは踏鞴(たたら)という。ふいご。「たとへば鋳物師(いもじ)の―をもって物を鋳出すやうなぞ」〈山谷詩抄九〉。「鞴、フイガウ」〈文明本節用集〉 **―まつり**【鞴祭】十一月八日、伏見稲荷神社御火焼(ほたき)の日、鍛冶屋・金工などが鞴に神供を供え、家業を休み、祝宴を行なう行事。ふいご祭。「―とは、八日の日、稲荷の御火焼にて、金物の職人とりわきて祝ひつつ、赤の飯など奉り侍る」〈俳・山の井四〉。〈俳・毛吹草二〉

ぶいん【無音】音沙汰・挨拶のないこと。「この弟の子、今や返すと待つに―なり」〈今昔二ノ三三〉

ふう【風】①ならわし。人民の風俗。「―を移し俗を易(か)ふるは楽より善きは莫(な)し」〈続紀天平宝字一・八・二三〉②なりふり。様子。風采。「華奢骨細の生れ付、―偲ばしくゆかしくの、三十七とは見えざりし」〈近松・鑓権三上〉。〈日葡〉③漢詩の六義(りくぎ)の一。あるものにことよせて思いをよんだもの。諷喩の歌。和歌の六義では、古今集仮名序にこれを「そへうた」としている。「和歌に六義あり。一に曰く―」〈古今真名序〉。「―といふはそへ歌也。物をものにそへよめる也。其の事をいはで其の心をさとらすといへり」〈八雲御抄一〉

ふう【封】特定の人以外に開けてはならないというしるし。袋の口、手紙の上包みなど、結び目やとじ目につける。「細き組〔紐〕して〔袋ノ〕口の方をゆひたるに、かの御名の―つきたり」〈源氏橋姫〉。「―をも解かず」〈平家二・文之沙汰〉

ふう『感』人の話を聞いて驚き、または呆れたときなどに発する声。ふん。「『六条辺の出家で御座るが』『―』」〈虎寛本狂言・宗論〉

ふうが【風雅】《「風」は諸国の民謡。「雅」は朝廷の雅楽》①詩歌の道。「歌道数奇の御翫…慈鎮和尚の―にも越えたり」〈太平記一・儲王〉②俳諧の道。「予が―は夏炉冬扇の如し」〈俳・韻塞下〉

ふうがら【風柄・風骸】様子。容姿。「主の―、柳の枝の夕の景色」〈西鶴・男色大鑑六〉

ふうがん【風眼】淋菌が眼に入って起る膿漏性結膜炎の俗称。多くは失明した。また、それにかかった眼。「―にも、うつひ〔眼病ノ名〕にも、一つ〔ノ薬〕銘ばかり打ちし故」〈咄・醒睡笑三〉。〈日葡〉

ふうき【風気】感冒。かぜ。「―いぶせく候とて参ぜず」〈雑談集五〉

ふうぎ【風儀】①しきたり。ならわし。「神楽は神代の―をうつして、和国の祭とするなり」〈郢曲抄〉。「忠臣二君に仕へずと云ふ世俗の―を守りて」〈撰集抄四ノ五〉②様子。有様。「粟・麦の所務は…麦・粟も―皆損(かいそん)に付き侘事申し」〈菅浦文書延徳一・一二・二八〉。「当年の草木(穀物)の―如何御座候哉」〈沢庵書簡寛永一九・一〇・二〇〉③顔だち と姿恰好。みめかたち。「―と言ひ濡れた色ある野辺の末〔ノ少女〕」〈俳・通し馬下〉④能などで演ずる事がら。風体。「その時時の―をし捨てし捨て忘るれば」〈花鏡〉

ふうげつ【風月】⇒ふげつ。「―を愛嘲して心狂(ぶた)れむとす」〈菅家文草一〉

ふうさうウ：ソ【風騒】《「風」は詩経の国風、「騒」は楚辞の離騒》詩歌。また、詩文を作り楽しむ風流韻事。「―を声律に諧(ととの)へ」〈文華秀麗集序〉

ふうじ【封事】密封して、じかに君主に奉る意見書。「おのおの―を上(たてまつ)りて以て得失を陳(の)ぶ」〈続紀天平宝字三・六・二三〉。〈伊呂波字類抄〉

ふうじぶみ【封文】糊をつけて封をした手紙。「―の事、女郎よりは美しく封じてこす物なり」〈色道大鏡二〉

ふうじゅ【諷誦】《フジュとも》声を立ててきまった読み方で経文・偈(げ)文などを読むこと。「―を請(う)くる事」〈本朝文粋一四〉。「また―を十五大寺に修す」〈愚管抄二〉

ふうす【副寺】《唐音》禅宗で六知事の一。都寺(つうす)・監寺(かんす)の下で、寺内の会計・庶務を司る役。〈文明本節用集〉

ふうぜんのともしび【風前の燈】《倶舎論疏による》危難が迫って生命などの危いたとえ。「一期の栄花は―、百年の富貴も夢中の戯れと也」〈阿彌陀経見聞私上三〉

ふうぞく【風俗】①地方独特のしきたり、ならわし。風習。「巡察使を遣はして天下に分行して―を観省せしめ」〈続紀霊亀一・五・一〉②なりふり。様子。風姿。また、身なり。服装。「世の―も糸鬢(いとびん)にして」〈西鶴・一代男二〉③⇒ふぞく(2)「甲斐の―。甲斐人の嫁にはならじ事辛し甲斐のみ坂を夜や越ゆらむ」〈承徳本古謡集〉

ふうたい【風帯】掛軸の上部の表装の部分に垂れている二本の布または紙。「絵を掛くる時、―をうごかさぬは不吉也」〈今川大双紙〉

ふうたい【風袋・封袋】①物を入れた袋。一般に、外装。「物を封じ包みたる袋を―と云ふ」〈齊東俗談六〉②無用に外観ばかり飾ること。「中にさせる事無くて、無用の事に結構するを、俗に―と言ふなり」〈齊東俗談六〉

ふうてい【風体】①姿ありさま。かたち。「淳素正直の―を諸人に示され」〈夢中問答上〉②歌道で、歌の歌いぶりと一首全体の姿と。歌の風姿。「歌の―〔左右〕共によろしく侍るを」〈六百番歌合春上〉

ふうびゃうヨウ：ビ【風病】感冒。かぜ。「日来―にて廃す。今日宜し。よりて大内に参る」〈御堂関白記寛弘七・八・三〉

ふうふ【夫婦】夫と妻と。「道麻呂―を一院に幽(かく)し、往来を通ぜしめざること月を積み日を余す」〈続紀天平神護一・八・一〉 **―は二世** 夫婦の縁は、この世だけでなく来世でもつながる。「親子は一世」「主従は三世」などに対する。「かねてより―と期したれば」〈仮・夫婦宗論物語〉

ふうらい【風来】風に吹き寄せられるように、何処からともなくさまよって来ること。また、その人。「風天」とも。「踊りやらば―降らい雪女」〈隔蓂記万治二・一〇・二八〉。「身が生国は大日本、―とは舌長し」〈近松・国性爺三〉　**―じん**【風来人】諸方をさまよい歩く者。風来者。「うぬはいづくの―」〈近松・国性爺三〉

ふうりう【風流】《フリウとも。中国では、最も古くは先王の美風のなごりの意であったらしいが、やがて俗でない品格とか優美な魅力とかの意で使われた。日本では、粗野・平凡でない人品のよさ、優雅な情趣を解すること、芸術的な意匠をこらすことなどの意に展開した。平安時代にはミサヲ・ミヤビヤカなどと訓まれた》①美風のなごり。「新しきを賞する中にも、またく―を邪(よこしま)にする事なかれ」〈風姿花伝〉。「風流、フウリウ、遺風余風之義也」〈運歩色葉集〉②みやびやかなさま。「ここに前(さき)の采女(うねめ)あり。―の娘子なり」〈万三八〇七左注〉。「―は野宰相のごとく、軽情は在納言のごとしといへども」〈古今真名序〉③意匠を凝らすこと。また、そのもの。「その様例の車に似たりといへども…―詞を以て云ふべきにあらず」〈御堂関白記長和一・閏一〇・一七〉。「洲浜(すはま)の―さまざまなり」〈著聞六四九〉④平安時代末期以降、拍子物(はやしもの)を伴い、華麗な行装・仮装をこらしてする祭礼。また、その拍子物。後には、趣向をこらした祭礼の傘鉾・山車(だし)、および、それを取り巻いて踊ることをも称した。「今度の―のいでたち、いかていに興行あるべきやとて」〈伽・酒呑童子〉。「風流、フウリウ・フリウ、風情義也。日本俗呼二拍子物一曰二風流一」〈下学集〉

ふうりん【風輪】〔仏〕この世界の最下底の層。この下に何もない空輪、上に水輪・金輪の順に層をなす。「―動かず、世界破れず」〈正法眼蔵行持下〉

ふうん【浮雲】空に浮かぶ雲。うき雲。定めなくうつろいやすいもののたとえにもいう。「空しく―と大虚を行き」〈万巻五・沈痾自哀の文〉。「―の富貴たちまちに夢の如く成りにけり」〈太平記二七・御所囲〉　**―りうすい**【浮雲流水】空に浮かぶ雲と流れる水と。定めなく、うつろいやすいもののたとえにもいう。「江都の―の風景の面白は、竟にはいかがあるべし」〈三体詩抄二ノ三〉。「ひとへに―なる世に、しばしの身を宿し侍るとなり」〈心敬連歌自註〉

ふえ【笛】①管楽器の一。通常は横笛で、竹製。角などで作ったものもある。また、管楽器の総称。「流れ来る竹の…本へをば琴に作り、末へをば―に作り」〈紀歌謡九七〉②【吭】のどぶえ。「楠次郎、眉間(みけん)・―のはづれ射られて」〈太平記二六・楠正行最期〉。「〔矢ガ〕―の鎖にひしと立つ」〈浄・高館五〉③【鰾】魚のうきぶくろ。「鮒の汁の事。―と申して、まろき物あり。それをば左右(さう)なく食ふべからず」〈雑事覚悟事〉　†Fuye

ふ・え【振え】『下二』《フリ(振)の自動詞形》ゆれ動く。「佩(は)かせる太刀(たち)、本つるき(ツリ佩キ)末―・ゆ」〈記歌謡四七〉　†Fuye

ふえたけ【笛竹】①竹でつくった笛。転じて、音楽。「いにしへを吹き伝へたる―に」〈源氏少女〉②笛を作る材料の竹。「節の附いたる―を、一節(ひとよ)贈らせ給ふ」〈平家四・大衆揃〉

ぶえん【無塩】①塩を引かない新鮮な生(なま)の魚鳥。「〔木曾義仲ハ〕何も新しきものを―といふと心得て、『ここに―の平茸あり、とうとう』と急がす」〈平家八・猫間〉②人ずれしていないこと。新鮮。うぶ。「めでたいの言葉や―今日の春」〈俳・鷹筑波三〉③純粋。本物。「駿河路や―の富士よ霧の海」〈俳・反故集上〉

ふかあみがさ【深編笠】深く大きい編笠。熊谷笠。「素紙子を着て―に竹杖」〈西鶴・諸艶大鑑七〉

ふかいり【深入り】①敵陣深く入り込むこと。「卿公(きやうのきみ)義円は―して討たれにけり」〈平家六・祇園女御〉②度を過ごして物事に入り込むこと。深く関係すること。「万(よろづ)に付けて―する事かたく忌むべし」〈三世相抄三〉

ふかう【不幸】ふしあわせ。また、人の死去。「さ思はるる、我が身の―なるにこそはあらめ」〈源氏真木柱〉

ふかうでう【風香調】琵琶の調子の名。黄鐘〈わうしき〉調の一種という。「弾くものは琵琶。調べは―」〈枕二一七〉

ふかく【不覚】①意識がなくなること。「のけざまに〔車ノ〕後(しり)の方を御枕にて―に大殿籠りぬ」〈大鏡道隆〉②物事の分別などがしっかりしていないこと。「君はこれ―の人なり」〈今昔一〇ノ三〉③思わず知らずすること。「あまりあはれで―の涙のこぼれ候ふぞや」〈平家七・実盛〉④不注意・油断などによる失錯・失敗。「高名せうどて―し給ふな」〈平家九・宇治川〉⑤覚悟のすわっていないこと。臆病、卑怯など。「信頼と名のり給ふが、あれ程に―に見ゆるぞ」〈平治上・光頼卿〉　**―じん**【不覚人・不覚仁】①思慮の浅い者。「わざはひの―かな」〈十訓抄一ノ三〇〉②臆病者。卑怯者。「あの信頼といふ―は臆したるな」〈平治中・待賢門軍〉

ぶがく【舞楽】雅楽を伴奏として演ずる舞踊。「さては功徳ねんごろにするには、―を以てこそは供養すれ」〈今昔二八ノ七〉

ふかぐつ【深履・深沓】革製黒漆塗の筒の長いくつで、筒の縁に染革をめぐらしたもの。政(まつりごと)始め・雨天の時などにはく。雪見などに使うわら製のものもあった。「―・半靴(はうくわ)などはきて、廊の程、沓すり入るは、内裏(うち)わたりめきて、またをかし」〈枕一二〇〉

ふか・し【吹かし】『四段』《フキ(吹)の他動詞形》えらぶる。「かやうに申せば、我が身を―・したるやうに思しめさんも、恥づかしけれども」〈仮・竹斎上〉

ふか・し【更かし】『四段』《フケ(更)の他動詞形》夜がふけるまで時をすごす。「お前にさぶらひて今まで―・し侍りにける」〈源氏賢木〉

ふか・し【深し】㊀『形ク』《フケ(更)と同根。空間的に上下の方向について、「高し」の対。水準・表面からの垂直の距離について、「浅し」の対。水平な面については奥行が大きい意。時間に転用して、朝夜・季節などの限られた時間内での時の経過が大きく、奥まった時点にある意。物の度合・関係については濃密の意で、類義語コシ(濃)が一般的の濃度をいうのに対し、状態に奥深さがある場合に用いることが多い》❶《空間的に》①水準・表面より甚だ低い位置にある。「底―・きあごねの浦の珠そ拾はぬ」〈万一三〉。「峰高く谷をふかみと」〈万四〇〇三〉②厚みがある。「雪はいと―・く積りて」〈かげろふ中〉③奥行がある。遠い先方にある。「―・き山里、世ばなれたる海づらなどに這ひかくれぬ」〈源氏帚木〉。「ある所にしのびて思ひたつ。なにばかり―・くもあらずといふべき所なり」〈かげろふ下〉④普通の人の手がとどかない。「帝王の―・き宮に養はれ給ひて」〈源氏明石〉❷《時間的に》①手の届きにくい時点にある。「磯の上のつままを見れば根を延へて年―・からし神さびにけり」〈万四一五九〉。「夜はまだ―・からむはとて起き給ふなり」〈源氏野分〉▽夜の入りからも暁方からも奥深い時刻の意。②季節など限られた時間の中で、多くを経過した時点にある。「秋―・く旅行く人の手向けには紅葉にまさるぬさなかりけり」〈後撰一三三八〉❸《ものの程度について》①草や露が繁くある。「草深みこほろぎさはに鳴くやどの」〈万三三七二〉。「露―・き袖にひえつつ明かすかな」〈かげろふ下〉②色・香が濃い。「色―・く背なが衣は染めましを」〈万四四二四〉。「いと―・くかをり満ちて」〈源氏螢〉③関係が濃密・親密である。「この御

ふ

師はまだ—・からねばにや」〈源氏玉鬘〉④表面的でない。物事に対する理解力がある。「吹く風に—・き頼みのむなしくは秋の心をあさしと思はむ」〈後撰三三〉。「〔子供ハ〕まだ—・くもあらぬなれど、いみじう…泣きて、『さ成り給はば、まろも法師になりてこそはあらめ…』と」〈かげろふ中〉⑤事情に詳しい。「心ばへ・かたちなど—・きかたは知り侍らず」〈源氏末摘花〉⑥程度が甚だしい。大きい。「いと罪—・き身に侍れば」〈かげろふ中〉㊁『形シク』程度が甚だしい。「さてもふびんな事かな。—・しい咎でもないに」〈天理本狂言六義・武悪〉。「かの仁(じん)—・しからざる身上の義に御座候間」〈浅野家文書慶長一五・一〇・二三〉

ふかしぎ【不可思議】《思いはかることができない意》すぐれて霊妙なこと。また、あやしく、異様なこと。不思議。「四大天王の—威神の力に依りてし、此の逆なる悪き奴どもは顕はれ出でて」〈続紀宣命一九〉

ふかた【深田】泥深い田。「—ありとも知らずして、馬をざっとうち入れたれば」〈平家九・木曾最期〉。〈日葡〉

ふかって【不勝手】生活が苦しいこと。生計困難。「次第に—に御成り候ふ事」〈西鶴・文反古四〉

ふかで【深手】重傷。「宮は三所まで—を負はせ給ひければ」〈太平記三・菊池合戦〉

ふかのさしみ【鱶の刺身】鱶の皮を去り、ゆでて細く切り、芥子・生薑酢や酢味噌で食べる料理。近世前期、奈良では賞味された。「—を好み」〈西鶴・永代蔵一〉

ふがはりガワリ【生替・斑替】①鳥の毛や植物の葉などの色合・模様などが変っていること。「鷹—の事」〈鷹聞書〉②物事の趣・有様などが普通でないこと。異色があること。ふうがわり。「天目、—」〈宗達他会記天文二四・一二・五〉

ふがひな・しガイ【腑甲斐なし】『形ク』いくじがない。気概・気力に欠けている。「譬ひ鬼神なればとて、これ程の小勢を見て退くこと—・し」〈安宅一乱記八〉。「フガイナイ」〈日葡〉

ふがふゴウ【不合】①思うに任せぬこと。不如意。「その宮仕へも—にては難げになむあめる」〈宇津保沖つ白波〉②考えや意見などが一致しないこと。「他の嘲りをも知らず、首尾—をも弁へず」〈見聞軍抄跋〉。「元春・隆景御兄弟の御所存に—の事折ふし候ひき」〈陰徳太平記七九〉。〈日葡〉

ふかふか 不注意で気がつかずにいるさま。うかうか。うっかり。「—と存分は有るまじく候間」〈萩藩閥閲録五三、永祿六・三〉

ふかぶか【深深】いかにも深いさま。「その蹄(ひづめ)の跡は—と残りてこれあり」〈バレト写本〉。「送り礼も—と仕るべく候なり」〈公方様正月御事始之記〉

ふかぶか・し【深深し】『形シク』いかにも深い。「—・しき御思案ども候ふか」〈上井覚兼日記天正三・四・一〉

ふかま【深間】男女の深い間柄。また、そういう関係にある男。情夫。「問ひて曰く、—とはいかに。答へて曰く、深き間(関係)と言ふ心なるべし」〈評判・吉原雀下〉

ふかみぐさ【深見草】ボタンの異称。「牡丹(ぼうたん)の花盛りに修理大夫もとより…。君を我が思ふ心の—花の盛りに来る人ぞなき」〈帥大納言家集〉。「牡丹、布加美久佐(ふかみぐさ)」〈和名抄〉

ふかみる【深海松】海の深い所に生えている海松(みる)(海草の一種)。「いくり(海中ノ岩)にそ—生(お)ふる」〈万一三五〉†Fukamiru **—の**【深海松の】〔枕詞〕同音のくりかえしで「ふか」「見」にかかる。「—深めて思(も)へど」〈万一三五〉。「—見まくほしけど」〈万九四六〉

ふか・め【深め】『下二』①深くする。「海(わた)の底沖を—・めて生ふる藻の」〈万二七八一〉②心を深く寄せる。「深海松(ふかみる)の—・めしわれを」〈万三三〇一〉†Fukamë

ふかん【不堪】堪能(かんのう)でないこと。未熟。「篳篥(ひちりき)俊盛朝臣、但し—の由を申して吹かざりけり」〈著聞二八三〉。「不堪、フカン、不ㇾ得二其道一義也」〈文明本節用集〉 **—でんでん**【不堪佃田】《佃(たつく)するに堪(た)えぬ田の意》災害によって荒廃して耕作できない田地。「損田二十国、—二十四国」〈貞信公記延喜二三・九・九〉 **—でんのそう**【不堪田の奏】平安時代、毎年国司から送って来る不堪佃田の申告にもとづき、大臣以下が租税減免を審議上奏した行事。「—の事。九月七日なり。これは諸国の田の損じて作るに堪へざる所所を目録を書きて奉りければ、それにつきて租税を三分一なんど免じ給ふ事ありしなり」〈壒嚢鈔五〉

ぶかん【武鑑】⇒えどかがみ。「今又梓(し)を新にして、名付けて本朝—とす」〈本朝武鑑序〉

ぶがん【歩艱】①歩行に苦しむこと。足が弱いこと。「道の—なる者は一日走るやうなれども、はか行かざるものなり」〈五輪書〉②才能の無いこと。また、物事に未熟なこと。「役に立たぬ者の歌。…物書かず鈍で—で昼寝して引込み思案病者なまかは」〈仮・長者教〉

ふき【袘・衽】着物の袖口及び裾裏の布帛を表に返して、縁のように縫いつけたもの。輪(りん)。ふきかえし。「小褄の—」〈近松・賀古教信三〉

ふ・き『四段』表面を払い去る。むく。「魚のいろこを—・く」〈名語記五〉。「皮をむくとは云はぬ。鱗を—・くと申す」〈虎寛本狂言・惣八〉

ふ・き【吹き】『四段』《口をすぼめて息を吐く意。また、風の起る意》①息を出す。「—・き棄つる気吹(いぶき)の狭霧に成れる神の御名は多紀理毗売命」〈記神代〉▽神話では息を吹き出すことは生命の象徴だったので、息・風・霧などは生命の誕生と結びつけられた。②風が起る。風がわたる。「伊香保風—・く日—・かぬ日ありといへど吾が恋のみし時なかりけり」〈万三四二二〉。「我が屋戸のいささ群竹—・く風の音のかそけきこの夕かも」〈万四二九一〉③息で鳴らす。「うそ(口笛)を—・き扇をならし」〈竹取〉④ふいごの風をあてて火を強くし、金属を精錬する。「真金—・く丹生(にふ)の真朱(まそほ)の色に出でて」〈万三五六〇〉⑤口から勢いよく出す。吹きかける。「死ぬれば水を—・き、生きかへれば楮木(がうもく)に上げて責むる程に」〈盛衰記二二〉⑥吐き出す。「表の垣などに—・き候ほど酒飲み候ひては」〈結城氏新法度〉⑦表面に現わし出す。「両鬢には真白に霜を—・く也」〈中華若木詩抄中〉⑧大きなことを言う。「他を笑ひ、身を—・き」〈伽・鵐鷺合戦物語〉†Fuki

ふ・き【振き・揮き】『四段』「振り」の古語。「剣を抜きて、後手(しりへで)に布伎都都(ふきつつ)逃げ来るを」〈記神代〉†Fuki

ふ・き【葺き】『四段』①茅(かや)・板・瓦などで屋根を覆いつくる。「秋の野のみ草刈り—・き宿れりし」〈万七〉。「粉板(そぎいた)もち—・ける板目の合はざらば」〈万二六五〇〉②草木などを軒端などにさしかざる。「紅葉を—・きたる舟のかざりの、錦と見ゆるに」〈源氏総角〉†Fuki

ふぎ【不義】①正しくないこと。「右大臣豊成は君に事(つか)へて不忠、臣と為て—なり」〈続紀天平宝字一・七・一二〉②男女の道ならぬ関係。密通。姦通。「本野、随はざるは、要人と—故なり」〈安宅一乱記五〉

ふきあ・げ【吹き上げ】㊀『下二』①吹いて物を高くへあおる。「風の、すだれをいたう—・ぐべかめれば」〈源氏椎本〉②笛などを一段と強く鳴らす。また、笛などを吹き終える。②

「大篳篥(ひちりき)尺八の笛などの大声を—・げつつ」〈源氏末摘花〉③すっかりつぎこむ。遣い果す。「傾城に何もかも皆—・げて」〈俳・玉海集六〉④自慢する。うぬぼれる。「己れが身を—・げ、夫を色色さみし申すは、大悪人の癖なり」〈仮・源氏明石物語下〉⑤調子に乗ってのぼせあがる。熱中する。「有頂天にも—・げたりし風情を」〈評判・吉原こまざらい〉 ㈡『名』風が雲などを吹き払うこと。また、風が吹きあげる所。「浦風の—にすめる秋の夜の月」〈新千載四四〇〉。「谷風の—に立てる青柳の糸」〈続古今七三〉

ふきあは・せ(‥アワセ)【吹き合はせ】『下二』①他の物と調子をあわせて吹く。「木枯しに—・すめる笛の音をひきとどむべき言の葉ぞなき」〈源氏帚木〉。「えならず匂ひたる〔花ノ香リニ〕みすの内の〔衣ノ〕かほりも—・せて、鶯誘ふつまにしつべく」〈源氏若菜下〉②管楽器を合奏する。「道の程笛—・せて大殿におはしぬ」〈源氏末摘花〉

ふきいた【葺板】屋根を葺くのに用いる板。「檜皮・—のたぐひ、冬の木の葉の風に乱るるが如し」〈方丈記〉

ふきかけてぬぐひ(‥ヌグイ)【吹懸手拭】女が笠の下に手拭をかぶり、風に吹き靡かせるようにすること。「今流行る—」〈西鶴・一代男二〉

ふきがたり【吹語り】吹聴(ふいちよう)すること。自慢話。「かかることなどぞみづからいふは—などにもあり」〈枕二七八〉

ふきがは(‥ガワ)【吹皮】「ふいがう」の古形。「鞴、布岐加波(ふきがは)」〈和名抄〉。「鞴袋、フキガハ」〈名義抄〉

ふきかへ(‥カエ)【吹替】①貨幣を鋳直すこと。改鋳。「先年—より以前の古金」〈御触書寛保集成三一、宝永七・四〉②歌舞伎で、早替りなどの時、よく似た役者が同じ扮装で身代りになること。また、その身代りの役者。「床の上に—のお染うつむき居る」〈伎・お染久松色読販中幕〉

ふきかへし(‥カエシ)【吹返】①兜の眉庇(まゆびさし)の左右に耳のように見える、錏板(しころいた)のそり返った箇所。「宗行が甲(かぶと)の—に、熊手をからと打懸けて」〈盛衰記四二〉②吹鬢(ふきびん)に結った女の髪の鬢を髱(つと)へ掻き上げた結い方。「風でわぐる柳の髪や—」〈俳・沙金袋一〉

ふきこ・み【吹き込み】㈠『四段』教えこむ。そそのかす。「耳に御口を差寄せて—・み給へば」〈浄・十二段三〉 ㈡『名』〔遊里語〕遊女に物を送ること。「—。傾城に音物を送る事也」〈色道大鏡一〉

ふきすま・し【吹き澄まし】『四段』笛などを音の澄み渡るように吹き鳴らす。「頭の中将、懐なりける笛取り出でて—・したり」〈源氏若紫〉

ふきそ・ひ(‥イ)【吹き添ひ】『四段』①風などが吹き加わる。「いかなる風の—・ひて〔琴ノ音ガ〕かくはひびき侍るぞとよ」〈源氏常夏〉②風などが一段と吹きまさる。「とふ人も嵐—・ふ秋は来て木の葉にうづむ宿の道芝」〈新古今五一五〉

ふきだし【吹出し】貨幣を鋳造すること。「秋風や今朝—の金の色」〈俳・画空言〉

ふきた・て【吹き立て】『下二』①吹いて勢いを盛んにする。「かまどには火気(けほ)—・てず」〈万八九二〉②笛などをよく響かせて吹き鳴らす。「宰相中将横笛ふき給ふ。折に合ひたる調子雲る通るばかり—・てたり」〈源氏梅枝〉③そそのかす。「男—・てられて、いかにもつまらぬことぢゃなどと、同じやうにそしります」〈評判・難波鉦二〉 †Fukitate

ふきつ・け【吹き付け】『下二』①風がはげしく吹き当てる。「近きあたりは、ひたすら焰(ほのほ)を地に—・けたり」〈方丈記〉②風が吹いて、物を運びつける。「朝には南の風吹きて、北の島に—・けつ」〈宇治拾遺一五三〉。「風の—・くるやうに徳つきて」〈宇治拾遺九六〉 **吹き付ける仕合**(しあはせ) 自然と向いてきた好運。「〔買イ溜メシタ〕米買ひが二百十日に風待つ心、—のあがりを得る末の楽しみ」〈浮・野白内証鑑三〉

ふきな・し【吹き成し】㈠『四段』吹いて、ある状態にする。「御几帳などを風のあらはに—・せば中の君奥に入り給ふ」〈源氏総角〉 ㈡『名』吹き方。「吹く顔やいかにぞ。それは横笛も—なめりかし」〈枕三一八〉

ふきな・し【吹き鳴し】『四段』吹き鳴らす。「笛に作り—・す」〈紀歌謡九七〉 †Fukinasi

ふきぬき【吹貫】①旗の一種。竿の先の円形の枠に長い絹を筒状に付け、風がその中を吹き抜けるようにしたもの。その絹を半月形の枠に付けたものは吹流しという。「我が身は五百余騎にて—ののぼりを立て、福田寺に陣取りたる」〈浅井三代記一四〉②襦袢なしに着物を着ること。「—で堀(山谷堀。吉原遊廓ヘノ通イ道)へ来られた義理でなし」〈雑俳・万句合安永六〉

ふきのしうとめ【蕗の姑】春の初めに蕗の根茎から生え出る花軸。蕗の薹(とう)。陰干にし、刻んで煙草のようにして煙を吸い、咳(せき)の薬とした。「蕗のぢい」とも。「中よかれ—嫁が萩(嫁菜)」〈俳・犬子集一〉

ふきのたう(‥トウ)【蕗の薹】「ふきのしうとめ」に同じ。蕗の塔。「大宅坊栗・—くれられ候」〈山科家礼記文明四・二・一二〉。「煙草にや飲みて煙を—」〈俳・鷹筑波二〉

ふきびん【吹鬢】鬢を大きく張り出した女の髪の結い方。「—の京笄、伽羅(きゃら)の油にかためて」〈西鶴・一代女五〉

ふきまが・ひ(‥マガイ)【吹き紛ひ】『四段』風に吹かれて入り乱れる。また、風に吹き乱されて物の区別がつかなくなる。「時雨いと心あはただしう—・ひ」〈源氏夕霧〉。「梅の香も御簾の内の匂ひに—・ひて」〈源氏初音〉

ふきまど・ひ(‥マドイ)【吹き惑ひ】『四段』吹き乱れる。「浪の立ちくる音なひ、風の—・ひたるさま、恐ろしげなること、命限りつと思ひまどはる」〈更級〉

ふきまよ・ひ(‥マヨイ)【吹き迷ひ】『四段』風が方向を定めずに吹く。「—・ふ深山おろしに夢さめて」〈源氏若紫〉

ふきむす・び【吹き結び】『四段』①風が吹いて物をもつれさせる。「いかに吹く風にあればか大島の尾花の末を—・びたる」〈後紀歌謡〉②風が吹いて、露を玉のように形づくる。「宮城野の露—・ぶ風の音に小萩がもとを思ひこそやれ」〈源氏桐壺〉

ふきもの【吹物】《「弾物(ひきもの)」「打物(うちもの)」の対》笛・尺八・笙(しやう)など、吹きならすものの総称。管楽器。「弾物、—とりどりにし給ふ」〈源氏胡蝶〉

ふきや【吹矢】竹または木製の吹筒に紙羽の矢を入れ、小鳥や的を吹き当てる遊び。また、その道具。「雀壱疋—に当る」〈松平大和守日記万治二・四・二〉。〈日葡〉

ふきや【吹屋】金属を精錬または鋳造する職業や職人の称。また、その細工場。「〔横手吹屋〕善左衛門なみに、—ども弁へ」〈梅津政景日記元和六・閏一二・三〉

ふきゃう(‥キョウ)【不軽】⇒ざうふきゃう(常不軽)。「—の声はいかが聞かせ給ひつらむ」〈源氏総角〉

ぶぎゃう(‥ギョウ)【奉行】①上の命を奉じて事を執行すること。「諸悪莫作、諸善—の教」〈万巻五・沈痾自哀の文〉。「庭の儀を—する人」〈徒然一七七〉②上命を受けて事務を担任するもの。武家時代、幕府の職名となる。鎌倉・室町時代の評定衆・引付衆、江戸時代の勘定奉行・寺社奉行など。「時の御恩—秋田城介殿泰盛」〈竹崎季長絵詞〉。「その日の風呂の—には、土屋の三郎もと助なり」〈伽・唐糸さうし〉 **—しょ**【奉行所】奉行が執務する役所。「—に引導せられしは恐悦に候」〈庭訓往来七月晦

日〉 **―にん**【奉行人】命令を受けて事を執行する人。「―経房朝臣書きたてまつりけるなり」〈著聞六九〇〉

ぶきよう【無器用・不器用】①器用でないこと。無能。近世には略して「ぶき」、訛って「ぶきっちょ」とも。「景春もとより―にて、御家務職は及びなく候へども」〈鎌倉大草紙〉②人の道に背くこと。世間の義理を踏みにじること。不埒(ふらち)。「父の文とて、『学問せよ。―にあるな』なんどとて云はれ奉らば、いかばかり嬉しからまし」〈曾我四〉

ぶきょう【無興・不興】《フキョウとも》①たまらない不愉快さ。不快。「―といふもおろかなり」〈曾我五〉②機嫌をそこなうこと。勘気。勘当。「この姫君は殿の―を蒙りて」〈伽・花世の姫〉

ぶきりゃうヨウ…リ【無器量】①力量や才能のないこと。「此の身こそ―の者で候へば自害をも仕り候ふべきに」〈平家八・妹尾最期〉②容貌のみにくいこと。「ブキリャウナ、…即ちスガタノアシイヒト」〈日葡〉

ふぎん【諷経】①声を揃えて経を読むこと。「―の為、大斎を行なはせしむべく候」〈庭訓往来十月三日〉②禅家で、仏前の勤行をいう。「惣て禅家の名目皆以て常ならず。…勤(つとめ)をば―と云ふ」〈塵嚢鈔三〉

ふく【福】①幸い。「善を修むればーを蒙る、悪を好まば禍を招くべし」〈孝養集上〉。「毘沙門の―たまはらんずれば」〈著聞五六五〉②神仏に供えたのち下げた物。「このすずは鞍馬の―にてさぶらふぞ」〈著聞六四一〉

ぶく【服】《呉音》①衣服。「八人に並びに正六位上を授く。当色の―を賜ふ」〈続紀神亀五・一・一七〉②喪服。「天下―を著ること六月にして釈(ぬ)くべし」〈続紀天応一・三・二三〉③喪に服すること。服喪。この期間、調度も黒や鈍色を使い、喪が明けると、禊(みそぎ)をする。「〔天皇崩御〕天下挙哀、―は一年を限る」〈続紀宝亀一・八・六〉▽令の規定では、天子・父母・夫などの死には一年、祖父母・養父母などには五か月、妻・兄弟姉妹・嫡子には三か月が服喪の期間とされた。

ぶく【仏供】《ブックの促音を表記しなかった形》①仏前に供える飲食物。供物。「なほかの御―のおろし侍りなん」〈枕八七〉。〈日葡〉②仏前に供え置く香炉・花瓶・燭台などの具。「―同じく七宝をもて飾り奉らせ給へり」〈栄花音楽〉

ぶぐ【仏具】《ブッグの促音を表記しなかった形》仏事の道具。「御帳より始め、よろづの―めでたうせさせ給ひて」〈栄花疑〉

ぶぐ【武具】武器。「しかるべき―を御枕の上に置くべきと沙汰ありて」〈宇治拾遺六六〉

ふくうけんじゃくくゎんおん…ソ…ノ【不空羂索観音】《「羂索」は鳥獣を捕えるわな、「不空」は空しからずで、必ず獲物を捕える意》六観音または七観音の一。多くは三面八臂。羂索を持ち、生死の苦海に浮沈する衆生を必ず引き上げて救う意をあらわす。「南円堂をたてて、丈六―をすゑ奉り給ふ」〈大鏡藤氏物語〉

ふくさ ①物の柔らかでふっくりとしたさま。「紙縒(かみより)―なれば切るる事有り。間中を水引にして、上に―なるがよし」〈松下十巻抄〉②柔和穏当なさま。「惣別上方衆は、―に仕掛け候て、色色ものを人に云はせ候て、聞き候ては、何かと批判仕られ候間」〈毛利家文書三、毛利宗瑞書状案〉③物が福福しく豊かなこと。「大服(おほぶく)は―な人の手前かな」〈俳・口真似草一〉 **―みそ**【ふくさ味噌】水に溶かした味噌。「吸物―」〈鈴鹿家記応仁二・三・二〉 **―わら**【ふくさ藁】①新しく柔らかい藁。「侘びたるも菖蒲を―屋かな」〈俳・鸚鵡集五〉②「福藁」に同じ。「昨日まで余所に思ひし―今日我が宿の大飾り哉」〈銀葉夷歌集一〉

ふくさ【袱紗・服紗】①糊をひかない柔らかい絹布。表裏同色に縫ったもの。「狩衣(かりぎぬ)は。香染の薄き、白き、―」〈枕二八三〉②茶の湯で、茶器を拭い、または茶碗を受けるのに用いる八寸平方ぐらいの絹布。ふくさ絹。ふくさ物。「白い―に阿呆こがるる」〈俳・独吟廿歌仙上〉③物を包むのに用いる方形の絹布。「―に包みし物山の如し」〈西鶴・一代男六〉 **―もの**【服紗物】「ふくさ」(2)に同じ。「茶の付きたる茶杓―にて拭(のご)ひて」〈宗凡他会記元和一・一〇・二〇〉

ふくし【掘串】土を掘る道具。竹や木で作った。「―もよ、みぶくし持ち、この丘に菜摘ます子」〈万一〉。「搶、フクシ」〈名義抄〉

ふくし【副使】正使を輔佐し、時に、その代理をつとめる役。「そへづかひ」とも。「渤海の使―…来朝す」〈続紀天平二・七・一三〉。「才かしこき人を選びて大使―と召すに」〈宇津保俊蔭〉

ぶく・し【服し】『サ変』①服用する。飲む。食べる。「極熱(ごくねち)の草薬を―・していと臭きによりなん、え対面給はらぬ」〈源氏帚木〉。「我が肉を―・し、我が血を飲みたらん者は」〈バレト写本〉②服喪する。「娘のなくなりたりしに―・すとて。我ためにきよと思ひしふぢ衣身にかへてこそ悲しかりけれ」〈赤染衛門集〉

ふくしまぎぬ【福島絹】陸奥国福島地方産の絹織物。色白く地美しく羽二重に似、白無垢に用いる。「品の良き―や着衣(きそ)始め」〈俳・詞林金玉集一〉

ふぐじる【河豚汁・鰛汁】《近世前期フクジルとも》フグの切身を実とし、濁酒をさした味噌汁。冬賞美された。「ふくと汁」とも。「危き物の品品…食ひ食ひも―」〈仮・尤の草紙下〉

ふくしん【腹心】①心の奥底。心底。「天皇甚だ之を信任して、委するに―を以てす」〈続紀宝亀一〇・七・九〉②どんな内密な事もうちあけて相談のできること。また、その者。「貞能は、平家の一族、故入道大相国専一の―の者也」〈吾妻鏡文治一・七・七〉

ふくじん【福人】《フクニンとも》裕福な人。金持。「すべて、破戒も持戒も、貧窮も―も、上下の人をきらはず」〈拾遺語燈録下〉

ふくじん【福神】人に福を授ける神。福の神。「―去りにける故に、衰へけるにこそ」〈塵袋九〉

ふくだ・み『四段』《フクレ(脹)と同根》毛がそそけだってふくらんだようになる。けばだつ。「鬢髪の蓬乱(ふくだ)めるをも、かきも収めず」〈東大寺諷誦文稿〉。「陸奥国(みちのくに)紙などの―・めるに」〈源氏蓬生〉

ふくだ・め『下二』《フクダミの他動詞形》けばだたせる。「ありつる文、立文をも結びたるをも、いときたなげにとりなし―・めて」〈枕二三五〉

ふくぢのその【福地園】福徳を生ずる園。寺をいう。「ただ『―に種まきて』とやうなりし一言をうち頼みて後の世を思ひやりつつ」〈源氏若菜上〉

ふくつけが・り【貪けがり】『四段』いかにも貪欲なふるまいをする。欲ばる。「〔雪ヲ〕いと多うまろばさむと―・れど、えも押し動かさでわぶめり」〈源氏槿〉

ふくつけ・し【貪けし】『形ク』《ツケシは、アハツケシのツケシと同じ》貪欲である。欲深い。「おくるる雁(仲間カラハズレテ取リ残サレテイル娘)をしひて尋ね給ふが―・きぞ」〈源氏常夏〉。「この〔聖ノ〕鉢飛びて例の物乞ひに来たりけるを

『例の鉢きにたり。ゆゆしく—・き鉢よ』と」〈宇治拾遺一〇ノ一〉。「張郎、太(はなはだ)貪生(ふくつけ)きひとなり」〈遊仙窟(醍醐寺本)鎌倉期点〉

ふくつん【福つん】①幸運。「散銭や禰宜が—神の春」〈俳・三つ物揃〉②金持。「—な人」〈譬喩尽五〉

ふくでん【福天】福の神。「なほも所の—にならんと、此の所にこそをさまりけれ」〈虎明本狂言・夷大黒〉

ふくでん【福田】〔仏〕福徳を生ずる因となるものを、作物を生ずる田地にたとえたもの。仏・僧などをさしていう。敬田・恩田・悲田を三福田という。「僧は皆これ十方の諸仏の—の形なり」〈今昔一七ノ一二〉

ふくとく【福徳】善行によって得られる福利。幸福と利益と。「〔僧ヲ〕供養する人は無量の功徳を得て、無量の—を得るなり」〈今昔一七ノ一二〉 **—の百年目** めったにない幸運に出会うこと。「福徳の三年目」とも。「この女の身の上—、よき仕合せなり」〈西鶴・好色盛衰記四〉

ぶくなほし(オシ・・ナ)【服直】喪が明けて、喪服を常服に着替えること。除服。「御—のほどなどにも」〈源氏少女〉

ふくにち【復日】陰陽道で、種蒔き・祝言・灸針などに忌み、裁縫・着初めには吉いとする日。「伊予中将実雅朝臣、右京兆の嫡女を嫁す。…今日は—たりといへども日次(ひなみ)なきに依て、これを宥めもちゆ」〈吾妻鏡承久一・一〇・二〇〉

ふくにん【復任】①再びもとの官職に任じられること。「もし本主、官を去りて—することあらば、〔職分ノ資人ニハ〕旧人を以て充てよ」〈続紀和銅七・六・一九〉②父母の喪にあって官職を解かれた者が、喪が明けて原職に復すること。「凡そ郡司、父母の喪に遭ふ者は、服闋(ふくけつ)の後、官に申して—せよ」〈延喜式式部上〉

ふくねずみ【福鼠】①その家に福をもたらす鼠。鼠は大黒天の使者と考えられていた。「七代までの—を連れて」〈伽・彌兵衛鼠〉②主家に忠実で、繁昌をもたらす奉公人。「皆より優れ流行らるるにより、此の家の—と言ふ」〈評判・山茶やぶれ笠〉

ふくのかみ【福の神】福神(ふくじん)。「—を宇加(うか)と申す」〈塵袋二〉。「—貧乏神を連れられて」〈俳・守武千句〉

ふぐのよことび【河豚の横飛び】ふくれた醜い顔または太った身体つきの女の形容。「風俗も品川—(品川河豚ト掛ケル)なり」〈評判・吉原下職原〉

ふくびき【福引】①正月、二人が餅の両端をくわえて引き合い、その大小によって一年の福の多少を定めた一種の占い。「二人向ひて餅をひきわるをば—と云ひならはせるも、故なきに非ざる歟」〈塵袋九〉②多くの縄の先に銭をつけ、それを引き当てる正月の子供の遊び。銭の代りに品物をつける場合もある。宝引(ほうびき)。「—や勝って甲(かぶと)の人形買(か)を」〈俳・空林風葉上〉

ふくふくし【肺】《フクロ(袋)と同根》肺臓。はい。「肺、布ゝ久ゝ之(ふくふくし)」〈華厳音義私記〉。「肺、フクフクシ・キモ」〈名義抄〉▽朝鮮語 puxua(肺)と同源。

ふくぶく・し【福福し】『形シク』いかにも福に恵まれているようだ。「〔大黒ガ〕ゆるぎ出で給ふありさまは、—・しくぞ見えにける」〈伽・梅津長者物語〉

ふくぶん【福分】富貴・幸福になるべき運命。「先業つたなくしていかにも—なき故に」〈沙石集一ノ七〉

ふくべ【瓠・瓢】瓢箪(ひょうたん)。「—にて鯰(なまづ)を押さゆる」〈魚の歌合〉

ふく・み【含み】『四段』①内に物を包み込んで保つ。「うちとけていかで咲かぬといふべきを梅はたいはじ雪を—・みて」〈元輔集〉。「太刀の鋒(きさき)を口に—・み」〈平家九・木曾最期〉②心中にこめて持つ。心に保つ。「太子丹、恨を—・んで、又、始皇帝にしたがはず」〈平家五・咸陽宮〉。「苟くも勅命を—・んで」〈平家七・平家山門連署〉③中になにかあるような形になる。「指貫(さしぬき)の裾つ方、少し—・みて」〈源氏若菜上〉

ふく・め【含め】『下二』《フクミの他動詞形》①ふくませる。「〔死者ノ口ニ〕—・むるに珠玉(たま)を以てすること無(な)」〈紀孝徳、大化二年〉②よく言いきかせて、心にとどめておくようにさせる。「『今より後は、かかる事なせそ』と、いひ—・めて赦しつ」〈宇治拾遺二ノ九〉。「私の痺(しび)りはやさしい痺りで、宣命を—・むれば直る」〈天理本狂言六義・痺り〉③乾物などを、やわらかく味のしみるように煮る。「干鯛・干鱈を—・め」〈庖丁聞書〉†Fukumē

ふくめん【覆面】①神仏への供物や貴人の食膳を取り扱う時に、息のかからぬように、紙や布で口・鼻を覆うこと。また、その覆うもの。「数千の神官共—をして各捧げ奉る」〈太平記三九・神木御帰座〉。「臭き息を御経に当てじとて、口に—をして奉納し奉る御経なり」〈伽・大仏供養物語〉②外出の時、人に顔を見られぬよう、布などで顔を覆うこと。また、その覆うもの。「知る人に行き合はじと、奥島の道服をうちかづき、目ばかりを見出し、または編笠の下に鼻紙をはさみて—とし」〈仮・東海道名所記六〉

ふくやか【脹やか】「ふくよか」に同じ。「手のいと白く—にていとよかりければ」〈宇治拾遺一七四〉

ふくよか【脹よか】いかにもふっくらとしているさま。「いと若けれど生ひ先見えて—に書い給へり」〈源氏若紫〉

ふくら 一張りの弓の長さ。「一—と云ふ事、弓一張の事なり」〈中原高忠軍陣聞書〉

ふくら【豊・脹】①ふくれているさま。ふっくら。「御顔のやうだい、細くもあらず、—にもあらず、よき程なるが」〈浜松中納言一〉②ふくれている所。「鞠見やうの事。…左の手に乗せて、—を叩きて見るものなり」〈蹴鞠百五十箇条〉③物事のまんなか。中心。「—と云ふは最中の事也」〈庭訓抄下〉。「旗を立て、物深う、勢の—を隠し備へし処に」〈太閤記四〉 **—いり**【脹煎】海鼠(なまこ)・鮑(あわび)などの肉を柔らかくふっくらと煮たもの。ふくら煮。「魚は俵子(はたご)—に、菓子〔八〕水団(すいとん)一種」〈宗及他会記天正六・三・九〉 **—か**【脹か】ふっくらと丸みをおびたさま。「いと白うあてに、痩せたれど、つらつき—に」〈源氏若紫〉。「すこし〔腹部ガ〕—になり給ひて」〈源氏若紫〉 **—・ぎ**【脹らぎ】『四段』ふくらむ。「〔火打袋ノヨウニ〕用なる時は—・ぎ、用のなき時はひっ縛うてをる物ぞ」〈湯山聯句鈔上〉。「山山の木木のこのめも—・ぎて」〈俳・寛永十三年熱田万句四三〉 **—すずめ**【脹雀】ふっくらと肥った雀の子。「—は竹に採まる」〈謡・放下僧〉 **—・み**【脹み】『四段』ふくれる。「脖脹、ホデフクラム」〈石山寺本瑜伽師地論古点〉 **—・め**【脹らめ】『下二』ふくらませる。「弓、満月に引くと言うて、まんまるに引き—・むるを、満を持すといふぞ」〈史記抄一四〉

ふくらく【更くらく】《更ケのク語法》深くなること。「夜の—も我が惜しみせめ」〈万一四一四〉

ふぐり【陰嚢】睾丸。「陰嚢、俗云、布久利(ふぐり)」〈和名抄〉 **—なし**【陰嚢無し】《男でないの意》意気地のない男をののしっていう語。「ふぐりしき」とも。「—と雪に言はるな男松」〈俳・崑山集一三〉

ふくりふ(ユウ・リ)【腹立】《「腹立(はらだち)」の音読みから生じた語》腹を立てること。立腹(りっぷく)。「定めて彼—して仲違(なかたが)ふ事あらん」〈正法眼蔵随聞記五〉。「世話に—、又立腹と

云ふ。俗語なり。日本の和語なり」〈長恨歌聞書〉

ぶくりやう【茯苓】 松の根に寄生する菌類の名。「まつほと」とも。漢方薬として用いられる。「松脂滴入レ地千歳則為二伏苓一、麻豆保止(まつほと)」〈和名抄〉

ふくりん【覆輪】 ①金・銀・錫などで道具類の縁を覆い飾るもの。「水精(すいしやう)の管(くだ)に黄金の―を置きたる笛にて」〈盛衰記一八〉。「〔長刀ノ〕小切羽(こせつぱ)・―、いづれも、研ぎ薄滅金なり」〈渡唐方進貢物諸色注文〉。「建盞―掛け給(た)べ候べき由承り候」〈金沢文庫古文書一、金沢貞顕書状〉 ②着物の袖口・裾などが磨り切れるのを防ぐため、または装飾として、別の布切れで縁を包み縫いしたもの。「衣の裾に―、衣にこころ(日本)に縁を取るぞ。その心ぞ」〈玉塵抄一四〉。「雲の袖に―掛くる霞かな」〈俳・毛吹草五〉 **―掛・く** 輪を掛ける。一層甚だしいことにいう。「〔雄弁家ノ〕富楼那(ふるな)には―・けたばかり也」〈俳・引導集〉

ふぐるま【文車】《フミグルマの転》 書物を運ぶのに用いる、板張りの車。「御―一輛あり」〈保元下・新院讃州〉。「凡そ大法の間、雑事文書、人人消息等一結、―に納む。大切の時披見すべし」〈公衡公記弘安一一・三・二八〉

ふく・れ【脹れ】 ㊀〘下二〙《フクダミと同根》 ①中に入る気体や液体の量が増して、物の表面が伸び、張り出した形になる。「風いと重き人にて腹いと―・れ」〈竹取〉。「皺、布久流(ふくる)、肉墳起也」〈和名抄〉 ②感情で胸がいっぱいになる。「この女御殿など、おのづから〔私ノ望ミヲ〕伝へ聞えさせ給ひてんと、たのみ―・れてなむさぶらひつる」〈源氏行幸〉 ③不満な気持を顔に出す。また、立腹する。「悔の八千代に―・れけるぞや」〈俳・珍重集〉。「人の腹立つるを―・るると云ふは、怒る顔は頬がふくるるによてか」〈志不可起五〉 ㊁〘名〙 ふくれること。ふくれたもの。瘤(こぶ)など。「角(つの)の＝氏ノ名)の―にしぐひあひにけむ」〈万三八二一〉

ふくろ【袋】《フクフクシ(肺)と同根》 ①中にものを入れて、口をとじる入れもの。布・紙・革などで作る。「燃ゆる火も取りて裹(つつ)みて―には入ると言はずや面(も)知らなくも」〈万一六〇〉。「錦の―に入れて、作り花の枝につけて」〈竹取〉 ②(1)のような形をした内臓。「胃、クソフクロ。膀胱、ユハリフクロ」〈色葉字類抄〉 ③紙帳(しちやう)。「時鳥―の中で下女は聞き」〈雑俳・万句合天明四〉 ④母親。おふくろ。〈日葡〉 †Fukuro **―うち**【袋打】 打紐などを中が袋になるように編むこと。また、その紐。「つぼむ間は―かや花の紐」〈俳・詞林金玉集四〉 **―だな**【袋棚】 ①床の間・書院などの脇の上部に設けた戸棚。横に細長く、軸物などを入れる。袋戸棚。「藤の花蕾(つぼみ)の頃や―」〈俳・崑山集三〉 ②茶道で用いる棚の一種。志野棚に似て、桑・桐などで造り、薄塗りをしたもの。「―、肩衝(かたつき)・天目台〔ヲ置ク〕」〈宗達他会記永祿三・一一・二三〉 **―たび**【袋足袋】 足袋の一種。中綿を入れず、畦刺(うねざし)もせず、表裏が袋になっているもの。「日足には霞の衣や―」〈俳・時勢粧二〉 **―づの**【袋角】 まだ生えはじめで、皮をかぶったままの、こぶのような形をした角。「小牛の―の生(お)へうとするやうぞ」〈山谷詩抄七〉。「鹿の―を鹿茸(ろくじよう)と云ふ」〈見聞愚案記四〉 **―もち**【袋持】 ①袋を持って、主人の後について行く従者。旅人の荷持ちの供、万歳の太夫に付く才蔵など。「両替の後に下がれる―」〈俳・鷹筑波一〉。「―と太夫や人数二万歳」〈俳・智恵袋四〉 ②銀袋(かねぶくろ)を持って供をする丁稚(でつち)。「―に提燈消させて」〈西鶴・胸算用三〉 ③人に後れを取る者。「口寄せて仕廻ふや月に―」〈俳・女夫草中〉 ④老年まで疱瘡にかからない人。その股を潜ると疱瘡が軽く済むという俗信があった。「袋かづき」とも。「―一生隙が明かずに居」〈雑俳・万句合明和一〉 ⑤美人。「仕度金取って行くのは―」〈雑俳・万句合明和四〉

ふくろくじゆ【福祿寿】 七福神の一。短身長頭で髯が多く、経巻を結びつけた杖を持ち、多く鶴を伴っている像として画かれる。中国では南極星の化身といい、また、福・祿・寿の三徳を画いたものともいう。「―一幅」〈大徳寺文書四、応永一七・二〉

ふくろ・び【綻び】 ㊀〘上二〙「ほころび」の転。「袖・裾めぐる針の糸、皆切れ切れに―・びて」〈仮・色音論下〉。〈日葡〉 ㊁〘名〙 ほころびた所。「かたびらの―を縫へ」〈咄・昨日は今日上〉

ふくわい【不会】 仲の悪いこと。不和。「頼朝・義経―の由」〈謡・舟弁慶〉

ふくわい【不快】 ①不愉快なこと。「天気(天皇ノキゲン)―なりけるとぞ」〈著聞一三〉。「不快、フクワイ、心中ノ悪良」〈文明本節用集〉 ②「不会(ふくわい)」に同じ。「兄弟の仲―なりける間」〈保元中・白河殿攻め落す〉

ふくわら【福藁】 正月、庭に敷く新しく清浄な藁。「―を敷きたへ」〈俳・山の井一〉

ふくわん【府官】 役所の役人。「―僕(われ)を差して対馬の粮を送る船の梅師(かぢとり)に充てしも」〈万三八六九左注〉

ふけ 湿地。沼地。深田。「谷・―をも嫌はず、駈け入り駈け入り一日戦ひ暮しけり」〈平家八・妹尾最期〉

ふ・け【更け】〘下二〙《フカシ(深)の語根フカを活用させた語》 ①自然に時や季節が深くなる。「さ夜―・けてあかとき露にわが立ち濡れし」〈万一〇五〉。「秋―・けぬ鳴けや霜夜のきりぎりす」〈新古今五一七〉。「秋の月しのに宿かる影たけて小篠(をざさ)が原に露―・けにけり」〈新古今四三五〉。「つまとふ鹿の声ぞ―・けゆく」〈竹林抄九〉 ②年をとる。年老いる。また、年老いて見える。「有明の月の光を待つほどに我が世のいたく―・けにけるかな」〈拾遺四三六〉。「子を二三人持ちて年も―・くれども」〈三体詩絶句抄三〉。「年は知らず―・けて見えぬる鶉(うづら)かな」〈俳・沙金袋五〉 †Fukë

ぶけ【武家】《「公家(くげ)」の対》 将軍および大小名・家人(けにん)などの総称。「大衆、公家に奏聞し、―に触れ訴ふ」〈平家二・山門滅亡堂衆合戦〉

ふけう【不孝】 ①親不孝。「親に背ける子ぞたぐひなき。―なるは、仏の道にもいみじくこそ言ひたれ」〈源氏螢〉 ②勘当。「その時に、父、その瓜取りたる児を永く―して」〈今昔二九ノ一一〉

ふけそう【普化僧】 禅宗の一派普化宗の僧。半僧半俗、腰に面桶(つめん)と巻薦をつけ、尺八をたずさえ、門ごとに米銭を乞うて歩いた。薦僧(こもそう)。暮露(ぼろ)。「―、虚無僧、薦僧、菰僧、いづれ宜しく御座候ふや」〈普化宗問答〉

ふけだ【ふけ田】 どろ深い田。「―に追ひ入れ追ひ入れ、切り殺し射殺す」〈盛衰記三三〉

ふげつ【風月】《フウゲツとも》 自然の風物をたのしむこと。また、自然の風物を友として詩歌などを作ること。「匡衡、―の才に富めるのみならず、かかる心ばせ深かりき」〈十訓抄一ノ二二〉。「―の友に誘はれて」〈謡・松虫〉

ふけまちのつき【更待の月】《夜が更けてから出るのを待つ月の意》 陰暦二十日の月。「―は二十日の月をいへば」〈伽・四生の歌合〉

ふけらか・し〘四段〙 吹聴する。ひけらかす。「俊綱がいたく伏見―・すに、俄かに行きて見む」〈今鏡四〉。「これを朋友の前に於ては、我一人のやうに―・して」〈人国記下〉

ふけ・り【耽り】〘四段〙《フケ(更)と同根。深みにはまりこむ意》①没頭する。夢中になる。専心する。「〔欲界ヲ〕いとふ者は背き、愚なる者は―・る」〈霊異記中三〉。「この歌どもを人の何かと言ふを、ある人聞き―・りてよめり」〈土佐一月十八日〉②心を奪われ、自制心を失う。「この祭のそなへものを見るに、これに―・りて」〈今昔三〇ノ八〉③自慢する。誇示する。「我が身を―・り言ひけるは」〈和薬物語〉。「チャワンヲフケル」〈日葡〉④囀る。特に鶉(うづら)の鳴声にいうことが多い。「立ち寄りて聞けば鶉の音ぞ高き人も欲には―・るものかな」〈古今夷曲集八〉

ふげん【普賢】普賢菩薩。「釈尊かくれ給ひにしより―は東に帰りしかば、菩薩の僧の目に見え給ふもなし」〈三宝絵下〉 **―かう**【普賢講】普賢経を読誦(どくじゆ)して、普賢菩薩の功徳をたたえる法会。「月ごとの十四五日、つごもりの日行なはるべき―」〈源氏松風〉 **―ぼさつ**【普賢菩薩】慈悲をつかさどる菩薩。釈迦の脇侍として、その右側に白象に乗った姿で侍し、左側の智恵を表わす文殊菩薩と相対する。「たちまちに法花三昧を得て、さとり開け心あきらけし。また、―を見て象にのりて頂(いただき)をなでたり」〈三宝絵下〉

ぶげん【分限】⇒ぶんげん。「徳も同じく人数も同じく、国も―も同じくは、何としてか勝たうぞ」〈三略抄〉。「京・田舎に並びなき―の者」〈伽・弁慶物語〉 **―しゃ**【分限者】金持。富者。「―は位にも上がるぞ」〈天草本金句集〉

ふご【畚・籠】竹・藁などで作った入れ物。「早蕨の折にしなれば賤の女が―手にかくる野辺の夕暮」〈拾玉集一〉

ふご【封戸】律令制で、高位・高官者や勲功あるもの、及び社寺に賜わった課戸(課役を負担しうる人民)。「へひと」とも。封戸の租の半分と調・庸の全部が封主の収入とされる。この制度を食封(じきふ)という。「諸家―の租は…今より以後、全く其の主に賜へ」〈続紀天平一一・五・三〇〉

ふごじり【畚尻・籠尻】畚(ふご)のように大きくて平たい尻。「胸は鳩胸、腹は亀腹、腰は蟻腰、尻は―」〈伽・白身房〉

ぶこつ【無骨】①無作法。失礼。「起居振舞―なり」〈平治下・悪源太誅せらる〉。「こちこちしく。―也」〈匠材集三〉②具合が悪いこと。不都合。「あからさまにも女の許へ行く事あるべからず。もし我が許―ならば、心安からむ若党の許へ呼ぶべし。いはんや女の許にとどまる事ゆめゆめあるべからず」〈六波羅殿御家訓〉

ふさ【総・房】①(茎に)花などが群り咲いて垂れたもの。「秋の田の穂向き見がてりわが背子が―手折りけるをみなへしかも」〈万三九四三〉。「花(藤)の色濃くことに―長きを折りて」〈源氏藤裏葉〉。「蕚、花ブサ」〈名義抄〉②糸を束ねて、その先端を散らし垂らしたもの。「総、布散(ふさ)」〈和名抄〉③茎や枝についた花や実を数える語。「金色の蓮華い、千茎(ちふさ)本(もと)、仏の所(みもと)に往詣(うま)で」〈東大寺諷誦文稿〉

ぶざ【武左】《「武左衛門」の略》近世後期、遊里で、江戸馴れぬ田舎武士を罵っていう語。新五左。新五左衛門。「―だから泊りはしやせん」〈洒・辰巳之園〉

ぶさい【無菜】副食物の少ないこと。「例の―の時(斎)許り也」〈教言卿記応永一三・八・六〉

ぶさいく【不細工】①手先の技術が下手なこと。「いかにも―なる野老に〔木ヲ〕伐らせ給ふこと」〈バレト写本〉②容貌のみにくいこと。不器量。不恰好。「―な鼻に口付け嗅(かか)と読む」〈雑俳・清書帳〉。「―。みめかたち見悪き者のことなどを言ふ」〈浪花聞書〉

ふさう【扶桑】①中国で、東海の日の出る所に生ずるといわれた瑞木。また、その地。〈壒嚢鈔四〉②「扶桑国」に同じ。「日本の国、また云はく、水穂の国と、また野馬台、また秋津島、また―等」〈日蓮遺文神国王御書〉 **―こく**【扶桑国】日本の異称。扶桑の生ずる東海の国の意で、中国から日本を指していう。「―をば日本国と申す。ぁに聖人出で給はざらむ」〈日蓮遺文諫暁八幡抄〉。「扶桑国、フサウコク、日本総名也」〈下学集〉

ふざう【不浄】《ザウはジャウの直音化》⇒ふじょう。「行なひもせばやと思ふ今宵より―なることあるべし、これ人忌むといふことなるを」〈かげろふ下〉

ぶさう【無双】ならぶべきものがないこと。無比。「〔道命阿闍梨ハ〕好色―の人なり」〈古事談三〉

ふさが・り【塞がり】□一『四段』《フサギの自動詞形》①流通・通行がとめられる。「俄かに穴の口崩れ―・るに」〈今昔一四ノ九〉。「東近江へわたらんとしけれども、不破の関―・りたる由申しける間」〈保元中・為義降参〉②いっぱいになって邪魔をする。さまたげる。「迹驚(とどろき)の岡に及(いた)るに、大磐―・りて溝を穿すこと得ず」〈紀神功摂政前〉。「各、馬の前に下り―・って、あやまちさすな」〈保元中・白河殿へ義朝夜討ち〉③《陰陽道で》大将軍・天一神などによって行く手をさまたげられる。「今日、東―・る」〈盛衰記二六〉 □二『名』陰陽道で、方角のふさがっていること。その方角へ旅行したり、事を起すと禍をうけるとされた。「東はさしあたりたる―の方なり」〈保元中・白河殿攻め落す〉↓かたふたがり

ふさ・ぎ【塞ぎ】『四段』《蓋(ふた)をしたり、物をつめたりして流通・通行を断つ意》①ぴったりと蓋をするようにして動きをとめる。「両処(ふたところ)の、築かば乃(すなは)ち壊れて―・ぎ難き有り」〈紀仁徳十一年〉。「擁、布左具(ふさぐ)」〈華厳音義私記〉②物をいっぱいにつめてあき間をなくす。「窮(きはまり)無き責めを―・がむ」〈三蔵法師伝九・承徳点〉③通行をさまたげる。「荊棘(けいきよく)道を―・げり」〈保元下・新院御経沈め〉④場所を占める。「この講中の座敷を―・ぐをもて、真宗の肝要とばかりおもはん人は」〈御文章〉⑤(なやみなどで)心がいっぱいになる。「憂悔、心を塞(ふさ)ぐ」〈法華義疏長保点〉。「お前をふさげさすまいと思うたに、やっぱり其の様に―・いでから」〈洒・窃潜妻下〉↓ふたぎ

ふさ・げ【塞げ】『下二』物をいっぱいにおく。占領する。「この三箇年が間攻め落さずして多くの国国を―・げらるること、くちをしく候へば」〈平家一一・逆櫓〉

ぶさた【無沙汰】①訴えをとりあげないこと。「鎌倉にて訴訟しけれども、…―なりける間」〈梵舜本沙石集一ノ一〇〉②当然行なうべきことを放置して顧みないこと。なおざりにすること。「近頃、―の智了房といふ者ありけり」〈著聞五五五〉。「もし我、女房を持ち候はば、心もそばになりて、母を―に扱ひ申さん事もや候はん」〈伽・蛤の草紙〉③挨拶・音信などを怠ること。「我も尋ねたく思ひつれど、公私の忩劇に思ひわすれ、今も―なり」〈古活字本平治下・頼朝義兵を挙げらる〉。「―の至り、お許しあれ」〈伽・猿源氏草紙〉④不得手であること。不心得なこと。「この兎は、何事も―なりければ、心ばかりは思へども叶はで」〈古今集註〉

ふさつ【布薩】《梵語の音訳》僧が毎月十五日と三十日の二回、一堂に集まって、読みあげられる戒本にてらして、自己反省と罪の懺悔を行なう儀式。在家では、六斎日などに八斎戒を守って、善を増長すること。「今より已後、―を為すごとに、つねに此の物を以て布施に量用せよ」〈続紀天平宝字一・閏八・二一〉

ふさに【多に】『副』《フサ(房・総)と同根》いろいろとたくさんに。種種に。「天下の物―あり」〈かげろふ中〉。「道すがらうちも笑ひぬべきことども―あれど」〈かげろふ中〉

ふさ・ね【総ね】『下二』《フサ(総)の動詞化》つかねる。まとめる。「万機を正しー・ねて」〈紀顕宗二年〉。「この十門をもて華厳一部の大綱をくくり、五十五聖の法門をー・ねて」〈明恵上人行状下〉

ふさは・し【相応し】『形シク』《フサヒ(相応)の形容詞形》しっくりと調和がとれている状態である。似つかわしいさまである。「時時につけたる本草の花につけても…遊びなどしてしがな。おほやけ私のいとなみしげき身こそー・しからね」〈源氏薄雲〉

ふさ・ひ【塞ひ】『四段』ふたをする。ふさぐ。「千人所引(ちびき)の磐石を以て其の坂路にー・ひて」〈紀神代上〉

ふさ・ひ【相応ひ】㊀『四段』つりあう。適合する。「これはー・はず」〈記歌謡四〉㊁『名』つりあうこと。「宮は御ー(自分ノ妻ニピッタリ)の方に聞き伝へ給ひて、深ういかでとおもほしなりにけり」〈源氏紅梅〉 †Fusaфi

ふさぶさ・し『形シク』あつかましい。ずうずうしい。「ー・しくも去(い)ぬる彼の人」〈俳・追善九百韻〉

ふさへしに『連語』未詳。フサハシと同根で、適するようにするためにの意か。また、フサは豊富の意で、豊かにするようにの意か。「鳥が鳴く東(あづま)をさしてー行かむと思へど由も実(ねさ)なし」〈万四三二一〉 †Fusaфësini

ふさやうじ【総楊枝】端を打ち砕いて総(ふさ)のようにした楊枝。打ち楊枝。「一文取替へのー」〈浮・新永代蔵一〉

ふさやか ふさふさと豊かな感じのするさま。「髪いとうるはしくてたけばかりに、裾いとーなる」〈枕一八九〉

ふし【柴】①かこいふさぐこと。また、そのもの。垣・網などをいう。「栫、カキ・マセ・カコフ・フシ。罘、アミ・フシ」〈名義抄〉②ふさぐのにつかう木。小さい雑木など。しば。「青ー垣」〈記神代〉。「柴、此をば府璽(ふし)といふ」〈紀神代下〉。「梟、フシ・フシキ」〈名義抄〉

ふし【節】《植物の茎や動物の骨などのつなぎ目。転じて、物事の区切れ目、関心をひく点など。類義語ヨ(節)は茎のフシからフシまでの間》①植物の茎のつなぎ目。「八重波になびく玉藻のーの間も」〈万四三一二〉。「ーを隔てて、よごとに金(こがね)ある竹を見つくる事かさなりぬ」〈竹取〉。「�、節也、竹乃不志(ふし)」〈新撰字鏡〉②骨のつなぎ目。関節。「保元の合戦に、八郎為朝に膝のー射られたる大場平太が事なり」〈盛衰記二〇〉。「拳一肘は指の中のーをかがむるぞ」〈六物図抄〉③糸などの所所太く、こぶになった部分。「纇、伊度乃布之(いとのふし)、絲節也」〈和名抄〉④心のとまる点。箇所。「恨むべきーぞげにことはり」〈源氏若菜下〉⑤目に立つ箇所。目だつ特徴。「さしたるーもなきやうなれども、よく心をつけて見ればおもしろし」〈新古今抜書抄〉⑥ものごとのきっかけ。機会。「憂きさまをだに見せ給はばなむ、思ひさますーにもせむ」〈源氏総角〉⑦歌などの高低・強弱の変化する境目。転じて、曲節。「仏御前は…声よくーも上手でありければ」〈平家一・祇王〉。「定まるー・拍子なくおのおの哀歎悲喜の音曲をなすさま、めづらしく尊かりければ」〈法然上人行状絵図〉

ふ・し【伏し】『四段』《うつむいた状態で、床や地面に接する意》①(立っているものが)腹ばいになる。「伊夜彦(いやひこ)神の麓に今日らもか鹿のー・すらむ」〈万三八八四〉②うつぶす。「地(に)つ神ー・してぬかづき」〈万九〇四〉③横たわる。寝る。「かくしてや荒し男すらに嘆きー・せらむ」〈万三九六二〉

ふ・し【補し】『サ変』官職に任命する。「前右大将宗盛卿近江国惣官にー・せらる」〈盛衰記二六〉

ふ・し【賦し】『サ変』《「賦」は、わりあての意》①詩作にあたって、共通の大題の下に、それぞれ小題を分けて各人にわりあてる。また、それを題にして詩を作る。単に詩などを作る意にもいう。「当代の文士詩をー・して送別す」〈続紀天平宝字三・一・二七〉。「辺亭に在りてー・して『山花』〔トイウ題〕を得たり」〈文華秀麗集上〉②連歌・俳諧の賦物(ふしもの)に取る。「亀山院の御時、山城国名所をー・する百韻御連歌侍りしに」〈井蛙抄六〉

ふじ【風市】外腿の真中、膝から七寸上のくぼんだ所。腰・腿・脛の痺痛や脚気・中風を治す灸穴。「灸据えてーに煙は絶やさねど猶ちがちがと足引の山」〈詠百首狂歌〉

ふじ【富士】富士山。「日の本の大和の国の、鎮めともいます神かも、宝ともなれる山かも、駿河なるーの高嶺は、見れど飽かぬかも」〈万三一九〉 **ーは磯**(いそ) 高い富士山も言うに足らず磯同様に低いの意で、物事が比較にならぬほど極めて優れているたとえ。「これを喩へばーにて侍るものぞ」〈魚の歌合〉

ぶし【武士】武事を職とする者。もののふ。「文人・ーは国家の重んずる所」〈続紀養老五・一・二七〉

ぶし【附子】⇒ぶす。「必ず死ぬべき毒を尋ねて食はむとするに、初はーを食ふに死なず」〈今昔三ノ三七〉。「附子、ブシ、薬名」〈色葉字類抄〉

ふしう【俘囚】とらわれた人。捕虜。また、古代、中央政府に帰服した蝦夷(えぞ)をいう。平安時代にたびたび反乱をおこした。「陸奥国のー百四十四人を伊予国に配し」〈続紀神亀二・閏一・四〉

ふしおき【臥し起き】寝たり起きたりする日常の生活。「ーは、ただをさなき人をもてあそびて」〈かげろふ上〉

ふしかね【五倍子鉄漿】五倍子(ふし)の粉を鉄漿(かね)にひたして作った黒い染料。お歯黒(はぐろ)にも用いる。「うつぶし染めとは、ーにて染めたる衣也」〈古今集註〉。「ーを歯に塗って、髪を結ひたれば」〈虎明本狂言・鏡男〉

ふしかへ・り【臥し返り】㊀『四段』寝がえりをうつ。「うといひて、後ろざまにこそー・りたれ」〈宇治拾遺三五〉㊁『名』寝がえり。「ーこそしなまほしけれ」〈後撰八五八〉

ふしき【伏木・臥木】倒れた木。「其の狩地はめでたかりけれども、本はー共高く、大きなる小さき石多くて、馬のえ走らざりければ」〈今昔二九ノ二七〉

ふしき【節木】①節の多い木。「枝は夜叉(やし)の頭の如くなるーあり」〈義経記五〉②節の部分が朽ちて空洞になった木。「大童(おほわらは)になりてーの中に隠れ給ふ」〈曾我二〉

ふしぎ【不思議】《不可思議の意》①思いはかることのできないこと。常識では考えられないこと。「即ち、これ、心般若経のーなり」〈霊異記上一四〉。「焼亡ありし夜、御とぶらひに参らせ給へりしありさまこそーに候ひしか」〈大鏡伊尹〉。「ーと云ふは略なり。具(つぶ)さには不可思不可議と云ふべきなり」〈法華経直談鈔一本〉②あるべからざること。けしからぬこと。奇怪。「罪科かろかるまじき事に候ふ。昔の朝敵の人人も、これ程のーは現ぜず候ふ」〈問はず語り三〉③並はずれて賤しいさま。粗末なさま。「このーなる小巷へ高人の御来臨、誠に過分なり」〈中華若木詩抄下〉

ふしく・り【恚り】『四段』腹を立てる。ふくれる。「張耳とー・りて、将印を去(す)て、引込うで居たほどに」〈史記抄五〉。〈文明本節用集〉

ふしくれだ・ち【節くれ立ち】『四段』《クレは固まりの意》節などが多く、ごつごつする。「付句のー・ち侍らぬばかりを、作者粉骨歟」〈心敬連歌自註〉

ふじどり【富士垢離】近世、富士登山の行者が行なう潔斎。登拝前の五月下旬、毎日水垢離をした。この間、行者に病気除け其の他の祈願を頼む風習もあった。富士行(ふじぎやう)。「ーなどとかこつけて、川水などに漬かりつつ」〈細

川幽斎長歌〉

ふじさんり【風市三里】風市と三里と。どちらも脚の病気を治す灸穴。「―に灸を据ゑられよ」〈咄・醒睡笑四〉

ふししば【伏柴】柴の異称。「―に宿れるほやのおのれのみときはかきはに物をこそ思へ」〈散木奇歌集雑上〉

ふしぞめ【柴染め】染色の一。クロモジの木から取った染料を用いたもの。「―の直垂」〈長門本平家一八〉

ふしたけ【臥長】横になった時の胴の高さ。「その死人の丈(たけ)五丈余なりけり。―砂(いさご)に半ばは埋まれたりけるに」〈今昔三一ノ一七〉。「―三尺ばかりの大蛇の、長さ二丈七八尺ばかりなりけり」〈古今集註〉

ふじたらう【富士太郎】①富士山に住むと信じられた天狗の名。「御供の天狗は誰誰ぞ。…飯綱(いづな)の三郎・―」〈謡・鞍馬天狗〉②富士山の異名。「雲霧に隠れん坊か―」〈俳・小町踊三〉

ふしぢか【節近】節と節との間隔が近いこと。「三年竹の―なるを、少し押しみがきて」〈古活字本保元中・白河殿へ義朝夜討ち〉

ふじつ【不日】多くの日を経ないこと。日ならず。「―に地蔵の半金色の像造りて、開眼供養しつ」〈今昔一七ノ一〇〉

ふしづ・け【柴漬け】□一『下二』「ふしづけ」のしかけをもうける。「―・けし淀の渡を今朝みればとけむ期もなく氷しにけり」〈拾遺三三四〉□二『名』①冬、たばねた柴を水中に漬けておき、そこに集まった魚を、春になって捕るしかけ。「いづみ川水の水曲(みわた)の―に岩間の氷る冬は来にけり」〈千載三八八〉。「罧、和名布之都介(ふしづけ)」〈和名抄〉②罪人等を簀巻(すまき)などにして水中に投げ入れること。私刑として行なわれた。その様が(1)に似るのでいう。「水の底に―にもし、深山に磔(はっけ)にもせよ」〈義経記三〉

ぶしつけ【無仕付】礼儀作法などに欠けること。無作法。「―にてはいかが、故実なる仁しかるべき」〈伽・東勝寺鼠物語〉

ふしど【臥所】横になる所。寝る場所。「杣川の筏の床の浮枕夏は涼しき―なりけり」〈詞花七四〉

ふしなはめ【節縄目】鎧の縅(をどし)の一種。白・浅葱(あさぎ)・紺の三色に染めた革を波状の模様に縅したもの。「小次郎は沢瀉(おもだか)を一しほ摺ったる直垂に―の鎧着て」〈平家九・一二之懸〉

ふじのひとあな【富士の人穴】富士山の山麓にある洞窟の名。建仁三年六月三日、将軍頼家の命を受け、仁田四郎忠常主従が探検したと吾妻鏡に記す。その時洞窟内の地獄巡りをしたという伝承は、富士山信仰と結び付き、広く普及した。「よって―の物語、かくの如くなり」〈伽・富士の人穴の草子〉。「『―の勧進』と言うて、門門をありく者あり」〈咄・醒睡笑四〉

ふしのま【節の間】節と節との間。短い時間。「八重波に靡く玉藻の―も惜しき命を」〈万四三二一〉。「難波潟みじかき蘆の―も逢はでこの世を過ぐしてよとや」〈新古今一〇四九〉

ふしはかせ【節博士】声明(しゃうみゃう)・平曲(へいきょく)・謡曲など謡物における節の定め。また、それをあらわすために文句のそばに付けた墨の点。はかせ。ごま。ごま点。墨譜。「その後、太秦善観房といふ僧、―を定めて声明になせり」〈徒然二二七〉

ふしぶし【節節】①心にかかるあれこれの箇所。「博士のかへさふべき―をひきいでて」〈源氏少女〉②特に留意すべき折折。「さるべき御遊びの折折、何事にも故ある事の―には、まづまうのぼらせ給ふ」〈源氏桐壺〉③気が合わずしっくりしないさま。不和な間柄。「得業がために―なる輩(やから)も候らん、定めて関東へも訴へ」〈義経物語六〉。「―なる中をぶしぶしとはいかが」〈俳・かたこと三〉

ぶしほ【無塩】①愛嬌がないさま。不愛想。「問へど答へぬその気色は、―にこそは見えにけれ」〈仮・竹斎下〉。〈日葡〉②不恰好。不出来。「肩衝(かたつき)…―にはなく候」〈宗及他会記天正八・三・二五〉。「〔喜多〕七太夫〔ノ〕能…―なる所これ在るの由」〈細川忠興文書寛永八・三・一〇〉

ふじまうで【富士詣】六月一日から二十日まで、富士山に登り、頂上の富士権現に参詣すること。富士参り。富士禅定。「登るものの品品。…浅間詣で、―」〈仮・尤の草紙下〉

ふしまき【節巻】弓の竹の節の部分を籐で巻いたもの。「―の弓持って」〈平治上・源氏勢汰へ〉

ふしまち【臥待・伏待】「臥待の月」の略。「山かげや嵐の庵(いほ)のささ枕―過ぎて月もとひ来ず」〈拾遺愚草中〉 **―のつき**【臥待の月】《出が遅いので、臥して待つ月の意》陰暦十九日の月。また、十九日以後の月をいう。「―はつかにさし出でたる」〈源氏若菜下〉。「二十六日の夜ふけて…御幸なる。いまだ夜半の事なれば、―もさし出でず」〈古活字本平治上・院の御所〉

ふじまつ【富士松】カラマツの異称。富士山に多いのでいう。「鎌倉の主君より盆山を献ぜらる。その山上に―植ゑ」〈蔭涼軒日録文正一・四・一七〉

ふしみ【伏見】山城国の地名。京都の東南で宇治川に臨む。「射目人の―が田井に雁渡るらし」〈万一六九九〉 **―さんずん**【伏見三寸】近世、伏見でつくられた、着物を入れる小さな葛籠(つづら)。庶民の嫁入道具とされた。「―の葛籠一荷」〈西鶴・五人女三〉

ふじみさいぎゃう【富士見西行】平包を背負い笠をかぶった西行法師が後向きで富士山を眺めている画題。また、この恰好の人形。「花の雪は―桜かな」〈俳・桜川三〉

ふしみづ【伏水】流れてくる水。「立水(たちみづ)とは涌きいづる水なり。―とは流るる水なり」〈兼載雑談〉

ふしめ【伏目】相手を正視しないで視線を下に向けること。「かたはらいたければ―なり」〈源氏浮舟〉

ふしもの【賦物】《物の名をくばる意》連歌・俳諧の句中に、句意に直接関係のない物の名を字面に表わし、または匂わせたもの。後には、発句のみに詠むようになった。「―、昔は五十韻・百韻と続くる事はなし」〈八雲御抄一〉。「―、その日の発句の作者とるべき也」〈私用抄〉。「―は発句の題なり。歌の題の如し」〈兼載雑談〉

ぶしゃ【歩射】《「騎射(きしゃ)」の対》徒立(かちだち)で弓を射ること。また、その者。徒弓(かちゆみ)。「大将闕(か)けたりといへども、―・手結を行なふなり」〈九暦天慶一・五・七〉

ふしゃう【不祥】①縁起の悪いこと。不吉。「我今日―の事を聞きつ」〈今昔七ノ三〉②不運。とんだ災難。「極めて―にも逢ひぬるかなと恐ろしくて」〈今昔一九ノ一四〉。「殿の犬には喰はれたが―なり」〈蓬左文庫本臨済録抄〉

ふしゃう【不請】気に入らないこと。いやなこと。「いよいよ―の気ありけり」〈十訓抄七ノ一九〉。「世の中に住めば―が有るものを其れを云はぬは岩木なりけり」〈世中百首〉 **―ぶしゃう**【不請不請】いやいやながらすること。「面白うもなけれども、―見たぞ」〈山谷詩抄三〉

ふしゃう【府生】近衛府・兵衛府・衛門府・検非違使庁などの四等官の下にある役。中国の史生に当る。「右衛門の―壬生忠岑らに仰せられて」〈古今序〉

ふじゃう【不浄】①清浄でないこと。けがれていること。「上に七歩(しちふ)行じては、―の者の為に穢(けが)れざる事を示す」〈今昔一ノ三〉②きたないもの。大小便などをいう。「九つの穴よりいろいろに出づる―を」〈孝養集上〉。「或いは大

小の便利の—を出して眠れる者あり」〈今昔一ノ四〉

ぶしゃう【無性・不精】ものぐさなこと。懶惰(らんだ)。「—なりし者は、火の針をもて貫かれ」〈こんてむつすむん地一〉 **—ごま**【不精独楽】「ばい(陀螺)」に同じ。紐で胴を打てば廻るのでいう。「叩けば廻る—」〈仮・尤の草紙下〉

ふじゃうじゅにち【不成就日】陰陽道で、一切の物事が成就しないとして忌む日。「一切—」〈簠簋内伝二〉

ふしゃくしんみゃう【不惜身命】正法のためには身を捧げ、命を惜しまないこと。「—の理をまのあたり行じあらはされける事、貴くぞおぼえ侍る」〈一遍縁起六〉

ふじゅ【諷誦】①声をあげて経文や偈頌(げじゅ)をよむこと。「その髪を宮(こは)に入れて仏像の前に置き、謹みて—を請(う)く」〈霊異記中三〉 ②「諷誦文」に同じ。「や、これは—をおん上げ候ふか」〈謡・自然居士〉 **—もん**【諷誦文】死者追善のため、施物を記入して僧に経の読誦を請う文。僧の読経の後、これが読みあげられる。「人のわざしける導師にて—よみけるに」〈千載五七五詞書〉

ふしゅび【不首尾・無首尾】《ブシュビとも》①結果の悪いこと。不成功。「宿の—を告ぐる虫の音(ね)」〈俳・天満千句〉。〈日葡〉 ②気まずいこと。工合の悪いこと。気受け・評判の悪いこと。「フシュビナコトヲマウス」〈日葡〉

ふじゅふせ【不受不施】近世初期に創始された日蓮宗の一派。法華経の信者以外には施さず、また受けぬという主義で、幕府に禁圧された。不受不施派。「天下の敵、万民の仇は、吉利死丹・—・非田宗也」〈神田家記録慶長一八・五〉

ふしょう【鳧鐘】①十二律(じふじりつ)の一。基音の壱越(いちこつ)より六律高い音。〈文明本節用集〉 ②鉦鼓。「後夜の鐘の音、—の響き」〈謡・当麻〉 **—でう**【鳧鐘調】「鳧鐘」(1)に同じ。「(横笛ノ)上の穴、双調(さうでう)、次に—をおきて、夕(さく)の穴、黄鐘(わうじき)調なり」〈徒然二一九〉

ぶしょぞん【無所存・不所存】考えのよくないこと。心得違い。また、考えの足りないこと。後には、「ふしょぞん」とも。「左様の—なる心を提げ申すべきや」〈浮・禁短気四〉。〈文明本節用集〉

ふしをがみ【伏拝】距離をへだてて神社を拝む場所。鳥居を立て、平伏して拝むために木を横たえたりしてある。「八幡の—の所にて、義経馬より下り、兜(かぶと)をぬぎ、弓脇に挟みて、ひざまづき申しけるは」〈盛衰記四六〉

ふしん【不審】①判然としないこと。よく分らないこと。「由縁—、国史を引きて注し給ふべし」〈明衡往来下本〉 ②疑わしいこと。疑わしく思うこと。「安芸の国までの御幸はいかにと、人—をなす」〈平家四・厳島御幸〉。「(矢ガ的ニ)当らん事は—なけれども」〈著聞三五〇〉 ②疑いを蒙ること。「この度は御—の身にて召し下され候ひしかば」〈義経記六〉 ③疑問。また、疑問を問いただすこと。「詞につきて—を開く方は、源氏の物語に過ぎたるはなし」〈八雲御抄六〉。「ちと物が—したい」〈虎明本狂言・居杭〉 **—がみ**【不審紙】書物中の不審な箇所に印として貼る紙片。多く、紅唐紙(べにとうし)を使う。付紙(つけがみ)。「この—所所御覧ぜられ候て、示し給(た)ぶべく候」〈十輪院内府記文明二一・一〇・三〉

ふしん【普請】《唐音》①禅宗で、あまねく諸人に請うてその力で事を行なうこと。転じて、寺で広く人びとに寄付をつのって堂・塔などの建築や修理をすること。「然らば—をさせ召されよと云へば」〈驢鞍橋下〉。〈文明本節用集〉 ②一般に、土木・建築などの工事。「或は御旅の御供、或は御庭の—などには」〈雑事覚悟事〉。「当城、数年さまざま—」〈宗長手記上〉

ふじん【夫人】①《ブニンとも》皇后・妃(ひ)につぎ、嬪(ひん)より上位にある、天皇の妻。令制では、定員三人で、三位以上の者の娘からえらぶ。「(天武)天皇、藤原の—に賜ふ御歌一首」〈万一〇三題詞〉 ②貴人の妻。「王、—、そこらの采女(うねめ)、宮の内ゆすりて泣き」〈栄花音楽〉

ぶしんぢう【不心中】誠実でないこと。義理知らずなこと。不心底。「いやさ、—なる男め」〈浄・藍染川二〉

ぶす【附子】①トリカブトの根を取って乾した猛毒薬。ぶし。「奥の間に—がある。開けて見て死するな」〈天正本狂言・附子砂糖〉。〈運歩色葉集〉 ②忌み嫌うもの。「愚僧は若い時から犬は—でをりゃるよ」〈近松・天鼓二〉。「本邦の俚俗、人の物を嫌ひ憎み、呼びて—と曰ふ」〈本朝食鑑四〉

ぶすがほ【ぶす顔】苦りきった顔。不機嫌な顔つき。「下戸が酒の座敷で—で居たは」〈山谷詩抄三〉

ふずく【粉熟】《フンジュクの転》食品の名。米・麦の粉を餅とし、甘葛(あまずら)をかけ、こねあわせて作る。ふんずく。「宮の御方より—まゐらせ給へり」〈源氏宿木〉

ふすさに【多に】『副』たくさん。「麻苧(あさを)らを苧笥(をけ)に—績(う)まずとも」〈万三四八四東歌〉

ふすふす『副』①どっさり。いっぱい。「(果物ヤ山芋ヲ)—負うて帰りぬ」〈雑談集二〉 ②ひどく。ものすごく。「—打たれて臥しにけり」〈義経記七〉

ふすべ ①【黶】ほくろ。「その禅師の頤(おとがひ)の右の方に大きなる—あり」〈霊異記下三九〉 ②【贅】いぼ。こぶ。「贅は—といふものぞ。譬へば壻の婦家に就いてゐるは—のやうなといふ心ぞ」〈史記抄四〉。「贅、布須倍(ふすべ)」〈和名抄〉

ふす・べ【燻べ】『下二』①煙をたてる。くすぶる。「夏なれば宿に—・ぶる蚊やり火の」〈古今五〇〇〉 ②嫉妬する。嫉妬からいさかいをおこす。「隣さかしらするまで—・べかはして、(男ハ)このごろはことと久しう見えず」〈かげろふ上〉 **—かは**【燻革】松葉の煙で地を黒くすすけさせ、模様を白く残した革。「関白、文(もん)なき—」〈増鏡一〇〉 **—がほ**【燻顔】嫉妬してふくれた顔つき。「若若しき中らひのやうに、—にて物し給ひけるかな」〈源氏真木柱〉

ふすぼ・り【燻ぼり】『四段』くすぶる。「明障子(あかりしやうじ)も護摩の煙に—・って」〈盛衰記一〇〉

ふすま【衾・被】寝具の名。八尺または八尺五寸四方の掛蒲団。袖と襟(りえ)がない。「五位已上を宴して—を賜ふ」〈続紀宝亀六・一・七〉。「御—まゐりぬれど、げにかたはら淋しき夜な夜なへにけるも」〈源氏若菜上〉

ふすましゃうじ【襖障子】今のふすま。からかみ。「立てまはす—の掛金(かきがね)」〈再昌草一六〉。「蓮如上人御衣・袈裟にて、御—をあけられ御出で候間」〈実悟記〉。〈下学集〉

ふすゐ【臥猪】伏している猪(いのしし)。「はた山の尾上つづきのたかかやに—ありやと人とよむなり」〈新撰六帖六〉 **—のとこ**【臥猪の床】猪の寝床。歌語として使われる。「歌のやうにいみじきものなし。ゐのししなどいふおそろしきものも—などいひつれば優しきなり」〈八雲御抄六〉

ふせ【布施】《「檀那」の漢訳》仏や僧に金銭物品を施すこと。また、その金銭物品。もとは行法の一つで、衣食財宝を僧その他の人人に施すこと。「—置きて吾は乞ひ禱(の)む欺かずただに率(ゐ)行きて天道(あまぢ)知らしめ」〈万九〇六〉

ふ・せ【伏せ・臥せ】㊀『下二』《フシ(伏)の他動詞形》①(立っているものが)体をうつむけに倒す。「鹿猪(しし)じもの膝折り—・せて」〈万三七九〉。「懺謝し悲号して前に跪(ひざまづ)いて—・せつ」〈地蔵十輪経三・元慶点〉 ②体を横にする。寝かせる。「あかつきがたになりてぞ寝給ふ。かたはらに(女ヲ〕―・せ給ひて」〈源氏東屋〉③倒す。下に押えつける。「神風の伊勢の浜荻折り―・せて旅寝やすらむ荒き浜辺に」〈万五〇〇〉。「名虎を取って―・せむとす」〈平家八・名虎〉④ひそませる。「あるじ聞きつけて、かの道に夜ごとに人を―・せて守らすれば」〈古今六三詞書〉⑤かぶせる。覆う。「刀にて〔笛ノ〕歌口を削らせ給ひたりければ、異竹にて其のあとを―・せたりとぞ」〈糸竹口伝〉⑥かぶせて捕える。「浜辺で千鳥を―・する所が御座るが」〈虎寛本狂言・千鳥〉㊁『名』①伏兵。伏せ勢。「小川内といふ所に―を置き待つ所に」〈蒲生氏郷記〉②矢の長さを計る語。指一本の幅。「小兵といふぢゃう十二束三―」〈平家一一・那須与一〉

ふせあみがさ【伏編笠】前下がりに編笠をかぶって顔が見えないようにすること。また、その笠。伏笠。「武士は道具を―に鎌倉様(やう)の摑み差し」〈近松・虎が磨上〉

ふぜい【風情】《漢音》㊀『名』①趣き。情趣。趣向。「岡の屋に行きかふ船を眺めては、満沙彌が―を盗み」〈方丈記〉②ようす。ありさま。「判官その日の―は」〈伽・判官都咄〉。「そもそもこの三四年の間に於て、当山の念仏者の―を見及ぶに」〈御文章〉③…のような具合。「景時父子が命に従ふ者、風に草木の靡く―なれば」〈義経記六〉。「鳶が来てつかみ殺さうとの―ぢゃによって」〈天草本伊曾保〉㊁『接尾』①…のようなものの意を表わす。「箱―のものにしため入れて」〈徒然五四〉。「もしまた、さきの斗(すま)―の物もあるやとて」〈夢中問答上〉②そのものを軽蔑していう語。「いふかひなき北面の下﨟―の者などに〈問はず語り一〉。「草―をさへ、かう哀れみ護らする心あるぞ」〈玉塵抄五〉

ぶせい【無精・不精】⇒ぶしゃう。「―なること第一不届きの事」〈池田光政日記寛永一八・一〇・三〉。〈書言字考〉

ふせいほ ‥イホ【伏廬】屋根を低く伏せたように、軒が地面に接している家。つぶれかかった家。「―の曲廬(まげいほ)の内に」〈万八九二〉

ふせう ‥シヨウ【不肖】①愚かなこと。とるにたりないこと。自分を卑下していうばあいに用いる。「身―の間、かれ以て服膺せず」〈平家三・医師問答〉②みじめなこと。あわれなこと。「―至極な蟻どもは、なかなか梯(はし)立てても及ぶまじいぞ」〈天草本伊曾保〉

ふせ・ぎ【防ぎ】『四段』《南北朝時代頃までフセキと清音。

他の侵入・攻撃をくいとめる意。類義語マモリは、相手の動きをよく見ていてそれに応じる意。漢文訓読体には、ホセキ・ホソキ・ホサキなどの形もあった》①他の侵害をくいとめる。「茅(つばな)の花を服(き)て寒さを―・き、粥を飲みて」〈東大寺諷誦文稿〉。「防、布世久(ふせく)」〈華厳音義私記〉②〔内へ入ろうとするものを〕こばむ。拒絶する。「朝日夕日を―・く蓬(よもぎ)・葎(むぐら)の陰に」〈源氏蓬生〉。「この地山林にて荒き獣ある所なれば、客〔ノ宿泊〕を―・ぐも情なかるべし」〈狐媚鈔〉③敵に対抗して戦う。「信頼一防きも―・かず、『そこ―・き候へ』とて引きしりぞき給へば」〈平治中・待賢門軍〉 †Fuseki

ふせご【伏籠】伏せておいて、上に衣類などをかけるかご。中に香炉や火鉢をおき、衣類に香をたきしめたり、また衣類をあたためたりする。「〔子雀ヲ〕―の内に籠(こ)めたりつるものを」〈源氏若紫〉

ふせつ【浮説】うわさ。風評。「木曾が狼藉、御所の焼失、―によって承り侍り」〈盛衰記三四〉

ふせぬひ ‥イヌ【伏縫】縫目を表にあらわさないようにして縫うこと。「それをふ―と申す物にしてくれられました」〈虎寛本狂言・布施無経〉

ふせや【伏屋】屋根を地に打ち伏せたような低い家。貧しい人の小さい家。「―立て妻どひしけむ葛飾(かづしか)の真間の手こながおくつきを」〈万四三一〉　**―たく**【伏屋焼く】〔枕詞〕粗末な家で火をたくと立つ煤(すす)ということから、「すすし」にかかる。「―進(すす)し競(きほ)ひ」〈万一八〇九〉

ふせらく【伏せらく】《伏セリのク語法》伏していること。「おもひつつ嘆き―」〈万八八六〉

ぶぜん【豊前】旧国名の一。西海道十一国の一。今の福岡県東部と大分県北部。豊州。「広国は―の国宮子の郡の少領なり」〈霊異記上三〇〉

ふせんりょう【浮線綾】模様を浮織にした綾織物。「この袋を見給へば、唐の―を縫ひて」〈源氏橋姫〉

ふそく【不足】①たりないこと。不十分なこと。「仍りて―の由を勒(ろく)して、大兄の介に挙ぐ」〈将門記〉②不満足。不平。「―の思ひなくして、驕れる心なし」〈沙石集四ノ三〉

ふぞく【付嘱・付属】①譲り渡すこと。預けまかせること。「二一家の財をこの女一人に―して」〈今昔二〇ノ一八〉②仏法を伝え託すること。「この人に仏法を皆―し給ひつ」〈今昔六ノ三〉

ふぞく【風俗】《フウゾクとも》①その地方で行なわれているならわし。〈色葉字類抄〉②奈良時代およびそれ以前の地方民謡のうち、貴族社会にとり入れられ、遊宴歌謡として愛唱されたもの。二、三十曲ある。風俗歌。「播磨の国司奉献、―歌を奏す」〈後記延暦三・一〇・一〇〉。「歌は―。中にも、杉立てる門。神楽歌もをかし」〈枕二八〇〉

ふた【二】数の名。二。「淡路島いや―並び小豆島いや―並び」〈紀応神二十二年〉

ふた【蓋】①ものの口にかぶさって、覆いとなるもの。「我鬼をとらふる時に、ともに燈を覆へる―を開け」〈霊異記上三〉。「鋏とりて櫛の箱の―さし出でたれば」〈源氏手習〉②サザエ・タニシ類の口を塞いでいる平らな円いもの。「甲香(かひかう)は…貝の―なり」〈徒然三四〉。「角蓋、和名都比乃不太(つびのふた)」〈和名抄〉③〔江戸語〕スッポン。上方では「丸(まる)」といった。「江戸ぢゃアね、鼈(すつぽん)を洒落て―と言ひやすよ」〈滑・浮世風呂二上〉④〔江戸語〕硯蓋。「―とは硯蓋を洒落てかく言ふ」〈洒・仕懸文庫〉

ふだ【札】《フミイタ(文板)の転》①文字や符号を書きしるす板、または紙片。「猫の赤き首綱に白き―つきて」〈枕八九〉。「籍、フダ・フミダ・フムダ」〈名義抄〉②日給(にっきふ)の簡(ふだ)。「御返りもてまゐらずは―削らんと仰せられつるものを」〈宇津保国譲中〉③立札。高札。「『観音火坑変成池はいかに』と―を書きて、大門の前に立てたりければ」〈平家一・清水炎上〉④守り札。御符。「相構へて急ぎ給はずして、一切衆生に―を配り給ひ候へかし」〈他阿上人法語一〉。「六十万人決定往生の御―を普(あまね)く衆生に与へ候」〈謡・遊行柳〉⑤巡礼などが、参拝した寺の柱・壁などに記念として貼り付ける紙、または、打ち付ける木札。「三十三番の―を打ちに廻るは巡礼」〈仮・尤の草紙下〉⑥鑑札。「左兵衛〔ノ採掘許可ノ〕―を取り上げ申し候」〈梅津政景日記慶長一七・四・一七〉⑦木戸札。切符。入場券。「十一二なる男子が、人に―貰うて又大夫が舞の芝居へ行くといへば」〈西鶴・好色盛衰記一〉 ▽Fumiita→Fumta→Funda→Fuda

ぶた【十寸】①カルタのかぶ博奕で、九になれば上がりになるのを、札を取って十になること。また、その取り札。「古川野辺に―を見ましや」〈俳・江戸十歌仙〉②下等で話にならないことのたとえ。愚劣。下劣。「誠に―の太鼓俳諧也」〈俳・誹諧破邪顕正〉

ふたあや【二綾】二色の綾。「をちかたの(船来ノ)ー下沓」〈万三七九一〉

ふたあゐ【二藍】《藍と呉藍(くれのあゐ)を使うからという》染色の名。藍で染めて、さらに紅花で染めたもの。光線の具合で藍色に赤味がさして見えるという。「ふたゐ」とも。「〔五月五日〕ーの薄物のかざみ着たる童(わらは)べ」〈源氏螢〉

ふたい【不退】〔仏〕修行の過程で得た悟りや功徳を決して失うことのない段階に達すること。また、怠りなく勤行につとめること。「この経を講ずるを聞くが故に、皆ーの功徳を得つ」〈今昔六ノ三九〉。「常にーの行を修して」〈今昔一四ノ八〉 **ーてん**【不退転】「不退」に同じ。「一生の間、ーの位を期(ご)して」〈今昔六ノ三五〉 **ーのじゃうど**【不退の浄土】極楽浄土。そこに生れた者は再び迷界に退転することがないというところからいう。「忽ちにーに生れがたしと卑下すべからず」〈発心集六〉 **ーのど**【不退の土】「不退の浄土」に同じ。「かのーに往生し給はん事、何の疑ひかあらむや」〈平家一〇・戒文〉

ふだい【譜代・譜第】①代代その家系を継いで来ること。また、それをしるした系譜。「郡を立てし以来のー重大の家を簡定し、嫡嫡相継ぎて、傍親を用ゐる事なからしむべし」〈続紀天平勝宝一・二・二七〉 ②代代主家に仕えること。また、その臣下・奉公人。譜代者。「景親、源家ーの御家人たりながら」〈吾妻鏡治承四・九・三〉。「夫婦共にー(ノ身分)を許さう(免除ショウ)」〈蒙求抄六〉 ③近世、関ヶ原合戦以前から徳川氏の家臣である大名。譜代大名。「其の外御ー衆、各例の如く出仕」〈駿府記慶長二〇・閏六・一五〉 **ーだいみゃう**【譜代大名】「譜代」(3)に同じ。「御ー、中大名幷びに国持の弟、壱万石以上の衆」〈御触書寛保集成四・寛永二〇・八〉

ぶたい【舞台】舞楽・能楽・芝居などを行なう時、舞を舞ったり演技をしたりする台。舞楽で庭に作る舞台は、高さ三尺、四方六丈で高欄のついたものを正式とした。「女楽をーになさしめ、内教坊の踏歌を庭に奏せしむ」〈続紀天平宝字三・一・一八〉。「廻廊めく海の上にーを建てて」〈問はず語り五〉 **ーこ**【舞台子】歌舞伎若衆。「どこやら華奢(きゃ)なーが春」〈俳・両吟一日千句〉 **ーとび**【舞台飛び】近世、祈願のため、京都の清水寺の舞台から傘を拡げて飛び下りること。後には、勇気を奮って断行するたとえになった。「清水寺…或はー」〈日次紀事臨時部〉。「ただ頼めーなる一思ひ」〈俳・誹諧ひこばえ〉

ふたう【不当】正当でないこと。不法。「かかるーを仕りて」〈沙石集六ノ一五〉。「放埒(はうらち)、ーの義」〈文明本節用集〉 **ーじん**【不当人】不法を行なう者。無法者。「西光といふ下賤のーめが申す事に付かせ給ひて」〈平家二・教訓状〉

ぶたう【無道】道理にそむくこと。「非礼を行なひ、ーの振舞すべからず」〈沙石集三ノ二〉。「あのやうに清廉でーな事をせねども」〈漢書竺桃抄〉。〈文明本節用集〉 **ーじん**【無道人】道理にそむく者。〈日葡〉

ぶだう【武道】①《近世初期頃までブダウと清音》武芸・武術の道。「文道」の対。「詩歌管絃は臣下のたしなむ所なり。その道さへ猶もって暗し。いはんやーにおきてをや」〈保元上・官軍勢汰へ〉。「弓矢の家にては、いかにも文武二道をたしなむべし。文道欠けても納まらず、ー欠けても納まらず」〈長祿記〉。「ブダウ」〈日葡〉 ②〔歌舞伎用語〕㋑演技類型の一。武士の武勇・節義を表現するもの。武道事。「ーの立合ひ(立回リ)人の好ける役者」〈西鶴・嵐無常上〉 ㋺立役の役柄の一。武道事をおもな見せ場とする役。また、武道事を得意とする役者。武道方。「ー、実方(じつがた)とは違ひ、やつしのせりふは言葉つきせはしく申さねば」〈評判・野良立役舞台大鏡〉

ぶだうけ【不道化】場所柄に似合わないおどけ。わる洒落。「誰ぢゃいの、置かさんせ、こんなーな事はせぬものよ」〈松の葉三〉

ふたおき【蓋置】茶道で、釜の蓋または柄杓(ひしゃく)を載せる道具。「四方(正方形ノ)胡銅ー」〈御飾記〉

ふたおもて【二面・両面】うらおもて。両面(りょうめん)。「奈良山の児手柏(このてがしは)のーに」〈万三八三六〉 †Futaömote

ふたかはめ【二皮目・二皮眼】瞼(まぶた)の二重になっているもの。二重まぶた。「上戸の酒に酔ひて、目をとろりとして、ーになりて」〈四河入海九ノ三〉

ふたが・り【塞がり】『四段』《フタギの自動詞形》①蓋をされたようで、動きがとれなくなる。「霧りー・りて道も見えぬ繁木の中を」〈源氏橋姫〉 ②つかえて、詰まる。「御胸つとー・りて、つゆまどろまれず」〈源氏桐壺〉 ③行く方角が、方塞(かたふたがり)になって、その方角へ行けない。「今宵、方のー・りければ、方違へになんいく」〈枕八三〉

ふたき【二木】木二本。「後れて咲く桜ーぞいとおもしろき」〈源氏花宴〉

ふた・ぎ【塞ぎ】『四段』《フタ(蓋)をして、外との接触を断つのが原義。類義語オホヒ(覆)は、すっぽりと物全体をつつみかくす意》①ぴったりとふたをする。「大小の便利、坐所(ゐどころ)にして臭くけがれたり。往還の人は面を掩(ふた)ぎ鼻を奄(おほ)ひて逃ぐ」〈東大寺諷誦文稿〉。「〔簾ハ〕清げに造りたれど、さすがに荒荒しくて隙ありけるを、誰かは来て見むとて、打解けて穴もー・がず」〈源氏浮舟〉 ②韻塞ぎの遊びをする。「ー・ぎもて行くままに、難き韻の文字どもいと多くて」〈源氏賢木〉 ▽平安女流文学系ではフタガリ・フタギを用い、漢文訓読系では多くフサガリ・フサギを用いた。

ふたけ【二毛】鹿の毛が、夏は赤みを帯び、秋は黒みを帯びるなど、地の毛色の外に色を加えたもの。「いかばかりくまなき秋の月なればーの鹿の星も見ゆらん」〈夫木抄二一・鹿〉

ふた・げ【塞げ】『下二』①物を置いて流通・通行をさまたげる。「今まうのぼりける道にー・げられて滞りゐたるなるべし」〈源氏松風〉 ②一杯にする。「寝殿はー・げ給はず」〈源氏蜻蛉〉 ③方塞(かたふたがり)になるようにする。「方ー・げて、引きたがへ外(ほか)ざまへと思さむは、いとほしき(気ノ毒)なるべし」〈源氏帚木〉

ふたご【二子・双子・両子】双生児。「東三条賀茂河原にーを産む者あり。夫に隠して一人の子を立臼の下へ入れ殺しけり」〈仮・因果物語中〉。「双、布太古(ふたご)」〈日本紀私記〉。「孖、フタコ、両児也」〈黒川本色葉字類抄〉。「フタゴ」〈日葡〉

ぶたご【無単袴】①単(ひとへ)・下袴などを着ない略式の装束。「北面の輩ー、召次の御牛飼皆水干也」〈園太暦貞和四・二・一三〉 ②身だしなみが悪く、不恰好なこと。また、その者。一般に、不恰好で下品なこと。「景物を好めば、連歌つまる也。次に、句数を好めば、連歌ーになるなり」〈一紙品定之灌頂〉。「ー。単の袴さへなく、じだらくなと云ふ義なり」〈世話用文章上〉

ふたごころ【二心】①二人の女をともに愛する心。「ーおはしますはつらけれど、それもことわりなれば」〈源氏宿木〉 ▽平安女流文学では、アダが不実な気持であるのに対して、フタゴコロは、二人の女をともに愛しつづけることに使っている。②敵に通じる心。裏切りの心。「時に武内宿禰、歎きて曰はく、吾元よりーなくして、忠を以て君に事(つか)めつ」〈紀応神九年〉。「教盛を一向ーある者と思し召すにこ

そ」〈平家二・少将乞請〉 †Futagökörö

ふたごもり【二籠・双納】 一つの物の中に二つの物が入っていること。ねぎの茎・蚕の繭などにいう。「秋葱(あきき)のいや一思惟(おも)ふべし」〈紀仁賢六年〉。「匹繭(ひきまゆ)のかく一せまほしみ」〈後撰八七五〉 †Futagömöri

ふださし【札差】《「札」は蔵米受取手形の意。これに受取人の名を記し、割竹に挟んで蔵役所の藁包に插して出したのでいう》 近世、旗本・御家人の代理として、蔵米の受取り及び売捌きの事務を掌り、その手数料を取り、また、その現米を担保としての金貸しを業とした者。江戸浅草の幕府の御蔵付近(蔵前)に百九軒営業していた。蔵宿。「浅草御蔵前一宿、この度吟味の上、右百九人に相究め」〈正宝事録享保九・七〉

ふたさやの【二鞘の】『連語』 二つ並んでついている鞘に二つの刀が別別に入っているように、思い合う二人が別別の家に隔たっているたとえにつかう。一説、枕詞。「人言(ひとごと)を繁みか君が一家を隔てて恋ひつつ居らむ」〈万六八五〉

ぶたしなみ【無嗜】 平素の用意・心掛けの足りないこと。「如何にみめよき者なれども、一の者もあるに」〈長恨歌抄〉

ふたしへ ェ【二し重】《シは強意の助詞》 もとから有るものの上に、今一つ重ねること。「一にいとほしくあはれなることを思ひ入りて」〈宇津保俊蔭〉

ふだしょ【札所】 巡礼が参拝する霊場。巡礼札を納め、巡礼帳を出して宝印の捺印(なついん)を受ける。特に西国三十三所の札所が有名。「三十三番順礼一取り立て申すべく候」〈宗静日記寛文六・七〉

ふたせ【二瀬】 ①二つの役を兼ねる奉公人。特に、下女が乳母などを兼ねる場合にいう。「子を育て飯などをも炊く乳母を一と言ふとぞ」〈浮・好色伊勢三〉 ②下女奉公をしながら色をも売ること。また、その女。二瀬女。「これへ一の約束して」〈西鶴・一代女五〉

ふだせん【札銭】 芝居や見世物などの入場料。木戸銭。「布施の豆板〔銀〕は〔芝居ノ〕鼠戸の一と定め」〈仮・東海道名所記一〉

ふたそぢ【二十】《ソは十、ヂはハタチのチに同じ》 二十。二十年。はたち。「一へてもあふと聞かばや」〈為忠後百首〉

ふたたび【二度】 二度(にど)。「一年(ひととせ)に一かよふ君ならなくに」〈万二〇七七〉 †Futatabi **一めし**【二度飯】 米を煮て湯汁を取り去って蒸した後、再び水でよく煮た飯。軟らかいので病人・老人・胃弱の人に用いる。「此の上は一に塩肴」〈俳・大句数上〉

ふたつ【二つ】《ツは数詞の下に添える語》 ①二箇。「真珠(まだま)なす一の石を」〈万八一三〉 ②二度。「出家必ずし侍りなん、又一、こと人見るといふことはあるべきにもあらず」〈大鏡公季〉 ③両方。「風雲は一の岸に通へども」〈万一五二一〉 ④相並んでいるさま。「あしひきの此の片山に一立ついちひが本に」〈万三八八五〉 ⑤いま一つ。も一つ。「ただ源氏の大納言の御顔を、一に写したらむやうに見え給ふ」〈源氏澪標〉 ⑥二歳。「ここに侍る人の子の一ばかりに侍りしを」〈源氏手習〉 ⑦二番目。「一にはかぞへうた」〈古今序〉 ⑧近世、囲碁で、上手(七段)に対して石二つ置いて打つことをいい、三段の位に相当する。名人との対戦には石を三つ置く。「六蔵と云ふ一の碁打」〈鹿苑日録慶長八・八・一五〉 **一ぎぬ**【二つ衣】 衵(あこめ)を二枚重ねて着ること。「練貫(ねりぬき)の一に白き袴を着給へり」〈平家九・小宰相〉 **一ぐし**【二つ櫛】 一対の插櫛(さしぐし)。また、それを髪にさすこと。「守り袋に一、染分の抱へ帯」〈西鶴・五人女三〉 **一だま**【二つ玉】 弾丸を二つ込めた火縄銃で撃つこと。また、その弾丸。「一をこみ入れたる筒をさし当てて放し候へば」〈信長公記首巻〉 **一どう**【二つ胴】 二人の胴体を重ねて、刀で一度に切り離すこと。また、その刀。「二人重ねて一、水もたまらず切り離し」〈近松・日本西王母五〉。「一なれば勘忍して、閂差(かんぬきざし)にぶんのべ」〈評判・高屏風上〉 **一どり**【二つ取】 二つの中から一つを選び取ること。二つ一つ。「さりながら、一には、〔取次ヲ介サズニ太刀ヲ〕自身持参然るべし」〈雑事覚悟事〉 **一な・し**【二つ無し】『形ク』 ①ただ一つしかない。「頂(いなだき)に蔵(すき)める玉は一・しかにもかくにも君がまにまに」〈万四一二〉 ②比べるものがない。この上ない。「喜ぶこと一・し」〈土佐二月六日〉 **一のうみ**【二つの海】 生と死の世界を海にたとえた語。「生死の一をいとはしみ潮干の山をしのひつるかも」〈万三八四九〉 **一のみち**【二つの道】 ①《白氏文集、秦中吟に、富家の女と貧家の女とで結婚に二つの道があることを歌っていることから》 貧富によって夫への仕え方に相違のあること。「わが一うたふを聴けとなむ聞えごち侍りしかど」〈源氏帚木〉 ②忠と孝など、兼ね備えるべき両道。「とにかくに一を思ふこそ世に仕ふるも苦しかりけれ」〈続後拾遺一〇七三〉 **一ぼし**【二つ星】 牽牛・織女の二星。「片糸か(寄リ合ワナイカ)雨の今宵の一」〈俳・毛吹草六〉 **一ものがけ**【二つ物懸】 二つの内のどちらか一方に賭けること。また、のるかそるかの勝負をすること。「一な事をせぬがよいぞ」〈周易抄〉 **一もん**【二つ紋】 小さい紋を二つ並べて付けること。また、その紋。比翼紋。「一とて小さき紋をならべて付くる事、女郎にも男にもあり」〈色道大鏡一〇〉 **一わり**【二つ割】 一幅の半分を更に二つに折って作った女帯。「一の帯を押し下げてしたる者五六人あり」〈色道大鏡三〉 **一をり**【二つ折】 近世、髷を長く出して二つに折った髪風。「髪を一に結はして」〈評判・難波の顔三〉

ふだつき【札付】 ①札の付いていること。特に、値段を記した札の付いていること。また、そのもの。「一の切を入れたる箱根山」〈俳・物種集〉 ②世に定評の有ること。広く知れ渡っていること。主として悪い意味に用いる。「一のおしゃべりあまにて」〈滑・浮世風呂三上〉

ふたづま【二妻】 妻二人。「我措(お)きて一とるや」〈神楽歌五一〉

ふたと『副』 勢いよくぶつかる音の形容。ぽんと。「男の尻を一蹴たりければ」〈今昔二三ノ二〇〉。「鼻を粥の鋺(かなまり)に一うち入れつれば」〈今昔二八ノ二〇〉

ふたところ【二所】 ①御二人。「女みこたち一、この御腹にましませど」〈源氏桐壺〉 ②二か所。「十郎蔵人の宿は一あり」〈平家三・泊瀬六代〉 **一どう**【二所籐】 弓の籐の巻き方の一。二か所ずつ一定の間隔を置いて巻いたもの。「一の弓の真中執りて」〈義経記五〉

ふたなぬか【二七日】 十四日間。「患ふことあるには、七日・一など療治とて籠り居て」〈徒然六〇〉

ふたの【二布・二幅】《布二幅で作るのでいう》 女の腰巻。ゆもじ。ふたのもの。「夕顔の棚の下なる夕涼み男はててら妻(め)は一して」〈咄・醒睡笑五〉

ふだのきゃう【不断の経】《フダはフダンのンを表記しなかった形》 ⇒ふだんぎゃう。「一よむときかはりて鐘うちならすに」〈源氏夕霧〉

ふたば【二葉】 ①(草木の芽出しの)二枚の葉。「みやま木の一三つ葉にもゆるまで」〈拾遺一〇五一〉 ②幼少の時。「一よりことごと疑ひなく后がねとかしづき聞え給へるに」〈栄花根合〉。「一にて母には離れ候ひぬ」〈問はず語り三〉 **一のひと**【二葉の人】 幼い人。「ゆたかなる勢ひになりて、一をも思ふさまにかしづきおほし立て」〈更級〉　——のまつ【二葉の松】子松。若松。幼い人にたとえることが多い。「植ゑおきし——はありながら」〈後撰一四二三〉。「——も今は頼もしき御生ひ先と祝ひ聞えさするを」〈源氏松風〉

ぶたふ（ウ…ト）【舞踏】拝礼の一。朝賀をはじめ、多くの儀式、即位、節会などのとき群臣の行なう作法。はじめ再拝して笏(しゃく)を置き、立って左右左、また坐して左右左と上半身をひねり、笏を取って小拝して、立って再拝する。「渤海国の使は、皆悉く下馬して再拝——す」〈続紀宝亀一〇・四・二二〉。「御衣賜はす。おとど、おりて——し給ふ」〈源氏宿木〉

ふたふた ①《擬音語》ばたばた。ぱたぱた。「扇——と使ひ」〈枕六三〉。「〔雉ガ〕しばらくは——とするを引かへて」〈今昔一九ノ二〉 ②急いでいるさま。あわただしいさま。あたふた。「姫の御側へ——と入らせ給へば」〈伽・唐崎物語〉

ふたへ（ヱ）【二重】①二つ重なっていること。「衣こそ——も良き」〈紀歌謡四七〉。「堀を——に掘って」〈平家二・六代被斬〉 ②二つに折れ曲がること。腰が折れ曲がったようになること。「いといたう老いて、——にてゐたり」〈大和一五六〉 ③「二重染め」に同じ。「——の色濃き直衣」〈建礼門院右京大夫集〉 ④襲(かさね)の色目の名。「我身は——の狩衣に」〈平家四・鵼〉 †Futafe　——おりもの【二重織物】綾織の地紋の上に別の色糸で上紋(うわもん)を浮かして織り出したもの。「——・うち物・織物など、さまざまにつくしたり」〈栄花根合〉　——ぞめ【二重染め】染めた生地の上に、他の色で模様などを染め出したもの。また、その染め方。二重物。「露の後霜の紅葉や——」〈俳・犬子集五〉

ふたほがみ〔枕詞〕《フタ(二)ホガミ(腹)の意》二心の意から「悪し」にかかる。「——悪しけ人なりあたゆまひ(急病)わがする時に防人にさす」〈万四三八二〉 †Futafogami

ふたま【二間】①柱と柱との間の数二つ。また、東から数えて二番目の柱間。「格子——ばかりあげて」〈源氏蓬生〉。「おろしこめたる中の——に立て隔てたる障子の穴よりのぞき給ふ」〈源氏宿木〉 ②柱間が二つある部屋。「——の際なる障子」〈源氏末摘花〉 ③清涼殿の夜御殿(よるのおとど)の東にある部屋の称。夜居の僧などの伺候する所。「——の東の戸に向ひて、上の戴かせ奉らせ給ふなり」〈紫式部日記〉

ふたます【二升】支払う時や売る時には小さな升、受け入れる時や買う時には大きな升を使用して、不正な利益を得ること。また、その升。「——を使ふと四方に言ひ触らし」〈俳・祇園誹諧合四〉

ふたまた【二股】①ものの先が二つに分れていること。「両岐(ふたまた)に分れたり」〈白氏文集四・天永点〉 ②二つのどちらにもつきしたがうこと。両道かけること。「だしぬき或いは——にて、小身なる敵に勝ち」〈甲陽軍鑑一九〉　——かうやく（コウ…）【二股膏薬】二心を抱いて、態度のはっきりしないこと。また、その者。「二眼(ふため)づかひ」とも。「他国の——大将は、かへって徳分を取るはとも申し候」〈籾井家日記八〉

ふたみち【二道】①別の方に向う二つの道。「過ぎにしも今日わかるるも——に行く方知らぬ秋の暮かな」〈源氏夕顔〉 ②もう一人の妻や夫を持つこと。「あれこそ、裟婆にて——かけて、女房に胸をこがさせたる者よ」〈伽・富士の人穴の草子〉。「せめては余所の帰さにもとへ／——の恨みも絶えて恋しきに」〈竹林抄六〉

ふたむねのごしょ【二棟の御所】寝殿造における渡殿(わたどの)の一種。寝殿の東北に接し、一部に出居(でゐ)という部屋が設けられている。二棟廊(ふたむねのらう)。「将軍家——に出御あり」〈吾妻鏡建長五・一・八〉

ふためか・し〘四段〙ばたばたさせる。「〔雀ガ〕羽を——・してまどふほどに」〈宇治拾遺四八〉

ふため・き〘四段〙《フタは擬音語。メキは接尾語》①ばたばたと音を立てる。「この棹にかけたる鳥、ふたふたと——・く」〈今昔一九ノ六〉。「翩、フタメク」〈文明本節用集〉 ②あわてばたばたする。あわて騒ぐ。「倒れ——・き、をめき叫んで逃げ去りぬ」〈平家八・緒環〉。「馬を深田に乗りたふし、落ち——・き」〈明徳記上〉 ③あわて急ぐ。「たしなむ心もうち捨て、——・いて出らるるなり」〈長恨歌抄〉

ふためぐるひ（グ…ルイ）【二妻狂・二女狂】二人の女に溺れて色に耽ること。「——の袖ぞあやしき」〈俳・寛永八年五十韻〉。〈日葡〉

ふたもじ【二文字】〔女房詞〕韮(にら)。「女どもは韮を——と云ふぞ」〈玉塵抄三八〉

ふたゆ・き【二行き】〘四段〙二つ並んで存在する。「うつせみの世やも——・く何すとか妹に逢はずてわが独り寝む」〈万七三三〉 †Futayuki

ふたよ【二代】二回の人生。「世間(よのなか)＝一生)はまこと——は行かざらし」〈万一四一〇〉 †Futayŏ

ふだらく【補陀落】《梵語の音訳》インドの南海岸にあると信じられていた、観音の浄土。我が国では紀州那智山をこれに擬し、西国三十三所観音第一番の札所とする。補陀落山(ふだらくせん)。「——(奈良興福寺ヲサス)の南の岸に堂たてて今ぞさかえん北の藤浪」〈新古今一八五四〉。「南晴れたる那智の海づら／——の船こそまこと法(のり)の道」〈能野千句〉　——せん【補陀落山】「補陀落」に同じ。「観音の霊像は岩の上に顕はれて——とも言っつべし」〈平家一〇・熊野参詣〉

ふたり 強くぶつかるさま。ふたと。「鼻はづれて粥の中へ——とうち入れつ」〈宇治拾遺三五〉

ふたり【二人】《リは人数を表わす接尾語》両人。上代では一組の男女をさしていう例が多い。「鳰鳥(にほどり)の——並び居」〈万四一〇六〉

ふたゐ【二藍】「ふたあゐ」の約。「ゆく人は——の小袿(こうちき)なり。…九月十よ日の程なり」〈かげろふ上〉

ふだをさめ【札納め】年末に、門戸に貼ってある寺社の祈禱札を取り去って氏神などに納めたり、竈で焼き棄てたりすること。古札納め。「馴れ馴れて見しや名残りの——」〈俳・四十番句合〉

ふだん【不断】①絶えないこと。ずっとつづくこと。「御修法はいつとなく——にせらるれば」〈源氏柏木〉 ②平常。平生。「——知りたる事なれば」〈伽・猿源氏草紙〉。「あれは——心がけた者ぢゃ」〈虎明本狂言・武悪〉。「惣じて、狂言は世話にて、——の詞也」〈わらんべ草四〉　——かう（コウ）【不断香】絶えずたく香。「——の香(か)、庵の内に満ちてかうばしき事限りなし」〈今昔二〇ノ三九〉　——ぎゃう（ギョウ）【不断経】昼夜間断なく読経すること。また、冥福・追善などのために、一定期間、昼夜絶え間なく交替で大般若・最勝王・法華などの経を読誦する仏事。不断の読経。「ふだの経」とも。「——のあかつき方の居代りたる声の、いと尊きに」〈源氏総角〉

ふち【淵】①湖・池・川などで、水が淀んで深くなっているところ。「わが行きは久にはあらじ夢のわだ瀬にはならずて——にあらぬかも」〈万三三五〉 ②「瀬」と並べて、世の中の変遷、人の浮沈の種種相にたとえる語。「うきもつらきも諸共に——も瀬にも遅れじと契りしものを」〈宇津保菊宴〉

ふち【縁】物の周縁。へり。「車の横さまの——を弓の形(かた)にし」〈大鏡道兼〉

ふち【扶持】①助けもつこと。助力すること。「年八十ばかりにて階(きざはし)をのぼる事叶はざりけるを…前後にあひ従ひて——したりけり」〈著聞九八〉。「外祖忠仁公、幼主を——し給へり。これぞ摂政のはじめなる」〈平家一・額打論〉。〈色葉字類抄〉 ②領主が臣下に所領として土地と百姓とを与えること。「不信懈怠(けだい)のありさまにて〔施物ニヨッテ〕自身を養ふのみならず、あまっさへ眷属(けんぞく)をさへ—し、はごくむ事、大きに理にそむけり」〈明恵遺訓〉 ③武家時代、下級家臣に米で与える祿。江戸幕府では、一日玄米五合の給与を一人扶持とした。扶持米。「太田吉兵衛…七人—に御直し下され候」〈梅津政景日記慶長一七・一〇・二七〉

ふぢ【藤】 ①植物の名。藤原氏隆盛時代には藤氏にゆかりの花として特に愛好された。「春日野の—は散りにて何をかも御狩の人の折りて插頭(かざ)さむ」〈万一九七四〉。「いかにせん—の末葉(すゑば)のかれゆくを唯春の日(藤原氏ノ氏神、春日ノ神)に任せてや見ん」〈平家七・主上都落〉 ②藤・葛(かづら)など蔓状の植物。特に、繊維が織物となるようなものの総称。「—のさきは、ひうち羽の長さにくらべてきりて、牛の角のやうに撓(たわ)むべし」〈徒然六六〉。「藟、フヂ」〈名義抄〉 ③ふじいろ。「—の末濃(すそご)の織物の御几帳」〈栄花御裳着〉 ④「ふぢごろも」(2)の略。喪服。「君がみそぎの—のやつれを」〈源氏少女〉 ⑤襲(かさね)の色目の名。「—の細長そへて、女の装束かづけ給ふ」〈源氏胡蝶〉

ぶち【斑】 毛色のまだらなこと。「駮、ブチムマ」〈名義抄〉 ▽奈良時代、濁音ではじまる数少ない語の一という。

ぶち【鞭】 むち。「道行く人、馬に乗りて、—して月をさして見る」〈貫之集三〉。「乗る駒の遅き歩みに—打ちて」〈看聞御記紙背連歌〉。「鞭、夫知(ぶち)」〈新撰字鏡〉

ぶちあ・げ【打ち上げ】『下二』《ウチアゲの転》 ①取り上げる。「御器の実を—・げ」〈近松・丹波与作中〉 ②むちゃくちゃに上げる。ひどく上げる。「あの野郎、此の頃血道を—・げて居るぜ」〈滑・浮世床初上〉 ③しゃべる。ぬかす。「ぬけぬけとした事を—・げるぜ」〈滑・浮世床初下〉

ふちう(フチュウ)【府中】 国府。また、その所在地。府内。「府中、フチウ、諸国の府也」〈文明本節用集〉

ふちおひ(フチオイ)【縁笈】 笈の一種。枠(わく)を組んで板を張り、荷物を結びつけるようにし、反対側に背負い紐をつけたもの。「頭陀(づだ)の—肩に掛け、北国修行と聞えける」〈仮・恨の介下〉

ふちかた【扶持方】 扶持米。また、その給与を受ける者。「—の米、五三日中に相渡すべきの由返事これ有り」〈言経卿記文祿一・六・一三〉

ふぢかづら【藤葛】 藤などのつる。「—を取りて…衣(きぬ)褌(はかま)また襪(したぐつ)沓(くつ)を織り縫ひ」〈記応神〉

ぶちこま【斑駒】 いろいろな毛がまじってぶちのある馬。「天の—を剝(さかはぎ)ぎて」〈紀神代上〉 †*butikoma

ふぢごろも【藤衣】 ①藤や葛(かづら)などの繊維で織った衣。丈夫だが粗末な服とされた。「須磨の海人(あま)の塩焼衣(ぎぬ)の—間遠にしあればいまだ着なれず」〈万四一三〉 ②麻布の喪服。また、喪服。「—着しは昨日と思ふまに今日はみそぎの瀬にかはる世を」〈源氏少女〉。「縗、不知古路毛(ふぢごろも)、喪服也」〈和名抄〉 †Fudigörömö

ふちせ【淵瀬】 ①淵や瀬。水の深い所と、流れの早い所と。「三川(みつかは)の—もおちず(欠カサズ)小網(さで)さすに」〈万一七一七〉 ②心の深さ浅さ。物事の機微。「幼き子に文をとらせて、—も知らせずせめさするは、かしこきわざかな」〈宇津保藤原君〉 ③《古今集九三三の「世の中はなにか常なる飛鳥川昨日の淵ぞ今日は瀬になる」の歌から》 世事・人事の移り変りやすいことのたとえ。「世の中をいとな嘆きそあすか川あすかの川は—なりけり」〈古今六帖三〉。「ふるさとをかは(彼ハ・川)と見つつもわたるかな—ありとはむべもいひけり」〈大和一〇〉

ふちだか【縁高】 菓子などを盛るのに用いる、縁を高くした折敷(をしき)。「御汁二菜四五にて、茶子—にて三五色御入り候ひき」〈本願寺作法〉。〈下学集〉

ふぢつぼ【藤壺】 飛香舎(ひぎやうしや)の別名。「頭中将—より出でて…立蔀(たてじとみ)のもとに立てりけるを」〈源氏賢木〉

ふぢなみ【藤波】 藤の花房が風に靡いてゆれる様子を波に見立てていう語。歌で、藤原氏の栄えをこめていうこともある。「恋しければ形見にせむとわがやどに植ゑし—今咲きにけり」〈万一四七一〉。「ちはやぶる賀茂の川べの—はかけて忘るる時の間ぞなき」〈梁塵秘抄五〇二〉 †Fudinami **—の**【藤波の】〔枕詞〕 藤のつるが物にまといつくことから「まつはり」、波と同音から「並みに」、波の縁語の「立つ」「寄る」などにかかる。「—思ひまつはり」〈万三二四八〉。「—並みに思はば」〈古今六九九〉。「—立ちも帰らず」〈後撰一二六〉。「—寄ると頼めし言の葉を」〈新続古今一三三五〉

ふちにん【扶持人】 扶持を受けている家臣。「目代『当坊—にてこれ無し』と申し候を聞き付け、則ち今夜呼び付け、『—にてこれ無きか、只今申し候へ。急度(きつと)成敗仕るべし』と申し候へば」〈北野社家日記慶長三・一一・二九〉

ふぢのはなのえん【藤の花の宴】 藤壺で行なわれる、藤の花の下での宴。「四月ついたちごろ節分とかいふことまだしき先に渡し奉り給ふ。明日とての日、藤壺に上(うへ)渡らせ給ひて、—せさせ給ふ」〈源氏宿木〉

ふぢのまる【藤の丸】 近世、駿河国興津清見寺前にあった膏薬店。藤の丸の紋を商標にしたのでいう。三都に出見世を出し有名であった。また、その店の膏薬。「—や松が枝ならで幕の紋」〈俳・鸚鵡集三〉

ふぢばかま【藤袴】 ①秋の七草の一。淡紅紫色の小花を茎の頂きに群がりつける。茎・葉に香気があり、蘭草・香草などと呼ばれる。「女郎花(をみなへし)また—あさがほの花」〈万一五三八〉 ②襲(かさね)の色目の名。「花摺(す)り衣の色襲、裏紫の—」〈謡・通小町〉 ③藤の皮の繊維で織った粗末な袴。「まぶくた丸が—、我ぞ縫ひしか、その片袴」〈奥義抄〉

ふちまい【扶持米】 扶持として給与される米。「—六合、馬大豆一升充(あて)地頭これを出すべし」〈駿河天野文書天正一七・七・七〉

ふぢやう(フジョウ)【不定】 ①決まっていないこと。未定。「かかりし間、宮の御方へは—の由をぞ申しける」〈平家四・南都牒状〉 ②あてにできないこと。あやしく不確実なこと。「それもいかが侍らん。—なる事どもはべんめれば」〈かげろふ下〉。

ふつ ものを切断する音。「予(やつこ)が剣、号(な)を韴霊(ふつのみたま)といふ」〈紀神武即位前〉

ぶつ【仏】 ①「仏陀」の略。「今この山に入りて、—・菩薩をおどろかし、懈怠(けだい)邪見のともがらに忍辱(にんにく)の心を起さしむるゆゑに」〈宇津保俊蔭〉 ②仏教。仏道。「宝字称徳孝謙皇帝、出家して—に帰す。更に諡(おくりな)を奉らず。よりて宝字二年、百官上(たてまつ)る所の尊号を取りて称す」〈続紀天平勝宝二、首書〉

ぶついん【仏因】 仏果を得る因となるもの。成仏の因。「ほのかに聞く、聚沙為仏塔功徳たちまちに—を感ず」〈平家五・勧進帳〉

ふつう【不通】 ①全然通じないこと。全然理解できないこと。「晩出家の人にて一文(いちもん)—なりけれども」〈沙石集一〇ノ六〉 ②交通・通信が絶えること。「伊勢太神宮幣使発遣、本路—に依り新道を用ひらるべきや否やの事」〈師守記文和五・三・二八〉。「筑州聞かれ候て、彼方(毛利秀元)へ近年―に候」〈吉川家文書二、元和三・九・三〉 ③縁を切ること。親族関係を絶つこと。また、絶交。「民少息藤五郎―の申し事につき、由甫扱ひ申し、相済み了んぬ」〈舜旧記慶長三・六・二八〉 ④全然。まるきり。「血気の勇者と言ふべし。―の臆病者には勝るべし」〈仮・武家功者咄上〉

―に【不通に】『副』《下に打消の語を伴って》全然。全く。たえて。「加州へは―下らぬぞ」〈北越軍記九〉

ふつか【二日】《カは、ヒ(日)の複数》①二日間。「近くあらば今―だみ(二日以内)遠くあらば七日のをち(七日以上)」〈万四〇一一〉 ②二日目。「―といふ日の昼つかた」〈枕三〇一〉 **―ばらひ【二日払】** 遊里の支払の称。また、その遊興費。近世前期、遊里の諸勘定の支払日は毎月二日だったのでいう。「金は忽ち―に」〈俳・大矢数三〉 **―やいと【二日灸】** 近世、二月二日・八月二日に、主に三里の灸穴に据えた灸。年中息災の功能や他の日に倍加する効果があると信じられた。二日きゅう。「焼きぬるは―をする野かな」〈俳・山の井五〉。〈俳・毛吹草二〉 **―ゑひ【二日酔】** 前夜の酒の酔いが翌日になっても残っていること。ふつかよい。「二日気(げ)」とも。「―には頭(かみ)もあがらず」〈俳・犬筑波〉。「宿酒は―なり」〈錦繡段鈔一〉

ぶつがう【仏号】 ①仏の名号。「〔仏名会ノ〕―、遙かに聞けども、知ること得ず」〈菅家後集〉 ②特に、阿彌陀仏の名号。「手に願文を握り、口に―を唱へて終りにけり」〈著聞四八〉

ぶっかく【仏閣】 寺院。伽藍。「―僧坊一宇も残さず焼き払ふ」〈平家一・清水炎上〉

ふっき【富貴】 富み栄えること。「貧窮の愁へをとどめて―の楽しびを得て」〈今昔一六ノ一〇〉

ふづき【文月】《フミヅキの転》陰暦七月の称。「われいかで―・ながら月に死にせじ。相撲節・九日節のとまらむがくちをしきに」〈大鏡昔物語〉

ぶっきゃう【仏経】 ①仏像と経典と。「堂塔をこぼち、―を焼きつくしつ。それに焼け残れる―をば難波の堀江に捨て入れつ」〈三宝絵中〉 ②仏教の経典。お経。「―なんど心の及ぶほど書供養(かきくやう)しけり」〈発心集二〉

ぶっきゃう【物狂】 ①ものぐるい。狂気。「ただし、―の人にて、悪しきさまにや御目にかかり候はんずらん」〈盛衰記一九〉。「詩に案じ入った時は、―がおこりて物狂はしきぞ」〈三百集坤〉 ②相手の常軌をはずれた挙動に対する心外な気持をあらわす語。「なう、そなたのなりは、―や、何事ぞいなう」〈虎明本狂言・鈍太郎〉

ぶっく【仏供】 ⇒ぶく。「只、堂童子とて俗なむ入りて、―・燈明奉る」〈今昔一ノ一七〉。〈日葡〉

ぶつぐ【仏具】 ⇒ぶぐ。〈運歩色葉集〉

ふづくえ【文机】「ふみづくえ」の転。「―におしかかりて書などをぞ見る」〈枕一九一〉

ふつくに【悉に】『副』《フツはフツニ(都)のフツに同じ》ことごとく。すっかり。「朝(みかど)の庭(うち)―異(あや)しがる」〈紀敏達一年〉

ふつく・み【憤み・恚み】『四段』腹を立てる。憤慨する。「戒日王殊に―・める色無く」〈大唐西域記五・長寛点〉。「慷慨して―・んで云ふほどに」〈四河入海三五下〉。「恚、イカル・フツクム」〈名義抄〉

ふづく・り【文作り・符作り】『四段』①作り整える。「草子一冊―・らせ了んぬ」〈言経卿記文祿三・四・二六〉。「中立ちは見ず知らずをも―・りて」〈俳・埋草五〉。「文作、フヅクル」〈文明本節用集〉 ②だます。たぶらかす。「色ある藤を風が―・る／さまざまにたらしの涙春雨や」〈俳・投盃〉。「坊主・手代なんどを―・り」〈浄・好色訓蒙図彙上〉

ふつくろ【懐】「ふところ」の古形。「懐、布都久呂(ふつくろ)」〈華厳音義私記〉 †Futukurō

ぶっくゎ【仏果】 仏道修行によってもたらされる成仏という結果。「仏法を修行して、疾く―を得む」〈今昔七ノ六〉

ぶっけ【仏家】 仏教の世界。また、そこに身を置く者。僧。「生をあきらめ死をあきらむるは―一大事の因縁なり」〈正法眼蔵諸悪莫作〉

ふつころ【懐】「ふところ」の古形。「密(しのび)に―の中の糒(ほしひ)を食(くら)ふ」〈紀允恭七年〉。「懐、フツコロ・フトコロ」〈名義抄〉

ぶっし【仏師】 仏像を彫り刻む人。仏工。「―を勧請して仏の耳を造らしめ」〈霊異記中三九〉

ぶつじ【仏事】 仏教の儀式。追善・供養・法会などをいう。「官家、諸の―を修行す」〈続紀天平宝字四・七・二三〉

ぶっしゃう【仏性】 一切衆生が本来持っている仏となる可能性。「―常住のことわりをあらはして」〈三宝絵下〉。「身のうちの―の煩悩に覆ひ隠されつるも、今宵の光にや光りいで給ふらん」〈栄花御裳着〉

ぶっしゃう【仏餉】 仏前に供える食物。「常燈・―なども絶えずして」〈今昔二八ノ二〇〉。〈易林本節用集〉 **―づつ【仏餉筒】** 仏前に供える米を入れる竹筒。「―を摸り出し」〈浮・好色産毛二〉 **―とり【仏餉取】** 家家に仏餉筒を置き、それに溜った米を毎日取りに歩く乞食。腰に差した柄杓に米を入れて集め廻った。〈人倫訓蒙図彙七〉

ぶっしゃうび【仏生日】 四月八日、釈迦の誕生日。「今日は―とて、心あるも心なきも灌仏の水に心を澄まし」〈太平記八・主上〉

ぶっしゃり【仏舎利】 仏の遺骨。仏骨。「密かに数粒の珠子を其の前に置きて、称して―を現ずと為す」〈続紀神護景雲三・一〇・四〉

ぶっしゅ【仏種】 仏果を生ずる種子。「―、縁より生ずる故なり」〈著聞三六〉

ぶっしょ【仏所】 ①仏の居る所。極楽浄土。「奈落に沈む悪人を―に送り給ふなる、その瑞相のあらたさよ」〈謡・鵜飼〉 ②仏像を安置する所。「一間を御寝所にしつらひ、一間をば―に定め」〈平家灌頂・大原入〉 ③仏師の集団が住んでいる地区。また、その工房。「猶、―の法印に仰せて、御身等身の七仏薬師ならびに五大尊の像を造りはじめらる」〈平家三・御産〉

ぶつじょう【仏乗】《衆生を乗せて彼岸の世界に到達させる教法の意》一般大衆に成仏の道を説き示す教え。「頻りに―を悟りて、常に法花経を講ず」〈今昔七ノ二四〉

ぶっしんしゅう【仏心宗】 禅宗の異称。「俗徒多く禅宗と称し、達磨宗と称し、―と称する妄称」〈正法眼蔵仏道〉

ぶっせつ【仏説】 仏の説かれた教え。仏教の所説。「声をあげてよむものは―のなかの摩訶の般若の心経なりけり」〈栄花月宴〉

ぶっそう【物忩】 ①あわただしく落ちつかないこと。「この程京中―の由うけたまはる間」〈古活字本保元上・官軍手分け〉。「―に散る花なれども、春色をば見すると也」〈拾遺愚草抄出聞書〉 ②危険なこと。「洛中は日暮れぬれば、小路―に候間」〈伽・猿源氏草紙〉

ぶっだ【仏陀】《梵語の音訳》仏。「これによりて神明―もすて給はず」〈著聞一四三〉

ぶつだう【仏道】 仏の説く道。仏教。また、仏果。「敦(あつ)く―を崇(あが)む」〈続紀天平宝字四・六・七〉。「釈迦如来三十五にして―なり給へり」〈栄花鶴林〉

ぶっちゃうがほ(:チョウガオ)【仏頂顔】《仏頂尊の恐ろしい顔からという》不愉快そうなむっとした顔付き。無愛想なふくれ面。仏頂面(づら)。「主(しゅう)とも言はず口答へ、—の物腹立ち」〈宗祇短歌〉

ふつつか《フト(太)ツカ(束)の転か》①(体格や声音が)太くどっしりしているさま。「—なる後見まうけて」〈源氏帚木〉。「御声昔よりもいみじく面白く、少し—に物物しけ添ひて聞ゆ」〈源氏若菜下〉②ふとくて感じが悪いさま。不恰好に太っているさま。「竹の中に家鳩といふ鳥の—に鳴くを聞き給ひて」〈源氏夕顔〉。「いと荒荒しく—なるさましたる翁の」〈源氏浮舟〉③優美でなく、野暮くさいさま。不恰好なさま。「船路のしわざとてすこし黒みやつれたる旅姿、いと—に心づきなし」〈源氏夕顔〉④大まかで雑なさま。「不幸に愁へに沈める人のかしらおろしなど、—に思ひとりたるにはあらで」〈徒然五〉⑤行き届かないこと。無調法なこと。「御気質—に、色黒く背高く」〈浄・平安城二〉

ふっつり ①物を断ち切るさま。また、その音。「小手の鎖、胴縄—ばらばらばら」〈近松・唐船噺下〉②全く。断然。「これからは—と思ひ切ったぞ」〈虎明本狂言・鈍太郎〉

ふってい【払底】《入れ物の底を払う意》物が全く欠乏すること。底をつくこと。「薄紙—の間、反故を用ゐる所なり」〈庭訓往来七月日〉。〈文明本節用集〉

ぶってん【仏天】①《仏を天尊ともいうので》仏の尊称。「—の告げあるによりて奏し侍るなり」〈源氏薄雲〉②仏と諸天神と。「ブッテンニソムク」〈日葡〉

ふつと『副』①完全に。「—思ひ切りたりけるを」〈宝物集中〉②《打消と呼応して》全然。「上手の—せぬことなり」〈八雲御抄六〉

ふっと『副』《フトの促音化》はからずも。急に。「—思ひ出しけるは」〈バレト写本〉。「—思ひ立ってござある」〈虎明本狂言・雷〉

ぶつど【仏土】仏の住む国土。阿彌陀仏の極楽浄土をさすことが多い。「東方に無量無辺の—を過ぎて世界あり。娑婆(しゃば)世界といふ」〈今昔三ノ三〉

ふつに『副』《フツは全ての意》①ことごとく。完全に。「大乗経は力勝れたるをもて、重罪を都(つ)に滅せり」〈法華義疏長保点〉。「かやうに、—身を捨て侍る人には、終りの時、必ず目たたしき程の瑞相の侍るなめり」〈閑居友〉②《打消と呼応して》全然。「海上に忽ちに人の声有り。すなはち驚きて求むるに都(つ)に見ゆる所無し」〈紀神代上〉。「太郎頼家は又、昔今—なき程の手利きにてありけり」〈愚管抄五〉

ぶつにち【仏日】《闇に迷う衆生を照らし救うことから》仏を太陽にたとえていう語。「—すでに涅槃(ねはん)の山に入り給ひなば、生死の闇に惑ふべし」〈栄花鶴林〉

ふつふつ ①物を勢いよく断ち切るさま。「刀を以て荒巻の縄を—押し切りて」〈今昔二八ノ三〇〉②全く。断然。「色の事申し出すも—と嫌ひければ」〈西鶴・椀久一世上〉

ぶっぽふ(:ポウ)【仏法】①仏の教え。仏道。「それ—は慈を以て先となす」〈続紀天平勝宝八・六・一〇〉②稲。また、米。「ぼさつ」とも。「—は実(み)が入れば傾(かた)ぶくと云ふ」〈三河物語下〉。「人もし患ふ事あれば、米を求めて薬として用ひ、万づの病をいやす事にて、米を—と云ふと也」〈男重宝記五〉 **—そう**【仏法僧】①仏教で三つの宝とするもの。仏と、その教えを説いた法と、その教えを説教する僧と。「三帰。—に帰依するをいふ」〈万巻五・沈痾自哀の文〉②鳥の名。仏・法・僧と三声に鳴くというので、この名がある。三宝鳥。「左大臣の家に八講するに—といふ鳥の鳴きければ詠みて奉る長歌」〈躬恒集下〉 **—の昼**《「昼」はまっ盛りの意》仏法の盛んなたとえ。「ちと飯参れ—」〈俳・両吟一日千句〉。「今—ぞかし、これは各別の寄進とて」〈西鶴・胸算用五〉

ふつまに『副』《フツはすべての意。マは接尾語。ニは助詞》すっかり。一説、フトウマニ(太馬に)の約という。「片思ひを馬に—負(おほ)せ持て」〈万四〇八一〉

ぶつみゃう(:ミョウ)【仏名】①仏の名。仏の名号。「—・法名・僧名の聞きがたき事」〈正法眼蔵帰依三宝〉②「仏名懺悔(ぶつみゃうさんげ)」に同じ。「—は律師静安が承和のはじめの年、深草のみかどを勧め奉りて、はじめ行なはせ給ふ」〈三宝絵下〉。「—とは、年の暮に三千仏の御名を唱へて、その年の罪を除くと云ふなり」〈新古今注〉 **—さんげ**【仏名懺悔】朝廷や諸国の寺院で行なわれた法会で、諸仏の名号を唱えて罪障を懺悔する。毎年十二月十五日から十七日まで三日間行なうのが普通であったが、後には十九日から三夜となり、更に、一夜となった。仏名会(ぶつみやうゑ)。「天皇、清涼殿に於て—を修す。限るに三日三夜を以てす」〈続後紀承和五・一二・一五〉

ぶつや・き『四段』つぶやく。「南無仏と—・きて、都をさして帰りける」〈俳・貞徳永代記三〉。〈日葡〉

ふ・て『下二』なげやりな気持から、却って反対の強い態度になる。すてばちになる。「養生してもいらぬ事、ままよと—・てたぞ」〈三体詩抄一ノ二〉。「さもあらばあれ。—・てたる詞也」〈匠材集四〉

ふで【筆】《フミテ(文手)の転》①字や絵を書くのに使う道具。「ここに翰(ふで)を染め、紙を操(と)りて」〈地蔵十輪経序・元慶点〉②筆を使って書くこと。また、その筆のあと。筆蹟。「—などのいとゆゑづきて」〈源氏澪標〉③筆による表現力。「絵にかける楊貴妃のかたちは、いみじき絵師といへども—限りありければ、いとにほひ少なし」〈源氏桐壺〉④筆の動き。「草の歌を—にまかせて乱れ書き給へる」〈源氏梅枝〉 ▷Fumite→Fumte→Funde→Fude **—の尻取・る** 歌や詩文の制作を指導添削する。「—・る博士ぞなかんべき」〈源氏末摘花〉 **—を染・む** 筆に墨を含ませる。転じて、筆で書く。「冥官—・めて一一にこれを書く」〈平家六・慈心房〉。「文明六〔年〕二月十六日、早朝に俄かに—・め畢りぬ」〈御文章〉

ぶでう(:ジョウ)【不調】①《仏語の「四大不調」にもとづく。人間の身体を構成する地・水・火・風の四大が調和しないことで、病気の意》体調や心持などのよくない状態。「日来玉体—にて、御膳に着御し給はず」〈小右記長和四・六・二〉②なにをするにも整わないこと。欠点が多いこと。「いと—なるむすめまうけ侍りて、もて煩ひ侍りぬ」〈源氏野分〉③素行・態度などが常識はずれなこと。「しかる間、かの男、主の為に—を致すに」〈今昔二七ノ四〉④みだらなこと。淫乱。「わ殿はちと—なる者にてあるほどに、御留守に姫君をやなぶり申さんずらん」〈伽・藤袋〉。「不調、フデウ、淫乱義也」〈文明本節用集〉

ぶてうはふ(:チョウホウ)【無調法】①行き届かないこと。無器用。「我万事は—なるが、かやうの所になりては、よう若い時より機転よかりしとなり」〈驢鞍橋下〉。〈文明本節用集〉②あやまち。不始末。粗相。「—の次第、御赦免成され候やう申し上げたく候」〈沢庵書簡寛永六・二〉

ふでおや【筆親】初めて御歯黒を染める時、これを掌る福徳の女子。かねおや。おはぐろおや。「—か紅葉(もみぢば)を染む龍田姫」〈俳・続大和順礼三〉

ふてき【不敵】大胆で恐れを知らないこと。「文覚は天性—第一の荒聖なり」〈平家五・勧進帳〉 **—な・し**【不敵な

し」《形ク》《ナシは甚だしい意》きわめて不敵だ。大胆不敵だ。「やあ、わ殿ばらは—しかな」〈浄・酒典童子若壮三〉

ふてごと【ふて事】捨てばちで、ふてくされたこと。「年ごろただ一人召し使ひつるに、—どもして、やすからずおぼえしかども」〈著聞五一八〉

ふですて【筆捨て】《画家が描くのをあきらめて筆を捨てる意》植物その他の自然を表わす語に冠して、それが表現を絶して美しいことを示す語。「明くる気色—松や四方の春」〈俳・当世男上〉

ふでたて【筆立】①書き始め。最初の書き出し。「さっとひろげて拝見ある。まづ一番の—には」〈伽・小栗絵巻〉②正月の書き初め。「あらたまの年のはじめの—によろづの宝を書き寄するなり」〈日本風土記〉③筆を立てかけておく文具。〈訓蒙図彙八〉

ふでづか【筆柄】筆の軸。「此の殿に良き—のあるものを」〈梁塵秘抄四七八〉

ふでづかひ ヅカイ【筆遣】筆の使い方。書きぶり。「言の葉・—などは、人よりことになまめかしく、いたり深う見えたり」〈源氏須磨〉

ふでつむし【筆つ虫】きりぎりす。今のコオロギ。「—は蛬(きりぎりす)を云ふ也。古筆のなる也」〈秘蔵抄中〉

ふでとり【筆取・筆執】筆を執って書くこと。また、その役。書役。書記。「八牧をたのみて—してありける古山法師に某の註記と云ひけるが」〈盛衰記二〇〉

ふでとるみち【筆取る道】書や画の道。「—と碁うつこととぞ、あやしう魂のほど見ゆるを」〈源氏絵合〉

ふでのすさび【筆のすさび】気の向くままに、筆の動きにまかせて書くこと。また、書いたもの。筆のすさみ。「主や誰見ぬ世の事を写しおく—に浮かぶ面影」〈拾遺愚草上〉

ふてもの【ふて者】捨てばちで、やけな振舞いをする者。「あれ程の—に寄り合ふべからずとて」〈義経記八〉

ふでゆひ ユイ【筆結】筆をつくること。また、その細工をする人。「皆才名(ざいな)乗(のり)などす。…『—の才なん侍る』」〈宇津保嵯峨院〉

ふてん【普天】あまねく全世界をおおっている空。また、その空の下の意で、天下。「—蒙(かが)る厚き仁(めぐみ)を」〈懐風藻〉 **—のした**【普天の下】天下。全世界。「陰陽いまだ和せず、—炎旱月を経(ふ)」〈続紀天応一・七・五〉

ふと【太】《物の直径が大きい意。接頭語的に使う》①直径が大であること。「—玉」〈記神代〉。「真木柱—高敷きて」〈万九一三六〉②《柱などの直径が大きい意から》建物などがどっしりと壮大であること。また、しっかりしていること。「宮柱—しり立てて」〈万四四六五〉③《転じて》壮重で立派なこと。「中臣の—詔戸言(のりとごと)言ひはらへ」〈万四〇三一〉 †Futo

ふと《副》《何の用意も前ぶれもなく行動をおこすさま》①たちまち。「『わが名はうかんるり』といひて、—山の中に入りぬ」〈竹取〉②す早く。さっと。「—天の羽衣うち着せ奉りつれば」〈竹取〉③急に思いついて。「—、(歌ヲ)やらむと思して(使ヲ)つかはす」〈和泉式部日記〉④不意に。どこからともなく突然。「猫また、あやまたず足元へ—寄り来て」〈徒然八九〉。「不図、フト」〈色葉字類抄〉

ふど【浮屠・浮図】①《梵語の音訳》「仏陀」に同じ。僧侶の意にも用いられた。「此の土(ど)に賢聖なし。西方に—といふものあり。これ聖人なり」〈開目抄〉②塔。そとば。「諸寺の—、年を経(ふ)ること稍(やや)久しくして、破壊の処多し」〈続紀延暦一〇・四・一八〉

ふどう【不動】①「不動明王」の略。「—の陀羅尼(だらに)よみて印(いん)つくりて」〈源氏常夏〉 **—げさ**【不動袈裟】山伏の着る袈裟。結袈裟(ゆいげさ)。「殊の外に色黒き墨染の衣の短きに—といふ袈裟かけて」〈宇治拾遺六〉 **—そん**【不動尊】「不動明王」に同じ。「—の御本の誓ひあり」〈源氏若菜下〉 **—みゃうわう** ミョウオウ【不動明王】五大明王・八大明王の一。悪魔・煩悩を降伏するため、忿怒の相を示し、右手に剣、左手に索(さく)を持ち、背に火炎を負う。火生三昧に入って、一切の罪障を破摧し、動ずることがないので「不動」という。脇侍の二童子は制吒迦(せいたか)・矜羯羅(こんがら)。「我はこれ金色の—なり」〈今昔二ノ三〉

ふとくしん【不得心】①得心できないこと。納得しがたいこと。「(コノ名馬ヲ)我だにも猶見飽かず、(見セルコトハ)—なりと思ひて」〈盛衰記一四〉②不心得なこと。「—なる申し事に候へども、唯今の歌を万葉の草紙に写し、帝へ古歌と訴へ申し、明日の御歌合に勝たばやと存じ候」〈謡・草子洗〉③心に情のないこと。むごいこと。「腹悪しくして—の者なりければ」〈雑談集一〇〉。「なんぼう、世には—なる者の候ひけるぞ」〈謡・隅田川〉。「不得心、フトクシン、無情也」〈下学集〉

ぶとくでん【武徳殿】大内裏で、武技を演ずるところ。宜秋門の西、右兵衛府の東にあった。「—等の修理の事を仰せらる」〈九暦天慶七・一・二五〉

ふところ【懐】①衣服の胸のあたりの内側の部分。「—なりける笛とりいでて」〈源氏帚木〉②まわりをすっぽりつつまれた所。「山の—より出で来たる人人」〈源氏蜻蛉〉③《比喩的に》胸のうち。心の中。「今思へば、父子共に—の狭く、心の至らざりけると存ずるなり」〈落書露顕〉。「脇句は発句の—を出でよ」〈長短抄中〉 **—がみ**【懐紙】「畳紙(たたうがみ)」に同じ。「(歌ヲ)紅の紙に若やぎ書きて、この君の—にとりまぜ、おし畳みて出して給ふを」〈源氏紅梅〉 **—ご**【懐子】①懐に抱くほどの幼児。「外知らぬ雉子(きぎす)や山の—」〈俳・毛吹草五〉②箱入娘。「花に風厭(いと)ふや姥が—」〈俳・吉野山独案内一〉 **—すずり**【懐硯】筆・墨・水入れなどを一緒に入れられる懐中用の小形の硯。「—一、檀紙十帖、扇一本」〈師守記暦応四・一・二八〉 **—で**【懐手】①手を自分の懐に入れていること。「—引き直しつつ、いとはしたなきわざかなとわびあへり」〈源氏初音〉②人にまかせて自分は何もしないこと。「弟の徳に—して」〈俳・山の端千句上〉

ふと・し【太し】《形ク》《物の直径が大きい意。転じて、体積のどっしりと大きい意》①直径が大きい。どっしりしている。「真木柱—き心はありしかどこのわが心しづめかねつも」〈万一九〇〉。「(蟻ノ)腰に細き糸をつけて、またそれに、いま少し—きをつけて」〈枕二四四〉②体積が大きい。太っている。「黒馬の—くたくましきに」〈保元上・官軍勢汰へ〉③ずうずうしい。横着である。また、大袈裟(おおげさ)である。「世に、—う出でたると云ふ言葉流行りける也」〈宗静日記寛文七・一・一〉。「—く出るとは、何としたる事にて候ふや」〈評判・濡仏中〉 †Futosi

ふどし【褌】「ふんどし」に同じ。「—も人を頼まず、帯も手づから前に結びて後ろに廻し」〈西鶴・一代男一〉

ふとし・き【太敷き】《四段》《シキはシリ(領)と同根》①しっかりと立てる。「宮柱—きませば」〈万三六〉②確実に治める。「定めてし瑞穂の国を神ながら—きまして」〈万一九九〉 †Futosiki

ふとし・り【太領り】《四段》《シリはシキ(敷)と同根》しっかりと立てる。「宮柱—り立てて」〈万四四六五〉 †Futosiri

ふとどき【不届】①行きとどかないこと。不注意。「もとすけが—か、頼朝の—か」〈伽・唐糸さうし〉②道理や法にそ

むき、けしからぬこと。「—千万な、大切の御田地をことわりもなく乗り通り、狼藉至極なり」〈吾妻記〉

ふとぬの【太布】さらしてない下等の麻布。「さよみ」「たふ」とも。「大布は—ぞ」〈四河入海三ノ三〉。〈文明本節用集〉

ふどの【文殿】《フミドノの転》①宮中で文書を納めておく所。文庫・書庫のようなもの。校書殿(きょうしょでん)。「殿にも—あけさせ給ひて、まだひらかぬ御厨子(みづし)どものめづらしき古集の、故なからぬ、少しえり出でさせ給ひて」〈源氏賢木〉②院・摂関家・寺社などに設けられ、文書を保管し、所領関係の訴訟を決断した所。「院の—、議定所にうつされ、評定衆など、少少かはるもあり」〈増鏡一三〉

ふとのりとごと【太祝詞】りっぱな祝詞(のりと)。「中臣(なかとみ)の—言ひ祓(はら)へ」〈万四〇三一〉 †Futonöritogötö

ふとばし【太箸】正月の雑煮に用いる太い白木の箸。多く柳で作る。羹箸(かんばし)。柳箸。「正月の雑煮祝ふは—を用ゆ」〈俳・類船集二〉。〈俳・毛吹草二〉

ふとばら【太腹】肥え太った腹。特に、馬の腹。「深さ馬の—になむ立つなる」〈今昔二五ノ九〉

ふとまに【太占】上代の占いの一。鹿の肩の骨を焼箸のようなもので突いて、できる割れ目で吉凶を占う。「太占、此をば布刀磨爾(ふとまに)といふ」〈紀神代上〉 †Futomani

ふともの【太物】《絹織物を「呉服」というのに対して》木綿・麻織物類の総称。木綿織物のみをいうこともある。「—の庭の芭蕉葉五六端」〈俳・桃青三百韻〉。「—類、…諸国国より出づる木綿類」〈万金産業袋五〉

ふとり【太織】《フトオリの約》太い練絹糸で織った丈夫な絹織物。「着物は—を花色にして」〈西鶴・諸艶大鑑五〉

ふと・り【太り】『四段』①体の体積・重量が大きくなる。どっしりと大きくなる。「いと清らに物物しく—・りて」〈源氏若菜上〉②着ぶくれする。「田舎びたる掻練(かいねり)に絹など着て、いといたう—・りにけり」〈源氏玉鬘〉 **—せ・め**【太り責め】『下二』極度に肥満する。「—・めたる大男の、大鎧は着たり、馬は大きなり」〈平治中・待賢門軍〉

ふとん【蒲団】《唐音》①坐禅の時の敷物に用いる円座。もと、蒲(がま)の葉を編んで作ったのでいう。「坐禅の時、袈裟を掛くべし、—を敷くべし」〈正法眼蔵坐禅儀〉。「坐禅して身はいたづらになりにけり—破れて敷く物もなし」〈策彦和尚初渡集下ノ上〉②「しとね」に同じ。「夜寒の由申すの間、—を遣はし了んぬ」〈多聞院日記天正二〇・三・二六〉。「今は円くも無く、幾幅(いくの)も広くしたるを—と云ふは誤り也。是れはもと褥(しとね)也。…貴賤共に夜敷いて寝る具也。それを何時の頃よりか褥とは云はず、—と云ふ事になれり」〈志不可起五〉 **—ばり**【蒲団張り】駅馬の背に人が乗れるように何枚も蒲団を重ね敷くこと。また、その蒲団。「—や注連縄(しめなは)飾り午の年」〈俳・遠近集一〉

ふな【船・舟】「ふね」の古形。「—の舳(へ)のい泊つるまでに」〈万四一二三〉

ふな【鮒】魚の名。古く、近江・美濃・太宰府などは年料として朝廷に貢した。「かれ、腹辟(はらさき)の沼となづく。その沼の—ども、今に五蔵(はらわた)なし」〈播磨風土記〉

ふなあし【船足】①船の水中に没している部分。吃水。「大勢は込み乗りて、—は入りたり」〈義経記四〉②船の速力。「—も休む時あり浜の桃」〈俳・船庫集上〉

ふなあまり【船余り】船が岸に着く時、勢いが余ってすこし退くことか。一説、人が多くて船に乗り切れないこと。「—い帰(がへ)り来むぞ」〈記歌謡八六〉

ふなあらため【船改め】公儀の役人が往来する船を検査すること。また、その役人。「一葉の—や掃除番」〈俳・詞林金玉集一〇〉

ふない【府内】「府中(ふちう)」に同じ。「—の名所うち過ぎて」〈伽・万寿の前〉

ふないくさ【船軍】①船に乗った兵。水軍。「船師(ふないくさ)を率ゐて高麗を撃つ」〈紀雄略二十三年〉②海上での戦闘。海戦。「坂東武者は馬の上でこそ口はきき候とも、—にはいつ調練し候べき」〈平家一一・鶏合〉

ふながかり【船繫り】船が錨を下ろして港に泊ること。碇泊。また、その場所。「ある時、名残の波に—せしが」〈仮・御伽物語五〉。〈日葡〉

ふながく【船楽】龍頭鷁首(りょうとうげきす)の船を浮かべ、その上で音楽を奏すること。また、その音楽。最初に鳥向楽という曲を奏したという。「船の楽」とも。「御輿(みこし)むかへ奉る。—いとおもしろし」〈紫式部日記〉

ふなかざり【船飾り】船をかざること。また、出帆の用意。「—吾(あ)がせむ日ろを」〈万四三二九防人〉

ふなき【船木】船をつくる材料の木。「とぶさ立て足柄山に—切り」〈万三九一〉 †Funaki

ふなぎって【船切手】船番所を船が通行することの許可証。「遊行〔上人〕の—には、此の内三人髪切りの尼ありとこそ候はめ」〈俳・六百番発句合三〉

ふなぎみ【船君】船中の乗客の長。「—例の病おこりて、いたくなやむ」〈土佐二月八日〉

ふなこ【船子】楫取(かぢとり)の指揮下にある水夫。「み—を率(あども)ひ立てて」〈万一七八〇〉。「楫取、—どもに曰く『…朝北(朝吹ク北風)の出で来ぬさきに、綱手はやひけ』」〈土佐二月五日〉 †Funako

ふなごくゎう【船後光】仏像の背後にある船形の光背。「弟月の影や仏土の—」〈俳・山の井五〉。「彼の岸に渡す衆生の水馴れ棹さすがに彌陀の—かな」〈銀葉夷歌集一〇〉

ふなごころ【船心】船酔い。船心地。「昨日は御船に召され、—に損じ給ひて、歩み給ふべきやうぞなき」〈義経記七〉

ふなこし【船越】船を陸へ引き上げて反対側の海・水路に運んだ所。陸地の狭隘な所で、地名に残る。「—よりみ船を越すに」〈播磨風土記〉 †Funakosi

ふなさし【船差】船の棹をさす者。「御船に屋形などして、—など設けて候へと仰せられぬ」〈俊頼髄脳〉

ふなすゑ【船居】船をおく所。船つき。「—作りたまへれば悦び嘉(よろこ)しみ」〈祝詞遣唐奉幣〉

ふなせ【船瀬】船が風波を避けて停泊する所。「名寸隅(なきずみ)の—ゆ見ゆる淡路島松帆の浦に」〈万九三五〉

ふなぜり【船競り】船で、速くこぐのを競うこと。競漕。「どしめきし雨のまぎれの—に」〈俳・十寸鏡上〉

ふなぞろへ【船揃へ】多くの船を集めて出航準備をすること。船隊を集結すること。「摂津の国渡辺より—して屋島へ既に寄せんとす」〈平家一一・逆櫓〉

ふなだいしゃう【船大将】船軍の総指揮をする者。船奉行。「—の事、喜入摂州然るべきの由」〈上井覚兼日記天正一四・六・一〇〉

ふなだな【船棚・船枻】刳船(くりぶね)のふなばたにつけた舷側板。これのない小舟を「たななしをぶね」という。「—打ちてあへて(力ヲ合セテ)漕ぎ出め」〈万三九五六〉。「枻、フナダナ」〈名義抄〉

ふなだま【船魂・舟玉】船を守る神霊。船中にまつる。近世、「船玉神」「船玉明神」とも。「舟は—とて神のおはするなり。惣て舟中には住吉大明神などを祈誓申すものなり」〈三島千句注〉

ふなぢ【船路】《「陸路(くがぢ)」の対》船が通る路。航路。ま

た、船でゆく旅。ふなみち。「—なれど、むまのはなむけす」〈土佐十二月二十二日〉

ふなつ【船津】船が停泊する所。船着場。「秋風に川波立ちぬしましくは八十(やそ)の—にみ舟とどめよ」〈万二〇四六〉

ふなて【船手】①船の通路。航路。「野も山も雪降りぬればあとたえて—に残る冬の通ひ路」〈隆信集〉②船の軍勢。水軍。海軍。「藤堂殿こそ—の大将なりしかども」〈朝鮮日日記〉

ふなどけい【船時計】羅針盤。「何処とか岩波たかき—」〈俳・鷹筑波一〉

ふなとのかみ【岐神】《フはクの転》⇒くなど。「岐神、此をば布那斗能加微(ふなとのかみ)といふ」〈紀神代上〉 †Funato-nökami

ふなどひや イ:ド【船問屋】諸国の廻船と契約して積荷を集め、また、積荷の運送を取り次ぐ問屋。廻漕問屋。「思ひを積みて行く—」〈俳・談林十百韻上〉

ふなどめ【船留め】船の出帆を禁ずること。「讃岐の国の浦の—」〈俳・油糟〉。〈日葡〉

ふなども【船艫】《「船の舳(へ)」の対》船尾。とも。「—にみ立ちいまして」〈万四二四五〉 †Funadömö

ふななます【鮒膾】鮒の身を薄く切り辛子酢味噌で食べる膾。多くは山吹の花に盛ったので山吹膾といった。「—の事…夏は酢を多く入れて吉(よ)し」〈大草家料理書〉

ふなのへ【船の舳】《「船艫(ふなども)」の対》船のへさき。「四つの船—ならべ」〈万四二六四〉 †Funanöfë

ふなば【船場】船着場。波止場。港。「佐保山の—にて、江州の旗頭蒲生右兵衛と口論の事あって」〈江源武鑑一六〉。〈日葡〉

ふなはし【船橋】多くの船を横に並べてつなぎ、その上に板を渡してつくった橋。「上毛野佐野の—取り放し親は離(さ)くれど吾(わ)は離(さか)るがへ」〈万三四二〇東歌〉

ふなばた【船端・舷】船の側方の部分。「—を叩いて来往す、月の明らかなる中」〈和漢朗詠集山水〉

ふなはて【船泊て】今日はここまでと船を止めること。「いづくにか—すらむ安礼の崎漕ぎたみ行きし棚無し小船」〈万五八〉

ふなばり【船梁】船の両側の棚板の間に渡した横木。「片岡するりと下りて、—を踏まへ」〈義経記四〉

ふなばんしょ【船番所】水路の要所に置かれ、往来の船を検査した番所。「左のかたの海を受けて城あり。右に—」〈一目玉鉾三〉

ふなびと【船人】①船頭。「朝なぎに船出をせむと—も水手(かこ)も声よび」〈万三六二七〉②船の中の人。船客。「—のよめる歌」〈土佐一月九日〉 †Funabitö

ふなぶぎゃう ギ:ヨウ【船奉行】水軍・軍船などの指揮官。船大将。「五艘の船と申すは、先づ判官の船、田代の冠者、後藤兵衛父子、金子兄弟、淀の江内忠俊とて—の乗ったる舟なり」〈平家一一・逆櫓〉

ふなふな 元気なくふらつくさま。ふらふら。「—と茶を呑み歩き候所にてはこれ無く、振り切り下り候」〈久重茶会記寛永一七・四・一五〉

ふなま【船間】①船の入港がとぎれている間。「秋風のなぐは一葉の—かな」〈俳・難波草三〉②《船間の時は、商品が欠乏するので》ものが欠乏すること。払底。「師と致しまする儒者が—ゆへ、着船を相待ちましたが、此の節一人探し出しましたから」〈黄・鸚鵡返文武二道下〉

ふなまんぢう ジ:ユウ【船饅頭】近世後期、江戸隅田川の船の中で色を売った下等な私娼。「乗る者も思案の外の—」〈雑俳・蓍萩〉

ふなみち【船路】「ふなぢ」に同じ。「—のしわざとて少し黒みやつれたる旅姿」〈源氏夕顔〉

ふなもよひ モ:ヨイ【船催ひ】出航の準備。「暁の—するあまの子のかひよと云ふを鹿と聞くらん」〈源孝範集〉。〈日葡〉

ふなやかた【船屋形】船上に設けた屋根つきの部屋。「白散を…—にさしはさめりければ」〈土佐一月一日〉

ふなやど【船宿】①廻船の荷主・船持と問屋との仲介をして船荷の世話をし、また船乗を宿泊させた業者。また、その家。「今出す今出す浦の—」〈俳・独吟一日千句〉②遊山船・釣船その他の貸船を仕立てる業者。また、その家。江戸では、吉原通いの猪牙船(ちょきぶね)を仕立てる茶屋が有名であった。「—桐屋より客を迎ひの挑燈」〈浮・元禄大平記五〉

ふなよそ・ひ ヨ:ソイ【船装ひ】㊀《四段》出船の準備をする。「津の国の海のなぎさに—・ひ立(た)し出(で)も時に母(あも)が目もがも」〈万四三八三防人〉㊁《名》出船の準備。「古へのあとをたづねて大井川もみぢのみ船—せり」〈経信集〉。「艤、フナヨソヒ」〈名義抄〉 †Funayösöfi

ふなよばひ ヨ:バイ【船呼ひ】船を呼び寄せること。また、その呼び声。「難波の里に飛ぶ螢、蘆屋の沖の—」〈盛衰記七〉

ふなわたり【船渡り】船で渡ること。また、その場所。「泉河の—も、誠に今日はいと怖ろしくこそありつれ」〈源氏宿木〉

ふなゑひ イ:エ【船酔】船に乗って酔うこと。ふなよい。「—したうべりしみ顔には、似ずもあるかな」〈土佐二月六日〉

ふにょい【不如意】①意の如くならないこと。不自由。「女子は母につき行き、まま父にあひて、いかほどの—をか凌ぐべき」〈どちりなきりしたん一一〉。〈文明本節用集〉②経済状態が悪く苦しいこと。貧乏。「貪欲なる者は並びなき—をもて責めらるべし」〈こんてむつすむん地一〉

ふにん【補任】《呉音》①職に補し官に任ずること。「剰(あまつさ)へ、義経五位の尉に—の条」〈平家一一・腰越〉②補任の旨を記した文書。補任状。「—を啓(ひら)き見て」〈太平記三五・北野通夜〉

ぶにん【夫人】《呉音》「ふじん」(1)に同じ。「丹治比(たぢひ)の—、ひとりの王子を誕生す」〈霊異記下三九〉

ふね【船・舟】《古形フナの転》①水上を航行する乗物。「桜皮(かには)巻き作れる—に真楫(まかぢ)ぬき我が漕ぎ来れば」〈万九四二〉②《形の類似から》槽(をけ)。また、槽状のもの。「酒船を置きて、—ごとにその八塩折(やしほをり)の酒を盛り」〈記神代〉。「紙を漉(す)く槽(ふね)四隻」〈延喜式図書寮〉。「槽、和名与レ舟同。馬槽也」〈和名抄〉 **—を漕・ぐ** 居眠りをして身体を前後に動かすさまの形容。「箱階子の下にて—・ぐ有り」〈浮・好色訓蒙図彙上〉

ぶねう ニ:ヨウ【豊饒】《呉音》豊かなこと。「世間に—して家をつぎ、大名などいはるる人」〈雑談集四〉。〈明応本節用集〉

ぶねん【無念・不念】不注意。てぬかり。「馬の道へ〔乾飯ヲ〕乾し置き候事—と申さる」〈天正日記天正一八・九・二九〉。「それは—な事でござるの」〈虎明本狂言・鴈雁金〉。〈日葡〉

ふのやき【麩の焼】小麦粉を水に解き、焼鍋の上に薄くのべて焼き、味噌を塗り巻いて食べる菓子。「納所より—・酒来る」〈鹿苑日録天文六・四・二三〉

ふばこ【文箱】《フミバコの転》①書きもの・書籍を入れて負い運ぶ箱。「かの社に立て集めたる願文どもを、大きなる沈(ぢん)の—に封じ込めて奉り給へり」〈源氏若菜上〉②書状を入れてやりとりする細長い箱。「両使すでに京着していまだ—もひらかぬ先に」〈太平記三・天下怪異〉

ふばさみ【文挟】「ふみばさみ」の転。「一人の男—に文をは

さみて申す」〈竹取(古活字十行本)〉

ふはと:フワ『副』①軽いさま。ふわりと。「御簾(みす)より外へー捨て」〈伽・小栗絵巻〉②気がつかないさま。不注意で軽薄なさま。うっかりと。うかと。「そこで某がー乗って」〈狂言記・鱸庖丁〉

ふはのせき:フワ【不破の関】美濃国不破郡関ヶ原にあった関所。鈴鹿・愛発(あらち)と共に三関の一。「荒し男(を)も立しや憚るー越(く)えて我は行く」〈万四三七二常陸防人〉

ふはや:フワ《フハは擬態語。ヤは柔らかな感じを表わす接尾語。ナゴヤ(和)のヤに同じ》やわらかにふくらむさま。ふわふわ。ふんわり。「綾垣のーがしたに」〈記歌謡五〉

ふびと【史】《フミ(文)ヒト(人)の転》①上代、文書記録の仕事で朝廷に仕える人。「諸(もろもろ)のーを召し聚(つど)へて読み解かしむ」〈紀敏達一年〉②上代の姓(かばね)の一。朝廷の記録を仕事としたことから起ったものという。「姓を賜りて白猪(しらゐの)ーとす」〈紀欽明三十年〉 ▽Fumifitö→Fumbitö→↑Fubitö

ふびゃう:ビョウ【風病】風邪(かぜ)。熱があって苦痛を感ずる病気は、何でも風病とされた。「月頃、ー重きに堪へかねて」〈源氏帚木〉

ふびん【不便】《漢音。「不愍」「不憫」は後の当て字》①用が足りずに困ること。「御供に人もさぶらはざりけり。いとーなるわざかな」〈源氏夕顔〉②不都合なこと。「かかる雨にのぼり侍らば、足がたつきて、いとーに汚くなり侍りなん」〈枕一〇三〉③気の毒なこと。気持の痛むこと。「はかなきことにつけても涙もろに物し給へば、いとーにこそ侍れ」〈源氏野分〉。「御息ざしなど、いと苦しげなるを、いとーなるわざかなと」〈大鏡道兼〉。「不便、フビン、悼む意」〈文明本節用集〉④いとしいこと。かわいいこと。「幼よりーにして召し使はれける童あり」〈平家三・有王〉。「下部までも召し置きて、ーにせさせ給ひければ」〈徒然二三六〉 **ーが・り【不便がり】**『四段』いたわりの情を持つ。また、いたわりいつくしむ。「客僧ー・りて、いたいけしたるみやげなどを与へしかば」〈謡・道成寺〉。「猿が、子をー・りて愛する」〈長恨歌抄〉

ふふき【蕗】フキの古名。「蕗、布布木(ふふき)」〈和名抄〉

ふふき【斑雑毛】毛が白髪まじりなこと。「山背王(やましろのみこ)の頭髪(みぐし)ーにして山羊(かましし)に似たるにたとふ」〈紀皇極二年〉。「庭に立つーの雄鳥」〈琴歌譜〉 ↑Fufuki

ふぶ・き ㈠『四段』《平安時代フフキと清音》雪・雨・風などが烈しく吹きあれる。「風烈しう吹きー・きて」〈源氏賢木〉。「賤の男が春のまくり手打ち解けよ花こそー・け志賀の山越え」〈拾玉集三〉。「噴、フフク」〈名義抄〉。「霍、フフク」〈色葉字類抄〉 ㈡『名』【吹雪】はげしく吹き荒れる雪。「雪つもる嶺にーや渡るらむ越のみ空にまよふ白雲」〈千載四五五〉。「雪吹、フブキ」〈文明本節用集〉

ふぶくろ【文袋】《フミブクロの転》書状を携行するのに用いる袋。「院宣をばーに入れて雑色が頸にぞ懸けさせたりける」〈平家八・征夷将軍〉

ふふまる【含まる】『連語』《フフメルの上代東国方言》葉や花がまだ開き切らないでいる。「ゆづる葉のー時に」〈万三五七二東歌〉

ふふ・み【含み】『四段』①ふくむ。「愁へて月鏡を望めば嶺の西にー・めり」〈新撰朗詠集七夕〉。「含、フクム・ク、ム・フ、ム」〈名義抄〉②花や葉がまだ開ききらない。「若木の梅もいまだー・めり」〈万七九二〉 ↑Fufumi

ぶぶめ・き『四段』《ブブは、蜂・虻(あぶ)・蚊などの羽音》ぶんぶんと音を立てる。「蚊のー・くにたとへたぞ」〈湯山聯句鈔下〉

ふべん【不弁・不便】①思うにまかせないこと。不如意。「人は皆左右あり。右は弁当(便利)にて、左はーなり」〈左伝聴塵一五〉。「旅は不自由でーなものぞ」〈周易抄〉②貧しいこと。「民がーすれば上も下も仲が悪しくなるぞ」〈三略抄〉

ぶへん【武辺・武篇】①武に関すること。武事。武勇。「玄宗は太平の天子といはれたる人なれば、ーの事は知られじと思ふに」〈錦繡段鈔五〉②「武辺者」に同じ。「かの者かぶいたるーなれば」〈末森記〉 **ーしゃ【武辺者】**武事にすぐれた者。武勇ある者。ぶへんもの。「智者には分別をさせ、ーには武辺をさせ」〈三略抄〉 **ーだて【武辺立て】**武勇を誇ること。「人の逃ぐるに、残りてーをして死ぬやうなるは愚痴で悪いぞ」〈周易抄〉

ぶへんじ【不返事】返事の仕方のわるいこと。無愛想な返事。不承不承の返事。「異議も言はれず、ーにもぢもぢしてぞ上がりける」〈近松・重井筒中〉

ぶほうこう【無奉公・不奉公】主人に誠意をもって仕えないこと。「よく忠節を尽した者もーな者も」〈三略抄〉。〈文明本節用集〉

ふほごも・り【含籠り】『四段』中に含まりこもる。「中つ枝(え)のー・り赤れるをとめ」〈紀歌謡三五〉 ↑Fufogömöri

ふぼん【不犯】僧や尼が淫戒を犯さないこと。「一生ーの座主」〈平家二・座主流〉

ぶまはし:ワシ【歩廻し】金銭を運用して金利を得ること。「仕着(しきせ)を銀にーして、金子五両を貯め延ばし」〈浮・好色十二人男五〉

ふま・へ:フマエ【踏まへ】『下二』《フミ(踏)アヘ(合)の約》①しっかり踏みつける。踏み押える。「髪を取て打ち伏せてー・へつ」〈打聞集〉②足場・拠り所として構える。「石川河原に向ひ城をー・へて居たりけるを」〈太平記二七・左兵衛督〉③思案する。考えめぐらす。「左様に跡先ー・へ用心せば」〈仮・可笑記五〉

ふみ【文】①字を書いたもの。文字。「ー負へる神(あや)しき龜も」〈万五〇〉。「あやしがりて見るに、鉢の中にーあり」〈竹取〉②漢詩。「皆探韻賜はりてーつくり給ふ」〈源氏花宴〉③手紙。「守の館より呼びにー持て来たなり」〈土佐十二月二十五日〉④特に、蓮如上人の御文(みふみ)。「もっとも聖教と名づくべしといへども、その憚りありとてーと号せり」〈蓮如上人行状記〉⑤文書。書物。「大殿油近くてーどもなど見給ふ」〈源氏帚木〉⑥学問。文字の学問。「ーの道のおぼつかなくおぼし召さるる事どもなど問はせ給ひて」〈源氏賢木〉 ▽「文」の字音Funにiがついたフニの転という。

ふ・み【踏み・履み】『四段』①足をおろして前に進む。「石根ー・み夜道行かじと思へれど」〈万二五九〇〉。「用ゐて梯(たい)となして、蹬(ふ)みて天宮に昇り上るべからむ」〈金光明最勝王経平安初期点〉②足を強く物の上におろす。踏みつける。「信濃路は今の墾道(はりみち)刈株(かりばね)に足ー・ましなむ履(くつ)はけ吾が背」〈万三三九九〉。「殿の馬にはー・まれたが損ぞ」〈蓬左文庫本臨済録抄〉。「諺に、麦と嫁とはー・んだがよいと云ふぞ」〈四河入海四上〉③舞などで、足を踏みおろす。「橋の板をー・み鳴らして、声あはせて舞ふほどもいとをかしきに」〈枕一四二〉④実践する。「ただ正に先聖の道をー・まんことを行履(あんり)すべし」〈正法眼蔵谿声山色〉⑤【践み】位につく。「此宮、継体の君として、九五の天位をー・ませ給ふべき所を」〈太平記二〇・奥州下向勢〉。「頭(かしら)をー・む子をそばめ、脇の子を引き立てべき覚悟」〈結城氏新法度〉⑥貝・泥鰌(どじょう)などを足で踏み当てて捕る。「蛤もー・まれぬ春の堺浦」〈俳・紅梅千句〉⑦値踏

みする。「どう安く―・んでも五六百両がものは有るのさ」〈黄・江戸生艶気樺焼中〉 †Fumi

ふみあだ・し【踏みあだし】『四段』《アダシはアラシ(荒)の子音交替形》 踏み荒らす。ばらばらに踏み散らす。「天雲をほろに―・し鳴る神も」〈万四二三五〉 †Fumiadasi

ふみあひ ィ・ァ【踏合ひ】 出産・死者などの穢れたものに行き合うことを忌むこと。「踏合せ」とも。「斯様の事に、―以下これ在る時は」〈北野社家日記明応八・二・二八〉

ふみいた【踏板】 牛車の前後の入口に横に掛け渡した板。「―にいと長やかに踏みしだかせ給ひて」〈大鏡道隆〉

ふみうす【踏臼・踏碓】「からうす」(1)に同じ。「丁稚が―を助けてとらせ」〈西鶴・胸算用五〉

ふみうま【踏馬】 馬が人の足などを踏むこと。また、その馬。「―や響きを残す轡虫」〈俳・信徳十百韻〉 **―御免**(ごめん) 馬の口取が人払いに言うことば。馬が踏んでも御免なさい。「―の足もとをば、早く引いて逃れ候へかし」〈俳・貝おほひ〉

ふみおこ・し【踏み起し】『四段』 草むらなどに踏み込んで、獣を追いたてる。かりたてる。「朝狩に鹿猪(しし)―・し」〈万九二六〉 †Fumiökösi

ふみがき【文書】 手紙を書くこと。手紙の書きぶり。「いまさらに若若しき御―などもにげなきこととおぼせど」〈源氏槿〉

ふみかぶ・り【踏み被り】『四段』 ①水溜りや穴のような所に足を踏み入れ落ちこむ。「行く先、向ひばかり見て、足もとを見ねば、―・るべきなり」〈実悟記〉 ②自分で不利益なことをする。自己の行いで損害を招く。「つい―・る客も有り」〈近松・天網島上〉

ふみがら【文殻】 不用となった手紙。古手紙。「京大坂の名ある女郎の―なり」〈西鶴・胸算用五〉

ふみぎ【踏木】 機織の道具の名。緯(よこいと)を通す際に、経(たていと)を上下させるため、足で踏む木。「―の足音、きりはたりちゃう」〈謡・呉服〉

ふみくく・み【踏み含み】『四段』 長い袴の類に足先を包みこむ。裾長にはく。「指貫の中ら―・まれて、袖をひかへて、倒るなといひて」〈枕(能因本)大納言殿参りて〉。「素絹の衣の短らかなるに、白き大口―・み」〈平家二・小教訓〉

ふみこくら【踏みこくら】 互いに踏みつけ合うこと。「さまざまの痴話の余りに―」〈俳・鷹筑波五〉

ふみこ・み【踏み込み】『四段』 ①足を踏み入れる。踏んで落ち込む。「南の面(つら)のいと悪しき泥を―・みて候つれば」〈大鏡忠平〉 ②勢いよく足を踏み入れる。「思ひ切ったることなれば、―・み―・み薙ぎ立てられ」〈説経・伍太力菩薩〉 ③思い切ってする。「―・んだのは売り切れた見世の前」〈雑俳・柳多留一九〉

ふみしか・り【踏みしかり】『四段』《シカリは怒る意か》 怒りの形相で足を踏んばる。「時致は、四天王を作り損じたるさまにて―・りてぞ立ちたりけれ」〈古活字本曾我六〉

ふみすか・し【踏み透かし】『四段』 鐙(あぶみ)を左右に踏みひろげ、馬の腹との間隔をあける。「鐙を―・してつい立ち上がりて」〈長門本平家一六〉

ふみた【札】《フミイタ(文板)の約》 ふだ。文字などを記した木片や紙片。「札、不美多(ふみた)」〈霊異記下三八〉。「牒、簡也、札也、布彌太(ふみた)」〈新撰字鏡〉

ふみたが・へ ガエ・タ【文違へ】『下二』 手紙を送る相手を間違える。「深山木の―・へ(踏ミ違エト掛ケル)たるにやとて」〈伽・横笛草紙〉

ふみたが・へ ガエ・タ【踏み違へ】『下二』 ①道を歩み間違える。「道を―・へて、何処とも覚えぬ谷の方様に行きける程に」〈今昔三一ノ一三〉 ②強く踏んで足の筋を痛める。「高野へ参詣仕り候処、足を―・へ候。老足の故、煩ひ候」〈政基公旅引付永正一・八・一三〉

ふみた・て【踏み立て】『下二』 ①踏みこんで飛び立たせる。「朝猟(あさかり)に鹿猪(しし)ふみ起し、夕猟に鶉雉(とり)―・て」〈万四〇七八〉 ②足を踏みしめて立つ。「乱り脚病(かくびやう)…煩ひ侍りて、はかばかしく―・つる事も侍らず」〈源氏若菜下〉 ③針・釘などを踏んで、足に突き立てる。「左府足針を―・てられ痛めらる」〈小右記長和三・四・六〉 †Fumitate

ふみちら・し【踏み散らし】『四段』 ①踏んで散らす。「この雪の山…童べなどに―・させず」〈枕八七〉 ②すその長い袴を足で踏んで左右にさばく。「指貫など―・してゐためり」〈枕三三〉 ③あらあらしく席を踏んで立つ。「私も余り腹が立ちましたに依って、座敷を―・いて、早早に立って御座ればば」〈虎寛本狂言・茫茫頭〉 ④勢いよく踏み歩く。「親父橋を八文字に―・し」〈咄・口伝咄下〉

ふみづかひ カイ・ヅ【文使】 手紙を持って行く使い。「結び目のたがふも知らず―ほかに見せずと言ふがはかなさ」〈新撰六帖五〉

ふみづき【文月】 陰暦七月の称。ふんづき。ふづき。「―の七日の夕(ゆふ)はわれも悲しも」〈万二〇八九〉。〈文明本節用集〉 †Fumiduki

ふみづくえ【文机】 読書などに使う机。ふづくえ。「―には、史記・文選・歌双紙など並べ置きたり」〈盛衰記一二〉。「書案、フミヅクエ」〈色葉字類抄〉

ふみつくり【文作り】 漢詩をつくること。また、その人や会。「殿にも―繁く、博士才人ども所得たり」〈源氏少女〉

ふみつ・け【踏み付け】『下二』 ①踏んで足跡をつける。「霜の上に跡―・くる浜千鳥行くへもなしと音(ね)をのみぞ鳴く」〈新古今一〇三四〉 ②足で強く踏みすえる。「足駄踏み鳴らし、肩をも膝をも―・けて通りけり」〈義経記三〉 ③あなどる。馬鹿にする。「弱きと見ては、いよいよ傾城にも―・けられ」〈評判・難波物語〉。〈日葡〉

ふみづら【文面】 手紙の文字づら。「―は華奢(きやしや)に書くとも、文体を華奢に書く事初心の至り也」〈色道大鏡三〉

ふみて【筆】《文手の意》「ふで」の古形。「筆、布美天(ふみて)」〈和名抄〉

ふみど【踏処】 足で踏む所。踏みどころ。「心も心ならねば、足の―も覚えず走りぢためきて」〈バレト写本〉

ふみどの【文殿】 ①書籍を納めおく所。書庫。ふどの。「―にして餞酒(うまのはなむけ)せし日の倭歌(やまとうた)」〈万八七六題詞〉 ②「校書殿(けうしよでん)」に同じ。「校書殿、俗云布美止乃(ふみとの)」〈和名抄〉 †Fumidönö

ふみと・め【踏み留め】『下二』 踏んだ跡を残す。足跡を留める。歌で、多く「文留め」にかけていう。「春霞立ちながら見し花故に―・めてけるあとの悔しさ」〈後撰九九〉

ふみぬ・き【踏み抜き】『四段』 ①足で踏んで突きぬく。深く踏みこむ。「直土に足―・き夏草を腰になづみ」〈万三三九五〉。「大地を奈落へ―・けと」〈近松・曾我五人兄弟三〉 ②不注意に釘・とげなどを踏んで足に突き刺す。「よく見れば、足に大なる杙(くぎ)を―・きたり」〈今昔五ノ二七〉 †Fuminuki

ふみぬ・ぎ【踏み脱ぎ】『四段』《奈良時代フミヌキと清音》 袴・沓(くつ)などを足で踏んでぬぐ。「穿沓(うけぐつ)を脱きつるごとく―・きて行くちふ人は」〈万八〇〇〉 †Fuminuki

ふみのつかさ ①【図書寮】「づしょれう」に同じ。〈和名抄〉 ②【書司】 後宮十二司の一。後宮の書物・紙筆・墨・机・楽器などのことをつかさどる役所。「―の御琴めしいでて、和琴、権中納言たまはり給ふ」〈源氏絵合〉

ふ

ふみのみち【文の道】学問の道。「—さへやは俊蔭女子に教へけん」〈宇津保吹上下〉。「ありたき事は、まことしき—、作文、和歌、管絃の道」〈徒然一〉

ふみばこ【文箱】⇒ふばこ。「笈、和名不美波古(ふみばこ)」〈和名抄〉

ふみばさみ【文挟】文書を挟んで貴人に差し出す時などに使った、長さ五尺ばかりの木の杖。端に取りつけた鳥の嘴(くちばし)状の金具に文書を挟む。一般には白木で、殿上に使うのは黒塗り。ふみさし。「一人の男、—に文をはさみて申す」〈竹取〉

ふみはじめ【書始】天皇・皇子・皇族などが七、八歳になったとき、始めて書を読む儀式。御注孝経を読む習慣であった。御書始。「七つになり給へば—などせさせ給ひて」〈源氏桐壺〉

ふみひと【史】《文人の意》⇒ふびと。「高向史(ふみひと)玄理を国博士とす」〈紀(北野本)孝徳即位前〉 †Fumiritö

ふみまくら【文枕】枕の下に手紙を入れておくこと。また、その手紙。近世後期では、文殻(ふみがら)を芯に入れてつくった枕の称。「逢はで憂かりし—して」〈俳・談林十百韻上〉

ふみわ・け【踏み分け】〘下二〙雪や落葉などを足で踏んで、道をひらく。「奥山に紅葉—・け鳴く鹿の声きく時ぞ秋はかなしき」〈古今二一五〉

ふみゑ【踏絵】近世、キリシタン宗門を厳禁するため、マリヤ像・キリスト十字架像などを木板や銅板に刻み、足で踏ませて宗徒でないことを証明させたこと。また、その絵像。絵踏み。「〔長崎町民ハ毎年〕正月四日より八日迄…壱人宛相改め、印形を取り、—踏ませ申し候」〈長崎志五〉

ぶめ・き〘四段〙「ぶぶめき」に同じ。「大きなる蜂一つ飛び来たりて、御堂の軒に—・きありく」〈今昔二九ノ三七〉 ▽万葉集二九九一に、「蜂音」と書いてブと読ませた例がある。

ぶも【父母】《呉音》父と母と。父母(ぶぼ)。「—、これを見て歓喜する事限りなし」〈今昔二ノ一七〉。〈饅頭屋本節用集〉

ふもじ【ふ文字】鮒・文(ふみ)などの文字詞。「鮒は—」〈海人藻芥〉。「つづまやかなる御—」〈仮・ねごと草下〉

ふもじ【不文字】⇒ふもんじ。「わきより—のさしで者、非難をくはせた」〈咄・昨日は今日上〉

ふもだし【絆】馬をつないでおく綱の類。ほだし。「馬にこそ—掛くもの」〈万三八八六〉

ふもと【麓】《「踏み本」の意》山のすその部分。「い行きあひの坂の—に咲きををる桜の花を」〈万一七五二〉。「麓、山足也、不毛止(ふもと)」〈新撰字鏡〉 †Fumötö

ふもんじ【不文字】《フモジとも》字の読み書きのできないこと。無学。「—の人の読みやすからんがために、消息の字を集め、仮名を付けて」〈ぎやどぺかどる序〉。「フモンジナ」〈日葡〉

ふもんぼん【普門品】法華経の第二十五品。観世音菩薩が、よく衆生の諸難を救い、願を満たし、三十三身をあらわして、あまねく説法することを説く。俗に観音経という。「又、—。世を救ふうちには誰か入らざらんあまねき門を人しささねば」〈栄花疑〉

ふやく【賦役】《「賦」は調・庸や諸国の貢献物など。「役」は歳役や雑徭など》税と労役と。「民部省。…卿一人。諸国の戸口・名籍・—…の事を掌る」〈職員令〉

ぶやく【夫役】公用のために民衆を強制労働に使うこと。「国国の守ども…この御堂の—、材木・檜皮(ひはだ)・瓦多く参らするわざを、我も我もと競ひつかまつる」〈栄花疑〉。〈文明本節用集〉

ふゆ【冬】四季の第四。暦の上では立冬から立春までで、陰暦十月から十二月までの称。「み雪降る—は今日のみ鶯の鳴かむ春べは明日にしあるらし」〈万四四八八〉

ふゆがまへ【冬構へ】冬籠りの用意に、家屋・庭園などに雪除け・霜除けなど防寒の設備をすること。「神無月まだ—せぬものを取りもあへずも荒るる今日かな」〈堀河百首〉。「まだきより—する身は独り」〈慶長三年六月六日何人百韻〉

ふゆがれ【冬枯】㊀〘名〙冬に草木の葉が枯れること。冬のさびしい様子にいう。「—の野辺と我が身を思ひせばもえても春をまたまし物を」〈古今七九一〉。「山家冬月といふことを。—のすさまじげなる山里に月のすむこそ哀れなりけれ」〈玉葉九〇五〉 ㊁〔ふゆが・れ〕〘下二〙①冬枯になる。「影うつす山の青葉も—・れてさびしき池に残る鴛鴦(をし)かも」〈拾遺愚草員外下〉。「—・れぬ桂は月の宮木かな」〈親当句集〉 ②冬、虫の声がかすかになる。「—・るる松虫を聞く袖見えて」〈白川千句〉

ふゆき【冬木】冬枯の木。「今日降りし雪に競(きほ)ひて我がやどの—の梅は花咲きにけり」〈万一六四九〉 †Fuyuki

ふゆくさ【冬草】冬、枯れ残っている草。「庭のおもにむらむら見ゆる—の」〈古今一〇〇五〉。「—や三つに一葉は残るらむ」〈菟玖波集六〉 **—の**【冬草の】〔枕詞〕冬草の枯れる意から、「離(か)れ」などにかかる。「—離れにし人はおとづれもせず」〈古今三二八〉

ふゆこだち【冬木立】冬枯の立木が群がっているもの。枯木の場合は「枯木立」という。「砂除けや海士(あま)のかたへの—」〈俳・猿蓑上〉

ふゆごも・り【冬籠もり】㊀〘四段〙冬ごもりをする。「雪とのみあやまたれつつ卯の花に—・れりと見ゆる山里」〈後拾遺一七七〉 ㊁〘名〙《万葉時代はフユコモリと清音か》①冬の寒い間じっととじこもって、活動を停止していること。「国見する筑羽(つくは)の山を—時じき時と見ずて行かば」〈万三八二〉 ②〔枕詞〕「春」にかかる。かかり方未詳。「—春さり来れば」〈万一六〉 †Fuyukömöri

ふゆざれ【冬ざれ】冬季、景物の荒れさびれたさま。また、その季節。冬のさ中。「—の浅茅が上におく霜のきゆる雫は垂氷(たるひ)なりけり」〈玄玉和歌集三〉。「うづらの床も荒るる—／浪こほり真野の入江の寒き日に」〈看聞御記紙背連歌〉。「フユザレ、詩歌語、即ち、フユノナカ」〈日葡〉

ふゆとし【冬年】去年の暮。旧冬。旧年。「—訳(わけ)を聞いたが」〈評判・朱雀遠目鏡下〉

ふよ【不豫】《身体の調子の悪い意》天皇の病気。「太上天皇—。天下に大赦す」〈続紀大宝二・一二・一三〉

ふよう【不用】①用のないこと。いらないこと。「今日節忌(せちみ)すれば魚(いを)—」〈土佐二月八日〉 ②役に立たぬこと。「生き出でたりとも、あやしき—の人なり」〈源氏手習〉 ③用うべからざること。到底受け入れられないこと。「さればこそ—の童とは云ひつれ。…この童ありては、なほ悪しき事ありなむ」〈今昔二二ノ三四〉 ④怠惰。無精。「牛若…里につねにありなんとし候はば、心も—になり、学問をも怠りなんず」〈義経記一〉

ふよう【芙蓉】①ハスの花の別称。美人のたとえにいう。「太液の—、未央(びやう)の柳も、げに通ひたりしかたちを」〈源氏桐壺〉 ②アオイ科の落葉灌木。キハチス。木芙蓉(もくふよう)。〈文明本節用集〉

ぶよう【武勇】《ヨウは漢音》猛く勇ましいこと。武術にすぐれ、勇気があること。「敵(かたき)等、景季が—を見て惜しむといへども」〈今昔二五ノ一三〉。〈色葉字類抄〉

ぶら①放蕩者。また、無頼漢。ぶら者。「もとより此の人、月(ぐわち)の—でもましまさず」〈浄・道外和田酒盛三〉 ②竹

の柄をつけ、ぶら下げるようにした提燈。ぶら提燈。「小女ーを燈して」〈洒・中洲之華美〉

ふらくきょ【不落居】物事の落ちつかないこと。決着のつかないこと。「ーな事にて、道具を留められ下りませぬ」〈近松・五十年忌中〉

ぶらくゐん【豊楽院】大内裏の西南部の一郭。正殿は豊楽殿。節会(せちゑ)・大宴会が行なわれた。「道隆は―…道長は大極殿へ行け」〈大鏡道長〉

ぶらここ【鞦韆】ぶらんこ。「ーに身はふらふらとなりにけり」〈俳・宮古の枝折〉

ふら・し【触らし】『四段』触れひろめる。言いふらす。「つつめども涙の雨のしるければ恋する名をもー・しつるかな」〈保安二年長実家歌合〉

フラスコ 近世、西洋舶来の首の長いガラス製の徳利。酒・油などを入れた。後に訛って「フラソコ」とも。「風に柳の青きー」〈俳・天満千句〉 ▽ポルトガル frasco

ふらち【不埒】①法に外れていること。道に背いていること。不法。「言語道断、ーなる事を承るものかな」〈謡・苅萱〉②物事の解決がつかないこと。要領を得ないこと。埒があかないこと。「後は二人ながら涙をこぼしーなりしに」〈西鶴・五人女四〉

ふらば・へ【触らばへ】『下二』《フレ(触)の古形フラに、ハへ(延)のついた語か》くり返し触れる。「中つ枝(え)の枝の末葉(うらば)は下(しも)つ枝に落ちー・へ」〈記歌謡一〇〇〉。「若し其の身にー・へ、若し影の中に入るときに、皆快楽を得」〈成実論天長点〉 †furabaFë

ぶらぶら ①垂れ下がってゆれているさま。「袋はふたつ空にー」〈俳・犬筑波〉②ぐずぐずと長びいているさま。「近年はーと煩ひ」〈盤珪禅師御示聞書下〉 **ーやまひ**【ぶらぶら病】いつまでも長びいて全快しない病気。ぶらり病。「ー薬求めん」〈俳・桜千句〉

ぶらめ・き『四段』ぶらぶらとゆれ動く。「春風にー・きわたる松ふぐり」〈俳・犬筑波〉

ふらる【降らる】『連語』《降レルの上代東国方言》降っている。「筑波嶺に雪かもー」〈万三三五一東歌〉

ふり【瓜】「うり」に同じ。「『ーを乞はば器物(うつはもの)をまうけよ』と申す事まことにある事なり」〈大鏡(岩瀬本)道長〉。「瓜をーと云ひ付けたり。不審也」〈見聞愚案記四〉。「うり、瓜。…俗にふりとも書く」〈仮名字例三〉

ふ・り【降り】『四段』①雨・雪などが空から落ちて来る。「風まじり雨ー・る夜の」〈万八九二〉。「ぬばたまのわが黒髪にー・りなづむ天の露霜取れば消につつ」〈万一一一六〉。「霧いたうー・りて」〈源氏賢木〉②涙がおちる。「鈴虫のこゑのかぎりをつくしても長き夜あかずー・る涙かな」〈源氏桐壺〉③前触れもなく起る。はからずも身の上に受ける。「大節季喧嘩眼はすかぬ人／花の雪とてー・って涌き物」〈俳・西鶴五百韻〉

ふ・り【触り】『四段』《下二段活用触レの古形》ちょっとさわる。「我が泣く妻を、今夜(こぞ)こそはやすく肌ー・れ」〈記歌謡七八〉

ふ・り【震り・振り】[一]『四段』《物が生命力を発揮して、生き生きと小きざみに動く意。また、万物は生命を持ち、その発現として動くという信仰によって、物をゆり動かして活力を呼びおこす意。その信仰の衰えとともに、単に物理的な震動を与える意》❶《自動詞》生き生きと動く。波・風・地震などの自然現象にいう。「風をいたみ甚(だい)ー・る波の間(あひだ)無く」〈万二七三六〉。「大風吹き、なゐ(大地)さへー・り」〈栄花花山〉 ❷《他動詞》①㋑ゆり動かして活力を呼びさます。「ますらをの心ー・りおこし剣大刀腰にとりはき」〈万四七八〉㋺神霊・生命の活力を呼びさます。「是の日天皇のおほみ為に招魂(みたまふり)しき」〈紀天武十四年〉㋩神を降下、鎮座させる。「みかど奈良におはしましし時に、鹿島〔神宮〕遠しとて大和国三笠山にー・り奉りて春日明神と名つけ奉りて」〈大鏡藤氏物語〉㊁神座をかつぐ。神輿(みこし)をかつぐ。「〔櫃ニ〕枠・榊・鈴・鏡をー・り合はせて、先追ひののしりて持て参るさま」〈宇治拾遺二九〉。「神輿をー・りくだし奉って御幸をとどめたてまつれ」〈平家四・厳島御幸〉②㋑物の一端を持ってゆり動かす。「この嶺(たけ)に領巾(ひれ)ー・らしけむ松浦さよ姫」〈万八七四〉㋺(首などを)左右や前後に動かす。「天の原ー・りさけ見れば」〈万二〇六八〉㋩ゆさぶる。「むずと組んで、二ふり三ふりー・るとぞ見えしが」〈虎明本狂言・若市〉③(相手の気持などを)ふりきる。「〔空蟬ハ〕人に似ぬ心強さにても〔源氏ヲ〕ー・りはなれぬるかな」〈源氏夕顔〉。「引いつー・られつ、それこそ若い時の花かよなう」〈閑吟集〉④くばり当てる。割り当てる。「火きりとて、近江より貢御に参らするもちひは…前左衛門佐基俊の君のもとへー・るとて」〈顕輔集〉⑤撒(ま)き散らす。ふりかける。「酒をかけて塩をー・りて焼きたる鳥、必らず酸(す)くなる也」〈四条流庖丁書〉⑥無駄にする。損する。負ける。「今日の相撲をー・ってやらざなるまいわいの」〈浄・関取千両幟二〉⑦奴(やっこ)が左右の手を振り特有な恰好をして歩く。「押せ押せー・って出でませい」〈近松・薩摩歌上〉 [二]『名』①挙措進退などの姿・態度。振舞い。「いかにも静かに柔軟(にうなん)なーで馬の傍に歩んで来」〈天草本伊曾保〉。「夢にさへ、つれなのーやなう君は」〈隆達小歌〉②容姿。姿。「ーよき子どもを択(え)りすぐって」〈三好軍記下〉③いかにもそれらしく装った態度。「思へど思はぬーをして、しゃっとしておりゃるこそ、底は深けれ」〈閑吟集〉④歌曲の調子。ふりまわし。「ーも似ず、たがふ節(ふし)も多かりき」〈梁塵秘抄口伝集〉。「大嘗会には、和歌所祝ひの歌をよみ奉りたるを、風俗所にくだして歌のーをつけて」〈残夜抄〉⑤歌舞伎・舞踊で、歌詞による物真似をリズム化した動作・所作。「ーの付かざる役者にーを付け」〈戯場楽屋図会下〉⑥褌(ふんどし)または湯文字をつけていないこと。「肌帯の解けし相撲やー出し」〈俳・音頭集三〉⑦「振袖」の略。また、振袖を着る若い女。「茶屋で此方の参る茶は新造のーか詰茶(詰袖ト掛ケル)か」〈近松・卯月潤色中〉⑧「振りがかり」(3)(イ)に同じ。「ーに呼ばれし新造の、髪そこに結ひなして」〈松の葉三〉⑨ゆがみ。また、ゆがみ加減。「建ては建てたが、ちっくり笠にーが有ると押し直して」〈浄・一谷嫩軍記三〉⑩刀剣を数える語。「白う作ったる太刀一ー」〈平家八・征夷将軍〉 [三]『接尾』①様子。「舌ーいとものさはやかなり」〈源氏行幸〉②《ブリと濁音》時の経過の程度を表わす。「息災にあったの、一年ーに顔を見て」〈近松・博多小女郎上〉 **ーに詰ま・る** どうにもならなくなる。「何も進物これ無きに付いてー・り、諸白樽拾、酒に念を入れ、進上申し候」〈細川忠興文書元和六・一・一〇〉。「何ともー・り、食ひ物なく候者」〈榎本氏覚書〉

ふ・り【旧り・古り】『上二』①時がたって古くなる。さびれる。「あをによし奈良の都はー・りぬれど」〈万三九一九〉②年を取る。老いる。「ー・りにし嫗(おみな)にしてやかくばかり恋に沈む手童の如」〈万一二九〉③次第に過去のものとなってゆく。印象などが、時と共に薄れてゆく。「うつつにも夢にもわれは思はざりきー・りたる君にここに逢はむとは」〈万二六〇一〉。「御心のうち、ー・りず悲しく」〈源氏蜻蛉〉④新鮮でなくなる。陳腐となる。「雪の山作られたりし、世にー・りたる事

なれど、なほめづらしくも…しなし給へりしかな」〈源氏槿〉

ふりいた・し【振りいたし】『形ク』《イタシは、甚だしい意》振ることが甚だしい。はげしく振る。「かしこみと—・き袖を忍びてあるかも」〈万九六五〉

ふりい・で【振り出で】『下二』①振り切って出かける。「雪かきたれて降る。かかる空に—・でむも人目いとほしう」〈源氏真木柱〉②声を高くはりあげる。「鈴虫の—・でたるほどはなやかにをかし」〈源氏鈴虫〉③紅を水に振り出して染める。和歌で、多く⑵の意をかけて使う。「紅の—・でつつなく涙にはたもとのみこそ色まさりけれ」〈古今五九八〉

ふりう(ユウ)【風流】⇒ふうりう。「櫛合(くしあはせ)の勝負の—に舞楽を奏する事あり」〈教訓抄一〇〉。「是に—の面があるを着せて置かう」〈虎明本狂言・抜殻〉。〈文明本節用集〉

ふりうり【振売】町町を商品の名を呼びながら行商すること。また、その商人。「寺中商売人の—、市町の売買等の事」〈大乗院雑事記文明二・四・五〉

ふりおこ・し【振り起し】『四段』①振り立てる。弓末をしっかり引き起す。「梓弓末—・し投矢以ち千尋射渡し」〈万四一六四〉②心をふるい立てる。「ますらをの心—・し取りよそひ門出をすれば」〈万四三九八〉 †Furiökösi

ふりかかり【振掛り・振懸り】①動作振舞。「伶人の猿楽のやうな者のあるが、よく呂穆仲が挙措の—を似する」〈四河入海一六ノ一〉②すがた。容姿。「四方より—よし雪の松」〈俳・崑山集一三〉③《振リガカリと濁音》㋑物事を前以て決めないで、行き当りばったりにすること。遊女遊びにいうことが多い。「ふり」とも。「去る比(ころ)まで上官(太夫)にて候へども、〔天神ニ〕御下り候て、—にもなり申し候」〈評判・吉原買物調〉㋺纜(ともづな)をつけず、碇だけ下ろして、停泊すること。「海上に陣を取り、—の時は、大船に碇を打つべからず。敵俄かに寄せ来る時、碇の手廻し成り難し」〈軍法極秘伝書五〉

ふりかか・り【降り掛かり・降り懸かり】㊀『四段』雨や雪などが降りそそぐ。「梅が枝に—・りてぞ白雪の」〈拾遺一三〉㊁『名』《フリガカリと濁音にも》雨や雪が不意に降って来ること。「—に逢ふとも可也雪の友」〈俳・埋草四〉。「正真の—の雨具」〈浮・てれん用心記一〉

ふりか・け【振り掛け】『下二』①(顔に髪などを)ばらりと掛かるようにする。「髪を—・けて泣くけはひ、ただかの昔見し物の怪のさまと見えたり」〈源氏若菜下〉②ぱらぱらと物の上にまきちらす。「明恵上人は常に食事の上に物の粉を—・けて食し給ふなり」〈法華経直談鈔八末〉

ふりき・り【振り切り】『四段』相手を強く振り放す。また、人の引き止めるのを強く拒む。「袖—・り逃げんとし給へば」〈伽・しのばずが池〉。「さらばさらば、やがてやがてとのたまひて、—・り立ち出で給ひけり」〈評判・露殿物語〉

ふりくじ【振籤】くじびき。抽籤。「—をこそし給ひけれ」〈仮・花山物語〉

ふりぐすり【振薬】袋に入れて湯に浸し、振り動かして薬気を出す薬。振出し薬。「ふらいふらいこれ産前の—」〈俳・独吟集下〉

ふりくら・し【降り暮らし】『四段』雨や雪などが日暮れまで降りつづく。「つれづれと—・して、しめやかなる宵の雨に」〈源氏帚木〉

ふりさ・け【振り放け】『下二』《サケは遠ざける意》振り向いて遠くをのぞむ。「—・けて三日月見れば一目見し人の眉引思ほゆるかも」〈万九九四〉 †Furisakë

ふり・し【旧りし】『サ変』《多く打消を伴って》古びすたれる。過去のものとなる。「身は早く奈良の都になりにしを恋しき事の—・せざるらん」〈拾遺八六一〉

ふりし・き【降り頻き】『四段』しきりに降る。降りしきる。「ひさかたの雨は—・くなでしこがいや初花に恋しき吾が背」〈万四四四三〉 †Furisiki

ふりしき・り【降り頻きり】『四段』しきりに降る。「梅の花咲き散り過ぎぬしかすがに白雪庭に—・りつつ」〈万一八三四〉 †Furisikiri

ぶりしゃり 腹を立ててすねるさま。「—とする絹の振袖」〈俳・犬子集一六〉

ふりす・て【振り捨て】『下二』①振り切って捨てる。すげなく置き去りにする。「—・てさせ給へるつらさに、御送りつかうまつりつるは」〈源氏末摘花〉②(神輿などを)かつぎ出して捨てる。「春日の神木を飾り奉り、大夫入道道朝が宿所の前に—・て奉る」〈太平記三九・神木入洛〉

ふりそで【振袖】①近世、元服前の男女が着た着物。袖を長くして脇の下を縫わない仕立て。また、その袖。「代代—の間に高名して、袖をふさぐ吉例と聞えしが」〈蒲生軍記五〉。「幾年もまだ—か雪女」〈俳・鷹筑波五〉。〈日葡〉②振袖を着た若い女、または遊女。「—なりと詰(詰袖ノ年増女)なりと」〈近松・丹波与作中〉

ふりだし【振出し】上方歌舞伎で、花道の出または引込みに両手を振って歩く所作。六方。「—の不得手なること」〈評判・役者大鑑〉

ふりた・て【振り立て】『下二』①振りあげてつき立てる。「大船に戕牁(かし)—・てて浜清き麻里布(まりふ)の浦にやどりか為(せ)まし」〈万三六三二〉②(声などを)盛んに目立つように出す。はりあげる。「夏山に恋しき人や入りにけん声—・てて鳴くほととぎす」〈古今一五八〉③(休めているものを)大きく動かしておこす。「陰陽師(おんやうじ)とて世にある限り召し集めて、八百万の神も耳—・てぬはあらじと見え聞こゆ」〈紫式部日記〉

ふりつ・け【振り付け】㊀『下二』嫌いぬいてすげなくする。全く相手にしまいとする。「振って—・けて拗(す)ねてそうして」〈俳・独吟廿歌仙下〉㊁『名』「振り」㊁⑸を工夫して教えること。また、その人。「—のいる狂言なれば、座中の役者衆に指図し給ふ由」〈評判・役者大鑑〉

ふりつづみ【振鼓】楽器の一。二つの小鼓を柄で貫き、両側に糸の玉をたれ、柄を振ると、玉が皮の面にぶつかって鳴る。また、その玩具。追儺(ついな)のとき、悪鬼をはらう意味でも使われた。「晦日(つごもり)になりぬれば、追儺とののしる。上いと若うおはしませば、—などして参らするに君達もをかしう思ふ」〈栄花様様悦〉

ふりづんばい【振飄石】竿の先に縄をつけ、石を挟んで礫(つぶて)として投げつける道具。「また縄に石をゆひつけて打つを—といふなり」〈碧岩抄一〉

ふり・で【振り出】『下二』《フリイデの約》⇒ふりいで。「思ひいづるときはの山の郭公からくれなゐの—・でてぞなく」〈古今(元永本)一四八〉

ふりてがた【振手形】近世、両替屋の預金者が両替屋を支払人として発行する、記名式所持人払いの手形。振出し手形。大坂手形。「大晦日の—」〈西鶴・胸算用一〉

ふりはな・れ【振り離れ】『下二』すてて遠ざかる。「今はとて—・れ下り給ひなむは、いと心細かりぬべく」〈源氏葵〉

ふりは・へ(エ・ハヘ)【振り延へ】㊀『下二』《フリは人目を引くような動作、ハヘは遠くへ這わせる意》ことさらにする。わざわざ行く。「—・へていざふるさとの花見んと来(こ)しをにほひぞ移ろひにける」〈古今四四一〉。「行く手の御ことは、なほざりにも思う給へなされしを、—・へさせ給へるに〔対シテ〕聞えさせむ方無くなむ」〈源氏若紫〉㊁『副』つとめて。わざわ

ざ。「かかる心ばへにて―来たれどわが睦まじき従者(ずさ)もなし」〈大和一四八〉

ふりばり 女をののしっていう語。ふんばり。「死に女郎(めらう)の―め」〈近松・丹波与作中〉

ふりふもんじ(ウ‥リュ)【不立文字】「以心伝心」と共に、禅宗の立場を示す標語。悟道は文字・言説を以て伝えられず、心から心へ伝えるものであるということ。「祖師、―・教外別伝・直指人心・見性成仏と云へり。全く文字言語を立てずして、直(ぢき)に人の心体を指して成仏せしむるとなり」〈道元法語〉

ふりふり【振り振り】ゆれ動きながら、高い所から舞い落ちるさま。「童、観音を念じ奉りて、足を離れて網の上に踊りければ、―と落つる程に遙かなりけり」〈今昔二六ノ三〉。「その後、空より足ある釜―として落つ」〈沙石集八ノ一〉

ぶりぶり【振振】近世、正月の男児の玩具。木製八角形の槌形に紐をつけたもので、地上を引きずり歩き、または紐を手に持って振り廻し、あるいは毬打(ぎちやう)のようにして遊んだ。後には、紐の代りに柄を付け、彩色絵を描き、年始の飾り物として贈答した。「―のなりにむきたる真桑瓜」〈俳・毛吹草一〉。〈日葡〉

ふりまが・ひ(ガイマ)【降り紛ひ】『四段』区別をつけかねるほどに混り降る。降り乱れる。「秋深くなりにけらしな鈴鹿山もみぢは雨と―・ひつつ」〈新勅撰三九一〉

ふりまが・へ(ガエマ)【降り紛へ】『下二』降って、見分けがつかないようにさせる。「草も木も―・へたる雪もよに春待つ梅の花の香ぞする」〈新古今六八四〉

ふりまさ・り【旧り増り】『四段』一層古くなる。ずんずん年をとる。「徒に我身のみこそ―・りけれ」〈拾遺一〇〇一〉

ふりまはし(ワシマ)【振廻し】①物を振り廻すこと。「夕立(太刀ト掛ケル)の―かや光り物」〈俳・正友千句〉②金銭などのやりくり。「財物不足して、身の―なり難き辛き世の中いかがせん」〈仮・見ぬ京物語上〉

ふりもの【降物】①空から降るもの。「岩屋などは、一切―なども漏らぬもの也」〈水無瀬三吟何人百韻注〉②連俳の分類用語の一。「雨・露・霜・雪・霰、かくのごとき―」〈連理秘抄〉。「花の雪、植物(うゑもの)也。―にあらず」〈宗祇袖下〉。「雪の花、―也。植物にあらず」〈俳・御傘八〉

ふりゆ・き【旧り行き】『四段』古くなってゆく。年をとってゆく。「冬過ぎて春し来たれば年月は新(あらた)なれども人は―・く」〈万一八八四〉 †Furiyuki

ふりょ【不慮】思いがけないこと。予想外。「―に族(やから)の為に罪を蒙りて」〈今昔九ノ三八〉 **―のほか**【不慮の外】「思はざるほか」と同類の言い方で、「不慮」の意を一層強調したもの。思いのほか。不慮外。「―に馬より落ちて、悶絶して忽ちに死に入りぬ」〈今昔六ノ二〉。「然るに―に、かの上人の門弟に向顔する事ありき」〈法然上人行状絵図〉

ぶりょく【無力・不力】貧乏。貧窮。「当時(今)、我―なるに」〈八幡宮巡拝記下〉。「―する憂き身の上に恋をして」〈兼載独吟〉。「無力、ブリョク、貧なる義」〈文明本節用集〉

ふりわけ【振分け】「振分け髪」に同じ。「―の髪を短み」〈万二五四〇〉 †Furiwakë **―がみ**【振分け髪】童男・童女の髪形。八歳ごろまで、髪を左右に振り分けて垂らし、肩のあたりで先を切りそろえたという。「―の何心なき直衣姿どもにて」〈源氏若菜上〉

ふるうた【古歌】古人のよんだ歌。昔の歌。「―に『〔北へ行ク雁ゾ鳴クナル連レテ来シ〕数は足らでぞ帰るべらなる』というふことを思ひ出でて」〈土佐一月十一日〉

ふるえ【古江】古い入江。古びた入江。「葦鴨のすだく―にをとつ日も昨日もありつ」〈万四〇一一〉 †Furuye

ふるえ【古枝】古い枝。年を経た枝。「百済野(くだらの)の萩の―に春待つと居りし鶯鳴きにけむかも」〈万一四三一〉 †Furuye

ふるかく【古格】古い仕方。古風。旧式。「古道具屋の―な堅地の父の親の手を」〈近松・卯月紅葉上〉

ふるかね【古金・古鉄】鉄・銅などの金属製品の使い古したものや破損して廃物となったもの。また、古道具。旧物(ふるもの)。「鍛冶屋は、飢年に釜・鉈(なた)・―をやすやすと売るを買ひとめ」〈本福寺跡書〉 **―かひ**(イカ)【古金買】古金具や古道具を売買する商人。古道具屋。古金屋。「古瀬戸の茶入れ大海買ふ也。―持ち来る也」〈隔蓂記寛永三二・一・七〉

ふるから【古幹】古い茎。「我がやどの穂蓼(ほたで)―摘み生(お)し実になるまでに君をし待たむ」〈万二七五九〉

ふるき【黒貂】「黒貂(くろてん)」の古語。毛皮を衣料として尊重した。「上着には―の皮衣(かはぎぬ)、いときよらに、かうばしきを着給へり」〈源氏末摘花〉。〈和名抄〉

ふること ❶【古言】①古い言い伝え。昔の話。「日の本の倭(やまと)の国はことだまのさきはふ国とぞ―に流れ来たれる」〈続後紀嘉祥二・三・二六〉②古歌。古い詩。「『窓を打つ声』など、珍しからぬ―をうち誦(ずん)じ給へるも」〈源氏幻〉③昔の思い出話。「例の御物語聞え給ふに、―どもの、そこはかとなき、うち始め聞えつくし給へど」〈源氏槿〉 **❷**【古事・故事】①昔あった事。過去の出来事。「朱雀院の紅葉賀、例の―思し出でらる」〈源氏藤裏葉〉②昔から伝えられ、典拠や参考となる事柄。古人の遺風。「笛の音にも―はつたはるものなり」〈源氏少女〉

ふるころも【古衣】①着ふるした着物。「―打棄(うつ)る人は」〈万二六二六〉②〔枕詞〕打ちかえしてやわらかくする意から、又打(またうち)の約「まつち」(地名)にかかる。「―まつちの山ゆ還り来ぬかも」〈万一〇一九〉 †Furukörömö

ふるごゑ【古声】昔のままの声。「さ月まつ山ほととぎすうちはぶき今も鳴かなむ去年(こぞ)の―」〈古今一三七〉

ふるさと【古里・故郷】①古びて荒れた里。昔、都などのあった土地。「―の飛鳥(あすか)はあれどあをによし平城(なら)の明日香(あすか)を見らくし好しも」〈万九九二〉②昔なじみの、なつかしい里。㋑生まれて育った家。また、その土地。「親の御けはひとまれる―ながら」〈源氏帚木〉㋺かつて住んだ所。長年暮した家。度度来た土地。「人はいさ心も知らず―は花ぞ昔の香ににほひける」〈古今四二〉㋩(旅などに出て)後に残してきた我が家。留守宅。「おのおの―に心細げなる言伝てすべかめり」〈源氏明石〉 †Furusato **―びと**【古里人】「ふるさと」(2)に居る人。故郷にいる人、育ての親、留守宅の人など。「かの―に告げやらん」〈源氏夕顔〉

ふる・し【古し】『四段』《古くする意》①(そのまま)長い時を経る。「押照る難波菅笠置き―・し後は誰が着む笠ならなくに」〈万二八一九〉。②新鮮味をなくさせる。「皆人〔ガ先ニ〕聞えさせ―・しつらむことを、初初しきさまにてまねぶやうになり侍り」〈源氏蜻蛉〉③飽きて捨てる。珍しく思わなくなる。「秋(飽キト掛ケル)といへばよそにぞ聞きしあだ人の我を―・せる名にこそありけれ」〈古今八二四〉

ふる・し【古し】㊀『形ク』①長い年月がたって、機能や形が駄目になっている。「ささなみの―・き都を見れば悲しき」〈万三二〉②古代のことである。昔のものである。「長生殿の―・きためしはゆゆしくて」〈源氏夕顔〉。「錦綾なども、なほ―・き物こそなつかしう」〈源氏梅枝〉③以前からある。昔から伝来のものである。「―・き世の友よはひ経ぬれば」〈源氏少女〉。「朱雀院の—・き心物し給ふ人人…参り給ふ」〈源氏竹河〉④年老いている。「—・き女ばらなどは」〈源氏蓬生〉⑤古くさい。ありふれている。陳腐だ。「—・き事ながら、此の手だて一度づつは喰ふ事なり」〈西鶴・一代男七〉㊁『形シク』古い感じである。「薄い衣は—・しくならば」〈古今集註〉。「詩は意を新しく、語を—・しく云ふ事がよきなり」〈中華若木詩抄上〉

ふるだぬき【古狸】①年を経た狸。「火を打たせてともして見れば—なりけり」〈著聞六〇七〉②悪知恵があって人をだますに長じた人。「—のくにと言ふ遺手の開山」〈西鶴・諸艶大鑑二〉。〈日葡〉

ふるつはもの ⁝ツワモノ【古兵】百戦錬磨の武士。老功の武者。「飛驒守景家は—にてありければ」〈平家四・宮御最期〉

ふるて【古手】①古い器物。古道具・古着など。「—御扇一本」〈師守記貞和五・一・三〉。「太橋にて—を盗み、新石町にて売り候処」〈梅津政景日記元和五・四・六〉②《フルデとも》古くさい方法。陳腐な手段。また、おきまりの珍しくないこと。「昔覚ゆる—の小歌に、看経(かんきん)時をうち忘れて」〈浮・新武道伝来記一〉 **—かひ** ⁝イカ【古手買ひ】古着や古道具を買い集める商人。「声立てて此処にぞ千早—(振ルト掛ケル)」〈俳・両吟一日千句〉 **—や**【古手屋】古着や古道具を売買する店。また、その商人。「さる—へ入りてこの二いろ(着物ト脇差)を売りけり」〈善悪報ばなし五〉

ふるとし【旧年】①《新年からみて》過ぎ去った年。去年。「—の御物語などなつかしう聞えたまひて」〈源氏初音〉②《新年を念頭において》まだ改まらない年の内。年内。「—に春立ちける日よめる」〈古今一詞書〉

ふるな【富楼那】釈迦の十六人の弟子の一人。雄弁をもって知られる。「最初の時には—比丘、内には菩薩身を隠し」〈梁塵秘抄九〇〉。「凡そ説法耳を驚かし、—の再誕」〈公衡公記弘安二・一・二六〉

ふる・ひ フルイ『四段』《物が自分の持つ生命力・活力を発揮して震動するのが原義。ついで、人間が持っている活動力のすべてをはたらかす意。やがて、単に物理的な震動をし、また与える意》❶【震ひ】①人が神がかりの状態になる。「久しうもあらで—・ひいでぬれば」〈枕一本三三〉②震動する。「大きに梵(な)り響き震(ふる)ふ雷と音との如し」〈金光明最勝王経平安初期点〉。「ダイヂシンイデキテ、イエドモフルイタヲサレ」〈日葡〉③ふるえる。ふるわす。「若君は、いとむくつけく、いかにすることならむと—・はれ給へど」〈源氏若紫〉。「コエガフルウ」〈日葡〉❷【振ひ】①能力のすべてを活動させる。「金岡、筆を—・ひて絵かきける中に」〈著聞三八五〉②ある限りを人前に示す。「御八講せさせ給はむとて『よろづ此度は我が宝—・ひてむ』と宣はせて」〈栄花浅緑〉③威力を発揮する。「日本一州に名を揚げ、威を—・っし人なれども」〈平家六・入道死去〉❸【篩ひ】ふるいにかけて物を選りわける。「一処に擣(つ)き篩(ふる)ひてその香末を取れ」〈金光明最勝王経平安初期点〉 **—ふで**【震ひ筆】ふるえた筆蹟。わななきで。小野道風の書にいう。「道風に動くや—つ花」〈俳・犬子集一〉

ふる・び【古び】『上二』古ぼけている。旧式になる。「心ばせなどの—・びたる方こそあれ、いとうしろやすき後見ならむ」〈源氏蓬生〉

ふるひと【古人】①昔の人。「茂り立つ嬬松(つま)の木は—見けむ」〈万一七九五〉②老人。「—どもはさるものにて、若き盛りのも」〈源氏鈴虫〉③古くから仕えている人。古参の人。「童(わらは)にて京より下りける—の老法師になりてとまれる」〈源氏若菜上〉④昔なじみの人。「春雨の—(降ルト掛ケル)なれば袖ぞぬれける」〈古今七三一〉⑤古風な人。昔かたぎの人。「あやしき—にこそあれ」〈源氏行幸〉 †Furufitö

ふるふだをさめ【古札納め】近世前期から中期にかけて、江戸で、年末に各戸の祈禱札を集めて廻り、銭を貰った乞食。また、その呼び声。「—。古札や一家納めて国郡」〈俳・四十番俳諧合〉

ふるぶる・し【古古し・旧旧し】『形シク』いかにも年取っている。「いとさだ過ぎ、—・しき人の、髪なども吾がにはあらねばにや、所所わななきちりぼひて」〈枕八三〉

ふるへ ⁝エ【古家】《フルイへの約》古い家。「うづら鳴く人の—に」〈万二七九九〉 †Furufe

ふるぼねかひ ⁝イカ【古骨買】古傘を買い歩く行商人。古骨屋。「—分けつつ行けば紅葉笠」〈俳・軒端の独活上〉

ふるま・ひ ⁝マイ【振舞ひ】㊀『四段』①人目につくような勝手な行動をする。思いのままの挙動をする。「遊びたはぶれをも、人よりは心安く、馴れ馴れしく—・ひたり」〈源氏帚木〉②(ある心づもりをもって)身を処する。「忍びやかに—・ひ給へど、御幸に劣らず装(よそ)しく」〈源氏行幸〉③用意し身がまえて行動する。「六位なる者の、太刀はきたる、—・ひ出で来て」〈かげろふ下〉。「大方、—・ひて興あるよりも、興なくて安らかなるがまさりたることなり」〈徒然二三一〉④人をもてなす。ごちそうする。「今夜新蔵人—・はれて候。康光すでに沈酔におよべり」〈著聞六三五〉。「逢うて—・うて戻さう程に、座敷へ呼び入れい」〈虎明本狂言・察化〉㊁『名』①(人目につく自由な)行動。「常なりし咲(ゑま)ひ—いや日異(け)に変らふ見れば悲しきろかも」〈万四七八〉。「打ち解け、心のままなる—など物せらるな」〈源氏梅枝〉。「威儀(ふるまひ)閑雅(みやびか)なり」〈大唐西域記四・長寛点〉②意識的な技巧または態度。「右、歌ざま、—はをかしく侍るを」〈右大臣兼実家歌合〉③接待。もてなし。「この中(うち)あなたこなたのお—はおびたたしい事ではなかったか」〈虎明本狂言・止動方角〉。「仙首座に於いて、妙心院へ—これ在り」〈舜旧記天正二〇・三・一六〉 ▽振ヒ舞ヒの約で、鳥が羽を存分に振って空を自由に舞うのが原義か。名義抄に「翔、フルマフ」とある。 †Furumafi

ふるみ【古身・古実】時代ものの刀。古刀。「刀の天下第一と云ふは、—、物切れの第一なるを云ふなり」〈見聞愚案記一三〉

ふるみや【古宮・旧宮】①権勢などをなくした宮様。「世に数まへられ給はぬ—おはしけり」〈源氏橋姫〉②皇族の以前の屋敷。皇族の荒廃した屋敷。「中宮の御—なれば」〈源氏少女〉。「この—の梢は…遠目さへすごげなるを」〈源氏総角〉③古くなって荒れさびた神社。「暮れて往来も絶えぬ—／今日こその祭の庭のいさかひに」〈白山万句慶長一二・閏四・一〉

ふるめか・し【古めかし】『形シク』《フルメキの形容詞形》①古風である。「—・しく書きたるを」〈源氏東屋〉②昔のことである。「いと涙がちに—・しきことどもを、わななき出でつつ語り聞ゆ」〈源氏若菜上〉③昔からのことである。古くからのものである。「—・しき同じ筋にて東と聞ゆなるは」〈源氏紅梅〉④年とった感じがする。「〔妊娠シテ〕—・しき御身ざまにて〔元気ナ落葉宮ト〕立ち並びがほならむも、はばかりある心地しけり」〈源氏若菜下〉。「いと—・しきはぶきうちして参りたる人あり」〈源氏槿〉

ふるめ・き【古めき】『四段』①古風に見える。昔風である。「陸奥紙(みちのくがみ)にいたう—・きたれど、書きざまよしばみたり」〈源氏明石〉②旧式である。「歌ども奉る。…例のあやしげに—・いたりけむと思ひやれば」〈源氏宿木〉 ③古ぼける。「紙魚(しみ)といふ虫のすみかになりて—・きたるかびくさきながら、〔筆ノ〕跡は消えず」〈源氏橋姫〉 ④年とる。年寄る。「泣き給ふも—・い給ふしるしの涙もろさにや」〈源氏竹河〉 **—びと**【古めき人】古風な様子の人。旧弊に見える人。「よになき—にて、同じき法師といふなかにも、たづきなく、この世を離れたる聖(ひじり)にものし給ひて」〈源氏蓬生〉

ふるもの【古者】①年寄り。おいぼれ。「ただ、かかる—世に侍りけりとばかり、しろしめされ侍らなむ」〈源氏橋姫〉 ②老練者。ふるつわもの。「—にてありければ…二人の者どもを引きあげて、助けたりけるとぞ聞えし」〈平家四・宮御最期〉

ふるものがたり【古物語】①遠い昔の（重要な）事柄についての語りごと。「さしぐみに—にかかづらひて夜を明かし果てむも」〈源氏橋姫〉 ②古い物語。特に、源氏物語以前の物語をいう。「源氏の事は申すに及ばず、—も〔本歌ニ〕取るなり」〈正徹物語下〉

ふるや【古屋】古びて朽ちた家屋。古い家。「虎に乗り—を越えて青淵に蛟龍(みつち)捕(と)り来む剣大刀(つるぎたち)もが」〈万三八三三〉

ふ・れ【触れ】㊀『下二』《たやすくは接触しないものに瞬間的にちょっと接触し、反応を感じる意。類義語サハリは、行くてをさえぎるものにひっかかる意》 ①瞬間的にちょっと接触する。後難のあるものなどに、ふとさわる。「妹に恋ひ寝(い)ねぬ朝(あした)に吹く風は妹にし—・ればわれさへに—・れ」〈万二八五八〉。「ただ覚えぬ穢(けがらひ)に—・れたるよしを奏したまへ」〈源氏夕顔〉 ②（箸などを）ほんのちょっとつける。「月頃、物などを更に参らざりけるに、いとはかなき柑子(かうじ)などをだに—・れ給はず」〈源氏若菜下〉 ③一端を耳に入れる。「思ひのままなるくだくだしさを聞え—・るべきにもあらず」〈源氏総角〉 ④ちょっと関係する。「この御事に—・れたる事をば道理をも失はせ給ひ」〈源氏桐壺〉 ⑤広く知らせる。触れを出す。「国司等に—・れて、諸軍を差し発して、急に不破道を塞け」〈紀天武一年〉。「侍共に、その用意せよと—・るべし」〈平家二・教訓状〉 ⑥《「事に—・れて」の形で》何かにつけて。「幼き御けはひの、ことに—・れてしるければ」〈源氏紅葉賀〉 ㊁『名』幕府・役所などから、法律・禁令などを公告すること。また、その文書。「上京・下京の鼠ども寄り合ひ、—を廻し」〈伽・猫の草子〉

ふれい【不例】《通常の状態でない意》病気。特に貴人の場合にいう。「—重くすべかりし女人は、旅の空にかくれましにしかば」〈宇津保藤原君〉

ぶれいかうウ：コ【無礼講】礼儀作法を抜きにして、貴賤上下の差別なく楽しむ宴会。「衣冠を着せず、殆ど裸形にして、飲茶の会これ有り。…此の衆数輩有り、世これを—の衆と称すと云云」〈花園院宸記元亨四・一一・一〉

ふれうけんウ：リョウ：【不料簡】考えのよくないこと。不心得。不了簡。「大身に似合はぬ—」〈近松・日本武尊二〉

ふれじゃうジ：ョウ【触状】宛名を連名にして、順次にまわして通知する書状。廻状。触文(ふれぶみ)。「五つ打たば人の出入りあるべからずと梶原殿の—なり」〈曾我九〉

ふれた・ち【振れ立ち】『四段』《タチは生えている意》ゆれて生えている。「門中(となか)〔=海峡〕のいくり（海中ノ岩）に—・つなづの木（水ニツカッタ木）のさやさや」〈記歌謡七四〉

ふれてれ【降れ照れ】雨の降ることと日の照ることと。「空は時雨の—天性（天候）」〈俳・飛梅千句〉。〈文明本節用集〉 **—無し**《晴雨にかかわらずの意で》常に、いつでも、の意。「降り照り無し」「照り降り無し」とも。「松風は—の時雨かな」〈俳・新続犬筑波九〉

ふれながし【触流し】命令・触書などを広く伝えること。伝達。「やしま斜めに喜うで—をぞまはしける」〈伽・小夜姫草子〉

ふれば・ひイ：バ【触ればひ】『四段』《フレ（触）ハヒ（這）の意》 ①手をふれる。接触する。「紫苑(しをに)ことごとに匂ふ空も、香のかをりも、〔御衣ニ〕—・ひ給へるけはひにやと」〈源氏野分〉 ②関係をもつ。「すこしも世づきてあらせむと思はむ女子持たらば、同じくはかのあたりに—・はせまほしけれ」〈源氏若菜上〉。「さればこそ、いかにもあれ、天台宗に—・ひたる人とは見まゐらせつれ」〈上野君消息〉

ふれぶみ【触文】「触状(ふれじやう)」に同じ。「早速—を以て一々に申されければ」〈加沢記四〉

ふれまひイ：マ【振舞】「ふるまひ」の転。関西でいう。「吉野の里の—に行く」〈俳・宗因七百韻〉

ふろ【風呂・風炉】入浴の設備をした場所。平安時代末から近世初期天正・慶長頃までは、戸棚式の蒸風呂であったが、変じて湯を十分に沸かした戸棚風呂となり、更に戸棚を廃して柘榴(ざくろ)口をつけた風呂となり、後には、蒸気浴の形式と柘榴口を捨てて、今日のような湯浴となった。「—殿に於て、祈念有るべきの由仰せらる」〈明月記寛喜三・二・一三〉。「湯をかからんか—へ入らんか」〈俳・伊勢山田俳諧集〉。「風呂、フロ、湯殿也。…温室義同」〈文明本節用集〉 **—を留(と)・む** 風呂を借切りにして自分達だけはいる。「—・め入る也」〈言国卿記文明八・一〇・二五〉

ふろ【風炉】夏期に用いる茶の湯の道具。湯を沸かすのに用いる。「刑部房、懸物わきまへ—たきなどして」〈著聞四二六〉

ふろ【降ろ】動詞「降り」の連体形「降る」の上代東国方言。「上野(かみつけの)伊香保の嶺(ね)ろに—雪(よき)の行き過ぎかてぬ妹が家のあたり」〈万三四二三東歌〉 †Furo

ふろく【不陸】真直ぐでないこと。また、平らでないこと。「山芝は薄縁(うすべり)敷けど—にて」〈俳・猿舞師〉

ふろしき【風呂敷】入浴具の一。風呂場に敷いて、足を拭ったり、衣類を包んだりした方形の布。後に、物を包むのに用いる絹布の称となった。「浪掛け衣浴衣(ゆかた)—」〈俳・大坂一日独吟千句〉。「—に今は何をか包むべき」〈俳・二葉集〉

ふろふ・き【風呂吹き】㊀『四段』蒸風呂で、暖まった身体に息を吹き掛けて、垢をこすり取る。「名を右衛門と云ふ若人、—・く事上手なれば」〈卜養狂歌集〉 ㊁『名』①蒸風呂に入り、暖まった身体に息を吹き掛けて垢を掻くこと。「息の緒長く飽かぬ—」〈俳・時勢粧五〉 ②大根・蕪などを蒸して、熱いあいだに味付きの味噌を塗って食べる料理。「—大根は物かは（問題ニナラヌ）なるべし」〈評判・山茶やぶれ笠〉

ふろや【風呂屋】銭湯の一。蒸風呂式の浴場。近世前期には湯女(ゆな)がいた。「—加加女(かがめ)申状」〈徳政賦引付天文一五・一三・二九〉。「神屋川の上下に湯屋も—も侍らず」〈俳・茶杓竹上〉 **—もの**【風呂屋者】「湯女」に同じ。「風呂女」「風呂屋よね」とも。「—の隙(ひま)となれる者」〈色道大鏡一四〉

ふわく【不惑】《論語、為政篇に「四十にして惑(まど)はず」とあるによる》四十歳の異称。〈伊呂波字類抄〉

ぶゐ【無為】①何もしないこと。自然のまま放って置くこと。「北辰高きところ、—の徳」〈菅家文草五〉。「—に事いで来ば、わが親たちいかにおはせんと」〈宇治拾遺一一九〉 ②無事平穏なこと。「凡そは皇子御誕生あって祚を継がしめん事も海内—を思ふ為なり」〈平家三・頼豪〉

ぶゑい【武衛】兵衛府(ひやうゑふ)の唐名。〈拾芥抄中〉

ふん【分】 近世、重さの単位。一匁の十分の一。一厘の十倍。〈ロドリゲス大文典〉

ぶん【分】 ①分けたものの一つ。分け前。「然れば食物(じきもつ)を三に分けて、母に一—、我一—、妻(め)一—にあてたり」〈今昔九ノ二〉 ②分量。程度。「『米百石の—奉る』と言ひて取らせたり」〈宇治拾遺一九三〉。「その物の寸法は—に過ぎて大に書きて候事、いかでか実にはさは候ふべき」〈著聞三九六〉 ③身の程。分際。「—を知らずして強ひて励むは、己が誤なり」〈徒然一三一〉 ④限定された状態・程度などをあらわす語。「それがしは既にこの—でござれば、ご分別あれかし」〈天草本伊曾保〉。「あれが男を持った—には苦しからぬ」〈虎明本狂言・鈍太郎〉 ⑤仮に定めるもの。名義。「三男は〔外祖父〕一鉄子—として、稲葉靱負頼永と云ひしを」〈土岐累代記〉。「住寺の母親—になって」〈西鶴・一代女二〉 **—にな・る** ①別に独立する。また、特別になる。「今日の月軍(いくさ)は—・りにけり」〈俳・蘆分船一〉 ②分家または別家する。「—・らるる嫁の仕合せ」〈俳・炭俵下〉

ぶん【文】 学芸。文学。「—・武・医の道、誠に欠けてはあるべからず」〈徒然一二二〉

ぶんかふ ウ:コ **【文匣】** 厚紙などで作った小箱で、書類や紙などを入れるのに用いる。「汝(猫)が皮を剝がれ、—の蓋になるとも、〔鼠ハ〕下にさがるまじきぞ」〈伊曾保物語下〉。〈文明本節用集〉

ぶんぎり【分限り・分切り】 ①分際と限度と。「敵を追ひ候て出で候はん時も、—を過ぎ候て出で候はん者は、是れ又面目失はせ候はん事」〈毛利家文書二、天文三・九・二二〉 ②一定の長さに切ること。「針屋の弟子となる身は…耳穴(みみづ)のあけくれ、—の仕事に年中暇なく」〈西鶴・織留六〉

ぶんく【分句】 連歌で、人数の多い時、自分のよむべき句数を懐紙の折ごとに配分した句。「懐紙移りには、四句五句の内に早く—をとまり給ふべし」〈初学用捨抄〉。「—を遅れもてゆく事は心あわたたしく、句毎に遣句(やりく)になり侍る事、無念の事也」〈連歌教訓〉

ぶんげん【分限】 《ブゲンとも》 ①その者の身分や地位などで可能なぎりぎりの範囲・限界。「身の—なかりければ、乗替(のりかへ)・郎等までは思ひも寄らず」〈保元中・白河殿へ義朝夜討ち〉。「振舞も家居も持具足も、—に従ひて振舞ひ給ふべし」〈極楽寺殿御消息〉 ②身の程。分際。「かれがこの頃の—にて、助経に思ひ懸からんとの心の中、やさしくこそ候へ」〈曾我八〉。「侍を畜類とは—知らぬあぶれ口」〈説経・伍太力菩薩〉 ③金持。「その牛を売りて、いよいよ—になるなり」〈奇異雑談集三〉

ぶんこ【文庫】 ①書籍を納めておく蔵。「中御門東洞院の御所にたてられたる—」〈古活字本保元下・新院讃州〉 ②《「文匣(ぶんかふ)」の転》木や紙で作った小箱で、本・手紙・紙類などを入れるもの。絹で外側を貼ったものを御所文庫という。「破れ—を前に置き」〈評判・露殿物語〉

ぶんご【豊後】 ①旧国名の一。西海道十一国の一。今の大分県の大部分。豊(ほう)州。「—の国の白水郎(あま)の歌」〈万三八七七題詞〉 ②「豊後節」の略称。「義太夫・—・河東に昼夜のわかちも無く」〈黄・高漫斎行脚日記中〉 **—ぶし【豊後節】** ①浄瑠璃の一派。都一中の門弟宮古路国太夫(後に受領して豊後掾)が宝永頃語り始めた。世話物を主とし、赤裸裸な人生の歓楽を妖艶な節廻しで語り、煽情的であったので、幕府から禁止された。宮古路節。国太夫節。「—の心中を作りたる浄瑠璃は、たいてい京大坂の事なり」〈賤のをだ巻〉 ②(1)から分れた薗八(そのはち)節・常磐津(ときはづ)節・富本節・清元節・新内節などの総称。「河東節・常磐津・富本、そのほかの—の浄瑠璃、または長唄・めりやす等の文句は」〈声曲類纂三〉

ぶんこく【分国】 知行権を有する国。また、戦国大名の領国。「皆これ当時関東御—也」〈吾妻鏡文治一・八・二九〉。「されば、—の中、出雲国横田庄は仙洞の御領にて、手をさす者もあるまじかりしを、近年一向押領したてまつる間」〈明徳記上〉

ふんご・み【踏ん込み】 ㊀《四段》《フミコミの音便形》 ①足をぐっと踏み入れる。「金輪水際にくっと—・んで」〈無門関抄上〉 ②大胆に思い切ってする。一か八かやってみる。「—・んで思ひ入れ合ふ事より、拍子よく金銀かさむ事ぞかし」〈西鶴・胸算用四〉 ㊁《名》裾の狭い野袴。踏込袴。裾細(すそぼそ)。「初鰹—の衆が天窓(あたま)割」〈雑俳・万句合宝暦一二〉

ぶんざい【分際】 ①それぞれに応じた程度・限界。「まことに故ある住まひ、辺土—には過ぎたり」〈問はず語り四〉。「見ず知らざる所はしばし是をさし置く。日本一州の—に、あらゆる人いくそばくかある」〈撰集抄六ノ一〇〉 ②身の程。身分。「ただ自然(じねん)と聞取り法門の—をもって」〈御文章〉

ふんざうえ ウ:ソ **【糞掃衣】** 人の捨てたぼろ布をつづって作った僧衣。「衣服に—あり、食に常乞食あり」〈正法眼蔵随聞記二〉

ぶんさん【分散】 ①分かれ散ずること。「事畢りて、各—す」〈左経記長和五・一・三〉 ②近世、債務者が、大多数の債権者の同意を得て、全財産を債権者達に委せ、それを入札売却した代金を債権額に応じて、各債権者に配当する処分法。分算。今日の破産に当るが、「身代限り」とよく混同された。「惣十郎…—〔債権額ノ〕六分七厘程にて相済み申し候」〈宗静日記寛文八・三〉

ふん・じ【封じ】 《サ変》封をする。「ふうじ」とも。「—・じて、上に『忌みなど果てなむに御覧ぜさすべし』と書きて」〈かげろふ中〉

ぶん・じ【分じ】 《サ変》一つの物を二つ以上に分ける。また、分れる。「黄色なる土を取りて、一丸の大きさ、大なる大豆許(ばかり)に—・じて」〈正法眼蔵洗浄〉。「この玉、目の前にて—・じけり」〈伽・花世の姫〉

ふんじか・り【踏んじかり】 《四段》「踏みしかり」の音便形。「—・って立ったりしは、多聞・持国・増長、いや作り据ゑた仁王にちっとも違はざりけり」〈幸若・和田酒盛〉

ぶんしちもとゆひ イ:ユ **【文七元結】** 近世、文七という白く艶のある紙をこいて作った元結。「—と云ふ有り。これは紙の名なり。白く艶ある紙なれば、この紙にて製するを上品とす」〈本朝世事談綺二〉

ふんじん【分身】 ①仏が衆生を教え救うために十方の世界に種種の姿で現われること。また、その姿。「然るに和光の影広く一体—現はれて、衆生済度の御本尊たり」〈謡・誓願寺〉 ②一つの体が二つ以上に分れること。「十方に—して、万卒に同じく相当りければ」〈太平記一〇・長崎高重〉

ぶんじん【文人】 ①文事にたずさわる人。「—・武士は国家の重んずる所」〈続紀養老五・一・二七〉 ②詩文・書画などの風雅をよくする人。「—を召して曲水の詩を賦せしむ」〈続紀神亀五・三・三〉 ③特に、大学寮の文章生(もんじゃうしゃう)をさす。「—詩を奉り、伶人楽を奏して還幸なし奉る」〈平家一・内裏炎上〉

ぶんせき【分跡】①身のほど。分際。身分。「汝太鼓の―として過言は無用なり」〈色道大鏡一〉②近世前期、大阪で、たいこもちの称。「―。同じく太鼓持の事也。慶安の頃大坂辺にて言ひ慣はせし名目なり」〈色道大鏡一〉

ふんだ【札】ふだ。「策とは―の心なり」〈朗詠鈔四〉

ぶんだい【文台】①机。懐紙・短冊などを載せるもの。書物などにも使い、詩会の時には、創作した詩歌をこれに置く。「紙燭(しそく)さして歌ども奉る。―のもとによりつつ置く程のけしきは、おのおのしたり顔なりけれど」〈源氏宿木〉②歌比丘尼が牛王(ごおう)その他の用具を入れた小箱。牛王箱。文台箱。「―に入れしは熊野の牛王」〈西鶴・一代女三〉 **―びらき**【文台開き】〔連俳用語〕文台を披露すること。また、それを祝って行なう連俳の興行。文台ひろめ。「松平備後守所に―の連歌候て、越し候」〈家忠日記天正一五・八・八〉

ぶんだ・ち【分立ち】〘四段〙①他と異なり、著しく見える。明白に見える。目立つ。際立つ。「風毒は―・つ事なく、腫れて痛み多からず。また瘍疽は―・って痛み強し」〈万外集要上〉②別にする。独立する。「お龜夫婦を引き取って―・って商ひさせ」〈近松・卯月潤色中〉

ふんだん《フダン(不断)の転》①「不断」に同じ。「常住―の物語も其の方に心を引き寄せ」〈コリヤード懺悔録〉②多くあるさま。沢山。「ふんだ」とも。「―。物の沢山なるを云ふは、不断の字にて絶えず有るの心なるべきを、田舎などに―と誤りたるか」〈志不可起五〉

ぶんだん【分段】〔仏〕①凡夫が六道に輪廻(りんね)して、分分、段段の果報を受けること。分段生死。「―の身は衣食(えじき)によりて罪造る」〈今昔一五ノ二八〉②「分段同居」の略。「情なきかな、―の荒き波、玉体を沈め奉る」〈平家一一・先帝身投〉 **―しゃうじ**(ショウジ)【分段生死】「分段」(1)に同じ。「―の海を越えて安養浄土に生るる人」〈西方発心集下〉 **―どうご**【分段同居】《「分段」は分段生死の凡夫、「同居」は凡夫と聖者とが同居する土の意》婆婆世界。「仏母の鳥は―の古巣に帰りて」〈日蓮遺文新池御書〉

ぶんち【分知・分地】①知行(ちぎやう)を分割相続すること。また、その分けられた知行。「大江五郎殿支配の知行所は、四十人へ―下さるべく候の由」〈矢島十二頭記〉②農民が所有の田畑を分配して相続させること。また、その分配された田畑。幕府は一定面積以下の田畑の分地は禁止した。「―の稲の初実りなり」〈俳・みとせ草上〉

ふんづき【文月】《フミヅキの音便形》陰暦七月の称。「―の七日の日」〈古今九二七詞書〉。「七月、ふづき、本は―なり」〈八雲御抄三〉

ふんで【筆】《フミテ(文手)の音便形》ふで。「―とりて書き給ふ」〈栄花初花〉。「毫、フムデ」〈名義抄〉

ふんとく【粉徳・分徳】近世初期、野呂間(のろま)人形の遣い手の名。また、その遣った滑稽な容貌の人形。「四条河原を見物にまかったりゃ、当世の出来物があまたござる。…藤八が当話、左内が松風に―が道外」〈万歳躍〉

ふんどし【褌】①男子の陰部を蔽い隠す布。下帯。ふどし。「―しめて掛かる夕暮」〈俳・大矢数一〉。〈日葡〉②腰巻。ゆもじ。「―はどうだと禿まくられる」〈雑俳・万句合明和三〉③蟹の副甲。「振舞に蟹を出さう。かまひて―を外して参れ(食べョ)」〈咄・昨日は今日上〉

ぶんどり【分捕】敵の首をその甲冑・武具ごと取ること。「―あまたしたりけり」〈平家九・木曾最期〉。「生捕(いけどり)・―思ひ思ひにぞしける」〈義経記四〉

ぶんない【分内】その区域内。その占めている範囲。「この御所は―狭くして、自然の事あらん時悪しかるべしとて」〈保元上・官軍勢汰へ〉

ぶんに【分に】〘副〙別に。特別に。「出羽殿・遠江殿は―言ひ置かれ」〈松平大和守日記天和三・二・一〇〉

ふんぬ【忿怒】いきどおり、いかること。「その時に、羅刹女(らせつによ)、忽ちに端正美麗の形を棄てて、もとの―・暴悪の形となりぬ」〈今昔一三ノ四〉。〈色葉字類抄〉

ぶんぬき【打抜】《ウチヌキの転》①碗などに飯を入れ、逆さにして丸く盛ったもの。中間(ちゅうげん)や仏供(ぶく)などの食。ぶんぬき飯。「―に鰯一疋御覧じて」〈俳・銭龍賦〉②五目鮨などを三角形・扇形などの型に詰めて押し出したもの。花見・観劇などの弁当に用いた。「品のいい―をする花の朝」〈雑俳・柳多留二八〉

ぶんのじのぜに【文の字の銭】良質な寛永通宝銅銭。寛文以降、京都方広寺の大仏をくずして、呉服師の加役で鋳造した。背孔の上に「文」の字の極印がある。文銭。文字(ぶんじ)銭。文の字。大仏銭。「―吹出しの朝嵐 西鶴」〈俳・桜千句〉

ふんのつかさ《フミノツカサの音便形》①【図書寮】⇒ふみのつかさ(1)「図書寮、フムノツカサ・ヅショレウ」〈色葉字類抄〉②【書司】⇒ふみのつかさ(2)「上の御あそび始まりて―の御琴ども召す」〈源氏藤裏葉〉

ぶんのもの【分の物】全く性質・種類の異なった物。別な物。「分な物」「ぶんもの」とも。「道化は立役とは―なる故」〈評判・野良立役舞台大鏡〉

ふんば・り【踏ん張り】□一〘四段〙《フミハリの音便形》両足に力を入れてぐっと踏み開く。「鐙(あぶみ)―・り立ち上がり、大音声あげて名乗りけるは」〈平家九・木曾最期〉。「大の男が―・りて、少しも動かず」〈曾我一〉□二〘名〙①近世前期、江戸で、下級の遊女の称。「古は浮れ女・白拍子など言ひしを、今様には売女(ばいた)・―など言ふらん」〈評判・吉原失墜〉②女をののしっていう語。「ヤイ―め、慮外な、それ何ぬかす」〈近松・弘徽殿三〉

ぶんぶん【分分】①それぞれ。分相応。「―に威勢をほどこし」〈今昔三ノ一五〉。「敵・御方入り乱れ、―の敵に相合ひて」〈明徳記上〉②別別なこと。「聡明・仁義は、―各々なものぢゃぞ」〈荘子抄四〉

ふんべつ【分別】物事を理性的に思考し、正しい判断を下すこと。また、その能力。「鳥獣―なしといへども」〈今昔七ノ二〇〉。「よくよく―すれば」〈三体詩抄一ノ四〉 **―の分(ぶん)の字が百貫する** 思慮分別が重要である意。「思案の字が百貫する」とも。「―と言へば、とくと分別有ってしかるべし」〈評判・野良立役舞台大鏡〉

ぶんまはし(ワシ)【分廻し・規】コンパス。「一尺弐寸に―をして」〈蹴鞠簡要抄〉。「規は番匠の―の器ぞ」〈毛詩抄一一〉

ふんみゃう(ミョウ)【分明】はっきりしていること。明瞭。明白。「事皆此の国郡に―なり」〈将門記〉。「―の御返事もなかりけり」〈平家二・西光被斬〉。〈色葉字類抄〉

ぶんやぶし【文彌節】延宝末年、大阪の伊藤出羽掾座の太夫岡本文彌が語り始めた浄瑠璃の一流派。哀調柔軟な語り口で、泣節(なきぶし)と呼ばれた。略して「文彌」とも。「―の浄瑠璃大略也」〈評判・野良立役舞台大鏡〉

ふ

へ

へ【上】《ウヘのウが直前の母音に融合した形。本来、表面に接する所の意》①表面。「河の―のいつ藻の花の」〈万四九一〉②近く。あたり。ほとり。「川の―に生ひ立てる、さしぶを さしぶの木」〈記歌謡五七〉③上部。「韓国(からくに)の城(き)の―に立ちて」〈紀歌謡一〇〇〉④上方。「木の晩(くれ)の繁き峰(を)の―をほととぎす鳴きて越ゆなり今し来らしも」〈万四三〇五〉⑤かかわるところ。「伊香保嶺に雷(みか)な鳴りそねわが―には故は無けども児らに依りてそ」〈万三四二一東歌〉▽へ(辺)とは奈良時代には別音の別語であった。†Fë

へ【戸】《へ(竈)と同根。一つのかまどのある所の意》①民の家。「秦人の戸(へ)の数、総べて七千五十三戸」〈紀欽明一年〉。「戸、へ」〈名義抄〉②戸籍。本貫(ほんかん)。「百済の百姓(みたみ)の浮逃(に)げたると貫(へ)絶えたるとの、三四世なりたる者をさへ括(ぬ)き出して、並びに百済に遷して、貫(へ)に附く」〈紀継体三年〉▽イヘ(家)の上略とするは誤り。イヘのヘは Fe の音。†Fë

へ【辺・端・方】㊀『名』《最も古くは、「おき(沖)」に対して、身近な海浜の意。また、奥深い所に対して、端(はし)・境界となる所。或るものの付近。また、イヅヘ(何方)・ユクヘ(行方)など行く先・方面・方向の意に使われ、移行の動作を示す動詞と共に用いられて助詞「へ」へと発展した》①海の岸辺。「沖見ればとゐ波立ち、―見れば白波騒く」〈万二二〇〉②端(はし)にあたる場所。「道の―の草深百合(くさふかゆり)の花咲(ゑ)みに咲みしがからに妻といふべしや」〈万一二五七〉③近い所。ほとり。あたり。「大君の―にこそ死なめ顧みはせじ」〈万四〇九四〉。「頭辺、此をば摩苦羅陛(まくらべ)と云ふ」〈紀神代上〉㊁『接尾』①…の方。方向。「〔竹ノ〕本(もと)―をば琴に作り、末―をば笛に作り」〈紀歌謡九七〉。「背揮、此をば志理幣提爾布倶(しりへでにふく)と云ふ」〈紀神代上〉②《時間に用いて》大体その頃。「春べは花かざし持ち、秋立てば黄葉(もみち)かざせり」〈万三八〉†Fe

へ【屁】おなら。「―をひるより外の事なかりけり。立つにもひり、居るにもひり、はたらく拍子ごとにひりけり」〈著聞五四二〉。「屁、倍比流(へひる)、下部出気也」〈和名抄〉

へ【瓮】瓶(かめ)。「甕・瓮、へ」〈名義抄〉▽朝鮮語 pyŏng(瓶)と同源か。†Fë

へ ヱ【重】《へ(辺)と同根。物の端(へり)の意が原義》着物・畳・花びらなど、重なるものの端(へり)がいくつあるかを示すところから、重なるものを数える語。「小竹(ささ)が葉のさやぐ霜夜に七―着(か)る衣に益(ま)せる子ろが膚(はだ)はも」〈万四四三一〉。「我が畳三―の川原の」〈万一七三五〉†Fe

へ【家】《イヘのイが直前の母音に融合した形》いえ。「妹(いも)が―に雪かも降ると見るまでに」〈万八四四〉†Fe

へ【舳】《「艫(とも)」の対》船首。へさき。「大船の艫にも―にも寄する波寄すともわれは君がまにまに」〈万二七四〇〉。「船前頭謂之舳…舟頭制レ水処也、閉(へ)」〈和名抄〉▽朝鮮語 pai(舟)と同源か。†Fë

へ【竈】かまど。「吾すでに湌泉之竈(よもつへぐひ)せり」〈紀神代上〉。「ゆめ、黄竈火物(よもつへもの)をな食ひそ」〈霊異記中七〉

へ【経・歴】『下二』《へ(綜)と同根。場所とか月日とかを順次、欠かすことなく経過して行く意》①めぐる日・月・年・時を、一区切りずつ渡って行く。「あらたまの年経(ふ)るまでに白栲の衣も干(ほ)さず」〈万四四三一〉。「古へに君が三代(みよ)経(へ)て仕へけり」〈万四二五六〉②地点を次次に通って行く。「黒崎の松原をへて行く」〈土佐二月一日〉。「木曾〔義仲〕は摂津国をへて都へ入る」〈平家八・室山〉③過程を通る。所要の手続きをふむ。「左右をへずして内大臣より太政大臣従一位にあがる」〈平家一・鱸〉†Fë

へ【綜】㊀『下二』《へ(経)と同根》経糸(たていと)を一本ずつ順次、機(はた)にかける。経糸を布の長さに延ばしてそろえる。「あり衣(きぬ)の宝の子らが打栲(うつたへ)は、へて織る布」〈万三七九一〉㊁『名』機の経糸を延べて、ひっかけるもの。「綜、和名閉(へ)、機縷持レ糸交者也」〈和名抄〉†Fë

へ『助』→基本助詞解説。†Fe

べ【部】大化改新前、朝廷や豪族に隷属した農民・漁民および特殊技能者などの集団。職能名や、豪族名・地名などを冠して呼ばれ、自営的な生活を営んで、貢物や労力を提供した。大化改新の公地公民制によって解体。「誉津別命(ほむつわけのみこと)この鵠を弄びて、遂に言語(ものいふ)こと得つ。…因りてまた鳥取―・鳥養(とりかひ)―・誉津(ほむつ)―を定む」〈紀垂仁二十三年〉†be

へあが・り【経上がり・歴上がり】『四段』次次に昇進する。「わづかに三箇年が間に―・って歳二十七にして中納言右衛門督に至れり」〈平治上・信頼信西不快〉。「うち続き、宰相、衛府督(ゑふのかみ)、検非違使別当、中納言、大納言に―・って」〈平家一・鱸〉

へい【塀・屏】①屋敷などの境界や目隠しにする仕切り・囲い・築地(ついぢ)などの類。「この町町の中の隔てには―ども、廊などをとかくゆき通はして」〈源氏少女〉②板塀。「四方の―に手を懸け」〈太平記三・赤坂城軍〉

へい【幣】神前に供える布帛。また、神にささげる物の総称。「春日〔神社〕の冬の祭に―奉りけるに、思ひける事を、みてぐらに書きつけ侍りける」〈詞花三八〇詞書〉。「幣、ヘイ。俗ミテグラ」〈色葉字類抄〉

へい【弊】①弊害。欠点。「耳を信じて目を疑ふは、俗(しょく)の常の―なり」〈平家三・法印問答〉②つかれ。疲弊。「地下人などに至るまで、御方の―に乗りて、一人なりとも討ち留めて」〈明徳記下〉③自己に関する語に冠して、謙遜の意を示す語。「弊宅、云我宅詞、ヘイタク」〈色葉字類抄〉

べい『助動』①「べし」の連体形「べき」の音便形。「かの御尋ねあ―ことになむありけるを」〈源氏行幸〉②「べし」の終止形「べし」の音便形。近世、特に奴詞。また、関東地方で多く用いられた。「参り申す―」〈ロドリゲス大文典〉。「〔下野国ノ者ガ〕『蚤が多くて、つかんでほうばる―に。かゆくばひっかく―よ』とて」〈仮・東海道名所記三〉

へいあんきゃう(キョウ)【平安京】桓武天皇の延暦十三年から明治元年東京奠都に至るまでの都。今の京都市。左京(東の京)・右京(西の京)に分れていたが、右京は衰え、左京は賀茂川を越えて東山に続くほどに発展した。「〔藤原薬子ハ〕万代と定め賜ひし―をも棄て賜ひ、停め賜ひて平城の古京に遷さむと勧め奉りて天下を擾乱(みだ)しき」〈後紀弘仁一・九・一〇〉

へいあんじゃう(ジョウ)【平安城】「平安京」に同じ。「年号は平治なり、花の都は―、われらは平家なり」〈平治中・待賢門軍〉

べいか【矮狗】狆(ちん)の異称。後には、犬の子の称。べか犬。「東よりござる―の犬の年」〈俳・毛吹草五〉

へいきょく【平曲】盲僧が平家物語を琵琶の伴奏で語る音曲。平家琵琶。「―は瞽者の業にて、常人の弄ぶべきに

あらぬ事と心得たるあり」〈追増平語偶談〉

へいぎん【平均】①不同のないこと。ひとしなみ。「役夫・工米の事、諸国ー先例に違ふべからざる歟」〈尺素往来〉。「松もなき野はーに草枯れて」〈宗祇独吟〉〈文明本節用集〉②平和なこと。「当国ははやーに治めたり」〈浅井三代記二〉

へいくじ【幣圜】「おはらひくじ」に同じ。「八嶋かまどの前にてはーを六和尚取りてくる也」〈北野社家日記慶長四・四・三〇〉

へいぐし【幣串】祓〈はらへ〉に用いる串で、麻・木綿〈ゆふ〉などを掛けた榊や竹。「ー一本、八嶋へ御下行」〈北野目代日記長享二・四・二九〉

へいぐゎい【平懐】①礼儀作法などを無視すること。また、その振舞い。無作法。無遠慮。「〔大名ニ対シテモ〕『や上﨟(じやうらふ)、そちか』なんどというて、ーにあひしらふぞ」〈四河入海一八上〉〈色葉字類抄〉②歌などの作り方に趣向をこらさないこと。また、歌の発想や用語が平凡なこと。「右歌、『冬寒み』こそーに侍るめれ」〈六百番歌合冬下〉

へいけ【平家】①平氏の家。「年号は平治なり、花の都は平安城、われらはーなり」〈平治中・待賢門軍〉②「平家物語」の略。「重盛はーの教訓の巻には明言を言ひたる人なり」〈御書抄三〉③「平曲(へいきよく)」に同じ。「日本の盲がーを語るこそ演史よ」〈襟帯集〉。「ー語らぬ座頭ありけり」〈俳・犬筑波〉 **ーびは**【平家琵琶】「平曲」に同じ。「城三来たりーを談ず」〈蔗軒日録文明一七・四・一三〉

へいこう【閉口】①口を閉じてものを言わないこと。「頭中将俊家放屁せらる。人ーす」〈古事談一〉②返答につまること。屈服すること。「公行卿に『是はいかに』と見せければーせられけり」〈十訓抄四ノ一三〉。「とかく論ずるに及ばいでーしてかしこまったが」〈天草本伊曾保〉

べいことば【べい言葉】《助動詞として「べい」を多く使うので》関東・東北地方の田舎ことば。べいべい言葉。「貫之の好きべらなりがー」〈雑俳・広原海一三〉。〈俳・世話尽三〉

へいさん【平産】楽に子を産むこと。安産。「ー、但し児損ず」〈小右記長元三・四・二〇〉

へいじ【平氏】皇族賜姓の豪族の一。桓武天皇の四皇子の子孫で平(たひら)姓を名のるものを桓武平氏といい、最も有名。中でも葛原親王の孫高望(たかもち)王の流は東国武士の間に勢力を築き、その一派である伊勢平氏は忠盛・清盛の代に全盛、政権を握るに至った。このほか仁明・文徳・光孝の諸平氏がある。平家。「柏原(桓武)天皇の御末とは申しながら…伊勢の国に住国深かりしかば、其国のうつはものに事よせて伊勢ーとぞ申しける」〈平家一・殿上闇討〉。〈日葡〉

へいじ【瓶子】酒を入れて土器〈かはらけ〉や盃に注ぐ器。後の徳利のようなもの。「瑠璃(るり)の御さかづき、ーは紺瑠璃なり」〈源氏宿木〉

べいじゅう【陪従】《「陪」はつき従う意》①目上の人につき従うこと。お供。「蛇一つ相伴うて行きけり。ーのもの『…』と申すを」〈雑談集七〉②賀茂・石清水などの祭の東遊〈あづまあそび〉・御神楽などのときの楽人および歌人の総称。近衛使に陪従するのでいう。「舞人は、衛府の佐どもの、かたち清げにたけだちひとしき限りを選(え)らせ給ふ。…ーも、石清水・賀茂の臨時の祭などに召す人人の、道道のことにすぐれたる限りを整へさせ給へり」〈源氏若菜下〉

へいしょく【秉燭】《「秉」は手に持つ意。ヒンショクとも》火をともす時刻。夕刻。たそがれ時。「ーに及んで〔神輿ヲ〕祇園の社へ入れ奉る」〈平家一・内裏炎上〉

へいじん【平人】世間一般の人。ふつうの人。「生れつきーと変り」〈大学抄〉。〈日葡〉

へいぜい【平生】①ふだん。つね。「この三つの宮殿は、いづれもこれは玄宗のーの御在所よりは西にあるなり」〈長恨歌抄〉②生きている間。生前。「我がーの時、乗りし馬を売りて我が為に浮図(ふと=塔)を造れと云ひき」〈今昔九ノ三〇〉

へいた【艑板】船の舳または艫(とも)の台の上にわたした板。この上で舵を取り、艪を押す。踏立板(ふだていた)。「月にうそぶく気色にて、船のーに立ち上がり」〈謡・清経〉。〈日葡〉

へいたん【平旦】《「平」は、丁度その時に相当する意。「旦」は、夜明け》あかつき時。夜明け。「まづ正月にはーに天地四方拝」〈太平記二四・朝儀年中行事〉。「平旦、ヘイタン、寅(とら)七つ時」〈下学集〉

へいだん【餅餤・餅䭔】餅に鳥の卵や野菜を入れて、四角に切ったもの。二月の列見、八月の定考〈かうぢやう〉に上卿以下の公卿諸臣に供した。「ーといふ物を二つ並べてつつみたるなりけり」〈枕一三三〉。〈和名抄〉

へいちゃう【閉帳】開帳が終って、帳を閉じること。「永享十二年六月開帳の間、当年六月ーせらるべし」〈建内記嘉吉三・五・一六〉

へいとう【平等】①差別しないこと。公平。びょうどう。「深き河をも、浅き河の如く衣をかかげて、ーに渡らんとするが如し」〈応永二十七年本論語抄一四〉。「獄の事をさばき扱うて、どれも事をーにして、片落ちなうしたぞ」〈玉塵抄一四〉②むやみ。やたら。むちゃくちゃ。「へいと」とも。「ーに色赤壁や蔦紅葉(つたもみぢ)」〈俳・崑山集一一〉。「手負ひて目玉が廻るとても、ーに水や湯を呑まない物だ」〈雑兵物語下〉

へいとうのやまひ【平頭の病】〔歌論用語〕歌病の一で、上の句と下の句の最初の字が同じであるという欠陥。一説、上の句はよいが下の句が劣るという欠陥。「ーもなからんには劣りて候」〈毎月抄〉

へいはく【幣帛】《「幣」も「帛」も絹。神に奉る絹の意》①神前に献ずる物品。「卯月は〔山王権現ノ〕垂跡(すいじやく)の月なれどもーを捧ぐる人もなし」〈平家二・山門滅亡〉②紙または布帛を細長い木にとりつけた神祭用具。本来、神霊を降臨させるための木であった。「ー静まりければ、悪霊も死霊も立ち去り」〈義経記七〉

へいはふ【兵法】《ヒャウハフとも》①戦術。軍学。「〔石公ハ張良ニ〕心解け、ーの奥儀を伝へける」〈謡・鞍馬天狗〉②武術。剣術や槍術など。「ーの当流(正統派)の太刀を使ひ候やうに、扇を御取り持ちあるべく候」〈禅鳳雑談〉

へいふう【屛風】《ヘイフとも》⇒びゃうぶ。「七尺のーは高くとも、躍らばなどか越えざらん」〈平家五・咸陽宮〉

へいまん【屛幔】幔幕。「ーどもひきたるなど」〈枕二七八〉

へいめい【平明】夜明け。「ーに御格子進(まゐ)らせける御所侍」〈太平記三五・持明院殿〉

へいもん【閉門】①門をしめて、人に会わないこと。また、謹慎の意を表するため、そのようにすること。「よろづ心細うや思はれけむ…ーしてこそおはしけれ」〈平家三・法印問答〉。「〔喧嘩ノ〕翌日、将軍家の御下知として細川・三好の両家ーなり」〈江源武鑑四下〉②近世、武士・僧侶・神主に科した刑。五十日または百日間、自宅の門・窓を閉じ、昼夜とも出入を許さぬもの。「今度、島原軍法破り申す事にて候間…〔榊原〕飛驒にはー仕り候て居申す由」〈沢庵書簡寛永一五・七・一〉

へう【表】事の理を明らかにしてお上に申し上げる文書。「諸司、意見のーを奏す」〈続紀天平九・二・一三〉

べう《助動》「べし」の連用形「べく」の音便形。平安時代

中期頃から次第に多く用いられる。「しられ奉らむことは難かるーおぼす」〈源氏胡蝶〉

べうえい【苗裔】《「苗」も「裔」も末の血筋の意》末の血すじ。末孫。血統。「清和天皇の御ー、六孫王の末葉」〈保元中・為義最後〉

へうきん【剽軽・瓢金】《唐音》軽はずみなこと。軽薄で滑稽なこと。「傾城の嫌ふ男はーにして」〈評判・難波物語〉 **ーだま**【剽軽玉】剽軽な性格。また、その人。「若やいで大人も打つやー」〈俳・三つ物揃〉

へうぐ【表具】布または紙を貼って、巻物・掛物・屏風・襖などに作り上げること。表装。「掛けし島絵のー見事さ」〈俳・寛永十三年熱田万句一七〉。〈文明本節用集〉

へうげ【剽軽】㊀『名』言行が並はずれて奇抜なこと。また、風変りなこと。「瀬戸茶碗、ひづみ候ふ也。ー也」〈宗湛日記慶長四・二・二八〉 ㊁【へう・げ】『下一』剽軽(へうきん)な振舞をする。「此の知音の人ー・げた人にて」〈寒川入道筆記〉。「笑はずばー・げて見ばや花の顔」〈俳・大海集二〉

へうし【表紙・標紙】巻物を巻きおさめた時、表に出る部分。表面には布などを張り、裏面には彩色絵などを画いたりした。また、冊子などの表裏に添えて綴じ合わせる厚紙など。金や板のものもあった。「歌は巻物二つにて、こがねのー、玉を貫きて紐にしたり」〈栄花根合〉

へう・し『サ変』未詳。一説に「僄し」で、軽んじる、馬鹿にするの意かともいう。「あはれ、例の内府(だいふ)が世をー・する様にふるまふ、大いに諌めばや」〈平家二・教訓状〉

へう・し【表し】『サ変』表現する。形にあらわす。「無明、谷深きよそほひは、下化衆生をー・して金輪際に及べり」〈謡・山姥〉

べうしょ【廟所】貴人の墓所。おたまや。「これこそ新院の御ー、松山にて候へ」〈謡・松山天狗〉

へうたん【瓢箪】 **ーから駒の出づるやう** 意外な所から意外な物が現われるさまの形容。また、道理上ありえないことにいう。「上手の句なればとて、毎度ーに思ふは、愚人の謂れ也」〈俳・蠅打一〉 **ーざけ**【瓢箪酒】①瓢箪に入れた酒。「御存じのー」〈近松・傾城金龍橋一〉 ②瓢箪を黒焼きにした粉末を温めた酒で飲む打身の薬。愛洲(あいす)。「ー旅人の夢や覚ますらん」〈俳・飛梅千句〉 **ーで鯰(なまづ)を押さへるやう** ぬらくらして擱まえ所のないさまの形容。「ぬめくって、こちへすれば、あちへし、あちへすれば、こちへするぞ。ぬめりまはるぞ。ーなぞ」〈玉塵抄三〉 **ーの川流れ** 軽く浮き浮きとして陽気な心または態度のたとえ。「ーする帷子(かたびら)を着て踊る身も浮きに浮きつつ」〈後撰夷曲集三〉。〈俳・乳母一〉 **ーの軽口(かるくち)** 瓢箪が浮いて流れるような、軽く弾みのついた滑稽で面白い話しぶり。「ー叩く日雀(ひがら)かな」〈俳・佐夜中山一〉

へうとく【表徳】実名以外に付ける風雅な号。雅号。別号。また、遊里などで使う替名。「予、渭北とーせし時」〈俳・其角一周忌〉。「貴様ーが有るか」〈洒・遊子方言〉 **ーがう**【表徳号】雅号。別号。「総じて斎名やーなどは、何と巧みても、良いが無いものぞ」〈古文真宝抄五〉

へうびゃく【表白】《ビャクは呉音、申す意。ヘウヒャク・ヘウハクとも》法会・修法の始めに、その趣旨を仏および会衆に申し述べること。また、その文。開白。啓白。開啓。「講師、声をあげてーする程に」〈今昔二〇ノ三六〉

べうべう 犬の鳴き声。「狗人と云ふは…ーと云ひて門を守りて居候はうぞ」〈古活字本日本書紀抄下〉

へうほい【表褙】「表具(へうぐ)」に同じ。「表褙、ヘウホイ」〈下学集〉

へうほゑ【表補絵】「表褙(へうはい)」の転。「妙音天ー出来」〈教言卿記応永一四・八・晦〉。「表補絵、ヘウホヱ、画飾也、或作二表背衣一」〈文明本節用集〉

へうもつ【俵物】「たはらもの」に同じ。「へうもの」とも。「さればー四十余候か」〈上井覚兼日記天正一三・一一・二〇〉。〈文明本節用集〉

へうり【表裏】①表と裏と。「ー一入(いつじふ)再入(さいじふ)のくれなゐ」〈和漢朗詠集花〉 ②外面と内心とが正反対であること。うわべだけをとりつくろった偽りの言動。「岩見修理のー、この時顕はれ了んぬ」〈大乗院雑事記明応二・二・二六〉。「元来、信長が弓矢は、敵手痛く戦はばちっくとーを使って退く男なれば」〈江源武鑑一六〉 **ーもの**【表裏者】言動に裏表のある者。裏切り者。「龍造寺隆信儀も手の裏かへすやうなるーに候へば」〈大友記〉

へうろく【表六】愚かなこと。また、愚者。「へうろくだま」とも。「女房は舌の先で物を云ひてーな者ぞ」〈山谷詩抄九〉。「此段分別も無く、物をも知らず、且つ手浅にーの仕業にて候」〈毛利家文書二、毛利元就書状〉

へおひびくに【屁負ひ比丘尼】良家・貴人の娘・若嫁に仕え、主人に放屁などの過失が有れば、その罪の引受け役となった老尼。「ーといふ昔物語は知られぬか」〈俳・蠅打一〉。〈俳・世話尽二〉

べかかう 下のまぶたを反して赤い裏面を見せる動作。拒否の意を表わす。赤目。あかんべい。「べかこ」「べかっかう」「べっかんこ」とも。「折る人にーと言へ犬桜」〈俳・続山の井一〉

べかな・り『連語』《べカリと伝聞・推定の助動詞ナリとの複合の音便形べカンナリのンを表記しなかった形》…べきだということだ。「内侍のかみになるー・り」〈源氏行幸〉

べかめ・り『連語』《べカリとメリとの複合の音便形べカンメリのンを表記しなかった形》…べきであるようだ。「心もとなきことに思ふー・り」〈源氏夕顔〉

べか・り『助動』→基本助動詞解説。 †bëkari

へ・ぎ【削ぎ】㊀『四段』《ヘリ(減)と同根。一部を削りとる意》①量を減らして薄手にする。薄く削り取る。「御物思ひの程に、ところせかりし御髪(ぐし)の少しー・がれたる」〈源氏明石〉。「また、入道をさかさまにして頭(かうべ)より肉(しし)をー・ぎ取る所あり」〈伽・富士の人穴の草子〉 ②減らす。「其の二つの神郡より輸(たい)すべき赤引糸三十五斤は、来年に当(まさ)に其の代を折(へ)ぐべし」〈紀持統六年〉。「減、オトス・ヘグ・ヘス」〈名義抄〉 ㊁『名』①【片器・片木】薄くへいだままの板で作った折敷(をしき)。「ーに焼鳥」〈久重茶会記正保五・三・一九〉 ②【削・片】薄くそぐように切ったものを数える語。「生姜(しやうが)一ー霞(酒)酌まし」〈俳・信徳十百韻〉

へきしょ【壁書】①壁に張り出して示す文書。掲示の布告。かべがき。「陰陽寮のーに云ふ、夜蝕奏せずと。故に予め奏せず」〈三代実録元慶一・四・一〉。「『今度の合戦に於て、忠あらん者には、不日に恩賞を行なはるべし』といふー、決断所に押されたり」〈西源院本太平記一四・将軍御進発〉 ②室町時代、幕府・守護大名などが発布した法令。「このーの次第、もし違背せしむる輩に於ては」〈大内氏掟書〉。「壁書、ヘキショ、禁制文也」〈文明本節用集〉

へぎもち【分餅・片餅】紅・黄・白の餅を極く薄く鉋(かんな)でへぎ、小さく刻んだもの。今の欠餅(かきもち)。近世、近江国坂田郡醒井(さめがい)の名産。京都醒井でも真似て製造したので、醒井餅ともいう。「醒井ー」〈俳・毛吹草四〉

へきらく【碧落】青空。「上はーを極め、下は黄泉の底まで尋ね求むるに」〈太平記三七・畠山入道〉

へき・り【隔切り】㊀『四段』間を仕切る。「谷の流れを、いちゐの側―・る」〈入来院文書文永七・一〇・一五〉 ㊁『名』間を仕切ること。仕切り。へりきり。「ヘキリヲスル」〈日葡〉

べくさかづき【可盃】《漢文で、「可(べ)」の字の用法は、必ず文字の上に置かれて、下には置かれぬのでいう》底が尖っていて、飲み干さねば下に置かれぬようにした盃。「―を出せり」〈咄・醒睡笑五〉

へぐひ【竈食】⇒よもつへぐひ

へ・げ【剝げ】『下二』《ヘギ(削)の自動詞形》離れ落ちる。はげる。「常林壺…底くぼく、そば―・げたるやうにあり」〈宗湛日記天正一五・二・一三〉

へこ・み【凹み】『四段』①くぼむ。「―・む。窪みたるを云ふ。又こまりたるを云ふ」〈俚言集覧〉。「―・まれて使のこまる菓子袋」〈雑俳・東月評万句合宝暦一一〉 ②失敗して損する。「四百目といふ銀(かね)を何にするとて借ったぞ。喰ひ込んだか、―・んだか」〈近松・重井筒上〉

へ・し【圧し】『四段』①強く押しつける。圧迫する。「左右の腕(かひな)に取りつきて、押せども―・せども少しも働かず」〈義経記七〉 ②圧倒する。へこます。「逢坂の歌は―・されて、返しもえせずなりにき」〈枕一三七〉 ▽万葉集一三四六に、ヲミナヘシを「姫押」と表記した例があり、この語が奈良時代からあったことが知られる。 †Fesi

へ・し【減し】『四段』へらす。「飯を拆(へ)して、鳥に施す」〈霊異記下序〉

べ・し『助動』→基本助動詞解説。 †bësi

べしぐち【圧口】不愉快な時や苦苦しく感じる時に、口角に力を入れて唇を引き結ぶこと。また、その口つき。「始めより―して、えも笑はず」〈盛衰記三〉。「国師、問ひつめられて良久(ややひさ)しくは―になられた」〈碧岩抄二〉

べして【別して】『副』「べっして」に同じ。「良夜も―面白くもあるまじ」〈三体詩絶句抄五〉 **―も無い** たいしたこともない。「―説なり」〈三体詩絶句抄六〉。「これは―人と心得るぞ」〈論語抄為政〉

べしめん【圧面】能面の一。べし口の表情の面。後に、「べしみ」とも。「たとへば鬼面の内にも―あり」〈竹田彌次郎伝書〉

へそ【臍】腹部の中央にある、へその緒のとれたあと。ほぞ。「〔ソノ薬ヲ〕寝たる人の―の上につけつれば」〈仙覚抄五〉。「臍臍、和名保曾(ほぞ)。俗云倍曾(へそ)」〈和名抄〉 **―が笑・ふ** おかしくてたまらぬさまの形容。臍が茶を沸かす。「―・うて腹筋の河津(皮ト掛ケル)が控えた、気遣ひすな」〈近松・本領曾我一〉

へそ【巻子】《ヘ(綜)ソ(麻)の意》つむいだ麻をつないで、細長い環状に幾重にも巻いたもの。「赤土(はに)を床の前に散らし閉蘇(へそ)〔ノ〕紡麻(を)を針に貫(ぬ)きて、その衣の襴(すそ)に刺せ」〈記崇神〉。〈和名抄〉 †Fëso

へそいはひ【臍祝】媒介・周旋などの礼金を貰った時、知合いを招いて御馳走すること。「臍あたため」「臍ひやし」とも。「出入の口鼻(かか)どもまで温かな―をするさうな」〈評判・難波の顔二〉

へそくりがね【臍繰金・臍繰銀】主婦などが倹約して内密に貯えた金銭。へそくり。「ほぞくりがね」「へそがね」とも。「野の原の―か露の玉」〈俳・糸瓜草五〉

へた【蔕】茄子・柿などの実について残っている萼(がく)。「柿を〔折ニ〕積むに、―を取る也。名物柿などは其の儘」〈山内料理書〉。「蔕、ヘタ、柿」〈易林本節用集〉

へた【端・辺】《ヘ(端)タ(手)の意。タは方向を示す》はし。岸べ。へ。「淡海(あふみ)の海―は人知る沖つ波君をおきては知る人も無し」〈万三〇二七〉 †Feta

へた【下手】《ヘタ(端・辺)から》①身分や行状の劣っていること。下等なこと。「海には沖あり、へたあり。へたとは、ほとり・なぎさ也。海浜と書きて、うみへたと日本紀には訓めり。それに寄せて、わろき身をも―といへり」〈顕注密勘〉 ②技能などの拙劣なこと。未熟なこと。「囲碁・双六の―と云ふも、浜の字也」〈古今集註〉。「常の事を珍しくするを、上手とは申す也。珍しき事をきたなく取りなすを、―とは申すなり」〈十問最秘抄〉。「下手、ヘタ、碁より起る也」〈運歩色葉集〉 ③他の語に冠して、未熟な、または、逆効果となる、の意をあらわす。「―堅い」「―くろし」「―功」など。「―番匠」〈十問最秘抄〉。「碁打ちに―こなしあり」〈俳・類船集一〉 **―の大連(おほづれ)** つまらぬ者が多く寄り集まっていること。「―御恥づかしく存じ候」〈実隆公記享祿四・六・三紙背文書〉 **―の皮** 下手な人を嘲っていう語。「―ども集まりて」〈仮・竹斎上〉。〈日葡〉 **―の長談議(ながだんぎ)** 話下手なのに長長と話をすること。「―高座の妨げと申す事が御座る」〈虎寛本狂言・布施無経〉 **―の物好き** 下手なくせに好きで熱心なこと。下手の横好き。「名目(やみくも)に―といふ事あり」〈伽・乳母草紙〉

べたう【別当】「べったう」の促音「っ」を表記しなかった形。「―どもも事おこたらず」〈源氏薄雲〉。「この寺の―とおぼしき法師」〈かげろふ中〉

へだし【隔し】「へだち」の上代東国方言。「玉小菅刈り来(こ)我が背子床の―に」〈万三四五東歌〉 †Fedasi

へだた・り【隔り】㊀『四段』①二つの物や所の間に何かが存在して、両者の行き通いをさまたげている。「心ゆも吾は思はざりき山河も―・らなくにかく恋ひむとは」〈万六〇一〉 ②二つの事柄の間に、ある長さの時間が挾まって入る。「月も―・りぬるよと、宮は静心なく思されて」〈源氏総角〉 ③心持に距離ができる。「とてもかうても今更に心ざしの―・ることはあるまじけれど」〈源氏真木柱〉 ④両者の間に入る。割りこむ。「主を討たせじと中に―・り、斎藤別当にむずと組む」〈平家七・実盛〉 ㊁『名』容易に越えがたい距離。「浄土と穢土との隔(へだたり)は何ぞ」〈東大寺諷誦文稿〉。「菩提と煩悩との―」〈源氏螢〉 †Fedatari

へだ・ち【隔ち】『四段』①二つの物の間に境を作って、行き来、見通しをさまたげる。「白雲の千重(ちへ)に―・てる筑紫の国は」〈万八六六〉。「礫(たぶて)にも投げ越しつべき天の河―・てればかもあまたすべ無き」〈万一五二二〉 ②わけへだてをする。「これは一向専修(いっかうせんじゅ)の余(ソレ以外ノ宗派)を―・ちてきらふ風情なり」〈沙石集八ノ七〉 †Fedati

へだ・て【隔て】㊀『下二』《二つの物の間に境界を立てて、互いに見えず、行き来できなくするのが原義。類義語ヘナリ(隔)は、境界が自然に成る意》❶《空間的に》①両者の間をたやすく行き来できず、また互いに見えないようにする。「安の河中に―・てて向ひ立ち」〈万四一二五〉。「ふるさとを峰の霞は―・つれど眺むる空は同じ雲居か」〈源氏須磨〉 ②距離をおく。離す。「一間ばかり―・てたる見渡しに」〈源氏螢〉 ③別にする。「誠に存生の時ならば…いかにとものたまふべきに、生を―・てたる習ひほどうらめしかるべき物はなし」〈平家三・少将都帰〉 ❷《時間的に》①さかいとする。仕切りとする。「たなばたの今宵逢ひなば常のごと明日を―・てて年は長けむ」〈万二〇八〇〉 ②間に時間を置く。「ただ一夜―・てしからにあらたまの月か経ぬると心はまとふ」〈万六三八〉。「女子を失ひて後、月日は多く―・て侍りしかど悲しび絶えず」〈源氏夢浮橋〉 ❸《心理的に》①密着した気持でなくする。心の壁をつくる。「あしひきの山は無くもが月見れば同じき里を心―・てつ」〈万四〇七六〉 ②差別する。「大小の事を―・てず何事も御後見と思せ」〈源氏賢木〉㊁『名』①行き通いをさまたげること。また、さまたげるもの。仕切り。「三尺の御几帳一よろひをさしちがへて、こなたの―にはして」〈枕二七八〉②二つの行為の間の時間的な距離。「一夜ばかりの―だに、また珍しさまさりて覚え給ふ」〈源氏真木柱〉③気持の離れ。心の壁。「心のうちの―残し給へるなむつらき」〈源氏夕顔〉④相手に対する無理解。「思はずにのみとりなし給ふ御心の―を、せめて、見知らず、うらなく〔応対セズニ〕やはとて」〈源氏松風〉⑤相違。「さいはひのなきとあるとは―あるべきわざかな」〈源氏玉鬘〉

†Fedate　**―がま・し**【隔てがまし】『形シク』ひどく分け隔てするように感じられる。仲をさこうとでもするかのようである。「かやうに―・しき事なさかしがり聞えさせ給ひそ」〈源氏若菜上〉

へだへだ【隔隔】互いに間がへだたっているさま。疎隔。「物のとうど合うたが、又違うて―になる事ぞ」〈玉塵抄三〉。「〔大将タチガ〕仲あしく―なれば国が却って弱くなるなり」〈孫子私抄〉

へち　―とも思は・ず　少しも気にかけず、相手にしない。「―・ぬ振りして」〈俳・行脚文集三〉▽ヘチは「へちま」二「へちまの皮」のヘチか。

べち【別】①同じでないこと。一緒でないこと。「境にて子産みたりしかば、離れて―にのぼる」〈更級〉②特別のこと。「黄金百両をなむ―にせさせ給ひける」〈源氏横笛〉

べちぎ【別儀】①⇒べつぎ。「一々に誅せらるるより外は―あるべしとも存じ候はず」〈太平記三・長崎新左衛門〉②薄茶の上品なもの。「別儀ぞそり」とも。「茶―」〈宗達他会記天文一七・一二・一九〉。「氏系図高き卑しきありとても―と人の言ふぞ嬉しき」〈伽・御茶物語〉

へちくそ【へち糞】ものを卑しめ嘲っていう語。「水浴びてつい―な酒が覚めた」〈俳・花の雲〉

べちだん【別段】特別。格別。「これは異朝の先規(せんぎ)たるうへ、―の事なり」〈平家一・二代后〉

べちなふ(ウ:ノ)【別納】①寝殿・対屋(たいのや)などから離して建てた、物など納めて置く建物。住居にもした。また特に、勅旨田より収納する地子(ちし)の中から、院の供御に充てる料だけを別に納めて置くところ。「―の方にぞ曹司などして人すむべかめれど、こなたははなれたり」〈源氏夕顔〉②鎌倉時代、名主が年貢を納めるに当って、地頭を経ず、直接領主に納付すること。「惣地頭もし…非法を巧みて濫妨を致さば、―の御下文を名主に給ふべきなり」〈貞永式目〉。「これはもとより―にて、年年に未進なく」〈高野山文書二、文永六・一〇〉

べちび【別火】「べっくゎ」に同じ。「物をも―をして食ひ」〈六物図抄〉

べちべち【別別】べつべつ。個別。「その五人の撰者―に御点を書き出したるを寄せて」〈源家長日記〉

へちま【糸瓜】①ヘチマ。〈日葡〉②何の役にもたたぬもの。つまらぬもの。嘲り、軽蔑する時にいう。「へちまの皮」とも。「戴きたる経を―とも思ふにこそ」〈咄・醒睡笑七〉　**―のかはのだんぶくろ**(ワ:カ)【糸瓜の皮の団袋】「へちま」(2)に同じ。「糸瓜の皮袋」「糸瓜の団袋」とも。「なり下がる―」〈俳・伊勢山田俳諧集〉

へちま・ひ(ヘチ マイ)『四段』まごつく。とまどう。さまよう。「花の辺に―・うてるる胡蝶かな」〈俳・糸瓜草一〉

べつ【別】「べち」に同じ。「同(うど)か、―か」〈ロドリゲス大文典〉　**―は無・い**　ほかでもない。それに違いない。「ヲヲサ、―・い」〈近松・曾我会稽山一〉

へつかい【辺つ櫂】《へは海の岸辺。ツは連体助詞。「沖つ櫂」の対》岸辺をこぐかい。「沖つ櫂いたくなはねそ、―いたくなはねそ」〈万一五三〉　†Fetukai

へつかぜ【辺つ風】《へは海の岸辺。ツは連体助詞。「沖つ風」の対》海辺の風。「瀛風(おきつかぜ)―を起(た)てて奔(はや)き波を以(も)て溺(おぼほ)し悩まさむ」〈紀神代下〉　†Fetu-kaze

へつか・ひ(カイ:ツ)【辺付かひ】『四段』①そばにつく。「絶つと言はばわびしみせむと焼き太刀の―・ふことは幸(さき)くや我が君」〈万六四一〉②岸に舟がつく。「こと放(さ)けば沖ゆ放けなむ湊より―・ふ時に放くべきものか」〈万一四〇二〉　†Fetu-kaFi

べつぎ【別儀】《べチギとも》他の事。また、格別の事。「母上には―なしと、やがて獄屋を引き出し、門外へぞ出しける」〈説経・鎌田兵衛正清〉。〈天正十八年本節用集〉

べつぎゃう(ヨウ:ギ)【別行】特別に執り行なうべきこと。「―の子細あっていづかたへもまかり出でず候へども」〈謡・葵上〉

べつくゎ【別火】穢(けがれ)を忌んで炊事などの火を別にすること。忌みのある人や月経中の女が行なう。「今日より潔斎―」〈祇園執行日記観応一・四・二八〉

べっけ【別家】①本宅以外の家。別宅。下屋敷。べつや。〈文明本節用集〉②分家。「年が二十ばかりにもなれば、―するぞ。疲労(貧乏)しつれば、入聟になって舅の処へ入りて居るぞ」〈漢書竺桃抄〉③商家の奉公人が、年季奉公を勤め終えた功により別宅を構えて通勤することを許され、あるいは、主家から資本と暖簾(のれん)を分けられて独立すること。また、その人・家。「先づ両人は―を持たせ、一日替りに出入奉公と定め」〈西鶴・織留二〉

べつげふ(ヨウ:ギ)【別業】《「業」は屋敷の意》別荘。「天皇、右大臣の相楽(さがらか)―に幸す」〈続紀天平一三・五・一〇〉

べっして【別して】『副』とりわけて。特別。ことさら。「―仰せをかうむる事、まことに武勇の道抜群によってなり」〈保元上・新院御所〉。「―私の点をも加へばこそ憚りもあらめ」〈著聞二九〇〉

べつじねんぶつ【別時念仏】浄土宗の信者などが道場に集まり、二七日・三七日など日数を限って称名念仏を行なうこと。別時称名。別時。「都の名僧どもあまた請じて、七日の―を始む」〈沙石集四ノ六〉

べっしゅん【別春】近世前期、江戸上野広小路居住の造花師。もと、京都出身。その巧みな造花に、汝の家には別に春のある心地がすると言われて、高貴な方から別春の号を賜わったと伝える。「作り花屋―」〈松平大和守日記寛文四・二・一八〉

べっしょ【別所】本寺から離反した僧が聖(ひじり)となって本寺の周辺に結んだ草庵の、集まって部落をなした所。「僧正泣く泣く御坊をいでて…一切経(地名)の―へいらせ給ふ」〈平家二・座主流〉

べっしょ【別墅】《「墅」は田中の小屋、転じて離れ屋の意》別荘。「―は別業(べつげふ)の事で候ふぞ。本の家外に別に作りて遊山しつなどする所ぞ。こなたの山荘ぞ」〈三体詩絶句抄三〉

べつじょ【蔑如】軽蔑すること。軽視すること。「命をたもつ者たれか王命を―する」〈平家二・重衡被斬〉。〈色葉字類抄〉

べったう(ウ:ト)【別当】《もと、本官を持つ者が別の職に兼任で当ったのでいう》①宮廷内の特殊な職、すなわち穀倉院・絵所・作物所(つくもどころ)・蔵人所(くらうどどころ)などの長官。また、院の庁の長官。親王家・摂関家などの政所(まんどころ)の長官をもいう。鎌倉幕府においては、政所・侍所などの長官。

「別当、ベッタウ、在二検非違使幷蔵人所等一」〈色葉字類抄〉②特に、検非違使庁(けびゐしちやう)の長官。参議以上で衛門督か兵衛督である者が兼官する。「非違の別当」とも。「—大きに驚き恐れて、春朝を獄(ひとや)より出しつ」〈今昔一三ノ一〇〉③院の厩(うまや)の頭。摂関家の御厩の頭や国司の厩の管理者をもいう。「陸奥(むつ)の国には厩の—を以て一の顧み(最大ノ恩顧ヲ受ケル者)にするにぞ」〈今昔二六ノ一四〉④東大寺・興福寺・大安寺などの大寺において、一山の寺務を統括する僧官。仁和(にんな)寺では代代親王がこの職につくので、特に御室(おむろ)という。「寺の—なるは寺の物を心に任せてつかふ」〈今昔一九ノ二〇〉⑤神宮寺において、社寺の事務を統括する者。長官である場合もあり、検校(けんげう)の下に位する場合もある。「祇園の—に仰せて〔神輿ヲ〕祇園の社へ入れ奉る」〈平家一・内裏炎上〉⑥荘園の役人。検校の下、預(あづかり)の上に位するという。「かかる所に荘などあまた寄りぬれば、—なにくれなどいで来て」〈古本説話六五〉⑦乗馬の口取り。厩の中間(ちうげん)。馬丁。「舎人は馬屋の—のやうな者ぞ」〈蒙求抄七〉 **—せん**【別当宣】「庁宣(ちやうせん)」(2)に同じ。「御謀反のきこえ候ふによって、官人ども—を承り御迎へに参って候」〈平家四・信連〉

へっつい【竈】《ヘツヒの転》「かまど」の俗語。「惣じてかまどといふは、食ひ物を煮る火たく所をいふぞ。いやしい者は—といふぞ」〈詩学大成鈔一〉。〈文明本節用集〉

へづな【舳綱】船の舳先につける綱。「千余艘が艫綱(ともづな)・—を組み合はせ」〈平家八・水島合戦〉

べつなふウ:ノ【別納】⇩べちなふ(2)〈文明本節用集〉

べつなべ【別鍋】穢(けが)れを忌んで、他の者と別の鍋で炊事すること。忌みの有る人や月経中の女がする。「—のこがれて物や思ふらん」〈俳・当世男下〉

へつなみ【辺つ波】《へは海の岸辺。ツは連体助詞。「沖つ波」の対》岸辺の波。「沖つ波来寄る白珠、—の寄する白珠」〈万三二八〉 †Fetunami

へつひヘッイ【竈】①《竈(へ)つ霊(ひ)の意》竈(かまど)の神。「豊—御遊びすらしも」〈神楽歌八四〉。「竈神、ヘツヒ」〈色葉字類抄〉②かまど。へっつい。「竈、ヘツイ」〈伊京集〉 **—ぼし**【竈星】北冠座の異称。七つの星が円弧状に並んでいるのを、焚口が何箇所もある大きな土竈に見立てて名づける。くど星。おかま星。へっつい星。「七夕も眉作ればや—」〈俳・遠近集四〉。〈俳・乳母一〉

へつへ【辺つ辺】《へは海の岸辺。ツは連体助詞。下のへはあたりの意。「沖辺(おきへ)」の対》岸のあたり。「奥辺(おきへ)は鴨妻呼ばひ、—にあぢむら騒き」〈万三五七〉 †Fetufe

へつも【辺つ藻】《へは海の岸辺。ツは連体助詞。「沖つ藻」の対》岸辺の藻。「沖つ波—巻き持ち寄せ来(く)とも君にまされる玉寄せめやも」〈万一二〇六〉 †Fetumo

べつや【別屋・別家】①別棟の家。「彼の姫を妻と定めて…おほぢも嫗も—に置きて養ひける」〈伽・藤袋〉②神事に奉仕する者や出産・月経などの忌みのある女などが籠もる小屋。他屋(たや)。「我らが国の習ひには、忌みや忌まれの者こそは、—に置くと聞いてあり」〈説経・さんせう太夫〉

へつらひヘツライ【諂ひ】『四段』気に入るように取り入ってふるまう。追従(ついしよう)する。「互ひにあひ譏(そし)ち—・ひつつ枉(ま)げて」〈金光明最勝王経平安初期点〉。「〔継娘ニ〕君達のおはし通はむに、世の聞えなむ—・ひたるやうならむ」〈源氏東屋〉

へつり【折り】『四段』《ヘヅリとも》薄く削り取る。「へぐも—・るも心は同じ事なり」〈壒囊鈔三〉。「骨から皮—・る馬の角」〈俳・油糟〉。「扒、ヘツル」〈名義抄〉

へど【反吐】飲食したものを吐き戻すこと。また、吐いたもの。「『船に乗りては楫取(かぢとり)の申すことをこそ高き山と頼め。などかく頼もしげなく申すぞ』と青—をつきてのたまふ」〈竹取〉

へなだり 巻貝のふた。練香(ねりかう)の材料とされた。「甲香(かひかう)は…所の者は『—と申し侍る』とぞ言ひし」〈徒然三四〉

へなみ【辺波】《へは海の岸辺。「沖波」の対》岸辺の波。「沖つ浪—立つとも我が背子がみ舟の泊り波立ためやも」〈万二四七〉 †Fenami

へなり【隔り】『四段』へだてとなる。へだたっている。「月見れば国は同じぞ山—・り愛(うつく)し妹(いも)はへだちたるかも」〈万二四二〇〉 †Fenari

べに【紅】頰につける赤い染料。「—といふものいと赤らかにかいつけて」〈源氏常夏〉。「經粉、和名閉邇(べに)。經、赤也。染使レ赤。所以、著レ頰也」〈和名抄〉。「經粉、ベニ」〈名義抄〉

べにかのこ【紅鹿子】紅色の鹿子絞り。緋鹿子。「秋は人目の憂き—」〈俳・寛永十三年熱田万句三六〉

べにさしゆび【紅差指】薬指の異称。べにつけ指。「世話に、小指の次の指を薬師指と云へり。また—とも云ふ」〈観今氏族之記〉

べにしそく【紅紙燭】紅色の紙燭。疱瘡の発疹状態をすかして見るために燈す慣習があった。「火を燈す末摘花や—」〈俳・玉江草三〉

べにばな【紅花】キク科の二年草。花から紅(べに)をとる。くれない。末摘花。「—十斤」〈小右記万寿二・二・三〇〉

へぬし【戸主】①戸(へ)の法律上の責任者。「凡そ—には、皆家長(いへのかみ)を以てす」〈紀孝徳、白雉三年〉②地割のひろさの単位。たて十丈・よこ五丈の地割で、平安京では一町(四十丈四方)の三十二分の一。「近衛の御門よりは北に、八—の家なり」〈今昔三一ノ五〉。〈色葉字類抄〉 †Fënusi

へのこ ①睾丸(こうがん)。また、陰囊(いんのう)。「陰核、俗云篇乃古(へのこ)」〈和名抄〉②陰茎。「閇(へのこ)大にして虹梁を横たふるがごとし」〈新猿楽記〉

へのじなり【への字形】①「へ」の字のように曲がった形。「口を—にして居られた」〈勝国和尚再吟一〉②物事をいい加減にすること。どうにかこうにか間に合わせること。「その時の掟—なれば」〈俳・太夫桜〉

へび【蛇】「へみ」の転。〈文明本節用集〉 **—遣(つか)・ふ** その身はくらくらしているさまの形容。「蛇をやる」とも。「—・ふその身は蛇に養はれ」〈雑俳・京祇園奉納一万句寄〉

へひと【食封】「封戸(ふこ)」に同じ。「親王より以下、諸臣に至るまでに、給はりし—皆止めて、更(また)公に返せ」〈紀天武十一年〉 †Feritö

へひりのかみ【屁ひりの神】屁をひった者を指摘する遊戯の名。座中で誰か放屁した時、先端を折り曲げたこよりを両掌に挟み、「屁ひりの神は正直神よ」などと唱えながら揉み廻し、唱え言が終った時、先端の向いている方角の人を放屁者と当てる。べろべろの神。「—が正直で嫁安堵」〈雑俳・万句合安永六〉

へへ 女陰。べべ。「—のはたこそ濡れわたりけれ」〈竹馬狂吟集一〇〉。〈日葡〉

べべ ①着物の小児語。「赤き—かと見しは、頭(つぶり)にあえし血なりけり」〈伽・福富長者物語〉②「へへ」に同じ。「へへ・つび、奥羽及び越路、また尾張辺にて—と言ふ」〈物類称呼一〉③子牛。べべの子。「—とは、牧唱(牛飼ノ語)に小牛を言ふなり」〈仮・御伽物語二〉

べべのこ【べべの子】牛の子。べべ。「蝶の狂ひに連るる―」〈俳・八重一重〉。〈日葡〉

へまさ・り【経優り】『四段』経験を積んで、まさった状態になる。「昔よりもあまた―・りておぼさるれば」〈源氏槿〉

へまむし 文字遊戯の一。片仮名の「ヘマムショ」の五文字で坊主の顔、草書の「入道」の二字で身体を描いたもの。へまむしょ入道。へまむし入道。「入道の持つ小刀や細からん／仏師(ぶっ)をしてや幾代―」〈俳・鷹筑波五〉

へみ【蛇】ヘビの古称。「四つの―五つの鬼(もの)の集まれる」〈仏足石歌〉。「蛇、倍美(へみ)、一云久知奈波、日本紀私記云、乎呂知、毒虫也」〈和名抄〉 ▽朝鮮語 peiyam（蛇）と同源。 †Femi

べみ『連語』《べは推量の助動詞ベシの語幹。ミは理由をあらわす助詞》…だろうから。「いた泣かば人知りぬ―、波佐(はさ)の山の鳩の下泣きに泣く」〈紀歌謡七一〉 †bëmi

へや【部屋】《ヘ（隔）ヤ（屋）の意》離れた室。仕切った室。「亭子・戸屋、ヘヤ」〈色葉字類抄〉。「部屋、ヘヤ、或作二隔屋一」〈文明本節用集〉

へやかた【舳屋形】船の舳先に設けた屋形。「海上に舟を浮かべ、―に垣楯(かいだて)掻きたりければ」〈盛衰記四二〉

へやずみ【部屋住み】①親または親方がかりの生活。また、その生活をしている者。息子、その嫁、弟子などをいう。「部屋住居」とも。「内山の中院にて、下部と中間法師喧嘩す云云。共に彼の院家の―なり」〈大乗院雑事記長禄三・四・五〉。「―はただ妻じきものにして」〈俳・貞徳独吟〉②近世前期、庶民の若嫁が一か月の半分は実家に戻っていること。「下ざまの若嫁は―とて、三十日の内、十五日里に在る」〈後撰夷曲集七〉 **―三年は山伏の峰入り** 部屋住みの三年間は、山伏の峰入りのように苦しい修行時代であるの意。〈俳・毛吹草二〉

へやみまひ ィ:マ【部屋見舞・部屋見廻】嫁入の翌日または二、三日後、親族の女たちが酒・菓子などを持参して嫁にお祝いを述べに行くこと。また、その贈物。「お菊―に、菓子杉重七匁にて買ひ、御やり成され候」〈宗静日記万治二・六・二四〉

へら ①【鎞】からすきの耳、即ち土を砕く部分。「鎞、閉良(へら)、犂(からすき)耳也」〈和名抄〉 ②【箆】竹・木などを細長く平たく削り、先をとがらせて作った工具。「杓子や―のやうな物をもって打つなり」〈碧岩抄四〉。〈易林本節用集〉 ▽朝鮮語 pyöt（犂）と同源。 †Fera **箆を使・ふ**《箆は塗ったり剝いだりに使うのでいう》あれこれといい加減な間にあわせを言ってごまかす。適当におべんちゃらを言ってその場を取りつくろう。「あちらこちらと―・ひまして」〈咄・当世口真似笑一〉。〈日葡〉

へら・し【減らし】『四段』《ヘリ（減）の他動詞形》少なくする。「民中の女ども皆腰を細めんとて、食を―・して少しづつ食する程に」〈管蠡鈔一〉

へらずぐち【減らず口】少しも遠慮せず憎まれ口をたたくこと。また、べらべら負け惜しみを言うこと。「減らぬ口」とも。「我に鈍置せられたなど云ふは―と云ふものぞ」〈碧岩抄四〉

へらずだましひ …ダマシイ【減らず魂】「負けじ魂」に同じ。「先生―かくの如し」〈四河入海三五ノ四〉

べら・なり『連語』《助動詞ベシの語幹ベと接尾語ラ、及び指定の助動詞ナリの複合。平安時代初期の漢文訓読体や和歌に使われた》…する様子だ。…するそうな。「〔死ニカケタ魚ガ〕この長者を見て心に希(ねが)ふところ有る―・にして」〈金光明最勝王経平安初期点〉。「旧(もと)住める比丘、悪しくある―・なり」〈願経四分律平安初期点〉。「梅が枝に降りかかりてぞ白雪の花のたよりに折らる―・なる」〈貫之集一〉。「春霞立ちし隠せば山桜人知れずこそ散りぬ―・なれ」〈亭子院歌合〉

べらばう ウ:ボ ①寛文末年頃、見世物となった畸人。頭の先が尖り、赤く丸い眼、猿のような頤、全身真黒で愚鈍な感じであったという。「流行物は何何ぞ、…新田・鐺鉋・―」〈淋敷座之慰〉②馬鹿。たわけ。「べら衆」「べらすけ」とも。「あれ―が通る」〈咄・当世手打笑一〉。「―面をしてはならないぞ」〈雑兵物語下〉 ▽「便乱坊」「可坊」「箆棒」などと書く。

へらへいとう【平平等】①一様なこと。平等。「牛どもを―に花野かな」〈俳・二葉集上〉②むやみやたら。無性。滅法。「掛り人―に苛(ちい)められ」〈雑俳・万句合宝暦一三〉

へり【縁】《ヘ（端・辺）と同根。中心部から遠く離れた周辺部の意》①縁辺。ほとり。「縁、ホトリ・ヘリ・ハタ」〈名義抄〉②畳の両辺、すだれの周辺などを包む布。「高麗縁(かうらいばし)の筵(むしろ)青うこまやかに厚きが、―の紋いとあざやかに、黒う白う見えたる」〈枕二七七〉。「御簾(みす)の―も唐綾なり」〈栄花煙後〉

へ・り【減り】『四段』《ヘギ（削）と同根》①減少する。少なくなる。おとろえ弱まる。「腫物、片端より堤などの崩るるやうに次第に―・りて」〈古事談三〉。「美人を愛すれば骨が―・りて毒になるぞ」〈湯山聯句鈔下〉②臆する。ひるむ。「されども祐慶は少しも―・らず、鎧の胸板きらめかし」〈盛衰記五〉。「一院、―・らぬ体(てい)に、…と仰せける」〈承久記上〉

へ・り【謙り】『四段』《ヘリ（減）と同根》へりくだる。謙遜する。「礼(ゐや)を好みて節(みこころまた)く、倹(みみへ)りたまへり」〈紀持統称制前〉。「いみじき玉の台(うてな)に詣でても、奴(やっこ)となる折は、―・る心あるが如し」〈帰命本願鈔中本〉。「謙、ヘル」〈名義抄〉 †*Feri

へりくだ・り【謙り】『四段』謙遜する。「天皇、岐嶷(かよろ)にましますより、総角(あげまき)に至るまでに、仁恵ましまして倹下(へりくだ)り給へり」〈紀允恭即位前〉。「謙、軽也敬也、ヘリクタル」〈新撰字鏡〉 †*Ferikudari

べりた・て『下一』べらべらしゃべる。しゃべりたてる。そのしゃべるさまを「べりべり」という。「たった一人で―・てる」〈近松・油地獄下〉

へりぬり【縁塗】絹で作り、縁を漆で塗った烏帽子。「衣紋美しく着ないて、―取ってうち掛け」〈謡・柏崎〉。「端塗、ヘリヌリ」〈易林本節用集〉

へりみち【へり道】間道。「もとの道から帰らば、定めて追手(おひて)が掛からうと思うて、―をしたれば」〈史記抄五〉。「間道とは―なり」〈四河入海八下〉

へろ【辺ろ】《ロは接尾語》「辺(へ)」に同じ。「妹をこそあひ見に来しか眉引(まよびき)の横山―の鹿(しし)なす思へる」〈万三五三一東歌〉 †Ferö

べろべろのかみ【べろべろの神】「屁(へ)ひりの神」に同じ。また、酒宴の座で、こよりを廻し、当った者が酒を飲む遊戯をもいう。「―や知るらん薫る風」〈俳・それぞれ草中〉

へろへろや【へろへろ矢】力が弱くひょろひょろしている矢。相手の矢を馬鹿にしていう語。「清盛などが―は物の数にてや候ふべき」〈保元上・新院御所〉

へを【韝】鷹狩で、鷹を飛ばす時に脚に結びつける紐。「―つきて山に入りにしあら鷹の」〈古今六帖二〉

へん【辺】あたり。近く。「御門(みかど)の―にて御気色も聞かむ」〈かげろふ中〉。「その―近き小屋に立ち入りて日を暮し、局の下口(しもぐち)―にたたずんで聞けば」〈平家一〇・内裏女房〉

へん【返・遍】 回数を数える語。度。「法花経を読誦する事千—に満ちたる」〈今昔七ノ一四〉

へん【偏・篇】 漢字の左側の画の称。「『木毎に』と詠めるは、梅の字、—・旁(つくり)に分けて云へりと或る人云へり」〈毘沙門堂本古今集註〉。「紕繆…事のあやまちの時は糸—也。辞のあやまりの時、言—也」〈清原宣賢式目抄〉

へん【篇】 ①一篇の書物。また、書物の篇目(へんもく)。「説法の—より法師ども云ふなり」〈明恵遺訓〉 ②とりあげるに足る価値。「山にこそ見れといふ〔前句〕に、また見るやうに付けては、—もあるまじく候」〈連歌諸体秘伝抄〉 **—も無・し** 無益で役に立たない。つまらない。「父母兄弟はいか程も命永かれと思ふものぢゃに、—・く死するは詮もない事ぞ」〈古文真宝抄五下〉。「宜しき事をば言はずして、—・い事ばかり言ひては何の用ぞ」〈論語抄衛霊公〉

べん【弁】 令制の官。太政官に直属し、左右の大・中・少弁がある。諸官省・諸国から申し出る庶務を処理上申し、太政官内の命令を下達した。弁官。「おほともひ」とも。「—などは、いとをかしき官(つかさ)に思ひたれど、…随身のなきぞいとわろきや」〈枕四八〉

へんがへ(ガエ)**【変改】**《ヘンガイの転》 変え改めること。「約束の旨—あるにても」〈十訓抄九序〉。「幾程もなくて—してよし」〈春秋抄二九〉

ベンガラ【弁柄】 ①《東インドのベンガルに産したのでいう》 黄色を帯びた赤色の酸化第二鉄の粉末。絵具・染料に用いた。ベンガラ丹土(にっち)。べにがら。「—〔ヲ煮ル〕竈(くど)をさしくべておく」〈俳・あじろ笠〉 ②「弁柄縞」の略。「—の大島(縞)の風呂敷に」〈西鶴・置土産一〉 ▽オランダ Bengala **—じま【弁柄縞】** 東インド、ベンガル地方からオランダ人が舶来した縦縞の紬。地色は煤竹・樺色などで、千筋・棒筋・鷹の羽などの模様であった。「—の袖の移り香」〈俳・桜千句〉

べんくゎん【弁官】 ⇒べん。「やむごとなき上達部、—などの中にも」〈源氏須磨〉

べんくゎん【冕冠】 大礼の時などに、天皇・皇太子が着用する冠。「—。天皇の即位・朝拝・朝堂の儀に之を用ふ」〈西宮記臨時四〉

へんげ【変化】《「変」はもとの形を転ずること。「化」は無からたちまち有になること》 ①形が変って別のものが出現すること。「俗道の—〔ノ早イコト〕は、猶し目をまばたきするが如く」〈万巻五・悲嘆俗道の詩〉 ②神仏が仮に人の姿で現われること。また、そのもの。権化。「御身は仏の—の人と申しながら」〈竹取〉。「近き世に、花降らせたる工匠(たくみ)も侍りけるを、さやうならむ—の人もがな」〈源氏宿木〉 ③動物などが別のものに姿を変えて出現すること。また、そのもの。「狐などの—にやとおぼゆれど」〈源氏蓬生〉 ▽「化」の古い字音はクヱであったから、平安時代には「へんくゑ」とも書いた。また、撥音「ん」を略して「へげ」とも書いた。 **—のもの【変化の者・変化の物】** ①神仏などが仮に人の姿となって現われたもの。「なほ、この御族(ぞう)は、ただ人におはしまさず、—なり。天女の降りて生み給へるなり」〈宇津保藤原君〉 ②ばけもの。「夢見も悪しう、常は心騒ぎのみして—ども多かりけり」〈平家五・物怪〉

べんこう【弁口】 弁が立つこと。口が上手なこと。「当世は—ある者を本として賢とするぞ」〈論語抄公冶長〉 **—だて【弁口立て】** 弁が立つようにふるまうこと。口巧者に見せること。口ききだて。「今日も明日も—ばかりして回らば」〈碧岩抄八〉

へんさ【変作】 変化。権化。「これ世の常の馬にはあらず。大聖の—にやと不思議に思ひて」〈長谷寺験記下〉

へんざい【辺際】 はて。かぎり。際限。「男女死ぬる者数十人、馬牛のたぐひ—を知らず」〈方丈記〉

べんざい【弁才】 弁舌の才能。「聰明智恵にして—あり」〈今昔一ノ三〉 **—てん【弁才天・弁財天】** もとインドの河の神で、後、梵天の妃となった女神。弁舌・音楽・智恵の徳をそなえる。その像は手に琵琶を抱いて弾じている。室町時代末頃には、財福を授ける女神とも考えて「弁財」の字を宛て、七福神の一つに数えた。妙音天。弁天。「都良香(みやこのよしか)、竹生島に参りて、三千世界眼前尽と案じて下句を思ひ煩ひ侍りけるに、その夜の夢に、—、十二因縁心裏空とつけさせ給ひける」〈著聞一三〉 **—てんにょ【弁才天女・弁財天女】**「弁才天」に同じ。「—の宝前に詣で、法施を修す」〈兵範記嘉応三・四・五〉

へんさう(ソウ)**【変相】**〔仏〕 地獄・極楽などにおけるさまざまな様相。また、それを描いた図絵。「変」とも。「浄土の行業は、日夜十二時六時礼讃を修し、浄土の—を讃嘆せしむ」〈他阿上人法語三〉

へんさつ【返札】 返事の手紙。返書。「事のやうは—で見えまらせうず」〈天草本平家三ノ五〉。〈文明本節用集〉

へんさん【偏衫・褊衫】 左肩から右脇にかけて上半身を覆う僧衣。「本性房と謂ふ大力の律僧の有りけるが、—の袖を結んで」〈太平記三・笠置軍〉

へんさん【遍参】 禅僧が諸寺を行脚歴訪して参学すること。「あそここへ—し回って」〈蓬左文庫本臨済録抄〉

へんし【片時】《漢音》 わずかの間。短時間。「—も離るべき心ちせずして住む間」〈宇治拾遺九ノ一〉。〈日葡〉

べん・じ【弁じ】『サ変』 ①事物の異同・是非・特質などを判別する。事を分けて説明する。「山水を—・ず」〈本朝文粋三〉 ②処理する。「〔洗衣ノ事ナド八〕僧門前に出て用を—・ずべし」〈自戒集〉

へんじふ(ジュウ)**【偏執】** ①〔仏〕一つの考えや説などに、偏屈なまでにとらわれること。片意地。「栄華心に剋念す、名利手に—す」〈菅家文草四〉 ②ねたむこと。そねむこと。「凡そ天下—もなかりし上手なり」〈今来風体抄〉。「北野領のうち近江・丹波に両所御約束のごとく拝領して、たぐひなき事とて、世に—の人も多かりける」〈馬上集上〉。「偏執、へんしう、人をそねむ也」〈和漢通用集〉

へんじゃうなんし(ジョウ)**【変成男子】**〔仏〕 仏力によって女子が男子の身に成ること。女子は仏道の器でないとされていたので、その成仏を容易にするため、諸仏はこの願を立てた。「天台座主覚快法親王おなじう参らせ給ひて、—の法を修せらる」〈平家三・赦文〉

へんじゃく【扁鵲】 中国の戦国時代の名医の名。古代インドの名医耆婆(ぎば)とならび称せられる。「前の代に多く良き医(くすし)有り、…楡柎(ゆふ)・—・華他」〈万巻五・沈痾自哀の文〉

へんぜう(ジョウ)**【遍照】**〔仏〕 法身の光明があまねく照らすこと。「光明—十方の誓ひぞしるきこの寺の」〈謡・柏崎〉 **—こんがう**(ゴウ)**【遍照金剛】**《密教で、大日如来の称》 弘法大師空海が密宗の門に入って受けた名。「弘法大師は…今—としては日本に住して」〈盛衰記三二〉

へんぞう【偏増】 ひたすら増えまさること。むやみにつのること。「我執—にして、ややもすれば仏教の趣にそむいて」〈発心集七〉。「利物—して、万人掌を合はす」〈伽・天神〉

べんたう(トウ)**【便当】**《「不便(ふべん)」の対。「便道」「弁当」などは当て字》 ①便利なこと。「人は皆左右あり。右は—にて、左は不便なり」〈左伝聴塵一五〉 ②豊かで不自由のないこと。裕福なこと。「御寺物―に候へば申すに及ばぬ儀に候。御検地候うて以来、如何様に御不弁にても苦しからぬ儀に候」〈高野山文書三、文祿一・七・七〉 ③【弁当】《便利なものの意》外出などの時、食物を入れて携行する容器。また、その食物。「いかに侍ども、―のうちなる飯椀（めしわん）出せ」〈義残後覚四〉。「―取り出させ休息し給ひし所に」〈加沢記一〉

へんぢ【辺地】①辺鄙の地。僻地。「―に生れて仏法を信ぜず」〈孝養集中〉。〈色葉字類抄〉 ②都からはずれた所。都の近辺の地。「また、河原・白河・西の京、もろもろの―などを加へて云はば」〈方丈記〉

へんつぎ【偏継ぎ】文字遊戯の一。漢字の旁（つくり）だけを示して、その偏を継がせ、多く継いだものを勝ちとする遊び。また、詩句の中にある一字の旁だけ見せて偏を当てさせる遊びともいい、種種の説がある。「碁うち・―など、はかなき御遊びわざにつけても」〈源氏橋姫〉

へんてつ **―も無・し** 取り立てて言うべきこともない。平凡だ。つまらない。「へんとつもなし」とも。「唯―・き物と知るべし」〈仮・一休水鏡〉

へんてつ【編裰・編綴】《ヘントツの訛》十徳のように袖長く、四裾を五寸くらい縫ってない羽織。近世、医者・連歌師などの法体者が着た。「〔宮仕〕能満―着て来候間、折檻申し候へば」〈北野社家日記慶長三・三・三〉。「直綴（ぢきとつ）等を用ひ給はず、ただ―を着し」〈驢鞍橋下〉。「何を今―も無き衣がへ」〈俳・鷹筑波五〉

へんてふ【返牒】ヘンチヨウ 返事の牒状。返書。「牒状を山・奈良へ遣したりけるに、南都の大衆、―をばこの信救にぞ書かせたりける」〈平家七・願書〉 →てふ

へんど【辺土】「辺地（へんぢ）」に同じ。「今は昔、天竺の―に住む人ありけり」〈今昔二ノ一六〉。「京都にては強盗をし、―にて引き剝ぎをして過ぎきつるなり」〈著聞四四一〉

へんとつ【編裰】⇒へんてつ。「鈍太郎は頭巾を着、―を着」〈虎明本狂言・鈍太郎〉。〈文明本節用集〉

へんな・し【篇無し】『形ク』無益で役に立たない。「待つと吹けども、うらみつつ吹けども、―・い物は尺八ぢゃ」〈閑吟集〉

へんねし ひがみ。やきもち。「咲く花に―するや八重霞」〈俳・敵帚一〉。「偏執を、へんにし・―〔トイウ〕」〈俳・かたこと三〉

へんば あばた。みっちゃ。「御覧の通りの大―となりし上は、勤の女には思ひも寄らず」〈浮・分里艶行脚五〉

へんば【偏頗】《「偏」も「頗」も片寄る意》不公平。えこひいき。「我が作れる詩を、―なく憚りなくして、憚らず申すべし」〈今昔二四ノ二六〉。「日本国の大将軍も、時によりては―し給ひけるものを」〈長門本平家一六〉。〈色葉字類抄〉

へんばい【反陪・反閇】陰陽道の呪法の一。天皇や貴人の出行の時、邪気を払い鎮めるために陰陽師が行なった独得の足踏み。「陰陽師なんどいふは、―とて足をもあだに踏まずとこそ承れ」〈平家三・公卿揃〉。「返閉、ヘンバイ」〈下学集〉

へんぷく【辺幅】布などのへり。「絹や布を織るには、縁（へり）を厚うして織るぞ。それを―と云ふぞ」〈山谷詩抄八〉

へんべん【返弁】借りた金品を返すこと。返済。「財宝を沽却して―させよ」〈バレト写本〉。〈文明本節用集〉

べんべん【便便】①いたずらに暇をつぶすさま。だらだらしているさま。気長な態度。「万事の用をきりきりとせず、―として、上の下知も下へちゃっと言はず、下の事も上へ言はぬぞ」〈三略抄〉。〈文明本節用集〉 ②腹が肥っているさま。でぶでぶ。「余りに斎（とき）を食ひ過して、腹―と帰るさに」〈咄・醒睡笑三〉 **―だらり**【便便だらり】時間ばかりたって物事の片付かないさま。「その後は―と生きられけり」〈遠近草中〉

へんろ【遍路】四国にある八十八箇所の弘法大師の霊場を巡礼すること。また、その人。「讃州にて。時雨さへ―を四国巡りかな」〈俳・難波草四〉

ほ

ほ【火】「ひ」の古形。複合語に残っている。「燃ゆる火（ひ）の―なかに立ちて問ひし君はも」〈記歌謡二四〉

ほ【百】ひゃく。二百以上の百につかう。「五（い）―」「八（や）―」など。一百は「もも」という。「朝狩に五―つ鳥立て、夕狩に千鳥踏み立て」〈万四〇一一〉

ほ【帆】帆柱に張り上げ、風をふくませて船を進ませる船具。多く布製。「あま小舟―かも張れると見るまでに鞆の浦廻に波立てり見ゆ」〈万一一八二〉。「帆、保（ほ）」〈和名抄〉

ほ【穂・秀】《稲の穂、山の峰などのように突き出ているもの。形・色・質において他からぬきんでていて、人の目に立つもの》①高く突出している部分。「垣―」「岩―」「―つ枝」など。「おして否（いな）と稲は春（つ）かねど波の―のいたぶらしもよ昨夜（そき）独り寝て」〈万三五五〇〉 ②植物の穂。また、稲穂。「秋の田の―の上に霧らふ朝霞いづへの方にわが恋ひ止まむ」〈万八八〉 ③（質が）抜群に優れていること。「汝が恋ふるその―つ鷹は」〈万四〇一一〉 ④はっきり目立つさま。「栲（たへ）の―に〔真白ニ〕夜の霜降り」〈万七九〉。「見渡せば明石の浦に燭（とも）す火の―にぞ出でぬる妹に恋ふらく」〈万三二六〉 **―に顕（あら）は・る** 表面に出る。目につくようになる。「穂に出づ」とも。「今はひたすら―・れましまして」〈盛衰記二〉

ほい【布衣】《ホウイとも》①布の狩衣。平安時代以後は狩衣一般を指すようになり、ついで、無紋の狩衣、また、それを着る六位以下の身分の者を指すようになった。「しばし―になりて、その装束この学生にとらせよ」〈宇津保祭使〉 ②織紋のない素襖（すあを）。江戸幕府で、大紋（だいもん）に次ぐ四番目の礼服。また、それを着用する目見（めみえ）以上で六位の身分の称。「〔〔江戸城〕御本丸へ御出仕有り。―にて御供仕り候」〈梅津政景日記元和八・一・二〉

ほい【本意】《ホンイのンを表記しなかった形。かねてからの意向、もともとの意味の意》①こうしたい、こうありたいと思う、もともとの意向、意志。「〔男ハ女ニ〕言ひ言ひて、つひに―のごとくあひにけり」〈伊勢二三〉。「年頃、行ひの―深きを」〈源氏若菜上〉 ②本来の意味。本当の意味。「宮仕への筋は、あまたある中に、少しのけぢめをいどまむこそ、―ならめ」〈源氏梅枝〉 **―あ・り** 本意にかなう。「かくて見るこそ嬉しく―・れ」〈源氏初音〉

ほいたう【陪堂・陪当】ホイトウ《唐音》①禅宗で、僧堂の外で陪食（ばいしょく）を受けること。また、その食物。「〔禅宗デハ〕飯米をば―と云ふ」〈壒嚢鈔三〉。〈文明本節用集〉 ②僧・山伏などに施す飯米。「米を求むは、十二日間の―を乞ふぞ」〈蒙求抄一〇〉 ③糧食。糧（かて）。「引っこうでも、―が無うてはぢゃほどに、田を買うて置かれたぞ」〈山谷詩抄六〉。〈日葡〉 ④乞食する僧。後には一般に、物貰いの称。ほいと。「冬三島より出づる―」〈俳・淀川〉

ぼいだ・し【ぼい出し】『四段』追い出す。叩き出す。「―・して退けさっしゃれ」〈近松・油地獄中〉

ほいな・し【本意なし】『形ク』①本来の意向・意志にそむく。「同じさまにのみあるを、―・しとおぼす」〈源氏若紫〉②本来の趣旨に反する。本来のあり方ではない。「〔絵合セノタメニ〕今あらため書かむ事は―・き事なり。ただ、有りけむ限りをこそ」〈源氏絵合〉③期待に違って不満である。「〔相手ヲ負カシ〕人に―・く思はせてわが心をなぐさまん事、徳にそむけり」〈徒然一三〇〉

ほいやり おだやかにしっとりとしたさま。温和。多く、微笑するさまにいう。「笑む花の顔や―ほやり梅」〈俳・鸚鵡集二〉。「温和、ホヤ、カ・ホイヤリ」〈俳・反故集下〉

ほいろ【焙炉】《唐音》炉の火にかざし、茶や薬などを乾燥するための、框(かまち)に紙を貼った道具。「その上に―の火にてあぶられ」〈伽・酒茶論〉。〈文明本節用集〉

ほう 物を投げ出したりなどするさま。また、その音。ぽん。「車宿りにさらに引き入れて、轅(ながえ)―とうちおろすを」〈枕二五〉

ほう【方】《正方形をいう場合や医術に関する場合などはホウと発音》①四角いこと。「―なる石(はい)を磨きて、其の面に、更に経の文(もん)を写して」〈今昔七ノ四五〉。「―二三尺、深さ一尺余ばかり掘りたれば」〈古本説話四七〉②香・薬などを調合する方法。処方。「荷葉(かえふ)の―をあはせたる名香、蜜をかくしほほろげて、たき匂はしたる」〈源氏鈴虫〉。「その〔薬ノ〕―を習ひて作りける也」〈古本説話六三〉③医術・天文道などの道。「陰陽の―をさへ極めたりけり」〈今昔二七ノ三一〉 ↓はう(方)

ほう【保】①令制で、五戸を以て一保を編成した隣保組織。中国の制にならったもの。「―を結び、奸猾を督察し」〈類聚三代格一六〉②平安京の行政区画の一。四町を一保、四保を一坊とする。「一条に四坊あり。一坊十六町。四町を一―となす」〈掌中歴〉③平安時代末期から中世にかけての地方行政区域の称。荘・郷などと並ぶもの。「安貞の比(ころ)、伊予国矢野―のうちに黒島という島あり」〈著聞七〇八〉

ぼうあく【暴悪】乱暴きわまる悪行。はなはだしい非理非道。「いよいよ逆心を施して、ますます―を為す」〈将門記〉

ほうい【布衣】⇓ほい(布衣)。「鈴の綱のへんに―の者の候は何者ぞ」〈平家一・殿上闇討〉。「布衣、ホウイ・ホイ」〈伊呂波字類抄〉

ほうおんかうウ:コ【報恩講】浄土真宗で、開祖親鸞上人の忌日十一月二十八日まで七日間行なう法会。御講。御霜月。「今度、一七箇日、―の間において」〈御文章〉

ほうが【奉加】寺社の造営などに当って、勧進に応じ、財物を寄進し、助成すること。「おなじ寺に―すすむる所にゆきて」〈発心集六〉 **―ぎん**【奉加銀】寺社に奉加する金銭。「これは難波の御坊の御普請の―」〈近松・冥途飛脚下〉 **―ちゃう**チョウ【奉加帳】奉加の財物の目録や寄進者の氏名などを記す帳面。「神供奉加壱貫文…―別にこれを認め了んぬ」〈多聞院日記文明一〇・七・一九〉

ほうがうウ:ゴ【宝号】仏・菩薩の名号(みやうがう)を讃美していう称。「遂に命終る時に臨みて、口に彌陀の―を唱へ」〈今昔一七ノ二三〉

ほうがら【ほう殻】空っぽ。「ほがら」とも。「〔謎〕菩薩の上衣(うはぎぬ)。〔答〕―」〈仮・竹斎はなし下〉

ほうき【蜂起】(蜂が巣から一時にとびたつように)一齊に群がり起ること。兵乱・暴動などが起ること。「奈良の大衆おびたたしく―す」〈平家五・奈良炎上〉

ほうきゃうキ:ョウ【方磬・方響】楽器の一。十六枚の長方形の銅板または鉄板を上下二段に掛け、銅の小槌で打ち鳴らす。「其の上に―を立つ。珠玉を綴って緒となし、…鏡十六枚を以て磬となす」〈承暦二年内裏歌合殿上日記〉。「箏・琵琶・―など打ちて稚児ども遊びしに」〈拾玉集五〉

ほうぎゃうギ:ョウ【方形】「方形造」に同じ。「纔かに―の構へを結び置くといへども」〈保元下・新院御経沈め〉 **―づくり**【方形造・宝形造】屋根の造り方の一。四方の隅棟(すみむね)が中心の一点に集まっている四角錐の屋根。平安時代の阿彌陀堂に多く見られる。「檜(ひのき)の材木を以て、―の御堂を建てて」〈盛衰記二二〉

ほうぎょ【崩御】天皇・皇后・上皇・法皇・皇太后などのおなくなりになること。「旧院―なりぬるを以て、時のいたる事を知る」〈保元上・新院御謀叛思し召し〉。〈文明本節用集〉

ほうぐ【反古・反故】《ホウゴの転》⇓ほぐ。「心みんとて、ほかへまかるに、―どもとりしたたむるに」〈建礼門院右京大夫集〉。「反古、ホウグ」〈伊京集〉

ほうぐみ【方組】薬の調合の仕方。また、それを書いたもの。処方。「豊心丹の―」〈西鶴・諸国咄一〉

ほうくゎ【烽火】のろし。「異国の習には、天下に兵革起る時、所所に火を挙げ、大鼓(たいこ)を撃って、兵(つはもの)を召す謀(はかりごと)あり。是を―と名付けたり」〈平家二・烽火〉

ほう・け【惚け・耄け】㊀『下二』《ホホケの転》ぼける。ぼっとする。ぼんやりする。「いみじくかしこかりけるものの、唐人にのろはれてのちには、いみじく―・けて、ものもおぼえぬやうにて」〈宇治拾遺一八五〉。「法(のり)の道によしや心をつくづくし(土筆ト掛ケル)この世の事は―・け果てても」〈再昌草三二〉 ㊁『名』①馬鹿。間抜け。「―、ど抜けとなるも」〈湯山聯句鈔下〉 ②毛髪などが乱れること。「年は早や寄り極まって、白髪―になって果てたぞ」〈玉塵抄三四〉

ほうけつ【鳳闕】王宮の門。転じて、宮城。「主上は―を去って西海へ」〈平家八・山門御幸〉。「鳳闕、ホウケツ、指二禁裡一也」〈文明本節用集〉

ほうけん【宝剣】宝として大切にする剣。特に、三種の神器の一である天叢雲剣(あまのむらくものつるぎ)。「さりとて、とまらせ給ふべきやう侍らず。神璽(しんじ)・―わたり給ひぬるには」〈大鏡花山〉。〈色葉字類抄〉

ほうこ【布袴】《ホコとも》束帯につぐ礼装。束帯の表袴(うへのはかま)・大口袴をはぶき、代りに指貫(さしぬき)と下袴を着用したもの。朝儀以外の内内の式に使用する。「一の人にておはしましかど、御直衣にて内に参り給ふ事待らざりき。奏せさせ給ふべき事ある折は、―にてぞ参り給ふ」〈大鏡頼忠〉。「布袴、ホウコ・ホコ」〈伊呂波字類抄〉

ほうこ【蓬壺】蓬萊山。仙洞すなわち上皇の御所にたとえる。「都鄙(とひ)の老少皆―の瑕瑾(失敗)を惜しみ」〈平家四・南都牒状〉

ほうご【反古・反故】《ホンコの転》⇓ほぐ。「反故、ホウゴ」〈明応本節用集〉 **―ぞめ**【反古染】多くの色で一筆ずつ書き交ぜた女文字の反故紙を模様地にした染模様。「ほうぐ染」とも。「―の後帯」〈浮・五箇の津四〉

ほうこう【奉公】①朝廷や国家に奉仕すること。「頼朝苟も忠貞を以て―し、家業を継ぎ朝家を守る」〈吾妻鏡建久二・五・三〉 ②武士が軍役奉仕の義務を負って主家に仕えること。「譜代―の労に依て、女御殿年預知家事(ねんによちけじ)(にょうごどの)に挙補せられんことを請ふ」〈台記別記久安四・一〇・二〇〉。「文覚は故守殿の御ためにも―の者でこそ候へ」〈平家五・福原院宣〉 ③武家に召し使われたり農・商家に住み込んだりして、主家に仕えること。「かかる物憂き―を、三年(みとせ)が間なさるるは」〈伽・小栗絵巻〉。「せめて武家方の若党にもなりて―を勤めばやと思ひ」〈仮・浮世物語七〉

—かまひ【奉公構ひ】武家で、主君が家臣に課した刑罰の一。他家への奉公を差し止めて追放の刑を行なうこと。「—の御改易」〈近松・丹波与作上〉 —にん【奉公人】①主君に仕える家臣。「御内方(みうちかた)とは相模守殿御内—の事也」〈沙汰未練書〉。「つかうまつり人。—也」〈源氏物語千鳥抄〉②江戸時代、各種の雇人の総称。武家の若党・中間(ちゅうげん)・小者、農家の下人・下男・下女、商家の丁稚・小僧など。期間を限る年季奉公人と、永続的な譜代奉公人とがある。雇い人。「又—とさへ見れば」〈仮・大仏物語上〉。「—窄人寄り集まり、御法度相そむき申間敷事」〈正宝事録承応四・三〉 —にんうけじゃう【奉公人請状】近世、奉公人の請人が奉公先に差し出した証文。奉公人の身元・宗旨・勤務などを全責任を以て保証する文言を記し、奉公人・人主(ひとぬし)・下請人が加判したもの。「—の事」〈酒質屋覚書〉 —にんやど【奉公人宿】「人宿(ひとやど)」(2)に同じ。「御池辺りの—へ忍びの約束」〈西鶴・胸算用三〉 —びな【奉公雛】嫁入りの時持参する御伽婢子(おとぎばふこ)。天児(あまがつ)。「—の置き所」〈西鶴・諸艶大鑑四〉

ほうさいねんぶつ【ほうさい念仏】⇒はうさい(泡斎)。「これや—の鉦や太鼓を宇都(うつ)の山」〈仮・けんさい物語中〉

ほうし【法師】《「法」は呉音ホフ。「ほふし」とするのが正しいが、古くから「ほうし」とも書かれた》⇒ほふし。「中納言の—になり給ひしこそあはれなりしか」〈枕(能因本)小白河といふ所〉。「玄蕃寮、保宇之万良比止乃豆加佐(ほうしまらひとのつかさ)」〈和名抄〉

ほう・じ【奉じ】『サ変』《「奉」は両手でささげて物を高く持ち上げる意》おしいただく。つつしんでうけたまわる。「謹みて去月二十九日の詔命を—・ずるに、臣を以て右大弁に任ぜらる」〈菅家文草九〉

ほう・じ【封じ】『サ変』領地を与え、その支配者に任命する。「宗室と云ふを以て王に—・ず」〈今昔九ノ三二〉

ほう・じ【崩じ】『サ変』①くずれる。「其の塔、年久しく成りて、—・じ壊(こぼ)れたりき」〈今昔二ノ一八〉②(天皇・皇后・上皇・法皇・皇太后などが)おなくなりになる。「太上天皇—・ず」〈続紀大宝二・一二・二二〉。〈色葉字類抄〉

ほう・じ【報じ】『サ変』むくいる。「〔助ケテヤッタ〕亀の、我に恩を—・ずとて助くるなりけり」〈今昔一九ノ三〇〉

ぼうし【帽子】《中世、唐音でモウスとも》①布で作った円形のかぶりもの。「海より、小さき船に乗りたる翁の—を着たる、漕ぎ来たりて」〈今昔一〇ノ一〇〉②烏帽子(えぼし)。「紐を切り、—を引き入れ」〈禁秘抄下〉

ほうじぎん【宝字銀】江戸幕府が、宝永三年新鋳した銀貨。「宝」の字の極印が二つあるので「二宝銀」ともいう。丁銀・豆板銀の二種類があった。「宝永始めの銀、世上においては—と称す」〈御触書寛保集成三三、正徳四・五・一五〉

ほうしゃ【報謝】《ホウジャとも》①恩にむくいること。報恩。返礼。「たとひ—の心をこそ存ぜずとも、あに障碍(しゃうげ)をなすべきや」〈平家三・御産〉②神仏への報恩のため、慈善を施すこと。また、そのための金品。「供養の—に急ぎ大赦を行なふべし」〈近松・出世景清五〉

ほうしゃう【宝生・保昌】能の家名・座名・流名。能楽五流の一。大和猿楽四座の一の外山(とび)座より出る。また、ワキ方の流儀の下懸(しもがかり)宝生もある。「大和竹田の座、出合の座、—の座と打入り打入り有り」〈申楽談儀〉

ほうじゃう【鳳城】宮城。皇居。「南には八幡大菩薩、男山に跡をたれ、北には賀茂大明神—をまぼり」〈保元上・将軍塚鳴動〉

ぼうじゃう【帽紗】布切れを綴り合わせて仕立てた着物。「褐(つかう)は平人の衣裳を云ふぞ。つづりと訓むぞ。をかしい破れ—と云ふ心ぞ」〈玉塵抄九〉。「帽紗、ボウジャウ」〈俳・常陸帯〉

ほうじゅ【宝珠】「如意宝珠」の略。「我れ此の—を汝に与へむ」〈今昔一七ノ七〉

ほうしょ【奉書】①天皇または摂関・将軍などの上意を受けて、奉行・側衆・老中などの下す公文書。「権大納言隆季卿の—にて院宣を下されて」〈盛衰記八〉②「奉書紙」に同じ。「—たけたか(奉書紙ノ一種)、大—」〈駿府御分物御道具帳〉 —がみ【奉書紙】檀紙(だんし)の一種。きめが細かく皺がない純白な和紙。「奉書」(1)に用いたのでいう。「百五十文、〔一枚〕五文づつ—〔ノ代〕」〈尋憲記元亀四・一・二七〉

ぼうしょ【謀書】官公私の文書を偽造すること。また、その偽造した文書。「—の罪科の事。右、侍に於ては所領を没収せらるべし」〈貞永式目〉

ほうしんたん【豊心丹】奈良西大寺で製造した気付け薬。人参・木香・丁子・甘草・茶など十数種の薬剤を調合したもの。「西大寺」とも。「—調合の間、宿砂(しゅくしゃ)・川芎(せんきう)等進(まゐ)らせ了んぬ」〈言経卿記天正一〇・二・一三〉

ほうすん【方寸】①一寸四方。「紅の縮(かと)を以て袈裟を綴れり。弘(ひろ)さ—ばかりなり」〈今昔六ノ一三〉②心。「人の身、方一寸の中に心を具す。故に名づけて—とす」〈性理字義抄三〉。「—、心を云ふ。心の臓、胸中方寸の間にあればなり」〈書言俗解四〉

ほうぜん【宝前】神前・仏前の敬称。広前(ひろまへ)。「—に参る。万人多く参会し、或は読経、或は護摩、諸仏事を行なふ」〈中右記大治五・一二・一六〉

ほうそ【宝祚】天子の位の尊称。皇位。「淳和の孫達を越えて—を継ぎ給ふ」〈保元上・新院御謀叛思し召し〉。〈色葉字類抄〉

ほうだて【方立】①門柱の両側に立てて、扉を付けておく木。「余る矢が法庄厳院の門の—に箆中(のなか)せめてぞ立ったりける」〈古活字本保元中・白河殿攻め落す〉②牛車(ぎっしゃ)の簾(す)の左右にあって、手形のついている木。「それに候ふ—の穴に取り付かせ給へ」〈盛衰記三三〉③箙(えびら)の下の箱の部分。「頬立(ほほだて)」とも。「箙の—打ち叩き、時(とき)をどっとぞ作りける」〈平家七・倶梨迦羅落〉

ほうたふ【宝塔】塔の美称。「大きなる風吹きて、所所の堂舎・—・門門戸を吹き倒しけるに」〈今昔一九ノ三八〉

ぼうたん【牡丹】植物の名。ボタン。「薔薇(さうび)・—・唐瞿麦(からなでしこ)」〈栄花玉台〉。「牡丹、ボタン。ボウタン、俗」〈色葉字類抄〉

ほうぢゃう【方丈】①一丈四方。「舎—に過ぎず」〈菅家文草一〉。「この人の居給へる室は広さ—なり」〈今昔三ノ一〉②《インドの維摩居士(ゆいまこじ)の居室が一丈四方だったところから》寺の住職の居室。もと、禅宗の用語。「この山伏、—へ参じて」〈梵舜本沙石集六ノ九〉③《転じて》住職。「育王山(いわうさん)の—仏照禅師徳光に会ひ奉り」〈平家三・金渡〉

ほうちゃく【宝鐸】堂塔の四隅などに掛けて飾りとする大鈴。風鐸(ふうたく)。「—ゆりたるは有難き事ぞかし」〈発心集五〉

ほうど『副』ほとほと。全く。「—飽く」〈俳・世話尽二〉。「荷ひ連れ—こりたる年木哉」〈俳・難波草四〉。「幾と云ふ字を、ほとんどなれども—と読みくせに読む也」〈老子経抄〉 —・する うんざりする。困り果てる。「ほうど致す」とも。

「踊子の乳母と踊るに―・する」〈雑俳・よせだいこ〉

ほうなふ(ノウ)【奉納】神仏へ物を納め奉ること。「また、大品般若経二十巻を書き侍りて、御墓へ―し侍りき」〈問はず語り五〉

ほうばい【朋輩】同輩。仲間。傍輩。「親子親類―に見限られて」〈細川幽斎長歌〉　**―づから**【朋輩づから】仲間どうし。「其の夜集うて、―今日の狂言の評判言ふに」〈浮・艶道七不思議五〉

ぼうはん【謀判】人を欺くために、他人の書判または印形を偽造もしくは盗用すること。また、その偽造・盗用した書判・印形。近世には死罪または獄門の刑にされた。「鷲尾家領濃州上秋の庄公用・天用料、謀書―七千余疋、斎藤越後の前に在り、言語道断の由」〈実隆公記延徳三・五・四〉

ほうび【褒美】①ほめること。「―の詞など書き付け侍りとて」〈著聞三七〉。〈色葉字類抄〉②手柄などをほめて与える金品。褒賞。「当座の―として、料足二百文遣はさるべく候」〈室町殿日記一〉

ほうびき【宝引】福引の一。近世、正月の遊びとして行なわれ、また、街頭の賭博にもされた。「博奕・―・諸勝負仕るまじく候御事」〈刀根春次郎文書寛永一六・三〉。「福引、ホウビキ、正月、索(はな)に銭を貫いて、見ずしてこれを取る」〈運歩色葉集〉

ほうびゃう(ビョウ)【宝瓶】仏具・法具としての花瓶・水瓶などの美称。特に、真言宗で、灌頂(くわんちやう)の水を入れる器の称。「帝釈、其の所に来たりて―に水を入れて仏に奉る」〈今昔二ノ三〉

ほうへい【奉幣】神に幣(ぬさ)を奉ること。また、それを行なう人。「種芸することを得ず。因りて以て諸国の神社に―して雨を祈る」〈続紀天平一七・五・八〉。〈色葉字類抄〉　**―し**【奉幣使】勅命を帯びて、神社・山陵に幣を奉る使者。「三品(さんぼん)に叙してのち、はじめて諸社の―にまゐりたるに」〈長秋詠藻下〉

ほうへん【褒貶】①ほめることとけなすこと。「もし―無くば、何ぞ善悪を顕はさむ」〈続紀天平宝字四・七・二三〉。〈色葉字類抄〉②「褒貶の歌合」の略。「―の探冊(たんじやく)取りいだし、心しづかに詠吟し」〈太平記三〇・高倉殿〉　**―のうたあはせ**(ワセ)【褒貶の歌合】判者無しに、衆人で判する歌合。「月の夜雪の朝、―の御会に召されて」〈太平記二・僧徒六波羅〉

ほうほう《擬音語ホウを重ねた形》続けざまに物を投げ出したり、たたいたりするさま。また、その音。ぽんぽん。「大きなる松の木などの二三尺にてまろなる、五つ六つ、―と投げ入れなどするこそいみじけれ」〈枕三〇六〉

ぼうぼうまゆ【ぼうぼう眉】公家の眉作りの一。眉頭は円く少し尖り、眉尻は平たく円い半月形の眉。天上眉。「山も今朝―か薄霞」〈俳・玉海集一〉

ほうもち【捧物】神仏にささげる供物。金銀などで作った枝に種種の物を結びつけたもの。「―の有様、心ことにところせきまで見ゆ」〈源氏鈴虫〉

ほうやく【方薬】①薬の調合。処方。また、処方した薬。「〔コノ病ハ〕神農・黄帝等の―も及ぶべしや」〈日蓮遺文富木入道殿御返事〉。「耆婆(ぎば)が―を嘗(な)むれども験(しるし)もなし」〈伽・天神〉②常規を逸したこと。また、愚か者。「虎頭は指してあやかりの―をいふぞ」〈四河入海二下〉。「方薬、ホウヤク、虚人(うつけびと)」〈文明本節用集〉

ほうらい【蓬萊】①蓬萊山。「―の玉の枝を、一つの所あやまたずもておはしませり」〈竹取〉②松竹梅・鶴亀などを蓬萊山にかたどって作った祝儀用の飾り物。「由比が浜にて―を飾り、御酒宴あるべしとて」〈伽・頼朝最後の記〉③正月の祝儀の飾り物。三方(さんばう)に海老(えび)・熨斗(のし)・昆布・榧(かや)・橙(だいだい)・穂俵(ほんだわら)などを盛りつけたもの。蓬萊台。喰積(くいつみ)。にしざかな。「〔銭〕十疋・茶筅・―…持ち来たる」〈兼見卿記天正七・一・三〉　**―さん**【蓬萊山】中国の伝説中の神仙の山。東海の中にあり、仙人の住む不老不死の霊山。「海賦に―・手長・足長、金してまかせたまへりし」〈大鏡伊尹〉。「池の汀(みぎは)の鶴亀は、―もよそならず」〈謡・鶴亀〉　**―のやま**【蓬萊の山】「蓬萊山」に同じ。「これは―なりと答ふ」〈竹取〉

ほうりゃう(リョウ)【方量】限り。際限。限度。「物を取らするは―があるぞ」〈周易抄〉。「先へ行けと言へば―もなう失せる」〈虎明本狂言・止動方角〉。〈文明本節用集〉

ほうれん【鳳輦】屋形の上に金色の鳳凰(ほうわう)をつけた輿(こし)。即位・大嘗会など、晴れの儀式の行幸に天皇が乗用する。転じて、天皇の乗物。「御輿を寄せたりければ、―にこそ乗らめとて」〈古事談一〉。〈色葉字類抄〉

ほうわう(オウ)【鳳凰】中国で、想像上の瑞鳥の名。頭は鶏、首は蛇、顎は燕、背は亀、尾は魚で、羽は五彩色。天下に正しい道が行なわれれば現われるという。「―・騏驎(きりん)・白雉・白烏、…符応(しるしこたへ)有るは、皆これ、天地のなす所の休祥(よきさが)嘉瑞(よきみつ)なり」〈紀孝徳、白雉一年〉。「鳳凰。爾雅云、雄曰レ鳳、雌曰レ凰」〈和名抄〉

ほ・え【吠え】〘下二〙①動物が大声をたてる。「敵(あた)見たる虎か―・ゆると諸人(もろひと)のおびゆるまでに」〈万一九九〉。「牛答へ―・えけり」〈塵添壒囊鈔五〉。「鞍馬の谷で―・ゆる鶯」〈俳・油糟〉。「夜一日(よひとい)―・えた松虫の声」〈俳・奴俳諧〉②《卑しめていう語》やかましく泣きたてる。「男性(をとこしやう)の者が、―・えをっては、何か役に立たうぞ」〈杜詩抄六〉　†Foye

ほえづら【吠え面】泣こうとする顔付き。泣き顔。泣き面。「ホエヅラ、または、ナキヅラ」〈日葡〉

ほか【外】《カはアリカ・スミカのカに同じで場所の意。ホカは中心点からはずれた端の方の所の意。奈良・平安時代には類義語ヨソは、自分とは距離のある、無関係、無縁な位置関係をいう。また、ト(外)は、ここまでが自分の領域だとする区切りの向うの場所をいう。奈良・平安時代にはウチ(内)・トが対義語であったが、トが衰亡するとウチ・ホカという対立関係が成立した。近世に入ってソト(外)という語が確立すると、ウチ・ホカに代って、ウチ・ソトが対義語になった》①中心となる場所とは仕切りによって無関係である、別の場所。「わが背子に恋ひ術(すべ)無かり葦垣(あしかき)の―に嘆かふ我し悲しも」〈万三九七五〉。「さかしらする親ありて思ひもぞつくとてこの女を―へ追ひやらむとす」〈伊勢四〇〉②あらぬ方向。「家に来てわが屋を見れば玉床の―を向きけり妹が木枕」〈万二二六〉③別の所にあるもの。関係のない別のもの。「見る人も無き山里の桜花―の散りなむ後ぞ咲かまし」〈古今六八〉。「身を捨てて行きやしにけむ思ふより―なるものは心なりけり」〈古今九七七〉④以外。「ひぐらしの鳴く山里の夕ぐれは風より―にとふ人もなし」〈古今二〇五〉⑤そと。「義朝が大勢の中へ駆け入て、うちへ駆け、―へかけ、蜘手(くもで)十文字に、一もみもんでさんざんにぞ戦ひたる」〈保元中・白河殿攻め落す〉

ほかぐるひ(グルイ)【外狂ひ】妻以外の女に溺れること。「頼む夫の―するを何とも思はざるは有るべからず」〈浮・本朝女二十四貞三〉

ほかげ【火影】①火の光。燈火の光。「心もとなき程の―に御ぐしいとをかしげに」〈源氏澪標〉②燈火に照らされた姿や形。「やつれ給へる墨染めの—を」〈源氏総角〉 —すがた【火影姿】「火影」(2)に同じ。「右大弁、昔の藤英なりし—思ひて」〈宇津保国譲下〉

ほかごころ【外心】あらぬ方にゆく心。あだしごころ。「荒磯越し外(ほか)ゆく波の—我は思はじ恋ひて死ぬとも」〈万二四三四〉 †Fokagökörö

ほかさま【外方・外様】①あらぬ方。無関係な方。そっぽ。「『返り事書き給へ。見じや』とて、—に向き給へり」〈源氏宿木〉 ②他の方。「本意なしとて—〔ノ女〕へ思ひなり給ふべかなれば」〈源氏東屋〉 ③別の人に気持をうつすこと。「—の心もなくて過してしを」〈源氏若菜上〉

ほか・し【放下し】『四段』《ハウカ(放下)シの転》捨てる。うっちゃる。放置する。「この分(ぶん)にて—・さんも不便(ふびん)なり」〈多聞院日記天正一四・一二・三〉。「放下、ホカス」〈書言字考〉。「投、ホフル・ホカス」〈書言字考〉

ほか・し【外し】『形シク』別である。異なる。「他形者、倭言、本可之伎(ほかしき)可多知(かたち)、又異形」〈華厳音義私記〉

ほかぜ【帆風】帆に受ける追手の風。転じて、時を得た勢い。勢力。「戸部氏こそ本体にて侍りしに、近代、大神(おおみわ)氏に—を取られて」〈著聞二七三〉

ほかと『副』①大きく口があいたり、割れたりするさま。ぽっかりと。「我らが生ずる時、口を—開けてわっと泣く」〈御書抄三〉 ②強い力で一撃するさま。ぽんと。ぱっと。「—つき放すなり」〈本則抄一〉。「—蹴倒して一喝す」〈驢鞍橋下〉 ③はげしく急なさま。ぱっと。「こはい物は物に当りて—折る事あるが」〈中庸鈔〉。「小童が親に行き合うては、喜んで—抱きつくものだぞ」〈無門関抄下〉

ほかばら【外腹】本妻以外の女の腹に生れること。また、その生れた子供。「おとどの、—の娘尋ね出でてかしづき給ふなる」〈源氏常夏〉

ほか・ひ(ホカイ)【寿ひ】一『四段』《動詞ホキに反復・継続の接尾語ヒのついた形。→ひ》よい結果の出るように、祝い言をいう。「人の家に植ゑける松のにはかに枯れけるを—・ひて人人歌よみけるに」〈続詞花集七〉。「祠、春祭也、保加不(ほかふ)」〈新撰字鏡(享和本)〉。「祀、マツル・イノル・ホカフ」〈名義抄〉 二『名』祝い言。建築・酒宴などに、吉事を祈って唱えることば。「大殿祭(おほとのほかひ)」「御門祭(みかどほかひ)」など。「皇太后、觴(みさかづき)を挙(ささ)げて太子に寿(さかほかひ)したまふ」〈紀神功、摂政十三年〉 †Fokaɸi —びと【乞食者・乞児】寿詞(ほかひごと)を言って人の戸口に立ち、物を乞う人。「—の詠(うた)二首」〈万三八八五題詞〉。「乞索児、ホカヒ人」〈名義抄〉

ほかほか【外外】①そこ以外の別別の所。「かくてもおはしますまじう、皆—へと出で給ふ程」〈源氏賢木〉 ②一つ所でなく別別になること。「—にて渡り給ふ事もをさをさなきやうに」〈源氏若菜下〉

ほがみ【下腹】下腹(したはら)。「昨日の暮ほどから—のあたりがくるやうに痛うて瀉することが度度に及ぶ」〈天草本伊曾保〉。「小腹、ホガミ」〈文明本節用集〉

ほかめ【外目】よそに目を移すこと。わき目。「近く居寄りて、—せず見聞くけしき」〈大鏡時平〉

ほがらか【朗らか】①明るく光るさま。「身の光り、—に耀(て)ること初日に同じきなり」〈金光明最勝王経平安初期点〉 ②明るく広広としたさま。「土地爽(おほき)に塏(ほがらか)にして、細沙瀰漫せり」〈大唐西域記五・長寛点〉 ③明るく晴れ晴れしたさま。「いとをかしうて…いと—にうちわらふ」〈かげろふ下〉 ④明らかに事の理を知っているさま。「その方にまことに深くしみ、顕密ともに—なるをば」〈栄花疑〉

ほがらほがら【朗ら朗ら】晴れ晴れと明るいさま。空などがいかにも気持よく明けてゆくさま。「しののめの—と明け行けばおのがきぬぎぬなるぞ悲しき」〈古今六三七〉

ほかゐ【外居・行器】食物を入れて運ぶ器。丸く高い形で、外に反(そ)った三本の足がついている。「衣着たる男に、油単おほひたる台据ゑたる—持たせて」〈宇津保吹上上〉

ほき 乾いた木や枯枝などがもろく折れる音。ぽきり。「枯木のいかにも古いが——と折るるぞ」〈三略抄〉

ほき 嶮崖。がけ。「あやふさに人目ぞ常によがれける岩の角踏む—のかけ道」〈山家集下〉。「—は山のがけなり」〈兼載雑談〉

ほ・き【祝き・禱き】『四段』よい結果があるように、祝い言を言う。「少名御神(すくなみかみ)の、神(かむ)ほき—・きくるほし」〈記歌謡三九〉 †Foki

ほ・き【惚き・呆き】『四段』緊張がゆるんでぼんやりする。間がぬける。「今の御むすめの事を…世にも—・きたることとそしりきこゆ」〈源氏常夏〉

ぼぎ【母儀】母御前。母君。「御—建春門院と申すは」〈平家一・東宮立〉

ほきうた【寿歌・祝歌】上代大歌(おほうた)の歌曲名。讃え祝う歌。「こは—の片歌なり」〈記仁徳〉 †Fokiuta

ほきぢ【ほき路】山腹など、けわしいところにある路。崖路。「吉野山—つたひにたづね入りて花見し春はひと昔かも」〈山家集上〉

ほぐ【反古・反故】《古形はホクと清音。字音のままホンコとも。転じてホウゴ・ホウグとも》①文字などを書いて、不用になった紙。「ささやかに押し巻き合はせたる—どものかび臭きを」〈源氏橋姫〉。「反故、ホク、俗ホンコ」〈色葉字類抄〉 ②不用となった物事。無駄。「舅(しゅうと)の最期も女房の奉公も—にはならぬ此の金」〈浄・忠臣蔵六〉

ぼく【木】①築山などに用いる、節くれだち、または曲がった、樹木の古い根や幹。「秘蔵の—の苔も美し」〈俳・塵塚(重徳編)上〉。〈日葡〉 ②棒。「椋(むく)の—と肩骨と力競べして、土持ちか水汲みをするからは」〈浮・立身大福帳三〉

ほくきゃう(ッキョウ)【北京】京都の異称。奈良を南都というに対する。北都。「南都—の学者」〈拾遺語燈録中〉

ほくきょく【北極】北極星。常に天の中枢にあって動かないので、天子の位にたとえる。「昨日は紫宸—の高きに坐して」〈太平記三・主上御没落〉

ほくけつ【北闕】《宮城の北門の意から》宮中。禁中。「一人聖体、—の宮禁を出でて諸州に幸し」〈平家一〇・八島院宣〉。「北闕、ホッケツ、指二禁裏一」〈下学集〉

ほくこく【北国】①北陸道の諸国。特に、越後国をさすことがある。「東国—の背(そむ)くだに有るに」〈平家六・飛脚〉 ②《江戸の北方に位置したところから》江戸吉原の異称。「—の遊里に息子囚はれる」〈雑俳・万句合安永一〉

ほくし【火串】①烽火(のろし)の台の上に立て、葦・柴などをかける杙(くい)。「撅、保久之(ほくし)」〈和名抄〉 ②燈火の松を挟む木。「五月闇—にかくるともし火のうしろめたくや鹿は見るらん」〈栄花歌合〉

ほくしゅ【北首】北を枕にして寝ること。北枕。「白河院は—に御寝(ぎょしん)なりけり」〈徒然一三三〉

ほくしん【北辰】《北天の星辰の意》北極星。衆星の中心となり動かないので、帝居または天子などにたとえる。「千秋(とこしへ)に—を衛(まも)るべし」〈懐風藻〉。〈色葉字類抄〉

ほくせう(ッショウ)【乏少】《ボクセウとも》乏しく少ないこと。「その直物(ちきもつ)の—なれば、この弟の富人のもとに行きて銭を

ほ

借る」〈今昔二ノ三〉。「諸(もろ)の所願を与へ、—なからしめん」〈現世利益和讃抄三〉。「〔乏ハ〕世語にも—と云ふ。濁るべき道理知らぬぞ」〈見聞愚案記七〉。「乏少、ホクセウ・ボクセウ」〈伊京集〉。「乏少、ぼくせう、少分の義」〈和漢通用集〉 ▽「乏」の字音は、呉音ボフ、漢音ハフ。ホク・ボクは、日本で生じた慣用音らしい。

ほくそ【火糞】「ほくち」に同じ。「たとへば、よき火打とよき石の角とよき—と、此の三つ寄り合ひて火を用ゆるなり」〈日蓮遺文法華初心成仏抄〉

ほくそづきん【苧屑頭巾】 苧(からむし)の茎で作り、両下(まや)の形に似て紐が内に付いた頭巾。猟師・鷹匠などが用いた。強盗(がんだう)頭巾。「をくそ頭巾」とも。「—の垢に埋める耳の底には落ち難く」〈俳・氷室守一〉

ほくそわらひライ…ワ**【北叟笑ひ】** 微笑すること。にんまりと笑うこと。「ほくそゑみ」とも。「〔唐ノ北叟ハ〕悦びある事を見ても少し笑み、憂ある事を聞きても少し笑みけり。…今の人も少し笑みたるを—といへるは、この北叟が事なるべし」〈妻鏡〉

ほくそゑ・み【北叟笑み】『四段』 微笑する。にこりと笑う。「兼遠—・みて…と言ひければ」〈盛衰記二六〉

ほくだうウ…ド**【北堂】** ①大学寮の、紀伝道の講堂。「吾はこれ—の士、十歳にして始めて書(ふみ)を読む」〈本朝文粋一〉 ②《中国の士大夫の家で、東房の北半分を北堂といい、主婦の居所としたことから》 母。「北堂、ホクダウ、母也」〈明応本節用集〉

ほくち【火口】 燧(ひうち)を打って切り出した火を移しとるもの。「濡れたる—に火を打ちかくるが如くなるべし」〈日蓮遺文四条金吾殿御返事〉

ほくてき【北狄】 中国で、北方の異民族を呼ぶ称。匈奴(きょうど)・突厥(とっけつ)・回紇(かいこつ)など。「函谷二崤(じかう)のさかしきをかたうせしかども、—の為に是を破られ」〈平家七・聖主臨幸〉

ほくと【北斗】 北斗星。北斗七星。「六七月、彗星—に入る」〈続紀宝亀一・是年〉。「北斗、ホクトウ・ホクト」〈色葉字類抄〉

ほくばうウ…ボ**【北邙】**《中国洛陽北部の邙山が古来墓地であるところから》 墓地。「遂に—の露と消え」〈妻鏡〉。「北邙、ホクバウ、葬所之義」〈伊京集〉

ぼくぼく ゆっくりゆっくり歩くさま。「—とかちのの原は行き尽し」〈俳・紅梅千句〉

ほくみ【穂組】 田の神に供えるため、稲の初穂を摘んで鬘(かづら)状などに結い作ったもの。秋穫を祝って贈答され、児童の遊びにもなった。「—といふ物を童べのつむを見て」〈大斎院前御集〉。「わがつくる早田の穂立つくりたる—そ見つつしのばせわがせこ」〈類聚古集三〉

ほくめん【北面】《君主の「南面」に対し、臣下または弟子たる者の座の意》 ①北の方に面すること。北向き。「天皇東大寺に幸し、盧舎那仏の像の前殿に御して、—して像に対す」〈続紀天平勝宝一・四・一〉 ②院の御所の北面にある侍所。きたおもて。「権の弁、仰せに依りて、初めて院の—に参入す」〈中右記長承二・七・一〉 ③院の御所の北面に詰めて守護に当った武士。白河院の時初めて置かれた。北面の武士。「—は上古にはなかりけり」〈平家一・鵜川軍〉

ほくら【神庫・宝倉】《ホは高くつき出たもの。クラは高くして物をのせる場所》 ①神宝を納めておく倉。「神庫、此をば保玖羅(ほくら)と云ふ」〈紀垂仁八十七年〉 ②やしろ。ほこら。「稲荷の—に女の手にて書きつけて侍りける」〈拾遺三六詞書〉。「秀倉、ホクラ、一云神殿」〈名義抄〉

ぼくり【木履】 ①下駄。「その時、—の音が苦集滅道(くすめぢ)と唱へ鳴る」〈法華経直談鈔八末〉 ②足駄。「はり屋より唐笠借用、亭主の—借りて、緒を踏み切る」〈大和田重清日記文祿二・九・二〉

ほぐ・れ『下二』 からみつき、もつれたものが解けて離れる。「その叉手の手の自然に—・るる処で」〈大淵和尚再吟上〉

ほくれい【北嶺】 比叡山延暦寺の異称。高野山金剛峯寺を「南山」、奈良興福寺を「南都」というのに対する。「抑〻—は円宗一味の学地、南都は夏臈得度の戒定なり」〈平家四・山門牒状〉

ほくろくだうウ…ド**【北陸道】** 七道の一。日本海沿岸の中部地方の諸国。若狭・越前・加賀・能登・越中・越後・佐渡の七国。くぬがのみち。こしのみち。また、近世、これらの諸国を通過する街道。北国街道。「—は越中より以来(こなた)の諸(もろもろ)の国司等行在所に詣(いた)りて、風俗の雑伎を奏す」〈続紀養老一・九・一八〉。「さもあらば、—七箇国下し取らせん」〈伽・観音本地〉。「—は百七十六里也」〈玉滴隠見五〉

ほけ【火気】 湯気。煙。「かまどには—吹き立てず、こしきには蜘蛛の巣かきて」〈万八九二〉。「さて蓋(ふた)を取って—を立たしめ」〈策彦和尚初渡集下ノ上〉。「ほかほかと夏野の地蔵—立ちて」〈俳・大悟物狂〉 †*Fóke

ほ・け【呆け・耄け】『下二』 緊張がゆるんでぼんやりする。ぼける。耄碌(もうろく)する。「いとど—・けられて、昼は日一日眠(い)をのみ寝くらし」〈源氏明石〉。「耄、オユ・ワスル・ホク」〈名義抄〉

ほ・げ【呆げ】『下一』 夢中になる。我を忘れる。「内の女房は片足短いげなが、五十両の敷金に—・げて〔女房ニ〕持って」〈浮・禁短気二〉

ぼ・け【呆け】『下二』「ほけ(呆・耄)」の転。「ココロノボケタヒトヂャ」〈日葡〉

ほけきゃうキョウ…キ**【法華経】**「妙法蓮華経」の略。「太上天皇の奉為(おほみため)に釈迦の像幷せて—を造写し訖る。仍(よ)りて薬師寺に斎を設く」〈続紀神亀三・八・八〉。「—はさらなり、異法文などもいと多く読み給ふ」〈源氏手習〉

ぼけさき【惚咲き】 狂い咲き。「褪花と云ふは、かへり花と云ひて、—とて、秋咲く花を云ふぞ」〈湯山聯句鈔上〉

ほけさんまい【法華三昧】 ⇒ほっけさんまい。「—行なふ堂の懺法(せんぼふ)の声」〈源氏若紫〉

ほけだうウ…ド**【法華堂】** ⇒ほっけだう。「かの人の四十九日、忍びて比叡の—にて、事そがず、…こまかに誦経(ずきやう)などせさせ給ひぬ」〈源氏(河内本)夕顔〉

ほけびと【耄人】 ぼけた人。おいぼれ。「かの大尼君も、今はこよなき—にてぞありけむかし」〈源氏若菜上〉

ほけほけ【惚け惚け】 いかにもぼうっとしたさま。「足をよりて、—と物思ふすがたにて」〈沙石集一ノ四〉

ぼけぼけ 色がほんのりとしているさま。「花顔とは、花の薄紅に—としたる様なるを云ふ」〈長恨歌抄〉

ほけほけ・し【呆け呆けし】『形シク』 見るからにぼけたようである。ぼんやりとして、廃人のようである。「ただあやしう—・しうて、つくづくと臥しなやみ給ふを」〈源氏葵〉

ほけやか【惚けやか】 ぼうっとしているさま。ぼんやり見えるさま。「眉の匂—に、ほのかなるかほばせの思ひは色深く見えたる様」〈伽・秋夜長物語〉

ほこ【矛・鉾・戈】 ①両刃の剣に長い柄をつけた武器。枝のあるものもある。槍(やり)と同じく敵を突き刺すに用いる。矛は鎌倉以前、槍は南北朝以後に実用された。「白鷺の—啄(く)ひ持ちて」〈万三八三一〉 ②弓の幹。「ふし木の弓の—

短く射よげなるを持ち」〈義経記五〉 ③山車(だし)。また、鉾を飾り立てた山車。「山をつくり、―を飾る」〈伽・付喪神記〉 †Fōkō

ぼこ 小児。子供。赤ん坊。「―に物くくめるやうにする」〈大恵長書抄〉

ほこしうもな・し『形ク』面白くもない。つまらない。馬鹿馬鹿しい。「ほっこしもない」「ほこしゅもない」とも。「あまのさか―・き(逆鉾ト掛ケル)物持ちて恋に憂き身をやつす我かな」〈遠近草上〉

ほこすぎ【鉾杉】ほこのような形の杉。「何時(つい)の間も神さびけるか香久山の―が本にこけ生(む)すまでに」〈万二五九〉 †Fōkosugi

ほこら【叢祠】《ホクラの転》神を祭る小さな社。「その―に修行しける僧のやどりて」〈宇治拾遺一三六〉

ほこらか・し【誇らかし】『四段』①得意そうにする。「殊に大きなる黒鞘巻を隠したる気もなく指し―・したりけるが」〈盛衰記一〉 ②盛んに燃やす。特に左義長についていう。後には「ほこらし」とも。「正月十五日、京中より方方御祓…皆―・す」〈鈴鹿家記永亨二・八・一六〉

ほこら・し【誇らし】『形シク』《ホコリ(誇)の形容詞形》得意に感じるさまである。自慢したい気持である。「ちぢの情(なさけ)も思ほえず一つ心ぞ―・しき」〈古今一〇〇三〉

ほこり【埃】①細かいちり。「そばなる遣戸(やりど)のふちに積りたる―を取り入れて食し給ひけり」〈明恵伝記下〉。「埃・煤、ホコリ」〈天正十八年本節用集〉 ②数量の端下(はした)。余り。残余。剰余。「是に依って四三三の法にも―有り」〈改算記中〉 ―とり【埃取】埃よけに着る上っ張り。「―の木綿着物一つ」〈西鶴・諸艶大鑑四〉

ほこ・り【誇り】『四段』《すぐれたものとして人目に立つように活動し行動する意。類義語オゴリは、自分は低い所にいるものとは違うのだと思い込んで、それらしく行動する意》得意になる。いい気になってはやる。「さ並べる鷹は無けむと心には思ひ―・りて」〈万四〇一一〉。「かぢとりいたく―・りて、船に帆あげなど喜ぶ」〈土佐一月二十六日〉 †Fōkōri

―か【誇りか・矜りか】①得意そうなさま。意気揚揚としたさま。「良き車に乗りて、面持けしき―に」〈源氏蓬生〉 ②いかにも自信満満のさま。「人よりことに―に心地良げなる人柄にて」〈大鏡師輔〉

ほころ・ひ(ホコロイ)【誇ろひ】『四段』《誇りに反復・継続の接尾語ヒがついたホコラヒの母音交替形。→ひ》しきりと自慢する。「我(あれ)をおきて人はあらじと―・へど寒くしあれば」〈万八九二〉 †Fōkōrōi

ほころ・び【綻び】□一『上二』①縫い目・綴じ目が自然にとける。ほどける。「包むめる名をや洩り出むひきかはしかく―・ぶる中の衣に」〈源氏紅葉賀〉 ②蕾(つぼみ)が開く。「青柳の糸よりかくる春しもぞ乱れて花の―・びにける」〈古今二六〉 ③こらえきれずに口元をひらく。「人人皆―・びて笑ひぬれば」〈源氏少女〉 ④気持や秘密が、隠しきれずに外部に現われる。「いかならん折にか、その御心ばへ―・ぶべからんと、世人も思ひ疑ひけるを」〈源氏若菜上〉 ▽源順集の「ちぐさにもほころぶ花の匂ひかないづら青柳縫ひし糸すぢ」などの例があり、平安時代に四段活用もあったとする説もある。□二『名』①ほころびた所。「―縫はん〔人〕だにぞ持たらぬ」〈宇津保藤原君〉 ②《ほころびているように見えるところから》几帳の帷(かたびら)の縫い合わせてない部分。「几帳の―より見れば」〈源氏野分〉 ③着物の着方の一という。「童べのかしらばかりを争ひつくろひて、なりはみな―絶え、みだれかかったるもあるが」〈枕五〉 ▽ホコロはホキ・ホケ(惚・耄)の語根とオロ(疎)との複合か。ビは接尾語。

ほさ・き『四段』①祝い言を言う。「〔天岩戸ノ前デ〕中臣の遠祖天児屋命、則ち以て神祝(かむほさ)き祝(ほ)きき。是に日神、方に磐戸を開けて出でます」〈紀神代上〉。「神祝祝之、此をば加武保佐枳保佐枳(かむほさきほさき)といふ」〈紀神代上〉 ②呪言を言う。「火の中に投げ入れむとして呪(ほさ)きて曰はく、吾が手をもて投げ入るるに非ず」〈紀(北野家本)欽明二十三年〉 †Fosaki

ほさ・き【防き】『四段』「ふせぎ」に同じ。「諸の怨敵を―・くこと塹の如く」〈地蔵十輪経序・元慶点〉

ほざ・き『四段』①他人が言うのをののしっていう語。ぬかす。「名残惜しいと―・く戯女(たはれめ)」〈俳・奴俳諧〉 ②動詞に添えて、他人の行為をののしっていう語。しくさる。けつかる。「さては盗み―・いたな」〈近松・天網島上〉

ぼさち【菩薩】⇒ぼさつ。「阿彌陀仏、脇侍(けふじ)の―、おのおの白檀して作り奉りたる」〈源氏鈴虫〉

ぼさつ【菩薩】《梵語の音訳「菩提薩埵」の略。ボサチとも》①〔仏〕みずから仏道を求め、他を救済しさとらしめる者。後には、観音・勢至・彌勒など対象が固定し、仏に次ぐ位にあるものとされた。「―(成道以前ノ釈尊)は世世に精進波羅蜜を行なふ」〈三宝絵上〉 ②有徳の僧が朝廷から受けた称号。また、世人は高僧の尊称に使った。「時の人、号して行基―といふ」〈続紀天平勝宝一・二・二〉 ③《本地垂迹(ほんぢすいしゃく)説の立場から》日本の神につけた尊号。「はじめ大隅の国に八幡大―と現はれましまして、次には宇佐の宮にうつらせ給ひ」〈今昔一二ノ一〇〉 ④雅楽の曲名。「唐・高麗の舞人・楽人、―・鳥・蝶(イズレモ曲名)の童、左右に列せり」〈今昔一二ノ九〉 ⑤米の異名。「されば米を―と言ふ事、種の時は文殊菩薩、苗の時は地蔵菩薩、稲の時は虚空蔵菩薩、穂になる時は普賢菩薩、飯の時は観世音菩薩、物体〔ハ〕毘沙門天なり。又米は古仏の御舎利なり」〈庭訓抄上〉 ⑥飯炊き女、または、下女の異名。「―の前垂れ連中」〈洒・養漢裸百貫三〉。「炊女(つぼさ)。飯炊き女を云ふ、時世詞(はやりことば)也」〈譬喩尽一〉 ―かい【菩薩戒】大乗教徒が受持すべき戒律。大乗戒。仏性戒。「きくならく―をたもつには、梵網経(ぼんまうきやう)にもとづく」〈続紀天平勝宝八・二・三〇〉

ほさる【乾さる】『連語』《乾セルの上代東国方言》乾している。「筑波嶺に雪かも降らる否(いな)をかもかなしき児ろが布(にの)―かも」〈万三三五一東歌〉

ほし【星】①太陽・月・地球以外の天体の称。また、その光。「北山にたなびく雲の青雲の―離(さか)り行き月を離りて」〈万一六一〉 ②丸く小さい点。「秤(はかり)の―」〈策彦和尚初渡集下ノ下〉。「マトノホシヲネラウ」〈日葡〉 ③兜の鉢に並べてうちつけた鋲の頭。「義朝の甲(かぶと)の―七つ八つ射けづりて」〈保元中・白河殿攻め落す〉 ④病気のため眼球にできる小さな白い点。「―ある眼なれば、こまかにこそ見えねど」〈仮・仁勢物語下〉 ⑤九星(きうしやう)のうち、その人の生れ年にあたる星。本命星(ほんみやうしやう)。また、その年年の吉凶。運勢。「―に当るは今年大厄」〈俳・守武千句〉 ⑥神楽歌を三大別したものの一。朝になってからの歌であり、神あがりの歌でもある。明星(あかぼし)・得選子(とくせにこ)・朝倉などの曲がある。「雲の上の小忌(をみ)の衣に霜さえて―歌ふなり明方の空」〈拾玉集三〉 ▽朝鮮語 pyŏl(星)と同源。 ―を戴(いただ)・く まだ星が見えている早朝に出かける。また、夜おそくまで働く。「泥を衝(つ)き、また―・くことを免れず」〈菅家文草三〉 ―を喰は・す 見事に言い当てる。図星をさす。「星をさす」とも。「何と雲八、返事はどうぢゃと―・され」〈浮・禁短気一〉

ほ

ほ・し【乾し・干し】『四段』《ホはヒ(干)の古形》①日光・風・熱によって、水気をとる。「庭に立つ麻手刈り―・し」〈万五二一〉。「あぶり―・す人もあれやも濡衣(ぬれきぬ)を家にはやらな旅のしるしに」〈万一六八八〉 ②涙をかわかす。「いみじうたへがたき事と、ふた所打ち語らひつつ、―・すよも無くて過し給ふに」〈源氏椎本〉 ③一滴も残さず飲み尽す。「頼光盃取り上げて、これもさらりと―・されけり」〈伽・酒呑童子〉 ④食物をとらずにいる。また、食物をとらせずに置く。「はやく―・し殺さんとする父の命たすけたりとて」〈宝物集上〉。「ハラヲホス、または、ノドヲホス」〈日葡〉 ⑤演技できなくする。「相手のこしらへならぬを知らずして、そこつに出、舞台にて呼び出したる時、〔相手ガ〕出ずは、其の間(あひ)―・されて」〈わらんべ草一〉 ⑥店(たな)ざらしにする。「見世に―・されて探し手を待つ」〈雑俳・太平楽〉

ほ・し【欲し】『形シク』①自分のものにしたい。得たい。「山城の久世の若子(わくご)が―・しといふわれあふさわに我を―・しといふ山城の久世」〈万二三六二〉 ②そうありたい。望ましい。「我が見が―・し国は」〈記歌謡五八〉

ほしあひ イア【星合ひ】七夕の夜、牽牛・織女の二星が逢うこと。「七月七日も例に変りたる事多く…―見る人もなし」〈源氏幻〉

ほしいひ イイ【乾飯・糒】乾した飯。旅行または軍陣用の携帯食品。「かれいひ」とも。「―ただ少し餌袋に入れて」〈宇津保俊蔭〉

ほしいまま【恣・擅・縦】「ほしきまま」の音便形。「浄海、―に国威をひそかにし、朝政をみだり」〈平家四・南都牒状〉。「縦恣、ホシイマ、」〈名義抄〉

ほしいり【星入り】斑点。また、斑点のあること。「―の絹」〈俳・乳母一〉。〈ロドリゲス大文典〉

ほしかぶと【星甲・星兜】鉢に凸形の鋲を多く打ちつけた兜。「―を取り出し」〈伽・酒呑童子〉

ほしかぶら【干蕪】冬至前、蕪の根を掘り取って、立春前まで軒下に陰干ししたもの。味が甘美で、春に煮て食べる。「―二袋来る」〈本光国師日記元和四・四・二三〉。「名にし近江あらまほし菜や―」〈俳・鶉鶏集一〇〉

ほしきまま【恣・擅・縦】《ホシキマニマの転》心のまま。思うまま。勝手気まま。「遂に以て、諒闇の際に威福自由(ほしきまま)なり」〈紀綏靖即位前〉。「十悪に放肆(ほしきまま)なるは、臭き身の垢つき穢れたるに似(の)れり」〈地蔵十輪経序・元慶点〉。「逸、ホシイマ、・ホシキマ、ニ」〈名義抄〉 †Fosikimama

ほしけく【欲しけく】《欲シのク語法》ほしいこと。「我が命の長く―偽りを好くする人を執(と)らふばかりを」〈万二九四三〉 †Fosikeku

ほしじ【乾肉】「ほしじし」の略。「脯、保之之(ほしし)、乾肉なり」〈和名抄〉。「脩、保之自(ほしじ)」〈新撰字鏡〉

ほしじし【乾肉】乾した肉。「泡盛の酒、―やうの物をしたたかにくるる」〈仮・霊怪艸一〉。「脯、ホシジシ、乾肉なり」〈色葉字類抄〉。〈運歩色葉集〉

ほしじろのかぶと【星白の兜】「星」(3)を銀でつくった兜。「緋威の鎧に―の緒をしめ」〈平家四・競〉

ほしづきよ【星月夜】①月はないが星の明るい夜。また、その星。ほしづくよ。「―に見やりければ、池の汀(みぎは)に行きて、かき消つやうに失せにけり」〈今昔二七ノ五〉。「―のきらめきたるに、兜の星もきらきらとして」〈義経記四〉 ②歌・連歌などで、「鎌倉」「鎌倉山」を導くことば。「裾野の鹿の―、鎌倉山」〈連珠合璧集上〉 ▽「我ひとり鎌倉山を越えゆけば星月夜こそうれしかりけれ」の古歌にもとづく用法ともいうが、かかり方未詳。

ほしどり【干鳥・乾鳥】ほした鳥の肉。「雲雀(ひばり)の―、これらを生けて媒鳥(をとり)にて捕(と)らば、多くの鳥出で来ぬべし」〈宇津保藤原君〉

ほしな【干菜・乾菜】冬、蕪菜(かぶらな)の葉・茎を軒下などに掛けて陰干ししたもの。汁の実にし、また、風呂に入れたりした。懸け菜。「―二斗」〈洞院家記三〇、承元三・三〉

ほしのおやぢ【星の親父】月の異名。「短夜に―の月澄みて」〈俳・奴俳諧〉。「―明日取り放せ中の橋」〈俳・江戸広小路上〉

ほしのくらゐ【星の位】①星座。星宿。「時剋をもただざず、―をも知らざりけれども」〈教訓抄八〉 ②《宮中に公卿が列坐するのを、衆星が天に位するのにたとえたものという》天子を輔佐する三公。また、宮中に列し得る公卿・殿上人など。また、その地位。「左右の歌人…―のままに居群れゐて」〈文治二年十月二十二日歌合〉

ほしのはやし【星の林】星が多く集まっているのを林に見立てていう語。「天の海に雲の波立ち月の船―に漕ぎ隠る見ゆ」〈万一〇六八〉

ほしのまつり【星の祭】七夕の祭り。星祭り。「待ち得て今ぞ秋に逢ふ、―を急がん」〈謡・関寺小町〉

ほしのやどり【星の宿り】「星の位」(2)に同じ。「―をふりすてて、一人出でにし鷲の山」〈拾遺愚草下〉

ほしひ イホシ【糒】「ほしいひ」の約。「―洗はせ、酒取り出ですすめたり」〈承久記下〉。「かれいひは―と云へり」〈毘沙門堂本古今集註〉。「粮・糒、ホシイ」〈下学集〉

ほしほし ①しみじみと思い廻らすさま。「―は夜を寝ねずして淋しう明かしたる心か」〈俳・かたこと五〉 ②そろそろ。ぽつりぽつり。「読誦と云ふに、読は―と読む義なり。誦と云ふは、高声に、うちあげて、そらに読む事ぞ」〈史記抄六〉

ほしぼとけ【星仏】年齢・干支(えと)により、明年の本命星・当年星・守り本尊などを書き記したもの。近世前期、京都で、年末・元朝・節分に売り歩いた。「星一、北斗一、七夕一、―一。此の間、折を嫌ふ也」〈俳・はなひ草〉。「蜀魄(ほととぎす)本尊(ほぞん)や聞かま―」〈俳・沙金袋三〉

ぼじゃぼじゃ ①愛敬のあるさま。愛想よく人の心を引きつけるさま。「ぼじゃり」とも。「寝乱れ髪を―とゆり下げて、いつに忘れうぞ、面影」〈虎寛本狂言・花子〉 ②むっくりとふくらんでいるさま。また、肉体の豊満なさま。「小袖の着やう。下の小袖の襟を出し、中の小袖の襟も少し出し、上をば―となるやうに」〈仮・催情記〉。「色白く―として肌透き徹り」〈浮・諸分姥桜三〉

ほずゑ【穂末】穂の先。「小山田の稲葉おしなみ吹く風に―を伝ふ秋の白露」〈玉葉六二五〉

ほせ 柴。「炉と云ふは、…ゆるり(イロリ)を大にして、木の―、大きな枝をくべて置くぞ」〈玉塵抄一七〉

ほせ・き【防き】『四段』「ふせぎ」に同じ。「任那を毒害(そこな)ひて日本を―・かむと謨(はか)る」〈紀欽明二年〉 †Foseki

ほぜ・り『四段』①ほじくる。「臍のあたりを突き―・りけれ」〈俳・犬筑波〉 ②言う意をののしっていう語。ほざく。「餅をかちんと―・る如く」〈俳・奴俳諧〉

ほぞ《平安時代末期までホソと清音》①【臍】へそ。「―の中に五穀(たなつもの)生(な)れり」〈紀神代上〉。「臍臍、保曾(ほそ)、俗云倍曾(へそ)」〈和名抄〉 ②【枢】戸の枢(くるる)。また、木を接合する際、相手の臍穴(ほぞあな)にさし入れる突起。「戸枢、止保曾(とほそ)」〈新撰字鏡〉 ③【蔕】果実のへた。「〔柑子ヲ〕懐へ入るる時に、一つ―が抜けてころころとこけて行く程に」〈虎明本狂言・柑子〉。「蔕、ホゾ」〈黒本本節用集〉 **蔕を固う・す** 固く決心する。堅固に用心する。「根を深うし、━・する謀と成って」〈太平記三〇・義貞牒山門〉 **臍を噬(く)・ふ** 自分でへそを嚙もうとしても及ばないように、後悔しても間に合わないたとえ。「臍をくらふ」「臍をかむ」とも。「もしおそくあらば、━・ふとも及ぶこと無からむ」〈紀欽明十四年〉 **臍を付・ける** 《大工・職人などの隠語》 飯を食う。食事をする。「臍を入れる」「臍をきめる」とも。「起きて━・けねへか」〈洒・遊僊窟烟の花〉

ほそえ【細江】 細長い入江。「風吹けば波か立たむと伺候(さもらひ)に都太(つだ)の━に浦隠り居り」〈万九四五〉

ほそえぼし【細烏帽子】 武士のかぶる、頂の細長い柔らかな烏帽子。「━に香の水干着たる舎人八人」〈太平記一三・藤房卿〉 †Fösöye

ほぞおち【臍落ち・蔕落ち】《古くは、ホソオチ》 ①臍(へそ)の緒が離れること。「去夜御━也」〈九暦天暦四・五・二八〉 ②果実がよく熟して、ひとりでに蔕(へた)から落ちること。また、その果実。「畳の上にて棄ぜめにしても死するは、熟した柿の━也」〈室町殿日記一〉。〈名語記五〉 ③腑に落ちること。納得が行くこと。「次第に我と━にならうず」〈大恵長書抄〉

ほそかね【細金】 金・銀箔を細く切ったもの。仏画・木仏や衣服の模様などに用いる。「古実云、唐絵には━を使ふ事、一切これ無き事也」〈等伯画説〉

ほそ・き【防き】『四段』「ふせぎ」に同じ。「一切の損害逼迫悩乱を遮防(ほそき)きて」〈雑集論平安初期点〉

ほそきんだち【細公達】 頼りない貴族の子弟。「さやうの━の陰妻(かげめ)にておはすらん、くちをしき事なり」〈狭衣二〉

ほそくび【細首・細頸】 細い首。貧弱な首。また、首を卑しめていう語。「〔敵ガ馬カラ〕落つる所にて━打ち落し」〈太平記二六・四条縄手〉

ほぞくりがね【臍繰金】「へそくりがね」に同じ。「二十余年に━十二貫五百目」〈西鶴・永代蔵一〉

ほそ・し【細し】『形ク』《立体について、直径が小さい意。また平面について、幅が小さい意》 ①《「太し」の対》 長い立体の直径が小さい。「青柳の━・き眉根を」〈万四一九二〉。「頼もしげなく頸━・しとて…あなづり給ふなめり」〈源氏帚木〉 ②《「広し」の対》 幅が狭い。「道はいと暗う━・きに」〈伊勢九〉。「男の目の━・きは女びたり」〈枕二三三〉 ③量が乏しい。「あやしき風━・う吹きて」〈源氏明石〉。「〔滝口ノ武士ガ〕高く━・く名乗り」〈枕五六〉 ④運が盛んでない。先細りである。「この大臣いとやむごとなくおはしましかど、御する━・くぞ」〈大鏡為光〉 ⑤こまやかである。「恋をも嫌ふべからず。心の━・きより起り候」〈伽・三人法師〉。「心も━・く言葉もやさしく」〈ささめごと上〉。「世の中に太かるべきは宮柱━・かるべきは心なりけり」〈世中百首〉 †Fösösi

ほそたか【細高】 細くて高いこと。やせて高いこと。「長(けた)少し━にて」〈今昔二八ノ二一〉

ほそだち【細太刀】 長くて細い太刀。束帯に佩く儀礼用のもの。「━に平緒つけて」〈枕九一〉

ほぞち【熟瓜】《ホソオチの約。ホソは蔕(へた)》 蔕の落ちるまで、よく熟したまくわ瓜。「人のもとに行きたるに、━を食ひけるに、蔀(しとみ)をたてて隠しけるけしきを見て」〈藤六集〉。「熟瓜、保會知(ほそち)、或説極熟蔕落之義也」〈和名抄〉

ほそづくり【細作り】 ①刀などを細く作ること。また、その刀など。細拵え。「━の大小」〈浮・男色今鑑一〉 ②刺身を細く作ったもの。「生盛(いけもり)といふは、鴻・鵠・鷹などの躬(み)を細くそぎ、━にして、煎酒にて出すなり」〈庖丁聞書〉

ほそてづくり【細手作り】 糸を細く縒って作った手織りの布。「この女、麻の━を織りて、夫の大領に着せたりけり」〈今昔二三ノ一八〉

ほそどの【細殿】 殿舎の廂(ひさし)の間で、形の細いもの。仕切って女房の局(つぼね)とした。また、殿舎から殿舎へ渡る通路。「弘徽殿の━に立ち寄り給へれば、三の口あきたり」〈源氏花宴〉

ほそなが【細長】 ①細く長いこと。また、そういう形のもの。「うす物の━を車の中に引き隔てたれば」〈源氏東屋〉。「ほら貝のやうなるが、小さくて、口の程の━にして」〈徒然三四〉 ②貴族の子供の装束。男子の袍(うへのきぬ)を簡便に作り、はじめは童男の着用するものであったが、後には童女も着用するようになった。水干(すいかん)に似て、うしろに髪置きがあり、頸囲(くびかみ)から垂れた飾り紐がある。「無紋の桜の━なよらかに着なして」〈源氏末摘花〉 ③女子の成人装束の一。小袿(こうちき)の上に着た。袿に似て衽(おくび)がない。「山吹の花の━は、かの西の対に奉れ給ふを」〈源氏玉鬘〉

ほそぬのごろも【細布衣】 幅のせまい布で作った衣。「袖せばき━」〈謡・鉢木〉

ほぞのを【臍の緒】《古くは、ホソノヲ》 へその緒。「巳の時、━を切る」〈御堂関白記寛弘四・一・五〉

ほそびき【細引】 麻縄。細引縄。「御肉のうちへ締め入りて、上に見えざる程痛み奉りたるこの━なり」〈バレト写本〉 **━あみ**【細引網】 ①麻縄で編んだ漁網。「紅の━を下ろして」〈西鶴・三所世帯中〉 ②囚人を入れた駕籠の上に懸け、逃走を防ぐ、麻縄で編んだ網。「駕籠に縒苧(よりそ)の━」〈近松・博多小女郎下〉

ほそびつ【細櫃】 細長い櫃。唐櫃(からびつ)の細く小さいもの。「━めくものに綿ひきかけてまさぐる若人どもあり」〈源氏野分〉

ほそぼね【細骨】 扇・傘などの、細く削った骨。また、それを用いてある扇・傘など。「黒く塗りたる━のたけ高きに、黄なる紙はりて」〈十訓抄一〇ノ六八〉

ほそみ【細み】〔俳諧用語〕 蕉風俳諧の根本理念の一。対象に細く微かに深く観入した作者の心が把握した詩情が表現されたもの。「鳥どもも寝入って居るか余吾の海。先師曰く、此の句━有りと評し給ひし也」〈俳・去来抄〉

ほそみ【細身】 刀などの身の細いこと。また、その刀。「━造りの太刀帯(は)きて」〈盛衰記二六〉

ほそ・め【細め】『下二』 細くする。「病者の声を乱さずして、金(かね)を鳴らして、知識の声を━・めよ」〈孝養集下〉

ほそもの【細物】 ①〔女房詞〕 そうめん。「索麵は━」〈海人藻芥〉 ②金(きん)。「さりながら、路銭ほど━を持って参った」〈虎明本狂言・磁石〉。〈日葡〉

ほそやか【細やか】 ほっそりと見えるさま。何となくきゃしゃに感じられるさま。「〔衣ヲ〕ぬぎすべさせ給ひてしかば、━なる姿つき、いとをかしげなり」〈源氏浮舟〉

ほそや・ぎ【細やぎ】『四段』 ほっそりとした様子になる。「まろにうつくしく肥えたりし人のすこし━・ぎたるに、色はいよいよ白くなりて、あてにをかしげなり」〈源氏宿木〉

ほそらか【細らか】 いかにも細いさま。「━なるをのこ随身など」〈枕(能因本)よろづよりは牛飼童のなり〉

ほそ・り【細り】 ㊀『四段』 細くなる。すんなりする。「すこし面痩せ━・りて、いみじくなまめかしき御さまし給へり」〈源氏若菜上〉 ㊁『名』 近世、元禄頃までの流行唄の一。哀愁に富む曲節で、もと関東に発生したという。「陸には━・片撥を唄はぬ人も無かりけり」〈仮・色音論下〉 **━すはり(スワリ)**【細りすはり】 細くすらりとしたさま。「ほっそりすら

り」「ほっそりすうはり」とも。「姿見よ―の女郎花」〈俳・伊勢俳諧新発句帳三〉

ほそろぐせり【保曾呂倶世利】雅楽の曲名。「長保楽」の破の楽章として伝わっている。「―といふものは、名は憎けれど、おもしろう吹きすさび給へるに」〈源氏紅葉賀〉

ほそろぢ【細路地・細露地】①道幅の狭い横町通り。「―長屋作りの入口を並べ」〈西鶴・一代男三〉 ②茶室付属の庭。「枯葉に見ゆる蔦の―」〈俳・生玉万句〉

ほぞん【本尊】「ほんぞん」の約。「憂世に近き鞍馬寺、―は大悲多聞天」〈謡・鞍馬天狗〉。「中にもめでたき観世音は、石山寺の御―なり」〈伽・石山物語〉。〈日葡〉

ほぞんかけたか ホトトギスの鳴声。「本尊掛けたか」と聞きとったもの。「この寺の―時鳥」〈俳・塵塚誹諧集上〉

ほた【榾】燃料となる木の株や朽ち木。「樵り積みし―なかりせば冬深き片山里にいかで住まし」〈永久百首〉

ほた【穂田】秋、稲の穂の出た田。「秋田刈る盧(ほい)揺(ごう)くなり白露し置く―なしと告げに来(き)ぬらし」〈万二二七六〉

ぼだい【菩提】〔仏〕《梵語の音訳。智・道・覚の意》①煩悩の迷いを断ちきって得られた悟りの智慧。また、悟りの境地に到達すること。「同じく利益を蒙らしめ、共に―を致さしめむ」〈続紀天平一五・一〇・一五〉。「―と煩悩とのへだたり」〈源氏螢〉 ②極楽浄土に往生すること。「宮仕へかひなし。―のつとめをいたさむ」〈宇津保吹上下〉 ③死後の冥福。「くだんの物を以て、両人の亡父の―をとぶらへ」〈梵舜本沙石集九ノ五〉 ―かう ゥコ【菩提講】極楽往生を求めるために、法華経を講説する法会。「ねむごろに極楽に生れむと願ひける程に、雲林院に住してこの―を始め置きけるなり」〈今昔一五ノ二二〉 ―し【菩提子】ヒマラヤ地方に産する木の実。数珠を作るのに使われる。「―のずず」〈後撰一三七詞書〉 ―じ【菩提寺】祖先代代の墓・位牌(はい)などを置き、その菩提を弔う寺。菩提所。「―の講堂の柱に虫のくひたりける歌」〈新古今一九三詞書〉 ―じゅ【菩提樹】インド菩提樹。釈迦がこの樹の下で悟りを開いたことから名づけられ、神聖視される。クワ科の常緑喬木で、現今の菩提樹とは異なる。「菩薩、―下にして思ひ給ふに」〈今昔一ノ六〉 ―しょ【菩提所】「菩提寺」に同じ。「法然上人の仰せに、わが―をつくるまじき、わがあとは称名のある処、すなはちわがあとなり、と仰せありけり」〈空善記〉 ―しん【菩提心】《「阿耨多羅三藐三菩提心(のあ

くたらさんみゃくさんぼだいしん)」の略》無上の悟りを求め、成仏しようとする心。道心。「罪は五逆を以て極め、功徳は―を勝(すぐ)れりとす」〈孝養集中〉

ほたき【火焚き】陰暦十一月に、陽気を迎えるため火を焚いて行なう神事。「袖寒き田中の森の辻社―をはやす声きほふらむ」〈為忠集〉

ほたくひ ィクヒ【火燼】燃え尽きずに残った木。燃えさし。「―の中より出来就(いでゆ)いて」〈紀神代下〉。「燼、ホタクヒ」〈名義抄〉

ほだ・し【絆し】㊀《四段》①自由に動けないようにつなぎとめる。束縛する。「三途の八難に羈(か)け縻(ほだ)され」〈東大寺諷誦文稿〉。「政務に―・され…当来の昇沈を顧みず」〈平家一〇・戒文〉 ②逃げようにも逃げられない気持にする。「宿世つたなくかなしきこと、この男に―・されて」〈伊勢六五〉 ㊁《名》①馬の足などをつなぐ縄。「紲、ホダシ・キヅナ・ナハ・カケナハ」〈名義抄〉 ②足かせや手かせ。「足には―を打ちて、錐(きり)を以てもむとも」〈日蓮遺文如説修行鈔〉。「桎、ホダシ」〈名義抄〉 ③事をなす場合の妨げとなるもの。「山風の花の香がとふもとには春の霞ぞ―なりける」〈古今六帖一〉

ほたち【穂立ち】稲の穂が出てのびていること。また、その稲の穂。「雲隠り鳴くなる雁の去(ゆ)きて居む秋田の―繁くし思ほゆ」〈万一五六七〉

ほたで【穂蓼】穂の出たタデ。辛味があり、鮓(すし)・膾(なます)などに用いたり、また塩漬けにする。「我がやどの―古幹(ふるから)採み生(はお)し実になるまでに君をし待たむ」〈万二七五九〉

ほだ・て《下二》かきまぜる。「予行水、汚れ―・つる也」〈教言卿記応永一四・七・七〉。「赤潮…、色は赤土を水に―・てたる如し」〈榎本氏覚書〉

ほだはら ホダワラ【海藻・穂俵】海藻の一。ホンダワラ。冬刈り取って乾し、一握りくらいに折り巻いて藁しべで束ね、米俵の形にして蓬萊の飾りにする。「海藻、ホダワラ」〈文明本節用集〉

ほた・へ ホタエ《下一》《近世、上方でいう》ふざける。じゃれる。たわむれる。また、つけあがる。あまえる。「引き来るはさも―・へたる駒迎へ」〈俳・望一千句〉 ―じに【ほたへ死に】たわむれ半分に死ぬこと。「此方衆が―めさるるを己兄弟が知ったか」〈近松・卯月潤色中〉

ほたほた ①柔らかでやや重い物が引き続いて落ちるさま。また、その音。「―は大なる花の輪などの落ちたる形か」〈俳・かたこと五〉 ②うれしそうなさま。また、愛想のよいさま。「―と悦ばれける」〈浮・好色年男三〉。「切りくべて―と言ふ主かな」〈俳・寛伍集四〉

ぼたもち【牡丹餅】①粳(うるち)と糯(もちごめ)を混ぜてふかし、すり鉢で磨って搗き、丸めて、赤あずき餡または黄粉(きなこ)をまぶした餅。「萩の花」「お萩」とも。また、いつ搗(つ)いたか分らないというので「隣知らず」「夜舟」などともいう。「萩の花―の名ぞ見苦し野」〈俳・鷹筑波五〉 ②女の醜い顔をののしっていう語。もとはあばた顔の意に用い、後には円く大きな醜い顔の意に用いた。「―も親の心にゃ萩の花」〈雑俳・へらず口〉

ほだり【秀罇】《ホは突き出て、たけ高い意》たけの高い、口のついた樽(たる)。酒を注ぐ道具。「―取り、堅く取らせ」〈記歌謡一〇三〉

ほたる【螢】虫の名。青白い光を点滅させる。「玉梓の使の言へば、―なす(枕詞)ほのかに聞きて」〈万三三四四〉。「夏は―を…袋に多く入れて、文の上に置きてまどろまず」〈宇津保祭使〉 ▽朝鮮語 *ponteri(螢)と同源。 ―び【螢火】螢の放つ光。古代では、夜光る気味の悪い神の形容に使われた。「しかもその地(くに)に、さはに―のかかやく神、およびさばへなすあしき神あり」〈紀神代下〉。「浪暗き入江の蘆にみがくれてあるかなきかの―の影」〈草根集一上〉 ―を集・む 苦労して勉学にはげむ。「としごろ―・めし隠れたる光あらはるるにやと覚えて、嬉しきこと限りなし」〈春のみやまぢ〉 →螢雪(けいせつ)

ボタン【鈕・釦】近世前期、足袋のこはぜのこと。「この足袋は紐も取り敢へず―かな」〈俳・寛伍集四〉 ▽ポルトガル botão

ほつえ【秀つ枝・上枝】《ホは突き出ている意。ツは連体助詞》先の方の枝。「香ぐはし花橘は―は鳥居枯らし」〈記歌謡四三〉 †Fotuye

ほっかい【法界】⇒ほふかい。「法界を必ず―と読むべし」〈壒嚢鈔九〉

ぼっか・け【追懸け】《下二》「おひかけ」の転。「主の敵なれば、余さじと―・くる所に」〈浄・木曾物語六〉

ほっかと《副》「ほかと」の促音化。「置きたる所の土が二つに―割れて」〈伽・もろかど物語〉。「―折るる木あれども」〈三体詩絶句抄六〉。「―大夢醒め」〈驢鞍橋中〉

ほっかり ①大きく口を開くさま。「望月を汝が箸に掛けん

とや—口を秋の夜の空」〈古今夷曲集三〉 ②すっかり。全く。ほっかと。「—とたらされ」〈近松・百日曾我三〉

ほつ・き『四段』 ①つぎこむ。遣い果す。「金銀を—・き」〈評判・朱雀諸分鑑下〉 ②うろうろ歩き廻る。うろつく。「大根畠まで—・いたれど」〈浄・矢口渡四〉 **—あ・げ**『下二』 金銭・財産などを全部つぎこむ。すっかりつかう。「一跡(いっせき=全財産)を—・げ」〈仮・東海道名所記一〉

ほっき《ホキの促音化》 ぽっきりと折れる音。「きぶい人ぢゃが、—と折るる人なり」〈史記抄三〉。「—と折るる松の木の棒」〈俳・伊勢山田俳諧集〉

ほっき【発起】 ①思い立つこと。「いま、重衡が逆罪を犯す事、全く愚意の—にあらず」〈平家一一・重衡被斬〉 ②菩提の心を起すこと。仏門に入ること。発心。「一念—菩提心」〈謡・卒都婆小町〉 ③自分の非を悟ること。改心。「かみ様のお御意で—いたした」〈近松・今宮心中上〉

ほっく【発句】 ①詩歌の第一句。「或る本の歌の—に云はく」〈万二八〇左注〉。「この—、しかはえ読まれず」〈仙覚抄六〉 ②連歌・俳諧連歌の第一句の称。五七五の十七音。「—は必ず言ひ切るべし」〈八雲御抄一〉。「いかに—・脇句いづれ勝れりとぞ仰せける」〈盛衰記三七〉。「御祈禱のことに御座候ほどに、亭主より—御出し候へ」〈咄・昨日は今日上〉 ③(2)が独立したもの。「—すべきよし侍れば。松の風やけふも神世の秋の声」〈筑紫道記〉

ぼっくだ・し【追下し】『四段』「おひくだし」の転。「我が様に—・して悪く言ふ者有るべからず」〈驢鞍橋上〉

ほつぐゎん【発願】 神仏に誓願を立てること。「西方に向ひ、…と廻向(ゑかう)—せられければ」〈平家三・燈炉〉

ほっけ【法家】《ホフケの転》 法律の専門家。明法博士(みやうぼふはかせ)。「—の勘状に任せて、死罪一等を減じて遠流(をんる)せらるべし」〈平家二・座主流〉

ほっけ【法華】 ①「法華経(ほけきやう)」に同じ。「四十余年の後に—の妙(たへ)なる道をひらき給へり」〈三宝絵中〉 ②「法華宗」に同じ。「女は〔浄土宗ノ〕男を—に成り給へと申し」〈甲陽軍鑑一八〉 **—さんまい**【法華三昧】《ホケサンマイとも》 法華経による三昧法。本尊の周りをめぐり歩くとともに坐禅をも行ない、その間、礼仏・誦経・懺悔などを行なう。「一伽藍を其の跡に修復して—を修す」〈著聞三〇〉 **—しゅう**【法華宗】《法華経を本経とするのでいう》 ①天台宗の別称。「天台—」〈類聚三代格四〉 ②日蓮宗の称。「彼の尼、始めは念仏、後は—也」〈建内記嘉吉三・二・二四〉。「—は強く他の非を云ひてかだましき宗なり」〈見聞愚案記五〉 **—せんぼふ**【法華懺法】 天台宗で、法華経を読誦して罪障を懺悔滅罪する法要。略して「懺法」という。「来たる二十八日、後土御門院七回の聖忌、予今日より、禁中に於て—講行なはる」〈宣胤卿記永正三・九・二三〉 **—だう**【法華堂】《ホケダウとも》 法華三昧を修する堂。法華三昧堂。三昧堂。「弘仁三年七月に—を造りて」〈三宝絵下〉 **—の情強(じやうごは)** 日蓮宗の信者は剛情である意。〈俳・世話尽二〉 **—のまんだら**【法華の曼荼羅】 釈迦が霊鷲山(りやうじゆせん)で法華経を説く会座を図示した画像。「入道の宮の作らせ給へる—、供養せさせ給ひて」〈狭衣三〉 **—はっかう**【法華八講】 法華経八巻を八座に分けて一巻ずつ講読する法会。平安時代以来、盛んに行なわれた。「その後、六波羅蜜の寺に行きて、法華の八講を行なひけり。これひとへに母の後世をとぶらはむが為なり」〈今昔一九ノ二八〉

ぼっけい【勃䃈】 相争うこと。争闘。「中の悪い、いさかふを—と云ふげなぞ」〈玉塵抄一六〉。「勃䃈、ボッケイ、争闘也」〈合類節用集〉

ほっけう【法橋】「法橋上人位」の略。法眼に次ぐ僧位。後世、仏師・経師・社僧・連歌師・狂歌師などにも授けられた。「御仏仕う奉れる仏師は—になし給ひつ」〈栄花音楽〉

ぼっこう【勃䃈】《ボッケイの転》 **—発(おこ)・す** 腹を立てる。怒る。「腹立するを—・すとは…物と争ひ怒る事なり」〈不断重宝記〉

ぼっこ・み【打込み】『四段』《ウチコミの転》 ①うちこむ。ぶっこむ。「溝川へ—・うで、たばかって打ちまして御座る」〈虎寛本狂言・武悪〉 ②刀を無造作に差す。「大小を何—・んで刺鯖の」〈評判・吉原こまざらい〉

ほっこり ①あたたかなさま。ほかほか。「一杯飲めば—と暖まりて」〈杜律考〉 ②《大阪でいう》 甘藷をふかしたもの。ふかし芋。「薩摩芋の—ぢゃあった」〈咄・軽口大黒柱四〉

ほっさう【法相】〔仏〕 ①一切の万有は本質は一つであるが、その形相はそれぞれ異なるという理。また、それを説く教義。「—円頓の秘賾(ひさく)最も勝れたり」〈太平記一七・山門牒〉 ②「法相宗」に同じ。「諸寺の学生の、三論に就く者少なく、—に趣く者多し」〈後紀延暦二三・一〉 **—しゅう**【法相宗】 南都六宗の一。唐の玄奘三蔵らがインドから伝え、日本には元興寺の僧道昭らが伝えた。藤原氏の保護などにより、興福寺・法隆寺・西大寺・薬師寺などを中心として奈良・平安時代に栄えた。「薬師寺僧—伝灯大法師位平智」〈三代実録貞観九・一・八〉

ほっ・し【欲し】『サ変』《ホリシの音便形》 ①ほしがる。望む。求める。「陶唐の世に仕ふることを欲せざらむや」〈文選一七・保延点〉 ②《漢文訓読的用法。「なんなんとす」の意》 …しそうになる。「明衡(あきひら)殃(わざはひ)に逢はむと—・する事」〈宇治拾遺二九〉

ほっしゃう【法性】〔仏〕 万物の本体。宇宙の本質。真如・実相・法界などの異称。「心の内に常に—を観じて、更に他の事を思はず」〈今昔四ノ一〇〉 **—しんにょ**【法性真如】《「法性」「真如」は同義》「法性」に同じ。「管絃歌舞の曲には、—の理を調ぶと聞ゆ」〈栄花音楽〉

ほっしり ①的などに矢が当った音。「—は的などに矢の当りたる音か」〈俳・かたこと五〉 ②静かに物思うさま。しみじみ。しんみり。「—とただ独りこそ居れ」〈俳・玉江草四〉

ほっしん【法身】 ①三身(さんじん)の一。仏の本身としての永遠不滅の法のこと。「法(のり)の道は深きが上に深く知れ仏の身をぞ—といふ」〈拾玉集三〉 ②法体となった身。「道俗加持の香水をもちて—の頂にそそがると思し召す」〈栄花疑〉

ほっしん【発心】《「発菩提心」の略》 菩提の心を起すこと。仏道に入ること。特に、遁世隠棲すること。「—、北に向ひてただ南無といふならくのみ」〈菅家後集〉。「さりながら、一旦も—して、頭を剃りて、高野に籠りにけるこそ先世の善知識なれ」〈著聞五〇四〉

ほっす【払子】《唐音》 仏具の一。獣毛・麻などを束ね、柄をつけたもの。もとインドで、僧が蚊や蠅を払う道具であったが、後、中国で、禅僧が説法する時の持物となった。「或いは袈裟を相嗣し…或いは—を相嗣し」〈正法眼蔵嗣書〉。「—、白払也。羊髪を賞す。以て法座の塵を払ふべし」〈禅林小歌〉。「払子、ホッス、禅家説法之時持レ之」〈運歩色葉集〉 **—を授・く**《禅宗で、師僧が弟子に悟道の証明に払子を与えたことから》 諸芸道で、免許を与える意。「払子を渡す」とも。「粋禅師の—・く」〈評判・朱雀信夫摺序〉

ほっせ【法施】《ホフセとも》 財施・無畏施とともに三施の

一。仏法を説いて人に聞かせること。転じて、神仏に対し、経を読み、法文をとなえること。「しばらく—参らせ給ふに」〈平家七・竹生島詣〉
ほっそく【法則】 のり。おきて。「美美しい百官の出仕して、全盛な威儀—を見うとは、思はぬことであったぞ」〈玉塵抄七〉。「—ないものぢゃぞ」〈漢書竺桃抄〉
ほったい【法体】 出家の姿。僧侶の体相。後には、隠居して剃髪した者をもいう。「十戒持律の—になり給ひけり」〈太平記三・藤房卿〉
ほつたか【秀つ鷹】《ホはぬき出ている意。ツは連体助詞》すぐれた鷹。「汝(な)が恋ふるその—は」〈万四〇一一〉
ぼった・て【ほっ立て】『下二』尻などを高くあげる。「かの下女が、ふっくりとしたる尻を—・て居けるを見て」〈浮・好色栄花男四〉
ほった・て【追立て】『下二』「おひたて」の転。「百千万の獣を—・て—・て」〈近松・出世景清一〉
ぼっちり ①急に目の開くさま。ぽっちり。「目は—とさめて肌さむ」〈俳・正章千句下〉 ②量の少ないさま。すこし。わずか。「藤の実伝ふ雫—」〈俳・冬の日〉
ほつて【最つ手・秀つ手】 ①《ホはぬき出ている意。ツは連体助詞》すぐれた技。また、すぐれた技の人。上手(じょうず)。「壱岐(ゆき)の海人の—の卜部(うらべ)を」〈万三六九四〉 ②最後。「払殿、ホッテ、物の終りを云ふ」〈合類節用集〉
ほっても『副』どうしても。決して。到底。「出家させんと思ひしが、最早—ならぬならぬ」〈近松・出世景清四〉
ほっと『副』①息を吹くさま。また、溜息をつくさま。「—息吹くを嘯と云ふ」〈荘子抄一〉。「荒き息を—つき、高らかにこそいばひける」〈国府台戦記〉 ②もてあまして疲れきったさま。あぐみはてたさま。「主も—したかして、寝てばっかり居られます」〈浄・夏祭八〉
ほっとう【法燈】 ⇒ほふとう
ほっとり ①思いきりのよいさま。きっぱり。ふっつり。さっぱり。「鳴く音も止むや—時鳥」〈俳・鸚鵡集四〉。「—と暮れて町屋の涼みかな」〈俳・春鹿集上〉 ②疲れたさま。退屈したさま。また、厭き厭きして嫌になったさま。「—と今日の曇や藤の花」〈俳・一幅半上〉
ぼっとり しとやかで愛敬のあるさま。温順な様子。「—。やはらかにいとほしき形か」〈俳・かたこと五〉 **—もの【ぼっとり者】** しとやかで愛敬のある者。多く、若い男女についていう。また、そのような風姿を「ぼっとり風」という。「—とは何としたる事なるや」〈評判・濡仏中〉
ほつほつ ①少しずつ物事をなすさま。ほつりほつり。ぼつぼつ。「—語る古の夢」〈俳・世話尽五〉 ②忙しいさま。「草臥(くたび)れますから、主もお前さんネ、—と云ってでございます」〈滑・浮世床二下〉
ほつめ【最勝海藻】《秀(ほ)つ海藻(め)の意》最も良い海藻。「最勝海藻、保都米(ほつめ)といふ」〈豊後風土記〉 †Fotumé
ぼつらく【没落】 滅亡。陥落。「国国の御敵ことごとく—して」〈明徳記下〉
ほつろ【発露】 外にあらわすこと。特に、犯した罪などを告白すること。「悪事を成して後は、—して咎を悔ゆ」〈正法眼蔵随聞記三〉。「発露、ホツロ」〈色葉字類抄〉 **—ていきふ【発露涕泣】** 涙を流して告白懺悔すること。泣きながら真実を吐露すること。「五体を地に投げ、—し給ひしかば」〈平家一〇・高野巻〉。〈文明本節用集〉
ほて ①肥満したさま。「—と肥えたには劣りたござんめれ」〈四河入海一五下〉 ②腹。「思ふ事云はざらんも—のふくる業なれば」〈浮・好色出来心五〉 **—がくね・る** おかしくて我慢できないさまの形容。腹筋がよれる。〈俳・反故集下〉
ほて【帆手】 帆のはり綱。「追風の吹きぬる時は行く舟の—うちてこそ嬉しかりけれ」〈土佐一月二十六日〉
ほて【最手】《秀(ほ)手の意》節会(せちえ)相撲の力士の最高位。今の大関。「—常代、及び他の相撲人等、船に乗り参上す」〈小右記長和二・七・二二〉。「御土器(かはらけ)はじまり、相撲(すまひ)出でて、五手六手ばかりとりて、—出できて、布引きなどするに」〈宇津保俊蔭〉 →占手(うらて)
ほで 手を卑しめ、またはののしっていう語。「立伸びて—をさし出す蕨かな」〈俳・伊勢踊三〉
ほてい【布袋】 七福神の一。中国の禅僧布袋和尚をモデルとしたもの。「空に袋ぞ二つ見えけり／大黒と—は鳶につままれて」〈俳・犬筑波〉。「布袋、ホテイ」〈下学集〉 **—や【布袋屋】** 近世前期、京都五条高倉にあったカルタ屋の号。当主を理兵衛といい、松葉屋・笹屋とともに有名。「昔の論語〔今八〕—を打つ」〈俳・当流籠抜〉
ぼていふり【棒手振】 ⇒ぼうてふり。「昔から／鉢入(鉢坊主)念仏の—」〈雑俳・紅葉笠〉
ほてくろ・し『形シク』厚かましい。また特に、情事にしつこく厭らしい。「殿様へ献りたらんも何とやらん—・し」〈備前老人物語〉。「口を吸ふ茶のあら—・し」〈俳・新独吟集上〉
ほてっぱら【ほてっ腹】《ホテバラの促音化》①肥えて張り出た腹。また、腹をののしっていう語。「—があたたたたた」〈俳・特牛〉 ②馬子が馬をののしっていう語。また、馬方をののしっていう語。「ええ鈍な卦体(けたい)の悪い—め」〈近松・日本西王母三〉 ③おかしくてたまらないこと。腹筋のよれること。「あの時代は—な事がいけへことござへましたや」〈滑・浮世風呂四中〉
ほでてんがう《ホデは手を卑しめていう語》①手いたずら。また、いたずら。冗談。悪ふざけ。「ほでてんご」とも。「イヤ、すしな(生意気ナ)奴ばらが—、ただ今ばかりは許し置く」〈浄・自然居士三〉 ②手淫。「子供の内より、—又は好色に心を寄せ候へば、気抜け致し、物覚え薄く、勤め方疎略に成り候」〈子供式目〉
ほてのわき【最手の脇】 最手の次位の相撲取。今の関脇。「不肖の身、今度すでに—を許されぬ」〈十訓抄三ノ一〇〉
ほてばら【ほて腹】 肥満した腹。「—のただ中をあなたへ通れと突き抜きたれば」〈室町殿日記六〉
ぼてふり【棒手振】 ⇒ぼうてふり。「—や都に出づる鶯菜」〈俳・桜川一〉
ほてり【火照】 ①夕焼。「山の端に—せる夜は室の浦に明日は日和と出づる船人」〈新撰六帖三〉 ②風が吹き出す前兆に海上が赤く光る現象。颶母(ぐぼ)。「沖の—は雨気なるらん」〈俳・河内羽二重〉
ぼてれん 腹がふくれていること。特に、妊婦の腹。「腹は—水ぶくれとなりて流れしとかや」〈浮・男色比翼鳥四〉
ほと【女陰・陰所】 ①女の陰部。「此の子を生めるによりて、み—炙(や)かれて病み臥せり」〈記神代〉 ②《転じて》蔭の所。「御陵は畝火山の、み—にあり」〈記安寧〉。「陰、今案玉茎・玉門等通称也。蔭也。言ニ其所レ在蔭翳一也」〈和名抄〉 ▽朝鮮語 pötʃi(女陰)と同源か。 †*Fötö
ほど【程】 〔一〕『名』《奈良時代ではホトと清音。動作が行なわれているうちに時が経過推移して行くことの、はっきりと知られる、その時間をいう。道を歩くうちに経過する時間の意から、道のり・距離、さらには奥行き・広さなど空間的な意味にも使われた。平安女流文学では、時間の推移に伴って変化する物事の様子・具合・程度をいい、広く一般的に物事の程度を指すように使われた。中世になると、時間の経過をいう意は減少し、時間の全体よりも、時の流れの到達点、時の限度の意に片寄り、時の中の一点を指すとともに、数量や程度の極度に目立つさま、あるいは限度などの意を表わした。他方、平安時代には、経過する時間の意から発展して、時間の進展の結果をいうようになり、…ので、…からという原因・理由を示す助詞の用法が生じた。漢文訓読体では、動作や行為の持続する時間を示す「頃」「中」「際」などの漢字はおもにアヒダと訓んでいる》❶《時間について》①(動作が行なわれているうちに)経過してゆく時間。「青波に袖さへ濡れて漕ぐ舟の戕牁(かし)振る—にさ夜更けなむか」〈万四三一三〉 ②期間のうち。時間のうち。「かた時の—とてくだししを」〈竹取〉。「かくて年月を経る—に」〈保元上・後白河院御即位〉 ③頃。時分。「九月二十日の—にぞ、おこたりはて給ひて」〈源氏夕顔〉。「宵の—は物語などして」〈今昔二五ノ一三〉 ④しばらくの間。時の間。「—経て後にいたりければ」〈古今四二詞書〉。「その後いくばくの—を経ずして懐妊して」〈今昔一三ノ一五〉 ⑤時間の余裕。「走り寄り走り寄り、ここかしこに取りつく—こそあれ、落ち重なり落ち重なりつかみつく」〈保元下・為朝生捕り〉 ❷《空間について》①道のり。距離。「伴(とも)に副ひ往く—、二つの駅(うまや)度(わた)るばかりなり」〈霊異記上三〇〉 ②途中。「道の—も、四方の浦浦見渡し給ひ」〈源氏明石〉 ③あたり。付近。「かの小柴垣の—に立ち出で給ふ」〈源氏若紫〉。「髪は…肩の—清げに」〈源氏空蟬〉 ④広さ。「—せばく、人さわがしき所にて、息もえせず」〈かげろふ中〉 ❸《程度・度合について》①時の推移につれて変化する物事の様子・具合・度合。㋑身分(の高さ)。「わが身の—の心もとなさをおぼすめりしに」〈源氏夕顔〉 ㋺年齢。「よき—なる人になりぬれば」〈竹取〉 ㋩技倆。「〔和琴ヲ〕うるはしく掻き合はせたりし—、けしうはあらずかし」〈源氏帚木〉 ㋥調子。具合。「月やうやう出でて荒れたる籬の—うとましく打眺めたまふに」〈源氏末摘花〉 ㋭間柄。「したしき—にかかるは、人の聞き思ふところもあはつけきやうになむ」〈源氏少女〉 ㋬身分相応のこと。「〔蚊ハ〕羽風さへその身の—にあるこそいと憎けれ」〈枕二八〉 ②数量の程度・度合。「各一町の田の同じ—なるを二人の聖に預けつ」〈今昔一三ノ四〇〉。「兵五六十騎が—河原へ打ち出でたり」〈平家二・副将〉 ③割合。「〔コノ女ハ〕世の中をまだ思ひ知らぬ—よりは、さればみたる方にて」〈源氏空蟬〉 ④力や量などの極限。限り。「弓勢の—を見せんずるは只今にてこそあらんずれ」〈保元中・白河殿攻め落す〉。「矢だねのある—射つくして」〈平家九・知章最期〉 〔二〕『助』❶《接続助詞》①…ので。「いといたく世をはばかり、まめだち給ひける—、なよびかにをかしきことは無くて」〈源氏帚木〉 ②ところが。「この内大臣殿を関白殿とて世の人集まりまゐりし—、〔関白ハ〕粟田殿にわたりにしかば」〈大鏡道隆〉 ❷《副助詞》体言を承けて程度を示す。…くらい。…ばかり。「あはれ弓矢取る身—口惜しかりける者は無し」〈平家九・敦盛最期〉 †Foto

ほとき【瓮・缶】 湯水などを入れるのに用いた、胴の太い、口の小さい瓦器。「臭れる米(よね)の汁の、われたる—に盛りて」〈今昔二ノ六〉。「瓫、俗云保止岐(ほとき)、瓦器也」〈和名抄〉

ほど・き【解き】『四段』《ホドコシ(施)と同根。凝り結ぼれているものを、ばらばらにして広げる意》①ゆるめ、とき放つ。「夢にだに見えむと我は〔下紐ヲ〕—・けどもあひし思はねば諾(うべ)見えざらむ」〈万七七二〉 ②迷いや疑いをはらす。理解する。「漸く事の道理を思ひ—・きて」〈沙石集七ノ五〉。「よくよく此の道理案じ—・きて」〈雑談集二〉 ③かけた願を解く。「王子王子の御前にて宿願を—・き候べし」〈義経記三〉 †Fodöki

ほとけ【仏】《ホトは「仏」の呉音以前の古い中国語音を日本語風に写したもの。ケは接尾語ゲの古形。目に見える形の意。従ってホトケは仏の形、仏像の意が原義と思われる。ホトケはこれに向って物を供え、自分の心の中を打ち明けて頼れば、教導し、救い助けてくれる、身近な、慈悲のある人間的存在と受け取られ、また、人も修行によってホトケになれると信じられていた。これは、日本固有のカミ(神)が恐怖・畏怖の対象として受け取られ、非人間的な存在と思われていたことに対して著しい対照をなしている。ただし、平安朝以後、本地垂迹説によって、仏と神との融合がはかられてきた。→かみ(神)》①仏像。「蓋し聞く、丈六の—を造りたてまつる功徳甚大なり」〈紀欽明五年〉。「寺に—などをがみ給ふ」〈源氏浮舟〉 ②仏の画像。「西の廂にて不断の御読経あるに、—などかけ奉り、僧どものゐたるこそ、さらなることなれ」〈枕八七〉 ③釈迦如来。「是を以て—の弟子と成りぬ」〈続紀宣命二七〉。「優塡(うでん)大王…—を恋ひ奉り、…赤栴檀をもって刻みあらはし給へり」〈保元中・左府御最後〉 ④広く菩薩など(観音・地蔵・龍女など)の称。「釈迦の御足跡(みあと)石に写し置き敬ひて、後の—にゆづりまつらむ、捧げまうさむ」〈仏足石歌〉。「石山の—(石山観音)をも弁のおもとをも並べていただかまほしう思へど」〈源氏真木柱〉。「龍の中より—(龍女菩薩)生れ給はずはこそ侍らめ」〈源氏手習〉 ⑤悟りをひらいて、解脱した人。「—も昔は人なりき、われらも終には—なり、三身仏性具せる身と知らざりけるこそあはれなれ」〈梁塵秘抄二三二〉 ⑥(自分が)大切に思う人。「我子の—、変化の人と申しながら、ここら大きさまで養ひ奉る志おろかならず」〈竹取〉。「あが—、京に出で給はばこそあらめ、ここまではあへなむ(来ラレルデショウ)」〈源氏手習〉 ⑦仏教。仏法。「家を出でて—に帰す。更に諡(おくりな)し奉らず。因りて宝字二年百官上(たてまつ)る所の尊号を以て称す」〈続紀天平勝宝二・一・二〉。「女の御掟にはいたり深く、—の道にさへ通ひ給ひける」〈源氏御法〉 ⑧死者の霊。また、死骸。「こな様への孝行は—への奉公」〈近松・薩摩歌中〉 ⑨仏性の人。慈悲心の厚い人。善良な人。「我名を—五左衛門と云ふ。万正直を旨とする故に、人かくは申し侍る」〈俳・奥の細道〉 †Fotökë

—ころび【仏転び】 仏像のように、直立したままで倒れること。「仏倒し」とも。「弟子は地に—や泣別れ」〈俳・佐夜中山一〉

—の顔も三度 どんなに温和で慈悲深い人でも、何度も無法な目に逢わされると、ついには怒るものだの意。「—、なぶれば腹立つと云ふ俗言も侍るぞ」〈俳・蠅打二〉

—の箔(はく)を置・く 《仏像に貼る金箔を寄進する意から》仏教信仰に熱中する。「田畠を売りて—・き」〈俳・和漢田鳥集下〉

—の目を抜・く 《欲にかられて仏像の玉眼を抜き取る意で》神仏をも欺いて悪事をする。「仏の箔を剝ぐ」とも。「—・く事もなりがたし」〈西鶴・胸算用五〉。〈俳・世話尽二〉

ほど・け【解け】『下二』①ゆるむ。解き放たれる。「女房の懐紙は…—・けぬやうに押し巻きて」〈今川了俊書札礼〉。「舌頭—・けて良く物を言ふなり」〈バレト写本〉 ②迷いや疑いがはれる。「心も—・けぬ人などの来たりて、『庵ならべん』など言はんは、かへりて捨世のさはりともなるべし」〈竹林抄之注〉。「物の理を知りて、心に分別すれば、疑ひ—・くる也」〈わらんべ草四〉

ほどこ・し【施し】『四段』《ホドキ(解)・ホドハシリ(迸)と同

根。もとをゆるめて、広く散らし行きわたらせる意》①種をまく。「その食ふべき八十木種(やそこだね)、皆よく—・し生(う)う」〈紀神代上〉。「穀稼播(ほどこ)すといへども、地利滋(こ)からず」〈大唐西域記三・長寛点〉②広く行きわたらせる。広める。「世に琴つかうまつる名を—・してき。…きんぢ此の手を伝へ—・すものならば」〈宇津保吹上上〉③恵みを広く与える。「妙なる宝を貧しき人に分ち—・し」〈三宝絵序〉。「人の為に御情を—・させましまさば、神明三宝加護あるべし」〈平家一・清水炎上〉④散らして付ける。「透長櫃に丹青を—・して作花をもて飾りたりけり」〈著聞六五八〉⑤広く行なう。施行する。「何事も仰せらるるに随ひて、もろもろの事—・してきかせ奉りぬ」〈著聞三六五〉⑥及ぼす。おしつける。「顔回は、志、人に労を—・さじとなり」〈徒然一二九〉 †Födökösi

ほどこ・り【播り・延り】《四段》《ホドコシの自動詞形》①のびひろがる。はびこる。「酷毒(からきこと)民庶(おほみたから)に—・りなむ」〈紀雄略二十三年〉②ふやける。「鯨、久佐留、又保止去留(ほどこる)」〈新撰字鏡〉 †Födököri

ほところ【懐】「ふところ」の訛。「—には塵紙さへかすかに」〈西鶴・諸艶大鑑二〉

ほとど【殆ど】《副》「ほとほと」の転。「将軍すでにせまりて、—まぬがれがたし」〈十訓抄六ノ一七〉

ほととぎす【時鳥・杜鵑・霍公鳥】《鳴声による名か。スはウグヒス・カラスなどのスに同じく鳥をあらわす語》①鳥の名。初夏に鳴き、その声が人の叫び声のように感じられ、人恋しさを誘う。古来、冥府の鳥とされ、橘・蓬・菖蒲(あやめ)など、不老不死伝説・復活伝説に於ける生命の木や草と関係して使われることが多い。死出の田長(たをさ)。「橘のにほへる香かも—鳴く夜の雨にうつろひぬらむ」〈万三九一六〉②〔枕詞〕「飛び」にかかる。「—飛幡(とば)の浦にしく波のしばしば君を見むよしもがも」〈万三一六五〉 †Fötögisu

ほどな・し【程無し】《形ク》①あまり時を過ごさない。時がたたない。すぐである。「—・くまかりぬべきなめり」〈竹取〉。「夏の夜の月は—・く明けながら朝の間をぞかこち寄せける」〈新撰万葉集下〉②距離がない。近い。「—・ければ、御けはひもほのかなれどなつかしうきこゆるに」〈源氏賢木〉③広さがない。狭い。「—・き庭」〈源氏夕顔〉

ほどに【程に】㊀《助》①事態をあらわす。…と。…ところが。「海人の釣舟かと御覧ずる—、都よりの御消息なりけり」〈増鏡三〉②理由をあらわす。…によって。…ので。「今はや手が自由にござる—何か書きまらせう」〈コリヤード文典〉㊁《接続》したがって。それゆえ。「—、物に油断せば悪いぞ」〈周易抄〉

ほとばか・し【潤かし】《四段》《ホトビの他動詞形》物を水に浸してふくれさせる。ほとばす。また、濡らす。「麻を剝(へ)がうとて、池に漬けて—・いて、剝いだぞ」〈玉塵抄八〉。「浸水、ホトバカス」〈運歩色葉集〉

ほどはし・り【迸り】《四段》《ホドはホドキ(解)・ホドコシ(施)のホドに同じ。ハシリは飛び散る意。室町時代末期にはホドバシリが普通だったが、ホトバシリという形も現われていたらしい》①はね、はずむ。「吾が王、歓喜(よろこ)び踊躍(ほどはし)りて、心にえ任(し)のびず」〈紀神功五十年〉。「忪、心動、心保止波志留(ほどはしる)」〈新撰字鏡〉②はげしい勢いで噴出し、あるいは飛び散る。「その火、鍛冶の槌に打たれて散る様に、星の如くに—・りて」〈今昔七ノ四六〉。「迸、ホドハシル」〈名義抄〉

ほと・び【潤び】《上二》水気を含んでふくれる。ふやける。「乾飯(かれいひ)の上に涙おとして、—・びにけり」〈伊勢九〉

ほとほと 戸を叩き、また、斧で木を伐るなどの音。「即ち十郎が家の門を—と叩くに」〈著聞四四一〉

ほとほと【殆・幾】《副》《事の進みがぎりぎりの所まで、たち至っている状態にいう》①あやうく(…するところだ)。すんでの事に。「帰りける人来たれりと言ひしかば—死にき君かと思ひて」〈万三七七二〉。「〔悲シミノアマリ〕—出家もし給ひつべかりきかし」〈源氏手習〉②あらかた。大体。「はるかなる世界に埋もれて年経ければにや、声など—うちゆがみぬべく、物うちいふ、少しだみたるやうにて」〈源氏東屋〉▽平安時代末期には、ホトホド・ホトヲトなどと発音されていたらしい。後に、ホトンドに転ずる。「殆・幾、ホトホド」〈名義抄〉。「殆・動・幾、ホトヲト」〈色葉字類抄〉 †Fötöfötö

ほどほど【程程】①それぞれの程度・分際。身分相応。「いづれをも—につけてあはれと思したり」〈源氏初音〉②その都度。毎回。「荻の葉に劣らぬ—におとづれ渡る」〈源氏手習〉

ほとほと・し【殆し・幾し】《形シク》①危く…しそうだ。すんでの事に…しそうだ。「御幣帛(みぬさ)取り神の祝(はふり)が鎮斎(いつ)く杉原たき木伐り—・しくに手斧取らえぬ」〈万一四〇三〉。「ゆくりなく風吹きて…〔船ヲ〕—・しくうちはめつべし」〈土佐二月五日〉②非常に危い。「必危(ほとほと)しきに幾(ちか)づいて已に済(わた)ぬ」〈大唐西域記一・長寛点〉③今にも死にそうである。「俄かに荒き浪にあひて、舟海に沈みて、〔父ハ〕死ぬ。…我も—・しくてわづかに生きたるなり」〈三宝絵中〉。「喉のかはけば水飲ませよと逝き入りなんずる様にしければ…—・しきやうに見ゆれば」〈古本説話五八〉 †Fötöfötösi

ほどほど・し【程程し】《形シク》いかにも長い時間が経っている。「歎きこる人入る山の斧の柄の—・しくもなりにけるかな」〈拾遺九一三〉

ほとほ・り(ホトオリ)【熱り】《四段》①熱気を発する。「身も—・りて堪へ忍ぶべくもあらねば」〈発心集四〉。「熱、ホトホル」〈名義抄〉②怒る。かっとなる。「さるべきこともなきを、—・りいで給ふ」〈枕一六三〉

ほとめ・き《四段》《ホトは戸などをたたく音》ことこと音がする。「あしう開くれば、障子などもごほめかしう—・くこそしるけれ」〈枕二八〉

ほどらひ(ホドライ)【程らひ】①程あい。間隔。「竹のあるべき—を置いて節(ふし)のある如く」〈応永二十七年本論語抄一〉②程度。具合。「わきまへのあるべきやう、引出物の—など定めて」〈著聞五三八〉。「つつむも忍ぶも、人目も恥も、よい—の事かなう」〈閑吟集〉

ほとり【際・辺】《ホトはハタ(端)の母音交替形。リは方向をいう接尾語》①涯(はて)。辺際。「虚空の、際(ほとり)有ること無きが如し」〈金光明最勝王経平安初期点〉。「党類を聚(あつ)めて辺堺(ほとり)を犯す」〈紀景行四十年〉。「際、キハ・ホトリ」〈名義抄〉②境目の所。はし。「かくて漕ぎゆくまにまに、海の—にとまれる人も遠くなりぬ」〈土佐一月九日〉。「大和河内の両国の—の人おのづから此の事を聞き伝へて」〈今昔二ノ三六〉。「浜・傍、ホトリ」〈名義抄〉③そばにいる人。お付きの人。「この宮の木立に心をつけて、〔売リマセンカト〕—につきて案内し申さするを」〈源氏蓬生〉④縁故あるもののはしくれ。「人一人を思ひかしづき給はむゆゑは、—までもにほふためしこそあれ」〈源氏真木柱〉 **—ばみ**《四段》①いかにもはしっこの感じがする。「此御方に客人(まらうど)住みつきぬれば、廊など—・みたらむに住ませ奉らむもあかずいとほしく」〈源氏東屋〉②核心からはずれたことにかかずらう。「もはらさやうの—・みたらむ振舞すべきにもあらず」〈源氏東屋〉

ほとろ 蕨(わらび)が伸び過ぎて柴のようになったもの。「春くれど折る人もなき早蕨はいつか―にならむとすらむ」〈堀河百首〉。「東の際に蕨の―を敷きて夜の床(ゆか)とす」〈方丈記〉。「ホトロ」〈日葡〉

ほどろ 《ホドはホドキ・ホドコシのホドに同じ。ロは状態をあらわす接尾語》 ①(雪などが)はらはらと散るさま。「わが背子を今か今かと出で見れば沫雪(あわゆき)降れり庭も―に」〈万二三二三〉 ②夜が徐徐に、ほのかに明けはじめるころ。未明。「夜の―我が出でて来れば吾妹子が面へりしくし面影に見ゆ」〈万七五四〉 †Födörö

ほとんど【殆】『副』「ほとほと」の転。「殆、ホトンド」〈文明本節用集〉

ほなか【火中】 炎の中。火の燃えている中。「燃ゆる火の―に立ちて問ひし君はも」〈記歌謡二四〉

ほなが【穂長】 ①槍の穂先の長いもの。〈日葡〉 ②ウラジロの異称。「―の注連飾(しめかざり)」〈浄・東山殿子日遊一〉

ほなみ【穂波】 稲などの穂が風にそよぐさまを波に見立てていう語。「山遠き門田の末は霧晴れて―にしづむ有明の月」〈六百番歌合秋中〉

ぼに【盆】 盂蘭盆会(うらぼんえ)。ぼん。「十五六日になりぬれば―などする程になりにけり」〈かげろふ上〉 ▽n音の表記法が未確定であった平安時代には、nの後に母音iをつけて「に」と表記する場合があった。ラニ(蘭)・ゼニ(銭)などの類。

ほね【骨】 ①人や動物の骨。「鉄(くろがね)の火の柱をいだかしむるに、肉(しし)乱れ、―くだけぬ」〈三宝絵中〉 ②火葬などにした死者の骨。遺骨。こつ。「この山に―を埋み」〈栄花疑〉 ③家屋・器具などの芯(しん)として、支えとなるもの。「板葺なりしなどは―のみわづかに残りて」〈源氏蓬生〉。「扇の―は」〈枕二八五〉 ④気骨。「北面の侍平左衛門尉泰頼は―ある者なれば、めして御寝所に置かせ給ひければ」〈古活字本平治上・源氏勢汰へ〉 **―に徹(とほ)・る** ①骨に徹する。骨にまでこたえる。「―・りて、その苦堪へがたし」〈地蔵縁起〉 ②深く身にしみて感ずる。強く感じる。「骨に切る」「骨に滲(し)む」とも。「渇仰の思ひ―・るあひだ」〈十訓抄一ノ七〉。「…と宣ふ御声、―・り、肝にしむ」〈発心集六〉 **―盗・む** ①精出して働くのを嫌がる。骨惜しみをする。また、手間を省く。手を抜く。「浦の男が―・むまい」〈俳・大矢数一〉 ②労働に対して正当な報酬を与えない。不当に安い賃銀しか払わない。「すべて奉公人の―・まうと気の付く商人に、長う続くは無き者にて」〈富貴の地基〉 **―を砕・く** 苦労する。辛苦する。骨を折る。「かやうに―・き、心を尽すも、君の御情にあづからん為なり」〈説経・伍太力菩薩〉 **―を折・る** 苦労して事を行なう。辛苦する。「〔如来ハ〕菩薩の行を修して正法を聞かむが為に、此に於て―・りて経典を書写し給へり」〈大唐西域記三・長寛点〉

ほねうづき【骨疼き】 梅毒が全身にひろがり、骨関節が侵されてはげしく痛むこと。骨がらみ。「筋気(すぢけ)・―となり」〈仮・可笑記評判六〉

ほねがま・し【骨がまし】『形シク』ごつごつしている。骨っぽい。「げにも美人女色の事を言はば、―・しい角(かど)立ちな事はあるまいぞ」〈玉塵抄三三〉。「引文繁く多きは、耳に立ちて―・しくて悪しし」〈浄土真宗小僧指南集本〉

ほねきり【骨切】 立派なこと。また、立派な人。「あっぱれ女の―」〈浮・好色染下地二〉

ほねしば【骨柴】 枯れ柴。「寒林に―を焼く茶屋もがな」〈俳・時勢粧六〉

ほねたか【骨高】 無骨(ぶこつ)で力強いさま。「我が歌は…四十ぢのころよりは、―に、艶なる方おくれて覚え侍り」〈ささめごと上〉。「高麗茶碗―に見え候」〈宗及他会記永祿三・五・一九〉

ほねだ・ち【骨立ち】『四段』 身体が痩せて、骨がはっきり現われる。「鶴の痩せたるを―・つと云ふ程にぞ」〈四河入海一三ノ四〉

ほねぼそ【骨細】 骨が細くて身体つきがきゃしゃなさま。骨弱。「きめごまかに―なる所、云はうやうは無けれど」〈評判・役者評判蚰蜒〉

ほのか【仄か】《光・色・音・様子などが、うっすらとわずかに現われるさま。その背後に、大きな、厚い、濃い、確かなものの存在が感じられる場合にいう。類義語カスカは、今にも消え入りそうで、あるか無いかのさま》 ほんのり。わずか。「殺目山(きりめやま)往き反り道の朝霞―にだにや妹に会はざらむ」〈万三〇三七〉。「梶の音ぞ―にすなる海人少女(あまをとめ)沖つ藻刈りに舟出すらしも」〈万一一五二〉。「髣髴と―にして」〈法華義疏長保点〉。「尼君のいらへうちする声、けはひの―なれど、宮の御方にいとよく似たりと聞ゆ」〈源氏宿木〉 †Fönöka

ほのけ【火の気】 湯気。煙。「ほけ」とも。「伊勢島の海人の刀禰らが焚く―、おけおけ。焚く―、磯良が崎に薫り合ふ、おけおけ」〈神楽歌七五〉。「田楽はまだ―だにいらぬ間にいづくの壁のまづ焦がるらむ」〈再昌草一五〉

ほのじ【ほの字】 惚(ほ)れる意の隠語。「傾城の―なる知音に摺切(すりきり)有り」〈評判・寝物語〉

ほのほ【焔・炎】《火の穂の意》 ①燃える火の先。火焰。情念にたとえることが多い。「大地(おほつち)を―と踏みて立ちてゐてゆくへも知らず」〈万三三四四〉。「篝火に立ちそふ恋の煙こそよには絶えせぬ―なりけれ」〈源氏篝火〉 ②地獄の責苦の火。業火(ごふくわ)。「誦法、読経とののしる事も身には苦しくわびしき―とのみまつはれて」〈源氏若菜下〉 †*Fönöfö

ほのぼの【仄仄】 ①あけぼののうす明るいさま。「夜の―明くるに、泣く泣く帰りにけり」〈伊勢四〉 ②薄くぼんやりとしたさま。「寄りてこそそれかとも見め黄昏(たそかれ)に―見つる花の夕顔」〈源氏夕顔〉。「この香をたけば、死にたる人が煙のうちに―と見ゆるぞ」〈湯山聯句鈔下〉 ③夜がほのぼのと明ける頃。ほのぼのあけ。「その儀式、未だ―の程に、主上出でて南面におはします」〈続古事談一〉 **―あけ【ほのぼの明け】** 夜明け。未明。「ヨノホノボノアケニマイラウ」〈日葡〉

ほのぼの・し【仄仄し】『形シク』 いかにもほのかな様子である。「…とほむれば、耳―・しく、傍らなる人に問ひ聞きて」〈源氏手習〉

ほのめか・し【仄めかし】『四段』《ホノメキの他動詞形》 ①本心や事情を、相手にそれとなく分るように表現する。一端をにおわす。「ゑんずべき事をば見知れるさまに―・し、恨むべからむふしをも憎からずかすめなさば」〈源氏帚木〉 ②それとなく嗜(たし)む。すこしばかり嗜む。「これ(琴)はすこし―・い給ひたりや」〈源氏東屋〉 ③ほめる。「世になべて―・す作者を、第一の人と申し侍らんや」〈ささめごと上〉

ほのめ・き【仄めき】 □『四段』 ①ほのかに現われる。「宮の夢に見え給ひつる…このわたりにこそ―・き給ひつれ」〈源氏総角〉。「かげろふの―・きつれば夕暮の夢かとのみぞ身をたどりつる」〈後撰八五七〉 ②ほのかにそぶりをする。「この来たる人人ぞ心あるやうに言はれ―・く」〈土佐十二月二十七日〉 ③ほのかに聞える。「いろいろ聞きにくきことども、―・くめり」〈源氏夕霧〉 ④ほのかにかおる。ほのかに風が吹く。「内より―・くおひ風も、いとどしき御匂ひの立ちそひたれば、いと深く薫り満ちて」〈源氏螢〉 ⑤ほのかに気持が伝わる。「風のつてにても―・き給ふこと絶えざるべし」〈源氏少女〉⑥ほのかに逢う。ちょっと立ち寄る。「はかなう―・き給ひし名残の…さすがに忘れも果て給はず」〈源氏花散里〉。「もし〔女ニ〕いささかのひまもやと、〔男ハ〕此頃は繁う―・き給ふなりけり」〈源氏少女〉⑦ほのかに弾く。弾くともなく弾く。「おぼえなくて、折折―・く箏のことのねこそ、心得たるにやと聞く折侍れど」〈源氏橋姫〉 □〖名〗ほのめくもの。香などにいう。「うち忍び立ち寄らむ物の隅(くま)もしるき―のかくれ有るまじきに」〈源氏匂宮〉

ほびこ・り【蔓延り】〖四段〗《ハビコリの母音交替形》ひろがる。はびこる。「この見ゆる雲―・りてとの曇り雨も降らぬか心足らひに」〈万四一二三〉。「一切の煩悩の災火連綿(ほびこ)りて息(や)まず」〈法華経玄賛六・平安初期点〉 †Föbi-köri

ほふ【法】〔仏〕《呉音。梵語の漢訳。「達磨」「達摩」などと音訳する。仏教の中心観念をあらわす語で、それ自体変らない本性を有し、人をして事物の理解を生ぜしめる軌範》①仏法。「三法と申すは、仏と―と僧との三つなり」〈孝養集上〉。「この鶯は、ほうほききよと鳴くなり。されば鳥類だにも―を聞けと鳴くに、まして人間にて聖人の御弟子なり。―を聞かではあさましきぞ」〈空善記〉②修法。祈禱。「又又、いみじき―どもをつくして加へ行なはせ給ふ」〈源氏若菜下〉

ほふいん【法印】①仏教の仏教たるゆえんを示す真理のしるし。「名利をかざりて法の本意を得ず。故に―たる二空の道理をば捨て」〈明恵遺訓〉②《「法印大和尚位」の略》第一等の僧位。僧正の官に相当。貞観六年、法印大和尚位・法眼和尚位・法橋上人位の三階が制定された。「―のものし給ふ小野」〈栄花煙後〉。〈色葉字類抄〉③中世以降、僧侶に準じて儒者・仏師・連歌師・医師・画工などに授けられた位。「今度京都の医者六人―に任ぜられ了んぬ」〈多聞院日記天正一七・一・二〉④山伏の称。「後にさる山伏の―に聞きければ」〈驢鞍橋上〉

ほふえ【法衣】僧尼の着る衣服。法服。「たまたま俗塵を打ち払って、―を飾るといへども」〈平家五・勧進帳〉

ほふかい【法界】①〔仏〕《「法」は諸法の意。「界」は種類・種族の意》広大な宇宙。全世界。「作す所の善根を―にめぐらす」〈正法眼蔵随聞記三〉②自分に直接関係のない存在。赤の他人。「―の恋ならば、『こひこそ（上平平平）』と読むべけれども、我が身の上の心なれば、別の声（平上上平）に読めり」〈古今私秘聞〉。「―の男ぢゃと思へば済む」〈近松・重井筒上〉③「法界悋気(りんき)」に同じ。「―ではなけれど、あの男めにあったら女房を持たせて置くさへ腹立つに」〈西鶴・懐硯三〉 **―むへん**【法界無辺】法界(1)が限りなく広大なこと。「―の御慈悲ぞと、踵(くびす)をついで群集する」〈謡・弱法師〉 **―りんき**【法界悋気】自分に直接関係ないことに嫉妬すること。「〔遊里へ〕我がえ行かねば、〔行ク〕人をそしる。…―といふものなり」〈評判・難波物語〉

ほふきどり【法吉鳥】ウグイスの古称。その鳴声による名。「宇武加比売命(うむかひめのみこと)―となりてとびわたり」〈出雲風土記〉

ほふけ【法家】⇒ほっけ

ほふけづ・き【法気付き】〖四段〗人間ばなれがして、ほとけくさくなる。「ほけづき」とも。「吉祥天女を思ひかけむとすれば、―・きくすしからむこそ、またわびしかりぬべけれ」〈源氏帚木〉

ほふげん【法眼】①《「法眼和尚位」の略》僧の位で、法印につぐ第二位。「―円良、法印に成さる」〈平家三・大塔建立〉②中世、医師・仏師・画師などに授けられた位。「絵師大輔―賢慶が御弟子に、なにがしとかやいふ法師ありけり」〈著聞四〇五〉。「法知法橋といひける医者、一両年以前より―になりたく思ひ」〈人鏡論〉

ほふげん【法験】妙法・秘法の効験。「昔も今も天下を治め平ぐる事、山門の―に如(し)くはなし」〈保元中・関白殿本官に帰復〉

ほふご【法語】仏法に関する談話。また、それをしるした文章。「聖一国師法語」「沢庵和尚法語」など。「―等を書くにも、文章におほせて書かんとし、韻声たがへば拄(ささ)へられなんどするは、知りたる咎(とが)なり」〈正法眼蔵随聞記三〉

ほふざう【法蔵】①仏の説いた教法。「釈迦如来は…八十の寿命をたもって八万の―を説き給へり」〈盛衰記一九〉②「経蔵(きやうざう)」に同じ。「―のやぶれて侍るに、修理して給はらむ」〈十訓抄七ノ一〇〉

ほふし【法師】①仏法に精通して人の師となる者。また、僧の通称。のりのし。「恵施―以て僧正とす。智淵―を少僧都とす」〈続紀天武二・三・二三〉。「髪鬚を剃りたる―だに、あやしき心（愛着ノ心）は失せぬもあなり」〈源氏夢浮橋〉②男の幼児。坊や。「―が母はただひとり、涙にむせぶばかりにて」〈虎寛本狂言・法師が母〉③俗人の法体した者。多くは、隠居して剃髪した者をいう。「皆六十余―なり」〈西鶴・諸艶大鑑六〉 **―がへり**【法師還り】還俗(げんぞく)した者。「四方に使はして修行者を訪ひ覓(と)めしむ。是に唯、播磨国にして―の者を得。名は高麗の恵便といふ」〈紀敏達十三年〉 **―がみ**【法師髪】未詳。馬のたてがみのありさまをいう語か。「真鹿毛なる馬の―にて」〈今昔二八ノ三七〉 **―ご**【法師子】法師にした子。「めでたき―をもちて…罪少しかるみにけむかし」〈古本説話八〉 **―まさり**【法師優り】法師になって、人柄などが以前より立派になること。「後の世のつとめもいとよくして、なかなか―したる人になん侍りける」〈源氏若紫〉 **―むしゃ**【法師武者】僧形の武士。「八騎がうちに、河内の日下党、加賀房といふ―ありけり」〈平家八・法住寺合戦〉

ほふじ【法事】仏法に関する集会。一つ所に会して仏の誕生などを慶讃し、供養を行ない、また、仏法を説くこと。奈良・平安時代には法華会・最勝会などの法事が盛んであったが、その後は、年忌法要・追善供養（特に死後の四十九日）などの個人的なものが多くなった。法会(ほふゑ)。「御―など過ぎぬれど、正日まではなほこもりおはす」〈源氏葵〉

ほふじゃうじゅ【法成就】密教で、修法の効験がいちじるしくあらわれたこと。「彼は―の人なり」〈沙石集九ノ九〉

ほふしんわう【法親王】《ホッシンノウとも》皇子で仏門に入ってから親王宣下をうけた人。「入道殿をば―と仰ぎ奉りて」〈保元中・為義降参〉

ほふすい【法水】《ホッスイとも》衆生の煩悩を洗い落して清浄にするものの意で、仏法をたとえていう語。「三密瑜伽(さんみつゆが)の―を四海にそそき」〈保元上・将軍塚鳴動〉

ほふせ【法施】⇒ほっせ。「或いは―を奉り、或いは供具を備へて心に思ひ願ふ事を祈り請ふに」〈今昔一七ノ五〇〉

ほふたい【法体】⇒ほったい

ほふだん【法談】仏の教義を語り聞かせること。説法談義。説法。「此の程常に―なんどし給ひける僧来たって」〈太平記二・長崎新左衛門〉

ほふとう【法燈】《ホットウとも》①世の闇黒を照らすものの意で、仏法をたとえていう語。のりのともしび。「三百余歳の―を挑(かか)る人もなく」〈平家二・山門滅亡〉 ②《転じて》僧の中でも、特に正法を持している立派な僧。「当座主僧正は顕密兼学の―、智弁無窮の秀才なり」〈盛衰記二〉

ほふに ホウ【法爾】法そのままであること。自然とそうなっていること。「三世に因果の道理といふものをひしとおきつれば、その道理と―の時運とのもとよりひしと作り合はせられて」〈愚管抄五〉

ほふぶく ホウ【法服】僧の正服。「たちまちに―をつくりて与ふ。乞食(こつじき)『何わざをし給はむずるぞ』と問へば、『法花経を講ぜむとするなり』と答ふ」〈三宝絵中〉

ほふみ ホウ【法味】仏法の妙味。「諸大善神も―を嘗(な)めざるか」〈開目抄〉

ほふみゃう ホウミヨウ【法名】出家・受戒の時、俗名を改めて授けられる名。戒名。法号。「未だ頭を剃らずといへども、十重禁戒を受けて、―を定めて定真といふ」〈今昔一五ノ四四〉

ほふむ ホウ【法務】大寺の庶務を総括する僧職。また、僧綱所の長官。「御祈りの師にて侍ひ給ひける―の僧都」〈源氏(河内本)薄雲〉。〈色葉字類抄〉

ほふもん ホウ【法文】①仏の教えを説いた文章。経・論・釈など。「仏法東に流れて我国にとどまれるを、―ありながら伝へ教ふる人なし」〈三宝絵下〉 ②教義。法門。「この世には、みなやうやうに―を言ひかへて身もまどひ、人をもまどはして」〈末燈抄〉

ほふもん ホウ【法門】仏の道に入る門の意で、仏法をたとえていう語。「厩戸(うまやと)の皇子のかしこき政(まつりごと)によりて、今日まで―は伝はれるなり」〈三宝絵中〉

ほふもん ホウ【法問】仏教の教義について問答すること。「かやうの―のみちなどさへ、朝夕のよしなし物語に、常に仰せられきこえさせ給ひしかば」〈讃岐典侍日記〉

ほふらく ホウ【法楽】①仏神に、法施(ほふせ)として経や陀羅尼を誦し奉ること。また、音楽・舞踊・連歌など芸能を手向けること。「経を読み奉りては常にこの神に―し奉りて過ぎける程に」〈今昔一九ノ三三〉。「神明―の為に、今様・朗詠歌ひ、風俗・催馬楽など、ありがたき郢曲どもありけり」〈平家二・徳大寺〉 ②無料で見世物などを見ること。「見るは―叩くには五十文」〈雑俳・万句合安永七〉。「―。俗に銭を出す事なくして見物聴聞するを云ふ」〈俚言集覧〉

ほふ・り【屠り】『四段』①(獣・鳥などの体を)切り裂く。「誰ぞ、我が子を屠(ふほ)り割(き)りて、骨のみ余して地に散(らと)けたる。…両の乳、皆割(ふほ)られぬ」〈金光明最勝王経平安初期点〉 ②皆殺しにする。「即ち新羅に入りて、ゆくゆく傍の郡を―・り取る」〈紀雄略九年〉

ほふりき ホウ【法力】仏法の威力。「―の貴く勇猛なる事、これよりいよいよ五天竺に風聞しぬ」〈今昔一ノ九〉

ほふりん ホウ【法輪】仏の教法。仏法。「我、菩提を得ず、又―を転ぜずは、返りて父の王と相まみえじ」〈今昔一ノ四〉

ほふわう ホウオウ【法皇】①《仏法上の天皇の意》称徳天皇から弓削道鏡に授けられた位。「同じ時に、道鏡法師を以て―とし」〈霊異記下三八〉 ②出家した太上天皇。「―、西川におはしましたりける日」〈古今九一九詞書〉

ほふゑ ホウ【法会】多くの僧俗を集めて行なう仏事。法要。「この寺は年ごとに七日のほど―を行なひて天の下を祈らしめむ。ながく最勝王経を講ぜむ」〈三宝絵下〉 **―だち**【法会立ち】群集の集まる法会などに、見世物師・軽業師などの芸人が路傍で演ずること。また、その芸人。縁日立ち。「―煙の中に現はれて」〈俳・両吟一日千句〉

ほほ【朴・厚朴】①「ほほがしは」に同じ。「扇の骨は―」〈枕三〇五〉 ②朴の樹皮からとった風邪薬。「風にやとて、―参り、湯ゆで(湯治)などしてこころみ給ひけれど」〈栄花鶴林〉

ほほ【懐】ふところ。懐中。「文を受け取り、―に入れ」〈仮・竹斎上〉

ほほ【頬】顔の両側の、ふくれた部分。「頬、和名豆良、一云保保(ほほ)」〈和名抄〉 **―がす・く** 頬が痩(や)せる。顔のやつれるのにいう。「―・いたれば〔容貌ガ〕悪いぞ」〈毛詩抄四〉 **―は面(らつ)** 名前は違っていても内容は同じであること。「世俗の言葉に―と云ふに異ならずとて」〈江源武鑑一二〉

ぼぼ【粗・略】『副』おおかた。おおよそ。あらまし。「粗(ぼぼ)書記に有り」〈大唐西域記一・長寛点〉。「かねては又、東国の勇士汝に相随って多く御方(みかた)に参る由―叡聞に及ぶ」〈保元上・官軍勢汰へ〉。「略、ホボ」〈名義抄〉。「粗、ホボ」〈名義抄〉

ぼぼ【陰門・開】女の陰部。「鬼が―する」〈咄・昨日は今日下〉

ほほあて【頬当】あごから頬にかけて当てる防具。かなめん。「相順ふ兵三十余騎も、或は―をして未だ冑をも着ず」〈西源院本太平記三八・細川清氏討死〉

ほほがしは ガシワ【厚朴・朴】モクレン科の落葉喬木。ほお。ほおのき。「わが背子が捧げて持てる―あたかも似るか青き蓋(きぬがさ)」〈万四二〇四〉。「厚朴、ホ、ガシハ」〈名義抄〉

ほほがへし ガエシ【頬返し】頬張ったものを噛むこと。後に、行動の自由、身動きなどの意に用いた。「ホウガエシガナラヌ」〈日葡〉。「毎晩の大入、ほうがへしのならぬ聞人(ききて)」〈浄・連三味線五〉

ほほがまち【頬輔】頬骨。頬桁(たけ)。「広がりたる―」〈評判・役者評判蛐蜒〉

ほほ・け【呆け】『下二』⇒ほうけ。「潦倒、ホホケタル」〈名義抄〉

ほほげた【頬桁】①頬骨。「笠の緒の当りし―をさすり」〈西鶴・一代女六〉 ②口またはしゃべることを卑しめていう語。「山三郎に措(お)けと云うたる―はここか〔ト言イナガラ〕、壱尺九寸抜き打ちに」〈西鶴・男色大鑑六〉 **―を叩・く** ものを言うのを卑しめていう語。「まだ―・くかと、また散散に叩き伏せ」〈浄・都の富士四〉

ほほすけ【綏】「老懸(おいかけ)」に同じ。「綏、一名老繋、和名冠乃乎、一云保保須介(ほほすけ)」〈和名抄〉

ほほづきちゃうちん チョウ【酸漿挑燈】子供用の、赤紙で張ったホオズキの実の形に似た小挑燈。「気が軽うなる―」〈俳・西鶴五百韻〉

ほほづゑ【頬杖】「つらづゑ」に同じ。「―や杜唐紙戸にさい(敷居)に寄りかからぬは行儀なるべし」〈菅原光高百首和歌〉。〈日葡〉

ほほばれ【頬張】頬が腫れ上がって痛む流行病。おたふくかぜ。「世上流布の―に候ひ了んぬ」〈言継卿記天文一四・八・二〉

ほほまれど【含まれど】『連語』《フフメレドの上代東国方言》つぼみのままでいるが。「千葉の野(ぬ)の児手柏(このてがしは)の―あやにかなしみ置きてたか来ぬ」〈万四三八七防人〉

ほほゆが・み【頬歪み】『四段』①頬がゆがむ。顔の形が変になる。「夏昼寝して起きたるは…寝腫(は)れて、ようせずは、―・みもしぬべし」〈枕一〇九〉 ②《口元のゆがむ意から》事実とやや違った言い方になる。話に誤りがまじる。「その折は罪なきことも、つきづきしくまねびなすには―・む事もあめれば」〈源氏朝顔〉

ほほゆが・め【頬歪め】『下二』口元をゆがめて言う。また、事実と違った言い方をする。「式部卿の宮の姫君に、朝顔

奉り給ひし歌などを少し—・めて語るも聞ゆ」〈源氏帚木〉

ほほゑ・み【微笑み】『四段』①微笑する。にっこり笑う。「御手は、いとをかしうのみなりまさるものかなと独りごちて、うつくしと、—・み給ふ」〈源氏賢木〉②苦笑いする。「〔源氏ヲ〕もの恐ろしくこそあれと〔女ガ〕いと若びて言へば、げにと—・まれ給ひて」〈源氏夕顔〉③つぼみがふくらみ、ほころぶ。「ほかには盛りすぎたる桜も、今さかりに—・み」〈源氏胡蝶〉

ほまち【外持・穂待】《「私金」とも書く》奉公人が内密に貯えた金銀財物。後には、定収入以外の臨時の所得の意となり、役得、へそくり金、意外な利得などをいう。「—の無心見苦しく」〈評判・吉原人たばね〉**—ど**【外持子】私生子。「国腹は妹背の中の—か」〈雑俳・千代見草下〉

ほまれ【誉れ】《ホメ(褒)と同根》ほめられるべき名誉・名声。「美しき声、誉(ほまれ)十方に流れ振ふ」〈地蔵十輪経元慶点〉。「—をとる時、山賤(やまがつ)の賤しきこととても捨つることなし」〈後拾遺序〉

ほ・み【踏み】『四段』《フミの母音交替形》踏む。「大虚(ほおぞら)を—・みて、御諸山(みもろのやま)に登ります」〈紀崇神十年〉

ほむき【穂向き】穂がなびきむかうこと。「秋の田の—の寄れることよりに君に寄りなな事痛(こちた)く有りとも」〈万一一四〉

ほむけ【穂向け】穂を一方になびかせること。「秋の田の—の風の片よりに我は物思ふつれなきものを」〈新古今一四三〇〉 †Fomuki

ほむた【鞆】鞆(とも)。「上古の時の俗、鞆を号(い)ひて褒武多(ほむた)と謂ふ」〈紀応神即位前〉

ほむら【焔】《火(ほ)群(むら)の意》①ほのお。火炎。「飢ゑ渇(かわ)きて口より—を出す」〈霊異記中一六〉②身の内に激しく燃えあがる、怒り・恨み・嫉みなどの感情。「聞きつけて—をこがし腹を立てて」〈伽・雪女物語〉

ほ・め【褒め】㊀『下二』《ホはすぐれている意のホ(秀)と同根か》他よりもぬきんでてすぐれていると、口に出してたたえる。「真木柱—・めて作れる殿のごといませ母刀自面(おめ)変りせず」〈万四三四二駿河防人〉。「我が身を—・め、人をそしるべからず」〈孝養集中〉㊁『名』たたえること。賞讃。「殿、帰りて花子の—をする」〈天正本狂言・十夜帰り〉 †Fomë

ほめ・き『四段』ほてる。赤くなる。熱する。「くはっくはと—・くあらがねの土」〈俳・鷹筑波二〉。〈日葡〉

ほめくさ【誉め草】ほめられるもの。また、ほめること。「今日咲くは世の—ぞ福寿草」〈俳・毛吹草五〉

ほめもの【誉めもの】人のほめそやすもの。人からほめられるもの。「国中の—なり」〈西鶴・伝来記三〉

ほや【寄生】ヤドリギの異称。「ほよ」とも。「寄生、夜止里木、一云保夜(ほや)」〈和名抄〉

ほや【海鞘・老海鼠】海産動物の一。「—のつまの貽貝鮨(いずし)」〈土佐一月十三日〉

ほや【穂屋】穂がついたままの薄(すすき)で葺いた神事用の小屋。「夜寒なる—の薄の秋風にそよさぞ鹿も妻を恋ふらむ」〈続古今四三八〉

ほやほや ①とても柔らかなさま。「春風の—と吹くに、心ものどのどとして」〈玉塵抄三〉②にっこり笑うさま。にこにこ。「—と笑ひ顔にてする世帯」〈俳・正章千句上〉

ぼやぼや 火が音を立てて燃えあがるさま。「茶釜—焼く朝朗(あさぼらけ)」〈俳・談林三百韻〉

ほよ【寄生】⇩ほや。「あしひきの山の木末(こぬれ)の—取りてかざしつらくは千年寿(ほ)くとぞ」〈万四一三六〉 †*Föyö

ほら【洞・澗】浅い谷。また、深いあな。「名おそろしきもの。青淵、谷の—」〈枕一五三〉。「〔郭公ハ〕山の木の—の中に冬籠りて居ると」〈古今集註〉。「—はただ苔の緑にうづもれて／石をゆかなる仙人(やまびと)の跡」〈竹林抄八〉。「峭巘、深直也、又、深邃之貞、保良(ほら)、又谷」〈新撰字鏡〉。「澗、浅谷也、保良(ほら)」〈新撰字鏡〉。「洞、ほら、山中の穴居也」〈和漢通用集〉

ほら【法螺・宝螺・螺】①法螺貝。「—を吹かしむること、例の如し」〈兵範記久寿二・六・二六〉②意外に巨大なこと。また、大げさな言い方。「—なる金銀儲くる故」〈西鶴・永代蔵四〉

ほらがひ【法螺貝】巻貝の一であるホラガイの末端に穴をあけ、吹き鳴らすようにしたもの。音が太く遠くまで響くので、軍陣の合図に用いたり、修験者が山で悪魔や猛獣を退散させるために用いた。「山伏の腰につけたる—の」〈梁塵秘抄四六八〉

ほらほら《ホラは洞の意》中がうつろで広いさま。がらんどう。「内は—、外(と)はすぶすぶ(スボマッテイル)」〈記神代〉

ほらほら 裾がちらちらまくれるさま。「なまめける此処なをみなへしどけなや前—と秋の野風に」〈堀河狂歌集中〉

ほ・り【欲り】『四段』願い望む。ほしがる。「我が—・りし雨は降り来ぬかくしあらば言挙(ことあげ)せずとも年は栄えむ」〈万四一二四〉

ほ・り【掘り・彫り】㊀『四段』《地面・木材・金属などに鍬・のみなどをあてて、その物の一部分を取りのぞいたり、くぼみを作ったり、あるいはその物の中に埋まっているものを取り出す意》①土を取りすてて、地に穴をつくる。「あしびなす栄えし君が—・りし井の石井の水は飲めど飽かぬかも」〈万一一二八〉②土を取り除いて、土中に埋まっているものを取り出す。「埋ませ給へる香を…兵衛の尉—・りて参れり」〈源氏梅枝〉。「秋の草をも—・り移して」〈源氏薄雲〉③きざむ。彫刻する。「日光・月光の二天子を金と銀とにて—・り透かして」〈太平記九・山崎攻〉。「これを板に—・りきざんで、広めて同志の人に恵む」〈性理字義抄一〉㊁『名』【堀・濠】地を掘って、長く切り通したところ。「あしく曳きて、聖(ひじり)の馬を—へ落してげり」〈徒然一〇六〉

ほりえ【堀江】舟などを通すために、人工的に掘って作った川。運河。「さ夜ふけて—漕ぐなる松浦船(まつらぶね)楫(かぢ)の音(と)高し水脈(みを)早みかも」〈万一一四三〉 †Foriye

ほりき【隍・塹】地を掘ってつくった穴、また、溝。「瓦器は…既に用ひられなば之を坑(あな)塹(ほりき)に棄てよ」〈南海寄帰内法伝平安後期点〉。「隍、ホリキ」〈名義抄〉

ほりきり【堀切】地を掘って切り通した堀。塹壕(ざんごう)。「—をさかひて、掻楯(かいだて)をかき」〈太平記一七・山攻〉

ほりくび【堀首・堀頸】地中に生きうめにして首を切る刑。「源氏世に出でて後は、長田を—にせらるるか、磔(はつつけ)になるか、あはれ長田が終りを見ばや」〈平治下・長田六波羅〉

ほりけ【堀池】《ホリイケの約》掘って作った池。「〔切株ヲ掘リダシタ〕その跡、大きなる堀にてありければ、—の僧正とぞ言ひける」〈徒然四五〉。「隍は、いけとも、—とも読むなり」〈科註妙法蓮華経抄三末〉。「塹、ホリケ」〈温故知新書〉

ほりこ【掘子】近世、鉱山で使用された人夫。「銀山より—を呼び寄せ」〈雲陽軍実記三〉

ほり・し【欲りし】『サ変』望む。欲する。ほしがる。「古(いにしへ)の七の賢しき人どもも—・せしものは酒にしあるらし」〈万三四〇〉

ほりだし【掘出し】上等な骨董品などを安価で手に入れること。ほりいだし。「薄茶は源五郎茶堂(さだう)にて…—〔ノ〕茶碗」〈久政茶会記永祿一・九・一八〉

ほるもかに【迅かに】迅速に。「駆(はし)りさきだつ迅滅(ときかたちほるもか)にして没(う)せぬ」〈紀雄略九年〉

ほ・れ【惚れ・恍れ】『下二』①心が朦朧(もうろう)となり思考力・判断力などを失う。正常の意識を失い放心状態になる。「〔捕エタ〕雷を放ちしに死なず。雷ー・れて七日七夜留まりて在り」〈霊異記上一〉。「黒雲一むら立ち来て、助長が上に覆ふとこそ見えけれ、俄かに身すくみ心ー・れて落馬してけり」〈平家六・嗄声〉②ぼける。「已に衰へ邁(す)ぎ耄(ほ)れ虚(つう)け」〈金光明最勝王経平安初期点〉。「月夜の鳥はー・れて鳴く」〈隆達小歌〉③思いをかけて心を奪われる。恋慕する。「あな煙たや、煙は姥(ばう)にー・れつらん」〈伽・福富長者物語〉

ほれぼれ【惚れ惚れ】①放心した状態。「命ばかりは生きたりけれども、ーとして云ふかひなかりければ」〈十訓抄七ノ二〉。「稚児は現(うつつ)心も失せけるにや、ーとしてあるかなきかのけしきなるを」〈伽・ちごいま〉②心を奪われて、うっとりとしたさま。恍惚とした状態。「いつしかはや御心もーとなりて」〈伽・中書王物語〉③深く心酔し、または恋慕したさま。「花のかほばせうるわしく、…ーとしたる笑ひ顔」〈評判・野郎大仏師〉

ほれほれ・し【惚れ惚れし】『形シク』見るからに物に心うばわれ放心したさまである。「夜昼思し歎くに、ー・しきまで御顔もすこし面やせ給ひにたり」〈源氏若菜下〉

ほれもの【惚れ者】放心した者。ぼけた者。また、うつけ者。「あのやうなるーを御取り立ての儀、偏(ひとへ)に信玄公御目違ひなり」〈甲陽軍鑑三〉。〈文明本節用集〉

ほろ《ハラの母音交替形》ばらばらなさま。「天雲をーに踏みあだし鳴る神も今日に益(まさ)りて畏(かしこ)けめやも」〈万四二三五〉 †Föro

ほろ【母衣・保呂・縨】矢を防ぐための補助的な武具。騎馬武者の背に数幅の布をかけ、背後に長く引いたもの。南北朝頃から一種の指物(さしもの)となって装飾化し、内に籠状の骨を入れ、風を含んだ形に作った。「赤革縅の鎧着て、紅のーをかけ」〈平家九・一二之懸〉。「それーといふ、本式は紅なり。または赤白の色もあり。これは陰陽二色なり。白をば老武者の掛くるなり」〈伽・鴉鷺物語〉

ほろ【保呂】鷹の両翼の下の羽毛。矢羽として珍重された。ほろば。「ーの風切(かざきり)はいだる矢負はせて」〈平家四・鵼〉

ぼろ【梵論・暮露】虚無僧の古称。「ぼろぼろ」「ぼろんじ」とも。「もしこの御中に、いろをし房と申すーやおはします」〈徒然一一五〉。「暮露、ボロ、東国には虚無僧(こもそう)を云ふ。一名馬聖(むまひじり)とも云へり」〈和漢新撰下学集〉

ぼろおん「ぼろん」を長くのばして言った形。「今一祈り祈るならば、などか奇特のなかるらん、ーー」〈天理本狂言六義・柿山伏〉

ほろく『副』いささか。少し。「翁は彼が心ばへをー知りたれば」〈今昔二五ノ五〉

ぼろそ【襤褸衣】着古して破れた着物。つぎはぎの着物。ぼろ。「すべる苔よりー乱るる」〈俳・談林風百韻二巻〉

ほろ・び【亡び】『上二』《ホロはホロホロのホロ。ばらばらになる意》①崩れ消え去る。「千世の罪さへー・ぶとぞいふ」〈仏足石歌〉。「其の国まさに敗(ほろ)び亡(う)せなむ」〈金光明最勝王経平安初期点〉②破滅する。滅亡する。「身もー・びなむ」〈伊勢六五〉。「三人一所にー・びけり」〈盛衰記三七〉③おちぶれる。零落する。「いと異様(ことやう)にー・びて侍るなれば」〈枕一八五〉 †Föröbï

ほろぼ・し【亡ぼし】『四段』《ホロビ(亡)の他動詞形》①あとかたもないように崩す。「君が行く道の長てを繰り畳ね焼きー・さむ天の火もがも」〈万三七二四〉②滅亡させる。「国の位を喪失(ほろぼ)し」〈金光明最勝王経平安初期点〉。「頭中将、南都ー・して北京へ帰り入らる」〈平家五・奈良炎上〉③なきものにする。命をなくす。「敵のために命をー・さん事を顧みず」〈平家一一・腰越〉 †Föröbösi

ほろほろ《ホロを重ねた形》①木の葉などがはらはらと落ちるさま。「黄なる葉どものーとこぼれ落つる」〈枕一九九〉②人がちりぢりになって別れるさま。「〔僧ガ〕修法の壇こぼちて、ーと出づるに」〈源氏夕霧〉③涙の流れるさま。「涙ーとこぼれ給ひぬ」〈源氏夕霧〉④着物などが、たやすくほころびたりするさま。「ほころびはーと絶えぬ」〈源氏紅葉賀〉⑤歯でものをくだくさま。「栗やなどやうのものにや、ーと食ふも」〈源氏宿木〉⑥山鳥などの鳴き声。「山鳥のーと鳴く声聞けば父かとぞ思ふ母かとぞ思ふ」〈玉葉二六一四〉

ぼろぼろ【梵論梵論・暮露暮露】「ぼろ(梵論)」に同じ。「修業者といひ、ーなど申す風情の者に行きあひなどして」〈問はず語り四〉

ほろみそ【法論味噌】黒大豆で作った味噌。もと、奈良の寺院で、長時間の法論に備えて僧侶が用いたという。護命味噌。論義味噌。飛鳥(あすか)味噌。「桶にー。菜汁。うど土器に。飯。鱈(たら)汁」〈宗及自会記天正三・閏二・七〉。〈下学集〉 **ーの夕立** 外に干した法論味噌は夕立に降られたら駄目になるので、物が損われるのを心配するたとえ。法論味噌売りの夕立。転訛して「母衣武者(ほろむしや)の夕立」とも。〈俳・世話尽三〉

ほろり ①花や木の葉などが、はらはらと落ちるさま。「梅はーと落つれども、鞠は枝にとまった」〈虎明本狂言・伊文字〉②涙がこぼれ落ちるさま。涙をはらはらとこぼして泣くさま。「ここでーと泣かせたぞ」〈三体詩絶句抄一〉

ほろろ キジの鳴き声。「春の野のしげき草葉のつまごひにとび立つきじのーとぞなく」〈古今一〇三三〉

ほろろ・げ『下二』《ホロロはホロホロの約。ホロビ(亡)と同根》かたまっているものを、ばらばらにほぐし崩す。「荷葉(かえふ)の方を合はせたる名香、蜜(みち)をかくしー・げてたき匂はしたる」〈源氏鈴虫〉

ぼろん【勃嚕唵】《梵語の音訳》密教でとなえる真言(陀羅尼)の一。一字金輪(いちじきんりん)の呪(じゆ)。ぼろおん。「一、ー字誦音事。太鼓を続けて打つ音の如くにこれを満ずるなり。ーーーと満ずべきなり」〈参語集五〉

ぼろんじ【梵論字・梵論師】「ぼろ(梵論)」に同じ。「ぼろぼろといふもの、昔はなかりけるにや。近き世に、ー・梵字・漢字などいひける者、その始めなりけるとかや」〈徒然一一五〉

ほわた【穂綿】茅花(つばな)・葦などの穂を綿の代用にしたもの。「重ぬれば葦のーも寒からで」〈吾妻辺云捨〉

ほん【本】《字義は、木の根の太い所。転じて、根拠となるものの意》①書写などの際もととするもの。原本。「物語・集など書き写すにーに墨つけぬ」〈枕七五〉②習字や絵の手本。「やがてーにと思すにや、手習・絵などさまざまに書きつつ」〈源氏若紫〉③模範。典型。「あてなる男のーにしつべくものし給ふ」〈源氏浮舟〉④根本。本旨。「もとより正直をーとする人にて」〈伽・彌兵衛鼠〉⑤真実。本当。「みづからをばーの大蛇と思し召すか」〈伽・小夜姫草子〉⑥元金。もときん。「ー九百文。利二百七十文」〈東寺百合文書に、永和五・二・二七〉⑦他の語に冠して、もともとの、当の、の意をあらわす語。「ー知行所、今更相違あるべからざるの由」〈吾妻鏡養和一・五・一六〉。「件の曼陀羅はー寺の重宝にてあるべきを」〈著聞一六四〉

ほん【品】《呉音》①《品別の意》同類のものを集めて一段としたもの。また、仏典における篇や章など。「乞者きたりて法華経の━を読みて食を乞ふ」〈三宝絵中〉②《品等の意》㋑親王の位階の区分の称。一品より四品まである。位のないのを無品という。「二━になり給ひて、御封などまさる」〈源氏若菜下〉㋺官人の位を唐風にいう場合の称。「沈裕に五━を授けて、務洲の治中(地方長官ノ補佐官)となれり」〈今昔九ノ一六〉。「威万人の上にかうむるといへども、位四━の際を越えず」〈太平記一・後醍醐〉③身分。分際。「侍(さぶらひ)━の者の、申さじと思ひ切ってん事、糾問に及んで申すべしや」〈平家四・信連〉

ぼん【坊】《近世、上方で》男の児。ぼんち。「コレ━さらば、と言ふ声が」〈浄・伊豆日記二〉

ぼん【盆】⇒ぼに。「七月十五日、━を奉るとて」〈枕三〇七〉。「正月と七月の━と」〈本福寺跡書〉

ほんあみ【本阿彌】《ホンナミとも》刀剣鑑定の名家。室町初期の本阿彌長春に始まり、以後歴代刀剣鑑定に従い、七代以後十一分家が生じて本阿彌十二家と称した。近世初期の光悦が特に有名。また、一般に鑑定家の称となった。「『この刀を売りてたべ』と頼みければ、『やすきほどの事、まづ━に見せん、幸ひに良きつてあり』とて持ちて行く」〈仮・霊怪艸一〉

ほんい【本意】①⇒ほい(本意)。「これを━と思ふ山住み」〈伝阿独吟畳字百韻〉。〈色葉字類抄〉②和歌・連歌・俳諧で、詩歌に詠む題材の根本的な性質・情趣・在り方をいう語。「煙をおきて雲を詠めり、富士の━にあらずと難ぜられて、負け侍りにけり」〈長承三年顕輔家歌合〉。「我を人の思ふ顔なる言葉、恋の━にたがひ候」〈宗祇初心抄〉

ほんうば【本乳母】乳を飲ませる乳母。さし乳母。「━・抱乳母とて二人まで」〈西鶴・織留六〉

ほんえん【本縁】由来。縁起。「この歌、さる━ある事か」〈仙覚抄九〉

ぼんおん【梵音】《大梵天王の出す清浄の音の意》①法会で、散華ののち唱える偈頌。「諸僧━、錫杖の声を唱へて」〈栄花鳥舞〉②読経の声。「━遠く叡山の雲に響いて一会の奇特を顕(あらは)せし事共」〈太平記二・書写山〉

ほんか【本歌】①作歌の下敷きとして踏まえられた古歌。「━の詞をあまりに多く取る事はあるまじき事にて候」〈毎月抄〉。「『み吉野は山もかすみて白雪のふりにし里に春は来にけり』、拾遺集に『春立つといふばかりにやみ吉野の山もかすみて今朝は見ゆらん』といふ歌を━として読み給へり」〈新古今注〉。「問、━を取りて詠みたる歌を、また━に取るべきか。答、取るべし」〈耳底記〉②狂歌・俳諧などに対して正統の歌の意で、和歌の称。「秋の野を書かせ、これに寄せての━、公家衆八人の銘銘書」〈西鶴・一代男七〉

ほんかいだう(ドウ)【本海道】五海道を、それから分岐した脇往還に対していう。また特に、東海道の称。「━へ赴く也」〈隔蓂記寛文五・五・二九〉。「━の御油・赤坂の一夜妻」〈俳・西鶴自註独吟百韻〉。〈日葡〉→海道

ほんがう(ゴウ)【本郷】①生れ故郷。「筑紫の防人(さきもり)を停(とど)めて━に帰し」〈続紀天平九・九・二二〉②外国にいて祖国をいう語。本国。母国。「流れ来る新羅(しらき)の人、福護等に付(づ)けて━に還す」〈続紀大宝三・五・三〉

ほんがく【本覚】〔仏〕《「始覚(しかく)」の対》衆生が本来そなえている悟りの性質。「まことに━常住の如来すら、分段の御命をばかうこそ御心に任せぬ御事なれ」〈保元上・後白河院御即位〉

ほんぎゃう(ギョウ)【本経】根拠となるべき経文。「━のたしかなるにつきて、この真言陀羅尼をば申しつるなり」〈徒然二二二〉

ほんぎん【本銀】元金。本金。「右五箇条、━の十分一を以て白昼に取り申すべく候」〈室町殿日記一〉

ほんぐ【反古】⇒ほぐ。「人に紙・━など乞ひ集め」〈発心集五〉。「反故、ホング」〈饅頭屋本節用集〉

ほんぐゎい【本懐】①かねての思い。素懐。本望。「━を遂げむが為にこの国に来たり給へるなり」〈今昔一二ノ七〉②よろこばしい思い。満足。「ホングワイニゾンジソロ」〈日葡〉

ぼんくゎにん【犯科人・犯過人】罪を犯した人。「独身なる━の思ひ置く事なきだにも」〈保元中・為義最後〉

ほんぐゎん【本願】《本来の願望の意》①〔仏〕仏・菩薩が過去世において衆生を救おうとして立てた誓願。阿彌陀の四十八願、薬師仏の十二願の類。「年ごろ頼み奉る彌陀の━を強く信じて」〈平家一・祇王〉②みずからの本願にもとづいて仏寺を創建した人。「さて、かの尊睿をば、かの山の━とは云ふなる」〈今昔三一ノ二三〉③本願の施主が帰依している宿坊。本願坊。「当麻━柿一盃これを献ず」〈実隆公記享祿四・八・一〇〉

ほんけ【本卦】①八卦で、算木を二回置いて占う時の初めの結果。「晴信公の━豊なりといふ」〈甲陽軍鑑一〉。〈文明本節用集〉②生年と同じ干支(えと)の年。また、その年になること。「六十一歳に至りて。白髪まで━に帰れ老の春」〈俳・一本草一〉 **━がへり**(ガエリ)【本卦帰り・本卦還り】生年の干支(えと)と同じ干支の年になること。即ち、六十一歳になること。還暦。「年越えて━か天津雁」〈俳・祇園誹諧合五〉

ぼんげ【凡下】①凡人。凡夫。「聰明叡心の御企、━是非すべからずといひながら」〈保元上・新院御謀叛思し召し〉②主として鎌倉時代に行なわれた身分上の称呼。侍の身分に属さない一般庶民をいう。甲乙人。「そもそも法眼に物言はんと言ふなる人は、侍か━か」〈義経記三〉。「━とは侍にあらざる者也。土民の類なるべし」〈清原宣賢式目抄〉

ほんこ【本子】①実子。「仁義も欲も身の上も━には忘るるに」〈近松・二枚絵中〉②「歌舞伎子」に同じ。舞台子。「━には仕立て難し」〈西鶴・胸算用四〉

ぼんご【梵語】古代インドの標準文章語。中国・日本では、梵天が造った言葉の意で「梵語」といった。また、これを写す文字を「梵字」という。仏教の典籍類に用いられ、また、中国で音訳されて伝来した単語や呪文などが少なくない。「即ち講説の間、━をさへづる」〈宇治拾遺一〇三〉

ほんざい【本才】役に立つ実際的な才能。芸能や儀式典礼などに関する才。「あながちに、この道な深く習ひそと、諫めさせ給ひて、━のかたがたの物教へさせ給ひしに」〈源氏絵合〉

ほんざう(ゾウ)【本草】薬の本(もと)となる草。転じて、薬用にする動植鉱物の総称。また、それらについて述べた書物。「━を開きみてよめる」〈続後撰一二四九詞書〉

ぼんさま【坊様】①僧侶または法体(ほったい)の人の敬称。「いとほしき━とて、肩先を叩けば」〈仮・杉楊枝三〉②男児の敬称。「━。男の子なり」〈世話用文章中〉

ほんざん【本山】①一宗一派の宗務を統轄する寺。「━の三宝、年来所持の本尊たち」〈平家三・御産〉②修験道の一派。本山派。「当山・━差別これ有るの上は、諸役等互ひに混乱有るべからず」〈本光国師日記慶長一八・六・一七〉③《比喩的に》元締め。「東地(江戸)歌舞伎の━中村〔座〕を初めとし」〈評判・野郎楊弓序〉

ぼんさん【盆山】盆の上に自然石や砂を配置し、樹を植えて風景を創作したもの。室町時代から、茶の湯、生け花などとともに行なわれた。盆仮山(ぼんかざん)。「小石峰は小さき石

の山也。すなはち―のことを云ふぞ」〈錦繡段鈔一〉。「程伊川は魚を―に活けて愛し」〈童観鈔〉。「―を飾りし時の懸物に山水などは差合ひと知れ」〈紹鷗茶湯百首〉。「眺めは花にまさる―／鶯は縁のきはまで羽吹き来て」〈俳・寛永十三年熱田万句一五〉

ほんじ【本寺】①一宗を統轄する寺。本山。「させる―なし。同じくはこれ我が本の山の末寺と寄せなしてむ」〈今昔三一ノ二三〉②寺の本堂。「仁和寺にて、夜―の前を通る下法師に、狐三つ飛びかかりて」〈徒然二三〇〉

ぼん・し【犯し】『サ変』おかす。「師匠の室に入りしよりこの方いまだ禁戒を―・せず」〈平家一〇・高野巻〉

ぼんじ【梵字】梵語を記載するに使う文字。「怪しき―とかいふやうなる筆跡(あと)に侍めれど」〈源氏若菜上〉

ぼんしまひ【盆仕舞】盆節季の支払勘定を済ませて、盂蘭盆会の準備をすること。「其の太夫の―に入るべき事とさし心得て」〈西鶴・諸艶大鑑三〉

ほんしゃ【本社】《中世ではホンジャ》摂社・末社などに対して、その神域内の主たる神社。本宮。「―末社、祭奠(さいてん)の神明」〈平家七・木曾返牒〉

ほんしゃう【本性】①本来の性質。生れながらそなわっている性質。「―はいと静かに心よく子めき給へる人」〈源氏真木柱〉②本心。また、正気。「程なく酒気には―をたたずものなれば」〈義経記七〉。「―失せて狂乱のうちに致したるわざを」〈バレト写本〉

ぼんじゃり ①おっとりとして穏やかなさま。温和な様子。ぼじゃり。「『筑前・筑後あって筑中なきは異な事ぢゃ』と―と問ひ侍る時」〈咄・戯言養気集下〉②ふっくらとして愛らしいさま。ぽちゃぽちゃとしたさま。「ふりも〔年〕比も―とした踊かな」〈俳・玉海集三〉

ほんしゅ【本主】①本来の主人。以前のあるじ。「閑居は誰の人にか属(しょく)する。紫宸殿の―なり」〈和漢朗詠集水〉②もとの領主・持主。「右大将家以後…充て給はる所の所領等、―訴訟に依って改補せらるるや否やの事」〈貞永式目〉。「相伝の下人…今召し使ふところの主人(しゅにん)、―の方へ返し置くべし」〈塵芥集〉

ほんじょ【本所】①本宅。本邸。「源久朝臣、…前年追捕せられて、住宅を棄て遁隠の後、近来―に帰住す」〈左経記長元八・五・一〇〉②荘園の名義上の領有者。領主や領家が荘園の存続をはかり、皇族・摂関家・大社寺などの有力者を本所として、これに寄進した。本家。「昨日、一昨日、大雨の間、淀川の浮橋皆流れ損じ了んぬと。…早く―に仰せ、国国に課せて、構へ渡さしむべし」〈中右記承徳一・三・一〇〉

ほんぜい【本誓】「本願」(1)に同じ。「六観音は六道のためにと思しめしたり。―を思ふにいとあはれなり」〈栄花鳥舞〉

ぼんせき【盆石】趣のある自然石を盆に載せて観賞すること。また、その石。「河原に於て―を拾ふ也」〈隔蓂記寛文五・六・三〉

ほんぜつ【本説】根拠となるべき説。典拠。「たしかの―は見侍らねども、道理にはさもありぬべし」〈沙石集六ノ四〉。「『命にむかふ』といふ詞も松浦の草子にある詞なり。かやうに定家の歌は―を踏まへて読み侍るなり」〈正徹物語下〉

ぼんぜっき【盆節季】盂蘭盆(うらぼん)までの貸借勘定を決算する時期。「古懸けや幾秋書きつ―」〈俳・手繰船五〉

ほんぜん【本膳】正式の膳立で主となる膳。膾(なます)・平(ひら)・香の物・味噌汁などの献立で、飯を添えて供する。一の膳。「―・追膳・三の膳」〈尺素往来〉

ほんぞ【本所】《ホンジョの直音化》本邸。「御迎への出し車どもに―の人人のせてなんありける」〈源氏宿木〉

ほんそう【奔走】①忙しく立ちまわること。走りまわること。「他の親王達はさわぎあひて、或いは装束し、或いは円座とりて、―しあはれたりけるに」〈古事談一〉②盛大にもてなすこと。接待。馳走。「旅人を呼び入れて茶を―する」〈天正本狂言・青海苔〉③ちやほやすること。愛玩すること。寵愛すること。「数寄(すき)をして鑵子(くわんす)・茶壺などを―するやうに無用の器を玩ぶ時は」〈尚書抄七〉。「遊民は猿楽・田楽なり。これを―して民の農時を妨ぐれば、民、農事に怠る」〈大学抄〉 **―ご**【奔走子】親が大切にし、かわいがる子。秘蔵っ子。訛って「ほんそご」「かんざうご」とも。「花の兄(梅ノ花)やなべて世上の―」〈俳・鸚鵡集一〉

ほんぞん【本尊】信仰の対象として安置される仏の尊像。本師。本仏。脇侍や眷属(けんぞく)と区別する場合は、特に中尊(ちうぞん)という。「『七歳より俊蔭がつかうまつる―、あらはれたまへ』と観音の本誓を念じ奉るに」〈宇津保俊蔭〉

ほんたい【本体】①本来の姿。実体。正体。「なほかのふるさとに知られんの思ひ切なるにやと思へど、その―をたづぬべきやうもなく」〈浜松中納言五〉②真にあるべき姿。典型。「上下相兼ねて、優なる歌の―と見ゆ」〈後鳥羽院御口伝〉③もととなるもの。もとで。資本。「かくいふ女の家なりける金の石をとりて、それを―として造りたりけるなり」〈宇治拾遺一六二〉④本来。ほんとう。「―は参らせ給ふまじきを」〈大鏡道隆〉

ほんだう【本堂】寺院で、本尊を安置する堂。「これ法興院―なり」〈小右記長和二・六・二八〉

ほんだう【本道】①漢方で、内科の称。「―・外科の医師、数を尽して参り集る」〈太平記三三・将軍御逝去〉②「本海道」に同じ。「―を退く事罷り成らず」〈寿斎記〉

ほんたく【本宅】①別宅などに対して、常に住む家。本邸。〈日葡〉②本家。また、本店。「出見世―萩の下道」〈俳・天満千句〉

ぼんだて【盆立・盆点】茶道で、茶入が名物か拝領物の場合、それを盆に載せて飾り、手前中に下ろさない茶のたて方。ぼんてん。「茶湯をや今日―の玉祭」〈俳・鷹筑波四〉

ほんだはら【本俵】近世、年貢・廻米など、俵に入れる米の分量の標準とする俵。本俵(ほんべう)。「―祝へ六十六ケ国」〈俳・雀子集一〉

ほんち【本知】もとからの知行所。本領。「―の外にまた扶持(ふち)をぞ加へける」〈瓦林政頼記〉

ほんぢ【本地】①〔仏〕仏・菩薩の本来の姿。衆生済度のため、仮に神として現われた垂迹身(すいしゃくしん)に対していう。「大明神、御―は何にておはしますやらむと祈請して」〈古事談五〉②物の本源。本来の姿。「人はまことあり、―たづねたるこそ心ばへをかしけれ」〈堤中納言虫めづる〉③本体。本性。「酔ひても―忘れずとて」〈伽・酒呑童子〉④もとの土地。本国。本土。「都へ上り、帝(みかど)にて安堵の御判を申しうけ、―に帰るものならば」〈説経・さんせう大夫〉 **―すいしゃく**【本地垂迹】神仏習合思想の教説。日本の諸神はインドの諸仏が衆生をすくう済度の方便として現われたもので、仏と神は其の本源は同一であるとする。奈良・平安時代に成立し近世まで広く信じられた。「然ればー、その御形ことなれども、その御意かはらじかし」〈沙石集一ノ一〉

ぼんち【盆池】小さく、丸い池。「―とは円き池なり」〈俳・氷室守四〉。「―、小さき泉水也。盆に水溜めしやうなるなり」〈詩学筌蹄乾〉

ほんちゃ【本茶】山城国栂尾(とがのお)産の茶。他の地の茶を「非の茶」として区別する。本の茶。「栂尾阿伽井坊―二

裏(つつみ)二十これを献ず」〈看聞御記永享七・三・五〉

ほんちゃう【本帳】 根本の帳簿。また、商家の大福帳。大帳。元帳。「—御目に懸け候」〈多聞院日記天正八・一〇・二六〉。「唐物商売の家にて。異国にも—や付けし棚落し」〈俳・糸屑二〉

ほんぢん【本陣】 ①陣中で、大将のいる所。「下野守—に帰り、物具ひしひしとかたむ」〈保元上・官軍勢汰へ〉 ②近世、宿駅で勅使・公家・大名など貴人を宿泊させた大旅館。本陣宿。「水桶に秋こそ通へ御—」〈俳・談林十百韻下〉

ほんて【本手】 ①《ホンデとも》 基本。根本。また、本式。正式。転じて、本物の意にも。「一心不乱に思ひ入りたる心ざしを—にして、十年十五年も道に至らんと学文すべし」〈仮・可笑記一〉 ②三味線・箏曲の演奏で、基本律を奏する部分の称。また、その手法で奏される「三味線組曲本手組」の略称。「虎沢と言ひし盲目是れを引きかため、—・破手と言ふ事を定めて」〈色道大鏡七〉 ②近世初期、平野九郎右衛門が創めた平九(ひらく)節の称。万治頃から江戸に流行した。「惣じて小歌は江戸の—に勝るは無し」〈西鶴・新吉原常常草下〉

ぼんでん【梵天】 ①色界の初禅天。欲界を離れた寂静清浄の天で、梵衆天・梵輔天・大梵天の三天がある。「母、子を慈(うつくし)び、因りて自(おのづか)ら—に生ると言ふは」〈霊異記中四二〉 ②特に、初禅天の主である大梵天王。帝釈(たいしゃく)天と並ぶ護法神で、密教では十二天の一として上方を守護する。「—・帝釈及び諸天皆恭敬(くぎやう)せむ」〈今昔一ノ一〉 ③修験道で、祈禱に用いる幣帛(へいはく)。「山伏行人の簡板並びに—」〈正宝事録寛文五・二・四〉 ④芝居小屋の櫓の左右に立てた摩(まねき)。「—白くふさやかに切立て」〈浮・熊谷女編笠二〉 ⑤「梵天国」に同じ。「—を急ぐものなり」〈評判・もえくゐ〉 **—どく【梵天国】**《近世初期、浄瑠璃芝居の最後の祝言に、浄瑠璃「梵天国」を語る慣習があったところから》 物事の終り。これぎり。おしまい。転じて、主人や夫からひまを出されること。おはらい箱。「いたづら狂ひを仕り、—と吹上げ、六法と出で、南華(馬鹿)になり」〈浄・道外和田酒盛三〉。「やきもちのやの字もあると、たちまち—さ」〈滑・浮世床二上〉

ポント【先斗】 ①先。初め。「—には聖武時代の堂立てて」〈俳・俳諧風体抄上〉 ②カルタ賭博で、真先に金を張ることという。「小判を二十両づつ—に張られしを見て」〈西鶴・二十不孝三〉 ③洲崎(すさき)。「理ぢゃ／尻が無いので—町」〈雑俳・軽口頓作〉 ▽ポルトガル ponta, ponto

ぼんなう【煩悩】〔仏〕 衆生の心身を煩わせ悩ます妄念。「—離れがたし、観念いかでか無からむ」〈三宝絵上〉 **—の垢(あか)** 煩悩の絶ち難いことを身体の垢をすっかり洗い落せないのにたとえた語。「朝には浄水を掬(むす)んで、—をすすぎ」〈平家二・康頼祝〉 **—の犬** 煩悩が人につきまとって離れないことを、犬が飼主の家を立ち去らないのにたとえた語。「煩悩は家の犬打てども去らず」「煩悩の犬は打てども門を去らず」とも表現。「さらば—となって、打たるると〔モ〕離れじ」〈謡・通小町〉

ほんに【本に】『副』 ほんとうに。まったく。「華厳等に『げに』と使ひ、法相には『—』と使ふなり」〈百法問答聞書四〉

ぼんにん【凡人】 ①ただの人。普通の人。「『よう斬れ』と見かへりて睨まれける眼(まなこ)ざしは、げに—とは見えざりけり」〈古活字本平治下・忠宗〉。「ボンニン、即ち、ボンブ」〈日葡〉 ②摂関に対して、清華(せいぐわ)以下の人。「これ皆摂籙の臣の御子息、—にとりてはその例なし」〈平家一・吾身栄花〉

ほんにん【犯人】 罪を犯した人。犯罪人。「検非違使の、—を出すべきよし申しければ」〈十訓抄一〇ノ七六〉

ほんぬし【本主】 物の以前の持主。「牛を盗める者あり。—と是を争ひしが、両方ともに己が牛なりと申す」〈仮・棠陰比事物語四〉。〈日葡〉

ぼんのくぼ【盆の窪】 うなじの中央の窪んだ所。「鞠興に入る時の事。よろしき人烏帽子下ぐる、見苦しきこと也。…侍の輩は—に下げよ」〈成通卿口伝日記〉

ぼんばい【梵唄】 声明(しやうみやう)の一。仏徳賛美のために曲調にのせて偈(げ)をうたうもの。声を長く引いてうたう。「—の響、昼夜休みなし」〈文徳実録齊衡三・九・一三〉

ほんばら【本腹】 本妻の腹に生れること。また、その生れた子。本妻腹。「総領は—にて、下二人は今腹になんありけり」〈遠近草下〉

ぼんぶ【凡夫】 ①ただの人。凡人。「—の愛欲に依りて、女人に心を穢して仙人に成る事こそなからめ」〈今昔二ノ二四〉 ②〔仏〕 悟りに達していない、凡庸浅識の人。「仏も昔は—なり、我等もつひには仏なり」〈平家一・祇王〉

ほんぷく【本復】 ①病気がすっかりなおること。全快。「出家の故にや、宿病(しゆくびやう)次第に—して」〈古活字本平治下・清盛出家〉。「世語に病の善きを—と云ふは、恐らくは日本の俗語ならん。字の置き所聞えず」〈見聞愚案記一三〉。〈日葡〉 ②《転じて》 もとの状態になること。「京都の米〔ノ値段〕元の如く—す云云。珍重也」〈看聞御記永享三・七・一九〉

ほんぶし【本節】 ①《謡曲で》 基本的な節(ふし)。「能を大勢にて謡ひ候ふ時は、興がる事を去りて、—ばかり申し候へば、よく謡ひ候」〈宗筠袖下〉 ②近世初期、滝野勾当が創始したと伝えられる浄瑠璃の曲節。後世まで最も伝統的な旋律とされた。「安口の判官」「弓継」「鎧替」「戸井田」「五輪砕き」の五部の曲がその曲節で語られたという。「この浄瑠璃に—とてあり。この—に表裏とて秘伝あり」〈色道大鏡八〉

ほんぶたい【本舞台】〔歌舞伎用語〕 ①歌舞伎の主たる舞台で、橋掛り・花道を(狭義には付舞台をも)除いた部分の称。「これまでは付舞台。これより—へ行き」〈伎・心中鬼門角上〉 ②小芝居の舞台に対して、大芝居の舞台。檜舞台。「いつしか—を踏んで、まんまと上手になり給ふ事」〈評判・役者大鑑〉

ほんぺう【本俵】 ⇒ほんだはら。「十万石の高の—」〈俳・大句数上〉

ぽんぽち 長く貯蔵したため、赤黄色になった米。ひねまい。ぽんぽち米。「—の御借米」〈玉滴隠見三七〉

ぼんぼり ①ぼんやりと柔らかなさま。「十日ごろより、辰巳の方に、星の廻り—と覆ひ候」〈宗静日記承応一・一二〉 ②丸い小さな行燈。「門の柳を分くる—」〈俳・乙矢集上〉 ③綿帽子の一。薄く透いて見える丸綿。ぼんぼり綿。「踊らうと—や着た婆出立」〈俳・雀子集四〉 **—わた【ぼんぼり綿】**「ぼんぼり」(3)に同じ。「薄雲は—か月の顔」〈俳・続山の井三〉

ほんぽん【本本】 本式であること。本格的なこと。式式(しきしき)。「年貢を—に出させうず程にとて」〈蒙求抄一〇〉。「こことはとっと面白い所でござる程に、—に節(ふし)をつけて語りませう」〈天草本平家四ノ二三〉

ほんま【本馬】 近世、宿駅で四十貫の荷を載せる馬。「京より大津迄三里。…軽尻(からじり)九十四文。—百五十文」〈増補江戸道中記〉 →軽尻馬

ほんま【本間】 ①邦楽の「間(あひ)の手」で、一音の間休むも

の。「拍子の程八つと云ふ事、本地の間雨垂れ拍子にて指を折り、その程を積るに八つ也。されぱこそ―と言へり」〈舞曲扇林下〉 ②《「本真」とも書く》 本格的なもの。真正。本道。また、真実。「舞の袖これは―の〔謡曲、善知鳥ノ〕そとの浜」〈俳・紀子大矢数上〉。「此の人―の道化に似せんとすれど」〈評判・難波立聞昔話荒木座〉 ③「京間」に同じ。「薬院の小座敷は…―ならぬ畳入り組み、かへって面白く出で来たり」〈茶話指月集上〉 ④〔江戸遊里語〕 座敷持ちの遊女が起居する部屋で、控えの「次の間」を除いた本部屋。「座敷」とも。「―へはいっておやすみなんし」〈洒・錦之裏〉

ほんまる【本丸】 城の最も主要な箇所。普通、中央に天守閣を築き、城主の居所、主要な役所・倉庫などを置く。「城中に心変りの者これあり、―に火を掛ける間」〈最上義光物語上〉

ほんもみ【本紅】 染色の一。紅花で染めた紅染。茜(あかね)・蘇枋(すおう)で染めるよりも上質。「中紅(ちうもみ)―さて緋縮緬」〈俳・天満千句〉

ほんもん【本文】 ①古典などにあって典拠となる文句。普通は漢籍にあるものにいう。「古歌を―にして詠める事あり」〈新撰髄脳〉。「吉凶、糾(あざな)へる縄の如しといふ―あり」〈平治上・信西出家の由来〉 ②注釈などの対象となっている原文。〈日葡〉

ぼんよう【犯用】 他人の物を悪用すること。「たとひ三宝の物を―せりともいかでか利益を蒙らざらむ」〈今昔一ノ三八〉

ほんりゃう【本領】 代代相伝の、もとからの私領。「六波羅へまゐり、―給ふべき由申しければ」〈平治中・信頼降参〉 **―あんど【本領安堵】** 御家人などが幕府の承認を得てもとの領地をそのまま知行すること。また、中絶していた旧領地を再び領有すること。「大将大に悦びて、―の御教書をなし」〈太平記六・赤坂合戦〉

ほんゐん【本院】 上皇が同時に二人以上あるとき、その第一の人。「一の院」とも。「新院・―、御花合せの勝負といふ事ありて」〈問はず語り二〉

ほんゑ【本絵】 狩野派・土佐派などの、正統日本画の称。「女郎衣装を仕尽し、染め抜きに―〔ヲ描カセ〕」〈西鶴・諸艶大鑑七〉

ま

ま【目】 「目(め)」の古形。他の語について複合語を作る。「―つ毛」「―な子」「―な尻」「―ばゆし」など。「―なかひ(目交)にもとなかかりて安眠(やすい)しなさぬ」〈万八〇二〉

ま【馬】 《ウマの頭母音ウの脱落した形》 うま。「人もねのうらぶれ居るに龍田山御(み)―近づかば忘らしなむか」〈万八七七〉

ま【間・際】 《連続して存在する物と物との間に当然存在する間隔の意。転じて、物と物との中間の空隙・すきま。後には、柱や屏風などにかこまれている空間の意から、部屋。時間に用いれば、雨マ・風マなど、連続して生起する現象に当然存在する休止の時間・間隔。また、現象・行為の持続する時間の意。類義語アヒダは、近接する二つの物と物、連続する事と事との中間の欠落・とだえをいうのが原義》 ❶《空間的に》 ①連続する物と物とにはさまれたところ。「石(いそ)の―ゆ激(たぎ)つ山河絶えずあらば」〈万三六一九〉。「海人の燈火(ともしび)波の―ゆ見ゆ」〈万一一九四〉。「〔笛ノ穴ノ〕―をくばること等しき故に其の声不快なり」〈徒然二一九〉 ②空隙。すきま。「竹玉を―無く貫き垂り」〈万四二〇〉。「玉垂れの小簾の―通し独りゐて見る験なき夕月夜かも」〈万一〇七三〉 ③家の、柱と柱との間。「格子二―ばかりあげて」〈源氏蓬生〉 ④屏風や几帳などで囲った室。部屋。「中の―は院のおはしますべき御ましよそひたり」〈源氏若菜下〉 ❷《時間的に》 ①連続して生起するものの途絶え。すきま。「神さぶる荒津の崎に寄する波―無くや妹に恋ひ渡りなむ」〈万三六六〇〉。「人言の繁き―窺(も)りて逢ふともや更に我が上に言(噂)の繁けむ」〈万二五六二〉。「ともすれば人―にも月をみてはいみじくなき給ふ」〈竹取〉 ②現象・行為などのはじめと終りとの間の、持続している時間。「生けるもの遂にも死ぬるものにあれば、此の世なる―は楽しくをあらな」〈万三四九〉。「月待ちて行かせわが背子その―にも見む」〈万七〇九〉。「あしたの―、雨ふる」〈土佐二月一日〉 ③当然あるべき休止。「三味線を―を合はせ」〈浮・棠大門屋敷四〉 **―を渡・す** うまく其の場を取り繕う。間に合わせる。「なうお染どの、今日は皆様芝居へ御出であそばし、御目見えの叶はぬと、よい加減な―・す」〈浮・好色年男二〉

ま【魔】 ①〔仏〕「悪魔」(1)に同じ。「刀剣智を孕(はら)み、矛戟―を摧(くだ)く」〈性霊集七〉。「これも―のさまざまに形を変へてたばかりけるにこそ」〈発心集四〉 ②天狗。「世に云へるは、―を天狗と云ひ習はせり」〈仮・仮枕〉。「魔、マ、天狗也」〈枳園本節用集〉 ▽万葉集三二五〇に、「吾が恋止め」を「吾恋八鬼目(やめ)」と書いているから、マは奈良時代に普通に使われる語であったと思われる。

ま《副》《イマの転》 さらに加えて。もう。「さらば―一盃(ぱい)おめしあれ」〈古文真宝抄一下〉。「―一度は夫のある女子(をなご)と科(とが)に落ちまらして」〈コリヤード懺悔録〉

ま【真】 ㊀《接頭》《「片(かた)」の対。名詞・動詞・形容詞について、揃っている、完全である、本物である、すぐれているなどの意を表わす》 ①二つ揃っていて完全である意。「―袖持ち涙をのごひ」〈万四三九八〉。「大船に―梶(かぢ)しじ貫き」〈万一四五三〉 ②本物である、本格的である、偽りがない意。「旅といへど―旅になりぬ」〈万四三八八〉 ③その種類の中で特にすぐれている意。「沖つ―鴨の嘆きそわがする」〈万三五二四〉。「―葛はふ小野の浅茅を」〈万二八三五〉 ④立派な機能を備えている意。「み薦(こも)刈る信濃の―弓わがひかば」〈万九六〉。「わが目らは―澄の鏡」〈万三八八五〉 ⑤純粋である意。「靡き寝るわが黒髪の―白髪になりなむ極み」〈万四八一〉。「宮に行く児を―悲しみ」〈万五三二〉 ⑥正式・本式であること。仮(かり)のものでも、略式のものでもないこと。「―名もかんな(仮名)もあしう書くを」〈枕一〇四〉 ⑦狂いなく的確・正確であること。「―仰(あほの)きに突き倒す」〈盛衰記一八〉。「―牛角(ごかく)なる侍」〈幸若・和田酒盛〉 ㊁《副》 ほんとうに。「高光る日の御子、諾(うべ)しこそ問ひ給へ、―こそに問ひ給へ、吾こそは世の長人」〈記歌謡七二〉

ま《接尾》 形容詞語幹・動詞の未然形・打消の助動詞「ず」・接尾語「ら」などに接続して、状態を表わす語。助詞「に」を伴って副詞的に用いられることが多い。また、「かへらま」「かへらば」など、マはバと音が相通する。「倭(やまと)は国のまほら―」〈紀歌謡三〉。「かへら―に(逆ニ)君こそわれに栲領巾の白浜波の寄る時も無き」〈万二八二三〉。「ぬばたまの夜見し君を明くる朝(あした)逢はず―にして今ぞ悔しき」〈万三七六九〉

ま

ま『感』犬を呼ぶ声。「喚犬(ま)追馬(そ)鏡(「真澄鏡」ノ戯書)」〈万三三二四〉

まあひ イ:ア【目間】《目と目との間の意》みけん。「小歌・謡の中にても、—に皺を寄せ」〈仮・いな物上〉

まあひ イ:ア【間合】①あいま。あいだ。すきま。ひま。「その—を見て逢ふより外は手がござらぬ」〈浮・野白内証鑑五〉②音楽や舞曲の調子・拍子の移り変る折の休止の時間。「—上手なれば自(おのづか)ら狂言が生きて見ゆるなり」〈評判・野良立役舞台大鏡〉

まい【枚】①紙など薄いものを数える語。「みちのくに紙五六—に」〈源氏橋姫〉②大判金・丁銀を数える語。「金子百—」〈家忠日記天正一四・一一・四〉。「銀百七十—到来候」〈毛利家文書三、僧玄龍外二名連署状〉③田地の一区画を数える語。「田一—植ゑて立ち去る柳かな」〈俳・奥の細道〉④駕籠舁の人数を数える語。「大坂より四—肩は二十四匁の定まり」〈西鶴・諸艶大鑑六〉⑤魚を数える語。近世では、特定の魚のみに使う場合もあった。「五十—、鯛」〈新編武州古文書上、永祿一二・一一・一九〉。「飛魚・かます・干し鱧(ばも)、此の類は何—と云ふ」〈書札調法記五〉

ま・い『助動』《マジの転。室町時代から使用される》①打消の推量をあらわす。…ないだろう。「ただの路ではある—・い」〈策彦和尚初渡集下ノ下〉。「文字もいら—・いに、文字だてしては無用」〈大恵長書抄〉②打消の意志をあらわす。決して…ないだろう。「用い—・いと思はば殺さしめ」〈史記抄一〇〉。「手柄に祈ってみさしめ。耳は放す—・いぞ」〈虎明本狂言・蟹山伏〉③打消が当然・適当である意をあらわす。…はずがない。…ない方がよい。「老いたると云ひて、学を廃しては叶ふ—・い事なれば」〈中華若木詩抄上〉④禁止をあらわす。…てはならない。「左手では灰や土をば取る—・いぞ」〈百丈清規抄一三〉。「出家が女猿楽なんどをば見—・いぞ」〈論語抄顔淵〉⑤《接続助詞「し」をともなって》…ないから。…ない故に。「兄ではある—・いし、意見は要らぬもの」〈伎・傾城江戸桜中〉

まいあひ イ:ア【眉間・眉合】「まゆあひ」の転。「利欲に依って人の—を守って(見ツメテ)追従をしまはるは」〈黄鳥鉢抄一〉

まいす【売僧・売子・売師】①商いをする僧。高野聖(かうやひじり)などはその一例。「あきなひする〔僧〕をば—と云ふ」〈壒嚢鈔三〉。「売子、マイス、商僧也」〈下学集〉②人をだます悪徳の僧。「—して物取り花麗(くわれい)する沙門必ず地獄のかすとこそなれ」〈雲居和尚往生要歌〉。「売子、マイス、或子作レ師、悪僧義也」〈文明本節用集〉③僧、または一般に人をののしる語。「信長公…佞僧(ねいそう)らに化(ば)かし入れられ給はざりしによって、諸寺の—どもそろそろと引いて入り」〈太閤記四〉

まいちもんじ【真一文字】「一」の字のようにまっすぐなさま。一直線。「稲村が崎の遠干潟を—に懸け通りて」〈太平記一〇・稲村崎〉

まいて【況いて】『副』「まして」の音便形。「所がら—ゆゆしきまで〔美シク〕見え給ふ」〈源氏夕顔〉

まいはだ【槇肌】《マキハダの転》高野槇または檜の甘皮を砕いたもの。舟や桶の水漏れを防ぐために、隙間などに詰める。のめ。のみ。「〔舟板ヲ〕藤蔓にてからげ、—を込みて」〈仮・霊怪艸三〉

まいみ【真忌】神事にあずかる者などが、散斎(あらいみ)の後、祭事の前三日間服する厳重な斎戒。「小忌(をみ)」とも。「契りしを違ふべしやはいつくしきあらいみ—清まはるとも」〈和泉式部集二〉

まう ウ:モ【猛】勢いが盛んなこと。「〔翁ハ〕いきほひ—の者に成りにけり」〈竹取〉。「あきのぶの主の庭火いと—なりや」〈大鏡伊尹〉

まう・き モウ:【参来】『カ変』「まゐき」の転。「駅馬(はいま)に乗りて—・きて」〈紀皇極一年〉。「参来、マウコ」〈名義抄〉

まうきのふぼく モウ:【盲亀の浮木】《大海中に住み、百年に一度水面に浮かび出る盲目の亀が、漂い流れている浮木の、唯一つの穴に入ろうとするが、どうしても入れないという、阿含(あごん)経の寓話にもとづく》出会うことが容易でないたとえ。めったに会えない幸運に出会った時にいう語。「この称名の時節にあふ事、—、優曇華の花待ちえたる心地して」〈謡・実盛〉

まうけ【真受け・実受け】人の言うことをすっかり信用すること。すべて本当だと信じること。まにうけること。「—に答へんと思ひたれば、さればこそ恁麼(いんも)にし去ると—に答へたはと也」〈碧岩抄六〉

まう・け モウ:ケ【設け】㊀『下二』《将来の事態を見込んでそれに応じた用意をする意》①見込んだ事態に備える。用意する。「渡守(わたりもり)船も—・けず、橋だにも渡してあらば、その上(へ)ゆもい行き渡らし」〈万四一二五〉。「かやうの方違(かたがた)へ所と思ひて、小さき家—・けたりけり」〈源氏東屋〉。「この女いとわろくなりにければ、思ひ煩ひて、限りなく思ひながら〔他ニ〕妻(め)を—・けてけり」〈大和一四九〉②(食事・饗宴などの)支度をする。「御車のうちに酒饌を—・けられて」〈著聞六二三〉③前もって覚悟する。「今更驚かせ給ふべからず。日頃より—・けたる御事なり」〈平家一〇・三日平氏〉④子供などをさずかる。受ける。「神仏に祈りて、今の御腹にぞ男君一人—・け給へる」〈源氏紅梅〉。「似げなき親をも—・けたりけるかな」〈源氏帚木〉⑤思わぬ病気などにかかる。「この世にはあやまち多く、財(たから)を失ひ、病を—・くる」〈徒然一七五〉⑥(思わぬ利益を)手に入れる。拾い物をする。「衣の要ありければ〔盗ンデ〕衣少し—・けむと思ひて」〈今昔二五ノ七〉。「耳鼻欠けうげながら抜けにけり。からき命—・けて久しく病みゐたりけり」〈徒然五三〉㊁『名』①準備。用意。「かぐや姫を必ずあはん—して、ひとり明かし暮し給ふ」〈竹取〉②饗宴などの支度。「夜の御座(おまし)の—せさせ給ふ」〈伊勢七八〉。「賭弓(のりゆみ)の返りあるじの—」〈源氏匂宮〉③予行。練習。「あまたの舞の—をせさせ給ふ」〈源氏若菜下〉④食物。「一鉢の—」〈徒然五八〉⑤予備。「汀(みぎは)には—船いくらもありけれども」〈平家九・坂落〉⑥誕生。「彦兵衛〔ガ〕小法師—とて、太刀・金百疋遣はさるる也」〈山科家礼記文明三・五・二三〉⑦儲け。収益。得。〈日葡〉 †maukë　**—のきみ**【儲けの君】《「儲君」の訓読語》皇太子。「—と天の下の頼み所に仰ぎ聞えさするを」〈源氏若菜上〉

まうご モウ:【妄語】〔仏〕五悪・十悪の一。うそを言うこと。「—の咎逃れがたく、綺語の過何ぞ避けん」〈本朝文粋一三〉。「十戒のなかに、—をば保ちてはべる身なればこそ、かく命をば保たれて候へ」〈大鏡昔物語〉

まう・し モウ:シ【申し】㊀『四段』《マヲシの転。奈良時代末期から用いられた》①実情を神仏に言上して願う。「『このぬさの散るかたに、み舟すみやかに漕がしめ給へ』と—・して奉る」〈土佐一月二十六日〉。「世をそむき給ふよし仏に—・させ給ふに」〈源氏賢木〉②お上(かみ)に対し述べて請う。申請する。「その魚を射殺したらむ人には、—・さむ所の賞を給はるべし」〈今昔一〇ノ一〉③(詫び・断り・訴え・尋ねなどに関して)丁寧にものを言う。「御送りに仕うまつらぬこと、など—・して」〈源氏明石〉④「言ひ」「告げ」の謙譲語。

「二条の后の、春宮(とうぐう)の御息所(みやすどころ)と―・しける時に」〈古今二九三詞書〉⑤「し」「行なひ」の謙譲語。「堀江より水脈(みを)引きしつつみ船さす賤男(しづを)の徒(とも)は川の瀬―・せ(御案内申シアゲヨ)」〈万四〇六一〉。「もてなしも―・さいで帰し奉る」〈四河入海五ノ一〉 ㈡《助動》《動詞の連用形について》…申し上げる。「すげなうもてなし―・したり」〈平家七・清水冠者〉→基本助動詞解説。㈢《名》①申すこと。報告。挨拶。「まかり―」「まへ―(取次)」など複合語に使われる。「観音の御しるし嬉しとて、かへり―(礼参リ)だちて詣で給ふ」〈源氏手習〉。「宿直―候ふ」〈源氏賢木〉②申し請うこと。願。請。「若宮別当の―により、四人七人の免状なり」〈謡・春栄〉㈣《感》敬意をこめて人に呼びかける語。もし。「―、こなたへ申したい事がござる」〈虎明本狂言・釣針〉。「―、―、まづ小袖を取らせられい」〈虎明本狂言・眉目よし〉　**申さんや** 今さら言うにも及ぼうか。いわんや。「―今の所望無下にたやすき事にあらずや」〈保元上・新院為義を召さる〉　**―あは・せ**(アワセ)【申し合はせ】《下二》①相談する。「御辺(ごへん)は信頼と大小事―・せ給ふなり」〈平治上・光頼卿〉②口約束する。とりきめる。「去方に―・せて遣はし侍る」〈西鶴・一代男一〉　**―い・れ**【申し入れ】《下二》①案内・用件などを言い入れる。「まづ京上(きやうじやう)して、いくたびも事の心を―・れて」〈発心集一〉②御馳走などに招待する。「それがしも五三日の内に各各を―・れうと存ずる」〈虎明本狂言・張蛸〉　**―う・け**【申し受け】《下二》①受けたいと願う。「―・くるところの詮は、ただ重盛が頸をめされ候へ」〈平家二・烽火〉②教えを請う。「〔儀式ノ〕次第を―・けられければ」〈徒然一〇二〉③頂戴する。拝借する。「大臣の大饗は、さるべき所を―・けて行なふ、常の事なり」〈徒然一五六〉④招待する。「人より先に万の事好む。大坂屋のあけ日すぐに、揚屋にて―・くる」〈西鶴・諸艶大鑑六〉　**―かは・し**(カワシ)【申し交し】《四段》①約束する。「太郎冠者とは日頃―・いた事もござるに依て」〈虎寛本狂言・武悪〉。〈日葡〉②婚約する。「申し結び」とも。「母屋(おもや)の内さばく人と―・して」〈西鶴・一代男三〉　**―くだ・し**【申し下し】《四段》使または文書で通達する。「平家追討の院宣を―・し」〈近松・本領曾我三〉　**―ご**【申し子】神仏に祈って授かった子。「〔紀〕貫之、観音の―にて観心も深き人なれば」〈古今私秘聞〉　**―ごと**【申し言】①願いごと。「恐れ入りたる―にて候へども、御小袖一つ借し給はれ」〈曾我七〉。「命にかけての―なれば」〈伽・はにふの物語〉②言うことば。言い分。「かたはらいたき―なれども」〈宇治拾遺一〇六〉。「今めかしき―にて候へども七代まではこの一門をばいかでか捨てさせ給ふべき」〈平家三・法印問答〉　**―じゃう**(ジョウ)【申状】上位者への上申状。平安時代以降、解(げ)形式の文書のうち訴えの意味をもったものをいう。訴状・陳状・吹挙状(挙状)など。解文(げもん)。解状。申文(まうしぶみ)。「平太弘貞領所たるの旨、―を捧ぐるの間、糺明の処、相違無し」〈吾妻鏡治承五・四・二〇〉　**―たまは・り**(タマワリ)【申し賜はり】《四段》願い出て頂戴する。「〔播磨守〕近衛の中将を捨てて―・れりける司(つかさ)なれど」〈源氏若紫〉。「少しをば―・りて薬に使ひけるに」〈今昔二四ノ一〇〉　**―つ・ぎ**【申し継ぎ・申し次ぎ】㈠《四段》《「言ひつぎ」の謙譲語》伝え報告する。お取りつぎする。「この御使を西面にてといへば、―・ぎつる人も寄り来て」〈源氏東屋〉。「山里にまかり籠るべきよしの暇(いとま)申しけれども、人も―・がざりけるを」〈今鏡九〉㈡《名》①取り次いでお伝え申し上げること。また、その役。お取りつぎ。「公経の大納言の―は、また相違なかりき」〈愚管抄六〉。「―予なり。御前に伺候す」〈言国卿記文明六・六・二七〉②室町幕府の職名。家臣の拝謁を将軍に取り次ぐ役。「殿上人参られ候ふ時は、―申し入るる段勿論なり」〈長祿二年以来申次記〉。「公方にては―と申し、私にては奏者と申し候」〈宗五大双紙〉　**―ても** 何といっても。結局。「敵を助くる法は無けれど、―女性の事」〈浄・盛久一〉　**―な・し**【申し成し】《四段》①申請して…にする。「内侍のかみにおのれを―・し給へと責め聞ゆれば」〈源氏行幸〉②《ナシは技巧的にいろいろする意》上手に申し上げる。「『外外にてはいと覚束なく侍らむを』とおいらかに―・い給ひて、やがて渡し奉り給ふ」〈源氏真木柱〉。「まゐりて御使の申すよりも今少しあわたたしげに―・せば」〈源氏東屋〉③とりなして言う。言いなす。「神はさやうにもなく候へども、わきから―・して神にふそくをかけ申す事もござ候」〈沢庵法語〉。〈文明本節用集〉　**―ひら・き**【申し開き】《四段》事情・理由をあげて説明申し上げる。釈明・弁解する。「誰の人か愚意の悲嘆を―・かん」〈平家二・腰越〉　**―ぶみ**【申文】任官・叙位などを朝廷に申請する文書。「今にても―を取りつくりて美美しう書き出されよ」〈源氏行幸〉　**―ぶん**【申し分】不満や非難をいうべき点。言い分。申し所。「かう仕り候へば、―になり候はん間、〔垣ヲ〕御取り候へ」〈北野目代日記文祿二・五・二九〉

まう・し【ま憂し】《連語》《推量の助動詞ムのク語法マクにウシ(憂)のついたマクウシの音便形か》…だろうと思うだけでいやになる。思っただけで気が進まない。「数ならぬ身を見―・くおぼし捨てむもことわりなれど」〈源氏葵〉。「かやうのことは…言まぜ―・けれど」〈源氏梅枝〉。「唯人にてはあたらしく、見せ(結婚サセ)―・き御さまを」〈源氏紅梅〉

まうしふ(モウシュウ)【妄執】執着にとらわれた迷いの心。「念仏読経をもするに、由なき事を覚え思はるるを、仏道の大きなる障りの妄念―とは申すなり。安心とも妄想ともこれなり」〈孝養集中〉

まうじゃ(モウ)【亡者】死者。成仏しないで冥途で迷っている者にいう。「わが御為の善知識ともなり、―の御為菩提のたよりともならめ」〈栄花楚王夢〉。「―智光、必ず往生すべかりし人也。はからざるに惑ひに入りにしかば」〈古本説話六〇〉

まうぜい(モウ)【猛勢】①たけだけしく強い軍勢。「これこそ―なるべきが」〈古活字本保元上・新院御所〉②多勢。「かれは―、我らは兄弟ならではなく候程に」〈謡・放下僧〉

まうちきみ【卿・公卿・臣】「まへつきみ」の転。「さるべき―たち奉れ給ふ」〈源氏行幸〉　▽maFetukimi→mawetukimi→mautikimi

まうちきんだち【卿達】「まうちきみたち」の転。「二十人の―」〈宇津保祭使〉。「皇子(みこ)達には殊に女の装束、非参議の四位、―など、ただの殿上人には白き細長〔ヲ賜ウ〕」〈源氏若菜上〉

まう・で(モウデ)【詣で】㈠《下二》《マヰ(参)デ(出)の転。マヰは宮廷や神社など多くの人が参集する尊貴な所へ、その一人として行く意。デは、自分のいる区域から外へ出かける意》①神仏に参詣する。「初瀬に―・づる毎にやどりける人の家に、久しくやどらで」〈古今四二詞書〉②参上する。「時に四はしらの如来は、亦鷲峰に―・でたまひて、釈迦牟尼仏の所に至りたまひて」〈金光明最勝王経平安初期点〉。「監(げ)の命婦のもとに、中務(なかつかさ)の宮おはしまし通ひけるを、『方のふたがれば、今宵はえなむ―・でぬ』と宣へりければ」〈大和八〉㈡《名》神社や寺院に参詣すること。

身を清め、おこもりをして、願をかけたり舞などの奉納をしたりすること。「院の御物―にて出で立ち給ふ」〈源氏若菜下〉▽mawide→maude　**―・き**【詣で来】『カ変』《マヰデキの転。参上して来る意。動作の主が相手に対して謙譲の気持をこめて使い、また貴人が貴人のもとに来る下位のものの動作にいう。会話文に例が多い》やって来る。「月面白しとて凡河内みつねが―・きたりけるによめる」〈古今八八〇詞書〉。「昔の契りありけるによりてなん、この世界には〔私ハ〕―・きたりける」〈竹取〉。「御気色見て―・来(こ)と仰せられつれば」〈源氏東屋〉

まうと【真人】『代』《二人称。マヒトの音便形》①目上の者から目下の人を呼ぶ語。お前。「この姉君や、―の後の親」〈源氏帚木〉。「ものよかりける(幸セナ)―かな。いみじく多く物を賜りたる」〈栄花初花〉②《一般に》あなた。「―は、いかで情なく幼き者をかくはするぞ」〈宇治拾遺二ノ四〉

まうのぼ・りモウ【参上り】『四段』《マヰノボリの音便形》①役目や用事を果すために、上京する。「小野房守まうで来て、―・るといふ事を聞きて」〈竹取〉②命令や案内をうけ、また、用事を果しに、式場とか主人の許などにうかがう。参上する。「堂飾り果てて講師―・り、行香の人人まゐりつどひ給へば」〈源氏鈴虫〉。「召しなき時も、聞ゆべきことある折は―・りけり」〈源氏末摘花〉

まうらがな・し【まうら悲し】『形シク』《マは接頭語。ウラは心の意》心悲しい。うらがなしい。「人音もせねば―・しも」〈万一八〇九〉

まうりやうモウリヨウ【魍魎】山水木石などに宿るとされた精霊。人に害をなすとして恐れられた。「―鬼神妨げをなし、非業の命をとらん」〈謡・鉄輪〉

まえん【魔縁】人の心を惑わし、仏道をさまたげる悪魔。天狗などをいう。「はからざるほかに、我―に取り籠められたり」〈今昔二〇ノ六〉

まか【摩訶】〔仏〕《梵語の音訳。大・多・勝の意》大きなこと。すぐれていること。「仏説の中の―の般若の心経なりけり」〈栄花月宴〉

まが【禍】《マガリ(曲)と同根。真直ぐな、正しいものに対して、不正・害悪の意》わざわい。「禍を訓(よ)みて―といふ」〈記神代〉

まかい【真櫂】《マは接頭語》両舷にそろった櫂。「玉まきの―もがも(ガホシイ)」〈万一五二〇〉

まかい【魔界】悪魔の住む世界。「仏道を捨てて―に趣かむ事」〈今昔二〇ノ一〇〉

まかうウ:コ【帞額・末額・冒額】鉢巻。「唐人の姿の如くなる者の、極めて恐ろしげなる、額に―をしたる、四五十人ばかり」〈今昔一九ノ一九〉。〈色葉字類抄〉

まがき【籬】①柴・竹などで間を広くあけて作った垣。「吾妹子が屋戸の―を見に行かばけだし門より返しなむかも」〈万七七七〉②《「柵」とも書く》近世、女郎屋の入口の土間と張見世の間を仕切る格子。また、その張見世。「此の恨み―に寄りて何時までも」〈俳・大矢数二〉　†magaki

―ぶし【籬節】近世前期に大阪新町の廓で流行した小歌。新町の名物といわれた。「―を歌ひながら、あそこここをさまよひしに」〈浮・元禄大平記三〉

まかげ【目陰】①はっきり見えないものや遠くを見る時、目の上に手をかざして光をさえぎること。「気色ばみたる御―こそわづらはしけれ」〈源氏東屋〉②《「間陰」とも》人の注意が届かない時、または所。すき。「傍輩・親・兄弟の―によりて(ツケコンデ)口吸ひ抱きつき」〈浮・好色訓蒙図彙中〉　**―をさ・す**　遠方を見る時、光をさえぎるために、手のひらを目の上にかざす。「高き峰に上り、―・して見渡せば」〈盛衰記三〉。「恋しう思うて、―・いて望むぞ」〈山谷詩抄四〉

まがこと【禍言・禍事】《「よごと(善言・善事)」の対》凶事。凶言。「天の麻我都比(まがつひ)といふ神の言はむ悪事、古語に麻賀許登(まがこと)と言ふ」〈祝詞御門祭〉▽古代社会では、凶言はすなわち凶事であった。†magaköto

まかどや【真鹿児矢】《マは接頭語》鹿などを射るにつかう矢。「―を手挾(たばさ)み添へて」〈万四四六五〉　†makagoya

まかどゆみ【真鹿児弓】《マは接頭語》鹿などを射るにつかう弓。「天の―・天の羽羽矢を…賜ひて」〈記神代〉　†makagoyumi

まかしくゎん【摩訶止観】天台宗における三大典籍の一。隋の智者大師の講述を、弟子の章安が筆録したもの。略して「止観」とも。全二十巻。「されば、智者大師の―を説きて」〈沙石集一ノ三〉

まがしら【目頭】目の鼻に近いほうの部分。めがしら。「〔目薬ヲ〕―に差し候か、また、目尻(まじり)に差し候か」〈咄・昨日は今日上〉。〈日葡〉

まか・せ【任せ】『下二』《マケ(任)と同根。物事の進行を、他の自由な意志・力のままにさせる意》①相手の思うがままにさせる。「餓ゑたる虎の前に、身を委(まか)せて臥しぬ」〈金光明最勝王経平安初期点〉②自然のなりゆきのままにする。「舟のゆくに―・せて海にただよひて」〈竹取〉。「限りある命をば果報に―・せ、我とゆめゆめ惜しむ事なかれ」〈孝養集下〉③下襲(したがさね)の裾(きよ)などを流れ引くままにする。「〔裾ノ〕うしろを―・せて御前(おまへ)のかたに向ひて立てるを」〈枕二〉④従う。「はばかる所なく、例あらむに―・せて、なだむる事なくきびしう行なへ」〈源氏少女〉。「娑婆世界の罪人を…罪の軽重に―・せつつ、阿防羅刹(あはうらせつ)が呵嘖(かしやく)すらんも」〈平家二・小教訓〉⑤水を引く。「田水を漑灌(まか)せ」〈蘇悉地羯羅経寛平点〉。「〔清盛ハ〕後には板に水を―・せて、伏しまろびて冷やし給へども」〈盛衰記二六〉。「水深く―・する小田をかきこめて」〈熊野千句〉

まかだち【侍女】《言いつけによって罷(まか)り立つものの意》身分の高い人に付き添う女。こしもと。「豊玉姫の―、玉の瓶(つるべ)を以ちて水を汲む」〈紀神代下〉。「嫔、マカタチ」〈名義抄〉▽醍醐寺本遊仙窟の「婢」の傍訓にマカダチと濁点がある。

まがたま【曲玉】曲った玉。装身具用に、翡翠(ひすい)、獣の骨・牙などで作る。霊力を持つ宝物と考えられていた。「八尺(やさか)の勾璁(まがたま)の五百(いほ)つ美須麻流(みすまる)の珠を纏き持ちて」〈記神代〉

まか・ち【目勝ち】『四段』《マはメの古形》強く見据える。目の力で人を圧倒する。「皆―・ちて相問ふことを得ず」〈紀神代下〉

まかぢ【真梶】《マは接頭語》左右そろった櫓(ろ)。「海人船(あまぶね)に、―櫂(かい)貫(ぬ)き」〈万三九九三〉

まがつひ【禍つひ】《ツは連体助詞。ヒは神霊の意》人間に不幸・災難をおこす霊力。「八十(やそ)―の神、次に大―の神」〈記神代〉　†magatuFi

まか・で【罷出】『下二』《マカリイデの転。相手の許可・命令のもとに、往き来をする意》①願い出て退出する。暇をもらって去る。「一条の君といひて、京極の御息所(みやすんどころ)の御もとにさぶらひ給ひけり。よくもあらぬことありて、―・でなむとし給ふを、いとまさらに許させ給はず」〈大和三八〉。「御息所はかなき心地にわづらひて―・給ひて」〈源氏桐壺〉②出かける、外へ出る意の謙譲的な表現。「このころ煩ふ事侍るにより、かく京にも―・でねば」〈源氏若紫〉。「さらば今日こそは限りなめれと、この指をかがめて〔女ノ家ヲ〕—・でぬ」〈源氏帚木〉③許可を得て、ものを取りさげる。さげる。「人はえ知らぬに、つとめて(翌朝)この〔香ノ〕匣(こは)を—・でさせ給へるにぞ、親しき限りの人人、思ひ合はすることどもありける」〈源氏葵〉 ▽makariide→makarde→makande→makade —おんじゃう【罷出音声】《「参り音声」の対》 節会のとき、楽人が舞を終って退出する時に奏する音楽。「万歳楽、大平楽、賀殿などいふ舞ども、長慶子(ちゃうげいし)を—にあそびて」〈紫式部日記〉

まがな・し【真愛し・真悲し】『形シク』《マは接頭語》 切ないほどにかわいい。切ないほどにかなしい。「置きて行かば妹(いも)は—・し」〈万三五六七東歌〉

まかな・ひ【賄ひ】㊀『四段』《マカはマカセ(任)のマカに同じ。ナヒはオコナヒ(行)・ツミナヒ(罪)のナヒに同じ。事を相手の性質や意向に合わせて差配し用意する意》 ①万端用意を整える。「天の香具山の真男鹿(さをしか)の肩を内抜きに抜きて、天の香具山の天の波波迦(かはは)を取りて、占合(うらへ)—・はしめて」〈記神代〉 ②用意を整えて狙いを定める。「進みて弓を彎(ひ)き、占(さ)擬(まかな)ひて新羅の騎卒の最も勇み壮(こは)れる者を射落す」〈紀欽明十五年〉 ③用意を整える。(食事など)すっかり用意して差し出す。「御硯(すずり)など—・ひて責め聞ゆれば、しぶしぶに書い給ふ」〈源氏柏木〉。「御加持果ててまかでぬる人、御菓物(くだもの)など近く—・ひなし、こればかりをだに〔召せ〕と、いと心苦しげにおもひて」〈源氏若菜上〉 ④所帯の切り盛りをする。「〔二人ノ家ノ子ハ〕その家を久しく—・ひて、私の財宝なども出で来けり」〈仮・小盃三〉。「宰、マカナウ、所帯宰也」〈文明本節用集〉 ⑤衣食その他生活費を供給する。生活の面倒を見る。「諸事を内より—・ふ事」〈西鶴・諸艶大鑑四〉 ⑥間に合わせる。「梅干は、在陣中一つで—・へども、小椒粒は在陣中日数ほどは入(い)るべいぞ」〈雑兵物語上〉 ⑦取り繕う。「—・ひにけり—・ひにけり/別れ路の目に蚊が入りて出る涙」〈雑俳・たみの笠〉 ㊁『名』①宴会などの準備役。取りしきり役。「〔相撲ノ節会ノ日〕あしたの御—に仁寿殿の女御、昼の御—には承香殿の女御、よさりの御—には式部卿の女御、更衣十人、色許され給へるかぎり、色をつくして奉れり」〈宇津保内侍のかみ〉 ②食事や洗面など、世帯の世話。給仕。「御手水(てうづ)など参りたるさまは例のやうなれど〔女君自ラノ〕—めざましく思されて」〈源氏浮舟〉 †makanaFi

まかなもち【真鉇もち】〔枕詞〕《マは接頭語》 かんなで弓をけずる意から、地名「弓削(ゆげ)」にかかる。「—弓削の川原の」〈万一三八五〉 †makanamöti

まかね【真金】《マは接頭語》 鉄。「鉏、マカネ」〈名義抄〉

—ふく【真金吹く】〔枕詞〕 鉄を精錬する意から、鉄の精錬の行なわれた地名「丹生(にふ)」「吉備(きび)」にかかる。「—丹生の真朱(まそほ)の色に出て」〈万三五六〇〉。「—吉備の中山」〈古今一〇八二〉。「—とは、くろがねを吹くをいふ」〈能因歌枕〉

まかは【目皮】 まぶた。「—いたく黒みおち入りて」〈源氏紅葉賀〉

まがは・し【紛はし】『形シク』 まぎらわしい。「—・しや花吸ふ蜂の往き還り」〈俳・猿蓑下〉

まが・ひ【紛ひ】㊀『四段』《マ(眼)カヒ(交)の意か》 ①目がちらちらするほどに散り乱れる。入り乱れる。「乎布(をふ)の崎花散り—・ひ」〈万三九九三〉。「麟の脯(ほし)豹の胎(こはら)玉畳に紛綸(まがへり)」〈遊仙窟(醍醐寺本)鎌倉期点〉 ②まじりあって見分けがつかなくなる。「菅原や伏見のくれに見渡せば霞に—・ふをはつせの山」〈後撰一二四三〉 ③見分けがつかないほどよく似ている。「波とのみ一つに聞けど色見れば雪と花とに—・ひけるかな」〈土佐一月二十二日〉 ㊁『名』①入り乱れること。「黄葉(もみちば)の散りの—は」〈万三七〇〇〉 ②足を踏みそこなうこと。「蹎、古語に麻我比(まがひ)と云ふ」〈祝詞大殿祭〉 ③事情がこみ入って、しかと判断できないこと。あれかこれか、とまどうこと。「さればこそ—もない。あれが取って食うたものぢゃ」〈天草本伊曾保〉 †magaFi

—おり【紛ひ織】 近世前期、京都西陣で唐織に似せて織り出した緋紗綾・龍紋等の帯地。「帯は薄鼠の—」〈西鶴・一代男七〉

まかびるさな【摩訶毘盧遮那】《梵語の音訳。大日・遍一切処の意》 大日如来の称。「かのおはします御寺にも—の」〈源氏若菜下〉

まかぶら【眶】 目の周囲。まぶち。「—くぼく、鼻のあざやかに高く赤し」〈宇治拾遺三四〉。「—高く、頰骨あれたるが」〈伽・弁慶物語〉

まが・へ【紛へ】『下二』《マガヒ(紛)の他動詞形》 ①入り乱れさす。「天は名華及妙香末を雨(ふ)りて、繽紛(まがへ)乱(まがへ)へ墜して遍く林中に満たしむ」〈金光明最勝王経平安初期点〉 ②あるものを他のものと見分けがつかないようにしてしまう。見失う。「世に知らぬ心地こそすれ有明の月の行方を空に—・へて」〈源氏花宴〉 ③あるものを他のものと見まちがえる。混淆する。錯覚する。「わが岡に盛りに咲ける梅の花残れる雪を—・へつるかも」〈万一六四〇〉 †magaFë

まがまが・し【曲曲し・凶凶し】『形シク』 ①いかにも災いをよびそうである。いまわしい。不吉な感じである。「いよいよ腹立ちて、—・しき事などを言ひつづけ泣きたる声、いとゆゆしう—・しけれど」〈栄花玉飾〉。「御年(享年)まで言ひ散らし給ふ」〈源氏真木柱〉。「世の常に、人の忌まふ事を—・しなどいふ、これ也」〈仙覚抄三〉 ②いまいましい。とんでもない。けしからぬ。「〔失敗ニ対シテ〕おのれは—・しかりける心持ちたる者かな。心なしのかたゐとは、おのれがやうなる者をいふぞかし」〈宇治拾遺二五〉 ③まことらしい。きまじめらしい様子だ。「まざまざし」とも。「—・しく名残惜しめば」〈浮・好色万金丹三〉。「まがまがしき。実(まこと)がましきといふ心なり」〈和漢新撰下学集〉

まかまんじゅしゃけ【摩訶曼殊沙華】〔仏〕《梵語の音訳。「摩訶」は大の意》 四華(けし)の一。大きな赤い花。「かの塔の下には、摩訶曼陀羅華、—、四種等の天花開けたり」〈平治上・唐僧来朝〉

まかまんだらけ【摩訶曼陀羅華】〔仏〕《梵語の音訳。「摩訶」は大の意》 四華(けし)の一。大きな白蓮華。「かの塔の下には、—、摩訶曼殊沙華、四種等の天花開けたり」〈平治上・唐僧来朝〉

まかみ【真神】《マは接頭語》 狼の異称。「大口の—の原に」〈万一六三六〉 †makami

まがよ・ひ【紛ひ】『四段』 物に紛れた状態で存在している。「籬(ませ)なくは何をしるしに思はまし月に—・ふ白菊の花」〈山家集上〉。「その一門亡びにしかば、この頃はわづかにあるかなきかにぞ—・ふめる」〈増鏡三〉。「いとど物すさまじき心地しながら—・ひゐたり。御夜がれといふべきにしあらねど、つもる日数もすさまじく」〈問はず語り一〉

まか・り【罷り】㊀『四段』《マカセ(任)・マケ(任)と同根。天皇・主人など、自分を支配する者の命ずるままに、行ったり来たりする意。自分の意志によらず相手の意に従って動くので、相手に敬意を表わすことになり、後には謙譲表現になった》 ❶支配者の意向を受けて、出入りする。①

命令を受けて、地方へ、あるいは他の所へ行く。また、もどる。「勅旨(おほみこと)戴き持ちて、唐(もろこし)の遠き境に、遣(つか)はされ―・り坐(まい)せ」〈万八九四〉。「嘆きつつ吾(あ)が待つ君が、事終り帰り―・りて」〈万四一一六〉。「かぐや姫の家には、玉の枝取りになん―・ると言はせてくだり給ふ」〈竹取〉②貴人・客人・目上の人などの前から、許可を得て退出する。お暇する。「憶良らは今は―・らむ」〈万三三七〉。「法華会に五千の輩(ともがら)の法の坐を―・りし時には、仏とどめ給はず」〈東大寺諷誦文稿〉❷謙譲的表現、あるいは改まった荘重な表現。①「行き」「来(き)」のような移動を表わす動詞の謙譲語。「久しく〔自分ガ女ノ所ヘ〕―・らざりし頃」〈源氏帚木〉②「行き」「来(き)」の改まった言い方。「雁の声を聞きて、越(こし)に―・りける人を思ひてよめる」〈古今三〇詞書〉。「彌生(やよひ)ばかりの花の盛りに道―・りけるに」〈後撰一三三詞書〉③《「身―・り」の形で、人の死の改まった表現》亡くなる。逝去する。「桜を植ゑてありけるに、やうやく花咲きぬべき時に、かの植ゑける人身―・りにければ」〈古今八五〇詞書〉❸他の動詞の上について、謙譲の意を添える。「かへりては罪にもや―・り当らむと思ひ給へ憚るかた多かれど」〈源氏薄雲〉。「年―・り老いぬ。身の不幸年を追ひて増さる」〈宇治拾遺一四八〉 ⊟『名』お供物を片づけること。また、そのおさがり。「講はてて…『…御―に候ふ人は、御―たべ(頂キ)候ひなん』とて、箸をだに立てさせずして」〈宇治拾遺一〇九〉 **―い・で**【罷り出で】『下二』①退出する。「夜に入りて、楽人ども―・づ」〈源氏若菜上〉。「布衣(ほうい)の者の候ふは何者ぞ。狼藉なり。―・でよ」〈平家一・殿上闇討〉②参上する。進み出る。「仏を紛れなく念じ勤め侍らむとて、深くこもり侍るを、かかる仰言にて―・で侍りにし」〈源氏手習〉。「―・でたる者は、此のあたりに隠れもない大果報の者で御座る」〈虎明本狂言・末広がり〉 **―こ・し**【罷り越し】『四段』参上する。参る。「ワザトオンレイニマカリコイテマウシイレウズ」〈日葡〉。「罷越、マカリコス」〈文明本節用集〉 **―ぢ**【罷道】死んだ人の通ってゆく道。葬送の道。「楽浪(ささなみ)の志賀津の子らが―の川瀬の道を見ればさぶしも」〈万二一八〉 **―・で**【罷り出】『下二』退出する。「百磯城(ももしき)の大宮人(おほみやひと)の―・でて、遊ぶ船には」〈万二五七〉 **―まう・し**【罷り申し】⊟『四段』暇乞いをする。「御社の方拝み給ひ神に―・し給ふ」〈源氏須磨〉。「―・し給ふさま…女君ただならず見奉り送り給ふ」〈源氏薄雲〉 ⊟『名』暇乞い。辞去・赴任の挨拶。「宮出で給はむとて御―に渡り給へり」〈源氏早蕨〉

まがり【鋺】水などを入れる椀。「久我相国は、殿上にて水を召しけるに、主殿司、土器(かはらけ)を奉りければ、『―を参らせよ』とて、―してぞ召しける」〈徒然一〇〇〉

まがり【糫】「まがりもちひ」の略。「糫餅、形如二藤葛一者也、万加利(まがり)」〈和名抄〉 **―もちひ**【糫餅】米や麦などの粉をこねて飴をまぜ、輪の形にねじまげたものという。「勾餅(まがりもちひ)の筥五合」〈延喜式践祚大嘗祭〉。「餌、万加利(まがり)餅」〈新撰字鏡〉

まが・り【曲がり】⊟『四段』《マガ(禍)と同根。湾曲・屈曲する意。真直ぐのものが好まれ、正しいものとされたので、マガリは悪く、ねじける意。類義語ユガミは、均整を失って左右どちらかに寄り、傾く意》①湾曲する。ねじれる。「青柳の細き眉根(まよね)を咲(ゑ)み―・り朝影見つつ」〈万四一九二〉。「脚の跛(まが)れるをも、躄と名づく」〈法華経玄賛平安初期点〉。「直き木に―・れる枝もあるものを」〈後撰一二五六詞書〉②(性質・心などが)ねじける。「『貴所の心の―・ったることを少しお直しあれかし』と折折異見を加ゆれども、蛇情強(じやうごは)にして」〈天草本伊曾保〉 ⊟『名』《屈曲していることの意から》手綱などの中ほどの部分。「手綱の―をづんと切られて、弓手(ゆんで)の片手綱土にさがり」〈太平記三一・鎌倉合戦〉 **―かね**【曲金】金属製の直角に折れ曲がったものさし。かね尺。「曲尺、マガリカネ」〈名義抄〉

まが・り【禍有り】『ラ変』《マガ(禍)アリ(有)の約》凶事がある。「邪き心有らば、天若日子此の矢に―・れ」〈記神代〉

まかん・で【罷ん出】『下二』《マカリイデの転》命令をうけて出かける。「急なることに―・でたれば、こよひかの宮にまゐるべく侍り」〈源氏手習〉

まき【牧】《ウマキのウの脱落した形。馬城の意》牛馬を飼養放牧する場所。官牧・私牧があるが、官牧は延喜式に、御牧(勅旨牧)・諸国牧を区別し、御牧は宮廷用として左右馬寮が直轄。馬牧(うまき)の馬は軍役・運輸に用いた。「太政官符す武蔵国司、まさに朱雀院の秩父の―を以て勅旨牧と為し、八月十三日を以て入京の期と定むべきの事」〈政事要略二三〉。「牧、マキ、或云二馬城(まき)一」〈文明本節用集〉

まき【薪】たきぎ。割木。「江戸また大坂には、一切の薪を―と言へり」〈不断重宝記〉

まき【真木・柀・槇】《マは接頭語》檜・杉・松・槇など、堅いので建築に適する材をいう。「―立つ荒山道を石が根禁樹(さへき)おしなべ」〈万四五〉。「槇、万木(まき)」〈新撰字鏡〉。「柀、末木(まき)…又杉一名也」〈和名抄〉 †maki

ま・き【任き】⊟『四段』《下二段活用のマケ(任)の万葉仮名「麻気」を、平安時代に誤読してできた語》任命する。「大君の遠(とほ)のみかどと―・き給ふ官(つかさ)のまにま」〈万四一一三〉 ⊟『名』任命。「大君の―のまにまに」〈万四一一六〉

ま・き【巻き】⊟『四段』《一点、または一つの軸を中心にして、その周囲に渦状の現象や状態が生ずる意》❶①《自動詞》一点を中心に渦状になる。「〔毛ハ〕紺青柔耎(にうぜん)にして、右に旋(ま)ける文(あや)ありて、微妙に光り」〈金光明最勝王経平安初期点〉②《他動詞》(イ)長さのあるものを、端から丸める。「わが袖に霰(あられ)たばしる―・き隠し消たずてあらむ妹が見むため」〈万二三一二〉。「〔手紙ヲ〕今まで―・きて文箱(ふばこ)に入れてありとなんいふなる」〈伊勢一〇七〉。「上宰も恐れて舌を―・き」〈平家四・南都牒状〉(ロ)軸にからみつける。「玉ならば手にも―・かむを」〈万七二九〉(ハ)(城などの囲りを)取りかこむ。包囲する。「つひに―・きたる城を―・きほぐし」〈甲陽軍鑑六〉❷【纏き・婚き】①相手に腕をかけて、かき抱く。抱きしめる。「妹が手を我に―・かしめ、我が手をば妹に―・かしめ」〈紀歌謡九六〉②女性と共寝をする。娶(とめ)る。「七(なな)ゆく嬢子(をとめ)ども、誰をし―・かむ」〈記歌謡一五〉。「我等寧ろ之を妻(ま)き拼(もてあそ)ぶべし」〈願経四分律平安初期点〉。「婚、トツク・ツルブ・メマク・マク」〈名義抄〉 ⊟『名』①書画の巻物。「我御代の事も書かせ給へる―に」〈源氏絵合〉②巻物の書物の一本。「史記文帝の―」〈紫式部日記〉③その上で布を巻いたりひろげたりする板。巻板。「擣物(うちもの)の所。…―前毎に置きて」〈宇津保吹上上〉④巻いたものを数える語。「紙一―」〈源氏野分〉。「すべて千歌(たう)二十(はた)―名づけて古今和歌集といふ」〈古今序〉 †maki

ま・き【蒔き・撒き】『四段』《投げて、一様に散らばらせる意》①種を畑などに散らす。「植ゑし田も、―・きし畑も、朝ごとに凋(しぼ)み枯れゆく」〈万四一二二〉②ふりまく。「玉梓(たまづさ)の妹は珠かもあしひきの清き山辺に―・けば散りぬる」〈万一四一五〉。「坌塵の穢(きたな)きものを散(ま)き」〈地蔵十輪経二・

元慶点〉 ③《比喩的に》 ものごとが生ずる原因を作る。「数ならぬ身に、物思ひの種をやいとど—・かせて見侍らむ」〈源氏 東屋〉 ④蒔絵(まきゑ)をする。「海賦に、蓬莱山・手長・足長、金して—・かせ給へりし」〈大鏡伊尹〉 ⑤おろそかにする。また、嫌う者を巧みな口実で遠ざける。「—・くとは、おろそかにする事を云ふ」〈評判・吉原失墜〉。「—・く。嫌なる者をそれと言はずに其の座を立たせ、又、来たるべき者を来ぬやうに仕掛けたる貌(かたち)を言ふ」〈色道大鏡一〉 †maki

まぎ【間木】 上長押(うはなげし)の上などに設けた棚。「〔鶏ガ〕廊の—に逃げ入りて」〈枕三一三〉。「数珠(ず)も、—にうちあげ」〈かげろふ中〉

ま・ぎ【覓ぎ】 ㊀『四段』 追い求める。さがし求める。「此地(ここ)は韓国に向ひ、笠沙の御前(みさき)を真来(まき)通りて」〈記神代〉 ㊁『名』 求めること。「山川を岩根さくみて踏みとほり国—しつつ」〈万四四六五〉 †magi

まきあげのふで【巻上げの筆】 軸を糸で美しく巻いた筆。「こぜむじ(濃染紙カ)の紙、—、鞆絵かいたる筆の軸」〈平家一・殿上闇討〉

まきがり【巻狩】 山野で四方を取り巻き、獣を中に囲んで捕えること。「明日より七ヶ日—あるべし云云」〈吾妻鏡建久四・五・二七〉

まきぎぬ【巻絹】 軸に巻いた絹布。高級品とされた。「羽・金(こがね)・染物・—風情(ふぜい)の物を入れて奉り給ふ」〈平家一〇・三日平氏〉

まきごころ【撒心】 今まで親しく近づけていた者を見捨て、遠ざけようとする気持。「—とは何としたることなるや」〈評判・濡仏中〉

まきさく【真木割く】〔枕詞〕 割れ目を意味する「ひ」から、同音の「檜(ひ)」「日(ひ)」にかかる。「—檜の板戸を」〈紀歌謡九六〉。「—日の御門(みかど)、新嘗屋(にひなへや)に生ひ立てる百足る槻が枝は」〈記歌謡一〇〇〉 →ひま(隙) †makisaku

まきじた【巻下】 刀の鞘などに鮫皮を下地として巻いたもの。「—に色を見せたる露の玉(鮫皮ノ粒ノタトエ)」〈俳・桜千句〉

まきじた【巻舌】 ①舌の先端を巻くようにして発音すること。また、そのような荒っぽい物言い。「所の風にあひ申す事で御(ご)わりますまいと、覚えず知らず、はや—に言ひちらして」〈浮・新竹斎四〉 ②切り口上。「時時人を〔煙ニマク〕—の口上」〈評判・吉原大豆俵評判〉

まきぜに【蒔銭・散銭】 神仏に参詣した時に喜捨としてまく銭。「まきせん」とも。「諸宗の人は、諸堂・神の前にては、礼拝・—して信仰するに」〈空善記〉

まきぞへ【巻添へ】 ①他人の罪に関係して、ともに罰せられること。また、他人の行為に巻きこまれて迷惑すること。「—や松に秋ある蔦蔓」〈俳・東日記上〉。「—になりて無実〔ノ罪〕に逢へる点者衆、口惜しき時代になれり」〈俳・貞徳永代記三〉 ②質入れの際、必要金額の不足を補うため、質草に添える物。「—がいるならば、わしが繻子の帯もあり」〈近松・反魂香中〉

まきだる【巻樽】 蕨縄(わらびなは)で巻き立てた進物用の酒樽。「まづ若州武田殿より五種の御肴、—一荷」〈室町殿日記三〉

まきばしら【真木柱】 ①檜や杉の立派な柱。宮殿・貴族の邸などに用いる。「績麻(うみを)なお長柄の宮に—太高敷きて」〈万九二八〉。「寄りゐ給ひし—など」〈源氏須磨〉 ②〔枕詞〕「ふと」にかかる。「—太き心はありしかどこのわが心鎮めかねつも」〈万一九〇〉 †makibasira

まきめ【巻目】 紙などを巻きたたんだその折り目。また、紙の巻き終りの端。「いとほそく巻きて結びたる〔手紙ノ〕—はこまごまとくぼみたるに」〈枕二九四〉

まきもの【巻物】 ①紙に文字または絵をかき、軸をつけて巻いたもの。「わざと人のほど、品わかせ給ひつつ、冊子・—皆書かせ奉り給ふ」〈源氏梅枝〉 ②軸に巻いた反物。「板の物・—までも数をつくして引き給ふ」〈伽・花世の姫〉 ③室町時代以降、輸入された唐織の絹布。一疋毎に巻いてあったのでいう。「太刀・—進上也」〈上井覚兼日記天正一三・六・二七〉

まぎら【紛ら】 ごまかすこと。まぎらかすこと。「手代の—を食はず」〈浮・好色染下地一〉

まぎらは・し【紛らはし(マギラワシ)】 ㊀『四段』《まぎれるようにする意》 ①あれこれとりつくろって目立たないようにする。また、そうでないように見せかける。ごまかす。「柱がくれに居隠れて涙を—・し給へるさま」〈源氏須磨〉。「さこそつれなく—・し給へど」〈源氏若菜上〉 ②別の方に注意を向けて、気をそらすようにする。「はかなき事を聞えなぐさめ、泣きみ笑ひみ—・しつる人さへなくて」〈源氏蓬生〉 ㊁『名』 ①とやかくとりつくろって、それとさとられないようにすること。「あやしと思ひよる人もこそと—に、さしいでたる和琴をただ、さながらかきならし給ふ」〈源氏 蜻蛉〉 ②気分を転換させてくれるもの。「つれづれの—にも、世の憂き慰めにも、〔コノ紅梅ヲ〕心とどめて、もてあそび給ひしものを」〈源氏早蕨〉 —どころ【紛らはし所】 気分をまぎらわしてくれる所。気分転換の場所。「かやうのつれづれも—にわたり給ひて、語らひ給ひしさまなどのいみじう恋しければ」〈源氏真木柱〉

まぎらは・し【紛らはし(マギラワシ)】『形シク』《上代はマキラハシと清音》 ①まぶしい。まばゆい。「上毛野(かみつけの)真桑島門(まぐはしまど)に朝日さし—・しもなありつつ見れば」〈万三四〇七〉 ②どちらであるか区別がしにくい。「わづらはしう、尋ねむほども—・し」〈源氏花宴〉 ③雑事にとりまぎれている。大事なことがおろそかになる場合などにいう。「〔仏道修行モ〕おのづからうちたゆみ、—・しくてなむ過ぐしけるを」〈源氏橋姫〉 ④目まぐるしく、多忙である。「〔御用ノ〕繁き折は二三日〔続ケテ伺候シ〕—・しき程などは四五日になる時もありき」〈健寿御前日記〉 ⑤気がまぎれる感じである。物思いなどがごまかせるのにいう。「人がらの浅さを、せめて思ひ—・しく、げにやよろしかりけり」〈夜の寝覚一〉 †makiraxasi

まぎ・り【間切り】『四段』 風を斜め前方または横に受けて帆走する。「向ふ風は—・りて出るや月の舟」〈俳・玉海集三〉。〈日葡〉

まぎ・れ【紛れ】 ㊀『下二』 ①他の物に混って見えなくなる。「来し方行く末も知らず、海に—・れんとしき」〈竹取〉 ②他のものにまじって、はっきりそれと見えないような状況に乗ずる。こっそり…する。「家を見せじとにやあらん、とく—・れ行きにけるを」〈かげろふ上〉 ③他の事に気が散って、本来の事がうやむやになる。「まづその事をこそは啓せんと思ひて参りつるに、物語の事に—・れてとて、ありつる事のさま語り聞えさすれば」〈枕八三〉 ④心のしこりや結ぼれた思いを、他のことでつい忘れる。「よろづにおぼゆることいと多かれど、いと物さわがしく、にぎはしきに—・れつつあり」〈かげろふ中〉 ⑤他に差し障りがある。ごたごたする。「舞も見たけれども、けふは—・るる事いできたり」〈平家一・祇王〉 ⑥筋道が分らなくなる。「サンカン(算勘)ガマギレテアハヌ」〈日葡〉 ㊁『名』 ①人目にしかと見定められない所。人目につかない機会。「夕暮の霞の—は、さやかならねど、つくづくと見れば」〈源氏竹河〉。「明け離るるほどの―に御車寄す」〈源氏夕顔〉 ②錯綜した事情による間違い、乱れ。「女方の心ゆるし給はぬ、事の―あるは、世の音聞きもあはつけきことなれば」〈源氏竹河〉 ③気が散ること。「いみじうつとめて、―無く行なひにしみ給ひにたなり」〈源氏若菜下〉 ④あれこれと事が錯綜して物思いなどを忘れること。「昔物語などせさせて聞き給ふに、すこしつれづれの―なり」〈源氏明石〉 ⑤取込み。ごたごた。「御祈りなど今年は―多くて過ぐし給ふ」〈源氏若菜下〉 **―どころ**【紛れ所】 蔭になってよく見えないようなところ。また、それと見定めがたいような部分。「〔御簾ガ引キアゲラレテイテ〕―もなくあらはに見入れらる」〈源氏若菜上〉。「あさましきまで―なき御かほつきを」〈源氏紅葉賀〉

まきゑ【蒔絵】 漆で下絵を描き、それに金銀錫粉・色粉などを蒔きつけて絵を現わしたもの。「やうをかしう、―螺鈿のこまやかなる心ばへまさりて見ゆる物をば」〈源氏東屋〉

まく【幕】《呉音》 布帛を幾幅も縫い合わせて、隔てや装飾に用いるもの。「破子(わりご)などものすとて、―ひきまはして」〈かげろふ中〉。「幕、万玖(まく)」〈和名抄〉

まく 《推量の助動詞ムのク語法》 …しようとすること。…だろうこと。「梅の花散ら―惜しみわが園の竹の林に鶯鳴くも」〈万八二四〉。「見渡せば春日の野辺に立つ霞見―のほしき君が姿か」〈万一九一三〉

まくき・り【幕切り】『四段』 ①芝居で、切幕を明ける。「若女方(わかをんながた)―・って見え初むるより」〈西鶴・男色大鑑六〉 ②物事をはじめる。「―・るとは、口開きすること」〈新撰大阪詞大全〉

まくぐし【幕串】 幕を張るために立てる木、または金属製の細長い棒。「縵幕、同じく―」〈庭訓往来五月九日〉。「―は長八尺、方角一寸ずつの積り、八角にこれを削り」〈武用弁略六〉

まくさ【真草】《マは接頭語》 草。特に、屋根をふくのに用いる草。「―刈る荒野にはあれどもみち葉の過ぎにし君が形見とそ来(こ)し」〈万四七〉

まぐさ【秣】《馬草の意。古くはマクサと清音。室町時代頃からマグサという形が現われた》 馬の飼料。「この岡に草刈る小子(わらは)然な刈りそね在りつつも君が来まさば御―にせむ」〈万三二九一〉。「秣、マクサ」〈名義抄〉。「マグサ」〈日葡〉

まくしだ・し【まくし出し】『四段』 追い出す。追い立てる。

「早早―・しゃ」〈近松・重井筒上〉

まくず【真葛】《マは接頭語》 葛。「―廻(は)ふ小野の浅茅を心ゆも人引かめやもわが無けなくに」〈万二八三五〉 **―はら**【真葛原】 葛の生えている原。「赤駒のい行きはばかる―」〈紀歌謡一二八〉

まくだり【真下り】《強めて、マックダリとも》 ①京都で、御所と反対の南の方向へまっすぐに行くこと。「―に逃げたりけるが」〈保元中・白河殿攻め落す〉 ②高い所からまっすぐに下りて行くこと。「長刀打ち振り、―に喚(をめ)いて懸かる」〈義経記三〉

まくなぎ【蠛】《マは目。クナキは、たたくように触れ合う意。目をちらちらさせるもの、目の前をちらちらと飛ぶものの意。奈良時代にはマグナキ》 ①蚊・ぶよの類。「山に行かむとき に蠛撥(らは)はむ。蠛、此をば摩愚那岐(まぐなき)と云ふ」〈紀允恭二年〉。「蠛、マクナギ」〈名義抄〉 ②まばたき。目くばせ。「かの帥(そち)のむすめの五節…―つくらせてさしおかせけり」〈源氏明石〉 †magunaki

まくのうち【幕の内】 ①幕を張った内部。「―より外を見ず」〈反古裏の書一〉 ②《将軍・大名などへの上覧相撲の際、上位力士は幕の内、下位力士は幕の外に控えていたことから》 近世、大関・関脇・小結・前頭の上位力士の総称。前頭以下の三段目・四段目・五段目・前相撲を総称して幕の外、後に幕下といった。「角力人の貫首たる者を関と称す。…小結…より以下を前頭と云ふ。…この部に列する者を、俗に―と云ふ」〈古今相撲大全下末〉 ③握り飯。「弁当や花見の種を―(蒔クト掛ケル)」〈俳・小町踊一〉 ④近世後期、江戸で芝居見物の昼食用の弁当。握り飯を焼き、蒟蒻(こんにやく)・焼豆腐・玉子焼などを添えたもの。「江戸芳町万久と云ふ店にてこれを製し売る。名付けて―と云ふ」〈守貞漫稿後集一〉

まぐは・し【目細し】『形シク』《マはメ(目)の古形》 見て美しい。「下毛野(しもつけの)美可母(みかも)の山の小楢のす(ノヨウニ)―・し児ろは誰が笥(け)か持たむ」〈万三四二四東歌〉 →くはし

まぐはひ【目合ひ】《マはメ(目)の古形。クハヒは、クヒ(食)アヒ(合)の約》 ①目と目を見合わせて心を通じること。「その女(むすめ)…出で見て、―して、相婚(あ)ひたまひて」〈記神代〉 ②性交。「吾(あれ)、汝(いまし)に―せむと欲(おも)ふはいかに」〈記神代〉 †maguFaFi

まくひ【真杙・真杭】《マは接頭語》 くい。「下つ瀬に―を打ち」〈記歌謡九〇〉 †makuFi

まくほ・し【まく欲し】『連語』《ムのク語法マクに欲シが付いた形》 …したい。…でありたい。「足引きの山に生ひたる菅の根のねもころ見―・しき君かも」〈万五八〇〉。「栲領巾(たくひれ)の懸け―・しき妹が名をこの勢(せ)の山に懸けばいかにあらむ」〈万二八五〉 ▽「まほし」はこの語の転。

まくゆ【幕湯】 温泉で、混浴をさけ一部に幕を張って貸切りで入浴すること。「〔豪華ナ〕葬礼と―をこなす匹夫(貧乏人)ども」〈俳・糊飯篦後集一〉

まくら【枕】 ①寝る時に頭を支える具。木枕・菅枕・薦(こも)枕などがあった。「人言の繁きによりてまを薦の同(おや)じ―は吾は纏かじやも」〈万三四六四〉。「枕、万久良(まくら)」〈和名抄〉 ②《比喩的に》 寝ること。「郭公そのかみ山の旅―ほのかたらひし空ぞ忘れぬ」〈新古今一四八四〉 ③頭の方。「足(あと)取り…―取り」〈紀歌謡九六〉 ④《頭をささえるものの意から》 物事のよりどころとなるもの。「歌―よく案内知り」〈源氏玉鬘〉 ⑤本芸・本題などの前に、したり述べたりすること。前置き。「脇の仕組は本芸の―、序芸を始めんとして」〈浮・男色今鑑三〉 **―が**【枕香】 枕に残る香り。「しみ深く人のとめてし―をこがるる胸に起き明かしつつ」〈草根集八〉 **―がたな**【枕刀】 護身のために、枕辺に置く刀。枕太刀。「尋ぬれど―も涙川(無ミト掛ケル)」〈俳・鷹筑波一〉 **―かは・し**【枕交し】『四段』 男女が手枕をさしかわして共寝する。「つらからば人に語らむ敷妙の―・して一夜ねにきと」〈拾遺一一九〇〉 **―がへし**【枕返し】 ①死者の枕を北向きに変えること。「―なにやと、例のやうなる有様どもにしてければ、〔魂ガ〕え帰り給はずなりにけり」〈大鏡伊尹〉 ②化物の名。「道場の長押に、夜な夜な扇たけ程の小男いかほどもあり。―とて、通夜の人をかくこそは誑(たぶろ)かす化物ありとかや」〈本福寺跡書〉 ③木枕を多く重ねて手の甲に載せ、種種の曲芸をする遊戯。「奇妙の―也」〈隔蓂記慶安一・五・一五〉 **―がみ**【枕上】 寝ている枕のあたり。枕もと。「臥したまへる―のかたに〔見舞客ヲ〕入れ奉りたまふ」〈源氏柏木〉。「夢に―に知らぬ人の立ちて詠みかけける歌」〈金葉六三五詞書〉 **―がみ**【枕神】 夢の中に現われて神託を告げる神。「香衣を着したる老僧化来(けらい)有りて、―に立ち告げ給ふは」〈籠簋抄上〉 **―がや**【枕蚊屋・枕蚊

帳】竹の骨組に麻布を張った、幼児の頭部を覆うだけの小さい蚊帳。「園原(そのはら)や伏せりておへる(生エル・負エル)―」〈俳・毛吹草追加上〉 **―・き**【枕き】〘四段〙《マクラを活用させた語》枕にする。「さ男鹿の入野(いりの)の薄初尾花いつしか妹(いも)が手を―・かむ」〈万二二七七〉 †ma-kuraki **―ごと**【枕言】日常の話の種。朝夕のことぐさ。「ただその筋をぞ、―にせさせ給ふ」〈源氏桐壺〉 **―ことば**【枕詞】①修飾・形容のために或る語の上に添えられる語のうち、形容詞・形容動詞・副詞・接頭語に含まれない語。文字のなかった時代に盛んに使われた修飾の技法で、仮名文字が広まった平安時代以後は、特定の語(例えば、旅・山)に対するもの(草枕・足引きの、など)に限られるようになり、歌の音節数を調えるためなどに使われた。「山といはむために足引といふ、道といはむ料に玉鉾といふ如くなる詞を、―と心得べきなり」〈落書露顕〉 ▽修辞法としては古代から行なわれていたが、これが「枕詞」とよばれたのは、はるか後代のことである。②寝物語。「二つ並べて―ぢゃ」〈俳・大矢数二〉 ③臣下の言葉。「小朝拝。すべらぎは私なしと停めしを―に又ぞしたがふ」〈年中行事歌合〉。「主や誰つかふる道の沓(くつ)の音／―を君や受くらん」〈看聞御記紙背連歌〉。「臣等言、マクラコトバ、臣下之言也」〈易林本節用集〉 ▽古今集仮名序に「それまくらことば春の花にほひすくなくして云云」と難解な表現があり、これが真名序には「臣等詞少春花之艶」とあるので、マクラコトバが臣下の言葉にあたるとするもの。 **―ざうし**(…ゾウ)【枕草子・枕草紙】①座右に置く草子。「―とのみなし給ひて、人に見せ給ふことあるべからず」〈白川千句奥書〉 ②春画の本。「―に心浮かるる」〈俳・犬子集一〉 **―さだ・め**【枕定め】〘下二〙遊里で、相手の遊女を定める。「それに―・めんと言ふを聞きて」〈西鶴・一代男五〉 **―たし**【枕大刀】《タシはタチの上代東国方言》枕もとにおく太刀。「―腰に取り佩(は)き」〈万四四一三防人〉 **―づく**【枕付く】〔枕詞〕枕がついて並んでいる意から、「妻屋(夫婦ノ寝室)」にかかる。「―妻屋の内に」〈万二一〇〉 **―どけい**【枕時計】和時計の一。ぜんまい仕掛の小型で精巧美麗な置時計。部屋の棚や寝室の枕元などに置いて使用した。豪華な物もあって、それを大名時計ともいった。「―遠寺や移す秋の暮」〈俳・東日記上〉 **―ばこ**【枕箱】①底を箱のように造った枕。「法師にならむとて飯室(いひむろ)にまかりて、京の家に―を取りに遣はしたりければ」〈拾遺一三〇九詞書〉 ②香炉を入れる箱。「―一個」〈策彦和尚初渡集下ノ下〉。〈日葡〉 ③箱枕を十個入れてしまっておく箱。枕簞笥(だんす)。「―は十を入る物ぢゃ」〈評判・古銀買上〉 ④金銭・煙草・剃刀(かみそり)等の手廻り品を入れる長方形の小箱。「形見ぞと思ひ掛子(かけご)の―」〈俳・時勢粧五〉 **―びき**【枕引き】箱枕を指でつかんで床の上から離さぬようにしながら引き合う遊戯。「肘を曲げては―する」〈俳・敝帚五〉 **―びゃうぶ**(ビョウ…)【枕屏風】枕もとに立てる小屏風。「歌を書きて御―に押しつけたりける」〈著聞三三三〉 **―べ**【枕辺】枕もと。「―に斎瓮(いはひべ)をすゑ」〈万四三一〇〉 **―めし**【枕飯・枕食】死者の枕頭に供える飯。「まくらいひ」とも。「―ごもく(川ニ流レル芥)に添ふて流るめり」〈俳・信徳十百韻〉 **―ものがたり**【枕物語】男女が寝ながら話をすること。また、その話。寝物語。「彼(かの)はらからの女に馴れて、其の夜の―」〈西鶴・一代男二〉 **―やり**【枕槍・枕鑓】護身のために枕元に置く槍。「―をも磨ぎ立てぞする」〈俳・寛永十三年熱田万句二〉。〈日葡〉 **―結・ふ** 旅寝の草枕を結ぶ。旅の仮寝をする。「―・ふ今宵ばかりの露けさをみ山のこけにくらべざらなむ」〈源氏若紫〉 **―わきざし**【枕脇差】枕元に置く護身用の脇差。「―抜き打ちに手応へして」〈西鶴・一代男四〉 **―ゑ**【枕絵】春画。「―を羅漢の奥に書き添へて」〈俳・油糟〉 **―を歆(そばだ)・つ** よく聞えるように、枕を斜めに立てる。「独り目をさまして―・てて四方の嵐を聞き給ふに」〈源氏須磨〉 **―をどり**【枕躍・枕踊】「まくらがへし」(3)に同じ。「―に取り組んで」〈評判・難波の顔二〉 **―を割・る** 苦心する。「枕を砕く」「枕を割らす」「頭を割る」とも。「花の陰歌に―・りご(割子ト掛ケル)かな」〈俳・時勢粧二〉

まくり【海人草・海仁草】海草の一種。子供が生れて二、三日中は、甜物(あまもの)といって、これと甘草(かんぞう)を布に包み湯に浸したのを吸わせて胎毒を下した。「出ざまに―・甘草を取り持ちて」〈西鶴・五人女四〉

まく・り【捲り】㊀〘四段〙①蔽っているものを上にたくしあげる。袖などをたくしあげる。「うへのきぬも狩衣袖かい―・りて、そよろとさし入れ」〈枕六三〉。「揎、衣出臂、曾天万久留(そでまくる)也」〈新撰字鏡(享和本)〉 ②ものをはがし取る。「かの門の札―・る事をうち忘れしに」〈仮・御伽物語三〉 ③追い立てる。「炎に―・られて罪人地獄へ入りぬ」〈聞書集〉。「追つ返しつ、―・っつ、―・られつ」〈明徳記上〉 ④或る動作をする意を罵っていう語。「ここを只(だ)無事と見ては、けがを―・らうず」〈巨海代抄上〉 ⑤《動詞の連用形について》その動作をはげしく、盛んにする意。「口論をして云ひ―・り」〈わらんべ草三〉 ㊁〘名〙まくり上げること。「人住まぬ荒屋の軒にはふ葎(むぐら)かた―する秋の夕風」〈為忠集〉 **―いだ・し**【捲り出し】〘四段〙力づくで追い出す。追い払う。「縁に上らんとする三十余人を大庭へ―・して」〈伽・中書王物語〉 **―おと・し**【捲り落し】〘四段〙激しく追い落す。「寄手千余騎谷底へ皆―・されて」〈太平記七・船上合戦〉 **―ぎり**【捲切り】隙間もなく激しく切り付けること。切りまくること。「もとより一騎当千の、秘術を顕はし大勢を、あはづの汀におっつめて、磯打つ波の―」〈謡・兼平〉 **―た・て**【捲り立て】〘下二〙激しく追い立てる。「大いに討って―・て、遠く追はず」〈川中島合戦評判〉 **―で**【捲り手】袖まくり。腕まくり。「袖ふれば露こぼれけり秋の野は―にてぞ行くべかりける」〈後拾遺三〇八〉 **―のみ**【捲飲み】盛んに飲むこと。続けざまに飲むこと。「一騎当千の御肴、磯打つ波の―」〈近松・吉野都女楠四〉

まぐりあたり【紛り当り】偶然にあたること。まぐれあたり。「偶中(ノ語義)は―也」〈局方発揮鈔上〉。「むさとかち(打チ)て(実ノ)落ちしは―かな」〈俳・夢見草三〉

まぐ・れ【眩れ】〘下二〙《マ(目)クレ(昏)の意》目がくらむ。転じて、気を失う。「或いは炎に―・れて、忽ちに死ぬ」〈方丈記〉。「眩、マグレ」〈名義抄(高山寺本)〉 **―い・り**【眩れ入り】〘四段〙気を失う。絶え入る。「頭(かしら)を荒う打ちて、―・りて臥せりけりとか」〈宇治拾遺一四〉

まけ【瞙】《マ(目)ケ(気)の意》目がぼんやりくもって見えにくくなる眼病。「目に―ある者は、虚空を花と見る」〈仏通禅師枯木集上〉。「瞙、麻気(まけ)」〈華厳音義私記〉

ま・け【任け】㊀〘下二〙《マカセ(任)と同根》①任命する。「まつろはぬ国を治め(ヨ)と皇子ながら―・けたまへば」〈万一九九〉 ②退出させる。「時に皇孫、姉は醜しと謂(おも)して、御(め)さずして―・けたまふ」〈紀神代下〉 ㊁〘名〙官や職に任命すること。「大君の―のまにまに、ひなさかる国治めにと」〈万三九一〉 †makë

ま・け【負け】〘下二〙①相手に抵抗し得なくなる。「如己男

(もころを)に—・けてはあらじと」〈万一八〇九〉 ②負い目になる。「いささけわざせさす。物もなし。にぎははしきやうなれど—・くる心地す」〈土佐一月四日〉 ③かぶれる。「楓さへ—・けん漆のもみぢかな」〈俳・犬子集五〉 ④値段を引いて安く売る。「ちと—・けさせらるる事はなりまらせぬか」〈虎明本狂言・目近籠骨〉 †makë

ま・け【設け】〖下二〗 ①場所や物などを前以て用意する。「夕さらば宿明け—・けて吾待たむ夢にあひ見に来むといふ人を」〈万七四四〉。「夏影の房(つま)の下に衣裁つ吾妹裏—・けてわがため裁たばやや大に裁て」〈万一二七八〉 ②心構えして待ちうける。「奥(将来)—・けてわが思ふ妹が言のしげけく」〈万二四三九〉 ③予期していた時になる。「夏—・けて咲きたるはねずひさかたの雨うち降らば移ろひなむか」〈万一四八五〉。「春—・けて物悲しきにさ夜ふけて羽振き鳴く鴫(しぎ)誰が田にか住む」〈万四一四一〉 †makë

ま・げ【曲げ】〖下二〗《マガ(禍)と同根。マガリ(曲)の他動詞形》 ①棒状のものを屈曲させる。湾曲させる。「橈、木曲折也、弱也、加久、又、万久(まぐ)」〈新撰字鏡〉 ②人の性質などをねじ曲げる。悪い方向へ向ける。「世にいささかも、人の心を—・げたることはあらじと思ふを」〈源氏桐壺〉 ③理をしりぞけて、よこしまなことをする。「国の所重の大臣は、枉(ま)げて横さまにして身死なむ」〈金光明最勝王経平安初期点〉。「明王は一人が為にその法を—・げず」〈平家一〇・請文〉 ④我執などを抑える。「物に争はず、己を—・げて人に従ひ、我が身を後(のち)にして、人を先にするには及(し)かず」〈徒然一三〇〉 ⑤《「七げ」とも書く。「質」を「七」にかけ、その字体が曲がっているので言い出した洒落》質に置く。入質する。「—・ぐる。何によらず質に置く事を言ふ」〈色道大鏡一〉

まげいほ【曲廬】 曲がって倒れかけた家。「伏廬(ふせいほ)の—の内に、直土(ひたつち)にわら解き敷きて」〈万八九二〉 †ma-gëiFo

まけいろ【負け色】 負けそうなようす。敗色。劣勢。「寄せ方—になりければ、為義・為朝勝(か)つに乗って攻め戦ふ」〈保元中・白河殿攻め落す〉

まけがた【負け方】 勝負に負けた方。「宰相中将は—にて、音なくまかで給ひにけるを」〈源氏匂宮〉

まけじだましひ【負けじ魂】 負けまいと競い合う心。「—に怒りなば、せぬ事どももしてむ」〈源氏玉鬘〉

まげて【枉げて】〖副〗むりではあろうが。ぜひとも。「ただ—召し具せさせ給へ」〈著聞一九〉

まけながく【真日長く】〖連語〗《マは接頭語。ケはヒ(日)の複数形》 日数長く。「—夢(いめ)にも見えず絶えぬともわが片恋は止む時もあらじ」〈万二八一五〉 †makënagaku

まけはしら【真木柱】《ケはキ(木)の転》 真木の柱。「—讃(ほ)めて造れる殿のごといませ母刀自面変りせず」〈万四三四二防人〉 †makëFasira

まけばら【負け腹】 **—を立・つ** 負けて腹を立てる。「先日の合戦に—・て」〈太平記六・楠出張〉。「—・て、あまりに緩怠なとて、棒を取って打って」〈蓬左文庫本臨済録抄〉

まけみぞ【儲溝】 池の水が多くなった時、流し出すために、前もって用意してある溝。「葦鴨のすだく池水溢るとも—の方(へ)に我越えめやも」〈万三八三三〉 †makëmizö

まげもの【曲物】 ①檜・杉などの薄い板を円筒形にまげて底を取り付け、合せ目を樺・桜の皮などで綴じた容器。わげもの。「〔水〕こぼし〔ハ〕—」〈南方録会〉。〈日葡〉 ②《「質」を「七」にかけ、その字体が曲がっているので》 質に入れる品物。質種(しちぐさ)。「小詰(こづめ)役者の—を請けて取らせ」〈浮・男色歌書羽織三〉

まけわざ【負けわざ】 歌合せ・碁・相撲などの勝負で負けた側の者が、勝った側に饗応すること。「二日ばかりありて、中将—し給へり」〈源氏賢木〉

まこ【真子】《マは接頭語》 妻や子を親しんで呼ぶ語。「夜隠りに鳴くほととぎす古(いにしへ)ゆ語り継ぎつる鶯の現(うつ)し—かも」〈万四一六六〉。「大君の命(みこと)畏みうつくしけ(イトシイ)—が手離り島づたひ行く」〈万四四一四〉 †mako

まご【孫】《ムマゴのムの脱落した形》 子の子。「式部卿の宮も御—をおぼして」〈源氏若菜下〉

まご【馬子】 馬方。「百人の—どもの足の湯・手水(てうづ)・飯(はん)の用意つかまつれ」〈伽・小栗絵巻〉

まご【摩姑・麻姑】 一、二尺の長さの棒の先を手首の形に造り、背中などを掻く道具。爪杖(つまづえ)。まごのて。「—を倩(やと)ひて癢(かゆ)き所を爬(か)くが如し」〈蔭涼軒日録長享三・六・一四〉。〈運歩色葉集〉

まごころ【真心】 濁りや偽りのない心。「女御の御ための—なるあまりぞかし」〈源氏若菜下〉

まごじゃくし【孫杓子】 越前南条郡湯尾(ゆのお)峠の茶屋で出した、「湯尾峠孫嫡子」と印刷した疱瘡の守り札。「—とて〔霊験アラタカナ〕系図云ふなり」〈俳・鷹筑波三〉。「孫嫡子を—〔ト云ウ〕」〈俳・かたこと三〉

まこそに【真こそに】〖連語〗《マは真、まことの意。コソ・ニは助詞》 よくこそ。ほんとうに。「諾(うべ)しこそ問ひ給へ。—問ひ給へ」〈記歌謡七二〉 †makösöni

まこと【真・誠・信】 ㊀〖名〗《マ(真)コト(事・言)の意》 ①本当。うそいつわりでない真実の事や言葉。「葛飾の真間の手児名を—かも我に寄すとふ真間の手児名を」〈万三三八四〉。「〔醜聞ノ〕—・そらごと顕はし聞えむ」〈栄花蒼花〉。「諶、太々志支己止、又、万佐之支己止、又、万己止(まこと)也」〈新撰字鏡〉 ②誠実。誠意。「いつはりと思ふものから今更に誰が—をか我は頼まむ」〈古今七一三〉。「都の人はことうけのみよくて—なし」〈徒然一四一〉 ③実務的な方面のこと。「はかなき徒事(あだごと)をも、—(実生活上)の大事をも」〈源氏帚木〉 ④《他の語に冠して》真剣な、まじめな、の意を表わす。「心を見んとて言ひつるを—顔に制するよ」〈曾我四〉 ㊁〖副〗偽りなく。本当に。「聞くが如—貴く奇(くす)しくも」〈万二四五〉 ㊂〖感〗《話題を転じる時の発語として》 ほんにそうそう。「—、かの左兵衛督の北の方、正月二十余日の程に亡くなり給ひにければ」〈栄花衣珠〉 †makötö

—と・ひイト【真言問ひ】〖四段〗ものを言う。「御子(みこ)必ず—・はむ」〈記垂仁〉 †makötöFi

—に【真に】〖副〗 ①言ったとおり本当に。「—つばくらめ、巣つくれり」〈竹取〉。「諒、万去止尓(まことに)」〈霊異記中一三〉 ②全く。「—ただ人にはあらざりけるとぞ」〈徒然一八四〉

—のはな【真の花】 ①造りものでない本物の花。生きた花。「〔花ヤカナ衣裳ハ〕—の咲きたる夕映えと見えて」〈栄花殿上花見〉 ②《「時分(じぶん)の花」の対》 芸が自分のものとなり、その芸力によって成功した能の美しさ、面白さ。「されば、時分の花を—と知る心が、真実の花になほ遠ざかる心なり」〈風姿花伝〉

—のみち【誠の道】 正しい道。仏道。「君すらも—に入りぬなり一人や長き闇に惑はむ」〈後拾遺一〇三七〉。「うき世をいとひ、—に入らせ給へども」〈平家灌頂・女院出家〉

まこと・し【真し】〖形シク〗《マコトの形容詞形》 ①本物である。「石、つゑばかりにて、—・しき弓矢まではまうけさせ給はず」〈大鏡道隆〉 ②正統である。正しい。「〔琵琶ヲ〕今の世に—・しう伝へたる人、をさをさ侍らず」〈源氏少女〉。「戯論(けろん)妄想の方には心ひかれて、—・しき事はものくさげなり」〈明恵遺訓〉 ③実務的である。「―・しき方ざまの御心おきてなどこそは目安く物し給ひけめ」〈源氏宿木〉。「をかしきさまにも、―・しきさまにも、たびごとに御贈りものありき」〈健寿御前日記〉 ④実直である。「―・しう清げなる人の、夜は風のさわぎに寝られざりければ」〈枕二〇〇〉 ⑤信用がおける。信用できる。「東国育ちの者の、今日始めて見る西国の山の案内者、大に―・しからず」〈平家九・老馬〉　―やか【真しやか】 いかにもほんとうらしいさま。「末だ旁(かたがた)の名をだに聞かずと―に言ひければ」〈安宅一乱記九〉。〈日葡〉

まことまこと・し【真真し】『形シク』 いかにも真実味が感じられる。「頼もしきもの。…心地などのむつかしき頃、―・しき思ひ人の言ひ慰めたる」〈枕二六五〉

まごのて【麻姑の手・孫の手】「麻姑」に同じ。「後生まで―頼む施餓鬼(背搔キト掛ケル)哉」〈俳・犬子集五〉

まごびさし【孫庇・孫廂】 母屋の庇の外に、更に差し出した小庇。またびさし。「主上、清涼殿の―に出御ありけり」〈著聞三三四〉

まこも【真薦・真菰】《マは接頭語》 こも。「―刈る大野川原の水隠(こも)りに恋ひ来し妹が紐解くわれは」〈万二七〇三〉 †makömö

まこやのやま【藐姑射の山】 ⇒はこやのやま

まさ【正・当】《マはメ(目)の古形。サは方向の意で、タタサ(縦)・ヨコサ(横)のサに同じ。目の向く方向、目の向く方の様子の意。転じて、見込・予想・予定の意。類義語タダ(直・唯)は、直接的、一直線的で曲折の無い意》 ①予想にぴったり一致し、的中した事態が実現するさま。また、当然の期待に合致するさま。「風流なる女有り。…自性(ひととなり)塩醬(まさなること)を心に存す」〈霊異記上一三〉 ▽塩醬(しほひしほ)をマサナルコトと訓じたのは、塩や醬(ひしほ)に関する技術が当時の女性に当然期待されることであったからであろう。 ②【柾】 木目のまっすぐなもの。まさめ。「〔名琵琶賢円ノ〕甲は桑つみ、腹はしらめなる槻の―」〈八音抄〉。「理、マサ」〈名義抄〉

まざい【万歳】《マンザイのンを表記しない形》 神楽歌「千歳法(せんざいのはふ)」の中の詞章。永遠の繁栄を願う一種の呪文。「なほ――と榊葉を取り返しつつ、祝ひ聞ゆる御代の末、思ひやるぞいとどしきや」〈源氏若菜下〉　―らく【万歳楽】 ⇒まんざいらく(1) 「―を舞ひて御まへに出で来たり」〈宇津保俊蔭〉

まさか【目前・現前】《マサは目の方向。カは所の意》 ①まさにここ。さしあたっての今。現在。「伊香保ろの岨(ひそ)の榛原ねもころに将来(おく)をな兼ねそ―し良かば」〈万三四一〇〉 ②物事が目の前に迫ってどうにもならないこと。万一。緊急。「―の時は討死をするであらう」〈浄・御曹司初寅詣上〉

まさかき【真榊】《マは接頭語》 さかき。「五百箇(いほ)の真坂樹(まさかき)の八十玉籤(やそたまくし)」〈紀神代上〉。「―の春の緑の色なれや霞ぞ匂ふ天の香久山」〈新続古今九〉 †masakaki

まさかさま【真逆様】《マは接頭語》 ①事実に全く反すること。「―のくせごとをもぞ引きいだし候」〈著聞五三九〉 ②頭を下にして転落すること。「甲の鉢付の板を左より右へ拝(かせ)につっと射ぬかれたり。―に落ちければ」〈保元中・白河殿攻め落す〉

まさかり【鉞】 斧に似て大きなもの。刑具・武具などとして用いた。「斧―の誅(みつ)」〈霊異記上二八〉。「〔弁慶ハ〕大―をもって開いてむずと打つ」〈義経記四〉

まさかりに『副』 ちょうどそのあたりで。ちょうどそのときに。「顧眄之間、此をば美屢摩沙可梨爾(みるまさかりに)」〈紀神代上〉

まさき《マ(真)サキ(栄)の意》 ―づら【真栄葛】〔枕詞〕《ツラはツル(蔓)と同根》 長いツタをほめた語。からまる意から、「手抱きあざはり」にかかる。「―手抱きあざはり(モツレカラマリ)」〈紀歌謡九六〉 †masakidura　―のかづら【真栄の葛】《カヅラは蔓草の総称》 常緑の蔓性植物の一。今のテイカカズラ。また、ツルマサキの古名ともいう。古くは神事に用いた。「深山(みやま)には霰降るらし外山(とやま)なる―色づきにけり」〈神楽歌三〇〉。「―くる(繰ル・来ル)人もなし」〈経信集〉

まさきく【真幸く】『副』《マは接頭語。サキはサキ(栄)と同根》 つつがなく。幸いに。「―と言ひてしものを白雲に立ちたなびく(亡クナッタ)と聞けば悲しも」〈万三九五八〉。「ことさきく―坐(ま)せと」〈万三二五三〉 †masakiku

まさぐ・り【弄り】『四段』 ①手の先でさぐる。いじる。「箱のふたなる御くだものなかに、橘のあるを―・りて」〈源氏胡蝶〉。「〔絃楽器ヲ〕いとなつかしう―・りつつ」〈源氏東屋〉 ②なぶる。もてあそぶ。「この法師少し―・らん」〈宇治拾遺一二六〉。「嬲、マサグル」〈名義抄〉　―もの【弄り物】 暇つぶしにいじるもの。「物語の、絵にかきたるをぞ、時時の―にし給ふ」〈源氏蓬生〉

まさご【真砂】《マイサゴの約》 細かな砂。「君が代は限りもあらじ長浜の―の数はよみつくすとも」〈古今一〇八五〉　―ぢ【真砂路】 ずっと続いている白い海岸線を、路に見立てていう語。まさごを敷きつめた路。「唐崎や霞に見ゆる―に紛ふ色なき一本の松」〈風雅一七一二〉

まさざま【増様・勝様】《マサリザマの約》 ①まさっているさま。相手をしのぐさま。「〔白居易ノ詩ニ〕―に作らしめ給へりとこそ」〈大鏡時平〉 ②ふえてゆくさま。多くなってゆく一方のさま。「疫癘(えきれい)うちそひて、〔不幸ハ〕―にあとかたなし」〈方丈記〉

まさ・し【正し】『形シク』《マサ(正・当)の形容詞形》 ①見込み通り、予想通りである。「かく恋ひむものとは我も思ひにき心のうらぞ―・しかりける」〈古今七〇〇〉 ②名と実際とが一致する。「諸の衆生に於て是―・しき善根なり」〈金光明最勝王経平安初期点〉。「逢坂の関し―・しきものならば飽かず別るる君をとどめよ」〈古今三七四〉 ③予兆・予言などがそのまま実現すると思われる。「二位は夢を―・しく見なして」〈栄花浦浦別〉 ④聞いていた通りである。「かやうのことは夢などにこそ見ることもあれ、―・しく現(うつつ)に見たることは不思議の事なり」〈著聞六八〉。「〔鬼ヲ〕―・しく見たりと言ふ人もなく」〈徒然五〇〉 ⑤ありのままである。「雅は―・しき也。ただしき也。―・しく、ただしきは、ありのまま也」〈奥義抄〉 ⑥正真正銘間違いない。「我らはさすがに清和天皇の御末、八幡殿の―・しき孫ぞかし」〈保元下・義朝幼少の弟〉　―か【正しか】 推測が確実であるさま。「文平と申す陰陽師こそ、この頃、掌(たなごころ)をさして、推察―なれ」〈著聞三二一〉　―に【正しに】『副』 予期したことがぴったりと当って。その通りに。「大船の津守の占(うら)に告らむとは―知りてわが二人寝し」〈万一〇九〉

まさづこ【美児】 未詳。いとしい子の意か。「沖へには小舟つららく、くろざやの―吾妹国へ下らす」〈記歌謡五二〉 †masaduko

まさでに【正でに】『副』《デは手。様子・状態の意》 事実通りに。ありのままに。「―も告(の)らぬ君が名占(うら)に出にけり」〈万三三七四東歌〉

まさなごと【正無事】 たわいもないこと。たわむれごと。「昔た

だ人にておはしましし時、—(炊事)せさせ給ひしを忘れ給はで」〈徒然一七六〉

まさな・し【正無し】『形ク』《マサは、予想・予定と一致する意。また、期待に合致する意》①全く思いがけない。予想もしていない。「あやしきわざをしつつ、御送り迎への人の衣の裾たへがたう、—・き事どもあり」〈源氏桐壺〉。「絵は…あだこと(余技)とこそ思ひ給へしか、いとかう—・きまで〔上手ニナッテ〕、古の墨書きの上手ども、跡をくらうなしつべかめるは、かへりてけしからぬわざなり」〈源氏絵合〉②期待・予想通りに行かない。「〔恋シイ人ヲ〕見る目に飽くは、—・き事ぞよ」〈源氏紅葉賀〉③(予想もしないほど)行儀がわるい。見苦しい。「上にさぶらふ御猫は…はしに出でてふしたるに、乳母の馬の命婦、『あなまさなや、入り給へ』とよぶに」〈枕九〉。「幼き人はさのみこそはと思へど、いとさまあしう—・う悪しくぞおはせし」〈大鏡道兼〉④不都合である。とんでもない。「家泰が候はざらん処にてこそ大将軍の御命は捨てさせ候はんずれ。—・うとて、押しへだてて悪源太にむずと組む」〈平治中・待賢門軍〉。「—・き大場が言葉かな」〈盛衰記三〇〉

まさに【将に・当に・正に】『副』《マサ(正・当)の副詞形。見込・予定・期待通りにの意》①見込通りに(事が起り行なわれて)。転じて、ちょうど、ぴったりと、(実際に)。「〔仏ノ〕足跡(あと)を見つつ偲はむ直(ただ)に逢ふまでに—逢ふまでに」〈仏足石歌〉。「〔猛獣ヲ見テ〕其れ—子を食みてむかと恐りて」〈金光明最勝王経平安初期点〉②当然のこととして。また、社会的に定められてある通りに。「我れ—大衆の為に是の如き経を宣べ説かむ」〈金光明最勝王経平安初期点〉。「害を加ふることあらむ者(ひと)をば、—死罪を以て刑罰せむといふ」〈地蔵十輪経三・元慶点〉③期待通りに。希望通りに。反語と呼応して思い通りにはならない意を表わし、「どうして」と訳されることが多い。「怪しかりつる程のあやまりを、—人の思ひ咎めじや」〈源氏紅葉賀〉。「—かくあやしき山がつを〔貴人ガ〕心とどめ給ひてむや」〈源氏須磨〉④たしかに。「審に経文を読みて—自ら悉知せよ」〈法華経玄賛平安初期点〉。「『—長き夜』とうち誦じて臥し給へり」〈源氏夕顔〉⑤ちょうど。ぴったり。「安楽行品に—其の説を説けり」〈法華経玄賛平安初期点〉⑥今や。「玉の鋺(まり)を以て、来たりて—水を汲まむとす」〈紀神代下〉⑦《ナホと呼応して》全く…と同様に。「雅(まさ)に邪舌の賢を蔽ふことは、猶(なほ)し浮雲の日月を障ふるがごとし」〈文明本節用集〉▽漢文で予想を表わす辞の「将」の訓としても用い、予想通りにの意。また漢文の「当」「合」「応」などの辞もマサニと訓む。これらの漢語は本来、二つの物や事がぴったり一致する意を含む点で「まさに」にあたる。「方」はきっちり、ちょうどの意でマサニと訓む。「まさに…べし」とだけ呼応するのは後世の訓読で、平安初期には、「まさに…む」とか、命令形、時には過去形と呼応した例もある。

まさひ【真鉏】《マは接頭語》するどい剣。「大刀(たち)ならば呉(くれ)の—」〈紀歌謡一〇三〉 †masafi

まさ・ひ(マサイ)【坐さひ】『四段』《マシ(坐)に反復継続の接尾語ヒのついた語。→ひ》ずっと…していらっしゃる。「賢き臣たちの世を累(かさ)ねて仕へ奉り—・へる事をなもかたじけなみ、いそしみ思ほします」〈続紀宣命五三〉。「脇息をおさへて—・へ万代に花の盛りを心静かに」〈後撰一三七八〉

まざまざ【正正】確かなさま。ありありと目にみえるさま。「極楽も地獄もうつす箱根路に／—とした菅のかわ刈」〈俳・胴骨〉

まさまざ・し【正正し】『形シク』本当らしい。いかにも明瞭である。「まことし—・しき顔して腹痛むなぞと」〈西鶴・諸艶大鑑七〉

まさめ【正目】ただしく、たしかな目。これとはっきり見定める目。「幸ひの厚きともがら参到りて—に見けむ足跡(あと)のともしさ嬉しくもあるか」〈仏足石歌〉 †masamë

まさやか《マは接頭語》はっきりしているさま。「色深く背ながな衣は染めましをみ坂たばらば(オ通リニナッタラ)—に見む」〈万四四二四防人〉

まさゆめ【正夢】事実と正確に符合する夢。「さて中将に会ひて夢を語られければ、中将笑ひて『—にこそ侍らめ』と云ひけり」〈続古事談三〉

まさ・り【増さり・勝り】㊀『四段』《マシ(増)と同根。「劣り」の対。類義語スグレは質・程度が標準をぬきんでる意》①(数量・程度などが、もとの状態より)いっそう多くなる。ふえる。「旅にして物思(も)ふ時にほととぎすもとなな鳴きそ吾(あ)が恋—・る」〈万三七八一〉。「正月(むつき)のついたち過ぎたるころ渡り給ひて、若君の御年—・り給へるを、もて遊びうつくしみ給ふ昼つかた」〈源氏浮舟〉②他と比べて、質・程度などがすぐれる。優越する。「銀(しろかね)も金(くがね)も玉も何せむに—・れる宝子に及(し)かめやも」〈万八〇三〉。「大師は徳高く、哲(ひじり)に先(さき)り、名、当時に擅(ほしきまま)にす」〈大唐西域記四・長寛点〉㊁『名』①まさること。「いづれも劣り—おはしまさねば」〈竹取〉②実際の結果が、予想よりよいこと。「あげ—」「ちか—」「み—」など。「うちとけ—のいささかもあらば嬉しからむ」〈源氏末摘花〉 —がほ(ガオ)【勝り顔】まさっていることを誇示したそうな顔つき。「これやこの我にあふみをのがれつつ年月ふれど—なき」〈伊勢六三〉 —ぐさ【優り草】菊の異名。「すべらぎのよろづ代までに—たまひし種を植ゑし菊なり」〈夫木抄一四・菊〉

まし【汝】『代』《イマシのイの脱落した形》同等または目下に対する二人称。おまえ。「この川に朝菜洗ふ児—も吾(あれ)も同輩児(よち)をそ持てるいで児賜(た)りに」〈万三四四〇〉。「—が常に見るらむもうらやましきを」〈源氏少女〉

まし【猿】サル。「—もなほ遠方人の声かはせ我越えわぶるたこの呼坂」〈紫式部集〉▽万葉集で助動詞「まし」の表記に「猿」の字を宛てている。

ま・し【申し】『四段』「まうし」の「う」を表記しない形。「嘆かしげに—・し給ふ」〈栄花月宴〉

ま・し【坐し・在し】『四段』《イマシ(坐)のイの脱落した形》①《「あり」「をり」の尊敬語》いらっしゃる。「大君は千歳(ちとせ)に—・さむ白雲も三船の山に絶ゆる日あらめや」〈万二四三〉。「天(あめ)に—・す豊岡姫の宮人も」〈源氏少女〉。「太子は山城の宇治に—・す。尊(みこと)は摂津の難波に—・しけり」〈神皇正統記仁徳〉②《「行き」「来(き)」の尊敬語》いらっしゃる。「わが背子が国へ—・しなばほととぎす鳴かむ五月はさぶしけむかも」〈万三九九六〉③《他の動詞の連用形に付き、尊敬の意をあらわす》…しておいでになる。お…になる。「人の植うる田は植ゑ—・さず今更に国別れして吾はいかにせむ」〈万三七四六〉。「ひととせにひとたび来—・す君待てばやどかす人もあらじとぞ思ふ」〈古今四一九〉。「講師むまのはなむけしに出で—・せり」〈土佐十二月二十四日〉▽平安時代には古語となり、複合語などにわずかしか使われなくなって、「おはし」が代って多用された。

ま・し【増し】㊀『四段』①(同じ性質のものの程度・数量が)多くなる。ふえる。「うち靡き床に臥(こ)い伏し痛けくの日に異(け)に—・せば」〈万三九六九〉②他にくらべて優越する。「価(あたひ)無き宝といふとも一坏(ひとつき)の濁れる酒にあに—・さめやも」〈万三四五〉。「つくばねのこのもかのもに影はあれど君がみかげに―・す影はなし」〈古今一〇九五〉 ③《「―・すことなし」の形で》 この上ない。「何となくて過ぐる年月なれど、明け暮れの隔てなきうれしさのみこそ、―・すことなくおぼゆれ」〈源氏若菜下〉 ④《他動詞として》 程度や量を増加させる。加える。「色を―・したる柳、枝を垂れたる」〈源氏胡蝶〉 ㊁『名』①まさっていること。「同じくならば、妊女よりも素女が―ぢゃぞ」〈三体詩抄二ノ一〉。「さてさて悲しや、死んだが―ぢゃものを」〈虎明本狂言・眉目よし〉 ②賃銀・駄賃などの定額に幾割かを増し加えること。割増し。「五十二文、内三文は石道の―」〈関東下向記寛永一五・二〉

ま・し 『助動』→基本助動詞解説

ま・じ 『助動』→基本助動詞解説

まじか・り 『助動』→基本助動詞解説

ましくし 目をしばたたくさま。また、そういう状態で目が冴えて眠れないさま。「ましくしゃ」「まじくじ」「まじくら」とも。「夢になりと見るか見るかと思ひ寝の目さへ―合はぬ恋かな」〈古今夷曲集七〉。「交睫、マジマジ・マシクシ」〈俳・反故集下〉

ましぐら 激しい勢いで驀進(ばくしん)するさま。いっさんに。どうっと。まっしぐら。「七千余騎にて木曾を中に取り籠めて―にこそ戦ひたれ」〈盛衰記三五〉。「敵の―に懸け入らんとする道の末を一文字に遮って」〈太平記二六・四条縄手〉

まじくら 『接尾』 …と共に。…まじりに。「まじくり」とも。「片言―に〔文ヲ書キ〕」〈仮・都風俗鑑四〉

まじこ・り 【蠱凝り】『四段』《マジはマジナヒのマジに同じ》 呪術に熱中する。「天(あめ)のまがつひといふ神の言はむ悪事(まがこと)に相―・り、相口会(あくち)へ給ふことなく」〈祝詞御門祭〉 †mazikōri

まし・じ 『助動』→基本助動詞解説

まして 【増して・況して】『副』《増シに助詞テがついた形。漢文訓読体では使わない語》 ①なおいっそう。さらに。「瓜食(は)めば子ども思ほゆ、栗食めば―偲(しぬ)はゆ」〈万八〇二〉。「たたずみ給ふさまのゆゆしう清らなる事、所がらは―この世のものと見え給はず」〈源氏須磨〉 ②いうまでもなく。いわんや。「今日だに〔歌ヲ〕言ひがたし。―のちにはいかならん」〈土佐一月十八日〉 **―や言はん** まして。いわんや。「―女の情ありて留めたらんに」〈義経記二〉

ましとと 【真鵐】《マは接頭語》 ホオジロ。「あめ(雨燕)、つつ(セキレイ)、千鳥、―」〈記歌謡一七〉 †masitötö

まじな・ひ (マジナイ) 【呪ひ】 ㊀『四段』《マジはマジコリ・マジモノ・マジワザなどのマジと同じ。人に対するのろい、病気の治療など、善悪にかかわらず呪術の意。ナヒはオコナヒ(行)・ツミナヒ(罪)などのナヒと同じ》 ①呪いをかける。「遂に太子彦人皇子の像と竹田皇子の像とを作りて厭(まじな)ふ」〈紀用明二年〉 ②すでにおそわれている災害・病苦から逃れるために呪術をする。「わらは病みにわづらひ給ひて、よろづに―・ひ、加持など参らせ給へどしるしなくて」〈源氏若紫〉 ③災害などを事前に防ぐために呪術をする。災害除けの呪文を唱える。「屋の上の霜いと白し。童べ、夜べの姿ながら、『霜くち(霜ヤケナド)―・はん』とてさわぐもいとあはれなり」〈かげろふ中〉。「『くさめくさめ』と言ひもてゆき…鼻ひたる時、かく―・はねば死ぬるなり」〈徒然四七〉 ㊁『名』災害・病苦などを取り除き、あるいは防ぎとめる呪術。「わらは病に久しうなやみ給ひて、―なども心安くせむとて」〈源氏賢木〉。「御産の時、甑(こしき)落す事は…御胞衣(えな)とどこほる時の―なり」〈徒然六一〉 †mazinaFi

ましば 【真柴】《マは接頭語》 雑木。「生ふ楉(しもと)この本山の―にも告(の)らぬ妹が名象(かた)に出でむかも」〈万三四八八東歌〉

ましば 【真屢】《マは接頭語》 しばしば。「あしひきの山葛蘿(やまかつらかげ)―にも得がたき蘿を置きや枯らさむ」〈万三五七三東歌〉

まじは・り (マジワリ) 【交はり】『四段』《マゼ(交)と同根。異質のものの二つが交差し、交錯して一体となる意。主として漢文訓読系で使った語》 ①入りまじる。入りまじって一体となる。「日の、初めに出でて虚空を暎(て)らすが如くして、紅と白と分明にして、金色に間(まじ)はれり」〈金光明最勝王経平安初期点〉。「門人のなかに庸流―・らざれば、洞山宗と称する門人なし」〈正法眼蔵仏道〉 ②別類のものの中に、まぎれ入って隠れる。「夫、さだめて嘆き思はむ故に、山野に―・りなむ」〈今昔四ノ二〇〉 ③別類に加わって、その一味・同門となる。「業なほし空しく疎(おろそ)かにして、あやまって法侶に―・り」〈玄奘法師表啓平安初期点〉 ④相互に接していて交差・出入がある。「任那の境は新羅に接(まじは)れり。恐るらくは卓淳(とくじゆん)等が禍を致さむことを」〈紀欽明二年〉 ⑤互いにつきあう。交際する。「我、君と師弟として―・り睦ぶ。〔秘密モ〕云はずはあるべからず」〈今昔九ノ三六〉 ⑥男女が交合する。「しばらくある間に、あまたたび相接(あひまじ)はる」〈遊仙窟(醍醐寺本)鎌倉期点〉。「〔セキレイノ所作ヲ〕二神まなびて―・る事を得たり」〈著聞三二五〉

まじ・へ (マジエ) 【交へ・雑へ】『下二』《マジハリの他動詞形。主として漢文訓読体で使われた》 異質の二つのものを交差・交錯させて一つにする。「〔白珠ヲ〕あやめ草〔ヤ〕花橘に貫き―・へ、蘰(かづら)にせよと」〈万四一〇二〉。「心を静め、目を閉ぢて手を―・へ、思ひを西方にかくべし」〈孝養集中〉 †mazifë

ましま・し 【坐しまし・在しまし】『四段』《マシ(坐)に更に敬意を加えたもの。神仏・貴人に対して使う》 ①おわします。おいであそばす。また、おありあそばす。「時に世尊、黙然して止(ま)します」〈金光明最勝王経平安初期点〉。「神仏明らかに―・さば」〈源氏明石〉。「若君、姫君―・しけり」〈盛衰記一五〉 ②《動詞連用形をうけて》 …あそばす。「〔宮ハ〕御寝もならず、喉も乾かせ―・して」〈盛衰記一五〉

まじまじ ①目をしばたたくさま。「ましくし」とも。また、そういう状態で、目が冴えて眠れないさま。「夜具をうちかづき、―として居たりけり」〈黒田故郷物語〉。〈日葡〉 ②平気なさま。ずうずうしいさま。しゃあしゃあ。「籠の内や―したるうその声」〈俳・玉手箱一〉 ③もじもじするさま。「言ひこめられてしょげ鳥の、―として閉口す」〈浄・夏祭三〉

ましみづ 【真清水】《マは接頭語》 湧き出る冷たい水。しみず。「水こそば常にあらめ、御井の―」〈万五三〉。「―は、ただ清水也。まことの清水といふ心也」〈正徹物語下〉

まじめ 【真目・真面】《マジは、マジマジのマジに同じ》 ①静かに見る目。「目静、マジメ」〈俳・反故集下〉 ②浮わついた所がなく、真実のこもった顔や様子。「いかなる―なる和郎(わろ)」〈評判・朱雀遠目鏡序〉

まじもの 【蠱物】《マジは、マジナヒ・マジワザのマジと同根。モノは、よくない「術」を直接指すのを避けた表現》 ①他に禍いがあるようにという呪術。悪いまじない。「畜仆(けものたふ)し―する罪」〈祝詞大祓詞〉 ②害をもたらす怪しいもの。「所有る毒と薬と、蠱(まじもの)と魅(くるはすもの)と厭(おそふもの)と禱(をやすもの)と、人を害する虎と狼と、師子と毒蛇の類」〈金光明最勝王経平安初期点〉。「蠱、万自物(まじもの)」〈新撰字鏡〉

ましゃう (マショウ) 【魔障】〔仏〕 仏道修行の妨げをなすさわり。悪魔の妨害。「上には―強しとて、麓の里に房を造りて」〈今昔三ノ三三〉

まじゃう (マジョウ) 【真情・真性】 まじめ。実直。正直。「さればみて。ただしゃれたるなり。—になき事なり」〈匠材集四〉 **—もの**【真情者】正直者。実直な人。「男の名をまんまと貰ふ—」〈俳・まつのなみ〉。〈俳・反故集下〉

ましら【猿】《ラは接尾語》「まし」に同じ。「わびしらに—な啼きそあしひきの山のかひあるけふにやはあらぬ」〈古今一〇六七〉

まじら・ひ(マジライ)【交らひ】㈠『四段』《マジリ(交)アヒ(合)の約》様子の違う所に仲間として加わる。「数ならぬ有様にては、めでたき御あたりに—・はむ、かひなきわざかな」〈源氏総角〉。「楠の木は、木立おほかる所にも、ことに—・ひ立てらず、おどろおどろしき思ひやりなどうとましきを」〈枕四〇〉 ㈡『名』違った社会への仲間入り。特に、宮中での勤務。宮仕え。奉公。「はかばかしき後見なくて、さやうの—いとなかなかならむ」〈源氏若菜上〉

ましらふ【真白斑】《マは接頭語》まっ白な斑紋。タカなどの羽毛にいう。また、そのようなタカ。「—の鷹」〈万四一五四〉

まじり【眦】《目尻の意》①めじり。「いと腹悪しげに—引き上げたり」〈源氏行幸〉 ②目つき。「せめて見隠し給ふ(見エナイフリヲナサル)御—こそ煩はしけれ」〈源氏松風〉

まじ・り【交り・雑り】『四段』①均一・同質のものが多くある中へ異種・異質のものが加わって、その異質性を保ちながら一緒に存在する。まざる。「おもしろき野をばな焼きそ古草に新草—・り生ひば生ふるがに」〈万三四五二〉。「黒髪に白髪—・り老ゆるまでかかる恋にはいまだ会はなくに」〈万五六三〉 ②同類のいないようなところに進んで身を投ずる。分け入る。「野山に—・りて竹を取りつつ」〈竹取〉。「ほととぎす峰の雲にや—・りにしありとはきけどみるよしもなき」〈古今四四七〉。「花の中に—・りて朝顔折りて参る」〈源氏夕顔〉 ③(仲間に)加わる。「ともかくも人に—・る折なければ」〈源氏少女〉 ④他のことに心をまぎらわす。「宮はただこの君一所の御事を—・ることなう急ぎ給ふ」〈源氏少女〉

ましろ【真白】《マは接頭語》純白。まっ白。「田児の浦ゆうちいでて見れば—にそ富士の高嶺に雪は降りける」〈万三一八〉 †masiro

まじろ・き【瞬き】『四段』《マジは、マジメ・マジマジのマジと同根》まばたきをする。「目瞷(まじろ)き、乳動きつつ常の時に異に、箭(や)に心を射られたるが如くして憂の苦にせめられ」〈金光明最勝王経平安初期点〉

まじわざ【蠱業】《マジはマジナヒ・マジモノのマジに同じ》人を呪うまじない。「陰陽師に、死ぬべきわざどもをせさせければ、その—する陰陽師」〈宇治拾遺一二〉

ます【枡】計量器具の一。穀物などを計量する方形の容器。「朝(あした)ごとに僧坊の前より遣りて、一人の僧ごとに飯(いひ)四—を受く」〈三宝絵中〉。「升、麻須(ます)、十合器也」〈和名抄〉 ▽朝鮮語 mal(升)と同源。

ます【鱒】海魚の一。夏期に川をさかのぼって産卵する。腹赤(はらか)。「鱒、一名赤魚、和名万須(ます)、一名鯇、似㆑鯶而赤目者也」〈和名抄〉

ま・す『助動』動詞・助動詞の連用形に付いて、丁寧の意を表わす。活用はサ変型。「無理な事を云はし—・す」〈虎明本狂言・止動方角〉。「殊勝で光がさし—・するよ」〈虎明本狂言・腹立てず〉

ますおとし【枡落】鼠をとる仕掛。枡を棒で立てかけて倒れやすくし、なかに餌を蒔き、鼠が枡に触れると落下して鼠を伏せる。枡わな。「黒雲や月の鼠の—」〈俳・沙金袋四〉。「—、鼠取り也」〈俳・乳母五〉

ますかがみ【真澄鏡】「まそかがみ」の転。「ゆく年の惜しくもあるかな—見る影さへにくれぬと思へば」〈古今三四二〉。「おろかなる心や見えむ—古き姿にたちは及ばで」〈増鏡序〉

ますかき【枡掻】①枡に盛った穀類などを縁(ふち)と平らにならす短い竹棒。近世、米寿にちなんで、八十八歳の老人にこの棒を切ってもらい、縁起を祝う風習があった。ますかけ。「—・連尺なんどを付け並べたる旗ささせ」〈伽・かくれ里〉 ②「枡掻筋(ますかきすぢ)」の略。「掌中の横紋一文字の如くなる者を—と称す。又百握りと名付く。米銭に乏しからざるなり」〈和漢三才図会七〉 **—すぢ**【枡掻筋】掌の中央を横に一文字に貫いた手の筋。米銭に恵まれる相と信じられた。「ますかけ筋」「百握り」とも。「直ぐな枝は—の楓(かへで)かな」〈俳・鸚鵡集七〉

ますがた【升形・桝形】①社寺建築などで、柱の上に置く四角の木。「ハシラノマスガタ」〈日葡〉 ②城の入口にある方形の広場。ここで人数をはかるのでいう。「御町場御二の丸—仰せ付けられ候由」〈本光国師日記慶長一九・七・八〉

ますがよし【真菅よし】〔枕詞〕《ヨシはアヲニヨシのヨシ。良い意》スガと音の似た地名「蘇我」にかかる。「—蘇我の河原に鳴く千鳥間無しわが背子わが恋ふらくは」〈万三〇八七〉 †masugayösi

ますげ【真菅】《マは接頭語。古くはマスガ》スゲ。「—おふる山下水に宿る夜は月さへ草の庵をぞさす」〈千載一〇二四〉

ますはな【増花】色香のまさった花の意で、今までの恋人よりすぐれた女の意。「片へにも—有りて鶯の飛び退く如し移り気の人」〈吾吟我集六〉

ますほ【真赭】「まそほ」の転。赤色。「花すすき月の光にまがはまし深き—の色に染めずは」〈山家集上〉

ますます『副』《マス(増)を重ねた語》前よりもいっそう。「世のなかは空しきものと知る時しいよよ—悲しかりけり」〈万七九三〉。「王い是の如き説を聞きて倍増(ますます)憂の火に煎(い)られ夫人は大に号(おら)び咷(な)きて」〈金光明最勝王経平安初期点〉。「倍・優・愈・数加・益、マスマス」〈名義抄〉

ますみ【真澄】《マは接頭語》くもりなく澄みきっていること。「我が目らは—の鏡」〈万三八八五〉 †masumi

ますら《マスはマス(増・勝)と同根。ラは状態をいう接尾語》①男子のすぐれたさま。すぐれていること。「大久米の—武男(たけを)を先に立て」〈万四四六五〉 ②「ますらを」の略。「科離(しなざか)る越を治めに出でて来し—我すら世の中の常し無ければうち靡き床に臥(こ)い伏し」〈万三九六九〉 **—がみ**【ますら神】雄雄しい神。「吾が御子、—にましまさば亡せし弓箭(ゆみや)出で来(こ)」〈出雲風土記〉 **—を**【ますら男・大夫】①《「たわやめ」の対》勇ましい男子。上代では「大夫」と書き、朝廷に仕える官僚をいう。りっぱな男子。「—と思へる我も敷栲の衣の袖はとほりてぬれぬ」〈万一三五〉。「大夫、万須良乎(ますらを)、大人之称也」〈和名抄〉 ②仏陀をいう。「—のふみ置ける足跡(あと)は石の上に今も残れり見つつしのへと長くしのへと」〈仏足石歌〉 ③漁夫・猟師・農夫などをいう。「—は鵜川の水を住みかにて波のよるひるいをや寝ざらん」〈六条斎院歌合〉。「照射(ともし)する五月きぬれば—の幾夜山辺に立ち明かすらん」〈堀河百首〉。「雨降れば小田の—暇あれや苗代水を空にまかせて」〈新古今六七〉。「賤男、マスラヲ」〈易林本節用集〉 **—をの**【大夫の】〔枕詞〕大夫は常に手結(たゆひ)をつけていたといわれることから、同音の地名「田結」にかかるという。「—手結が浦に」〈万三六六〉 **—をのこ**【ますら男】立派な男子。ますらお。「嘆きつつ—の恋ふれこそわが髪結(ゆふがみ)のひぢてぬれけれ」〈万一一八〉

ませ【籬】《マ(間)セ(塞)の意》庭の中の植込みの周囲に設ける低い柵。まがき。「朝顔の這ひまじれる—もみな散り

乱れたるを」〈源氏野分〉。「桙、マセ」〈新撰字鏡〉

ま・ぜ【交ぜ・雑ぜ】㊀〖下二〗《マジリの他動詞形。平安時代には主として仮名文学に使われた》①異質・異種のものを加えて、一緒に存在させる。「正法を説きて非法をー・ぜぬが故に不雑と名づく」〈法華義疏長保点〉。「さまざまのよき限りを取り具し、難ずべきくさはひー・ぜぬ人は、いづこにかはあらむ」〈源氏帚木〉 ②(対立するような)言葉をさしはさむ。口出しする。「ゆゑゆゑしくなさけある方に言(こと)をー・ぜ聞えむも、つきなき身の有様どもなれば」〈源氏椎本〉 ㊁〖接尾〗別のもの、異質のものをはさみ含む意。「わざときらぎらしくて日ー(一日オキ)などにうち通ひたれば」〈かげろふ中〉。「風ーに雪は降りつつしかすがに霞たなびき春は来にけり」〈新古今八〉。「(矢ノ)通らぬ札(さね)を一枚ーにこしらへてをどしたれば」〈太平記三・菊池合戦〉

ませがき【籬垣】「ませ」に同じ。「山がつの垣穂にかこふーのませたりきとも見えし君かな」〈古今六帖四〉

ませごし【籬越し】①籬垣を越えて事をすること。「ーに麦はむ駒のはるばるに及ばぬ恋もわれはするかな」〈古今六帖二〉 ②《(1)の歌から》麦の隠語で、麦菓子をいう。「(ラクガンヲ)『これ、ーにさぶらふ』とて参らせたれば」〈枕三二九〉

ませませ いろいろ取りまぜるさま。「呉橋(くれはし)はいろいろの木をーに作りて」〈宇津保楼上上〉

まそ【真麻】《マは接頭語》麻。また、カラムシ。「さかき葉にーの白木綿(ゆふ)引きかけて」〈夫木抄七・神祭〉 †maso

まそかがみ【真澄鏡】《マソは、マスミの転マソミの約》①すみきった鏡。「ー手に取り持ちて」〈万九〇四〉 ②〔枕詞〕くもりなく光らせてあることから「清き」「照り」「磨ぎ」に、蓋があるので同音をもつ地名「二上(ふたがみ)」に、見ることから「見」に、それと同音の地名「敏馬(みぬめ)」「南淵(みなぶち)」に、うつることから「面影」に、床(とこ)の辺におくことから「床」に、かけて使うので「かけて」にかかる。「ー清き月夜(つくよ)に」〈万二四六三〉。「ー照り出づる月の」〈万二九〇〇〉。「ー磨ぎし心を」〈万六一九〉。「ー二上山に」〈万四一九二〉。「ー見飽かぬ君に」〈万五七二〉。「ー敏馬の浦は」〈万一〇六六〉。「ー南淵山は」〈万二二〇六〉。「ー面影さらず」〈万二六三四〉。「ー床の辺去らず」〈万二五〇一〉。「ーかけて偲へと」〈万三七六五〉 †masokagami

まそけ【全け】形容詞「またし」の古い未然形「またけ」の転か。「命のーむ人は」〈紀歌謡三〉 †masöke

まそっと〖副〗もう少し。「なうなうお侍、まづ往(い)なっしゃんな。……ーござれ」〈狂言記・苞山伏〉。〈日葡〉

まそで【真袖】《マは接頭語》両袖。また、両手。「ーもち床(とこ)打ちはらひ君待つと居りし間に月かたぶきぬ」〈万二六六七〉 †masode

まそほ【真朱】《マは接頭語》赤土。赤鉄鉱を含み、塗料に用いる。「仏造るー足らずは水たまる池田の朝臣が鼻の上を掘れ」〈万三八四一〉 †masöFo

まそほ【真麻穂】麻の類の穂。「花薄ーの糸をくりかけて絶えずも人を招きつるかな」〈散木奇歌集秋〉

まそみかがみ【真澄鏡】《マソミはマスミの転》「まそかがみ」に同じ。「たらちねの母が形見と我が持てるーに」〈万三三一四〉 †masomikagami

まそむら【真麻群】一かたまりの麻類。またはカラムシ。「上毛野(かみつけの)安蘇のーかき抱(むだ)き寝(ぬ)れど飽かぬを何(あ)どか吾がせむ」〈万三四〇四東歌〉 †masomura

まそゆふウ:ユ【真麻木綿】麻糸でつくった神祭りの幣帛。「三輪山の山辺ー短か木綿かくのみゆゑに長しと思ひき」〈万一五七〉 †masoyuFu

また【岐・股】①一本のものの末端が二つに分れている、その所。「尾の長さ四五尺なり。獺(をそ)に似たり。尾の頭に両岐(また)有り」〈法華経玄賛平安初期点〉。「椏、樹岐為レ椏、木乃万太(きのまた)」〈新撰字鏡〉 ②胴から足が分れ出ている部分。足のつけ根の間。「胯、万太(また)、両股間也」〈和名抄〉

また【又】㊀〖副〗《マタ(岐・股)と同根》①も一つ。外に。「これを置きてーは有りがたし」〈万四〇一一〉。「紅の裾引く道を中に置きて我や通はむ君や来まさむ。一に云はく、裾つく川を。ー曰はく、待ちにか待たむ」〈万二六五五〉 ②その上に。「萩の花尾花くず花なでしこの花をみなへしー藤袴朝顔の花」〈万一五三八〉。「御後見すべき人もなく、ー世の承け引くまじき事なりければ…(光源氏ノ立太子ハ)色にも出させ給はず」〈源氏桐壺〉 ③再び。「雲に飛ぶ薬はむよは都見ばいやしき我が身ー変若(をち)ぬべし」〈万八四八〉 ④やはり。「思ひめぐらせば、なほ家路と思はむ方は、ー無かりけり」〈源氏帚木〉 ⑤それとは別に。そうでなくて別に。「されどー世にすぐれて悲しき目を見るかたも人にはまさりけりかし」〈源氏若菜下〉 ⑥格別。特に。「この御手づかひはーさまかはりて、ゆるらかに面白く、聞く人ただならず」〈源氏若菜下〉 ㊁〖接続〗①その上。「そのほかもあやしきことのみ多かりける。ー新院も内内仰せのありけるは」〈保元上・新院御謀叛思し召し〉 ②《話題を変えるときなどに使う》それから。「ーある人のもとにて、琵琶法師の物語を聞かんとて」〈徒然二三二〉

まだ【未】〖副〗《イマダの転》①いまだ。「ー斯かるわびしき目を見ず」〈竹取〉。「ー暁に出で給ふとても」〈源氏椎本〉 ②他にもっと。加えてさらに。「誰ぞーやらせらるるか、それがし一人にては成りまらすまい」〈虎明本狂言・止動方角〉

まだうウ…ドウ【魔道】悪魔の世界。天狗道。「碩学の聞えありしが、ーに落ちて」〈沙石集一ノ六〉

またうど【全人・真人・正人】《マタビトの転。マタは形容詞マタシの語幹》①心の正しい人。まじめな者。正直で律義な者。「これから一乗寺に行かうずるに……ーを頼うで通らうとすればならぬぞ。悪い悪者を頼うで通れば、やすう通るぞ」〈周易抄四〉。「まだーに成りもすまさず／打ちやみて後も乞はるるばくち銭」〈俳・犬筑波〉 ②おとなしく柔和な者。「花をこそ盗め日頃はーよ／蝶蝶といふ虫も殺さず」〈俳・季吟十会集〉 ③愚直な者。愚鈍な者。「世の人の言葉に、あの男はー也、律儀者也と云ふを見れば、大形は愚かなる小機もの也」〈河内屋可正旧記八〉。「ーといふは、たはけの唐名(からな)なりといへり」〈仮・為愚癡物語八〉

またが・り【跨り】〖四段〗①股をひらいて物に乗る。「一樹の枝に騎(また)がりゐぬ」〈金剛般若経集験記平安初期訓〉 ②両方に足をかける。両足をかけるように、両方にかかっている。「其の宮、南のかた皂澗(さうかん)に接し、北のかた洛浜にー・れり」〈三蔵法師伝九・院政期点〉

また・ぎ【急ぎ】〖四段〗待ちかねて、はやる。そわそわする。「いつしかとー・ぐ心をはぎにあげてあまの河原を今日やわたらむ」〈古今一〇一四〉。「荘公速(ま)たげり」〈春秋経伝集解七・文永点〉。「驀、マタグ」〈名義抄〉

まだき ㊀〖副〗《マダ(未)・マダシ(未)と同根か》早くも。今から。時も至らないのに。早早と。「わが袖にー時雨の降りぬるは君が心に秋や来ぬらむ」〈古今七六三〉。「あかなくにーも月の隠るるか山の端逃げて入れずもあらなん」〈古今八八四〉。「ーこの事を聞かせ奉らむも心恥づかしく覚え給ひて」〈源氏東屋〉。「速、マダキ」〈運歩色葉集〉 ㊁〖名〗早い時期。「ーから思ひ濃き色に染めむとや若紫の根を尋ぬらむ」〈後撰一二七八〉 ーに〖副〗①早くから。まだ時期が早いのに。「いたうまめ立ちて、―やんごとなきよすが(北ノ方)定まり給へるこそ、さうざうしかめれ」〈源氏帚木〉。「うとき人には聞かせじと思ふを…と、―いと口がため給ふ」〈源氏夢浮橋〉 ②前以ての思いすごしで。早とちりで。「―騒ぎて、あいなき物恨みし給ふな」〈源氏若菜上〉

またけ【全け】形容詞「全し」の古い未然形・已然形。「命の―む人は」〈記歌謡三一〉 †matake

また・げ【跨げ】『下二』両足を広げて踏まえる。足を踏み広げる。「〔夢ニ〕西大寺と東大寺とを―・げて立ちたりと見て」〈宇治拾遺四〉

また・し【全し】『形ク』①完全である。そこなわれていない。「命をし―・くしあらばありぎぬのありて後にも逢はざらめやも」〈万三七四一〉。「いたくあばれて築土(ついひぢ)なども―・からず」〈枕一七八〉 ②完璧である。欠点やすきがない。「いと―・くかしこき君にて」〈源氏東屋〉 ③正直である。誠実である。「取り分け旅では正直が肝要ぞ。―・くは人が何処でも目をかけうぞ」〈周易抄〉。「完、マタシ、正直也」〈易林本節用集〉 ④おとなしい。柔和である。「―・い女のやうな人ぢゃ程に、我をば殺すまいぞ」〈周易抄〉 ⑤愚直である。馬鹿正直である。「世話に言へる愚癡―・き人と言ふ程、律義なる所有るべき事ならん」〈仮・他我身之上四〉

まだ・し【奉し】『四段』《マヰ(参)イダシ(出)の約か》①使をさし出す。つかわす。「天皇、使を使はして乞ふ。大臣、使を以(まだ)して報(かへりこと)して曰(まう)さく」〈紀雄略即位前〉。「遣、マダス」〈名義抄〉 ②献上する。「五節たて―・し給ふに」〈高光集〉

まだ・し【未し】『形シク』《マダ(未)の形容詞形》①機が熟さない。時期尚早である。「わが屋戸の植木橘花に散る時を―・しみ来鳴かなく」〈万四三〇七〉。「花盛りは―・しき程なれど」〈源氏少女〉 ②年齢などが十分でない。幼い。「この君は―・しきに、世の覚えいと過ぎて」〈源氏匂宮〉 ③未熟である。整わない。「琴・笛など習ふ。又さこそは―・しき程は、これがやうに、いつしかと覚ゆらめ」〈枕一五八〉 ―もの不充分ではあるが、まだそれでも(よい方)。「膳据ゑる度度に戴いて喰ふなど、是れは―なり」〈西鶴・好色盛衰記一〉

またぞろ【亦候・又候】『副』またしても。またもや。またぞろや。「―山岡美作守瀬田の橋を焼き落しければ」〈太閤記三〉

またた・き【瞬き】『四段』《マ(目)タタキ(叩)の意》①まばたきする。「眼はきろきろとして―・きゐたり」〈堤中納言はいずみ〉。「瞬、マダタク」〈名義抄〉 ②火が消えそうになってちらちらゆれる。「火はほのかに―・きて」〈源氏夕顔〉 ③風前の燈のような状態で生き長らえる。「〔若君ヲ〕よみぢのほだしにもて煩ひ聞えてなむ―・き侍る」〈源氏玉鬘〉 ▽日葡辞書に madataqi, matataqi 両形あり、文明本節用集に「瞬、マタタキ」、合類節用集に「眕、マダタキ」、蘭語訳撰に「瞬、マタタキ」とある。

またな・し【又無し】『形ク』二つとない。他にない。甚だしいことについていう。「よろづ吹き散らし、―・き風なり」〈源氏須磨〉。「神明の利生なりければ、―・き者に思はれて、あまたの子ども設けて、子孫栄えて今に絶えずとなり」〈八幡宮巡拝記下〉

またね【又寝】きぬぎぬの別れのあとで、再び眠りにつくこと。「きぬぎぬのありつる袖をかへすかな―の夢に君や見ゆると」〈実国家歌合〉

またの【又の】 ―あした【又の朝】翌朝。次の朝。「その日は暮らして―に大宮に参り給へり」〈源氏蜻蛉〉 ―とし【又の年】翌年。次の年。「―の春…去年(こぞ)を恋ひて」〈古今七四七詞書〉。「その年も暮れぬれば―になりぬ」〈栄花初花〉 ―ひ【又の日】翌日。次の日。「野分の―こそ、いみじうあはれにをかしけれ」〈枕二〇〇〉。「はじめの日は先帝の御料、次の日は母后の御ため、―は院の御料」〈源氏賢木〉 ―よ【又の世】後の世。後世。また、来世。「さ残りいませ後の世のため―のため」〈仏足石歌〉 ―よ【又の夜】次の夜。「法事し給ひて―」〈源氏夕顔〉

またび【真旅】《マは接頭語》本格的な旅。ほんとうの旅。「旅と言(へ)ど―になりぬ家の母(も)が着せし衣に垢つきにかり」〈万四三八八防人〉 †matabi

またびさし【又庇・又廂】「まごびさし」に同じ。「南の廂〔ノ間〕に御張立てて、―に女房はさぶらふ」〈枕七八〉。「―の御簾(み)おろして」〈栄花初花〉

またぶり【杈椏】二股になっている木の枝。「―に山橘作りてつらぬき添へたる枝に」〈源氏浮舟〉

またま【真玉・真珠】《マは接頭語》たま。「―なす(ノヨウニ)吾(あ)が思(も)ふ妹」〈記歌謡九〇〉 ―つく【真玉付く】〔枕詞〕玉をつける「緒」と同音をもつ「遠(をち)」にかかる。「―をちこち(将来ト現在)かねて言はいへど逢ひて後こそ悔にはありと言へ」〈万六七四〉 ―づら【真玉葛】《マもタマも美称。ツラはツル(蔓)と同根》「たまかづら(玉葛)」に同じ。「丹波道の大江の山の―絶えむの心わが思はなくに」〈万三〇七一〉

またまた【又又】『副』《副詞マタを重ねて強調したもの》なおまた。一層かさねて。「石ふみならし―も来む」〈万一七七九〉。「なほ、―よくけしき見給へ」〈源氏橋姫〉

まだまだ『副』まだるく、もどかしいさま。ぐずぐず。だらだら。「まだらまだら」とも。「―面をさらさんより、自害をせん」〈近松・艶狩一〉

またみる【俣海松】《茎が、股のように分れているのでいう》「みる(海松)」に同じ。「夕なぎに来寄る―」〈万三三〇一〉 †matamiru

またもの【又者・陪卒】家来の家来。又家来。陪臣(ばいしん)。「この樋口は浅井が内にては―なりといへども、大剛の兵(つはもの)なり」〈浅井三代記一三〉

またよ【又よ】『感』別れのことば。再会を約して言う。「―との兼言(かねこと)ばかり頼む身に」〈看聞御記紙背連歌〉。「―とだにも言はぬ朝戸出」〈芝草内連歌合〉。「袖をひかへて―と言へば、涙にかきくれてともかくも」〈宗安小歌集〉

まだら【斑】色や濃淡がまじっているさま。「時じくに―の衣着欲しきか島の榛原時にあらねども」〈万一二六〇〉。「斑、マダラナリ」〈名義抄〉 ―ぶすま【斑衾】種種の色の濃淡く入りまじった布の寝具。「伎倍(きへ)人の―に綿さはだ(多ク)入りなましもの妹が小床(をどこ)に」〈万三三五四東歌〉

まだら【曼陀羅】「まんだら」の「ん」を表記しない形。「法華の―」〈源氏鈴虫〉

まだる・し【間怠し】『形ク』①てぬるい。のろくさい。「さてさてすすどき事かなと申され候へば、いやいや、あれは―・き事」〈近代四座役者目録〉 ②野暮だ。泥くさい。「上代よりも無心中なるにや、―・しとにや」〈評判・吉原雀上〉

まち【町・区】《土地の区画・区切り・仕切りの意》①田の区画。また、その田。「わがやしなひのかはりには、おほましますの南の―なる奴をうけよ」〈正倉院仮名文書〉。「島つ田を十―作れる見て帰り来むや」〈催馬楽桜人〉。「町、末知(まち)、田区也」〈和名抄〉 ②市街地を道路で区切った、その一区画。平安京では四十丈四方とした。「四丁の所を四つに分ちて、―ひとつに〔邸宅ヲ〕いと多く建てたる」〈宇津保藤原君〉 ③宮殿・寺院・邸宅内の一区画。いくつかの建物から成り立つ。「宮のうちの御窟院(みむろのまち)に設斎(みをが)す」〈紀天武、朱鳥一年〉。「姫君のおはしますーはいと異(こと)に、何の草木もさま殊に」〈夜の寝覚五〉 ④市場。店舗。また、それらの所在する市街。「ーに魚を買ひにつかはしつ」〈今昔二〇ノ三五〉。「されば空也上人も、『ーの住まひは心澄む』と侍り」〈撰集抄九ノ五〉。「店家、俗云東西町是也。坐売レ物舎也」〈和名抄〉 ⑤区分。等級。「これは二のーの心やすきなるべし」〈源氏帚木〉。「かみのーの上臈とて、御口つきどもは、ことなること見えざめれど」〈源氏宿木〉 ⑥《他の語に冠して》市場で売っている既製品であることをあらわす。「ー直垂(ひたたれ)」「ー兜」など。「荷ひ持つ笊器(さうき)の入れ子ー足駄世を行く道の者とこそ見れ」〈拾玉集三〉 →町物

まち【襠】袴の内股の部分の称。「みなし子を袴のーに入れて隠して生けて」〈湯山聯句鈔下〉

ま・ち【待ち】㊀『四段』①相手の来ること、物事の実現することを予期して、その時期・機会の到来まで、じっとしている。「我が大君の、猷(し)ー・つと呉床(あぐら)にいまし」〈記歌謡九七〉。「潮ー・つとありける舟を知らずして悔(く)やしく妹を別れ来にけり」〈万三五九四〉 ②行事などを遅らせる。延期する。「月暗く、雲重なれども〔名月ノ詩宴ノ〕事須(ま)たず」〈菅家文草一〉 ㊁『名』狩猟法の一。木の上にいて、獲物が下を通るのを待って射ること。「ーと云ふ事をなむしける。其れは高き木の胯に横様に木を結ひて、其れに居て鹿の来たりて其の下に有るを待ちて射る也」〈今昔二七ノ三二〉 **待つが花** 物事は結果がどうなるかと予想している間が楽しい、の意。「待つうちが花」とも。「〔裁判デ〕一裁許二裁許までー」〈俳・大矢数三〉 **待てば甘露(かんろ)の日和(ひより)有・り** 《「甘露の日和」は「甘露日(かんろにち)」で、七曜と二十八宿とが相応する大吉日。月に一回ないし二回ある》 ゆっくり時機を待っていれば、大吉の甘露日は必ず廻ってくる、の意。「待てば海路の日和有り」の原形。〈俳・毛吹草二〉

まぢ【貧窮】《マヅシ(貧)と同根》 貧乏。「貧窮、末知(まぢ)」〈日本紀私記〉

まちいしゃ【町医者】近世、市中で開業していた平民の医者。名字・開き門を許されていた。「ーを下人剃刀にて殺し」〈松平大和守日記寛文四・五・二六〉

まちい・で【待ち出で】『下二』待ちかまえていて逢う。出てくるまで待つ。「君来ずは形見にせむとわが二人植ゑし松の木君をー・でむ」〈万二四八四〉。「月ー・でて出で給ふ」〈源氏須磨〉

まちう・け【待ち受け】『下二』来るはずだと用意して待つ。「大臣(おとど)、かしこき行ひ人葛城(かつらき)山よりさうじ出でたる、ー・け給ひて」〈源氏柏木〉。「直冑(ひたかぶと)三百余騎ー・け奉り、殿下を中に取りこめ参らせて」〈平家一・殿下乗合〉

まちうど【町人】《マチビトの音便形》 町人(ちゃうにん)。「ー・奉公人の家家」〈伽・おようの尼〉。「町人、チャウニン、マチウド」〈伊京集〉

まち・え【待ち得】『下二』待った末に手に入れる。「もとあらの小萩、はしたなくー・えたる風の気色なり」〈源氏野分〉。「住み果てぬ世に、みにくき姿をー・えて何かはせん。命長ければ辱(はぢ)多し」〈徒然七〉

まちおくり【町送】⇒ちゃうおくり。「渡さるるいたづら者やー」〈俳・夢見草五〉

まちか・け【待ち懸け】『下二』待機する。待ちかまえる。「口ずさびて出で給ふに、渡殿の口にー・けて中将の君して聞え給ふ」〈源氏薄雲〉。「在路の者ども、屋根いに楯をつき、おそへの石を取り聚(あつ)めてー・けたるところに」〈平家八・鼓判官〉

まちかご【町駕籠】町の辻辻で客待ちし、町人が利用できた貸し駕籠。「辻駕籠」とも。「ーを探せど、三ヶ日の内は一挺もこれ無き由」〈浮・棠大門屋敷三〉

まぢか・し【間近し】『形ク』《「間遠し」の対》 へだたりが少ない。すぐ近くである。「うつせみの人目を繁み石橋(いはし)のー・き君に恋ひわたるかも」〈万五九七〉。「ー・くてつらきを見るは憂けれども憂きはものかは恋しきよりは」〈後撰一〇四六〉

まちかた【町方】①町人、また、その居住地である町の称。村方・地方(ぢかた)などに対していう。「南都より〔ノ出席者〕東大寺・興福寺・〔春日社ノ〕禰宜(ねぎ)・ー合はせて三十人有り」〈長闇堂記〉。「ーに居付かん秋の水奉公〔下女奉公〕」〈俳・紅梅千句〉 ②遊廓に対して、一般の町の称。「ーにても、たまさかに風体(ふうてい)よく様子おもしろき女あれば…傾城の如くなるはと、そしれり」〈色道大鏡一四〉

まちかねやま【待兼山】待ち兼ねる意を歌枕の「待兼山」に掛けた洒落詞。「待兼の山」「待兼山の時鳥」とも。「雲は月をーの吐息かな」〈俳・続山の井三〉

まちがひ イ・ガ【町買ひ】市中の商店で買うこと。出入りの商人から買うことに対していう。「御寺下部(しもべ)ーよくしつべく候はん仁(じん)に…買はせて給はり候よし申し」〈金沢文庫古文書七、康永一・三〉

まちがほ オ・ガ【待顔】待っていると言いたげな様子。「ーならむ夕暮」〈源氏帚木〉

まちきど【町木戸】都市の表通りの町町の境に立てた大木戸。夜は亥(ゐ)の刻に締め切り、また、騒動の起きた場合は何時でも締めて警備にあてた。「ー幷びに路次の戸の事、用水桶の事」〈大坂町触元祿二・三・二〉

まちぎみ【公卿・卿】⇒まうちぎみ

まちぎみ【町君】夜、町で男を誘う下級の遊女。「此の馬鼻強くして人を釣りければ、異名にはーと付けられたり」〈盛衰記三四〉

まちくだり【町下り】町を下手へ下ること、下った所。場末。また、町通り。「ーよろぼひ行きて世を見れば物の理(ことわり)みな知られけり」〈拾玉集三〉。「柴売りの急ぐ朝(あした)のー」〈白川千句〉。「ー門門あくる音はして」〈浜宮千句〉

まちざいはひ ワイ・ザイ【待幸い】当てにもならない幸運を期待すること。「ーする者、何に急ぐぞ」〈今鏡一〉

まちざけ【待酒】接待に用意した酒。「君がため醸(か)みしー安野(やすのの)に独りや飲まむ友無しにして」〈万五五五〉。「筑紫には、待人の為に造る酒をーと云ふと」〈仙覚抄三〉 †matizakë

まちしゅ【町衆】《マチシュウとも》 ⇒ちゃうしゅ。「大坂・堺のー」〈西鶴・一代女一〉

まちたいくつ【待ち退屈】長く待って退屈すること。待ちくたびれ。「ーや君は遅き日」〈俳・新独吟集下〉

まぢち【貧鉤】《マヂは、マヅシ(貧)の語根マヅの母音交替形。クツ(口)とクチ、ウツ(内)とウチの類。チは針》 貧弱な獲物しか得られない釣針。「汝の兄に与へ給はむ時には、陰(ひそ)かに此の鉤を呼(い)ひてーと曰ひて、然して後に与へ給へ」〈紀神代下〉

まちぢょらう ウ・ロ【待女郎】婚礼の時、新婦に付き添って世話をする女。待上臈。介添女。「姫百合は美人草をやー」〈俳・毛吹草五〉

まちつ・け【待ち付け】『下二』待ち構えて、うまくその機会を得る。「小君かしこに行きたれば姉君ー・けていみじく〔小言ヲ〕のたまふ」〈源氏空蟬〉。「いま二三日をー・け給はざりし口惜しさ」〈源家長日記〉

まち・で【待ち出】『下二』「まちいで」の約。「高山にたかべさ渡り高高にわが待つ君を―・でてむかも」〈万二八〇四〉

まちと『副』《イマチトの転》いま少し。もうちょっと。「まちっと」とも。「―居よ」〈山谷詩抄一五〉

まちどしより【町年寄】近世、都市で全町を統括する役人の称。町奉行に属し、各町の役人を支配した。また、各町の町役人の長を町年寄と称する都市もあった。「存生の内、遺言状致し、…早速―三人の帳に付け申す可き事」〈正宝事録慶安四・七・一八〉

まちどほ(ドオ)【待ち遠】待つ間が長く思われること。「人を思ひかけて言ひわたり侍りけるを―にのみ侍りければ」〈後撰九六七詞書〉

まちどほ・し(ドオシ)【待ち遠し】『形シク』待つ間が長く感じられる。「待遠、マチドヲシ」〈文明本節用集〉

まちと・り【待ち取り】『四段』待ち迎えてしっかり受けとめる。「『兵部卿の宮渡り給ふ』と聞ゆれば、驚きて御直衣奉り、御褥(しとね)参り添へさせ給ひて、やがて―・り入れ奉り給ふ」〈源氏梅枝〉。「秋風に富士のけぶりの靡きゆくを―・る雲も空に消えぬる」〈拾玉集三〉。「暮るる野に月を―・る雪晴れて」〈竹林抄四〉

まちなみ【町並】①町家の並んでいるさま。また、その町中。「翌日、京へ罷り着きぬ。先づ洛中―を見んといふに」〈天正十一年五月十七日貞徳他行道之覚〉②町内の人人と同じようにすること。また、その行為。「当町南北門新しく作り了んぬ。―に銀子二十四匁出し了んぬ」〈言経卿記慶長三・一〇・一六〉

まちにょうばう(ウボウ)【町女房】町方の女。素人女。「女の風義、―には勝りたれど」〈色道大鏡一四〉

まちにん【町人】町の人。町人。「―拾ひ養育して、比叡の山へのぼせけり」〈伽・和泉式部〉

まちびきゃく【町飛脚】近世、民間の業者が行なった飛脚。「舟越外記より書状来る。―の便也」〈隔蓂記万治三・一〇・二〇〉

まちびさ・し【待ち久し】『形シク』待ち遠しい。「―・しの御返り言や」〈伽・あわびの大将物語〉。「俳諧の下手の句作り―・し」〈俳・寛永十三年熱田万句五六〉

まちびと【町人】町人(ちゃうにん)。「駒なべて地下(げち)―の打ち廻り法華の花の都なりけり」〈再昌草三三〉

まちびと【待人】来ることが待たれる人。「人を頼みて、―の占ひをしたぞ」〈三体詩抄一ノ二〉

まちふう【町風】町人風。また、遊里風俗に対して、素人風。「武家の―、法師の腕だて」〈俳・阿蘭陀丸下〉

まちぶぎゃう(ギョウ)【町奉行】江戸幕府の職名。老中の支配の下に、江戸・京都・大阪・長崎・駿府などに置き、支配下の行政・裁判等の民政を司った。単に町奉行といえば江戸のそれを指し、他の町奉行は、それぞれ地名を冠した。また、各藩の城下町その他の都市にも町奉行が設けられた。「村井長門守京の―ゆゑ」〈亜相公御夜話下〉。「板倉四郎右衛門尉勝重…天正十八年より江戸の―を勤む。その初め、駿州府中の―を司る」〈家忠日記増補追加慶長五・九・一〉。「咎人(とがにん)なれば―に搦(から)められけり」〈仮・仁勢物語上〉。〈日葡〉

まちまう・け(モウケ)【待ち設け】□一『下二』あらかじめ準備をととのえて待ちうける。「釣殿辺に―・けてあり」〈春のみやまぢ〉。「もとより―・けたることなれば」〈伽・蓬萊物語〉□二『名』あらかじめ準備して待ちうけること。接待などの用意・支度。「―には、青苔・黄葉が貧家にみちみちてあるばかりぢゃ」〈三体詩抄一ノ三〉

まちまち それぞれに異なること。さまざま。区区。「歌の―の姿、はじめよりあるにあらず」〈奥義抄〉。「区、マチ〳〵」〈名義抄〉

まちもの【町物】《「あつらへもの」の対》店で売っている商品。既成品。「―の、うへは美しげに見えて」〈他阿上人法語六〉

まちや【町屋】店舗。商家。また、商家の集まっている町。「或は民家に押し入って強盗をなし…或は三百人五百人集って―へ夜討ちに入り」〈三好軍記下〉。「店家、マチヤ、坐売舎也」〈色葉字類抄〉

まちやっこ【町奴】近世初期、江戸で、旗本奴に対抗した浪人・町人などの俠客。義のために一命を軽んずるとして、異様な伊達姿で奴詞(やっこことば)を使い、六方を振って横行した。町六方。下町奴。「―の渾名も立田の川の波の寄辺も無い小奴の事だんべい」〈俳・奴俳諧〉

まちよばひ(ヨバイ)【待ち叫ひ】遠くで叫ぶ声を受けて、こちらからも叫び応ずること。「遙かの〔谷ノ〕底に叫(よば)ふ声ほのかに聞ゆ。『守(かみ)の殿はおはしましけり』など云ひて―するに」〈今昔二八ノ三八〉

まちわ・び【待ち侘び】『上二』待ちくたびれて、待つ気力もなくなる。「あはれなる人をさておきて、心のどかに月日を―・びさすらむよ」〈源氏浮舟〉

まちゑ【町絵】土佐・狩野派または浮世絵師による風景画。「―小盆拾枚」〈隔蓂記明暦二・一・四〉

まちん【馬銭・番木鼈】フジウツギ科の常緑喬木。円盤状の種子はアルカロイドを含み、近世、小児の虫の薬として、また、鼠・犬・猫などの毒殺にも用いた。「―といへる毒を飼うて殺したるらん」〈仮・浮世物語三〉。〈日葡〉▽「馬銭子」の唐音という。

まつ【松】①マツ科の常緑樹。長寿・不変の象徴として古来尊ばれた。「待つ」とかけていうことが多い。「薪樵る鎌倉山の木垂る木を―と汝が言はば恋ひつつやあらむ」〈万三四三三〉。「定めなくあだに散りぬる花よりは常盤(ときは)の―の色をやは見ぬ」〈後撰五九七〉②松茸。「勝宝院の山にて―とらんとて行くに」〈中務内侍日記〉③たいまつ。「御前(さき)の―ほのかにて」〈源氏夕顔〉④門松。「大路のさま、―立てわたして」〈徒然一九〉⑤遊女の最高位である太夫の異称。松の位。「太夫を―とし」〈色道大鏡一〉 **―吹く風** 気にも留めないさまをいう。「―にあしらひ」〈西鶴・一代女六〉

まづ【先づ】□一『副』①まっさきに。第一に。「あらたまの年行き還り春立たば―わが宿に鶯は鳴け」〈万四四九〇〉②他の事よりもさきに。とりあえず。ともかくも。何はともあれ。「兼忠をば故枇杷左大臣の家に、娘をば后宮にさぶらはせむとあひ定めて、二人ながら―枇杷の家に渡し送るとて」〈後撰一二八八詞書〉。「―〔夕顔急死事件ハ〕いとめづらかなることにもはべるかな」〈源氏夕顔〉③《否定の表現を伴って》どうにもこうにも。いっこうに。「―心も得ぬ事なれば」〈今昔二八ノ七〉□二『名』先に来ていること。古参。「やむごとなき―の人人おはすといふことは由なきことなり」〈源氏若菜上〉

まっかいさま【真反様】正反対。「顛は物のくらりと―になる事ぞ」〈古活字本論語抄一六〉。「道に背いて―なる事なく」〈尚書抄七〉

まっかう(コウ)【抹香】樒(しきみ)の皮・葉を乾して粉末にした香。仏前の焼香に用いる。古くは沈香と栴檀(せんだん)とを搗いて粉末としたものをいった。「妙香・塗香・―、無量の香、芬馥(ふんぷく)として遍く世界に満つ」〈往生要集二〉。〈文明本節用集〉 **―くさ・し**【抹香臭し】『形ク』仏くさい。「印(いん)作りて―・き法師」〈俳・口真似草

序〉

まっかう【真向】①兜(かぶと)の鉢の前正面。「兜の—、鎧の胸板」〈保元上・官軍勢汰へ〉 ②額のまん中。「—割られて同じ枕に伏しにけり」〈曾我九〉。「—竹割り、車斬り」〈浄・ゑしま物語上〉

まっかう【真斯う】《マッカクの転》まさにこのよう。「聖人の教が—ぞ」〈論語抄先進〉。「世間にも、まことなる事をば—と云ふなり」〈法華大意抄〉

まっかく【真斯く】⇒まっかう。「—の次第にて」〈近松・天智天皇三〉

まつかげ【松蔭】①松の木にかくれて見えない所。「ほととぎすかけつつ君が—に紐解き放くる月近づきぬ」〈万 四四六四〉 ②松の木の、水などに映った姿。「—の清き浜辺に玉敷かば君来まさむか清き浜辺に」〈万四二七一〉 †matukagë

まつかさ【松笠】松の実。まつぼっくり。「駒並(な)べて君が見に来る春日野は—繁し雨にさはるな」〈京極御息所褒子歌合〉

まつかざり【松飾り】門松。「飾り松」とも。「町中表裏の—、明七日の朝取り申す可きの事」〈正宝事録寛文三・一・六〉

まっかせ【任せ】『感』《「任せておけ」の意》合点だ。よし来た。「〔時鳥ハ〕夏の間は雲井に鳴くか、夏が過ぐればそこさひて、—よ、いづくへころせ行くぞさ」〈万葉歌集〉

まつかぜ【松風】松を吹く風。また、その音。「—に池波立ちて」〈万二五七〉。「鐘の声、—に響き給ひて」〈源氏明石〉

まつがね【松が根】松の根。海の波がうちよせ、旅の枕にし、そのかげで涼むことなどを歌によみ、長く続くこと、しっかりした心のたとえにする。「大伴の高師(たかし)の浜の—を枕き寝(ぬ)れど家し偲はゆ」〈万六六〉

まづかひ【間使】二人の間を行き来して言葉を伝える使。「玉桙の道の遠けば—もやるよしも無み」〈万三九六九〉 †madukaFi

まっかへさま【真反様】正反対。まっかいさま。「鎌倉殿の御前にて—に言上し」〈近松・吉野忠信一〉

まつがへり【松反り】〔枕詞〕呆け・馬鹿の意の「しひ」にかかる。かかり方は未詳。「—しひにてあれかもさ山田の翁(をぢ)がその日に求め逢はずけむ」〈万四〇一四〉 †matuga-Feri

まつがをか【松ヶ岡】相模国鎌倉にある尼寺、松岡山東慶寺の俗称。この寺に夫を嫌った妻が逃げ込み、二十四か月(足かけ三年)間尼としての勤めを果す時は夫婦の縁が切れたので、縁切寺ともいい、上州新田の満徳寺と共に有名。「花は皆思ひ切ったる—」〈俳・鳥鷺俳諧〉

まづき【真搗き・真舂き】水に浸した麦を一度よく搗き、乾かした後ふたたび搗くこと。また、その搗いた麦。「—大麦三斗、大豆九升」〈多聞院日記永祿八・七〉

まっくすみ【真っくすみ】ひどく真面目くさった態度でいること。きまじめ。「いかにも容儀に構へ、—になり」〈仮・竹斎上〉

まっくろ【真黒】①完全な黒色。「髪が美しう—になる」〈毛詩抄一五〉 ②非常に暗いさま。「朝なれども、—なる程に黄昏のやうなぞ」〈中華若木詩抄上〉 ③勢いのはげしいさま。「敵味方—に切り結んだ」〈大淵和尚再吟中〉

まつげ【睫】《「目(ま)つ毛」の意。ツは連体助詞》まぶたのふちにある毛。「まことに、蚊の—の落つるをも聞きつけ給ひつべう」〈枕二七五〉。「睫、万豆介(まつげ)、目瞼毛也」〈和名抄〉 **—読ま・る** 人に侮られて本人は気がつかない意。また、人にだまされる意にもいう。「睫を数へらる」とも。「目も合はずず寝ぬ夜口惜し時鳥(ほととぎす)己(汝)が初音を—・れて」〈後撰夷曲集三〉 **—を濡ら・す** 《狐に化かされぬように睫に唾をつける意から》欺されないように用心する。「狐や化かしぬと—・して居たりけり」〈近松・蟬丸二〉

まつご【末期】今にも死のうとしている時。臨終。「彼の人ただ弱りに弱り既に—に及び候ほどに」〈謡・隅田川〉

まつじ【末寺】本寺に所属し、その支配下にある寺。別院。「今は昔、祇園はもと山階(やましな)寺の—にてなむありける」〈今昔三一ノ二四〉

まづ・し【貧し】『形シク』資産が乏しい。「我よりも—・しき人の、父母は飢ゑこごゆらむ」〈万八九二〉。「賤しく—・しきものも、高き世に改まり」〈源氏若菜下〉

まつしだす〔上代東国方言〕未詳。待ちつつ立つ意か。「我がせこを大和へ遣(や)りて—足柄山の杉の木の間か」〈万三三六三東歌〉

まっしゃ【末社】①本社に付属する小さい神社。「本宮・—まで祈り申すべき由、院より召し仰せらる」〈盛衰記二七〉 ②たいこもち。幇間(ほうかん)。「—、同じく太鼓持の事也。傾城買の客を本社に喩へ、太鼓を末社に比したる分なり」〈色道大鏡一〉

まっすぐ【真直】①少しも曲っていないさま。「一人は—に〔川ヲ〕渡るぞ」〈論語抄微子〉。「ただ—に道心を発(おこ)して」〈月庵法語〉 ②少しも包み隠さないこと。正直。「御心中を残さず—に仰せられ候へ」〈謡・元服曾我〉

まっせ【末世】末法(まっぽふ)の世。「—の僧等は、仏法の道理をば知らずして」〈日蓮遺文曾谷殿御返事〉

まった【又】『接続』「また」の促音化。「—昨日の所へござありて」〈説経・さんせう太夫〉

まつだい【末代】①世がくだって、人心・道義の衰微した時代。末世。「—とはいひながら、不思議なりし事どもなり」〈平家一・吾身栄花〉 ②自分の死んだ後の世。後世。「上矢(うはや)の鏑(かぶら)の一筋残ったりけるを、—の者に見せんとて、宝荘厳院の門の柱に射留めてぞ帰りける」〈保元中・新院左大臣殿〉 ③《副詞的に用いて》後世に及ぶまで。後後まで。「—家の宝なり」〈東野州聞書五〉。「浄西は—御門徒を放され候ふなり」〈九十箇条制法〉 **—もの**【末代物】末代まで使用できる品物。極めて丈夫なものをいう。末代道具。「住吉の—ぞ若緑」〈俳・犬子集一〉

まつだうきふね【松田浮舟】江戸のからくり細工人。屋号を鶴屋といい、初め日向太夫、後、播磨掾と称した。明暦・万治から寛文初期まで江戸堺町で歌舞伎・からくりを興行、後、からくり・子供芝居の経営者となり、享保末まで小芝居の名代として「播磨」の称号が伝わった。大阪の竹田近江の師という。「—日向守の手術(カラクリ)、これを見物す」〈隔蓂記寛永二〇・一・一三〉

まったく【全く】『副』《マッタシの連用形が副詞に転じたもの》①完全に。全面的に。「弟の頼長公は、—経をむねとし」〈撰集抄六ノ六〉 ②《下の打消の語と呼応して》全然。決して。「—不忠なき由、度度起請文を以て申されけれども」〈平家二・腰越〉

まった・し【全し・完し】『形ク』《マタシの促音化》①完全である。そこなわれていない。「たとひ湯水を飲まずとも、国に着かんまで命を—・うすべし」〈盛衰記一八〉。「比興(ひきよう＝粗末)なる鹿裘さへ破れて、—・うはないぞ」〈湖鏡集〉。「〔毛髪肌膚ヲ〕父母—・うして我を生めば、我—・くしてこれを返す」〈朱子家訓私抄上〉。「完・全は二共に—・しと訓んだ」〈大淵代抄三〉 ②完璧である。確実である。「守ればよく保ち、攻むれば—・く勝つ」〈孫子私抄〉 ③正直である。誠実である。「老実説話、マッタウイッタ」〈日本寄語〉 ④

愚直である。馬鹿である。「参詣の中に—・き姥の有りて」〈咄・醒睡笑四〉

まつちやま【真土山】①大和から紀伊に越える所、紀ノ川右岸にある山の名。「—夕越え行きて廬前(いほさき)の角太河原(すみだがはら)にひとりかも寝む」〈万二九八〉②〔枕詞〕同音から「待つ」に、類音から「もとつ」にかかる。「—待つらむ妹(いも)を行きて早見む」〈万三一五四〉。「—本つ人(モトカラナジンダ妻)にはなほ如かずけり」〈万三〇〇九〉

まつちよ【松千代】寛文・元禄頃、京都で、踊りながら門付けをした乞食。「まつんぢょ」とも。「寛文十三年百人一種…乞食〔ノ第一人者〕は、京の—」〈玉滴隠見二六〉

まっと『副』《マチトの転》もう少し。もっと。「坐客が立たうとすれば、—居よと云ひて引きとむるぞ」〈山谷詩抄一五〉。「〔汁ニ〕塩を—さし申すべきか」〈伽・鼠草子〉

まつのうち【松の内】正月、門松を立ててある間をいう。近世では一般に正月十五日に門松を取り去ったが、江戸では七日に取り去った。「来春は—に御馬をいだされべく候間」〈伊達家文書一、天正一七・一一・二六〉

まつのくらゐ【松の位】《秦の始皇帝が雨宿りした松に大夫の位を与えた故事に因んで》太夫職の遊女の異称。「—とは太夫の事」〈評判・吉原鹿子〉

まつのけぶり【松の煙】①たいまつの煙。「—のたなびきて」〈枕一四二〉②松の遠景が霞んで見えるさま。「時わかぬ—に立ち添ひて猶はれがたき峰の秋霧」〈新続古今五四三〉③《火葬に松の薪を用いたので》火葬にすること。「当麻寺に送りて—となして」〈西鶴・伝来記五〉

まつのこけ【松の蘿】サルオガセの異称。「—千年をかけておひ茂れ鶴の卵(かひこ)の巣ともみるべく」〈拾遺一一六七〉

まつのちとせ【松の千歳】千年も保つという、松の長い寿命。「松の千代」とも。「見し人の—に見ましかば遠く悲しき別れせましや」〈土佐二月十六日〉

まつのは【松の葉】①松の木の葉。平安時代以後の歌では、色の変らないのにいうことが多い。「わがやどの—見つつ吾(あれ)待たむ早帰りませ恋ひ死なぬとに」〈万三七四七〉。「をしほ山神のしるしを—に契りし色はかへるものかは」〈新古今一九〇〇〉②特に、仙人・行者などの食物にいう。「優婆塞(うばそく)が朝菜にきざむ—は」〈好忠集〉。「〔山伏ガ〕苔のむしろを敷き、—を食べて」〈狭衣三〉③《「志は松の葉に包む」の諺から》手みやげなどの謙譲語。寸志。「京みやげ—とやらみすや針」〈雑俳・万句合宝暦九〉

まつのはな【松の花】松の木の花。春、新芽の頂に雌花、新芽の下部に雄花が群がって咲く。数多くあるもの、また、長寿の象徴とする。「—花数にしも我がせこが思へらなくにもとな咲きつつ」〈万三九四二〉。「君が代は—さく千度(ちたび)見るまで」〈金葉三三〉

まづは【先づは】『連語』①《判断の根拠などをあげる場合に》まず第一に。「いよいよ恨めしさも添ひ侍るかな。—今宵などの御もてなしよ。…と恨み続けたるもをかしければ」〈源氏藤袴〉②さし当って。「—金に見限られて」〈西鶴・好色盛衰記三〉③何はともあれ。ほんとうにまあ。「—奇特なぞ」〈漢書竺桃抄〉。「—辛労なる事かな」〈中華若木詩抄中〉

まつばき【真椿】⇩ゆつまつばき

まつは・し(マツワシ)【纏はし】『四段』《マツヒ(纏)の他動詞形》①自分の傍を離れさせないでおく。「〔帝ガ桐壺更衣ヲ〕わりなく—・させ給ふあまりに」〈源氏桐壺〉②《マツハリと同じに用いて》㋑つきまとう。「夢にもただ同じさまなるもの(龍王)のみ来つつ—・し聞ゆと見給ふ」〈源氏明石〉㋺つきしたがう。「〔源氏ヲ〕年頃よろづに頼み聞えて〔紫上ガ〕—・し聞えけるこそあさましき心なりけれとくやしう」〈源氏葵〉 **—のうへのきぬ**(…ウエ…)【縫掖袍】袖の両腋の下を縫いつけた袍(はう)。天皇・文官が着用した。「縫掖、万都波之乃宇倍乃岐奴(まつはしのうへのきぬ)」〈和名抄〉

まつはやし【松拍子・松囃子】①風流の一種。主に正月行事として、室町時代に広く流行した作り物・仮装・物真似・歌舞など。「—入り来るの間、余小袖一重を給(た)ぶ」〈兼宣公記嘉慶二・一・四〉。「松拍子、マツハヤシ」〈文明本節用集〉②正月の謡初め。近世、朝廷・幕府では正月三日の夜、民間でも三日から十五日の間に行なった。「前の将軍万松院殿の時、二日に御—の御能ありしを、〔細川〕藤孝〔ノ〕指図として、不吉の例なりとて三日に成る」〈江源武鑑一三〉

まつばら【松原】海岸や空地などで、松が自然に群生している所。「我背子を我が—よ見渡せば海人をとめども玉藻刈る見ゆ」〈万三八九〇〉 **—をどり**【松原踊】伊勢踊の唱歌の「松坂越えて…」を、「松原越えて…」と歌い替えた踊。「松千代が—の足元」〈西鶴・諸艶大鑑七〉

まつは・り(マツワリ)【纏はり】『四段』①からみつく。ぐるぐる巻きにからむ。「藤波の思ひ—・り若草の思ひつきにし君が目に恋ひや明かさむ長きこの夜を」〈万三二四八〉。「軒のつまなどに這ひ—・れるを」〈源氏(河内本)夕顔〉。「縈、マツハレリ」〈名義抄〉②《からんでほぐしようがない意から》筋が通らなくなる。要領を得なくなる。「至言は物に範たれども、時に邪弁に淪滞(まつはる)」〈地蔵十輪経序・元慶点〉

まつは・れ(マツワレ)【纏はれ】『下二』①からまりつく。「枯れたる花どもの中に朝顔のこれかれに這ひ—・れて、あるかなきかに咲きて」〈源氏槿〉。「渡り給はむとするに、宮たち—・れて、さらに離れ給はず」〈源氏横笛〉②かかわる。「をかしきことの筋にのみ—・れて侍めれば、聞えさせにくくこそ」〈源氏常夏〉▽マツヒの受身形からの転義か。

まつ・ひ(マツイ)【纏ひ】『四段』《マトヒ(纏)の母音交替形》①ぐるりと巻きつく。「如来の髪(みぐし)あり。…螺旋して右に—・へり。引けば長さ尺余。巻けば半寸ばかり」〈大唐西域記一・長寛点〉。「釈迦仏、昔ただ人にておはしましけるに、毒蛇となりて、さきに土に埋めりし黄金を—・ふとも侍るめるは」〈閑居友上〉②ぐるぐる巻きにしばる。「典獄のひとに勅して其の五つの処を縛(まつ)ひて」〈地蔵十輪経三・元慶点〉。「絡・縛・累、マツフ」〈名義抄〉③からみつく。「病にも—・はれ」〈徒然一一三〉④《「涙に—・はれ」の形で》涙にひたる。「〔髪ヲ〕けづる事もをさをさし給はず、涙に—・はれたるはいとあはれなり」〈源氏真木柱〉

まっぴら【真平】㊀『名』《マヒラの促音化》まったいら。「大力量人の頌と一般ぞ。—(同等)になるぞ」〈策彦和尚初渡集下ノ下〉㊁『副』①ひたすら。「—にほめられたなり」〈臨済録抄四〉。「—御坊を頼み奉るべき由申す」〈伽・弁慶物語〉。②《打消の語を伴って》全く。「—許させられい」〈虎明本狂言・眉目よし〉。「茄栗(ゆでぐり)に棣(がい)は—候はず」〈俳・江戸両吟〉

まっぷくら【真脹ら】《マフクラの促音化》まっ盛り。「周は成・康〔ノ時代〕が—ぞ」〈漢書竺桃抄〉。「入江にもさす初潮は—」〈俳・寛永十三年熱田万句三八〉

まつふぐり【松ふぐり】松かさ。まつぼっくり。「—着せて隠さん名にしをば枝にかかりし藤袴にて」〈玉吟抄〉

まつぶさ【真具さ】《マは接頭語》じゅうぶん。完全。「黒き御衣(みけし)を—に取り装(よそ)ひ」〈記歌謡四〉

まつ・べ【纏べ・統べ・集べ】『下二』《マツヒ(纏)の他動詞形。古くはマツへと清音》①巻きつける。からみつかせる。

「年を経て〔麝香ノ〕香(か)失せなば、蛇(くちなわ)のもぬけをもて麝香入りたる袋に―・へ、もしは麝香のへそにまつひて〔炭火デ乾カス〕」〈後伏見院宸翰薫物方〉 ②まとめる。集める。「まつめ」とも。「人数を―・べられけるに」〈百戦奇法七〉。「集まるを―・ぶる、まつばるは苦しからずと言ふ人も有れど、聞き悪しくや」〈俳・かたこと三〉

まつぼ【真壺】 ①抹茶にする葉茶を貯える壺。ルソン渡来に名物が多かった。「また傍(かたはら)を見るに、―・玉壺(ぎょくこ)・胡瓶(うびん)…東陽瓶も並べ置く」〈禅林小歌〉。〈日葡〉 ②まんなか。まっただなか。「―、俗に正中の意に言へり」〈和訓栞〉

まっぽふウ…ポ**【末法】**〔仏〕釈迦入滅後の仏法について、その辿ってゆく経過を、正法・像法・末法の三期に分類したものの第三。教・行・証のすべてがそなわっていた正法の時代の次に、教・行があって証を欠く像法の時代となり、その後に、ただ教のみが残るだけの末法の時代が一万年つづくという。「一つには正法五百年、二つには像法千年、三つには―万年なり」〈霊異記下序〉。「釈迦の―万年の後、三宝みな失せての終りの衆生までも」〈和語燈録四〉 ▽日本では、正法・像法の時代を各千年とする説が採られ、釈迦滅後二千年に当る後冷泉天皇の永承七年から末法の時代に入ったと言われた。

まつぼり【私蓄】 ひそかに貯金すること。また、その金。へそくり。「一握り―金や冬籠り」〈俳・笈日記中〉

まつむし【松虫】 ①秋の虫の一。「秋風のやや吹きしけば野を寒みわびしき声に―ぞ鳴く」〈後撰二六一〉。「置く露のあだの大野の真葛原恨み顔なる―の声」〈続後撰三七一〉。「月まつ虫うかがひて、琴(きん)の声にあやまたせ」〈夫木抄一四・虫〉 ▽今のスズムシにあたるとする古今要覧稿の説もある。 ②叩鉦(たたきがね)の異称。「松虫鉦」とも。「―の鉦を打ち」〈民間省要中四〉

まつ・め『下二』⇒まつべ(2)。「役人を―・め候間に、すでに御能始まり候」〈大乗院雑事記長祿二・二・一〇〉

まづもって【先づ以て】『副』何はともあれ。「少しも言葉をたがへず、一番に馳せ参ずる事―神妙なり」〈謡・鉢木〉

まつやにがうやくウ…ゴ**【松脂膏薬】** 松脂を主剤とした、悪性の腫物にきく膏薬。「色変へぬ―練り加減」〈俳・独吟一日千句〉

まつよひイ…ヨ**【待宵】** ①訪れてくるべき人を待っている宵。「―に更けゆく鐘の声聞けばあかぬ別れの鳥は物かは」〈新古今一一九一〉 ②《翌夜の満月を待つ意から》八月十四日の夜。「―の月を是れより思ひ切る」〈俳・大矢数四〉

まつら・ひマツライ**【服ひ・順ひ】**『四段』《マツリ(奉)に反復・継続の接尾語ヒのついた形。→ひ》 みつぎものをたてまつる。服従する。「這ふ虫も大君に―・ふ」〈紀歌謡七五〉 †ma-turaFi

まつらぶね【松浦船】 松浦地方(九州西北海岸)で作られた舟。「さ夜ふけて堀江漕ぐなる―楫(かぢ)の音(と)高し水脈(をみ)早みかも」〈万一一四三〉

まつ・り【奉り・祭り】 ㈠『四段』《神や人に物をさしあげるのが原義。類義語イハヒ(祝)は一定の仕方で謹慎し、呪(まじな)ひを行なう意。イツキ(斎)は畏敬の念をもって守護し仕える意》 ①潔斎して神を迎え、神に食物その他を差し上げもてなして交歓し、生産の豊かなこと、生活の安穏、行路の安全などを求める。「斎串(いくし)立て神酒(みわ)すゑ―・る神主部(かむぬし)のうずの玉かげ見れば羨(とも)しも」〈万三二二九〉。「ちはやぶる神のみ坂に幣(ぬさ)―・りいはふ命は母父(おもちち)がため」〈万四四〇二〉。「皇太后御体不予、天神地祇に―・るべし」〈続紀天平宝字四・三・一三〉 ②さしあげる。たてまつる。「わが衣形見に―・る敷細(しきたへ)の枕を去らず巻きてさ寝ませ」〈万六三六〉。「心をし君に―・ると思へればよしこのごろは恋ひつつをあらむ」〈万二六〇三〉 ③他の動詞の下について、謙譲の意を添える。「服従(まつろ)へぬ人をも和(やは)し、掃き清め仕へ―・りて」〈万四四六五〉 ㈡『名』 ①祭ること。「山おろしの風な吹きそと打越えて名に負へる社(もり)に風(かざ)―せな」〈万一七五一〉。「御祈りかたがたにひまなくののしる。―、祓へ、修法など言ひつくすべくもあらず」〈源氏夕顔〉 ②特に、京都の賀茂神社の祭。「大きなる桂の木の追風に、―の頃おぼし出られて」〈源氏花散里〉 **―か・へ**エカ**【祭り替へ】**『下二』 祈禱によって病気などを他人に移しかえる。「晴明(せいめい)がいふ如く、師匠の命(めい)にかはり、我この病をうけ、冥途に赴くべし。いそぎ―・へられよ」〈宝物集中〉。「〔陰陽師〕この病人をねんごろに思ふ人おはせば―・へ奉らんと言へり」〈古今集註〉 **―きゃくじん【祭客人】** 祭見物に招かれた客。祭客。「昨暮、新右衛門土器屋へ―に行き、終日大酒す」〈鹿苑日録慶長八・一一・一三〉 **―ど・ち【政ごち】**『四段』《マツリゴトを活用させた語》 まつりごとを行なう。政治をとる。「公(おほやけ)の御後見をし、世を―・つべき人」〈源氏明石〉 **―ごと【祭事・政】** ①祭祀権を持つ者が祭祀を行なうこと。祭祀。「尚侍(ないしのかみ)の宮仕へする人なくては、かの所(内侍所)の―しどけなく…事乱るるやうになむありけるを」〈源氏行幸〉 ②行政。「帝(みかど)を我が〔思ウ〕ままに、思しきさまの―せむものぞ」〈かげろふ下〉。「務・治・正、マツリゴト」〈名義抄〉 ③行政上の規定。「いにしへの聖代、すべて起請文につきて行なはるる―は無きを、近代この事流布したる也」〈徒然二〇五〉 **―ごとひと【判官】** 役所の第三等官。「淡路の―の任果てて」〈後撰一一〇八詞書〉。「判官、万豆利古止比止(まつりごとひと)」〈和名抄〉 ↓じょう。 **―だ・し【奉り出し】**『四段』 さしあげる。進上する。「まそ鏡かけて偲へと―・す形見の物を人に示すな」〈万三七六五〉 **―のかへさ**エサ…カ**【祭の帰さ】** 賀茂祭の翌日、斎王が上の社から紫野の斎院御所に帰ること。また、その行列。「見ものは。臨時の祭、行幸、―」〈枕二〇九〉 **―のつかひ**カイ…ツ**【祭の使】** 賀茂祭の奉幣の勅使。「中将にいますかりける時、―にさされ(指名サレ)て出で給うけり」〈大和九一〉 **―を渡・す** ①祭礼の行列が練り歩く。「―・し流鏑馬(やぶさめ)を射る」〈俳・塵塚下〉 ②男女の交わりをする。「寝ますと其のまま―・します」〈評判・難波鉦三〉

まつろ・ひマツロイ**【服ひ・順ひ】**『四段』《マツラヒの母音交替形》⇒まつらひ。「其の―・はぬ人どもを和平(やは)さしめたまひき」〈記崇神〉。「―・はぬ国を治め〔ヨ〕と」〈万一九九〉 †maturoFi, maturöFi

まつろへマツロエ**【服従】**《マツロヒの他動詞形から》 奉仕・服従させること。「―の向けのまにまに」〈万四〇九四〉 †matu-röFë

まて 《マタシ(全)と同根》 ①まじめ。律儀。実直。「田植歌―なる顔の諷(うた)ひ出し」〈俳・続猿蓑下〉。「マテナ」〈日葡〉 ②おとなしく柔和なこと。「日頃は―なりとも、かかる武略の道には鬼も成るまいぞ」〈伽・あわびの大将物語〉 ③愚直。愚鈍。「彌介と申す中間、かねて―なるに依って」〈梅津政景日記元和四・一・八〉

まで【真手・両手】《マは接頭語》 左右の手。両手。「御手洗(みたらし)に若菜すすぎて宮人の―に捧げて御戸(みと)開くめる」〈山家集下〉 ▽上代には、助詞マデに「二手」「左右手」「諸手」などの字をあてた例がある。

まで【詣で】 動詞「まうで」(連用形)の音便形「まんで」の

「ん」を表記しない形。「強ひて―とぶらひ給はずなりにたり」〈源氏夕霧〉

まで『助』→基本助詞解説

まで・き【詣で来】『カ変』「まうでき」の音便形「まんでき」の「ん」を表記しない形。「男の久しう―・こざりければ」〈後撰四〇〇詞書〉

までに『連語』《副助詞マデは、本来、両手(まて)という名詞であったから、それに格助詞ニの伴った形。これによって、副詞句を作って下を形容する》時間・程度などの度合が満ちて、至りつく点を強調して示す。「吉野川石(いは)と柏と常磐なす吾は通はむ万代(よろづよ)―」〈万一一三四〉。「あさぼらけ有明の月と見る―吉野の里に降れる白雪」〈古今三三二〉

まと【円】形が丸いこと。「馬の面(おもて)―にも見えねども、望月の駒といふは」〈賀茂女集〉。「円の字をば―と読む。また、まろなりとも読めばその義にこそ」〈奥義抄〉

まと【的】《マト(円)の意》弓を射る時の目標に立てておく物。「高麗国、鉄の盾・鉄の―を貢る」〈紀仁徳十二年〉。「的、万斗(まと)、射的也」〈和名抄〉 †mato

まと【待と】動詞「待ち」の終止形「待つ」の上代東国方言。「金門田(かなとだ)を荒掻きま斎(ゆ)み日が照(と)れば雨を―のす(ヨウニ)君をと―も」〈万三五六一東歌〉 †mato

まど【窓】《マ(目)ト(門)の意》室外を見、室内に明りや空気を入れるための小さい口。「―越しに月押し照りてあしひきの嵐吹く夜は君をしぞ思ふ」〈万二六七九〉。「人にも見せで、わりなき―を明けて〔コッソリ絵ヲ〕画かせ給ひけるを」〈源氏絵合〉。「窓、末土(まど)」〈華厳音義私記〉 †mado **―が明・く** 穴があく。また、時間的に間隔の明き過ぎることをもいった。「物に穴の明きたるを―・きたると云ふ」〈俳・嘲哢集中〉。「音曲に窓の明くといふ事。…前を早く云ひて、末を一字二字、心もなく、のびのびと云ふ事、是を窓の明くと申し侍るべく候」〈永正十八年元安伝書〉

まどか【円】《マトカとも。ものの輪郭が真円であるさま。欠けた所なく円いさま》①形が円いこと。「方言には、筐の員(まどか)なるを、筥と曰ふ」〈蘇悉地羯羅経略疏二・寛平点〉。「団団と―にして夜の月の如し」〈遊仙窟(醍醐寺本)鎌倉期点〉。「十四夜の事なれば、十分にまろくはなくて、―にならんとする時分なり。明夜十五日には―になるぞ」〈錦繡段鈔二〉。「円、マトナリ・マドカナリ」〈名義抄〉②円満具足なこと。円満で欠点のないこと。「楽しみ圄(まとか)にして、斑を馴つけ阿(まく)に巣くひて、律を響かす」〈玄奘法師表啓平安初期点〉。「マトカナヒト」〈日葡〉

まどき【間時】ひまの時。「恵みあり民の―を金毘羅会(こんぴらゑ)」〈俳・金毘羅会上〉

まどころ【政所】⇒まんどころ。「西の対、渡殿などかけて、―・家司など、あるべきさまにし置かせ給ふ」〈源氏松風〉。「政所、マドコロ」〈文明本節用集〉

まどころ【間所】家の中の間(ま)。へや。「―とても無きままに、洗濯よろづに至るまで、かやうに親の所にて致すわけにて候へば」〈近松・堀川波鼓上〉

まど・し【貧し】『形シク』《マヅシの母音交替形》①資産が乏しい。「家の―・しきをもあなづらず」〈十訓抄五ノ七〉。「貧、マドシ」〈黒本本節用集〉②不足である。「財(たから)多ければ身を守るに―・し」〈徒然三八〉

まどせん【窓銭】近世、民家の窓数に応じて課した税。窓役。「―の憂世を話す雪見かな」〈俳・焦尾琴〉

まどのうち【窓の内】若い女が、親に大事に保護されていること。箱入り。「親の―ながら過ぐし給へるやうなる心安きことはなし」〈源氏若菜下〉

まとば【的場】的を懸けて、弓の練習をする場所。「皆人の―に出づるなりを見よ」〈俳・犬筑波〉。〈文明本節用集〉

まどはか・し(マドワカシ)【惑はかし】『四段』「まどはし」に同じ。「夜のほどろに―・さるる騒がしの殿のおもと達や」〈和泉式部日記〉

まとは・し(マトワシ)【纏はし】『四段』《マトヒの他動詞形》からみつかせる。いつも離れないようにさせる。「幼き人は…〔光源氏ヲ〕何心もなくむつれ―・し聞え給ふ」〈源氏紅葉賀〉

まどは・し(マドワシ)【惑はし】『四段』《マドヒの他動詞形。古くはマトハシと清音》①どう行けばよいか、わからなくさせる。行く手を見失わせる。「〔敵ヲ〕神風にい吹き―・し」〈万一九九〉。「声立てて泣きぞしぬべき秋霧に友―・せる鹿にはあらねど」〈後撰三七二〉②心を混乱させる。動揺させる。「常に慳惜を生し、無明に覆はれ、邪見に心を―・されたりと」〈金光明最勝王経平安初期点〉③見誤らせる。区別できなくする。「心あてに折らばや折らむ初霜の置き―・せる白菊の花」〈古今二七七〉 †matoFasi **―がみ**【惑はし神】人を迷わせる神。「この辺(ほとり)には―ありなるぞかし」〈今昔二七ノ四二〉

まとはじめ【的始】武家で、新年に始めて的を射る儀式。「御酒宴の最中御―有り」〈吾妻鏡文治四・一・六〉

まとは・ひ(マトワイ)【迷はひ】『四段』《マトヒ(惑)に反復・継続の接尾語ヒのついた形。→ひ》まよいつづける。「やみ夜なす思ひ―・ひ」〈万一八〇四〉 †matoFaFi

まとは・り(マトワリ)【纏はり】『四段』まつわりつく。「五六尺ばかりなる蛇、〔女ニ〕―・りて」〈沙石集七ノ九〉

まと・ひ(マトイ)【纏ひ】㊀『四段』《マツヒ(纏)の母音交替形》①巻きつく。「犢(こうし)の腰に黒き文(もん)有り。横さまに―・ひて廻れること」〈今昔九ノ三九〉②身をくるむ。身に巻きつける。「〔釈迦ヲ〕五百の張畳(はりかたびら)を以て身に―・ひ奉りて」〈今昔三ノ三二〉③つきまとう。傍を離れずについている。「悪霊は執念きやうなれど、業障(ごふしやう)に―・はれたるはかなきものなり」〈源氏夕霧〉㊁『名』馬標(うまじるし)の一。竿の頭に種種の飾り物を付け、多くはその下に馬簾(ばれん)を垂れたもの。戦場で大将の所在のしるしとして立て、また、火消の組印としても用いた。「―を打ちかづき、町通二条へあがられ候」〈信長公記一五〉

まど・ひ(マドイ)【惑ひ】㊀『四段』《古くはマトヒと清音。事態を見極め得ずに混乱して、応対の仕方を定めかねる意。類義語マヨヒは、本来は、布が薄くなって織糸が片寄り乱れる意》①行く先を見定めかねて混乱する。「霞立ち家路―・ひて行方知らずも」〈丹後風土記逸文〉。「妹がため菅の実取りに行く我は山路に―・ひこの日暮しつ」〈万一二五〇〉②どうすればよいか決めかねて、心が乱れる。「月読の光は清く照らせれど―・ふこころに思ひあへなくに」〈万六七一〉。「人の親の心は闇にあらねども子を思ふ道に―・ひぬるかな」〈後撰一一〇二〉③《動詞の連用形について、その動作・状態の程度が途方もなくひどくなることを表わす》はなはだしく…する。ひどく…する。「かのあるじなる人、案を書きて〔女ニ〕書かせてやりけり。めで―・ひにけり」〈伊勢一〇七〉。「風の吹き―・ひたるさま、恐ろしげなること」〈更級〉。「目・眉・額なども腫れ―・ひて」〈徒然五三〉㊁『名』心の混乱。動揺。「たわや女(め)の―によりて…天離る夷辺に退(まか)る」〈万一〇二九〉。「暫しの酔ひの―にもあらざりけり」〈源氏若菜下〉 †matoFi **―もの**【惑ひ者】所定めず流浪する者。浮浪者。「君の御出家候ひなば、御内(みうち)の上下、皆―となりなんず」〈平家二・徳大寺〉

まど・ひ(マドイ)【償ひ】『四段』うめあわせる。つぐなう。弁償す

る。「この上は茶臼をも━・ふまじ」〈伽・かくれ里〉

まどぶた【窓蓋】突上げ窓の蓋。上方を蝶番(ちょうがい)などで留め、窓を開く時は支え棒で突き上げる板戸。「峰吹き降す宿の━」〈俳・独吟一日千句〉

まと・へ(マト エ)【纏へ】『下二』「まとひ」━(2)に同じ。「上妙の兜羅綿(とらめん)を以て身に━・へ、微妙(みめう)の白畳(しろかたびら)を以て綿の上に覆ひて」〈今昔三ノ三〉

まどほ(・・ド オ)【間遠】①(主として時間的に)間隔の離れていること。「うちにもいらせ給ふこと、いと━なり」〈和泉式部日記〉 ②織り目・編み目などのあらいこと。「須磨のあまの塩焼きごろも筬(をさ)を粗(あら)み━にあれや君が来まさぬ」〈古今七五八〉。「着たる麻の衣の━なるほかには、露ばかりだにも持ちたる物も侍らざりけり」〈撰集抄五ノ二〉

まどほ・し(・・ド オシ)【間遠し】『形ク』《「間近し」の対》①《時間的に》間隔が離れている。「昨夜(きそ)こそは子ろとさ寝しか雲の上ゆ鳴きゆく鶴(たづ)の━・く思ほゆ」〈万三五二三〉 ②《空間的に》距離が大きい。「子らが家路やや━・きをぬばたまの夜渡る月にきほひあへむかも」〈万三〇二〉 †madöFösi

まと・め【纏め】『下二』全体を統一あるようにする。「綴、マトムル」〈文明本節用集〉

まとも【真艫】舟のまうしろ。また、その方向から風がまっすぐに吹くこと。「ことに、風が━に吹いたほどに、思ふさまに帆をひいたとぞ」〈三体詩抄三ノ一〉

まとや【的矢】的を射るのに用いる練習用の矢。「鷹の羽にて矧(は)いだりける━一手ぞ差し副へたる」〈平家四・競〉

まとゆみ【的弓】的を射る弓術。「殊に━の上手なり」〈宇治拾遺九八〉

まとり【真鳥】《マは接頭語》鳥。また、りっぱな鳥の意で、ワシなどをいう。「━住むうなて(地名)の神社(もり)の」〈万一三四四〉 †matöri

まどろ・み【微睡み】『四段』《マは目。トロミは緊張のゆるむ意》うとうとする。とろとろと睡る。「寝ぬる夜の夢をはかなみ━・めばいやはかなにもなりまさるかな」〈古今六四四〉

まとゐ【円居】《マト(円)ヰ(坐)の意》①輪になってすわること。団欒(だんらん)。「思ふどち━せる夜は唐錦たたまくをしき物にぞありける」〈古今八六四〉 ②(楽しみの)会合。「この院にかかる━あるべしと聞き伝へて」〈源氏若菜下〉

まな かわいい子。かわいい女。「あしひきの山沢人の人さはに━といふ児があやに愛(かな)しさ」〈万三四六二東歌〉

まな【真名・真字】《正式の字の意。「仮名」の対》漢字。「まんな」「をとこで」とも。「━もかんな(平仮名)もあしう書くを」〈枕一〇三〉。「あはれなる古言(ふること)ども、唐のも大和のも書きけがしつつ、草(さう)にも━にもさまざまめづらしきさまに書きまぜ給へり」〈源氏葵〉。「御匣殿(みくしげどの)も、手書き、歌よみ、━をさへ書かせ給ふ」〈栄花殿上花見〉。「━は女房のすすみて書くまじき事にて候へども」〈伽・乳母草子〉

まな【真魚】《マは接頭語。ナは食料の魚》①「まなはじめ」に同じ。「十月二十五日、一院の御所にて━きこしめす」〈増鏡一二〉 ▽御堂関白記、寛弘七年十月十一日の条に「真菜」と書かれた例が見える。②(女性語)食膳に供する魚。おまな。「御━をむしりて参らする事もなし」〈伽・乳母草紙〉。「うを、御━」〈大上臈御名之事〉。〈日葡〉

まな【勿】『副』《多く「…することまな」の形で漢文訓読体に使われる禁止の辞》…するな。…してはならぬ。「汝、疑慮を懐くこと勿(まな)」〈地蔵十輪経三・元慶点〉。「(子供ノ悪戯ヲ)『━』ともとり隠さで、『さなせそ』『そこなふな』などばかり、うち笑みていふこそ、親もにくけれ」〈枕一五三〉

まないた【俎】《真魚板の意》包丁で料理するときの板。「俎、末奈以太(まないた)」〈和名抄〉 ━**なほし**(ナオシ)【俎直】浄土真宗の寺院で行なう報恩講の最終日に、精進落しとして大鯉を俎の上で料理し参詣者に分け与える行事。「衣打ちしを━今日と暮れ」〈俳・坂東太郎下〉。「━。今日のため削り直すや柳板」〈俳・稲筵下〉

まなか【真中】まんなか。「最中、マナカ」〈温故知新書〉

まなか【間中・間半・半】半間(はんげん)。また、半畳。「氷魚の簀(す)は、横一間━たるべきの事」〈三上神社文書永祿三・一・二七〉。「━の違棚を桐にて拵へ候」〈細川忠興文書寛永九・一〇・八〉

まなかひ(・・カ イ)【眼間・目交】《「目(ま)な交(かひ)」の意。ナは連体助詞》目と目の間。まのあたり。「(子供ノ姿ガ)━にもとな(シキリニ)懸かりて安眠(やすい)し寝(な)さぬ」〈万八〇二〉 †manakaFi

まなかぶら【眶】「まかぶら」に同じ。「小さき男の━をいたく突きたりければ」〈今昔二九ノ三〇〉。「眶、和名万奈加布良(まなかぶら)、目眶也」〈和名抄〉

まなが・り『四段』抱擁して寝る。「若やる胸を素手抱(そだた)き手抱(ただ)き━・り」〈記歌謡三〉

まなぐひ(・・グ イ)【真魚咋】魚の料理。「口大の尾翼鱸(をはたすずき)…天の━献る」〈記神代〉 †managuFi

まなこ【眼】《「目(ま)な子」の意。ナは連体助詞》①黒目。また、瞳孔。「御━なども、いと清らかにおはしましける」〈大鏡三条院〉。「眼、万奈古(まなこ)、目子也」〈和名抄〉。「睛、マナコ・ヒトミ」〈名義抄〉 ②眼球。目。「━もこそ二つあれ、ただ一つある鏡を奉(たいまつ)る」〈土佐二月五日〉 ③視力。真相を見通す力。洞察力。「天の━恐ろしく思ひ給へらるる」〈源氏薄雲〉。「達人の人を見る━は、少しも誤る所あるべからず」〈徒然一九四〉 ④視線。「まのあたりに見奉る者、更に━を当てず」〈平家五・奈良炎上〉 ⑤一番大切な所。中心。眼目。「禅門平相国は、既に一朝の固め、万人の━也」〈盛衰記五〉。「世間にも、物の詮を云ふ時は、これが━ぢゃと云ふ」〈万法蔵讃鈔上〉 †manako ━**さんずん**【眼三寸】眼識の鋭いたとえ。「万事利発な━」〈俳・独吟一日千句〉 ━**高・し** 重要視されている。「かの忠度は、文武二道を受け給ひて世上に━・し」〈謡・忠度〉 ━**に角(かど)を立・つ** 怒ってはげしい目つきをする。「眼に角を入る」とも。「弁慶━・て、大衆たちをはったと睨んで」〈伽・弁慶物語〉 ━**ゐ**【眼居】目つき。「━など、これは今少し強う、かどあるさままさりたれど」〈源氏横笛〉。「眼皮、一説、万奈古井(まなこゐ)」〈和名抄〉 ━**を曝(さら)・す** 対象にひたすら眼をそそぐ。特に、書物などを一心に読む。「他事なく聖教に━・し」〈沙石集五ノ七〉

まなご【細砂・沙】こまかい砂。「潮満てば水沫(みなわ)に浮ぶ━にもわれは生けるか恋ひは死なずて」〈万二七三四〉。「繊砂、万奈古(まなご)」〈和名抄〉 †manago

まなご【愛子】いとしい子。最愛の子。「母(おも)父に(トッテ)━にかあらむ」〈万三三一六〉 †manago

まなことば【真名詞】漢語。「(初心者ハ)━、連歌のほども知らずして、ほしきままに仕る事あるべからず」〈梅薫抄〉

まなざし【眼差し・目差し】目つき。「誠に思ひ切ったる━」〈太平記二六・上杉畠山〉

まなしかたま【無目籠】《カタマはカツマの母音交替形》⇒まなしかつま。「━を作りて、彦火火出見尊(ひこほほでみのみこと)を籠の中に内(い)れて」〈紀神代下〉

まなしかつま【間無籠】すき間ができないよう、目が堅くつまった竹かご。「━の小船を造り」〈記神代〉

まなじり【眥】━『名』《「目(ま)な後(しり)」の意。ナは連体助詞。古くは清音》目じり。「常に青蓮(しゃうれん)の━より紅の涙を流し」〈孝養集中〉。「眦、和名万奈之利(まなしり)、目裂也」〈和名抄〉 ㊁【まなじ・り】『四段』流し目で見る。「一度—・れば、手の舞ひ足の踏む事を忘れなやませ」〈西鶴・男色大鑑六〉

まなばし【真魚箸・魚箸】魚を料理するのに用いる箸。「—削り、鞘なる包丁刀取り出して」〈今昔二八ノ三〇〉

まなはじめ【真魚始】生後はじめて魚肉を子供に食べさせる祝いの儀式。まなの祝い。「御—とて、めでたき事ども有りしかども」〈平家四・厳島御幸〉

まなばしら【鶺鴒】セキレイの古名。「—〔ノヨウニ〕尾行き合へ(スソヲ引イテ行キカワシ)」〈記歌謡一〇三〉

まな・び【学び】『上二・四段』《マネ(真似)と同根。主に漢文訓読体で使う語。教えられる通りまねて、習得する意。類義語ナラヒは、繰り返し練習することによって身につける意。マナビは平安初期には上二段、中期以後四段に活用した》①(師や書物に)教えられるままに習得する。「是非を示して是(ぜ)をば—・びよ。非をば除かしむること」〈法華経玄賛平安初期点〉。「文(もん)を—・ぶるに、さとりあらたに、筆を下すに誉(ほまれ)高し」〈三宝絵下〉 ②そっくりまねる。「衣文(えもん)のかきやう、烏帽子のためやうより始めて、何事も六波羅様(やう)といひてんげれば、一天四海の人皆是を—・ぶ」〈平家一・禿髪〉。「偽りても賢を—・ばんを賢といふべし」〈徒然八五〉。「効・倣、ナラフ・マナブ」〈名義抄〉

まなぶた【瞼】《「目(ま)な蓋(ふた)」の意。ナは連体助詞》まぶた。「婆羅門の作れる小田を食(は)む烏—はれて幡幢(はたほこ)に居り」〈万三八五六〉。「睫、マナブタ」〈名義抄〉

まなべ【間鍋】主人の留守などに、こっそり料理して飲食すること。「—の取廻し〔ハ〕山雀が胡桃の所作〔ノヨウニスバシコイ〕」〈浮・好色訓蒙図彙上〉

まなほ…ナオ【真直】《マは接頭語》まっすぐ。「—にしあらば何か嘆かむ」〈万一三九三〉

まなむすめ【愛娘】愛する娘。「大領の—といへ」〈催馬楽我が門に〉

まに【摩尼】《梵語の音訳。珠・宝珠の意》珠玉の総称。摩尼珠。「大論にいはく、たとへば愚人の手に—を持てるが如し」〈正法眼蔵随聞記六〉

まにあ・ひ…イアイ【間に合ひ・間似合ひ】㊀『四段』さし当りの事が足りる。当座の要を弁ずる。「出で次第に働いてこの年まで来たれども、—・はぬ事なし」〈驢鞍橋上〉 ㊁『名』①幅が約三尺あって、屏風などを張るのに用いる鳥の子紙。間に合い紙。「—の甲斐田紙二帖」〈蔭涼軒日録延徳三・九・一四〉 ②畳の大きさの筵(むしろ)。間に合い筵。「散り敷くは—物か花筵」〈俳・沙金袋一〉。〈日葡〉 ③その場を取りつくろう嘘。でまかせ。「様様に—を云ひ」〈近松・今源氏六十帖一〉 ④急場の用にあてること。当座の間に合わせること。間に合せ。「文の手本を書く人が、古学の—をするからさ」〈滑・浮世床初中〉 —**ことば**【間に合詞】その場逃れのでまかせの言葉。「問ひ詰められて—」〈近松・博多小女郎上〉

まにほうでん【摩尼宝殿】兜率天(とそつてん)にある彌勒菩薩の殿堂。摩尼宝珠で造られているという。「〔彌勒菩薩ハ〕都士多天(としたてん)=兜率天)上—より天降(あまくだ)り」〈平家四・三井寺炎上〉

まにま【随・随意】『副』従って。まま。まにまに。「死にも生きも君が—と」〈万一七八五〉 —**に**【随に】『副』①思う通りに。「天へ行かば、汝(な)が—」〈万八〇〇〉。「立つとも坐(う)とも君が—」〈万一九一三〉 ②…に従って。…につれて。「漕ぎ行く—、海のほとりにとまれる人も遠くなりぬ」〈土佐一月九日〉

まぬか・れ【免れ】『下二』事に当らずにすますことができる。「生けるもの死ぬとふことに—・れぬものにしあれば」〈万四四六〇〉。「若し此の陀羅尼呪を誦持すること有らむ者は、一切の畏怖を—・るること得む」〈金光明最勝王経平安初期点〉

まぬ・き【間抜き】『四段』間(あいだ)にある物を抜き取る。まびく。「〔ママコ立テノ遊ビデ、石ヲ〕かれこれ—・きゆく程に」〈徒然一三七〉

まぬけ【間抜】物事の間が抜けて馬鹿らしく見えること。また、そういう言動をする人を罵っていう語。「其のてい—なく勇みたりしよそほひ」〈色道大鏡一五〉。「〔ダマサレタノハ〕みんなこっちが—だからよ」〈滑・膝栗毛五上〉

まぬらる【真罵らる】『連語』《上代北陸方言。マは接頭語。ヌラルは、動詞ノリ(罵)の未然形に受身の助動詞ルのついたノラルの転》ひどく叱られている。「熊来酒屋に—奴(やっこ)わし」〈万三八七九〉

まね【真似】㊀『名』《マネビ(学)と同根》そっくり似せた動作。様子。「舌を嘗(なめ)り唾を飲み膾を切る效(まね)を為(な)し」〈霊異記中五〉。「まかで給ふ—して道のほどよりおはしましたり」〈源氏帚木〉。「真似、マネ」〈文明本節用集〉 ㊁【ま・ね】『下二』そっくり似せて行なう。「道心は梯(はし)を立てても及ばぬに天須菩提(てんしゅぼだい)の跡ぞ—・ねたき」〈雑談集三〉

まねき【機躡・蹋木】機織りの道具の、足で踏む板。「機(はたもの)の—持ち行きて天の河〔ニ〕打橋渡す」〈万二〇六二〉。「機躡、万禰支(まねき)」〈新撰字鏡〉 †*maneki

まね・き【招き】㊀『四段』《手まねで知らせ、呼び寄せる意。転じて、自分から事を起して、その結果を背負い込む意》①手まねで相手に知らせる。手で合図する。「『あなかま』と—・き制すれども、女はた知らず顔にて」〈枕三〉 ②(手で合図して)相手を呼び寄せる。「秋の野の草のたもとか花すき穂にいでて—・く袖と見ゆらん」〈古今二四三〉。「花の枝の枯れて落ちたるをとりて見せ奉りて—・き給へば、走りおはしたり」〈源氏横笛〉 ③(使者または書信などで)人を呼び寄せる。「入道、検非違使安陪資成(すけなり)を召して、『きっと院の御所へ参れ。信業(のぶなり)を—・いて申さうずるやうはよな』」〈平家三・西光被斬〉 ④(身に)こうむる。受ける。「善を修むれば福を蒙る。悪を好めば禍を—・くといへり」〈孝養集上〉 ㊁『名』①立烏帽子(たてえぼし)の上部の前方に突き出している部分の称。「烏帽子の—を地につけて、涙をこぼいて申さるる」〈伽・小栗絵巻〉 ②幟(のぼり)の竿頭につける小旗。また、指物(さしもの)の一種。「のぼりの—は、頻りに京のかたへ吹き靡き申し候を」〈川角太閤記一〉

まね・し『形ク』度数が多い。たび重なる。「—・く行かば、人知りぬべみ(キット知ルダロウカラ)」〈万二〇七〉 ▽朝鮮語manh(多)と同源か。

まね・び【学び】『四段』《マネ(真似)と同根。興味や関心の対象となるものを、そっくりそのまま、真似て再現する意》①(相手の言ったことを)そっくりそのまま言う。口まねをする。「故(ことさら)に己が口を俣(もと)らかして、音(こゑ)を訛(よこなま)りて効(まね)び読む」〈霊異記上一九〉。「鸚鵡(あうむ)いとあはれなり。人のいふらんことを—・ぶらんよ」〈枕四一〉 ②見聞きしたことをそのまま人に語り告げる。「御車の所あらそひを〔源氏ニ〕—・び聞ゆる人ありければ」〈源氏葵〉 ③教えを受ける。「文の才を—・ぶにも」〈源氏少女〉。「学、マナブ・ナラフ・マネブ」〈名義抄〉 —**いだ・し**【学び出だし】『四段』見聞きしたことを本当らしく真似をする。「おくれたる方をば言ひ隠し、さてありぬべき方をばつくろひて—・すに」〈源氏帚木〉 ーた・て【学び立て】『下二』一つ一つ取り立てて、そのままを語る。「御方方の有様ー・てむも言の葉足るまじくなむ」〈源氏初音〉 ーどころ【学び所】学習しがいのあるところ。「道道に物の師ありーあらむは」〈源氏絵合〉 ーな・し【学び為し】『四段』うまくつじつまを合わせてそれらしく語る。「つきづきしうー・すには」〈源氏権〉

まのあたり【目のあたり】㊀『名』《「目(ま)の当り」の意。多くは漢文訓読体で使う語》目の前。「聖上の親(まのあたり)鑾の輿(みこし)を降し、青蓮の目を開けり」〈玄奘法師表啓平安初期点〉。「ーを通らせ給ふとて」〈伽・猿源氏草紙〉 ㊁『副』①見ている目の前で。「然れば〔着物ヲ〕ー脱がざるなり」〈今昔二ノ三〉 ②現前に。「ーめづらかなりし事なり」〈方丈記〉 ③親しく。直接。「ーならずとも、さるべからん雑事等はうけ給はらん」〈源氏帚木〉。「我、昔、仏の前にありて、ーこの経を聞きしに」〈今昔七ノ二三〉

まのし 未詳。すました顔をすることか。「少しも事と思ひたるけしきもせず、少しーしたるやうにて」〈宇治拾遺五〉

まのふり【真の振】にせ物が本物の振舞いを真似てすること。転じて、下等なものが上等なもののふりをすること。「真なつら」とも。「ーをして、騒騒しいのやかましいのと抜かしゃあがる」〈洒・世説新語茶〉。「己のみ皆色男の気、…知ったぶり、己惚れ、ー、いい子の振り」〈洒・客衆肝照子〉

まのまへ(マノマエ)【眼の前】目の前。まのあたり。「名所旧跡ーに眺望して」〈伽・神代小町巻〉。「眼前、マノマヱ」〈文明本節用集〉

まは・し(マワシ)【廻し】㊀『四段』《マハリ(廻)の他動詞形。平面上を回転・旋回させる意》①輪を描くように旋回させる。「〔風ガ〕船を海中にまかり入りぬべく吹きー・して」〈竹取〉 ②周囲を取りかこませる。「屛風を立てー・して」〈宇治拾遺一〇六〉 ③すみずみに行きとどかせる。「この御方には、かう用意なき事聞えぬものをと思ひー・すに、この聞く人なりけり」〈源氏真木柱〉 ④巧みにする。自在にする。「消息文にも仮名(かんな)といふものを書き混ぜず、むべむべしく言ひー・し侍る」〈源氏帚木〉 ⑤自分の思い通りに人を使う。あごで使う。「愚かなる者〔ヲ〕偶(にんぎやう)にたとへて、人にー・さるるなど云ふ世話あり」〈漢語大和故事一〉 ⑥金銭などを運用する。「人の物にてー・すと言へり」〈仮・悔草中〉 ⑦㋑〔歌論用語〕歌題をそのままに詠み込まず、間接的または遠まわしに題意を表現する。「心をー・して詠むべき〔題ノ〕文字を、あらはに詠みたるもわろし。ただあらはに詠むべき文字をー・して詠みたるもくだけてわろし」〈俊頼髄脳〉。「夕暮に思へば今朝の朝霞夜をへだてたる心地こそすれ。…〔遅日トイウ〕題の心をいみじくー・せる由には侍るめれど」〈六百番歌合春下〉。「『冬の朝』、ー・すべき題にあらず」〈六百番歌合冬下〉 ㋺《連歌の付句で》前句の心・詞に直接的には付かず、遠まわしに付くような表現をする。「互ひに思ふといふ句に生田川など付けたらんは、歌のまはしたる同物にてあるべき也。寄合を捨ててー・さんずるも同事にてあるべし」〈九州問答〉 ㋩《連歌で》語順を倒置した表現をする。「『とはいかに命も知らぬ後の暮』。…命も知らず後の暮とはいかにとー・したり」〈長短抄中〉 ⑧〔遊里語〕遊女・幇間(ほうかん)などを客の思うままに振舞わす。多くは客の立場からいう語。「金銀だにあれば、いかやうにー・すべきも自由なりと思ひて」〈評判・吉原雀上〉 ㊁『名』①金銭をうまく遣うこと。運用。活用。「マワシノヨイヒト」〈日葡〉 ②会合などを輪番に行なうこと。また、その当番。「随意講のー始れり」〈咄・醒睡笑六〉 ③下帯。ふんどし。「下帯の下りし米を買ふ人は肌許さずにーよくせよ」〈後撰夷曲集九〉 ④人に付き添い、その世話をする者。廻し男。また、特に上方で、遊客の注文に応じて白人(はくじん)を出向かせる白人の元締めの称。なお、客席に出る遊女の送迎などの雑用をする男をもいう。廻し方。「面影の変らで芸もはやれかしとは、太夫役者ーの五兵衛迄も、横町の薬師様に祈るげな」〈評判・野郎児桜上〉。「ぼんの長兵衛と言ふーを頼んで白人となって」〈浮・野白内証鑑三〉 ⑤遊女が一夜の中に順次に多くの客を取ること。「外に客の有るのをーと言ひやす」〈洒・古契三娼〉 ーもの【廻し者】敵中に紛れ込んで内情を探る者。間者。「どうでも是れはー」〈近松・五十年忌上〉

まはに【真赤土】《マは接頭語》赤土。「倭(やまと)の宇陀のーのさ丹(に)着かば」〈万一三七六〉

まばゆ・し【目映し・眩し】『形ク』①強い光にまともに照らされて、目がちらちらする。「日のかげも暑く、車にさし入りたるもー・ければ、扇してかくし」〈枕三三〉 ②(あまりにこれ見よがしなので)思わず顔をそむけたくなる。まともに応対するに耐えない。「『白虹、日をつらぬけり。太子おぢたり』と、いとゆるらかにうち誦(ず)したるを、大将いとー・しと聞き給へど、咎むべき事かは」〈源氏賢木〉 ③(人目を意識して、あらわにするのが)てれくさい。気がひける。「けざやかにとりなさむもー・し」〈源氏末摘花〉 ④まぶしいほど立派である。「さらぬ御随身どもも、かたち姿ー・く整へて」〈源氏葵〉

まばら【疎ら】《マ(間)アバラ(疎)の約》①あいだの空いているさま。すき間の多いさま。「逢ふ事はーに編める伊予すだれ」〈詞花二四三〉。「板びさし月漏れとてやーなるらむ」〈千載四九八〉 ②密でないこと。ぱらぱらとあること。「処は広し、勢は少なし、ーにこそ見えたりけれ」〈平家一・御輿振〉。「間荒、マバラ」〈文明本節用集〉

まはり【真榛】《マは接頭語》ハンノキ。一説、萩。「ーもち摺(す)れる衣の盛り過ぎゆく」〈万一一五六〉

まは・り(マワリ)【廻り】㊀『四段』《マヒ(舞)と同根。平面上を旋回する意》①回転する。「〔水車ガ〕大方めぐらざりければ、とかく直しけれども、遂にー・らでいたづらに立てりけり」〈徒然五一〉 ②物の周囲に添ってぐるりと動く。「左の方より御うしろにたちー・り、すでに斬り奉らんとしければ」〈平家一一・大臣殿被斬〉 ③迂回する。遠廻りする。「橋へー・れば人が知る。湊の川の潮が引けがな」〈閑吟集〉 ④ある範囲内にゆきわたる。㋑くまなくあるきまわる。「汝は洛中をー・り、隠れもなき鰯売り」〈伽・猿源氏草紙〉 ㋺十分にゆきわたる。「比叡の山風程の事にも、かつて薬ー・らず」〈西鶴・永代蔵二〉 ⑤よく活動する。よく働く。「大蔵八良〔ノ〕能、ー・り過し候て、悪く候」〈禅鳳雑談〉 ⑥〔金が〕上手に運用されて利益を生む。利廻りになる。「小判貸しの利は何程にー・るものぞ」〈西鶴・一代男七〉 ⑦〔遊里語〕遊女・太鼓持ちなどが、客の気に入るように振舞う。「初音(遊女ノ名)。ー・り過ぎたり。小歌あしからず。これらは、とにかく利発ゆゑにや」〈評判・難波物語〉。「ー・る。男の気に違はじと、女の方より従ふかたちなり。たとへば風車の風に任せてくるくると廻るやうに、男の心に従ふなるべし」〈色道大鏡一〉 ㊁『名』①周囲。ぐるり。「この木はー大きなり」〈長門本平家一〇〉 ②酒宴で、盃のやりとりの作法。「盃のーも覚え」〈西鶴・一代男四〉 ーぎ【廻り気】いろいろと気を回して心配する性質。疑い深い気質。廻り根性。「それ程のーな御人でござんすれば」〈評判・難波鉦五〉 ーずみ【廻り炭】茶道で、未熟の人が炭の置き方などを順順に練習すること。「ー有り」〈久政茶会記文禄四・三・二三〉 ーぢゑ【廻り智恵】つまらぬ手段をもてあそぶ浅はかな智恵。「これも女のー」〈近松・油地獄下〉　―どうろ【廻り燈籠】燈籠の一種。外枠に紙または布帛を貼り、中枠に種種の絵の切抜きを貼り、中枠を固定した軸の上部に風車を取りつけて、燈火の上昇気流によって中枠が回転し、外枠に絵が動いて映るように仕掛けたもの。廻りどうろう。舞燈籠。「輝くや―の蘇枋(すはう)紙」〈俳・鷹筑波一〉。〈日葡〉　―ばな【廻り花】茶道で、未熟の者が花の挿し方などを順順に練習すること。「花〔ハ〕―也。…紅梅・薄色椿生けられ候」〈宗及他会記天正二・閏一・二四〉　―ぶるまひ ィ:マ【廻り振舞】順順に当番を定め、仲間を招いて会食すること。「時雨くるくる―」〈俳・独吟一日千句〉　―もち【廻り持】順番に受け持つこと。「〔本条ハ〕任限過ぎて前国司は退き、新国司は赴く、替り目の事也。これを以て、―の寺社なども、これに准じて知るべき為の法也」〈清原宣賢式目抄〉

まば・り【瞻り】〘四段〙じっと見つめる。注視する。「この御足跡(みあと)を―・りまつれば足跡主の玉の装ひ思ほゆるかも見る如もあるか」〈仏足石歌〉。「西の山の端を―・るに便あり」〈延徳本方丈記〉。「瞻、見也、又云万波礼波(まばれば)」〈霊異記中一三〉。「瞻、マバル」〈名義抄〉

まひ ィマ【幣】謝礼または依頼のしるしとして奉る物。贈物。そなえ物。「〔ホトトギスヨ〕―はせむ、遠くな行きそ」〈万一七五五〉　†maFi

まひ【真日】《マは接頭語》日(ひ)。「―暮れて宵なは来なに(宵ニハコナイデ)」〈万三四六一東歌〉　†maFi

まひ【真火】《マは接頭語》つよい火。「頭(かぶ)つく(ヒタイヲツクヨウナ)―には当てず」〈記歌謡四二〉　†maFi

ま・ひ ィマ【舞ひ】□一〘四段〙《マハリ(廻)と同根。平面上を旋回運動する意。類義語ヲドリは、跳躍運動する意が原義》①旋回する。「匏(ひさご)浪の上に転(ま)ひつつ沈まず」〈紀仁徳十一年〉。「をかしく―・ふものは…平等院なる水車」〈梁塵秘抄三二〉　②「舞」□二(1)をする。「この御酒(みき)を醸(か)みけむ人は…―・ひつつ醸みけれかも」〈記歌謡四〇〉。「まづ陵王―・ひけり」〈かげろふ中〉　③《「立ち」「走り」などの語と複合して》ぬかりなく動きまわる。「なほ世に立ち―・ふべくもおぼえぬ物思ひの一方ならず身に添ひにたるは」〈源氏柏木〉。「門開けんとする者もあり。走り―・ふ所に」〈義経記二〉　④【眩ひ】(目が)くるめく。目まいがする。「父こそ常には風気とて、『目の―・ふぞ、膝のふるふぞ』とは仰せ候へ」〈延慶本平家九・兵衛佐の軍兵〉　⑤枯れる。茄子(なすび)・煙草などにいう。「畠に―・ふはなすびの木」〈仮・尤の草紙下〉。「煙草の―・はぬやうに作ると云ふ事」〈河内屋可正旧記一二〉　□二〘名〙①神楽・舞楽・延年・曲舞(くせまい)・幸若・能楽などの舞踊。「神の御手もち弾く琴に―する女(をみな)常世(とこよ)にもかも」〈記歌謡九六〉。「―は、駿河舞。求子(もとめご)、いとをかし。太平楽、太刀などぞうたてあれど、いとおもしろし」〈枕二一六〉。「―・猿楽や犬追物ばかりにて、弓馬の道にうとくして」〈大内義隆記〉　②「舞葉(まひは)」の略。煙草の葉の一種。「おれはきついのが好きぢゃによって―をのみます」〈咄・無事志有意〉　†maFi

まび【間日】①瘧(おこり)で熱のでない日。「病苦身命を攻むるの事を談ず。今日―頗る尋常を得たり」〈小右記長和一・六・九〉。「―ばかりにてありし道の行く先、するするともあらで、日数のみぞ積もりける」〈小島の口すさび〉　②暦で、土用十八日間のうちの特定の三日。また、八専(はっせん)十二日間のうち、丑・辰・午・戌の四日の称。「暑さにも―の有れかし土用中」〈俳・鷹筑波一〉。「辛(かのと)の酉の日土用、其の日卯の刻に―に入る」〈宗静日記万治二・二・晦〉。〈名語記五〉　③暇な日。休日。「八仙〔人〕は酒あたためぬ―もなし」〈俳・伊勢正直集五〉

まひあふぎ ィマ:ウギオ【舞扇】舞に用いる扇。「能太夫起ち舞ふ時、用ふる所を―と謂ふ」〈雍州府志七〉

まびき【目引】目くばせ。「女房どもも皆御前の―にしたがひて」〈著聞三一九〉

まび・き【間引き】〘四段〙①間のものを抜いて、まばらにする。「岐阜取り巻き申す人数、―・かせ給ふ」〈川角太閤記二〉。「ヤサイヲマビク」〈日葡〉　②子沢山な親が、生れたばかりの児を殺す。「子を―・くと云ふ話」〈浮・好色小柴垣三〉　―な【間引菜】芽生えをすかし取って食する菜。水菜の類。「宇津山柴屋(さいをく)の庭…過半畑になして、―の種まかするとて」〈宗長手記下〉

まひぎり ィマ:【舞錐】錐の一種。錐先をはめた竹の軸に横木を添え、横木の両端と軸の上端とに紐を結び、横木を上下して錐を回転させる。針・数珠などの穴を穿つのに用いる。〈日葡〉

まひこ ィマ:【舞子】①近世、舞踊や音曲で酒宴の取り持ちをした少女。踊り子。「―とは、上古の舞女と同事也」〈色道大鏡一四〉　②歌舞伎若衆。歌舞伎子。「四十五人―ありしが」〈西鶴・男色大鑑五〉

まびさし【目庇・眉庇】兜の鉢の前方から庇のように出て額を深く覆うもの。〈日葡〉

まびしゃく【馬柄杓】馬に水を飲ませるのに用いる柄杓。「―・鼻捻(はなねぢ)腰にひっぱさみ」〈雑兵物語上〉

まひだいふ マイダユウ【舞大夫】幸若舞の芸人。「―善左衛門尉事、供仕り度き由懇望候」〈毛利家文書二、毛利元就書状〉

まひづる ィマ:【舞鶴】①舞い遊ぶ鶴。「―と組め大鷹の大頭」〈俳・鸚鵡集八〉　②近世前期、京都重衡屋醸造の銘酒。一名、さざれ石。「―・花橘の樽の口を切りて」〈西鶴・一代男二〉

まひと【真人】天武天皇十三年に定めた八色姓(やくさのかばね)の第一位。平安初期からはおとろえ、これを名乗る者もほとんどなくなった。「八色の姓を作りて、天下の万姓を混(まろか)す。一に曰く、―。二に曰く、朝臣(あそみ)」〈紀天武十三年〉　†maFitö

まひとごと【真人言】《マは接頭語か》他人のいううわさ。「―〔ヲウルサク〕思ほすなもろ(オ思イデショウ)」〈万三五五三東歌〉　†maFitögötö

まひなか【真日中】昼中を強調した語。まっ昼間。「―に音(おと)を挙げて長めけむ」〈今昔二七ノ二八〉

まひな・ひ ィマィナ【賄ひ】□一〘四段〙《ナヒはマジナヒ・ツミナヒなどのナヒと同じ。マヒ(幣)を行なう意》(依頼や謝礼のために)贈物をする。「是等の物を以て幣(まひ)なひたまへ」〈紀仲哀八年〉。「我、罪無くして免(ゆる)されぬ。何ぞ使(獄卒)に―・ふ事有らむや」〈今昔九ノ三四〉。「今は徳(得)つきたまひなんずるに、―・へかし」〈著聞五一四〉　□二〘名〙贈答品。また、わいろ。「〔王昭君ハ〕世にすぐれて美しかりければ、我が形をたのみて―もせざりければ〔醜女ニ画カレタ〕」〈奥義抄〉　†maFinaFi

まひのし ィマ:【舞の師】舞楽を教授する者。雅楽寮(うたつかさ)の職員として、令義解には、「舞師四人」とある。「ここにて試楽のやうなる事する。―、多好茂(おほのよしもち)、女房よりあまたの物かづく」〈かげろふ中〉

まひびと ィマ:【舞人】舞を舞う人。「臨時の祭、あさてとて、助にはかに―に召されたり」〈かげろふ下〉

まひひめ ィマ:【舞姫】《マヒビメとも》①五節(ごせち)の舞に出る少女。「五節のまゐる儀式は、いづれともなく心心に二なくし給へるを、—のかたち、大殿(おほいどの)と大納言殿とはすぐれたりとめでののしる」〈源氏少女〉→五節の舞姫。②神前で舞を奉納する巫女(こみ)。「かの社には内侍とて優なる—ども多く候」〈平家二・徳大寺〉

まひまひ マイマイ【舞舞】 幸若舞。また、その芸人。近世、その大道芸人もいう。「国国の—連日これ有り」〈康富記応永三〇・一〇・一二〉。「—や海道下りの世捨人」〈俳・俳諧三部抄中〉

まひら【真平】 ①完全に平らなさま。まったいら。「蛙—にひしげに死にたりけり」〈宇治拾遺三七〉 ②ひたすら。「向ひたる方へ思ひ切りて—に逃ぐれば」〈法然上人行状絵図〉

まひらど :マイ【舞良戸】 細い桟を横にこまかく取り付けた板戸。その桟を「まひら桟」という。「—に蔦はひ掛る宵の月　芭蕉」〈俳・猿蓑下〉

まびろ・け【真広け】『下二』 衣服をすっかりはだける。「寝耳に聞きて…指貫・直衣などをひきさげて、—・けて出で来たり」〈宇津保蔵開上〉。「披、マビロク・ヒラク」〈名義抄〉

—すがた【真広け姿】 着物をすっかりはだけている様。着流しで、帯もろくにしない様。「—もをかしう見ゆ」〈枕一九一〉

まひをさ・め :マイ【舞ひ納め】『下一』《舞を終える意から》事件をうまく取りつくろう。ごたごたを上手に片付ける。「こんな首尾になった時、そなたはどう言うて—・めるぞ」〈浮・禁短気五〉

まぶ【間分・間歩】 鉱山の坑道。また、その入口。「—よりむさと荷を出だし候へば」〈梅津政景日記慶長一七・三・一五〉

まぶ【間夫・密夫・真夫】 遊女の情夫。また、一般に情夫。「金山(かなやま)の—と申すが惚れ心」〈俳・油糟〉。「—とは知音(ちいん)する男の事也」〈評判・空直なし〉

まぶぐるひ :グルイ【間夫狂ひ】 遊女が情夫をこしらえて私通すること。「うかうかと—する傾城は物日ごとにぞ恥をかきぬる」〈色道大鏡四〉

まふさぎ【間塞】 刀剣の目貫(めぬき)の古称。「我が前に差したる刀の—に」〈今昔二六ノ二四〉

まぶし【目伏】 目つき。まなざし。「この聖も、丈高やかに、—つべたましくて」〈源氏柏木〉

まぶし【射翳】 猟師が、猪・鹿などを待ち伏せして射るために、身を隠しておく設備。「—さし鳩ふく秋の山人は」〈曾丹集〉。「射翳、末布之(まぶし)」〈和名抄〉

まぶ・り【守り】㊀『四段』《マボリの転》①じっと見る。見つめる。「常に飼はれける犬に〔食物ヲ〕賜びける程に、隣より異(こと)犬の来て—・りければ」〈撰集抄五ノ三〉。「人皆あやしみて〔住吉ノ〕社壇を—・る」〈玉伝深秘巻〉 ②まもる。「合戦の時は一陣を—・るべく候ふ間」〈正源明義抄九〉。「我この国を—・り、荒らさじ」〈玉伝深秘巻〉 ㊁『名』お守り。「これを錦の袋に縫ひくくみて、—に掛けてけり」〈撰集抄八ノ三五〉

まぶ・れ【塗れ】『下二』《マミレの転》 まみれる。「血の—・れたる肢に、塩を添へて置きたりけり」〈伽・酒呑童子〉。「鎧も直垂(ひたたれ)も甲(かぶと)もどろに—・れて」〈義残後覚二〉

まへ エマ【前】《マ(目)へ(方)の意。「しりへ」の対。中世以降には「うしろ」「あと」の対》 ❶《空間的に》 ①㋑目の向いている方向。「針袋とりあげ—に置き反さへば」〈万四一二九〉。「湖を—に見、志賀の山をしりへに見たるところ」〈かげろふ下〉。「うしろは山、—は海」〈平家二・大納言流罪〉。「—に立ちたる女房、あとなる女房」〈伽・三人法師〉 ㋺(家の)前面。庭前。庭。「そよとも—の荻ぞこたふる」〈大和一四八〉 ②㋑(貴人の)正面の近くの位置。そば。また、そば近く侍ること。「むつきの朔日(ついたち)頃に—許されたりけるに」〈後撰四詞書〉 ㋺(僧などの)前に供する膳部。食膳。「宮の上も誦経し給ひ、七僧の—の事、せさせ給ひけり」〈源氏蜻蛉〉。「講師の—、人にあつらへさせなどして」〈宇治拾遺一〇九〉 ㋩人前(ひとまえ)。「未練の者は、その人の気に悪しき事もよくいひなし、よき事をもあしく言ひなす。—きろめきの者に構ひて知音すべからず」〈伊勢貞親教訓〉 ③㋑神や天子などの御座をはばかって、それと直接ささずにいう語。「よく我が—を治めば、吾よくともに相作り成さむ」〈記神代〉 ㋺二座以上を祭った神社で、おもだった神は別にして、それ以外の神の称。「天神(あまつやしろ)地祇(くにつやしろ)すべて三千一百三十二座。社二千八百六十一処。—二百七十一座」〈延喜式神名式上〉 ㋩神や貴人そのものをさす語。「これの鏡は、もはら我が御魂(みたま)として、吾が—をいつくがごと、いつきまつれ」〈記神代〉。「お—にこそわりなくおぼさるらめ」〈源氏夕顔〉 ㊁女性の名に添えて敬意をあらわす語。「名をば千手(せんじゆ)の—と申し候」〈平家一〇・千手前〉 ④陰部。隠し所。「男の—のかゆきやうなりければ、さぐりてみるに、物なし」〈宇治拾遺一〇六〉。「蛇の、女の尿しける—を見て愛欲を発(おこ)して」〈今昔二九ノ三九〉 ❷《時間的に》 ①以前。「—の科(とが)を穿鑿(せんさく)して思ひ出し、それぞれを後悔し」〈コリヤード懺悔録〉 ②未来のある時よりもこちら。「今夕(こよひ)、鶏鳴かぬ—に」〈バレト写本〉 ③《「…の前」の形で用いて》以前からその通りであることを示す。「これらはもとより覚悟の—にて侍れば、あながち驚くべきにては候はねども」〈平治上・信頼信西を亡ぼさる〉。「ただ、紅葉に立田、花に吉野、黒髪に鳥羽玉と付くる体、みな無存知の—より申し侍る也」〈連歌諸体秘伝抄〉 ❸人に割り当てた物の数をかぞえる語。「膳机九百十一—」〈東寺百合文書セ、久安六・九・一六〉。「五種御菜に三升盛りを百二三十—ばかり組み調へたり」〈盛衰記四二〉 †maFe

—後(うしろ)・見る 色気が出て、服装その他身だしなみに気をつける。「—・見る霞の衣」〈俳・昼網上〉

まへいた :マエ【前板】 牛車の前の入口に横にかけ渡した板。踏み板。「御車の—といふものに押しかかりて」〈栄花楚王夢〉

まへおき :マエ【前置】 ①文章・談話などで、本題にはいる前に述べる言葉。まくら。前口上。「折らせじと—言ふや杜若(かきつばた)」〈俳・雀子集三〉。「—をいふ」〈俳・毛吹草二〉 ②立花の用語。正心の前方に低く生ける花。「去年立つは—ならし花の春」〈俳・新続犬筑波四〉

まへおび :マエ【前帯】 前に結んだ帯。近世、遊女または伊達(だて)な女が好んでした。前結び。「禿(かぶろ)成長して…後帯を変へて—に改む」〈色道大鏡三〉

まへかた :マエ【前方】 ①以前。「—拝見いたいた事がござる」〈虎寛本狂言・比丘貞〉 ②手前。「さうて物語りをせし程に、暁の—になりたぞ」〈三体詩抄二ノ三〉 ③あらかじめ。前もって。「あらかじめとは、—なり」〈無門関抄上〉 ④古風。実直。「そんな—成る仕掛け、四も五も喰はぬ事」〈西鶴・置土産二〉。「律気なる—な男は、思ひの外どか泳ぎをするもの也」〈浮・野白内証鑑四〉 ⑤初心。未熟。野暮。「少し—なる御方狂ひのやうに見えて」〈西鶴・一代男六〉 ⑥控え目。「御燗は少し—に致しました」〈浮・真実伊勢二〉

まへかど :マエ【前かど】 ①以前。「—の太刀疵も早速癒ゆべし」〈伽・雪女物語〉 ②あらかじめ。「—に分別肝要なり」〈周易抄〉 ③未熟。「芸は—也」〈評判・野良関相撲上〉

まへがみ :マエ【前髪】 ①少年または婦人の額上の毛を別に束ねたもの。近世は特に若衆髷のそれをいう。向う髪。「やがて〔小姓ノ〕緑の―を根より下(おろ)して」〈遠近草中〉②《前髪を立てて髪を結うところから》元服以前の若衆の称。また、その髪。「下げ髪も又或る時は―も」〈俳・独吟一日千句〉　**―おとし**【前髪落し】元服。「―、これまた女言葉也」〈新撰用文章明鑑上〉　**―だて**【前髪立】前髪を高く張り出すために入れる、鯨のひれで作った道具。「かうがい・さし櫛・―」〈西鶴・好色盛衰記三〉

まへがんな：マエ【前鉋】槍鉋の一種。樽・桶を作るのに用いる。「求聞持(ぐもんじ)〔ノ法ヲ唱エナガラ、数珠ヲ〕や―に〔合ワセ〕てくり(繰リ・刳リ)ぬらん」〈俳・守武千句〉。〈拉葡日〉

まへぎんちゃく：マエ【前巾着】紐をつけて帯の前にさげる巾着。小銭・印鑑・鍵などを入れる。前提げ。「―は凡卑なれども、当道によくかなへり」〈色道大鏡三〉

まへく：マエ【前句】〔連俳用語〕付合(つけあい)の際に付句の前に位する句。「此等―の言葉棄て難きによりて一々合ひしらひたる体也」〈撃蒙抄〉　**―づけ**【前句付】①連歌・俳諧で、同一の前句に各人の付句を出し合うこと。付合稽古の方法としても行なわれた。「山田にて―の時の連歌」〈二根集四〉。「紙燭一寸〔焼キ切レル時間内〕の―」〈俳・新続犬筑波二〉②近世、万治頃、二句だけの付合が独立した俳諧。貞門俳諧を通じて大衆化し、後、冠付け・沓付け・五文字などの雑俳に分化し、庶民の間に流行した。七七の句に五七五の句を付けて巧拙を競い、宗匠が撰し、高点句はまとめて刊行されるのが通例であった。また、雑俳の総称。「或は百韻、或は千句、発句合、―」〈俳・時勢粧序〉

まへごし：マエ【前腰】袴の前部の腹のあたり。「袴の―を取らんとしけるを」〈著聞三八〇〉

まへずまふ：マエズモウ【前相撲】相撲興行で、初めに行なわれる下級の力士の相撲。また、その力士。「左右に立ちわかれ―はじまりて、次第に形の山高く」〈西鶴・二十不孝五〉

まへだて：マエ【前立】兜の前面に立てる飾り物。前立物。鍬形・半月・日輪・鹿角などの種類がある。「甲(かぶと)の―は、その備へごとにて見知り」〈甲陽軍鑑九下〉

まへだれ：マエ【前垂】①前下がり。「大きなる打刀(うちがたな)―に差し」〈平家四・永僉議〉②衣服の汚れるのを防ぐために、膝の前へ掛ける布帛。前掛け。「水汲む下女などのする―と云ふは何の字ぞ」〈壒囊鈔一〉　**―かづき**【前垂被き】雨除けに前垂れを被ったさま。また、その時に降っている雨。特に、三月の奉公人の出代り時に降る雨をいい、近世後期には、九月の出代り時の雨にもいった。「雨に行くや―〔ト〕二季鳥(ふたきどり＝雁)」〈俳・破枕集上〉

まへつきみ：マエ【卿大夫・公卿】《「前つ君」の意》天皇の前に伺候する身分の高い人。まうちきみ。まちぎみ。「仕へまつるは―たち」〈万四三七六〉　†maretukimi

まへつと：マエ【前つ戸】《「後(しり)つ戸」の対。ツは連体助詞》表戸。表口。「―よ(カラ)い行き違(たが)ひ」〈記歌謡三〉　†maretuto

まへで：マエ【前手】ずいぶん昔。以前。「恋し、なつかし、いとし、かはいは―の事」〈近松・曾我五人兄弟三〉

まへながに：マエ【前長に】《副》あらかじめ。前以て。「此の義―申し置き候」〈結城氏新法度〉

まへのうを：マエ【前の魚】摂津武庫郡広田神社の前の海岸で獲れる魚、特に鯛の称。また、住吉郡住吉神社の前の海岸で獲れる魚をもいった。「桜鯛や是れは吉野を―」〈俳・沙金袋三〉

まへばさみ：マエ【前挾み】帯の端を結ばずに、前で折り込むこと。「―の帯自然と解けて」〈西鶴・諸艶大鑑四〉

まへひき：マエ【前引き】人の前に引出物を置くこと。また、その引出物。「―の置物をしけるに」〈太平記三三・公家武家〉

まへびろ：マエ【前広】以前。「―は酒一斗百六十文づつなり。後には諸方より入り込み、一円売らず」〈慶長自記〉　**―に**【前広に】《副》①大きく。大げさに。「右の手をも臂(ひぢ)にて開き―構へ」〈舞正語磨下〉②あらかじめ。前以て。「―手形しやうために、呼びにやったと語りける」〈近松・女腹切中〉

まへぶり：マエ【前振】元服前の少年が前髪を立てている髪風。「―を惜しきは常の人心」〈西鶴・伝来記八〉

まへほろ：マエ【前幌】ふんどしの前の方。「俣野が―摑んで差し退けたり」〈曾我一〉

まへまうし：マエモウシ【前申し】主人の前で物を申すこと。とりつぐこと。また、その人。「この―も、あまりたはぶれにくく、いとほしと思ひて」〈源氏竹河〉

まへむすび：マエ【前結び】帯を前で結ぶこと。伊達な帯風で、遊女は特にこの結び方をした。「かちん染の布子に、黒綸子の二つ割―にして」〈西鶴・一代男三〉

まへやく：マエ【前厄】《「後厄」の対》厄年の前の年。男は二十四・四十一歳、女は十八・三十二歳にあたる。「男四十一なる年、―の祟りにや有りけん」〈浮・好色四季咄二〉

まへわ：マエ【前輪】《「後輪(しづわ)」の対》馬具の一。鞍橋(くらぼね)の前方の山形に高くなっている部分。「鞍の―を強く押へ」〈保元中・白河殿攻め落す〉

まへわたり：マエ【前渡り】①前を素通りしてゆくこと。そこに立ち寄らずに通り過ぎること。「あまたの御方を過ぎさせ給ひて、ひまなき御―に人の心をつくし給ふもげに道理(ことわり)」〈源氏桐壺〉②思う人の家の辺りをさまよい歩くこと。「―、思ふ人の辺りを行き帰るなり」〈匠材集三〉。「手を曳きて傾城町の―」〈俳・雪千句上〉

まほ【真ほ】《「片ほ」の対》①正面。「高麗(こま)の青地の錦の端さしたる褥(しとね)に―にもゐで、琵琶を打おきて」〈源氏若菜下〉②完全であること。良く整っていること。「かたほなる〔子供〕をだに、乳母(めのと)やうの思ふべき人は、あさましう―に見なすものを」〈源氏夕顔〉。「―、うるはしと云ふ心也。ゆるまぬなり。人のかたちならば美也」〈奥義抄〉③十分であること。「―ならねど、ほのかにも見奉り」〈源氏明石〉④正式。「草(さう)の手に仮名の所所に書きまぜて、―の〔漢文ノ〕詳しき日記にはあらず」〈源氏絵合〉

まほ【真帆】《「片帆」の対》帆を正面に向っていっぱいにひろげ、その全面で風を受けること。「知らせばや―にかけつつ行く舟の一かたにのみ通ふ心を」〈新千載一一九三〉

まほ・し《助動》→基本助動詞解説

まほふ：マホウ【魔法】①天狗の法術。「政元は四十歳の頃まで女人禁制にて―・飯縄の法・愛宕の法を行なひ」〈足利季世記二〉。〈文明本節用集〉②魔力で不思議なことを行なう術。魔術。妖術。「印を結び文を唱へて、爪弾きすれば…いかやうなる錠のえびも、するすると抜け了んぬ。…―なるべし」〈多門院日記永祿二一・一・二〇〉

まほら【真秀ら】《マは接頭語。ホは、稲の穂・国の秀などのホ。ラはイヅラ・コチラのラで、漠然と場所を示す接尾語》すぐれた所。まほらま。まほろば。「〔天皇ノ〕聞こしをす国の―ぞ」〈万八〇〇〉　**―ま**【真秀らま】《マは接尾語》⇒まほら。「大和は国の―」〈紀歌謡二二〉

まぼら・へ：マボラエ【守らへ】《下二》しっかり注視する。目を放たず見つめる。「〔赤ン坊ガ〕起き返り腹這ひなどして…しろくをかしければ、前に伏せて、つね―・へてぞある」〈宇津保国

譲上〉

まぼ・り【守り・護り】㊀『四段』《マモリの子音交替形》①目を放さずにじっと見つめる。注視する。「みる人〔呆レテ〕面(おもて)をー・りかへしてゐたり」〈かげろふ中〉。「盗人その答へをばせで、この居並みたる女どもの顔ごとにー・りわたす」〈打聞集〉②看視する。「ただし、一人をば留め置きて安仁をー・らしむ」〈今昔九ノ二九〉③保護・警護する。「二王道引(みちび)き、四兵厳衛(まぼ)れり」〈大唐西域記五・長寛点〉。「ー・り奉る源八兵衛・江田源三・熊井太郎これを見て」〈平家二・一門大路渡〉④大切に保つ。「口をー・りて妄語などせず」〈沙石集三ノ一〉㊁『名』①守護。お守り。「〔死後モ〕さやうに御ーにても添ひ申させ給ひつらん」〈大鏡師輔〉。「ーは身に具すべきなりけり」〈古本説話五一〉②護衛。警護。「昔は、源氏左右に争ひて、朝家の御ーたりしかども」〈平家四・永僉議〉

まぼろし【幻】①仙術を使う道士。「たづね行くーもがなつてにても魂のありかをそことしるべく」〈源氏桐壺〉。「大空を通ふー夢にだに見え来ぬ魂の行方たづねよ」〈源氏幻〉。「ーは方士也、幻術士の名也」〈河海抄一〉②幻影。「夢とだに何か思ひも出でつらむただーに見るは見るかは」〈浜松中納言一〉

まほろば【真秀ろば】「まほらま」の転。「大和は国のー」〈記歌謡三〇〉 †maɸoröba

まま【崖】がけ。「石橋のーに生ひたる貌花(かほばな)の花にしありけりありつつ見れば」〈万三五〇八〉

まま【飯】〔小児語〕飯(めし)。「我が恋はーのでくるを待ちかねてひもじな腹に虫騒ぐなり」〈伽・藤袋〉 **ー喰(く)はう** 小児のがんぜないさまの形容。「すし(生意気)な子の魚(とと)に添へてやーー」〈俳・落穂集三〉

まま【儘】㊀『名』《マニマの約》①成行きに全く従うさま。「ただ宣ふーの御心にて、なつかしうあはれに思ひあつかひ」〈源氏少女〉②思う通りになるさま。自由。勝手。「世の中のこと、ただなかばを分けて、太政大臣、此のおとどの御ーなり」〈源氏澪標〉。「〔私ハ〕ともかくもそなたのーよ」〈虎明本狂言・鬼の継子〉③手入れ、変更の加わっていないさま。「この国の守と、ありしーなるを」〈更級〉④どうなろうとかまわないさま。「この上はいづれが先へ死なうとー」〈万法蔵讃鈔上〉。「逢ひさへせば顕露せうとーよ」〈見聞愚案記八〉㊁『助』…ので。「やがてそこもとへ参るべく候ふー、御目に懸かり」〈ロドリゲス大文典〉

まま【乳母】《本来、幼児が乳母を呼ぶ語という。会話で使われることが多い》乳母(うば)。めのと。「ーがこの御いそぎに心を入れて」〈源氏浮舟〉

まま【間間】㊀『名』①あいだ毎(ごと)。「ーに皆一律を盗めるに」〈徒然二二九〉②部屋部屋。「ママニヒヲトボイテヲケ」〈日葡〉㊁『副』折折。時時。「奇迹ー起る」〈大唐西域記七・長寛点〉

まま【継】『接頭』親子・兄弟の間柄で、血のつながりのない関係を表わす。「ままセ」「ままいも」は、同父異母(同母異父)の兄弟・姉妹。「庶兄、万々兄(ませ)。女丁、万々妹(ままいも)。継父、万々父(ままちち)。嫡母、万々波々(ままはは)」〈新撰字鏡〉

ままき【継木・細射】木と竹とをはり合わせて作った弓。また、それにつがえる矢。的弓に用いた。「若く、身はまづしくてぞありけるに、ーを好みて射けり」〈宇治拾遺一八九〉。「細射、ママキ・ママユミ」〈色葉字類抄〉

ままこ【継子】夫とその妻以外の女との間の子。また、妻とその夫以外の男との間の子。「わがーの、式部丞にて蔵人なる」〈源氏東屋〉。「前妻之子、後妻所レ称、前夫之子、後夫所レ(称)、並麻麻古(ままこ)」〈和名抄(真福寺本)〉 **ーかしづき**【継子傅き】継子を大事に育てること。「かく末(晩年)にすずろなる(意味モナイ)ーをして」〈源氏真木柱〉 **ーだて**【継子立て】碁石でする遊戯。黒石と白石をそれぞれ実子と継子に擬し、黒白各十五個の石を黒二・白一・黒三・白五・黒二・白二・黒四・白一・黒一・白三・黒一・白二・黒二・白一の順に輪に並べ、特定の石から数えはじめて十番目ごとの石を取り去って行くと、最後に黒石(実子)だけが残る。二十個でする方法もあった。継子算。「ーと言ふ物を双六の石にて作りて」〈徒然一三七〉 **ーづめり**【継子抓り】継親が継子をひどくつねること。また、他人にひどい仕打ちをするたとえ。「ーと云ふは、すぐれて胴欲なる物とぞ」〈俳・俳諧百韵之抄〉。「風の手はーか児桜」〈俳・伊勢踊二〉

まま・し【継し】『形シク』継母継子または腹違いの間柄である。生(な)さぬ仲である。「ー・しき母の聞き給はば」〈伽・朝顔の露の宮〉

ままちち【継父】血のつながりのない父。「故式部卿の宮の出羽の御(ご)に、ーの少将〔ガ通ッテ〕住みけるを、はなれて後、女、すすきに文をつけてやりたりければ」〈大和一七〉▽平安時代には、継父が娘の所へ通って結婚する例がある。

ままなき どもり。「吃、ママナキ」〈名義抄〉

ままに【随に】『助』《マニマニの約》①成行きにまかせて。…につれて。「短か夜の更けゆくー高砂の峰の松風吹くかとぞ聞く」〈後撰一六七〉。「悲しきー奥へも入らで、やがて端に伏したれば」〈和泉式部日記〉②…に従って。…の通りに。「『ただ宣はせむー』と聞こゆ」〈源氏澪標〉。「わが思ふー、空にいかでかおぼえ語らむ」〈更級〉③…と同時に。「『今さへ何かといふべからず』と云ふー、縁にはひのぼり給ひぬ」〈竹取〉▽manimani→manmani→mammani→mamani

ままはは【継母】血のつながりのない母。「ーの腹ぎたなき昔物語も多かるを」〈源氏螢〉。「継母、ママハハ」〈名義抄〉

ままよ【儘よ】『感』《成り行きのままよの意》自暴自棄の気持、なげやりな気持で発する語。どうともなれ。どうでもいい。「養生しても要らぬ事、ーとふてたぞ」〈三体詩抄一ノ三〉

まみ【目見】目の表情。目つき。また、目もと。「わが見し児らがーは著(しる)しも」〈万三六六〉。「ーのうち濡れ給へる」〈源氏葵〉 †mami

まみ・え【見え】『下二』貴人に対面する。お目にかかる。「我東海の公にー・えて」〈今昔九ノ三〇〉。「謁、マミユ」〈名義抄〉

まみ・れ【塗れ】『下二』①血・泥などが一面について汚れる。「血にー・れたる男、前に来て、ひざまづきて」〈大和一四七〉。「〔塔ノ中ニ〕しぼめる花あり、塵にけがれ、土にー・れたり」〈三宝絵下〉②すたれる。おちぶれる。「下官(やつかり)、堂構のやかず紹(つ)がず、家業淪滑(りんしよ)とー・れたり」〈遊仙窟(醍醐寺本)鎌倉期点〉

まむすび【真結び】紐を打ち違えて結び、再び打ち返して結ぶこと。こまむすび。「〔琵琶ノ一・二ノ絃〕転手の孔に差し入れて、先をーにして留むるなり」〈木師抄〉

まめ《マメヤカ・マメダチ・マメマメシなどのマメ。実意・誠意のある意。マ(真)とメ(目)の複合語か》①(浮わついたところが無く)誠実。実直。まじめ。「ーなれど何ぞは良けくかるかやの乱れてあれど悪(あ)しけくもなし」〈古今一〇五二〉。「いとーに、じちよう(実用)にて、あだなる心無かりけり」〈伊勢一〇三〉②忠実。「此の神また忠誠(まめ)ならず…つひにかへりこと申さず」〈紀神代下〉。「行ひ(仏事)をーにし給ひつつ

ま

明かし暮し給ふ」〈源氏葵〉③(趣味的・装飾的でなく)実用的。「〔女ガ困ッテイルノデ〕小舎人童(ことねりわらは)を走らせて、すなはち車にて、—なるものさまざまにもて来たり」〈大和一七三〉。「—なる物など乞ひ給ひて、車に積みて、産養(うぶやしなひ)までし給ひけり」〈今鏡九〉④(身体が)達者。丈夫。「心、身の苦しみを知れれば、苦しむ時は休めつ、—なれば使ふ」〈方丈記〉　†*mamë

まめ【豆】①マメ科の植物のうち、その実が食用となるものの総称。「道の辺の荊(うまら)の末(うれ)に這ほ—の」〈万四三五二防人〉②特に、大豆。「大豆、一名菽、万米(まめ)」〈和名抄〉③【肉刺】手足の皮膚がこすれてできる、豆のような形の水腫。「人の手足に—を出だし候ふには」〈山科家礼記文明一三・一一・二九〉④女陰。「不断—喰ふて遊びてゐると笑ひける」〈浮・好色兵揃三〉　†mamë

まめいた【豆板・大豆板】指先または豆粒位の大きさで、形が一定しない銀貨。豆板銀。小玉銀。小粒。細銀(こまがね)。「正真かとぞ思ふ—」〈俳・鷹筑波四〉

まめがら【豆幹】大豆などの豆を取り去ったあとの茎。「焚かるる—のはらはらと鳴る音は」〈徒然六九〉

まめごと【まめ事】《「徒(あだ)事」「戯(たは)れ事」の対》実生活や実務に直接関係のある事。「年頃—にもあだことにも召しまつはし参り馴れつるものを」〈源氏若菜下〉。「たはぶれ事も—も、同じ心に慰めかはして」〈源氏椎本〉

まめざう(ゾウ)【豆蔵】滑稽な身振りや物真似・声色・放下(はうか)などを行なって門付けをした大道芸人。近世、上方では延宝・元祿頃、江戸では後期まで見え、後には、おしゃべりな人のたとえにもなった。「世に物真似をして、様様の口を利く—と云ふ者あり」〈仮・このごろ草〉。「—が豆是れ奇妙〔トロ上ヲイウ〕」〈俳・野梅集〉

まめざま【まめ様】うわついたことなど全くないさま。真面目一方の態度。「かつは怪しき—を、斯く〔嫉妬シテ〕宣ふ」〈源氏夕霧〉

まめ・し『形シク』①誠実である。「人がらも—・しく、いとねんごろに思ひ聞え給へれば」〈増鏡九〉②勤勉である。「—・しき心もなければ、〔髪ヲ〕梳(けづ)る事もないぞ」〈中華若木詩抄下〉

まめだいし【豆大師・大豆大師】天海僧正(慈眼大師)の影像を三十三体捺(お)した護符。近世、盗難除けとして、門口・戸口・扉などに貼った。「鬼を払ふ行力や除夜の—」〈俳・鸚鵡集一〇〉

まめだ・ち【まめ立ち】『四段』①まじめな考え方・ふるまいをする。いかにも真剣な態度になる。「この君の、いたう—・ちすぐして、常にもどき給ふがねたきを」〈源氏紅葉賀〉。「—・ちて『久しうおはせぬは恋しきものを』とて、涙の落つれば」〈源氏賢木〉②真面目な顔をする。「十娘佯(いつは)りて色を収め、嗔(まめだ)ちて曰はく、少府、児(われ)に何の事をか関(あづか)くる」〈遊仙窟(真福寺本)鎌倉期点〉

まめのこ【豆の粉】きなこ。上方でいう。「草餅二懸子(かけご)、—三懸子」〈醍醐雑事記一一〉

まめびと【まめ人】実直な人。真面目な人。また、堅物(かたつぶ)。「かの人人の、捨てがたく取り出でし—(世話女房)には、頼まれぬべけれ」〈源氏帚木〉。「—の名を取りてさかしがり給ふ大将」〈源氏夕霧〉。「—とこそ付けられたりけれ。いと屈(くん)じたる名かな」〈源氏竹河〉

まめぶみ【まめ文】きまじめな手紙。「まめなる事にて月日はすぐしつ。……—通ひ通ひて、いかなるあしたにかありけむ」〈かげろふ上〉

まめまめ・し『形シク』①いかにも本気である。いかにも真剣である。「『思ふ人の、人にほめらるるはいみじう嬉しき』など、—・しう宣ふもをかし」〈枕一三六〉②まったく実用向きである。「花散里なども、をかしきさまのはさるものにて、—・しきすぢに思し寄らぬ事なし」〈源氏須磨〉。「何をか奉らむ、—・しき物はまさなかりなむ(見苦シカロウ)」〈更級〉

まめめいげつ【豆名月】九月十三夜の月。枝豆をゆでて供えるのでいう。後(のち)の月。「九月十三夜は、栗名月とも、—とも云ひ、また、二夜(ふたよ)の月、後の今宵なども申しはべる」〈俳・山の井三〉。〈俳・誹諧初学抄〉

まめやか《実意を持っているように感じられるさま。「まめ」よりは、やや度合のゆるい場合に使う》①(浮気でなくて)誠実なさま。実意があるようなさま。「大方の人がら—に、あだめきたる所なくおはすれば」〈源氏少女〉②本当であること。事実であること。「—には(本当ノトコロ)、おぼし知るところもあらむかし」〈源氏真木柱〉。「ただいま正首(まめやか)に病発(おこ)れるか」〈遊仙窟(醍醐寺本)鎌倉期点〉③本格的であるさま。「雪いたう降りて—に積りにけり」〈源氏幻〉④実用向き、実質本位であるさま。「さるべき事につけつつ、をかしきやうにも、—なるさまにも心寄せつかうまつり給ふ」〈源氏橋姫〉

まめをとこ【豆男】「年男(としをとこ)」に同じ。「—うちながめつつ声声に」〈俳・守武千句〉

まめをとこ【まめ男】①真面目な男。実意のある男。「〔女ハ〕一人のみもあらざりけらし。それをかの—、うち物語らひて」〈伊勢二〉②《伊勢物語二段の「まめをとこ」から》㋑在原業平の異名。「業平の御名、むかし男・—・かふりの女・たまさか男なり」〈梵燈庵袖下集〉。「げにこれも、—都鳥に言問ひし名所なりと」〈伽・朝顔の露の宮〉㋺好色な男。「げにまこと名に立ちし—とはまことなりけり」〈謡・雲林院〉㋩《「密男」「密夫」などとも表記》間男。「或る人の妻のもとに—の通ふ由」〈沙石集七ノ六〉。「密夫、マメヲトコ・マオトコ」〈温故知新書〉。「間夫、マメヲトコ」〈運歩色葉集〉

まもの【真者・真物】①ほんもの。「是れは正ではない。—は跡からぢゃ」〈伎・景政雷問答三〉②真苧(まを)で撚(よ)った綱。丈夫で、碇綱など船舶に用いることが多い。「手挺(てこ)の—に縛り上げ」〈近松・曾我扇八景上〉

まもら・ひ(マモライ)【守らひ】『四段』《マモリに反復・継続の接尾語ヒのついた形。→ひ》見守りつづける。「木の間よ(ヲ)もい行き—・ひ戦へば」〈記歌謡一四〉　†mamorafi

まもら・ふ(マモラウ)【間守らふ】『連語』間を見はからう。「〔波ノ〕—・ひに打ちぬらさえぬ波数(よ)まずして」〈万一三八七〉

まもら・へ(マモラエ)【守らへ】『下二』《マモリ(守)アへ(合)の約。しっかりと見まもる意》①じっと見つめる。「講師の顔を、つと—・へたるこそ、その説くことの尊さも覚ゆれ」〈枕三一〉②大切にする。「まがふ方なく、一つ所(一人ノ女)を—・へて」〈源氏夕霧〉

まも・り【守り・護り】㊀『四段』《マ(目)モリ(守)の意。広く、宮城の門・人の心・娘・農作物などに害をなすものの侵入を防ごうと、それを監視し、守護する意。モリ(守)が、野・山・関所・渡しなどの地点を監視する意に片寄って使われたのに対して、広く種種のものごとを守護する場合に使われた》①様子をじっと見る。「淡海の海波かしこみと風—・り年はや経なむ漕ぐとはなしに」〈万一三九〇〉。「〔帝ハ〕面をのみ—・らせ給ひて物も宣はず」〈大和一五二〉。「女は、身を常に心づかひして—・りたらむなむ良かるべき」〈源氏常夏〉②見張る。(侵入などを)防いで守護する。よく見て、かばう。「しらぬひ筑紫の国は賊(あた)—・るおさへの城(き)そと」〈万四三三一〉。「人の娘にいと忍びて通ひ侍りけるに、気色を見て親の—・りければ」〈後撰八五五詞書〉 ③傍に離れず着いている。「さるかたくなしきものに—・られ給ふは、御ためも、たけからずや(名誉デモアルマイ)」〈源氏夕霧〉 ㊁『名』①護衛。近衛。「大君の御門の—」〈万四〇九四〉。「侍臣(おほとのつかさ)・衛兵(まもり)、階陛(みはし)に諠乱(さわ)く」〈大唐西域記三・長寛点〉 ②お守り。守り神。守り袋。「聖(ひじり)御—に独鈷(とこ)奉る」〈源氏若紫〉。「身を放さず持ちたりし—也」〈謡・春栄〉 †mamori **—がたな【護刀】** 身の守りとして持っている短刀。護身用の刀。後には「護り脇差」とも。「秘蔵の—を取り出でて」〈著聞六〇九〉 **—ぶくろ【守袋】** 守り札などを入れて身につける布袋。「ともすれば—の口開けて」〈俳・底抜臼上〉 **—め【守目】** 守り役。目付(めつけ)。「はぐくみ聞ゆる御—侍るなむうしろやすかるべき」〈源氏若菜上〉

まや【真屋・両下】 棟の前後二方へふきおろしにした家。切妻造。「草葺き—一間、長二丈三尺、一丈六尺」〈東大寺文書九、天平勝宝九・二・一〉。「東屋の—のあまりのその雨そそき」〈催馬楽東屋〉

まや【馬屋】「うまや」の転。「西の御—の外(と)に立てらまし」〈万三七七六〉。「十一月一日の日、小坊作り、—作る」〈日蓮遺文地引御書〉。「駅家、マヤ」〈伊呂波字類抄〉

まゆ【眉】《古形マヨの転》 ①まゆげ。「—のわたりうちけぶり」〈源氏若紫〉。「—抜く」〈枕八五〉 ②眉のような細い三日月形のものをいう語。「柳の—」〈枕三〇一〉 ③車の屋形の庇(ひさし)。「大宮の一の車の口の—に香の嚢(ふくろ)かけられて」〈大鏡道長〉 ④「まゆずみ」の略。「—もみだれぬ阿波の島山」〈広田社歌合〉 **—を作・る** 眉墨で眉を画く。「粉黛(ふんたい)とて白粉(おしろい)・紅(べに)をぬりつけて—・りなどするなり」〈長恨歌抄〉 **—を顰(ひそ)・む** 悲しみ・心配・不快などで、眉のあたりにしわを寄せる。「飲む人の顔、いと堪へがたげに—・め」〈徒然一七五〉 **—を開(ひら)・く** 心配事などが解決・落着し、ほっとした顔をする。「笑(ゑみ)の眉開けたる」〈源氏夕顔〉。「今はたさらに—・く時になりて」〈増鏡一七〉

まゆ【繭】《古形マヨの転》 昆虫の幼虫が口からはいた粘液質の繊維から成る殻。蚕などが、さなぎの期間に、自らを保護するためにこの殻の中にこもって過ごす。「蠒、和名万由(まゆ)、蚕衣也」〈和名抄〉

まゆあひイ:ア**【眉間】** 眉と眉との間。みけん。「なんとなんとと

—をしわめたる事なり」〈無門関抄上〉

まゆげ【眉毛】 眉の毛。「如法老老たる僧の—地に垂れたる」〈雑談集三〉。〈易林本節用集〉 **—濡ら・す**《眉毛を唾で濡らすと狐にだまされないという俗信から》 だまされない用心をするたとえ。「眉毛に唾」とも。「古狐稲荷の花を打ち散らし／自然と〔人ガ〕—・す春雨」〈俳・両吟一日千句〉 **—読ま・る** 心中を人に見通されるたとえ。「あの親父めに—・れて」〈浮・曲三味線一〉

まゆごもり【繭籠り】「まよごもり」の転。「—も心苦しう思ひきこゆれ」〈源氏常夏〉。「たらちめの親の飼ふ蚕(こ)の—いぶせくもあるか妹にあはずて」〈古今序〉

まゆすひスイ:ユ**【真結ひ】**《マは接頭語。ユスヒはムスビの上代東国方言》 きちんと結ぶこと。「—に結(ゆ)ひし紐の解くらく思へば」〈万四四二七防人〉 †mayusuFi

まゆずみ【眉墨】 ①眉を画く化粧用の墨。「黛、万由須美(まゆずみ)、画レ眉墨也」〈和名抄〉 ②眉を墨で画くこと。また、その眉。「緑の—乱れつつ、其人とも見え給はず」〈平家八・太宰府落〉 ③連山の遠景をたとえていう語。「山は緑の春の—」〈夫木抄二・霞〉

まゆづくり【眉作】 眉墨で眉を画くための道具。筆・刷毛(けは)など。「紅皿一口・鉄漿(かね)付筆・—・鬢櫛五」〈公衡公記正応二・一・七〉。「仁和寺〔製〕の—」〈庭訓往来四月十一日〉

まゆとじめ【眉刀自女】 眉毛を抜かないでいる刀自。「御馬草取り飼へ—…又説、おほみきわかせ—」〈催馬楽眉刀自女〉

まゆなかば【眉半ば】 冠り物が深く、眉が半分かくれて見えないさま。「柿の衣に笈(おひ)を掛け、頭巾(ときん)—に責め」〈太平記五・大塔宮〉

まゆね【眉根】「まよね」の転。「誰がためかける我(われ)が—ぞ」〈基俊集上〉

まゆはき【眉掃・眉払】 長さ二寸くらいの竹管の頭に白兎の毛を植え付けた小さい刷毛(はけ)。白粉や眉墨をつけるのに用いる。眉作り。「扇子一本・鼻紙一折・—一本…等を神人より送る」〈色道大鏡一三〉

まゆ・ひイ:マユ**【紕ひ】**『四段』《マヨヒの母音交替形》 織物が古びて糸が弱り、たて糸・よこ糸の間がゆるんですき間ができる。「白たへの袖は—・ひぬ我妹子(わぎもこ)が家のあたりを止まず振りしに」〈万二六〇九〉 †mayuFi

まゆふウ:ユ**【真木綿】**《マは接頭語》 純粋の木綿〈ゆふ〉。「蜷(みな)の腸(わた)か黒き髪に—もちあざさ結(ゆ)ひたれ」〈万三七九五〉

まゆみ【檀】《主に弓を作る材料にしたからという》 ①ニシキギ科の落葉樹。紅葉が賞美され、幹は強靱なので弓に用い、樹皮は檀紙(だんし)の材料になった。「南淵の細川山に立つ—弓束(ゆづか)巻くまで人に知られじ」〈万一三三〇〉。「けしきことに広ごり臥したる—の木のしたに」〈源氏篝火〉 ②⑴でつくった丸木の弓。「梓(あづさ)弓・—」〈記歌謡五一〉。「天の原ふりさけ見れば白—張りてかけたり夜みちは吉けむ」〈万二八九〉 †mayumi

まゆ・み【真斎み】『四段』《マは接頭語。ユミはイミの母音交替形》 清浄にする。「金門田(かなとだ)を荒掻き—・み」〈万三五六一東歌〉 †mayumi

まよ【眉】《マユの古形》 ①まゆげ。「—のごと雲居に見ゆる阿波の山」〈万九九八〉 ②細長い、眉の形をしたもの。「梅の花取り持ちて見ればわが屋前(やど)の柳の—し思ほゆるかも」〈万一八五三〉 †mayo

まよ【繭】《マユの古形》 蚕のまゆ。「筑波嶺の新桑(にひぐは)—の衣はあれど」〈万三三五〇東歌〉 †mayo

まよがき【眉画き】《マヨはマユの古形》 眉毛を抜いたあと、眉を画くこと。「—此(こ)に画き垂れ」〈記歌謡四二〉 †mayogaki

まよごもり【繭隠り】 ①蚕が繭の中にこもっているように、娘が家にこもって、みだりに男に会わないこと。「たらちねの母がかふ蚕(こ)の—こもれる妹を見むよしもがも」〈万二四九五〉 ②《転じて》 気持が鬱して晴れないこと。「たらちねの母がかふ蚕(こ)の—いぶせくもあるか妹に逢はずして」〈万二九九一〉 †mayogömori

まよね【眉根】《マヨはマユの古形。ネはカキネ・ハネ(羽根)のネと同じ》 まゆ。「青柳の細き—をゑみまがり(笑イユガメテ)」〈万四一九二〉 †mayone

まよはかしがみマヨワ カシ:**【迷はかし神】**「まどはしがみ」に同じ。「九条の程より—のつきて」〈宇治拾遺一六三〉

まよは・しマヨ ワシ**【迷はし】**『四段』 乱れさせる。「髪は風に吹き—・されて、少しうちふくだみたるが」〈枕二〇〇〉。「汝、経にまどふ。経、汝を—・さず」〈正法眼蔵仏経〉

まよ・ひイ:マヨ**【紕ひ・迷ひ】** ㊀『四段』《たて糸・よこ糸が乱れて片寄る意。また髪がほつれる意。抽象的には、心が乱れる

意。後にマドヒ(惑)と混同》①織物の糸が弱って織目が乱れる。「風の音の遠き吾妹が着せし衣(きぬ)手本(たもと)のくだりー・ひ来にけり」〈万三四五三東歌〉。「紕、漢語抄云、万与布(まよ)、一云、与流(よる)、縒欲レ壊也」〈和名抄〉②(髪などが)ほつれる。乱れる。「白き御衣(ぞ)に、髪はけづることもし給はで、ほど経ぬれどー・ふ筋なくうちやられて」〈源氏総角〉③入り乱れる。右往左往する。「けはひ殊に広広として、まかで参る車多くー・ふ」〈源氏玉鬘〉④(どの道を選ぼうかと)心が乱れる。「いづかたの雲路に我もー・ひなむ月の見るらむことも恥づかし」〈源氏須磨〉⑤行く手も不確かなまま歩む。さまよう。「これよりいづちへもー・ひ行かばやと思へども、いづくか王地ならぬ」〈平家六・小督〉⑥《マドヒ(償)との混同によって》償う。弁償する。「まやひ」とも。「各買ひー・はせ、還付せしめ」〈旧宝幢院文書弘治三・二・二六〉 ㊁『名』①織糸・髪の毛の乱れ。「今年行く新島守が麻衣肩のーは誰か取り見む」〈万一二六五〉。「〔髪ハ〕末まで塵のー無く、つやつやと」〈源氏椎本〉②入り乱れ、さだかでないこと。「夕まぐれの人のーに対面せさせ給へり」〈源氏少女〉③行くてなどの紛れること。見失うこと。「霧のーは、いと艶(えん)にぞ見えける」〈源氏野分〉④悟りに達し得ない境地。「ーこそ悟りなりけれ迷はずは何によりてか悟り開かん」〈雑談集一〉⑤償い。弁償。「質屋にて質の物失せ候〔時ハ〕…半分ーたるべき也」〈塵芥集〉 † mayoFi **ーがみ【迷神】**「まどはしがみ」に同じ。「此へんには、ー有なるへんぞかし」〈宇治拾遺一六三〉 **ーご【迷子】** 親にはぐれてさまよう子。「いとど心のーに、親と名乗らんは、余所の人目もいかならん」〈謡・水無瀬〉

まよびき【眉引】《マヨはマユの古形》眉毛を抜いたあとに眉墨で引いた眉。画いた眉。「振り仰(さ)けて三日月見れば一目見し人のー思ほゆるかも」〈万九九四〉 † mayobiki

まら【閇】 陰茎。男根。「卒爾(かには)にーに蟻著きて嚙(か)み、痛み死にき」〈霊異記中一一〉

まらうと【客人・賓】《マラヒトの転。「主(あるじ)」の対》客。「やまとうた、あるじもーも他人(ことひと)も言ひあへりけり」〈土佐十二月二十六日〉。「マラウト」〈日葡〉。「客人、マロウト」〈書言字考〉 ▽ maraFitö→marawito→marauto **ーざね【客人ざね】**《サネは、核の意から転じて、中心となるものの意》正客。「藤原良近といふをなむーにて、その日はあるじまうけしたりける」〈伊勢一〇一〉 **ーだた・し【客人立たし】**『形シク』いかにも客らしい顔をしている。「右のすけも声加へ給へや。いたうー・しや」〈源氏匂宮〉 **ーゐ【客人居】**《客人が坐る所の意》ちょっとした客を通す所。「まだーのかりそめなる方に出し放ち給へれば、いとからしと思ひ給へり」〈源氏総角〉 →でゐ

まら・せ『下二・サ変』《マヰラセの転》①差し上げる。進上する。「〔親ニ〕薬をー・せ、養生をなし」〈玉塵抄四八〉。「人に物をー・する事は」〈蒙求聴塵中〉②《動詞の連用形について謙譲の意をあらわす》…申す。…奉る。「この三略をさいさい言うて聞かせー・せたれば」〈三略抄〉。「その時も、仏を殺しー・する事叶はいで」〈万法蔵讃鈔上〉③《(2)から転じて、丁寧の意をあらわす》…ます。「人が濁りを掛けばなとしー・せう」〈宗安小歌集〉。「人は皆すり消えー・せた」〈天正本狂言・木賊〉。「心得ー・した」〈虎明本狂言・塗師〉 ▽多く下二段に活用し、サ変の例は少ない。

まらひと【客人・賓】《マラはマレ(稀)の古形。稀に来る人の意》⇒まらうと。「ーの今の薬師(くすし)尊かりけり」〈仏足石歌〉。「賓客、末良比止(まらひと)」〈和名抄〉 † mara-Fitö

まり【鋺・椀】《マリ(鞠)・マロ(丸)などと同根。球形のものの意》水や酒などを入れるための器。わん。「四十文。水麻利(まり)十口直(あたひ)」〈正倉院文書天平宝字四・一〇・二六〉。「椀、杯也、万利(まり)」〈新撰字鏡〉

まり【鞠】《マロ(丸)・マロビ(転)・マリ(鋺)などと同根。球形のものの意》①蹴鞠に用いる球。「大将の君は、丑寅の町に人人あまたして、ーもてあそばして見給ふ」〈源氏若菜上〉。「鞠、字亦作レ毬。万利(まり)。以二韋嚢一盛レ糠而蹴レ之」〈和名抄〉②蹴鞠の遊戯。「まりけ」とも。庭の四方に植えてある桜・柳・松・楓などの中で、四人・六人・八人で行なう。皇極天皇の時、中大兄皇子と中臣鎌足が法興寺の庭で行なった例が古い。平安時代、貴族の間で盛んに行なわれ、末期には難波・飛鳥井などの師範の家もできて、方式がやかましくなった。「ーに身を投ぐる若君たちの花の散るを惜しみもあへぬ気色どもを」〈源氏若菜上〉

まり【余り】『接尾』《アマリのアの脱落した形》⇒あまり㊃「七つぎの御代にまわへる百(もも)ちー十(をと)の翁の舞ひ奉る」〈続後紀承和一二・一・八〉

ま・り『四段』大小便をする。「屎遠くー・れ櫛造る刀自」〈万三八三二〉。「ゑどをー・る」〈宇治拾遺一九〉。「送糞、此をば俱蘇摩屢(くそまる)と云ふ」〈紀神代下〉

まりあし【鞠足】 蹴鞠の蹴り手。また、特にその名手。「世にののしる程のーは、残らず行き向ひたりしかば」〈源家長日記〉

まりうち【打毬】 曲杖で毬を打ち合う競技。「だきう」とも。「春日野に集ひて、ーの楽を作す」〈万九四九左注〉。「打毬、末利宇知(まりうち)」〈和名抄〉

まりがき【鞠垣】 蹴鞠をする場所の周囲に張った網垣。四隅に松・桜・楓・柳を植える。「ーは二丈なりけり横貫(よこぬき)のあひだあひだは四寸五分なり」〈蹴鞠百首和歌〉

まりけ【鞠蹴】 ⇒まり(鞠)(2)「花の盛りには人人参り給ひてーなど遊ばせ給ひし所なり」〈栄花根合〉

まりしてん【摩利支天】 常に日の神に付随し、自在の通力を有するという女神。信仰すれば一切の災を免れ、身を隠す術を得るというので、武士の守護神として尊崇された。「日天の前にーまします。…今度の大事はこの天の守(まぼ)りにあらずや」〈日蓮遺文四条金吾殿御返事〉

まりや【まり矢】 矢の一種。マリは鞠・鋺のマリで、矢の先のまるい鏑矢(かぶらや)か。「槻弓(つくゆみ)にーを副(たぐ)へ」〈紀歌謡二八〉

まりりか【圜】 まるいさま。「圜、マリリカ」〈黒川本色葉字類抄〉

まる【丸・円】 ㊀『名』《マロ(丸)の転》①丸い形。丸いもの。「黒糸威の鎧に、獅子のーのすそ金物をぞ打ったりける」〈平治上・源氏勢汰へ〉②城郭のなかに幾重にも築かれた城郭。「一の丸」「二の丸」「三の丸」「本丸」など。「御手柄を以てー一つ御執(と)り成され候由、毎度御手柄共に候」〈浅野家文書天正一八・七・五〉。「二のー、三のーより走り出で」〈雲陽軍実記一〉③完全なこと。まるのまま。「宇治丸(鰻)かばやきの事。ーにあぶりて後に切る也」〈大草家料理書〉④《甲羅が円形なのでいう》上方で、スッポンの異称。江戸では「蓋(ふた)」と言った。「ーを焚くと言ひなはるから、麦飯かと思ったら、鼈(すっぽん)かへ」〈滑・浮世風呂三上〉⑤〔遊里語〕節句買いに揚銭を二倍払うこと。「揚銭一倍遣はすをーとは云ふなり」〈評判・吉原雀上〉⑥糸・薬種・綿・煙草・和紙などを一包みにした数量を数えるに用いる語。数量の単位は品物により異なる。「置く露の玉や幾ー糸薄」〈俳・小町踊三〉。「荷印つけて煙草

幾―」〈俳・独吟一日千句〉。〈ロドリゲス大文典〉 ⑦《マロ(麿)の転》男子の自称。「かの姫宮と申すは、―がまさしき姫なり」〈幸若・入鹿〉。「おとづれもせざりしこと、―が咎ぞと宣ひて」〈伽・七夕の本地〉 ㊁『接頭』①丸いさま。「四方柱、―柱」〈蓬左文庫本臨済録抄〉 ②全部そのままであること。完全なさまであること。「渾崙人は棗(つなめ)を―呑みにするなり」〈碧岩抄三〉。「公儀の対決―勝になる」〈俳・信徳十百韻〉 ㊂『接尾』《マロ(麿)の転》①幼児の名の下につける語。「何―なんど云ふは幼名(をさなな)ぞ」〈神代紀桃源抄下〉。「ウシワカマル」〈ロドリゲス大文典〉 ②動物の名の下に添える語。「百舌(もず)―、その程は世にはあれども」〈俊頼髄脳〉 ③名作の器具・刀・船などの名に添える語。「西国に聞えたる月―といふ大船に」〈義経記四〉

まる【虎子】病人や子供の大小便を受ける桶。おまる。おかわ。「予日本の―と云ふ物の形を問ふ」〈蔗軒日録文明一八・六・二四〉

まるあんどう【丸行燈】行燈の一種。円形の枠を二重に作って紙を張り、外枠を自由に回転できるようにしたもの。小堀遠州が考案したので、「遠州行燈」とも呼ばれる。丸あんど。丸あんどん。「厚紙で―や春(張ルト掛ケル)の月」〈俳・伊勢踊二〉

まるうち【丸打】紐などを丸く編むこと。また、その紐。「烏帽子懸けの事、…今は―組み然るべし。色は紺色然るべし」〈親長卿記延徳三・四・一九〉

まるガッパ【丸合羽】袖がなく、裾の広い合羽。馬合羽。「雨天の刻、―の上より大勢いだきすくめ」〈玉滴隠見五〉

まるがほ(オ・ガ)【丸顔】額高く、頰ふくれ、鼻の低い女の顔。おたふく。「十八の月の〔ヨウナ〕―物思ひ」〈俳・藤枝集上〉 ▽「三平二満」とも書く。

まるぐけ【丸絎け】芯に綿を入れて丸く縫う、男帯の仕立て方。また、その帯。「マルグケノヲビ」〈日葡〉

まるぐち【丸口】そのままそっくり。全部。まるごと。まるぐるみ。「―に取らばやいかい(大キナ)餅躑躅(じっつ)」〈俳・鷹筑波五〉。「―の道化」〈評判・役者評判蚰蜒〉

まるごし【丸腰】武士が腰に刀を帯びていない状態。「―にて扇だに差さず候へば、用心までもあるまじ」〈室町殿日記一〇〉

まる・し【丸し・円し】『形ク』円形である。球形である。「丁子のうちに―・き処があるをば、母丁香と云ふぞ」〈策彦和尚初渡集上〉。「石臼は―・いものなるほどに輪(わ)といふぞ」〈四河入海五ノ四〉。「天は―・くして、鳥の卵(かひご)のやうなり」〈仮・祇園物語下〉。「円、マルシ」〈黒本本節用集〉

まるそで【丸袖】外側の下部を丸く仕立てた袖。「此の頃は、そぎ袖すたれて―に移り」〈色道大鏡二〉

まるた【丸太】①皮をはいだだけの木材。「修羅車を造り、〔大石ヲ〕これに引きのせ、道筋には―を敷きて」〈室町殿日記一〇〉 ②近世、売色する比丘尼の異称。「―一二疋呼び」〈咄・当世口真似笑三〉 **―ぶね**【丸太船】琵琶湖特有の丸木を剝(は)いだ形式の舟。丸子(まるこ)舟。「縦の木―に積み候儀」〈本光国師日記元和六・三・一七〉

まるづきん【丸頭巾】僧侶や老人の用いる丸形の頭巾。「年玉として、白綿の―これを恵む」〈隔蓂記寛永二二・一・一〉

まるづくし【丸尽し】女の衣服などの模様の一種。草花その他の模様を円形に入れて肩から裾に連ねたもの。正保・貞享頃に流行。「初めの衣裳は―の黒小袖」〈久重茶会記寛永一四・一〇・五〉。「巴の筒〔ハ〕洲流しに―の筒也」〈四座役者目録〉

まるどし【丸年】満一年。満の年。「―十年切って、金子百両確かに手取りの身は籠の鳥」〈近松・百日曾我二〉

まるぬかし【丸ぬかし】よく似ていること。そっくりそのままなこと。また、そのような物。「秋に見る月や黄金の―」〈俳・鷹筑波二〉

まるね【丸寝】《マロネの母音交替形》⇒まろね。「草枕旅行く夫(せ)な が―せば家なるわれは紐解かず寝む」〈万四四二〇防人〉

まるはだか【丸裸】①全身に一物も付けていないこと。赤裸。「囚人(めしうど)の衣裳ども、皆ことごと剝ぎ、―にて追放す」〈伽・万寿の前〉 ②一身のほかに何も持っていないこと。嫁入に何の支度もしないことにいう。「―で我が女房に欲しきと頻りに焦れ」〈西鶴・一代女五〉

まるびたひ(タイ・ビ)【丸額】髪の生えぎわを丸くした形の額。少年少女の額の形であったが、近世後期には成人男子にも流行した。「十四五や月の影さへ―」〈俳・発句帳三〉

まるほん【丸本・院本】謡曲・浄瑠璃などで、一曲の詞章を全部記載した本。「謡を多く覚ゆる事、―などを御好き候ひて御謡ひ候事、返す返す然るべからず候」〈音曲五音〉

まるぼん【丸盆】丸形の木盆。折敷の代りにし、また、配膳用にする。「―に香炉」〈久政茶会記天正九・一・二五〉

まるまこ・し【丸まこし】『形ク』丸丸としている。いかにも丸い。「唐人の寝言言ふ身は―・う」〈俳・わたし船〉

まる・め【丸め】『下二』①形を丸くする。丸く固める。「くろがねを―・めたる身なれば、太刀・刀も立たざりけり」〈伽・神道由来の事〉 ②一丸とする。合わせて一つの物とする。「樊噲が力でこそ天下は―・めて取られたれ」〈中華若木詩抄下〉 ③全部取る。まるめ取る。「姉を殺し、絹を―・めんと思ひし」〈西鶴・新可笑記五〉

まるもの【円物】①弓の的の一種。直径五寸ないし八寸の半球形の的。「草鹿(くさじし)・―の遊び」〈庭訓往来一月五日〉 ②金銭の異称。まる。まるじるし。「とかく正味の―でなけりゃ夜が明けぬ」〈伎・韓人漢文手管始三〉

まるわげ【丸髷・丸曲】①近世前期、下女などが結った、無造作に髪を丸く巻き上げた髪風。まるまげ。「―は町方にても下女の仕業なれば、姿いたく賤し」〈色道大鏡三〉 ②近世後期、嫁入りした女の髪風の一。頂にやや平たい楕円形の髷をつけたもの。まるまげ。「天明以来―を正風として今に至るか。安永以前さらに―を見ず」〈守貞漫稿二一〉

まるわた【丸綿】半円形の綿帽子。丸綿帽子。「男まで―着るや笠の雪」〈俳・大海集七〉

まれ【稀】《古形マラの転。事の起る機会や物が数少なくて不定、まばらであるさま。類義語タマサカは、出会いの偶然であるさま》①めったにないさま。「―に来て飽かず別るる織女(たなばた)は立ち帰るべき道なからなむ」〈新撰万葉集上〉。「〔人通リ〕―の細道を分け給ふ程、御供の人も泣きぬばかり怖ろしう」〈源氏浮舟〉 ②少ないさま。「里はなれ心すごくて、海士の家だに―になど」〈源氏須磨〉

まれ『連語』《モアレの転》…であっても。…でも。「見―見ず―」〈古今六八〇〉。「と―かく―」〈竹取〉。「善う―あしう―」〈宇津保初秋〉。「遠矢に―射殺さんと思ひて」〈盛衰記二六〉

まれびと【客人】《稀に来る人の意》⇒まらうと。「―の饗応なども…ただその事となくて取り出でたる、いとよし」〈徒然二三一〉。「賓、マレビト」〈文明本節用集〉

まれまれ【稀稀】『副』①ごくたまに。「―かの高安に来て見

れば、始めこそ心にくくもつくりけれ(化粧シタケレド)」〈伊勢二三〉②ごくわずかに。「—残りて侍ふ人は」〈源氏蓬生〉

まれもの【稀者】 たぐいまれな勝れた者。「されば今この天下に—出で来たって世を治めんとのことなるにや」〈浄・ゑしま物語上〉

まれら【稀ら】《ラは状態を示す接尾語》めったにないこと。少ないこと。「岩の上の松にたとへむ君君は世に—なる種ぞと思へば」〈拾遺二六五〉。「希、スクナシ・マレラナリ」〈名義抄〉

まろ【丸・円】《マルの古形。球形の意。転じて、ひとかたまりであるさま》①球状であるさま。また、円形であるさま。「僧の—なる頭(かし)ら つきども」〈源氏手習〉。「懸帯のやうに—に結び繫がはるるを」〈奥義抄〉②丸丸と太っているさま。「御乳(ち)…硬(こは)るまで張らせ給へれば、白う—に」〈栄花楚王夢〉。「—にうつくしく肥え給へりし人の、少し細やぎたるに」〈源氏宿木〉③銭の異称。「銭を—と云ふは、姿のまろなれば由ばみて云ふか」〈塵袋七〉④《接頭語的に》ひとかたまりのまま。「まろ寝」など。「鰒鮒、万呂也支(まろやき)」〈新撰字鏡〉

まろ【麻呂・麿・丸】《奈良時代には多く男子の名に用いた語。平安時代には広く男女にわたって自称の語として使われ、親愛の情のこめられた表現であった。室町時代、転じてマルとなり、接尾語となった》①男子の名の下につける語。「戸主安麻呂、年六十、正丁。…次龍麻呂、年二十三、正丁。次古麻呂、年二十一、兵士」〈正倉院文書御野国加毛郡大宝二年戸籍〉。「柿本朝臣人麻呂」〈万二二九題詞〉②男子の自称。「大御酒(おほみき)甘らにきこしもち食(を)せ、—が父(ち)」〈紀歌謡三九〉。「鷹の子は—に賜(たば)らむ、手に据ゑて…鶉(うづら)狩らせむや」〈催馬楽鷹の子〉③女子の自称。「〔紫上〕—が侍らざらむに思し出でなむや」〈源氏御法〉④《転用して》㋑幼児の名の下につける語。「名をば滝—といふ」〈今昔一五ノ五四〉㋺動物の名の下に愛称として添える語。「翁—(犬ノ名)、いづら」〈枕九〉。「いなご—といふ虫は」〈俊頼髄脳〉 †marö

まろか・し【丸かし・転かし】〘四段〙《マロカレの他動詞形》(丸めて)ひとかたまりとする。渾然一体とする。「八色(やくさ)の姓(かばね)を作りて、天下万の姓を—・す」〈紀天武十三年〉。「〔香ヲ〕大きに—・しつつ入れ給へり」〈源氏梅枝〉。「団、麻呂加須(まろかす)」〈華厳音義私記〉。「丸、マロカス」〈名義抄〉 †marökasi

まろかせ【塊】 かたまり。「まろかし」「まるかせ」とも。「鉄の—は食ひにくかりき」〈宝物集中〉

まろか・れ【丸かれ】〘下二〙《マロ(丸)と同根》①(物が溶け集まって)ひとかたまりとなる。「古(いにしへ)に、天地(あめつち)未だ剖(わか)れず、陰陽(をめ)分れざりし時、渾沌(まろか)れたること鶏(とり)の子の如くして」〈紀神代上〉②くっつき合って丸くなる。「〔涙ニ〕—・れたる御額髪ひきつくろひ給へど」〈源氏槿〉。「上の御前は、ただ子持ちの御身に、一つに—・れて臥させ給へり」〈栄花楚王夢〉 †marökare

まろく【真陸・真正】《ロクは、水平・平らの意》①まっ平らであること。いずれにも傾かず、まっすぐなこと。「〔顔ハ〕仰(あふ)のかず、うつぶかず、傾かずして、—にあるべし」〈蹴鞠百五十箇条〉。「坐正。—に居ること」〈両国訳通上〉②正しいこと。中正。また、完全。円満。「女郎狂ひに—な粋の近六と言ふ男」〈浮・太平色番匠二〉

まろ・げ【丸げ】〘下二〙 まとめる。ひとまとめにする。「是れを—・げて皆買はむ人もがなと思ひて」〈宇治拾遺三〉

まろ・し【円し】〘形ク〙①球形である。「赤く—・きもの積み置きたり」〈宇津保蔵開上〉。「眼—・くして猿の目のごとし」〈著聞五九九〉②円形である。「閑院殿の櫛形の穴は、—・くふちもなくてぞありし」〈徒然三三〉③角(かど)がなく、円満だ。「—・くても—・かるべきは心かな角のあるには物のさはるに」〈多聞院日記天文八・八・一〉

まろだらひ【丸盥】(マルダライ) 形の丸いたらい。「たらひや侍る。—にまれ、うちたらひにもあれ、貸し給へ」〈堤中納言よしなしごと〉

まろね【丸寝】 帯も解かず、着たままで仮寝すること。旅寝・独り寝などをさすこともある。ごろ寝。まる寝。まろぶし。「あらたまの年の五年(いつとせ)敷栲の手枕まかず紐解かず—をすれば」〈万四一一三〉。「〔参籠ノタメ〕—して帰るあしたの注連(しめ)のうちに」〈建礼門院右京大夫集〉 †maröne

まろばか・し【転ばかし】〘四段〙 ころがす。ころばす。「狐、射—・されて、鳴きわびて、腰をひきつつ草に入りにけり」〈宇治拾遺五三〉

まろば・し【転ばし】㊀〘四段〙《マロビ(転)の他動詞形》①ころがす。「ねずみの子の毛もまだ生ひぬを、巣の中より—・し出でたる」〈枕一五五〉。「鬼に置かれたる石の座を推移せむとし、動かすに千数を以てすれども、能く—・すこと莫(な)し」〈大唐西域記七・長寛点〉②(身を)転倒させる。倒し伏す。「わらはべおろして、雪—せさせ給ふ」〈源氏槿〉㊁〘名〙ころがすこと。「驟、マロバス」〈名義抄〉

まろ・び【転び】〘四段〙《マロ(丸)と同根。コロビとほぼ同義であるが、コロビが使われるのは鎌倉時代以後》①ひとかたまりとなってころがる。反転する。「展転(こいまろ)び恋ひは死ぬともいちしろく色には出でじ朝顔の花」〈万二二七四〉。「地に宛(まろ)び転(こか)ること、魚を陸に処(お)けるが如く」〈金光明最勝王経平安初期点〉②転倒する。「なのめならぬ大地震ありき。古き堂の—・ばぬなし」〈愚管抄五〉 †maröbi

まろぶし【丸臥し】「まろね」に同じ。「待ちわびて今宵ばかりの—に幾度我はねざめしつらむ」〈永久百首〉

まろほや【丸寄生】 ほや(ヤドリギ)を丸く図案化したもの。「—摺(す)ったる鞍置いてぞ乗ったりける」〈平家一一・那須与一〉

まろ・め【円め・丸め】〘下二〙 丸くする。丸く固める。「世を背き頭(かうべ)を—・めたるやうなれども」〈道元法語〉。「たとへ黄金(こがね)を—・めたる馬なりとも」〈平家四・競〉

まろや【丸屋】 葦や茅(かや)などで葺って作った仮小屋。「屋は。—、あづまや」〈枕二八九〉。「旅人の茅刈り葺ひ作るてふ—は人を思ひ忘るる」〈拾遺八八六〉

まろらか【丸らか】 丸丸として見えるさま。「腕(かひな)をさし出でたるが、—にをかしげなる程も」〈源氏宿木〉

まわた【真綿】 絹の綿。「伊勢まい田商人の—幷びに苧」〈日吉神社文書九、永祿三・二・九〉 **—を引・く** 着物・蒲団の中入れ綿として、真綿を、でこぼこや片寄りのないように一面に薄く引き拡げる。「琴の代りに—・き」〈西鶴・永代蔵一〉

まわ・ひ(マワイ)【廻ひ】〘四段〙 ぐるぐるとまわる。「七代(ななつぎ)の御代に—・へる百(もも)ちまり十(とを)の翁の舞ひ奉る」〈続後紀承和一二・一・八〉。「転、マワハス」〈色葉字類抄〉

ま・ゐ【参ゐ】〘動詞〙 宮廷・神社・貴人の所など、多くの人の参集する尊貴な所へ、その一人として行く。参上する。「都べに—・ゐし我が背を…見ぬ日さまねみ」〈万四一一六〉▽連用形だけが残っていて、活用の種類不明。

まゐ・き【参来】〘カ変〙 参上して来る。「さわさわに汝が言へせこそうち渡す彌木栄(やがはえ)なす来入り—・くれ」〈記歌謡六三〉。「霜の上に霰(あられ)たばしりいや増しに我は—・来

(こ)む年の緒長く」〈万四二九八〉 †mawiki

まゐ・せ【参せ】『サ変』《マヰラセの転》 ①差し上げる。進上する。「杏子の大なるを公方へはー・せいで」〈三体詩絶句抄六〉。「さて茶をー・するぞと云ひて」〈黄鳥鉢抄三〉 ②《動詞の連用形について謙譲の意をあらわす》…申す。…奉る。「文帝を激させー・せうとて」〈漢書竺桃抄〉

まゐた・り【参到り】『四段』《マヰイタリの約》 参りつく。参りいたる。「幸(さきはひ)の厚き輩(ともがら)ー・りて正目(まさめ)に見けむ〔仏ノ〕足跡(あと)のともしさ」〈仏足石歌〉

まゐ・で【参出】『下二』《マヰイデの約。「出で」の謙譲表現。平安時代以後マウデとなる》 相手に敬意を表して出かける。「桜花咲きなむ時に山たづの迎へー・でむ君が来まさば」〈万九七一〉 **ー・き**【参出来】『カ変』《平安時代以後マウデキとなる》 参上してこちらに来る。「田道間守(たぢまもり)常世に渡り、八矛持ちー・こし時」〈万四一一一〉 †ma-wideki

まゐのぼ・り【参上り】『四段』 参上する。「ー・る八十氏人の」〈万一〇二三〉 †mawinöbori

まゐら・せ【参らせ】『下二』 ①(物を)さしあげる。奉仕する。「御手水(てうづ)などー・する中将の君」〈源氏幻〉。「遊びもの(玩具)どもー・せよ」〈大鏡伊尹〉 ②《動詞の連用形に付いて謙譲の意をあらわす》…てさしあげる。お…する。「さだかに伝へー・せむと思ひたまへしを」〈源氏橋姫〉。「…と思ひて見ー・するに」〈大鏡藤氏物語〉 ▽中世にはマラセに転じる。 **ー候**(そろ) 主として女の手紙に用いる敬語。ます。ございます。草書で「り〜」と書いた。「詳しくは孝蔵主申し上げ候はんまま、筆を止めー」〈太閤記一六〉。「ー(り〜ノ形)に見えたるは雪折れ竹の影ならん」〈浄・甲子祭三〉

まゐ・り【参り】□一『四段』《マヰ(参)イリ(入)の約。マヰは、宮廷や神社など多くの人が参集する尊貴な所へ、その一人として行く意。イリは、一定の区域の内へ、外から進みこむ意。従って、マヰリは、宮中や神社など尊い所に参入するのが原義。転じて、参上する、(物を)差し上げる意》 ①参内する。院に参上する。「一日(ひとひ)には千たびー・りし東の大き御門(みかど)を入りかてぬかも」〈万一八六〉。「御辺、院へー・らんこと何の苦しく候ふべき」〈保元上・新院為義を召さる〉 ②入内する。「〔朧月夜ノ君ハ〕七月になりてー・り給ふ」〈源氏須磨〉 ③神社・仏閣に参詣する。お墓まいりをする。「若う侍りける時は志賀に常にまうでけるを、年老いてはー・り侍らざりけるに、ー・り侍りて」〈後撰一三六詞書〉。「故院の御墓にー・り、最後のいとま申して過ぎむと思し召す」〈保元下・新院讃州〉 ④(貴人の所へ)参上する。うかがう。「二条の后に忍びてー・りけるを…兄人(せうと)たちのまもらせ給ひけるとぞ」〈伊勢五〉。「娑婆にて仔細あらんずるぞ。その時ー・れよ」〈平治下・悪源太雷となる〉 ⑤(貴人に物を)差し上げる。「親王(みこ)に馬の頭(かみ)大御酒ー・る」〈伊勢八三〉。「〔源氏ニ〕箏の御琴ー・りたれば」〈源氏明石〉 ⑥(何かの仕事を)してさしあげる。「まだ大殿油もー・らざりけり」〈源氏東屋〉。「御ゆする(御洗髪)ー・り、御衣着かへなどし給ひて」〈源氏葵〉 ⑦召し上がる。「はかばかしう物などもー・らぬ積りにや、かく〔弱リ〕物し給ふにこそ」〈源氏柏木〉 ⑧負ける意の謙譲語。降参する。「取手打ちこかして、ー・ったのと云って引込む」〈虎寛本狂言・文相撲〉 ⑨行く意の謙譲語。「我らがやうなる愚痴な者は、合点がー・らぬ」〈虎明本狂言・腹立てず〉 ⑩《終止形のみ用いる》手紙の脇付けに用いる語。「まづまづ御返事給はるべく候。待ち入り参らせ候。あらあらかしく。きみさまー・る」〈伽・鼠草子〉。「不便(ふびん)とおぼしめしやり給ひ候べく候。かしこ。くらさまー・る」〈伽・ふくろうの草子〉 □二『名』 ①参内。「此の頃は、時時御宿直(とのゐ)とてーなどしたまひつつ」〈源氏宿木〉 ②参詣。「三島の社に参りたれば、奉幣の儀式は、熊野ーにたがはず」〈問はず語り四〉。「ーの利生には、男子にても女子にても、子を一人たび給へ」〈伽・むらまつ物語〉 ③参上。「人人ーなどし給ひて、〔源氏ガ〕御座(おまし)に出で給ふとて」〈源氏若菜上〉 ④(食事や飲みものなど)差し上げること。召し上がること。「昨日今日つゆもまゐらざりける物、いささかーなどしておはす」〈源氏夕霧〉。「車とめて、湯ーなどし給ふ」〈源氏手習〉 **ーおんじゃう**(ジョウ)【参り音声】 節会のとき、楽人が庭上に進み来るときに奏する音楽。「試楽に上達部を御前に召す。ー、馬場殿の北に於てす」〈御堂関白記寛弘三・三・六〉 **ーげかう**(コウ)【参り下向】 参上することと下向すること。特に、神社・仏閣へ参詣に行き、また、それをすませて帰途につくこと。「〔大智明神ハ〕利益あらたなれば、かの所の砂(いさご)は、夕にさかのぼり、朝には下りて、ーの相を示す」〈撰集抄七ノ一三〉。「ーの貴賤、数を知らず」〈伽・小男の草子〉 **ーもの**【参り物】 差し上げる食物。召し上がる食物。「この豊後介、隣の軟障(ぜじやう)のもとに寄り来て、ーなるべし、折敷手づから取りて、『これは御前に参らせ給へ』」〈源氏玉鬘〉

まを【真苧】 カラムシ。また、カラムシの茎の繊維で作った麻糸。間男(まを)に掛けて用いられることが多い。「七夕にーの糸引きかけて繰ること絶えぬ星あひの空」〈新続古今三七五〉。「ーに立つ名は嘘か誠か」〈俳・続独吟集下〉 **ーを繰**(く)**・る** 長く縒り合わせたカラムシを物に巻き取る。「我は涙の苧枠(をがせ)繰る、ー・る(間男ヲスルト掛ケル)とや」〈近松・鑓権三下〉

まをごも【真苧薦】《マヲはカラムシ》 カラムシで作ったこもむしろ。「人言の繁きによりてーの同(おや)じ枕は吾(わ)は纏(ま)かじやも」〈万三四六四東歌〉 †mawogömö

まをさく【申さく】《動詞マヲシのク語法》 申すこと。「寺寺の女餓鬼(めがき)ー」〈万三八四〇〉

まを・し【申し】『四段』《神・仏・天皇・父母などに内情・実情・自分の名などを打ち明け、自分の思うところを願い頼む意。低い位置にある者が高い位置にある者に物を言うことなので、後には「言ひ」「告げ」の謙譲表現となった。奈良時代末期以後マウシの形が現われ、平安時代にはもっぱらマウシが用いられた》 ①政務を奏上する。「古へに君が三代経て仕へけりわが大主は七世ー・さね」〈万四二五六〉 ②(実情を)言上する。「しし伏すと、誰かこの事、大前にー・す」〈紀歌謡七五〉 ③実情を具して願い出る。「此の頃のわが恋力記し集め功にー・さば(功績トシテ上申シテ位ヲ求メレバ)五位の冠(かがふり)」〈万三八五八〉 ④《動詞の連用形について》…申し上げる。「天飛ぶや鳥にもがもや都まで送りー・して飛び帰るもの」〈万八七六〉 **ーたま・ひ**(タマイ)【申し給ひ】『四段』 ①言上する。「みちのくの小田なる山に黄金ありとー・へれ、御心をあきらめ給ひ」〈万四〇九四〉 ②《奏上し、それに合わせて物を賜う意から》 政務をとる。「やすみし吾ご大王(おほきみ)の天の下ー・へば、万代に然しもあらむと」〈万一九九〉

まをとこ【間男・密夫】 夫のある女が密通している相手の男。また、その密通。「若き女の主の、法師のーを持たりけるを」〈今昔二六ノ二三〉。「〔女ガ〕ーして会合したる所など、さまざまに描きて」〈著聞四〇五〉。「密夫、マヲトコ」〈文明本節用集〉

まん 運。「そちたちをー直しに呼びたるぞ」〈咄・露がはなし

四〉。「―よくば勝軍の場」〈浮・新色五巻書一〉

まん【万】千の十倍。転じて、非常に多くの数。「西の方十―億の国隔てたる九品の上の望み」〈源氏若菜上〉。「民も疲れ、都も衰へ果てて、よろづの道―が一つも残らず」〈ひとりごと〉→よろづ

まん【幔】縦にだんだらの筋のある幕。上端の乳(ち)に綱などを通して張りめぐらす。幔幕。「―四条を造る料、黄の絁(あしぎぬ)十六疋、大学寮に賜ふ」〈三代実録仁和一・九・一四〉

まん【慢】思いあがり。慢心。「諸芸ともに我が―あらん人は、その気、声にいづる。吹物も同じ。よくよく慎みて稽古すべし」〈梁塵秘抄口伝集一三〉。「更にうらやましくもなき歌なり。主(ぬし)は―の気色ありけるとぞ」〈東野州聞書二〉

まん【饅】饅頭。「―十・蜜柑三十これを遣はす」〈多聞院日記文祿五・一・一五〉

まんがち【慢勝ち】①自分勝手。わがまま。身がち。「我一人―に鳴け時鳥」〈俳・沙金袋三〉 ②人の機先を制しようとするさま。われさき。気短か。「其の如く―にては如何な如来も迷惑なり」〈近松・佐々木大鑑一〉

まんがまれ【万が稀】極めて稀なさま。「万稀、まんがまれ、希有(けう)の義」〈和漢通用集〉。〈文明本節用集〉

まんぎゃう【万行】僧・修験者などが修める数多くの行法。「三祇劫の―を満てたり」〈盛衰記四〇〉。〈文明本節用集〉

まんきんたん【万金丹】①五倍子(ふし)・麝香など五味を細末にして餅糊で丸めた毒消しの薬。解毒丹。紫金錠。「作庵より―を恵まるるなり」〈隔蓂記寛永一九・一・八〉 ②《形が似ているのでいう》一分金の異称。「款冬(やまぶき)は―か気の薬」〈俳・桜川二〉

まんく【万句】連歌・俳諧の様式の一。百韻を百巻重ねたもの。「このたび―の人数にさへ加へられ奉りて」〈北野社一万句御発句脇第三序〉。「千句・―の発句は、兼ねて案じおき候事肝要なり」〈当風連歌秘事〉　**―あはせ**【万句合(アワセ)】前句付けの一。前句・冠などの出題の応募句が万に達したのを、点者が判じたもの。また、その高点句を半紙に摺(す)ったもの。「―〔ノ〕勝〔句〕」〈雑俳・つづら笠〉

まんぐゎん【満願】期限を定めて行なった神仏への祈願の日数が満ちること。〈文明本節用集〉

まんどうがしゃ【万恒河沙】莫大・無限の数を恒河（ガンジス河）の砂にたとえた語。恒河沙。恒沙。「この仙人、―の衆生に穀を施して」〈宇津保俊蔭〉

まんどふ【万劫】《「劫」は長い時間の意。世界が創られてから滅びるまでが一大劫》非常に長い年月。「阿修羅(あすら)の―の罪の」〈宇津保俊蔭〉

まんざ〔遊里語〕満足。「―すくなからず」〈評判・高屏風上〉。「―。満足なり。恋里によく言ふ言葉。今略して、まんに思ひまし候など書くも同じ」〈浮・好色伊勢一〉

まんざ【満座】①その座にいる者全部。「―笑ひけり」〈著聞二六二〉 ②〔連俳用語〕連歌・俳諧の一巻が成就して会席が果てること。「万句成就皆領―（皆令満足ノモジリ）年の暮」〈俳・生玉万句〉

まんざい【万歳】①万年。「千年―といふとも、一人もこの世に留まれるその例(ため)なし」〈孝養集上〉 ②年の初めに、大紋を着て風折り烏帽子をかぶり、腰鼓を打ちながら末長い繁栄を祝って賀詞を述べ舞を演じ、米銭を乞う門付け芸人。太夫・才蔵の二人連れで、関東には三河万歳、関西には大和万歳が廻り歩いた。千寿(ずせん)万歳。「承応二年巳の正月、師さる禅院に至る。折ふし―来たる。……―、重ね重ねめでたく祝ひ申さんと云ふ」〈驢鞍橋下〉　**―らく**【万歳楽】①《マザイラク・バンザイラクとも》雅楽の曲名。唐楽。舞人は六人または四人。即位などの祝賀の宴に用いる。「〔源氏四十ノ賀〕―・皇麞(わうじゃう)など舞ひて」〈源氏若菜上〉 ②危険な時などに唱える厄除けのことば。「地震の時―と云ふに似たり」〈松永道斎聞書〉

まんさく【満作】穀物が十分にみのること。豊作。「世間の―、田地田畠の珍重は、順風順雨堯舜の如し」〈大乗院雑事記文明一八・六・三〉

まんざふくじ【万雑公事(ウ:ジ)】荘園制で、一定の年貢・公事以外の雑税の総称。「右件の宮の―は、先日御奉免畢んぬ」〈吾妻鏡治承五・二・一〇〉

まんざら【満更】《副》①全く。ひたすら。すっかり。「八島も松風も、―同じ事ならずや」〈神事能評判〉。「―と言ふ言葉も湯桶〔言葉〕なるべし」〈俳・かたこと五〉 ②《下に打消の語を伴って》全く駄目ではない、少しは取柄がある、の意を表わす。「ちいちい（虱）も―ぎゃあねへ」〈滑・浮世風呂前上〉

まんじ【卍・卍字】〔仏〕《万字の意。もと、インドで、神の旋毛をかたどっためでたい表象》仏陀の胸などにあらわれた吉祥万徳の瑞相。その意味を汲んで、中国で「万」の字があてられた。仏像の胸にえがいたり、また、広く、仏教や寺院の標章としても使用する。「卍、マン」〈文明本節用集〉。「―は仏の胸の字ぞ。殊勝な字ぞ」〈襟帯集〉

まん・じ【満じ】《サ変》①願い事などが叶う。「我が願すでに―・ずとてぞ…躍りおりさせ給ひける」〈著聞四七二〉 ②期限がいっぱいになる。「千日に―・じける夜」〈平治上・唐僧来朝〉

まん・じ【慢じ】《サ変》高ぶる。自慢する。増長する。「いささか本性に―・ずるこころありて」〈法然上人行状絵図〉。「慢、マンズル」〈運歩色葉集〉

まんじうらく【万秋楽(ウ:ジュ)】雅楽の曲名。盤渉(ばんしき)調の大曲。六人舞。東大寺大仏供養の時、婆羅門僧正菩提仙那が伝えたという。「楽中―殊勝なり」〈古事談六〉

まんだ【未だ】《副》「まだ」の転。「岑の朝霜野は―露」〈俳・後撰犬筑波三〉

まんだら【曼陀羅】〔仏〕《梵語の音訳。道場・壇・輪円具足・聚集などと訳す》仏の悟った菩提の境地。また、それを絵に描いたもの。「極楽の―など、この度なむ供養ずべき」〈源氏幻〉。「東西に両部の―を掛けたり」〈北野天神縁起〉　**―げ**【曼陀羅華】《梵語の音訳。悦意華・天妙華などと訳す》四華(しけ)の一。見る者の心を楽しませるという小さい花。白蓮華。「天より―・摩訶曼陀羅華等の四種の花雨(ふ)り」〈今昔一ノ一三〉

まんぢう【饅頭(ユウ:ジ)】《唐音》小麦粉をこねて中に餡(あん)を包み、せいろで蒸して作った菓子。「―の餡には小豆や砂糖がなる」〈湯山聯句鈔上〉。「〔南都ノ饅頭屋〕宗二老は、先祖唐人なり。〔ソノ先祖ハ〕日本に―といふ物を将来せし開山なり」〈見聞愚案記一〇〉。〈文明本節用集〉　**―はだ**【饅頭肌】饅頭のように滑らかにつやつやした肌。「腰本の―ぞなつかしき」〈近松・反魂香上〉

まんづ【先づ】《副》「まづ」の転。「絵師がいはく―南は夏に似た梅翁」〈俳・天満千句〉

まんどう【万燈】①仏前に供える数多くの燈。「一つの燈の光すら仏になる。況んや―をや」〈三宝絵下〉 ②「万燈会」の略。「法興院の―」〈栄花御裳着〉　**―ゑ**【万燈会】懺悔や滅罪祈願のため、仏前に万燈を捧げて供養する法会。「薬師寺の―は、寺の僧恵達が始めたるなり」〈三

宝絵下〉

まんどき【真時】《マドキの転》まっ盛りの時。「日の―と云ふは午ぞ。これを日の中と云ふぞ」〈四河入海六上〉。「湊江は月―とうち見えて」〈俳・寛永十三年熱田万句五四〉

まんどころ【政所】《政務を行なう役所の意》①親王・摂関家や三位以上の権勢家の家政や所領の事務をつかさどる機関。勧学院や大社寺にも置かれ、別当以下の職員がある。「宮の家司ども―に呼びつけて、皆様様に酒飲ます」〈宇津保蔵開中〉。「勧学院倉一宇、―板屋二宇焼亡」〈扶桑略記天徳四・九〉 ②国衙(こくが)の政庁。国庁政所・庁政所ともいう。大宰府には府政所がある。「庁―下す上座郡司」〈百巻本東大寺文書五〇、寛治六・一二〉 ③荘園管理の事務所。「先づ御庄―に付いて、もしくは宣旨、もしくは下文を披見せしめ、即ち御庄の祇承(承諾)を相具して、沙汰を廻(めぐ)らすべき也」〈興福寺別当次第裏文書保元四・一〉 ④鎌倉・室町幕府の政務機関。政務・財政・訴訟などをつかさどる。もと公文所(くもんじょ)を改称したもの。「もし由緒あらば、―に参上せしめ、子細を言上すべし」〈吾妻鏡文治一・九・五〉 ⑤摂政・関白の妻の称。きたのまんどころ。「親のゆるさぬ夫婦となりて、後に―とあがめられたまひし」〈胆大小心録一三一〉

まんな【真名・真字】《マナの撥音化》⇨まな(真名)。「―のすすみたるほどに、かんなはしどけなき文字こそまじるめれ」〈源氏(肖柏本)梅枝〉 ▽ヒンガシ(東)に対してミンナミ(南)の形ができたと同様に、対義語カンナ(仮名)に対してマンナの形ができたのであろう。

まんなか【真中】《マナカの撥音化》①まっただなか。まさに中央・中心にあたる所。「―を駆け破って通せや通せとて」〈保元上・官軍手分け〉。「その時、君山は湖の―にあるぞ」〈三体詩抄一ノ四〉。〈文明本節用集〉 ②まっ盛り。まっ最中。「ここが胸算用の―」〈浮・好色貝合上〉 ③最上。極上。「これへつらひの―ならん」〈身の鏡下〉

まんにち【万日】①長期間、念仏供養すること。万日供養。「東山黒谷―念仏興行の寺にて」〈俳・玉海集追加二〉 ②一日の参詣が万日分に相当すると称して、特定の日に仏寺に参詣すること。万日回向。「あかぬ別れに申す―」〈俳・談林十百韻上〉 **―ゑかう【万日回向】**「万日」(2)に同じ。「天王寺の一心寺―有り」〈宗静日記明暦二・三・一四〉

まんねん【万年】 **―どよみ【万年暦】**《いつの年にも用いられる暦の意》暦日について、開運・相性・吉凶などを記した書物。雑書。大雑書。「古木せし梅は―かな」〈俳・毛吹草追加上〉 **―さう【万年草】**高野山・吉野などに生えている、松の苗に似た苔の一種。俗に、旅人の安否を占うため、これを乾して水に浸し、葉が開けば無事で、しぼめば死亡していると信じられた。「万年ぐさ」とも。「―禁裏に進上し了んぬ」〈実隆公記文明八・三・二〇〉。〈尺素往来〉 **―すずり【万年硯】**久しく用いられる硯。「君が代や―筆初め」〈俳・桜川一〉 **―ふで【万年筆】**久しく用いられる筆。「書初や難波津の古風―」〈俳・貞享五年歳旦集〉

まんのう【万能】あらゆることに巧みなこと。ばんのう。「さてさて―な人ぢゃ」〈虎寛本狂言・文相撲〉。〈文明本節用集〉 **―いっしん【万能一心】**種種の芸能もただ一心からする意。後には、よろずの芸能が有っても、一心が不善ならば役に立たない意に用いられた。「心の誠なからむ人は、何事につけても入眼(じゅがん)の侍るまじきなり。―など申すも、かやうのことを申すやらん」〈竹馬抄〉 **―ぐゎん【万能丸】**万病に効くという丸薬。また、役者などが諸事諸芸に巧みなことのたとえにいう。「円斎妙功丸。…小児の諸病を治す。又、一方に―有り」〈雍州府志六〉。「凡そ―とは此の人の事をや申すべし」〈評判・野良役者風流鑑下〉

まんぱち【万八】①酒の異名。「はや唄へと、―を引っ汲み引っ掛け飲むほどに」〈評判・吉原六方〉。「―をささと名付け」〈俳・奴俳諧〉 ②うそ。いつわり。千三つ。「いつはり・うそと言ふを…江戸・尾張辺及び上野にて―とも言ふ。近年の流行詞なり」〈物類称呼五〉

まんびゃうゑん【万病円】万病の解毒に効能があるという丸薬。万病解毒円。「―三十丸」〈師守記貞治三・六・一八〉

まんべん【満遍】すべてに等しく行きわたること。平等。均等。「まんべ」とも。「―に人を漏らさずと聞けば、聞き及ぶ者感じ思ふなり」〈六波羅殿御家訓〉 **―な・し【満遍なし】**『形ク』すべてにゆきわたっている。全く平等である。「―・くは…高下無くの義也」〈志不可起五〉

まんぽふ【万法】〔仏〕物質的・精神的な凡ての存在。また、それらのもつ事理。「もし画は実にあらずといはば、―みな実にあらず」〈正法眼蔵画餅〉 **―いちにょ【万法一如】**あらゆる実在は帰するところ一であるということ。「万法無二」とも。「諸法実相と観ずれば、峰の嵐も法(のり)の声、―と見る時は、谷の巖も花の色」〈中古雑唱集〉

まんまこと【真誠・満真】少しも嘘のないこと。真実。「夢の時は、恐ろしい事を見ては―ぢゃと思ふぞ」〈真歇拈古鈔〉

まんまと『副』《ウマウマトの転》実にうまく。首尾よく。「やれやれうれしや。―だし抜いて買うた」〈虎明本狂言・宝の槌〉

まんまる【真丸・真円】《マンマロとも》①全くまるいさま。「また潭もめぐりて輪のごとくに―なぞ」〈四河入海八ノ四〉 ②不足のないさま。また、円満なさま。「恵雲院殿古今御伝(授)の事、―写して持ちたりしなり」〈耳底記〉

まんろく【真陸・真正】《マロクの撥音化》⇨まろく(2)「権(八)秤の重し也。物の軽重を掛けて、往来を以て、―に中分にするものぞ」〈格致余論抄三〉。「―なる良しと言へど」〈仮・ひそめ草上〉

み【三】三。みっつ。「家ゆ出でて―歳(とせ)の間(ほと)に」〈万一七四〇〉 †mi

み【巳】十二支の第六。年・日・時、また方角の名などに当てる。①時刻の名。今の午前九時から午前十一時まで。「―の時に行幸ありて」〈源氏藤裏葉〉 ②方角の名。南南東。〈ロドリゲス大文典〉

み【水】みず。複合語として用いる。「垂(たる)―」「―草」「―漬(づ)き」「―な門(と)」など。「―なそそく臣の少女、秀罇(ほだり)取らすも」〈記歌謡一〇三〉 †mi

み【身】《古形ムの転》□一『名』①人や動物の肉体。身体。「吾が―こそ関山越えてここにあらめ心は妹に寄りにしものを」〈万三七五七〉 ②わが身。自分。「これは―の為も人の御為も、よろこびには侍らずや」〈枕八二〉 ③身の上。身分。「外(と)の重(へ)もる―の御垣守」〈古今一〇〇三〉 ④命。「人恋ふとはかなき死にを我やせむ―のあらばこそ後も逢ひ見め」〈亭子院歌合〉。「―終りて蛇(じゃ)になりて、古き家倉を守りしを」〈三宝絵序〉 ⑤《皮に対して》肉。「生魚の―をたたきて盛る」〈厨事類記〉。「〔狐ノ〕皮をはいで、―は料理して食ぶる」〈天理本狂言六義・釣狐〉 ⑥刀身。「八雲立つ出雲建(いづもたける)が佩(は)ける太刀黒葛(つづら)さは巻きさ―無しにあはれ」〈紀歌謡二〇〉 ⑦なかみ。内容。「文屋の康秀は、言葉はたくみにて、そのさま―におはず」〈古今序〉 ⑧ふたのある容器の、物を入れる方。「わが恋はふた―かはれる玉櫛笥(たまくしげ)いかにすれどもあふ方ぞなき」〈詞花二三五〉 ⑨味方。「ふりといふ年季の下女を―になして」〈近松・卯月紅葉上〉 ㊁『代』①一人称。私。「一つこしめせたぶたぶと、夜のお伽にゃ―が参らう、―が参らう」〈宗安小歌集〉。「やい、おのれは―が秘蔵の子を何とて叩いたぞ」〈虎明本狂言・首引〉 ②《尊敬の接頭語「おん」「お」のついた形で》二人称。あなた。「二人は免さるるに、などや御―一人〔島ニ〕残りとどまり給ふらん」〈盛衰記二〉 †mi

―に余・る 過分である。「―・るまで御かへりみを給はりて」〈源氏少女〉 **―に成・る**《草木の「実に生(な)る」意と掛けて、歌に使われることが多い》①自分自身の問題となる。「嘆き(木ト掛ケル)にはいかなる花の咲くやらむ―・りてこそ思ひ知るらめ」〈菅家集〉 ②親身になる。「花すすき穂に出でやすき(表ニスグ出ス意ト掛ケル)草なれば―・らむとは頼まれなくに」〈後撰三五四〉 ③味方となる。無二の手助けとなる。「花咲かすれば(祝儀ヲハズメバ)―・るべし」〈評判・吉原恋の道引〉 **―の毛立・つ** 寒さ、異常な恐怖・不安、はげしい驚愕・感動などのため、ぞっとして体の毛が逆立つ。「身の毛よだつ」とも。「かけまくも畏きすゑ御神の御名うけたまはるも―・ち侍れば」〈春日若宮社歌合〉。「相人―・ちて、恐ろしさなどもおろかなり」〈伽・熊野本地〉 **―二つとな・る** 子を産む。出産する。「この程過して―・りなばと思ひてぞゐたる」〈問はず語り二〉 **―もがな二つ** 二つの事のどちらもしたくて、判断しかねて迷っている心境のたとえ。「―と思ひ累(わづら)ひ、心摸稜(もりよう)の手に似たり」〈太閤記九〉 **―を合は・す** 一身一体となる。同じ気持で共に事に当る。「これは、君(天皇)も人(臣下)も―・せたりといふなるべし」〈古今序〉 **―を打・つ** 身を滅ぼす。「―・つ程こそ要らぬものなれ」〈評判・吉原雀上〉 **―を固(かた)・む** ①きちんとした態度を保つ。行儀を正しくする。「頭巾離さず―・め有りけるこそ気詰りに見えて」〈西鶴・一代男三〉 ②欲望を抑えて正しい生活をする。行いを慎む。「此の一つは堪忍〔シテ〕」、―・めぬ」〈西鶴・好色盛衰記三〉 **―を心ともせ・ず** 自分の身が、自分の思いどおりにならない。「宿世といふなるかたにつけて―・ぬ世なれば」〈源氏総角〉 **―を沈・む** ①おちぶれた境涯に進んで身を置く。「かう―・めたる程は、行ひより外のことは思はじ」〈源氏明石〉 ②身投げをして、この世とのつながりを断つ。「水の底に―・めてももどかしからぬわざにこそ」〈源氏蜻蛉〉 ③姿勢を低くする。「貴人の御持ち候盃に酒を入れ候時は、酌の人、ちと我が―・むる心にて、銚子の先を上げて入れ候心あるべし」〈宗五大双紙〉 **―を辿(たど)・る** 身の処しかたについて、どうすればよいかと手探りしながら生きて行く。「我か人かと―・る世に」〈古今九六三〉 **―を尽・す** その事のために自分のすべてをなげだす。歌で「澪標(みをつくし)」に掛けていうことが多い。「―・し恋ふるしるしにここまでも巡り逢ひける縁(江ニト掛ケル)は深しな」〈源氏澪標〉 **―を投・ぐ** ①投身自殺する。「世の中の憂きたびごとに―・げば深き谷こそ浅くなりなめ」〈古今一〇六一〉 ②身を投げ出すようにする。「狐、―・げて逃ぐれども」〈宇治拾遺一八〉 ③われを忘れて夢中になる。「鞠に―・ぐる若君達」〈源氏若菜上〉 ④自分を犠牲として差し出す。惜しげもなく一身をささげる。「なかばなる偈(げ)教へむ鬼もがな。ことつけて身も投げむ」〈源氏総角〉。「身を国家に投ぐ」〈平家七・願書〉 **―を為(な)・す** 物事に身をうちこむ。「鶯も花に―・す佐国かな(佐国ハ花ヲ愛シ蝶ニナッタトイウ)」〈俳・崑山集一〉 **―を持・つ** ①ふるまう。身を処する。「この貴妃は、酔ひても少しも乱れず、静かに―・ちて、春の和気のあがるやうに進退するなり」〈長恨歌抄〉 ②品行を正しく保つ。身持をよくする。「遠里男(をのこ)―・たう者」〈俳・物種集〉 ③独立して家業を営む。一本立ちになる。「肝心の―・つ時、親・請人に難義を掛け」〈西鶴・永代蔵一〉 **―を燃や・す** ひどく怨み、腹を立てる。身を焼く。「夜は蚤蚊に喰はるるとて―・す」〈仮・他我身之上三〉

み【実】《ミ(身)と同根》①果実。「橘は―さへ花さへその葉さへ」〈万一〇〇九〉 ②実ったもの。みのり。「秋の田の―を刈りをさめ」〈源氏明石〉 ③充実した中身。真実。「うつせ貝―なき言以ちわれ恋ひめやも」〈万二七九七〉 ④汁の中に入れる具。「汁は残りて―やは残らむ」〈仮・仁勢物語上〉 †mi **―が入(い)・る** 成熟する。また、ふとる。「空風(からかぜ)と言はじ〔稲ノ〕―・る秋の風」〈俳・毛吹草六〉 **―ならぬ木には神憑(つ)・く** 実を結ばない木には神がとりつく。しかるべき時に結婚しない女には、神がとりついて一生結婚できなくなる意をほのめかしていう。「玉葛(たまかづら)実ならぬ樹にはちはやぶる神そつくとふならぬ樹ごとに」〈万一〇一〉

み【海】《ウミのウが直前の母音に融合した形》海(うみ)。「淡海(あふみ)の―(琵琶湖)」〈紀歌謡三〇〉 †mi

み【箕】 もみがらやごみを除くために米をあおる道具。「箕、美(み)、除レ糞簸レ米之器也」〈和名抄〉 †mï

み【霊】 原始的な霊格の一。「海(わた)つ―」「月夜―」など。「山つ―の奉(まつ)る御調と」〈万三八〉 ▽上代、カミ(神)のミとは別音で、直接の関係は認めがたい。後に接頭語として、神・天皇などに関するものごとに冠するミ(御)は、これの転用と思われる。†mï

み【御】『接頭』《ミ(霊)と同根。古くは、神・天皇・宮廷のものを表わす語。仏教が広まるにつれてミダウ(御堂)・ミノリ(御法)なども使うようになり、更に尊敬の接頭語となった。また、ミチ(道)・ミネ(嶺)・ミヤ(宮)など一音節語の上に冠した場合は二音節語を形成して敬意が薄れ、そのまま普通語となったものもある。後世は、単なる美称または音調を整えるための語のように受けとられるに至った》①神・天皇・宮廷のものを表わす。「この―酒(き)はわが―酒ならず」〈紀歌謡三二〉。「ひさかたの天見るごとく仰ぎ見し―子の―門(かど)の荒れまく惜しも」〈万一六八〉 ②《平安末期》貴人に対する敬称。「たづねさせ給ひければ、貫之のぬしの―娘の住む所なりけり」〈大鏡昔物語〉→おん。③美称。また、音調を整えるために冠する。「小塩山―雪積れる松原にけふばかりなる跡やなからむ」〈源氏行幸〉 †mi

み『接尾』①形容詞語幹について体言をつくる。㋑その性質を帯びた場所。「春の野の繁―飛びくくうぐひすの声だに聞かず」〈万三九六九〉。「浅―にや人は降り立つわが方は身もそほつまで深き恋路を」〈源氏葵〉。「内野の広―へ懸け出でんと」〈明徳記上〉 ㋺色合い。「黒―、白―、青―、赤―」〈ロドリゲス大文典〉 ㋩味わい。「甘―、苦(にが)―」〈ロドリゲス大文典〉 ②《もと動詞ミ(見・試)の連用形》動詞または助動詞「ず」の連用形について、「…み…み」と重ねた形で「…したり…したり」の意を表わす。「わきばさむ児の泣くごとに男じもの負ひ―抱き―」〈万四八一〉。「かみな

み

づき降りー降らずーさだめなき時雨ぞ冬の始めなりける」〈後撰四四五〉 †mi

み【見】『上一』《マ(目)と同根。眼の力によって物の存在や相違を知る意》❶①目をとめる。「あかねさす紫野行きしめ野行き野守は見(み)ずや君が袖振る」〈万二〇〉 ②眺める。望む。「昔こそよそにも見(み)しか吾妹子が奥墓(おくつき)と思へばはしき佐保山」〈万四七四〉 ③見物する。「あを馬を今日見(み)る人は限りなしといふ」〈万四四九四〉。「御葬見(み)むとて、女車にあひ乗りて出でたりけり」〈伊勢三九〉 ❷①見て思う。判断する。「梅の花枝にか散ると見(み)るまでに風に乱れて雪ぞ降りくる」〈万一六四七〉 ②知る。分る。「人ののろひごとは、負ふものにやあらむ、負はぬものにやあらむ、今こそは見(み)め」〈伊勢九六〉 ③診断する。「重しと見(み)れど、おのづからおこたるけぢめあらば頼もしきを」〈源氏若菜下〉 ④試みる。ためす。「男もすなる日記といふものを女もして見(み)むとてするなり」〈土佐十二月二十一日〉 ⑤占う。「帝王のかみなき位にのぼるべき相おはします人の、そなたにて見(み)れば、乱れうれふることやあらむ」〈源氏桐壺〉 ⑥読む。「文を見(み)るにいはく」〈竹取〉 ❸自分の置かれた状況を目にする。経験する。際会する。「まだかかるわびしき目見(み)ず」〈竹取〉。「去年今年とうちつづき、かかる事を見(み)給ふに」〈源氏賢木〉 ❹互いに見る。①逢う。「昔の人を相見(み)るごとし」〈万三〇九〉 ②男女の交りをする。平安時代、成人の女が男に顔を見せるのは特別な場合であった。「よし、今は見(み)きとなかけそ(口ニナサルナ)とて、〔女ノ〕思へるさま、げにいとことわりなり」〈源氏帚木〉 ③夫婦となって暮す。「年ごろおとづれざりける女…もと見(み)し人(男)の前に出で来て物食はせなどしけり」〈伊勢六二〉。「さやうならむ人をこそ見(み)め。似る人なくもおはしけるかな」〈源氏桐壺〉 ❺①面倒を見る。世話をする。「桂に見(み)るべきこと侍るを」〈源氏松風〉 ②観察する。調べる。吟味する。「おほそれながら御佩刀の鉄(かね)をも見(み)申し」〈曾我九〉。「風を見(み)て帆を使ふごとく」〈応永二十七年本論語抄一〉 †mi **見ぬが花** 裏面の醜い事実を知らないうちの方が物事が美しく見えるというたとえ。「見ぬが心憎し」「見ぬが仏」とも。「知らぬが仏、―」〈浄・善光寺一〉 **見ぬ京物語** 見知らぬことを知っているかのように話すことのたとえ。「されども、小杜阿房を賦すと云うて、―と云うた事があるぞ」〈史記抄四〉 **見るを見真似** 見よう見まね。「―に、其の近所の日本人、いづれも其の姿を学び、子を売り、親を売り、妻女を売り候由」〈九州御動座記〉

み【廻】㊀『上一』めぐる。「うち廻(み)る島の崎崎」〈記歌謡五〉 ㊁『名』入り曲がった所。めぐり。複合語として用いる。「浦―」「隈―」「里―」など。「馬並めていざ打ち行かな渋谿の清き磯―に寄する波見に」〈万三九五四〉 †mi

み『助』→基本助詞解説。 †mi

みあかし【御明し】⇒あかし㊁(1)

みあがり【身上り・身揚り】遊女が自分で揚代を払って勤めを休むこと。「―をいたさん」〈評判・寝物語〉

みあきら・め【見明らめ】『下二』はっきりと見る。「―・め心やらむ(気持ヲ晴ラソウ)と」〈万四一八七〉 †miakiramë

みあ・げ【見上げ】㊀『下二』①上の方に視線を注ぐ。仰ぎ見る。「荒れたる門のしのぶ草茂りて―・げられたる」〈源氏夕顔〉 ②人物・力量などがすぐれていると認める。「さすが御坊、―・げました」〈狂言記・鹿狩〉 ㊁『名』①《ミヤゲの古形》よく見、えらんで、人に差し上げる品物。土産物。「墨三挺…―也」〈師守記貞治六・四・二〉。「古へには、人に初めて逢ふ時に、必ず―を以て行く」〈応永二十七年本論語抄七〉 ②「まびさし」に同じ。「―の下を箆深(のぶか)に射られて」〈信長公記首巻〉 **―じわ**【見上げ皺】見上げるときに額による皺。「―のやうなる筋有り」〈宗達他会記天文一八・一二・一六〉

みあつか・ひ‥アツカイ【見扱ひ】『四段』①世話をする。面倒を見る。「みづからの上のもてなしは、また誰かは―・はむ」〈源氏総角〉 ②看護をする。看病する。「〔物怪ノタメニ〕いとおそろしきまでものし給ふめりしを、―・ひ侍りしほどに」〈源氏夕霧〉 ③処置に手を焼く。かかずらってわずらわしい思いをする。「わびしければ、うつぶし臥して泣き給ふ。いと苦しと―・ひて」〈源氏東屋〉

みあつ・め【見集め】㊀『下二』多くの事を経験している。「限なく―・めたる人の、言ひしことは、げにと思しあはせられけり」〈源氏帚木〉 ㊁『名』監督。宰領。取締り。「春の野遊びとて、女中駕籠つらせて、跡より清十郎、万(よろづ)の―に遣はしける」〈西鶴・五人女一〉

みあは・せ‥アワセ【見合はせ】『下二』①相手と視線を合わせる。「いたく恥ぢらひしめりて、さやかにも―・せたてまつり給はぬを」〈源氏若菜下〉 ②比較して見る。照合する。「去年(こぞ)の経と―・するに、かれには無き字一つあり。このたびの経も一巻に書けり」〈三宝絵中〉 ③(好い時節などにたまたま)際会する。「後は知らず、ほどなう世を―・せつるかなと嬉しうて」〈栄花見はてぬ夢〉

みあ・ひ‥アイ【見合ひ】㊀『四段』①互いに見る。見かわす。「いとつつましうて、うつぶしつつ―・ひたり」〈落窪三〉 ②出くわす。出合う。「はからざるに僧正に―・ひ奉りにけり」〈著聞五三二〉 ③その場に居合わせて見る。発見する。見つける。「人有りて生命を害せむを―・はば、必ず助け救ふべき事なり」〈今昔九ノ八〉 ④皆で見る。「上り下る者、市をなして行きもやらで―・ひたり」〈宇治拾遺一五〉。「その時、浜に人の多く集まりて、物を―・ひたるを」〈発心集三〉 ㊁『名』①出合うこと。見つけること。「件の輩の剣刀は、小舎人に仰せ付け、―に随ひこれを抜き取り、大仏に施入すべきの由仰せ下さる」〈貞永式目追加仁治三・三・三〉。「夜討・強盗…以下盗人等の事。実犯現形せば、―に討ち留むべし」〈松浦党一揆契諾状永徳四・二・二三〉 ②会見。対面。「尾張清須信雄に、家康、星崎にて御―候」〈家忠日記天正一二・一・一八〉 ③見計らうこと。見立てること。「当座の―、大将の心一つにて指引(さしひき)して」〈西海余滴集〉

みあらは・し‥アラワシ【見顕はし】『四段』①隠れているもの、隠している事柄を見出す。「いと軽軽しき隠れが―・されぬるこそねたう」〈源氏松風〉 ②正体をつかむ。化の皮をはぐ。「とく、夜も明け果てなん、人か何ぞと―・さむ」〈源氏手習〉

みあれ【御阿礼】《ミは接頭語。アレは出現の意。祭神の出現・降誕の縁となる物の意。転じて、奉幣の意》陰暦四月、中の酉(とり)の日の賀茂祭の前に行なわれる神招きの神事。御阿礼木に祭神別雷神を移す。「対の上、―にまうで給ふとて、例の御かたがたいざなひ聞え給へど」〈源氏藤裏葉〉 **―のせんじ**【御阿礼の宣旨】賀茂祭の際、斎院任命の宣旨を伝達する女官。「―の、上(天皇)に、五寸ばかりなる殿上童(てんじやうわらは)のいとをかしげなるを作りて…奉らせ給ひけるを」〈枕一八三〉

みいだ・し【見出し】『四段』①中から外のものを見る。「遣戸をひきあけて、もろともに―・し給ふ」〈源氏夕顔〉 ②見つける。尋ね出す。「この地蔵納めて置き奉りたりけるを思ひ出して、―・したりけり」〈宇治拾遺七〇〉 ③目をむき出す。目を見張る。「眼をくゎっと―・して、荒次郎をはたと睨

み」〈曾我九〉

みい・で【見出で】『下二』①見つける。さがし出す。「いと清らなる緑衫(ろうさう)のうへのきぬを―・でてやるとて」〈伊勢四一〉②現われ出てくるのを見る。「契り深き人の為には、今〔御子ヲ〕―・で給ひてむ(出産ナサルダロウ)」〈源氏澪標〉

みいはひ(…ワイ)【身祝ひ】自分のために心ばかりの祝いをすること。正月祝いの食事をもいう。「―にかかれとてこそ煤払」〈俳・伊勢踊五〉。「何の彼のと―するや今朝の春」〈俳・鷹筑波三〉

ミイラ【木乃伊・密人】人間の死体が乾燥して、永く原形に近い形状を保っているもの。近世慶安・万治ごろ輸入されて、切売の売薬として一時流行した。訛って「ニイラ」とも。「―といふ苦き薬を死骸に塗れば、腐ることなく」〈ぎやどぺかどる下〉。「薬の―亦二匁来る。此の代、白銀十四匁也」〈隔蓂記寛文七・閏二・三〉。「一匁ほど涙落ちくる／恋病や今は―を頼みなん」〈俳・当世男下〉 ▽ポルトガル mirra　**―とり**【木乃伊取り】薬用に、砂漠にあるミイラを取りに行く者。車に乗って出かけるが、誤って砂漠に落ちると、熱帯なので、自分自身がミイラになると伝えられ、「ミイラ取りがミイラになる」という諺ができた。「朝顔の花車なり―」〈俳・江戸弁慶〉。「居続けを迎へに行けば―」〈雑俳・鯨の息〉　**―取りがミイラにな・る**　人を諫めようとした者が、逆にその人と同じ状態になるたとえ。「―・るやうな御上使様」〈浄・本朝廿四孝四〉

みいり【実入り】①穀類などがみのること。「―の田面すかぬ世の中」〈俳・大矢数五〉②収入。「お布施も快く納めて、和尚の―も沢山になる理屈だ」〈滑・浮世床三下〉

みい・れ【見入れ】㊀『下二』①外から内部を見る。のぞきこむ。「荒れたる門(かど)にたち隠れて―・るれば、五間ばかりなる檜皮屋(ひはだや)のしもに土屋倉などあれど」〈大和一七三〉②気にとめて見る。「大学の君、胸のみふたがりて物(食物)なども―・られず」〈源氏少女〉③身を入れる。また、身を入れて世話する。「心ばへの浅うはあらず思ひ知られ給へば、例よりは―・れておましなど引きつくろはせ給ふ」〈源氏椎本〉。「かばかりにさだ過ぎなん人(年ノ盛リヲ過ギタ人)を何かと―・れ給ふべきにもあらねど」〈源氏宿木〉④(執念をこめて)とりつく。「さは海のなかの龍王のいといたうものめでするものにて―・れたるなりけりと思すに」〈源氏須磨〉㊁『名』①外からのぞきこんだあたり。「門は蔀(しとみ)のやうなるを押し上げたる、―の、ほどなくものはかなき住まひを」〈源氏夕顔〉②世話。「はかなき事しける―などしける程に」〈源氏手習〉

みうけ【身請】遊女などの身代金(みのしろきん)を払って、その勤めから身をひかせること。請出し。落籍。「皆これ―の強み故なり」〈評判・吉原雀上〉。「年季の内に金銀を出し、―して出る」〈色道大鏡四〉

みうしな・ひ(…ウシナイ)【見失ひ】『四段』見ていたもののありかが分らなくなる。「心のどめて見る事ならねば、一つに目を留むと思へば、又かたへは―・ふ心地して」〈栄花御裳着〉

みうち【身内】からだじゅう。「〔アマリノ寒サニ〕―にあたたかなる所もなきが如くに侍りければ」〈朝鮮日日記〉。「〔赤子ヲ〕抱きあげて―をさすり」〈朱子家訓私抄上〉

みうち【御内】㊀『名』①貴人の邸内。「これは更に―へ入れみるべきものにあらず」〈宇治拾遺九一〉②貴人。「―ただ今機嫌あしく候」〈義経記七〉③貴人の奥方。「北条殿の―様、上総介の―様」〈伽・浜出草紙〉④直属の家臣。「君の御出家候ひなば、―の上下皆惑ひ者になりなんず」〈平家二・徳大寺〉⑤譜代。「外様(とざま)」の対。「両六波羅を始めとして、―・外様の諸軍勢に至るまで」〈太平記六・楠出張〉㊁『代』二人称。あなた。こなた。「―には見参はえせまいと云うて」〈史記抄三〉

みうちぎ【御打着】貴人が装束をつけること。また、その役に仕える女房。「上は―果てて御障子よりのぞかせ給ひけり」〈源氏紅葉賀〉。「上は―の人召していでさせ給ひぬるほどに」〈源氏紅葉賀〉

みうへ(…ウエ)【身上】人の境遇・生活。身の上。「今日の―を助かれば、その恩は忘れじ」〈西鶴・二十不孝四〉

みうり【身売】人を売ること。また、身代金(みのしろきん)を取って、約束の年季の間、勤め奉公をすること。遊女奉公や農村の譜代奉公などにいう。「―の事、盗人〔相当〕の罪科たるべし」〈塵芥集〉

みうり【箕売】　**―笠にて簸(ひ)・る**　《箕を売る者が、商品の箕を使わず、笠で穀物をふるう意》他人の為にばかり尽して、自分の事をする暇のないたとえ。単に「箕売り笠」ともいう。「―・る。紺掻き白袴を着る」〈俳・毛吹草二〉

み・え【見え】㊀『下二』《見るという動作が、意志によらずに、自然の成行きとして成立する意。動作の成立する場所が話し手の相手であるときは、話し手が見せる意となって、話し手の意志を示す》①目にうつる。目に入る。「領巾(ひれ)振らす―・ゆ」〈紀歌謡一〇二〉②見ることができる。「目も―・え侍らぬに」〈源氏桐壺〉③見つかる。存在する。「この国に―・えぬ玉の枝」〈竹取〉④他から、見られる。「物思ふと人に―・えじと」〈万六一三〉⑤人から顧みられる。世話をうける。「行先ながく―・えむと思はば」〈源氏帚木〉⑥来る。いらっしゃる。「今日今日と待つらむものを―・えぬ君かも」〈万三七七一〉⑦見た目に…の様子である。…と感じられる。「しらぬひ筑紫の綿は身につけていまだは着ねどあたたかに―・ゆ」〈万三三六〉⑧他人に、見せる。「はかなき花紅葉につけても志を―・え奉る」〈源氏桐壺〉⑨姿を見せる。逢う。「―・えもせむ見もせむ人を朝ごとに起きては向ふ鏡ともがな」〈和泉式部集一〉⑩夫婦の交りをする。「女は男に―・ゆるにつけてこそ、くやしげなることも、めざましき思ひもおのづからうちまじるものなめれ」〈源氏若菜上〉㊁『名』①自然に人目に見えること。「心―に心づきなし」〈源氏螢〉②【見栄】他人によく見られるための見せ掛け。体裁。「女郎もいい男をすてて、醜夫(ぶをとこ)を―にするさうだから」〈滑・浮世風呂三下〉③【見得】芝居で、役者が、動作または感情の頂点に達したことを示すために、ことさらに目立つ演技をすること。「三人きっと―」〈伎・助六〉 † miye

みえい【御影】肖像の尊称。「御堂には故院の―を書き奉りたり」〈栄花紫野〉　**―く**【御影供】①真言宗で三月二十一日に弘法大師の御影を供養する法会。「〔延喜〕十年…三月、初めて東寺―を行なふ」〈東寺長者補任〉②十月十三日の日蓮上人の忌日に、日蓮宗寺院で行なう法会。御影講。御命(おめい)講。「十月十三日―に」〈咄・醒睡笑七〉

みえかへ・り(…カエリ)【見え返り】『四段』幾度もくりかえし見える。「夢に夢にし―・るらむ」〈万二八九〇〉 † miyekaFeri

みえぐる・し【見え苦し】『形シク』見られることが苦痛である。見られたらどうしようと思う。「すずろに―・しう恥づかしくて、額髪(ひたひがみ)などもひきつくろはれて」〈源氏東屋〉

みえしの【み吉野】「みよしの」の古形。「―の吉野(えしの)の鮎(あゆ)」〈紀歌謡一二六〉 † miyesino

みえしらが・ひ(…シライ)【見えしらがひ】『四段』わざと人目につくようにする。「殊更に―・ふ人もあり」〈源氏総角〉

みえす・き【見え透き】『四段』すけて見える。「うすき物の

—・く、如何」〈名語記六〉。「隣—・く軒の垣竹」〈看聞御記紙背連歌〉

みえなほ・し(ナオシ)【見え直し】《四段》見直してもらう。「かの緑の袖(六位ノ姿)を—・してしがな」〈源氏螢〉

みえまが・ひ(ガイ マ)【見え紛ひ】《四段》互いに似かよっていて、区別がつかないように見える。「同じ赤色を着給へれば、いよいよひとつものとかかやきて—・はせ給ふ」〈源氏少女〉

みえまさ・り【見え増り】《四段》いっそう、その程度がまさって見える。「…など宣ふままに、いと苦しげにのみ—・れば」〈源氏柏木〉

みえわか・れ【見え分れ】《下二》おのずと見分けがつく。「なほまことの物の上手は、さまことに—・れ侍り」〈源氏帚木〉

みえわ・き【見え分き】《四段》見分けられる。見えて区別がつく。「目うつりつつ、劣りまさり、けざやかにも—・かず」〈紫式部日記〉

みえわた・り【見え渡り】《四段》端から端まで、また、長時間ずっと続いて、目に映る。「君まさで煙絶えにし塩釜のうらさびしくも—・るかな」〈古今八五三〉。「(恋人ノ)来し時と恋ひつつをれば夕暮の面影にのみ—・るかな」〈古今一一〇三〉

みお・き【見置き】《四段》①前以て見届ける。以前に見定める。「(院ハ)いと幼き御心ばへを—・き給ひて、いたくはうしろめたがり聞え給ふなりけりと」〈源氏若菜下〉。「高き木に鷹の巣くひたるを—・きて、いみじきこと—・きたると思ひて、今は良きほどになりぬらんと思ふほどに」〈古本説話六四〉②(前以て)取りはからい、処置する。「娘どもあるべきさまに—・きて(嫁ガセテ)くだりなんとす」〈源氏蓬生〉③見たままで捨てておく。置き去りにする。「さる君を—・き奉りてこそえ行くまじけれ」〈枕三四〇〉

みおく・り【見送り】《四段》(去りゆくものが見えなくなるまで)目で追う。「松の木(け)の並みたる見れば家人(いはびと)の吾を—・ると立たりしもころ」〈万四三七五防人〉

みおこ・せ【見遣せ】《下二》視線をこちらへ向けてくる。離れた所からこちらを見る。「黒戸の前など渡るにも、声などするをりは、袖をふたぎてつゆ—・せず」〈枕八二〉

みおと・し【見落し・見貶し】《四段》①欠点や落度を知って、その人を低く評価する。見くびる。「人の深き用意は、難(かた)きわざなりけりとかの人の心をさへ—・し給ひつ」〈源氏若菜下〉。「むげに色なき人におはしけりと—・し奉ることなんありし」〈徒然三三八〉②見もらす。見すごす。「たとひ大参りなりとも(落シ物ヲ)—・す事があるものぢや」〈虎清本狂言・鈍根草〉

みおとり【見劣り】《「見優(まさ)り」の対》まともに見ると、かねて思っていたより劣ること。また、知ってみると評判ほどではないこと。「人のさまいとらうたげにおほどきたれば、—もせず、いとあはれと思しけり」〈源氏東屋〉。「おろかならず見ゆめる心ばへの、(結婚後ハ)—して我も人も見えむが心安からず憂かるべきこと」〈源氏総角〉

みおもひ(モイ オ)【御思ひ】《ミは神・天皇の行為につく接頭語》①お思い。お心持。「我こそまさめ—よりは」〈万九二〉②《御心配の意から》諒闇(りやうあん)。「—の際を以ちて」〈紀綏靖即位前〉 †miömöri

みおや【御祖】《ミは接頭語》神・貴人の親・先祖。母・祖母をさすことが多い。「昔、—の尊(みこと)、諸神(もろがみ)たちのみもとに巡りいでまして」〈常陸風土記〉 †miöya

みおよ・び【見及び】《四段》努力して、やっと見ることが可能になる。「人の—・ばぬ蓬萊の山」〈源氏帚木〉

みおろ・し【見下し】《四段》①高い所から、下の方にあるものに注目する。下方を見る。「み吉野の真木立つ山ゆ、—・せば川の瀬ごとに、明け来れば朝霧立ち」〈万九一三〉。「向上(きやうじやう)(とみあぐれ)ば則ち万尋なる青壁(あをいはを)有り。直下(ちよくか)(とみおろせ)ば則ち千仭なる碧潭(あをふち)有り」〈遊仙窟(醍醐寺本)鎌倉期点〉②相手を見くだす。蔑視する。「げにもこの勢にてはたやすくこそと、六波羅を—・しける山法師の心のほど」〈太平記八・山徒寄京都〉

みか【甕・瓺】《ミは接頭語。カ(瓮)は容器類》大きなかめ。水や酒を貯えたり、酒をかもしたりするのに使った。「—の腹満(み)てならべて、汁にも穎(かひ)にも称辞(たたへごと)をへまつらむ」〈祝詞祈年祭〉 †mika

みか【三日】①三日間。「この程—、うちあげ遊ぶ」〈竹取〉②第三日目。産後三日目の夜の産養(うぶやしなひ)、新婚後三日目の夜の祝餅など、儀式にあてられる。「御産養、—は、例の、ただ、宮の御わたくし事にて」〈源氏宿木〉。「『—にあたる夜、餅(もちひ)なむ参る』と人人の聞ゆれば」〈源氏総角〉

みかき【御垣】神社・皇居の垣。「宮垣(みかき)崩(やぶ)るれども造らず」〈紀仁徳一一年〉 †mikaki —**のはら**【御垣原】原のように広広とした御垣の中。「一日風に誘はれて、—を分け入りて侍りしに」〈源氏若菜上〉 —**もり**【御垣守】皇居の諸門を警固する人。衛士(ゑじ)。「外重(とのへ)守(も)る身の—」〈古今一〇〇三〉

みが・き【磨き・研き・瑩き】《四段》①硬い物の表面をこすって平らにしてつやを出す。「礫(されき)を去(す)て、玉を琢(みがみ)きて輝(ひかり)を裨(たす)く」〈三蔵法師伝八・院政期点〉。「瑩、彌加久(みがく)」〈新撰字鏡〉②念入りに作り飾る。きれいに飾り装う。「娘住ませたるかたは、心ことに—・きて」〈源氏明石〉③映えを増す。光彩を添える。「いみじかるべき際にはあらざりけるを、対の上の御もてなしに—・かれて、人の思へるさまなどもかたほにはあらぬなりけり」〈源氏若菜上〉④技芸や精神の分野で、つとめ励む。「因明・声明・医方・術数に至るまで、またともに—・き習へり」〈三蔵法師伝三・院政期点〉 —**ずな**【磨砂・琢砂】歯磨き粉。「白くなす霜や朽葉(歯ト掛ケル)の—」〈俳・犬子集六〉

みかく・し【見隠し】《四段》見て見ぬふりをする。知っていることを隠そうとする。「相模嶺の小峰—・し忘れ来る妹(いも)が名呼びて吾(あ)を哭(ね)し泣くな」〈万三三六二東歌〉。「せめて—・し給ふ御眼(まみ)じりこそ煩はしけれ」〈源氏松風〉 †mikakusi

みがく・れ【水隠れ】□一《下二》水中に隠れる。「河の瀬になびく玉藻の—・れて人に知られぬ恋もするかな」〈古今五六五〉□二《名》水中に隠れること。「今日さへやひく人もなき—に生ふるあやめのねのみなかれん」〈源氏螢〉。「泡と消えなでや浮き沈み—に息づきあまり」〈宴曲集吹風恋〉

みがく・れ【見隠れ】《下二》見えたり隠れたりする。「このむねとの者の行かん方を見んと思ひて、尻にさしさがりて—・れ行くに」〈著聞四三三〉

みか・け【見掛け】□一《下二》①目にとめる。みとめる。「翁、弟子一人を招く。然れども、弟子等、目に—・けずして行かず」〈今昔一〇ノ一〇〉②見始める。中途まで見る。「憚る事多くて(詠草ヲ)乞ひに遣はしたれば、—・けたりとて、五六日して返され侍りし包紙に」〈草根集三〉③みつめる。注目する。また、目ざす。めがける。「帆柱や京を—・けて上り舟」〈俳・西鶴五百韻〉□二《名》外見。また、容色。「—に違うたる御望みぢゃと申されければ」〈咄・昨日は今日上〉。「また、見ざま、—悪しくて富める者あり」〈仮・悔草下〉。〈日葡〉

みかげ【水陰】水に隠されて見えないところ。「山川の—に生ふる山菅(やますげ)の止まずも妹は思ほゆるかも」〈万二八六二〉 †mikagë

みかげ【御蔭】①《ミは神・天皇のものにつく接頭語》天の陽をさけて蔭となる所。殿舎。宮殿。「高知るや天の—、天知るや日の—の水こそば常にあらめ」〈万五二〉②頭にさすかずら。「華縵を以て殯宮(あらきのみや)に進(たてまつ)る。此をば—といふ」〈紀持統一年〉†mikagë

みかげ【御影】神魂。「霊、日本紀云美太万(みたま)、一云美加介(みかげ)」〈和名抄〉

みかさ【水嵩】みずかさ。水量。「つれづれと身を知る雨のを止まねば袖さへいとど—増りて」〈源氏浮舟〉

みかさのやま【三笠山】《天皇の御笠となって近き衛(まもり)をする意から》近衛の大将・中将・少将の異名。「柏木の森だに茂く聞くものをなどか—のかひなき」〈道綱母集〉

みかしほ〔枕詞〕三日の潮が張る意から、一説、瞋塩(いかしほ)という地名がそこにあることから、国名「播磨(はりま)」にかかる。「—播磨速待」〈紀歌謡四五〉†mikasiFo

みかた【御方・味方】《古くは「御方」と書く。ミは神・天皇のものにつく接頭語》①天皇方の軍勢。官軍。「太子(ひつぎのみこ)の—は、丸邇(わに)の臣の祖…を将軍(いくさのきみ)としき」〈記仲哀〉。「—の軍(いくさ)強くして、広継が方少し」〈今昔一一ノ六〉②《「敵」の対》自分の属する軍勢の方。「敵(かたき)に頸ばしとらすな。—へ取れ」〈平治中・六波羅合戦〉。「敵か—か名乗れ」〈盛衰記三七〉。「御方、ミカタ、又作二味方一」〈文明本節用集〉†mikata

みがため【身固め】身体を健康にするために行なう加持・祈禱。「晴明、少将をつと抱きて—をし」〈宇治拾遺二六〉

みがち【身勝ち】利己的なこと。自分勝手。身勝手。「かかる大将をする者はへりくだらいで—な者がよいぞ」〈周易抄四〉

みかづき【三日月・初月】①月の始めから数えて三日目の月。宵のうちに西に没する。「振りさけて—見れば一目見し人の眉引思ほゆるかも」〈万九九四〉②特に、陰暦八月三日の月。「八月三日、子を欲しがる人のもとにてかく言ひければ、やがて子を儲けたりし発句。—はただ名月の赤子哉」〈俳・崑山集一〇〉。「〔四季ノ話〕中秋。…八朔・田面(たのも)・莚(むしろ)・同礼・—」〈俳・世話尽一〉†mikaduki

みかど【御門】《ミは神・天皇のものにつく接頭語》①皇居の門。宮門。「大君の—の守り」〈万四〇九四〉②皇居。「すめろきの神(天皇)の—に外(と)の重(へ)に立ち候(さもら)ひ」〈万四四三〉③天皇の尊称。帝。「畏きや天(あめ)の—を〔心ニ〕かけつればねのみし泣かゆ朝夕にして」〈万四四八〇〉④皇室。天皇の家系。「王室(みかど)を傾けむと欲りす」〈紀崇神十年〉⑤朝廷。宮廷。「万代にいましたまひて天の下申し給はね(政治ヲオ取リ下サイ)—去らずて」〈万八七九〉⑥天皇が治める国。国家。「時に新羅(しらき)、中国(みかど)に事(つか)へず」〈紀雄略七年〉†mikado **—もり【御門守】**皇居や宮家などの門を守ること。また、その人。「—…とみにもえあけやらず」〈源氏槿〉。「閽人、美加止毛利(みかどもり)、守門者也」〈和名抄〉

みがとう【身が等】『代』一人称。武士が用いた。われら。われ。みども。「此の巻—も見て、心が奴にうつり、いけ魂が空に仰天し」〈俳・奴俳諧〉

みがね【身金】自分で働いて得た金。「—ではなしと勧むる」〈西鶴・好色盛衰記一〉

みかのよのもちひ【三日の夜の餅】新婚から三日目の夜、新郎新婦に供する祝いの餅。普通、直径一寸ぐらいで、お供えの餅のようなもの。「みかのもちひ」とも。「—は食はじわづらはし」〈後拾遺一二〇五〉

みかは【三河】旧国名の一。東海道十五国の一。今の愛知県東部。三州。「—なる二見の道ゆ別れかねつる」〈万二七六〉†mikaFa **—まんざい【三河万歳】**三河国から関東諸国に出稼ぎした万歳。「年も明けなば—」〈俳・京拾遺一〉

みかは【御溝】《御川の意》「みかはみづ」の略。「—にちかきは河竹」〈徒然二〇〇〉 **—みづ【御溝水】**内裏(だいり)の御殿のまわりを流れる溝の水。特に、清涼殿東庭のが名高い。「東宮雅院にて桜の花の—に散りて流れけるをみて」〈古今八一詞書〉

みかは・し【見交し】『四段』①互いに視線をかわす。「かからぬ人を—・したらむだに、珍しき中のあはれ多く添ひぬべき程なり」〈源氏浮舟〉②(男女が)相い逢う。「二条の后につかうまつる男有りけり。女の仕うまつるを、常に—・してよばひわたりけり」〈伊勢九五〉③見くらべ得る。匹敵する。見違える。「風義、天職に—・すも有りける」〈西鶴・一代女六〉

みかはやうど【御厠人】《ミカハヤビトの転》貴人の便器の清掃などにあたった身分の低い女。「知りおよび給ふまじき長女(をさめ)・—まで」〈源氏須磨〉

みがはり【身代り】当事者の身の代りになること。「美妙水(ごしみ)の冠者をば、汝らが夫の—に鎌倉へ遣はしぬ」〈盛衰記二八〉

みか・へ【見代へ・見変へ】『下二』①異なったものを見る。「毎日人の面(おもて)を—・へ」〈西鶴・新可笑記三〉②他のものに心を移す。「命を懸け身を捨てて、親に—・へる男なれば」〈近松・薩摩歌中〉

みかへ・り【見返り】『四段』うしろをふりかえり見る。見かえす。「扇をさし隠して—・りたるさま、いとをかし」〈源氏東屋〉 **—やなぎ【見返り柳】**日本堤から吉原遊廓の大門へ下る衣紋(えもん)坂にあった柳。朝帰りの遊客が、ここで名残り惜しさに遊廓を顧みたのでいう。「—。衣紋坂に有りしと云ふ」〈誹諧通言〉

みがほ・し【見が欲し】『形シク』《ミは名詞形。ガは格助詞》見ることが望ましい。見たい。「春の日は山し—・し」〈万三二四〉†migaFosi

みかまぎ【御薪・御竈木】毎年正月十五日、諸司・国司から、その年の燃料として宮内省に献じる薪。また、その献じる儀式。「百寮、初位より以上、薪(みかまき)進(たてまつ)る」〈紀天武五年〉

みがまへ【身構へ】①相手に向う態勢をととのえること。「—は、人人のせい(身長)に依りて、少しづつの心得遠近あるべし」〈南方録台子〉②用意。準備。支度。「末の—して」〈西鶴・文反古三〉

みかも【水鴨】水の上にいる鴨。「—なす(ノヨウニ)二人並びゐ」〈万四四六六〉†mikamo

みがら【身柄】①からだ。「—は八島にありながら、心は都へ通はれけり」〈平家一〇・横笛〉②身の程。身分。分際。「所せき—なる人なれば、うちあらはれて逢はむことは、悪しかりぬべし」〈隆房集〉

みかわ【瓺わ】⇒みか(甕)。「天の—に斎(い)み(潔斎シ)こもりて」〈祝詞神賀詞〉 ▽ワは未詳。†mikawa

みかんかご【蜜柑籠】《近世、蜜柑籠に入れて捨子をしたのでいう》捨子を入れるもの。また、捨子。「何時の間に捨てて帰りし—」〈俳・俳諧如何〉。「出て失しゃう汝元来—」〈雑俳・万句合宝暦九〉

みき【御酒】《ミは神・天皇のものにつく接頭語》酒の尊敬語。また、美称。「すすこりが醸(か)みし—に我酔ひにけり」〈記歌謡四九〉。「御—・御くだものなど奉らせ給へり」〈源氏行幸〉。「すすめし—の酔ひぞ醒(さ)めぬる」〈連証集〉†

miki

みぎ【右】《「左」の対》①太陽の輝く南に向った際、西にあたる方。「右近が局は、仏のーのかた近き間にしたり」〈源氏玉鬘〉②左右に分けた右方。多くは年齢や位の下の人の集まる方。「〔韻塞ノ勝負デ〕遂にー負けにけり」〈源氏賢木〉③西。「左・ーの対(たい)、渡殿なども御局しつつおはす」〈源氏初音〉④左右ある官職の右の官職。「左大臣失せ給ひて、ーは左に」〈源氏竹河〉⑤《中国では右を上席とした時代があるので》二つを比較して優れた方。「勇みて兵事(つはもののこと)に通(こころしら)へるは、今麁鹿火(あらかひ＝人名)がーに出づるひと無し」〈紀継体二十一年〉⑥文書で、前条までに述べたことをさす。「ーとは、左右の右也。これより前の文段を指してーと云ふ。左と云ふは、これより後の文段を云ふ」〈清原宣賢式目抄〉⑦《転じて》(時間的に)先。以前。従来。本来。「誰も誰も喜び給ひつつ、またーの薬を御口に入れ給ふに、いよいよ息出で給ひければ」〈栗栖野物語〉。「さればこそ。この女〔ヲ〕ーより度度申し入れ候て、父母請けあひ申す処に」〈室町殿日記五〉。「新鳥蘇(しんとりそ)。角調、ーの大曲也。常の大曲にあらず」〈伽・鴉鷺合戦物語〉▽上代、migiかmigïか未詳。**ーや左の長者様** 乞食が施しを乞うて人に呼び掛ける言葉。「吝い事ー」〈俳・大矢数四〉

みぎのうまのかみ【右馬頭】⇒うまのかみ(2)「ーなりける翁」〈伊勢七七〉

みぎのおとど【右大臣】右大臣の敬称。「式部卿の宮・ーばかり侍ひ給ひて」〈源氏若菜下〉

みぎはミギワ**【汀】**《水(み)際(きは)の意》川・溝などの水と陸地との接する所。「行く人も留まるも袖の涙川ーのみこそ濡れまさりけれ」〈土佐一月七日〉

みきは・めミキワメ**【見極め・見究め】**〘下二〙深いところまで見とどける。見て突きとめる。「徳の有り無しをー・めて、位に上げよ」〈天草本金句集〉

みき・り【見切り】〘四段〙①見てとる。見とどける。見きわめる。「なんでもない事だぞとー・って」〈無門関抄上〉②再び会うまいと定める。見かぎる。「是非にー・れとは、つらし」〈西鶴・一代男六〉

みぎり【右】《ミギにリを添えて、ヒダリの語形に合わせた語》「みぎ」に同じ。「左ーに着座して」〈謡・草子洗〉。「蓮華二つ給はりて、ーのたもとに入ると思ひて」〈伽・しほやき文正〉。〈名語記八〉

みぎり【砌】《水(み)限(きり)の意》①水際。「ーの中の円月を見て普賢の鏡智を知りぬ」〈性霊集九〉②庭や殿舎の境界。「大殿のーしみみに露負ひてなびける萩を」〈万三三四〉。「ーをめぐる山川もこれ(葬礼)を悲しみて雨となり雲となるかと怪しまる」〈太平記三九・法皇御葬礼〉③場所。場面。ところ。「在世説法のーに臨みたるが如く」〈十訓抄一ノ七〉④時。おり。「御利運を開かせられたー」〈コリヤード懺悔録〉。「この御政道正しいーに、私な事はなりまらすまい」〈虎明本狂言・雁盗人〉†*migiri

みぎん【砌】「みぎり」の転。「哀愍自謹のーなれば」〈謡・道成寺〉

みくさ【み草】《ミは接頭語》草。すすき・かやの類か。まくさ。「秋の野のー刈り葺き宿れりし」〈万七〉†mikusa

みくさ【水草】水中・水辺に生える草。「池のなぎさにー生ひにけり」〈万三七八〉†mikusa **ー・ゐ【水草居】**〘上一〙水草が水面にぎっしり浮いている。歌では、人の訪れもないことの形容にいうことが多い。「絶えぬるか影だにあらばとふべきをかたみの水はー・ゐにけり」〈かげろふ上〉。「池などある所もー・ゐ、庭なども蓬にしげり」〈枕一七八〉

みくさ【御軍】《ミイクサの約》天皇の軍隊の尊敬語。「すめらーにわれは来にしを」〈万四三七〇防人〉†mikusa

みぐし【御髪】《御櫛の意》①髪の尊敬語。「すなはちーをあげて髻(みづら)になし」〈紀神代上〉。「ーのいと長うこちたきを引きゆひて」〈源氏葵〉②【御頭】頭・首の尊敬語。「大地震(おほなゐ)ふりて、東大寺の仏のー落ち」〈方丈記〉†migusi **ーあげ【御髪上げ】**①髪を結い上げること。理髪。「御装束、ーの具など、いと二なくて」〈源氏行幸〉。「ーの内侍なども、やがて此方に参れり」〈源氏梅枝〉②平安時代、十二月の下の午の日に、天皇・東宮などの一年中の御髪の屑を主殿寮で焼く儀式。「〔十二月〕下午日ーの事。蔵人御髪等を給ひて、主殿に向ひて焼く」〈年中行事秘抄〉

みくしげ【御櫛笥・御匣】櫛笥の尊敬語。「海神(わたつみ)の神の命のーに貯ひ置きて」〈万四二二〇〉†mikusigë **ーどの【御匣殿】**①貞観殿にあって、装束などを裁縫する所。また、摂関家などで裁縫する所。「わがーにのたまひて、装束などもせさせ給ふ」〈源氏帚木〉②(1)につとめる女官の長。「ーは二月に内侍のかみになり給ひぬ」〈源氏賢木〉

みくだ・し【見下し】〘四段〙①高い所から、下方にあるものを見る。下方を見る。「参りつどふ人のありさまどもー・さるるかたなり」〈源氏玉鬘〉②相手を下に見る。あなどり見る。「士農工商ともに富める人はおごる気ありて、他人をー・す心あり」〈人国記上〉

みくだりはん【三行半・三下半】《普通、三行半に記すのでいう》近世、庶民が離縁する時、夫から妻またはその父兄宛に、離別した旨と再婚許可の文言を記し、妻に与えた文書。離縁状。「其の女房もーで埒を明け」〈仮・他我身之上三〉

みくづ【水屑】水中のごみ。「浅き瀬のー」〈拾遺六七一〉

みぐま【水隈】流れの曲がり入った所。「み吉野のーが菅を編まなくに」〈万二八三七〉†miguma

みくまの【み熊野】《ミは接頭語》⇒くまの。「ーの浦の浜木綿(はまゆふ)」〈万四九六〉†mikumano

みくまり【水分り】《クマリはクバリの子音交替形》山から流れ出る水が分れる所。「ーに坐(ま)す皇神(すめかみ)等の前に白(まを)さく」〈祝詞祈年祭〉▽農業用水の配分は重大なことであったから、分水点に神が祭られてあった。†mikumari **ーやま【水分り山】**分水嶺。「神さぶる岩根こごしきみ吉野のーを見れば悲しも」〈万一一三〇〉

みくり【三稜草】沼や沢に自生する多年生の水草。「恋すてふさやまの池のーこそ」〈古今六帖六〉。〈和名抄〉 **ーなは**ワナ**【三稜草縄】**水に漂って縄のようによれて見えるミクリ。「浅沢沼のー」〈新千載一八〇二〉

みくりや【御厨】供御・神饌の用に供する皇室・神社などの私領の一種。広い意味の荘園。本来の意味は御供を調進する舎屋であるが、それのある土地も指す。「内膳司の奏に因りて近江国筑摩のーの長(をさ)幷せて調丁を停廃せり。是の日勅して旧に復して之に充つ。供御の事多く闕乏を致すを以てなり」〈三代実録仁和三・六・一〉。「供御備進のために下りける時、件のーに山あり」〈著聞七〇七〉

みぐる・し【見苦し】〘形シク〙①みにくくて嫌だ。「尼君は…涙はえとどめず、顔はゑみて、口つきなどはー・しく広ごりたれど」〈源氏若菜上〉②見ていられない。見るにたえない。「夜行し、細殿などに入り臥したる、いとー・しかし」〈枕三二〉③不体裁である。みっともない。「ー・しい衣裳も、暖かにさへあればすむぞ」〈天草本金句集〉。「ー・しい所にて恥づかしうござる」〈虎明本狂言・腹立てず〉

み

みくるべか・し【見くるべかし】『四段』目玉をぎょろつかせて見る。「眼を車の輪のごと—・して」〈宇津保俊蔭〉

みけ【御食・御膳】《ケは食物》神に供える食物。神饌。また、天皇の食料。供御(くご)。「皇御孫(すめみま)の命の朝—・夕—」〈祝詞祈年祭〉 †mikë

みげ【肶】①牛・鹿・羊などの胃。「わが—はみ塩(塩辛)のはやし(材料)」〈万三八八五〉。「肶、肚也、牛百葉、三介(げみ)、又、三乃」〈新撰字鏡〉 ②牛・鹿・羊などの糞尿。「齝、麋鹿戻為ニ味気(げみ)一是」〈和名抄〉 †migë

みけうじょ【御教書】《ミゲウショとも》平安時代以来、三位以上の公卿の家司(けいし)が、主命をうけて出す奉書形式の文書。広義には、勅旨を奉じて出す綸旨(りんじ)、院旨を奉ずる院宣なども含む。鎌倉・室町幕府も、将軍の仰せを奉じて御教書を出した。「—を副へて早く下すべし」〈御堂関白記長和二・一二〉。「院宣に任せ、—に付いて、夜を日に継いで馳せ参る」〈盛衰記三〇〉。「訴訟ことごとく叶うて安堵の—を頂いて下った」〈虎明本狂言・鏡男〉。「御教書、ミゲウショ」〈伊京集〉

みけし【御衣】お着物。みぞ。「ぬばたまの黒き—を」〈記歌謡四〉 †mikesi

みけ・ち【見消ち】『四段』視野に入れないようにする。無視する。「〔相手ノ厚志ヲ〕強ひて思ひ知らぬ顔に—・つも、いかにほど知らぬやうに思すらむ」〈源氏帚木〉

みけつくに【御食つ国】天皇の食料を奉る国。「—日(日ゴト)の貢(みつき)と」〈万九三三〉 †mikëtukuni

みけびと【御食人】死者に供える食物を調進する人。「喪屋(もや)を作りて…翠鳥(そにどり)を—とし、雀を碓女(うすめ)とし、雉(きぎし)を哭女(なきめ)とし」〈記神代〉 †*mikëbitö

みけむかふ【御食向ふ】〔枕詞〕食膳の食物が向い合っていて、そのなかに、あぢ(トモエガモ)・粟・葱(き)・蜷(みな)などがあることから、同音をもつ地名「味原」「淡路」「城上(きのへ)」「南淵(みなぶし)」にかかる。「—味原(あぢふ)の宮」〈万一〇六二〉。「—淡路の島」〈万九四六〉。「—城上の宮」〈万一九六〉。「—南淵山」〈万一七〇九〉 †mikëmukaFu

みけん【眉間】眉と眉との間。「太子この時に—より白き光を放ち給ふ」〈三宝絵中〉

みこ【御子】《ミは霊力あるもの、神や天皇を指す》①神の子。天皇の子。男女共にいう。「葦原の中つ国は、我が—の知らす国と」〈記神代〉。「天皇(すめろき)の神の—」〈万二三〇〉 ②親王。「〔第二皇子源氏ヲ〕—にもなさず、ただ人にて公の御後見をせさせむと思う給へしなり」〈源氏賢木〉▽平安女流文学の古写本に「御こ」とあるのはオホムコと訓むべく、ミコではない。 ③【神子・巫女】神に仕え、神の託宣を伝える女性。神社に直属する者、巷間に散在して「口寄せ」を業とする者などがあった。「いちこ」とも。「金の御嶽(みたけ)にある—の、打つ鼓」〈梁塵秘抄二六五〉。「世の中の狂ひ者と申して、—・かうなぎ・舞・猿楽のともがら」〈愚管抄六〉 †miko

みこころを【御心を】〔枕詞〕御心を寄し(寄せ)、長く、広くする意から、地名「吉野」「長田」「広田」にかかる。「—吉野の国」〈万三六〉。「—長田の国」〈紀神功一年〉。「—広田の国」〈紀神功一年〉 †mikököröwo

みこし【御輿】①輿(こし)の尊敬語。天皇や皇子などの乗る輿。「白栲(しろたへ)に舎人装ひて和豆香山—立たして」〈万四七五〉 ②【神輿】神幸の際に神霊の乗る輿。「十禅師の—にも箭(や)どもあまた射たてたり」〈平家一・御輿振〉。「神輿、ミコシ」〈文明本節用集〉 †mikösi **—やどり**【御輿宿】御輿を納める庫。また、御旅所(おたびしょ)。「いたづら屋のありしを『何する所ぞ』と問ひしに、『—』と云ひしも、いとめでたし」〈枕二八七〉

みこし【見越し】①物の隔てを越して向うを見ること。また、その所。「嫌ふ枝の事。…—の枝。真のうしろにあり」〈仙伝抄〉。「庭の面に雨降り晴れて—なる端山も近き夕暮の色」〈今川氏真詠草〉。「—には散らぬ桜を植ゑられて」〈俳・寛永十三年熱田万句三〉 ②人のうしろから覗き込むという、頸長く背丈が非常に高い入道姿の化物。見越し入道。高坊主。「或は—・牛鬼など云ふ化したる物を思ひ寄る」〈俳・雲喰ひ上〉 **—にふだう**【見越し入道】「見越し」(2)に同じ。「影法師や—山の月」〈俳・鷹筑波一〉

みこしぢ【み越路】《ミは接頭語。越の三国の三ともいう》越前・越中・越後の三国。また、越へゆく道。北陸道。「—の雪降る山を越えむ日は」〈万一七八六〉 †mikosidi

みこと【命・尊】《ミは接頭語。コトは言葉・行為。御言葉・御行為の意から転じて、発言・行為をなさる神・天皇・皇子などを指す》①神・天皇のお言葉・御命令。「大君の—恐(かしこ)み天ざかる夷(ひな)をさめにと」〈万一七八五〉。「かしこきや—蒙(かがふ)り明日ゆりや草(かえ)がむた寝む妹(いむ)無しにして」〈万四三二一防人〉 ②お言葉。「かぐはしき親の—朝夕に聞かぬ日まねく」〈万四一六九〉 ③神や人を尊んで呼ぶときにつける語。「至りて貴きを尊といふ。自余を命といふ。並びに美挙等(みこと)と訓む」〈紀神代上〉。「八千矛(やちほこ)の神の—や、吾が大国主。汝こそは」〈記歌謡五〉。「ちちのみの父の—、ははそはの母の—」〈万四一六四〉。「若草の妻の—」〈記歌謡四〉。「はしきよし汝弟(なおと)の—」〈万三九五七〉 †mi-kötö **—のり**【勅・詔】《御言(みこと)宣(のり)の意》天皇の仰せごと。詔勅。「おほみこと」とも。「敬(いつ)みて—を受けて」〈紀欽明六年〉 †mikötönöri **—もち**【宰・司】《天皇の御言(みこと)を受け、それを保持する人の意》任国に下って、その国の政治を行なう官。「則ち一人を留めて、新羅の—として還(かへ)したまふ」〈紀神功摂政前〉 †mi-kötömöti

みごと【見事】①見るべきこと。見もの。「—いとおそし。その程は桟敷不用なり」〈徒然一三七〉。「昨日の三井寺の合戦は、世に類もなき—かな」〈伽・秋夜長物語〉 ②りっぱなこと。すばらしいこと。「〔熟柿ハ〕色香も一段ようて—にあったによって」〈天草本伊曾保〉。「一二三年のうちには—な竹になるに」〈咄・昨日は今日上〉

みこな・し【見こなし】『四段』劣った者と見下げる。見くだす。見くびる。「底慢心御座候て、世上の者を御—・し候」〈毛利家文書三、天正一一・三・一五〉

みこのみや【東宮・春宮】《皇子(みこ)の宮の意》皇太子。「—の帯刀(たちはき)に侍りけるを」〈古今九六六詞書〉

みこばら【皇女腹】皇女のお生みになった子。内親王の実子。「—にてまたなくかしづかれたるは、何ばかり劣るべき際と覚え給はぬなるべし」〈源氏紅葉賀〉 →みやばら

みごひ【見乞ひ】見かけた物をねだり取ること。「人に相逢うては—・押取りをいたし」〈塩山和泥合水集下〉

みこ・み【見込み】㊀『四段』①内部をのぞきこむ。また、気を付けて見る。注視する。「窓より—・めば」〈西鶴・男色大鑑二〉 ②執念をかける。みいる。「ふと若殿に—・み、是れを浮世の思ひ出」〈浮・男色今鑑二〉 ③望みをかける。有望と思う。「吾妻を—・んで頼むとは、いとしらしい婆さん」〈近松・寿門松上〉 ㊁『名』見た様子。外観。「—のやさしさ」〈西鶴・五人女三〉

みこみこ・し【神子神子し】『形シク』信心深い。また、迷信深い。「相性なども—・しき事はいり候まじく候」〈伽・お

み

ようの尼〉。「かやうの—・しき事を戒むれば、人の心がよく定まりて」〈孫子私抄〉

みこ・め【見込め】『下二』その人の価値を十分に認識する。「孝厚にして名人なる者と子騫を—・めて、さて費宰と成さんと云ふぞ」〈論語抄雍也〉

みこも【水菰・水薦】水中に生えるコモ。「淀の—のけさ乱れたる」〈千載一一六六〉 **—かる**【水薦刈る】〔枕詞〕コモが多く生え、それを刈る地である「信濃」にかかる。「—信濃の真弓」〈万九六〉 †mikömökaru

みこも・り【水籠り・水隠り】㊀『四段』水の中にひそみ隠れる。転じて、心の中に秘めて外にあらわさない。「—・りて思ひしよりも池水の言ひてののちぞ苦しかりける」〈宇津保藤原君〉 ㊁『名』①水の中に隠れること。「ま菰刈る大野川原の—に恋ひ来し妹が紐解くわれは」〈万二七〇三〉。「—に葦の若葉や萌えつらむ」〈千載三五〉 ②心の中に秘めて人に語らないこと。「—に言はでふる（経ル・古）屋の忍ぶ草忍ぶとだにも知らせてしがな」〈千載六五四〉 †miköмöri

みどらし【見懲らし】見てこりさせること。みせしめ。「諸人—にせよとて、御城門の端に首を懸けられしとかや」〈清須合戦記〉。〈日葡〉

みどり【見懲り】見てこりること。「軍神に祭りて、人に—させよとて」〈太平記六・赤坂合戦〉

みさい【御前】《ミサキの音便形》貴人の先払いをつとめること。貴人の先に立って案内すること。「暇(いとま)にましますなるを、女の宿(やどり)に—給はらん」〈宇津保藤原君〉

みさが・し【見さがし】『四段』見破る。見すかす。「—・さるな我が心」〈かたき枕〉

みざかり【方】《ミは接頭語》まっ最中。「任那(みまな)を助けむ。…今事—に急(すみやか)なり」〈紀欽明十五年〉。〈名義抄〉 †mizakari

みさき【岬】《ミは接頭語》海や湖の中へ突き出た陸地。そこには必ずそれを支配する神がいると考えられていた。「ちはやぶる金の—を過ぎぬともわれは忘れじ志賀の皇神(すめかみ)」〈万一二三〇〉 †misaki **—み**【岬廻】《ミは湾曲しているところ》岬のめぐり。「—の荒磯(ありそ)に寄する五百重(いほへ)波」〈万五六八〉 †misakimi

みさき【御先】①御行列の先払い。「きらきらしきもの。大将の—追ひたる」〈枕二九五〉 ②神の使と信ぜられた動物。稲荷の狐、山王の猿など。「玉津島の御座あるとて、幣帛を捧げければ、〔烏ガ〕—となりて出現ある」〈申楽談儀〉

みさ・け【見放け】『下二』《サケは遠ざける意》遠くをはるかに見やる。「しばしばも—・けむ山を心なく雲の隠さふべしや」〈万一七〉 †misakë

みさご【鶚・雎鳩】トビに似た猛禽。海辺や湖岸にすむ。捕えた魚を岩陰の巣に積んでおく習性があり、その魚をみさご鮓(ずし)といって珍重する。雌雄仲よいことや、貞淑な婦人にたとえられる。「—ゐる荒磯に生ふるなのりその」〈万三六三〉 †misago **—ばら**【鶚腹】鷹がミサゴに生ませた子。「この鷹は—の鷹にて候ふ」〈著聞六七八〉

みささぎ【陵】《平安時代までミサザキ》天皇・皇后など皇族の墓所。山陵。年の暮に荷前(のさき)の使がこれに幣を奉る。「日本武尊、白鳥と化(な)りたまひて、—より出で、倭国(やまとのくに)を指して飛びたまふ」〈紀景行四十年〉。「山陵、ミサザキ」〈名義抄〉 †misazaki

みさ・し【見さし】『四段』見ることを途中でとめる。見おおせずに途中でやめる。「これは斎宮の物見給ひける車に、かく聞えたりければ、—・して帰り給ひにけりとなん」〈伊勢一〇四〉

みさと【京】《ミは接頭語。天皇のすむ里の意》みやこ。京(きよう)。「大道を—の中に作る」〈紀仁徳十四年〉 †misato **—つかさ**【京職・京兆】⇒きゃうしき。「—に出でて訴(うれ)へむ」〈万三八五九〉

みさび【水銹】水に含まれている渋。水あか。みしぶ。「—ゐて年古りにける難波江の葦手はかくぞ見所もなき」〈粟田口別当入道集〉

みさぶらひ(サブライ)【御侍】天皇などの身近に仕える従者に対する尊敬語。「—御笠と申せみやぎ野の木の下露はあめにまされり」〈古今一〇九一〉

みざま【身様】身のありさま。からだの恰好。「古めかしき〔懐妊ノ〕御—にて」〈源氏若菜下〉

みさみさ ぐしゃぐしゃになった状態。「背中は紅の練単衣(ねりひとへ)を水に濡らして着せたるやうに、—となりてありけるを」〈宇治拾遺三〉

みざめ【見醒め】見ているうちに興味を失うこと。「御髪(みぐし)などもいたく盛り過ぎにけり。…我ならざらむ人は—しぬべき御有様を」〈源氏初音〉。「〔少年ノ芸ガ〕おとなしく成りて、遊風変りて、—のすること理(ことわり)と見えたり」〈遊楽習道風見〉

みさを【彩・操】《ミは神・霊を示す接頭語。サヲはアヲ（青）に同じ。神秘的な青さ、色合いをいうのが原義。転じて、常緑樹のような不変の美、また、状況に左右されない志操をいう》①世俗を超えた美しさ。脱俗の美しさ、立派さ。「漆部(ぬりべ)の里に風流(みさを)ある女あり。…その気調(みさを)あたかも天上の客の如し。…甲寅の年に、其の風流(みさを)の事、神仙感応し、春の野に菜(くさひら)を採り、仙草を食ひて天に飛ぶ」〈霊異記上一三〉 ②精神の典雅上品な美しさ。「女衆は…大夫の志を興し、世の中の美(うるは)しく雅(みさを)なる行(わざ)となる」〈東大寺諷誦文稿〉。「精(ここ)ろ彩(みさを)に高(とと)のほり爽(あきらか)なるが故に」〈法華経玄賛平安初期点〉。「美・麗・蠱・工、ミサヲナリ」〈色葉字類抄〉 ③状況によって左右されない心。節操。操守。「末代は雅(みさを)なる行も修め難し」〈東大寺諷誦文稿〉。「深き山〔ニ隠遁スルコト〕の本意は—になん侍るべきを」〈源氏東屋〉。「なかなかに馴るるつらさに比ぶれば疎き怨みは—なりけり」〈山家集中〉。「操、ミサヲ」〈名義抄〉 **—づく・り**【操作り】『四段』いつもと変らぬ様子をする。平静をよそおう。「恨み言ふべきことをも、見知らぬさまに忍びて、うへはつれなく—・り」〈源氏帚木〉 **—に**『副』①いつも変らずに。心持や態度についていう。「〔醜イ顔ヲ〕うとき人に見えば、面伏せにや思はむと、はばかり恥ぢて—もてつけて」〈源氏帚木〉 ②自分の行き方を変えずに。われ関せずの態度で。「あはれにも—燃ゆるほたるかな声たてつべきこの世と思ふに」〈千載二〇三〉

みざを【水棹】舟の棹。「三つ瀬川渡る—もなかりけり」〈拾遺五四三〉。〈日葡〉

み・し【見し】『四段』《「見(み)」の尊敬語》ごらんになる。「御諸(みもろ)が上に登り立ち、我が—・せば」〈紀歌謡九七〉 †misi

みじか【短】短いこと。「にはとりのひなの、足高に白うをかしげに、衣—なるさまして」〈枕一五一〉 **—うた**【短歌】《「長歌(ながうた)」の対》和歌の一体。五・七・五・七・七の三十一音からなる、もっとも普通の和歌。たんか。「まさしく短ければ、三十一字を—といへり」〈古来風体抄上〉 **—やか**【短やか】短く見えるさま。いかにも短い感じ。「仏の御後には、御格子を—にし渡して」〈栄花鳥舞〉 **—よ**【短夜】すぐに明けてしまう夜。夏の夜にいう。「ほととぎす来鳴く五月(さつき)の—も」〈万一九八一〉 †mizikayo **—らか**【短らか】短いさま。「素絹(そけん)の衣の、—なるに」〈平家二

・小教訓〉

みじか・し【短し】『形ク』《「長し」の対。平安時代までは「低(ひき)し」という語がなかったので、「高し」の対にも使われた》①長さが少ない。「いとのきて—・きものを端(はし)切るといへるが如く」〈万八九二〉。「〔ツラガ〕長く—・く、ことさらにかけ渡したると見えて」〈枕三〇三〉②背丈などが低い。「このこやくしと言ひける人は、丈(たけ)なむいと—・かりける」〈大和一三八〉③(時間的に)長続きしない。「たまきはる—・き命も惜しけくもなし」〈万三七四四〉④身分などが低い。賤しい。「高きも—・きも、女といふものは…苦しき身になり侍るなれ」〈源氏東屋〉⑤浅薄である。行き届かない。「玉の緒の—・き心思ひあへず」〈古今一〇〇三〉⑥短気である。「あれは気の—・い人ぢゃ程に」〈虎明本狂言・千切木〉 †mi-zikasi **短き物を端(はし)切・る** 不充分なものを、さらに足りなくする。苦しいことの上に苦しいことを重ねるたとえ。「いとのきて—・ると言へるが如く」〈万八九二〉

みじ・き『四段』細かに砕く。微塵にする。「某が—・かんと、押し取り振り上げ打つ鉞(まさかり)」〈浄・舎利三〉。〈日葡〉

みしと『副』力いっぱいに。強く。ぐっと。「右手指を以て—取りたりけるを」〈古事談六〉。「薩摩守を—切り」〈盛衰記三七〉

みしね【御稲】《ミは接頭語。シネはイネに同じ》神に供える稲。「—搗く女の佳さ」〈神楽歌四九〉

みしはせ《日本書紀では「粛慎」と表記》未詳。沿海州のツングース族、あるいは蝦夷(えぞ)の一部をさすなどの説がある。「佐渡の島の北の御名部(みなべ)の碕岸(きさき)に—の人ありて」〈紀欽明五年〉

みしぶ【水渋】水に含まれている渋。水あか。みさび。「衣手に—つくまで植ゑし田を」〈万一六三四〉 †misibu

みしほ【御修法】《ミシュホフの転》密教の法によって祈禱を行なうこと。また、その法会。「同じき十三日、歳末の—ありけり」〈平家八・法住寺合戦〉

みしまごよみ【三島暦】暦の一。室町時代以降、伊豆三島神社で発行した暦。平仮名で細かく記してあったので、細細しい形容に「三島暦のやう」といい、また、細かい模様の朝鮮系陶器を「三島茶碗」「三島手(で)」というようになった。「—、是の日を以て上巳の節と為す」〈空華日用工夫略集応安七・三・四〉

みじまひ【身仕舞】身なりを整えること。身仕度。「やや暫く—し」〈浄・藍染川三〉

みし・め【見占め】『下二』見定める。「能くその老(おきな)の在る所を—・めき」〈記顕宗〉 †misimë

みしゃ・ぎ『四段』押し砕く。ひしゃぐ。「打っても—・いでも立ち通せば」〈西鶴・三所世帯下〉

みしゃり【身舎利】誓言の一。たとえ身が舎利になっても、の意。「みしゃれ」とも。「—、此の火に茶毗(だび)せられうぞなどと、恐ろしき誓言すること、甚だ善からぬ事と言へり」〈俳・かたこと一〉

みしよ【見し世】①実際に見て体験した昔。「ふるさとに—の友を恋ひわびて」〈源氏松風〉②故人の在世中。「—の名残なく人人さへかれなば」〈源氏葵〉

みしら・し【見知らし】『四段』思い知るようにひどい目に逢わせる。身にこたえるほど苦しめる。「花を折らば手を—・せよ茨垣」〈俳・糸瓜草四〉

みしら・せ【見知らせ】『下二』①《する意の卑語》やらかす。やっつける。「北野〔神社〕の松に釘を—・する」〈浮・好色訓蒙図彙中〉②くらわす。「脇から横顔が—・せたく思ふ者があるに」〈浮・人倫糸屑上〉

みし・り【見知り】『四段』①見てよく知る。親しく接する。「年頃—・りたる人向ひゐて」〈かげろふ中〉②見て分る。理解できる。「うち忍び用意し給へる御けはひ、いみじうなめきて、—・らむ人にこそ見せめ」〈源氏末摘花〉③身にしみてよく理解する。「女のこれはしもと難つくまじきは、難くもあるかなと、やうやうなむ見給へ知る」〈源氏帚木〉④経験がある。「—・り給はぬ世の憂さに、立ちまふべくもおぼされず」〈源氏賢木〉

みし・り【身知り】『四段』身の程を知る。また、身体を大切にする。「明日の舞台勤めを思へば—・る川風に声を取られなと立ち行く」〈西鶴・男色大鑑八〉

みしるし【御璽】《ミは接頭語》天皇の位を示すしるし。鏡・玉・剣の三種の神器をいう。「因りて天皇の—を奉(たてまつ)る」〈紀推古即位前〉 †misirusi

みじろ・ぎ【身じろぎ】『四段』《古くはミジロキか》身動きをする。「空の光見侍らむもつつましうて、端近うもえ—・ぎ侍らぬ」〈源氏椎本〉。「ひとへにも臥さじと—・ぐを、引き寄すれど、強(し)ひてこはがれば」〈枕三三五〉

みしん【未進】年貢をまだ納めないこと。また、その未納の年貢。「庸幷びに雑穀等—、其の数少なからず」〈後紀大同三・五・一九〉

みす【囂】《カマビスシのビスの子音交替形》音がうるさいこと。「大囂、阿那美須(あなみす)と謂(い)ふ」〈豊後風土記〉 †misu

みす【御簾】《ミは接頭語》①簾(すだれ)の尊敬語。「人ありとも見えぬ—のうちより」〈大和一七三〉②「御簾紙」の略。「—の鼻紙奉る」〈浮・好色敗毒散三〉

みすか・し【見透し】『四段』すかして見る。見通す。見ぬく。「京都の形勢(ありさま)恐るるに足らずと—・してげれば」〈太平記八・四月三日〉。「必ずよくその人の裏表を—・して、明らかにその悪を見きはめて」〈童蒙抄上〉

みすがみ【御簾紙・三栖紙】《御簾の内、すなわち宮中で用いる紙の意という》大和吉野産の、極上等な薄い鼻紙。「—の隈や厭はん窓の月」〈俳・富士石三〉

みすがら【身すがら】自分の身体ひとつ。係累のないことにも、荷物を持たないことにもいう。「—戦ふ程ならば」〈近松・三世相一〉

みすぎ【身過ぎ】身を過ごして行くてだて。生業(なりわい)。「—をば大事の事と心得て」〈俳・寛永十三年熱田万句一八〉。〈日葡〉 **—は草の種** 生計の方法は数多いの意。「よろづの虫を取って売るなど、—ぞかし」〈西鶴・織留五〉

みすぐ・し【見過ぐし】『四段』①見知っていながら、それに触れずにおく。知らないふりをする。「さても世の人にも似ず、〔妻ノ〕あやしき事どもを—・すこころの年頃の心ざしを、見知り給はずありけるかな」〈源氏真木柱〉②見ていながら、気づかないですごす。見落す。「いとすごうすずろなる折もののあはれにすすみ、をかしきことも—・さぬほどに」〈紫式部日記〉③見て月日を送る。「心憂き命のほどにて、さまざまの事を見給へ過ぐし」〈源氏宿木〉④世話して時を送る。「親たちのいとことごとしう思ひ惑はるるが心苦しさに、かかる程を—・さむとてなむ」〈源氏葵〉

みす・し【囂し】『形ク』《カマビスシのビスシの転か》うるさい。やかましい。「大囂、阿那美須(あなみす)と謂ふ」〈豊後風土記〉 ▽「あなみす」のミスはミスシの語幹。

みすずかる【三薦刈る】〔枕詞〕万葉集の「三薦刈」「水薦刈」の訓みミクサカルまたはミコモカルを、賀茂真淵が改訓して成った語。ミスズは篠竹(しのだけ)のことという。「信濃(しなの)」にかかる。「—信濃ゆ甲斐ゆ、遠長く伊豆の岬(さき)まで、並み立てる百(もも)の高根は」〈賀茂翁歌集三〉

みすぢ【三筋】《絃が三本であるからいう》三味線の異称。「―の調べ霜寒き庭」〈俳・大坂一日独吟千句〉

みすほふ【御修法】《スはシュの直音化》修法(すほふ)の尊敬語。「北の方はなほいと苦しげにし給へば、―などはじめさせ給ふ」〈源氏真木柱〉

みすま・し【見澄まし】〖四段〗十分に見る。見届ける。「これぞ願ふ所の敵よと―・して」〈太平記二六・楠正行最期〉

みすまる【御統】《ミは接頭語。スマルは統(す)べる意》玉を緒で通しつないで輪にしたもの。貴人が首などにかざる。「項(な)がせる玉の―」〈記歌謡六〉。「御統、此をば美須磨屢(みすまる)といふ」〈紀神代上〉 †misumaru

みすみす【見す見す】〖副〗《ミスははっきり見せる意》①目の前に様子を見せながら。「目に―消え入り給ひにしことなど語る」〈源氏浮舟〉②見ているうちに。次第に。ようやく。「雲暗く空中に清輝少なく、風来たりて吹き払ひ看(みす)さらに皎(あき)らかなり」〈文華秀麗集下〉

みすやばり【翠簾屋針】近世、京都の翠簾屋福井伊予方で製造販売した縫針。上質で、広く用いられた。「御所方の縫物にまで―」〈雑俳・広原海一〇〉

みす・ゑ【見据ゑ】〖下二〗しっかりと見る。見定める。「今しばし世のありさま―・ゑて、計らひ侍らん」〈栗栖野物語〉

み・せ【見せ】㊀〖下二〗①見るようにさせる。物事や態度などを人目に入るようにする。人に示す。「磯の上に生ふる馬酔木(あしび)を手折らめど―・すべき君がありと言はなくに」〈万一六六〉②相手に姿を見せる。顔を出す。訪(と)う。「かれがれにのみ―・せ侍るほどに、忍びて心かはせる人ぞありけらし」〈源氏帚木〉③めあわせる。とつがせる。「かしづかんと思はむ女子をば、宮仕へにつぎては、親王たちにこそは―・せ奉らめ」〈源氏若菜下〉④様子を検分させる。調べて判定させる。「『左衛門の大夫の家にや入る』と―・せければ」〈源氏浮舟〉⑤占わせる。「よろしき日―・せて」〈源氏(池田本)明石〉⑥経験させる。「すべてかれにわびしき目な―・せそ」〈大和一四六〉㊁〖名〗【見世・店】「見せ棚」の略。「羊の肉を売るとて、―には羊頭をかけて、売所は狗肉なり」〈無門関私鈔上〉。〈名語記六〉 †mise

みせけち【見せ消ち】もとの文字が判読できるように残しながら、その文字を抹消すること。「行成卿の自筆の本に、此の一句を―にし侍りき」〈原中最秘抄上〉

みせざや【見せ鞘】腰刀の鞘にかぶせる長い袋。装飾用に使われた。提鞘(さげざや)。「辻祭今日を晴れとも―のさき折りかけて寝るや誰が子ぞ」〈新撰六帖五〉

みせざらし【店晒し】「たなざらし」に同じ。「もも鴫(しぎ)や古き鳥屋の―」〈俳・埋草三〉

みせしめ【見せしめ】人々によく見させて、今後の戒めとすること。みごらし。「諸侍の―にせんとて、すなはち誅罰し給ひける」〈浅井三代記一五〉

みせすががき【見世清掻】江戸吉原遊廓で、遊女が張見世に出る合図に、陽気な曲譜を三味線で引くこと。また、その曲。「来ぬ客に―も破れ垣」〈雑俳・広原海一二〉

みせぜい【見せ勢】敵を欺くための見せかけの軍勢。「四条中納言隆資卿の偽ってひかへたる―に対して」〈太平記二六・四条縄手〉

みせせり【身せせり】身体をこまかく動かすこと。ちょこちょこ身動きすること。「猿といふ物は―をして啼く物ぢゃが」〈虎寛本狂言・柿山伏〉

みせだな【見せ棚・見世棚】商品を並べて見せて置く棚。「辻小路に―を構へしむ」〈庭訓往来四月五日〉。「見世棚、ミセダナ」〈運歩色葉集〉

みせぢょらう【見世女郎】端(はし)女郎。女郎屋の店先の格子の内に居て客を招くのでいう。「〔端女郎ノ〕替名を、けちとも、火打とも、山家とも、―とも、局女郎とも」〈浮・好色床談義五〉

みぜに【身銭】身につけている小額の金銭。「駕籠乗物の借り賃迄―出さずはなるまい」〈浮・野白内証鑑四〉

みせをんな【見世女】商家で、店先に置く客引き女。看板女。「又ひとりは糸屋者、これも―に拵へ、侍衆をあしらはせ」〈西鶴・一代女五〉

みせん【味煎】甘葛(あまづら)の煎じ汁。「この水と見しは―なりけり」〈今昔二六ノ一七〉

みそ【三十】《ソは十の意》さんじゅう。「みそぢ」とも。「とを、はた、―、よそなど数ふるさま」〈源氏空蟬〉

みそ【御衣】《ミは接頭語》天皇や貴人の衣服。御服。「太子(ひつぎのみこ)、布(さ)の―服(き)たまひて」〈紀仁徳即位前〉。「御服、ミソ」〈名義抄〉 †miso

みそ【味噌】①味噌豆を蒸し、麴・塩を加えて発酵させた食品。「末醬、弐升伍合陸夕、供養料」〈正倉院文書天平九、但馬国正税帳〉。「末醬、楊氏漢語抄云、高麗醬、美蘓(みそ)。今案弁色立成説同。但本義未詳。俗用味醬二字」〈和名抄〉。「味噌、ミソ」〈名義抄〉②自慢。うぬぼれ。「借着で贅(いぜ)の―はおきやがれ」〈無而七癖三〉 ―を上・げる 自慢する。手前味噌を並べる。「古代の裂にて煙草入を数数拵へ―・げる者あり」〈咄・鹿の子餅〉 ―を付・く 失敗する。面目を失う。「衆道狂ひや―・きやるな」〈俳・花道〉

みぞ【溝】水を流すために地面に細長く掘ったくぼみ。「田の畔(あ)を離ち、―を埋むるは」〈記神代〉。「溝、美序(みぞ)」〈華厳音義私記〉。「渠、ミゾ。隍、ミゾ・アナ・ホリ」〈名義抄〉 †mizō

みそうづ【御衣櫃】「みぞひつ」の音便形。「―ものにても、乏(とも)しくてはあらじ(不自由ハサセナイ)はや」〈宇津保藤原君〉

みそうづ【味噌水】粥(かゆ)を味噌で煮たもの。雑炊(ぞうすい)。「よひよひに餅(もち)―いとなみて」〈沙石集五ノ二三〉。「糝、ミソウヅ、増水也」〈天正十八年本節用集〉

みそか【密か】人に知られぬようにするさま。忍びやかなさま。「いと―に、会ふまじき人に会ひ給ひけり」〈大和二六〉 ▽平安女流文学で使う。漢文訓読体ではヒソカを使う。 **―ごころ**【密か心】人に知られたくない思いを秘めた心。ひそかに恋する心。「―つきたる、ものの娘などは」〈源氏螢〉 **―ぬすびと**【密か盗人】こっそりと盗みをする人。こそどろ。窃盗。「―の、さるべき物の隈隈(くまぐま)に居て見るらむをば、誰かは知る」〈枕一二四〉 **―をとこ**【密か男】こっそりと人妻のもとへ通う男。また、夫に知られたくない間がらの男を持つこと。「妻(め)の―したりけるを見つけて」〈後撰一三〇二詞書〉

みそか【三十日】①三十日。「―三十夜(みそよ)はわが許(もと)に」〈かげろふ中〉②【晦日】月の三十日目。広く、月の末日。つごもり。「―、晦日なり。三十日めなり」〈匠材集四〉。「晦日、ミソカ」〈いろは字〉

みそかけ【御衣懸】衣服などをかけて置く具。衣桁(いかう)。「練緒・染緒(さみを)の―にせむ」〈催馬楽高砂〉。「衣架、美曾加介(みそかけ)、懸レ衣架也」〈和名抄〉

みぞがひ【溝貝】カラス貝の異名。「―といふ物の大きなるが、口を開けてありけるを」〈今昔二九ノ三五〉

みそぎ【御衣木】神仏の像をつくる材料となる木。「ちはやぶる香椎の宮の文杉(あやすぎ)は神の―に立てるなりけり」〈新古今一八八六〉。「―、神躰を作る木なり。御衣木と書くなり」

〈匠材集四〉。「御衣木、ミソギ、造レ仏材木」〈文明本節用集〉

みそ・ぎ【禊ぎ】㊀『四段』《ミ(身)ソソギ(濯)の約か》みそぎをする。「ゆく水に—・ぎてましを」〈万九四八〉 ㊁『名』【潔身】身の罪やけがれを、川や海の水につかって洗いすてること。多く三月三日の行事としておこない、また除服の際におこなう。「清き河原に—して」〈万三四〇三〉。「やよひのついたちに出で来たる巳(み)の日、『今日なむ、かく思す事ある人は、—し給ふべき』と」〈源氏須磨〉 **—がは**(ガワ)【禊川】禊または夏越祓(なごしのはらへ)などをする川。「—瀬瀬にいださむなで物を」〈源氏東屋〉

みそど・い『形』しつこい。「終ひに—・い雑談が在ってこそ」〈勝国和尚再吟四〉。「—・いおもはく」〈浮・曾我鎌倉飛脚四〉

みそこしど【味噌漉碁】へたな碁。笊(ざる)碁。「—又まゐらうか峰の坊」〈俳・大坂独吟集下〉

みそこなは・し(ミソコナワシ)【見そこなはし】『四段』《ミシ(見)オコナハシ(行)の約。厚い尊敬を表わす》ごらん遊ばす。「二親何ぞ法会を隔てて哀涙を観(みそこな)はさぬ」〈東大寺諷誦文稿〉。「五濁の衆生の有苦無楽を見(みそこな)はすが故に大悲を起したまふ」〈法華義疏長保点〉 †*misökönaFasi

みそざけ【味噌酒】味噌を溶かし込んで温めて飲む酒。風邪薬として用いられた。味噌膳。「—は味噌ばかり入るるなり」〈料理物語〉

みそだま【味噌玉】「玉味噌」に同じ。「浮世で云ふ—のやうな汝ではないぞ」〈巨海代抄上〉

みそち【三十】《チは数詞の下に添える語》①さんじゅう。「—余り二つの相(かた)(ち)」〈仏足石歌〉。「卅、ミソチ」〈伊呂波字類抄〉 ②三十歳。「—ばかりなる男の」〈源氏玉鬘〉 †misoti

みそなは・し(ミソナワシ)【見そなはし】『四段』「みそこなはし」の転。「この七日には足らずて、隠ります事奇(あや)しとて—・す時に」〈祝詞鎮火祭〉

みそな・ひ(ミソナイ)【見そなひ】『四段』「みそなはし」に同じ。「神も仏も我を—・へ」〈新古今一九三二〉

みそのや【三十の輻】車輪の輻。三十本あるのでいう。「—も少少折れにければ、御車は路頭に顚倒す」〈太平記三三・土岐頼遠〉。「輻は—と読むなり。車輪の中にこれ有り、数三十有る故—と云ふなり」〈無門関抄上〉

みそはぎ【溝萩・鼠尾草】湿地に自生する多年草。花・葉は下痢止めに用いられる。盂蘭盆会(うらぼんえ)に水を手向けるのに使うので、「水掛草」ともいう。「玉祭る頃は子共の集まりて／折り尽したる野辺の—」〈俳・寛永十三年熱田万句三六〉。〈名語記九〉

みそひつ【御衣櫃】御衣を入れておく櫃。唐櫃(からびつ)のような形をした衣箱。「—に女の装束一具、夜の装束一具、絹三十四、綿など入れて取らせ給ふ」〈宇津保蔵開下〉

みそひともじ【三十一文字】短歌の称。「文字にうつしてこれを見れば、—の詠歌のことばなりけり」〈謡・白楽天〉

みそひめ【御衣姫】御衣につける姫糊。「とり所なきもの。…—のぬりたる」〈枕一四一〉

みそみそ ①破れてくずれるさま。ぐちゃぐちゃ。「あらゆる蛇、一口づつ嚙みて—と嚙みなして」〈沙石集七ノ九〉 ②ひっそり。ひそひそ。「物つきたりといふ事もなくて—として、さて止みにけり」〈愚管抄六〉

みそ・め【見初め】『下二』《相手との初対面が深い印象となり、長く交わりを結ぶ糸口となる意》①はじめて見る。はじめて会う。「—・め奉りしは、いとかうしも覚え(似テ)給はずと思ひしを、あやしうただそれかと思ひまがへらるる折折こそあれ」〈源氏胡蝶〉 ②はじめて会って、深い関心を寄せるようになる。また、はじめて男女の契りを結ぶ。「なかなかに黙然(もだ)もあらましをあづきなく相—・めてもわれは恋ふるか」〈万二八九九〉。「大将の母君を幼かりし程に—・めて、やむごとなくえさらぬ筋には思ひしを」〈源氏若菜下〉 †misömë

みそもじあまりひともじ【三十文字余一文字】《五・七・五・七・七の三十一音形式をとるのでいう》短歌の称。「すさのをの尊よりぞ—はよみける」〈古今序〉

みそ・り【見反り】『四段』反りかえって人を見る。見くだす。「我が高ぶるやうにて人を—・るやうにせば悪いぞ」〈周易秘鈔上〉。「見反、ミソル」〈運歩色葉集〉

みぞれ【霙】㊀『名』①雪がとけかけて雨まじりに降るもの。「風吹き雷なりて雨氷(みぞれ)降る」〈紀皇極二年〉。「霙、志久礼(しぐれ)、又三曾礼(みぞれ)」〈新撰字鏡〉 ②酒の一種。味醂(みりん)酒に米粒をまぜたものという。あられ酒。「竹下へ—一荷・醬(ひしほ)一器、これを遣はす」〈多聞院日記永祿一〇・三・二〇〉 ㊁【みぞ・れ】『下二』《名詞を活用させたものと思われる》みぞれになって降る。「春雨に散る花みればかきくらし—・れし空の心地こそすれ」〈千載八三〉。「かき曇り—・るる空や冴えそめてこほりもはてぬ時雨なるらん」〈六百番歌合冬上〉 **—ざけ**【霙酒】「みぞれ」㊀(2)に同じ。「ここら(日本)に天野酒、奈良の—など云ふつれ(同類)なり」〈玉塵抄一〉 **—だ・ち**【霙だち】『四段』みぞれ同様の感じがする。「—・ちたる雨の、のどやかに降るほどなりけり」〈和泉式部日記〉

みた【共】「むた」の上代東国方言。「弓の—さ寝か渡らむ」〈万四三九四防人〉 †mita

みだ【彌陀】「あみだ」に同じ。「為に—を念じて、老僧を拝す」〈菅家文草二〉

みだい【御台】《ミは接頭語》①天皇や貴人の食器をのせる台。「折敷(をしき)手づからとりて『…—などうちあはで、いとかたはらいたしや』といふを」〈源氏玉鬘〉 ②天皇や貴人の食事。「誰も誰も—まゐりなどして、のどかになりぬる昼つかた」〈源氏夕霧〉 ③将軍・大臣などの妻の尊称。御台所。御台盤所。「足利殿こそ、—・君達まで皆引き具し参らせて、御上洛候ふなれ」〈太平記九・足利殿御上洛〉

みだいどころ【御台所】「御台盤所」に同じ。「—伊豆山より秋戸郷に遷らせ給ふ」〈吾妻鏡治承四・九・二〉

みだいばんどころ【御台盤所】台盤所の敬称。御台所。「花山院の左大臣殿の—にならせ給ひて」〈平家一・吾身栄花〉

みだう(ミドウ)【御堂】《ミは接頭語》①寺院・仏堂の尊敬語。「夜になりて、湯などものして、—にのぼる」〈かげろふ中〉 ②特に、法成寺。また、それを建立した藤原道長の称。「—にに五月には三十講とていと尊し」〈栄花もとのしづく〉。「—の御為に、其の寺にして八講を始め行なひて」〈今昔一四ノ一〉 ③近世、特に浄土真宗の主要な寺院の称。「—参り幸ひ心に任せたり」〈俳・昼網上〉

みたうもな・し(ミトウモナシ)【見たうも無し】『形ク』《ミタクモナシの音便形》とても見る気がしない。みにくい。みっともない。「心憂(こころう)や、見たうもなや」〈伽・新蔵人物語〉。「我が身の年の寄りて—・い事をば、悲しむべき事とも知らずして」〈三体詩抄一ノ三〉。「桜は、木で—・うてあれども、変じて花が咲けば見事なぞ」〈百丈清規抄三〉

みだ・え【乱え】『下二』「みだれ」の転。「比多潟の磯のわかめの立ち—・え」〈万三五六三東歌〉 †midaye

みだ・き【乱き】『四段』みだす。「武悪は髪を—・き、肩を脱ぎ」〈虎明本狂言・武悪〉

みたくでもな・し【見たくでも無し】〘形ク〙見たくもない。みっともない。「—・き牛を引くなり」〈俳・奴俳諧〉

みたけ【御嶽】《ミは接頭語》大和吉野郡の金峰山(きんぶせん)の称。吉野山から大峰山にかけての山山。蔵王権現堂があり、修験道の霊地とされた。「はつか余日のほどに、—にとて、いそぎたつ」〈かげろふ中〉 **—さうじ**…ソウ…【御嶽精進】御嶽に詣でる人が、入山に先だって行なう精進。平安時代には、三七日・五十日・百日の精進潔斎が多い。「—し侍るを、いたう老い給へる人の重くなやみ給ふは、いかが」〈源氏手習〉

みだ・け【乱け】〘下二〙《ミダキの自動詞形》乱れる。「結ひ髪は—・け次第よ」〈浮・好色万金丹五〉

みた・し〘四段〙《行く・来る意の尊敬語》いらっしゃる。おいでになる。「此に国有り。請(ね)がはくは任意(みこころのまにま)に—・せ」〈紀神代下〉

みだ・し【乱し】〘四段〙《ミダレの他動詞形》物や心の秩序を混乱させる。「男はいとしも親の心を—・さずやあらむ」〈源氏椎本〉。「心—・す事なかれ」〈孝養集下〉。「御髪を—・し」〈平家四・信連〉 →みだり

みだ・し【見出し】〘四段〙「みいだし」に同じ。「しのぶ恋路も—・されにけり」〈俳・寛永十三年熱田万句六〉

みた・せ〘下二〙「みたし」に同じ。「亦(また)相模に進(いでま)して、上総(かみつふさ)に—・せむとす」〈紀景行四十年〉

みたたし【御立たし】《ミは接頭語。タタシはタチの尊敬語》お立ちになること。「帯日売(たらしひめ)神の命(みこと)の魚(な)釣らすと—せりし石を誰見き」〈万八六九〉 †mitatasi

みたち【御館】館(たち)の尊敬語。「『—に参りて申さむ』とて、走りて行きぬ」〈今昔二六ノ一〉

みた・て【見立て】㊀〘下二〙①後から見送る。「赤駒が門出をしつつ出でかてにせしを—・てし家の児らはも」〈万三五四東歌〉 ②後見をする。世話を焼く。「我我は長政を—・て申すべし」〈浅井三代記一五〉 ③よく見て選び定める。「よき聞者を—・てて用ゆるならば、何たる事も自由に調(とと)のほるべきなり」〈孫子私抄〉。「物ごとに、これらをも御—・て候うて給はり候へ」〈伽・猿源氏草紙〉 ④病状を判断する。診断する。「病人を細かに—・つる事はなり難し」〈西鶴・織留四〉 ⑤見なす。たとえる。なぞらえる。「白楽天は何と—・つる」〈俳・大矢数一〉 ⑥見くびる。軽蔑する。「—・てらるるが口惜しい」〈西鶴・一代男七〉 ㊁〘名〙①見ばえ。人の目をひくもの。「よろづに—なく、物げなき程を見すぐして」〈源氏帚木〉 ②見送り。送別。「明日—に来ませう」〈近松・氷の朔日中〉 ③判断。鑑定。また、分別。思案。「両御所様御—の仁(じん)に候間」〈本光国師日記元和二・九・七〉 ④診断。「—より様子の弱る虫の声」〈俳・胴骨〉 ⑤たとえ。「取なり初心にして、町人の若衆とはよき—なり」〈評判・難波立聞昔語嵐座〉 ⑥〔俳諧用語〕発句・付句を譬喩仕立てで作ること。また、その句。「—。川岸の洞は蛍の瓦燈(とう)かな」〈俳・毛吹草一〉 ⑦〔遊里語〕客が遊女を見て、その中から相方を選ぶこと。「お—がござりますと言ふ声に、〔遊女ハ〕めんめん衣紋(えもん)をつくり膝を直す」〈洒・胡蝶の夢〉 †mitate

みだのじゃうど…ジョウ…【彌陀の浄土】極楽浄土。「われらが心にひまもなく、—を願ふかな、輪廻の罪こそおもくとも、最後に必ず迎へ給へ」〈梁塵秘抄三六〉

みだのちかひ…チカイ【彌陀の誓】阿彌陀如来が法蔵菩薩であった時に立てた四十八の誓願。四十八願。「—ぞ頼もしき、十悪五逆の人なれど、一度御名を称ふれば、来迎引接疑はず」〈梁塵秘抄三〇〉

みだのほんぐゎん【彌陀の本願】彌陀の四十八願のうち第十八の念仏の願をいう。「年ごろ頼み奉る—を強く信じて」〈平家一・祇王〉

みたふ・し…タオシ【見倒し】㊀〘四段〙①見て評価する。また、見下げる。「〔華麗ナイデタチノ貧乏神〕おれも今は廓を主にする故、かうした仕掛でなければ大尽が—・されぬ」〈咄・軽口御前男三〉。「下り坂と見ゆる大商人を—・すやうにする者あり」〈浮・新永代蔵四〉 ②安く買い叩く。「しのぎの粋…安積もりに—・して、十八九両が物はある」〈洒・太平楽巻物〉 ㊁〘名〙品物を思い切って安く評価すること。安く値切り倒すこと。また、それを商売にする古道具屋・屑屋など。踏み倒し。「早く—を呼んで〔値ヲ〕踏ませませう」〈黄・一粒万金談下〉 **—や**【見倒し屋】古着屋・古道具屋などの称。見倒し。「大工・屋根葺き・左官・—の亭主など、一群にぞめき歩きしが」〈当風辻談義五〉

みだぶつ【彌陀仏】「阿彌陀仏」の略。「常に極楽国にありて—を囲繞(ゐねう)したてまつる」〈往生要集上〉

みたまのふゆ【恩頼】神や天皇の加護・恩恵・威力の尊敬語。「咸(ことごと)く—を蒙れり」〈紀神代上〉

みたや【御田屋】《ミは接頭語》神田を管理する人のいる建物。「かむなびの清き—の」〈万三二二三〉 †mitaya

みたらし【御手洗】①神を拝む前に手を洗い清めるための水。「—に影の映りける所」〈徒然六七〉 ②「御手洗川」の略。「春日野に松し枯れずは—の水も流れて絶えじとぞ思ふ」〈延喜二十一年京極御息所歌合〉。「思ふ願ひの早き—」〈竹林抄八〉 **—がは**…ガワ【御手洗川】神社のそばや、神の住む山の麓などを流れる川。参詣者が手を洗い口をすすぐなど、身を清めた。賀茂神社のが有名。「恋せじと—にせしみそぎ神はうけずぞなりにけらしも」〈古今五〇一〉

みたらし【御執らし】「みとらし」の転。「—とは弓をいふ也」〈竹林集聞書〉

みだ・り【乱り】〘四段〙《ミダレの他動詞形。物や心の秩序を混乱させる意。中世以降、次第にミダシに取って代られるようになった》保つべき秩序を失わせる。秩序を混乱させる。「蜷(みな)の腸(わた)か黒し髪を…解き—・り童になしみ」〈万三七九一〉。「御物怪(もののけ)などの…人の御心—・らむとて」〈源氏御法〉。「平城の先帝、尚侍の勧めによって世を—・り給ひし時」〈平家五・都遷〉 †midari **—あし**【乱り足】疲れた足。乱れ足。「御中道のほど、—こそ痛からめ」〈源氏椎本〉 **—あしのけ**【乱り脚の気】脚気(かっけ)。脚病。あしのけ。「まうで来むずるを、—あがりて、東西知らずなむ」〈宇津保蔵開下〉 **—かくびゃう**…ビョウ【乱り脚病】「乱り脚の気」に同じ。「例もわづらひ侍る—といふもの、ところせくおこりわづらひ侍りて、はかばかしく踏み立つることも侍らず」〈源氏若菜下〉 **—かぜ**【乱り風】風邪。かぜひき。また、風邪にもとづく下痢などをもいったらしい。「—おこりてなん、〔昨夜〕聞えしやうには、え参らぬ」〈かげろふ下〉。「—を引きて、水の如くなるものをつかまつりたる」〈今昔一九ノ三〉 **—がは・し**…ガワシ【乱りがはし・濫りがはし・猥りがはし】〘形シク〙《秩序を乱しているさまが不愉快に感じられる意》①入り乱れていてうるさい。「虫の声声—・しく」〈源氏夕顔〉。「—・しき更衣達、あまたもさぶらひ給はず」〈源氏真木柱〉 ②不謹慎な感じがする。はめをはずしているようである。「御物語など、まめやかなるも、また例の—・しき(好色ガマシイ)事をも」〈源氏葵〉 ③控え目にするところがない。そうぞうしい。「日頃は山門の大衆こそ—・しき訴へつかまつるに、今度は穏便を存じて音もせず」〈平家四・三井寺炎上〉 ④むやみやたらなさまである。無法である。「天骨(ひととなり)姪泆(いついつ)にして、—・しく嫁ぐことを宗とす」

み

〈霊異記下一六〉。「莫大の御恩を忘れて—・しく法皇を傾け奉らせ給はん事」〈平家二・教訓状〉 **—がほ**(ガオ)【乱り顔】取り乱した表情・様子。「気色のいささか—なるを、あやしくいとほしと思せど」〈源氏蜻蛉〉 **—ごこち**【乱り心地】取り乱した心の状態。正常でない気分。病気の状態。「—はまだおこたりはてねど」〈大和一〇二〉 **—て**【妄りて】『副』むやみに。「—他宗も彼(それ)に同じく失(あやまち)有りと説くなり」〈大乗掌珍論天暦点〉 **—に**【濫りに・妄りに】『副』秩序を破って。秩序を無視して。無茶に。むやみに。「—人を寄せじものとや」〈後撰一〇八七〉。「—此の事を行なはざれ」〈大唐西域記四・長寛点〉

みだ・れ【乱れ】㊀『下二』《ミダリの自動詞形。保たれるべき秩序が失われる意》①ばらばらになる。収拾がつかなくなる。「刈薦(かりこも)の—・れば—・れ、さ寝しさ寝てば」〈記歌謡八〇〉②くずれる。「身死ぬる後のときには…膿(う)み爛(ただ)れき」〈金光明最勝王経平安初期点〉③態度・服装などが、礼儀にはずれる。「御直衣(なほし)奉り、—・れぬさまにひきつくろひて出で給ふ」〈源氏総角〉④まちまちになる。まじりあう。「薄く濃く—・れて咲ける藤の花ひとしき色はあらじとぞ思ふ」〈拾遺八六〉⑤政治などが混乱する。「世も—・れ」〈源氏桐壺〉⑥心が定まらず混乱する。精神が散乱する。「朝霧の—・るる心」〈万四〇〇八〉。「もし正念—・れずは、往生誰か疑ひあらん」〈孝養集下〉㊁『名』①秩序や道理の失われること。「〔権勢家ニ八〕人の憂へとある事などもおのづからうちまじるを、いささかもさやうなる事の—なく」〈源氏薄雲〉②天候のくずれること。雨風などのひどいこと。「頭さし出づべくもあらぬ空の—に」〈源氏明石〉③気持の整理がつかないこと。悩み。「恋の—」〈古今五〇三〉。「我も人もやすからぬ—いでくるやうもあらむよりは」〈源氏柏木〉④騒動。戦乱。「世の—」〈源氏匂宮〉。「源平の—の後は、ただ命の生けるばかりをいみじき事にて」〈閑居友下〉⑤焼き上がった刀身に、波のような模様が現われているもの。乱れ刃。乱れ焼。「古身(ふるみ)なり。刃—なり」〈八卦抄五〉⑥能の舞の一。「猩猩」「鷺」のみに演じられる特殊な舞。「猩猩の—となるや菊の酒」〈俳・犬子集五〉⑦《大阪で》乞食。「—、乞食の事也」〈浪花聞書〉 †midare **—あし**【乱れ足】①奔走して疲れた足。乱り足。「—は動かれずはべり」〈宇津保楼上上〉②縦横自在に乱れ踏む足。「三尺八寸の長刀茎短(くきみじか)に取って、—を踏み…火を散らしてぞ斬りあひける」〈太平記一七・山攻〉 **—あそび**【乱れ遊び】礼儀作法を無視した遊興。無礼講。「—の大振舞」〈西鶴・一代男八〉 **—がみ**【乱れ髪】乱れた髪。「—を引き仰けて頸を掻落す」〈盛衰記二二〉 **—ご**【乱碁】「らんご」に同じ。「—を打つその間には香(かう)ありて／石をもつくす天の羽衣」〈心玉集〉 **—ごこち**【乱れ心地】「乱り心地」に同じ。「—いとあやしう侍りて」〈大鏡道兼〉 **—ごころ**【乱れ心】思い煩う心。「思ひ切りたる黒髪の、—をふりすてて」〈謡・朝顔〉 **—ごと**【乱れ言】冗談。「思すさまなる—もうちいでさせ給はで」〈源氏真木柱〉 **—ざけ**【乱れ酒】酒宴が興に入り、順序を乱して盃のやりとりをすること。「跡はやつして(クツロイデ)—」〈西鶴・一代男七〉 **—どり**【乱れ鳥】一・二番鶏の後、夜明け方に鶏が乱れて時を作ること。ばらばら鳥。「夜は—までの狂ひ、昼は九つ時分迄および候へば」〈甲陽軍鑑九上〉 **—ばこ**【乱れ箱】髪を梳く時、乱れ髪を受けるのに用いる蓋のない箱。「己が名を—にや柳髪」〈俳・小町踊二〉 **—やき**【乱れ焼】「みだれ」㊁⑤に同じ。「それより切先へ参っては、くはっくはっと大乱れに—で御座る」〈虎寛本狂言・長光〉。〈日葡〉 **—を**【乱れ尾】乱れている尾。「庭つ鳥鶏(かけ)の垂り尾の—の長き心も思ほえぬかも」〈万一四一三〉 **—を**【乱れ麻】乱れた麻。「—の麻笥(をけ)を無みと」〈万三二七二〉 **—を**【乱れ緒】藁沓(わらぐつ)の一種。爪先の編み余りを、鼻緒の前に左右に房のようにつけたもの。乱れ緒の藁沓。「菡麻脛巾(いちびはばき)に—を履いて列をひく」〈太平記一三・藤房卿〉

みち【道・路】《ミは神のものにつく接頭語。チは道・方向の意の古語。上代すでにチマタ・ヤマヂなど複合語だけに使われ、また、イヅチのように方向を示す接尾語となっていた。当時は、人の通路にあたる所にはそれを領有する神や主がいると考えられたので、ミコシヂ(み越路)・ミサカ(み坂)・ミサキ(み崎・岬)などミを冠する語例が多く、ミチもその類。一方、ミネ(み嶺)・ミス(み簾)など一音節語の上にミを冠した語は、後に、そのまま普通の名詞となったものがあり、ミチも同様の経過をとって、通路の意で広く使われ、転じて、人の進むべき正しい行路、修業の道程などの意に展開し、また、人の往来の意から、世間の慣習・交際などの意に用いた》❶人間の往来するところ。①通路。道路。「玉桙(たまほこ)の—の神たち幣(まひ)はせむ吾が思ふ君をなつかしみせよ」〈万四〇〇九〉。「海原の畏(かしこ)き—を島づたひ漕ぎわたりて」〈万四四〇八〉②途中。「あづまへまかりける時、—にてよめる」〈古今四一五詞書〉③旅。「かくかすかなる—にても、らうがはしきことは侍らじと頼み侍る」〈源氏玉鬘〉④道のり。「都へ近づくことも僅かに一日の—なれば」〈平家九・落足〉❷人の進むありかた。①人としての正しい生き方。「親子の—の闇をばさるものにて」〈源氏柏木〉②仏道・学問・芸術などの正しい修業の道程。課程。「うつせみは数無き身なり山川の清けき見つつ—を尋ねな」〈万四四六八〉。「大学の—にしばし習はさむの本意侍るにより」〈源氏少女〉。「老人の物まね、此の—(能楽)の奥儀なり」〈風姿花伝〉③正しい教義。「不孝なるは、仏の—にもいみじくこそ〔イマシメテ〕言ひたれ」〈源氏螢〉④正しい秩序。道理。「奥山のおどろの下を踏み分けて—ある世ぞと人に知らせん」〈増鏡一〉⑤方法。技術。「馬に乗っつれば落つる—を知らず」〈平家五・富士川合戦〉。「ありたき事はまことしき文の—、作文・和歌・管絃の—」〈徒然一〉⑥誰しもが経験する過程。「まことに愛著の—、その根深く、源とほし」〈徒然九〉❸人が歩いて踏みかためる所。①世間のならい。慣習。「かくばかり術(すべ)なきものか世間(よのなか)の—」〈万八九二〉。「如何にもかなふまじき—なれば」〈平家三・六代被斬〉②世間の交際。「我が身こそかかる—狭き者となりて様を替ふるとも」〈盛衰記四〇〉 †miti **—切・る** 全く縁を切る。「欲煩悩は—・りし君」〈俳・時勢粧六〉 **—の道たる** その道の本分に叶っている。最も正しい。「待てば鳴くや—時の鳥(ホトトギス)」〈俳・鸚鵡集四〉 **—を道に**《道を道として明白に示す意から》正正堂堂と。明白に。「—立つるや門に飾り松」〈俳・遠近集一〉

みち【海驢】アシカの古名。毛皮を敷物にする。「海驢、此をば美知(みち)といふ」〈紀神代下〉 †miti

みち【蜜】《ミツの古形》はちみつ。「蟻を入れたるに、—の香をかぎて」〈枕二四四〉。「蜜、美知(みち)」〈和名抄〉

み・ち【満ち】『四段』《一定の限度まで一杯になる意。中世以降、上二段にも活用》①一杯になる。つまって余地が無くなる。「射水川みなとの洲鳥…潮(しほ)—・てば妻呼びかはす」〈万三九九三〉。「〔心配ガ〕胸に—・つ心地して」〈源氏夕霧〉。「眼に遮(さへ)ぎる物は燃え上がる火の色、耳に—・つる物は鳴り下る雷(いかづち)の音」〈盛衰記七〉②すっかり整って欠けた所がなくなる。「照る月は—・ち闕けしける」〈万四二〉。「徳業—・たず」〈南海寄帰内法伝平安後期点〉。「若君国の母となり給ひて、願ひ—・ち給はん世に」〈源氏若菜上〉 ③満期になる。「けがらひ忌み給ひしも一つに—・ちぬる夜なれば」〈源氏夕顔〉。「未だ十歳にも—・たざるに」〈平家八・緒環〉 ④あまねく行きわたる。「〔死去ノ噂〕世の中に—・ち」〈源氏若菜下〉 †miti

みちかひ(イ:カ)【道交ひ】①途中で行き違うこと。「—にてだに人か何ぞとだに御覧じ分くべくもあらず」〈源氏明石〉 ②路上を行き来すること。「世の中のおそろしく、大路の—もいかがとのみわづらはしく」〈大鏡師尹〉

みちくだり【道下り】道の途中。途上。「蜘蛛(ささがに)の糸引きはゆる—」〈俳・寛永十三年熱田万句一七〉

みちさまたげ【道妨げ】極楽へ行く道の邪魔。悟道のさまたげ。「かくいみじと思ひ惑ふに、なかなか—にもこそ」〈源氏柏木〉

みちしば【道芝】①道ばたに生えている芝草。「—の露におきゐる人により」〈和泉式部日記〉 ②道の手引きをするもの。取持ち役。「そのほどは宣旨の君ぞ、くはしうは、—にて知り給ひつれ」〈夜の寝覚三〉

みちしほ(オ:シ)【満潮】《「引潮(ひきしほ)」の対》上潮(あげしお)。満潮(まんちょう)。「—や猶松原をへだつらん」〈看聞御記紙背連歌〉

みちしゃ【道者】その道の人。「—にて候と御諚成され、御感候」〈本光国師日記慶長一九・一〇・六〉

みちしるべ【道導べ】道案内。「まだ知らぬ人をはじめて恋ふるかな思ふ心よ—せよ」〈千載六四一〉

みちすがら【道すがら】『副』道を行き過ぎながら。途中ずっと。「よろづに—思し乱れけるにや」〈源氏手習〉

みちせば・し【道狭し】『形ク』《「道広し」の対》道を公然と通れない。罪を犯すなどして、人目をはばかる状態にいう。「—・き身とならんよりも、配所に至って心安き事もやなんど思ひければ」〈保元中・忠正家弘〉

みちづら【道面】道に面した所。道のほとり。途上。「山城に、奈良へ行く道に、井手の水とて、めでたき水の—にあるなり」〈奥義抄〉

みちとせ【三千年】さんぜんねん。また、「三千年の桃」のこと。「—をみつ(見ツ・満ツ)べきみ(身・実)には」〈かげろふ上〉 **—のもも**【三千年の桃】仙境にあり、三千年に一度実を結ぶという西王母(せいおうぼ)の桃。「みちとせになるてふ桃の今年より花咲く春にあひにけるかな」〈拾遺二八八〉

みちのあへのまつり(エ:ア)【道饗祭】陰暦六月・十二月、都の四隅の道で、八衢比古(やちまたひこ)・八衢比女(やちまたひめ)・久那斗(くなど)の三神を祭り、疫神を都に入れないようにする祭。「道饗」は、疫神を道の途中で迎えて、これに食物を饗し、侵入をくいとめる意。〈祝詞道饗祭〉

みちのおく【陸奥】⇒みちのく。〈和名抄〉

みちのき【道の記】旅行記。道中記。紀行。「案じ案じ書く—はいかばかり」〈俳・時勢粧四上〉

みちのく【陸奥】《ミチ(道)ノオク(奥)の約。和銅五年、出羽国が分置されるまでは、東海・東山両道の奥、すなわち奥羽地方全体をさした》旧国名の一。東山道八国の一で、今の福島・宮城・岩手・青森の諸県。奥州。むつ。「—の安太多良(あだたら)真弓」〈万三四三七東歌〉 †mitinöku

—がみ【陸奥紙】「みちのくにがみ」に同じ。「源氏に—と云ふは檀紙の事となん」〈壒嚢鈔五〉

みちのくち【道の口】《「道の中」「道の後(しり)」の対》奈良・平安時代、一国を二つまたは三つに分けたとき、都に最も近い国を呼ぶ称。「—(越前国)武生(たけふ)の国府(こふ)に我はありと親に申したべ」〈催馬楽道の口〉。「越前、古之乃三知乃久知(こしのみちのくち)」〈和名抄〉

みちのくに【陸奥国】「みちのく」に同じ。「—へまかりける人によみてつかはしける」〈古今三八〇詞書〉 ∇ミチノクの原義が忘れられて、「道の国」の約と思われるようになった結果、擬古的に作られた語。 **—がみ**【陸奥国紙】《もと陸奥国で産したからいう》檀(まゆみ)の皮から作った、厚みのある紙。檀紙(だんし)。消息文などによく使われた。みちのくがみ。「みちのくの守の奉れる—あり」〈宇津保藤原君〉

みちのし【道師】八色姓(やくさのかばね)の第五位。画師・薬師などの特殊技術者に与えられるものらしいが、実際には賜姓の例がない。「八色の姓を作りて、…五つに曰はく—」〈紀天武十三年〉 †mitinösi

みちのしり【道の後】《「道の口」「道の中」の対》奈良・平安時代、一国を二つまたは三つに分けたとき、都から最も遠い国を呼ぶ称。「—(備後国)深津島山」〈万二四二三〉。「備後、吉備乃美知乃之利(きびのみちのしり)」〈和名抄〉 †mitinösiri

みちのそら【道の空】旅の途上。道中。「親の、—にてなくやならむと驚きて」〈源氏手習〉。「雪ただいささかづつうち散りて—さへ艶なり」〈源氏行幸〉

みちのそらぢ【道の空路】よるべもない道中。心もとない旅空。「夢(いめ)の如—に別れする君」〈万三六九四〉 †mitinösoradi

みちのなか【道の中】《「道の口」「道の後(しり)」の対》奈良・平安時代、一国を三つに分けたとき、都から中ほどにある国を呼ぶ称。「—(越中国)国つみ神は」〈万三九三〇〉。「越中、古之乃三知乃奈加(こしのみちのなか)」〈和名抄〉 †mitinönaka

みちのべ【道の辺】《古くは清音》道のほとり。道ばた。「—の草を冬野に踏み枯らし」〈万二七七六〉 †mitinöꜰe

みちのまま【道のまま】『連語』道を行きながら。「いつの間にか装束(さうぞ)きつらん、帯は—に結ひて」〈枕九九〉

みちのもの【道の者】①その道の達人。「こたみは皆世に許(ゆ)りたる古き—どもなり」〈増鏡一〉 ②遊女。「傾城をとめ・白拍子などあらんに、—なればとて、法にすぎて慣れ慣れしきことばを云ふべからず」〈極楽寺殿御消息〉

みちはか【道果・道抄】歩く進度。道を歩くはかどり具合。「砂原は三里行けば二里戻るとかや、—の行かぬもの也」〈仮・東海道名所記二〉

みちび・き【導き】『四段』《道引きの意。神仏など力のあるものや、事情に詳しいものが、様子の分らないものを引きつれて、望ましい方へ行かせる意》①道案内をする。「諸(もろ)の大御神たち船の舳(へ)に—・き申し」〈万八九四〉 ②手びきをする。「—・くままに…やをら入り給ふとすれど」〈源氏空蟬〉 ③いざない、つれて来る。「悲しと思ふ人の代りに仏の—・き給へると思ひ聞ゆるを」〈源氏手習〉 ④教化してよい方におもむかせる。教導する。「三明を証して、俗を—・く」〈三蔵法師伝九・院政期点〉。「方便をめぐらして衆生を—・く」〈著聞二〉 †mitibiki

みちひろ・し【道広し】『形ク』《「道狭(せば)し」の対》道を公然と通れる。逃げ隠れする必要がない。肩身が広い。「今は—・き身と成りぬ」〈盛衰記九〉

みちべ【道辺】「道の辺」に同じ。「かるかやの関守にのみ見えつるは人も許さぬ—なりけり」〈新古今一六九六〉

みちみち【道道】①あちこちの道全部。「軍(いくさ)の寄り来べき—に、おのおの四五騎ばかり楯(たて)を突きて待ちかけさす」〈今昔二五ノ五〉 ②さまざまの学問や芸能。諸芸諸道。

「―のものの上手ども多かる頃ほひ」〈源氏花宴〉 ③それぞれの流派・やり方。さまざまの手段・方法。「修法・読経・祭・祓(はら)(へ)と―に騒ぐは」〈源氏蜻蛉〉 ④道の途中。道すがら。「京へ出づる―、西の京になぎ(水葱)いと多く生ひたる所あり」〈宇治拾遺一九〉

みちみち・し【道道し】『形シク』 ①いかにも道理にかなっている。ためになる。「日本紀などは、ただ片そばぞかし。これら(物語)にこそは―・しくはしき事はあらめ」〈源氏螢〉 ②学問的である。「三史・五経の―・しきかたをあきらかにさとりあかさんこそ」〈源氏帚木〉

みちもり【道守】 道路の番人。「―の問はむ答を言ひやらむすべを知らにと」〈万五四三〉 †mitimori

みちゃう【御帳】 ①貴人の御座所のとばり。また、帳台(ちやうだい)。「いと馴れ顔に―のうちに入り給へば」〈源氏若紫〉 ②厨子(づし)のとばり。「〔弁才天〕―これを開き、用途の被物一領代百疋これを進(まゐ)(ら)す」〈経覚私要鈔 嘉吉三・六・二七〉

みちや・り【道遣り】 ㊀『四段』 ①はかがゆく。はかどる。「当座を―・らば、かやうの事をも申すべきにや」〈筆のすさび〉 ②処理する。解決する。「理を以てものを―・る所、いささかも曇りなきなり」〈尚書抄四〉 ㊁『名』 ①はかがゆくこと。はかどること。「当座―の計りごとばかりめさるるぞ」〈毛詩抄一七〉。「凡そ五年ほども分別して見たれども、何とも更に―が無かったと仰せられた」〈巨海代抄上〉 ②処理。処置。解決法。「何とも―が成るまい」〈碧岩抄一〉。「前後暗くして、いづくへ行くといふ―無く」〈驢鞍橋上〉 ③特に、諸種の契約の履行。「借物(しやく)(もつ)あまた負ひにけり。負ひにけらしなその抵当(かた)に、浄土へこそは―をすれ」〈虎明本狂言・ばくち十王〉

みちゆ・き【道行き】 ㊀『四段』 はかどる。らちがあく。「この定(ちやう)にては―・きがたき次第ども、奉行の弁仲兼に触れ申せば」〈中務内侍日記〉。「もし―・かずは、本直(元金)を返し奉るべし」〈高野山文書三、文保二・一〇・二九〉 ㊁『名』 ①道の行き方。「若ければ―知らじ幣(まひ)はせむ黄泉(した)(へ)の使負ひて通らせ」〈万九〇五〉 ②雅楽で、舞人が楽屋を出て舞座に着くまでの間。また、その間に奏する楽。みちき。「舞の出入に、破を喚頭より吹き出でて―とす」〈教訓抄二〉 ③能で、旅の経過を謡う上歌(あげうた)形式の部分。「相生(あひおひ)―、『高砂の地に着きにけり』これよい節(ふし)なり」〈禅鳳雑談〉 ④狂言で、演者が目的地へ行くため、独白をつづけながら舞台を一巡すること。「〔山伏ハ〕―の内に柿を見付けて」〈虎明本狂言・柿山伏〉 ⑤浄瑠璃・歌舞伎で、旅とそれにまつわる情緒を表わす歌謡、またそれに合わせて演ずる舞踊。また、その場面。「淀の渡りや―の段」〈俳・六日飛脚〉 ⑥《⑸では相愛の男女が連れ立つことが多いところから》男女が連れ立って駈落ちすること。「日ごろの願ひ叶ひしと、心うれしく―をして行き、ここぞよき最期場と」〈黄・江戸生艶気樺焼下〉 ⑦物事の経過。手続き。また、前置き。「―ばかり言はずとも、入る事ばかり申せ申せと責めければ」〈近松・反魂香中〉 ⑧下工作。準備工作。「―に物(金)使うて、あげくに大分のはまり(失敗)あり」〈浮・禁短気三〉 †mitiyuki **―うら**【道行き占】 道を行く人のことばで判断するうらない。つじうら。「玉桙の―にうらなへば」〈万三五〇七〉 **―ごろも**【道行き衣】 旅行用の衣服。たびごろも。「春雨はいたくな降りそ旅人の―ぬれもこそすれ」〈金槐集雑〉 **―づと**【道行き裹】 旅行のみやげ。「玉桙の―と乞はむ子がため」〈万一五三四〉 **―びと**【道行き人】 道を通る人。旅行する人。「―の人目も繁くて」〈平家灌頂・大原入〉 **―ぶり**【道行き触り】 道をゆく折。道すがら。「玉桙の―に思はぬに妹(いも)を相見て恋ふるころかも」〈万二六〇五〉

みちより【道寄り】 よりみち。「のさ者を使にやれば、近い所も―をして一日かかる」〈虎清本狂言・文荷〉

みちれな・し『形ク』 根性が卑しい。さもしい。下品だ。「女房の性は、生れつき、吝う―・い者ぞ」〈玉塵抄三六〉。「位高き人も―・くなりて、〔河豚ヲ〕多くきこしめす」〈仮・堪忍記四〉

みぢん【微塵】 ㊀『名』 細かい塵(ちり)。ごくわずかなこと。「善業は―ばかりも蓄へなし」〈平家一〇・戒文〉。「―となり、粉灰となり、四方へばっと立ちにけり」〈伽・天狗の内裏〉 ㊁『副』《打消の語を伴って》 少しも。みじんも。「―け(気)が無い」〈評判・おもはく哥合〉 **―こはひ**【微塵粉灰】 こなごなになること。こなみじん。微塵こっぱい。「火桜も風には―かな」〈俳・蛙井集一〉

みつ【三つ】《ツは数詞の下にそえる語》 みっつ。「―栗のその中つ土を」〈記応神〉。「―(三番目)にはなずらへうた」〈古今序〉。「―(三歳)になり給ふ年」〈源氏桐壺〉 †mitu **―に従ふ** 婦人の道としての「三従」をいう。「女は―ものにこそあなれど」〈源氏藤袴〉 →さんしょう

みつ【蜜】 ⇒みち。〈下学集〉

みづ【水】 ①飲水・川水・海水など、水一般。「天知るや日の御影の―こそばとこしへならめ御井の清水(ましみづ)」〈万五二〉。「秋山の木の下隠れゆく―の」〈万九二〉 ②人に害をなす出水など。「事しあらば火にも―にもわれ無けなくに」〈万五〇六〉 ③水滴。「蓮葉(はちすば)にたまれる―の玉に似る見む」〈万三八三七〉 ④五行(ごぎやう)の一。「五行といふは、―と火と木と金と土となり」〈仮・清水物語上〉。〈和漢新撰下学集〉 ▽朝鮮語 mïl(水)と同源。 †midu **―にな・す** 無駄にする。無駄に使い果す。「去る飯守の軍(いくさ)に、安見が武者奉行篠塚源之丞を討ち取りたる高名―・しける」〈室町殿日記四〉 **―に瓢簞(へうたん)** 《瓢簞は水に浮かべると軽軽と流れて行くところから》 軽快なさまのたとえ。また、事に臨んで変転自在な身心のたとえ。「心もや―酒に柚子(ゆず)」〈俳・名取川三〉 **―の垂るやう** ①剣など金属製の道具類のみずみずしい美しさの形容。「きりたての具足を―と云ふ様に、潤沢がありて…つるつるとしたぞ」〈毛詩抄四〉。「此の剣、刃ばやく―なぞ」〈江湖風月集聞書〉 ②人の顔や皮膚などがいきいきとして美しいさま。「―な肌ぞ雪女」〈俳・雀子集五〉 **―の出端(でばな)** ①一時盛んで間もなく衰えるたとえ。「五月雨は―(花トかけル)の盛りかな」〈俳・犬子集三〉 ②勢い盛んでおさえ切れないたとえ。「今大納言を大将にして、―の如く諸国の大名・小名きほひ申すに」〈亜相公御夜話下〉 **―の流れと人の身** 前途の知れにくいたとえ。「水の流れと身の行方」とも。「―の知れぬ憂世の習ひ」〈近松・日本西王母三〉 **―も溜まらず** 刀剣で素早くすぱっと切るさま。「―切りにけり」〈盛衰記三〇〉 **―も洩らさず** 人の仲のきわめて親密なたとえ。「人の中のよいをば―と云ふぞ。それが中がわるくは隙間があるぞ」〈漢書竺桃抄〉

みづ【瑞】 植物の、聖なる生命力に満ちたさま。また、めでたいしるし。「皇御孫(すめみま)の命の―の御舎(みあらか)仕へまつりて」〈祝詞大祓詞〉。「これ、蘇我臣(そがのおみ)の栄えむとする―なり」〈紀皇極三年〉 †midu

みづ【針孔】 針の穴。めど。「小針は―が大事に候」〈七十一番歌合〉

みづあげ【水揚げ・水上げ】 ①船の積荷を陸に揚げること。陸揚げ。「西国米―の折節」〈西鶴・永代蔵一〉 ②遊女

が始めて客を取ること。「—、傾城の新艘を仕立て、始めて売り出す事を言ふ」〈色道大鏡一〉③最初。初めて。「行先の事は知らねども、まづ—の商」〈浮・立身大福帳四〉

みつあひ ‥イア【三相】三本の糸を合わせること。「我が持てる—によれる糸もちて」〈万五一六〉 †mituaFi

みづあびせ【水浴せ】「水祝(みづいはひ)」に同じ。「正月の—に、笠鉾并びに大勢寄り合ひ候て、少しなりとも、おびたたしき風情仕りまじく候」〈正宝事録慶安一・三・一九〉

みづあんどん【水行燈】水路を示す行燈。「川に住むは—か螢の火」〈俳・歌林鋸屑集二〉

みづいはひ ‥ワイ【水祝】元日、前年結婚した花婿を祝う行事。仮装した友人らが、花婿の顔に墨を塗るなどして囃しながら水を浴びせ、祝われた家では酒食を供するなどして返礼とした。後、禁止されて、金・銀箔の手桶・柄杓、または笠鉾などを祝物として送るようになった。水浴せ。水掛け。「下帯や唐紅に—」〈俳・佐夜中山二〉

みづいりな【水入菜】《畦の間に水を流して作るのでいう》アブラナ科の越年草。秋に種を蒔いて春収穫し、塩漬けにしたり煮たりして食用にする。江戸では「京菜」といった。水菜。まくり菜。「東寺に行きけるに、所の物とて—の出侍れば。—摘みとる後や酒煎茶」〈俳・毛吹草五〉

みづうまや【水駅】①水路の駅舎。船路の駅。「凡そ—、馬を配せざる処は、閑繁を量りて、駅別に船四隻以下二隻以上を置け」〈厩牧令〉②男踏歌(をとこだふか)で、人人が京中を踊り歩く際、酒・湯漬などを饗応する場所。京中を巡るのを駅路にたとえたもの。「こなたは—なりけれど、けはひにぎはしく、人人心げさうし添へて、限ある御饗などの事どもしたる様ことに用意ありて」〈源氏真木柱〉③《水路の駅では国司の接待がなかったことから》粗略なもてなし。「—にはあらぬ雑事(ざふじ)、疎(おろか)ならず」〈筑紫道記〉。「—。粗相なるもてなし也」〈匠材集四〉

みづうみ【湖】《「塩海(しほうみ)」の対》まわりを陸に囲まれ、池より大きく、淡水をたたえた所。「うらぐはし布勢の—に、あま舟に真楫(まかぢ)しじぬき」〈万三九九三〉。「湖、大池也、和名三都宇美(みづうみ)」〈和名抄〉 †miduumi

みづえ【瑞枝】生命力ある枝。「—さし(出シテ)しじに生ひたる栂(とが)の木の」〈万九〇七〉 †miduye

みっか【三日】《ミカの転》三か日。また、月の第三日。〈ロドリゲス大文典〉 **—ばうず** ‥ボウ【三日坊主】物事に厭き易い人をあざけっていう語。三日坊。三日ぼん。「月頭(つきがしら)剃れるは—かな」〈俳・崑山集一〇〉 **—はっと**【三日法度】《三日位しか守られない法度の意》実行し難い禁令をあざけっていう語。「踊るなの盂蘭盆(うらぼん)—かな」〈俳・玉江草三〉 **—へいじ**【三日平氏】①伊勢平氏の残党による反乱が、元久元年四月十日の蜂起から十二日の滅亡まで、わずか三日間に終ったことをさしていう語。非力をかえりみず、無謀な事を起して、たちまち敗北・滅亡するたとえ。「かほどの浅才にて、真迢を破せんと思ふ事、かの—よりもおほけなき心なり」〈禁断日蓮義六〉②つかの間の栄華に誇ること。「桃の花尽きしも—かな」〈俳・山の井五〉

みづかがみ【水鏡】澄んだ水面に、姿が映って見えること。「〔竈神ニ鏡ヲ供エテ雨乞ヲシテ〕雨降れと祈るしるしの見えたらば—とも思ふべきかな」〈経衡集〉 **—のしる**【水鏡の汁】ごく薄い汁をあざけっていう語。「朝夕の飲食とては、黒米飯、—のみなり」〈仮・可笑記二〉

みづかき【瑞垣】神社などの周囲に設けた聖なる垣根。いかき。たまかき。「賀茂の—」〈源氏須磨〉。「瑞籬、美豆加岐(みづかき)」〈和名抄〉 †midukaki **—の** 大和の布留(ふる)にある石上神宮の垣は古くからあることから、「久しき時」の序詞。「をとめらが袖ふる(振ル・布留)山の—久しき時ゆ思ひき我は」〈万五〇一〉

みづかけいはひ ‥ワイ【水掛け祝】「水祝」に同じ。「坊主頭で—」〈俳・仙台大矢数下〉。〈俳・毛吹草二〉

みづかげくさ【水陰草】水辺の物かげに生えている草。一説、稲の異称。天の川について歌によまれる。「天の川—の秋風になびくを見れば」〈万二〇一三〉 †midukagëkusa

みづかけろん【水掛け論】《ミヅカケは水を引く意》農民が灌漑用水を自分の田に引くことを互いに争うこと。なかなか決着がつかなかったところから、はてしなく論じ合うことのたとえ。「それは—と云ふもので、役に立たぬ」〈天理本狂言六義・連尺〉

みつがさね【三重】着物を三枚重ねて着ること。また、その着物。「—の衣装着こなし」〈西鶴・一代女一〉

みつがなわ【三鉄輪】①鼎の足のように、三つの物が少し離れて向き合うこと。「半插盥(はんざふだらひ)の中に譲葉(ゆづりは)を置くべし。羊歯(しだ)を下に譲葉を上に、さて青めなる石の小さきを—に置くべし」〈今川大双紙〉②三人が互いに向き合って坐ること。「ひそかに談合(だんかふ)せよやとて、—にぞ居たりける」〈和薬物語〉

みづかね【水銀】すいぎん。「節ごとに—の露すゑさせて藤壺に奉らせ給ふ」〈宇津保国譲上〉

みつかふつみ ‥ツカウ‥【徒罪】《「身使ふ罪」の意》上代、労役に使われる罪。杖罪より重く、流罪より軽い。「—より以下悉くに赦(ゆる)す」〈紀天武七年〉 †mitukaFutumi

みづかみなり【水神鳴】強雨を降らせ、落ちても物を焼かない雷。「夕立の—か滝の音」〈俳・玉海集追加三〉。〈俳・乳母二〉

みづがめ【水瓶】飲用水などを入れて置く瓶。「—に湯はわかぬものかは」〈散木奇歌集雑下〉。〈和名抄〉

みづから【自ら】《「身つから」の意。ツは連体助詞。カラは自体の意》[一]《名》自分。自分自身。人称に関係なく、その人自体を指す。「—の、嘆きも無く喜びも無きことを思ひてよめる」〈古今九六七詞書〉 [二]《代》一人称。私。「君はやむことなき釈種にまします。—はいやしき身なり」〈今昔三ノ一〉 [三]《副》自分自身で。「香花をもちて一切の諸仏に供養し奉れ。—其の罪を陳せよ」〈金光明最勝王経平安初期点〉。「—かく田舎の民となりにて侍り」〈源氏明石〉

みづから【昆布辛・不見辛】山椒を中に入れて昆布を結んだ茶菓子。「菓子…きんとん・—・山栗・榧(かや)・くるみ・金柑」〈宗及他会記永祿一三・一一・一六〉。「昆布を少く巻いて、上を昆布で結びて、肴(さかな)にするを—と云ふは、自縄自縛の自の字にて、付けたる名なるべし」〈見聞愚案記二〉

みづからうす【水碓】水車で動かす唐臼。「きらつくは—や文月夜」〈俳・難波草三〉

みづからくり【水機関】水の落差を応用し、その力で人形や機械などを巧みに動かす見世物。水あやつり。「ところてん(屋ノ)—や走り知恵」〈俳・渡奉公下〉

みつ・き【見付き】[一]《四段》見馴れる。「さまかたちのめでたきを—・きなば、さりともおろかになどは、よも思ふ人あらじ」〈源氏東屋〉。「さだ過ぎたる尼額の—・かぬに」〈源氏手習〉 [二]《名》①外から見たさま。外見。外観。「小米屋は…紙見世に仕替へ、紙屋はまた呉服屋を望み、次第に—のよき事を好みて」〈西鶴・織留六〉②すぐ正面に見えるところ。みつけ。「いやいや、これは—の枝ぢゃ。…—の枝を折ると申すは余り心ない事ぢゃ」〈虎寛本狂言・花盗人〉

みつぎ【御調・調・貢】《近世前期頃まではミツキと清音。ミは接頭語》租・庸・調など租税の総称。みつきもの。「奉る

み

—の船は」〈万四三六〇〉 †mitukï

みつ・ぎ【見継ぎ】㊀〘四段〙①途絶えることなく視線を注ぐ。見守り続ける。「人さへや—・がずあらむ彦星の妻呼ぶ舟の近づき行くを」〈万二〇七五〉②生活などの面倒を見る。扶助する。「その上、都の事なんどをば、誰—・ぎ参らせよとて」〈平家九・小宰相〉③援助する。助勢する。「などか又、おのおの—・がざりつるぞ。〔敵方ト〕一同せられけるにや」〈問はず語り二〉。「急ぎ—・げとの御諚なり」〈伽・いづみが城〉㊁〘名〙①金銭・品物を送って生活を助けること。仕送り。「こな様達へ—の筈」〈近松・氷の朔日上〉②救援。赴援。「何と成り共、そそとの—をも仕り候て」〈毛利家文書二、永祿六・七・一八〉。「田尻殿御—を為すの兵船、近日中指し登され候ずる御談合」〈上井覚兼日記天正一二・二・三〉 †mitugi **—ぜい**【見継勢】援軍。「—を待つべし」〈左伝聴塵一二〉

みづき【水城】大宰府を外敵から防ぐためにつくられた水濠。「筑紫に大堤(おほつつみ)を築きて水を貯(たく)へしむ、名づけて—といふ」〈紀天智三年〉。「大臣殿以下の卿相雲客、指貫のそば挟み、—の戸を出で、歩跣にて我さきにと箱崎の津へこそ落ち給へ」〈平家八・太宰府落〉 †midukï

みづ・き【水浸き】〘四段〙水につかる。「海行かば—・く屍(かばね)、山行かば草むす屍」〈万四〇九四〉 †midukï

みづぎは【水際】①水の際。「いと程狭き崎にて、下(しも)のかたは—に車立てたり」〈かげろふ中〉②舟が水面と接する線。「舟に…ものをいと多く積み入れたれば、—はただ一尺ばかりだに無きに」〈枕三〇六〉③生花で、花瓶の水面に接した所。「〔生花ハ〕まづ—を誉むるなり」〈躾方竹馬抄〉④明白な相違。「雨は昨日—見せよ今日の月」〈俳・唐人踊三〉 **—立・つ** はっきりと美しく見える。「若水の—・つや花の春」〈俳・毛吹草五〉

みづぐき【水茎】《万葉集の「みづくきの」という語の原義が不明になった平安時代に、クキを茎に連想し、転じて筆の意の歌語としたものか》①筆。「かひなしと思ひな消ちそ—のあとぞ千とせの形見ともなる」〈古今六帖五〉。「筆をば、—、はまちどりの跡とも」〈能因歌枕〉②筆跡。「過ぎにし人のあとと見るはあはれなるを…それとも見分れぬまでふり落つる御涙の—に流れ添ふを」〈源氏幻〉③たより。消息。「—のかよふばかりをすくせにて」〈古今六帖五〉 **—のあと**【水茎の跡】筆跡。手紙。「人づてならず、かかる—ならでもきこえてしがな」〈大和付載説話〉 **—ぶり**【水茎振り】《フリは雅楽寮で採用された歌曲で、多く民謡風のもの》「みづぐき」という句で始まる歌の称。「—。水ぐきのをかのやかたに妹と我と寝ての朝明(あさけ)の霜の降りはも」〈古今一〇七二〉

みづくきの〔枕詞〕《ミヅクキを「水茎」と書くのは当て字で、ミ(水)ツク(漬)キ(城)の意か》①水にひたる城(き)の意で、「水城(みづき)」にかかる。「—水城の上に」〈万九六八〉②城(き)が岡のように土盛りされていたところから、「をか」にかかる。「—遠賀(をか)の水門(みなと)に」〈万一二三一〉。「—岡の木の葉も」〈万二一九三〉 ▽上代、クキ(茎)はkuki の音、キ(城)はkï の音であったから、「水茎」という表記が「水漬く城」の当て字となり得た。 †midukukinö

みづくさ【水草】①水と草と。「—きよき山の末にて勤めはべらむ」〈源氏若菜上〉②水中に生える草。「みくさ」とも。「つらさのみいとどます田の池の—」〈落窪一〉

みづぐし【水櫛】水をつけて鬢(びん)を撫で整えるのに用いる櫛。「—にかかるや岸の柳髪」〈俳・夢見草一〉

みつぐそく【三具足】仏前に供える、花瓶・蠟燭立・香炉の三種の仏具。「—ばかりにて、脇花瓶これ無し」〈北野社家日記明応二・四・一九〉

みつくはがた(クワ)【三鍬形】かぶとの前立(まへだて)が山字形をしているもの。普通は鍬形の間に剣形をしたものを立てる。「—打ったる甲を猪頸に着なし」〈太平記三二・神南合戦〉

みづぐ・み【水ぐみ】〘四段〙水気を含む。「瓜をとりいでたりけるが、悪くなりて、—・みたりければ」〈著聞六三三〉

みづぐり【水栗】生栗の実の渋皮をむいて水にひたし、皿に入れて出す料理。「菓子、鶉焼・凍蒟蒻(いてこんにゃく)・—」〈久好茶会記慶長一一・三・一三〉

みつぐりの【三栗の】〔枕詞〕栗のいがのなかに実が三つ入っている、その中央の意から、「なか」および地名「那賀(なか)」にかかる。「—中つ枝(え)の」〈記歌謡四三〉。「—那賀に向へる曝井(さらしゐ)の」〈万一七四五〉 †mituguriñö

みづぐるま【水車】①水車(すいしゃ)。「をかしく舞ふものは…平等院なる—」〈梁塵秘抄三二一〉。「宇治の河瀬の—、何とうき世をめぐるらん」〈平治下・常葉落ちらる〉②太刀・長刀・棒などを激しく振り回すこと。「蜘蛛手(くもで)・かくなは・十文字・とんばう返り・—、八方すかさず切ったりけり」〈平家四・橋合戦〉。「大長刀を—にまはし、当るを幸ひに…はらりはらりと切って回る有様は」〈伽・はもち中将〉

みつくろ・ひ(ツクロイ)【見繕ひ】〘四段〙よく見て判断する。見はからう。「我取らんとひしめきければ、あへて敵の体(てい)をも—・はざりける処に」〈古活字本平治中・義朝敗北〉。「よき折ふしを—・ひ、かの玉づさを取り出し」〈伽・はもち中将〉

みづくろひ(ツクロイ)【身繕ひ】身のまわりの仕度。身ごしらえ。「水の上にて—すな」〈盛衰記一五〉

みづぐゎし【水菓子】くだもの。「髭籠(ひげこ)に折節の—」〈西鶴・胸算用三〉

みつ・け【見付け】㊀〘下二〙①目にとめる。発見する。「節を隔てて、よごとに金(こがね)ある竹を—・くること重なりぬ」〈竹取〉。「二つ三つばかりなるちごの、急ぎて這ひくる道に、いと小さき塵のありけるを目ざとに—・けて」〈枕一五一〉②(長いこと)視線を離さないようにする。見張る。「かの片端心知れる御目には、—・けつつ、なほいと気色殊(こと)なり、煩はしき事出で来べき世にやあらむと」〈源氏若菜下〉㊁〘名〙①すぐ向いに見える所。「〔堂ノ〕内の—をながむれば、獅子に牡丹に竹に虎」〈仮・色音論下〉。「あの—の松で御座る」〈狂言記・富士松〉②枡形のある城門の外方に面した部分で、番兵の見張る所。「岩畳む——の道広く」〈俳・花洛六百韻〉

みっけう(キョウ)【密教】《「顕教」の対。秘密に説かれた教えの意》大乗仏教の一系統。日本では平安初期、空海によって伝えられた真言宗がこれに当り、東寺が根本の道場とされたことから、「東密」という。また、天台宗の最澄が後に伝えたものを「台密」という。平安時代、貴族の支持を得て繁栄した。「顕教—機にかなって滅(サトリ)を証す」〈性霊集九〉。「自宗他宗の顕教を習ひ、真言の—を受くるに」〈今昔一二ノ三〉

みつご【三つ子】三歳の幼児。「—は何心もなく乳母(めのと)の乳房に取りつき」〈承久記下〉

みづこ【水子・稚子・若子】出産後あまり日の経たない子。赤児。「若子、ミヅコ」〈運歩色葉集〉

みつごき【三五器】三つ一組の五器。「—を重ぬる山の秋淋し」〈俳・大矢数五〉

みづごころ【水心】①水泳のたしなみ。「この郎等男ひとり—ある者にて」〈発心集四〉。「せめてそのあたりへも近づきてとは思へども、—を知らねばこれも叶はず」〈伽・をこぜ〉②《「水心あれば魚心あり」の諺から》相手の好意を引き出

み

そうとする親切心。「月涼し風呂へと誘ふ—」〈俳・歌仙ぞろへ〉

みづごたつ【水火燵】火の気のかすかな冷たい火燵。「置く炭の流れの末や—」〈俳・難波草四〉

みづこひどり イ…コ【水恋鳥・水乞鳥】《渓流の近くに住むからいう》鳥の名。今のアカショウビンという。「夏の日の燃ゆるわが身のわびしさに—の音をのみぞなく」〈伊勢集〉。「昨日、異鳥南殿に入る。…或は云ふ—と」〈小右記正暦一・八・三〉

みづごろも【水衣】能装束の一。大袖の衣で、シテが着れば漁夫・樵(きこり)などの粗衣、ワキが着れば僧衣とする。「—の帯、強くせず。いかにも弱くてよし」〈反古裏の書一〉

みづさかづき【水盃・水杯】酒の代りに水を注いだ盃。また、それを飲むこと。別れの時にすることが多い。「先づ一献の事あり。先づ—」〈後法興院記明応二・三・二八〉。「たがひに心よく—を呑みかはし」〈浮・曲三味線三〉

みづさし【水差・水指】水を入れておいて他の器に注ぐ容器。普通のものには注ぎ口があり、茶道で用いるのは茶柄杓で汲み出すようになっている。水つぎ。「金の風炉(ふろ)・鑵子(くわんす)・—・水こぼし」〈禅鳳雑談〉

みづざふすい ウ…ゾ【水雑炊・水雑水】①水分の多い菜粥(ながゆ)。酔覚めの食物とした。「酒の上—を申し付け」〈俳・当世男下〉②人を水中に投げ込むこと。「喰ひ酔うた其の客に、加茂川で、ナ、—を喰はせい」〈浄・忠臣蔵七〉

みづし【御厨子】①厨子の尊敬語。「唐の紙ども入れさせ給へる—あけさせ給ひて」〈源氏賢木〉②御厨子所に働く女。「—が車」〈枕(能因本)関白殿二月十日のほどに法興院の〉③【厨女・水仕】台所で働く女奉公人。下女。おさんどん。「—はよく教へ給ふ。われは夢にも知らぬなり」〈伽・唐糸さうし〉。「厨女、ミヅシ、食物を調ふる女といふ事なり」〈和漢新撰下学集〉 **—どころ**【御厨子所】内膳司に属して、朝夕の天皇の御膳を供進し、節会などに酒肴を調える所。別当のほか、預(あずかり)・所衆(ところのしゅう)・膳部という役がある。「東の池に舟ども浮けて、—の鵜飼の長、院の鵜飼を召しならべて鵜をおろさせ給へり」〈源氏藤裏葉〉

みつしほ オ…シ【満潮】「みちしほ」の古形。「—の流れひるまを会ひがたみみるめの浦によるをこそ待て」〈古今六六五〉。「—の真野の入江の浜風に」〈連証集〉。「詞の分別の事。…みちしほわろし。—よし」〈薄花桜〉

みづしやう ヨウ…シ【水性】五行の中の「水」を人の生年月日などに配して定めた性。「されども后は—なり」〈盛衰記一七〉

みっしゅう【密宗】真言宗の別称。密教。「昔より今に至るまで、これ(高野山)は—をひかへて退転なし」〈平家三・大塔建立〉

みづすぢ【水筋】水流。水脈。「湊いづる沖中川の—は潮も消たず流れてぞ澄む」〈草根集六〉。「たとへば、—も良く、味も良しといへども、泥土に濁らされて清潔ならざるが如し」〈性理字義抄一〉

みづせがき【水施餓鬼】「流れ灌頂」に同じ。「位牌を立てて読む—」〈俳・寛永十三年熱田万句二九〉

みつせがは ワ…ガ【三瀬川】「三途(さんづ)の川」に同じ。「地獄のかた画(か)きたるを見て。—渡る水棹(みさを)もなかりけり何に衣をぬぎてかくらん」〈拾遺五四三〉

みづぜに【水銭】水祝(みづいはひ)の祝儀として出す金銭。「聟がね(金ト掛ケル)を掛けて—に祝義かな」〈俳・遠近集一〉

みづぜめ【水攻・水責】①城攻めの一法。敵城の外を高い堤で取り囲み、河水を導いて城を水びたしにすること。「荒川を掘りわり、—になされ候へども、落ち申さず候」〈深谷記〉②拷問の一。囚人を仰向けに寝かせ、絶えず水を顔面に浴びせなどして、呼吸困難にして罪を白状させること。水問(みづどひ)。「—・湯責めにして、後には中裂きになすべしとて」〈伽・万寿の前〉

みづだいまつ【水松明】松明の一種。明礬(みょうばん)・松脂・艾(もぐさ)・塩硝など八種の原料を調合して、竹筒に堅くこめ入れ、口薬で点ける。雨・風や水に入れても消えないのでいう。「螢火は—の類(たぐひ)かな」〈俳・玉海集追加三〉

みつだうぐ ウ…ド【三道具】①人を捕えるための三つの道具。㋑古くは鉄杖・吾杖・鉄搭、後には突棒・指股(さすまた)・捻(ひねり)の称。「突棒・指股・捻、これを番所の—と言ふ」〈武家重宝記四〉㋺捕手の用いる十手・万力・鼻捻(はなねじ)の称。「捕手の—と言ふは、十手・万力・鼻捻なり」〈武家重宝記四〉②鯛の頭部にある、鋤・鍬・鎌に似た三個の骨。「鯛の鰭高が—」〈黄・網大慈大悲換玉上〉

みづたで【水蓼】〔枕詞〕水辺に生えているタデ。穂状に花がさくので、「穂」にかかる。一説、穂を摘むことから、同音の地名「穂積」にかかる。「—穂積に至り」〈万三二三〇〉 †mi-dutade

みづたな【水棚】台所の流し。はしり。水はしり棚。「面面、自ら〔水〕桶を荷なひ…歩を運びて、—に納め置き了んぬ」〈康富記嘉吉三・六・一〉。「ミヅタナ、または、ハシリ」〈日葡〉

みづたび【水足袋】水に濡れても差しつかえない旅行用の足袋。〈俳・世話尽一〉。〈日葡〉

みづたまうき【瑞玉盞】《ミヅ・タマは美称の接頭語》美しいさかずき。「捧(ささ)がせる—に浮きし脂(あぶら)落ちなづさひ」〈記歌謡一〇〇〉 †midutamauki

みづたまる【水渟る】〔枕詞〕人名「池田」にかかる。「—池田の朝臣(あそ)」〈万三八四一〉 †midutamaru

みつち【蛟・虬・鮫龍】《チはヲロチ(蛇)のチに同じ、威力あるものの意》想像上の動物。水にすみ、蛇に似て、角と四足をもち、人に害を与えるという。「青淵に—とり来む剣大刀もが」〈万三八三三〉。「蛟、美豆知(みつち)、龍属也」〈和名抄〉。「蛟、大虬、ミツチ」〈名義抄〉 ▽朝鮮語 miri(龍)と同源。 †mituti

みっちや【痘痕・菊石】あばた。「青女房の—もある物」〈俳・わたし船〉。〈日葡〉 **—づら**【痘痕面】あばたづら。「真黒の芋名月や—」〈俳・鷹筑波一〉。〈日葡〉

みづちやう ヨウ…チ【水帳】近世、地方(ぢかた)では検地帳、町方では地籍台帳の称。御図帳。民図帳。「—取りに、在所へ夜中より下り了んぬ」〈多聞院日記天正一八・六・二三〉

みづぢやや【水茶屋】通行人を休ませ、湯・煎茶などを売る茶店。「淵は瀬に住む(澄ムト掛ケル)—の月」〈俳・四人法師〉。「はや更け過ぎる—の前」〈俳・わたし船〉

みづつき【水付・承鞚】馬の轡(くつわ)の両端にあり、手綱を結びつける金具。「三位の中将の御馬の左右の—に取りつき」〈平家七・維盛都落〉。「承鞚、美豆岐(みづき)、俗云三都々岐(みづつき)」〈和名抄〉

みづつ・き【水漬き】〘四段〙水に漬(つ)かる。「池めいてくぼまり、—・けるところあり」〈土佐二月十六日〉

みつつぐ【光次】《一両小判・一分金には後藤光次の刻印があったから》金貨の異名。「質屋林孝興行。片片(へんぺん)たり—の螢質種(しちくさ)より〔生ズ〕」〈俳・安楽音一〉。「螢は尻人は—空は月」〈俳・それぞれ草中〉

みつづけ【蜜漬】蜜柑・仏手柑・天門冬・金柑・生姜(しょうが)などを蜜に漬けた保存がきく菓子。近世、長崎の名産。砂糖に漬けたのは砂糖漬という。「—生姜一壺」〈隔蓂記寛永一五・一二・一〉

みづづけ【水漬】水をかけた飯。「冬は湯漬、夏は―にて御飯(おもの)を食(め)すべきなり」〈今昔二八ノ二三〉

みづどひ(イ・ド)【水問】「みづぜめ」⑵に同じ。「昔の所司代したる若宮は、―・拷問は鈍な事ぞ。やがて面色語声を以て知ると云ふぞ」〈史記抄二〉

みづとり【水取】奈良東大寺二月堂で陰暦二月一日から十四日まで行なわれる修二会(しゅにえ)の行事のうち、十二日深更、年中の香水とするための水を汲み取る儀式。後には修二会全体の称ともなった。お水取。「―や氷の僧の沓の音」〈俳・野ざらし紀行〉

みづとり【水鳥】①水に住む鳥。鴨・鴛鴦(をし)など。「―のすだく水沼(みぬま)を」〈万四二六一〉②《「酒」の字は水と酉から出来ているところからいう》酒飲みの異名。「―と上戸を言ふは理(ことわり)や鴎尻(かもめじり)して千鳥足踏む」〈鳥籠物語〉 †midutori **―の**【水鳥の】〔枕詞〕水鳥の青羽・浮き・羽交(はがひ)・鴨と同音から「青葉」「憂き」、地名「羽易」「賀茂」などにかかる。また、「浮寝」「立ち」「鴨」などにもかかるという。「―青葉の山」〈万一五四三〉。「―浮きて経ぬらむ」〈後撰八三八〉。「―羽易の山」〈続後撰四六〉。「―賀茂の神山」〈新拾遺六六三〉

みつなかしは(…カシワ)【御綱柏】《ミツノカシハ(三角柏)の母音交替形》ウコギ科のカクレミノとも、シダ類のオオタニワタリともいう。先が三つに分れている。大嘗会(だいじやうゑ)の酒器にこの葉を使った。「とよのあかり(御酒宴)したまはむとして、―を採りに木の国(紀伊国)にいでまし間に」〈記仁徳〉 †mitunakasiꜰa

みつな・し『形ク』《ミツはミイツの約。威力の意》才能がない。「僕(やつかれ)―・くして」〈紀仁徳即位前〉 †mitunasi

みつなのすけ【御綱助】行幸の際、御輿の四方に張った綱の末に供奉する役。近衛の中将・少将が当った。「―の中・少将いとをかし」〈枕三二〉

みづなは(…ナワ)【水縄】①水平を計る道具。水秤(みづばかり)。水盛(みづもり)。「露は貫(ぬき)雨や―霜柱」〈俳・沙金袋六〉②検地の時、田畑の面積を測るのに用いる渋塗の麻縄。「曳く―の只一筋に」〈俳・雪千句下〉

みづなみ【水波】①水面に立つ波。「池の―立ち騒ぎ」〈紫式部日記〉②「海浦(かいぶ)」に同じ。「我せこが上裳の裾の―にけさこそ冬は立ちはじめけれ」〈千載三九三〉

みつなり【三成り】果実が三つ一緒に実ること。吉兆として喜ばれた。「―なる杉の実の落ちたるを拾ひて」〈中務内侍日記〉。「〔夢ニ〕橘の―をかざすと見給ふ」〈曾我二〉

みつのあさ【三の朝】《年の朝・月の朝・日の朝の意》元日の朝。元朝。三朝。「みつのあした」とも。「―三夕暮を見はやさん」〈俳・玄峰集〉

みづのえ【壬】《水の兄(え)の意》十干の第九。「―。行く水の江に(縁(え)ト掛ケル)だにあらば藤川の流れて人に澄まさざらめや」〈曾丹集〉

みつのかしは(…カシワ)【三角柏】《先が三つの角(つの)に分れた柏の意》①⇒みつなかしは。「寄柏は御津柏(みつのかしは)なり」〈筑紫風土記逸文〉。「東宮の料。酒六斗、日別二斗。三津野柏(みつのかしは)二十四把、日八把」〈延喜式造酒司〉②伊勢神宮で行なわれた占いに使った三枚の柏の葉。投げて立てば願いがかなうとされた。「思ひあまり―に問ふことの沈むにうくは涙なりけり」〈続古今一三九八〉 †mitunokasiꜰa

みつのかは(…カワ)【三の川】「三途(さんづ)の川」に同じ。「―うれしき橋となりにけりかねて心のわたすと思へば」〈極楽寺殿御消息〉

みつのくるま【三の車】羊車・鹿車・牛車の三種の車。三界から衆生を救い出す仏法にたとえていう。「もろともに―に乗りしかどわれは一味の雨にぬれにき」〈後拾遺一一八九〉▽火災の家の中で遊びふける子供達を救うため、父の長者が、方便として、屋外に羊・鹿・牛のひく車があるといって誘い出したという話が法華経譬喩品にある。

みつのさかひ(…サカイ)【三の界】「三界(さんがい)」の訓読語。「―を遠く去らばや」〈熊野千句〉。「―。欲界・色界・無色界なり」〈匠材集四〉

みつのせ【三の瀬】⇒みつせがは。「なき人を慕ふ心にまかせてもかげ見ぬ―(水ノ瀬・三ノ瀬)にや惑はむ」〈源氏槿〉

みつのたから【三の宝】①《「三宝」の訓読語》仏・法・僧の称。「古の―ぞしのばるる〔奈良ノ〕十五大寺の跡を見るにも」〈拾玉集三〉②三種の神器。「四つの海浪も治まるしるしとて―を身にぞ伝ふる」〈新葉一四一九〉。「―を残す大内」〈看聞御記紙背連歌〉 **―のとり**【三の宝の鳥】ブッポウソウの異名。「とにかくにかしこき君が御代なればーも鳴くなり」〈弁内侍日記〉

みづのと【癸】《水の弟(おと)の意》十干の第十。「―。近江なるみつの泊(とまり)を打ち過ぎて」〈曾丹集〉

みつのとも【三の友】《白楽天の詩に見える「三友」の訓読語》琴・酒・詩をいう。「『琴(きん)をぞなつかしき語らひ人と思へる』と聞ゆれば『―にて。いまひとくさ(酒)や(女ニハ)うたてあらむ』とて」〈源氏末摘花〉

みつのはる【三の春】「三春(さんしゅん)」⑴に同じ。「夏かけよ藤ぞ名残に―」〈看聞御記紙背連歌〉

みつのみち【三の道】①《「三径」の訓読語。漢の蔣詡が、庭に三つの道を作り、松・菊・竹を植えたという故事から》庭にある三つの小道。「このさびしき宿にも必ず分けたる跡あなる―」〈源氏蓬生〉②《「三途」の訓読語》地獄道・畜生道・餓鬼道の称。三悪道。「天(天上界)に生まる人の、あやしき―に還るらむ一時に」〈源氏松風〉

みづのみなかみ【水の水上】①水源。また、物事の窮極・根源のたとえ。「山川の―尋ね来て星かとぞ見る白菊の花」〈続千載五六三〉。「釈教の心を。古への―いかにして一つ流れの澄み濁るらむ」〈続拾遺一三九八〉②水の最上。「―なれば京中に水の悪しき所なし」〈俳・西鶴自註独吟百韻〉

みづのみびゃくしゃう(…ショウ)【水呑百姓】家宅・田畑を所有しない貧しい百姓。水呑。「家持は本百姓の如くし、店借(たながり)は―の如くし」〈政談一〉

みづは【罔象】《奈良時代ミツハと清音》水の神。「罔象、此をば美都波(みつは)といふ」〈紀神代上〉。「魍魎、ミヅハ」〈名義抄〉 †mituꜰa

みづは【瑞歯・稚歯】生命力ある歯。「―別天皇(わけのすめらみこと)…生(あ)れましながら歯、一骨(ひとつほね)の如し」〈紀反正即位前〉 †miduꜰa **―ぐ・み**【瑞歯ぐみ】『四段』年老いてから歯が生える。めでたいこととされた。「年を経て澄める清水に影見れば―・むまで老いぞしにける」〈後拾遺一一七〉 **―さ・し**【瑞歯さし】『四段』「みづはぐみ」に同じ。「―・す八十(やそぢ)あまりの老の波」〈今昔三一ノ三三〉

みづばかり【水秤・水準】水を流して物の平面が水平であるかどうかを測る道具。「水をまかせて見ん事叶ひがたくは、―を据ゑしめて」〈作庭記〉。「準縄、美豆波加利(みづばかり)」〈和名抄〉

みづばし【水橋】水びたしになった橋。「打ち明くるほど降って―」〈俳・大矢数一〉

みづはじき【水弾き】水鉄砲。「火矢を射れば、―にて打ち消し候」〈太平記六・赤坂合戦〉

みづばしり【水走り】ながし。「魚肴毎日―に絶えず」〈浮・諸国心中女四〉

みづはな【水端】流れる水の先頭。「卯の花を腐(たく)す霖雨(ながめ)の—による木糞(こつみ)なす縁(よ)らむ児もがも」〈万四二七〉

みづばなれ【水離れ】①水面から離れること。「惣じて鯉は—が大事ぢゃと申すに依って」〈虎寛本狂言・鱸庖丁〉②離れ去ること。縁を切ること。「世は定めなき小車の廻る輪廻の—」〈浮・傾城辻談義一〉 †miduFana

みつばのそや【三羽の征矢】三枚の矢羽を付けた征矢。早く飛ぶので、非常に早いことのたとえに用いられる。三羽の矢。「風の烈しき事、—を射る如く」〈伽・七夕之本地〉

みつばよつば【三つば四つば】《軒の端が幾重にも重なった形容か》家造りの壮麗なさまをいう語。「三枝(さきくさ)の—の中に殿づくりせりや」〈催馬楽この殿は〉

みづばら【水腹】水を飲んで空腹をまぎらすこと。また、その時の腹ぐあい。「—は一時(いっとき)忘る暑さ哉」〈俳・伊勢俳諧新発句帳二〉

みづひき【水引】①《麻を水にひたして皮を剝ぐところからいう》麻糸の異名。「—の白糸はへて織るはたは」〈大鏡昔物語〉②細いこよりに糊水をつけて干し固めたもの。「〔連歌ノ懐紙ヲ〕古は—の端を、一方をば下、一方をば上より通して結びしなり。当世はいづれも上より通すなり」〈用心抄〉。「女房衆へ杉原十帖・—五把」〈舜旧記文禄五・七・六〉③仏前や神輿・舞台などに張りめぐらす金欄(きんらん)などの幕。「—に錦を下げぬれば」〈伽・浜出草紙〉

みつひとぶん【三つ一分】三分の一。「異浦(ことうら)の春や難波の—」〈俳・境海草上〉

みつぶとん【三蒲団】三つ重ねの蒲団。近世、遊里では最上級の遊女の用いた夜具。「—床の初夢結び留め」〈俳・江戸新道〉

みづふぶき【芡・水蕗】オニバスの古名。茎や葉に刺(とげ)がある。「みづぶき」とも。「おそろしげなるもの。…—、菱」〈枕一四七〉。〈和名抄〉

みづぶるまひ ィ:マ【水振舞】水掛け祝に来た人人に、花婿の家で謝礼として、酒食を供し風呂に入れること。水掛け振舞。「末〔吉〕長兵衛殿—、住吉にてこれあり」〈宗静日記万治三・一・一三〉

みつぼ【泡沫】《水粒の意という》水のあわ。「—なす仮れる身そとは知れれども」〈万四七〇〉 †mitubo

みづぼうこう【水奉公】下女奉公。水仕〈しみづ〉奉公。「町方に居付かん秋の—」〈俳・紅梅千句〉

みつぼしこもん【三星小紋】三個の星点を山形に並べた紋を染め出した小紋。「—の布子」〈西鶴・永代蔵五〉

みづほのくに【瑞穂の国】《ミヅホは、生命力ある、めでたい稲の穂》よい稲の多くとれる国。日本をさす。「この豊葦原の—は、汝(いまし)知らさむ国そ」〈記神代〉 †miduFonökuni

みづまき【水巻】薄樺(ばか)色にくすべた生地に筋違いに細筋を引いたなめし皮。「菖蒲をも—となす川辺かな」〈俳・犬子集三〉。「ミヅマキノカワ」〈日葡〉

みづまり【水鞠】水の泡。水の玉。「熊谷待ち受けて、上げもたてず、—さと蹴させつつ」〈盛衰記三八〉

みづみづ【瑞瑞】艶(つや)があって若若しいさま。「〔節ヲ〕—と言ひなせば、幽玄に面白く聞ゆる也」〈五音三曲集〉。「—したる女房」〈浄・甲賀三郎四〉

みつみつし〔枕詞〕《ミイツミイツ(御稜威御稜威)シの約。シは形容詞語尾》いかにもいかめしくつよい意で、氏の名「久米」にかかる。「—久米の子(久米部ノ兵士)が」〈記歌謡一〇〉 †mitumitusi

みつみのつな【三身の綱】三本をよりあわせた丈夫な綱。「—うちかけて…国来(こ)国来と引き来縫へる国」〈出雲風土記〉 †mitumïnötuna

みづむけ【水向け】①死者の霊に水を手向けること。「盆、—等例の如し」〈十輪院内府記文明一五・七・一四〉。「—はためにはならじ雪仏」〈俳・毛吹草六〉②墓の台石に、水を手向けるために掘ってある窪み。「その井戸を—にして跡弔へ」〈西鶴・桜陰比事三〉③話を誘い出すこと。水を向けること。「—をして、由が心を引く」〈人情・谷初音前下〉

みつもの【三物】①武具のうち、鎧の胴・袖・兜の称。「—・四物取りつけて」〈太平記一〇・稲村崎〉。「胴・兜・袖を揃へつかはすを—といふなり」〈万鯸方之次第〉②騎射の三式、流鏑馬(やぶさめ)・笠懸(かさかけ)・犬追物(いぬおふもの)の称。流鏑馬の代りに歩射(ぶしゃ)を加えることもある。「—といふは、流鏑馬・笠懸・犬追物、かけ物の事なり。近年流鏑馬稀なるにより、歩立(かちだち)をもいふなり」〈就弓馬儀大概聞書〉③〔連俳用語〕発句・脇句・第三の三句の称。俳諧では、近世初期、歳旦の祝詞として詠む習慣が行なわれた。「都出でて田舎下りの餞別(はなむけ)に／書き写してぞ遣るは—」〈俳・寛永十三年熱田万句三四〉。「京衆の誹諧発句—持ち来る」〈隔蓂記万治三・一・七〉④古着。「—を下女は値ばかり聞いて見る」〈雑俳・万句合明和二〉 **—や**【三物屋】古着屋。「—下女におっ肌脱げ(大奮発シロ)と言ひ」〈雑俳・柳多留一三〉

みづもの【水物】①くだもの。水菓子。「—は、留め山の梢、四季折折の枝もぎ」〈西鶴・俗徒然四〉②くだものや野菜を鉢の水にひたして出す夏向きの料理。水肴。「—の茗荷は鉢の花筏」〈雑俳・宝船〉③不安定なもの。「産み落すまでは—大事なり」〈雑俳・初桜〉 **—をんな**【水物女】浮気な女。「さては浮草の誘ふ—也」〈浄・十六夜物語一〉

みづもり【水盛・水積】水平を計ること。また、その道具。水秤。「五月雨に—するや天が下」〈俳・鸚鵡集五〉。「水平、ミヅバカリ、又云水積(みづもり)」〈書言字考〉

みづや【水屋】①社寺で、参詣人が手や顔を洗い清める水を備えてある所。「澄める—の御影まで塵に交はる神心」〈謡・春日龍神〉②茶室の一隅に設けた、茶器を備え、洗う所。「押入・—・鎖の間、勝手よく拵へ、知音方に茶の湯を出す」〈仮・東海道名所記六〉③飲料水の行商人。夏には砂糖を入れた冷水も売った。水売り。「股引が濡れぬ—ぢゃありゃ買ふな」〈雑俳・よせだいこ〉

みづやま【瑞山】木木の生い繁って美しい山。「畝火(うねび)のこの—は」〈万五二〉 †miduyama

みつゆび【三指】親指・人差指・中指の称。また、それをついて丁寧に礼をすること。「夕顔や是れ—で手折り花」〈俳・夢見草三〉。「—は三つの始め(元旦)の礼者哉」〈俳・境海草一〉

みづら【角髪・角子】①上代、男子の成年に達した者が髪を頭上中央から左右に分け、それぞれ束ねて両耳の辺りにわがねたもの。髪をあげて巻くので「あげまき」とも。「御髪を解きて御—に纏(ま)き」〈記神代〉。「母(あも)刀自も玉にもがもや頂きて—の中にあへ巻かまくも」〈万四三七七〉②平安時代以後、少年の髪の形。転じて、「びんづら」「びんづる」とも。「—に結ひ給へる面つき、顔のにほひ、〔元服シテ〕様かへ給はむこと惜しげなり」〈源氏桐壺〉 †midura

みつ・れ【羸れ】〘下二〙疲れはてる。やつれる。「ますらをと思へる我をかくばかり—・れに—・れ片思(も)ひをせむ」〈万七一九〉 ▽身ヤツレの約とする説は、身が mï の音なので成立困難。 †miture

みつれな・し〘形ク〙「みちれなし」に同じ。「仏これを聞き、

み

―・き事をば云ひぬる事ぞと仰せらるる也」〈法華経直談鈔一末〉

みづろう【水籠】《「水牢」とも書く》河の中に囲った牢。年貢を納めない者を入れて水責めにした。後には、単に下部に水をたたえた牢をもいう。「百姓の母や妻を引き出し、―に押し入れて」〈水谷蟠龍記〉

みづろん【水論】田の用水を引くことについての争論。「村村―の有りし時」〈西鶴・諸国咄三〉

みつわぐ・み『四段』《ミヅハグミの転》背・腰を折り曲げる。また、折れ曲がる。多くは老人に対する形容。「―・みたる腰も、梓の弓にかけたる弦の如くすなほになり」〈伽・七草草紙〉

みつゑしろ【御杖代】神・天皇などに添って、その杖の代りとなって輔佐する者。多く、伊勢神宮の斎宮(さいぐう)にいう。「今進(まで)る斎(いつ)の内親王(ひめみこ)は、恒のためしによりて、三年斎(い)ひきよまはりて、―と定めて進りたまふ事は」〈祝詞伊勢大神宮〉

みづゑもん【水右衛門】江戸湯島天神前に居た長崎仕込みの獣使い。犬・猫・猿・鼠などに芸を仕込んで見世物にしたり、高く売りつけたりした。「明神(境内)に―獣遣ひ見物す」〈松平大和守日記寛文七・二・一五〉

みづを【水緒・鐙靼】馬具の一。鞍の腹からたれて鐙(あぶみ)を吊る皮のひも。「鐙の―革加へて、馬の折骨(をりぼね)五六枚ざっときれて」〈保元中・白河殿攻め落す〉。「鐙靼、美豆乎(みづを)」〈和名抄〉

み・て【満て】『下二』《ミチ(満)の他動詞形》①いっぱいにする。余地なくつめる。「堀江には珠敷き―・てて」〈万四〇五七〉②充足させる。「人の願ひを―・て給はむこそ尊からめ」〈源氏東屋〉③完結させる。「此の大神呪心を誦して八千遍を―・てよ」〈不空羂索神呪心経寛徳点〉。「〔病人ニ〕十念を―・てさせよ」〈孝養集下〉 †mite

みてぐら【幣・幣帛】《御手座(くら)の意。本来は、祭人が手にもって舞うことにより、神がそこに降臨すると信ぜられた神座をいう。それが祭場に常に用意されるところから、神への供物と考えられるようになったのであろう》神に奉る物の総称。絹布・貨幣・兵器・獣類、また、御幣など。「奉るうづの(貴イ)―は、御服(みそ)は明るたへ・照るたへ…五色の物、楯(たて)・矛(ほこ)・御馬」〈祝詞広瀬大忌祭〉。「幣、ミテグラ」〈名義抄〉 †mitegura **―を【幣帛を】**〔枕詞〕幣帛を並べることから、同音をもつ地名「奈良」にかかる。「―奈良より出でて」〈万三二三〇〉

みと【水門】《トはセト(瀬戸)・カハト(川門)のトと同じ》①大河の海に入る所。船の碇泊に適している。みなと。「わが舟は明石の―に漕ぎ泊(は)てむ」〈万三一二九〉②陸地が両側からせまり出ていて、水幅が狭く、水流の速い危険な所。「神仏を祈りて、この―を渡りぬ」〈土佐一月三十日〉 †mito

みとあたは・し …アタワシ『四段』《ミは接頭語。トはトツギ(婚)のト。アタハシは当の意の動詞アタヒの尊敬語》交合なさる。結婚なさる。「八上比売(やがみひめ)、八十神に答へていはく…大穴牟遅神に嫁(あ)はむといひき。…故、八上比売は先の期(ちぎり)の如く―・しつ」〈記神代〉 †mitoataFasi

みとが・め【見咎め】『下二』①見てそれと認識する。それに注目して取りあげる。「『かの妻戸のあきたりけるよ』と今ぞ―・め給ふ」〈源氏野分〉。「〔墨ヲスルサマハ〕除目(ぢもく)の執筆の定なりけり。左府―・めてしきりに感嘆のけしきありけり」〈著聞九九〉②見て指弾する。見て非難する。「思はずに思ひ聞ゆることありとも、おろかに人の―・むばかりはあらじとこそ思ひ侍れ」〈源氏若菜下〉

みどころ【見所】①見るに価する際立った点。見ごたえある所。「草木などは、ことに―なく、みな秋の野らにて」〈源氏夕顔〉②見るべき大切な所。要所。要点。「目を睡(ねぶ)っても聞き所・―は見てゐる」〈近松・冥途飛脚上〉③見て判断する点。見分ける箇所。「我に何の―有りて罪に落すや」〈西鶴・新可笑記一〉④将来の望み。見込み。「しかし―が有るテ。此の番頭はたのもしい」〈滑・浮世風呂前上〉

みところどう【三所籐】弓または鞭の籐の巻き方の一。上下の鏑籐と矢摺籐との三か所に巻くこと。また、三か所ずつ寄せて巻くこと。「三枚甲(かぶ)に染羽の矢負ひ、―の弓持ち」〈半井本保元中・義朝夜討〉

みとしろ【御戸代】神の御料の稲をつくる田。神田。「諸の神たちに―奉り」〈続紀宣命一三〉 †mitosirö

みとせご【三歳児】三歳の子ども。「さかしきもの。今様の―」〈枕二五九〉

みとど・け【見届け】『下二』最後まで見る。見きわめる。「さて、院の御事をば誰かは―・け参らすべきと思ひければ」〈保元中・新院御出家〉

みとのまぐはひ …マグワイ《トはトツギ(嫁)のトと同じ。マグハヒは「目合ひ」の意から転じて、交接の意》婚姻。「―せむ」〈記神代〉 †mitonömaguFaFi

みとほ・し …オシト【見通し】□一『四段』①奥までずっと見る。「御几帳の…引きやられたるより御目とどめて―・し給へれば」〈源氏澪標〉②裏まで見抜く。「―・すやうに占ひて」〈伽・酒呑童子〉□二『名』①奥までずっと見えること。また、見える場所。「―あらはなる廂(ひさし)のおましに」〈源氏野分〉②《ミドホシとも》目に見えぬ物事を誤りなく察知すること。また、そのように有能な陰陽師・占師。「此の陰陽師推条の占、掌(たなごころ)を指すが如し。仍(よ)って異名を―と号す」〈看聞御記嘉吉一・五・一四〉。「今ここ(日本)に、―と云ふ者が此の辺りを歩いて、言ふ事が奇に中ったと云うて、人が信じたれども」〈史記抄八〉③《遊里語》江戸の岡場所の女郎屋で、一番いい客間。「―はあんまりお寒からうと思って」〈洒・深川新話〉

みと・め【認め】『下二』《見留めの意》見てたしかめる。しかと見定める。「行ったまで目に―・むる事なうては、何事であらうぞ」〈百丈清規抄九〉

みども【身共】『代』一人称。私。「―は上京へ行くほどに」〈虎明本狂言・鈍太郎〉。「〔女〕―も行く」〈虎明本狂言・千切木〉

みともな・い【見とも無い】『形』《ミタウモナシの転》見たくもない。みっともない。「みとむない」とも。「置く霜の眉から上は―・い」〈俳・難波千句〉。「ミトモナイ」〈日葡〉

みとらし【御執らし】《ミは接頭語。トラシはトリの尊敬語》天皇の手にお取りになる物。後世、弓の尊敬語。「―の梓の弓」〈万三〉 †mitorasi, mitörasi

みと・り【見取り】□一『四段』観察し、見さだめる。「いとよく案内―・りて申す」〈源氏夕顔〉□二『名』《ミドリと濁音》広く見わたして、その中から選び取ること。「及第した人を、洛中の公卿、―に聟に取るぞ」〈四河入海三〉。「それならば四五人も女(ヲ)釣りまして、とても事にその内を一人わたくしの―に仕りたい」〈天理本狂言六義・釣針〉

みどり【緑】①草木の新芽。「わがせこが衣はるさめ降るごとに野べの―ぞ色まさりける」〈古今二五〉。「門前に柳を植ゑてあるが、春雨の中に―がのぶる程に、見す見す柳も枝葉がのびて、いつの間にやら色が深くなるぞ」〈中華若木詩抄上〉②色の名。青・萌黄(もえぎ)などに通じて使われた。「春は萌え夏は―に紅の綵色(いろ)に見ゆる秋の山かも」〈万二一七七〉。「—なる一つ草とぞ春は見し秋はいろいろの花にぞありける」〈古今二四五〉。「雲かかる尾の上の松をいでそめて—の空に晴るる月影」〈惟宗光吉集〉。「—の海に舟も動かず」〈聖廟千句〉 ▽本来色の名であるよりも、新芽の意が色名に転じたものか。 †midöri **—ど**【緑児・嬰児】《近世前期頃まではミドリコと清音。新芽のように生れたばかりの児の意》嬰児。四、五歳くらいまでの幼児にもいう。「—の泣くをも置きて」〈万四八一〉 **—のかみ**【緑の髪】《「緑髪」の訓読語》つややかな黒髪。「みどりの黒髪」とも。「青柳の糸は—なれや吹き来る風のけづり顔なる」〈堀河百首〉 **—のころも**【緑の衣】六位の人の着る緑色の袍(はう)。「すみの江の松はいたづら老いぬれど—脱ぎ捨てむ春はいつとも」〈拾遺五七一〉 **—のそで**【緑の袖】「緑の衣」に同じ。「猶かの—の名残あなづらはしきにことつけて」〈源氏夕霧〉 **—のほら**【緑の洞】《「緑洞」の訓読語》院の御所。仙洞。「—、花かうばしきあした」〈新古今序〉。「—、王の御すべり所なり。霞のほらも同事」〈匠材集四〉

みと・れ【見とれ】〘下二〙見て心を奪われる。うっとりと我を忘れて見る。「猿楽などを—・れて、心が向(むかひ)にあれば、わが身を覚えざるが如し」〈大学抄〉

みな【皆】《古くは、人について使うことが多く、居合わせる人全部の意。後に、広く物にもいう》①居合わせる人、関係する人全部。「葦刈に堀江漕ぐなる楫(ちか)の音は大宮人の—聞くまでに」〈万四四五九〉。「枝を折りてかざしにさして、上(かみ)中(なか)下(しも)—歌よみけり」〈伊勢八二〉 ②あるもの全部。「下枝(しづえ)らは人—取り」〈紀歌謡三五〉 ③すっかり。まったく。「むつかしと思ひける心地—さめて」〈源氏夕顔〉 †mina **—に為(な)・す** 全部なくす。皆無にする。「皆にす」とも。「蚕の桑の葉を食ふやうに、次第に—・すほどに」〈湯山聯句鈔上〉 **—に成・る** 完全になくなる。皆無になる。「鉢なりつる水飯も鮎のすしも—・りにけり」〈著聞六四四〉

みな【蜷】小巻貝の名。ニナの古名。川ニナやタニシなど、淡水産のものの称という。「みな結びといふは、糸を結びかさねたるが、—といふ貝に似たればいふ」〈徒然一五九〉。「河貝子、美奈(なみ)、俗用蜷字非也」〈和名抄〉 †mina

みなうら【水占】《ミは水。ナは連体助詞》水で吉凶を占うこと。方法は不明。「妹に逢はず久しくなりぬ饒石川(にぎしがは)清き瀬ごとに—はへてな」〈万四〇二八〉 †minaura

みなか【み中】《ミは接頭語マ(真)と同じ》まんなか。まなか。「こちごちの国の—ゆ出で立てる富士の高嶺は」〈万三一九〉 †minaka

みなかみ【水上】《ミは水。ナは連体助詞。「水下(みなしも)」の対》①上流。かわかみ。「涙川なに—をたづねけむ物思ふときのわが身なりけり」〈古今五二一〉 ②水源。「生きたる水の—を離れて、乾き果てたる野辺の水なき池のほとりにおもむき」〈ぎやどぺかどる上〉 ③事物の起源。みなもと。「女人は煩悩の—なり」〈宝物集下〉 ④最上。「あっぱれ木挽町若衆方の—」〈評判・野郎児桜上〉

みなかみ【水神】水の神。水をつかさどる神。「—に祈るかひなく涙川うきても人をよそに見るかな」〈後撰五八六〉

みながら【身ながら】㊀〘連語〙①…の身のままで。…の身でいて。「かかるわびしき—につもれるとしを記せれば」〈古今一〇〇三〉 ②自分の体でありながら。「—心にもえまかすまじくなんありける」〈源氏空蟬〉 ㊁〘副〙全部そのままで。そっくり全部。「紫のひともとゆゑに武蔵野の草は—あはれとぞ見る」〈古今八六七〉

みな・ぎ【見和ぎ】〘上二〙見て心がなごやかになる。「夕さればふりさけ見つつ思ひ伸べ—・ぎし山に」〈万四一七七〉 †minagi

みなきは【水際】《ミは水。ナは連体助詞》みずぎわ。みぎわ。「堀江の川の—に」〈万四四六二〉 †minakira

みなぎら・ひ【漲らひ】〘四段〙《漲りに反復・継続の接尾語ヒのついたもの。→ひ》水が一面にあふれるように盛り上がる。「あすか川—・ひつつ行く水の」〈紀歌謡一二八〉 †minagirapi

みなぎら・ひ【水霧らひ】〘四段〙《水霧りに反復・継続の接尾語ヒのついたもの。→ひ》風にしぶきが立ちこめる。「—・ふ沖つ小島に風をはやみ船寄せかねつ心は思へど」〈万一四〇一〉 ▽ミナギラヒ(漲)のギはgï の音、ミナギラヒ(水霧)のギはgi の音で、別。 †minagirapi

みなぎ・り【漲り】〘四段〙水があふれるように盛り上がる。「水の—・りてこなたざまに来たりければ」〈今昔三三ノ三〉

みなくち【水口】井や川の水を田などへ引き入れる口。「—に我や見ゆらん蛙(かはづ)さへ水の下にてもろ声に鳴く」〈伊勢二七〉

みなぐれなゐ【皆紅】紅一色(いっしょく)。「—の打ちたる、桜の織物の表着(うはぎ)に」〈栄花根合〉。「—の扇の、日出したるを」〈平家一・那須与一〉

みな・し【見成し・見做し】㊀〘四段〙①気のせいで…のように見る。思い込みで…のように見る。「照らす日を闇に—・して泣く涙」〈万六九〇〉。「かたほなるをだに、乳母(めのと)やうの思ふべき人は、あさましうまほに—・すものを」〈源氏夕顔〉 ②見きわめる。見とどける。「むなしう(死ンダト)—・して、いかなるここちせむと、胸もひしげて覚ゆ」〈源氏総角〉。「命長くて、なほ位高くなど—・し給へ」〈源氏夕顔〉 ③世話をして仕上げる。「あたらしげなる中の宮を、人なみなみに—・したらむこそ嬉しからめ」〈源氏総角〉。「この君をいかで思ふやうに—・し侍らむ」〈源氏少女〉 ㊁〘名〙①気のせい。思い込み。「宮づかさの親しきばかり、うちうなだれて、—にやあらむ、屈し痛げに思へり」〈源氏賢木〉 ②欲目・偏見を持って見る結果。「御指貫の裾まで、なまめかしう愛敬のこぼれいづるぞ、あながちなる—なるべき」〈源氏松風〉。「様のなまめかしき—にやあらむ、情なくなどは人に思はれ給はず」〈源氏宿木〉

みなしがは【水無し川】①《水のない川の意》天の河。「—隔てにおきし神代し恨めし」〈万二〇〇七〉 ②〔枕詞〕「絶ゆ」にかかる。「—絶ゆとふことを有りこすなゆめ」〈万二七一二〉 †minasigapa

みなしご【孤・孤子】《「身無し子」の意》身寄りのない子。孤児(こじ)。「貧しく飢ゑたる者、—、病人らの形になりて」〈三宝絵下〉。「孤、ミナシゴ」〈名義抄〉

みなしたふ【水下ふ】〔枕詞〕《ミは水。ナは連体助詞。フは経る意》水の下を経ておよぐ意から「魚」にかかる。一説、「下ふ」は「下」の動詞形、水の下にいる意で「魚」を形容する。「—魚も上に出て嘆く」〈紀歌謡九七〉 †minasitapu

みなしも【水下】《ミは水。ナは連体助詞。「水上(みなかみ)」の対》下流。かわしも。「山川の—なりし諸人(もろひと)も」〈拾遺五七四〉

みなしろ【皆白】白一色。「皆紅(みなぐれなゐ)」の対。「—の大幕へ二三度四五度舞ひかかりたりければ」〈伽・唐糸さうし〉

みなずいしゃう【皆水晶・皆水精】全部水晶で出来ているもの。数珠(じゅず)にいう。「—の御数珠おしもませ給へば」〈平家三・御産〉

みなすそ【水裾】川下。下流。「我は—に居たれば、なぜに川の上をば濁さうぞ」〈天草本伊曾保〉

みなせがは(ワ:ガ)【水無瀬川】①水がなくて、瀬の現われていない川。水が表に現われず、瀬の下を流れる川ともいう。「うらぶれて物は思はじ—ありても水はゆくといふものを」〈万二八一七〉②〔枕詞〕「下」にかかる。「ことに出でていはぬばかりぞ—したにかよひて恋しきものを」〈古今六〇七〉③摂津国三島郡にある川。近くに後鳥羽院の離宮があって、院の風雅の遊びの場所であった。「見渡せば山もと霞む—夕は秋と何思ひけん」〈新古今三六〉 †minasegaFa

みなそこ【水底】《ミは水。ナは連体助詞》水の底。「大き海の—深く思ひつつ裳引きならしし菅原の里」〈万四四九一〉 †minasökö **—ふ**【水底ふ】〔枕詞〕水の底を経てそそぐ大海(みお)の意で、同音の「臣(みお)」にかかる。「—臣のをとめ(天皇ニ仕エル女子)」〈紀歌謡四四〉

みなそそく【水注く】〔枕詞〕《ミは水。ナは連体助詞》水がそそぎ入る大海(みお)の意で同音の「臣(みお)」にかかり、水がほとばしる意で「鮪(しび)」にかかる。「—臣のをとめ(天皇ニ仕エル女子)」〈記歌謡一〇三〉。「—鮪の若子(わくご)」〈紀歌謡九五〉 †minasösoku

みなづき【水無月・六月】《ミは水。ナは連体助詞。田に水を湛える月の意か》陰暦六月の称。「—の地(つち)さへ裂けて照る日にも」〈万一九九五〉 ▽「水無月」と書くのは後世の当て字。 †minaduki **—ばらへ**(エ)(バラ)【六月祓】「なごしのはらへ」に同じ。「—またをかし」〈徒然一九〉

みなと【水門・湊・港】《ミは水。ナは連体助詞。トはセト(瀬戸)・カハト(川門)のトと同じ、両側からせまった出入口》①川口。入江の口。また、船のとまる所。みと。「この—に行き、水をもちて汝(な)が身を洗ひて」〈記神代〉。「舟に乗じて新宮の—に到る」〈本朝無題詩七〉。「湊、三奈止(みなと)」〈和名抄〉②下って行きつく所。「暮れて行く春の—は知らねども」〈新古今一六九〉 †minato **—え**【港江】河口が江になっている所。また、港になっている入江。「夕立のまだ過ぎやらぬ—の蘆の葉そよぐ風の涼しさ」〈続古今一五六三〉 **—み**【水門廻】《ミは湾曲する所》みなとの入り曲がった所。みなとのめぐり。「—に満ち来る潮」〈万三一五九〉

みなとがみ【湊紙】壁・襖の腰貼りなどに使う、蒼灰色で軟らかい下等な鳥の子紙。和泉国堺の湊村の原産。「数寄屋障子紙〔用ノ〕—調へくれ候やうにとて銀子拾壱匁来る」〈本光国師日記元和四・一〇・二六〉。「—は宿紙(しゅくし)也」〈隔蓂記寛永二〇・五・二七〉

みながら【皆ながら】『副』そのままそっくり。「—ぬぎおき給へる御衾(ふすま)などやうのものを」〈源氏蜻蛉〉

みなぬか【三七日】⇒さんしちにち。「もの申しける女みまかりて—ばかりになりけるに」〈続詞花集九〉

みなのわた【蜷の腸】〔枕詞〕蜷の肉身を焼いた色が黒いところから「か黒し」にかかる。「—か黒き髪に」〈万八〇四〉 †minanöwata

みなひと【皆人】そこにいる人全部。「—を寝よとの鐘は打つなれど」〈万六〇七〉 †minaFitö

みなほ・し(オシ:ナ)【見直し】『四段』見て、本来の正しい状態にもどす。また、今までの見方を改めて、あるべき見方をする。「ことほき鎮めまつる事の漏れ落ちむ事をば…聞き直し—・して、平らけく安らけくしろしめせ」〈祝詞大殿祭〉。「つひにはおのづから—・し給ひてむとのどかに思ひて」〈源氏葵〉 †minaFosi

みなますはやし【御鱠材】《ミは接頭語》鱠の材料。「我が肝(きも)も—」〈万三八八五〉 †minamasuFayasi

みなみ【南】①方角名の一。日の出の方向(東)に向って右手の方向。「わが養ひの代りにはおほましますみ美奈美(みなみ)の町なる奴を受けよ」〈正倉院文書奈良朝〉②南風。「—吹き雪消はふりて」〈万四一〇六〉③《大阪三郷の南端の意》大阪の道頓堀を中心とした歓楽街の称。「—の堀(道頓堀)ではどなたと言ふ」〈西鶴・諸艶大鑑八〉④江戸で、品川の遊里をいう。吉原を「北」というのに対する。「北の、—の、辰巳(たつみ)＝深川)のと、え知れぬ方へいざなひける」〈黄・高漫斎行脚日記上〉 ▽語源は未詳。ヨーロッパ語では、南は、太陽の方向、真昼などの意の語で表現される。上代日本語でも、南のほかに「かげとも」(光の方向)という語がある。 †minami **—うけ**【南請け】南に向いていること。南向き。「—の里の屋に名月を知るもしほらし」〈西鶴・男色大鑑四〉 **—おもて**【南面】①南に向いた方。(殿舎の)南に面した部屋。正面。「〔勅使ヲ〕—におろして、母君も、とみにえ物も宣はず」〈源氏桐壺〉②南向きの正殿。「—の昼(ひ)のおましの方に」〈栄花月宴〉 **—がしら**【南頭】頭を南に向けること。多く、馬を歩ませる時にいう。「二条大宮を—に歩ませけり」〈謡・羅生門〉 **—かぜ**【南風】《なまぬるいところから》愚鈍の隠語。「身上よき人の余り利発過ぎたるも心もとなし。少し—の方こそ益(えき)ならめ」〈浮・好色敗毒散四〉 **—まつり**【南祭】毎年三月午の日に行なわれる石清水臨時祭、また八月十五日に行なわれる石清水放生会をいう。賀茂祭を「北祭」というのに対する。「—の近き衣更着(きさらぎ)／折りかざす榊の枝や青にぎて」〈看聞御記紙背連歌〉。「三月中の午の日、石清水臨時祭也。—と云ふ也」〈拾遺愚草不審〉。「又、頃は八月十五日、—の由申し候ほどに、ただ今八幡(やはた)に参詣仕り候」〈謡・放生川〉

みなむすび【蜷結】組紐の結び方の一。「—といふは、糸を結びかさねたるが、蜷といふ貝に似たればいふ」〈徒然一五九〉

みなもと【源】《「水(み)な本」の意。ナは連体助詞》①川が始まるところ。水源。「—濁れば、流れも濁るが如し」〈孝養集中〉。「源、ミナモト」〈名義抄〉②物事の起り始まるもと。根源。「諸仏の解脱は、煩悩の—を求め給ふが故に」〈孝養集中〉

みなら・し【見慣らし】『四段』見なれるようにする。目になれさせる。「いとけ遠くもてなし給ひて、くはしき御有様を—・し奉りし事はなかりしかど」〈源氏槿〉

みなら・ひ(ライ:ナ)【見習ひ・見慣らひ】『四段』①たびたび見て、あたりまえのこととなる。常常見て、すっかりなじむ。「心ばへなどあてやかにうつくしかりつる事を—・ひて、恋しからむことの耐へがたく」〈竹取〉②見て、それを身につける。見て、まねする。「いと心憂くつらき人の御様—・ひ給ふなよ」〈源氏総角〉。「—・へや東八箇国の殿ばら」〈盛衰記三五〉

みなり【身形】《ナリは生れつきの形》生れつきのからだのかっこう。からだつき。「手つきのつぶつぶと肥え給へる、—・肌つきのこまやかに、うつくしげなるに」〈源氏胡蝶〉

みな・れ【水馴れ】『下二』水に浸ることになれる。「見馴れ」「身馴れ」とかけていうことが多い。「よそにのみ聞かましものを音羽川渡るとなしに—・れそめけん」〈古今七四九〉 **—ざを**【水馴れ棹】《水に馴れた棹の意》舟の棹。みざお。「おほゐ川下すいかだの—」〈拾遺六三九〉

みな・れ【見馴れ】『下二』①幾度も見て目になじむ。「なつきがたきは—・れぬ人を知るにやあらむ」〈源氏若菜下〉②見て、隔てなくむつまじくする。「明暮—・れたるかぐや姫をやりては、いかが思ふべき」〈竹取〉

みなれごろも【身馴れ衣】いつも着て、身になじんだ衣服。ふだん着。「形見に添へ給ふべき—もしほなれたれば」〈源氏蓬生〉

みなれそなれて『連語』《ミは身、ソは衣か。一説、ミは水、

ソは磯》なじみ深く、離れられないようになって。「―別るる程は唯ならざめるを」〈源氏松風〉

みなわ【水泡】《ミ(水)ナアワ(泡)の約。ナは連体助詞》水の泡。「行く水の―の如し世の人われは」〈万一二六九〉 †minawa

みにく・し【醜し】『形ク』《ミ(見)ニクシ(憎)の意。見る気持が阻げられる意。容姿・容貌についていう》①見られない恰好だ。「あなみにくさかしらをすと酒飲まぬ人をよく見れば猿にかも似る」〈万三四四〉。「それ(女房)は老いて侍れば―・きぞ」〈源氏賢木〉 ②不器量だ。「―・きかたち(容貌)をも、この人(男)に見や疎(うと)まれむと、わりなく思ひつくろひ」〈源氏帚木〉 †minikusi

みにくやか【醜やか】醜い感じのするさま。「例は殊に思ひ出でぬはらからの―なるも悪し」〈源氏浮舟〉

みにげ【見逃げ】敵を見ただけで逃げ出すこと。「軍(いくさ)は―といふ事をだに心憂き事にこそするに、これは聞き逃げし給ひたり」〈平家五・五節〉

みぬかほ【見ぬ顔】見ないふり。「出家でもないが―をしをると声高に叱る」〈西鶴・男色大鑑一〉

みぬけ【身抜け】①責任のがれ。逃げ口上。「ひたもの―ばかり言ひちらし」〈仮・一休諸国物語四〉 ②請け出されて遊里から出ること。身請けされること。「此の女郎やがての内に…―をし給ふよし、めでたし」〈評判・朱雀信夫摺下〉

みぬづ【見ぬ図】「無い図」に同じ。「島原の門口に、終に―なる事有り」〈西鶴・一代女三〉

みぬま【水沼】水をたたえた沼。「水鳥のすだく―を」〈万四二六一〉 †minuma

みね【峰】《ミは神のものにつける接頭語。ネは大地にくいいるもの、山の意。原義は神聖な山》①山頂の高く尖った所。「―高み谷を深みと」〈万四〇〇三〉。「山桜わが見に来れば春霞―にもをにも立ちかくしつつ」〈古今五一〉 ②物の高く盛り上がって、尖っている部分。「耳のはた、鼻の―」〈宇津保俊蔭〉 ③刀の背。むね。「刀の―を以て亀の甲を打てば」〈今昔二八ノ三三〉 †mine

みね【御哭】声を立てて泣くこと。葬儀の時に、弔意を表わして泣き叫ぶこと。通例、三度行なう。「天皇、時時に唱(たう)ひたまひて悲哭(みね)す」〈紀齊明四年〉。「喪服(あさのころも)を着て、三遍(みたび)挙哀(みねたてまつ)る」〈紀天武元年〉

みねいり【峰入り】修験者が修行のため大和大峰山に登ること。春、熊野から入るのを「順」、秋、吉野から入るのを「逆」という。「われ此の山に―し、度度通ひし道なれども」〈謡・葛城〉

みの【蓑】雨具の一。茅(かや)や菅(すげ)などの茎や葉などを編んでつくる。「ひさかたの雨の降る日をわが門に―笠着ずて来(け)る人や誰」〈万三一二五〉 †minö

みの【三布・三幅】並幅の布を三枚縫い合わせた幅。「―なる下紐、常の女より高く結びて」〈西鶴・一代女一〉

みの【美濃】①旧国名の一。東山道八国の一。今の岐阜県南部。濃州。「近江国に入りて、東のかた―を廻りて伊勢国に到る」〈紀垂仁二十五年〉 ②美濃国産の絹。美濃絹。美濃八丈。「―五疋」〈宇治拾遺一八〇〉 †mino

みのあぶら【身の油】油汗を流して働いて手に入れた金。身の汁。「―にて講中が御開山へ奉る御茶所の銀ぢゃ」〈近松・二枚絵中〉

みのうへ【身の上】①自身に関すること。「さかしき人といへど、―になりぬれば…ゆがめる事なんいにしへだに多かりける」〈源氏若菜上〉 ②一身上の大事。山名右衛門督入道宗全―と聞き侍り」〈草根集二〉 ※原文: 「〔享徳三年十一月〕二日の夜、天下しづかならず。山名右衛門督入道宗全―と聞き侍り」〈草根集二〉

みのかは【身の皮】衣服。「唯一つ着て候衣を、法華経に参らせ候が、―を剝ぐにて候ぞ」〈日蓮遺文事理供養御書〉 ―剝(は)・ぐ 衣服を売り尽す。「―・いで見継ぎ」〈浮・傾城辻談義三〉

みのがみ【美濃紙】美濃国より産出する良質の紙。直紙(じきし)。書院紙。略して「美濃」とも。「厚紙二帖、―二帖」〈東院毎日雑雑記応永六・一・一六〉

みのげ【蓑毛】①蓑に編んだ菅(すげ)または茅(かや)の先が毛のように垂れ下がったもの。「雨の降るが如くに射ける矢、二人の者どもが鎧に―の如くにぞ立ちたりける」〈太平記六・赤坂合戦〉 ②鷺の首のまわりに蓑のように垂れている羽毛。「をちかたや岸の柳にゐる鷺の―なみよる河風ぞ吹く」〈正治百首上〉。「みぎはなる鷺の―に風たちて」〈新撰菟玖波集一五〉

みのこく【巳の刻】《巳の時刻。正午より早いことから》物が新しいこと。「みのとき」とも。「火威(ひをどし)の鎧のまだ―なるを、すきまもなくめされ」〈太平記七・吉野城軍〉

みのしろ【身の代】①財産。しんだい。「御代官なんどの子細を知らず候やらん、度度使を入れて、―なんど取られ候由」〈摂津多田院文書貞応二・九・二四〉 ②人身売買の代金。みのしろ金。「合はせて―二貫二百文てへり。右件のすめ、字いぬまさ歳十才になり候を、相伝に売り渡し〔参〕らせ候ところ実(ぢ)也」〈金沢文庫所蔵文書元亨四・二・一九〉 ③給金。「―、給金の事」〈裏見寒話付録〉

みのしろごろも【蓑代衣】蓑の代りにつかう衣。雨衣・合羽の類。「山里の草葉の露はしげからむ―ぬはずとも着よ」〈後撰一三五五〉

みのて【箕の手】箕のように左右に出張った形。みのてなり。「池田父子〔ノ軍勢〕は右を進んで―に押し廻し、〔敵軍ヲ〕ひっ包まんとしけるを見て」〈太閤記三〉

みのとき【巳の時】①巳の時刻。「四日といふ―ばかりに」〈源氏玉鬘〉 ②物が新しいこと。「鎧は緋縅(ひをどし)に金物を打ち、未だ―とぞ見えし」〈盛衰記一五〉 ③物事の全盛時。「北条家弓矢―と輝き」〈甲陽軍鑑五〉

みのひ【身の火】わが身にふりかかってきた災難。「この事松倉の家中にこそ―なれば、身命を限り防ぎ戦うて、難儀に存じ候へ」〈正事記一〉

みのひのはらへ【巳の日の祓】三月上の巳の日に行なう祓。人形(ひとがた)に身体のけがれを移して海や河に流し、災厄を祓う行事。桓武天皇の延暦十一年に始まる。「三月上の巳の日の御はらへに、やがて逍遙し給ふとて、帥どの、河原にさるべき人人あまた具して出で給へり」〈大鏡道長〉

みのぶとん【三布蒲団】布、三幅(みの)を縫い合わせて作った蒲団。「行く秋や身に引きまとふ―」〈俳・韻塞上〉

みの・べ【見延べ】『下二』遠くへ視線をやる。「見返りたるまみ、いたう―・べたれど、目皮(まかは)いたく黒み落ち入りて」〈源氏紅葉賀〉。「目を―・べて、この僧をいかにも思ひたる気色もなくありける」〈今昔二〇ノ三九〉

みのほど【身の程】①我が身の程度。素性・素質・地位・経済力・運命などをひっくるめていう。「はかなき―をいかにとあはれに思う給ふる」〈かげろふ下〉 ②からだ相応。「〔蚊ハ〕羽風さへ、その―にあるこそいとにくけれ」〈枕二八〉

みのぼ・り【登り】『四段』穀物が成熟する。みのる。「五穀などは、なかなか―・る事なきを」〈仮・堪忍記四〉

みのまはり【身の廻り】みなり。服装。「それにはよろしき―」〈西鶴・一代男三〉。〈文明本節用集〉

みのも【水の面】《ミノオモの約》水面。「にごりなき―に月の宿らずはいかであさぢの数を知らまし」〈散木奇歌集秋〉

みのり【御法】《ミは神・仏・天皇のものにつける接頭語》①法令。「商変(あきかへ)し領(し)らすと—あらばこそわが下衣返し賜らめ」〈万三八〇九〉②仏法。「今日よりは仏の—栄え給はむ」〈東大寺要録〉 †minöri **—のはな**【御法の花】仏教の花。法華経の意をこめていう。「さきがたき—におく露や」〈後拾遺二八八〉

みの・り【実り】《四段》《ミは実。ノリはナリ(成)の母音交替形か》実がなる。特に、稲・麦などにいうことが多い。「五穀(いつつのたなつもの)登(みの)らずして、百姓窮乏(せまりとも)しからむ」〈紀仁徳四年〉 ▽ミナリという形もあった。「五穀登(みな)れり」〈紀推古二十五年〉 †*minöri

みのわた【三焦・三膲】漢方でいう内臓の名。六腑の一。さんしょう。「三膲、美乃和太(みのわた)」〈和名抄〉

みば【見端】外から見たさま。外見。「余所よりの—違ひ候やうに候間」〈細川忠興文書寛永一七・七・二八〉。「—よく嵩高(かさだか)なる物を御調へ頼み申し上ぐる由」〈咄・一休関東咄中〉

みばえ【実生】草木の種から芽が出て生長すること。「さねばえ」「みしゃう」とも。「唐松の—を、御手づから…植ゑさせ給ひければ」〈戴恩記〉

みはかし【御佩刀】《ミは接頭語。ハカシはハキ(佩)の尊敬語。身におつけになるものの意》貴人の帯刀。「御刀、此をば彌波迦志(みはかし)といふ」〈紀景行十三年〉 †mifakasi **—を**【御佩刀を】〔枕詞〕「みはかし」を吊(つ)る意から、「剣」にかかる。「—剣の池」〈万三二八九〉

みは・て【見果て】《下二》①最後まですっかり見る。「命にもまさりて惜しくあるものは—・てぬ夢のさむるなりけり」〈古今六〇九〉。「〔二人ノ様子ヲ〕なほ—・てまほしけれど…立ち去りぬ」〈源氏野分〉②最後までずっと世話をする。「世の人にも似ぬ御有様をみ奉りはてんとこそはここら思ひしづめつつ過ぐし来るに」〈源氏真木柱〉

みはなだ【水縹】藍のうすい色。みずいろ。「—の絹の帯を」〈万三七九一〉 †miFanada

みはな・ち【見放ち】《四段》①目をかけることをやめて、放っておく。知らぬ顔をする。「なよなよとなびき給ひて…え—・たず見え給ふ」〈源氏若菜上〉②あきらめて従来の関係を断つ。「かく数ならぬ身を見もはなたで、などかくしも思ふらむ」〈源氏帚木〉

みはや・し【見映やし】《四段》①ものの善さや美しさを見て賞美する。「紅梅の咲き出でたる匂ひなど、—・す人もなきを」〈源氏初音〉②人の長所や才能が目立つようにとりなす。「姫宮の…何心もなき御有様なるを見奉り給ふにも、『—・し奉り、かつは又、片生ひならむ事をば見隠し教へ聞えつべからむ人の、うしろやすからむに預け聞えばや』など聞え給ふ」〈源氏若菜上〉

みはるか・し【見晴るかし】《四段》はるかに見わたす。見晴らす。「皇神の—・します四方(よ)の国は」〈祝詞祈年祭〉 †miFarukasi

みばれ【身晴れ】我が身にかかった疑いを晴らすこと。「面面の—に成るべく候」〈松平大和守日記延宝六・七・三〉

みひらき【身開き】「身晴れ」に同じ。「家内には折紙道具失せたりと、家来は面面—に上下騒いで友吟味」〈近松・雪女中〉

みひら・き【見開き】《四段》①目を開いて見る。目を見張る。「怒れるまなこを—・きて」〈宝物集下〉②よく理解する。さとる。「仏法の妙なる道理よくよく—・き」〈雑談集九〉

みふ【御封】封戸(ふこ)の尊敬語。「太上天皇になずらふる御位得たまうて、—加はり、官・爵など、みな添ひ給ふ」〈源氏藤裏葉〉

みぶ【乳部】貴人の出産と養育の仕事に従う人。「乳部、此をば美父(ぶみ)といふ」〈紀皇極一年〉 †mibu

みぶきゃうげん【壬生狂言】壬生念仏の時おこなわれる無言劇。大鉦・太鼓・笛で囃し、仮面をつけた役者が身振りだけで演ずる。「とんと—を見るやうで、何の真似か、根からわからぬ」〈滑・浮世風呂四下〉。〈俳・番匠童花火大全〉

みぶくし【み掘串】《ミは接頭語》よい掘串。「掘串もよ—持ちこの岡に菜摘ます児」〈万一〉 †mibukusi

みふ・せ【見伏せ】《下二》見きわめる。見届ける。「かへすがへす思ひ—・せて」〈宇治拾遺三〉

みふし【身節】身体の関節。身のふしぶし。「煤竹の—もなゆる掃除かな」〈俳・伊勢正直集六〉

みふだ【御簡】「日給(にっきふ)の簡(ふだ)」の尊敬語。「つひに—削られ、司も取られてはしたなければ、御供に参るうちなり」〈源氏須磨〉 ↓にっきふ

みぶねんぶつ【壬生念仏】京都壬生寺で陰暦三月十四日から二十四日まで行なわれる大念仏会。壬生大念仏。「—を感じいらるる」〈俳・わたし船〉。〈俳・毛吹草二〉

みふみはじめ【御書始】天皇・皇太子・親王・皇子が、はじめて読書すなわち学問を始める儀式。孝経などを読む。御書始め。ごしょはじめ。「文治二年十二月一日—せさせ給ふ。御年七なり」〈増鏡一〉

みふゆ【み冬】《ミは接頭語》冬。「—つぎ春は来れど」〈万三九〇一〉。「—たつはじめの、定めなき空なれば」〈十六夜日記〉

みふゆ【三冬】陰暦で、冬の三か月、すなわち十月・十一月・十二月の間をいう。さんとう。「かぞふるも—の後の冬なればいとど寒さの極めゆくかな」〈新撰六帖一〉 **—づき**【三冬月】陰暦十二月の異称。「歳もはや積もるや雪の—」〈看聞御記紙背連歌〉。「十二月。…—、豊かなる時ぞと見えて—いそには積もる雪ののどけさ。定家蔵玉に有り」〈藻塩草二〉

みぶり【身振り】①身なり。服装。「大門口の茶屋にて—を直し」〈西鶴・一代男七〉②身のこなし。態度。振舞。「又見に戻る—」〈西鶴・諸艶大鑑六〉③世間に見せる勢い。羽振り。「それに今—悪しく、なり下り給へばとて、我が身知るべき事にあらず」〈浮・遊君花軍二〉

みへ【三重】物を三つ重ねること。みつがさね。三枚がさね。「一重結ふ帯を—結ひ」〈万一八〇〇〉 †miFe

みへがさね【三重襲】三重にかさねること。また、表地と裏地との間に中倍(なかべ)を一枚入れたもの。「五位十人は—の唐衣」〈源氏宿木〉 **—のあふぎ**【三重襲の扇】檜扇の端板を三枚重ねて桜の薄様で包み、親骨としたもの。「なまめかしきもの。…—」〈枕八九〉

みほきたま【御祈玉】祝いの玉。「御祈玉、古語、美保伎玉(みほきたま)」〈古語拾遺〉

みほどり【鳰鳥】《ニホドリの子音交替形》⇒にほ。「—の〔ヨウニ〕潜(かづ)き息づき」〈記歌謡四二〉 †miFodöri

みほめ【身褒め】自分で自分を褒めること。自慢。「われぼめ」とも。「あまりなる御—かなと、かたはらいたく」〈枕(能因本)雨のうちはへふるころ〉

みま【御孫】《ミは接頭語》貴人の孫。また、貴人の子孫。「あが—の知らさむ食国(をすくに)」〈続紀宣命五〉 †mima

みまう・し【見ま憂し】《形ク》《見マクウシの転》見るのもいやである。進んで見る気になれない。「宮もあだなる御本性こそ—・きふしもまじれ」〈源氏浮舟〉

みまかせ【身任せ】自分の身体が自由になること。特に、遊女が身請けされて、抱え主の手から離れること。「来二月に

は年も明き、—になる〔遊女〕吾妻」〈近松・寿門松下〉

みまが・へ【見紛へ】『下二』見ちがえる。「白樫といふものは…いづくともなく雪のふりおきたるに—・へられ」〈枕四〇〉

みまか・り【身罷り】『四段』《現世からあの世へ退く意》死去する。「疾(やまひ)を獲…駅家(うまや)にて—・りぬ」〈万八八六題詞〉 †mimakari

みまき【御牧】平安時代の朝廷御用の牧場。左右馬寮に属する。勅旨牧(ちよくしのまき)。「御封の物ども、国国の御庄・—などより奉るものども」〈源氏鈴虫〉

みまく【見まく】《見ムのク語法》見るであろうこと。見ようとすること。見ること。「あしひきの山の黄葉(もみ)たむ—しも良し」〈万三三〇〇〉。「—のほしき君にもあるかも」〈万五八四〉 †mimaku

みまくさ《御真草の意か》稲の異称という。「さみだれに裳裾(もすそ)ぬらして植うる田を君が千年(ちとせ)の—にせん」〈栄花御裳着〉

みまくさ【御馬草・御秣】「まぐさ」の美称。「この岡に草刈るわらは然(しか)な刈りそね在りつつも君が来まさば—にせむ」〈万一二九一〉 †mimakusa

みまさか【美作】旧国名の一。山陽道八国の一で、いまの岡山県北部。作州。「—の国英多(あいた)の郡の部内に、官(おほやけ)の鉄(くろがね)を取る山あり」〈霊異記下一三〉

みまさり【見優り】《「見おとり」の対》見ると、予想より優れていること。「何事につけても—は難き世なめるを」〈源氏葵〉

みまし【汝】『代』《ミ(御)マシ(座)の意。イマシよりも尊敬の厚い言い方》二人称の敬称。「〔天皇ノコトバ〕—藤原朝臣(不比等)の仕へ奉(まつ)る状(さま)」〈続紀宣命二〉 †mimasi

みまし【御座・御席】《ミは接頭語。マシはマシ(坐)の名詞形。霊力あるものがいらっしゃる所の意》御座所。また、そこに敷く敷物。「日神知ろしめさずして、ただに—の上にゐたまふ」〈紀神代上〉 †mimasi

みま・し【見増し】『四段』①実見して、予想・評判より優れていると感じる。聞きしに勝る。「滝口殿は聞きしより—・して覚えたり」〈曾我一〉 ②他より優れて見える。「風義は一文字屋の金太夫に—・すべし」〈西鶴・一代男六〉

みまそが・り『ラ変』《ミマスガアリの転。ミマスはおいでになる意。ガは、アリカ・スミカのカと同じ、所の意。おいでになる所があるの意》いらっしゃる。「その時の女御、多賀幾子(たかきこ)と申す—・りけり」〈伊勢七七〉。「太政大臣の栄花の盛りに—・りて、藤氏のことに栄ゆると思ひて」〈伊勢一〇一〉

みまた【水派】川の水が分れるところ。みなまた。「水派、此をば美麻多(みまた)といふ」〈紀用明二年〉 †mimata

みまち【巳待】巳の日の夜、弁才天を祭る行事。「でっくりと／—の上座蛇親仁」〈雑俳・赤烏帽子〉

みまつべ【見まつべ】監督。取締り。「みあつめ」とも。「数多の女郎を此の女に預け、—致させ置き候所に」〈浮・御前義経記六〉

みまつ・め【見まつめ】㊀『下二』集める。「みまつべ」とも。〈日葡〉 ㊁『名』取りまとめること。「ミマツメヲスル」〈日葡〉

みまは・し【見廻し】㊀『四段』あたりをぐるりと見る。「正身(さうじみ)は見えず。いづらと—・し給ふに」〈源氏初音〉 ㊁『名』監督。「言ひ付けも—も口は一つ目は二つ、これでは水も飲まれぬ」〈近松・重井筒上〉

みま・ひ【見舞ひ】『四段』①見まわる。巡視する。「毎日その所に行って—・うた」〈天草本伊曾保〉 ②訪れる。訪問する。「さる程に、越前の一条と申す所に弟子を持ってござあるが、一段しあはせがよいと申す程に、—・はうと存ずる」〈天理本狂言六義・塗師〉。「麓に下りて妻の家を—・ひ」〈奇異雑談集二〉 ③災難・病気などに罹った人を慰めに行く。「爾余の衆は多分—・はるる中に」〈天草本伊曾保〉 ㊁『名』①見廻ること。巡視。「主人その田畠を—に出でられたれば」〈天草本伊曾保〉 ②訪ねること。訪問。「ゆかしさのままに、はるばる—に参った」〈天理本狂言六義・塗師〉 ③災難・病気などに罹った人を慰めに行く、また、手紙で問い慰めること。「よろづの獣のお—に参られたとは覚しうて」〈天草本伊曾保〉

みまへ【御前】神仏などの前。「仏の—にありて、掌を合はせて立ちて」〈地蔵十輪経序・元慶点〉。「榊葉は神の—に茂りあひにけり」〈古今一〇七四〉

みまま【身儘】自由。身任せ。「私—に成り申し候はば罷り下り、朝暮の御焼香を仕り、知己に報い申すべく候へども」〈沢庵書簡寛永一九〉

みまや【御馬屋・御厩】《ミウマヤの約》厩(うまや)の尊敬語。「今日もかも都なりせば見まく欲(ほ)り西の—の外(と)に立てらまし」〈万三七七六〉 †mimaya **—のつかさ**【厩司】摂関家に仕え、厩の馬のことをつかさどった役人。「事果てて—召して…物かづけさせ給ひけり」〈栄花御裳着〉

みみ【耳】《古形ミミを重ねた語》①音を聴く器官。「—に聞き眼に見るごとに」〈万四一六六〉。「壁に—あり、おそろし おそろし」〈平家一・清水炎上〉 ②聞くこと。聞く力。聞く気持。「人の—にも目にもとまる事」〈源氏帚木〉 ③噂。聞え。「わが聞きし—に好く似る」〈万一二八〉。「人なみなみなるべき—をも聞くべきものかは」〈枕三一九〉 ④針の穴。めど。「針の—いと明らかなるに」〈宇津保俊蔭〉 ⑤器物の把手(とって)などで、耳の形をしたもの。「鼎は足が三つ—が二つありて」〈山谷詩抄八〉 ⑥物の端の部分。へり。「絹の—」〈俳・はなひ草〉 ⑦大判・小判の数。「つれづれに小判の—を揃へ立て」〈俳・藤の実〉 †mimi **—取って鼻かむやう** 全く不釣合なことの形容。「—な事とかや」〈俳・物種集〉 **—に当・る** 耳ざわりだ。「あしや(人名)この事—・り、さすが心地や悪しかりけん」〈浄・今川物語四〉。〈文明本節用集〉 **—に掛・く** 聞こうとして耳をそばだてる。聞き耳を立てる。「女は後夫の詮索を—・け」〈西鶴・五人女五〉 **—に逆(さか)・ふ** 聞いて不快に思う。「片言—・へば、公卿といへどもこれを捕ふ」〈米沢本平家四・牒状〉 **—に聳(そび)・ゆ** 高く聞える。ひびく。「石山寺の鐘の声、—・えて殊勝也」〈浄・やしま一〉 **—に立・つ** 耳にとまる。善悪いずれの場合にもいう。「—・つ詞のめづらしきは…あまたよみつれば、あさましき事にて候」〈毎月抄〉。「左〔歌〕の『中くぼむまで』とある、—・つと侍るめり」〈実国家歌合〉 **—に留(と)・む** 聞いておぼえている。「それならぬこともありしを忘れねといひしばかりを—・めけむ」〈拾遺一二六三〉 **—の役に聞・く** いやいやながら義理に聞く。「さんざんに訕(そし)り行く。—・く程をかしや」〈西鶴・一代女四〉 **—も酸(す)うな・る** 何度も同じ事を聞いて厭きてしまう。「音聞くや—・る梅の雨」〈俳・境海草上〉 **—を欹(そばだ)・つ** 耳を傾ける。耳を澄ます。「寺僧等、首(かうべ)をたれ、—・て、涙を流し」〈保元中・左府御最後〉 **—を潰(つぶ)・す** 聞いて聞かぬふりをする。「連衆—・して是れを聞き給へり」〈俳・大句数序〉

みみ【身身】その身その身。各人各人。「おのが—につけたるたより(縁故)ども思ひいでて」〈源氏蓬生〉 **—と成・る** 身二つになる。お産をする。「しづかに—・って後、幼き者をも育てて」〈平家九・小宰相〉

みみう・ち【耳打ち】『四段』耳に口を寄せて小声で言う。ささやく。「忠兵衛が事につき、―・って置く事が有る」〈近松・冥途飛脚中〉

みみ・え【見見え】『下二』《「見」と「見え」との複合》互いに相まみえる。逢う。「かひなき命の消えずして、再び都に帰り上り、―・え奉らん事こそ嬉しくはべれ」〈盛衰記一〇〉。「―・ゆると情あれかし、夢にさへつれなのふりや、なう君は」〈隆達小歌〉

みみがうしゃ ウ:ゴ【耳巧者】物事をよく聞き分ける人。耳聞き。耳功者。「よろづ上京と下京の違ひ有りと―なる人の言へり」〈西鶴・一代女一〉

みみがくもん【耳学問】他人の話を聞いて物を知ること。また、その聞きかじりの知識。「鳴け我も―を蟬の声」〈俳・鸚鵡集五〉。「竹の声に―や窓の雪」〈俳・埋草四〉

みみかしこ・し【耳賢し】『形ク』音を聞き分ける力がするどい。「声も惜しまずうたへば、―・き人『ただならぬ唄なり』」〈西鶴・一代男三〉

みみがた・し【耳固し】『形ク』耳の感がにぶい。耳が遠い。「―・からぬ人のためには、〔和琴ノ音ノ〕身にしむ風も吹き添ふかし」〈源氏常夏〉

みみがね【耳鐘】耳の中で鐘を打つように、はげしく耳鳴りがすること。「―の鳴らぬ間に鳴け時鳥」〈俳・毛吹草五〉

みみがはらけ :ガワ ラケ【耳土器】耳の形をした小形の土器。「―に炒塩(いため じほ)置きて」〈武家調味故実〉

みみがま・し【耳がまし】『形シク』やかましくうるさい。「鈍な方ぞ、根本に言はないぞと云ふこそ、早や―・しい事ぞ」〈宗門葛藤集上〉

みみから【耳柄】耳のせい。「昔聞き侍りしよりも、こよなく覚え侍るは、山風をのみ聞き馴れ侍りにける―にや」〈源氏手習〉

みみきき【耳聞き】①世間の噂・秘密などをよく聞き出し探り出すこと。また、その人。「たとひ京中の―のためなりとも、只普通の童にてあれかし」〈盛衰記一〉②物事をよく聞き分ける人。耳巧者。「寧王は―であった程に」〈三体詩絶句抄二〉

みみぐみ【耳組】むしろ・ござなどの端を組み上げてあるもの。「四十文、―むしろ二枚が代」〈金沢文庫古文書七、御給分日記〉

みみくゎほう【耳果報】よいことを聞く幸運。「鶯を冬から聞くや―」〈俳・毛吹草一〉

みみこすり【耳擦り】他の事にかこつけ、遠廻しに皮肉をいうこと。あてこすり。「揚屋の男めが―言ふは」〈西鶴・一代男三〉

みみざふたん ウ:ゾ【耳雑談】耳へ口を寄せて、ひそひそ話すこと。耳うち。内緒話。「耳訴訟」「耳談合」とも。「―などする事、聞き憎し」〈評判・吉原雀上〉

みみし・ひ イ:シ【聾ひ】□一『四段』《「耳癈(し)ひ」の意》つんぼになる。「聾(みみしひ)ひたる者…両(ふた)つの耳を開く縁」〈霊異記上八〉□二『名』つんぼ。「聾、美々之比(みみしひ)、耳不聞声也」〈和名抄〉

みみず【蚯蚓】環形動物の一。「力なき蝦(かへる)、骨なき―」〈催馬楽力なきかへる〉。「蚯蚓、ミミズ」〈名義抄〉 ―**ののたくったやう** 下手くそな字をたどたどしく書く形容。「書くと申す程な事ではござらぬが、―な事や、鳥の踏んだ足跡のやうな事を致いて、心覚えを仕る」〈虎明本狂言・腹立てず〉

みみせせ【完骨】耳のうしろにある小高い骨。「口は―まで切れて」〈仮・見ぬ京物語上〉。「―、耳の根を〔言ウ〕京の言葉也」〈浮世鏡三〉

みみた・ち【耳立ち】『四段』聞いて神経がとがる。「ひとしき程、劣りざまなど思ふ人にこそ、ただならず―・つ事もおのづから出で来るわざなれ」〈源氏若菜上〉

みみた・て【耳立て】『下二』注意を集中して、うわさなどを聞く。「おしなべたる世の常の人をば目とどめ―・て給はず」〈源氏蓬生〉

みみだもち【耳保ち】聞いて覚えていること。聞覚え。「―なかりける身の口惜しさは、皆忘れ侍りぬらめども」〈教訓抄序〉。〈文明本節用集〉

みみだらひ :ダ ライ【耳盥】口または手を洗うのに使う、左右に耳形の柄の付いた漆器製の盥。〈女用訓蒙図彙一〉

みみぢか【耳近】《「耳遠(みみとほ)」の対》近く聞えること。また聞きやすく、わかりやすいこと。「易往・易行の道理、他力・引摂の文証、―に心得やすく述べ給ふに」〈万法蔵讃鈔上〉

みみぢか・し【耳近し】『形ク』①近く聞える。「松風いと―・う心細く聞えて」〈更級〉②聞き馴れている。聞いて理解しやすい。「同じ仏の御教へをも、―・きたとひに引きまぜ」〈源氏橋姫〉

みみづ【耳穴】針の穴。めど。「秋の夜は針の―も明けにけり」〈俳・東日記上〉

みみづ【耳頭】耳。「長鳴きは―に響く蚓(みみず)かな」〈俳・天神奉納集〉

みみとど・め【耳留め】『下二』聞く気になって注意をしている。「誰が言ひしことを、かくゆくりなく打ちいで給ふぞ。物言ひただならぬ女房などこそ―・むれ」〈源氏行幸〉

みみとほ :ト オ【耳遠】①遠く聞えること。また、聞きなれず、わかりにくいこと。「ただその頃のことばなれども、世と共にしだいに―になりて」〈壒嚢鈔七〉②耳がよく聞えないこと。「願人何兵衛…―に付き、介添何右衛門」〈願書書附草稿控上〉③遊戯の一。相手の耳に口を付け、不意に大声で「みみとう」と叫び驚かすもの。後に「耳っとう」とも。「初時鳥―の声」〈俳・見花数寄〉

みみどほ・し :ド オシ【耳遠し】『形ク』①遠く聞える。はるかな事として聞える。「古の余五・利仁などいひけん将軍どものことは、―・ければさし措きぬ」〈増鏡三〉②聞きなれない。わかりにくい。「左の歌『心の恋』、まことに―・くや」〈六百番歌合恋五〉。「但しねんごろに申せば談義が長うなる。又、あらまし申せば、ちと―・き事なり」〈咄・昨日は今日下〉

みみな・れ【耳馴れ】『下二』聞き慣れる。耳になじんで何とも感じなくなる。「あまた年―・れ給ひにし川風も、この秋はいとはしたなくもの悲しくて」〈源氏総角〉

みみのあかとり【耳の垢取】近世前期、江戸・京都などで、唐人の服装をして町辻に立ち、耳の垢を取って銭を貰った乞食。「―梶原で流行るらし」〈俳・大坂独吟集下〉

みみのしゃうぐゎつ :ショ ウ:【耳の正月】耳を楽しませること。耳に正月。「卯月もや―郭公」〈俳・続山の井二〉

みみのはたのかぜ【耳の辺の風】人の言うことを少しも聞こうとしないたとえ。「人言を聞いて合点せぬ事を―と云ふと云へり」〈三国塵滴問答四〉

みみはさみ【耳挟み】額髪(ひたひがみ)を垂れ下げずに、後にかきやって耳に挟むこと。女が忙しく働く時などにする姿。「―して、そそくりつくろひて〔若君ヲ〕抱きてゐ給へり」〈源氏横笛〉

みみはゆ・し【耳はゆし】『形ク』悪口がひどくて聞くにたえない。聞きづらい。「汝が罵りだて―・し」〈盛衰記四二〉

みみひき【耳引き】勝負事で、罰として勝者が負者の耳を引っ張ること。「但し〔カルタノ賭ヲ〕定むるとも、―掛けか、

又竹篦(へいつ)掛けをよろしとすべし」〈色道大鏡四〉

みみふさぎ【耳塞ぎ】 呪法の一。同年者が死んだ時、いそいで搗いた餅を耳に当てて呪文を唱え、死亡通知を聞かないしぐさをし、自己の長寿を期する。みみふたぎ。「女院御所より―〔ノ祝儀〕とて餅・銚子・提子(ひさげ)拝領す」〈時慶卿記慶長一〇・六・三〉

みみふ・り【耳旧り】『四段』 聞き古す。聞き飽きる。「時時につけてこそ、興ある朝夕の遊びに―・り目馴れ給ひけれ」〈源氏若菜下〉

みみやす・し【耳安し】『形ク』 聞いて安心である。「年ごろ心得ぬさまに聞きしがいとほしかりしを、〔円満ニ解決シテ〕―・きものから」〈源氏若菜上〉

みみより【耳寄り】 傾聴に価すること。好ましいことを耳にすること。また、その内容。「これほどに我が為に―に貴き事は侍らず」〈万法蔵讃鈔上〉

みむ・き【見向き】『四段』 振り向いて見る。「おそろしながら―・きたりければ」〈著聞二八〉

みむろ【御室】《ミは接頭語》 ①貴人の住居。特に、僧房・庵室をいう。「―うたげ(新築落成ノ祝宴)せむと言ひとよみて」〈記景行〉。「―にまうでて拝み奉るに」〈伊勢八三〉 ②神の降り来臨する場所。「榊葉を神の―とあがむれば」〈夫木抄三四・神祇〉 †mimuro

みめ【妃】《ミ(御)メ(妻)の意》 高貴な人の妻。后(きさき)・女御(にようご)など。「吾平津媛(あひらつひめ)を娶(ま)きて―としたまふ」〈紀神武即位前〉 †mime

みめ【見目・眉目・美目】 ①見た目。外見。「法服だちては、うたて―もけうとかるべし」〈源氏若菜下〉 ②容貌。特に、美貌。「―・かたち美しうして、西施(せいし)が顔色にも過ぎたり」〈盛衰記一二〉。「よしよし、―も年もいり候まじく候」〈伽・おようの尼〉。「貌、ミメ」〈いろは字〉。「美目、ミメ」〈運歩色葉集〉 ③名誉。面目。「柳の―はげに今の時」〈宗祇独吟〉。「情知らぬを―にして、人をあやまち身をそこなひ」〈盲安杖〉 **―は果報の基**(もとゐ) 女の美貌は当人に幸福をもたらすもとである。「美目は果報の下地(したぢ)」とも。「俗の口ずさみに―とは、よく言ひふれたる言葉なり」〈栗栖野物語〉

みめう(ミミヨウ)【微妙】《呉音》 不思議なほどにすばらしいこと。驚くほど見事なこと。「童子、阿闍梨に向ひて、―の音(こゑ)を挙げて誦して云はく」〈今昔一二ノ三七〉。「御製―に候。下の七字は文時が詩にもまさりて候」〈今昔二四ノ二六〉

みめぐ・り【見廻り・見巡り】『四段』 見まわる。「別(べち)にすることもなくて、卒都婆を―・るを事にて」〈宇治拾遺三〇〉

みめよ・し【眉目好し】 ㊀『形ク』 容貌が美しい。美貌である。「―・き女房の、ただひとりゐたりければ」〈古本説話五四〉 ㊁『名』 美人。「なのめならぬ―にて、もてなされけるが」〈愚管抄四〉。「国一番の―なり」〈伽・むらまつ物語〉

みめわる【眉目悪】 容貌のみにくいこと。不美人。「懸想文(けしやうぶみ)は持ったりと、何せうぞ―」〈天正本狂言・田植〉

みもざくり【身もざくり】 化粧・服装など身だしなみに構わなくて、風姿のだらしないさま。「―に身をなして、機織る事をも打ち捨て」〈俳・山の井三〉

みもち【身持】 ①身を正しく保つこと。品行。所行。「天下に隠れなき人は、―が大事なぞ」〈周易抄三〉。「女訓は、女の―のやう(仕方)を書いた書を作ったぞ。女の立居振舞ぞ」〈蒙求抄三〉 ②みなり。服装。「人の―は、たとへ如何なる着物にもせよ」〈西鶴・一代男五〉 ③子を孕(はら)むこと。妊娠。「汝らどもは、あの姫を何者に引き逢はせ、かかる―になしけるぞや」〈伽・天若みこ忍び物語〉。「子持、ミモチ」〈運歩色葉集〉 **―あげ**【身持上げ】 暮しが楽になるにつれて、今までより贅沢に生活すること。「京にてこそ女は―をすれ」〈仮・都風俗鑑二〉

みもと【御許】 おいでになるところ。おところ。転じて、相手を敬って呼ぶ語。「誰ぞこの仲人(なかびと)たてて美毛止(みもと)のかたち消息しとぶらひに来るや」〈催馬楽朝津〉

みもの【見物】 ①見てすばらしいと思うもの。見るべきもの。「秋風楽舞ひ給へるなむ、さしつぎの―なりける」〈源氏紅葉賀〉 ②物を見ること。けんぶつ。「かの―の女房達」〈源氏胡蝶〉

みもひ(ミモイ)《ミは接頭語》 御水。「―も寒し(ツメタイ)、御秣(みまくさ)もよし」〈催馬楽飛鳥井〉 →もひ

みもろ【御諸】《ミは接頭語。モロはモリ(杜)と同根、神の降下して来る所》 鏡や木綿をかけて神をまつる神座。戸外にも家の中にもつくる。「―に築(つ)くや玉垣」〈記歌謡九四〉 †mimörö **―つく**【三諸つく】〔枕詞〕《ツクは築く意か。一説、イック(斎)の約》「三輪山」「鹿背(かせ)山」にかかる。「―三輪山見れば」〈万一〇九五〉

みもんだい【身もんだい】《ミモダエ(身悶)の転》 いらだって身体をゆり動かすこと。訛って「みもんざい」とも。「盃の胸に矢数の―」〈俳・正風集三〉。「奥様と見えて桟敷に―」〈雑俳・万句合宝暦一〇〉

みや【宮】《ミ(霊力)ヤ(屋)の意。神や霊力あるものの屋》 ①神の住む御殿。神宮。神社。「王(おほきみ)は神にし座(ま)せば雲隠る雷山(いかづちやま)に―敷きいます」〈万二三五〉。「あれはいづれの―と申すぞ、如何なる神を崇(あが)め奉るぞ」〈平家七・願書〉 ②皇居。宮廷。「うち日さす―のわが背は倭女(やまとめ)の膝まくごとに吾(あ)を忘らすな」〈万三四五七〉 ③皇子・皇后などの御殿。転じて、皇子・皇后などの尊称。「〔皇子ノ〕―の舎人(とねり)」〈万三三二四〉。「―(中宮)は三条の―(中宮邸)に渡り給ふ」〈源氏賢木〉 ④中宮職。「―の亮(すけ)」〈源氏胡蝶〉 †miya

みやう(ミヨウ)【名】 ①名前。「図田籍帳、誤りて縄麻呂の―を付す」〈正倉院文書天平神護三・一〇〉 ②「名田(みやうでん)」に同じ。「件の―は簗瀬村に在り」〈東大寺文書四、嘉保三・七〉

みやう(ミヨウ)【冥】 ①かくれた存在としての神や仏。「―の照覧はかりがたし」〈平家三・座主流〉 ②あの世。冥界。「―には十二神将…頭には三千の衆徒」〈平家七・返牒〉

みやうおう(ミヨウオウ)【冥応】 神仏が人知れず感応して利益をたれること。冥感。「これひとへに摩利支天の―」〈太平記五・大塔宮〉

みやうおん(ミヨウオン)【冥恩】 神仏が人知れず衆生に施す恩徳。「是れ天照太神の―なりと思ひければ」〈盛衰記四〇〉

みやうが(ミヨウガ)【冥加】 ①神仏が人知れず垂れ給う加護。「―人にすぐれて、道俗男女むねと敬ひて」〈今昔一七ノ一五〉。「阿耨多羅三藐三菩提(あのくたらさんみやくさんぼだい)の仏たちわが立つ杣に―あらせ給へ」〈新古今一九二二〉 ②御礼。報恩。「薬代を―のために遣はしたし」〈西鶴・永代蔵六〉 ③近世、雑税の一種。営業に関して特別の恩典を与えられた報恩として幕府に献納する意味で、商・工・漁業者などが普通貨幣で納めた営業税。冥加金。「運上と云ふも―と云ふも同様といへども、急度定まりたる物を運上と云ふ」〈地方凡例録五〉 **―せん**【冥加銭】 神仏の冥加に対する御礼として社寺に奉納する金銭。「御茶所の―、残らず此所に持ち集まり」〈近松・二枚絵中〉 **―な・し**【冥加無し】『形ク』 ①神仏の冥加を受けることがない。神仏の加護・恩沢から見放されるような行為についていう。「汝、兄に向って弓引かん事、―・きにあらずや」〈古活字本保

み

元中・白河殿攻め落す〉②罰が当るほどもったいない。恐れ多い。冥加に余る。恐縮したさまにいう。「此(こ)はー・き次第かな、とかくこの館(やかた)には叶ふまじとて」〈伽・万寿の前〉。「物を下され候ふを、ー・きと固辞候ひければ」〈実悟旧記〉

みゃうがう【名号】仏または菩薩の名。特に、阿彌陀仏の名。また、念仏として唱える「南無阿彌陀仏」の六字をいう。「彌陀の念仏を唱え、地蔵のーを念じて絶え入りにけり」〈今昔一七ノ二〉。「心に彌陀を念じて、口にーを唱ふべし」〈孝養集下〉 **ーのれんが**【名号の連歌】「なむあみだぶ」などの名号を一字ずつ各句の頭に置いて詠む連歌。「梵燈庵主の一周忌に、ーの発句。中空の月こそ行末(ゆく)去年(こぞ)の秋」〈初心求詠集〉

みゃうがう【名香】仏に奉る香。「作り花をいそぎ、ーをたき、仏の御前をかざり」〈三宝絵下〉 **ーのいと**【名香の糸】香を紙に包んで仏に奉るために結びかけた五色の糸。一説、行香(ぎやうがう)机の四隅に結び垂れる糸。「ーひき乱りて」〈源氏総角〉

みゃうかん【冥感・冥鑑】①神仏が感応して、恩沢を垂れること。冥応。「まことしく御祈請候ひて、真実のーをきこしめすべく候」〈愚管抄六〉②神仏の思し召し。「神明三宝のーにも背き」〈太平記二七・雲景未来記〉

みゃうきゃう【明鏡】明らかな鏡。めいけい。「その法力のまことあらば、鬼神のーくもらずして、我に奇特を見せ給へや」〈謡・野守〉

みゃうぎゃう【明経】経書を学んで明らかにすること。明経道。「ーには、学二経以上通ぜらむ者を取れ」〈選叙令〉 **ーだう**【明経道】令制における大学の基本の学科。詩経・書経・易経・春秋・礼記の五経、孝経・論語などを学ぶ。官吏となるための最も重要な学科とされた。「ーの博士、甲冑を鎧ふ事然るべからず」〈平家八・鼓判官〉 **ーのはかせ**【明経博士】大学寮で学生に明経道を教授した職。「大学博士」または「博士」「大博士」とも呼ばれた。平安時代、明経道は紀伝道に圧せられて格が下がり、明経博士は清原・中原両家出身者に限られるようになった。「ー等、東宮に参詣す。御前に召さず、祿を賜ひて罷る」〈三代実録貞観二・八・二一〉

みゃうくゎ【猛火】激しく燃える火。「ー盛りにして近づくべからず」〈今昔七ノ三三〉

みゃうくゎん【冥官】地獄の閻魔の庁の役人。「ー・冥道、皆その所(閻魔ノ庁)にありて…罪人の善意を注す」〈今昔一三ノ三五〉

みゃうけん【冥顕】冥界(冥土)と顕界(現世)と。死後の世界と娑婆世界と。「君を背き参らさせ給はん事、ーにつけてその恐れ少なからず候」〈平家三・法印問答〉

みゃうじ【名字】①名前。称号。「内相、国に於て功勲已に高し。然れども猶報効未だ行なはれず、ー未だ加へられず」〈続紀天平宝字二・八・一〉。「彦太郎ー、今日重行と定め候也」〈山科家礼記寛正四・五・二〉②仏法の体をあらわすものとしての名。名号。「我、大王に寵愛せられて仏法のーを聞かず」〈今昔三ノ二五〉③一つの氏のもとに分れ出た諸家の名。源氏から出た新田・足利、平氏から出た千葉・三浦の類。後には氏の名と区別がなくなる。苗字。「近きあたりにさやうのーつきたる者ありとも未だ承り及ばず候」〈太平記三・主上御夢〉 **ーたいたう**【名字帯刀】名字をなのり、大小の刀を帯びること。近世、幕府・諸藩では、武士以外にも、家柄により、また特に勲功・善行のあった者に、特別の恩恵としてこれを許した。これを名字帯刀御免という。「御料所(幕府領)にては何程由緒正しく、先祖は高貴の末葉に紛れ無くとも、民間に落ちてはー決して相成らず」〈地方凡例録七〉

みゃうしゅ【名主】平安中期から室町末期における名田の占有(所有)者。荘園制の下で、貢租負担の義務を負った農民。「譲与、三田郷幷びに別符重行ーの事」〈厳島神社文書長元四・六〉

みゃうしゅ【冥衆】①梵天・帝釈・閻魔王のような、目に見えない神神。「一戒をも保ち、袈裟をもかけ、何れの仏法にも功を入るれば、ーは捨て給はず」〈沙石集六ノ八〉②「冥官」に同じ。「冥官・ー、皆閻魔法王の御前に畏まる」〈平家六・慈心房〉

みゃうじゅう【命終】死ぬこと。「ーして極楽世界に生れたり」〈今昔四ノ三七〉

みゃうじょ【冥助】「冥加」(1)に同じ。「正八幡宮の衛護、新羅大明神のーにあらずや」〈平家四・山門牒状〉

みゃうじん【名神・明神】①神社のうちで、特に霊験あらたかな、名だたるもの。「畿内の名神に奉幣に使を遣はして雨を祈はしむ」〈後紀延暦二四・七・二六〉。「明神に奉幣す。豊稔に報ゆるなり」〈後紀弘仁五・九・一五〉②【明神】霊験あらたかな神の尊称。「衣通姫の神と顕はれ給へる玉津島のー」〈平家一〇・横笛〉。「このーは、奈良の京にしては、春日の大ーと現じ」〈諸神本懐集本〉。「ーさまへ祈誓して、たまたま賜はる姫を」〈伽・岩竹〉

みゃうせき【名跡】《家名と跡式(遺産)の意》家督。家産。「書下(かきくだし)を取る買地の事。ー相続の子知行せしむる事、是非に及ばず」〈塵芥集〉

みゃうせん【名詮】「名詮自性」の略。「法師成りの花の事。一切みのなる物を用ひず。終にはおつるといふーなり」〈仙伝抄〉 **ーじしゃう**【名詮自性】名と実とが一致すること。「ーの理、寄手のために、いづれもいまいましくこそ聞えけれ」〈太平記二九・光明寺合戦〉

みゃうだい【名代】①人の代りに立つこと。代理。また、代理人。「宗政、朝政のーと為り」〈吾妻鏡治承五・閏二・二三〉②名跡。また、名跡の相続人。「一、ー問答の事、親任せたるべし」〈塵芥集〉③幼君の後見人。陣代。番代。「遊佐長教…子息未だ幼稚なればとて、安見美作守を遊佐ーに」〈勝軍地蔵軍記〉

みゃうだう【冥道】①地獄。冥界。「我、死につる時、ーの悪鬼等、我を駈り追ひて、将(ゐ)て去りつる間に」〈今昔一五ノ四六〉②地獄の閻魔の庁の役人。冥官。「冥官・ー皆その所(閻魔ノ庁)にありて」〈今昔一三ノ三五〉③「冥衆(みやうしゆ)」(1)に同じ。「日本国中の大小の神祇・ーを請じ驚かし奉って」〈平家二・腰越〉

みゃうちゃう【名帳】名を列記した帳面。寄進帳や過去帳にいう。「上人あやしみて、すなはちーを見るに」〈著聞五三〉

みやうつし【宮遷し】「遷宮(せんぐう)」に同じ。「神風や朝日の宮のー影のどかなる世にこそありけれ」〈金槐集雑〉

みゃうでん【名田】平安中期から室町末期まで、荘園・国衙領の収取の基礎単位となった田地。農民が開墾・買得・押領などで取得した田地に、自己の名を冠して私有権を示したのでこの名があり、年貢・公事賦課の単位となった。「太田犬丸ー」〈東大寺文書四、天喜二〉

みゃうばつ【冥罰】神仏が人知れずくだす罰。「現世には天神地祇のーを蒙り」〈保元下・大相国御上洛〉。「ーは知らずして当り」〈三社託宣略鈔〉

みゃうぶ【名簿・名符】官位・姓名・年月日などを記した名札。弟子として入門したり、家人として帰服したりする時などに献呈した。名付(なづき)。「結縁の為にわれ―を奉る。現世および当来世を護り助けよ」〈今昔一三ノ二二〉。〈色葉字類抄〉 **―・し**【名簿し】《サ変》名簿をさし出す。「世の中の人〔官ヲ得ルタメニ〕―・し、さて司召(つかさめし)の折はただこの局(つぼね)に集まる」〈栄花様様悦〉

みやうぶ ミョウ【命婦】①令制で、五位以上の婦人または五位以上の官人の妻の称。前者を内命婦、後者を外(げ)命婦という。「群臣と内外の―を中宮に宴す。絁(あしぎぬ)を賜ふこと差(しな)有り」〈続紀天平一一・二〉。「絹二百四疋・調布三百六端、斎宮寮に賜ふ。―・女孺等の入京の装束の料に宛つ」〈三代実録元慶五・一・二三〉 ②平安時代、後宮で働く女官のうち、中級の女房の称。夫や父の官名をその上につけて呼ぶことが多い。「―は、まだ大殿籠らせ給はざりけるを、あはれに見奉る」〈源氏桐壺〉

みやうぼふ ミョウボウ【明法】律令を専攻し、その解釈を明らかにすること。令制における大学の一学科。明法道。「―には、律令に通達せらむ者を取れ」〈選叙令〉 **―のはかせ**【明法博士】大学寮で律令を教授した職。平安末期以降、坂上・中原両家の世襲となった。「―を六道に遣して新令を講ぜしむ」〈続紀大宝二・八・八〉。「明法博士、ミャウホウハカセ」〈色葉字類抄〉。「明法博士、ミャウホフノハカセ、相当正七位下、唐名律学博士」〈文明本節用集〉

みやうもく ミョウ【名目】①事物の名まえ。題目。「六度の―ばかり、あらあら此の如し」〈孝養集中〉。「光源氏の―、五十四帖に分てりといへども」〈伽・紫式部の巻〉 ②ことわざ。「寸を問へば寸を答へ、尺を問へば尺を答ふといふ―のあるを知らざるか」〈伽・弁慶物語〉

みやうもん ミョウ【名聞】①名が世間に聞えわたること。名声。名誉。「現世の―・利養を永く捨てて、ひとへに後世菩提の事をのみ思ひける間に」〈今昔一三ノ三三〉 ②名声・名誉を博するための偽善。「ミャウモンナコトヲスル」〈日葡〉

みやうり ミョウ【名利】名誉と利益と。「現世の―を離れて、後世の菩提を願ふ者なり」〈今昔一四ノ三四〉

みやうり ミョウ【冥利】①神仏が知らず知らずのうちに与える利益。冥加の利益。「鴐籠舁―に叶うた」〈近松・百合若二〉 ②自誓の詞。悪事をしたら冥利が尽きても差支えないの意。「その家の姉女郎のまねをするにや、聞きとがむれば定まって癖あり。新屋のああしんき…金田屋の―」〈西鶴・諸艶大鑑二〉

みやうりよ ミョウ【冥慮】神仏の思し召し。「神明の加護に預り、仏陀の―に背くべからず」〈平家二・教訓状〉

みやうわう ミョウオウ【明王】《「明」は智恵の意》大日如来の命を奉じて、一切の悪や煩悩を破砕する諸尊の称。多く忿怒の相を有する。また、特に不動明王を指す。「憑(よ)りまし―の縛(ばく)にかけて霊あらはれたり」〈平家三・赦文〉。「―の索(さく)にて身をいましめて」〈謡・葛城〉

みやがた【宮方】南北朝時代、北朝側(将軍方)に対して南朝側をいう語。「菊池掃部助武俊は、元来―にて肥後の国に有りけるが、小弐が将軍方へ参る由を聞きて道にて討ち散らさんと」〈太平記一六・小弐〉。「一代ならず―にて討死つかまつり」〈伽・三人法師〉

みやがらす【宮烏】①神社に棲む鳥。「貧報神の―なり閑古鳥」〈俳・金剛砂上〉 ②神社の参詣者の案内をして生計を立てる下級の神官。宮雀。「桜花に照る日や伊勢の―」〈俳・鸚鵡集二〉

みやき【宮木】①宮殿または神殿造営用の木材。「―引く泉の杣(そま)に立つ民の」〈万二六四五〉 ②宮廷の樹木。「馴れ馴れし―の梢今朝だにもよそに隔つる明けぐれの空」〈春のみやまぢ〉 †miyaki **―もり**【宮木守】宮廷の樹木の番人。「さざ波や近江の宮は名のみして霞たなびき―なし」〈拾遺四八三〉

みやきの【三焼野】江戸吉原の異名。三野(さんや)をもじったもの。「吉原を―と言ふは如何に。答へて曰く、橋場にて屍を焼き、今戸にては瓦を焼き、三野にては買手を焼く。これによりて惣名とする也」〈評判・吉原雀下〉

みやく【脈】①血脈。血管。〈文明本節用集〉 ②脈搏(みゃくはく)。「―を取りてみよ」〈伽・鼠草子〉。「左右の手、並びに十二経絡に皆―あり。一呼一吸の間に―一度づつ打つなり」〈性理字義抄二〉 **―が上が・る** ①脈搏が絶える。死ぬ。「―・って二度かへる」〈俳・大矢数三〉 ②前途の見込みがなくなる。絶望となる。「さても色の悪い小判や、―・ってござると笑ひける」〈西鶴・好色盛衰記二〉 **―が有・る** 前途の見込みがある。「戯(たはけ)と言ふは少し―・る人の事と、笑うて果しける」〈西鶴・胸算用二〉

みやけ【屯倉】《ミは接頭語。ヤケはヤカ(家・宅)の転》①大化改新前の朝廷の直轄領。もと、そこに設けられた倉庫をさす。「伊賀臣(いがのおみ)を遣はして伊賀国の―の穀を運ばしむべし」〈紀宣化一年〉 ②【官家】「うちつみやけ」に同じ。「百済国は日本国の―として由来(ありくること)遠久(さひ)し」〈紀雄略二十年〉 †miyakë

みやげ【土産】①《ミアゲの転》旅先から求め帰り、人に贈る名産の品など。土産(とさん)。つと。「宗牧、伊勢―とて芥子(けし)三袋」〈宗長手記下〉。「子どもの―も求めて下りたかったれども」〈虎明本狂言・鏡男〉 ②嫁入や聟入のとき持参する金銀。持参金。敷金。土産銀。「やうやう銀弐百枚―を付けます」〈西鶴・桜陰比事五〉

みやこ【都】《ミヤは宮。コはココ・ソコのコ》天皇の住居の所在地。一時的な行宮(あんぐう)をいうのにも使われた。「あをによし寧楽(なら)の―は咲く花の薫(にほ)ふがごとく今盛りなり」〈万三二八〉 ▽上代、ココ・ソコのコの音はköであるが、ミヤコでは、miyaのaに引かれて、miyaköがmiyakoに転じた。 **―うつり**【都移り】都が他の地に移転すること。遷都。「昔、未だこの京に―もなかりける時」〈今昔三一ノ二〉 **―おち**【都落ち】戦争などに負けて、都から地方へ逃げのびること。「主上―」〈平家七・主上都落〉 **―が ほ** オ ガ【都顔】都の人のような洗練された顔つき。「知られけり月夜編笠―」〈俳・空林風葉下〉 **―ぢ**【都道・都路】都に通う道。また、都の中の道。「―を遠みか妹(いも)がこのころは祈(うけ)ひて寝れど夢(いめ)に見え来ぬ」〈万七六七〉 **―ぢょらう** ロウ【都女郎】①都の身分の高い婦人。都上臈。京上臈。「―と見えて、花やかに出立ちて」〈狂言記・菊の花〉 ②京都の女。また、京都の遊女。「―・難波女にも秀れたるとこそ申せと語る」〈浮・三代男三〉 **―づめ**【都詰め】将棋で、王将を盤の中央で詰めること。「馳走ぶり田舎将棋を―」〈雑俳・江戸土産〉。〈俳・世話尽一〉 **―どり**【都鳥】①水鳥の名。カモメ科のユリカモメとする説と、チドリ科のミヤコドリ(大型のチドリ)とする説とがある。伊勢物語に見えるのはユリカモメ。「堀江の川の水際(みぎは)に来居つつ鳴くは―かも」〈万四四六二〉。「名にし負はばいざこと問はむ―わが思ふ人はありやなしやと」〈伊勢九〉 ②俳諧で、カモメの称。「―。鷗の事也。冬也。角田川に多き鳥也」〈俳・俳諧の口伝〉 **―のふじ**【都の富士】①比叡山の異称。「大納言坂本にありしに、文つかはすとて。思はずや―の麓だに遙けき程と恋ひわたる身を」〈再昌草八〉 ②大編笠の一種。富士山の形に似せて作った笠か。富士颪・朧富士などという種類もあった。「―と言ふ時花出(はやりで)の大編笠を被き連れたるは、叡山の児若衆(ちごわかゆし)」〈西鶴・男色大鑑三〉 **―・び**【都び】『上二』都らしくなる。「昔こそ難波田舎と言はれけめ今は都引き(都ヲ移シテ)―・びにけり」〈万三一三〉 †miyakobi **―ほとり**【都誇り】都にいる嬉しさに心がはずむこと。都の住人であることを誇りに思うこと。「―にもやあらん、からくして、あやしき歌ひねりいだせり」〈土佐一月七日〉 **―ほとり**【都辺】①都の近辺。「ある聖、―を厭ふ心深くて」〈発心集六〉 ②都近辺の者はおのずと見聞が広いの意にいう語。「下﨟なれども―といふ事なれば」〈大鏡序〉

みやじ【宮仕】掃除など雑役に従事した下級の社僧。「神人・―射殺され、衆徒多く疵を被る」〈平家一・御輿振〉

みやしばゐ【宮芝居】近世、社寺の境内で興行された小屋掛けの小芝居。初め、興行期日を百日に制限されたので「百日芝居」ともいわれた。宮地芝居。「芝の―」〈浮・男色比翼鳥四〉

みやすずめ【宮雀】①神社に棲む雀。「逃げて虚空に行く―」〈俳・底抜臼上〉 ②「宮烏(みやがらす)」(2)に同じ。「伊勢桜花守る人や―」〈俳・崑山集三下〉

みやすどころ【御息所】「みやすんどころ」の「ん」を表記しない形。「―は、心ばせのいと恥づかしく、よしありておはするものを」〈源氏葵〉

みやすんどころ【御息所】《ミヤスミドコロの音便形》天皇や東宮の妃の敬称。はじめは女御や皇太后も呼んだが、次第に更衣の敬称に限られた。「東宮の―(藤原貴子)、賀のことあり」〈貞信公記延喜一九・一〇・一二〉。「申の時に内裏(うち)にまゐり給ふ。―御輿に乗り給へるにつけても」〈源氏賢木〉。「御子生れ給はぬ―たちもあまた候ひ給ふ」〈栄花月宴〉

みやだち【宮立】神社の建物。神殿。「―・眺望・地景、詞を以って述ふべきにあらざる程の遠見なり」〈諸国一見聖物語〉

みやぢ【宮道・宮路】①宮殿に通う道。「うち日さす―を人は満ち行けど」〈万三八二二〉 ②神社に参る道。また、参詣。「―や絶えせざるらん」〈謡・伏見〉 †miyadi

みやづかさ【宮司】①中宮職・春宮坊・斎宮・斎院の職員。「神いたう鳴りさわぐ暁に、殿の君達・―など立ちさわぎて」〈源氏賢木〉 ②神官。ぐうじ。「―よりはじめ、よろづの人人こぞり集まりて」〈宇治拾遺一一九〉

みやづか・ひ〔ミヤヅカイ〕【宮仕ひ】㊀『四段』①奉公させて召し使う。「時の職事なれば、近く―・ひておはしけるに」〈愚管抄三〉。「邪見なるかねむらに―・はれ、憂き日数重なりて」〈伽・万寿の前〉 ②宮中または貴人に仕える。「賢才を得て、文王に―・はせいでと思ふ」〈毛詩国風篇聞書〉 ㊁『名』貴人に仕えること。主君に仕えること。「奉公・―をし給ふ事あらん時は」〈極楽寺殿御消息〉。「―申す者一人もなく候程に」〈伽・三人法師〉

みやづか・へ〔ミヤヅカエ〕【宮仕へ】㊀『下二』①宮殿の造営に奉仕する。「田跡(たど)川の滝を清みか古ゆ―・へけむ多芸(たぎ)の野の上に」〈万一〇三五〉 ②宮中または貴人などに仕える。「太政入道に取り入り、大小事―・へつつ」〈盛衰記二六〉 ㊁『名』①宮中に仕えること。「それはじめて―せむ者をば、先づ大舎人(おほとねり)に仕へしめよ」〈紀天武二年〉。「男も―したまうければ、え常にもいませざりける」〈大和一三五〉 ②貴人などに仕えること。奉公。「あはれなる尼なり。三時の花の―を仕うまつる、いかに功徳得らん」〈栄花玉台〉。「宗茂が心の及びまらせう程は―申さうずると言うて」〈天草本平家四ノ一三〉 †miyadukaрë **―どころ**【宮仕へ所】宮仕えすべき所。奉公先。「―は、内裏(うち)・后(きさい)の宮」〈枕一本二五〉 **―びと**【宮仕へ人】宮仕えをする人。特に、宮仕えをする女房。「男は田舎にまかりて、妻(め)なむ若く事好みて、はらからなど―にて来かよふ」〈源氏夕顔〉

みやづ・き【宮づき】『四段』宮中または貴人に仕える。「院に―・き奉る池田中納言国たかとて」〈伽・酒呑童子〉。「ただただ心をひるがへし、内裏(だいり)に―・き給はれや」〈浄・七夕之本地三〉

みやづくり【宮造り・宮作り】宮殿・神殿などを作ること。また、その作り方。「昔、素戔鳥命(すさのをのみこと)出雲の国曾我の里に―し給ひしに」〈平家一一・剣〉。「社壇の様、神さびて、千木(ちぎ)片そぎの―」〈一遍聖絵八〉

みやつこ【御奴】《「御家(や)つ子」の意》朝廷に仕える奴婢。「朝庭(みかど)の―と仕へ奉らしめむと」〈続紀宣命三五〉 †miyatuko

みやつこ【宮つ子】神に仕える人。神官。「又賤しき―・祝子(はふりこ)、巫女(ねぎ)が鼓もうつたへに」〈宴曲集神祇〉

みやつこぎ【造木】①ニワトコの古名。「ここに山たづといへるは是今の―なり」〈記允恭〉。「接骨木、美夜都古木(みやつこぎ)」〈和名抄〉 ▽ニワトコはミヤツコの転。②タマツバキの異称。「―生ふる垣根ぞ」〈曾丹集〉。「女貞実、比女豆波木、又云造木(みやつこぎ)」〈新撰字鏡〉 †miyatukogi

みやで【宮出】宮中に出仕すること。「おぼぼしく(心モ晴レズ)―もするか」〈万一七五〉 †miyade

みやでら【宮寺】本地垂迹の思想にもとづいた神仏習合の寺社。「―にかかる不思議なしとて」〈平家一・鹿谷〉。「北野は―とも云ふ也。朝日寺と云ふ有り」〈梵燈庵袖下集〉。「神祇・釈教を兼ね給ふによって―といふ」〈兼載雑談〉

みやどころ【宮所】①皇居のある所。また、皇居。「古き都の外(と)つ―(離宮)」〈万三三一〉 ②神の鎮座する所。「松が根に波越す浦の―いつ住吉と跡を垂れけむ」〈続後撰五四五〉。「程近し賀茂と北野の―」〈看聞御記紙背連歌〉 †miyadökörö

みやのさぶらひ〔ミヤノサブライ〕【宮の侍】中宮職・春宮坊などの下僚。「―に平の重経となん名のり侍りつる」〈源氏東屋〉

みやのだいぶ【宮の大夫】《「中宮大夫」「春宮大夫」の略》中宮職や春宮坊の長官。「今日はかくてとおぼすに、また―、さらぬ殿上人などあまた奉り給へり」〈源氏総角〉

みやのちぢみ【宮の縮】下野国宇都宮産の縮布。柔らかい糸で織った太地の夏物地。みやちぢみ。「―の新しき内」〈俳・炭俵下〉

みやのめ【宮咩】平安時代以後、不吉を退け、延命長寿・子孫繁栄を祈って、高御魂(たかみむすひ)以下六柱の神を祭る祭。正月と十二月の一の午の日に行なうのが普通。「言葉なめげなるもの。―の祭文読む人、舟漕ぐものども、神鳴の陣の舎人」〈枕(能因本)ことばなめげなるもの〉

みやはじめ【宮始め】①宮殿を始めてたてること。「夢の伏見の―」〈謡・伏見〉 ②后の位に立つこと。「めでたきもの。…―の作法」〈枕(能因本)めでたきもの〉

みやばしら【宮柱】宮殿の柱。「橿原の畝傍(うねび)の宮に―太知り立てて」〈万四四六五〉 †miyabasira

みやばら【宮腹】皇女の子として生れること。また、その生れた人。「―の中将は、なかに親しく馴れ聞え給ひて」〈源氏帚木〉 →みこばら

みやばら【宮ばら】《バラは接尾語》宮といわれる階層の人たち。皇族。「殿ばら・―よりもとぶらひに御使たまはらぬ日無し」〈今昔一九ノ二三〉

みや・び【雅び】㊀『上二』《「里び」「鄙(ひな)び」の対。ミヤは宮。ビは、…らしい様子を示す意》宮廷風である。都会風

である。上品で優美である。「梅の花夢に語らく—・びたる花と我思ふ酒に浮かべこそ」〈万八五二〉 ㊁『名』①宮廷風であること。「あしひきの山にしをれば—無み」〈万七二一〉 ②優雅なこと。風雅なこと。「いかめしく珍しき—を尽し給ふ」〈源氏 若菜上〉 †miyabï **—か**【雅びか・嫺びか】①都会風であるさま。「京人は、なほいとこそ—に今めかしけれ」〈源氏宿木〉 ②風雅なさま。「旧宮をいと良く修理しつくろひたりければ、—にて住み給ひけり」〈源氏澪標〉 **—やか**【雅びやか】宮廷風に見えること。上品に見えること。「奇異とあやしく、妍雅とみやびやかなる貌(かたち)」〈遊仙窟(醍醐寺本)鎌倉期点〉 **—を**【風流士・遊子】風雅の士。風流人。「—と我は聞けるを宿かさず我を帰せりおその—」〈万一二六〉

みやびと【宮人】《古くはミヤヒトと清音》①宮中に仕える人。皇子・皇女・斎宮などに仕える人をもいう。「—の足結(あゆひ)の小鈴落ちにきと—響(とよ)む里人もゆめ」〈記歌謡八二〉 ②宮中に仕える女官。「みやをみな」とも。「おほよそ百寮(つかさつかさ)の人ども、—をゐやまふこと、過ぎて甚し」〈紀天武十年〉 ③神に仕える人。神官。「—にてましまさば、祝言(のっと)を参らせられ候へ」〈謡・蟻通〉 †miyaritö

みやま【み山】《ミは接頭語。霊力の支配する神秘な山が原義。後には、単に、木木がこんもり繁った深山の意にもなった》①霊力の支配する神秘な山。「小竹(ささ)の葉は—もさやに乱るとも」〈万一三三〉 ②御陵。「—に詣で給ひて」〈源氏須磨〉 ③《「外山(とやま)」の対》木の繁った奥深い山。「—には霰(あられ)降るらし外山(とやま)なるまさきのかづら色づきにけり」〈神楽歌一〉。「深山、ミヤマ」〈饅頭屋本節用集〉 †miyama **—おろし**【深山颪】深山から吹きおろす風。「吹き迷ふ—に夢さめて涙もよほす滝の音かな」〈源氏若紫〉 **—がくれ**【深山隠れ】山の奥に隠れていること。また、深山の奥深いところ。「吹く風と谷の水としなかりせば—の花を見ましや」〈古今一一八〉 **—ぎ**【深山木】深山に生えている木。「をさをさ名も知らぬ—どもの木深きなどを移し植ゑたり」〈源氏少女〉 **—ぢ**【深山路】深山の道。「—はかつ散る雪に埋もれていかでか駒のあとを尋ねむ」〈千載四五一〉

みやまゐり【宮参り】子供が生れて、始めて産土(うぶすな)の神に参詣すること。産土参り。「七の宮の御方、御—にてならします」〈御湯殿上日記慶長八・七・一七〉

みやめぐり【宮巡り】諸所の神社を巡拝すること。とくに、本社の末社・摂社などを巡拝すること。「春日に参り着きて—すれば」〈中務内侍日記〉

みやもり【宮守】神社の番をすること。また、その番人。「よしありげなる姿にて玉箒(たまはき)を持ち、花の陰を清め給ふは—にてましますか」〈謡・田村〉

みやもんぜき【宮門跡】法親王または入道親王が住職となっている寺の尊称。後には寺院の格となった。仁和寺・知恩院・輪王寺など。「御対面の時、御送りあるべき御人数の事。…—は、准后沙汰に及ばず、御送り也」〈殿中申次記〉。「—。此は皇子の出家し給ふを云ふ。親王宣下あれば法親王と称す」〈公事言葉考〉

みや・り【見遣り】㊀『四段』視線を遠くその方へやる。「われは—・らむ君があたりをば」〈万一八九七〉。「大和の方を—・りて」〈伊勢二三〉 ㊁『名』視線をやって見る場所。見はるかした向うの方。「—なる山のあなたばかりに、田守の物追ひたる声…うちよばひたり」〈かげろふ中〉 †miyari

みやゐ【宮居】①神が鎮座すること。また、その所。「神代より津守の浦に—して経ぬらん年の限しらずも」〈千載一二五八〉。「年深き杉の梢も神さびてこぐらき森は—なりけり」〈風雅一七二七〉 ②天皇が居を定められること。また、皇居。「雄略天皇二十一年に同国泊瀬朝倉に—し給ふ」〈平家五・都遷〉

みやをみな【宮女】宮廷に仕える女性。「うち日さす—さすたけの舎人壮士(とねりをとこ)も」〈万三七九一〉 †miyawomina

みゆき ①【み雪】《ミは接頭語》雪。「—降る冬の林に」〈万一九九〉 ②【深雪】深く積った雪。「降り積みし高嶺の—とけにけり」〈新古今二七〉 †miyuki

みゆき【行幸】《ミ(御)ユキ(行)の意》天皇のおでまし。「こちごちの花の盛りにあらねども君が—は今にしあるべし」〈万一七四九〉。「朱雀院のみかど、ありし—の後…例ならずなやみわたらせ給ふ」〈源氏若菜上〉 †miyuki

みゆづ・り【見譲り】『四段』面倒を見ることを別の人の手にゆだねる。あとの世話を頼む。「心細くてとまり給はむを必ず事にふれてかずまへ聞え給へ。又—・る人もなく、たぐひなき御有様になむ」〈源氏澪標〉

みゆどの【御湯殿】①禁中または貴人の邸宅で、湯などを沸かし、食膳の具などを置き、女房たちが侍していた部屋。「—に馬道(めだう)より下りて来る殿上人」〈枕二四八〉 ②湯殿の尊敬語。「則ち—より庭上に下りて、遙かに彼の社方を拝し給ふ」〈吾妻鏡 寿永三・一・二三〉 **—のうへ** ミユウエ【御湯殿の上】「御湯殿」(1)に同じ。「中宮の御方の—のくろみ棚に雁の見えつるを」〈徒然一一八〉

みゆる・し【見許し】『四段』見てそのままにしておく。見てとがめない。「鬼なども我をば—・してん」〈源氏夕顔〉

みよ ①【三代】三代(さんだい)。「いにしへに君が—経て仕へけり我が大主は七代申さね」〈万四二五六〉 ②【三世】過去・現在・未来の三世(さんぜ)。前世・現世・来世の三界。「—の仏に花奉る」〈大和一六八〉

みよ【御代・御世】《ミは接頭語》神や天皇の御治世。「すめろきの遠き—にも」〈万四三六〇〉 †miyö

みよし【水押・舳】《ミオシの転》船首。へさき。「—に立ち上がりて聞けば」〈西鶴・諸艶大鑑三〉

みよしの【み吉野】《ミは接頭語》大和国吉野川流域一帯の称。吉野。山の桜・雪・川の滝瀬・里などが歌によまれる。「皆人の恋ふる—今日見ればうべも恋ひけり山川清み」〈万一一三一〉 †miyösino

みら【蒜】ニラの古名。「薤、ミラ・ニラ・ヒル」〈名義抄〉 ▽朝鮮語 p'ïl(蒜)と同源。

みらい【未来】①〔仏〕三世の一。来世。死後の世。「過去を顧みれば冥冥としてそのはじめを見ず。—に臨めば、漠漠としてそのをはりを尋ねず」〈秘蔵宝鑰上〉 ②現在の後に来るべき時期。今より後。「伝教大師、—の座主(ざす)の名字を、かねてしるし置かれたり」〈平家二・座主流〉。〈色葉字類抄〉 **—き**【未来記】①未来の世のことを予言した書。仏教の末法思想にもとづくもの。「聖徳太子の—にも、今日の事こそゆかしけれ」〈平家八・山門御幸〉 ②藤原定家が後代の歌人を戒めるために作ったとされる五十首の詠歌。転じて、趣向の過ぎた不自然な風体の称。「—の歌は、かけり飛び過ごしたる体なり」〈兼載雑談〉。「郭公鳴かずは秋の月夜かな。これらの類、—の最一なるべし」〈さめごと上〉 **—さい**【未来際】〔仏〕来世のはて。「今日より後、—に至るまで」〈孝養集上〉 **—せ**【未来世】「未来」(1)に同じ。「〔汝ハ〕—に仏になるべし」〈今昔一ノ三〉 **—のさかづき**【未来の盃】最後の盃。「一家に—させ」〈近松・曾我扇八景下〉

みらく【見らく】《見(み)のク語法》見ること。「潮満てば入りぬる磯の草なれや—少なく恋ふらくの多き」〈万一三九四〉

†miraku

みる【海松・水松】 海藻の一。浅海の岩石に生える緑藻。食用にする。またみる。みるめ。「綿もなき布肩衣の—のごとわわけ(破レ)さがれる」〈万八九二〉。「海松・水松、美留(みる)」〈新撰字鏡〉 †miru

みる【見る】『上一』⇒み(見)

みるいろ【海松色】 黒味の多い緑色。黄味がかった木賊(とくさ)色。油緑色。「—の水干著たる調度懸六人」〈太平記三・藤房卿〉

みるちゃ【海松茶】 暗緑色を帯びた茶色。染め返す時は浅黄・花色・海松茶・黒茶の順なので、海松茶・黒茶染は生地が弱いとされた。「〔墨跡ノ〕表具、上下—北絹、中黄色金襴」〈今井宗久日記永祿七・三・二三〉

みるぶさ【海松房】 海松の枝が房のようになっているのをいう。「はかりなき千尋(ちひろ)の底の—の」〈源氏葵〉

みるまさかり【見るまさかり】《マサカリはマサカ(現在)アリの約という》 見る、ちょっとの間。瞬間。「顧眄之間、此をば美屢摩沙可梨爾(みるまさかりに)といふ」〈紀神代上〉 †miru-masakari

みるみる 色つやのみずみずしいさま。「春は—と若葉さしそめたりと見し程に」〈発心集三〉。「やつれもあそばさず、一段—として、ひとしほ若うなってお帰りゃった」〈虎明本狂言・川上〉

みるみる【見る見る】『副』①見るうちに。「〔車ニ〕乗るところにもかつがつと歩みいでたれば、いとあはれと—、いつか御ありきはなど言ふほどに涙うきにけり」〈かげろふ上〉 ②《逆接の条件句に》 はっきり見ているにかかわらず。見ながらも。「空しき御骸(から)を—、なほおはするものと思ふが、いとかひなければ」〈源氏桐壺〉。「この君のかくのぞき給ふを—も、あながちにかくさむの御心もおぼされぬなめり」〈源氏御法〉

みるめ【海松布】《メはアラメ・ワカメのメと同じで、海藻類の総称》「海松(みる)」に同じ。「おほかたは我が名も港こぎいでなん世をうみ(憂ミ・海)べたに—(見ル目・海松布)すくなし」〈古今六六九〉

みるめかぐはな【見る目嗅ぐ鼻】 閻魔の庁で、幢(はたほこ)の上に乗せた男女二つの首。よく亡者の善悪を判別するという。世間のうるさい耳目のたとえ。「—と云ふ人有り」〈祇園牛頭天王縁起〉。「忍べば—もこそ」〈俳・絵合下〉

みるめな・し【見る目無し】『形ク』 会う機会がない。少しも会えない。「—・きこと行きてうらみむ」〈後撰八五九〉

みるり みずみずしいさま。「若き間は、青青と山のみどりのうるほふ色の如く—とうるはしき躰なればなり」〈長恨歌抄〉

みれん【未練】 ①まだ練達していないこと。未熟。「行仏道の初心の時、—にして通達せざればとて」〈正法眼蔵 説心説性〉 ②思い切りの悪いこと。諦め切れないこと。「構ひて—に心を持つなぞ」〈周易抄〉

みろく【彌勒】《梵語の音訳》 菩薩の名。兜率天(とそつてん)の内院に住し、釈迦入滅後五十六億七千万年の後に人間界にあらわれ、釈迦の説法にもれた衆生を救うという。「—の石像(いしのみかた)一軀(ひとはしら)たもてり」〈紀敏達十三年〉。「釈迦の法は滅亡し、—は未だ出で給はざるに」〈夢中問答上〉 **—ぼさつ**【彌勒菩薩】 彌勒の尊称。「盗人、—の銅像をとり、石以て破る」〈霊異記中二三〉 **—ゑ**【彌勒会】 彌勒菩薩を本尊として行なう法会。「三月、志賀の—に参らせ給ふ」〈栄花疑〉

みわ【神酒】 神に供える酒。みき。一説、酒を醸(かも)してそのまま神に奉る甕(かみ)。「斎串(いぐし)立て—据ゑ奉る神主の」〈万三二二九〉。「神酒、美和(みわ)」〈和名抄〉 †miwa

みわ・け【見分け】『下二』 見て区別する。識別する。「智と云ふは、よく人を知って、忠・不忠をよう—・けうぞ」〈論語抄顔淵〉

みわす・れ【見忘れ】『下二』 前に見たことを忘れる。「たまほこの道—・れて君が来まさぬ」〈万二三八〇〉 †miwasure

みわた【水曲】 川の流れが曲がって水のよどんでいる所。「いづみ川水の—のふしづけに岩間の氷る冬は来にけり」〈千載三八八〉

みわた・し【見渡し】㊀『四段』 端から端までずっと視線を移して見る。遠く広く見やる。「—・せばむかつをの上の花匂ひ」〈万四三九七〉 ㊁『名』 視線をさえぎるものがなく、こちらから見渡せるところ。「—の三室の山」〈万二四七二〉。「一間(ひとま)ばかり隔てたる—に」〈源氏螢〉 †miwatasi

みを【水脈】《ミ(水)ヲ(緒)の意》 川や海で、特に流れのあるところ。船の通り路となる。「水の尾」とも。「堀江より—さかのぼる楫(かぢ)の音の」〈万四四六一〉 †miwo

みをさめ【見納め】 見ることの最後。「今がうき世の—なれば」〈浄・今川物語四〉

みをつくし【澪標】《「水脈(をみ)つ串」の意》 水先案内のために、水脈の標識としてさす杭。難波のものが名高い。歌で「身を尽し」に掛けて使われることが多い。「遠江(とほつあふみ)引佐(いなさ)細江の—吾(あれ)を頼めてあさましものを」〈万三四二九〉 †miwotukusi

みをび・き【水脈引き】㊀『四段』 水先案内をする。「潮待ちて—・き行けば」〈万三六二七〉 ㊁『名』 水先案内。「堀江より—しつつみ船さす」〈万四〇六一〉 †miwobiki

みんごと【見事】『副』《ミゴトの撥音化》 立派に。巧みに。「—勘忍しまするぞや」〈近松・堀川波鼓上〉

みんなみ【南】「みなみ」の撥音化。「—の方を、三度礼拝すべし」〈伽・庚申之御本地〉。「—の空に陰気な雲たちて」〈俳・正章千句上〉

みんぶ【民部】「民部省」の略。「凡そ毎年八月三十日より以前に計帳至らば—に付せよ」〈賦役令〉 **—きゃう**【民部卿】 民部省の長官。「文範の—の、播磨守にて殿の家司にてさぶらはるるを」〈大鏡時平〉 **—しゃう**【民部省】 令制における八省の一。諸国の戸籍・賦役・田地などの一般民政をつかさどった。たみのつかさ。「〔火ハ〕果には、朱雀門・大極殿・大学寮・—などまで移りて」〈方丈記〉 **—のたいふ**【民部大輔】 民部省の次官。「中将・侍従・—など御車三つばかりしておはしたり」〈源氏真木柱〉

む《擬声語》 牛の鳴き声。「かくしてやなほや守ら牛鳴(む)大荒木の浮田の社(もり)の標(しめ)にあらなくに」〈万二八三九〉 ▽助動詞「む」の表記として「牛鳴」を借りた例。

む【六】 数の名。ろく。「いつとせ—とせのうちに、千とせやすぎにけん」〈土佐二月十六日〉

む【身】「み」の古形。多く名詞に冠して、複合語をつくる。「身代(むかはり)」「身胴(むくろ)」「身実(むざね)」など。「田身、此をば大務(たむ)と云ふ」〈紀齊明二年〉 ▽朝鮮語 mom(身)と同源。

む【無】《「有(う)」の対》 ①存在しないこと。無いこと。「有に付きても愁へ、—に付きても憂ふ」〈西方発心集上〉 ②無駄。「その志を—にし候ふ事、かへすがへす心外なり」〈伽

・ひめゆり〉③体言に冠して、その存在を否定する意をあらわす。「―一物」「―学」「―心」「―道」など。「木曾―愛(ブアイソウ)に返事するやうは」〈盛衰記二八〉。「放逸、―慚愧の心」〈夢中問答上〉

む【産】 動詞「生む」の「う」の脱落形。「そらみつ大和の国に、雁(かり)卵(こ)―と、いまだ聞かず」〈記歌謡七三〉

む『感』承諾または応答の声。「『…もてなすさまじからぬやうにせよ』と云ひければ、『―』と申して、さまざまに沙汰し設けたり」〈宇治拾遺七七〉

む『助動』→基本助動詞解説

むいか【六日】《ムユカの転》月の第六日。また、六日間。「五日(いつか)―・七日(なぬか)」〈ロドリゲス大文典〉 **―ぎり【六日限り・六日切り】**「六日飛脚」に同じ。「明日の晴に七夕女(たなばたつめ)や―」〈俳・佐夜中山一〉 **―だれ【六日垂れ】**《タレは剃る意の忌詞》産後六日目に、生れた子の生髪(うぶがみ)を剃り、名前を付ける祝。生髪垂れ。髪垂れ。六日剃り。「―に名付親を取りて、千三郎と改め」〈西鶴・好色盛衰記一〉 **―びきゃく【六日飛脚】** 近世前期、江戸と京・大阪間の町飛脚の称。片道六日かかったのでいう。「六日ぎり」「六日着き」とも。「六日立春なれば。春はまだ―の今年哉」〈宗静日記寛文九・一・六〉。「―よきついでなり時鳥〔ノ声ヲ運ンデクレ〕」〈俳・当世男上〉

むいき【無意気】 思慮分別なく、むちゃくちゃに行動すること。「万(よろづ)に力みばかり出して、座配―也」〈評判・高屏風上〉 **―りき【無意気力】** 馬鹿力。「どれ(酔イドレ)に下地(生レツキ)の―」〈近松・寿門松上〉

むう『感』口を閉じて発する感動の声。むむ。うう。ううむ。「三つ拍子を打って、―と言ふ。是れを調子を吟ずると言ふ」〈虎寛本狂言・音曲聟〉

むえん【無縁】〔仏〕《「有縁(うえん)」の対》①仏・菩薩との結縁(けちえん)のないこと。「今は昔、―なりける小さき僧の常に清水に参るありけり」〈今昔一六ノ三四〉。「有縁の衆生をみちびき、―の群類を救はむがために」〈平家二・康頼祝〉②死後を弔ってくれる縁者のいないこと。「江戸の寺にては―の者を弔ふ事、大きなる功徳なり」〈驢鞍橋上〉③平等で誰彼の差別をしないこと。「一切の諸尊、―の慈をもて孝子の願を照らし」〈性霊集八〉。「すべて―の御あはれみよりおこりし事をよろこび申さんにつけても」〈発心集六〉。「人の仁・不肖を選び給はず、―に御快く潤沢なる御恩を与へ給ふ御身を」〈こんてむつすむん地三〉 **―じ【無縁寺】** 無縁の仏を葬る寺。江戸両国の回向院は有名。「―の橋の上より落さるる」〈俳・江戸三吟〉 **―ほふかい【無縁法界】** 無差別平等であること。縁もゆかりもないこと。また、縁もゆかりもない人。「―なるものをも取り捨てて帰り」〈伽・貴船の縁起〉

むが【無我】〔仏〕存在自体に不変常住な実在はないということ。一切の存在は相依相関の関係から生じたものであるとする考え方。「二種の我有り。一つには五蘊の仮我、二つには―の大我なり」〈性霊集一〇〉

むかう【向う】《ムカヒの音便形》①前面。前方。「あれあれ、―の岸にいかいこと鮎が」〈伎・好色伝授上〉②先方。相手。「―のしらぬやうにして悟らせうとしたでそろ」〈碧岩抄六〉③名詞に冠して、正面・前面の意を表わす。「―脛(ずね)」「―疵」など。「出額(でびたひ)に―歯高くそり」〈咄・醒睡笑六〉④〔歌舞伎用語〕㋑舞台の正面の観客席に近い所。「『ちょっとあれへおいでなされて下さりませ』…。ト、両人―へ出る」〈伎・幼稚子敵討三〉㋺花道の端、揚幕(あげまく)のある所。花道の出入口。「幕引く。ト、乗物・家来しづしづ―へはいる」〈伎・幼稚子敵討四〉㋩「向う桟敷」の略。「―を引舟といふうちにも」〈滑・戯場粋言幕の外下〉 **―さじき【向う桟敷】**〔歌舞伎用語〕劇場の舞台から見て正面の二階桟敷。「―西には秋の山見えて」〈俳・西鶴五百韻〉 **―さま【向う様】** 面と向きあうこと。むかいあわせ。まとも。「〔重盛ハ家貞ニ〕―にほめられて、いま一懸けして家貞にみえんとや思ひけん」〈平治中・待賢門軍〉 **―づけ【向う付】** 会席料理で、膳品の向側に添えて出す一品料理。また、それを盛った器物。「―はおろし大根、鰯膾(なます)」〈近松・宵庚申上〉 **―づめ【向う詰】** 本膳料理で焼物の別称。本膳と二の膳との向うに据えるのでいう。「―〔ハ〕鯉の子付け」〈久重茶会記寛永一八・二・二三〉 **―ば【向う歯】** 前歯。むかば。「頤(おとがひ)反(そ)り、―さし出でたりけるが」〈三国伝記四〉 **―やぶり【向う破り】** むちゃくちゃに振舞うこと。「俠者といふは、…―に何事をも雅意(ワガママ)にして、せまじい事をもするぞ」〈史記抄一〇〉

むがうのさと【無何有の郷】《ムガウは呉音。荘子に出る語》虚無自然のままで人工を加えない楽土。「心をし―に置きてあらば」〈万三八五一〉

むかさくる【向離る】〔枕詞〕遠く離れている意で、地名「壱岐」にかかる。「―壱岐の渡りを」〈紀歌謡九九〉

むかし【昔】《ムカ(向)とシ(方向)の複合か。回想がそこへ向って行く方向。すなわち、伝承や記憶の中で生きている一時点として過去を把握した語。最も古くは、なつかしい故人や自分が実際に体験・見聞した過去のことをいい、遠い時代のことも近い頃のことも指す。類義語イニシへ(古)は、過ぎ去り消えて行ってしまったあたりとして、遙かに遠く眺める気持で過去を把握した語。奈良・平安時代にはムカシ・イニシへの区別があったが、以後次第に混同した》①記憶や伝承に強く残っていて、回想が自然にそこに向う過去の一時点。「移り行く時〔勢〕見るごとに心痛く―の人し思ほゆるかも」〈万四四八三〉。「―、男ありけり」〈伊勢一〉②以前。記憶にある、あまり遠くない過去の或る時。「―こそ外(よそ)にも見しか吾妹子が奥つ城(き)と思へば愛(は)しき佐保山」〈万四七四〉。「―(一カ月前)土佐といひける所に住みける女、この舟にまじれりけり」〈土佐一月二十九日〉。「憶在、ムカシ・ソノカミ」〈白氏文集四・天永点〉③故人。「今はなほ―に思ほしなずらへて、うとからずもてなさせ給へ」〈源氏柏木〉④前世。「―の契りありけるによりなん、此の世界にはまうで来たりける」〈竹取〉⑤遠い過去。「いにしへの例になずらへて白馬(あをむま)引き、節会の日は内裏(うち)の儀式をうつして、―のためしよりも事添へていつかしき御有様なり」〈源氏少女〉⑥名詞に冠して、昔作られた、または昔風の意を示す語。「―染」「―長持」「―目貫(めぬき)」など。「我らがやうなる―細工はいらぬによって、はやらいで」〈虎明本狂言・塗師〉 **―いま【昔今】** 以前のことと今のことと。「―の御物語」〈源氏槿〉 **―がたり【昔語り】**①思い出ばなし。「その世(桐壺院ノ御代)の事はみな―になりゆくを」〈源氏槿〉②昔の話。「人人に物語など読ませて聞き給ふ。かく世のたとひに言ひ集めたる―どもにも」〈源氏若菜下〉 **―こばん【昔小判】** 慶長年間、駿河の金座で鋳造発行された良質の小判。「―を露(祝儀)に打ち行く」〈俳・大矢数二〉 **―ざま【昔様】**(なつかしい)以前の様子。「まろを―になずらへて、母君と思ひない給へ」〈源氏胡蝶〉 **―づくり【昔作り】** 昔風。古風。主に老人の体質・性格などにいう。「律儀千万に物堅き―の男なり」〈西鶴・伝来記三〉 **―の剣(つるぎ)今の菜刀(ながたな)** 剣も古びては菜刀にしかならない意で、古い物は今の役には立たないたとえ。〈俳・毛吹草二〉　**—のひと**【昔の人】①亡くなった人。故人。「移り行く時見るごとに心いたく—し思ほゆるかも」〈万四四八三〉。「誰かまた花橘に思ひ出でんわれも—となりなば」〈新古今二三八〉②昔なじみの人。「五月待つ花たちばなの香をかげば—の袖の香ぞする」〈伊勢六〇〉　**—のよ**【昔の世】①以前の世の中。「—にもかやうなる古人(ふるひと)は罪ゆるされてなむ侍りける」〈源氏若菜上〉②さきの世。前世。「〔源氏ノ〕—ゆかしげなり」〈源氏紅葉賀〉。「汝が—作りし罪の今汝を責むると知らずや」〈孝養集上〉　**—は真っ斯(か)う**　昔はまさにかくの如しの意で、昔話の終りにつけられるきまり文句。「昔まっかう」とも。「鬼といふ声に、ぞっとして帰らせらる。—」〈伽・福富長者物語〉　**—・び**【昔び】『上二』昔めく。「男女ならびゐたる絵かきたる扇をばすてられけるとかや。……—・びたらんかたは、いみじきためしにや侍らん」〈十訓抄八ノ三〉。「又、尼君は—・びたる心にて」〈伽・鼠草子〉　**—びと**【昔人】①昔の世の人。古人。「—は、かくいちはやきみやびをなむしける」〈伊勢一〉。「われはこの四五百年を過ぎての—にて候ひしが」〈宇治拾遺一三四〉②亡くなった人。故人。「あやしきまで—の御けはひに通ひたりしかば」〈源氏宿木〉③昔なじみの人。懐かしい旧知の人。「あやしき山里になむ—も、かたへは変らで侍りければ」〈源氏玉鬘〉　**—へ** ェ【昔へ】《へは方の意で、イニシへからの類推の語か》昔の方。昔。「あはれ—ありきてふ人麿こそはうれしけれ」〈古今一〇〇三〉　**—へびと** ェ‥【昔へ人】昔の人。亡くなった人。「—の母、一日(ひとひ)片時も忘れねば」〈土佐二月五日〉　**—むかし**【昔昔】①はるかな昔。遠い昔。「—、中納言の君と聞えて、かたち心ばへをかしかりしは」〈八重むぐら〉②昔話の語りはじめのことば。転じて、昔話そのものの称。「—語るに、〔終リニ〕猿の尻真赤いなと云ふ事也」〈俳・淀川〉　**—わたり**【昔渡り】室町時代またはそれ以前に海外から渡来した布帛・器物・薬品などの称。古(こ)渡り。元渡り。「帯とても—の本繻子」〈西鶴・胸算用一〉　**—をとこ**【昔男】《伊勢物語の各段が「昔、男」ではじまることが多いことから》在原業平の異名。「業平の—の舞の姿」〈謡・杜若〉。「たとへば伊勢物語に業平を隠して—と云ふが如し」〈長恨歌抄〉

むが・し『形シク』《ウムガシの転》よろこばしい。徳としたい。「白玉の五百(いほ)つ集ひを手に結び遺(おこ)せむ海人(あま)は—・しくもあるか」〈万四一〇五〉。「後生の賢者幸(がむ)しくも嗤(わら)ふこと勿(な)かれ」〈霊異記上序〉　▽omugasi→umugasi→mugasi

むかだ・み【逆み】『上二』《ムカはムカヒ(向)と同根。ダミはタミ(廻)と同じ》嘔吐する。「嘸咀之時、不欬不逆。不逆者、牟可太末受(むかだみず)」〈華厳音義私記〉　†mukadami

むかつを【向つ峰・向つ岡】《ツは連体助詞》向いの峰つづき。また、向いの山・岡。「—に立てる夫(せ)らが」〈紀歌謡一〇八〉

むかで【百足】多足類の虫の一。毘沙門天の使者ともいわれ、鞍馬の毘沙門天のムカデが有名。「古き所なれば—といふもの日ひとひ落ちかかり」〈枕一六一〉。「—をも虫といふとも侮らじ／うち向ひ居る毘沙門の前」〈俳・時勢粧四上〉。「蜈蚣、…一名百足、無加天(むかで)」〈和名抄〉

むかと『副』①急に身を起すさま。「頭を切らうとすれば、〔死ンダフリヲシテイタ狐ハ〕—起きて逃ぐるぞ」〈蕉窓夜話〉②激しい感情が急激におこるさま。立腹するさまをいうことが多い。「郷念が—おこったぞ」〈三体詩抄一ノ三〉。「白身坊—腹を立て」〈伽・白身房〉

むかば【向歯】前歯。向う歯。「九郎は色白うせい小さきが—の殊にさしいでて」〈平家一一・鶏合〉。「板歯、ムカバ」〈文明本節用集〉

むかはぎ【向脛】はぎの前面。むこうずね。「かの川の—過ぎて深からば」〈拾遺四三六〉

むかばき【行縢・行騰】《ムカ(向)ハキ(穿)の意》騎馬の時などに、腰につけて垂らし、腿(もも)から下の前の部分をおおうもの。鹿・熊・虎の毛皮などで作られた。「食薦(すこも)敷き蔓菁(あをな)煮持ち来(こ)梁(うつはり)に—懸けて息(やす)むこの公(きみ)」〈万三八二五〉。「足をあげ、項(うなじ)より踰(ふ)み通して—とす」〈霊異記下七〉　†*mukabaki

むかはり ムカワリ【質】《ム(身)カハリ(代)の意》身代り。人質(ひとじち)。「王子(せしむ)豊章をたてまつりて—とす」〈紀舒明三年〉

むかは・り ムカワリ【向はり・迎はり】[一]『四段』《対象の正面に向き合う位置になる意。転じて、以前の事とまさに同じことが身の上におこる意。また、同じ月日がめぐって来る意》①(昔のことと)ぴったり対応する事がおこる。「〔藤壺トノ密通ガ〕この世にて、かく思ひかけぬ事に—・りぬれば、後の世の罪も少し軽みなむやとおぼす」〈源氏柏木〉。「保元に〔死罪ナド〕申し行なひし事、いくほどもなく〔我ガ〕身の上に—・りにきと思へば、恐ろしうこそ候ひしか」〈平家二・小教訓〉②ぴったり対応する。相当する。「田を作れば、この一段は、こと人の十町に—・りぬ」〈古本説話六三〉[二]『名』一か年がめぐって来ること。一周年。また、一周忌をもいう。「先師一周忌。—やさらに悲しき去年の秋」〈俳・唐人踊三〉　**—づき**【迎はり月】《一年目に迎えられる月》①満一年。「質に書き入れ候所帯の事、—過ぎ候はば、とり流したるべし」〈塵芥集〉②第一回の誕生日。「〔ソノ子ハ〕—にもならぬに、奇特な所がある」〈蒙求抄五〉③一周忌。「『今日にやはあらぬ』は、その崩御の日の—〔ノ〕日也」〈古今集註〉

むか・ひ ムカイ【向ひ】[一]『四段』《向キ合ヒの約。互いに正面に向き合う意。また、相手を目指して正面から進んでいく意》①あるものを相手にし、その真正面に向く。完全に向き合う。「斯くもがと吾(あ)が見し子にうたたけだに—・ひ居るかもい副(そ)ひ居るかも」〈記歌謡四三〉。「背の山に直(ただ)に—・へる妹の山」〈万一一九三〉②互いに相手を前にし合う。対面する。対坐する。「海若(わたつみ)の神の女にたまさかにい漕ぎ—・ひ」〈万一七四〇〉。「中納言額を合はせて—・ひ給へり」〈竹取〉③その方を正面に見て進んでいく。「鶏(とり)が鳴く東男は〔筑紫へ〕出で—・ひ顧みせずて」〈万四三三一〉。「所願を成じて後、暇ありて道に—・はんとせば」〈徒然二四一〉④はむかう。逆らう。「まつろはず立ち—・ひしも」〈万一九九〉。「競はもとよりすぐれたる強弓・精兵(せいびやう)…まづ二十四人は射殺されなんず、音なせそとて、—・ふ物こそなかりけれ」〈平家四・競〉⑤(時が)近づく。「往き—・ふ年の緒長く」〈万三三二四〉⑥《二つのものの性質・能力が相対する意から》肩を並べる。等しくなる。匹敵する。「たまきはる命に—・ひ(命ヲカケテ)恋ひむゆは」〈万一四五五〉。「恩賞を与ふる事に退屈をせねば、一人が万人に—・ふぞ」〈三略抄〉[二]『名』①対して正面の方向。ま正面。「出でて見る—の岡に本繁く咲きたる花の成らずはやまじ」〈万一八九三〉②対する相手。「互ひに—を取らうとて、我をば忘れたぞ」〈湯山聯句鈔下〉③【迎ひ】「むかへ」の転。「この度だにも具して下り給はぬ人の、何の故にかわざと—には賜はるべき」〈義経記七〉　†mukaFi　**—おに**【向ひ鬼】鬼ごっこ。「むかへぼ」とも。「お姫様まじくらに—して遊ぶまいか」

〈近松・嫗山姥三〉 **—ごほふ**ウ…ホ【迎ひ護法】《「送り護法」の対。「護法」は護法童子の意》参拝人などを、途中の災難から防ぎ守ってくれる、神仏の使令としての護法童子。「参りの道には—の先達となり、さて又、下向の道に出づれば国国までも送り護法」〈謡・護法〉 **—ざ**【向ひ座】①向い合ってすわること。また、向い合せの座席。対座。「左右近の官人、東西に—に着す」〈今昔二八ノ五〉②正面の座席。正座(しょうざ)。上座。「〔近傍ノ人人ヲ〕さし越えさし越え、—にゐたる義盛の下の畳に直りけり」〈曾我六〉 **—ざけ**【迎ひ酒・向ひ酒】宿酔(ふつかよい)の気を発散させるために翌日飲む酒。「迎へ酒」とも。「千早振る霰や神の—」〈俳・夢見草四〉 **—ぢん**【向ひ陣】敵陣に向い合って構えた陣。「寄せ手これを見侮って、はじめ一両日の程は—をも取らず、攻め支度をも用意せず」〈太平記七・千剣破城軍〉 **—ばら**【向ひ腹】①本妻の産んだ子。「—のかぎりなくとおぼすは」〈源氏賢木〉②正妻と妾とが同時に妊娠していること。〈日葡〉 **—び**【向ひ火】①野火を防ぐ法。焼け進んでくる火に対して、その火勢を弱めるため、こちらからも火をつけて焼くこと。「草を刈りはらひ、その火打もちて火を打ち出でて、—をつけて焼き退(そ)けて」〈記景行〉②相手の怒りに対して、こちらも火のように怒って相手を押えること。「にくげにふすべ恨みなどし給はば、なかなかことつけて我も—つくりてあるべきを」〈源氏真木柱〉③敵陣のかがり火に対抗して、味方の陣でもたく火。「平家も—たけというて、生田の森にもたいた」〈天草本平家四ノ六〉④【迎ひ火】七月十三日の宵、精霊を迎えるために門前で焚く麻幹(をがら)の火。「迎へ火」とも。「ふすべしも今消やす—」〈俳・身楽千句〉 **—ぶね**【迎ひ船】人を待ち迎える船。仏教の衆生済度の船の意に用いることもある。「いや、伏見まで—が参りたる」〈咄・昨日は今日上〉。「仏様の国へお—かと、これに命を取られける」〈西鶴・三所世帯中〉 **—め**【正妃・嫡妻】正妻。本妻。「正妃(むかひめ)武小広国押盾(たけをひろくにおしたて)天皇の女、石姫を立てて皇后とせむ」〈紀欽明一年〉。「嫡、モトノメ・モトツメ・ムカヒメ」〈名義抄〉 **—ゆ**【迎ひ湯】一度行った温泉に、また出掛けて入湯すること。「さらばさらば／春は必ずお—」〈雑俳・西国船〉 **向ふ鹿(かし)に矢の立たぬ** 自分から積極的に行なえば、他人は制止できないたとえ。「げにや賤しき言葉に—と」〈浮・諸国心中女四〉

むかぶ・し【向伏し】『四段』遠い彼方に伏す。「天雲(あまくも)の—・すきはみ、谷ぐく(ヒキガエル)のさ渡るきはみ」〈万八〇〇〉

むか・へムカ エ ㊀『下二』《ムカヒ(向)の他動詞形》❶【向へ・対へ】自分自身の正面を対象に向かせる。(面を)向かせる。真正面に向かせる。「見れば一の人有りて来る…悲び哭(な)きつつ逆(むか)へ前(すす)み来る」〈金光明最勝王経平安初期点〉。「母屋(もや)の御座に—・へておとどの御座あり」〈源氏若菜上〉❷【迎へ】自分の正面を対象に向けて、対象の動きに応じる。①(出向いて来るものに対して)相応の支度をして待ち受ける。「去年(こぞ)の春逢へりし君に恋ひにてし桜の花は—・へけらしも」〈万一四三〇〉②受けとめる。引き取る。「〔カグヤ姫ノ〕罪の限り果てぬれば、〔月ノ世界ヘ〕かく—・ふるを、翁は泣き嘆く」〈竹取〉。「大殿わが御車にて—・へ奉り給ひて」〈源氏夕顔〉③(身内または家族の一員として)受け入れて同居する。「男の、異(こと)女—・ふるを見て、親の家にまかり帰るとて」〈後撰五七四詞書〉。「大将の君の内侍のすけ腹の君をせちに—・へてぞかしづき給ふ」〈源氏若菜下〉④呼び寄せる。招く。「近き宿宿より—・へ取って遊びける遊君・遊女ども」〈平家五・富士川合戦〉 ㊁『名』①むかえること。でむかえ。「君がゆき日(け)長くなりぬ山たづの—を往かむ待ちには待たじ」〈万九〇〉。「月の都より、かぐや姫の—にまうで来(く)なる」〈竹取〉②向う側。正面。「この川の—をば、昔はみよしのの里と申しけるが」〈問はず語り四〉 †mukaFë **—かう**ウコ【迎へ講】阿彌陀如来の来迎の儀を催し行なう法会。恵心僧都のはじめて行なったもの。「六波羅蜜寺・雲林院の菩提講などの折節の—などにも思し急がせ給ふ」〈栄花疑〉 **—がね**【迎へ鐘】精霊を迎えるためにつき鳴らす鐘。特に、七月九日・十日、京都六波羅の珍皇寺に参って鐘をつくこと。「迎ひ鐘」とも。「東山の六道には、聖霊の—とて突き鳴らせり」〈俳・類船集三〉 **—かひ**イカ【迎へ買ひ】指定された市場へ運搬中の商品を、途中で買い取ること。また、生産地まで出向いて買い取ること。いずれも不正商行為として禁止されていた。「炭薪萱藁糠の事。高直法に過ぐるの間、…押買ひ幷びに—に至りては、停止せしむべき也」〈貞永式目追加建長六・一〇・一七〉 **—ざけ**【迎へ酒】「むかひざけ」に同じ。「香に残る菊や後宴の—」〈俳・小町踊三〉 **—つぶて**【向へ礫】小石を投げあうこと。石合戦。また、それを得意とする無頼の徒。「向ひ礫」とも。「公卿殿上人の召されける勢と申すは、—・印地、いふかひなき辻冠者ばら・乞食法師どもなりけり」〈平家八・鼓判官〉 **—ぶね**【迎へ舟】人を待ち迎える舟。迎えの舟。「—片待ちがてり浦ゆ漕ぎあはむ」〈万二〇〇〇〉 **—ゆ**【迎へ湯】新生児に湯をつかわせる人の相手役となって、新生児を受けとること。また、その役。「乳母大和(やまと)御湯殿に奉仕す。此の女、能く此の道を知るに依りてなり。故平中納言の室、菅根朝臣、御—に奉仕す」〈河海抄一三〉

むかむか はげしい感情が急激におこるさま。特に、急に腹が立ってくるさま。「但—と腹立つる事あり」〈八卦抄一〉

むかもも【向股】股(もも)の、前面に向いている部分。「堅庭(かたには)は—に踏みなづみ」〈記神代〉。「—に泥(ひぢ)画(か)き寄せて」〈祝詞祈年祭〉 †mukamomo

むかる【向かる】『連語』《向ケルの上代東国方言》向いている。「筑紫辺(つくしへ)に舳(へ)—船の」〈万四三五九防人〉

む・き【向き】㊀『四段』《対象が自分の正面にあるように自分の方向をとる意》①(その方角へ)自分の正面が位置をとるようにする。面する。「大葉子(おほばこ)は領巾(ひれ)振らす見ゆ難波へ—・きて」〈紀歌謡一〇二〉。「み社のかたに—・きて、さまざまの願を立てさせ給ふに」〈源氏明石〉②方角をさす。「いづちもいづちも足の—・きたらん方へ去なむず」〈竹取〉③こちらへ向き従う。服従する。「また厳呪詛(いつのかしり)をせよ。かくの如くせば、虜(あた)おのづからに平(む)き伏(したが)ひなむ」〈紀神武即位前〉④(気持が)ちょうど対象の方向に合う。「我が心恨みに—・きて恨み果てよ哀れになれば忍びがたきを」〈風雅一三九七〉⑤ちょうど似合う。適する。「髪の結振り小利口に、ひっくるひっくる廓様、今は—・かぬと」〈近松・卯月紅葉上〉 ㊁『名』①方角をとること。面すること。「諸(もろ)—」「北—」など。「秋の田の穂—見がてりわが背子がふさ手折りける女郎花(をみなへし)かも」〈万三九四三〉②方面。筋。「仕合せと申して、見えた—の者でござる」〈虎寛本狂言・末広がり〉③その時に近づくこと。「夏—になりまらすれば、扇が入りまらする程に」〈天理本狂言六義・武悪〉④似合うこと。適すること。「むかし都の町に北国—の傘を仕込む職人有り」〈西鶴・桜陰比事五〉 †muki

む・き【剝き】『四段』上を覆っている皮・殻などをはぎ除く。

「琴の爪にて〔枇杷ノ実ノ〕皮を—・きて」〈古事談一〉。「大海老の殻—・きおける中にゐて」〈沙石集五ノ三〉

むぎ【麦】 大麦・小麦などの総称。「馬柵(うませ)ごしに—はむ駒の」〈万三〇九六〉。「麦、牟岐(むぎ)、今案、大小麦之惣名也、五穀之長也」〈和名抄〉 ▽朝鮮語 mil(麦)と同源か。†mugi

むぎいひ【麦飯】 **—にて鯉を釣・る** 僅かな元手で大きな利益を得るたとえ。〈俳・毛吹草二〉

むぎうるし【麦漆】 小麦粉をまぜた生(なま)漆。粘着力が強いので、陶磁器その他の接合に用いる。「石鍋〔ヲ〕—にて…温石(をんじやく)をこそげて交ぜて繕ふ」〈教言卿記応永一三・一〇・一三〉

むぎくゎんじん【麦勧進】 麦の取入れ時に、旅芸人・乞食などが農村を門付けして廻ること。「—に関の戸鎖さで」〈俳・花洛六百韻〉

むぎなは【麦縄・索餅】 ①小麦粉と米の粉とを練って縄の形にねじった菓子。古く宮中では、七月七日にこれを瘧(おこり)よけのまじないに用いた。手束(たつか)。「むぎなふ」「さくべい」とも。「七月七日—の房中にたるまじき由申しけるを聞きて」〈著聞六三六〉 ②うどん・冷麦の類。「彼は去年置きし—ぞかし。さだめて損じぬらむ」〈今昔一九ノ二三〉

むぎのあき【麦の秋】《「麦秋(ばくしう)」の訓読語》 麦が実り、取入れをする頃。「むぎあき」とも。「五月、蟬の声—を送る」〈賀茂保憲女集〉。「五月。さつき、—」〈八雲御抄三〉

むぎのふどし【麦の褌】 麦の実の片側にある縦溝。「あら—ばかりや残るらん」〈俳・二葉集〉

むぎま【麦松】《道化人形遣の名前から》 道化人形の一。「藤六・見斎・粉徳・—も浮き立つばかり見え渡りて面白し」〈西鶴・一代男四〉

むきむき【向き向き】 各々その向きがちがうこと。思い思い。「はふ蔦の〔ヨウニ〕各(おの)が—天雲の別れし行けば」〈万一八〇四〉 †mukimuki

むぎわらのいへ【麦藁の家】 子供の玩具の一。雨蛙を入れる、麦藁で編んだねじれた形のかご。雨蛙の家。「—してやらん雨蛙」〈俳・猿蓑上〉

むく【椋】 ニレ科の落葉喬木。山地に自生。秋には黒い実がなり、食用になる。「桜の葉、—の葉こそ、いととくは落つれ」〈枕一九九〉。「椋、一名即梾、和名牟久(むく)」〈和名抄〉

むく【無垢】 ①〔仏〕俗情の汚れを去って、清浄な境地にあること。「こひねがはくは—の眼をほがらかにして三密の源を照らし」〈性霊集九〉 ②心が純粋なこと。うぶ。純朴。「—の人をば文にて殺す事」〈評判・吉原雀下〉 ③衣服の表着から下着まで、表裏全部を無地の同色で仕立てたもの。主に白無垢にいう。「温(ぬく)太郎(馬鹿)や卯月忘れし紅(もみ)の—」〈俳・空林風葉上〉 ④まじりけのない金や銀。また、それでこしらえたもの。「〔金ヤ銀ヲ〕着せずに下から金や銀を、金—・銀—と云ふ」〈志不可起四〉

むくい【報い】 [一]〘名〙《ムク(向)とイとの複合。イは、もの・ことの意の古語。自分への相手の行為、また、相手への自分の行為に対して、ちょうど正面から向き合うような事の意。名詞が先に出来て、後に動詞化した語であろう。中世以後、「むくひ」「むくゐ」とも書く》 ①仕返し。返報。「海賊—せんといふなることを思ふ上に」〈土佐一月二十一日〉 ②善悪因果の応報。果報。「勝(すぐ)れたる—を受けむと欲願せば、当に心を至して是の金光明最勝王経を聴きたてまつるべし」〈金光明最勝王経平安初期点〉 [二]〔むく・い〕〘上二〙《中世以後、四段にも活用》 ①恩をかえす。お返しをする。「〔最勝王経ヲ〕受持せむ者は、是の人は則ち諸仏の恩を—・いたてまつるになりなむ」〈金光明最勝王経平安初期点〉。「〔私ニ〕珠返さむこと喜びなり。必ず苦を離れむ事を—・ゆべし」〈今昔一二ノ一五〉。「報・酬・校、ムクユ」〈名義抄〉 ②仕返しをする。「犯せどもしかも校(むく)いず」〈文明本節用集〉 ③言い返す。反論する。「ここに外道異論多く、糾紛して酬(むく)い対(こた)へむとするに暇(いとま)あらず」〈大唐西域記三・長寛点〉 →むくひ

むくいぬ【むく犬】 毛の多い犬。「—の浅ましく老いさらぼひて、毛はげたるを引かせて」〈徒然一五二〉。「猧、ムクイヌ」〈文明本節用集〉

むぐう【無窮】 きわまりないこと。無限。「無尽—にとやかうやとするぞ」〈荘子抄一〉。〈文明本節用集〉

むくおき【むく起き】 急に起き上がること。むっくり起きること。むくり起き。「—と見るや鷗の浪枕」〈俳・沙金袋六〉

むくげ【木槿・槿】 アオイ科の落葉灌木。もくげ。きはちす。「槿花、ムクゲ」〈下学集〉

むくさか 茂り栄えるさま。「四方(よも)の食国(をすくに)の年実(とし)、豊かに、—に得たり」〈続紀宣命五〉 ▽ムクはモク(茂)、サカはサカエ(栄)と同根か。

むくざや【無垢鞘】 何も塗っていない木地のままの鞘。「家に伝ひたる小狐といふ—の太刀を帯(は)きたりける」〈保元上・官軍勢汰へ〉

むくつけ・し〘形ク〙《ムクはムクメキ・ムクムクシのムクと同じ、不気味な動きをいう語。鬼や物の怪などのように、形や性質・状態が異様で不気味である意》 ①相手の正体・本心が異様で不気味である。「物の怪のさまと見えたり。あさましく—・しと…ゆゆしければ」〈源氏若菜下〉。「〔谷ニ墜落シタノニ〕肝心を迷はさずして先づ平茸を取りて上りけむ〔国司ノ〕心こそ、いと—・けけれ」〈今昔二八ノ三八〉 ②(鬼気せまるようで)気味がわるい。「かの男は天の逆手を打ちてなむ〔ソノ女ヲ〕呪ひをるなる。—・きこと」〈伊勢九六〉 ③(気味がわるいほど)無骨である。「勢ひいかめしきつはものありけり。—・き心の中にいささか好きたる心まじりて」〈源氏玉鬘〉

むくつけな・し〘形ク〙《ナシは、甚だしい意をあらわす接尾語》「むくつけし」を強めた形。「〔無数ノ蛇ガ〕物のさはるをよろこびてまきつくなりけり。—・くけうとき事たとへん方なし」〈発心集四〉

むくのかみ【木工頭】 ⇒もくのかみ。〈下学集〉

むく・ひ【報ひ】 [一]〘四段〙《ムクイ(報)の後世の形。中世以降に一般的に使われた語》 ①受けた恩を返す。「かかるもの(狐)も、たちまちにあたを—・ふなり」〈宇治拾遺五三〉 ②受けた恩や自分の犯した罪などのつぐないをする。「車の力を—・ふほかには、さらに用途いらず」〈方丈記〉。「自業自得果の衆生の、業(ごふ)を—・はんがために、みな我が所にきたる」〈著聞七三〉 ③善悪因果の応報を受ける。「尉(じょう)殿の子や孫たちに—・ひて、行く末めでたくましますべし」〈伽・三人さんげ〉 [二]〘名〙 返報。また、善悪因果の応報。果報。「浄行持律の人にそら言を申しつけたる—」〈十訓抄四ノ七〉。「—の病なれば、その医術せんなき事にてあるべし」〈善悪報ばなし二〉

むくむく ①毛などが密生しているさま。「毛—と生ひたる細かひなをさし入れて」〈著聞六〇七〉 ②上へ盛り上がるさま。また、厚くふくらんださま。やわらかく肥えたさま。「—と土のあがるを墳と云ふ」〈尚書抄三〉。「よき物…冬は—の小袖」〈仮・童蒙先習上〉 ③柔和で、おっとりとしているさま。「心だて—として、人の気に入る也」〈評判・野郎虫〉 ④急に起き上がるさま。むっくり。「—と起き上がりたる今朝の月」〈俳・大坂一日独吟千句〉

むくむく・し『形シク』《ムクはムクツケシのムクと同じ》いかにも気味がわるい。「〔雨中ノ夜廻リガ〕言ひ合へるも、―・しく聞きならはぬ心地し給ふ」〈源氏東屋〉

むくめ・き【蠢き】『四段』《ムクはムクツケシのムクと同じ。後にムグメキと濁音》①虫などが不気味に動く。「乱れ足は動かれず侍り。左右にかづき給ふる者は、蓑虫のやうにてや―・きまゐらん」〈宇津保楼上上〉。「―・く。虫の行く貌なり」〈大経抄見聞六〉。「蠢、ムグメク」〈易林本節用集〉②もぐもぐと動く。「口―・きて云ひたくとも、深く閉ぢ深く押へて、少しきも他に云ふ事あるべからず」〈明恵伝記下〉

むくや・ぎ『四段』ふっくらとする。「只、音曲は口のうち肝要也。何となく―・ぐこと大切也」〈音曲事〉

むぐら【葎】カナムグラ・ヤエムグラなど、蔓でからむ雑草の総称。貧しい家、荒廃した家の形容に使われることが多い。「―這ふ賤しき屋戸も」〈万四二七〇〉　**―ふ**【葎生】ムグラの生えている所。「―のきたなきやどに」〈万七五九〉

むくらんぢ【木蘭地】⇒もくらんぢ。「土肥次郎実平、―の直垂(ひたたれ)に小具足ばかりして」〈平家一〇・内裏女房〉。「木蘭地、ムクランヂ」〈下学集〉

むくり　①毛などが密生するさま。「踵に髭が―と生えたるなり」〈虎寛本狂言・丼礑〉②不快・立腹などの感情が心中に盛り上がるさま。「意を作(おこ)すとは、発憤して、意の―する を云ふ也」〈杜詩抄八〉　**―を煮や・す**不満や怒りがつのって、こらえられなくなる。かんしゃくを起す。「むくりを沸かす」「むくりを起す」とも。「―・し、ぢだんだ踏み」〈浄・右大将鎌倉実記一〉

むくり【蒙古里】①蒙古。むくり国。「また、―の発(おこ)れる由、これには未だ承らず」〈日蓮遺文南条殿御返事〉②蒙古人。「筑紫に陣取る―ども」〈幸若・大臣〉　**―こくり**【蒙古高句麗】《「むくり」は蒙古、「こくり」は高句麗(かうくり)》①蒙古の俗称。蒙古来襲のとき、かれらを恐れて呼んだ語という。「〔蒙古国ヲ〕卑俗は―と云ふ」〈三体詩賢愚抄五〉②《蒙古来襲を、「むくりこくりの鬼が来る」と言って怖れ、子供の泣くのを威す詞として使ったことから》鬼、または怖ろしいもののたとえ。「夜に入れば、―の来ると言ひて」〈俳・山の井四〉③《ムクリに剝ぎ取るの意を、コクリに強くこするの意を持たせて》手荒く剝いだりこすったりすること。「恐ろしき毬(いが)ある〔栗〕は―かな」〈俳・崑山集一〉

むく・り【剝り】『四段』剝(は)ぐ。まくる。「疲労の軍勢、猛悪の下部(しもべ)ども、辻辻に打散りて、是非なく奪ひ取り、はぎ―・りければ」〈太平記三五・京勢重南方〉。「秋の野を脛―・り上げ分け行けばあきまも見えぬ薄切れ哉」〈玉吟抄〉

むくろ【軀・身】①胴体。「身(むくろ)短くして手足長し。侏儒(ひきひと)と相類(あひに)たり」〈紀神武即位前〉。「かしらは猿、―は狸、尾は蛇(くちなは)、手足は虎の姿なり」〈平家四・鵼〉②特に、首を切られた胴体。「首(かうべ)をこそはねられたりとも、―をばとりよせて孝養せん」〈平家一一・重衡被斬〉③魂や心の抜け去った形骸としての肉体。「心は主人、五体は―ぢゃぞ。心が去れば、五体は―ぞ」〈古活字本日本書紀抄下〉④死骸。なきがら。「死骸を、もくろはわろし。―とはいふべし」〈俳・かたこと三〉▽ム(身)クロ(幹)の意で、クロはカラ(幹)の母音交替形か。　**―ごめ**【軀ごめ】からだごと。「『―に寄り給へ』と言ひたるを、五体ごめとなむ言ひつるとて」〈枕一〇八〉

むくろばら【むくろ腹】《ムクロはムクリの転》むかむかと腹を立てること。むかっ腹。むかばら。「朝霞立つ事安き〔ハ我ガ〕―〔ノ如シ〕」〈俳・続境海草五〉

むくゎん【無官】官職のないこと。「四十余になるまで―にて侍るよし申し侍るに」〈友則集〉　**―のたいふ**【無官の大夫】五位の位で、官職のない者。「―敦盛とて生年十六になるなりと宣ひけり」〈盛衰記三八〉

むくゐ【報ゐ】⇒むくい

むけ【無卦】陰陽道で、その人の生年上の干支(えと)のため、不吉が五年間続くという年まわり。「―に入る」〈本源自性院記寛永五・三・六〉

む・け【向け】㊀『下二』《ムキの他動詞形》①（その方向へ）正面が位置をとるようにさせる。向かせる。「夕潮に船を浮け居(す)ゑ、朝凪(な)ぎに舳(へ)―・け漕がむと」〈万四三九八〉。「〔二人デ〕うしろ合せになり、さんざんに切ってまはりければ、面(おもて)を―・くる者もなし」〈平治下・義朝内海下向〉②供える。奉る。「ありねよし対島(つしま)の渡り海中(わたなか)にぬさ取り―・けて早帰りこね」〈万六二〉③（こちらへ）全面的に従わせる。服従させる。「足日女(たらしひめ)神の命、韓国(からくに)を―・け平らげて」〈万八一三〉→ことむけ。④（その方向に）つかわす。さしつかわす。「内裏には、兵(つはもの)を此の方へ―・けられ候ふべきか」〈保元中・白河殿へ義朝夜討ち〉㊁『名』向かせること。従わせること。「もののふの八十伴(やそとも)の男を服従(まつろへ)の―のまにまに」〈万四〇九四〉　†muke

む・け【剝け】『下二』《ムキの自動詞形》上を覆っている皮などがはぎ除かれる。「琵琶に肘をかくる時、かひなまで―・け出づる事のあるを…手の甲までも引き隠さんと思ふべき也」〈木師抄〉。「ユビノカワガムケタ」〈日葡〉

むげ【無碍・無下】《「無下」は当て字》①さしさわりがないこと。滞るところがないこと。「〔天台大師ハ〕智慧深明にして、―の弁才を得たり。説法窮り無し」〈三宝絵三〇〉②疑問の余地のないこと。真実疑いないこと。「〔本当ノ〕事の心知れる人は少なうて、疎きも親しきも〔光源氏ヲ玉鬘ノ〕―の親ざまに思ひきこえたるを」〈源氏胡蝶〉。「僧のかたちいときよげなりければ、―の乞食(こつじき)にはあらぬなめりと思ひて」〈今昔二六ノ二一〉③問題にならないこと。論外。「初めの女御にて、いきまき給ひしかど、―の末に参り給へりし入道の宮に、しばしは圧され給ひにきかし」〈源氏若菜上〉。「さりとも、わが男は、よも―の死にはせじものを」〈今昔一六ノ二〇〉④全くひどいこと。「天下の物の上手といへども、始めは不堪のきこえもあり、―の瑕瑾もありき」〈徒然一五〇〉⑤無駄。空しいこと。「今迄心を―にした恨みもつらみも許してたも」〈近松・重井筒上〉

むげつけな・し『形ク』不人情である。残酷である。むごい。むごたらしい。「―・く人を殺しつなんどするぞ」〈蒙求抄九〉。「ムゲツケナウアマタノヒトヲコロイテ」〈日葡〉

むげな・し『形ク』情けない。冷酷である。また、ひどい。極端である。「―・くも宮人は、〔童子ヲ〕岩屋の内に押し入れて、戸を荒けなくもたて置きけり」〈伽・法妙童子〉。「何は嫌、かは嫌と申すれば、きゃつが―・いと存ぜう程に」〈狂言記・羯鼓炮碌〉。「これを肴に酒飲まんと、どっと笑うて入りけるは、―・かりける仕業なり」〈近松・曾我七以呂波二〉

むげに『副』《「無碍に」の意。「無下に」は当て字。否定表現、または否定的な意味の語を修飾して、全然、まるでの意に多く使う》①（気持のまま）むやみに。「―今日明日〔会イタイト〕おぼすに、女がたも…人知れず待ち聞え給ひけり」〈源氏賢木〉。「よべに懲りて、―昼〔ノ出発〕になしつ」〈かげろふ中〉②（ひっかかるものもなく）すっかり。「聞えしさまも―忘れ給ひけること」〈源氏総角〉。「―絶えて御いらへ聞え給はざらむもうたてあれば」〈源氏薄雲〉③問題なく。論外に。「射落さむことは―易けれども」〈保元中・白河殿攻め落す〉 ④ちっとも。全然。「―世（男女ノ仲）を思ひ知らぬやうにおぼほれ給ふなむ、いとつらき」〈源氏帚木〉

むけん【無間】〔仏〕「無間地獄」の略。「大賊は現世には自他の利無く、後生には即ち―の獄に入る」〈性霊集九〉 **―ぢごく【無間地獄】** 地下の最底にあるといわれ、八大地獄のうちでも最も苦しい地獄。無間奈落。「―の業をつくるにはあらずや」〈今昔一九ノ三〉。「―には殊に重き罪の人の堕(お)つるなり」〈孝養集上〉 ↓阿鼻(あび) **―のかね【無間の鐘】** 遠江国小夜中山の観音寺の鐘。これを撞けば忽ち大金持になれるが、来世では無間地獄へ堕ちるという俗説があった。「世間の諺に、貧なる者は―を撞けば忽ち富貴にはなれども」〈仮・大仏物語上〉

むげんはうやう【夢幻泡影】《呉音。金剛経に見える語》 夢と幻と泡と影と。きわめてはかなく、頼むにたりないことにいう。「老少もって前後不同、―いづれならん」〈謡・兼平〉

むこ【婿】《モコの母音交替形》（結婚の）相手の男。娘の夫。「ありがたきもの。舅(しうと)にほめらるる―、また姑(しうとめ)に思はるる嫁の君」〈枕七五〉。「爾雅云、女子之夫、為レ婿。和名無古(むこ)」〈和名抄〉

むご【無期】 ①際限のないこと。期限のないこと。「此度(こたみ)の相撲(すまひ)の勝ち負けのさだまらんこと、いと―なり」〈宇津保内侍のかみ〉 ②期間の長いこと。いつまでもつづくこと。「―に臥したり」〈源氏浮舟〉。「〔川ヲ〕―にえ渡らで、つくづくと見るに」〈更級〉

むこいり【婿入】 ①婿となって嫁の家に入ること。また、その儀式。「一家一門は知らうと知るまいと、姫の領掌こそ肝要なれ。はや―せん」〈伽・小栗絵巻〉 ②結婚後、夫がはじめて妻の実家を訪問すること。また、その儀式。「一人出でて、―せんとて、しつけを習ふべきとて、ねんごろの人を呼び出す」〈天正本狂言・懐中聟〉

むこがね【婿がね】 婿になるべき人。婿の候補者。「この―によみておこせたりける」〈伊勢一〇〉

むご・し【惨し・酷し】《形ク》 ①残酷である。無慈悲である。「貪戾(たんれい)の二字は、欲ふかく―き者をいふなり」〈大学抄〉 ②程度が度を越えている。「その御手もとが、―い程〔御父上ニ〕似まらした」〈虎明本狂言・二千石〉

むことり【婿取】 婿を迎えること。平安時代には通ってくる男性を女性の家に迎え、三日夜餅(みかのよのもちひ)の儀をすませて正式な婿とする。「みかどの御むこになる人は昔も今も多かれど、かく盛りの御世に、ただ人のやうに―急がせ給へるたぐひは、少なくやありけん」〈源氏宿木〉

むこひきでもの【婿引出物】 娘の結婚に際して、舅(しうと)から婿に与える贈物。「婿引出」とも。「ゆゆしき―にてぞありける」〈十訓抄六ノ二四〉

むごら・し【惨らし・酷らし】《形シク》 むごい。残酷である。むごたらしい。「猿の皮剝ぎたを見れば―・しや」〈俳・油糟〉

むごん【無言】 ①ものを言わないこと。だまっていること。「ただ赤面―するのみなり」〈正法眼蔵諸法実相〉 ②「無言行(ぎゃう)」に同じ。「四人座を並べ、七日の―を始む」〈沙石集四ノ一〉 **―のぎゃう【無言の行】** 絶対無言の修行。「―し侍りける頃、ほととぎすを聞きて」〈新後撰三六八詞書〉

むさ【武者】《サはシャの直音化》⇒むしゃ。「―の好むもの、紺よ紅、山吹濃き蘇芳(すはう)」〈梁塵秘抄四三六〉

むさい【無才】 無学。「―の人、なまわろならむふるまひなど見えむに、恥づかしくなん見え侍りし」〈源氏帚木〉

むざいがき【無財餓鬼】〔仏〕《「有財(うざい)餓鬼」の対》 極めて貧しく、食物を咽(のど)へ通すことのできない餓鬼。「―と申すは、生れてより以来、飲食の名をも聞かざる餓鬼なり」〈日蓮遺文四条金吾殿御書〉。「乞ふも―、惜しむも有財餓鬼なり」〈三国伝記三〉

むさう【無相】〔仏〕《「有相(うさう)」の対》 すがた・かたちのないもの。または、そうした有無のすがたをこえた空そのもののすがた。「諸仏は諸相―を覚って十方に遊戯(ゆげ)して種種の楽しみを受く。諸の相なき故に―と云ふなり」〈道元法語〉。「外には厭ふ姿もなく、内には願ふ心もなく、―と号して、身に袈裟もかけず、念珠は頭(かしら)にかけて手に取る事もなく」〈西方発心集下〉

むさう【夢相】 夢の吉凶を判断すること。また、それを職業とする人。「〔武帝ノ語ッタ夢ニツイテ〕―奏していはく『今日、臣下二人夭亡(えうばう)(=変死)すべき御夢』と」〈沙石集一ノ九〉

むさう【夢想】 ①夢の中に浮かび現われること。神仏の霊夢についてもいう。「〔王ハ〕婆羅門を供養して夫人の―を問ひ給ふに」〈今昔一ノ一〉。「延喜の御門の御時、御―の御告げあって、檜皮(ひはだ)色の御衣をまらせられしに」〈平家一〇・高野巻〉 ②器具類の名に冠して、その製作が不思議・巧妙である意をあらわす。「―箱」「―引出し」など。「此の状、…―棚へ入れ置く也」〈本光国師日記元和三・一二・一六〉 ③衣服を裏返しても着られるように、表裏を同じ布地で同じ体裁に仕立てること。「―羽織」など。無双。夢想仕立て。「―の袷に着換へさせ」〈浮・男色木芽漬三〉 ④「夢想の連歌」の略。「勿論、―法楽には絵像の〔天〕神を掛くべし」〈当風連歌秘事〉 **―のれんが【夢想の連歌】** 夢想開きの連歌。「―、詞の足らざる句をば、詞を加ふべき事か」〈当風連歌秘事〉 **―びらき【夢想開き・夢想披き】** ①神仏による夢のお告げを皆に披露すること。また、その催し。「御―をせんやとて、山海の珍物、国土の菓子をととのへ、七日七夜の酒盛りなり」〈伽・小夜姫草子〉 ②〔連俳用語〕 夢の中で神仏の暗示を得て出来た句を発句として、連歌・俳諧を行なうこと。「―有り」〈梅津政景日記元和二・三・一九〉 **―ふで【夢想筆】** 使う時だけ穂の出てくる仕掛けの筆。「―鶴の片羽は借さねども」〈俳・おくれ双六〉 **―まくら【夢想枕】** 五つまたは七つ入子(いれこ)にした箱枕。入子枕。「〔小田原ノ〕名物には、小田原石、…―」〈仮・東海道名所記二〉 **―まど【夢想窓】** 隙間のある櫺子(れんじ)に重ねて同じような隙間のある引戸を設け、それを一方に引いて閉じれば、両方の隙間が互いに塞がって一面の板張のように見える窓。夢想櫺子窓。「開き見よ月も世に出る―」〈俳・山の井三〉

むざう【無慙】《ムザンの転》 ①行為・仕打ちなどが無法であること。残酷。「―の法師の申しやうかな」〈宇治拾遺三六〉 ②いたましいこと。かわいそうなこと。「こちたき堂ども建て置きて、末の世に塵灰とならん事の―に思しめして」〈源家長日記〉。「さてもこの河原の屍(かばね)の主、いたう―なり」〈閑居友上〉

むさくさ みだれもつれたさま。理性・秩序が無く、乱れるさま。むしゃくしゃ。「―に御年貢など参らせ申す事、有る間敷く候」〈東寺百合文書ぬ、永正一四〉

むささび【鼯鼠】 リス科の小動物。リスに似て、やや大きく、四肢の間の皮膜によって木から木へ滑空する。「―は木末(こぬれ)求むと」〈万二六七〉。「鼯鼠、モミ、俗云、ムササビ」〈名義抄〉 ✝musasabi

むさし【六指・八道】 ①「六つむさし」に同じ。「―を指すと見ゆるなりけり」〈俳・守武千句〉 ②「十六むさし」に同

じ。「―ぐどぐど牛部屋へ入る」〈俳・糊飯篦後集三〉

むさし【武蔵】《古くムザシと濁音》旧国名の一。古く東山道、奈良後期以後、東海道十五国の一で、今の東京都・埼玉県と神奈川県の一部。武州。「―・上野(かみつけの)を歴(へ)て、西(にしのかた)碓日(うすひの)坂に逮(いた)ります」〈紀景行四十年是年〉。「―国は山道(東山道)に属せりと雖(いへど)も、兼ねて海道(東海道)を承(う)く」〈続紀宝亀二・一〇〉

―あぶみ【武蔵鐙】 武蔵国で産したという鐙。「―さすがにかけて頼むにはとはぬもつらしとふもうるさし」〈伊勢一三〉

―の【武蔵野】 ①《「野見(飲み)尽さぬ」の洒落》大盃。武蔵野盃。「―の新盃なれや今日の月」〈俳・毛吹草六〉 ②広大な物のたとえ。「境内―也」〈評判・朱雀信夫摺上〉

むさ・し『形ク』《ムサト・ムサボリと同根》①むさぼり欲する心が強い。また、欲望・意地などが強すぎてきたない。「一時一月の間も叔度に逢はねば、胸中が―・くなりて、むさぼり」〈蒙求聴塵下〉。「心せばく、意地―・けれど」〈甲陽軍鑑五〉 ②きたない。不潔である。「―・い所で―・い物を洗った」〈碧岩抄二〉。「さる大名の奥方、我―・き事をなして人にさらえさする事恐れなりと云ひて、雪隠をさらゆる者に銭をくれ給ふと云ふ」〈驢鞍橋上〉

むさと『副』《ムサボリ・ムサシと同根》①むさぼるように強く。「人の国を―欲しがる者は、必ず悪しきぞ」〈三略鈔〉 ②みだりに。むやみに。「古今ぢゃと云うて、―秘すべきにあらず」〈耳底記〉 ③何の思慮分別もなく。無造作に。軽率に。「思案もなく―言ひ散らし」〈こんてむつすむん地四〉

むざね【実】《ム(身)サネ(実)の意》まさしくそのもの。実体。「即ち知りぬ。形は我が子、―は神人(みかみ)にますことを」〈紀景行四十年〉。「諸寺を巡り行きて、僧尼・奴婢・田畝の―を験(かむか)へて」〈紀孝徳、大化一年〉

むさぶ・り【貪り】『四段』「むさぼり」の転。「人の物を―・りとりて、後世はながく闇き道に入らんとす」〈教訓抄八〉

むさぼ・り【貪り】『四段』《ムサはムサト・ムサムサ・ムサシのムサと同じ。ホリは欲りの意》きたならしく欲張る。「利を―・り財を求め、言は有れども行は無し」〈地蔵十輪経四・元慶点〉。「あしたの露にことならぬ世を、何を―・る身の祈りにか」〈源氏夕顔〉

むさむさ ①むさぼり欲する心が強いさま。また、心が満たされず、いらいらと落ちつかないさま。「日日名利のためにからまされて、昏乱して―としてもの憂きなり」〈三体詩絶句抄五〉。「―とした心もさっと晴れやかになったぞ」〈四河入海二ノ四〉 ②きたならしいさま。「蠅にせせられ、肉がただれて―となる」〈古文真宝抄一〉。「道者は身こそ―としたりとも」〈四部録抄〉 ③草・毛などが密生してきたならしいさま。「どこもかしこも草生ひしげりて野原の―としたる所なり」〈三体詩絶句抄四〉。「鬚などの―と生ずる程に」〈無門関私鈔上〉

むざむざ 惜しげもないさま。無造作なさま。「この蛸―と喰ふも無慚の事なり」〈仮・一休咄一〉

むざん【無慙・無慘】 ①〔仏〕悪い行為をおかしながら、自らを恥じない心。「われ―の法師にて、忌むことのなかに、破る戒は多からめど」〈源氏手習〉 ②無法であること。乱暴であること。「能登守殿はおはせぬか、あな―の殿原や、係り出て組めや組めやと言ひけれども、係り出る者もなかりけり」〈延慶本平家九・源氏三草山〉 ③(仕打ちが)残酷なこと。残酷で痛ましいこと。「〔拷問デ〕悶絶躃地(もんぜつびやくぢ)して絶え入りけるこそ―なれ」〈保元中・謀叛人〉 ④気の毒でかわいそうなこと。「さだかにいづれの房とも知らざれば、ここにやすらひ、かしこにたたずみ、〔横笛ガ滝口入道ヲ〕たづねかぬるぞ―なる」〈平家一〇・横笛〉

むし ①【苧】「からむし」に同じ。「七夕にけふや貸すらん野辺ごとに乱れ織るなる―のころもも」〈建礼門院右京大夫集〉 ②【帔】カラムシで作った布。市女笠につける。「〔姫君ハ〕いと苦しげにて、御―押しやりて」〈大鏡兼通〉。「帔、ウチカケギヌ・ムシ」〈名義抄〉 ▽朝鮮語 mosi(苧)と同源。

むし【虫】 ①人・鳥獣・魚・貝類以外の動物の総称。昆虫やヘビ・カエル・トカゲ・ミミズ・ヒルなど。「這ふ―も大君に奉らふ」〈紀歌謡七五〉。「身死ぬる後のときには、…膿(う)み爛(ただ)れき、虫蛆(むし)となり楽しむべからず」〈金光明最勝王経平安初期点〉。「虫、和名無之(むし)、鱗介摠名也」〈和名抄〉 ②(特に鳴く声が尊重される)秋の虫。「わがために来る秋にしもあらなくに―のね聞けばまづぞ悲しき」〈古今一八六〉 ③回虫などの寄生虫。また、それが原因となっておこると考えられていた腹痛。陣痛の意にも使う。「今夕、―発りて大事なり」〈山科家礼記文明三・八・一三〉 ④子供の体質が弱いために起る諸種の病気を広くいう語。特に疳(かん)の俗称。虫気。「―強き児なれば、鍼(はり)の徳ならでは何か頼まん」〈遠近草上〉。「また倅(せがれ)めに―が出ようぞ」〈俳・大矢数四〉 ⑤癇癪(かんしゃく)。「最前よりの振舞ひ、そばから言はれぬ事ながら、―がこらへず候」〈浄・頼政四〉 ⑥《衣類・書画などに付く虫にたとえて》愛人。「流行出(はやりで)の様(女)には悪い―が付く」〈俳・山の端千句下〉 ⑦カルタの一の札。飛龍の図様を描いてあるのでいう。「尻よりもただ―ぞ出でける／手枕の肘(ひぢ)に付きたるかるた札」〈俳・鷹筑波一〉

―が嚙(か)ぶ・る 腹痛がおこる。また、産気づく。「見捨ては行くな虫のかぶるを」〈俳・江戸両吟〉。「枕もあがらぬほど虫でもかぶるか」〈近松・信州川中島三〉

―が早・い 気が短い。性急だ。「御嗜みなされ、―・い、落し付けて思案有れ」〈近松・曾我扇八景中〉

―に当・る 何となく腹立たしくなる。癪にさわる。癇にさわる。「虫に障(さは)る」とも。「和物(あへもの)の薊(あざみ)や―・るらん」〈俳・犬子集七〉

―も殺さぬ 極めて温和なさまの形容。「虫も踏まぬ」とも。「我が身の秋は―」〈俳・絵合下〉

―を殺・す 癇癪(かんしゃく)を抑えて我慢する。虫を抑える。虫を死なす。「女の供は―・して無念を耐へ」〈近松・持統天皇二〉

むし【無始】〔仏〕いくら古くさかのぼっても、始めがないこと。無限に遠い過去。「―よりこのかた作りけむ功徳」〈孝養集上〉

む・し【生し】『四段』苔や草が生えて、ふえる。「奥山の岩にこけ―・し恐(かしこ)けど」〈万一三三四〉。「海行かば水浸く屍(かばね)山行かば草―・す屍」〈万四〇九四〉 →おひ(生)

む・し【蒸し】『四段』①湯気を通して熱する。ふかす。「粟―・せることはいかにと聞きつかぬやうなるに」〈十訓抄一ノ一二〉。「烝、ムス」〈名義抄〉 ②むし暑く熱気がこもる。「五月の時分で、地が―・して暑きなり」〈三体詩絶句抄六〉。「陰陽が寄せ合うて、―・してから雨が降るぞ」〈周易抄〉 ③戦陣で、かがり火をたいて敵に攻撃の気勢を示す。「方方の峰にかがりをたいて、ひとむし―・す程ならば」〈太平記六・楠出張〉 ④二回行なう。繰り返す。また、二倍にする。「二一番―・しければ」〈浮・好色赤烏帽子四〉。「双六の胴でも―・すや今年竹」〈俳・埋草二〉

むしいり【虫入り】《冬眠のため虫類が地中に入る意》晩秋の雷。「虫穴へ入る、又、―などの類、秋〔ノ季語〕に許用すべし」〈滑稽雑談一七〉。「九月〔ノ〕…土用の終りには、雷鳴り、雨あるものなり。世に―といふ」〈日本居家秘

用四〉

むしくし あばた。「みっちゃ」とも。「金扇一本を以て—〔ノ〕大人に付す」〈策彦和尚再渡集上〉

むしくひば 【虫食歯・齲歯】 穴のあいた歯。虫歯。「海士の刈る藻に住むのみか—」〈俳・守武千句〉

むしく・り 【蒸しくり】『四段』 風がなく湿度が高くて、暑苦しい。むす。「前栽へ出ても蒸し蒸し—・りて」〈俳・身楽千句〉

むしくゎうどふ 【無始曠劫】〔仏〕《「曠劫」はきわめて長い年月》 久遠の時をへだてた遠い昔。「妻子といふ者が—よりこのかた、生死に流転するきづなるがゆゑに」〈平家一〇・維盛入水〉

むしけ 【虫気】 ①寄生虫によっておこると考えられていた腹痛。「持病の—おこりたり」〈伽・為世の草子〉 ②子供の疳(かん)。「童の縁にて狂ふ薬師堂／—やなほる今日のふるまひ」〈俳・油糟〉 ③陣痛。「—なりとうめける口のうちすげみ」〈俳・紅梅千句〉

むしこ 【虫籠】 ①虫かご。「梨木民部祐雄、—これを送る」〈言継卿記天文一四・八・一〉 ②虫かごのように、細かい縦格子の窓。むしこ窓。「—よりにょっと出せば」〈西鶴・一代男七〉

むしごなし 【虫ごなし】 気晴らし。気分転換。「海棠に遊ぶ胡蝶や—」〈俳・山下水三〉

むしだし 【虫出し】《冬眠している虫類を地上に這い出させる意》 春、初めての雷。初雷。虫出しの神鳴。「—のあなやと言ひけり雷の音」〈俳・塵塚(成之編)一〉

むじち 【無実】《ムシチとも》 ⇒むじつ。「—にて侍れば、御免除あるべき由」〈撰集抄八ノ二六〉。〈易林本節用集〉

むしづ 【虫唾・虫酸】 胸がむかつくとき、口中に逆出する胃内の酸敗液。「三尊の光—の内よりも」〈俳・俳諧如何〉。「思い出しても—が走る」〈滑・膝栗毛初〉。〈日葡〉

むじつ 【無実】《古くは、ムシツ・ムシチと清音。室町時代、ムジツ・ムジチと濁音形が現われた》 ①事実無根。「謀叛—の由を、同年五月二日を以て言上す」〈将門記〉 ②事実無根の罪。事実無根の言いがかり。「—なれば、などか思し召し直し給はざらん」〈義経記五〉。「—を申しかけて、間男をしたりとて、男を生害させて」〈奇異雑談集一〉

むしづくし 【虫尽し】 遊戯の一。たがいに声・形のすぐれた秋の虫を出しあって、その優劣を競う。虫合せ。「詩歌・管絃・鞠(まり)・小弓・扇合せ・絵合せ・草づくし・—、さまざま興ありし事ども」〈平家九・生食〉

むじな 【狢】 ①アナグマの異称。「是の犬、山の獣(しし)、名を牟士那(むじな)といふを咋(く)ひて殺しつ」〈紀垂仁八十七年〉。「狢、無之奈(むじな)、似レ狐而善睡者也」〈和名抄〉 ②《混同されて》 タヌキ。「狸(むじな)鹿(しし)を殺して」〈見聞軍抄八〉。「狢、ムジナ、狸類」〈文明本節用集〉

むしのいき 【虫の息】 弱り果てた息。「今且より呼吸弱くして、—ばかりの為体(ていたらく)也。仍(よ)りて只今引き入る也」〈証如上人日記天文一八・六・三〇〉

むしば・み 【虫喰み】『四段』 虫が食って、穴などをあける。「—・みたる蝙蝠(かはほり)＝扇子)とり出でて」〈枕二九二〉

むしばら 【虫腹】 回虫などの寄生虫のためにおこる腹痛。「上気も—も中風の故と申す也」〈教言卿記応永一四・九・一五〉

むしばらひ 【虫払ひ】 虫干し。「虫振ひ」とも。「建保五年の頃、仁和寺の経蔵—の時分に」〈西山上人縁起〉。〈易林本節用集〉

むしぶすま 【苧衾】 カラムシ(苧)の繊維で作った寝具。柔らかくて寝心地がよかった。「—柔(なご)やが下に臥せれども」〈万五二四〉

むしめがね 【虫眼鏡・虫目金】 小さい物を拡大して見る凸レンズ。「見て蚤や人に語らん—」〈俳・境海草上〉

むしゃ 【武者】 ①軍事に従う者。武士。軍人。「むさ」とも。「兵(つはもの)の、死人にあひて心地さがす(ムヤミト警戒心ヲオコス)は、いみじき—かな」〈今昔二九ノ一九〉 ②「武者所(むしゃどころ)」の略。「信濃国の住人安藤—右宗、そのころ当職の武者所でありけるが」〈平家五・文覚被流〉。「武者所に参りて、工藤—助継と号す」〈曾我一〉 **—おし** 【武者押し】 武者が隊を組んで進軍すること。「—の間、道通りの家へ一切入るまじきこと」〈東奥軍記〉 **—しゅぎゃう** 【武者修行】 武士が諸国を巡り歩いて、武術の修行をすること。「出雲より—に出でたる者なるが」〈江源武鑑一六〉 **—ぞろへ** 【武者揃へ】 出陣の時など、武士を一ところに集めて勢揃いさせること。「御出陣の—、味方を集むる触れ太鼓の」〈近松・雪女下〉 **—どころ** 【武者所】 院の御所を警護する者のうち、下北面(げほくめん)の武士中から選ばれた者の伺候する所。また、その武士。「院の武者所」とも、単に「所」または「武者」ともいう。「上北面(じゃうほくめん)は水干袴に腹巻を着す。—の衆以下、甲冑をよろひ、弓箭を帯す」〈保元上・新院御所〉 **—ぶり** 【武者振り】 武士が鎧・兜をつけた姿。「—も静(静御前)は花の姿にて」〈俳・油糟〉。〈日葡〉 **—わらんづ** 【武者草鞋】《もと武者が用いたのでいう》 丈夫に作った藁草履。ごんずわらじ。武者草履。「—をはいて」〈岡本記〉

むしゃう 【無性】 理性が働かず、正体がなくなること。無茶苦茶な言動をすること。「高橋の祭、そのほか神事・祭礼の場の喧嘩、何と聞き候も理非なしの酒狂ひ也。然れば無体—の義、何と佗言すべく候や」〈結城氏新法度〉 **—むじん** 【無性無尽】 無茶苦茶。やみくも。「むしゃうこくたい」とも。「押し寄せ、打ち果さんと、—に狂ひしを」〈浄・中将姫之御本地三〉 **—やみ** 【無性闇】 無茶苦茶。やみくも。「月影を雲の隠すや—」〈俳・毛吹草六〉

むじゃう 【無常】 ①〔仏〕 一切のものは生滅・転変して、常住でないこと。「古へよりこのかた—の身なり。…誰かよく万年の春を保ち得たる」〈性霊集一〉。「—の思ひ、物にふれておこる」〈源順集〉 ②死。「—たちまちに到る時は、…ただ一人黄泉に赴くのみなり」〈正法眼蔵出家功徳〉 **—き** 【無常気】 世間を味気なく思う心。無常心。「唯—でをかしうない」〈近松・五十年忌中〉 **—しょ** 【無常所】 墓場。墓地。「神明寺の辺に—まうけて侍りけるが」〈拾遺五〇三詞書〉 **—じんそく** 【無常迅速】 死が来るのが早いこと。「—なり、生死事大なり」〈正法眼蔵随聞記二〉 **—どり** 【無常鳥】《冥途にいるというので》 ホトトギスの異名。「ほととぎすに十種の異名あり。…八には—」〈毘沙門堂本古今集註〉 **—の** 【無常野】 火葬場。また、墓地。「—の焼場を隔夜して廻りけるに」〈西鶴・諸艶大鑑四〉 **—のかぜ** 【無常の風】 人の命を奪い去る無常の定めを、花を散らす風にたとえた語。無常の嵐。「—ひとたび吹きて、有為(うゐ)の露ながく消えぬれば」〈拾遺語燈録中〉 **—のかたき** 【無常の敵】「無常の殺鬼(せっき)」を和らげていった語。死。「—をば靡かさざりける習ひなれば、むなしき屍をのみ送り奉りて」〈信生法師集〉 **—のせっき** 【無常の殺鬼】《死の恐ろしさを鬼にたとえていう》 死。「—をば暫時も戦ひ返さず」〈平家六・入道死去〉

むしゃくしゃ 「むさくさ」に同じ。「—面の影も恥づかし」〈俳・七百五十韻〉。「——／何の〔悪〕日ぞ糸が切れねば針が折れ」〈雑俳・よせだいこ〉

むしやしなひ ∵ヤシナイ【虫養ひ】 食欲・性欲などを少し満たして、一時まぎらすこと。また、まぎらすための物。「尊僧・長老などに、酒を燗(かん)をして、菓子・肴をすすむるを、叢林の言葉にーの薬と云ふ」〈玉塵抄四五〉。「少し置くはーか野辺の露」〈俳・沙金袋四〉

むしゅしょうりう ∵リユウ【無手勝流】 武器を用いないで勝つという剣道の一流。俗に塚原卜伝が始めたと伝えられる。「土佐の卜伝と云ふ者あり。兵法を一派立て、ーと号す」〈仮・為人鈔四〉「むてかつ流」とも。

むじゅん【矛盾・鉾楯】 ①見解・主張などが互いに食い違うこと。相互に対立し争うこと。「されども、論者、東西にあひたがひてーせしかば」〈聖廟縁起〉 ②いくさ。戦争。「日州・薩州堺目ーの儀、堅固の覚悟肝要に候」〈相良家文書一、永祿三・五・一四〉。「闘諍ーする事、年久し」〈河越記〉

むしょ【墓所】 墓場。はかどころ。「くだんのーは大和国そうのかん(添上)の郡、川上の村、般若野の五三昧(さんまい)＝墓場)なり」〈平家三・赦文〉。「都の乾(いぬゐ)船岡は…洛陽五ーのその一つなり」〈浮・御伽比丘尼一〉。〈易林本節用集〉

むし・り【挘り】『四段』(密着しているものを)部分的に引きちぎる。「夜まさりするもの。濃き搔練(かいねり)のつや、ー・りたる綿」〈枕一本一〉。「その鳥をとらへて毛をつるりとー・りてけり」〈著聞五六三〉。「刋・摘・揃、ムシル」〈名義抄〉 **ーざかな**【むしり肴】 酒の肴にする魚の干物。手でむしり取って食べるのでいう。むしり物。「ーに霞(酒)四五盃」〈俳・信徳十百韻〉

むしろ【筵・蓆・席】 ①藺(い)・蒲(がま)・藁(わら)・竹などで編んだ敷物。また、敷物一般。「稲ー敷きても君を見むよしもがも」〈万二六四三〉。「雨のもりければ、ーをひきかへすとて」〈大和八三〉。「精進せむとて上(はう)ー、ただのーのきよきに敷きかへさすれば」〈かげろふ中〉 ②座席。会席。「年老いたる人など涙抑へなどして、ーこぞりてめで思へりけり」〈今鏡六〉 ▽ムシ(苧)シロ(代)の約か。 †musirö **ーしき**【蓆敷・筵敷】「ござしき」に同じ。「ー置け置けと言ふやもめ住み」〈俳・油糟〉。〈日葡〉 **ーだ**【席田】 催馬楽の曲名。賀歌。「双調(さうでう)の声にて…『ー』『この殿』などうたふ」〈紫式部日記〉 **ーど**【筵戸】 筵を張って作った戸。貧家に多い。「ーに煙立ち上り」〈西鶴・名残の友四〉 **ーばた**【蓆旗】 蓆を旗としたもの。百姓一揆などに用いられた。「いよーに、田畑(でんばた)よ」〈大幣〉 **ーばりのくるま**【筵張りの車】 牛車の箱を筵で張ったもの。粗末な車で、下級の者が用いた。「〔流罪ノ宣下ヲ受ケタ〕中納言はーに乗り給ふ」〈栄花浦浦別〉 **ーびさし**【筵庇】 日除けのために筵で作った庇。「軒端軒端ーに雪解けて」〈俳・独吟廿歌仙上〉 **ーびゃうぶ** ビヨウ∵【筵屏風】 竹を骨とし筵で作った屏風。「ーの月の小夜風」〈俳・浜荻〉 **ーやぶり**【筵破り】 老人が女狂いすること。また、その老人。「六十のーもなる事なるに」〈浮・曲三味線三〉

むしろ【寧ろ】『副』《漢文訓読体で、「寧」「無乃」の訓として用いる語。「寧」は事柄が二つ起りうる場合に一方を選択する意を表わす辞。また、反語の辞》 ①どちらか一つを選択しなければならないならば。どちらかというなら。「ー身命をば捨つとも、非法の友に随はずあれ」〈金光明最勝王経平安初期点〉 ②《反語の助詞ヤと呼応して》 どうして…しようか、そのようなことはあり得ない。「十王の報いだも得ず。ー仏の菩提を得むや」〈金剛般若経讃述平安初期点〉。「若し衆生のために、無上の正法を求めずは、ー父母の遺体を稟(う)けてここに遊ぶこと有らましや」〈三蔵法師伝二・院政期点〉 ▽反語の辞として、「寧」はイヅクンゾともよむ。

むしん【無心】 ①心のないこと。思慮のないこと。考えのないこと。「さるーの女房に心合はせて入り来たりけむにも」〈源氏若菜下〉。「いとーに〔妻ニ〕しなしてしわざぞかし」〈源氏玉鬘〉 ②人の迷惑も考えず、ものを頼むこと。ねだること。「ーの所望に候といへども」〈庭訓往来五月〉。「人にー言はで一生渡るべきやうにとて」〈人鏡論〉 ③心中に何もないこと。自然のままの心。「万事を略して、懶惰に付して、ーに成りかへって居りたいぞ。一つも望みのあるほどはーにはないものぞ」〈四河入海 一ノ二〉 ④鎌倉時代、機知・滑稽を主とする狂歌・連歌の称。「栗の本(もと)」とも。「有心(うしん)」の対。「昔、ーが『すにさしてこそ』といふ連歌をしたりしに、有心の中より『あはびがひ』と付けたりき」〈八雲御抄一〉。「後鳥羽院の御時、柿の本・栗の本とて置かる。柿の本は世の常の歌、これを有心と名づく。栗の本は狂歌、これをーといふ」〈井蛙抄六〉 **ーしょぢゃく**【無心所着】 意味をなさないこと。まとまった内容のない歌についていう。「ー。万葉十六巻に有り。ただすずろ事也。あしくよめばその姿とも無きものなり。吾妹子が額に生ふる双六(すぐろく)の事負(ことひ)の牛の倉の上の瘡(かさ)」〈八雲御抄一〉

むじん【無尽】 ①尽きることのないこと。限りないこと。「無量ーの過現未」〈正法眼蔵 梅華〉。「それより漢をーに悪くせうとするぞ」〈漢書竺桃抄〉 ②担保・利子付の頼母子。無尽講。「相撲・御神楽・大饗契約・ー、人数の事」〈香取文書甲、至徳四・二・二五〉。「大ー世尊(釈迦)を親に取り立てて」〈俳・江戸三吟〉 **ーぜに**【無尽銭】 質屋の貸付金。「近年ーと号し、質物を入れ置かざるの外、借用を許さざるに依りて」〈貞永式目追加建長七・八・一二〉

む・ず『助動』《推量の助動詞ム、助詞ト、サ変動詞ス(為)の結合したムトスの転。平安時代にはじまり、中世に多く使われ、後ウズに転じた》 ①《意志を表わす》…しよう。…しようと思う。「何事を言ひても『そのことさせんとす』『言はんとす』『なにとせんとす』といふ、と文字(トノ発音)を失ひて、ただ『言はー・ずる』『里へ出でー・ずる』など言へば、やがていとわろし。まいて文に書いては言ふべきにあらず」〈枕一九五〉 ②《推量の意を表わす》…だろう。「その人のもとにいなー・ずなりとて」〈伊勢九六〉。「今来らー・ずる事どもを兼て知る事なれば、必ず仏法を習ふべきなり」〈今昔四ノ二一〉。「我は近う失はれー・ずらむ」〈平家二・大納言死去〉

むすこ【息子】《ムスはムスメ(娘)のムス》 ①親にとって、自分の子である男。「御ーの君達」〈源氏帚木〉 ②陰茎の隠語。せがれ。「褌を締め、ーめに意見してゐまする」〈評判・野良立役舞台大鏡〉

むすぢがけ【六筋懸】 普通の三味線糸の六筋分に当る太さの糸。「接竿の黒檀ーを取り出し」〈西鶴・一代男四〉

むすぢゑもん【六筋右衛門】 毛髪の薄い者を嘲っていう擬人名。「十筋右衛門」「三筋右衛門」とも。「頭はーにて」〈西鶴・諸艶大鑑四〉

むずと『副』 ①ぐっと気合を入れ、底力をこめて。むんずと。「金子うへに乗りゐて左右の袖をーふまへてはたらかさず、頸をとらむとする所に」〈保元中・白河殿攻め落す〉。「忠信思ふ座敷にー居直り」〈義経記五〉 ②だれはばからず強引に。しゃにむに。「〔光頼卿ハ〕信頼の上(かみ)にー着き給ふ」〈平治上・光頼卿〉。「中京へー攻め入りて」〈明徳記上〉

むすひ【産霊】《草や苔などのように、ふえ、繁殖する意。ヒは ヒ(日)と同根。太陽の霊力と同一視された原始的な観念における霊力の 一》 生物がふえてゆくように、万物を生みなす不可思議な霊力。「高天原に成れる神の名は、天御中主神、次に高御―の神、次に神―の神。此の三柱の神は、みな独神と成りまして、隠身なり」〈記神代〉。「皇産霊、此をば美武須眦(みむすひ)と云ふ」〈紀神代上〉 ▽後世「結び」と関係づけて解釈されたが、起源的には関係ない。「眦(ひ)」の仮名は日本書紀ではヒと清音。 †musuri

むす・び【結び】 ㊀『四段』《紐の端・両手の指などを固くからみ合わせて、離れないようにする意。類義語ユヒ(結)は、立入禁止の標示とするのが原義》 ①糸や紐のはしを相互に固くゆわえる。また、その結び目をつくる。「白玉の五百(いほ)つ集ひを手に―・び」〈万四一〇五〉。「とみの物縫ふに、かしこう縫ひつと思ふに、針を抜きつれば、早く(ナント)しりを―・ばざりけり」〈枕九五〉 ②長寿や多幸を祈る呪術として、松の枝、草のはしなどを相互にゆわえる。「君が代も我が代も知るや磐代(いはしろ)の岡の草根をいざ―・びてな」〈万一〇〉。「常磐なる松の小枝(さえだ)を我は―・ばな」〈万四五〇一〉 ③結び文にする。「唐の縹(はなだ)の紙のいと細く―・びたるあり」〈源氏胡蝶〉 ④両手の掌を一つに組み合わせる。「匊、両手也、四指也、手中也、掬字也、牟須布(むすぶ)」〈新撰字鏡〉 ㋑両手で水をすくいあげる。「命をし幸(さき)くよけむと石はしる垂水(たるみ)の水を―・びて飲みつ」〈万一一四二〉 ㋺印(いん)の形を組む。「定印を―・びて、居ながら終りにけり」〈著聞四九〉 ⑤紐や棒などを組み合わせて、物を作り出す。「秋の野の草の繁みは分けしかど仮り寝の枕―・びやはせし」〈源氏夕霧〉。「一の庵を―・ぶ」〈方丈記〉 ⑥形をなす。形にあらわれた行為をする。「草の枕は夢も―・ばず」〈源氏明石〉。「当家はいまだ山門の為にあたを―・ばず」〈平家七・平家山門連署〉 ⑦(水分などが)凝固する。「解くとだに見えずもあるかな冬の夜のかたしく袖に―・ぶ氷の」〈栄花ゆふしで〉。「冬のはじめの朝霜―・ぶべき菊のまがき」〈源氏少女〉 ⑧約束・契りなどを固く交す。「大海の底を深めて―・びてし妹が心は疑ひもなし」〈万三〇二八〉。「極まれる愛(うるはしみ)を―・びてし夫妻も」〈東大寺諷誦文稿〉 ⑨心が鬱屈した状態になる。気がふさぐ。「かかる片輪者なれば、いかがすべきと嘆き―・ぶに」〈今昔二ノ三三〉 ⑩徒党を組む。「党を―・びて数あり」〈平家七・平家山門連署〉 ㊁『名』 ①結び目。「高麗錦(こまにしき)紐の―も解きさけず」〈万二九七五〉 ②文の終結。また、語尾を上の「係り」の語に照応する形とすること。「―とは言のとぢめをいふ。さるは一首のとぢめのみにもあらず、いづれの句にまれ、語の切るる所は、皆そのとぢめにて、上におけるてにをはの―なり」〈詞の玉緒一〉 ③にぎりめし。また、焼飯(にぎりめしを焼いたもの)もいう。「そんな物いやいや。縛られて手も叶はぬ。つい―をしてくれと御意なさるる」〈近松・国性爺三〉。「焼飯は―」〈女重宝記一〉 †musubi

―かりぎぬ【結び狩衣】 糸でいろいろの飾り模様を結びつけた狩衣。「桜の―、白き糸にて水をひまなく結びたる上に、桜柳を、それも結びてつけたる」〈増鏡八〉

―こぶ【結び昆布】 昆布を結んだもの。雑煮などに入れる。むすびこんぶ。むすびめ。「菓子〔八〕―・銀杏(ぎんなん)・さざい・うち栗・やうかん五種」〈久重茶会記弘治三・四・二四〉

―のかみ【結びの神】 男女・夫婦の縁を結ぶという神。むすぶのかみ。「〔夫婦ノ仲ヲ〕千代よろづ代と守り給ふ神なれば、―とも申すなり」〈伽・子安物語〉。「―も儘(まま)ならぬ事」〈西鶴・懐硯四〉

―ぶくろ【結び袋】 糸で編んだ袋。一説、袋の口が紐でしまるようになったもの。「〔碁手ヲ〕―に入れて出だしたり」〈宇津保蔵開下〉。「みな―にて造り枝に付けて、蔵人二人持(も)たり」〈栄花衣珠〉

―まつ【結び松】 契りをむすんだり願をかけるために、小枝を結んだ松。「岩代(いはしろ)の野中に立てる―こころも解けず古(いにしへ)思ほゆ」〈万一四四〉

むすぶのかみ【結ぶの神】 ①縁結びの神。「人知れぬ―をしるべにていかがすべきとなげく下紐」〈宇津保楼上上〉 ②「むすひ」に同じ。「―は、うぶの神なり。産霊と書けり」〈奥儀抄〉。「産霊、ムスブノカミ」〈伊呂波字類抄〉 ▽万物を生み出す不可思議な霊力のムスヒとは本来別であるが、後世、音の類似からムスヒと混同した。

むすぼほ・れ ムスボオレ **【結ぼほれ】**『下二』 ①(紐状のものが)からまり合って訳がわからないさまになる。「秋果てて霧の籬(まがき)に〔蔓ガ〕―・れあるかなきかにうつる朝顔」〈源氏槿〉 ②(紙など)結び文になる。「若やかに―・れたるは誰がぞ」〈源氏胡蝶〉 ③(水分などが)凝固する。「九月にもなりぬ。初霜―・れ」〈源氏藤袴〉 ④(夢などが)形をなす。「冬の夜に―・れつる夢の短さ」〈源氏槿〉 ⑤心が鬱屈した状態になる。「心苦しきがあまた侍りしなかに、つひに心もとけず―・れてやみぬること二つなむ侍る」〈源氏薄雲〉

むすぼ・れ【結ぼれ】『下二』 ①結ばれて解けにくくなる。「玉の緒は―・れてのみ止みなまし」〈拾玉集五〉 ②(水分などが)凝固する。「折らぬより袖ぞぬれぬる女郎花(をみなへし)露―・れて立てるけしきに」〈山家集上〉 ③心が鬱屈した状態になる。「ねもころに思ひ―・れ嘆きつつ」〈万四一一六〉 ④縁故でつながっている。縁つづきである。「武蔵・相模にこの殿ばらの一門ならぬ者やある。かやうに申す義盛も―・るるを知り給はずや」〈曾我五〉

むずむず ①ぐいぐいと力を入れるさま。「かぶと引き寄せうち着て、緒を―と結(ゆ)ひ」〈平治中・待賢門軍〉 ②遠慮会釈もないさま。「堀河の板にて桟敷を外より―と打ちつけてけり」〈愚管抄五〉

むすめ【娘】《ムスはムスコ(息子)のムス》 ①親にとり、自分の子である女。「業平朝臣、紀有常が―に住みけるを」〈古今七八四詞書〉 ②少女。若い女。「〔源氏ニ対シ〕若き―たちは、舟のうちさへ恥づかしう心化粧せらる」〈源氏須磨〉。「説文云、娘、少女之称也。和名無須女(むすめ)」〈和名抄〉

―は母に付・く 近世、庶民が夫婦離縁の際、女の子は母親に引き取られる慣習をいう。武士の場合、男女共に父親に引き取られたが、時代・地方により小異があった。「暇が出れば赤の他人、―・く作法」〈近松・日本武尊四〉 ▽鎌倉・室町時代、武家で行なわれた、懐妊中離縁となった妻や奴婢の産んだ子の帰属の慣習が、近世、庶民の離婚に慣用されたもの。

―ばら【娘腹】 ①母と娘の両方を妻とした時、娘の方から生れた子。「親腹の五宮をばいみじう愛しおぼし、―の六宮をば事の外にぞおぼされける」〈栄花初花〉 ②娘ばかり生む母親。「又かいの／いづれそなたは―」〈雑俳・西国船〉

むずめ・き『四段』 ぐらぐらする。ゆるぎうごく。「籠輿(ろうごし)の―・きひりめきて砕け破れなんとしける間」〈保元下・為朝生捕り〉

むずをれ【むず折れ】 ①急にもろく折れること。「裏にも面(おもて)にも、剛強を用ふれば、―がするほどに、其の国滅亡に至るぞ」〈三略抄上〉 ②たかぶり怒っていた気分が急に穏やかになること。「―にくわっと赤らむ顔を上げ」〈浄・烏帽子折三〉

む・せ【咽せ】『下二』 ①食物や煙・涙などのために、のどがふさがって息がつまるようになる。「涙に―・せて、何事もすがすがしうも申さで」〈栄花楚王夢〉 ②(悲しみや感動で)胸がつまって息苦しくなる。「言問はむ縁(よ)の無ければ情(こころ)のみ―・せつつあるに」〈万五四六〉

むせかへ・り ムセカエリ **【咽せ返り】**『四段』 何度もむせて息がつま

る。「『みても又逢ふ夜まれなる夢のうちにやがてまぎるる我身ともがな』と、―・り給ふさまも、さすがにいみじければ」〈源氏若紫〉。「〔余リノオカシサニ〕何と吹き出さんやうもなくて、―・りてぞ人人侍ひける」〈伽・乳母草紙〉

むせ・び【咽せび】『四段』《ムセと同根。奈良時代には、ムセヒと清音》①（煙などで）喉や胸をつまらせる。「黒烟(くろけぶり)御所中に打ち覆うて、門門の兵(つはもの)ども煙に―・びて乱れける」〈保元中・白河殿攻め落す〉。〈名義抄〉②泣き声で言葉も途絶え勝ちになる。「真袖もち涙を拭(のご)ひ、―・ひつつ語らひすれば」〈万四三九八〉。「悲しび鯁(むせ)びて言はく『苦しきかや今の日に、我が愛子を失ひてけらく』」〈金光明最勝王経平安初期点〉③流れなどがつかえる。「住ませ給ふ宮のうちも、よろづに思し埋もれたれば、御前の池・遣水(やりみづ)も、水草(みくさ)居(ゐ)―・びて、心もゆかぬさまなり」〈栄花月宴〉④むせび泣きのような音を立てる。「なほ今年までは、ものの音(ね)も―・びぬべき心地し給へば」〈源氏幻〉。「鹿叫び山も嵐に―・びつつ秋の終りは悲しかりけり」〈実国家歌合〉 †museFi

むそく【無足】《知行の料足のない意》①鎌倉・室町時代に、武士で所領や祿のないこと。また、その人。「五分一をもて―の兄に宛てたぶべきなり」〈貞永式目〉②役に立たないこと。無駄。無用。「万里の海路をしのぎ来て港に近くなりても、舟を損じぬれば、万里の辛労は―となるぞ」〈ぎやどぺかどる〉。「御身のすぐれたる望みを―になすも本意なければ」〈サントスの御作業一ノ一五〉

むそぢ【六十】《ヂは数を示す接尾語。ハタチ（二十）・ヨソヂ（四十）などのチ・ヂに同じ》六十歳。「年も―に少し足らぬ程なれど」〈源氏橋姫〉

むた【共・与】一緒。…とともに。体言に格助詞「の」「が」を介してつく。「野ごとに着きてある火の、風の―なびくがごとく」〈万一九九〉。「君が―行かましものを」〈万三七七三〉 ▽朝鮮語 moto（共）と同源か。

むだ【徒・無駄】役に立たないこと。無益。無意味。「―。虚言と書く。役に立たぬことを言ふとのことなり。そのうちにはうそがまじる心を言ふ」〈洒・胡蝶の夢〉。「―を言ひながら野道を行く」〈咄・無事志有意〉

むたい【無代・無体・無台】《ムダイとも》①軽視すること。無視すること。「さしも〔清盛ガ〕執し思ひ給ひつる〔福原ノ〕都を―に申しつるものかな」〈盛衰記二四〉②強引。無法。「よもその者―に捕へからめられはせじ」〈平家四・競〉。「―の所望申しつるなり」〈鎌倉大草紙〉

むだうウ・ド【無道】《ブタウとも》道理にあわないこと。無茶。「〔アナタガ〕宣ふやうにては、衛門督の―なるやうなれども」〈落窪三〉。〈色葉字類抄〉 **―しん**【無道心】①道心のないこと。慈悲心や信仰心を持たぬこと。「うらむらくは、諸方長老―にして学道せざることを」〈正法眼蔵嗣書〉②道理に従う心がなく、むちゃで無慈悲なこと。「熊谷の花を手折るや―」〈俳・太夫桜〉

むだ・き【抱き】『四段』《ム（身）タキの意。タキは腕を働かして事をする意》だく。「かき―・き寝(ぬ)れど飽かぬを」〈万三四〇四東歌〉 †mudaki

むたと『副』《ムタは、無益・無意味・不必要などの意をあらわす語》分別もなくやたらに。「食物量(はかり)なく―食するが悪いぞ」〈人天眼目鈔四〉。「―狂はいで、早早然るべき師を尋ねて学問をすべし」〈中華若木詩抄上〉

むだぼね【徒骨】無駄に労力を費やすこと。骨折り損。「―を折るや花なき里帰り」〈俳・吉野山独案内一〉

むたむた 無益なさま。事物を無駄に浪費するさま。「むだむだ」とも。「―とした者であるぞ。其の罰に墨を一升呑ませられたぞ」〈山谷詩抄一四〉 →むたと

むたらうウ・ロ【無太郎】《擬人名》①風流を解しない者。「―を楼より下駄でおろす也」〈俳・月の月〉②特に、香を聞き分けられない者。「―は無し梅の早咲き」〈俳・花かたみ〉。「―、香席にて一種も聞き得ぬを云ふ」〈俳・翌檜下〉

むち【貴】神や人を尊び親しんでいう語。多く、固有名詞の下につく。「ここに共に日の神を生む。大日孁貴(おほひるめのむち)とまうす」〈紀神代上〉 ▽ムチはムツの転と見られ、ムツには、皇睦神魯支(すめむつかむろき)など「睦」の字があてられているから、ムチは単に尊貴の対象ではなく、親しくむつまじい対象をいったものと思われる。

むち【鞭】馬などを打って走らせるための道具。竹または革で作る。「御さきの露を馬の―して払ひつついれ奉る」〈源氏蓬生〉。〈和名抄〉 **―鐙(あぶみ)を合は・す**（馬を特別早く駆けさせるために）馬に鞭をあてるのと、鐙で馬腹を蹴るのとをあわせ行なう。「鎌田とって返して、―・せて逃げければ」〈保元中・白河殿攻め落す〉 **―を挙(あ)・ぐ** 馬を早く走らせようとして大きく鞭をふりあげる。「―・げて六条堀河の宿所に馳せ来たり」〈平治中・義朝敗北〉

むぢ【無地】染物などで、全体が一色で模様のないこと。「幾つの袖も皆―の雪」〈俳・投盃〉

むちさし【鞭差し】うまやの舎人(とねり)で、鞭をもって主人に随行する者。「あはれ源氏は―までもおろかなる者はなきかな」〈平治中・義朝敗北〉

むぢむぢ うごめくさま。「大力に踏付けられ、只―とする所に」〈浄・平安城二〉

むつ【睦】血縁関係・夫婦関係にある者同士が、馴れ親しみ合っている状態。「ここに親(む)つ神ろき・神ろみの命(みこと)の宣はく」〈祝詞神賀詞〉

むつ【六つ】①数の名。ろく。「歌のさま―なり」〈古今序〉。「―にはいはひうた」〈古今序〉。「みこ―になり給ふ年」〈源氏桐壺〉②昔の時刻の名。卯(う)の刻、また酉(とり)の刻。六つ時。「寅の刻に起き、…さて―以前に出仕申すべし」〈早雲寺殿二十一箇条〉。〈ロドリゲス大文典〉

むつ【陸奥】①⇒みちのく。②旧国名の一。東山道所属。今の青森県と岩手県の一部。奥州。「陸奥国、ムツノクニ」〈運歩色葉集〉。〈ロドリゲス大文典〉

むつか・し『形シク』《ムツカリと同根》①不機嫌である。「大方いと―・しき御気色にて、…〔女御ヲ〕俄かにまかでさせ奉り給ふ」〈源氏少女〉②うっとうしい。「女君は、暑く―・しとて、御髪(みぐし)すまして（洗ッテ）」〈源氏若菜下〉③見苦しい。「龍胆(りんだう)は枝ざしなども―・しけれど」〈枕六七〉④気味がわるい。「〔女ハ〕冷え入りにければ…右近はただ、あな―・しと思ひける心皆さめて泣きまどふ」〈源氏夕顔〉⑤うるさくて応対が面倒だ。厄介だ。「暮れゆくに客人(まらうど)は帰り給はず。姫君いと―・しとおぼす」〈源氏総角〉。「いな。〔氷ハ〕持たじ。しづく―・し」〈源氏蜻蛉〉⑥重態である。「〔後白河〕法皇夜前より又―・しくおはします」〈明月記建久三・三・一〇〉⑦困難である。「山伏といふ前句〔ハ付句ヲスルノガ〕―・し」〈俳・昼網下〉

むつがたり【睦語り】むつごと。「埋み火のあたりに冬は円居(まとゐ)して―することぞ嬉しき」〈堀河百首〉

むつか・り『四段』《ムツケ・ムツカシと同根》不愉快がる。不機嫌で小言や文句を言う。また、子どもが駄駄をこねる。「いで、およすげたる事は言はぬぞよき。よし、さば、な参り給ひそと―・られて」〈源氏帚木〉。「若君の泣き給へば『例はかくも―・らぬに、いかなればかからん』」〈大鏡公季〉

むつき【睦月】陰暦正月の称。「―立ち春のきたらば」〈万八

一五〉 †mutuki

むつき【襁褓】①赤子に着せる衣。うぶぎ。「児(ちご)の御衣五重(いつ)がさねにて、御—などぞことごとしからず、しのびやかにしなし給へれど」〈源氏宿木〉。〈和名抄〉②幼児の大小便を取るために腰から下を巻くもの。おむつ。おしめ。「しめし」とも。「—の布下し候」〈山科家礼記文明三・四・三〉。「襁褓、ムツギ、為二孩児一拭二不潔一者也」〈文明本節用集〉③ふんどし。「島の住人とおぼしくて…赤裸にて—をかき」〈盛衰記一〇〉

むっくと『副』《ムクトの促音化》急に起きあがるさま。「—起きて」〈浄・牛若千人切四〉

むつ・け『下二』①不満に思う。気にくわないと思う。「明神、御気色まことにすさまじげに—・けたる体におはしければ」〈雑談集一〇〉。「あまりに姫君—・けさせ給ひて」〈伽・しぐれ〉②衰弱する。また、病気になる。「秘蔵の馬、葦毛、朝より—・け了んぬ」〈経覚私要鈔享徳二・二・二六〉。〈日葡〉

むつごと【睦言】①親しい同士の気のおけない会話。うちとけた話。「〔コノ詔勅ハ〕—と思ほしますが故に」〈続紀宣命八〉。「かかるついで(機会)は、おのおの—も、え忍びとどめずなむありける」〈源氏帚木〉②男女の間の二人きりの語らい。「—も未だ尽きなくに明けぬめり」〈古今一〇一五〉。「人のふところに手さし入れて物語りするをば—といふ」〈能因歌枕〉 †mutugötö

むつたま【親魄】むつまじい魂。「大君の—逢へや豊国の鏡山を宮とさだむる」〈万四一七〉 ▽原文「親魄」はニキタマともよめる。

むつとひとつや【六つと一つ屋】質屋。七つ屋。「書物は—に預けて」〈仮・浅草拾遺物語一〉

むつのちまた【六つの巷】六道(ろくだう)のこと。「六つの道」とも。「待て暫し子を思ふ闇に迷ふらん—の道しるべせん」〈太平記六・赤坂合戦〉

むつのはな【六つの花】雪の雅称。「白白と夜明けぞ—の春」〈俳・小町踊一〉。「—、雪の事なり」〈匠材集三〉

むつのみち【六つの道】「六道(ろくだう)」の訓読語。「むつのちまた」とも。「めぐりけむ程ぞ悲しき後れては一人や—に惑ひし」〈赤染衛門集〉

むつ・び【睦び】㊀『上二』《血縁あるもの、夫婦の関係にあるものとして、馴れ親しむ振舞をする意。広くは身内のものとしての態度で振舞う意》①血縁ある者として親しく振舞う。「常に見奉り—・びざりし親なれど、世におはせずと思ふに、いと心細きに」〈源氏竹河〉②夫婦の関係にある者として仲よく互いに振舞う。「わが〔雲井雁トノ〕御仲の…—・びそめたる年月の程をかぞふるに」〈源氏横笛〉③血縁者同様に親しく振舞う。「〔藤〕侍従の君も若き心地に、近きゆかりにて〔薫ト〕あけくれ—・びまほしう思ひけり」〈源氏竹河〉。「窓の螢を—・び、枝の雪を馴らし給ふ志のすぐれたるさまを」〈源氏少女〉 ㊁『名』①(血縁者・夫婦などの)親しい交際。「深くも見馴れ給はざりける、うちつけの—なれば」〈源氏蜻蛉〉②親しい挨拶。「時時によせて、あはれをも知り、故をも過ぐさず、よそながらの—かはしつべき人は」〈源氏若菜下〉

むつまかに【纏綿に】睦まじく。仲良く打ちとけて。「纏綿、牟津末加尓(むつまかに)」〈紀神代下〉

むつま・し【睦まし】『形シク』《血縁あるもの、夫婦の関係にあるものの間に、馴れ合い、甘える感情がある意。広くは身内のように感じている人や使用人に対する親しみの気持にも多く使う。類義語シタシは、本来必ずしも血縁などの無い人の間に、親密な関係、近しい気分のある意。室町時代末頃からムツマジと濁音にもいう》①血縁の関係にあって気持がよく通じている。「兄弟(はらから)などのやうに—・しき程なる〔人〕も無くて、いとさうざうしくなむ」〈源氏総角〉②夫婦の関係にあって、馴れ甘え、打ちとけた感情がある。「〔女御ハ〕人より先に参り給ひにしかば、〔天皇ノ〕—・しくあはれなる方の御思ひは、殊に物し給ふめれど」〈源氏宿木〉。「若くてぞ少し女にも—・しくおはしまして、…中比よりは男をのみ御かたはらに臥せ給ひて、法師のちごのやうに語らひ給ひつつ」〈増鏡一三〉③血縁同様の親愛の情を感じる。「春宮の御方は、実の母君よりも、この御方をば—・しきものに頼み聞え給へり」〈源氏若菜上〉④仲がよい。「是に陳蔡方(さま)に衛〔ノ国〕に睦(むつ)まし」〈春秋経伝集解一〇・保延点〉

むつむさし【六つ六指】白・黒の碁石三個ずつでさし、同じ石が三個連続したほうが勝となる遊戯。「子供相手に—」〈西鶴・一代女三〉。〈俳・初本結三〉

むつむつ【忿忿】言葉少なく愛敬のないさま。むっつり。「六十ばかりの道心の僧、おもしろげもをかしげもあらず、ただ—としたるが」〈俳・更科紀行〉

むつむつ【睦睦】むつまじいさま。「かりそめも親類などに、—とちなみて置くべし」〈多胡辰敬家訓〉

むつものがたり【睦物語】むつまじい語り合い。むつごと。「何にかかる—をしけむ」〈源氏少女〉。「かの、また、人も聞かざりし御仲の—に」〈源氏若菜下〉

むつ・れ【睦れ】『下二』むつまじく思って、まつわりつき、たわむれる。「恋の如わりなきものは無かりけりかつ—・れつつかつぞ恋しき」〈後撰五八四〉。「〔猫ハ〕いとよく馴れて、ともすれば衣の裾にまつはれ、寄り臥し—・るるを」〈源氏若菜下〉

むて【無手】《ムデとも》①芸能・武術・遊戯などに全く無能なこと。「余りにかなはぬ体也。—なると云ふが如し」〈古今私秘聞〉。「宗碩、発句あまり—に候」〈二根集三〉②何も得ないこと。無駄・徒労に終ること。また、無理。強引。「—なる働きして、ただ今敵に返されなば、一人も残るまじ」〈小松軍記〉

むてに【無手に】『副』①何もできないまま。いたずらに。「裸なる体(てい)なれば、—生け取られ縄かけられ」〈沼田根元記〉。「数代の家を…—相ひ捨つべき事は口惜しく存じ候」〈吉川家文書二、天正九・七・四〉②無理に。むやみに。「証拠状なども無く、—人に代貸し候などと言ひがかり候はんは」〈結城氏新法度〉③全然。全く。「歌道無き人は—賤しき事なり」〈早雲寺殿廿一箇条〉

むでむで【無手無手】全く何もできないさま。意気地のないさま。「それがしも人に知られて口をもきいたものぢゃに、—と太郎冠者が手にかかって死んだと、世間にて死んだ後まで言はるるならば」〈虎明本狂言・武悪〉

むてん【無点】①漢文に訓点のないこと。返り点や送り仮名を付けていないこと。「万葉集中、諸本—歌、長短旋頭、合百五十二首を抄出して」〈仙覚抄一〇〉。「—の大学を心静かに読みて」〈西鶴・諸艶大鑑三〉②全く理解できないこと。むちゃくちゃ。「ムテンナコトヲイウ」〈日葡〉。「名月を—に隠す雨夜かな」〈俳・犬子集五〉

むとく【無徳】①貧乏であること。「—に侍れば従ふ下人も侍らねば」〈宇津保俊蔭〉②役に立たないこと。「水の上—なる今日の暑かはしさかな。無礼の罪は許されなむやとて、寄り臥し給へり」〈源氏常夏〉③ぶざまな恰好であること。恰好がつかない様子。「—なるもの。潮干の潟にをる大船、大きなる木の風に吹き倒されて、根をささげ横たはれ臥せる」〈枕一三五〉

むどくしん【無得心・無徳心】情のないこと。無慈悲。「い

かな―な夷(えびす)も声を上げて泣きます」〈評判・役者口三味線京〉。〈俳・反故集下〉

むな【胸】「むね」の古形。多く他の語に冠して複合語をつくる。「胸乳(むなち)」「胸分(むなわけ)」など。「沖つ鳥〔ノヨウニ〕―見る時」〈記歌謡四〉

むないた【胸板】①胸の平らになっている部分。まれに、馬の胸の部分、いわゆる鞅尽(むながいづくし)を指すのにも用いる。「―をむずと捉へて」〈碧岩抄一〇〉 ②鎧の胴の前面の最上部。「よっ引いて放つ矢に―射させて落ちにけり」〈保元中・白河殿攻め落す〉

むながい【胸懸・鞅】《ムナカキの音便形》馬の胸から鞍にかけ渡す色染めの組緒。牛車(ぎっしゃ)などの場合には、胸から軛(くびき)にかけ渡す。「牛の踏みはだかりて、はたらかで立てりければ、―の切れて車は落ちて損じにけり」〈今昔二七ノ二六〉。「さて〔打チ落サレタ〕頸は〔頼光ノ馬ノ〕―にくひつきたりけるとなん」〈著聞三三五〉 **―づくし**【鞅尽】鞅が馬の胸に接触する部分。「真先に進んだる三穂屋の十郎が馬の左の―をひゃうづばと射て」〈平家一一・弓流〉

むなかど【棟門】二本の柱の上に、切妻破風造りの屋根をつけた門。柱が梁(はり)の上の蟇股(かえるまた)の中ほどまで延びているのが特徴。公家の邸宅に多く用いられた。「むねかど」「むなもん」「むねもん」などとも。「向ふを見れば、―・唐門建て並べたり」〈伽・かくれ里〉

むながひイ:ガ【胸交ひ】着物の左右の襟の胸のあたりで重なり合う部分。むなぐら。「―摑んで捻ぢ据ゆるは」〈近松・油地獄下〉

むながら【胸がら】胸。むなぐら。「向うさまに、―をほかと踏み倒す也」〈大恵書抄一〉

むなぎ【鰻】ウナギの古形。「夏やせによしといふ物そ―取り食(め)せ」〈万三八五三〉。「鱣・鯆魮・鱓鮰、ムナギ」〈名義抄〉 †munagi

むなぎ【棟木】建物の棟に使う材木。「柱立てすでに終り、―を揚げんとしけるに」〈太平記三六・天王寺〉

むなぐら【胸座・胸倉】《ムナガラの転》①むなもと。「むながひ」「むなづくし」とも。「―を取られて行きし山(やん)山」〈俳・大坂独吟集下〉 ②手付金。「むなぐら金」とも。「―の五両も貸してくんなせへ」〈洒・仕懸文庫〉

むなぐるま【空車】①車台だけで、車箱・屋形などのない車。荷車。「―に魚(をい)・塩積みてもてきたり」〈宇津保藤原君〉 ②人の乗っていない車。から車。「みれば人も乗らぬ車なり。かねて見所をとりて、人を煩はさじのために―を五両たて置かれたりけるなり」〈十訓抄一ノ二七〉。「のせてやる我心さへとどろきてねたくも返す―かな」〈頼政集〉

むなこと【虚言・空言】実のない言。うそ。きょげん。そらごと。「浅茅原小野に標(しめ)結ふ―も〔ニシテモ〕会はむと聞こせ恋の慰(なぐさ)に」〈万三〇六三〉 †munakötö

むなさか【胸坂】⇒たかむなさか

むなさき【胸先】胸もと。「――十一双これを灸す」〈教言卿記応永一三・一〇・二〇〉

むなざん【胸算】心の中で見積ること。胸中での計算。むなづもり。胸算用。「食べてだに―するや合せ柿」〈俳・沙金袋五〉 **―よう**【胸算用】《近世前期は、多くムネザンヨウ》「胸算」に同じ。「歌人や三五の月を〔眺メナガラ作歌ノ〕―」〈俳・筑紫の海三〉。「ここが―の真中」〈浮・好色貝合上〉

むな・し【空し・虚し】『形シク』①中に何もない。からっぽである。「人も無き―・しき家は」〈万四五一〉 ②事実がない。「げに人の言は、―・しかるまじきなめり」〈源氏槿〉 ③何も結果がない。無駄である。「丈夫(ますらを)や―・しくあるべき」〈万四一六四〉 ④はかない。無常である。「世の中は―・しきものと知る時しいよよますます悲しかりけり」〈万七九三〉 ⑤命が無い。形骸化している。「恋しきにわびて魂惑ひなば―・しきからの何や残らむ」〈古今五七一〉。「―・しき人をば常の所よりは出さず。我ら死人に同じとて、馬屋のあれ間よりいでたりける」〈古活字本曾我七〉 **空しくな・る** 亡くなる。死ぬ。「待ちわびし君は―・りぞしにける」〈大和七〇〉

むなしきそら【虚しき空】「虚空(こくう)」の訓読語。「わが恋は―に満ちぬらし思ひやれども行くかたもなし」〈古今四八八〉

むなしきふね【空しき船・虚しき舟】《フネは君主をいう。荀子などに「君は舟なり、庶人は水なり」とある。ムナシは位を去ったことをいう》上皇の異称。「住吉の神はあはれと思ふらむ―をさして来つれば」〈梁塵秘抄五三七〉。「―、院の御事なり」〈匠材集三〉

むなすだれ【胸簾】人の肋骨。また、肋骨がはっきり見えるくらい痩せている胸。「―の下、又ほがみ細細(さいさい)痛み」〈言経卿記慶長三・七・九〉。「破れたり親の編みたる―」〈俳・京拾遺三〉。「―、痩せたる胸也」〈俳・乳母七〉

むなだか【胸高】帯などを高く胸のあたりに締めること。むなだか。「帯は―にして」〈西鶴・一代男七〉

むなち【胸乳】乳ぶさ。ちち。「―を掛き出で」〈記神代〉

むなづくし【胸尽し】むなぐら。「むなづから」とも。「縄床を電光よりも早く、ひらりと飛び下りて、―をじっと摑んで」〈勝国和尚再吟一〉

むなつばら・し【胸つばらし】『形シク』《ムネツブラハシの転》胸がつまるようである。胸が一杯になる。訛って、「むねむわらし」とも。「梅川いとど―・しく」〈近松・冥途飛脚下〉

むなで【空手】手に何も持たないこと。素手。からて。「水たたふ岩間の真菰(まこも)刈りかねて―に過ぐる五月雨のころ」〈山家集上〉

むなふだ【棟札】建物の建造・修理のとき、年月日・建築主・作事人の名などを記して、屋根裏の棟木に打ちつける木製あるいは銅製の札。「建長年中の造替の―に、まさしく、平氏八幡社、三安友盛奉行となんありける」〈伽・阿漕の草子〉

むなべつ【棟別】《ムネベツとも》棟別銭の意。鎌倉・室町時代、家の一棟ごとに課した臨時課税。幕府・守護などが盛んに取り立て、その重要財源となった。「―なんど言ひて心ならぬ奉加をもちて功を終へける、仏意に叶はずや」〈沙石集七ノ五〉。「守護が点検して、是れを以て、年貢を取るぞ。こなた(日本)の―など云ふやうなぞ」〈蒙求抄三〉

むなまへだれエ:マ【胸前垂】酒屋・油屋などで用いる、胸から膝の下まで掛ける長い前垂。胸前掛。「―に初嵐吹く」〈俳・大句数上〉

むなやすめ【胸休め】「点心(てんじん)」に同じ。「点心とは―と読むぞ」〈策彦和尚初渡集下ノ下〉。「先づなんでもあれ、―に、油に糍(もち)を買うて食はうずと云はれた」〈勝国和尚再吟一〉

むなわ・け【胸分け】㊀『下二』(鹿などが)胸で草などを押し分ける。「さを鹿の―・け行かむ秋野萩原」〈万四三二〇〉 ㊁『名』①胸で草などを押し分けること。「さ男鹿の―にかも秋萩の散り過ぎにける」〈万一五九九〉 ②胸。胸の幅。「―のゆたけき吾妹(わぎも)」〈万一七三八〉 †munawakë

むにむさん【無二無三】《後世、ムニムザン》①〔仏〕「無二亦無三(むにやくむさん)」の略。成仏の道はただ一つで、他に無いということ。法華経の教義がこれに相当するという。転じて、単に「唯一無二」の意、それ一つだけで他に類のないこと。「―、一代教主釈迦如来の出世の御本懐の至極無双の教門」〈愚管抄三〉。「一乗八軸の妙経（法華経八巻）を…七日に七部頓写(とんしゃ)し給ひて—の妙理をのべ」〈明徳記下〉 ②わき目もふらず、一心に行なうさま。しゃにむに。「—に切って入り、心得たりと切り結ぶ」〈浄・ゑしま物語上〉

むにんじま【無人島】近世、特に小笠原島の称。「—の大海老の沙汰」〈西鶴・諸艶大鑑三〉

むね【宗・旨】《ムネ（棟）・ムネ（胸）と同根。家の最も高い所で一線をなす棟のように、筋の通った最高のもの、また一つの趣旨》 ①最高の価値として一貫すべきもの。「〔歌合セノ〕歌を—とした事に、〔絵ヲ〕などわろきものにかかすべき」〈栄花根合〉 ②趣旨。趣意。「方等経の中に〔方便説ハ〕多かれど、言ひもて行けば一つ—にありて」〈源氏螢〉 ③全体の支えとなるもの。中心。「丹の党を—として、五百余騎ひしひしと轡(くつばみ)を並ぶるところに」〈平家九・宇治川〉 →むねと

むね【胸】《古形ムナの転。ムネ（棟）と同根。棟木の高く張るように、胸骨の張っている所の意》 ①胸部。「沫雪の若やる—をそだたき」〈記歌謡三〉。「胸・臆、訓並、牟禰(むね)」〈華厳音義私記〉。「—つぶつぶと鳴る心地するも」〈源氏野分〉 ②胸の病。また、胃の病。「病は。—、物のけ、足のけ」〈枕一八八〉 ③心。気分。気持。「吾が—痛し恋の繁きに」〈万三七六七〉。「〔故人ヲ〕思ひいで奉るに、—あく世なく悲しきを」〈源氏紅梅〉 ④物思い。「宮はいかなるにつけても—のひまなく安からず物をおもほす」〈源氏紅葉賀〉 ⑤衣の胸にあたる部分。「暑やとて、袷の御小袖の御—を引きあけて」〈健寿御前日記〉 ⑥短歌の第二句。胸の句。「初の句をば頭とし、第二句は—といひ、第三の句を腰として、終の二句は尾なるべし」〈和歌色葉上〉 **—に当・る** 心に強くひびく。「かほどの理(ことわり)、誰かは思ひ寄らざらんなれども、折からの思ひかけぬ心地して、—・りけるにや」〈徒然四一〉 **—に据(す)・う** 怒りを表面に表わさない。我慢する。「口惜しき事—・ゑかねしか」〈西鶴・新可笑記三〉 **—に手を置・く** 《心臓の動悸をおさえる動作》 ①強い不安、心痛の形容。「〔他ニ候補者ガ〕ものし給ふと聞き給ふれば…—・きたるやうに侍る」〈源氏行幸〉。「御産もとみに成りやらず。入道相国・二位殿—・いて『こはいかにせん、いかにせむ』と」〈平家三・御産〉 ②よく思案する。「ゆるやかに—・く四百俵〔ノ祿米取リ〕」〈俳・紀子大矢数上〉 ③《胸に手を置いて寝るとうなされるという俗説から》うなされる。びっくりする。「—・く。夢におびゆるを云ふ」〈俳・言葉寄四〉 **—の強き** 気が強い。「〔高安与太郎ハ〕—者にて、芸の事には、人に随はぬ人と也」〈近代四座役者目録〉 **—を据(す)・う** 決心する。腹をきめる。「世の中の大事とは此の事、とっくと—・ゑ給へ」〈近松・三世相一〉 **—を衝(つ)・く** 意外な事にびっくりする。とむねをつく。「さても—・いた事、誰にどうと談合せん」〈近松・淀鯉下〉 **—を潰(つぶ)・す** 心配や悲しみで、胸がどきどきする。「猶このにくき御心のやまぬに、ともすれば御—・し給ひつつ」〈源氏賢木〉

むね【棟】《ムネ（胸）・ムネ（宗）と同根》 ①屋根の最も高く水平に張っているところ。「大炊寮(おほひづかさ)の飯(いひ)炊(かし)く屋の—に…つばくらめは巣をくひ侍る」〈竹取〉 ②牛車の屋形の上に前後に渡した木。「車の…おそひ・—などに〔卯ノ花ノ〕長き枝を葺きたるやうにさしたれば」〈枕九九〉 ③家や舟の屋形などを数えるのにいう語。「二つ瓦（龍骨）の三—に造ったる舟に乗り」〈平家二・大納言流罪〉 ④【刀背】刀のみね。「持ち給へる太刀の—にて一打ちも当てられさせ給ふな」〈義経記三〉 **—高・し** 家が大きくて立派である。家が富み栄えているのにいう。「—・き家を見返る旅立ちに」〈俳・続独吟集上〉。「住まば都に—・うして」〈俳・阿蘭陀丸上〉

むねあげ【棟上げ】家屋建築の一過程で、柱・梁(はり)などを組み立て、その上に棟木を上げ据えること。また、その時に行なう祝いの儀式。「今日、鞍馬寺—なり」〈中右記大治二・七・一〇〉。「棟上、ムネアゲ、家の祝」〈文明本節用集〉

むねうち【刀背打ち・棟打ち】刀の背(みね)で打つこと。みねうち。「謙信が刀の—に、一打ちづつにも足らぬ事なり」〈甲陽軍鑑一〇下〉。「刀背打、ムネウチ」〈書言字考〉

むねかど【棟門】⇒むなかど。「〔風ハ〕—、平門を吹きぬきて」〈平家三・辻風〉

むねざんよう【胸算用】⇒むなざんよう。「内内は—をし置き侍れども」〈仮・智恵鑑七〉

むねつき【胸付き】胸の様子。「〔御袴着デ〕姫君のたすきひき結ひ給へる—ぞ、うつくしげさ添ひて見え給ひつる」〈源氏薄雲〉

むねつぶらは(ワ)・し(シ)【胸潰らはし】『形シク』胸のつぶれるような感じがする。胸がどきどきするようである。「御帳のめぐりにも人人しげく並み居たれば、いと—・しくおぼさる」〈源氏賢木〉

むねと【宗と】『副』主として。もっぱら。「桜・小吹・萌黄などを—着る」〈健寿御前日記〉 **—の** 《「宗徒の」「宗旨の」とも書く》 おもだった。中軸となるべき。「経蔵の—聖教を取り出でたりける」〈古事談五〉。「—兵(つはもの)四百余騎、都合一千余騎にて馳せ向ふ」〈保元上・官軍勢汰へ〉

むねのはちす【胸の蓮】清浄な心のたとえ。「胸の蓮華」とも。「いさぎよきは君子の—かな」〈俳・夢見草二〉

むねのひ【胸の火】もえる思い。「わくがごと物思ふ人の—におつる涙の滝をますかな」〈宇津保菊宴〉

むねはし・り【胸走り】㊀『四段』胸がどきどきする。「—・るまでおぼえ侍るを、この御簾のうちにだにさぶらふと思う給へて、まかでん」〈かげろふ下〉 ㊁『名』胸がどきどきすること。胸騒ぎ。「〔行列ノ物音ガスルノデ〕かたはらいたしと思ひつつ、さすがに—するを」〈かげろふ中〉。「—。胸騒ぎなり」〈匠材集二〉 **—び**【胸走り火】胸がどきどきするのを、ぱちぱち飛びはねる火にたとえていう語。「人にあはん月のなきには思ひおきて—に心やけをり」〈古今一〇三〇〉

むねむし【胸虫】胃痙攣(いけいれん)。「胸の虫」とも。「—の薬は糞にしかずと」〈末森記〉。〈日葡〉

むねむね・し【宗宗し】『形シク』 ①いかにも長となるにふさわしい能力を備えている。「家司(けいし)なども、—・しき人もなきままに」〈源氏橋姫〉 ②確固としている。「うちよろぼひて、—・しからぬ軒の」〈源氏夕顔〉

むねん【無念】 ①〔仏〕《「有念(うねん)」の対》 妄念を離れた無我の心。無心。「一切の諸法において、一念も生ぜずして—なるが故に」〈道元法語〉 ②不本意。残念。「首を取りては—なり。生捕りもっとも大切なり」〈保元上・親治等生捕らる〉

むのう【無能】才能・能力などがないこと。「能ある者は—にこそなりしが」〈一言芳談〉

むば【姥・乳母】《「うば」を平安時代以後、普通に mba と発音したので、それを仮名で書いたもの》 ⇒うば

むばたまの 〔枕詞〕《「ぬばたまの」を平安時代以後、普通に mbatamano と発音したので、それを仮名で書いたもの》 ⇒ぬばたまの

むば(ムバ)・ひ(イ)【奪ひ】『四段』《「うばひ」を平安時代以後、普通に mbaFi と発音したので、それを仮名で書いたもの》

⇒うばひ

むはふホウ【無法】 法にはずれ道理に背(そむ)くこと。乱暴なこと。「ムハウヲコナウ」〈日葡〉。「無法、ムハフ」〈文明本節用集〉 **—やぶり**【無法破り】 乱暴でむちゃくちゃな振舞をする者。無法人。無法者。「—の緩怠者」〈浄・京童五〉

むばら【荆・茨】《「うばら」を平安時代以後、普通に mbara と発音したので、それを仮名で書いたもの》⇒うばら

むひつ【無筆】 文字を知らず、読み書きができないこと。また、その人。「また、—なる者申すやう」〈咄・昨日は今日下〉。〈日葡〉

むぶつせかい【無仏世界】 ①釈迦はすでに在世せず、彌勒(みろく)もまだ出現しない間の乱世。この時期に地蔵菩薩が出て衆生を教化するといわれる。「〔地蔵ハ〕—の導師、本師(釈迦)付嘱の薩埵(さった)なり」〈沙石集一ノ六〉 ②仏法の教化の及ばない未開野蛮の地。「慈恵大師の、遠国の仏法まれなるさか柴山に跡を垂れて、—の衆生を度し給はんとかや」〈撰集抄二ノ六〉

むべ【宜】『副』《「うべ」を平安時代以後、普通に mbe と発音したので、それを仮名で書いたもの》⇒うべ。「—も昔のをとこは…とは云ひけむ」〈土佐一月十七日〉。〈日葡〉

むべむべ・し【宜宜し】『形シク』《「うべうべし」を平安時代以後、普通に mbembesi と発音したので、それを仮名で書いたもの》⇒うべうべし

むへん【無辺】 果てもなく広大なこと。「苦海ここに—なる事を悲しぶ」〈性霊集七〉 **—くゎう**コウ【無辺光】 十方世界を照らし際限のない光の意で、阿彌陀仏の光明の称。「至らぬ限も無ければ—とは名付けたり」〈謡・姨捨〉 **—くゎうぶつ**コウ【無辺光仏】 阿彌陀仏の別号で、十二光仏の一。彌陀の智慧の光明はあまねく十方を照らして限りなく、どんな衆生をもことごとく照らし出すのをいう。「南無無量光仏、南無—、南無清浄光仏」〈栄花玉台〉 **—せかい**【無辺世界】《仏語で無限の世界、虚空界の意》 あてもない所。虚空。「〔矢ハ〕的のあたりにだに近くよらず、—を射給へるに」〈大鏡道長〉

むほん【謀叛】《呉音》 朝廷に反逆して兵を挙げること。律で八虐の一。後には、為政者・君主に対してもいう。「八虐。一日謀反、…三日—、国に背き偽に従ふを謀る」〈名例律〉。「—の由を大官に奏す」〈将門記〉。「謀叛、ムホン、背朝也」〈色葉字類抄〉

むほんしんわうノウ【無品親王】 親王で位のないもの。叙位を受けていない親王。「—の外戚(げさく)のよせなきにてはただよはさじ」〈源氏桐壺〉

むま【今】 いま。「篠塚(しのづか)の—や—や(駅ト掛ケル)と待ちわびし君はむなしくなりぞしにける」〈大和七〇〉

むま【馬】《奈良時代に「うま」を mma と発音する場合があったので、それを「牟麻」と書いたもの。また平安時代以後、京都でも普通に mma と発音したので、それを仮名で書いた》⇒うま

むまき【牧】《「うまき」を平安時代以後、普通に mmaki と発音したので、それを仮名で書いたもの》⇒うまき

むまご【孫】《「うまご」を平安時代以後、普通に mmago と発音したので、それを仮名で書いたもの》⇒うまご

むま・れ【生れ】『下二』《「うまれ」を平安時代以後、普通に mmare と発音したので、それを仮名で書いたもの》⇒うまれ

むみゃうミョウ【無明】〔仏〕 十二因縁の第一。真理を知ることができず、無知であること。「此の会(ゑ)の功徳は、必ず智恵の光を得て、—の闇を照らすべし」〈三宝絵下〉。「法の身の月は我身を照らせども—の雲のみせぬなりけり」〈新勅撰五七七〉 **—のさけ**【無明の酒】 人の正常な心を乱すもととなる酒。無明。「久しく—に酔うて本覚の源を知らず」〈性霊集一〉。「—に酔ひぬれば、敵の入るをも知らずして前後不覚に臥したりけり」〈曾我九〉 **—やみに**【無明闇に】『副』 むちゃくちゃに。でたらめに。「無法闇に」とも。「恥を捨てて、有る事を無しと云ひ、無き事を有りと云ひ、種種に口を変へ、—かやうの狂言を吐くこと、甚だ一莞す(笑イ飛バス)べし」〈禁断日蓮義九〉

むむ『感』 感心した時、合点した時などに発する声。「〔姫ハ〕ただ—とうち笑ひて、いと口おもげなるもいとほしければ」〈源氏末摘花〉

むめ【梅】《「うめ」を平安時代以後、普通に mme と発音したので、それを仮名で書いたもの》⇒うめ

むめい【無銘】 刀剣などに銘すなわち製作者の記名のないこと。また、その製作品。「〔刀ノ〕銘は—」〈八卦抄三〉。〈文明本節用集〉

むめいし【無名指】 薬指。紅さし指。「陪膳人膏薬を取りて、これを献ず。右の—を以て、これを左掌並びに額等に塗ることは例のごとし」〈花園院宸記元弘二・一・三〉。「—と云ふは、小指のそばなる指也」〈御書抄三五〉

むも・れ【埋れ】『下二』《「うもれ」を平安時代以後、普通に mmore と発音したので、それを仮名で書いたもの》⇒うもれ

むもん【無文】《「有文(うもん)」の対》 ①模様のないこと。無地。「位なき人はとて—の直衣(なほし)」〈源氏須磨〉。「檜扇は。—、唐絵」〈枕二六六〉 ②和歌・連歌で、かざりのない平淡なものをいう。「—なる歌の、さはさはと読みて心おくれたけあるのみ〔秀逸ト世人ハ〕申しならひて侍る、それは不覚の事にて候」〈毎月抄〉 ③能楽で、耳目に直接訴える美がなくて、しかもより以上の美的効果をあらわす芸をいう。「さびさびとしたる中に何とやらん感心のある所あり。…〔コレヲ〕無心の能とも、または—の能とも申すなり」〈花鏡〉 ④字を知らないこと。無学。「イチモン(一文)ハムモンノシ(師)ナリ」〈日葡〉 **—のたち**【無文の太刀】 柄(つか)も鞘(さや)も黒塗りで、蒔絵(まきえ)や彫刻のような飾りなども施してない太刀。六位以下の者が用いるが、殿上人以上も葬儀の時には用いた。「この太刀は大臣葬の時もちゐる—なり」〈平家三・無文〉

むやく【無益】《呉音》 役に立たないこと。何の益もないこと。「—なりさらば憂き世を出でねかしながらへながら心あるよし」〈拾玉集四〉。〈色葉字類抄〉

むやく・し【無益し】『形シク』 口惜しい。癪にさわる。「大方の—しき事をも勘忍ある由なり」〈評判・難波物語〉

むゆか【六日】 ⇒むいか。「例の—の物忌みになりぬべかりけり」〈かげろふ中〉 **—の菖蒲**(しゃうぶ)《五月五日の節句の翌日の菖蒲の意》 時期に遅れて役に立たないことのたとえ。六日のあやめ。六菖十菊。「今は何の用にかあふべき。会(ゑ)=法会)にあはぬ花、—」〈平家二・志度合戦〉 ↓十日(とをか)の菊

むよう【無用】 ①なんの役にも立たないこと。不必要。「成親といふ—のいたづら者」〈平家二・教訓状〉 ②禁止の意をあらわす語。してはいけないこと。不可。「只今、呉より齊の国へ手を掛けらるる—也」〈中華若木詩抄上〉。「かやうの発句、御—なり」〈耳底記〉。「向後(きゃうこう)出入—なり」〈驢鞍橋下〉 **—の京上**(のぼ)**り** 用事もないのに京都へ行くのは時間と金の浪費になるということ。「おさんは里人にあづけ置き、—」〈西鶴・五人女三〉

む

むら ①物事の不揃いなこと。一定しないこと。でこぼこ。「嫡子には宗と譲りて、次男より次第に少しづつへらして、―なく譲りてけり」〈沙石集九ノ三〉。「〔出来不出来ノ〕―のなからんは、為手(して)よりは能を知りたる故なるべし」〈風姿花伝〉 ②欠点。短所。「道具久しく手に触れぬれば、―抜けて宜き所あり」〈泉南寓居記〉 **―を抜・く** (鉋(かんな)を掛けて)でこぼこが無いようにする。「弓をよう拵(こしら)へて、―・き」〈玉塵抄一三〉

むら【匹・疋・端】布二反分を一巻きにしたものを数える語。「凡そ絹・絁・糸・綿は、並びに郷土の出せるに随へ。田一町に絹一丈、四町にして匹(むら)をなす」〈紀孝徳、大化二年〉。「この帯と絹十―余りとを取りいでて」〈宇津保忠乞〉。「匹、ムラ、一―、疋之正字也」〈色葉字類抄〉

むら【村】《ムラ(群)と同根》多数の人が集まって営む聚落。「穿邑、此をば于介知能務羅(うかちのむら)と云ふ」〈紀神武即位前〉。「国家の人宝・邑(むら)里の醴泉なり」〈東大寺諷誦文稿〉。「村、和名無良(むら)、野外聚居也」〈和名抄〉 ▽朝鮮語 maul(里)と同源か。

むら【群・叢・聚】《ムレ(群)の古形》同類のものが一団となっていること。また、そのもの。「―肝」「あぢ―」「たづ(鶴)―」「岩―」「槻―」など。「―鳥の朝立ちいなば」〈万四〇〇八〉。「大なる火の聚(むら)百踰繕那に満ちたりとも」〈金光明最勝王経平安初期点〉

むらい【無礼】《呉音》不作法なこと。「悩ましうて―なるを、あらはに」〈源氏総角〉

むらかた【村方】近世、町方(まちかた)に対して、農村・山村・漁村をいう。「―の物入り、種種その事多くこれ在る故に候ふ由、相聞え候」〈御触書寛保集成三三、正徳三・四〉

むらが・り【群がり】『四段』多く群れになって集まる。「群(むら)がれる狗(いぬ)競ひ来たりて」〈法華経二・院政期点〉

むらが・れ【群がれ】『下二』「むらがり」に同じ。「桂樹の藂(むら)がれ生ふること根深きに」〈三蔵法師伝九・院政期点〉

むらぎ・え【群消え】㊀『下二』(雪などが)所所まだらに消える。「垣のもとに、雪―・えつつ」〈源氏浮舟〉 ㊁『名』まだらに消えること。「若菜つむ袖とぞ見ゆる春日野の飛火(とぶひ)の野べの雪の―」〈新古今一三〉

むらきみ ①【邑君】むらの長。農民の長。「播磨の国の田の―、百八十(ももやそ)の―ありて、おのが村ごとに相たたかひし時」〈播磨風土記〉 ②【漁父・漁翁】漁夫の長。「―召して大網引かせ」〈宇津保吹上上〉。〈和名抄〉 †mura-kimi

むらきもの【群肝の】〔枕詞〕《ムラキモは群がっている臓腑(きも)の意で、内臓のこと》心は内臓のはたらきによると信じられていたことから、「心」にかかる。「―心くだけて」〈万七二〇〉 †murakimonö

むらくも【叢雲】あつまりむらがった雲。主に雨降りの前後の雲、月にかかる雲にいう。「時雨(しぐれ)めきてかきくらし、空の―おそろしげなる夕暮」〈源氏総角〉

むらご【斑濃・村濃】染色の名。同じ色で所所に濃い所と薄い所とあるもの。紺色のを紺村濃、紫色のを紫村濃という。「とくゆかしきもの。巻染・―・くくり物など染めたる」〈枕一五九〉

むらさき【紫】①ムラサキ科の多年草。紫草。根から紫色の染料をとる。古代の重要な染料で、各地で採取された。「託馬野(つくまの)に生ふる―衣(きぬ)に染(し)め」〈万三九五〉 ②染色の名。紫草で染めた色。浅く染めた場合は赤味をもち、深く染めるほど黒味をます。「―の帯の結びも解きも見ず」〈万二九七四〉 ③〔女房詞〕鰯(いわし)。「いわし。―、おほそとも、きぬかづきとも」〈大上﨟御名之事〉 ④女の異称。「―は女の異名也」〈古今集註〉。「紫、ムラサキ、女にたとふる也」〈和漢新撰下学集〉 †murasaki **―がは**(ワガ)【紫革】赤紫色に染めた皮。「―して伊予簾(いよす)かけわたし」〈枕一七七〉 **―どし**【紫腰】蹴鞠の技の免許の印として、宗家から袴の腰板を紫色に染めることを許された者。さらに、紫裾濃(すそご)・桔梗袴と順次に許される。「鞠は―を許され」〈西鶴・永代蔵六〉 **―すそご**【紫裾濃】上は白くして、裾の方ほど紫色をだんだん濃くしたもの。「みづら結ひて、―の元結なまめかしう」〈源氏澪標〉 **―の**【紫野】紫草を栽培した園。「あかねさす―行き」〈万二〇〉 **―の**【紫の】〔枕詞〕紫の色は濃いので、同音をもつ地名「粉瀉(こがた)」に、貴く名高い色であることから地名「名高」に、紫色をしていることから「雲」「藤」にかかる。また、「にほへる妹(いも)」「心にしみて」にも枕詞としてかかるともいう。「―粉瀉の海に」〈万三八七〇〉。「―名高の浦の」〈万一三九二〉。「―雲の林を」〈新古今一九三〇〉。「―藤江の岸の」〈続後撰一四八〉 **―のくも**【紫の雲】①《「紫雲(しうん)」の訓読語》紫色の雲。歌では紫の藤波を雲に見たてることが多く、仏教関係では聖衆来迎の雲にいう。「―とぞ見ゆる藤の花」〈拾遺一〇六九〉。「仏の渡らせ給ふその日になりて春の霞も立ちけり。―すぢを絶たずたなびきたり」〈栄花鳥舞〉。「―とは、阿彌陀来迎し給ふ時の雲なり」〈新古今注〉 ②皇后の別称。「―のよそなる身なれども立つと聞くこそうれしかりけれ」〈後拾遺四六〇〉。「后。―。しりへの宮」〈八雲御抄三〉 **―のくもぢ**【紫の雲路】極楽浄土への道。「聖衆来迎楽。―にさそふ琴のねにうき世をはらふ嶺の松風」〈新古今一九三八〉 **―のゆかり**【紫の縁】《古今集の「紫のひともとゆゑに武蔵野の草はみながらあはれとぞ見る」の歌などから》いとしく思う人に関係のあること。また、いとしい人の縁者。「かの―(藤壺ノ姪デアル紫上)尋ねとりたまへりし折」〈源氏若菜上〉 **―ぼうし**【紫帽子】①紫縮緬(ちりめん)で作り、端を左右に垂らした帽子。歌舞伎若衆が月代(さかやき)を隠すために用いたが、後には女も用いた。野郎帽子。びらり帽子。「雲の立ち舞ふ〔如クヒラヒラスル〕―」〈俳・難波風〉 ②歌舞伎若衆。「中にも―が取り徳ぢゃ」〈西鶴・置土産五〉

むらさめ【村雨】《叢雨の意》俄かに激しく降って来る雨。「庭草に―降りて蟋蟀(こほろぎ)の鳴く声聞けば秋づきにけり」〈万二一六〇〉 †*murasamë

むらじ【連】《ムラ(村)ジ(主)の意か》姓(かばね)の一。伴部の長として天皇に仕えた氏に多い。この中の大伴・物部などが大連として欽明朝頃から実力があった。八色(やくさ)の姓の制定によって、多くは宿禰(すくね)・朝臣(あそみ)となった。「大伴―等の祖、道臣命」〈記神武〉

むらしぐれ【村時雨】《叢時雨の意》時時さっと強く降って通り過ぎる雨。「旅ねする庵を過ぐる―なごりまでこそ袖はぬれけれ」〈千載五三八〉

むらたけ【群竹】むらがって生えた竹。「わが屋戸のいささ(イササカノ)―」〈万四二九一〉 †muratakë

むらだ・ち【群立ち】㊀『四段』群がって立つ。「難波潟―・つ松も見えぬ浦をここ住吉と誰か思はん」〈撰集抄三ノ二〉。「所所に―・ちたる御方の勢をあひまねき」〈太平記三九・芳賀兵衛〉 ㊁『名』群がり立つこと。一群となって立っていること。「玉くしげ二見の浦の貝しげみ蒔絵に見ゆる松の―」〈金葉五八〇〉

むらたまの【群玉の】〔枕詞〕くるくる廻るので、「枢(くる)」にかかる。「―枢に釘さし固めとし妹が心は揺(あよ)くなめかも」〈万四三九〇防人〉 †muratamanö

むらと【腎・村戸】腎臓の古名。また転じて、心。「練(ねり)の―(一筋縄デハ行カナイ心)にあざむかえけり」〈万七七三〉。「腎、音神、訓牟良斗(むらと)」〈華厳音義私記〉。「腎、ムラド」〈名義抄〉 ▽平安時代末期から江戸初期までは、ムラドと濁音。 †murato

むらとり【群鳥】むらがっている鳥。「あかくなりゆき、―の立ちさまよふ羽風近く聞ゆ」〈源氏総角〉 **―の** むらがっている鳥のようにの意で、「群れいなば」「朝立ち」「出で立ち」「群(むら)立ち」を修飾する。「―我が群れいなば」〈記歌謡四〉。「―朝立ちゆかば」〈万一〇四七〉。「―出で立ちかてに(カネテ)」〈万四三九八〉。「―群立ち行けば」〈万一七八五〉 †muratörinö

むらなへ【卜苗】《ウラナへの転。占いをする苗の意》苗代から一握りの苗を抜き取り、その数によって吉凶を判断するという占い。「上毛野佐野田の苗の―に事は定めつ」〈万三四一八東歌〉 †muranaFë

むらはっと【村法度】近世、村落生活に必要な規律を村民が寄り合って協約したもの。村極(むらぎめ)。村議定書。「右衛門名を庄屋が留むる―」〈雑俳・よせだいこ〉

むらむら【聚聚・群群】『副』所所にむらがって。あちこちまだらに。「庭のおもに―見ゆる冬草の上にふりしく白雪の」〈古今一〇〇五〉。「九月になれば、紅葉―色づきて」〈源氏少女〉

むらめか・し【群めかし】『四段』むれをなす。「―・いて寄せ、或は谷、ふけ(低湿地)をもきらはず駆け入り」〈平家八・妹尾最期〉

むらやま【群山】むらがっている山山。多くの山山。「大和には―あれどとりよろふ天の香具山登り立ち国見をすれば」〈万二〉

むり【無理】①道理に合わないこと。「度度の召文に違背し今に参らざるの条、―の致す所歟」〈集古文書二六、正安二・八・一八〉 ②道理を逸脱して強引なこと。「―に奪(ば)ひ取りて焼き払ひけり」〈伽・頼朝最後の記〉。「剛(しひ)て)は―にといふ心」〈錦繡段鈔九〉 ③名詞に冠して、強いて行なう意を表わす。「―乞ひ」「―起請」「―借り」など。「いやがるを抱いて念者の―所望」〈俳・正章千句下〉

むりき【無力】貧乏。「ぶりょく」とも。「薬代なしに、かの―の人に薬を与へらるる処を以て施薬院とは申すなり」〈庭訓抄下〉

むりざけ【無理酒】強いて酒を飲むこと。また、無理やりに飲まされる酒。「太鼓持の役とて、夕べは―の相(あひ)をさせられ」〈西鶴・諸艶大鑑一〉

むりじに【無理死】自殺。「―や三輪の山本道もなし」〈俳・大矢数一〉

むりむたい【無理無体】無理やりにすること。無法にすること。「―を禁しむる也」〈仮・吉利支丹退治下〉。〈日葡〉

むりむり 物の裂け離れ、または、ひしげる音。めりめり。むり。「霞に忍ぶ宿の―(ト家鳴ガスル)」〈俳・守武千句〉。〈名語記九〉

むりゃう【無量】数えきれないほど多いこと。無数。「福(さいはひ)を得る事―なり」〈三宝絵下〉

むりゃう【六糸緞】中国渡来の絹織物。繻子(しゅす)に比べて、経(たていと)が粗く光沢が幾分劣ったもの。〈和漢三才図会二七〉

むる・し『形ク』《モロシの母音交替形》もろい。「鹽、ムルシ」〈名義抄〉

むれ【山】やま。「今城(いまき)なる小(を)―が上に雲だにも著(しる)く立たば」〈紀歌謡一一六〉 ▽古代朝鮮語 mori(山)と同源か。

む・れ【群れ】㊀『下二』《ムラ(群)を活用させた語》鳥や人などが、仲間ごとに、あちらに一かたまり、こちらに一かたまりと、思い思いに集まる。(幾つかの)集団にまとまる。「つかはしし舎人(とねり)の子等は行く鳥の―・れてさもらひ」〈万三三二六〉 ㊁『名』むれているもの。〈日葡〉

むれらか【群れらか】群れになっているさま。群をなして集まっているさま。「物は―に得たるこそよけれ」〈宇治拾遺一〇九〉

むろ【室・窟】①山腹などの岩窟。「野の中を瞻(み)たまふに、物有り。其の形廬(いほ)の如し。…『―なり』とまうす」〈紀仁徳六十二年〉 ②壁などを塗りこめた家屋。「新(にひ)―の壁草刈りにいまし給はね」〈万二三五一〉 ③こもって住む所。主に僧房。「〔僧ヲ〕召しにつかはしたるに、『老いかがまりて―の外にもまかでず』と申したれば」〈源氏若紫〉 ④物の、外気に触れるのを防いだりする為に、特別にかこってしつらえた所。「漆窨、ウルシムロ」〈色葉字類抄〉 †muro

むろ【無漏】〔仏〕《「漏」は煩悩の意。「有漏(うろ)」の対》煩悩から完全に解脱(げだつ)していること。「我が思ふ所は―にあり」〈懐風藻〉。「〔彌陀如来ハ〕これ即ち―の万徳の成就し給へるなり」〈栄花玉台〉

むろがやの 未詳。むろがやの生えている意か。また、地名「都留(つる)」にかかる枕詞か、また、地名か。「―都留の堤の」〈万三五四三東歌〉 †murogayanö

むろぎみ【室君】播磨国室津の遊女。後には、一般に遊女の異称。「恨みぞ勝る―の行く船や慕ふらん」〈謡・室君〉

むろざき【室咲き】室(むろ)の中で草木を温めて早く花を咲かせること。また、その花。「梅・椿も―はかじけて面白からず」〈西鶴・名残の友五〉

むろぢ【無漏地】〔仏〕《「有漏地」の対》無漏の境地。悟りの境界。「有漏地より―に通ふ釈迦だにも羅睺羅(らごら)が母はありとこそ聞け」〈法華経直談鈔六本〉

むろつみ【館】外国からの使や、旅客をとめる建物。宿舎。旅館。「更(また)新(にひ)しき―を難波の高麗(こま)の―の上(ほとり)に造る」〈紀推古十六年〉。「館、太知、牟路都美(むろつみ)、客舎也」〈和名抄〉。「館、タチ・ムロツミ」〈名義抄〉

むろのき【室の木・天木香樹・杜松】ハイネズの木。マツ科の常緑喬木。葉はスギに似る。海岸地方に多い。ネズ。ネズサシ。「磯の上に根はふ―」〈万四四八〉。「樫、無呂(むろ)」〈和名抄〉 †muronöki

むろほき【室寿き】新室〈にひむろ〉の安全・長久を、ことばで祝うこと。「天皇(すめらみこと)…みづから衣帯(みそおび)をひきつくろひて、―してのたまはく」〈紀顕宗即位前〉 †muroFoki

むろや【室屋】山の斜面を掘り、まわりを岩石で取り囲んでつくった住居。むろ。「忍坂(おさか)の大―に人多(さは)に来入り居り」〈記歌謡一〇〉 †muroya

むゐ【無為】①〔仏〕《「有為(うゐ)」の対》生滅変化することのないもの。涅槃(ねはん)。真理。絶対。「永く―を得て解脱(げだつ)の岸に至れり」〈今昔一ノ三〉 ②⇒ぶゐ(2)「事にふれて穏便なりければ、『いかにも―なるやうに』と思ふ」〈伽・鴉鷺合戦物語〉

むゐ【無畏】〔仏〕仏や菩薩の身につけている徳の一。智慧があるので、大衆の中で法を説く場合に、何ら恐れる所がないこと。「十力―の相は起居(たちゐ)するにあり」〈栄花玉台〉

め

め【目・眼】《古形マ(目)の転。メ(芽)と同根》❶《見る器官》①動物が物を見る器官。「―にし見えねばいきどほろしも」〈紀歌謡三〇〉②(1)の形をしたもの。「疣目、イホメ」〈名義抄〉❷《見る機能》①見ること。見えること。(その対象である)顔。「鶯の春になるらし春日山霞たなびく夜―に見れども」〈万一八四五〉。「生駒山越えてそ吾(あ)が来る妹が―を欲(ほ)り」〈万三五八九〉。「―のみだに我に見えこそ言問はずとも」〈万一二一一〉②見分ける力。見ぬく力。「妖言(およづれ)に―かも迷(まと)へる」〈万三三三四〉。「―も及ばぬ御書きざま」〈源氏帚木〉③視線。まなざし。「人に―も見合はせ給はず」〈源氏夕顔〉。「詞忍べば―で知らせ」〈近松・日本武尊四〉④見方。「親の―は贔屓―」〈近松・鑓権三上〉❸《見る所の意から》①視界。「むらさきの色濃きときは―もはるに野なる草木ぞわかれざりける」〈古今八六八〉②直面する事態。「いみじき―な見せたまひそ」〈源氏夕顔〉。「戚(せき)夫人の見けむ―のやうにはあらずとも」〈源氏賢木〉❹《注目によって知られるもの》①小さい結節点。「片淵に網張り渡し―ろ寄しに寄し寄り来ね」〈紀歌謡三〉②刻んだ点。小さい穴。「一二の―のみにはあらず五六三四さへありけり双六の采」〈万三八二七〉。「我が背子が着(け)せる衣の針―おちず」〈万五一四〉③目盛り。「はかりの―能(よ)く知りてしたたむべし」〈後伏見院宸翰薫物方〉④境界となる所。「そぎ板もち葺ける板―の合はざらば」〈万三六五〇〉。「九原は境―の地ぢゃ程に」〈三体詩抄三ノ四〉。「天下分け―の合戦」〈道家祖看記〉⑤ものごとの程度を示す語。「戸の細―にあきたるを」〈源氏賢木〉❺①順序を数える語。「法華経の二巻―半巻(はんまき)許り読みて居たりけるが」〈義経記三〉。「連歌はただ三句―大事なり」〈古今連談集上〉。「三日―によみがへらせられた」〈コリヤード懺悔録〉②衡量の単位。一貫の千分の一。もんめ。〈コリヤード日本文典〉†mě **―が堅・い** 夜が更けても眠たがらない。「お―・い、ちとお休みあそばせ」〈近松・艶狩三〉 **―が黒・い** 善悪・良否を見分ける力

がある。鑑識がある。「奥州者は―・い」〈近松・将棋経三〉 **―から鼻へ抜・く** 頭がよくてすばしこい。「目から入りて鼻から出る」とも。「―・くるばかりの鬼の面」〈俳・昼網下〉 **―刺すとも知ら・ず** 目を突き刺してもわからない意で、闇夜の形容。「―・ぬ闇ではあり」〈平家六・祇園女御〉 **―に余・る** ①目からあふれる。「恋の涙や―・るらん/嬉しさを重ねて包む袖もがな」〈看聞御記紙背連歌〉②数が多かったり、大きさが甚だしかったりして、一目では見切れない。「細川刑部大輔―・る程の大勢なりと聞き」〈太平記三・義助朝臣病死〉③見るに耐えない。度を越した行為などについていう。「野山を走り、田畠を損じ、馬牛を打ち張り、―・りたる不用仁なりければ」〈盛衰記一八〉 **―に懸(か)・く** ①目にとめて見る。「四条を東へ具しけるまではまさしく―・けたりけるを」〈著聞四三三〉②《「御―・く」の形で》お見せする。御覧に入れる。「これをそと御―・けたう候」〈謡・熊野〉。「オメニカクル」〈日葡〉③ひいきする。面倒を見る。④枡や秤で計る。秤目にかける。「午の刻に雹(あられ)降る。―・けて三四文目(もんめ)あり」〈江源武鑑一四〉 **―に角(かど)を立・つ** 怒りを含んだ鋭い目つきをする。はげしい怒りの目で睨みつける。「目に角(かど)を入る」とも。「衝然は、―・てて物を見る貌(かたち)也」〈荘子抄五〉 **―に染(し)・む** ①目にしみいるようである。印象深く見る。「本間の狂言―・みて面白し」〈評判・役者大鑑〉②厭に思うほど目に付きすぎる。「曲舞より切(りき)までの内、八度まで袖を返しければ、―・みて見苦しかりき」〈舞正語磨上〉 **―に正月** 目を喜ばすたとえ。「目に正月さす」とも。「我が涙―もなき世かな」〈俳・境海草上〉 **―に付・く** ①面影や印象が目に焼きつく。「狭野榛(さのはり)の衣に着くなす―・くわが背」〈万一九〉②見て気に入る。「遊び・たはぶれに心入れたる童べのありさまなど、院はいと―・かず見給ふ事どもあれど」〈源氏若菜上〉 **―にぶら下が・る** 目につく。目に掛かる。「秋来ぬと―・る一葉かな」〈俳・続山の井三〉 **―に物見・す** 目に見せて知らせる。ひどい目にあわせる。思い知らせる。「手並の程は知りつらん、―・せてくれん」〈伽・酒呑童子〉 **―の暇(いとま)要・る** 見るのに時間が要る。見るのにひまがかかる。「仮名文見給ふるは―・りて」〈源氏若菜上〉 **―の鞘外(はづ)・す** 目を大きく見開いて油断をしない。「いや、きゃつは―・いた奴(やつ)ぢゃ」〈虎明本狂言・磁石〉 **―引き鼻引き**

目つきや鼻先で合図し合って、あざけりなどの意を通じるさま。「目引き袖引き」とも。「―、顔をそばめてぞをかしげに思ひける」〈沙石集六ノ一八〉 **―振る間(あひだ)** 脇見するほどのわずかな時間。「目振るま」とも。「早舟出し、西風烈しく、矢の如くに走り候。枚方の宿を―に過ぎ」〈宗静日記寛文七・三・一三〉 **―も当てられ・ず** あまりのまばゆさ、すばらしさ、おそろしさなどのため、正視できない。見るにたえない。「〔宮殿〕甍ごとに玉を磨きて、―・ず」〈十訓抄一〇ノ六四〉。「変りゆくかたちありさま―・ぬこと多かり」〈方丈記〉 **―もあや** 目がくらむようなさま。目がちらちらするようなさま。「見聞く人人、―にあさましくあはれにもまもり居たり」〈大鏡時平〉 **―も及ば・ず** こちらの認識力や鑑賞力を越えている。立派すぎて、正当な批評や鑑賞ができない。「この御屏風の墨付きのかかやくさまは、―・ず」〈源氏若菜上〉 **―をくは・す** めくばせする。「かづきする海士(あま)の住みかをそことだにゆめ言ふなとや―・せけん」〈枕八四〉 **―を肥や・す** すばらしい物を見て喜び楽しむ。「一時が―・して何にかはせむ。…よしなしかし。物見で、かうこそ思ひたつべかりけれ」〈更級〉 **―を・す** 目を怒らして見る。にらむ。「三位―・して睨みければ」〈咄・醒睡笑六〉 **―を澄ま・す** 期待や驚嘆などによって、目をみはる。「今夜いかなる事をせんずらむと、―・して待つに」〈宇治拾遺七四〉。「諸人―・しけり」〈平家一・殿上闇討〉 **―を立・つ** ①注目する。目をとめる。「御文を焼き失ひ給ひしなどに、などて―・て侍らざりけむ」〈源氏蜻蛉〉②鋸の歯、臼の目などを鋭くする。「諸肌ぬぎて見せらるるに、諸腕・肩先・首のまはりに深手・浅手の疵は、やすりの―・てたるに異ならず」〈室町殿日記一〉 **―を付・く** 見る対象を定めて、それをずっと見る。「我が父おとどを、人知れず―・け奉り給へど」〈源氏行幸〉。「見知らぬは、誰ならむ、それにやなど思ひやり、―・けて見送らるるこそをかしけれ」〈枕三三〉 **―を長く・す** 気長に見る。永い目で見る。当座は我慢して見る。「喧嘩になっては悪いと、―・して居ました」〈滑・浮世風呂前下〉 **―を抜・く** 人をたぶらかしだます。「一切衆生の―・き、神(たましひ)をまどはかす邪法」〈日蓮遺文四条金吾殿女房御返事〉 **―を眠(ねぶ)・る** 見ぬふりをする。「―・っても、聞所・見所は見てゐる」〈近松・冥途飛脚上〉 **―を引・く** 目くばせする。「時に左右の見る人、口を覆ひ―・き笑ふ」〈古活字本保元下・無塩君〉 **―を**

見・す ①目くばせする。「優婆塞、睇(めをみ)せて、ひそかに…いはく」〈霊異記中一六〉 ②体験に直面させる。…の目にあわせる。「心憂き—・せ給ふかな」〈源氏葵〉 ③「目に物見す」に同じ。「悔過(けくわ)はしたりとも、したりとも、—・せむ」〈梁塵秘抄三三八〉。「修行者めらに—・せて、既に後悔し給ふらんものを」〈義経記三〉 **—を見詰・む** ひきつける、または、気絶する。目をまわす。「—・め死にかかれるが生き返り」〈俳・犬子集一七〉 **—を・見る** ①人に逢う。「よしもあらぬか妹が—・見む」〈万三〇一一〉 ②体験をする。…の目にあう。「何の契りにかかる—・見るらむ」〈源氏夕顔〉。「珍しくうれしき—・見つるかな」〈源氏野分〉 ③目が見える。視力がある。「一人は生れけるよりして—・見ず、一人は生れけるよりして腰立たず」〈龍鳴抄上〉

め【牝・雌・女・妻】《「男(を)」の対。多く複合語として使う。動植物の雌(めす)の意。人間にも、男と一対をなす女の意で使うが、多くは女を見下げたり卑下したりする気持でいう。また、妻を指す場合もあるが平安時代には受領以下の人の妻をいうことが多く、天皇・貴族の正妻を指すことはほとんどない。軽侮の意をあらわす接尾語メも、これの転用》㊀『名』①動植物の雌(めす)。「—鳥が織る金機」〈紀歌謡五九〉。「桂、女加豆良(めかづら)」〈和名抄〉 ②(雌雄一対のうちの)女。「男(を)の神も許し給ひ—の神も幸(はち)ひ給ひて時となく雲居雨ふる筑波嶺をさやに照らして」〈万一七五三〉。「寺寺の—餓鬼申さく大神(おほみわ)の男餓鬼(をがき)賜(たば)りて其の子生まはむ」〈万三八四〇〉 ③妻。「—子見ればめぐしうつくし」〈万八〇〇〉。「みちの国の守の—となりたりけるを」〈源氏宿木〉 ④妾。「やむごとなき御—どもいと多く持ち給ひて…みかどの御—さへあやまち給ひて」〈源氏須磨〉 ⑤低い扱いの対象とされる女。「醜(しこ)—」「鄙つ—」「泣き—」「市—」など。「泊瀬(はつせ)—の造る木綿花(ゆふばな)」〈万九二三〉 ㊁『接尾』【奴】その者を甚だしく見下げる意を添える。「その仲綱—に鞍置いて引き出せ。…仲綱—打て、はれ」〈平家四・競〉。「汝は次郎法師—か」〈著聞六〇一〉。「あの奴ばら、男—も、をなご—も正体ないていたらくぢゃ」〈ロドリゲス大文典〉 †me

め【芽】《メ(目)と同根》草木の種や根・枝などから出て、これから新しい葉や茎になろうとするもの。「秋柏潤和川辺(うるわかはべ)の小竹(しの)の—の人には逢はね君にあへなく」〈万二四七八〉。「霞立ち木(こ)の—も春の雪ふれば花なき里も花ぞ散りける」〈古今九〉 †mĕ

め【海布】《モ(藻)の転か》食用にする海藻の総称。「志賀のあまは—刈り塩焼き暇(いとま)無み」〈万二七八〉 †mĕ

め『助』「も」の上代東国方言。「打ち寄(え)する駿河の嶺(ね)らは恋(くふ)しく—あるか」〈万四三四五防人〉 †mĕ

め『助動』推量の助動詞「む」の已然形。 †mĕ

めあかし【目明し】①《目で明らかにする意から》目利き。「煩悩海中の船筏師となるなり。天下の—と成りたなり」〈大智禅師偈頌抄上〉 ②近世、町奉行所の与力・同心、大目付などの役人が、犯人の捜索逮捕の目的で、小遣銭などを与えて私的に使った者。有罪の犯人を放免して、諜者の役目をさせたことから始まる。手先。岡っ引。御用聞。口問(くちどひ)。「当所に於て—これ有るの故、後難如何なるべしと云云」〈鹿苑日録慶長九・三・六〉。「—と云ふ者あり。これは等類を多く訴人すれば死罪を許され、江戸中を歩き、知りたる徒ら者を見付け出して捕らする役人也」〈御当代記一〉

めあは・せ メアワセ【妻合はせ】『下二』妻として連れ添わせる。「—・するに公主を以てせむとす」〈三蔵法師伝四・院政期点〉。「妻、メアハス・ツマ」〈名義抄〉

めあひ メアイ【目間】①目と目との間。「—遠くして、眉間尺が子孫かと思はる」〈評判・野郎虫〉 ②監視している人の油断した時。目のすき。「門番の—を見て、つっと懸けこみ」〈浮・新武道伝来記四〉

めあ・ひ メアイ【妻合ひ】『四段』夫婦となる。「待宵は光右衛門と—・ひ、一家豊かに栄え給ひける」〈近松・水木辰之助餞振舞三〉

めい【命】①いのち。「兵士(つはもの)のために—終り」〈宇津保祭使〉 ②命令。言いつけ。「この二(ふた)りの人、主の—に随ひて…多くの木を取りて」〈今昔一三ノ一四〉 ③天命。「—を知るものは天をうらみず。己を知るものは人をうらみず」〈十訓抄九序〉 **—有れば食(しよく)有り** 人間は何とか生活できるものである。「—。食して只居る者もなく、相応の楽しみ求めて、心をやる事さまざまなり」〈浮・好色敗毒散三〉

めい【銘】製作物に刻みつけ、あるいは記入した、製作の由来・年月日や作者名。「剣の—」〈本朝文粋一三〉。「常在光院のつき鐘の—は、在兼卿の草(さう)なり」〈徒然二三八〉。「—はただ何とも知れぬ錆刀」〈俳・伊勢山田俳諧集〉

めいか【名家】①名望ある家柄。名門。「〔新田義貞ハ〕八幡太郎義家十七代の後胤、源家嫡流の—なり」〈太平記七・新田義貞〉 ②中世以降、公家の家格の一。文官出身の家柄で侍従・弁官を歴任し、蔵人頭を兼ね、参議・中納言を経て大納言にまで昇りうる家系をいう。葉室・中御門・日野・烏丸・広橋の諸氏など。「或いは清花(せいぐわ)の家これをねたみ、或いは—の輩これをそねんで」〈太平記三・北山殿〉

めいけい【明鏡】①くもりのない鏡。「—午(たちまち)に開けて境(りを)に随ひて照らす」〈和漢朗詠集僧〉 ②明らかであること。澄み切ってくもりのないこと。「彼の山田荘は…四至—、堺畔隠れ無し」〈東大寺文書四、永治二・二・三〉。「君—にましまして、善を勧め悪を退け給ふを」〈浄・にたんの四郎六〉。〈日葡〉

めいげつ【名月】①八月十五夜の月。「唐にては、八月十五夜—に砧を打ちはじむるなり」〈梵燈庵袖下集〉 ②九月十三夜の月。「禁中の—殊に賞翫に堪ふ」〈実隆公記永正六・九・一三〉

めいげつ【明月】①明るく澄みわたった月。「—空しく山を照らす」〈性霊集一〇〉 ②「名月」に同じ。「八月十五日の—に」〈盛衰記二八〉。〈天正十八年本節用集〉

めいげん【鳴弦】弓弦を引き鳴らして魔をはらうこと。皇子の誕生、天皇の入浴・病気、貴人の出産・病気などの際行なわれた。つるうち。「御悩の刻限に及んで、—する事三度の後」〈平家四・鵼〉

めいさく【名作・銘作】すぐれた、または有名な工人の手になる刀などの製作物。銘作物。「—とは申せども、すきなく打たれけるほどに、鍔ぎはより打ち折って」〈伽・もろかど物語〉。〈文明本節用集〉

めい・じ【銘じ】『サ変』心に刻み込む。「その告げの心に—・ずる在り」〈平家五・富士川合戦〉

めいしょ【名所】①風景・古跡などで名高い所。「この国の—にあこやの松といふ所を見ばや」〈平家二・阿古屋松〉 ②《多く名所の名を付けるので》遊里で、名代の大夫の異称。名(めい)の物。「吉原の—、…丹州・花野・三笠」〈松平大和守日記万治三・七・九〉 **—かう** ウコ【名所香】名所の名に因んだ名香。「夫婦寝ながら—を聞きて」〈西鶴・好色盛衰記四〉

めいせき【名籍】名簿。戸籍。「大きなる松の木を削って、中将—を書きつけらる」〈平家一〇・維盛入水〉

めいち【め一・女市】《隠語》悪いこと。「狂言の仕組によって〔芸ノ〕ー男市(をいち)の有る役者」〈評判・役者大鑑〉

めいど【冥途・冥土】〔仏〕暗い道の意で、亡者の魂がさまよって行く暗黒の世界をいう。死後の世界。「独りーに行きて、閻魔の庁に至りぬ」〈今昔一七ノ二〇〉 **ーのとり**【冥途の鳥】ホトトギスの異名。「ほととぎす異名…ー」〈俳・類船集一〉

めいのもの【名の物・銘の物】①「めいさく」に同じ。「〔高価ナ鎧ノ札(さね)ハ〕いかなーなりとも通らいで」〈論語抄陽貨〉。「銘物、メイノモノ」〈運歩色葉集〉②名のある遊女。「此の里のー、刃金を鳴らす女郎ども」〈浮・野傾旅葛籠五〉

めいぶつ【名物・銘物】①すぐれた物。由緒ある物。「さしものーを田舎の塵になさん事、口惜しう候」〈平家七・経正都落〉②すぐれた人。「吉原のー吉田と云へる口舌の上手あり」〈西鶴・一代男六〉③その土地の名高いもの。特に、名産。「〔錦木モ狭布ノ細布モ〕同国のーなれば、能因も詠み合はせけるにや」〈連証集〉。「美濃のー串柿」〈再昌草三〉④茶道で用いる由緒あるすぐれた道具。大名物・名物・中興名物などの別がある。「唐物は、代物の高下によらず、御床に飾る御道具をーと云ふ」〈山上宗二記〉

めいぼ【目疣】瞼(まぶた)にできる小さな腫物。ものもらい。めばちこ。「目に出来し疣に、櫛の背(むね)あたためて、ーーひっ括れ、また出ばひっ括ろと云ひて、呪ふ事あるぞとよ」〈俳・類船集一〉。〈日葡〉

めいほう【名方】薬の名高い調合法。名処方。「昨日は御秘蔵のー御相伝成され、御礼短紙に申し上げ難く候」〈伊達家文書三、寛永二・閏七・九〉。〈日葡〉

めいぼく【名木】①すぐれたよい木。また、由緒ある木。「その木、左右(さう)なきーにて未だあり」〈著聞六四八〉②伽羅(きゃら)の異称。「懐中より香包、ー火鉢にくゆらせ」〈近松・夕霧上〉

めいぼく【面目】「めんぼく」の「ん」を「い」で表記したもの。「御師の心地うれしくーありと思へり」〈源氏少女〉。「〔祈禱ノ〕壇こぼちて帰り入らむこともーなく」〈源氏夕霧〉▽平安時代初期、漢字の字音のうち、音節の末尾のnの音を「い」の仮名で写す習慣があった。例えば、西大寺本金光明最勝王経の傍訓に、「戦陣、セイチイ」「異見、イケイ」「衰損、スイソイ」などがある。

めいめい【銘銘】①一人一人。おのおの。各自。「三星・五星の盃の事、ーにいただきて飲むべし」〈伊勢備後守貞明覚悟記〉。「代代当家の祿をはみ、殊に八士のーならずや」〈安宅一乱記四〉。〈文明本節用集〉②〔接頭語のように用いて〕おのおのが同じ動作をする意、または、同じように与えられる意を表わす。「ー稼ぎ」「ー盆」「ー菓子」など。「かの懸物にー書の五句目迄、殊更に聞き事也」〈西鶴・一代男七〉。「ー弁当槇(まき)の葉に盛る」〈俳・大矢数五〉 **ー気気** 各人思い思い。人により好みが違う意。「ーの春は腹中」〈俳・西鶴五百韻〉 **ー木木の花** 人の好みはおのおの異なるというたとえ。「ーの都にさへ人同じからず」〈西鶴・懐硯一〉

めいめいてう【命命鳥】仏典で、一身両頭両嘴と説く想像上の鳥。「されば天竺にーといふ鳥は」〈説経・鎌田兵衛正清〉。「耆婆鳥(ぎば)…又ーとも云ふ」〈文明本節用集〉

めいよ【名誉】①ほまれ。名声。「今、武勇のー長ぜるによって、居ながら征夷将軍の院宣を蒙る」〈平家八・征夷将軍〉②有名なこと。著名。「それより『後の千金』といふ事ーせり」〈宇治拾遺一九六〉。「ーの達者、抜群の仁に候」〈庭訓往来十一月日〉③不思議。奇怪。「この詩はーの詩なり。まことやらん、この詩を〔天神ニ〕献せられたれば、御廟震動したると云ひ伝へし也」〈中華若木詩抄下〉 **ーきたい**【名誉希代】不思議千万。「名誉不思議」とも。「咲く菊の匂ひやー白(はく)」〈俳・鸚鵡集七〉

めいよう《「名誉(めいよ)」の転》不思議。奇妙。めんよう。「かかる神通ーを目の前に現じ、ここを先途と戦へば」〈幸若・入鹿〉

めいり【滅入り】『四段』①深く入りこむ。めりこむ。「此の水、竹椽の下に細く流れこみ…見しうちにー・りて、柱もゆがみ壁もこぼれ」〈西鶴・武家義理四〉②元気がなくなり、ふさぎこむ。気が沈む。「かやうの事に付けても、女郎の気漸漸にー・りつつ」〈浮・好色万金丹一〉

めいろ【迷盧】「蘇迷盧(そめいろ)」の略。「ー八万の頂より猶高き父の恩忽に忘れんとす」〈平家二・烽火〉

めいろ【冥路】冥途(めいど)。「ー昏昏として我を弔ふ人なし」〈謡・海士〉

めいわう【明王】賢明な帝王。聖明の天子。「〔貴重ナ書物ヲ壁ノ中ニ隠スナド〕ーの御世に出で来まじきことどもなり」〈宇津保蔵開中〉。「ここのよはひにてーの御代四代をなむ見侍りぬれど」〈源氏花宴〉

めいわく【迷惑】①迷うこと。とまどうこと。「皇居に馴れざるが故に心ーす」〈平家五・咸陽宮〉。「生死ーの種子は、淫貪の一念なれば」〈他阿上人法語一〉。〈色葉字類抄〉②困ること。困惑すること。「何とーなりとも、子を売り、捨つる事なかれ」〈伽・富士の人穴の草子〉。「肴がなうて、何ともーなさるる」〈虎明本狂言・武悪〉

めう【妙】①この上もなくすぐれていること。「力量のーなるが故に」〈正法眼蔵観音〉②この上もなく不思議なこと。「それーといふは不可思議に名づく」〈沙石集三ノ一〉③変なこと。おかしなこと。「ーな聞きやうや」〈咄・醒睡笑七〉④《「小女」の合字という》僧侶の隠し妻。「庫裡(くり)からーが楚忽(そこつ)に出でて言ひけるは」〈咄・醒睡笑三〉

めうおん【妙音】美しい音。美しい音楽。「ー聞え、光さし、歌舞の菩薩の目のあたり現はれ給ふ不思議さよ」〈謡・当麻〉 **ーてん**【妙音天】弁才天の異称。妙音天女。「迦陵頻…ー此の曲を奏し玉へり」〈教訓抄四〉 **ーぼさつ**【妙音菩薩】東方の一切浄光荘厳国より霊鷲山(りょうじゅせん)に来て、法華経を聴聞したといわれる菩薩。「ーの誓ひこそ、かへすがへすもあはれなれ、娑婆(しゃば)界の衆生ゆゑ、三十四まで身を分けつ」〈梁塵秘抄一五六〉

めうが【茗荷】《ミョウガの芽を多く食べると馬鹿になるという俗説から》馬鹿。阿呆。愚者。「くたびれる／御宿老様のー様」〈雑俳・軽口頓作〉

めうかう【妙好】〔仏〕何一つ欠けた所なくととのい、うるわしいこと。「丈六の彌陀如来…神通の相は勢ひ(威勢)にあり、ー高妙の相は形体にあり」〈栄花玉台〉

めうかく【妙覚】〔仏〕最高のすぐれた悟り。「また、ーは無上位なり」〈正法眼蔵礼拝得髄〉

めうきゃう【妙経】すぐれた経典。とくに妙法蓮華経(法華経)をいう。「かねて五十八の法侶を延(ひ)いてーの奥義を講宣す」〈性霊集八〉

めうけん【妙見】菩薩の名。北斗七星を神格化したもので、国土を守り、災厄を除き、人の福寿を増すという。我が国では、眼病を癒す菩薩としても信仰された。「この寺はーの現じ給ふ所なり」〈今昔一一ノ二〇〉

めうじ【苗字】「名字(みょうじ)」(3)に同じ。戦国時代以降、この文字が用いられた。「景鏡、景健は、朝倉のー憚有りとて、土橋式部大夫、安居孫三郎と改名し」〈総見記一四〉。「中間どもの集まりて、人の名―を沙汰しけるが」〈咄・醒睡笑三〉　**―めし**【苗字飯】何も交ぜない米の飯に対して、菜飯・茶飯・麦飯など、他の物を交ぜて炊いた米の飯。名字飯。「面白や四季折折の―」〈俳・幻の庵〉

めうつし【目移し】一つの物を見馴れた目で別の物を見ること。「玉を磨ける〔新妻ノ住居ノ〕―に、〔元ノ妻ノ周囲ニハ〕心もとまらねど」〈源氏真木柱〉

めうつり【目移り】いろいろの物を見て、どれがよいかと心の迷うこと。「院の有様御覧じ渡すに、いと狭くて晴るる間もなく思さるるは、殿の中の御―なるべし」〈狭衣三〉

めうと【妻夫・婦夫】《メヲトの転》夫婦。「やい、おのれは左近と―よ、―よ」〈虎明本狂言・右近左近〉。「婦夫、メウト」〈下学集〉

めうほふ【妙法】〔仏〕《第一・最勝・不可思議な法の意》意味の深い教え。特に、法華経の美称。「―を演説し、もろもろの善事等をあらはし示す」〈三宝絵下〉　**―れんげきゃう**【妙法蓮華経】大乗仏教の最も重要な経典の一。普通には鳩摩羅什(くまらじゅう)訳の八巻本を指す。序品・方便品・譬喩品・信解品・薬草喩品・授記品・化城喩品・五百弟子授記品・授学無学人記品・法師品・見宝塔品・提婆達多品・勧持品・安楽行品・従地涌出品・如来寿量品・分別功徳品・随喜功徳品・法師功徳品・常不軽菩薩品・如来神力品・嘱累品・薬王菩薩本地品・妙音菩薩品・観世音菩薩普門品・陀羅尼品・妙荘厳王本事品・普賢菩薩勧発品の二十八品から成り、前十四品を迹門、後十四品を本門という。日本では聖徳太子の作という法華義疏以来、鎮護国家の三部経の一つとして重視され、諸種の行法や写経が盛んに行なわれた。天台宗・日蓮宗の根本教典。法華経。「謹むで金字の―一部…を写し奉り」〈性霊集八〉

めうもん【妙文】《すぐれた文章の意》妙法を説いた経文。特に法華経についていう。「如来の金言一乗の―なればば」〈平家七・主上都落〉

めおに【女鬼】女の鬼。「昔ありけむ目も鼻もなかりける―にやあらむとむくつけきを」〈源氏手習〉

めおや【女親】おんな親。母親。「若き時に―はうせ給ひにけり。まま母の手にかかりていますかりければ」〈大和一四二〉

めかい【目界】見ること。また、見る能力。「―の見えぬ〈目ノ見エナイ〉女の身」〈近松・百合若四〉

めがかう《メ(目)ガアカウ(赤)の転》あかんべえ。べっかっこう。「―して児をおどせば、顔を赤めて、ゆゆしう怖ぢたる」〈大鏡伊尹〉

めがき【女餓鬼】女の餓鬼。「寺寺の―申(まを)さく」〈万三八四〇〉　†megaki

めか・け【目掛け・目懸け】㊀《下二》①目をつける。目をとめる。注視する。「伊成は―・けながらかしこまりゐたりけるを」〈著聞三八三〉②親切に世話をする。ひいきにする。「日来―・けし仕立物屋の十歳と言ふ者」〈西鶴・一代男八〉㊁《名》【妾】側室。てかけ。囲い者。「父の―も我が為にはまま母なる程に」〈春鑑鈔〉。〈日葡〉　**―ぶり**【目掛振り】ひいきにする様子を示すこと。「信忠様げにもとやおぼしめされ、秀吉御知音の様に世間なり行き申し、彌後後も御―に罷り成り候事」〈川角太閤記三〉。〈日葡〉

めが・け【目掛け・目懸け】《下二》目をつける。目をつけて狙う。また、目あてにする。「時宗を―・けてかかりけり」〈謡・夜討曾我〉。「昼の舟は山を―・けて乗る」〈見聞軍抄六〉

めかご【目籠】目の粗い竹籠。めざる。めご。「―を肘(ひぢ)に掛け、磯の若布(わかめ)を拾ひ、野辺の若菜を摘み」〈伽・みしま〉。〈日葡〉

めか・し《接尾》《名詞について四段活用の動詞をつくる》…の恰好に見えるようにする。「おもほし人―・し」「とき―・し」「ひと―・し」など。「なほざりのかごとにても、さばかりにもの―・しいでて、かく人に見せ言ひ伝へらるるこそ心得ぬことなれ」〈源氏篝火〉

めか・し《接尾》《名詞・形容詞語幹についてシク活用の形容詞をつくる》見たところ…風の様子である。「いろ―・し」「ふる―・し」など。「子―・しく言少ななるものから、をかしかりける人の御心ばへかな」〈源氏宿木〉

めがたき【女敵・妻敵】自分の妻と姦通した男。姦夫。「―に攻められて、城も破れ、兵も悉くうち失はれぬ」〈十訓抄一ノ六〉　**―うち**【女敵討】女敵を討つこと。「―は天下のお許し、千人切りても切り徳」〈近松・反魂香中〉

めかど【目角】①目の端。目じり。「為朝は七尺ばかりなる男の、―二つ切れたるが」〈古活字本保元上・新院御所〉②眼力。眼識。「メカドノアルヒト」〈日葡〉　**―に立・つ**鋭く物を見る意。「今宵鬼―・つる柊(ひひらぎ)かな」〈俳・佐夜中山一〉

めがね【眼鏡・靉靆】①レンズを利用して視力を補い、調節する器具。「―も流行る今の武士(もののふ)」〈俳・寛永十三年熱田万句六四〉。〈日葡〉②物事の善悪・可否を見定めること。目利き。鑑識。「太閤の御発明にてさへ御―違ひたる故か、かやうにならせらるる」〈武功雑記〉。「メガネアルヒト」〈日葡〉

めがはら【牝瓦・女瓦】牡瓦(をがはら)と食い違わせて仰向けに葺く瓦。「男瓦玖仟枚、―壱万捌仟枚」〈正倉院文書天平勝宝八・八・一四〉。「牝瓦、女加波良(めがはら)」〈和名抄〉

めがへ【目替】近世、人または品物をその重量と同じ重さの金・銀貨で買い取ること。目買。「吉原の太夫其の身の重さを―にして、代銀渡し請出しけるさへ、世界の取沙汰」〈浮・傾城色三味線三〉

めかほ【目顔】人の見る目。「従ふ者ら―を忍び、物を隠し廻りて見苦し」〈仮・悔草下〉

めがみ【女神】《「雄神(をがみ)」の対》女の神。「陽神(をがみ)は左より旋(めぐ)り、陰神(めがみ)は右より旋る」〈紀神代上〉。「国津神に、足なづち手なづちとて夫神(をがみ)―おはします」〈平家一一・剣〉　†megami

めかり　その場の様子を見て頭が働き、気を利かすこと。機転。「桃尻してゐる人に―も利かさず、長口上をこね廻し」〈浮・好色敗毒散一〉

めかり【和布刈り】和布(わかめ)を刈ること。「龍神すなはち現はれて―の処の水底をうがち」〈謡・和布刈〉　**―のしんじ**【和布刈の神事】海底の和布を刈り取り、神前に供える神事。門司の早鞆(はやとも)和布刈神社と対岸下関の住吉神社で除夜すぎから行なわれる。「これは長門国隼友(はやとも)の明神に仕へ申す神職の者なり。…十二月晦日の御神事をば和布刈の御神事と申し候」〈謡・和布刈〉

めかりう・ち【睇ち】《四段》流し目をする。ちらっと見る。「天女の像に―・ちて、愛欲を生じ、心にかけて恋ひ」〈霊異記中一三〉

めか・れ【目離れ】㊀《下二》親しいものを見ずに疎遠になる。「さしならび―・れず見奉り給へる年頃よりも」〈源氏若菜上〉㊁《名》関係の深い人や物から離れて、それを見ずにいること。「思へども身をし分けねば―せぬ雪のつもるぞわが心なる」〈伊勢八五〉

め・き《接尾》《名詞・形容詞語幹・副詞について四段活用の動詞をつくる》①本当に…らしい様子を示す。…の本当の姿を最もよく示す。「春―・き」「今―・き」など。「雨(あま)そそぎもなほ秋のしぐれ―・きてうちそそげば」〈源氏蓬生〉②一見…らしく見える姿を示す。「親―・き」「なま―・き」など。「唐(から)―・いたる船作らせ給ひける」〈源氏胡蝶〉③《擬音語・擬態語について》…という音を立てる。…という動作をする。「そよ―・き」「むく―・き」など。「世界さら―・きののしり合ひたり」〈今昔一〇ノ三六〉

めぎ【雌木・妻木】実のなる木。「一切の木に子(み)のなるを―と云ひ、子のならぬを雄木(をぎ)と云ふぞ」〈玉塵抄一〉

めきき【目利き】事物の良否・真贋などを見分けること。また、その人。「真実の―は見分くべし。さあらば―・目利かずの批判の勝負になるべきか」〈風姿花伝〉。「目聞、メキキ」〈文明本節用集〉

めきと『副』ぐっと。たちまち。「そこで―感慨がおこるなり」〈中華若木詩抄上〉

めきめき ①物がはげしくきしみ、また、割れる音。「祇園会の山は―輿(か)き出し」〈俳・正章千句下〉。「この塚―と動き、地雷(ちがみなり)の如くしばらく鳴りやまず」〈浮・真実伊勢三〉〈日葡〉②物事がぐんぐんと進行するさま。「―と落葉は何を神無月」〈俳・犬子集六〉。「―と川より寒き鳥の声」〈俳・ゆずり物〉

めぎら **―を立・つ** 「目に角(かど)を立つ」に同じ。「科(とが)なき子に、父も腹立ちて、―・てて憎み」〈仮・堪忍記七〉

めくぎ【目釘】刀身が柄(つか)から外れないように両者を貫く釘。竹・銅・鉄などでつくる。「向ふ敵あらば、太刀の―のこらへん程は命こそ限りなれ」〈古活字本曾我九〉→めぬき

めくさりがね【目腐り金】少しの金をののしっていう語。めくされがね。「腰抜けどもが、なんぢゃ此の―」〈近松・百日曾我五〉

めぐ・し【愍し・愛し】『形ク』《メは目。グシはココログシのグシで、苦しい意》①見るも切ないほどかわいい。「妻子(めこ)見れば―・し愛(うつく)し」〈万八〇〇〉。「わが小子の鍾(たい)りて愛(めぐ)くいましし」〈金光明最勝王経平安初期点〉。「優、メグシ」〈名義抄〉②見るにたえない。いたわしい。かわいそうだ。「人も無き古りにし里にある人を―・くや君が恋に死なする」〈万二五六〇〉 †mëgusi

めくじら【目くじら】《目尻の意》 **―立・つ** 人の欠点・失敗などを意地悪く探し求める。あら探しする。「見付けては―・つる突き手かな」〈俳・旅衣集四〉

めぐすし【目医師】目医者。「下京に―有り」〈咄・昨日は今日上〉

めぐすりほど【目薬程】ほんの少しばかり。「秋来ぬと―や今朝の露」〈俳・歌仙大坂俳諧師〉

めくちかわき【目口乾き】①活動的で抜け目のないこと。また、その者。「氏も系図も持ち申さず候へど、秀吉は心たまらざる―故、かやう罷り成り候」〈川角太閤記四〉〈日葡〉②他人の事をいろいろと口汚くしゃべり散らすこと。また、その者。「年の頃五十四五の乳母御入り候。―の問はず語り、人の上言ふ事限りなし」〈伽・鼠草子〉。「―の太鼓持、事の道理に詰まりつつ」〈仮・恋慕水鏡二〉

めくは・せ メクワセ【眴せ】㊀『下二』《目食ハセの意という》目の表情で意を通わせる。「あなかたはらいたと―・すれど」〈源氏若菜上〉。「眴、メクハス」〈名義抄〉→目をくはす。㊁『名』《室町時代メグハセと濁音。近世前期メクバセとも》目つきで知らせること。「人びとこれを見て―をしつつぞ笑ひ合へりける」〈今昔二八ノ三二〉。「―とは、目にて心を通はす事」〈宗祇袖下〉。「眴、めぐわせ」〈和漢通用集〉

めぐ・み【恵み】㊀『四段』《メグシと同根。眺めるのに耐えない意から、憐愍をもよおす意。進んで、相手に恩恵を与える意。類義語ウツクシミは、肉親や小さいものへの愛情を感じる意》①(神仏・天皇などが、人人のために)心を砕きいつくしむ。思いやりをもっていたわる。「〔大君ハ〕食国(をすくに)の四方(よも)の人をも、遺(あぶ)さはず―・み賜へば」〈万四二五四〉。「恤、養也、念也、勉也、女久牟(めぐむ)也」〈新撰字鏡〉。「聖・恵・恤・仁・徳・愍、メグム」〈名義抄〉②憐(あわ)れんで助ける。助けを与える。「道の中(かな)国つ御神(かみ)は旅行きも為(し)知らぬ君を―・み給はな」〈万三九三〇〉③物をほどこし与える。「飯・酒しげく賜び、持ちて参る果物をさへ―・み賜び」〈大鏡藤氏物語〉 ㊁『名』恩恵。恩沢。慈悲。「神仏の―かうぶれるに似たり」〈土佐一月三十日〉。「此の太子は正后の生めるなり。儀貌(かたち)妍雅(うつくしげ)にして慈仁(めぐみ)夙(はや)く著(あら)れたり」〈大唐西域記三・長寛点〉 †mëgumi

めぐ・み【芽ぐみ】『四段』草木が芽を出す。「春は―・み、夏は盛りなる木の葉も」〈孝養集上〉。「―・むよりけしきことなる花なればかねても枝の懐かしきかな」〈散木奇歌集春〉

めくら【盲】《目暗の意》①視力のないこと。また、その人。めしい。「一つ橋に―が渡りあひたりけるを」〈宇治拾遺一三〇〉。「瞍、メクラ・メシヒ」〈名義抄〉②物の道理や本質などをわきまえないこと。また、その人。「今時は人もかしこくなりて…目明き千人、―はなかりき」〈西鶴・一代女六〉③《接頭語のように用いて》目当てもなしにする意を表わす。「―捜し」「―攫み」「―攻め」など。「そのやうにして、めたと―打ちに打つことではないぞ」〈碧岩抄九〉 **―どぜ**【盲御前】室町時代、鼓を打ち、曾我物語などを語って米銭を乞うた盲女。後には三味線を弾いて小唄なども唄った。瞽女(ごぜ)。「是れは此の宿に候―にて候」〈謡・望月〉 **―じま**【盲縞・盲島】経(たて)・緯(よこ)ともに紺色の糸で織った綿織物。盲地。紺木綿。「―の袷羽織」〈西鶴・諸艶大鑑二〉 **―の垣覗(のぞ)き** 見ても見えない意で、無用な振舞いのたとえ。盲の壁覗き。盲の高覗き。〈俳・毛吹草二〉 **―蛇に怖(お)ぢず** 盲人が蛇のおそろしさも知らず前に進んで行く。物のおそろしさを知らぬ者が平気で向う見ずなことをするたとえ。「物知らぬ者は、―とて、行くをも恐れぬ」〈老子経抄〉 **―ほふし** ホウ…【盲法師】盲人の琵琶法師。座頭。「あはれ、花園よりまうでくる―の、極楽のあましただりの音とて弾き侍るは尊きものを」〈十訓抄一〇ノ七三〉

めぐら・し【廻らし】『四段』《メグリの他動詞形》①一周させる。ぐるりと回す。「面を転(めぐ)らし」〈遊仙窟(醍醐寺本)鎌倉期点〉②縁(ふち)どるようにぐるりと取り囲ませる。「海若(わたつみ)は霊(くす)しきものか、淡路島中に立て置きて、白波を伊予(いよ)に―・し」〈万三八八〉。「碧玉(おほたま)を階(はし)に縁(めぐ)らし」〈遊仙窟(醍醐寺本)鎌倉期点〉③順ぐりに知らせる。「堂の飾り、仏の御具〔ノ用意〕など―・しおほせらる」〈源氏松風〉④いろいろと考える。工夫をこらす。「平家亡ぼさんずるはかりことをぞ―・しける」〈平家一・鹿谷〉。「予め奇謀を―・して忽ちに義兵をおこす」〈平家七・木曾返牒〉⑤時を経過させる。「時刻を―・さず西光父子が命を召し取り給へや」〈平家二・座主流〉 †mëgu-rasi **―ぶみ**【廻文】「廻状(くわいじやう)」に同じ。「弁の君、―作りて才(ざえ)ども召し集む」〈宇津保嵯峨院〉

めぐら・ひ メグライ【廻らひ】『四段』《廻りに反復継続の接尾語ヒのついた形。→ひ》①まわりを遠まきにして逡巡(しゆんじゆん)する。ためらう。「入鹿が威(いきほひ)に畏(お)りて、便旋(めぐら)ひて進まざるを見て」〈紀皇極四年〉②生きながらえて人の中に交わる。世の中に立ち交わる。「これ(コノ人)に悪しくせられては、この近き世界には―・ひなむや」〈源氏玉鬘〉。「一

日かた時生きて世に―・ふべきここちもし侍らざりしかど」〈大鏡藤氏物語〉 †mëgurafi

めくらべ【目比べ・目競べ】①にらみあい。「かやうに―して、鎌倉に集まり居ては叶ふまじ」〈太平記一四・箱根竹下〉②遊戯の名。にらめっこ。「興を催さんが為に、―に及ぶ」〈花園院宸記文保三・二・一五〉

めくり【捲り】一組四枚で十二組四十八枚の札のカルタ。めくりカルタ。また、それでする博奕。「先祖御厨(みくりや)の三郎より伝はりし―さ」〈黄・文武二道万石通中〉

めぐ・り【廻り】㊀『四段』《物の周囲を一周りするようにかこむ意。転じて、一つ方向に順次移動して、再び出発点に戻る意。類義語ミ(廻)は、曲線に沿って動く意。モトホリ(廻)は、一つ中心をぐるぐるまわる意。マハリ(廻)は、マヒ(舞)と同根で、平面上を大きく旋回する意》①一周りするように取りかこむ。ぐるりとかこむ。「射水川(いみづがは)い行き―・れる玉くしげ二上山は」〈万三九八五〉。「此の経、王の力に由りて、暉(ひかり)を流して四天を遶(めぐ)る」〈金光明最勝王経平安初期点〉②ある方向へ順ぐりに進んでまわり、もとの所に至る。一周してもどる。「陽神は左より―・り、陰神は右より―・る」〈紀神代上〉。「聖武天皇の御世に、勅信、夜を巡(めぐ)りき(夜警ニマワッタ)」〈霊異記中二三〉③行道(ぎやうだう)をする。「皇子(みこ)達も、さまざまの捧物ささげて―・り給ふに」〈源氏賢木〉④ものがつぎつぎに移り渡る。「盃の―・りくるも頭いたくおぼゆれば」〈源氏若菜下〉⑤世を次次と生れ変る。輪廻(りんゑ)する。「おとど・宮なども、深き契りあるなかは、―・りても絶えざなれば、あひ見るほどありなむ」〈源氏葵〉。「当初より以来、六道に―・りて」〈孝養集中〉⑥時が移る。経過する。「珍しき光さし添ふ盃は持ちながらこそ千代を―・らめ」〈栄花初花〉⑦世に生きながらえる。世の中に立ちまじわる。「われかくて憂き世の中に―・るとも誰かは知らむ月の都に」〈源氏手習〉㊁『名』①まわり。周囲。また、あたり。「おろかにそ我は思ひし乎敷(をふ)の浦の荒磯(ありそ)の―見れど飽かずけり」〈万四〇四九〉。「〔泉谷ノ〕―の小寺」〈かげろふ中〉②囲いの垣や塀など。「―などもなくて、かりそめの茅屋(かやや)の、しとみなどもなし」〈更級〉③行道(ぎやうだう)。「また、児(ちご)どもの―するとも見えたり」〈栄花もとのしづく〉④〔女房詞〕飯(めし)の菜。おかず。「御菜をば、お―と云ふ。常に、おまはりと云ふはわろし」〈海人藻芥〉 †mëguri　―**あ・ひ**イア【廻り逢ひ】『四段』別れてのち別別の運命をたどった末に再会する。「見る程ぞしばし慰む―・はむ月の都は遙かなれども」〈源氏須磨〉。「栖(すみか)を他郷に隔つといへども、命あればみな―・ふ事を得たり」〈保元中・謀叛人〉

めぐろ【目黒】上方で、二、三尺ぐらいの鮪(まぐろ)の称。めじか。めつけ。「安房、…―・鰹〔ノ産地〕」〈俳・類船集六〉。「〔相模国〕梅沢村…此所の辺に、―をまぐろと云ひ、まぐろの大なるを、しないと云ふ。鰤(ぶり)ほど有る魚にて候。眼黒し」〈宗静日記元禄八・二・二四〉 →めじろ

め・げ㊀『下二』欠け損じる。こわれる。「節節に鉄(かね)を覆(ふ)せたる竹なれば突くとも―・げじ鑓(やり)の長柄は」〈後撰夷曲集九〉〈日葡〉㊁『名』①欠け損じていること。また、そのもの。「五器の―昔の夜をや忍ぶらん」〈俳・俳諧或問下〉②損になること。「損のゆくを、―」〈大坂繁花風土記〉

めこ ❶【妻子】①妻と子と。「―どもは吟(によ)び泣くらむ」〈万八九二〉②妻。「天の下には我が―にすべき人なし」〈宇津保嵯峨院〉 ❷【女子】女の子。女子。「さべき人のむすめなど数いと多う参り給へり。すべてこの頃の事には『さべき人の―皆宮仕へに出ではてぬ。…』とぞいふめる」〈栄花花〉 †meko

めごくらく【目極楽】目を楽しませること。また、そのもの。目正月。「色色の花を御堂や―」〈俳・夢見草一〉

めこと【目言】目に見、口に言うこと。会うことと語ること。「遠みこそ―離(か)るらめ」〈万二六四七〉 †mëkötö

めさきざ・み【黥み】『四段』《目割キ刻ミの意か》刑罰として、目尻などに入墨をする。「死(ころす)(つみ)をゆるして…即日(そのひ)に―・む」〈紀履中一年〉 †mësakikizami

めさ・げ【召上げ】『下二』《メシアゲの約》呼び寄せなさる。「春さらば奈良の都に―・げ給はね」〈万八八二〉 †mesagë

めざし【目刺】①子供の切りそろえた前髪の先が目を刺すほどの長さのものという。また、その年頃の子供。主に少女。「―濡らすな沖にをれ波」〈古今一〇九四〉。「―なる御ぐしをせちにかきやりつつ遊びむつれ給ふにぞ」〈狭衣三〉。「髫、小児髪、女佐之(めざし)」〈新撰字鏡〉②採った藻・貝を入れる竹籠。めざしかご。「―とは、海士(あま)のいさりすとて物とり入るる籠(こ)也。竹にて組めり」〈奥義抄〉③数尾ずつ目を刺しつらねた乾魚。「―五十串進上了んぬ」〈言国卿記文明八・三・二二〉

めざ・し【目差し】『四段』目当てをつける。めがける。「姫君おほかたならぬ心利きたて、―・すわざもおはしまさず」〈伽・為人びくに〉

めざ・し【芽差し】『四段』芽が出る。芽ぐむ。「発生とは草木などの―・すを云ふ」〈梅花心易抄二〉

めざと【目敏】見つけるのがすばやいこと。「いと小さき塵(ちり)のありけるを―に見つけて」〈枕一五一〉

めざと・し【目敏し】『形ク』見つけるのが早い。目が早い。「弁公召し使はるる童、―・く見咎むる故ありて」〈伽・弁の草紙〉

めざまし【目覚まし】①ねむけざまし。「これは夜居の人人の―に給ふとてなむ」〈宇津保貴宮〉②目をさまさせるもの。「生殺しにしてはひありかせよ。それこそ軍(いくさ)の―なれ」〈盛衰記三三〉　―**くさ**【目覚まし草】《クサは品物の意》目ざめの時にいつも見るもの。「暁(あかとき)の―とこれをだに見つついまして我を偲はせ」〈万三〇六一〉

めざま・し【目覚まし】『形シク』①(相手を見くだした気分でいたのに)意外で癪にさわる。不愉快だ。「我はと思ひあがり給へる御方方〔桐壺更衣ヲ〕―・しきものにおとしめそねみ給ふ」〈源氏桐壺〉②(扱いが意外に粗末で)失礼だ。失敬だ。「かの四の君をも、なほかれがれにうち通ひつつ、―・しうもてなされたれば、思ひ知れとにや、この度の司召にも漏れぬれど」〈源氏賢木〉。「〔女房ノ〕まかなひ―・しう思されて」〈源氏浮舟〉③(つまらぬものと思っていたが)意外にたいしたものだ。「さやかにもまだ見給はぬかたちなど、いとよししうけ高きさまして、―・しうもありけるかなと見捨てがたく」〈源氏明石〉。「やむごとなくおはします殿の、貫之のぬしが家におはしましたりしこそ、『なほ、和歌は―・しきことなりかし』とおぼえ侍りしか」〈大鏡師輔〉④実に愉快である。「案内も知らぬ者どもを、悪所へ追っ詰め追っ詰め笑ひたるこそ、―・しうして面白けれ」〈盛衰記三三〉

めざ・め【目醒め】『下二』①眠りから醒める。目を醒ます。「命婦はいかならむと―・めて聞き臥せりけれど」〈源氏末摘花〉②眠気や惰気がさめる。刺激になる。「〔蹴鞠ハ〕乱れがはしきことの、さすがに―・めてかどかどしき(気ノ利イタモノ)ぞかし」〈源氏若菜上〉

め・し【見し・召し】㊀『四段』《「見(み)」の尊敬語》①御

覧になる。「埴安の堤の上にあり立たし―・し給へば」〈万五二〉②お治めになる。「高照らす日の皇子荒栲の藤原が上にをす国を―・し給はむと」〈万五〇〉③お呼び寄せになる。「愛(は)しきやし栄えし君のいましせば昨日も今日も吾を―・さましを」〈万四五四〉④結婚の相手となさる。「奇稲田媛(くしいなだひめ)を幸(め)さむと欲(おも)ほして」〈紀神代下〉⑤お取り寄せになる。「お前に御琴ども―・す」〈源氏少女〉⑥お取りあげになる。「重盛が首を―・され候へ」〈平家二・烽火〉。「さねかたをば中将を―・して」〈十訓抄八ノ一〉⑦《目の前に御覧になる意から》飲む・食う・着る・乗る・引く・買うなどの意の尊敬語。「春の野に抜ける茅花そ―・して肥えませ」〈万一四六〇〉。「御行水を―・され(切腹ナサレ)てこそ代代の武田の名をもあらはし」〈甲乱記下〉⑧他の動詞の連用形について、厚い尊敬の意を添える。「天の下知らし―・しけむ天皇(すめろき)の神のみことの」〈万二九〉。「遠くあれば一日一夜も思はずてあるらむものと思ほし―・すな」〈万三七三六〉 ㈡《名》①上からのお呼び出し。「など宮より―あるには参り給はぬ」〈源氏須磨〉②上からの御請求。「さる―もやと、例にならひて、懐に設けたる束短き筆など、御車とどむる所にて奉れり」〈源氏澪標〉③【飯】《召し上がる物の意》米・雑穀などを炊いたもの。飯(はん)。「これに粟の―の候」〈謡・鉢木〉。「よき菜(さい)もさらに及びはなかりけりこの汁かけて―を食ふべし」〈伽・鼠草子〉。「飯、メシ」〈文明本節用集〉 †mesi

めしあ・げ【召し上げ】《下二》①格の高い席などへ、特別に呼び寄せる。「この歌は、まだ殿上許されざりける時に、―・げられて、仕うまつれるとなむ」〈古今二六九左注〉②お上へ取り上げる。没収する。「ことごとく所領を―・げられ」〈太平記二一・金剛山寄手〉③お買い上げになる。「商売人の事でござれば…ただ―・げらるる方へ参るよ」〈虎明本狂言・昆布売〉

めしあは・せ【召し合はせ】㈠《下二》呼び出して立ち合わせる。召し出して対決させる。「左方の人人、右方の証人と―・せて、聞こし召すべき由申せば」〈春のみやまぢ〉 ㈡《名》①毎年七月、相撲節(すまひのせち)に、紫宸殿の前で相撲の手合せをすること。「相撲―、但し音楽なし。旱に依りてなり」〈貞信公記延喜一〇・七・二六〉②戸や障子を両側から引き合わせて閉める出入口。「―の内へ走り入って」〈太平記三五・京勢重南方〉

めしいだ・し【召し出し】㈠《四段》命じて呼び出す。また、命じて取り寄せる。「臨時の祭に四位陪従(べいじゅう)といふことに―・されて」〈清輔集〉 ㈡《名》命じて呼び出すこと。「―とある時は、盃一つにて諸人に飲ませらるる事也」〈伊勢貞順記〉

めしい・で【召し出で】《下二》①呼び出しなさる。「例―・づる障子の口に尼君呼びて、有様など問ひ給ふ」〈源氏宿木〉②取り寄せなさる。「碁盤―・でて」〈源氏宿木〉

めしうど【召人】《メシヒトの音便形》①舞楽などをするために召される人。「このたびの神楽、すこしよろしうせばや。―などえらびて…物せられよ」〈宇津保菊宴〉②平安時代、貴族の私宅に仕え、主人と情交の関係を持つ女房。妻、妾に準ずるもの。「宮は独りものし給ふやうなれど、人柄いといたうあだめいて、通ひ給ふ所あまた聞え、―とか憎げなる名のりする人どもなむ数あまた聞ゆる」〈源氏胡蝶〉③【囚人】罪あって捕えられた人。「多年の―にて、今日斬らるべし今日斬らるべしといひて、十余年に及びけれども」〈著聞三四〇〉

めしおほ・せ【召し仰せ】㈠《下二》呼び寄せてお言いつけになる。「近き御庄の人人―・せて、さるべき事ども仕うまつるべく、おきて定めて出で給ひぬ」〈源氏夕霧〉 ㈡《名》係の官人に準備を命ずる儀式。除目(ぢもく)・叙位・行幸のときなどにおこなう場合が多い。「録事―の事、大納言これを行なふ」〈貞信公記天慶三・一・四〉

めしおろし【召下し】君主・貴人が着古して着なくなった衣服。また単に、着古し。おさがり。「大御所様―出で候よし申し来る」〈本光国師日記元和三・三・二五〉。〈日葡〉

めじか【目鹿】江戸で、二、三尺ぐらいの鮪(まぐろ)の称。「鰹までは―もあるを郭公(ほととぎす)」〈俳・武蔵曲〉

めしか・へ【召し替へ】《下二》①(貴人が)他のものに取りかえる。「すみやかに我が命に―・ふべしと申して」〈著聞三〇三〉②(貴人が)乗物や衣服などをかえる。他のものに着かえ、または、乗りかえる。「いかなる極寒にも仏前へ御参の時は、御はだより別の物―・へ御参候」〈本願寺作法〉

めしかへ・し【召し返し】《四段》①(貴人が)呼びかえす。呼びもどす。「早く―・すべきよし奏聞すべし」〈著聞九〉②(貴人や官が)とりかえす。「僧を罪する習ひとて度縁を―・し、還俗せさせ奉り」〈平家二・座主流〉

めしぐ・し【召し具し】《サ変》(貴人が)伴う。連れて行く。「兵仗を給はって随身を―・す」〈平家一・鱸〉

めしこ・め【召し籠め】㈠《下二》①召し寄せて、押しこめる。抑えて外へ出さないようにする。「『やがてこなたにを』と―・めつれば、春宮にもえ参らず」〈源氏紅梅〉②罪人を監禁する。召籠(めしこめ)にする。「『…たしかに―・めよ』と仰せ下されて」〈宇治拾遺一二九〉 ㈡《名》平安時代、廷臣に職務上の怠慢や失錯があったとき、殿上口や近衛陣に監禁した刑罰。鎌倉幕府も御家人等の微罪について、この刑罰を適用した。「―に於ては、頭(蔵人頭)意に任すなり」〈貫首秘抄〉。「二十日あまり候ひける程に、此の次第を聞こし食して笑はせ給ひてぞ、―ゆりて候ひける」〈十訓抄七ノ三一〉

めしつか・ひ【召し使ひ】㈠《四段》(貴人が)身近に呼び寄せて、身のまわりの用事をさせる。「その子ども雑役にとてまゐらす。うとからず―・はせ給へ」〈源氏竹河〉 ㈡《名》①宮中で召し使った身分の低い官人。「ぬしはその御時の母后の宮の御方の―、高名の大宅(おほやけ)の世次とぞいひ侍りしかしな」〈大鏡序〉②奉公人。下男・下女など。「一人二人―を伴ひ、雲井のやどりといふ坂を上りて」〈西鶴・一代男三〉

めしつぎ【召次・召継】①取り次ぐこと。また、その人。「ただ舎人二人―として」〈竹取〉②院中で雑事をつとめ、時を奏することをつかさどる職。東宮や摂関家にもあった。「―・舎人など」〈源氏宿木〉。「御車副・―等に疋絹を賜ふ」〈御堂関白記長和二・一・一〇〉 **―どころ**【召次所】召次の詰所。転じて、その詰所に奉仕する人人。「所所の饗、院の下部、庁の―、なにかのくままで、いかめしくせさせ給へり」〈源氏柏木〉

めしつぎ【飯次・飯継】飯櫃(めしびつ)。木・金属・陶器製などの種類があった。おはち。飯鉢。「振舞に―や又肴鉢」〈俳・雪千句上〉。〈日葡〉

めしと・り【召し取り・召し捕り】《四段》①(貴人が)呼び寄せて一人占めする。「その時(当時)ひとつの宝なりける鍛冶匠(かぢたくみ)六人を―・りて」〈竹取〉②官命によって逮捕する。「即ち〔将門ノ〕子春丸を―・りて案内を問ふ」〈将門記〉

めしはな・ち【召し放ち】《四段》他の者から引き離して一

人だけ身近に呼び寄せなさる。「かく聞きそめて後は—・ちつつ」〈源氏玉鬘〉

めし・ひ(メッイ)【盲ひ】□一『上二』《「目瘉(し)ひ」の意》視力を失う。「—・ひたる者はかかる事あなりと尋ね参り、耳聞かぬ者は…光を尋ねて参り」〈栄花御裳着〉□二『名』視力を失ったこと。また、その人。めくら。「此の白物(しれもの)、—の様に人の気色をもえ見知らず」〈今昔二八ノ一〉。「盲、米之比(めしひ)、目無二眸子一也」〈和名抄〉

めしふ【召符】「召文(めしぶみ)」に同じ。「三ケ度の—以後、参決せざる事」〈貞永式目追加貞永一・一二・一九〉

めしぶね【召船】貴人の乗る船。「—に乗り移れば」〈西鶴・諸国咄三〉

めしぶみ【召文】鎌倉・室町時代、幕府が御家人を召集したり、裁判で訴人・論人を呼び出すための召喚状。「盛時・行政等、—を書き、相模国以西の御家人に下さる」〈吾妻鏡建久一・一・七〉

めしもの【召物】（貴人の）飲食物・衣服・履物などの尊敬語。「御—は、うるはしく御器などにも参り据ゑで」〈大鏡時平〉。「—は、ここにて召すべきなり」〈古本説話五八〉

めしもり【飯盛】近世、宿駅の宿屋に奉公し、客引や給仕・売色などをした女。出女。飯盛女郎。公儀では飯売女と称した。「—に喰らひ付いたと遣手(やりて)言ひ」〈雑俳・万句合明和六〉

めしよ・せ【召し寄せ】『下二』①身近にお呼び寄せになる。「随身—・す」〈源氏浮舟〉②手許にお取り寄せになる。「『をかしき蔦(つた)かな』とただならず宣ひて、—・せて見給ふ」〈源氏宿木〉

めしろ【目代】①代官。「もくだい」とも。「〔屏風ノ絵〕九月、田刈るに、おきな—するところ」〈兼盛集〉。〈黒川本色葉字類抄〉②代理。代人。「〔郭公ノ初音ヲ聞ク勝負ノタメ〕左右の人数を分かちて…証人のために、女房一人・男壱人、両方にとりかへて—たるべし」〈春のみやまぢ〉③監督。後見。「七日が程は奥口の—となりて」〈浮・好色産毛五〉。〈日葡〉

めじろ【眼白】上方で、一尺ぐらいの鰤(ぶり)の称。「丹後の生鰤、上方にも—と申して有るげなれど」〈近松・浦島年代記三〉→めぐろ

めずいしゃう(ヨウ…シ)【目水精・目水晶】よく目の利くこと。また、その人。「めすい」とも。「天下には—が無いものぞ」〈六韜抄三〉。「諸道功者なりと、京の—が褒(ほ)めるからは、余り違ひはあるまい」〈評判・野良立役舞台大鏡〉

めずき【目好き・目数寄】見て気に入ること。「御—に、どれなりとも、一人づつ宮女を連れて参る者を云ふぞ」〈蕉窓夜話〉

めせきあみがさ【目狭編笠】目の細かい編笠。目狭笠。「—、畦足袋に紅(もみ)のくけ紐」〈西鶴・一代男六〉

めぞめ【目染】しぼり染。糸で結んだ部分が白く目のように残るのでいう。「花机の覆ひなどの、をかしき—もなつかしう」〈源氏鈴虫〉

めだう(ウ…ド)【馬道】平安京の内裏の中で、御殿に馬を引き入れるための道の意か。諸説あるが未詳。「えさらぬ—の戸をさしこめ、こなたかなた心を合はせて、はしたなめ、わづらはせ給ふ時も多かり」〈源氏桐壺〉。「承香殿の東面に御局したり。西に宮の女御おはしければ、—ばかりの隔てなるに、御心の中は遙かにへだたりけむかし」〈源氏真木柱〉。「みかど、馬をいみじう興ぜさせ給ひければ、舞人の馬を後涼殿の北の—より通させ給ひて、朝餉(あさがれひ)の壺にひきおろさせ給ひて」〈大鏡伊尹〉。「弁色立成云、馬道、俗音米多宇(めだう)、向レ堂之道也」〈和名抄〉

めだか【目高】物事の善悪を見分ける見識のすぐれていること。また、その人。「—なる人の月見にいざなはれ」〈俳・望一千句〉

めだけ【目長】見わたせる範囲。目のとどく限り。「大軍ども四方へ靡き、—に敵は無くなりければ」〈糺井家日記一〉

めだ・し【愛だし・賞だし】『形シク』《動詞メデの形容詞形》めでたい。ほめるべきだ。愛らしい。「今の薬師(くすりし)尊かりけり、—・しかりけり」〈仏足石歌〉 †mëdasi

めたた・し【目立たし】『形シク』目立って見える。顕著である。「其のけしきよのつねの事に非ず。—・しき程に見えければ」〈発心集六〉

めだ・ち【芽立ち】『四段』芽が出る。「蒲芽とは、蒲(がま)の—・つを云ふなり」〈錦繡段鈔八〉

めた・て【目立て】『下二』①不審の目をたてる。見ておやと思う。「御文はあまり人もぞ—・つるなどおぼして」〈源氏真木柱〉②注目する。関心をもって見る。「親などのかなしうする子は、—・て耳たてられて、いたはしうこそおぼゆれ」〈枕二六七〉

めたと『副』むやみに。やたらに。めちゃくちゃに。「酩酊と—酔って、酔中に花を見るほどに」〈三体詩抄一ノ三〉。「余所へ行って、別の女に—惚れたによって」〈湖鏡集〉。「—身を捨つるを仏法とは云はず」〈驢鞍橋下〉

めたなばた【女七夕】《「をたなばた」の対》織女星。「牽牛はをたなばた、織女は—」〈太平記聞書〉

めためた めちゃくちゃ。むやみやたら。「張り立てた障子ともいはず、手習をして、—と墨を付くるぞ」〈山谷詩抄五〉

めだりがほ(オ…ガ)【目垂り顔】「めだれがほ」に同じ。「山門の大衆は—しけりなど京童(きやうわらんべ)が申し候はむ事、後日の難にや候はんずらむ」〈平家一・御輿振〉

めだれ【目垂れ】 **—がほ**(オガ)【目垂れ顔】相手の弱みにつけこんで威張る態度。「—の振舞か臆病の至りか」〈謡・安宅〉 **—・見る** 相手の弱点につけこむ。相手をなめて付け上がる。「折る人に—・見らるる柳かな」〈俳・夢見草一〉

め・ち【持ち】『四段』「もち」の上代東国方言。「我ろ旅は旅と思(お)ほど家(い)にして子—・ち痩(や)すらむ我が妻(み)かなしも」〈万四三四三防人〉 †mëti

めぢ【目路】《視線の行く路の意》視線のとどく所。目で見通せるかぎり。「ながむれど—にも霧の立ちぬれば心やりなる月をだに見ず」〈和泉式部集四〉

めぢゃもの【妻ぢゃ者】《妻である者の意》妻を親しんでいう語。「夜前—と詞論を致したれば」〈狂言記・貰聟〉

めつ【滅】〔仏〕「滅度(めつど)」に同じ。「十方の薩埵(さつた)はこれを行じて—を證す」〈性霊集八〉 **—に入(い)・る** 入滅(にふめつ)する。「君はただ今—・るやらんと思し召され」〈保元上・法皇熊野御参詣〉

めづ【馬頭】地獄にいるという馬頭人身の獄卒。馬頭羅刹(らせつ)。「作業不善なるときむば、牛頭(ごづ)—自然に涌出して報ずるに辛苦を以てす」〈三教指帰下〉

めっかう(ウ…コ)「面向(めんかう)」の転。「小判と云ふ物近付きになって置けと、—に投げ付くる」〈近松・女腹切中〉

めづかひ(カイ…ツ)【目遣ひ】①物を見るときの目の動かしかた。目つき。「冷眼とは、物をうけがはずして見る—なり」〈錦繡段抄二〉②目でする合図。めくばせ。「—をしても禁ずることなくして」〈史記抄一六〉

めっきしゃくき【滅鬼積鬼】①地獄の牛頭(ごづ)。「—がちらつく早業」〈近松・振袖始三〉②責め問いただすこと。苛責(かしやく)。「—に思ふ処を／狸にも五重〔相伝ヲ〕授けた和尚にて」〈雑俳・三国志〉

めっきゃく【滅却】 ①滅ぼしなくすこと。「心頭をさへ―すれば、火も涼しいぞ」〈碧岩抄五〉 ②滅び失せること。「当家の運尽きて―すべき基(もとゐ)ならん」〈室町殿日記七〉

めつけ【目付】 ①目の付けどころ。めじるし。めあて。「屋根の上に鳶の二つ有りしを―にしたりしが」〈咄・醒睡笑一〉 ②間諜。スパイ。「宿泊に―を付けて、これを見す」〈謡・熊坂〉。「まづ、―をもって見られ候へかし」〈伽・鴉鷺物語〉。「獄吏の下に居て、克く賊の挙止を知温する者、―と号す」〈碧山日録応仁二・三・一六〉 ③戦国時代以後、武家の職名。君主の耳目となり、家臣の非違を監察した役人。江戸幕府は、大名を監察する大目付、旗本などを検察する目付を置き、諸藩もこの役を設けた。横目。「両三人をば柴田〔勝家〕―として両郡申し付け置くの条」〈信長公記八〉 **―じ【目付字】** 相手に多く並べた字の中の一字を記憶させ、その一字を言い当てる遊戯。絵でするのを目付絵という。「―見度き由申され候間、遣はし候ひ了んぬ」〈言継卿記大永七・五・二〇〉 **―ばしら【目付柱】** ①能舞台前方左手の柱。見付柱。「―の方を尋ぬる」〈天理本狂言六義・居杭〉 ②茶道具の台子(だいす)の柱の名。「柱の名かくの如し。相手柱とも、―とも。〔他ニ〕客柱・隅柱・勝手柱」〈南方録台子〉 **―もん【目付紋】** ①目付絵の一種。相手に多くの紋の中の一つを記憶させ、その紋を言い当てる遊び。「長谷川は―合はして」〈西鶴・諸艶大鑑三〉 ②目印に付けた紋。「娑婆にての罪―とぞ」〈俳・両吟名所花〉

めつご【滅後】 ①入滅(にふめつ)の後。死後。「其の後、七七日に至るまで―の事を営みて」〈今昔一三ノ二三〉 ②特に、釈迦入滅の後。「釈迦如来、涅槃に入り給ひて久しく成りぬれど、―の衆生を利益せむと誓ひ置き給へり」〈今昔六ノ四〉

めづこ【愛づ児】 かわいい子。愛らしい女。「母に奉(まつ)りつや、―の刀自(とじ)」〈万三八八〇〉 †mëduko

めつざいしゃうぜん【滅罪生善】 仏力によって、現世の罪を消滅し、後世(ごせ)の善根を助けること。「これら皆―のためと思し召す」〈栄花疑〉

めっさう【目相】 目分量。目算。「物を目分量するを―と言へるは目相なり」〈不断重宝記〉

めっさう【滅相】 ①〔仏〕有為(うゐ)の四相の一。一切のものが滅びゆくすがた。「小乗の滅没(めつもつ)するは即ち大乗の―なり」〈今昔六ノ三六〉。「誠にも仏法の―疑ひなし」〈愚管抄六〉 ②分に過ぎたさま。むちゃくちゃ。また、意外なさま。「―に足早になる年の暮」〈雑俳・塗笠〉

めっ・し【滅し】『サ変』 ①滅ぼす。「我、今、身に皇帝と成りて仏法を―・して、極めて大きなる苦を受く」〈今昔九ノ二七〉 ②滅び失せる。「今その火既に―・して」〈今昔一五ノ一〇〉

めった【滅多】《メタの促音化》 ①めちゃくちゃ。むやみ。みだり。「堂宮の大木、―と切るべからず」〈結城氏新法度〉。「―な事を申すが禅法なりや」〈驢鞍橋中〉 ②《接頭語のように用いて》むちゃくちゃに…する意をあらわす。「四人ともに懐剣を抜き出し、―突きに突くといへども」〈飛驒国治乱記〉。「山家には―礫(つぶて)か不思議やな」〈俳・珍重集〉 **―まと【滅多的】** 弓の遊戯の一。布の目隠しをし、または紙の幕を隔てて、見えない的を射当て、賭物を争う。延宝・元禄頃は矢一本三文で射させた。めた的。「星多き弓張月や―」〈俳・鷹筑波一〉。「―町中にて仕させ申すまじき事」〈正宝事録寛文一・三・二三〉 **―むしゃう【滅多無性】** むやみやたら。めちゃくちゃ。「火消す世は釈迦入―闇」〈俳・蛙井集一〉

めつど【滅度】〔仏〕悟りを得て、生死の迷いを超越すること。特に釈迦が涅槃に入ること、仏者が死ぬことにもいう。「機縁すでにつくれば必ず―にいり給ひ」〈栄花鶴林〉

めっぱりこ【目っ張りこ】 人前で正正堂堂と振舞うこと。少しも隠さず、すべて人目にさらすこと。「大三十日(おほみそか)九尺弐間〔ノ裏長屋〕は―」〈雑俳・万句合明和三〉

めつぶれ【目潰れ】 めくら。「子夏・丘明は、どれも―ぞ」〈山谷詩抄六〉

めっぽふ【滅法】 むやみ。めちゃくちゃ。法外。「―に花を散らすや鐘の声」〈俳・埋草一〉 **―かい【滅法界】**《「目法界」「目方界」とも書く》「滅法」に同じ。「曇る夜や〔見エナクテ〕―の月の船」〈俳・糸瓜草五〉

めづま【愛妻】《メヅ(愛)ツマ(妻)の約》愛らしい妻。「我が―人は離(さ)くれど」〈万三五〇二東歌〉 †mëduma

めつら【目面】 目と顔と。また、顔面。「乾鮭の―も見えず舟の雪」〈俳・有磯海〉 **―も明か・ず** 目もくらむほどの混雑多忙などのたとえ。「目面を摑(つか)む」とも。「―・ず霰降るなり」〈俳・小文庫下〉

めづらか【珍か】《メヅラシ(珍)の派生語》 ①見たこともなくて目を奪われるさま。「そこなる女、京の人は―にや覚えけむ、せちに思へる心なむありける」〈伊勢一四〉。「急ぎ参らせて御覧ずるに、―なる児(ちご)の御かたちなり」〈源氏桐壺〉 ②自分の知識・経験では思いも寄らないさま。「はては〔男カラ〕消息だになくて久しくなりぬ。―にあやしと思へど、つれなしをつくりわたるに」〈かげろふ中〉。「屏風をやをら押しあけて入り給ひぬ。…隔てなきとは、かかるをやいふらむ。―なるわざかな」〈源氏総角〉。「かく―なることは、世語りにこそはなり侍りぬべけれ」〈源氏螢〉 ③神異、不可思議な状態。「あやしく、夢がたり、巫女(かむなぎ)やうのものの、問はず語りすらむやうに―に思さるれど」〈源氏橋姫〉。「神、アヤシ・メヅラカナリ」〈名義抄〉 ④前例がないさま。「今、―に新しき政にはあらず、本(もと)ゆり行なひ来し迹事(あとごと)そ」〈続紀宣命七〉 †mëduraka

めづら・し【珍し】『形シク』《メ(目)ツラシ(連)の意。見ることを連ねたいというのが原義》 ①もっと見たい、逢いたい、聞きたい。「朝に日(け)に常に見れども―・し我が君」〈万三七七〉。「待つ人にあらぬものから初雁の今朝鳴く声の―・しきかな」〈古今二〇六〉 ②稀に見ること聞くことができて嬉しい、喜ばしい。「文あり。…かへりごと書く。『いと―・しきは、おぼめくまでなむ』」〈かげろふ中〉。「五月雨の空―・しく晴れたる雲間に」〈源氏花散里〉 ③見馴れないので、新鮮に感じられて心をひかれる。「見ならひ給はぬ住まひのさまも―・しきに」〈源氏夕顔〉。「去年(こぞ)よりは今年はまさり、昨日より今日は―・しく、常に目馴れぬさまのし給へるを」〈源氏若菜上〉 ④なかなか逢えない。稀にしか機会がない。「希見、此をば梅豆邏志(めづらし)と云ふ」〈紀神功摂政前〉。「―・しき声ならなくにほととぎすここらの年を飽かずもあるかな」〈古今三五九〉。「―・しき程にのみある御対面の、いかでかはおろかならむ」〈源氏賢木〉 ⑤今まで他にない。今まで例がない。めったにない。「〔婚礼ノ〕作法、世に―・しきまでもてかしづき聞え給へり」〈源氏桐壺〉。「夏頃悩ましくし給ふを…―・しきさま(懐妊)の御心地にぞありける」〈源氏若菜上〉 †mëdurasi

めて【馬手・右手】《馬の手綱を取る手の意。「弓手(ゆんで)」の対》 ①右手。「火を燃(も)してそこを通りけるに、―なる時には呼び、弓手なる時には呼ばざりければ」〈今昔二七ノ三四〉 ②右の方。右側。「奥州の佐藤四郎兵衛、伊勢三郎を―に立て」〈平家一一・弓流〉 ③劣ること。「少しも―なるをば、知行を取り上げ」〈諸家評定一〉

め・で【愛で・賞で】『下二』 美しい、可愛いと気に入って賞美する。「同(とこ)―・では早くは―・でず我が―・づる児ら」〈紀歌謡六七〉。「漕ぐ船のにほひ(美シサ)に―・でて出でて来にけり」〈万三七〇四〉。「―・づるといふ事は、花・紅葉・月などを見、おもしろきといふ事なり」〈宗祇袖下〉 †mëde

めでた・し『形ク』《メデ(愛)イタシ(甚)の約》①申し分なくすばらしい。讃嘆する以外にない。「光みちてきよらにてゐたる人あり。…たぐひなく―・くおぼえさせ給ひて」〈竹取〉。「いとをかしき児(ちご)をさへ抱き出で給へれば、大将も思ふやうに―・しともてかしづき給ふこと限りなし」〈源氏真木柱〉 ②結構な事である。慶賀すべきである。「『〔外出スルホドノ元気ガアルトハ〕めでたのことや』とぞ心にもあらでうちいはれける」〈かげろふ下〉。「其の後は互に行き通ひて、各―・くて過ぎけるとなむ語り伝へたるとや」〈今昔二ノ二四〉。「吉事をば―・しと云ふ。―・しとは目出と書けり」〈盛衰記一〉。「目出度、メデタシ」〈文明本節用集〉 ③人がよすぎて、だまされやすい。お人好しである。愚鈍である。「―・き御客は、それでも喜び、上り給ふ」〈浮・茶屋調方記〉 **めでたくかしく** 近世、婦人の手紙の結びの文句。「書初や―正月日」〈俳・俳諧三部抄上〉 **めでたくな・る** 「死ぬ」「崩る」「倒る」の忌詞。「悲しみの涙、眼にさへぎり…つひに―・りにけり」〈多聞院日記天文一〇・一一・一八〉。「あれなる薪が崩れば、崩るると言ふな。薪がめでたうなると言へ、と教へけるが」〈咄・醒睡笑一〉

めど【著】①マメ科の多年草。メドハギ。「蓍、女止(めど)、以二其茎一為レ筮者也」〈和名抄〉 ②「めどき」に同じ。また、それを用いて行なう占い。「龜の卜(うら)、易の―などにて疑はしき事を勘(かんが)ふべきなり」〈尚書抄七〉。「筮、メド」〈いろは字〉 ③目当て。「―が違うた」〈譬喩尽六〉 **―に削り花** 「めど」(1)につけた、木を細かく削りかけて造った花。古今伝授の一とされた語。「―挿せりけるをよませ給ひける」〈古今四四五詞書〉

めどき【著・筮木】《もと「めど」(1)の茎で作ったのでいう》占いの道具。「床に日月の懸絵、―、古暦を飾り置かれり」〈西鶴・諸艶大鑑八〉

めどき【目時】視力の強い年頃。「我なら―の目にて〔トゲヲ〕抜かん物をと」〈西鶴・五人女四〉

めどほり(ドオリ)【目通り】①目の前。面前。「―にて…これを渡す」〈松平大和守日記寛文七・一〇・九〉 ②目の高さ。目のあたり。「馬上にて傘、左にて差すべし。―に柄を持つべき也」〈奉公覚悟之事〉 ③目の高さに相当する位置の樹木の直径。また、その太さの材木。「峰高し上上―松の月」〈俳・談林十百韻下〉。「松角。―を云ふ。書院木に用ふ」〈俳・毛吹草四〉

めと・り【娶り】『四段』《「妻(め)取り」の意》妻として迎え取る。「―・るところの女、これを悪(にく)みて、三年の間もの言はず、笑はざりければ」〈十訓抄一〇ノ五五〉。「年三十に及び至るまで―・る者なし」〈三国伝記八〉。「娶、メトル」〈名義抄〉

めどり【雌鳥】鳥のめす。めんどり。「―が織る金機(かなばた)」〈紀歌謡五九〉 †medöri **―ば**【雌鳥羽】《雌鳥の翼は左の翼が右の翼を覆っているのでいう》右から左へと順に物を重ねてゆくさま。「楯を―につき並べて、さんざんに射る」〈中院本平家二一・那須与一扇を射る〉

めとりくくり【目取括り】しぼり染。目染(めぞめ)。「馬のはなむけ(餞別)に、―の狩衣…などやりたりける」〈大和六九〉

めなう(ノウ)【瑪瑙】宝石の一。「馬脳、俗音女奈宇(めなう)、石之次玉也」〈和名抄〉

めなご【女子】女の子。娘。「両方―がござる」〈狂言記・粟田口〉

めなしどち【目無しどち】子供の遊戯。布で目を隠した一人の鬼が、掌を打って逃げ廻る子供達を追い、つかまった者が代って鬼になる。めなしどり。めんないちどり。めなしどち。「―・軒の雀(隠レン坊)遊ぶ童の手さし指さして笑ふ」〈伽・福富長者物語〉

めなみ【女波】《「男波(をなみ)」の対》高く寄せる男波の次に打ち寄せる低い波。「その―・男波の立ちたる中に、小さき波の立つをば皺波(しわなみ)といふなり」〈仙覚抄五〉

めなら・べ【目並べ】『下二』多くの人の目を経る。一説に、見くらべる。よく見る。「西の市にただ独り出でて―・べず買ひてし絹の商じこりかも」〈万一二六四〉 †mënarabë

めな・れ【目馴れ】『下二』①世間に多くあって、よく目に入る。「かのしるしの扇は…心ばへ―・れたることなれど、ゆゑなつかしうもてならしたり」〈源氏花宴〉 ②いつも見ていて、何とも感じなくなる。「いふかひなきさびしさに―・れて過ぐし給ふを」〈源氏蓬生〉

めぬき【目貫】刀身に柄(つか)をはめてとめるための金具。後に、その金具の、柄の外に現われた部分だけをいうようになり、柄と刀身を貫く部分は目釘といった。「銀(しろかね)の―の太刀を」〈拾遺五八三〉。「〔剣ノ〕柄本五寸四分、―の穴二」〈中右記寛治八・一一・二〉

めぬけぜに【省銭】近世、一文銭九十六個を百文として通用させたこと。また、その銭。「―の事問ふ。世間に九十六文の銭を百と名付けて使ふ事は、中華(中国)にも例ある事に候か」〈三国塵滴問答三〉

めのうちつけ【目の打ちつけ】ちょっと見ただけによる見違い。目のまよい。「〔幼イ薫ノ〕口つきのことさらに花やかなるさまして、うちゑみたるなど〔父柏木ニ似ルノハ〕わが―なるにやあらむ」〈源氏横笛〉。「〔猫ガ〕顔をうちまもりつつ和(なご)う鳴くも、心のなし、―に、例の猫にはあらず」〈更級〉

めのこ【女の子】《「男(を)の子」の対》①(身分の高くない)おんな。「万機(よろづのまつりごと)の難きに、婦女(めのこ)いづくにぞ預からむ」〈紀欽明即位前〉 ②召使の女。女の子供ともいう。「その家の―ども出でて、浮海松(うきみる)の浪によせられたる拾ひて、家の内にもて来ぬ」〈伊勢八七〉 †menöko

めのこざん【目の子算】目で数を数えること。算勘を目だけで行なうこと。めのこ。めのこ勘定。特に女がよくしたので「女の子算」とも書く。「文字上を―に見ては、悪からうぞ」〈荘子抄二〉。「杉の雪積もりて見るや―」〈俳・渡奉公下〉 **―よう**【目の子算用】「めのこざん」に同じ。「百銭を抜きて心覚えに―」〈西鶴・一代男七〉。〈俳・世話尽三〉

めのと ①【乳母】《メ(妻)ノオト(弟)の約か》母親に代り子供に乳を飲ませ、育てる女。その子の監督者のような立場にあって、一般の女房とは別格の人。「ここに磐坂皇子(いはさかのみこ)の―はべり」〈紀顕宗一年〉。「かたほなるをだに―やうの思ふべき人は、あさましうまほに見なすものを」〈源氏夕顔〉 ②【傅】貴人の子の養育係をつとめる男。おもり役。「御母儀も御―持明院の宰相も御心苦しき事に思はれけるに」〈平家二一・一門大路渡〉 **―ご**【乳母子】乳母の実子を、その主人に対していう語。主人に対しては格別近しい関係にあり、主人の秘密に関しても実情を知っていることが少なくない。「御湯殿などにも親しう仕うまつりて、何事の御けしきをもしるく見奉り知れる御―の弁、命婦などぞ、あやしと思へど」〈源氏若紫〉

めのほとけ【目の仏】瞳。「見るに―や座する蓮の花」〈俳・毛吹草五〉

めのまへ(マエ)【目の前】①現在この場。現実。「今の世の人も悉(ことごと)―に見たり知りたり」〈万八九四〉 ②面前。すぐ近く。「ただ―に見やらるるは、淡路島なりけり」〈源氏明石〉③見ているうち。忽ち。「息災なる人も、―に大事の病者となりて」〈徒然一七五〉

めのわらは【女の童】①少女。女の子。自分の娘をへりくだっていう時などに多く使う。「なにがしが―の為にも」〈源氏東屋〉②召使の少女。女房の小間使などをした。「局の女房、―に至るまで涙を流し」〈平家四・若宮出家〉③【女孺】後宮に仕える下級の女官。「―鮪女(しびめ)等八人」〈紀舒明即位前〉

めばう【目棒】目薬をさすのに用いる金属製の管。「早く直したがりて、―で目を温めて、湯で洗うつなんどするは」〈山谷詩抄一九〉。〈運歩色葉集〉

めはし【目端】物事を見てすぐ反応すること。機転。「使ふ人は鵜よりも利きし―哉」〈俳・思出草三〉 **―が利(き)・く** 機転がきく。「鼻紙持てこい―・かぬは」〈俳・仙台大矢数下〉

めはじき【目弾き】①またたき。「まだたき・目ぐはせなど言ふべき事を、―と言ふは、さもしくや侍らん」〈俳・かたこと五〉②めくばせ。めまぜ。「あどと主(しゅう)と―して」〈虎明本狂言・縄綯〉。〈日葡〉

めばしら【目柱】鏑矢(かぶらや)の目(孔)と目との間の部分。「目九つさしたる鏑の、―には角(かど)を立て」〈古活字本保元中・白河殿攻め落す〉

めはちぶん【目八分】①目より少し低い高さ。物を捧げ持つ時などにいう。目はちぶ。「面箱を―に構へて持ちて畏まる」〈八帖花伝書一〉②物事を八割ぐらいに見なすこと。八分目に判断すること。また、人を見くだすこと。「己が武道に自慢して、世間の者を―に見るやうなる者と見及び」〈甲陽軍鑑七〉。「三吉野や世上の花を―」〈俳・富士石一〉

めはづか・し【目恥づかし】『形シク』人目が恥ずかしい。見られるのが恥ずかしい。「かたはら痛き菊の籬(まがき)も―・しく」〈問はず語り四〉

めばっこ 瞼(まぶた)にできる小さな腫物。ものもらい。めばちこ。「玉にも抜けて撫づる―」〈俳・西鶴五百韻〉

めはな【目鼻】①目と鼻と。「―一所にとりよせたるやうにて、世の人にも似ぬありけり」〈宇治拾遺一二三〉②目鼻立ち。生れながらの顔のつくり。「同じ―とも見えず、くちをしうぞおされたるや」〈源氏行幸〉 **―付・く** 物事が大体ととのう。「とかく大かた目鼻も付きてから上り候て、ゆるゆると上方にくつろぎたらばよからう」〈沢庵書簡寛永一五・四・一一〉

めばや・し【目早し】『形ク』見るのがすばやい。目が早い。「―・き山賊もやと慎ましながら」〈うたたねの記〉

めひ【姪】兄弟姉妹の娘。「母君は故北の方の御―なり」〈源氏宿木〉。〈和名抄〉

めぶ【馬部】左右の馬寮(めれう)に所属して、馬を取り扱った下級の役人。「供に召し具したる―・吉上(きちじやう)など留め置き、その屋を守護せさせ」〈平家六・小督〉

めぼし【目星】①疲れた時など、小さな星のようなものが目にちらついて見えること。また、その星のようなもの。「我は年老いた程に、文字を書くも眼がくれて、―の花がちろめきて、ゆがみすぢるぞ」〈四河入海一ノ三〉②目あて。見こみ。見当。「我等事御暇下さるべきと―を付け候やうに存じ候処に」〈伊達家文書三、小堀政一書状〉

めぼそ【目細】見たがる欲望の少ないこと。また、眼識の劣ること。「七夕の―は知らじ七度食(しめ)」〈俳・花見車三〉 **―有れども口細無し** 人はみな食欲が有るの意。また、目の利く者は少ないが、口を利く者は多いの意。「目細はあれど口細は無い。砂糖榧(がや)が参りたいか、麩(ふ)の焼でござりますか」〈近松・阿彌陀が池新寺町三〉。「されば―とて、舌早に、よく物のたまふ」〈評判・雨夜三盃機嫌上〉

めまうけ【妻儲け】妻をめとること。結婚。「源中納言重光と聞ゆるが御婿になり給ひぬ。御―の程、兄君にこよなうまさり給ひぬめり」〈栄花様様悦〉

めまぎろ・し【目紛ろし】『形シク』目がちらつく。形・色などがはっきり見えない。「散る花といづれ待て蝶―・し」〈俳・埋草一〉

めまさり【目勝り・目増さり】遊戯・賭博の一種。賽の目の数を競うもの。「過ぎにしころ―の負けわざの花、あまり責められ参らせて」〈春のみやまぢ〉

めまじ【目まじ】またたき。目くばせ。「揚眉瞬目は、眉をあげつ―をしつ、目やう顔やうをする義ぞ」〈臨済録抄〉

めまじろき【瞬き】またたき。目くばせ。「少将、右近―をして」〈源氏東屋〉

めまぜ【目まぜ】「めまじ」の転。「六郎を―して招きければ、やがて心得て来たりぬ」〈伽・太子開城記〉

めみえ【目見え】①主君・長上者にお目にかかること。謁見(えつけん)。「将軍家観音城に御成り、旗頭等の―あり」〈江源武鑑一三〉。〈文明本節用集〉 →おめみえ。②近世、奉公人が雇い主に初めて会い、奉公契約するまで試験的に使われること。「―の間、衣類なき人は、借衣装自由なる事なり」〈西鶴・一代女二〉

めみた・て【目見立て】『下二』ことさらに目をとめる。「さまざまの財物、かたはしより捨つるがごとくすれども、更に―・つる人なし」〈方丈記〉

めめ【米米】〔女房詞〕こめ。「もとより御寮(おれう)、お足(あし)も―もずっぱと持ちければ」〈天正本狂言・比丘貞〉。〈名語記六〉

めめ・し【女女し】『形シク』《多く男について形容する語》①まるで女のようだ。「〔匂宮ガ〕ただ―・しく心弱きとや見ゆらむ」〈源氏蜻蛉〉②未練がましい。「〔物怪ガ〕又あはあはしく出で来て、人中にかやうに物など聞ゆる、いと―・しく」〈栄花玉村菊〉 →をんなし

めめじゃこ メダカの異称。「めめざこ」とも。「橋の下なる―だにも」〈閑吟集〉。〈文明本節用集〉

めもじ【目文字】《文字詞》見ること。会うこと。「桜板に記して―に備ふ」〈浮・諸分姥桜序〉

めもと【目許】目のあたり。また、目つき。「―の気高さよ」〈伽・はもち中将〉。「憎きもの、法師の女を見る―」〈説法式要一〉

めやす【目安】①鎌倉時代以後、見やすいように箇条書にした訴状・陳状。近世は「目安書」「目安状」とも。「候と云ふ字、申状・―には書かぬ也」〈夜鶴書札抄〉。「―にいはく、『抑申上ぐる糸の庄の事…』と此の如く書きて上ぐるならば、公事は勝ちになるべし」〈かさぬ草紙〉。「目安、メヤス、訴訟状也」〈文明本節用集〉②算盤(そろばん)の五玉と小玉との間にある位取りの目印。また、算盤で乗除の計算をする時、乗・除数の称。「それぞれの間(けん)の尺数合はせつつ、―にしてぞ尺数を割ればそのまま間の数」〈因帰算歌上〉 **―付・ける** 訴状を以て裁判所に訴え出る。「目安上げる」「目安掛ける」とも。「―・けられし預り銀の方へは済まさずして」〈西鶴・胸算用三〉 **―づつみ**【目安包】訴状の包み方。たて包みにして上下同じぐらい折り掛ける。「延紙二枚重ねて―にして」〈西鶴・嵐無常上〉 **―よみ**【目安読】近世、裁判の時、目安(1)を読む係の役人。「大坂西御奉行所…―関根孫之丞」〈宗静日記天和三・一・三〉

めやす・し【目安し】『形ク』見ていて安心である。見た目が良い。「大臣も少し御気色良くなりて、―・かりつるに」〈栄花もとのしづく〉。「万のしわざはやめて、暇(いとま)あるこそ、―・く、あらまほしけれ」〈徒然一五一〉

めやつこ【女奴】女の奴(やっこ)。婢。また、女をののしっていう語。「香塗れる塔にな寄りそ川隈(かはくま)の屎鮒(くそぶな)食(は)める痛き―」〈万三八二八〉 †meyatuko

めゆひ【目結ひ】絞り染の一種。白い斑点を目のように染めたのでいう。纐纈(かうけち)。くくり染。「―の帷(かたびら)に染付けの湯巻して」〈平家一〇・千手前〉。「―巻染と云ふは、くくしの事なり」〈庭訓抄下〉

めら【目ら】《ラは接尾語》目。「我が―に塩漆(ぬ)り給ひ」〈万三八八六〉 †mëra

めらう【女郎】①少女。女の童。「女房の―具して西へ行きしを」〈雑談集三〉。「女童、メラウ」〈運歩色葉集〉②女をののしっていう語。「―、下にけつからう」〈近松・天網島中〉。〈日葡〉

めらは【女童】《メワラハの転》「めのわらは」に同じ。「この隣なる―の、くそまりゐて侍るを、しゃ頭をとりて打ちふせて」〈宇治拾遺三七〉

めらめら 炎がものを包んで燃えあがるさま。「皮は火にくべて焼きたりしかば、―と焼けにしかば」〈竹取〉

め・り【下り・減り】『四段』《「かり」の対》①音が低くなる。特に、基本の音より低く下がる。「急なる音を一段に―・らして」〈梁塵秘抄口伝集一一〉。「楽の律呂の声の―・るかると云ふ字は秘事也」〈日本紀神代抄一〉②へる。少なくなる。「雪―・りて松に桜の咲きにけり」〈俳・貞享五年歳旦集〉。〈日葡〉③弱く衰える。「能事あれどもおごることなし、悪しき仕合せの時もさのみ―・らず」〈甲陽軍鑑四〉。「メッタヒト」〈日葡〉

め・り【罵り】□一『四段』口汚くののしる。「虚空が広長舌を吐出して、雨を―・り、風を呵したなり」〈大智禅師偈頌抄下〉□二『名』口汚くののしること。「妄に鞭笞(べんち)を行じ、―を放って、かれが身心を苦しましむる事なかれ」〈禅余問答下〉。「罵詈、メリ」〈文明本節用集〉

め・り『助動』→基本助動詞解説。 †meri

めりかり【乙甲】日本音楽で、基本の音に対して、「めり」は下がる音、「かり」は上がる音。音の高低。抑揚。甲乙(かんおつ)。「謡の―を吟じて、面白くたしなみ囃し候事、肝要なり」〈八帖花伝書四〉。「遠近の声や―時鳥」〈俳・沙金袋三〉

めりはり【乙張・減張】音声・演技などで、ゆるめることと張り上げることと。「ちと三味線こうと(地味)過ぎて、―が無いぞや」〈評判・闇の礫下〉

めりやす 歌舞伎音楽の一。長唄と小唄の中間の長さで、三下り調のさびしい陰気な曲。独吟で唄うのが特徴で、明和・天明期に流行した。「先づ―と言ふ奴が浮気にするやつさ」〈黄・江戸生艶気樺焼上〉

メリヤス 綿糸・毛糸などで密に編み、伸縮自在な織物。手袋・足袋などに用いた。「―足袋五足」〈細川忠興文書寛永一六・一・二七〉 ▽スペイン medias・ポルトガル meias

めれう【馬料】馬の飼育料として官人に賜わる銭。「其の官に有る人は名を重みす。特に―を給へ。給ふ式、差有り。事並に格に在り」〈続紀神亀五・三・二八〉

めれう【馬寮】宮中の御厩の馬・馬具、および諸国の牧場の馬をつかさどる役所。うまのつかさ。うまづかさ。左右に分れ、長官をそれぞれ左馬頭(さまのかみ)・右馬頭(うまのかみ)という。「看督の二人は…毎日一番は内裏に候し、一番は京内の非違を巡察す。其の馬は―之を充つ」〈延喜式左右近衛府〉

めろめろ 声も立てず弱弱しそうに泣くさま。めそめそ。「それに侍が―泣いてよい物か」〈伎・鹿巻筆一〉

めろよし【目ろ寄し】《ロは接尾語》魚網を引くと、網の目が寄り集まること。「片淵に網張り渡し―に[女ヨ]寄し寄り来(こ)ね」〈紀歌謡三〉 †mërōyösi

めを【女男・妻男】女と男と。妻と夫と。「河内国より―相具して御嶽(みたけ)へ参る者ありけり」〈発心集八〉。「陰陽、メヲ」〈運歩色葉集〉

めをっと【妻夫】《メ(妻)ヲヒト(夫)の音便形》妻と夫と。「干将莫耶の―の二つの剣あり」〈玉塵抄五〉

めをと【妻夫・女夫・夫婦】《メヲットの転》妻と夫と。夫婦。「―ながらや夜を待つらむ」〈俳・犬筑波〉。〈名語記八〉

―いさかひ【女夫争ひ】夫婦喧嘩。「―たたかへる声」〈俳・守武千句〉 **―争(いさかひ)犬喰はぬ** 夫婦間の争いは多くは一時的な感情が原因で、すぐ仲直りするから、他人は口出しするものではない。〈近松・淀鯉上〉

―づか【女夫塚】相愛の男女を合葬した塚。比翼塚。「麓に立てる―」〈近松・松風村雨四〉 **―ぼし**【女夫星】牽牛・織女の二星。「有漏地(うろぢ)の歌一休に恨みあり―」〈俳・大矢数三〉

めをとこ【女男】①妻または夫。「あるはかなしき子に後れ、あるは―の哀れに思ふに後れ」〈栄花衣珠〉②妻と夫と。夫婦。「さりとてあるべきならねば、―に成りにけり」〈宇治拾遺五六〉

めん【免】《もと生産物を年貢として徴収した残余を農民に免(ゆる)し与える意。転じて》近世、貢租額。また、「免相(めんあひ)」の意にも用いた。「―は六つ成りの所にて…御高四百六十七石」〈梅津政景日記元和三・三・二八〉

めん【面】①顔。顔面。「衣香―色ひとへに花に似たり」〈文華秀麗集中〉。「おしろい、まゆずみでよそほふに及ばぬぞ。―の白きの顔がすぐれたぞ」〈玉塵抄七〉②顔を直接に向けること。顔をあわせること。対面。「彼の二の王者、従来(もとより)―なし。如何ぞ此の恩を降すこと得む」〈三蔵法師伝五・院政期点〉③仮面。「陵王の―」〈古事談六〉。「―をはづす」〈天正本狂言・抜殻〉④ものの表面。「水―の新虹はいまだ巾を展(の)べず」〈和漢朗詠集鷹〉⑤琵琶・鏡・硯(すずり)などを数える語。「今二―の琵琶を渡して」〈平家七・青山〉 **―を被(かぶ)・る** 恥を忍んで、図図しい態度をとる。「いかなる―・ってか、頬出ししては言ふべきぞ」〈近松・本朝三国志三〉 **―を脱・ぐ** 恥をすすぐ。「この詞こそ―・がれたれば、いとほしく侍る」〈俳・蠅打一〉 **―を以(も)て** 直接に会って。対面の上。「明春早早―賀し」〈祇園執行日記応安五・一三・三〇紙背文書〉

めんあひ【免相・免合】近世、田地の石高(こくだか)に対して課した貢租率。「―の事、近郷の取(とり)を以て相計ふべし」〈御当家令条三三、慶長八・三・二七〉 ▽「免(めん)」の意に混用されることもあった。

めんうち【面打】仮面を作ること。また、その人。「〔コノ猿ノ面ハ〕都の―に打たせて参った」〈近松・壬生大念仏上〉。〈運歩色葉集〉

めんかう【面向】額(ひたい)のまん中。まっこう。「―打ち割る、頭を砕く」〈近松・国性爺四〉。〈文明本節用集〉

めんけ【免家】荘園において、荘官などに支給された在家(ざいけ)百姓のこと。荘園領主に対する公事(くじ)課役を免ぜられるかわり、荘官などの下人・所従として召し仕われた。「―を置かれてより以後」〈高野山文書一、平治一・一二〉

め

めんざう【眠蔵】禅宗で、寝所のこと。武家でも、奥の間・寝所をいう。納戸にも使用された。「ーには沈(ちん)の枕に鈍子(どんす)の宿直物(とのゐもの＝夜具)を取りそへて置く」〈太平記三七・新将軍京落〉。「眠蔵、メンザウ、室中也。或作眠床一也。寝処也」〈文明本節用集〉

めん・じ【免じ】『サ変』①免除する。まぬがれさせる。許す。「ただ何事をもー・じ給ふべきならば御供つかまつらん」〈著聞五七〉②当人あるいは関係ある第三者の功績・面目などを考慮・斟酌して、その罪を見のがしたり、許してやったりする。「はじめの程こそ、師匠にも大納言にもー・じけれ、この事沙汰に及びけり」〈伽・弁慶物語〉

めんじゃう【免状】①赦免状。ゆるしぶみ。「囚人十四人のうち七人のーなり」〈謡・春栄〉。〈日葡〉②武術・芸能などの奥義を免許した証拠として授与する文書。「若し已むことを得ざれば、則ち一国壱人にこれを伝授せらるべき也。仍りてーを許すこと件の如し」〈花岡家文書天和四・二〉

めんす【麵子】うどん・そうめん等の総称。「ーをば背を直ぐにして反って喰ふなり」〈今川大双紙〉

めんだう【面倒】《メンはメ(目)の転、ダウは「手間だう」などのダウと同じで、見るだけ無駄の意か》見苦しいこと。みにくいこと。「あらーな奴や」〈蓬左文庫本臨済録抄〉。「ー。面倒と書く由也」〈志不可起六下〉

めんだう【面道】「めだう(馬道)」の転。「あそこのーに追っかけてははたと切り」〈平家四・信連〉

めんちゃう【面打】面と向ってすること。「悪き事をもーに云ひて教訓する人は、真実大切也」〈伊勢貞親教訓〉。

めんつ【面桶】「めんつう」に同じ。「食物を入るるーなどをくくり掛けて置き」〈孫子私抄〉

めんつう【面桶】①檜・杉などの薄板を曲げて作った楕円形の飯を盛る器。「家宅の調度にもーあり」〈正法眼蔵洗面〉。〈運歩色葉集〉②茶の湯で使う曲物(まげもの)の水こぼし。「ー・引切り〔ヲ置キ〕」〈今井宗久日記永祿六・三・二三〉

めんてい【面体】顔かたち。「なるほどきたなきーにて候」〈豊後陣聞書〉。「此方は勘当なるぞと、ー替りて言ひければ」〈安宅一乱記九〉。〈文明本節用集〉

めんでん【面展】お目にかかること。面拝。「万乗の聖主猶ーの媚をなし、重代の家君却て膝行の礼を致す」〈平家四・南都牒状〉。「面展、メンデン、面謁義同」〈伊京集〉

めんどりば【雌鳥羽】「めどりば」の転。「楯をーにつき並べて」〈平家一一・弓流〉。「上の屋体にかざる杉の葉にて、ーに葺(ふ)くべし」〈修験峰中秘伝〉

めんないちどり【目ん無い千鳥】⇩めなしどち。「腰の手拭引き絞り、ー百千鳥」〈近松・冥途飛脚下〉

めんばく【面縛】両手を後手に縛って面を前方にさし出すこと。「古の降者は、其の甲兵を去りて、ーして命を待ち」〈三代実録元慶三・一〇・一三〉

めんばこ【面箱】能で、「翁」の先頭に面を入れた箱を持って出る役。狂言方がつとめる。面箱持。「翁の入るにもーの役の連れて入るべきか」〈申楽談儀〉。〈運歩色葉集〉

めんばれ【面晴れ】恥をすすいで、面目を立てること。「好古卿へのー」〈浄・蘆屋道満一〉

めんぴ【面皮】①つらのかわ。〈運歩色葉集〉②面目。「此の度の儀は栄任一かどのーに御免と、返す返す仰せられ候間、許し申す」〈北野社家日記慶長六・九・一八〉③おべっか。「〔徳ノアル僧ヲ〕たしなみ者、奇特、たふときなどとーにてとなへたて候」〈結城氏新法度〉

めんぼく【面目】人に合わす顔。体面。名誉。「仏の御ーありと、あやしの法師ばらまで喜びあへり」〈源氏賢木〉。「わが御ためーなければ、わたり給ふ事はなし」〈源氏蓬生〉 **ーを失・ふ** ①名誉を傷つけられる。体面をそこなう。「ー・ひ、引っ返しけるが」〈保元中・為義降参〉。「一人にいろいろの物を持たせてはー・ふ事なれども」〈虎明本狂言・止動方角〉②罷免(ひめん)される。首になる。「ー・はせ候て然るべき由に候」〈上井覚兼日記天正三・一一・一九〉

めんめん【面面】①一人一人。各人。「ーは門に立ちて泣きゐたり」〈宝物集下〉。「これらを宥められんは口惜しかるべしとーに申されければ」〈平家九・樋口被討罰〉②それぞれ異なること。「瀟湘へ行くと秦へ行くとは、ーなれども、旅の心は一つ也」〈句双紙抄〉③《接頭語のように用いて》「銘銘(めいめい)」(2)に同じ。「ー菓子」「ー自害」など。「折節、一献の間、ー飲み也」〈教言卿記応永一三・五・二五〉 **ーかせぎ**【面面稼ぎ】共稼ぎ。めいめいかせぎ。「ーの義、珍しからず候」〈伊達家文書一、天正一六・六・一三〉 **ーさばき**【面面捌き】各自思うままに物事を処理すること。めいめいさばき。「靡き合うやー柳髪」〈俳・鸚鵡集一〉。「これよりしてはー」〈仮・吉利支丹退治下〉 **ーすぎ**【面面過ぎ】「面面かせぎ」に同じ。「これが女房は、御夢想の餡焼(あんやき)してー」〈西鶴・俗徒然五〉 **ーの楊貴妃** 人はおのおの自分の妻を美人と思い込むたとえ。「ーなれや家桜」〈俳・毛吹草五〉

めんもく【面目】⇩めんぼく。「ーを都鄙(ひと)に施せり」〈妻鏡〉

めんよ《「名誉(めいよ)」の転》名声。ほまれ。有名。「堺よりーの数寄者上り申し候と、京衆申し候て、茶を皆望み申し候」〈江岑夏書〉。「名誉をめいしゃう、ー〔ト訛ル〕」〈俳・かたこと三〉

めんよう《「名誉(めいよ)」の転。多く「面妖」とあてる》不思議なこと。奇妙なこと。めんよ。「ーは、名誉也」〈男重宝記五〉

めんらう【面廊】《メダウ(馬道)の転メンダウから転じた形》殿舎と殿舎との間をつなぐ長廊下。「中門、ー、遠侍のがさじと追っかけたり」〈古活字本曾我七〉。〈説経・鎌田兵衛正清〉

も【妹】《イモのイの脱落した形》⇩いも。「家のーが着せし衣に」〈万四三八八防人〉 †mo

も【面・方】《オモのオの脱落した形》表面。方角。「坂越えて阿倍の田のーにゐる鶴(たづ)のともしき君は明日さへもがも」〈万三五二三〉。「聞こしめす四ーの国より」〈万四三六〇〉 †mö

も【喪】①人が死んだ後、その親族が何日間か家に謹慎すること。「ーを弔(とぶら)ひたまふ時に」〈記神代〉②わざわい。凶事。「旅にてもーなく早来(こ)と吾妹子が結びし紐はなれにけるかも」〈万三七一七〉。「事も無くーも無くあらむを」〈万八九七〉

も【裳】①上代に、女性が、腰から下をおおうようにまとった衣服。ひだのあるものが多い。「松浦川(まつらがは)川の瀬光り鮎釣ると立たせる妹がーの裾ぬれぬ」〈万八五五〉。「下裾、衣後也、又衣袖也、衣扈也、倭云毛(も)、扈」〈華厳音義私記〉②おもに、僧職にあるものが、腰から下にまとった衣服。「講説(かうせち)は—袈裟(けさ)を整へず」〈三宝絵下〉③平安時代、女性の正装用として、表着(うはぎ)の後腰(うしろこし)につけて裾を長く扇状に曳いた衣服。「〔中宮ガ〕おはしまさねば—も着ず、袿(うちき)姿にてゐたるこそ物ぞこなひにて」〈枕八三〉

も【藻】水生植物の総称。「海(わた)の底沖を深めて生ふる—のもとも今こそ恋はすべなき」〈万二七八一〉

も『接頭』擬態語・擬音語の上につく。意義未詳。上代に使われた。「—そろ—そろ」など。「瓊音(ぬなと)も—ゆらに天の真名井に振りすすぎて」〈記神代〉 †mŏ

も『助』→基本助詞解説。 †mŏ

も『助動』推量の助動詞「む」の上代東国方言。終止形・連体形ともに例がある。「子持山若鶏冠木(わかかへるで)の黄葉(もみ)つまで寝—と吾(わ)は思ふ汝(な)はあどか思ふ」〈万三四九四東歌〉。「八十国は難波に集ひ舟飾り吾がせむ日ろを見—人もがも」〈万四三二九防人〉

もい【萌い】下二段活用の「萌え」の連用形を、平安時代に、万葉集を補修した者が擬古意識から用いた語。他に例はない。「春さればひこ枝(新シイ小枝)—つつ」〈万四二一一〉

もうき【蒙気】精神がはっきりせず、ぼうっとしていること。「—さして心底みだりがはしき折は、いかにもよまんと案ずれども有心体出来ず」〈毎月抄〉

もうす【帽子】僧の用いる帽子(ぼうし)。〈下学集〉

もうせん【毛氈】獣毛で製した織物様のもの。敷物にした。〈運歩色葉集〉 **—被(づか)・く** 失敗する。しくじる。「又男(ゆうなん)=物真似芸人)が—・く月の雲」〈俳・山の端千句下〉 **—を被(かぶ)・る** 《歌舞伎の舞台で、死人を毛氈で隠して運び去ることから》近世後期、失敗する意の通言。特に、主人や親の手前をしくじって、家を追い出されたり勘当されたりするのにいう。略して「もうせん」「かぶる」ともいう。「親玉へ知れると—・る出入(イザコザ)だ」〈浄・矢口渡四〉

モウル【莫臥児】緞子(どんす)に似た浮織(うけおり)の絹織物。金モール・銀モール・風通(ふうつう)の種類があった。近世前期、京都でも織り出し、綿糸織のものは、羽織・鼻紙袋などに用いた。モール織。「モフル」とも。〈和漢三才図会二七〉 ▽もとインドのモゴル地方産という。ボルトガル mogol

もうを【藻魚】メバルに似た磯魚の名。近世、フグの代用にした。いそめばる。あこお。「もいを」とも。「—。ふぐたうもどき〔二使ウ〕」〈料理物語〉

も・え【萌え】『下二』《芽が出る意。類義語オヒ(生)は大きく生長する意。ハエは、木や髪などが勢いを得て伸び現われる意》草木が芽をふく。めぐむ。きざす。「春雨に—・えし柳か梅の花友に後れぬ常の物かも」〈万三九〇三〉。「萌、キザス・モユ」〈名義抄〉 †moye

も・え【燃え】『下二』《焔・かげろうなどが、ちらちら、ゆらゆらと立つ意。類義語ヤケ(焼)は、熱にあたって物の状態が乱れてしまう意》①ゆらゆらと焔や煙がたつ。燃焼する。「さねさし相模の小野に—・ゆる火の火中に立ちて問ひし君はも」〈記歌謡二四〉。「名残なく—・ゆと知りせば皮衣思ひの外に置きてみましを」〈竹取〉②感情がはげしくゆらめく。「見つつあれば心は—・えぬ」〈万八九七〉③ゆらめいた光を発する。「終夜(よもすがら)—・ゆる螢を今朝見れば草の葉ごとに露ぞおきにける」〈拾遺一〇七八〉 †moye

もえい・で【萌え出で】『下二』草木が芽を出す。「石(いは)ばしる垂水(たるみ)の上のさ蕨(わらび)の—・づる春になりにけるかも」〈万一四一八〉 †moyeide

もえぎ【萌黄】《キは葱(き)》①萌え出るねぎの色。「柳の織物の細長に、—にやあらむ小袿着て」〈源氏若菜下〉。「かんなにはゑもぎ(蓬)・—と書きて、口に唱ふる時は、よもぎ・もよぎと云ふべしとかや」〈俳・かたこと四〉②襲(かさね)の色目の名。「唐衣は、—・柳・紅梅などもあり」〈枕二七八〉 **—にほひ**(ニオイ)【萌黄匂】鎧の縅(をどし)の上部が萌黄色で、下に行くに従い色が薄くなっているもの。「—の糸縅(いとをどし)の鎧に」〈盛衰記二三〉 **—をどし**【萌黄縅】鎧の縅の一種。萌黄糸縅。「紺地の錦の直垂に—の鎧に鴛(をし)の円(まる)の裾金物をぞ打ちたりける」〈平治上・源氏勢汰へ〉

もえくひ(イク)【燃杭】燃え残りの木。「燼、毛江久比(もえくひ)、火余也」〈和名抄〉 **—に火** 燃杭には火が付き易いことから、前に関係のあった者は、一旦縁が切れても、また元通りになり易いたとえ。「暮の螢や—か」〈俳・大矢数四〉

もが『助』《体言・形容詞連用形・副詞および助詞「に」を承け、得たい、そうありたいと思う気持を表わす》①…がほしい。「都へに行かむ船—刈薦(かりこも)の乱れて思ふ言告げやらむ」〈万三六四〇〉②…でありたい。…であってほしい。「我が命長く—と」〈紀歌謡七八〉。「吾が思ひかくてあらずは(コンナニ苦シクナクテ)玉に—まことも妹が手に巻かれなむ」〈万七三四〉。「水沫なすもろき命も栲縄(たくなは)の千尋(ちひろ)に—と願ひ暮しつ」〈万九〇二〉。「わがやどのを花が上の白露を消たずて玉にぬくものに—」〈後撰三〇五〉 ▽モガの語源は、終助詞モによって未練執着を表わし、カによって疑問を表わし、その複合によって願望を示すのが古形で、それがモガと音韻変化したものか。 †mŏga

もかう(ウコ)【帽額】①長押(なげし)にかけるのれん様の布。また、御簾(みす)の上辺に横に引きわたした布。転じて、御簾の縁にもいう。窠(くわ)の紋を染め出してあった。「窠」は、瓜を輪切りにした形、または地上の穴の中の鳥の巣の形という。「なまめかしきもの。…しろき組の細き、—あざやかなる」〈枕八九〉。「寝殿の南面に—の簾(すだれ)、ところどころ破れて神さびたり」〈今昔二四ノ三一〉②窠の紋。「萌黄の下襲、御家の紋の—をいろいろに織りたりしにや」〈増鏡一三〉

もがさ【疱瘡】天然痘。いもかさ。「今年例の—にはあらず、いと赤き瘡のこまかなる出で来て、老いたる若き、上下分かず是を病みののしりて」〈栄花浦浦別〉。「皰瘡、此間云裳瘡(もがさ)」〈和名抄〉

もがな『助』《奈良時代のモガモの転。終助詞のモは平安時代にナに代られるのが一般であった》①…が欲しい。「ながらへて君が八千代に逢ふよし—」〈古今三四七〉②…でありたい。「世の中にさらぬ別れの無く—千代とも嘆く人の子の為」〈古今九〇一〉

もがも『助』《終助詞モガに更にモを後で加えた語。平安時代にはモガナに転じる》①…が欲しい。「君が行く道の長手を繰りたたね焼き亡ぼさむ天の火—」〈万三七二四〉②…でありたい。…であって欲しい。「天地(あめつち)とともに—と思ひつつ」〈万三六九一〉。「万代にかくし—と」〈万四七八〉。「天橋も長く—、高山も高く—」〈万三二四五〉 †mŏgamŏ

もがり【殯】《モアガリ(喪上)の約。アガリはカムアガリのアガリで、貴人の死をいう》「あらき(殯)」に同じ。「—のことを掌らしむ」〈紀推古十一年〉 **—のみや**【殯宮】「あらきのみや」に同じ。「—を広瀬に起(た)つ」〈紀敏達十四年〉

もがり【虎落】①竹を筋違いに組み合わせ、縄で結い固めた柵。「—今日結ふ也」〈北野社家日記明応一・一〇・一一〉②枝付きの竹を立て並べた物干し。紺屋の干し場などに作られた。「—に掛けて晒(さら)す紫」〈俳・徳元千句〉

もが・り【強請り・虎落り】㊀『四段』ねだる。ゆする。「—・る。これもねだる心(意味)に通ふ」〈色道大鏡一〉 ㊁『名』

ゆすり。また、ゆする人。ねだり者。「—と言ふは、非道を元として言ひ分をこしらへ、利を得る巧みなどする者を、かく言ふ也」〈色道大鏡一〉

もかりぶね【藻刈舟】藻を刈る舟。めかりぶね。「—沖漕ぎ来らし妹が島形見の浦に鶴(たづ)翔(かけ)る見ゆ」〈万二九九〉

もぎ【裳着】女子が成人してはじめて裳をつける儀式。十二歳から十四歳ぐらいの頃、結婚を間近にひかえた場合に行なわれるのが普通。徳望ある人を選んで裳の腰紐を結わせ、髪上げをする。「〔玉鬘ノ〕御—のことをこそはと思して、その御まうけの御調度のこまかなる清らども加へさせ給ひ」〈源氏行幸〉。「康子内親王の御—の腰結ひ、小一条左大臣の例なり」〈花鳥余情〉

も・ぎ【捥ぎ】『四段』ねじり切る。もぎる。「足手を—・がれ形はやつさるるとも、一日の命を賜べ」〈保元中・為義最後〉

もぎき【捥木】枝をもいだ木。「よそにては—なりとや定むらむ下に匂へる梅の初花」〈源氏竹河〉

もぎつけ【捥付け】①矢柄(やがら)の節を削り取らずに残しておくこと。「世の常の人の蟇目柄(ひきめがら)にする程なる三年竹を、—に押し削りて」〈太平記一五・正月二十七日〉②枝付きの果物。また、兜を付けたまま切り取った敵の首をもいう。「ひっさぐる枝や—花軍」〈俳・音頭集二〉

もぎどう 不人情なこと。情知らず。「いかなる—なるやつがれも」〈評判・野良三座詫〉▽「没義道」「無義道」「一哲」などと当て字。

もく【木工・杢】大工。こだくみ。工匠。「—、修理の番匠に命じ」〈近松・浦島年代記三〉

もくかうッコウ【木香】菊科の多年草。黄褐色の根を乾し、芳香と苦味のあるのを健胃剤とした。「白芷・—の種申し請け、これを植ゑ了んぬ」〈多聞院日記元亀三・閏一・一六〉

もくぎょ【木魚】①魚体に作った木の板で、禅家で庫裡に吊し、斎(とき)の時に鳴らすもの。「—〔ハ〕庫堂にあるぞ。木を以て魚形を作り、腹を空けて敲いて鳴らすぞ」〈四河入海一ノ三〉②寺院で読経の時に鳴らす仏具。木製、中空で、魚鱗などの彫刻をほどこす。「口答へさせて—を庵の友」〈雑俳・へらず口〉③歌舞伎下座の鳴物の一。寺院に関係した場で、淋しい気分を出すに用いる。「しっぽりした合方、—の音にて道具止る」〈伎・韓人漢文手管始四〉

もくさん【目算】①碁で、目を読むこと。「心静かに—を加ふるの後」〈吾妻鏡建暦三・五・二〉。「目算、モクサン、碁」〈運歩色葉集〉②彼我の優劣・勝敗などを前もって算定すること。見積り。「唐には、合戦の以前に諸大将、宗廟へ寄り合ひて談合評定して、敵味方の事を—するなり。—の良きは勝ちて、—の少なきは負くるなり」〈孫子私抄〉

も無う 苦もなく。難なく。「—ざっと言うて出(だ)いた」〈天草本伊曾保〉。「モクサンモナウ、即ち、テマモイラズ」〈日葡〉

もくじき【木食】五穀以外の草木果実ばかり食べること。また、それによって修行する僧。「卿相雲客は—草衣なれば、禅僧は珍膳妙衣に飽けり」〈太平記二四・依山門嗷訴〉

もくだい【目代】《「目」は佐官》①平安・鎌倉時代、国司が任国での政務を代行させるため、私的に任命した代官。「伊豆の守にて国にありける間、—のなかりければ、東西に—に仕ふべき者やあると求めさせけるに」〈今昔二八ノ三七〉②室町時代以降、代官または目付の俗称。「国にあらば守護職の仰せ、在在所所には探代・—の掟に背かず」〈真宗教要鈔下〉。「大きな顔して所の—」〈俳・宗因七百韻〉

もくづ【藻屑】海中にある藻などの屑。「逢ふまでの形見とてこそとどめけめ涙に浮かぶ—なりけり」〈古今七四五〉

もくのかみ【木工頭】①木工寮の長官。「阿部朝臣若足を—と為し」〈続紀養老五・六・二六〉②大工の棟梁(とうりょう)の異称。木工衛門。「昔の御位には—が薬でも直られまいか」〈評判・吉原酒天童子〉

もくば【木馬】①木造の馬。「土牛には犢(こうし)無し。—には駒無し」〈今昔一〇ノ九〉②拷問具の一。馬の背のような所にまたがらせ、両足に石を釣って責めるもの。「雑色所へ下(だく)して、—にのせんとする間」〈十訓抄七ノ二五〉

もくよく【沐浴】①湯や水で身体を洗うこと。「僧尼は清浄に—して一月の内二三度最勝王経を読ましむ」〈続紀天平九・八・二〉②湯灌(ゆかん)。「髪を剃り、—あそばして、葬式の儀式とり整へ」〈仮・妙正物語〉。「沐浴、モクヨク、洗死人」〈弘治二年本節用集〉

もくらん【木蘭】木蓮(もくれん)の異称。「林蘭、モクラン」〈色葉字類抄〉 **—ぢ**【木蘭地】狩衣・直垂(ひたたれ)などの地で、黒みをおびた黄赤色のもの。「—の直垂に緋縅(ひをどし)の鎧着て」〈平家三・教訓状〉

もくりこくり ⇒むくりこくり(蒙古高句麗)。「世に—と云ひて、恐ろしき事に云ひ習はすは、蒙古国裏(もくこくり)と云ふ事なり」〈齊東俗談一〉

もくれうミリヨウ【木工寮】令制の官司の一。宮殿の造営・修理および採材のことを司る役所。「こだくみのつかさ」とも。「木工寮、モクレウ」〈色葉字類抄〉

もくれんじ【木欒子・木連子】モクゲンジの別称。ムクロジ科の落葉喬木。中国原産。種子は球形で数珠玉に用いた。「もくれんず」とも。「—の念珠の大きに長きを押しもみて居たるは」〈今昔一九ノ二〉

もくろく【目録】①記載内容の項目などを見やすく書き並べたもの。「古歌奉りし時の—のそのながうた」〈古今一〇〇二詞書〉②進物の時の品目などを記したもの。「『仰せられし家奉り侍る。…やがて内の具(家財道具)具して奉り侍るめり。—』とて」〈宇津保蔵開下〉③武道・芸道などの秘伝などを伝授した時、その名目と、伝授し終った由を記し、門人に与える文書。「右の—相窮むるに於ては、一巻を以て、これを書写して、授けて以て、門弟の証と為す者也」〈進履橋〉

もくろ・み【目論み】□一『四段』企てる。計画する。〈日葡〉□二『名』計画。設計。「大工衆—書付けども持たせ下され候」〈本光国師日記慶長一五・四・八〉

も・げ【捥げ】『下二』《モギの自動形詞》ねじ切れる。ちぎれる。「えいやっと御引きあれば、鎖もはらりと—・げにけり」〈伽・小栗絵巻〉

もこ【婿】《ムコの母音交替形》相手。仲間。「棹(さを)取りに速けむ人し我が—に来む」〈記歌謡五〇〉†moko

もこそ『助』《不確実な推量や、打消と呼応する係助詞モと、強調を示す係助詞コソとの複合。将来に対する危惧・懸念を表わす。→もぞ》…するといけないから。…があるといけないから。「あるまじき恥—と心づかひして」〈源氏桐壺〉。「人怪しみとがめ—すれと思してまかで給ふべき日参り給へり」〈源氏賢木〉

もごよか【濩略】龍や蛇がくねりながら行くさま。「其の馬、時に—にして、龍(たつ)のごとくに翥(と)ぶ」〈紀雄略九年〉→もごよひ

もごよ・ひモゴヨイ『四段』《モゴは擬態語。蛇などが体をくねり、うねりするさま。ヨヒは、タダヨヒ(漂)・カガヨヒ・イサヨヒなどのヨヒと同じ。動揺・揺曳する意》くねり動く。這いずる。「豊玉姫、八尋(やひろ)の大熊鰐になりて匍匐透蛇(はひもごよふ)」〈紀神代下〉。「世尊…身傾動することなし。亦は逶迤とも

ごよはず」〈彌勒上生経賛平安初期点〉。「かかる齢の末に若く盛りの子に遅れ奉りて―・ふ(ヨロヨロト生キテイク)こと」〈源氏葵〉。「自ら済(わた)ひ流離(さすら)へ、展転(もごよひ)(ゆきめぐ)りて父の都城に至る」〈大唐西域記三・長寛点〉 †*mögöyöri

もころ【如・若】相似たさま。同じような状態。「何しかもわご大君の、立たせば玉藻の―、臥(こや)せば川藻のごとく」〈万一九六〉 †mökörö **―を**【如己男】自分と同じような男。自分の相手となる男。「―に負けてはあらじと」〈万一八〇九〉

もさ ㊀『助』《終助詞。近世の関東方言》感動をこめて人に告げることばの末尾につけて用いる。…よ。「霞む祇園の恋しいぞ―」〈俳・奴俳諧〉㊁『名』《ことばの末尾に「もさ」とつけたところから》関東者をののしっていう語。また、とくに関東出身の旅人・巡礼の、上方での称。あるいは単に田舎者。「肥取り〔ノ〕―と言へる者」〈仮・可笑記四〉。「古き都に―の登りし」〈俳・野梅集〉

もざく・り ㊀『四段』①もめる。もつれる。「一もめ―・った跡は、中直りの大会(あだい)」〈浮・好色万金丹三〉②まぜっかえす。おちゃらかす。「此の方に秘伝ありと、さまざまに―・るほど、嬉しさの先立って」〈浮・好色年男三〉㊁『名』まぜっかえすこと。「もたれて来た挨拶に、嫌ながら―もならず」〈浮・遊君花軍二〉

もし【若し】『副』《モは助詞モと同根か。不確定・不確実の意を表わす。シはシク活用形容詞の終止形語尾に同じ》①《仮定条件または論理的前提を述べようとするときに使う》ひょっとして。仮に。「君が行き―久にあらば梅柳誰とともにかわがかづらかむ」〈万四二三八〉。「―人が見まらしてはと存じ」〈虎明本狂言・眉目よし〉②《疑問や推量の気持を導くのに使う》もしかしたら。「一つの冀意(ねがひ)あり、―聴許(ゆる)さむやいなや」〈霊異記上三一〉。「彼の十千の魚は為(も)し死にてやある、為(も)し活きてやあるといふことを験せしむべし」〈金光明最勝王経平安初期点〉

もし【持し】動詞「持ち」(連用形)の上代東国方言。「草枕旅の丸寝の紐絶えば吾(あ)が手と付けろこれの針(はる)―」〈万四四二〇防人〉

も・し【茂し】『形ク』生い茂っている。「水伝ふ磯の浦廻(うらみ)の岩つつじ―・く開(さ)く道をまた見なむかも」〈万一八五〉。「茂、モシ・サカリニ」〈名義抄〉

もし『感』《マウシ(申)の転》呼びかけに用いる言葉。「やあ、―、備中の守」〈浄・今川物語一〉

もじ【文字】《もと、モンジのンを表記しない形》①字。「おなじ―無き歌」〈古今九五五詞書〉②言葉。「真に、今は、さる―忌ませ給へよ」〈源氏葵〉③字の音(おん)。「想夫恋といふ楽は…本は相府蓮、―のかよへるなり」〈徒然二一四〉④仮名であらわされる音の数。音節の数。「神代には歌の―も定まらず」〈古今序〉⑤言葉の知識。または、学問。「麗しき物の品品…俗人の―有る」〈仮・尤の草紙上〉⑥《近世、畿内で》銭貨の文字のある方の面。「銭、畿内にて表の方を―と云ふ。東国にてかたと言ふ」〈物類称呼四〉⑦《接尾語のように用いて》言葉の下音を略し、その下に添える語。女房詞から始まった。「御は―ながらも、おもしろく、御うれしく候て」〈実隆公記文明六年冬、紙背文書〉。「焔―(焔魔王)参る」〈虎寛本狂言・八尾〉

もじあはせ ワセ【文字合】文字遊戯の一。漢字を偏・冠・旁(つくり)に分けておき、それを合わせてできた文字の数を競うもの。「夜、女院御方に於て小一献事有り。―有り、…左勝ち了んぬ」〈花園院宸記元応二・九・二三〉

もじあまり【文字余り】⇒じあまり。「〔初五文字ヲ〕『あひにあひぬ』と申したく候ひしかども…―を斟酌仕りたる由」〈初心求詠集〉。「―の歌、このみ詠むべからず」〈筆のまよひ〉

もじうつり【文字移り】文字の続け具合。言葉と言葉の続き具合。「別して白拍子の上手にて有りければ、音曲―心も言葉も及ばず」〈義経記五〉

もじぐさり【文字鎖】①和歌の一体。ある字句を歌の初句に詠み込んで連作すること。また、前の句の句末の文字を次の句の句頭に据えて詠んでゆくもの。「いろは―の同じ頃の事にや」〈拾遺愚草員外上〉。「長時の遊びは、囲碁・双六・将棋・乱碁・―・なぞなぞ、せぬわざもなく」〈最須敬重絵詞二〉。「―歌。ちる雪ににほひしあらば花とのみみてややみなんむめの枝枝」〈再昌草三〉②女子の遊戯。一人が古歌を詠み、次の者が、その歌の末尾の文字が最初にある別の古歌を詠んで、次次に受け継いでゆく遊び。「連なるや―よき天津雁」〈俳・毛吹草六〉

もしくは【若しくは】『連語』《モシを活用させた連用形モシクと助詞ハとの複合。漢文訓読体で使う》あるいは。ひょっとすると。「御陵祟りを為(な)し賜へりと申せり。茲(これ)に因りて恐畏(かしこ)きこと極まり無し。―御陵の内に犯し穢(けが)せる事もや在らむと」〈続後紀嘉祥三・三・一四〉

もじづかひ カイ【文字遣ひ】①文字の書きぶり。「今様の手は草がちにて…うちたよひて侍るに、これは、よき―なども、昔やうに侍り」〈狭衣三〉②文字の使い方。仮名づかい。「かなの―の双紙をあつらへ了んぬ」〈言国卿記文明六・四・二二〉

もしは【若しは】『接続』もしくは。あるいは。または。「〔普通ナラバ〕案内(あない)するたより、―なま女などして言はすることこそあれ」〈かげろふ上〉▽平安女流文学で使う語。

もじひらなか【文字片半】《一銭半銭の意から》ごく僅かな銭。たった一文。「もじきなか」「びたきなか」とも。「商ひ物も―違へた事の有らばこそ」〈近松・曾根崎心中〉→ひらなか

もしほ オ【藻塩】海藻からとる塩。海藻を簀子(すのこ)の上に積み、海水をかけて塩分を多くし、焼いて水にとかし、その上澄みを釜(かま)で煮つめて作る。「夕なぎに―焼きつつ」〈万九三五〉 **―ぐさ**【藻塩草】製塩に用いた海藻。掻き集める意から同音の「書き」に冠し、また、手紙のたとえにいうことが多い。「かきつめて見るかひもなし―おなじ雲居の煙とをなれ」〈源氏幻〉。「住吉の浦に契りし―書き置く跡を誰かしのばむ」〈拾玉集三〉 **―た・れ**【藻塩垂れ】『下二』塩をとるための海藻にかけた海水が垂れる。涙が垂れる意にかけて、嘆きに沈む意に使うことが多い。「わくらばに問ふ人あらば須磨の浦に―・れつつわぶと答へよ」〈古今九六二〉

もじゃくじゃ もつれるさま。ごたごたするさま。「君が袂に入るる手は―として分ちなし」〈浄・信濃源氏一〉

もじゃもじゃ 物事があれこれと入り組むさま。ごたごた。「―言へば気がもどる」〈近松・丹波与作中〉

もじよみ【文字読み】①素読(そどく)。「論語―教ふべきの由…所望の間、今日、序教へ初め了んぬ」〈康富記応永二九・四・四〉②文字・文章の読み方。「そなたの―ばかり聞事(ききごと)なるはなし」〈耳底記〉

もず【百舌鳥・鵙】モズ科の鳥。蛙や虫を捕食し、また、それらを木の枝にさして「もずの速贄(はやにへ)」を作る習性がある。「秋の野の尾花が末(うれ)に鳴く―の声聞くらむか片聞く吾妹(わぎも)」〈万二一六七〉。「鵙・伯労・鶪、毛受(もず)」〈新撰字鏡〉 †mozu **―の目を縫・ふ** 八月に、目を縫ったモズを木の枝にとまらせて、モズを捕る囮(おとり)にすること

をいう。「梢なる—・ふ夕かな」〈俳・歌林鋸屑集四〉

もすそ【裳裾】裳の裾。「朝戸出の君が足結(あゆひ)を濡らす露原つとに起き出でつつわれも—濡らさな」〈万二三五七〉 †mosuso

もずのくさぐき【百舌鳥の草潜】①モズが草にくぐること。モズは春になると大方山に移り、目立たなくなるので、昔の人は草の中に潜り込むと思った。「春されば—見えずともわれは見やらむ君が辺りをば」〈万一八九七〉 ②《中世以後、「百舌鳥の草茎」と解して》「もずのはやにへ」に同じ。「そなたとばかり—／郭公(ほととぎす)待たるる山に木がくれて。…此の句は、時鳥のために、鵙(もず)色色の虫などを草木の枝にさして置きて、時鳥を待つと云ふ儀也」〈竹林抄之注〉。〈日葡〉 †mozunökusaguki

もずのはやにへ【百舌鳥の速贄】《モズの献ずる初物の供え物の意》モズが、秋、虫・蛙などを取り、食べずに木の枝に刺し貫いておくもの。結果としては、翌年、ウグイスやホトトギスの餌に供されてしまうので、この名がある。「垣根には—立ててけりしでのたをさ(ホトトギス)に忍びかねつつ」〈散木奇歌集夏〉

もせ《「…も狭(せ)」を誤解して接尾語のように用いたもの》おもて。面。「野—・庭—・道—、皆これおもてといふ義」〈仮・恋慕水鏡五〉

もぞ『助』《不確実な推量や、打消と呼応する係助詞モと、強調を示す係助詞ゾとの複合》①将来に対する危惧・懸念を表わす。…といけないから。…と困るから。「あなかま。人に聞かすな。煩はしき事—ある」〈源氏手習〉。「人あなづられなる事ども—あらまし」〈源氏薄雲〉 ②転じて、はかない期待の念をあらわす。…しないかなあ。「もし浮かび—上がり給ふとて、しばし見けれども、三人ながら深く沈みて見えざりけり」〈盛衰記四〇〉

もそっと『副』もう少し。もちっと。「我—若くんば、その地へ上り」〈驢鞍橋下〉。「—奥へ参らう」〈虎寛本狂言・三人夫〉

もそろ【醠】酒の一種。アルコールの度の弱い酒か。一説、濁酒。「醠、之流、一云毛曾呂(もそろ)」〈和名抄〉

もそろもそろ《モは接頭語》そろりそろり。「河船の—に、国来(こ)国来と引き来縫へる国は」〈出雲風土記〉 †mösörömösörö

もだ【黙】《「—あり」などの形で使う》何もしないでいるさま。また、だまっていること。「咲けりとも知らずしあらば—もあらむこの山吹を見せつつもとな」〈万三九七六〉。「—居りて賢(さか)しらするは酒飲みて酔泣きするになほ若(し)かずけり」〈万三五〇〉。「—あらじと言(こと)の慰(なぐさ)にいふ言を聞き知れらくはあしくはありけり」〈万二三五八〉

もたいな・し【勿体無し】『形ク』「もったいなし」の促音を表記しない形。「〔工匠ノ乱暴ナ食事ノ仕方〕あなもたいなの事どもや」〈枕(能因本)たくみの物くふこそ〉

もだ・え【悶え】『下二』もがいて非常に思いなやむ。悶絶する。「書きつけたるものを見つけて、おどど驚き—・え給ひて、おもほすこと限りなし」〈宇津保忠乞〉。「おびたたしく手をたたきて眼をいからかし、—・えまどひて絶え入りぬ」〈発心集四〉。「悶絶、モダユル」〈饅頭屋本節用集〉

もた・げ【擡げ】『下二』《持テ上ゲの約》おこす。持ちあげる。「かしら—・げて」〈竹取〉。「古へは『車—・げよ』『火かかげよ』とこそ言ひしを、今様の人は『もてあげよ』『かきあげよ』と言ふ」〈徒然三二〉

もだ・し【黙し】『サ変』①だまる。「辱(ちは)を忍び辱を—・して事もなくもの言はぬ先に我は依りなむ」〈万三七九五〉。「黙、モダス」〈名義抄〉 ②顧慮しないで置く。そのまま捨て置く。「逢ひ難き本願に逢ひながら、—・して八難の古郷へ帰らん事」〈西方発心集上〉。「女房の訴訟も—・し難し」〈盛衰記三五〉

もた・せ【持たせ・凭せ】『下二』《持たしめる意》①贈物として持参する。「景範、〔銘酒〕柳一桶—・せ候」〈言継卿記大永七・七・五〉 ②《相手に身を持たせる意から》もたれかかる。よりかからせる。「〔大蛇ハ〕重重の棚に身を—・せ」〈伽・竹生島本地〉。「これも本歌に—・せて詠めり」〈拾遺愚草抄出聞書〉 ③思わせぶりをして、相手の気を引く。相手に望みをかけさせる。相手をつる。「但し人違ひかと宣ひて、少し—・せし御言葉」〈浄・平安城三〉 ㊁『名』①《持参させた物の意》贈物。手みやげ。「—の御酒のありと聞く」〈伽・酒呑童子〉 ②近世後期、上方の女の髪風の一。梳(す)き髪の一種で、髻(もとどり)を前に倒し、根から二寸位の所を元結で結び、その髪先を二分し、輪を左右に作るようにして、両方の毛先を根へ巻きつけて留めたもの。「—は江戸の銀杏曲に形同じくす」〈守貞漫稿一一〉 —か・け【持たせ掛け】『下二』相手を喜ばせるようにしむける。思わせぶりをする。「弱みを見せじと偽に—・けたる我が心」〈浄・賢女手習三〉 —ぶり【持たせ振】相手の気を引くような言動をすること。思わせぶり。「村雨や先づ—時鳥。…〔判詞〕時鳥の〔鳴カズ〕つれなき事を言はんとて、村雨や先づ—と言へる、故なきにはあらねど」〈俳・祇園誹諧合五〉

もたひ(モタイ)【瓮】水や酒を入れる器。「墱(もたひ)の水溢れて井と成りき」〈播磨風土記〉。「甕、毛太非(もたひ)」〈和名抄〉

もだもだ 興奮したさま。「心が—として」〈評判・役者評判蚰蜒〉。〈俳・世話尽三〉

もた・り【持たり】『ラ変』《持チ有リの約》持っている。「つばくらめの—・る子安の貝一つとりて給へ」〈竹取〉。「手に如意末尼宝珠を持ち、幷せて金嚢を—・らむ」〈金光明最勝王経平安初期点〉

もた・れ【持たれ・凭れ・靠れ】『下二』①寄りかかる。「仰せに、おれは門徒に—・れたりと。ひとへに門徒に養はるる也」〈空善記〉。「砧(きぬた)の盤に—・れて、〔糞ヲ〕散らす事おびたたし」〈伽・福富長者物語〉 ②相手に甘え、無理なことを持ちかける。しなだれかかる。「初対面なれば、—・れず振らず」〈評判・寝物語〉 ③さしつかえる。「—・れたとは、指合ひあること」〈評判・吉原鹿の子〉

もち【望】陰暦で、月の十五日。望の日。「富士の嶺(ね)に降り置く雪は六月(みなづき)の—に消(け)ぬればその夜降りけり」〈万三二〇〉

もち【餅】「もちひ(餅)」の略。〈名語記六〉 —に搗(つ)・く 処置に困る。取扱いに手を焼く。「待たっしゃれ／己(おれ)や今嗅(か)を—・く」〈雑俳・軽口頓作〉 —の皮剝(む)・く 奢ってぜいたくの限りを尽す意のたとえ。「などまま事の—・く」〈俳・絵合下〉 —の生(な)る木 いつも餅を供給するもの。「金のなる木」の類似表現。「—を探す夏山」〈俳・大矢数五〉

もち【黐】《モチヒ(餅)のモチと同じ》モチノキなどの木の皮をつき砕き、水につけて繊維を洗い落し、煮てつくった粘りづよいもの。鳥・蠅などを捕えるに使う。「末枝(ほつえ)に—引き懸け」〈万三三八九〉。「黐、毛知(もち)、所ニ以黏ㇾ鳥也」〈和名抄〉

も・ち【持ち】『四段』《対象の本質や姿・形などをそのまま変えずに生かして、自分の手の中にあらせる意。転じて、手から離さない意。類義語トリ(取)は積極的に対象に働きかけて、対象を自分のものにし、自由にする意》①手にしたままでいる。所持する。「秋萩を散り過ぎぬべみ手折り━・ち見れどもさぶし君にしあらねば」〈万二二九〇〉。「弓矢━・ちたる人ふたり」〈源氏玉鬘〉 ②(そのまま自分のものとして)ずっと所有している。「うち廻(み)る島の崎崎、かき廻る磯の崎落ちず、若草の妻━・たせらめ」〈記歌謡五〉 ③(常に身から落ち離れぬように)携帯する。「〔アナタガ〕紅(くれなゐ)の花にしあらば衣手(ころもで)に染めつけ━・ちて行くべく思ほゆ」〈万二八二七〉。「軍(いくさ)の陣へ笛━・つ人はよもあらじ」〈平家九・敦盛最期〉 ④(対象をそこなわないように)大事に保つ。「勅旨(おほみこと)戴き━・ちて、唐(もろこし)の遠き境に遣はされ」〈万八九四〉 ⑤(性質・気持などを)身にそなえる。具有する。「妹(いも)が悔ゆべき心は━・たじ」〈万四三七〉 ⑥(運命的・宿命的に)ずっと身に負わされる。「変化の人といふとも、女の身━・ち給へり」〈竹取〉。「位は如来に劣り給へる有待(うだい)の御身を━・ちながら、無常のあらしをいかでかのがれさせ給ふべきと」〈保元上・後白河院御即位〉 †mö-ti.

もち【以】『助』《手に持つ意の持チの転。従って、はじめは手段を意味し、ついで材料・理由(原因)を示す。奈良時代の語。平安時代には、モチテとなる》 ①…を道具として。「天皇(すめ)らわがうづの御手━掻き撫でそねぎ給ふ」〈万九七三〉。「み袖━床打ち払ひ」〈万三二八〇〉 ②…を材料として。「住吉の遠里小野の真榛(まはり)━すれる衣の」〈万一一五六〉。「奈良の山なる黒木━造れる屋戸は」〈万一六三八〉 ③…を理由に。…が原因で。「知らぬ事━言はれし吾が背」〈万一九〇五〉 †möti

もぢ【緟】《モヂリ(捩)と同根》 ①上代、綿の量目の単位。二斤をいう。「越の蝦夷沙門道信に…綿五━…賜ふ」〈紀持統三年〉。「唐令に云はく、綿六両を屯と為す。屯は聚也。俗に一屯を飛度毛遅(ひともぢ)と読む」〈和名抄〉 ②《「戻子」「緟子」とも書く》 麻糸を捩って目を粗く織った布。肩衣・蚊帳などに用いた。「━〔ノ〕肩衣一」〈言継卿記天文一九・七・一三〉。〈文明本節用集〉

もぢ【持ぢ】 動詞「持ち」(連用形)の上代東国方言。「家風は日に日に吹けど吾妹子が家言(いへごと)━て来る人もなし」〈万四三五三防人〉

もちあ・げ【持ち上げ】『下二』 ①手で持って上へ上げる。「一人してづんど━・ぐるではないぞ」〈漢書竺桃抄〉 ②身分などを高める。財産などを増しふやす。「高きも卑しきも、一年一年に位を━・げ」〈多胡辰敬家訓〉。「身体(しんだい)━・げしに」〈浮・好色小柴垣三〉 ③ほめておだてる。「━・げたとは、そばより取りなしのこと」〈評判・吉原人たばね〉

もちあそび【持遊び・玩弄】 持って遊ぶこと。また、その物。おもちゃ。もてあそび。「翫(もてあそび)を━」〈俳・かたこと三〉

もちあつか・ひカイ：アツ【持ち扱ひ】『四段』 ①取り上げて大事に扱う。もてはやす。「名句仕りたりとて、そのころ世に━・ひし句を、耳に触れて侍りしかども」〈落書露顕〉 ②扱いに困る。もてあます。「十善の帝王に━・はれたてまつりて」〈保元下・為朝生捕り〉

もちあふぎウギ：オ【持扇】 常に持っている扇。「━の事、ほね長さ一尺二寸、骨数十二、おもてを朱にて赤くする也」〈出陣聞書〉

もちいつ・き【持ち斎き】『四段』 大切にして(神に)奉仕する。「此の三柱の綿津見の神は、阿曇連(あづみのむらじ)等の祖神(おやがみ)と━・く神なり」〈記神代〉 †mötiituki

もちかた・め【持ち固め】『下二』 固く守る。国・家・財産・身持ちなどを乱すことなくきちんとする。「世帯━・むる鑑にもなりぬべき人なり」〈西鶴・二十不孝三〉

もぢかはカワ：モジ きまり悪いさま。もじもじ。「面目なき仕合せと━すれば」〈浄・矢口渡四〉

もちがゆ【望粥】《望(もち)の日に食する粥の意》 正月十五日の節に調理して食する粥。米・粟・黍・小豆・胡麻(ごま)など七種の穀類を煮る。「十五日には━の節供まゐり、粥の木ひき隠しつつ家の君達(きんだち)、若き女房ども打たむとうかがふを」〈枕(前田家本)正月一日は〉

もちくた・ち【望降ち】『四段』 十五夜が更ける。一説、十五夜を過ぎる。「━・ち清き月夜(つくよ)に吾妹子に見せむと思ひし屋前(やど)の橘」〈万一五〇八〉

もちくづ・し【持ち崩し】『四段』 国・家・財産・身持ちなどを乱して台なしにする。「六国も始皇には亡ぼされず、我と━・した」〈古文真宝抄一〉。「身代(しんだい)を━・し、田畠財宝を沽却(こきやく)せんとする事あれども」〈仮・孝行物語三〉

もちこ・し【持ち越し】『四段』 持って来る。「新代(あらたよ)と泉の河に━・せる真木の嬬手(つまで)を」〈万五〇〉 †möti-kösi

もちこじき【持ち乞食】 金銭を貯める一方で使わぬ者。その反対を「遣ひ乞食」という。「借りにくき銀を借り込みて奢るは、我れが物ならぬ楽遊び、気のいらぬ戯れ。━に貯めるより、遣ひ乞食が取り方(トク)と、悪性数寄(あくしやうずき)の噂」〈浮・好色十二人男六〉。「大分に／持てば持つ程━」〈雑俳・西国船〉

もちごもり【持籠り】 妊娠して胎内に児のあること。また、出産しないで胎児のまま死ぬこと。「子の出ずに枯るる女竹や━」〈俳・鸚鵡集五〉

もちさ・げ【持ち下げ】『下二』 身分などを下げる。「近年身を━・げて、有田が下人になりて候」〈小早川家文書三、小早川弘景置文写〉。「先祖の代より身を━・ぐる人か」〈古今八卦大全一〉

もちじほオ：ジ【望潮・望汐】 陰暦十五日の潮。一月(ひとつき)の内、潮の干満の差が大きい。「にほの湖(みづうみ)や━しらぬ波の上にこよひ満ちたる月の影哉」〈草根集一〉

もちたて【持楯】 手に持って使う楯。手楯。「もつたて」とも。「━一枚楯、人夫七千余人に持たせて」〈太平記三七・左兵衛督〉

もちつ・き【餅搗き】『四段』 ①餅をつく。「━・く声のにぎはへる家」〈藤枝集上〉 ②性交する。「これから━・く段ぢや」〈浮・魂胆色遊懐男二〉 ③夕暮、多くの蚊が群れて軒端などを上下して飛びまわる。「蚊柱は己が━・く手杵かな」〈俳・崑山集五〉

もちづき【望月】 陰暦十五日の月。満月。「━の明さを十あはせたるばかりにて、ある人の毛の穴さへ見ゆるほどなり」〈竹取〉 **━のこま【望月の駒】** 平安時代、毎年八月、信濃国望月の牧場から駒ひきの儀のために、貢物として奉った駒。「屏風の絵に駒迎へしたる所をよみ侍りける。━ひく時は逢坂の木の下やみも見えずぞありける」〈後拾遺二八〇〉

もちっと『副』《モチトの促音化》 もう少し。もそっと。「鳴いたもの━先に時鳥」〈俳・大矢数五〉

もちて【以ちて】『助』《「持ちて」の意。奈良時代のモチ(以)に取って代った語。奈良時代に始まり、平安時代に漢文訓読体に広まった》 ①…を道具として。「人見ずは我が袖━隠さむを」〈万二六六九〉 ②…を材料として。「当に身を洗浴し浄き衣服を着、塗るに名香を━せよ」〈金光明最勝王経平安初期点〉 ③…を理由として。「たまさかに我が見し人を如何ならむ縁(よし)を━かまた一目見む」〈万二三九六〉。「何を━の故にとならば、此の陀羅尼は乃(すなは)ち是れ

過現未来の諸仏の母なるを—」〈金光明最勝王経平安初期点〉 †mötite

もちどり【黐鳥】もちに引っかかった鳥。「—のかからはしもよ」〈万八〇〇〉 †motidöri

もちな・し【持ち成し】㊀『四段』持ちあつかう。処置する。「閑(しづか)にと身を—・せば清水より心すずしき松の下庵」〈草根集七〉㊁『名』取扱い。処置。持ちよう。「—の貧乏気(げ)なる大黒に」〈俳・歌仙ぞろへ〉

もちに【持荷】持ち運ぶべき荷物。「かずならぬ身を—にて吉野山高き嘆きを思ひこりぬる」〈後撰一二六八〉

もちのかた【餅の形】①餅屋の看板にした、木で作った餅の形。「松の雪や峠の茶屋の—」〈俳・大井川集下〉②見せかけだけで実質のない物、また実権のない者のたとえ。「外の高塀は—、大方蔵の建て続く上下」〈浮・忘花四〉③物事がことごとく一様で、変化のないさまのたとえ。「人の銭をせしめんと、千変万化に思案して新しい事を工(たく)めども、十が十—」〈滑・放屁論〉

もちのひ【望の日】満月にあたる日。陰暦十五日。望。「—にさし出づる月の高高に君を坐(いま)せて何をか思はむ」〈万三〇〇五〉 †motinöri

もちのり【餅糊】餅を潰して練った、粘り強い糊。「もちそくひ」とも。「山間(やまあひ)を続ぐ—か今朝の雪」〈俳・毛吹草追加中〉

もちばな【餅花】小さく丸い餅を柳・榎の枝などに付けたもの。正月神棚に供え、また子供の玩具にもした。「余りに正月に童の—付けたるやうに咲きたるを、ふさはしからず〔ト〕見ての事なり」〈宗長手記下〉

もちひ(モチイ)【餅】《モチイヒの約。モチはモチ(黐)と同じ》もち。米・黍を蒸して、つきつぶしたもの。鏡餅、亥の子餅、五十日(いか)の餅など平安中期に用いられた。「忽ちに白き鳥あり、…鳥、—となり」〈豊後風土記〉。「三月三日の節供(せく)なむど…干物(からもの)・くだ物・—など調じたるさまめづらかなり」〈宇津保吹上上〉 **—かがみ**【餅鏡】鏡餅。神仏に供え、また正月などの祝事に用いる。「歯固めの祝ひして—をさへ取り寄せて」〈源氏初音〉 **—のよ**【餅の夜】所顕(ところあらはし)の夜。新郎新婦に祝の餅を供する儀が行なわれる。「今宵は—とか」〈栄花ゆふしで〉 →三日(みか)の夜の餅

もち・ひ(モチイ)【用ひ】『上二』⇩もちゐ〔上一〕。「用、モチキル・モチフ」〈名義抄〉

もちぶね【餅舟】出産祝に父方から送る百個の餅。「降る雪の—となる篠葉(ささば)かな」〈俳・沙金袋六〉

もちまる【持丸】金銭を多く持つこと。また、その人。金持。「露の玉を—なれや富貴草」〈俳・鸚鵡集四〉 **—ちゃうじゃ**(チヨウ)【持丸長者】金持。「正月は誰も—(餅ト掛ケル)かな」〈俳・玉海集二〉

もちゃそび《モチアソビの転》玩具。おもちゃ。「御隠居の先づ—で娘分」〈雑俳・銀要〉。「—に四五疋残す泥鰌汁」〈雑俳・万句合安永九〉

もちやのおふく【餅屋の御福】近世、餅屋の門口に看板として置いた、木馬にかぶせたおかめの面。「見掛けよりうまし」の謎という。転じて、そのおかめの面のような醜女のたとえ。「憂き恋は—それながら」〈俳・山の端千句下〉

もちゆき【餅雪】餅に似た雪。綿雪。「—や木の葉に包む志」〈俳・犬子集六〉

もぢ・り【捩り】㊀『四段』ねじる。よじる。「舞ふべき限り、すぢり—・り、ゑい声を出して」〈宇治拾遺三〉㊁『名』言語遊戯の一。ことばを、似た音のことばに言いかけて別の意味に変える技巧。狂歌・雑俳・歌舞伎などで多く行なわれた。「—といふは、中の詞を上下へもたせ聞かする言ひ掛けなり」〈三養雑記一〉 ▽三養雑記に、実例として「御祖師様ありがたかり(有難カリ、蟻ガタカリ)し瓜の皮」「あぶり餅こがしやかとなる(焦ガシャカットナル、子ガ釈迦トナル)摩耶夫人」をあげる。

もちろん【勿論】論ずるまでもないこと。言うに及ばないこと。無論。「勅定相違なくば、皇子の御誕生—の御事なり」〈盛衰記一〇〉。「勿論、モチロン」〈いろは字〉

もち・ゐ【用ゐ】『上一』《モチ(持)ヰ(率)で、取り上げ、引きつれていく意》①君主などが、人物を、よい、適当であるとして登用する。「世のひが者にて、才のほどよりは—・ゐられず」〈源氏少女〉。「日本のかためと—・ゐむにあまらせ給へり」〈大鏡道長〉②他人の教えや意見を適当である、正しいとして、進んで取りあげる。採用する。「かかる身の果てを見聞かむ人、夢をも仏をも—・ゐるべしや、—・ゐるまじやとさだめよとなり」〈かげろふ中〉。「〔相手ガ〕—・ゐざらむものから、我さかしに言(こと)出でむもあいなし」〈源氏夕霧〉③用に立たせる。㋑使用する。「花の色は仏界のかざりなり。もし花無からむ時はまさに造れる花を—・ゐるべし」〈三宝絵下〉㋺仕事につかせる。「兵を—・ゐん事、おだやかならぬことなり」〈徒然八〇〉㋩はたらかす。労する。「心を—・ゐること少しきにしてきびしき時は、物にさかひあらそひてやぶる」〈徒然二一一〉 ▽この語の仮名遣は、平安時代以後モチヒとするものもあるが、平安初期の訓点に「汝が牙を須(もち)ゐむと欲(おも)ふ」〈地蔵十輪経一・元慶点〉などの例があり、モチヰとするのが古例である。

もっかう(ウ…コ)【帽額】「もかう」に同じ。「〔内裏・仙洞ノ縵〕練(ね)り)をもってこしらへ、—を著くる」〈庭訓抄下〉

もっきゃく【没却】損失。損亡。「拝まるる／舟は—〔乗客〕皆吐逆(とぎゃく)」〈雑俳・削かけ〉

もっくわん【没官】律における刑の一。人間や財産などを官に没収すること。「田を売買するに銭を以て価とせしむ。若し他物を以て価とせば、田幷びに其の物共に—せむ」〈続紀和銅六・三・一九〉

もっけ【勿怪・物怪】意外なこと。また、けしからぬ事。不吉な事。「—な事ではないか。これ法滅の前相ぞ」〈六物採摘抄上〉。「山が吠えた、—があるなど云ふ」〈荘子抄一〉。「物怪、モッケ」〈温故知新書〉

もっこ【畚・簣】《モチコ(持籠)の転》土を運ぶ用具。蔓(つる)や縄を網状方形に編み、四隅に釣り紐をつけ、天秤棒などで運ぶ。もっこう。「ただ一—ばかり土を移すといへども」〈成簣堂本論語抄五〉。「持籠、モッコ、或作レ簣、持レ土具」〈文明本節用集〉 **—づきん**【持籠頭巾】畚の形をした頭巾。もっこう頭巾。あじか頭巾。「木綿断付(たつつけ)—」〈十番狂詩合〉

もっさう(…ソウ)【物相】飯の量を盛り計り、または飯を人別に供する具。また、それに盛った飯。物相飯。「物相、モッサウ、香飯分量之器也」〈下学集〉。「物相、モッサウ、盛飯器也」〈文明本節用集〉 **—めし**【物相飯】物相に盛った飯。「達磨会や—の一文字〔ニ並ベテアル〕」〈俳・小文庫上〉

もっしゅ【没収】取り上げ奪うこと。特に、罰として、官職・所領・財産などを官に召し上げること。「南都の僧綱(そうがう)等闕官ぜられ、公請(くじやう)を停止し、所職を—せらる」〈平家六・新院崩御〉。「没収、モッシュ、闕所の義也」〈文明本節用集〉

もった【持った】金を持った者。金持。「誠の—であったと悪名言ひ止み」〈浮・太平色番匠一〉

もったい【勿体】①体裁を飾り、えらぶった態度。物物しい様子。「—。潜上を先立て景気を繕ふ貌(かたち)なり」〈色道大鏡一〉②《「物体」の当て字か》物の形。「客先づ手を突き、茶入の—など見て、褒めてばかり居る也」〈草人木上〉 **—な・し**【勿体無し】『形ク』①不都合である。もっての外である。「あはれ—・き主かな」〈宇治拾遺一五〉。「この玉伝を見ずして歌を詠む事、—・き事なるべし」〈玉伝深秘巻〉②畏れ多い。「なほざりに思ふこと、—・き次第なり」〈伽・戒言〉。「君父を蔑(ないがしろ)にし神明を侮る等は…これを—・しと云ふ」〈齊東俗談三〉 **—ら・し**【勿体らし】『形シク』重重しく見せかける様子である。物物しいふりである。「—・しく何の何の丞なんど云ふ也」〈浮・好色通変歌占上〉

もったう …トウ【没倒】①没収して奪うこと。「神社・仏寺、権門勢家の庄領を—し」〈平家一・鵜川軍〉②滅ぼし倒すこと。「代代の主君、今川上総介氏真を—し、数箇所の所領を安堵し、一期の間を安楽に暮さんとせしが」〈甲乱記〉

もった・て【持っ立て】『下二』《モチタテの音便形》持ち上げる。立てる。「魚の驚いて、鰭(ひれ)を—・てたる体(てい)也」〈荘子抄八〉

もって【以て】『助』《モチテ(以)の転》①…を道具として。…を用いて。「重代の鋏を—首をはさみ切って殺いたれば」〈天草本伊曾保〉②…という手段によって。「使ひを—言はるるやうは」〈ロドリゲス大文典〉③…を材料として。…を機縁として。「おのおのさま面白づくの序を—まかりいで候間」〈咄・昨日は今日下〉④…を理由として。…が原因で。「女人成仏の法と申すは彌陀の御誓願にしく事無し。何を—かく言ふなれば」〈咄・昨日は今日下〉⑤《動詞の連用形を受け、動作の進行をあらわす》…ながら。…つつ。…て。「さっさと山の上へも焼け—いくぞ」〈周易抄六〉 **—のほか**【以ての外】常規をはずれたこと。格別はなはだしいこと。とんでもないこと。「件の僧—に能書(のうじょ)を好みて」〈著聞二九〇〉。「凡そこの為朝、幼少より—の荒者にて」〈保元上・新院御所〉。「私の儀を以て都の騒ぎ—なり。その罪軽からず」〈伽・為人びくに〉 **—ひら・き**【以て開き】『四段』①自分一人だけで引き受け、思う存分に物事を行なう。でしゃばる。うけばる。「弁慶此の由見るよりも、—・いて横手斬りにちゃうと斬る」〈浄・高館四〉②公然と行なう。また、わざわざやる。「雪や枝に—・いた花の春」〈俳・毛吹草五〉。「日本一の大力等が、したたかなどう突きをかけて、〔大鐘ヲ〕—・いて突く処で」〈勝国和尚再吟三〉

もってう・じ モッチョウジ『下二』①大切に取り扱う。鄭重にする。「—・ずれば方図が無い」〈近松・国性爺三〉②大袈裟になる。大事になる。「仁和寺の茶番は事が—・じ」〈雑俳・万句合天明四〉 ▽「もっちゃうじ」とも書く。

もってまゐ・り【持って参り】『四段』もてなす。あしらう。「素湯(さゆ)一つ—・った水煙」〈俳・大矢数一〉

もっとも【最も・尤も】《モトモの促音化》㊀『名』当然であること。道理にかなっていること。「今夜の発向—なり」〈古活字本保元上・主上三条殿に御幸〉㊁『副』①本当に。全く。いかにも。「事すでに重畳せり。罪科—のがれがたし」〈平家一・殿上闇討〉②とりわけ。なかんずく。「首を取りては無念なり。生捕り—大切なり」〈保元上・親治等生捕らる〉 **—至極**(しごく) 全くその通りである。「世話に、—と常に云ふぞ」〈三体詩抄二ノ三〉 **—やく**【尤役】歌舞伎で、「御尤も」という台詞しか言わない端役。また、その役者。「朝から晩まで—に使はれ」〈西鶴・永代蔵五〉

もっぱら【専ら】《モハラの促音化》①一つの事物だけを対象とするさま。ひたすら。「心を—にして経を読みけるに」〈著聞四五〉②一番大切なこと。「人倫に於いて—なり」〈謡・忠度〉。「余の人の意見をばいつも聞かうずることが—ぢゃ」〈天草本伊曾保〉。「第一、モッハラ」〈いろは字〉

もて【面】《オモテのオの脱落した形》顔面。「吾(あ)が—の忘れも時(しだ)は筑波嶺(つくはね)をふりさけ見つつ妹はしぬはね」〈万四三六七防人〉 †möte

も・て【持て】『下二』《四段活用の「持ち」の使役形》持たせる。「片思ひを馬にふつまにおほせ—・て越(こし)へにやらば人かたはむかも」〈万四〇八一〉 †möte

もて【以て】㊀『助』《モチテの音便形モッテの転。平安時代には、多く「…を—」の形で使う》①…を道具として。「吾妹子が形見の衣なかりせば何物—か命継がまし」〈万三七三三〉。「手を—取るなり」〈法華経玄賛平安初期点〉②…を材料として。条件として。「能く至心を—称名し念誦し帰敬し」〈地蔵十輪経一・平安初期点〉③…が理由で。…が原因で。「信心有ること無きを—諂曲愚痴なり」〈地蔵十輪経三・平安初期点〉㊁『接頭』①対象の性質や様態を変えずに維持して…する。「—き(持来)」「—まかり」「—わたり」「—ならし」「—かくし」など。「昔の人の—使ひ給ひしさるべき御調度ども」〈源氏早蕨〉②対象を大事にし、また特に相手にして…する。「—あがめ」「—かしづき」「—あつかひ」「—はやし」など。「助けられつつ入り給ふをいと見苦しく、何人を斯く—さわぎ給ふらむと見奉る」〈源氏浮舟〉③対象の状態を特に取り立てて…する。「—けち」「—そこなひ」「—ひがめ」など。「月日の影は御心もて晴れ晴れしく—いでさせ給はばこそ罪も侍らめ」〈源氏椎本〉④対象から…する。「—はなれ」など。「なにがしがおろして—まからむ」〈源氏蜻蛉〉

もてあが・め【持て崇め】『下二』《モテは接頭語》大事に扱う。「〔受領トイウ〕あたりにいき通はむ人の、をさをさ許さぬ事なれど、今様(いまやう)の事にてとがあるまじう—・めて後見(うしろみ)だつに」〈源氏東屋〉

もてあ・げ【持て上げ】『下二』①持って上へ上げる。「物食ふたびごとに〔鼻ヲ〕—・げさす」〈宇治拾遺二五〉②重そうに上げる。「暁にのぞみて、また目を—・げて見るに」〈著聞七〇九〉。「病者、頭を—・げて言ひけるは」〈伽・葦曳絵巻〉

もてあそ・び【持て遊び・翫び】㊀『四段』《モテは接頭語》①遊び相手にする。「若君は、乳母など〔ガ〕—・び聞こゆ」〈源氏東屋〉②(月や花を)賞翫する。「心もとなき花の末手折りて—・びけりと見ゆ」〈源氏蜻蛉〉③なぐさみにする。「これ(笛)もげに世と共に身に添へて—・びつつ」〈源氏横笛〉㊁『名』①遊び相手。「〔幼イ紫ノ上ハ〕いとをかしき—なり」〈源氏若紫〉。「〔源氏ハ〕此の宮ばかりをぞ—に見奉り給ふ」〈源氏幻〉②賞翫物。「五葉・紅梅・桜・藤・山吹・岩つつじなどやうの—をわざとは植ゑて」〈源氏少女〉③なぐさみごと。「何事にも女は—のつまにしつべく、物はかなきものから」〈源氏椎本〉「詩歌は閑中の—なり。更に朝儀の要事にあらず」〈保元上・新院御謀叛思し召し上〉 **—ぐさ**【持遊び種】心を慰める材料。「〔若イ妻ノコトヲ〕おいらかにうつくしき—に思ひ聞え給へり」〈源氏若菜上〉 **—もの**【持遊び物】①手にして遊ぶ道具。玩具のような物。「はかなき—ども、また誠にかの御形見なるべき物など」〈源氏葵〉②心を慰めるもと。「〔少女ヲ〕明暮れの—に思ひ聞えつるを」〈源氏少女〉

もてあつか・ひ …アツカイ【持て扱ひ】『四段』《モテは接頭語》①相手を大事に取り扱う。手をかけて世話をする。「〔若宮ヲ〕ふところを更に放たず—・ひつつ、人やりならず衣(ぬき)

も皆濡らして脱ぎかへがちなめる」〈源氏 若菜上〉。「その風に当っても滅却するものを、何としてこなたは—・はせらるるぞ」〈虎寛本狂言・附子〉 ②世話が手にあまる。処置に困る。もてあます。「むつかしげなるもの。…ことなることなき人の、子などあまた—・ひたる」〈枕一五五〉。「判官〔為朝ヲ〕—・ひて、きゃつを都に置きては一定(いちぢゃう)ひがことしいだしてんずとて、鎮西(ちんぜい)へ追っくだす」〈保元上・新院御所〉

—ぐさ【持扱ひ種】取り扱う種。話の材料。話題。「世の中に、その頃、人の—に言ひあへる事」〈徒然七七〉

もてい・で【持て出で】《下二》①手にして出る。持ち出す。「〔玉ノ枝ヲ〕いとかしこくたばかりて、難波(なには)にみそかに—・でぬ」〈竹取〉。「くら人ども笑ひて、かめをおまへに—・でて、ともかくも言はずなりにければ」〈古今八七四詞書〉 ②《モテは接頭語》取り立てて、大っぴらにする。「—・でてこそあらね、若き人人は物をかしうて皆打ち笑ひぬ」〈源氏常夏〉

もてかく・し【持て隠し】《四段》《モテは接頭語》①(その状態を保ちながら)外から見えないようにする。うまく見えないようにする。「顔を外(ほか)ざまに—・して、いといたう忍び給へれば」〈源氏東屋〉 ②大切にかばい守る。「院隠れさせ給ひてのち、いよいよあはれなる御ありさまを、ただこの大将殿の御心に—・されて過ぐし給ふなるべし」〈源氏花散里〉 ③しばらくそのままにしておく。「飲食(おんじき)は少し—・して調へそなふべきなり。心に任せて迷(まど)ひ調へそなふべからずと」〈今昔九ノ一八〉

もてかしづ・き【持て傅き】《四段》《モテは接頭語》相手を大事にして仕え、世話をする。「疑ひなきまうけの君と、世に—・き聞ゆれど」〈源氏桐壺〉

もてかへ・し【持て返し】《四段》《モテは接頭語》ひっくりかえす。ごったがえす。「押し並べてむずと組み、上を下へと—・す」〈伽・酒呑童子〉。「暗さは暗し、いづくに敵(かたき)ありとも知れざれば、上を下へと—・し」〈伽・はもち中将〉

もてかや・し【持て返し】《四段》「もてかへし」の転。「上に下にと—・すに」〈浄・傾城請状下〉

もてきょう・じ【持て興じ】《サ変》《モテは接頭語》①相手にして関心を持つ。関心をもって扱う。「今の東宮の御妹の女二宮参らせ給へりしかば、いみじううつくしうと—・じ給ひしを」〈栄花花山〉 ②相手にして面白がる。「〔ソノ遊女ノ〕声すべて似るものなく空に澄みのぼりてめでたく謡(うた)を歌ふ。人人いみじうあはれがりてけ近くて、人人—・ずるに」〈更級〉

もてけ・ち【持て消ち】《四段》《モテは接頭語》①(手ぎわよく)なくす。消えさせる。「数珠(ずず)の数にまぎらはしてぞ涙の珠をば—・ち給ひける」〈源氏(横山本)御法〉 ②ないがしろに扱う。無視する。「いとつれづれなるほどに、見所ある御文の、うはべばかりを—・たじとて」〈源氏椎本〉 ③圧倒して、美しさなど発揮できなくする。「誇りかに花やぎたるかたは、弟の君達には—・たれて」〈源氏若菜下〉

もてたが・へ【持て違へ】《下二》《モテは接頭語》①まちがえたままにする。「大輔がざうしに、敦忠卿のもとへつかはしける文を—・へたりければ遣はしける」〈後撰一二〇六詞書〉 ②意向にそむいたままにする。「など昔の人の御心おきてを—・へて、思ひぐまなかりけむと悔ゆる心のみまさりて」〈源氏宿木〉

もてつ・け【持て付け】㈠《下二》《モテは接頭語》①(欠けたものを)つけ加える。「うはべの情は、おのづから—・けつべきわざをや」〈源氏帚木〉 ②心にかけて(容姿などを)とりつくろう。「わろきによれるかたちを、いといたう—・けて、このまされる人よりは心あらむと、目とどめつべきさましたり」〈源氏空蟬〉 ③(欠けた所、来ぬ人などを)いつも心にかけている。「〔男ノ〕久しきとだえをも、〔女ハ〕かうたまさかなる人とも思ひたらず、ただ朝夕に—・けたらむ有様に見えて、心苦しかりしかば」〈源氏帚木〉 ④相手になる。あしらう。「かつて(全ク)近付きならぬよしを家来に言はせて、—・けぬ仕業、さても侍の有るまじき仕業なり」〈浮・国花諸士鑑三〉 ㈡《名》心にかけてとりつくろうこと。身だしなみ。「大方の有様、—心にくく、立ちならぶべき人なき御有様なめれど」〈栄花殿上花見〉

もてな・し【持て成し】㈠《四段》《モテは接頭語。相手の状態をそのまま大切に保ちながら、それに対して意図的に働きかけて処置する意》①物に手を加えず、あるままに生かして使う。相手をいためないように大事に扱う。「あるに従ひ、さだめず、何事も—・したるをこそ良きにすめれ」〈枕四九〉。「やむごとなきさまには—・し給はざなれど」〈源氏浮舟〉。「今はなほ昔に思ほしなずらへて、うとからず—・させ給へ」〈源氏柏木〉 ②相手にしていろいろ面倒を見る。「そもそも女は、人(男)に—・されて、おとなにもなり給ふものなれば」〈源氏若紫〉 ③物事に対処する。物事を処置する。「世の覚えはなやかなる御かたがたにもいたう劣らず、何事の儀式をも—・し給ひけれど」〈源氏桐壺〉。「〔薫ハ〕例の、事にふれて、すさまじげに世(男女ノ仲)を—・すと、〔匂宮ハ〕憎くおぼす」〈源氏総角〉。「仏の御前に人繁からず—・して、〔仏事ヲ〕のどやかに行なひ給ふ」〈源氏御法〉 ④身を処する。ふるまう。「女ほど身を—・すさまも所せう、あはれなるべきものはなし」〈源氏夕霧〉 ⑤接待する。馳走する。「請じ寄せて、さまざまに—・し、馬鞍、用途(費用)など沙汰して」〈梵舜本沙石集一ノ四〉 ⑥特に取りあげて問題にする。もてはやす。「鰹といふ魚は…此頃—・す物なり」〈徒然一一九〉 ⑦扱う。見せかける。「〔左大臣ヲ〕小舟に乗せ奉り、御上に柴をとりつみて、爪木(つまぎ)の舟の如くに—・し」〈保元中・左府御最後〉 ㈡《名》①しむけ。取扱い。「ただ世の—に従ひて」〈源氏椎本〉 ②物事に対する取はからい。事の斡旋・処置。「自らの上の—は、又誰かは見扱はむ」〈源氏総角〉 ③取り扱い方。上手な使い方。「たをやかに使ひなしたる撥の—」〈源氏若菜下〉 ④人に対する態度。相手を重んじている場合にいうことが多い。「うちとけたらぬ—」〈源氏夕顔〉 ⑤よく待遇すること。馳走。饗応。「さも引きかへて助成には、いろいろの御—、御祝ひごとの御盃」〈謡・小袖曾我〉。「御身たちの先祖より伝はる神通を御—に一つ」〈伽・天狗の内裏〉

—がら【持成しがら】こちらの取扱い方次第。「万の事—にこそ、なだらかなるものなめれ」〈源氏篝火〉

もてなや・み【持て悩み】《四段》《モテは接頭語》どう処置していいか困惑する。「あはれ、この御身一つを、よろづに—・み聞ゆるかな」〈源氏東屋〉

—ぐさ【持悩み種】どう扱うべきか頭を悩ます材料。「人の—になりて」〈源氏桐壺〉

もてはな・れ【持て離れ】《下二》《モテは接頭語。距離がひらいた状態を保ち続ける意》①(欠点などから)離脱した状態を保つ。ぬけきっている。「みづからのあざればみたるかたくなしさを—・れよと思ひしかど、なほしたにはほの好きたる筋の心をこそとどむべかめれ」〈源氏初音〉 ②(相手を)敬遠した状態に保つ。故意に避けつづける。関係せずにいる。「愛敬なく、人を—・るる心あるは」〈源氏若菜上〉。「〔尼ニ〕思ひなり給ひにし御世の背きなれば、今は〔源氏トモ〕—・れて心やすきに」〈源氏鈴虫〉 ③(本筋から離れて)相違している。「〔手紙ノ主ヲ〕言ひ当つるもあり、—・れたる事をも思ひ寄せて疑ふもをかしと思せど」〈源氏帚木〉

も

もてはや・し【持てはやし】『四段』《モテは接頭語。ハヤシは、勢いを添えて相手に輝きや美しさを発揮させる意》①相手に生気を添えて引き立たせる。「〔琴ノ音ヲ〕松風もいとよく—・す」〈源氏手習〉②(人などを)大切に重んじて待遇する。「御婿にて—・され奉り給へる御覚え、おろかならず」〈源氏宿木〉③特別にほめそやす。ほめたてる。「—・されさせ給へりし御かたちこそいとめでたくおはしまししか」〈大鏡伊尹〉

もてひが・み【持て僻み】『四段』《モテは接頭語》普通のものからそれている。「なべてならず—・みたる事このみ給ふ御心なれば」〈源氏若紫〉

もてひが・め【持て僻め】『下二』《モテは接頭語》①風変りなさまでいる。「〔出家トイウ〕—・めたる頭(かしら)つき、心おきてこそ頼もしげなけれど」〈源氏松風〉②ゆがめた状態のままでいる。「かうあらぬさまに—・めて、おそろしげなる気色を見すれど…我と知りてことさらにするなりけりと」〈源氏紅葉賀〉

もてやつ・し【持て窶し】『四段』《モテは接頭語》わざとみすぼらしくする。「父宮に似奉りて、なまめいたるかたちし給へるを—・し給へれば」〈源氏真木柱〉

もてゆ・き【持て行き】『四段』①持って行く。「…とて、とらせたれば—・きて」〈和泉式部日記〉②《動詞の連用形について》だんだん…してゆくの意をあらわす。「いひ—・き」「おもひ—・き」「なり—・き」「み—・き」など。「あさましうもてそこなひたる身を思ひ—・けば、…心ぞいとけしからぬ」〈源氏手習〉

もてわづら・ひ(ワズライ)【持て煩ひ】『四段』《モテは接頭語》(その状態のまま)手の打ちようもなく苦しむ。手を焼く。「この女(め)の童(わらは)は、絶えて宮仕へつかうまつるべくもあらず侍るを、—・ひ侍り」〈竹取〉

もと【本・元・許】㊀『名』《草木の株・根本が原義。古くは「うら(末)」「すゑ(末)」の対。立っているものが地面や床に接する所の意にひろがり、人の本拠とする所、居所、根本、基礎などの意に発展。時間に転じて、本来、昔、以前などの意》❶①草木の株。「—ごとに花は咲けども」〈紀歌謡一二四〉②草・木の根もと。「わが屋戸の花橘をほととぎす来鳴きとよめて—に散らしつ」〈万一四九三〉③立っているものが、平らな地面や床などに接する所。「籬(まがき)が—の雪は消ずけれ」〈万二三二六〉。「その岩の—に波白く打ち寄す」〈土佐一月二十一日〉④本来そこにいる所。居所。「みそかにあひて又のあしたに、人やるすべ無くて、思ひ居りけるあひだに女の—よりおこせたりける」〈古今六四五詞書〉。「かくいやしき己が—に、しばしおはしつるなり」〈竹取〉⑤すぐそば。「桂川の—まで物見車隙なし」〈源氏行幸〉❷①本来。「平けく率て帰りませ—の国家(みかど)に」〈万四二四五〉②昔。「ほととぎすなほも鳴かなむ—つ人〔ヲ〕かけつつもとな吾をね し泣くも」〈万四四三七〉③以前。はじめ。「離れ給ひし—の上(奥方)は腹をきりて笑ひ給ふ」〈竹取〉「興福寺の権別当覚慶、前の長者の為に所職を没収せられたりけるも、—のごとく管領すべきよし仰せ下さる」〈保元中・新院御出家〉❸①物事の根本。「才を—としてこそ、大和魂の世に用ゐらるる方も強う侍らめ」〈源氏少女〉②出どころ。原因。「誉はまた毀(そしり)の—なり」〈徒然三八〉③和歌の上の句。「歌どもの—を仰せられて、これが末はいかにと問はせ給ふに」〈枕二四〉④本当(の事情)。「〔出生ノ〕—の心を知らぬことなれば」〈源氏柏木〉。「想夫恋といふ楽は、女、男を恋ふる故の名にはあらず。—は相府蓮」〈徒然二一四〉⑤原料。「サケノモト」〈日葡〉⑥元金。もとで。「無用の事に取逢て、—・子ともに失却した」〈碧岩抄一〉❹①植物など、物を数える語。「粟生にはかみら一本(ひともと)」〈記歌謡一二〉②鷹狩用の鷹などを数える語。「五十—の鷹部屋あり」〈伽・かくれ里〉③《接尾語的に用いて》場所を確かに指定する語。「そこ—」「国—」など。「『夜中に、こは、なぞ歩かせ給ふ』…『あらず。ここ—へ出づるぞ』」〈源氏空蟬〉㊁『副』以前に。「—ありし前栽もいと繁く荒れたりけるをみて」〈古今八五三詞書〉▽朝鮮語mit(本)と同源か。†mötö

—の鞘(さや)に納ま・る 一旦変動した物事が元通りになる。「中脇差は—・る事」〈西鶴・椀久一世上〉

—の木阿彌(もくあみ) 一旦栄華を誇っていた者が、再びもとの貧賤のさまにかえるたとえ。「元の木庵」「元の木椀」とも。「—とは、此れより申し習はせしぞかし」〈仮・七人比丘尼中〉

もとあら【本疎】株の生えぎわがまばらなこと。「宮木野の—の小萩露を重み風をまつごと君をこそまて」〈古今六九四〉

もどか・し『形シク』《モドキの形容詞形》①行動・状態が自分の気持とちぐはぐで不愉快である。「今は限りの程近き身にてしも、あるまじきほだし多うかかづらひて…心弱う—・しきこと」〈源氏幻〉②自分の気持とぴったり合わないことを、あれこれと非難したい、悪口を言いたい。「男は〔女ニツイテ〕うたて思ふさまならず、—・しう心づきなきことなどありと見れど、さしむかひたるほどは、うちすかして、思はぬことをも言ひ頼むるこそ〔女トシテハ〕はづかしきわざなれ」〈枕二三四〉③(こうすればいいのにと)じれったい。はがゆい。「人の目からは、鈍なるものかな、あら—・しやと云へども、道を楽んで居て、結句貧にもないぞ」〈中華若木詩抄下〉

もとかしは(カシワ)【本柏】柏の葉で、冬も落ちずに枝について いるもの。大嘗祭の時に用いた。歌では、多く、古くからあるもののたとえにいう。「いそのかみふるから小野の—本の心は忘られなくに」〈古今八八六〉

もとかた【本方・元方】宮中で演奏される神楽(かぐら)で、本末(もとすゑ)の二部に分かれるものの、先に唱え歌う側をいう。〈神楽歌〉

もとがね【元銀】元金。また、資本金。もとぎん。「—と、又その金で商ひすれば必ず儲けてあらうずる利」〈コリヤード懺悔録〉

もどかは・し(モドカワシ)『形シク』もどかしさが甚だしい。こちらの考えや気持に合致せず、いらいらしてならない。じれったい。「昌叱、源氏を読む。—・しき事は、史記・漢書を引く。あれを措(お)きて、表ばかりをすらりすらりと読めかし」〈耳底記〉

もど・き【擬き・牴牾き】㊀『四段』《モドはモドシ(戻)・モヂリ(捩)と同根。ねらった所、収まるべき所に物事がきちんと収まらず、はずれ、くいちがうさま》①うまく真似できないながら、真似をする。似て非なる真似をする。「この七歳なる子、父を—・きて、高麗人(こまうど)と文を作りかはしければ」〈宇津保俊蔭〉②似て非だという様子を示す。相手を誹謗し、非難する。「あやしくひがひがしくもてなし給ふを、—・き口ひそみ聞ゆ」〈源氏総角〉。「近きためしを思すにぞ、恋の山路は、え—・くまじき御心まじりける」〈源氏若菜下〉。「嫌、モドク、反謗也」〈色葉字類抄〉㊁『名』①似て非なる真似。まがい。「〔コノ小侍ノ句ハ〕小侍従が—の句といひつべし」〈著聞一六三〉②非難。「女の筋にてなむ、人の—をも負ひ」〈源氏若菜上〉㊂『接尾』似て非なるものの意。…まがい。「梅—」「がん—」「納豆—」など。「卯の花—〔ヲ〕烏賊(いか)にて〔料理〕」〈久政茶会記永祿一・八・二九〉

もとくち【本口】《「末口」の対》丸太の根本に近いほうの切口。「長さ拾四間半、—さしわたし五尺九寸、末口三

尺八寸」〈島津家文書三、高宗久書状案〉

もとこ【左右】《モト(本)コ(処)の意》側近。かたわら。「天皇(すめらみこと)愛(め)(ぐ)みて、—に引(め)し置きたまふ」〈紀垂仁即位前〉。「すなはち—より船を夾(さは)みて繞(かく)み戦ふ」〈紀天智二年〉

もど・し【戻し】『四段』《モドリの他動詞形》①もとの所にかえす。「舟はきっと押し—・すが大事に候。ともへに櫓(ろ)をたてちがへ、脇楫(わいかぢ)を入れて」〈平家二一・逆櫓〉。「馬を—・したけれども、馬ばかり—・さうやうはない程に、急いで乗って行け」〈虎明本狂言・止動方角〉②もとの主(しぬ)に返却する。「元銀(もとがね)と、またその金で商ひすれば必ず儲けてあらうずる利をも取って、残りをばそれそれを主(しぬ)に—・さいで」〈コリヤード懺悔録〉③飲み食いした物を吐く。嘔吐する。「酒も—・し、気までも少し損ぜられまらした」〈コリヤード懺悔録〉

もとしげどう【本滋籐・本重籐】弓の一種。手で握る部分の下部を滋籐に巻いたもの。「—の弓の真中握って」〈太平記六・関東大勢〉

もとじろ【本白】矢羽の名。羽のもとの方が白いもの。「白箆(しらの)に鶴の—、鴻(こう)の羽をわり合はせて矧(は)いだる矢の」〈平家二一・遠矢〉

もとすゑ【本末】①草木の根本と枝先と。「遠山・近山に生ひ立てる大木・小木を—打ち切りて」〈祝詞祈年祭〉②根本と末端と。「梓弓ひけば—我方によるこそまされ恋の心は」〈古今六一〇〉③歌の、上の句と下の句と。「はかなき言(歌)をも〔姉妹デ〕—をとりて言ひかはし」〈源氏早蕨〉④神楽歌での、本方(もとかた)と末方と。「—もたどたどしきまで酔ひ過ぎにたる神楽おもてども」〈源氏若菜下〉⑤始めと終りと。「何語るべき恋の—もなく」〈西鶴・一代男三〉。〈日葡〉 †mötösuwe

もとだち【本立】①草木の根もと。根もとのたたずまい。「遣水かき払ひ、前栽の—も涼しうしなし」〈源氏蓬生〉②生いたち。素姓。「古川の杉の—知らねども過ぎにし人によそへてぞ見る」〈源氏手習〉

もとだて【本だて】口実。根拠。種。「あっぱれ口舌の—」〈西鶴・一代男六〉

もとつか【本つ香】本来の香。生れながら身につけている香。「—の匂へる君が袖ふれば花もえならぬ名をや散らさむ」〈源氏紅梅〉

もとづ・き【本づき・基き】『四段』①依るべき本としてそれに付く。依拠する。「他力に帰して称名に—・きなん行者は」〈他阿上人法語七〉。「いづれの〔歌〕体にても、その人の得たる姿にまづ—・きて、後、余のかかりをもうかがふべしとなり」〈師説自見集上〉。「元、モトヅク」〈合類節用集〉②依るべき本として近づく。頼りとなるべきものに到達する。「二世ともに助かりの道に—・きけるなり」〈バレト写本〉③ありつく。手に入れる。「たまたま所領に—・きて、言はれぬ事を申しつつ」〈浄・きりかね一〉

もとつくに【本つ国】本国。故郷。「妾(やつこ)、今遠く桑梓(もとつくに)を離れたり」〈紀継体即位前〉 †mötötukuni

もとづな【元綱・本綱】車や重い物を引き運ぶためにつける綱のもとの方。「先綱」「中綱」に対していう。「棟上の祝言の時は……—は錦也」〈賢心物語〉

もとつひと【本つ人】昔なじみ。「橡(つるばみ)の衣解き洗ひ真土山(まつちやま)—にはなほ如(し)かずけり」〈万三〇〇九〉 †mötötuFitö

もとどり【髻】《本取りの意》髪を頭の頂きに集めて束ねたもの。たぶさ。「〔仙人ガ〕株(くひぜ)の如くして動かねば、その—の中に〔鳥ガ〕栖(す)をくひて子を生みつ」〈三宝絵上〉。〈和名抄〉 **—放・つ** 冠などをかぶらず、髻をあらわにする。「むとくなる(恰好ガツカナイ)もの。…翁(おきな)の—・ちたる」〈枕一三五〉

もとな『副』《モトは根本・性根。ナは無しの語幹。性根もなくてどうにもならぬの意》①とめどもなく。みだりに。「玉かぎるほのかに見えて別れなば—や恋ひむ逢ふ時までは」〈万一五二六〉。「旅にして物思ふ時にほととぎす—な鳴きそわが恋ひまさる」〈万三七八一〉②やたらに…してどうにもならない。「心なき秋の月夜の物思ふと寝(い)のねらえぬに照りつつ—」〈万二二二六〉 †mötöna

もとのをとこ【元の夫】前からの夫。前の夫。「人の妻にしのびて通ふ僧ありけり。—に見つけられて」〈古本説話一七〉。「前夫、之大乎(をした)、一云、毛止乃乎止古(もとのをとこ)」〈和名抄〉

もとは【本葉】《「末葉(うらば)」の対》植物の茎・幹の本の方にある葉。早く色づいて散る。「さ夜ふけて時雨な降りそ秋萩の—のもみち散らまく惜しも」〈万二二一五〉 †mötöFa

もとはず【本弭・本筈】《「末弭(うらはず)」の対》弓の下方の弭。「弓の—、童すがりに打ち掛けよ」〈盛衰記一五〉。「弓の—・末弭取り違へ」〈太平記二八・三角入道〉

もとぶね【本船】①船団の中心となる船。親船。「義経が船を—にして、篝(かがり)を守れと」〈天草本平家四ノ一六〉②艀(はしけ)で陸地または他船と交通する大船。親船。「実盛浪に浮かぶ—〔二乗ッテ〕」〈俳・見花数寄〉

もとへ【本方・本辺】《「末辺(すゑへ)」の対》①本の方。根もとのあたり。「〔檀(まゆみ)ノ〕—は君を思ひ出、末辺は妹(いも)を思ひ出」〈記歌謡五一〉②下の方。ふもとのあたり。「—は馬酔木(あしび)花咲き末辺は椿花咲く」〈万三二二二〉 †mötöFe

もとほ・し(モトオシ)【廻し】㊀『四段』《モトホリの他動詞形》ぐるぐるとまわし、めぐらす。「寿(ほ)き(祝イ)—・し、献(まつ)り来し御酒(みき)ぞ」〈記歌謡三九〉㊁『名』①めぐり。まわり。「縁、ホトリ・ヘリ・モトホシ」〈名義抄〉②衣服の襟などの紐に通してある金具。「皆、水干装束にて—を解きて」〈今昔三一ノ二一〉③鷹狩の鷹の脚につける紐の金具。「もとほり」とも。「旋、モトホシ」〈文明本節用集〉 †mötöFösi

もとほととぎす【本時鳥】昔なじみのほととぎす。「あをによし奈良の都は古りぬれど—鳴かずあらなくに」〈万三九一九〉 †mötöFötögisu

もとほ・り(モトオリ)【廻り】㊀『四段』①(ぐるぐると一つの中心を)まわる。「細螺(しただみ)のい這(は)ひ—・り」〈記歌謡一三〉。「眉の間には常に白毫有りて光(て)り、右に旋(ま)き宛(もとほ)りて頗黎(はり)の色なり」〈金光明最勝王経平安初期点〉。「𨓏・邅、毛止保留(もとほる)」〈新撰字鏡〉。「纏、マツハル・モトホル」〈名義抄〉②《彎曲する意から》真直ぐでない行為をする。「忿(いかり)と恨(うらみ)とを先と為し、追ひ触れば、暴(し)ひ熱(あつ)かひ、很(ひすかし)まに戻(もと)るを以て性と為す」〈成唯識論六・寛仁点〉③《気がまわる意から》物事が思う通りにはこぶ。「万事無人数にて—・らず、口惜しき迄に候」〈上杉家文書三、天正一〇〉㊁『名』①めぐり。まわり。「大殿のこの—の雪は踏みそね」〈万四二二七〉。「縁、毛止保利(もとほり)」〈新撰字鏡〉②「もとほし」㊁③に同じ。「旋子、毛度保利(もとほり)」〈和名抄〉。「旋子、モトホリ」〈名義抄〉 †mötöFöri

もとほろ・ひ(モトオロイ)【廻ろひ】『四段』《モトホリに反復・継続の接尾語ヒのついた形。→ひ》一つの中心をぐるぐるまわる。「大石(おひし)に這(は)ひ—・ふ細螺(しただみ)」〈記歌謡一三〉

† mötöröri

もと・め【求め】『下二』①(そのものの)本拠を探し出す。尋ね探す。「この御足跡(みあと)を尋ね━・めて善き人の坐(ま)す国には我も参(まゐ)てむ」〈仏足石歌〉。「緑児(みどりこ)の為こそ乳母(おも)は━・むと言へ乳(ち)飲めや君が乳母━・むらむ」〈万二九二五〉。「長者のあたりにとぶらひ━・めんに」〈竹取〉。「至らぬ所もなく━・め参らせ候」〈伽・おようの尼〉 ②(自分から望んで)手に入れる。入手する。「家よりほかに━・めたる装束どもの、うち合はずかたくなしき姿などをも恥ぢなく」〈源氏少女〉 ③(自分から)招く。よぶ。「火をもて、さらに火を━・む」〈正法眼蔵辨道話〉。「薬を飲みて汗を━・むるには、効(しるし)なきことあれども」〈徒然二二九〉 ④買う。購入する。「子どもの土産も━・めて下りたかったれども、永の在京なれば値がなうて、え買うて来なんだ」〈虎明本狂言・鏡男〉 ▽モト(本)と同根か。† mötöme

━ご【求子】東遊(あづまあそび)の歌曲の一。駿河舞(するがまひ)とともに東遊の中心をなすもの。求子歌。「舞は。駿河舞、━〔ニアワセテ舞ウモノガ〕いとをかし」〈枕二六〉

もとも【最も・尤も】㊀『名』当然。「御覧ぜむに━なりけり」〈かげろふ下〉 ㊁『副』①正真正銘。絶対的に。「━今こそ恋はすべなき」〈万二七八二〉。「━上根なるすら尚し我が語を信じて方(まさ)に漸く証入す」〈法華経玄賛平安初期点〉 ②全くいかにも。至極当然に。「〔不敬ノ咎ニヨリ〕内大臣、円座とられにけり。━しかるべしと時の人いひけり」〈愚管抄三〉

もとやま【本山】山のふもとの一帯。山麓。「生ふ楉(しもと)この━の真柴にも告(の)らぬ妹が名象(かた)に出でむかも」〈万三四八八東歌〉 † mötöyama

もとゆひイユ【元結】髪の髻(もとどり)を結い束ねるもの。古くは組糸を用いたが、後には紙撚(こより)を用いる。「君来ずはねやへもいらじ濃紫わが━に霜は置くとも」〈古今六九三〉 **━を切・る** 髪を切って僧形になる。出家する。「元結を払ふ」とも。「さる子細候ひて、━・り、かやうの姿と罷りなりて候」〈謡・水無瀬〉

もとより【元より】『副』もともと。初めから。「船君の病者、━こちごちしき(無骨ナ)人にて」〈土佐二月七日〉。「━かかる歩(ありき)につきなき身なればにや」〈和泉式部日記〉

もと・り【悖り】『四段』《モドリ(戻)と同根か》①(姿態・性質が)ゆがむ。ねじり曲がる。「毛野臣(けなのおみ)人と為(な)り傲(もと)り佷(かひすか)しくして、治体(まつりごと)を閑(なら)はず」〈紀継体二十四年〉。「手脚繚戻(もとり)て、眼目(め)角睞(すがめ)になるべし」〈霊異記上一九〉。「諸龍形を易へ、牡馬に交合して、遂に龍馬を生ぜしむ。憹(らあ)く戻(もと)りて馭(の)り難し」〈大唐西域記一・長寛点〉 ②ゆがめる。「故(ことさら)に口を戻(もと)りて、効(ねま)び言ひて曰はく」〈霊異記中一八〉

もど・り【戻り】㊀『四段』《モドは、モドキ(擬)・モヂリ(捩)と同根。物がきちんと収まらず、くいちがい、よじれるさま》①出て行ったものが、帰って来る。「常陸の前司殿の姫君の、初瀬のみ寺に詣でて━・り給へるなり」〈源氏宿木〉。「又こそ帰りければ、何ゆゑに━・りたるぞと仰せける」〈伽・愛宕地蔵之物語〉 ②折角の儲けがふいになる。「夜業(よなべ)さしょにもこの油の高さでは、儲ける程みな━・る」〈近松・女腹切上〉 ㊁『名』①帰ること。帰り道。「帯売の━連立つ花曇り」〈俳・炭俵上〉。「藪見知れ━に折らん梅の花」〈俳・曠野上〉 ②離縁になって実家に帰った女。「捨てられもせぬ/━に入聟」〈雑俳・不二の高根〉 ③とんぼがえり。もんどり。「山がらの━打つやうに飛びかへられたりける」〈著聞四一〇〉。「須彌山で━を打ったなり」〈大智禅師偈頌抄下〉 **━うま**【戻り馬】客または荷物を送り届けて帰り道の馬。駄賃が安かった。「━の駄賃は、上下の者と馬主相対次第たるべし」〈堀江文書慶長一六・三・二六〉 **━かご**【戻り駕籠】客を送り届けた帰り道の駕籠。駕籠賃が安かった。「乗る人も夢路なりけり━」〈俳・大句数上〉

もどろ《マダラ(斑)の母音交替形。シドロモドロのモドロと同じ》ところどころ、ぶちになること。まだらになること。「みかりする垣のねずりの衣手に乱れ━にしめるわが恋」〈経信集〉 **━か・し**『四段』①まだらにする。「青色の襖(あを)、くれなゐの衣(きぬ)、すり━・したる水干(すいかん)といふ袴を着せて」〈枕一一九〉。「文、モドロク・モドロカス・マダラ」〈名義抄〉 ②(人の心などを)幻惑する。まどわす。「虚神を付きて、国王より始めて民に至るまで心を━・し、人の物を計り取る」〈今昔四ノ二三〉 **━・き**『四段』①入り乱れた状態になる。錯乱状態になる。「右大将ぬしの娘の文とて、女の文をば持てまうで来る。我をはからしめむとて、━・かしむるにはあらずや」〈宇津保藤原君〉。「あまりなることは、目も━・く心ちなんし給ひける」〈大鏡藤氏物語〉 ②(船などが)針路さだまらず、もたもたする。「もろこしの玉積む舟の━・けば思ひ定めむ方もおぼえず」〈顕輔集〉 **━・け**『下二』《モドロキの他動詞形》①まだらの模様をつける。「祠宇、石を彫り、木を文(もどろ)けたり」〈大唐西域記七・長寛点〉 ②いれずみする。「其の国の人、男女(をのこめのこ)ならびに椎結(かみをわ)け、身を文(もどろ)けて」〈紀景行二十七年〉

もとわたり【元渡り】「古(こ)渡り」に同じ。「━の唐織山をなし」〈西鶴・五人女五〉

もとゐ【基】《本(もと)居(ゐ)の意》①建築などの土台石。「紫金銀の棟(むね)、金色の扉、水精の━」〈栄花音楽〉 ②ものごとの根源。始祖。「于時に宝暦に━を創(はじ)めて、匠(たくみ)を伝ふ」〈不空羂索神呪心経寛徳点〉 ③素因。原因。「女の身は、皆同じ罪深き━ぞかし」〈源氏若菜下〉 ④以前いた所。「昔の御━を思し忘れぬにや」〈栄花玉飾〉

もなか【最中】《モはマ(真)の母音交替形》①まんなか。時間・空間両方にいう。「今宵ぞ秋の━なりける」〈拾遺一七一〉。「御堂の御前の━に舞台結(ゆ)はせて」〈栄花音楽〉 ②(事柄の)さいちゅう。「タタカイノモナカ」〈日葡〉。「━、まっ盛りなり」〈匠材集四〉

もなしごろも【裳無衣】腰から下の部分のない衣。時衆(じしゅ)が着用した。「━に提鞘(さげさや)下げて降人に成りて出でければ」〈太平記二九・師冬自害〉

もぬ・け ㊀『下二』すぐれる。「器量━・けて良し」〈評判・吉原七福神三〉 ㊁『名』すぐれていること。「人にすぐれたるを━と今云ふ」〈志不可起七〉

もぬ・け【蛻け】㊀『下二』《モはミ(身)の古形ムの母音交替形で、モ(身)ヌケ(脱)の意か》蛇や蟬などが、その成長の途中で変化し、皮をぬぐ。脱皮する。「━・けたる虫の殻などのやうに、まだいとただよはしげにおはす」〈源氏若菜下〉。「蛻、訓毛沼久(もぬく)、蟬・蛇之解皮也」〈和名抄〉 ㊁『名』①蛇や蟬などの脱皮。「さま美しき童の、香の薄様に蟬の━を包みて持て来て」〈重之集〉。「虵蛻、ヘミノモヌケ」〈色葉字類抄〉 ②(虫などが脱皮するように)人がぬぎすてた着物だけ置かれてあること。またはその着物。「なほかの━を忘れ給はぬを、いとほしうもをかしうも思ひけり」〈源氏夕顔〉

もね 未詳。「みな(皆)」の転か。「人━のうらぶれ居るに龍田山御馬(みま)近づかば忘らしなむか」〈万八七七〉

もの【物・者】㊀『名』《形があって手に触れることのできる物体をはじめとして、広く出来事一般まで、人間が対象として感知・認識しうるものすべて。コトが時間の経過とともに進行する行為をいうのが原義であるに対して、モノは推移変動の観念を含まない。むしろ、変動のない対象の意から転じて、既定の事実、避けがたいさだめ、不変の慣習・法則の意を表わす。また、恐怖の対象や、口に直接のぼせることをはばかる事柄などを個個に直接に指すことを避けて、漠然と一般的存在として把握し表現するのに広く用いられた。人間をモノと表現するのは、対象となる人間をヒト(人)以下の一つの物体として蔑視した場合から始まっている》❶物体・物品などを一般的にとらえて指す。「いとのきて短き—の端(はし)切ると言へるが如く」〈万八九二〉。「みどり児の乞ひ泣くごとに取り与ふる—し無ければ」〈万二一〇〉。「内蔵寮(くらつかさ)納殿(をさめどの)の—(品物)をつくして、いみじうせさせ給ふ」〈源氏桐壺〉。「さるは、たよりごとに—(贈物)も絶えず得させたり」〈土佐二月十六日〉。「散るまでも我が—にして花は見てまし」〈後撰一〇一〉 ❷《動かし難く、確実でのがれ難い事実や法則》①既定の事実。「大船に妹乗る—にあらませば羽ぐくみ持ちて行かましものを」〈万三五七九〉 ②一般的なきまり。さだめ。「思ふゑに逢ふ—ならばしましくも妹が目離(か)れてわれをらめやも」〈万三七三一〉。「紅(くれなゐ)は移ろふ—そ」〈万四一〇九〉。「世の中は空しき—と知る時しいよよますます悲しかりけり」〈万七九三〉 ③いつもの例。いつものこと。「うれしうかなしきこと—に似ず」〈かげろふ中〉 ④道理。筋道。「世のすき者にて、—よく言ひ通れるを」〈源氏帚木〉 ❸《対象の性質や状態が、はっきりとは言えないが、ともかく意識の対象となる存在》①いろいろの状況・事態。「ねもころに—を思へば言はむすべせむすべも無し」〈万一六二九〉。「わがごとく—や悲しききりぎりす草のやどりにこゑたえず鳴く」〈後撰二五八〉。「右近は—も覚えず、君につと添ひ奉りて、わななき死ぬべし」〈源氏夕顔〉 ②何か分らない存在。「草の中にそよそよしらみたる—、怪しき声するを、こは何ぞと問ひたれば」〈かげろふ中〉 ❹《人間が恐怖・畏怖の対象とするもの、あるいは競争者として立派な存在などを、直接指すことを避けて、一般的存在のように扱う表現》①鬼。魔物。怨霊。「四つの蛇(へ)、五つの—の集まれる、きたなき身をば厭ひ捨つべし離れ捨つべし」〈仏足石歌〉。「—におそはるる心地して『や』とおびゆれど」〈源氏帚木〉。「—の妨げのやうに見奉る」〈源氏浮舟〉。「魘、モノニオソハル、悪夢也」〈色葉字類抄〉 →もののけ。②ひとかどの(立派な)存在。「右の大臣の御いきほひは、〔左大臣ニ〕—にもあらず圧され給へり」〈源氏桐壺〉 ❺明確に指示せず、ぼんやりと表現したい対象をいう語。平安女流文学では殊に作者である女房たちの身分として、貴人の食物・衣服・音楽その他多くのものを正確・露骨に指示せず、婉曲にいうに広く用いた。「秋の夜更けて—(或ル所)よりまうで来けるついでに見入れければ」〈古今八九三詞書〉。「—を飲み食ひて夜更けぬ」〈土佐一月七日〉。「—(着物)の色、し給へるさまなど、いと清らなり」〈源氏須磨〉。「西の対に住みける人に本意にはあらで—言ひわたりけるを」〈古今七四七詞書〉。「我も人も—(大嘗会ノ行事)見る桟敷とりて、わたりて見れば御輿(みこし)のつら近く」〈かげろふ中〉。「まことの—(芸)の上手は、さまことに見えわかれ侍る」〈源氏帚木〉。「—(物詣デ)へ行くべきなめり」〈源氏浮舟〉 ❻《社会で一人前の人格的存在であることを表現するヒト(人)に対して、ヒト以下の存在であるモノ(物)として蔑視あるいは卑下した場合に多く使う表現》人間。「竹取の翁といふ—ありけり」〈竹取〉。「〔更衣ヲ〕めざましき—におとしめそねみ給ふ」〈源氏桐壺〉 ▽この用法では、「わるもの」「痴れもの」「すきもの」「何もの」など、曖昧またはよくないと認められるような人間をいう例が多い。これは平安初期の漢文訓読体にない用法である。㊁『接頭』《名詞のモノは、漠然と一般的存在として把えた表現をすることがあるから》①何かにつけて。「などみかどの御子ならむからに(御子トイウダケデ)見む人さへ、かたほならず—ほめ勝ちなる」〈源氏夕顔〉。「女のあまり才(ざえ)かしこきは—あしきと人の申すなるに」〈大鏡道隆〉 ②何となく。「—つつましくて、又、ひなびたる心に、いらへ聞えむ事もなくて」〈源氏東屋〉 ㊂『助』《㊀⑵の終助詞としての用法》①願望の助詞「もがも」を含む文を承けて、その願望が動かしがたく確実であることを示す。必ず…するのに。必ず…にきまっている。「少女(をとめ)のい隠る岡を、金鉏(かなすき)も五百箇(いほち)もがも(五百箇ホシイ)、鉏(す)き撥(は)ぬる—(必ズホリカエスノニ)」〈記歌謡九九〉。「天飛ぶや鳥にもがもや都まで送り申して飛びかへる—」〈万八七六〉 ②実際にはすでに実現不可能な、未だ成立していない動作を承けて、もし事情を知っていたら、その動作を必ず行なうにきまっていることを示す。必ず…したであろうに。「たぢひ野に寝むと知りせば防壁(たつごも)も持ちて来まし—、寝むと知りせば」〈記歌謡七五〉。「吾が持てる三つあひによれる糸もちて着けてまし—今そくやしき」〈万五一六〉 →ものか・ものかは。† mōnö

—が無・い ①つまらない。ばかばかしい。「人の譏りを受けてからは—・いと得道して」〈浮・好色敗毒散三〉 ②《モノで命を暗示して》命が無い。命が無くなるぞの意の威しの言葉。「此の中の事、一言言ふても—・いぞ、おっしゃるな」〈近松・博多小女郎上〉 **—ともせず** 障害となるものを無視して、正面からぶつかってゆくさま。「人の結(ゆ)ひふさぎ、ふたぐ所を—破り抜きくだきて乱れ入るを横行(わうぎやう)・横道と云ふなり」〈庭訓抄下〉 **—に当・る** 物にぶつかるほど度を失う。「殿の内の人、ものにぞあたり惑ふ」〈源氏葵〉。「大納言、—・りて喜び給ふ事かぎりなし」〈今昔三一ノ八〉 **—にな・す** 自分の手に入れる。目的を達する。「手に入れて、こちの—・しける」〈西鶴・一代女三〉 **—にならず** 一人前でない者。つまらない人。「空(そら)花や—の小姫瓜」〈俳・伊勢正直集二〉 **—には七十五度(しちじふごど)** 物事には限度があるの意。「—とて、必ず顕はるる時節あり」〈西鶴・胸算用四〉 **—は談合(だんかふ)** 物事は、人と相談するとよい結果を得るの意。「—、今迄の模様さらりと代へ、わっさりと軽弾(かるはづ)みに出てみまいか」〈評判・野良立役舞台大鏡〉

ものあはせ(…アワセ)【物合】 平安時代、貴族の間に行なわれた遊戯の一種。二方に分れて、歌や花や絵などを出し合い優劣を競うもの。薫物(たきもの)合せ・絵合せ・根合せなど。「多くの綾織物を、この宮かの宮、同じ綾織物には織らせさせ給はず、…折節の—、挑み事のやうにて」〈栄花もとのしづく〉

ものあ・ひ(…アイ)【物合ひ】 ㊀『四段』物事が思う通りになる。「明暮、思すさまにかしづきつつ見給ふは、—・ひたる心地し給ふらむ」〈源氏薄雲〉 ㊁『名』①《「物間」とも書く》物と物との間。また、その間の距離。「障子の隙間・—のそよともするを心に掛けて」〈謡・熊坂〉。「霧暗くして—定かならず」〈無量寿経鼓吹六上本〉 ②間合い。機会。「今は—よしと見てんげれば」〈明徳記上〉

ものあら【物荒】 態度などが荒荒しいさま。「空荒言吐き、—に振舞ひしが」〈大江山酒典童子〉

ものあらがひ(…アラガイ)【物争ひ】 ものごとについて、口で否定すること。言いわけ。「御—こそなかなか心おかれ侍りぬべけれ」〈源氏椎本〉

ものあんじ【物案じ】 心配。物思い。「恋衣頤(おとがい)(ごあ)傾けて―」〈俳・時勢粧四上〉

ものい・ひ【物言ひ】 □一『四段』①言葉を口に出していう。「賢(かさ)しみと―・ふよりは」〈万三四一〉 ②言葉をかわす。契りをかわす。「昔、―・ひける女に、年ごろありて…といへりけれど」〈伊勢三二〉 ③秀句を言う。「この言葉、何とにはなけれども、―・ふやうにぞ聞えたる」〈土佐一月二十一日〉 ④ききめがある。力を発揮する。「酒機嫌草ぞ―・ふ今日(九月九日)の菊」〈俳・坂東太郎下〉 □二『名』①物の言いぶり。物の言い方。「あが君や、幼なの御―やな」〈源氏宿木〉 ②風評。風説。噂。「人の―を憚り給ひつつ」〈源氏槿〉 ③話し上手。口達者。「隈無き(各方面ニユキ渡ッタ)―も定めかねて」〈源氏帚木〉 ④口論。争い。「白き物こそ黒くなりけれ／―は鷺を烏と争ひて」〈俳・犬子集一七〉。「去にし年の暮より、京兆・金吾が間の―、既に大破れとなりて、天下二つに別れて乱れけり」〈ひとりごと〉 †mönöiri ―とぎ【物言ひ伽】 話相手となって退屈を慰める者。「冬籠り―や火吹き竹」〈俳・敝帚四〉

ものいふはな【物言ふ花】 美女または美男の称。「〔遊女トイウ〕―生きて働き」〈評判・朱雀信夫摺序〉

ものいまひ【物忌ひ】 ①「ものいみ」(1)に同じ。「いはふこの戸をとは、―する心なり」〈仙覚抄八〉 ②縁起をかついで、不吉な言葉などを忌むこと。また、その忌言葉。「―する人、下人を呼び、明日は元日にてあるぞ、汝、若水を迎へよとて、いろいろ呪文教へける」〈咄・昨日は今日上〉。「祝月とて―、しの字をさへも嫌ひしが」〈近松・卯月潤色上〉

ものいみ【物忌】 ①《モノは魔あるいは不浄など。イミは禁忌に触れないようにする謹慎》 日取りや夢見などが凶にあたるとき、身体が不浄であるときなど、広く禁忌に出会った際、社会的な慣習として行動を制限し謹慎すること。門を閉じ、柳の木札や白紙などに「物忌」と書いて冠にさし、袖や簾につけたりする。「母屋のすだれは皆おろしまはして―など書かせてつけたり」〈源氏浮舟〉。「ありつる文…御―とて取り入れず」〈枕二五〉 〈かげろふ中〉。「あすは―なるを門つよくささせよ」〈かげろふ中〉。 ②伊勢・鹿島等諸大社で、神に奉仕した童女。伊勢では子良子(こらのこ)とも称した。「天照らします皇大神の大前に申し進(たてまつ)る天つ祝詞の太祝詞を神主部・―ども諸聞こしめせと宣(の)る」〈祝詞伊勢大神宮〉。「―。常州鹿島の神宮にある女官なり」〈神道名目類聚鈔五〉 †mönöimi

ものいり【物入り】 費用のかかること。入費。「目に見えぬ御―也神の旅」〈俳・東日記下〉。〈日葡〉

ものいろ【物色】 様子。有様。「今のていにては、一両年も勝負のしるしはつくまじき―なり」〈仮・為人鈔五〉

ものう・し【物憂し・懶し】『形ク』①何となく倦みつかれた感じである。大儀で気が進まない。「鳴きとむる花しなければ鶯も果ては―・くなりぬべらなり」〈古今一二八〉。「うち(宮中)より他のありき(出歩キ)は―・き程になりにけりや」〈源氏槿〉。「誰も善には―・く、悪にはすすみやすきものなり」〈宝物集中〉。「嬾、モノウシ・モノクサシ」〈名義抄〉 ②苦しい。つらい。「さのみ野山に臥さん事も―・くて」〈保元下・為朝生捕り〉。「―・き島へ流せ、とて硫黄が島へぞ流されけり」〈伽・塩竈大明神御本地〉

ものうじ【物倦じ】《モノウンジのンを表記しない形》 どことということなく倦みつかれていやになること。「あはれと思ひし人の、―してはかなき山里に隠れ居にけるを」〈源氏玉鬘〉

ものうち【物打】 太刀の切先三寸をいう。ものを切る時、もっとも使われる部分。「敵と太刀打ちして、…―折れ候」〈亜相公御夜話上〉。〈日葡〉

ものうらみ【物恨み】 執念深く不満を抱くこと。やきもちをやくこと。「御心さがなく、御―などせさせ給ふやうにぞ」〈大鏡師輔〉

ものおぢ【物怖ぢ】 おびえておどおどすること。「木幡(こはた)の山の程も…いと怖ろしげなれど、さやうの―すまじきをや撰り出で給ひけむ」〈源氏椎本〉

ものおぼ・え【物覚え】『下二』①意識がはっきりしている。「〔父死亡ノ報ヲ〕うち聞き給ふには、あさましく―・えぬ心地して」〈源氏椎本〉 ②物心がつく。「―・えてのち、さる事をこそ、まだ見侍らね」〈大鏡藤氏物語〉

ものおもは・し【物思はし】『形シク』何かと思案せずにはいられない状態である。物思いが多い。「―・しき人の御心のうちは、万に忍びがたき事のみぞ多かりける」〈源氏宿木〉

ものおも・ひ【物思ひ】 □一『四段』胸のうちで思いにふける。物ごとを、悩み煩う。「春山の霧に惑(まと)へる鶯も我にまさりて―・はめや」〈万一八九二〉 □二『名』思い悩むこと。心配すること。「光なき谷には春もよそなれば咲きてとく散る―もなし」〈古今九六七〉。「―絶ゆまじき身かなと思ふ」〈和泉式部日記〉 †mönöomöri ―ぐさ【物思ひ種】 物思いのたね。「なかなかあまたの人の―なり」〈源氏花散里〉

ものか『連語』①《「まし―」の形で用いる。反実仮想の助動詞マシの連体形と、動かし難い事実をいうモノとの複合を、カで詠嘆する語法》 …のはずもないのに。…のはずがないにきまっているのに。「初めより長く言ひつつ頼めずはかかる思ひに逢はまし―」〈万六二〇〉 ②《モノは、避けがたいさだめ。カは反語・詠嘆》 ④…などとはとんでもない(そんなさだめはないはず)。「ほととぎす物思ふ時に鳴くべき―」〈万三七八四〉 ⑤意外にも…であることよ。「こなたざまには来る―」〈源氏花宴〉 †mönöka

ものかき【物書】 文書・記録などを書く役。また、その者。「木曾は、―に大夫房覚明を招きて」〈盛衰記二九〉。「書記は―なり」〈庭訓抄下〉

ものがくし【物隠し】 ものごとを打ち明けないこと。秘密にすること。「女君の、いと心憂かりし御―もつらければ」〈源氏浮舟〉

ものがしら【物頭】 ①武家時代、弓組や鉄砲組などの足軽・同心を統率する指揮者。物大将。「目付番頭―等の者も有りけるに」〈雲陽軍実記三〉 ②近世、農村で、名主・庄屋の称。「所の―もすれば、すこしは小百姓の思ふ所をしのび」〈西鶴・置土産三〉

ものかず【物数】 ①多くの数。「―の〔獲物〕しつる証(しるし)に犬遣りの打飼袋(うちがひぶくろ)打飼もなし」〈鷹三百首和歌〉 ②品数。「―三十二端とる」〈大和田重清日記文祿二・九・二六〉

ものかた・し【物堅し】『形ク』つつしみ深い。律義だ。謹厳実直だ。「―・う妹が垣根は荒れ果てて」〈俳・大句数上〉

ものがたら・ひ【物語らひ】『四段』何となく四方山(よもやま)の話をする。「それ(ソノ女)を、かのまめ男うち―・ひて、帰り来て」〈伊勢二〉

ものがたり【物語】 □一『名』①四方山(よもやま)ばなし。雑談。「忘るやと〔人ト〕―して心やり過ぐせど過ぎずなほ恋ひにけり」〈万二八四五〉。「夜更くるまで酒飲み―して、あるじの親王、酔ひて入り給ひなむとす」〈伊勢八二〉 ②乳児の、まだ言葉にならない声。「この君、五十日(いか)の程になり給ひて…―などし給ふ」〈源氏柏木〉。「〔生後二カ月〕御―を声高にせさせ給ひて」〈栄花菩花〉 ③物語の草子。「―の出で来はじめの親なる竹取の翁に宇津保の俊蔭を合はせてあらそふ」〈源氏絵合〉。「女房などの―よみしを聞きて」〈源氏帚木〉 〔二〕【物語・り】『四段』話をする。「人と―・らんやうに言ひけるを聞きて」〈沙石集八ノ四〉。「涙を流して―・れば」〈安宅一乱記四〉 †mönögatari **―あはせ**(アワセ)【物語合】何人かの人が左右に分れて、珍しい物語に歌などを添えて優劣を競う遊戯。「六条前斎院に―しはべりけるに」〈後拾遺八七六詞書〉。「―とて今新しく作りて、左右方わきて、二十人合せなどせさせ給ひて、いとをかしかりけり」〈栄花煙後〉 **―ゑ**【物語り絵】物語のある場面や人物を描いた絵。「―こそ心ばへ見えて見所あるものなれ」〈源氏絵合〉 →歌絵

ものがな・し【物悲し】『形シク』何かせつない。何か悲しい。「春まけて―・しきにさ夜更けて羽振き鳴く鴫(しぎ)誰が田にか住む」〈万四一四一〉 †mönöganasi **―ら**【物悲しら】《ラは状態を示す接尾語》物悲しそうなさま。「小金門に―におもへりし(顔ヲシテイタ)我が子の刀自を」〈万七二三〉

ものかは『連語』❶《カハは反語》①《モノは取りたてていうほどの存在の意》とても物の数ではない。「ま近くてつらきを見るは憂けれども憂きは―こひしきよりは」〈後撰一〇四六〉。「待つ宵の更けゆく鐘の声きけば帰るあしたの鳥は―」〈平家五・月見〉 ②《モノは既定の事実、動かし難いさだめの意》そんなことは定まっていない。「散る花を何か恨みむ世の中に我が身もともにあらむ―」〈古今一一三〉。「花はさかりに月は隈なきをのみ見る―」〈徒然一三七〉 ❷《モノカに助詞ハの添った形》…とは何としたことか。…とは大変な。「〔隠レタガ〕御覧じつけられたる―」〈大鏡藤氏物語〉

ものから『助』→基本助詞解説。 †mönökara

ものがら【物柄】その物としてのたち。品質。「―のよきがよきなり」〈徒然八一〉

ものぎ【物着】一番の能の途中、舞台の上でシテが、烏帽子・長絹(ちょうけん)などの装束、あるいは大刀などを身につけること。物着により狂乱・神懸りなどになり舞が舞われるのが普通。「爰に―有り、水衣を取り、長絹をきる。其後烏かぶと」〈童舞抄上〉

ものぎは(…ギワ)【物際】①いざという時。瀬戸際。物前(ものまへ)。「はやりて鑓を入れれば、―にて精が抜けて鑓が弱き物なり」〈三河物語上〉 ②節季の間際。物前。「三途河の姥より辛き―に」〈俳・身楽千句〉

ものきぼし【物着星】指の爪にできる白い点。女は新しい衣服を得る前兆として喜ぶのでいう。「織る機(はた)や七夕女(たなばたつめ)(爪ト掛ケル)の―」〈俳・智恵袋三〉

ものきれ【物切れ】よく切れる刃物。切れ物。「吹毛は―の刀なり。刀の刃に毛を吹きかけたれば、毛が寸寸に切れたぞ」〈玉塵抄四六〉

ものくさ【懶】《モノクサシの語幹》①億劫(おっくう)であること。煩わしくていやなこと。また、怠け者。「などやらん、―ながら出で立ちて」〈問はず語り三〉。「―で、鉢をば開かいで、ひだるうもないと言うた程の事ぞ」〈碧岩抄四〉 ②藁草履の一種。足半(あしなか)のようなもの。ものくさ草履。「―といふものを四十八作りて」〈一遍聖絵八〉

ものくさ【物種】物のたねとなるもの。ものごとの素材。「なき―は思はざらまし」〈拾遺一〇三八〉

ものぐさ・し【懶し】『形ク』《モノは物、クサシは臭しで、その物に対する嫌悪の気持をあらわす。室町時代末頃まで、モノクサシと清音》①何となくいやで気が進まない。煩わしくていやだ。億劫(おっくう)である。大儀である。「朝も―・き時は、日たくるまで起き上らず」〈明恵伝記下〉。「嬾、モノウシ・モノクサシ」〈名義抄〉。「懈怠は、―・きなり」〈塵袋一一〉。「疎嬾、モノグサシ」〈書言字考〉 ②病気などで気分がすぐれない。「体中、佳ならざる時とは、ちっと―・い時に易を見るといふぞ」〈周易抄中〉。「―・くなりて死ぬべき時に」〈仮・仁勢物語下〉 ③何となく怪しい。うさんくさい。「なんぞや此の家を、おのめが儘にせんとは、―・いやつめ」〈伎・大隈川源左衛門一〉

ものぐるは・し(…グルワシ)【物狂はし】『形シク』物に憑(つ)かれて気が違ったようである。狂気じみている。「さまざまの―・しき事どもを申して逃げ去りにけり」〈今昔一三ノ三三〉。「やがて胸を病み出して、あさましく大事なり。その上―・しくて、西をさして走り出でむとしければ」〈著聞二六五〉

ものぐるひ(…グルイ)【物狂】気がふれること。乱心。また、狂人。「誰てふ―か、われ人にさ思はれむ(憎イト思ワレヨウ)とは思はむ」〈枕二六七〉。〈和名抄〉

ものぐるほ・し(…グルオシ)【物狂ほし】『形シク』狂気じみている。「〔中将ハ〕古へも―・しきまで挑み聞え給ひしを」〈源氏賢木〉。「よしなし事を、そこはかとなく書きつくれば、怪しうこそ―・しけれ」〈徒然序〉

ものけたまはる(…タマワル)【物承る】『連語』《モノウケタマハルの約》①ちょっと物を伺います。「―。いづくにおはしますぞ」〈源氏帚木〉 ②もしもしちょっと。「くだもの取り寄せなどして、『―。これ〔ヲ召シ上ガレ〕』など起せど」〈源氏宿木〉

ものげな・し【物気無し】『形ク』一人前らしくない。「この姫君を今まで世人も、その人とも知り聞えぬも―・きやうなり」〈源氏葵〉

ものごし【物越し】①間にものを隔てて対すること。「―に、はつかなりつるたいめ(対面)なむ残りある心ちする」〈源氏若菜上〉 ②間接であること。人づてであること。「姉は比丘尼(びくに)になりて候ふよし、―に承り候へば、心やすくこそ候へ」〈伽・三人法師〉 ③ものの言いぶり。話しぶり。また、態度。「近き頃は―をも聞き侍らず候」〈伽・七夕の本地〉。「―やはらかにして」〈評判・長崎土産三〉

ものごのみ【物好み】①物事に趣味を生かすこと。「今めかしくをかしきやうに―せさせて」〈源氏匂宮〉 ②いろいろの物を好み、欲しがること。「御一生の間、世にすぐれたる御―にて、いろいろさまざまの事を遊ばし、御遊覧数を尽し給ひ候間」〈虎清本狂言・融の間〉。〈日葡〉

ものごり【物懲り】物事に失敗してこりごりすること。「さまざま物嘆かしき折折多かるに、―しぬべけれど」〈源氏若菜下〉

ものさた【物沙汰】公事・訴訟などをとりさばくこと。「また此の如く―にいささかも私なく、理のままに行なひ候はば」〈明恵伝記下〉

ものさだめ【物定め】物事のよしあしを評定して判定すること。「―の博士になりて、ひひらき居たり(シャベリタテテイル)」〈源氏帚木〉

ものざね【物実】物のたね。生成のもとになるもの。「先に生(あ)れし三柱の女子(をみなご)は、―汝(いまし)が物に因りて成れり」〈記神代〉 †mönözane

ものさはに(…サワニ)【物多に】〔枕詞〕物が多い意で、「大宅(おほやけ)」にかかる。「こもまくら高橋過ぎ―大宅(地名)過ぎ」〈紀歌謡九四〉 †mönösaFani

ものさ・び【物さび】『上二』①古色を呈する。みすぼらしく古びる。「いとど―・びたる家のすのこの下に、水の音さえざえ聞えて」〈十訓抄一ノ一七〉 ②貧しくさびれる。「我等兄弟が幕の内程―・びたるは候はじ」〈謡・夜討曾我〉

ものさわが・し【物騒がし】『形シク』①何かざわついている。

何かとあわただしい。「よろづにおぼゆることいと多かれど、いと—・しくにぎはしきに、まぎれつつあり」〈かげろふ中〉。「年の終りはたいと—・し」〈源氏若菜下〉 ②おおげさである。「みづからも参るべきを、かへりて—・しきやうならむ」〈源氏行幸〉 ③性急である。「—・しきは必ず後悔あるべきなり」〈保元上・新院御所〉

ものし【物仕・物師】 ①物事に熟練した人。功者。「いみじき—ぞ、まろは」〈落窪一〉。「〔賀殿ノ〕舞は同じ御門の御時に、勅有りて舞を作る時…。—林直倉これを作る」〈教訓抄一〉 ②裁縫専門の女奉公人。御物師。「—とは、縫物師の上略也。縫物を司どる女をいふ」〈色道大鏡一四〉

もの・し【物し】『サ変』《モノは動作・行為・状態そのものを個個に具体的に表現せず、一般的な動作・行為・状態として指す語》居る、行く、来る、言う、食うなどの動作を直接さす語を用いず、婉曲に一般的な動作として把握し表現するに使う語。「などかく怪しき所に—・する(イラッシャル)ぞ」〈源氏明石〉。「このかみの聖の方に、源氏の中将の…—・し給ひける(オイデニナル)を」〈源氏若紫〉。「心地悪(ぁ)しみして、ものも—・したばで(召シ上ラズ)」〈土佐一月九日〉。「皆人、つつしむべき病のさまなりとのみ—・すれば(申シ上ゲルノデ)」〈源氏蜻蛉〉。「『心地あしきほどに、え聞えず』と—・し(シタタメ)て、思ひ絶えぬるに」〈かげろふ中〉。「腹中騒ぎ—・したき(便所ニ行キタイ)まま、…—・すると思ひ、夢覚めき」〈多聞院日記四三〉 ▽この語は、平安女流文学で、かげろふ日記に二百余、源氏物語に五百余の極めて多数の用例があるが、鮮明に表現することを好んだ清少納言の枕草子にはわずか数例しか使われていない。

もの・し【物し】『形シク』《モノは魔物の意。また、何かよく分らないが存在していることはたしかな対象の意》①無気味である。あやしい感じがする。「『夢に—・しく見えし』などいひて、あなたにまかで給へり」〈かげろふ上〉 ②何か心に抵抗を感じさせるものがある。何となくひっかかって不愉快である。「〔女ガ〕みづからは対面し給ふべきさまにもあらねば〔男ハ〕いと—・しとおぼして」〈源氏賢木〉。「けはひ賤しく言葉だみて、こちなげに物馴れたる、いと—・しくて」〈源氏橋姫〉

ものしらず【物知らず】 知識・常識などのないこと。また、その者。「これは一向の無礼の—ぞ」〈論語抄公冶長〉

ものしり【物知り】《シリ(知)は領する意。すみずみまで自分のものとする意》①祈禱・占いなどを職とする人。はかせ。「—やすき御事なりとて男祭りをぞしたりける」〈伽・しぐれ〉 ②物事について知識の豊かなこと。また、その人。「『たまれ粉雪』と言ふべきを誤りて『たんばの』とは言ふなり。『垣や木の股(また)に』と謡ふべしと、或る—申しき」〈徒然一八一〉。「—も物知らずも、罪の軽(かろ)いも重いも」〈万法蔵讃鈔下〉 **—びと【物知り人】** 占い者。「〔公民ノ作ル物ヲ〕歳数多(まね)く傷(そこ)なふが故に、百(もも)の—どもの卜事(うら)に出でむ神の御心は、〔タタリハ〕この神と白(まを)せと負(おほ)せたまひき」〈祝詞龍田風神祭〉 †mönösiribitö

ものしろ【物代】 物のもとになるもの。材料。「物実、此をば望能志呂(ものしろ)といふ」〈紀崇神十年〉 †mönösirö

ものずき【物好き】 特殊な事物に関心や趣味をもつこと。また、その人。「この石の頑醜なるを取って帰りて秘蔵するは—ぞ」〈四河入海八ノ三〉。「好き者は、—など人の云ふ如く也」〈古今私秘聞〉

ものすご・し【物凄し】『形ク』そぞろさびしくて、不気味である。「美濃国不破関にもかかりぬれば、細谷川の水の音—・くおとづれて」〈延慶本平家二・大臣殿父子関東へ〉。「さしも昔は結構なる宮殿もことごとく荒れ果てて—・き体(てい)なり」〈長恨歌抄〉

ものだいしゃう【物大将】「ものがしら」(1)に同じ。「—の余勢すさまじ」〈俳・信徳十百韻〉

ものたち【物裁ち】《モノは衣服の意》①裁断。転じて、裁縫。「—などするねび御達」〈源氏野分〉 ②《「物裁ち刀」の略》布を裁つのに使う包丁。「剪刀、モノタチ」〈和漢三才図会二六〉

ものだね【物種】 ①草木・穀物などの種(たね)。「明日も知らぬ命なれども、来年、田畠(でんばく)にほどこすべき—をばたくはゆるぞかし」〈真宗教要鈔上〉 ②基(もとい)となるもの。物事の根元。「命こそは—よ、ただ逃げ逃げ」〈伽・藤袋〉

ものぢか・し【物近し】『形ク』身近である。「—・く御声をだに聞き奉らむ」〈源氏総角〉

ものつき【物憑き】 もののけに取りつかれた人。よりまし。霊媒。巫(かんなぎ)。「—の女に物憑きて云はく」〈今昔二七ノ四〇〉

ものつくもの【物憑く者】「物憑き」に同じ。「『今は益(やく)あらじ。ただかりうつせよ』と仰せられ出でたれば、—など召して、ゐて参りうつさるる」〈讃岐典侍日記〉

ものつくり【物作】 ①田畠をつくること。耕作。「春は—をし、秋は取り納め」〈湯山聯句鈔下〉。〈文明本節用集〉 ②農民。農夫。「農人、モノツクリ・ノウニン」〈合類節用集〉。〈日葡〉

ものづつみ【物慎み】 物事に遠慮深く、引っ込み思案であること。「—をいたうし給ふ本性に、際際しうのたまひさはやぐべきにもあらねば」〈源氏夕霧〉

ものとがめ【物咎め】 不審の者をとがめだてすること。「—する犬の声絶えず」〈源氏浮舟〉

ものとひ【物問ひ】 ①ものの実情などを問うこと。見舞などをすること。「—などすれば、『三人ばかり、やまひごと、口舌(くぜち)』などいひたり」〈かげろふ下〉 ②占い。「—、何やかやと、心知るどちは安き空なく胸をこがしつつ、…仏神を念じ奉る」〈狭衣三〉

ものどほ【物遠】 音信・訪問がひさしく絶えること。疎遠。「余り—に候間、人を下し申し候」〈細川忠興文書元和六・一・一〇〉

ものども【者共】 ①複数の者。目下の人や従者などにいう。「みな酒飲む—を選りて、率(ゐ)て渡る」〈かげろふ上〉。「—を山へ走らするさま、いとをかし」〈春のみやまぢ〉 ②《複数の目下の者によびかける語》おまえたち。「押し並べ組めや、—」〈保元上・親治等生捕らる〉

ものとり【物取り】 他人の物を盗み、奪うこと。また、その者。盗人。「盗人の—に入りたるか」〈今昔二九ノ四〉

ものな・し【物無し】 [一]『形ク』①何にもならない。「懐酒のぬくもり、燗(かん)冷めては—・し」〈浮・御前義経記一〉 ②物ともしない。「まことに頼もしげに—・く宣へば」〈伽・酒呑童子〉 [二]『名』①皆無であること。「国中—に成りしかば」〈明徳記下〉 ②物ともしないこと。「上を恐れず、その状を—にして引き破り」〈庭訓抄下〉

ものならはし【物習はし】 学問をさせること。「中磨を唐(もろこし)に—につかはしたりけるに」〈古今四〇六左注〉

ものなら・ひ【物習ひ】 [一]『四段』物事を習う。学問する。「唐の青龍寺は、—・ひし間、我が住みし寺なり」〈今昔一一ノ一二〉。「学、モノナラフ」〈名義抄〉 [二]『名』学問を学ぶこと。「〔山寺へ登リ〕様ざま—などして」〈孝養集上〉

ものなり【物成】 ①田畠などからの収穫。「—一千八百三十石これ在るべし」〈多聞院日記天正一五・三・一五〉 ②年貢。中世末以来、領主が田地に課する租税の称。取箇

(とりか)。「―取り立つる所二十三箇所これ有り候へども」〈簑輪軍記上〉

ものな・れ【物馴れ】㊀〘下二〙①馴れ馴れしくする。「けは ひ賤しく、言葉だみて、こちなげに―・れたる」〈源氏橋姫〉 ②世事に通じる。「かやうの事は―・れぬ人のある事なり」〈徒然二三四〉 ㊁〘名〙物事に慣れていること。世故にたけていること。「―のさまや、と君はおぼす」〈源氏葵〉

ものにかか・り【物に掛かり】㊀〘四段〙あれこれと理屈をこねまわす。「世の中に物くさくして物知らで物をば持たで―・りて」〈世中百首〉。「我等―・り、〔方広寺ノ〕大仏の儀申し上げ候やうに、御沙汰これ在り候由」〈後藤庄三郎家古文書慶長一九・八・一二〉 ㊁〘名〙あれこれと理屈をこねまわして、人をいじめ、ゆすって、利益を貪る者。「四方山の―や藤葛」〈俳・発句帳一〉。「さやうの人を、世間よりは―とて、良くは申さず」〈仮・ひそめ草上〉

ものぬひイ:ヌ【物縫】「物師(ものし)」(2)に同じ。「腰元・―・はした者などより犯し初(そ)むるもの也」〈色道大鏡五〉

ものねたみ【物妬み】何かにつけての嫉妬。「さすがに腹あしくて、―うちしたる、愛敬(あいぎやう)づきてうつくしき人ざまにぞ物し給ふめる」〈源氏若菜下〉。「妬、モノネタミ」〈いろは字〉

ものねんじ【物念じ】じっと物事をこらえること。「昔も今も―してのどかなる人こそ、幸ひは見果て給ふなれ」〈源氏浮舟〉

ものの〘助〙→基本助詞解説。 †mönönö

もののあはれ:アワレ【物のあはれ】《アハレは、季節の移り行き、音楽、男女の仲などを眺め見て感じる、気分・感興・情調をひろくいう語。ただし、平安時代にはヲカシ・オモシロシなど明るい感情と対で使われることが多く、しみじみした感情・気分をいう傾きがある》①季節の移り行きに感じられるしみじみした気分。「秋の頃ほひなれば―取りかさねたる心地して」〈源氏松風〉 ②音楽の感興。「琴は兵部卿の宮弾き給ふ。…―にえ過ぐし給はで、珍らしきもの一つばかり弾き給ふに」〈源氏若菜上〉 ③男女の間で交す情。「木の葉の音なひにつけても過ぎにし―取りかへしつつ、その折折、をかしくもあはれにも深く見え給ひし御心ばへなども思ひ出で聞えさす」〈源氏槿〉

もののえうウ:ヨ【物の要】必要。役に立つもの。「〔夫ニ〕かう―にもあらであるもことわりと思ひつつ」〈かげろふ上〉。「〔分配物ヲ〕此の男に取らせければ、男『我は―も侍らず…』と云ひて取らざりければ」〈今昔二九ノ三〉

もののかず【物の数】かぞえあげるに値する資格のあるもの。取るに足るもの。「かかる御なからひに、いかで東の御方、さる―にて立ち並び給ひつらむ」〈源氏野分〉。「五十余騎にて防ぎ戦ひけれども、―ならず」〈平治上・三条殿へ発向〉

もののかひイ:カ【債】負債。「寺の物に貪(ふけ)り、犢(うしのこ)に生れて―を償(つぐの)ひ」〈霊異記序〉。「債、毛乃乃加比(もののかひ)」〈新撰字鏡〉

もののぐ【物具】①道具。調度品。「〔祈禱ノタメ〕―ども請ひいでて祈り物作る」〈枕二五九〉。「家のしつらひ、―など」〈健寿御前日記〉 ②裳・唐衣(からぎぬ)を着けた礼装。「女房の装束、元三の程は―なるべし」〈竹むきが記〉 ③武具。兵器。「よろづの―、腹帯・手綱・鞦(しりかい)等」〈今昔五ノ一七〉。「―脱ぎ捨て、鎧(よろひ)に立ったる矢目を数へたりければ」〈平家四・橋合戦〉

もののけ【物怪】《モノ(鬼・霊)のケ(気)の意》人にとりついて悩まし、人を病気にし、時には死に至らせる死霊・生霊の類。修法・加持祈禱などによって調伏する。「月頃さらに現はれ出でこぬ―、小さき童にうつりて、呼ばひののしるほどに、やうやう生き出で(正気ニモドリ)給ふ」〈源氏若菜下〉。「近江の介がむすめ、―にわづらひて、浄蔵大徳を験者にしけるほどに」〈大和一〇五〉 ―**だ・ち**【物怪だち】〘四段〙あたかも物の怪がとりついたような感じがする。「猶いと心もとなげに―・ちてなやみ侍れば」〈源氏浮舟〉 ―**めき**【物怪めき】〘四段〙物の怪がとりついたらしい様子である。「大殿には、御―・きて、いたう煩ひ給へば」〈源氏葵〉

もののこころ【物の心】①物の道理。物の真相。物の真意。「近き世界に―を知り、来し方行く先の事うち覚え、とやかくやと、はかばかしう悟る人もなし」〈源氏明石〉 ②物事をわきまえる心。ものごころ。「未だ幼稚にして―を知り給はじ」〈今昔一〇ノ三二〉

もののさとし【物の諭】神霊の警告。何か不正などがある時、神仏が警告を出すこと。天変地異・不思議な夢など。「この雨風、あやしき―なり」〈源氏明石〉

もののし【物の師】芸能の師。特に、音楽の師をいうことが多い。「雅楽寮(うたつかさ)の―ども」〈源氏橋姫〉

もののじゃうず:ジョウズ【物の上手】音楽・絵画・詩歌・舞・工芸などの、芸能の名手。「定まれる様(やう)ある物を、難無くし出づる事なむ、猶、まことの―は、さま異に見え分れ侍る」〈源氏帚木〉。「右兵衛尉、多(おほの)吉茂、年七十余、当時の―也」〈御堂関白記寛弘七・七・一七〉

もののな【物の名】①物の名称。「さては―も所によりて変るよなう」〈謡・蘆刈〉 ②和歌の部立の一。一首の中に物の名を、かけことば式にそれとなくよみこんだ歌を集めた巻。ホトトギスを「来べきほどとき(時)すぎぬれや」というふうによみこんだ歌などを収めた。物名(ぶつめい)。「―。うぐひす。『心から花のしづくにそほちつつうくひすとのみ鳥の鳴くらん』」〈古今巻一〇〉

もののひめぎみ【物の姫君】誰かの大事な娘。姫君。「いひしらずかしづく―も」〈源氏総角〉

もののふ【物部・武士】《モノはモノノベのモノに同じ。はじめ武人の意。後に文武の官の意に広まった》①武人。武士。「丈夫(ますらを)の鞆(とも)の音すなり―の大臣(おほまへつぎみ)楯立つらしも」〈万七六〉。「いみじき―・あた・かたきなりとも、見てはうちゑまれぬべきさまのし給へれば」〈源氏桐壺〉。「あやしくけうとげなる―ども近づき参らせて御車を仕るが、ただ夢の様に覚ゆるぞや」〈保元下・新院讃州〉 ②上代、朝廷に仕えた文武の官人。「秋野には今こそ行かめ―の男女(をとこをみな)の花にほひ見に」〈万四三一七〉 †mönöFu ―**の**【物部の】〔枕詞〕武人の射る矢から「八十(やそ)」「矢野」「矢田野」「弓削(ゆげ)」に、「射(い)」から同音の地名「石瀬(いはせ)」に、多くの氏があることから同音の地名「宇治」などにかかる。「―八十をとめらが」〈万四一四三〉。「―石瀬の杜(もり)の」〈万一四七〇〉。「―宇治川渡り」〈万三二三七〉。「―矢野の神山」〈玉葉四〉

もののふし【物の節】近衛府の舎人(とねり)で、東遊(あづまあそび)などの譜や節を心得ていて、上手な者。「近衛づかさの名高き舎人、―どもなどさぶらふに」〈源氏松風〉

もののべ【物部】《モノは武具・刑罰のことを直接言うのを避けた表現》①大和朝廷で、軍事・刑罰のことを担当した部民。その統率者たる物部氏は、大伴氏とならんで最有力の氏族であった。「饒速日命(にぎはやひのみこと)…これ―氏の遠祖(とほつおや)なり」〈紀神武即位前〉 ②律令制で、刑部省囚獄司に属し、刑罰の執行を担当した下級官人。「采女(うねめ)を奸(をか)せりと疑ひて、刑(ころ)さむと自念(おもほ)して、―に付(また)ふ」〈紀雄略十二年〉。「囚人は中間に当りて跪く。―は陣を分ちて防援す」〈延喜式刑部省〉 †mönöbe

もののほん【物の本】 ①本の総称。書冊。「少しの隙あらば、—を見、文字のある物を懐に入れ、常に人目を忍び見るべし」〈早雲寺殿二十一箇条〉。「書籍、しょじゃく、—」〈和漢通用集〉 ②学問的な書物。娯楽的読物の「草紙」の対。「我等は朝夕—に目慣れ、聖経賢伝を学するによって」〈仮・可笑記三〉。「夕に向ひ見る—／遠山の月こそ東鏡なれ」〈俳・犬子集九〉 ③近世中期以降、小説類の汎称。「今より百年余り已前、世俗なべて冊子・物語を—と云ひけり。こは物語の本と云ふべきを…中略したる也」〈近世物之本江戸作者部類二上〉

もののまぎれ【物の紛れ】 ①何かと物事が取り込むこと。「今日(五節日)は—に入り立ち給へるなめり」〈源氏少女〉 ②物に隠れてのひそか事。密会。「われも人も同じ君に馴れ仕うまつるほどに、おのづからさるべき方につけても心をかはしそめ、—多かりぬべきわざなり」〈源氏若菜下〉

ものは 『連語』《普通、下を「けり」で結び、不測の事態の生じた事を示す》なんと…するものだから。「月夜に出でて行道する—、遣水にたふれ入りにけり」〈源氏明石〉。「みそかに御前の高欄に置かせし—、まどひけるほどに、やがてかけ落して、御階(みはし)の下に落ちにけり」〈枕二七七〉

ものはじめ【物始め】 物事を始めること。手始め。「—よしと、悦うで」〈太平記二・師賢登山〉

ものはぢ【物恥ぢ】 恥ずかしがること。「いかなる神か—をする」〈梁塵秘抄五五九〉。「美しい人は—をするなり」〈襟帯集〉

ものはみ【物食】 鳥の胃。「膆、毛乃波美(ものはみ)、鳥受レ食処也」〈和名抄〉。「胃、モノハミ」〈名義抄〉

ものはり【物張り】 裁縫などに従事する女。「己(おのれ)は故宰相の殿の—にてなむ侍りし」〈今昔二四ノ二七〉

もの・ひ(モノイ)【物ひ】『四段』「ものいひ(物言)」の約。「水鳥の発ちの急きに父母に—・はず来(け)にて今ぞ悔しき」〈万四三三七防人〉 †mönöFi

ものび【物日】 遊里で、遊女が客を取らねばならぬ特定の日。毎月、朔日・十五日・十八日・二十五日・二十八日、または節句・祭礼等の日に当った。紋日。役日。売り日。「—。毎月傾城の売り日を言ふ」〈色道大鏡一〉

ものふか・し【物深し】『形ク』 ①奥まった位置にある。「ゆくりなう—・き御まし所になむ」〈源氏若紫〉 ②思慮が深遠である。「あまり世のことわりを思ひ知り、—・うなりぬる人の、澄み過ぎて」〈源氏柏木〉 ③趣が深い。「耳馴れぬけにやあらむ、いと—・くおもしろしと若き人人思ひしみたり」〈源氏椎本〉

ものふ・り【物古り】『上二』 なんとなく古くなる。時代がかる。「荒れたる家の木立、いと—・りて」〈源氏若紫〉

ものまう(モー) 『連語』《「物申す」の略》 他家を訪問する時に使う挨拶のことば。ごめん下さい。「案内まう、—」〈虎明本狂言・賽の目〉。〈ロドリゲス大文典〉

ものまう・し(モーシ)【物申し】『四段』《「物言ひ」の謙譲語》 ①ものを申し上げる。おうかがいする。「うちわたすをちかた人に—・すわれそのそこに白く咲けるはなにの花ぞも」〈古今一〇〇七〉 ②(神仏などに)願い事を言上する。「神・寺などにまうでて、—・さするに」〈枕三二〉 ③人を呼びかけるのにいう語。ごめん下さい。「『—・さう』どいへば、『いづくより』と問ひ給ふ」〈平家一〇・内裏女房〉 →まうし

ものまうで(モーデ)【物詣で】 神社や寺院に参詣すること。「—は、けがらひいできて、とどまりぬ」〈かげろふ中〉

ものまさ【尸者】 祖先の祭に、神霊の代りに立って祭を受ける者。また、葬儀で死人に代って、弔問を受ける人。「鵄(そび)を以て—とす」〈紀神代下〉

ものまねび【物学び】 他の人のすることを真似ること。「門田の稲刈るとて、所につけたる—しつつ」〈源氏手習〉

ものまへ(マエ)【物前】 ①「ものぎは」(1)に同じ。「小軍が大軍にかさを懸けられ、それに驚きていさめば、—にて精が抜くるものなり」〈三河物語上〉 ②「ものぎは」(2)に同じ。「—近くなりて〔遊女ト〕口舌(くぜつ)することなかれ。これを男の瑕瑾(かきん)とす」〈色道大鏡二〉

ものまゐり【物参り】 社寺に参詣すること。「ゆかりある人の—すとて誘ひしかば」〈建礼門院右京大夫集〉

ものまを・し【物申し】『四段』 申し上げる。「筒城(つつき)の宮に—・す我が兄(せ)を見れば涙ぐましも」〈紀歌謡五五〉 →まをし。 †mönömawosi

もの・み【物見】 ㊀『上一』見物する。「祭の日は、大殿には—・み給はず」〈源氏葵〉 ㊁『名』 ①見物すること。ものを見ること。特に、賀茂祭の御禊・男踏歌の踊・競馬(くらべうま)などを見物すること。「対の御方よりも童(わらはべ)など—に渡り来て」〈源氏螢〉 ②四季折折の風物を賞して、野外などに遊楽すること。「—にはえ過ぐし給はで参り給ふ。日いとよく晴れて、空のけしき鳥の声も心ちよげなるに」〈源氏花宴〉 ③戦場で、敵の様子を探ること。また、その者。斥候。「それより—を城内へ入れ、様子を見はからひ、時分を告げ来るにおいては」〈浅井三代記三〉。「遠候、モノミ」〈いろは字〉 ④見るに価値あるもの。見物(みもの)。「これ程の—を一期(いちご)の一度の大事ぞ」〈義経記六〉 ⑤見事なこと。立派な様子。「角の—なこと、世にたとふものもなく」〈天草本伊曾保〉 ⑥牛車の左右の立板についている窓。「御車の—を広らかに明けて、水海の方など見まはさせ給ひけるに」〈俊頼髄脳〉 ⑦外を探り見るために、壁・幕・編笠などにあけた小さな穴。「〔幕ノ〕—は上の野二つ、これは大将の—也」〈伊勢備後守貞明覚悟記〉 **—ぐるま【物見車】** 祭礼などを見物するために乗る牛車。「桂川のもとまで—ひまなし」〈源氏行幸〉 **—だか・し【物見高し】**『形ク』 何でも見たがる癖がある。好奇心が強い。「女は—・くて出でける」〈西鶴・俗徒然四〉 **—だけ・し【物見猛し】**『形ク』「物見高し」に同じ。「祭とて—・いも都風」〈俳・時勢粧六〉

ものむつかり【物むつかり】 物事に機嫌をそこね、腹を立てること。「あさましう心うるはしう、—などせさせ給はざりつれば」〈栄花玉飾〉

ものめか・し【物めかし】『四段』 ひとかどのように扱う。大層なもののように扱う。「はかなく見給ひけむ人を—・し給ひて」〈源氏紅葉賀〉

ものめか・し【物めかし】『形シク』 ひとかどのものらしく見える。ひとかどらしい。「位など今少し—・しき程になりなば」〈源氏若菜上〉

ものめで【物賞で】 物事にひどく感心すること。「ほのかに見て、例の—のさしすぎ人、いと有難くをかしと思ふべし」〈源氏夢浮橋〉

ものもの・し【物物し】『形シク』 ①いかにも重みがある。いかにもどっしりしている。「—・しく気高き顔の」〈源氏宿木〉 ②いかにも大層なものである。「〔人人ガ〕いと—・しう思しかしづき奉り給ふも、対の御方の幸ひめでたく」〈栄花様様悦〉 ③大袈裟だ。仰山だ。「—・しやと、夕日影に打物ひらめかいて切って掛かれば」〈謡・景清〉

ものも・ひ(モイ)【物思ひ】『四段』「ものおもひ」の約。「旅にして—・ふ時に」〈万三七八一〉 †mönömöFi

ものやぶり【物破り】「垣破り」に同じ。「人の心の—なるを鼠の如しと云ふならば、えびすの如く、垣破りなる事あるは、

鼠の如しと申すべし」〈伽・かくれ里〉

ものやみ【物病】何かの病気。「[言葉ニ]うち出でむことかたくやありけむ、―(恋ワズライ)になりて」〈伊勢四五〉。「―のおもり行く身はかよわしや」〈白川千句〉

ものゆか・し【物懐し】〘形シク〙心がひかれる。あれこれ見聞きしたい。「若き男どもの―・しう思ひたる」〈枕(能因本)文ことばなめき人こそ〉

ものゆゑ〘助〙→基本助詞解説。†mönöyuwe

ものよ・し【物吉し】㊀〘形ク〙①仕合せがよい。「さてこの女、よに―・くなりて…よろづ事叶ひてぞありける」〈宇治拾遺五七〉②縁起がいい。めでたい。「悦びの関(とき)二度造り、西国の軍の手合せなり、―・し、―・しとぞ勇みにける」〈盛衰記四二〉。「諸事門出が―・くて、馬足までも軽きとぞ」〈三体詩抄二ノ四〉㊁〘名〙①めでたいこと。「申の刻女房産気、…酉の刻男子誕生す。時刻を経ずして、安穏大平、―の前表、大慶の中の悦び也」〈兵範記保元二・五・一一〉②ハンセン病。「悪疾とは、日本の―と云ふ瘡(かさ)出できたり」〈成簣堂本論語抄三〉

ものよみ【物読み】書物の読誦を習うこと。また、特に漢籍の素読。また、それをする人。「是れは世間に流行る―などと言へる人も知る事なり」〈仮・清水物語下〉

ものわかれ【物別れ】勝負や決着がつかないまま別れてしまうこと。「松平・水越も―になって引取れば」〈石田軍記五〉

ものわすれ【物忘れ】物事を忘れること。「古に猶たち帰る心かな恋しきことに―せで」〈古今七三四〉。「かく立ち寄り訪はせ給ふになむ―しぬべく侍る」〈源氏槿〉

ものわび・し【物侘びし】〘形シク〙何か気力がぬけるようである。気がくじけるようである。「皆人―・しくて、京に思ふ人なきにしもあらず」〈伊勢九〉

ものわらひ(ライ)【物笑ひ】①何かにつけて面白がって笑うこと。「―などすまじく…しづまれる限りをとえり出だして」〈源氏少女〉②嘲り笑うこと。また、その対象。笑いぐさ。「京中上下の―なり」〈盛衰記三三〉

ものゑじ【物怨じ】「ものゑんじ」の「ん」を表記しない形。「人の心よりほかなる思ひやりごとして、―などし給ふよ」〈源氏澪標〉

ものゑんじ【物怨じ】嫉妬。「しうねき所つきて、―し給へる」〈源氏澪標〉

ものを〘助〙→基本助詞解説。†mönöwo

もは【藻葉・藻菜】海藻。「青海(あをみ)の原に住む物は…沖つ―、辺つ―に至るまでに」〈祝詞祈年祭〉

もは〘副〙「もはや」の略。「―別れで御座るが」〈西鶴・諸艶大鑑一〉

もはや【も早】〘副〙《マウハヤの転》もう疾うに。もうすでに。「―拝みまらしてござる」〈コリヤード懺悔録〉。「―くたびれた程に」〈虎明本狂言・磁石〉。「今まで容赦をしてゐれども、―こらゆる事がならぬ」〈虎明本狂言・武悪〉

もはら【専ら】〘副〙①他の何物をもまじえず唯一無二であるさま。ひたすら。全く。もっぱら。「専(もは)ら己が為にのみ世間出世間の楽を求めず」〈地蔵十輪経七・元慶点〉。「逢ふことの―絶えぬる時にこそ人の恋しき事も知りぬれ」〈古今八一二〉②《下に打消の語を伴って》一向に。全然。「夜ひと夜、酒飲みしければ、―あひごともえせで」〈伊勢六九〉

もはり(モワリ)【思はり】〘連語〙《四段活用動詞モヒの命令形に完了の助動詞リのついたモヘリの上代東国方言》思っている。「沼二つ通は鳥が巣吾が心二行くなもとなよ(決シテ)―そね」〈万三五二六東歌〉

もひ(モイ)【盌】①水を盛る器。「玉―に水さへ盛り」〈紀歌謡九四〉②《転じて》飲み水。「み―も寒し(ツメタイ)」〈催馬楽飛鳥井〉†moFi

も・ひ(モイ)【思ひ】〘四段〙《オモヒのオの脱落した形》思う。「鏡なす(ノヨウニ)我(あ)が―・ふ妻」〈記歌謡九〇〉†möFi

もびき【裳引き】女が裳の裾を後へ引くこと。「吾妹子(わぎもこ)が―の姿」〈万二八九七〉†mobiki

もひとり(モイ)【主水・水取】《モヒは飲料水の意》尊貴の方の飲料水などを管掌すること。また、その職に奉仕した者。転じて「もんど」とも。「水部(もひとりべ=飲料水管掌ノ部民)をして新たに清井(ゐ)を掘らしめしに」〈常陸風土記〉。「采女(うねめ)・―(水司ノ女官)・御髪(みぐし)あげども、殿司(とのもり)・掃司(かむもり)の女官(にようくわん)、顔も知らぬ居り」〈紫式部日記〉†moFitöri ―のつかさ【主水司】令制で、宮内省所属の役所。水・粥(かゆ)・氷室(ひむろ)などの事をつかさどった。「もんどのつかさ」とも。同じ名称で後宮に「水司」、斎宮寮に「水部司」がある。「主水司、毛比止里乃豆加佐(もひとりのつかさ)」〈和名抄〉

もふしつかふな【藻臥し束鮒】藻の中に住んでいる、一にぎりぐらいの長さの鮒。「沖辺(おき)行き辺(へ)に行き今や妹がためわが漁(すなど)れる―」〈万六二五〉

もふね【喪船】棺をのせた船。「御子を其の―に乗せて、先づ『御子は既に崩(かむあが)りましぬ』と言ひもらさしめたまひき」〈記仲哀〉

もまた〘副〙《モウマタの転。軽く批難する気持を含む》もうすでに。もはや。「前髪や下して―良いものを」〈俳・物種集〉

もみ【紅】染色の名。紅(べに)色。また、紅色に染めた生地。「―今日明日の程に御取り寄せ候べく候」〈金沢文庫文書三、めうくわん書状〉

もみ【籾】稲の穂から扱(こ)いたままで、まだ脱穀しない米。「糙、毛美与禰(もみよね)」〈和名抄〉

もみ【蝦蟇】アカガエル。また、それを料理して煮たもの。「蝦蟆(かへる)を煮て上味(よきあぢはひ)とす。名づけて毛瀰(もみ)といふ」〈紀応神十九年〉†momi

も・み【揉み】〘四段〙①両掌を合わせてその中に入れてこする。「小螺(しただみ)を…辛塩にこごと―・み」〈万三八八〇〉。「両手合はせて―・み洗ふ」〈正法眼蔵洗浄〉②はげしく、容赦なくせめたてる。「本山の三宝、年来所持の本尊たち、責めふせ責めふせ―・まれけり」〈平家三・御産〉。「勝つに乗って、門の際(きは)まで攻めつけて、入れ替へ入れ替へ―・みたりけり」〈古活字本保元中・白河殿攻め落す〉。「―・むといふは、責むる心をだやかならざる義なり」〈壒嚢鈔三〉

もみあげ【揉上】鬢(びん)の毛の耳に沿って細く生えさがった所。「殊に―の少し有りける故、人人の思ひ付き」〈評判・四海波〉

もみうら【紅裏】着物に紅染の裏地を付けること。また、その裏地。近世前期、元禄頃の伊達(だて)風俗であった。「絹ならで皆―の紙子かな」〈俳・玉海集四〉

もみえぼし【揉烏帽子】兜の下にかぶる、やわらかに揉んだ皺(しぼ)のある烏帽子。梨子打烏帽子、引立烏帽子、柳さびの折烏帽子などの種類がある。「甲(かぶと)をば脱ぎ童に持たせ、―引立てて、薄紅梅の鉢巻して」〈盛衰記四二〉

もみがへし(ガエシ)【紅返】紅裏を表に返して縁(ふち)取りしたもの。「―の下着」〈西鶴・一代女二〉

もみくさ【揉くさ】揉まれて皺になること。もみくしゃ。もみくちゃ。「―になるかしをるる藤袴」〈俳・毛吹草六〉

もみくじ【揉鬮】細長い紙片数枚に印を付けて、それぞれひねってくじとしたもの。その中から引き抜いて占う。「―し

て尻込みする者ばかりなり」〈浮・好色敗毒散二〉

もみこ・み【揉み込み】『四段』①徹底的に責めたてる。「少し頼もしげある男を一人とらへて〔身請ケスルヨウニ〕―・む」〈色道大鏡四〉②徹底的に教える。教えこむ。「よろづ花車(きやしや)事の分は、銀(かね)に飽かせて―・み」〈浮・禁短気二〉

もみた・し【紅葉たし・黄葉たし】『四段』《四段活用動詞モミチの他動詞形。平安時代以後モミダシと濁音》木の葉を赤・黄色に染め出す。紅葉・黄葉させる。「春日の山を―・すものは」〈万二一八一〉。「雁鳴きて寒きあしたの露ならし龍田の山を―・すものは」〈後撰三七七〉 †momitasi

もみた・て【揉み立て】『下二』せきたてる。刺激する。「モミタテイソグ」〈日葡〉。「談義教化を以て―・てられてさへも、善にはなり難うござる」〈ロドリゲス大文典〉。「鼓(つづみ)も―・ててこれをはやし」〈舞正語磨上〉

もみた・ひ(モミタイ)『四段』《黄葉する意の動詞モミチに反復・継続をあらわすヒのついた形。→ひ》黄葉をしている。「しぐれの雨に―・ひにけり」〈万三六九七〉 †momitaFi

もみたび【揉足袋】揉皮で作った足袋。「熊の皮の―」〈幸若・高館〉

もみ・ぢ【紅葉ぢ・黄葉ぢ】㊀『四段・上二』《奈良時代にはモミチと清音で四段活用。平安時代に入って濁音化し、上二段活用》草や木の葉の色が秋の末に霜のために紅や黄色にかわる。「秋山に―・つ木の葉の移りなば」〈万一五一六〉。「我屋戸の萩の下葉は秋風も未だ吹かねば(吹カナイノニ)かくそ―・てる」〈万一六二八〉。「雪降りて年の暮れぬる時にこそつひに―・ぢぬ松も見えけれ」〈古今三四〇〉。「しぐれつつ―・づるよりも言の葉の心の秋にあふぞわびしき」〈古今八二〇〉 ㊁『名』①草木の葉が色づくこと。また、その葉。「秋さらば―の時に」〈万三六九三〉。「―をば取りてそしのふ」〈万一六〉 ②襲(かさね)の色目の名。「薄色の衣一かさねに、―の袴を着て」〈宇治拾遺一六六〉 ③大阪で、小麦の糠の異称。「紅葉の粉」とも。「小麦の粉を―といへば」〈銀葉夷歌集八〉 †momiti ―がさ【紅葉傘・紅葉笠】雨傘の一種。天井ばかり青土佐紙で貼り、下は白く細く縁取り、籐巻の柄をつけた上等品。「仙洞より―壱本、今日拝領」〈隔蓂記寛永二〇・五・三〉 ―がり【紅葉狩】山野に紅葉を見物に行くこと。「紅葉見」とも。「時雨れ行く片野の原の―たのむかげなく吹く嵐かな」〈夫木抄一五・紅葉〉 ―どり【紅葉鳥】鹿の異名。「時雨降る龍田の山の―紅葉の衣着てや鳴くらむ」〈蔵玉集〉。「鹿は―〔トイウ〕」〈梵燈庵袖下集〉 ―のが【紅葉賀】紅葉の下で賀の宴を行なうこと。「十月の二十日あまりの程に六条の院に行幸あり。…わざとの大楽にはあらず、なまめかしき程に殿上のわらはべ、舞ひつかうまつる。朱雀院の―、例のふる事思し出でらる」〈源氏藤裏葉〉 ―ば【黄葉・紅葉】もみじした葉。黄葉。紅葉。「―は今は移ろふ」〈万三七一三〉。「黄葉・紅葉、モミヂバ」〈名義抄〉 ―ばの【黄葉の・紅葉の】〔枕詞〕黄葉が散ってゆくことを人の死にたとえて「過ぎ」に、紅葉の色から「朱(あけ)」にかかる。「―過ぎにし君が」〈万四七〉。「―あけのたまがき」〈新勅撰五六六〉 ―ぶくろ【紅葉袋】小麦の糠を入れた袋。糠袋。「―の色に出る」〈近松・薩摩歌上〉 ―ぶな【紅葉鮒】晩秋初冬、琵琶湖でとれる鮒。鰭が紅色で肉厚く、美味。「九月、…―」〈俳・毛吹草二〉

もみで【揉手】両掌を擦り合わせ、物を揉むような手つきをすること。お詫びや頼みなどを言う時にする。「苅らぬ田の訴訟をするも―かな」〈俳・毛吹草追加中〉

もみな・い『形』うまくない。まずい。近世、上方でいう。「もむない」とも。「―・い物の煮え太りとて」〈浮・好色敗毒散一〉

もみふ・せ【揉み伏せ】『下二』はげしく責めたてて疲れさせる。「―・せたる馬ども、追っつくべしとも覚えず」〈平家九・重衡生捕〉

もみぼとけ【籾仏】籾殻の内に仏像を入れたもの。「見るばかり細工過ぎたる―」〈俳・芭蕉翁俳諧集上〉

もみもみ【揉揉】〔歌論用語〕心をつくして深い内容をこめ、表現をこらすこと。「定家は…やさしく―とあるやうに見ゆる姿、まことにありがたく見ゆ」〈後鳥羽院御口伝〉

もむな・い『形』「もみない」に同じ。近世、上方でいう。「無念也／食の―・い相撲取」〈雑俳・綿帽子〉

もむにれ【もむ楡】《揉む楡、樅(もみ)楡の意などという》ニレ科の落葉喬木。若葉や木の皮を食料にする。あきにれ。一説、はるにれ。また、百(も)楡の転で、多くのにれ。「―を五百枝(いほえ)剝ぎ垂り」〈万三八八六〉

も・め【揉め】㊀『下二』《モミ(揉)の自動詞形》①争いなどがおこって、ごたごたする。「旧冬、訴人に出でられ候儀に付き、年寄中―・め申し候」〈宗静日記貞享五・四〉②費用を出す。自分が金を出して人にふるまう。おごる。「―・める。金銀の沙汰なり。物を遣ふかたち也」〈色道大鏡一〉 ㊁『名』①争いなどが起ってごたごたすること。もつれ。もめごと。「床の―起請の段となりにけり」〈俳・伊勢宮笥〉 ②費用を負担すること。出費。「四五百貫恋風しきって―となる」〈俳・伊勢宮笥〉

もめん【木綿・木棉】《古くはモンメンといい、「文綿」「毛綿」とも書いた》アオイ科ワタ属の一年草。また、その種子の毛を原料にして製造する糸・織物の称。鎌倉・室町時代、中国・朝鮮から織物として輸入され、室町末期には大和・三河・武蔵等で栽培され始め、近世前期には庶民の衣料として普及した。「―の着物のありけるをば、身に着たるまで皆剝ぎ取り」〈仮・霊怪艸三〉。「木綿、モメン」〈文明本節用集〉 ―うり【木綿売り】木綿の行商人。近世中期、江戸では、木綿を一反ずつ一丈程積み重ねて背負い、「もうめんやもうめん」と呼んで行商し、高荷木綿売りと称した。「高安は値も二道(ふたみち)か―」〈俳・崑山集一三〉 ―たび【木綿足袋】白木綿製の足袋。近世初期に始まり、はじめ茶道に用いられたので、数寄屋(すきや)足袋とも称した。「―五足」〈本光国師日記慶長一六・一二・二九〉 ―ぬのこ【木綿布子】綿織物で仕立てた綿入れの着物。「さればわれ―を仕立てんと」〈咄・醒睡笑五〉 ―はば【木綿幅】木綿織の幅。近世前期、普通、曲尺(かねじやく)で一尺一寸ないし一尺三寸。「その風呂敷の―」〈近松・今宮心中中〉

もも【百】ひゃく。また、数の多いこと。「―に千(ち)に人は言ふとも鴨頭草(つきくさ)の移ろふ情(こころ)われ持ためやも」〈万三〇五九〉。「百・佰、モモ・モモチ」〈名義抄〉 ▽単位としての百はホという。イホ(五百)・ヤホ(八百)の類。 †momo

もも【桃】①バラ科の落葉小喬木。中国原産。古来、悪をはらうものとして、正月の卯槌(うづち)や追儺(ついな)の桃弓につかわれた。「桃、毛々(もも)」〈和名抄〉。「桃、モモ・モモノキ」〈名義抄〉 ②綿の花、および実。「園ならで吹く(咲ク)てふ―の綿畠」〈俳・埋草三〉

もも【腿・股】脚の膝から上、股(また)までの部分。「玉手さしまき、―長に寝(い)はなさむを」〈記歌謡三〉 †momo

ももいろぞめ【百色染】御所染の一種。模様を種種の色で少しずつ染め分けたもの。百品染(ももじなぞめ)。百色変り。「御所〔染〕の―」〈西鶴・永代蔵一〉

ももえ【百枝】多くの枝。「—さし生ふる橘」〈万一五〇七〉 †momoye

ももか【百日】①ひゃくにち。また、日数の長いこと。「—しも行かぬ松浦路(まつらぢ)」〈万八七〇〉②子供の生後百日目の日。また、その日の祝。食初(くひぞめ)の儀が行なわれた。「御五十日(いか)や—など過ぎさせ給ひて、いみじううつくしうおはします」〈栄花花山〉 †momoka

ももきね【百岐年】〔枕詞〕国名「美濃」にかかる。かかり方は未詳。「—美濃の国の」〈万三二四二〉 †momokine

ももくさ【百草】いろいろの草。多種多様の草。「—の花のひもとく秋の野に思ひたはれむ人なとがめそ」〈古今二四六〉

ももくさ【百種】《クサはたぐい、品の意》多くの種類。いろいろ。さまざま。くさぐさ。「取り続き追ひ来るものは—に迫めより来たる」〈万八〇四〉 †momokusa

ももくま【百隈】多くのまがり角。「—の道は来にしを」〈万四三四九防人〉 †momokuma

ももさか【百石】《サカは容積の単位》容積の大きいこと。「—の船漕ぐ浦の」〈万二四〇七〉▽サカは尺で、長さの大きいことともいう。 †momosaka

ももしき【百敷】《枕詞「ももしきの」から転じて》内裏。宮中。「上に見し人を下に見て、…及び難かりし—を馴らす事、仏の御徳なり」〈宇津保菊宴〉 **—の**【百石木の・百敷の】〔枕詞〕多くの石や木でできた意から、「大宮」にかかる。「—大宮人は」〈記歌謡一〇二〉 †momosikinö

ももしのの【百小竹の】〔枕詞〕多くの篠の生えている意で「三野(みの)」にかかる。「—三野の王(おほきみ)」〈万三三二七〉 †momosinonö

ももじり【桃尻】①馬に乗ることが下手で、鞍に尻が落ちついて坐らないこと。桃の実は尻の坐りが悪いので、それにたとえたもの。「内侍の御前(みさき)の帯刀某、忽ち以て落馬す。…これ—の致す所か」〈明衡往来上〉②胡銅製花入の一種。桃尻花入。「茶碗のけて—置かれ候」〈宗達他会記天文三二・二・四〉

ももだち【股立】袴の左右両側のあきを上端で縫いとめた所。「女、袴の—を引きあげて見すれば」〈今昔二四ノ八〉 **—を取・る** 歩きやすいように、袴の左右の股立をつまみ上げて腰の紐に挟む。「—・りて故郷へ帰り来て」〈俳・守武千句〉

ももたび【百度】百回。また、回数の多いこと。「柳の葉を—射当てつべき舎人どもの」〈源氏若菜下〉

ももたらず【百足らず】〔枕詞〕百に足りない意で「八十(やそ)」に、八十と同音をもつ地名「山田」に、同じく五十(い)の音をもつ「筏(いかだ)」「斎槻(いつき)」にかかる。「—八十葉の木」〈紀歌謡五三〉。「—山田の道を」〈万三二七六〉。「—筏に作り」〈万五〇〉。「—斎槻が枝に」〈万三二二三〉 †momotarazu

ももだ・り【百足り】〘四段〙じゅうぶんに備わる。じゅうぶんに茂る。「新嘗屋(にひなへや)に生ひ立てる—・る槻が枝は」〈記歌謡一〇〇〉 †momodari

ももち【百箇】《チは個数を示す語》①百個。「—余(ま)り十の翁の舞奉る」〈続後紀承和一二・一・八〉。「百・佰、モモ・モモチ」〈名義抄〉②数多いこと。「時雨こそ—の人の袖濡らしけれ」〈月詣集一〇〉 **—だ・り**【百千足り】〘四段〙じゅうぶんに備わる。満ち満ち栄える。「—・る家庭(やには)も見ゆ」〈記歌謡四一〉 †momotidari **—どり**【百千鳥】①いろいろな小鳥。「わが門の榎(え)の実もりはむ—」〈万三八七二〉。「—囀る春は」〈古今二八〉②チドリの異称。「水のほとりに千鳥の唯一つ立てるを見て『友をなみ河瀬にのみぞ立ち居ける—とは誰か言ひけむ』」〈和泉式部集四〉③ウグイスの異称。「鶯。—」〈八雲御抄三〉

ももづしま【百づ島】多くの島。一説、多くの島をめぐる足軽い舟の意で、「足柄小舟(をぶね)」にかかる枕詞。「—足柄小舟〔ノヨウニ〕歩き多み」〈万三三六七東歌〉 †momodusima

ももづたふ【百伝ふ】〔枕詞〕遠くへ伝い渡る意で地名「度会(わたらひ)」「角鹿(つぬが)」に、また、遠くゆくための駅馬に鈴をつけることから「鐸(ぬて)」にかかり、また、五十、六十、…と数をかぞえて百に伝ってゆくことから「八十(やそ)」に、五十(い)の音をもつ地名「磐余(いはれ)」にかかる。「—角鹿の蟹(かに)」〈記歌謡四二〉。「伊勢国の—度逢(わたらひ)県」〈紀神功摂政前〉。「—鐸ゆらくも」〈記歌謡一一〉。「—八十の島廻(しまみ)を」〈万一七一二〉。「—磐余の池に」〈万四一六〉 †momodutaFu

ももて【百手】①弓術で、二百の矢を百度に射ること。矢二本を一手という。「力士兵衛は射的の上手にて、—の矢をもって的を洲浜形に射成しければ」〈盛衰記一一〉②いろいろな手段方法。「〔相撲ノ〕四十八手のその内を、—に砕きて取ったりける」〈仮・竹斎上〉

ももとせ【百歳・百年】百年。多くの年。「—に老舌出でてよよむとも」〈万七六四〉 †momotöse

ももとり【百鳥】多くの鳥。いろいろの鳥。ももちどり。「—の来居て鳴く声」〈万四〇八九〉 †momotöri

ももなが【股長】足をのばすこと。「真玉手、玉手さしまき—に寝(い)をし寝(な)せ」〈記歌謡五〉 †momonaga

ももなひと【百な人】百人。また、多くの人。「蝦夷(えみし)を一人(ひだり)—〔一騎当千ノ勇者ダト〕人は言へども」〈紀歌謡一一〉 †momonaFitö

ももぬき【股貫】股に達する深沓。ももぬきぐつ。「太刀はき、—はきて、いできたり」〈宇治拾遺一一〇〉

もものかは【桃の皮】楊梅(やまもも)の樹皮。煎汁を薬用とし、黄褐色の染料にも用いる。また、漁網を染めれば塩水に久しく耐える。やまももの皮。渋木(しぶき)。「三春の薬種や花の—」〈俳・崑山集三上〉

もものつかさ【百の官】《「百官(ひゃくくわん)」の訓読語》多くの役人。「万機のまつり事を御心ひとつにをさめ、—を従へ給へりしそのほど」〈増鏡三〉

もものゆみ【桃の弓】桃の木で作った弓。追儺(ついな)の時、鬼を射るものとして使用する。「大夫以下おのおの—葦の矢を執り、入りて庭中に立ち」〈延喜式春宮〉

ももはがき【百羽掻き】鴫(しぎ)などが何回となく羽掻きをすること。歌で、回数の多いことのたとえにいう。「暁の鴫のはねがき—君が来ぬ夜は我ぞかずかく」〈古今七六一〉

ももふね【百船】多くの舟。「—のはつる泊(とまり)と」〈万一〇六五〉 †momoFune

ももへ【百重】数多く重なっていること。幾重にも重なっていること。「心には千重(ちへ)に—に思へれど人目を多み妹に逢はぬかも」〈万二九一〇〉 †momoFe

ももよ【百代・百世】多くの年月。長い年月。「—にも変るましじき大宮所」〈万一〇五三〉 †momoyö **—ぐさ**【百代草】未詳。ツユクサ・ムカシヨモギ・ノジギクなどの説がある。「父母が殿の後方(しりへ)の—百代いでませわが来たるまで」〈万四三二六防人〉

ももよ【百夜】多くの夜。「今夜の早く明けなばすべを無み秋の—を願ひつるかも」〈万五四八〉 †momoyo

ももよせ【股寄】太刀の鞘の峰の方を覆う金具。雨覆(あまおほひ)。「〔矢ハ〕太刀の—に当りぬ」〈今昔二五ノ三〉

ももんぐゎあ《ムササビに似た小動物の名から》①子供

をおどす語。目・鼻に手を当て、目・口を広げて、「ももんがあ」と叫んでおどす。「子供ども折るなよ花は―〔桃ト掛ケル〕」〈俳・智恵袋二〉 ②人をののしっていう語。「腕を彫るとも、かじるとも、勝手しろエ、―め」〈洒・辰巳婦言〉

もや【身屋・母屋】《古くは「身屋」と書く。モはミ(身)の古形ムの転。殿舎の本体の意。まわりに、衣服にあたる廂(さひし)の間をめぐらしているのでいう》寝殿造の建物の中央部分の部屋。周囲を御簾(みす)・几帳(きちやう)・障子(しやうじ)などで仕切り、その外側を廂という。「導くままに―の几帳のかたびら引き上げて、いとやをら入り給ふとすれど」〈源氏空蟬〉。「―のすだれは皆おろしまはして、物忌など書かせてつけたり」〈源氏浮舟〉。「身屋、モヤ、俗用母屋」〈伊呂波字類抄〉

もや【喪屋】 葬式のために特につくった家。「―を造りて殯(もがり)す」〈紀神代下〉

もや『助』《不確定の意を示す助詞モと、質問の意を示す助詞ヤとの複合。多く相手に問いただす意を表わす》①…も…であろうか。「置目―淡海の置目明日よりはみ山がくりて見えずかもあらむ」〈記歌謡一一三〉 ②《文末について》…だろうか。「誰が裂き手そもや我が手取らす―」〈紀歌謡一〇八〉 ▽「我はもや安見児得たり」〈万九五〉の場合は、「我はも」の次に間投助詞ヤの投入された形で、ここにいうモヤとは相違がある。 †mǒya

もやう ゥ:ョ【模様】①模範。手本。「これ則ち仏法の為に世法を興し給へる―なり」〈夢中問答上〉。「若衆に茶の立てやうを教ゆべしと、みづから茶を立つる―をなして」〈驢鞍橋下〉 ②かたち。ありさま。様子。「障子のすきより下下(しもじも)の―のぞきて見侍り候はんとて」〈伽・鼠草子〉。「ただ今帰りたるに、家の―も違ひ、人も皆変りたり」〈観経直談鈔八〉 ③趣向。計画。「何事も前から拵(こし)らへたる事よろしからず。其の時に至りて―するこそ、をかしけれ」〈西鶴・新吉原常常草下〉 ④衣服や工芸品などに装飾としてほどこす絵・図柄など。「〔衣服ノ〕―御心に入りぬと覚えしまま、参らせ候」〈色道大鏡一五〉

もやくや ごたごたしてすっきりしないこと。また、ごたつき。いざこざ。「茶代払ふを―に、腹切る真似が定り事」〈浮・好色十二人男六〉

もやく・り『四段』①ごたごたを起す。騒ぎになる。「跡の月から―・り出し」〈近松・曾根崎心中〉 ②気がむしゃくしゃする。「気も―・って、むし暑き材木納屋に立ち隠れ」〈近松・今宮心中上〉

もや・し【燃やし】『四段』《モエの他動詞形》燃えるようにする。燃えさせる。「御秣(みまくさ)を―・すばかりの春の日に夜殿さへなど残らざるらん」〈枕三二四〉

もやつ・き『四段』①ごたごたする。「身上―・くと知るより…始末に赴く」〈色道大鏡五〉 ②気がむしゃくしゃする。「嬉し恥づかし、気は―・く」〈近松・娥哥かるた二〉

もや・ひ モャイ【舫ひ】㊀『四段』舟と舟とをつなぎ合わせる。「流れやらでつたの入江にまく水は舟をぞ―・ふ五月雨(さみだれ)の頃」〈夫木抄八・五月雨〉 ㊁『名』①舟と舟とをつなぎ合わせること。「むやひ」とも。「千余艘が艫綱(ともづな)・舳綱(へづな)を組み合はせ、中に―を入れ」〈平家八・水島合戦〉。「末せばみ広瀬に浮かぶ筏士の一―づつおとす山川」〈草根集九〉 ②共同してすること。「―の金(かね)出す者も候はず」〈石川正西聞見集上〉

もやもや ①靄(もや)・煙などがたちこめてはっきりしないさま。「蒸す家の蚊や―の中柱」〈俳・俳諧三部抄上〉 ②興奮して感情が抑えきれないさま。「肚裡熱忙は―とする義也」〈大恵書抄三〉 ③ごたごた。いざこざ。また、男女間の情事をいう。「―の都静めん天龍寺〔ノ名僧〕」〈俳・遠舟千句付〉。「我等無心申さぬにと、恨みとやかく―になりて」〈西鶴・諸艶大鑑七〉。「其のなにがしに娘あり。〔ソレト〕いつぞやの比(ころ)より―になって」〈評判・難波立聞昔語荒木座〉

もやもやあらず『連語』《モヤは係助詞モとヤとの複合。推量・疑問の意を重ねた語。不確実なので相手にただす意。日本書紀の訓読につかわれた語》ああかこうかと問いただすこともできない。不便だの意。「御(おほし)す所に遠ざかり居(はべ)りては、政を行はむに不便(もやもやあらず)」〈紀天武一年〉

もゆら《モは接頭語》玉などの触れあって出す音。「御頸珠の玉の―に取りゆらかして」〈記神代〉 †mǒyura

もよぎ【萌黄】「もえぎ」の転。「―縅の鎧」〈義経記四〉。「萌黄、モヨギ」〈運歩色葉集〉

もよ・ひ モョイ【催ひ】㊀『四段』用意する。準備する。「有馬山夜ふかき里は―・はねど出湯のかたに朝明(あさけ)をぞ見る」〈草根集一一〉 ㊁『名』用意。準備。「とかくの―なく足を踏みとどむまじきなり」〈徒然一五五〉

もよほ・し モョオシ【催し】㊀『四段』《他人の潜在的に持っている力を発揮して事を行なうように仕向ける意》①(持ち前の力を出して事を行なうよう)うながす。「諸の鬼神を唱(いざな)ひ―・していはく『大倭(やまと)の金の峰(たけ)と葛木の峰とに椅(はし)をわたして通はせ』といふ」〈霊異記上二八〉。「『船とくこげ。日のよきに』と―・せば」〈土佐二月五日〉 ②(刺激して)そうならざるを得ないようにする。(抑えたりしていたものを)さそい出す。「吹きまよふみ山おろしに夢さめて涙―・す滝の音かな」〈源氏若紫〉。「古き御願なりけれど、おぼしも立たで年頃になりにけるを、宇治のわたりの御中宿りのゆかしさに、多くは―・され給へるなるべし」〈源氏椎本〉 ③(そうするように)手筈をととのえさせる。準備させる。用意させる。「御産屋(うぶや)の儀式、あるべき事どもなど、こちたきまで―・しおかれ」〈増鏡一五〉 ④召集する。徴用する。「都を造り給ふに、国の内に夫(ぶ)を―・して其の役(え)とす」〈今昔二ノ四〉。「為朝こそ九国の大勢を―・して〔京ニ〕上るなれ」〈保元上・将軍塚鳴動〉 ⑤兆候を見せる。きざしをあらわす。「猿の声、幾(いづ)の処にか―・す」〈文鏡秘府論保延点〉。「宿善、内に―・しければ、善縁外にあらはれて」〈保元上・後白河院御即位〉 ㊁『名』①催促。また、他人の勧め。「是はいかでぞ。殿の御心と思し立ちたるか。御―か」〈宇津保蔵開下〉 ②物事を誘い出すたねとなるもの。誘因。「いとどつらく心憂き涙の―におぼさる」〈源氏夕霧〉 ③召集。「甲斐の国より御―のあれば、宗遠も参るなり」〈盛衰記二三〉 ④用意。準備。「鞍馬寺へ参詣す。早旦より其の―有り」〈元長卿記永正三・一・三〉 **―ぐさ【催し種】** 催すたね。誘い出すたね。「〔京ヨリノ返事ヲ〕いづれもうち見つつ、なぐさめ給へど、もの思ひの―なめり」〈源氏須磨〉 **―ぜい【催し勢】** 駆り集められた軍勢。「今は末末の源氏、国国の―なんどを向けては叶ふべきとも覚えずとて」〈太平記二六・正行参吉野〉

もらか・し【貰かし】『四段』《モラハカシの転》①貰えるようにする。いただく。「貧乏は隣にあるもむつかしや何貸せか貸せさせては―・せ」〈新撰狂歌集上〉 ②くれてやる。与える。「牡丹の華所望と人の云ひければ。―・すや恩に着せながら」〈俳・口真似草三〉

もらくも【叢雲】《ムラクモの母音交替形》⇒むらくも。「叢雲、此をば茂羅玖毛(もらくも)といふ」〈紀景行四十年〉

もら・し【漏らし・洩らし】『四段』《モリ(漏)の他動詞形》

も

①水などをすきまからぽとぽと落す。涙などを思わずこぼす。「水—・さじと結びしものを」〈伊勢二八〉。「涙せきあへず—・しつるかな」〈古今六七〇〉 ②秘密のことを、うっかり、または、ひそかに他に知らす。「うちとけ、世語りにても、人の忍びて啓しけん事を—・させ給はじ」〈源氏手習〉 ③ひそかに心に思う事をうっかり行動などにあらわす。「心おごりして、すきずきしき心ばへなど—・し給ふな」〈源氏藤裏葉〉 ④普通ならば、その仲間に入るものを、仲間に入れそこなう。とりこぼす。また、はぶく。「人人多く詠みおきたれど—・しつ」〈源氏幻〉 ⑤取り逃がす。「その儀ならば一騎も—・すな、あますな、うちとれや、くみとれや」〈保元上・官軍手分け〉

もら・ひ(モライ)【候ひ】《四段》《モリ(守)に反復・継続の接尾語ヒのついた形。→ひ》様子をうかがい待つ。じっと見つめる。「飯をわかちて鳥に施し、鳥常にはみならひて日ごとに来たり—・ふ」〈霊異記下序〉。「此の瓜食ふ下衆(げす)どもの傍に居て…此の瓜食ふを—・ひ居たり」〈今昔二八ノ四〇〉

もら・ひ(モライ)【貰ひ】〔一〕《四段》①自分の意志で他人の食を受ける。寄食する。「餬、モラフ、寄食也」〈色葉字類抄〉 ②施し物・贈物などを受ける。「網人釣人に手をすり膝をかがめて魚を—・ひ」〈平家三・有王〉。「〔今年八〕まだ—・ひまらせぬ」〈天理本狂言六義・米市〉。「ちと寺へも御ざれ。渋茶を—・うて置きました。あれなりと進じませう」〈虎寛本狂言・布施無経〉 ③先約があって他の客に招かれている遊女を自分の方へ呼び迎える。「何と—・ひても、他客より呉れざる時は、是非なしとて帰る」〈色道大鏡二〉 ④喧嘩の仲裁などを引き受ける。「おしつけがましいやうなれど、万事は我らが—・ひます」〈浄・八百屋お七中〉 ⑤《動詞連用形に助詞「て」のついたものに続けて》他人に自分の望みの動作をさせ、その結果を自分でとる意。「まんまとお地蔵を作って—・うて、守(も)りまして参った」〈虎寛本狂言・金津〉 〔二〕《名》①遊里で、先約のある遊女を中途で自分の方へ呼び迎えること。「知音(ちいん)の傾城を他宿(揚屋)へ—に遣はす事」〈色道大鏡二〉 ②喧嘩などの仲裁。「今宵の喧嘩は我等が—になりましたと無用の取持ち」〈浮・好色影倣子二〉 **—ぢ**【貰ひ乳】乳児を育てるために他人から乳を貰うこと。「—も冬の初めの事なるに」〈俳・飛梅千句〉 **—ふだ**【貰ひ札】興行主・芝居座元・役者などに特別に貰う、芝居・見世物などの無料入場券。「役者に縁あって—にて入りける者」〈西鶴・嵐無常下〉 **—わらひ**(ワライ)【貰ひ笑ひ】他人の笑いに誘われて一緒に笑うこと。「春の山の—か花の顔」〈俳・続山の井一〉

もり【杜・森】樹木の茂った、神社など神聖な霊域。神の降下してくるところ。「木綿(ゆふ)かけて斎(いつ)くこの—超えぬべく思ほゆるかも恋の繁きに」〈万一三七八〉。「社、ヤシロ・モリ」〈名義抄〉 ▽朝鮮語 *mori(山)と同源。

も・り《四段》《モギ(捥)の子音交替形》摘み取る。もぎ取る。「わが門(かど)の榎の実—・り喫(は)む百千鳥」〈万三八七二〉。「或いは、茅花(つばな)を抜き、岩梨(いはなし)を取り、零余子(ぬかご)を—・り、芹(せり)を摘む」〈方丈記〉

も・り【守り】〔一〕《四段》《固定的に或る場所をじっと見る意。独立した動詞としては平安時代すでに古語となり、多く歌に使われ、一般には、これの上にマ(目)を加えたマモリが用いられるようになった》①(野・山・島・田などへの)不法な侵入を監視して、そこを守護する。(関所・渡し・道など)交通の要所の違反を監視し取り締まる。「山守居(す)ゑ—・るといふ山に入らずは止まじ」〈万九五〇〉。「この川ゆ舟は行くべくありといへど渡り瀬ごとに—・る人あるを」〈万一三〇七〉 ②(娘や幼児を)守護し養育する。「小山田の鹿猪田(ししだ)守る如(ごと)母し〔娘ヲ〕—・らすも」〈万三〇〇〇〉。「殿を二歳の年より今年二十五に成り給ふまで—・り奉りて」〈延慶本平家五・石橋山合戦〉 ③すきをうかがい待つ。「人目—・り乏しき妹に今日だに会はむを」〈万三三一二〉。「しのびやかに門たたく音のすれば…人間(ひとま)—・りて入れたるこそ、さるかたにをかしけれ」〈枕一九三〉 〔二〕《名》①野・山・港などを監視する人。多く、複合語として使う。「島—」「玉—」「津—」「野—」など。「時—の打ち鳴す鼓数(よ)みみれば」〈万二六四一〉 ②子女の養育に仕える者。「いつしか—、乳母(めのと)まで心変りし」〈謡・小袖曾我〉。「太傅は、本邦の東宮傅ぞ。御—、御ててなんどの類ぞ」〈論語抄序〉。〈名語記六〉

も・り【盛り】〔一〕《四段》《モリ(杜・森)と同根》①高く積み上げる。食物などを器に入れていっぱいにする。「家にあれば笥(け)に—・る飯(いひ)を草枕旅にしあれば椎の葉に—・る」〈万一四二〉 ②目盛をつける。「碁盤目—・らせ申し候」〈北野社家日記天正一九・八・二〉 ③配当する。割り当てる。「当町諸口城戸の番、外野伏(のぶし)など、—・り成され候」〈上井覚兼日記天正一三・九・二六〉 ④人選する。「御犬追物手組の事、本田紀伊介殿下手(しもて＝配下)に御—・り成さるべく候」〈上井覚兼日記天正三・三・二三〉 〔二〕《名》①盛りあげること。盛りあげたもの。「豆ひと—、やをら取りて、小障子のうしろにて食ひければ」〈枕一〇七〉 ②割当て。「有馬へ諸勢渡海の談合、又は、船—等仕(つかまつ)り候」〈上井覚兼日記天正一〇・一一・一九〉 ③人選。「明春〔ノ連歌〕御千句の—成され候哉」〈上井覚兼日記天正一二・一二・七〉

も・り【漏り・洩り】《上二》《モレ(漏)の古形。包まれ隠されていた光・水・情報などが、思わぬすき間などを通ってしまう意。外から内へも、内から外へも、両方の場合にいう》①光や水分などが、すき間を通りぬける。「天飛ぶや雁のつばさの覆羽(おほば)の何処(いづく)—・りてか霜の降りけむ」〈万二二三八〉。「夜更けて、月の窓より—・りたりしに」〈枕二二八〉 ②内密にしていたものが、思わぬ経路で外部に伝わる。「夏衣うすき心と聞くからに言の葉さへや—・りむとぞ思ふ」〈古今六帖五〉。「よその人は—・り聞けども、親にかくすたぐひこそは昔の物語にもあめれど」〈源氏夕霧〉 ③選にはずれる。「司召(つかさめし)に—・りての年」〈匡衡集〉

もりうり【盛売り】皿などに盛って一盛りいくらで売ること。「刺身を作りて、—に五分三分にても自由整へければ」〈西鶴・永代蔵五〉

もりかた【盛り方】料理を皿に盛りつける仕方。分盛(わけもり)・生盛(いけもり)など、種種の形式があった。「万(よろづ)の—は、少しづつ入れて一様に盛る事なかれ」〈仮・可笑記三〉

もりき【守木】背に負うた子を腰かけさせる木。「己が六尺三寸の太刀を—になし、鎧武者を鎧のうへにかき負うて」〈太平記二五・住吉合戦〉

もりきり【盛切り】飯・酒など食器に盛っただけで、代りのないもの。「いや、それは飯を—にする時よかるべし」〈咄・醒睡笑六〉 **—おだい**【盛切り御台】盛切り飯。「二合半の—」〈近松・宵庚申上〉

もりずな【盛砂】儀式または貴人を迎える時などに、車寄せの左右に砂を高く丸く盛ったもの。立て砂。「—照らす夜隠れの月」〈俳・紀子大矢数上〉

もりた・て【守り立て】《下二》大切に養育する。「夜泣きすとただ—・てよ末の代に清く盛(さか)ふることもこそあれ」〈平家六・祇園女御〉。「あの若を—・て、かたきを討たせて給はるべし」〈説経・伍太力菩薩〉

もりつぶ・し【盛り潰し】《四段》酒を多く飲ませて正体を失わす。盛り流す。「中中に—・されて二日酔」〈俳・江

鮭子〉

もりて【盛手】給仕する人。「朝夕も通ひ盆なしに、手から手に取りて、女房—（ニシテ）食ふなど」〈西鶴・永代蔵四〉

もりなが・し【盛り流し】『四段』「盛りつぶし」に同じ。「三三九度五度七度、情をかけて—・す」〈幸若・夜討曾我〉

もりべ【守部】守る者。番人。山・野・陵墓などを守る。「鳥網(となみ)張り、—をすゑて」〈万四〇一一〉 †moribe

もりもの【盛物】①《汁物・和物(あえもの)などに対し》盤などに盛って宴席などに供える物。「たけたかくうるはしき—を四盛り、折敷(をしき)一に据ゑて」〈宇津保吹上上〉 ②食物・菓子・果物などを盛り積んだ仏前の供物。御影供(みえく)の盛物は特に飾り立てる。「供具、クグ、霊前の盛物」〈文明本節用集〉

も・れ【漏れ・洩れ】『下二』《古くは上二段活用》①自然に、水・涙・光などが、すき間から通りぬけて出る。「うちしのび落つる涙の白玉の—・れこぼれても散りぬべきかな」〈新勅撰六四〉 ②内密の情報が思わぬ経路で他に知れる。「世にわづらはしく—・れ聞えむもよしなし」〈讃岐典侍日記〉。「此等が内内謀りし事の—・れけるよ」〈平家二・少将乞請〉 ③選ばれる仲間から抜けてしまう。選にはずれる。「思ひ知れとにや、このたびの司召にも—・れぬれど」〈源氏賢木〉。「流罪にも—・れて、伯父の時光卿の許におはしけり」〈平家三・平大納言被流〉

もろ【諸】《接頭》①両方の。二つの。「—鐙(あぶみ)」「—口」「—手」「—向」「—矢」など。「剣刀—刃の上に行き触れて死にかも死なむ恋ひつつあらずは」〈万二六三六〉 ②多くの。もろもろの。「—社(やしろ)」など。「御足跡(みあと)作る石の響きは…父母がために、—人のために」〈仏足石歌〉 ③いっしょの。「—寝」など。「をのが心ならずまかりなむとする、と言ひて—ともにいみじう泣く」〈竹取〉 †mörö

もろあげ【諸挙げ】《「片下(おろ)し」の対》古代歌謡の曲風の名。本末ともに調子をあげて歌うことといわれる。〈神楽歌二七〉

もろあぶみ【諸鐙】諸鐙を合わせること。「敵味方の叫ぶ声を聞き、—にて馳せ来けるが」〈浅井三代記三〉 **—を合は・す** 左右の鐙で同時に馬の腹を打って、早く駆けさせる。「—・せて馳せ参じて」〈太平記一六・新田殿湊河合戦〉

もろいき【諸息】吸い込む息と吐き出す息と。呼気と吸気と。「—に今は残らぬ雪の水」〈俳・大矢数三〉

もろうた【諸歌】神楽の語。「もろあげ」の歌をいう。「庭火の本歌をとなへけるに、秦兼弘、人長にて—を仰すとて、外山なると歌ふとき」〈著聞三七九〉

もろおもひ（オ:モイ）【諸思ひ】《「片思ひ」の対》男女互いに恋し合うこと。諸恋。「見に行くを招く尾花や—」〈俳・藤枝集下〉。「人目の関を恨み、—する人の、たまたまあひ遇ふにてありけり」〈浮・近代艶隠者五〉

もろおり【諸織】諸糸（二本以上を撚り合わせた糸）で織った反物。「油屋絹の—」〈西鶴・永代蔵五〉

もろかが【諸加賀・両加賀】諸織で、染め艶(や)のよい上等の加賀絹。「—半疋」〈西鶴・一代女四〉

もろかづら【諸鬘・諸葛】①桂(かつら)に葵(あふひ)をつけたかずら。賀茂祭の時、簾にかけたり頭にかざしたりした。葵ばかりをかざしにするのを片かずらという。「—落葉を何に拾ひけむ名は睦ましきかざしなれども」〈源氏若菜下〉 ②葵の異称。「足引の山におふてふ—」〈後撰六九五〉

もろがみ【諸神】多くの神神。「—の心に今ぞ叶ふらし君をや千代と祈るまことは」〈千載一三八四〉

もろきふね【同船】《「諸木舟」の意》多くの木材を接合して造った舟。「同船は、母慮紀舟(もろきふね)といふ」〈紀皇極元年〉

もろぐそく【諸具足】太刀をはき、靫(うつぼ)をつけ、弓を持った完全な装備。「片小手に腹当して、—したる中間五百余人」〈太平記六・関東大勢〉

もろくち【諸口】①多くの人たちの言葉、声。「世をまつりごち馴れ給へる御王位だにも、下の—と申す事は、え否び給はぬ事なり」〈宇津保国譲中〉 ②馬を引くのに、二人が両側から差縄を引くこと。「或いは乗り口に引かせ、或いは—に引かせ」〈平家九・生食〉

もろぐゎほう【諸果報】二重の幸福。「春の夜の月花見るや—」〈俳・毛吹草五〉

もろこころ【諸心】（事をなすにあたって）気持をそろえること。同心。「御渡りの程も—にはかなき事もしいで給ひて」〈源氏若菜上〉

もろこし【唐土】《「諸越（中国の越の国）」の訓読による》昔、わが国で、中国を呼んだ称。「—の遠き境につかはされ」〈万八九四〉 †mörökosi **—のうた**【唐土の歌】漢詩。「やまとことのは（和歌）をも—をも」〈源氏桐壺〉 **—のはうぐゎん**（ホ:ウ）【唐土の判官】遣唐使の判官（大使・副使に次ぐ役）。「寛平御時に—に召されてはべりけるとき」〈古今九九三詞書〉 **—ぶね**【唐土船】中国の船。また、中国と往来する船。からふね。「—の寄りしばかりに」〈伊勢二六〉。「—（遣唐使ノ船）いだしたてらる」〈宇津保俊蔭〉

もろこひ（コ:イ）【諸恋】《「片恋」の対》相思相愛（の仲）。「あやしく背き背きに（別別ノ物思イヲシナガラ）さすがなる御—なり」〈源氏藤裏葉〉

もろごゑ【諸声】いっしょに発する声。「蛙(かは)づさへ水の下にて—に鳴く」〈伊勢二七〉。「—に仏神を念じ奉る」〈源氏明石〉

もろ・し【脆し】『形ク』①質が弱くこわれやすい。はかなくくずれやすい。「水沫(みな)なす—・き命も栲縄(たくなは)の千尋(ちひろ)にもがと願ひ暮しつ」〈万九〇二〉。「霜の経(たて)露の緯(ぬき)こそ—・からし山の錦の織ればかつ散る」〈古今六帖五〉。「吹く風につけてだに、木の葉よりけに—・き御涙は」〈源氏葵〉。「危脆、易断也、倭言母呂之(もろし)」〈大般若経音義奈良朝訓〉 ②（気持などが）くじけやすい。「（コノ聖ハ）流さるるほどの者なれば、かく語らひ寄りて—・く相ひ従はば、頼朝が頸(くび)を取りて平家に献りて、已が罪を遁(のが)るるとて」〈延慶本平家五・文覚兵衛佐に〉 †mörösi

もろしらが【諸白髪】①すっかり白髪であること。「身は既に老い重なりて—」〈謡・融〉 ②夫婦ともに白髪になるまで長生きすること。友白髪。「夫婦—まで添ひたりし祖父(おほぢ)先に立ち、朝一片の雲とのぼる」〈咄・醒睡笑六〉

もろたづな【諸手綱】左右両方の手綱。「鞍置き馬の—」〈浄・都の富士三〉

もろたぶね【諸手船】両手船の意で、二挺櫓の早船をいうか。「熊野の—を以て、使者(つかひ)稲背脛(いなせはぎ)をのせて遣(や)りつ」〈紀神代下〉 †mörötabune

もろち【諸茅】未詳。色が変化しやすい植物か。また、「茅」は「弟」の誤りで、多くの兄弟、または人名ともいう。「—らが練(ね)りの（タクミナ）言葉は」〈万七七四〉 †möröti

もろて【諸手】両手。「山田の苗も生ひにけり—に人は引きて植ゑなむ」〈重之集〉

もろともに【諸共に】『副』一緒にそろって。相共に。「—なきてとどめよきりぎりす秋の別れは惜しくやはあらぬ」〈古今三八五〉

もろなき【諸泣き】一緒に泣くこと。「両眼のなんだ（涙）一度に六人の—」〈浮・新武道伝来記四〉

も

もろなみだ【諸涙】一緒に泣くこと。また、その涙。「錦祥女はすがり付き、母の袂の―」〈近松・国性爺三〉

もろは【諸刃】刀剣などの身の両側ともに刃があること。両刃。「剣刀(つるぎたち)―の利(と)きに足踏みて死なば死ぬとも君に依りなむ」〈万二四九八〉 † mörörа

もろはく【諸白】麹(こうじ)も米もよく精白したものを原料にして醸造した上等酒。「両白(りやうはく)」とも。「―一瓶」〈多聞院日記天正六・七・二三〉

もろはだ【諸肌】上半身全部の肌。両肌。「―を脱ぎて」〈西鶴・一代女三〉 **―脱・ぐ** 着物の上半身全部を脱いで肌を現わす。全力を尽して事に当るたとえにもいう。「久三郎―・ぎて鍬を取り」〈西鶴・永代蔵四〉

もろひと【諸人】①多くの人。「敵(あた)見たる虎かほゆると―のおびゆるまでに」〈万一九九〉 ②衆生。「父母がために、―のために」〈仏足石歌〉 † möröFitö

もろふし【諸伏】未詳。共に伏す意か。「わが恋は千引きの岩を七ばかり首にかけむも神の―」〈万七四三〉 ▽原文「諸伏」は、樗蒲(かりうち)の遊戯で四枚の栄(さい)がすべて伏した時が最も有利であることから、意のままにできる意味と見、「まにまに」とよむ説がある。 † möröFusi

もろほ【諸穂】たくさん穂が出ること。また、その穂。一説、両茎の穂。「稲の穂の―に垂(し)でよ」〈神楽歌三六〉

もろまゆ【諸眉】《「諸眉烏帽子」の略》烏帽子の眉が左右両側になっているもの。「烏帽子、…諸家十六以前―、以後左眉也」〈西三条装束抄〉

もろみ【醪】醸造してまだ糟(かす)をこさない酒、または醤油。「醪、毛呂美(もろみ)」〈和名抄〉

もろむ・き【諸向き】《四段》もろともに向く。いっしょに同じ方に向く。「武蔵野の草は―・きかもかくも君がまにまに吾(あ)は寄りにしを」〈万三三七七東歌〉 † mörömuki

もろむすび【諸結び】①紐の結び方の一。右の端を左の下に廻して返した輪に、左の端を通して結ぶもの。男結び。「懸緒の紐の―」〈浄・烏帽子折三〉 ②紐の、二通りの結び方。「雌結び・雄結びの―」〈浄・賢女手習一〉

もろもち【諸持ち】物を人人が総がかりで持つこと。「かの人人のくちあみも―にて、この海辺にて荷ひ出だせる歌」〈土佐十二月二十七日〉

もろもろ【諸諸】①多くのもの。すべてのもの。いろいろ。「―の大御神たち」〈万八九四〉。「群、タムロ・アツマル・モロモロ」〈名義抄〉。「衆、モロモロ・オホシ・アマタ・ムラガル」〈名義抄〉 ②多くの人人。「―聞きたまへよと宣りたまふ」〈祝詞大祓詞〉 † mörömörö

もろや【諸矢】①対(つい)になった二本の矢。すなわち、甲矢(はや)と乙矢(おとや)と。「一手矢(ひとてや)」とも。「或る人、弓射る事を習ふに、―をたばさみて的に向ふ」〈徒然九二〉 ②二本の矢がともに当ること。「ひき連れて帰るを見れば梓弓―はいとど嬉しかりける」〈栄花歌合〉

もろをりど【諸折戸】《「片折戸」の対》左右に開く戸。「古りたる家の―の中へ落ち入りにけり」〈宇治拾遺一八四〉

もん【文】①文字。「あるいは常住といふ二つの―を聞くに、すなわち天に生る」〈三宝絵下〉 ②文句。文章。「且つは経の―を読み、且つは歌舞を調へたり」〈三宝絵下〉。「賢臣二君に仕へず、貞女両夫にまみえずといふ―あり」〈保元下・為義の北の方〉 ③経文・呪文など。「おのおの―を出して問ひ試みるに」〈三宝絵中〉。「虚空に向ひ、目を眠り、口に―を呪(しゆ)したるに」〈太平記二四・依山門嗷訴〉。「かやうの変化の奴ばらは、―を唱へて聞かすれば立ち去る道理あり」〈伽・岩竹〉 ④銭の単位。「輪調銭参拾陸―」〈正倉院文書神亀三〉 ⑤足袋または足の、踵から爪先までの長さを計る単位。もと一文銭を並べて計ったからいう。「美人両足は八―三分に定まれり」〈西鶴・諸艶大鑑七〉

もん【門】建物の、外囲の出入口に設けられた建造物。「御車寄せたる中―の」〈源氏末摘花〉

もん【紋・文】①綾に織り出した模様。固紋・浮紋などがある。「紅梅の、いと―浮きたる〔表着〕、葡萄染(えびぞめ)の御小袿(こうちき)」〈源氏玉鬘〉 ②家の紋章。紋所。「中黒(新田氏ノ紋)の旗を巻いて、―を隠し」〈太平記一五・建武二年〉

もんえふウ：ヨ【門葉】一門につながる人人。同族。「―たる者帰敬(ききやう)せずといふ事なし」〈平家七・願書〉

もんがら【紋柄】模様。「―の物好きなるを着まする」〈評判・難波鉦三〉

もんぐし【紋櫛】定紋を蒔絵にした櫛。「逢ひもせぬ大夫・天神の―など持つ事」〈西鶴・一代女五〉

もんどん【文言】文章。または、語句。文句。「―の狼藉を顧みず、理趣の存没を弁ぜず」〈孝養集中〉。〈文明本節用集〉

もんざい【文才】学問。特に、漢学。「―をばさるものにていはず、さらぬ事のなかには、琴(きん)弾かせ給ふ事なん一のざえにて」〈源氏絵合〉 →ざえ

もんざうはかせウ：：ゾ【文章博士】⇒もんじゃうはかせ。「―召して願文(ぐわんもん)作らせ給ふ」〈源氏夕顔〉

もんさく【文作】遊里で、太鼓持などが即興的に滑稽な文句を作ってしゃれ、座興を添えること。「後は大道に出て―、いづれか腰をよらざるは無し」〈西鶴・一代男七〉

もんじ【文字】字。「―習はざらん、悪(わろ)し。学問すべし」〈古本説話六〇〉。〈色葉字類抄〉 →もじ。 **―のほふし**ホウ：：【文字の法師】経論の詮索ばかりに専念する僧。禅僧の側から他宗の僧をあざけっていう。「暗證の禅師」「暗禅の法師」に対する語。「―に習学することなかれ、禅師胡乱の説聞くべからず」〈正法眼蔵光明〉

もんじふユウ：ジ【文集】白楽天の詩文集、白氏文集の称。「書(ふみ)は。―、文選(もんぜん)、…博士の申し文」〈枕二〇一〉

もんじゃ【文者】学者。また、詩文を綴ることの上手な者。「それはまことしき―にて、御前の作文には文たてまつられしはとよ」〈大鏡道隆〉

もんじゃ【紋紗】紋様を織り出した紗。「高さ三尺に舞台を張りて、唐綾・―を以てぞ包みたる」〈義経記六〉

もんじゃうヨウ：ジ【文章】 **―とくごふしゃう**ショウ：ゴウ【文章得業生】文章生の中で、選抜試験に及第した者。平安時代以降の制で、文章生二十人中より二人選ばれ、七年以上勉学の後、秀才となる。「―正六位上大江朝臣澄明対(たこ)ふ」〈本朝文粋三〉 **―のしゃう**ヨウ：シ【文章生】大学寮で紀伝道（紀伝・詩文）を学び、擬文章生を経て、式部省の試験を通過した者。「進士(しんじ)」とも。「〔式部丞ガ〕まだ―に侍りしとき」〈源氏（冷泉本）帚木〉 **―はかせ**【文章博士】大学寮に属する、詩文および紀伝の教授。定員二名。従五位下相当。この下に文章得業生二人、文章生二十人、擬文章生などがある。平安中期以降、菅原・大江の両家が独占。「もんざうはかせ」とも。「見るに異なる事なきもの の文字に書きてことごとしきもの。…―、得業の生」〈枕一五四〉。〈色葉字類抄〉

もんじゃうヨウ：ジ【問状】⇒とひじゃう(1)「―の御教書を帯し狼藉をいたす事」〈貞永式目〉

もんじゃく【文籍】《「籍」は、文字の書いてある竹片の意》書物。文献。「―にも家礼(けらい)といふことあるべくや」〈源氏藤裏葉〉

もんじゃく【問籍】禁中で、滝口の武士が、宿直・警衛に出務する際、蔵人に対して名を名乗ること。名対面(なだいめん)。「鶏人の声もとどまり、滝口の—も絶えにければ」〈平家四・厳島御幸〉

もんじゅ【文殊】《梵語の音訳。「文殊師利」の略》菩薩の名。智を司るという。普賢(ふげん)と共に釈迦に脇侍する。乗物は獅子。「—、獅子に乗りて」〈宇津保俊蔭〉 **—しり**【文殊尻】《文殊師利に掛けた洒落詞》尻。「橋立の松のふぐりも入海の浪もて濡らす—かな」〈雄長老百首〉 **—ぼさつ**【文殊菩薩】文殊のこと。「例せば龍女に対して—は即身成仏の秘法を説き給ひしが如し」〈日蓮遺文上野殿後家尼御返事〉

もんじょ【聞書】徐目(ぢもく)の聞き書。「—には、親治(ちかひろ)以下の朝敵追罰の賞とぞ書かれたる」〈保元上・親治等生捕らる〉

もんじん【問訊】①問いたずねること。訊問。「問訊、トヒトフ」〈色葉字類抄〉②無言のまま低頭して敬礼すること。「大衆は、知事以下みな面北にて、住持人を—す。この—殊に深かるべし」〈正法眼蔵安居〉③道理に詰められ恐れ入ること。「その時争うた人は—して、シャントの足もとにひれ伏し」〈天草本伊曾保〉

もんぜき【門跡】①《一門の法跡の意》一つの法門の教えをうけ伝えている僧侶・寺・門派の称。「なかんづくに延暦・園城両寺は—二つに相分るといへども」〈平家四・山門牒状〉②平安時代以後、皇子・貴族の出家者の住む特定寺院の称。室町時代以後はもっぱら寺格となり、親王の居住する寺院を宮門跡(みやもんぜき)、摂家(せっけ)の子弟が入室する寺院を摂家門跡・清華門跡、門跡に準ずる寺院を准門跡(または脇門跡)といった。「妙法院の—に御入室あって、釈氏の教へを受けさせ給ふ」〈太平記一・儲王〉③《准門跡に列していたところから》東・西本願寺など真宗六派の本山の俗称。「〔京都〕六条の—に能の有る時」〈咄・昨日は今日下〉

もんぜんち【門前地】寺社の門前の地域。近世、境内の一部と見做され、町家を建てて寺院収入の一助とした。また、そこに作られた町を門前町と称する。「立つ鳥の跡は奇麗な—」〈俳・江戸筏下〉

もんたい【紋体】《モッタイ(勿体)の転》①整った形。きちんとした格式。「声さへ節さへあっぱれ—」〈俳・信徳十百韻〉②物の形。「モンタイガミエヌ」〈日葡〉 **—無・し** ①不都合である。「善悪、当月より〔法花堂行法〕退転仕るべく候よし、然らば—・く候」〈北野目代日記長享二・二・五〉②畏れ多い。「近比(ちかごろ)神慮も—・く候」〈北野目代日記延徳二・八・二九〉

もんだ・ひ【問答ひ】〘四段〙《名詞「問答(もんだふ)」を動詞として活用させた語》問答する。「事のいはれを—・うて、云ひ開く事あり」〈能作書〉

もんだふ【問答】①相手に問いかけることと、それに答えることと。「郎女と虫満(むしまろ)と相見ること疎(とう)からず、相談(かたらふ)こと既に密(こまか)なり。聊か戯れの歌を作りて—をなすぞ」〈万六六七左注〉。「御—は人承るに及ばず。御前には尼前(あまぜ)ばかりぞ候はれける」〈平家四・厳島御幸〉②問答歌。「右は上に柿本朝臣人麿の歌の中に見えたり。但し—なるを以ちての故に、累(かさ)ねて玆(ここ)に載せたり」〈万二八〇八左注〉

もんち あべこべ。裏腹。「昼迄寝るを作法にて、余所と—の揚屋町」〈近松・百日曾我一〉

もんぢう【問注・問註】裁判において、原告・被告に問いただし、その内容を記録すること。また、訴訟。「御前にして直(ぢき)の—のうへは、陳状におよばず」〈春のみやまぢ〉。「或はこれを論じて—・対決に及び」〈正法眼蔵随聞記四〉。「問註、モンヂウ」〈易林本節用集〉 **—じょ**【問注所】鎌倉・室町幕府の政治機関。寿永三年、源頼朝が、訴訟・裁判をつかさどる機関として設置。室町幕府の下では裁判権が侍所(さぶらひどころ)に移ったため、記録・証文類の保管・鑑定の機関となった。「—の信濃入道道大と土岐伯耆入道存孝と二人具して候ひけるが」〈太平記一七・隆資卿〉。「問註所、モンヂウショ、頼朝之時始置レ之」〈文明本節用集〉

もんぢゃうちん【紋提燈・紋挑燈】定紋を付けた提燈。「—の瞿麦(なでしこ)〔ノ紋〕」〈西鶴・一代男七〉

もんつき【紋付】紋所の付いている着物・器物などの称。「これ—の衣打つ音」〈俳・大矢数三〉

もんづくし【紋尽】紋所を集め記したもの、または、書物。武鑑・遊女評判記・役者評判記などに多い。「是れで知るる時雨ぞ染むる—」〈俳・西鶴五百韻〉

もんと【門徒】①門人。門弟。また、その宗門の信徒。「その—、この寺に伝はり住みて」〈三宝絵下〉②「門徒宗」の略。また、その信徒。「坊主と—、連連確執有り」〈康富記嘉吉三・五・一八〉 **—しゅう**【門徒宗】浄土真宗の俗称。一向宗。「西か東か知らぬ遠州／浜松の松に問はばや—」〈俳・昼網下〉 **—でら**【門徒寺】浄土真宗の寺院。「辛崎は東へ靡く—」〈俳・大句数上〉

もんど【主水】「もひとり」の転。「膳部、—の唐名」〈いろは字〉 **—のつかさ**【主水司】「もひとりのつかさ」の転。〈文明本節用集〉

もんどころ【紋所】家家の定紋。「練(ねり)のくくし〔染ノ〕—〔付キ〕五十端」〈梅津政景日記寛永四・九・三〇〉

もんどり【筋斗】《モドリの転》とんぼ返り。「打筋斗と云ふは戯れぞ。—打つと読むぞ」〈策彦和尚初渡集上〉。「筋斗、モンドリ」〈運歩色葉集〉

もんなし【紋無し】模様のない地味な着物。無紋。「—に雲〔色〕の袂の衣配り」〈俳・大矢数四〉

もんにん【文人】《呉音》紀伝道の学生の進級過程における一つの資格。釈奠に出席できる資格のある人。「今日はわざとの—も召さず、ただその才かしこしと聞えたる学生十人を召す」〈源氏少女〉

もんび【紋日】「物日(ものび)」に同じ。「—。…物日(ものび)の事なり。家家の紋のやうに定まりたる事なるに依って、—といふ」〈色道大鏡二〉

もんぼふ【聞法】仏法を聴聞すること。「経には—歓喜讃、聞く人蓮(はちす)の身とぞなる」〈梁塵秘抄六五〉。「聞法、モンボウ」〈運歩色葉集〉

もんまう【蚊虻】①蚊と虻(あぶ)と。つまらぬ生物のたとえ。「上、大聖より、下、—に至るまで、命を財(たから)とせざるはなし」〈日蓮遺文妙密上人御消息〉②文盲。「基俊は、俊頼をば—の人とて、『さはいふとも、駒の道行きにてこそあらめ』といはれければ」〈無名抄〉。「但し下心は、無智—にて、卑下の心也」〈古今私秘聞〉。「文盲、モンマウ、蚊虻」〈塵芥〉

もんめ【匁】衡量の単位。「金をば〔銀〕一両五—に売買の事、其の謂(いはれ)なし」〈大内氏掟書〉

もんめん【木綿】「もめん」の古形。「女、『—良く売れしや』と言ひければ」〈かさぬ草紙〉。「木綿、モンメン」〈いろは字〉

もんやうじ【紋楊枝】歌舞伎若衆の紋所を付けた楊枝。「ぬれ心〔デ〕さてまた波の—〔ヲ買ウコトダ〕」〈俳・菊酒〉

もんら【紋羅】 平絽(ひらろ)に飛び模様を織りだした絹織物。「一の白きに紅の裏を付け」〈西鶴・伝来記三〉

もんりふ【門立】 ①他人の家の門前に立っていること。近世初期、治安上禁制された。「夕霧の一法度(ニ)したい事」〈俳・続連珠一〉 ②夕暮、遊女が客待ち顔に女郎屋の門口に立っていること。「一時分にて(遊女ハ)出懸姿」〈西鶴・諸艶大鑑七〉

や【八】《ヨ(四)と母音交替による倍数関係をなす語。ヤ(彌)・イヤ(彌)と同根》 ①無限の数量・程度を表わす語。「八雲(やくも)立つ出雲八重垣(やへがき)」〈記歌謡一〉。「魂(たま)合はば君来ますやと、わが嘆く八尺(やさか)の嘆き」〈万三二七六〉 ②数の名。はち。「山川に筌(うへ)をし伏せて守りあへず年の八歳(やとせ)をわが竊(ぬす)まひし」〈万二八三二〉 ▽もと、「大八洲(おほやしま)」「八岐大蛇(やまたのをろち)」などと使い、日本民族の神聖数であった。

や【矢・箭】 ①弓の弦(つる)につがえてはじく武具、また、猟具。鏃(やじり)・矢幹(やがら)・筈(はず)・羽から成る。「淡海のや矢橋(やばせ)の小竹(しの)を一着(は)かずてまことありえめや恋しきものを」〈万一三五〇〉 ②《形が神頭(じんどう)に似ているところから》牡丹の芽。「牡丹の苗芽を一と名付くる事、人毎に言へども」〈牡丹道知辺下〉

や【屋】《建物そのものをいう語。ウマヤ(厩)・ウシヤ(牛屋)なども使う。類義語イヘは、人が生活を営む本拠とする場所》 ①建物。「夕づく日さすや川べにつくる一の形(かた)をよろしみうべ寄そりけり」〈万三八二〇〉 ②屋根。「糸を葺かせ造りし一は鳶・鳥の巣にみなくひもていにけり」〈竹取〉

や【輻】 車輪の轂(こしき)とまわりの輪とをつなぐために放射状に付けた棒。矢になぞらえていったもの。「(疾走中ノ車ヲ描ク場合)走り車の輪には薄墨にぬらせ給ひて、大きさのほど、一などのしるしには墨をにほはさせ給へりし」〈大鏡伊尹〉。「轂輞、上己支岐(こしき)、下矢(や)なり」〈華厳音義私記〉

や【彌】〘副〙《イヨ(愈)のヨの母音交替形。ヤ(八)と同根》程度が、より強く、甚だしく、盛んである意を表わす。ますます。いよいよ。「下堅(たが)く一堅く取らせ、秀罇(ほだり)取らす子」〈記歌謡一〇三〉。「去年(こぞ)の秋相見しまにま今日見れば面(おも)一めづらし都方人」〈万四一一七〉 →いや(彌)

や〘感〙 ①相手の行為について呼びかけ、注意を喚起する声。「呵嘖(かしやく)していはく『咄(や)、汝何ぞ此のきたなき地に居る』」〈霊異記下七〉。「咄、アヤニク・ヤ」〈名義抄〉 ②はっと気がついた時、驚いた時などに、反射的に発する声。「物におそはるるここちして、一とおびゆれど」〈源氏帚木〉 ③人に呼びかける声。「一、大臣(おとど)こそ」〈栄花様様悦〉 ④呼びかけに答える声。はい。「主の召さるる時に、一と言うてはやすほどに」〈咄・昨日は今日上〉 ⑤掛声。また、はやし声。やっ。やあ。「鼓にも重言とて、『は』『一』『一』『あ』の掛け声に習ひあり」〈舞正語磨上〉。〈名語記三〉

や〘助〙 →基本助詞解説

や〘助動〙《助動詞ヤルの命令形ヤレの略》親しみを含んだ軽い命令を表わす。…しなさい。「のふのふ冠者待ち一」〈狂言記・相合袴〉

やあ〘感〙 ①相手に働きかける掛声。「入鹿が威(いきほひ)に畏りて、めぐらひて進まざるを見てのたまはく、咄嗟(やあ)とのたまふ」〈紀皇極四年〉 ②人に呼び掛け、また、相手を批難する時などの声。おい。やい。「一かしまし、それは汝が子の事にてあるか」〈謡・丹後物狂〉。「一聞き給へ文正どの」〈伽・しほやき文正〉 ③返事する声。はい。「『詞をかけう。なう、しし申し』『一一、こちの事でござるか』」〈虎寛本狂言・蚊相撲〉 ④はやしことばの一つ。「鼓打、『ああ官、一官』とはやし」〈咄・醒睡笑七〉

やあた【八咫】《ヤは数多い意。アタは上代の長さの単位で、親指と中指とを開いた長さ》 長いこと。大きなこと。「八尺を訓みて八阿多(やあた)といふ」〈記神代〉

やあはせ【矢合せ】 開戦の合図として、両軍が互いに鏑矢(かぶらや)を射合うこと。「卯の刻に一して、一日戦ひ暮す」〈平家四・三井寺炎上〉

やあら〘感〙《ヤラを強めた形》 感動して発する声。「浪の鼓は一冷(すさま)じ」〈俳・正章千句上〉

やい〘感〙 目下の者に対する呼びかけの声。「一、推参な事な云ひそ」〈蓬左文庫本臨済録抄〉。「一、そこな者」〈虎明本狂言・柿山伏〉。「太郎冠者るたか、一」〈虎明本狂言・止動方角〉

やいくさ【矢軍】 両軍が矢を射合って行なう合戦。「(両軍)一に日をぞ送りける」〈太平記二八・三角入道〉

やいごめ【焼米】《ヤキゴメの音便形》 籾(もみ)のままの米を炒り、それを搗(つ)いてもみがらを取り去った米。いりごめ。「たまさかにも見えとふ人には青稲刈らせて馬に飼ひ、一せさせなどする」〈かげろふ下〉。「糒、ヤイゴメ」〈名義抄〉

やいじるし【焼印】《ヤキジルシの音便形》 焼き印(いん)。烙印(らくいん)。「花方が面(つら)に、浪方(なみかた)といふ一をぞせられける」〈平家一〇・請文〉

やいと【灸】《ヤキト(焼所)の音便形》 灸(きゅう)。やいとう。「一を再びし、湯にてゆで候」〈拾遺語燈録中〉。〈文明本節用集〉 **一ぎゃう【灸饗】** 灸をすえる時に、苦痛をまぎらすために食べる菓子など。やいと慰み。「増す花(メカケ)に訪はぬも辛(つら)し一」〈俳・絵合上〉 **一ばし【灸箸】** 灸をすえる時、艾(もぐさ)をはさんで灸穴に置くための竹箸。「宇治瀬田の一をぞ引かれける」〈俳・物種集〉。「一を削り」〈西鶴・永代蔵三〉 **一ばば【灸婆】** 灸をすえるのを業とする老婆のことという。「寒いぞや今に熱かろ一」〈雑俳・西国船〉

やいの〘感〙《感動詞ヤイに間投助詞ノがついた形》 文の終りにあって、迫った感情を表わす。「心の静まれば向うが よう見えますぞ一」〈評判・朱雀諸分鑑上〉

やいば【刃】《ヤキハ(焼刃)の音便形》 ①焼入れをした刃。「一の剣ならば山をも岩をも破り崩すべき」〈盛衰記一六〉 ②焼入れをした結果、生じた刃紋。「剣の一は雲を乱したれば」〈伽・雪女物語〉 ③刀剣類の総称。「天帝、須彌(しゅみ)より一を降らし、修羅、大海より矢を飛ばすらん」〈盛衰記三七〉 ④鋭いもの、激しい力を持つもののたとえ。「凡そ飛ぶ鳥も祈り落す程の一の験者とぞ聞えし」〈平家五・文覚荒行〉

やいひ【灸】《ヤキヒ(焼火)の音便形》 灸(きゅう)。やいと。「内肩に一候」〈家忠日記天正八・三・一三〉。〈日葡〉

やいやい〘感〙《ヤイを重ねた形》 おいおい。「一太郎冠者」〈虎明本狂言・釣針〉

やいれ【矢入れ】 ①戦をはじめるに当り、まず敵陣へ矢を放ち入れること。「軍陣に一をし候ふに、敵の知らぬやうにする事で候ふぞ」〈古活字本日本書紀抄下〉 ②《転じて》申込み。「猫の子は産まぬ先から一して」〈雑俳・高天鶯〉

やいろ【矢色】 放たれた矢の勢い。「切って放したる一・弦

音(つるおと)・弓倒し」〈太平記二三・大内裏〉

やう ヨウ【陽】①ひなた。山の南面の地や、川の北岸の地をいう。「橘柚(きついう)、―に従(つ)りぬれば自然に枳(からたち)となり」〈三教指帰上〉②《「陰」の対》⇩いんやう(陰陽)。「―は文にして陰は縵なり」〈本朝文粋一三〉

やう ヨウ【様】㊀『名』《字義は、似たかたちの意。似たかたち、似た状態、手本とするかたちの意から、既にある様式、似つかわしい仕方・方法。また、いかにもありそうな事情・わけ・子細などの意に展開》①様式。整った作り方、きまった言い方など。「さま殊に、―をかしう、蒔絵螺鈿(まきゑらでん)のこまやかなる心ばへまさりて見ゆるものをば、この御方にと取り隠して」〈源氏東屋〉。「『珠ならずもありけんを』と人言はんや。されども『死し子顔良かりき』といふ―もあり」〈土佐二月四日〉②ちょうどそれに似ているさま。それに類するさま。「鬼の―なる物出で来て殺さんとしき」〈竹取〉。「このふた歌は歌の父母の―にて」〈古今序〉③ぴったりそのままであるさま。「思う―ならむ人をすゑて住まばや」〈源氏桐壺〉④㋑そんな類(たぐい)。そんな風(ふう)。多く見下げていう。「何かは、―の者と、さのみうるはしう〔結婚サセルコトハナイ〕としづめ給へど」〈源氏匂宮〉。「思ひ悩むべきにはあらねど、必ずさしも―の事と争ひ給はむもうたてあるべし」〈源氏夕霧〉。「ただ福地の園に種まきてと―なりし一言をうち頼みて」〈源氏 若菜上〉㋺《「など―」の形で》例えば…など。「天狗木精(こだま)など―のものの、欺きゐて奉りけるにや」〈源氏夢浮橋〉⑤様子。有様。状態。「寝殿の方に、人の〔コチラノ〕けはひ聞く―もやとおぼして、やをら立ちいで給ふ」〈源氏末摘花〉。「〔女ヲ〕見もてゆくに、見劣りせぬ―は無くなんあるべき〔必ズ見劣リスル点ガアル〕」〈源氏帚木〉⑥事情。子細。「ありし―くはしく聞え侍りぬ」〈源氏夢浮橋〉。「かくて平中が久しくおとづれざりけるは、―はかの会ひてのつとめてかへりけるまに、文をおこせむとしける程に」〈今昔三〇ノ一〉。「『―があるぞ』『―があらば連れて行け』」〈謡・自然居士〉⑦やり方。方法。「かかることなんどあらはし申すべき―を思ひめぐらして」〈源氏行幸〉。「御舟には人多くこみ乗って馬立つべき―もなかりければ」〈平家九・知章最期〉⑧言動・思考などの内容。…ということ。「世の中の定めなければ、対面する―もありなむかし」〈源氏賢木〉⑨《引用文に「いふ―」の形で先行して、引用文の後の「といふ」と呼応する》(言う)こと(には)。「翁かぐや姫に言ふ―『…』といへば」〈竹取〉。「かぢとりのいふ―『くろとりのもとに白き波を寄す』とぞいふ」〈土佐一月二十一日〉⑩《「―に」の形で副詞的に》期待・願望の気持を表わす。「世の人の飢ゑず寒からぬ―に世をば行なはまほしきなり」〈徒然一四二〉。「世の中のよい―になされて下されい」〈虎明本狂言・雷〉㊁『接尾』《体言、また、用言の連用形につく》①…ふう。…のよう。「中将中務―の人人には程程につけつつ情を見え給ふに」〈源氏澪標〉②様式。方式。「人が東坡―なんどと云ひて、一字二字も書けば、争って奪ひ合(や)ふぞ」〈四河入海一九ノ三〉③(それにふさわしい)やり方、様子。「この子が文の書き―のはかなさよ」〈平家三・僧都死去〉

やうがう ヨウゴウ【影向】《呉音》神仏が仮にその姿を現わすこと。「今日この御堂に―し給ふらん神明・冥道達も聞こし召せ」〈大鏡 昔物語〉。「八幡三所・春日の大明神ひそかに―を垂れ」〈平家四・南都牒状〉。「影向、ヤウガウ」〈文明本節用集〉

やうがま・し ヨウ【様がまし】『形シク』①いかにも様子ありげである。訳ありげである。「させる事もなかりける事を―・しく思ひけるなり」〈一言芳談〉②もったいぶっている。注文や条件などがうるさい。「そなたは名に―・しい人ぢゃ」〈虎明本狂言・呂蓮〉。「あら―・しの延喜式や」〈舞正語磨下〉

やうが・り ヨウ【様がり】『ラ変』《ヤウガアリの約》訳ありげである。風変りである。「あこやの玉つぼ―・りな」〈梁塵秘抄三九〉。「―・るこよみかなとは思へども」〈宇治拾遺七六〉

やうかんいろ ヨウ【羊羹色】衣類の黒・紫または鳶色などの染色がさめて赤みを帯びたもの。「日野の憲法染―なるを下に着て」〈浮・好色小柴垣四〉

やうき ヨウ【陽気】《「陰気」の対》①万物に生命力や活力を与える「陽」の気。「―、暗(ほの)かに侵して草木におよぶ」〈菅家文草六〉。「昼は―なるが故に、すさまじく心細きけしきなどはなきにやあらむ」〈中宮亮重家朝臣家歌合〉↓陰陽。②心がうわついて軽はずみなこと。「―のやからの褒むればとて、神妙の人の誹るには替へ難し」〈評判・難波物語〉

やうき ヨウ【楊器・様器】酒をつぎ入れるのに盃の代りに使った道具か。「銀(しろがね)の―、瑠璃の御盃、瓶子(へいじ)は紺瑠璃なり」〈源氏宿木〉。「行器、ヤウキ」〈色葉字類抄〉

やうきう ヨウキュウ【楊弓】平安時代の小弓(こゆみ)が定式化した弓術。坐ったまま、二尺八寸の弓で九寸の矢を七間半先の的に射る。室町時代公家に行なわれ、近世、賭物として庶民に流行し、後期には、矢取り女を客寄せに使った楊弓場が多くできた。「於晩に御―あり」〈言国卿記文明六・三・一九〉。「楊弓、ヤウキウ、小弓也」〈伊京集〉

やうけ【家請】店借(たながり)の請人。家主に対して、店借人の身もと、店賃の支払い、家屋明渡しの場合などの保証責任を負う者。「浪人の死骸請け取る身は―」〈雑俳・うたたね〉

やうごとな・し『形ク』「やむごとなし」の音便形。「なにの―・ききは(尊イ身分)にもあらず」〈和泉式部日記〉

やうじ ヨウ【楊枝・楊子】①楊(やなぎ)の枝。人の病気を直し、また、人に害を与えるためのまじないに使われた。「―を取りに枝にのぼる時錫杖を錫杖に立つ」〈霊異記上二六〉。「〔奥方ノ死ハ〕人の仕りたる事にこそあべけれ、御前の御座の下などを御覧ぜば―にて〔呪イノ形ヲ〕なん置きたると〔夢ニ〕見え侍りつるなり」〈栄花後悔大将〉②歯を磨き、口中を清潔に保つための道具。楊の枝や竹などの棒の先をこまかにほぐして房状としたもの。仏家では浴室で身体を清浄にする七物の一。「〔浴室デ〕七つの物を用ゐるといふは、薪(たきぎ)と清き水と…こまやかなる灰と―と帷(かたびら)となり」〈三宝絵下〉③つまようじ。「食後(じきご)の菓子まで至極せめくひて―使ふに」〈梵舜本沙石集三ノ八〉 **―みせ**【楊枝見世】房楊枝・五倍子(ふし)を売る店。近世後期、浅草寺境内に多く、看板娘を揃えて繁昌した。楊枝屋。「口説かれて虚空に削る―」〈雑俳・万句合明和四〉 **―やのさる**【楊枝屋の猿】楊枝屋の店先に看板として出した、木像の猿。猿は歯が白いので看板にしたという。「〔楊枝〕経〔ノ〕徳に依って〔置ク〕―」〈俳・投盃〉

やう・じ ヨウ【養じ】『サ変』養いそだてる。「子に縁のなからむ者は人の子をも―・ずまじきものらし」〈曾我三〉

やう・じ ヨウ【瑩じ】『サ変』瑩貝(ようがい)で絹などをこすり、つやを出す。すりみがいて光らせる。「青く裏―・じたる絹袴著て」〈栄花玉飾〉

やうす ヨウ【様子】《唐音》①様式。形式。「仏衣の―を明らむる事も、ただ祖門のみなり」〈正法眼蔵伝衣〉②ありさま。状態。「荒れはてたる―なり」〈錦繍段鈔五〉③なりふり。容姿。「此の―をば目利きなされませい」〈狂言記・吟じ聟〉④事の次第。事情。子細。「泣く泣くしかしかの―を申されたり」〈伽・愛宕地蔵之物語〉 ⑤けはい。きざし。兆候。「もしまた御なかに—が出来たらば(妊娠シタラ)」〈西鶴・一代男二〉 **—もの**【様子者】器量・身なりのすぐれて美しい者。立派な風采の者。「風儀のっしりとして—」〈評判・山茶やぶれ笠〉

やうだい(ヨウ)【様体】《一見してわかる物の外形。平安時代には多く、人の体つきにいう。後には、物の全体的な恰好・様子。また、物事の状況・事情》 ①からだつき。「—・かしらつきなまめきて、装束、ありさま、いとはなやかに」〈源氏紅葉賀〉。「ほのかなれどそびやかに臥し給へりつる—のをかしかりつるを」〈源氏螢〉 ②物の恰好。様子。「色濃く咲きたる木の—うつくしきが」〈大鏡昔物語〉 ③物事の状態・事情・具合。「事の—は…よのつねの東宮のやうにもなく」〈大鏡師尹〉 ④やり方。作法。「御餞(はなむけ)の—談合に越し候」〈家忠日記文祿二・八・二五〉 ⑤大袈裟に派手にすること。もったいぶること。きどること。「桜木(遊女ノ名)…あまり—過ぎて憎らしく見え侍るなり」〈評判・吉原人たばね〉

やうち【家内・屋内】家の中。また、家の者。「—の男子を見苦しく捨て置いたりと言はれては、かばねの上の恥ぞかし」〈説経・伍太力菩薩〉。「明六つの鳴る迄、—是を嘆き悲しむ一念の外へは行かぬ筈や」〈西鶴・椀久二世下〉。〈日葡〉

やうちん(ヨウ)【永沈】《呉音》 ①地獄の一。「一百三十六地獄、無間・叫喚・阿鼻・—」〈浄・盛久四〉 ②浄土双六で、一度堕ちれば二度と出て来られない場所。転じて、二度と浮かび上がれないことのたとえ。「浄土双六を打ちけるに、—へ堕つるも有り、餓鬼道へ行くも有り」〈咄・初音草咄大鑑二〉。「年貢の方に蚊帳も—」〈俳・糊飯篦後集五〉

やうづ(ヨウズ)【羊頭・陽吹・南風】 ①南東風。春の、雨を催す風をいう。秋吹くのは「おしゃな」という。「—頻りに吹き出て、舟の行くこと矢の如くなりし」〈三藐院記文祿三・四・一八〉 ②《なまぬるい意で》 愚か者。「悪人方の—のやうに見えてをかしく」〈評判・二挺三味線京〉

やうでう(ヨウジョウ)【横笛】横笛(よこぶえ)。「腰より—取り出し、ちっと鳴らいて」〈平家六・小督〉 ▽漢音ならばワウテキであるべき語。ワウテキが「王敵」と同音になるのを忌避した発音であるという。

やうめいのすけ(ヨウ)【揚名の介】《「揚名」は平安時代以後行なわれた、名称だけで職務も俸祿もない官。「介」は二等官》 名目だけの国司の次官。「—なる人の家になん侍りける」〈源氏夕顔〉。「—に限らず揚名の目(さくわん)といふものもあり」〈徒然一九八〉

やうめいもん(ヨウ)【陽明門】平安京大内裏の外郭十二門の一。東面の門。「近衛御門(このゑのみかど)」とも。「皇后宮とは—の院におはします」〈栄花晩待星〉

やうやう(ヨウヨウ)【様様】 さまざま。いろいろ。「えせ受領のむすめなどさへ…さまことさらび心懸想したるなむ、をかしき—の見物なりける」〈源氏葵〉。「この世の念仏の義は—に変りあうて候ふめれば」〈末燈抄〉

やうやう(ヨウヨウ)【漸う】『副』《ヤヤ(稍)の転。ヤウヤク(漸)の音便形ともいう》 ①次第に。だんだん。「日も—暮れぬれば」〈大和一七三〉。「—天の下にもあぢきなう人のもてなやみぐさになりて」〈源氏桐壺〉 ②おもむろに。徐徐に。「〔女ハ〕—起きゐて〔遊ビ物ヲ〕見給ふ」〈源氏若紫〉 ③やっと。ようよう。かろうじて。「—にかたきを滅ぼして天下を治することを得たりき」〈平家九・樋口被討罰〉。「粮食あたふるものなくして—日数を送れり」〈著聞三七〉 **—く**【漸うく】『副』《ヤヤク(稍)の転》 次第に。おもむろに。「稍(やうやう)く手を曲(かが)めて徐(やうやう)く分く」〈般若心経疏永久点〉

やうやう・し(ヨウヨウシ)【様様し】『形シク』 様子ありげだ。子細ありげだ。もったいぶった風だ。「荒れたる堂の大きに—・しきが見えければ怪しくて」〈無名抄〉。「重くふるまへば、かへりて人の—・しく思ひて」〈六波羅殿御家訓〉

やうやく(ヨウヤク)【漸く】『副』《ヤヤク(稍)の転。ヤクヤクの音便形ともいう》 ①次第に。だんだん。「年代—遠くして今唯、故基のみあり」〈三蔵法師伝三・院政期点〉。「年も—老いにけり」〈今昔二六ノ五〉 ②ゆっくり。そろそろ。「ある人、弓を張り箭(や)を捻(と)りて—行きて、視(み)うかがひ」〈地蔵十輪経三・元慶点〉。「守、鈍き刀をもって—経清(つねきよ)が頸を斬りつ」〈今昔二五ノ一三〉。「徐、ヤウヤク」〈名義抄〉 ③やっと。かろうじて。「跡からおったてられて踏みとめべいと思へども、ならないで、—榎にとっついてとまった」〈雑兵物語下〉

やうら【彌占・八占】いろいろの占い。「百積(ももさか)の舟隠り入る—さし母は問ふともその名は告らじ」〈万二四〇七〉

やうらく(ヨウ)【瓔珞】珠玉を連ねた飾り物。もと、インドの貴族の装身具。仏像や天蓋(てんがい)などに飾りとして懸ける。「観音・勢至、同じく金色にして、玉の—を垂れたり」〈栄花玉台〉

やうりうくゎんおん(ヨウリュウ・カンノン)【楊柳観音】《慈悲深くて、楊柳の風に靡くように衆生の諸願に従う観音の意》 三十三観音の一。右手に柳の枝を持ち、左手を左乳上に当てている形の、病苦消除を本誓とする観音。楊柳観世音菩薩。「朽木の柳忽ちに—と現れ」〈謡・遊行柳〉

やうれ『感』「やおれ」に同じ。「—おれらよ、召されて参るぞ」〈宇治拾遺七二〉

やおもて【矢面】敵の矢の飛んで来る真正面。「一人当千の兵(つはもの)ども、我も我もと馬の頭を立て並べて、大将軍の—にふさがりければ」〈平家二・嗣信最期〉

やおれ『感』《ヤとオレとの複合。オレは二人称の卑称》 やい、お前。おいこら。「あやしく覚えて、—と言へば」〈十訓抄七ノ三二〉。「—、畜生の分に、女なりとて人をあなどる」〈仮・御伽物語三〉

やか【宅】建物のある一画。やけ。「—の辰巳(たつみ)のすみの崩れ、いとあやふし」〈源氏東屋〉

やか『接尾』《奈良時代に、柔らかな感触を表わす接尾語ヤがあって、ニコヤ・ナゴヤ・タワヤ・フハヤなどと擬態語の下に使われた。さらにその下に、目に見える状態の意から転じた接尾語カを加えて成立した語》 ①《擬音語・擬態語を承けて》 感じとして…であるさま。見た印象として…らしいさま。「しづ—」「さは—」「しめ—」「こま—」「そび—」「つづ—」など。「地を皆、沃(るう)ひ壌(こまやか)にあらしめむ」〈金光明最勝王経平安初期点〉。「あなうたて。このひとのたを—ならましかばと見ゆかし」〈源氏帚木〉 ②《名詞を承けて》 いかにも…の感じがするさま。いかにも…らしいさま。「房—」「きは—」「つや—」「あて—」など。「紫のしみ色の蘿(かづら)はな—に今日見る人に後恋ひむかも」〈万二九九三〉。「いとにほひ—に、うつくしげなる人の、いたう面やせて」〈源氏桐壺〉 ③《形容詞(多くはク活用)の語幹を承けて》 《形容詞のような直截的な断定を下すことを避け、それを柔らげて》…の感じであるさま。この用法は使用例が少ない。「あを—」「たか—」「ちか—」「をかし—」など。「なぎさにちひさ—なる舟寄せて」〈源氏明石〉 ▽類義語ラカは、音のするさま、…という(見た目の)状態、の意を表わし、古くはヤカとは相違していた。もともと奈良時代に、耳に聞く音のさま、目で見る物のさま、を表わす接尾語ラがあって、カワラ・ヤララ・ツブラ・ハダラ・アカラ・ウスラなど、擬音語・擬態語及び形容詞語幹の下についてラカが成立した。ヤカもラカも、その下に、ナリを伴って形容語として働く。すでに奈良時代には「はなやかに」「つばらかに」などの例があるが、平安時代初期から中期にかけてヤカ・ラカによる形容語は盛んに作られ、漢文訓読体・和文脈の両方に例が多い。ヤカとラカは、承ける語幹を異にするのが原則で、例えばニコヤカはニコラカとならず、ツブラカはツブヤカとはならないが、ヤカとラカの意味上の区別は平安中期に至っては次第に明確でなくなる。平安中期以降はヤカ・ラカに代って接尾語ゲが広く使われるようになり、鎌倉時代の軍記物語などでは、ヤカ・ラカを含む語の使用は激減した。

やかう ウ:コ【夜行】❶《ヤギヤウとも》①夜出歩くこと。よありき。よるありき。「父母、—を恐れて、強(あながち)に制し給ひければ」〈今昔一四ノ四三〉②夜の見廻り。夜間の巡視。「外衛・非違使等に仰せて、今夜より—せしむ」〈貞信公記天慶三・二・二八〉。「あやしき下衆(げす)をのみ参らすれば、—をだにえせぬに」〈源氏浮舟〉。「勅有りて、夜京中を巡りて、—することありけり」〈今昔一七ノ三五〉③夜遊び。「禅師はまだきに(マダ年端モユカナイノニ)—好むめり」〈梁塵秘抄三六六〉④「百鬼夜行(ひやくきやぎやう)」に同じ。「路のほどなどに、—の夜なども、おのづからありあふらん」〈栄花初花〉⑤暦で、百鬼が夜行するとして夜の外出を慎む日。百鬼夜行日(にち)。「暦を見給ひければ、—にその夜当りけるとぞ」〈打聞集〉❷夜、狩りに出ること。特にタヌキ狩りなどに出ることをいう。「そこなる人、ただ一人—に出でたり」〈仮・御伽物語二〉

やがかり【矢懸り】射る矢の届く所。「—ならんずるに、何事ありとも射外すまじき物をと思ひければ」〈太平記三・広有〉

やかず【矢数】①的に当った矢の数。「—五に過ぎず」〈小右記長和二・二・二二〉②「大矢数(おほやかず)」(1)に同じ。「三十三間の堂の後の縁にて—を射るなり」〈仮・京童三〉。「尾州家人星野某の—。通し矢八千、惣矢一万余」〈山鹿素行年譜寛文九・五・二〉③《他の語の上について》他と競って、その数の多さで勝負をきめること。「—飲み」「—買ひ」など。「息災の自慢奈良茶の—喰ひ」〈雑俳・宝船〉

—ざけ【矢数酒】大矢数を真似て、数取りの小旗を立て、呑み干した酒の多さを競う遊戯。三十三間堂の一間に一つずつ盃を置き、片端から飲み干して、その数の多少を競う方法もあった。矢数飲み。「十郎兵衛が—」〈評判・難波の顔二〉

—はいかい【矢数俳諧】俳諧形式の一。弓術の大矢数の形式に真似て、一昼夜(暮六つより翌暮六つまで)、または一日(明六つより暮六つまで)の内に、独吟で句数の多さを競う俳諧興行。延宝五年西鶴が千六百句独吟したのが初めで、以後貞享元年の西鶴の二万三千五百句まで数回行なわれ、近世中期にも二、三興行された。初め大句数といった。「一千六百韻を綴りて—と号する由」〈俳・紀子大矢数序〉

やかぜ【矢風】矢の飛ぶ勢いで生ずる風音。「かたがた存ずる旨あれば疵はつけ申さじ。—ばかりひかせ奉って肝をつぶさせ申さん」〈保元中・白河殿攻め落す〉

やかた【屋形】①舟・牛車・腰車などの上に設ける家の形をした覆い。「沖つ国うしはく君が塗り—黄(に)塗りの—神が門渡る」〈万三八八八〉。「御船に—などして」〈俊頼髄脳〉②形ばかりの家。仮り屋。「水ぐきのをかの—にいもとあれと寝ての朝けの霜の降りはも」〈古今一〇七二〉。「程せばき—の軒をさし継ぎて」〈菟玖波集五〉③貴人・大名などの屋敷。また、その貴人・大名など。「佐殿(すけどの)の—新しく造りて、未だ門をば立てられず」〈盛衰記三九〉。「(石清水ヨリ)下向する程に、七条朱雀にて、ある—に具足せられて、年比(としごろ)になりて栄えけるとかや」〈古今序注〉。「—はなはだ悲しみ給ふ」〈江源武鑑二〉

—ぶね【屋形船】家の形をした覆いを設けた大形の船。多くは遊山用。「宇治院禅室用ゐらるる所の—」〈小右記治安三・一・二九〉

—まち【屋形町】武家屋敷の建ち連なっている町。武士だけが住んでいる町。屋形町(ちやう)。「国国の城下には程程に—あり」〈俳・類船集五〉

—を【屋形尾】鷹の尾の模様。尾の斑(ふ)の形が軸の方から見て八文字の形になっているものか。「—のま白の鷹を屋戸に据ゑかき撫で見つつ飼はくしよしも」〈万四一五五〉

やがため【屋固め・屋堅め】家を建築する時、柱立てに当って、工事の無事完成を祈る儀式。「—なんど、諸外典の府に、急急如律令と書くは何ぞ」〈壒嚢鈔五〉。「屋堅、ヤガタメ、家屋祈念」〈文明本節用集〉

やがて【軈て】『副』《二つの動作や状態の間に何の変化も時間的距りもない意が原義。そのままにの意から、さながら、他ならぬの意。時間的には、間もなくの意》①続けてそのまま。「立ちぬる人〔ノ帰リ〕を待ちて〔歌ヲ〕よまむとて、求めけるを、夜更けぬとにやありけむ、—〔ソノ人ハ〕去(い)にけり」〈土佐一月七日〉。「何事も用も無しとて薬もくはず、—起きもあがらで病みふせり」〈竹取〉②すぐさま。即座に。即刻。「ひと声に—千鳥と聞きつれば世世も尽くさん数も知られず」〈かげろふ中〉。「時政、—人をつけてその辺りを窺はせける程に」〈平家一二・六代〉③さながら。全く。「衣河の尻、—海の如し」〈今昔二五ノ九〉④他ならぬ。まさに。「中将ばかりなる人、院に親しく仕うまつりなれて、家も—そのわたりにあれば…心にかけて仕るを」〈増鏡一二〉⑤間もなく。「閏四月二十五日后宣旨かぶらせ給ふ。御年三十九。—みかど生み奉り給ふ」〈大鏡村上〉。「『さらばさらば、——』とのたまひて、振り切り、立ち出で給ひけり」〈評判・露殿物語〉

やがはえ【彌木栄】いよいよ茂り栄える木や枝。「—なす来入り参来(く)れ」〈記歌謡六三〉 †yagaFaye

やかま・し『形シク』《イヤ(彌)カマシ(囂)の転》①騒騒しくうるさい。「ともかくも言はば、いよいよ—・しく、近きあたりの人人、立ち聞かんも恥づかしければ」〈伽・鏡男絵巻〉②わずらわしい。「諸道具の取り置きも—・しきとて」〈西鶴・永代蔵二〉

やから【族】《ヤは家、カラは血縁の集団の意》①一家の親族。一族。「—どちい行きつどひ」〈万一八〇九〉。「族、ヤカラ・タネ」〈名義抄〉②ともがら。仲間。「かたへを欺きて其の祿を望む—をば深く退くべし」〈十訓抄一序〉

やがら【矢柄・箭柄】矢の幹。「—をば抜きて、征箭(そや)の身の限りを穴に深く打入れたりければ」〈今昔二七ノ三〉

—もみ【矢柄揉】紙を矢柄で揉んで皺模様を付けること。また、その皺をつけたもの。「弓手妻手(ゆんでめて)作る紙子や—」〈俳・藪香物四〉

やからがね【八打鉦】「はっちゃうがね」に同じ。「—の六十六部」〈北野社家日記天正一三・六・二五〉

やかん【野干】狐。「汝、前生に—の身を受けて」〈今昔一四ノ三〉。〈色葉字類抄〉

やき【八寸】馬の丈(たけ)をあらわす語。前足の先から肩までの高さが四尺八寸もある見事な馬。「〔引出物トシテ〕侍従の君に鶴斑(つるぶち)なる馬の長(たけ)—ばかりなる一」〈宇津保吹上上〉 ↓き(寸)

や・き【焼き】㊀《四段》《物に直接火をあて、熱を通す意。類義語アブリ(炙)は、物の表面に炎や熱気をあてる意。コガシは、物に熱をあてて、炭化させる意》①火をつけて燃やす。「面白き野をばな—・きそ古草に新草まじり生(お)ひは生ふるがに」〈万三四五二東歌〉②燃やして、灰にする。「屍を焚(や)き骨を収め」〈大唐西域記四・長寛点〉。「唐の太宗皇帝は、鬚(ひげ)を切って薬に—・き、功臣にたまふ」〈平治上・信頼信西不快〉③火にかけ、熱して水分をとる。「志賀の白水郎(あま)の塩—・く煙風を痛み立ちはのぼらず山に棚(たな)引く」〈万一二四六〉。「岩の上(へ)に小猿米—・く」〈紀歌謡一〇七〉。「焚、保須、阿夫留、又、也久(やく)」〈新撰字鏡〉④灸をすえる。「医師(くすし)にいひあはせて—・かむとするが」〈隆房集〉。「前四つうしろは一つ—・くを見よ」〈俳・守武千句〉⑤《比喩的に》心・胸などを熱くする。胸を焦がす。「冬ごもり春の大野を焼く人は焼き足らねかもわが情(こころ)—・く」〈万一三三六〉⑥〔遊里語〕相手の喜ぶようにうまく言う。「人を—・くこと上手也」〈評判・剃野老〉。「問ひて曰く、—・くといふ言葉はいかに。答へて曰く、身もこがるるといふ心なり。また、おきに入るといふ心か」〈評判・吉原雀下〉⑦やきもちをやく。嫉妬する。「—・く亭主段段懇意薄くなり」〈雑俳・万句合明和六〉㊁《名》刀の刃を焼き、水に冷やして鋭く堅くすること。また、その刀。「はて見事な—で御座る」〈虎寛本狂言・長光〉 †yaki

やぎ【楊】《「楊」の字音yangの末尾に、母音iを添えて、ヤギとしたもの》ヤナギ。「うらも無くわが行く道に青—の張りて立てれば物思ひ出つも」〈万三四四三〉 †yagi

やきいし【焼石】体を温めるために、火に焼いて綿や布に包んで身につける石。温石(をんじゃく)。「翁、—包みて持て来たるを」〈落窪二〉。「砭、ヤキイシ」〈色葉字類抄〉

やきいひ ィィ**【焼飯】**焼いた握り飯。やきめし。〈日葡〉

やきがね【焼金・焼鉄】刑罰のため、または標識の焼じるしをつけるため、人や牛馬の皮膚に熱した鉄などを押し当てること。また、それに用いる具。「火印は—ぞ」〈清原業忠貞永式目聞書〉。「牢に押し入れ、水を飲ませ、首金(くびかね)にてくくりしばり、—を当て候ふ事は」〈朝鮮日日記〉

やきかへ・し ヵェ**【焼き返し】**《四段》①一度焼いたものを再び焼く。「古への志津(しづ)の脇指—・し昔の如く指すよしもがな」〈長斎遺艸〉②染め直す。染め返す。「染め返し—・しても袖の色」〈俳・大矢数三〉

やきぎり【焼桐】桐材の表面をこがし木目(もくめ)を出したもの。「扇子五本入り—の箱持参す」〈隔蓂記寛文七・三・五〉

やきくさ【焼草・焼種】①焚つけに用いる枯れ草。「埋め草を以て堀を埋め、—を積んで櫓(やぐら)を落さんとしける時」〈太平記一七・山攻〉②おだててだます種。「智恵も芸能も美男も、心の味だても、みな傾城の—の種となりて、我が身のための仇となる事也」〈評判・難波物語〉

やきごめ【焼米】⇒やいごめ。「糒、夜木古女(やきごめ)」〈和名抄〉

やきしほ ォシ**【焼塩】**素焼の壺に入れて蒸焼にした純白の食用塩。「—ばかりの一飯をも施すことは稀にして」〈伽・鴉鷺物語〉。〈日葡〉

やきたち【焼大刀】 **—の【焼大刀の】**〔枕詞〕焼き鍛えた大刀が鋭い意から「利(と)」に、身辺に添えるものの意から「へつかふ」にかかる。「—利心も吾は思ひかねつも」〈万四四七九〉。「—へつかふことは幸(さき)くや吾君」〈万六四一〉 †ya-kitatinö **—を【焼大刀を】**〔枕詞〕磨(と)ぐ意から、同音をもつ地名「礪波(となみ)」にかかる。「—礪波の関に」〈万四〇八五〉

やきつけ【焼付】鍍金(めっき)。「御目貫、丸ノ内桐—」〈宗五大双紙〉

やきで【焼手】〔遊里語〕相手の喜ぶようにうまく言うこと。また、その言葉。「—の言の葉は戯けの鼻毛を読みて」〈評判・桃源集〉。「—は偽りごと也…焼くとは、おきに入るといふ心あり」〈評判・吉原失墜〉

やきとり【焼鳥】 **—に綜緒(へを)** 用心の上に用心を重ねることのたとえ。「城修理普請の儀も…—と一切申し付けず候」〈細川忠興文書元和六・三・一九〉

やきなほし ォシ**【焼直し】**①焼き直すこと。また、染め直すこと。また、そのもの。焼返し。「夕立の晴れて曇るや—」〈俳・鷹筑波五〉②古い作品に少し手を加え、新作と見せかけること。また、その作品。「〔俳諧ノ〕盗み句・—などを聞かせらるる胸の悪さ」〈滑稽・古朽木一〉

やきねずみ【焼鼠】あぶり焼いた鼠。狐狸を誘い捕る餌とする。「狐狸は—一つに釣られて命を失ふ」〈仮・為愚癡物語五〉

やきば【焼刃】刀の刃を焼き、打って堅くしたもの。「大刀の—こころみよとて、もって開きちゃうど打つ」〈沼田根元記〉

やきふで【焼筆】下絵をかくに用いる筆。檜などの細長い木片の端を焼き焦がしたもの。「野を写す—なれや土筆(つくし)」〈俳・毛吹草五〉。〈日葡〉

やきみそ【焼味噌】味噌をあぶり焼いたもの。貧乏神は焼味噌の匂いを好むという俗信があった。「湯漬を出し、—を添へて振舞はれよ」〈咄・醒睡笑二〉

やきもち【焼餅】①焼いて火を通した餅。「〔六文ノ銭デ〕—など買うて」〈伽・強盗鬼神〉②《「身を焦がす」の洒落》男女間の嫉妬。悋気。「—の妊(はら)うだはいや妊まぬは」〈俳・昼網上〉

やきもの【焼物】①魚肉や鳥獣の肉のあぶり焼き。「〔鹿ノ肉ハ〕煎り物にても甘(むま)し、—にても美(むま)き奴ぞかし」〈今昔三〇ノ三〉。「燔、アブリモノ・ヤキモノ」〈名義抄〉②陶器・磁器・土器の総称。「御音物として—下され候」〈梅津政景日記元和八・四・二〉③金属を焼いて鍛えた物。刃物。「もとは焼刃の—なれば」〈近松・用明天皇二〉

やぎゃう ギョウ**【夜行】**⇒やかう。〈文明本節用集〉

やぎり【矢切り】①飛んでくる矢を切り払い、切り落すこと。「それよりしてこそ—の但馬とはいはれけれ」〈平家四・橋合戦〉②忍び返し。「—の上へ勘兵衛尉乗り上り」〈太閤記三〉

やく【厄】①わざわい。また、人生において、わざわいに逢うとされる悪い年。厄年(やくどし)。「わが御身三十三にならせおはします。御—にまけたると覚ゆる。かかる目にこそあひたりつれ」〈問はず語り三〉。「厄、ヤク、十三・二十五・三十七・四十九・六十一・七十三・八十五・九十七、之を厄年と謂ふ」〈色葉字類抄〉②《誰でも一度はかかる災難であったのでいう》疱瘡。「お千代さんも、お—をなすったさうで御座ります」〈洒・世界の幕なし〉

やく【役】《呉音》①全体の中で自分が分担している仕事。役目。「物語の本ども添へつつ、所所に文書き配る、且つは綴ぢ集めしたたむるを—にて、明かし暮す」〈紫式部日記〉②夫役(ぶやく)。「二度まで—を掛けたらば、国は必ず亡ぶべきなり」〈孫子私抄〉③貨幣で納める税。「山中の関にて—をせよと言ふ」〈咄・醒睡笑七〉 **—に掛か・る** ①公儀から労役に徴発される。夫役を課される。「里人—・って」〈西鶴・新可笑記三〉②税を課される。「木の葉まで—・りて松の陰」〈俳・大矢数五〉 **—に指・す** ①役目を仰せつける。指命する。「君が代の—・されて諸職人」〈俳・大句数上〉②労役を課す。「毎日毎日—・さ

れ、植ゑる田も植ゑられず」〈近松・唐船噺上〉

やく【益】《呉音。中世以後はエキと漢音に言い慣らす》利益。効果。「〔罪ヲ苦ニシナガラ〕命終り侍りなば、何の―かは侍らむ」〈源氏薄雲〉。「愛欲はおのづから慈悲に似たる事もあれば、少し―ある方もあり」〈雑談集四〉

やくおとし【厄落し】厄払。また、その方法。社寺に参詣したり、節分の夜、明年が厄年の人は、年齢の数またはそれに一を加えた数の煎大豆を銭と共に包んだ物、または古ふんどしなどを路傍に捨てて乞食に拾わせたりする風習があった。「今日、厄を落さんため八幡に参るべきの由、吉阿に仰せ付け了んぬ。…―用途六百五十文」〈経覚私要鈔長祿三・一・一九〉。「京には―とて、年の数銭を包みて、乞食の夜行に落して取らする事を思ひやりて」〈宗長手記下〉

やくかい【厄害・厄介】①面倒なこと。迷惑なこと。「町に―残る山風」〈俳・蛇之助〉 ②生活の面倒を見ること。また、その世話される人。近世特に、当主の傍系親族で、その扶助を受ける者。「ヤッカイニナル」〈日葡〉

やくがひ【夜久貝】ヤコウガイの異称。殻をみがいて杯とし、また、螺鈿に使った。「はてては―といふ物して飲み立つ」〈枕一四二〉

やくぎ【役儀】役目。役務。「それぞれの―を承り」〈伽・七草草紙〉

やくざ【八九三】《三枚カルタの博奕(ばくち)で、八・九・三の目は無点になることから》つまらないこと。役に立たないこと。また、そのもの。後に、博奕打ちの意にも用いた。「玉磨かざれば光無し／光無きをば―と言ふ」〈雑俳・夏木立〉。「―。物を卑しめ、又は埒(らち)の無き事に云ふ。享保の始め、東国より流行り詞にて、諸国隅隅までよく渡り候」〈拾椎雑話一〉

やくさ・み『四段』《イヤ(彌)クサミ(臭)の意》病む。わずらう。体が臭くなる。病気の徴。「近者(このごろ)、朕(わ)が身不和(やくさ)む」〈紀天武、朱鳥元年〉

やくし【薬師】薬師如来。「等身の―一躰」〈平家一・願立〉　―**かう**【薬師講】薬師如来を祈念讃歎し、薬師経を読経・講説する法会。薬師経を百座に分けて一日一座のわりで講説する。「百座の―」〈平家一・願立〉　―**きやう**【薬師経】訳本が数種あるが、多くは玄奘訳の薬師瑠璃光如来本願功徳経の略称。一巻。薬師如来の本願・浄土・功徳を説く。「都下の四十八寺をして一日一夜に―を読ましむ」〈続紀養老四・八・二〉　―**だう**【薬師堂】薬師如来の像を安置する堂。「―の供養、例の事ども、えもいはずめでたし」〈栄花鳥舞〉　―**ぼとけ**【薬師仏】薬師如来。「院の御賀に嵯峨野の御堂にて―供養し奉り給ふ」〈源氏若菜上〉　―**にょらい**【薬師如来】東方浄瑠璃国の教主で、十二の誓願を立て、人間の現世的な欲望を満たし、病患を救うという如来。薬師瑠璃光如来。「―・八菩薩を添へて、極楽に送れ」〈栄花音楽〉　―**のほふ**【薬師の法】密教で、薬師如来を本尊として厄難消除を祈る法。薬師法。「壇に五色の幣を立て、―を行なひければ」〈虎明本狂言・釣狐〉　―**ゆび**【薬師指】くすり指。紅差(べにさし)指。「世話に、小指の次の指を―と云へり。又、紅差指とも云ふ」〈観今氏族之記〉

やく・し【約し】『サ変』約束する。「今三日を過ぎて来たれと―し給へ」〈今昔一六ノ一六〉

やくしや【役者】①ある役をつとめる者。「内陣御所開き例の如し。―、禅恵・明順」〈北野社家日記明応三・一・一〉。「―の備へも無うして油断したる処を」〈兵法問答〉 ②能楽・歌舞伎などを演ずる人。俳優。役人。「―を呼び集むる」〈咄・昨日は今日上〉 ③能楽で、特に、囃子方の称。「太夫よりは―を育て、―よりは太夫を守り立て」〈舞正語磨上〉　―**がさ**【役者笠】歌舞伎役者のかぶる編笠。「―深くかぶり」〈西鶴・嵐無常下〉　―**ぎはめ**【役者極】歌舞伎の座本が、毎年十一月に、来年十月までに出演すべき役者・囃子方などを決めて雇う契約をすること。「―小蝶の夢を取り立てて」〈俳・物種集〉　―**こども**【役者子供】歌舞伎の少年俳優。「惣じて、―の世の暮し、今日有って明日は雪の柳の如し」〈西鶴・一代男八〉　―**づけ**【役者付】①能・歌舞伎などで、上演種目・役割などを記した番付。「憎き物の品品…―に違乱云ふ芸者」〈仮・尤の草紙上〉 ②顔見世興行の時に出す、向う一年間に出演する俳優・囃子方・狂言作者などの名を位順に配列した番付。顔見世番付。面付(つらづけ)。極(きわまり)番付。「顔見世や人定まって―」〈俳・花道〉　―**ひやうばんき**【役者評判記】歌舞伎役者の容色・技芸を批評した書物。古くは容色の品評だけであったが、貞享・元祿頃から技芸の品評に重点が移り、元祿後期から、主として京・大阪・江戸三都の各座の評判に分け、年に一、二回幕末まで刊行された。「―の鼻祖(はじめ)にして」〈滑・客者評判記下〉

やくしゆ【薬種】薬の材料。生薬(きぐすり)。「紙には生薑を裹みて―と称し」〈菅家後集〉。「この反魂香の―に、むねと橘の木を入るる故に」〈古今集註〉

やくじん【疫神】疫病をはやらしてまわる悪神。行疫神(ぎやうやくじん)。「―を略(まひな)ひて、これを饗(あるじ)す」〈今昔二〇ノ一八〉。「案の如く、―この家に来たりけり。恐ろしきこと限りなし」〈八幡宮巡拝記下〉

やくそう【役送】神への供物や貴人の膳部を運んで、陪膳役に取り次ぐこと。また、その役。「内の御方、陪膳花山院大納言、―四条宰相・三条宰相中将」〈問はず語り三〉

やくたい【益体・薬袋】①きちんと整っていること。「大将が弱くして威勢なく、軍(いくさ)の下知も常に教へず、下下の奉行も次第なく、人数立ても―もなきを乱と云ふなり」〈孫子私抄〉 ②「益体無し」に同じ。「庭では下女が―の目が繋ければ、さもならず」〈近松・曾根崎心中〉　―**なし**【益体無し・薬袋無し】きちんとけじめが無く、振舞がでたらめなこと。埒もないこと。また、その人。「我と身を―や夏の虫」〈俳・発句帳三〉。「―。藪医師の一味一味の薬袋もなく、合薬にして、いづれの病にも与ふる也」〈世話用文章上〉

やぐち【矢口】矢で射られた傷口。「抜き捨つる―より流るる血は滝なって」〈近松・本朝三国志一〉

やくづき【厄月】陰陽道で、厄難に会うから、清め慎まねばならぬとする月。「十月御―、若(だけ)し忌ませ給ふべきか。吉平申して云はく、―慎み給ふべし。―忌ませ給ふべからずといへり」〈小右記寛仁三・八・五〉

やくづけ【役付】役者の役割。また、それを記したもの。役者番付。役人付。「明日の御能…―出る」〈わらんべ草五〉

やくと【役と】『副』もっぱら。そればかり。「家に酒を造り置きて、…―蜂に呑ませてなむこれを祭りける」〈今昔二九ノ三六〉

やくどし【厄歳・厄年】陰陽道で、厄難に会うから忌み慎まねばならぬとする年齢。普通には、男は二十五・四十二・六十一、女は十九・三十三・三十七といい、特に四十二・三十三を大厄とし、その前後の年も恐れ慎んだ。「―を慎む可きに依りて、〔官職ヲ〕辞退すること然る可からず」〈小右記寛仁四・一一・二九〉

やくにん【役人】 ①役目を持っている者。「—ぞ、〔道ヲ〕明けられよとて、押し分けて参る程に」〈平家三・公卿揃〉 ②官人。「—といふものは何としても垢たまるものなり」〈驢鞍橋上〉 ③役者。俳優。「さほど上手ならねども、其の—少なく、時に合ひて上手になる者あり」〈わらんべ草四〉

やくはらひ【厄払】 ①神仏に祈りなどして厄難を祓い落すこと。厄落し。「当年の—目出度候」〈北野社家日記慶長四・一・二五〉 ②節分の夜、祝言を唱え、鶏の鳴き真似をして厄を払い、金銭を乞い歩いた乞食。「—と言ふ者の歩くに」〈俳・山の井四〉

やくばん【薬盤】 薬種を刻む盤。〈堯空本節用集〉

やくび【役日】 「物日(ものび)」に同じ。「—は、毎月朔日・十五日・二十八日…其の外、月見・夷子講」〈評判・吉原失墜〉

やくびゃう【疫病】 流行病。疫病(えきびやう)。「徒らに—にや犯され候はんずらむ」〈日蓮遺文檀越某御返事〉。〈文明本節用集〉 **—がみ【疫病神】** 疫病を流行させるという悪神。疫神。また、人人に嫌われる者。「我等方にても—を逃れし奇談あり」〈宮川舎漫筆三〉 **—の神にて敵(かたき)を取・る** 疫病神が敵をとり殺す意で、自分では何もしないで、意外な好機に恵まれて目的を達するたとえ。「俗語に—・ると言へり」〈諸家評定三〉

やくほう【薬方】 薬の処方。「—を知る事なく、長病疲極を済(すく)ふ事なく」〈喫茶養生記下〉

やくみ【薬味】 ①調合薬の各成分。薬種。「打身の薬に狸薬といふあり。—、狸を入るるにもなし。狸の教へし故にその名に呼べり」〈仮・御伽物語三〉 ②味覚を刺戟して食欲を促す香辛料。七色唐辛子・胡椒・ネギなどの類。かやく。からみ。「〔客ノ〕御出を待つは唐崎—の品と、奇麗に致し」〈ひろふ神〉

やくも【八雲】 **—さす【八雲さす】**〔枕詞〕《サスはタツの子音交替形》「やくもたつ」に同じ。「—出雲の子ら」〈万四三〇〉 **—たつ【八雲立つ】**〔枕詞〕いよいよさかんに雲が立ち出る意から地名「出雲(いづも)」にかかる。「—出雲八重垣」〈記歌謡一〉 †yakumotatu **—のみち【八雲の道】**《上代の歌謡「八雲立つ出雲八重垣妻ごみに八重垣作るその八重垣を」が和歌のはじめとされているところから》和歌の道。歌道。「雲居より馴れ来たりて今も—に遊び」〈続古今序〉

やくやく【徐徐く・稍く】『副』《ヤウヤクの古形か》次第次第に。そろそろ。「みちのくの梓の真弓我がひかば—寄り来(こ)忍び忍ぶに」〈神楽歌(重種本)一七〉

やくやくと【役役と】『副』もっぱら。専一に。「生きたる猿丸をとらへて明け暮れは〔飼犬ニ〕—食ひ殺させて習はす」〈宇治拾遺二ノ九〉

やぐら【矢倉・櫓】 ①城門・城壁・要害の地など、高所に設けた建物で、物見・指揮または防戦の足場としたもの。「家に郎等二三十ばかり置きて、少少を—に登せて遠見をせさせて」〈今昔二五ノ五〉。「櫓、夜久良(やぐら)」〈和名抄〉 ②演芸・祭礼の出し物や火の見などの用に供するため、一段と高く設けた構築物。「摂州勢員(ずか)を尽して上洛す。—に登りて見物し了んぬ」〈十輪院内府記文明一八・四・一〉 ③歌舞伎・人形浄瑠璃などの劇場正面入口の屋上に高く構えた所。座元の紋を染めた幕を張り廻して官許の証とし、五本の槍や采配を立て、櫓太鼓を打った。「芝居門外闌上に高く床を設け、外に幕を張る。其の体城楼に似たり。故に—と称す」〈雍州府志八〉 **—だいこ【櫓太鼓】** 劇場で、開場・閉場のしるしとして櫓で打つ太鼓。「あな賢きも、—のうつけた衆も」〈評判・役者評判蚰蜒〉

やくれい【薬礼】 投薬の礼として医師に贈る金銭。薬代。薬料。「—を下されい」〈虎寛本狂言・雷〉

やくわうぼさつ【薬王菩薩】 二十五菩薩の一。過去世に星宿光長者と称し、大悲の薬術によって一切衆生の身心の病苦を癒やし、未来世に成仏して浄眼如来となる菩薩。「—は、法花経に力いれたまへることは、こと菩薩にもすぐれたまへる菩薩なり」〈百座法談聞書抄〉

やくゎん【薬罐】 ①薬を煎じる容器。土瓶(どびん)に似て、銅または真鍮製。後には湯わかしにも使用された。「甘露寺より—を送らる」〈実隆公記文明一七・七・六〉 ②「薬罐頭」に同じ。「なぶらるる——と兀(はげ)頭」〈雑俳・西国船〉 ③《他の語に冠して》熱しやすく冷めやすいこと。「—道心」など。「思ひかけ胸わきかへる—恋やがてさめてぞねをや鳴くらん」〈玉吟抄〉 **—あたま【薬罐頭】** 薬罐の尻のように滑らかな禿頭。「—鍋島の月や負(おひ)に打つ」〈俳・松島眺望集下〉

やぐゎん 腹を立てること。立腹。「汗を拭ふて又—云ふ」〈俳・若葉合〉。〈日葡〉 **—じん【やぐゎん人】** おこりっぽい人。〈日葡〉

やけ【宅】 ⇒やか。「宅、ヤケ」〈運歩色葉集〉

や・け【焼け】 〔一〕『下二』《ヤキ(焼)の自動詞形》①(火をつけられて)燃える。焼失する。「大君の王子(みこ)の柴垣八節(やふ)結(じま)り結(しま)り廻(もとほ)し切れむ柴垣—・けむ柴垣」〈記歌謡一〇九〉。「皮衣は火に焼かんに—・けずはこそまことならめ」〈竹取〉 ②(日照りで)水気が枯れる。「水を人に施せるによりて、すでに我が田—・けぬ」〈今昔二〇ノ四二〉。「伊予の国はことのほかに—・けて、国のうちに水たえて」〈俊頼髄脳〉 ③(熱せられて)あつくなる。「筧(かけひ)の水をまかせたれば、石や鉄(くろがね)なんどの—・けたるやうに、水ほどはしって寄り付かず」〈平家六・入道死去〉 ④(火を浴びて)黒こげになる。「人の—・け死ぬること数百人、牛馬の類は数を知らず」〈平家一・内裏炎上〉 ⑤《比喩的に》胸があつくなる。思い焦がれる。「網の浦の海処女(あまをとめ)らが焼く塩の、思ひそ—・くるわが下ごころ」〈万五〉 ⑥(食べ過ぎたりして)胸のあたりがつかえてあついように感じる。「ただ今日のもてなしの餅を食ひ過して、胸の—・くるが苦しい」〈咄・醒睡笑六〉 〔二〕『名』①朝やけ、夕やけの類。〈日本風土記〉 ②思うようにならぬため、むちゃくちゃな行いをすること。やけくそ。すてばち。「ふすふすとふすべあひたる口舌には揚句に—のおこる物かよ」〈銀葉夷歌集七〉 †yakē

やけいし【焼石】 **—に水掛・く** 焼石に水を掛けても冷やせないように、少しも効果のないたとえ。「—・くると世話に云ふぞ」〈玉塵抄四三〉

やけづら【焼面】 焼けただれた顔。また、その人。「夫(つま)になして、おのれがやうなる—を、何にかせん」〈伽・高野物語〉

—火に懲り・ず 前にした失敗に懲りず、再び同じ過ちをするたとえ。「さてさて—・ず、性も懲も無き愚人めかな」〈浄・千載集二〉

やけとま・り【焼け止まり】『四段』色遊びをやめる。色狂いを思いとまる。「何時まで色道の中有に迷ひ、火宅の内の—・る事を知らず」〈西鶴・一代男八〉

やけののきぎす【焼野の雉子】 巣のある野を焼かれたキジが、自分の焼け死ぬのも忘れて子を救う意で、親が子を思う情の深く強いたとえ。「—、夜の鶴、梁(うつばり)の燕も皆子故こそ物思へ」〈謡・唐船〉

やけぼこり【焼ぼこり】 火事で焼けて、かえって盛大になること。やけぶとり。「若草や飛火の野辺の—」〈俳・沙金袋二〉

やげん【薬研】漢方薬の薬種を粉にひくのに用いる金属製の器具。舟形で細長い台の凹んだ部分に薬種を入れ、上に取り付けた車を廻して押し砕く。「〔貝香ヲ〕ーにて下ろし、粉(こ)にする」〈むくさのたね〉 **ーぼり**【薬研堀】薬研のように、V字形になった底の狭い堀。「ーの底狭(そこせば)なるが中へ、かっぱと飛び下り」〈伽・秋夜長物語〉。〈日葡〉

やごつな・し《形ク》「やごとなし」の転。「さすがにー・き所の衆どものすることなれば」〈宇治拾遺三一〉

やごとな・し《形ク》《ヤムゴトナシの転》身分・格式などが高い。「さてもー・き山居(さんきよ)の善人たち」〈こんてむつすむん地一〉

やごろ【矢比・箭頃】矢を射当てるのに手ごろな距離。矢の有効射程距離。「汝馳せ行きて、ーを去りて、盗人に云ひ懸けて返り来たるべし」〈今昔一九ノ三五〉

やごゑ【や声】「や」という掛声。「太刀の鐔音(つばおと)止む時なく、ーを出してぞ戦ひ合ひたる」〈太平記一九・青野原軍〉

やごゑのとり【八声の鳥】鶏。夜明けにたびたび鳴くのでいう。「思ひ兼ねこゆる関路に夜を深みーに音をぞ添へつる」〈千載九四五〉

やさ【優・艶・風流】しとやかで美しいこと。優美。風流。「ーな男(をのこ)がしなせぶり」〈浄・大友の真鳥四〉。「其の時も数多ーの女も有りしに」〈俳・女歌仙〉

やざいかざい【屋財家財】財産のすべて。一切合財。ありたけこたけ。「野暮(やぼ)の取りん坊は、ー質種(しちぐさ)にあげ」〈評判・三幅一対〉

やさいんじゃ【艶隠者】市中に隠れ住んで、自然を楽しみ詩歌を作って生活する風流人。「蘭の香や名は埋れぬー」〈俳・心葉〉

やざう【彌蔵】①近世、男の奉公人の通名。「出替りにー頬髭したり高給銀」〈俳・加賀染上〉②懐手して拳をつくり、衣を突き上げる恰好。近世後期、江戸でいう。「握拳のーで額際をこすらうとする」〈滑・浮世床初上〉

やさか【八尺】《サカは長さの単位》長いこと。大きいこと。「魂(たま)合はば君来ますやと、我が嘆くーの嘆き」〈万三二七六〉 **ーどり**【八尺鳥】〔枕詞〕大きく長い息をする鳥の意から「息づく」にかかる。「沖に住も小鴨(をかも)のもころー息づく妹を置きて来ぬかも」〈万三五二七東歌〉 **ーに**【八尺瓊】大きな玉。「ーの五百箇(いほつ)の御統(みすまる)を以て、其の髻鬟(みいなだき)及び腕(たぶさ)に纏(まつ)け」〈紀神代上〉 **ーにのまがたま**【八坂瓊曲玉・八尺瓊勾玉】①非常に大きな玉で作った曲玉。「此の神迎へ奉りて瑞(みづ)のーを進(たてまつ)る。故、素戔嗚尊、其の瓊玉を持ちて天上に到(まう)づ」〈紀神代上〉②三種の神器の一。天の岩戸の変に神神がアマテラスオホミカミに献り、天孫降臨の時、ニニギノミコトに授けられ、皇位のしるしとして伝えてきたという。「ーと八咫鏡(やたのかがみ)と、草薙剣(くさなぎのつるぎ)との三種(みくさ)の宝物を賜ふ」〈紀神代下〉

やさがうま【彌三が馬・屋三が馬】そしらぬ顔をするさま。冷淡な態度を取ることをいう。「娑婆で見た彌二郎」と同意。「やさうが馬」とも。「屋三馬、ヤサガムマ」〈書言字考〉

やさかた【優形・優方】しとやかで美しい容姿。また、容貌・気立て・振舞などが優美なさま。「見れば思ひの増す鏡、うつる心のーに」〈伽・藤袋〉。「下京辺に心ーな御方が御座る」〈狂言記・萩大名〉

やさき【矢先・矢前・箭鋒】①矢の先端。やじり。「たとへ鉄(くろがね)をのべたる楯なりとも、かれがーには叶ふべからず」〈保元上・官軍勢汰へ〉。「ーを揃へて、さし詰め引き詰め散散に射る」〈平家四・橋合戦〉。「鏃、ヤサキ・ヤジリ」〈名義抄〉②やはず。「筈・栝、ヤハズ・ヤサキ」〈名義抄〉③矢の飛んで来る方向。矢面。「三方は難所にて候。一方は敵のー」〈義経記五〉④狙う目当て。ねらい。「卒爾(そつじ)に、早うー知らずに交はり、〔或イハ〕約束し定めて後に交はるぞ。〔前者ハ〕尤(あやまち)が多いぞ。後悔な事など多いぞ」〈玉塵抄四四〉。「小児のーはづれず、ほしりほしりと当りし事よ」〈咄・醒睡笑六〉⑤事のまさに始まろうとしている時。「そのーに、御手を懸くるでもなし」〈虎明本狂言・節分〉

やさけび【矢叫び】矢が命中した時にあげる射手の歓声。「手ごたへしてはたと当る。『得たりをう』とーをこそしたりけれ」〈平家四・鵼〉

やさ・し《形シク》《ヤセ(痩)と同根。(人人の見る目が気にかかって)身もやせ細る思いがする意。転じて、遠慮がちに、つつましく気をつかう意。また、そうした細やかな気づかいをするさまを、繊細だ、優美だ、殊勝だと感じて評価する意。類義語ハヅカシは、相手にひきくらべて、自分が劣等感を持たされる意》①身も細るようだ。肩身が狭い。「世間(よのなか)を憂しとー・しと思へども飛び立ちかねつ鳥にしあらねば」〈万八九三〉。「帝の宣はむことにつかむ、人聞きー・し」〈竹取〉②恥ずかしい。面目ない。「僧景戒、慚愧の心を発し、憂愁(うれ)へ嗟(なげ)きて言はく、『嗚呼(ああ)恥づかしきかな、恙(やさ)しきかな…』」〈霊異記下三八〉。「御ぐしなどもいたく盛り過ぎにけり。ー・しきかたにあらねど、えびかづらしてぞつくろひ給ふべき」〈源氏初音〉。「ー・しとは、恥づかしといふ事なり」〈奥義抄〉③気をつかってつつましい。遠慮勝ちで、控え目である。「〔贄(にえ)ナドヲ〕人の奉りかふるまでは置かせ給ひて、取り動かすことはせさせ給はぬ、あまりー・しきことなりな」〈大鏡師尹〉④優美である。優雅で美しい。「〔匂宮ノ〕人づてともなく言ひなし給へる声、いと若やかに愛敬づき、ー・しき所添ひたり」〈源氏蜻蛉〉。「軍(いくさ)の陣へ笛持つ人はよもあらじ。上臈はなほもー・しかりけり」〈平家九・敦盛最期〉。「右、めづらしく姿もー・しく聞ゆれば、もとも勝ち侍りなむ」〈仁安二年八月太皇太后宮亮経盛歌合判詞〉⑤心憎い。けなげで感心である。殊勝である。「為朝が矢は惜しけれども、己れが振舞ー・しければ、一筋取らするぞ」〈保元中・白河殿へ義朝夜討ち〉⑥優雅で柔らかい感じである。「寂蓮法師が云ひけるは『歌のやうにいみじき物なし、猪(ゐのしし)などいふ恐ろしき物も、伏す猪(ゐ)の床(とこ)などいひつればー・しきなり』と云ふ」〈八雲御抄六〉⑦暖かく思いやり深い。「さるにても御身はー・しき心を持ち給へる人かな。人の疲れを助けて、我が飢ゑをしのぎ給ふ志、ためしなき次第なり」〈伽・梅津かもむ物語〉⑧温和である。すなおでおとなしい。「私の痺りはー・しい痺りで、宣命を含むれば直る」〈天理本狂言六義・痺り〉⑨平易である。むつかしくない。「ヤサシイ」〈和英語林集成〉

やざ・し【矢刺し】《四段》矢を弓につがえ、狙いをつける。「八十神覓(ま)ぎ追ひいたりてー・し乞ふ時に」〈記神代〉

やさすがり【八道行成】《ヤ(八)サス(差)カリ(樗蒲子)の意。ヤッサスカリとも》遊戯の具。盤の上に、縦横の線と交差線の八本の線を引き、その線に従って棋子(きし)を進め、二人で勝負をするものという。「八道行成、ヤサスガリ・ヤツサスカリ」〈名義抄〉

やさば・み【優ばみ】《四段》やさしげにする。「あまりに言葉をー・みて、結ぼほれつづきてのみあるも、返す返す見ざめする事多し」〈八雲御抄六〉

やさめ【優女】しとやかで美しい女。美人。また、遊女。「局にー置く事」〈西鶴・諸艶大鑑三〉

やさもの【優者】美しい人。美男美女。また特に、遊女。

「ここにをこぜの姫とて、魚の中にはたぐひなき―なり」〈伽・をこぜ〉。「さて此の宿に口聞く―はと品定めける」〈西鶴・一代男三〉

やざゐもんだち【彌左衛門裁】近世初期、寛永頃の御仕立同心池上彌左衛門が創めた袴の仕立。後、駿河町の仕立師羽織屋彌左衛門が、この形式の袴・具足羽織を仕立てた。「―の袴」〈西鶴・諸艶大鑑三〉

やさをとこ【優男】①風流を解する優雅な男。「…といふ名歌仕って御感にあづかるほどの―に」〈平家一・御輿振〉。「諸事に心を亘し、手跡普通に超え、和歌の道に心をかけ、遊宴の筵(むしろ)に推参してその衆につらなりしかば、『工藤の―』とぞ召されける」〈曾我一〉②風姿の優美な男。やさがたの男。「弁慶さしも雄猛(けなげ)なる人の太刀をだにも奪ひ取る、ましてこれらほどなる―、寄りて乞はば姿にも声にも怖ぢて出ださんずらん」〈義経記三〉

やし『助』形容詞連体形または間投助詞に続き、調子を添える語。「愛(は)しき―」「愛(は)しけ―」「よしゑ―」など。「石走る垂水の水のはしき―君に恋ふらくわが心から」〈万三〇二五〉

やしう（:シ ユウ）【野州】「野郎」をしゃれていった語。「何れの―達に此の君の御封を飲ませたき」〈評判・野良役者風流鑑下〉

やじうま【彌次馬】⇒やぢうま

やしき【屋敷】①家を建てる敷地。「―一所乞うて取らせばや」〈沙石集六ノ一三〉。「―は貰うたれども、粗忽に家が作られぬぞ」〈周易抄〉②そのなかに家屋の建っている一区画の地。また、その家屋。「眺められつる花は散りけり／立ち霞む里は旧家(ふるや)の―にて」〈俳・犬筑波〉。「(雷ノ)部類眷属を引き連れて、そちの―へ一度に落ちて、大勢御礼申さう」〈天理本狂言六義・雷〉③武家の邸宅。武家屋敷。「加藤下野と云ふ地下侍の―を陣屋に用ひ」〈北条記三〉 **―がた**【屋敷方】武家方。「―(金銀ヲ)あなたへざらり此方へも」〈俳・江戸三吟〉 **―さがり**【屋敷下り】武家屋敷の女奉公人が暇を貰って自宅または請人の家に帰ること。屋敷おり。宿下り。「―の稀(まれ)女」〈西鶴・三所世帯下〉 **―まち**【屋敷町】武家の屋敷が建ち続いている町。武士ばかり住んでいる町。「御出入り申す―方」〈俳・大坂一日独吟千句〉 **―もやう**（:ヨ ウ）【屋敷模様】武家屋敷の女奉公人向きの模様。「―の散し形」〈西鶴・胸算用五〉 **―をんな**【屋敷女】武家方の女。「―を連れて旅の者の通りしが」〈西鶴・諸国咄五〉

やしなか・し【養かし】『四段』《ヤシナハカシの転》養わす。「其の銀付けて―・して」〈西鶴・織留六〉

やしな・ひ（ヤシ ナイ）【養ひ】㊀『四段』①養育する。扶養する。「みなそこふ臣(おみ)の少女をたれ―・はむ」〈紀歌謡四四〉。「この児―・ふ程に、すくすくと大きになりまさる」〈竹取〉②食事などをあてがって世話する。養生させる。「我魚をくらはむと欲(おも)ふ。汝求めて我を―・へ」〈霊異記下六〉。「名づけて済治院といふ。法師尼の病するをすゐて―・ふ所なり」〈三宝絵下〉③おさめととのえ、望ましい状態にする。「皇孫(すめみま)の正しきみちを―・ひ給ひしみ心を弘めむ」〈紀神武即位前〉④活力が永続できるようにする。「身を―・ひて何事をか待つ」〈徒然七四〉。「口は体を―・ふ入口なれど目の代りにならず」〈都鄙問答二〉⑤養子にする。「邦綱、北政所の御後見にてこの近衛殿の、若君なる、―・ひて、世の政はみな院の御沙汰になして」〈愚管抄五〉⑥動物に餌をやって育てる。「めづらしき禽(とり)あやしき獣、国に―・はずとこそ文にも侍るなれ」〈徒然一二一〉㊁『名』①養育。扶養。「わが―のかはりには、おほましま す南の町なる奴を受けよ」〈正倉院文書奈良朝〉。「われ子の―によりて菓(こ)の実を食ひ、泉を飲む。さらに乏しき所なく、苦しき事なし」〈三宝絵上〉②命を養うための食物。食事。「昼の―せむとて藪の中に入るを」〈今昔二九ノ二三〉。「(餓鬼ハ)朝夕の子(昼夜ニ生ムトイウ吾子)を―にすと聞けば」〈山家集中〉③露命をつなぐものとしての食物・金銭など。乞食・順礼などに与える報謝。「そばなる桶をさし出し、『世に悲しき盲目に―たべ』と申されける」〈伽・法妙童子〉④養分となるもの。肥料。「冬のかこひをよくして、春―をすれば、花の時に輪(りん=花冠)を多く持ち候」〈甲陽軍鑑二〉⑤養子。やしない子。「『芋(妹ト掛ケル)が子は這ふほどにこそなりにけれ』…ただもり(沢山モグ意ト忠盛トヲ掛ケル)取りて―(養分ノ意ト養子ノ意トヲ掛ケル)にせよ」〈平家六・祇園女御〉 †yasinaFi **―おや**【養親】養父母。「十三と申せし年、この―夫妻ともに同じ時に悪しき病をして失せ侍りしかば」〈発心集六〉 **―ぎみ**【養君】自分が養い育てた貴人の子。「なかにも、四の宮は、二位殿の兄(せうと)、法勝寺執行能円法印の―にでぞましける」〈平家八・山門御幸〉 **―ご**【養子】養子(ようし)。「その―は僧にて貴くてぞありける」〈今昔一九ノ四三〉 **―た・て**【養ひ立て】『下二』育て上げる。養育する。「定めてその児をば平らかに―・てけむ」〈今昔一九ノ四四〉

やしはご（ヤシ ワゴ）【玄孫】孫の孫。やしゃご。「それが子、孫、ひこ、―に至るまで残りなく取り殺し果てて」〈宇治拾遺一三四〉。「玄孫、夜之波古(やしはこ)」〈和名抄〉

やしほ（:シ オ）【八入】《ヤは多い意。シホは物を染汁にひたす度数をいう語》幾度も染めること。また、その色。「紅の―の衣朝な朝なはすれどもいやめづらしも」〈万二六二三〉 **―をり**【八塩折】幾度もくりかえして醸造した強烈な酒。「船(酒ヲ入レル器)ごとに其の―の酒を盛りて待ちてよ」〈記神代〉

やしほぢ（:シ オ）【八潮道】多くの海水の通る道。「潮(しほ)の八百道(やほぢ)の―の潮の八百会(やほあひ)に坐(ま)す」〈祝詞大祓詞〉

やしま【八島・八洲】《多くの島の意》日本。「あきつ神わご大君の天の下―のうちに」〈万一〇五〇〉。「あまねき御うつくしみの波―のほかまで流れ」〈古今序〉 **―くに**【八島国】日本の美称。おおやしまくに。「八千矛(やちほこ)の神のみことは―妻まきかねて」〈記歌謡二〉

やしゃ【夜叉】《梵語の音訳》八部衆の一。羅刹(らせつ)と併称される暴悪な鬼神。「その―、霊験をほどこす事限りなし」〈今昔一七ノ五〇〉。「怒れる御眦(まなじり)さかさまに裂け、御鬚(ひげ)左右へ分れて、ただ―・羅刹の如くなり」〈太平記三四・吉野御廟〉 **―が嫁入** 何度繰り返しても、その度毎に珍しく感ぜられること。〈俳・毛吹草二〉

やしゃ・る『助動』「み(見)」「ゐ(居)」「ね(寝)」など、未然形が一音節の動詞につき、丁寧の意を表わす。…なさる。「今一言言うて見―・れ」〈伎・好色伝授上〉

やしょく【夜食】①近世、朝夕二食のほかに夜分食べる軽い食事。「夜に入り、―といふ事も無かった」〈おあむ物語〉②男女の交わり。交合。「思はずも―をしたる後の朝」〈俳・世話尽五〉

やしょめ【艶女】《ヤサメの転》万歳唄などの囃し詞。「―、坂の下の―」〈浄・自然居士三〉

やじり【鏃・矢尻】矢の先端。「臍の上の方を背に(背中マデ)―を射出しつ」〈今昔一六ノ五〉。「笴、也佐支(やさき)、又也志利(やじり)」〈新撰字鏡〉 **―細(こま)か** ①細かに狙いをつけて矢を射て、的を外さないこと。「矢先こまか」とも。「射たりや射たりやーに」〈俳・四人法師〉 ②細心で手落のないこと。多くは、金銭に細かいことにいう。「誠に前の句はーに仕立てられたり」〈俳・氷室守三〉「矢の根こまか」とも。

やじり【家尻・屋尻】家・蔵などの後の方。「彼の所のーを切りて、具足を取る」〈中臣祐賢記建治四・四・二五〉。「ー掘る盗人と同じ事ぞ。それは欲心ばかり進みて、人がごそりともすれば逃げうとばかりする、盗人の中でも非興な盗人ぞ」〈論語抄陽貨〉　**ーきり**【家尻切り】①家・蔵の後壁を切り抜いて忍び入り、家財を盗む盗賊。「ーされば築地の崩れより」〈俳・大坂一日独吟千句〉 ②人をののしっていう語。悪者。悪党。「小春と言ふーにたらされ後悔千万」〈近松・天網島上〉

やじるし【矢印】射手が誰であるかを敵に知らせるため、矢に氏名・家紋などを刻みつけたもの。「信濃国の住人福地十郎俊政とーあり」〈承久記下〉

やしろ【社】①神の降下する所。「国国のーの神にぬさ奉り我が恋すなむ妹がかなしさ」〈万四三九一〉 ②神社。「神仏あきらかにましまさば、このうれへやすめ給へとみーのかたに向きてさまざまの願をたて給ふ」〈源氏明石〉 ③神社に祭る神。「日本紀云、天神、和名安万豆夜之呂(あまつやしろ)、地祇、和名久爾豆加三(くにつかみ)、或夜之路(やしろ)」〈和名抄〉 †yasirö

やじん【野人】①田舎育ちで粗野な人。「田夫ーあへて到るべからず」〈正法眼蔵礼拝得髄〉 ②野暮(やぼ)。「是れに頼る男も無性なるーにはあらず」〈西鶴・一代女二〉

や・す『助動』①動詞の連用形について、丁寧の意を表わす。…ます。「一の物語を編み連ね、男色今鑑風流金魚袋と致しー・すで御座りー・す」〈浮・男色今鑑序〉 ②動詞の連用形について、丁寧な命令を表わす。…なさい。…あそばせ。「先づ此の太刀をはきー・す」〈狂言記・内沙汰〉 ③助詞「で」と共に用いられ、丁寧の意を表わす。…でございます。「河内屋の与兵衛でー・すとつっと入り」〈近松・油地獄下〉

やすい【安寝】安らかな眠り。安眠。「眼交(まなかひ)にもとな懸かりてーし寝(な)さぬ」〈万八〇二〉

やすかた【安方】海鳥ウトウの異名。親が「うとう」と呼べば子が「やすかた」と答えるという。「ーの鳥の安からずや」〈謡・善知鳥〉

やすくに【安国】平安な国。太平な国。「四方(よも)の国をーと平らけく知ろしめすが故に」〈祝詞祈年祭〉

やすくみ【矢竦み】矢を激しく射かけられて身動きならないこと。「〔楠正行ハ〕ーに立ってはたらかず」〈太平記二六・楠正行最期〉

やすけく【安けく】《安シのク語法》安らかなこと。「今は我は死なむよ我妹(わぎも)逢はずして思ひ渡ればーもなし」〈万二六六九〉 †yasukeku

やすけな・し【安け無し】『形ク』安らかでない。「嘆くそらー・くに思ふそら苦しきものを」〈万四一六九〉 †yasukena-si

やすげな・し【安げ無し】『形ク』安心している様子がない。「人に争ふ思ひの絶えぬも、ー・きを」〈源氏若菜下〉

やすごころ【安心】安らかな心。「道を通る者も衣裳をはがれ、手に持ち肩に担へる物をも押さへ取りければ、ーなし」〈盛衰記三三〉。「いかにして身を投げばやと、ーなく悲しと思しめしけれども」〈伽・さごろも〉

やす・し【易し・安し】『形ク』《ヤスミ(休)と同根。物事の成行きについて、責任や困難がなく、気が楽である意》❶①成行きに困難がない。容易である。何の造作もない。「旅といへば言(こと)にぞー・きすべもなく苦しき旅も言(こと)にまさめやも」〈万三七六三〉。「いとー・きこと。たしかに〔雪ノ山ヲ〕まもり侍らむ」〈枕八七〉 ②【廉し】値段が低い。安価である。「賤(やす)き価(あたひ)とて千金を買はん」〈遊仙窟(真福寺本)鎌倉期点〉。「赤かはらけはめすまじきか。帰り足にてー・く候ぞ」〈七十一番歌合〉。「天下の豊年な時は米がー・いぞ」〈山谷詩抄三〉 ③《動詞の連用形を承けて》簡単に…できる。楽に…できる。「つき草の移ろひー・く思へかもわが思ふ人の言(こと)も告げ来ぬ」〈万五八三〉。「あなづりー・き人ならば『後に』とてやりつべけれど」〈枕二八〉 ❷①(将来の見通しなどについて)安心していられる。「たまきはる現(うつ)の限りは平らけくー・くもあらむを」〈万八九七〉。「さ寝る夜は多くあれども物思はずー・く寝る夜はさねなきものを」〈万三七六〇〉。「同じ程、それより下臈の更衣たちはましてー・からず」〈源氏桐壺〉 ②平然としている。平気である。「〔勇者ハ〕兵つき矢きはまりて遂に敵に降らず、死をー・くして後、始めて名をあらはすべき道なり」〈徒然八〇〉 ③気楽である。「『行末もまさにはかばかしき事あらじ』と京中の上下ー・き口にはささやきけり」〈盛衰記二三〉

やすだ【安田】安心して耕作できる田。「天(あま)のー」〈紀神代上〉

やすだいじ【安大事・易大事】うわべは容易そうで、実は油断のならない大変な事。「これこそさすがーよ。いかがせん」〈平家七・木曾山門牒状〉。「奉公人はーにて候」〈沢庵書簡寛永七・六・二〉

やすぢがけ【八筋掛】三味線の絃の太さの称。普通の三味線糸の八筋分にあたる太さの糸。「ーを忍び駒にて引かせられしが」〈西鶴・置土産五〉

やすのかはワ カ【安の河】①天上の国にあるという川の名。天の安の河。一説、八瀬(やせ)の川の意という。「天のーの河原に八百万(やほよろづ)の神を神集(かむつど)へに集へて」〈記神代〉 ②七夕の天の川。「ー中に隔てて向ひ立ち袖振りかはし」〈万四一二五〉 †yasunökaFa

やすのわたり【安の渡り】天の川の渡るところ。一説、八瀬(やせ)の川のわたりの意。「天の河ーに船浮けて秋立つ待つと妹に告げこそ」〈万二〇〇〇〉 †yasunöwatari

やすふだ【安札】安値で入札すること。また、その札。「一人はーにて普請する人」〈西鶴・一代女三〉

やすまく【休幕】儀式などの際の休憩所。「次の廊に東宮の御ーせさせ給へり。…楽屋は中島にしたり」〈栄花音楽〉

やすま・り【休まり】『四段』落ち着く。楽になる。「今日や今日やと〔ケダモノニ〕身を施しつべく、魂のー・る時なくて」〈宇津保俊蔭〉。「病の苦しみもおのづからー・りなむ」〈孝養集下〉

やす・み【休み】㊀『四段』《ヤスシ(安)と同根。物事の成行きについて、気を楽にして、事の進行を一応止める意》①休息する。休養する。「食薦(すこも)敷き蔓菁(あをな)煮持ち来(こ)梁(うつはり)に行縢(むかばき)懸けてー・むこの君」〈万三八二五〉。「人皆の思ひー・みて、つれもなくありしあひだに」〈万九二八〉 ②横臥する。臥して眠る。「例も、斯かる時はおそくも渡り給へば、皆打ち解けてー・み給ふぞかし」〈源氏東屋〉。「ー・まんと思ひて、単衣(ひとへ)をひきかづくを」〈讃岐典侍日記〉 ③病勢がおとろえる。平癒する。「是(ここ)に食はざる病者、飯を乞ひて食ひ、病ー・みて起ち居り」〈霊異記下三六〉 ㊁『名』①休養・休暇をとること。「日頃いたうさぶらひ困じたる人は皆ーなどして、お前に人ずくなにて」〈源氏手習〉 ②《斎宮の忌詞》病気。「病、夜須美(やすみ)と称す」〈延喜式斎宮寮〉 †yasumi　**ーどころ**【休所】休憩する場所。「今日は中宮の御読経のはじめなりけり。やがてまかで給はで、―とりつつ、日の御よそひにかへ給ふ人人も多かり」〈源氏胡蝶〉

やすみしし【安見知し・八隅知し】〔枕詞〕安らかにお治めになる意から「我が大君」「我ご大君」にかかる。万葉集に「八隅知之」とも書かれているのは、八方を統べ治める意によるという。「高光る日の御子―我が大君」〈記歌謡二八〉。「―我ご大君」〈万五二〉　†yasumisisi

やす・め【休め】『下二』《ヤスミ(休)の他動詞形》①休息させる。「垣越しに犬呼び越して鳥狩(とがり)する君青山のしげき山辺に馬―・め君」〈万一二八九〉。「心地あしうしければ…知りたりける人の家ありけるにとどめて、今日ばかり―・め奉るに」〈源氏手習〉②一時静める。「あしひきの山坂越えて天ざかる鄙(ひな)に下り来、息(いき)だにもいまだ―・めず」〈万三九六二〉。「常かくし恋ふれば苦し暫(しま)しくも心―・めむ事はかりせよ」〈万二九〇八〉③一時停止させる。「身のうへのいと苦しきを、しばし〔調伏ヲ〕―・め給へ」〈源氏葵〉。「愚者は千たび慮りて、また一得あり。…しばらく〔囲碁ヲ〕―・めよ」〈遊仙窟(醍醐寺本)鎌倉期点〉④ゆとりを持たせる。「歌には曲を二所にいはじとて多く序の言葉、―・めたる言葉を置くものなり」〈ささめごと上〉　†yasumë

―ことば【休め詞】語調をととのえるために添える語。休め字。「文字少なければ…し文字を又そへて、『誰しかも』と―を多く加へてよめる也」〈顕注密勘〉　―どころ【休所】短歌の第三句。「あだ人といふ五文字を―にうちおきて、言葉の続きたよりある心地すべかめり」〈源氏玉鬘〉

やすやす【安安】造作ないさま。何の苦もないさま。らくらく。「其の食、七八人が分を―ととり食ひて」〈著聞六四〉

やすやす【痩す痩す】『副』《同じ動詞の終止形を重ねて状態の継続を示す》やせながら。「―も生けらばあらむをはたやはた鰻(むなぎ)を取ると川に流るな」〈万三八五四〉

やすらか【安らか】①平穏無事。安泰。「憂愁し擾乱し、人衆安(やすらか)にあらず」〈地蔵十輪経二・元慶点〉。「七つの病を除くといふは身体―なること…身かろく目あかくなることなり」〈三宝絵下〉②気楽なさま。「〔経文ヲ〕男も女もくるくると―に読みたるこそ、あれがやうにいつの世にあらんとおぼゆれ」〈枕一五八〉③固くるしくないさま。窮屈でないさま。「御ありきなども、なかなか御身―にて」〈大鏡道長〉④容易であるさま。無造作。「平中うれしさに、寄りて遣戸を引けば―に開きぬ」〈今昔三〇ノ一〉。「木を切りて運ぶこと、人四五人が所を―にふるまふ」〈今昔二ノ三四〉

やすらけ・し【安らけし】『形ク』平安である。「平らけく―・く知ろし食せと白す」〈祝詞大殿祭〉　†yasuraköesi

やすら・ひ【休らひ(ヤスライ)】㊀『四段』《ヤスシ(安)と同根。ヒは反復・継続を表わす接尾語。事の進行、骨折りをしばらく止めている意。→ひ》①休息して様子を見る。「日頃の物語のどかに聞えまほしけれど、いまいましうおぼえ侍れば、しばし異方(ことかた)にて―・ひて参り来む」〈源氏葵〉。「ものうければ、しばし―・ひ、有様に従ひて参らむと思ひてゐたるに」〈紫式部日記〉②足をとめている。たたずんでいる。「前栽の色色みだれたるを、過ぎがてに―・ひ給へるさま、げに類なし」〈源氏夕顔〉。「佇、トドマル・ヤスラフ」〈名義抄〉③事を進めずに思案している。ぐずぐずしている。「物や言ひ寄らましとおぼせど…心恥づかしくて―・ひ給ふ」〈源氏末摘花〉。「物語などのどやかに聞えまほしうて、―・ひ暮し給ひつ」〈源氏総角〉④とどまっている。仮りに滞在している。「その頃、宋朝よりすぐれたる名医わたって本朝に―・ふことあり」〈平家三・医師問答〉㊁『名』①とかく思案して、どうしようかと迷うこと。「君や来む我や行かむの―に槇の板戸もささず寝にけり」〈古今六帖二〉②気がすすまず、ぐずぐずしていること。「夜に入りて『いかにみてぐらをや奉らまし』などーのけしきあれど」〈かげろふ下〉③足をとめて、たたずんでいること。「道のべや木の下ごとの―に待つらむ花の宿やくれなむ」〈玉葉一五七〉。「怪しや、誰人の道踏み迷へる―ぞや」〈太平記六・民部卿〉

やすら・へ【休らへ】『下二』《ヤスラヒの他動詞形》ゆるめる。休める。「貞任くつばみを―・へ」〈著聞三三六〉

やすん・じ【安んじ】『サ変』《ヤスミシの転》心を安らかにする。安心する。「―・ずとは、難(かた)しとせず、やすやすと意にうけがふを云ふぞ」〈三体詩抄二ノ三〉

や・せ【痩せ】㊀『下二』《「肥(こ)え」の対》①身体の肉が落ち、皮膚の色艶が失せて、細くひからびたようになる。「わが故に思ひな―・せそ秋風の吹かむその月逢はむものゆゑ」〈万三五八六〉。「頒(や)せ痩(やわ)へりといふは、皮肉の乾れ枯れたる貌ぞ」〈法華経玄賛平安初期点〉②田地などの地味が悪くなる。「田を作れども、代る代る田を休むる故に、その地―・せずして全きぞ」〈古文真宝講述二上〉。「墝、ヤセタリ」〈色葉字類抄〉㊁『名』痩せ衰えること。「その御―にては、いかで京へは御上り候ふべき」〈伽・明石三郎〉。「やうやう―も付く程に、父母これに胆を潰し」〈仮・他我身之上三〉

やせが【痩我】痩せる思いで無理に我を張ること。やせがまん。「囀りに―や出す雲雀骨」〈俳・毛吹草五〉

やせからめ・き【痩せからめき】『四段』痩せて枯木のように見える。「若き人と稚児(ちご)とは肥えたる、良し。受領など大人だちたる人は太き、良し。あまり―・きたるは心いられたらむとおしはからる」〈枕(能因本)若き人と〉

やせぎす【痩ぎす】痩せて体が骨ばって見えるさま。また、そのような人。「―になる東雲(しののめ)の空」〈俳・紀子大矢数下〉。「―な男に黒き袷(あはせ)哉」〈俳・一幅半上〉

やせこ・け【痩せこけ】『下二』痩せてひからびる。痩せおとろえる。「女色にふけって―・けて居たぞ」〈蒙求抄七〉→こけ

やせじょたい【痩世帯】貧乏世帯。「思はずはうち任せじな―」〈俳・歌仙ぞろへ〉

やせほふし【痩法師(ウ…ホウ)】痩せた僧。また、痩せた人。やせっぽち。「―の酢好み」〈咄・醒睡笑一〉

やせん【矢銭】《矢を調達する費用の意》軍用金。「堺南北へも二万貫―相懸けられ候所」〈細川両家記〉

やぜん【夜前】昨夜。「その扇、我が―の扇なり」〈今昔一四ノ五〉

やそ【八十】はちじゅう。また、数の多いこと。「近江の海泊(とまり)―あり」〈万三二三九〉。「この道の―隈(くま)ごとによろづたびかへり見すれど」〈万一三一〉。「八十、ヤソ」〈名義抄〉　†yaso

やそか【八十梶】多くの櫓(ろ)。「玉の緒の現し心や―かけ漕ぎ出む船に後れて居らむ」〈万三二一一〉　†yasoka

やそかげ【八十蔭】《ヤソは広大の意。カゲは蔭で、建物の意》広大な宮殿。「我が大君の隠ります天(あま)の―」〈紀歌謡一〇二〉　†yasokagë

やそくさ【八十種】「八十種好(はちじふしゆがう)」に同じ。「三十(みそち)あまり二つの相(かたち)―と具足(そだ)れる人」〈仏足石歌〉　†yasokusa

やそくに【八十国】①多くの国国。「国の―・島の八十島(やそしま)を生みたまひて」〈祝詞鎮火祭〉②多くの国国の人。「―は難波(なには)につどひ舟飾り我がせむ日ろを見も人もがも」〈万四三二九防人〉　†yasokuni

やそくま【八十隈】多くの隈。多くの曲がり角。「この道の

―ごとによろづたびかへり見すれど」〈万二三一〉

やそしま【八十島】①多くの島。「百隈(ももくま)の道は来にしをまた更に―過ぎて別れか行かむ」〈万四三四九防人〉②「八十島祭」の略。「―、大納言典侍出京」〈台記康治二・二・二八〉 †yasosima **―のまつり**【八十島祭】天皇即位の後、摂津国難波津に使いを遣わして、生島(いくしま)・足島(たるしま)神など海と島の神神をまつり、国の発展と安泰を祈る祭。一代に一度の大典で、神話の伝承における大八洲の生成説話の根源かといわれる。「―、大嘗会の次年に之を行ふ。多く大神宝の後に在り」〈江家次第一五・八十島祭〉

やそぢ【八十】《ヂは数詞の下にそえる語》はちじゅう。また、八十歳。「御をばの―の賀に」〈古今三四八詞書〉

やそつつき【八十続】永く続くこと。また、そのもの。「吾が子孫(うみのこ)の―、…八十連属、此をば野素豆豆企(やそつつき)といふ」〈紀神代下〉 †yasotutuki

やそとものを【八十伴の男】朝庭に奉仕する多くの文武の官。「物部(もののふ)の―も己が負へる己が名負ひて」〈万四〇九八〉。「物部の―を撫で賜ひ」〈万四二五四〉

やた【八咫】《ヤ(八)アタ(咫)の約》長いこと。巨大なこと。「御佩刀(みはかし)の―の剣の上結(うはゆひ)に―の勾玉」〈播磨風土記〉 ↓やあた

やだ 欠点。弱点。「言はねば身に―が有るやうで悪う御座んす程に言ひます」〈評判・難波鉦五〉

やだいじん【矢大神・矢大臣】①神社の随身門に安置してある木像。闕腋(けってき)を着、巻纓(まきえい)の冠に緌(おいかけ)して、剣を佩(は)き、胡簶(やなぐい)を負い、弓を持つ。「閽(かどもり)の神…俚俗呼んで―と為す」〈書言字考〉②《恰好が矢大臣に似ているので》居酒屋または煮売屋で空樽に腰掛けて酒を飲む人。また、その飲む場所。「おらあ角の―で一合ときめよう」〈滑・客者評判記下〉

やだうな…ドウナ【矢だうな】無益な矢を射ること。矢のむだ使い。「ただ今の矢一つでは敵十人は防かんずるものを。罪作りに、―にとぞ制しける」〈平家九・坂落〉。「おのれほどの者をば、―に、手取りにせん」〈古活字本保元中・白河殿攻め落す〉 ↓だうな

やたがらす【八咫烏】《ヤタはヤアタの約》形の非常に大きい烏。神武天皇が熊野から大和に入る際の先導をしたという。「今、天より―を遣はす。故(かれ)其の―道びかむ」〈記神武〉。「頭八咫烏、夜太加良須(やたがらす)」〈和名抄〉

やたけ【彌猛】《イヤタケの転。タケは形容詞タケシの語幹》心が勇みに勇むさま。心がはやりにはやるさま。「岸高うして切り立ったれば、―に思へども上り得ず」〈太平記七・千剣破城軍〉。「―に仕り候て、やがて果て候やうには仕りたくも無く候」〈毛利家文書二、毛利隆元書状〉 **―ごころ**【彌猛心】はやりにはやる勇ましい心。勇みに勇む心。「智者は惑はず、勇者は恐れずの―の梓弓」〈謡・八島〉。「―。武士の心なり」〈匠材集二〉

やたて【矢立】①矢を射立てること。「その時より―の杉とは申しならはせり」〈曾我七〉②矢を入れる携帯用の容器。箙(えびら)・矢籠(しこ)・胡簶(やなぐひ)の類。「靫は、矢籠ぞ、―ぞ」〈黄鳥鉢抄三〉③「矢立の硯」の略。「懐中より―・墨・筆取り出して」〈盛衰記四〉④墨壺(すみつぼ)に筆を入れる筒の付いた携帯用の筆記具。「―に仕込む雪舟が筆」〈俳・二葉集〉 **―のすずり**【矢立の硯】「矢立」(2)のなかに入れて携行した小型の硯。「―を取り寄せて、宇治川の先陣と剛の者とを、次第明明に注(しる)して」〈盛衰記三五〉

やだね【矢種】箙(えびら)などに入れて用意した矢。「山靫(やまうつぼ)・竹箙(たかえびら)に―のある程こそ防ぎけれ」〈平家八・妹尾最期〉

やたのかがみ【八咫鏡】《ヤタはヤアタの約。ヤタカガミとも》①大きな鏡。「―を大伴の大連(おほむらじ)に奉りて」〈紀雄略九年〉②三種の神器の一。天の岩戸の変に神神がアマテラスオホミカミに献り、天孫降臨の時、ニニギノミコトに授けられ、伊勢神宮に祭られているという。「八坂瓊曲玉(やさかにのまがたま)と―と、草薙剣(くさなぎのつるぎ)との三種(みくさ)の宝物を賜ふ」〈紀神代下〉 †yatanökagami

やたばね【矢束ね】箙(えびら)の矢をばらばらにならないように紐でくくり束ねたもの。また、その紐。「―解いて、散散に射る」〈盛衰記三三〉

やたび【八度】何度も何度も。「白波の寄そる浜辺に別れなばいともすべなみ―袖振る」〈万四三七九防人〉 †yatabi

やだり【宿り】《ヤドリの母音交替形》やどり。一説、ヤアタリの約。家の辺などという。「ひむしの衣二重着てかくみ―(二人ノ女ニ囲マレテ宿ルコト)はあに良くもあらず」〈紀歌謡四九〉

やち【八千】はっせん。また、数がきわめて多いこと。「―年に生(あ)れつがしつつ天の下知らしめさむと」〈万一〇五三〉

やぢうま【やぢ馬】《「彌次馬」とも書く》①近世、宿駅に用意して、官用に供した馬。「鞭を便りに乗るは―」〈俳・後集絵合〉②自分に無関係な事を、人の後についてやたらに騒ぎ廻る人。「―は〔蘇〕東坡なるらん佐野の雪」〈雑俳・女郎蜘〉

やちくさ【八千種】非常に多くの種類。「春の初めは―に花咲きにほひ」〈万四三六〇〉

やちほこのかみ【八千桙神】《多くの桙、多くの武器を持っている神の意》オホナムチノカミの別名。大国主神。「―の御代より」〈万一〇六五〉 †yatiFököнökami

やちまた【八衢】《チマタは道の分れる所》道が八つ、または数多くに分れる所。迷いやすいたとえにいう。「橘(たちばな)のかげ踏む道の―に物をそ思ふ妹に逢はずて」〈万一二五〉

やちよ【八千代】寿命が極めて長いこと。「我が君は千代に―にさざれ石のいはほとなりて苔のむすまで」〈古今三四三〉

やつ【八つ】《ツは数詞の下にそえる語》①数が多いこと。「毎年(としのは)に鮎し走らば辟田川(さきたがは)鸕(う)―潜(かづ)けて川瀬尋ねむ」〈万四一五八〉②はち。やっつ。「御台―」〈源氏宿木〉。「御衣を―ばかり奉りたる上に」〈栄花衣珠〉③八歳。「次の君は―ばかりにて」〈源氏真木柱〉④昔の時刻の名。未(ひつじ)の刻と丑(うし)の刻。八つ時。「『子九つ、丑―』などぞ、里びたる人は云ふ」〈枕二九〇〉

やつ【奴】①一人前の人間の相手にならない存在。人とか鳥獣を軽蔑していう語。「かぐや姫てふ大盗人の―が人を殺さむとするなりけり」〈竹取〉。「狐はさこそは人をおびやかせど、ことにもあらぬ―といふさま、いと馴れたり」〈源氏手習〉。「大橋の太郎といふ―は」〈日蓮遺文南条殿御返事〉②《「―さ」の形で》物事を卑しめていう語。…のさ。「唯の仙人と間違ふ―さ」〈黄・金々先生造花夢中〉

やつ【谷】谷(たに)。また、谷あいの地。「あづまにて住むところは、月影の―とぞいふなる」〈十六夜日記〉

やっ《感》①呼びかけの声。「物を問へば、響の音に応ずるやうに、―と言へば、やっと答ふるぞ」〈荘子抄三〉②応答の声。「人の名を呼べば、―と答ふる心ぞ」〈句双紙抄〉

やつか【八束】《ツカは握った拳(こぶし)の指の幅》束が八つあること。長さの長いこと。「―ひげ心(むね)の前に至るまで」〈記神代〉 **―はぎ**【八束脛】古代伝承に見える足の長い人。先住民を誇張していう。「国巣、俗語都知久母

(つちぐも)、又云夜都賀波岐(やつかはぎ)」〈常陸風土記〉 **—ほ【八束穂】** 八束もある長い稲などの穂。「神代よりけふの為とや—に長田の稲のしなひ初めけむ」〈新古今七五四〉

やつか【矢束】《ヤヅカとも》 矢の長さ。「弓を—の有る限り引き絡(ばし)りて」〈今昔二五ノ六〉。「—もちっと短う候」〈平家二・遠矢〉 **—を引・く** 長い矢を引く。「我が朝の為朝も、右の腕(かひな)が四寸長きなり。—・く事人にすぐれたり」〈中華若木詩抄中〉

やつかり【奴】「やつかれ」の転。「奴、ヤツコ・ヤツカリ」〈名義抄〉

やつかれ【吾・余】《ヤツコ(奴)アレ(吾)の約》 自分の謙称。わたくしめ。「—来(まうく)る所以は、まことに姉(なねのみこと)と相見えむとなり」〈紀神代上〉

やつぎ【八匹】《キは馬などを数える語》 八ひき。「馬の—は惜しけくもなし」〈紀歌謡七九〉 †yatugi

やつぎ【矢継】 矢を射た後、次の矢を弓につがえること。「—が早くて、二の矢をぞ射たるらん」〈保元中・白河殿へ義朝夜討ち〉 **—ばや【矢継早】** ①矢継ぎの動作が敏速なこと。また、その者。「競(きほふ)はもとより、すぐれたる強弓・精兵・—の手利き」〈平家四・競〉。「藤沢四郎清親とて、大力の強弓、精兵の—あり」〈北条五代記三〉 ②物事を続けざまに手早くすること。「行く年の—なる師走かな」〈俳・玉海集四〉。「いくらでも/田楽茶屋の—」〈雑俳・つづら笠〉

やつぎ【家継・屋継】 家の跡継ぎ。家督相続人。跡取り。世継ぎ。「九千貫目—に譲りしに」〈西鶴・諸艶大鑑一〉

やづくり【屋作・家造】 家を造ること。また、家の造り方。「雛(ひひな)などの—にこの春し侍りにし後」〈紫式部日記〉。「さる—、未だ見及び候はず」〈法然上人行状絵図〉

やつこ【奴】《ヤ(家)ツ(連体助詞)コ(子)の意。室町時代までヤツコ。ヤッコとなったのは近世以後》 ①人に召し使われる身分の低い者。奴僕。また、郎党・家人(けにん)。「住の江の小田を刈らす子—かも無き—あれど妹がみためと私田刈る」〈万二二七五〉。「頼むべき—もなし」〈方丈記〉 ②近世、武家の中間(ちゅうげん)。撥鬢(ばちびん)頭・鎌髭(かまひげ)で奴詞を用い、主人の行列に槍・長柄・挟箱を持ち歩いた奉公人。「山もとの—」〈仮・百物語下〉 ③近世前期、男達(をとこだて)の異称。旗本奴・町奴の別があった。六方者。「東の—を見侍りしが」〈仮・百物語下〉 ④遊女で「やっこ」(3)の真似をするもの。「近世まのあたり見及びたる—には、江戸に勝山、京に三笠・蔵人」〈色道大鏡四〉 ⑤近世の身分刑の一。関所を越えて山越えした女などを、牢内に拘禁し、希望者に与え、使役させる刑。「女房は…—に罷り成る」〈厳牆集三、貞享四・四・二〉 †yatuko **—あたま【奴頭】**「やっこ」(2)の髪の結い方。月代(さかやき)を深く広く剃り込み、両鬢と後の頂に残した毛とで髷を短く結ぶもの。「—を振りながら、母様怖いと泣きゐたり」〈近松・重井筒上〉 **—ことば【奴詞・奴子詞】** 近世初期、「やっこ」(2)の用いた言葉。「涙」を「なだ」、「ことだ」を「こんだ」、「坊主」を「づくにう」、「月」を「星の親父」、「挑燈」を「火事の玉子」などという類。「馬子どもの喧嘩するを見て、かれが心を即ち—にて詠み侍りし。手を出せろおってくれべい馬鹿づらめどこさ蕨の宿の馬方」〈後撰夷曲集六〉 **—どうふ【奴豆腐】** 豆腐を四角に切り、醤油を付け、唐辛子・大根おろし・海苔などを薬味として食べる料理。冷奴・湯奴の別がある。「—の岡部(豆腐ノ異名ト掛ケル)の六彌太」〈俳・二葉集〉 **—はいかい【奴俳諧】** 近世前期、万治・寛文頃作られた、奴詞を詠み込んだ俳諧。「近頃—とて人のしけるを聞きしに、冬の事なりしに。鬢水に頭かっぱる氷かな」〈仮・百物語上〉 **—らさ【奴らさ】**「やっこ」(2)を軽んじていう語。やっころさ。「山の手の—と申す事流行り申し候ふ」〈評判・濡仏中〉

やつざき【八裂き】 体をずたずたに引き裂くこと。「首ねぢ切り、—に裂いて捨てん」〈保元中・白河殿攻め落す〉

やっさもっさ いざこざ。ごたごた。「綱引きは互ひに—哉」〈俳・詞林金玉集三〉。「—(スル女)も昔打掛(うちかけ)」〈俳・たつか弓〉

やつ・し 〔一〕《四段》《ヤツレの他動詞形》 ①(容姿など)見た目を悪くする。みすぼらしくする。貧弱な様子にする。「故(ことさら)に形を費(つや)し、身心をば一切人の下に作(な)し」〈東大寺諷誦文稿〉。「おのれも人人しくならまほしく覚えける。ましてさうじみをなほなほしく—・して見むことは、いみじくあたらしう思ひなりぬ」〈源氏東屋〉 ②地味で目立たぬ様子をする。姿を変える。「御車もいたう—・し給へり。さきも追はせ給はず」〈源氏夕顔〉。「大将軍の—・し(変装シ)乗りたまへる兵船をぞ攻めたりける」〈平家一一・遠矢〉 ③《特に》 出家姿となる。「額は僧都ぞそぎ給ふ。『かかる御かたち—・し給ひて悔い給ふな』」〈源氏手習〉。「厭ふとて姿—・してなどやかく心にあかぬ身を思ふらん」〈他阿上人法語八〉 ④(入れ墨などして)形を変える。「独身なる犯科人の思ひ置く事なきだにも、足手をもがれ、形は—・さるるとも一日の命をたべとぞ降は乞ふ」〈保元中・為義最後〉。「文ㇾ身、ヤツス」〈伊京集〉 ⑤おちぶれた位置にいるようにする。身を落す。「さるべき(因縁)にて、しばしかりそめに身を—・しける昔の世の行ひ人にやありけむ」〈源氏若菜下〉 ⑥略す。くずす。「貧しきがゆゑに物事略するを—・すといふ也」〈邇言便蒙抄中〉。「文字を—・すは省の字の由也」〈志不可起五〉 ⑦熱中する。のぼせあがる。「わらはが事は余所になし、かの女に身を—・すを見るに、胸燃え焦がれ」〈浄・葵の上三〉 ⑧《姿を変える意から転じて》 めかす。しゃれる。「—・す。顔かたちなどつくり、又女の化粧する事をかく言ふ。歌舞伎役者の色男をやつし方と言ふやつし方より出る言葉か」〈浪花聞書〉 〔二〕《名》 歌舞伎で、柔弱な色男を主題とした芝居。また、その役柄。和事(わごと)。やつし事。「—面白く、濡事一風変って味にうつる」〈評判・役者大鑑〉 **—ごと【俏事】**「やつし」〔二〕に同じ。「—(ノ役者)万能丸が花に来て」〈俳・西鶴五百韻〉

やつすぎ【八つ過】 ①八つ時を過ぎること。八つさがり。「天下は夜中—、廓は恋の昼中や」〈近松・淀鯉上〉 ②衣類などの古びかかった物のたとえ。「甚三紅絹(もみ)の—かといふ身頃が有ったが」〈滑・浮世風呂三下〉

やつぢ【八つ乳】 八つ乳房の跡の有る猫の皮。三味線を張るのに最上品。「今—に糸を延え」〈評判・雨夜三盃機嫌序〉

やっちゃ《感》 掛声。褒め詞を言い立てる時などの囃し声。「—と云ふて手を締むる」〈近松・日本西王母一〉。「—と褒めて」〈評判・吉原大豆俵評判〉

やっと《副》 ①辛うじて物事をするさま。ようやく。「味噌豆を—一荷に荷作りて」〈俳・住吉物語下〉 ②多く。たくさんに。「引返しの紋無し—一大道群れたり」〈評判・難波の顔二〉 ③久しく。ながらく。「久しきと言ふ事を…関西関東共に—と言ひ、又ゑっと云ふ。但し、多い、又よほどなど云ふ詞にも当るか」〈物類称呼五〉 ④ずっと。はるかに。「わしなど走競(はしりこくら)せうなら、横に寝て転(こけ)る方が—速いぢゃ」〈滑・浮世風呂二上〉

やっとな《感》 掛声。やっとこさ。やっとこな。「是れでは中中行かれまい。ちと休んで参らう。—」〈虎寛本狂言・抜

殻〉

やつはし【八橋】湿地などに橋板を数枚続けて渡した橋。三河国の、かきつばたの名所にあったのが古来名高い。「水ゆく河の蜘蛛手なれば橋を八つわたせるによりてなむ—といひける」〈伊勢九〉

やつばち【八撥・八桴】①羯鼓(かっこ)の異称。また、羯鼓を頸から胸にさげて左右両手に撥を持って打ちながら踊ること。「花若殿は—を御打ちあらうずるにて候」〈謡・望月〉②太鼓の曲打の一。「—を打ちて踊れや十六夜」〈俳・鷹筑波三〉

やつばら【奴ばら】《バラは接尾語》とるにたらない奴ども。「遅く来る—を待たじ」〈竹取〉

やっぱり『副』《ヤハリの促音化》①ゆったりとしているさま。静かにじっとしているさま。「上なる人は—居て寂静にして天下を治めうぞ」〈周易抄二〉②依然として。転じて、予想通り。案の定。「そのままそこにあれと云ふべきを、—・やはり・やっぱしなど云ふ」〈俳・かたこと五〉。「遊ばば—娑婆即寂光〔ノ浄土〕」〈俳・江戸両吟〉

やつぼ【矢坪・矢壺】矢を射る時のねらい所。「目刺すとも知らぬ闇ではあり、姿かたちも見えざれば、—をいづくとも定めがたし」〈平家四・鵼〉

やづま【屋端】①軒の両端。「あやめ草長きためしに引きなして—にかかるものとのみ」〈栄花岩蔭〉②家の軒端。「あの—より、女の、歌を吟ずる声の聞え候」〈謡・夕顔〉

やつむねづくり【八棟造】近世初期から元禄頃までの建築様式の一。神社または天守閣の破風(はふ)を四方に二つずつ計八個造り出したもの。また、巨大な民家の建て方にもいう。八棟。「俄かにも空恐ろしき位得て／軒をやならべ—」〈俳・寛永十三年熱田万句六三〉

やつめかぶら【八目鏑】鏑矢の鏑に、多くの穴をつけたもの。「鳴箭、夜豆女加布良(やつめかぶら)」〈和名抄〉

やつめさす〔枕〕《ヤ(彌)ツ(連体助詞)メ(芽)サス(生)の意か》「出雲(いづも)」にかかる。「—出雲建(いづもたける)が佩(は)ける太刀、つづらさは巻きさ身なしにあはれ」〈記歌謡二三〉▽ヤクモタツの音転ともいう。†yatumësasu

やつもん【八つ門】島原遊廓で、八つ時に大門を明けること。「丹波口にて夜半の鐘、とかうするまに—明きて」〈西鶴・織留一〉

やつよ【彌つ代】《ヤは八の意。ツは数詞にそえる語》多くの代。いよいよ久しい年月。「紫陽花(あぢさゐ)の八重咲く如く—にをいませ我が背子見つつしのはむ」〈万四四四八〉†ya-tuyö

やつよほう【八つ四方】一辺が八尺ある正方形。八尺四方。「御衾は紅うち—なるに」〈増鏡六〉

やつ・れ 囗『下二』《人の容姿、着物などが前とは変って地味な、目立たない様子になる意。以前とは打って変って荒れ果て、落ちぶれ、衰弱している意》①(人目につかないように)地味で目立たぬ様子でいる。「いと忍びて、ただ舎人二人召継ぎとして—・れ給ひて、難波の辺におはしまして」〈竹取〉。「網代車の昔おぼえて—・れたるにて出で給ふ」〈源氏若菜上〉②服装を変えて目立たないさまになる。「藤の御衣(喪服)に—・れ給へるにつけても限りなく清らに」〈源氏賢木〉。「〔差出ス着物ヲ謙遜シテ〕今日ばかりはなほ—・れさせ給へとて、いみじくしつくし給へる物どもまた重ねて奉れ給へり」〈源氏葵〉③(病気などで)容貌が衰えて変る。「痩せ衰へて、御髭なども取りつくろひ給はねば茂りて、親の孝(うけ)よりも、けに—・れ給へり」〈源氏柏木〉。「飲める湯水はそのままくだす。かくていかう—・れて、ふくやかなりし顔もやせやせと、まみのほどいとど黒み落ち入りたり」〈伽・福富長者物語〉。「瘻者、ヤツレタルモノ、玉篇云、熱病也」〈文明本節用集〉④荒れて、以前とは変ってしまう。変貌する。「君しのぶ草に—・るるふるさとは松虫のねぞ悲しかりける」〈古今二〇〇〉。「いと若かりしほどを見しに〔今ハ〕太り黒みて—・れたれば、多くの年経たる目には、ふとしも見分かぬなりけり」〈源氏玉鬘〉⑤身分が変って落ちぶれる。「かく—・れたるに、あなづらはしきにやと、ねたう、さまざまにおぼし悩めり」〈源氏明石〉 囗『名』①(人目をくらますための)地味で目立たない服装。「このごろの御—にまうけ給へる狩の御装束着がへなどして出で給ふ」〈源氏夕顔〉②品位が落ちること。「〔卑シイ私ガ〕ただ一言、物越しにて〔思イヲ〕聞え知らすばかりは、何ばかりの御身の—にかはあらむ」〈源氏若菜下〉③痩せ衰えること。憔悴すること。「都にや旅の—を忍ぶらん」〈宗長百番連歌合〉。「旅—、おちぶるる躰なり」〈匠材集三〉

やつを【八峰】多くの峰峰。「あしひきの山つばき咲く—越え鹿(しし)待つ君が斎(いは)ひ嬬(つま)かも」〈万三二六二〉

やで【枝】「えだ」の上代東国方言。「遅速(おそはや)も汝をこそ待ため向つ嶺(を)の椎(しひ)の小—の逢ひは違はじ」〈万三四九三東歌〉

やてい【野体】野暮な風俗。泥くさい身なり。「額髪短きは—なり」〈色道大鏡三〉

やど ❶【屋外・屋前】《ヤ(屋)のト(外)の意》前庭。庭さき。多く、植込みなどのある所。「わが—の花橘はいたづらに散りか過ぐらむ見る人無しに」〈万三七七九〉。「秋は来ぬ紅葉は—に降り敷きぬ道踏みわけてとふ人はなし」〈古今二八七〉❷【屋戸・宿】《ヤ(屋)のト(戸)の意》①家の戸。「夕さらば—開けまけてわれ待たむ夢(いめ)に相見に来むといふ人を」〈万七四四〉。「人の見て言咎めせぬ夢に我こよひ至らむ—閉(さ)すなゆめ」〈万二九一二〉②家の戸口。「あらかじめ君来まさむと知らませば門に—にも珠敷かましを」〈万一〇一三〉。「〔部屋ハ〕貸し奉りて、我は—にこそ臥したれ」〈宇治拾遺三九〉▽「やど借る」「やど貸す」という場合、原義は家の戸口に泊めるという気持である。③すみか。家屋。「わがために織女(たなばたつめ)のその—に織る白妙は織りてけむかも」〈万二〇二七〉。「娘などは岡辺の—に移して住ませければ」〈源氏明石〉④《「やどり」と混同して》(旅先で)泊る場所。「君が行く海辺の—に霧立たばわが立ち嘆く息と知りませ」〈万三五八〇〉。「旅人の—求めけるに」〈宇治拾遺八〉⑤揚屋(あげや)。また、女郎屋。「〔遊女ノ〕—の男などとの〔恋愛〕事は末に名の立つを」〈西鶴・一代男六〉⑥主として妻がその夫を他人に対していう語。主人。「—を御同道なされ御出で候ふ事まぎれなく」〈西鶴・桜陰比事三〉†yado

やどおり【宿下り】奉公人が暇を貰って親元または請人の家に帰ること。やどさがり。「—や幾日重ねて恋衣」〈俳・幕尽〉

やどがへ【宿替へ】引越し。転宅。「今日御—」〈山科家礼記文明九・二・三〇〉

やどこや【宿小屋】小さな住宅。狭い我が家。「世間晴れて—持ち」〈近松・今宮心中下〉

やどころ【矢所】矢のねらい所。やつぼ。「空はまことに暗し、いづくを射るべしと—さだかならず」〈盛衰記一六〉

やどざけ【宿酒】新しく借家した者が、その町内の人人に披露のため酒を振舞うこと。また、その酒。宿茶。「其の借屋仕り候ふ輩、棚借り越し候ふ時、町中振舞の儀、又は—と名付け、酒を盛り候ふ由、是れ又向後無用たるべき事」〈塩屋町文書寛文一〇・四・二〉

やど・し【宿し】『四段』《ヤドリの他動詞形》①宿をかす。

客をとめる。「人—・し奉らむとする所に何人のものし給ふぞ」〈源氏玉鬘〉②とどめる。とどまらせる。「おく露の光をだにも—・さましをぐら山にて何もとめけん」〈竹取〉③預けておく。「曹司に壺やなぐひを—・しおきて」〈後撰一三五四詞書〉④懐胎する。身ごもる。「天地の御主(おんあるじ)を—・し参らせられたる尊き御色身を」〈ロザリオの経〉

やとせ【八年】八年間。また、長い年月。「荒雄らは妻子(めこ)の産業(なり)をば思はずろ年の—を待てど来まさず」〈万三八六五〉 †yatöse **—ど**【八年児】八歳の子供。まだ一人前にならない幼児。「葦屋の菟原処女(うなひをとめ)の—の片生ひの時ゆ」〈万一八〇九〉

やどちゃ【宿茶】①新しく借家した者が、その町内の人人に披露のため茶を振舞うこと。また、その茶。「大服(おほぶく)は今朝来る春の—かな」〈俳・貝殻集一〉②「宿酒」に同じ。「遂に—を盛らぬ故、見知らぬとや」〈近松・百夜小町一〉

やどばひり(イリ)【宿這入り】奉公人が年季を勤めあげた後、暇を貰って家を持ち世帯を張ること。「ほうこ草(奉公ト掛ケル)摘みて来る日や—」〈俳・山下水三〉。「幾度か天津乙女も—」〈俳・桜千句〉

やと・ひ(ヤトイ)【雇ひ・傭ひ】《四段》報酬を払うなどして他人の力を借りる。「細工を—・ひ、すべて筥(はこ)をつくりいださしむるに」〈三宝絵中〉。「同二十六日、和泉堺より少少人を—・ひて、五十首の法楽を奉りし中に」〈草根集七〉 **—ど**【雇人】雇われた人。「やとひにん」「やとひびと」とも。「—を朝な朝な呼ぶ田植かな」〈俳・境海草上〉。〈日葡〉

やどふだ【宿札】①宿所の門口などに、宿泊者(多くは公家や大名)の名を記して立てる木札。宿札(しゅくさつ)。「よからんずる宿をも取り、財宝をも管領(くわんりやう)せんと志して、—どもを面面に二三十づつ持たせて」〈太平記八・山徒寄京都〉。「三日先の—、国分寺の中の門にお打たせある」〈説経・さんせう太夫〉②氏名を記して門口などに掲げた札。門札。標札。「鶯の—か梅に小短尺」〈俳・埋草一〉

やどめ【矢留め】矢軍(やいくさ)を一時的に中止すること。「風雪夥しければ、互ひに—と見えにけり」〈末森記〉

やどもり【宿守り】宿を守ること。また、その人。邸の番人。「この—に、かの鬚がちの宿直人(とのゐびと)などは侍ふべければ」〈源氏早蕨〉。「この—なるをのこを呼びて問ひ聞く」〈源氏夕顔〉

やどや【宿屋】①宿っている所。宿所。「磐井の郡、中山の大風沢に宿る。…歩兵等楯の外の—を焼く」〈今昔二五ノ一三〉②「揚屋(あげや)」に同じ。「〔揚屋ハ〕太夫・買手の宿を致す故—とも申す也」〈評判・濡仏中〉③旅客を宿泊させる家。「—。旅人を宿す屋なり」〈俚言集覧〉

やど・り【宿り】□一《四段》《ヤ(屋)トリ(取)の意。旅の道中で仮眠する場所を選んできめること。転じて、一時的に場所を借りる意。ヤドは屋外・屋戸の意で、家の庭先または家の入口・戸口の意。奈良時代には発音もyadoで、yadöriとはドの音が違っていた》①旅先で寝る場所をとる。「あぢま野に—・れる君が帰り来む時の迎へをいつとか待たむ」〈万三七七〇〉②仮りの住みかとする。「江林に—・る猪鹿(しし)やも求むるによき白栲の袖まき上げて猪鹿待つわが背」〈万二三九二〉。「かたみに—・る所も問ひかはして」〈源氏玉鬘〉③一時、影がうつる。「水の面に—・れる月ののどけきは並居て人の寝ぬ夜なればか」〈拾遺一一〇七〉④植物が他の植物に寄生する。「いとけしきある深山木(みやまぎ)に—・りたる蔦の色」〈源氏宿木〉⑤胎児として母の胎内にこもる。「はじめて胎内に—・りて、十月身を苦しめ」〈撰集抄四ノ二〉 □二《名》①旅で仮りに寝る場所をきめること。「白栲の袖の別れを難みして荒津の浜に—するかも」〈万三二一五〉。「をみなへし多かる野辺に—せばあやなくあだの名をや立ちなむ」〈古今二二九〉②宿泊すること。また、その場所。「東路の手児の呼び坂越えかねて山にか寝むも—は無しに」〈万三四四二〉。「明石の駅(むまや)といふところに御—せしめ給て」〈大鏡時平〉 †yadöri **—ぎ**【宿木・寄生木】他の樹木に寄生した木。「—は色かはりぬる秋なれど昔おぼえて澄める月かな」〈源氏東屋〉。「寄生、夜止里木(やどりぎ)」〈和名抄〉 **—つかさ**【宿官】中央官で受領(ずりやう)となるべき者を、欠員のできるまでの間、一時任じておく諸国の権守・介などの官。「—の権守は、下野、甲斐(かひ)、越後、筑後、阿波」〈枕(前田家本)やどりつかさの権守は〉

やどろく【宿六】妻が夫を卑下していう語。「本屋の—」〈咄・珍学問〉。

やどわり【宿割り】多人数を数か所に分宿させるために宿を割り当てること。また、その係の人。「御上洛御儀定に付、御—」〈梅津政景日記元和五・四・一三〉

やな【梁】魚を取るため、川の瀬などに作る設備。杭を打ちならべて水をせきとめ、一か所だけに流すようにし、そこに簀(す)を敷いて流れ落ちて来る魚をうけ止めて捕える。「梁、此をば椰奈(やな)といふ」〈紀神武即位前〉。「阿太(あだ)人の—打ち渡す瀬を早み心は思へど直に逢はぬかも」〈万二六九九〉。「梁、夜奈(やな)」〈和名抄〉

やな《助》文末に用い、感動を表わす。…だなあ。…よなあ。「…といひてさくりあげて、よよと泣きければうたてし—」〈宇治拾遺一三〉。「無慙—、誰これにとは教へけん」〈盛衰記三九〉

やないばこ【柳筥】《ヤナギバコの転》柳の細枝を編んで作った箱。「山藍・日かげなど、—に入れて、かうぶりしたる男など持てありくなど、いとをかしう見ゆ」〈枕九三〉

やなぎ【楊・柳】①しだれやなぎ。「春雨に萌えし—か梅の花友におくれぬ常の物かも」〈万三九〇三〉②襲(かさね)の色目の名。「—の織物の細長」〈源氏若菜下〉③室町時代から近世前期にかけて、京都の有名な酒屋。また、その酒屋が醸造した酒。「五条坊門西洞院の酒家—という也」〈蔭涼軒日録文正一・七・四〉。「—のすぐれたるを取り出し、茶碗を盃にして」〈伽・おようの尼〉④「柳にやる」(1)の意に同じ。「何も—によいやさ」〈浮・人倫糸屑下〉▽「楊」の字音yangに母音iを添えてyanagïとしたもの。末尾のgïの音は木(ぎ)と同音なので、奈良時代の人人は、ヤナという名の木のように意識していたと見られる。†yanagï **—いろ**【柳色】色の名。白みを帯びた青色。「御狩衣は—の大紋の指貫(さしぬき)に」〈曾我八〉 **—いを**【柳魚】《形が柳の葉に似ているので》鮎の異称。やなぎうお。〈日葡〉 **—かづら**【柳鬘】青柳の枝をたわめて作った髪飾。「三月三日、頭の弁の、—せさせ、桃の花を插頭(かざし)にささせ」〈枕九〉 **—がほ**(ガオ)【柳顔】細長い顔。「顔も—にて候とて御褒め候」〈伽・狐草子〉 **—がみ**【柳髪】長く美しい頭髪。「春雨に洗ひてけづれ—」〈俳・犬子集一〉 **—げた**【柳下駄】柳の台に朴の歯を入れた足駄。「春風に鼻緒も縒(よ)るや—」〈俳・智恵袋一〉 **—ごし**【柳腰】《「柳腰」の訓読語》細くてしなやかな腰付。〈俳・毛吹草二〉 **—だすき**【柳襷】織物の模様の名。青い柳の枝をたすきを掛けたように交叉させて織り出したもの。「三重の狩衣、—を青く織れる中に」〈増鏡八〉 **—だる** ①【柳樽】両側に把手の付いた祝儀用の酒樽。「急ぎ樽肴用意せよとて、—二十、肴いろいろ人夫に持たせ」〈別所長治記〉。〈運歩色葉集〉②【柳多留】川柳集。百六十七篇。明和二年から天保九年刊。初代から五世に至る川柳評万句合から前句を省いても句意の通り易い付句のみを編集した縦長の小本。「当世誹風の余情を結べる秀吟等有れば妹背川—と題す」〈雑俳・柳多留序〉

—に鞠(まり) ①かかりの柳に蹴鞠の模様。「鷺一つ—の詠めかな」〈俳・貝殻集二〉 ②汁の一種。摘み菜に里芋を入れた味噌汁。色・形の取合せがそれに似るのでいう。「延べて(薄メテ)吸へ—の汁の味噌」〈俳・塵塚誹諧集上〉

—にや・る ①柳に風のように、相手に逆らわないで適当にあしらう。「—・れや人の世の中」〈俳・犬子集二〉 ②《近世後期、駕籠かきの隠語》わざと遅くやる。「遅くやる事を—・ると言ひやすを、素人が知ってゐやすから、今はネ、浅黄にやると言ひやす」〈洒・品川楊枝〉

—のいと【柳の糸】《「柳糸」の訓読語か》柳の枝の細いのを糸に見立てた語。「我が刺せる—を吹き乱る風にか妹が梅の散るらむ」〈万一八五六〉

—のかみ【柳の髪】①柳の枝の細く長いさまを、女の美しい髪の毛にたとえた語。「春風や—をけづるらむみどりのまゆも乱るばかりに」〈新千載五九〉 ②女の髪の細く長くしなやかなさまを柳の枝にたとえた語。「—は黒き筋もなし」〈今昔一〇ノ六〉

—のまゆ【柳の眉】《「柳眉」の訓読語》柳の芽の萌え出たのを眉にたとえた語。「春の日の影そふ池の鏡には—ぞまづは見えける」〈後撰九四〉

—ばこ【柳筥】⇒やないばこ。〈下学集〉

—はら【柳原】柳が立ち並んで生えている野原。「高瀬さす六田(むつだ)の淀の—緑も深く霞む春かな」〈新古今七二〉

—まないた【柳俎板】柳の木で作った俎板。毒が無く、ささくれ立たないので賞用される。〈俳・毛吹草三〉

やなぐひ(ヤナグイ)【胡簶・胡籙】矢を盛って背に負う具。箙(えびら)に似ているが、より軽く簡略。壺胡簶と平胡簶とがある。「右大将のさばかり重りかに由めくも、けふのよそひいとなまめきて、—など負ひて仕うまつり給へり」〈源氏行幸〉

やなみ【矢並】箙(えびら)にさした矢の並びぐあい。「もののふの—つくろふ籠手(こて)の上にあられたばしる那須の篠原」〈金槐集雑〉

やなみ【屋並】①家の並び。並んだ家。「屋並、ヤナミ」〈運歩色葉集〉 ②軒並み。「蚊遣り火は—に変る匂ひかな」〈俳・入船集〉

やなり【家鳴・屋鳴】家屋が動いて鳴り響くこと。「或は、人の寄合ふ音なひ、—等、奇異の事有り」〈看聞御記嘉吉三・八・一〇〉。「風吹きて—の繁くする家は悪しき柱が立つと知るべし」〈古今八卦大全四〉

やに【脂】樹皮から分泌する粘液。樹脂。「膠、ヤニ」〈色葉字類抄〉

やにこ・し【脂こし】『形ク』①脂が多い。「—・きを寝せて置きぬる煙草哉」〈俳・落穂集三〉 ②弱弱しい。柔和である。また、にやけている。「寄松恋。住吉のきしませ振に粘うして—・き人は松(待ツト掛ケル)に気の毒」〈吾吟我集六〉

やには【矢庭・矢場】①矢を射ているその場。「四人は—に射殺したりけり」〈今昔二九ノ五〉。「俄かに小法師、—にまじりて矢を拾ひて」〈矢取地蔵縁起〉 ②その場。即座。「—に八人切り伏せ」〈平家四・橋合戦〉。「究竟の者ども五六人—に切り給ふ」〈義経記三〉 ③突然。いきなり。「ただむさと橋懸りへ出、—に舟に近づき」〈舞正語磨上〉。「神歌も知らばこそ、—に面を取りて顔へあてしかば」〈神事能評判〉

やには【家庭】家のある地域。人里。「百千足る(ももちだる)—も見ゆ、国の秀(ほ)も見ゆ」〈記歌謡四一〉

やぬし【家主】①家の所有者。「借家の人…又借し申さるに於ては、見付け聞付け次第、—へ相とどけ出で申すべき事」〈本能寺前町定文祿三・七・一五〉 ②江戸で、地主に代ってその所有地の借地・借家を管理し町役を勤める町人。上方では「家守(やもり)」と称した。大屋。「—や大屋を海士の呼び声」〈俳・談林風百韻二巻〉

やぬち【屋内】《ヤノウチの約》家の中。「梳(くし)も見じ—も掃かじ草枕旅行く君をいはふと思ひて」〈万四二六三〉 ▽ya-nöuti→yanuti

やね【屋根】家屋の上部を覆って雨風を防ぐもの。「板葺の黒木の—は山近し明日の日取りて持ちて参る来む」〈万七七九〉

やねぶね【屋根船】江戸で、屋根板が形ばかり葺(ふ)いてある小舟。略して、「やねぶ」とも。「—で座頭頭を断(ことわ)られ」〈雑俳・万句合明和三〉

やの【矢箆】矢の幹。矢柄(やがら)。「前に—の荒作りたるが、二三十ばかりあるを取りて」〈宇治拾遺一六六〉。「箭箆、ヤノ」〈天正十八年本節用集〉

やの『助』軽い感動を表わす。やなあ。よな。やな。「あら名残惜し—」〈虎寛本狂言・伊文字〉

やのつかひ(ヤノツカイ)【矢の使】烈しくせき立てる使。「この事を聞きて、—を立てたりけるこそ難義なれ」〈仮・是楽物語上〉。〈俳・毛吹草三〉

やのね【矢の根】鏃(やじり)。「—を盗み取りて懐に入るる間を、見あらはして取り返させしを」〈再昌草五〉。「鏃(やじり)、—のこと也」〈太平記聞書〉

やは(ヤワ)『副』《係助詞ヤハの転用》反語・疑問の意を表わす。どうして。なんで。「然れば、—鬢(びん)たたらとは歌ふべき」〈今昔二八ノ四〉。「—返り入り給はむとする」〈雑談集四〉

やは『助』→基本助詞解説

やはか(ヤワカ)『副』《副詞ヤハと係助詞カとの複合》①反語の意を表わす。どうして。「たとへ番匠が鑿(のみ)にて打ち候ふとも、—たやすくこれ程は通り候ふべき」〈保元中・白河殿攻め落す〉 ②万が一にも。よもや。「—北方には臘月に花の開くことはあるまい」〈三体詩抄一ノ三〉。「みかども始めは—さはあらじと思し召しけるが」〈伽・唐崎物語〉 ③絶対に。全く。「—のがるべきやうなかりけり」〈伽・雪女物語〉

やはぎべ【矢作部・矢矧部】矢をつくることを業とする部。「矢部(やはぎべ)をして箭(や)を作(は)がしむ」〈紀綏靖即位前〉 †yaFagibe

やは・し(ヤワシ)【和し】『四段』《ヤハは擬態語》やわらげる。帰服させる。平和にする。「ちはやぶる神を言向け、まつろはぬ人をも—・し」〈万四四六五〉。「和、ヤハシヌ」〈名義抄〉。「抜、ヤハス」〈名義抄〉

やはず【矢筈】矢の末端の、弦をかける所。「向ひの岸を見るに、—を取りたる者四五百騎と見えたり」〈盛衰記三五〉。「箭筈、也波受(やはず)」〈新撰字鏡〉

やはた【八幡】石清水八幡宮。「神は。松の尾。—。(祭神ハ)この国の帝にておはしましけむこそめでたけれ」〈枕二八七〉

やはやは(ヤワヤワ)【柔柔】いかにも柔らかなさま。「母君はただいと若やかにおほどかにて、—とぞたをやぎたまへりし」〈源氏玉鬘〉

やはら(ヤワラ)【柔ら】㈠『名』《ヤハは擬態語。ラは状態を表わす接尾語》①ふんわりしているさま。「海原の根—小菅あまたあれば君は忘らす我忘るれや」〈万三四九八〉 ②柔術。「我などは、—・取手(とりて)や棒などをあらまほしと悔ゆる」〈仮・悔草下〉 ㈡『副』そっと。静かに。ゆっくりと。「—遣戸を細目に開きてのぞけば」〈今昔二三ノ三六〉。「腰の刀を—抜きて」〈宇治拾遺八七〉

—た【柔手】《「柔手枕(やはらたまくら)」の略》柔らかな手枕。「貫河の瀬瀬の—と、いとなつかしくうたひ給ふ」〈源氏常夏〉

—とり【柔取】柔術。ま

た、それに巧みな人。「鳴く虫の声を交して—」〈俳・難波千句〉　**—やはら**『副』《ヤハラを重ねた形》静かに。ゆっくり。「〔太鼓ヲ〕—打たうよ」〈謡・籠太鼓〉

やはらか【柔らか】《擬態語ヤハに接尾語ラカのついた語》①人や物の性質・状態・態度などが、ふわふわしているさま。「すべて女は—に、心うつくしきなむよきこと」〈源氏宿木〉。「けぢかう染みたる匂ひなど取り集めてらうたげに、—なる心地したまへり」〈源氏夕霧〉。「〔静カナ夜ハ〕御衣(おほんぞ)のけはひ—なるしも〔カエッテ音ガ〕しるかりけり」〈源氏空蟬〉②人に接する態度がゆるやかで、きびしくないさま。「機嫌をはかり知りて、—に諫むべし」〈十訓抄六序〉。「—にして激しう、威勢あれども睦ましい」〈天草本金句集〉　**—もの**【柔らか物】《手ざわりの柔らかな物の意》絹物。「—を嫁の襟元」〈俳・炭俵上〉

やはら・ぎ【柔らぎ・和らぎ】『四段』《ヤハラの動詞化》①(人あたりが)とげとげしくなくなる。柔軟性をもつ。「少しなよび—・ぎ過ぎて、好きたる方にひかれ給へり」〈源氏匂宮〉②しなやかになる。「世の常の山のたたずまひ水の流れ、目に近き人の家居のありさま、げにと見えてなつかしく—・いだるかたちなどを、静かにかきまぜて」〈源氏帚木〉

やはら・げ【柔らげ・和らげ】□『下二』《ヤハラギの他動詞形》①はげしいもの、恐ろしいもの、緊張したもの、堅いものなどを、柔らかにする。なごやかにする。「男女の仲をも—・げ」〈古今序〉。「天地をなびかし、鬼神の心を—・げ」〈源氏若菜下〉。「〔筆ヲ〕まづ水にひたして、毛を—・げて」〈用心抄〉②わかり易いようにする。くだいた表現にする。「梨壺の五人に仰せて万葉集を—・げられけるも」〈十訓抄七ノ八〉。「この物語をラチンより日本の言葉に—・げ」〈天草本伊曾保〉□『名』固い表現、むつかしい言葉などを平易に砕いて言い直すこと。「どちりいなのうち、ことばによっての—」〈どちりなきりしたん〉。「〔辞世ノ頌ニ対シテ〕奥に一首の—あり」〈浄・一心二河白道五〉

やはり『副』《ヤハは、ヤハヤハ・ヤハラなどのヤハに同じ》①ゆったりとしているさま。静かにじっとしているさま。「—居らいで走り回って何せうぞ」〈碧岩抄三〉。「さて夜が明くれば—も居られず、旅屋を出でて行くぞ」〈三体詩抄一ノ四〉②依然として。転じて、予想通り。案の定。「—。そのままと云ふに用る詞也」〈志不可起五〉

やばん【夜番】夜、番をすること。また、その人。夜警。特に、近世、町に雇われて太鼓・拍子木を打ち、夜中に町内を巡行した者。よばん。「奈良中も—一段きびしし」〈多聞院日記天正一七・二・一三〉

やはんらく【夜半楽】①雅楽の曲名。唐楽。平調〈ひやうでう〉。その名にちなんで、退出時に奏したという。「夜に入りにたれば、—をこそせめなどありけるにや」〈龍鳴抄下〉②《「夜半」にかけて》夜中。「時しも頃は—、眠りを覚ます折節に」〈謡・経政〉

やひさ・し【悋し】『形ク』「やふさし」の古形。「惜悋、上乎之牟(をしむ)、下夜比左之(やひさし)」〈華厳音義私記〉　†ya-Fisasi

やびつ【矢櫃】矢をおさめておく蓋付きの木箱。矢箱。「—一合」〈義経記四〉

やひらで【八枚手】《ヤは数の多い意。ヒラデは皿のような食器》何枚もの柏の葉を竹串にさして編んだ笠形の食器。「—を手に取り持ちて誰が代にか北の御門と斎ひ初めけむ」〈神楽歌九三〉

やひろ【八尋】《ヤは数多い意。ヒロは長さの単位》幾間もある長さ。長さが長いこと。「—の殿を化作(たみつ)つ」〈紀神代上〉　†yaFirö　**—どの**【八尋殿】大きな御殿。「—を見立てたまひき」〈記神代〉　**—わに**【八尋鰐】《ワニは古く鮫(さめ)をいう》長い大きな鮫。「—になりて、這ひもごよひき」〈記神代〉

やふ【八節】《ヤは数の多い意》編み目の多いこと。垣などにいう。「—の柴垣」〈紀歌謡九一〉　↓ふ(節)

やぶ【藪】①手をつけず、樹木や草を延び放題にした土地。田畠に利用せず遊ばせてある土地。「この年頃領ずる人ものし給はず、あやしき—になりて侍れば」〈源氏松風〉②【野巫】藪医者。「月花を医す閑素幽栖の—の子有り」〈俳・独吟廿歌仙下〉　**—から棒**　思いがけない事のたとえ。藪から棒を出す。「鶯は—の高音かな」〈俳・生玉万句〉　**—に剛(かう)の者**　つまらぬ者の中にも勝れた技能の持主がいる意。また、藪医者の中にも功者がいる意。藪に功の者。〈俳・毛吹草二〉　**—に馬鍬(まぐは)**　藪の中で馬鍬を使用する意で、無理な事を強いてすることのたとえ。「竹の子を折れるは—かな」〈俳・夢見草二〉

やぶ【野夫】農夫・木樵(きこり)など、田舎住いの者。「粟より外を知らぬ—迄」〈俳・女歌仙〉

やぶい【藪医】藪医者。「鳥羽のほとりに了三といふ—の侍りしが」〈遠近草下〉。「野巫医、ヤブヰ」〈書言字考〉

やぶいり【家父入・養父入】正月・七月の十六日に奉公人が暇を貰って、実家または請人の家に帰って遊び楽しむこと。「竹山の月や—十六夜」〈俳・崑山集一〇〉

やふう【野風】泥くさく、げびたさま。「帯の体下り過ぎて、殊の外—に見えますれば」〈評判・朱雀遠目鏡上〉

やぶかみ【藪神】小さな祠(ほこら)に祭る神。「家康果報の儀、少少の—は考へなりかね申さん」〈甲陽軍鑑一四〉

やぶくすし【藪薬師・藪医師】藪医者。「—等は間間(まま)見え来たり候ふか」〈庭訓往来十一月十二日〉。「せせり細工に—、はかり目一つも知らずして、薬を使へどききもせず」〈細川幽斎長歌〉

やぶさか【吝】物惜しみする性質であるさま。「たとひ驕(おご)り且(また)吝(やぶさか)ならば、其の余は観るに足らざらくのみ」〈論語八・建武四年点〉▽論語建武本や文明本節用集にはヤブサカとあるが、名義抄にはヤフサガルとあり、鎌倉時代以降、清濁が移ったらしい。

やふさが・り【慳り】『四段』物惜しみする。「〔国王トシテ〕常に心に施するに悋(やふさ)がること無かりき」〈金光明最勝王経平安初期点〉。「慳・悕、ヤフサガル」〈名義抄(図書寮本)〉

やふさ・し【慳し】『形ク』《ヤヒサシの転》物惜しみする性質である。「心慳(やふさ)く鄙(とひと)なること無くして常に恵施を行ぜむ」〈金光明最勝王経平安初期点〉。「嫪、也不佐之(やふさし)」〈新撰字鏡〉

やぶさめ【流鏑馬】騎射の一法式。方形の板を串にはさんで三か所に立てて的とし、馬を走らせながらつぎつぎに鏑矢(かぶらや)で射るもの。射手は水干・綾藺笠〈あやゐがさ〉をつけ、行縢(むかばき)をはき、重籐の弓を用いる。もと騎射の練習に始まったが、後には儀式化して、多く神事・祭事の際に行なわれた。「中君の夫は天下第一の武者なり。合戦、夜討、馳射(はせゆみ)…笠懸、—、八ツ的、三三九の手狭等の上手なり」〈新猿楽記〉。「流鏑、ヤブサメ」〈文明本節用集〉

やぶしん【家普請・屋普請】家を建てること。「まだしき—・部屋造りし」〈西鶴・永代蔵一〉

やぶすま【矢衾】矢を一面にすきまなく射かけるさま。「櫓(やぐら)よりは、逆茂木(さかもぎ)を引かせじと、—を造ってこれを射る」〈盛衰記三七〉

やぶだたみ【藪畳】一面に茂った藪。また、藪垣。「蚊柱を

立つる家居や―」〈俳・言之羽織三〉。〈俳・御傘六〉

やぶはら【藪原】 藪のある原。藪になっている原。「はろばろに言(こと)そ聞ゆる島の―」〈紀歌謡一〇九〉

やぶみ【矢文】 矢柄(やがら)などに文書を結びつけ、敵陣へ射送ったもの。「まづ―をもって、右の趣…と申し遣はしければ」〈沼田根元記〉。〈日葡〉

やぶ・り【破り】『四段』《固いもの、一つに纏まっているものなどの一部分を突いて傷つけ、その全体をこわす意。類義語サキ(割)は、切れ目から全体を引き離す意》①固いものを突いて傷をつけ、こわす。「小螺(しただみ)をい拾(ひり)ひ持ち来て、石以(も)ち突(つつ)き―・り、早川に洗ひ濯(すす)ぎ」〈万三八八〇〉。「彼の五の賊、皆刀杖を毀(やぶ)りて戒を受けて別れぬ」〈三蔵法師伝二・院政期点〉 ②(人に)傷を負わせる。「法師を傷(やぶ)り触れむものは、其の手を斬らむ」〈三蔵法師伝五・院政期点〉 ③(固め・備え・護りなどを)突破する。「障子(さうじ)の固めもいと強し。強ひて―・らんをばつらくいみじからむと思したれば」〈源氏総角〉。「軍の陣をば破軍星の者こそ―・るなれ。のけのけ殿原(とのばら)、この門―・らん」〈保元中・白河殿攻め落す〉 ④(戦いで)相手を敗かす。敗退させる。「当(まさ)に四兵を具へて、彼の国土を壊(やぶ)らむ」〈金光明最勝王経平安初期点〉。「義仲わづかに三千余騎をもって、かの兵(つはもの)を―・りをはんぬ」〈平家七・木曾山門牒状〉 ⑤(言葉などで)相手を言い負かす。やっつける。「例の君の、人の言ふ事―・り給ひてめざまし」〈源氏常夏〉 ⑥(ものごとの成立を)中途で妨げて成り立たなくする。だめにする。「巖松高くそびえて、嵐妄想の夢を―・り」〈平家一〇・熊野参詣〉 ⑦(守るべき戒め・禁・確約などを)犯す。「忌む事の中に―・る戒は多からめど」〈源氏手習〉。「この殿、制を―・りたる御装束の、事のほかにめでたきをして」〈大鏡時平〉 ⑧(人の気持を)傷つける。「子を失ふべき想を生して、憂の箭(や)に苦しく心を傷(やぶ)らる」〈金光明最勝王経平安初期点〉

やぶ・れ【破れ】 ㊀『下二』《ヤブリ(破)の自動詞形》①固いもの、纏まりあるもの、運勢などが、くずれ、こわれ、つぶれる。「土塊・瓦礫・草木・根茎・枝葉・花草の、輪の為に輾(めぐ)られて、皆悉く摧(くだ)け壊(やぶ)れて受用するに任せずなりぬ」〈地蔵十輪経六・元慶点〉。「心を用ゐること少しきにしてきびしき時は物に逆(さか)ひあらそひて―・る」〈徒然二一〉 ②(障害などで)だめになる。台なしになる。「除目(ぢもく)の夜なりけれど、かくわりなき御さはりなれば、皆事―・るるやうなり」〈源氏葵〉 ③傷を負う。「隋侯―・れたる蛇を見て、薬を付けてこれをいやす」〈十訓抄一ノ四〉 ④戦いに敗ける。「そのいくさ―・れぬ」〈三宝絵中〉。「宇治・勢田―・れぬと聞えしかば」〈平家九・河原合戦〉 ㊁『名』①破れたもの。破損した所。「経の―の落ち給へるなりけり」〈今昔一三ノ三四〉。「枕上に物掻き落されたるを見れば、紙の―なり」〈今昔二三ノ三四〉 ②破綻。不成功。「万の事、さきのつまりたるは―に近き道なり」〈徒然八三〉。「事つつしまざるは―を取るの道なり」〈天草本金句集〉 ③くずれ乱れること。「京中の貴賤、すはや天下の―こそ、出で来れと、上を下に騒動して」〈細川勝元記〉 **―かぶれ【破れかぶれ】** やけを起すこと。自暴自棄。「或は―手勢ばかりにて押し寄せて」〈伽・鴉鷺合戦物語〉 **―そう【破れ僧】**《「破僧」の訓読語》破戒異端の僧。「―烏帽子きたれば小女童(こめらは)の男と見てや後(しり)につくらん」〈七十一番歌合〉

やへ ェ:【八重】 ①幾重にもたくさん重なっていること。「臣の子の―の紐解く」〈紀歌謡一二七〉 ②八枚重なること。「紅梅の御衣をぞ―にも過ぎて幾つとなく奉りたる上に」〈栄花蕃花〉 †yaFe

やへがき ::ェ【八重垣】 幾重にもめぐらした垣。「八雲立つ出雲―妻ごめに―作るその―を」〈紀歌謡一〉 †yaFegaki

やへざくら ::ェ【八重桜】 八重咲きの桜。「九重に久しくにほへ―のどけき春のかぜと知らずや」〈金葉三二九〉

やへだたみ ::ェ【八重畳】〔枕詞〕畳を幾重にも重ねる意から「へ」の音をもつ地名「平群(へぐり)」にかかる。「―平群の山」〈万三八八五〉 †yaFedatami

やへむぐら ::ェ【八重葎】 多くのむぐら。多種多様の蔓草。家の荒れた形容に用いる。「思ふ人来むと知りせば―おほへる庭に珠敷かましを」〈万二八二四〉 †yaFemugura

やへやま ::ェ【八重山】 幾重にも重なっている山。「朝霧の―越えてほととぎす卯の花辺から鳴きて越え来ぬ」〈万一九四五〉 †yaFeyama

やへやまぶき ::ェ【八重山吹】 八重咲きの山吹。「―の咲きみだれたるさかりに露かかれる夕映」〈源氏野分〉

やほ ォ:【八百】 はっぴゃく。また、数の多いこと。「滄海原(あをうなはら)の潮の―重(へ)を治(し)らすべし」〈紀神代上〉

やほ【彌帆】 大船の舳先(へさき)の方に張る小さい補助用の帆。「或いは帆柱を吹き折られて、―にて馳する舟もあり」〈太平記三〇・奥州下向勢〉

やぼ【野暮・野夫・野火】 世情に通ぜず、無智で泥くさいこと。特に、遊里の事情に通じないこと。また、その人。野暮助。野暮天。「万事に心の働かずして不調法なるを野夫(やぶ)と申し候。―と申すは道化て片言のやうに申し侍るなり」〈評判・濡仏中〉。「―とは訳知らぬ買手」〈評判・吉原鹿子〉。「―は田舎人」〈俳・花見車一〉

やほあひ ヤオアイ【八百会】 たくさんのものが一つに集まり出会う所。特に、八重の潮路の集まり会う所。「〔罪ヲ〕八塩道の塩の―に坐す速開都比咩(はやあきつひめ)といふ神持ちかか呑みてむ」〈祝詞大祓詞〉。「海にます神の助にかからずは潮の―にさすらへましを」〈源氏明石〉 †yaFoaFi

やほか ::ォ【八百日】 非常に多くの日数。「―行く浜の沙(まなご)もわが恋にあに益(まさ)らじか沖つ島守」〈万五九六〉

やほこ【八矛】 多くの矛。「―持ち参出来(までこ)し時」〈万四一一一〉 †yaFökö

やほたでを【八穂蓼を】〔枕詞〕多くの穂をもつ蓼の意で「穂」にかかる。一説、穂摘みと音の似た氏の名「穂積(ほづみ)」にかかる。「―穂積の朝臣(あそ)が」〈万三八四二〉

やほち【夜発】《ヤホツとも》遊女の一種。辻君・夜鷹(よたか)などの類。「遊女―の長者、江口河尻の好色」〈新猿楽記〉。「夜発、俗云夜保知(やほち)」〈和名抄〉

やほつ【夜発】 ⇒やほち。「遊女・―のたぐひ」〈サントスの御作業二ノ五〉。〈黒川本色葉字類抄〉

やほに ::ォ【八百土】〔枕詞〕多くの赤土を盛って築く意から「杵築(きづき)」にかかる。「―杵築の宮に静まりましき」〈祝詞神賀詞〉 **―よし【八百土よし】**〔枕詞〕《ヨシは良しの意》「やほに」に同じ。「―い杵築の宮」〈記歌謡一〇〇〉

やほよろづ ::ォ【八百万】 数の非常に多いこと。「―千万(ちよろづ)神の神集(かむつど)ひ」〈万一六七〉 †yaFoyörödu

やま【山】《「野」「里」に対して、人の住まない所》①地表の極めて高く盛り上がっているところ。通例、丘より高いものをいう。古く、神聖なものとされ、神が降下し、また神が領有すると信じられた。「すめ神の裾廻の―の」〈万三九八五〉 ②物事の絶頂。峠。「奈良坂といふ―越えける程」〈源氏手習〉 ③陵墓。「従三位三原王…造山司(やまつくりのつかさ)とす」〈続紀天平二〇・四・二一〉。「院の御墓拝み奉り給ふとて…御

―に参りはべるを」〈源氏 須磨〉④山をまねて作ったもの。築山。「―の木立、中島のわたり色まさる苔のけしきなど」〈源氏胡蝶〉⑤特に、比叡山また延暦寺の称。「―にのぼりてかへりまうできて、人人わかれけるついでに」〈古今三九三詞書〉。「世の中に山てふ山は多かれど―とは比叡の御山をぞいふ」〈拾玉集一〉。「比叡の山をば、山門とて、ただ―とばかりも言へり」〈三島千句注〉⑥山に籠って行なう仏道修行の生活。山ごもり。「深き―の本意は」〈源氏東屋〉⑦鉱山。「当山によらず、佐州(佐渡)にても、いづかたの―にても」〈梅津政景日記慶長一七・三・八〉⑧山形に飾った造り物。「色色のいつくしき玉の枝生ひしげりたる―を作り、地車に乗せて」〈三好軍記下〉。「―を作り、桙(ほこ)を飾る」〈伽・付喪神記〉⑨「山鉾」の略称。「今日はいざ誰殿へ―の相談に参らう」〈狂言記・祇園〉⑩天然痘の症状で、表皮が豆大に隆起したもの。「針立つといふばかりぞや三善(みよし)殿―もあげずに稚児や死ぬらん」〈遠近草上〉

―見えぬ坂を言・ふ まだはっきりしないことをいう意で、あてにならないたとえ。「山見えぬ坂」「山も見えぬ」とも。〈俳・毛吹草二〉 **―笑・ふ** 春の山の、のんびりと楽しげなありさまをいうことば。「―・ふを春とする也」〈俳・滑稽雑談一〉→笑ふ山

やま【矢間】 ①櫓(やぐら)や城壁などに設けられた、矢を射るためのすき間。「櫓の上、―の陰に、人形を数千万立て置きて」〈太平記三八・太元軍〉②鎧のすき間で、矢が当たると貫かれる所。矢に貫かれるすき間。「甲冑をゆり合はせ、ゆり合はせ、―をたばひて振舞へば」〈盛衰記三五〉

やまあひ イ：ア【山間】 二つの山と山とが出合うところ。山と山との間。「あしひきの―に降れる白雪はすれる衣の心地こそすれ」〈拾遺二四五〉

やまあらし【山嵐】 山を吹き荒らす激しい風。「吉野の山の―も寒く日ごとになりゆけば」〈古今一〇〇五〉

やまあららぎ【山蘭】 コブシの古名。「いるさの山の―」〈催馬楽婦と我〉。〈和名抄〉

やまあゐ【山藍】 トウダイグサ科の多年草。日本に古来生育する。この葉をついて出る汁で藍色に染める。「やまゐ」とも。「―にすれる竹の節(ふし)は松の緑に見えまがひ」〈源氏若菜下〉

やまいだし【山出し】 山から運び出すこと。山だし。「人夫を材木の―へ出で立て候へば」〈高野山文書六、建治一・一〇・二八〉

やまうつぼ【山靫】 狩猟などに用いる粗製のうつぼ。「―・竹箙(たかえびら)に矢ども少少差し」〈平家八・妹尾最期〉

やまうど【山人】《ヤマビトの転》⇒やまびと(1)「人も通はぬ深山の奥の清水のある所に死人のあると―の語りけるに」〈発心集一〉。〈日葡〉

やまうど【病人】《ヤマヒビトの転》 病気の人。「ただ―にこそならず」〈伽・高野物語〉。〈日葡〉

やまうば【山姥】 深山に住むと信じられていた鬼女。「まことの―は、山に住む鬼女とこそ曲舞(くせまひ)には見えて候へ」〈謡・山姥〉

やまうり【山売】 効能のない、まやかしの薬などを売る行商人。また一般に、詐欺師。「―の賽振と勝負させて」〈俳・誹諧破邪顕正〉

やまおくり【山送り】 死者を山の葬所に送ること。死者を山に葬ること。「天皇行幸(みゆき)して―せむとありければ」〈今昔三一ノ一〉

やまおとし【山落し】《オトシは奪取の意》 山賊。「強盗・海賊・―の事」〈塵芥集〉。「雄勝峠において平沢正左衛門子共、―に合ひ申し候」〈梅津政景日記元和四・二・一〉

やまおろし【山颪】 山から吹きおろす風。「―の風な吹きそとうち越えて」〈万一七五一〉。「九月になりぬ。―いと激しう、木の葉のかくろへなくなりて」〈源氏夕霧〉 †yamaorösi

やまが【山家】 ①山中の家。「はじめて旅を信濃路や、木曾の―を出でうよ」〈謡・兼平〉②山里。「―を行くに、日すでに暮れて」〈奇異雑談集四〉

やまかがち【蟒】 うわばみ。「五百由旬の―の身は小さき虫のためにくらはるる」〈宝物集上〉。「蟒、大蛇、山加我知(やまかがち)」〈新撰字鏡〉

やまがき【山柿】 まめ柿。信濃柿(しなのがき)。実が小さい。「―の木」〈古今四三三詞書〉

やまがく・し【山隠し】『四段』 山に隠す。人に死なれることをいう。「家離(さか)りいます吾妹(わぎも)を止めかね―・しつれ情神(こころど)もなし」〈万四七一〉

やまがく・れ【山隠れ】『下二』 山に隠れている。「―・れ人はとひ来ず桜花春さへすぎぬ誰に見せまし」〈続拾遺一四八〉

やまかげ【山陰】 山があるので陽があたらないところ。山のかげ。「春されば樹(き)の木(こ)の暗の夕月夜おぼつかなしも―にして」〈万一八七五〉 †yamakagë

やまかご【山駕籠】 山道などに用いる粗製の駕籠。「―に乗り」〈松平大和守日記寛文七・五・一八〉

やまかぜ【山風】 ①山の中の風。「―に桜吹きまきみだれなん花のまぎれに君とまるべく」〈古今三九四〉②山から吹く風。「ささなみの比良―の海吹けば釣する海人の袖かへる見ゆ」〈万一七一五〉

やまがた【山県】 山にある畑。一説、山にある料地。「―に蒔(ま)ける青菜も」〈記歌謡五四〉

やまかたつ・き【山片付き】『四段』 片方が山に近よる。山のすぐ近くにある。「雪をおきて梅をな恋ひそあしひきの―・きて家居せる君」〈万一八四二〉 †yamakatatuki

やまがたな【山刀】 きこりなどが木の枝や篠などを切り払うに用いる、鉈(なた)に似た刃物。「大沼川といふ所の郷民ども…竹鑓・―を手手に持ち」〈飛驒国治乱記〉

やまがつ【山賤】 木樵・山人(やまうど)などの、山中に生活する身分の卑しい人。「―のそしりをさへ負ふなむ、ここ(私)のためもからき」〈源氏蜻蛉〉

やまかづら【山蔓】 ①ヒカゲノカヅラ。マサキノカヅラのことも。神事に用いた。「あしひきの―の児今日行くと我に告げせば還り来ましを」〈万三七八九〉②山の端にかかる暁の雲を、山が頭にいただいた鬘にみたてていう語。「―明けゆく雲に時鳥出づる初音も峰別るなり」〈拾遺愚草上〉。「―。暁の雲の事なり」〈匠材集三〉 **―かげ【山葛蘿】**「やまかづら」(1)に同じ。「あしひきの―ましばにも得がたき蘿(かげ)を置きや枯らさむ」〈万三五七三東歌〉

やまかは ：カ ワ【山川】 山や川。また、古く、山や川にはその神がいると考えられたので、山の神や川の神の意。「うつせみは数なき身なり―の清けき見つつ道を尋ねな」〈万四四六八〉。「―も依りて仕ふる神ながらたぎつ河内に船出せすかも」〈万三九〉

やまがは ：ガ ワ【山川】 山にある川。「―に鴛鴦(をし)二つ居て」〈紀歌謡一一三〉

やまがひ ：ガ イ【山峡】 山と山との間。「―にさける桜をただ一目君に見せてば何をか思はむ」〈万三九六七〉 †yamagaFi

やまから【山柄】 山の品格。「み吉野の吉野の宮は―し貴かるらし」〈万三一五〉。「―、京の八幡(やはた)の山の形也」〈南海流浪記〉

やまがらめ【山雀め】《メは鳥類を示す語。スズメ・ツバクロメの類》 ヤマガラ。「―。紅葉に衣の色はしみにけりあきの

山からめぐりこしまに」〈拾遺四〇三〉

やまがらりこう【山雀利口】 小利口で実際の役に立たないもの。山雀利根。「是れ則ち猿利発・—と云ふものなり」〈仮・可笑記五〉

やまがり【山狩り】 山で狩りをすること。「山追ひ」とも。「—の為、僧衆を追ひ出だすの条、希代の事也」〈吾妻鏡養和二・五・二五〉

やまぎは ワ::ギ【山際】 ①山の稜線。「やうやう白くなりゆく、—少しあかりて」〈枕一〉。「—よりさし出づる日の花やかなるにさし合ひ」〈源氏若菜上〉 ②山の裾。麓(ふもと)。「南のお前の—より漕ぎ出でて〔中宮ノ〕お前に出づる程、風吹きて」〈源氏胡蝶〉

やまくさ【山草】 山に生えている草。「ぬばたまの黒髪山の—に小雨降りしきしく思ほゆ」〈万二四五六〉

やまぐさ【山草】 ウラジロの異称。「住吉の松や—何やかや」〈俳・独吟一日千句〉

やまくじ【山公事】 山の所有権・入会権・伐採権・境界などに関する訴訟。「—やただ果てぬ出入(いでいり)」〈俳・犬子集三〉

やまぐち【山口】 ①山の上り口。「虎の跡を尋ねて追ひ行く。即ち一の—の野中に追ひ至りて見るに」〈今昔一〇ノ一七〉 ②狩り場への入口。「さて—いらせ給ひしほどに」〈大鏡昔物語〉 ③物のはじめ。「かくこそはすぐれたる人の—はしるかりけれ」〈源氏松風〉

やまごえ【山越え】 山を越えて行くこと。また、その道。「志賀の—にて詠める」〈古今三〇三詞書〉。「一万余騎にて三草山を—に、西の城戸へと打ち給ふ」〈盛衰記三六〉

やまこかし【山転・山衒】 ①うまい口上を並べて、鉱山・山林などに投資させ、その金をかすめ取ること。また、その詐欺師。「世には金山新田事の無い事を衒(たか)り歩きて、人をふづくる(欺ス)—と言ふえせ者ども有って」〈浮・商人家職訓四〉 ②口先一つで人を欺し、その金銭財産など奪い取ること。また、その詐欺師。「風の手で幾粒の実や—」〈俳・歌林鋸屑集三〉。「何事にてもあれ、だまし取りに取り倒すを—と云ふは如何(かい)に。是れも理は聞えたり。のぼしかけて突き落すより、かかる名は出来しとぞ」〈浮・手代袖算盤三〉

やまこし【山越し】 山を越すこと。また、その所。「—の風を時じみ寝(ぬ)る夜おちず家なる妹を懸けて偲ひつ」〈万六〉

† yamakosi

やまごと【山事・請合事】 山師の投機的な事業。「—の中(あた)るや否や月の弓」〈俳・正風集八〉。「金・銀・銅の—をふづくり」〈浮・手代袖算盤三〉

やまごもり【山籠り】 山にとじ籠もること。山寺などに籠もって修行すること。「—の本意深く今年は出でじと誓ひたれど」〈源氏手習〉

やまざくら【山桜】 山に咲く野生の桜。「—我見にくれば春霞峰にもをにも立ちかくしつつ」〈古今五一〉 **—と**【山桜戸】 ①山桜の木でつくった戸。「あしひきの—を開け置きて我が待つ君を誰か留むる」〈万二六一七〉 ②山桜の多い山家や所。「名もしるし峰の嵐も雪とふる—のあけぼのの空」〈新勅撰九四〉 † yamazakurato **—ばな**【山桜花】 山桜の花。四月初、若葉と同時に咲く。「あしひきの—日並べてかく咲きたらばいた恋ひめやも」〈万一四二五〉

やまさち【山幸】《「海幸」の対。サチはサツヲ・サツヤのサツと同根》 山で獲物をとる道具。また、山でとる獲物。「—も己(おの)がさちさち」〈記神代〉

やまざと【山里】 ①普通は人の住まない山にある人里。山の中の里。「春たてど花も匂はぬ—は物憂かるねにうぐひすぞ鳴く」〈古今一五〉 ②山水に便りある景勝の地に貴族の営んだ別邸。山荘。「宇治といふ所に由ある—持給へりけるに」〈源氏橋姫〉 ③貴族・武家の邸宅や居城の敷地内に野趣に富んだ地をトして、山荘さながらに屋舎・庭園を築造した所。「大膳大夫の家の庭に賀茂山の松を植ゑ移して、住吉の社と思ひなぞらへ侍る事あり。…此の松のそばに—を作りたりし移徙(わたまし)に」〈草根集九〉 **—ずみ**【山里住】 山里にひきこもって暮すこと。「故宮の、まだ、かかる—もし給はず」〈源氏宿木〉 **—・び**【山里び】『上二』 ①山荘の生活になじむ。「—・びたる若人どもは、さしいらへむ言の葉もおぼえで」〈源氏橋姫〉 ②野趣がある。「—・びたる網代屛風など」〈源氏椎本〉。「—・びたるすまひをぞ見る」〈宗長百番連歌合〉

やまさなかづら【山さな葛】 山のサネカヅラ。一説、紅葉の美しいツタ。「あしひきの—もみつまで妹(いも)にあはずや我が恋ひ居らむ」〈万二二九六〉

やまさはびと ワ::サ【山沢人】 山の沢べに住む人。「あしひきの—の人多(さは)にまなといふ児があやにかなしき」〈万三四六二〉

† yamasaFabitô

やまさはゑぐ ワ::サ【山沢恵具】 山間の沢に生えているえぐ。「あしひきの—を採みに行かむ日だにも逢はせ母は責むとも」〈万二七六〇〉

やまさ・び【山さび】『上二』《サビは、…の状態である意》 山らしい様子である。「瑞(みづ)山と—・びいます」〈万五二〉 † yamasabï

やまし【山師・山仕・山士】 ①山林伐採や鉱山採掘の事業をする者。危険の多い投機事業なので、投機業者、または、その事業を種にして詐欺を働く悪質業者の意にもいう。「—・山先十二三人集め」〈梅津政景日記慶長一七・四・八〉。「逃れ入る—中間(なかま)は咎むなよ」〈俳・伊勢宮笥〉 ②近世後期、投機的事業をやり、人をペテンに掛ける者。「—共は我れ一と内証より付け込み」〈滑・根南志具佐二〉 ③珍奇な動物などを見世物にする興行人。「—ちふ者(もな)ア何(にあ)耳だアがな、早(はや)く聞き付けるもんだア」〈滑・浮世風呂前上〉

やま・し【疾し・疚し】『形シク』 気にやまれる。気がとがめる。うしろめたい。「君子は内心を省(かへりみ)るに、悪い事をせぬほどに、—・しい事がないぞ」〈論語抄顔淵〉

やまじ 野草ハナスゲの異称。「—。ほととぎす峰の雲にやまじりにしありとはきけどみるよしもなき」〈古今四四七〉。「児草、ヤマシ」〈名義抄〉

やましう ユウ::シ【山州】 散茶(さんちゃ)または茶屋女などの下級の遊女の称。お山。山衆(やましゅ)。「程なく—へ下られける」〈評判・山茶やぶれ笠〉。「—。お山と言ふをかく言へり」〈浮・好色伊勢三〉

やました【山下】 山の下。ふもと。「あしひきの—とよみゆく水の時ともなくも恋ひ渡るかも」〈万二七〇四〉 **—かぜ**【山下風】 山の麓を吹く風。山から吹きおろす風。秋冬にいうことが多い。「白雪のふりしく時はみよし野の—に花ぞ散りける」〈古今三六三〉 **—つゆ**【山下露】 山の木の枝葉からこぼれる露。山かげの草の露の意とも。「ぬばたまの黒髪山を朝越えて—に濡れにけるかも」〈万一二四一〉 **—の**【山下の】 山の下にいる意。一説、万葉集の原文を「やましたふ」とよんで、秋、山が赤く色づく意から「赤(あけ)」にかかる枕詞。「旅にしてもの恋しきに—赤のそほ船沖へ漕ぐ見ゆ」〈万二七〇〉 **—みづ**【山下水】 山かげを流れる水。「あしひきの—の木隠れてたぎつ心をせきぞかねつる」〈古今四九一〉

やましなゑ【山科絵】「大津絵(おほつゑ)」に同じ。「—の槍持の

や

奴押したる屏風」〈浮・三代男三〉

やましろ【山背・山城】《奈良から見て山のウシロ(背)の意》旧国名の一。畿内五か国の一。今の京都府の一部。「一国、賀茂の祭りの日に衆を会して騎射することを禁ず」〈続紀 文武二・三・二一〉 †yamasirö **―ぢ**【山城道】山城国に通う道。また、山城国を通る道。「つぎねふ―を他夫(ひとづま)の馬より行くに」〈万三三一四〉

やまじろ【山城】《「平城(ひらじろ)」の対》山に築いた城。「此所こそ見事の―にて、一段にこしらへ置きたれども」〈朝鮮日日記〉

やますが【山菅】「やますげ」の古形。「咲く花は移ろふ時ありあしひきの―の根し長くはありけり」〈万四四八四〉

やますげ【山菅】《ヤマスガの転》①山に生えているスゲ。根が長く、葉が乱れていることを歌によむことが多く、平安時代には子(ね)の日などの祝儀に使われる。呪力のある草と考えられていたらしい。「妹待つと三笠の山の―の止まずや恋ひむ命死なずは」〈万三〇六六〉。「子の日に―を手まさぐりにして」〈栄花殿上花見〉 ②ヤブラン。また、リュウノヒゲ。「麦門冬、ヤマスゲ」〈名義抄〉 †yamasugë **―の**【山菅の】〔枕詞〕葉が乱れることから「乱れ」「背向(そがひ)」にかかる。また、山の菅の実がならないことから「実ならぬ」に、一説、ヤブランとみてその実から「実」にかかる。また、山と同音から「止まず」にかかるともいう。「―乱れ恋ひ」〈万二四七四〉。「―背向(背中アワセ)に寝しく」〈万三五七七東歌〉。「―実ならぬことを」〈万五六四〉

やまずみ【山住み】普通は人の住まない山に住むこと。仏道修行を目的とすることが多い。「―もし侍らまほしき心ありながら」〈源氏手習〉

やま・せ〔下二〕打つ。なぐる。「ていど棒で―・せられたぞ」〈蓬左文庫本臨済録抄〉。「師匠弟子を―・する事は、憎んではない」〈天草本金句集〉

やまだ【山田】山を切り開いて作った田。山間や山の裾にある田。「あしひきの―を作り山高(やまだか)み下樋を走(わし)せ」〈紀歌謡六九〉

やまだし【山出し】①「やまいだし」に同じ。「一八十五人ばかりして持ちさうなる楠の木柱を」〈伽・小栗絵巻〉。「朴は、…―の木のやうなぞ。杣(そま)が削ったままの木を云ふぞ」〈玉塵抄三一〉 ②田舎から出てきたばかりの者。「昨日か今日かの―、此のわっぱが有様を、物によくよく喩ふれば」〈幸若・烏帽子折〉

やまだち【山立】山賊。「伊勢の鈴鹿山にて―して」〈平家一一・嗣信最期〉

やまたちばな【山橘】藪柑子(やぶこうじ)の異称。冬、赤い小さい球状の実を結ぶ。「消(け)残りの雪に合へ照るあしひきの―を裏(つと)に摘み来な」〈万四四七一〉

やまたづ【山たづ】ニワトコの古名。みやつこぎ。「ここに―といふは、今、造木(みやつこぎ)といふぞ」〈記允恭〉 **―の**【山たづの】〔枕詞〕ニワトコの枝や葉が対生で、向い合って出ていることから「むかへ」にかかる。「―迎へを行かむ」〈記歌謡八八〉

やまたに【山谷】山や谷。「あしひきの―越えて野づかさに今は鳴くらむ鶯の声」〈万三九一五〉

やまたのをろち【八岐の大蛇】頭も尾も八つに分れている大蛇。出雲国簸河(ひのかわ)の上流にいて、スサノヲノミコトが退治し、その尾から天叢雲剣(あまのむらくものつるぎ)を得たという。「―年毎に来て〔娘ヲ〕くらへり」〈記神代〉 †yamatanö-woröti

やまぢ【山路】山道。「衾道(ふすまぢ)を引出の山に妹を置きて―を行けば生けりともなし」〈万二一二〉

やまぢさ【山萵苣】山に生えているチサ。エゴノキ。一説、イワタバコ。「―の白露しげみうらぶるる心も深くわが恋やまず」〈万二四六九〉

やまつと【山苞】山の土産。「あしひきの山行きしかば山人の我に得しめし―そこれ」〈万四二九三〉 †yamatuto

やまつばき【山椿】山にある椿。「あしひきの―咲く八峰(やつを)越え鹿(しし)待つ君が斎(いは)ひ妻かも」〈万一二六二〉 †yamatubaki

やまつみ【山祇】《「山つ霊(み)」の意。ツは連体助詞》山の神霊。山を支配する神。「―の奉(まつ)る調(みつき)と」〈万三八〉。「山祇、ヤマツミ」〈名義抄〉 †yamatumi

やまづら【山面】山の斜面。山のめぐり。「―に、かりそめなるきりかけといふ物したる上(かみ)より」〈更級〉

やまでら【山寺】人里離れた山の中にある寺。「―にまうでたりけるに」〈古今一一七詞書〉

やまと【倭・大和】《奈良県の一郷名に始まり、奈良県全体にわたる「大和国」の国名となり、ついで日本全体の代表名となった語。類義語オホヤシマが地理的な意味を持ち、ヒノモト(日本)が対外的な意識によって多く用いられたのに対し、天皇家の国家統一に伴って意味の拡大されて行った語らしい》①大和国の一地名。「青土(あをに)よし奈良を過ぎ、小楯(をだて)―を過ぎ…葛城高宮我家(わぎへ)のあたり」〈記歌謡五八〉 ②旧国名の一。畿内五国の一で、今の奈良県。「―は国のまほらまたなづく青垣山こもれる―しうるはし」〈紀歌謡二二〉 ③日本国の称。「そらみつ―の国は水の上は地(つち)行くごとく船の上は床(とこ)にゐるごと大神の鎮(しづ)むる国ぞ」〈万四二六四〉。「日本、此をば耶麻騰(やまと)といふ」〈紀神代上〉 ④平安時代、唐(から)に対して日本本来のもの。「―歌」「―心」など。「我のみやあはれと思はんきりぎりす鳴く夕かげの―なでしこ」〈古今二四四〉 ▽古く「大倭国」と書いたが、天平九年「大養徳国」とした。天平十九年「大倭国」に復し、天平宝字元年頃「大和国」とした。魏志倭人伝の「邪馬台」は漢魏時代の中国語の字音によればyamatöまたはyamadöで、後の「倭」「大和」のヤマトと同音。九州筑後の山門郡のヤマトはyamatoで、別音である。†yamatö **―うた**【大和歌】《「唐歌(からうた)」の対》和歌。「―は人の心をたねとてよろづの言の葉とぞなれりける」〈古今序〉 **―がき**【大和柿】①大和国御所村原産の御所柿。「唐土の吉野の雪や―」〈俳・大和順礼中〉 ②「郡山(こほりやま)染」に同じ。「上着は―のしゃれに、三つ松が枝の替へ紋」〈浮・和気の裏甲五〉 **―がな**【大和仮名】片仮名。後には平仮名をもいう。「かたかな…草のもじ也。俗に―と」〈狭衣物語下紐一〉。「撫子や送らば文も―」〈俳・毛吹草五〉 **―ごころ**【大和心】①〔漢詩文の才に対して〕実務処理の能力。「大弐殿、弓矢の本末(もとすゑ)も知り給はねば、いかがとおぼしけれど―かしこくおはする人にて、筑後・肥前・肥後九国の人〔ノ心〕をおこしたまふをばさることにて」〈大鏡隆家〉。「さもあらばあれ―しかしこくはほそぢにつけてあらすばかりぞ」〈後拾遺一二三〇〉 →からざえ。②日本人としての心情。「しきしまの―を人問はば朝日に匂ふ山桜花」〈本居宣長石上稿一六〉 **―ごと**【大和琴】「和琴(わごん)」に同じ。「―に寄す」〈万一一二九題詞〉。「おどろおどろしく掻立てたる調べ調子に劣らず賑はしく、―にも斯かる手ありけりと聞き驚かる」〈源氏若菜下〉 **―ことのは**【大和言葉】漢語を使わない日本の詩歌、文章。「唐(もろこし)には、春の花の錦にしくものなしといひ侍るめり、―には、秋のあはれをとりたてて思へる」〈源氏薄雲〉 **―ことば**【大和詞】

①我国のことば。本来の日本語。和語。「仮名に書くばかりにてはーの本体にて文字へかからず」〈愚管抄三〉 ②日本の歌。和歌。「そのーだにつきなくならひにければ」〈源氏東屋〉 ③近世、中古語および女房詞の混合した雅語の称。「ーになぞらへて、仰せけるこそ面白けれ」〈浄・浄瑠璃十二段一〇〉 **ーさう**(ソウ)【大和相・倭相】日本流に人相を見ること。一説に、日本人の人相見。「帝、かしこき御心に、ーをおほせて、思し寄りにける筋なれば」〈源氏桐壺〉 **ーさるがく**【大和猿楽】室町時代、大和地方に座を持った猿楽の総称。特に春日神社の神事に奉仕した結崎・外山・円満井・坂戸の四座は、観世・宝生・金春・金剛の名で今に伝わる。「翁をば、昔は宿老次第に舞けるを…大夫になくてはとて…清次出仕せられしより是を初めとす。よってー是を本とす」〈申楽談儀〉 **ーしま**【大和島】大和国の山山。海上からあたかも島のように見えるのでいう。「天離る鄙(ひな)の長道(ながち)ゆ恋ひ来れば明石の門(と)よりー見ゆ」〈万二五五〉 **ーしまね**【大和島根】①「やまとしま」に同じ。「名くはしき稲見(いなみ)の海の沖つ波千重に隠りぬーは」〈万三〇三〉 ②日本国の別称。「いざ子ども狂(たは)わざなせそ天地の固めし国そーは」〈万四四八七〉 **ーだましひ**(ダマシイ)【大和魂】実務を処理する能力。「なほ〔漢詩文ノ〕才(ざえ)をもととしてこそーの世に用ゐらるることも強う侍らめ」〈源氏少女〉。「摂政関白必ずしも漢才候はねども、ーだにかしこくおはしまさば、天下はまつりごたせ給ひなん」〈中外抄下〉 **ーぢ**【大和道】大和に通う道。「ーは雲隠りたり然(しか)れどもわが振る袖を無礼(なめ)しと思ふな」〈万九六六〉 **ーなでしこ**【大和撫子】ナデシコの異名。セキチクを「唐(から)撫子」というのに対する。「我のみやあはれと思はむきりぎりす鳴く夕影のー」〈古今二四四〉 **ーばた**【大和機】大和地方で奈良晒(さらし)の原料の麻布を織る上機(かみばた)。「女は麻布を織り延べ、足引のーを立て」〈西鶴・永代蔵五〉 **ーぶき**【大和葺】板葺の一種。屋根板を交互に喰い違わせて葺いた屋根。「御所〔ノ〕庵の屋根葺き候也。ー」〈山科家礼記康正三・八・二六〉 **ーぶみ**【日本紀】日本書紀のこと。「昔、神功皇后のみよに、をしくまの王のむほんによりて、武内大臣追ひきて、ここにて行きあひて討ちたりしより、逢坂とは申すよし、ーには見えたり」〈春のみやまぢ〉。〈いろは字〉 **ーまど**【大和窓】突上げの障子がある天窓。「唐までの月をぞ思ふー」〈俳・発句帳三〉 **ーまひ**(マイ)【大和舞】古代舞踊の一。大和地方の風俗舞踊から起ったための名という。のち宮廷に入り、大嘗会(だいじょうえ)や鎮魂祭などの際、和歌にあわせて舞われた儀礼舞踊。「神宴に依りて精食すること能はず。未の時、御殿其の儀昨の如し。但し、先にーを奏すべし」〈貞信公記承平二・一二・一五〉 **ーゑ**【大和絵・倭絵】《「唐絵(からえ)」の対》平安時代初期から中期にかけて大成した日本風の絵画。日本の風物を題材とし、彩色画を本領とした。「ー四尺屛風色紙形を書く。故常則絵。歌は当時左丞相以下読む」〈権記長保一・一〇・三〇〉。「屛風もよう侍る。唐絵・ー・布屛風にても」〈堤中納言よしなしごと〉

やまと【山処】《トは処の意》山のところ。山。「ーの一本すすき」〈記歌謡四〉 †yamatö

やまどり【山鳥】キジ科の鳥。昼は雌雄一処におり、夜は谷を隔てて寝るという言い伝えがあった。「あしひきのーこそば峰(を)向ひに妻問ひすといへ」〈万一六二九〉。「夜半のあらしにーの心地してあかしかね給ふ」〈源氏総角〉 †yama-döri **ーの**【山鳥の】〔枕詞〕山鳥の尾と同音の「峰(を)」にかかる。「白雲のへだつるかたやーをの上に咲ける桜なるらむ」〈続千載九六〉

やまなか【山中】山の裾から中に入ったところ。「海面はやや入りて、あはれにすごげなるーなり」〈源氏須磨〉

やまなし【山梨】バラ科の落葉喬木。晩春、白い花をつけ、梨に似た小さい実をつける。「程もなくて、かかる御住ひのかひなき、ーの花ぞのがれむ方なかりける」〈源氏総角〉

やまなみ【山並】山山が連なり並んでいること。また、その山山。連山。「里はしもさはにあれども、ーのよろしき国と川並の立ちあふ里と」〈万一〇五〇〉。「布当山(ふたぎやま)ー見れば百代にも易るましじき大宮所」〈万一〇五五〉 †yamanami

やまの【山野】山や野。人の住まない所。「赤駒をーに放(はが)し捕りかにて多摩の横山徒歩(かし)ゆか遣らむ」〈万四四一七防人〉 †yamano

やまのあなた【山の彼方】遠く隔っている所の意で、明確でなく、あてにならないことのたとえ。「月の鼠はひるはーかな」〈俳・新続犬筑波七〉。「太子の教への仏法は、知れもせぬーの沙汰」〈浄・聖徳太子の由来二〉

やまのいも【山の芋】ジネンジョ。ヤマイモ。「署預、一名山芋、和名夜万都以毛(やまついも)、俗云、山乃以毛(やまのいも)」〈和名抄〉 **ーが鰻(うなぎ)にな・る** 物事が意外なものに変化するたとえ。「また、ー・るは一定(いちぢゃう)でござある」〈虎明本狂言・成上り〉。「ーと世の事の沙汰侍れば」〈魚の歌合〉 **ーで足を突・く** 意外な事で失敗するたとえ。「長芋で足を突く」とも。「ー・いたと、どっと笑へば」〈近松・宵庚申上〉

やまのかみ【山の神】①山に住み、山をつかさどる神。「さやうならむ歌などをば、深き山中などにては歌ふべからず。ーのこれを聞きて愛(め)づる程に留むるなり」〈今昔二七ノ四五〉。「このーもあはれと思し召し、我を助け給へ」〈伽・花世の姫〉。「山神、夜万乃加美(やまのかみ)」〈和名抄〉 ②自分の妻に対する卑称あるいは戯称。「十月も去(い)なぬや是れのー」〈俳・塵塚誹諧集上〉。「某がーが身共をせびらかいて、何ともならぬに依って」〈虎明本狂言・引括り〉 **ーに鰧(をこぜ)見せたるやう** 《山の神の大好物はオコゼだといわれていたところから》見ただけで大喜びするさま。「世の中の人言ふことに、あながちに物を見て喜ぶをば、ーなりとぞ申し伝へたる」〈伽・をこぜ〉

やまのざす【山の座主】比叡山延暦寺の総管職。「事なり果てぬれば、ー何くれ、やむごとなき僧ども、したり顔に汗おしのごひつつ急ぎ罷でぬ」〈源氏葵〉

やまのて【山の手】①山の方面。「ーは大事に候。おのおの向はれ候へ」〈平家九・老馬〉 ②江戸で、麹町・市谷辺の高台の地の称。「浅草・芝口・神田・ー」〈仮・可笑記五〉。「世にはやるーの奴風…、強みを外に現はし、内心には又良き悪しきあり。人によるべし」〈仮・可笑記評判一〉 **ーふう**【山の手風】山の手に住む旗本の伊達(だて)な風俗。特に奴風俗をいう。山の手がかり。「殿中張肘の其の名もーの只中也」〈評判・高屛風上〉 **ーやっこ**【山の手奴】山の手に住む旗本奴。また、山の手の大名・旗本に仕える奴。「ーも大形この類(大名奴)を似せるなるべし」〈評判・吉原失墜〉

やまのは【山の端】山の稜線。「隠りのみ恋ふれば苦しーゆ出で来る月の顕はさば如何に」〈万三八〇三〉 †yamanöFa **ーぞめ**【山の端染】朧染(おぼろぞめ)の異称か。「ーに魚子(ななこ)織の道服着て」〈西鶴・俗徒然二〉

やまのみち【東山道】東山道(とうさんだう)。「東山道(やまのみち)は美濃より以東」〈紀天武十四年〉

やまのゐ【山の井】山の清水がたまっているところ。「やまゐ」

とも。「安積香(あさか)山影さへ見ゆる―の浅き心をわが思はなくに」〈万三八〇七〉 †yamanöwi

やまばといろ【山鳩色】 黄色がかったもえぎ色。「―の御衣に、びんづら結はせ給ひて」〈平家十一・先帝身投〉

やまはやし【山林】 山や林。世捨人の世界。「―に入りまじり」〈源氏宿木〉

やまひ(イヤマ)【病】 ㊀『名』《ヤミ(病)と同根》 ①病気。「―あらせず急(すむや)けく還し賜はね」〈万一〇二二〉 ②欠点。短所。「和歌の髄脳いと所狭う、―去るべき所多かりしかば」〈源氏玉鬘〉 ㊁【やま・ひ】『四段』《名詞ヤマヒの動詞化》 病気になる。「おく山の草かくれなるはたつもりしられぬ恋に―・ふ頃かな」〈永久百首〉 †yamari ―づよ【病強】 病気に対してもちこたえる力が強いこと。「母一人あり。老いて―なり」〈二十四孝抄〉 ―のゆか【病の床】 病床。「年を連ねて―に臥し」〈諸神本懐集本〉

やまび【山傍】《ビはヲカビ(岡傍)のビに同じ。ミ(廻)の転》 山のすそについてめぐっている所。「霞みゐる富士の―にわが来なばいづち向きてか妹が嘆かむ」〈万三三五七〉 †yamabi

やまびこ【山彦】 ①山中などで起る音の反響を擬人化した名。こだま。「―のあひとよむまで妻恋ひに鹿鳴く山辺に独りのみして」〈万一六〇二〉。「手たたけば―のこたふる、いとうるさし」〈源氏夕顔〉 ②「山の神」(1)に同じ。「神無月しぐるるたびの―にもみぢを風の手向けつるかな」〈曾丹集〉。「―は樹神也。又は山神也」〈古今集註〉 †yamabiko

やまびと【山人】 ①山に住む人。杣(そま)人・炭焼人など。「あしひきの山行きしかば―のわれに得しめし山つとぞこれ」〈万四二九三〉 ②仙人。「花橘のうちかをる陰ノ―や碁に生き死にを忘るらん」〈竹林抄八〉。「―、仙人なり」〈匠材集三〉 †yamabitö

やまひめ【山姫】 山を守る女神。秋の木の葉を染めるものと思われていた。「おなじ枝をわきて染めける―にいづれか深き色と問はばや」〈源氏総角〉

やまぶ【山伏】「山伏(やまぶし)」の略。卑しめていう語。「今は内にては―の嗅(か)しう」〈浮・好色通変歌占上〉

やまぶき【山吹】 ①バラ科の落葉灌木。晩春、黄色の花をつける。「花咲きて実は成らねども長きけに思ほゆるかも―の花」〈万一八六〇〉 ②染色の名。山吹色。「あこめは―なる唐の綺(き)をおなじさまにととのへたり」〈源氏若菜下〉 ③小判。「―二枚取り出し」〈浮・元禄大平記二〉 †yamabuki ―いろ【山吹色】 ①山吹の花のような色。黄金色。「―の厚総懸けて」〈太平記六・関東大勢〉 ②小判。「―の花(祝儀)を出し」〈浮・御前義経記八〉

やまぶし【山伏・山臥】 ①山に伏して宿ること。「―も野伏しもかくてこころみつ今はとねりのねやぞゆかしき」〈拾遺五三九〉 ②山野に伏して修行する僧。「―とは山に行ひする僧なり」〈能因歌枕〉 ③修験(しゅげん)者。「大峰に―の迷ひたりける程に」〈孝養集中〉。「ほらかひ腰につけ、錫杖つきなどしたる―」〈宇治拾遺五〉 ―せったい【山伏摂待】 山伏を正客とする饗応。山伏相手のもてなし。「佐藤の館において―にて候間」〈謡・摂待〉 ―だ・ち【山伏立ち】『四段』 山伏の僧や修験者のように、人の細かい気持に無神経な態度を示す。「故故しくなさけある方に言(こと)をまぜ聞えむもつきなき身の有様どもなれば、何か、ただかかる―・ちて過ぐしてむとおぼす」〈源氏椎本〉

やまふところ【山懐】 まわりを山にすっぽりかこまれた所。「さる―の中にも」〈源氏東屋〉

やまぶみ【山踏み】 山路を行くこと。山歩き。「法皇、遠き所に―し給うて」〈後撰一三六三詞書〉。「〔初瀬ノ〕―し侍りて、あはれなる人をなむ見給へつけたりし」〈源氏玉鬘〉

やまべ【山辺】 山のほとり。「もみち葉の散らふ―ゆ漕ぐ船のにほひに愛(め)でて出で来にけり」〈万三七〇四〉 †yamabe

やまべ【山部】 皇室領の山林を守ることに従事した部民。「其の領(をさ)むる―を奪ひ給ふ」〈紀清寧即位前〉 †yamabe

やまぼこ【山鉾】 山車(だし)の一種。台の上に山の形などの造物(つくりもの)をし、その上に鉾を立てたもの。京都の祇園会のものが特に有名。「〔祇園会ノ〕―も悉く通り過ぎければ」〈室町殿日記一〇〉。「〔祇園会ノ〕―の前後は、毎年六角堂において、くじを取るにより次第極まらざる由」〈伽・祇園御本地〉

やまほど【山程】 山をなすくらい沢山。「我が胸中に学文能芸を―持ちたりとも」〈周易抄〉

やまほふし(ウ:ホ)【山法師】《三井寺の「寺法師」や東大寺・興福寺などの「奈良法師」に対していう》 比叡山延暦寺の僧徒。平安末期以後、僧兵として強大な武力を持ち、朝廷の尊信を笠に着て猛威をふるった。「加茂川の水、双六の賽、―、これぞわが心にかなはぬもの」〈平家一・願立〉

やままど【山窓】 ①山家の窓。「―をさびしき物と思ひしは花見ぬ程の心なりけり」〈定家卿自歌合〉 ②山の間または雲の切れ目などの、物の見える空間。「―。山の間也」〈匠材集三〉

やまみち【山道】 ①山の中の道。「あをによし奈良の大路は行きよけどこの―は行きあしかりけり」〈万三七二八〉 ②模様の一。山形を横に連ねた形。「二つ瓶子(へいじ)に―、棕櫚(しゅろ)をつけたるは、河越の太郎重房」〈浄・錦戸合戦五〉。「小袖の…裾は―・つかみ染・端(へり)取り、品品仕立てあり」〈色道大鏡三〉 †yamamiti

やまみづ【山水】 山の中の清らかな流れ。「紙絵は限りありて、―の豊かなる心ばへをえ見せ尽さぬものなれば」〈源氏絵合〉

やまめ【寡・鰥】 独身の女、また、男。やもめ。「大納言殿は―のやうにておはすれどほか心もおはせねば」〈栄花日蔭〉。〈文明本節用集〉 ―びと【寡婦】 夫を失った女。「例ならず―の、ひきたがへ(予想外ニ)こまがへる(若返ル)やうもありかし」〈源氏玉鬘〉

やまめぐり【山廻り】 山山をめぐること。寺寺を巡拝することにもいう。「もろともに―する時雨かな」〈俊頼髄脳〉。「かき曇り―する村時雨もののあはれを染めて過ぐなり」〈拾玉集五〉。「春は梢に咲くかと待ちし、花を尋ねて―」〈謡・山姥〉

やまもと【山本】 山のふもと。「わが庵は三輪の―恋しくはとぶらひきませ杉立てるかど」〈古今九八二〉

やまもり【山守】 山を守ること。また、その人。山番。「大君の境賜ふと―すゑ守るとふ山に入らずは止まじ」〈万九五〇〉

やまやま【山山】 ものごとの多いさま。また、この上ないこと。「申したき事どもは―御座候へども」〈本光国師日記元和二・九・七〉

やまよせ【山寄】 山の裾。「―に陣を据ゆれば」〈玉塵抄五〉

やまわけごろも【山分衣】 山に草木を分けて入る時の着物。修行のため山に入る僧や、旅人の着るもの。「清滝の瀬瀬の白糸くりためて―織りて着ましを」〈古今九二五〉

やまゐ【山井】「やまのゐ」に同じ。「限りなくとくとはすれどあしひきの―の水はなほぞ氷れる」〈拾遺一一四七〉

やまゐ【山藍】「やまあゐ」の約。「紅の赤裳裾ひき、―もちすれる衣着て」〈万一七四二〉。「―・日かげなど、柳筥に入れて」〈枕九二〉

やまをしき【山折敷】山家で作り出した、粗雑に厚く作った折敷。「蓬萊や我に事足る―」〈俳・洗濯物一〉。〈俳・毛吹草四〉

やみ【闇】①光の全くない状態。暗黒。「―ならば宜(うべ)も来まさじ梅の花咲ける月夜に出でまさじとや」〈万一四五二〉。「照らす日を―に見なして泣く涙衣濡らしつ干(ほ)す人無しに」〈万六九〇〉②煩悩に迷う心。「人の親の心は―にあらねども子を思ふ道にまどひぬるかな」〈後撰一一〇三〉③分別のないこと。「暗とは、日本の俗、もののわけもない事を―と云ふ心ぞ」〈杜律七言鈔五〉④文字の読めぬこと。あきめくら。「南無の二字ばかりを如何してか見知りたる、其の余の文字は―なる男」〈咄・醒睡笑三〉⑤《月の三十日は闇夜なので》三、または、三十・三百などの数。近世、駕籠かき・馬子・船頭などが用いた隠語。「―(三百)で能かア遣りますべい」〈滑・狂言田舎操上〉†yami **―の夜の錦** 折角のものがちっとも映えないたとえ。「釣殿御覧ぜさせむとしつるを、―とかいふやうもなむ」〈宇津保祭使〉

や・み【止み】『四段』《雨・風などの自然現象や病気などが、自然に絶えて消え去る意。類義語トマリは、動きがそこまでで停止するけれども、動きの主体は、そのままそこにある意》①自然に動きが消えてなくなる。「我も思ふ人もな忘れおほなわに浦吹く風の―・む時なかれ」〈万六〇六〉②物事が途中で行なわれなくなる。事がとだえる。「ねもころに見まく欲しけど―・まず行かば人目を多み」〈万三〇七〉。「斎院をかへんとしけるを其の事―・みにければ」〈古今八八五詞書〉③物事のきまりがつく。事が決着する。「粟生にはかみら一本(ひともと)、其根がもと其根芽つなぎて撃ちてし(攻撃シタラ)―・まむ」〈記歌謡一一〉。「心苦しきあやまちにても―・みぬべきを、いとねたく、負けて―・みなむと、心にかからぬ折なし」〈源氏夕顔〉④気持・病気などがおさまる。「島廻(しまみ)すと磯に見し花風吹きて波は寄すとも取らずは―・まじ」〈万一一一七〉。「御祈りなど取りわきせさせ給ひけれど―・む薬ならねばかひなきわざになむありける」〈源氏柏木〉†yami

や・み【病み】『四段』《身心が病に侵される意。類義語ワヅラヒ(煩)は、心労や病根となるものに、触れ、長くかかずりあう意》①病気にかかる。「年長く―・みし渡れば、月累(かさ)ね憂へ吟(さまよ)ひ」〈万八九七〉。「近来手患(や)む。筆墨調(ととのほ)らず」〈遊仙窟(醍醐寺本)鎌倉期点〉。「俄かに胸を―・みて亡(う)せにきとなむ聞く」〈源氏橋姫〉②(酒の毒などがまわって)気分が悪くなる。「古人(ふるひと)の食(たま)へしめたる吉備(きび)の酒―・まばすべなし貫簀(ぬきす)賜(たば)らむ」〈万五五四〉③苦しい思いをする。「恋ふれかも胸の―・みたる、思へかも心の痛き」〈万三三二九〉。「蟻通(ありとほし)の明神、貫之が馬のわづらひけるに、この明神の―・ませ給ふとて歌よみて奉りけむ」〈枕二四四〉④(怪我などが)痛む。うずく。「その後しばしばこの傷のあと―・むよしして」〈著聞五四七〉。「〔矢ノ傷ガ〕道を行く行く―・み給ふ事甚だし」〈唐鏡三〉†yami

やみうち【闇討】暗闇にまぎれて人を不意に襲い、討ち果すこと。「その夜の―なかりけり」〈平家一・殿上闇討〉

やみきり【やみ切】借金・給料などの一部分だけ支払って打ち切ること。「取替(とりかへ)の金戻せと言ふも…百両の―にしてやらうと料簡して置いたら」〈伎・傾城桟敷嶽五〉

やみぢ【闇路】①闇夜の道。「影たけてくやしかるべき秋の月―近くもなりやしぬらん」〈千五百番歌合一三〇〉②煩悩をたとえていう。無明の闇。「かくばかり―に迷ふ身なりとも真如の月の光をぞ待つ」〈小夜衣〉③冥途のたとえ。「―には誰かは添はむ死出の山ただ一人こそ越えむとすらめ」〈拾玉集一〉

やみのうつつ【闇の現】闇の中での現実。「むばたまの―はさだかなる夢にいくらもまさらざりけり」〈古今六四七〉

やみのよ【闇の夜】①月のないまっ暗な夜。「―の行く先知らず行くわれをいつ来まさむと問ひし児らはも」〈万四四三六防人〉②どんなすばらしいものも闇の中では映えない意で、折角のものがつまらないこと、かいのないこと。「この御使なくは、―にてこそくれぬべかりけれ」〈源氏澪標〉③前後共に丸く、くびれ目正しく、後先知れぬ瓢簞。根付として珍重された。「―の瓢簞」〈評判・難波の顔三〉†yaminöyo **―に鳴かぬ烏**《「やみの夜に鳴かぬ烏の声きけば生れぬ先の父ぞ恋しき」という道歌から》見分けられないたとえ。「闇の夜の烏」とも。「―は鵜飼かな」〈俳・牛飼三〉

やみめ【病目】眼病。「かりそめに―を煩うてござるが」〈虎明本狂言・川上〉

やみやみ【闇闇】①暗いさま。「長夜の―と、眼(まなこ)もくらみ心もみだるる」〈謡・箙〉②思慮・分別などに暗いさま。「学問して道をも行なはず、―としてあるぞ」〈論語抄子罕〉③無造作なさま。あっけないさま。「―と討たれ給ひぬ」〈謡・朝長〉。「今年も―と闌(た)けぬ」〈一言芳談〉

やみらみっちゃ《ミッチャはあばた》①ひどいあばた。「月の顔木の下〔闇デハ〕―かな」〈俳・鷹筑波三〉②むちゃくちゃ。「―に是れから先も」〈評判・姿記評林序〉

やむごとな・し『形ク』《止ム事無シの意。どうにも気持がおさまらない、捨ててはおけない意が原義。捨てておけず、かかわり、大切にしなければいけない相手である意から、第一流のものである意》①気持のおさまりがつかない。「〔久シ振リニ男カラ〕『…ゆるされあらば暮にいかが』とあり。これかれ見聞きて『…なほ今度(こたみ)だに御返り〔ヲオ書キナサイ〕』、―・きにも』と騒げば」〈かげろふ中〉②やむにやまれぬ。捨ててはおけない。「それはしも―・きことありとて…時雨といふばかりにもあらず、あやにく〔雨デ〕あるに、なほ出でんとす」〈かげろふ上〉③大変大事である。貴重である。「おなじ人ながら、大夫の君、侍従の君など聞ゆる折は、いとあなづりやすきものを、中納言・大納言・大臣になり給ひては、…―・うおぼえ給ふことのこよなさよ」〈枕一八六〉④重重しい。重きをなすさまである。「かかる〔文学ノ〕かたにも―・き人多くものし給ふ頃なるに」〈源氏花宴〉。「年いたう老いたる典侍、人〔柄〕も―・く心ばせありて」〈源氏紅葉賀〉⑤第一等第一流である。「いと―・き際にはあらぬがすぐれて時めき給ふありけり」〈源氏桐壺〉

やめ【矢目】矢の当った所。矢を受けた跡。矢傷。「山田が八郎殿に射られたりける―はいづくぞ」〈保元中・白河殿へ義朝夜討ち〉

や・め【止め】『下二』《ヤミ(止)の他動詞形》①やむようにする。続いている状態や動作を、途絶えさせる。「梓弓末の中頃よどめりし君には逢ひぬ嘆きは―・めむ」〈万二九八八〉。「上のおごりつひやす所を―・め、民をなで農をすすめば下に利あらん」〈徒然一四二〉②病気・癖などをなおす。「いかでこの舌疾(したど)さ―・め侍らむ」〈源氏常夏〉†yamë

やも【八面・八方】《モは方面の意》あらゆる方面・方角。ほうぼう。「旁(あまね)く―を眺(み)る」〈紀雄略九年〉

やも『助』→基本助詞解説

やもじ【や文字】①房事。「初床の夜の―にも、遂に客衆の花散りぬ」〈近松・賀古教信五〉②遣手(やりて)。「聞けば―が呼子鳥」〈近松・本領曾我三〉

やもめ【寡】①《「やもを」の対》独身の女。未婚・死別を問わずにいう。「かぐや姫の―なるを」〈竹取〉。「そののち、妻

―にして道心を発して家に独り居たり」〈今昔一五ノ五二〉②《転じてヤモヲと同義》独身の男。未婚・死別を問わずにいう。「〔柏木ハ〕高き志深くて、―にて過しつつ」〈源氏若菜上〉。「〔北ノ方ガ死ンデ〕―にて、この公達を一つ懐に抱き思し奉るに」〈栄花もとのしづく〉 **―がらす**【寡鳥・病鵲】《遊仙窟「可憎病鵲夜半驚人」の「病鵲」をヤモメガラスと読んだことから》夜中に鳴く鳥をののしっていう語。「ほととぎす今聞かましや心なき―の驚かさずは」〈実家卿集〉。「―のうかれ声など思ふ程に、明け過ぎぬるもはしたなしとて」〈問はず語り一〉 **―ずみ**【寡住】独り暮し。「―なれど、人一人の御かしづきにとかくつくろひたてて」〈源氏桐壺〉

やもめ【病眼】《ヤミメの転》眼病。「―のためには、日の光がかへって仇(あた)にならうず」〈天草本伊曾保〉

やもり【屋守・家守】①家の番人。「ヤモリヲスル」〈日葡〉②近世、地主に代って、その所有の土地・家屋を管理し、公役を勤める者。町人の取扱を受けた。差配人。「―〔八〕誰の屋敷と書き付け申す可きの事」〈正宝事録明暦三・二・一〇〉

やもを【鰥夫】妻のない男。「鰥夫、無妻曰レ鰥、和名夜無乎(やもを)」〈和名抄〉。「鰥、ヤモヲ」〈易林本節用集〉

やや【児】赤児。みどりご。嬰児。「内儀御姪の御―さま少し煩ひ付き」〈多聞院日記文祿三・一・二〇〉

やや【稍】『副』《ヤ(彌)を重ねた語。いかにも事の度合が進み、つのるさまが原義》①いよいよ。一層。「もとよりすぐれざりける御かたちの、―さだ過ぎたる心地して、痩せ痩せに御髪すくなるが」〈源氏少女〉。「雨―降りくれば、空はいと暗し」〈源氏東屋〉②次第に。だんだん。「風冷ややかにうち吹きて、―更けゆく程に」〈源氏紅葉賀〉。「山深く入るままに―〔雪ハ〕降りつみたり」〈源氏浮舟〉。「―日数ふるほどに老いの力いよいよ弱りて」〈十訓抄六ノ一九〉③しばらくの間。「人人も空寝をしつつ―待たせ奉りて〔御格子ヲ〕引き上げたり」〈源氏若菜上〉。「鎧の袖を顔に当て、―さめざめと泣き給ふ」〈盛衰記三一〉④(度合が)少し。「夏影の房(つま)の下に衣裁つ吾妹裏設(ま)けてわがため裁たば―おほに裁て」〈万一二七八〉。「海づらは―入りて、あはれに心すごげなる山中なり」〈源氏須磨〉 **―有りて** しばらくして。「―、『御帷子(かたびら)参らせよ。人は候はぬか』と言へば」〈平治下・義朝内海下向〉 **―もすれば** どうかすると。「尼君も―堪へぬ喜びの涙、ともすれば落ちつつ」〈源氏若菜下〉。「諸の石龕ありて―百を以て数ふ」〈大唐西域記三・長寛点〉。「我執偏増にして、―仏教の趣に背いて」〈発心集七〉

やや『感』《感動詞ヤを重ねた形》①はっと気がついた時や驚いた時の声。「―、〔ソレハ〕方弘(まさひろ)が汚きものぞ」〈枕五六〉。「―、こはいかに」〈栄花衣珠〉②呼びかける声。おいおい。もしもし。「『―』とおどろかし給へど、〔夕顔ハ〕ただ冷えに冷え入りて」〈源氏夕顔〉。「『―、物申さむ』と女房の聞えければ」〈大鏡師尹〉

ややき【屋焼・家焼】家に火を付けて焼くこと。また、それをする人。放火。かやき。〈日葡〉

ややく【稍く・徐く】『副』《ヤヤ(稍)に副詞語尾クを添えた語。ヤウヤクの古形》いよいよ。次第に。だんだんに。「聖を去(さ)れること浸(やや)く遠きを以て」〈地蔵十輪経序・元慶点〉。「此の時に世尊、安徐(やや)く此の病比丘を扶(たす)けて、起して」〈大智度論平安初期点〉

ややこをどり【ややこ踊】①幼女が演じる舞台芸能の総称。「―…踊り〔手〕二人に御扇給(た)ぶ」〈御湯殿上日記天正九・九・九〉。「八歳・十一歳の童、―と云ふ法楽これ在り」〈多聞院日記天正一〇・五・一八〉②女歌舞伎で行なわれた、子供らしい可愛いい扮装・振付の小歌踊の一種。「五条の東の橋詰にて―と言ふ事を致せり」〈仮・東海道名所記六〉③少女たちが群舞形式で踊る盆踊。「―夜の更るまで鳴らすらん」〈俳・鷹筑波四〉

ややま・し『形シク』《ヤ(彌)ヤマシ(疾)の意か。ヤヤミと同根》一層胸につかえる感じである。一層胸にひっかかるようである。「〔親友ニ対シテ〕うしろめたきわざにもあるかなと思し出づることもさまざまなるに、…あやしきさまのやつれ姿して御馬にておはする心地も物怖ろしく―・しけれど」〈源氏浮舟〉。「いとかくをさめむ方なき心まどひにては、願はむ道にも入りがたくやと―・しきを」〈源氏御法〉

やや・み『四段』《ヤヤマシと同根》難儀する。「〔車カラ〕この人人は安らかに降りなしつれど、〔浮舟ハ〕いと苦しげに―・みて、久しく降りてゐざり入る」〈源氏宿木〉

やよ『感』①呼びかける声。やあ。おい。もしもし。「思ふらむ心のほどや―いかにまだ見ぬ人の聞きか悩まむ」〈源氏明石〉。「―時雨物思ふ袖のなかりせば木の葉ののちに何を染めまし」〈新古今五八〇〉②囃子の声。または、掛声。やれ。やんれ。「げにもさあり、―、げにもさうよの」〈狂言記・烏帽子折〉

やよ・し『形ク』いよいよ多い。「わたくしの老いの数さへ―・ければ、身はいやしくて年たかきことの苦しさかくしつつ」〈古今一〇〇三〉

やよひ イヤヨ【彌生】《イヤオヒの転という》陰暦三月。「―のついたちより、しのびに人にものら言ひてのちに」〈古今六一六詞書〉 **―ていきん**【彌生庭訓】「三月(さんぐわつ)庭訓」に同じ。「すべて其の―そちの芸」〈雑俳・住吉みやげ〉 **―やま**【彌生山】三月頃の山。春の山。「―春の名残もほのかなり何ぞはありて有明の月」〈新続古今二二五〉

やよめ【やよ目】夢中になって見とれている目つき。「見とれゐる顔もや―八重桜」〈蟬吟真蹟〉

やよや『感』《ヤヨに更に感動詞ヤを添えた形》呼びかけの声。おいおい。やあやあ。「―待て山ほととぎすことづてんわれ世の中に住みわびぬとよ」〈古今一五二〉

やよろづ【八万】はちまん。また、きわめて数の多いこと。「―光を放ち出だし」〈仏足石歌〉 †yayörödu

やら 沼地。また泥深く浅い海。「梯立(はしたて)の熊来の―に、新羅斧(しらきをの)落し入れわし」〈万三八七八〉

やら『感』驚き、喜び、悲しみなど、感動して発する声。「―、片方(かたかた)の御眼は大きにおはするぞ」〈梵舜本沙石集一ノ一〇〉。「―、恥づかしや」〈謡・葵上〉。「―、面白の景や」〈三体詩抄一ノ三〉

やら『助』《連語ヤラウのウが脱落して成立した語》①確信の持てない気持を表わす。…かしらん。「いつの代に―に、禁中へ拝せんとて、雲門寺に勅して入れ参らせたれば」〈蕉窓夜話〉。「鄭氏の説がよき―、程子の説がよき―、未だつまびらかならず」〈大学抄〉②二つ以上の事物を並べ挙げていう語。「どう―かう―間を合はせました」〈伎・好色伝授中〉

やらい【矢来】竹・丸太などで縦横に粗く組んだ囲い。柵(さく)。「小声をも言はれぬ程にま近くは―を伏せて逆垣(さかがき)を引け」〈義経百首〉。〈日葡〉

やらう ヤ:ロウ【野郎】①田舎者。〈日葡〉②《鹿児島方言》男子。〈日葡〉③歌舞伎子の異称。また、陰間(かげま)。「近年、京中に―と云ふ者あり。少年の遊君也」〈堯如法親王日記寛文五・二・二〉④前髪を剃り、月代(さかやき)した男。「十二三の―」〈西鶴・懐硯二〉 **―かぶき**【野郎歌舞伎】野郎(3)が演ずる歌舞伎。若衆歌舞伎が禁じられた後に行なわれた。「〔若者ノ頭巾ハ〕ーの風俗を真似ると見えたり」〈鶯笑子〉 **ーぐるひ** グル イ【野郎狂】野郎(3)を買って遊興するのに夢中になること。「ーつれなく見えし別れの露」〈俳・紀子大矢数上〉 **ーひも**【野郎紐】中綿を入れ絹布で作った紐。「ーの畝足袋(うねたび)」〈西鶴・一代女六〉 **ーぼうし**【野郎帽子】《初め野郎(3)が用いたのでいう》額を覆い両端を垂らした帽子。多く紫縮緬で作った。「ーを掛けたり」〈浮・棠大門屋敷三〉 **ーむし**【野郎虫】歌舞伎子の異称。「ーと言ふ者は年の程十五六の人の大きさばかりにて」〈評判・野郎虫〉 **ーもんやうじ** ウ…ヨ【野郎紋楊枝】野郎(3)の紋を付けた楊枝。「ーと言へるを初めて」〈西鶴・男色大鑑五〉 **ーやど**【野郎宿】野郎(3)を抱えて置く家。野郎屋。「ー月にも行くか見にとしも」〈俳・大坂一日独吟千句〉

やらう《連語》「やらん」の転。「水の何処ーに、しょろしょろと鳴るこそ自然の琴声よ」〈三体詩絶句抄六〉。「これは何とてかやうにあるー」〈庭訓抄上〉

やらはらだち【やら腹立】やたらに腹立つこと。むやみにいらだつこと。「余り遅さに待ち兼ねて、ーに申せし也」〈浄・十二段二〉

やら・ひ ヤラ イ【遣らひ】《四段》《ヤリ(遣)に反復・継続の接尾語ヒのついた形。→ひ》追い払う。追放する。「速須佐之男命に千位(ちくら)の置戸を負ほせ、亦鬚を切り、手足の爪も抜かしめて神やらひー・ひき」〈記神代〉。「霧のまがきは立ちとまるべうもあらずー・はせ給ふ」〈源氏夕霧〉 †ya-raFi

やら・へ【飲喫へ】《下二》飲食する。「美飲喫哉、此をば于魔羅爾烏(うまらにを)野羅甫屢(やらふる)柯倭(かわ)と云ふ」〈紀顕宗即位前〉

やらやら《感》感動詞「やら」を重ねて強調した語。「ー、恐ろしの般若声や」〈謡・葵上〉。「ー、めでたやめでたやな」〈天正本狂言・竹生島詣〉

やらら《擬音語ヤラと状態を示す接尾語ラとの複合》手を打つさわやかな音の形容。「手掌(たなそこ)もーに拍(う)ち上げ賜ひつ」〈紀顕宗即位前〉

やらん《連語》《ヤアラムの転。鎌倉時代以後、多く用いられた》①体言または用言の連体形を承け、不確実な推測を表わす。…だろうか。…なのかしらん。「童(わらは)にもあらず、法師にもあらず、こは何ものの貌(かほ)ー」〈盛衰記一〉。②《転じて》伝聞推定のようなある程度確実な場合に用いる。…ということだ。…のよしだ。「鞠も難き所を蹴出だしてのち、やすく思へば必ず落つと侍るー」〈徒然一〇九〉

やり【槍・鎗・鑓】①細長い柄の先に三稜角の細長の刃を付けた武器。両手でしごいて敵を突き刺す。鎌槍・十文字槍・管(くだ)槍など種類が多い。「ー・長刀を差し出して散散に突きけるを」〈太平記一五・三井寺〉②将棋で、香車の異称。「香車は一筋に向うへ行くが故に、異号をーと言へば」〈色道大鏡一〉③浄瑠璃などで、下手な芸を嘲り妨げること。やじを飛ばすこと。「ーとは拙き芸を罵り妨ぐる事」〈滑・狂言田舎操上〉 **ーを出・す** 能楽で、誤って前に謡い出し、地謡が揃わないことにいう。「ー・す詞の色にいさかひて」〈俳・貞徳独吟〉。「ヤリヲダス、ヤリダス」〈日葡〉

や・り【破り】《四段》《ヤレ(破)の他動詞形》紙や布などの、漉き目や織り目を無視して引きちぎる。引きちぎってやぶる。「忘れがたく、くちをしきこと多かれどえ尽さず。とまれかうまれ〔コノ日記ヲ〕疾(と)くー・りてん」〈土佐二月十六日〉。「めでたき御紙づかひ、かたじけなき御言の葉を尽させ給へるを、斯くのみー・らせ給ふ、なさけなきこと」〈源氏浮舟〉

や・り【遣り】《四段》《先行きがどうなるか構わずに人をつかわしたり、物事を進めたりする意》①思い切って行かせる。命じて行かせる。「わが背子を大和へー・るとさ夜更けて暁露にわが立ち濡れし」〈万一〇五〉。「人言を繁みと君に玉梓の使もー・らず忘ると思ふな」〈万二五八六〉。「かかるべしとだに知りたらば、今井を勢田へはー・らざらましを」〈平家九・河原合戦〉②(構わずに)先へ進める。どんどん行かせる。「時の盛りをいたづらに過しー・りつれ」〈万三九六九〉。「車をー・れといふと心得て五六町こそ足搔かせたれ」〈平家八・猫間〉③送りつける。「筑波嶺の裾廻(すそみ)の田井に秋田刈る妹がりー・らむ黄葉(もみち)手折らな」〈万一七五八〉。「〔牛ヲ〕買ふ人明日そのあたひをー・りて牛をとらんといふ」〈徒然九三〉④(思いを)晴らす。「夜光る玉といふとも酒飲みて情(こころ)をー・るにあに及(し)かめやも」〈万三四六〉⑤(水を)流れ行かせる。「水深くー・りなし」〈源氏須磨〉⑥勝手に行かせる。逃がす。「やれ、いたづら者め、ー・るまいぞ、ー・るまいぞ」〈虎明本狂言・居杭〉⑦物事をはかどらせる。「ハカヲヤル」〈日葡〉⑧連歌・俳諧で、遣句(やりく)を付ける。「〔恋ハ〕五句のものなれども、詰まりてはー・るかた大事なれば」〈淀の渡〉。「前句難句にて侍れば、一句は恋にてー・り侍るならし」〈兼載独吟千句註〉⑨《動詞の連用形について》㋑動作を遙かにかなたの方へ向かわせる。「鳥辺野のかたなど見ー・りたる程」〈源氏夕顔〉㋺《「ー・らず」の形で》思い切ってその動作をしおおす。…しきる。「えも乗りー・らず」〈源氏桐壺〉。「うしろのみ顧みてさきへは進みもー・らざりけり」〈平家七・福原落〉⑩《動詞連用形に「て」のついた形に接続して》人のために進んで物事をする。「機嫌を直すはやし物を教へてー・らう」〈虎明本狂言・張蛸〉

やりいだ・し【遣り出だし】《四段》(車を)進める。「さて、遣りもて行きて、七条の末にー・したれば」〈宇治拾遺一三三〉

やりうた【遣歌】〔歌論用語〕「地歌(ぢうた)」(1)に同じ。歌数をはかどらせる面からいう。「故郷の花の白雲見にゆかんいざ駒並めて志賀の山越え。…これらは、ただ詞に任せて、百首歌の中のーとはみえ侍れど」〈千五百番歌合二一〉

やりうめ【鎗梅】梅の一品種。中形で、淡紅色を帯びた白色の花が咲く。「ーは世に抜け出たる匂ひかな」〈俳・犬子集一〉

やりおとがひ …オト ガイ【槍頤】長くとがったあご。長くそり返ったあご。「人によりーのあるものを」〈俳・犬筑波〉

やりがんな【鑓鉋・鐁】鑓の穂先の形をした鉋。木を突いて削る。「良材は大木もはかをー」〈俳・佐夜中山四〉

やりく【遣句】〔連俳用語〕前句の境地をさらに進めて付ける句。また、古くは退句(のけく)といって、前句の季や恋・述懐などを他に移し転じる句。難句にあっさりと付けて連歌をはかどらせる句。「ーと言ふは、是れ多くの人の誤り、詰まりたるをするをーと心得たり」〈知連抄〉。「これはーとて、行くものをなほ行くやうに付くる風情なり」〈連歌諸体秘伝抄〉。「これらの句、行様(ゆきやう)やすやすとして、誠にーと云ふもの也」〈伊勢千句注〉

やりくり【遣繰】①かけひきの言動。「所せきーを知らざらんは、いと口惜し」〈評判・難波鉦序〉②男女の交わり。交合。「絵を見合はせてのー」〈西鶴・男色大鑑四〉③不充分なものを工夫して都合をつけること。工面。「ー。俗語也…あちらこちらへふりかへる事なりといへり」〈和訓栞〉

やりく・れ【遣り呉れ】《下二》惜しみなく人に財物を与える。「ー・れて又や狭筵(さむしろ)歳の暮」〈俳・猿蓑上〉

やりくゎんぼふ【遣り観法】物事をやりっぱなしなこと。「わごりょは—さうな人ぢゃが」〈耳底記〉。「かの諺にいふ—・禅気象(ぜんかたぎ)なる人は」〈本朝俗談正誤一〉

やりごゑ【槍声】鋭く怒った声。とがり声。「内儀が—出して」〈浮・世間手代気質三〉

やりし【槍師】①槍の使い手。槍の名人。「——は多けれど、那古野山三は一の槍」〈蒲生軍記五〉②槍を仕上げる職人。槍工。「府下に—勘兵衛といふ者ありしが、今は槍工の名人なし」〈裏見寒話付録〉

やりじるし【槍印】戦陣または他行の時、家名を表わすため、或いは味方の目印のため、槍に付けた小帛(こぎれ)・白熊(はぐま)などの標識。「鴫鳴くや沖の小早の—」〈俳・流川集〉〈日葡〉

やりすご・し【遣り過ごし】《四段》後から来るものを、先へ行かせる。「［車ヲ］—・さんとしけるを」〈盛衰記三〉

やりす・て【破り捨て】《下二》破って捨てる。「筆にまかせつつ、あぢきなきすさびにて、かつ—・つべきものなれば、人の見るべきにもあらず」〈徒然一九〉

やりそ・へ【遣り添へ】《下二》人員を増加して遣わす。増派する。「焼大刀を礪波(となみ)の関に明日よりは守部—・へ君を留めむ」〈万四〇八五〉 ＋yarisoé

やりだま【鑓玉】**—に上・ぐ** ①槍先にかけて突き殺す。「もはや兵部殿は—・げられ給ふとなり」〈赤羽記〉②多くの中から選び出して犠牲にする。「—・ぐるや梅の花の露」〈俳・口真似草一〉

やりて【遣手】①牛車を遣る者。牛使い。「牛飼は平家内大臣の童を取って使ひければ、高名の—なり」〈盛衰記三三〉。「鳥羽・白河の車借とは、—といふ者あり」〈庭訓之鈔〉②女郎屋で、遊女を取締り、遊客との応対其の他万事を切り廻す老女。香車(きょうしゃ)。遣女(けんじょ)。遣手婆(ばば)。「問ひて曰く、—と名付くるは如何に」〈評判・吉原雀下〉

やりど【遣戸】引き戸。「北の方、部屋の—をあけて入りおはして」〈落窪二〉 **—ぐち**【遣戸口】遣戸を設けた出入口。「せばく程なき—に寄り居給へる」〈源氏蜻蛉〉

やりどき【遣時】①遣るによい時。遣るべき時。「下下までに物の—の首尾よく」〈西鶴・好色盛衰記三〉②嫁に遣るべき年頃。嫁入り時。「其の妹も—になり」〈西鶴・一代女四〉

やりな・し【遣り為し】《四段》巧みに作って（水を）流す。「水深う—・し、植木どもなどして」〈源氏須磨〉

やりなは【遣縄】牛・馬・犬などに付けて、あやつり進ませる縄。「懐より—取り出しつけかへ」〈平家一一・一門大路渡〉。「あしをはやむるいぬの—」〈看聞御記紙背連歌〉

やりはご【遣羽子】二人以上で一つの羽根を突いて遣り取りする遊戯。追羽根。遣羽根。「—も羽根を交せる契りかな」〈俳・小町踊一〉

やりばなし【遣放し】物事をしたままで跡始末をせずに捨置くこと。なげやり。やりっぱなし。「つべつべびたびたと—にやって、やりこくられます」〈評判・役者友喰〉

やりぶすま【槍衾】大勢が槍先を一面にすきまなく並べ構えるさま。「敵の先陣八千余騎、—を作り突きかかる」〈浅井三代記一三〉

やりみづ【遣水】川の水を庭園の中に引き入れて作った流れ水。「—に黄金の舟ども漕ぎつらねて、船遊びして」〈宇津保吹上上〉

やりもち【槍持】武士のあとから、その槍を持ってついてゆく従者。「追ひつかん追ひつかんとや思ふらん／高野聖のあとの—」〈俳・犬筑波〉。「—、人夫等までも、其の大将の下知に従ひ合戦すべきなり」〈見聞愚案記一五〉

やりよ・せ【遣り寄せ】《下二》（車を）近づける。「物見に遅く出でて…近く—・する程わびしう」〈枕一六〇〉

や・る《助動》《動詞アリの転。動詞の連用形につく》①尊敬の意を表わす。…なさる。「こなたへお入り—・れ」〈虎明本狂言・居杭〉。「千話(ちわ)の余りに書き—・るは書き—・るは」〈俳・山の端千句下〉②丁寧の意を表わす。「汝等達の盗みかはき—・る事は云ふまい程に助けてたも」〈近松・水木辰之助餞振舞二〉

やるかたな・し【遣る方無し】《形ク》①思いを晴らしようがない。胸のつかえをのぞくすべがない。「つくづくと臥したるにも、—・き心地すれば」〈源氏紅葉賀〉②処置しきれない。どうしようもない。「駿州辺も北条の御沙汰彼是—・く候間」〈東野州消息〉

やるせ【遣る瀬】心中の憂い・悲しみ・苦しみなどを晴らすべき方向、手段。やるかた。「人の憂(う)さ我が悲しさのとりどりに／—いづくぞ恋の中川」〈熊野千句〉 **—な・し**【遣る瀬無し】《形ク》心中の思いを晴らす方法がない。やるかたない。「女房あまりに—・きままに、彼の時衆を戒師となし奉りて髪を剃られ」〈大塔物語〉

や・れ【破れ】［一］《下二》《ヤリ（破）の自動詞形》（紙や布地・垣根などが）裂け目が出来てちぎれる。やぶれる。「衣(きぬ)こそば、それ—・れぬれば、継ぎつつもまた合ふと言へ」〈万三三三〇〉。「下動(とよ)み地震(なゐ)が揺(よ)り来ば—・れむ柴垣」〈紀歌謡九一〉［二］《名》やぶれたところ。「物の—よりのぞきて」〈伽・福富長者物語〉

やれ《感》①目下の者に呼びかける声。やい。「それ候ふ由を言ひ聞かせよ、—」〈十訓抄一ノ三四〉。「—と云はば、よっと云ひて答へつべし」〈四河入海九上〉②ふと気づいた時や驚いた時などに、思わず発する声。やあ。おや。あれっ。「『—、人にてありけり』とて、河に投げ入れてけり」〈雑談集三〉

やれ《助》類似した物を並べ挙げていう語。「和泉の国には何ともをかしき名字がある。野尻の—、草部の—と」〈咄・醒睡笑七〉

やれこも【破薦】やぶれたこも。「—を敷きてうち折れむ」〈万三二七〇〉 ＋yarekömö

やれやれ【破れ破れ】衣服などが破れてぼろぼろになっているさま。「果は—と着なしてありけり」〈宇治拾遺一〇二〉

やれやれ《感》感動詞「やれ」を重ねて強調した形。「—小僧ども、あの道無殿の御供の人に、よく酒すすめよ」〈人鏡論〉。「—あらたな御夢想をかうぶった」〈虎明本狂言・二九十八〉

やわ・し【飢し】《形ク》空腹である。飢えている。「茅(つばな)の花を服(き)て寒さを防き、粥(かゆ)を飲みて饑(やわ)きを忍び」〈東大寺諷誦文稿〉。「また腹餓(やわ)しといへども、終宵(よすがら)詎(なに)か非時の過(が)を免れむ」〈南海寄帰内法伝平安後期点〉

やわたり【屋渡り】引越し。家移り。「移徙、ヤワタリ、新屋初居」〈文明本節用集〉

やをとめ【八少女】神に仕え、神楽を舞う八人の乙女。「大嘗会、南廂より第三四間、布端畳を敷きて—の座とす」〈兵範記仁安三・一一・二二〉。「神楽などする折のかんなぎを—といひて、裳唐衣など着ていつくしくぞめでたきものなり」〈俊頼髄脳〉

やをら《副》静かに、物音など立てないように動作をするさま。そっと。「母屋の几帳の帷子(かたびら)引きあげて、いと—入り給ふとすれど、皆しづまれる夜の御衣のけはひ、やはらかなるしもいとしるかりけり」〈源氏空蟬〉。「ほのかに見奉らむの

心あれば、格子を―引き上げて」〈源氏若菜下〉

やんごとな・し ⇒やむごとなし。「おぼつかなき物。…―・き物持たせて人のがりやりたるにおそく来るもの」〈枕(能因本)おぼつかなき物〉

やんしゅ【やん酒】酒宴で拳(けん)をすること。「曲水は手先づ遮る―かな」〈俳・塵塚(成之編)一〉

やん・す『助動』動詞の連用形について、丁寧の意を表わす。…ます。「こんな所へ来―・すは、どうした事と尋ねられ」〈浮・風流夢浮橋三〉

やんちゃ【脂茶】我儘勝手なこと。だだをこねること。また、その人。多く小児についていう。「やんちゃん」「やんさ」とも。「宇治ならで余所に沈むは―かな」〈俳・沙金袋三〉。「―すかせば松静か也」〈俳・大坂八百韻下〉。「―。脂目(やにめ)に茶を塗りたる如くさっぱりとせぬ也」〈世話用文章上〉。

やんや『感』ほめはやす声。喝采の声。「―、人のほむるが道「脂茶、ヤンチャ、物の鈍をいふ」〈合類節用集〉理でござる」〈虎明本狂言・丼礑〉。「―、聞き事」〈虎明本狂言・秀句傘〉

やんら『感』感動詞「やら」の転。「桜田は―楽しや千万町」〈俳・吉野山独案内一〉

やんれ『感』感動詞「やれ」の転。「飛び行くを―追ひ掛け殺さぬ蚊」〈俳・智恵袋二〉

ゆ

ゆ【夜】「よ」の上代東国方言。「―床にも愛(かな)しけ妹(いも)そ昼も愛しけ」〈万四三六九常陸防人〉

ゆ【斎】《ユユシ(斎・忌)と同根。接触・立入が社会的に禁止される意》神聖である、触れてはならないの意をあらわす語。「―笹」「―つ岩群」「―槻」など。「青柳の枝切りおろし―種蒔(ま)きゆゆしき君に恋ひわたるかも」〈万三六〇三〉

ゆ【湯】①水を熱くしたもの。「鐺子(さしなべ)に―沸かせ子ども」〈万三八二四〉②温泉。「すめろきの神の命の敷きいます国のことごと―はしも多(さは)にあれども」〈万三二二〉③湯浴みすること。また、その設備をした所。湯殿。「しもに―におりて」〈源氏帚木〉④薬湯。煎じ薬。「御―などをだにまゐれ」〈源氏明石〉⑤酒湯(さかゆ)。「三月二十二日より、おゆり疱瘡にて熱気さし出で候。卯月六日に―掛け申し候」〈宗静日記寛文六〉⑥熔解した金属。「鉄などのやうなものも、なま鍛ひなれば、―ざかひが出来て、隔隔(へだへだ)なものだ」〈巨海代抄上〉。〈日葡〉⑦舟に入った水を忌んでいう語。「―も取り敢へずなりにける舟のわれをし君知らば」〈拾遺五七一〉　**―の辞儀(じぎ)は水にな・る** 入浴を遠慮して譲り合えば、せっかくの湯も水になる意で、遠慮気兼ねも時と場合によることのたとえ。「―・るとぞ五月雨〔デ川ガ渡レナクナッテ〕」〈俳・玉手箱三〉　**―沸かして水へ入(い)・る** 浪費をする意のたとえ。「湯を沸かして水になす」とも。「―・りたる如く」〈西鶴・胸算用一〉　**―を立・つ** 湯立(ゆだて)をする。「巫女を呼びて、鼓をうち―・て神に祈る」〈雑談集七〉　**―を引・く** 湯をあびる。入浴する。「湯殿しつらひなどして、御湯ひかせ奉る」〈平家一〇・千手前〉

ゆ【揺】琴の左手の手法で、音にうねりをつけるために、右手で弾いた絃を左手の指で揺り動かすこと。ゆり。「手使ひいといたう唐めき、―の音ふかうすましたり」〈源氏明石〉

ゆ【柚】柚子(ゆず)。「―の葉の如くなる宿直衣」〈枕八七〉。「―の木を切りて、金柑を継ぎ候ひ了りぬ」〈言継卿記享祿二・二・一三〉。〈和名抄〉

ゆ『助』①時や動作の起点をあらわす。…より。…から。「牽牛(ひこぼし)は織女(たなばたつめ)と天地の別れし時―いなうしろ川に向き立ち」〈万一五二〇〉。「神島の磯廻の浦―船出すわれは」〈万三五九九〉②動作や時間の経過点をあらわす。…を。…を通って。「巻向(まきむく)の痛足(あなし)の川―ゆく水の絶ゆることなくまたかへり見む」〈万一一〇〇〉。「水垣の久しき時―思ひけり我は」〈万二四一五〉③手段をあらわす。…で。…によって。「赤駒を山野に放(はが)し捕りかにて多摩の横山徒歩(かし)―かやらむ」〈万四四一七〉。「小筑波の繁き木の間よ立つ鳥の目―か汝を見むさ寝ざらなくに」〈万三三九六〉④比較の基準を示す。…よりも。「たまきはる命に向ひ恋ひむ―は君がみ舟の楫柄(かぢから)にもが」〈万一四五五〉

ゆ『助動』「る」に当る上代の助動詞。意味・用法は「る」に同じであるが、尊敬の用例は見えない。①自発。…しないではいられない。「瓜食(は)めば子ども思ほゆ」〈万八〇二〉②可能。…することができる。「君が心は忘らゆましじ」〈万四八二〉③受身。…れる。「沫雪に降らえて咲ける梅の花」〈万一六四一〉

ゆあがり【湯上り】①浴室から出ること。「寒さうにしも見ゆる―」〈俳・伊勢山田俳諧集〉。〈日葡〉②湯治を終えること。「禅永―の迎ひに、皆参る也」〈北野社家日記文祿四・三・二六〉

ゆあみ【湯浴み】①湯を浴びること。湯で体を洗うこと。「―などせむとて、あたりのよろしき所におりてゆく」〈土佐一月十三日〉②温泉に入ること。湯治。「筑紫の国に―にまからむ」〈竹取〉

ゆあらひ(ライ)【湯洗ひ】湯で洗い清めること。「馬の―しけり」〈盛衰記四〉

ゆいかい【遺誡】死後に残す戒めのことば。遺訓。「九条殿の―にも侍る」〈徒然二〉。〈文明本節用集〉

ゆいげん【遺言】⇒ゆいごん。「御母、死去の時…くれぐれの御―」〈浄・五太力菩薩一〉。〈枳園本節用集〉

ゆいごん【遺言】死後のために言い置くことば。「『思ひおきつる宿世たがはば海に入りね』と、常に―しおきて侍るなる」〈源氏若紫〉

ゆいしょ【由緒】①理由。根拠。「新院させる―もなく〔皇位ヲ〕下され給ひぬれば」〈保元上・後白河院御即位〉②由来。来歴。いわれ。「〔名箇ニ八〕名によりて各各―ありといへども、事長ければ略す」〈十訓抄一〇ノ二〇〉　**―がき**【由緒書】氏・素性・来歴などを書き記したもの。「一々に―にぞ記しける」〈近松・松風村雨一〉

ゆいせき【遺跡】①遺物として今に残っているもの。「かれ(興福寺)は昔の―なり」〈平家七・平家山門連署〉②跡目。また、相続する所領。「忠綱・義定は、故波多野次郎義通の―を相伝し、当国に住す」〈吾妻鏡治承五・一・五〉

ゆいま【維摩】釈迦の頃にいたという人の名。在家のまま菩薩道を修行し、教説にとらわれた仏弟子たちを問答によってやりこめたという。浄名居士。「維摩、ユイマ」〈文明本節用集〉　**―かう**(コウ)【維摩講】⇒ゆいまゑ。「皇后宮(きさきのみや)の―に、終日(ひねもす)大唐(もろこし)高麗等の種種(くさぐさ)の音楽を供養し」〈万一五九四左注〉　**―きゃう**(キョウ)【維摩経】維摩を主人公にして、大乗の空理と実践を明らかにした経。大乗仏教のあり方を知る手掛りとなるもの。「―の十喩のなかに、この身芭蕉の如しといふ心を」〈後拾遺二九一詞書〉　**―こじ**【維摩居士】「維摩」に同じ。「―の衆生の罪を思し悩みけむ程も」〈栄花疑〉　**―ゑ**【維摩会】維摩経を講読する法会。藤原氏はこれを鎌足の功績奉讃

ゆ

ならびに学僧育成のための法会とし、期日を十月十六日（鎌足の忌日）と定めた。会場は、延暦二十年以後興福寺と定まり、後に規模も拡大して十月十日から一週間にわたる勅会となった。維摩講。「〔薬師寺ノ最勝会〕八〕山階寺(やましなでら)=興福寺）の—の作法を儀式にはうつせり。維摩・御斎・最勝、これを三会(さんゑ)といふ」〈三宝絵下〉

ゆう【用】《「体(たい)」の対》物や事柄の作用・属性。「春と云ふ句に弓と付きて、また、引く、返る、押すなど付くべからず。これみな—なるゆゑなり」〈連理秘抄〉。「まことの時、其の—にて斬られ候はず候」〈禅鳳雑談〉 →よう

ゆうと【用途】《ヨウトとも》銭の異称。用脚(ようきゃく)。「—五六十貫が程ありけるにて、銀の折敷(をしき)に金の橘を作らせて」〈沙石集六ノ一八〉

ゆうなん《「又男」と書く》近世、寛文・延宝頃の歌舞伎役者。名は三郎兵衛といい、大阪出身の道化方で、物真似の名人。「—が付髪、松千代が柿頭巾も、かづき物ぞかし」〈俳・物種集〉

ゆうりき【勇力】強い力。剛力。「—はいらぬ」〈左伝聴塵一三〉

ゆえん【油煙】①煤(すす)。「面(おもて)には—の墨をお塗りあり」〈伽・小栗絵巻〉。〈饅頭屋本節用集〉②膠(にかわ)で(1)を固めて製した墨。油煙墨。「墨は松墨・—・碧雲なり」〈禅林小歌〉　**—ひげ【油煙髭】**奴(やっこ)などが油煙で描いた作り髭。「松の—」〈近松・薩摩歌上〉

ゆか【床】《一段高く板などを敷きつめて設けた一区画。類義語トコは土台の意》①寝殿造の家の廂(ひさし)・母屋(もや)など。廂は簀子(すのこ)より、母屋は廂より、それぞれ一段高い。「此の宝鏡を視まさむこと、当に吾を視るがごとくすべし。ともに—を同じくし、殿(おほとの)をひとつにして、斎鏡(いはひのかがみ)とすべし」〈紀神代下〉。「ただ一人臥したるを心やすくおぼす。—の下(しも)に二人ばかりぞ臥したる」〈源氏空蟬〉②浜床(はまゆか)。「『かたはらいたき御座(おまし)なれども』とて、御帳の前に御しとねまゐりて入れ奉り給ふ。宮をもとかう人人つくろひ聞えて、—の下におろし奉る」〈源氏柏木〉③勤行(ごんぎやう)のためなどにしつらえた高い座。「塵いたう積もりて、仏のみぞ花の飾りおとろへず…御—などとりやりてかき払ひたり」〈源氏椎本〉④芝居で、浄瑠璃太夫が坐る高座。「浄瑠璃は年代筑後が膝元を離れず、—を勤むる者にて候へば」〈浮・当世乙女織四〉⑤涼み床。「この夜より四条の涼み始むる。大和橋より松原通りの少し上まで、河原に—を並べて」〈評判・島原大和暦三〉

ゆか【斎瓮】《ユはユシのユと同根。カは容器類》①大嘗祭に神前に供する雑器。「雑器、神語に由加(ゆか)の物と曰ふ」〈延喜式践祚大嘗祭〉②神前に供える種種の贄(にへ)。「神語に雑贄を号(い)ひて同じく由加(ゆか)の物と為す」〈延喜式践祚大嘗祭〉

ゆかく【行かく】《行キのク語法》行くこと。「さを鹿の伏すや草群見えずとも子ろが金門(かなと)よ—し良(え)しも」〈万三五三〇東歌〉

ゆがけ【弓懸・碟】弓を射る時、指をいためないようにする皮製手袋。歩射(ぶしゃ)の時には右手にだけはめる。「勝つ者は、肌脱きながら、弓をも張って、—をも解かずして、堂上へ上って酌を取るぞ」〈論語抄八佾〉。「弓懸・指懸、ユガケ」〈文明本節用集〉

ゆか・し『形シク』《行キの形容詞形。よいことが期待される所へ行きたいの意》①どんな様子か見たい、逢いたい。「海づらも—・しくて出で給ふ」〈源氏須磨〉。「疾(と)く—・しき方の心苛(い)られも立ちそひ給へるは、御志のおろかにもあらぬなめりかし」〈源氏宿木〉②どんな様子か、誰であるか、知りたい。「藤壺のまかで給へる三条の宮に、御有様も—・しうて参り給へれば」〈源氏紅葉賀〉。「しのびて寄する車どもの—・しきを、それか、かれかなど思ひよすれば」〈徒然一三七〉③好奇心がある。「物の—・しき方は進みたる御心なれば…心もさわぎ給ふ」〈源氏浮舟〉④欲しい。「恋ひわびて死ぬる薬の—・しきに雪の山にや跡を消(け)なまし」〈源氏総角〉⑤何となく慕わしい。「心や—・しく、いさぎよからましの心にて」〈延慶本平家九・通盛北方〉

ゆかた【浴衣】《「湯帷子(ゆかたびら)」の略》おもに白地で、浴後または夏季に用いる麻あるいは木綿のひとえ。「新しき小袖・—まで用意あるかと御尋ね」〈道家祖看記〉　**—ぞめ【浴衣染】**浴衣に用いる大柄で派手な模様。「帷子も熱く見ゆるや—」〈俳・鸚鵡集五〉

ゆかたびら【湯帷子】入浴の時や、浴後などに着るひとえ。「御—ながらおはしましたるに」〈栄花玉飾〉。「内衣、由加太比良(ゆかたびら)」〈和名抄〉

ゆがみ【結髪】《ユヒガミの転》馬のたてがみを束ねて結んだもの。「手綱を馬の—に捨て、腹帯(はるび)を解いてぞ締めたりける」〈平家九・宇治川〉

ゆが・み【歪み】『四段』①形などの整ったものがひしゃげる。「是(ここ)に即坐(ゐながら)に沙彌の口、喎斜(ゆが)みて、薬もて治療せしむるに終に直らず」〈霊異記上一九〉。「御車寄せたる中門の、いといたう—・みよろぼひて、夜目にこそしるきながらも」〈源氏末摘花〉。「喎、ユガム」〈名義抄〉②（人の心・行為などが）正しくなくなる。「世の静かならぬことは、必ず政事の直(なほ)く—・めるにもより侍らず」〈源氏薄雲〉。「あづまの方の、遥かなる世界にうづもれて年経ればにや、声などほとほとうち—・みぬべく」〈源氏東屋〉　**—なり【歪形】**①ゆがんだ形。「—に立つる峠の茶屋大工」〈俳・宗因千句下〉②まがりなり。「菱に切る餅や蓬の—」〈俳・時勢粧三〉。「松も—に年を越えて」〈西鶴・織留三〉

ゆが・め【歪め】『下二』《ユガミの他動詞形》ゆがませる。「いみじくしどけなく、かたくなしく、直衣・狩衣など—・めたりとも」〈枕六三〉

ゆかり【縁】㊀『名』《つながりをたどれば見出される関係。類義語エン(縁)は仏教語で、結果を生じさせる必然のつながりのきっかけ》①つながり。かかわり。関係。「大弐の北の方の奉り置きし御衣どもを、心ゆかず思されし—に、見入れ給はざりけるを」〈源氏蓬生〉。「帝、皇后宮をねんごろにときめかせ給ふ—に、〔兄ノ〕帥殿は明け暮れ御前に候はせ給ひて」〈大鏡道長〉②血縁。血縁の者。「おのれ一人をばさるべき—（紫上ノ父）と思ひてこそは」〈源氏真木柱〉。「あこはらうたけれど、つらき〔姉ノ〕—にこそ、え思ひ果つまじけれ」〈源氏空蟬〉③夫婦の縁。夫あるいは妻。「人離れたる御すまひにて、時時立ち寄らせ給ふ人の御—(妻)もいと怖ろしく」〈源氏浮舟〉④親族。一族。一党。「うち、春宮、一の院、后の宮、次次の御—、いつくしきほど言ひ知らず見えにたることなれば」〈源氏若菜上〉。「おのが—西東(ひんがし)合はせて六百人ばかり」〈宇津保藤原君〉㊁〔ゆか・り〕『四段』《名詞ユカリの動詞化》縁がつながる。また、親類関係にある。「洛陽に—・りたる女房侍りし」〈雑談集五〉　**—のいろ【縁の色】**紫色。古今集八六七「紫の一本ゆゑにむさし野の草はみながらあはれとぞみる」という歌からいう。「花散りてかたみ恋しき我宿に—の池の藤波」〈新勅撰一三〇〉　**—むつび【縁睦び】**①血縁者どうしの結婚。近親結婚。「—ねぢけがましきさまにて」〈源氏少女〉②縁者としての親交。親戚づきあい。「げに、ことなる事なき—に

ぞあるべけれど」〈源氏蜻蛉〉

ゆき【雪】 ①雪。「わが岡の霾(おかみ)に言ひてふらしめし―のくだけし其処に散りけむ」〈万一〇四〉 ②白い色、白い物のたとえ。「雲の鬢(びんづら)、霞の眉、花の顔ばせ、―の肌(はだへ)、絵に書くとも筆も及びがたし」〈盛衰記四二〉 †yuki **―と墨(すみ)** 物事の正反対なこと、また、はなはだしく相違するもののたとえ。「かきくれて降り来る空や―」〈俳・毛吹草六〉 **―の中(ちう)の芭蕉(ばせう)** 有り得ないことのたとえ。また、偽りの意。「雪の芭蕉」とも。「―の偽れる姿の」〈謡・芭蕉〉 **―の時鳥(ほととぎす)** 有り得ないことのたとえ。また、偽りの意。「やら不思議峰降る―」〈俳・飛梅千句〉 **―を廻(めぐ)ら・す** 《「廻雪」の訓読》舞姿の美しさを、風が雪を吹き廻らすのにたとえていうことば。「今宵こそ雲井はるかに昇るなれ―・す天津乙女子」〈夫木抄一八・豊明節会〉

ゆき【靫】 矢を入れて背に負う道具。筒形の箱で、緒を通して肩にかける。銅製、また、つづらふじの編製。「大久米のますらたけをを先に立て―取り負ほせ」〈万四七〇八〉 †yuki

ゆき【斎忌・悠紀・由基】 《ユは神聖なるもの。キは酒。聖なる酒を奉る国の意》 大嘗祭のときに使われる新穀・酒料を出す国郡の一。その都度、諸国の中から占いによって定められたが、平安時代以後は、近江国に定まった。「斎忌、此をば踰既(ゆき)といふ」〈紀天武五年〉。「―・須伎(すき)二国の献れる黒酒(くろき)・白酒(しろき)の御酒を」〈続紀宣命三八〉 →すき(主基) †yuki

ゆ・き【行き】 ㊀『四段』《現在の地点を出発点または経過点として、進行・移動が、確かな目標あるいは広い前方に向って持続される意。また、時の経過とともに現在の状態が持続し、その程度が増大する意。奈良時代以降、同義のイキ(行)よりも広く使われ、特に漢文訓読体ではユキの形を用いた。→往(い)に・去り》 ❶《現在いる地点から出発して》 ①持続的に進行・移動する。「君が―・く海辺の宿(やど)に霧立たば吾が立ち嘆く息と知りませ」〈万三五八〇〉 ②目的を持って出かける。「梅の花咲き散る園に我―・かむ君が使を片待ちがてら」〈万四〇四一〉 ③目的の所に行きつく。「家に―・きていかにか吾がせむ枕づく妻屋さぶしく思ほゆべしも」〈万七九五〉 ④往来する。「はたこらが夜昼といはず―・く路を我はことごと宮道にぞする」〈万一九三〉 ⑤離れ去る。「穿沓(くつ)を脱き棄(つ)る如く踏み脱きて―・くちふ人は岩木より成りでし人か」〈万八〇〇〉 ⑥気が進む。のびのびとする。晴れ晴れしく思う。「心細くて立ちとまり給ふを見おくにいとど心も―・かずなむ」〈源氏早蕨〉 ⑦成り出る。生ずる。「そのころ天下に飢渇(けかち)―・きて、人皆かつゑ死にければ」〈宝物集中〉。「大水の―・きたる日は」〈撰集抄七ノ八〉 ❷《ある地点を通過点として》 ①進行する。「忘らむて野―・き山―・き我来れどわが父母は忘れせぬかも」〈万四三四四〉 ②通行する。「足(あ)の音せず―・かむ駒もが葛飾(かつしか)の真間(まま)の継橋止まず通はむ」〈万三三八七〉 ③流れ去る。「―・く水のとまらぬ如く常も無く移ろふ見れば」〈万四一六〇〉 ④吹きわたる。「わが背子が浜―・く風のいやはやに急事(はやこと)なさばいや逢はざらむ」〈万二四五九〉 ⑤遠くへ去る。「白雪の降りしく山を越え―・かむ君をぞもとな息の緒に思ふ」〈万四二八一〉 ⑥通っている。「三笠山野辺ゆ―・く道こきだくも荒れにけるかも久(ひさ)にあらなくに」〈万二三四〉 ⑦時が経過する。「秋山に霜降り覆ひ木の葉散り年は―・くとも我忘れめや」〈万三二四三〉 ⑧年齢が進む。「御辺(ごへん)の年より抜群―・きたる人は、在在所所に数知らず候」〈伽・鶴の翁〉 ⑨物事が行なわれる。「万機の沙汰の―・かぬやうになる時」〈愚管抄三〉 ❸《動詞の連用形について》 ①状態が続く。「世の中は常かくのみと別れぬる君にやもとな吾が恋ひ―・かむ」〈万三六九〇〉 ②度合が次第に増大する。「明け―・く」「暮れ―・く」「枯れ―・く」など。「藤波の咲き―・く見ればほととぎす鳴くべきときに近づきにけり」〈万四〇四二〉。「冬過ぎて春し来たれば年月は新なれども人は古り―・く」〈万一八八四〉 ㊁『名』 行くこと。旅行。「君が―け長くなりぬ」〈記允恭〉 †yuki

ゆぎ【湯木】 湯をわかすためのたきぎ。「人の―を一荷(いっか)借りて、それを返さずして死にき」〈今昔七ノ三二〉

ゆきあそび【雪遊び】 雪で遊ぶこと。雪山づくり・雪ころがしなど。「わらべの―したるけはひのやうにぞ、震ひあがりにける」〈源氏浮舟〉

ゆきあた・り【行き当り】『四段』 ①進んで行ってぶつかる。出くわす。「上歯茎の骨に沿うて、耳の方へそろそろ押して見れば、―・る所あり」〈医学至要抄上〉。「その虫に―・りたる人は三日の中に死するとしたぞ」〈三体詩抄二ノ三〉 ②物事の処理に困る。行きづまる。当惑する。「此の処、存じの外にて―・り申し候」〈細川忠興文書元和九・九・二三〉

ゆきあ・ひ イーア【行き合ひ・行き逢ひ】 ㊀『四段』 ①ばったりと出合う。また、めぐり合う。「たまほこの道に―・ひて外目(よそめ)にも見ればよき子を何時とか待たむ」〈万二九四六〉。「二条院におはしましつきて、都の人も御殿人も夢の心地して―・ひ、喜び泣きどもゆゆしきまで立ちさわぎたり」〈源氏明石〉 ②合致する。一致する。「この仏法の方、王法の方の二道の道理の斯(か)くひしと―・ひぬれば」〈愚管抄三〉 ㊁『名』 ①行き合うこと。また、その時、その所。「玉桙の道の―に天雲の外(よそ)のみ見つつ」〈万五四六〉 ②夏と秋と行き合う頃という。「少女らに―の早稲(わせ)を刈る時に成りにけらしも萩の花咲く」〈万二一一七〉。「彦星の妻待つ秋もめぐりきて―の早稲は穂に出でにけり」〈続後拾遺二四五〉 †yukiaFi **―あね【行合ひ姉】** 異父同母の姉。「我等とも―」〈近松・国性爺三〉 **―きゃうだい** キョウ…【行合ひ兄弟】 異父同母の兄弟。「墨(すみ)翰(ふで)汝―」〈俳・宝蔵二〉 **―のま【行合ひの間】** 相寄って接した物と物との間のすきま。「よや寒き衣やうすきかたそぎの―より霜や置くらむ」〈新古今一八五五〉

ゆきあ・へ エ…ア【行き合へ】『下二』 行き合わせる。交錯させる。「鶺鴒(まなばしら)尾―・へ」〈記歌謡一〇二〉 †yukiaFë

ゆきうち【雪打ち】 雪合戦。「御客人達、女中と―す。言語道断の事也」〈看聞御記永享三・一・一〇〉

ゆきおこし【雪起し】 雪の降る前に鳴る雷や地鳴り。「小雷鳴り、少雨灑く。但し雷鳴にあらず―の由、多分申す也。…電光これありと雖も、―鳴動にも電光これあり。仍て今夕降雪」〈満済准后日記正長二・一・二〉。「冬は又、この三越路の所所に、―とて鳴る神の」〈謡・雷之鳥〉 ▽「雪発」とも書いたか。「夜に入り小雷。世、雪発と号す」〈小右記万寿二・三・四〉

ゆきかか・り【行き掛かり】 ㊀『四段』 ①先方へ出かけて行ってかかわる。「うけひかざらむものゆゑ―・りてむなしく帰らむ後手(うしろで)も、をこなるべしと」〈源氏須磨〉 ②行き始める。「今はとて越路に帰る雁がねは羽もたゆくや―・るらん」〈金葉二九〉 ③通りかかる。「かかる所に布袋和尚―・り給ふを」〈伽・布袋の栄花〉。「―・り輪縄(なわ)解いてやる雉子かな」〈俳・曠野上〉 ㊁『名』《ユキガカリと濁音》 ①行って通りかかるついで。行きがけ。「―に和賀城責め落す」〈蒲生氏郷記〉 ②すでに始めてしまって、止められないこと。「目の前の嘘と知れても、鷺を烏と云ひ通らねばならぬ―有る也」〈評判・長崎土産二〉

ゆきがき【雪垣】 雪国で、人家の軒のまわりを丸太を立て

かけ簀(す)で覆った、雪害を防ぐ垣。〈運歩色葉集〉

ゆきかぐ・れ【行きかぐれ】『下二』未詳。求婚する意か。一説、寄り集まる。「みなと入りに船漕ぐ如く―・れ人のいふ時」〈万一八〇七〉 †yukikagure

ゆきかた【行き方】やりかた。しかた。方法。「阿蘭陀(オランダ)流の―の風(俳風)」〈俳・大矢数一〉

ゆきがた【行き方】行くさき。行くえ。「道に迷ひて―を知らず」〈今昔一七ノ二八〉。「軍(いくさ)やぶれて後、将軍の―を知らず」〈十訓抄六ノ一七〉

ゆきかて【雪糅て】《カテはまぜる意》雪まじり。「神無月時雨ばかりはふらずして―にさへなどかなるらむ」〈後撰四五二〉

ゆきか・て【行きかて】『下二』行くことができる。「橘のみをりの里に父を置きて道の長道(ながて)は―・てぬかも」〈万四三四一〉 →かて(克) †yukikate

ゆきかは・り(ワリ)【行き代り】『四段』時が過ぎて、新たな年・季節・月などになる。「あらたまの年―・り春されば花のみにほふ」〈万四一五六〉。「年の内―・る時時の花・紅葉、空の気色につけても」〈源氏薄雲〉 †yukikaFari

ゆきか・ひ(イ)【行き交ひ】『四段』①あるものが去って、他のものが代って入る。次次と移って行く。「夏と秋と―・ふ空の通ひ路はかたへすずしき風や吹くらん」〈古今一六八〉。「―・ふ時時に従ひ、花鳥の色をも音をも、同じ心に起き臥し見つつ」〈源氏早蕨〉②行き来する。往来する。「―・ふ舟どもあまた、見ざりしことなれば、すべてあはれにをかし」〈かげろふ上〉。「御使の―・ふほどもなきに」〈源氏桐壺〉③かよう。親しく出入りする。「あづまぢに―・ふ人にあらぬ身はいつかは越えむ逢坂の関」〈後撰七三三〉。「ももしきに―・ひ侍らむことは、ましていとはばかり多くなむ」〈源氏桐壺〉 †yukikaFi **―ぢ**【行交ひ路】行き交う路。往来する路。「かりそめの―(甲斐路ト掛ケル)とぞ思ひしを今は限りの門出なりけり」〈大和一四四〉

ゆきかへ・り(エリ)【行き返り】㊀『四段』《奈良時代はユキガヘリと濁音》①同じ場所を行って帰る。往復する。「白沙(しらまなご)清き浜辺は―・り見れどもあかず」〈万一〇六五〉。「荒き山路を―・りしも」〈源氏蜻蛉〉②行きつ戻りつする。「深海松(ふかみる)の深めしわれを、また海松の復(また)―・り、妻と言はじとかも思ほせる君」〈万三〇二〉③年月など、古いものが去って、またあらたにやってくる。「あらたまの年―・り春立たば」〈万四四九〇〉㊁『名』行きと帰りと。往復。「〔初瀬詣ノ〕―の中宿(なかやどり)には、かく睦びらるるも」〈源氏宿木〉 †yukigaFeri

ゆきかよは・し(ワシ)【行き通はし】『四段』行き来ができるようにする。「町町の中の隔てには塀ども廊などをとかく―・して、気近くをかしきあはひにしなし給へり」〈源氏少女〉

ゆきかよ・ひ(ヨイ)【行き通ひ】㊀『四段』①かよって行く。常時出入りする。「〔皇子ノ御殿ニ〕―・ひつついや常世(とこよ)まで」〈万二六一〉。「父君のもとを里にて〔内裏ヘ〕―・ふ」〈源氏末摘花〉②通じ合う。「あしびきの山下水は―・ひ琴のねにさへ流るべらなり」〈後撰一六八〉㊁『名』通行。往来。「今は国国も鎮まって、人の―も煩ひなし」〈盛衰記四四〉 †yukikayoFi

ゆき・き【行き来】㊀『カ変』行ったり来たりする。往来する。通行する。「葦屋のうなひ処女のおくつき(墓)を―・くと見ればねのみし泣かゆ」〈万一八一〇〉㊁『名』行ったり来たりすること。往来。「君が―を泣く泣くも見め」〈古今七四〇〉。「雲の―も速き心地して」〈徒然四四〉 †yukiki

ゆきく・れ【行き暮れ】『下二』道の途中で日が暮れる。「思ふどちそことも知らず―・れぬ花の宿かせ野辺の鶯」〈新古今八二〉

ゆきげ【雪気】雪の降りそうな空模様。「冬の夜の―の空に出でしかど影より外に送りやはせし」〈金葉五〇六〉

ゆきげ【雪消】雪が消えること。雪どけ。「―する山道すらを」〈万三八二二〉 †yukigë

ゆきげた【行桁】橋板を支えるため、橋をかけた方向に沿ってわたした桁。橋桁。「―は狭(せば)し、そば通るべきやうはなし」〈平家四・橋合戦〉

ゆきこかし【雪転し】「雪まろばし」に同じ。「風吹けば沖津白波や―」〈俳・埋草四〉

ゆきころばかし【雪転ばかし】「雪まろばし」に同じ。雪ころばし。「あら冷た冷たといひて行くままに我こそ転べ―」〈玉吟抄〉

ゆきさらし【雪晒し】雪国で、麻布などを雪の上で晒すこと。また、その布。「越後の―」〈伽・強盗鬼神〉

ゆきさを【雪竿】雪国で、積雪量を知るため、一尺・二尺などの寸法を記して戸外に立てておく竹竿。印(しるし)の竿。〈俳・毛吹草二〉

ゆきじもの【雪じもの】〔枕詞〕《雪のようにの意。→じもの》雪と同音から「行き」にかかる。「―往(ゆ)きかよひつつ」〈万二六一〉 †yukizimönö

ゆぎしゃう(ショウ)【湯起請】室町時代に行なわれた裁判の一法。熱湯に手を入れさせ、そのただれ加減によって罪の有無を判定すること。「―の事…宿老共沙汰有るべし」〈教言卿記応永一三・七・一四〉。「―は武内宿禰より始むと申し習はせり」〈壒囊鈔三〉 →くかたち

ゆきしる【雪汁】雪どけの水。「富士の裾野の―に、富士河水まさりつつ」〈盛衰記三四〉

ゆきしろみづ【雪白水】《「雪汁水」の転》雪どけの水。「―に増さりて、瀬瀬の岩間を叩く波、蓬萊(ほうらい)を崩すが如し」〈義経記五〉

ゆきす・ぎ【行き過ぎ】『上二』とまらずに先へ進む。「み雪ふる越の大山―・ぎていづれの日にかわが里を見む」〈万三一五三〉。「今宵も―・ぎがてにとまらせ給へるを」〈源氏蓬生〉 †yukisugi

ゆきずり【行摩り・行摺り】①通りがかりにすれ違うこと。また、その時、ものの色や匂などがつくこと。「なごの海のとわたる舟の―にほの見し人の忘られぬかな」〈中納言俊忠卿集〉。「―の衣にうつれ萩が花旅のしるしと人に語らむ」〈風雅九三三〉②通りすがり。「降りかかりたる枝ざしども、かのありし―の梢にいとよう似たるも」〈狭衣四〉③ふとしたこと。かりそめ。「君は世の中にありて家・妻子を具せらむに、ただ―の事にてこそあれ」〈今昔一四ノ五〉

ゆきたが・ひ(ガイ)【行き違ひ】『四段』①行き合わないように行く。「前つ戸よ(カラ)い―・ひ」〈記歌謡二三〉②折悪しく、よそに出掛ける。「従者(ともの)ども皆―・ひて、人も無かりけるを」〈今昔二六ノ五〉 †yukitagaFi

ゆきたら・ひ(ライ)【行き足らひ】『四段』行って役目を充足する。「韓国に―・はして帰りこむますらたけをに御酒(みき)たてまつる」〈万四二六二〉 †yukitaraFi

ゆきちが・ひ(ガイ)【行き違ひ】『四段』行き合い、すれちがう。「馬車の―・ふ音、しげくひびきたり」〈源氏若菜上〉。「敵の船の―・ふ処に、熊手を打ち懸けて」〈平家一一・鶏合〉

ゆきつ・き【行き着き】『四段』①到着する。「急ぎ立ちて、くらぐらに―・きぬ」〈宇治拾遺一八〉②酔っぱらって正体がなくなる。「宵からの大酒に―・き給ひ」〈浮・禁短気四〉

ゆきつ・れ【行き連れ】『下二』道中連れだって行く。道づれになる。同行する。「この今―・れたる大刀帯(はき)きたる男のいはく」〈今昔二九ノ二三〉

ゆきと・ど・き【行き届き】『四段』至り着く。及ぶ。「その道をー・き、この苦しみの海を恙なく渡り」〈ぎやどぺかどる上〉

ゆきなや・み【行き悩み】『四段』障害などのため先へ進むのに難儀する。「氷とぢ石間の水はー・み空すむ月の影ぞ流るる」〈源氏槿〉

ゆきのやま【雪の山】①中庭などに雪を集めてつくった山。はじめ、宮中や貴族の間で即興的に行なわれ、次第に行事として形式化した。「けふー作らせ給はぬ所なんなき。御前のつぼにも作らせ給へり。春宮にも弘徽殿にも作られたりつ」〈枕八七〉②頂上に雪をのせた山。白髪にたとえる。「老いはててーをばいただけど霜と見るにぞ身はひえにける」〈拾遺五六四〉③「雪山(せっせん)」の訓読語。「恋ひわびて死ぬる薬のゆかしきにーにや跡を消(け)なまし」〈源氏総角〉

ゆきはな・れ【行き離れ】『下二』離れて行く。去って行き、無関係になる。「俄かにー・れなむも心細し」〈源氏松風〉。「今なむこの世の境を心やすくー・るべき」〈源氏若菜上〉

ゆきふ・れ【行き触れ】㊀『下二』行きながら物に触れる。「わが背子が白栲衣ー・ればにほひつべくももみつ山かも」〈万二一九二〉㊁『名』外出してけがれに触れること。「入江殿〔死去〕の事についてーある間、今日より又此の御所触穢(しょくゑ)なり」〈言国卿記文明六・七・一三〉 †yukifure

ゆきべ【靫部】靫を作る部(べ)。「勾舎人部(まがりのとねりべ)・勾ーを置く」〈紀安閑二年〉 †yukibe

ゆきぼてい【雪布袋】雪で作った布袋。「つくねては子供愛せんー」〈俳・鶉鵡集八〉

ゆきぼとけ【雪仏】雪で作った仏の像。雪地蔵・雪達磨(だるま)の類。「春の日にーを作りて」〈徒然一六六〉

ゆきま【雪間】①積もった雪が消えた所。「春日野のーを分けて生ひ出でくる草のはつかに見えし君はも」〈古今四七八〉②雪の晴れ間。「ーなき吉野の山を訪ねても」〈源氏薄雲〉③積もった雪の中。「降りやまぬーの梅の菅み笠」〈新撰六帖五〉

ゆきまじ・り【行き交り】『四段』いろいろなものが行き合ってまじる。「山寺こそ、なほかやうの事おのづからー・り、物まぎるる事侍らめ」〈源氏夕顔〉

ゆきまろげ【雪丸げ】「雪まろばし」に同じ。「霜焼けの手を吹いてやるー」〈俳・猿蓑上〉

ゆきまろばし【雪転ばし】雪をころがし丸めて大きな塊とする遊び。「池の氷も、えもいはずすごきに、わらはべおろしてーせさせ給ふ」〈源氏槿〉

ゆきみ【雪見】雪を見て遊び楽しむこと。「雪のいみじう降りたる暁に、讃岐前司俊綱、ーにありかむと申しければ」〈大納言経信集〉

ゆき・み【行き廻】『上一』行きめぐる。「明日香川ー・みる岡の秋萩は」〈万一五五七〉 †yukimi

ゆきむか・ひ【行き向ひ】『四段』①古いものが去り、新しいものが向って来る。年などが次次と改まる。「ー・ふ年の緒長く仕へ来し」〈万三三二四〉②その方へ赴く。出向く。「主の郡司宅にー・ふに」〈江談抄三〉。「三千余人の兵(つはもの)を具してー・ふ」〈今昔二五ノ一三〉③たち向ってゆく。まともにぶつかってゆく。「その儀ならばー・ってうばひとどめ奉れ」〈平家二・一行阿闍梨〉 †yukimukaFi

ゆきめぐ・り【行き廻り】『四段』①めぐって行く。「女郎花咲きたる野辺をー・り」〈万三九四四〉。「ー・りかひり来までに斎(いは)ひて待たね」〈万四三三九駿河防人〉②経(へ)めぐる。「誰により世をうみ(倦ミ・海)山にー・り絶えぬ涙に浮き沈む身ぞ」〈源氏澪標〉 †yukimëguri

ゆきもよに【雪もよに】『連語』雪が降る中に。「かきつめて昔恋しきーあはれを添ふる鴛鴦(をし)の浮寝か」〈源氏槿〉。「心さへそらに乱れしーひとり冴えつるかた敷の袖」〈源氏真木柱〉 →雨もよに

ゆぎゃう(ユギヤウ)【遊行】①僧が修行や教化のため諸国をめぐり歩くこと。「縁に随ひてーして、所に随ひて衆生を利益す」〈今昔六ノ八〉②外へ出て、ぶらぶら歩きまわること。「ある時の夕暮にのぞみて、寺の外に立ち出でてーするほどに」〈今昔七ノ一五〉。「つれづれなる時は、これを友としてーす」〈方丈記〉③「遊行上人(ゆぎやうしやうにん)」の略。時宗の祖一遍の法燈をつぐもの。「さては先のーもこの道ならぬ古道を通りしことのありしよなう」〈謡・遊行柳〉。「遊行、ユギャウ、時宗聖人」〈伊京集〉

ゆきやこんこん【雪やこんこん】子供が雪をよぶ語。雪こんこ。雪こうこう。「散る花のー鐘の声」〈俳・細少石三〉 ▽「こんこん」は「来む来む」で、来い来いの意。

ゆきや・り【行き遣り】『四段』(構わずに)どんどん進んで行く。「行けどなほー・られぬは妹がうむ小津の浦なる岸の松原」〈土佐二月五日〉。「おくれ先立たじと契らせ給ひけるを、さりとも〔私ヲ〕打ち捨ててはえー・らじ」〈源氏桐壺〉

ゆきわか・れ【行き別れ】『下二』別別の所へ別れて行く。別れ去る。「ももしきの大宮人はー・れなむ」〈万一五五〉。「目馴らす人人の、今はとてー・れむほどこそ、いま一きはの心乱れぬべけれ」〈源氏幻〉 †yukiwakare

ゆきわた・り【行き渡り】『四段』①行って渡る。「にはたづみ川ー・り」〈万三三三五〉②遠く出向く。「かの八条の家にー・りて」〈続古今一四七七詞書〉③端から端まで行き届く。一面にひろがって行く。「見てゐる内に水がー・った」〈虎寛本狂言・水掛聟〉④一般に広まる。普及する。「はや唐本にて大方所所へー・りし時に」〈浮・元祿大平記五〉 †yukiwatari

ゆきをれ【雪折れ】積もった雪の重みで木・竹などの折れること。「そま山や梢におもるーに」〈新古今一五八〇〉。「ーの竹をそのまま垣にして」〈俳・犬筑波〉

ゆきをんな【雪女】雪の降る時に出るという、白い衣を着た女の姿の雪の精。雪女郎。「これこそ疑ふ所もなき、かの化生(けしやう)のーぞとて」〈伽・雪女物語〉

ゆぐ【湯具】腰巻。二布(ふたの)。「せめて君のーのしらみと生ればや」〈俳・犬子集一二〉。〈日葡〉

ゆくかた【行方】①行く方角。これから行く所。「ーもなくせかれたる山水の」〈後撰五九一〉。「ーも帰らむ里も忘れぬべう」〈源氏胡蝶〉②内にこもった気持を発散させる方法。「ーもなくいぶせう覚え侍り」〈源氏椎本〉

ゆくさ【行くさ】《サは接尾語》行く場合。行く時。「ーも来さも船は早けむ」〈万一七八四〉

ゆくさき【行先】①これから行く先。前途。「闇の夜のー知らず行くわれを」〈万四四三六〉②将来。「今よりーに、いささけき過ちもあらむ人に率(いざな)はるとし聞こしめさば」〈続紀宣命三五〉③死に至る時期。余命。「昼夜の明け晦(く)るるごとにーの塗(みち)も徐(やをやく)近づきぬ」〈東大寺諷誦文稿〉。「この頼もし人はー短かりなん」〈源氏帚木〉 †yukusaki

ーに的(まと)が立・つ 将来罰が当って不幸な生活をする。「此の罰たった一つでもー・つ」〈近松・天網島上〉

ゆくすゑ【行末】《ずっと先の終着点、遠い将来の成行きなど、確かには分らない不安な前途をいうことが多い。類義語ユクサキは近くて可能性の強いものにいう》①はるかな行先。ずっと先にある目的地。「ゆく舟のー遠く思ほゆるかな」〈拾遺二六〇〉②遠い将来。どうなるか見当もつかない先の先の成行き。「先の世の契知らるる身の憂さにーかね

て頼みがたさよ」〈源氏夕顔〉③おぼつかない余命。「—短げなる親ばかりを頼もしきものにて」〈源氏明石〉④経歴。身元。素性。「かの女房の—をくはしく尋ねて候へば、今出河の右大臣公顕の女にて候なるを」〈太平記一八・春宮還御〉

ゆくて【行手】①事のついで。行きがけ。「—の御事はなほざりにも思ひ給へなされしを」〈源氏若紫〉②進んで行く方の道。「夏衣—も涼し梓弓磯辺の山の松の下風」〈新勅撰一八九〉。「風の—に遠き梅が香」〈三島千句〉

ゆくとし【行く年】《「行年(かうねん)」の訓読語》年齢。「小式部は—十八にて失せ侍り」〈遠近草上〉

ゆくへ(ヱ:)【行方】①目ざして進んで行く方向。また、行った方向。「もののふの八十(やそ)宇治河の網代木(あじろぎ)にいさよふ波の—知らずも」〈万二六四〉。「今井が—のおぼつかなさに」〈平家九・木曾最期〉②成行き。時の経過。「世を捨つるやうにて明かし暮すほどに、年月の—も知らず顔なるを」〈源氏若菜上〉③行きついた所。成れの果て。「〔コノ堂ハ〕祖父の敵になりにける蜂の—なりとて、焼き失ひてければ」〈十訓抄一ノ六〉。「これこそそれよと言ひもあへず…すなごの上に倒れ伏された。さてこそわが主の—とも知ってあったれ」〈天草本平家一ノ一三〉④経歴。身元。素性。「御—いかなる人にてましますぞ」〈栗栖野物語〉⑤〔女房詞〕銭(ぜに)。「ぜに、御あし、—」〈大上臈御名之事〉 †yukuFe —**な・し**【行方無し】『形ク』①行くべき目あてがない。「—・くあり渡るともほととぎす鳴きし渡らばかくやしのはむ」〈万四〇九〇〉②行くえがわからない。「—・き空の煙となりぬとも思ふあたりを立ちは離れじ」〈源氏柏木〉

ゆくゆく ❶《ユクはユクラユクラ・ユクラカのユクと同じで、気持の不安動揺を表わす擬態語》気持が安定しないさま。「丹生の河瀬は渡らずて—と恋痛きわが背いで通ひ来ね」〈万一三〇〉 ❷《ユクはユクリカ・ユクリナシのユクと同じで、思いがけず突然物事が起る意》①何の遠慮もないさま。人の気持など斟酌せぬさま。「何事にかはとどこほり給はむ。—と宮にもうれへ聞え給ふ」〈源氏賢木〉。「おほかた長(け)高き句を—とすべし」〈連理秘抄〉。「ねむたくは—と寝たまへと云へば」〈三河物語下〉②思いがけないさま。「〔御産ノ〕御気色ありとて宮の中たち騒ぐほどに、ただ—と水のみいでさせ給ひて」〈増鏡一五〉 ▽⑴⑵はアクセントに相違があったものと思われる。

ゆくゆく【行く行く】『副』①行きながら。「—飲み食ふ」〈土佐十二月二十八日〉②行く末に。将来に。「—その悪もあらはれ候ふ事」〈沢庵書簡寛永一四・一・二八〉

ゆくらか 《ユクは擬態語。動揺するさま》ゆれ動くさま。ゆらりゆらり。「漁(いざ)りする海人(あま)のかぢの音(と)—に妹(いも)は心に乗りにけるかも」〈万三一七四〉

ゆくらゆくら 《ユクは擬態語。動揺するさま》ゆらゆらと動揺して定まらないさま。「人の寝(ぬ)る熟睡(うまい)は寝ずに大船の—に思ひつつ我が寝る夜らは」〈万三二九〉

ゆくり【緩り】ゆとりがあり、ゆったりとしているさま。ゆっくり。「〔馬ニ乗ル時モ〕上手はなにとなく、—とすると見えたり」〈耳底記〉

ゆくりか 《ユクは擬態語。ユクリナシと同根。リカは状態を示す接尾語》①無遠慮で気兼ねをしないさま。『こはいかに仰せらるる』と—に寄り来たるけはひにおびえて、大臣色もなくなりぬ」〈源氏玉鬘〉。「〔女ニ対シテ〕—にあざれたる事の、まことにならはぬ御心地なればいとほしう…霧に立ち隠れて出で給ふ」〈源氏夕霧〉②思いがけず突然なさま。「かかる御忍びごとにより、山里の御ありきも—に思し立つなりけり」〈源氏総角〉

ゆくりな・し 『形ク』《ユクは擬態語。ユクリカと同根。気兼ね遠慮なしに事をするさま。相手がそれを突然だと感じるような仕方。リは状態を示す接尾語。ナシは甚だしい意》①事をするのに無遠慮である。「〔息子ハ〕まだいときびはなる程を、わが心にまかせたる世にて、〔栄進ノコトヲ〕しか—・からむも、なかなか目馴れたる事なりと、おぼしとどめつ」〈源氏少女〉。「あたら思ひやり深う物し給ふ人の、—・くかやうなる事、折折うちまぜ給ふを、人も怪しと見るらむかし」〈源氏賢木〉②思いがけない。だしぬけである。「—・く風吹きて、漕げども漕げどもしりへ退(しぞ)きに退きて」〈土佐二月五日〉。「さても誰が言ひしことをかく—・く打ちいで給ふぞ」〈源氏行幸〉。「率尓、ユクリナシ」〈名義抄〉

ゆくりもなく『連語』①だしぬけに。突然に。「何の罪ぞも、不意之間(ゆくりもなく)我が子を倏亡(あからめ)さすこと」〈紀景行四十年〉②何の用意もなく。何気なく。「喜びをなして垂布を引き開けて—這ひ入りぬれば」〈今昔二八ノ三一〉

ゆくゎん【湯灌】仏葬で、納棺する前に死体を湯で洗うこと。沐浴。「—葬礼誰がせうぞ」〈近松・鑓権三下〉

ゆくゐ【行衛】「ゆくへ(行方)」の「へ」の子音の変化をそのままに仮名に書いたもの。「いつしかと待ちいでたるちごの五十日(いか)百日(もか)などになりたる—、いと心もとなし」〈枕(能因本)心もとなきもの〉

ゆ・け『下二』《行かせる意で、行キの他動詞形という》相手に向ってつきつける。矛(ほこ)などを使う時にいう。「矛—・け、〔弓ニ〕矢刺して」〈記神武〉 †yukë

ゆげ【弓削】《ユミ(弓)ケ(削)の転》弓をつくること。また、それを職業とする人。「京畿・諸国の…—・矢作(やはぎ)…の雑戸」〈続紀天平勝宝四・二・一八〉 ▽yumikë→yumkë→yungë→†yugë

ゆげ【遊戯】《呉音。古くはユケと清音》①〔仏〕心にまかせて自在に振舞うこと。「さらば彌陀観音も、利生方便には大悲代受苦と誓ひ給ひて、地獄に—してこそおはしませ」〈梵舜本沙石集一ノ一〇〉②心楽しく思うこと。のびのびと遊び楽しむこと。「男君それをも知らず顔にて—しおぼいたる様もをかし」〈栄花もとのしづく〉。「もろもろの人ありて、みづからの身を荘厳(しやうごん)して伎楽を唱へて…—す」〈今昔一ノ三五〉

ゆげた【湯桁】湯槽(ゆぶね)のまわりの桁。また、湯槽。伊予道後温泉の湯桁は数が多いので名高かった。「伊予の湯の—は幾つ」〈風俗歌伊予湯〉

ゆげひ(ユゲイ)【靫負】《ユキオヒの転。古くはユケヒと清音》靫(ゆき)を負って宮門を守る者。雄略天皇の頃、地方国造の子弟によって編成された朝廷の軍事力。これに由来して、令制の衛門府およびその官人の称となった。「火葦北国造(ひのあしきたのくにのみやつこ)刑部(をさかべ)の—阿利斯等(ありしと)の子」〈紀敏達十二年〉。「—になりて、ことごとしげなる随身具したる蔵人なり」〈源氏澪標〉 †*yukeFi —**のじょう**【靫負尉】左右の衛門府の三等官。従六位相当。五位の者は衛門大夫という。「かの解けたりし蔵人も、かへりなりにけり。—にて今年かうぶり得てけり」〈源氏松風〉 —**のすけ**【靫負佐】左右の衛門府の次官。従五位相当で、検非違使を兼ねた。「にげなきもの。…—の夜行姿、狩衣姿もいとあやしげなり」〈枕四五〉 —**のつかさ**【靫負司】衛門府の別称。「衛門府(ゆけひのつかさ)に戒めて、一時(もろとも)に倶(もと)に十二(よも)の通門(みかど)をさしかためて」〈紀皇極四年〉 —**のみゃうぶ**(…ミョウ…)【靫負命婦】命婦の名の一。父兄または夫が靫負官であったによる称であろう。「常よりもおぼしいづる事多くて—といふをつかはす」〈源氏桐壺〉

ゆこ【行こ】動詞「行き」の連体形「行く」の上代東国方言。「—先に波なとゑらひ」〈万四三八五下総防人〉 †yuko

ゆどん【勇健】《呉音》強くたくましいこと。壮健。「形貌(ぎやうめう)端正(たんじやう)にして、—なる事限りなし」〈今昔二ノ三〇〉。「わが身の美麗—なりと誇る事なかれ」〈こんてむつすむん地一〉

ゆささ【斎笹】神事に使う、たやすく手をふれてはならない笹。「—の上に霜の降る夜を」〈万二三三六〉

ゆさばり「ぶらんこ」の古称。「鞦韆、ユサバリ」〈名義抄〉

ゆさゆさ 全体がゆれるように動くさま。「とばかりありて、この蔵すずろに—とゆるぐ」〈宇治拾遺一〇二〉。「〔大黒ハ〕はやし給へや、舞はむとて、—と立ちあがり」〈伽・梅津長者物語〉

ゆさん【遊山】①《禅宗用語》山野に遊んで、心にくもりのない状態になること。「予、昔—のついでに、同伴の僧七八人連れて、富士山の辺り西の湖といふ所に至れり」〈夢中問答下〉②山野に出て遊ぶこと。「あまり気が蒙蒙としたる程に、ちっと出て—せうとしたぞ」〈三体詩抄一ノ三〉③気ばらしに外出すること。外出して遊び楽しむこと。「ここかしこに神事能などあれば、さし出でて日日に—のみにて暮しければ」〈咄・昨日は今日下〉 **—ぢゃや**【遊山茶屋】遊山用の茶屋。遊山所。遊山宿。「—の献立」〈西鶴・一代女三〉 **—ぶね**【遊山船】遊山用の御座船・屋形船の称。「波荒れて沖に漂ふ—」〈俳・信徳十百韻〉 **—やど**【遊山宿】「遊山茶屋」に同じ。「中の地蔵と言ふ所の—に身をなして」〈西鶴・一代女六〉

ゆ・し【揺し】『サ変』《ユリ(揺)の他動詞形。揺らす意》左手の指で琴の絃を揺り動かす。「さしやりて—・し給ふ御手つき」〈源氏紅葉賀〉 →ゆ(揺)

ゆじゃうるり【湯浄瑠璃】銭湯に入浴中の客が語る実際より美音に聞える浄瑠璃。湯屋浄瑠璃。「—着物を着ると悪い声」〈雑俳・万句合明和一〉

ゆす・ひ【結ひ】『四段』「むすび」の上代東国方言。「家の妹ろ我をしのふらし真結(まゆすひ)に—・ひし紐の解くらく思へば」〈万四四二七防人〉 †yusuFi

ゆすゆす《ユスリ(揺)のユスと同根》全体をゆさぶるようにして動くさま。「死にたる牛、—とはたらきて」〈著聞三三五〉

ゆす・り【揺り】[一]『四段』《根柢に衝撃を与えて、その震動を全体に及ぼす意。→ゆり》①(衝撃の起点から)震動を伝える。ふるわし動かす。「大海の磯もと—・り立つ波の寄らむと思へる浜の清けく」〈万一二三九〉。「御足跡(みあと)作る石の響きは、天(あめ)に至り、地(つち)さへ—・れ」〈仏足石歌〉②(ある事がきっかけで)こぞって大騒ぎする。「いかめしき御ありきにて世の中—・りて、上達部・殿上人我も我もと仕うまつり給ふ」〈源氏澪標〉。「かく一天下の—・りたる、これこそは天変なりけれ」〈栄花楚王夢〉③ゆさゆさとゆさぶる。ゆさぶりをかける。「〔眠ッテイル男ニ〕手を打ちかけ、—・りてみて」〈虎明本狂言・磁石〉④おどしかけ、または、言いがかりをつけて、自分の意志を相手に受け入れさせる。ねだる。「人の妻を語らひたるを見つけてかく—・ると云ふ」〈遠近草上〉[二]『名』①おどすなどして金銭を無理やりに取ること。「今流行る—と言ふ仕掛なるに」〈西鶴・好色盛衰記三〉②《上方でいう》衣服・調度などを飾ること。凝ること。「ほんにアレも大の—家(か)でござります」〈洒・北華通情〉③高慢。自惚れ。特に、着飾って自慢すること。「万吉は—気味にて」〈滑・身体山吹色三〉

ゆする【泔】洗髪用の水。また、それで頭髪を洗い梳(す)くこと。強飯を蒸したあとの、粘り気のある湯が使われた。米のとぎ汁を使ったともいう。「貧女の腐れる汁(ゆする)を奉れる縁」〈東大寺諷誦文稿〉。「—の名残にや、心地もなやましくて」〈源氏東屋〉 **—つき**【泔坏】泔の水を入れる器。古くは土器であったが、後に貴族は銀器・漆器などを使った。蓋付茶碗のような形で、台の上に据える。「出でし日つかひし—の水は、さながらありけり」〈かげろふ上〉 **—まうけ**【泔設け】頭髪を洗い、くしけずるための用意。髪洗いのしたく。「まづ家に『—せよ。物へゆかん』と云ひて、洗ひけづり、ぼうしなんどしける」〈発心集五〉

ゆずゑ【弓末】《ユミスヱの転》弓の上部。「ますらをの—振り起せ」〈万三六四〉

ゆぜったい【湯摂待】功徳のために、寺などで浴場を設け、無料で人人に入浴をすすめる奉仕行為。湯施行(ゆせぎやう)。「摂待多しと申せども、—に過ぎたる功徳なし」〈伽・もろかど物語〉

ゆせん【湯煎】火に直接掛けず、湯の熱で間接に物を煮ること。湯煮。「蜜をかけ、水よき程に入れ、—にして練る」〈むくさのたね〉

ゆた【寛】①ゆったりしたさま。余裕あるさま。「その夜は—にあらましものを」〈万二八六七〉②ゆったりして不定のさま。「我が心—にたゆたに浮きぬなは辺にも奥(おき)にも寄りかつましじ」〈万一三五二〉

ゆたか【寛か・豊か】①豊富・裕福なさま。「富楽の家に生れて多く財宝に饒(ゆたか)ならむと願ひ」〈金光明最勝王経平安初期点〉。「水の勢ひ—に書きなし」〈源氏梅枝〉②広広と余裕のあるさま。「唐衣袂(たもと)—に裁てと言はまし」〈古今八六五〉③不足なく整っているさま。満足。「昔かの浦の風景を—に思しめしし故に」〈著聞五〉④のんびりとして屈託のないさま。のびのびとしているさま。「〔夢カラサメテ〕顔をなで、伸(の)びを—にかきて」〈伽・一尼公〉⑤他の語に付けて、不足のないことを表わす。「六尺—なる男なり」〈寒川入道筆記〉

ゆだけ【弓丈】「ゆんだけ」の転。「うち臥さで恋し明かせばさよ床の—のふすまよそにこそ見れ」〈夫木抄一六・衾〉。「—、七尺五寸」〈俳・乳母六〉

ゆだけ【裄丈】着物のゆきたけ。ゆきの長さ。「—の片の身を縫ひつるが」〈枕九五〉

ゆたけ・し【寛けし・豊けし】『形ク』《ユタカの形容詞形》①ゆったりとおおどかである。「大(おほ)の浦のその長浜に寄する波—・く君を思ふこのころ」〈万一六一五〉②広広としている。「海原の—・き見つつ蘆(あし)が散る難波に年は経ぬべく思ほゆ」〈万四三六二〉③盛大である。「最勝王経・金剛般若・寿命経など、いと—・き御祈りなり」〈源氏若菜上〉④盛んである。「才もすぐれ、—・きさきら(弁舌)を、いとど心して言ひ続けたる、いと尊ければ」〈源氏鈴虫〉⑤裕福である。「—・き勢ひをたのみて、父ぬしの后にもなしてむと思ひたる人人(娘タチ)」〈源氏東屋〉 †yutakësi

ゆだち【弓立】弓を射る時の作法で、射手が標的にむかい、弓を垂直に立てて身構えること。射終って弓を横に倒すことを「弓倒し」という。「あるべきやうに—して、弓をさしかざして、しばしありて、うちあげたれば」〈宇治拾遺一八九〉

ゆだて【湯立】巫女(みこ)の行なう神事の一。神前で熱湯をわかし、竹の葉をひたして全身に振りかけ、神がかりの状態になる。「粟田口神明—有り」〈康富記文安六・九・二九〉

ゆだね【斎種】清浄な種。多く稲の種についていう。「—まく新墾(あらき)の小田(をだ)を」〈万一一一〇〉

ゆだ・ね【委ね】『下二』《ユヅリ(譲)と同根か》一切を委任する。「悉くに内外(うちと)の事を—・ねたまひき」〈紀用明一年〉。「委、ユダヌル」〈古文尚書九・正和点〉

ゆた・ひイユタ『四段』たるむ。だぶつく。「〔太鼓ノ〕中の皮は—・ひたる故、〔バチ〕緩(ゆる)く当つるなり」〈教訓抄九〉

ゆだま【湯玉】煮えたぎった湯から立つ泡。湯の玉。「死出の山そのしなじなや湧きかへる—に罪の数を見すらん」〈廻国雑記〉

ゆだめ【弓撓・弓矯】弓の曲がったのを撓め直す道具。ゆみため。「—も箆撓(のため)も持ちながら」〈梁塵秘抄四〇六〉

ゆたやか　ゆったりとしているさま。ゆたか。「桟敷に—な幕引き廻し」〈俳・玉海集追加五〉

ゆたん【油単】油をひいた単(ひとえ)の布または紙。燈台・台盤などの下に敷き、油・水・汁などがこぼれて床をよごすのを防いだ。のち、唐櫃(からびつ)・槍など戸外に持ち歩く物に掛ける覆いや、旅行用の雨具・敷物としても用いた。「燈台の打敷をふみて立てるに、あたらしき—に襪(しとうづ)はいとよくとらへられにけり」〈枕一〇八〉。「〔和名抄ニ〕油衣と書けるは、うるはしく絹を—にして縫へり。雨降る時、上に着る也」〈六百番陳状恋六〉　**—づつみ**【油単包】旅人などが旅装を油単で包んだもの。「—を襟にかけ、迷ひ出でさせ給ひけり」〈説経・しだの小太郎〉

ゆだん【油断】気をゆるめること。注意を怠ること。「ゆめゆめ—する事なかれ」〈孝養集下〉。「油断、ユダン、又作ニ由断ニ」〈文明本節用集〉　▽語の由来については諸説あるが未詳。

ゆつ【斎つ】『連語』《ツは連体助詞》おろそかに触れるべからざる。神聖・清浄な。「—岩群」「—桂(かつら)」など。「新嘗屋(にひなへや)に生ひ立てる葉広—真椿、其が葉の広りいまし、その花の照りいます高光る日の御子」〈記歌謡一〇一〉

ゆつか【弓束】弓を射る時に左手で握る所。革などを巻く。「あづさ弓—巻き易(か)へ」〈万二八三〇〉。「弣、ユツカ・ユミヅカ」〈名義抄〉

ゆつき【斎槻】神聖な槻の木。「長谷(はつせ)の—が下に我が隠せる妻」〈万二三五三〉　†yutuki

ゆづけ【湯漬】熱い湯に強飯を入れたもの。湯をこぼし捨てて食べる場合もあった。また、飯に湯をかけたもの。大饗や御斎会の僧への接待にも出された。「御物語などこまやかにしておはすれば、御—など参り給ふ」〈源氏夢浮橋〉。「冬は—、夏は水漬にて、物をめすべきなり」〈宇治拾遺九四〉

ゆつつまぐし【斎つ爪櫛】《ツマは端の意か》神聖な小さい櫛。「—に其の童女(をとめ)を取り成して、御みづらに刺して」〈記神代〉

ゆつまつばき【斎つ真椿】神聖なツバキ。「其(し)が下に生ひ立てる葉広—」〈記歌謡五七〉　†yutumatubaki

ゆつ・り【移り】『四段』「うつり」に同じ。「天の原富士の柴山木の暗の時—・りなば逢はずかもあらむ」〈万三三五五〉

ゆづ・り【譲り】㊀『四段』《ユダネ(委)と同根か》①所有・使用・実行の権利と義務とを、そっくりそのまま他の人にまかす。「釈迦のみあと(足跡)石に写し置き敬ひて、後の仏に—・りまつらむ、捧げまうさむ」〈仏足石歌〉。「わが身は太政大臣にならせ給ひて、摂政をばおとどに—・り奉り給ひて」〈大鏡道長〉②他人を先とする。「情相ひ愛重して歓喜し遊戯せむ。慈悲ありて謙(した)ひ譲(ゆづ)らむ」〈金光明最勝王経平安初期点〉　㊁『名』①そっくり他に提供すること。譲与。「いかなる御—あるべきにか」〈源氏行幸〉②皇位継承。「主上は、二歳にて御—を受けさせ給ひ」〈平家一・東宮立〉　**—じゃう**ジョウ【譲状】①当主が、妻子など近親者に所領・財産の類を譲渡する旨したためた文書。譲文(ゆづりぶみ)。「もし子息などに—などせぬ事やあると、所従等に尋ねしかば」〈他阿上人法語三〉②遺言状。「明けて見て置きし—を取り出し」〈曾我一〉　**—は**【譲葉】トウダイグサ科の常緑喬木。若い枝や葉柄は赤みがかる。葉は長楕円形で裏が白く、新年の飾物に使う。新しい葉が生長すると古い葉はたれ下がって場所を譲るのでこの名がある。「—の、いみじうふさやかにつやめき」〈枕四〇〉　**—ぶみ**【譲文】「譲状(ゆづりじゃう)」に同じ。「〔兄ノ〕申す所道理あれども、弟—を手に握りて申す上は」〈沙石集三ノ二〉。「驚く寺の—」〈俳・あだ花千句〉

ゆづる【弓弦】弓に張った弦。昔、弓弦を鳴らして魔物を追い払う習慣があった。「鷹狩(とがり)する君が—の絶えむと思へや」〈万二六三八〉。「—いとつきづきしくうちならして」〈源氏夕顔〉

ゆづるは【譲葉】「ゆづりは」の古称。「—の含(ふふ)まる時に風吹かずかも」〈万三五七二東歌〉

ゆて【湯手】入浴のとき身体を洗うのに用いる、洗粉などを包んだ布袋やへちま。後には手拭の意となる。「姫瓜の—にもなるかへちま瓜」〈俳・遠近集三〉。「夕月に—のへちまの漂ひて」〈俳・花摘下〉。「木綿を—にして、よく洗ひて」〈紅毛秘伝外科療治集二〉

ゆ・で【茹で・茄で・煠で】『下二』①熱湯で煮立てる。うでる。「小芹(こぜり)こそ—・でても旨(うま)し」〈催馬楽大芹〉。「湯に初めの如く—・づれば、鼻いと小さく萎(しぼ)みしじまりて」〈今昔二八ノ二〇〉②患部を湯または湯気であたためる。湯治する。「左の方の肱(かひな)を突き折りたれば、そを—・でむが為に」〈今昔一九ノ二〉

ゆとう【湯桶】湯や酒を注ぐのに用いる、注口(つぎぐち)と柄(え)のついた木製の漆塗の容器。「夜に入り、二位—を持ち来たり、酒あり」〈言国卿記文明七・五・一三〉。〈文明本節用集〉　**—ぶんしゃう**ヨミ【湯桶文章】「湯桶」のように、漢字二字の熟語の上を訓読、下を音読にすることば。「湯桶文字」「湯桶言葉」とも。また、そのような読み方を「湯桶読み」という。「湯桶、ユトウ、酒器なり。倭俗世話—と云ふ是なり。一字をば読(よ)みに云ひ、一字をば音に云ふなり。この類甚だこれ多し」〈伊京集〉

ゆとこ【夜床】「よとこ」の上代東国方言。「—にも愛(かな)しけ妹(いも)そ昼も愛しけ」〈万四三六九常陸防人〉　†yutökö

ゆどの【湯殿】①清涼殿の西北にある御湯殿の上の西向いにあって、湯浴みをする所。「御—の馬道の戸口に御前(前駆ノ者)を召して」〈大鏡道兼〉②貴人の家の浴室。また、貴人の入浴。「御—などにも親しう仕うまつりて」〈源氏若紫〉。「日ごろ御—もなかりつれば、明日ぞ御—あるべければ」〈栄花楚王夢〉③湯殿に奉仕する役。「御—は宰相の君」〈紫式部日記〉　**—ぎゃう**ギョウ【湯殿行】夏、出羽国の月山・羽黒山・湯殿山の三山を巡拝すること。湯殿詣。湯殿禅定(ぜんぢゃう)。湯殿精進。「欲垢を落すや入りし—」〈俳・伊勢踊三〉　**—はじめ**【湯殿始】①生後三日目の生児に湯を浴びさせること。「今日—也」〈玉葉仁安三・二・九〉②新年始めて入浴すること。「澄める代の—や水の春」〈俳・玉海集追加一〉　**—ばら**【湯殿腹】大名と、湯殿に奉公している女との間に生れた子。「—馴れし菖蒲や小旗の今日」〈俳・金剛砂上〉。「仕合せぢゃ／殿の出来気(出来心)で—」〈雑俳・綿帽子〉　**—ひめ**【湯殿姫】湯殿で人の身体を洗う女の称。「—粉糠(こぬか)降りけり肌の雪」〈俳・東日記下〉

ゆとりめし【湯取飯】釜に水を多めに入れて米を炊き、沸騰したところで籮(いかき)に米を揚げ、粘り気を洗い去ったのち、籮に蓋をして蒸した飯。味が薄くやわらかいので老人・病人・胃弱者が用いた。「雪なだれ有りとや見えて—」〈俳・江戸広小路上〉。「不断の—」〈西鶴・桜陰比事三〉

ゆな【湯女】 ①温泉宿で入浴客の世話をした女。「二一・二湯の—ども召し寄せ振舞ふ也」〈有馬入湯記〉。「聞きしより—の情は有馬山」〈俳・寛永十三年熱田万句六二〉 ②風呂屋に奉公し、客の身体を洗い、また色を売った女。風呂屋者。垢掻。猿。「風呂屋喜兵衛〔ノ〕—河内と申す女買ひ候て」〈梅津政景日記寛永二・二・三〉

ゆなゆな 未詳。ユは「ゆり(後)」のユ、ナは「朝な朝な」「朝な夕な」のナと同じ接尾語で、のちのちの意という。「黒かりし髪も白けぬ、—は息さへ絶えて後つひに命死にける」〈万一七四〇〉

ゆには ワ:ニ**【斎庭】** 神聖な、立ち入ってはならない、神事用の場所。祭場。「斎庭、此をば踰弐波(ゆには)と云ふ」〈紀神代下〉

ゆのあわ【湯の泡】 硫黄(いおう)の古名。「流黄、由乃阿和(ゆのあわ)、俗云由王(ゆわ)」〈和名抄〉

ゆのけ【湯の気】 湯から立ちのぼる蒸気。ゆげ。「大きなる釜(かなへ)有り、—有り、炎わきあがる」〈今昔一四ノ三〇〉

ゆのこ【湯の子】 釜底に焦げ付いた飯を用いる湯漬。「はぜのこ一箱、—によく御座候」〈細川忠利書状寛永九・二・一五〉。「—と云ふ物は、心気をとらかし筋骨をなやまし、心臆病になる故に、武士たる者は固く忌む」〈浄・甲子祭三〉

ゆば【弓場】 弓の練習をする場所。「—につい立ちて、矢を弓にさしはげ給ひける事柄(ことがら)」〈伽・天神〉。〈いろは字〉

ゆはず【弓弭・弓筈】 弓の両端で弦(つる)をかける所。上端を末弭(うらはず)、下端を本弭(もとはず)という。ゆみはず。「我が爪はみ弓の—」〈万三八八五〉

ゆはた【纈】 「ゆひはた」の転。「—十九匹(とをあまりここのむら)」〈紀天智六年〉。「逢ふことは片結びなる吾妹子が—の紐よいつかとくべき」〈続後拾遺七六六〉

ゆばどの【弓場殿】 宮中の、弓場を設けた建物。校書殿(けうしよでん)の東廂の北端二間(ふたま)をいい、賭弓(のりゆみ)や作文(さくもん)の会などが行なわれた。また、弓場があったことから、時に武徳殿をさすこともあったという。「公卿は南殿の座に坐して〔雨乞ノ祈リヲ〕見る。殿上人は—に立ちなみて見る」〈打聞集〉

ゆばな【湯花】 湯立(ゆだて)の湯の飛沫。また、湯立のこと。「とかく—をあげて御託宣をきかんと、神楽をそうし、御—をささげ奉る」〈咄・正直咄大鑑一〉

ゆばはじめ【弓場始】 毎年十月ごろ、天皇が弓場殿で殿上人・公卿の射芸を御覧になる儀式。「—主上先づ射給ひて的に当つる事」〈九暦天暦一・二・三〇〉

ゆは・ひ イユワ**【結はひ】**『四段』《ユヒ(結)に反復継続の接尾語ヒのついた形。→ひ》しっかりしばる。「繫(ゆは)ひ紲(つな)ぐ中に在りといへども、尚、且夕の命を貪(むさぼ)る」〈大唐西域記四・長寛点〉。「面縛、シリヘデニユハハレテ」〈白氏文集三・天永点〉

ゆはら【弓腹】 弓の胴体。弓。「あづさ弓—振り起し」〈万三三〇二〉

ゆばらいっとき【湯腹一時】 湯を飲んだだけでも一時の餓えをしのげる意で、つまらない物でも一時をしのぐには足りるのたとえ。「持ちこたへけり—」〈雑俳・江戸土産〉

ゆばり【尿】 ⇒ゆまり。「宮中の男女共に呉王の—を飲まんと云ふ者なし」〈盛衰記一七〉。「尿、ユバリ」〈名義抄〉 **—ま・り**『四段』小便をする。「小便、由波里万留(ゆばりまる)」〈日本紀私記〉。「旋、ユバリマル」〈名義抄〉

ゆ・ひ イニ**【結ひ】** ㈠『四段』《ユはユユシ(忌)・ユフ(木綿)・ユツキ(斎槻)などのユと同根か。ある区域に標(しめ)を立て、垣を作るなど、しるしとなる物を用いて、他人の接触・立入を禁じるのが原義。類義語ムスビ(結)は紐状のものなどを互いに離れないようにからみ合わせるのが原義》①紐状あるいは棒状のものを結びつけてしるしとし、他のものが入りこむのを禁じる。「はふ葛(くず)の絶えず偲(しの)はむ大君の見(め)しし野辺には標(しめ)—・ふべしも」〈万四五〇九〉。「天離(あまざか)る鄙(ひな)に月経ぬしかれども—・ひてし紐を解きも開けなくに」〈万三九四八〉。「前栽(せんざい)に萱草(くわんざう)といふ草をませ—・ひていと多く植ゑたりける」〈枕一六一〉 ②紐などを用いて一つにゆわえまとめる。「肥人(こまひと)の額髪(ぬかがみ)—・へる染木綿(しめゆふ)の染(し)みにし心われ忘れめや」〈万二四九六〉。「細き組(組紐)して、〔袋ノ〕口の方を—・ひたるに」〈源氏橋姫〉 ③縛って自由を奪う。「うしろざまに手をさしやりて、猿の手—・はれたるやうに」〈枕二七三〉。「行家の足を—・ひたりければ、蔵人少しもはたらかず」〈延慶本平家三・十郎蔵人行家〉 ④組み立てて作る。「枕づく妻屋のうちに鳥座(とくら)—・ひ据ゑてそわが飼ふ真白斑(ましらふ)の鷹」〈万四一五四〉。「〔水車ヲ〕安らかに—・ひて参らせたるが、思ふやうに廻(めぐ)りて」〈徒然五一〉 ㈡『名』①標結(しめゆひ)。「山守のありける知らにその山に標結ひ立てて—の恥しつ」〈万四〇一〉 ②ものを結びまとめること。「御腰—〔ノ人〕には、おほきおとどをかねてより聞えさせ給へりければ」〈源氏若菜上〉 ③田植や刈入れなどの折にする、集落の共同労働。また、それに従事する人。「残る田はそしろ(十代)に過ぎじ明日はただ—もやとはで早苗取りてむ」〈堀河百首〉 †yuFi

ゆび【指】《古形オヨビの転》手足の指。「この琴ひく人は、別の爪つくりて—にさし入れてぞひく事にて侍し」〈大鏡道長〉。「指、由比(ゆび)、俗云於与比(および)」〈和名抄〉 **—広・ぐ** 太鼓持などが、おべっかを言い、賑やかにはやし立て、大尽の機嫌を取る。「指の股を広げる」とも。「只今にては—・げたるばかりにては〔大尽ハ〕中中合点せず」〈浮・好色敗毒散三〉 **—を括(く)・る** 物忘れしないように紙捻(こより)で小指を括る。「—・って参る小歩き」〈俳・昼網下〉 **—を咥(は)・ふ** ①引込み思案に恥ずかしがる。「門松の影に隠るる難与平—・へて這ひ出づる」〈近松・寿門松上〉 ②熱望しながら手が出せずに、傍観したり引き退いたりする。「修行のねへ者に、長い戒名(けへみやう)はやられぬ寺法で御座るト言はれて、野郎め指(ゆび)を咥へて引っ込んだッサ」〈滑・浮世床二下〉 **—を差・す** ①指でさし示す。指さす。「殿下御覧じやりたるに、—・して上長押(うはなげし)を見やりたりけり」〈古事談六〉。「そなたへ—・して行かんとするを」〈著聞三六五〉 ②指さしてあざけりののしる。うしろ指をさす。「明日は天下の口ずさみとなり、人に—・され給はんずる頭殿(かうのとの)の御悪名こそ心うけれ」〈保元中・為義最後〉。「人目を立て、—・して笑ひければ」〈盛衰記三四〉 ③指で触れる。ちょっとさわる。「仏あり産湯(うぶゆ)の加減—・す」〈俳・坂東太郎上〉 **—を燈(とぼ)・す** 指を焼いて燈明として仏に供養する。「手足の皮をはぎて—・し…仏道を行なふ人はその発心のほど隠れなけれど」〈発心集四〉 ▽法華経に「真の悟りを得て成仏したいと思うなら手足の指を焼いて仏に供養せよ。それはいかなる宝の供養よりもまさる」という意の句がある。指だけでなく、全身を焼く身燈などもあった。 **—を引か・す** 指を按摩させる。「腰元に足の—・せ」〈西鶴・胸算用三〉

ゆひいれ ユイ:**【結入・結納】** 結納(ゆいのう)。ゆいれ。「今月十五日、—の使節を越さるべきに相定まる」〈江源武鑑九〉

ゆびがね【指金】 ①指輪。「鷲一つ飛んで来て、かの守護の—を含んで…飛び去った」〈天草本伊曾保〉 ②指を細くするためにはめる指輪。「手に—を指させ」〈西鶴・一代男三〉

ゆひがひな・し【言甲斐無し】『形ク』《イヒガヒナシの転》①言うだけの価値がない。とるに足りない。くだらない。「―・き者の讒奏(ざんそう)により御中たがはせ給ふこと…無念の次第なり」〈謡・舟弁慶〉②頼みにならない。ふがいない。だらしない。「山法師の手にかかり―・くうたれんことこそ口惜しけれ」〈平治中・義朝敗北〉。「その時―・く振舞ひたらむ時は、主の恥、我が家の恥ぞかし」〈伽・花みつ〉

ゆび・き【湯引き】『四段』ゆでる。「湯をかへらかして彼の鳥を入れて、―・きて取り上げ、冷まして薄く引きて」〈四条流庖丁書〉

ゆびきり【指切】①約束の証として小指を曲げて引掛け合うこと。げんまん。「又見んと―せばや児桜」〈俳・毛吹草一〉②誓約の証として、相愛の男に小指を切って送ること。「―・爪放(つめはなし)」〈評判・難波鉦一〉

ゆびぐゎほう【指果報】手先指先の運次第。「出来不出来は―」〈近松・聖徳太子一〉

ゆびざし【指差し】指でさし示すこと。「舟より先に岸に至り、―して渡し舟を笑ひ給ふ」〈伽・布袋の栄花〉。〈日葡〉

ゆびにんぎゃう【指人形】指頭にはめて廻す小さな人形。「―を廻したり月」〈俳・大矢数四〉

ゆひはた【結機・纈纈】しぼり染。ゆはた。「―の袖着け衣着し我を」〈万三七九一〉 †yuFiFata

ゆびをり【指折】①指を一本ずつ折って数を数えること。「数とは、―をして誰誰と数ゆる義なり」〈錦繍段鈔六〉②多くのものの中で、特に指を折って数えあげるほどすぐれていること。「―の娘どもを集め」〈西鶴・諸国咄一〉

ゆふ【夕】《「朝」の対》上代には昼を中心にした時間のいい方と、夜を中心にした時間のいい方とがあり、ユフは昼を中心にした時間の区分の、アサ→ヒル→ユフの最後の部分の称。日の暮れようとする頃。「朝守り―の守りに」〈万四〇九四〉。「―されば秋風さむし」〈万三六六六〉。「―かけて皆帰り給ふほど」〈源氏藤裏葉〉 →ゆふべ

ゆふ【木綿】《ユはユ(斎)と同根か。清浄・神聖の意》楮(こうぞ)の木の皮を剝ぎ、その繊維を蒸して水にさらし、細かに裂いて糸状にしたもの。榊(さかき)や斎瓮(いはひべ)にかけ、また、襷(たすき)として神事を行なうときに使う。「斎瓮を前にすゑ置きて片手には―取り持ち、片手には和たへ奉り」〈万四二三〉。「竹珠をしじに貫き垂り、斎瓮に―取り垂(し)でて、斎ひつつわが思ふ吾子(あこ)」〈万一七九〇〉

ゆふうら【夕ト・夕占】「ゆふけ」に同じ。「玉桙の道に出で立ち―を我が問ひしかば」〈万三三一八〉

ゆふかげ【夕陰・夕影】①夕方の暗い物陰。また、夕方の光。「かげ草の生ひたるやどの―に鳴く蟋蟀(こほろぎ)は聞けど飽かぬかも」〈万二一五九〉②日が傾いてあたりが夕方らしい暗さになった状態。また、その中に見える物の姿。「―に今も見てしか妹が姿を」〈万一六二二〉。「入り方の日影さやかにさしたるに…源氏の御―ゆゆしうおぼされて」〈源氏紅葉賀〉 †yuFukagë ―**くさ**【夕影草】夕方の光の中にある草。「我がやど(家ノ庭)の―の白露の消(け)ぬがにもとな思ほゆるかも」〈万五九四〉

ゆふかた【夕方】日暮れ方。「―、かの対に侍る人の淑景舎に対面せむとて出で立つ」〈源氏若菜上〉▽古くは「ゆふつかた」という方が多い。

ゆふかたぎぬ【木綿肩衣】楮(こうぞ)の繊維でつくった袖なし。「袪襦(ひつき)の平生(はふ)が身には―総裏(ひっら)に縫ひ着」〈万三七九一〉 †yuFukataginu

ゆふかは【夕河】夕方の川。「船並めて朝川渡り、舟競(ふなきほ)ひ―渡る」〈万三六〉

ゆふがほ【夕顔】ウリ科の蔓草の一。花は白色。実は大きく、干瓢(かんぴょう)を作ったりする。夕方に咲くからいう。「かの白く咲けるをなむ―と申しはべる」〈源氏夕顔〉

ゆふかみ【髪結】髻(もとどり)をゆいたばねるもの。もとゆい。「我が―の漬(ひ)ちてぬれけれ」〈万二一八〉 †yuFukami

ゆふかみ【木綿髪】馬のたてがみや尾の白いもの。「馬は…薄紅梅の毛にて、髪・尾などいと白き。げに―ともいひつべし」〈枕五〇〉

ゆふがらす【夕烏】夕方ねぐらへ急ぐ烏。「―寝に行く山は雪晴れて」〈湯山三吟〉

ゆふかり【夕狩】夕方の狩。「朝狩に今立たすらし、―に今立たすらし」〈万三〉

ゆふぎり【夕霧】夕方に立ちこめる霧。「葦の葉に―立ちて」〈万三五七〇〉 †yuFugiri

ゆふぐれ【夕暮】日ぐれ。夕方。「玉かつま島熊山の―にひとりか君が山道越ゆらむ」〈万三一九三〉。「野分き立ちて俄かに膚寒き―のほど」〈源氏桐壺〉▽平安女流文学で普通の用語。類義語ユフベは、文章語・歌語であった。

ゆぶくろ【弓袋】弓をおおう袋。弓を入れて保管する袋。ゆみぶくろ。「―の料に送られたりける布どもをば」〈平家二・西光被斬〉。「―さしたる兵、数万騎ありけり」〈著聞一八〉

ゆふけ【夕ト・夕占】夕方、街の辻に立って道行く人の言語を聞いて吉凶を占うこと。「門に立ち―問ひつつ吾を待つと」〈万三九七八〉 †yuFukë

ゆふげ【夕食】《近世前期頃までユフケと清音》夕方の食事。夕飯。「み山柴ををのかまどにとりくべて朝け―の煙立つめり」〈永久百首〉。「夕食、ユフケ」〈文明本節用集〉

ゆふざ【夕座】夕方行なわれる読経または説経。「朝座・―果てて」〈栄花駒競〉

ゆふさらず【夕さらず】『連語』《サリは移動してなくなる意。ズは打消の助動詞》夕方はいつも。「今日もかも明日香の川の―かはづ鳴く瀬のさやけかるらむ」〈万三五六〉

ゆふさり【夕さり】《サリは移動する意。夕方になる意》夕方。「雨のいたう降りければ、―まで侍りてまかり出でける折に」〈古今三九七詞書〉 ―**つかた**【夕さりつ方】夕方ごろ。「―帰りなむとしける時よめる。夕暮の籬(まがき)は山と見えななむ夜は越えじとやどりとるべく」〈古今三九二〉

ゆふされ【夕され】《ユフサリの転》夕方。「―の闇のつまづま眺むれば手づからのみぞ蜘も掻きぬる」〈かげろふ下〉

ゆふしで【木綿四手】木綿(ゆふ)で作った四手。玉串や注連縄(しめなわ)などにたらすもの。「―の日蔭の蔓よりかけて豊の明りの面白きかな」〈栄花日蔭〉

ゆふしほ【夕潮】夕方満ちて来る潮。「―に楫(かぢ)引き撓(を)り」〈万四三三一〉。「―満ち来て」〈源氏澪標〉

ゆふすずみ【夕涼み】夏、夕方の涼しい時。また、夕方の風に暑さをしのぐこと。「いみじう暑き頃、―といふほど」〈枕三四〉。「また行かむ道の朝影―昼間を夏の宿にすぐして」〈草根集六〉

ゆふせち【夕節】夕方する節振舞(せちぶるまひ)。「―の人に紛れて入りにけり」〈近松・雪女中〉

ゆふだすき【木綿襷】①木綿(ゆふ)で作ったたすき。神を祭る時必ずかけた。「―肩に取り懸け、斎瓮(いはひべ)を斎ひ堀り据ゑ」〈万三二八八〉②〔枕詞〕たすきを懸けることから、「かけ」にかかる。「―かけても云ふな仇人のあふひてふ名は禊にぞせし」〈後撰一六一〉 †yuFudasuki

ゆふたたみ【木綿畳】①麻・楮(こうぞ)の繊維を編んで畳んだもの。神事に使う。「―手に取り持ちてかくだにも我は祈(こ)ひなむ君に逢はじかも」〈万三八〇〉②〔枕詞〕神に手向けるのにつかうので「手向の山」に、手(た)と同音をもつ

地名「田上(たな)山」に、色が白いので地名「白月山」にかかる。「―手向の山を」〈万三〇一七〉。「―田上山の」〈万三〇七〇〉。「―白月山の」〈万三〇七三〉 †yuFutatami

ゆふだ・ち ユゥ【夕立ち】□一『四段』①夕方、波・風・雨などがにわかに起り立つ。「かきくもり―・つ浪のあらければうきたる舟ぞしづ心なき」〈紫式部集〉②夕立の雨が降る。「俄に空くもりて―・ちぬ」〈今昔一九ノ二五〉□二『名』夕方のにわか雨。「―の雨降るごとに春日野の尾花の上の白露思ほゆ」〈万二一六九〉。「―して名残涼しき宵のまぎれに」〈源氏紅葉賀〉

ゆふつかた ユゥ【夕つ方】《ツは連体助詞》夕方。「いと物しめやかなる―…何となく心地よげなる空を見出し給ひて」〈源氏胡蝶〉→ゆふべ

ゆふづき ユゥ【夕月】夕方出る、上弦の月。「あしひきの山を木高み―をいつかと君を待つが苦しさ」〈万三〇〇八〉 †yuFuduki　**―よ**【夕月夜】「ゆふづくよ」に同じ。「暮月夜、ユフヅキヨ」〈文明本節用集〉

ゆふづくひ ユゥ【夕づく日】夕方さす太陽。夕日。「―さすや川辺に」〈万三八二〇〉 †yuFudukuFi

ゆふづくよ ユゥ【夕月夜】①陰暦七日頃までの夕方に出る月。また、夕月の頃の夜。月の入りが早いので、夜半には闇になる。「―かげ立ち寄り合ひ」〈万三八七五〉。「ついたち頃の―に」〈源氏浮舟〉。「をかしき―、ゆゑある有明」〈紫式部日記〉。「山の端に急ぎな入りそ―」〈続千載一八六六〉②〖枕詞〗小暗(をぐら)の意から、「小倉」などにかかる。「―小倉の山に」〈古今三一二〉 †yuFudukuyo

ゆふつ・け ユゥ【夕つけ】『下二』夕方になる。日の暮れ近くなる。「その日の―・けて参らせたり」〈源氏少女〉

ゆふつけどり ユゥ【木綿付鳥】《騒乱のあった時、鶏に木綿(ゆふ)を付けて都の四境の関で祓をしたことから》鶏。「逢坂の―もわが如く人や恋しきねのみ鳴くらむ」〈古今五三六〉。「―、付二木綿一、相坂に祓ふ故なり」〈八雲御抄三〉

ゆふつげどり ユゥ【夕告鳥】「木綿付鳥(ゆふつけどり)」の訛。「―。庭鳥也」〈俳・雲喰ひ中〉。「木綿付鳥、ユウツゲドリ」〈文明本節用集〉

ゆふつづ ユゥ【夕星】夕方の星。「―も通ふ天道(あまぢ)を何時までか仰ぎて待たむ月人壮士(つきひとをとこ)」〈万二〇一〇〉。「太白星、ユフツヅ」〈伊京集〉　**―の**【夕星の】〖枕詞〗明星が、明け方・日暮れ方に、東に西に見える意から「か行きかく行き」にかかる。また、宵の明星の出る時が夕方なので「夕(ゆふ)べ」にもかかる。「―か行きかく行き大船のたゆたふ見れば」〈万一九六〉。「―夕(ゆふ)べになれば」〈万九〇四〉

ゆふつつみ ユゥ【木綿裹】〖枕詞〗木綿(ゆふ)の包みは白いので、地名「白月山」にかかる。「―白月山の」〈万三〇七三〉 †yuFututumi

ゆふつゆ ユゥ【夕露】夕方におく露。「―に濡れつつ来ませ」〈万二二五二〉

ゆふとどろき ユゥ【夕轟き】①夕方、何となく物音の騒がしいこと。「帰るさの家路に急ぐ道に出でて―の民の声かな」〈新撰六帖一〉②夕方、恋情のため胸が躍ること。「暮ひ来る恋の奴の旅にても身の癖なれや―は」〈堀河百首〉

ゆふなぎ ユゥ【夕凪】海岸で、夕方、海風と陸風とが吹きかわる間、しばらく風がやむこと。「―にあさりする鶴(たづ)」〈万二一六五〉 †yuFunagi

ゆふなべ ユゥ【夕鍋】夜する仕事。夜業。よなべ。「男は作を稼ぎ、女房は苧(を)機(はた)を稼ぎ、―を仕り、夫婦共に稼ぎ申しべし」〈諸国郷村へ仰せ出され慶安二・二・二六〉

ゆふなみちどり ユゥ【夕浪千鳥】夕波の立つあたりに飛ぶ千鳥。「淡海(あふみ)の海―汝(な)が鳴けば心もしのに古へ思ほゆ」〈万二六六〉 †yuFunamitidori

ゆふには ユゥニワ【夕庭】夕方の庭。「朝庭に出で立ち平(なら)し―に踏み平(たひら)げず」〈万三九五七〉∇原文の「夕庭」を「夕(ゆふ)には」とよむべきところを、「夕庭(ゆふには)に」と誤読したものともいう。

ゆぶね【湯槽】①浴槽(よくそう)。「―の湯わかして僧一二三十人浴(あ)みのしる」〈栄花玉台〉。「沐槽、ユブネ」〈名義抄〉②【湯船】船内に浴槽を設け、料金を取って入浴させた船。湯風呂船。「茶船ならびに―・水船の外、一切諸廻船の辺りへ参りまじく候」〈御触書寛保集成三六、享保六・二〉

ゆふねまどひ ユゥネマドイ【夕寝惑ひ】「夕惑(ゆふまどひ)」に同じ。「昼顔や―の朝臥(あさぶせり)」〈俳・小町踊三〉

ゆふばえ ユゥ【夕映え】夕方あたりが薄暗くなる頃、物がかえってくっきりと美しく見えること。花の色が深く見えるのにいうことが多い。古くは、夕日に照り映えることにはいわない。「暮れゆくままに時雨をかしきほどに花の色も―したるを御覧じて」〈源氏宿木〉。「秋の雨いとしづかに降りて…柱により居給へる―いとめでたし」〈源氏薄雲〉

ゆふはな ユゥ【木綿花】楮(こうぞ)の繊維で作った白い造花。「泊瀬女(はつせめ)の造る―み吉野の滝(たぎ)の水沫(みなわ)に咲きにけらずや」〈万九一二〉

ゆふはふる ユゥ【夕羽振る】『連語』夕方、鳥が羽を振るように風や波が立つのにいう語。「―波こそ来寄せ」〈万一三一〉

ゆふひ ユゥ【夕日】夕方の太陽。「山高み―隠りぬ浅茅原のち見むために標(しめ)結はましを」〈万一三四二〉 †yuFuFi

ゆふべ ユゥベ【夕】《古くはユフへと清音。「朝(あした)」の対。上代には昼を中心にした時間のいい方と、夜を中心にした時間のいい方とがあり、ユフベは夜を中心にした時間の区分の、ユフベ→ヨヒ→ヨナカ→アカツキ→アシタの最初の部分の称。昼を中心にした時間の区分の最後の名であるユフと実際上は同じ時間を指した。平安時代には文章語・歌語と意識され、漢文訓読体や和歌、源氏物語など限られた和文作品に使われた。→ゆふぐれ》①夕方。「朝(あした)去(ゆ)きて―は来ます君ゆゑにゆゆしくも吾は嘆きつるかも」〈万二八九三〉。「あしたには門に出で立ち、―には谷を見渡し」〈万四二〇九〉②《夜の時間のはじめを翌朝回想するところから》昨夜。「―の男清水(きよみづ)にこそあるらんに参りて見ばや」〈義経記三〉。「都一見そのために―夜をこめ立ち出づるが」〈伽・酒呑童子〉 †yuFuFe　**―け**【昨夜気】昨夜の疲れの残っていること。そのもの憂い気分。「奥様は―にて、今に御枕も上がらず」〈西鶴・一代女三〉

ゆふまぐれ ユゥ【夕まぐれ】《マグレはマ(目)クレ(暗)の意》夕方ほの暗くなってよく見えない頃。「―ほのかに花の色を見て」〈源氏若紫〉。「―の人のまよひに対面せさせ給へり」〈源氏少女〉

ゆふまどひ ユゥマドイ【夕惑ひ】夕方から眠たがること。また、宵寝。「よひまどひ」とも。「老人などは曹司に入り臥して―したるほどなり」〈源氏末摘花〉。「朝寝昼寝―、たまたま起きて物のろひ」〈天正本狂言・吃り〉

ゆふやくし ユゥ【夕薬師】夕方、薬師に詣でること。「―今朝も拝むや開帳陽(重陽ト掛ケル)」〈俳・糸瓜草五〉。「卯の花や道へ流れて―」〈俳・高根中〉→朝観音(あさくわんおん)

ゆふやけ ユゥ【夕焼】日の入りに、西空の赤く映えること。やけ。「反景、ユフヤケ」〈書言字考(自筆稿本)〉

ゆふやみ ユゥ【夕闇】日が暮れてから月が出るまでの真暗な状態。また、その時間。特に、月の出のおそい陰暦二十日前後にいう。「―は路たづたづし月待ちて行かせわが背子そ

の間にも見む」〈万七〇九〉 †yuFuyami

ゆぶ・り『四段』ゆり動かす。ゆさぶる。「花の咲く陰には寄せじ引く猿の枝を—・らば散りもこそすれ」〈三十二番職人歌合〉。「香炉の灰は掻き上げて—・りて」〈言継卿記天文一・一・一〇〉

ゆふろ【湯風呂】湯槽(ゆぶね)に湯をたたえて入浴する風呂。「この程の旅の疲れに—へ入らむ為に」〈妙本寺本曾我六〉

ゆべし【柚餅子】菓子の一。ユズの中身を去り、糯米(もちごめ)粉または糒(ほしひ)を味噌の垂汁で練って胡麻・榧(かや)・胡椒などをすったものを合わせて詰めこみ、蓋をして薄醤油で煮、よく乾す。僧家でよく作り、酒肴にもされた。「菓子、榧・昆布・蜜柑・柿・—」〈久政茶会記永祿六・二・八〉

ゆほびか おだやか。静か。水の波立たぬことや、人柄の奥ゆかしいさまにいう。「〔明石ノ浦ハ〕—なる所に侍る」〈源氏若紫〉

ゆまき【湯巻】①貴人が入浴の際、体に巻いたもの。「すけのおとど、すずしのうちき—して湯殿に参る」〈宇津保貴宮〉②女の腰巻。湯具。ゆもじ。「褡、ユマキ」〈俳・反故集下〉

ゆまは・り【斎はり】『四段』清浄に保つ。「持ち—・り仕へまつれる幣帛(みてぐら)を」〈祝詞祈年祭〉

ゆま・へ【斎へ】『下二』斎(い)み清める。「此を忌火(いみび)として斎(はい)ひ—・へて」〈高橋氏文〉 †yumaFë

ゆまり【尿】《ユ(湯)マリ(放尿)の意》小便。「屎、此をば愈磨理(ゆまり)と云ふ」〈紀神代上〉

ゆみ【弓】矢をつがえて射る武器。梓(あずさ)・檀(まゆみ)・槻(つき)などの材を用いる。「槻弓(つくゆみ)にまり矢をたぐへ」〈紀歌謡二八〉。「大御手に—取り持たし、み軍士(いくさ)をあどもひ給ひ」〈万一九九〉 †yumi **—も引き方** 自分に関係ある者を贔屓(ひいき)する意のたとえ。「弦召(つるめそ)や—祇園の会」〈俳・遠近集三〉。「負けな負けな—春の綱(綱引)」〈俳・一本草一〉 **—を引・く** ①弓の弦を引き張る。また、弓に矢をつがえて射る。「死にたる牛に向きて—・きけり」〈著聞三三五〉②敵対する。そむく。「義朝、親父兄弟を捨てて御方(みかた)に参候し、父に向って—・く」〈保元中・朝敵の宿所〉。「主君に対し—・かんと存じ」〈舟岡山軍記〉

ゆみがくし【弓蔵・弓隠】筵などを張って弓の射手の隠れる場所。「ここの木の梢、かしこの—のはづれに旗ばかりをゆひつけ」〈太平記三四・龍泉寺軍〉

ゆみがへし【弓返し】矢を射放つと同時に、弓弦を左の手の外へはね返らせること。「—をば大事の物射るにはせぬ也。…—をしては〔二ノ矢ガ〕遅くつがはるるなり」〈就弓馬儀大概聞書〉

ゆみそ【柚味噌】ユズの中身を去り、酒であえた味噌に胡麻・胡桃・生薑・栗などを合わせ詰め込んで蓋をし、炭火で煮た料理。「桶に—」〈久政茶会記永祿四・九・五〉

ゆみづ【湯水】湯と水と。濫費する物のたとえ。「銭を—に遣ふさりとも」〈俳・或時集〉

ゆみとり【弓取】①弓を持つ者。「楯突(たてつき)一人、—一人、打物(うちもの)一人、已上三人小船に乗り」〈盛衰記四三〉②弓術にすぐれた者。弓の名手。「〔為朝ハ〕生れつきたる—にて」〈保元上・新院御所〉③《弓矢を取って戦う者の意で》武士。弓矢取。「—はよき郎等を持つべかりけり」〈盛衰記二一〉

ゆみのもとすゑ【弓の本末】弓の本弭(もとはず)と末弭(うらはず)と。弓の下端と上端と。転じて、弓術の心得をいう。「九郎はいまだ十五か六かにこそなるらんと覚ゆれば、—をも知らじ」〈保元中・為義降参〉

ゆみはず【弓弭・弓筈】⇒ゆはず。「弓末曰レ彇、由美波数(ゆみはず)」〈和名抄〉

ゆみばどの【弓場殿】⇒ゆばどの。「同じき四年の三月にも…試みさせ給ひき。—にてぞ〔官吏登用試験ノ答案ヲ〕作りて奉りける」〈今鏡一〉

ゆみはり【弓張】①弓を張ったような形。弦月にいう。「心入る方ならませば—の月なき(「付きなき」ト掛ケル)空に迷はましやは」〈源氏花宴〉。「折節秋の初の月は下の—なり」〈平家七・福原落〉②月の異名。「月を—といふは何の心ぞ。その由つかうまつれと仰せたまうければ…照る月を—としもいふことは山辺をさして入れば(「射れば」ト掛ケル)なりけり」〈大和一三二〉 **—ぢゃうちん**【弓張挑燈】挑燈の一種。竹を弓のように曲げ、挑燈をその上下に引っかけて、張り開くようにしたもの。略して「弓張」とも。「今—と言ふ物は馬上挑燈と言ふが本名にて、元は武家方に始まりし物なるべし。享保以前の絵に此の挑燈所見なし」〈骨董集上ノ中〉 **—づき**【弓張月】弓を張ったような形の月。上弦または下弦の月。「『ほととぎす名をも雲井にあぐるかな』と仰せられかけたりければ…『—の入る(「射る」ト掛ケル)にまかせて』と仕り」〈平家四・鵺〉。「弦月、ユミハリヅキ」〈文明本節用集〉

ゆみふで【弓筆】弓と筆と。武事と文事と。文武両道。「八百万代の末までも—に残す心なり」〈謡・賀茂〉

ゆみや【弓矢・弓箭】①弓と矢と。「—といふものしてとかくし給ひければ、御ぞの袖より矢は通りにけり」〈栄花見はてぬ夢〉②武芸。武道。「—にたづさはらん者、なにしかは我が身を思はん事は候はん」〈宇治拾遺一五五〉。「或る時、七人一同に関東へ—修行に下りける時」〈永享記〉③弓矢とる身または家柄。武士。武門。「六孫王より伝はれる—の面目とぞおぼえし」〈保元上・官軍勢汰へ〉④弓矢による争い。戦争。「男、異国の—におもむくとき」〈拾遺愚草抄出聞書〉。「境論仕り、—に罷り成り候」〈伊達日記中〉。「天下の—なんどもなく」〈湯山聯句鈔下〉 **—がみ**【弓矢神】弓矢の事をつかさどる神。軍(いくさ)の神。「さてもさても口惜しや。かほどまで—に捨てられたるか無念やな」〈説経・石山記〉 **—とり**【弓矢取】弓矢を取って戦う者。武士。弓取。「—と申し候は、殊に情も深くあはれをも知り、助くべき者をば助け」〈保元下・義朝幼少の弟〉 **—はくさん**【弓矢白山】自誓の語。断じて。誓って。「—出雲八重垣〔妻籠メニナル〕」〈俳・宗因千句下〉 **—はちまん**【弓矢八幡】①弓矢の神である八幡大菩薩。多く、「照覧あれ」などの句を伴って、武士が誓いを立てるときに使う。「—箱根の権現も照覧あれ。それがしは存ぜず候」〈謡・調伏曾我〉。「—も御知見あれ」〈謡・籠太鼓〉②自誓の語。神かけて。誓って。「『いや真実か』『—、それがしに仰せ付けられた』」〈虎明本狂言・武悪〉。「—やるまいとて」〈咄・昨日は今日上〉③失敗を悟ったとき、残念に思うとき、非常に驚いたときなどに発する語。しまった。南無三宝。「—大事は今、七左様遁さじと」〈西鶴・一代男六〉。「—残念と、帰り姿のさりとてはいたはしく」〈西鶴・諸艶大鑑六〉

ゆみゃう【勇猛】《呉音》勇ましく強いこと。「摩竭陀国の軍(いくさ)—なりといふとも」〈今昔一ノ二九〉。「—の心をもて戦ひ、悪しきくせに良きくせをもて勝つべし」〈こんてむつすむん地一〉

ゆめ【夢】《イメ(夢)の転》①眠っている間に見える像。「思ひつつ寝ればや人の見えつらむ—と知りせばさめざらましを」〈古今五五二〉。「さまことなる—を見給ひて、あはする者(夢解キ)を召して問はせ給へば、及びなう思しもかけぬ筋のことを合はせけり」〈源氏若紫〉 ▽夢は予兆として神秘的に解釈され、信じられることが多かった。 ②《比喩的に》はかない、不確かなもの。「寝ても見ゆ寝でも見えけりおほかたはうつせみの世ぞ―にはありける」〈古今八三三〉 **―にな・る** ①夢中になる。「寒いも恐いも忘れ、―・ってぞ来たり」〈西鶴・俗徒然一〉 ②酒をあっさり飲み明ける。「焼塩にて飲み出し、まんまと―・りぬ」〈西鶴・一代男八〉 **―にな・れ** 悪事災難をはらう呪詞。「此事――とぞ云ひければ」〈仮・竹斎下〉 **―に道行く** うわのそらの心で、足も地につかないことのたとえ。気もそぞろにあてもなくとまどうさま。「―心地して愛発(あらち)の関をも通り給ふ」〈義経記七〉。「さながら五月(さつき)のくれ闇の如くにして、―心にや、物にみな当りける」〈伽・弁の草紙〉 **―は逆実(さかまこと)** 夢は事実と逆になって現われる。「夢は逆夢」とも。「―と申して、何事の候ふべき」〈伽・ふせや〉 **―見たやうな** とても現実とは思われない。意外な。「―仕合せ」〈西鶴・好色盛衰記二〉 **―・見る** 《近世前期の通言》情交する。「これへと申す程に、―・見よかと這入りて」〈西鶴・一代男五〉

ゆめ【謹・努】『副』《ユはユユシ(忌)のユ。メは目で、見ること。清め謹んだ目でよく見よと強く命令し、注意をうながすのが原義。禁止の「な」と共に使うことが多い。平安時代以後は「夢(ゆめ)」と混同することもあったようで、仮にも、よもや、の意》 ①決して(…するな)。「海原を遠く渡りて年経(ふ)とも児らが結べる紐解くな―」〈万四三三四〉。「―、御宮仕のほどに人ときしろひそねむ心つかひ給ふな」〈源氏若菜下〉 ②気をつけて。つとめて。「ほととぎす夜鳴きをしつつ我が背子を安眠(やす)な寝しめ―心あれ」〈万四一七九〉。「汝をそも我に寄すとふ、我をそも汝に寄すとふ、荒山も人し寄すれば寄そるとぞいふ汝が心―」〈万三三〇五〉 ▽動詞「ゆみ(忌)」の命令形とする説があるが、それならば yume の音でなければならない。万葉集には yumë の音の仮名が使ってあるから、その考えは成立困難。 †yumë

ゆめあはせ(ワセ)【夢合せ】 見た夢を考え合わせて、意味・吉凶などを判断すること。夢判じ。夢とき。「いかさまにも末頼もしき事にこそと―し給ひて」〈盛衰記一五〉

ゆめうつつ【夢現】 ①夢と現実と。「かきくらす心の闇に惑ひにき―とは世人定めよ」〈古今六四六〉。「思しまはすに、―さまざま静かならず」〈源氏明石〉 ②ぼんやりしていること。

「早や七日寝覚の床の―」〈俳・大坂独吟集上〉

ゆめがたり【夢語り】 ①未来を暗示するものとして、自分の夢について語ること。「心なさけあらむ男に逢ひ得てしがなと…まことならぬ―をす」〈伊勢六三〉。「かの―を聞え給へば、とみに物も宣はで聞こし召して、おぼし合はする事どもあり」〈源氏横笛〉 ②夢のような話。「あさましかりし世の―をだにと、急がるる心の、我ながらもどかしきなり」〈源氏夢浮橋〉

ゆめがま・し【夢がまし】『形シク』 夢のようにあっけない。あるかないかわからぬくらいである。ごくわずかである。「一日の御家づと―・しく見え侍りしかば、重ねて奉るなり」〈発心集一〉。「珍しく候間、―・しく候へども一鉢一瓶子参らせ候」〈祇園執行日記建治四・三・一九紙背文書〉

ゆめかよ・ひ(ヨイ)【夢通ひ】『四段』 思い合う人どうしが、夢の中で行き来する。夢を見合う。「―・ふ道さへ絶えぬくれ竹の伏見の里の雪の下をれ」〈新古今六七三〉

ゆめごころ【夢心】 夢を見ているような、ぼうっとした心地。夢心地。「定めなき世の―、何の音にか覚めてまし」〈謡・井筒〉。「―に、御返事かくなん」〈伽・ふせや〉

ゆめすけ【夢介・夢助】《擬人名》よく眠る気楽者。夢太郎。夢助孫左衛門。また、夢中になって浮かれている者。「盛りをも寝て―や花に蝶」〈俳・晴小袖一〉。「浮世の事を外になして、色道二つに寝ても覚めても、―と替名(かへ)呼ばれて」〈西鶴・一代男一〉

ゆめぢ【夢路】 ①夢の中で、恋人の許へ行く道。「思ひやる境遥かになりやする惑ふ―にあふ人のなき」〈古今五二四〉 ②夢の中で歩む道。不確かなことのたとえ。「御送りの女房はましてー―にまどふ心地して、車よりもまろび落ちぬべきを」〈源氏御法〉

ゆめちがへ(ガエ)【夢違へ】 悪夢を見た時、それを忌んで、まじないをしたり、呪文を唱えること。「夢ちがひ」とも。「―の文(もん)に、かくばかり、『から国やそののやさきに鳴く鹿もちか夢あれば許されぞする』、かやうに詠じ」〈伽・小栗絵巻〉

ゆめとき【夢解き】 人が見た夢の内容を聞き、その夢が何を意味するか、どんな将来を暗示しているかを判断する人。「これ、―にとはせ給へ」〈かげろふ下〉。「―も巫(かむなぎ)も、かしこきものどもの侍りしぞとよ」〈大鏡兼家〉

ゆめに【夢に】『副』 決して。夢にも。「―聞こし召し入れぬを」〈栄花様様悦〉

ゆめのうきはし【夢の浮橋】 ①夢の中に出てくる浮橋。また、はかない夢の中の通路。夢路。「おのづから人目をしのぶかよひ路やよひよひごとの―」〈新千載一二七一〉 ②《「夢」に重点を置き、夢とほぼ同義に用いて》夢。「春の夜の―とだえして峰に別るる横雲の空」〈新古今三八〉。「一夜見し―そのままにあだにや帰る恋路なるらむ」〈新千載一四六七〉

ゆめのかよひぢ(イジ)【夢の通路】 夢の中で、恋しい人の許へ通って行く道。「住江の岸による波よるさへや―人めよぐらむ」〈古今五五九〉

ゆめのただぢ【夢の直路】 夢の中のまっすぐな道。夢では他から邪魔されず恋人の許へすぐ行けるのでいう。「恋ひわびてうちぬる中に行き通ふ―はうつつならなむ」〈古今五五八〉

ゆめのよ【夢の世】 夢のように頼りなくはかない世の中。「うちとけて誰もまだ寝ぬ―に人の辛さを見るぞ悲しき」〈栄花ゆふしで〉

ゆめはんじ【夢判じ】「夢とき」に同じ。「―明日は隙也今日の月」〈俳・富士石三〉

ゆめほど【夢程】 夢に見る程度。きわめてかすか。ほんのすこし。「夢ばかり」とも。「我に―御知らせ候へかし」〈伽・天若みこ忍び物語〉

ゆめまくら【夢枕】 夢を見た時にしていた枕。「見るも憂しありし夜床の―長くや人におき別れけむ」〈新千載一五七二〉

ゆめみ【夢見】 見た夢。その吉凶についていう。「今宵、―騒がしく見えさせ給へれば、今日ばかりつつしませ給へとてなん、物忌にて侍る」〈源氏浮舟〉 **―ぐさ**【夢見草】 桜の異称。「植ゑ置きて譬にや見る―明日をも知らぬ今日の命を」〈蔵玉集〉

ゆめむし【夢虫】《荘子の胡蝶の夢の故事から》 蝶の異称。夢見鳥。「あれで果つべき―の命惜しまれ」〈西鶴・諸艶大鑑六〉

ゆめものがたり【夢物語】 ①見た夢について物語ること。「御辺ほどの大将軍の―こそおめたる儀にて候へ」〈保元上・新院為義を召さる〉 ②夢の中での物語。「とにかくに執心の残りの海の深き夜に―申すなり」〈謡・八島〉

ゆめゆめ【努努】『副』《副詞「ゆめ」を重ねた語》 ①必ず必ず。決して決して。「このあんなる子ども、―憎み給ふな」〈落窪四〉。「―まろがなからん世のおもてぶせ、まろを人にいひ笑はせ給ふなよ」〈栄花初花〉 ②つとめて。精出して。「汝なほ―仏を念じ奉り、法花経を受持・読誦し奉るべし」〈今昔三ノ二八〉③全く。強い否定をあらわす。「謀叛の事―虚言(そらごと)なり」〈盛衰記三六〉。「―存じ寄らざる事に候」〈義経記四〉

ゆめゆめ・し【夢夢し】『形シク』①夢のようである。夢としか思えない。「―・しき事かな」〈伽・ふせや〉②きわめて僅かである。ごく些少である。「扇三本進(まゐ)らせ候。…―・しく候事恐れ入り候」〈金沢文庫古文書一、金沢顕時書状〉

ゆもじ【ゆ文字】①「ゆかし」の文字詞。「参り候て御相手に参り候べく候。あらあら御―候や」〈言継卿記大永七・一・一七紙背文書〉②「ゆまき」の文字詞。腰巻。湯具(ゆぐ)。「―にも火用心して花衣」〈俳・蛇之助〉

ゆや【湯屋】①湯殿。浴室。「私度の沙彌法教…法堂、僧房、大衆の―を構へ造る」〈多度神宮寺伽藍縁起資財帳延暦二〇・一一・三〉。「浴室、俗云由夜(ゆや)」〈和名抄〉②湯桶に沸し湯を汲んで、湯銭を取って入浴させた浴場。「―壱間(軒)御座候」〈梅津政景日記慶長一七・四・一四〉

ゆやどんげん【熊野権現】《ユヤは「熊野」の音読》熊野三所権現の俗称。「―の御罰を当らん事、立ち所において疑ひあるべからず」〈謡・安宅〉

ゆゆ・し『形シク』《ユはユニハ(斎庭)・ユダネ(斎種)などのユ。神聖あるいは不浄なものを触れてはならないものとして強く畏怖する気持。転じて、良し悪しにつけて甚だしい意。→いみじ・いまいまし・かしこし》①神事に従っているので他から触れてはならない。触れるのは恐れ多い。「青楊(あをやぎ)の枝切りおろし斎種(ゆだね)蒔き―・しき君に恋ひ渡るかも」〈万三六〇三〉②心に懸け、言葉に出すのも恐れ多い。「かけまくも―・しきかも」〈万一九九〉。「言はまくも―・しくあらむと…往く水に禊(みそ)ぎてましを」〈万九四八〉③死の穢れにあるから、触れてはならない。「〔喪ニ服シテ〕―・しき身に侍れば、かくておはしますもいまいましう」〈源氏桐壺〉④不吉である。縁起が悪い。「独り寝て絶えにし紐を―・しみとせむすべ知らずねのみしそ泣く」〈万五一五〉。「月の洩り来て、ちごの顔に当りたるがいと―・しく覚ゆれば、袖を打ちおほひて」〈更級〉⑤恐ろしい。畏怖される状態である。「海はなほ、いと―・しと思ふに」〈枕三〇六〉⑥大変である。程度が甚だしい。「〔容態ノ〕―・しかりしほどの事どもなど聞え給ふついでに」〈源氏葵〉。「いかに思すにかと―・しう〔心配ナコトニ〕誰も誰も思しける」〈源氏若紫〉⑦豪勢である。すばらしい。「三井寺に続いて―・しき城郭にてぞありける」〈平家一・鹿谷〉。「御心の猛さ、理の強さ、さしも―・しき人にてましましけれども」〈平家一・願立〉。「―・しき御孝養なりかし」〈著聞三〇八〉

ゆゆで【湯茹で】湯に入ること。風邪などの治療法の一。「あやしう例ならぬ風邪にやとて、朴(ほ)をまゐり―などしてこころみ給ひけれど」〈栄花鶴林〉

ゆら ①玉などがふれ合って鳴る音。「足玉も手珠(ただま)も―に織る機(はた)を」〈万二〇六五〉②ゆるやかなさま。「大君の心を―み臣(おみ)の子の八重の柴垣入り立たずあり」〈記歌謡一〇七〉

ゆらか・し【揺らかし】『四段』《ユラキの他動詞形》鳴らす。「玉の緒もゆらに取り―・して」〈記神代〉

ゆら・き【揺らき】『四段』《ユラは擬音語。キは擬音語をうけて動詞化する接尾語》音を立てる。「初春の初子(はつね)の今日の玉箒(たまばはき)手に取るからに―・く玉の緒」〈万四四九三〉 †yuraki

ゆら・へ(ユラエ)【揺らへ・汰らへ】『下二』①進まずに一つ所に停滞する。ためらいとどまる。「後陣は未だ興福寺の南大門に―・へたり」〈平家四・宮御最期〉②抑える。控えとどめる。「守(かみ)、兵(つはもの)を―・へむがために責め討たず」〈今昔二五ノ一三〉

ゆらゆら ゆれ動くさま。「髪は扇をひろげたるやうに―として」〈源氏若紫〉。「御ぐしは―と清らにて」〈源氏賢木〉

ゆらら 「ゆら」を重ねた語。「手に巻ける玉も―に白栲(しろたへ)の袖振る見えつ」〈万三二四三〉

ゆらり ①ゆとりがあってゆったりしているさま。「〔心ガ〕―とするぞ」〈論語抄子路〉②のんびりとゆれ動くさま。「悠悠としてこの病身を漂泊にまかせて、あち―こち―とするまでなり」〈三体詩絶句抄四〉③軽やかにゆれ動くさま。「馬より―と下り」〈保元中・白河殿攻め落す〉

ゆり【扖】排水溝などの水門。「聞は、此方に云ふ―の口ぞ」〈四河入海八ノ四〉

ゆり【後】後(のち)。「さ百合花―もあはむとなぐさむる心し無くは」〈万四一一三〉▽格助詞「より」の源となった語。

ゆり【百合】ユリ科の植物の総称。春から夏にかけて、白・黄色などの六弁の大きい花をつける。薬用。「さゆり」「くさふかゆり」「ひめゆり」などと歌に詠まれる。「道の辺の草深―の花咲(ゑ)みに」〈万一二五七〉。「白合、二八月採根曝干、由利(ゆり)」〈新撰字鏡〉

ゆ・り【揺り】㊀『四段』《物全体が根柢から動揺・振動する意。また、他動詞にも使う。類義語フリ(振)は物の一端を持って、他の部分を速く動揺させる意。→ゆすり》❶《自動詞として》①物全体がゆらゆらと動く。「御髪(みぐし)は瑩(やう)じかけたるごとくして、ひまなく―・りかかりて、玉光るやうに見え給ふ」〈宇津保蔵開上〉②震動する。「地震―・る」〈北野社家日記明応八・三・二〉❷《他動詞として》①ゆらゆらとゆさぶる。「子を思ふ鳰(にほ)の浮巣の―・られきて捨てじとすれや水隠もせぬ」〈頼政集〉。「射向けの袖を―・りかざし、錣(しころ)を傾けて暫く案じけるは」〈保元上・親治等生捕らる〉②《「汰り」「淘り」などと書く》水中で、または、箕(み)などで、物をゆさぶって選別する。「金くだけて灰にまじる。水に入れて―・れば失することなし」〈海道記〉。「汰、ユル、沙汰義也」〈下学集〉㊁『名』音声をふるわせること。また、その節(ふし)。「始めは、うちまかせたる御遊の忠拍子の―吹き」〈教訓抄一〉 **―に上・ぐ** ゆさぶって高く上げる。胴あげにする。「後、―・ぐる。投げられてやうやう帰る」〈天正本狂言・苞くわい〉。〈名語記六〉

ゆ・り【許り】『上二』①許される。特権や資格が与えられること、課役や刑罰が免除されることなどにいう。「そもそも頼朝勅勘を―・りずしては、いかでか謀反をば起すべき」〈平家五・福原院宣〉②認められる。容認される。「こたみ(今度ノ歌合)は皆世に―・りたる古き道の者どもなり」〈増鏡一〉③気を許す。うちとける。「今は心も―・りて」〈西鶴・男色大鑑五〉

ゆり『助』《ヨリの母音交替形》時や動作の起点・経過点をあらわす。…から。「かしこきや命(みこと)かがふり明日―や草(かえ)がむた寝む妹(いも)なしにして」〈万四三二一防人〉。「押し照るや難波の津―船装(ふなよそ)ひ吾(あれ)は漕ぎぬと妹に告ぎこそ」〈万四三六五防人〉→ゆ

ゆりす・ゑ【揺り据ゑ】『下二』ゆらゆらさせて下に据えおく。ゆさぶりながら安定させる。「夕立の晴るれば月ぞ宿りける玉―・うる蓮の浮葉に」〈山家集上〉。「船は〔船体ヲ〕ゆり上げ―・ゑただよへば」〈平家一一・那須与一〉

ゆる【緩】《ユルシ(許)と同根》①引き締められず、ゆとりがあるさま。「琴の緒もいと―に張りて」〈源氏若菜上〉。「御髪(みぐし)のいとこちたう多かるを、いと―に引き結はせ給ひて」〈栄花楚王夢〉②おろそか。怠慢。「法を説きて人を教化(けうけ)すといへども、みづからの勤めは―なりけり」〈今昔一

七ノ三〉。「いかに者共、いくさをば―に仕るぞ。北国の奴ばらに生け捕られむをば心憂しとは思はずや」〈平家八・水島合戦〉 ③寛大であるさま。「『我をば人はいかが言ふ』など人に問はせ給ひけるに、『―になむおはしますと世には申す』と奏しければ…『王のきびしうなりなば世の人いかがたへむ』」〈大鏡昔物語〉

ゆる【百合】「ゆり」の上代東国方言。「筑波嶺(つくはね)のさ―の花の」〈万四三六九防人〉

ゆるが・し【揺がし】〘四段〙ゆり動かす。「待つ人などのある夜、雨のおと、風の吹き―・すもふとおどろかる」〈枕二九〉

ゆるがせ【忽】《イルカセの転。室町時代末頃までユルカセと清音》物事をいいかげんにすること。なおざり。おろそか。また、のんびりかまえてあくせくしないこと。「あにこの書を―にすべけんや」〈法然上人行状絵図〉。「我常に御奉公を心がけ、―なく居たれども」〈バレト写本〉。「君もゆたかに民栄え…心―なるのみなり」〈伽・猫の草子〉。「忽、ユルガセ」〈天正十八年本節用集〉。「忽、ユルカセ」〈合類節用集〉

ゆる・ぎ【揺ぎ】〘四段〙《ユルはユリ(揺)と同根の擬態語。キは擬態語をうけて動詞化する接尾語。トドロキ・サワキの類。古くはユルキと清音か》①全体が震動する。「女車多く、所せう―・ぎ来るに、日たけぬ」〈源氏関屋〉。「この蔵すずろに、ゆさゆさと―・ぐ。『いかにいかに』と見さわぐほどに―・ぎ―・ぎて土より一尺ばかり―・ぎあがる時に」〈宇治拾遺一〇一〉 ②身体をゆさぶる。威風あたりをはらう様子にいう。「犬は、狩り出でて、滝口などして追ひつかはしつ。あはれ、いみじう―・ぎありきつるものを」〈枕九〉。「兄殿は、いとあまりうるはしく、公事よりほかのこと、他分には申させ給はで、―・ぎたる所のおはしまさざりしなり」〈大鏡昔物語〉 ③心が動揺する。ぐらつく。「一筋にまつはれて、今めきたる言の葉に―・ぎ給はぬこそ、ねたきことはたあれ」〈源氏玉鬘〉 ―い・で【揺ぎ出で】〘下二〙①身体をゆり動かして勇みたって出る。「弓脇にはさみ、烏帽子ひきたて―・でたる形勢(ぎやうせい)は」〈保元上・新院御所〉 ②恐れおののいて、ふるえながら出る。「この翁おそろしと思ひながら、―・でたれば」〈宇治拾遺三〉 ―どころ【揺ぎ所】心が動揺する点。「じほふなる人の―あるまじきを」〈源氏真木柱〉 ―な・し【揺ぎ無し】〘形ク〙ぐらつかず、しっかりしている。動かしがたく、たしかである。「はや―・く思ひかためてし事なれば」〈閑居友上〉。「仰せの―・く重ければ」〈閑居友下〉

ゆる・け【緩け】〘下二〙ゆるくする。ゆとりを持たせる。「釈、トク・ユルス・クツロク・ハナツ・ユルケタリ」〈名義抄〉

ゆるさく【許さく・縦さく】《ユルシのク語法》許すこと。ゆるめて放ちやること。「今は吾はわびそしにける息の緒に思ひし君を―思へば」〈万六四四〉

ゆるされ【許され】許されること。許可。赦免。「都に帰らむことも、まだ、世に―もなくては」〈源氏明石〉

ゆる・し【緩し・許し】㊀〘四段〙《ユル(緩)と同根》❶緊張や束縛の力を弱めて、自由に動けるようにする。①十分に引き締めた力を抜く。「梓弓(あづさゆみ)引きて―・さずあらませば」〈万三五〇五〉 ②(しっかりと捕えたものを)手放す。逃がす。「〔コノ鷹ハ〕朝狩に五百(いほ)つ鳥立て、夕狩に千鳥踏み立て、追ふごとに―・すことなく」〈万四〇一一〉。「蛇(くちは)高く頭(かしら)をもたげて、女をまもりて(ジット見テ)蝦(かへる)を吐きいだして―・しつ」〈三宝絵中〉 ③赦免する。放免する。「若(も)し王い国人の其の過失造るを縦(ゆる)せらむ時には」〈金光明最勝王経平安初期点〉。「さて、かしこまり―・されて、もとのやうになりにき」〈枕九〉 ④身から離れさせる。放す。「かの脇指(わきざし)を肌身を―・さずさしもって」〈伽・唐糸さうし〉 ❷他のものの権利・自由などを認め、受け入れる。①(気持をゆるめて)相手を受け入れる。「まそ鏡磨(と)ぎし心を―・してば後に言ふとも験(しるし)あらめやも」〈万六七三〉。「寛有心、上弘也、大也、遠也、下寛也、由留須(ゆるす)」〈華厳音義私記〉 ②行為を許可する。「官(つかさ)にも―・し給へり今夜(こよひ)のみ飲まむ酒かも散りこすなゆめ」〈万一六五七〉。「御消息聞え給(たま)ひて、色―・され給(たま)ひける」〈大和八六〉 ③相手を認める。認めて一目置く。「賤(いや)しく貧しきものも、高き世に改まり、宝にあづかり、世に―・さるるたぐひ多かりけり」〈源氏若菜下〉 ④我慢する。堪忍する。「今様色のえ―・すまじく艶(つや)なう古めきたる直衣」〈源氏末摘花〉 ㊁〘名〙①許可。是認。「人知れず神の―を待ちしまに」〈源氏槿〉 ②武術・生花・茶道など諸芸道で、師匠から弟子に与える免許の階級の一。「―ども取りし覚え。一、兵法長刀。…一、軍法」〈わらんべ草五〉 ―いろ【聴色】《「禁色(きんじき)」の対》誰でも用いてよい衣服の色。紅や紫の薄い色。「山がつめきて、―の黄がちなるに、青鈍の狩衣・指貫うちやつれて、ことさらに田舎びもてなし給へるしも」〈源氏須磨〉 ―ぶみ【赦文・許文】罪を許す旨を記した文書。赦免状。「入道相国―下されけり」〈平家三・赦文〉

ゆる・し【緩し】〘形ク〙《ユル(緩)の形容詞形》①ゆるやかである。ゆるんでいる。「氷解く風も―・く吹きて枝をならさず」〈栄花莟花〉。「琴を弾き給ひけり。一絃―・かりければ…張らせられけり」〈著聞三八〉 ②間を置いている。ゆっくりしている。「〔皇麞ノ曲ノ〕一・八帖をば―・く吹きて、九帖を火急に吹きて」〈教訓抄四〉 ③心の緊張がたるんでいる。油断している。「心―・く懈怠(けだい)ならん人の為に説かれたる文と見えたり」〈発心集七〉 ④大らかでのんびりしている。また、寛大である。「このほどは心も―・くして急ぎ死せばやとも覚えぬぞ」〈沙石集四・六〉。「尋常、僕は甘く―・く使へば喜び、きぶく使へば愠(いか)るなり」〈見聞愚案記一六〉

ゆる・ひ【緩ひ】㊀〘四段〙《ユルシ(許)と同根。後世ユルビと濁音化》①締めたものが解けかかる。ゆるみが出来る。「恋すればわが帯―・ふ朝夕(あさよひ)ごとに」〈万三六二二〉。「〔琴ノ〕―・へる緒整へさせ給ひなどす」〈源氏初音〉。「日日衣寛(ゆる)ひ、朝朝(あさなあさな)帯緩(ゆる)ふ」〈遊仙窟(醍醐寺本鎌倉期点〉。「挺緩、トキ・ユルフ」〈名義抄〉。「慢、由流比弖(ゆるひて)」〈名義抄(図書寮本)〉 ②(氷などが)溶ける。「うは氷淡に結べる紐なればかざす日影に―・ふばかりを」〈枕九〇〉 ③(寒さなどが)やわらぐ。「昼になりてぬるく―・ひもてゆけば、火桶の火も白き灰がちになりてわろし」〈枕一〉 ④気持にゆるみが出来る。油断する。「情(こころ)には―・ふことなく須加の山すかなくのみや恋ひ渡りなむ」〈万四〇一五〉。「心やすき独寝の床にて―・ひにけりや」〈源氏末摘花〉 ⑤気持に余裕が出来る。寛大になる。「せばき心ある人はさるべきにて、高き身となりても、豊かに―・へるかたは遅れ」〈源氏若菜下〉 ㊁〘名〙結び目などがゆるむこと。「引き結へる葛目(つづらめ)の―、取り葺ける草(かや)の噪(そそ)き」〈祝詞大殿祭〉 †yuruFi

ゆる・へ【緩へ】〘下二〙《ユルヒ(緩)の他動詞形。後世ユルべと濁音化》①ゆるくする。ゆるみを持たせる。「梓弓(あづさゆみ)引きて―・へぬ大夫(ますらを)や恋とふものを忍びかねてむ」〈万二九八七〉。「祈りつつ―・ふる網のしるしには飛ぶ鳥さへもかかるとぞ見る」〈栄花晩待星〉 ②力を抜いて手加減する。「いみじう調ぜられて、心苦しげに泣きわびて『少し―・へ給へや、大将に聞ゆべきことあり』」〈源氏葵〉 †yuruFë

ゆるほ・し【緩ほし】〘形シク〙《ユルヒ・ユルシ(緩)と同根》ゆるやかである。「抑縦、上倭言於之布須(おしふす)、縦、由流

保之(ゆるはし)」〈華厳音義私記〉

ゆるま・り【緩まり】『四段』ゆるくなる。弛緩する。「緩怠は絶え―・る事なり」〈庭訓抄下〉。「笠の緒―・り候」〈沼田根元記〉

ゆる・み【緩み】『四段』《ユルビの転》ゆるくなる。〈日葡〉

ゆる・め【緩め】『下二』《ユルベの転》ゆるくする。〈日葡〉

ゆるやか【緩やか】ゆったりとしてゆとりのあるさま。のんびりとくつろいだ様。「普賢菩薩にはあらねども、大象に轡(くつわ)をかけ、―に召されたり」〈伽・かくれ里〉

ゆるゆる【緩緩】①ゆとりのあるさま。「桜の下襲(したがさね)いと長う尻引きて―と殊更びたる御もてなし」〈源氏行幸〉②やわらかいさま。「かの堅き物―となりて、あとかたなく失せにけり」〈沙石集八ノ二三〉③ゆっくりしたさま。そろそろ。「〔網代車八〕―と久しく行くはいとわろし」〈枕三〉④おだやか。のんびり。「世間の―な時は文人がよい。事の急な時は武士がよいぞ」〈史記抄一〇〉

ゆるゆる【揺る揺る】揺れ動くさま。ゆらゆら。ぐらぐら。「この家―とゆるぎて、つひに柱の根抜けぬ」〈発心集四〉

ゆるらか【緩らか】①ゆとりのあるさま。たっぷり。「髪のうちたたなはりて、―なるほど、長さ推しはかられたるに」〈枕三六〉②ゆっくりしたさま。「『白虹日を貫けり、太子怖ぢたり』といと―にうち誦(ず)したるを」〈源氏賢木〉③のどかなさま。「―に打ち吹く風に、えならず匂ひたる御簾のうちのかをりも吹き合はせて」〈源氏若菜下〉

ゆるり【緩り】ゆっくり、ゆったりとしているさま。また、のんびりとくつろいでいるさま。「騒がしき歌をも歌はず、いかにも―としたる小歌などのやうなるを歌ふを、緩歌とは云ふぞ」〈長恨歌抄〉。「急いで上京へ参って、―とくつろがう」〈虎明本狂言・鈍太郎〉。「悠悠(ゆう)。―の義」〈和漢通用集〉

―くゎん【緩り寛】落ち着いて余裕のあるさま。「釜あけて火に当る身や―」〈俳・毛吹草追加中〉。「―と垂るるや釣の沖中に」〈俳・漢和俳諧〉 **―ぐゎんす**《「囲炉裏鑵子(ゆるりぐゎんす)」と掛けた洒落詞》「緩り寛」に同じ。「―ととどをして(坐ッテ)」〈俳・山の井一〉

ゆるり【囲炉裏】いろり。「―の縁(ふち)越ゆべからず」〈極楽寺殿御消息〉。「火炉、ユルリ」〈明応本節用集〉

ゆるるか【緩るか】《ユルユルカの約》ゆとりあるさま。ゆっくりとしたさま。「帯しどけなくうち乱れ給へる御さまにて、『釈迦牟尼仏弟子』と名のりて、―によみ給へる、また世に知らず聞ゆ」〈源氏須磨〉。「琵琶の風香調―に弾きならしたる」〈更級〉。「奢、オゴル・ホコル・ユルルカナリ・ユルス」〈名義抄〉

ゆわ【硫黄】《ユは「硫」の字音ルの、ワは「黄」の字音ワウの日本化した発音》いおう。「流黄、由乃阿和(ゆのあわ)、俗云由王(ゆわ)」〈和名抄〉▽古代日本語ではラ行音で始まる名詞は存在しなかったので、「硫」の頭子音lをyにかえて発音した。

ゆゑ【故】《本質的・根本的な深い理由・原因・由来の意。平安女流文学では、由緒正しいこと、一流の血統であること、また、それらの人にのみ見られる一流の風情・趣味・教養などをいい、二流のものはヨシ(由・縁)といって区別した。接続助詞にも使われ、理由・原因を表わすほか、文脈によっては逆接の意味になることもある》①重大な深い理由。確かな原因。「絶えずゆく明日香の川の淀めらば―しもあるごと人の見まくに」〈万一三七九〉。「尋ね給ふべき―もやあらむ」〈源氏若菜上〉②正しい由緒。「―ある古き集の歌など…えり出で給ふに」〈源氏梅枝〉③一流の血筋。「母こそ、―あるべけれ」〈源氏若紫〉④一流の趣味・嗜好。「〔六条御息所八〕―は飽くまでつき給へるものを、もし世の中に飽き果てて〔伊勢ニ〕下り給ひなば、さうざうしくもあるべきかな」〈源氏葵〉⑤一流の風情・雅趣。「造りざま―ある所の木立面白く、前栽などもをかしく―を尽したり」〈源氏手習〉。「はかなくしいでたることわざも、―ながらず見えたらむ」〈源氏帚木〉⑥《体言をうけて、接続助詞のように用いる》㋑…が理由で。…が原因で。「おのれ―罵(の)らえておれば青馬の面高(おもたか)夫駄に乗りて来べしや」〈万三〇九八〉。「わが背子に直(ただ)に逢はばこそ名は立ため〔ドモ〕言(こと)の通ひに何そ其(こそ)―」〈万二五二四〉。「憎からぬ人―は、濡衣(ぬれぎぬ)をだに着まほしがるたぐひもあなればや」〈源氏紅葉賀〉㋺…だのに。…だのにそれがもとで。条件が軽いものなのに、ひき起される結果が重い場合。「花ぐはし葦垣越しにただ一目相見し児―千たび嘆きつ」〈万二五六五〉。「いくばくも降らぬ雨―わが背子がみ名のここだく滝もとどろに」〈万二八四〇〉

ゆゑ【湯坐・湯人】《ユウヱの約。ウヱは据える人》上代、貴人の出産に、産児に湯をつかわせた女性。また、湯殿に奉仕する人。「湯人、此をば臾衛(ゆゑ)といふ」〈紀雄略三年〉

ゆゑだ・ち【故立ち】『四段』①身につけた一流の教養を、はっきりと見せる。「源中将〔宰相ニ〕劣らず思ひて、―・ち遊びありくに」〈枕一六一〉②多少風雅を解する。風流気がある。「この寛蓮は―・ちて心ばせなど有りければ」〈今昔二四ノ六〉

ゆゑづ・き【故付き】『四段』一流の名門の人らしいところが身についている。「手などいと―・きて、やむごとなき人苦しげなるを」〈源氏澪標〉

ゆゑづ・け【故付け】『下二』一流の雅趣を身につける。「手をいますこし―・けたらば」〈源氏螢〉

ゆゑ・び【故び】『上二』おくゆかしく由緒ありげである。風情がある。「―・びたる女房の声にて」〈今昔二四ノ三一〉。「落ちくる水の音さへ―・び由ある所なり」〈平家灌頂・大原御幸〉

ゆゑゆゑ・し【故故し】『形シク』いかにも一流の名門らしい品格や風情をそなえている。「人人にも―・しきさかななどして、出させ給へり」〈源氏総角〉

ゆゑよし【故由】①因縁。「壮士墓(をとこはか)こなたかなたに作りおける―聞きて」〈万一八〇九〉②育ちの程度がわかる高い教養。「女はなほ、人の心移るばかりの―をも、おぼろけにてはもらすまじうこそありけれ」〈源氏横笛〉 †yuweyösi

ゆゑん【所以】《故ニナリがつまってユヱンナリとして使われ、ついでユヱンだけが独立して名詞のように使われるに至った語》わけ。次第。「人を責むること薄きは怨咎(ゑんきう)に遠ざかる所以(ゆゑん)なり」〈論語中原家訓、嘉元点〉。「国の治まる―は君の明らかなればなり。其の乱るる―は君の闇(くら)ければなり」〈文明本節用集〉

ゆんぜい【弓勢】《ユミゼイの音便形》弓を引く力量。弓を射る強さ。「あな恐ろしの鎮西の八郎殿の―や」〈保元中・白河殿へ義朝夜討ち〉。〈日葡〉

ゆんだけ【弓丈】《ユミダケの音便形》弓一張りの長さ。開いた手指の、親指と人差指との間を五寸とし、それで測って七尺五寸あるものとされた。「六野太を摑うで―ばかり投げのけられたり」〈平家九・忠度最期〉

ゆんづゑ【弓杖】《ユミツヱの音便形》①弓を杖に突くこと。また、その弓。「―を突く」の形で、戦場で、体勢をととのえたり、休息したりするさまの表現に使う。「馬より落ちんとしければ…―ついて乗り直る」〈平治中・義朝六波羅に寄せらる〉②「弓丈(ゆんだけ)」に同じ。弓で距離を測量するのを「―を打つ」という。「福龍寺縄手は、はたばり(幅)―一たけばかりにて、遠さ(全長)は西国道一里なり」〈平家八・

妹尾最期〉

ゆんで【弓手】《ユミテの音便形。弓を持つ手の意。「馬手(めて)」の対》①左手。「―の腕(かひな)、馬手(めて)の腕より四寸長かりければ」〈保元上・新院御所〉。「弓手、ユンデ」〈文明本節用集〉②左側。「―の膝口を射させ、痛手なれば、心静かに自害せんと」〈平家四・宮御最期〉。「波打際に打ち寄せて、―の沖を見渡せば」〈盛衰記四二〉　**―もぢり【弓手捩り】**左手を後方へ曲げるようにすること。「―に切って落す」〈浄・都の富士三〉

よ

よ【予・余】『代』一人称。われ。「―が子子孫孫不審あらむ時」〈教訓抄一〉。「これ―が願ふ所なり」〈江源武鑑一六〉

よ【代・世】《ヨ(節)と同根か》❶人間の生れて死ぬまでの間。①一生。生涯。「我が率(ゐ)寝し妹は忘れじ―のことごとに」〈記歌謡八〉。「釈迦(さか)の御足跡(みあと)石(いは)に写しおき行き廻り敬ひまつり、我が―は終へむ」〈仏足石歌〉②寿命。「花散(ぢ)らふこの向(むか)つ嶺(を)の乎那(をな)の嶺の洲(ひじ)につくまで君が―もがも」〈万三四四八東歌〉。「限りある御命にて、この―尽き給ひぬとも」〈源氏若菜下〉③年。「〔私の寿命ハ〕いく―しもあらじを、見奉るほどはかひあるさまにて見え給へ」〈源氏宿木〉④一支配者の統治が続く期間。治世。「橿原(かしはら)の日知(ひじり)の御―ゆ生(あ)れましし神のことごと」〈万二九〉。「かの御時よりこの方、年は百年(ももとせ)余り、―は十代(とつぎ)になむなりにける」〈古今序〉⑤朝廷。天皇。「このおとどの君の、世に二つなき御有様ながら、―に仕へ給はば、故大納言のいまひときざみなり劣り給ひて」〈源氏薄雲〉❷①過去・現在・未来の三世のおのおの。「この―にし楽しくあらば来む―には虫に鳥にもわれはなりなむ」〈万三四八〉。「阿難陁、過去の―の時に、一の国王名をば大車と曰ふが巨(おほき)に富みて財多く」〈金光明最勝王経平安初期点〉②時節。季節。おり。「露けさは昔今とも思ほえず大方秋の―こそつらけれ」〈源氏御法〉❸人間が一生の間生きている社会。また、そこでの人間関係。①世間。世の中。「父母を見れば尊く、妻子(めこ)見れば愛(かな)しくめぐし、うつせみの―の理(ことわり)と」〈万四一〇六〉。「人の物言ひなどもうたてあり、なほ―に経じと思ひ言ひて失せにけり」〈大和一〇五〉②俗世。「―を捨てて山に入る人山にてもなほ憂き時はいづちゆくらん」〈古今九五六〉③世界。「神鳴りひらめく…かくて―は尽きぬるにやと心細く思ひ惑ふに」〈源氏須磨〉④世間一般。世の常。「―にたがへるしれ者にて」〈源氏総角〉⑤身の上。境遇。「いやしく貧しき者も、高き―に改まり、宝にあづかり」〈源氏若菜下〉⑥時世。「時を失ひ―にわび」〈古今序〉。「今さらに又、―になびき侍らむも、いとつきなきことになむ」〈源氏少女〉⑦男女の仲。夫婦の関係。「まだ―に馴れぬは、五六の君ならむかし」〈源氏花宴〉　†yö　**―と共に**何かにつけて常常。いつも。「宮は、失せ給ひぬる北の方を、―恋ひ聞え給ひて」〈源氏若菜下〉　**―に合・ふ**当時の世の中に迎えられる。世間で人気がある。「―・ひ、花やかなる若人にて、思ふことなきなるべし」〈源氏賢木〉。「きんだち四五人おはして、いと今めかしう、―・ひ、めでたげに思したり」〈栄花花山〉　**―に有・り**①この世に生存している。「〔失踪シタ女ガ〕まだ―・らば、はかなき世にぞさすらふらむ」〈源氏帚木〉②(物事が)この世に存在する。世間で起っている。「女といはむからに、―・る事…むげに知らず至らずしもあらむ」〈源氏帚木〉③時めいている。「こよひこそ―・る人はゆかしけれいづくもかくや月を見るらむ」〈後拾遺二六四〉　**―に知ら・ず**世間に類例を知らない。またとない。「―・ぬ御心のつらさもあはれも…さまざま珍らかなるべき例(ためし)かな」〈源氏帚木〉　**―に無・し**①この世に生存しない。亡くなってしまっている。「今は―・き人の御事はかひなし。おのれ(私ガ)あれば」〈源氏若紫〉②(物事が)世の中に存在しない。「起きながら明かせる霜のあしたこそまされるものは―・かりけれ」〈和泉式部日記〉③世にまたとない。「―・きもの(コノ上ナイ)と聞き伝へし御琴のね」〈源氏明石〉。「―・き(並ハズレタ)古めき人にて」〈源氏蓬生〉　**―に似・ず**世間に類がない。格別である。「相見しもまだ見ぬ恋もほととぎす月に鳴く夜ぞ―・ざりける」〈後撰一五七〉。「―・ぬひがものなる親の聞えなどこそ苦しけれ」〈源氏薄雲〉　**―に旧(ふ)・る**①世間に珍しくなくなる。「ひととせ、中宮のおまへに雪の山作られたりし、―・りたる事なれど、なほめづらしくもはかなき事をしなし給へりしかな」〈源氏槿〉②結婚の経験がある。「ただうど、はた、怪しき女、―・りにたるなどを持ちゐるたぐひ多かり」〈源氏蜻蛉〉　**―は七下(ななさが)り七上(ななあが)り**人生には浮沈が多く、絶えず境遇が変っていくの意。〈俳・毛吹草二〉　**―は張物(はりもの)**世間は見栄を張るから、見かけ倒しで信用出来ないの意。「近頃恥づかしけれども―、返す返す〔後始末ヲ〕頼むと書き止めたり」〈西鶴・懐硯五〉　**―は元偲(もとしの)び**世の人は何につけても昔を慕うものだ、の意。〈俳・毛吹草二〉　**―を籠(こ)・む**年が若く、将来が長い。「―・めたる盛りにては、つひにいかがとなむ見給へ侍る」〈源氏手習〉　**―を立・つ**一戸を構えて生活する。「―・て、今までの如く親の顔を見まじや」〈西鶴・諸艶大鑑七〉　**―を張・る**世間体をつくろう。見栄を張る。「―・るこそうたてけれ」〈西鶴・椀久一世下〉

よ【四】《ヤ(八)と母音交替による倍数関係をなす語。イヨ・イヨヨ(愈)と同根》四。よっつ。「―方(も)―角(すみ)より疎び荒び来む」〈祝詞御門祭〉▽もともとは、無限の数量・程度を意味したものであろう。「八(や)」は日本民族の神聖数として神話に多く用いられるが、「四(よ)」も神聖数であったと考えられる。古くは、儀式に道具類を四個用い、礼拝も四度するのが正式であった。　†yö

よ【夜】《ヨルの古形。「ひ(日・昼)」の対》太陽の没している暗い時間。よる。「真玉手の玉手さしかへ、さ寝し―はいくだもあらねば」〈万八〇四〉。「春雨に衣はいたく通らめや七日し降らば七―来じとや」〈万一九一七〉。「ぬばたまの―床かたさり」〈万四一〇一〉　†yo　**―を日に継・ぐ**昼夜の別なく急ぐ。昼夜兼行で行なう。「―・いで馳せ上る程に」〈平家三・泊瀬六代〉

よ【枝】《エの転》えだ。「この花の一(ひと)―のうちに百種(ももくさ)の言(こと)そこもれるおほろかにすな」〈万一四五六〉▽エの前に来る母音にひかれて同化した形。　†yö

よ【節】《ヨ(代・世)と同根か》竹などの、ふしとふしとの間。「節(ふし)を隔てて―ごとに金(こがね)ある竹を見つくる事かさなりぬ」〈竹取〉。「両節間、ヨ」〈名義抄〉

よ『副』《副詞ヨウの転か》否定の表現を伴って、…しようとしてもできない意を表わす。「世の害をば―免れまいぞ、無為にはえ居まいぞ」〈論語抄雍也〉

よ『感』①応答の声。「人の召す御いらへには、男は『を』と申し、女は『―』と申すなり」〈著聞三二〉②驚いて発する声。やっ。「―、おのれが」〈天正本狂言・鳴子遺子〉

よ《助》❶→基本助詞解説。†yö ❷《格助詞。ヨリの古形》①時や動作の出発点を示す。…から。「ますらをの清きその名を古ー今の現(をつつ)に流さへる親の子どもそ」〈万四〇九四〉。「わが背子を吾が松原ー見渡せば海女をとめども玉藻刈る見ゆ」〈万三八九〇〉 ②動作の経過点を示す。…を通って。「ほととぎす此ー鳴き渡れ燈火を月夜になそへその影を見む」〈万四〇五四〉 ③動作の手段を示す。…で。「鈴が音の駅家(はゆまうまや)のつつみ井の水を賜へな妹が直手(ただて)ー」〈万三四三九〉 ④比較の基準を示す。…よりも。「上毛野伊奈良の沼の大藺草よそに見しーは今こそまされ」〈万三四一七〉 †yö

よあう【余殃】祖先の犯した悪事が子孫にまで及ぼすわざわい。「積善(しゃくぜん)の家に余慶あり、積悪(しゃくあく)の門にーとどまるとこそ承れ」〈平家二・小教訓〉

よあかし【夜明し】夜通し。徹夜。「ぬばたまのーも船は漕ぎゆかな三津の浜松待ち恋ひぬらむ」〈万三七二一〉 †yoakasi

よあけ【夜明け】夜が明けて、朝になろうとする頃。「〔門守ハ〕ーに城門の(ヲ)開けたりなんどする者ぞ」〈三体詩抄一ノ四〉 **ーがた**【夜明け方】夜の明ける頃。「思しやすらふほど、ーになりぬ」〈源氏柏木〉

よあそび【夜遊び】夜、外出などして遊びにふけること。「夜に入り候て、歌・香など聞かれ候。種種のー也」〈上井覚兼日記天正三・三・二六〉。〈文明本節用集〉

よあらし【夜嵐】夜吹く嵐。「砧の音、ー、悲しびの声虫のね、まじりおつる露涙」〈謡・砧〉。「ーはあす見む花の別れかな」〈雲玉和歌抄下〉

よありき【夜歩き】夜、外出して歩きまわること。「さしたる大事ならずはーすべからず」〈六波羅殿御家訓〉。「夜行、ヨアリキ」〈文明本節用集〉

よいかげん【好い加減】①程よいこと。ほどほど。適当。「秋の夜は枕並べてー」〈俳・西鶴五百韻〉 ②間に合せの嘘を言ってあしらうこと。ごまかし。「されば燈心は許して、竹の根を藺殻(ぬがら)にて掘らすると言うたは、ーな事なり」〈仮・仕方咄三〉

よいかな【善い哉】《連語》「よきかな」の音便形。「善哉、ヨイカナ・ヨイカナヤ」〈名義抄〉

よいくさ【夜軍】夜間の合戦。「ーは敵御方(みかた)見分けず」〈盛衰記二〇〉

よいくち【良い口】①うまいことを言って、人を丸めこむこと。また、その話。口上手。「奉加にありくーな人」〈俳・二葉集〉 ②よい勤め先。よい傭い主。「奉公のーもがな夕間暮」〈俳・大矢数四〉

よいしゅ【良い衆】代代の金持。素封家。「ーの子供達の真似をして」〈評判・露殿物語〉

よいち【世一】当世第一。天下一品。最高。「扇をば海のみくづとなすの殿弓の上手はー(与一ト掛ケル)とぞ聞く」〈盛衰記四二〉

よいち【夜市】夜立つ市。近世前期、上方では特に、古道具の市をいう。「月遅き今日のーを心掛け」〈俳・身楽千句〉

よう【用】①費用。「山階寺に於て毎年皇太后の忌日に梵網経を講ず。京南の田四十町を捨(ほどこ)して以て其のーに供す」〈続紀天平宝字五・六・八〉 ②有用。「諸国の甲冑稍(やや)年序を経て悉く皆渋綻して、多くはーに中(あた)らず」〈続紀宝亀一一・八・一四〉 ③入用。「左大臣、ー侍りて楢の葉を求め侍りければ」〈後撰一一八三詞書〉。「絹や銭などこそーには侍れ」〈宇治拾遺九六〉 ④用途。「かかるーもやと残し給へりける〔形見ノ品品〕」〈源氏桐壺〉 ⑤用事。「何のーに、心もなう遠からぬ門をたかくたたくらむ」〈枕八四〉。「ー有りて行きたりとも、その事果てなば疾く帰るべし」〈徒然一七〇〉 ⑥期すること。ため。「我が財を取って人に与へらるるは、我を安んぜうーぢゃ程に」〈漢書竺桃抄〉 ⑦《「体(たい)」の対》はたらき。作用。「麝香(じゃかう)はかうばしきーあり」〈拾遺語燈録下〉 ⑧用言が活用すること。「使、つかひ、つかふといふーの言を躰にいひなすなり」〈和字正濫抄二〉 **ーに立・つ** 役に立つ。使い道がある。「されどそれは題〔詠〕の歌ばかりにて、きと物のー・ちぬべきとかや」〈無名草子〉。「そのうちに源平の乱来たらむに、ー・つべき者いかほどあるべき」〈義経記一〉

よう【庸】古代の税の一。力役の代納物。税代(ちからしろ)。大宝律令では、男子一人につき、一年十日間の労役の代りとして麻布長さ二丈六尺、幅二尺四寸とし、官人の俸祿や土木事業の経費に用いた。養老元年、五割減税を実施したが、律令時代を通じて中央政府の主要財源となった。「太政官奏して、調・ーの斤両及び長短の法を定む」〈続紀養老一・四・一四〉

よう【能う】《副》《ヨクの音便形》①十分に。うまく。「人の見奉り知らぬ事を、いとー見聞えたるを」〈源氏椎本〉 ②《否定または反語的表現を伴って》全く以て(…することができない)。とても(…できない)。「これ程の溝川をー飛ばいで、あのなりは、なうなうをかしやをかしや」〈狂言記・飛越新発意〉。「ーわれがやうな者が許さうわいな」〈狂言記・胸突〉

よう《助動》四段活用以外の動詞の未然形に接続して、推量・意志を表わす。「呼ばはって見ー」〈狂言記・狐塚〉

ようい【用意】①挙措態度に深い心づかいのあること。「あざやかに奏しなし給へるーことにめでたし」〈源氏少女〉。「いとありがたくも見え給ふかたちーかな」〈源氏若菜上〉 ②準備。「〔従者ハ〕いとよくーしてさぶらふ」〈源氏浮舟〉

ようがい【用害】⇒えうがい(要害)。「いづくかーによかるべき所あると、見試みんために」〈太平記一九・新田義貞〉

ようかたびら【俑帷子】「きゃうかたびら」に同じ。「袖のふりーに身をなして」〈俳・遠舟千句付〉

ようかん【勇敢】《呉音》たけだけしく荒っぽいこと。「すこしーにあしき人にてぞおはせし」〈大鏡伊尹〉。「勇敢、ヨウカム」〈色葉字類抄〉

ようがん【容顔】顔かたち。顔つき。「ーまことに美麗なりければ」〈平家九・敦盛最期〉

ようぎ【容儀】ととのった姿かたち。「阿彌陀仏のーを見奉りて」〈今昔六ノ一六〉。「兄弟皆ー神妙なる壮士なり」〈吾妻鏡寿永一・八・一八〉 ▽万葉集では、「容儀」をスガタと読ませている。

ようきゃく【用脚】銭の異称。「用脚、ヨウキャク、銭也。或作二要脚一」〈文明本節用集〉

ようさつかた【夕さつ方】《ヨウサリツカタの促音を表記しない形》夕方。「けふのー、京へのぼるついでに見れば、山崎の小櫃の絵も、まがりのおほちの像(かた)もかはらざりけり」〈土佐二月十六日〉

ようさり【夕さり】《ユフサリの転》夕方になる頃。「朝(あした)に取りー取り、取りしかば、さし櫛も無しや」〈催馬楽挿櫛〉 **ーつかた**【夕さりつ方】夕方になる頃。「ー二条院へ渡り給はむとて御いとま聞え給ふ」〈源氏若菜下〉。「ー月のほのかなるに立寄り給へり」〈多武峰少将宮のこのかみ〉

よう・し【用し】《サ変》①用いる。役立てる。「わが昔よりー・する〔魚袋〕を、肖物(あえもの)に今日ばかり着けよ」〈貫之集セ〉。「願ひにしたがひてこれを取り―・す」〈今昔二ノ八〉 ②必要とする。「大王―・し給はば、この菓子(くだもの)を一駄奉らむ」〈今昔五ノ一六〉

ようじ【用事】①必要とする事。所用。用件。「死人たちまちに蘇生して、―を言ひて後、また目を閉ぢてけりとか」〈宇治拾遺六ノ一〉 ②大小便をすること。用便。「女の見えぬは―にや行きぬらん」〈浮・好色旅日記五〉

ようしゃ【用捨】①用いることと捨てること。取捨。採否。「―私あるに似たり」〈平家八・名虎〉。「用捨、ヨウシャ」〈色葉字類抄〉 ②控え目にすること。遠慮。斟酌(しんしゃく)。「上たる物を殺す時は、あやぶみ、―の心ある故なり」〈見聞愚案記三〉 ③大目に見ること。許すこと。堪忍。「今まで―していれども、もはやこらゆる事がならぬ」〈虎明本狂言・武悪〉。「用捨、ようしゃ、ゆるす也」〈和漢通用集〉。「―。…近来容赦と書く人もあり。これは偏(ひと)にゆるす方(意)也」〈志不可起三〉 ④用いないこと。また、辞退。「足立たずして御―の神」〈俳・大矢数二〉

ようじょ【用所・用処】①使いどころ。「兄まづ甲矢(はや)を放ち、〔鹿〕両頭を射倒す。乙矢(おとや)―無し」〈蔭涼軒日録延徳四・五・二三〉 ②用事。所用。「汝これへ参りて、勝家に―あらば申すべし」〈室町殿日記八〉。「五条にはさして―もなし」〈伽・火桶の草紙〉 ③便所。「帳台の中に―あり。来たりて見よ」〈奇異雑談集二〉

ようじん【用心】事にそなえて注意を払うこと。警戒すること。「上には事なきやうなれども、下には―して、苦笑ひてのみぞありける」〈平家三・赦文〉。「―をし給ひければ、入り来る人、問はぬに名乗りをしつつ入りける也」〈奥義抄〉

―どき【用心時】自身番を設けて火災などをいましめる冬の時節。「今ほど―に、かりこと(嘘)など申すべし」〈秋月物語二〉

ようず ⇒やうづ。〈ロドリゲス大文典〉

ようたい【容体】《ヨウダイとも》⇒ようてい。「〔馬ノ〕前足の―、大竹を根引きにして…碁盤の上に作りつけたる如くなり」〈説経・小栗〉。「容躰、ヨウタイ」〈易林本節用集〉。「容体、ヨウダイ」〈書言字考〉

ようち【夜討ち・夜打ち】①夜、敵を不意打ちすること。夜襲。「―にも昼戦ひにも、義経たやすう討つべき者は、日本国に覚えぬものを」〈平家一一・土佐房〉 ②夜、人家を襲って財宝を掠奪すること。また、その者。夜盗。「山賊・海賊・―・強盗等の重科」〈貞永式目〉

ようてい【容体】《ヨウタイとも》ようす。かっこう。「御かたち(容貌)・―は、ただ毘沙門のいき本見奉らむやうにおはします」〈大鏡道長〉

ようど【用途】《ヨウドウとも》①所要の費用。「一年中の米穀の―を数へよ」〈続古事談六〉 ②銭の異称。「ただ今―はなし」〈雑談集五〉

ようどう【用途】⇒ようど。「車の力を報ふほかには、さらに他の―いらず」〈方丈記〉

ようのりもの【傭乗物・用乗物】棺桶を運ぶ駕籠。用駕籠。「―の棒に手を懸け」〈西鶴・諸艶大鑑六〉

ようべ【昨夜】《ヨヒ(宵)ベ(辺)の転か》昨夜。ゆうべ。また、一昨夜。「懲らしめよ。宵の程。よべも―も夜離(よがれ)しき」〈梁塵秘抄三三八〉。「暮・晩、ヨフベ」〈名義抄〉

ようをけ【傭桶・用桶】棺桶。「―に〔老ノ〕入り前の事思はれて」〈俳・桜千句〉

よおき【夜起き】①夜、起きること。「清浄と咲きたる色や牽牛子をのみて―をしたるあさがほ」〈玉吟抄〉。〈文明本節用集〉 ②揚屋で夜中に起き出して酒を飲み興ずること。棚探し。「―。客挙屋(あげや)に一宿し、夜更け人静まりて、床より起き出で、酒など呑みて興ずる事なり」〈色道大鏡一〉

よおぼえ【世覚え】世の中の評判。人気。「阿古丸、少し―下がりて、人人そしる者ありき」〈梁塵秘抄口伝集〉

よか【四日】よっか。「山背大兄王等、四(よか)五日(いつか)の間山に淹留(とどま)りたまひて」〈紀皇極二年〉

よか【良か】形容詞「よし」の古い未然形「よけ」の上代東国方言。「伊香保ろの岨(そひ)の榛原ねもころに将来(おく)をな兼ねそ現在(まさか)し―ば」〈万三四一〇東歌〉 †yöka

よがけ【夜懸け・夜駆け】夜、敵を急襲すること。夜討ち。「唐人さし出で、中国の小屋に火をかけ、―ありと申し候」〈朝鮮日日記〉。〈日葡〉

よかぜ【夜風】夜の風。「飛鳥川川音高しむばたまの―ぞ寒し雪ぞ降るらし」〈家持集〉。「―、恐ろしき身の毒にて候」〈伽・七夕の本地〉

よかた【余方】他の方。よそ。「―を尋ね給へ」〈浄・柏崎三〉

よがたり【世語り】世間の語りぐさ。「珍しき事のさまにもあるを―にもし侍りぬべかりしかど」〈源氏夢浮橋〉。「見る人涙を流して、その頃の―になんしける」〈発心集六〉

よがたり【夜語り】夜、とりとめもなくする話。夜話。「はかもなき夢をだに見で明かしては何をか夏の―にせむ」〈和泉式部日記(応永本)〉

よかは ヨカワ【夜川】①夜行なう川狩、特に鵜飼。また、その川。「篝火(かがりび)の影しうつればむばたまの―の水は底も見えけり」〈古今六帖三〉。「友船の上れば下る鵜飼縄たがひにいとふ―立つらし」〈草根集四〉。「とりあへぬ―の鮎の篝焼めづらとも見つあはれとも見つ」〈藤河の記〉。「―、鵜飼也」〈藻塩草五〉 ②夜、山で狸・狐などを狩ること。後に「夜興(よこう)」とも。「ヨカウ、よりよくは、ヨカワ」〈日葡〉

よがらす【夜烏】夜鳴く烏。「暁(あかとき)と―鳴けどこの岡の木末(こぬれ)の上はいまだ静けし」〈万一二六三〉 †yogarasu

よが・り【良がり・好がり】㊀《四段》《よい気持だ、よい状態だという様子を外に表わす意》①うまく調子を合わせる。「『いとあはれにうしろめたくなむ』など言(こと)―・るを、〔相手ガ〕さらに承け引き給はねば」〈源氏蓬生〉 ②気に入ったという様子を示す。「市町の傾城〔ハ〕…市門に立ちて、我が身を賤しう持ちて、人に―・られうとするなりをするぞ」〈山谷詩抄一四〉 ③快感を様子に表わす。「あの―・るつらは、なう憎や」〈咄・昨日は今日上〉 ㊁《名》うまく調子を合わせること。お世辞をいうこと。「憎きさかしらも言ひまぜで、言(こと)―などもすすめるを」〈源氏総角〉

よが・れ【夜離れ】㊀《下二》女のもとへ男の通うことが途絶える。「かもめこそ―・れにけらし猪名野(ゐなの)なるこやの池水うは氷せり」〈後拾遺四二〇〉 ㊁《名》男の通いが途絶えること。「たがさとに―をしてかほととぎすただここにしもねたる声する」〈古今七一〇〉。「三日が程は―なくわたり給ふを」〈源氏若菜上〉

よかれあしかれ【善かれ悪しかれ】《連語》良くても悪くても。善悪にかかわらず。「―人の上の善し悪しをば思ひ入れぬがよき事にて候ふなり」〈和語燈録三〉。「七夕に―歌よみて参らせ申す受け取り給へ」〈遠近草中〉

よかん【余寒】寒(かん)が明けてからの寒さ。残寒。「家の百首の歌合に―の心を。空はなほ霞みもやらず風冴えて雪げにくもる春の夜の月」〈新古今二三〉。「深山は猶―はげしくて、里よりは遅く雪も消ゆる也」〈古今集註〉

よき【斧】手斧(てをの)。「木こりは怖ろしや。荒けき姿に鎌を持ち、―を提げ」〈梁塵秘抄三九九〉

よき【雪】「ゆき」の上代東国方言。「上毛野伊香保の嶺

よ

(ね)ろに降ろ—の行き過ぎかてぬ妹が家のあたり」〈万三四三三東歌〉 †yöki

よ・き【避き】『上二・四段』《ヨコ(横)と同根。平安時代、四段にも活用》 避ける。まわり道をする。「家人の使なるらし春雨の—・くれど我を濡らさく思へば」〈万一六九七〉。「この女の家、はた—・きぬ道なりければ」〈源氏帚木〉。「逢ふことの山彦にしてよそならば人目も我は—・かずぞあらまし」〈貫之集五〉。「ひさかたの天つ空より影見れば—・く所無き秋の夜の月」〈貫之集四〉 ▽古今集の古写本である梅沢本には「よぎて」、日葡辞書にもヨキテ・ヨギテ二形あり、中世以降近世前期頃まで濁音の活用も行なわれた。「婿入りの供は嫁菜も—・ぎて踏め」〈雑俳・花もん日〉 †yöki

よぎ【夜着】①夜寝る時にかける衾(ふすま)。夜(よる)の物。「泊ればーには布ぶすまを着せたぞ」〈玉塵抄四四〉。「綿を多く入れて、夜の物とて—にするなり」〈庭訓抄下〉 ②大形で、厚く綿を入れた、襟・袖のある掛け蒲団。小形のものは掻巻(かいまき)という。「松竹鶴亀を染込の木綿—」〈西鶴・一代男三〉

よきかな【善き哉】『連語』《「善哉」の訓読語》 会話文で、歓喜・賞讃・讃嘆の意を表わすことば。「行基菩薩ほめていはく、—、貴(たふ)ときかなと」〈三宝絵中〉。「善哉、ヨキカナヤ」〈名義抄〉

よきぢ【避道】まわり道。よきみち。「神(みわ)が崎荒磯(ありそ)も見えず波立ちぬいづくゆ行かむ—はなしに」〈万一二二六〉 †yökidi

よぎな・し【余儀無し】『形ク』《「余儀」は、それ以外の方法の意》 ①そうするより仕方がない。やむを得ない。「この盃、和田殿にさし申さんこと、時の賞玩〔ノタメニ八〕、—・し」〈曾我六〉 ②異議をはさむ余地がない。問題ない。「右四人、筋目(すぢめ)においては—・き者どもに候」〈大友記〉

よきに【善きに】『副』 よく。十分に。「音に聞く比叡山に参りつつ、—学問申さんとて」〈伽・ゆみつき〉

よきみち【避道】まわり道。よけみち。「岡の崎廻(た)みたる道を人な通ひそありつつも君が来まさむ—にせむ」〈万一三六三〉 †yökimiti

よぎり【夜霧】夜の霧。夜立つ霧。「ぬばたまの—は立ちぬ衣手の高屋の上にたなびくまでに」〈万一七〇六〉 †yogiri

—がく・り【夜霧隠り】□一『四段』 夜霧にかくれる。「ぬばたまの—・りて遠けども妹が伝へは早く告げこそ」〈万二〇〇八〉 □二『名』 夜霧にかくれること。夜霧のかくしている所。「年にありて今か巻くらむぬばたまの—に遠妻の手を」〈万二〇三五〉

よぎ・り【過り】『四段』《古くはヨキリ。室町時代以後ヨギリと濁音》(途中で)立ち寄る。「日本武尊、発路(みちたち)したまふ。…道を抂(よき)りて伊勢神宮を拝む」〈紀景行四十年〉。「過、ヨキル」〈名義抄〉。「過、ヨギル」〈和玉篇〉

よく【欲】 欲望。欲心。「—の火、身を焼いて、人を恥ぢず」〈妻鏡〉

よく【能く・良く】『副』《形容詞ヨシの連用形から》 ①十分に。念入りに。「飯稲(いひね)—数へて賜ふべし」〈正倉院文書仮名消息〉。「遠くて—も聞かざりき」〈大鏡昔物語〉 ②うまく。巧妙に。「言(こと)少なるが〔欠点ヲ〕いと—もて隠すなりけり」〈源氏帚木〉 ③すっかり。「月あかければ、いと—ありさま見ゆ」〈土佐二月十六日〉。「若き人は何心なく、いと—まどろみたるべし」〈源氏空蟬〉 ④たびたび。いつも。「この丁稚(でっち)は—いたづらをしやアがる」〈滑・浮世床初下〉 †yöku

よくあか【欲垢】欲と垢と。尽きないもののたとえ。「身の—を落す水風呂」〈俳・珍重集〉

—ぼんなう【欲垢煩悩】欲・垢・煩悩は限度がないところから、尽きないもののたとえ。〈文明本節用集〉

よくいたう【薏苡湯】ハトムギの種子を煎じた汁。漢方薬として利尿・鎮痛・消炎などに広く用いられた。「ただ—を以て茹づべきなり。今はそれより外の治あるべからず」〈今昔二四ノ七〉

よくかい【欲界】〔仏〕三界の一。欲心を持つ人間の住む所。「清水の泉を沐(あ)み、—の垢を濯(す)き、孔雀の呪法を修習し」〈霊異記上二八〉

よくしん【欲心】①貪欲の心。よくばる心。「されば人のあながちに—有るに弊(つた)なき事なり」〈今昔三一ノ二二〉 ②愛欲の心。欲情。「この女房を見て—をおこして、たちまちに病になりて」〈宇治拾遺六〇〉

よくす【横臼】《ヨコウスの約》 低く平らな臼。「—に醸(か)みし大御酒(おほみき)」〈記歌謡四八〉 †yökusu

よくせき『副』 やむを得ずするさま。よくよく。余儀なく。「—思ひ詰めたと見えました」〈浮・宇津山小蝶四〉

よぐた・ち【夜更ち】□一『四段』 夜がふける。「佐保川にさ走る千鳥—・ちて汝が声聞けば寝(い)ねがてなくに」〈万一一二四〉 □二『名』 夜ふけ。「—に寝さめて居れば川瀬尋(と)め心もしのに鳴く千鳥かも」〈万四一四六〉 →くたち。 †yogu-tati

よくづら【欲面】欲深い人をののしっていう語。欲ばり。「—な奴なれば」〈浮・好色床談義四〉

よくとく【欲得・欲徳】貪欲と利得と。むさぼり得ようとすること。〈運歩色葉集〉

よくど・し【欲どし】『形シク』 欲が深い。欲ばりである。「田地庄園などを拝領仕りたき由—・しく申し上げければ」〈仮・智恵鑑五〉

よくのかは【欲の皮】強い欲心。「—これも引張る氷かな」〈俳・沙金袋六〉。「捕るやなほ—張る鮎の網」〈俳・細少石三〉

よくぼ・り【欲ぼり】『四段』 欲ばる。「廉直なりと人や見るらむ/礼銭を—・りてこそ返しつれ」〈俳・犬筑波〉。「—・るといふは重説なり。欲の字すなはち欲るなり」〈塵袋一〇〉

よくめ【欲目】好きこのみする心で見る、物の見方。贔屓目(ひいきめ)。「白雲を吉野—や山桜」〈俳・吉野山独案内一〉。〈運歩色葉集〉

よくよく【能く能く】『副』 ①十分に。心をこめて。「—三宝に祈請し給へ」〈今昔一一ノ一五〉。「夜の程、この御所を—守護して」〈保元上・新院御所〉。「能能、ヨクヨク」〈文明本節用集〉 ②万やむを得ずするさま。よっぽど。よくせき。「さなありそなど〔親ノ〕諫めしにや。それを背きて、—の心にて〔徒然ト〕ながむるを」〈新古今注〉

よ・け【避け】『下二』《ヨキの他動詞形。室町時代末期から近世中期頃まではヨゲと濁る発音もあった》 横にさける。「いかに—・けで、かくは打たるるぞ」〈十訓抄六ノ二〇〉。「この大路をこそ通らせ給ふべきに、いかにも—・けさせ給ひけり」〈著聞六四八〉。「除、ヨグル」〈易林本節用集〉。「除、ヨゲル」〈俳・反故集下〉

よけ【良け】 形容詞「よし」の古い未然形・已然形。「いかなる色に摺りてば—む」〈万一二八一〉。「あをによし奈良の大路は行き—どこの山道は行き悪しかりけり」〈万三七二八〉 †yöke

よけい【余慶】①《「余殃(よあう)」の対》 祖先の積んだ善行が子孫にまで及ぼす幸福。「忝くも七代の末葉を以て、遙かに百年の—を継ぐ」〈中右記寛治八・六・一三〉。「我が身災難に逢へども子孫福あり。これは積善の—なり」〈雑談集二〉②余計。余計なもの。「定めて〔楯ノ〕―も有るべく」〈朽木文書二、永正一四・四・五〉。「余慶、よけい、あまる也」〈和漢通用集〉

よけく【良けく】《良シのク語法》良いこと。「悪しけくも―も見むと」〈万九〇四〉 †yökeku

よけみち【避道】「よきみち」に同じ。「あのあたりをばいかにして通るべきぞとて―をして通りける」〈伽・物くさ太郎〉

よこ【横】《ヨキ(避)と同根。平面上の中心を、右または左にはずした所、また、その方向の意。また、タテ(垂直)に対して、水平の方向の意。転じて、意識的に中心点に当らないようにする、真実・事実をさける意から、「よこしま(邪悪)」など、故意の不正の意にも用いた。類義語ワキ(脇)は、中心となる物に、ぴったり添ったところの意》①《「縦(たて)」の対》水平の方向。また、前後に対して左右の方向。「縦(たた)さにもかにも―さも奴(やっこ)とそ我はありける主の殿戸に」〈万四一三二〉②故意にまげたこと。不正。よこしま。「かきほなす人の―言繁みかも逢はぬ日まねく月の経ぬらむ」〈万一七九三〉。「もしかやうの―なる事あらば、左様の人をば早く掃除すべし」〈御書抄五〉③〔遊里語〕「横番(よこばん)」に同じ。「郭公の初音を待ち侘びては―の手かとうたがひ」〈評判・桃源集〉 †yökö **―切・る** 「横番切る」に同じ。「此の傾城立ちて、薬飲む顔にて、右の男に―・らせ侍り」〈評判・寝物語〉 **―と・出る** 意地悪い態度を取る。横に出る。「―・出る山(山出シ)無理に極まる」〈俳・投盃〉。〈世話字節用集〉 **―に・寝る** 借りた金銭または品物を返さない。「露時雨古懸(ふるがけ)ならば取られまい／―・ねたとよ薄一村」〈俳・独吟一日千句〉 **―を行・く** 無理を押し通す。横車を押す。「そもそもより―・けども、早や合点して、少しも気破らず(逆ラワナイ)」〈西鶴・一代男六〉

よこあひ イアフ【横合】①横の方。側面。「新田の一族三十三人、その勢千余騎―に懸かりて両方の手先を追ひまくり」〈太平記三・菊池合戦〉②正当でないこと。無理。無法。「縁約相定まる人の娘、―に奪ひ取る事、密懐の罪科に同じ」〈塵芥集〉

よこあめ【横雨】横合いから吹きつける雨。横なぐりに降る雨。「いかなる―にも、かく額(ぬか)の濡るる事はなきに」〈著聞二九〇〉

よこがみ【軸】車の心棒。車軸。「軸、与己加彌(よこがみ)」〈新撰字鏡〉

よこがみ【横上】長旗(ながばた)の上端に旗の幅を張るためにつけた横木。「旗の―〔ノアタリ〕には金剛童子を書き奉って」〈平家二・鶏合〉

よこがみ【横紙】紙を横にして用いること。「―に書き続けたる文月夜」〈俳・大矢数三〉 **―を破(や)・る** 《和紙は漉き目が縦にあって、横に裂くものでないところから》無理をおし通す。横車を押す。「さしも―・らるる太政入道も」〈平家五・都帰〉

よこぎ・り【横切り】㊀《四段》横さまに通る。横にさえぎる。「青山を―・る雲のいちしろく我と笑まして人に知らゆな」〈万六八八〉。「―・る霰窓や打つらん／有明の氷る板間の影寒し」〈看聞御記紙背連歌〉 ㊁《名》①横断して通ること。「箕輪在家畑の中を―に直路して乗り通る」〈吾妻記〉②横に切ること。「鳥の子を―にしたる折本なり」〈耳底記〉 †yökögiri

よこぎ・れ【横切れ】㊀《下二》横にそれる。「雁、風に―・れ申し候て」〈伊達家文書三、立花忠蔵書状〉 ㊁《名》横道へ曲がること。「九軒の―して」〈西鶴・諸艶大鑑三〉

よこく【夜国】近世前期、世界の北端に位置し一年中夜のように暗黒であると信じられた土地。「日を見ぬ島の暗きより、是れを―と言ふとかや」〈浄・賢女手習四〉

よこぐも【横雲】横にたなびく雲。多く、明け方東の空にたなびく雲をいう。「有明けは思ひいであれや―のただよはれつるしののめの空」〈新古今一一九三〉。「夜も明けはてず、―とかやいふ程に、車寄せらる」〈健寿御前日記〉

よこぐるま【横車】 **―を押・す** 《横に車を押すのは無理であるところから》無理なことを強いてする。「何とて左様に―・し給ふぞ」〈浄・平安城四〉

よごこち【世心地】世にはやる病気。流行病。厄病。よのなかごこち。「堀川太政大臣と申す人、―大事にわづらひ給ふ」〈宇治拾遺一九一〉

よこごと【横言】わざと事実と相違することを言って、人を傷つける言葉。中傷。「かきほなす人の―繁みかも逢はぬ日まねく月の経ぬらむ」〈万一七九三〉 †yökögötö

よごころ【世心】男女間の微妙な心理を解する心。異性を求める心。「昔、―つける女、いかで、心なさけあらむ男にあひ得てしがなと思へど」〈伊勢六三〉

よこさ【横さ】《「縦(たた)さ」の対。サは方向をあらわす接尾語》横の方。よこさま。「たたさにもかにも―も」〈万四一三二〉 †yökösa

よこざ【横座】畳や敷物などを横ざまに敷き設けた上座。「たけ七八尺ばかりなる猿、―にあり、…次次の左右に猿百ばかり居並みて」〈今昔二六ノ七〉。「文正、まづ―に居て、盃を取りあげて申しけるは」〈伽・文正草紙〉

よこさま【横さま】《「縦(たた)さま」の対。古くはヨコサ・ヨコシマ》①横の方向。横向き。「眉は額さまに生ひあがり、鼻は―なりとも」〈枕四九〉。「的の像(かた)に色どられたりし車の―の縁(ふち)を弓の形(かた)にし、縦ぶちをば矢の形(かた)にせられたり」〈大鏡道兼〉。「並、ヨコサマ、並は横也」〈法華経玄賛平安初期点〉②非道。不当。「法師は聖(ひじり)といへども、あるまじき―のそねみ深く」〈源氏薄雲〉。「人は心直(はな)かるべし。永く―の心つかふべからず」〈今昔二〇ノ四一〉。「いかに、かかる悪人をば―に救ひ給ふぞ」〈沙石集二ノ六〉。「僻、ヨコサマ」〈名義抄〉③尋常でないこと。普通ではないこと。「―の死にをせず、鬼神近づかず」〈三宝絵下〉。「いとめでたく、―の御さいはひおはしける宮なり」〈増鏡三〉

よこさら・ひ ヨコサライ【横去らひ】《四段》《横サリに反復・継続の接尾語ヒのついた形。→ひ》横に移動する。横に動いてゆく。「ももづたふ角鹿(つぬが)の蟹―・ふ、何処(いづく)に至る」〈記歌謡四二〉 †yökösarafi

よこし【横】《「縦(たたし)」の対。シは方向の意》横の方。よこさ。「東西を日の縦(たたし)とし南北を日の―とす」〈紀成務五年〉 →ひのよこし。 †yökösi

よこ・し【讒し】《四段》《ヨコ(横)の動詞化》事をまげて人の悪口を言う。「人言の―・すを聞きて玉桙の道にも逢はじと言ひてし吾妹(わぎも)」〈万二八七一〉。「是れ…継母(ままはは)が為に所誣(よこ)され、目を抉(くじ)られし処なり」〈大唐西域記三・長寛点〉。「讒、与己須(よこす)」〈新撰字鏡〉 †yökösi

よご・し【汚し】㊀《四段》きたなくする。けがす。「妙高山王と諸の山の等しきとを皆灰水となして浸瀾(こよ)して銷(け)し尽して」〈地蔵十輪経七・元慶点〉。「この程聞きつる言葉は左の耳にてこれを聞く。これによって耳を―・しぬれば洗ふなり」〈曾我五〉。「父母の名をも―・すぞ」〈春鑑鈔〉 ㊁《名》①〔女性語〕あえもの。「枸杞(くこ)の青葉色黒胡摩に―かな」〈俳・糸屑一〉②他の名詞の下につけて、そのものの名誉などをけがす意を表わす。「面(つら)―」など。「六

よ

十棒打ってくれうけれども、なかなかに棒―ぢゃ程に許すぞ」〈無門関抄上〉。「太刀―とは思へども、憎い荒言」〈伽・鴉鷺物語〉

よこしま【横・邪】①《「縦(たた)しま」の対》横の方向。よこさま。「西北のかたに山有り、帯雲(くも)―にして緪(たわ)れり」〈紀神功摂政前〉。「衡従、ヨコシマタタシマ」〈名義抄〉②不正。邪悪。非道。「ほとけ仏に授けて、―なることなきは」〈正法眼蔵辦道話〉 †yökösima **―かぜ【横風】**横ざまに吹く風。「―のにふぶかに(急ニ)おほひ来たれば為むすべのたどきを知らに」〈万九〇四〉

よこすぢかひ【横筋違ひ】横の方から、はすかいになっているさま。「御祓箱一つ、―に切れてあるを見て驚き」〈奇異雑談集二〉

よこたは・り【横たはり】『四段』横になる。「いたう気色ばみ―・れる松の木高きほどにはあらぬに」〈源氏藤裏葉〉。「伏す長(たけ)二十丈ばかりなる物、径路に―・り臥せり」〈三国伝記六〉

よこたは・れ【横たはれ】『下二』横になる。横に伏す。「大きなる木の、風に吹き倒されて、根をささげ―・れ臥せる」〈枕二三五〉。「中島の汀(みぎは)より―・れ生ひ出でて、楼台の上にさしおほひたる紅葉の」〈浜松中納言一〉

よこた・へ【横たへ】『下二』《ヨコダヘとも》①横にする。「琴を―・へて弾きて曰はく」〈紀雄略十二年〉。「横、ヨコタフ」〈名義抄〉②横に帯びる。「或は兵杖を―・へ、狩・すなどり・殺生・偸盗なさずといふ事なし」〈沙石集六ノ五〉

よこちゃう【横町・横丁】⇒よこまち。「―に一つ宛ある芝の海」〈雑俳・万句合宝暦一〇〉。〈日葡〉

よこづち【横槌】円木を削り、柄の部分を細くし、頭部の側面で打つようにした槌。砧(きぬた)や藁を打つに用いる。「父、嫡子を呼びて、―持ち来たれと言へば」〈奇異雑談集三〉。〈名語記九〉 **―で庭掃・く**「槌で庭掃く」に同じ。「彼の僧、一休なりとて、―・き、杓子で芋盛り、御馳走申す事、中中言ふも愚かなり」〈仮・一休咄四〉

よこで【横手】感心したり、また、我が意を得た時など、思わず両手をぱんと打ち合わせること。「あら道理の笑ひ事や、人の上ならばさこそをかしかるべしと、みづから鏡に向ひて―を打って笑ひけるが」〈伽・弁慶物語〉。「一々次第にうらなひて、―をちゃうど合はせつつ」〈伽・岩竹〉 **―ぎり**【横手切り】《ヨコテギリとも》横に切り払うこと。「さ知ったりと宣ひて…―に薙ぎ給へば」〈加沢記三〉。〈日葡〉

よごと【吉事】めでたいこと。吉事(きちじ)。「新(あらた)しき年の始の初春の今日降る雪のいや重(し)け―」〈万四五一六〉 †yögötö

よごと【寿詞】《ヨ(吉)コト(言)の意。祝賀・祝福の意を述べる詞》①天皇の即位、また、新年などに、天皇の長寿と幸福とを祈って述べることば。「巨勢の大臣をして賀(よごと)奉らしめて曰(まう)さく、『公卿・百官人ども賀(よごと)奉らく、陛下、清平なる徳(いきほひ)を以て天の下を治(しら)すが故に、ここに白雉西の方より出づること有り』」〈紀孝徳、白雉一年〉。②《一般的に》祝賀の意を述べることば。「披講の後、社司ことさらに―を宣(の)る」〈長元八年五月十六日関白左大臣頼通歌合〉③祈願のことば。「今より後は、毛の末一すぢをだに動かし奉らじと―をはなちて立ち居、泣く泣く呼ばひ給ふ事、千度ばかり申し給ふ」〈竹取〉 †yögötö

よことび【横飛び】むちゃくちゃに突っ走ること。横っ飛び。「終には―をして」〈俳・河船付徳万歳〉

よこど・り【横取り】『四段』わきから不法に奪い取る。「院より御気色あらむを、引きたがへ―・り給はむを、かたじけなき事とおぼすに」〈源氏澪標〉

よこなば・し【横訛し】『四段』(ことばや発音を)変にくずす。なまらせる。「ことさらに口をゆがめて音(こゑ)を―・し」〈今昔一四ノ二八〉

よこなば・り【横訛り】『四段』「よこなまり」の転。「―・りたる音(こゑ)以てあわて云ひければ」〈今昔二五ノ九〉

よこなま・り【横訛り】『四段』ことばや発音が正しくなく、変になまりを帯びる。よこなばる。「訛、此をば与許奈磨盧(よこなまる)と云ふ」〈紀神武即位前〉。「―・りたる声していふ」〈古本説話六九〉 †yökönamari

よこぬひ【横縫】①兜の鉢付(はちつけ)の板を鉢に綴じ付ける革紐または糸。「鉢付の板の―切れて、矢尻の見ゆるばかりに射こみたりければ」〈太平記一七・山攻〉②鎧の草摺と胴とを綴じ付ける革紐または糸。「草摺の―皆突き切れて」〈太平記三一・武蔵野合戦〉

よこね【横根】鼠蹊部のリンパ腺炎。「資興腫物…、―」〈教言卿記応永一三・三・一三〉。「ある時、―を病みて労はりけるが」〈遠近草中〉。「便毒、ヨコネ」〈文明本節用集〉

よこはだかり【横はだかり】横に広がっていること。「〔大黒天ガ〕色黒く背低(ひき)く、―に見え給ふは」〈伽・かくれ里〉

よこはたばり【横端張り】横に広いこと。よこはだかり。「ヨコハタバリノヒト」〈日葡〉

よこばん【横番】〔遊里語〕他人が揚げた遊女と密会すること。「横」とも。〈色道大鏡一〉 **―切・る**①鉱山で他人所有の鉱脈を横合いから盗掘する。「他人の入りて掘る山筋を、こなたより切り取るを―・ると言ふ」〈色道大鏡一〉②〔遊里語〕他人の揚げた遊女と密会する。横切る。「たびたび話す者、強み有る者には、―・らすること数多し」〈評判・吉原雀上〉

よこぶと・り【横太り】『四段』背丈にくらべて横に太り過ぎる。「―・って中低(なかびく)に、出尻にして口広く」〈西鶴・諸艶大鑑一〉

よこぶゑ【横笛】横吹きの笛。多くは、中国伝来の龍笛(りうてき)をいい、唐楽に使い、催馬楽の伴奏にも使う。「笛は―いみじうをかし」〈枕二一八〉。「横笛、与古布江(よこぶえ)」〈和名抄〉。「横笛、クヮウチク・ワウチャク・又、ヨコブエ」〈色葉字類抄〉

よこほ・り【横ほり】『四段』どっしりと横たわる。「東のかたに、山の―・れるを」〈土佐二月十一日〉

よこまち【横町】表通りから横へ入った、小さな家の多い狭い町筋。江戸では普通「よこちゃう」という。「元来は―に居て打つ衣」〈俳・飛梅千句〉。〈日葡〉 **―ぐるひ**【横町狂ひ】横町に住んでいる私娼に通い詰めること。「―に移る唐瘡(たうがさ)」〈俳・両吟一日千句〉

よごみ【夜込み】①夜中、敵陣を急襲すること。「今夜四つ時過時分、敵より―をし候とて、以ての外物騒候ひ了んぬ」〈言継卿記 大永七・二・五〉②早朝暗い内に茶会をすること。「夜ごめ」とも。「客の―をしたるなり」〈俳・淀川〉

よこめ【横目】①横を見ること。わき見すること。「〔険阻ナ道ヲ〕あやまちせじとて―もせずまもり行くなり」〈仙覚抄一〇〉②他に目を奪われること。他に心を移すこと。「その後、思ひかはして、また―する事なくて住みければ」〈宇治拾遺一〇八〉③戦国時代以降、武家で、領内を監察し、非違を取り締まる役。横目付(よこめつけ)。隠し目付。横目役。「武辺の道を知らぬ文学者などを、軍の奉行また―に付けらるれば、惣の人数が合点をせぬ程に、軍が破るるなり」〈孫子私抄〉。「先日帰参せし新庄駿河守に、―として中島宗左衛門を相添へつつ」〈浅井三代記一一〉

よこもじ【横文字】横に書き綴る文字。「外夷―の国国」〈華夷通商考下〉

よこもの【横物】横長に表装した掛軸。「広海原(わたのはら)八十島掛くる〔ノ和歌ヲ〕―に」〈俳・俳諧蒙求下〉

よごもり【夜隠り・夜籠り】①夜深いこと。夜中。「倉橋の山を高みか―に出で来る月の片待ちがたき」〈万一七六三〉 ②寺社に通夜して祈念すること。「観音堂に寒き―」〈俳・寛永十三年熱田万句三〇〉 †yogömöri

よごも・り【世籠もり】『四段』世間知らずで居る。男女の仲を知らないでいる。未婚で将来の運命が決まっていない。「―・りて過ぐす年月こそ、あいなだのみに、行末心にくく思ふらめ」〈源氏明石〉。「いまだ―・りておはしける時、在中将しのびてゐてかくし奉りたりけるを」〈大鏡陽成院〉

よども・り【節隠もり】『四段』節(よ)の中にこもる。「さす竹の―・りてあれ我が背子が我がりし来ずは我恋ひめやも」〈万二七七三〉 †yogömöri

よこや【横矢】①側面から矢を射ること。「矢倉をかきて、―に射させんと構へたり」〈太平記一〇・稲村崎〉 ②城の出し塀の側面にある矢狭間(やはざま)。横矢狭間。「―繁くぞ構へける」〈近松・用明天皇五〉

よこやり【横槍・横鑓】敵の側面から槍で突きかかること。「東より東条が衆二千ばかり―に懸かりけるが」〈応仁記下〉。「片倉小十郎―を入れ、慶徳に打って懸かる」〈蘆名家記一〉。〈文明本節用集〉

よご・れ【汚れ】『下二』《ヨゴシの自動詞形》汚いものにまみれて汚くなる。「蓮華の土に―・れざるが如し」〈宝物集中〉。「肌に着給へる帷(かたびら)―・れたるを奉りければ」〈雑談集九〉

よこれんぼ【横恋慕】配偶者または愛人のある者に、他の者が思いを掛けること。「脇から邪魔の―」〈近松・信州川中島一〉

よごろ【夜頃・夜来】①数夜。「かくやうにしつつ―を過ぐしける程に」〈今昔二七ノ三四〉。「夜来、ヨゴロ」〈名義抄〉 ②夜の間。夜。「今を―のさを鹿の声／あけぼのの野分しづまる山深み」〈秋津洲千句〉

よころ・び【横転び】『四段』横に転ぶ。また、寝転ぶ。「棹が我が前へ転ぶに、やれ―・ぶよと思うて」〈医説〉。「―・ぶ。俗に休息のために仮寝することを云ふ」〈志不可起三〉

よこわたし【横渡し】物を横に渡すこと。特に、水路を横断すること。「此所よりは舟に乗りて―に大津に着く」〈仮・東海道名所記五〉

よごゑ【夜声】夜のしじまをやぶる声や音。「隼人(はやひと)の名に負ふ―いちしろく我が名は告りつ妻と恃(たの)ませ」〈万二四九七〉。「―は、ささめくしもぞ、かしがましき」〈源氏浮舟〉 †yogöwe ―八町(はっちゃう) 夜は小声でも八町先まで聞える意から、秘密の漏れ易いこと。「目覚すや―時鳥」〈俳・夢見草二〉

よさ【夜さ】《ヨサリの転》夜。「―の泊は何処が泊ぞ」〈虎寛本狂言・靱猿〉

よざ【四座】大和猿楽の四家。観世・宝生・金春・金剛の総称。「今日―の猿楽これ有り」〈蔭涼軒日録寛正六・九・二五〉

よざ【余座】 **―に掛か・る** 仲間に加わる。「松に藤―・れる木末かな」〈俳・夢見草一〉。「我等も―・りたし。先づ提重おろされよ」〈近松・孁静胎内捃五〉

よざかり【世盛り】全盛。全盛期。「入道殿―にて失せられぬ」〈盛衰記四四〉

よさ・し【寄さし・依さし】㊀『四段』①お寄せになる。「皇神等(すめがみたち)の―・しまつらむ奥(おき)つ御年(稲)を」〈祝詞祈年祭〉 ②おまかせになる。委任なさる。「吾が孫(みま)の知らさむ食国(をすくに)天の下と―・し奉(まつ)りしまにまに」〈続紀宣命五〉 ㊁『名』【任】(統治などの)委任。任命。「天つ命(よさし)」〈紀(図書寮本)允恭〉 †yösasi

よざと【夜聡】目が覚めやすいこと。「うち臥す時も心には、召しやすべきと心掛け、二声三声と呼ばれじと、たしなみぬれば―なり」〈見咲三百首和歌〉。「いざとき。―なる事」〈匠材集一〉

よざと・し【夜聡し】『形ク』物音で目をさましやすい。「〔良犬ハ〕―・く心剛にして」〈管蠡鈔一〇〉。「いざとく。俗、―・く」〈狭衣物語下紐三〉

よざま【世様】生活状態。暮し向き。「―もわびしからずぞ侍りける」〈著聞五一二〉。「さしも侍らぬともがらまでも、―ゆたかになりぬれば」〈駿牛絵詞〉

よさむ【夜寒】(秋が深まって)夜が寒く感じられること。また、その寒さ、その季節。「さ夜深く旅の空にて鳴く雁のおのが羽風や―なるらむ」〈後拾遺三七六〉

よさり【夜さり】《サリ(去)は、時が自然にめぐりうつる意》夜になる頃。晩。夜。「さらに―この寮(つかさ)にまうで来(こ)宣うてつかはしつ。日暮れぬればかの寮におはして見給ふに」〈竹取〉。「―はやがて二条の院にとまり給ふべし」〈源氏葵〉 **―つかた**【夜さりつ方】夜になる時分。「―、式部丞則理(のりまさ)まゐりたり」〈枕二七八〉

よさ・り【寄さり】『連語』《寄セリの上代東国方言》関係づけられている。関係があると噂されている。「遠しとふ故奈(こな)の白嶺に逢ほ時(しだ)も逢はのへ時も汝(な)にこそ―・れ」〈万三四七八東歌〉 †yösari

よさん【予参・預参】《「予」「預」は、あずかる、くみするの意》参上の人の数に加わること。参列。参会。「今朝頭中将消息を投ぜらる。よりて―すべきなり」〈雲州消息上本〉。「予参、ヨサン、列参の義なり」〈下学集〉

よさん【余算】残りのよわい。余命。「眠りて―を思へば涙まづ紅なり」〈和漢朗詠集老人〉。「―を天運に任すべし」〈雑談集三〉

よざん【余残】残り。なごり。「僧正の―ありし程はかくの如し」〈正法眼蔵随聞記五〉。「雪の―を山にこそ見れ」〈宗祇独吟〉

よし【由】《ヨシ(寄)と同根。物の本質や根本に近寄せ、関係づけるものの意。つまり、口実・かこつけ・手がかり・伝聞した事情・体裁などの意。類義語ユヱ(故)は、物事の本質的・根本的な深い原因・理由・事情・由来の意》①口実。かこつけ。「妹が門(かど)行き過ぎかねつひさかたの雨も降らぬか其(そ)を―にせむ」〈万二六八五〉 ②わけ。理由。理由づけ。「志太の浦を朝漕ぐ舟は―無しに漕ぐらめかもよ―こさるらめ」〈万三四三〇〉。「―ありげなる言葉の種」〈謡・熊野〉 ③手がかり。手段。「うつつには逢ふ―も無しぬばたまの夜の夢にを継ぎて見えこそ」〈万八〇七〉。「をちこちの磯の中なる白玉を人に知られず見む―もがも」〈万一三〇〇〉 ④伝えられた事情。「その―承って兵(つはもの)どもあまた具して」〈竹取〉 ⑤由来。いきさつ。次第。「門出す。その―いささかものに書きつく」〈土佐十二月二十一日〉 ⑥趣旨。「細かにはあらで、ただ覚えぬ穢(けが)らひに触れたる―を奏し給へ」〈源氏夕顔〉 ⑦《平安女流文学で、「ゆゑ」と区別して》二流以下の血統。また、その人人の風情・趣向・教養・人品。「母北の方なむ、いにしへの人の―あるにて」〈源氏桐壺〉。「木立いと―あるは、何人の住むにか」〈源氏若紫〉 ⑧体裁。恰好。ふり。「中納言召さでもさすがあしかるべければ、箸とって召す―しけり」〈平家八・猫間〉 †yösi

よし【葦・葭】 アシの異称。「津の国のなにはのことにつけつつも—をばあしと言ひなかくしそ」〈正治後度百首〉。〈文明本節用集〉

よし【縦し】『副』《形容詞ヨシ(宜)の転用。他人の判断や行動を許容・容認し、また、自己の決意・断念を表現する語。下に、逆接仮定条件を表わす「とも」を伴うことが少くない》①ままよ。かまいはしない。それはともかく。「人皆は萩を秋[ノ代表]といふ—我は尾花が末(うれ)を秋とは言はむ」〈万二二一〇〉。「萩の露玉に貫(ぬ)かむと取れば消(け)ぬ—見む人は枝ながら見よ」〈古今二二二〉②たとい…でも(かまわない)。「人は—思ひやむとも玉かづら影に見えつつ忘らえぬかも」〈万一四九〉 †yösi

よ・し【寄し】『四段』《ヨシ(由)と同根》①統治者としてゆだねる。まかす。「吾が孫(みま)の知らさむ食国(をすくに)天の下と—・さし奉りしまにまに」〈続紀宣命五〉②近よらせる。「紀の国に止まず通はむ妻の社(もり)妻—・しこせね妻といひながら」〈万一六七九〉③関係があると(世間で)噂する。「牛窓の波の潮騒(しほさゐ)島とよみ—・さえし君は逢はずかもあらむ」〈万二七三一〉 †yösi

よ・し【吉し・善し・好し・宜し】『形ク』《「あし(悪)」「わろし(劣)」の対。吉凶・正邪・善悪・美醜・優劣などについて、一般的に、好感・満足を得る状態である意》①(めぐりあわせ・縁起などが)のぞましく喜ばしい。吉(きち)だ。「君がむた行かましものを同じことおくれてをれど—・き事もなし」〈万三七七三〉。「今日は—・き日ならむかし」〈源氏葵〉。「源氏は軍(いくさ)の手合せに門出(かどいで)—・しとて勇みけり」〈盛衰記三六〉②善である。正しい。「—・き人(仏)のいます国(極楽)には」〈仏足石歌〉。「殺生を六斎の日とどめさせ給ふ。—・き事をばすすめ、あしき事をばとどめさせ給ふ」〈栄花疑〉③(心がけ・性質などが)立派だ。善良だ。「[夕顔ハ]心なむありがたきまで—・かりし。[花散里ノ]御心もうしろやすく思ひきこゆれば」〈源氏玉鬘〉④容姿などがすぐれている。美しい。「多胡(たご)の嶺に寄せ綱延(は)へて寄すれどもあにくやしづし其の顔—・きに」〈万三四一一〉。「いろいろしき者にて、—・きあしきをきらはず、女といへば心を動かしけり」〈著聞五五四〉⑤(血筋・身分・経済状態・年齢などが)世間で一人前だ。「いにしへのしづのをだまきいやしきも—・きも盛りはありしものなり」〈古今八八八〉。「冬はついたち、つごもりとて、—・きもあしきも騒ぐめるものなれば」〈かげろふ上〉。「世の中ぢゃ—・い年をして恋の道」〈俳・談林三百韻〉⑥(品質などが)上等だ。「商人(あきひと)の—・き衣(きぬ)着たらむが如し」〈古今序〉。「—・き車に乗りて」〈源氏蓬生〉⑦有効である。「夏やせに—・しといふものそ鰻(むなぎ)取りめせ」〈万三八五三〉⑧上手である。「木のぼり—・くする法師のぼりて見れば」〈宇治拾遺一六九〉⑨相応している。適当である。「山川に鴛鴦(をし)二つ居て偶(たぐひ)—・く」〈紀歌謡一一三〉。「—・き次(つい)でなれば…一見せばやと存じ候」〈謡・高砂〉⑩差支えない。かまわない。「青柳梅との花を折りかざし飲みての後は散りぬとも—・し」〈万八二一〉。「[主婦ハ]をかしきに進めるかた、無くて—・かるべし」〈源氏帚木〉⑪《動詞の連用形について》…するのが快適だ。…するのがらくだ。「あをによし奈良の大路は往き—・けどこの山道は往きあしかりけり」〈万三七二八〉。「山里は物のわびしき事こそあれ世の憂きよりは住み—・かりけり」〈古今九四四〉 †yösi **よい鳥が掛かった** 遊女などがよい客を取った場合にいう言葉。「—床の月の影」〈俳・天満千句〉

よしきらひ〔…キライ〕**【吉棄】** 吉事を招くために出す祓(はらへ)の品物。「手端吉棄、此をば多那須衛能余之岐羅毗(たなすゑのよしきらひ)といふ」〈紀神代上〉 †yösikiraΦi

よしぐれ【夜時雨】 夜降る時雨。「晴れこそかはれ秋の—」〈看聞御記紙背連歌〉

よしち【与七】 下男の通名。「秋山や—がかほも皆紅葉」〈俳・名取川三〉

よしづ・き【由付き】『四段』①品格や趣向が身についている。「ものきたなからず—・きたることもまじれれば」〈源氏明石〉②風情が程に合う。「もののついでにほのかなりしは、折からの—・きて、をかしうなむ侍りし」〈源氏横笛〉

よしながぞめ【吉長染】 京の人宗吉(惣吉)の創案した延宝・天和頃の伊達染(だてぞめ)。吉中(よしなか)染。「よしなが」「よしなか」とも。「さまざまに情の色の濃きと聞けば—の寝巻たのもし」〈評判・役者評判蚰蜒〉

よしな・し【由無し】『形ク』①手掛りがない。方法がない。「出でてゆかん人をとどめむ—・きに隣の方にはなもひぬかな」〈古今一〇四三〉。「かの左衛門督まかりなるまじくは、—・しなしたぶべきなり」〈大鏡為光〉②関係がない。縁がない。「あらぬ—・き者の名のりして来たるも、返す返すもすさまじといふはおろかなり」〈枕二五〉③根拠が薄い。いわれがない。「やんごとなきまづの人人おはすといふは、—・きことなり」〈源氏若菜上〉④くだらない。つまらない。「—・き者を乗せて興さめなんず」〈著聞二五一〉 **—ごころ【由無し心】** たわいもない気持。「今は、昔の—もくやしかりけりとのみ、思ひ知りはて」〈更級〉 **—ごと【由無し事】** ①いわれのないこと。根拠のないこと。「かれをほめむが為に—を云ひでたるなり」〈今昔一五ノ四三〉②何のとりえもないこと。つまらないこと。たわいもないこと。「ただ何ともなき—を無期(むご)に云ひ居たり」〈今昔三〇ノ一六〉③【由無し言】 たわいもないおしゃべり。「—言ひてうちも笑ひぬ」〈徒然一三〇〉

よしなに『副』よいように。程よく。適宜に。「わづか名を得たる者十人を—分く」〈成簣堂本論語抄六〉。「太夫様の手前、—申しなす」〈西鶴・諸艶大鑑五〉

よしの【吉野】 **—がみ【吉野紙】** 大和国吉野産の延紙(のべがみ)・杉原紙・御簾紙(みすがみ)、及び吉野丹生荘産の、非常に薄く漉(す)いて漆・油を漉(こ)すに用いる漆漉し紙の称。略して「吉野」とも。「大井庄奉る、千帖、尋常の—」〈薬師院文書応仁二・五・一〇〉

よしば・み【由ばみ】 一『四段』品やいわれがあるような様子をする。名門らしい様子をする。「などかはさてもと覚ゆる折柄、時時、思ひ分かぬばかりの心にて—・み、情だたざらんなん、めやすかるべき」〈源氏帚木〉。「下簾のさまなど—・めるに」〈源氏葵〉 二『名』上品ぶること。上品ぶった様子。「ざれくつがへる今様の—よりは」〈源氏末摘花〉 **—ごと【由ばみ事】** 気取った事。「えもいはぬ—しても」〈紫式部日記〉

よしはら〔…ワラ〕**【吉原】** 江戸の遊廓。元和年間、日本橋葺屋町に開いたのに始まり、明暦三年、浅草北部の千束日本堤下三谷(さんや)の地に移転、前者を元吉原、後者を新吉原と称した。近世を通じ隆盛を極めた。なか。北里。北州。御町(おちやう)。「これこそ江戸町の親父とて、—の主にてましますと言ふ」〈評判・吾妻物語〉 **—がよひ**〔…ガヨイ〕**【吉原通ひ】** 吉原の遊女にしげく通うこと。また、その人。「まさに七度は—」〈俳・飛梅千句〉 **—すずめ【吉原雀】** ①ヨシキリの異称。「肴には是れぞ—鮨」〈俳・埋草二〉。「ぎょぎょし(鳥ノ名)は、…関東にては—」〈不断重宝記〉②吉原に出入りして、その事情によく通じている者。「昔忘れぬ—の取りん坊とやらむの果なれば」〈評判・吉原大豆俵評判〉

よしび【好び・誼び】 親しい交わり。よしみ。「和好、与志比

(よしびし)」〈日本紀私記〉。「好、ヨシヒ」〈色葉字類抄〉

よしみ【好み・誼】①親しみ。親しい交わり。「日頃の―忘れ給はぬか」〈平治下・悪源太誅せらる〉。「やがて〔男女ノ〕―を結びて度度往来す」〈狐媚鈔〉 ②ゆかり。ちなみ。因縁。「かの源氏の大将の、荒れたる宿を尋ねつつ、露分け入り給ひける古き―も、今こそ思ひ知られける」〈義経記七〉

よじ・め『下一』節約する。内輪(うちわ)にする。「物の入目などを内端にするをも―・めると云ふなるべし」〈志不可起三〉

よしめ・き【由めき】『四段』上品である。名門らしい様子である。「気高く、もてなしなど恥づかしげに―・き給へり」〈源氏玉鬘〉。「右大将の、さばかり重りかに―・くも」〈源氏行幸〉

よしも【縦も】『副』《ヨシは許容・容認する意。モは係助詞》たとい。よしや。「あられ降り遠つ大浦に寄する波―寄すとも憎からなくに」〈万二七二九〉 †yösimö

よしや【縦や】『副』《ヨシは許容・容認する意。ヤは間投助詞》①(どうなろうと)ままよ。「流れては妹背の山のなかに落つる吉野の河の―世の中」〈古今八二八〉。「『―、憎きに』と隠しつるけしきを」〈かげろふ上〉 ②たとい(…でも)。「吉野河―人こそつらからめ早く言ひてしことは忘れじ」〈古今七九四〉

よしや【善しや】『感』《ヤは間投助詞》①了解または納得した時に発する語。よし、わかった。よしよし。「『―、皆聞きつるぞ、昌寛参れ』と召されたり」〈盛衰記三九〉 ②時分よしと見て相手をうながす時に発する語。よし、それ。そら、今だ。「『―八町二郎、―』と云ひければ、〔二郎ハ〕さしあげ、甲の天辺(てへん)に熊手を打ちかけ、ゑいやと引く」〈平治中・待賢門軍〉。「―者ども、勝(つか)に乗りて、大手は進め、搦手は廻れや」〈義経記五〉

よしやふう【よしや風】万治・寛文頃流行した、旗本奴よしや組の伊達(だて)風俗。大小長く、柄糸・下緒白く、刀のそりを反し、鍔元をくつろげて差し、髪を短く切り、白地の衣服・帯を着用した。首領三浦小次郎義也の名から出た称。「よしやがかり」「よしやづくり」とも。「上りたる物…―の帯の仕様」〈評判・吉原呼子鳥〉

よしよし【縦し縦し】『副』もうよろしい。いいから(勝手にしろ)。不満足ながら許し、あとは知らないという気持をこめて使う。「よろづにこしらへ聞え給へど…露の御答(いら)へもし給はず。『―、さらに見え奉らじ』」〈源氏葵〉 ↓よし〔副〕

よしよし・し【由由し】『形シク』いかにも風情がある。上品の趣がある。一流ではないまでも、予想外に風情や上品さのあるのにいうことが多い。「今も田舎びず、―・しくかはらかなる顔つき」〈宇津保楼上下〉。「法師なれど、いと―・しう恥づかしげなるさまにて」〈源氏手習〉 ↓よし(由)

よじらうウ:ロ【与次郎】①近世、京都悲田寺に居住した非人の長。平常は草鞋(わらじ)を造って売り、年末には節季候(せきぞろ)、新年には敲(たたき)となり、二月・八月・彼岸などには米袋を携えて乞食をした。敲の与二郎。「ふだん参らぬ―は〔年末ニ〕口を叩く」〈俳・類船集三〉 ②非人の称。「皆これ此所の―が御内儀達娘御達也」〈浮・好色旅日記四〉

よしゑ【縦しゑ】『感』《ヨシは許容・容認する意。ヱは間投助詞》決意・断念・放任の気持を表わす。ええよろしい。ええままよ。「たらちねの母に知らえず我が持たる心は―君がまにまに」〈万二五三七〉 †yösiwe **―やし**《ヤシは間投助詞》①ええままよ。「里人も語り継ぐがね―恋ひても死なむ誰(た)が名告らめや」〈万二八七三〉 ②たとい…でも。「―直(ただ)ならずともぬえ鳥のうら嘆(な)け居りと告げむ子もがも」〈万二〇三一〉

よしをか【吉岡】「吉岡染」の略。「―の風を染め出せる当世様のたをやめ」〈仮・石山寺入相鐘上〉 **―ぞめ**【吉岡染】「憲法染(けんぽふぞめ)」に同じ。「―。西洞院四条吉岡氏始めて黒茶色を染む。故に―と謂ふ」〈雍州府志七〉

よすが【縁・因・便】《奈良時代ヨスカと清音。ヨス(寄)カ(処)の意。類義語ユカリは、たぐって行くと何らかの縁のあることで、多く人間関係にいう》①身を近づけ寄せる所。「任那(みまな)若し滅びなば、汝(いまし)則ち資(よすか)無からん」〈紀欽明二年〉。「〔橘ノ木ハ〕ほととぎすの―とさへ思へばにや、なほさらにいふべうもあらず」〈枕三八〉 ②(引かれて)気持を注ぐ所。心のよりどころ。「志賀の山いたくな伐りそ荒雄らが―の山と見つつ偲(しの)はむ」〈万三八六二〉 ③血縁者。親類。「このいはけなき内親王一人、取りわきてはぐくみ思して、さるべき―をも御心に思し定めてあづけ給へ」〈源氏若菜上〉。「家を出でて世を背けり。もとより妻子なければ捨てがたき―もなし」〈方丈記〉 ④手がかり。「人の身は得がたくあれば法の為(た)の―となれり努め諸諸(もろもろ)」〈仏足石歌〉。「伝へ聞ゆべき―だになくて」〈源氏関屋〉。「さらでは憂世を渡る―をばいかにしつらんとか思ふらん」〈平家三・有王〉 †yösuka

よすがら【夜すがら】『副』夜一晩中。「此の―に眠(い)も寝ずに」〈万三九六九〉 ↓すがら。 †yosugara

よすぎ【世過ぎ】生計を立てること。世渡り。「ただ―にする者と同じ事ぞ」〈蓬左文庫本臨済録抄〉

よすてびと【世捨人】遁世した人。僧や隠者などをいう。「道のほとりに札を立てたるを見れば、無縁の―ある由を書けり」〈東関紀行〉。「山かげの住みよくなれる―」〈兼載独吟千句註〉。「桑門、ヨステビト」〈文明本節用集〉

よすてもの【世捨者】「世捨人」に同じ。「自らは好色中興の―」〈西鶴・男色大鑑六〉

よ・せ【寄せ】㊀『下二』《ヨシ(由)と同根。ヨリ(寄)の他動詞形》❶空間的に、ある地点に近づける。①側に近づかせる。「多胡(たご)のねに寄せ綱はへて―・すれども」〈万三四一一東歌〉。「屋の上に飛ぶ車を―・せて『いざ、かぐや姫』」〈竹取〉 ②(波などが)迫り近づける。「家づとに貝そ拾(ひり)へる浜波はいやしくしくに高く―・すれど」〈万四四一一〉。「黒鳥のもとに白き波を―・す」〈土佐 一月二十一日〉 ③敵陣に迫る。「〔海伝イニ〕まはりてこそ―・せさせ給ふべく候」〈宇治拾遺三二八〉。「六波羅へは―・せずして、手勢五十余騎河原をのぼりに落ちられければ」〈平治中・待賢門軍〉 ④立ち寄らせる。「一条の院に造らせ給ひたる一間のところには憎き人はさらに―・せず」〈枕二九二〉 ⑤ひと所に集める。より合わせる。「沖辺より船人のぼる呼び―・せていざ告げやらむ旅の宿りを」〈万三六四三〉。「見苦しきもの。衣(ぬき)の背縫ひ、肩に―・せて着たる」〈枕一〇九〉 ⑥身を託する。まかせる。「泣く泣く無智の境に身を―・せむとは」〈平家七・聖主臨幸〉 ⑦送り届ける。「勝ち給はむ方に花を―・せてむ」〈源氏竹河〉。「この八講の料に、かの国の田を―・せつ」〈今昔一四ノ一一〉 ⑧霊魂を憑(よ)りつかせる。口寄せをする。「去りにけん親を―・せたるあづさ弓」〈俳・寛永十三年熱田万句三五〉 ❷心理的・抽象的に、他と関係をつける。①気持を傾ける。頼りにする。「大伴の名に負ふ靫(ゆき)帯びて万代に頼みし心いづくか―・せむ」〈万四八〇〇〉。「をみなへし秋のの風にうちなびき心ひとつをたれに―・すらん」〈古今二三〇〉 ②味方する。「日ごろ心を―・せ奉りし月卿雲客、両方に引き分って手をにぎり心をくだき給へり」〈平家八・名虎〉 ③感情や考えを懐く、また、表明する。「首を稽(たい)し誠を帰(よ)せ、心を至して彼の諸の世尊を礼敬し奉る」

よ

〈金光明最勝王経平安初期点〉。「すきずきしき方に疑ひ—・せ給ふ」〈源氏 末摘花〉 ④気持を託する。「西宮の大臣は、多田の満仲が讒言(ざんげん)にて、恨みを山陽の雲に—・す」〈平家二・小教訓〉 ⑤因縁をつける。上代では男女の関係ありとする意が多い。「葛飾(かづしか)の真間(まま)の手児奈(てごな)をまことかもわれに—・すとふ真間の手児奈を」〈万三三八四〉。「前の二の文に聞(よ)せて、此の二の疑を生ず」〈法華義疏長保点〉 ⑥口実を作る。かこつける。「横川に通ふ道のたよりに—・せて、中将ここにおはしたり」〈源氏手習〉 ⑦罪をかぶせる。「諸の神たち罪過(つみ)を素戔嗚尊に帰(よ)せて、科(おほ)するに千座置戸(ちくらおきと)を以てして、遂に促(せ)め徴(はた)る」〈紀神代上〉 ⑧《多く歌論用語として》関連づける。通わせる。縁語化する。「それに—・せてつくりかさねたる心をよめり」〈奥義抄〉。「右〔ノ歌〕おなじ波あるに、岸に—・せたればたよりあり」〈袋草紙下〉 [二]『名』①心を寄せること。信頼。後援。「心及ばぬこと、はた、をさをさなき人のらうらうじさなれば、大方の—、おぼえよりはじめ、なべてならぬ御有様かたちなるに」〈源氏 藤裏葉〉 ②ある人に心を寄せ、その一身上の世話をする人。後見(こうけん)。「無品親王の外戚の—なきにてはただよはさじ」〈源氏 桐壺〉 ③縁故。「させることの—なけれども」〈徒然一五六〉 ④いわれ。口実。名目。「唐土(もろこし)にも国を争ひて戦をなす事、数へつくすべからず。それも皆一ふし二ふしの—はありけむ」〈増鏡三〉 ⑤〔歌論用語〕縁あるものに関連づけること。縁語。「一、歌には—あるがよき事。衣には、裁(た)つ、着る、裏(うら)」〈八雲口伝〉 †yöse

よせい【余情】 ①言外にただよう情緒・雰囲気。「吉野山花は匂ひにこぼれ落ちて袖に知られぬ嶺の春風。…右、風体はよろしきを、—の過ぎたるにや」〈民部卿家歌合〉。「—ありて優艶に侍れど」〈建長八年百首歌合〉。「春雨よ木の葉みだれし村時雨それもまぎるるかたは有りけり。…五文字に—をふくめり」〈拾遺愚草抄出聞書〉 ②趣のあること。「心に含んで—風流をなさん事もっともなるべし」〈わらんべ草三〉 ③外見を飾ること。奢ること。見栄を張ること。「幕際へ鏡を持たせたりし…ただ—ばかりと見えたり」〈わらんべ草一〉。「弁舌の軽口聞けば姿まで—の有りて心憎し」〈俳・佐夜中山四〉 **—もの【余情者】** 外見を飾り奢る者。見栄坊。「—月〔ヲ眺メ〕に並びの岡越えて」〈俳・紀子大矢数下〉

よせか・け【寄せ掛け】『下二』①他のものにもたせかける。たてかける。「屏風(びやうぶ)の袋に入れこめたる、所所に—・けたる」〈源氏東屋〉 ②攻撃をかける。攻め寄せる。「ほのぼの(夜明ケ方)に—・けたりけるに、頼賢・為朝勢ずくなにてひしと支へたりけるに」〈愚管抄四〉

よせがまち【寄框】 商店などの入口の敷居。昼間は取り外し、夜、戸を閉める時に取り付けるようにしたもの。「かいつぶり網代に浪や—」〈俳・発句帳四〉

よせごと【寄事】 かこつけ言。口実。寄せ詞。「連歌は—にて、〔本能寺ノ〕責め口の手遣ひを案じ給ふによってなり」〈義残後覚五〉

よせじまおび【寄縞帯・寄島帯】 色替りに各種の縞模様を織った帯。「十三替りの—」〈西鶴・嵐無常上〉

よせしゅ【寄衆】 攻め寄せる軍勢。寄せ手。「—、新手(あらて)を入れ替へ入れ替へ揉み立てて攻めければ」〈室町殿日記八〉

よせだいこ【寄太鼓】 ①大勢で押し寄せ、攻め寄せる時に打つ合図の太鼓。「今は時分もよきぞとて、—をとうとうと打つ」〈伽・小夜姫草子〉 ②客寄せのために打つ櫓(やぐら)太鼓。「—を打ち鳴らしける程に」〈評判・露殿物語〉

よせつぎ【寄接】 接木の一法。他の立木に生えたままの接穂を寄せ合わせて包んで置き、癒合したのち接穂の根を切断するもの。よびつぎ。「—の枝や連理の玉椿」〈俳・塵塚誹諧集下〉

よせつな【寄綱】 引きよせる綱。「多胡(たご)の嶺に—延(は)へて寄すれども」〈万三四一一東歌〉 †yösetuna

よせて【寄手】 攻める側の軍勢。「—も矢先を揃へて射けり」〈盛衰記四六〉

よせぶみ【寄文】 寄進または帰属の旨を書き記した証文。荘園などの寄進状。「今—に就きて、事情を案ずるに」〈石清水文書一、延久四・九・五〉。「延暦寺に寄する—を書きまうけて『それに判を加へよ』とおし責めければ」〈今昔三一ノ二四〉

よそ【四十】《ソは十》しじゅう。「とを・はた・みそ・—」〈源氏空蟬〉

よそ【余所】《かけ離れていて容易に近寄りがたい場所、またそのような関係の意。転じて、全く無関係であること、局外者の意。類義語ホカは中心点からはずれた端の方の所の意》❶かけ離れていて関係のない所。①位置的に近寄れない所。かけ離れた所。「天雲の—のみ見つつ言問はむ縁(よし)の無ければ心のみむせつつあるに」〈万五四六〉。「闇の夜に鳴くなる鶴の—のみに聞きつつかあらむ逢ふとはなしに」〈万五九二〉 ②(場所的に)縁が無いこと。無縁であること。「光なき谷には春も—なれば咲きて疾(と)く散るもの思ひもなし」〈古今九六七〉 ③(内(うち)に対して)外(そと)。「御涙に咽(むせ)ばせ給ふとばかりこそ、御車の—へは聞えけれ」〈保元下・新院讃州〉 ④他の領分。「貝をおほふ人の、我が前なるをばおきて、—を見渡して、人の袖のかげ、膝の下まで目をくばる間(ま)に」〈徒然一七一〉 ❷相手の人と直接のつながりがないこと。①血縁関係がないこと。「〔秘密ヲ〕—の人は漏り聞けども、親に隠すたぐひこそは昔物語にもあめれど」〈源氏夕霧〉 ②疎遠な関係。「〔婿デアル〕この大将の君の、今は—になり給はむなむ、飽かずいみじく思ひ給へらるる」〈源氏葵〉 ③男女の関係がないこと。「さればよ、なほ—の文通はしのみにはあらぬなりけり」〈源氏蜻蛉〉 ④世間一般。「まして女はさる方(山里)に絶えこもりて、いちじるくいとほしげなる—のもどきを負はざらむなむ良かるべき」〈源氏椎本〉 ⑤仲間はずれ。「これほどにもてなし興じあへるに、身の力なくて、そこばく多かる殿原の中に、われ一人—なるが」〈著聞四二三〉 †yösö

よそか【四十日】 しじゅうにち。「ひく船の綱手の長き春の日を—五十日(いか)まで我は経にけり」〈土佐二月一日〉

よそがま・し【余所がまし】『形シク』きわめてよそよそしい。「御身こそ—・しくし給へ」〈曾我八〉

よそぐるひ ルイ **【余所狂ひ】** 夫が妻以外の女に夢中になること。「子を持ちてより止む—」〈俳・天神の法楽〉

よそだ・ち【余所立ち】『四段』いかにもよそよそしく感ぜられる。薄情に見える。「草繁み沢に縫はれて伏す鴫(しぎ)のいかに—・つ人の心ぞ」〈山家集下〉

よそぢ【四十】《ヂは数詞にそえる語》しじゅう。また、四十歳。「—の賀」〈古今三五〇詞書〉。「籠物(こもの)四十枝(よそえだ)、折櫃物(をりびつもの)—」〈源氏若菜上〉。「仮名(かな)の—余り七文字…〔和歌ノ〕三十文字(みそもじ)余り一文字」〈千載序〉

よそながら【余所ながら】『連語』①自分とは無関係ながら。「—わが身に糸のよるといへばただいつはりにすぐばかりなり」〈古今一〇五四〉 ②遠くから。手をふれずに。「—思ひしよりも夏の夜の見果てぬ夢ぞはかなかりける」〈後撰一七一〉

よそ・ひ イ **【装ひ】** [一]『四段』《正式な服装・道具などを整えしつらえる意》①衣服を立派に整える。正装する。「白栲(しろたへ)に舎人(とねり)—・ひて、わづか山御輿(みこし)立たして」〈万四七五〉。「君無くはなど身—・はむ匣(くしげ)なるつげの小櫛も取らむと思はず」〈万一七七七〉 ②(御殿・座席などを)特別にしつらえる。「わご大君皇子(みこ)の御門(みかど)を神宮(かむみや)に—・ひまつりて使はしし御門の人も白栲の麻衣着て」〈万一九九〉。「中の間(ま)は、院のおはしますべき御座(おまし)—・ひたり」〈源氏若菜下〉 ③装飾をほどこす。「白畳の上に仏の形像を画け。まさに木の膠を用ゐて雑に彩(うるわ)しく荘(かざ)り飾(よそ)へ」〈金光明最勝王経平安初期点〉。「厳、カザル・ヨソフ」〈名義抄〉 ④(航海などの)準備・支度をする。「年に—・ふわが舟漕がむ天の河風は吹くとも波立つなゆめ」〈万二〇五八〉 ⑤食物をきちんと整え用意する。主に目上の人に対していう。「今まさに飢乏す。何を以てか饋食(よそ)はすべき」〈大唐西域記七・長寛点〉 ⑥食器にきちんと盛る。「猫殿のまれまれおはいたるに、物—・へとぞ宣ひける。…田舎合子のきはめて大きに、くぼかりけるに飯(はん)うづたかく—・ひ」〈平家八・猫間〉 ㊁『名』 ①きちんと整えた服装。「赤玉は緒さへ光れど白玉の君が—し貴くありけり」〈記歌謡七〉 ②装飾。飾り。「かの山里の御住みかの具は、えさらず取り使ひ給ふべきものども、ことさら—も無く、事そぎて」〈源氏須磨〉 ③準備。支度。「試みに舟の—を設けて待ち侍りしに」〈源氏明石〉 ④衣服の揃ったものを数える語。「舞人、女の装束一—づつ賜ふ」〈宇津保春日詣〉 ⑤食器に食物を盛った数を数える語。「此の手盛にて二(ふた)—」〈近松・大職冠四〉 †yösöFi

よそびと【余所人】 縁のない人。他人。「臥し給へるさま—だに見奉らむに心乱れぬべし」〈源氏葵〉

よそ・へ(ヨソエ)【寄そへ】㊀『下二』《ヨシ(寄)ソヘ(添)の約か。甲を乙に引き寄せて並べ、両者を関係があるとする意。類義語ナズラヘは、別のものである甲と乙の資格が同等であるとして、二つを同一視する意》 ①両者の間に関係があるとする。「争へば神も悪(にく)ますよしゑやし—・ふる君が憎からなくに」〈万二六五九〉 ②かこつける。口実にする。「思ふどちひとりひとりが恋ひ死なばたれに—・へて藤衣(喪服)着ん」〈古今六五四〉 ③二つのものを比較してそっくりだとする。擬する。「沫雪(あわゆき)に降らえて咲ける梅の花君がり遣(や)らば—・へてむかも」〈万一六四一〉。「〔ススキハ〕冬の末まで頭(かしら)のいと白くおほどれたるも知らず、昔思ひ出顔に風になびきてかひろぎ立てる、人にこそいみじう似たれ。—・ふる心ありてそれをしもこそあはれと思ふべけれ」〈枕六七〉 ④たとえる。例に引く。「なつかしうらうたげなりしを思し出づるに、花鳥の色にも音にも—・ふべき方ぞなき」〈源氏桐壺〉 ㊁『名』 そっくりだという比較。また、比較して譬えること。「いでこのかたち(容姿)の—は、人腹立ちぬべき事なり」〈源氏玉鬘〉。「さまざまにかく思ひ寄りてのたまふ〔ケレドモ〕、『似げなの亡きが〔亡キ人トノ〕—や』とおぼす」〈源氏夕霧〉 †yösöFë

よそほ・し(ヨソオシ)【装ほし】『形シク』《動詞ヨソヒの派生語》 ①いかめしく立派で美しい。「〔紫上ガ宮中ヲ〕出で給ふ儀式の、いと殊に—・しく、輦車(てぐるま)など許され給ひて」〈源氏藤裏葉〉。「〔尚侍葬送〕さばかり—・しき御有様、いと所狭(ところせ)げなり」〈栄花楚王夢〉 ②威儀を正していて、ものものしい。重重しい。相手に圧迫感を与えるような有様・態度である。「〔葵上ハ〕例のうるはしく—・しき御さまにて、心うつくしき御けしきもなく」〈源氏紅葉賀〉。「〔斎宮ニ対スル〕大臣(おとど)の御もてなしも、やんごとなく—・しければ、〔帝モ〕あなづりにくくおぼされて」〈源氏絵合〉

よそほひ(ヨソオイ)【装ひ】《ヨソヒ(装)の派生語》 ①身なりを整えた姿。「この御足跡(みあと)を廻りまつれば跡主(あとぬし=仏)の玉の—思ほゆるかも」〈仏足石歌〉。「中宮の、—殊にて参り給へるに」〈源氏少女〉 ②正装。礼装。「天人の—したる女、山の中より出で来て」〈竹取〉 ③(気安い様子を許さぬような)よそ行きの態勢。「心の内をも隔てなく参りうけたまはらまほしきを、〔太政天皇トイウ〕さすがに何となく所せき身の—にて」〈源氏若菜上〉 ④装飾。飾り。「暁の露、珠を垂れて、蓮座の—を添ふとかや」〈平家二・山門滅亡〉 ⑤大袈裟な準備、恰好。「桂川のはたに輿(こし)かきすゑ、河を渡らんとしける—の紛れに、輿の内よりはひ出でて」〈保元下・為義の北の方〉。「己れも〔堂ノ中ニ〕入りて立てこめて〔鳥ヲ〕捕へつつ殺しける—おどろおどろしう聞えけるを」〈徒然一六二〉 †yösöFöFi

よそめ【余所目】 ①よそながら見ること。「—にも君が姿を見てばこそ我が恋止まめ命死なずは」〈万二八八三〉 ②はたの見る目。事情を知らない人がはたから見たところ。「白き物どもを品かづきて山ぎはより池の堤過ぐる程の—は、千年をかねて遊ぶ鶴の毛衣に思ひまがへらる」〈源氏若菜上〉 ③よそを見ているような目つき。わき目。「あたりなる花の—に山川のまろきの橋を踏みぞわづらふ」〈為忠後百首〉。「はじめての程は女ぞと思ひて—に見て通りしが」〈伽・じぞり弁慶〉 †yösömë

よそよそ ❶《ヨソはヨソヒ(装)のヨソ》 ①威厳があって近づきがたいさま。「威儀庠序(しやうじよ)とよそよそなり」〈羅摩伽経平安初期点〉。「行者の智恵のけしき—にして…五智の光かかやけり」〈栄花玉台〉 ②山が堂堂と高くそびえているさま。「崆峴、山盛高之皃。隆高也。山与曾与曾(よそよそ)奈利」〈新撰字鏡〉 ❷《ヨソ(他所)を重ねた語》 ①離れ離れなさま。「一二日のほど—に明し暮す折折だに」〈源氏須磨〉 ②血のつながりの無いさま。「—にて、悪しくも良くもあらむはいかがせむ」〈源氏浮舟〉 ③《副詞的に》 よそながら。「いにしへぞいと恋しき—に移ろふ色を聞くにつけても」〈栄花玉村菊〉 ④所在をぼかしていう語。そこらあたり。「其の銀で—のお山が一つ買うて見たい」〈近松・重井筒上〉

よそよそ・し【余所余所し】『形シク』 ①無関係である。また、かけ離れている。「あなうたて。いと—・しき事をも知らせ給ひにけるかな」〈狭衣三〉 ②隔てがましい。他人行儀である。「—・しからむもてなしに」〈狭衣二〉

よそ・り【寄そり】『四段』《寄シの派生語》 ①自然に寄せられる。自然に寄る。「荒山も人し寄すれば—・るとぞいふ」〈万三三〇五〉 ②関係があると言われる。「新田山(にひたやま)嶺には着かなな我(わ)に—・り間(はし)なる子らしあやに愛(かな)しも」〈万三四〇八東歌〉 †yösöri **—つま**【寄そり夫・寄そり妻】 関係があると噂を立てられた夫、また、妻。「一嶺(ひとね)ろに言はるものから青嶺ろにいさよふ雲の—はも」〈万三五一三東歌〉

よたか【夜鷹】 ①ヨタカ科の鳥。「恠鴟、与多加(よたか)、昼伏夜行鳴以為レ恠者也」〈和名抄〉。「惰鳥、ヨタカ」〈易林本節用集〉 ②近世、江戸で、夜間路ばたで客を引く売笑婦の称。「銭つかみたがるを—と名付け」〈浮・色道大鼓三〉

よだけ【よ竹】 若竹。一説、ヨは「節」で、節のある竹。「流れ来る竹のい組竹—」〈紀歌謡九七〉 †yödakë

よだけ【裄丈】 「ゆだけ」に同じ。「—裁つ袖にたたへて忍ぶかな袂の滝に落つる涙を」〈山家集下〉

よだけ・し【よ猛し】『形ク』《ヨはイヨ(愈)の転》 ①世間に対して仰仰(ぎやうぎやう)しい。「御しつらひなどの、事事(ことごと)しく—・くうるはしきに」〈源氏若菜上〉 ②(世間的にえらいの

で)大儀だ。「籠もり侍れば、よろづうひうひしう—・くなりにて侍り」〈源氏行幸〉

よだ・ち『四段』《イヨタチの転》身の毛が逆立つ。「御前に候ふ人人、身の毛—・ちて覚ゆ」〈宇治拾遺一九三〉

よ・だ・ち【夜立ち】『四段』夜、出かける。夜、出発する。「大君の命(みこと)畏みかなし妹が手枕離れ—・ち来のかも」〈万三四八〇東歌〉 †yodati

よだふれ(ヨ:ダオレ)【世倒れ】性行が悪くて落ちぶれた者。「其の身戒行あしくて落ちぶるる者を—と云ふ」〈志不可起三〉

よたらう(ヨタロ:ウ)【与太郎】①愚か者の擬人名。「一手先も見えぬ浮気がちなる—」〈評判・吉原雀上〉②嘘。また、嘘つき。「若やぐと言ふや嘘つき—月」〈俳・糸瓜草一〉。「—。うそ」〈洒・辰巳婦言〉

よだり【涎】《平安時代にはヨタリと清音。タリは垂リ》よだれ。「かしら白く、面しわみ、歯落ちて、—を垂る」〈今昔一ノ六〉。「涎、ヨタリ」〈名義抄〉。「涎、ヨダリ」〈下学集〉

よだる・し『形ク』《ヨはイヨ(愈)の転》疲れ切って非常にだるい。「—・かりし手足も立つや今朝の秋」〈俳・犬子集四〉。「倦怠、ヨタルシ」〈塵芥〉。「ヨダルイ」〈日葡〉

よだれ【涎】「よだり」の転。「—とろとろ垂らして見入れたまへり」〈盛衰記一七〉。〈文明本節用集〉 **—かけ**【涎懸】①幼児のあごの下に掛け、涎で衣服が濡れるのを防ぐ布。「赤子に—といふ物あり」〈壒嚢鈔三〉②のどを守るための武具。「半首(はつぶり)・—・鎖袴」〈庭訓往来六月十一日〉。「涎懸、ヨダレカケ、喉輪(のどわ)の事」〈運歩色葉集〉 **—くり**【涎繰り】涎をたらす者。馬鹿。「—西は三十三ケ国〔二居ズ〕」〈俳・天満千句〉。〈日葡〉

よち【同輩】同じ年ごろ。同じ年ごろの子供。「この川に朝菜洗ふ児汝(なれ)も吾(あれ)も—をそ持てるいで子賜(たば)りに」〈万三四四〇東歌〉 †yöti

よ・ぢ【攀ぢ】『上二』①つかんで引く。「〔橘ヲ〕—・ぢて手折りつ」〈万一五〇七〉。「侍者の沙彌、密に縄床の下に於て、—・ぢ援(ひ)へ潜(かく)れ隠る」〈大唐西域記一・長寛点〉。②(手蔓として)すがる。すがりつく。「善業縁に—・ぢて安き堺(さかひ)に引く」〈霊異記中序〉③(木や山に)取りすがるようにして登る。「雪岫(せつしう)を下(くだ)して、提河に泛(うか)び、鶴林を援(ちよ)て鷲嶺に栖(や)どること、遂に得むや」〈玄奘法師表啓平安初期点〉 †yödi

よちか・し【世近し】『形ク』命の終りが近い。「むげに—・くなりぬる心地して、もの心細きを」〈源氏若菜下〉

よちこ【同輩児】同じ年ごろの子供。「—らと手たづさはりて遊びけむ時の盛りを」〈万八〇四〉 †yötiko

よぢ・り【捩り】『四段』身をくねらせる。「『いかにせん、いかにせん』と、—・りすぢりする程に」〈宇治拾遺七六〉

よぢりふどう【捩り不動】背の火炎が燃えゆらぐさまを、真にせまったように描写した不動明王の画像。「其の後にや、良秀(絵仏師ノ名)が—とて今に人人めであへり」〈宇治拾遺三八〉

よつ【四つ】①よっつ。「—の船、船の舳(へ)並べ」〈万四二六四〉②四歳。「かの若君の—になる年ぞ筑紫へは行きける」〈源氏玉鬘〉③第四。「—にはたとへうた」〈古今序〉④昔の時刻の名。巳(み)の刻と亥(ゐ)の刻。四つ時。「時は、山寺、わざの貝、—吹く程になりにけり」〈かげろふ中〉⑤「四宝銀(よつほうぎん)」の略。正徳元年改鋳した、宝字を四つ刻してある悪質銀貨。後に鋳造した享保銀の四分の一の価値で通用した。「四宝(よつぼう)」とも。「—三貫目の才覚」〈近松・天網島中〉 †yötu

よっ『感』①驚嘆して発する声。「あっ跳ねたり…—越えたりと、ほめぬ者こそなかりけれ」〈盛衰記一五〉②応答の声。「—と答へたは咲面なれども」〈襟帯集〉

よつあし【四足】①四足の門。円形の二本の大柱の前後に方形の袖柱をそれぞれ二本立てた門。四脚(しきやく)門。「ひんがしの門(かど)は—になして、それより御輿は入らせ給ふ」〈枕八〉②獣。「恐れをなして—の影」〈俳・大矢数四〉。〈日葡〉③人をののしる語。けもの。しそく。「腐り女の—めに」〈近松・天網島中〉

よつい《ヨツユヒ(四つ結)の転か》①相撲などのまわしが、うしろで丁字形に交叉する部分。みつ。「違ひざまに—を取り、足を抜きて、はね廻れ」〈曾我一〉②馬の鞦(しりがい)と鞅(むながい)が鞍骨で交叉する部分。「—にのりこぼれて游がせよ」〈盛衰記三五〉

よづかは・し(ヨ:ツカワシ)【世付かはし】『形シク』異性の事がよくわかる。恋愛の経験がある。「気高うもてなし聞えむとおぼいたるに、—・しう軽軽しき名のたち給ふべきを」〈源氏夕霧〉

よつぎ【世継・代継】①家系の相続をすること。また、その人。跡取り。継嗣ぎ。「此の御子を—の御位になし給へと申ししかば」〈謡・海士〉②「世継の物語」に同じ。「かやうの事は—など見るにも、そのこと書かれたる所は、いかにぞや覚えて」〈讃岐典侍日記〉 **—のものがたり**【世継の物語】宮廷を中心に、系図の順序を追ってしるした歴史物語。大鏡や栄花物語の類。「保元の乱いできて後の事も、また—と申すものを書きつぎたる人なし」〈愚管抄三〉

よづ・き【世付き】『四段』①世間普通の様子である。「今年よりだに〔態度ヲ〕すこし—・きて改め給ふ御心見えばいかに嬉しからむ」〈源氏紅葉賀〉。「〔御産デ〕御身よりただ物も覚えぬ水のさと流れいづれば、いとあやしく、—・かぬ事に人人見奉り思へど」〈栄花浦浦別〉②男女の仲を知る。「この君や—・いたるほどにおはするとおぼすらむ」〈源氏若紫〉。「いとかう—・かぬ御添臥ならむとは思はざりけり」〈源氏紅葉賀〉③世間並みに結婚をする。「皇女(みこ)たちの—・きたる有様は、うたてあはあはしきさまにもあり」〈源氏若菜上〉④世のけがれに染まる。俗っぽくなる。「九重の神さびたるこそ—・かずめでたきものなれ」〈徒然二三〉

よつどき【四つ御器】四つで一揃いの食椀。簡単なものに三つ御器・二つ御器がある。「朱椀—拾人前」〈隔蓂記寛文三・一一・二七〉

よつじろ【四白】①馬の毛色の名。ひざから下が四本とも白いもの。「騸、ヨツジロ」〈名義抄〉②雪駄(せった)の異称。「雪を踏む下駄や—駒の爪」〈俳・敝帚四〉

よつすぎ【四つ過ぎ】《四つ時過ぎ頃の意から》物がまだ新しいこと。「まだ—の緋縮緬」〈黄・江戸生艶気樺焼下〉

よつだけ【四竹】四枚の竹片を二枚ずつ両手に握り、掌を開閉して打ち鳴らす楽器。「—騒ぐ竹の都路」〈俳・江戸三吟〉

よったり【四人】「よたり」の促音化。「都合—の御許しなり」〈ロザリオの経〉

よっ【四つ】 **—に・する** 姦夫・姦婦を重ねて一刀両断にする。姦通の成敗をする。「寝さして置いて—・する」〈近松・壬生大念仏上〉

よつつじ【四辻】①道が十字形に交叉している所。道の四つ角。「一町ばかり登りて—のありける所にて」〈三国伝記三〉②相撲などのまわしが後で丁字形に交叉している所。「中納言、腹くじりが—を取り、前へ強く引かれたりければ」〈著聞三七九〉

よって【依って】㊀『連語』《ヨリテの音便形》理由を表わす語。…から。「文をも上(のぼ)さぬに—、腹をお立ちゃるはもっともなれども」〈天理本狂言六義・鈍太郎〉 ㊁『接続』それだから。「先帝弱年にして崩じぬ。是すでに天のうけざる所あきらけし。―此の時に重仁親王嫡嫡正統なり」〈保元上・新院御謀叛思し召し〉

よつで【四手】 ①相撲で、互いに諸手を差して取り組むこと。「―にむずと組うだる答話ぞ」〈人天眼目抄八〉 ②四隅を竹で張り拡げた方形の網。四つ手網。「堀へ―入れ、魚獲る」〈松平大和守日記万治二・五・六〉 ③四本の竹を柱とし、割竹で簡単に編んだ粗末な駕籠。江戸で、庶民用のもの。四つ手駕籠。「―めが呼んだ奴さと素見物」〈雑俳・万句合明和八〉 ④「四手づけ」の略。「下手のしたる句は、―に寄り合ひたるやうにて心が退(の)く也」〈九州問答〉 **―かご【四手駕籠】**「四手(よつで)」(3)に同じ。「―乗る気の奴はそっと呼び」〈雑俳・万句合明和四〉 **―づけ【四手付】**〔連俳用語〕付合手法の一。前句の付所(つけどころ)二つ以上に付けること。「二、―の事」〈初心求詠集〉。「―とて古来嫌ひ侍るよし。付け過ぐるを申すにこそ」〈俳・毛吹草二〉

よつのうみ【四つの海】「四海」の訓読語。「―波の声きこえず、九つの国みつきもの絶ゆる事なし」〈後拾遺序〉。「うらうらに照らすや春日―」〈再昌草一九〉

よつのかりもの【四つの借物】 人間の身体または生命。人間は地水火風の四大(しだい)を借りて此の世に生れたという思想による語。「世(人生)は済(な)し崩し―」〈俳・江戸十歌仙〉

よつのとき【四つの時】 春夏秋冬の四時。「天の下しろしめすこと、―、九返(ここのかへり)になりぬ」〈古今序〉

よつのふね【四つの船】 四隻の船。遣唐使の大使・副使・判官・主典とそれぞれの随員が分乗した四隻の船。「―はや帰り来(こ)としらかつけわが裳の裾に斎(いは)ひて待たむ」〈万四二六五〉 †yötunöFune

よつのへみ【四つの蛇】 人を不浄にする四つの元素。四大(しだい)。人の身が、地水火風の四つの元素からできていることを四匹の蛇にたとえたもの。「―五つの鬼(もの)の集まれるきたなき身をば厭ひ捨つべし離れ捨つべし」〈仏足石歌〉 †yötunöFëmi

よつのを【四つの緒】 琵琶(びわ)の異称。「―の調べは今日をはじめにて」〈弁内侍日記〉。「―は琵琶の事也」〈春夢草注雑〉

よつばり【夜渡】 寝小便。よじと。よばり。〈下学集〉 **―こき【夜渡こき】** 寝小便たれ。蔑称としても使う。「この―の小餓鬼めを突き殺してくれんものを」〈碧岩抄四〉

よつばれ【四つ晴】 四つ時に雨が晴れ上がること。すぐまた降り出すことが多いので、「四つ晴に傘捨てよ」という。「―や五月の雨の足休め」〈俳・埋草二〉

よっぴ・き【よっ引き】『四段』《ヨクヒキの転》 弓を十分に引きしぼる。「―・いて、ひゃうど射ければ」〈平治中・六波羅合戦〉。「―・き、ひゃうど放つ矢に」〈謡・鵺〉

よっぴとい【夜一夜】《ヨヒトヨの転》 一晩中。夜通し。終夜。よっぴて。「夜一夜(よひとよ)と云ふべきを―」〈俳・かたこと三〉。〈日葡〉

よっぽう【四宝】「四つ」(5)に同じ。「諸芸がくろめば受け取る―」〈評判・役者色系図江戸〉

よっぽど《ヨキホドの転》 ①ちょうどよい程度。頃合い。「さのみ力の強うもなく、又さのみ力の弱うもない人なり。―なる力の人の」〈六物図抄〉 ②いい加減に見当をつけた程度。およそのところ。「昭襄王からは―百余年であらうぞ」〈史記抄四〉 ③かなりの程度。相当。「―仁の道なれども、まだ向上には至らぬぞ」〈春鑑鈔〉。「敵の五六万騎に、今川が七百余騎は―の相手なり」〈浄・今川物語五〉

よづま【夜妻】 夜を共にする妻、また夫。「親はありくとさいなべど、―さだめつや」〈催馬楽いかにせむ〉。「―なんどは、男女に互ひに云ふことば也」〈古今集註〉

よつみ【四身】 和服の裁ち方の一。並幅の身丈の四倍で前後身頃・衿・衽(おくみ)を裁つこと。また、その裁ち方で仕立てた着物。五、六歳から十二、三歳の小児の衣服。「振袖は涙乾かぬ―裁ち」〈俳・大矢数三〉。「姫に―の似合ふ染衣(そめぎぬ)」〈俳・熊野鳥〉

よづめ【夜詰】 ①夜、敵を攻撃すること。「大風や大雨の降る時にこそ―夜討は入るるものなれ」〈義経百首〉 ②夜、出仕して勤務すること。「今夜より、近侍の輩、御―赦さしめ給ふ」〈駿府記慶長一七・三・九〉 ③夜、働くこと。夜業。「しかるに、―までは情なし」〈仮・御伽物語一〉

よつめや【四つ目屋】 江戸両国米沢町にあった、秘薬・秘具専門の薬屋。四つ目忠兵衛と称し、四つ目結が家紋で、黒行燈を看板にし、最も有名な薬は長命丸であった。「―でいりわけを聞く浅黄裏」〈雑俳・万句合明和五〉

よつもん【四つ門】 遊里で、夜の四つ時に大門を閉めること。泊り客以外は此の時帰る定めであった。「―打つとて触るれば」〈西鶴・諸艶大鑑六〉

よつもん【四つ紋】 紋を四つ付けたもの。「紫に―の後帯」〈西鶴・男色大鑑二〉

よつら【寄絃】 神降しのために梓弓(あづさゆみ)の弦を鳴らすこと。「四の御許(おもと)は巫女(かむなぎ)なり。占(うら)・神遊(かぐら)・―・口寄(くちよせ)の上手也」〈新猿楽記〉。「日本国の中に今までもし伝へて、あづさ―といふ事はし侍る也」〈耀天記〉

よて 肥満。「初時雨―な女の後帯」〈俳・白馬上〉。「芹(せり)すずな―に太った後帯」〈俳・駒掫上〉

よて【因て・依て・仍て】『接続』そこで。それゆえに。「これによりて神怒りをなし給ふにや。―仏像を難波堀江に流し棄て」〈愚管抄一〉

よでふはん【四畳半】 畳四枚半の広さの部屋。茶室や待合などに用いる。「―の座〔敷〕へ這ひ入り候」〈上井覚兼日記天正二・三・九〉

よと【夜音】 夜、聞える音。夜のものおと。「あづさ弓爪(つま)引く―の遠音(とほと)にも」〈万五三一〉 †yotö

よど【淀】 流れる水のとどこおること。また、その所。「落ちたぎち流るる水の岩に触れ淀める―に月の影見ゆ」〈万一七一四〉。「澱、ヨドム・ヨドミ・ヨド」〈名義抄〉 †yödö

よとぎ【夜伽】 夜の相手をつとめること。また、その人。「有明(行燈)は世界の人の―かな」〈俳・鸚鵡集七〉

よどこ【夜床】 夜の寝床。「剣大刀身にそへ寝ねばぬばたまの―も荒るらむ」〈万一九四〉 †yödökö

よどごひ【淀鯉】 山城国淀川で獲れる鯉。「近江鮒に―」〈伽・酒茶論〉

よどせ【淀瀬】 水のよどんでいる浅瀬。「―には浮橋渡し」〈万三九〇七〉 †yödöse

よとで【夜戸出】 夜、人の送り迎えなどに戸口を出ること。「我妹子(わぎもこ)が―の姿見てしより心空なり地(つち)は踏めども」〈万二九五〇〉 †yotode

よどの【夜殿・寝殿】 貴人が夜寝る所。寝所。「置く霜の暁おきを思はずば君が―に夜離(が)れせましや」〈後撰九一五〉。「寝殿、禰夜(ねや)・与止乃(よどの)、寝室也」〈和名抄〉

よど・み【淀み】 ㊀『四段』 ①流れる水がとどこおってとまる。「落ちたぎち流るる水の岩に触れ―・める淀に月の影見ゆ」〈万一七一四〉 ②ものごとがすらすら進まない。とどこおる。「初花の散るべきものを人言の繁きによりて—・むころかも」〈万六三〇〉。「淀、ヨドム」〈名義抄〉。「澱、ヨドム・ヨドミ・ヨド」〈名義抄〉 ㊁『名』よどむこと。また、よどんでいる所。「—に浮ぶうたかたは、かつ消えかつ結びて」〈方丈記〉。「河の—を、とはぬ絶え間に寄せたり」〈古今集註〉 †yödömi

よとり【世取り・代取り】「よつぎ」(1)に同じ。「千三百石の—」〈近松・丹波与作上〉

よな【米】《イナ(稲)の母音交替形か》「よね」の古形。「倉廩、与奈久良(よなくら)」〈和名抄〉

よな『助』《感動を表わす間投助詞ヨに、終助詞ナの添ったもの。平安後期以後の形》①文末に使われ、感動や確認を表わす。…だな。…だね。「七十の翁の言ふ事を、かく宣ふ—。あなはづかしや」〈栄花輝く藤壺〉。「いでその時の鉢の木は梅桜松にてありし—」〈謡・鉢木〉 ②文中で使われ、念を押しながら話をすすめる気持を表わす。…(は)だね。「人人に申さんずるやうは—、『…』と申せ」〈平家一〇・維盛出家〉。「四部の弟子は—、比丘よりは比丘尼は劣り、…優婆塞より優婆夷は劣れり」〈徒然一〇六〉

よなか【夜中】宵が過ぎて、まだ暁に至らない時間。夜の更けた頃。上代の、夜の時間区分ユフベ→ヨヒ→ヨナカ→アカツキ→アシタの第三番目の部分の称。妻訪い婚の時代には男が女の家に泊っている時間にあたる。「金門(かなと)にし人の来立てば—にも身はたな知らず出でてそ逢ひける」〈万一七三九〉。「夜更くる迄おはしまさで…—近くなりて」〈源氏総角〉。「母なる朽ち尼の侍るを…—暁にもあひ訪はんと」〈源氏夢浮橋〉 †yonaka

よなが【夜長】秋、夜が長いこと。「九月になりぬれば、—になりまさりて、悩ましき御心地いとどまさりて」〈栄花玉飾〉

よなき【夜鳴き・夜泣き】夜、小鳥や赤子などがなくこと。「ほととぎす—をしつつ我が背子を安眠(やすい)な寝しめゆめ心あれ」〈万四一七九〉。「苦しげなるもの。—といふわざする児(ちご)の乳母(めのと)」〈枕一五七〉 †yonaki **—かへら・ひ**【夜泣きかへらひ】『四段』毎夜くり返し泣く。「朝日照る佐太の岡辺に鳴く鳥の—・ふこの年ころを」〈万一九二〉 †yonakikaFerapi

よなべ【夜鍋・夜業】夜、仕事すること。夜仕事。訛って「ようなべ」とも。「物思へば—の扇打ち置きて」〈俳・紅梅千句〉。〈日葡〉

よなほし【世直し】①縁起直し。「逢ひ初めし揚屋を客の嫌ふとも—言ひて宿を替ゆるな」〈色道大鏡四〉。「—に野分の跡は酒買ふて」〈俳・みとせ草上〉 ②地震・雷などの時、唱える呪文。「——と大声にて呼ばはりける」〈俳・俳諧百韵之抄〉 ③悪政を改革すること。「今日只今、—〔ノ〕神神来て現罰を当て給ふ」〈鴨の騒立〉

よなみ【世並み】①世の中一般。世間並み。「酒の代り(代価)も—にまさりて高直(かうぢき)になん売るほどに」〈遠近草中〉 ②(流行病などの)流行。はやり。「屋形—〔ノ〕咳気に就き之(護摩)を行なふ」〈快元僧都記天文四・二・二八〉

よなよな【夜な夜な】①夜ごと。「思ひ寝の—夢に逢ふことをただ片時の現(うつつ)ともがな」〈後撰七六七〉。「わりなきさまにて—対面し給ふ」〈源氏賢木〉 ②夜夜。「ひとり大殿籠もる—多く」〈源氏若菜下〉

よならべて【夜並べて】『連語』夜を重ねて。毎夜。「—君を来ませとちはやぶる神の社を祈(の)まぬ日はなし」〈万二六六〇〉 †yonarabëte

よな・れ【世馴れ】『下二』①男女の交わりに馴れる。男女の間のことによく馴れている。「姫君の御前にて、この—・れたる物語など、な読み聞かせ給ひそ」〈源氏蛍〉 ②世態、人情に通じる。「心知らぬ人に、心得ず思はすること、—・れず、よからぬ人の必ずあることなり」〈徒然七八〉

よに【世に】『副』①《打消の語を伴って》決して。断じて。「我が妻はいたく恋ひらし飲む水に影(かご)さへ見えて—忘られず」〈万四三二二〉。「すきがましきさまには—見え奉らじ。思ふ事すこし聞ゆべきぞ」〈源氏帚木〉 ②いかにも。ほんとに。「憂きものに思ひおかれはべりにしをなむ—いとほしう思ひ給ふる」〈源氏澪標〉。「たぐひなく—おもしろき鳥なればゆかしからずと誰か思はむ」〈金葉六〇三〉 †yöni

よになしもの【世に無し者】落ちぶれている者。日陰者。「—など仰せられ候ひて〔相手ガ〕持ち給へる太刀の背にて一打ちも当てられさせ給ふな」〈義経記三〉。「有るか無きかの—、兄弟ならずは誰やの者か憐むべき」〈曾我七〉

よにも【世にも】『副』《「世に」を強めた語》①《打消の語を伴って》決して。どんなことがあっても。「海人をとめ潜(かづ)き取るといふ忘れ貝—忘れじ妹(いも)が姿は」〈万三〇八四〉 ②きわめて。いかにも。「宰相—苦しげにて」〈平家二・少将乞請〉 †yönimö

よによに【世に世に】『副』《「世に」を重ねて強調した形》非常に。きわめて。「郡司—よろこびて」〈宇治拾遺一〇六〉。「—。…殊に、又は誠になどの心なり」〈見聞愚案記三〉

よにん【四人】四人揃え。四人廻し。「科なき身にも忍び駕籠—に乗りさまに」〈西鶴・一代男七〉 **—がかり**【四人懸り】駕籠舁き四人で舁くこと。 **—ばり**【四人張り】四人もの力で張るほどの強弓。「弓矢を取る事、養由を欺く程の上手なり。—に十四束をぞ射ける」〈義経記四〉

よぬ・け【夜抜け】『下二』夜、こっそり逃げ去る。夜逃げする。「つひに—・けて、其処を出たぞ。逃げて去んだぞ」〈玉塵抄三〉

よね【米】《古形ヨナの転》こめ。「—・魚(いを)などこへば」〈土佐二月九日〉。「臼一つに女ども八人立てり。—精(しら)げたり」〈宇津保吹上上〉

よね【娼】遊女。「其のあたり余寒忘るる—の町」〈俳・絵合下〉

よねぐるひ【娼狂ひ】女郎買に夢中になること。遊女狂い。「江戸へ—に参ると申す」〈西鶴・一代男八〉

よねまんぢう【米饅頭】米の粉でつくった小豆餡の饅頭。近世前期、浅草金龍山の名物。「金龍山にはあらねども、戻りがひもじか—」〈仮・酒餅論上〉

よねん【余念】ほかの考え。他念。「ゆめゆめ—を思し召すべからず」〈平家二・大臣殿被斬〉 **—な・し**【余念無し】『形ク』①他の事を考えず、ひたすら専心している。「あさゆふ仏前に花香を供へ、—・く願ひければ」〈平家一・祇王〉 ②正体がない。「舟ばたにうちもたれ、頭(かうべ)を水ぎはまで下げて、—・く寝けるに」〈善悪報ばなし五〉

よの【世の】『連語』天下の。たいへんな。「—ひが者にて、交らひもせず」〈源氏若紫〉。「あまりいちはやくて—物言ひ(ヤカマシ屋)にてぞおはしける」〈今鏡六〉

よのかぎり【世の限り】寿命の続く限り。死ぬまで。「立ちしなふ君が姿を忘れずは—にや恋ひわたりなむ」〈万四四四一〉 †yönökagiri

よのぎ【余の儀】ほかの事。「ただ今参る事—にあらず」〈謡・放下僧〉

よのことごと【世の悉】一生の間ずっと。いつまでも。「我が率(ゐ)寝し妹は忘らじ—も」〈紀歌謡五〉 †yönökötögötö

よのことごと【夜の悉】一晩中。終夜。「夜はも—、昼はも日のことごと」〈万一五五〉 †yönökötögötö

よのさが【世の性】①世間の常。「後れ先だつほどの定めなさは―と見給へ知りながら」〈源氏葵〉②男女間での自然なこと。「かつ知りながら憂きを知らず顔なるも―と思ふ給へ知るを」〈源氏橋姫〉

よのすゑ【世の末】①さきの世。将来。「祝ひ聞ゆる御―思ひ遣るぞいとどしきや」〈源氏若菜下〉②後代。「―になるままにまさる事のみいでまうで来るなり」〈大鏡基経〉③晩年。「―にさだすぎつきなき程にて」〈源氏権〉。「〔婿ニ死ナレ〕はかなき―の有様を見給へ過ぐすべきにや」〈源氏柏木〉④衰えた世。末世。「かやうの物も、―になれば、上さままでも入りたつわざにこそ侍れ」〈徒然二一九〉。「―は墨の衣も武士(もののふ)の奴(やっこ)と成れる法(のり)ぞ悲しき」〈法華経直談鈔三本〉

よのつね【世の常】①世間なみ。普通。「―に聞くは苦しき呼子鳥声なつかしき時にはなりぬ」〈万一四四七〉。「世かはり時うつりにければ、―の人のごともあらず」〈伊勢一六〉。「尋常、ヨノツネ」〈名義抄〉②通りいっぺんである。陳腐で物足りない。「せむかたなく、いみじとも―なり」〈源氏宿木〉 †yönötune

よのなか【世の中】《ヨは人の一生。ナカは間・関係》❶人間の一生。①寿命。一生。「―を背きし得ねば、かぎろひの燃ゆる荒野に、白栲の天領巾(あまひれ)がくり」〈万二一〇〉。「古ゆ言ひつぎ来らし―は数なきものぞ」〈万三九七三〉②人生。「遊びあるきし―や常にありける」〈万八〇四〉❷人間社会。また、その中での人間関係。①（人間の）社会。「―の常の道理(ことわり)かくさまになり来にけらしすゑし種子(たね)から」〈万三七六一〉。「―に男は多しといへども、父君に似たる男は無し」〈東大寺諷誦文稿〉。「―の物語、このごろあることのをかしきも憎きも怪しきも、これかれにかかりて」〈枕三一〉。「世間、ヨノナカ」〈色葉字類抄〉②俗世。浮世。「かたくなしく心弱き惑ひにて―をなむそむきにける」〈源氏御法〉③世事。雑事。「―の繁き仮廬(かりほ)に住み住みて至らむ国のたづき知らずも」〈万三八五〇〉④俗世間での栄枯。世間での境遇。「高き家の子として官位(つかさくらゐ)心にかなひ、―盛りにおごりならひぬれば、学問などに身を苦しめむことはいと遠くなむ」〈源氏少女〉。「―といふもの、さのみこそ今も昔も定まりたること侍らね」〈源氏帚木〉⑤世間普通であること。「―の女にしあらば吾が渡るあなせの河を渡りかねめや」〈万六四三〉。「―の人の言葉と思ほすなまことぞ恋ひし逢はぬ日を多み」〈万二八八八〉⑥男と女の仲。「〔男ガ〕なほいと物深う、人柄のめでたきなども、〔女ガ〕―を知りにしはじめなればにや」〈源氏浮舟〉⑦国の政治。「―のこと、ただ半ばを分けて、大きおとど、このおとどの御ままなり」〈源氏澪標〉⑧国の政治をとる人。統治者。皇位。「―かはりて後、よろづ物うくおぼされ」〈源氏葵〉。「―に許され給ひて都に帰り給ふ」〈源氏蓬生〉❸人間界の周囲の状況。①自然界の様子。「秋待ちつけて、―少し涼しくなりては」〈源氏御法〉②天候。時候。「春秋の―もよく、五穀も思ひの外たくさんみのり」〈仮・小盃五〉③その年の農作の状態。農作物のできぐあい。また、豊作。「此の年は―凶、悪風八月吹きて、耕作殊の外也」〈妙法寺記文亀三〉。「其の年、西国筋―にて」〈浮・立身大福帳三〉 †yönönaka ―**どこち**【世の中心地】「よごこち」に同じ。「大納言―にわづらひて、三月二十日失せ給ひぬ」〈栄花見はてぬ夢〉

よのひと【世の人】①世間の人。「―の貴(たふと)び願ふ七種の宝も我は何せむに」〈万九〇四〉②（神でない）普通の人間。「うつせみの―なればたまきはる命も知らず」〈万四四〇八〉③人並みの人。「何事も数ならでは、―めかしき事もあるまじかりけり」〈源氏宿木〉 †yönöFitö ―**め・き**【世の人めき】『四段』①人並みの人間と認められる。「親などに知られ奉り、―・きたる様にて」〈源氏螢〉②普通の人らしくする。「何か、―・いて今更に」〈源氏橋姫〉

よのほどろ【夜のほどろ】夜のほのぼの明けはじめる頃。「秋の田の穂田を雁がね暗けくに―にも鳴き渡るかも」〈万一五三九〉→ほどろ。 †yonöFödörö

よのめ【夜の目】夜間眠るべき目。「君も―も会ひ給はず」〈百戦奇法一〉 ―**さのめ**【夜の目朝の目】「夜の目」を強調した語。「―も阿波座の鳥」〈浄・愛染明王影向松二〉

よは【夜は】ヨワ《平安・鎌倉時代、多くは和歌に使う雅語》夜。夜ふけ。「風吹けば沖つ白波たつた山―にや君がひとり越ゆらむ」〈古今九九四〉。「いとどしき水の音に目もさめて、―の嵐に山鳥の心地して明かしかね給ふ」〈源氏総角〉。「夜中(よなか)をば―と云ふ」〈能因歌枕〉 ▽起源的には、ヨヒ yoFi（宵）や、その母音交替形ユフ yuFu（夕）などと同根の語であろう。

よば・し『四段』麦・豆などを水に漬け、或いは少し水煮して柔らかくする。「太夫を―・す麦藁枕」〈浮・魂胆色遊懐男五〉

よばしり【夜走り】夜、帆船が走ること。夜航。「七日―けはしく（アワタダシク）」〈西鶴・男色大鑑七〉

よばたらき【夜働き】①夜、敵に攻め掛かること。夜討ち。〈日葡〉②夜、盗みをすること。夜盗。夜かせぎ。「此の街道の―」〈浄・忠臣蔵五〉

よばなし【夜話・夜咄】①夜、雑談すること。「内膳殿へ―に罷り出で候。白鳥の御振舞有り」〈梅津政景日記慶長一七・閏一〇・一七〉。「時を見、御機嫌をうかがひ、―のついでに…と申し上げられければ」〈驢鞍橋下〉②入相(いりあひ)後の茶会。「―に岡谷道かへ〔行ク〕」〈久政茶会記天正二三・一・二一〉。「―の茶の湯は、たそかれ時を急ぎ露地入りするもの也」〈杉木普斎伝書〉

よばは・り ヨバワリ【呼ばはり】『四段』大声で呼び立てる。「夜討ちの恐ろしさに声をも立てざりし二人の女どもが、…とこそ声声に―・りけれ」〈曾我九〉

よはひ ヨワイ【齢】《ヨ（一生）ハヒ（延）の意か。多く人間の、重ね経た年齢にいう。類義語トシ（年）は、稲のみのりの意から、一年の意》①（生れてから重ねて来た）年。年齢。「年経れば―は老いぬしかはあれど花をし見れば物思ひもなし」〈古今五二〉。「ただ過ぎに過ぐるもの。帆かけたる舟、人の―、春、夏、秋、冬」〈枕二六〇〉。「歯、ヨハヒ・ツラナル」〈名義抄〉②大体の年の頃。年頃。「うへの今少し物思し知る―にならせ給ひなば」〈源氏澪標〉。「護法菩薩、年(よはひ)幼稚に在り、智慧多聞にして」〈大唐西域記五・長寛点〉。「船の中(ちう)より年の―十八九ばかりなる女房の、誠に優にうつくしきが」〈平家一一・那須与一〉

よば・ひ ヨバイ【呼ばひ】㊀『四段』《ヨビ（呼）に反復・継続の接尾語ヒのついた形。→ひ》①こちらに注意を向けるように、何度も呼ぶ。「宇治川を船渡せをと―・へども聞えざるらし楫(かぢ)の音もせず」〈万一一三八〉。「声をあげて―・ひなきて…と叫ぶ」〈三宝絵中〉②《女を呼ばう意で》言い寄る。求婚する。「右大将は常陸守の娘をなむ―・ふなる」〈源氏東屋〉㊁『名』①求婚。「さ―にわが来たれば」〈万三三一〇〉②求愛のため夜に女の許へ忍んで行くこと。「呼ばひ」が次第に「夜這ひ」と意識されるようになった。「懸想人(けさうびと)は夜に隠れたるをこそ―とは言ひけれ、さま変へたる春の夕暮れなり」〈源氏玉鬘〉 †yobaFi ―**ぼし**【婚星・夜這星】流れ星。「星は。…―すこしをかし。尾だになからまし

かば、まいて」〈枕二五四〉

よばり【尿】《ユマリの転》 小便。「或る時、水船の上に立ちはだかりて―をまりければ」〈成簣堂本沙石集八〉

よばり【夜尿】《ヨイバリの転》 寝小便。「雨垂れはただ佐保姫の―かな」〈俳・犬子集一〉。〈日葡〉

よひヨイ**【宵】**《ヨ(夜)・ユフ(夕)と同根。上代の夜の時間の区分、ユフベ→ヨヒ→ヨナカ→アカツキ→アシタの第二の部分。日が暮れて暗くなってからをいう。妻訪い婚の時代には、男が女の家にたずねて行く時刻にあたる》 夜のはじめ。「わが背子が来べき―なりささがねの蜘蛛(くも)のおこなひこよひしるしも」〈紀歌謡六五〉。「―暁のうち忍び給へる出で入りも艶にしなし給へり」〈源氏真木柱〉。「月見る―の、いつとても物あはれならぬはなき中に」〈源氏鈴虫〉 †yoFi

よひ【夜日】 夜昼。日夜。あけくれ。「―三日の宴は面白うこそ聞えけれ」〈幸若・和田酒盛〉。「男は大網を引きて―を送りぬ」〈西鶴・一代男五〉

よ・ひヨイ**【酔ひ】**『四段』《ヱヒの転》 酩酊する。「懐妊の間に忌ませ給ふべきもの。…腹立つこと、酒に―・はるること」〈武家調味故実〉。「酔伏、ヨイフス」〈運歩色葉集〉

よ・び【呼び】『四段』《相手の注意・関心を自分の方へ向かせるために大声を立てるのが原義》 ①自分に対する注意を求めて、大声を立てる。「朝なぎに水手(かこ)の声―・び、夕なぎに梶の音しつつ」〈万四〇〇九〉 ②相手を求めて声を出す。「相模嶺の小峰見隠し忘れ来る妹が名―・びて吾をねし泣くな」〈万三三六二〉。「ありつる宿守の男を―・ぶ。山彦の答ふるもいと恐ろし」〈源氏手習〉 ③自分の所へ来るように声をかける。召す。「己(おの)が行く道は行かずて―・ばなくに門にいたりぬ」〈万一七三八〉。「医者を―・びて薬をもちてつくろへど、つひに直らず」〈三宝絵中〉 ④まねく。招待する。「最明寺入道、あるよひの間に―・ばるる事有りしに」〈徒然二一五〉 ⑤名づける。称する。「たらちねの母が―・ぶ名を申さめど路行く人を誰と知りてか」〈万三一〇二〉。「詔、奈豆久(なづく)又与不(よぶ)」〈新撰字鏡〉 ⑥妻として迎える。「われ(オ前)にもやがて良い女房を―・うで取らせう」〈天理本狂言六義・伊文字〉。「嫁も裸では―・ぶ人なく」〈西鶴・二十不孝四〉 †yobi

よびい・け【呼び生け・呼び活け】『下二』 気絶した人の名を呼び立てて生き返らせる。蘇生させる。「翁と母、手をとらへて、―・け―・け」〈挙白集一〇〉

よびいだ・し【呼び出し】『四段』 ①呼んで出てこさせる。よびだす。「按察の君も時時通ふ源中将せめて―・させければ、おりたる」〈源氏若菜下〉 ②《比喩的に》 引き出す。誘い出す。「春近しと云ふは、梅・桜・霞、何にてもあれ春の体を一つ―・してこそ掛け合ふべけれ」〈長短抄上〉。「珍しき事は、誠にこれが出いではといふやうに―・されたるは良し、さなきは悪しきなり」〈耳底記〉

よびい・で【呼び出で】『下二』「よびいだし」に同じ。「いぶかしさに―・でたり。…近う呼び寄せて」〈かげろふ下〉。「人人近く―・で給ひて物語などせさせ給ふけはひ」〈源氏総角〉

よびい・れ【呼び入れ】『下二』 ①中に招じ入れる。「昔がたりもしつべき人の来たれば、うれしく―・れ給ひて」〈源氏東屋〉 ②嫁として家に入れる。「呼び迎へ」とも。「―・れてまだ恥づかしの花紅葉」〈俳・大句数上〉

よびうしな・ひヨビウシナイ**【呼び失ひ】**『四段』 伝承が途絶えてわからなくなってしまう。「となへうしなひ」とも。「世は末になって、名所をもはや―・ひたるにこそ」〈平家二・阿古屋松〉

よひかうしんヨイコウシン**【宵庚申】**「かうしん」(2)に同じ。庚申は宵になってから行なうのでいう。「今日は五日―」〈近松・宵庚申下〉

よびかは・しヨビカワシ**【呼び交し】**『四段』 互いに呼び合う。「湊の洲鳥朝凪ぎに潟に求食(あさり)し潮満てば妻―・す」〈万三八九三〉 †yobikaFasi

よびこ・し【呼びこし】『四段』《ヨビオコシの約》 呼び寄せる。「垣越ゆる犬―・して鳥狩(とがり)する君」〈万三八九〉 †yobikösi

よびごゑ【呼び声】 呼ぶ声。呼び立てる声。「大宮の内まで聞ゆ網引(あびき)すと網子(あご)ととのふる海人(あま)の―」〈万二三八〉 †yobigöwe

よびだ・し【呼び出し】 〔一〕『四段』「よびいだし」に同じ。「いかにも秘蔵せらるる小犬があったを、女中の前に―・し」〈天草本伊曾保〉 〔二〕『名』《人を呼び出すことの意から》 ①吉原で、散茶(さんちゃ)の別称。また、太夫・格子の位の遊女が無くなった後は、最上位の遊女の称。細見(さいけん)には入山形に星の印を記してあった。「大夫散茶〔八〕―同然」〈評判・千本桜〉 ②近世、銭湯で、上り湯のはいっている枡(ます)形の所。「浄湯(をかゆ)を汲む升形の所を―と言ふはな」〈滑・浮世風呂四上〉 ③深川の遊里で、子供屋に抱えられていて、茶屋へ招かれて客に会う遊女。「―と言ふは女郎なるべし」〈洒・契国策〉 **―のはな【呼出しの花】**〔俳諧用語〕 花の座近くになって、花の付句を誘い出すような春の句を出すこと。「〔俳諧〕連歌して―の友もがな」〈俳・鸚鵡集三〉

よびた・て【呼び立て】『下二』 ①声を立てて呼ぶ。声高く呼ぶ。「秋萩の散りのまがひに―・てて鳴くなる鹿の声の遙けさ」〈万一五五〇〉 ②特に招き寄せる。わざわざ来てもらう。「―・て申す事は、別の仔細(しさい)になし」〈義経記六〉 †yobitate

よびづかひヨビヅカイ**【呼び使】** 人を呼びに来る使。「入相の鐘や月見の―」〈俳・言之羽織六〉

よびつ・け【呼び付け】『下二』 呼んで自分のそばに来させる。「七八つばかりなる男子(をのこご)の愛敬づきおごりたる声にて、侍ひ人―・け物など言ひたるけはひ」〈枕(能因本)正月寺にこもりたるは〉

よひと【世人】 世間の人。一般の人。「人は花物そうつせみの―」〈万三三三二〉。「かきくらす心の闇にまどひにき夢うつつとは―さだめよ」〈古今六四六〉 †yöFitö

よびどき【呼び時】 妻または夫を持つべき年頃。結婚適齢期。「其の弟に―になり」〈西鶴・一代女四〉

よひとよ【夜一夜】 夜通し。一晩中ずっと。「―とかく遊ぶやうにて明けにけり」〈土佐十二月二十五日〉

よびとよ・め【呼び響め】『下二』 あたりに響き渡る声をあげて呼ぶ。「答へぬにな―・めそ呼子鳥佐保の山辺を上り下りに」〈万一八二八〉 †yobitöyömë

よびと・り【呼び取り】『四段』 手もとに呼ぶ。召し寄せる。「〔カグヤ姫ガ〕翁を―・りて言ふやう、まことに蓬萊の木かとこそ思ひつれ」〈竹取〉。「内府は何と思ひてこれらをば―・るやらん」〈平家二・烽火〉

よひなきヨイナキ**【宵鳴き】** 明け方に鳴くべき鶏が宵のうちに鳴くこと。凶兆とされる。「―をするくだかけの声」〈俳・寛永十三年熱田万句五〇〉。「鶏が―すれば、悪事出でき候とて、其の鶏を川へ流す人も有り」〈仮・いな物上〉

よひねヨイネ**【宵寝】** 宵のうちから早く寝ること。早寝。「賤の女が片搗麦を干しかねて―やすらん五月雨の頃」〈藻塩草八〉 **―まどひ**ヨイマドイ**【宵寝惑ひ】** 宵から眠たがること。また、その人。宵まどい。夕まどい。「露重み―の小草かな」〈俳・遠近集四〉 **―惑ひの朝臥(あさぶせ)り** 早寝して朝寝すること。また、その人。〈浄・信濃源氏三〉

よひのとし：ヨイ【宵の年】元日に、大晦日をさしていう語。初昔。「―のせつなき事を忘れ難く」〈西鶴・胸算用五〉

よひのわかれ：ヨイ【宵の別れ】男女が、人目をはばかって、宵の間にちょっと会うだけで、夜を共にしないで別れること。「人目しげき中の一夜たりとも明かさぬをば、―といふなり」〈宝物集中〉

よびはな・ち【呼び放ち】『四段』他からきりはなして呼びつける。「君達ばかりをぞ、―・ちて見奉り給ふ」〈源氏真木柱〉。「言ひつけらるべくは、―・ちて忍びやかにも宣はずして、かくばかり人の多かる中にて、人の頭(かしら)取るばかりの事を高く宣ふべきやうやはある」〈今昔二六ノ一〇〉

よびましゃ【呼びましゃ】『連語』〔遊里語〕《呼ビマセヤの訛》お呼びなさい。「はやし―常盤なる松〔大夫ヲ〕」〈俳・みつがしら〉

よひまどひ ヨイマドイ【宵惑ひ】「よひねまどひ」に同じ。「宮もあくびうちし給ひて『―をしはべれば物もえ聞えやらず』」〈源氏槿〉

よひやくし：ヨイ【宵薬師】「夕薬師(ゆふやくし)」に同じ。「涼まばやまだ―堂の内」〈俳・夢見草二〉

よひやみ：ヨイ【宵闇】十九日以後、宵の間は月が出ないので暗いこと。また、その時刻。「十八、十九は―ぞ。少し待てば雲散じて月まとかなぞ」〈人天眼目鈔二〉

よひよひ ヨイヨイ【宵宵】多くの宵。夜ごと。「―にわが立ち待つにけだしくも君来まさずは苦しかるべし」〈万二九二九〉。「人知れぬわが通ひ路の関守は―ごとにうちも寝ななむ」〈古今六三二〉 †yoFiyoFi

よひゐ：ヨイ【宵居】宵に寝ないで起きていること。「〔夫ガ留守ノ〕夜は―したまひて人人に物語などよませて聞きたまふ」〈源氏若菜下〉。「つれづれなる昼間・―などに」〈更級〉

よぶか【夜深】まだ夜の明けない時分。夜半ごろから夜明け前までをいう。「人目をつつみて、―に下向し給へるらん」〈長谷寺験記下〉

よぶか・し【夜深し】『形ク』深夜である。「いかでかは鳥のなくらむ人知れず思ふ心はまだ―・きに」〈伊勢五三〉

よぶこどり【呼子鳥】鳴き声が人を呼ぶように聞える鳥。今のカッコウとするのが通説。ほかにホトトギス・ヌエ・ツツドリ・ワシ・猿などとする説がある。春または晩春の景物としてよまれるのが普通。カッコウ・ホトトギスなどいろいろの鳥を含めての称か。古今伝授の「三鳥(さんてう)」の一。「大和には鳴きてか来(く)らむ―象(きさ)の中山呼びぞ越ゆなる」〈万七〇〉。「あかずして過ぎゆく春を―呼びかへしつと来ても告げなむ」〈亭子院歌合〉 †yobukodöri

よぶね【夜船】①夜、行く船。「天の河―を漕ぎて明けぬとも逢はむと思ふ夜袖交へずあらむ」〈万二〇二〇〉 ②近世、伏見京橋・大阪八軒屋間を夜間上下する乗合の三十石船。「―にて大坂へ下る」〈本光国師日記慶長一八・一一・二九〉。「―に乗り後れじとの早駕籠かと思へば」〈西鶴・諸艶大鑑六〉 ③《何時つくとも知れぬ意から》牡丹餅(ぼたもち)の異名。「母多餅(ぼたもち)…一名―」〈本朝食鑑二〉 †yobune

よぶり【夜振り】夏や秋の夜、松明(たいまつ)の火を振りながら、火に慕い寄る魚を網や鵜で捕えること。「川狩に―に越し候」〈家忠日記天正九・八・二七〉

よべ【昨夜・夜部】《ヨヒ(宵)べ(辺)の転か》①昨夜の宵のうち、宵になった頃。まだ夜が明けないうちに、宵の頃を振り返っていう例が多い。「―は、しかしかして、夜更けにしかばなむ」〈源氏須磨〉 ②昨晩。「大将殿の出で給ふなりけり。―も御車も〔京へ〕帰して泊り給ひにける」〈源氏夕霧〉

よほう【四方】四角。方形。「えもいはず大きなる石の―なる中に」〈更級〉。「一寸―の間にゐて」〈中庸鈔〉 ↓ほう

よほど「よっぽど」に同じ。「『いかほど来つるぞ』とのたまへば、『―十里は打たせ給はん』と申し上ぐる」〈室町殿日記九〉。「茜屋のそれがしといふ人、―の身上を持ちて、子ども三人持ちけり」〈遠近草下〉

よほろ【丁・膕】①膝の裏側のくぼむ部分。ひかがみ。よほろくぼ。「膕、ヨホロ」〈名義抄〉 ②官に徴発して使役する、二十一歳から六十歳までの男子。人夫は脚力を要したので、ヒトヨホロが一人の人夫の意となった。「信濃国の男丁(よほろ)を発(おこ)して城(き)の像(かた)を水派邑(みなまたむら)に作れとのたまふ」〈紀武烈三年〉。「丁、テイ・ヨホロ、夫也、仕丁・庖丁等也」〈色葉字類抄〉 †*yöFörö **―くぼ**【膕窪】「よほろ」(1)に同じ。「其れ膝有りて膕踵(よほろくぼ)無し」〈紀仁徳六十五年〉 **―すぢ**【膕筋】よほろにある筋肉。「―を断ちたればのがるべきやうなし」〈今昔五ノ一〉。「膞、ヨホロスヂ」〈名義抄〉

よま【四間】柱の間四つ分の間隔。また、それだけの間口を持つ室。あるいは、四坪の広さに仕切って座を設けてある所ともいう。「〔鬼一法眼ハ湛海ヲ〕―なる所へ入れてさまざまにもてなして」〈義経記二〉

よまぎれ【夜紛れ】夜の暗さにまぎれること。夜陰に乗じてひそかに行動する場合にいう。「―に敵の城へ切って入る」〈嘉吉軍記〉

よまぜ【夜交ぜ】一夜おき。「なよ竹に枝さしかはす篠薄―に見えん君は頼まじ」〈古今六帖五〉

よまひごと ヨマイ：【世迷言】言っても甲斐のないことをくどくどと言うこと。愚痴。口小言。「七郎、〔親ノ〕大―にあへり」〈伽・鴉鷺合戦物語〉。「あながち曲事などの御―にても更にこれ無し。御雑談の御ついでに女中衆に御物語りと」〈雑事覚悟事〉

よみ【黄泉】《ヨモツのヨモの転。ヤミ(闇)の母音交替形か》死者のゆく所。地下の世界。あの世。よみのくに。「ししむしろ―に待たむと、隠沼の下延へ置きて、うち嘆き妹(いも)が去(い)ぬれば」〈万一八〇九〉 †*yömi

よ・み【読み・詠み】㊀『四段』《一つずつ順次数えあげてゆくのが原義。類義語カゾヘは指を折って計算する意》①一定の時間的間隔をもって起る現象を一つ一つ数えあげて行く。「ぬばたまの夜渡る月を幾夜経(ふ)と―・みつつ妹は我待つらむぞ」〈万四〇七二〉。「時守の打ちなす鼓―・み見れば時にはなりぬ逢はなくもあやし」〈万二六四一〉。「伏超(ふしこえ)ゆ行かましものを守らふに打ち濡らさえぬ波―・まずして」〈万一三八七〉 ②一つ一つの音節を数えながら和歌をつくりだす。「人の世となりて素戔嗚尊(すさのをのみこと)よりぞ、みそもじあまりひともじは―・みける」〈古今序〉。「左の歌は、いとなびらかに―・まれて侍(はべ)めり」〈嘉保元年八月十九日前関白師実歌合〉 ③(書かれた文字を)一字ずつ声立てて唱えてゆく。唱えて相手に聞かせる。「維摩詰(ゆいまきつ)の形をあらはして維摩経を―・めば〔病気ハ〕即ちやみぬ」〈三宝絵下〉。「三位の位贈り給ふよし、勅使来てその宣命―・むなむ悲しきことなりける」〈源氏桐壺〉。「絵など取り出でさせて、右近に言葉―・ませて見給ふ」〈源氏東屋〉 ④漢字を国語で訓ずる。訓読する。「春の日と書いてかすがと―・めば」〈平家七・主上都落〉。「慈は、いつくしむと―・む。…悲は、かなしと訓ず」〈見聞愚案記一六〉 ⑤数える。勘定する。「銭を―・むという事」〈西鶴・胸算用五〉 ㊁『名』①《漢字を字音でよむことを「音(おん)」というのに対し》漢字に国語をあてること。訓(くん)。「此君、吾友〔ノ字〕を―に読むべからず」〈朗詠鈔四〉 ②「よみガルタ」に同じ。「―あぐるカル

よ

タの例(ためし)十二月」〈俳・毛吹草追加中〉。「―のカルタは一枚残り、上がられぬ事」〈咄・鹿の巻筆一〉 †yömi

―と歌 「歌と読み」に同じ。「読みと唱(など)へ」とも。「梅竹に鳴く鶯や―」〈俳・沙金袋一〉。「〔公家ノ姫君ガ将軍家ヘノ〕御縁女の東下りも―」〈雑俳・柳多留三八〉

よみいだ・し【詠み出し】『四段』工夫して歌をつくり出す。歌をつくって人に示す。「大事と思ひまはして―・しつらむ」〈源氏早蕨〉。「題出して、女房にも歌よませ給ふ。…皆人―・して、よしあしなど定めらるる程に」〈枕九九〉

よみい・で【詠み出で】『下二』「よみいだし」に同じ。「心をつくして―・で給へらむ程をおぼすに」〈源氏末摘花〉。「をかしう―・でて人にも語り伝へさせむと、うめき誦じつる歌も」〈枕八七〉

よみうり【読売】市中を印刷物の本文を朗読しながら売り歩くこと。また、その人、その品物。特に、世間の珍聞異事を浄瑠璃小歌に作り、瓦板の一枚摺にして、二人連節(つれぶし)で唄いながら辻売りする絵草紙売り。「―の草紙の名残雁鳴いて」〈俳・投盃〉。「俳諧のてにはの大事抜書きの板行物、一枚三銭づつとて、京中を―にさせける点者も有りとかや」〈俳・貞徳永代記二〉

よみお・き【詠み置き】『四段』歌をつくって、あとに残しておく。「いと弱くなりにける時〔歌ヲ〕―・きて、みまかりける」〈古今八六詞書〉

よみか・け【読み掛け・詠み掛け】『下二』①相手に向って歌をよみ、その返歌を求める。「すさまじき折折―・けたるこそ、ものしき事なれ。返しせねばなさけなし。えせざらむ人ははしたなからむ」〈源氏帚木〉。「『…』と―・けけり。思はずにあさましくて『こはいかに』とばかり言ひて返しにも及ばず」〈著聞一八三〉 ②相手に読み聞かせる。唱えかける。「海の上に物を書きて、物を(呪文ヲ)―・けて」〈今昔二四ノ一九〉 ③途中まで読む。読みさしにする。「人の―・けて置きたる大般若の唐櫃三つあり」〈太平記五・大塔宮〉

よみがへ・し【蘇し(ヨミガエシ)】『四段』生き返らせる。蘇生させる。「―・し給ふ御礼として」〈ロザリオの経〉

よみがへ・り【蘇り(ヨミガエリ)】『四段』《「黄泉(よみ)かへり」の意》死んだ人、死にかけた人が命を取りもどす。「わたつみの沖に持ち行きて放つともうれむそこれが―・りなむ」〈万三二七〉。「忌むことのしるしに―・りてなむ」〈源氏夕顔〉 †yömigareri

よみガルタ【読歌留多】カルタの遊戯法の一。早く手持ちの札を打ち終った者を勝とする。よみ。「一銭二銭掛けに―といふ事を例年てずさみに」〈仮・子孫鑑中〉

よみくせ【読み癖】慣例となっている特殊な読み方。「〔雲林院ヲ〕うりんゐんは、冷泉家の―也」〈古今私秘聞〉。「毛詩の―なり」〈朗詠鈔四〉

よみくち【読み口・詠み口】①声を出して読む者。読み役。「然阿彌陀仏を―として、両流を校合せられけるに」〈法然上人行状絵図〉 ②和歌などの詠みぶり。「〔藤原家隆ハ〕―世覚え人にすぐれて、新古今の撰者に加はり」〈著聞二二〉 ③和歌の名人。「さすがに老いはてたれど、俊恵を―ならずと申す人はなきぞかし」〈無名抄〉

よみ・し【嘉し・好し】『サ変』《ヨ(良)ミ(理由を示す助詞)シ(サ変動詞)の複合。漢文訓読体で用いる》良いと認める。「王、其の言を―・して鸎(みこ)を廻して返る」〈大唐西域記七・長寛点〉。「聖真子(しゃうしんじ)の宮は、当社の不断念仏を―・して、一首の和歌を示し給ひけり」〈諸神本懐集末〉

よみせ【夜見世】遊廓の夜間営業。「先年の如く―を許さる。此の度は亥の刻切りにして、客・女郎を揚屋に泊めず」〈色道大鏡一三〉

よみち【夜道】夜の道。また、夜の道をゆくこと。「岩根ふみ―行かじと思へれど妹によりては忍びかねつも」〈万二三九〇〉 †yomiti

よみぢ【黄泉】黄泉(よみ)へ行く途(ち)。冥途。「―のいそぎ」〈源氏夕霧〉 **―のさはり**【黄泉の障り(サワリ)】あの世へ行く妨げとなること。成仏の妨げ。「今日明日斬らるべき人にこれを見せては、なかなか―ともなりぬべし」〈太平記二・長崎新左衛門〉

よみつき【読突き】一一数を唱えながら羽根などを突くこと。「―も羽子板いけや七つ八つ」〈俳・時勢粧二〉

よみつ・き【読み付き】『四段』平素読んで、自分の身についている。読みこなして自分のものになる。「よろづの草紙歌枕、よく案内知り見尽して、そのうちの詞を取り出づるに、―・きたる筋こそ、強うは変らざるべけれ」〈源氏玉鬘〉

よみづと【黄泉苞】冥途のみやげ。死にみやげ。「〔試楽拝見ヲ〕―にし侍らんずるなり」〈栄花音楽〉

よみな・し【読み成し】□一『四段』特に別の読み方で読む。「〔自分ノ〕心地にはさしも思はざらめど、おのづから〔漢字ヲ〕こはごはしき声(字音)に―・されなどしつつ殊更びたり」〈源氏帚木〉。「落書ども多かりけり。…平家をひらやに―・して」〈平家五・五節〉 □二『名』意味を自分なりに判断して読むこと。主観的な読み取り方。「仮名は―(仮名文ハ読ミ方次第)といふ事、まことにをかしき事なり」〈著聞五三七〉

よみびとしらず【読み人知らず】『連語』①和歌の作者が不明であることを示す慣用語。歌集・撰集などで、故意に作者の名を伏せる場合をも含めて使われる。「そもそも、この歌、古今集に―とて入れり」〈十訓抄七ノ六〉 ②《転じて》誰のしわざともわからないこと。「柳本弾正忠を、内の者―生害させ候ふ間」〈細川両家記〉

よみほん【読本】①読み習っている本。「我が―前に在る故に、頭を低れて見ると思ひて〔夢ガ〕覚めぬ」〈寤寐集〉 ②近世、読むのを主とした文芸書の総称。絵本・語り本・謡い本などに対していう。「右の―は正月二日より本出し置き申し候」〈浮・自笑楽日記一〉 ③寛延・宝暦頃から天保頃まで行なわれた小説の一種。中国の小説を翻案模倣した怪異伝奇的な時代物を、漢文調または擬古的な文章で綴ったもので、代表作家に、上方では上田秋成・都賀庭鐘・建部綾足、江戸では山東京伝・滝沢馬琴がある。後期の插絵を主とするものを「絵入読本」といった。「〔芝〕全交は在世の日に、―の作印行のものなし」〈近世物之本江戸作者部類二上〉

よみや【宵宮・夜宮】《ヨヒミヤの転》祭日の前夜に行なう祭事。「今夜、天満―」〈経覚私要鈔康正三・八・九〉

よめ【嫁・娵】むすこの妻。「ありがたきもの。舅(しうと)にほめらるる婿(むこ)、姑(しうとめ)に思はるる―の君」〈枕七五〉。「婦、子之妻為レ婦、和名与女(よめ)、又云夫之婦也」〈和名抄〉 **―が姑(しうとめ)にな・る** 嫁が年をとって姑になるのは早いの意で、月日の経つのは早いことのたとえ。〈俳・毛吹草二〉

よめ【夜目】①夜、見ること。「鶯の春になるらし春日山霞にたなびく―に見れども」〈万一八四五〉 ②夜、物を見る目。「―のいすすき、いづつしき事無く」〈祝詞大殿祭〉 †yomë

よ・め【読め】『下二』意味をさとる。わかる。「―・めぬ事ども有りける」〈西鶴・一代男七〉

よめいり【嫁入り】嫁となって婚家へ行くこと。また、その儀式。「―のさ夜ふけ方のほととぎす」〈俳・犬筑波〉。「嫂入、ヨメイリ」〈運歩色葉集〉

よめかがみ【嫁鑑】 嫁の手本となるべき者。「これ日本の―と、聞く人市をなしぬ」〈浄・忠孝永代記六〉

よめがきみ【嫁が君】《正月三が日の忌詞》鼠。「鼠を―と呼び」〈俳・山の井一〉

よめがはぎ【嫁が萩】 ヨメナの異称。「沢水につかりて洗ふ―」〈俳・犬筑波〉

よめご【嫁御】《ゴはゴゼン・ゴゼ(御前)の略》嫁の敬称。「次男の―は、御年二十ばかりにて」〈伽・鉢かづき〉。「縁はをかし人を―に取りてゆく猿の手がらな祝言の道」〈伽・藤袋〉

よめそし・り【嫁謗り】『四段』 姑が他人に嫁の悪口をいう。「―・る余所の婆婆たち聞き憎くや」〈俳・続連珠三〉

よめつき【嫁突き】「読(よみ)突き」の訛。「―は連理の枝の手鞠哉」〈俳・点滴集三〉

よめどり【嫁取り】 嫁を迎えること。また、その儀式。「―・聟取りによい卦(け)ぞ」〈周易抄〉。「嫂取、ヨメドリ」〈運歩色葉集〉

よめり【嫁入り】「よめいり」の約。「娘を―させうとて」〈百丈清規抄一〉

よも【四面・四方】 ①(或る場所を中心にして)東西南北。しほう。「四方四角(よもよすみ)より疎び荒び来む」〈祝詞御門祭〉。「青山四(よ)に周(めぐ)れり」〈紀神武即位前〉 ②《「―の」の形で、多くの、の意をこめていうことが多い》いたるところ。「あめの下―の人の」〈万一六七〉。「物言はぬ―のけだものすらだにもあはれなるかな親の子を思ふ」〈金槐集雑〉 ③あちこち。方方。また、あたり一帯。「ほととぎす聞きも分かれぬ一声に―の空をもながめつるかな」〈千載一六四〉。「霊香―に薫ず」〈謡・羽衣〉 †yömo

よも『副』《多く打消の助動詞ジと呼応して》 不確定ではあるが、万一にもそのようなことはあるまいと見込まれる意を表わす。「うたてあるもてなしには―あらじ」〈源氏末摘花〉。「さりとも、うしろめたき事は―」〈源氏澪標〉

よもいち【与望都・四方一】 寛文・延宝頃、五音の占をして有名だった伊勢の座頭。京都大地震の際、愛宕山で圧死と伝える。「〔声ノ〕調子聞きは―」〈玉滴隠見三六〉

よもぎ【蓬】 野草の一。葉は香気があり、食用・医薬用に使われた。平安中期以後には、「むぐら」「あさぢ」などと共に、代表的な雑草として、荒廃した家の描写に使われることが多い。「あやめぐさ―かづらき酒みづき遊び和(な)ぐれど」〈万四一一六〉。「浅茅は庭の面(おも)も見えず、繁き―は軒をあらそひて生ひのぼる。葎(むぐら)は西・東の御門を閉ぢこめたるぞ頼もしけれど」〈源氏蓬生〉 †yömögi

―がそま【蓬が杣】 ヨモギが杣山(そまやま)のように生い茂った所。「鳴けや鳴け―のきりぎりす暮れ行く秋はげにぞ悲しき」〈曾丹集〉。「磨きつくろはれし庭も浅茅が原、―になり」〈建礼門院右京大夫集〉

―のかど【蓬の門】 ヨモギが高く生い茂って、荒れた家の門。また、自宅の謙称にも使った。「宿見れば―もさしながら荒るべきものと思ひけんやぞ」〈かげろふ中〉。「霜枯れの―にさしこもり今日の日影を見ぬが悲しさ」〈新勅撰一三二八〉

―のやど【蓬の宿】 ヨモギの生い茂って荒れた家。「言の葉に付けてもなどか訪はざらむ―もわかぬ嵐を」〈後拾遺九五六〉

―ふ【蓬生】 ヨモギの生い茂って荒れた所。「いかでかは尋ね来つらむ―の人も通はぬ我がやどの道」〈拾遺一二〇三〉。「荒れたる処をば―と云ふ」〈能因歌枕〉

よもすがら【夜もすがら】『副』 夜どおし。「夢ぢにも露やおくらむ―かよへる袖のひぢてかわかぬ」〈古今五七四〉。「―とは、夜一夜(ひとよ)を云ふ」〈能因歌枕〉 →すがら

よもつ【黄泉】《ヨモは、ヨミの古形。ツは連体助詞》

―くに【黄泉国】「黄泉(よみ)」に同じ。「伊奘諾尊(いざなぎのみこと)、伊奘冉尊(いざなみのみこと)を追ひて、―に入りて」〈紀神代上〉。「黄泉、ヨモツクニ」〈名義抄〉 †yömötukuni

―しこめ【黄泉醜女】 黄泉(よみ)の国にいるという女鬼。「即ち―を遣はして追はしめき」〈記神代〉 †yömötusiköme

―ひらさか【黄泉平坂】 黄泉の国と現世との境にあるという坂。「泉津平坂、此をば余母都比羅佐可(よもつひらさか)といふ」〈紀神代上〉 †yömötufirasaka

―へぐひ【黄泉竈食】(ヘグイ) 黄泉の国のかまどで煮炊きしたものを食べること。これを食べると黄泉の国の者となり、現世には帰れなくなるとされた。「湌泉之竈、此をば誉母都俳遇比(よもつへぐひ)といふ」〈紀神代上〉 †yömötufëgufi

よもの【夜物】 夜間活動する動物の意で、ネズミ・キツネ・タヌキ等の称。「聞かで寝ぬ―になるぞ時鳥」〈俳・鸚鵡集四〉

よもや『副』《ヨモに感動詞ヤを添えた語》 ①まさか。「―誠と思はねども」〈仮・竹斎上〉 ②きっと。どうまちがっても。「いまだ若盛りに、―後家立てかね申すべきと」〈西鶴・桜陰比事二〉

よもやま【四方山】《ヨモヤモの転か》 ①四方八方。諸方。「神のみまへにけふ奉る―の人の宝とする弓を」〈拾遺五六一〉。「―の田を作り」〈大鏡道隆〉。「―と云ふは四方山の心か。日本紀には名流二四表八方(よもやも)一と云ふ」〈塵袋一〇〉 ②四方(しほう)の山山。よよむは四方の山なり」〈塵袋一〇〉 ②四方(しほう)の山山。よものやま。「―をながめてのみも暮らすかないづれの峰に入らむとすらむ」〈清輔集〉 ③あれこれさまざま。「是をひがざまに心得て、―の事を書き付けたる事あり」〈袖中抄四〉

よもやも【四面八面】 四方八方。諸方。「名、四表八方(よもやも)に流(し)けり」〈紀欽明十六年〉

よやりひやり【夜遣り日遣り】 予定など決めずに、のんびりと物事をするさま。「咲く頃を延ばすや―梅(槍梅ト掛ケル)」〈俳・山の井五〉。「―の旅は、足弱・西国巡礼に云へる語なり」〈譬喩尽三〉

よよ ①涙をこぼしてはげしく泣くさま。「見奉る人もいと悲しくて、おのれも―と泣きぬ」〈源氏夕顔〉。「君により――と――と音(ね)をのみぞ泣く――と」〈古今六帖四〉 ②よだれのしたたり落ちるさま。「雫も―と〔筍ヲ〕食ひ濡らし給へば」〈源氏横笛〉 ③雫をたらしながら、酒や汁をぐいぐい飲むさま。「酒を出したれば、さし受けさし受け―と飲みぬ」〈徒然八七〉

よよ【世世・代代】 ①世代を重ねること。代代(だいだい)。「いにしへの―のみかど」〈古今序〉 ②生れかわり死にかわって経めぐる多くの世。「菩薩は―に禅定波羅蜜(ぜんぢやうはらみつ)を行なふ」〈三宝絵上〉 ③長い年月。多年。「―をへておもひなれにける心なりければ、ひき続くこともかたくてのみあかしくらすこそ」〈閑居友下〉 ④《男女が離別して、各自が他の夫または妻を持つ場合に用いて》 それぞれの所帯。別別の夫婦関係。「おのが―になりにければ、うとくなりにけり」〈伊勢二二〉

よよ・み『四段』 まがる。体がまがる。「百年(ももとせ)に老舌出でて―・むとも我は厭(いと)はじ恋は益すとも」〈万七六四〉。「世尊…身…逶陁(よよ)みたまはず」〈彌勒上生経賛平安初期点〉。「斜、カタブク・ナナメナリ・ヨヨミ」〈名義抄〉 †yöyömi

よら・し【宜し】『形シク』《ヨリ(寄)の形容詞形。側に寄りたい気持がする意が原義。ヨリ(寄)・ヨラシの関係は、アサミ(浅)・アサマシ、サワギ(騒)・サワガシ、ユキ(行)・ユカシの類》 適当である。よろしい。「今打たば―・し」〈記歌謡一〇〉

→よろし。 †yörasi

より【度】度数を示す語。たび。回。「物部大連が軍衆(いくさ)三度(みよ)驚駭(とよ)む」〈紀崇峻二年〉。「僧も俗も、今一—とよみて、額をつく」〈紫式部日記〉

よ・り【寄り・依り】㊀〘四段〙《物や心を引きつける方へ、自然に自発的に近づいて行く意》❶空間的に、ある地点に引きつけられる。①近くになびいて行く。「沖つ藻は辺(へ)には—・れども」〈紀歌謡四〉②接近する。「我に近づくことなかれ。—・り来たらばまた焼けなむ」〈三宝絵中〉。「大力の剛の者なりければ、—・って組む者はなし」〈盛衰記三五〉③もたれかかる。「はしきよし妻の命(みこと)も明け来れば門に—・り立ち」〈万三九六二〉。「四尺の屏風に—・りかかりて立てりて言ひける」〈大和六四〉④相撲などで、土俵際まで押して行く。詰め寄る。「成村嗔(いか)りて起つままに只—・りに—・りて取り会ひぬ」〈今昔二三ノ二五〉⑤心の向く所に訪れる。立ち寄る。「さし—・らむ磯の崎崎、漕ぎ泊てむ泊り泊りに」〈万四二四五〉⑥ひと所に集まる。「波立てば奈呉の浦廻(みうら)に—・る貝の間なき恋にそ年は経にける」〈万四〇三三〉。「せみのはのひとへに薄き夏衣なれば〔シワガ〕—・りなん物にやはあらぬ」〈古今一〇三五〉⑦積もる。多くなる。「入道も年こそ—・って候へども、子ども引き具して参り候べし」〈平家四・源氏揃〉⑧寄進される。寄付される。「かかる所に庄など—・りぬれば、別当なにくれなど出で来て」〈宇治拾遺一〇二〉⑨(神霊・物の怪などが)乗り移る。「寄り人は今ぞ—・り来る長浜の蘆毛の駒に手綱揺りかけ」〈謡・葵上〉❷心理的に対象に引きつけられる。①気持が傾く。「吾が身こそ関山越えてここにあらめ心は妹に—・りにしものを」〈万三七五七〉②従う。服従する。「辱(はぢ)を忍び辱を黙して事も無く物言はぬ先に我は—・りなむ」〈万三七九五〉。「徳を仰ぎ仁に帰(よ)る徒(ともがら)ありて依怙多し」〈東大寺諷誦文稿〉③頼りにする。頼りにしてそこに定着する。「伊勢のあまも船流したる心地して—・らむかたなく悲しきに」〈古今一〇〇六〉。「あだなる男、色好み、二心ある人にかかづらひたる女、かやうなる事を言ひ集めたるにも、つひに—・るかたありてこそあめれ」〈源氏若菜下〉④味方する。ひいきする。「心に—・る方のあるにや。分くとはなけれど、さすがに挑ましげにぞ」〈堤中納言逢坂越〉。「大臣・公卿・孫子・百官、皆道士の方に—・れり」〈今昔六ノ二〉⑤考えが及び至る。届く。「さることは知り、歌などにさへ歌へど、思ひこそ—・らざりつれ」〈枕二九九〉。「これこそ思ひも—・らざりつれ」〈平家二・徳大寺〉⑥意味上つながる。結び付く。「上手の連歌は心は—・り、上は付かず候。下手はよく付きて心は—・らず」〈当風連歌秘事〉⑦依拠する。基づく。原因する。「人言(ひとごと)の繁きに—・りてまをごもの同じ枕は吾は巻かじやも」〈万三四六四東歌〉。「或いは躁動の心に為(よ)り、或いは瞋(いか)りと恨みとに因(よ)り、飢渇に悩まされて」〈金光明最勝王経平安初期点〉⑧…にまかせる。…によって決められる。「汝この后の腹に皇子御誕生祈り申せ。御願成就せば勧賞は乞ふに—・るべし」〈平家三・頼豪〉⑨限る。定める。「何に—・らず、今日を限りに、難義を申し懸け」〈西鶴・一代男六〉㊁〘名〙①神霊がよりついて、神がかりとなる者。よりまし。「かの后を—に立て置き、五色の幣(へい)を持たせ」〈簠簋抄上〉②勧進相撲で、飛入りの力士。寄り相撲。「—には京・辺土・畿内、さては諸国の武家より集まりて取りけれども」〈義残後覚五〉 †yöri

よ・り【搓り・縒り】〘四段〙①(糸など)何本かねじり合わせて一本にする。「かた搓(よ)りに糸をそわが—・るわが背子が花橘を貫かむと思ひて」〈万一九八七〉。「女の髪すぢを—・れる綱には大象もよくつながれ」〈徒然九〉。「搓、与留(よる)」〈新撰字鏡〉②くくる。しばる。「有る人其の手足を縛(よ)りたり」〈法華義疏長保点〉③ねじり曲げる。「弱き牛の車引きかねたる時、背をば—・る也」〈名語記四〉。「為教—・りすぢり案じけれども」〈井蛙抄六〉 †yöri

よ・り【震り】〘四段〙ゆれる。ゆすれる。「なゐ(地震)が—・り来ば」〈紀歌謡九一〉 †yöri

より〘助〙→基本助詞解説。 †yori

よりあは・せ(アワセ)【寄り合はせ】〘下二〙①一つに寄り集まるようにする。「同じ様に老いたる者と二人、碁うちて歌うたふ様に—・せて、大方〔使者ノ言葉ヲ〕聞きも入れず」〈今鏡九〉②せまり近づく。近づいて攻めかかる。「弓をば捨て、無下に近く—・す」〈盛衰記三〇〉

よりあは・せ(アワセ)【縒り合はせ】〘下二〙縒って一つにする。「糸は縒り果てて今は哭(ね)をなむ—・せて泣きはべる」〈伊勢集〉。「物の音(ね)に、虫の声—・せたる、こよなく響き添ふ心地すかし」〈源氏若菜下〉

よりあ・ひ(アイ)【寄り合ひ】㊀〘四段〙①互いに近づいて一つになる。身を近づけ合う。「夕月夜(ゆふづくよ)影立ち—・ひ天の河漕ぐ舟人を見るが羨(とも)しさ」〈万三六五八〉。「互ひになか一町ばかりよりそれと見知って、主従駒をはやめて—・うたり」〈平家九・木曾最期〉②多数のものが一つに集まる。会合する。「平家一門の公卿殿上人—・ひ給ひて、御請文のおもむき僉議せらる」〈平家一〇・請文〉③二語または二句が互いに関連する。連歌・俳諧で、前句と付句とが縁語や意味の上で結び付くことにいう。「凡そ上手の連歌は、退(の)きたるやうなれども、心が面白く—・ふなり」〈九州問答〉㊁〘名〙①接して互いに一つになる所。「天地の—のきはみ」〈万一六七〉②多数の者が一つに集まっていること。「多勢の—なれば、人人、格格、心心にして、その風俗もさまざまなるべし」〈兵法問答〉③一堂に会すること。会合。「そもそも毎月両度の—の由来は」〈御文章〉④室町時代以降、町人・農民の自治的会合。惣(そう)。「七郷—、当郷三郎兵衛所にて候也」〈山科家礼記文明九・二・一九〉。「御—候時、二へんまでは触れ申すべく候」〈堺錦中浜町定元和二・一三〉⑤〔連俳用語〕㋑句と句とを結びつける働きをする一定の詞や素材。「大方、別れに横雲は、深き—也」〈連証集〉。「言葉あくまでやさしく、—すくなく、するするとすべし」〈連理秘抄〉㋺《広義には》「付合(つけあひ)」に同じ。「—は、作者の風骨によりて、かつて定まれる所あるべからず」〈僻連抄〉 †yöriaFi **—がき**【寄合書き】複数の人間が分担・共同して書写・写経などをすること。「—の経ども校せられ了んぬ」〈言国卿記文明六・五・三〉 **—だし**【寄合出し】大勢の者が会合の飲食費をだしあうこと。集銭(しゅせん)出し。「いざ—の振舞とて」〈西鶴・諸艶大鑑三〉 **—よみ**【寄合読み】大勢の者が集まって代る代る読むこと。会読。「客の文を—に識る」〈西鶴・諸艶大鑑三〉

よりうど【寄人】《ヨリビトの音便形》①役所の職員。㋑記録所・文殿の職員。庶務・執筆を担当。「才人をえらびて—におかれし也」〈百寮訓要抄〉。〈職原抄〉㋺和歌所の職員。和歌の選定をする役。「〔鴨長明ハ〕やがて和歌所の—になりて後」〈源家長日記〉㋩鎌倉・室町幕府の政所・問注所・侍所の職員。「斎院次官中原親能…等、—として参上」〈吾妻鏡寿永三・一〇・六〉②荘園制下で、その土地の領主と異なる領主に人身を従属させた農民。これにより雑役が免除された。商工民に多い。「—四十二人の中、火長二人を定め、臨時役を免除」〈石清水文書一、延久四・九・五〉

よりおや【寄親・頼親】室町・戦国時代、国主の有力家臣。在地武士は寄子(よりこ)としてこれに従属し、恩給地を与えられ、また、指揮命令をうけた。指南とも称。近世には、奉公人などの身元保証人をいう。「ー苦労を以て恩給充(あ)て行なふ者は永く同心すべき也」〈今川仮名目録追加〉。「ーの勘十郎に打ち明けて」〈近松・五十年忌中〉

よりき【与力】①助力すること。また、その人。加勢。「その村の人のーをたのみて、大きに法会を設けて供養しけり」〈今昔三一ノ二〉 ②《「寄騎」とも書く》戦国大名の家臣。寄親(よりおや)に属する寄子(よりこ)。「各ーの者共…みだりに寄親とりかふる事、曲事たるの間、近年停止のところ」〈今川仮名目録追加〉 ③近世、奉行・所司代・城代・大番頭・書院番頭等に従属し、同心を指揮して上官の事務を分掌・補佐した職。「町奉行〔配下ノ〕ー二十五騎」〈町奉行前録〉。「町奉行・ー・同心並びに家来の者、町中へ難題申し掛け」〈正宝事録寛文六・一〇・九〉

よりきん【撚金・寄金】金箔を絹または木綿の糸に撚り付けたもの。「草履〔ヲ〕唐物の織物・ーにて致し始め」〈石川正西聞見集上〉

よりくぢら【寄鯨】海岸に打ち寄せられ、また、乗り上げた鯨。「〔鹿島灘〕矢田部表にー候て」〈家忠日記文祿三・一・一四〉

よりこ【寄子】室町・戦国時代、寄親(よりおや)の下で、平時はその庇護を受け、戦時には戦闘に従事した地侍。寄騎。与力。「出雲守ー江州海津衆…三人上洛す」〈蜷川親元日記寛正六・九・一〇〉

よりしはう ウ・ホ【四里四方】江戸。その区域が江戸城を中心に四里四方あったというので称した。「〔行商デ〕ー見て来たやうな新茶売」〈雑俳・万句合宝暦一三〉

よりたけ【寄竹】海辺などに流れ寄って来た竹。「ーを柱にして、葦を結ひ、桁(けた)梁(はり)に渡し」〈平家三・有王〉

よりつ・き【寄り付き】『四段』①寄って相手に近づく。近くに寄る。「おそろしうてー・き給はず」〈源氏真木柱〉 ②頼る。身を寄せる。「父母ありしかども皆死にて、相知れる人も無し。さればー・く方なくて」〈今昔一二ノ二四〉 ③心のよりどころとする。「〔妻ノ死後ハ〕いとどさびしく、ー・かむかたなきままに持仏の御飾りばかりをわざとせさせ給ひて」〈源氏橋姫〉

よりて【依りて】『接続』それ故に。「ーこれも持(ぢ)と申すべし」〈中宮亮重家朝臣家歌合〉

よりどころ【寄り所・拠り所】①身を寄せる所。たよる所。よるべ。「宮人どもも、ーなげに、悲しと思へる気色どもにつけてぞ」〈源氏賢木〉 ②もとづく所。根拠。「しかりといへども、事のーなきによって、先帝弱年にして崩じぬ」〈保元上・新院御謀叛思し召し〉 ③〔連俳用語〕前句と付句とが結びつく所。「月のわづかに霞む夕暮／熊のすむ空木(うつほぎ)ながら花咲きて。『月のわづか』に『熊』のーあり」〈撃蒙抄〉

よりにんぎゃう ヨウ・ギ【寄人形】神霊を寄せる人形。「是れ麻耶夫人調伏のーー」〈近松・釈迦誕生会一〉

よりばう ウ・ボ【寄棒】五、六尺の堅木の棒。捕手や番人などが用いる。「暗まぎれより数のーー」〈俳・寛永十三年熱田万句一〉

よりびと【寄人・憑人】神霊の憑(よ)りつく者。霊媒。「ーは今ぞより来る長浜の蘆毛の駒に手綱揺りかけ」〈謡・葵上〉

よりふ・し【寄り伏し】『四段』物の傍に横になる。物にもたれかかって横になる。「〔猫ガ〕衣の裾にまつはれー・しむつるるを」〈源氏若菜下〉。「つらづゑをつき給ひてー・し給へれば」〈源氏若菜上〉

よりぶね【寄船】領内の海岸に難破して漂着した船。「或は漂倒に及び、或は難風に遭ひ自然吹き寄するの処、所所の地頭等ーと号し、左右なく押領の由その聞えあり」〈貞永式目追加寛喜三・六・六〉

よりまし【寄りまし】《「寄り坐し」の意》神霊が宿り憑く者。普通は、験者が神降しの祈りをすると、傍に控えた霊媒の小童に霊が憑き、託宣などを口走る。「ー、明王(みやうわう)の縛(ばく)にかけて、霊あらはれたり」〈平家三・赦文〉。「〔浄蔵ガ祈ルト〕ーには託宣なくて、病人の左の耳より青色なる毒龍一つ、頭をさし出して」〈伽・天神〉。「降童、ヨリマシ」〈饅頭屋本節用集〉

よりもの【選物・撰物・寄物】雑魚(ざこ)。また、それを行商する魚屋。特に、大阪で夏の夕、堺から雑魚を振売りに来る魚屋の称。えりもの。えりものや。よりものうり。「〔水ヲ〕吹きにけり／ー化かす車海老」〈雑俳・たみの笠〉

よりより おりおり。その時時。「すぐれたる人も…ーにたえずぞありける」〈古今序〉。「時時(よりより)に小絃を弄(かきなら)す」〈遊仙窟(醍醐寺本)鎌倉期点〉

より・ゐ【寄り居】『上一』①物にもたれてすわる。よりかかっている。「脇息にー・ゐ給へるを…『今日はいとよく起き居給へるは』」〈源氏御法〉 ②集まってすわる。「親しき者、老いたる母など枕上にー・ゐて」〈徒然五三〉

よる【夜】《「昼(ひる)」の対。奈良時代には複合語に使わず、副詞的に独立した形で用いた》太陽の没している暗い時間。夜(よ)。「あかねさす昼は物思ひぬばたまのーはすがらにねのみし泣かゆ」〈万三七三二〉 †yoru **ーを昼に成・す** 昼夜の別なく急ぐ。夜を日に継ぐ。「他心(ことごころ)なくて、ー・してなむ急ぎまうで来し」〈宇津保吹上上〉

よるのおとど【夜の御殿】清涼殿内の天皇の寝所。「人目をおぼしてーに入らせ給ひても、まどろませ給ふことかたし」〈源氏桐壺〉

よるのおまし【夜の御座】貴人が夜に臥寝する所。御(み)帳台をさすか。「〔源氏ハ〕ーに入り給ひぬ。女君、ふとも入り給はず」〈源氏若紫〉

よるのころも【夜の衣】夜、寝間で着る衣服。「あやなくも隔てけるかな夜をかさねさすがになれしーを」〈源氏葵〉 **ーを返・す** 夜の衣を裏返しに着て寝る。思う人に夢で会えるという俗信があった。「いとせめて恋ひしき時はむばたまのー・してぞきる」〈古今五五四〉

よるのつる【夜の鶴】《白氏文集、新楽府「夜鶴憶レ子籠中鳴」から》子を思って夜鳴く鶴。親が子を思う情の切なさにいう。「ー都のうちに籠められて子を恋ひつつも鳴き明かすかな」〈栄花浦浦別〉。「焼け野の雉(きぎす)、ー、梁(うつばり)の燕(つばめ)にいたるまで子ゆゑ命を捨つるなり」〈謡・丹後物狂〉。「ー鳴くや沢水氷とぢ」〈宗長百番連歌合〉

よるのとの【夜の殿】《正月三が日の忌詞》狐。「よるのひと」とも。「三日なれば。ーに借る初午も三日かな」〈俳・沙金袋一〉

よるのにしき【夜の錦】見映えしなくて、かいのないこと。効果があらわれず、惜しいこと。「見る人もなくて散りぬる奥山のもみぢはーなりけり」〈古今二九七〉。「思へどもあやなしとのみ言はるればーの心地こそすれ」〈後撰六二四〉

よるのもの【夜の物】夜具。「いとあはれと思ひて、ーまで送りてよめる」〈伊勢一六〉

よるひかるたま【夜光る玉】暗い夜でも光るという宝玉。中国の述異記・戦国策などに記述がある。「ーといふとも酒飲みて情(こころ)をやるにあにしかめやも」〈万三四六〉 †yorurikarutama

よるひる【夜昼】①夜と昼と。「わが恋は—別(わ)かず百重(ももへ)なす心し思へばいたもすべなし」〈万二九〇三〉。「—の数は三十(みそち)に余らぬをなど長月といひ始めけむ」〈拾遺五三二〉 ②夜も昼もいつも。「—面影におぼえて耐へ難う思ひ出でられ給へば」〈源氏須磨〉 †yoruFiru

よるべ【寄辺】①近寄って頼りにするところ。「射水川流る水沫の—なみ」〈万四一〇六〉 ②心のよりどころ。夫または妻をいう。「ただひとへにものまめやかに静かなる心のおもむきならむ—をぞ、つひの頼み所には思ひおくべかりける」〈源氏帚木〉 †yörube **—のみづ**【寄辺の水】神社の庭前の瓶に貯えた水。これに神霊がよるといわれる。「さもこそは—に水草ゐめ今日のかざしよ名さへ忘るる」〈源氏幻〉

よるよる【夜夜】毎夜毎夜。「浦波—はげにいと近く聞えて、またなくあはれなるものはかかる所の秋なりけり」〈源氏須磨〉

よ・れ【縒れ・撚れ】『下二』細く長いものがねじれる。「早田の穂出でて、其のまま白色に干付きて、葉は—・れて赤色也」〈政基公旅引付文亀三・七・一〇〉

よろ【夜ろ】《ロは接尾語》夜。「筑波嶺に廬(いほ)りて妻なしに我が寝む—は早も明けぬかも」〈常陸風土記〉 †yorö

よろく【余祿】臨時の所得。思いがけない収入。「—取る」〈俳・反故集下〉。「宿屋へ—を刎(は)ねんかと疑ひ」〈浮・商人世帯薬四〉

よろこば・し【喜ばし・悦ばし】『形シク』⇒よろこぼし。「(此ノ寺ヲ)かく伝へ奉ること—・しきかなやと云ひて、泣く泣く帰りぬ」〈今昔一一ノ二八〉

よろこ・び【喜び】㊀『上二・四段』《うれしく思う気持を言葉や態度にあらわす意。奈良時代には上二段活用で、それが漢文訓読体の系統には後世まで伝えられたが、一般には平安時代以後、四段活用に転じた》①(相手の自分への行為を)うれしく思い感謝の意をあらわす。有難いという気持を態度にあらわす。「(太皇大后ノ)仰せ給ふ貴き御命(おほみこと)を、頂に受け給はり—・び貴び懼(を)ぢかしこまりて」〈続紀宣命二五〉。「御心安う思し召され候へとのたまへば、宰相手を合はせてぞ—・ばれける」〈平家三・赦文〉 ②慶事をことほぐ。祝賀の意を表明する。「新羅、賀登極使(ひつぎよろこぶるつかひ)と、喪(みも)を弔(とぶら)ふ使とを遣(たてまだ)す」〈紀皇極一年〉。「男皇子生れ給ひぬれば…宮人も—・び聞え給ふ」〈源氏紅葉賀〉。「父の法皇の五十の御よはひを—・び給ふなりけり」〈今鏡三〉 ③物事が自分の気持にかなって快い感じがする。「蟋蟀(こほろぎ)の待ち—・ぶる秋の夜を寝(ぬ)るしるし無し枕と我は」〈万二二六四〉。「諸の果実は美き味ひ漸く消亡して、食む時だにも心を—・びしめじ」〈金光明最勝王経平安初期点〉。「芸はこれつたなけれども人の耳を—・ばしめむとにはあらず」〈方丈記〉 ④快く受け入れる。「孔子の道を—・びざるにはあらず」〈論語抄雍也〉 ⑤子を産む。「我身も子を—・びて世の哀れを知るぞかし」〈西鶴・浮世栄花四〉。〈日葡〉 ㊁『名』①うれしく思う気持。「—もあり、悲しびもあるときには(歌ヲ)よむ」〈土佐一月二十日〉。「かうばしき匂ひ来たり吹きて—楽しびならびなし」〈三宝絵下〉 ②感謝の挨拶。お礼。「権大納言になり給ひて…—に所所ありき給ひて」〈源氏宿木〉。「紀介殿ただ(馬ヲ)借し給へかし、—は思ひあつらん」〈盛衰記一九〉 ③祝い。慶祝。祝賀。「参りつどひ給ふめる人の大人しきほどのは、(正月)七日の御—などし給ふ」〈源氏薄雲〉 ④おめでた。出産。「やすやすと御—ぞ」〈伽・稚児今参物語〉。「あの若君たちを、母上御—なされし時」〈伽・月日の御本地〉 †yörököbï **—まうし**(モウシ)【喜び申し】官位の昇進や任官のお礼を申し上げること。「昔粟田の関白は、—の後、只七ケ日だにこそおはせしか」〈平家九・樋口被討罰〉

よろこぼ・し【喜ぼし・悦ぼし】『形シク』《動詞ヨロコビの形容詞形。ヨロコバシの古形》快く満足だ。「白祥(しろきしるし)の鹿を献奉(たてまつ)りて在れば、うれし、—・しとなも見る」〈続紀宣命四六〉。「味(あぢはひある)喜(よろこぼしき)餔」〈地蔵十輪経三・元慶点〉。「岩波と共に—・しき心ぞ立ち返る」〈大井川行幸和歌序〉 †yörököbösi

よろこぼ・ひ(ヨロコボイ)【喜ぼひ】『四段』《ヨロコビに反復・継続の接尾語ヒのついた形。→ひ》すっかり喜ぶ。「…といへりければ、—・ひて」〈伊勢一一四〉

よろ・し【宜し】『形シク』《形容詞ヨラシ(宜)の転。その方へなびき寄り近づきたい気持がする意。ヨシ(良)が積極的に良の判定を下しているに対し、わるい感じでない、まあ適当、相当なものだ、一通りの水準に達しているの意》①適当である。ふさわしい。似合うさまである。「よろづに—・しきやうに聞えなせど」〈源氏夕霧〉。「—・しき御衣奉り換へ、つくろひ聞ゆれば、正身(さうじみ)は何心げさうもなくておはす」〈源氏末摘花〉 ②《凶に対して》吉である。「この十九日—・しき日なるをと定めてしかば」〈かげろふ中〉 ③(病気などが)軽快している。「ありしよりは少し—・しきさまなり」〈源氏若菜下〉 ④普通である。ひと通りである。「(男ノ)妻(め)は三人なむありけるを、—・しく思ひける(二人ノ妻)には(出家シタイト)…言ひけり。かぎりなく思ひて子どもなどある妻には、塵ばかりもさるけしきも見せざりけり」〈大和一〇八〉。「春ごとに咲くとて、桜を—・しう思ふ人やはある」〈枕三九〉。「—・しき(コト)こそ、うち怨じなど憎からず聞え給へ、まめやかにつらしと思せば色にも出し給はず」〈源氏槿〉 ⑤おさまりそうだ。静まるさまである。「法花経講ぜさせなどする程、地獄の炎—・しく見ゆ」〈今昔一四ノ八〉 ⑥《平安中期以降、漢文訓読系の用法として「—・しく…べし」などの形をとって》適当である。当然である。「本より天子の宜(よろ)しく近づくべき所に非ず」〈文選承安二年点〉。「深く件(くだん)の恩を知りて—・しく報謝すべし」〈著聞三六〉 †yörösi **—なへ**(ナエ)【宜しなへ】『副』《ナヘは助詞》①(対象に引きつけられて)心を寄せるとともに。心を寄せると同時に。「吉野の宮は、山高み雲ぞたなびく、河速み瀬の音ぞ清き、神さびて見れば貴く、—見れば清けし」〈万一〇〇五〉 ②ちょうどよい具合に。「耳なしの青菅山は背面(そとも)の大御門(おほみかど)に—神さび立てり」〈万五二〉。「神の御代よりーこの橘(たちばな)を時じくのかくの木の実と名づけらしも」〈万四一一一〉 †yörösinaFë **—め**【宜し女】ほどほどに美しい女。「—をありと聞きて」〈紀歌謡九六〉

よろづ【万】①万(まん)。数多いこと。「五百(いほ)—、千(ち)—神の神代より言ひつぎきたる神名火の三諸(みもろ)の山は」〈万三二二七〉。「大和歌は人の心を種として—の言の葉とぞなれりける」〈古今序〉。「—の人集まりて」〈三宝絵中〉 ②万事。すべて。「—さりげなくて、久しくのどけき御心おきてに」〈源氏匂宮〉。「—を整へたまへり」〈源氏若紫〉 †yörödu **—かけちゃう**(チョウ)【万懸帳・万掛帳】売先別に、商品の品目・数量・価格等は売帳から、代金収入は金銀出入帳から、それぞれ転記して差引計算する帳簿。大福帳。本帳。大帳。「—埒(らち)明かず屋の世之介と叱られながら」〈西鶴・一代男三〉 **—つき**【万調】数多くの貢物。すべての貢物。「古(いにしへ)よ今の現(をつつ)に—奉(まつ)るつかさと作りたるそのなりはひを」〈万四一二二〉 **—に**【万に】『副』何かにつけて。全てに。「この君にひかれて、—気色ばみわびありくを」〈源氏胡蝶〉 **—よ**【万代】長く続く世を予祝していう語。万代(ばんだい)。永世(えいせい)。「—に斯くしもがも、千代に斯くしもがも」〈紀歌謡一〇三〉。「西の都は—の宮」〈続紀歌謡六〉

よろつ・き『四段』足元がよろよろする。ひょろつく。「酒も乱れ、四人ともに—・く時分を見合はせ」〈飛驒国治乱記〉

よろひ ヨロイ【具】台・屛風・厨子・手箱などについて、揃ったものを数える語。「三尺の御厨子一—」〈源氏紅葉賀〉

よろ・ひ ヨロイ【鎧ひ】㊀『四段』鎧を身につける。甲冑に身を固める。「四部六部の検非違使等、甲冑を—・ひ、弓箭を帯して陣頭に候じけり」〈保元上・官軍召し集めらる〉。「—・へる類(たぐひ)数十騎」〈十訓抄一〇ノ七〉㊁『名』【鎧・甲】武具の一。頭部を保護する兜(かぶと)に対し、胸部・胴部を保護するために着用する防具。皮・鉄板などを綴じ合わせて作る。「—を着たる軍(いくさ)の戦ふに臨みて、恐りて逃ぐるがごとし」〈三宝絵上〉。「紺村濃(こんむらご)の直垂(ひたたれ)に赤糸縅(をどし)の—着て」〈盛衰記三七〉。「鎧、与路比(よろひ)、甲也」〈和名抄〉 ▽「鎧」は金属製、「甲」は皮革製のそれを意味する文字。 **—づき**【鎧付き・鎧突き】鎧をゆすりあげゆすりあげして、鎧の札(さね)と札の間にすき間がないようにすること。「常に—せよ、裏かかすな」〈平家九・一二之懸〉 **—どほし** ドオシ【鎧通し】短刀の一種。長さ九寸五分の無反り。敵と組み打ちをし、鎧ごしに刺す時などに使用した。鎧刀。「常に御重宝なされたる九寸五分の—」〈伽・小栗絵巻〉 **—ひたたれ**【鎧直垂】大将が鎧の下に着る直垂。綾・錦・練絹・生絹(すずし)などで作り、袴が短く、袖と裾との端を、括り緒でくくる。「蜀江の錦の—」〈盛衰記二八〉

よろぼし【弱法師】《ヨロボフシの転》よろよろした乞食。「これに出でたる乞丐(こつがい)人は、いかさま例の—よな」〈謡・弱法師〉

よろぼ・ひ ヨロボイ『四段』《ヨロ(擬態語)ハヒ(這)の転。上代はヨロホヒと清音》①あちに寄り、こちに寄りして行く。「川の隈隈、—・ひ行くかも、末桑(うらぐは)の木」〈紀歌謡五六〉②よろよろ歩く。よろめき歩む。「酒をたうべて、たべ酔(ゑ)うて…—・ひぞ参(ま)うで来る」〈催馬楽酒を飲べて〉 †yŏrŏ-FŎFI

よろぼふし ウシ【弱法師】⇒よろぼし。「—我門許せ餅の札」〈俳・猿蓑上〉

よろめ・き『四段』足もとが定まらずよろよろする。「酒に酔ひたる人、痩せたる牛馬などの、よろよろと—・く」〈名語記四〉。「踵・蹣、ヨロメク」〈文明本節用集〉

よろよろ《擬態語ヨロを重ねた形》足もとが定まらず、ふらふらしているさま。「ただよふ足もとも、—弱弱と」〈謡・遊行柳〉

よろり 足もとが定まらずよろよろするさま。「ねりぬき酒のしわざかや、あち—、こちよろ〳〵よろ」〈閑吟集〉

よわごし【弱腰】腰のくびれ。腰の両脇の細い所。「鷹は—を取る事なれば」〈徒然六六〉。「いで—を一斬らう」〈虎清本狂言・禁野〉

よわざう ゾウ【弱蔵】精力の弱い人の擬人名。「男の—は女の身にしては悲しき物ぞかし」〈西鶴・一代女二〉

よわ・し【弱し】『形ク』《ヤワシの母音交替形か。「強し」の対》①体力が無い。「女にはかに病をして、いと—・くなりにける時、よみ置きてみまかりにける」〈古今八五八詞書〉②芯がしっかりしていない。気力がない。「玉の緒を片緒に搓りて緒をよわみ乱るる時に恋ひざらめやも」〈万三〇八一〉。「何事をこの人の心のうちに思ふらんと見る人も苦しきまでありしかど、少し—・き所つきて、なよびすぎたりしけぞかし」〈源氏柏木〉③力が足りない。「こはきものは—・く、—・きものはこはしといふ本文あり。この意(こころ)を思ふに、君おごる時は臣—・く、臣おごる時は君—・くなるといふ詞(ことば)なり」〈平治上・信西出家の由来〉。「〔矢ヲ〕つまよって、『是は少し—・う候。矢づかもちっと短う候』」〈平家一一・遠矢〉 †yowasi

よわたし【夜渡し】夜どおし。一晩中。よもすがら。「昼暮らし—聞けど」〈万四〇八九〉 †yowatasi

よわた・り【世渡り】㊀『四段』生計をたてる。生活をしてゆく。「学問して因果の理をも知り、説経などして—・るたづきともせよ」〈徒然一八八〉㊁『名』生活してゆくこと。活計。「ただ—にも不足なければ」〈著聞五一二〉。「—の方便までぞ」〈臨済録抄三〉

よわた・り【夜渡り】『四段』夜空を渡ってゆく。「あかねさす日は照らせれどぬばたまの—・る月の隠らく惜しも」〈万一六九〉。「ぬばたまの—・る雁はおぼぼしく幾夜を経てか己(おの)が名を告(の)る」〈万二一三九〉 †yowatari

よわみそ【弱味噌】意気地のない人。弱虫。弱者。「鬼味噌」とも。「行者の法力—となる」〈俳・俳諧風体抄下〉

よわめ【弱目】病気などで心身の衰弱した時。弱り目。「物の怪なども、かかる—に所得るものなれば」〈源氏夕霧〉

よわ・め【弱め】『下二』弱くする。弱らせる。「敵の頼みたる国、助けをする国をまづ伐って、敵を—・むるを伐交と云ふなり」〈孫子私抄〉

よわよわ【弱弱】いかにも弱そうなさま。「力—と覚え候ひて、いかにものがるべくも覚え候はで」〈著聞四三六〉。「柳の糸の—とうちかかり給ふ御けはひ」〈伽・鼠草子〉

よわよわ・し【弱弱し】『形シク』いかにも弱そうである。いかにもか弱い。「先の御けしきには似ず、いと—・しきさまにて引き入り給ひにけり」〈発心集七〉。「美人は必ず姿が—・しきものなり」〈長恨歌聞書〉

よわ・り【弱り】『四段』①勢いが乏しくなる。かすかになる。「衆生は光色滅し、勢力尽く衰(ひつ)に微(よわ)りなむ」〈金光明最勝王経平安初期点〉。「御念仏の声やうやう—・らせましましければ」〈平家灌頂・女院死去〉②(病気や疲労などで)体力がなくなる。衰弱する。「苦しがり給ひて、二三日になりぬるに、むげに—・るやうにし給ふ」〈源氏夕顔〉③頼りなくなる。心細くなる。「あさましき事を—・れる御ここちに疑ひなく思ししみて」〈源氏夕霧〉

よゐ【夜居】夜の間、定められた場所に詰めていること。宿直。「験(しるし)あらむ僧もがな。なにがし僧都をぞ—にさぶらはすべかりける」〈源氏宿木〉。「内の御物忌(ものいみ)なれば、殿も上達部も…みな—に籠りたまひて」〈栄花初花〉

よゐのそう【夜居の僧】加持のため夜の間詰めている僧。夜通し念誦奉仕した。「髪はそれよりも短くて、黒き衣などを着て、—のやうになり侍らむとすれば」〈源氏賢木〉

よをり【節折】六月と十二月の晦日(みそか)に、大祓(おほはらへ)の儀式の後に行なう宮中の行事。天皇の身長を竹で計り、それを形代(かたしろ)に移して川に流す。身長に合わせて竹の節(よ)を折るのでこの名がある。「えせものの所得るをり。…六月・十二月の—の蔵人(くらうど)」〈枕一五六〉

よんどころ【拠所】《ヨリドコロの音便形》拠って立つところ。「この界の衆生は大地を—としてあるに」〈臨済録抄三〉。「ヨンドコロ。即ち、タノミドコロ」〈ロザリオの経和らげ〉 **—な・し**【拠所無し】『形ク』他に拠るべき所とてない。どうしようもない。「かれこれ生涯の苦しみとなり、避くるに—・し」〈伽・為人びくに〉。「もし薄手にても負ひ給はば、後の嘲り—・し」〈浄・惟喬惟仁三〉

よ

よんべ【昨夜】「よべ」に同じ。「―の泊りより、こと泊りを追ひてゆく」〈土佐一月二十二日〉

よんま【夜間】《ヨノマの転》奉公人などが夜間暇を貰うこと。また、その休暇。「機織は鳴り止む程を―かな」〈俳・犬子集四〉

ら

ら【羅】透けるように薄い絹織物。「玉の軸・―の表紙」〈源氏賢木〉。〈和名抄〉

ら【接尾】①擬態語・形容詞語幹などを承けて、その状態を表わす。「やは―」「あか―たちばな」「さかし―」など。「醸みし神酒(みき)うま―にきこしもち食(を)せ」〈記歌謡四八〉②代名詞を承けて、場所・方向の意を表わす。「いはた野に宿りする君家人のいづ―と我を問はばいかに言はむ」〈万三六八九〉③複数を示す。尊敬を含まず、人を見下げたり、卑下したりする感じで使うことが多い。「みつみつし久米の子―がくぶつつい石つつい持ち打ちてしやまむ」〈記歌謡一〇〉。「憶良―は今は罷らむ子泣くらむそれその母も吾を待つらむぞ」〈万三三七〉。「古郷には妻子所従―いかになげき悲しみ候らん」〈平家七・聖主臨幸〉。「等、ラ、輩也」〈色葉字類抄〉④事物を複数形で表現して婉曲にいう。「目―」「荒野―」など。「富人の家の子どもの着る身なみ腐(くた)し棄つらむ絹綿―はも」〈万九〇〇〉

ら《助動》完了の助動詞「り」の未然形。

らい【礼】《呉音》①礼儀。礼法。「御元服の―を習ふ」〈中右記寛治三・三・六〉②敬っておがむこと。礼拝。「―をなし御名をとなふるその声をみそなはしてもさぞ守るらん」〈再昌草八〉

らいかう【来迎】《近世前期頃までライカウと清音》仏道修行者が死ぬ時に、仏・菩薩が枕元に迎えに来ること。「西方浄土の―にあづからんとおぼしめし」〈平家二・先帝身投〉。「来迎、ライカウ」〈文明本節用集〉 **―いんぜふ**【来迎引摂・来迎引接】《「引摂」は浄土へ導き、迎え取ること》「来迎」に同じ。「一度御名(な)を称ふれば、―疑はず」〈梁塵秘抄三〇〉 **―ばしら**【来迎柱】仏像を安置する須彌壇の四隅にある金箔をほどこした円柱。「門跡堂…―これを立つ」〈言経卿記慶長二・七・三〉

らいぎ【来儀】来ることの尊敬語。「ここに此の君、鳳凰の―せしことを深くよろこびおはしまして」〈伽・若みどり〉。〈運歩色葉集〉

らいさん【礼讃】三宝(仏・法・僧)を礼拝して、その功徳を讃歎すること。「日没、静かに―し、念仏貴(たつ)く唱へつつ」〈盛衰記二二〉

らいし【礼紙】①書状などの本文料紙の上に儀礼的に巻き添える白紙。追而書(おってがき)として本文の余意を略記することもあり、これを礼紙書・礼紙状といった。点紙。「俊寛(赦免)と云ふ文字はなし。―にぞあるらむとて―を見るにも見えず」〈平家三・足摺〉。〈色葉字類抄〉②《「畾紙」とも書く》余白。「帰去来墨跡…印の下―四五分、字の上―五分、下は―無し、奥の―二寸四五分」〈宗湛日記天正一五・二・一五〉

らいし【罍子・櫑子】《「罍」は、酒樽の意》①酒器の一。漆塗りのものであったらしい。形状は不明。「櫑子、酒器也」〈和名抄〉②菓子や菜などを盛る器。盆・折箱の類。酒器が転用されたものか。「この筍(たかうな)の―に何とも知らず立ち寄りて」〈源氏横笛〉

らいせ【来世】《仏》三世(ぜ)の一。未来の世。後生。「仏に奉る物はいたづらにならず。―・未来の功徳なり」〈宇津保藤原君〉 **―がね**【来世銀】来世の冥福を祈るため仏に捧げる金。「―にかけよ冥途の沓手鳥(くつてどり)」〈俳・安楽音二〉

らいだう【礼堂】寺院で、本堂の前にあり、礼拝読経をする堂。「陀羅尼いと尊う誦みつつ―にたたずむ法師ありき」〈かげろふ下〉。〈色葉字類抄〉

らいぢ【畾地】余って空いている土地。空地。余地。「庭を作ったが、此の松を植ゑる程、―がある程に」〈虎明本狂言・富士松〉

らいねん【来年】今年の次に来る年。「ことし―過ぐしがたきやうになむはべれば」〈源氏手習〉 **―の事を言へば鬼が笑・ふ** 未来は予知できないというたとえ。「来年を言へば」とも。「―・へど…諸分(しよわけ)先正月は万事拙者がうけたまはり」〈西鶴・浮世栄花一〉

らいはん【礼盤】本尊の正面にあって、導師が礼拝読経するために上る壇。前に経机があり、右に磬(けい)、左には柄香炉の台を置く。「―に僧一人候ひて、経読み奉る」〈栄花玉台〉。〈色葉字類抄〉

らう【牢】「籠(ろう)」に同じ。〈書言字考〉

らう【労】①骨折り。苦労。「(懸想ノタメノ)御―の程はいくばくならぬに、(早クモ)さみだれになりぬるうれへをし給ひて」〈源氏螢〉②(苦労に対する)いたわり。「愍(めぐ)の―を加ふと雖も、寝食穏(やす)からず」〈将門記〉③努力の実績。功績。年功。「宮仕への―もなくて、今年加階し給へる」〈源氏真木柱〉。「右大臣良相…―十一年、正一位を贈る」〈愚管抄三〉④長年の苦労のたまもの。習練の功。「大和琴にもかかる手ありけりと聞き驚かる。深き御―のほどあらはに聞えて面白きに」〈源氏若菜下〉 **―有・り** ①経験ゆたかに、物慣れている。「木工(もく)の君といふ人、―・る者にて『これを聞き知らぬやうなるは、いとなさけなし』とて」〈宇津保藤原君〉②あれこれとよく気がつく。心づかいがとどいている。「深き御心用ひや浅くもいかにもあらむ。けしきいと―・り、なつかしき心ばへと見えて」〈源氏胡蝶〉③洗練された情趣が感じられる。「朝拝などきこしめす時は、いと面白く、内宴をきこしめす時もいと―・り面白し。三月の節会(せち)は、花とく咲く時は、いと―・るほどなり」〈宇津保内侍のかみ〉

らう【廊】建物と建物とを連絡するための、屋根のある長い建物。回廊式のものを主にいう。細殿。「この殿は檜皮(ひはだ)の大殿五、―、渡殿、さるべきあてあての板屋(いたや)どもなど、あるべきかぎりにて」〈宇津保俊蔭〉。「廊、保曾度能(ほそどの)、殿下外屋也」〈和名抄〉

らう【霊】《呉音リャウの直音化》⇒りゃう。「この御生きずたま故父大臣(おとど)の御―などいふものあり」〈源氏葵〉

ラウ【羅宇】キセルの火皿と吸口とを接続する竹管。ラオ。「花は火皿きせるの―か石の竹」〈俳・思出草三〉

らう《助動》《ラム・ランの転》推量・想像を表わす。…だろう。「宇治の川瀬の水車、なにとうき世をめぐる―」〈閑吟集〉。「人の情のありし時、など独り寝を習はざる―」〈宗安小歌集〉。「そなたとわれは縁こそ尽きつ―」〈天草本伊曾保〉

らうあん【諒闇】《ラウはリャウの直音化》⇒りゃうあん。「さて程もなく御衣の色変りぬ。内にもあはれにて過ぐさせ給ふ。天下―になりぬ」〈栄花鳥辺野〉

らうえい【朗詠】①声高らかにうたうこと。「―して叢(さくらむ)のほとりに立てれば」〈菅家文草五〉 ②平安時代、漢詩文の一節に節をつけて吟じたもの。後には和歌もその対象となった。儀式・饗宴・管絃の遊びなどの際にうたわれた。「上達部、侍従淵酔し、唱歌・―あり」〈小右記長保一・二・七〉。「催馬楽(さいばら)・―など果てて」〈著聞九四〉

らうえん ：ロウ【狼煙】《もと狼の糞を用いたことから》 のろし。「在家二十余箇所に火をかけて、―天を焦(こが)せり」〈太平記一九・新田義貞〉

らうがい ：ロウ【癆咳】 肺病。癆瘵(らうさい)。「召し仰せの声、一切聞えず、―の病歟」〈小右記万寿一・一一・二〇〉

らうがは・し ロウガワシ【乱がはし】『形シク』《ラウはランの転》 ①ごったがえしたさまである。「上下となく立ちこみて、いと―・しく、泣きどよむ声いかづちにも劣らず」〈源氏明石〉 ②いかにもふしだらな感じがする。「例の香もりするゑて行なひつるも、俄になげちらし、数珠も間木(まぎ)にうちあげなど―・しきに」〈かげろふ中〉。「この寺の地は、人にすぐれてめでたけれど、僧なん―・しかるべき」〈宇治拾遺一六八〉 ③無法・理不尽だと感じられる。いかにも無作法だと思われる。「〔ハダシノママ〕土にや走らすらんと思ひつる人も車に乗せ、門(かど)強うなどものしたりければ、―・しき事もなかりけり」〈かげろふ下〉。「〔臥シタママノ〕いと―・しきさまに侍る罪は、おのづから思し許されなむ」〈源氏柏木〉

らうくだし ：ロウ【牢朽・牢腐】《ラウクタシとも》 刑罰の一。罪人を死ぬまで入牢させておくこと。永牢。また、その罪人が牢で死ぬこと。「―になって獄中で果つるぞ」〈史記抄一八〉

らうげ ：ロウ【労気】 所労。病気。「母の尼の―俄におこりて」〈源氏夢浮橋〉

らうごし ：ロウ【牢輿】 囚人護送用の輿。「―打ちやぶり、母上を奪ひ取り」〈説経・天智天皇〉

らうさ ：ロウ【老者】《サはシャの直音化》 老人。「いと興あることいふ―たちかな」〈大鏡序〉

らうさい ：ロウ【癆瘵】 ①肺病。癆咳(らうがい)。また、気鬱症。虚脱症。「弾正公は―を御煩ひ、一間四方に大板を以て籠をさせ…三年其れにまします」〈赤羽記〉。「心の血を減らし、精尽き、血乾いて、即ち―となる」〈済民記一〉。「労瘵、ラウサイ」〈文明本節用集〉 ②《「弄斎」「籠済」「朗細」とも書く》 近世初期流行した小唄の一。主として、はかない恋情を七七七五形に詠み、遊里で三味線に合わせて唄われた。癆瘵節。「―の一節に三味線の音びびしく聞ゆる」〈評判・吾妻物語〉 **―げ**【癆瘵気】 気鬱症。癆瘵かたぎ。「いかにもやせ衰へ…―なり」〈咄・醒睡笑六〉

らう・じ ：ロウ【領じ】『サ変』《ラウはリャウの直音化》 独占私有して、他の介入を許さない意。類義語シリ(領)は、物の状態や性質をすみずみまで把握し管理する意》 ①自分の物として所有する。「みづから―・ずる所に侍らねど、また知り伝へ給ふ人もなければ」〈源氏松風〉 ②ひとりじめにする。わがもの顔にして他をよせつけない。「いとあやしや。あなたにこの宮を―・じ奉りて、ふところをさらに放たずもてあつかひつつ」〈源氏若菜上〉。「良清が―・じて云ひしけしきもめざましう」〈源氏明石〉 ③(魔物などが)とりついて離れない。魅入(い)る。「なほこの―・じたりける物の、身に離れぬ心地なんする」〈源氏夢浮橋〉

らうしゃ ：ロウ【牢舎】「籠舎(ろうしゃ)」に同じ。〈書言字考〉

らうじゅう ：ロウ【郎従】「郎等(らうどう)」に同じ。「源頼治の―等、すでに神民等を射る」〈中右記嘉保二・一〇・二四〉

らうせう ロウショウ【老少】 老人と年少者と。老若。「貴賤のしなをもえらばず、―をもさだめず」〈三宝絵下〉 **―ふぢゃう** ：ロウジョウ【老少不定】 老人が早く死に、若者が長生きするとは限らないこと。この世のはかなさをいう。「生死無常、―と雖も悲歎の至り云ひ尽すべからず」〈中右記承徳二・七・一六〉

らうぜき ：ロウ【狼藉】《狼が草を藉(し)いて臥したあとの乱雑さから出た語という》 ①無秩序に入り乱れているさま。散乱しているさま。「落花―たり、風狂じて後」〈和漢朗詠集落花〉。「文言の―を顧みず、理趣の存没を弁ぜず」〈孝養集中〉 ②無法な行為。けしからぬふるまい。無作法。乱暴。「かく云ふ、極めて―なり」〈今昔二ノ三三〉。「すみやかに―を静むべし」〈保元下・新院讃州〉

らうそく ：ロウ【蠟燭】「らふそく」の転。「予を召され、御―を持たせられ」〈言国卿記文明六・七・三〉

らうたい ：ロウ【老体】 ①年老いた身。年より。「―の上に重き病を受けて」〈今昔一四ノ三四〉 ②老人の風体。能では、物真似における基本的風体としての三体の一。「〔採桑老ノ〕舞姿、頗る―なり」〈教訓抄四〉。「―。是、大方脇能のかかりなり」〈能作書〉

らうた・し ロウタシ『形ク』《ラウ(労)イタシ(痛)の約。弱いもの、劣ったものをいたわってやりたいと思う気持。類義語イトホシは、無力なものを見るのがつらく、眼をそむけたいの意。ウツクシは、小さいもの、幼いものが好ましく可愛い意》 ①かばい、いたわってやりたい。「〔妻ニ追イ出サレル若イ女ヲ〕―・しと思ひながら、えとどめず」〈大和六四〉。「『いたく面痩せ給へる、つくろひ給へ』など、いと―・しと、さすがに見奉り給ふ」〈源氏若菜下〉 ②目をかけてやりたい。大事にしてやりたい。「御車添ひをばいみじう―・くせさせ給ひ、御かへり見ありしは」〈大鏡道長〉。「〔猫ヲ〕わざと―・くせさせ給ふ御心にて」〈源氏若菜下〉 ③いじらしい。「涙ぐまるるが、さすがに恥づかしければ、扇を紛らはしておはする〔女ノ〕心のうちも、―・く推しはからるれど」〈源氏宿木〉。「これ(幼イ息子)がいと―・く舞ひつること語りになむ物しつる。みな人の泣きあはれがりつること」〈かげろふ中〉 ④弱弱しく、可愛い。「かどかどしうをかしき筋などはおくれたりしかども、あてはかに―・くもありしかな」〈源氏玉鬘〉。「なめしと思はで―・うし給へ(カワイガッテ下サイ)」〈源氏桐壺〉。「女のいみじくあてに―・き声して、かくいふ」〈古本説話二八〉

らうぢう ロウジュウ【老中】 江戸幕府の職名。将軍に直属し、政務を総理し、諸大名、遠国の役人などを直轄した重職。定員は四名または五名。十万石以下二万五千石以上の譜代大名中から補任し、月番で執務した。初め、年寄・宿老などと称した。また、諸藩にも置かれた。「権現様御供御―、本多上野介・松平右衛門大夫」〈土屋知貞私記〉

らうどう ：ロウ【郎等】 ①従者。家来。「―までに物かづけたり」〈土佐十二月二十六日〉 ②主家と血縁関係がなく、相伝の所領を持たない家臣。「院宣の御使泰定は、家子(いへのこ)二人―十人具したり」〈平家八・征夷将軍〉

らうにん ：ロウ【浪人・牢人】 ①戸籍・耕地を持たず、本国を離れて他郷を流浪する人。浮浪人。「越前国加賀郡に―の事を執り行なふ長(をさ)あり」〈三宝絵中〉 ②主家を失った武士。浪士。「―を八千〔人〕ばかり置かう」〈天正本狂言・今参〉 ③一定の職業のない者。失業者。「御池通りに―して」〈西鶴・一代女五〉 ④囚人。牢者。「牢人、ラウニン、牢獄の人を云ふ」〈合類節用集〉 **―あらため**【浪人改め】 近世前期、浪人の身許を吟味し、居住地を制限したこと。「浪人払ひ」とも。「世の―に皆皆所を送り(立チ退キ)ける」〈西鶴・永代蔵五〉

らうばらひ ロウバライ【牢払】 牢舎から囚人を出すこと。特に近世、将軍家または大名家の法事の際や、牢内出火あるい

は近火の時などに、囚人を解放すること。「―其等が命拾ひ物」〈俳・談林十百韻下〉

らうびつ:ロウ【牢櫃】牢屋。牢舎。「―に入る時」〈近松・今宮心中中〉

らうぶつ:ロウ【粮物】旅行用などの食糧。「粮物、ラウブツ、粮米義也」〈文明本節用集〉

らうまい:ロウ【粮米】食糧としての米。「斎持の―、白米七升也」〈著聞五三二〉

らうもつ:ロウ【粮物】食糧。かて。「国の土産、道の―にも所望し給へかし」〈盛衰記一八〉

らうやく:ロウ【良薬】《ラウは呉音》よい薬。よくきく薬。「―口に苦く、忠言耳に逆ふ」〈吾妻鏡元暦二・五・二四〉。〈ぎやどぺかどる字集〉

らうらう・じ ロウロウジ【労労じ】『形シク』《することがいかにも年功を経ている感じがする意》①いかにも巧みである。老練である。「御心ざまいみじう―・じうをしう、け恐ろしきまで煩はしう、さがなうおはして」〈栄花様様悦〉。「すこし至らぬことにも御たましひのふかくおはして、―・じうしなしたまひける御根性にて」〈大鏡伊尹〉②することがいかにも物慣れていて、行き届いている。達者である。「手(筆跡)などの、いと、わざとも上手と見えで、―・じくうつくしげに書き給へり」〈源氏若菜上〉。「思ふさまにかしづき聞えて、心及ばぬことはたをさをさなき、人の―・じさなれば」〈源氏藤裏葉〉③(容貌など)利発で隙(すき)のない感じである。「なほ―・じく若うなつかしくて、一方ならぬ世のつつましさをも、あはれをも思ひ乱れて歎きがちにて物し給ふ」〈源氏若菜上〉

らうろう:ロウ【牢籠】①まとめてとりこむこと。「京畿の氏は大体―す。諸国の氏は或いは必ずしも京畿に入らず」〈新撰姓氏録序〉②我が方に引き入れてまるめこむこと。籠絡。「三界を―し、四生を綿絡して」〈性霊集六〉③他をないがしろにして無法な振舞をすること。狼藉。「これかれ共に永く両方の―を停止せしむべし」〈東寺百合文書テ、延長三・八・二五〉。「牢籠、ラウロウ」〈黒川本色葉字類抄〉④思うように行動できないこと。もたもたしていること。「余、宮司にあらず、又御傍親にあらず。よりて此の間―して御送りに候せず」〈小右記寛仁一・八・二二〉。「牢籠、タヂロク」〈易林本節用集〉⑤衰え弱ること。おちぶれること。「仏法の衰微、王法の―、まさにこの時に当れり」〈平家四・山門牒状〉。「今また悉く召し放たれば、公家被官の仁、いよいよ―すべきか」〈建武式目〉

らか『接尾』①擬態語・形容詞語幹などを承けて、見た目に…であるさまの意。「まだ―」「うら―」「あら―」「あさ―」など。「いふかりし国のまほらをつばーに示し給へば」〈万一七五三〉。「身の光り朗(ほがらか)に耀(て)ること初日に同じきなり」〈金光明最勝王経平安初期点〉②形容詞の語幹をうけて、その意味の度合をやわらげたさまを示す。「さるべき方には卑下して、憎(にく)―にもうけばらぬなどを、ほめぬ人なし」〈源氏若菜上〉。「ぬる―にこそ掟て給ふなれ」〈源氏常夏〉

↓やか

らがい【羅蓋】うすものを張ったきぬがさ。貴人の頭上にさす。「装束の清らなること物にも似ず。飛車(とびぐるま)一つ具したり。―さしたり」〈竹取〉

らかん【羅漢】〔仏〕「阿羅漢(あらかん)」の略。「昔一(ひとり)の―ありて、一の沙彌をつかふ」〈三宝絵下〉 **―くゎ**【羅漢果】《「果」は修行の結果到達した境地の意》小乗仏教の修行によって到達した最高の境地。「夫妻共に出家して皆―を得つ」〈今昔二ノ八〉 **―まひ**イマ【羅漢舞】羅漢の面をかぶって舞う法会の舞。「寂静院―これを為す」〈経覚私要鈔宝徳三・二・二三〉

らきてい【拉鬼体】〔歌論用語〕力強い姿の歌。古代的発想や風格の大きな歌が該当する。定家十体の一。「かやうに申せばとて、必ず―が歌のすぐれたる体にてあるには候ふまじ」〈毎月抄〉

らく【楽】①《「苦」の対》安楽。「苦にありといふとも、―にありといふとも」〈正法眼蔵発菩提心〉②好み愛すること。「―といふは、好み愛する事なり」〈徒然二四二〉③「楽焼」の略。「茶碗、…和焼には瀬戸…唐津・―の類なり」〈源流茶話上〉

らく『接尾』↓「用語」について(ク語法)

らくあそび【楽遊び】酒盛りなどで、礼儀作法ぬきで遊び楽しむこと。無礼講。「自酌・自盛りの―、歌ひ舞ひてぞ遊びける」〈義経物語八〉

らくあみ【楽阿彌】法体の楽隠居。楽坊主。「『こりゃ誰(た)が手車、―殿の手車』とはやす」〈天正本狂言・女楽阿彌〉

らくいん【落胤】貴人が、正妻でない身分の低い女に生ませた子。おとしだね。「予―の女子、去る六日死去す」〈山槐記元暦一・九・一二〉 **―ばら**【落胤腹】落胤として生れたこと。妾腹。「一の宮は―、名虎が御女なり」〈盛衰記三二〉。〈文明本節用集〉

らくいんきょ【楽隠居】相続人に家督を譲り渡し、家政から一切手を引いて、安楽に暮すこと。また、その人。楽隠者。また、その住む家。「―をする事専らに流行りぬ」〈西鶴・二十不孝四〉

らくがき【落書】①「らくしょ」に同じ。「この―は、柏原の百姓に五郎介と云ふ者がしたりと云ふ」〈江源武鑑一五下〉②《「楽書」とも書く》壁・塀などにするいたずら書き。「宮寺の塀は残らぬ―に」〈俳・犬子集一七〉

らくがん【落雁】①列をなして水辺におりて行く雁。「平沙に子を生みて―の、はかなや親はかくすとすれど」〈謡・善知鳥〉②干菓子の一。餅米の粉末を少し煎り、砂糖汁でねり固めたもの。「菓子、美濃柿・―」〈久重茶会記正保五・三・二五〉

らくきょ【落居】《「おちゐ」の漢語化》①落ちつくこと。安定すること。「海内も静ならず、世間もいまだ―せず」〈平家一・二代后〉。「落居、らっきょ、おちつく也」〈和漢通用集〉②決着をつけること。確定すること。「此の事いまだおとしすゑず。唐の楽の目録を見て―すべし」〈教訓抄六〉。「上裁を仰ぐ故につひに―せずといふ事なし」〈夢中問答下〉

らくく【落句】①漢詩・和歌などの結句。「御製の―に」〈著聞一三〇〉。「此の歌、―、古点には、えだはあらめやもと点ず」〈仙覚抄三〉②連歌・俳諧で、題を案じ過ごして、その本意に逆らったり、逆効果をもたらす作句をいう。「歌には落題の歌と云ふ也。―と連歌には是れを云ふ也」〈知連抄〉

らくくゎ【落花】 **―枝に帰らず** 一度散った花は再び枝に戻らない。一度破れた男女の縁の再び元通りにならないことや、死んだ者は再び戻って来ないことのたとえ。「―、破鏡再び照らさず」〈謡・八島〉

らくぐゎい【洛外】《「洛中」の対》都の外。京都の町の外。「京中・―の武士どもを六波羅へ召し集めて」〈太平記一・頼員回忠〉。「洛中・―の境を末代までも相定むべし」〈室町殿日記九〉

らくさく【落索】《もの淋しいさまの意》①酒食の残り物。「―有るに於ては、配分さるべき者也」〈雑筆往来〉。〈文明本節用集〉②使い残したもの。「先達のもてあそびし文字言句の―を拾ひあつめ」〈落葉集〉③《残り物の酒食を用いてするので》神祭その他の行事の翌日に行なう慰労宴。「―やさては昨日の鮒膾」〈俳・塵塚(成之編)一〉④あてもなく出歩くこと。「―。あても無く出て行く也」〈浪花聞書〉

らくさつ【落札】入札の結果、入札した物が自分の手に入ること。「掛くる小橋の―の請け」〈俳・大句数上〉

らくしゃ【洛叉・落叉】〔仏〕数量の名。十万。「洛叉、ラクシャ、梵語。此を十万と翻ずる也」〈文明本節用集〉

らくしゅ【落首】諷刺・嘲弄(ちょうろう)の意をこめた匿名(とくめい)の戯歌。「〔伊達〕政宗〔ニ関スル〕―書き候て」〈梅津政景日記寛永七・八・二〉

らくしょ【落書】時事や人事などを批評・諷刺あるいは告発する匿名(とくめい)の詩歌や文書。人目につき易い所に置いたり貼り出したりした。落し文。捨て文。「我を呵して終(ひっ)に実の―となす」〈菅家文草三〉。「二首の歌を詠うで、禁中に―をぞしたりける」〈平家八・山門御幸〉

らくしょく【落飾】髪を剃り落し、仏門に入ること。「既にして天皇―し、随(つ)いで出家して御弟子となる」〈後紀延暦一八・二・二一〉。「出家をば―と翻ずるなり」〈法華経直談鈔二末〉。〈文明本節用集〉

らくじん【楽人】①気楽な人。閑人。「向後―となるべし」〈西鶴・新可笑記四〉②金持。富裕者。たのしや。「京に勝れる―有り」〈西鶴・好色盛衰記四〉

らくすけ【楽助・楽介】のんびりと生活を楽しむ男の擬人名。気楽者。「菊よ紅葉よ今の―」〈俳・信徳十百韻〉

らくそん【落蹲】舞楽の曲名。高麗楽に属し、壱越(いちこつ)調。競馬・相撲などの勝負の時には、右方の勝者を祝って奏された。「舞は…。―は二人して膝踏みて舞ひたる」〈枕二一六〉。「打毬楽(だぎゅうらく)、―など遊びて」〈源氏蛍〉

らくだ【落堕】僧侶が俗人に戻ること。還俗(げんぞく)。「堕落」とも。「廬山寺長老姪(をひ)昭汎―して堺に在り」〈実隆公記大永四・四・一一〉。「落堕、ラクダ、還俗之義」〈伊京集〉

らくだい【落題】題意を詠み落すこと。また、その詩歌。「一番よりよろしからむと案ずれば、遅くなるにつきて心も騒ぎて―などもするなり」〈後鳥羽院御口伝〉

らくちう(…チュウ)【洛中】《「洛外」の対》都の外郭に囲まれたなか。京都の町のうち。「そもそも―〔ノ治安ノ乱レハ〕坂東に異ならず」〈小右記治安三・一二・二三〉 **―づくし**【洛中尽し】京都の町通り・名所旧跡などを鳥瞰図風に描いたもの。「―を見たらば、見ぬ所をありきたがるべし」〈西鶴・永代蔵二〉

らくぢゃく【落着】①けりが着くこと。決定。決着。「おとしつけ」とも。「その趣向―の所を知り難し」〈太平記一・無礼講〉②裁判の判決を下すこと。「公事(くじ)沙汰など出来したる時、非を糺(ただ)さず、理に―したる事ありや」〈さるばとるむんぢ〉③近世、主として刑事訴訟の確定判決。「公事出入〔ノ判決〕は裁許に御座候。吟味物並びに御仕置申し渡し候は―に御座候」〈公裁要録〉

らくね【楽寝】気楽にのびのびと寝ること。らくねむり。「花に蝶ねぶるは一〔番〕の―かな」〈俳・毛吹草五〉

らくのりもの【楽乗物】安楽に乗れる大形・上等の駕籠。「毎日―吊らせて出られしに」〈西鶴・一代女一〉

らくやう(…ヨウ)【洛陽】《中国の洛陽・長安の二都が東西に位置することから》平安京の朱雀大路(すざくおほぢ)より東の左京をいう。西の右京を「長安」に擬したのに対する。後、右京がさびれて、都全体の称となった。「すべて―の貴賤、田舎の道俗、これを寵せざるなし」〈新猿楽記〉

らくやき【楽焼】指頭でつくり低火度で焼く陶器。京都の楽家及びその系統の窯で作られた。初代長次郎、三代道入が著名。二代常慶の時、豊臣秀吉から「楽」の印を賜わったのでこの名がある。千利休の指導を受けたともいう。「―に世の憂きわざの重ければ」〈俳・都懐紙〉

らくらく【楽楽】気楽でのんびりとしたさま。「天下を治めて我ばかり―と思はば悪いぞ」〈周易抄〉

らくゐ【楽居】自由な姿勢で坐ること。「旦那も下人も一つに―して」〈西鶴・胸算用四〉

らご【乱碁】「らんご」の「ん」を表記しなかった形。「さざれ石撒きて―拾ふ音など聞えけるを」〈今鏡七〉

らざう(ラゾウ)【乱声】「らんざう」の「ん」を表記しなかった形。「打毬楽(だぎゅうらく)、落蹲(らくそん)など遊びて、勝ち負けの―どものののしるも」〈源氏蛍〉

ら・し『助動』→基本助動詞解説

らしい『接尾』《推量の助動詞「らし」の転》①《体言について》…の様子である。…の風である。「はて仔細―」〈伎・万歳丸一〉②《形容詞語幹について》…感じがする。…と思われる。「いとし―婆さん」〈近松・寿門松上〉

ラシャ【羅紗】羊毛で密に織った厚地の毛織物。室町末期頃から輸入され、羽織・合羽などに用いられた。「―の胴服」〈梅津政景日記元和三・九・二一〉▽ポルトガル raxa

らじゃうもん(…ジョウ…)【羅城門・羅生門】《「羅城」は都の周囲にめぐらした外郭》平城京・平安京の朱雀大路(すざくおほぢ)南端に建てられていた大門。都の真南に位置する。「なほ南に行くに、既に―に至りぬ」〈今昔二四ノ二四〉

らしゃうもんがし(…ショウ…)【羅生門川岸】江戸吉原の東側の新町川岸の称。また、そこで客を取る安女郎の称。「新町川岸、―と云ふ」〈評判・吉原鹿の子〉

ラセイタ【羅背板】羅紗(ラシャ)の一種。地合薄く手ざわりのやや粗いもの。「春も雪―の袖駒留めて」〈俳・名取川五〉▽ポルトガル raxeta

らせつ【羅刹】《梵語の音訳》人をたぶらかし、食うなど、衆人に危害を加える悪鬼。力が強く、動作がすばやく、その住国「羅刹国」は大海の中にあるという。仏道帰依者には加護を垂れ、成道を助けることから仏教の守護神ともされた。羅刹鬼。「―の罪人をくらひしも」〈三宝絵下〉

らち【埒】《低い垣の意》①馬場のまわりの柵(さく)。「馬場の殿(おとど)つくり―結ひて、五月(さつき)の御遊び所にて」〈源氏少女〉。「埒、与レ劣同、世間云良知(らち)、戯馬道也」〈和名抄〉②《転じて》物事のけじめ。「今日明日のほどに―ふすべきところほしげになん」〈かげろふ下〉 **―明・く** 物事がはかどる。かたがつく。けりがつく。「かくの如く物に不審せば、何事か一つも―・かんや」〈反故集下〉 **―も無・い** 《「臈次(らっし)も無い」の転か》順序・次第が整わない。支離滅裂だ。らっちもない。「はて―・い。一度切ったる景清が蘇るべきやうも無し」〈近松・出世景清五〉

らっこのかは(…カワ)【猟虎の皮】《海獣のラッコは皮毛が甚だ柔軟で撫でる方向に毛並が揃うことから》物事の柔軟または従順な性質のたとえ。また、他人の機嫌ばかり取る人をいう。「あなたへもこなたへもなる声を聞けこれぞ―堂の鐘」〈再昌草二〇〉。「―と云ふつれ(類)ぞ。あちへ摩(な)づればあちへなり、こちへ摩づればこちへなるぞ」〈玉塵抄三三〉

らっし【臈次・臘次】《ラフシの転》①「らふ(臈)」(1)の多少。法臈の順位。「空しく―をかずへ、いたづらに信施を受くる僧のみ国に満てり」〈沙石集六ノ五〉②順序。秩序。「膳を据ゑて戻る者と、膳を据ゑに出る者とが、はたはたと行き当りて膳を打ちさらし、―がなかった程に」〈春鑑鈔〉。「臘次、ラッシ、次第義也」〈文明本節用集〉 **―も無・い** 順序・秩序などが全く整っていない。めちゃくちゃであ

る。らちもない。「銭を―・う人に鋳させぬぞ」〈蒙求抄一〇〉

らっそく【蠟燭】「らふそく」の転。「―十丁」〈高野山文書四、嘉吉三・五・二八〉

らっちがな・い【埒が無い】『連語』「らちもない」に同じ。「一人ころりはええ―・い」〈近松・重井筒中〉

らっぱ【乱波】戦国時代、豪族が野武士・強盗など地理に明るい者を召し抱えて、諜者または進軍の案内などをさせたもの。らんば。すっぱ。後には、無頼漢・あらくれ者の意に用いた。「―と云ふ曲者多く有りし」〈北条五代記九〉

らっぷ【乱舞】「らんぶ」の転。「乾何者やらん、―・酒宴つかまつる不審さよ」〈伽・小栗〉

らでん【螺鈿】屋久貝・鸚鵡(おうむ)貝などの殻の、真珠のように光る部分をいろいろの形に切り、器物、殊に漆器の面にはめこんで飾りとしたもの。インドより中国を経て伝来し、平安時代にその技術が著しく進歩した。「―の太刀、唐組の緒つけて」〈宇津保吹上上〉。「蒔絵(まきゑ)、―のこまやかなる心ばへまさりて見ゆる物をば」〈源氏東屋〉

らに【蘭】フジバカマの異称。「―も枯れ菊も枯れにし秋の野の」〈源順集〉 ▽平安時代には、nに母音iを添えて「に」と書きあらわす場合があった。盆(ぼに)の類。

らふ(ロウ)【臈・臘】①受戒して正式の僧となった後、九十日間の安居(あんご)をすませること。僧の席次は、その回数によってきまるので、転じて、僧の出家後の年数。年功。「寺の中の僧をあつむ。―の次(つい)でにまかせて座をつらね」〈三宝絵下〉②《転じて》序列。階級。地位。また、年功のある人。「すぐれたる御―どもに、かやうの事はたへぬにやありけむ」〈源氏胡蝶〉

らふ(ロウ)【臘】《本来は祭の名で、冬至後の第三の戌(いぬ)の日に行なわれたもの》年末。陰暦十二月の異称。「早くも春気に驚く禅林の―」〈菅家文草五〉

らふげつ:(ロウ)【臘月】陰暦十二月の異称。「嘉禎二年―除夜」〈正法眼蔵随聞記五〉

らふし:(ロウ)【臈次】⇒らっし

らふそく:(ロウ)【蠟燭】燈火の一。より糸・こよりなどを芯(しん)として、その周囲を蠟で円柱形に固めて作ったもの。〈色葉字類抄〉 **―だて**【蠟燭立】仏前に蠟燭を立てる鋳物製の台。亀の上に鶴が乗り、鶴の嘴が燭台を挟む形が多かった。「―の田鶴も鳴くらし」〈俳・俳諧三部抄中〉

らふた・け:(ロウ)【臈長け・臈闌け】『下二』①年功を積み、物事に巧みになる。「この薄の歌は、すけまさが『なびく』『まねく』と言ひたるわたり、―・けたるやうなり」〈源順集〉。「功積もり―・けたる人の是(コノ抄)を見れば、龍の水を得るがごとし」〈長短抄上・奥書〉②洗練されて、上品になる。「夢にもせめて逢ひ見ばやと、恋ひ悲しみ給ひつる似絵に少しも違はず、尚あてやかに―・けて、云はん方なくぞ見えたりける」〈太平記一八・春宮還御〉

らふぢ:(ロウ)【蠟地】紙などに蠟を引いてなめらかにした地質。「十枚継ぎの―の紙」〈西鶴・胸算用五〉

らふはつ:(ロウ)【臘八】《「臘月八日」の略》陰暦十二月八日の称。釈迦が成道した日として、寺院で成道会(じやうだうゑ)が行なわれ、温糟粥(うんざうがゆ)を食べる。「寒更の紅糟(うんざう)は―の仏供」〈尺素往来〉。〈文明本節用集〉

らほつ【螺髪】《「螺」は巻き貝》仏像の頭部の粒状の髪。仏の髪の整っていることを示す。「―は出家の形也」〈沙石集二ノ八〉

らま『接尾』未詳。「おほみことらま」「やつこらま」などの形で用いられ、抽象化された意味の名詞をつくる。「天皇が大命(おほみこと)―と詔(の)りたまふ大命を…諸(もろもろ)聞こし食(め)さへと詔る」〈続紀宣命一〉

ら・む『助動』→基本助動詞解説

らもん【羅文】立蔀(たてじとみ)や板垣の上部に、細い木や竹を菱形に組んで飾りとしたもの。らんもん。「透垣の―、軒の上に懸いたる蜘蛛の巣のこぼれたるに雨のかかりたるが」〈枕一三〇〉

ら・ゆ『助動』「らる」に当る上代の助動詞。可能の意をあらわす。…することができる。動詞「寝(ね)」の未然形に接する例のみ文献にみえる。「妹を思ひ眠(い)の寝(ね)―・えぬに秋の野にさ男鹿鳴きつ妻思ひかねて」〈万三六七八〉

らり【乱離】《ランリの転》秩序が乱れて、どうにもならなくなること。めちゃくちゃ。だいなし。「もとの如く―かなしく(貧シク)なすべし」〈伽・彌兵衛鼠〉。「物の埒(らち)も無くなり、又は崩れ破れたるを、―に成ったと俗に云ふは、乱離(らんり)の字か」〈志不可起四〉

らりこはひ:(イハ)【乱離巨灰】「らり」を強めていう語。らりこっぱい。「木の葉をば―なる嵐かな」〈俳・続連珠七〉

らりょう【羅綾】薄ぎぬと綾ぎぬと。美しい衣裳。「―の衣は多く桂殿の間に余れり」〈玉造小町子壮衰書〉

ら・る『助動』→基本助動詞解説

ら・ん『助動』⇒らむ

らんき【乱気】気が狂うこと。乱心。精神錯乱。「―になった其の身空しき」〈俳・独吟一日千句〉

らんぐひ:(イグ)【乱杭】道や川の中などに何本も不規則に打ち込んだ杙。縄を張って、敵を防ぐ障害物とする。「水の底には―打って、大綱張り」〈平家九・宇治川〉

らんけい【鸞鏡】①鸞鳥の形を裏面に刻んだ鏡。鸞鳥は、鳳凰に似た想像上の霊鳥。五色の美鳥で、鏡に映った自分の姿を見て、鳴き舞うという。「綾羅を身にまとひ、蘭麝を衣に薫じ、―を擎(ささ)げて伴とす」〈新猿楽記〉②「鸞鏡調」の略。〈宗筠袖下〉 **―てう**(チョウ)【鸞鏡調】雅楽の十二の調子の一。実際には用いられなかったという。「次に―を置きて、中の穴盤渉(ばんしき)調」〈徒然二一九〉

らんげき【乱逆】治安を乱すこと。反乱。「大衆―の事により、俄かに以て〔講師ヲ〕辞退す」〈中右記寛治七・一二・四〉。〈文明本節用集〉

ランケン【欄絹】近世、舶来のラシャの称。「夜具には、唐絹金入り・―・天鵞絨(ビロウド)」〈色道大鏡三〉 ▽オランダ laken

らんご【乱碁】遊戯の一種。碁石を指で押して拾い、あるいははじいて、その数の多少を争う遊戯。らご。「―・貝おほひ・手まり・へんつぎなどやうのことどもを」〈増鏡五〉

らんざう:(ソウ)【乱声】《ザウはジャウの直音化》⇒らんじゃう。「打毬楽(だぎうらく)、落蹲(らくそん)など遊びて、勝ち負けの―どものののしるも」〈源氏(池田本)螢〉

らんじゃ【蘭若】⇒らんにゃ。〈文明本節用集〉

らんじゃ【蘭麝】蘭の花と麝香(じやかう)とを合わせた香料。芳香を放つ香料の代表。「身には―を匂はし」〈十訓抄一ノ四〉 **―たい**【蘭奢待】聖武天皇時代、中国渡来の名香の名。奈良の正倉院御物の黄熟香で、朽木形の極上の伽羅(きやら)。東大寺。「〔名香ノ名〕中比(なかごろ)は、山陰・疎柳…彌文字・五文字・―」〈新札往来〉。「取りて見れば名香なり。書付のあるを見れば―なり」〈仮・霊怪艸三〉。〈運歩色葉集〉

らんしゃう:(ショウ)【卵生】〔仏〕四生(ししやう)の一。鳥類のように卵から孵化する生れ方。「樹の東面に―の龍および―の金翅鳥あり」〈五常内義抄〉

らんしゃう:(ショウ)【濫觴】《揚子江もその源はやっと觴(さかずき)を濫(うか)べられるぐらいの小流である意から》物事の始まり。起源。「金堂東北の阿伽井(あかゐ)、これ彼の―なり」〈観心

寺文書承和四・三・三〉

らんじゃう【乱声】①笛を拍節のない、追い吹きで吹くこと。大鼓・鉦鼓とも合奏され、乱れた声に聞える。行幸着御の際、舞楽の始め、相撲・競馬などの勝負のきまった時などに行なわれ、それぞれの場合により、高麗乱声・新楽乱声・古楽乱声などの曲別がある。「賭弓(のりゆみ)、左勝つ。―仰せに依りて奏せず」〈貞信公記延長五・一・一九〉。「日暮れかかるほどに高麗の―して落蹲(らくそん)舞ひ出でたるほど」〈源氏若菜上〉②鐘や太鼓を乱打して鬨(とき)の声をあげること。「四国鎮西の兵(つはもの)ども、甲冑弓箭を帯して…つねに大鼓を打って―をす」〈平家九・樋口被討罰〉

らんしゅ【乱酒】酒宴がたけなわになり、座次作法を乱して飲み合うこと。「はや―に至りては、式法入るべからず候」〈宗筠袖下〉

らんしん【乱心】①煩悩などに乱されて仏道修行に専念できない心。散乱する心。「無事心を以て―を収め候事、全く成り難く候」〈反故集下〉②心が狂い乱れること。狂気。「病気甚しく、殊に―の体なり」〈老人雑話〉

らんじん【乱人】気の狂った人。狂人。「神をうらみ仏に歎き―となって」〈西鶴・諸艶大鑑一〉

らんだ【懶惰】怠惰で何もしようとしないこと。無精(ぶしやう)。「何と―・懈怠(けたい)にふるまふとも、所領あれば僧食事欠けまじ」〈明恵伝記下〉。「我は生得と―にして物も云ふ事もむつかしいほどに」〈四河入海二ノ上〉

らんたふ【卵塔・蘭塔】四角または八角の台座の上に塔身が卵形をなした塔婆(たふ)。多く禅僧の墓標とした。無縫塔。「骨は空しく留まって、―一掬の塵となりにけり」〈太平記三三・将軍御逝去〉。〈文明本節用集〉 **―ば**【卵塔場】墓地。墓場。「それがし―怖しき故に」〈驢鞍橋下〉

らんでん【乱顛】混乱すること。「その夜は神鳴・稲妻―して、雨も車軸と降りければ」〈浄・子敦盛五〉 **―翻(へん)・す** ひどく混雑する。ごったがえす。「死に入る程のかしさ―・す」〈評判・雨夜三盃機嫌下〉

らんどまり【らん留り】〔連俳用語〕句の末尾に助動詞「らん」を用いること。第三・第五の句にすることが多い。「らんどめ」とも。「苔の衣に春を忘れよ／さのみなど花に心を染めつらん。…下知の句に―の句、組み合ひがたしと云へども、苔の衣に付けたる句、よく付きたる也」〈連歌秘伝抄〉。「―の発句は…稀なる事也」〈矢嶋小林庵何木百韻注〉

らんどり【乱取り】見境なく無法な掠奪をすること。「ここかしこを放火して、刈田をして、打ち散りて―をする処に」〈三河物語下〉

らんにゃ【蘭若】《梵語の音訳「阿蘭若(あらんにや)」の略。「練若(れんにや)」とも》僧の修行する所、すなわち寺院。「ここを以て―禅堂漸く精進の輩を絶ち」〈清水寺縁起仁寿三・二・三〉

らんぱ【乱波】⇒らっぱ。「此の名を―と名付け、国大名衆扶持し給へり」〈北条五代記五〉

らんばう【濫妨・乱妨】①無法な荒荒しいふるまい。むちゃくちゃにあばれまわること。暴行。「康忠の代官を追出し、非分の―を致すの間」〈西宮文書寿永三・二〉②暴力を用いて奪い取ること。掠奪。「いろいろ人ごとの―の物を見て欲しく思ひて、我が心ながらつたなく思ひ」〈朝鮮日日記〉。「家財争ふさまは見苦し／―はただ雑兵のわざにして」〈俳・正章千句下〉

らんばこ【覧箱】「御覧箱」の略。宣命・院宣など貴人の御覧に供する文書を入れた箱。籐(とう)や葛を編んだもので、かぶせ蓋があり、緒で結ぶ。「院宣をば―に入れられたり」〈平家八・征夷将軍〉

ランビキ【蘭引】近世、酒類などを蒸溜する器具。陶製の深い鍋の上に、冷水を入れた同じ深さの鍋を蓋とし、熱すれば、下の鍋から昇った蒸気が蓋の裏面に達し、水のため冷えて露となり、その裏面の一方にある口から流れ出る仕掛け。「―の梅をや月も尋ねても」〈俳・誹袖上〉。〈蘭語訳撰〉 ▽ポルトガル alambique

らんびゃうし【乱拍子】①白拍子舞の一形式で、小鼓のみで囃すもの。「長者、横敷(よこしき)に居て、鼓を打ち―の次第を取る」〈十訓抄三ノ一五〉②能の舞の一。小鼓のみで舞う極めて特殊な舞。現在は「道成寺」だけに演じられる。「―・下り端等の拍子あり」〈五音三曲集〉

らんぴらんぐゎい【乱飛乱外】むちゃくちゃに動きまわること。「乱れ飛ぶは―の蛍かな」〈俳・落穂集三〉。〈日葡〉

らんぶ【乱舞】《ラップとも》定まった曲や振りを持たず、即興的に演じられる自由奔放な歌舞。平安時代末頃から貴族の宴席などで座興として行なわれたのに始まる。「さまざま―して、をうをう声をあげて」〈盛衰記三四〉

らんまん【乱漫・濫漫】乱れてにごっていること。無秩序でけがれていること。乱脈。「かかる五濁(ごぢょく)―の憂き世に」〈保元上・法皇熊野御参詣〉

らんよ【鸞輿】屋上に鸞鳥が飾りつけられた輿(こし)。天子の乗用。「―、太政大臣東京染殿の第に幸し、桜花を観る」〈三代実録貞観八・閏三・一〉

り

り【利】①利益。もうけ。「汝、官の賞を得て己(おの)が―とせりき」〈今昔九ノ二六〉②利子。利息。「右くだんの銭(ぜに)は、…月月に十文の―を加へて、返しまゐらせ候べく候」〈東寺百合文書リ、寛喜一・一一・三〉③都合がよいこと。また、有利。「太宰府の合戦も、味方に―あるによって、もりつな公打ち負け、つひに自害し給ひぬ」〈栗栖野物語〉 **―をか・く** 利息を払う。「此の―・きて、芝居の外何商売して、胸算用が合ふと思し召すぞ」〈西鶴・胸算用二〉

り【理】物事の筋道。道理。「世間の―を申し尽し給へば」〈栄花楚王夢〉。「―を立てて憂き身の程を思ひ知りぬされども春の花盛りこそ」〈拾玉集四〉 **―の昂ずるは非の一倍** 道理も度が過ぎると、かえって非理よりも一段と悪い結果となる意。「理の過ぎたるは非の一倍」とも。「―と云ふ事ぞ」〈玉塵抄一七〉 **―を責・む** 道理を正す。理を尽す。「理を詰む」とも。「言葉を尽し―・めて」〈浮・好色江戸紫一〉

り《助動》→基本助動詞解説

りあげ【利上】借金または質物の期限に、利子だけ払って、その期限を延ばすこと。「―こそ貧乏神の神楽銭」〈俳・玉手箱四〉

りあひ【利合・利相】①もうけ。利益。利潤。「ちっと取る―の金に花散りて」〈俳・敝帚四〉②利益の歩合(ぶあひ)。利率。「年中壱分の―にしても」〈西鶴・織留二〉

りう【流】①水の流れ。「盃を浮かべては―にひかるる曲水の」〈謡・安宅〉②流れを汲むこと。流儀。系統。「曾祖父が記録を伝へ得て、尤も嫡家の―たり」〈教訓抄一〉③旗を数える語。「三引両の旗一―打立て」〈明徳記中〉

りう【龍】《呉音》想像上の動物。多く水中に住み、自

り

由に空に昇って雲を起し、雨を呼ぶ。「―の中より仏生れ給はずはこそ侍らめ」〈源氏手習〉。「心だに浄めつるならば、―夜叉等の身となりたりとも苦しからず」〈覚海法語〉

りうえい【柳営】《漢の将軍周亜夫が、細柳という所に陣営して匈奴に睨みをきかせたことから》①将軍の居所。将軍邸。幕府。「鎌倉、元の如く―たるべきか、他所たるべきか否かの事」〈建武式目〉。「―、将軍の居所なり」〈御書抄二〉②将軍家。将軍。「浅茅踏み分けて来る人あり。いかなるにかと問はせ侍れば、―の御もとよりとて文を差しいだす」〈五月雨日記〉。「柳営、リウエイ、将軍家を指す也」〈文明本節用集〉

りうきうむしろ【琉球筵】琉球産の莎草(くぐ)で織った、剛靱で耐久力のある筵。御倉筵。「裏替への―片敷きて」〈俳・東日記下〉

りうぎん【龍吟】①《龍の鳴き声の意》横笛の異称。龍鳴。龍笛。「龍の鳴いて海に入りにしに、またこの声を聞かばやと恋ひわびしほどに、竹を打ち切りて吹きたり。声似たりき。…これが故に笛をば龍鳴といふ。また、―とも書く」〈龍鳴抄上〉②「龍吟調」の略。十二律の一、下無調(しもむでう)の別名。「―鳳鳴の曲を調べ」〈盛衰記三七〉

りうぐう【龍宮】龍神の住む宮殿。海底または海上、山中にあり、経典を収蔵するところとされた。「御門(みかど)の御師それが定(ぢゃう)に入りて―のかたちを見て」〈三宝絵下〉。「心清く誠を至して精進にて書きたる経は、しかしながら―に納まりぬ」〈今昔一四ノ九〉

りうくわゑん【柳花苑】舞楽の曲名。「―といふ舞を、これは今少し過ぐして」〈源氏花宴〉▽もとは「柳花怨」で、女心を柳花に託したものという。「本は柳花怨と云ふ。…昔は此の曲に舞ありけれども、絶へて久しくなりて侍れども…。桓武天皇の御時、遣唐使儛生久礼真茂伝へ渡す所也」〈教訓抄六〉

りうげ【龍華】 **―のあかつき**【龍華の暁】釈迦の入滅後五十六億七千万年を経て、未来仏の彌勒菩薩(みろく)が出現し、龍華樹の下で悟りを得、人人を救い、光明を与えることを、無明の夜が明けて暁が到来することにたとえていう語。「〔迦葉尊者ハ〕鶏足山(けいそくさん)に籠りゐて、―待ち給ふ」〈梁塵秘抄一八四〉 **―のさんゑ**【龍華三会】彌勒が三回行なう説法の大法会。「吾が山ほろびず、わが道尽きずは、この会(ゑ)も絶えずして―に至らしめむ」〈三宝絵下〉

りうご【輪鼓】《リンコの転》①胴中のくびれた形をした鼓。「童子に戯れて―を回す遊びなどもし給ひき」〈一遍聖絵一〉②輪鼓のくびれた部分に紐を巻き、輪鼓を回してする種種の曲芸。また、その芸人。「放下(はうか)参る。手鞠・―・品玉等芸を施す。…甚だ上手なり」〈看聞御記嘉吉一・四・八〉 **―づか**【輪鼓柄】柄糸を輪鼓形に巻いた柄。「―の脇指」〈浮・好色敗毒散三〉

りうこしゃ【龍骨車】⇒りょうこつしゃ。「仕置きくるくる廻る―」〈俳・独吟一日千句〉

りうしょく【流俗】《漢音》俗世間。「―の色にはあらず梅の花／珍重すべきものとこそ見れ」〈拾遺一二七九〉。〈色葉字類抄〉

りうじん【龍神】〔仏〕龍を神格化したもので、八部衆の一。雲を起し、雨を降らせる。龍王。「諸天感応して、―雨を降らす」〈霊異記上三五〉 **―はちぶ**【龍神八部】天・龍神をはじめ、仏法を守る八つの鬼神。「梵尺四王・―・冥官冥衆も驚き騒ぎ給ふらんとぞ見えし」〈平家五・奈良炎上〉

りうせい【流星】①ながれ星。「此の夜―数多」〈御堂関白記寛弘四・六・八〉②流星のように、空中に曲線を描く花火。「昼はさも夜の相図は色色に玉火―常のこと也」〈江源武鑑四下〉

りうたつぶし【隆達節】小唄節の一。和泉国堺の住人、高三(たかさぶ)隆達がはじめた。哀艶な曲調で扇拍子・一節切(ひとよぎり)・小鼓等の伴奏で唄われ、天正・慶長頃流行し、近世小唄の源流をなした。隆達小歌。「当世流行りける―と覚しくて」〈仮・恨の介下〉

りうたん【龍胆】⇒りんだう。「―の花。わが宿の花踏みしだくとりうたん野はなければやここにしも来る」〈古今四四二〉

りうぢょ【流女】《リウニョとも》遊女。「高尾は―古今〔随一〕の能書」〈西鶴・俗徒然五〉

りうづ【龍頭】龍の頭をかたどったもの。たつがしら。特に、釣鐘の上部の綱を通して吊す部分。吊り手。「〔蛇ガ〕鐘を巻きて尾を以て―を叩く事、二時三時ばかり也」〈今昔一四ノ三〉

りうてい【流涕】涙を流すこと。落涙。「『…ものの筋あはれなること』とて―するを」〈梁塵秘抄口伝集〉 **―焦(こ)が・る** 涙を流し、大そう悲しむ。「尼公いとど涙にむせび『…』と―れければ」〈義経記八〉

りうとう【龍燈】燐光などの発光体が海上に連なってともり、多くの燈火を連ねたように見える現象。龍神の献燈とされ、後には、それにあやかって社頭に捧げる燈明の称ともした。天人の献燈とされる「天燈」も同意。「―は波を凌(しの)ぎて来て、海上に浮きて焰焰たり」〈三国伝記六〉

りうにょ【龍女】龍宮に住む仙女。娑竭羅(さがら)龍王の娘で、八歳にして霊鷲山(りゃうじゅせん)に上り、正覚を得たという。「―が仏になることは、文殊のこしらへとこそ聞け」〈梁塵秘抄二九二〉

りうねん【流年】①過ぎ去る年。歳月。「―好し去れ、官に従ひて老いむ」〈菅家文草四〉。「―とは、年光の過ぎ易き事水の流るるが如くなるを云ふぞ」〈三体詩抄三ノ四〉②とし。年齢。「―十七歳にして捨身し給ふなり」〈仮・衆道物語上〉

りうめ【龍馬】①足の早い、極めてすぐれた馬。駿馬。たつのま。「―、前前(さきざき)のごとく翔(かけ)る事あたはず」〈今昔二ノ六〉②将棋で、角が成ったもの。成り角。〈象戯馬法〉

りうめい【龍鳴】横笛の異称。「〔笛ノ音色ガ龍ノ鳴声ニ似テイタノデ〕この故に笛を―といふ」〈教訓抄八〉

りうもん【流紋・龍紋・龍門】もと中国・朝鮮渡来の綾の一。無紋の綾に似て厚く強く、光沢がない。日本産の綾のない太糸の平織または紋織の絹物をもいい、袴・帯地・上下地などに用いる。「紅梅の―の唐衣」〈栄花歌合〉

りうわう【龍王】①⇒りうじん。「―は〔舎利ヲ〕取りて海に入りなむとせしかば」〈三宝絵下〉②将棋で、飛車が成ったもの。成り飛車。〈象戯馬法〉 **―たう**【龍王湯】近世、婦人の血の道・産前産後、または手負・中風の薬。「―産湯や下す初仏」〈俳・坂東太郎上〉

りうん【理運・利運】①当然出あうべき運。「これはうちまかせて―の事なれども」〈十訓抄三ノ一〉。「されば官位昇進―を過ぎてなほ面目をほどこししかば」〈問はず語り一〉②理にかなっていること。合理。「公場にして―の法門申し候へばとて」〈日蓮遺文教行証御書〉③運のよいこと。幸運。「今は―に天上の供に赴くぞ」〈六物図抄〉。「後は何事も―になるぞ」〈周易抄〉④特に、戦いにおける幸運。勝利。「デウスの御合力をもって―を開き、またその―の御勧賞を与へ給はんためなり」〈どちりなきりしたん三〉。「この度御出陣は必ず御―疑なし」〈加沢記五〉⑤(自分に道理があるとして）勝手気ままにふるまうこと。高慢で無遠慮なこと。「父子、主人の供を馬にて仕り候ことあり。自然、親落馬仕り候とも、子の身にては下りまじく候。…―に下り候こと候まじく候」〈公方様正月御事始之記〉。「さも―げに云ひければ」〈伽・酒茶論〉

りおん【理運】《リウンの転。「理恩」とも書く》「りうん」(5)に同じ。当然の権利の意にも用いる。「男の―は、昔より何事しょと気儘(きま)ぢゃは」〈伊勢参宮〉。「御憎しみにて御手討ちになさるるとても、御主の御―なるに」〈浮・本朝女二十四貞四〉。「利運を―」〈俳・かたこと三〉

りがく【理学】朱子学の別称。性理学。「近日の風躰は―を以て先となす」〈花園院宸記元亨三・七・一九〉

りかし【利貸・利借】利子を取って金を貸すこと。金貸。金融。「銀五百貫譲るべし。是れを―にて」〈西鶴・好色盛衰記二〉

りかた【利方】利益のある方法。便利な仕方。「腕強き敵の力を其のままに取りてとるまで―成りけれ」〈多胡辰敬家訓〉。〈運歩色葉集〉

りかん【利勘】利益の打算にさといこと。損得勘定に鋭敏なこと。「慮外非分の勘定―を考へ」〈結城氏新法度〉。〈文明本節用集〉 **―がすかん** 考え違い。上方でいう。「坎(かん)艮(ごん)震(しん)巽(そん)―」〈浄・新版歌祭文一〉。「―。考へ違ひのこと」〈新撰大阪詞大全〉

りきう【利休】〔遊里語〕おろか。馬鹿。「―にはあらねど心の働き少なし」〈評判・まさり草〉

りきじ【力士】①「金剛力士」の略。仁王。「強き事―のごとく」〈保元上・新院御謀叛並びに調伏〉 ②相撲取。「相撲の―は流儀を分って」〈相撲式〉 **―だち**【力士立】「仁王立」に同じ。「―に立ったりけり」〈浄・頼朝浜出一〉 **―まひ**【力士舞】伎楽の一。金剛力士に扮装し、面をつけ鉾を持って舞う。滑稽な所作を伴う。「池神の―かも白鷺の桙(ほこ)啄(く)ひ持ちて飛び渡るらむ」〈万三八三一〉

りきしゃ【力者】①力の強い人。力士。「仏の霊骨不朽にして…―撃つにもやぶれず」〈唐鏡六〉 ②剃髪して、院の御所・公家・武家などに仕える下僕。輿(こし)をかき、馬の口を取り、長刀を持って供をつとめた。力者法師。「―どもに輿かかせ、急ぎ迎へに遣はしけり」〈保元中・為義降参〉。「力者、りきしゃ、駕輿丁也」〈和漢通用集〉

りき・み【力み】『四段』力をこめる。気ばる。また、強そうな態度を見せる。威張る。「心を入るると言ふを意気込みと思ふ故、―・む」〈わらんべ草三〉。「昔は、衆道と言へば荒けなく―・み」〈西鶴・男色大鑑八〉

りきん【利金】利子。利息。利銀。「―は、しかも八割の算用」〈西鶴・諸艶大鑑八〉

りくぎ【六義】《古代中国で、詩の体を分けて風(各国の国ぶり)・雅(政をほめたたえる歌)・頌(人の徳をほめたたえる歌)・賦(事をありのままにうたう歌)・比(事によそえて心をうたう歌)・興(目にふれた事に感じてうたう歌)の六種としたもの。詩経の大序に見える》①古今集でいう六つの歌の体。風を「そへうた」、賦を「かぞへうた」、比を「なずらへうた」、興を「たとへうた」、雅を「ただことうた」、頌を「いはひうた」と記している。「和歌に―有り。一に曰く風、二に曰く賦、三に曰く比、四に曰く興、五に曰く雅、六に曰く頌」〈古今真名序〉 ②和歌。「志学の歳の始めより―の道に長じさせ給へり」〈太平記一・儲王〉 ③物の道理。筋道。義理。「歌とも見えず、古歌とも見えず、―の聞えぬ文(ふみ)かなとて、一度にどっとぞお笑ひある」〈説経・小栗〉

りくきう【六宮】中国で、皇后の宮殿と夫人などの五宮殿をいう。後宮。「一人行幸あれば、―相従ひ、百官供奉する習なれば」〈盛衰記一七〉

りくげい【六芸】昔、中国で、士以上の者の必修科目とされた技芸で、礼・楽・射・御・書・数の六種。「次に、弓射、馬に乗る事、―に出せり」〈徒然一二二〉

りくつ【理屈・理窟】①理由。わけ。「この家を陣に取らせぬといふ―のあらば、亭主まかり出て、きっとことわりを申せ」〈咄・昨日は今日上〉 ②こじつけの理由。「まだ―を言ひをる」〈虎明本狂言・成上り〉 ③情事。色事のわけ。近世後期、江戸でいう。「伊勢物語にも様様うまい―が有り」〈滑・五癖論三〉 ④金策。勘定。「伊勢屋(質屋ノ名)の方の―も…お前(め)が働へて遣ったじゃァねへか」〈洒・喜夜来大根〉 **―がま・し**【理屈がまし】『形シク』何事につけても、すぐ理屈を言い出すさまだ。理屈っぽい。「何とやら―・しき虫の声」〈俳・紀子大矢数上〉 **―づめ**【理屈詰】理屈で相手を説き伏せること。理詰め。「―を言うて」〈甲陽軍鑑一八〉

りぐひ【利喰】利息が付くこと。「老(負ト掛ケル)となるや月の積もれば―金」〈俳・談林俳諧批判下〉

りくりゃう【陸梁】《強く盛んな意から》腹を立てるさま。「抑、指月(庵)前に於て魚を釣る。…僧達腹立し、御所へ参り申す。上として仰せらるべきの由申す。長老また追ひ追ひ参られ、以ての外―」〈看聞御記応永三三・六・一六〉。「陸梁、リクリャウトハラタツル、文選」〈俳・反故集下〉

りけん【離見】自分自身の姿を距離をはなして見ること。主観をはなれて自己を客観的に観察すること。「見所より見る所の風姿は我が―也」〈花鏡〉

りこう【利口】①口のきき方が巧妙なこと。口達者。「生知(うまれながら)―にして、自然(おのづから)に聰明なり」〈霊異記下一九〉。「その趣、弁説―あるものの言語の如く、火をも水に言ひなすなり」〈奥義抄〉 ②気のきいた戯言。たくみなしゃれや冗談口。「あげくに兒(ご)の―こそをかしけれ」〈奥義抄〉。「滑稽(こっけい)、―の義なり」〈下学集〉 ③《語形・意味の近似から、「利根(りこん)」と重なり合って》かしこいこと。利発。怜悧。「この鳥は…―なものぞ」〈山谷詩抄一三〉 **―だて**【利口立】「りこんだて」に同じ。「物知り顔の―」〈宗祇法師長うた〉

りこん【利根】《「鈍根」の対》①利発で鋭敏な生れつき。明敏。聰明。「―も鈍根も、同じく物を思ひ、義を案ずるなり」〈正法眼蔵随聞記三〉。「―聰明にして、有験(うげん)世に勝(すぐ)れたり」〈盛衰記一九〉 ②口賢いこと。利口。「座頭は皆―な者ぢゃ」〈寒川入道筆記〉 **―さう**【利根草】蓼(たで)の異称。「その(阿難尊者ノ)塚から蓼一本生え出づる。即ち此れをば―と付けられて有る」〈狂言記・鈍根草〉 **―だて**【利根立】賢く見せびらかす振舞をすること。学者ぶること。「我が学は至らずして―をして、恥をかくもの也」〈伊勢貞親教訓〉

りさん【離山】①孤立した山。孤峰。「此の御棲(すみか)より五十余町を去りて一の―あり」〈盛衰記九〉 ②住み馴れた寺院を去ること。「天台山・五台山は、門人(もんにん)ことごとく―す」〈宝物集四〉。「―しける僧の坊の柱に歌をぞ一首書いたりける」〈平家二・山門滅亡〉

りし【律師】「りっし」の「っ」を表記しなかった形。「母御息所(みやすんどころ)の御せうとの―」〈源氏賢木〉

りしゃう【利生】〔仏〕《衆生(しゅじゃう)に利益(りやく)を与える意》神仏の庇護・恩恵。ごりやく。「地蔵の―はかくぞ在(まし)ましける」〈今昔一七ノ一九〉 **―はうべん**【利生方便】ある便宜的方法によって衆生を利益すること。「地

蔵菩薩、—の為に悪しき人の中に交はりて、念じ奉れる人の故に、毒の箭(や)を身に受け給ふ事」〈今昔一七ノ三〉

りせん【利銭】 金銭を貸しつけて利殖をはかること。また、その金銭。「今の律僧の振舞を見るに、布絹・財宝をたくはへ、—・借請を業とす」〈日蓮遺文聖愚問答鈔〉

りち【律】 ⇒りつ(2) 「—のしらべは怪しく折にあふと聞く声なれば」〈源氏蜻蛉〉

りちぎ【律儀・律義】 ①礼儀正しく義理がたいこと。実直。「信にして—なるほどに、人がたのむぞ」〈春鑑鈔〉。「—な者」〈句双紙抄〉。〈日葡〉 ②馬鹿正直・阿呆の隠語。「—など言ふは浮世の唐詞(隠語)」〈俳・阿蘭陀丸下〉 →りつぎ。 **—せんばん**【律義千万】 一途に律義なこと。「昔は—なるを、人の女房気質と申し侍りき」〈西鶴・一代女三〉

りつ【律】 ①律令制における刑法。大宝二年、唐の律をほとんどそのまま模倣して大宝律が制定され、その改定されたものを養老律という。「始めて—を講ず」〈続紀大宝二・七・三〇〉 ②《「呂(りよ)」の対》 十二律(じふじりつ)中、陽性に属する音。壱越(いちこつ)・平調(ひやうでう)・下無(しもむ)・鳧鐘(ふしよう)・鸞鏡(らんけい)・神仙(しんせん)の六音。また、律旋。「唐土(たうど)は呂の国なり。—の音なし」〈徒然一九九〉 →律呂(りつりよ)

りつぎ【律儀】 ①仏陀によって制定された禁戒と儀則と。「大小乗の—の中に一戒をも守らず」〈妻鏡〉 ②《(1)を忠実に守ることから》 礼儀正しく義理堅いこと。実直。りちぎ。「君命にたがはず、世法に—なり」〈サントスの御作業二ノ二〉 ③「りちぎ」(2)に同じ。「今、世俗に、愚痴蒙昧の輩を—一偏にて、何の役にも立たざるなどと云へるは」〈邇言便蒙抄中〉

りっくゎ【立花】 花木樹葉を大瓶にさし、山水の姿を現わす技芸。仏前に供えることから始まった。立て花。「蓮花申し給べ候て、—にしたき由申され候」〈金沢文庫古文書三、道有書状〉。「—の事、これ又、池の坊の流れを…習ひ候」〈伊勢守心得書〉

りっし【律師】《戒律を理解し、よくたもつ師僧の意》 僧綱(そうがう)の一。僧正・僧都の下に位置し、五位の殿上人に相当する僧官。僧尼を統一する役目を果す。「〔三会ノ講師ヲ〕終へぬれば已講(いかう)といふ。次(つい)で=順序)によりて—の位にをさめ給ふ」〈三宝絵下〉。〈色葉字類抄〉

りっしゃ【竪者・立者】 仏教の教理を論義する席で、問者の質問に答えて疑義を説き明かす僧。竪義者(りふぎしや)。「今夜園城寺の—業を遂ぐ」〈中右記寛治七・三・三〉

りっしゅう【律宗】 戒律の厳守と実践を成仏の因とする宗派。天平勝宝六年、唐の鑑真(がんじん)が来朝して伝え、唐招提寺を本山とする。「—は、二百五十戒、五百戒等を守る二乗の宗と云へり」〈庭訓抄上〉

りっぱ【立派】《リフハの転》 ①一派を立てること。「一宗の—をも少しは存じて出家道をたて、此の寺になほらんと思ふは」〈甲陽軍鑑一八〉 ②《因明(いんみやう)において、自説の立論と他説の論破とがあざやかである意の「立破分明」の下略の転という》 すぐれていること。見事なこと。「銘銘身持じだらくに仕るまじく候。—を好み候儀は無用に候へども、頭に虫などわかし、月代長く仕るまじき事」〈子供式目〉

りっぷく【立腹】《リフフクの転》 腹を立てること。「—の人の恐ろしきは、やがて息(やす)むもやすし」〈雑談集四〉。「世話に腹立、又—と云ふ。俗語なり。日本の和語なり」〈長恨歌聞書〉

りつりょ【律呂】 律旋と呂旋と。中国から伝わった二種の音階。雅楽などに用いられる。律旋は洋楽でいえば長音階に当り、平調(ひやうでう)・黄鐘(わうしき)調・盤渉(ばんしき)調がこれに属し、呂旋は短音階に当り、壱越(いちこつ)調・双調(さうでう)・太食(たいしき)調がこれに属する。「催馬楽の譜は、一条左大臣の時こそはしたためて、—の歌も定められたると承れ」〈袖中抄四〉

りとく【利得・利徳】 儲け。利益。「世を渡るほどの—はあるべし」〈真宗教要鈔上〉。〈文明本節用集〉

りばい【利倍】 金儲け。または、利殖。「銭金の—を得心し」〈北条五代記八〉

りはつ【利発】 敏く賢いこと。利口発明。「〔連歌会ノ〕執筆の人は、下にはいかにも—にて、上は鈍になりかへりて、のどやかに思ひ入れたる風情侍らば」〈私用抄〉

りはつ【理髪】 元服または裳着(もぎ)の時、頭髪を整えること。また、その役。「—の藁座を敷く」〈竹むきが記〉

りびゃう【痢病】 下痢をする病気の総称。「儵(たちまち)に—を得、一月許を経て命終る時に臨みて」〈霊異記中七〉

りふぎ【竪義・立義】 法会の一行事として行なわれる仏教教理の論義問答において、出題に答え、疑義を説き明かすこと。また、その役の僧。出題し判定を下す探題(たんだい)、応答する竪者(りつしや)、竪者に問いを出し論難する問者(もんじや)などが参加する。もと僧の学力を試験するものであったが、後世は形式化した。「興福寺の安潤法師、維摩会の—」〈小右記長保一・一〇・六〉

りふぐゎん【立願】 神仏に祈願すること。願立て。「小女西隣に宿りて、—せしむ」〈小右記治安三・三・三三〉

りふけ【立毛】 田地に生育中の稲。たちげ。「—とは田地植付けの事也」〈万手形鑑下〉

りふじん【理不尽】 道理にかなわないこと。無理を押し通すこと。「かれらが大悪法を尊まるる故に、—の政道出来す」〈日蓮遺文下山御消息〉

りぶん【利分】 ①利益となる分。利得。もうけ。「心には—とこそ思ひけれども、疵(きず)なき歯を失ひぬる、大なる損なり」〈沙石集七ノ五〉 ②利子。利息。「百分別(ちべ)に五文づつの—を加へて」〈高野山文書六、文永一〇・八・一〇〉

りまはし【利廻】 利息を得るために金銭を他に貸し出すこと。利殖を計ること。「余らぬものや—の銀」〈俳・大句数上〉。〈俳・世話尽三〉

りもつ【利物】〔仏〕 万物に利益(りやく)を与えること。あらゆる人間・生き物を救うこと。「慈悲具足の山王(さんわう)、—の方便にてましませば」〈平家一・願立〉。「和光同塵は結縁の始め、八相成道は—の終り」〈伽・ゑんがく〉

りやう【利養】 財物をむさぼり、利欲にふけること。「現世の名聞・—を永く棄てて、偏(ひとへ)に後世菩提(ごせぼだい)の事をのみ思ひける間に」〈今昔一三ノ三三〉

りゃう【両】 ①二。ふたつ。また、両方。「和歌の事あり、—三盃を進む」〈御堂関白記寛弘一・五・三〇〉。「—の指が十、これで算用いたさう」〈虎明本狂言・賽の目〉 ②令制の量目の単位。一斤の十六分の一。十匁。「十六—を一斤となし」〈万巻五・沈痾自哀の文〉 ③薬種・香などの量目の単位。古くは五匁。近世以降、四匁四分。「先日奉る所の紅雪(薬ノ名)今二—奉るべし」〈御堂関白記長和一・一〇・二八〉 ④近世、貨幣の量目の単位。金貨の一両は四匁四分(または、四匁七分強)で、一分の四倍。銀貨は四匁三分。「黄金三十—…進上也」〈上井覚兼日記天正三・三・八〉 ⑤《「輛」に通用させて》 車の台数を数える語。「檳榔毛車、車副各六人、以上七—」〈九暦天慶九・一〇・二八〉

りゃう【領】 ①領有すること。また、所領。領地。「殿原の—にもならで、かく御堂にはなさせ給へるなめり」〈大鏡兼家〉②郡司(ぐんじ)の官名。大領・少領に分れる。「—道心を発す。先善の方便に苦を見、道を悟るといふは、其れこれを謂ふなり」〈霊異記中二〉③《衣服の襟(えり)の意》装束や鎧などを数える語。「御甲壱佰—、短甲十具、挂甲九十—」〈東大寺献物帳〉。「御衣二十—」〈盛衰記一〇〉

りやう【霊】《呉音》人間などの悪執が人にとりついて物怪(もののけ)となり、たたりなどをなすもの。怨霊(をんりやう)。憤りを含んで横死したものの死霊(しりやう)の外に、生者の身体から遊離して他者の所にあらわれる生霊(いきりやう)もあると信ぜられた。「何の罪ともおぼし寄らぬに、占ひ寄りけむ女の—こそ。まことにさる御執の身に添ひたるならば…やむごとなくそなりぬべけれ」〈源氏柏木〉。「陰陽(おんやう)の術を以て我が身を怖れなく固めて、ねむごろにをこつりこしらへければ、其の—止まりにけり。その後、—、神となりて、其の所に、鏡の明神と申す」〈今昔二ノ六〉

りやうあん【諒闇】天皇が父母の喪に服する期間。「朝を廃す。—を以ての故なり」〈続紀天平勝宝七・一・一〉

りやうがけ【両掛・両懸】旅行用の行李の一種。衣服・調度を入れた挾箱または小形の葛籠(つづら)を天秤棒の両端に掛けてかつがせたもの。「—で伊勢の三郎歩く也」〈雑俳・万句合天明六〉

りやうがへ【両替】①種類の異なる貨幣を交換すること。また、その業者。「銀の—は、小判十両に付き五百八十八匁七分宛(づつ)の由」〈梅津政景日記元和三・三・二九〉。「—・金借し」〈多聞院日記天正三〇・八・三〇〉。〈日葡〉②品物を金銭と交換すること。釣替え。「—か銀を代りの黄金瓜」〈俳・発句帳三〉 **—や**【両替屋】手数料を取って、金・銀・銭貨の相互交換を営業とする店。また、その人。近世、三貨の両替のみ営む銭両替と、更に貸付・預金・手形発行等を行なう本(ほん)両替の別があった。「天秤の明く間も有らぬ—」〈俳・鷹筑波三〉

りやうぎん【両吟】連歌・俳諧などを二人で付け合って行なうこと。また、その作品。「—百韻終りぬ。かくて一夜を明かしけり」〈吉野詣の記〉

りやうぐち【両口】①二つの出入口。両方の出入口。「樋口富小路に—をかかへて酒造る人ありけり」〈遠近草中〉②馬の両側にそれぞれ馬方が付き添って手綱を取ること。「門松も立つや—午の年」〈俳・口真似草一〉

りやうけ【領家】荘園領主で三位以上の者。「国使幷びに—の使共に行き向ひ」〈八坂神社文書康治二・五・七〉。「—は地頭をそねみ、地頭は—を仇(あた)とす」〈承久記上〉 **—だい**【領家代】領家から委嘱されて荘園を管理する在地人。領家の代官。「汝をして—となさん」〈長谷寺験記下〉

りやうげ【領解】さとり解すること。理解。「自己即仏の—をもて、仏法を知れりといふにはあらず」〈正法眼蔵辨道話〉 **—ちがひ**【領解違ひ】誤解。「このやうなる—はあるまい」〈咄・昨日は今日下〉

りやうごし【両腰】刀と脇差と。大小。両刀。「大きなる—を帯しながら、八尺の築地(ついぢ)をあなたこなたへ自由に飛び越ゆ」〈室町殿日記一〇〉

りやうじ【令旨】皇太子及び三后(太皇太后・皇太后・皇后)から下される公文書。後には、親王・法親王・女院など皇族からのものもいい、時に摂関家で発する家司任命の文書などの称にも用いた。「今夜—を奉り、藤詮子を以て宣旨とす」〈小右記天元五・三・一〉

りやうじやう【領掌】①領地として支配すること。領有。「件(くだん)の庄園は、法橋上人位智秀相伝—の処なり」〈高野山文書七、治承一・二・一〇〉②承知。納得。領状。「日来は仙洞へまゐるべきよし—申したりけるが」〈保元上・新院為義を召さる〉

りやうしゆ【領主】《近世初期までリャウジュと濁音》①在地して荘園を所有支配する者。「大津の—山科左衛門」〈義経記七〉②近世、大名、特に無城の者の称。「諸国主幷びに—等、私の争論致すべからず」〈御触書寛保集成一、元和三・六〉

りやうじゆせん【霊鷲山】《山頂が鷲に似るからとも、鷲が多く棲むからともいう》インドのマガダ国の首都、王舎城の東北にある山で、釈迦が常住して説法した地。霊山(りやうぜん)。耆闍崛山(ぎじやくつせん)。わしのみやま。「法華読誦の力を助けむが為に—を見せ給ふにや」〈今昔一三ノ三六〉。〈文明本節用集〉

りやうしよ【領所】領有する土地。領地。「—、近江にありけるを、人に取られければ」〈大鏡師尹〉

りやうぜつ【両舌】〔仏〕十悪の一。両方の人に同じ事を別別にうまく言いあしらって、仲たがいをさせること。二枚舌。離間語(りけんご)。「一切経は皆仏の金口の説、不妄語の御言なり。然れども、法華経に対し参らすれば、妄語の如し、綺語の如し、悪口の如し、—の如し」〈日蓮遺文日妙聖人御書〉

りやうぜん【霊山】⇒りゃうじゅせん。「—、畢竟、後生に逢はむ」〈菅家文草四〉 **—かいゑ**【霊山界会】霊鷲山で、釈迦が説法したときの会座。霊山会。「—の大空に、宝塔扉(とぼそ)を押し開き」〈梁塵秘抄一〇五〉

りやうそうし【領送使】流罪を蒙った罪人を配所に護送する役人。「是より先、出雲権守隆家、—右衛門尉陳泰(のぶやす)の掌に入る」〈小右記長徳二・五・五〉

りやうたう【裲襠】「うちかけ」二(1)に同じ。「大斎の装束も亦、元日の如し。…辰の日は武礼冠・—・挂甲を除く」〈延喜式左右近衛府〉

りやうだめ【両為】両方の利益になること。「二十両其方が手取に暖まれば—と思ひ、世話やけども」〈近松・女腹切中〉

りやうち【領知】領有して支配すること。所有して管理すること。「左中弁経通、鴨院(かものゐん)を—するの後」〈小右記寛仁三・二・三〉

りやうぢん【梁塵】《魯の虞公(ぐこう)の歌声に感動して梁(はり)の上の塵までが動いたという故事から》歌謡・音楽の称。すばらしい声で歌を歌うことを「梁塵を動かす」という。「虞公歌を発せしかば、—動き揺(こう)けり」〈盛衰記一三〉

りやうてん【両殿・両天】①二人の貴人の敬称。特に、一家・一門に並び立つ二人の主君の敬称。「楯を一面に進めて—(尊氏・直義)を囲み奉り、御左右遅しとぞ責めたりける」〈太平記二七・御所囲事〉。「京都・鎌倉の御—は、天子の御代官として諸侍の忠否の浅深を糺し」〈鎌倉年中行事〉。「わづか十日の内に、—共に大納言になり給ひて」〈西海余滴集〉。〈日葡〉②《リャウデンとも》二人の福神の敬称。「とても御事に、御—の御由来を承って、信仰申したく候」〈虎明本狂言・夷大黒〉

りやうとうのかめ【両頭の亀】頭が二つある亀。古くは天下の乱れる前兆とされた。近世、よく見世物になった。「—諸老一見して、今晩上覧に備ふと云ふ」〈南塾乗抄延宝五・三・一三〉

りやうぶ【両部】密教の金剛界と胎蔵界と。両界。なお、金剛・胎蔵両界の仏菩薩とわが国の神神とを関連づけ、神・神話・神社の由来などを説明する神仏調和の神

道説を両部神道と称した。「胎金―陰陽に官(つかさ)どる時」〈沙石集一ノ一〉

りゃう・り(リヨウリ)【掠り】《四段》打つ。叩く。いじめつける。「土手へ摑み出して―・らうと言ふ」〈浮・好色俗紫三〉。「人を打ち叩き踏み倒し、様様にさいなむを―・ると云ふ」〈志不可起三〉

りゃうわ(リヨウ…)【両輪】車の左右二つの輪。互いに助け合う二つのもののたとえ。「善悪二つは―のごとく、仏法あれば世法あり、煩悩あれば菩提あり、仏あれば衆生もあり」〈謡・車僧〉。「竹内門跡と松梅院とは、―に万事を仕り申す事候」〈北野社家日記慶長六・六・一六〉。〈文明本節用集〉

りやく【利益】①仏・経・僧などが、その法力で人人に幸福・恩恵を与えること。人を救うこと。「〔長谷観音ノ〕―あまねく、霊験もろこしにさへ聞えたり」〈三宝絵下〉。「文殊(もんじゅ)は日本国の衆生を―せむが為に」〈今昔一一ノ七〉②益になること。ためになること。利得。「〔楊枝ノ使用ハ〕五つの―あり」〈三宝絵下〉

りょ【呂】《「律」の対》十二律(じふじりつ)中、陰性に属する音。断金(たんぎん)・勝絶(しょうせつ)・双調(さうでう)・黄鐘(わうしき)・盤渉(ばんしき)・上無(かみむ)の六音。また、呂旋。「人人あづまをいとよく搔き合はせたり。女のことにて、―の歌はかうしも合はせぬを、いたしと思ひて」〈源氏竹河〉 →律呂(りつりょ)

りょう【龍】《漢音》⇒りう。〈色葉字類抄〉

りょうい【陵夷】衰えすたれること。「恒例の祭祀、―を致さず」〈貞永式目〉。「情(なさけ)何時より―しぬらん／こなたには退転もなく待ちつるに」〈宗祇畳字百韻〉。「陵夷、れうい、山がくづれて平地に成る貌なり。零落するを云ふ」〈和漢通用集〉

りょうがん【龍顔】天皇のお顔。「―より御涙を流しおはしましけるこそ悲しけれ」〈盛衰記三四〉

りょうこつしゃ【龍骨車】《形が龍骨に似るからいう》水を汲み上げて田に注ぐ器械。ベルトコンベアー式のもので、一軸を川中に入れ、陸上の他の一軸の周囲に取り付けられた踏板を二人で踏んで回転させるもの。りょうこしゃ。りょうこし。〈文明本節用集〉

りょうち【陵遅】物事が次第に衰退すること。多く、道義がすたれ、道が衰えることをいう。「世の―、事におきてかくのごとし」〈著聞六八一〉

りょうとうげきす【龍頭鷁首】《「鷁」は鷺(さぎ)に似た大きな水鳥》二艘(そう)一対の船で、船首に一艘は龍の頭、一艘は鷁の首を、彫刻したり描いたりしたもの。龍は水を支配し、鷁は風に耐えてよく飛ぶことから、水難を避ける象徴とされ、また、装飾の役割をも果した。平安時代、貴族が園遊に用い、池や川に浮かべ、楽を奏した。「―を唐のよそひにことごとしうしつらひて」〈源氏胡蝶〉

りょうら【綾羅】あやぎぬとうすぎぬと。美しい衣裳。「―・錦繡(きんしう)を身にまとひ」〈問はず語り四〉

りょうりゃく【陵轢・凌轢】《リョウレキとも》踏みにじること。暴行を加えること。凌辱。「鬼共有りて、取取(とりどり)に我が身を―しつる程に」〈今昔一四ノ三五〉

りょうろう【龍楼】《リウロウとも。楼門の屋根に銅の龍が飾ってあったのでいう》①皇太子の宮殿の門。「―の月其の明を添へ、牛漢の星其の耀を揚ぐ」〈小右記寛仁三・八・二八〉②皇太子の宮殿。また、皇太子の異称。「只今―より召あり」〈雲州消息中末〉③宮殿の楼門。皇居の門。「忽に―宝宮を退き、鳳閣玉殿を御出あり」〈三国伝記七〉

りょうわう(ウ…オ)【陵王】舞楽曲の名。唐楽。賀(が)・賭弓(のりゆみ)などの時に奏せられる。「右の大殿(おほいとの)の三郎君―、大将殿の太郎落蹲(らくそん)」〈源氏若菜下〉

りょくはう(ウ…ホ)【緑袍】「緑衫(ろうさう)」に同じ。「贈官のみか―を、死骸に葬ぶる旧恩に」〈謡・皇帝〉

りょくりん【緑林】《中国湖南省にある緑林山に、前漢の末、無頼の徒が集まって群盗となったことから》盗賊の異称。「昼夜に白浪のおそれなく、首尾―の難なし」〈一遍聖絵七〉。「白浪と云ひ―と云ふは、共に盗人の事なり。…これも緑林山より出たる賊なる故に―と云へり」〈御書抄三〉

りょぐゎい【慮外】①思いがけないこと。思いのほか。心外。「―の事により、遠国にまかり向ふ」〈小右記長和四・二・一四〉②不心得なこと。ぶしつけ。失礼。「一年(ひととせ)の―の馬咎めに射殺し候ひし男の子の小さき男こそ殿に候ふなれ」〈今昔二五ノ四〉。「仏法興隆の所にたびたび―して罪作るこそ心得ね」〈義経記六〉

りょりつ【呂律】①⇒りつりょ。「糸竹―のいろいろに」〈謡・関寺小町〉。「ここに―と云ふ事あり。呂は悦びの声なり。律は悲しみの声なり」〈庭訓抄上〉②音の調子。旋律。「―の物(楽器)に適はざるは人の咎なり」〈徒然二一九〉

りん【悋】嫉妬(しっと)。やきもち。「―の多きは忌むなり」〈評判・秘伝書〉。「―。悋気を略して云ふ」〈浮・好色伊勢三〉

りん【鈴】《唐音》①すず。仏具の一種。振って鳴らす。「弟子銅(あかがね)の―を以て…二つ是を鳴らす」〈盛衰記一九〉②金属で作った椀(わん)のような形の仏具。読経の時、小さい棒でへりを打ち鳴らす。〈下学集〉

りん【凜】容姿・態度などのきちんとしているさま。「雁金も―と見返れ花の時」〈俳・花月十八番句合〉。「内から揚銭も―と掛けて」〈西鶴・諸艶大鑑三〉

りん【輪】①衣服の襟・袖・裾などのふちを、別布でおおい包むもの。「八尺ばかりありける蛇(くちなは)が大臣(おとど)の指貫(さしぬき)の左の―を這ひ廻りけるを」〈平家四・競〉。「輪、リン、…日本の俗、衣の領裏(くびつみ)を謂ひて輪(りん)と曰ひ、或は領(りん)と作る」〈文明本節用集〉②花冠(かかん)。また、花を数えるに用いる語。「位牌の前の花の事。うしろの方へ花の―を向けて、なびかせ立て候」〈仙伝抄〉。「八重白梅、木高く―大きに咲き出でたるに」〈平家花ぞろへ〉。「一輪、イチリン、花」〈運歩色葉集〉

りんかう(ウ…コ)【臨幸】天子がその場所においでになること。いでまし。行幸。「されども代代(よよ)の御門(みかど)―はなかりしに」〈平家七・還亡〉

りんき【悋気】①おしむこと。「吝は―をする事ぞ。我が心不足なるによりて、他の善を吝(やぶさか)るほどに、不足の義あるぞ」〈周易集註鈔二〉。「悋気、リンキ、悋(を)しむ義」〈文明本節用集〉②ねたむこと。嫉妬(しっと)。「〔月ハ〕誰が里をも照らして心を分け給へば、曲無しと―したる心也」〈古今私秘聞〉③特に、男女間のことについての嫉妬。やきもち。「逢ひも見もせぬ咎(とが)もなき我に―召さるる」〈隆達小歌〉 **―いさかひ**(イサ…カイ)【悋気諍ひ】嫉妬から起る夫婦喧嘩。「―の修羅を立つるなり」〈咄・醒睡笑六〉 **―かう**(ウ…コ)【悋気講】①庶民の妻女たちが寄り合って設ける無尽講。妻女が集まれば夫に対する不平などを話し合うのでいう。「―ならば我も二人前交らうぞ」〈咄・醒睡笑六〉②女どうし集まって、互いに男の悪性や情婦をそしり合い、憂さを晴らすこと。「―をや結ぶ庵室」〈俳・四人法師〉

りんげん【綸言】天子のおおせごと。みことのり。「―すでにくだり侍りぬるほどに」〈撰集抄八ノ五〉 **―汗の如し**《漢書、劉向伝から出た語》天子のことばは、一度発せられたら取り消されることはないの意。「天子に戯れのことばなし、―とこそ承れ」〈平家三・頼豪〉

りんこ【輪鼓】⇒りうご。〈色葉字類抄〉

りんざいしゅう【臨済宗】禅宗の一派。唐の臨済義玄禅師を開祖とする。日本では、栄西が建久二年宋から帰朝して広めた。「〔五門トハ〕いはゆる法眼宗・潙仰宗・曹洞宗・雲門宗・―なり。現在大宋には―のみ天下にあまねし」〈正法眼蔵辦道話〉

りんし【綸旨】《「綸言の趣旨」の意》蔵人が勅命を奉じて書いて出す公文書。奉書の形式に属し、普通、宿紙(しゅくし)を用いた。「重光―を承り了りぬ」〈小右記天元五・二・二八〉

りんじ【臨時】①きまった時でないこと。不時。「春秋の御読経をばさるものにて、―にもさまざま尊き事どもをせさせ給ひ」〈源氏賢木〉②その場限り。「―のもてあそび物の、そのものと跡もさだまらぬは」〈源氏帚木〉 **―きゃく**【臨時客】平安時代、年始に、摂関・大臣家で大臣以下の上達部(かんだちめ)を招いて行なった饗宴。時には、皇太后宮、中宮などにおいても行なわれた。大饗のような公式のものでないための称という。「左大臣―の事、東宮拝礼の事、四親王拝賀の事」〈九暦天徳四・一・二〉。「二日、宮の大饗はとまりて、―、ひんがしおもて取り払ひて例のごとしたり」〈紫式部日記〉 **―のまつり**【臨時祭】例祭以外に臨時に行なう祭祀。特に、十一月の下の酉(とり)の日に行なった賀茂神社の祭祀、三月の中の午(うま)の日に行なった石清水社の祭祀、六月十五日に行なった祇園社(八坂神社)の祭祀にいう。「陪従(べいじゅう)も石清水・賀茂の―などに召す人人の、道道の殊にすぐれたる限りを、ととのへさせ給へり」〈源氏若菜下〉

りんじゃく【悋惜】①物惜しみすること。けちけちすること。りんぜき。「悋貪の人は、糞土を乞ふを聞くも、なほ―を懐き」〈霊異記下三三〉。「又―にして世智弁(せちべん)ならば」〈論語抄泰伯〉②嫉妬。悋気。「よそに誰―すれば来ざるらん」〈宗祇独吟〉

りんじゅう【臨終】死にぎわ。いまわのきわ。「―の折は風火まづさる」〈栄花鶴林〉 **―しょうねん**ショウ…【臨終正念】臨終に際して、煩悩を去り、心静かに仏を念じること。「もとより仏の来迎は―のためにて候なり」〈和語燈録四〉

りんず【綸子・綾子】《唐音》紋織物の一。たて糸・よこ糸に生糸を用い、製織後精練したもの。厚く滑らかで光沢と粘り気が有り、紗綾形(さやがた)に蘭菊の模様を織り出す。古くは中国より輸入。後に京都でも織り出した。「御道服、―、裏紅梅」〈舜旧記慶長二一・九・一四〉

りんぜつ【輪説】《もと、音楽用語で、正統的でない奏法の意》故実を無視した意見・理論。かってきままな物言い。「はや中楽(さるがく)にそばみたる―と(ヲ)し」〈風姿花伝〉

りんだい【輪台】舞楽の曲名。唐楽。「青海波」とともに行なわれる。「―をけしきばかりたちて舞ひ給へば」〈宇津保蔵開上〉

りんだう…ドウ【龍胆】①《根が非常ににがいので、龍の胆(きも)の意という》秋草の一。山野に自生する多年草。瑠璃色の花が美しいので観賞用にも植えた。根は煎じて健胃剤となる。えやみぐさ。にがな。「―は枝さしなどもむつかしけれど、こと花どもの皆霜枯れたるに、いとはなやかなる色あひにてさし出でたる、いとをかし」〈枕六七〉②襲(かさね)の色目の名。「中宮には紅(くれなゐ)を皆打ちて、―の二重文の表着(うはぎ)、白き文を織りたり」〈栄花煙後〉

りんたふ…トウ【輪塔】頂上に九輪を飾り付けた寺塔。また、相輪塔の略。「左に火焔の―有り」〈謡・老松〉

りんだめ【厘秤】釐等具(れいてんぐ)の小さなもので、厘・毛などの小量を計る秤。「こや花の―で見ん黄金菊」〈俳・雀子集四〉

りんのて【輪の手】箏〈さう〉の奏法の一。静掻(すががき)・早掻という二種の基本的な弾き方を、一曲の中にまぜて弾く奏法という。「―など、すべてさらにいとかどある御琴の音なり」〈源氏若菜下〉

りんぼう【輪宝】古代インドの転輪聖王の七宝の一。車の輻(や)が鋭く八方に突き出た大きな車輪で、王が遊行の時、自ら前進して行く手を制するといい、金・銀・銅・鉄の四種があるとされる。「王(阿育王)、―の威勢にて…海にむかひて龍王を攻め給ふに」〈百座法談聞書抄〉 **―ぶね**【輪宝船】旋転自在に航行できるように造った船。「先陣に―を立て並べ」〈近松・百合若一〉

りんもじ【悋文字】悋気の文字詞。「姉妹の―もむつかしくて」〈俳・塵塚(重徳編)下〉

りんりん ①松虫・鈴虫などの鳴き声。「我が偲ぶ松虫の声――として」〈謡・松虫〉②湯が沸いて鉄瓶の響く音。また、時計・風鈴などの音。「数寄屋に釜をしかけ、―とたぎるを聞いて」〈咄・戯言養気集上〉。「七つの時計―と」〈近松・双生隅田川一〉。「軒の宝鐸―と」〈近松・賢女手習二〉

りんゑ【輪廻】①〔仏〕衆生が業〈ごふ〉によって迷いの生死を重ね、転転と三界あるいは六道を流転しつづけるということを車輪の回転にたとえた語。「功徳の故に、―生死の罪をほろぼして人の身を得たるなり」〈宇津保俊蔭〉。「我等、無始より以来(このかた)多劫を経て、生れては死に、死に生れては死に、廻りありく事、たとへば車輪の如し。是を―と云ふ」〈孝養集上〉②同じことの繰り返し。どうどうめぐり。「リンエシタコトヲイウ」〈日葡〉③業〈ごふ〉の深いこと。執念深いこと。「『ええ、―したる女かな。そこのけ』と突きのけて」〈近松・出世景清二〉④連歌・俳諧などで、嫌った付け方。付句の内容が前前の句の内容と似たものになり、どうどうめぐりの様相を示すこと。「―。…煙といふ句に里と付きて、また柴たく・薪などの類を付くべからず」〈連理秘抄〉

る

る【流】「流刑(るけい)」に同じ。「丹後守従五位下羽林連兄麻呂は―に処し」〈続紀神亀四・三・二〇〉

る『助動』①→基本助動詞解説。②完了の助動詞「り」の連体形。

るい【類】①同類。なかま。たぐい。「龍は鳴る神の―にこそありけれ」〈竹取〉。「火かげに劣るもの。紫の織物、藤の花、すべてその―は皆劣る」〈枕一本二〉②親類。一族。縁故。「―多く、若き人がちにて…うち笑ふ事がちにて暮れぬ」〈かげろふ下〉。「姉のおもとは―広くなりて、え出でたたず」〈源氏玉鬘〉 **―に触れて** なにかにの縁があるごとに。「驚くちをしがる〔者〕も、―あるべし」〈源氏柏木〉。「従ひ来たりし者どもも―逃げ去り、もとの国に帰り散りぬ」〈源氏玉鬘〉

るいいう…ユウ【類友】類を以て集まる友。同類の友。「これに―なれば」〈西鶴・諸艶大鑑四〉

るいか【累家】代代つづいた家。累代の家。「国家の為、―の為、武功を感じ、武略を感ず」〈平家七・木曾返牒〉

るい・し【類し】『サ変』①なかま入りする。同じ部類に属する。「『また、孫陁利(そんだり)を以て天女に比(たく)ぶるにいかにぞ』と。難陁いはく『また、百千万倍にも―・すべからず』」

事をまとめて行くこと。堪忍づく。「下卑ても物は—」〈浮・茶屋調方記〉 **—な・し**【料簡無し】『形ク』どうにもならない。しょうがない。「くたびれて—・きぞ」〈伽・鼠草子〉 **—ぶか・い**【料簡深い】『形』考え深い。思慮が深い。「—・いおきく様」〈近松・寿門松中〉

れうし リョウ…【料紙】物を書き記すための用紙。「四巻経を書き奉るべき—を儲(まう)けて」〈今昔一四ノ二九〉

れうし リョウ…【寮試】大学寮の試験。紀伝道で、学生が擬文章生(ぎもんじやうしやう)になるための試験。「君、歳莫(せいぼ)=歳暮)に しばらく—を停めらるる嗟(なげき)あり」〈菅家文草一〉。「四五月のうちに史記などいふ文読みはて給ひてけり。いまは—受けさせむとて」〈源氏少女〉

れうじ リョウ…【聊爾】①かりそめであること。いいかげん。軽軽しいこと。「相承—ならず、血脈法機を守る」〈盛衰記五〉。「合戦は大事ぢゃほどに—にな為(し)そ」〈毛詩抄一〇〉②かりそめで失礼になること。「仏恩が尊く候などと申すは聞きにくく候。—なり」〈蓮如上人御一代聞書末〉③あやまち。そそう。「もしいかやうの事ありとも、船頭の—にてあるまじく候」〈奇異雑談集三〉

れうしょ リョウ…【料所】所用の料に宛てるための領地。南北朝以後、大名の所領の意となった。近世では、特に徳川幕府直轄領をいう。「針の荘とて西金堂の御油の—あり」〈盛衰記四六〉。「御—大小の百姓訴訟の事これ有る時」〈御触書寛保集成三三、正徳三・四・二三〉

れうそく リョウ…【料足】《「料」は料物、「足」は金銭の意》①代価。費用。「供具(ぐ)の—に、用途(銭)一万疋添へて」〈西源院本太平記三六・志一上人〉②銭の異称。「風呂の跡、土を掘る処に、—を拾貫文ばかり掘り出し候」〈北野目代日記延徳二・四・一七〉。「料足、れうそく、用脚(ようきやく)也」〈和漢通用集〉

れうもつ リョウ…【料物】物の用に当てる物品。費用。代価。「かくの如くのもの(仏師)は、仏の—を請け取りたりと云へども」〈今昔一六ノ五〉

れうもん リョウ…【寮門】寮の門。大学寮には、東側に正門と棟門、西側の正門と対する位置に一門あった。「大学に参り給ふ日は、—に上達部の御車ども数知らずつどひたり」〈源氏少女〉

れうり リョウ…【料理】㊀『名』①しつらえること。設けととのえること。設営。「およそ随方観心とは壇場—に付きての事なり」〈弘鑁口説〉②素材に手を加えて、口に合うような食物に作ること。調理。「包丁・—・和歌・古歌、天下無双の者なり」〈新猿楽記〉㊁【れう・り】『四段』《「料理」を活用させた語》料理する。「行く秋の片身も—・れ紅葉鮒」〈俳・四十番俳諧合〉 **—しゃ**【料理者】料理を専門にする人。料理人。「—の云はく、料理は真円(まんまろ)にすべし」〈聖財集下〉 **—ぢゃや**【料理茶屋】料理屋。「—にて夕飯喰うて」〈浮・禁短気三〉 **—ばかま**【料理袴】正式の料理に、料理人の着用する裁着(たつつけ)袴。「—をかりそめに」〈近松・宵庚申上〉

れき 物事を明白に言い難い時に暗示的に用いる語。例の物。「しぼめる—」〈評判・もえくゐ〉

れきすう【暦数】①日月運行の周期・回数を測定して暦を作ること。「—は、日月星辰をも見ず、算を以て暦を作る事ぞ」〈職原抄私記上三〉②年数。年齢。「わが君もまた—永し」〈新撰朗詠集帝王〉

れきま 「れき」に同じ。特に金銭を指す場合もある。「—。れそに同じ」〈浪花聞書〉

れきれき【歴歴】①はっきりとして明らかなさま。歴然。「心—として明らかならざる処もなく」〈道元法語〉②威儀を正して並ぶさま。「諸傍輩—と座したるが、皆おどろきて座を立ち、かしこまる処に」〈清原宣賢式目抄〉③家柄・身分などの高い人。「—の前にて恥かき給ふな」〈伽・鼠草子〉。「—の侍を遠矢にて射落しければ」〈浅井三代記一〉。「歴々、れきれき、すぐれたる人也」〈和漢通用集〉

れこ 《「これ」の倒語》物事を明白に言い難い時に暗示的に用いる語。れこさ。「今日から金で買ひ切った身体、一日違へば—づつ違ふ」〈浄・忠臣蔵六〉

れそ 《「それ」の倒語》物事を明白に言い難い時に暗示的に用いる語。「—と—種種の感応気を寄せて」〈俳・遠舟千句付〉

れっきと【歴と】『副』《レキトの促音化》身分・家柄などが高く、ちゃんとしているさま。りっぱに。しっかりと。「—したる御侍」〈浄・弱法師一〉

れてぐ【聾等具】⇒れいてんぐ。「—を腰に財布下げつつ」〈俳・信徳十百韻〉

れれつ 《「恋慕(れんぼ)れれつ」の略》惚れること。恋慕。「—とは惚れたこと」〈新撰大阪詞大全〉

れろれろ 泣いている子供をあやすため、口内で舌を動かすこと。また、その音。べろべろ。「青柳の緑子思ふ—に」〈俳・新続犬筑波一〉

れんが【連歌】五・七・五の十七文字の長句(上句)と、七・七の十四文字の短句(下句)との唱和からなる詩歌の一種。発生期の平安時代には、長句・短句の唱和一回きりの短連歌であったが、院政期から長く連鎖する長連歌となり、鎌倉時代に百韻形式が完成した。室町時代に、良基・救済・兼良・宗祇・宗長らを中心とした最盛期を迎え、室町末期には、宗鑑・守武らが俳諧連歌を興行し、近世の俳諧の始祖となった。連歌は連衆(れんじゆ)が一座して式目に従って興行するのが原則で、その句数によって百韻・五十韻・世吉(よよし)(四十四句)・歌仙(三十六句)・千句(百韻十巻)・万句(千句十巻)等の別がある。「下侍(しもさぶらひ)の方に於て、—・連句、和漢意に任せ」〈中右記嘉保二・一一・二九〉。「—の本末は、只意に任せてこれを詠む」〈袋草紙上〉 **—ことば**【連歌言葉・連歌詞】①歌語としては思わしくないが、連歌には用いられる言葉。「『暮るるより』といふは—なり」〈耳底記〉②連歌で用いる、歌語系統の上品な言葉。俳諧で用いる俗語に対していう。「—を鳥の囀り」〈俳・桜千句〉 **—し**【連歌師】連歌の専門家。連歌の師匠。「花の下の—共を呼び下し、一万句の連歌をぞ始めたりける」〈太平記七・千剣破城軍〉。「近代の—、宗祇・宗長を始めとして、皆田舎衆なれば」〈見聞愚案記一〇〉

れんぎ【連木】すりこ木。近畿・中国・四国の方言。「よき薯蕷をおろして、米の粉にあはせて、よくよく—にて押しひらめて」〈厨事類記〉

れんぎゃう …ギョウ【練行】ひたすら修行にいそしむこと。修行の功を積むこと。「河内の国若江の郡遊宜(げゆ)の村の中に、—の沙彌尼あり」〈霊異記上三五〉

れんく【聯句・連句】①二人以上の人が集まって一編の詩を作ること。一人が一句または一連を担当する。連歌と組み合わせたものを和漢聯句または漢和聯句という。「左相府の桂の別業に留り、或は揚鞠、或は—」〈左経記長和五・三・五〉。「或る文亭の—の座にのぞみたりけるに」〈十訓抄三ノ九〉。「レング」〈日葡〉②俳諧で、一句独立に作られる発句に対して、百韻・歌仙などの付合の称。「師(白雄)が命終の日は…百韻の—あり。せめてもの其の一巡をここに載す。惜しむ夜や月の名残の貝多羅樹(ばいたらじゆ)」〈俳・冬

瓜汁〉

れんげ【蓮華・蓮花】①はすの花。「さはこれや—の始めて開くる楽ならんと見えたり」〈栄花玉台〉 ②指をたとえていう語。「かの二人の人、若宮に参らせ給ひて、十の—をもみ合はせ、南無や若宮の八幡宮」〈伽・大橋の中将〉 **—ざ**【蓮華座】はすの花の形をした仏像の台座。蓮台。「地蔵は—に立ち給はず」〈今昔一七ノ六〉 **—ざうせかい**(ゾウ)【蓮華蔵世界】〔仏〕香水の海の中の大きな蓮華の中に含まれる世界。毘盧舎那(びるしゃな)仏の願と修行によってかざられた、清浄な世界。蓮蔵世界。「只—を期(ご)すべきなり」〈今昔六ノ三〉 **—ふで**【蓮華筆】はすの花を筆にたとえた名称。「水茎と言ふ名や池の—」〈俳・犬子集三〉

れんざ【連座・連坐】①一人の犯した罪に対し、一定範囲の人が連帯責任によって罰せられること。「公事失錯して自ら覚挙せば、其の罪を原(ゆる)せ。—すべくんば、一人自ら覚挙せば、余の人はまたこれを原(ゆる)せ」〈名例律逸文〉 ②同じ席に連なり坐すること。また、その人。「大勢—して、烏帽子・素襖の私姿にて、同音を謡ふ事、更に更に道にてあるべからず」〈習道書〉

れんざ【蓮座】「蓮華座」の略。「暁の露珠を垂れて、—のよそほひを添ふとかや」〈平家二・山門滅亡〉

れんし【連枝】《枝を連ねて本を同じくする意》兄弟。特に貴人にいう。「まさしき弟として—の昵を忘れて」〈十訓抄六ノ一五〉。「竹園(ちくゑん)=親王)の—時を待って国国に御座あるといへども」〈太平記三一・天下時勢粧〉

れんじ【櫺子・連子】《レニジの転》⇒れいし。「法皇、中門の—より叡覧ありて」〈長門本平家一六〉。〈文明本節用集〉

れん・じ【練じ】『サ変』経験をつみ、すべてに通じる。「宮などの—・じ給へる人にて、いと心深きあはれを尽し、いひ悩まし給ふに」〈源氏藤袴〉

れんじゃ【輦車】「てぐるま」に同じ。「封戸(ふこ)を給はり、—の宣旨を蒙りて」〈今昔一九ノ一〉

れんじゃう(ジョウ)【連声】漢字が複合して語を作る場合、上字がm・n・tの音で終り、下字がア行・ヤ行・ワ行で始まる際に、ア・ヤ・ワ行の音がマ・ナ・タ行のいずれかの音に変化する現象。クヮンオン(観音)がクヮンノン、サンヰ(三位)がサンミ、セツイン(雪隠)がセッチンに転じる類。「年預。…預字、にょと云ふべきなり。—なり」〈名目抄〉

れんじゃく【連雀・連尺・連索】《形が小鳥の連雀に似ているのでいう》荷物を括りつけて背負うのに用いる道具。負い紐の付いた、後方に突出しのある木の枠。また、麻縄などで肩の当る所を幅広く組んで作ったたにない縄。木製のものは、板連雀ともいう。「—つかんで肩にかけ」〈伽・小栗絵巻〉。「連索、レンジャク」〈文明本節用集〉

れんじゅ【連衆】漢詩・和歌・連俳などの座に出席する人。「天下の宗匠へ案内申し、各—参られけり」〈伽・猿源氏草紙〉。「夜連歌などふけはてて、—睡眠などにのぞみ侍る時は」〈私用抄〉。「連衆、レンジュ、詩・聯句・歌・連歌の—」〈文明本節用集〉

れんじょ【連署】①同一の書面に数人が署名連判すること。「かの遺弟等—して弊房に付属し了りぬ」〈天台座主良源遺告天禄三・五・三〉 ②鎌倉幕府の職名。執権を輔佐して政務を総領し、御教書・下知状に加判する重職。北条氏のみが任ぜられた。連判。合判。「相州重時、将軍家別当—となる」〈吾妻鏡宝治一・七・二七〉

れんぜんあしげ【連銭蘆毛】馬の毛色の名。蘆毛に灰白色の銭形の斑紋がまじっているもの。「—なる馬に、柏木にみみづく打ったる黄覆輪(きぶくりん)の鞍置いてぞ乗ったりける」〈平家四・宮御最期〉

れんだい【蓮台】①「はちすのうてな」に同じ。「観音・勢至—を捧げて」〈栄花玉台〉 ②《「輦台」「連台」とも書く》川渡りに用いた乗物。客の乗る板に付けた二本の棒を人夫がかついだ。「—をおりたつ嬉しさいはんかたなし」〈滑・膝栗毛三上〉

れんちう(チュウ)【簾中】①すだれのうち。簾内(れんない)。「—簾外、皆さざめき立ちて」〈盛衰記四〇〉。「女房の—より和歌を云ひいだす事、一度聞く所なり」〈袋草紙上〉 ②《すだれのうちで日常生活していることから》高貴な婦人。貴婦人方。「—・堂上目をあやにして、いかなる秘曲をか弾じ給はんずらんと思はれけるに」〈盛衰記二三〉

れんとび【連飛・蓮飛】①輪を飛び潜ったりする軽業の一種。また、その芸人。多くは少年の芸であった。「—・蜘舞(くもまひ)」〈評判・美夜古物語〉 ②下等な私娼の一種。「本所横堀に—の宮が百を端下(トルニ足リナイ百文銭)の御神なり」〈評判・吉原芥川〉

れんにゃ【練若】《梵語の音訳》⇒らんにゃ。「朝(あした)に蓬壺(宮中)をいで、暮に—に帰る」〈盛衰記二四〉

れんぱい【連俳・連誹】①連歌と俳諧と。「〔鶯ハ〕詩歌の名題、—の景物也」〈仮・小盃一〉 ②俳諧の連句。「—の直中(ただなか)波の卯の花」〈俳・大矢数五〉

れんばん【連判】一通の文書に連名で署判すること。連署。「清盛が一類二十余人、起請を書き、—をして願を立て」〈日蓮遺文四条金吾殿御返事〉。〈文明本節用集〉 **—がり**【連判借】近世、数名が同一の証文に連判して借金すること。債務の弁済は全員に請求された。連印借。「延米を—して」〈西鶴・椀久二世下〉

れんぷ【蓮府】《レンブとも。晋の大臣王倹が邸内に蓮を植えて楽しんだという故事から》大臣の邸宅。転じて、大臣の異称。「いはゆる重盛が無才愚闇の身をもって、—槐門(くわいもん)の位に至る」〈平家二・教訓状〉

れんぼ【恋慕】①恋い慕うこと。「源朝臣雅信薨ず。…洛陽の士女…皆—す」〈権記正暦四・八・二九〉。「心无(な)き草木そら、皆其れの知りて—の形有りき」〈今昔二ノ六〉。「—とは君恋ひ慕ふことならし」〈俳・野犴集五〉 ②近世初期、流行小唄の一種。「—の替り」〈吉原流行小歌〉 **—ながし**【恋慕流】《「鈴慕流」の転》尺八の曲名。「竹の一節—や天の川」〈俳・沙金袋四〉 **—れれつ**【恋慕れれつ】①「恋慕流」の尺八の曲節。「恋慕流や—ゑ」〈浄・賢女手習四〉 ②恋慕。「見る心—の蓮花かな」〈俳・毛吹草五〉

れんり【連理】①一つの木の枝と他の木の枝が結合し、木理(もくめ)が通じ合っていること。また、その木。「〔松ガ〕—の形をなしたは」〈蕉窓夜話〉 ②男女の契りの深いことのたとえ。「—の契り浅からずして」〈太平記二・俊基被誅〉 **—のえだ**【連理の枝】《白楽天の長恨歌に見える語》連理の形をなした枝。男女の契りの深いことのたとえ。「天に住まば比翼の鳥、地に住まば—とならむ」〈平家六・小督〉

れんれん【連連】ひき続いて絶えないさま。とぎれのないさま。「この身を養はんが為に、—に悪業を造って」〈西方発心集上〉

れ

ろ

ろ【櫓・艪】舟を漕ぐ道具の一。「海の面いみじうのどかに…—といふもの押して歌をいみじうたひたるは」〈枕三〇六〉

ろ『接尾』名詞の下につく。意味は明確でない。歌の調子で用いられているような例もあり、親愛感を示すように見える例もある。防人歌・東歌に多い。「目—よしに寄しより来ね」〈紀歌謡三〉。「武蔵野の小岫(をぐき)が雉(きぎし)立ち別れ去にし宵より背—に逢はなふよ」〈万三三七五〉 †rö

ろ『助』①上代、文末などにつき、親愛または感動の意をあらわす。「荒雄らは妻子(めこ)の業(なり)をば思はず—」〈万三八六五〉②上一段・上二段・下二段・サ変に活用する動詞の命令形につき、命令の意を明確にする。上代以来東国で使う。「紐絶えば吾(あ)が手と付け—」〈万四四二〇防人〉③連体助詞「の」と同じ意をあらわす。「嶺(を)ろ田」「大蛇(をろち)」など。「八俣(やまた)のをろち」〈記神代〉 †rö

ろう【楼】たかどの。高く作った建物。「—の上の瓦などの、心にもあらず御覧じやられけるに」〈大鏡時平〉

ろう【籠】牢獄。「今夜のさむきに付けても、—のうちのありさま、思ひやられていたはしくこそ候へ」〈日蓮遺文土籠御書〉。〈文明本節用集〉

ろうきょ【籠居】謹慎・物忌み・修行などのため、他との接触を断って自宅に引き籠っていること。「清和天皇は位を去らせ給ひて、水尾に御—あるぞ」〈古今集註〉。〈色葉字類抄〉

ろうくたし【籠朽】⇒らうくだし。「—になって、獄中で果つるぞ」〈史記抄一五〉

ろうこく【漏刻・漏剋】古代・中世に用いられた水時計。銅壺に満たした水が小孔から漏れ出るにつれて、中に立てた漏箭(ろうせん)の目盛が水上に現われるのを読み取って時間を計る。また、その目盛の称。近世初期には、ぜんまい仕掛けの時計に対して水時計・砂時計の称。「阿牟公人足…工術を以て聞ゆ。—を造らしむ」〈後紀弘仁三・三・二五〉 **—のはかせ**【漏刻博士】陰陽寮に属し、守辰丁(ときもり)を指揮して時刻を知らせることを掌った官。時守博士。「正七位上行—池辺史大嶋」〈正倉院文書天平年間〉

ろうどし【籠輿】罪人を護送する輿。「さしも厳しく打ち付けたる—のむずめきひりめきて」〈保元下・為朝生捕り〉

ろうさい【籠済】⇒らうさい(2)「—の甚介と言ふ者」〈浮・真実伊勢二〉

ろうさう【緑衫】《ロクサンの音便形》六位が着る緑色の袍。「—なりとも、雪にだにぬれなばにくかるまじ」〈枕二九二〉

ろう・じ【弄じ】『サ変』からかう。「『あないとほし。—・じたるやうにも侍るかな』と苦しがり給ふ」〈源氏行幸〉

ろうしゃ【籠舎・籠者】①牢屋。牢獄。また、牢に入れること。入牢。「さまよひありき給ひける程に、彼の—の砌(みぎり)に迷ひ行く」〈盛衰記六〉。「王城中の喧嘩・闘諍・火事・悪徒・無法の者を搦め捕りて、死罪流罪—におこなふべきなり」〈世鏡抄上〉②牢に入れられている人。囚人。「〔能デ〕—などの〔発声ノ〕事」〈毛端私珍抄〉。「国争ひの弓矢にうち負け給ひて、—とならせ給ふといふ」〈伽・ふくろうの草子〉

ろうず 売れ残り、または破損した商品。「年年の売屑、一升を三文にも買手の無い籠屑(ろうず)なり」〈浮・商人世帯薬四〉

ろうばらひ【籠払】⇒らうばらひ。「—致し候」〈梅津政景日記元和四・九・七〉

ろうもん【楼門】二階造りの門。楼のある門。「神泉南面には、二階の—ありけり」〈続古事談二〉

ろかむ『助』「ろかも」の転。「奇魂(くしみたま)今の現(をつつ)にたふとき—」〈万八一三〉 †rökamu

ろかも『助』形容詞連体形をうけて感動の意をあらわす。…ことよ。…なあ。「藤原の大宮仕へ生(あ)れづくやをとめがともは羨(とも)しき—」〈万五三〉 †rökamö

ろぎん【路銀】道中の費用。旅費。路銭。「御軍役の—十二箱」〈梅津政景日記元和六・四・一九〉

ろく【陸】《「直」「完」「正」とも当てる》①水平。また、平らなこと。「平地の軍ならば、地の—なる広き所を取るべし」〈孫子私抄〉②歪まず、まっすぐなこと。「主人などに物を申す時は、—にむかひてはいぬものなり。是は息を主人につきかけまじきためなり」〈鳥板記〉。「火箸など—に直し」〈草人木上〉③精神や事物が正しいこと。また、完全。十分。円満。満足。「君と臣こころひとつに—ならばその賞罰はただしかるべし」〈菅原光高百首和歌〉。「主君へ逆心の人、三年—にて居たる事なし」〈甲陽軍鑑二〇〉 **—に・居る** くつろいで坐る。あぐらをかく。「それならば御免なされいと云ひて、—・ゐて」〈天理本狂言六義・居杭〉

ろく【祿】①位階・職分などに応じて下付される給与。古くは絁(あしぎぬ)・綿・布など、後世は知行・扶持米・給金など。「一人にして数官を帯する者、—は多き処に従ひて給す」〈類聚三代格六〉。「君をはかりて身の要をかまへ、かたへをあざむきて、その—をのぞむやからをば深く退くべし」〈十訓抄一序〉②労をねぎらい、当座の祝儀として賜わる物。衣類が普通。被物(かづけもの)。「御おくり物などさらにも言はず、すべて引き出で物、—ども品品につけて…二なくせさせ給へり」〈源氏行幸〉

ろくあみだ【六阿彌陀】江戸市中及び近郊にあった六箇所の阿彌陀仏の霊場。二季の彼岸には巡拝が盛んに行なわれた。「江戸者や御忌遠からず—」〈俳・金剛砂上〉

ろくぐ【六具】六種を一揃とする武具。「皆皆—を固めて戦場の早馬合はすべし」〈伽・頼朝最後の記〉。〈文明本節用集〉

ろくくづけ【六句付】雑俳の一種目。万治・寛文頃行なわれた前句付で、前句一に対し四季各一句、恋・名所など雑二句、合計六句を付けるもの。点料に十文取ったという。「月を尋ぬる此の—」〈俳・筑紫の海三〉

ろくくゎんおん【六観音】〔仏〕六種の観世音菩薩。六道にそれぞれあって衆生を救うという。千手・聖(しやう)・馬頭・十一面・准胝(じゅんでい)・如意輪(にょいりん)の称。「仏は。如意輪・千手、すべて—」〈枕二〇〉

ろくこん【六根】〔仏〕人間の迷いを生ずる五つの感覚器官と心との総称。眼・耳・鼻・舌・身・意の六つ。「—をきよめて仏の境界に入り」〈三宝絵下〉 **—ざいしゃう**【六根罪障】六根から生ずる罪障。「—の我ら何ぞこれを仰ぎ奉らざらんや」〈太平記一八・比叡山〉 **—じゃう**【六根浄】「六根清浄」に同じ。「書写の上人は、法華読誦の功積りて—にかなへる人なりけり」〈徒然六九〉 **—しゃうじゃう**【六根清浄】①六根の迷いを捨てて、汚れのない身になること。「すべて明らかなる眼を開き、—を得たりと覚え」〈栄花御裳着〉②行者が山に登る時などに唱える文句。「天清浄、地清浄、人清浄、内外清浄、—、祓ひ賜ひ、清めて賜ふ」〈伊勢講儀式一〉

ろくさい【六斎】「六斎日」の略。一か月の内、斎戒すべき六度の日。近世前期、奉公人は此の夜、暇を貰って外出し、密会などに利用した。「月の八日・十四日・十五日・二十三日・二十九日・三十日、これを—とす」〈三宝絵中〉。「奉公人月に—の契にて」〈俳・油糟〉 **—にち**【六斎日】⇒ろくさい。「—において、我が国境(くにさかひ)の内に殺生を禁断せよ」〈孝養集中〉 **—ねんぶつ**【六斎念仏】空也宗で六斎日に鉦鼓を打ち鳴らし、囃しながら唱える踊念仏。空也上人が始めたという。「南無阿彌陀南無阿彌陀と—を高高と出しければ」〈咄・昨日は今日上〉 **—やど**【六斎宿】六斎日に奉公人が密会する家。中宿。「花の香や—に通ふらん」〈俳・蛇之助〉

ろくざう【六蔵】馬方の通名。「此所な—めは小癪なこと言ふ」〈万葉歌集〉

ろくじ【六字】「南無阿彌陀仏(なむあみだぶつ)」の六字。「行(ぎやう)を—につづめて」〈平家一〇・戒文〉 **—づめ**【六字詰】百万遍念仏の最後に、六字の名号に節を付けて長く唱えること。「儒者に—の念仏を申させ」〈浮・野白内証鑑一〉 **—のみゃうがう**【六字の名号】「南無阿彌陀仏」の六字。また、それを布や紙にしるして本尊としたもの。「—こそ保ちやすきに」〈梵舜本沙石集二ノ八〉。「念仏者は—を首にかけ」〈伽・鴉鷺合戦物語〉

ろくじ【六時】〔仏〕一昼夜を六分した時刻。晨朝・日中・日没・初夜・中夜・後夜。「三百余歳の法燈を挑(かか)ぐる人もなく、—不断の香の煙も絶えやしぬらん」〈平家二・山門滅亡〉 **—だう**【六時堂】六時に念仏・誦経(ずきやう)などをいとなむ堂。「いはゆる—の前の鐘なり」〈徒然二二〇〉 **—のつとめ**【六時の勤め】六時に念仏・誦経(ずきやう)などの勤行を行なうこと。「ひるよるの—に」〈源氏明石〉 **—らいさん**【六時礼讃】日課として、六時に仏を礼拝し、讃歎する行法。主として、浄土往生を願う行者が阿彌陀仏に対して行なう。六時讃。「別時まではなくとも、—の次(つい)での念仏、心澄まん時などは」〈一言芳談〉

ろくしき【六識】〔仏〕色・声・香・味・触・法の六境に対して見・聞・嗅・味・触・知の作用を行なう、眼識・耳識・鼻識・舌識・身識・意識の総称。「身体は、六根・六境・—の十八界をもて組み立てたる身なり」〈日蓮遺文十二因縁御書〉

ろくじふ【六十】 **—がは**【六十川】水深が帯の上ほどの時の大井川の称。川越賃を六十文取ったのでいう。「降り殺す—は見付け物」〈俳・分外集上〉 **—でう**【六十帖】《天台三大部六十巻になぞらえて》中世から近世初期まで信じられた、源氏物語の総巻数。「一巻二巻の書(ふみ)にもあらず、—などまで作り給へる書の」〈今鏡一〇〉。「源氏にも—の女房達の」〈仮・薄雪物語下〉 **—まんにんけつぢゃうわうじゃう**【六十万人決定往生】《六十万人は一切衆生をあらわす》一切の衆生は、「南無阿彌陀仏」の六字の名号を唱えることによって、疑いなく極楽浄土に生れることができるということ。「決定往生六十万人」とも。時宗の遊行僧の配って回った御札に書かれていた文句として有名。「—の御札をあまねく衆生に与へ候」〈謡・遊行柳〉。「定めて—の人にやと殊勝の思ひをなす」〈仮・御伽物語四〉 **—めとばん**【六十目小判】一両小判を銀六十匁と交換する比率。「右は—に直し、六十壱両一歩にては諸事仕舞はるると言ふ」〈西鶴・諸艶大鑑二〉 **—よしう**【六十余州】日本全国の称。畿内七道の六十六箇国に、壱岐・対馬を併せた国数。「—さそらへて、多くの人に見馴れしかども」〈撰集抄五ノ二〉 **—ろくぶ**【六十六部】廻国巡礼の一種。書写した法華経を全国六十六箇国の霊場に一部ずつ奉納してまわる行脚(あんぎや)修行僧。中世から近世にかけてそれ専門の聖(ひじり)を生じ、近世後期にはいると一般の庶民も行ない、時に乞食の渡世となった。六部。六十六部聖。廻国聖。「—の経聖も、〔富士八〕日本第一名所なりと札を打つ」〈諸国一見聖物語〉

ろくしゃく【六尺・陸尺・漉酌】力わざで奉公する者。多く下男・駕籠舁などの称。特に、造酒屋の下男。「—壱人成敗致し候」〈梅津政景日記元和四・九・二八〉。「酒屋の酒造る男を—といふ」〈仮・籠耳三〉。「漉酌、ロクシャク、下人」〈文明本節用集〉

ろくしゅ【六趣】〔仏〕「六道」に同じ。「三界は家無し、—は不定なり」〈三教指帰下〉 **—りん**【六趣輪】六道を輪廻すること。「—の冥(やみ)は、盲眼ひらけたり」〈海道記〉

ろくじょう【鹿茸】まだ皮をかぶった、はえかわる途中の鹿の角。強壮薬として用いる。ふくろづの。「—を鼻にあてて嗅ぐべからず」〈徒然一四九〉

ろくじんづう【六神通】六種の神通力。天眼(てんげん)・天耳(てんに)・他心(たしん)・宿命(しゆくみやう)・神足(じんそく)・漏尽(ろじん)の六つ。六通。「優鉢羅花比丘尼(うばらけびくに)—を得、阿羅漢となりて」〈三宝絵下〉

ろくだい【六大】〔仏〕万象を構成する六種の根本元素。地・水・火・風・空・識の総称。六界。「—無礙(げむ)の春の花は、胎蔵界の理門より出づ」〈盛衰記八〉

ろくだい【炉工台・炉置台】焜炉(こんろ)。近世前期、多くは土製の物をいった。ちんからり。後期には、誤って竈(かまど)の意に用いられた。「—。物を炊く物なり」〈俳・久流留一〉。「竈を江州に—と云ふ」〈橘庵漫筆二〉

ろくだう【六道】〔仏〕死後その人の生前の業(ごふ)に従って赴き住まねばならない六つの世界。地獄・餓鬼・畜生・修羅・人間・天上の称。六趣(ろくしゆ)。「四恩の奉為(おほみため)に敬(いつ)みて像を画き、その中に—を図し」〈霊異記上三五〉。「—の衆生は皆これ先世(せんぜ)のわが父母なり」〈三宝絵下〉 **—ししゃう**【六道四生】六道と胎生・卵生・湿生・化生の四種の生れ方。一切衆生の転生の場所と方法をいう。「—は我が生まるる家」〈霊異記上三一〉。「十方三界、—、同じく此の福に霑(うる)ひ、咸(みな)妙果に登らむ」〈東大寺献物帳〉 **—せん**【六道銭】死者を葬る時、棺の中に入れる六文の銭。俗に、三途の川を渡る船賃という。「下には白き絹の衣裳を着て、—と数珠を首に掛けたりければ」〈藤葉栄衰記中〉 **—のうげ**【六道能化】六道の辻で死人を能く教化する意。特に地蔵菩薩を指していう。「—の地蔵菩薩を本尊として」〈曾我一〉 **—のちまた**【六道の巷】「六道の辻」(1)に同じ。「—に輪廻せん事」〈日蓮遺文聖愚問答鈔〉 **—のつじ**【六道の辻】①死者が六道へ別れ行く道の分岐点。「東へさしたる道あり、—なり」〈伽・富士の人穴の草子〉 ②京都鳥辺野の火葬場へ行く辻。「—に人待つとおぼしくて」〈古事談四〉

ろくだんめ【六段目】《近世初期の浄瑠璃は六段に仕組まれていたのでいう》終末。これぎり。完結。「末一段」「梵天国」とも。「—日も西山に傾きて」〈俳・江戸八百韻〉

ろくぢ【陸地】陸地(りくち)。平地。大地。「—の軍(いくさ)は、進退逸物(いちもつ)の馬に乗って」〈盛衰記四一〉。〈日葡〉

ろくちく【六畜】馬・牛・羊・豕(ゐのこ)・犬・鶏の六種の家畜。「三宝の奴婢及び—を撾打(うむち)つことを得じ」〈霊異記下三三〉

ろくぢざう【六地蔵】衆生を教化するために、六道のそれぞれに配属された六種の地蔵菩薩。「—の等身の綵色

の像を造り奉りて」〈今昔一七ノ二三〉

ろくちゃういちり【六町一里】六町を一里とする里程の単位。近世は関東・東北の一部で行なわれ、一般に、中国・オランダでもこの里程が行なわれていると信じられた。「長柄橋と云ふ事は、摂津国の川尻と云ふ所より四十四里〔注〕—」〈古今集註〉。「夏の夜は—の夢路かな」〈俳・俳諧風体抄中〉

ろくぢん【六塵】〔仏〕人間の感覚に働きかけて、その心性を汚す六種のもの。色・声・香・味・触・法をいう。「六根・—新たに来たらざれども、清浄の功徳ありて現前す」〈正法眼蔵洗面〉

ろくづき【六突】①九十六文を百文として勘定すること。「—の銭追ひかけて返す茶屋」〈雑俳・替狂言〉 ②《九十六文を百文に通用させることから》物事をいい加減にすること。ぞんざいにすること。また、ごまかすこと。「年の数—もがな老の春」〈俳・敝帚一〉

ろくでう【六条】豆腐を薄く切り、塩をまぶして陰干ししたもの。僧家では花鰹の代用品として使った。京都六条辺で作り始めたという。「色色の汁菜を盛りたる中に、蕎麦をあへたると、—を削りたるとあり」〈伽・六条葵上物語〉。〈文明本節用集〉 **—まゐり**【六条参り】京都六条にある東西両本願寺に参詣すること。また、その参詣人。六条殿参り。「大和・河内の—」〈評判・可盃〉

ろくてうし【六調子】雅楽で用いる主な六つの調子。壱越(いちこつ)調・双調・太食(たいしき)調・平(ひゃう)調・盤渉(ばんしき)調・黄鐘(わうしき)調の六調。「すべて—の内の下りも上りもただ御心のうちに浮かべさせ給へるなり」〈源家長日記〉

ろくてん【六天】〔仏〕欲界の六つの天界。四王天・忉利天・夜摩天・兜率(とそつ)天・化楽(けらく)天・他化自在(たけじざい)天の称。六欲天。「欲界の—、いまだ五衰の悲しみをまぬかれず」〈平家灌頂・六道之沙汰〉

ろくど【六度】〔仏〕⇒ろくはらみつ。「もし菩薩の三祇百劫(さんぎひゃくごふ)の勤を見ずは、何によりてか如来の—万行のそなはれるを知らむや」〈三宝絵上〉

ろくにんまはし【六人廻し】六人が交替で舁(か)く駕籠。六枚肩。「—に分くる群草」〈俳・桜千句〉

ろくはいきげん【六盃機嫌】酒をかなり飲んで機嫌のよいこと。「紅葉乱れて—」〈俳・大矢数一〉

ろくはら【六波羅】①「六波羅蜜寺」の略。空也の創建と伝える。西国巡礼第十七番の札所。「—の寿久聖人と云ふは、藤二と親しかりければ」〈今昔一七ノ五〉。「経軸して、—にて供養し奉る」〈打聞集〉 ②《六波羅蜜寺があることから》京都で、南北はほぼ六条通から松原通、東西は東大路から大和大路までの区域をいう。平家の六波羅第があった。承久の乱以後、北条氏がここに南北の六波羅探題府を設けた。「—の入道、前の太政大臣平朝臣清盛公」〈平家一・祇園精舎〉。「急ぎ—へ参じて、事の子細をくはしく申しければ」〈太平記一・頼員回忠〉

ろくはらみつ【六波羅蜜】〔仏〕菩薩の修すべき六つの徳目。布施・持戒・忍辱(にんにく)・精進・禅定・智慧をいう。六度。「浄波羅蜜の有相を滅する所、—の身心相に住せる所」〈栄花玉台〉 →波羅蜜

ろくぶ【六部】「六十六部」の略。「〔笈ノ扉ヲ〕明けひろげ—の仏砂まぶれ」〈雑俳・天神花〉

ろくまいがた【六枚肩】「六人廻し」に同じ。「又—は三十六匁。これは日暮より二時に十里半の道を行く事ぞかし」〈西鶴・諸艶大鑑六〉

ろくみぐゎん【六味丸】強精薬の一種。熟地黄・山薬・牡丹皮・沢瀉(おもだか)等六味を蜂蜜で練った丸薬。六味地黄丸。地黄丸。腎気丸。〈家伝預薬集中〉

ろくみゃく【六脈】漢方医学でいう六種の脈搏。浮・沈・遅・数(さく)・滑・嗇(しょく)の称。また、病人の左右の手の各三か所の脈を取り、心・小腸、肺・大腸、肝・胆、脾・胃、腎・膀、命門・三焦の病症を診断すること。また、その脈。「左右の手をうつは—の踊かな」〈俳・口真似草三〉

ろくやまち【六夜待】江戸で、七月二十六日の月に彌陀三尊の御影が現われるというので、月の出を拝んだこと。二十六夜待。「—一宿続く鬼簾」〈雑俳・柳多留五〉

ろくやをん【鹿野苑】中インドのバラナ国にあった庭園。鹿が放し飼いにしてあったという。釈迦成道後の最初の説法の地。鹿苑。しかのその。かせぎのその。「阿含経(あごむぎゃう)の鹿の声、—にぞ聞ゆなる」〈梁塵秘抄四七〉

ろくゆ【六喩】〔仏〕《金剛般若経の所説》一切諸法が空で、この世のすべてが無常であることを、夢・幻・影・泡・電・露の六種にたとえた語。「—般若の真文を写して、かの追善にぞ擬せられける」〈太平記三七・直義朝臣〉

ろくよく【六欲】〔仏〕①《「六欲天」の略》「六天」に同じ。「—四禅の雲の上にて八万の諸天に囲繞せられ候らむ様に」〈平家灌頂・六道之沙汰〉 ②六根によって起る六種の欲。色欲・形貌欲・威儀姿態欲・語言音声欲・細滑欲・人相欲の称。「五塵・—の風は吹かねども」〈謡・江口〉

ろくろ【轆轤】①重いものを吊したり引いたりするのに用いる滑車。「〔毘沙門天像ニ〕—の綱を懸け、東北に—を立て、像体を引き直す」〈東南院文書承和五・八・三〉。「轆轤、鹿盧二音俗云六路(ろくろ)、円転木機也」〈和名抄〉 ②工作の道具の一。材料を回転させて削る。ろくろがんな。「一尺二寸ばかりのからわに、—にひきて、さまざまに色どりて、威儀の御膳(おもの)まゐる」〈宇津保吹上上〉 ③陶土の成型に用いる道具。「陶物(すゑもの)作りするも—と云ひつべきか」〈俳・類船集一〉 ④傘の上端に固定し、骨を集める臼形の器具。「唐笠遣はし、骨・—等直させ候」〈建内記嘉吉三・七紙背文書〉 **—くび**【轆轤首】①轆轤(1)を用いて背丈が伸縮するように見せる幻術の一種。「〔舞ウ時〕見る目も、そぞろ目をつかはぬなり。人をも見、頭かろくなりぬれば、—と異名になる」〈教訓抄七〉 ②頸が非常に長く、自由に伸び縮みするという妖怪または人。「月にしも見付けにけりな—」〈俳・鷹筑波三〉 **—なは**【轆轤縄】車井戸の轆轤にかけて釣瓶を上下させる縄。「—など帯にしたる奴」〈仮・仕方咄五〉

ろくろく【陸陸】①平らかなさま。安らかなさま。満足のいくような状態。「天下を—に治めて…上下の人の不足のないやうに」〈周易抄〉 ②《打消の語を伴って》じゅうぶん。完全。まとも。「足手をさへ—に隠しあへざれども」〈仮・他我身之上五〉

ろくろく【碌碌】平凡で役に立たないさま。人のあとにつき従っているさま。「其の余の者どもは—として数(かず)ふるに足らぬぞ」〈黄鳥鉢抄八〉

ろくゑのつかさ【六衛の司】「六衛府」に同じ。「—あはせて二千人の人を、竹取が家に遣はす」〈竹取〉

ろくゑふ【六衛府】近衛府・衛門府・兵衛府の各左右二府の併せて六つの衛府。「りくゑふ」とも。「—・左右馬寮等をして京中の盗を捜索せしむ」〈貞信公記天慶二・四・二九〉

ろけん【露顕・露見】①隠していたことが人に知れわたること。秘密がばれること。「〔犯罪行為〕すでに—の事あり」〈小右記永延二・閏五・九〉 ②結婚を世間に披露すること。「ところあらはし」とも。「〔花嫁ノ父〕左府御経営、今夜

—、〔聟ハ〕中将殿なり」〈中右記寛治三・一・二九〉

ろさい【邏斎・囉斎】①家家を回って斎(とき)を受けること。托鉢。乞食(こつじき)。「其の家に到りて暫く—し給へ」〈三国伝記四〉②乞食(こじき)の別称。「呼ばねども参るや—太郎月」〈俳・玉海集一〉

ろし【路次】道筋。道中。途中。道すがら。「〔宣旨ヲ〕—の国国并びに大宰府に賜ふ」〈左経記長和五・四・二七〉。〈色葉字類抄〉

ろしう(ロシュウ)【呂州】風呂屋に抱えられ、客の入浴の世話をするかたわら、色を売った女。風呂屋女。呂衆。「茶国(ちゃこく)・—などに遊ぶ人と各別座配違ふ事」〈浮・好色敗毒散二〉

ろせん【路銭】道中の費用。旅費。「今は極楽への—もなし」〈伽・強盗鬼神〉

ろだい【露台】紫宸殿と仁寿殿(じじゅうでん)との間にある屋根のない板敷の台。節会の時、侍臣の乱舞などが行なわれた。「粟田殿は、—の外(と)まで、わななくわななくおはしたるに」〈大鏡道長〉

ろだん【炉壇】護摩(ごま)を焚く炉を据えた壇。護摩壇。「将門(まさかど)弓箭を帯して、—の炎の上に現ず」〈保元中・朝敵の宿所〉

ろぢ【露地・路地】①あらわな土地。露出した地面。「樹木漸(やうやく)切り掃ひ、墳墓—と作(な)る」〈東南院文書天徳三・二・二六〉。「いでいで—の白牛打って見せん」〈謡・車僧〉②門内・庭上の通路。特に、茶室に至る通路。「—の雪、見事に候とて…数寄屋にて茶有り」〈梅津政景日記寛永一・三・一五〉③市中の家の間の細い通路。上方では「ろうぢ」とも発音。「隣堺の蔵の脇は皆—也」〈俳・類船集一〉。「露路(ろうぢ)、—なり」〈浪花聞書〉

ろぢいり【露地入】茶会の招待客が露地に入ること。「—や雪踏み分けて奇麗好き」〈俳・遠近集六〉

ろぢげた【露地下駄】茶人が露地の出入に履く駒下駄。数寄屋下駄。「—の霜のふりはや朝茶の湯」〈俳・続境海草四〉

ろっぱう(ロッポウ)【六方】《「六法」とも書く》①「男達(をとこだて)」(1)に同じ。奴(やっこ)。六法者。「—の言葉にも『染めてくやしきにせ紫、もとの白地がましぢゃもの』とうたはれた」〈評判・吉原こまざらい〉②歌舞伎演技の一。役者が花道から揚幕に入る時、様式的な美しさを見せるため誇張した歩き方をすること。丹前。だんじり。「ゆくゆく御江戸の—に慣れ給はば、万づ仕上げ給ふべし」〈評判・野郎大仏師〉

—**ことば**【六方詞】「奴詞(やっこことば)」に同じ。「何ぢゃ、誉手も無い—」〈浄・一心五戒魂一〉。〈六方ことば〉

ろっぷく【六腹】①腹の隠語。〈洒・虚実柳巷方言中〉②妊娠の隠語。「かれこれする間に—の大難所。塵が積もって病の種」〈洒・徒然睟が川三〉。「—になるとは、おやまの孕(はら)みを云ふ」〈譬喩尽一〉

ろでん【露転】陰茎。「—の通ふ程落し穴有り」〈西鶴・一代男四〉

ろどこ【櫓床】船梁(ふなばり)の最上部の櫓を架けるところ。「御顔に水をそそき、—を洗うて御口に入れなんどしければ」〈太平記一八・春宮還御〉

ろな・し【論無し】『形ク』「ろんなし」の「ん」を表記しない形。「—・う通ひ給へる所あらむかし」〈源氏若菜下〉

ろばん【露盤・鑪盤】《ルバンとも》仏塔の屋上の相輪(さうりん)の基底にある方形の盤。古くは、その方形の盤上、伏鉢(ふくばち)から上全体の称。「—、高さ各(東塔ト西塔)八丈八尺二寸」〈東大寺大仏記〉

ろびらき【炉開】十月一日または初旬の亥の日に、茶室の地炉を開き、初めて使用すること。〈俳・毛吹草二〉

ろふさぎ【炉塞】三月晦日、茶室の地炉、火燵(こたつ)・囲炉裏などを塞ぐこと。〈俳・滑稽雑談六〉

ろまいひつ【櫓米櫃】《「粮米櫃」の転》米櫃。「—より布袋屋かるたの十馬八九の足らぬ、取集め物を出しければ」〈西鶴・懐硯一〉

ろれつ【呂律】言葉の調子。ものを言う具合。「〔娘ガ〕舌廻(もとほ)らず候へば、—の薬に猿の頭妙也と承り」〈浄・公平武者修行四〉。「不口中(ふこうちう＝口ガ回ラナイ)なるを—が悪いとは呂律(りょりつ)なり」〈不断重宝記〉

ろんぎ【論議】①経文の難解な部分を問答形式で論じ合うこと。宮中や寺院の法会で行なわれ、次第に儀式化した。「法師ばらの才ある限り召し出でて、—せさせてきこしめさせ給ふ」〈源氏賢木〉②問答。討議。「楽府(がふ)の御—の番にめされて」〈徒然二二六〉③〔能楽用語〕シテまたは他の役と地謡、あるいはシテと他の役が交互に謡う部分。「—は、独謡(ひとりうたひ)を二人して謡ふと御心得候べく候」〈禅鳳雑談〉

ろんごふう【論語風】物事に堅苦しく几帳面過ぎるさま。「あらむつかしの—や」〈仮・浮世物語二〉

ろん・じ【論じ】『サ変』①議論する。言い争う。「とりどりに—・ずるを」〈源氏絵合〉。「善悪を—・ずべからず」〈小右記治安三・八・三〉②正しい判断を下す。「太政大臣は…国を治め道を—・じ陰陽をやはらげをさむ」〈平家一・鱸〉。「功を—・じ徳を誉めしを歌といへば」〈古今集註〉

ろんな・し【論無し】『形ク』論ずるまでもない。問題ない。「—・くその道知りたる者あらむ」〈今昔二五ノ九〉。「—・き勝にこそ侍らめ」〈千五百番歌合一八〉

わ

わ【吾・我】㊀『代』①一人称。わたし。自分。「埴生坂—が立ち見れば」〈記歌謡七六〉。「しきたへの衣手離(か)れて玉藻なす靡きか寝(ぬ)らむ—を待ちがてに」〈万二四八三〉。「八十楫(やそか)ぬき水手(かこ)ととのへて朝開き—は漕ぎ出ぬと家に告げこそ」〈万四四〇八〉 ▽平安時代には、「わが」という形以外はほとんど使われない。→あ(吾) ②二人称。親しんで、または相手を卑しめ軽んじて呼ぶ語。おまえ。きさま。「おれ(汝)は何事を言ふぞ。—が主の大納言を高家に思ふか」〈宇治拾遺二・一四〉 ㊁『接頭』【和・我・吾】親愛または軽侮の意を表わす。「—君」「—殿」「—主(ぬし)」「—男」など。「—おきなの年こそ聞かまほしけれ」〈大鏡序〉。「—御房は命惜しくはなきか」〈今昔三一ノ一九〉

わ【倭・和】日本。「—歌」「—書」「—学」などと使う。「さしいでたる—琴(ごん)を、ただささながら掻き鳴らし給ふ」〈源氏蜻蛉〉 ▽日本民族及び国を、中国で呼んだ名。「楽浪海中に倭人有り。分れて百余国と為る。歳時を以て来たりて献見すと」〈前漢書二八下・地理志〉。「倭は帯方の東南大海の中に在り。山島に依りて国と為す。海を度(わた)ること千里。復(ま)た国有り。皆倭種なり」〈前漢書顔師古注〉

わ【輪】①円い輪郭。「望月の足れる面(おも)—に」〈万一八〇七〉。「舌黒み鼻の梁(はし)欹(たふ)れ、耳の—旧のと殊(こと)になり」〈金光明最勝王経平安初期点〉②車輪。「車の—のごとくに四生の区(ちまた)に廻りつつ」〈東大寺諷誦文稿〉③桶のたが。「—の切れたる手桶」〈伽・おようの尼〉

—**にも葛(かづら)にも掛から・ず**《カヅラは桶のたがの意》—

何とも取り扱いようがない。「—・ぬと書く事、是れも世話詞の異名、ゆ(言・結)ふにゆ(言・結)はれぬと言ふ心なり」〈浮・好色四季咄三〉

わ『感』①勧誘の表現に付いて、強める気持を表わす。「いざ吾君(あぎ)振熊(ふるくま)が痛手負はずは鳰鳥の淡海の海に潜(かづ)きせなー」〈記歌謡三八〉。「童(わらは)どもいざー出で見む」〈万三四六〉 ▽ヱと同様に、上代に僅かに使われ、平安時代以降には衰滅した。②笑う声。わっ。「敵(かたき)も味方もーとぞ笑ひける」〈長門本平家一六〉 ③意外な時や驚いた時に発する語。わあ。わっ。「—、床をさっしゃれて御座る」〈狂言記・八句連歌〉

わ『助』《ハの転》文末について、軽い感動を表わす。「心といひ、顔といひ、無双の美人と見えたー」〈中華若木詩抄下〉。「草が深いー」〈碧岩抄三〉

わいが・け【脇掛け】『下二』《ワキガケの音便形》一方の肩から他方の脇の下へ斜めに物を懸ける。「御家の御系図・御巻物を肩にー・けさせ申し」〈本福寺跡書〉

わいかぢ【脇楫・脇梶】「わきかぢ」の音便形。「艫舳(ともへ)に櫓をたてちがへ、ーを入れて、どなたへもやすう押すやうにし候はばや」〈平家一一・逆櫓〉

わいだて【脇楯・脇立】《ワキダテの音便形》大鎧(おほよろひ)の一部。草摺(くさずり)と壺板(つぼいた)とから成り、大鎧の右脇の欠けている部分に当てる。「義朝は、赤地の錦の直垂(ひたたれ)に、ー・小具足ばかりにて」〈保元上・官軍勢汰へ〉

わいへ…ヱイ【我家】《ワギへの音便形》わが家。「ーは帷帳(とばりちやう)も垂れたるを大君来ませ婿にせむ」〈催馬楽我家〉

わいら『代』《ワレラの転》おまえたち。おのれら。「大分の金入れて、ーを栄耀に育てては置かぬ」〈浮・野白内証鑑二〉

わいわい・し【分分し】『形シク』《ワキワキシの音便形》物事をよく分別できる。「性(ひととなり)武(たけ)き略(たばかり)有りて、また弁才(わいわいしきこと)有り」〈紀(岩崎本)推古三十四年〉。「四は諦(さやか)かに了(わいわい)しくして解り易くあらしむる」〈法華経玄賛平安初期点〉

わう ウォ【王】①国王。君子。また、かしら。「その中にーとおぼしき人、家に、『宮つこまろ、まうでこ』といふに」〈竹取〉。「師子といふ獣のー」〈袖中抄二〉 ②将棋の王将。「田楽の将碁(しやうぎ)倒しの桟敷にはーばかりこそあがらざりけれ」〈太平記二七・田楽〉。「将碁の馬に玉をーと云ふは何の故ぞ」〈壒嚢鈔二〉

わうくゎん…オウ【往還】①行き帰り。行き来。往復。往反。「人も無きなめりと思ひて、よろづのーの人は屋戸どももこぼちとりつれば」〈宇津保俊蔭〉 ②往来する道。街道。「ーで茶屋をしながら、茶のあついぬるいを知らぬと云ふ事があるものか」〈虎寛本狂言・禰宜山伏〉

わうくゎん…オウ【黄巻】仏教の経巻。黄紙に書いたのでいう。黄巻朱軸。「古人の目を破らん事を恐れて、黄蘗にて紙を染め、書を写せるとなん。一には眼の養生、一は蚤(しむ)喰らはず、ーと言ふは是れなり」〈仮・続徒然草三〉

わうけ…オウ【王気】皇族らしい気品。「女御の御宮達はた父帝(ちちみかど)の御方ざまにーづきて気高うこそおはしませ」〈源氏柏木〉

わうこ…オウ【往古】《近世前期頃までワウゴと濁音》大昔。「かの湖はーの淵(ふち)にあらず。一旦山河をせき上げて候」〈平家七・火打合戦〉。「往古、ワウゴ」〈書言字考〉

わうごん…オウ【黄金】金。こがね。〈運歩色葉集〉 **ーのはだへ**…ハダエ【黄金の膚】①仏の肌の形容。仏身。「ーこまやかに」〈謡・卒都婆小町〉 ②美女の肌の形容。「ーを脱いで是れは是れは」〈俳・俳諧三部抄中〉

わうし…オウ【王氏】皇族。令制では親王より四世までがその範囲。「たちまちにーを出でて人臣につらなる」〈平家一・祇園精舎〉

わうし…オウ【黄紙】虫がつかないよう、黄色に染めた紙。経典を書写する料紙とする。キハダの樹皮で染めたものという。「ーに書けるふみ一巻あり。伝教大師、未来の座主の名字をかねてしるしおかれたり」〈平家二・座主流〉

わうし…オウ【横死】災難などによる死。変死。非業の死。「聖徳太子の、崇峻天皇を『ーの相まします』と申させ給ひたりしが」〈平家四・通乗沙汰〉

わうじ…オウ ❶【王子】①国王の子。「今より後ーに非ずは執政大夫等をして入朝せしめよ」〈続紀天平宝字七・二・一〇〉 ▽奈良時代には外国の国王の子に多く用い、「皇子」と区別している。②熊野神社の末社。「是れはそんぢやう其のー、彼のーーなんど、ーーの名を申して、康頼入道先達にて、丹波少将相具しつつ、日ごとに熊野詣でのまねをして」〈平家二・康頼祝〉 ❷【皇子】天皇の男子。「弓削ー薨。……ーは天武天皇の第六のーなり」〈続紀文武三・七・二一〉

わうしき…オウ【黄鐘】十二律の一。基音の壱越(いちこつ)より七律高い音。「調子は声によるといへども、ー・盤渉(ばんしき)をもて用ふべし」〈風姿花伝〉 **ーでう**…ヂョウ【黄鐘調】雅楽の六調子の一。黄鐘を基音とする律旋音階。「琵琶の声のひびきなりけり。ーに調べて」〈源氏橋姫〉

わうじゃう…オウジョウ【往生】①〔仏〕この世を去って極楽浄土へ行き、蓮華の上に生れること。「必ず当(まさ)に等しく西方にーすべし」〈霊異記中三〉 ②死ぬこと。死亡。「『歌道は一つ橋を渡るやうによむぞ』とばかりにてーし給ふなり」〈東野州聞書四〉 **ーかう**…コウ【往生講】阿彌陀仏を本尊とし、極楽往生を願って行なう法会。平安時代後期から盛んになった浄土信仰にもとづくもの。「大原の僧正も結縁のためにーなんどおこなひ給ひけり」〈沙石集四ノ六〉 **ーごし**【往生腰】曲がった腰つき。勢至腰。「三ケ月のたはめる影を、西方にーとも勢至腰(せいしごし)とも言ひなし」〈俳・山の井三〉 **ーづくめ**【往生尽め】《「圧状尽(あふじやうづく)」の転という》おどしつけて、無理に自分の思い通りにすること。「往生竦(ずくめ)」とも。「ーにすれども」〈西鶴・伝来記一〉 **ーにん**【往生人】極楽往生した人。また、極楽往生のできる人。「傍に死人あり。僧多く集まって云ふ。『ここにーあり』と」〈発心集三〉。「この真浄房おとらぬ後世者なりければ、必ずーなりと定むる」〈発心集三〉 **ーば**【往生場】死に場所。「いざ此処をーと」〈近松・天網島下〉

わうじゃう…オウジョウ【皇麞】雅楽の曲名。唐楽。平調(ひやうでう)。「未の時ばかりに楽人参る。万歳楽・ーなど舞ひて、日暮れかかる程に高麗の乱声して落蹲(らくそん)舞ひ出でたる程」〈源氏若菜上〉

わうじゃく…オウ【尫弱】①弱弱としていること。柔弱なこと。「年老い、ーの身なり」〈小右記長和三・四・九〉。「われらが如きのーの心にては、いかが往生すべき」〈和語燈録一〉。〈色葉字類抄〉 ②微力・微祿・貧乏など、勢力・能力・財力などが乏しいこと。「頼政、ーの勢にて固め候ふ門を」〈盛衰記四〉。「渇命を継ぐ程ーの田地を扶持すべし」〈世鏡抄下〉 ③とるに足りないこと。些細なこと。「月に六日十日はーの事なり」〈極楽寺殿御消息〉

わうずい…オウ【黄水】胃から吐く黄色い水。胃液・胆汁など。「きみづ」とも。「従者ども『大かたとかく申すに及ばず』とてーを吐(つ)きあひたり」〈宇治拾遺一八九〉

わうだいき…オウ【王代記・皇代記】歴代天皇の名その他を記した年表風の簡単な歴史書。「此の事はーに見えたり」

〈日蓮遺文念仏無間地獄抄〉

わうだう【横道】①本道からはずれた道。わきみち。「ーなれども、いざや当国に聞えたる平泉寺を拝まん」〈義経記七〉②正道にはずれたこと。よこしまなこと。不正。「情なしとよ客僧たち、いつはりなしと聞きつるに、鬼神にーなきものを」〈伽・酒呑童子〉

わうて【王手】将棋で、直接に王将を攻め立てる手。「将棋の盤にむかひては…負け目になりて何事もーといひて立ち去りぬ」〈児教訓〉

わうにょうご【王女御】皇族出の女御。「凡そーに限らず姓をも昔はいひ付也。李部王記云、藤女御・源女御などあり」〈河海抄九〉

わうのはな【王の鼻】鼻を極く高くし、赤く塗った神楽の面。猿田彦の相といい、神社の祭礼の渡御などには、この面を付けた社人が先頭に歩くのが通例。「今この国の神事祭礼の時、ーとて、まっ先に鼻の長き面を着て通る事はこれ神代の遺風なり」〈三社託宣略鈔〉。〈俳・山の井三〉

わうばく【黄檗】黄檗宗。禅宗臨済派の一派。寛文元年、明(みん)の僧隠元が、山城国宇治に黄檗山万福寺を創建してひろめた。黄檗派。「麓を隔つーの春」〈俳・見花数寄〉 **ーれうり**【黄檗料理】《はじめ黄檗山万福寺で調理したのでいう》煮菜・生菜を主とした中国式の精進料理。普茶料理。「ー雲と煙らす」〈俳・投盃〉

わうばん【往反】《ワウヘンとも》ゆきかえり。往復。「虎狼等の獣ひまなくありて人を害す。しかればーする人存する事なし」〈今昔九ノ九〉。〈色葉字類抄〉

わうばん【椀飯・埦飯・垸飯】《ワンハンの転》①椀に盛った飯。「ーなどは世の常のやうにて」〈源氏宿木〉②食膳を設けて人を饗応すること。平安時代、年始や五節などに際し、殿上人などの集会に人人が食事を調えたり、下級者に支給したりしたことをいう。鎌倉室町時代には、将軍に対する饗応、特に年頭に重臣が出仕して行なう饗応をさし、主従関係を緊密にする意が加わった。後、民間でもこの風をならうに至った。「事終って還御の後、千葉介常胤ーを献ず」〈吾妻鏡治承五・一・一〉。「恒例なれば、〔正月〕朔日のーをば、時の管領畠山左衛門督政長いかにもすぐれてこれを勤めらるる事厳重なり」〈応仁記上〉 **ーぶるまひ**【椀飯振舞】近世、親類縁者を集めて行なう大宴会。「椀飯」(2)が一般化したもの。「正月はーとて、親類縁者子供まで洩らさず呼び集め、それぞれ分限相応に結構して、目出度しと寿き、歌ひののしり、酒盛して遊ぶ」〈昔昔物語〉

わうへい【横柄】おごり高ぶること。尊大。「侍たる者がーをすれば、下下の者が腹を立てて下知を聞かぬぞ」〈三略抄〉

わうへん【往返】⇒わうばん(往反)。「十四五六のわらはべを三百人そろへて…赤き直垂(ひたたれ)をきせて召し使はれけるが、京中にみちみてーしけり」〈平家一・禿髪〉。〈文明本節用集〉

わうぼふ【王法】《出世間の法を説く「仏法」に対して》世間を律するために国王の定めた法。「ーを犯さば速やかに殺されなむ」〈今昔二ノ三五〉。「ーとは世間の法度なり」〈真宗教要鈔下〉。〈易林本節用集〉

わうまうにち【往亡日】陰陽道での凶日の一。出陣・旅行・移転など、出行に忌むという。「今日ーなり。明日合戦を遂ぐべきかと定められけるを」〈盛衰記三八〉

わうまがとき【わうまが時】夕暮。たそがれ。「俗に黄昏をーと云ふを、或人の曰く、是れ王莽が時と云ふ事也と」〈志不可起三〉

わうみゃうぶ【王命婦】皇族で命婦となっている人。「昼はつくづくと眺め暮して、暮るれば〔女御ニ逢ワセヨト〕ーを責めありき給ふ」〈源氏若紫〉

わうらい【往来】①ゆきき。ゆきかえり。「上下ーの船わづらひなきこそめでたけれ」〈平家六・築島〉②旅。回国行脚。「や、これにーの僧のわたり候ふぞや」〈謡・鵜飼〉③往信と来信と。転じて、手紙。音信。「古今の相聞ーの歌の類の上」〈万巻一一〉。「藤壺の若宮の御許に〔仲忠ガ〕てづからーー月日書きて」〈宇津保国譲中〉。「ー・消息、同じ意なり」〈塵嚢鈔六〉④往信・返信を具えた書簡文の模範文例集。手習の手本としたが、中世以降は教科書的なものとなった。「庭訓のーの詞に」〈塵嚢鈔一〉⑤贈答の品。「入道相国、近江米二万石、北国の織延べ絹三千疋、ーに寄せらる」〈平家四・南都牒状〉

わうりゃう【横領】不法に奪い取ること。横どり。「継娘の子、父の墓所先祖の所領をー仕りし」〈曾我一〉

わうわく【誑惑・狂惑・枉惑】①うそ・でたらめを言って人をたぶらかすこと。「人の儲けたる物をーして取る者」〈孝養集上〉。「誑惑、ワウワク」〈文明本節用集〉②いわれのないこと。無理無道。「此の道にうとくして他を誹(そし)る事なほーの事なり」〈猿轡上〉。「枉惑、ワウワク、無道義也」〈文明本節用集〉

わうゐん【皇院】天皇。みかど。「ーこれを聞こし召し…との宣旨なり」〈伽・あやめのまへ〉。〈文明本節用集〉

わおもと【我御許・和御許】女性を親しんで呼ぶ語。お前さん。あなた。「わごぜ」とも。「〔アノ猿ヲ〕打ち殺したらましかば、…ーの子は取られざらまし」〈今昔二九ノ三五〉

わおん【倭音・和音】①日本語の音節。「語、古質多く、世質民淳、言詞今に異る。授受の人動(ややもすれば)訛謬し易し。故にーを以て詞語を弁し、丹点を以て軽重を明らかにす」〈書紀弘仁私記序〉②日本に伝来した漢字音のうち、漢音以前の、呉音に近い音。「陀字漢音は実に清音也、ーは是濁音也。…呉音は多分にーと同じ」〈悉曇要訣一〉

わか【若】㊀《名》①幼いさま。いとけないさま。「ーの御有様やと、らうたく見奉り給ひて」〈源氏葵〉②幼児。「三歳になりしーを柴漬(ふしづけ)にせられ」〈曾我三〉③少年。「翁面の箱持つこと、賞翫の職なり。大かた見ざまのよきを選ぶべし。ーに似合ひたる職なり」〈申楽談儀〉㊁《接頭》幼い、若いなどの意を表わす。「ー葦」「ー草」「ー菜」「ー鮎(ゆ)」など。「渡会(わたらひ)の大河の辺のー久木わが久ならば妹恋ひむかも」〈万三一二七〉㊂《接尾》幼少の男子の名の下に付ける語。「十一になる亀ー、九つになる鶴ー」〈保元下・義朝幼少の弟〉

わか【和歌】①《和する歌の意》こたえる歌。「ーを賦して奏すべし」〈万四二九三題詞〉②《漢詩に対して、和(日本)の歌の意》長歌・短歌・旋頭歌など日本の定型の歌。のちにはとくに短歌をさすことが多い。「やまとうた」「やまとことば」とも。「『君にもし心たがはばまつらなる鏡の神をかけて誓はむ』、このーは仕うまつりたりとなむ思ひ給ふる」〈源氏玉鬘〉③舞に付随する謡物一般の称。高音で謡うものとされ、祝言的な要素を伴うものであったらしい。「旅の舟路の門出のー、ただ一さしと勧むれば」〈謡・舟弁慶〉

わかいしゅ【若い衆】①年若い男。青年。「いつもーのおなぶりやるによって」〈虎明本狂言・鈍太郎〉②商家の手代。「若い者」とも。「我が本町の〔呉服屋ノ〕ー」〈評判・吉原こまざらい〉

わかいもの【若い者】商家の手代。若い衆。「昔召し仕ひ

し―の親あり」〈西鶴・一代男四〉

わかう ワコ《ワカ(若)の転》 少年。「六つなる―の手習ひを見よやれ」〈田植草紙〉。〈日葡〉

わかうど【若人】《ワカヒトの音便形》 年の若い人。男女ともにいう。「よき―・童(わらは)など」〈源氏若紫〉

わか・え【若え】〘下二〙 若くなる。若返る。「いや―・えに御―・えまし」〈祝詞神賀詞〉。「君が八千代を―・えつつ見む」〈古今一〇〇三〉。「年も―・え、命も延びたるぞかし」〈大鏡藤氏物語〉 †wakaye

わかえびす【若夷・若戎】 福神の大黒とえびすの像を摺った紙札。元日の早暁、「わかえびす、わかえびす」と叫びながら行商した。「皺の無き紙に写すや―」〈俳・犬子集一〉

わかおとな【若大人】 若年ながら思慮分別・挙措進退などが落ちついてしっかりしている者。「かやうの事を心得てふるまふを―とは申すなり」〈六波羅殿御家訓〉

わがおほきみ …オオ…【我大君・吾大王】 天皇・皇子の敬称。「高光る日の御子、やすみしし―」〈記歌謡二八〉 ▽万葉集の時代には音の転じたワゴオホキミが用いられた。 †wagaöfökimi

わがおもと【我御許】 女性を親しんで呼ぶ語。「〔明石入道ガ明石上ニ向ッテ〕―生れ給はむとせしその年の二月のその夜」〈源氏若菜上〉

わかかへで …カエデ【若楓】 ①若葉の萌え出た楓。「御前の―・柏木などの青やかに茂りあひたるが」〈源氏胡蝶〉 ②襲(かさね)の色目の名。「藤の織物の袿、―の唐衣」〈夜の寝覚三〉

わかかへに【若かへに】〘連語〙 「わかくへに」の転。「射ゆ鹿(し)のつなぐ川辺の和草(にこぐさ)の身の―さ寝し児らはも」〈万三八七四〉 †wakakarëni

わかがみ【若上】 若かった昔。「七十の法師の、―に詠めりしかば、そらごととは覚えずと申ししを」〈難後拾遺抄〉。「―は、けしうは侍らざりしものを」〈今昔一九ノ一八〉

わかき【若木】 樹齢の若い木。「春雨を待つとにしあらし我がやどの―の梅もいまだ含(ふふ)めり」〈万七九二〉 †wakaki

わかぎみ【若君】 ①貴人の幼い子女に対する敬称。男君・女君いずれにもいう。「―(道綱)の御喜び聞えに」〈かげろふ中〉。「―(紫上)幼なごこちに、めでたき人かなと見給ひて」〈源氏若紫〉 ②《「姫君」の対》 貴人の男子。「治部卿の局と申す女房の腹に、―・姫君ましましけり」〈盛衰記一五〉

わがきみ【我君】 わが主人。親しみ敬っていう語。「―にわけ(私メ)は恋ふらし賜(たば)りたる茅花(つばな)を食めどいや痩せに痩す」〈万一四六二〉。「―は千代に八千代にさざれ石のいはほとなりて苔のむすまで」〈古今三四三〉。「〔父ガ娘ニツイテ〕あはれ年頃―をふところにておほしたてて」〈栄花衣珠〉 †wagakimi

わかくさ【若草】 春先に新しく生い出た草。歌では、若い女や幼女をたとえていうことが多い。「射ゆ鹿猪(しし)をつなぐ川辺の―の若くありきとあが思はなくに」〈紀歌謡一一七〉。「うら若み寝よげに見ゆる―をひとの結ばむことをしぞ思ふ」〈伊勢四九〉 **―の**【若草の】〘枕詞〙 初生の草が多くは二葉で、みずみずしいところから、配偶の意の「つま」、新婚の意の「新手枕」などにかかる。「汝(な)こそは男(を)にいませば…―妻持たせらめ」〈記歌謡五〉。「―夫(つま)かあるらむ橿(かし)の実の独りか寝(ぬ)らむ」〈万一七四二〉。「―新手枕をまきそめて」〈万二五四二〉

わかくへに【若くへに】〘連語〙《ワカキ(若)ウヘ(上)ニの約》 若い時代に。「―率(ゐ)寝てましもの老いにけるかも」〈記歌謡九三〉 †wakakurëni

わかげ【若気】 若者にありがちの逸り気。年少者の血気。「〔夜討ヲショウトイウノハ〕荒儀なり。…―のいたすところか」〈保元上・新院御所〉。「真田が子どもにてあるならば、―の至りさし置き給へ」〈吾妻記〉

わかけがね【輪掛金・輪懸金】 輪形の掛金。多く部屋の戸に付ける。「天の戸を明くるや月の―」〈俳・毛吹草六〉

わかこもを【若薦を】〘枕詞〙 若いコモを刈る意から、地名「猟路(かりぢ)」などにかかる。「―猟路の小野に」〈万二三九〉 †wakakomöwo

わかさ【若狭】 旧国名の一。北陸道七国の一で、今の福井県西南部。「―なる三方(みかた)の海の」〈万一一七七〉。〈和名抄〉 **―ぢ**【若狭道】 若狭国に通う道。また、若狭国の道。また、若狭地方。「―の後瀬の山の」〈万七三七〉

わかさぶらひ …サブライ【若侍】 公家・武家に召し使われている年若い侍。「―ども二三人走り出で」〈伽・鉢かづき〉

わかさんじん【和歌三神】 和歌の守護神として仰がれる三柱の神。住吉神・玉津島神(衣通(そとほり)姫)・天満宮。また、住吉の祭神たる表筒男命(うはつつのをのみこと)・中筒男命・底筒男命、或いは衣通姫・柿本人麻呂・山部赤人などの異説がある。「―を胸に籠め、偽去って清心となり」〈俳・石車三〉

わか・し【沸かし】〘四段〙《ワキ(沸)の他動詞形》 ①液体や金属を煮え立たせる。「さしなべに湯―・せ子ども櫟津(いちひつ)の檜橋(ひはし)より来む狐に浴むさむ」〈万三八二四〉。「身の色は光り明にして…鎔(わ)かせる金の妙にして無比なるが如し」〈金光明最勝王経平安初期点〉。「煖、阿太々牟、又、和可須(わかす)」〈新撰字鏡〉 ②下から吹き出させる。湧き出させる。「貴(たふと)げなる聖の、水をも〔地下カラ〕―・して飲みたまへかし」〈撰集抄七ノ五〉 ③腹を煮えくりかえらせる。怒る。「かの者―・して口説(くぜつ)をする時」〈評判・難波物語〉

わか・し【若し】〘形ク〙《生れて年月の経っていない意。上代では多く生れたばかり、幼年、または年下である意。平安時代以降は多く青年の意にいう。類義語ヲサナシは、年が行かずに判断力などが無い意》 ①生れたばかりである。「―・ければ道行き知らじ幣(まひ)はせむ黄泉(したへ)の使負ひて通らせ」〈万九〇五〉。「〔生後数日〕若宮あながちに―・う、いはけなくて、をさなき御身の」〈栄花楚王夢〉 ②声や様子などが、子供っぽい。あどけない。「殿、若君いだき奉らせ給ひて率て奉らせ給ふ。御声いと―・し」〈栄花初花〉 ③技倆などが、未熟である。年季が入っていない。「こともなき御琴(おほむこと)かな。少しまだ―・くぞあんなる」〈宇津保春日詣〉。「〔女三宮ノ筆跡ノ〕いと―・きを、しばし〔紫上ニハ〕見せ奉らでもあらばや」〈源氏若菜上〉 ④青年期である。平安貴族の場合には、袴着・裳着(もぎ)の後、二十歳頃までにいうことが多い。「昔いと―・き男、いと―・き女をあひ言へりけり」〈伊勢八六〉。「たかのぶと申して、むげに年―・き人、をさなくより馴れ仕うまつりて」〈今鏡三〉 ⑤青年らしい生気・活気がある。「―・かりし膚もしわみぬ、黒かりし髪も白けぬ」〈万一七四〇〉 **若いが花** 女は若いのが魅力があるの意。「―ぢゃと抱き付く」〈浄・頼政一〉 **若うならしゃりました** 近世、年賀の挨拶の言葉。年を一つ余計に取ったのに、あなたは逆に若く見えますの意。「元日から人の寄る年を―と嘘をつき初めて」〈西鶴・二十不孝一〉

わかしゅ【若衆】《ワカシュウとも》 ①若年の衆。若者。「―ばかりにて老人は一人もなし」〈朗詠鈔五〉 ②男色(なんしよく)の相手としての少年。稚児。「頼家は比企藤四郎を―にせらる。それに依て管領を藤四郎に持たせんと仰せらるる」〈蘆雪本御成敗式目抄端書〉。「さしむかふ―のみめは悪けれど」〈俳・犬筑波〉③歌舞伎芝居に出る年少の俳優また、その中で特に売色を業とした少年。歌舞伎若衆。野郎。「ー共の舞ひ踊る有様に」〈仮・浮世物語一〉 **ーがた**【若衆方】歌舞伎の役柄の一。前髪の美少年役。「嵐門三郎、ー」〈評判・難波の顔二〉 **ーかぶき**【若衆歌舞伎】若女形・若衆方を主軸とし、舞踊を主とした歌舞伎。寛永六年の女歌舞伎禁止後に行なわれ、男色の弊害のため、承応元年禁止された。「今時はーといふ事を仕出し」〈仮・田夫物語〉 **ーがみ**【若衆髪】若衆の結う髪。垂れ前髪を置き、中剃りして元結で根元を締め、頭上で縦に二つ折りにする結い方。若衆髷(わげ)。「ーに中剃して」〈西鶴・一代女二〉 **ーにんぎゃう**【若衆人形】若衆の形をした人形。「面体は人形屋に遣はして、ーの手本にさせたき人なり」〈評判・野郎虫〉 **ーやど**【若衆宿】男色専門の陰間茶屋。「ーの奈良茶、一盃八分づつに当ると言へり」〈西鶴・胸算用二〉

わかしょたい【若世帯】若主人が当主となって支配する世帯。若代(わかよ)。「心の儘のー」〈西鶴・好色盛衰記三〉

わかたう【若党】①若い郎党。若侍。「只今なのるは大将軍ぞ。あますな者ども、もらすなー、うてや」〈平家九・木曾最期〉。「武蔵の守がー、鎧(よろひ)の袖をひかへて」〈太平記二六・四条縄手〉 ②主君の供などをする武家の従者。「夜歩(ありかん)には必ずーを具すべし」〈六波羅殿御家訓〉

わがたたみ【我が畳】〔枕詞〕畳を幾重にも重ねる意から、地名「三重」にかかる。「ー三重の川原の」〈万一七三五〉 † wagatatami

わかだ・ち【若だち】㊀『四段』①新しい芽や枝が生え出る。「正月十よ日のほど…桃の木のー・ちて、いと楉(しもと)がちにさし出でたる」〈枕一四四〉。「佐野の茎立(くくたち)ー・ちて」〈謡・求塚〉 ㊁『名』新芽や若枝の生え出ること。また、その芽や枝。「年ははや月なみかけて越えにけりむべ摘みけらしゑぐ(黒クワイ)のー」〈山家集下〉。「新茶のー、摘みつ摘まれつ」〈閑吟集〉

わがたつそま【我が立つ杣】《伝教大師が比叡山で作った歌、「阿耨多羅三藐三菩提(あのくたらさんみやくさんぼだい)の仏たち我が立つ杣に冥加あらせたまへ」から》比叡山を指していう語。「祈りこしーのひきかへて人なき峰となりやはてなむ」〈平家二・山門滅亡〉

わかタバコ【若煙草】八月頃摘み取ったタバコの葉で製した新タバコ。今年煙草。「八月…ー、花は七月」〈俳・毛吹草二〉

わか・ち【分ち・別ち】㊀『四段』《ワカレの他動詞形》①分割する。「斎食(さいじき)の時ごとに、飯を拆(わか)ちて烏に施し」〈霊異記下序〉。「『これ掘りー・たせ給はば、すこし給はらむ』ときこえ置きてしを」〈かげろふ上〉 ②(区域・経路・所属などを)切り離して別別にする。「宮司、候ふ人人、みな手をー・ちて求め奉れども」〈竹取〉。「『道隆は右衛門陣より出でよ。道長は承明門より出でよ』と、それをさへー・たせ給へば」〈大鏡道長〉 ③(是非・正邪・善悪などの)けじめをはっきりわきまえる。「是非をー・たずして、悪人のために殺さる」〈孝養集上〉。「仁徳の孝を施させましますも、君御成人の後、清濁をー・たせ給ひての上の事にてこそあるに」〈平家六・紅葉〉 ㊁『名』①区分。差別。けじめ。「これらの掟なからん人と畜生と何をかーとせん」〈真宗教要鈔下〉。「我は五人の子の中さへ、かはゆきうちにーあるこそ愚かなれ」〈伽・愛宕地蔵之物語〉 ②(順序・当否などについての)わきまえ。「全く衆道のー思ひ寄らず」〈西鶴・一代男二〉 ③事の顛末(てんまつ)。事情。「事のーは知らねども」〈説経・伍太力菩薩〉

わかづめ【若詰】半元服の若い女。また、その風俗の遊女。「二十ばかりの女の、ーにあらず、年増でない、目の方りんとして、すすどからぬ白人(はくじん)があらば」〈浮・西鶴伝授車三〉。「そなたは、ーの白歯は嫌ひにて、歯黒にて染めた黒歯が好きで」〈浮・風流西海硯一〉

わかつ・り【誘り】㊀『四段』《ヲコツリ(誘・機)の母音交替形》だます。「これ大妄語なり。…断見の愚癡のひとを誘(わかつ)り誑(たばろ)かすなり」〈地蔵十輪経六・元慶点〉 ㊁『名』からくりのある機械。「譬へば機関(わかつり)の如くして業(ごふ)によりて転す」〈金光明最勝王経平安初期点〉

わがでに【我がでに】『副』《デは助詞。「手」と書くのは当て字》自分自身で。自分一人で。「われがでに」「われとわがでに」などとも。「ー花へ近づいて置いて、花が方より我に近づいたと云うたが面白いぞ」〈杜律私記〉。「又真実からーもよく合点して」〈評判・難波物語〉

わがとう【我等】《「我党」とも表記》私。われ。おのれ。身共。身がとう。近世前期、関東方言と考えられた。「ーは渡り奉公」〈評判・難波の顔三〉

わかどころ【和歌所】宮中で、和歌の撰集をつかさどった所。臨時に置く。村上天皇の天暦五年、梨壺に置かれたのに始まる。「この歌をーに参りて書きて、御前に参る」〈源家長日記〉

わかとし【若年】新年。「万代をめぐり来れども老いせぬや春をつれたる今日のー」〈草根集四〉。「ーの光になびく千里(ちさと)かな」〈心玉集拾遺〉。〈日葡〉

わかどしより【若年寄】《年寄すなわち老中に対して若年の年寄の意》江戸幕府で、老中に次ぐ重職。旗本、および老中支配外の諸役人を支配し、職人・医師の取締りや普通の普請・作事などを掌った。小祿の譜代大名より任じ、普通、四人が月番で政務を執った。「非番の老中・ー中、今ほど御城勤め繁く候につき」〈憲教類典二、正徳三・二・二〉

わかとり【若鳥】若くて世馴れない者のたとえ。「ーの買手など取り付きたらば」〈評判・まさり草〉。「ーぢゃ。他にだまさるることを得知らぬたとへ也」〈譬喩尽二〉

わかな【若菜】①初春に摘む菜。「明日よりはー摘まむと標(し)めし野に昨日も今日も雪は降りつつ」〈万一四二七〉 ②正月の子(ね)の日に摘んで食し、また、人に贈る菜。セリ・ワラビ・ナズナなど十二種があった。「正月二十三日子日なるに、左大将殿の北の方、ーまゐり給ふ」〈源氏若菜上〉。「御記云、…甲子日朝、ーを摘みてこれを奉入す。二十五日甲子、此の日院より子の日の宴を給ふ」〈河海抄一三〉

わかぬし【若主】若い人の敬称。「このーたちの、…と問ひつれば」〈宇治拾遺三〉

わが・ね【綰ね】『下二』(長い物を)曲げて輪にする。「紙に切れたる髪を少しかいー・ねて包みたり」〈大和一〇三〉。「布の白袴、几帳にうち掛け、うへの衣(きぬ)の長くところせきをー・ね掛けたる、いとつきなし」〈枕三二〉。「盤、ワガヌ」〈名義抄〉

わかばえ【若生え】①新芽や若枝の出ること。若だち。「年を経て待ちつる松のーにうれしく逢へる春のみどり子」〈栄花若ばえ〉 ②物事の始め、また幼児のたとえ。「小用(チヨットシタ用事)に使ふ恋のー」〈俳・大矢数四〉

わか・び【若び】『上二』《ビは振舞を示す意の接尾語》若い振舞をする。若い様子を示す。「〔女ハ〕いといたくー・びて、ひとへに御琴に心入れておはす」〈源氏若菜下〉

わがへ【我家】《ワガイへの約》自分の家。わがや。「春の

野に鳴くやうぐひすなつけむと—の園に梅の花咲く」〈万八二三七〉→わぎへ。†wagare

わがまま【我儘】①自分本位。身勝手。「父大臣、—なる御心にて、ひがひがしき事どもし給ひけるにも」〈今鏡七〉②気ままで奢っていること。「—に見ゆる所、長崎〔出身〕でないか」〈西鶴・織留四〉 **—あめ**【我儘雨】「私雨(わたくしあめ)」に同じ。「此所の—、夕日は照りながら降りて」〈西鶴・諸艶大鑑三〉

わがみ【我身】『代』①一人称。此の身。自分。あたし。「みづから」「わらは」などと同様に女が使うことが多い。「この女房、『…かかるにつけては—の事、ありのままに語り申すべし』とて」〈沙石集三ノ四〉。「—は女なりとも、敵(かたき)の手にはかかるまじ」〈平家一一・先帝身投〉。「六条内府語られて云はく…御所に資平卿と—と祗候して」〈井蛙抄六〉②二人称。男が目下の者に用いる。おまえ。そち。汝。「—は此の国の者かと御尋有りけれども」〈盛衰記三〉

わかみづ【若水】①宮中で、立春の日に主水司(もひとりのつかさ)から天皇に奉った水。一年の邪気を避けるものとされた。「立春のあしたに…。君がためみたらし川を—にむすぶや千代の始めなるらむ」〈千載六〇九〉。「立春の日は主水司(もんどつかさ)立春の—を奉る」〈太平記二四・朝儀年中行事〉②正月に汲むめでたい水。「あらたまの年よりも若宮の御有様こそ、いみじううつくしうおはしませ。—していつしか御湯殿参る」〈栄花若水〉。「諸人の—祝ふ朝かな」〈梵燈庵日発句〉

わかみや【若宮】①幼少の皇子・皇女・皇孫。「—のいとうつくしうておはしますを」〈源氏若菜下〉。「東宮の—の御袴着のこと」〈栄花若水〉。「姫宮・—」〈枕二三九〉②本宮の祭神の子を祭ったといわれる神社。「神の家の小公達(こきうだち)は、八幡の—、熊野の若王子」〈梁塵秘抄二四二〉③本宮から分霊した神社。新宮。今宮。「日頃—とぞこの社(鶴岡八幡宮)は云ひならひたりける」〈愚管抄六〉

わかむらさき【若紫】①紫草の異称。根を紫色の染料にした。「武蔵野は袖ひつばかり分けしかど—はたづねわびにき」〈後撰一一七八〉②淡い紫色。薄紫。「武蔵野に色や通へる藤の花—に染めて見ゆらむ」〈亭子院歌合〉

わかめ【若女】若い女。「娑婆にゆゆしく憎きもの、…頭白かる翁どもの—好み」〈梁塵秘抄三八四〉。「古い女(め)を捨てて、新しい—を迎へて、どめくぞ」〈玉塵抄三〉

わかめ【若布・稚海藻】海藻の一。食用。コンブなど食用海藻の総称ともいう。立ち乱れるさまを女性にたとえる。「比多潟(ひたがた)の磯の—の立ち乱え吾(わ)をか待つなも昨日(きそ)も今夜(こよ)も」〈万三五六三東歌〉†wakamë

わかもち【若餅】正月三が日の間に搗(つ)く餅。正月餅。「—、…三ケ日に搗きたる餅を雑煮などに用ひる也」〈俳・増山の井〉

わがものがほ【我物顔】いかにも自分のものだと見せつけるような様子。わがものづら。「誰ならむ吉野の山の初花を—に折りて帰れる」〈聞書集〉

わかやか【若やか】①若若しいさま。「雪間の草—に色づきそめ」〈源氏初音〉。「五六年(いつとせむとせ)のほどのこのかみ〔年上〕なりしかど、なほいと—になまめき」〈源氏柏木〉②まるで若い人のようなさま。「いと—なる御ふるまひを、〔自分ノ〕心ながらも許さぬ事におぼしながら」〈源氏若菜上〉

わかや・ぐ【若やぐ】『四段』①若いものらしくする。「御気色を心ときめきに思ひて—・ぐ」〈源氏槿〉。「鬢鬚を黒う染めて—・がうと思ふ也」〈平家七・実盛〉②若若しくなる。「水に浴すれば、かじけ黒みし肌(はだへ)はたちまちに色白くこまやかに—・ぎたり」〈伽・蓬莱物語〉 **—だ・ち**【若やぎ立ち】『四段』はでに若若しくふるまう。「佐理(すけまさ)の宰相なども、みな—・ちて」〈枕三五〉

わかやく【若役】若い人の勤める役。「我等—に〔布袋ヲ〕持ちて進上と云ふ」〈咄・囃物語上〉

わがやま【我山】比叡山の称。「—は花の都のうしとらに鬼ゐる門を塞(ふた)ぐとぞ聞く」〈拾玉集四〉。「—。比叡の山なり」〈匠材集一〉

わかや・り【若やり】『四段』若若しくある。「沫雪の—・る胸を」〈記歌謡三〉

わかゆ【若鮎】《ワカアユの約》若い鮎。鮎の子。あゆこ。「—釣る松浦(まつら)の川の川なみのなみにし思はば我恋ひめやも」〈万八五八〉

わかよ【若代・若世】若主人が支配する世帯。また、その主人。「—をば受け継ぎ給ふ国の守」〈俳・絵合下〉。「隣づから隠居—の壁凍(い)てて」〈俳・鷹筑波五〉

わか・れ【分れ・別れ】㊀『下二』《ワキ(分)と同根。入りまじり一体となっているものごと・状態が、ある区切り目を持って別のものになる意。→あかれ》①(ある線を境として)はっきりと別なものになる。分離する。「天地と—・れし時ゆ久方の天つしるしと定めてし天の河原に」〈万二〇九二〉。「派、水出流也、美奈万太和加留(みなまたわかる)也」〈新撰字鏡〉②別れを告げて離れ去る。「たらちしの母が目見ずておぼぼしくいづち向きてか吾(あ)が—・るらむ」〈万八八七〉。「山に登りて帰りまうで来て、人人—・れけるついでによめる」〈古今三九三詞書〉③死別する。「かしこき御影に—・れ奉りにしこなた」〈源氏明石〉④おのずと区別がつく。差別が出来る。「何事もさしいらへし給ふ御光にはやされて、色をも増すけぢめ、ことになむ—・れける」〈源氏初音〉㊁『名』①一緒にいたものが別になること。「夢(いめ)のごと道の空路(そらぢ)に—する君」〈万三六九四〉②死別。「斯かる—の悲しからぬはなきわざなるを」〈源氏桐壺〉③分離したもの。分岐したもの。「小野山城主、是れは井ノ口城主の—の由」〈堂洞軍記〉 **—じも**【別れ霜】八十八夜頃に置く、春の最後の霜。忘れ霜。「野も山も／甘塩にする—」〈雑俳・宝船〉 **—ぢ**【別れ路】①人と別れて行く道。また、別れ。「糸による物ならなくに—の心ぼそくも思ほゆるかな」〈古今四一五〉。「—ののちをばいかに契るともなぐさみぬべきわが心かは」〈続千載一三五九〉②この世と別れて行く死出の旅の道。また、死別。「—はつひの事ぞと思へども後れ先だつ程ぞ悲しき」〈栄花もとのしづく〉。「むまたまの髪をたむけて—に後れじとこそ思ひ立ちぬれ」〈今昔一九ノ九〉 **—どり**【別れ鶏】夜明けを知らせる鶏。「—を締めるが如く、小首を捩ぢ回して」〈西鶴・好色盛衰記一〉 **—のくし**【別れの櫛】斎宮が伊勢に下るとき、天皇がみずから斎宮の髪にさした櫛。「帝御心動きて—奉り給ふ程、いとあはれにて、しほたれさせ給ひぬ」〈源氏賢木〉

わかわか【若若】いかにも若いさま。若くみずみずしいさま。「蓬来にゐる人は長生不死にして—とあると云ふが」〈湯山聯句鈔上〉。「道士も六十六歳になれども—としたぞ」〈四海入海五ノ一〉

わかわか・し【若若し】『形シク』①いかにも若くて至らない。未熟、世間知らずなどの意をこめていう。「〔姫君ハ〕まだいとあえかなる程もうしろめたきに、さぶらふ人とても—・しきのみこそ多かれ」〈源氏藤裏葉〉②いつまでも若い者のようである。おとなげない、年がいもないという非難・自嘲の気持をこめていう。「昔ながらの—・しき有様にて改むる事もなきを」〈源氏若菜上〉。「年はややさだすぎ行くに—・しきやうなるも、つきなう覚えらるるうちに」〈更級〉③いつまでも子供っぽい。「『人に物聞えむやうも知らぬを』とて奥さまへゐる

ざり入り給ふさま、いとうひうひしげなり。うち笑ひて『いと―・しうおはしますこそ心ぐるしけれ』」〈源氏末摘花〉

わかをんながた【若女方・若女形】 歌舞伎の役柄の一。壮年時に至るまでの女形。「―伊藤小太夫」〈評判・役者評判蛐蜒〉

わかん【和漢】 ①日本と中国と。「また―の古今に、帝位にして女人あり」〈正法眼蔵 礼拝得髄〉 ②和学と漢学と。日本および中国についての学問。「〔源頼政ハ〕―の才人、風月の達者」〈盛衰記四〉 ③《「和漢聯句」の略》 連歌の一種。発句が連歌の一句、脇句が漢詩の一句、以下和句・漢句を適宜に付けて行く。連歌と漢詩の聯句とが合体してできたもの。「―百韻」〈兼宣公記応永一〇・三・三〇〉。「同日―。のどかにて世は日の本の光哉／霞籠万国春」〈再昌草一五〉

わかんどほり …ドオリ 皇室の血を引く人。「大輔の命婦とてうち(朝廷)にさぶらふ、―の兵部の大輔が娘なりけり」〈源氏末摘花〉 ▽隋書、倭国伝に「王妻号二雞彌(きみ)一、後宮有二女六七百人一。名二太子一為二和歌彌多弗利(わかみたほり)一」とある。「わか」は「わうか(王家)」の転、「んどほり」は「み(御)とほり」の転で、王家の筋の意か。 **―ばら**【わかんどほり腹】 皇室の血を引く人を母親に持つ生れ。「―にてあてなる筋は劣るまじけれど」〈源氏少女〉

わき【腋・脇】 ①胴から腕が分れ出る所。転じて、胸の両側面。「―挟(はさ)む児の泣くごとに」〈万四八一〉。「―の下より汗出づ」〈孝養集上〉。「身に病を受けてたちまちに死にぬ。しかるに左右の―暖かなり」〈今昔六ノ三三〉。「𦟝、肩下穴胸之倚也、腋也、和支(わき)」〈新撰字鏡〉 ②そのものの傍(かたわら)。横手。そば。「少子、広国を喚(よ)びて、片つ方の―の門に将(ゐ)て至り」〈霊異記上三〇〉。「判官の弓手(ゆんで)の―に進み出でて」〈盛衰記四二〉 ③相撲で、最手(ほて)の次位。最高位の大関に対する関脇に相当。占手(うらて)。「左の方にも右の方にも負くる事無かりければ、…いくばくの程をも経ずして―に至りにけり」〈今昔二三ノ二三〉 ④能楽で、シテ(主役)の相手役。「―はしてののどをまもる(見守ル)べし」〈毛端私珍抄〉 ⑤「脇能」に同じ。脇の申楽(さるがく)。「両座立ち合ひの時、―は鬮(じく)なり」〈申楽談儀〉。「御能組、―弓八幡、御書立十三番」〈永祿記〉 ⑥「脇句」に同じ。「管領御宿所に今河与州参らるる時、管領の発句、…与州―」〈長短抄中〉。「―は発句に似るやうにすべし」〈一紙品定之灌頂〉。「発句は客人、―は亭主、第三相伴(しやうばん)の心也。…発句の心を―にてあらはすやうにする也」〈当風連歌秘事〉 ⑦第二義的なもの。二の次。「武士が奉公の武辺を―へなし、学問を第一に思ひ」〈甲陽軍鑑一〉 †waki **―を掻・く** 得意になって、また気負って物を言うときにする動作。両胸に手をあて、ひじを張る所作であろう。「いみじくしたり顔に、―・きて云ひけるをぞ大君聞きて」〈今昔三五ノ五〉。「―・きて扇を高く使ひて、いかりていはく」〈今昔二〇ノ三五〉 **―を塞(ふさ)・ぐ** 成人のしるしとして、振袖の脇を縫い塞いで、詰袖にする。「年は幾つにても候へ、元服候へば、則ち―・ぐのみ也。然るに、十五歳より内にて元服候へば未だ脇をばふさがずして、十五の年よりふさぐ方もこれあり」〈雑事覚悟事〉

わ・き【分き・別き】 □一《四段》《ワケ(別)の古形。相違を見て明確に区別する意》 ①はっきり区別する。「冬夏と―・くこともなく白栲(しろたへ)に雪は降り置きて」〈万四〇〇三〉。「利鈍を―・かず修行す」〈正法眼蔵辦道話〉 ②けじめをつけて考える。わきまえる。「ちはやぶる神世には歌の文字も定まらず、すなほにして、事の心―・きがたかりけらし」〈古今序〉。「今はなどか何事をも御心に―・い給はざらむ」〈源氏胡蝶〉 □二《名》 ①けじめ。差違。「夜昼といふ―知らずわが恋ふる心はけだし夢(いめ)に見えきや」〈万七一六〉。「身に着たる物は、絹布の―も見えず」〈平家三・有王〉 ②差違の認識。分別。「我が背子に恋ひてすべなみ春雨の降る―知らず出でて来しかも」〈万一九一五〉。「われは子生む―も知らざりしに」〈大鏡序〉 †waki

わ・き【沸き・湧き】《四段》 ①液体の熱が高まり、泡立ち、沸騰する。また、金属が熱せられてとける。「鬼泣き神なげき、山鳴り海―・きぬ」〈三宝絵中〉。「融(わ)く銅流灌す」〈金剛般若経集験記平安初期訓〉 ②水など、大地から噴出する。「大地さけて水―・き出で、磐石われて谷へまろぶ」〈平家一二・大地震〉。「湁潗、水之泡、又、和久(わく)」〈新撰字鏡〉 ③水がたぎり流れる。「川の―・きたる、滝の落ちたる」〈宇津保祭使〉 ④下から忽然と現われ出る。「〔仏ハ〕空よりや降りけむ。地よりや―・きけむ」〈徒然二四三〉 ⑤立腹する。「腹の立つ事をば―・くと云ふ世話は後妻(うはなり)の湯や出所なるらん」〈有馬山名所記二〉

わきあけ【腋開・脇明】 ①腋開けの衣。束帯用の上衣で、両脇を縫わず、動作をしやすくしたもの。主として武官が正装として着用。闕腋(けってき)。「御装束(さうぞく)は―の青き白橡(つるばみ)」〈宇津保吹上上〉。「―に平胡簶(ひらやなぐひ)負へり。縫腋(ほうえき)に革緒の太刀、多くは細太刀なりしに」〈問はず語り三〉。「欠掖、和岐阿介乃古路毛(わきあけのころも)」〈和名抄〉 ②袖の八口(やつくち)を明けること。また、そのように仕立てた年少者の衣服。「この文を稚児の―の袖から落すを」〈咄・昨日は今日下〉。〈日葡〉

わきがかり【脇掛り・脇懸り】 本人以外の者に災いが及ぶこと。そばづえ。まきぞえ。とばっちり。「我子の戯(たはけ)は、思はず―の恨が出る」〈近松・寿門松中〉

わきがけ【脇掛け・脇懸け】 一方の肩から他方の脇の下へ斜めに物を懸けること。「頭の円(まとか)なるが、黒き物を―にしたるが見ゆる」〈雑談集八〉

わきかぢ【脇楫・脇梶】 船の両側面に取り付けた板。また、そこに掛ける艪。「わいかぢ」とも。「―・面梶(おもかぢ)を以て、船をちゃうと挟み立てて」〈盛衰記四二〉

わきがひ …ガイ【脇買ひ】 ①中・近世、座・株仲間などの商人仲間の特権を犯して、商品を買うこと。同様に売ることを「脇売り」といった。「繰り〔綿〕屋中より、昔の通りに、門にても―仕り度き由申し」〈宗静日記天和二・八〉 ②なじみの遊女をさしおいて、他の遊女を買うこと。「義理買ひあり、せかし買ひあり、―あり」〈色道大鏡五〉

わきかへ・り …カエリ【沸き返り・湧き返り】《四段》 ①沸騰する。にえくりかえる。「湯の―・る焔(ほのほ)、遠くて見るにそら、我が身にかかる心地して」〈今昔一四ノ八〉。「その皮を剝ぎたる身に、銅(あかがね)の―・るを一々にそそく」〈孝養集上〉 ②沸騰する湯のように、水が噴きあげる。「鶯だに音せず、水のみぞめづらかなるさまに―・り流れたる」〈かげろふ下〉。「たぎりて流れ行く水、水晶(すいさう)を散らすやうに―・るなど」〈更級〉 ③心がはげしく動揺する。「〔入水ヲ〕塞き止めたらましかばと―・る心地し給へど」〈源氏蜻蛉〉

わききゃうげん …キョウ…【脇狂言】 ①能楽で、脇能の次に演ずる狂言。初番目狂言。「御前にてはいづれも―はつくばひて名乗る」〈虎明本狂言・夷毘沙門〉 ②歌舞伎狂言興行中、一番目狂言の前に、三番叟に続いて演じる狂言。能狂言を歌舞伎化し、舞踊を主としたもの。「―に出るすがり若衆も気を移しまして」〈西鶴・嵐無常上〉

わきく【脇句】 連歌・連句の発句に付ける短句。脇の句。脇。「いかに発句―いづれまさりとぞ仰せける」〈盛衰記三

わ

セ〉。「―は、発句に思ひ合ひたる様に、するすると付くべし」〈撃蒙抄〉

わきくさ【腋草】腋毛を草にたとえた語。「童ども草はな刈りそ八穂蓼を穂積の朝臣が―を刈れ」〈万三八四二〉 †wakikusa

わきぐるひルイグ【脇狂ひ】配偶者または愛人以外の者を恋慕して夢中になること。「何時よりか付き初めにけん―」〈俳・紅梅千句〉

わきごころ【脇心】配偶者または愛人以外の者に気を移すこと。あだし心。浮気心。「―有明の月の月影に」〈俳・時勢粧四上〉

わきごし【脇輿】輿のそばに付き添うこと。また、その人。輿側(こしわき)。「恵心の僧都は美女を伴ひ、帰り給へば、仲光は遙かの―に参り」〈謡・満仲〉

わきごゑ【脇声】①能楽で、ワキの謡う声。②連句で、脇句を付ける声。「―や今を始めの事なれば」〈俳・大矢数一〉「―や心細くも立つ霞」〈俳・大矢数四〉

わきさし【脇さし】そばに付き添っている人。侍者。「それより後は、武者も立てずして、―の者に成りてなむありける」〈今昔二九ノ二二〉。「あなかしこ、―たち、いづかたをもみつぎ給ふな」〈徒然一一五〉

わきざし【脇差・脇指】①祿の品で、絹を巻物にしたもの。腰にさして退出する定めであった。「こしざし」とも。「中媒(仲人)に、―らうちして〔貴宮ヲ〕請はしめむ」〈宇津保藤原君〉②刀剣の一種。はじめ、脇の上帯または懐に差す刀の総称であったが、戦国時代には打刀(うちがたな)と懐刀(ふところがたな)との中間様式のものをいい、江戸時代にはいわゆる大小の小となった。「その刀を投げ捨て、―の刀を抜いて、まづ御胸もとの辺を二刀刺す」〈太平記一三・兵部卿宮〉

わきし【脇師】「脇太夫」(1)に同じ。「能の―を手池にして」〈近松・淀鯉上〉

わきぞなへナエゾ【脇備】本陣の左右に配備する軍勢。「先陣・後陣・―、御旗本には」〈吾妻記〉

わきたいふユウタ【脇太夫】①能楽で、ワキを演ずる能役者。脇師。「〔太夫ニ〕…―・小鼓・太鼓打など随身也」〈上井覚兼日記天正一三・六・五〉②浄瑠璃芝居で、第二の地位の浄瑠璃太夫。脇語り。「其の一座の長を太夫と称し、其の次を―と謂ふ」〈雍州府志八〉

わきだち【脇立】⇩けふじ(脇侍)。「われらが―に頼まんと、五体づつ両の脇に十王十体とおいはひあって」〈伽・小栗絵巻〉。〈運歩色葉集〉

わきだて【脇楯】⇩わいだて。「武者(むさ)の好むもの、…鎧冑(よろひかぶと)に、―籠手(こて)具して」〈梁塵秘抄四三六〉

わぎたま・り【四段】(蛇などが)渦巻状に体を巻く。「わげたまり」とも。「観世搓(くわんぜより)長うて太く―・り」〈俳・紀子大矢数上〉

わきた・め【弁別め】㊀【下二】①弁別する。区別する。「親(みづから)罪なき事を弁(わきた)めて」〈紀応神九年〉②分別して心得る。知りわける。「下臈の言葉に、わきまふるを―・めと云ふは、一向の片言か」〈塵袋一〇〉③借金などを返す。つぐなう。弁償する。「興禅軒、請(う)に立ち候へば…―・め候」〈証如上人日記天文五・一〇・一〉㊁【名】弁別。区別。「日の暉(ひかり)炳燦(りて)て日(ひる)と夜(よる)と別(わきため)有り」〈紀神功摂政一年〉。「願はくは殺し虜(とら)ふる事の際(わきため)を聞かむ」〈紀崇峻即位前〉

わきづき【脇几】腕をもたせかける道具。脇息〈けふそく〉。「い寄り立たす―」〈記歌謡一〇四〉 †wakiduki

わきつぢ【脇築地】《ツヂはツイヂの約》門の脇に築いた土塀。「―に上り、虚空を指して上がりけるを」〈謡・羅生門〉

わきつぼ【腋壺】腋の下のくぼんだところ。「右手(めて)の―を射たりければ―馬より逆さまに落ちて死にけり」〈長門本平家一五〉

わきつめ【腋詰・脇詰】衣服の袖の八口(やつくち)を縫い塞ぐこと。また、その縫い塞いだ大人の衣服。また、それを着た人。多く女にいう。脇塞ぎ。「揚屋の女房に成りて―よく似やいて」〈評判・役者大鑑三〉

わきて【別きて・分きて】【副】とりわけ。格別に。「侘び人の―立ち寄る木の下は頼むかげなくもみぢ散りけり」〈古今二九二〉。「何時とても月見ぬ秋はなきものを―今宵のめづらしきかな」〈後撰三二五〉

わきていしゅ【脇亭主】①宴会・茶会などの席で、亭主を助けて客をもてなす役。「いなせたきもの。…若衆の親―」〈仮・犬枕〉。「内藤伊賀守、此の中は御茶の湯御相伴に参られ候。但馬と愚老とばかり候て御座候。…賀州も、或る時は亭主、また―かにて御座候」〈沢庵書簡寛永一九・三・六〉。「酒宴の話。…座敷持ち・亭主振り・客振り・―」〈俳・世話尽一〉②連歌・俳諧で、脇句を亭主が詠むこと。また、「亭主脇」に同じ。「神戸、佐藤長門守宿所。一日有りて、翌日連歌とて発句。一廻りもよほしに、『春やこの松にかかれる宿の藤』…。―、『桜は残る庭の木深さ』」〈宗長手記下〉

わきど【脇戸】正門の傍の小門。「正門に仏ましませば、その方へは向はずして―より出でむとするに」〈今昔三一ノ一九〉

わきのう【脇能】演能の第一番に演ずる能。「翁」の脇に当るのでいう。「高砂」「老松」など。脇の能。脇。「去年、金剛・金春、―の事相論に及ぶ」〈大乗院雑事記長祿二・二・四〉。「さて、―高砂…二番に八島…三番定家…四番道成寺…五番呉服(くれは)」〈永祿記〉

わきのくゎんぱく【脇の関白】正式のではない、私設の関白。「―かなぞ嘲る人などおはしけるとかや。…御さかしらなども し給へばなるべし」〈今鏡六〉

わきのして【脇の為手】猿楽の一座を統括する「棟梁の為手」に次ぐ者。「たとひ天下に許され、能に得法したりとも、それにつきても、よき―を持つべし」〈風姿花伝〉

わきばさ・み【脇挾み】【四段】①脇に抱える。「―・む児の泣くごとに」〈万四八二一〉。「挾、ワキバサム」〈名義抄〉②身近に従える。「自然、よき者を―・み候はねば、人あなづり候也」〈小早川弘景置文〉③(教えなどを)心にとどめて守り行なう。「主は則ち仲和の行ひを―・む」〈将門記〉 †wakibasami

わきばら【脇腹】①横腹。「畠山、聞き給ひて、―の筋をさすり給ふとなん」〈遠近草中〉②妾(めかけ)の腹に生れること。また、その子。妾腹。「一人男子候へども、―にて候」〈池田光政日記万治四・五・五〉

わきひら【側辺】かたわら。わき。そばひら。「―を見れば、目の舞ふものぞ」〈仮・東海道名所記三〉 ―**みず**【側辺見ず】前後の考えなしに、無鉄砲に敵に突進すること。また、その者。いのしし武者。「大身の者の役と云ふは、―、上よりの下知を請けて、諸人に先立ちて用ひ行なひ」〈池田光政日記承応三・八・一九〉。「頭に血の多い任せ、―の猪武者」〈浄・ふたり静三〉

わきふさぎ【脇塞】「脇詰」に同じ。「ひとなりて(一人前ニ生長シテ)尾花が袖や―」〈俳・伊勢俳諧新発句帳三〉

わぎへワギエ【我家】《ワガイヘの約》自分の家。わがや。「―の方よ雲居立ち来(く)も」〈記歌謡三二〉 †wagiFe

わきま・へワキマエ【弁へ】㊀【下二】《ワキはワキ(分)》①区別・差異などを正しく認識する。よく見分ける。「目移りて、えこそ花鳥の色をも音をも―・へ侍らね」〈源氏薄雲〉。「たそがれ時のおぼおぼしきに、同じ直衣どもなれば、何とも―・へられぬに」〈源氏常夏〉。「三宝の教へを背き、父母に不孝に当り、恩ある人を軽しめ、善悪を―・へず」〈孝養集上〉②道理などをよくのみこむ。分別し、理解する。「やうやう御よはひ足りおはしまして、何事も―・へさせ給ふべき時に至りて、とがをも示すなり」〈源氏薄雲〉③弁済する。弁償する。「母の借れる所の稲を員(かず)の如く―・へて」〈今昔二〇ノ三一〉。「人の物を負ひて、返すをば―・ふと云ふは、もと幾等借りたりしを、今幾等に当れば、確かに返すと分別すれば、―・ふと云ふなり」〈塵袋一〇〉 ㊁『名』①(相違を)認識すること。「そのかみ盛りなりし世に、〔楽器ヲ〕遊び侍りし力にや、聞き知るばかりの―は何事にもいとつきなうは侍らざりしを」〈源氏紅梅〉②(道理を)心得ること。心得。「ここらの年頃に、むばたまの夢ばかりだにおぼほれて、何の―か侍らん」〈増鏡序〉③弁済。弁償。「〔アナタハ〕おのれが金千両を負ひ給へり。その―してこそ出で給はめ」〈宇治拾遺八〉▽近世初期にはヤ行にも活用した。「半分ほども―・ゆるになりて」〈仮・棠陰比事物語三〉

わぎみ【吾君・和君】 相手を親しみ、あるいは軽んじて呼ぶ語。お前様。「一人の命婦、燼杭(じんかう)太子の妻を笑ひていはく『なんぞ―、ひとり延年し給ふぞ』と」〈今昔三ノ一五〉。「―は何者ぞ。名のれ聞かう」〈平家七・篠原合戦〉

わきめ【脇目】 よそ見。脇見。「狩人の獣(けだもの)を追ふ時、ただ一心獣の上にある故に―をせず」〈童観鈔上〉

わぎめこ【吾妹子】「わぎもこ」の上代東国方言。「―と二人わが見し」〈万四三四五防人〉 †wagimëko

わぎも【吾妹・我妹】《ワガイモの転》 男性が自分の妻を親しんで呼ぶ語。「愛(は)しけくも未だ言はずて明けにけり―」〈紀歌謡九六〉 †wagimo **―こ**【吾妹子・我妹児】《コは愛称の接尾語》「わぎも」に同じ。「梯立(はしたて)の嶮(さが)しき山も―と二人越ゆれば安蓆(やすむしろ)かも」〈紀歌謡六一〉 **―こに**【吾妹子に】〔枕詞〕吾妹子に会うの意から、植物名「あふち」、地名「淡路」「逢坂」などにかかる。「―楝の花は」〈万一九七三〉。「―逢坂山の」〈万三二八三〉。「―淡路の島は」〈万三六二七〉 **―こを**【吾妹子を】〔枕詞〕吾妹子を早見むの意から「早み」に、いざ見むの意から地名「いざみ」などにかかる。「―早み浜風」〈万七三〉。「―いざみの山を」〈万四四〉

わきやど【脇宿】 ①自宅以外の宿泊する所。「人知れぬ我が隠し妻―に」〈俳・懐子八〉②町脇にある宿屋。「大名の泊りを聞いて、本陣より―まで探し歩き」〈浮・野白内証鑑三〉

わきやり【脇槍】 敵軍の側面から槍で突きかかること。「我我は東向きに今川の旗本へ乱れ入るべし。殿は―に御向ひ、鉄砲・弓もうち捨て、ただ無代(むた)に打ちてかからせ給ひ候へ」〈道家祖看記〉。「大将たる者は、常に諸国の大名の心をよく知りて仲をよくして置くべきなり。さなければ俄かの時―を頼む事がならぬぞ」〈孫子私抄〉

わきわき・し【分き分きし】『形シク』 いかにも分別がありそうだ。いかにも分明な感じだ。「十千根大連(とをちねのおほむらじ)、神宝を校(かむが)へ定めて、分明(わきわき)しく奏言(まう)す」〈紀垂仁二十六年〉

わきをどり【脇踊】 歌舞伎で、三番叟の次に演じた組踊。後に脇狂言に変って行った。また、脇狂言の別称。「花誘ふ桃や歌舞伎の―」〈俳・己が光〉

わく【籰】 糸を巻き取る道具。軸木のついた枠(わく)を回転させながら巻き取る。「桛(かせ)にかけ、反転(くるべき)にかけ、―に移して後」〈仙覚抄五〉。〈新撰字鏡〉

わくご【若子】 ①おさない子。おさなご。幼児。「緑子の―が身には」〈万三七九一〉②若い子。若者。「山城の久世の―が欲しといふ我」〈万二三六二〉 †wakugo

わくせき わくわくせかせかして落ち着かないさま。「―と身を縒り振るや糸柳」〈俳・鷹筑波四〉

わくつ・き『四段』 わくわくする。「心―・く物。一、思ふ人の来たる暮」〈仮・犬枕〉

わぐ・み【綰み】『四段』 (長い物の余分を)たわめ曲げる。まるめこむ。「下の袴を着て皆―・みて走らるめりし」〈宇津保蔵開上〉。「緑衫(ろうさう)はしも、あとの方にかい―・みて」〈枕二〇一〉

わくらば ①【病葉】 夏季、蝕(むしば)み、または色づきすがれた葉。「―の紅葉(もみぢ)と云ふは病葉の事なり」〈杜律集解詳説五言七〉。〈運歩色葉集〉②【嫩葉】 木の若葉。「嫩葉、ワクラバ、木之若葉」〈易林本節用集〉

わくらばに『副』 たまたま。偶然にも。「人と成る事は難きを―成れる我が身は」〈万一七八五〉。「―問ふ人あらば須磨の浦に藻塩たれつつ侘ぶと答へよ」〈古今九六二〉。「―行き逢ふ道を頼みしもなほかひなしや潮ならぬ海」〈源氏関屋〉

わくゎうウ:コ【和光】「和光同塵」の略。「第一には八幡大菩薩我が君を守り給ふ―の光と覚えたり」〈盛衰記三二〉。「―とは、仏の神になり給ふを云ふなり」〈新古今注〉 **―すいじゃく**【和光垂跡】《近世初期までスイシャクと清音》「和光同塵」と「本地垂跡」とをあわせた語。仏が威光を和らげ、姿を変えてこの世に現われること。「―の方便まちまちにましませば、ある時は俗体とも現じ、ある時は女神ともなり給ふ」〈平家五・物怪〉 **―どうぢん**【和光同塵】《老子「和二其光一、同二其塵一」から》 仏が人人を救うため、威徳の光を和らげ、姿をかえて、濁ったこの世に現われること。「それ―の方便は抜苦与楽の為なれば」〈保元上・法皇熊野御参詣〉

わくん【和訓】 漢字に和語を当てて読むこと。訓よみ。「音のみならず―にもこの分別あり」〈見聞愚案記五〉。〈文明本節用集〉

わけ【戯奴】《ワカ(若)と同根か》 ①自分を卑下していう語。「我が君は―をば死ねと思へかも逢ふ夜逢はぬ夜二つゆくらむ」〈万五五二〉②人を親しんで呼ぶ語。「―がため我が手もすまに春の野に抜ける茅花(つばな)そ食(め)して肥えませ」〈万一四六〇〉 †wakë

わけ【別】 上代、天皇を祖先とする皇別の氏が持つ姓(かばね)の一。皇族や皇別の出身のものが地方に下り、地名と結びついて称したものという。「七十余りの子は皆、国郡に封(こと)させて、各其の国に如(ゆ)かしむ。故、今の時(よ)に当りて、諸国の―と謂へるは、即ち其の別王(わけのみこ)の苗裔(あなす)なり」〈紀景行四年〉 †wakë

わ・け【分け・別け】 ㊀『下二』《一体であるものに筋目を入れて二つまたはそれ以上に離す意》 ①分割する。分配する。「飢(やわ)しと申せば〔食物ヲ〕―・けて給ひし」〈東大寺諷誦文稿〉②仕切りをつける。「宮の御棧敷のひとつづきにて二間ありけるを―・けて」〈かげろふ上〉③分け持つ。手分けする。「御方方もさるべき事ども―・けつつ、望み仕うまつり給ふ」〈源氏若菜上〉④すき間をつくる。間をあけて道をつける。「をみなへし秋萩しのぎさを鹿の露―・け鳴かむ高円(たかまと)の野そ」〈万四二九七〉。「かすが野の雪まを―・けて生ひいでくる草のはつかに見えし君はも」〈古今四七八〉⑤争論をさばき、決着をつける。「―・け難きとて、検断、中で取る」〈天正本狂言・茶ぐり〉 ㊁『名』①区別。違い。「あまりに繁りたほどに、枝葉の―も見えなんだが」〈三体詩抄

わ

二ノ四〉。「乱世にならでは、君子小人の―は見えぬぞ」〈中華若木詩抄中〉 ②分別。「世間の人は食べ酔うて―もないに、我ばかり是非を知るほどに」〈湯山聯句鈔下〉 ③物事の筋道や道理。「事の―をつぶさに云うて聞かせて教訓するぞ」〈春秋抄一〉 ④事情。来由。訳(わけ)。「あの執心の恐ろしい―を知らいで、〔狐ヲ〕釣ったと見えた」〈天理本狂言六義・釣狐〉 ⑤男女間の情事。恋の諸分。また、情交。「夜半にゃ君が―を見付けた」〈俳・大句数上〉 ⑥勘定。支払い。諸分。「当座払に万づ斯様の―ぞかし」〈西鶴・諸艶大鑑三〉 ⑦遊女が、揚代を抱主と半分分けにすること。また、その遊女。特に、揚代銀五分の端女郎。分の女郎。「身売の銀を内(抱主)と分取にせらるる。此れを―の勤と言へり」〈浮・好色貝合上〉 ⑧食べ分けたもの。食べ残し。「切り目が正しう無うて、爛却したやうなれば、―かと思うて食(く)はぬぞ」〈論語抄郷党〉。「余、ワケ、食物残也」〈文明本節用集〉 †wakë **―は京へ上(のぼ)・る** あれこれした揚句の果、の意。「―・るか曇る文月夜」〈俳・夢見草三〉 **―も無・し** ①全く理解できない。無茶苦茶だ。「人道が乱れて―・いぞ」〈古文真宝抄九〉 ②人目がはばかられる。見苦しい。みっともない。「鶏の―・き事も見ぬ顔をするぞかし」〈西鶴・一代女四〉

わ・げ【綰げ】㊀〘下二〙たわめ曲げる。輪にする。「切弦を取り、―・げて懐へ入れ」〈中右記元永一・一・三〉。「綰、わがぬ、物を―・ぐるなり」〈和漢通用集〉 ㊁〘名〙【髷・鬢】髪の髻(もとどり)の余りをわがね結ったもの。まげ。「こうたう(地味)にこしらゆるは、―を出して髪先長かるべし」〈色道大鏡三〉

わげさ【輪袈裟】袈裟の一種。綾・錦襴などで幅二寸余の輪状に作り、頸に掛けて胸に垂らす。天台・真言・浄土真宗などで用いる。「―御掛けなされ」〈戴恩記〉

わけざと【分里】《ワケは色事の意》遊廓。遊里。色里。「如何にしても―へ木綿褌(ふんどし)にてはかかられず(出掛ケラレナイ)と言ふ」〈西鶴・一代女四〉

わけしり【分知り】男女の情をよく心得ている人。特に、遊里や遊女の事情を知り尽している人。粋人。通人。「わけしゃ」とも。「一軒茶屋の嚊(かか)は―」〈俳・胴骨〉

わけた・て【分け立て】〘下一〙 ①物事の決りをつけて、確実に処理する。「―・てぶりに、様様の詰め開き」〈仮・都風俗鑑一〉 ②情を通じる。情交する。「―・てる人し無ければ是非なし」〈評判・遠目鏡跡追〉

わげたま・り【綰げ溜り】〘四段〙渦巻状に体を曲げてわだかまる。とぐろを巻く。「蛇―・って居たが、俄かに直(す)ぐになったを見て」〈天草本伊曾保〉

わけめ【分け目】①裁然と分かつ境界。分けて区別をつけるべき箇所。相違するところ。「御額あげさせ給へりける御釵子(さいし)に―の御髪のいささか寄りて」〈枕二七八〉。「法門の―を分明に知りたるを」〈夢中問答中〉 ②双方の勝敗・優劣などをはっきりと分ける境目。「今日天下―の合戦これなり」〈道家祖看記〉。「今日は南北―の合戦なり」〈江濃記〉

わげもの【綰物・棬物】檜・杉などの薄板を円形に曲げ、樺皮・桜皮などで綴じた容器。曲物(まげもの)。「建水(けんすい)は柾(まさ)の―」〈久政茶会記永祿八・一・二九〉。「曲物、ワゲモノ」〈文明本節用集〉

わけよ・し【分良し・諸善し】〘形ク〙①都合よい。物事がうまくいく。「諸事其の元―・く、我等同前に頼む」〈西鶴・一代女三〉 ②男女の情事に理解がある。粋だ。「男自慢や恋知りや、―・き都の大臣と」〈浄・暦三〉

わこ【若子】良家の男子の幼児。坊ちゃま。わこ様。「侍の―、鷹いと好きにて」〈仮・仁勢物語上〉

わこう【倭寇】鎌倉・室町時代、朝鮮半島や中国大陸の沿岸を掠奪した海賊の集団。日本人が多く加わっていたので、この名がある。「―に和をなして」〈南海治乱記五〉

わごおほきみ ヲ:オ:【我大君・吾大王】《ワガオホキミの母音交替形》⇒わがおほきみ。「やすみしし―の大御船待ちか恋ふらむ志賀の唐崎」〈万一五二〉 †wagöököimi

わこく【倭国・和国】日本国。「唐土は呂の国なり。律の音なし。―は律の国にて呂の音なし」〈徒然一九九〉。〈文明本節用集〉 →わ(倭)

わごぜ【我御前・和御前】親しい女・子供などを呼ぶ語。あなた。お前さん。「わごぜん」とも。「いでいで―があまりにいふ事なれば、見参してかへさむ」〈平家一・祇王〉

わごと【和事】歌舞伎で、やつし事や濡事などの、やや女性的な、柔和な発声・動作の演技。また、その役。この役を演じる役者を「和事師」という。「山下又太郎…此の人―と言ひ、色事よく」〈古今役者大全三〉

わごりょ【我御寮・我御料】同等およびそれ以下の相手を親しんで呼ぶ語。男女いずれに対しても使う。あんた。「おれと―は好い仲ながら」〈宗安小歌集〉

わごれ「わごりょ」の転。「近衛、―なんどは木曾路を上らしませ」〈甲陽軍鑑一九〉

わごれう ヨウ:リ【我御寮・和御料】「わごりょ」に同じ。「―思へば、安濃(あの)の津よりきたものを、おれ振りごとは、こりゃ何事」〈閑吟集〉

わごん【和琴】絃楽器の一。日本古来のものとされ、神楽・東遊(あずまあそび)などに使われた。形は箏に似て、本の方が狭く、六絃。右手に爪を持って掻きならし、左手は指でひく。あづまごと。やまとごと。「をかしげなる―のある、ひき寄せ給ひて掻きならし給へば…音もいとよく鳴れば」〈源氏常夏〉

わさ【早稲・早】《ワセの古形。ヲソロのヲソの母音交替形》他の語の上につき、植物などの早く熟する意をあらわす。「―飯(いひ)」「―米」「―萩」「―穂」など。「さを鹿の妻よぶ山の岳辺なる―田は刈らじ霜はふるとも」〈万三三〇〉

わざ【業・技】《こめられている神意をいうのが原義。ワザハヒ(災)・ワザヲキ(俳優)のワザ》①深い意味・意図のこめられた行為。「わが敬ひ報いまつる―としてなも此の位冠は授けまつらくと勅りたまふ」〈続紀宣命四二〉 ②深い意味のこめられた行事。「人妻に吾(あ)も交はらむ、吾が妻に人も言問へ、此の山をうしはく神の昔より禁(い)めぬ―ぞ」〈万一七五九〉。「〔病人ノタメニ〕祭・祓へなどいふ―、ことごとしうはあらで、やうやうなどしつつ」〈かげろふ中〉。「島坂にてひとあるじしたり。必ずしもあるまじき―(饗宴)なり」〈土佐二月十六日〉 ③仏事法会。神事。「後の―などにも、こまかにとぶらはせ給ふ」〈源氏桐壺〉。「五月ばかりにぞなり給へれば、神―などにことつけておはしますなりけり」〈源氏若菜下〉 ④技術。芸。「天皇…武(たけ)き芸(わざ)人に過ぎたまふ」〈紀綏靖即位前〉。「工(たくみ)、彼の川成となむ、各、―を挑みにける」〈今昔二四ノ五〉 ⑤仕事。「釣魚(つり)するを以て楽(わざ)とす。…遊鳥(とりのあそび)するを楽(わざ)とすといふ」〈紀神代下〉。「えもいはぬ大木ども、ただこの牛一つして運ぶ―をなんしける」〈古本説話五〇〉 ⑥しわざ。「かやうに見奉りかよはむは、いといみじかるべき―かな」〈源氏東屋〉 ⑦出来ごと。「古へにありける―のくすばしき事と言ひつぐ、血沼壮士・菟原壮士のうつせみの名を争ふと」〈万四二一一〉。「鍵を置きまどはし侍りて、いとふびんなる―なりや」〈源氏夕顔〉 ⑧次第。こと。「いと苦しげに見え給へば、『ふびんなる―かな』」〈源氏浮舟〉 ⑨手段。「風を防ぐ便りも無く、雨をもらさぬ―も無し」〈平家九・小宰相〉 ⑩祟り。あだ。害。「五穀に―もなさず、人にさはりする事なし」〈仮・伊曾保物語上〉。「さては今宵の震動、其の―なるべし」〈西鶴・男色大鑑三〉

わさいひヰイ【早飯】《ワサはワセの古形》 早稲(わせ)の米でたいた飯。「佐保川の水を塞き上げて植ゑし田を刈る―は独りなるべし」〈万一六三五〉 †wasaiFi

わざうた【童謡】《ワザは隠された意味の意》 政治上のことなどを諷刺する歌。落首。児童に歌わせたので「童謡」と書く。「古人大兄(ふるひとのおほえ)を立てて天皇とせむとす。時に―ありて曰はく、岩の上に小猿米焼く米だにも食(た)げて通らせ山羊(かましし)の老翁(をぢ)」〈紀皇極二年〉

わざくれ □一『名』 何の用にも立たないもの。無益でばかばかしい物事。「それこそ用に立たぬ―ぞ」〈蓬左文庫本臨済録抄〉 □二『感』 ばかばかしい気持、また、すてばちな気持を表わす。ままよ。「あら―や、衣鉢(えはつ)もいや、仏法は聞くだにも悲し」〈伽・磯崎〉。「夢の浮世の、露の命の、―、成り次第よの、身は成り次第よの」〈隆達小歌〉 **―ごころ**【わざくれ心】《「闇思君心」と当て字》 自暴自棄の心。すてばちな気持。「捗(はか)どらぬ算用捨てて、―になりて」〈西鶴・永代蔵四〉 **―ざけ**【わざくれ酒】《「闇思君酒」と当て字》 やけになって飲む酒。やけ酒。「或は、いらち酒の、辛気酒の、―のと言ふ」〈近松・壬生大念仏上〉

わさだ【早稲田】 早稲(わせ)をつくる田。「石の上布留の―を秀でずとも縄(しめ)だに延へよ守りつつ居らむ」〈万一三五三〉

わさづの【わさ角】《早生角の意か》 鹿の若角を頭部につけた杖。「聖(ひじり)の好むもの、木の節・―・鹿の皮」〈梁塵秘抄三〇六〉

わざと【態と】『副』 ①(意図をこめて)ことさらに。わざわざ。「―かう御文あるを僧都も畏りきこえ給ふ」〈源氏 若紫〉。「―ならず、しのびやかなる〔箏ノ音〕絶え絶え聞ゆ」〈狭衣二〉 ②意識的に。人工的に。「〔蓮花ガ〕次第にただしく生ひつづけり。人の―植ゑたるが如きなり」〈今昔七ノ二七〉。「―山水を湛へざれども、自然の勝地なり」〈著聞三三一〉 ③(別途用意して)あらためて。「この度は公の御使なり。すみやかにのぼり給ひて、また―下り給ひて習ひ給へ」〈宇治拾遺一〇六〉 ④(特に目につくこととして)きわだって。格別に。「心地いとあしう覚えて、―いと苦しければ」〈かげろふ中〉。「湯治などすれども、いよいよまさりて、―煩ひて臥しぬれば」〈今昔一九ノ二三〉 ⑤故意に。「夫のある女別して―子を堕(お)ろし、踏み殺す等は、情ない慈悲も見知らぬ心のしるしで」〈コリヤード懺悔録〉 ⑥本格的に。本式に。「―の御学問はさるものにて、琴(こと)笛のねにも雲居を響かし」〈源氏桐壺〉。「―の太政大臣は、なりがたく少なくぞおはする」〈大鏡大臣序説〉 ⑦形式的に。ほんのちょっと。「樽は唯―ばかりの祝言に」〈俳・野犴集五〉 **―がま・し**【態とがまし】『形シク』 ①いかにも狙い所ありげで仰仰しい。「〔空蝉ニ〕手向け心殊にせさせ給ふ。また、うちうちにもわざとし給ひて…幣(ぬさ)など―・しくて、かの小袿(こうちき)もつかはす」〈源氏夕顔〉。「〔官位ノ低イ道長ヲ〕婿取り給ひつ。その程のありさま、いと―・しくやむごとなく」〈栄花様様悦〉 ②(物のついでなどでなく)いかにも意識的な様子である。ことさらめいている。「はかなきついでに『さる人こそ』とばかり聞えいでたりしに、かく―・しう宣ひわたれば、なまわづらはしく」〈源氏末摘花〉 **―め・き**【態とめき】『四段』 ①事改めて、正式にしているように見える。「―・き由ある火桶に」〈源氏初音〉 ②意識して表立てる。公然とそう努めているように見せる。「―・きて香にめづる思ひをなむたてて好ましうおはしける」〈源氏匂宮〉

わさはぎ【早萩】 早く咲く萩。「たきそなへ植ゑしもしるく出で見ればやどの―咲きにけるかも」〈万二二一三〉 †wasaFa-gi

わざはひワザワイ【祥・災・禍】《ワザは隠された神意の意。ハヒはサキハヒ(幸)・ニギハヒ(賑)のハヒに同じ》 ①いましめる神意のきざし。「それ妖祥(つちのわざはひ)は行(しわざ)を戒むる所以なり。災異(あめのわざはひ)は人に悟らしむる所以なり。まさに是れ、明天(あめ)の告げ戒むること、先霊の徴表(しるし)なり」〈紀欽明二年〉。「〔正法ヲ行ゼヌトキハ〕暴(あら)き雨、非時に下し、妖(わざはひ)の星多く変怪し、日月も蝕(か)けて光り無けむ」〈金光明最勝王経平安初期点〉 ②悪い気配。妖気。「道臣命、大来目部を帥ゐて密(しのび)の策を奉承(う)けて、能く諷歌(そへうた)倒語(さかしまごと)を以て、妖気(わざはひ)を掃ひ蕩(とら)かせり」〈紀神武一年〉 ③災難。「鳥獣昆虫の災異(わざはひ)を攘(はら)はむがために、其の禁厭(まじなひ)の法を定む」〈紀神代上〉。「人にも言ひ消たれ、―をもまねくは、ただこの慢心なり」〈徒然一六七〉 ④何とも仕方のない、やりきれないめぐりあわせ。「あな―や、かばかりの事をだに、しそこなひたまふよ」〈大鏡伊尹〉 †*wazaFaFi **―も三年** 災いも時がたてば幸いの種となることがあるの意。「災ひも三年置けば福の種」「災ひも三年置けば役に立つ」とも。「―めには千年山」〈俳・大矢数一〉

わさびおろし【山葵卸】 ①山葵・生姜(しょうが)などを摺りおろす道具。金属または陶器製で、表面に小突起の目がある。「十三文―」〈教王護国寺文書一、暦応三・一三〉 ②若党・中間の異名。はいている袴の菖蒲皮の模様が(1)に似ているのでいう。「見付から―が出て叱り」〈雑俳・万句合宝暦一一〉

わざひと【俳人】 俳優。役者。「俳人、和左比止(わざひと)」〈日本紀私記〉

わさほ【早稲穂】 早稲(わせ)の穂。「我妹子が業(なり)と作れる秋の田の―のかづら見れど飽かぬかも」〈万一六二五〉

わざもの【業物】 切れ味の鋭い刀。「此の刀、もとより―なり」〈当代記天正三・一三〉

わざよし【業良し】 よく鍛(きた)えたわざもの。「〔コノ太刀ハ〕親ぢゃ人の―ぢゃと云うてゆづられた」〈虎寛本狂言・武悪〉

わさわさ ①あっさりとしているさま。さっぱり。わっさり。「ただ一座―と、相たがひに名残を惜しみて連歌をするこそ、まことの本意にてもあるなれ」〈千金莫伝抄〉 ②酔いがすぐにさっぱりとさめてしまう酒。「本邦にいはゆる―と云ふ酒の事ぞ。急に酔ひてやがて醒むるぞ」〈四河入海一三上〉

わざわざ【態態】 とりたててことさらであるさま。「得得は、特地の義、―と云ふ心なり」〈大恵書抄四〉

わざわざ・し【態態し】『形シク』 いかにもわざとらしい。ことさらめいている。御大層である。「いと心やすしと聞く人なれば、何か、さ―・しう構へ給はずともありなむ」〈かげろふ中〉。「『入道殿の御栄えを申さんと思ふほどに、余教の説かるると言ひつべし』など言ふも、―・しく事事しく聞ゆれど」〈大鏡序〉

わざをき【俳優】《ワザ(業)ヲキ(招)が原義》 ①神意をうかがい寄せるために、神前で種種の芸をすること。また、その人。「天鈿女命(あまのうずめのみこと)、則ち手に茅纏(ちまき)の矟(ほこ)を持ち、天の石窟戸(いはやと)の前に立たして、巧みに俳優(わざをき)す」〈紀神代上〉 ②滑稽な所作をする人。「今より以後、吾は汝の俳優(わざをき)の民たらむ」〈紀神代下〉 †wazawo-ki

わさん【和讃】 漢語の偈(げ)を和語に翻訳して作った仏教

讃歌。仏・菩薩の功徳や祖師などの徳行を讃美する。一般に七五調四句を一聯とし、これに曲調をつけた今様風のもの。「昔つくれりし所の彌陀の—を誦(じゅ)して西に向ひて行く」〈今昔一五ノ一六〉

わざん【和讒】①讒言(ざんげん)。「余相国の—に依りて、遂に此の恨み有り」〈玉葉安元二・七・八〉。「人の—なりけりと思ひてやみぬ」〈沙石集三ノ六〉 ②仲介。取持ち。「予—して云はく」〈明月記正治二・一・七〉。「此間、聊か夫婦に確執の事あり。—有りて無為に属す」〈実隆公記明応四・九・三〉

わし【鷲】猛禽類、オオワシ・イヌワシ・オジロワシ等の総称。尾羽は矢羽として重用される。まとり。おおとり。「筑波嶺にかか鳴く—の音をのみか泣き渡りなむ逢ふとはなしに」〈万三三九〇東歌〉。「鷲、和志(わし)」〈新撰字鏡〉。「鵰、和志(わし)」〈新撰字鏡〉

わ・し【和し】『サ変』①(天候などが)なごむ。和やかになる。「ここちよげなる空を見出だし給ひて、『—・してまた清し』と〔白氏文集ノ句ヲ〕誦じ給うて」〈源氏 胡蝶〉 ②合わせる。まぜる。「沈香・栴檀香等を冷水に—・してこれを洗ふ」〈正法眼蔵袈裟功徳〉 ③合わせて応じる。答える。「鐘は霜に—・してこそ鳴れ、心なきものなれば、霜を見て鳴らむと思ふにはあらじ」〈仁安二年経盛家歌合〉。「和、ワス、声相応也」〈色葉字類抄〉 ④他人の詩の韻に合わせて詩を作る。「大納言夢におどろきて、是(御製)に—・し奉る」〈十訓抄五ノ二〉。「和レ韻、インヲワスル」〈文明本節用集〉 ⑤表現を日本風にやわらげる。また、和語で訓読する。「この島にては詩賦の道を—・して歌となせり」〈古今連談集上〉。「〔歌ノ〕題をばまづ—・して読むが本也。…昔は、山家をばやまのいへ、田家をばたのいへと読みし也」〈正徹物語下〉

わ・し【座し】『四段』《オハシの転》おいでになる。いらっしゃる。「恋しくは訪(と)うても—・せよ高観房」〈梵舜本沙石集五末ノ三〉。「あの上手の塗師(ぬし)が—・したなど言はば」〈天理本狂言六義・塗師〉

わし『感』囃し声。「梯立(はしたて)の熊来のやら(沼沢地)に新羅斧落し入れ—」〈万三八七八〉

わじ【和字】日本の文字。かな文字。「今現在証文の表書、漢字と云ひ、—と云ひ、倶に以て明鏡なり」〈高野山文書三、正応四・五・三〉

わし・せ【走しせ】『下二』《ワシリ(走)の他動詞形》走らせる。「あしひきの山田を作り山高み下樋(したび)を—・せ下問ひにわが問ふ妹を」〈記歌謡七八〉

わしのみね【鷲の峰】「霊鷲山(りょうじゅせん)」に同じ。「鷲の山」とも。「仏の御弟子のさかしき聖(ひじり)だに—をばたどたどしからず頼み聞えながら」〈源氏若菜上〉

わじゅず【輪数珠】三十六個の珠を連ね、輪違いにした数珠。浄土宗で用いる。「—をふつと切る麓寺」〈俳・紅梅千句〉

わし・り【走り】㊀『四段』《ワシセ(走)の自動詞形。漢文訓読系で使う。類義語ハシリとの区別は明確でない》①先を争うように早く歩く。我先にと急ぎ歩く。「西のかた遠からずして、如来の髪爪の窣堵波有り。近遠の邑人相ひ趨(わし)り輻湊(あつま)る」〈大唐西域記七・長寛点〉。「蟻の如くに集まりて、東西に急ぎ、南北に—・る」〈徒然七四〉 ②あせってあくせくする。功などをあせる。「貧窮の人、世を—・らざれ」〈正法眼蔵随聞記一〉。「世間に交はって世路(せいろ)に—・り」〈西方発心集下〉 ③金利を稼ぐ。「南北に銀(かね)も—・るや年の暮」〈俳・敝帚四〉。「必ず大銀を—・るとて、大仰なる事取り組み」〈浮・好色敗毒散四〉 ㊁『名』金利。「はびこるや—に掛かる金銭花」〈俳・糸瓜草三〉。「百五十匁を…月一匁五分づつの—に掛け」〈浮・立身大福帳三〉

わずみ【輪炭】薄く車輪のような形に切った炭。「ゆるり火は春のくるま(来ル間・車)の—かな」〈俳・鷹筑波二〉

わす・り【忘り】『四段』意識的に忘れようとする。「—・らむて野ゆき山ゆき我来れど我が父母は忘れせぬかも」〈万四三四四防人〉

わするるくさ【忘るる草】「忘れ草」に同じ。「今はとて—の種をだに人の心にまかせずもがな」〈伊勢二一〉

わす・れ【忘れ】㊀『下二』①自然に記憶や印象が消える。記憶が失せる。「かまどには火気(けぶり)吹き立てず、甑(こしき)には蜘蛛の巣懸きて、飯炊(かし)くことも—・れて」〈万八九二〉 ②つとめて記憶を消すようにする。思い出さないようにする。「相模嶺の小峰見隠し—・れ来る妹が名呼びて吾(あ)を哭(ね)し泣くな」〈万三三六二東歌〉 ③一つのことを思いつめて、他のことに頓着しなくなる。気にかけなくなる。「世を捨てたる法師のここちにも、いみじう世の憂へ—・れ、よはひのぶる人の御有様なり」〈源氏若紫〉。「悲しからん親のため、妻子のためには、恥をも—・れ、盗みもしつべき事なり」〈徒然一四二〉 ④うっかりと気づかずに過ごす。「溶け渡る池の薄氷、岸の柳のけしきばかりは、時を—・れぬなど」〈源氏賢木〉 ⑤うっかり置いたままにする。置き忘れる。「女房の局に、つまに月出(だ)したる扇を—・れて出でられたりければ」〈平家一・鱸〉 ㊁『名』記憶が失せること。「たちこもの発(た)ちの騒きに相見てし妹が心は—せぬかも」〈万四三五四防人〉

—がたみ【忘れ形見】①忘れないために遺しておく記念の品、また、事柄。「飽かでこそ思はんなかは離れなめそをだに後の—に」〈古今七一七〉。「無からん跡の—にもとや思ひけむ、障子に泣く泣く一首の歌をぞ書きつける」〈平家一・祇王〉 ②親の死後、遺された子。遺児。「など—をだにとどめ給はずなりにけん」〈源氏手習〉。「あはれ男子にてあれかし。浮世の—にも思ひ置くばかり」〈平家九・小宰相〉

—がひ イガ【忘れ貝】《二枚貝が放れ放れの一片になり、たがいに相手の一片を忘れてしまうという意をかけた名称という》二枚貝の放れた一片。また、それに似ているところからあわび貝のこと。これをとると恋を忘れるという。恋忘れ貝。「若の浦に袖さへ濡れて—拾へど妹(いも)は忘らえなくに」〈万三一七五〉 † wasuregari

—ぐさ【忘れ草】萱草(くわんざう)の異名。それを身につけると物思いを忘れるというので、恋の苦しみなどを忘れるために、下着の紐に付けたり、また植えたりした。恋忘れ草。「—わが紐に付く香具山の故(ふ)りにし里を忘れむがため」〈万三三四〉。「萱草、一名忘憂、和須礼久佐(わすれぐさ)」〈和名抄〉

—みづ【忘れ水】野中などを絶え絶えに流れていて、人に忘れられた水。「住吉のあさ沢小野の—絶え絶えならで逢ふよしもがな」〈詞花二三八〉

—わ・び【忘れ侘び】『上二』あまりに印象が強烈で、忘れようと努める気力もなくなる。「—・び侍りていとど罪深うのみおぼえ侍りつるなぐさめに」〈源氏手習〉

—ゐ【忘れ井】人に忘れられ、捨てられている井、また、泉。「別れゆく都の方の恋しきにいざむすび見む—の水」〈千載五〇六〉

わせ【早稲・早生】《ワサの転。「晩生(おくて)」「中手(なかて)」の対》①はやく成熟する稲。「をとめらに行逢ひの—を刈る時になりにけらしも萩の花咲く」〈万二一一七〉。「早稲、和勢(わせ)。晩稲、於久天(おくて)」〈和名抄〉 ②早咲きの草木。「先(わせ)に披(さ)く花、中(なかて)にて披く花、後(おくて)に披く花有り」〈東大寺諷誦文稿〉

わ・せ【座せ】『下二』「わし」に同じ。「ただ今小父(をぢ)坊主の

―・せて、いろいろの事を申された」〈虎明本狂言・釣狐〉。「奉行衆が―・せたか」〈虎明本狂言・右近左近〉

わせんじゃう【我先生・和先生】(ヨウ・ジ) 相手を親しみ、または見くだして呼ぶ語。お前。あんた。「―はいかでこの鮭を盗むぞ」〈宇治拾遺一一五〉

わた【海】うみ。「―の底沖つ深江の海上(うなかみ)の子負(こふ)の原に」〈万八一三〉 ▽朝鮮語 pata(海)と同源。

わた【腸】内臓。はらわた。「蜷(みな)の―か黒き髪に」〈万八〇四〉。「〔腹十文字ニ掻キ切リ〕死なれざりければ―繰り出し、太刀を口にくはへ、うつ伏してぞ死ににける」〈伽・むらまつ物語〉。「鰸、魚乃和太(うをのわた)」〈新撰字鏡〉

わた【綿】①絹綿。「しらぬひ筑紫の―は身につけていまだは着ねどあたたかに見ゆ」〈万三三六〉 ②木綿(きわた)。延暦十八年、三河国に崑崙人が渡来持参したという。後、宋・明から輸入され、室町時代末期天文頃、三河・駿河などで栽培され始め、全国に広まって行った。「草の実の如きものあり、これを―の種といふ」〈後紀延暦一八・七〉。「敷島や大和にはあらぬ唐人の植ゑてし―の種は絶えにき」〈夫木抄三三〉。「―十把、日本木綿五端」〈証如上人日記天文二〇・二三・二五〉 ③柔らかく気力の抜け切ったさまのたとえ。「松の梢の白雪に、心の針も―になる景色」〈俳・山の井四〉

―に針を包・む 表面はやさしく見えて、内心の恐ろしいたとえ。真綿に針。「―・む心か雪の松」〈俳・犬子集六〉

わだ【曲】①地形が湾曲しているところ。入江などをいう。「ささなみの志賀の大―淀むとも昔の人にまたも逢はめやも」〈万三一〉 ②形が曲がりくねっていること。「七―にわだかまりたる玉の、中通りて左右に口あきたるが」〈枕二四四〉

わたあき【綿秋】陰暦八月、綿の実が熟して収穫する時節。「また今年も、よき―なれば」〈西鶴・置土産二〉

わたう【我党・和党】(ウ・ト) 親しい相手や目下の者を呼ぶ語。おまえ。君たち。「やや―、連歌だに付かぬと付きたるぞかし」〈宇治拾遺一八二〉。「―達こそさせる能もおはせねば、物をも惜しみ給へ」〈宇治拾遺三八〉

わたうちゆみ【綿打弓】繰綿(くりわた)を弾き打って、不純物を去り柔らかくする弓形の道具。唐弓。綿打。綿弓。「雪の夜や―と三日(見ト掛ケル)の月」〈俳・崑山集一三〉

わだかま・り【蟠り】『四段』①(蛇などが)渦巻状に体をまげる。とぐろを巻く。「〔箱ヲ〕あけて見れば、くちなは―・りて見ゆ」〈俊頼髄脳〉。「蟠、和太加末流(わだかまる)」、龍蛇臥貌也」〈和名抄〉 ②くねりまがる。蛇行して見える。「七曲(ななわだ)に―・りたる玉」〈枕二四四〉。「谿谷盤(わだかまれり)」〈大唐西域記三・長寛点〉 ③心がねじけまがる。「変りやすき―・りたる人」〈こんてむつすむん地三〉 ④人をだまして金銭などを横領する。着服する。「誰人にても、焦がれての状給はるを、―・りて届けずば、汝恋知らずなり」〈西鶴・男色大鑑一〉

わたがみ【綿嚙】鎧の部分の名。背面の押付(おしつけ)から左右に分れて両肩にかかっている所。「組んで勝負をせんと、鎧の―を摑んで引き付けたるに」〈太平記三三・京軍〉

わたぎぬ【綿衣】表と裏との間に綿を入れた衣服。綿入。「かならず冬ごもる山風ふせぎつべき―などつかはししを、おぼしいでてやり給ふ」〈源氏椎本〉

わたくし【私】㊀『名』①《「公(おほやけ)」の対》個人のこと。「〔勅使トシテデハナク〕―にも心のどかにまかで給へ」〈源氏桐壺〉。「年頃、おほやけ―御いとまなくて」〈源氏明石〉 ②自分の都合。また、自分の利益をはかること。私心。「上皇の仰せなればとて、政務に―存ずべからず」〈盛衰記二〉 ㊁『代』一人称。目上の者に対して、へりくだっていう語。「―も塩を焼きて売りたく候」〈伽・文正草紙〉。「『汝は何者ぞ』『―は都の者でござる』」〈虎明本狂言・雷〉

―あきなひ【私商ひ】(アキ・ナイ) 商家の手代が、主人・番頭の指図を受けずに自分の見込みで、主家の名儀・資金で売買すること。自分商い。「二百目や三百目、―にて儲けたればとて」〈西鶴・織留六〉

―あめ【私雨】限られた小部分の土地に降るにわか雨。有馬・箱根・鈴鹿などの山地に多い。「待つ花に―や降りぬらん」〈俳・正章千句下〉

―あるき【私歩き】私用で出歩くこと。「今度は思ひ留まりて、―を狙ひ給へ」〈曾我五〉

―がね【私金・私銀】内内で蓄えている金。臍繰り金。「人の知らぬ―」〈西鶴・一代男七〉

―ごと【私事】《「公事」の対》個人的な事。表向きでない事。「うちうちの―にこそは」〈源氏行幸〉。「かやうの―を大事と言ふやうやうある」〈平家二・小教訓〉

―ざま【私様】《「公様」の対》私事の方面。非公式。「御―に、うちうちの事なれば」〈源氏少女〉

―しごと【私仕事】職人が、自分の収入にするために、親方に内緒でする仕事。内職。「手の中の荒るるも厭はず、―を拵へ」〈西鶴・諸艶大鑑三〉

―だ【私田】私有の田。「住吉の小田を刈らす子賤(やっこ)かも無き奴(やっこ)あれど妹がみためと―刈る」〈万二二七五〉 ↓しでん。

―もの【私物】自分のもの。個人の専有物として大事に思うもの。「―に思ひかしづかましを」〈源氏東屋〉。「あかずくちをしき慰めにも心安き―なりや」〈浜松中納言四〉

わたくり【綿繰】①綿花から種子を取り去ること。「―や実はそれならで玉霰」〈俳・俳諧風体抄下〉 ②綿花を二本のロールの間に入れ、これを回転して繊維だけを通過させ、種子を除去する道具。綿繰車。「―や村雨晴れぬ湿りにて」〈俳・独吟一日千句〉

わたぐるま【綿車】綿花から糸を紡(つむ)ぎ取る車。糸車。紡車。「燈や前後を照らす―」〈俳・桜川九〉

わたけ【輪竹】竹製のたが。「桶にさへ継子を出す―かな」〈俳・埋草二〉

わたこ【綿子・綿袍】真綿またはもめん綿。また、真綿を、布で包まず、そのまま縫い作った着物。後には、綿入の着物をもいった。「―三把、歳暮祝儀として饋(おく)り給はり候」〈常縁口伝和歌〉

わたざね【綿実】綿の種子。燈油をしぼり取り、糟は肥料に、磨殻(ひきがら)は燃料に、灰は洗料にした。また、堕胎薬に用いた。「―や雪を下せる山颪」〈俳・難波千句〉。「その身は―の油屋に通ひ」〈西鶴・置土産二〉

わたし【私】『代』「わたくし」のくだけた言い方。「―はこなた様と一所に、奈落までも夫婦でござる」〈近松・傾城仏の原三〉

わたし ①茶の葉を入れる器。「極(ご)を一袋、―に入れて貸させられい」〈虎明本狂言・止動方角〉。〈日葡〉 ②「わたしがね」に同じ。「紅(べに)やおしろい・眉作り、―・鉄漿(かね)つけ・櫛・はりこ」〈伽・小栗〉

わた・し【渡し】㊀『四段』《ワタリ(渡)の他動詞形》❶海や川などの水面を通路として、直線的にものや人を対岸に行かせる。①(乗物を使って)対岸に行き着かせる。「大山守皇子を載(の)せて―・したまふ」〈紀仁徳即位前〉。「渡り守船―・せをと呼ぶ声の至らねばかも楫(かぢ)の音(と)のせぬ」〈万二〇七二〉 ②(仏や僧が)衆生を此岸(しがん)から彼岸(ひがん)に行き着かせる。済度する。人間の煩悩(ぼんのう)を流れにたとえていう。「この御足跡(みあと)八万光(やよろづひかり)を放ち出し、諸諸(もろもろ)救ひ、―・したまはな」〈仏足石歌〉。「人―・すことも侍らぬに、聞きにくき事もこそいでまうでくれ」〈源氏東屋〉 ❷空間的に、一方から直線的に延長して他方につなげる。①(橋などを)かける。架す。「上(かみ)つ瀬

わ

に打橋—・し、淀瀬には浮橋—・し」〈万三九〇七〉。「明日香川しがらみ—・し塞(せ)かませば流るる水ものどにかあらまし」〈万一九七〉②(ものを)手から手へ移動する。手渡しする。「鉢を過(たわ)し来せ、汝に食を与へむ」〈願経四分律平安初期点〉③(ものを相手に)ゆずり受けさせる。「よき賭物(のりもの)はありぬべけれど、かるがるしくはえ—・すまじきを」〈源氏宿木〉④伝来させる。もたらし伝える。「天竺・唐土の遙かなる風波をいとはず、危ふき船に命を忘れてこれ(仏ノ教エ)を—・すは、殊に我が朝の衆生を助けむと思ふ故なり」〈孝養集上〉⑤(人を)移転させる。また、引き取る。「丑寅(うしとら)の町に、かの一条の宮を—・し奉り給ひてなむ」〈源氏匂宮〉。「いとかう思ひな入り給ひそ。今日明日(あす)(私ノ方へ)—・し奉らむ」〈源氏若紫〉⑥罪人の身柄・首などを人目にさらして移送する。「鎮西八郎こそ生け捕られて—・さるるなれ。いざや見ん」〈保元下・為朝生捕り〉。「検非違使、通良らが首を請け取って、大路を—・して獄門の木に懸けられけり」〈盛衰記二〉⑦室内に通す。「大座敷(ニ)—・し」〈西鶴・一代男三〉❸《動詞の連用形について》端から端まで…する。あまねく…する。一面に…する。「片淵に網張り—・し」〈紀歌謡三〉。「(源氏ノ歌声ニ人人ハ)忍ばれで、あいなう起き居つつ、鼻を忍びやかにかみ—・す」〈源氏須磨〉㊁『名』向う岸へ人などを渡すこと。また、その場所。「もろこしの花は—の舟よりもあやうき道はゆかじとぞ思ふ」〈頼政集〉 **—あ・ひ** イア【渡し合ひ】『四段』相手になって戦う。斬り合う。渡り合う。「ここに一群(ひとむら)、かしこに一結び、五人三人づつ—・ひて、しのぎを削り」〈室町殿日記一〇〉 **—がね**【渡し金】耳盥(みみだらい)に掛け渡して、鉄漿(おはぐろ)の道具を載せる細長い銅板。わたし。〈日葡〉 **—ぶね**【渡し船】人・荷物などを向う岸へ運ぶ船。「桂川にて舟をたづねしかば、—もなしと申ししかば」〈粟田口別当入道集〉 **—もり**【渡し守】渡し船の船頭。「久方の天の河原の—君渡りなばかぢ隠してよ」〈古今一七四〉。「—、『はや船に乗れ、日も暮れぬ』といふに、乗りて渡らむとするに」〈伊勢九〉 **—をんな**【渡し女】主人の食膳を御末女(おすゑをんな)から取り次ぐ役の女召使。「御末女・—に至る迄」〈西鶴・一代女三〉

わたしごと【綿仕事】綿打弓で繰綿(くりわた)を弾き打って不純物を取り去る仕事。「火かかげよ車もたげよ—」〈俳・続境海草四〉

わたせ【渡瀬】《ワタリセの転》徒歩で渡ることのできる浅瀬。「月の船雲に隠るる夕暮は—も見えぬ桂川かな」〈粟田口別当入道集〉

わただな【綿棚】木綿を売買する商家。木綿店。木綿見世。綿見世。「—を小構へに、居間より奥の間広く」〈西鶴・諸艶大鑑六〉

わだち【輪立・轍】車輪の残した跡。軌跡。「前車のくつがへるは後車の戒めなり。悪しき—を見ては、牛の鼻を直すべきなり」〈他阿上人法語一〉。「轍、ワダチ」〈和玉篇〉

わたつうみ【海】①海神。「—のかざしにさせる白妙の波もてゆへる淡路島山」〈古今九一一〉。「海童女(わたつうみのむすめ)、豊玉姫なり」〈奥義抄〉②海。「—の浜のまさごを数へつつ君が千年のありかずにせむ」〈古今三四四〉。「広原海、ワタヅウミ」〈易林本節用集〉 ▽ワタツミを「綿津海」などと書くので、ワタツウミといいはじめたもの。

わたつみ【海】《「海(わた)つ霊(み)」の意。ツは連体助詞》①海神。それぞれの海ごとに居り、その地方の海・雨・雲・水をつかさどった。「—のいづれの神を祈らばか行くさも来(く)さも船は早けむ」〈万一七八四〉。「あしひきの山のたをりにこの見ゆる天の白雲—の沖つ宮辺に立ちわたりとの曇り合ひて雨も賜はね」〈万四一二三〉②海神のいる所。海。「—の沖の白波立ち来らし海人娘女(あまをとめ)ども島隠る見ゆ」〈万三五九七〉 †watatumi

わたつみ【綿摘み】①秋、綿の実を摘み取ること。また、その人。綿取り。「—・物縫ひなどして」〈浮・当世誰が身の上二〉②近世、江戸の私娼の一。塗桶を使って真綿を延ばし、中入れ綿・綿帽子などを作るのを業とし、内内に色を売った。綿摘女。「町中端端に奉公人となぞらへ、又は—などと名付け、遊女差し置き候者これ有る由」〈御触書寛保集成四六、元禄一五・六〉

わたどき【綿時】陰暦八月、綿の実を摘み取る時期。綿秋。「麦秋・—を恋の盛とは契りぬ」〈西鶴・一代女三〉

わたどの【渡殿】二つの建物の間をつなぐ渡り廊下。主として寝殿と対屋とを結ぶ。細殿。「打橋、—、ここかしこの道にあやしきわざをしつつ」〈源氏桐壺〉

わたとり【綿取り】「綿摘み」に同じ。「伊駒気遣ふ—の雨」〈俳・続猿蓑上〉

わたなか【海中】海の中。海上。「名児(なご)の海を朝漕ぎ来れば—に鹿児(かこ)そ鳴くなるあはれその鹿児」〈万一四一七〉

わたぬき【腸抜・腸貫】魚・鳥などの腸を抜き去ること。また、その抜き去った魚・鳥など。「鮎の魚も今日—や塩合せ」〈俳・夢見草二〉

わたぬき【綿抜・綿脱】①衣更えに、綿入着物の中綿を抜いて袷(あはせ)とすること。また、その袷。「—の袷も単(ひとへ)の花見かな」〈俳・発句帳二〉②四月一日の衣更え。「四月一日の字を訓じ、読みて—の朔となす也」〈碧山日録長禄三・四・一〉

わたのはら【海の原】《後にワダノハラと濁音にも》広広とした海。大海。「—八十島かけて漕ぎ出でぬと人には告げよあまの釣舟」〈古今四〇七〉。「—と云ふ時は、たを濁る。また清んでも読むぞ」〈古活字本日本書紀抄下〉

わたのもも【綿の桃】《形が桃の実に似ているので》えみ割れない綿の実。「胡蝶にも似たる物かな—」〈俳・続境海草三〉。〈俳・毛吹草一〉

わたばな【綿花】男踏歌(をとこだふか)の人人が冠にさす、綿で作った花。「かざしのわた」とも。「にほひもなく見苦しき—も、かざす人柄に見わかれて」〈源氏竹河〉

わたぼうし【綿帽子】真綿を広げて作ったかぶり物。「富士の高根に雪のかかり侍るが—に似侍る由」〈富士紀行〉

わたまし【移徙・渡座】転居・転宅の意の尊敬語。「新しく家を造りて、—せられける夜」〈十訓抄六ノ三四〉。「移徙、わたまし、新宅へ移る也」〈和漢通用集〉

わたもち【腸持】①臓腑を抜き取っていないこと。また、その魚など。「—の鮎、山桝味噌付け、焼きて一つ」〈久重茶会記寛永一八・八・一七〉②生きている身。生身(なまみ)。生き物。「なまの左源、—の庄太夫とも云ひつべし」〈評判・役者評判蚰蜒〉

わたゆみ【綿弓】「綿打弓」に同じ。「打つ波の月こそ蘆の穂—」〈俳・懐子九〉

わたら・ひ ワタライ【渡らひ】㊀『四段』《ワタリに反復・継続の接尾語ヒのついた形。→ひ》①渡ってゆく。「雲間より—・ふ月の惜しけども」〈万一三五〉②生計を立てる。「汝(いまし)に寄(つ)けて—・はむ」〈紀仁徳四十一年〉。「活、ワタラフ」〈名義抄〉㊁『名』世を渡ること。暮し向き。「下種(げす)にはあらざりけれど、年頃—などもいとわろくなりて、家もこぼれ」〈大和一四八〉 †watarafi

わた・り【渡り】㊀『四段』《水面や空間を直線的に横切って、向う側に到着する意。移行の経路がはっきりしているので、出発点と到着点との二つの方面にかかわる意も表わし、平面的な広がりに関してもいうようになった。また、時間的に、過去から現在まで引き続いて存在する意》❶海や川などの水面を通路にして、直線的に通って対岸へゆく。①(海や川などの水の上を、馬や舟などを使って)向う側へ移る。「神奈備(かむなび)のこの山辺からぬばたまの黒馬(くろま)に乗りて川の瀬を七瀬ー・りて」〈万三三〇三〉。「大船に真楫(まかぢ)繁(しじ)貫(ぬ)き海原を漕ぎ出てー・る月人壮子(つきひとをとこ)」〈万三六一一〉 ②渡航する。渡航して来る。「韓国(からくに)にー・るわが背は」〈万三六八八〉。「〔唐ノ〕和上に申さく、『仏法東に流れて我国にとどまれるを、法文ありながら伝へ教ふる人なし。願はくは和上ー・り給へ』」〈三宝絵下〉 ③橋を通って向うへ行く。「われもわれもと〔橋ノ〕ゆきげたをこそー・りけれ」〈平家四・橋合戦〉 ❷直線的に通過して行く。通行する。①鳥が、空中を飛んで横切る。「行方なくあり渡るともほととぎす鳴きしー・らばかくやしのはむ」〈万四〇九〇〉 ②日や月が一定の軌道を通って、空を動き移る。「ー・る日の影に競(きほ)ひて尋ねてな清きその道またも遇はむため」〈万四四六九〉。「さ夜中と夜は深けぬらし雁が音(ね)の聞ゆる空に月ー・る見ゆ」〈万一七〇一〉 ③通り過ぎる。「家を人に売りてのち、粟田(あはた)といふ所に行きけるに、その家の前をー・りければ」〈大和一〇〉 ④(道・廊下を通って)行く。また、来る。主に貴人の行動に使われるが、単に、目上の人といった程度の場合にも使われる。「宮の出でさせ給ふべきを、職(しき)の御曹司を方(かた)あしとて、宮の司の朝所にー・らせ給へり」〈枕一六一〉。「女房どもばかりとまりて、『親の家にこの夜さりなんー・りぬる』と答へ侍り」〈源氏帚木〉 ❸ものごとが、一方から他方へ直線的につながる。①伝わる。「朱雀院よりー・り参れる琵琶・琴(きん)」〈源氏若菜上〉 ②官位などが、転移する。「岡の屋の大臣兼経、摂政にていませしかば、そのままに今の御代のはじめも関白と聞えつれども、三月二十五日左の大臣良実にー・りぬ」〈増鏡四〉 ③一方から他方に線状に、長く続く。「お前にー・れる廊を楽屋のさまにして」〈源氏胡蝶〉 ④両極端のものに、つながりかかる。「仏鉢盂は、これ造作にあらず、去来せず得失なし、新旧にー・らず、古今にかかはれず」〈正法眼蔵鉢盂〉。「この三時の業、善悪にー・るなり」〈正法眼蔵三時業〉 ⑤広がり及ぶ。「積雪谷に彌(わた)りて傒径渉り難し」〈大唐西域記一・長寛点〉。「このいましめ、万事にー・るべし」〈徒然九二〉 ❹時間的に経過する。①時日が過ぎゆく。「向ひ居て一日も落ちず見しかども厭はぬ妹を月ー・るまで」〈万三七五六〉 ②世の中・人生などを、過ごしてゆく。生きてゆく。「ありさりて後も逢はむと思へこそ露の命も継ぎつつー・れ」〈万三九三三〉。「一生の性命を軽し、数万の艱難を渉(わた)れり」〈地蔵十輪経序・元慶点〉 ❺①《「在り」の尊敬語として》 おありになる。いらっしゃる。「帝もことなる御咎もー・らせ給はねども、御位を下ろし参らせ給ひけり」〈保元上・後白河院御即位〉。「君の御世にー・らせ給はんを見参らせで、死に候はん事こそくちをしく覚え候へ」〈平家二・嗣信最期〉。「君は丈人でー・るが、云うた事をちがへさしまうたものかな」〈三体詩抄一ノ三〉 ②《他の動詞の連用形について、その動作が、広い場面にわたって行なわれたり、時間的に長く続いたりする意を表わす》 ㋑広く及ぶ。あまねく…する。一面に…する。「狭井河よ雲立ちー・り、畝火山(うねびやま)木の葉さやぎぬ」〈記歌謡二〇〉。「軒のしのぶぞ所得顔に青みー・れる」〈源氏橋姫〉 ㋺…し続ける。「橘の林を植ゑむほととぎす常に冬まで住みー・るがね」〈万一九五八〉。「人の妻(め)にてありける人に、しのびて逢ひー・りけるを」〈大和六〉 □二『名』❶①対岸へ渡ること。㋑川の向う岸へ渡ること。また、その渡る所。「ちはやぶる宇治のーに棹取りて」〈記歌謡五〇〉。「初瀬にまうでて、淀のーといふものをせしかば、舟に車をかき据ゑて」〈枕一一四〉 ㋺海峡を渡ること。また、その航路。「むかさくる壱岐のーを」〈紀歌謡九九〉。「三河の国より熊野へ渡りけるに、伊勢の国、いらごのーにて海賊にあひにけり」〈著聞四三五〉 ②こちらから向うへ、また、向うからこちらへ移ること。㋑引越し。「中の君は…あすのーも覚えたまはず」〈源氏早蕨〉 ㋺到来。訪問。「かつは最後の見参なり。御ーめづらしくうれしく侍る」〈著聞二九一〉 ③外国から渡来すること。また、その品物。「ーの香炉」〈評判・雨夜三盃機嫌上〉 ④世間を渡り歩く者。中間・小者などの奉公人の称。渡り者。渡り奉公人。「ー相手に狼藉千万」〈俳・大矢数三〉 ⑤直径。「道具などの指渡(さしわたし)をーと云ふは、径の字也」〈志不可起三〉 ❷【辺】《漠然と広い地域を指す。類義語アタリは、見当をつけて指した地点にいう》 ①(その地)一帯。辺。「太秦(うづまさ)ーに」〈後撰八八〇詞書〉。「池広く、山木深(こぶか)きー、心細げに見ゆるにも」〈源氏須磨〉 ②人を婉曲にさしていう。「かのーは、かくいと埋もれたる身に引きこめてやむべきけはひにも侍らねば」〈源氏橋姫〉 ③《時間に転じて》 頃。「二月ーの発句には」〈梅薫抄〉

ーあ・ひ(イア)【渡り合ひ】『四段』 ①相手になって戦う。斬り合う。「牛若、少しも恐るる気色なく、小太刀を抜いてー・ひ」〈謡・熊坂〉 ②応対する。「口上よき使番の人橋を掛くれども、門を閉ぢて更にー・はず」〈西鶴・男色大鑑三〉

ーがは(ワガ)【渡り川】 三途(さんづ)の川。「泣く涙雨と降らなむーの水まさりなば〔亡キ人ガ〕帰り来るがに」〈古今八二九〉。「ーとは三途河をいふなり。みつせ河ともいへり」〈奥義抄〉

ーざむらひ(ザムライ)【渡り侍】 武家に渡り奉公する者。多く、徒士(かち)・小姓などの称。「恋も哀も知らぬー」〈西鶴・男色大鑑三〉

ーぜ【渡り瀬】 徒歩で渡る川の浅瀬。わたせ。わたりで。「ーに立てる梓弓檀(まゆみ)」〈記歌謡五一〉。「灘、和多利世(わたりぜ)」〈新撰字鏡〉

ーぞめ【渡り初め】 橋の開通式に、初めてその橋を渡ること。また、その式。「ーする橋は新し」〈俳・花月千句下〉

ーで【渡り手】 川の渡り場。わたりぜ。「ーに立てる梓弓檀(まゆみ)」〈紀歌謡四三〉

ーなみ【渡り並】 普通であること。世間並。世間一般。「ーの路地にても無く」〈草人木中〉

ーに船 待ち望んでいたような都合のよいことがある場合のたとえ。「こはーを得たりとや」〈謡・碇潜〉

ーびゃうし(ビョウ)【渡り拍子】 ①〔能楽用語〕 太鼓入りの平ノリ拍子。起伏の耳立たぬ静かな落ちついた調子。「恋の重荷の能に、『思ひの煙の立別れ』は、静かに、ーのかかりなるべし」〈申楽談儀〉 ②神輿の渡御や山車(だし)の進行に合わせて奏する囃子。また、それを真似た、祭礼や遊女の道行の場面に太鼓・鉦・笛で演奏する歌舞伎の下座(げざ)音楽。「ーしてや梯(かけはし)木曾踊」〈俳・毛吹草六〉

ーぼうこう【渡り奉公】 一季・半季などの奉公をして諸家を渡り歩くこと。「ー仕る衆も、事の外、利政様を褒め感じ申し候」〈亜相公御夜話下〉

ーもの【渡り物・渡り者】 ①代代うけつぐ物。「代代のーにて、朱雀院の同じ事に侍るべきにこそ」〈大鏡三条〉 ②祭礼などの時にねり歩く行列・山車(だし)などの類。ねりもの。「又この変化(へんげ)の者ども、様様のーをぞしける。面もとりどりに、姿もさまざまなり」〈香取本大江山絵詞〉 ③外国から渡来した人または品物。「白楽天もー也」〈俳・わたし船〉。「下着上着もー」〈近松・博多小女郎上〉 ④渡り奉公をする者。わたり。「侍はー、草の靡きにこそよれ」〈承久記上〉

ーもり

【渡り守】渡し船の船頭。渡し守。「—船渡せをと呼ぶ声の至らねばかも梶の音のせぬ」〈万二〇七二〉。「渡子、和太利毛利(わたりもり)、今案俗云和太之毛利(わたしもり)」〈和名抄〉

わだん【和談】談合して和睦すること。示談。また、おだやかに話しあうこと。「両方談合して、或いは—し或いは僻事の方は私に負けて」〈太平記三五・北野通夜〉

わちうさん【和中散】近世、売薬の一。白朮(びゃくじゅつ)・香附子(こうぶし)・陳皮など五味を粉末にして調合したもの。頭痛・腹痛・霍乱(かくらん)・めまいなどに効く。近江栗太郡梅木村の名物で、江戸近傍の大森でも売られた。是斎(ぜさい)薬。「—とて名誉の薬を出し売りける」〈仮・狂歌咄五〉

わちがひ【輪違ひ】二つの輪が半ば重なった形のもの。また、そのような状態。「電光の激するが如く、蜘蛛手・—に、七八度がほど当りける」〈太平記一〇・新田義貞〉

わぢわぢ 恐ろしさや寒さのために体がふるえるさま。ぶるぶる。「盗みして—振ふ夜や寒き」〈俳・誹諧小松原〉

わづか【僅か】〘名・副〙《量の少ない意。極めて少量しかない意から、辛うじて、やっと、せいぜいの意。類義語ハツカは、ハツ(初)と同根の語で、物事の最初の部分がちらりと現われるさまの意》①量が少ないさま。「歌の心をも知れる人—に一人二人なりき」〈古今序〉。「—なる木蔭のいと面白き庭に」〈源氏須磨〉。「僅、小也、和豆可尓(わづかに)」〈華厳音義私記〉②度合の少ないさま。「槇(まき)の山べも—に色づきて」〈源氏椎本〉③かろうじて。「ふるき斎宮の宮司など、仕うまつり馴れたるぞ—に事どもさだめける」〈源氏澪標〉。「[十八歳ダカラ]二十にもまだ—なる程なれど、いとよく整ひすぐして」〈源氏若菜上〉。「—に生きいでて物し給はましかば、もろともに聞えまし」〈源氏総角〉④せいぜい。「後見と頼ませ給ふべき伯父などやうの、はかばかしき人もなし。—に大蔵卿・修理の大夫(かみ)などいふは女御にも異腹なりけり」〈源氏宿木〉⑤身代のごく少ないこと。見すぼらしい暮しであること。「—の棒手振(行商人)」〈西鶴・二十不孝五〉

わづき 未詳。わかち・けじめ・差別の意、また、方法・手段の意ともいう。「霞立つ長き春日の暮れにける—も知らず」〈万五〉 †waduki

わっさり《ワサワサのワサと同根》物事にこだわらないさま。あっさり。さっぱり。「何時もただ今の如く—とものを仰せつけらるるによって、それがしもひとしほ御奉公がしよい」〈虎明本狂言・鼻取相撲〉。〈日葡〉

わっち〘代〙「わたし」の転。本来は奴詞で、元禄頃から女性にも用いられ、近世後期には江戸吉原の遊女の用語として有名。「—めは…沓(くつ)袋を背負ひ申した程に」〈雑兵物語上〉

わっつくだいつ【割っつ砕いつ】〘連語〙《ワリツクダキツの音便形》あれやこれや色色に。色色と丁寧に。「八卦六十四卦—占ひ」〈仮・杉楊枝三〉

わっぱ やたらに大声を挙げてわめきたてるさま。わあわあ。「ちとも物を言はせじと、—と仰せらるる」〈本福寺跡書〉。「田舎者と見えて—と申す」〈虎明本狂言・張蛸〉。「世上の威勢して、—とどめく者を」〈句双紙抄〉

わっぱ【童】《ワラハの転》①子供・少年などをののしっていう語。「年少の—らと思はれんぞ」〈三体詩抄二ノ三〉。「十七八な—こそよき末の養子なれ」〈伽・小栗絵巻〉②年少の奉公人。下人。下男。「この—腹を立てて」〈咄・昨日は今日上〉。「切り置きし薪や運ぶ—ども」〈俳・備後表〉

わっぱし《シは衆の意》「わっぱ(童)」に同じ。「昨日今日まで…草履を取りたる—なるが」〈仮・可笑記四〉

わっぷ【割符】「わりふ」の音便形。「九本の樋をも—に致し」〈梅津政景日記慶長一九・一二・三〉

わづらは・し【煩はし】〘形シク〙《ワヅラヒの形容詞形》①事態を簡単に解決できなくて厄介だ。めんどうだ。難儀だ。「世の中いと—・しく、はしたなき事のみまされば」〈源氏須磨〉。「いとにがにがしう、牒状とかや持ちて参れる人など有りて—・しう聞ゆれば、上下思ひまどふ事かぎりなし」〈増鏡一〇〉②複雑だ。煩雑だ。「多くの調べ、—・しき曲(ごく)多かるを」〈源氏若菜下〉。「余の文は悉(つく)すべし。故に繁(わづらは)しく記せず」〈蘇悉地羯羅経略疏天暦点〉③気をつかわせられる。「黒木の鳥居もさすがにかうがうしう見渡されて—・しきけしきなるに」〈源氏賢木〉。「才深う—・しと覚えたる人の」〈栄花様様悦〉④体の具合が悪い。病気である。「卒尒(にはかに)乾煩(わづらはしく)して実に傾仰するを為す」〈遊仙窟(醍醐寺本)鎌倉期点〉。「[懐妊ノ]月日の重なるに随て、御乱猶(なほ)—・しきさまに渡らせ給ひければ」〈延慶本平家三・建礼門院〉。「坊の内の人にも見えずこもりゐて、年久しくありてなほ—・しくなりて死ににけり」〈徒然四二〉

わづら・ひ【煩ひ】㊀〘四段〙①気持がとらわれて、脱け離れることができずにいる。「[子供ヲ]打棄(う)てては死(し)は知らず、見つつあれば心は燃えぬ、かにかくに思ひ—・ひ哭(ね)のみし泣かゆ」〈万八九七〉②事がすらすらと運ばず、難儀する。「すずろなる穢(けが)らひに、籠もりて—・ふべきこと」〈源氏手習〉。「信頼卿、時の声を聞くよりして顔色変りて草の葉にたがはず。南の階(きざはし)をおりられけるが、膝ふるひて降り—・ふ」〈平治中・待賢門軍〉③病気になる。病気で苦しむ。「男—・ひて、ここち死ぬべく覚えければ」〈伊勢一二五〉㊁〘名〙①厄介なこと。面倒なこと。「次に投げ棄つる御衣(みけ)に成れる神の名は、和豆良比能宇斯能神(わづらひのうしのかみ)」〈記神代〉。「事どもそぎ捨てて、世の—あるまじくと省かせ給へど」〈源氏若菜下〉②病気。やまい。「御—の御祈禱」〈御湯殿上日記慶長三・一・八〉 †wadu-raꜰi

わてう【和朝】日本。本朝。「—にては、我が立つ杣と詠じけん、御山もいかで勝るべき」〈謡・現在七面〉

わどの【吾殿・和殿】相手を親しんで、また、軽んじて呼ぶ語。あなた。おまえ。「—の聞き分かせ給へば」〈大鏡昔物語〉。「あら不便や、—は幼き者なり」〈日蓮遺文千日尼御返事〉

わな ①【罠】縄や竹などを輪状に作り、おびき寄せた鳥獣を捕える仕掛け。「足柄の彼面此面(をてもこのも)に刺す—の」〈万三三六一〉。「罥、和奈(わな)」〈新撰字鏡〉②【羂】糸や紐を輪状にしてまとめたもの。「経文などの紐を結ふに…ただくるくると巻きて、上より下へ—の先をさしはさむべし」〈徒然二〇八〉

わな・き【経き】〘四段〙《ワナ(羂)の動詞化》首をくくる。「子弟・妃妾と一時(もろとも)に自ら—・きて、倶に死せましぬ」〈紀皇極二年〉 †wanaki

わなどり【罠鳥】罠で捕えた鳥。「—の雉子」〈西鶴・嵐無常上〉。〈日葡〉

わななかしい・で【慄かし出で】〘下二〙ふるえ声を出す。「囀る春は、からうじて—・でたり」〈源氏末摘花〉

わなな・き【慄き】〘四段〙《擬態語ワナワナに接尾語キのついた形。母音交替してヲノノキとも》①体・手足などが小刻みにふるえる。痙攣する。「—・き給ふさま、水のやうに汗も流れてものも覚え給はぬ気色」〈源氏若菜下〉。「御手も—・きてえ書き給はず」〈源氏若菜上〉。「腰膝かがまり、足—・きて苦しむを」〈孝養集上〉②声などが、小刻みにふるえる。「御声の—・くも」〈源氏行幸〉③ちぢれる。「ふるぶる

しき人の、髪などもわがにはあらねばにや、所所—・きちりぼひて」〈枕八三〉

わなみ【吾儕】『代』《ワ(我)・ナミ(並)の複合》①自己を卑しめていう語。自分など。自分ごときもの。「吾儕、ワナミ」〈春秋経伝集解保延点〉②相手を卑しめて呼ぶ語。同輩に用いる。おまえ。「—如きの者」〈俳・蠅打三〉。「—づれが言葉に載するも恐れ有り」〈評判・野郎大仏師〉

わなむすび【罠結び】輪の形にして、引けば締まるように結ぶこと。「妻ゆゑ我も首締め括る—」〈近松・天網島下〉

わなわな わななきふるえるさま。ぶるぶる。がたがた。「余りに内裏のおびたたしきを見て、秦舞陽—とふるひければ」〈平家五・咸陽宮〉

わに【鰐】①サメ類の古名。「海の—を欺きて言ひしく」〈記神代〉▽出雲・隠岐島方言では、サメ・フカをワニという。②人に執念をかけ殺傷する恐ろしい人間のたとえ。「此の不破と云ふ—が見入れて、余り程は有らせまい」〈近松・反魂香上〉

わ・に『上二』恥ずかしがる。はにかむ。「十王も惚れたと云へば—・にけらし」〈俳・貞徳独吟〉。「恥づる皃(かたち)を—・にると云ふは、口が鰐口のやうになるとの事か」〈志不可起三〉

わにあし【鰐足・戻脚・捲足】鰐のような足つき。足先が外に向くのを「そとわに」、内に向くのを「うちわに」という。「脚半(きやはん)のはづれ—に歩みなし」〈三国伝記四〉。「捲足、ワニアシ」〈文明本節用集〉

わにぐち【鰐口】①神社・仏閣の堂前に吊す、扁円・中空で下方に細長い口のある金属製の具。布で編んだ綱を振って打ち鳴らす。金鼓(ごんく)。金口。「—打ち鳴らし、しばらく礼拝し給ひける」〈伽・はもち中将〉。〈文明本節用集〉②極めて危険な場所または場合。鰐の口。虎口。「—逃れて虫や鳴くらん」〈俳・山の端千句下〉③世間のうるさい評判。あくどい噂。恐ろしい人の口。「世の—に乗るばかり」〈近松・天網島上〉④横に広い口を嘲っていう語。「『口がまた広いは』『—で候ふもの』」〈虎明本狂言・今参〉

わぬ【吾】『代』「われ」の上代東国方言。「うべ児なは—に恋ふなも立と月(つく)ののがなへ行けば恋しかるなも」〈万三四七六東歌〉

わぬけ【輪抜け】高所に吊した輪を走りながら潜り抜ける軽業。「蜘舞(くもまひ)…—、この外人人の目をくらます放下の術」〈仮・百八町記一〉

わぬし【吾主・和主】相手を親しみ、また、軽んじて呼ぶ語。おまえ。おぬし。「—は情なや、わらはがあらじとも住まじとも言はばこそ憎からめ」〈梁塵秘抄三四一〉

わのり【輪乗り】輪形に馬を乗り廻すこと。「競馬かや是れも勝負の—弓(賭弓(のりゆみ)ト掛ケル)」〈俳・破枕集上〉。「二廻り—で来るや午の年」〈俳・遠近集一〉

わ・び【侘び・詫び】㊀『上二』《失意・失望・困惑の情を態度・動作にあらわす意》①気落ちした様子を外に示す。落胆した様子を見せる。「吾無しとな—・びわが背子ほととぎす鳴かむ五月は玉を貫かさね」〈万三九九七〉。「言はむすべもなくせむすべも知らに、悔しび賜ひ—・び賜ひ」〈続紀宣命五一〉②困りきった気持を示す。「須勢理毗売(すせりひめ)甚だ嫐妬(うはなりねたみ)す。故、其の日子遅神(ひこぢのかみ)—・びて、出雲より倭の国に上り坐さむとす」〈記神代〉。「『俄かに』と—・ぶれど、人も聞き入れず」〈源氏帚木〉③淋しく心細い様子をする。たよりながる。「一人していかにせましと—・びつればそよとも前の荻ぞこたふる」〈大和一四八〉④つらがって嘆く。「秋の夜は露こそことに寒からし草むらごとに虫の—・ぶれば」〈古今一九九〉。「『この野は盗人あなり』とて、火つけむとす。女—・びて」〈伊勢一二〉⑤不如意な生活をする。貧しく暮す。「昨日は栄えおごりて、時を失ひ世に—・び」〈古今序〉⑥世俗を遠ざかって淋しく貧しい暮しに安んずる。閑寂を楽しむ。「此の須磨の浦に心有らん人は、わざとも—・びてこそ住むべけれ」〈謡・松風〉⑦(困惑のさまを示して)赦しを乞う。あやまる。「このごろ婦夫(めうと)諍(いさかい)ひを召されたによって、女房衆のとってお退きあったを、種種に—・びらるれども遂にお聞きあらぬによって」〈天草本伊曾保〉⑧《動詞連用形について》…する気力を失う。…する力がぬける。「里遠み恋ひ—・びにけりまそ鏡面影さらず夢に見えこそ」〈万二六三四〉㊁『名』①気落ち。落胆。「今は吾は—そしにける息の緒に思ひし君をゆるさく思へば」〈万六四四〉②《茶道・俳諧などで》閑寂質素な風趣。「花をのみ待つらん人に山里の雪間の草の春を見せばや。利休は—の本意とて、此の歌を常に吟じ」〈咄・醒睡笑八〉。「梅の—、桜の興も、折にふれ時に違へば、句も又人を驚かしむ」〈俳・続の原跋〉 †wabi

わびうた【侘び歌】落胆の心を詠んだ歌。つれない人に贈る。「文を書きてやれど返り事せず。—など書きておこすれども」〈竹取〉

わびこと【侘び言】①(つれない人への)かこちごと。気を落して言う恨みがましい言葉。「[玉鬘ニ八]さまざまなる人人の御—も多かり」〈源氏藤袴〉②わびる言葉。あやまる言葉。「降参して—をなし給はば許すべし」〈伽・かくれ里〉③ことわる言葉。辞退する言葉。「手を合はせ—すれど酒強ひて」〈俳・油糟〉

わびごゑ【侘び声】力のない声。元気のない声。「暁は鳴く夕つけの—におとらぬ音をぞなきてかへりし」〈大和一二九〉

わび・し【侘し】『形シク』《動詞ワビ(侘)の形容詞形。失意のさま、気落ちする気持、貧困で苦しい気持をいうのが原義。類義語サビシは、元来あった生気・活気が衰えて、荒れはてた感じである意》①気落ちして切ない。気がぬけるようである。「君は来ずわれは故なく立つ波のしくしく—・しく斯くて来じとや」〈万三〇二六〉②心細い。頼りない。もの悲しい。「春の日の光に当る我なれど頭(かしら)の雪となるぞ—・しき」〈古今八〉。「唯ひとり物も食はで山中に居たれば、限りなく—・しかりけり」〈大和一五五〉③身にこたえる。やりきれない。「舟帰る。この間に雨降りぬ。いと—・し」〈土佐一月十七日〉。「[蛇]いくらとも数も知らず。はては身の毛いよだち、心地—・しくて、やがて病み狂ひて死にけり」〈梵舜本沙石集七ノ五〉④おもしろくない。興ざめだ。つまらない。「童(わらはべ)の名は例のやうなるは—・しとて、虫の名をなむつけ給ひたりける」〈堤中納言虫めづる〉。「前栽の草木まで、心のままならず作りなせるは、見る目も苦しくいと—・し」〈徒然一〇〉⑤困ったことだ。「上がりて、つい居て休むほどに、奥の方より人来たる音す。あな—・し人の有りける所をと思ふに」〈今昔二七ノ一五〉⑥貧乏である。「身一つばかり—・しからで過ぐしけり」〈宇治拾遺一〇八〉 †wabisi —み・し【侘しみし】『サ変』わびしく思う。「絶つと言はば—・せむと焼太刀のへつかふことは幸(さき)くやわが君」〈万六四一〉▽形容詞語幹にミがついて名詞形をつくり、さらにサ変に活用させた語で、ウトミシ・アマミシの類。 †wabisimisi —・め【侘しめ】『下二』①わびしく思わせる。わびしがらせる。「寝覚めする人の心を—・めてしぐるる音は悲しかりけり」〈山家集上〉②困らせる。つらい目にあわせる。「よく—・めてのちに、置きたる算をさらさらとおしこぼちたりければ」〈宇治拾遺一八五〉 —ら【侘しら】《ラは状態を表わす接尾語》気を落しているさま。くじけた状態。「—に猿(ましら)な鳴きそあしひきの山のかひある今日にやはあらぬ」〈古

今一〇六七〉

わびずき【侘数奇・侘数寄】茶の湯。また、それを好む者。特に、簡素静寂の茶の湯の趣味。また、その数奇者。「一物も持たず、胸の覚悟一、作分一、手柄一、此の三箇条の調ひたるを―と云云」〈山上宗二記〉。「境の辺には、―として、竈(ど)構へばかりして持つ人多し」〈池永宗作への書〉。〈文明本節用集〉

わびすけ【侘助】《豊臣秀吉の朝鮮出兵の時、侘助という者が持ち帰ったという》唐椿の一種。冬、小輪の一重で白・赤・淡紅の花が少数咲く。侘しい感じが茶人に喜ばれた。「―。赤一重、小輪也。筒に咲く。細かなる白星さらさ有り。一名胡蝶」〈花壇地錦抄三〉

わびちゃのゆ【侘茶の湯】茶の湯の一。和敬閑寂を重んじる茶の湯。村田珠光以後、桃山時代に流行し、千利休が完成した。侘茶。「―の心は…見渡せば花も紅葉もなかりけり浦の苫屋の秋の夕暮、この歌の心にてこそあれ」〈南方録覚書〉

わひと【吾人】相手を見くだしていう語。おまえ。汝。「―どもが心剛ならば、など軍には勝たずして、負けて落つるぞ」〈平治中・義朝敗北〉。「さ言ふ―どもこそ、伊勢の鈴鹿山にてやまだちして」〈平家一一・嗣信最期〉

わびは・て【侘び果て】〘下二〙すっかり気力を失う。「―・つる時さへものの悲しきはいづこをしのぶ涙なるらむ」〈古今八一三〉

わびひと【侘人】落胆・失意の人。「ふぢ衣はつるる糸は―の涙の玉の緒とぞなりける」〈古今八四一〉。「司申しに賜はらざりける頃…。―は憂き世の中に生けらじと思ふ事さへかなはざりけり」〈拾遺五〇五〉

わびもの【侘者】落ちぶれた人。失意の人。わびびと。「―の盲目にて侍るが、過ぎわびてこの山の麓に住みて」〈沙石集六ノ一五〉

わぼうし【輪帽子・軸帽子】近世、宝永・享保頃、女子が用いた帽子の一種。輪のように作り、額から胸に垂れ、額に当る所に付いた紐を前から背に廻して結び、胸は針で留める。夏ものは絽、其の他の季節には縮緬で作った。「―が紫衣か野郎の惣本寺」〈俳・糊飯篦後集一〉

わみこと【我尊】対等または目下の者を呼ぶ語。おまえ。君。「この立てる榲(すぎ)の木は―の目には見ゆや」〈今昔二七ノ三七〉

わめ・き【喚き】〘四段〙①大声で叫び騒ぐ。「博奕打は―・くものなり」〈蒙求聴塵中〉②大声を立てて怒る。怒りののしる。「して、頼うだ人はさぞや―・きやらうなう」〈虎明本狂言・武悪〉

わもじ ①【我文字・吾文字】代名詞「われ」の文字詞。おまえ。そなた。「ひとへに―のおかげなり」〈伽・しのばずが池〉②【わ文字】若年・若者の意の文字詞。「いまだ御年―なれば」〈評判・三幅一対〉。「華奢(きやしや)な―の相撲あそばす」〈俳・十寸鏡〉

わや ①不法無理なこと。無茶苦茶。「左様の―は外にて申されよ」〈咄・鹿子咄中〉②もろいこと。弱いこと。「―。江戸で云ふやにっこいなり」〈浪花聞書〉

わやく【枉惑・誑惑】《ワウワクの転》無茶苦茶。無理非道。「人の心が―になるぞ」〈荘子抄三〉 **―もの**【枉惑者】無法者。「わやく人(じん)」とも。「その時、かの―申すは」〈咄・昨日は今日下〉

わやめ・き〘四段〙やかましい音を立てる。騒音をひびかせる。わわめく。「三毬丁(さぎっちゃう)はやさる。御所御事高く―・かす」〈山科家礼記延徳三・一・一五〉。「奥どやどやと云はば、…切り込み申すべく候。但し―・く善悪をよく見聞き届け申すべく候」〈亜相公御夜話下〉

わやもの【わや者】無茶苦茶な振舞をする者。無法者。「例の―大きに怒り」〈浄・藍染川四〉。「暮れ行く雲に―の犬」〈俳・江戸新道〉

わやわや ①騒がしい音の形容。わいわい。がやがや。「―と云ひたるが功徳にならうならば」〈御書抄一〉。「陣中にては人多き故に、ものを言へども、―とかしましくて聞えぬほどに」〈孫子私抄〉②物思いや怒りで、心が騒がしく落ち着かないさま。「物事など思ひ続けて、少しも寝入り申さず、過ぎにし事思ひ、胸―として、浮世の変り行く事を観じ」〈宗静日記元禄六・一二・七〉。「―と腹を立て」〈浄・信田小太郎三〉

わよ【和与】①財産の贈与。子孫妻妾に対するものと他人に対するものとがある。「件の少田畠等、有に随って永く六郎丸に―する所なり」〈多米重真譲状建久七・八・五〉。〈沙汰未練書〉②中世、地頭と本所が、所領に関する訴訟で和解すること。転じて一般に、仲直り。和解。「右条条上訴に及び、訴陳に番(つが)ふと雖も、―せしむる所也」〈東寺百合文書永仁三・四〉。「―して命は生きたれども」〈盛衰記三七〉

わら【藁】刈り取った稲や麦などの茎を干したもの。「直土(ひたつち)に―解き敷きて」〈万八九二〉。「稾、ワラ」〈名義抄〉 **―で束(たば)ねても男は男** どんなに見すぼらしくても、男には男の価値があるの意。「藁で作っても男は男」「藁でしたのも男の数」とも。「―ぢゃに、夫に向うて喰らふたかと言ふ事が有る物か」〈虎寛本狂言・岡太夫〉 **―の上より** 生れた時から。「藁の中から」とも。「武士の戦場に命を落すと、商人の海上に損をするとは、―極まりたる事にて」〈浮・立身大福帳三〉 **―を焼(た)・く** ①あることないこと人をおだてる。入れ知恵する。たきつける。煽動する。「方便(そう)を誠に取りなして、―・いたる科により、鉄の鋏にて舌を抜かるる堪へがたさ」〈浮・元祿大平記三〉②あれこれ難癖をつけて貶(なけ)す。非難する。「孔子のやうな人柄さへ、列子・荘子は―・く」〈浮・風流源氏物語三〉 **―を出(だ)・す** 欠点をさらけだす。ぼろをだす。「雪消えて―・したる草屋かな」〈俳・沙金袋一〉

わらうだ【円座・藁座・藁蓋】「わらふだ」の転。「―の大きさして、さし出でたる石あり」〈伊勢八七〉

わらうづ【藁沓】「わらぐつ」の音便形。「―に足を食はれて紙を巻きたりけるをみて」〈金葉七〇三詞書〉。「古―・古ぐつ」〈宇治拾遺三三〉。「履、ハキモノ・ワラウツ」〈名義抄〉

わらうべ【童】《ワラハベの転》こども。「七つ八つばかりの―、三つ四つの幼き者ども」〈伽・富士の人穴の草子〉。〈天正十八年本節用集〉

わらがか【藁嚊】農家の女。「―に読みて聞かせけるに」〈西鶴・一代男跋〉

わらぐつ【藁沓】わらで作ったぞうり。わらじ。「物詣でのやうにて、―をはき、笠を着て」〈今昔一九ノ五〉

わらざ【藁座】「わらふだ」に同じ。「西の妻戸に―さし出でて〔宮ヲ〕入れ奉るに」〈和泉式部日記〉

わらしべ【藁稭】稲の穂の芯。わらすべ。「下向する路に―のあるを」〈雑談集五〉

わらすべ【藁稭】「わらしべ」に同じ。「手に握られたる物を見れば―といふ物ただ一筋握られたり」〈宇治拾遺九六〉

わらぢ【草鞋】《ワランヂの転》わらじ。〈伊京集〉 **―かけ**【草鞋懸け】わらじをはいたままでいること。草鞋ばき。「なふ御坊様濡れたる袂―」〈俳・花洛六百韻〉 **―くひ**イク【草鞋喰ひ】わらじの緒ですれて、足の皮が擦りむけること。草鞋ずれ。「労れ果つるも―也」〈俳・犬子集一六〉 ―せん【草鞋銭】わらじを買う銭。また、僅かばかりの旅費。「―両人へ五十片宛下行す」〈鹿苑日録天文一三・八・一二〉。「八百文、八人の―に遣はす」〈大和田重清日記文禄二・九・一八〉

わらづ【草鞋】《ワラウヅの転》わらじ。〈名義抄〉

わらづとこがね【藁苞黄金】《粗末なわらづとに包まれた黄金の意から》外見は粗末でも、内容のりっぱなもののたとえ。また、物事の真価は外形・外観によって変るものではないということのたとえ。「あなやさしの者の心や。泥の蓮・―とはかやうのことにてもや侍らん」〈伽・物くさ太郎〉

わらは ワラワ【童】㊀《名》①髪をたばねずに、ばらばらのまま垂らすこと。子供の髪型。「か黒し髪を…解き乱り―に成しみ」〈万三七九一〉 ②髪を(1)の髪型にしているもの。童児。童女。一人前でない少年。「老人も女・童児(わらは)も、しが願ふ心足らひに撫で給ひ治め給へば」〈万四〇九四〉。「かの―(カグヤ姫)を参らせむとて仕うまつれば、宮仕へに出し立てば死ぬべしと申す」〈竹取〉。「婗、小児、知比佐伊人(ちひさいひと)也、又、和良波(わらは)也」〈新撰字鏡〉。「童、和良波(わらは)、未冠之称也」〈和名抄〉 ③雑使に従事する少年・少女。「少子、元興寺の童子(わらは)となる。時に其の寺の鐘堂の童子夜ごとに死ぬ」〈霊異記上三〉。「御文つかはさんとて『―参りたりや』と問はせ給ふほどに」〈和泉式部日記〉 ④「五節の童」に同じ。「かからぬ年だに、御覧の日の―の心地どもは、おろかならざるものを」〈紫式部日記〉 ⑤稚児(ちご)。「―の法師にならんとする名残とて」〈徒然五三〉 ㊁《代》【妾】一人称。女が使う。わたくし。わたし。「いざ給へ聖(ひじり)こそ、あやしのやうなりとも、―らが柴の庵(いほり)へ」〈梁塵秘抄三〇二〉。「―をばいかなる男といふとも五六人してはえ従へじ」〈著聞三八一〉 ―あそび【童遊び】子供の遊び。「むかしの御―の名残」〈源氏横笛〉 ―おひ オイ【童生ひ】子供時代の生い立ち。「仲忠が―のあやしさ」〈枕八三〉 ―げ【童げ】㊀《名》《ゲは、アツゲ・サムゲのゲと同じ。…らしさの意》子供らしさ。「あな―や」〈落窪一〉 ㊁【わらは・げ】《動詞》《名詞ワラハゲを動詞化して、連用形に用いたもの》子供らしくふるまう。子供っぽい。「小さきは―・げてよろこび走るに」〈源氏槿〉。「御隠れの遊びのほども―・げたる心地して」〈栄花莟花〉 ―ごこち【童心地】子供の単純な気持。「〔源氏ガ小君ニ〕いとなつかしく語らひ給ふ。―にいとめでたく嬉しと思ふ」〈源氏帚木〉 ―ごころ【童心】子供の感情。子供の頃の感情。「少しおよすげしままに、かたみに思へりし―を思ひ出づるに」〈源氏夢浮橋〉 ―ごと【童言】子供らしい言葉。子供じみた物言い。「あづきなく何の狂言(たはこと)今更に―する老人(おいひと)にして」〈万二五八二〉 ―ずいじん【童随身】随身として召し連れる童。「河原の大臣の御例をまねびて―を賜はり給ひける。いとをかしげにさうぞき、みづらゆひて」〈源氏澪標〉 ―すがた【童姿】元服前の、髪を垂らしている姿。「この君の御―いとかへまうくおぼせど」〈源氏桐壺〉 ―そんわう ‥ノウ【童孫王】童である孫王。「兵部卿の宮の―」〈源氏若菜下〉 ―てんじゃう ‥ジョウ【童殿上】貴族の子が、内裏の作法を見習うために、殿上に奉仕すること。「せうとの―する、常にこの君に参りつかうまつるを例よりもなつかしう語らひて」〈源氏少女〉 ―ともだち【童友達】幼な友達。「はやくより―に侍りける人の」〈新古今一四九七詞書〉 ―な【童名】元服以前の名。幼名。「おとどの御―をば牛飼と申しき」〈大鏡実頼〉 ―べ【童べ】《ワラハ(童)メ(女・妻)の転か。メは、女や妻をいう》①まだ子供である妻。後に、子供・召使など男女とも卑下し見下げていう語。妻の謙称。「かの大将の九(ここのつ)にあたる娘は、頼明が―にてなむ侍る」〈宇津保嵯峨院〉。「はるかの世の物語に、―申し侍めるは」〈大鏡昔物語〉 ②子供。子供たち。「―ぞ出で入り遊ぶ中に…走り来たる女子、あまた見えつる子どもに似るべうもあらず」〈源氏若紫〉。「よからぬ―(娘タチ)あまた侍りて」〈源氏東屋〉 ③子供の召使。「簀子(すのこ)などに若き―所所に臥して今ぞ起き騒ぐ」〈源氏須磨〉 ―べいさかひ ‥イサカイ【童部諍ひ】子供どうしのけんか。「わが子も人の子も、ともに―なり」〈宇治拾遺二一四〉 ―まひ ‥マイ【童舞】①「五節の舞」に同じか。十一月の中の卯の日に行なわれる童御覧の儀であるともいう。「―の夜はいとをかし。燈台にむかひたる顔どももらうたげなり」〈枕九一〉 ②稚児(ちご)の舞。「醍醐の桜会に―おもしろき年ありけり」〈著聞一九八〉 ―みこ【童神子】巫(かんなぎ)をつとめる幼童。「陸奥よりはるばると上りたりける―、夜半ばかりにはかに絶え入りにけり」〈平家一・願立〉 ―やみ【瘧病・童病】間歇熱を発する病気。今のマラリヤもこれに含まれるらしい。「―に久しうなやみ給ひて」〈源氏賢木〉。「―をして、あたり日にはべりつれば」〈大鏡序〉。「瘧病、衣夜美、一云和良波夜美(わらはやみ)、寒熱並作二日一発之病也」〈和名抄〉

わらはか・し ワラワカシ【笑はかし】《四段》笑わせる。「笑はんとだにあらば、―・し奉りてんかし」〈宇治拾遺一八五〉

わらは・し ワラワシ【笑はし】《形シク》《ワラヒの形容詞形》笑いたくてたまらない。哄笑を誘うほどおかしい。「悪しく飛んで腰を損じて苦み入りたりける顔の気色、いと―・しくぞ見ける」〈盛衰記三五〉

わら・ひ ワライ【笑ひ】《四段》《愉快さ・面白さに顔の緊張が破れ、声をたてる意。類義語エミは、微笑する意》①面白がって、口をあき、声をたてる。哄笑する。「『暑きに』とにがみ給へば、人人―・ふ。『あなかま』とて脇息に寄りおはす」〈源氏帚木〉。「はと―・ひ、どと―・ひなどしけり」〈盛衰記二六〉。「微笑、下訓和良布(わらふ)」〈華厳音義私記〉 ②あざける。あざ笑う。「後生の賢者、幸(ねが)はくも嗤(わら)ふこと勿(な)かれ」〈霊異記上序〉。「嗤、戯也、阿佐介留、又、曾志留、又、和良不(わらふ)」〈新撰字鏡〉 ―ぐさ【笑ひ種】①気晴らしの材料。「『ものむつかしき折は近江君見るこそ、よろづ紛るれ』とて、ただ―につくり給へど」〈源氏行幸〉 ②物笑いの種。「是れは世の―にて侍りぬらめども、道を好むにはさのみこそあれと許さるべしをや」〈教訓抄四〉 ―じゃうご ジョウゴ【笑ひ上戸】酒に酔えば、よく笑うくせ。また、そのくせのある人。「霞には―か春の山」〈俳・時勢粧三〉 ―ぼとけ【笑ひ仏】中国南北朝時代の高僧で転輪蔵の創始者傅大士(ふだいし)の二子普建・普成の像の俗称。相対して拍手し、笑っている像で、傅大士の像と共に、寺院の経蔵の前に安置される。「これは正身の北野の―を見るやうな」〈虎寛本狂言・鏡男〉。「花の顔も―か普賢像」〈俳・山の井五〉 ―もの【笑ひ物】物笑いの種。「囃子物が揃はいで、洛中洛外の―になりまして御座る」〈虎寛本狂言・鬮罪人〉 **笑ふ山** 春になって、のどかに見える山の姿。「山笑ふ」ともいう。「―。近年春の季に遣ひ候。これは春山笑ふが如しと言ふ詩の詞を借って遣ひ候」〈俳・俳諧の口伝〉

わらび【蕨】山野に自生するシダ類の一。春、にぎりこぶしのような形に巻いた新芽を出す。茹でて食用とする。「雪消えに摘みて侍るなりとて、沢の芹、峰の―など奉りたり」〈源氏椎本〉。「薇蕨、和良比(わらび)」〈和名抄〉 †warabi

—だる【蕨樽】蕨縄で巻いた手樽。礼物用。「—壱荷・青ざし壱貫文頂戴仕り」〈石井家文書寛永一〇・二一〉 **—て**【蕨手】①拳のように曲がり巻いた早蕨(さわらび)。「春の野に慇懃講の始まりて／礼をするかや挙ぐる—」〈俳・油糟〉②曲線の先端の巻き上がった形が早蕨のようなもの。「鏡台の—」〈俳・乳母三〉。〈日葡〉 **—なは**ワナ【蕨縄】蕨の根茎の肌皮で作った縄。色黒く、水湿に堪える。「—〔一ッ〕百文を六百筋」〈多聞院日記永禄九・九・八〉 **—もち**【蕨餅】蕨の粉を湯で練って作った餅。黄粉などをつけて食べる。「加賀煎餅に—」〈伽・酒茶論〉

わらび【藁火】わらをたく火。「煙たちもゆともみえぬ草のはをたれかわらび(藁火・蕨)となづけそめけん」〈古今四五三〉

わらふだ【円座・藁座・藁蓋】藁を縄にない、渦に巻いて平たく組んだ敷物。わらざ。「つぎつぎの殿上人は簀子に—めして」〈源氏若菜上〉

わらふで【藁筆】わらしべで作った筆。〈夜鶴庭訓抄〉

わらべ【童】「わらはべ」の転。「これはそののち相添ひて侍る—なり」〈大鏡序〉 ▽warawabe→warawabe→warambe→warabe **—すかし**【童賺し】子供をすかしだますこと。子供だまし。わらべたらし。「色色紙—の燈籠かな」〈俳・鸚鵡集六〉

わらべ・し【童し】『形シク』子供っぽい。子供らしい。「髭男二十八九と見えながら、筆の持ちやう—・しく」〈近松・釈迦誕生会三〉

わらや【藁屋】わら葺きの家。また、粗末な家。「世の中はとてもかくても同じこと宮も—もはてしなければ」〈和漢朗詠集述懐〉

わららか《ワラはワラヒ(笑)のワラと同根》快活であるさま。「まみの、あまり—なるぞ、いとしも品高く見えざりける」〈源氏野分〉。「女は—に、にぎははしくもてなし給ふ本性…〔夫ノ〕大将はをかしやかに—なるけもなき人」〈源氏真木柱〉。「—に愛敬づき給へる御心ざまにて」〈狭衣三〉

わらんぢ【草鞋】「わらぐつ」の転。「人が—・金剛をもはかずして、はだしにて」〈尚書抄五〉。〈黒本本節用集〉

わらんづ【草鞋】「わらぐつ」の転。「たとひ登るべきなりとも、—などいう物縛り履き」〈平家三・一行阿闍梨〉

わらんべ【童】《ワラハベの転》子供たち。子供。「物を乞ふ間に、—どもいくらともなく尻に立ちて、笑ひののしる」〈発心集一〉。〈文明本節用集〉

わ・り【割り・破り】□一『四段』《固体などに深いひび・すじを入れ、そこから自然と分れる状態にする意》①力を加えて、まっ二つの状態にする。「石戸—・る手力もがも手弱き女にしあればすべの知らなく」〈万四一九〉②くだく。「若しは研(き)り、若しは刺し、或いは擣(う)ち、或いは裂(ゎ)る」〈法華経玄賛平安初期点〉。「氷(ひ)召して人人に—・らせ給ふ」〈源氏蜻蛉〉③取りこわす。破却する。「所所城城の儀は、何も御—・らせ候て然るべく存じ候」〈伊達家文書三、天正一九・七・一五〉④一定の基準に従って区分する。分割する。「女房の曹司(ざうし)には、廊のめぐりにしたるをなん—・りつつ給へりける」〈宇津保藤原君〉。「所の有様を見るに、その地、程せばくして条里を—・るに足らず」〈方丈記〉⑤理によって物事を分析する。事を分けて説明する。「—・っつ口説いつ云ひて聞かすを」〈浮・当世乙女織三〉⑥割算をする。「十匁を三つに—・り候へば、三匁づつにして一匁余り申すにより」〈割算書〉⑦無理に間を分けて押し入る。「『よりあへや、組まむ』とて真中に—・って入り、かけられければ」〈平治中・義朝六波羅に寄せらる〉 □二『名』①十で割った数を一とする比率。「京都に於て五—の算用に借用申し候」〈伊達家文書一、永正一五・一一・三〉②利率。「預り申す銀子…—は三文子(こ=利子)」〈八坂神社文書上、慶長四・三・一四〉 **—を言・ふ** 道理をいう。事情を話す。弁解する。「親分はのんしのんしで—・ひ」〈雑俳・万句合明和一〉 **—を入・る** ①仲裁者を入れる。調停を入れる。「よくよく—・れ、申し越さるる故と、大慶此の事に候」〈細川忠興文書寛永五・一〇・二〇〉②着物に布片を裁ち入れて、幅広く仕立てる。「為朝は〔左腕ガ長イカラ〕片袖—・れて着る」〈雑俳・柳多留一〇三〉③適当に手加減する。斟酌(しんしゃく)する。「〔連句ノ〕悪いところは、すてっぺんからじうわりと—・れて、不肖ながらよいやうに点をして下さんせ」〈無而七癖三〉 **—を付・ける** 処置する。仲裁する。「品(品川遊廓)の妓夫寺役ならばと—・け」〈雑俳・万句合明和七〉

わりえび【割海老】塩煮にしたエビを、殻付きのまま背割りにして二つに開いたもの。「〔海老ノ船盛ハ〕貴人一御前などばかりにて、残りは只の—にて然るべくや」〈四条流庖丁書〉

わりがゆ【割粥・破粥】細かくひき割った米で作った、病人向きの粥。「恋故に飯はえ食はで—の思ひ内に有れば色やわるけん」〈雄長老百首〉。「糰、ワリガユ」〈和玉篇〉

わりき【割木】薪。特に、小割りにした薪。「東庄より—」〈山科家礼記康正三・七・一六〉。「我が宿に人の—があらばこそ人の—は我が—なり」〈かさぬ草紙〉。「—。薪の小割りにしたるなり」〈浪花聞書〉

わりくだ・き【割り砕き】『四段』①細かく砕く。粉砕する。「沈は黒く重きをよきにす。…刀して細かに—・きて舂くべし」〈薫集類抄下〉②細かく説明する。詳しく解説する。「歌の心を—・き言ふ」〈俳・或時集〉

わりくどき【割口説き】道理を説いて細かに言い聞かせること。「—をして聞かすれども」〈浮・野白内証鑑一〉

わりご【破籠】①薄い檜の白木を曲げて作った、食物を容れる器。中に仕切りがあり、同じ深さの蓋をかぶせる。「北のおとどよりわざとがましくし集めたる鬚籠(ひげこ)ども、—など奉れ給へり」〈源氏初音〉②弁当など、(1)に入れた食物。「昼の—食はせ、よくよく心を取って後」〈盛衰記四二〉

わりたけ【割竹】丸竹の先を割り、叩いて音を響かせるようにしたもの。夜警に用い、また、罪人を叩くのに用いた。われたけ。「—に涙分け越す先払ひ」〈俳・功用群鑑下〉

わりた・て【割り立て】『下二』敵中に突進して追いまくる。割りこんで攻めたてる。「—・て追ひ廻して、さんざんに切りたりけり」〈幸若・景清〉

わりつ・け【割り付け】□一『下二』①二つに断ちわる。「或は冑(かぶと)の鉢を立て割りに胸板まで—・けられ」〈館林盛衰記〉②割り当てる。「本証文の裏を—・け候也」〈大徳寺文書四、永和一・八・二八〉。「国の上中下を分けて貢賦を—・けて」〈杜律七言鈔五〉 □二『名』割当て。「—の銀を包みて神神楽」〈俳・難波千句〉。〈運歩色葉集〉

わりどこ【割床】一室内を仕切って、二つ以上の寝床を敷いて寝ること。また、その寝床。「段段声の枯れる—」〈雑俳・菊多摺〉

わりとり【割取り】売買の仲介をして、差額を利益として収めること。「—の初音様とは思へども」〈俳・飛梅千句〉

わりな・し『形ク』《ワリ(割)ナシ(無)の意。物事をうまく処理し打開しようにも、筋道がつかず、どうにもならない状態である意》①何とも物事の判断がつかない。物のあやめも分らない。「夜さり、暑く、—・き闇にて、何とも覚えず」〈枕一六一〉。「〔幼クテ〕いと—・き御程を、いかに思すにか」〈源氏若紫〉②(状況を打開しようともがいても)どうにもならない。何ともするすべがない。「—・き障りこそものし給ふらめ」〈源氏総角〉。「男侍る女を、いとせちに言はせ侍りけるを、女いと—・しと言はせ(返事シ)ければ」〈後撰六三〇詞書〉 ③余儀ない。やむを得ない。「いかがたばかりけむ。—・くて〔女ヲ〕見奉る程さへ、うつつとは覚えぬぞわびしきや」〈源氏若紫〉。「中納言は人にも見せで、—・き窓をあけて〔絵ヲ〕書かせ給ひけるを」〈源氏絵合〉 ④耐えがたい。「近うさぶらふ限りは、男女、いと—・きわざかなと言ひあはせつつなげく」〈源氏桐壺〉。「君、かの有りし女を恋しく—・く思ひ給ひけれども人を遣はすべき様もなし」〈今昔三三ノ七〉 ⑤《良いにつけ悪いにつけ、どうしようもなく極端な感じにいう》 ㋑不可解なほどひどい。「御物づつみ(恥ズカシガリ)の—・きに」〈源氏末摘花〉 ㋺言うに言われずすぐれている。極めてすばらしい。「あれは手越の長者が娘で候を、眉目(みめ)かたち、心ざま、優に—・き者で候とて」〈平家一〇・千手前〉 ⑥縁が深くて絶ち切れない。「鬼婆(おにうば)憎けれど、さすが—・き仲なれば」〈伽・福富長者物語〉 ⑦《連用形を副詞的に用いて》 ㋑迷惑だが仕方なく。当惑ながらどうにもならず。「〔男ガ〕いみじう酔ひて、—・く夜ふけてとまりたりともさらに湯漬をだに食はせじ」〈枕一九六〉 ㋺もうこれ以上何ともできないほどに。精いっぱいに。「崖(きし)のもとに寄りて、—・く爪立てて、おそろしければわづかに〔谷底ヲ〕見入るれど」〈古本説話六四〉 ㋩無理に。しいて。「〔貝覆イノ遊ビノ時〕良くおほふ人は、余所まで—・く取るとは見えずして」〈徒然一七一〉 ㊁甚だしく。「今は昔、物詣で—・く好みける人の妻ありけり」〈今昔二九ノ三三〉

わりばさみ【割挟】 物を高所に掛けたり、挟み取るのに用いる先端がY形の棒。さんまた。みつまた。「—実にも及ばぬ梢かな」〈俳・佐夜中山六〉

わりひざ【割膝】 左右の膝を開いて、正しく坐ること。また、その膝。「唯—で千秋楽まで」〈俳・大矢数三〉

わりふ【割符】 ①木片・竹片・紙片などに文字を記し、証印を押して二つに割ったもの。それぞれ一方を別別に所持し、後日、合わせて証拠とする。「—のやうに、文字を半ばから竪(たて)にはさみ切って取るかぞ」〈百丈清規抄七〉 ②中世、現物の輸送をしないで、米銭の融通を媒介する証券。為替手形。「浦浦問丸、—を以て之を進上す」〈庭訓往来四月十一日〉 ③証拠。「—のため此の肩衣遣はす」〈西鶴・桜陰比事四〉 **—が合・ふ** (両者の言行などが)一致して矛盾しない。符合する。「丁度—・ひました」〈近松・大経師上〉

わりぶた【割蓋】 縦に二つに割ってある手桶などの木蓋。「其の首手桶に入れて、—にて隠し」〈西鶴・武家義理四〉

わりまつ【割松】 燈火用の、細かく割った松材。「松明、今按ずるに、俗に—と云ふ」〈訓蒙図彙九〉

わりもの【割物】 大きな数の割算。「なんぞ—のやうな事、むつかしい事ならば、算も入りまらせうが」〈虎明本狂言・賽の目〉

わるあがき【悪足掻き】 子供などが、ひどく暴れ、ふざけること。わるふざけ。「—幾度袖を引き破り」〈俳・大句数上〉

わるいむし【悪い虫】 ①立腹しやすい短気な性質。疳癪持ち。「忠兵衛元来—」〈近松・冥途飛脚中〉 ②悪い性質の男の情人。情夫。「どうやら—が付いて、腐りのはいった代物」〈伎・鐘鳴今朝噂上〉

わるがね【悪銀】 品質の悪い銀貨。また、にせ銀貨。「—かへ取ってかづいて負相撲」〈俳・敵帯三〉

わるぎ【悪気】 悪意。邪推。「子共ども—の付かぬうちに」〈西鶴・文反古五〉。「常常—廻され」〈西鶴・伝来記四〉

わるくさ・し【悪臭し】『形ク』 へんに臭い。不快な臭いがする。「甘松。…この香は…赤みて透きたるは—・し」〈薫集類抄下〉。「臭の字は、—・いと心ゆるぞ」〈玉塵抄一〉

わるくち【悪口】 人を悪く言うこと。悪口(あっこう)。「それは皆人の—ぢゃ」〈天理本狂言六義・居杭〉 **—なかま**【悪口仲間】《太鼓持ちは口が悪いところから》 太鼓持ち仲間。「—二三人」〈近松・曾根崎心中〉

わるぐるひルイグ【悪狂ひ】 ①悪ふざけ。「屛風・畳に墨を付け、襖・障子に物を書き、言ふに言はれぬ—」〈若輩抄〉。〈日葡〉 ②色遊び・博奕などのよくない遊び。遊蕩。「雑人共—停止の事」〈慶長日件録慶長八・九・二〉

わるどう【悪功・悪口】 ①世間ずれがしてわるがしこいこと。すれっからし。「大暑は六月の煎り焦がす所なに、暑いは悪い。—の入りた吏官の如くなぞ」〈玉塵抄三〉 ②悪ふざけ。悪洒落。「よき女郎にも—を教へて、そそのかし」〈評判・長崎土産二〉

わるさ【悪さ】 悪いこと。いたずら。また、いたずらをする子供。「むさむさとよごれたる素足にて、かけまはり、—をのみして遊び狂ひけるを」〈伽・東勝寺鼠物語〉。「隣の—は草花をむしり木木の草を盗めり」〈俳・類船集八〉

わるざれ【悪洒落】 ⇒わるじゃれ。「頭から—を言ひ」〈評判・難波鉦一〉

わる・し【悪し】『形ク』《ワロシの転》 ①よくない。正しくない。「君に成るは大事ぞ。身持ちが大事ぞ。—・ければ、責(せめ)一人に帰すぞ」〈論語抄子路〉 ②好ましくない。不都合である。いけない。「始めからこびて字を習ふやうなは—・い」〈周易抄〉 ③劣っている。「老婆のこせついたやうな禅で—・いぞ」〈臨済録抄〉。「劣、ワルシ・ワロシ」〈色葉字類抄〉 ④見劣りする。みっともない。「命を失ふとも眉目—・うなる事は迷惑でござる」〈虎明本狂言・眉目よし〉

わるじゃれ【悪洒落】 相手を困らせる、意地の悪い言動。また、それをする人。わるざれ。「又例の—めが抜かす事には」〈評判・朱雀遠目鏡上〉

わるずい【悪推】 邪推して物事の裏ばかり見ること。悪推量。「人にさするは惜しきとの心にて、御ひやしあるかと、—せられ候」〈評判・難波物語〉

わるび・れ【悪びれ】『下二』 気おくれして卑怯な態度を見せる。未練がましく振舞う。「わろびれ」とも。「東国の奴原に—・れて見ゆな」〈盛衰記四三〉

わるりこん【悪利根】 わるがしこいこと。悪智恵。「心ゆがみ口では偽りかざり—なる者を奸人と云ふ」〈管蠡鈔六〉

われ【我】『代』 ①一人称。わたし。古くは「わ」とも。「—酔(ゑ)ひにけり」〈記歌謡四九〉 ↓あれ(吾) ②自分自身。「—おぼし合はすることやあらむ、うちほほゑみて」〈源氏帚木〉。「—も人も」〈源氏帚木〉 ③二人称。御自分。そなた。のちには相手を卑しめていう。「—は京の人か。いづこへおはするぞ」〈宇治拾遺一三三〉。「貴人の人を召すに、諱(いみな)を召す。もし諱を知ろしめさぬ者をば、『—、こなたへ』なんど召さるる也」〈古今集註〉 ↓おのれ

わ・れ【割れ・破れ】 ㊀『下二』《ワリの自動詞形。固体に深いひびが入り、そこがはっきりした切れ目になって二つになり、元の形にもどらない状態となる意》 ①まっ二つに分れる。「法を聞きつるのちは卵(かひ)の破(わ)れて出でぬるが如し」〈東大寺諷誦文稿〉 ②くだける。「聞きしより物を思へばわが胸は—・れてくだけて利心(とごころ)もなし」〈万二八九四〉。「水晶などの—・れたるやうに水の散りたる」〈枕二三二〉 ③一体となっていたものの間に深いみぞが出来る。決裂する。「公方家の諸侯、三善家〔ノ〕侍と二つに—・れ」〈甲陽軍鑑二〉。「クニガワルル」〈日葡〉 ④秘密が破れて、あらわにな

わ

る。すっかり打ち明ける。「破れかぶれ、奥様に知らせ、いっそー・れて出ようか」〈近松・絶狩三〉 ⑤相撲で、勝負がつかないままになってしまう。引分けになる。「ー・れたるは半月の夜の相撲かな」〈俳・伊勢踊四〉 ⑥今まで持ちこたえていた線が維持できなくなる。相場が下落して、ある値段以下になる。「相場二匁五分で持ち合うて居る時…二匁以下に成ったをー・れると言ふ」〈稲の穂〉 □二『名』 ①割れたもの。破片。「かはらけのーして打たせ給へりければ」〈大鏡師輔〉 ②相撲で、引分けになること。われ相撲。「何と、今の相撲をーなりとは、目がくれたるか、ひいきか」〈浄・ゑしま物語下〉

われありがほ【我在り顔】 自分の存在を積極的に人に知らせるような顔つきや態度。また、自分を誇示するような態度や振舞。「さすが問はねばーに名告りもやらず」〈伽・朝顔の露の宮〉。「ーの侍は、これまた獄卒罪人なり」〈世鏡抄上〉

われいち【我一】 我こそと先を争うさま。自分が先頭になろうとするさま。「百人の流れの姫(遊女)は、ーーと参り」〈伽・小栗絵巻〉

われか【我か】『連語』「我か人か」の略。「〔女ノ急死ニ〕君は物も覚えたまはず、ーのさまにて」〈源氏夕顔〉。「〔秘密ガ露顕シテ〕かんの君はーのここちして死ぬべくおぼさる」〈源氏賢木〉 **ー人か** 自分か他人か区別のつかない状態。取り乱して茫然自失の状態。「あれかひとか」とも。「あまびこのおとづれじとぞ今は思ふーと身をたどる世に」〈古今九六三〉。「物思へばーの心にも此れと此れとぞしるく見えける」〈和泉式部集二〉

われかしこ【我賢】 自分は物が分っていると自分で思うこと。「ーにうちあざ笑ひて語るを、尼君などは傍ら痛しとおぼす」〈源氏手習〉

われがでに【我がでに】『副』「わがでに」に同じ。「ー我を絵に描く九十九折」〈雑俳・蓬萊山〉

われから《割れ殻の意という》 虫の名。海藻などに付着している甲殻類の一。歌では「我から」とかけていうことが多い。「恋ひわびぬあまの刈る藻に宿るてふー身をもくだきつるかな」〈伊勢五七〉

われから【我から】『連語』 ①自分ゆえ。自分のせい。「あまの刈る藻に住む虫のーとねをこそ泣かめ世をば恨みじ」〈古今八〇七〉。「我ながらーぞとは知りながら今一たびは人を恨みむ」〈風雅一三六九〉 ②我ながら。「物の音例よりも澄みのぼりてー哀れも押へがたき御袖の上也」〈延慶本平家四・前中書王〉

われさか・し【我賢し】『形シク』 みずから、しっかり者とみとめているさまである。いかにも分別顔である。「ー・しう思ひしづめたまふにはあらねど」〈源氏椎本〉 **ーびと**【我賢し人】 自分で自分がしっかり者だと思っている人。ひとりよがりのしっかり者。「ーにて〔返事ヲ〕聞えむもいとつましければ」〈源氏総角〉

われ・じ【我じ】『形シク』《ジは犬ジモノのジと同じく、体言につく形容詞語尾。類似していることを示す》 私のようだ。「立ち別れ君がいまさば磯城島(しきしま)の人はー・じく斎ひて待たむ」〈万四二八〇〉

われしりがほ【我知り顔】 自分だけ知っているという顔つき。「寝られねば枕もうとき床の上にーにもる涙かな」〈千五百番歌合一七〉

われずまふ【破れ相撲・割れ角力】 引分けの相撲。われ。〈俳・初本結一〉

われたけ・し【我猛し】『形ク』 自分で自分がえらいと思っている。いい気になってかさにかかった様子である。「かしこく教へたつるかなと思ひ給へてー・く言ひそし侍るに」〈源氏帚木〉

われと【我と】『副』 自分で。自分から。みずから。「この世界にーまつりごとをし、君となりて過ぎむ」〈大鏡道隆〉。「大名はー手をおろさねども、家人の高名を以て名誉す。我等はみづから手をおろさずは叶ひがたし」〈平家九・二度之懸〉 **ーわがで**【我と我がで】 自分自身でするさま。「縁組はーの転び合ひ」〈俳・独吟一日千句〉 →わがでに

われどち【我どち】 自分たちどうし。「ーいふ事も、何事ならむとおぼゆ」〈枕三三〉

われとはなしに【我とはなしに】『連語』 自分(と同じ身の上)というわけではないのに。「ほととぎすー卯の花の憂き世の中を鳴きわたるらむ」〈古今一六四〉

われなべ【破鍋】 大きなだみ声のたとえ。「物越(音声)はー」〈近松・振袖始一〉 **ーには綴蓋** 配偶者は自分に相応の者がよいというたとえ。また、どんな人にもそれ相応の配偶者があるというたとえ。「破鍋にはめげ御器」とも。「ーと云ふ事あり」〈遠近草上〉

われにもあら・ず【我にもあらず】『連語』(自分が)自分であるような気がしない。夢中で何が何だか分らない。「息もせず。ひき動かし給へどなよなよとしてー・ぬさまなれば」〈源氏夕顔〉

われはがほ【我は顔】 自分こそはと言いたげな様子。得意満面の様子。「なほ人の上達部などまでなりのぼり、ーにて家の内を飾り」〈源氏帚木〉

われぼめ【我褒め】 自分で自分をほめること。自讃。自慢。「『つかうまつれり』とーし給ひて」〈紫式部日記〉

われめ・き【我めき】『四段』 我こそはという様子を示す。自信をあらわす。「ー・く人も叶はず見え侍るに」〈源家長日記〉

われもかう【地楡・割木瓜】 秋草の一。茎の先に暗紅紫色の小花が密生する。「ものげなきーなどは、いとすさまじき霜枯れの頃まで思し捨てず」〈源氏匂宮〉

われもの【破れ物】 割れやすい物。また、割れた物。「茶椀ー一、草紙三帖」〈山科家礼記文明三・一〇・三〉。「伏見堀ノ皆ーぢゃ娘の子」〈雑俳・登梯子〉

われら【我等】『代』《ラは接尾語。蔑視・卑下の意をこめて使うことが多い》 ①一人称。④われわれ。自分達。「〔夕顔上ガ〕おはせましかばーは〔筑紫ニ〕下らざらまし」〈源氏玉鬘〉 ⑤わたしなんか。「ーをかれ(ソノ人)がやうにて出でゐよとあらば」〈紫式部日記〉 ②二人称。同等以下に用いる。なんじら。お前ら。わいら。「はてさて、ーは役に立たぬ」〈近松・姫蔵大黒柱一〉 **ーしき**【我等式】 我我のように卑しい者。我等づれ。我我づれ。我我風情。「ーの人は、聞きても如何はと、殊の外にいらふるを」〈発心集一〉 **ーてい**【我等体】「我等式」に同じ。「ーが申す事御聞分け有りて」〈伎・金岡筆二〉

われわれ【我我】 □一『代』 ①「われ」の複数形。わたくしたち。「齢(よはひ)傾くーを、捨ててはいづくへ行きけるぞ」〈伽・天若みこ忍び物語〉 ②自分をへりくだっていう語。わたし。「ーは少しも心の変ることなし」〈伽・七夕の本地〉。「ーは万寿にて候ぞ、これは唐糸にておはします」〈伽・唐糸さうし〉 □二『名』 めいめい。おのおの。各自。「皆各(おのおの)頭を傾けて、ーの力をつくさずといふ事なし」〈大学抄〉 **ーしき**【我我式】「我等(われら)式」に同じ。「ーにも憂目を見せ」〈浄・自然居士三〉

われわれ【割れ割れ・破れ破れ】 割れてばらばらになった状態。個個別別。「民の志一定してーになきを俗と云ふな

り」〈大学抄〉

わろ【吾】『代』「われ」の上代東国方言。「―旅は旅と思(おめ)ほど家(いひ)にして子持(め)ち痩すらむわが妻(み)かなしも」〈万四三四三防人〉 †warö

わろ【和郎・童】男の子。また、人をののしっていう時にも使われる。「松の風引く行平の中な―」〈俳・物種集〉

わろさ【悪さ】「わるさ」に同じ。「―する頭(つぶり)に槌をあてがひて」〈俳・犬筑波〉

わろ・し【悪し】『形ク』《性質がよくない、過っている、悪質である意。平安女流文学では転じて、みっともない、劣っている意を表わすことが多い》①たちがよくない。悪質である。「人性(ひととなり)は怯(つたな)う懦(わろ)くして」〈大唐西域記三・長寛点〉。「いくほどなく―・き病つきて物狂はしければ」〈沙石集一ノ一〇〉②まちがっている。いけない。「行法も法の字を澄みていふ、―・し。濁りていふ」〈徒然一六〇〉③(行為・状態などが)ほめられぬ感じだ。「この世に少し恨み残るは―・きわざとなむ聞く」〈源氏夕顔〉。「人の―・き事はよく見ゆるなり。我が身の―・き事は覚えざるものなり」〈実悟旧記〉④(作品や演奏などが、基準より)劣る感じだ。不出来である。「返り言(返歌)かくゆゑゆゑしからずは、―・しとや思ひ落されなむや」〈源氏常夏〉。「ましてヒチリキヲ―・く吹きたるはいと憎きに」〈枕二一八〉。「輔仁の親王の御名のりを書きたる、―・しとして返され、また奉れるにも、何事とかやありて、三度奏して後こそ納まりにけれ」〈増鏡一〉⑤(暮し向きなどが、以前に比べ)低下している。不如意になっている。「女も男もいと下種にはあらざりけれど、年頃わたらひなどもいと―・くなりて、家もこぼれ」〈大和一四八〉。「この女、親もなくなりて、家も―・くなりゆく間に」〈古今九九四左注〉⑥(物のかたち・人の容姿などが)見劣りがする。みっともない。見ばがわるい。「ソノ女ハ言ひたつれば―・きに寄れるかたちをいといたう持てつけて」〈源氏空蟬〉。「火桶の火も白き灰がちになりて―・し」〈枕一〉。「丈だち、髪のかかり、すべて―・き所なく、優なる女房」〈著聞四三三〉⑦質や程度が低い。たいしたこともない。「コノ紙ハ―・かめれば、寿命経もえ書くまじげにこそ」〈枕二七七〉。「御宿世の―・くおはしましけるを」〈栄花玉村菊〉。「日本に、―・き茶を雲脚と云ふが」〈蠡測集〉

わろ・び【悪び】『上二』劣った様子を示す。「さぶらふ限りの女房のかたち・心ざま、いづれとなく―・びたる無く、目安く」〈源氏総角〉

わろびと【悪人】(身分・教養などの)劣った人。たいしたこともない普通の人間。「やむごとなき車ども立ち込みぬれば、―の車寄りつくべくもあらねば」〈栄花音楽〉。「凡俗、タダヒト・ワロ人」〈名義抄〉

わろび・れ【悪びれ】『下二』「わるびれ」に同じ。「もとよりすぐれたる大剛の者なりければ、ちっとも色も変せず、―・れたる景気もなし」〈平家一一・西光被斬〉

わろもの【悪者】程度の劣る者。たいしたことのない者。「上手はいと勢ひ殊に、―は及ばぬ所多かめる」〈源氏帚木〉

わわく【誑惑・枉惑】①「わうわく」(1)に同じ。「賤しき者を―して物を取りし故なり」〈伽・天神〉②「わうわく」(2)に同じ。「いよいよ人の心奸(かだま)しく―にのみなりて」〈明恵伝記下〉

わわ・け『下二』破れそそける。ほつれ乱れる。「綿もなき布肩衣の、みるのごと―・けさがれる」〈万八九二〉。「弊、ヤブル・ツビタリ・ワワケタリ」〈名義抄〉 †wawakë

わわ・し『形シク』①物騒がしく、落着きがない。軽軽しい。「東宮御鞠なり。…上鞠の事によりて―・しき事ありしかど、つひに勤めぬ。今の世の中、いとうるさきことなり」〈春のみやまぢ〉。「当世流行りたるは此の風体なれども、心きはめて正体なくして、人を威さんと―・しくしたるばかり也」〈連歌十様〉。「軽、ワワシ」〈名義抄〉②やかましい。騒がしい。うるさい。「見も馴れぬ犬の―・しく吠えいでて」〈心玉集〉

わわらば【わわら葉】ほつれ乱れた葉。破れそそけた葉。一説、「わくらば」の誤りとも。「玉に貫き消たず賜(たば)らむ秋萩の末(うれ)―に置ける白露」〈万一六一八〉

わわ・り『四段』怒って、大声を上げて騒ぎ立てる。「邪魔をなすは推参なりと、―・りかかって罵れば」〈浄・藍染川一〉。〈日葡〉

わをとこ【我男・和男】男を親しみ、または、見くだして呼ぶ語。おまえ。おぬし。「―のそこにありし時には告げずして、これにて云ふこそ憎(にく)けれ」〈今昔二四ノ五六〉

わをんな【我女・和女】女を親しみ、または、軽んじて呼ぶ語。おまえ。あんた。「―は何の心によりて…卒都婆を見めぐるを事にして、日日に登り下るこそ」〈宇治拾遺三〇〉。「『さたの』とこそいふべきに…―め、『さたが』といふべき事か」〈宇治拾遺九三〉

わんかぐ【椀家具】漆塗の食器。また、その一揃い。「実如上人に参らせける新しき―を」〈実悟記〉

わんざくれ《ワザクレの撥音化》ええ、ままよ。「若いが二度と有る物か、ああ辛気や―」〈仮・竹斎上〉

わんざん【和讒】「わざん」の転。「今に始めぬ梶原が―かな」〈曾我八〉

わんばう(ウ・ボ)【縕袍】《ヲンバウの転》布子の綿入れ。どてら。また、粗末な衣服。また、他人の着物をけなしていう語。わんぽ。「物着よと言ふ事を―ひっぱれと言ひ」〈俳・それぞれ草中〉

わんばこ【椀箱】椀を入れてしまって置く箱。「―へ…折敷(をしき)二十枚」〈多聞院日記永祿一〇・六・七〉

わんぼ【縕袍】①⇒わんばう。「その紅鹿子の着物は何処の女郎めが―ぞと、責め咎めければ」〈仮・仕方咄五〉②たわら。「―とは俵のこと」〈新撰大阪詞大全〉

ゐ

ゐ【井・堰】①泉や流水から水を汲み取る所。水汲み場。「村の中に浄泉(いづみ)あり。俗(くにひと)、大―といふ」〈常陸風土記〉②地を掘り下げて地下水を汲み取る所。掘り井戸。「馬酔木(あしび)なす栄えし君が掘りし―の石井の水は飲めど飽かぬかも」〈万一一二八〉

ゐ【亥】十二支の第十二。年・日・時、また方角の名などに当てる。①時刻の名。いまの午後九時から午後十一時まで。「―の時にて入れたてまつり給ふ」〈源氏行幸〉②方角の名。北北西。「歳破(暦ノ八将軍ノ一)―に存り」〈寛弘二年具注暦〉

ゐ【猪】イノシシ。「牛は踏む、―は踏むともよ、民な踏みそね」〈琴歌譜〉

ゐ【藺】草の名。湿地に自生。また、水田に栽培し、茎は筵(むしろ)や畳表に、髄(ずい)は燈心に用いる。いぐさ。「上毛野伊奈良の沼の大―草」〈万三四一七東歌〉。〈和名抄〉

ゐ【位】くらい。位階。「一品以下、初位(そゐ)以上を―と曰ふ」〈令義解官位〉。「このころの我が恋力記し集め功(くう)に申さば五―の冠(かがふり)」〈万三八五八〉

ゐ【威】 人を畏服させる勢い。威厳。「入道殿下のなほすぐれさせ給へるーのいみじきに侍るめり」〈大鏡道隆〉

ゐ【居・坐】 ㈠『上一』《「立ち」の対。すわる意。類義語ヲリ(居)は、居る動作を持続しつづける意で、自己の動作ならば卑下謙遜、他人の動作ならば蔑視の意がこもっている》①坐る。坐っている。「父母は枕の方に、妻子(めこ)どもは足(あと)の方に、囲みゐて憂へさまよひ」〈万八九二〉。「しとねにまほにもゐで」〈源氏若菜下〉②(雲・霞・人・舟などが)動かずに同じ場所にじっとしている。「ことがみに来ゐる影姫珠ならばわが欲る珠のあはび白珠」〈紀歌謡九二〉。「霞ゐる富士の山傍(やまび)にわが来なばいづち向きてか妹が嘆かむ」〈万三三五七〉。「ささなみの連庫山(なみくらやま)に雲ゐれば雨ぞ降るちふ帰り来(こ)わが背」〈万一一七〇〉③(鳥が)とまる。「ほととぎす独り生れて…橘(たちばな)の花をゐ散らし」〈万一七五五〉。「寝殿に鳶(とび)ゐさせじと」〈徒然一〇〉④(塵などが)つもる。「いでや〔琴ニ〕手ふれらるる人も無ければ、皆塵ゐにたりや」〈宇津保内侍のかみ〉⑤滞在する。「二三日ばかり母君もゐたり」〈源氏東屋〉⑥地位についている。「前坊の姫君、斎宮にゐ給ひにしかば」〈源氏葵〉⑦《「腹がゐる」の形で》激した感情が落ちつく。「梶原このことばに腹がゐて」〈平家九・生食〉⑧ぴったり当てはまる。しっくりする。「顔の縦横場狭く、朝比奈〔ノ役〕にゐぬ所有り」〈評判・役者大鑑〉⑨《動詞の連用形、または、それに助詞「て」のついた形をうけて》その状態のままでいる。ずっと…している。「春の日のうら悲しきに後れゐて君に恋ひつつうつしけめやも」〈万三七五二〉。「中納言もかくおろかならず思ひほれてゐたるなるは」〈源氏総角〉▽古くは上二段活用であったが、奈良時代には上一段活用に転じつつあったものと思われる。→う(居) ㈡『名』①坐ること。坐っていること。「思ふどち円居(まとゐ)せる夜は唐錦たたまく惜しきものにぞありける」〈古今八六四〉②坐る所。部屋。「例の客人居(まらうとゐ)の方におはするにつけても」〈源氏早蕨〉③動かない様子。「眼居(まなこゐ=目ツキ)ののどかにはづかしきさまも」〈源氏柏木〉

ゐ【率】『上一』事情に通じている者や力の強い者が、先に立って引きつれて行く。「偶(たぐ)ひよく偶へる妹を誰かゐにけむ」〈紀歌謡一一三〉。「吾が背の君を…住吉のわが大御神…平らけくゐてかへりませもとの国家(みかど)に」〈万四二四五〉。「女と物申しけるに、親の戸を押し立ててゐて入りにければ」〈後撰六五二詞書〉

ゐ【齗】『上一』すっぱいものなどを食べて、歯がうく。「齗、波井留(はゐる)、歯傷レ酢也」〈和名抄〉

ゐあか・し【居明かし】『四段』坐ったまま夜を明かす。寝ずに夜明しをする。「ー・して君をば待たむぬばたまのわが黒髪に霜はふれども」〈万八九〉

ゐあきなひナイアキ**【居商ひ】** 店に坐っていて、買いに来る客に商品を売って商売をすること。「羨まし／直切らず朱座のー」〈雑俳・塗笠〉

ゐあつま・り【居集まり】『四段』一か所に集まって坐る。「女房三十人ばかり…うちしほたれつつー・りたるを」〈源氏葵〉

ゐあ・ひイア**【居合ひ】** ㈠『四段』ちょうどその場に一緒に居る。「この人にはー・はじと思ふものを」〈古事談三〉㈡『名』剣道で、坐ったまま、あるいは立った姿勢で素早く刀を抜き、敵を斬り倒す術。元亀・天正頃、林崎重信が創めた。「ー知るものにはならぬ相撲取」〈俳・油糟〉 **ーごし【居合腰】** 居合をする時の片膝を立てて坐った腰つき。また、そのような恰好。「両方力むー」〈浄・烏帽子折一〉 **ーぬき【居合抜き】** 居合を専門にする人。また特に、それを見世物にして、大道で薬・歯磨などを売った芸人。居合師。居合遣い。「ー霰の玉や乱すらん」〈俳・江戸三吟〉

ゐあま・り【居余り】『四段』満員であふれ出る。「都合その勢二万余騎、淀・羽束使・赤井・大渡の在家にー・りて、堂舎仏閣にみちみちたり」〈太平記二六・正行参吉野〉

ゐい・り【居入り】『四段』坐りこむ。「簾の内に人人あまたありて物などいふに、ー・りてとみも帰りげもなきを」〈枕七四〉

ゐかか・り【居掛かり】『四段』坐ってよりかかる。「優なる女の、姿・にほひ、人よりことなるが、わけ入りて膝にー・れば」〈徒然二三八〉

ゐか・け【居懸け】『下二』のしかかるようにして坐る。「右の袖の上にー・けられて、伏目になって色を失はれければ」〈平治上・光頼卿〉

ゐがさ【藺笠】 藺の茎で編んだ日よけの笠。「ー着たる者、身には紺の狩衣を着たり」〈今昔一九ノ八〉

ゐがはイガワ**【井側】** 掘り井戸の周りに設けた壁。井戸側。また、その井戸。「川端にーを立て、井掘り申し度き由申し候」〈梅津政景日記寛永八・六・一六〉。「狐と野牛、大きに渇して、或るーの中へ連れ立って入って、思ふままに飲うで後」〈天草本伊會保〉

ゐかは・りイカワ**【居替り】**『四段』①交替して坐る。「不断の経よむ時かはりて鐘打ち鳴らすに、立つ声もー・るも一つにあひて」〈源氏夕霧〉②交替して住む。住み替る。「この内には何者がー・りたるぞ。今朝、山へ我は行きてただ今帰りたるに、家の模様も違ひ人も皆替りたり」〈観経直談鈔八〉

ゐき【位記】 叙位の旨を記した文書。「始めて冠を賜ふことを停めて、易(か)ふるにーを以てす」〈続紀大宝一・三・二一〉。「僧は度祿を取り、俗はーを取りて配所を定められけり」〈平治上・信西の子息遠流〉

ゐぎ【威儀】 挙措進退などが、いかめしい作法・礼式にかなっていること。また、その挙措進退。「請僧皆ーいつくしうて参りたる」〈栄花玉飾〉。「四のー(行住坐臥ノ作法)の中に、ただ彌陀の相好、浄土の荘厳を観じて」〈今昔一五ノ一〉

ゐぎし【威儀師】 授戒または法会の時、儀式の指図をする僧。「御斎焼燈一に旧儀に依る。ー一人、西大寺僧二十五人を率ゐて天皇の奉為(おほみため)に金剛般若経五十巻を転念す」〈三代実録元慶八・三・三〉。「えせものの所得るをり。…季の御読経のー」〈枕一五六〉

ゐぎそう【威儀僧】「威儀師」に同じ。「ーには、えも言はぬ者ども選(え)らせ給ひき」〈大鏡道長〉

ゐぎのおもの【威儀の御膳】 威儀の作法にかなった貴人の食膳。「〔三月三日節供〕ー参る」〈宇津保吹上上〉。「〔紀伊国行幸〕ーはさらにも言はず…海山のものを尽して参り」〈宇津保吹上下〉

ゐぎのみこ【威儀の親王】 即位式や朝賀の時、玉座の傍にいて、威儀を整える役をする親王。「御即位あり。…今十人は摺唐衣きつつ、髪あげて並び、ー、褰帳(けんちやう)など例の事なり」〈栄花根合〉

ゐぎのみやうぶイギノミョウブ**【威儀の命婦】** 即位式や朝賀の時、玉座の傍に列侍して、威儀を整える役をする女官。「監(げん)の命婦、朝拝のーにて出でたりけるを」〈大和七八〉

ゐきやく【違格】《格(きやく)に違反する意》①道理にはずれること。相違すること。「われよりーしたるにあらず」〈こんてむつすむん地三〉。「違格、ヰキャク、格則格式也…又用ニ違却字一」〈書言字考〉②難儀。困惑。「俗、事に違うて難儀する事をーすると云ふは」〈齊東俗談一〉

ゐぐさり【居腐り】 動かずに何時までも同じ場所に居ること。遊女が身請けされないで何時までも廓に居たり、金銭が使用されないで隠蔵されていることなどにいう。「戸棚の

片隅に—になりて」〈評判・朱雀遠目鏡序〉

ゐぐつ【藺履】藺の茎で編み、紙の緒をつけた草履。「僧ども…十二十人つづき立ちたり。此のなりども、さまざまいみじくつきづきしくして、—どもを履きたり」〈栄花音楽〉

ゐくび【猪頸】《猪の首に似ていることから》①短い首。ずんぐりした首。「夏の夜は持てるキセルの—かな」〈俳・伊勢踊三〉。〈文明本節用集〉②兜をややあみだにかぶること。首のまわりが兜の錏(しころ)で覆われ、首が短く見えるのでいう。「旗さしは黒かはをどしの鎧に、甲—に着ないて」〈平家九・一二之懸〉

ゐぐひイ…グ【居食ひ】①働かずに徒食すること。座食。「むさとしたる芸者、—する者が多ければ、国が必ず不弁(ふべん)するぞ」〈三略抄〉②中将棋(ちゅうしゃうぎ)の術語。獅子などの駒が、自分は動かずに、周囲に位置する敵駒を自由に捕ること。挟み将棋でもいう。「その有様は、勝ち負けせめたる中将棋の盤の上…飛鷲・角鷹は威を振ひて辺りを—する、その働きにも似たり」〈伽・鴉鷺合戦物語〉。「獅子の—は荒き下風」〈俳・大矢数一〉

ゐくら・し【居暮し】〘四段〙日の暮れるまで坐っている。「すずろに—・さむも怪しかるべければ」〈源氏夢浮橋〉

ゐくろ・み【居黒み】〘四段〙その場所いっぱいに住む。所狭しと住む。「その時まで、宇治のへんは人も—・みたるさまにてもなくて」〈愚管抄四〉

ゐくろ・め【居黒め】〘下二〙①その場所いっぱいに居を占める。所狭しと住む。「世の人の家居豊かに、竈の煙薄からず、調度等所狭く住みなしたるを、俗に—・むると云へり」〈堀河の水上〉。「居黒、ヰクロムル」〈文明本節用集〉②居馴れる。住み馴れる。「子生(む)まんと巣や—・むる親鳥」〈俳・崑山集三上〉

ゐげげ【藺下下】藺を編んで作った草履。「とがむべき人もあらじな—はき雲ゐの月をのぼりてや見ん」〈七十一番歌合〉→げげ

ゐげた【井桁】井戸の縁を木で四角に組んだもの。「深き—を切るなるは、欄井(らんせい)の釣瓶縄(つるべなは)」〈謡・金札〉

ゐげん【威言・威厳】横柄な態度で言動を誇示すること。「竹斎は御調儀に乗り、—をぞ申しける」〈仮・竹斎下〉。「我等どち寄りては—に言ふ事なり」〈評判・難波物語〉

ゐげん【遺言】ゆいごん。「無用の—を書き置きける」〈浮・真実伊勢三〉

ゐご【囲碁】碁を打つ遊び。「—一局あそばす間、病痊忽ち平愈」〈古事談三〉

ゐこ・め【居籠め】〘下二〙ぎっしり詰めて坐る。「—・めたりつる人も皆くづれ出づる程に」〈大鏡昔物語〉

ゐこんがうウ…ゴ【藺金剛】藺を編んで作った金剛草履。「急に走るゆゑに—やがてやぶれて」〈奇異雑談集二〉

ゐざ【居座】①坐るべき場所。「娘を呼び出し、脇の—に置き」〈天理本狂言六義・賽の目〉②身体を真直ぐにして坐ること。居座高(いざだか)。「治部卿—になり」〈浄・三社託宣四〉

ゐざけ【居酒】居酒屋の店先で酒を飲むこと。のちに、居酒屋をもいった。「名月や—飲まんと頬かぶり」〈俳・いつを昔〉

ゐさらひライサ ライ【臀】尻。「臀、井佐良比(ゐさらひ)、坐処也」〈和名抄〉

ゐざ・り【居ざり】㊀〘四段〙《ヰ(居)サリ(去)の意》①坐ったまま、膝や腰を滑らせて移動する。膝行する。「昼のおましに—・り出でておはします」〈源氏賢木〉②舟底が浅瀬にさわって、のろのろ進む。「舟をひきつつのぼれども、川の水なければ、—・りにのみぞ—・る」〈土佐二月九日〉㊁〘名〙【躄・膝行・坐行】足の立たない者。「『まづ立て』『いや〔私ハ〕—でござる』」〈虎明本狂言・三人片輪〉 **—まつ**【躄松】低く地をはっている枝ぶりの松。はい松。「腰折れし子(ね)の日の歌や—」〈俳・山の井五〉

ゐしか・り【居敷かり】〘四段〙《ヰジカリとも》尻をすえる。あぐらをかく。「—・って見るは岩間の躑躅(つつじ)かな」〈俳・玉海集一〉

ゐしき【居敷】㊀〘名〙①座席。「もし草を敷きて坐(ゐしき)とせば、恐るらくは火に焼かれむことを」〈紀神功、摂政四十九年〉②尻。「—より血が出、痛みまして」〈盤珪禅師御示聞書上〉㊁【ゐし・き】〘四段〙《名詞「居敷」を動詞に活用させた語》坐る。「しばらく—・いてをりましたによって、しびりがきれました」〈虎寛本狂言・抜殻〉。〈文明本節用集〉 †wisiki

ゐじゃうヨウ…ジ【居城】大将が本拠として住む城。「即ち関東へ下着し、昔の鎌倉に—を占め、東海道・東山道を治め給へり」〈栗栖野物語〉。〈文明本節用集〉

ゐしょ【居所】住んでいる場所。住所。「ゐどこ」「ゐどころ」とも。「又は—に依って、所作の善悪有りと言へり」〈仮・悔草中〉

ゐしょ【位署】公文書に官位を連ねて記す法式。官と位が相当する時は「中納言、従三位、某」のように官を上に書き、相当しない時は位を上に書く。位が高く官が低い時は行(ぎゃう)の字を加えて「正二位、行、大納言」のように、また、位が低く官が高い時は守(しゅ)の字を加えて「従三位、守、大納言」のように記した。「堀河院の御時の和歌の御会に、京極の大殿御—に、散位従一位藤原朝臣某と書かせたまひたりける」〈著聞一四九〉

ゐしょう【称唯】宮中作法で、高貴の人の命令を受けた時「をを」と声高に応じること。「—の音(こゑ)細くして且つ高く」〈続後紀承和九・五〉。「—、セウヰと書きてさかさまによむ也。唯は仰せを領承の詞也」〈宣胤卿記永正一四・一・九〉

ゐしり【居尻】坐っている尻。また、坐ること。「秋迄も—になれる螢哉」〈俳・埋草三〉。「鶯の—や冷えん梅の雪」〈俳・砂川下〉

ゐじり【居尻】馬の鞍壺(くらつぼ)の後部。「かまへて馬に乗せて、伯父(をぢ)—に乗りて、やうやく行きければ」〈今昔二六ノ五〉

ゐすく・み【居竦み】㊀〘四段〙その場にすくんで動けなくなる。「女房達—・みて、たつ心地いとわびし」〈栄花若ばえ〉㊁〘名〙《ヰズクミと濁音》①その場にすくんで動けないこと。「—に成るとも可也花の本」〈俳・夢見草一〉②誓詞の一。自分の言う事に偽りがあるなら、自分は居竦みになっても構わないの意。「愛宕白山、—、みしゃり、此の火に茶毗(だび)せられうぞなどと、恐ろしき誓言する事、甚だ良からぬ事と言へり」〈俳・かたこと一〉

ゐずまひマイ…ズ【居ずまひ】①坐りかた。「高膝まづきといふ—に、御前のかたにむかひて」〈枕五六〉②様子。ありさま。「敵(かたき)の—見すまして」〈伽・高野物語〉

ゐずまふモウ…ズ【居相撲】坐ったまま取る相撲。膝が床から離れたり、倒されたりした者を負とする。「のどけき品の有るは—」〈俳・尾蠅集〉

ゐせき【堰】川の流れをせきとめた所。「梅津川春の暮れにぞなりにける瀬瀬の—に塞(せ)きも止めなむ」〈曾丹集〉。「堰埭、以土遏水也、井世木(ゐせき)」〈和名抄〉

ゐたか【威高・位高】「いたか」に同じ。「武士も亦—に、こめを見せ」〈仮・大仏物語上〉

ゐたく【居宅】住む家。住居。「きょたく」とも。「—を大きに

申しなし」〈西鶴・椀久一世上〉

ゐたけ【居丈】坐っているときの身の高さ。「薬師像一軀、―八尺」〈西大寺資財流記帳〉。「―の高くをせなが(胴長)に見え給ふに」〈源氏末摘花〉　**―だか**【居丈高】①居丈の高いこと。胴長。「かたほにものし給はむ人の、―に、髪少なにて、倚子のおましにのぼり給はむは見苦しうやあらまし」〈栄花根合〉②背をまっすぐに伸ばして、相手を見くだすさま。「『興なる修行法師めが面(つら)や』と―になりて申しける」〈義経記三〉

ゐた・ち【居立ち】『四段』坐ったり立ったりする。人のために骨身を惜しまず世話をする意。「〔帝ガ〕―・ちおぼしいとなみて、限りあることに事を添へさせ給ふ」〈源氏桐壺〉

ゐだてん【韋駄天】増長天八将軍の一。仏法守護の神。捷疾鬼(しょうきつ)が仏舎利を奪い逃げ去った時、追いかけて取り戻したという俗伝から、よく走る神とされ、足の速い人にたとえられる。その像は武装して宝棒を持つ。「毗沙門天王の御子に―と申す将軍に対面して」〈盛衰記八〉。「搦手(からめて)を救はんとて、馳せ向ひける有様は、さながら―の如くなり」〈雲陽軍実記二〉　**―だち**【韋駄天立ち】韋駄天の像のように直立すること。「素足清げに踏み揃へ、―に立ったるは」〈浄・多田院一〉　**―ばしり**【韋駄天走り】韋駄天のように速く走ること。「坂を上りに―」〈近松・本朝三国志一〉

ゐちょく【違勅】天子の命令にそむくこと。「さるほどに一の橋に―の者ありと聞えしかば」〈保元上・親治等生捕らる〉

ゐつ・き【居着き】『四段』①坐って落ちつく。「やがて―・きて、ものいふなり」〈枕二九二〉②住み着く。「さるほどに―・き候ては、翁をまた人によもほか目せさせ侍らぬをや」〈大鏡昔物語〉

ゐづつ【井筒】井戸の地上の部分に設けた円形の囲い。後には方形のものをもいう。「筒井筒―にかけしまろがたけ過ぎにけらしな妹見ざるまに」〈伊勢二三〉

ゐつづけ【居続け】連日、余所に泊まって家に帰らぬこと。特に、遊里などで連日遊び続けて家に帰らぬこと。流連。「我等は旅の仮枕、十日ばかりの―。心もとなしと言ふ所へ」〈西鶴・諸艶大鑑八〉

ゐで【堰・井手】田へ水をひくために、川の水をせきとめた所。「伊香保ろの八尺(やさか)の―に立つ虹(のじ)の顕はろまでもさ寝をさ寝てば」〈万三四一四〉

ゐでん【位田】令制で、有品の親王と五位以上の官人に位に応じて与える輪租田(ゆそでん)。死後は収公の定めであったが、以後次第に行なわれず、荘園のもととなった。「制すらく、五位以上薨卒の後、例六年を限りて其の―を収(と)ること勿れ」〈続紀神亀三・二・一〉

ゐど【井戸】《ドは所の意》①水を引くために、湧水や流水をせきとめた所。「田中の―に光れる田水葱(たなぎ)」〈催馬楽田中〉②掘り井。〈日葡〉③「井戸茶碗」に同じ。「―・三島・粉引・熊川(こもがえ)などの茶碗は縄括げにして」〈浮・好色敗毒散四〉　**―の端**(はた)**の童**(わらんべ)　危険な状態のたとえ。「井戸の端の茶碗」とも。〈俳・世話尽二〉

ゐどがへ…ガエ【井戸替】井戸の水をすっかり汲み上げて中を掃除すること。近世、特に七月七日の行事で、井戸の蓋の上に素麵・瓜などの供え物をした。井戸さらえ。「―は必ず秋の七日かな」〈俳・続境海草三〉

ゐどぐるま【井戸車】井戸の上の横木に吊し、井戸縄を掛け、釣瓶(つるべ)を上下させる滑車。「―おのれ動きて床さめし」〈俳・うちくもり砥〉。「いろはねどがらがらといふ―」〈俳・千句のあと〉

ゐどころ【居所】①坐った場所。居場所。「道のへに乞匃(かたゐ)伏せり。…大小の便利、坐所(ゐどころ)にして臭く穢れたり」〈東大寺諷誦文稿〉②滞在したり、住んだりする場所。住まい。「紙障子ばかりにて、粗粗(あらあら)しきかりそめの―と見えたる」〈狭衣三〉。「大弐の―ははるかなれども」〈大鏡時平〉③尻。いしき。「盥に水を汲みて―を浸して」〈伽・福富長者物語〉

ゐどぢゃわん【井戸茶碗】朝鮮産の抹茶茶碗の一種。古来茶人に珍重された。井戸。「―・なつめ・備前水こぼし〔ナドアリ〕」〈宗及他会記天正六・一〇・二五〉

ゐどみみ【井戸耳】耳殻の無い耳。「穴耳(けつに)とは耳に輪無きものなり。俗に―と云ふ」〈善悪因果経龜鑑五〉

ゐなか【田舎】都から離れた所。地方。ひな。「昔こそ難波―と言はれけめ今は京(みやこ)引き都びにけり」〈万三一三〉。「鄙、イヤシ・ヰナカ・ヒナ」〈名義抄〉。「田舎、ヰナカ」〈名義抄〉　**―えびす**【田舎夷】田舎者を嘲っていう語。「さすがは―よなう」〈近松・薩摩歌中〉　**―がふし**…ゴウ【田舎合子】田舎風のふたのある椀。「―のきはめて大きに、くぼかりけるに」〈平家八・猫間〉　**―せかい**【田舎世界】地方。中央に対していう。「一代に一度の見物にて、―の人だに見るものを」〈更級〉。「そこら集まりたる―の民百姓」〈大鏡道長〉　**―だ・ち**【田舎だち】『四段』田舎らしさが目につく。「―・ちたる所に住むものども」〈枕二五〉　**―・び**【田舎び】『上二』いかにも田舎じみている。「都のすみか求むるを、にはかにまばゆき人中いとはしたなく、―・びにける心地も静かなるまじきを」〈源氏松風〉　**―に京**(きゃう)**有り**　田舎にも都らしい上品な風情が有ることがあるの意。〈俳・毛吹草二〉　**―びと**【田舎人】田舎の住人。田舎者。「ゐなかうど」とも。「物の心えぬ―ども」〈源氏浮舟〉。「田舎児、ヰナカビト」〈名義抄〉　**―ま**【田舎間】主として関東地方で行なわれる、室の広さを計るに用いる尺度。曲尺(かねじゃく)で五尺八寸を一間とする。後、単に長さを計る時にも使う。「―の畳」〈俳・毛吹草三〉。「日本橋通の分は―拾間、本町通は京間(きゃうま)七間に、前前より相定め候」〈正宝事録明暦三・四・五〉　**―わざ**【田舎業】田舎風の、質素でがっしりしたつくり。「碁・雙六の盤、調度、弾碁(たぎ)の具など―にしなして」〈源氏須磨〉　**―わたらひ**ワタライ【田舎渡らひ】田舎を廻りあるくこと。地方めぐりをする役人。「―しける人の子ども」〈伊勢二三〉

ゐながら【居ながら】『副』《坐ったままの意から》その場で。即座に。「その時に、栄常、たちまちに―口ゆがみぬ」〈今昔一四ノ二八〉。「―七枚の起請文をかいて」〈平家一二・土佐房〉

ゐなが・れ【居流れ】『下二』ずらりと並んで坐る。「遠侍(とほさぶらひ)には大人(おとな)、若き者五十人ばかり―・れたり」〈義経記二〉

ゐなし【居なし】①住んでいるありさま。住まいの様子。「民家の―を見んとて、年年にこの山に登りて」〈三体詩抄三ノ一〉。「やれやれ、いかい―かな」〈虎明本狂言・賽の目〉②服装などのありさま。恰好。「かやうの―は歴歴(れきれき)にて候」〈仮・薬師通夜物語〉。「―よければ人も用ゆる」〈俳・夢見草五〉

ゐなじ・み【居馴染み】『四段』久しく居て馴れ親しむ。「京衆大坂に住宅せられし挨拶に。―・むや此処も難波の都鳥」〈俳・夢見草四〉。「妹婦(おとよめ)の―・む迄の物思ひ」〈俳・生駒堂〉

ゐなほ・り…ナオリ【居直り】㊀『四段』①居ずまいを正す。「こは宮の御消息かと―・りて」〈源氏夕霧〉。「僧都さし入りて未だ―・らぬほどに」〈法然上人行状絵図〉②坐り直してぶてぶてしく構える。「西光もとよりすぐれたる大剛の者なりければ…ー・りあざ笑って申しけるは」〈平家二・西光被斬〉。「とかくの返事にも及ばず、いよいよー・りてぞありける」〈三国伝記三〉 ㊁『名』居ずまいを正すこと。坐りなおすこと。「この中納言殿まゐり給へれば、うるはしくなりて、ーなどせられければ」〈大鏡道隆〉

ゐな・み【居並み】『四段』並んで坐る。居ならぶ。「なみゐる」とも。「翁の七人ー・みて、おのおの詠める歌」〈俊頼髄脳〉

ゐなら・ひライナ【居慣らひ】『四段』坐ることに慣れる。坐りつける。「かかるものの外(と)には、まだー・はず」〈源氏東屋〉

ゐなら・び【居並び】『四段』並んで坐る。「おはします所に参りて、五所ー・ばせ給へりしを見奉りしかば」〈大鏡藤氏物語〉

ゐなり【居成】①動かず、もとのままでいること。じっとしていること。「扱ひになりける〔上〕は、此のまま〔居城ニ〕ーに許し給へと申しければ」〈三河物語下〉 ②家屋の売買・貸借の時にその他一切現状のままであること。家の畳・建具いう。「屋敷、前のーに成り候由」〈細川忠興文書寛永三・四・六〉 ③奉公人・遊女・役者などが、年季が明けても、引続いて奉公すること。「此の春も盧同が男ーにて」〈俳・猿蓑下〉

ゐ・ね【率寝】『下二』自分が先に立って(女を)連れて行って、共寝をする。「我がー・ねし妹は忘れじ」〈記歌謡八〉

ゐねうヨウニ【囲繞】まわりをめぐること。特に仏教で、仏のまわりを右まわりに三度めぐって礼拝する作法。「御修法・御読経かたがたの御祈りの僧、心を合はせて声もをしまずーじ奉る程の」〈栄花嶺月〉 **ーかつがう**ウゴ【囲繞渇仰】仏のまわりをめぐって深く帰依礼拝すること。転じて、そのように、うやまいかしずき、また、大切に扱うこと。「その〔中シ子ノ〕名を若一(にゃくいち)殿と名づけつつ、ーなされけり」〈伽・橋弁慶〉

ゐのくち【井の口】灌漑用水など、水の取入れ口。水門。「高時川のーを碧潭と成して」〈三国伝記六〉

ゐのこ【猪・猪子】①イノシシ。または、イノシシの子。「ゐこ」とも。「鮪(しび)の若子(わくご)を漁(あさ)り出(づ)なー」〈紀歌謡九五〉。「豵、為乃子(ゐのこ)」〈新撰字鏡〉。「豚、ヰノコ、豕子也」〈色葉字類抄〉 ②【亥子・玄猪】十月の亥〈ゐ〉の日の行事。亥の刻に餅を食べて、万病を除き、子孫繁昌を祝う。猪の子は数多く生れるので、子孫の繁栄をもたらすとされたという。「五節供並びに朔日・名月・ー等停止すべき事」〈空善記〉 ③「ゐのこもち」の略。「山寺の新発意(しんぼち)掻餅(かいもち)ーかな」〈俳・犬筑波〉。「餅二片持ち来たる。俗に所謂(いはゆる)ー也」〈臥雲日件録抜尤応仁三・一〇・二六〉 **ーぐも**【猪子雲・亥子雲】猪の爪のように、黒くまだらな雲。暴風の前兆とされる。「雲払ふ月の光におひにけり走り散りぬるーかな」〈夫木抄一九・雲〉 **ーばしり**【猪走り】猪のように、無鉄砲に突進すること。「ーに面も振らず」〈近松・今川了俊五〉 **ーもち**【亥子餅】「ゐのこもちひ」の転。「なによりも心にぞつくー」〈著聞六三七〉 **ーもちひ**イモチ【亥子餅】亥子の日について食べる餅。「その夜さり、ーまゐらせたり」〈源氏葵〉 →ゐのこ(2)

ゐのしし【猪】《「猪(ゐ)の肉(しし)」の意》イノシシ。愛宕権現の使者とも信じられていた。「愛宕はーを使者とせる故」〈土岐累代記〉。〈黒川本色葉字類抄〉 **ーむしゃ**【猪武者】思慮分別がなく、ただ、がむしゃらに敵に向って突き進む武者。「片趣(かたおもむき)なるをば、ーとてよきにはせず」〈平家二・逆櫓〉

ゐのふ【胃の腑】胃袋。「論に曰く、ーは脾に属す」〈壒嚢鈔七〉 **ーに落・ちる** よくわかる。得心する。腑に落ちる。「きさ(女ノ名)めが申した分では、さらさらー・ちませぬ」〈近松・今宮心中上〉

ゐのめ【猪の目】《形が猪の目に似るのでいう》器物の飾りとして彫る細長い刳形(くりがた)。「琵琶名所。…撥(ちば)、山形ーこれ在り」〈胡琴教録下〉

ゐのもと【井の底】①井戸の底。「空しくーに日を送りて、つひに、はかなくなりにけり」〈伊曾保物語下〉。〈日葡〉 ②井戸。「井もと」とも。「八嶋屋のーへ鼠を犬が追ひ入れ候」〈北野目代日記延徳二・一二・二五〉

ゐはい【位牌】死者の霊をまつるため、その法名を書いた木の札。禅宗を通じて一般に普及した。「天龍寺夢窓国師のーの前にて百韻連歌に。鳴けばこそ名は残りけれ郭公」〈菟玖波集二〇〉。〈伊京集〉 **ーちぎゃう**ヨウギ【位牌知行】親の位牌を守るだけで知行を取っている意で、世襲の禄にしがみついている武士をののしっていう語。「ー袖の水田(感涙ヲ流ス)や霊(たま)祭」〈俳・向之岡中〉

ゐはうウホ【位袍】位によって定められている色に染めた袍。「宸儀出御、ー、御靴、幼主糸鞋(しあい)」〈江家次第一・小朝拝〉 →袍〈はう〉・当色〈たうじき〉

ゐばからひライバカ【居計ひ】自分は坐ったままで、人にいろいろと指図すること。「北条〔氏政〕ーの申しやう、関東一の木戸、箱根山丈夫に要害をかまへ、あひかかへべきにて候」〈太閤さま軍記のうち〉

ゐびたれ【居浸れ】①寝小便。「法水を流すーむしろ」〈俳・功用群鑑下〉 ②他の家に居続けて帰ろうとしないこと。いりびたり。「ゐびたし」とも。「ごぜに平家を望むー」〈雑俳・さざれむめ〉

ゐふ【位封】令制で、有品の親王と三位以上の王臣に位階によって与えられる封戸(ふこ)。「令を案ずるに、諸王諸臣のー、正一位の三百戸より差(やや)降して従三位の一百戸に止まる。冠位已に高くして食封(じきふ)何ぞ薄き」〈続紀慶雲三・二・一六〉

ゐぼとけ【居仏】坐った姿の仏像。「三尺の阿彌陀を用ゐよ。また、ーもよし」〈孝養集下〉

ゐまけ【居負】戦場で対陣し、少しも進めずにじっとしていて、形勢が悪くなること。「源氏はーになりたるは」〈近松・佐々木大鑑一〉

ゐまち【居待】「居待の月」の略。「いざよひ・ーの程、心をつくし果てて」〈中宮亮重家朝臣家歌合〉 **ーづき**【居待月】〔枕詞〕坐って待つ月の出の明るいことから、地名「明石」にかかる。「ー明石の門(と)ゆは」〈万三八八〉 **ーのつき**【居待の月】陰暦十八日の夜の月。月の出を坐って待つからという。「やうやう日暮れ、ーさし出でて、海上も照りわたり」〈平家七・竹生島詣〉

ゐまは・りワリマ【居廻り】『四段』ぐるりと輪になってすわる。「わがゐたるうつほ木のまへにー・りぬ」〈宇治拾遺三〉

ゐもり【井守・守宮】イモリ。「ーといふ虫は古き井などにとかげに似て尾長き虫の手足つきたるなめり」〈俊頼髄脳〉。「守宮、ヰモリ」〈色葉字類抄〉 **ーのくろやき**【井守の黒焼】雌雄のイモリを竹の筒に入れて黒焼にし、粉末としたもの。相手にふりかけたり、酒に入れて飲ませたりして惚れ薬とした。「ー女悦丸としたるが、安神散に包み添へたる」〈浮・三代男一〉 **ーのしるし**【井守の印】イモリの血を女の身体に塗ったもの。女が不義をすると、たちまちその印が消えるという。「哀れまた付くる心の由ぞ無きーそれと見ながら」〈新撰六帖五〉。「ー。ゐもりの血を取りて女の身に塗る也。他淫を犯す事あれば落つる也」〈匠材集二〉

ゐや【礼】《ウヤの母音交替形》うやまうこと。「天皇、皇后に謂(かた)りて曰(のたま)はく、『何ぞ常のーを失へる』とのたま

ゐ

ふ」〈紀允恭七年〉

ゐや【居屋】住む家。居屋敷。「太宗は―をつくらず」〈正法眼蔵随聞記五〉

ゐやしろ【礼代・礼物】敬意を表わすしるしとして贈る品物。礼物(れいもつ)。「その妹(いも)の―として」〈記安康〉

ゐやな・し【礼無し】『形ク』(相手を)尊敬せず、失礼である。礼儀が無い。「君を助け護り、対(むか)ひては無礼(ゐやな)き面(おも)へり無く、後には謗(そし)る言(こと)無く」〈続紀宣命四四〉。「是歳(ことし)百済(くだら)の辰斯王立ちて、貴国の天皇のみために失礼(ゐやな)し」〈紀応神三年〉

ゐや・ひ ィ…ャ【居合ひ】『四段』《ヰアヒの転》ちょうどその場に居る。居あわす。「そのほとりに―・うたパストル、この狼の隠れたところをよう見たによって」〈天草本伊曾保〉

ゐや・び【礼び】『上二』《ビは動作する意を示す接尾語》うやまう。「天社(あまつやしろ)国社(くにつやしろ)の神たちをも―・びまつり」〈続紀宣命三八〉　†wiyabi

ゐやま・ひ イヤマイ【礼まひ・敬ひ】『四段』《ヰヤはウヤの母音交替形。マヒはフルマヒのマヒに同じ。相手への礼儀を、大きい動作で表現する意》(相手を)尊んで礼儀を尽す。「厳瓮(いつへ)を造りて、天神(あまつやしろ)地祇(くにつやしろ)を―・ひ祭れ」〈紀神武即位前〉。「事を忍ぶるは人に―・はる、忍びぬは人に悪(に)くまる」〈三宝絵上〉　†wiyamaFi

ゐややか【礼やか】うやうやしいさま。礼儀にかなったさま。「家の人の、出で入り(挙措進退)、憎げならず―なり」〈土佐二月十五日〉

ゐやゐや・し【礼礼し・恭し】『形シク』《ウヤウヤシの母音交替形》いかにも礼儀正しい。うやうやしい。「『あなかしこ』と、―・しく書きなし給へり」〈源氏真木柱〉

ゐゆ・き【率行き】『四段』先に立って連れて行く。「布施置きてわれは乞ひ禱(の)むあざむかず直(ただ)に―・きて天路(あまぢ)知らしめ」〈万九〇六〉　†wiyuki

ゐよ・り【居寄り】『四段』にじり寄る。いざり寄る。「今少し近う―・りて」〈源氏夢浮橋〉

ゐらん【違乱】①きまりを乱すこと。「灌頂の作法―なく行ひをはりて」〈沙石集二ノ五〉②ふらちな行為。乱暴狼藉。「その里の者ども、この池に―をなす」〈長谷寺験記上〉③文句をつけること。苦情。異議。「もし此の田にいかなる―も候はば、…田をば取り返し参らせ候べく候」〈東寺百合文書ュ、弘安三・一一・九〉

ゐる【居る】『上一』⇩ゐ(居)

ゐる【率る】『上一』⇩ゐ(率)

ゐる【斷る】『上一』⇩ゐ(斷)

ゐれい【違例】①普通の例と違うこと。恒例に反すること。「六位を以て上表の事、頗る―の由、大殿に申す」〈権記正暦四・一〇・二六〉②病気。不例。「入道相国―の御心地とて留まり給ひぬ」〈平家六・入道死去〉

ゐろく【位祿】令制で、四位・五位の者に位階に応じて与えられる祿。「是より先、五位食封(じきふ)有り。是に至りて代ふるに―を以てす」〈続紀慶雲二・一一・四〉

ゐん【尹】弾正台(だんじゃうだい)の長官。「正五位下大石王を弾正の―とす」〈続紀和銅一・三・一三〉

ゐん【院】《周囲に垣をめぐらした建物の意》①役所や寺の建物。「期会して事を謀ること三度、始めは奈良麻呂が家に於てし、次は…、後には太政官の―の庭に於てす」〈続紀天平宝字一・七・四〉。「百姓の造塔を情願する者有らば悉く之を聴(ゆる)せ。其の造る地は必ず伽藍の―の内に立てよ」〈続紀天平一九・一一・一四〉②上皇・法皇・女院の御所。また、別邸。「〔女ヲ〕法皇の召して、かの―に侍ひければ」〈後撰一〇二詞書〉③上皇・法皇・女院の尊称。「帝(みかど)は―の御遺言を思ひきこえ給ふ」〈源氏澪標〉。「后を―になし奉らむと思し召す」〈栄花布引滝〉④貴人の邸宅。また、そこに住む貴人。「船ひきのぼるに、なぎさの―(別邸)といふ所を見つつ行く」〈土佐二月九日〉。「人めかしくまうでさせむと―(光源氏)はのたまひけれど」〈源氏若菜下〉

ゐん【韻】①中国語の音韻学上の術語で、漢字の発音のうち、頭子音を除いた部分。例えば當(tang)・剛(kang)・郎(lang)のangの部分。同じ韻を持つ文字の中から一字を選んで、その韻の名とする。例えば唐(t'ang)によってangの韻を代表させ、これを唐韻と呼ぶ。古くは二百七韻とし、宋元以後百六韻を区別する。「花の外に夕を送れば、声百里に聞ゆといふ句あり。陽唐の―と見ゆるに、百里あやまりか、と申したりしを」〈徒然三三八〉②漢詩の句の末にあって、互いに諧調をなす音のひびき。「龍を以て―となす。八十字を限る。句毎(ごと)に漢代の良吏の名を用ゐる」〈菅家文草一〉③調子。趣。「その儘にたがへず心得べきにて有るを、つやつやとこの―に入りて心得んとする人もなし」〈愚管抄三〉**―を探(さぐ)・る** 韻書を任意に開いて、そこに現われた韻の字を以て、自分の作る漢詩の韻とする。「―・りて无を得たり」〈菅家文草一〉

ゐんがう ゥ…ゴ【院号】地名などの下に「院」の字を付した称号。㋑上皇・皇太后・准后などに贈られる尊号。「きと准后の宮になり給ひて、修明門院といふ―ありけり」〈愚管抄六〉㋺修験者などの、年功を経た者の称号。「―請けたる若手の先達」〈近松・油地獄中〉㋩戒名で「院」の字のあるもの。「霊棚に―の無い恥づかしさ」〈雑俳・万句合天明四〉

ゐんぐう【院宮】上皇または皇后・中宮・皇子・皇女などの御所。「〔衣服ニ〕絵かき花つけたるさぶらひども、いで入りて、ひとへに―のごとくにてぞありける」〈平家四・厳嶋御幸〉

ゐんぐゎい【員外】①定員外。員外官。「職員限り有り。…事務稍く繁し。即ち劇官を量りて、仍りて―を置く」〈続紀天応一・六・一〉②取るに足らぬこと。「―のたはことは、誰にもそしり給ふ事なくて、ただ数寄の執心をあはれみ給へ」〈落書露顕〉

ゐんげ【院家】①公卿の出家した子弟で、門跡(もんぜき)に属する小院に住む人。「御門跡・―・諸大名の屋形屋形」〈伽・およふの尼〉②僧侶、または、住職。院主。「当坊は―、宮仕(じみゃ)は承仕にて候故、別堂の儀也」〈北野社家日記慶長六・三・晦〉

ゐんげん《「院家(げゐん)」(2)の転。「隠元」とも当てる》僧侶、または、住職。「えも言はぬ嚂(ぼあく)には、いかな―和尚もうろたへらるべし」〈評判・野郎大仏師〉

ゐんげん「威言(ゐげん)」に同じ。「因言(いんげん)」とも。「―こそは言ひにける」〈仮・竹斎下〉

ゐんざん【院参】院すなわち上皇または法皇の御所へ参上すること。「太政入道もこの事申さむとて、―せられけれども」〈平家二・座主流〉

ゐんし【院司】院の庁の役人。「ゐんのつかさ」とも。「天皇、先の太上天皇及び皇太后を嵯峨院に朝覲す。扈従(こじゅう)の群臣幷びに―に祿を賜ふこと差有り」〈続後紀承和七・二・二〉

ゐんじゅ【院主】寺院の主。住持。「この勧修坊と申すは…東大寺の―、当代の御師となり」〈義経記六〉

ゐんぜん【院宣】院司が上皇あるいは法皇の旨を奉じて下す文書。院の宣旨。「この―をば錦の袋に入れて」〈平家五・福原院宣〉。「―とは院、法皇奉書也」〈沙汰未練書〉

ゐんつう【員子】 金銀。金子(きんす)。かね。「ーは有り、親は無し」〈西鶴・一代男六〉。「銀子、キンツウ、唐音」〈書言字考〉 **ーもち【員子持】** 金持。「此の事ーの本大臣には聞かす事もうるさし」〈西鶴・椀久二世下〉

ゐんのうへ【院の上】《「内(うち)の上」の対》 上皇に対する敬称。上皇様。「ーかくれ給ひてのち」〈源氏権〉

ゐんのちゃう【院の庁】 法皇・上皇・女院などの御所の事務をとる所。院政の開始とともに政務機関となる。長官は別当。「ーの御下文(みくだしぶみ)を一通下し預り候はばや」〈平家三・判官都落〉

ゐんのてんじゃうびと【院の殿上人】 上皇・法皇の御所に昇殿を許されている人。「内裏(うち)・東宮・ー、方方に分れて」〈源氏若菜下〉

ゐんのみかど【院の帝】 院になった帝。上皇。「ーお前の御階(みはし)のもとに立たせ給ひて」〈源氏明石〉

ゐんふたぎ【韻塞ぎ】 古詩の韻字を隠しておき、それを言い当てる遊戯。「いとまありげなる博士ども召し集めて、文作り、ーなどやうのすさびわざどもをもし」〈源氏賢木〉

ゐんぶん【院分】 上皇や女院などに賜わる年給。「大女院は『我が御ーを譲り申さん』と奏せさせ給ふ」〈栄花布引滝〉。「播磨国・備前国は〔後白河法皇ノ〕ーにてありしを」〈愚管抄六〉

ゐんもり【院守】 院の番人。「故朱雀院の御領にて、宇治の院といひし所このわたりならむと思ひ出でて、ー〔ニ伝言スル〕」〈源氏手習〉

ゑ

ゑ【故】「ゆゑ(故)」の「ゆ」が脱落した形。「思ふーに逢ふものならばしましくも妹が目離(か)れて吾(あれ)居らめやも」〈万三七三一〉。「そーにとてとすればかかりかくすればあな言ひ知らずあふさきるさに」〈古今一〇六〇〉

ゑ【餌】 えさ。「池の鳥を日頃飼ひつけて、堂の内までーを撒(ま)きて」〈徒然一六二〉。「餌、恵(ゑ)、以レ食誘二魚鳥一也」〈和名抄〉

ゑ【会】《呉音》 ①会うこと。「生を悦び、死を憂へ、ーを楽しみ、離を悲しむ事」〈沙石集一ノ九〉 ②大勢の人が集まって行なう会。法会(ゑほふ)・節会(ゑせち)など。「〔丈六ノ釈迦像ト脇士ヲ〕能応寺の金堂に居(お)きて、ーを設け供養す」〈霊異記下三〇〉。「相撲(すまひ)のー」〈かげろふ下〉。「年に二三度ーを行なはる。…御斎ー…最勝ー…維摩ー」〈大鏡藤氏物語〉 ③「会下(ゑげ)」に同じ。「或る禅師のーに一僧あり」〈正法眼蔵随聞記三〉 **ーに逢はぬ花** 法会の日に間に合わない花の意で、時機を逸して役に立たないことのたとえ。「ー、六日の菖蒲、いさかひ果ててのちぎり木かな」〈平家二・志度合戦〉

ゑ【絵】《呉音》 絵画。「わが妻もーに描きとらむ暇(いとま)もが旅行く吾(あれ)は見つつ偲はむ」〈万四三二七〉。「山崎の小櫃のーも、まがりのおほぢのかたも変らざりけり」〈土佐二月十六日〉 **ーが付・く** ①《読ガルタで》 絵札が付く。「ー・く、徳付く(儲カル)」〈近松・雪女中〉 ②運が向く。つく。「そちが為には福徳大臣、よいー・いたと言はれ」〈浮・女大名丹前能三〉 **ーに書かうも無・し** 絵に描こうとしても実物が無い意で、全く無い意。「絵に書いたも無い」「絵に書いたを見るばかり」に比べて強意の表現。「其の跡にて色色穿鑿すれども、ー・かりき」〈西鶴・胸算用一〉

ゑ【慧・恵】〔仏〕《呉音》 三学の一。真実の道理を見きわめ、判断する精神作用。「戒・定・ーの三学を兼備し給へる一人の沙門おはしけり」〈太平記三・三人僧徒〉

ゑ【飢】『下二』「うゑ(飢)」の「う」が脱落した形。「飯(いひ)にゑて臥(こや)せるその旅人(たびと)あはれ」〈紀歌謡一〇四〉

ゑ『助』 感動を表わす語。…ことよ。や。よ。「吾(あれ)は苦しー」〈紀歌謡一二六〉。「よしーやし浦はなくとも」〈万一三一〉

ゑあはせ【絵合】 物合の一。絵を出し合って優劣を争うもの。「麗景殿の女御にーありけり。…げにこの御絵ども、おぼろけにては見定めがたき事のさまなればとて、勝負なし」〈著聞三九三〉

ゑうたんばう【酔うたん坊】 酒に酔って正体の無くなった者。酔どれ。「ゑうたんぼ」とも。「是れはちと心元無しのーの仇花」〈浮・傾城辻談義三〉

ゑか【会下】 ⇒ゑげ。「御ーの衆でござる」〈ロドリゲス大文典〉。「良い師家のーには良い僧が集まる也」〈句双紙抄〉〈文明本節用集〉

ゑが【垣下】《ヱンガのンを表記しない形》「かいもと」に同じ。「斎院の禊(みそぎ)のーに殿上の人人まかりて」〈後撰一〇九五詞書〉

ゑかう【回向・廻向】〔仏〕 ①自分の修めた善根を他にめぐらし及ぼすこと。具体的には、仏事・法要・読経・布施などを行なって、自他の極楽往生を祈る行為。「さりがたき御ーのうちには〔私ノコトヲ〕まづこそはと、あはれになむ」〈源氏若菜下〉。「いよいよ心をいたして法華経を誦して、かの毒蛇のためにーす」〈今昔一三ノ一七〉 ②法要などの終りに読誦する偈文で、読経の功徳を特定の人のためにふり向ける旨をしたためたもの。回向文。「ーの末つかたの心ばへ、いとあはれなり」〈源氏総角〉

ゑかき【絵書・絵画】 ①絵を画くことを業とする人。「黄書(きぶみ)の絵師(ゑかき)」〈紀推古十二年〉 ↓ゑし。②絵の道に長じた人。「延喜はすぐれたる御手也。公茂はすぐれたるー也」〈源氏物語抄〉 ③絵を画くわざ。絵の道。「ー、花むすび、連歌の上手などとて」〈伽・みなつる〉

ゑがち【笑勝ち】 ほほ笑んでいることが多いこと。「まみのかをりてーなるなどを」〈源氏柏木〉

ゑがら【餌殻】 鷹や隼の餌として肝を取り出したあとの、小鳥の残骸。「泊り山酒をすすむる狩人の肴や鷹のーなるらん」〈鷹三百首和歌〉。「今時の学者は、狗の鷹の架のーを食ふ如くに、言句を咬(か)みて、真実の肉をば食はざる也」〈碧岩抄八〉

ゑぐ カヤツリグサ科の多年草。浅い水中に生え、食用にする。クロクワイ。「あしひきの山田の沢にー採むと雪消の水に裳の裾ぬれぬ」〈万一八三九〉

ゑぐし《ヱはヱミ(笑)と同根か。クシは酒》 飲めば機嫌がよくなる酒。「すすこりが醸(か)みし御酒(みき)に我酔ひにけり、ことなぐしーに我酔ひにけり」〈記歌謡四九〉

ゑぐ・し『形ク』《植物名のヱグと同根》 あくが強く、舌を刺すような味である。「菊の花の香する、ー・けれど良し」〈薫集類抄下〉。「醎、酢味也。俗語云恵久之(ゑぐし)」〈和名抄〉

ゑくぼ【靨】《ヱ(笑)クボ(窪)の意》 ①笑う時に、顔面に出来るくぼみ。「ーゐし人の面影身に添ひてひとり笑みのみせられぬるかな」〈拾玉集四〉。「靨、恵久保(ゑくぼ)、面小下也」〈和名抄〉 ②ほくろ。「黶、ヱクボ・ハハクソ」〈名義抄〉

ゑぐ・り【抉り】『四段』 刃物やへらなどを突きさし、まわしてくり抜く。「剃刀(かみそり)…柄も折れよ、刃も砕けよとー・り」〈近松・曾根崎心中〉

ゑぐりわる・し【刳り悪し】『形ク』底意地悪い。辛辣（しんらつ）である。「―き御めのと」〈天和笑委集六〉。「芋が子の―きもずいきかな」〈俳・口真似草三〉

ゑげ【餌器】鳥籠の中にある餌を入れる器。「籠（こ）の中に作りたてたる―ありて」〈竹馬狂吟集一〇〉。〈運歩色葉集〉

ゑげ【会下】［仏］《ヱカとも。「会」は会座（ゑざ）、すなわち、説法の場所》一人の師僧の会座に集まって聞法学問する所。またそこに学ぶ門下の僧。「我、大宋天童先師の―にして、この道理を聞いて後」〈正法眼蔵随聞記三〉。「安富又三郎元成、遁世して、丹波の南昌庵といふ―にあるよし申して」〈再昌草一四〉

ゑげがさ【会下傘】会下僧のかぶる笠。「清水へ参らんと思ひ、内にて―を借り」〈伽・小男の草子〉。〈文明本節用集〉

ゑげそう【会下僧】会下で学問修行をする僧。「〔旅人ノウチ〕五人は俗人、一人は―なり」〈奇異雑談集三〉。「―の人目ばかりの薄衣染めし心の裏はしらぬの」〈伽・白身房〉

ゑげでら【会下寺】会下僧のいる寺。「扇谷の―海蔵寺にて腹を切りける」〈永享記〉

エゲレス 近世、英国または英国人・英国船の称。近世初期、英国船は海賊を働くとして恐れられた。「黒船は―舟の間（あひ）近み」〈俳・正章千句上〉。「―と黒船か月と鵜飼船」〈俳・鸚鵡集五〉 ▽オランダ Egelsch

ゑさ【餌】魚・鳥・獣などを飼育し、または捕えるための食物。「やきめしをほうばりながら―をさし」〈雑俳・万句合安永九〉。「―。魚を釣る餌なり、サは助語なり」〈俚言集覧〉

ゑざ【会座】法要・説法などの席。「仏の―に出来（しゅつらい）して、御法を聴聞する」〈謡・春日龍神〉

ゑざうし ‥ゾウ【絵双紙・絵草紙・絵草子】①絵入り仮名文で書かれた子女相手の通俗読物。「時雨るる窓に開く―」〈俳・正章千句下〉。「古びたる―見れば夜討曾我」〈俳・夢見草五〉②世上の事変や異常な出来事などを速報するため、簡単に絵入りで説明した一、二枚刷の小冊子。読売。瓦版。「―に〔噂ノ〕後家が姿を写されて」〈俳・独吟一日千句〉③草双紙の一名で、黄表紙・青本・黒本・赤本などの総称。「享保已前は、小刻の―に、作者の名号を表はしたる物を見ざりき」〈近世物之本江戸作者部類一〉 **―うり**【絵草紙売】絵草紙(2)を節を付けて読み売りする人。「―。世上にあらゆる変ったる沙汰、人の身の上の悪事、万人の差合ひを顧みず、小歌に作り浄瑠璃に節付けて、連れ節にて読売る也」〈人倫訓蒙図彙四〉 **―や**【絵草紙屋】近世前期、絵草紙(2)を製作販売する人。絵草紙売。「是非無き期には心中の―を喜ばせ」〈浮・好色十二人男三〉

ゑさし【餌差・餌刺】①鷹の餌となる小鳥を黐竿（もちざお）で刺して捕ること。また、その人。「―めがちゃくと差すべき棹〔佐保ト掛ケル〕の川無用心にも鳴く千鳥かな」〈雄長老百首〉②小鳥を黐竿で捕る職業の者。鳥刺。「花は根に鳥は―にかい刺され」〈俳・藤枝集上〉

ゑし【画師】①宮廷直属の絵画製作の職人。奈良時代には画工司（ゑだくみのつかさ）に属す。平安時代には画所に属す。「神祇官の宮主、…画工司の―…等に始めて笏を把らしむ」〈続紀養老三・六・一九〉②画かき。「―どもなども御随身どもの中にある、むつましき殿人などをえりて」〈源氏浮舟〉

ゑじ【衛士】諸国の軍団から選抜し、衛士府（のちに衛門府）に配当された兵士。公事（くじ）の雑役や御殿の清掃に従事し、庭火を焚いた。「車駕出行には兵衛・―先づ按行せよ」〈宮衛令〉。「御垣もる―のたく火の夜は燃え昼は消えつつ物をこそ思へ」〈詞花二二四〉

ゑ・じ【怨じ】『サ変』「ゑんじ」の「ん」を表記しない形。「〔字余リ歌ヲ人人ハ〕笑ふやうなり。歌主（うたぬし）いとけしきあしくて―ず」〈土佐一月十八日〉。「定めなき御心を心づきなしと思せど深うも―じ聞え給はず」〈源氏葵〉

ゑじかご【衛士籠】香を焚く金属製の籠。衛士が篝火を焚く籠の形に似ているのでいう。「―などは知らぬ袖の香」〈俳・虎渓の橋〉

ゑじか・り『四段』開く。「行きしなに莟うだ花が来しなには―ったりや補綴ぎの花」〈咄・醒睡笑五〉

ゑしき【会式】法会の儀式。特に日蓮宗で、十月十三日の日蓮の忌日に盛大に行なう法会。御会式。御命講（おめいこう）。「今日より明日に至り、日蓮宗寺院御影講を修す。又―と号す」〈日次紀事十月十二日〉

ゑじき【餌食】①餌（ゑさ）。特に鳥獣などの食物。「悲しみの涙を―として命を延ぶる業鳥（ごふてう）なり」〈曾我七〉。「狐狼野干の―となさん事の悲しさよ」〈伽・朽木桜〉②食物。食料。「飢ゑたる者には―を与へ」〈伽・小夜姫草子〉

ゑじふ【衛士府】諸国軍団から徴発した衛士を率いて、宮庭の警護・巡検、行幸の警衛などにあたった令制の役所。左右二府。弘仁二年、衛門府と改称。「衛門を廃して左右―に併せ、―主帥各六十人を廃して門部各一百人を置く。其の諸門禁衛出入礼儀及び門籍門牓等の事、―をして之を主（つかさど）らしむ」〈後紀大同三・七・二二〉

ゑしゃく【会釈】①理解し解釈すること。「あまりに―過ぎたり」〈成簣堂本沙石集六〉。「さて此の文をいかが―すべきぞと云ふに」〈応永二十七年本論語抄一〉②相手の気持などをおしはかり思いやること。「人の心なさけなく、―少なき所も」〈浜松中納言一〉③挨拶。「―せでは叶はじとや思ひけん、さらぬ様（やう）にて、『かたじけなき』とは申せども」〈義経記三〉

ゑしゃぢゃうり ‥ジョウ【会者定離】会う者は必ず別れるのが定めであるという、人の世の無常をあらわす語。「生者必滅、―はうき世の習ひにて候ふなり」〈平家一〇・維盛入水〉

ゑしん【回心】［仏］心をひるがえすこと。邪心を転じて仏の教えに従うこと。「十悪五逆―すれば往生を遂ぐ」〈平家一〇・戒文〉

ゑすごろく【絵双六】大版の紙面に趣向をこらした絵を描き、または、印刷した双六。近世前期には、浄土双六・道中双六・野郎双六・遊女双六などが行なわれた。「今日、宮御方にて―あり」〈言国卿記文明六・三・一四〉

ゑすだれ【絵簾】孔雀・龍などの絵模様を描いた簾。〈俳・毛吹草四〉

ゑそらごと【絵空事】①絵に画かれたものが実際とは合わないこと。「ありのままの寸法に書きて候はば、見所なきものに候ふ故に、―とは申す事にて候ふ」〈著聞三九六〉②物事が虚偽・誇大であること。「墨で書く花の色こそ―」〈俳・犬子集三〉。「雪と墨―也富士の山」〈俳・小町踊四〉

ゑだくみのつかさ【画工司】令制で、絵画や画工に関することを司る役所。中務省の被管。後に内匠寮に合併。「―の画師、雅楽寮の諸師…等に、始めて笏を把（と）らしむ」〈続紀養老三・六・一九〉→画所（ゑどころ）

ゑちご【越後】旧国名の一。北陸道七国の一で、今の佐渡島を除いた新潟県。越（こし）の道の後（しり）。「ゑつご」とも。「越後、ヱチゴ」〈文明本節用集〉 **―ざらし**【越後晒】越後産の苧麻（まを）を用いて織り、雪で晒した白い麻織物。上等品を上布（じゃうふ）という。越後布。「二布（ふたの）は―赤染にして」〈西鶴・一代男三〉 **―ちぢみ**【越後縮】

越後国の小千谷(おぢや)・六日町付近から産する、苧麻(まお)で織り出した縮布。小千谷縮。「帷子(かたびら)は晒(さらし)を本とす。小倉縮また勝れたり。—これに次げり」〈色道大鏡三〉 **—ぬの**【越後布】「越後晒(さらし)」に同じ。「—一段五百文に買ひ了んぬ」〈多聞院日記天文三・一・三〉

ゑちぜん【越前】旧国名の一。北陸道七国の一で、今の福井県の北東の大部分。越(こし)の道の口。「ゑつぜん」とも。「—の守の嫁にて下りしが、かき絶え音もせぬに辛うじてたより尋ねて」〈更級〉

ゑづ【絵図】①図面。「旅人に駿河の—をあつらへて」〈俳・犬筑波〉。「頼もしき侍を商人になし、諸国へ遣はし、商ひを催すやうにして国の—を記させ」〈謙信家記〉②画像。「姫君の—を持ち、御殿に上り奉る」〈説経・天智天皇〉

ゑつご【越後】「ゑちご」の古称。「—の蝦狄(いてみ)に物を賜ふ」〈続紀文武一・三・一八〉。「越後、エツゴ」〈色葉字類抄〉

ゑつぜん【越前】「ゑちぜん」の古称。「三品刑部の親王に—国の野一百町を賜ふ」〈続紀慶雲三・四・二〉。「越前、エツゼン」〈色葉字類抄〉

ゑっちう(ユウチ)【越中】旧国名の一。北陸道七国の一で、今の富山県。「—国の四郡を分ちて越後国に属(つ)く」〈続紀大宝二・三・一七〉。「越中、ヱツチウ」〈色葉字類抄〉

ゑつぼ【笑壺】笑いがその極に達すること。「女房ども皆—に入りにけり」〈今昔二四ノ二三〉

ゑつらか・し【嘲し】『四段』あざける。ひやかしからかう。「船長、嬢を見て言ひ煩はし—・し嗍(もちあそ)ぶ」〈霊異記中二七〉

ゑど【餌】えさ。「米一粒を分って、魚を釣る—にして」〈玉塵抄一〇〉。〈文明本節用集〉

ゑど【穢土】①〔仏〕《「浄土」の対》けがれた現世。「然るを今、—を厭(いと)ひ、浄土を願はんに」〈平家一〇・戒文〉②糞(そく)の異名。「この少将の上に、鳥の飛びて通りけるが、—をしかけけるを」〈宇治拾遺三六〉

ゑとき【絵解き】絵を示しながら、その意味を解説すること。また、それを業とする法師・比丘尼など。「負版とは、負はおひになふ心也。版は…国の指図也。古には紙なし。板に書く程に、日本の—の如くこれを持ち歩く者ある歟」〈応永二十七年本論語抄一〇〉。「—が琵琶を弾きさして、鳥箒(とりばうき)にて、あれは畠山の六郎、これは曾我の十郎・五郎なんど云ふに似たり」〈自戒集〉。「〔昔ハ、熊野比丘尼ハ〕また熊野の絵と名づけて、地獄・極楽すべて六道の有様を絵にかきて—をいたし」〈仮・東海道名所記二〉

ゑどころ【画所】宮中で絵画のことをつかさどった役所。奈良時代、令制によって設けられた画工司(ゑだくみのつかさ)が、平安時代に、機構が縮小されてできたもの。後、諸大寺や江戸幕府などにも設けられた。「—に上手多かれど」〈源氏帚木〉。「—の預り(次官)」〈著聞三八四〉

ゑとり【餌取】鷹狩の鷹の餌を取るため、牛馬などの屠殺に従事する者。「—の取り残したる馬・牛の肉(しし)を取り持(も)て来たりて」〈今昔一五ノ二七〉。「屠児、恵止利(ゑとり)」〈和名抄〉

ゑど・り【絵取り】『四段』画き色どる。「画は五采にて—・る事ぞ」〈策彦和尚初渡集下ノ下〉

ゑにち【慧日・恵日】仏の智慧があまねく衆生の迷い、闇を照らすことを、太陽にたとえていう語。また、仏陀の称。「有難や衆罪如霜露—の光に、消えて即身成仏たり」〈謡・身延〉

ゑにょうばう(ウ:ボ)【絵女房】絵に画かれた美女。「扇の—を見て、それが恋しきなり」〈伽・貴船の縁起〉

ゑぬ【狗】犬の子。「狗、恵沼(ゑぬ)、犬子也」〈和名抄〉

ゑのこ【狗】犬の子。子犬。「若君の飼ひ給ひける白い—の走り出でて」〈平家一三・泊瀬六代〉。「狗猧、ヱノコ」〈易林本節用集〉

ゑのころ【狗児】犬ころ。子犬。「折ふし、—が一疋ゐた」〈咄・昨日は今日下〉

ゑのぼり【絵幟】端午の節句に立てる幟で、紙または布に武者や鍾馗(しようき)を画いたもの。「—や那須紙〔ニ〕七騎武者尽し」〈俳・向之岡上〉

ゑば【餌】①魚・鳥・獣などの食料としての餌(え)。「魚は—に引かれて釣らるる如く」〈天草本金句集〉。「〔魚ノヨウニ〕—に咬みついたる事なり」〈無門関抄下〉。「鳥なども巣にある時は、母に—を含めらるるが」〈春鑑鈔〉②好餌として他を誘惑するために用いるもの。「先に少し人数を出し置くは、連れを—にして討ち取らんためぞ」〈孫子私抄〉

ゑばみ【餌食み】鳥や獣が餌を食べること。また、その餌。「父鳥—に立つ」〈説経・しんとく丸〉。「〔親鶴ガ〕子どもに—を与へける」〈説経・石山記〉

ゑ・ひ(イエ)【酔ひ】㊀『四段』①酒気が全身にまわる。「すすこりが醸(か)みし御酒(みき)に我—・ひにけり」〈記歌謡四九〉。「十市氏(とをちうぢ)らはいちひ〔ノ酒〕に—・ひて皆臥してありなり」〈正倉院文書紙背書簡〉②(乗物などにゆられて)気分が悪くなる。「〔車デ〕かくの如くして行く程に、三人ながら—・ひぬれば、踏板に物つき散らして」〈今昔二八ノ二〉③(自覚もなく、何かに)心を奪われる。「惑ひの上に—・へり。酩酊(めいてい)の中に夢をなす」〈徒然七五〉㊁『名』①酔うこと。酩酊(めいてい)。「酒あまたたびの後、—にのりて子どもの上など申しける」〈後撰一一〇三詞書〉②乗物などにゆられて気分の悪くなること。「船(ふな)—したうべりし御顔には似ずもあるかな」〈土佐二月六日〉③物事に心を奪われること。「さとりえぬ浮世の—をさめぬ身にかりの情は誰すすむとも」〈正治後度百首〉 †weFi

ゑひくるひ(エイク ルイ)【酔狂ひ】酒に酔って乱暴すること。「是れ程に御酒給はりて候。—し候はむとて」〈雑談集三〉

ゑひごこち(エイ:)【酔心地】酔った気分。「—に見過ぐしがたくおぼえ給ひければ」〈源氏花宴〉

ゑひごころ(エイ:)【酔心】酒に酔うた心。「無明の酒の—、まどろむ隙もなき内に」〈謡・紅葉狩〉

ゑひごと(エイ:)【酔言】酔って言うことば。「手とりかはして、—に心よげなることして」〈土佐十二月二十六日〉

ゑひさまた・れ(エイ:)【酔ひさまたれ】『下二』酒に酔って乱れる。乱酔する。「日夜常に宮人と、酒に沈湎(あひさまた)れて」〈紀武烈八年〉。「祭のかへさに—・れたるかた書きたる所を」〈後拾遺一〇八一詞書〉 †weFisamatare

ゑひし・れ(エイ:)【酔ひ痴れ】『下二』酔って正体をなくす。「上下(かみしも)、童(わらは)まで—・れてあそぶ」〈土佐十二月二十四日〉。「大将、盃差し給へば、いたう—・れて居る顔つき、いと痩せ痩せなり」〈源氏少女〉

ゑびつ【絵櫃】三月・九月の節句に用いた木地の飯櫃。三月用には桃・柳・松など、九月用には菊・鶴などを種種の絵具で描き、草餅・赤飯などを入れた。「餅となりし草に花見る—かな」〈俳・細少石三〉

ゑひなき(エイ:)【酔泣き】酔って泣くこと。「賢(さか)しみと物いふよりは酒飲みて—するしまさりたるらし」〈万三四一〉 †we-Finaki

ゑふ【絵符・会符】荷物などに目印として付ける、定紋その他の模様を描いた札。「短冊を付くるは—か糸桜」〈俳・発句帳一〉

ゑふ【衛府】①令制で、宮城の警衛、行幸の供奉に当った役所の総称。はじめ五衛府、各種の変遷を経て、弘仁二

ゑ

年に六衛府となる。「―の人等は日夜闕庭に宿衛し」〈続紀神亀四・三・二三〉 ②(1)に属する官人・兵士。「―などの着たるは、まいていみじうをかしかりしものを」〈枕三九三〉

ゑぶく・れ【餌脹れ】『下二』餌を食べて腹一杯になる。満腹する。「ある狼の―・れて、食らひ残いた餌を枕にしてゐた所に行き合うて」〈天草本伊曾保〉

ゑぶくろ【餌袋】①食料を携帯するのに使う袋。鷹の餌を入れて持って行く袋に発するという。「―に物いれて、藤の花して結ひて」〈元輔集〉 ②鳥の胃袋。砂嚢。「まなこ突き潰され、―を蹴込まれ…羽ぶしを折られ」〈義残後覚一〉

ゑふづかさ【衛府司】衛府の役人。「上達部なりとも若き―達は、などか乱れ給はざらむ」〈源氏若菜上〉

ゑふのたち【衛府の太刀】六衛府の官人の佩用した儀仗用の太刀。「―なれども、身(み=刀身)をば心得て造らせたるを」〈平家四・信連〉

ゑぶみ【絵踏】近世、宗門改めの時、キリシタン宗徒でない証明として、マリアやキリストの絵像を踏ませたこと。踏絵。「足形見する―なりけり」〈俳・難波風〉

ゑほかゐ【絵行器】彩色した絵のある行器(ほかゐ)。近世、京阪地方では、八朔に赤飯・餅・果実などを入れて主家や知人に贈った。「各別に写す(移スト掛ケル)―や赤の飯」〈俳・点滴集三〉

ゑぼし【烏帽子】⇒えぼし

ゑほん【絵本】①絵の手本。「この障子の―ども、鴨居殿の御倉にぞ侍るなる」〈著聞三八四〉 ②近世、插絵を主とした通俗的読物。草双紙など。「寛文より以降享保の頃までは、童の翫びにすなる物、多くは―なりし事、今の錦絵の如し」〈近世物之本江戸作者部類二上〉

ゑま【絵馬】祈願または報謝のために、馬の絵などを書いて社寺に奉納する額。「前に板に書きたる―有り」〈今昔一三ノ三四〉。「惣じて―と云ふは神道より出たる事なり」〈見聞愚案記一〉

ゑまきもの【絵巻物】物語・寺社の縁起などを、絵と詞(ことば)で記した巻物。絵巻。「―いくらの秋のめぐり来ぬ／酒典童子の心づくしに」〈俳・七百五十韻〉

ゑま・し『四段』湯・水などに浸してふやかす。「麦―・す諏訪の出湯(いで)の煮え返り」〈俳・花膾〉

ゑま・し【笑まし】『四段』《シは尊敬の助動詞》にっこりとなさる。「青山を横ぎる雲のいちしろく我と―・して人に知らゆな」〈万六八八〉

ゑまは・し ワシ:マ【笑まはし】『形シク』《笑マヒの形容詞形》ほほえましい。「油火の光に見ゆる我が縵(かづら)さ百合の花の―・しきかも」〈万四〇八六〉

ゑま・ひ イ:マ【笑まひ】㊀『四段』《笑ミに反復・継続の接尾語ヒのついた形。→ひ》①ほほえむ。にこにこする。「心には思ひ誇りて―・ひつつ」〈万四〇一一〉 ②花が開く。「梅柳常より殊に、敷き栄え―・ひ開きて鶯も声改めて」〈続後紀嘉祥二・三・二六〉 ㊁『名』①ほほえむこと。「我がやどの時じき藤のめづらしく今も見てしか妹(いも)が―を」〈万一六二七〉 ②花のほころびること。「春くれと野辺の霞につつまれて花の―のくちびるも見ず」〈永久百首〉 †wemaFi

ゑ・み【笑み】㊀『四段』①顔がにこやかにほころぶ。花やかにほほえむ。「朝日の―・み栄え来て、栲綱(たくづの)の白き腕(ただむき)沫雪の若やる胸をそだたきただきまながり」〈記歌謡三〉。「夏の野のさ百合の花の、花咲(ゑ)みに、にふぶに―・みて」〈万四一一六〉 ②蕾(つぼみ)がほころびる。「鳥のなく音(ね)を聞けば我もあはれとよそに聞き、花の―・めるを見れば、誰もをかしと見るらめど」〈曾丹集〉 ③栗のいが・果実などが熟し、裂け目が出来て、実がのぞく。「いが栗の―・みたるを差し出でたるを」〈中務集〉。「榛栗鋍発、恵女利(ゑめり)」〈和名抄〉 ④ひびわれる。裂ける。「〔炎天ニ〕田―・み、畠旱(ひ)われては」〈百姓伝記七〉 ㊁『名』①笑むこと。笑顔をすること。「朝の―、夕かはらひ」〈万四一六〇〉 ②栗のいがなどが熟して口の開くこと。「手にとれば人をさすてふいが栗の―の内なる刀おそろし」〈夫木抄三一・刀〉 †wemi

ゑみがほ オ:ガ【笑み顔】にっこりした顔つき。えがお。「〔若君ノ〕なに心なき御―ぞ、いみじううつくしき」〈源氏葵〉

ゑみこだ・れ【笑みこ垂れ】『下二』笑いくずれる。「横座の鬼、盃を左の手に持ちて―・れたるさま」〈宇治拾遺三〉↓こだれ

ゑみひろご・り【笑み広ごり】『四段』笑いくずれる。「女ばらも物の後に近づきまゐりて、―・りゐたり」〈源氏宿木〉

ゑみまが・り【笑み曲がり】『四段』笑って眉がまがる。「細き眉根(まよね)を―・り、朝影見つつ少女(をとめ)らが手に取り持たる真澄(まそ)鏡」〈万四一九二〉 †wemimagari

ゑみま・げ【笑みまげ】『下二』《ヱミ(笑)マゲ(曲)の意》笑顔をつくる。「〔源氏ノ〕世にめづらしき御けはひの漏りにほひ来るをば、なま女ばらなども―・げて『なほ聞えたまへ』とそそのかし奉れど」〈源氏末摘花〉。「宮のいみじううつくしうおはしますを、二位―・げうつくしみ奉り給ふ」〈栄花浦浦別〉

ゑみゑみ【笑み笑み】笑うさま。「光の中に、年寄りたる姥(ばう)の、―としたる形を現はして見えけり」〈著聞六〇三〉

ゑむしろ【絵筵】赤・黒色で絵模様を織り出した花筵。近世初期、中国より渡来したが、後、長崎・大阪で生産するようになった。〈俳・毛吹草四〉

ゑむま【絵馬】「絵馬(ゑま)」に同じ。「習はぬ大文字を書きて寺社の―に懸け奉る」〈西鶴・男色大鑑三〉 ―いしゃ【絵馬医者】はやらぬ医者。往診に外出するふりをして、寺社の絵馬ばかり見て歩くのでいう。「人には―と言はれて口惜しかりし」〈西鶴・永代蔵三〉

ゑものがたり【絵物語】物語中の人物・場面などを絵画化し插入した絵入りの物語。「御方方、―などのすさびにて、明かし暮し給ふ」〈源氏螢〉。「女房・童…碁・双六うつもあり、―かきなどするもあり」〈夜の寝覚一〉

ゑもん【衛門・右衛門】《「右衛門」もヱモンとよむ》「衛門府」または「右衛門府」の略。「今―の掌る所、また此れ(衛士府)に異ならず」〈類聚三代格四〉 **―のかみ**【衛門督】衛門府の長官。左右各一人。中納言・参議で兼任する場合が多い。「まことや、―は中納言になりにきかし」〈源氏若菜下〉 **―のすけ**【衛門佐】衛門府の次官。「―宣孝といひける人」〈枕一一九〉 **―のぞう**【衛門尉】衛門府の第三等官。「左右の―を判官(はうぐわん)といふ名つけて」〈枕三一三〉 **―のたいふ**【衛門大夫】衛門の尉で五位に進んだもの。「息子の―致方(むねかた)来て」〈栄花嶺月〉 **―のぢん**【衛門陣】衛門府の役人の詰所。左衛門の陣は建春門に、右衛門の陣は宜秋門にあった。「小舎童(こどねりわらは)一人を具して、―を出でて、南様に行くに」〈今昔二四ノ二四〉 **―ふ**【衛門府】内裏の諸門の警衛・巡検・出入の礼儀などの事に当った役所。左右衛士府に併合された後、弘仁二年左衛門府〈さゑもんふ〉・右衛門府〈うゑもんふ〉と改称。また、検非違使は衛門府の役人から選ばれた。「靫負司(ゆげひのつかさ)」とも。「ここに中大兄(なかのおほえ)、―に戒めて一時(もろとも)に倶に十二の通門(みかど)を鏁(さしかた)めて、往来(かよ)はしめず」〈紀皇極四年〉

ゑや『感』《ヱもヤも感動詞》…だなあ。「世の中は恋しげし―斯くしあらば梅の花にもならましものを」〈万八一九〉

ゑやう ウ:ヨ【絵様】図案。絵模様。「御調度どもも…物のし

たかた、—などをも、御覧じ入れつつ」〈源氏梅枝〉

ゑら・き『四段』《ヱラヱラと同根。キは擬態語を動詞化する接尾語》酔う。酒に酔う。「黒酒(くろき)白酒のみきを赤丹(に)の頬(ほ)にたまへ(頂キ)—・き」〈続紀宣命三八〉 †weraki

ゑらゑら《ヱラキと同根》酒に酔うさま。「千年寿(ほ)き寿きとよもし—に仕へ奉るを」〈万四二六六〉

ゑ・り【彫り・鏨り】㊀『四段』①彫刻する。ほる。「木を彫(き)ざみて母とせり。…石を—・りて父とせり」〈東大寺諷誦文稿〉。「身にはやうやうの物形(ものがた)を—・り入れたり(刺青ヲシテイル)」〈著聞五九九〉②えぐる。穴をあける。「折敷(をしき)を鼻さし入るばかり—・り通して」〈宇治拾遺三五〉㊁『名』彫り込むこと。紙にめり込まんばかりに書いた字についていう。「御手は…いとわりなうしじかみ、—深う、強う、固う書き給へり」〈源氏行幸〉

ゑりすか・し【彫り透かし】『四段』透かし彫りをする。「〔香木ニ〕唐草・鳥など—・してあるに」〈宇津保内侍のかみ〉

ゑわら・ひライ【ゑ笑ひ】『四段』《ヱはヱミ(笑)のヱ》にこにこしたり、声を立てて笑ったりする。「つつましげならず、ものいひ、—・ふ」〈枕一八四〉

ゑんあうウオ【鴛鴦】オシドリの雄(鴛)と雌(鴦)と。夫婦のむつまじいさまにたとえる。「やもめ烏のうらやむも、あはれ—ひとり宿せず」〈宗安小歌集〉 **—のふすま**【鴛鴦の衾】夫婦共寝の夜具。「—の内には人知れぬ涙に浮み」〈孝養集中〉 **—のむつび**【鴛鴦の睦び】夫婦仲のよいこと。「—、比翼の契り」〈伽・熊野本地〉

ゑんが【垣下】「かいもと」に同じ。「—の親王(みこ)達、上達部、大饗に劣らず、あまり騒がしきまでなむ集ひ給ひける」〈源氏宿木〉

ゑんかうウコ【遠行】①遠方へ赴くこと。「今年御慎みの歳也。強ひて—御(おはしま)さしむべからざる歟」〈中右記元永一・二・九〉。「思はずも夫(をっと)—の子細あり」〈謡・松山鏡〉②死去すること。逝去。「頓公、三月十三日、八十四にして—なり」〈東野州聞書四〉。「遠行、ヱンカウ、死去義也」〈文明本節用集〉

ゑんきゃうヨウキ【円鏡】①円い鏡。「円鑑とは—なり」〈正法眼蔵古鏡〉②鏡餅の異名。「若宮神主〔中臣〕祐富—を送らる」〈建内記正長一・一・三〉

ゑんこう【猿猴】①手の長い猿。〈下学集〉②人形浄瑠璃社会の隠語で、手の意。「手を—」〈戯場楽屋図会拾遺下〉③月経の隠語。猿猴坊。「おゑん」とも。「其の芸者を、つい——と云ひてなぶった」〈洒・初葉南志〉

ゑんざ【円座】藁を束ね、渦巻に巻いて丸くつくった座具。板の間や土間に坐する時に用いる。「わらふだ」とも。「其の傍に——つを置きたり」〈今昔二四ノ六〉

ゑん・じ【怨じ】『サ変』相手に対して不満の気持をいだく。また、その不満を、ことばや態度であらわす。「はかなきこと言ひ言ひの果てに、われも人もあしう言ひなりて、〔夫ハ〕うち—・じて出づるになりぬ」〈かげろふ上〉。「よろづの事なだらかに、—・ずべき事をば見知れるさまにほのめかし、恨むべからむふしをも憎からずかすめなさば」〈源氏帚木〉 ↓恨み

ゑんしうあんどうウシュ【遠州行燈】《小堀遠州の考案と伝えるのでいう》丸行燈。「遠州あんどん」とも。「浜松の月は—かな」〈俳・点滴集三〉

ゑんじゃく【円寂】《円満に寂滅する意》仏・僧侶などの死。入寂。「師の—の後、虎象、石を運び泥を運びて、師の塔を作る」〈正法眼蔵行持上〉

ゑんしゅう【円宗】円頓(ゑんどん)の教えを説く宗派の意で、天台宗の別名。円頓宗。「そもそも北嶺は—一味の学地、南都は夏臈得度の戒定なり」〈平家四・山門牒状〉

ゑんずい【淵酔】①深く酔うこと。「浅く深く—す花の鰓(あぎと)の下(もと)」〈菅家文草三〉②正月と十一月の五節(ごせち)の翌日、清涼殿で殿上人を召して開かれた酒宴。「豊明(とよのあかり)の夜な夜なは、—・舞楽に袖をつらねて」〈問はず語り一〉

ゑんたうウト【遠島】①陸地から遠く離れた島。「辺地—に処すれども、宿善朽ちずして」〈正法眼蔵洗面〉②近世、刑罰の一。死刑に次ぐ重いもので、博奕・女犯の僧・過失致死の者などを、江戸からは伊豆七島、京阪以西からは、薩摩・五島・天草島・隠岐・壱岐などに流した。「—仰せ付けらるると御申しある時」〈わらんべ草五〉 **—もの**【遠島物】出所不明で、正体の知れない、へんてこな物。島物(しまもの)。「とかく—なり」〈評判・朱雀遠目鏡下〉

ゑんてい【淵底】㊀『名』①淵の底。〈日葡〉②物事のもっとも深い所。「堀河院は—を極めて知ろしめしたりけり」〈続教訓鈔一〉㊁『副』根本的に。深く。「コレワエンテイゴゾンジノゴトク」〈日葡〉

ゑんでん【宛転】ゆるやかな曲線の形容。多く美人の眉についていう。「嬋娟(せんけん)たる両鬢は秋の蟬の翼、—たる蛾眉の黛(まゆずみ)は遠山の色」〈和漢朗詠集妓女〉。「—たる蛾眉の黛(まゆずみ)の匂ひ」〈伽・秋夜長物語〉

ゑんどん【円頓】〔仏〕円満で悟りの早いこと。天台宗の教義でつかう語。「学するところはこれ——味の教門に同じ」〈平家四・山門牒状〉。「伝教師資の流を汲み、—実教の法を学しながら」〈盛衰記一五〉

ゑんらい【遠来】遠くから来ること。「酒を…—の由さまざまに言ひて」〈咄・昨日は今日下〉。〈文明本節用集〉

ゑんりょ【遠慮】①先先の事に対する思慮。「—賢くして、かく用意ありけるか」〈盛衰記二六〉②他人に対して、言語・振舞などを控え目にすること。謙退。「ただ—無く人に親しむ事、災を招くが如し」〈浮・男色十寸鏡下〉③近世、士分・僧侶に科せられた刑罰の一。微罪の者の門を閉じて籠居させた。潜り門は引き寄せて置くだけでよく、夜間、目立たぬように出入することは許された。「昨日は有馬伊予殿—仰せ付けられ候」〈山鹿素行書簡貞享一・七・三〇〉

ゑんるい【遠類】血縁の遠い親類。近世、広義では、大伯父・叔父・姑、又甥(またおい)、従兄弟の子、再従兄弟までの傍系親族をいい、狭義では、その内で親類(2)を除いたものの称。「八幡別当頼清が—にて、永秀法師といふ者ありけり」〈発心集六〉

を

を【牡・雄・男・夫】《「女(め)」の対。牡(おす)の意。上代では動植物・神・人を問わず広く使われたが、平安時代以後は複合語の中に用いられ、「をのこ(健児・侍者)」「をのわらは(男の童)」「しづのを(賤の男)」「あらを(荒男)」など、卑しめられ、低く扱われる男性を指すことが多くなり、男性一般を表わすには「をとこ」がこれに取って代った》①動植物の牡(おす)。「高円(たかまと)の秋野の上の朝霧に妻呼ぶ—鹿出で立つらむか」〈万四三一九〉。「楓、ヲカツラ」〈名義抄〉②男性。「汝こそは—にいませば…若草の妻持たせらめ」〈記歌謡五〉。「—の神も許し給ひ女(め)の神も幸(ち)は)ひ給ひて」〈万一七五三〉③女がこれと定めた男。夫。「吾(あ)はもよ女

(め)にしあれば汝(な)を置きて—は無し」〈記歌謡五〉

を【尾】 鳥獣のしっぽ。「鶺鴒(まなばしら)—行き合へ」〈記歌謡一〇三〉。「尾、乎(を)、鳥獣尻長毛也」〈和名抄〉 **—が見・ゆ** ①しっぽが出る。ぼろが出る。「尾が出る」とも。「世話にも、まぎれもののあらはるるを、—・ゆると云ふ是れなり」〈無門関私鈔上〉 ②家計の苦しい内情が世間に分ってしまう。「世渡りもをかしげに、次第次第に見苦しう、包む世間に—・えて」〈西鶴・好色盛衰記五〉

を【峰・岡】 ①《「谷(たに)」の対》みねつづき。尾根。「木のくれのしげき—の上をほととぎす鳴きて越ゆなり今し来らしも」〈万四三〇五〉 ②山の小高い所。「向つ—の若楓(かつら)の木下枝(しづえ)取り花待つい間に嘆きつるかも」〈万一三五九〉

を【麻・苧】 ①アサの異称。「麻苧、乎(を)、一云阿佐(あさ)」〈和名抄〉 ②アサまたはカラムシの茎の皮からつくった繊維。そ。「—をよりて」〈土佐二月三日〉

を【魚】《イヲのイが脱落した形》うお。「大—よし鮪突く海人(あま)よ」〈記歌謡一一〇〉。「吉野の山に氷—そさがれる」〈万三八三九〉

を【緒・絃】《撚り合わせた繊維。一筋に続くものとして、「年の緒」「息の緒」など、切れずに長くつづくものの意に転用された。類義語ヒモ(紐)は、物の端につけて結ぶためのもの。ツナ(綱)は、ヲよりも丈夫な太いもの》①丈夫な繊維。物を貫き、物をしばるに使う。「玉こそは—の絶えぬればくくりつつまたも逢ふといへ」〈万三三三〇〉。「東人の荷前(のさき)の箱の荷の—にも妹は心に乗りにけるかも」〈万一〇〇〉 ②撚った繊維。「ひとり寝(ぬ)と薦(こも)朽ちめやも綾席(あやむしろ)—になるまでに君をし待たむ」〈万二五三八〉。「片糸もち貫きたる玉の—を弱み乱れやしなむ人の知るべく」〈万二七九一〉 ③弓や琴などの絃(つる)。「みこも刈る信濃の真弓引かずして—はくるわざを知ると言はなくに」〈万九七〉 ④長くつづくもの。「あらたまの年の—長く住まひつつ都の手ぶり忘らえにけり」〈万四八〇〉 ⑤命。「己(おの)が—を盗みしせむと」〈記歌謡二二〉

を【小】『接頭』《「大(おほ)」の対》①名詞について、小さい、細かいの意を表わす。「—川」「—舟」「—屋」など。「ゆ種(ゆだね)まくあらきの—田を求めむと」〈万一一一〇〉 ②《転じて》物に親愛や賞愛をこめていう。「—床」「—山田」など。「天地(あめつち)に足らはし照りて吾が大君敷き坐せばかも楽しき—里」〈万四二七二〉 ③形容詞とその語幹、動詞の連用形などについて、少し、いささかの意を表わす。「—暗し」「—黒」など。「—止みせず雨さへ降れば沢水のまさるらむともおもほゆるかな」〈後撰五三八〉

を『感』(女の)応答・応諾の声。「『近江の君、こなたにを』と召せば『—』といとけざやかに聞えて出で来たり」〈源氏行幸〉。「人の召す御いらへに、男は『よ』と申し、女は『—』と申すなり」〈著聞三三一〉。「吁、ヲオ、女答詞」〈名義抄〉 ▽この感動詞「を」が間投助詞として使われ、やがて格助詞として定着するようになったものと思われる。

を『助』→基本助詞解説

をあはせ(ヲ:アワセ)**【緒合せ】** 絃楽の合奏。「琵琶を引き寄せ弾じ給へば、又玉琴の—に、あはせて聞けば」〈謡・千寿〉

をう『感』①感動し、または、驚いて発する声。「頭打ち破れぬと思(おぼ)えければ、いと高くはなくて—と叫びて」〈今昔二八ノ四二〉。「—ただならぬ雲間候よ」〈謡・国栖〉 ②応諾して発する声。「—何よりやすい事ぢゃと、さも頼もしげに約束した」〈天草本伊曾保〉

をうと【夫】《ヲヒトの音便形》おっと。「夫、乎宇止(をうと)、一云、乎止古(をとこ)」〈和名抄〉。「嫁、ヲウトアハス」〈名義抄〉

をうな【女】《ヲミナの転》女。女性。「一の孤(みなしご)の嬢(をうな)有り。未だ嫁がず夫無し」〈霊異記中三四〉。「〔小町ノ歌ハ〕いはばよき—の悩めるところあるに似たり」〈古今序〉

を・え【瘁え】『下二』病み疲れる。病・毒気などになやむ。「御軍(みいくさ)も皆—・えて伏しき」〈記神武〉 †woye

をおや【男親】 おとこ親。「男は、女親(めおや)亡くなりて—の一人あるいみじう思へど」〈枕三一五〉

をか【岡・丘・陸】 ①周囲の土地より小高くなっている所。「この—に菜摘ます児、家聞かな」〈万一〉 ②(海に対して)陸地。「鳴海潟(なるみがた)—をめぐりて行く人は都のつとになにを語らん」〈夫木抄三五・潟〉 ③銭湯の洗い場。流し。「銭湯へ入りたりけるに、互ひに—へ上がりて」〈咄・糟市頓作二〉 ④かたわら。また、第三者。局外。「世上の積りよりは早く身代畳まれし事、不思議と思へど、—の目積りとは各別の違ひ」〈浮・魂胆色遊懐男五〉 ⑤「岡場所」の略。「—より吉原へ来たりし遊女は、未だ張(はり)も無く、客を振るなどと云ふ事は無し」〈異本洞房語園下〉。「それ〳〵に／—遊女にも座敷持」〈雑俳・雨の落葉〉 ⑥《他の語に冠して》かたわら、または、第三者の立場であるの意を示す。「—焼」「—脣」「—惚れ」など。「これでこそ慰みも面白かった物と、—勢(きほ)ひする太鼓ども」〈浮・西鶴伝授車二〉

をがき【男餓鬼】 男の餓鬼。「寺寺の女(め)餓鬼申さく大神(おほみわ)の—賜(た)ばりて其の子生まはむ」〈万三八四〇〉

をかきつ【小垣内】《ヲは接頭語》垣根のうち。屋敷内。かいと。「—の麻を引き干し」〈万一八〇〇〉 †wokakitu

をがさ【小笠】《ヲは接頭語》笠。小さい笠。「色着(げ)せる菅笠—」〈万三八七五〉

をかさき【岡崎】 岡の先端。「丘岬、此をば塢介佐棄(をかさき)と云ふ」〈紀神武即位前〉 †wokasaki

をかざき【岡崎】 近世、寛永以来流行した踊歌。一節切(ひとよぎり)・三味線・琴の手ほどきに教授された。岡崎踊。岡崎節。「—を踏み柴垣を打つ事は、賤しき芸振の頂上なれども」〈舞正語磨下〉

をがさはら(ヲガサワラ)**【小笠原】** 武家礼式の一流。室町幕府義満将軍のときに小笠原長秀の定めたもので、幕府・諸大名、さらに近世では庶民にも礼式の大宗として行なわれた。小笠原流。「弓小手(ゆごて)の事、—に、はず(筈)と云ふもこれなり」〈神代紀環翠抄〉。「臨機応変の智恵なくは、いかに伊勢守・—に古実を習ひ得たりとも、曲なき事多かるべし」〈わらんべ草二〉

をか・し【犯し・侵し】 ㊀『四段』《守るべき法制や、他の領分など、立ち入るべきでない部分に侵入し、これを害しそこなう意》❶法律・道徳などに、敢(あ)えてそむく。①(人の道に反して)罪過となることをする。「一者菩薩の律儀のうへに、極重の悪を—・せる」〈金光明最勝王経平安初期点〉。「綸言(りんげん)重くして父の頸(くび)を斬らば五逆罪のその一を—・すべし」〈保元中・為義最後〉 ②姦淫(かんいん)する。「おのが母—・せる罪、おのが子—・せる罪、母と子と—・せる罪、子と母と—・せる罪」〈祝詞・大祓詞〉。「〔仏前デアルコトヲ忘レ〕我が家にあるやうに覚えて、何とも思ひわかず、この妻を—・しつ」〈発心集八〉 ❷他の領分を侵害する。①(他の土地などを)けがす。「塚(墓所)ども作りて掘りうづむ時に津の国の親いふやう『…異国(ことくに)の人のいかでかこの国の土をば—・すべき』」〈大和一四七〉 ②害して奪う。(他国を)侵略する。「昔五印度の国の二の王分れて治む。境壌(にく)相ひ侵(をか)すことをして、干戈のたてほこ息(や)まず」〈大唐西域記四・長寛点〉 ③(相手を)しのぐ。「銀の闕(かど)日を敝(かく)し雲を干(をか)す」〈遊仙窟(醍醐寺本)鎌倉期点〉。「長竿雪を—・して白龍蟠(わだかま)る」〈新撰朗詠集竹〉④不当に自分のものとする。「或は真人朝臣を取りて、字を立て、氏を以て字と作(な)す。是れ姓を冒(をか)すに近し」〈続紀神護景雲三・五・三〉⑤(相手に)危害を加える。「一切の人民、自軍他軍、更(たがひ)に相ひ侵(をか)し害(やぶ)り」〈地蔵十輪経三・元慶点〉⑥つけ入って、そこなう。「かくて清盛公、仁安三年十一月十一日、年五十一にて病に―・され」〈平家一・禿髪〉 ㈡『名』罪を犯すこと。罪科。「いにしへの人もまことに―あるにてしも、かかる事にあたらざりけり」〈源氏須磨〉。「この獄人等、―を成して罪を蒙(かうぶ)るといへども」〈今昔一三ノ一〇〉

をか・し『形シク』《動詞ヲキ(招)の形容詞形。好意をもって招き寄せたい気がするの意。ヲキ(招)・ヲカシの関係は、ユキ(行)・ユカシ、ヨリ(寄)・ヨラシ(宜、ヨロシとも)、ナゲキ(歎)・ナゲカシの類。「をかし」を「をこ(愚)」の形容詞化と見る説もあるが、平安中期以前の「をかし」の数多くの例には、「をこ(愚)」の持つ、道化て馬鹿馬鹿しく、あきれていやに思う気持の例はなく、むしろ好意的に興味を持って迎えたい気持で使うものが多い》①招き寄せたい。喜んで迎え入れたい。「[兼家ハ今日モ来ナイノニ]南面にこのごろ来る人あり。足音すれば、さにぞあなる。『あはれ、―・しく来たるは』と、わきたぎる[自分ノ]心をばかたはらに置きて、うち言へば」〈かげろふ中〉。「[ホトトギスガイタト]言ひののしる声すれど、空をうちかけりて二声三声きこえたるは、身にしみて―・しうおぼえたれば」〈かげろふ下〉②興味がひかれる。面白い。「『まろ此の歌返しせむ』といふ。おどろきて、『いと―・しきことかな。よみてんやは。よみつべくは、はや言へかし』」〈土佐一月七日〉。「中納言喜び給ひて『―・しき事にもあるかな。もっともえ知らざりけり。興ある事申したり』とのたまひて」〈竹取〉③美しくて心がひかれる。魅力がある。「夏はよる。…[螢ノ]ほのかにうちひかりて行くも―・し。雨など降るも―・し」〈枕一〉。「―・しき額つきの透き影あまた見えてのぞく」〈源氏夕顔〉。「[女ハ]いとよしづきて、―・しくいますがりければ、よばふ[男ノ]人もいと多かりけれど」〈大和一四三〉④可愛らしい。「上にさぶらふ御猫は、…いみじう―・しければ」〈枕九〉。「[女房ガ]愛敬づき―・しき気はひにて言へば」〈今昔二四ノ八〉⑤すばらしい趣がある。「香の紙のいみじう染(し)めたる、にほひいと―・し」〈枕三六〉⑥面白くてつい笑いがこぼれる感じだ。『歌を一餌袋入れて給へ。ここにいと悩ましうてえ詠むまじ』とあれば、いと―・しうて、『のたまへる物、ある限り詠み入れて奉るを、もし洩りや失せん、異袋をぞ給はまし』とものしつ」〈かげろふ下〉。「[時代遅レノ学者ガ]…などおどし言ふも、いと―・し」〈源氏少女〉⑦笑うべきである。変っている。変だ。「人人の数(あまた)聞きしに、故もなく[人ヲ殺セナドト]さる事を宣ひしかば、可笑(をか)しと思ひて止みはべりにき。然る事思ふ人やは有る」〈今昔二五ノ一〇〉。「刀・脇指のさし様を知らないで、さても―・しいはさみ様だ」〈雑兵物語上〉。「可吹、又、可咲。見二醜貌一咲(わらふ)貌。阿奈乎加志(あなをかし)」〈新撰字鏡〉 **―なかま**【可笑仲間】太鼓持の連中。「京中の―の集り、をかしからぬのは口惜し」〈西鶴・諸艶大鑑三〉 **―ば・み**『四段』少し人の気をひくように美しい様子である。「なよらかに―・める事を、好ましからずおぼす人はかくゆくりかなる事ぞ」〈源氏夕霧〉 **―やか** 心をひくようであるさま。おもしろいさま。「[女ガ]―にわららかなるけも無き人に添ひ居たらむに、はかなきたはぶれ言もつつましう」〈源氏真木柱〉。「[手紙ハ]―なる事も無く、いとまめだちて」〈源氏総角〉

をかしら【尾頭】①尾と頭と。「―ともに八つある大蛇の侍りて」〈伽・伊吹童子〉②尾から頭までの長さ。「―九尋ありける大蛇を」〈曾我八〉 **―つき**【尾頭付】尾頭を付けたままの魚。神事・祝事に用いる。「―の大焼物」〈近松・賀古教信三〉

をがせ【麻桛・苧桛】捻りつないだ苧を糸として桛枠(かせわく)に掛け、輪としたもの。また、その桛枠。心が乱れることのたとえにもいう。「―を返せと言うて下されい」〈虎寛本狂言・吃り〉。「纑、ヲガセ」〈文明本節用集〉

をかだいふ(ヲカダユウ)【岡太夫】蕨餅の異名。「延喜の帝の聞こし召されて、則ち官をなされ―とも申したると申すが」〈虎明本狂言・岡太夫〉

をがたまのき【黄心樹】モクレン科の常緑高木。古今伝授では、榊(さかき)の異名。「―。み吉野の吉野の滝に浮びいづるあわをかたまのきゆとみつらん」〈古今四三一〉。「あまねしやひもろ木の、―の枝に、金の鈴を結びつけて」〈謡・弓八幡〉

をかづけ【岡付・陸付】牛馬による荷物の陸上輸送。「其の外―脇脇へ罷り出で候はば…堅く相ひ留められ候へと」〈梅津政景日記元和五・三・一〉

をかっぴき【岡っ引】「をかひき」の転。「―。これも外目にて犯罪人を探索し、奉行検断の庁に引き寄せるといふ義ならん。カッピと詰めたるは…語勢を強めたるならん」〈両京俚言考〉

をがは(ヲガワ)【小川】《ヲは接頭語》小さな川。「この―霧ぞ結べる激(たき)ち行く走り井の上に言上げせねども」〈万一一一三〉

をかばしょ【岡場所】近世江戸で、官許の吉原遊廓以外に、私娼の居た遊里。百余箇所あった。「岡」「隠し町」とも。「―の女郎の座配(ざはい)気が張らぬ」〈雑俳・雲鼓評万句合寛延二〉

をかばみ【皁蝮】《バミはウハバミのバミと同じで、ヘビと同根》うわばみ。大蛇。「その木の上に―あり」〈驢鞍橋下〉

をがはら(ヲガワラ)【牡瓦・男瓦】円筒形を縦に二分した形の伏せ瓦。「―、長さ一丈一尺五寸、広さ三寸八分、厚さ三寸」〈高野山文書三、永享七・四・二四〉。「牡瓦、乎加波良(をがはら)」〈和名抄〉 ↓牝瓦(めがはら)

をかび【岡傍】《ビはシマミ・クマミ・イソミなどのミ(廻)の子音交替形》岡のすそに沿ってめぐっている所。岡のほとり。「ほととぎす鳴きて過ぎにし―から秋風吹きぬよしもあらなくに」〈万三九四六〉 †wokabi

をかひき【岡引】目明し。岡っ引。「悪人一人差し定め―と名付け、手引致させ、其の者の罪を免じ、外[ノ]科人を召し捕り候」〈御書付部類分宝暦九・一一・二七〉

をかべ【岡辺】岡のはずれ。「龍田道(たつたぢ)の―の道に」〈万九七一〉。「高潮におぢて…娘などは―の宿に移して住ませければ」〈源氏明石〉 †*wokabe

をかぼれ【岡惚れ】相手の心も知らず自分だけひそかに恋慕すること。「我我が下にて―せんはいかがなり」〈浮・好色酒呑童子三〉

をかみ【尾髪】馬の尻尾と立て髪と。「やがて―を切り、金焼きして」〈平家四・競〉

をかみ【岡見】①大晦日の夜、蓑を逆さに着て岡に上り、梢の上から我が家を眺めて来年の吉凶を卜知する行事。「ことだまの覚束なさに―すと梢ながらも年を越すかな」〈散木奇歌集四〉②「岡目」に同じ。「だらだらと／―の者の懐手」〈雑俳・鳥おどし〉

をがみ【男神・雄神】男性の神。「足なづち、手なづちとて、―・女神おはします」〈平家一一・剣〉

をが・み【拝み】『四段』《ヲロガミの転か》①(神仏に)礼拝する。「心づからたなごころを合はせて、東(ひむがし)に向ひて『南無仏』と言ひて―・み給ふ」〈三宝絵中〉。「仏見奉りたらんやうに額(ひた)に手を当てて—・みまどふさまことわりなり」〈大鏡道長〉 ②《見る意の謙譲語として》 拝顔する。「〔親王ガ〕御髪(みぐし)おろし給うてけり。む月に—・み奉らんとて、小野にまうでたるに比叡(ひえ)の山の麓(ふもと)なれば雪いと高し。強ひてまうでて—・み奉るに」〈伊勢八三〉 ③嘆願する。懇願する。「嘘でなりとも、—・うでなりとも、分(わけ)を立てぬは心掛り」〈西鶴・諸艶大鑑八〉 **—うち**【拝打ち】両手で持った刀をまっこうに振りかぶり、合掌するような形で振り下ろし、切りつけること。「向ふ者をば—」〈謡・籠〉 **—ぎり**【拝切り・拝斬り】「拝み打ち」に同じ。「坂本様の(坂本デ比叡山ヲ拝ムヨウニ)—、八方を払うて火花を散らす」〈太平記三・師賢登山〉

をかめ【岡目】他人の行為を傍から、または、局外から見ていること。傍観。岡見。「包む心の奥の手は、—に見えて哀れなり」〈近松・相模入道三〉。〈分類故事要語一〇〉 **—はちもく**【岡目八目】囲碁の岡目は、打っている者よりも八目先が分るという意で、物事の局外にある者の方が、当事者より、その真相を冷静明白に判断できることのたとえ。脇目八目。「諺にも—と云ひて、批判なきにしもあらず」〈仮・百八町記二〉。〈俳・世話尽一〉

をかゆ【岡湯・陸湯】あがり湯。「—を汲んで貰ひ」〈咄・再成餅〉

をがら【麻幹】麻の茎の皮をはいだもの。あさがら。「夏はぎの麻の—とあだ人の心軽さといづれまされり」〈曾丹集〉 **—づきん**【麻幹頭巾・苧糟頭巾】「苧屑(をくそ)頭巾」に同じ。「—引被うで」〈近松・持統天皇四〉

を・き【招き】『四段』神や尊重するものなどをまねき寄せる。「正月(むつき)立ち春の来らばかくしこそ梅を—・きつつ楽しき終へめ」〈万八一五〉 †woki

をぎ【荻】水辺や湿地に生えるイネ科の多年草。風にそよぐ音が歌によまれることが多い。かぜききぐさ。「妹なろが使ふ川津のささら—あしと人言語りよらしも」〈万三四四六〉。「荻、乎木(をぎ)」〈和名抄〉 ▽古くは、ヲギのほかにアシやススキなどをも含めていったろうともいう。 †wogi

をぎ【雄木】実のならない木。「一切の木に子(み)のなるを妻木(めぎ)と云ひ、子のならぬを—と云ふぞ。松にも子のなるを妻松と云ふぞ」〈玉塵抄一〉

をぎはら【荻原】荻が一面に生えている原。「—や軒ばの露にそほちつつ八重立つ霧を分けぞ行くべき」〈源氏夕霧〉

をぐし【小櫛】《ヲは接頭語》櫛。「君なくはなぞ身装はむ匣(くしげ)なる黄楊(つげ)の—も取らむとも思はず」〈万一七七七〉

をくそづきん【苧屑頭巾】近世、山家(やまが)者や鷹匠などが被った、苧(からむし)の屑で作った強盗(がんだう)頭巾。「をくづ頭巾」「ほくそ頭巾」とも。「賤山賤のむくつけきも、心を乱す—」〈俳・宝蔵二〉

をぐな【童男】男の子。少年。「童男、此をば烏具奈(をぐな)と云ふ」〈紀景行二年〉

をくに【小国】《ヲは接頭語》国。「隠口(こもりく)の泊瀬—に妻しあれば石は踏めどもなほし来にけり」〈万三三一一〉

をぐら・し【小暗し】『形ク』《ヲは接頭語》暗い。薄暗い。「山の蔭は—・きここちするに」〈源氏夕霧〉。「わけて問ふ心のほどの見ゆるかな木蔭—・き夏の繁りを」〈更級〉

をぐらじきし【小倉色紙】藤原定家が百人一首を選んで書き、小倉山の山荘の障子に押したものと伝える色紙。高価なことで有名。小倉山荘色紙。「定家の—」〈西鶴・永代蔵四〉

をぐるま【小車】《ヲは接頭語》車。小さい車。「山賤の相坂こゆる—に心やりたる暁の声」〈夫木抄三三・車〉

をけ ①【麻笥】績(う)んだ麻を入れる器。ヒノキの薄板でつくる。「をとめらが—に垂れたる績麻(うみを)なす長門の浦に」〈万三二四三〉。「笥、乎介(をけ)」〈霊異記下一九〉 ②【桶】水を汲む道具。「桶、乎計(をけ)、汲水於井之器也」〈和名抄〉 †wokë **—な物打ち明・ける** ①桶の中にある物をすっかり出してしまう。「—・ける程降る雨に」〈俳・仏の兄〉 ②全部さらけ出して、隠しだてしないさまの形容。「とんと(全ク)—・けたやうな御心」〈近松・宵庚申下〉

をけざる【玃】大猿。「この横座にゐたる—」〈宇治拾遺二九〉

をけぶせ【桶伏】近世、遊里で行なわれた私刑の一。揚代を支払えない客を制裁するため、大門脇の桶の中に押し込めて晒し物にするもの。「焼かれつつ金の有る程取られんぼ後は必ず—と知れ」〈評判・吾妻物語〉

をけらまゐり【白朮参り】大晦日の夜、京都祇園社に参詣すること。オケラの根を加えて焚く神前の火を火縄に移して持ち帰る。「大三十日の—は、手代・小息子の良き鰹節(大好物)なれば、足を空になし」〈洒・徒然睟が川三〉

をこ【烏滸】《ウコ(愚)の母音交替形》馬鹿げたことをすること。また、馬鹿馬鹿しいこと。「我が心しぞ、いや—にして今ぞ悔しき」〈記歌謡四四〉。「右近衛内蔵富継、長尾米継、伎、散楽を善くす。人をして大いに咲(わら)はしむ。所謂鴻滸(をこ)の人に近し」〈三代実録元慶四・七・二九〉。「かの仲人に謀られて言ふもいと—なり」〈源氏東屋〉。「行きずりの人の宣はむ事をたのむこそ—なれ」〈今昔二八ノ一〉 ▽「尾籠」とも書いたので、後にこれをビロウとよむようになった。 †*wökö

をこがま・し【烏滸がまし】『形シク』馬鹿げていてみっともない。笑い物になりかねない。「いはけなき人人をも一人〔デ〕はぐくみ立てむほど、限りある身にて、いと—・しう、人わろかるべき事」〈源氏橋姫〉。「人の親の身として、かやうの事を申せば、きはめて—・しけれども、御辺は子どもの中には、すぐれて見え給ふなり」〈平家三・無文〉

をごけ【麻小笥】「麻笥(をけ)」に同じ。「〔虱ハ〕—の蓋にて命(いのち)終る」〈梁塵秘抄四一〇〉。「五寸程なる地蔵を求めて、—といふ物に入れ奉りて」〈宝物集中〉 **—つかひ**(ツカイ)【麻笥遣】底の無い麻笥から、雁・鳩・鶉・人形・牛などを取り出す手品をする芸人。「—が早い思惑(おもわく)」〈俳・大矢数一〉

をこごと【烏滸言】笑い話。「…と、—に宣ひ成すをも知らず」〈源氏常夏〉

をごころ【雄心】男の強い心。「天地に少し至らぬますらをと思ひし我や—もなき」〈万二八七五〉 †wogökörö

をこづ・き【烏滸づき】『四段』①おかしなさまをする。「鼻のわたり—・きて語りなす」〈源氏帚木〉。②ばかばかしがる。馬鹿にする。「男ども此れを聞きて—・きあざけりて」〈今昔一〇ノ三六〉

をこつ・り【誘り】『四段』《ワカツリ(機)の母音交替形》①利を与えて、だましさそう。「盛りに宴饗(とよのあかり)を設けて虜(あた)を—・りて取れ」〈紀神武即位前〉。「幼き子ども—・ると三つの車を構へつつ、門の外に出でぬれば一つ車に乗りたまふ」〈梁塵秘抄七三〉 ②機嫌をとる。「こなたに入り給ひて姫君遊ばし、—・り聞え給ひて」〈浜松中納言二〉

をこめ・き【烏滸めき】『四段』①道化やくのようである。「—・いたる大臣(おとど)にて、ほほゑみて〔フザケタコトヲ〕宣ふ」〈源氏常夏〉 ②馬鹿げている。「寿詞(ことぶき)の乱りがはしき、—・きたる事も事事しくとり成したる」〈源氏初音〉

をこゑ【鳴滸絵】こっけいな画。戯画。「ただ—書とのみ知りたりし」〈今昔二八ノ三六〉

をさ【長】《ヲサメ(治)・ヲサナシ(幼)などのヲサ》或る区域の行政や、団体・仕事仲間などをとりしきる能力のある人。人の長。かしら。「楚(しもと)取る里—が声は寝屋どまで来立ち呼ばひぬ」〈万八九二〉。「船の—しける翁、月頃の苦しき心やりに詠める」〈土佐一月十八日〉。「御厨子所の鵜飼の—」〈源氏藤裏葉〉

をさ【筬】機(はた)織りの道具の一。櫛の歯に似て、竹で作る。縦糸をその目に通して整え、横糸を織り込むごとに筬(をさ)を動かして横糸の織り目をつめる。「須磨の海女の塩焼衣—をあらみ間遠にあれや君が来まさぬ」〈古今七五八〉。「筬、乎佐(をさ)」〈新撰字鏡〉

をさ【訳語】通訳。「小野臣妹子等、大唐(もろこし)より至る。唯し通事(をさ)福利のみ来ず」〈紀推古十七年〉。「磐余(いはれ)の訳語田の宮。…訳語、二合乎佐(をさ)」〈霊異記上三〉 ▽「をさ(長)」と同根か。他の言語を解して交渉に当るものの意のヲサと、人の長の意のヲサとのアクセントは同じである。

をさあい【幼い】①形容詞連体形「をさない」の転。「三人の—人どもの装束までも下されければ」〈平治下・常葉六波羅に参る〉。「—ちご一人、御前に寝入りたり」〈問はず語り三〉 ②幼い者。「あらいつくしの—や」〈伽・はもち中将〉。「—をいつも後に負ひ馴れて」〈俳・犬子集一四〉

をさかき【筬掻・梭掻】織機の筬(をさ)を作る竹細工人。筬さし。「—。竹を以て品品に組むなり」〈人倫訓蒙図彙六〉

をざかり【男盛り】若いさかり。男ざかり。「梯立(はしたて)の倉椅(くらはし)川の石の橋はも壮士時(をざかり)に我が渡りてし石の橋はも」〈万一二八三〉

をさぎ【兎】「うさぎ」の上代東国方言。「等夜(とや)の野に—狙はりをさをさも寝なへ児ゆゑに母にころはえ」〈万三五二九東歌〉 †wosagi

をざさ【小笹】《ヲは接頭語》ささ。「分けきつる—が露の繁ければ逢ふ道にさへぬるる袖かな」〈千載八二二〉 **—はら【小笹原】**小笹の生い茂った原。「冬の夜の霰降る夜の—さびしく月の影たけにけり」〈拾玉集三〉

をざ・し【建し】『四段』《尾指シの意》北斗星の斗柄(けんさき)が、十二支のいずれかの方角を指す。「月の—・すとは何ぞや。…北斗の指す所の柄の辰也」〈暦林問答集上〉

をさな【幼】《ヲサナシの語幹》 **—おひ** イオ【幼生ひ】幼い時の成長ぶり。幼い時の様子。「故院の—に少しも違はせ給はぬものかな」〈平家八・山門御幸〉 **—ごこち【幼心地】**子供っぽい心持。事情など理解しない心持。「この若君、—に、めでたき人かなと見給ひて」〈源氏若紫〉 **—どころ【幼心】**子供心。「古へおぼし出づるに、…そこはかとなくあはれと見奉り給ひし御—も、ただ今の事とおぼゆるに」〈源氏絵合〉 **—だち【幼立ち】**「をさなおひ」に同じ。「中将殿—に少しも違はずとて御よろこびは限りなし」〈伽・さくらの中将〉 **—な【幼名】**元服以前の名。幼時の名。「八幡殿の—をば源太とぞいひける」〈平治上・源氏勢汰へ〉 **—なじみ【幼馴染・稚馴染】**幼い時からの親しい仲。「[下京ノ女ハ]わたくしが—でござる程に」〈虎明本狂言・鈍太郎〉 **—・び【幼び】**『上二』幼さをおびる。「恨み給ふけはひ、—・びて、ふくらかに愛敬づき、うつくしげに見え給ふ」〈狭衣二〉 **—みみ【幼耳】**幼児の(頃の)耳。「浦島の事を、祖父(おほぢ)か曾祖父(ひおほぢ)にて候ひし人の、昔物語にせられ候ふをこそ—に承りて候」〈伽・浦島〉 **—め【幼目】**幼児の(頃の)目。「—に見しかば、白髪の糟尾なりしぞ」〈平家七・実盛〉

をさない【幼い・稚い】《幼い者の意で》幼児。おさな子。「—の能、直顔面(ひたがほめん)にて候ふ間、謡ひ候ひて悪(わる)く候」〈禅鳳雑談〉。「—の迷ひし由の札書きて」〈俳・正章千句下〉

をさな・し【幼し】『形ク』《ヲサ(長)ナシ(無)の意》①ごく年がいかない。年はもいかない。「はしたなきもの。…おのづから人の上などうち言ひそしりたるに、—・き子どもの聞き取りて、その人のあるに言ひ出でたる」〈枕一二七〉。「稚、イトキナシ・ヲサナシ」〈名義抄〉。「少、スクナシ・ワカシ・ヲサナシ」〈名義抄〉 ②(成人に達しているが)幼稚である。未熟だ。「女宮はいとらうたげに—・きさまにて、御しつらひなどの事事しくよだけくうるはしきに、みづからは何心もなく物はかなき御程にて」〈源氏若菜上〉 ③(考え方などが)未熟でおろかしい。おろかである。「女児のためには親—・くなりぬべし」〈土佐二月四日〉。「かくおほせごとありて召すなり。なにのうちひかせ給ふべきにもあらず。ものをこそはたまはせむとすれ。—・きものなり」〈大和一四八〉

をさま・り【治まり・収まり】『四段』《ヲサメ(治)の自動詞形》❶首長によって統治される。(国内が)安定する。「世の中定まらぬ折は深き山に跡を絶えたる人だにも、—・れる世には白髪も恥ぢず、いで仕へける」〈源氏澪標〉。「鶏(はには)鳴いて安き事なし。—・れる世だにもかくの如し。況(いは)んや乱れたる世に於いてをや」〈平家七・主上都落〉 ❷事態が平静な状態に落ち着く。①(荒れていた天候などが)静まる。(風などが)やむ。「是の時、煙(けぶり)収(をさま)り霧巻きて、景(かげ)麗(うるは)しく風清(す)めり」〈三蔵法師伝一〇・院政期点〉。「更(ふ)け行けば雲も嵐も—・りて夜渡る月の影ぞのどけき」〈新拾遺一六二六〉 ②(乱れていた気持が)落ち着く。「女房呼び出でさせ給ふに、ある限り心も—・らず、物覚えぬさまなり」〈源氏夕霧〉。「日を経つつ世の中浮き立ちて、人の心も—・らず」〈方丈記〉 ③勢いが静まって消滅する。(光などが)失せる。とまる。「月は有明にて、光—・れるものから」〈源氏帚木〉。「あまりに—・らず乱れ落つる涙こそはしたなけれと思へば」〈源氏柏木〉 ④物事が落着する。「三度奏して後こそ—・りにけれ」〈増鏡一〉

をさむるつかさ【治部省】⇒ぢぶしゃう。「治部省、乎佐牟留都加佐(をさむるつかさ)」〈和名抄〉

をさめ【長女】宮中で雑用をする下級の女官。「—・御厠人(みかはやうど)までありがたき御顧みのしたなりつるを」〈源氏須磨〉。「—文(ふみ)もて来たり」〈枕一四三〉

をさ・め【治め・修め・収め・納め】㊀『下二』《ヲサ(長)の動詞化。ある区域の行政を統率安定させる意。また一方、行政者に対して、年貢などを収納する意。転じて、乱れを収束安定させる意。類義語シリ(領)は全面的に占有支配する意。スベ(統)は物をくくって一つにするのが原義》❶区域の行政を統率安定させる。①首長として統治する。「神ながらわご大君の天の下—・め給へば」〈万四二五四〉。「大君の任(ま)けのまにまにしなざかる越を—・めにいでて来(こ)し」〈万三九六九〉 ②平定する。「鶏が鳴く吾妻(あづま)の国の、御軍士(みいくさ)を召し給ひて、ちはやぶる人を和(やは)せと、まつろはぬ国を—・めと」〈万一九九〉 ③管理する。「まさに山林を披(ひら)き払ひ、宮室(おほみや)を経(をさ)め営(つく)りて」〈紀神武即位前〉 ❷事態を良い状態に落ちつかせ、整える。①病勢を落ちつかせる。「わが父の長者、善く医方に妙に八術を通して能く衆の病と四大の増損とを療(をさ)めたまふ」〈金光明最勝王経平安初期点〉 ②乱れをなおし整える。「鬢髪蓬乱(ふくだ)めるをも、かきも収(をさ)めず」〈東大寺諷誦文稿〉。「重き病者の俄かにとぢめつるさまなりつるを、女房などは心もえ—・めず乱りがはしく騒ぎ侍りけるに」〈源氏若菜下〉 ③学芸を身につける。習得する。「願はくは

を

大王勤めて徳を━・めたまへ」〈懐風藻〉④(しかるべき場所に)しまう。収納する。「吾妹子(わぎもこ)が赤裳(あかも)ひづちて植ゑし田を刈りて━・めむ倉無しの浜」〈万一七一〇〉。「家にありし櫃(ひつ)に鏁(かぎ)さし━・めてし恋の奴(やっこ)のつかみかかりて」〈万三八一六〉。「白氏の書の中に夏の部を━・む」〈新撰朗詠集早秋〉⑤(遺骸などを)埋葬する。「〔良房ガ〕みまかりにける時に、深草の山に━・めて」〈古今八三二詞書〉⑥物や金銭を受け入れる。受納する。「それ程におしゃるならば━・めて置かう」〈虎寛本狂言・八句連歌〉⑦(取りしきって)きちんとすます。やりとげる。「まして家の内を行なひ━・めたる女、いと口をし」〈徒然一九〇〉⑧落ち着き澄ます。平然とする。「或は━・めたると人に云はれんも嫌さに」〈評判・難波物語〉 ㊁『名』①平定すること。統治すること。「大君の命(みこと)かしこみ、あしひきの山越え野(ぬ)行き、天離(あまざか)る鄙(ひな)━にと」〈万三九七八〉②仕上げ。最後。最終。「この度、にはかにて、〔舞ノ〕━の手も忘れ候ひにたり」〈宇治拾遺三〉。「〔九百九十九本奪イ取ッテ〕今一振り、━の太刀なれば、音に聞く源九郎御曹子の黄金作りの太刀を取らばや」〈伽・弁慶物語〉 † wosamë

━がほ(ヲガホ)【納め顔】一切を呑み込んで落ち着き払った顔つき。つんと取り澄ました顔。「━見たう無い」〈近松・浦島年代記三〉 **━つくるつかさ**【修理職】⇒すりしき。「修理職、乎佐女豆久留豆加佐(をさめつくるつかさ)」〈和名抄〉 **━どの**【納殿】宮廷や貴族の邸宅で、金銀・衣服・調度の類その他を納め置くところ。内裏では宜陽殿(ぎようでん)・後涼殿の内にある。「この御子三つになり給ふ年、御袴着の事、一の宮の奉りしに劣らず内蔵寮━の物を尽していみじうせさせ給ふ」〈源氏桐壺〉

をさをさ『副』《ヲサ(長)を重ねた語。いかにも整然としているさま》①ちゃんと。きちんと。はかばかしく。「よろづの人の『婿になり給へ』と━聞え給へども」〈宇津保藤原君〉。「古へにも━越えたる歌の聖(ひじり)、数をつくしていまそかりける」〈ささめごと上〉②《下に打消の表現を伴って》めったに。ろくに。なかなか以て。「━心弱くおはしまさぬ六条殿も酔ひ泣きにやうちしほたれ給ふ」〈源氏行幸〉。「冬枯れのけしきこそ秋には━劣るまじけれ」〈徒然一九〉

をさをさ・し【長長し】『形シク』①長(をさ)として事にあたるのにふさわしい。いかにも人のかしらに立つ人らしい。「当れる国の幹了(をさをさ)しき者」〈紀成務四年〉②事を処して乱れず、きちんとしている。ちゃんとしている。「姿色端麗(きらぎら)しく、進止(みふるまひ)軌制(をさをさ)し」〈紀推古即位前〉。「若ければ、文(ふみ)も━・しからず、詞(ことば)も言ひ知らず」〈伊勢一〇七〉。「正、ヲサヲサシ」〈名義抄〉③《連用形で、下に打消を伴って》ちゃんとは…(ない)。ろくに…(ない)。「左の洲浜、━・しく見えず。暗くて大殿油参る」〈天徳内裏歌合〉

をし【鴛鴦】ヲシドリ。常に雌雄同棲するところから、夫婦愛の比喩に用いたり、水に浮くところから、「浮寝(うきね)」などに懸けていうことが多い。「山川に━二つゐて偶(たぐ)ひよく」〈紀歌謡一一三〉。「かきつめてむかし恋しき雪もよにあはれを添ふる━のうきねか」〈源氏槿〉

を・し【食し】『四段』①食べる、飲むなどの意の尊敬語。めしあがる。「醸(か)みし大御酒(おほみき)、甘(うま)らにきこしもち━・せ」〈記歌謡四八〉②着る意の尊敬語。めす。おめしになる。「栲(たへ)の袴を七重━・し」〈紀歌謡七四〉③治める意の尊敬語。お治めになる。統治なさる。しろしめす。「天皇(すめろき)の━・す国なれば」〈万四〇〇六〉

を・し【惜し・愛し】『形シク』《すでに手中にしているものが大事で、手放せない感情をいう語。類義語アタラシは、その物のよさ美しさが生かされないのを、もったいないと思う意》①(失ったり、そこなわれたりすることが)もったいない。「玉匣(たまくしげ)明けまく━・しきあたら夜を袖(ころもで)離(か)れて独りかも寝む」〈万一六九三〉。「わが命は━・しくもあらずさ丹(に)つらふ君に依(よ)りてぞ長く欲(ほ)りする」〈万三八一三〉。「お前の藤の花、いと面白う咲き乱れて、世の常の色ならず、ただに見過ぐさむ事━・しきさかりなるに」〈源氏藤裏葉〉②(大切でかけがえがないから)手放しがたく、いとしい。名残がつきない。「わが背子は玉にもがもな手に巻きて見つつ行かむを置きて行かば━・し」〈万三九九〇〉。「〔馬ヲ〕しきりに乞ひけるを『汝が欲しく思ふほどに我は━・しう思ふぞ』」〈著聞五一二〉

をし『感』《ヲ・シともに感動詞》天皇や貴人の出入・通行や、正式の食事の時などに、人人をかしこまらせ、静かに厳粛にさせるためにかける声。「警蹕(けいひち)など━といふ声聞ゆるも」〈枕三〉。「御盃捧げて━と宣へる声づかひもてなしさへ、例のおほやけごとなれど」〈源氏宿木〉

をしかは(ヲシカワ)【韋】なめしがわ。「韋、乎之加波(をしかは)、柔皮也」〈和名抄〉

をしき【折敷】片木(へぎ)を四方に折り廻して作った角盆。食器をのせるのに用いる。杉などのほか種種の香木で作る。「沈(ぢん)の━四つして、銀(しろがね)の土器(かはらけ)などぞありける」〈延喜二十一年京極御息所歌合〉

をしけく【惜しけく】《惜シのク語法》惜しいこと。「馬の八匹(やつぎ)は━もなし」〈紀歌謡七九〉 † wosikeku

をしどり【鴛鴦】⇒をし。「妹に恋ひ寝(い)ねぬ朝明(あさけ)に━のここゆ渡るは妹が使か」〈万二四九一〉 † wosidöri

をしのちぎり【鴛鴦の契】鴛鴦のように睦まじい夫婦仲。「━を結び松の齢をひき給ふ」〈海道記〉

をしのふすま【鴛鴦の衾】「鴛鴦(ゑんあう)の衾」に同じ。「霜もらぬ━のおほひ羽も千代を重ぬる宿の池水」〈壬二集中〉

をし・へ(ヲシエ)【教へ】㊀『下二』①(自分のやり方に他の人を)さそいこんで指導する。(教義などを)説教して人を同化する。「常に法施を行し、群迷を誘(をし)へ進めて、大果を得(う)」〈金光明最勝王経平安初期点〉。「身の三と語の四と意の三種の行とをもちて、十悪業を造れること、自(おの)れをも作り、他をも━・へ作るを見ても随喜せり」〈金光明最勝王経平安初期点〉。「仏道を行なひて人を━・ふ」〈三宝絵中〉。「誘・化、ヲシフ」〈名義抄〉②(自分の知識を)伝えてのみこませる。「〔歌ヲ〕えかたのやうにも続け給はねば、夜更(ふ)けぬとて、侍従ぞ例の━・へ聞ゆる」〈源氏末摘花〉。「〔父ニ〕習ひたる事候はず。〔父〕顕季も━・へず候」〈著聞一八九〉③教唆する。そそのかす。「妻ありて、この事を羅漢、夫に語らむ事を恐れて、賊人を━・へてこの羅漢を殺しつ」〈今昔二ノ二九〉 ㊁『名』教えること。また、その内容。「村村の祝部(はふりべ)の所教(をしへ)の随(まま)に」〈紀皇極一年〉。「〔夕霧ハ〕なにがしの━(儒教)も、よく思し知るらむ」〈源氏藤裏葉〉 **━た・て**【教へ立て】『下二』はっきりと教える。「賢く━・つるかなと思ひ給へて」〈源氏帚木〉 **━な・し**【教へ為し】『四段』巧みに教える。「いと幼げに物し給ふめるを後安く━・し給へ」〈源氏若菜上〉

をし・み【惜しみ・愛しみ】『四段』《ヲシ(惜)と思い、それを動作に示す意》①独占していたいほど大切に思う。物おしみする。「惜悋、上乎之牟(をしむ)、下夜比左之(やひさし)」〈華厳音義私記〉。「隣より常夏(とこなつ)の花を乞ひにおこせたりければ━・みて」〈古今一六七詞書〉。「悋・慳・嗇、ヲシム」〈名義抄〉②(去るもの、失われるものを)名残り惜しく思う。愛惜する。「梅の花散らまく━・みわが園の竹の林に鶯(うぐひす)

ひす)鳴くも」〈万八二四〉。「御髪は―・み聞えて、長うそぎたりければ」〈源氏柏木〉。「日本の武士は名を―・む」〈義経記四〉 ③(何にも代えがたいものとして)愛着する。「何ぞ一人の女(め)を愛(をし)みて、禍(わざはひ)を取らむや。如何(かい)にといへども命に過ぎざらむ」〈紀欽明二十三年〉 ④《打消の語を伴って》思う存分にすることをひかえる。「つつみ給へど、声も―・まれず」〈源氏総角〉

をじめ【緒締】 袋・巾着・煙草入などの緒を通して束ね締める具。玉・石・角・象牙・珊瑚珠などで作り、多くは珠形で緒を通す穴が明けてある。緒止(おどめ)。「〔珊瑚〕粒の―」〈仮・是楽物語上〉

をしゃう【和尚】 ①僧侶。坊主。「光明寺の―、観経義の中に、三心を釈して」〈万法蔵讃鈔上〉。〈文明本節用集〉 →くゎしゃう。 ②茶道・武術などの芸能または遊女で特に勝れた者の称。「又此頃、茶の湯方に功者にて、世に此の人ならで又上手はあらじと言ふやうの人を、―と押し出して、誰も誰も宣ふは如何なる事にや」〈俳・かたこと三〉。「吉田様と申して、此の所の―とあがめ奉る御方也」〈評判・高屛風上〉

をす【小簾】《ヲは接頭語》 すだれ。小さいすだれ。「玉垂の―の隙(すけき)に入り通ひ来ねたらちねの母が問はさば風と申さむ」〈万二三六四〉

をすず【小鈴】《ヲは接頭語》 鈴。小さい鈴。「巻き持てる―もゆらに」〈万三二二三〉

をせなが【を背長】《ヲは接頭語》 胴が長いこと。「居丈の高く―に見え給ふに」〈源氏末摘花〉

をそ【獺】 カワウソ。「獺、和名乎曾(をそ)」〈和名抄〉 **―の戯(たはれ)** 戯れている内に本気になることのたとえ。「―。川獺始めは戯れ、後喰ひ合ふ物なり」〈匠材集一〉

をそろ《ヲソはワサ(早稲・早熟)の母音交替形。ロは性質・状態をあらわす接尾語》 早熟。転じて、軽率。軽はずみ。「咲く花も―は飽きぬ晩手(おくて)なる長き心になほ如(し)かずけり」〈万一五四八〉 †wösörö

をそをそ【獺獺】 幼児が這い廻って悪戯するのを、おどして止めるのにいうことば。「幼けなき子の這ひ廻りて悪しき事するを、おどして―と言ふ詞は、をそとは獺の事也」〈仮・狂歌咄二〉

をだ【小田】《ヲは接頭語》 田。小さい田。「斎種(ゆたね)まく新墾(あらき)の―を求めむと足結(あゆひ)出で濡れぬこの川の瀬に」〈万一一一〇〉

をだえ【緒絶え】 緒が切れること。「真珠(しらたま)は―しにきと聞きしゆゑにその緒また貫きわが玉にせむ」〈万三八一四〉 †wodaye

をたけび【男健・雄詰】 雄雄しさを誇示すること。「いつの(威勢鋭イ)―踏(ふ)みたけびて」〈記神代〉。「雄詰、此をば鳴多稽眉(をたけび)と云ふ」〈紀神代上〉 †wotakebï

をたち【小太刀】《ヲは接頭語》 短い太刀。こたち。「懸佩(かきはき)の―取り佩(は)き」〈万一八〇九〉

をだて【小楯】《ヲは接頭語》 ①楯。小さな楯。「逢はししをとめ後姿(うしろで)は―ろかも」〈記歌謡四二〉 ②〔枕詞〕地名「大和(やまと)」にかかる。「やまと」は小楯を並べたように山山が囲んでいるからの意という。「青丹よし奈良を過ぎ―大和を過ぎ」〈記歌謡五八〉

をたなばた【男七夕】《「めたなばた」の対》 彦星。「今の世の彦星これなり。天若御子(あめわかみこ)―これなり」〈伽・七夕之本地〉

をだに【小谷】《ヲは接頭語》 谷。小さい谷。「浅茅原(あさぢはら)―を過ぎて」〈記歌謡一一一〉

をだはら【小田原】 **―ぢゃうちん**【小田原挑燈】 細長く筒状で、畳んで持ち歩くに便利な挑燈。「―とは飛脚挑灯の本名なり」〈譬喩尽三〉 **―ひゃうぢゃう**【小田原評定】 豊臣秀吉が小田原城を征伐した時、城中で北条氏直の家臣等の和戦の評定が長びいて決しなかった故事から、長びいて決定しない相談をいう語。小田原相談。小田原談合。「―。一決出来ざるの故事」〈譬喩尽三〉

をだまき【苧環】 ①績(う)んだ麻をまいた巻子(へそ)。「いにしへのしづの―いやしきもよきもさかりはありしものなり」〈古今八八八〉 ②枝も葉もない立ち木。「谷深く立つ―は我なれや思ふ心の朽ちてやみぬる」〈狭衣三〉

をだもり【小田守】 小田を守る人。田守(たもり)。「小田をもる、小田もりてなどはすべし。―と人の名のやうに言ひ習はす事然るべからず」〈砌塵抄〉。「―も退屈したる鹿鳴きて」〈宗祇独吟〉

をだや・み【小弛み】『四段』 雨が少し降り止む。「―・むまでは此方へ呼び入れや」〈浄・牛若千人切二〉

をだれ【尾垂れ】 ①終りが振わないこと。龍頭蛇尾。「尾垂り」「尾さがり」とも。「始めは良く勤められたが、―になって勤められもせぬぞ」〈毛詩抄一八〉 ②庇(ひさし)。「―作り」〈俳・世話尽三〉。「木の葉来て―にたまる嵐かな」〈俳・一字幽蘭集下〉

をち【遠・彼方】 ①遠い所。遠方。おちかた。あち。「白雲の八重に重なる―にても思はん人に心へだつな」〈古今三八〇〉 ②(イ)昔。以前。「昨日より―をば知らず百年の春の始は今日にぞありける」〈拾遺一一五九〉 (ロ)以後。以外。「この頃は恋ひつつもあらむ玉匣明けて―より術(すべ)なかるべし」〈万三七二六〉。「近くあらばいま二日だみ(以内)遠くあらば七日の―は過ぎめやも」〈万四〇一一〉

を・ち【復ち・変若ち】 〔一〕『上二』《ヲトコ・ヲトメのヲトと同根》 若若しい活力がもどる。生命が若がえる。「我が盛りまた―・ちめやもほとほとに奈良の都を見ずかなりなむ」〈万三三一〉。「いにしへゆ人の言ひける老人(おいひと)の―・つとふ水そ名に負ふ滝の瀬」〈万一〇三四〉 〔二〕『名』 もとにもどること。「〔鷹ハ〕手放(たばな)れも―もか易き」〈万四〇一一〉

をぢ ①【小父】 年老いた男。老翁。「岩の上(へ)に小猿米焼く、米だにも食(た)げて通らせ、かまししの―」〈紀歌謡一〇七〉。「老翁、此をば烏膩(をぢ)といふ」〈紀神代下〉 ②【伯父・叔父】 父母の兄弟。または、「をば」の夫。「まろこそは御母方の―なれ」〈源氏蜻蛉〉。「阿伯、父之兄、江乎知(えをち)…阿叔、父之弟也、乙乎知(おとをち)」〈新撰字鏡〉 **―が甥(をひ)の草を刈る** 目上の者が目下の者に使われるたとえ。〈俳・毛吹草二〉

をちかた【彼方・遠方】 遠い向うの方。「―のあらら松原」〈紀歌謡二八〉 **―びと【遠方人】** ①遠方の人。「我が待ちし秋萩咲きぬ今だにもにほひに行かな―に」〈万二〇一四〉 ②旅人。「むさし野の萩のやけ原かき分て―のかすみゆくらむ」〈夫木抄二・霞〉

をちかへ・り【復ち返り】『四段』 ①若がえる。「朝露の消やすきわが身老いぬともまた―・り君をし待たむ」〈万二六八九〉 ②もとにかえる。「ほととぎす―・り鳴けうなゐこが打ちたれ髪のさみだれの空」〈拾遺一一一六〉 †wötikaFeri

をちこち【遠近・彼方此方】 ①遠くと近くと。あちこち。「宇治川は淀瀬なからし網代人(あじろひと)舟呼ばふ声―きこゆ」〈万一一三五〉 ②将来と現在と。「ま玉つく―かねて結びつる我が下紐の解くる日あらめや」〈万二九七三〉 †wötikö-ti

をぢぢゃひと【小父ぢゃ人・伯父ぢゃ人・叔父ぢゃ人】 お

じである人。おじさん。「をぢぢゃもの」とも。「―の方へ、言伝てなりともせうものを」〈虎寛本狂言・文蔵〉

をちど【越度】《「落度」とも書く》 ておち。あやまち。「をつど」とも。「為朝鎮西には居住して、今まで各〻を見知らざるこそ―なれ」〈保元中・白河殿攻め落す〉

をぢな・し【拙劣し】『形ク』 ①下手(へた)である。「大工(おほたく)み)をぢなみこそ隅(すみ)傾ぶけれ」〈記歌謡 一〇六〉。「―・き事する船人にもあるかな」〈竹取〉 ②知識が乏しい。考えが浅い。「―・きや我に劣れる人を多み」〈仏足石歌〉。「先の人は謀事―・し。我はよく強く謀りて」〈続紀宣命四五〉

をちみづ【復水・変若水】 若がえりの水。月神が持つとされた。月はかけてまた満ちるので若がえるものとみられたらしい。「月よみ(月神)の持てる―い取り来て君に奉(まつ)りてをち得しむもの」〈万三二四五〉 †wötimidu

をちをち【条条】 一条一条。一件一件。「更に―にして勅(みこと)(のり)し給ふ」〈紀神代下〉。「条、ヲチヲチ」〈名義抄〉

をっかい【越階】 段階を踏まずに一段越えて位階をあげ進めること。「―とて、二階をする事ありがたき朝恩なるにこれ既に三階なり」〈平家一・鏡〉

をつかみ【小攫み】《ヲッツカミとも》 攫める程に伸びた髪。「頭―なる法師ども」〈宇治拾遺二〉

をっそ【越訴】 所定の手続きや順序を経ないで上級裁判所に訴えること。古来禁止されていた。鎌倉・室町時代には、敗訴者が越訴奉行に訴えて、再審を求めること。「およそ―を受くるに及んでは、各答四十」〈闘訟律〉。「評定の庭に棄て置かるるの輩―の時」〈貞永式目〉。「越訴、ヲッソ」〈下学集〉

をつつ【現】「うつつ」の転。下に助詞「に」がきて「をつづに」と濁ることもある。「いにしへよ今の―に流さへる祖(おや)の子どもぞ」〈万四〇九四〉

をづつ【尾筒】 獣の尾の付け根の、丸く太い部分。「〔猪ノ〕―に取りつき、腰も切れよと挾みつつ」〈曾我八〉

をっと【夫】《ヲヒト(男人)の音便形》 妻をもつ男。「あの客僧こそ姫が夫(つま)よ―よなどと戯(さ)れけるを」〈謡・道成寺〉。「夫、ヲット」〈文明本節用集〉 **―の心と川の瀬は一夜(いちや)に変る** 夫の愛情のたのみがたいことをいうことば。「―譬へあり」〈伽・あきみち〉

をつど【越度】 ⇒をちど。「白川院御―とこそ万人脣をばなししか」〈盛衰記三四〉。「越度、ヲツド、或作二乙度一」〈文明本節用集〉

をつねん【越年】《ヱツネンとも》 旧年を送って新年を迎えること。年を越すこと。〈文明本節用集〉

をづめ【小集楽】 橋のつめ。また、そこで男女が歌舞した集り。「住吉(すみのえ)の―に出でてうつつにも己妻(おのづま)すらを鏡と見つも」〈万三八〇八〉 †wodumë

をてもこのも【彼面此面】《ヲチオモコノオモの転》 あちら側とこちら側と。あちこち。「足柄の―に刺すわなの」〈万三三六一東歌〉 †wötemökönömö

をとこ【男】《古くは「をとめ(少女)」の対。ヲトは、ヲチ(変若)と同根。若い生命力が活動すること。コは子。上代は、結婚期に達している若い男性。平安時代以後「をんな(女)」の対で、男性一般をいう。類義語ヲノコは「男の子」の意で、もとは、健児・従者・召使の意》 ①結婚期にある若い男性。「をとめらに―たち添ひ踏みならす西の都は万代(よろづよ)の宮」〈続紀歌謡六〉 ②《「をみな」「をんな」の対》(立派な、一人前の)男性。「秋野には今こそ行かめものゝふの―をみなの花にほひ見に」〈万四三一七〉。「―もすなる日記といふものを、女もしてみんとてするなり」〈土佐十二月二十一日〉 ③特に、女と結婚の関係にある男性。夫。「―など侍らずして年ごろ山里にこもり侍りける女」〈後撰一一七五詞書〉。「大将殿とは、この女二の宮の御―にやおはしつらむ」〈源氏夢浮橋〉。「夫、乎布度(をふと)、一云乎度古(をとこ)」〈和名抄〉 ④男子。「〔生レタノハ〕―にてさへおはすれば、その程(産養)の作法にぎはしく、めでたし」〈源氏葵〉 ⑤従者。下男。「この―を召して…など物宣ふやうなれど」〈源氏夕顔〉 ⑥在俗の男。「やすら殿は―か法師か」〈徒然九〇〉 ⑦武士の身。「所詮―を止むるにこそと思ひつつ、暇申して頭を剃り」〈仮・竹斎下〉 ⑧男としての面目・体面。「内に居申し候など申され候ては―も成らず候まま、さそく出馬せしめ候」〈伊達家文書二、天正一八・一二・九〉 ⑨男の容貌。男ぶり。男前。「―も勝れて女の好くべき風也」〈西鶴・一代男四〉 †wötöko **―に成・る** 元服して一人前の男になる。「殿のきむだちのまだ―・らせ給はぬ、わらはにてみなつかうまつらせ給へりき」〈大鏡昔物語〉 **―の心と内裏の柱は太うても太かれ** 男はあくまで大胆であれの意。「男の心と大仏の柱は太うても太かれ」などとも。「―と申すものを」〈伽・高野物語〉 **―の子は男に付・く** 近世、庶民が離婚の際、離縁前出産の男子は父親が引き取る慣習法をいうことば。時代・地方によりその慣習に小異があった。「かう去った上は、世上の法に任せ、―・く」〈浄・信田小太郎一〉 ↓娘は母に付く。 **―は松女子(をなご)は藤** 松に藤がからみ付くように、男は女を助け、女は男を頼って生活する意のたとえ。「―と元から喩に有るげな」〈近松・薩摩歌上〉 **―を立・つ** 男の面目を保つ。武士の面目を保つ。「危き命を惜まず―・てられしに」〈西鶴・男色大鑑六〉。「某(それがし)都を立ち退きて、―・てぬ上からは、君の憎も姫君の御恨みも残るまじ」〈浄・東山殿子日遊三〉

をとこがた【男方】 男の方。男の側。「『〔川ヲ〕ふと渡りなむ』と―には定むるを、女がたに『なほ船にてを』とあれば」〈かげろふ中〉。「―も〔結婚ノ〕心づかひし給ふ頃なれど」〈源氏宿木〉

をとこがほ【男顔】 男のような顔つき。「〔此ノ遊女ハ〕面体は額薄くして四角なる顔付は、よき―也」〈評判・朱雀遠目鏡下〉

をとこぎ【男気】 男らしい気質。侠気。「身どもは―を出いて堪忍したは」〈天理本狂言六義・内沙汰〉

をとこぎみ【男君】 ①婚姻の間柄にある男女の男の方。「―はとく起き給ひて、女君はさらに起き給はぬあしたあり」〈源氏葵〉 ②男のお子様。「生まれ給ひぬ。―と聞き給ふに」〈源氏柏木〉

をとこぎれ【男切れ】 男のはしくれ。男の片はし。「―に行き合ひ、…すれまとひ、引きとどむる」〈仮・東海道名所記六〉

をとこぐるひ【男狂ひ】 女が色狂いすること。「婆娑にて―したるその数を見よとて」〈伽・富士の人穴の草子〉

をとこぐるま【男車】 男の乗る牛車(ぎっしゃ)。「―二つばかりひきたてて」〈更級〉

をとこげいしゃ【男芸者】 太鼓持。幇間。「羽織(深川ノ女芸者)にしやせうか、―にしやせうか」〈洒・辰巳之園〉

をとこげいせい【男傾城】 色を売る男。「―とかや云へる者のやうに色白からしめて」〈俳・宝蔵四〉

をとこごころ【男心】 男に惹かれる心。「智恵ない神に―を知らすと言ふ物ぢゃ」〈西鶴・五人女三〉

をとこさび【男さび】 立派な男子らしくふるまうこと。「ますらをの―すと剣太刀腰に取り佩(は)き」〈万八〇四〉

をとこ・し【男し】『サ変』 男と交わる。夫を持つ。「娘、―・して、夫の家に住む」〈三宝絵上〉。「この筑紫のめ忍びて

—・したりけり」〈大和一四一〉

をとこしう【男主】男あるじ。男の主人。「おほかた、人の家の—ならでは、たかくはなひたる、いとにくし」〈枕二八〉

をとこじもの【男じもの】『副』男らしい恰好で。「児の泣くごとに—負ひみ抱(だ)(う)きみ」〈万四八一〉→じもの。†wötö-kozimönö

をとこずみ【男住み】男世帯。「北の方もおはしまさざりしかば—にて」〈大鏡兼家〉

をとこだう【男道】武士道。「—の名誉なりとて我も我もと行き」〈バレト写本〉。「〔町人ガ〕—の心掛け、笑止千万なり」〈仮・可笑記三〉

をとこだて【男達・男伊達】①強きをくじき、弱きを助け、約束を重んじ、生命を捨てて人を救うことを任務とすること。また、そのような人。俠客。奴(やっこ)。六法者。「—して〔ソノクセ〕底意地むさく」〈仮・可笑記三〉 ②男伊達の度が過ぎた無法な行動。また、その者。「町中—仕る若者これ有り、方方にて理不尽成る儀申し掛け、あばれ候由」〈正宝事録延宝一・三・一八〉 ③ばくちうち。「今、町にて—と云ふ者あり。かくじんとも、又、通り者とも、博奕打とも云ふ。みな同じ類ひの者也」〈御当代記一〉

をとこだふか【男踏歌】正月十四日に行なわれる男の踏歌(たふか)。女踏歌が毎年行なわれるに対し、大体一年おきに行なわれた。天元の頃廃絶。「—ありければ、やがてそのほどに儀式いといかめしう二なくて参り給ふ。…踏歌は方方に里人参り、さま異に、げに賑はしき見物なれば、誰も誰も清らをつくし…皆同じごと〔種種ノ物ヲ〕かづけわたす中に」〈源氏真木柱〉。「—。聖武天皇天平元年正月十四日始めて—有り」〈河海抄三〉→踏歌

をとこつか【男塚】《「をとめ塚」の対》若い男子を葬った墓。「—こなたかなたに造り置ける」〈万一八〇九〉 †wötöko-tuka

をとこづく【男尽く】男としての体面に掛けて物事を行なうこと。男の意地尽く。「—で貸したぞよ」〈近松・曾根崎心中〉

をとこで【男手】《「女手(をんなで)」の対。男の書く文字の意》①漢字。また特に、漢字の楷書。真名(まな)。「ただ、その書きて奉られたる本(手本)をこそは—も女手も習ひ給ふめれ」〈宇津保国譲上〉 ②男風の筆跡。「お梅が常常—をよう書く故に」〈近松・万年草上〉

をとこなき【男泣き】男が感極まって泣くこと。「—にして帰るを」〈西鶴・一代男七〉

をとこなり【男成・男体】前髪を取って元服し、大人の姿恰好になること。また、その風体。「一日も早く岸之助を—させ」〈西鶴・伝来記八〉

をとこのたましひ【男の魂】《鏡を「女の魂」というのに対して》刀剣。「—と言ふ脇指一腰も無くて」〈西鶴・織留三〉

をとこひでり【男旱・男日照】男が少なくて、女が男を求めにくい状態。男飢饉。「雨気には—か女七夕」〈俳・続連珠六〉。「若後家は—となりにけり」〈俳・蛇之助〉

をとこぶり【男振】①男としての容姿。「この—にて良き女を設くる事は成りがたし」〈咄・昨日は今日上〉 ②男としての面目。「あまりせかしゃますな。せけば—が下がりまするぞ」〈浄・道外和田酒盛五〉

をとこべや【男部屋】下男の部屋。「餅つきや火を搔いて行く—」〈俳・続猿蓑下〉

をとこぼし【男星】牽牛星。男七夕。「牽牛星。—」〈浮・好色訓蒙図彙上〉

をとこまさり【男勝り】女で、気性・体力・武芸などが男以上であること。「—の強勇、剣術者にて、今巴と異名せし程の女なれば」〈雲陽軍実記五〉

をとこまひ【男舞】女が男装して演ずる舞。「はじめは水干に立烏帽子、白鞘巻をさいて舞ひければ、—とぞ申しける」〈平家一・祇王〉

をとこみこ ①【男神子】男の巫子(みこ)。神に仕える男。「東(あづま)には女は無きか—さればや神の男には憑(つ)く」〈梁塵秘抄五五六〉 ②【男皇子】(立派な)男の皇子。「承香殿の女御の御腹に、—生れ給へる」〈源氏明石〉

をとこみや【男宮】①男の宮。「—生れ給へる」〈源氏若菜上〉 ②夫である宮。「宮に紅葉奉れ給へれば、—おはします程なりけり」〈源氏宿木〉

をとこみやうり【男冥利】男子の自誓の語。自分がこの誓を破れば、男としての冥利が尽きても構わないの意。誓って。必ず。「—、退きました」〈浮・御前義経記八〉

をとこむすび【男結び】紐の結び方の一。右の端を左の下に廻して返した輪に、左の端を通して結び、結び切りにして解けぬようにするもの。「解けぬ紐は—か花の兄」〈俳・沙金袋一〉。〈日葡〉

をとこもじ【男文字】①《男の書く文字の意から》漢字。男手。「言の心を、—に、さまを書きいだして」〈土佐一月二十日〉 ②《「女文字(をんなもじ)」の対》男の書いた文字。男の筆跡。「—にて〔書イタ〕…折り文」〈西鶴・伝来記六〉

をとこやまめ【鰥】「をとこやもめ」に同じ。「鰥をば—とよみ寡をばをんなやまめとよむ」〈壒囊鈔三〉。〈日葡〉

をとこやもめ【鰥】妻に別れた独身の男。「鰥、男也毛女(をとこやもめ)」〈新撰字鏡〉

をとこゑ【男絵】①男のかいた絵。「左方〔ハ女房ノカイタ〕女絵、右方〔ハ男房ノカイタ〕—」〈中右記寛治八・八・一九〉 ②男性の専門画家のかくような、唐絵風の絵。「右大臣殿の姫君…絵などいとめでたくかかせ給ふ。—など、絵師はづかしくかかせ給ふ」〈栄花根合〉

をとこをとこ・し【男男し】『形ク』いかにも男らしい。「〔ソウイウ行為ハ〕—・しからず」〈六波羅殿御家訓〉。「ををしき。…—・しき也」〈源氏物語千鳥抄〉

をど・し【緘し・威し】□一『四段』鎧の札(さね)を革・糸などの緘紐(とじひも)で綴(つづ)る。「褐の直垂に獅子の丸を二つ三つ縫ひ物したる黒唐綾を太く畳みて—・したる大荒目の鎧の獅子の丸の裾金物」〈保元上・新院御所〉 □二『名』鎧の札を革・糸など、緘紐で綴ったもの。「着たる鎧は黒皮の—にをどせる大鎧」〈謡・橋弁慶〉 **—げ**【緘毛】鎧の札を綴った糸・革。並べたさまが毛を伏せたようなのでいう。「—こそ能くも候はねども」〈太平記一七・山攻〉

をとつ【彼つ・遠つ】『連語』《ヲトはヲチ(遠)の古形。ツは連体助詞》あちらの。遠くの。「大宮の—はたで隅傾(すみかたぶ)けり」〈記歌謡一〇五〉 †wötötu **—ひ**【一昨日】おととい。一昨日。「—も昨日も今日も見つれども明日さへ見まく欲しき君かも」〈万一〇一四〉

をとどし【一昨年】《ヲトはヲチ(遠)の古形》一昨年。「—のさきつ年より今年まで恋ふれどなぞも妹に逢ひかたき」〈万七八三〉。「去年(こぞ)・—」〈源氏手習〉。「ヲトトシ、または、ヲトドシ」〈日葡〉 †wötödösi

をととひ【一昨日】「をとつひ」の転。「—なむ帰りまうで来(こ)しかど」〈後撰八七三詞書〉 **—来い** 二度と来るなの意で、蜘蛛・蚰蜒(げじげじ)・百足(むかで)などを棄て去るときや、嫌悪する人などに向っていう罵言。「花に風は—よ雲見草」〈俳・口真似草二〉

をとみ【若返水】《ヲトはヲトコ(壮士)・ヲトメ(少女)のヲト

と同根で、若い意、また、若返りの意。ミは水の意》若返り水。「すすぎ振る遠止美(みをと)の水のいや若返(をち)に若返(を)ちまし」〈祝詞神賀詞〉 †wötömi

をとめ【処女】《古くは「をとこ(壮士)」の対。ヲトはヲチ(変若)と同根。若い生命力が活動すること。メは女。上代では結婚期にある少女。特に宮廷に奉仕する若い官女の意に使われ、平安時代以後は女性一般の名はヲンナにゆずり、ヲトメは(五節の)舞姫の意》①未婚の少女。「風のむた寄せ来る波に漁(いざ)りする海人(あま)の—が裳の裾濡れぬ」〈万三六六一〉。「未通女(をとめ)壮士(をとこ)の行きつどひかがふかがひに」〈万一七五九〉。「少女、此を烏等咩(をとめ)と云ふ」〈紀神代上〉。「乙女、ヲトメ、又作二童女一」〈文明本節用集〉 ②宮廷に仕える若い官女。「藤原の大宮仕へ生れつがむ—がともは羨(とも)しきろかも」〈万五三〉。「大夫(ますらを)は御狩(みかり)に立たし—らは赤裳裾引く清き浜びを」〈万一〇〇一〉 ③舞姫。「—らが少女さびすと唐玉を手本に巻かし同輩児(よちこ)らと手携はりて遊びけむ時の盛りを」〈万八〇四〉。「五節の舞姫を見てよめる。あまつ風雲のかよひぢ吹きとぢよ—の姿しばしとどめむ」〈古今八七二〉。「昔御目とまり給ひし—の姿を思し出づ」〈源氏少女〉。「天人をば—といふ。…—とは舞ひする女を云」〈能因歌枕〉 †wötöme **—ご**【少女子】①少女。「人の親の—すゑて守(も)る山辺から朝な朝な通ひし君が来ねば悲しも」〈万二三六〇〉 ②天人の舞を舞う少女。舞姫。「昔御目とまり給ひしをとめ(舞姫)の姿を思し出づ。—も神さびぬらし天つ袖ふるき世の友よはひ経ぬれば」〈源氏少女〉 **—さび**【少女さび】いかにも舞姫の少女らしくふるまうこと。「をとめらが—すと唐玉をたもとに巻かし」〈万八〇四〉 †wötömesabi **—だと**【乙女凧・乙女鳳巾】少女の形をした凧。「遍照に一目見せたし—」〈俳・糊飯篦後集二〉 **—つか**【少女塚】少女を葬った墓。妻争いの板ばさみになって身投げしたと伝えられる葦屋(あしのや)の菟原処女(うないおとめ)の墓。後を追った二人の求婚者の墓が左右につくられた。後世、「求女塚(もとめづか)」という。「—中につくりおき」〈万一八〇九〉 **—らに**【少女等に】〔枕詞〕会う意から「行き合ひ」、地名「逢坂」などにかかる。「—行き合ひの早稲(わせ)を」〈万二一一七〉。「—逢坂山に」〈万三二三七〉

をど・り【踊り】㊀《四段》《はねあがる、飛びあがる意。類義語マヒ(舞)は平面上を旋回する意》①足ではずみをつけ、上方へ飛びあがる。跳躍する。「立ち—・り足摩(す)り叫び、伏し仰ぎ胸うち嘆き」〈万九〇四〉。「蚤(のみ)もいと憎し。衣(きぬ)の下に—・りありきて、もたぐるやうにする」〈枕二八〉。「道にてかはづの—・りければ馬よりおりて通る」〈平治下・頼朝遠流に宥めらる〉。「躙、踰也、越也、度也、過也、古由(こゆ)、又乎止留(をどる)」〈新撰字鏡〉 ②(魚などが)はねあがる。「一唱すれば鳥を下し、再囀すれば魚を—・らす」〈東大寺諷誦文稿〉 ③(歌・音楽などに合わせて)舞踏する。「主(しう)うかるる。〔太郎冠者ト〕もろともに—・る」〈天正本狂言・末広がり〉。「足拍子静かに踏み揃へ、—・り納めたる所は」〈三好軍記下〉 ④動悸(どうき)をうつ。「夕とどろき。夕に胸—・る事」〈至宝抄〉。「路次の儀は病中の事に候ふ間、…胸—・り申して成り申さず候」〈沢庵書簡寛永一三・一一・一八〉 ⑤借金の利子が二重になる。「借銭の利を一月に二月—・る…算用したれば」〈近松・丹波与作中〉 ㊁《名》①幼児の頭頂の、呼吸のたびにひよひよと動くところ。ひよめき。「小児の—と云ふ処。小児生まれて三歳までは此処の骨不合なり。顖、—と訓ず」〈医学至要抄上〉。〈日葡〉 ②動悸のすること。「胸の—はまだ止まずと語れば」〈近松・曾我扇八景中〉 ③高利貸などが、貸金の利を二重に取ること。「利足は—三分のかた引き」〈浮・鎌倉尼将軍三〉 ④舞踏。特に、盆踊り。「〔七月十五日〕南都中、近年盆の—、異類異形一興、当年また奔走すと云云。不空院辻に躍堂、昨日より初めてこれを建つ」〈明応六年記〉 †wödöri **—うた**【踊歌】盆踊りなどの時に、踊りに合わせて歌う歌。「柴垣とやらん、もとは山の手の奴共の—なるを」〈仮・東海道名所記三〉 **—こ**【踊子】①踊りを踊る者。踊手。「—九十人余り」〈梅津政景日記元和四・七・一七〉 ②《上方でいう》舞曲で酒席の取持ちをする少女。舞子。「未だ—・舞子と言ふ者を見ず」〈西鶴・一代男四〉 ③《近世後期、江戸でいう》歌や踊りで酒宴の興を添えた女芸人。女芸者。「—も隠し芸までして帰り」〈雑俳・万句合宝暦一〇〉 **—じ**【躍り字】同じ字の繰返しを示す記号。「々」「ゝ」「〱」など。重子。重点。畳字。「漠々の—に、陰々の—を対し」〈和漢新撰下学集〉 **—だいこ**【踊太鼓】踊りに合わせて打つ太鼓。「鳴神も—か盆の空」〈俳・崑山集七〉 **—だいもく**【踊題目】法華題目を唱えて踊ること。題目踊。「—を初めて浮かいてやらう」〈虎寛本狂言・宗論〉 **—ねんぶつ**【踊念仏】念仏または和讃を唱詠しながら、鉦太鼓を叩き、拍子を合わせて踊ること。空也上人の鉢叩念仏のあとを追い、鎌倉時代、一遍上人が時宗教徒の間にひろめ、大流行した。「そもそも—は、空也上人或いは市屋或いは四条の辻にて始行し給ひけり」〈一遍聖絵四〉 **—ぶし**【踊節】踊歌の曲節。「その—に言うて見う」〈虎明本狂言・名取川〉 **—ほてい**【踊布袋】画題の一。布袋が踊っている姿を描くもの。それを模した焼物もある。「出山釈迦・—・面壁達磨、或は唐絵、或は雪舟之筆と申し候得ども」〈貞徳文集下〉

をなご【女子】《ヲンナゴの約》①女の子。女児。「まうくるも又まうくるも—にて」〈俳・犬筑波〉 ②女。女性。「六害(ろくがい)の水汲む—みめよくて」〈俳・犬筑波〉 ③下女。女中。「高島屋の—に呼び懸けられて」〈西鶴・一代男七〉 **—だて**【女達・女子伊達】女の侠客。「女の身で益もない剣術に心掛け、親親の顔を汚す—とやらいふ者」〈浮・風流粲花形五〉 **—むすび**【女子結び】紐の結び方の一種。男結びの逆に結ぶもの。めなごむすび。「置く露は—か女郎花」〈俳・崑山集八〉。〈日葡〉

をなみ【男波・夫波】低い女波(めなみ)の次に打ち寄せる高い波。「高きをば—と云ひ、低きをば女波とぞ云ふなる」〈仙覚抄五〉。「—が打って来れば女波が去り」〈碧岩抄一〉

をの【斧】木を割る道具。よき。「—取りて丹生の檜山の木こり来て」〈万三二三二〉。「斧、乎能(をの)」〈和名抄〉 †wönö **—の柄の朽・つ**《晋の王質が山中で、碁を一局見ているうちに、斧の柄が朽ちていたという故事から》仙郷にいて、知らず知らず長い年月を過す。また、年久しくなる。「碁打ちける人のもとに…。ふるさとは見しごともあらず—・ちし所ぞこひしかりける」〈古今九九一〉

をの【小野】《ヲは接頭語》野。野原。「住吉(すみのえ)の浜松が根の下延へて我が見る—の草な刈りそね」〈万四四五七〉。「時すぎてかれ行く—のあさぢには今は思ひぞたえずもえける」〈古今七九〇〉 †wono

をのかみ【男の神】①男の神。「—も許したまひ」〈万一七五三〉 ②男神の山。「—に雲立ちのぼり」〈万一七六〇〉 †wonö-kami

をのこ【男・男子】《「女(め)の子」の対。ヲは牡(を)の意で、平安時代以後は低いものとして扱う男性を指すことが多い。ヲノコも多くは軍卒・侍臣・下男などの意。男の意と見られる場合も尊敬の対象とはならない男性を指し、類義語ヲトコのような、結婚の相手としての男性の意には用いない》①人に仕える男。㋑軍卒。「鶏が鳴く東(あづま)ーは出で向ひ顧みせずて勇みたる猛き軍卒(いくさ)と」〈万四三三一〉。「男、乎乃古(をのこ)、丈夫也」〈和名抄〉 ㋺(宮中の殿上の間の)侍臣。「上(殿上)にさぶらふーどもに大御酒(おほみき)賜ひて」〈古今九〇三詞書〉 ㋩召使いの男。下男。「宿直人(とのゐびと)めくーなまかたくなしき、出で来たり」〈源氏橋姫〉②(一般の)男性。「ーも〔船旅ニ〕ならはぬは、いとも心細し。まして女(をんな)は船底にかしらをつきあてて、ねをのみぞ泣く」〈土佐一月九日〉③男の子。「子の道の闇を思ひやるにも、ーは、いとしも親の心を乱さずやあらむ。女は…いと心苦しかるべき」〈源氏椎木〉。「むすめどももーどもも」〈源氏玉鬘〉④在俗の男。「宇治に住み侍りけるー、…遁世(とんぜい)の僧を、こじうとなりければ、常に申し睦びけり」〈徒然八七〉⑤親しい目下の男の名前の下に添えていう語。「又五郎ーを師とするより外の才覚(さいかく)候はじ」〈徒然一〇二〉 † wonöko **ーうへびと**：ウエ【男上人】やもめずみの殿上人。「二三年ーにて」〈盛衰記三〉 **ーど**【男子】①男の子ども。息子。「左大臣家のー、をんなご、冠(かうぶり)し、裳(も)着はべりけるに」〈後撰一三七四詞書〉②男子。「〔男女〕おのおの十に余り給ひてのちは御方ことにて…ーにはうちとくまじきものなり」〈源氏少女〉 **ーはらから**【男同胞】男の兄弟。「ーとて近くも寄せ侍らねば」〈源氏少女〉 **ーみこ**【男皇子】男子の皇子。「世になく清らなる玉のーさへ生れ給ひぬ」〈源氏桐壺〉

をのと【斧音】斧のおと。「佐野山に打つやーの遠かども寝もとか児ろが面に見えつる」〈万三四七三東歌〉 † wönötö

をのの・き【戦慄き】〘四段〙《ヲノノは擬態語ワナナの母音交替形。キは擬態語を承けて動詞を作る接尾語》(恐れて)わなわなと震える。「その軍(いくさ)すでに強(こは)くして、御方(みかた)の軍怖(を)ぢー・きて」〈三宝絵中〉。「悎、懴(懴)也、和奈々久(わななく)、又乎乃々久(をののく)」〈新撰字鏡〉 † *wönönöki

をのへ：エ【尾の上】《ヲノウヘの約》峠や丘や山頂などの、なだらかな高地の上。「秋萩の花咲きにけり高砂のーの鹿は今やなくらむ」〈古今二一八〉

をのわらは：ワラワ【男の童】①男の子。少年。「年九つばかりなるー」〈土佐一月二十二日〉②召使いの男の子。「ーの

つくりたてたるやうなる、三四人具したり」〈栄花音楽〉

をは【尾羽】鳥の尾と羽と。「うちなびく春さり来れば篠の末(うれ)にー打ち触れて鶯鳴くも」〈万一八三〇〉 **ー枯ら・す** 鷹の尾羽が損じて見すぼらしくなるの意で、零落して貧相になるたとえ。「尾羽打ち枯らす」とも。「周は百年の天下なり。四百年過ぎの頃からー・して、五人〔ノ諸侯〕が互ひに取りやひ、小分限な国を切って取るぞ」〈玉塵抄三〉

をば【姨・伯母・叔母】父母の姉妹。また、「をぢ」の妻、配偶者の母。「旨(うま)らに食(を)せーが君」〈琴歌譜〉。「さだときの皇子(みこ)のーの四十(よそぢ)の賀」〈古今三五〇詞書〉。「常陸守なにがしが妻(め)は、〔浮舟ノ〕ーとも母ともいひ侍るなるは、いかなるにか」〈源氏蜻蛉〉。「伯母、乎波(をば)」〈和名抄〉

をば〘連語〙《格助詞ヲに係助詞ハがつき、連濁したもの》格助詞「を」の機能を、一層明確に示す語。「三島江の入江の薦をかりにこそ我ー君は思ひたりけれ」〈万二七六六〉

をばぢゃひと【小母ぢゃ人・伯母ぢゃ人・叔母ぢゃ人】おばである人。おばさん。「申し申し、ー御座りまするか」〈虎寛本狂言・伯母が酒〉

をばな【尾花】ススキの花穂。また、穂の出たススキ。「高円(たかまと)のー吹き越す秋風に紐解きあけな直(ただ)ならずとも」〈万四二九五〉。「ーのいと高きを遣(つか)はしたりければ」〈後撰二八八詞書〉

をはなり【小放り】《ヲは接頭語》上代の少女の髪形。童女が垂らしていた「うなゐ」の髪を成人して振分け髪にゆい上げたもの。「八歳児(やとせご)の片生ひの時ゆーに髪たくまでに」〈万一八〇九〉 →はなり(放)㊁

をはり：オワリ【尾張】旧国名の一。東海道十五国の一で、今の愛知県西北部。尾州。「ー国疫(えやみ)す。医薬を給ひて之を療さしむ」〈続紀和銅四・五・七〉 **ーだいこん**【尾張大根】尾張国宮重(みやしげ)産の短円豊肥で美味な大根。宮重大根。尾張だいこ。「ー五本持たせ来たる。長(たけ)二尺ほど…味も吉し」〈多聞院日記天正一七・一〇・一八〉

をは・り：オワリ【終り】㊀〘四段〙《ヲへ(終)の自動詞形》①(事が時の移り行きとともに手順を経て)仕上げられる。成しとげられる。「嘆きつつ吾(あ)が待つ君が事ー・り帰りまかりて」〈万四一一六〉。「講のー・るほどに歌よむ人人を召し集めて」〈伊勢七七〉②死ぬ。往生する。「天平勝宝元年二月二日ー・りぬ。年八十也」〈三宝絵中〉。「罪重くて天眼(てんげん)おそろしく思う給へらるることを心にむせび侍りつつ命ー・り侍りなば」〈源氏薄雲〉 ㊁〘名〙①(時が流れた末の)最後。「あらたまの年のーになるごとに雪もわが身もふりまさりつつ」〈古今三三九〉。「三蔵玄奘法師といふ者有(い)しき。始には則ち架(かま)を東朝に学し、末(をはり)にはすなはち道を西域に訪(とぶら)ふ」〈地蔵十輪経序・元慶点〉②一生の最後。死。臨終。「年七十ばかりにて今はーの行ひをせむとてこもりたるが」〈源氏薄雲〉。「願はくはー乱れぬ身となりて十たび唱へん南無阿彌陀仏」〈拾玉集一〉 **ーはつもの**【終り初物】時期の終りになって成熟し、初物同様に珍重される果物・野菜など。「末の初物」「をんざの初物」とも。「珍ら四季やー雪の花」〈俳・一本草四〉 **ーを取・る** 死ぬ。「園城寺・関寺のほとりにしてー・る」〈古今集註〉

をひ：オイ【甥】《「姪(めひ)」の対》兄弟の生んだ男の子。「ーの君だちのかたを見やり給ふ」〈源氏蜻蛉〉。「御子無き歎きをし給ひて、我が御ーの資平の宰相を養ひ給ふめり」〈大鏡実頼〉。「甥、兄弟之子為レ甥、乎比(をひ)」〈和名抄〉

をび・き【誘き】〘四段〙だましてさそいこむ。「引き退きて思ふやうに西の岸の上にー・きいだして、中に取り籠め戦ふ」〈盛衰記二七〉。「かねてより敵を難所にー・き入れて取り籠めて討たんと議したる事なれば」〈三国伝記六〉。「偽引、ヲビク」〈文明本節用集〉

をひと【夫】⇒をっと。「夫、俗云乎比止(をひと)也」〈令集解喪葬〉

をひれ【尾鰭】魚の尾と鰭(ひれ)と。「ーの赤い鯉なり」〈本則抄三〉 **ーを付・く** 物事を誇張していう。尾に尾を付ける。「〔東〕坡が詩にー・けて云ふ」〈四河入海一六ノ三〉

をふ【麻生】《フは木や草の生えている所》麻の生えている地。「桜麻のーの下草早や生(お)ひば」〈万三〇四九〉

をふと【夫】《ヲヒトの転》⇒をっと。「夫、ヲフト」〈伊呂波字類抄〉

をぶね【小舟】《ヲは接頭語》舟。「東(あゆ)の風いたく吹くらし奈呉の海人(あま)の釣するー漕ぎ隠る見ゆ」〈万四〇一七〉

を・へ：オエ【終へ】㊀〘下二〙《「始め」の対。ヲ(緒)へ(綜・経)の意か》①(ものごとを、時間的に順次進めて)やりとげる。やりあげる。「紫草(むらさき)は根をかも〔取ルコトヲ〕ー・ふる人の児の心(うら)がなしけを寝をー・へなくに」〈万三五〇〇東歌〉。「此の崖(きし)は深く峻し。設(たと)ひ百千人をして時三

を

月を経とも、亦断(を)ふること能はじ」〈金光明最勝王経平安初期点〉 ②ことごとく申し上げる。すべての言葉を用いて申し上げる。「神ろみの命(みこと)もちて、天つ社、国つ社と称辞(たたへごと)—・へまつる皇神(すめかみ)たちの前に白(まう)さく」〈祝詞祈年祭〉 ③《「時—・へ」という言い方で》ある時間を経過してやむ。「朝井堤(あさゐで)に来鳴く貌鳥(かほとり)汝(なれ)だにも君に恋ふれや時—・へず鳴く」〈万一八二三〉 ④命を生き尽くす。命を全うする。「釈迦(さか)の御足跡、石(いは)に写し置き、行き廻(めぐ)り、敬(うやま)ひまつり我が世は—・へむ、この世は—・へむ」〈仏足石歌〉。「命を—・ふる期(ご)忽ちに至る」〈徒然一〇八〉 ㊁《名》きわみ。「春のうちの楽しき—は梅の花手折り招(を)きつつ遊ぶにあるべし」〈万四一七四〉 †woFë

をぼそ【尾細】「尾垂れ」(1)に同じ。「君の御働きは、最初のやうに相継いでせらるる事は無うて、—に扱はるるよ」〈毛詩抄六〉。「もはや年の—になりぬ小晦日」〈俳・埋木〉

をみ【小忌】大嘗会(だいじやうゑ)・新嘗会(しんじやうゑ)などの大祀のとき、とくに厳重に行なう斎戒(ものいみ)。小忌の役を勤める「をみびと」や「をみびと」の着る衣にもいう。「頭中将・蔵人少将など—にて、青摺(あをずり)の姿ども清げに」〈源氏幻〉。「小忌、ヲミ、又、青摺」〈名目抄〉

をみ【麻績】《ヲウミの約》麻を績(う)むこと。また、その人。「打麻(うつそ)やし—の児ら」〈万三七九一〉 †womi

をみごろも【小忌衣】小忌人(をみびと)が、神事に奉仕するため、装束の上から着る単(ひとへ)の衣。形は狩衣に似ており、白麻に花や鳥の模様を青摺りにした。右肩には赤紐を付ける。「をみのころも」「をみ」とも。「まことにやあまた重ねし—豊の明りのかくれなきよに」〈後拾遺一一二六〉。「たちながら着てだに見せよ—あかぬ昔の忘れ形見に」〈新古今一七九八〉

をみな【美女・女】《接頭語ヲ(小)とオミナ(成人の女)との複合か。古くは美女・佳人の意であったが、後に女一般を指す。音変化してヲウナ・ヲンナに転じると、女性の一般名称となる。類義語メ(女)は、女を卑しめ見下げる気持で使う》①美女。「童女有りてその形姿(かほ)美麗(よ)かりき。…その嬢子(をとめ)に儛(まひ)せしめたまひき…。呉床居(あぐら)の神の御手もち弾く琴に儛する—常世にもがも」〈記歌謡九六〉。「秋野には今こそ行かめもののふの男(をとこ)—の花にほひ見に」〈万四三一七〉。「嬢、婦人美也、美女也、良女也、肥大也、乎美奈(をみな)」〈新撰字鏡〉 ▽万葉集にも、ヲミナヘシのヲミナに「佳人」「美人」「姫」の字があてられている。②女。「老人も—わらはも、しが願ふ心だらひに撫で給ひ治め賜へば」〈万四〇九四〉 †womina **—ご**【女子】女の子。女児。「遂に—を生めり」〈紀雄略元年〉

をみなへし オミナエシ【女郎花】①秋の七草の一。枝先に黄色の小花をつける。美女に見たてて歌に詠まれることが多い。「—咲きたる野辺を行きめぐり君を思ひ出たもとほり来ぬ」〈万三九四四〉。「—。女にたとへてよむべし」〈能因歌枕〉 ②襲(かさね)の色目の名。「—の表着(うはぎ)、萩の唐衣、紫苑(しをに)の裳」〈栄花根合〉 ▽ヲミナは美女の意。ヘシは脇へ押しやる、力を失わす意。この花の美しさが美女をも顔色なくさせるの意か。 †wominaFesi

をみなめし【女郎花】「をみなへし」に同じ。中世以降は、多くこの形が用いられた。「姿は—の風にしたがふその風情」〈伽・しのばずが池〉。〈下学集〉

をみびと【小忌人】小忌(をみ)の役を勤める人。「をみ」とも。「—の木綿(ゆふ)かたかけて行く道を同じ心に誰ながむらむ」〈公任集〉

をむかひ ‥ムカイ【峰向ひ】谷をへだてて、みねとみねと向かいあうこと。「あしひきの山鳥こそば—に妻問ひすといへ」〈万一六二九〉 †womukaFi

をむな【女】⇒をんな。 **—め**【妾】婦人。めかけ。「妾、乎无奈女(をむなめ)、小妻」〈和名抄〉。「妾、ヲムナメ」〈名義抄〉

をむなへし【女郎花】⇒をみなへし。「—の汗衫(かざみ)」〈源氏野分〉

をめ・き【喚き】《四段》わめく。わあっと声をあげる。「木の本を引きゆるがすに、あやふがりて…—・くもをかし」〈枕一四四〉。「御手をとらへて—・き叫び給ふ」〈讃岐典侍日記〉

をや【小屋・小家】《ヲは接頭語》小さい家。「玉敷ける家も何せむやへむぐらおほへる—も妹とし居らば」〈万二八二五〉

をや《連語》①《格助詞ヲと係助詞ヤの複合》を…だろうか。「癭(こぶ)は福のものなれば、それ—惜しみ思ふらん」〈宇治拾遺三〉 ②《間投助詞ヲと係助詞ヤの複合。もと、漢文訓読語から生じた語法で、「況んや…をや」の形で反語の意を表わす》(まして)…当然である。「治まれる世だにもかくの如し。況んや乱れたる世に於いて—」〈平家七・主上都落〉 ③《間投助詞ヲと間投助詞ヤの複合》…ことだなあ。「けふはかくやつれはて給へる御有様、かねては思ひよらざっし—」〈平家一〇・熊野参詣〉

をや・し【瘁やし】《四段》毒気や妖気などで人を悩まし、また、まどわす。「狐の音は扈都反、玉篇に、妖(をやす)獣ぞ」〈法華経玄賛平安中期点〉。「媚、ヲヤス」〈名義抄〉

をや・み【小止み】㊀《四段》《ヲは接頭語》①ちょっと止む。少しの間止む。「つれづれと身を知る雨の—・まねば袖さへいとどみかさまさりて」〈源氏浮舟〉 ②とぎれる。「講師は呆れつつ〔説教ノ声モ〕—・みがちなり」〈栄花玉飾〉 ㊁《名》少し止むこと。「—せず雨さへふれば沢水の増さらむとも思ほゆるかな」〈後撰五三八〉

をらく【居らく】《居リのク語法》すわっていること。居ること。「立てらくのたづき(状態)も知らず、—のおくか(将来)も知らず」〈万三三七二〉

をり【檻】《ヲリ(居)と同根》狂人・動物・罪人などを入れておくかこい。「諸の漁猟者を制(いさ)めて、檻(をり)・穽(ししあな)を造り、機槍(ふみはなち)のごとき類をすること莫(まな)」〈紀天武四年〉。「梏、ヲリ、牛馬ヲヲス」〈名義抄〉

を・り【折り】㊀《四段》❶直線状のものを、一点を支点として曲げ、あるいは曲げた結果別別に離す。①(鋭角的に)曲げかがめる。「鹿猪(しし)じもの、膝(ひざ)—・り伏せて、手弱女(たわやめ)のおすひ取り懸(か)け、かくだにもわれは祈(こ)ひなむ」〈万三七九〉。「手を—・りて相見しことを数ふればこれ一つやは君が憂き節」〈源氏帚木〉 ②曲げて二つに切り離す。「梅の花—・りてかざせる諸人(もろひと)は今日の間は楽しくあるべし」〈万八三二〉。「あさましきもの。刺櫛(さしぐし)すりて磨(みが)くほどに、ものにつきさへて—・りたるここち」〈枕九七〉 ③屈服させる。「人がらのたをやぎたるに、強き心を強(し)ひて加へたれば、なよ竹のここちして、さすがに—・るべくもあらず」〈源氏帚木〉 ❷平面状のものに、筋をつけ、その筋の一線を角にして重なるように曲げる。①《自動詞的に用いて》(波などが幾重にも)畳むように重なる。「浜に出でて海原(うなはら)見れば白波の八重—・るが上に」〈万四三六〇〉 ②一枚のものを畳み重ねる。「春の野に菫(すみれ)を摘むと白栲(しろたへ)の袖—・り反し」〈万三九七三〉。「右近、もの(縫物)—・るとて」〈源氏浮舟〉 ③(畳み重ねて)ものの形を作る。(扇子・えぼしなどを)作る。「この左折りの烏帽子(えぼし)を—・らせられ、君に御出仕ありし時」〈謡・烏帽子折〉 ㊁《名》❶角・筋目から、二重に重なるように屈曲させること。曲げかがめること。曲げて切り離すこと。折り取ること。「梅の花ーも折らずも見つれども今夜(こよひ)の花になほ如(し)かずけり」〈万一六五三〉 ②「折櫃」の略。「ー三合、…八寸のー也」〈東寺百合文書ち、文明三・三・二五〉。「折、ヲリ、竹籠」〈文明本節用集〉 ③連歌・俳諧の懐紙一枚の表裏をいう語。「一のーの裏にかかるまでは〔付句ヲ〕早早とすべし」〈片端〉。「いつの間に連歌は三(み)ー過ぎぬらん」〈俳・犬子集一五〉 ❷時の流れの中で、まがりめ、変りめとなる時点。①(その)時。場合。「『今はこれより帰りね』と、〔源〕実(ねさ)が言ひけるーによめる」〈古今三八九詞書〉 ②機会。「そのことども聞き分れぬ物のねども、いと凄(すご)げに聞ゆ。常に斯く遊び給ふと聞くを、…良きーなるべしと思ひつつ入り給へば」〈源氏橋姫〉 ③季節。「頃は、正月・三月・四月・五月・七八九月・十一二月、すべてーにつけつつ一とせながらをかし」〈枕二〉

を・り【居り】〘ラ変〙《ヰ(坐)アリ(有)の転。人がじっと坐りつづけている意。転じて、ある動作をしつづける意。奈良時代には、自己の動作について使うのが大部分で、平安時代以後は、例が少なく、自己の動作の他、従者・侍女・乞食・動物などの動作に使うのがほとんどを占めている。低い姿勢を保つところから、自己の動作については卑下、他人の動作については蔑視の気持を込めて使う。中世以後、四段に活用》 ①《卑下の意をこめて》 ㋑じっと坐っている。「朝凪ぎに舳(へ)向け漕がむと侍候(さもら)ふと我がー・る時に春霞島廻(しま)に立ちて」〈万四三九八〉。「思ふゑに逢ふものならばしましくも妹が目離(か)れて我ー・らめやも」〈万三七三一〉。㋺就任している。「老子・荘周は吾が師なり、親賤職にー・り」〈新撰朗詠集述懐〉 ㋩《動詞連用形について》…しつづける。…している。「草枕旅を苦しみ恋ひー・れば可也(かや)の山辺にさ男鹿鳴くも」〈万三六七四〉 ㊁「有り」の意を謙遜していう。存在する。「谷近く家はー・れども、木高くて里はあれども、ほととぎすいまだ来鳴かず」〈万四二〇九〉 ②《蔑視の意をこめて》 ㋑いる。「翁もぬりこめの戸さして戸口にー・り」〈竹取〉。「〔供人ハ〕馬ども引きさけなどしつつ、畏まりつつぞー・る」〈源氏宿木〉 ㋺《動詞連用形について》…している。「おさかの大室屋に人さはに入りー・りとも、人さはに来入りー・りとも…打ちてしやまむ」〈紀歌謡九〉。「元のやうにして戻しー・らう」〈虎寛本狂言・若市〉 ③《動物や無生物にいう》いる。「中まなに浮きー・る舟の漕ぎ出なば逢ふことかたし今日にしあらずは」〈万三四〇一〉。「百済野(くだらの)の萩の古枝に春待つとー・りしうぐひす鳴きにけむかも」〈万一四三一〉。「此の龍はその中に居(を)り」〈法華義疏長保点〉

をりえだ【折枝】折った木の枝。また、つくり花をつけた枝。「藤のむら濃の打敷にー〔ノ模様ヲ〕ぬひたり」〈源氏宿木〉

をりえぼし【折烏帽子】立烏帽子を右もしくは左に折ったもの。「ー引立て、大床に畏まる」〈平治中・待賢門軍〉

をりか・け【折り懸け】㊀〘下二〙①いいかげんに折ったままにしておく。折りつくさないままにしておく。「鎧の上の矢どもー・けて、各六波羅に参りける」〈愚管抄五〉 ②波が何度も寄せては返す。「白浪しきりにー・けて」〈平家三・少将都帰〉 ㊁〘名〙折掛燈籠。「ー張らん月の文月」〈俳・続虚栗上〉 **ーがき**【折掛垣】竹などを折り曲げて、そのまま垣としたもの。「ーの梅の匂をも身にしめ」〈伽・鴉鷺合戦物語〉 **ーとうろう**【折掛燈籠】細く削った竹を四つ手のように方形の板に差し込み、紙を張った簡単な盆燈籠。折掛とうろ。「ーかすかに」〈西鶴・五人女五〉

をりかへ・し【折り返し】〘四段〙①(袖などを)二重に折る。袖を折り返して寝ると、思う人が夢に見えるという俗信があった。「白栲(しろたへ)の袖ー・し恋ふればか妹が姿の夢(いめ)にし見ゆる」〈万二九三七〉 ②(曲の終りまで歌ったあと)再び前へもどって歌う。繰り返す。「おとどー・し謡ひ給ふ御声、たとへむかたなく愛敬づきめでたし」〈源氏若菜下〉

をりがみ【折紙】《近世前期頃までヲリカミと清音》①奉書・鳥子・檀紙などを、横に二つに折ったもの。公式の文書・消息・進物目録・鑑定書などに用いる。また、その文書。「愚意の及ぶ所、恐れながらーに注し」〈吾妻鏡文治一・一二・六〉。「真言の事につけて御不審どもを記し申さるるーをもちて参りたるに」〈問はず語り三〉 ②特に、刀剣・古筆などの鑑定で、金五枚以上の価格のもの。「凡そ価黄金五枚以上をーと称し」〈雍州府志七〉 **ーだい**【折紙台】目録書を載せる台。「五色の縮緬・紅絹・真綿、付紙台、ー三荷に担はせ」〈近松・薩摩歌中〉 **ーだうぐ**【折紙道具】折紙付きの高価な刀剣・骨董の類。また、貴重な物のたとえ。「此の専十郎ー、不破の万作に八割増し」〈西鶴・男色大鑑四〉 **ーたち**【折紙太刀】折紙付きの高価な太刀。「ーの御用迄」〈近松・女腹切上〉

をりから【折柄】〘副〙機会の性質上。ちょうど時が時だから。「殊(こと)にまさる人なき〔琵琶ノ〕上手なれば、物の恨めしう覚えけるーいとあはれに聞ゆ」〈源氏紅葉賀〉。「霞める月は、しくものなく覚えて、ーは物の音もすみのぼり面白きに」〈中務内侍日記〉

をりく【折句】①和歌・俳句などで、題のことばの一文字ずつを、句の頭に置いて詠むこと。例えば「かきつばた」という題をもとに、「からごろも/きつつなれにし/つましあれば/はるばるきぬる/たびをしぞおもふ」と作歌する。「花かうし・しらまゆみといへる文字ぐさりを、歌の句のかみに据ゑて、ーの歌に詠ませられける」〈著聞一四四〉 ②雑俳種目の一。各句の上に物の名などの一文字ずつ置いたもの。「前句・ーを味ひ」〈雑俳・折句式大成〉

をりくぎ【折釘】柱などに打ち付け、物を掛けるに用いる、頭部を折り曲げた釘。おれくぎ。「ーに風を掛け置く扇かな」〈俳・玉海集三〉。〈日葡〉

をりごと【折琴】折りたたみのできるようにつくった琴。「いはゆるー・つぎ琵琶これなり」〈方丈記〉

をりしも【折しも】〘副〙《シ・モは強めの助詞》ちょうどその折。折も折。「過ぎがてに休らひ給ふーほととぎす鳴きて渡る」〈源氏花散里〉 **ーあれ** 折もあろうに。折も折とて。ちょうどその時。「ーいかに契りて雁がねの花の盛りに帰りそめけむ」〈後拾遺七二〉

をりしりがほ【折知り顔】その時節をわきまえ知っているといいたげな様子。「時雨ーなり」〈源氏藤裏葉〉。「例のーにのたまはせたるに」〈和泉式部日記〉

をりすけ【折助】近世、武家奉公の中間(ちゅうげん)・小者の俗称。「ーを具し、かの地に赴きける」〈浮・好色三人紅三〉

をりすゑ【折据・折居】薄紙を折っていろいろの物の形を作ること。折形。折紙細工。「ー細工頼む也」〈隔蓂記正保四・三・二〉。「盧生が夢の蝶はー」〈俳・大矢数三〉

をりため【折矯】茶杓の竹または生花に用いる木の枝などを、折り曲げること。また、そのもの。「ーの茶杓を台の上に置く也」〈宗及自会記天正八・一二・二八〉

をりびつ【折櫃】ヒノキや竹などの薄板を折り曲げて作った箱。酒の肴や餅など食物を入れるのに使う。四角・六角などさまざまな形があり、蓋付きのものもあった。「ーなど具せさせて」〈枕八七〉。「僧供を引く所あり。…増賀自ら、黒く穢(けが)れたるーを提(ひさ)げ持て」〈今昔一二ノ三三〉 **ーもの**【折櫃物】折櫃に入れた御馳走。「おまへのー・籠物(こもの)など、右大弁なむ承りて仕うまつらせける」〈源氏桐壺〉

を

をりふし【折節】㊀『名』《時の流れの変り目の意》①時のくぎりめとなる時。その場合場合。その時時。「この折にある人人―につけて、からうた(漢詩)ども、時に似つかはしき、言ふ」〈土佐十二月二十七日〉。「時節、ヲリフシ」〈名義抄〉②季節。「―の移り変るこそものごとにあはれなれ」〈徒然一九〉 ㊁『副』ちょうどその時。たまたま。「御年六十二にて失せさせおはしましけるを、三条院位につかせ給ふ年にて、大嘗会などののびけるをぞ、『―〔具合悪イ〕』と世の人申しける」〈大鏡冷泉〉。「陰陽頭(おんやうのかみ)安倍泰親(あべのやすちか)がもとへ行く。―宿所にはなかりけり」〈平家四・鼬〉

をりぶみ【折文】折りたたんである手紙。「―をつかはさん、唐船用意せよと」〈伽・善光寺本地〉

をりほん【折本】横に長く継いだ紙を折り畳み、綴じないで作った本。経文や習字の手本などに多い。「―印写して献ず可きの旨、命有り」〈陰涼軒日録永享八・五・二八〉

をりまつ【折松】折った松の枝。焚き火・かがり火などの燃料とする。「殿上の―召しけれども、尽きたる由申しければ」〈弁内侍日記〉

をりみまひ(マイ)【折見舞・折見廻】四季折折の見舞。寒暑の見舞。「婿入と言ふは一代に一度の物で、其の後行くは、時の―でおりゃる」〈虎寛本狂言・庖丁聟〉

をりめ【折目】①衣裳などを折り畳んだ筋目。「着なれける衣の袖の―までただその人を見る心地して」〈建礼門院右京大夫集〉②物事の正しいきまり。また、行儀や礼儀の作法。「あまりに―きびしく敬へば、見る人いかにと思ひ」〈六波羅殿御家訓〉。「舞台には―とて、一寸違へて千里を隔つる習ひの法度有る事なり」〈舞正語磨上〉 **―だか**【折目高】①着物の折目などが、目立つ程に表われていること。「衣のたわうで、―にもなう、しないやうたなりぞ」〈史記抄一四〉②礼儀作法を守り、言動が固苦しいこと。「常住の事はさのみ―にはならぬと云ひて、慎まずしておくべからず」〈尚書抄八〉

をりゆ【居湯・入湯・坐湯】釜のない風呂桶に、別に沸かした湯を入れて入浴すること。また、そのようにして入る風呂。近世初期には、水風呂(すいふろ)の普及とともに、貴人・金持などが専ら用い、後には水風呂と混同された。「古き湯屋を借りて、常に―をぞしける」〈古活字本保元下・為朝生捕り〉。「―の竈、与二郎に申し付け、これを居(す)ゆ」〈言継卿記永祿七・一〇・三〇〉

をりをり【折折】《ヲリは時の流れの中の変り目の意》その時どき。「さるべき―は打ち忘れたらむことも驚かし給へかし」〈源氏初音〉。「その間、―の違ひ目、おのづから短き運を悟りぬ」〈方丈記〉。「―意見を加ゆれども」〈天草本伊曾保〉

を・れ【折れ】㊀『下二』《ヲリの自動詞形》①(ものごとが、角・筋目から)屈曲して二重になる。「御腰は―・れにけり。…それを病にていと弱く成り給ひにけり」〈竹取〉②(道など)横に曲がる。「朱雀より五条の大路を、西ざまに―・れ給ふ」〈源氏行幸〉③(節の所などから)切れ離れる。「大きなる木の枝などの―・るる音もいとうたてあり」〈源氏野分〉④(主張などを)ひっこめる。負けてくじける。「斯く言ひそめつとならば、何かは―・れてふとしも帰り給はむ」〈源氏夕霧〉。「夜もすがらくどき奉りければ、理(ことわり)に―・れて仰せられけるは」〈盛衰記三二〉 ㊁『名』曲がって切れ離れること。「かしら一所にゆるぎ合ひて、さし櫛も落ち、用意せねば―などして笑ふもまたをかし」〈枕三〉

をれかへ・り(エリ…カ)【折れ返り】『四段』ひどく折れる。がっくり折れる。「―・り、露もとまるまじう吹き散らすを」〈源氏野分〉

をれこだ・れ【折れこ垂れ】『下二』体を折り曲げる。「―・れ身をなきになして舞ひたりし」〈弁内侍日記〉

をれこ・み【折れ込み】『四段』①折れて内部にはいる。「折れ籠もる」とも。「散る時や胸に―・む花の枝」〈俳・筑紫琴二〉②みごもる。妊娠する。「―・みてついおか様になった気な」〈雑俳・花笠〉

をれのこ・り【折れ残り】『四段』折れずに残る。「透垣のただ少し―・りたるかくれの方に」〈源氏末摘花〉。「―・る軒の懸樋(かけひ)をつたひきて庭にしたたる苔の下水」〈風雅一七五五〉

をろ【尾ろ】《ロは接尾語》尾。「山鳥の―のはつをに鏡かけ」〈万三四六八東歌〉 †worö

をろが・み【拝み】『四段』《天皇に対する動作で、「仕へまつり」と共に使うことが多い》身をかがめて礼をする。拝する。「やすみしし我が大君の、隠ります天(あま)の八十蔭(やそかげ)…畏(かしこ)みて仕へ奉(まつ)らむ、―・みて仕へ奉(まつ)らむ」〈紀歌謡一〇二〉。「わが日の皇子(みこ)の、…狩路の小野に、猪鹿(しし)こそばい匍(は)ひ―・がめ、鶉(うづら)こそい匍ひ廻(もと)ほれ」〈万三三九〉 †wörögami

をろた【嶺ろ田】《ヲは峰。ロは助詞》山の田。「あはをろの―に生(お)はるたはみづら引かばぬるぬる我を言な絶え」〈万三五〇一東歌〉 †woröta

をろち【大蛇】《ヲは峰。ロは助詞。チはミヅチ(蛟)・イカヅチ(雷)などのチで、激しい勢いあるもの》大蛇。うわばみ。「高志(こし)の八俣(やまた)の―」〈記神代〉 †woröti

をを【唯唯】『感』《感動詞ヲを重ねた形》(謹しんで)承ける声。「高倉『唯唯、越越(をを)』と曰(まう)す」〈紀神武即位前(熱田本傍訓)〉。「涙の落つるをはづかしと思ひて『―』と荒らかに聞えゐたり」〈源氏夢浮橋〉

をを・し【男男し・雄雄し】『形シク』①いかにも男らしい。「いとすくよかに、重重しく、―・しきけはひして」〈源氏柏木〉。「〔帝ハ〕御心ばへの―・しう気高く、かしこうおはしますものから御才(ざえ)も限りなし」〈栄花月宴〉②男性的である。しっかりしている。「漢書の屏風は、―・しくぞ聞えたる」〈枕二九七〉

をを・り ㊀『四段』いっぱいに茂りあう。「打橋に生ひ―・れる川藻もぞ枯るれば生ゆる」〈万一九六〉 ㊁『名』いっぱいに茂りあうさま。また、その所。「萩の花咲きの―を見よとかも月夜の清き恋まさらくに」〈万二二二八〉。「春山の咲きの―に若菜つむ妹が白紐見らくし良しも」〈万一四二一〉

をんき【遠忌】死者の忌日を弔う法要のうち、三年忌以上の遠い年忌。十三年忌・十七年忌・五十年忌・百年忌などの類。「後白河法皇の十三年の御―に当りて」〈法然上人行状絵図〉

をんごく【遠国】《ヱンゴクとも》都から遠く離れた国。「京師の巫覡(ふげき)十七人を捉へて伊豆・隠伎・土左等―に配す」〈続紀天平勝宝四・八・一七〉。「都のうちにも限らず、およそ―・近国〔カラ集マッタ〕」〈平家一一・一門大路渡〉 ▽律令制では、都からの距離により、近国・中国・遠国が定められた。

をんざ【穏座】①《くつろいだ席の意》大饗の時など正式の宴会の後に催す饗宴。「をんのざ」とも。「尊者以下―に着く」〈江家次第二〉②《「遠残」とも書く》食事の最後に出る食物。また、時期の後に成熟する果物などのたとえにもいう。〈日葡〉 **―のはつもの**【穏座の初物】「終り初物」に同じ。「をんざの初(はつ)」とも。「七十に及んで分知(わけしり)と言はるるは、誠に―なり」〈浮・傾城色三味線一〉

をんじゃく【温石】冬、または病気などの時に、蛇紋石など

を焼いて布などに包み、身体を温めること。また、それに用いる石。〈文明本節用集〉

をんぞうゑく【怨憎会苦】〔仏〕八苦の一。恨み憎む人や物事に会わなければならない苦しみ。「人間の事は、愛別離苦、―」〈平家灌頂・六道之沙汰〉。「―とは、憎い者に添ふ也」〈首楞厳経鈔七〉

をんな【女】《平安時代以後の語。ヲミナの音便形として成立し、それまで女の意を代表していたメ(女)という語が、女を卑しめ見下げていう意味にかたよった後をうけて、女性一般を指し、特に「をとこ(男)」の対として結婚の関係を持つ女をいう》①(一人前の)女。女性。「をとこも―も、とく京へもがなと思ふ心あれば」〈土佐一月十一日〉。「―といふものの心深きをあまた見聞きしかば、更にすきずきしき心はつかはじ」〈源氏玉鬘〉②特に、男の相手として深い関係にある女性。結婚の相手の女。「―の御ためは更にもいはず、わが心地にも、いとあるまじき事といふ中にも、むくつけく覚ゆれば」〈源氏若菜下〉 **―賢(かさ)しくて牛売られぬ** 女の利口なのは、大局に通じないため、かえって事を仕損ずるの意。「女賢しうて牛売りそこなふ」とも。「―とは御分が事ぞ」〈近松・出世景清三〉 **―の鼻の先智恵(さきぢゑ)** 女の智恵は浅はかで、目先の事しかわからぬの意。「女は鼻の先」とも。「―と思し召し、御許し下さるべし」〈浮・曲三味線三〉 **―の目には鈴を張れ** 女の目はぱっちりと丸く涼しいのがよいの意。「―と申す事有り。目の大きなるは美女の相なり」〈伽・をこぜ〉 **―は髪頭(かみかしら)** 「女は髪」とも。「―姿の上盛(うはもり)と云へり」〈西鶴・一代女三〉 **―は京** 女は京の女が一番よいの意。「―ぢゃ祇園清水」〈俳・飛梅千句〉 **―は化物(ばけもの)** 女は化粧や着付次第で美しく変るものであるの意。「とかく―」〈西鶴・五人女一〉

をんないうひつ ウ…ユ **【女右筆・女祐筆】** 貴人の奥向に仕えて、公文書の書役をつとめた女。「京に―とて、上つ方万につけて年中の諸礼覚え、宮仕ひ仕うまつりて後」〈西鶴・一代女三〉

をんなおや【女親】 産みの母親。「思ふ事を…片端にてもうちかすめつべき―もおはせず」〈源氏藤袴〉

をんながく【女楽】 女性の合奏する音楽。もとは、内教坊(ないけう)の女の楽人によるものにいう。「―試みさせむ…明石の御方に琵琶(びわ)、紫の上には和琴(わごん)、女御の君に箏の御こと」〈源氏若菜下〉

をんなかご【女駕籠】 近世、身分のよい女の乗った上製の駕籠。上は惣黒漆に金蒔絵から、下は青漆塗・莫座打(ござうち)まで数種あった。女乗物。「心憎きは、―の窓より鹿子下髪のちらりと透き映りて、魂飛び入るばかりぞかし」〈西鶴・男色大鑑六〉

をんながた【女方】 ①女の側。「―の心浅きやうに思しなすざわりなきや」〈源氏夕霧〉②女のいるほう。女房の詰所である台盤所。「をとこ、―〔ニ入ルノヲ〕許されたりければ」〈伊勢六五〉。「〔乱レタ気持ノ〕まぎらはしに―にぞおはします」〈源氏御法〉③女の方方。「〔出家ノ事ヲ〕―にだに、みな思ひ遅れつつ」〈源氏若菜下〉④《「女形」とも書く》歌舞伎で、女に扮する男の役者。また、その役柄。始め、若女形・花車方(かしゃがた)の別があった。また、その楽屋が劇場の中二階に設けられていたので、「中(ちゅう)二階」とも呼ばれた。おやま。「美しき若衆歌舞伎―これは世界の真中ぞかし」〈仮・東海道名所記一〉

をんなかぶき【女歌舞伎・女歌舞妓】 近世初期流行した、歌踊を主とした、男装の女芸人が主演した芝居。出雲出身の阿国(おくに)などに起り、風紀を乱すとして、寛永六年禁止された。「江戸に名を得し―多しと言へども」〈慶長見聞集三〉

をんなぎ【女気】 女のしとやかな、また、内気な気質。「―は何国(いづく)も同じ」〈西鶴・諸艶大鑑一〉

をんなぎみ【女君】 ①婚姻の間柄にある男女の女の方。「―は、あらぬ人(別の男)なりけりと思ふにあさましういみじけれど」〈源氏浮舟〉②成人した姫君。「―達、何心地して過し給ふらむ」〈源氏橋姫〉③女の御子さま。「―の、いとうつくしげなる生れ給へり」〈源氏橋姫〉

をんなくせまひ イ…マ **【女曲舞】** 女の幸若舞。室町時代以後、近世初期まで流行した。「女舞」とも。「今はみなみな曲舞の舞手絶えて、―の賀歌が末流ならでは残らず」〈五音下〉

をんなぐるま【女車】 女の乗る牛車(ぎっしゃ)。「初瀬より帰る―の逢ひて侍りけるが」〈後撰一八二詞書〉

をんなげ【女気】 女らしいところ。女らしさ。「〔内儀ハ〕やがて病も抜け、―なく、男のやうにぞ見えたり」〈驢鞍橋下〉

をんなご【女子】 娘。成人した娘にいうことが多い。「よしと思ふ―持たらましかば、この宮をおき奉りて、内にだに、え参らせざらまし」〈源氏宿木〉

をんなごこち【女心地】 女の気持。「おとどの君の御ありさま、世にかしづかれ給へる御覚えの程も―にまかせて、限りなく語り尽せば」〈源氏澪標〉

をんなごころ【女心】 ①女に惹かれる心。好色な心。「仁俊は―あるものの、空聖(そらひじり)だつ」〈十訓抄四ノ六〉②女の心。「―のはかなさは、都を一人あくがれ出でて」〈謡・女郎花〉。「頼み難きは―かな」〈伽・松姫物語〉

をんなこしゃう …シ ヨウ **【女小姓】** 女の小姓。「―御仕着せ、緘(しじら)に茜染の着物二つ宛」〈鈴鹿家記応永一・二・二七〉

をんなごと【女言】 女のする論争。「かやうの―にて乱りがはしく争ふに、一巻に言の葉を尽してえも言ひやらず」〈源氏絵合〉

をんな・し【女し】『形シク』見事な女性らしく感じられる。いかにも女らしい。「〔コノ女ハ〕なよびかに―しと見れば、あまり情にひきこめられて、とりなせばあだめく」〈源氏帚木〉

をんなじま【女島】 女ばかり住んでいるという伝説上の島。女護(にょご)の島。「絵団扇をさぞや恋ふらん―」〈俳・東日記上〉

をんなだふか …ド **【女踏歌】** 正月十六日に行なわれる女の踏歌(たふか)。「十六日―、蔵人、舞妓を催す。供奉の女房闈司等、元日の儀に同じ」〈西宮記正月下〉→踏歌

をんなで【女手】《「男手(をとこで)」の対。女の書く文字の意》ひらがな。「男手(漢字)放ち書きに書きて、同じ文字をさまざまにかへて書けり。…―にて〔書ク〕。次に片かな〔デ書ク〕」〈宇津保国譲上〉。「〔光源氏ハ〕さう(草仮名)のも、ただの―をいみじう書きつくし給ふ」〈源氏(三条西家本)梅枝〉 ▽もとは、草仮名と平仮名とを合わせていい、のちには専ら平仮名をさしていうようになったらしい。源氏物語では三例とも男性が書いたばあいに使われている。

をんなてがた【女手形】 近世、女が関所を通る時に所持した通り手形。年齢・人相・性質、旅行の目的・行先・日限などを記し、男よりも詳細厳重であった。「一柳監物を評定所に召し御改易、則ち松平加賀守に御預け。〔咎ハ〕…―を町人に申し合はせ取る事、并に在所民の妻を奪ふ事」〈山鹿素行年譜資料寛文五・七・二九〉

をんなでら【女寺】 女子の学ぶ女師匠の寺小屋。「―へも遣らずして、筆の道を教へ」〈西鶴・永代蔵二〉

を

をんなどころ【女所】女ばかりが住んでいる所。「―にて、しどけなくよろづの事ならひたる宮の内に」〈源氏夕霧〉

をんなどち【女どち】女同士。「見苦しう、何かは、その―書き通はしたらん打解け文(ぶみ)を御覧ぜむ」〈源氏浮舟〉

をんなのさうぞく【女装束】女子の着用する装束。平安時代には、祿として人に与える場合、多く女の装束を用いるのが例で、裳・唐衣・紅袴などの類を贈った。㋑女物の衣類。「女の御装束など、いろいろに、きよくと思ひてしかさねたれど」〈源氏東屋〉㋺祿としての女物の衣類。「中将の君には、藤の細長そへて、―かづけ給ふ」〈源氏胡蝶〉㋩布施の料とする女の衣類。「なにがしも、かの―一くだり調じ侍るべきを」〈源氏手習〉

をんなはらから【女同胞】同母の姉妹。「昔、―二人ありけり」〈伊勢四一〉

をんな・び【女び】『上二』女らしい恰好をする。「眉ぬき鉄漿(かね)つけなど、―・びさせたれば」〈とりかへばや中〉

をんなひでり【女日照・女旱】女の数が少なくて、男が女に不自由すること。「世界に―はせず」〈西鶴・織留二〉

をんなぶみ【女文】①女の書く手紙。平仮名で書くのが普通。「まんな(漢字)を走り書きて、さるまじきどちの―に〔漢字ヲ〕半ば過ぎて書きすくめたる」〈源氏帚木〉②和文。仮名文。「漢文を作る者は―を作り、詩を作る者は歌人となり」〈淡窓詩話〉

をんなみこ【皇女】①皇女。内親王。成人した人にいうことが多い。「〔斎院ニ適シタ〕さるべき―やおはせざりけむ」〈源氏賢木〉②【女御子・女神子】女の巫(かんなぎ)。巫女。「―おととい(姉妹)候ふなるが、姉は花鳥、妹をば風月と申し候ふが」〈伽・花鳥風月〉

をんなみや【女宮】①皇女。「御子達は……―達なん四所おはしましける」〈源氏若菜上〉②相手である女の宮。妻である宮。「この―の御事〔源氏ガ〕聞き給ひて、もしさるやうもやと思し合はせて」〈源氏若紫〉

をんなむすび【女結び】紐の結び方の一。男結びの結び方を逆の左の端から始める結び方。「締め緒〔ハ〕紅〔色〕也。―にして出だされ候也」〈宗湛日記天正一五・二・一〉

をんなめか・し【女めかし】『形シク』いかにも女らしい。「さこそ細やかに―・しけれども」〈今昔二三ノ二四〉

をんなもじ【女文字】女の書いた文字。女の筆跡。「是れは流れの―(流レノ女ト掛ケル)」〈近松・賀古教信五〉

をんなや【女屋】室町時代、女郎屋の称。「洛中―徘徊せ令め、遊戯致す可からざるの事」〈東寺百合文書ち、永享九・四・二〉

をんなろくしゃく【女六尺・女陸尺】近世、貴人に仕えて、その乗物を奥から玄関までの間だけ両腕を曲げて舁く役の女中。「長廊下まで御駕籠を―舁き込みて」〈西鶴・浮世栄花一〉

をんなゑ【女絵】①女向きの絵。大和絵風の物語絵などをさしたのであろう。「をかしげなる―ども、恋する男の住まひなどかきまぜ、山里のをかしき家居など心心に世の有様かきたるを」〈源氏総角〉。「こころゆくもの。よくかいたる―の詞(ことば)をかしう付けて多かる」〈枕三一〉②《「男絵(をとこゑ)」の対》女が画いた絵。「左方〔ハ女房ノカイタ〕―、右方〔ハ男房ノカイタ〕男絵」〈中右記寛治八・八・一九〉▽はじめ「絵」に対して「女絵」という語が使われ、のちに「女絵」に対して「男絵」という語ができたのであろう。③女を画いた絵。女の姿絵。「―を取り出し、大方は是れに合はせて抱へたきとの品好み」〈西鶴・一代女一〉

をんりゃう【怨霊】怨み祟(たた)る恐しい亡霊。「―は昔もかく怖しかりし事なり」〈平家三・赦文〉

をんる【遠流】伊豆・安房・常陸・佐渡・隠岐・土佐などの僻地へ流罪にすること。「近流」「中流」に対する。「推勘するに罪―すべし」〈続紀天平勝宝六・一一・二四〉。「―無帰の罪は死罪に同じきとて、遠国へ遣はされしより以来、本朝に死罪を止められて年久しくなりぬ」〈保元中・忠正家弘〉

ん

ん『助動』⇩む

ん・す『助動』①《シャンスの約》四段・ナ変活用動詞の未然形について、尊敬の意を表わす女性語。…なさる。お…になる。「野秋様の逢は―・す下立売の清様」〈西鶴・諸艶大鑑一〉②《マスの転》丁寧の意を表わす遊女語。特に、江戸の遊里で盛んに使われた。「ちょっと逢ひたう御座り―・す」〈近松・女腹切上〉

ん・ず『助動』⇩むず

基本助動詞・助詞解説

大野　晋

助動詞

き　一四八一
きこゆ　一四七一
けむ　一四七九
けり　一四八二
ごとし　一四八三
さす　一四六九
さぶらふ　一四七二
ざり　一四七六
じ　一四七八
しむ　一四六九
す(四段・下二段)　一四六九
ず　一四七八
(たし)　一四八三
たてまつる　一四七一
たまふ(四段)　一四七一
(たまふ下二段)　一四七二
たり　一四七四　一四八二
つ　一四七三
なり　一四八一　一四八二
ぬ　一四七三
はべり　一四七二
べかり　一四七六
べし　一四八〇
まうす　一四七二
まし　一四八〇
まじ　一四七八
まじかり　一四七六
(ましじ)　一四七八
まほし　一四八三
む　一四七九
めり　一四七六
(ゆ)　一四七〇
らし　一四八〇
らむ　一四七九
(らゆ)　一四七〇
らる　一四七〇
り　一四七四
る　一四七〇

助　詞

か　一五〇〇
が　一四八五　一四八七　一五〇四
かし　一五〇六
かな　一五〇六
がな　一五〇六
かも　一五〇〇
から　一四九〇
こそ　一四九七
さへ　一四九二
し　一四九三
しも　一四九四
すら　一四九三
そ　一五〇五
ぞ(そ)　一四九八
だに　一四九三
つ　一四八四
つつ　一五〇三
づつ　一四九四
て　一五〇四
で　一四九一　一五〇四
と　一四九〇　一五〇五
ど　一五〇二
とも　一五〇二
ども　一五〇二
な　一四八六　一五〇五
ながら　一五〇三
など　一四九三
なむ(なも)　一四九八　一五〇五
に　一四八八　一五〇四
にて　一四九一
ね　一五〇六
の　一四八五　一四八八
のみ　一四九二
は　一四九六
ば　一五〇一
ばかり　一四九一
ばや　一五〇六
へ　一四八九
まで　一四九一
み　一五〇五
も　一四九六
ものから　一五〇二
ものの　一五〇三
ものゆゑ　一五〇二
ものを　一五〇三
や　一四九九　一五〇七
やも・やは　一五〇〇
よ　一五〇六　一五〇七
より　一四九〇
を　一四八九　一五〇四　一五〇七

基本助動詞

ここには基本的な助動詞をまとめて解説したが、理解の必要上、併せて解説した上代語あるいは助動詞とは考えにくい語には(　)を付した。

〔助動詞とは何か〕　日本語の文のうち、動詞で終る文を動詞文といい、形容詞または形容動詞で終る文を形容詞文という。動詞文の叙述の終り方はいろいろあるが、中止・終止・命令の終止などの切れ続きの関係は、動詞の活用形の変化によって示される。しかし文末の表現は切れ続きの関係だけを示すものではない。使役・受身、あるいは完了・存続の変化を示す場合がある。また、打消・推量・回想を示す場合もある。それらを細かく表現し分けるためには活用の変化だけでは不足で、役割に応じた語をそれぞれ追加する。それら、動詞の後に追加される語群を助動詞と呼ぶ。

この助動詞は、形容詞の下に直接つくことは、原則としてなかった。従って形容詞文に推量あるいは打消などの判断を加えたい場合には、形容詞連用形の下に仲介として動詞「あり」を添えることが必要で、その次に助動詞を置いた(**1**)。その後、この「あり」は形容詞の連用形と音韻が融合して、「むなしかりけり」「難(かた)からむ」などカリ活用を形成した(**2**)。

そもそも形容詞は、はじめ語幹のまま、「ながうた(長歌)」「たかゆく(高行く)」のように名詞や動詞の前に位置して、それらを修飾した。しかし、連用・連体・終止の機能を明示するために、「たかく」「たかき」「たかし」というように「く」「き」「し」などを加えた。この追加された部分を活用語尾という。奈良時代以後になると、「たかけれ」のような已然形が発達した。日本語では、動詞文に比較して形容詞文は用いられることが少なかったので、述語としての役割を果す形容詞の語形は発達がおそく、打消・推量・回想などを表現する形式変化は後れて成立した。

(**1**)「地も潤(うる)ひ、万づの物も萌(めぐ)みもえ始めて**好くあるらむ**と念(おも)ほすに」〈続紀宣命四六〉「思ふそら**安くあらね**ば歎かくをとどめもかねて」〈万四〇〇八〉　(**2**)「世の中は空しきものと知るときしいよよますます**悲しかりけり**」〈万七九三〉「受けたる性聴(さと)く**敏**(さか)**しかりき**」〈金光明最勝王経・平安初期点〉「これにつけても憎み給ふ人人**多かり**」〈源氏・桐壺〉

〔配列の順序の規則性〕　助動詞は、二つ以上重ねて用いられることがあるが、その配列の順序に規則性がある。同時に、配列の順序は助動詞の意味上の類型と密接な関係を持つ。今、その配列の順序と意味とを基礎として助動詞を類別し、それぞれの類に含まれる語を挙げれば次の通りである。

第一類	第二類	第三類	第四類	別類
(す四段) a{す下二段 さす しむ} b{る らる (ゆ) (らゆ)}	たまふ四段 たてまつる きこゆ まうす (たまふ下二段) はべり さぶらふ	甲{つ ぬ [り たり]} 乙{[ざり べかり まじかり めり]}	ず じ まじ (ましじ) む らむ けむ らし まし べし なり [き けり]	なり たり ごとし まほし (たし)
活用形完備	活用形完備	活用形やや不備	活用形不備	
使役・自発・可能 受身・尊敬	尊敬・謙譲・丁寧	完了・存続 など	打消・推量 回想	指定・比況 希求

右の第一類から第四類にいたる助動詞は、重ねて用いられる場合には、常に一、二、三、四類の順序に配列される。

御心づかひせ(動詞) させ(一類) 給ひ(二類) つ(三類) べから(三類) む(四類) 夜〈源氏浮舟〉

見つけ(動詞) られ(一類) きこえ(二類) たら(三類) む(四類) ほどのはしたなさ〈源氏夢浮橋〉

この一、二、三、四類のうち、どれでも欠けて差支えないが、一、二、三、四の順序が狂って、三、一、四、二のごとく配列されることはない。

心ざしをも見(動詞) せ(一類) きこえ(二類) ず(四類)〈源氏玉鬘〉

心ときめきもし(動詞) つ(三類) べけれ(四類) ど〈源氏若菜上〉

隔て異なるを教へ寄せ(動詞) たてまつれ(二類) り(三類)〈源氏橋姫〉

第一類　(す四段)　す下二段　さす　しむ　る　らる　(ゆ)　(らゆ)

〔接続〕この類は動詞の未然形の直下につき、間に他の助動詞が入りこむことを許さない。動詞と結合して一体となり、その一体となった形において動詞としての意味を確定する。それ故、一部の学者はこれを接尾語として扱っている。

〔活用〕すべて下二段活用の動詞と同型の活用をする(ただし、尊敬の助動詞「す」は、奈良時代には四段活用である)。

〔意味〕この類の助動詞の意味・役割を考えるために、次の一群の動詞の語尾を見よう。これらの動詞は、語尾の「す」と「る」とによって意味の対立を示している。

① {あます(余)／あまる}　{うつす(移)／うつる}　{おこす(起)／おこる(興)}　{おとす(落)／おとる(劣)}　{かへす(返)／かへる(帰)}

①の動詞はみな四段活用で、語尾の「す」は動詞の意味が人為的・作為的であることを示し、語尾の「る」は動詞の意味が自然展開的・無作為的であることを示している。

② {あぐ(挙)／あがる}　{かさぬ(重)／かさなる}　{さふ(障)／さはる}　{すつ(棄)／すたる}　{うむ(生)／うまる}

②の場合、「る」を含むものは動作が自然展開的・無作為的に成立することを示している。

次の③の場合は「す」を添えて、その動作が人為的・作為的であることを示している。

③ {いづ(出)／いだす}　{くる(暮)／くらす}　{はつ(果)／はたす}　{おく(起)／おこす}　{おつ(落)／おとす}

②と③の動詞のうち、「る」「す」を語尾に持つものは、四段活用のものが多い。しかし中には、「すたる」「うまる」のように下二段活用の動詞もある。

④の動詞では、「る」のつく動詞は下二段活用で、この語尾の「る」は助動詞の「る」と活用も意味も同一である。

④ {かくす(隠)／かくる}　{ながす(流)／ながる}　{はなす(離)／はなる}　{みだす(乱)／みだる}　{やつす(窶)／やつる}

語形が同一ならば同一の意味を示し、語形の変化の形式が同一ならば同一の機能を表現するのが言語の原則であるから、右に挙げた下二段活用動詞の語尾「る」と、活用の形式が同一の助動詞「る」とは、意味と機能とが同一であると見られる。つまり、「る」は自然展開的・無作為的である意を動詞に追加する役目を帯びている。

また、奈良時代には「かかす(懸)」「きかす(聞)」など四段活用の助動詞「す」があった(**1**)。この「す」は、尊敬の意を示す助動詞とされているが、後に述べるように、尊敬表現はその基礎に使役の観念を含む形式があるので、この尊敬の助動詞は本来は使役を表わす所から転じたものと思われる。

右に見たように日本語の動詞は、語尾の「す」と「る」との対立によって、意味の人為的・作為的なものと、自然展開的・無作為的なものとを区別する場合があるが、助動詞「す」「さす」「しむ」と、「る」「らる」とは、まさに本質的にそれと同一の意味を表現する。つまり、第一類の助動詞は、動詞の直下について、動詞の動作・作用・状態が人為的・作為的であるか、自然展開的・無作為的であるかを表現しわけるものである。

(**す**四段) 奈良時代には尊敬・親愛の意を表わす助動詞「す」が存在した(**1**)。この尊敬の助動詞「す」は使役の助動詞「す」と起源を同じくする。それは、次のような理由によって推察される。つまり、貴人は行為・動作をする場合に、みずからは直接手を下さず、近侍の者にそれをさせるのが一般である。従って、相手の行為・動作を、「相手が(誰かに)させる」という使役形で表現することは、相手の行為・動作を貴人の行為・動作になずらえることになる。それは相手に対する尊敬の意の表現と見なされるものであった。

す下二段・**さす**・**しむ**は使役の助動詞と名づけられている。人為的・作為的とは、みずからはその動作をせず、「…させる」と他人をして何かをさせ、使役する意である(**2**)。

す・さす 使役の助動詞の「す」は、奈良時代以前には四段活用であったと考えられる。それは先に掲げた「出だす」「暮らす」「果たす」「起こす」「落とす」などの動詞が四段活用である点からも推測される。今日では、これらの動詞は四段活用の動詞として一語と扱われ、「す」の部分は活用語尾と見なされている。しかし、これらは本来、動詞の古い語幹と助動詞「す」との結合した形である。平安時代になって、この「す」は使役の助動詞としては下二段活用に転じた。

「す」は四段・ナ変・ラ変活用の動詞の未然形につき、「さす」はそれ以外の動詞の未然形につく。

「す」「さす」は「たまふ」「おはします」などと複合して、神・天皇・皇族などの行為に対する厚い尊敬を表わすことがあった(**3**)。これは、「たまふ」「おはします」などという尊敬語に、さらに使役の形による尊敬を加えて、「(誰かに)おさせになる動作をくださる」の意を表わすものである。つまり最高の敬意をうけるに価する人は、「給ふ」動作を自らはせずに、従者にさせるのが例であるから、「(動作)をおさせくださる」と表現することによって、単なる「たまふ」より一段と厚い尊敬の表現としたものである。また、謙譲を表わす「たてまつる」「きこゆ」などの下について「たてまつらす」「きこえさす」の形をとり、一層厚い謙譲の意を表現した(**4**)。それは、「奉る」「申し上げる」という動作を自分みずから、直接に相手に対して行なわず、相手との中間に人を介して、その人をして行なわせると表現することによって、相手にじかに接近しないという遠慮の気持を表わし、それだけ相手に対して厚い謙譲の表現とするものであった。

なお、鎌倉時代以後の軍記物の平家物語などにおいて、受身を表わすのに「させ」を用いることがある。「上総の太郎判官が射ける矢に、兼綱、内甲(うちかぶと)を射させて、ひるむところに」〈平家四・宮御最期〉のごとくである。これは、軍記物では、「射られ」と受身でいうことを忌み、積極的に、敵に射させたものと扱う、特殊な用法と思われる。

(**1**)「玉垂れの小簾(をす)の隙(すけき)に入り通ひ来(こ)ねたらちねの母が問はば**さ**ば風と申さむ」〈万二三六四〉「わが背子は仮廬(かりほ)作ら**す**草(かや)なくは小松が下の草を刈ら**さ**ね」〈万一一〉「松浦河河の瀬光り鮎釣ると立た**せ**る妹が裳(も)の裾濡れぬ」〈万八五五〉 (**2**)「そこなる人にみな滝の歌よま**す**」〈伊勢八七〉「さるは、たよりごとに物もたえずえ**させ**たり」〈土佐・二月十六日〉「女御とだに言は**せ**ずなりぬるが飽かずくち惜しうおぼさるれば」〈源氏・桐壺〉 (**3**)「〔帝ハ更衣ヲ〕あはれなるものに思ほして人のそしりをもえはばから**せ給はず**」〈源氏・桐壺〉「早おはしまして夜更けぬさきにかへら**せおはしませ**」〈源氏・夕顔〉「古今の歌二十巻を皆うかべ**させ給ふ**を、御学問にはせ**させ給へ**」〈枕二三〉 (**4**)「京へなど迎へ**たてまつらせ**たらむ後、おだしくて親にも見え**たてまつらせ**給へかし」〈源氏・浮舟〉「かしこき末の世の儲けの君と天の下のたのみ所にあふぎ**きこえさする**を」〈源氏・若菜上〉「さりとも年月は隔て給はじと思ひやり**聞こえさする**にも」〈源氏・須磨〉

しむ 「す」「さす」よりも古く成立した助動詞で、奈良時代に「…させる」と使役の表現に用いられた(**1**)。平安時代には、漢文訓読の系統の文体に用いられて、公卿の変体漢文の日記や大鏡など男子の文章に使われた(**2**)。そして当時の口語を主流とする女流文学系統の文体には、ほとんど用いられなくなっていた。また、「す」「さす」と同じく、「給ふ」「奉る」と結合して「しめ給ふ」「しめ奉る」の形をとり、話題の動作に対する一層厚い尊敬の意を表わした(**3**)。中世以後は文章語の中に用いられ、書簡などに長く使われた(**4**)。

(**1**)「布施置きて吾は乞ひ祈(の)むあざむかずただに率(ゐ)行きて天路(あまぢ)知ら**しめ**」〈万九〇六〉「法を興隆せ**しむる**には人に依りて継ぎ広むるものにあり」〈続紀宣命四一〉「帝と立てて天の下を治め**しめむ**」〈続紀宣命三〉 (**2**)「飲食も充足せ**しめむ**」〈法華経二・平安後期点〉「御寺に申し文を奉ら**しめ**んとなん」〈大鏡・藤氏物語〉「他方の怨賊をも皆退散せ**しめむ**」〈金光明最勝王経・平安初期点〉 (**3**)「この幣の散る方に御舟速かに漕が**しめ給へ**」〈土佐・一月二十六日〉 源氏物語にはわずかに次の三例がある。いずれも僧侶などの固い表現に使われている。「お前によみ申さ**しめ給へ**」(阿闍梨の言葉)

〈源氏・早蕨〉「用意してさぶらへ。びんなき事もあらば重く勘当せ**しめ給ふ**べきよしなむ仰言侍りつれば」（従者への薫の言葉）〈源氏・浮舟〉「誠に出家せ**しめ奉り**てしに侍る」（法師の言葉）〈源氏・夢浮橋〉 **（4）**「又神明の守り然ら**しむる**なり」〈盛衰記二七〉「此の旨宜しく披露せ**しむ**べく候」〈ロドリゲス大文典〉

る・らる　「る」「らる」は、「す」「さす」と連続して用いるときには「す」「さす」の下につくのが一般である。「る」「らる」は従来、自発・可能・受身・尊敬の助動詞としてそれぞれ別のもののように説明されることが多かった。しかし、それらの意味は互いに密接な関係がある。

〔自発・可能〕　先に見た通り、「る」「らる」は、動作・作用・状態の自然展開的・無作為的な成立を示すのが基本的な意味であった。これを一般に自発とよんでいる**（1）**。

また、「る」「らる」は可能の意を表わす**（2）**。今日では、可能を表現するにあたって、「できる」という。これは「出で来る」という形が転じて「でくる」となり、さらに「できる」と変遷した語である。「出で来る」とは、無から有が出現する意である。農民が多数を占めた日本では、可能を、人間の技術や闘争によって獲得するものと見るよりも、自然に随順し、自然の運行の中から結果が湧き出て来るものと把握した。それゆえ、日本には自然の成り行きによる成就をよしとする風が厚く、ものごとが可能となるのも、人為・努力によるとするよりも、自然に成立・出現することと考えた。こうして「出で来る」が可能を表現するに至った。これと同じように、自然の成り行きを本来表現する語である「る」「らる」も、可能の意を表現するのに用いられた。もっとも、可能といっても「…れず」「…られず」の形で不可能を示す形の方が古く発達したものである。

〔受身・尊敬〕　「る」「らる」は受身の意味を表わした**（3）**。日本語における受身とは、自分自身がその動作に積極的に関与しないにかかわらず、その動作が自然の成り行きとして成立してしまうことをいう。「言ひののしらる」「先だたれにたれば」「霞に立ちこめられて」など、すべて自分からはののしり、先だち、立ちこめる動作に積極的に関与しないにかかわらず、それらの動作・状態が自分に関して成立してしまったと述べるものである。ヨーロッパ語の受身表現は、他動詞について成立するというが、日本語では、日本語でも、受身は他動詞について成立するものである。しかし、日本語では、「先立たれ」「立ちこめられ」など、「先だつ」「立ちこむ」のような自動詞にも受身が成立し、その場合には、迷惑・被害の心持を表現することが多い。

「る」「らる」は尊敬にも用いられる**（4）**。元来日本人の尊敬の観念は、最も根底的には恐怖にはじまるものである。恐怖の対象に対しては、それに触れずにそれから遠ざかろうとする。つまり、雷神・天皇などに対して自ら積極的に関与することは恐怖を伴う。さもなくとも、礼を失することとされる。それ故、それらに対しては遠ざかって相手のなすままに任せ、すべては自然の成り行きであるとして、みずからは手をつけない。自然の成り行きとして扱うには、動詞の下に「る」「らる」を加える。従って恐怖・畏怖の対象でない人間に対する場合でも、その相手の行為をそのような恐怖の対象に対すると同じく、手を加え得ないものとして、また、自然の成り行きであるとして表現すること、つまり「る」「らる」を添えて言うことは、とりもなおさず相手に対する尊敬の意の表明となったわけである。

〔語源〕　このようにして「る」「らる」は、自発・可能・受身・尊敬の助動詞としての用法を持つに至ったが、「る」「らる」の語源としては「生(ぁ)る」という動詞が想定されよう。「る」「らる」に共通な「事態が生れ出る」という把握の仕方は、「生(ぁ)る」という動詞と根本的に意味が同一である。また、「る」「らる」が下二段活用で、「生(ぁ)る」の下二段活用と一致する点もこの推測を裏づける。この「生(ぁ)る」(ar-u)の語根 ar- は、多分、存在を意味する「有り」(ar-i)の語根 ar- と同一であろうと推測される。

〔接続〕　「る」は四段・ナ変・ラ変活用の動詞の未然形につき、「らる」はそれ以外の動詞の未然形につく。

（ゆ）・（らゆ）　なお、奈良時代には、「る」「らる」と同じく自発・可能・受身に、「ゆ」「らゆ」という形が用いられた（本文項目参照）。これは後世では、「あらゆる」「いはゆる」などに化石的に残った**（5）**。

（1）「相模路のよろきの浜の真砂(まなご)なす子らはかなしく思は**るる**かも」〈万三三七二〉「よろづに思しつづけ**られ**て時のまもおぼつかなかりしを」〈源氏・桐壺〉「筆をとれば物書か**れ**、楽器をとれば音をたてんと思ふ」〈徒然一五七〉 **（2）**「わが妻はいたく恋ひらし飲む水に影(か)さへ見えて世に忘ら**れず**」〈万四三二二〉「いり給ひてふし給へれど寝入ら**れず**」〈源氏・花宴〉「冬はいかなるところにも住ま**る**」〈徒然五五〉 **（3）**「愚痴にある奴は思ひ別くこともなくして…悪しき友に引率**らるる**ものにあり」〈続紀宣命三五〉「ありがたきもの。…しうとにほめ**らるる**婿、また、姑に思は**るる**嫁の君」〈枕七五〉「みわ山をしかも隠すか春霞人に知ら**れ**ぬ花や咲くらむ」〈古今九四〉「常に諸(もろもろ)の天人、龍神の為に恭敬せ**られむ**」〈金光明最勝王経・平安初期点〉 **（4）**「御覧じだに送らぬおぼつかなさを、いふ方なくおぼさ**る**」〈源氏・桐壺〉「おなじ御時せ**られ**ける菊合せに洲浜を作りて」〈古今二七三詞書〉「若し疑惑有らば汝が意に随ひて問は**れよ**」〈金光明最勝王経・平安初期点〉 **（5）**「病と饑饉とを**在らゆる**悩害に随ひて皆よく解説せしむ」〈地蔵十輪経・平安初期点〉「**言はゆる**謙譲問答といふは」〈法華義疏・長保点〉「右大臣源能有の御女**いはゆる**九条殿」〈大鏡・師輔〉

第二類　たまふ四段　たてまつる　きこゆ　まうす　（たまふ下二段）　はべり　さぶらふ

この類は、尊敬を表わす動詞が、兼ねて助動詞の用法をもつに至ったもので、人間の上下の関係と近侍の観念に基づく表現である（この類の用例は、本文動詞項目の末尾に添えた）。①物の下賜・奉献・奉戴の意を表わすものは「たまふ四段」「たてまつる」（「たまふ下二段」）、②上聞にとどける意を表わすものは「きこゆ」「まうす」、③貴人の近くに伺候する意を表わすものは「はべり」「さぶらふ」の三種七語である。

この類の語は、動詞の連用形と、第一類の助動詞の連用形とを承ける。

日本語の動詞の尊敬表現に、「る」「らる」「す」「さす」「しむ」が用いられることは先に見たが、尊敬表現には基本的に次の二種類がある。

その一　文中に登場する話題や動作についての尊敬表現。

イ、動作の主の動作を高く扱う尊敬の表現。（主に相手自身の動作についていう）

（例　御尽力下さった。御努力なさるおつもりである。）

ロ、動作の主の動作を低く扱い、動作を受ける人を高く扱う謙譲・卑下の表現。

（例　御尽力申し上げる。努力いたすつもりである。）

その二　文中に登場する話題や人物に直接関係なく、話し手（書き手）が、相手としている聞き手（読み手）に対して表明する敬意・つつしみ・丁寧の表現。

（例　努力しましたが、さらに尽力するつもりです。）

第一類の「る」「らる」「す」「さす」「しむ」は、その一のイに用いられ、第二類の語は次の場合に使われる。

たまふ四段　**その一のイ**

たてまつる　きこゆ　まうす　（たまふ下二段）　**その一のロ**

はべり　さぶらふ　**その二**

たまふ四段　元来、ものを下賜する意で、それが動詞連用形（体言の資格を持つ）を承けるように用法が拡大されて、「選びたまひて」「御心をしづめたまふ」などと用い、奈良時代以後ずっと使われた。これは「選ぶことを下賜して」「しづめることを下賜する」の意の表現であった。そこから、相手の動作に対する尊敬の助動詞へと転用されて行ったものと考えられる。つまり相手の動作を相手が（自分などに対して）下賜するものとして把握し表現したのである。

平安時代になると単独の「たまふ」よりも一層厚い敬意を表わす表現として、すでに見たように使役の「す」「さす」「しむ」と「たまふ」とを組み合せる形が発達した。「せ給ふ」「させ給ふ」「しめ給ふ」という形式がそれである。それは、「…おさせになる」という、人を使役する行為を貴人が下賜することを意味し、その意味で使われた例も多く存在する（**1**）。しかし貴人自身の行為であっても、それを侍者にさせるという表現を用いることによって単に「…し給ふ」と表現するよりも一層厚い敬意を表わすこととなったものである（**2**）。

（**1**）「いかに。殿は何とかせ**しめ給ふ**」〈宇津保・祭の使〉（**2**）「くさぐさの歌をなむ選ば**せ給ひ**ける」〈古今・仮名序〉「おほきおまへ（匂宮）の御覧ぜざらむ程に〔コノ卯槌ヲ〕御覧ぜ**させ給へ**」〈源氏・浮舟〉

たてまつる　本来、「立て」と「まつる」との複合語で、「立て」は物事をはっきり人の前にあらわす意、「まつる」は本来、食物を神や人に差し上げる意である。従って、「たてまつる」は、第二類の助動詞として謙譲の意を表わすために用いられるときは、「見たてまつる」と使う例が極めて多く、その他、「聞き」「捧げ」「入れ」「返し」「迎へ」など、意志的な動作を示す他動詞を承けることが多い（**1**）。これは中世に至ると、書き言葉や説教・荘重な話し言葉などに使われた（**2**）。

なお、平安時代には「奉れ給ふ」と使うことがある。この場合の下二段の「奉れ」は、実際に人や物を差上げる場合に使う。「奉れ」は「奉らせ」という使役の意味と思われるが、「奉る」行為は、貴人みずからすることは稀で、仕える者にさせるので「奉れ」の形が生じた。しかし物を「奉り給ふ」とある場合も、実際に仕える者に奉らせるわけで「奉れ給ふ」と「奉り給ふ」とは事実においてはちがいはないと考えられる。複合語に使われる、四段の「奉り」による「奉り給ふ」は、「見奉り給ふ」の例が多く、「入れ奉り給ふ」「まゐらせ奉り給ふ」などと使われる場合が多い。

（**1**）「我今この経を聞き**たてまつる**こと、親（まのあた）り仏前にして受けたまはりぬ」〈金光明最勝王経・平安初期点〉「そとほり姫の一人ゐて帝を恋ひ**たてまつりて**」〈古今二〇詞書〉（**2**）「下野殿（しもつけどの）を射落し**奉らん**と思へどもかたがた存する旨あれば疵はつけ申さじ」〈保元中・白河殿攻め落す〉「我らが一類を悉く滅亡に及ぼすを憐ませられいと頼み**奉れば**」〈天草本伊曾保〉「デウスに対し**奉りて**科を犯すな」〈ロドリゲス大文典〉

きこゆ　本来、音が自然に耳に入る意で、「る」「らる」が自然・可能の意から尊敬に転用されたのと同じ心理によって、相手の耳に自然に入る意から「申し上げる」にあたる謙譲の助動詞に使われるようになった。「きこゆ」は「思ひきこゆ」と使う例が極めて多く、「恋ひ」「恨み」「慕ひ」「めで」「むつび」「なれ」「かしづき」など、深い情意や。情意のこもった動作をしめす動詞を承けることが多い（**1**）。「きこゆ」は、平安女流文学に多く用いられたが、やがて「まうす」の方が多く使われるようになった。「きこゆ」よりもさらに厚い謙譲の意を表明するには、「きこえさす」という形を用いた。これは、言上することを自分から直接せず、人を介してさせる意が原義である。直接相手に接触せず、人を介する方が相手を鄭重に扱うことになるので、これは「きこゆ」よりも厚い謙譲の意を表現した(2)。

(1)「少し物の心思ひ知るは、いかがはおろかに思ひ**きこえむ**」〈源氏・夕顔〉 (2)「うへの、まめにおはしますともてなやみ**聞こえさせ**給ふこそ、をかしう思う給へらるる折折侍れ」〈源氏・末摘花〉

まうす　言上する意から「きこゆ」に代って広く用いられるようになった。古くは「いのり」「語り」「いさめ」など、言葉に出して言う意の語の下について用いられ、動詞か助動詞か区別のつきかねるものもある(1)。しかし、次第に広く使われるようになり、「思ひまうし」「そむきまうし」のように、意味上、言葉に直接関係ない動詞にもつくに至って、第二類の助動詞となって謙譲の意を表わした(2)。中世では、「さぶらふ」と重ね用いて「上げまうし候」「聞きまうし候」など、書き言葉に広く使われた(3)。

(1)「少しづつ語り**申せ**」〈源氏・帚木〉 (2)「只なにがしらが私の君と思ひ**申して**」〈源氏・夕顔〉「読み**申す**まじくそろ」〈ロドリゲス大文典〉 (3)「春の初の御悦び貴方に向かって先づ祝い**申し候い**畢んぬ」〈ロドリゲス大文典〉

(たまふ下二段)　奈良時代には普通の動詞として、「黒酒(くろき)白酒(しろき)の御酒(みき)を…たまへゑらき」〈続紀宣命六〉のように、天皇や長上から酒食を下賜されていただく意に用いた。それが用法を広くして「天の下四方の国の百姓、諸々集侍(うごな)はりて、見たまへ、尊みたまへ、歓びたまへ、聞きたまへ…仕へまつる」〈祝詞・中臣寿詞〉のように、広く動詞の連用形の下につくに至った。動詞の連用形は体言の資格を持つから、右の例は、「御酒を下賜される」と同じく「見ることを下賜され、尊むことを下賜され、歓ぶことを下賜され、聞くことを下賜される」の意が原義である。このように自己の行為であるにかかわらず、その行為を長上から下賜されて、いただくと表現することによって、謙譲・卑下の意を表現するのが下二段活用の「たまふ」である。

平安時代の下二段活用の「たまふ」は、用法が狭く、女流文学では「思ひたまふ」「見たまふ」と使うのが大部分で、まれに「知りたまふ」「聞きたまふ」と用い、いずれも、知覚を表わす動詞を承ける。この「思ひ給ふ」「見給ふ」「聞き給ふ」は、それぞれ、存ずる、拝見する、拝聴するなどの意を表わす特殊な複合動詞となっている。そして、「思ひ給へらるべき」などと、一類の助動詞の上位に位置する点などから見ても、平安女流文学では、下二段活用の「たまふ」は助動詞と扱うべきではなくなっており、限られた複合動詞の下項と見る方が適切である。

「親のおきてに違へりと思ひ歎きて、心ゆかぬやうになむ**聞こえ給ふる**」〈源氏・帚木〉「人にも漏らさじと**思う給ふれば**」〈源氏・夕顔〉

はべり　語源はハ(這)ヒアリの転(FaFiari→FaFeri→Faberi)と考えられる。古代社会では、貴人に仕えるものは、貴人の前に手をついて伺候するのが習慣であったから、「這ひあり」の意から転じて、話し相手に対する畏まりの気持を表明するに使われた。これは平安時代に広く用いられたが、鎌倉時代には「さぶらふ」に取って代られた。

「夜更け**はべり**ぬべし」〈源氏・桐壺〉「いらへに何とかはいはれ**はべらむ**」〈源氏・帚木〉「今更にわたくしの領になり**はべら**んは便なきことなり」〈大鏡・序〉

さぶらふ　古形「さもらふ」の転で、「様子を伺い見る」が古い意味である。これもまた、主人の側に仕えて、絶えず主人の意向を見守っていたことに発する語である。それが「さぶらふ」となって、貴人の命を伺い待つ意として使われ、やがて、広く丁寧の意を表わすのに用いられるようになった(1)。「さぶらふ」は時とともに「さうらふ」「そうろ」「そろ」などと音がつまるようになり(2)、活用形が欠けて来て用いにくくなり、室町時代からは「まゐらする」が「候ふ」に代って次第に広く使われはじめ、「候ふ」は、文章語、書簡体のための用語となった(3)。

(1)「けしうは**さぶらは**ぬ歳なりな。まことと人おぼさじ」〈大鏡・序〉 (2)「きこえ**さうらふ**名馬を見**さうら**ばや」〈平家四・競〉「御文給はり**そろ**」〈ロドリゲス大文典〉 (3)「後の世をも弔い**まいらせ**らるるならば、ようござらうず」〈ロドリゲス大文典〉

第三類　つ　ぬ　り　たり　ざり　べかり　まじかり　めり

この類は、甲と乙とに区分される。甲には、「つ」「ぬ」「り」「たり」という四語が属し、「つ」「ぬ」は、動作・作用・状態の完了を表現し、「り」「たり」は進行・持続を明示するのが本来の役割であった。これは、動作が完了したか、継続しているかについてだけ表現するもので、過去についても、現在についても、未来についても使うことができる。つまり、過去・現在・未来という、時の経過の過ぎ去った時点、あるいは現在という時点、あるいは未来という時点のうちの一つとしてとらえる時の認識とは別の認識の仕方を表わすものである。(これを文法学者によっては、アスペクトの助動詞といっている。アスペクトはテンス(時制、過去・現在・未来)とは別の範疇に属する認識の仕方で、動作の開始、継続・完了という点に注意した把握の仕方をいう。)乙には、「ざり」「べかり」「まじかり」「めり」の四語が属する。第三類の乙は意味上は第四類に属するものであるが、他の第四類助動詞と重ねて用いる必要が生じてきて、本来の語に「あり」を加えて成立したものである。「あり」を含むので、その位置は第三類にあがる。

第三類の助動詞は、動詞と第一類・第二類の助動詞とを承ける。

活用は甲の「つ」「ぬ」「り」「たり」は活用形をすべて備えているが、乙に属するものは、活用形の中のいくつかを欠く。

つ・ぬ　動詞および助動詞の連用形を承ける。ともに動作・作用・状態の完了を示すことが本来の役割で、「つ」と「ぬ」とは、古くはそれぞれが承ける助動詞や動詞に相違があった。まず、第一類の助動詞の「す」「さす」「しむ」を承けるのはすべて「つ」であり、「る」「らる」を承けるのはすべて「ぬ」であった。また、万葉集・源氏物語で、「つ」と「ぬ」とが承ける動詞を見ると、次の相違がある。

「つ」だけが承ける動詞の例

かざす　散らす　召す　成す　見す　返す　過ぐす　見る　聞く　嘆くかぬ(不能の意)　結ぶ　告(つ)ぐ　定む　告(の)る　治む　植う　刈る　取る　宣ふ　飲む　振る　結(ゆ)ふ　率寝(ゐぬ)　挙(あ)ぐ　失ふ　置く　(以上万葉集)

言ふ　明かす　死なす　渡す　返す　隠す　暮す　(以上源氏物語)

「ぬ」だけが承ける動詞の例

成る　経(ふ)　過ぐ　更(ふ)く　移らふ　散る　色付く　咲く　絶ゆ　吹く(霰・霜が)置く　消(く)　乾(ふ)　生(お)ふ　恋ふ　立つ　別る　隠る　濡る　知る　恋ひ渡る　寄る　逢ふ　坐(まい)す　近づく　慣る　帰る　入る　(以上万葉集)

成る　老ゆ　過ぐ　亡(う)す　帰る　まさる　経(ふ)　更く　生る　かくる　忘る　染(し)む　しづまる　絶ゆ　(以上源氏物語)

右の例を見れば、「つ」が他動詞、つまり作為的・人為的な意味を持つ動詞を承け、「ぬ」が自動詞、つまり自然推移的・無作為的な意味を持つ動詞を承ける傾向のあることが明らかである。

〔語源と意味〕　「つ」と「ぬ」との語源を考えると、「つ」と「ぬ」とは、それぞれ動詞の「棄(う)つ」「去(い)ぬ」と、活用が同一である。また、意味的にも、「棄つ」と「去ぬ」とに根本的な共通性を保っているから、「棄つ」から「つ」、「去ぬ」から「ぬ」が転成したことが推定される。つまり、物を意志的に眼前にほうり出してしまう意の「棄つ」のはじめの母音uを脱落した「つ」は、作為的・人為的な動作を示す動詞や、使役の助動詞「す」「さす」の下について、すでに動作をしてしまったという完了の意を示す。一方、眼前にいたものがいつの間にかどこかへ去って見えなくなる意の「去ぬ」のはじめの母音iを脱落した「ぬ」は、無作為的・自然推移的な作用・動作を示す動詞や助動詞「る」「らる」の下について、すでに動作・作用が成り立ってしまったという完了の意を示すのである(**1**)。

もっとも、すべての動詞が「つ」へつづくものと「ぬ」へつづくものとに明確に二分できるものではない。「つ」へも「ぬ」へもつづく動詞がある。例えば「寝(い)ぬ」「為(す)」「鳴く」「見ゆ」などがそれである。これらの動作は、人為的・作為的な動作である場合もあり、また、自然推移的・無作為的な動作である場合もある。従って、このような動詞は「つ」「ぬ」のどちらによっても承けることが可能なはずであり、事実その実例が存在している(**2**)。

また、奈良時代には「あり」を承けるのは「つ」で、平安時代に入っても形容詞連用形に「あり」のついて成立したカリ活用の形容詞を承けるのは、「いみじかりつる」のように多く「つ」である(**3**)。「棄つ」という語は本来物をほうり出す意であるが、捨ててもその結果の物は眼前に在る意味を持ちうるに対し、「去ぬ」は、消え去って見えなくなる意味が原義であるから、存続・存在を意味する「あり」を含む語を「ぬ」が承けることは、意味の上で矛盾をきたす。その結果「あり」を承けるには「ぬ」を用いず、「つ」を用いた。しかし、平安時代に入って「つ」「ぬ」の原義が忘れられ、完了の意が次第に薄れて来て、「つ」「ぬ」の表現するところが確認へと移るにつれて、動詞「あり」にも「ぬ」がつきうるようになり、源氏物語では動詞「あり」および「這ひあり」から転じた「侍り」を承けるには、「ぬ」が「つ」の二倍以上も使われるに至った。

「つ」「ぬ」は、動作・作用・状態が完了していることを示すのが本来の役目であったが、奈良時代から平安時代にかけて、「散らしてむ」「よく見てましを」「潮満ち来なむ」「散りぬべし」などのように推量の助動詞と共に用いて、完了だけでなく確信・確認・堅い意志を表わすように用法が移って行った(**4**)。そして中世になると、「つ」も「ぬ」も次第に用いられなくなり、大勢は「たり」を多く用いる方向へ向って行った。

なお、「つ」も「ぬ」もその下へ打消の「ず」「じ」「まじ」をつけることはない。それは、「つ」「ぬ」が動作の確実な完了や肯定的な確認を表現する語であったから、それが打消の助動詞へつづくことは意味の連絡上あり得なかったものと思われる。ただし、打消の「ず」と「あり」との結合によって成立した「ざり」は、「あり」という存続・継続の語を含むので「ざりつ」という連続の例がある(**5**)。

また「つ」も「ぬ」も、その終止形を繰り返すことによって、動作の連続して繰り返される意を表わす場合がある(**6**)。

(**1**)「照らす日を闇に見なして泣く涙衣ぬらし**つ**ほす人無しに」〈万六九〇〉「思ほえず来ましし君を佐保川のかはづ聞かせずかへし**つる**かも」〈万一〇〇四〉「勘(かむ)へ問ひ賜ふに事ごとに実(まこと)と申して皆罪に伏し**ぬ**」〈続紀宣命一九〉「天伝ふ入日射し**ぬれ**丈夫(ますらを)

と思へる吾も敷たへの衣の袖はとほりてぬれ**ぬ**」〈万一三五〉　(**2**)「妹を思ひ眠(い)のねらえぬに秋の野にさ男鹿**鳴きつ**妻思ひかねて」〈万三六七八〉「今よりは秋づきぬらしあしひきの山松かげにひぐらし**鳴きぬ**」〈万三六五五〉「波の上に浮き寝せし宵あどもへか心がなしく夢(いめ)に**見えつる**」〈万三六三九〉「にほどりのなづさひ行けば家島は雲ゐに**見えぬ**」〈万三六二七〉「雲の上に鳴くなる雁の遠けども君にあはむとたもとほり**来つ**」〈万一五七四〉「いや遠に里は離(さ)かりぬいや高に山も越え**来ぬ**」〈万一三一〉「をととひより腹を病みて、いとわりなければ、しもに**侍りつる**を」〈源氏・空蟬〉「さるべきにおはしませば、ともかうも**侍りなむ**を」〈源氏・若紫〉　(**3**)「をとつ日も昨日も**ありつ**」〈万四〇一一〉「雨の**いみじかりつる**まぎれに母君もわたり給へり」〈源氏・蜻蛉〉　(**4**)「いざ子ども早く大和へ大伴の御津の浜松待ち恋ひ**ぬらむ**」〈万六三〉「長谷(はつせ)の弓槻(ゆつき)が下に吾が隠せる妻あかねさし照れる月夜に人見**てむ**かも」〈万二三五三〉「もみち葉の散り**なむ**山に宿りぬる君を待つらむ人し愛(かな)しも」〈万三六九三〉「音にのみきくの白露夜はおきて昼は思ひにあへず消(け)**ぬべし**」〈古今四七〇〉　(**5**)「物の音(ね)などさらに聞かせ奉ら**ざりつる**をいみじう恨み給ふ」〈源氏・明石〉「さらにかかる人の御有様を見**ざりつれ**ば此の世のものとも覚え給はず」〈源氏・若紫〉「御消息奉りつるは御覧ぜ**ざりつる**か」〈大鏡・伊尹〉　(**6**)「指(および)を差しつつ、佀(よ)し**ぬ**仰ぎ**ぬ**して語り居れば」〈今昔三二ノ一五〉「かけ足になっ**つ**、歩ませ**つ**、馳せ**つ**、ひかへ**つ**、阿波と讃岐との堺なる大坂越えといふ山を、夜もすがらこそ越えられけれ」〈平家一一・勝浦〉「浮き**ぬ**沈み**ぬ**揺られければ」〈平家一一・那須与一〉

り・たり　完了の助動詞と一般に名づけられている。しかし、本来は、動詞の動作・作用・状態の進行・持続を明確に示すのが役目で、アスペクトの一つである。

「り」は、四段・サ変・カ変・上一段活用の動詞の連用形と、それを承ける「あり」との音韻の融合によって奈良時代以前に生じた形である。「たり」は上二段・下二段活用の動詞の連用形を承ける助詞「て」(完了の助動詞「つ」の連用形から転成)と、それに続く「あり」との音韻の融合によって生じた形である。

〔接続〕「り」は従来は四段は已然形、サ変は未然形を承けると説かれたが、四段・サ変の動詞では、形の上ではともに命令形を承けたことが明らかになった。また、「り」はカ変・上一段の動詞にも接続する。

まず、四段活用の動詞の場合、「咲きあり」「逢ひあり」「摘みあり」などが音韻変化して、「咲けり」「逢へり」「摘めり」のような形を生じたものである。ところがそれを動詞の活用形と見られる「咲け」「逢へ」「摘め」という部分と「り」とに切り離して、助動詞「り」と扱った。それがこの「り」である。この「咲け」「逢へ」「摘め」は已然形と認められ、「り」は四段活用動詞の已然形を承けると説かれて来た。しかし、奈良時代の万葉仮名の研究によって、当時の発音には、ke・Fe・meとkë・Fë・mëとの二種類の区別があったことが明らかになった。そこで、已然形の「咲け」「逢へ」「摘め」の「け」「へ」「め」の万葉仮名を調べると、kë・Fë・mëという音であったことが判明した。ところが、「咲けり」「逢へり」「摘めり」などの「咲け」「逢へ」「摘め」の「け」「へ」「め」の部分の万葉仮名はke・Fe・meに当るものであったこと、そのke・Fe・me音は命令形の「咲け」「逢へ」「摘め」の語尾ke・Fe・meと一致することが知られた。従って、「咲けり」「逢へり」「摘めり」などの「り」は音韻の形式の上だけからいえば奈良時代には四段活用動詞の命令形の下につくというべきであることになった。

しかし、「咲け」「逢へ」「摘め」などという四段活用動詞の命令の機能の下に、さらに「り」が加わるということは考えられない。すでに述べたように「咲けり」「逢へり」「摘めり」という形は、「咲きあり」「逢ひあり」「摘みあり」の形がつまって成立したもので、sakiari→sakeri, aFiari→aFeri, tumiari→tumeriという音韻の変化の結果成立したsake, aFe, tumeという部分が、命令形のsake, aFe, tumeとたまたま同形になったにすぎないものである。

サ変動詞「為(す)」については、その連用形「し」に「あり」が加わり、「せり」という形が生じた。この場合の「せ」という音節は、「為(す)」の活用「せ・し・す・する・すれ・せよ」の未然形なので、「り」はサ変動詞の未然形を承けると説かれてきた。しかし、サ変の場合も、「しあり」の音がつまって「せり」が成立したもので(siari→seri)、「せ」という未然形の機能に「り」が加わったというものではない。サ変の命令形「せよ」は、古形では「よ」を欠いて「せ」だけであったから、サ変についても、命令形の「せ」に「り」がついたとする方が四段活用との対比においては統一的な見方である。しかし、この場合にも、命令の機能を備えた「せ」に「り」が加わったのではなく、「しあり」のつまってできた「せり」の「せ」の部分が、たまたま命令形「せ」と語形が一致したにすぎないことを承知しておくことが肝要である。

カ変動詞「来(く)」については、連用形「き」に「あり」が加わり「けり」(kiari→keri)という形が生じた。この場合の「け」という音節は「来(く)」の活用「こ・き・く・くる・くれ・こ」の中には見出されない。従って「来(け)り」はふつう、独立した別個の動詞とされその活用形は「ラ変」なのだとされている。しかし本来は、「ひさかたの雨の降る日をわが門に蓑笠着ずて来有(ける)人や誰」〈万三一二五〉のように、ケルはまさに来アルの約で、このように奈良時代には、カ変活用の「来(く)」の連用形「き」にも、「あり」が接続した(**1**)。しかし、ここに生じた「けり」という形は奈良時代以後は亡びて、平安時代になると「来(く)」には「たり」が接続し、「きたり」というようになった。

上一段活用の動詞「着る」の場合も、連用形「き」に「あり」が加わり、「けり」

(kiari→keri)という形が生じた(**2**)。この場合の「け」という音節は「着る」の活用「き・き・きる・きれ・きよ」の中に見出されないので、「着(け)り」という語は別の動詞として取り扱われた。ただし、この形は、「来(け)り」と同じく奈良時代だけで亡び、平安時代には一般に使われなくなった。また、上一段活用の「見る」の連用形「み」に「あり」がついて融合した形「めり」もあった(miari→meri)。これは平安時代の助動詞「めり」の最も古い例である(**3**)。これも別語として取り扱われて来ている。このように奈良時代には、上一段活用の動詞にも「あり」がついたのであるが、音の融合の結果、語幹の形が変り、語の同一性の認識が保ちにくくなったので、平安時代には、上一段活用の動詞には「たり」がつくように変った。

以上見たように、奈良時代には、四段・サ変・カ変・上一段活用の場合に、その連用形に「あり」が接続した。これらの活用について共通な点は、それらの動詞の連用形の末尾の母音がみな〔i〕であることである。iにaが加わるとia→eという音韻変化を起す。従って、siari→seri, kiari→keri, miari→meriという変化によって、seri, keri, meriなどの形を生じた。こう見れば、四段・サ変・カ変・上一段活用の動詞に「り」のつく理由がすべて統一的に理解される。しかし、ナ変の動詞には、「り」は続かない。それは、ナ変が「去(い)ぬ」「死ぬ」など、眼前から消え去って何処かへ行ってしまう意の動詞だけであるから、存続を意味する「あり」がその下につくことは、意味上矛盾するからであった。また、ラ変動詞は、本来すべて「あり」を含む語であるから、その下にさらに「あり」を重ねることはあり得なかった。

最も古く上二段活用と下二段活用の動詞の連用形を承けるのは「り」ではなく、「たり」である。その理由は次のように考えられる。

万葉仮名の研究によって明らかになったことであるが、上二段活用の連用形は母音が〔ï〕(例えば起きökï、尽きtukïなど)で、四段・サ変・カ変・上一段活用の連用形の母音〔i〕と相違していた。下二段活用の連用形は、母音が〔ë〕(例えば上げagë、避けsakëなど)であった。このïとëの音は起源的にはui→ï, öi→ï, ai→ëのように二つの母音の連続がつまって生じたものと考えられるものである。それ故、もとの形に戻して考えると、「起きあり」「避けあり」という形は、ököiari, sakaiariのようになる。ところが奈良時代以前の日本語では、二つの母音でさえ連続させることを避ける発音上の習慣が極めて厳重であった。従ってököiari, sakaiariのような三重母音の形、あるいはそれの変化形であるökïari, sakëariという形は発音上困難があったと思われる。そこでその連続する母音の間に助詞「て」をはさみ、「上げてあり」「避けてあり」「起きてあり」のような形を用い、はじめは「上げて」「避けて」「起きて」と「あり」との間に一区切り置いたものと思われる。それがつまって、「上げたり」「避けたり」「起きたり」などの形となったので、そこに「たり」という助動詞が成立した。従って上二段活用・下二段活用の下には「り」はつかず、「たり」が用いられたのである。

このようにして、四段・サ変・カ変・上一段活用の動詞には「り」がつき、上二段・下二段活用の動詞には「たり」がつくという原則が奈良時代から平安時代のはじめにかけて存在した。それ故、古い語法を忠実に伝えていく傾向のある漢文訓読体では、この「り」「たり」の用法をかなり忠実に伝承し、四段・サ変には「り」がつき、上二段・下二段には「たり」がついた。ただし、平安時代にはカ変・上一段には「たり」がつくように変化した。また、平安女流の仮名文学の系統では、次第に四段・サ変などの下にも「たり」が多く使われるようになり、「り」の使用は衰え減少して行った。その理由は次のように推定される。

「たり」は助詞「て」と「あり」との複合である。ところが、助詞「て」は、あらゆる動詞の連用形を承けることができる。従って「てあり」の約である「たり」は、上二段・下二段活用の動詞だけでなく、上一段・カ変・サ変などにも使用の道を広げるようになった。その勢いは、四段活用にまで及び、一句の音節数を調える必要もあったのであろうが、はやく奈良時代の万葉集にも「咲きたる」のように四段活用に「たり」のついた例も見える(**4**)。「たり」の使用は平安時代には一層広まり、女流文学系の文章では「たり」は「り」の五倍から八倍の使用度数を持つようになった。それは「り」のつきうる動詞の種類に、前述のような制限があったこと、また四段以外の連用形に「あり」がついた場合には「来ありー来(け)り」「着(き)ありー着(け)り」「見ありーめり」のように、もとの語幹の形とは全く変った語幹が出現し別の言葉のように意識されて、同源の一語であるという理解が困難になった。そういう言葉遣いは避けたいという心理がはたらき、もとの語幹の形を保ちながら持続および完了の意味を表わすためには、「り」を用いずに、どんな動詞にでも、その連用形に直接「たり」をつけてしまえば、統一的にすべての場合に適用できて、記憶がやさしい。

以上の理由によって、「り」を使わずに「たり」に一本化するという傾向が奈良時代から始まり、ことに、平安時代の中頃から顕著になった。中世になると、「たり」は広く使われるようになったのに対し、「り」は衰滅の道を歩んだ。その結果、現代では「たり」の後身「た」だけが使われるようになったのである。

(**1**)「見まく欲り思ふ間にたまづさの使の**けれ**ばうれしみと吾が待ち問ふに」〈万三九五七〉「筑波嶺(ね)をよそのみ見つつありかねて雪消の道をなづみ**来有**(ける)かも」〈万三八三〉 (**2**)「わが旅は久しくあらしこの吾(あ)が**ける**妹が衣の垢着く見れば」〈万三六六七〉 (**3**)「をくさ男とをぐさすけ男としほ舟の並べて見ればをぐさ勝ち**めり**」〈万三四五〇〉 (**4**)

「久方の月は照りたり暇なく海人(あま)のいざりはともしあへり見ゆ」〈万三六七二〉「をみなへし咲き**たる**野辺を行きめぐり君を思ひ出たもとほり来ぬ」〈万三九四四〉

〔意味〕「り」も「たり」も存続・持続の意を示すのが本来の意味であった。しかし、動詞には、意味上、①時間的に持続・継続することがもともと当然であるものがある。例えば「劣る」「まさる」「似る」「止まる」「思ふ」「生ふ」のごときである。これに対して、②時間的には、動作が瞬間的に一回ずつ完結するものがある。例えば「釣る」「摘む」「倒る」「出だす」「(歌を)よむ」「生む」のごときである。①を「り」「たり」が承けた場合は「…している」の意で、その状態のそのままの持続・存続の意を示すことが多く(**1**)、②を「り」「たり」が承けた場合には、その動作が済んだ結果が、状態として存続している意を表わすことになる(**2**)。このような場合の「り」は「つ」とほとんど同じ意味を表わすことになり、「つ」と「り」とを共存させる意味が薄くなる。その点からも「り」の使用は次第に衰えるに至った。

(**1**)「珠にぬくあふちを家に植ゑ**たら**ば(植エテオイタラ)山ほととぎす離(か)れず来むかも」〈万三九一〇〉「うの花の咲く月たちぬほととぎす来鳴きとよめよふふみ**たり**とも(ツボミデイテモ)」〈万四〇六六〉「梅の花夢に語らくみやび**たる**花と吾思ふ酒に浮かべこそ」〈万八五二〉「人もいやしからぬすぢに容貌(かたち)などねび**たれ**ど清げにて」〈源氏・夕顔〉「わが御かげの鏡台にうつ**れる**がいと清らなるを見給ひて」〈源氏・末摘花〉(**2**)「花咲(ゑ)みににふぶに咲みて会はし**たる**(オ会イシタ)今日をはじめて」〈万四一一六〉「紅の八塩に染めておこせ**たる**(染メテヨコシタ)衣のすそもとほりてぬれぬ」〈万四一五六〉「山代の石田の森に心おそく手向けし**たれ**や(手向ケシタカラカ)妹に逢ひがたき」〈万二八五六〉「今の世の人もことごと目の前に見**たり**知り**たり**」〈万八〇四〉「足引の山にも野にも御猟人さつ矢手挾み騒き**たり**見ゆ」〈万九二七〉「大宮の内にも外(と)にもめづらしく降**れる**大雪(降ッタ大雪)な踏みそね惜し」〈万四二八五〉「高やかなる荻につけて忍びてと宣へ**れ**ど(オッシャッタケレド)、とりあやまちて少将も見つけて」〈源氏・夕顔〉

ざり・べかり・まじかり・めりは第三類の乙類に属する。これらは意味的には打消・推量を表わし、第四類と同じである。ただ、第四類の打消・推量の助動詞は、その下に意味上、時の助動詞を加えたいことがあり、その場合に応じるため、一部の第四類助動詞の連用形の下に「あり」を複合させて形式的に第三類の助動詞の資格を与え、その下に別の第四類の助動詞が接続しうるようにする語法が発達した。それら「あり」の複合した助動詞が第三類の乙である。つまり「ざり」は「ずあり」の約(zuari→zari)、「べかり」は「べくあり」の約(bëkuari→bëkari)、「まじかり」は「まじくあり」の約(mazikuari→mazikari)、「めり」は「見あり」の約(miari→meri)である。

ざり　奈良時代には、「ずあり」の原形を保つものと並存していた(**1**)。また、「ざり」は第四類の助動詞につづくために成立したという事情からも当然考えられるように、終止形の例は極めて少ない。意味の上では打消の意をあらわす「ず」と相違はない。

べかり　奈良時代には「妹をば見ずそあるべくありける」のような原形も、並んで行なわれた(**2**)。終止形「べかり」の例も極めて少ない。意味の上では推量の「べし」と同様である。

まじかり　平安時代になって現われた形である。意味の上では推量の「まじ」と同様である(**3**)。

(**1**)「恨めしく君はもあるか宿の梅の散りすぐるまで見しめ**ずあり**ける」〈万四四九六〉「荒津の海潮ひ潮満ち時はあれどいづれの時か吾が恋ひ**ざら**む」〈万三八九一〉「あらたまの年の緒長く会は**ざれ**ど異(け)しき心を吾が思はなくに」〈万三七七五〉(**2**)「ぬばたまの妹が干(ほ)す**べくあら**なくにわが衣手を濡れていかにせむ」〈万三七一二〉「かくばかり恋ひむとかねて知らませば妹をば見ずそある**べくあり**ける」〈万三七三九〉「いかづちの光のごときこれの身は死にの大君常にたぐへり畏(お)づ**べから**ずや」〈仏足石歌〉(**3**)「及ぶ**まじから**む際をだに、めでたしと思はんを、死ぬばかりも思ひかかれかし」〈枕二八六〉「源氏の君を限りなきものにおぼしめしながら世の人の許しきこゆ**まじかり**しによりて坊にもすゑ奉らずなりにしを」〈源氏・紅葉賀〉「人知れず思ふ方のまじらひをせさせ奉らむに、人に劣り給ふ**まじかン**めり」〈源氏・澪標〉

めり　推量の意をあらわし、意味上は第四類の推量と同様であるが、「めりつる」「めりき」などの形で用いられた例がかなりあるので(**1**)、第三類で取り扱う。

〔接続〕動詞・助動詞の終止形を承ける(**2**)。「めり」は従来ラ変型活用の語については連体形を承けるとされているが、古くは終止形をうけたものと思われる。

平安時代の散文を古写本で見る限り、多くは「あめり」「はべめり」「侍めり」「うれしかめり」などと表記されている(**3**)。「あんめり」「はべんめり」「うれしかんめり」とあるものも少しある。世間では一般に「あるめり」「はべるめり」「おほかるめり」「なるめり」などを本文として示していることが多いが、確実な古写本に共通の本文としてはそのようなものはほとんどない。それは、「めり」は本来ラ変型活用の語の終止形を承けたからだと思われる。というのは、伝聞推定の助動詞「なり」は「いたくさやぎてありなり」のように、奈良時代には確実に終止形を承けた例が残っている。ところが、その伝聞推定の「なり」は、ラ変型活用の語を承ける場合には、平安時代の仮名文の古写本によると、「あなり」「かなしかなり」などとある。あるいは、「あんなり」などとはあるが、「あるなり」とある確実な例はない。それは伝聞推定の「なり」はラ変型活用の語を承ける場合にもその終止形を承けた結果で、「あり」の「り」は撥音便で「ん」となったが、「ん」

は表記法として定着していなかったので、「あなり」または「あんなり」と書かれた。その「あんなり」という形を見て後世の学者が「あるなり」の音便形と誤認し、「あるなり」と誤って復元したものである。それと同じく「めり」も、すべての動詞の終止形をうけたのであったろうが、ラ変型動詞の場合には音便形アンメリとなるので、「あめり」「あんめり」と表記したのだが、それを「あるめり」の音便形と誤認し、「めり」はラ変型活用の語には連体形を承けるとしたものと考えられる。これは「はべめり」の場合でも同様である。

〔語源と意味〕　「めり」の起源は、おそらく「見あり」であろう(**miari→meri**)。「見」とは、動詞「見る」の連用名詞形である。「見ることあり」の意が「めり」の起源的意味で(**4**)、これが後に用法を拡大して、一般的な推量にまで及んだものである。実際に平安時代初期の「めり」の用例は、思考による推量を表わすものではなく、視覚によって見えることを「…しているように見える」と表現しているものが多い。そこから用法が広くなって、源氏物語や枕草子などの用法のように一般的な推量に及んだものであると言い得よう(**3**・**5**)。

「めり」は、動作を直接的に叙述することを避けて、「…のように見える」「…のように思われる」と表現し、それによって間接化・婉曲化の用法を展開した(**6**)。そのやわらげた表現が、平安宮廷における女房文学において好まれ、多用された。しかし、中世になると、あまり使われなくなって、やがて亡びた。

(**1**)「人げなきはぢをかくしつつまじらひ給ふ**めりつる**を、人のそねみ深く」〈源氏・桐壺〉「尼君その程までながらへ給はなんとのたまふ**めりき**」〈源氏・若菜上〉「この侍ぞよく聞かむとあど打つ**めりし**」〈大鏡・序〉　(**2**)「龍田川紅葉乱れて**流るめり**渡らば錦なかや絶えなむ」〈古今二八三〉　(**3**)「よろづのこと有りしにもあらず変り行く世にこそ**あめれ**」〈源氏・賢木〉「思ふ人たち並びたることは人の飽かぬことにし**はべめる**を」〈源氏・若菜上〉「折りあしき御ゆするのほどこそ**見苦しかめれ**」〈源氏・東屋〉「さてもうれしく対面したるかな。ほとけの御しるし**なめり**」〈大鏡・序〉「うるはしき皮**なめり**」〈竹取〉「おろかならずおぼす**なめり**かしと、憎くぞ思ふ」〈源氏・明石〉「耳とどまりて人の思ひければこそ、かくいひ伝へ**ためれ**」〈大鏡・時平〉　(**4**)「をくさ男とをぐさすけ男としほ舟の並べて見ればをぐさ勝ち**めり**」〈万三四五〇〉　(**5**)「世をば捨つれども、身をば捨てずと申し候**めり**」〈平家一〇・三日平氏〉　(**6**)「榊葉に降る白雪は消えぬ**めり**神の心も今やとくらむ」〈後拾遺一一七三〉「古今にもあまた侍**めるは**」〈大鏡・良相〉

第四類　ずじ　まじ　(ましじ)　む　らむ　けむ　らし　まし　べし　なり　き　けり

〔接続と活用〕　この類は、動詞と第一・二・三類の助動詞とのどれでも承けることができる。しかし活用形は、終止形・連体形・已然形だけしか持たないものが多い。第四類は、助動詞が重ねて用いられる場合にも最後に来るものである。従って、終止・連体・已然の三つの活用形があれば、文の普通の終止、係り結びの連体形と已然形による終止が可能だからで、下につづく形の未然形・連用形は使われないのである。また命令形がないことについては次のように考えられる。

すでに見たように、第一類の助動詞は、作為・使役と、自然的成り行きとを対比させ、その相違を明確にする役目を持っている。そこでは人と人、物と物などの相互の力関係や、事の進行など、客観的世界の様態を扱う。従って、話し手は、その様態に対して、命令し、願望する場合がある。それ故、第一類の助動詞には命令形がある。第二類の助動詞は尊敬に関する表現をするのが役目であるから、話し手は、尊敬を命令する場合がある。第三類の甲の完了・存続についても、完了せよ、存続せよと命令を表現する場合がある。従って第二類と第三類甲とにも命令形が存在する。また、第三類乙の「ざり」については、他者に対して動作の否定を命令する、つまり、禁止することがあるので、これも命令形を持つ。

しかし、第四類の助動詞は、意味的に命令形を持ち得ない作用を表わすものである。例えば、回想を表わす「き」「けり」は、自分自身の記憶を表現する語であるから、自己の記憶に対して命令することは意味をなさない。また、「けむ」「らむ」「めり(三類)」「らし」など自分自身の推量判断の表現について命令することも意味をなさない。つまり、第四類の助動詞は、本質的に他者に対する働きかけを表現するものでなく、表現者自身の意識の内部だけで完結する打消・推量・回想の判断を表現するものである。ただし、「べし」は語の意味が道理にかない、当然であるという判断を示すのが基本であるから、終止形によって命令を表現することがある。また、「む」は話し手の一般的な予想・推量を表現するので、「鳴り止まむ」のごとく、相手の動作に対して、話し手が「あなたは…のことをするでしょう」と積極的に予想を表明することは、両者の力関係によっては(例えば管理者・支配者が被管理者・被支配者に対する場合など)、相手に対する勧誘・命令の表現となることがある。このように、「べし」も「む」も用法として命令を表現することはあるが、活用形としての命令形は持っていない。

また第四類の助動詞は、未然形を持たない。自分自身の推量や記憶を仮定したり否定したりすることは、極めて稀で、それが一つの活用形として成立するに至らなかったからである。ただし、「まし」はその意味からして未然形「ませ」をもつ。また打消の仮定には、「ず」に「あり」を加えて成立した第三類の「ざり」の未然形を用いて「ざらば」とする。

また、第四類の助動詞は多く連用形を持たない。それは、この類の助動詞が、他の助動詞と重なる場合に、最後の位置をとるものだからである。下につづくものが無ければ、活用語につづく形である連用形は不要となる。

〔意味〕 第四類の助動詞の意味上の特色は、ここに含められる打消・推量・回想などのすべてが、話し手(書き手)自身の打消・推量・回想だけを表現して、第三者の推量とか回想とかは、これらの助動詞では表現できないことである。それ故、「まほし」「たし」など、第三者の希望を表現しうる語は、第四類の仲間には入らない。

ず・じ・まじ・(まじじ)は打消の助動詞である。

ず 動詞・助動詞の未然形を承けて、「ず・ず・ぬ・ね」と活用し、承ける語の動作・作用・状態を否定する意を表わす。形容詞の場合は、形容詞の連用形の下に「あり」を加え、「あらず」の形で否定する。例えば「思ふそら安くあらねば」〈万葉四〇〇八〉「憎くあらなくに」〈万葉三五四三〉のように。一方、「ず」には古い連用形と思われる形の「に」がある。従って、打消の助動詞には「に・ぬ・ね」という系列があって(**1**)、その方が古く、後に「ず」が発達したものと思われる。万葉集に、「行方知らにす」という形があり(**2**)、意味上「行方知らず」と同じなので、古い打消の「に」に「す」が結合して nisu→nzu→zu という変化によって「ず」という形が成立したらしい。「ず」には未然形がない。「ず」の未然形としては「ざり」の未然形「ざら」を使い「行かざらむ」「咲かざらば」のように用いる(**3**)。

「舟し行かずは」の「ずは」は、普通「ず」の未然形と見られているが、これは連用形で、舟が進まなくては、の意である(**4**)。また、「河し絶えずは」などの場合、「河の水が絶えでもしない限り」の意となる場合がある(**5**)。これらの「ず」の下につくのは「は」で、「ば」ではない。万葉仮名の例を見ると、濁音の仮名で書かず、みな清音の「は」にあたる仮名で書いてある。また、室町時代末期頃までは、仮名で「ずわ」と書いたものなどもある。また、一説には「に・ぬ・ね」の系列に「な」があるとするが、それは「なく」の形で使われるもので、「ず」の連体形「ぬ」のク語法(「用語について」参照)の一つである(**6**)。

(**1**)「するすべのたどきを知ら**に**ねのみしそ泣く」〈万三七七七〉「たづさはり別れかて**に**と引きとどめ」〈万四四〇八〉「道の中国つみ神は旅行きもし知ら**ぬ**君をめぐみ給はな」〈万三九三〇〉「朝露の消(け)やすき我が身ひと国に過ぎかて**ぬ**かも親の目を欲り」〈万八八五〉「もち鳥のかからはしもよ行方知ら**ね**ばうけ靴を脱きつるごとく」〈万八〇〇〉「鳴く鶏はいやしき鳴けど降る雪の千重に積めこそ我立ちかて**ね**」〈万四二三四〉 (**2**)「さす竹の皇子の宮人ゆくへ知ら**にす**」〈万一六七〉「皆人の得かて**にす**とふ安見児得たり」〈万九五〉「梅の花み山と繁(しみ)に有りともや、かくのみ君は見れど飽か**にせむ**」〈万三九〇二〉 (**3**)「荒津の海潮ひ潮満ち時はあれどいづれの時か吾が恋ひ**ざらむ**」〈万三八九一〉「思はずもまことあり得むやさ寝る夜の夢にも妹が見え**ざら**なくに」〈万三七三五〉 (**4**)「わが袖はたもと通りて濡れぬとも恋忘れ貝取ら**ずは**行かじ」〈万三七一一〉 (**5**)「万世に言ひ継ぎ行かむ河し絶え**ずは**」〈万四〇〇三〉 (**6**)「人国に君をいませていつまでか吾が恋ひをらむ時の知ら**なく**」〈万三七四九〉「谷片着きて家居せる君が聞きつつ告げ**なく**も憂し」〈万四二〇七〉

じ 動詞・助動詞の未然形を承け、終止・連体・已然の三つの活用に用いられているが、形に変化が無い。「じ」は推量の「む」の否定にあたる語で、一人称の動作を承けるときは、「…ないつもりだ」「…まい」と否定的な意志を表わし(**1**)、二人称の動作を承けるときは「…てはいけない」と禁止を表わし(**2**)、三人称の動作を承けるときには「…ないだろう」と打消の推量を表わす(**3**)。室町時代になると、「じ」は口語では使われなくなったらしい。

(**1**)「あはしまの逢は**じ**と思ふ妹にあれや安眠(やすい)もねずて吾が恋ひわたる」〈万三六三三〉「君が悔ゆべき心は持た**じ**」〈万三三六五〉「橘のとをの橘やつよにも吾は忘れ**じ**此の橘を」〈万四〇五八〉「人の恨み負は**じ**など思ふも」〈源氏・紅葉賀〉 (**2**)「梅の花いつは折ら**じ**といとはねど咲きの盛りは惜しきものなり」〈万三九〇四〉「女出できて『え出でおはせ**じ**。とどまり給へ』といふ」〈宇治拾遺八〉 (**3**)「吾をおきて人はあら**じ**と誇ろへど寒くしあれば」〈万八九二〉「ほととぎす先づ鳴く朝開(あさけ)いかにせば我が門過ぎ**じ**語り継ぐまで」〈万四四六三〉「かの国の人来なば、たけき心つかふ人も、よもあら**じ**」〈竹取〉「誰ならむ。乗り並ぶ人のけしうはあら**じ**、はや」〈源氏・葵〉

まじ 「まじじ」のつまった形で、平安時代以後にはじめて使われるようになった。これは、動詞・助動詞の終止形を承けるが、ラ変型活用の語には、連体形をうける。活用はシク活用の形容詞と同型である。この語は「べし」の否定の「べからず」にあたる意味を持ち、一人称の動作につけば「…ないつもりだ」と表現者の否定的意志を表わし(**1**)、二人称の動作につけば相手に対して「当然…てはいけない」という禁止の意を表わし(**2**)、三人称の動作につけば、「…のはずがないだろう」という否定推量または「…できそうにない」という不可能の推量を表わすことが多い(**3**)。

(**1**)「〔我ハ〕ただ今は見る**まじ**」〈枕八三〉「ほかへは更に行く**まじ**」〈源氏・紅葉賀〉 (**2**)「『童より他にはすべて入る**まじ**』と戸をおさへて」〈枕九三〉「すべてあさましくある**まじき**事とのみいさめ申させ給ふに」〈大鏡・師尹〉 (**3**)「〔六位ノ〕緑衫(ろうさう)なりとも雪にだにぬれなば憎かる**まじ**」〈枕二九三〉「げにえたふ**まじく**泣い給ふ」〈源氏・桐壺〉「世の承け引く**まじき**事なれば」〈源氏・桐壺〉「いとやんごとなきにはある**まじ**」〈源氏・夕顔〉

(まじじ) 「まじ」の古形で奈良時代に使われた。動詞・助動詞の終止形について「当然…すべきでない」「…することができないだろう」「…するはずがない」という否定の推量をあらわす。

「おもしろき今城のうちは忘らゆ**ましじ**」〈紀歌謡一一九〉「玉くしげ三室の山のさなかづらさ寝ずはつひにありかつ**ましじ**」〈万九四〉「百代にもかはる**ましじき**大宮所」〈万一〇五三〉

「王たちは、己が得**ましじき**帝の尊き宝位を望み求め」〈続紀宣命四五〉である。

む・らむ・けむ・らし・まし・べしは、否定を含まない推量を表わす助動詞である。

む 動詞・助動詞の未然形を承ける語で、「む・む・め」と活用する。「ま」という活用形があるように見えるが、それは、「行かまく」「見まく」など、「まく」の形の場合であり、これはいわゆるク語法(「用語について」参照)による語形変化で、未然形ではない。

〔意味〕 一人称の動作につけば「…よう」「…たい」と話し手の意志や希望を表わし(**1**)、二人称単数の動作につけば相手に対する催促・命令を表わし(**2**)、二人称複数の動作につけば勧誘を表わす(**3**)。三人称の動作につけば予想・推量を表わす(**4**)。

この語は古くは「む」と発音されたが、後に「ん」に転じ、さらに「う」となって(mu→m→n→u)今日の「う」につづいている。また、中世において「射う」「居う」という形がヨウに転じ、さらにイョウ・キョウという形になった。また、「訴えう」「変えう」「与えう」などが、ウッタヨウ・カヨウ・アタヨウという形を生じたが、それが、ウッタエヨウ・カエヨウ・アタエヨウと転じて、ヨウという助動詞が、ウッタエ・カエ・アタエなどの未然形についたものと受けとられるに至り、ここに「よう」という口語の助動詞が独立するに至った。「む」の連体形の用法の中で「飾磨川(しかまがは)絶えむ日にこそ我が恋やまめ」〈万三六〇五〉のように、今日の「う」の用法にはないものがある。これは仮定を示すもので、未来の日時を示す「日」とか「時」などの語には、その直前にこの「む」が加わった。このように古くは、仮定に関する話題の文では、動詞ごとに「む」を加えて、話が仮定であると明示する語法が広く行なわれていた。この「む」は、婉曲を示すと説かれたことがあるが、婉曲であるとともに、「もしも…なら」という仮定を示す用法というべきものと思われる(**5**)。

なお「むとす」という連語から転じた「むず」という形があり、院政期以後多く使われた。

(**1**)「渡り瀬に立てる梓弓ま弓い伐ら**む**と心は思へどい取ら**む**と心は思へど」〈記歌謡五一〉「秋風の寒きこのころ下に着**む**妹が形見とかつも偲は**む**」〈万一六二六〉「遠つ人松浦の河に若鮎釣る妹が手本を我こそまか**め**」〈万八五七〉(**2**)「なり高し。なりやま**む**」〈源氏・少女〉(**3**)「金門蔭(かなとかげ)〔ニ〕かく寄り来(こ)ね雨立ち止め**む**(アマヤドリショウ)」〈記歌謡八一〉「大海の沖つ玉藻の靡き寝**む**早来ませ君待たば苦しも」〈万三〇七九〉「居り明かしも今宵は飲ま**む**ほととぎす明けむあしたは鳴き渡らむそ」〈万四〇六八〉(**4**)「あしひきの山橘の色に出でよ語らひ継ぎて逢ふこともあら**む**」〈万六六九〉「大君は常磐にまさ**む**橘の殿の橘ひた照りにして」〈万四〇六四〉(**5**)「吾が後に生まれ**む**人は我がごとく恋する道にあひこすなゆめ」〈万二三七五〉「思は**む**子を法師になしたら**む**こそ心ぐるしけれ」〈枕九〉「妹のあら**ん**ところ、さりとも知らぬやうあらじ。言へ」〈枕八四〉

らむ 動詞・助動詞の終止形を承けるのが普通である。しかし、ラ変型活用の語ならばその連体形を承け(**1**)、上代では上一段活用の動詞ならば、その連用形を承ける(**2**)。これは「らし」「べし」にも見られることで、「見らし」「煮らし」「見べし」などの例がある。何故このようなことが起るかといえば、推量の助動詞は終止形を承けるのが一般的であるから、これらの「見(み)」「煮(に)」などは、一層古い時代の終止形が化石的に残ったものだからであろうと考えられる。活用は「らむ・らむ・らめ」である。

〔意味〕 「む」が「…よう」「…だろう」と一般的な意志・推量・予想などを表わすに対し、「らむ」は現在の事態を推量するのが古い用法である。現在目前に見えていない事態について、「今頃はさぞかし…のことであろう」と思いやる気持である(**3**)。目前に見えないことを推測するところから、物事の理由・原因を思いやる用法が広まり、「どうして…なのだろう」と推量することにも用い(**4**)、また、目前に見ていない状況を述べるところから、「文献によれば…だという」「話では…とのことだ」など伝聞による推測にも用いた(**5**)。なお、時代が下ると、詠嘆の助詞「かな」に相当する用法があらわれてきた(**6**)。

(**1**)「旅にあれど夜は火ともしをる我を闇にや妹が恋ひつつ**あるらむ**」〈万三六六九〉「雲離れ遠き国辺の露霜の寒き山辺に宿りせ**るらむ**」〈万三六九一〉「いかなるや人に坐(い)せか石(いは)の上を土と踏みなし足跡(あと)残(の)ける**らむ**貴くもあるか」〈仏足石歌〉(**2**)「松浦河玉島の浦に若鮎釣る妹らを見**らむ**人の羨(とも)しさ」〈万八六三〉「石見の海角の浦みを浦無しと人こそ見**らめ**潟無しと人こそ見**らめ**」〈万一三一〉(**3**)「白菅の真野の榛原(はりはら)行くさ来さ君こそ見**らめ**真野の榛原」〈万二八一〉「出でて行きし日を数へつつ今日今日と吾(あ)を待たす**らむ**父母らはも」〈万八九〇〉(**4**)「かり高の高円山を高みかも出で来る月の遅く照る**らむ**」〈万九八一〉「ひさかたの光のどけき春の日に静心なく花の散る**らむ**」〈古今八四〉「雪とのみ降るだにあるをさくら花いかに散れとか風の吹く**らむ**」〈古今八六〉(**5**)「古へに恋ふ**らむ**鳥はほととぎすけだしや鳴きし吾が念へるごと」〈万一一二〉「鸚鵡いとあはれなり。人のいふ**らん**ことをまねぶ**らん**よ」〈枕四一〉「山鳥、友を恋ひて鏡を見すればなぐさむ**らん**、心わかういとあはれなり」〈枕四一〉(**6**)「旅の衣は篠懸(すずかけ)の、露けき袖やしをる**らん**」〈謡・安宅〉

けむ 動詞・助動詞の連用形を承け、「けむ・けむ・けめ」と活用する。

〔意味〕 「…ただろう」「…だったただろう」と過去の事態に関する不確実な想像・推量を表わす(**1**)。また、「…たのだろう」「…だったのだろう」と過去の事態の理由・原因を想像する(**2**)。また、「…たとかいう」「…だったそうだ」と過去のことに関する伝聞を述べるにも用いる(**3**)。

語源は、回想の助動詞「き」の終止形「き」に、推量の助動詞「む」が加わったものと推測される。

（**1**）「真木の葉のしなふ夫(せ)の山しのはずて吾が越えぬるは木の葉知り**けむ**」〈万二九一〉「鳥が鳴くあづま男の妻別れ悲しくあり**けむ**年の緒長み」〈万四三三三〉「石見なる高角山(たかつのやま)の木の間ゆもわが袖振るを妹見**けむ**かも」〈万一三四〉「わが岡の龗(おかみ)に言ひて降らしめし雪のくだけしそこに散り**けむ**」〈万一〇四〉（**2**）「などかも妹に告らず来に**けむ**」〈万五〇九〉「上つ毛野伊香保の沼に殖ゑ小なぎかく恋ひむとや種求め**けむ**」〈万三四一五〉「などか物詣でもせざり**けむ**」〈更級〉（**3**）「古への人の殖ゑ**けむ**杉が枝に霞たなびく春は来ぬらし」〈万一八一四〉「古へにあり**けむ**人の倭文幡(しつはた)の帯解き替へて伏屋立て妻問ひし**けむ**、勝鹿の真間の手児名が奥つ城(き)をこことは聞けど」〈万四三一〉

らし　動詞・助動詞の終止形を承ける。ただしラ変型活用の語は連体形を承ける。上代では上一段活用の動詞については、連用形を承けること、「らむ」と同様である。

この語の古い活用は、終止形「らし」連体形「らしき」であるが、連体形に「らし」のままの形もあり、係助詞「こそ」の係りの結びに「らしき」を用いた例もある（**1**）。これは「らし」がシク活用の形容詞と同型の活用をする結果で、シク活用の形容詞は、「うまし国」「遠々し越の国」のように、体言にかかる場合に、終止形そのままを用いる場合がある。それと同様に「らし」がそのまま連体形として使われた。また、「こそ」の係りに連体形「らしき」で結んだ例があるのは、形容詞の已然形の発達が遅かった結果で、連体形がそのまま後世の已然形の位置にあり、「鮎こそば島べも良(え)き」などと同様の例である。

〔意味〕　客観的に確定された事実があり、その事実が何であるか、何故であるかを推量するものである。たとえば、白妙の衣が乾してあるという客観的事実を見て、これは何であるかと心の中で問い、「これは春が過ぎて夏が来たということらしい」と推量する。また、このわが里に、ほととぎすが来て鳴かないという事実の理由を、「花橘が少ないと思ってであるらしい」と原因を推量する（**2**）。

「らし」は、平安時代には「らむ」と「めり」とに圧されて和歌以外の女流文学では例が少ない。鎌倉・室町時代には一般には用いられず、「らしい」の形で、接尾語として「男らしい」「まことらしい」などと使われた。現代に用いられる「らしい」は、江戸時代以後、あらたに発達したものである。

（**1**）「やすみししわご大君の夕されば召し給ふ**らし**〔連体形〕明けくれば問ひたまふ**らし**〔連体形〕神岳の山の黄葉(もみ)を」〈万一五九〉「香具山は畝火男男しと耳梨と相あらそひき神代よりかくにある**らし**〔終止形〕古へもしかにあれこそうつせみも妻をあらそふ**らしき**」〈万一三〉（**2**）「春すぎて夏来たる**らし**白妙の衣乾したり天の香具山」〈万二八〉「珠に貫く花橘を乏(と)もしみしこのわが里に来鳴かずある**らし**」〈万三九八四〉

まし　動詞・助動詞の未然形を承け、奈良時代には未然形「ませ」、終止形「まし」、連体形「まし」しかなかったが、平安時代に入ると、已然形「ましか」が発達し、それが未然形に転用された。

〔意味〕　現実の事態（A）に反した状況（非A）を想定し、「それ（非A）がもし成立していたのだったら、これこれの事態（B）が起ったことであろうに」と想像する気持を表明するものである（**1**）。世に多くこれを反実仮想の助動詞という。「らし」が現実の動かし難い事実に直面して、それを受け入れ、肯定しながら、これは何か、これは何故かと問うて推量するに対し、「まし」は動かし難い目前の現実を心の中で拒否し、その現実の事態が無かった場面を想定し、かつそれを心の中で希求し願望し、その場合起るであろう気分や状況を心の中に描いて述べるものである。これは、「行く」から「ゆかし」（見たい、聞きたいと思う意。原義はそちらに行きたい）、「うとむ」から「うとまし」、「睦(む)ぶ」から「むつまし」、「つつむ」から「つつまし」などの形容詞が作られた造語法（yuku＋asi→yukasi）と同一の方法によって、推量の「む」から転成した（mu＋asi→masi）ものと思われる。疑問の助詞「か」あるいは「や」と共に用いて「…か…まし」となった場合、及び「…ましや」と用いた場合には、迷い・ためらいの気持を表わす（**2**）。

（**1**）「かくばかり恋ひむとかねて知ら**ませ**ば妹をば見ずそあるべくありける」〈万三七三九〉「かくあらむと知ら**ませ**ば心置きても語らひ賜ひ相見て**まし**ものを」〈続紀宣命五八〉「人しれず絶えな**ましか**ばわびつつもなきなぞとだに言は**まし**ものを」〈古今八一〇〉「いかにせ**まし**。隠ろへたるさまにて生ひ出でむが心苦しうくち惜しきを」〈源氏・松風〉（**2**）「かむな月雨間も置かず降りにせばいづれの里の宿**か**借ら**まし**」〈万三二一四〉「暁のなから**ましか**ば白露のおきてわびしき別れせ**ましや**」〈後撰六三〉

べし　動詞・助動詞の終止形を承けるが、ラ変型活用の語ならばその連体形を承け、上代では、上一段活用の動詞ならば、その連用形を承ける。

〔活用〕　奈良時代には、「べく・べし・べき」とク活用形容詞と同型に活用し、未然形はなかった。平安時代以後、已然形「べけれ」が発達した。「べけれ」は、「べき」に「あり」の已然形「あれ」がついて融合したものである。

〔意味〕　「べし」の意味の根本は、物事の動作・状態を「必然・当然の理として納得する外はない状態である」と判断を下す点にある。個人の好き嫌い・希望などを超えた必然的な状態と判断することであるから、道理から当然であること、あるいは、「…すべきである」と義務を表わす場合もあり（**1**）、運命であることを示すこともある（**2**）。自己の意志を表現するときは、極めて強い意志であり（**3**）、相手に対しては、拒否を許さない命令を示す（**4**）。第三人称の動作についた推量の場合にも、「まさに…しそうである」「必ずそうなる、…に相違ない」という極めて強い確信を表わすので、確認を表わす「つ」「ぬ」と共に使われることが多い（**5**）。また、可能の意を表わすものも、成立を確信する意から転じたものである（**6**）。

「べし」の語幹「べ」をもとにして、平安時代に「べらなり」という形も行なわれた。

（**1**）「食す国天の下の政は平けく安く仕へ奉る**べし**となも思ほしめす」〈続紀宣命二四〉「艶に物恥ぢして恨み言ふ**べき**事をも見知らぬさまに忍びて」〈源氏・帚木〉（**2**）「世の中は数なきものか春花の散りのまがひに死ぬ**べき**思へば」〈万三九六三〉「あから引く色妙の子をしば見れば人妻故に吾恋ひぬ**べし**」〈万一九九九〉（**3**）「磯の上に生ふる馬酔木(あしび)を手折らめど見す**べき**君がありといはなくに」〈万一六六〉「紅の花にしあらば衣手に染めつけもちて行く**べく**思ほゆ」〈万二八二七〉（**4**）「剣大刀いよよ磨ぐ**べし**古ゆさやけく負ひて来にしその名そ」〈万四四六七〉「わが祭る神にはあらず大夫につきたる神そよく祀る**べし**」〈万四〇八〇〉（**5**）「わが宿に盛りに咲ける梅の花散る**べく**なりぬ見む人もがも」〈万八五一〉「秋づけば尾花が上に置く露の〔ヨウニ〕消ぬ**べく**も吾は思ほゆるかも」〈万一五六四〉「家に行きていかにか吾がせむ枕付く妻屋さぶしく思ほゆ**べし**も」〈万七九五〉（**6**）「いそのかみ古の山なる杉村の思ひすぐ**べき**君にあらなくに」〈万四二二〉「水底の玉さへさやに見つ**べく**も照る月夜かも夜の更け行けば」〈万一〇八二〉「よそにのみ恋ひやわたらんしら山の雪見る**べく**もあらぬわが身は」〈古今三八三〉

なり　動詞・助動詞の終止形を承ける。これは、指定の助動詞「なり」とは別で、伝聞・推定の「なり」といわれる。活用はラ変型である。

古くは、日本書紀に「聞喧擾之響焉、此をば左挪霓利奈離(さやげりなり)といふ」〈神武即位前〉とある。この「聞」にあたるのが「なり」である。従って、この「なり」は「音す」「さわく」「鳴く」「とよむ」など音響を示す動詞を承けることが多い。「なり」の「な」は「鳴く」「鳴す」「鳴る」のナと同根であろう。

〔意味〕「なり」は物が見えなくても音響が聞えることを言う（**1**）。そこから発展して、音響を頼りにして、それによって「…らしい」と推量の判断を下す用法に広まり（**2**）、ついで「人の噂では…である」などの意となった（**3**）。「なり」は主に平安女流文学で用いられ、中世に入ってからは「言ふならく」「聞くならく」など次第に用法が固定して（**4**）、やがて衰滅した。

（**1**）「雁くれば萩は散りぬとさをしかの鳴く**なる**声もうらぶれにけり」〈万二一四四〉「皆人を寝よとの鐘は打つ**なれ**ど君をし思へばいねかてぬかも」〈万六〇七〉「葦原の中つ国はいたくさやぎてあり**なり**」〈記・神代〉（**2**）「藤波の散らまく惜しみほととぎす今城の岳を鳴きて越ゆ**なり**」〈万一九四四〉「春草を馬くひ山ゆ越え来**なる**雁の使は宿り過ぐ**なり**」〈万一七〇八〉「月のおもしろきに夜更くるまで遊びをぞし給ふ**なる**」〈源氏・桐壺〉（**3**）「汝をと吾を人そ裂く**なる**いでわが君人の中言聞きこすなゆめ」〈万六六〇〉「里人の我に告ぐらく…少女らは念ひ乱れて君待つとうら恋ひす**なり**」〈万三九七三〉「さくら花散りかひくもれ老いらくの来(こ)むといふ**なる**道まがふがに」〈古今三四九〉（**4**）「**言ふならく**奈落の中に入りぬれば刹利も首陀も変わらざりけり」〈久遠寺本宝物集二〉「**聞くならく**漢家の天子の使ひなりと」〈長恨歌琵琶行・天正点〉

き・けり　回想の助動詞である。多くの文法書では、これを過去の助動詞という。それはヨーロッパ語の文法の用語に倣ったものと思われるが、現代のヨーロッパ人と古代の日本人との間には、時の把握の仕方に大きな相違がある。ヨーロッパ人は、時を客観的な存在、延長のある連続と考え、それを分割できるものと見て、そこに過去・現在・未来の区分の基礎を置く。しかし、古代の日本人にとって、時は客観的な延長のある連続ではなかった。むしろ、極めて主観的に、未来とは、話し手の漠とした予想・推測そのものであり、過去とは、話し手の記憶の有無、あるいは記憶の喚起そのものであった。それ故、ここに「き」「けり」について過去の語を用いず、回想という。むしろ、進んでこれは記憶、あるいは気づきの助動詞というべきであると思われる。日本人は、動詞の表わす動作・作用・状態について、それが完了しているか存続しているか、確認されるかどうかを「つ」「ぬ」「り」「たり」で言い、ついで、それらに関する記憶の様態を「き」「けり」で加えた。それが、日本人の時に関する表現法であって、ヨーロッパ語で示される時の把握の仕方とは根本的に相違がある。

き　動詞・助動詞の連用形を承ける。「き・し・しか」という活用形だけを持つ。

意味は、「き」の承ける事柄が、確実に記憶にあるということである。記憶に確実なことは、自己の体験であるから、「き」は「…だった」と自己の体験の記憶を表明する場合が多い（**1**）。しかし、自己の体験し得ない、または目撃していない事柄についても用いる。例えば、みずから目撃していない伝聞でも、自己の記憶にしっかりと刻み込まれているような場合には、「き」を用いて「…だったそうだ」の意を表現した（**2**）。

なお、「き」の未然形として「せ」を認める説もあるが、これは動詞「す」の未然形とする見解もあって未だ決定的でない（**3**）。なおまた、「き」がカ変・サ変の動詞につく場合には、接続上特殊な変化があり、カ変は「こし」「こしか」「きし」「きしか」、サ変は「せし」「せしか」「しき」となる（**4**）。

（**1**）「人言を繁みこちたみ逢はざり**き**心あるごとな思ひわが背子」〈万五三八〉「昔こそよそにも見**しか**吾妹子が奥つ城(き)と思へばはしき佐保山」〈万四七四〉「あけぬ夜の心地ながらにやみに**し**を朝くらと言ひ**し**声は聞き**き**や」〈後拾遺一〇八二〉（**2**）「天皇(すめろき)の遠き御世にも押し照る難波の国に天の下知らしめし**き**と今の世に絶えず言ひつつ」〈万四三六〇〉「音に聞き目にはいまだ見ずさよ姫が領巾(ひれ)振り**き**とふ君松浦山」〈万八八三〉（**3**）「皇祖母(すめみおや)と坐しし掛けまくも畏き我が皇(おほきみ)天皇に授け奉(まつ)り**き**」〈続紀宣命五〉「わご大君皇子の命(みこと)の天の下知らしめし**せ**ば春花の貴くあらむと」〈万一六七〉「足ひきの山より来(き)**せ**ばさをしかの妻呼ぶ声を聞かましものを」〈万二一四八〉「一つ松人にあ

り**せ**ば太刀佩(は)けましを衣着せましを」〈記歌謡二九〉（**4**）「出でて**こし**我を送ると」〈万三五五七〉「妹をこそ相見に**こしか**眉引(まよびき)の横山へろの鹿(しし)なす思へる」〈万三五三一〉「**きし**方行く末おぼしめされず」〈源氏・桐壺〉「うぐひすの待ちかてに**せし**梅が花」〈万八四五〉「いとなさけなさけしくめでたくをかしく**おはせしか**ど」〈源氏・東屋〉「鬼のやうなるものいで来て殺さむと**しき**」〈竹取〉

けり　動詞・助動詞の連用形を承ける。活用は奈良時代には、「けら」という未然形もあったが(**1**)、平安時代以後は亡び、「けり・ける・けれ」という活用形だけになった。

〔意味〕「けり」は、「そういう事態なんだと気がついた」という意味である。気づいていないこと、記憶にないことが目前に現われたり、あるいは耳に入ったときに感じる、一種の驚きをこめて表現する場合が少なくない。それ故「けり」が詠嘆の助動詞だといわれることもある。しかし「けり」は、見逃していた事実を発見した場合や、事柄からうける印象を新たにした時に用いるもので(**2**)、真偽は問わず、知らなかった話、伝説・伝承を、伝聞として表現する時にも用いる(**3**)。

〔語源〕「来有り」の転であるという説がおそらく正しいであろう。「事態の成り行きがここまで来ている」と今の時点で認識するという意味が「けり」の基本であり、また「来(き)」と「あり」との複合の音変化 kiari→keri も極めて無理なく説明できるからである。

（**1**）「この花の一枝(ひとよ)のうちはももくさの言(こと)持ちかねて折らえ**けら**ずや」〈万一四五七〉「妻もあらば採みて食(た)げまし佐美の山野の上(へ)のうはぎ過ぎに**けら**ずや」〈万二二一〉（**2**）「世の中は空しきものと知るときしいよよますます悲しかり**けり**」〈万七九三〉（**3**）「いにしへの古き堤は年深み池のなぎさに水(み)草生ひに**けり**」〈万三七八〉「遠き世にあり**ける**ことを昨日しも見けむが如も思ほゆるかも」〈万一八〇七〉「葦原の瑞穂の国を天降り知らしめし**ける**すめろきの神のみことの」〈万四〇九四〉「いづれの御時にか女御更衣あまたさぶらひ給ひ**ける**中にいとやんごとなききはにはあらぬがすぐれて時めき給ふあり**けり**」〈源氏・桐壺〉

別類　なり　たり　ごとし　まほし　（たし）

これまで述べたように、助動詞は動詞を直接承ける語で、助動詞を重ねることはあるが動詞と助動詞との間には他の種類の語の介在を許さないのが原則である。しかし、指定の意の「なり」「たり」は体言または体言相当の語を承けるのを原則とする。これは助動詞の範囲を逸脱している。また「ごとし」は、「…のごとし」「…がごとし」と助詞「の」「が」を承けることがある。これも助動詞にはない特殊な性質である。また「まほし」は、この下に「げ」とか「がる」とかの接尾語をつけうる点、一般の助動詞と相違する。また、「たし」は第三者の希望を表現しうる点、及び「逢ひたさ、見たさ」のように下に「さ」をつけて名詞を造りうる点など一般の助動詞の推量を表わすものと相違する。

右のように、それぞれの点で助動詞とは異なるが、その用法を見ると助動詞に酷似する点があり、一般にも助動詞とされているものを、別類としてここに集めて扱う。

なり　奈良時代から見え、「…である」と指定する意味を表わす(**1**)。これは、一層古くは「にあり」とあったものが(**2**)、niari→nari という音韻の変化を経て成立した語である。「家なる妹」などの「なる」は、「…にいる」という「なり」のもとの意味を表わしている(**3**)。ニアリのニは格助詞の「に」で体言を承ける助詞であるから、「なり」も直接体言・体言相当の語を承ける。活用はラ変型である。

「なり」が成立する奈良時代以前には、「そ」または「ぞ」という語が「なり」にあたる意味を表現していた。それは指示代名詞の「そ(其)」を起源とする語で、体言の下について指定する意を表わし、肯定の判断に使われた。しかし、「そ」は活用の変化がなく、判断を否定・推量・回想などとこまかく言い分けることができないので、それに代って「にあり」から「なり」が成立したと考えられる。

（**1**）「汝たちもろもろは、吾が近き姪**なり**」〈続紀宣命一七〉「思ふ故(ゑ)に逢ふものな**ら**ばしましくも妹が目離(か)れて吾居らめやも」〈万三七三一〉「諸の悪鬼をもて其の身を食噉(らく)はしめむとして**なり**」〈地蔵十輪経三・元慶点〉（**2**）「玉かづら花のみ咲きて成らざるは誰が恋**にあら**め吾は恋ひ思ふを」〈万一〇二〉「男のみ父の名負ひて女はいはれぬ物**に****あれ**や」〈続紀宣命一三〉（**3**）「山越しの風を時じみ寝る夜おちず家**なる**妹をかけて偲ひつ」〈万六〉「大伴のみ津の浜**なる**忘れ貝」〈万六八〉「旅**なれ**ば夜中を指して照る月の高嶋山に隠らく惜しも」〈万一六九一〉

たり　平安時代に入ってから成立した指定の助動詞である。これは指示する助詞「と」と「あり」が töari→tari という音韻の変化を経た語であり、「と」は体言を承けるので「たり」も直接体言を承ける。「…だ」「…である」「…なのだ」と物事を指定する意を表わす。

平安初期の漢文訓読体にすでに見られる語であるが、平安女流の和文にはほとんど取り入れられず、漢文訓読の系統にある文章、例えば今昔物語とか平家物語などに多くの例がある。「たり」は漢字による字音語を承けるものがほとんどすべてと言ってもよいが、和語を承ける例もないではない。

「至言は物に範(のり)**たれ**ども時に邪弁に淪滞(ろんたい)せらる」〈地蔵十輪経序・元慶点〉「経(へ)たる途(みち)**たる**万里なれども天威を恃(たの)みて咫尺(しせき)の如し」〈三蔵法師表啓・平安初期点〉「昔は王子**たり**き。今は乞人(こひくらひひと)と作(な)りたり」〈大唐西域記三・長寛点〉「清盛嫡男**たる**によって其の跡を継ぎ」〈平家一・鱸〉

ごとし　比況の意を表わす。動詞・助動詞の連体形を承ける。しかし、「…がごとし」「…のごとし」のように助詞「の」「が」にもつづく。助動詞は助詞を承けることはないものであるから、右のような用法のある「ごとし」は本来の助動詞ではない。活用は「く・し・き」と形容詞ク活用と同じ活用をする。

〔語源と意味〕　「ごとし」は同一を意味する「こと」という語の語頭が濁音化した「ごと」(**1**)に、形容詞語尾「し」がついて成立した語である。「こと」という語は体言であり、「見けむがごと」といへば、「見たというのと同一」の意である。この用法の発展として、他の事・物に比較して「…と同じだ」「…のようだ」の意をあらわす「ごとし」があらわれた(**2**)。

この「ごとし」は、平安時代に入ると、漢文訓読体には長く使用されたが、女流文学系の文章には極めて少ししか用いられず、枕草子には一例、源氏物語には十例あるだけである。しかも枕草子の一例は、「例に依て進上如件、別当少納言殿」〈枕一三三〉という解文(げもん)の形式によるものであり、源氏物語の「ごとし」は、僧侶の言葉、儀式の描写、右大臣や光源氏の怒りの際の言葉など、男性の、あるいは堅い改まった言葉にだけ使われている(**3**)。これは「ごとし」に、特殊な文体的な臭いが伴っていたことを示している。女流文学系では「ごとし」に代って「やうなり」を用いた。

(**1**)「重き馬荷に表荷(うはに)打つといふことの**ごと**」〈万八九七〉「昨日しも見けむ**がごと**も思ほゆるかも」〈万一八〇七〉　(**2**)「吾**がごとく**君に恋ふらむ人はさねあらじ」〈万三七五〇〉「見し日の**ごとく**ありとつげこそ」〈万四四七三〉「年月は流る**ごとし**」〈万八〇四〉　(**3**)「紅蓮の水の中より出でたる**がごとし**」〈金光明最勝王経・平安初期点〉「目は浄く脩(なが)く広くして青蓮の**ごとし**」〈金光明最勝王経・平安初期点〉「年もせめつれば、え思ひの**ごとく**しあへで、形(かた)の**ごとく**なむいもひの御鉢参るべきを」(光源氏の怒りを含む言葉)〈源氏・若菜下〉「その本意の**如く**も物し侍らで過ぎ侍りにしかば」(僧の会話)〈源氏・若紫〉「かつは斯くおぼし歎く御心を沈め給ひて慰め、又もとの**如く**に帰り給ふべきさまになど、心苦しきままに祈り申し給ふ」(祈りの内容)〈源氏・須磨〉

まほし　平安時代に現われた語で、希求の意を表わす。「…てほしい」と話し手の希望、また話し手以外の人の希望を表わす。動詞の未然形を承け、形容詞シク活用と同じ活用をする。

〔語源〕　これは奈良時代にあった「まくほし」の転じたものである。「見まくの欲しき君にもあるかも」〈万四四四九〉の「見まく」は「見む」のク語法(「用語について」参照)で、「見むこと」の意であり、「ほしき」は形容詞である。これが「ねもころ見まくほしき君かも」〈万五八〇〉のように使われて、「まくほし」という形が奈良時代に成立していた(**1**)。しかし平安時代に「まくほし」は音便によって「まうほし」となり、さらに音がつまって「まほし」となった(**2**)。

「まほし」は鎌倉時代にも用いられたが、次第に「たし」が多く使われるようになり、「まほし」はやがて用いられなくなった。「まほし」は第三者の希望も表わすことができ、また、接尾語をつけて「まほしがる」「まほしげ」となる点「たし」と同じであり、普通の助動詞と相違する(**3**)。

(**1**)「妹と言はば無礼(なめ)しかしこししかすがに懸け**まく欲しき**ことにあるかも」〈万二九一五〉「うつたへに鳥は喫(は)まねど縄(しめ)延(は)へて守(も)ら**まくほしき**梅の花かも」〈万一八五八〉　(**2**)「跡見れば心なぐさの浜千鳥今は声こそ聞か**まほしけれ**」〈後撰六三六〉「御かたみに御覧ぜ**まほしう**おぼしけれども」〈平家三・平大納言被流〉　(**3**)「ぬれ衣をだに着**まほしがる**たぐひもあなればにや」〈源氏・紅葉賀〉「露ばかりのこともゆかしがり聞か**まほしがりて**」〈枕(能因本)・にくきもの〉「くらぶの山に宿りも取ら**まほしげ**なれど、あやにくなる短か夜にて」〈源氏・若紫〉

(たし)　鎌倉時代に入ってから多く文献に現われ、希求の意を表わす。動詞および第一類の助動詞の連用形につき、形容詞ク活用と同じ活用をする。「まほし」と同様に話し手の希望を表わすだけでなく、客観的に第三者の希望をも表わすことができる。従って、これは希望・希求の意を表わす複合形容詞を作るための接尾語と扱うのが適当である。

〔語源〕　平安時代に見える「あきたし」「ねぶたし」などの「たし」は「甚(いた)し」の意で、この「たし」が次第に分離し、接尾語として働くようになったものと思われる。

「いさいかにみ山の奥にしをれても心知り**たき**秋の夜の月…左、知り**たき**といへる、俗人の語に聞くといへども、未だ和歌の詞に詠まざるなり」〈千五百番歌合〉「敵(かたき)にあうてこそ死に**たけれ**」〈平家九・老馬〉「紫の朱(あけ)うばふことをにくむといふ文(もん)を御覧ぜられ**たき**ことありて」〈徒然二三八〉

基本助詞

〔助詞とは何か〕 単語には、その単語一つだけで常に文を成立させるものと、他の単語と組み合わさって文を成立させるものとがある。単語一つだけで常に文を成立させるのは感動詞である。「あはれ。あな。おもしろ」〈古語拾遺〉、「あな。おそろしや」〈源氏・桐壺〉などの「あはれ」「あな」が感動詞の例で、これはこれだけで常に一文をなして、他の語と組み合わさって一文をなすことはない。「耳もおぼおぼしかりければ『あゝ』と傾きてゐたり」〈源氏・若菜上〉の「あゝ」のように文中にある場合も、感動詞は独立しており、「あゝ」は一文として引用されているものである。

感動詞以外の単語は、他の語とともに文を作る。その中には、文の中で占める位置の常に一定しているものがある。例えば、助動詞は常に動詞の下に(「あり」を介すれば形容詞の下にも)位置を占める。助詞もまた常に他の語の下に位置を占める。しかし助動詞よりも広く、名詞・動詞・副詞などの下につく。ただ、助詞には活用がない。活用せず、常に他の語の下につく語としては「かなしげ」「おもしろさ」「あまみ」などの「げ」「さ」「み」などがある。これらの接尾語は、その上の語と一体となって一語を形成し、上の語に名詞の資格を与える。それに対して、助詞は、他の語の下につきながらその上の語と共に一語を形成することはなく、上の語に一定の品詞の資格を与えることもない。

〔助詞の役目〕 それでは、助詞の役目は何か。一言でいえば、助詞は関係づけをする語であるといえる。

関係づけの第一――一つの文の中の体言や用言の相互の関係づけをする。①体言と体言との間に入って、両者の関係づけをする。これが連体助詞(「天つ風」「梅の花」「君が代」)である。②体言と、下に来る用言とを関係づける。これは格助詞・副助詞・係助詞に分れる(「庭に咲く梅」「袖さへぬれて」「今ぞ鳴くなる」)。③文と文とを連結して一文とする。あるいは語と語とを連結する。これを接続助詞という(「知らずともよし」)。

関係づけの第二――話し手の一つの文の叙述をまとめて、それを話し相手に持ちかけ、希望したり、誂えたり、禁止したりして文を終止させる(「行かばや」「花咲かなむ」「行くな」など)。これの変形として自分の詠嘆の気持を添えたりすることがある。これも結局詠嘆を相手に示すところに根本の役目がある。これらの場合、その助詞は常に文の終末に位置する。それでそれを終助詞という。

関係づけの第三――単に投入されるものとして、間投助詞がある。これは本質的に感動詞と同一のもので、感動詞が他の語と組み合わされずに独立して常に文となるように、間投助詞も文中で他の語の下に投入されるが、他の語と組み合わされることなく、他とかかわることもない。

日本語の基本的形式として、文を形成する場合に、文を形づくるための語句を相互に関係づけるのに助詞を用いる。末尾には助動詞がついて、打消・推量・回想などの主体的な判断を表現する。さらにそれでは不足で、禁止・希望・質問・疑問を含めてそれを相手に持ちかける場合には、文末に別種の助詞をつけ加える。助詞は常に何かの語に後置される。これは古来不変であり、日本語の一特色とされるところである。

助詞を以上に見てきたような役目と位置とによって一覧すれば次のようになる。

第一類 文中にあるもの	一 体言と体言とを関係づける	連体助詞
	二 体言と用言とを関係づける	①格助詞 ②副助詞 ③係助詞
	三 文と文とを関係づける	接続助詞
第二類 文末にあって叙述全体を相手に持ちかける		終助詞
第三類 単に投入されるもの		間投助詞

第一類の一 連体助詞――文中にあって体言と体言とを関係づける

つ が の な

〔連体助詞とは〕 体言を承けて体言にかかる助詞を連体助詞という。用言は、連体形という活用形を持つので、用言が体言にかかるためには別の助詞を必要としない。従って体言にかかるときに助詞を必要とするのは体言である。つまり、連体助詞とは、体言と体言との関係づけを行なうものである。

連体助詞には「つ」「が」「の」「な」の四種があるが、「が」「の」は後に格助詞の用もするので、連体助詞を立てず、すべて格助詞に含める見解もある。

つ 奈良時代に多く用いられた助詞で、位置とか、存在の場所とかを示すことが多い。それも、「天つ神」と「国つ神」、「奥つ櫂(かい)」と「辺(へ)つ櫂」、「内つ宮」と「外(と)つ宮」、「山つみ」と「海(わた)つみ」、「上つ瀬」と「中つ瀬」と「下つ瀬」のように対になった語が多いが、「先つ年」「をとつ日」など、時に使う例もある。物の性質を表わす語の下につく例としては「斎(ゆ)つ椿」「醜(しこ)つ老翁(おきな)」などがあるが、例は多くない。つまり、「つ」は奈良時代にあっても用法が固定的で、自由に種々の語につくわけではない。それは、「つ」がその頃すでに古い助詞であったからだと思われる。用例も「天」「国」「奥」「辺」「内」「外」など最も基本的な位置・所在を示す場合が多く、用法が片寄っている。それはこの助詞がやがて衰える傾向にあったことを示すものと思われる。事実、平安時代になると「つ」は特定の限られた単語に用いられるだけになってしまった。現在では、「目(ま)つ毛」「わたつみ」などに化石的に残っている。

「天離る鄙**つ**女のい渡らす迫門(とせ)」〈紀歌謡三〉「沖**つ**波辺**つ**藻巻き持ち寄せ来とも君にまされる玉寄せめやも」〈万三二〇六〉「天**つ**風雲の通ひ路吹きとぢよ少女の姿しばしとどめん」〈古今八七三〉

が　連体助詞にはじまり、主格の助詞に発展し、さらに接続助詞へと展開した助詞である。奈良時代、連体助詞として使われた場合には「つ」と相互に役目を分けていた。「つ」が多く基本的な位置・存在の場所を示したのに対し、「が」は地名・植物名・動物名などを承けて所在・所属を表わした。例えば、「おほやが原」「きよみが崎」「かほやが沼」「あをねが嶽」「梅が枝」「うけらが花」「笹が葉」「松が根」「尾花が末」「雁が音」「鶴が声」などである。ことに顕著に目立つのが人代名詞・人をさす名詞を承ける用法である。「わが宿」「あが身」「汝が名」「妹が家」「君が姿」「吾妹子が心なぐさ」「己(おの)が命」「背なが衣」「母が手」「父母が殿」など多くの例があるが、ここにある代名詞・名詞の多くは、自分自身、あるいは結婚の相手・両親などで、自分自身を中心にして、周りに円周を描き、その中に含まれる人間つまりウチなる人間を指すのに使われることが圧倒的に多い。従って、親愛の対象を表わすもので、「が」はそれとの間の親しい、近しい、場合によっては軽口をたたきうるような対象との間の所有または所属の関係を表わしている。それ故、本来、これは尊敬して扱うべき役人に対して「(税を取り立てる)里長が声は寝屋戸まで来立ち呼ばひぬ」などと使えば、それは「里長」に対する軽侮・嫌悪の気持の表現となる。つまり連体助詞「が」は親愛→軽蔑→嫌悪という対人感情の移行の類型を、そのままに反映する助詞であって、「の」とはこの用法の点で大きく相違する。(格助詞の「が」を参照のこと)

「あられふりきしみ**が**嶽をさがしみと草取りはなち妹**が**手を取る」〈万三八五〉「わ**が**宿のいささ群竹吹く風の音のかそけきこの夕べかも」〈万四三九一〉「いとのきて短きものを端切ると言へるが如く楚(しもと)取る里長**が**声は寝屋戸まで来立ち呼ばひぬ」〈万八九二〉

の　「の」の意味的特徴は、「が」がウチなるものを承けたのに対して、「の」はソトにあるもの・ことを承けた点にある。ソト扱いにするとは、疎遠なもの、関係のうすいもの、客観的な存在として扱うことである。「が」が自分の周囲に描かれる狭い円周の中に含まれる身内の存在、多くは人間を承けるのに対し、「の」はその円周外に存在する人間のみならずあらゆる存在を承けるので、用例数の上からいえば、源氏物語・枕草子では「の」は「が」の十五倍の使用数をもっている。それだけに「の」は「が」に較べて、用法も広い。しかし、連体助詞としての「の」の最も基本的な意味は、「右の歌」「須磨の海人」などのように存在の場所を示すことにある(**1**)。これは現代ならば「…にある」というところである。この用法から転じて、行為・生産の行なわれる場所を意味し(**2**)、そこから転じて、行為者・生産者・作者を意味する用法が発展した(**3**)。一方、存在する場所を示す用法から、所有する人を意味した(**4**)。また、所有と所属とでは、力の関係は逆であるが、古代的心性の表現としては、所有することと所有されることとはしばしば混同されたので、「の」にも所有と並んで所属の用法が存在する(**5**)。また、古代的心性においては、所属しているということは、その所属しているものの属性を保持していることでもあるので、「の」は、属性を持つことを示す用法を展開した。「あはれの鳥」は、「あはれ」に所在する鳥、つまり「あはれ」に所属する鳥であり、「あはれ」という属性を保有する鳥である(**6**)。こうした属性を示す用法から、「一坏の濁れる酒」「千万の軍」など、体言を修飾限定する「の」の用法が発展し(**7**)、さらに「朝露の如、夕霧の如」のように、「ごと」(同一の意)を修飾する用法もあらわれている。

なお、存在の場所を示す「吉野の山」のような用法から、「大和の国」のように、命名・指名の用法(「…という」と訳される)が現われ(**8**)、「わが背の君」のような資格を示す用法に広まった(**9**)。

このようにして、「の」は「…にある」意から起り、「…である」と属性を示す用法に広まり、「…という」と資格を示す用法を併せ持つようになった。

「が」が人代名詞または人をさす名詞を承ける場合は、自己の身内とする者に対する卑下・親愛・無遠慮などの意味を併せ示したが、「の」は、「神の御代」「大君のみこと」「海女の漁火」など、尊敬・敬避・疎遠の対象を承けて用いる点で「が」と相違があり、その相違は鎌倉時代まで残った(**10**)。(格助詞の「の」を参照のこと)

(**1**)「葛飾**の**真間**の**入江にうちなびく玉藻刈りけむ手児名し思ほゆ」〈万四三二〉「み吉野**の**吉野**の**宮は山からし貴かるらし川からし清けかるらし」〈万三二五〉「秋**の**田**の**穂田**の**刈ばかか寄り会はば」〈万五一二〉　(**2**)「古人のたまへしめたる吉備**の**酒病まばすべなし貫簀(ぬき)給らむ」〈万五五四〉「岩走る垂水(たるみ)の上**の**さわらびの萌え出づる春になりにけるかも」〈万一四一八〉　(**3**)「大后**の**御歌一首」〈万一五三題詞〉「堀江漕ぐ伊豆手**の**船の楫つくめ」〈万四四六〇〉「山の端に月傾けば漁する海人**の**燈火(ともしび)沖になづさふ」〈万三六二三〉　(**4**)「あしひきの山に行きけむ山人**の**心も知らず山人やたれ」〈万四二九四〉「大君**の**遠の朝廷と任(ま)きたまふ官のまにま」〈万四一一三〉　(**5**)「み船さす賤男**の**伴は川の瀬申せ」

〈万四〇六一〉「初春のはつねの今日の玉箒手にとるからにゆらく玉の緒」〈万四四九三〉（**6**）「くれなゐの色も移ろひ」〈万四一六〇〉「矢形尾の真白の鷹を屋戸に据ゑかき撫で見つつ飼はくし好しも」〈万四一五五〉「聞くごとに心つごきてうち嘆きあはれの鳥といはぬ時なし」〈万四〇八九〉（**7**）「木の間よりもり来る月の影見れば心づくしの秋は来にけり」〈古今一八四〉「くちをしの花のちぎりや」〈源氏・夕顔〉「たのもしげなの事やとの給ふもいとをかし」〈枕一三五〉「けづる事をうるさがり給へど、をかしの御髪(ぐし)や」〈源氏・若紫〉（**8**）「良房の大臣と聞えける、古への例になずらへて」〈源氏・少女〉（**9**）「帝王の上なき位」〈源氏・桐壺〉（**10**）「〔佐太トイウ男ガ〕水干のあやしげなりけるがほころび絶えたるをきりかけの上より投げこして、たかやかに『これがほころび縫ひておこせよ』といひければ、ほどもなく〔女ガ〕投げかへしたりければ…〔ソレヲ見ルト〕『われが身は竹の林にあらねどもさたが衣をぬぎかくるかな』と書きたるを見て…〔佐太ハ〕大に腹を立てて『目つぶれたる女人かな。ほころび縫ひにやりたれば、ほころびのたえたる所をば見だにえ見つけずして佐太のとこそいふべきに、…なぞわ女め佐太がといふべき事か』」〈宇治拾遺九三〉

な　「の」の母音交替形で、直前に来る母音がア列・ウ列・イ列甲類の場合〔「用語について」参照〕に用いられた。「まなこ(目な子)」「まなかひ(目な交)」「たなごころ(手な心=掌)」「さながら(其ながら)」「かむながら(神な随)」「みなと(湊)」「みなうら(水な占)」などがその例である。奈良時代にすでにわずかしか用いられないもので、後世は、いくつかの名詞に固定的に使われただけであった。

「手掌(たなそこ=手ナ底)もやららに拍(う)ち上げ賜ひつ」〈紀・顕宗即位前〉「いづくより来たりしものそまなかひにもとな懸かりて安眠(やす)しなさぬ」〈万八〇二〉「まなこもこそ二つあれ、ただ一つある鏡を奉(まつ)る」〈土佐・二月五日〉

第一類の二の1　格助詞——文中にあって体言と用言とを関係づける

が　の　に　を　へ　と　から　より　にて　で

文中の用言にかかる助詞は三種に分けられる。それは格助詞・副助詞・係助詞である。これら三種の助詞の特質を理解するためには、まず用言に属する日本語の動詞・形容詞(形容動詞を認める立場に立てば形容動詞を含める)が、どんな構造を持つものであるかを知る必要がある。

〔用言の構造〕　用言の内部は二つの部分に分けられる。「咲く」という動詞を例に取ろう。「屋戸に花咲き、時は経ぬ」「陸奥山に金(くがね)花咲く」「ゆめ花散るな、いやをちに咲け」という場合、動詞「咲く」は、ここでは「咲き」「咲く」「咲け」と語形が変化している。「咲き」「咲く」「咲け」と変化しても、動詞として「咲くこと」の動きを表わす点では何の相違もない。相違があるのは別の点である。つまり、「咲き」(sak-i)には咲くことの肯定とともに叙述を中止する話し手の意向が表現されている。「咲く」(sak-u)には咲くことの肯定とともに叙述を終止する話し手の意向が表現されている。「咲け」(sak-e)は咲くことの肯定とともに相手に対する話し手の命令の意向が加わっている。このことから次の事実が判明する。一つの動詞は、根本に動作・作用・状態を表わす部分〔甲〕(sak-)を持つ。そして、活用の変化(-i, -u, -e)によって〔甲〕についての中止・終止・命令その他の話し手の意向〔乙〕が加えられる。〔甲〕と〔乙〕とが一語に含まれてはじめて動詞が成立する。

形容詞についても事情は同様である。元来、形容詞の語幹となった語は、奈良時代以前には、語尾なしで使われていたと覚しい点がある。「たか(高)」に例を取れば、「高山」「高槻」のように、「高」だけで体言を修飾すると同時に、「高光る」「高行く」「高知らす」などと、「高」だけで副詞的に動詞を修飾していた。しかし、下へのつづき方を明示するために「沖つ波高く立ち来ぬ」「梶の音高し」「天そそり高き立山」のように「高」(taka-)へ活用語尾「く・し・き」(-ku, si, ki)を加える語法が発達した。このうちのどの場合も「高」の部分には何の相違もない。つまり「高」を連用修飾語として用いようとする話し手の意向を明示する形式として、「く」(-ku)を加えて「たかく」とした。また、肯定判断の終止として用いる意向を明示する形式として、「し」を加えて「たかし」(-si)とした。また体言にかかる修飾語として用いる意向を明示するために「き」(-ki)を加えて「たかき」とした。それゆえ形容詞においても、状態や心情を表現する部分〔甲〕と、連続または終止を区別する話し手の意向を示す部分〔乙〕(く・し・き)とがあり、それが一語に共存して形容詞を形成するといえる。このように、用言には〔甲〕の部分と〔乙〕の部分とを区別できる。(形容動詞ならば語幹の下に、「なら・なり・なり・なる・なれ・なれ」を加える。これが〔乙〕に当る。)

〔格助詞とは〕　さて格とは、事実の関係のし方をいう。「花咲く」「花かざし持つ」を例にとれば、「花」と「咲く」との関係は、「花」が、「咲く」動きの主体となっている。しかし、「花かざし持ち」とあれば「花」は「かざし持つ」という動きの目的物となる。こういう事実の関係を格という。一方、「花咲く」が「花咲け」となり、「花かざし持ち」が「花かざし持て」となった場合には、格の関係では相違が無いが、話し手の命令の意向が加わっているかどうかという点に相違がでる。つまり前述の用言の〔乙〕の部分に相違が生じたのである。してみると、格関係とは体言と用言〔甲〕との関係で、〔乙〕の部分との関係を問うものではないということが理解されよう。

この、体言と用言〔甲〕との関係には、体言が用言〔甲〕の動作・状態の主体であるか、目的物であるか、あるいは、用言〔甲〕の、場所・時間・手段などを示す補助的な役割であるかなどが考えられる。この関係づけを表わすのが格助詞である。もし、「君待つ宵」とある場合には、「君」は「待つ」動作の主体であるか、それとも「待つ」動作の目的物であるか、形の上からはわからない。もしここに、「君の待つ宵」「君を待つ宵」と助詞「の」または「を」をはさむならば、「君」と「待つ」との事実関係は不動のものとなる。格助詞は、このような体言と用言との事実関係を確定する。

元来、古代日本語では、動き・状態の主体を表わす格(主格)を明示する格助詞は存在しなかった。「花咲く」「山高し」というのが普通の表現であった。「花が咲く」「山が高い」という表現は一般的には江戸時代以後に確立した語法である。また目的格を表わす助詞も古い時代には存在しなかったと考えられる。「花かざし持つ」というのが普通で、それは今日でも「水飲むか」など多く使われる形であり、目的格を示す「を」の使用は、後れて発達した。

これに対して古代日本語で多く使われたのは、動きや存在の場所を示す「に」であって、時間・時刻を示す場合にも必ず使われた。日本人は、動きの主体性を重んじて主体は誰かということを明確に提示するよりも、動きを自然的な生起として把握し、その動きの場所を主として扱う傾向があったように思われる。

が 本来、「我が国」「妹が家」のように連体助詞で、所有・所属を示し、体言と体言との関係づけをするのが役目であった。それが年月のうちに次第に変化した結果、室町時代以後、本来の日本語になかった主格の助詞としてはたらくようになった。

「が」は、奈良時代にすでに「我が思ふ妹に逢はぬ頃かも」〈万三六五〇〉のような用法を持っている。「が」は本来連体助詞であったから、この場合も「我が」はもと「思ふ」にかかるよりも「妹」にかかるもので、「我が―妹」のつもりであったのだろうと思われる。また、「君が歩くに似る人も逢へや」〈万四二五〉というような例がある。この場合の「歩く」は連体形で体言に相当する資格がある。従ってこれも「体言+が+体言」の形であって、「が」の連体助詞としてのはたらきが保たれている。また一方、「が」は体言を承けるだけでなく、「清き河瀬を見るがさやけさ」〈万一七三七〉、「依るべき磯の無きがさぶしさ」〈万三三六〉のように、用言を承けて体言で結ぶ用法もあった。この場合、用言「見る」「無き」は連体形で、体言相当の資格を持つ。終結部の「さやけさ」「さぶしさ」は、名詞を作る接尾語「さ」で終っているから、この場合も、「体言+が+体言」の形となって、「が」は連体助詞のはたらきを保っていた。

また、次のような用法もある。

「浜辺よりわが**う**ち行か**ば**海辺より迎へも来ぬか海人の釣舟」〈万四〇四四〉
「大船の思ひたのみし君**が**去な**ば**吾は恋ひむなただに逢ふまでに」〈万五五〇〉
「長き夜を独りや寝むと君**が**いへ**ば**過ぎにし人の思ほゆらくに」〈万四六三〉

この場合は、用言の下に「ば」という助詞がある。つまり、「が」は「ば」と呼応している。「が」は本来体言を承けて体言にかかる助詞であったのだから、このように下に「ば」があるということは、「未然形+ば」が奈良時代以前のある時期に何らかの体言を含む形であったろうと推測される。(この「ば」は、推量の「む」の連体形と助詞「は」の結合が最古形だったのだろうと推定される(muFa→mFa→mba→ᵐba)。この際「む」は連体形で、体言扱いとなり、その下に「は」が加わったのである。)

右のように「我が思ふ妹」「君が歩くに」「無きがさぶしさ」「君が去なば」などのように、「体言+が+体言」という形式と基本的には同一ながら、「が」の下が普通の終止形のように見える形がやがて現われてくる。それは「ごとし」という語に連続するものである。

「吾**が**ごとく君に恋ふらむ人はさねあらじ」〈万三七五〇〉
「逝く水の帰らぬごとく吹く風の見えぬ**が**ごとく」〈万三六二五〉
「在原の業平はその心あまりてことば足らず。しぼめる花の色なくて匂ひ残れる**が**ごとし」〈古今・序〉

この場合は「吾」「見えぬ」「残れる」が主格に立って「ごとし」にかかっているように見える。しかし、「ごとし」という語は、本来、同一を意味する形式名詞「ごと」の下に形容詞語尾「し」がついて成立したもので、「渡る日の暮れゆくがごと」「昨日しも見けむがごとも思ほゆるかも」などの用法に見るように、「体言+が+ごと(体言)」という形式が先にあって、その「ごと」の下に形容詞語尾「し」がついて「…がごとし」の形を生んだものであった。

こういう形などからの類推によって、「が」の用法が拡大された。「体言+が+体言」の形から発展して、「いとやんごとなき際にはあらぬがすぐれて時めき給ふありけり」〈源氏・桐壺〉、「継母なりし人は、宮仕へせしが(東国へ)下りしなれば」〈更級〉という表現も現われた。右の文の「給ふ」「下りし」は連体形である。従って、これらは「連体形+が+連体形」という形で、これは「体言+が+体言」という古い形の亜形である。しかし、このような形式になると、「が」の本来の「体言+が+体言」という連結は次第に弱くなった感がある。そして「軒近き荻のいみじく風に吹かれてくだけまどふがいとあはれにて」〈更級〉という文では、「あはれにて」はあたかも用言の連用形であるかのようにも思われる。

古い用法から展開したこうした中間の種々の用法を経て鎌倉時代になると、「宰相のあながちに嘆き申候が不便(ふびん)に候」〈平家三・赦文〉、「藁一すぢが柑子三つになりぬ。柑子三つが布三むらになりたり」〈宇治拾遺九六〉という例などがわずかに点々と現われる。こうなればもはや「が」は文の普通の終止形と応じる主格助詞としての役割を負っている。

鎌倉時代に、このように単純な終止に応じる主格に「が」が使われるようになったについては、もう一つの原因がある。それは、院政時代以後において、動詞の連体形が終止形の位置に進出したという事実である。「ぞ」「か」「や」「なむ」の係り結び(後述)が多用されるにつれて、連体形で文を終止することが多くなった。その表現は、後述するように元来は倒置法によって生じたものであるのに、その由来が忘れられるにつれて、連体形終止が、強調の意を含んだ終止の一類と見られるようになり、元来の終止形による終止と並行して広まり、やがて本来の終止形の地位に侵入しはじめた。つまり、終止形による終止と連体形による終止との役割分担が明瞭を欠いて来て、終止形終止よりも、連体形終止の方が確かな印象を与えるに至り、それの方が広く使われて連体形終止もまた単純な終止と思われるに至った。「が」は本来下に来る用言の連体形と呼応したのだが、連体形による終止法の増大、一般化につれて、「が」は連体助詞であるとともに、終止の主格を表わすことが広まって来たのである。このようにして今日の「花が咲く」「花が美しい」という主格表現の「が」が成立した。

なお、「が」は今日、「水が飲みたい」というように使って、「が」は対象格を示すなどと説かれることがある。しかし、この用法は、室町時代からすでに「平家の由来が聞きたいほどにお語りあれ」「ものが申したい」〈ロドリゲス大文典〉などの例がある。これは、「たい」が形容詞の活用をするので、「聞きたい」「申したい」で全体として一つの形容詞を作る接尾語として働く結果、「水が飲みたい」の「飲みたい」が複合形容詞としてはたらく文型なのである。また、「水が飲める」というような場合は、「飲める」は江戸時代以後に発達した可能動詞であり、すでに助動詞「る」の項で見たように、「る」は自然推移を表わすところから可能を表わすに至ったもので、「飲める」全体が状態を表わす自動詞と考えられる。従って、主格助詞「が」がそこに使われるものと思われる。

の 連体助詞としての用法が古い用法で、「…にある」「…である」「…という」の意であったが、そこから発展して用言の主格にも立つようになった。その点では「が」と類似した変化をたどっている。しかし、ウチなる人間、「我」「汝」「妹」「背」などの人間を承けることが多かった「が」が次第に用法を広げて、「体言＋が＋体言」の形式から次第に動作の主体を表わす「が」の用法へと変化して行き、「私が行く」のような言い切りの形へと展開したのに対し、「の」は「体言＋の＋体言」の形式を今日に至るまで保っている。「私が行く」という形は今日普通であるが、「私の行く」で切れる文の形は、今日でもまだ使われない。これは、「の」の下に用言が来た場合でも「此の川の絶ゆること」「河波の清き河内」のように必ず下に体言を要し、「体言＋の＋体言」の形を依然として厳重に保っているからである。

「の」は「が」と似た主格を表わす用法を持っていた。そして「が」よりも広く種々の語を承ける(**1**)。その場合、下には体言またはそれと同じ資格を持つ語(連体形など)が来るのが普通である。「の」はまたそれだけで「のもの」の意を表わすこともあり(**2**)、「もの」「こと」の意を示すこともあって、それが、関係代名詞のような働きをする場合もある(**3**)。

また、「の」は連体助詞として「…に属する」「…の属性を持つ」「…の性質である」の意を持つが、格助詞となっては、下の用言に対して「…の属性として」「…の性質として」の意となることがある。「青山を横切る雲のいちしろく吾と咲(ゑ)まして」〈万六八八〉、「黄葉の過ぎていにきと」〈万二〇七〉などの場合がそれで、「横切る雲の性質として、はっきり誰の目にも見える」「黄葉の性質として散って行く」という原義から、「横切る雲のように」「黄葉のように」の意になった。これは、平安時代にも「中将例のうなづく」〈源氏・帚木〉などと使われた(**4**)。「の」は室町時代以後「…の…の」と重ね用いて、並立を示す用法もあった(**5**)。

(**1**)「白波の浜松が枝の手向け草幾代までにか年**の**経ぬらむ」〈万三四〉「大和恋ひ寝(い)**の**寝らえぬに」〈万七一〉「青丹よし奈良の都は咲く花**の**にほふが如く今盛りなり」〈万三二八〉「高光るわが日の皇子**の**いましせば島の御門は荒れざらましを」〈万一七三〉「山見れば見**の**ともしく、河見れば見**の**さやけく」〈万四三六〇〉 (**2**)「薬師(くすし)は常**の**もあれど賓客(まらひと)の今の薬師貴(たふと)かりけり賞(め)だしかりけり」〈仏足石歌〉「鯉はなくて鮒よりはじめて河**の**も海**の**もこと物ども長櫃に荷なひつづけておこせたり」〈土佐・一月七日〉「万葉集に入らぬ古き歌、みづから**の**をも奉らしめ給ひてなむ」〈古今・序〉「御修法などは大方**の**をばさるものにて、とりわきてつかうまつらせ給ふ」〈源氏・若菜下〉 (**3**)「女**の**、これはしもと難つくまじきは、難くもあるかな」〈源氏・帚木〉「その人の御子とは館の人にも知らせず、ただうまご**の**かしづくべきゆゑあるとぞ言ひなしければ」〈源氏・玉鬘〉 (**4**)「うち靡く春見ましゆは夏草**の**茂くはあれど今日の楽しさ」〈万一七五三〉 (**5**)「吏をやりて…年貢**の**何**の**と言てせむるぞ」〈蒙求抄一〇〉「通人だ**の**通り者だ**の**といふ奴は」〈浮世床・初上〉

に 最も基本的な意味は、存在し、動作し、作用する場所を「そこ」と明確に指定する意である(**1**)。下に必ず用言が来る。これは同じく存在の場所を示す「の」が必ず下に体言を予定するのと対照的である。niとnöとは、n-を共有する点で存在場所を提示するが、-iと-öとによって、下に用言が来るか体言が来るかを区別している。日本人は行為・動作を、個人的・主体的な能動として把えるよりも、自然界に生起し、存在する成り行きとして把える傾向が強かったので、主格を表わす助詞を欠くことはあっても、動作の生起・存在する場所については、表現を怠らなかった。従って、「に」は極めて重要な役割を帯びる助詞であり、略されることは極めて少なく、万葉集の中で、表記の簡略な巻々でも助詞「に」は略さずに書いてあることが多い。

使用度数の多い「に」は、種々の用法を展開し、場所の指定から、時間的・心理的に一点を指定する意にも用いた(**2**)。さらに、動作の帰着する場所(**3**)、動作の目標・目的・原因・結果(**4**)、動作・感情の対象(**5**)、受身・使役の対象(**6**)、動作の状態(**7**)、動作の資格(**8**)、比較の起点・基準(**9**)などすべて、動かない一点を指定する役目を帯びた。また、貴人の動作を表現するのに、主格の語を立てず、「に」を用いて動作の場所を示し、動作が特定の場所に存在したと表現する用法もある(**10**)。また、助詞「に」には、指定の助動詞「なり」の連用形「に」と区別し難いものがある(**11**)。これは、格助詞「に」の基本的な意味が一点を指定することにあるので、指定の助動詞の連用形といわれる「に」も、起源的には同一のものと考えられる。

(**1**)「くしろつく手節(たふし)の崎**に**今日もかも大宮人の玉藻刈るらむ」〈万四一〉「言に言へば耳にたやすし少なくも心の中**に**わが思はなくに」〈万二五八一〉「大船**に**真梶しじ貫き大君のみことかしこみ磯廻(いそみ)するかも」〈万三六八〉「防人に立ちし朝明(け)の金門出**に**手放れ惜しみ泣きし児らはも」〈万三五六九〉 (**2**)「さ夜中**に**友よぶ千鳥もの思ふとわびをる時**に**鳴きつつもとな」〈万六一八〉 (**3**)「秋の田の穂の上に霧らふ朝霞いづへの方**に**わが恋やまむ」〈万八八〉 (**4**)「明日香の川**に**潔身(みそぎ)し**に**行く」〈万六二六〉「橘の花散る里**に**通ひなば山ほととぎすとよもさむかも」〈万一九七八〉「あしひきの山のしづく**に**妹待つと吾立ちぬれぬ山のしづく**に**」〈万一〇七〉「吾が持てる三つあひ**に**搓れる糸もちて」〈万五一六〉 (**5**)「向ひゐて見れども飽かぬ吾妹子**に**立ち別れゆかむたづき知らずも」〈万六六五〉「思ひやるたどきもわれは今はなし妹**に**逢はずて年のへぬれば」〈万二九四一〉「黒髪に白髪まじり老ゆるまでかかる恋**に**はいまだ逢はなくに」〈万五六三〉 (**6**)「吾妹子**に**猪名野は見せつ」〈万二七九〉「秋はしぐれ**に**袖を貸し冬は霜**に**ぞせめらるる」〈古今一〇〇三〉 (**7**)「時雨の雨間なくな降りそ紅**に**にほへる山の散らまく惜しも」〈万一五九四〉「ゆくりなく今も見が欲し秋萩のしなひ**に**あらむ妹が姿を」〈万二二八四〉 (**8**)「秋萩を妻問ふ鹿こそ一人子**に**(トシテ)子持てりといへ」〈万一七九〇〉「その(葵ノ死ノ)暁に男**に**て生まれ給へるを」〈源氏・葵〉 (**9**)「八百日ゆく浜の真砂もわが恋**に**あにまさらじか沖つ島守」〈万五九六〉「うるはしみあが思ふ君は撫子が花**に**比(なぞ)へて見れど飽かぬかも」〈万四四五一〉 (**10**)「院**に**きこしめさむこともあいなし」〈源氏・若菜下〉「内**に**(源氏ヲ)求めさせ給ふらむをいづこにたづぬらむとおぼしやりて」〈源氏・夕顔〉 (**11**)「伊勢の海の磯もとどろ**に**寄する波かしこき人に恋ひ渡るかも」〈万六〇〇〉「遙遙(はろはろ)**に**思ほゆるかも白雲の千重にへだてる筑紫の国は」〈万八六六〉

を　本来は感動詞であったものと思われる。日本書紀に「天孫(あめみま)に献(たてまつ)れとのたまふ。高倉『唯唯』と曰(うま)すとみて寤(さ)めぬ」〈神武即位前〉とあり、熱田神宮の古写本神武紀に「唯唯」の右に「越々」と訓みがつけてある。「越々」は呉音で「をを」と訓む。「をを」は「を」を繰り返したもので、承知・諒承の返辞である。つまり、感動詞「を」とは物事を承認し確認する気持を相手に表明する語であった。それが、万葉集などにおいては、間投助詞として強調の意を表わし、「楽しくをあらな」〈万三四九〉のようにも使われた。

こうした用法から、動作の対象の下について、それを確認するためにこの語が投入された。そこからいわゆる目的格の用法が生じたものと思われる(**1**)。しかし、本来の日本語は目的格には助詞を要しなかったので、「を」が目的格の助詞として定着するにあたっては、漢文訓読における目的格表示に「を」が必ず用いられたという事情が与っていると思われる。

対象を確認する用法から、「を」は場合によっては助詞「に」と同じような箇所に使われる。たとえば、「別る」「離る」「問ふ」などの動詞の上について、その動作の対象を示すのにも用いる(**2**)。また、移動や持続を表わす動詞の、動作全体にわたる経由の場所・時間を示すことがある(**3**)。

(**1**)「父母**を**見れば尊し」〈万八〇〇〉「立ちしなふ君が姿**を**忘れずは世の限りにや恋ひわたりなむ」〈万四四四一〉 (**2**)「潮待つとありける船を知らずして悔しく妹**を**別れ来にけり」〈万三五九四〉「武庫の浦の入江の洲鳥羽ぐくもる君**を**離れて恋に死ぬべし」〈万三五七八〉「磯の上に根はふ室の木見し人**を**いづらと問はば語りつげむか」〈万四四八〉 (**3**)「天ざかる鄙の長道**を**恋ひ来れば明石の門より家のあたり見ゆ」〈万三六〇八〉「長き夜**を**独りや寝むと君が言へばすぎにしひとの思ほゆらくに」〈万四六三〉「この道**を**行く人ごとに行き寄りてい立ち嘆かひ」〈万一八〇一〉

へ　名詞「辺(へ)」から転成した助詞と考えられる。「へ」は、「奥」「沖」の対語で、「沖つ波・辺(へ)つ波」「沖つ藻・辺つ藻」「沖方(おきへ)・辺つ方(へ)」「奥つ櫂・辺つ櫂」などと使う言葉である。沖(おき)と奥(おく)とは語源を同じくする語で、奥は入口から深く入った場所であり、容易に他人の立ち入ることを得ない所である。沖もまた浜から最も遠い、海の奥深い所をいい、古代人の思考では海神の住む場所である。「へ」は、畳などの「縁(へり)」の「へ」と語源が同じで、物の中心からはずれた、はしの所をいう。岸辺や浜辺も、海を中心にして考えれば、奥深い所ではなく、はし・末端の意である。「へ」は、本来こうした意味の語であったから、それが助詞に用いられた時も、はじめは、現在地から遠方の、関係のうすい所に向って移行する場合に使われた(**1**)。これは、空間の一点を明確に指定する「に」が、動作の帰着点を表現するのと明らかに相違していた。また、「へ」が方角に使われる場合も、遠い、不確実な方向を意味した(**2**)。

しかし、「へ」は、平安中期以後になると、「此方(こなた)へ来る」という使い方を生じる(**3**)。遠方へ行く気持が失せて、到達点を示すように変って来た結果である。以後次第に帰着点や方向・場所を示すようになって来た(**4**)。

室町時代には、方向を示す助詞に、方言による違いがあった。これについて、ロドリゲスの大文典に次の記述がある。

「京へ、筑紫に、関東(又は坂東)さ。諺。その意味は、都では助辞『へ』を、下(九州)では『に』を、関東では『さ』を使ふといふのである。直ぐ次に示すやうに、諸地方に色々な助辞があるけれども、常に都におけると同じく『へ』を用ゐるのがよい。それが正しくかつ上品だからである。」

(**1**)「わが背子を大和**へ**やるとさ夜更けて暁露にわが立ちぬれし」〈万一〇五〉「春日(かすが)なる羽買(はがひ)の山ゆ佐保のうち**へ**鳴き行くなるは誰呼子鳥」〈万一八二七〉「今日なむ天竺**へ**石の鉢をとりにまかる」〈竹取〉 (**2**)「大葉子は領巾(ひれ)振らす見ゆ大和**へ**向きて」〈紀歌謡一〇一〉「脚のむきたらむ方**へ**往なむず」〈竹取〉 (**3**)「一年に三度必ずわがもと**へ**来たれ」〈今昔一ノ二五〉「ここに宿りたる人の若狭へとていぬるが、明日ここ**へ**帰へりつかんずれば」〈宇治拾遺一〇八〉 (**4**)「その山越えはてて、にへの池のほとり**へ**行きつきたるほど」〈更級〉「この由を院**へ**申してこそは」〈宇治拾遺一五八〉「郎等がお庭**へ**祗候つかまつったことも」〈天草本平家〉

と　指示する副詞「と」と語源を同じくする。「とにもかくにも」「ともかくも」「とありともかかりとも」などの「と」は、話し手と相手とが共通に知っていることを意識的に取り立て指示して、「かく」という既知の自分の領域にあるものと対比させる意味を持つ。助詞の「と」は、この意味を引き継ぎ、「言ふ」「思ふ」「聞く」ところの内容を提示し、指示する役目を負う(**1**)。また、新たに変化した結果・状態を指示するにも使い(**2**)、資格を与え、命名するにも用いる(**3**)。

「と」は、指示・指定において常に意識的・意図的であり、時には作為的である場合もある(**4**)。「に」が、事柄を自然の成り行きとして扱い、成る結果と融和する気持があるのと対照的である(**5**)。なお、「ありとある」「生きとし生けるもの」など、同じ動詞の間に用いて、強調する用法がある(**6**)。動作を共同にする場合にも「と」を用いるが(**7**)、これは起源的に同一であるか否か疑わしい。

接続助詞「とも」は、この「と」の下に、不確定の意を表わす「も」が加わった語である。また、指定の助動詞「たり」は、この資格を与える「と」と「あり」の複合した「とあり」から転じて生じたものである。

(**1**)「否**と**いへど語れ語れ**と**告(の)らせこそ志斐いは申せしひ語り**と**告る」〈万二三七〉「昔こそよそにも見しか吾妹子が奥つ城**と**思へばはしき佐保山」〈万四七四〉「遠音にも君が嘆く**と**聞きつれば哭のみし泣かゆあひ思ふ我は」〈万四二一四〉 (**2**)「今さらに雪降らめやもかぎろひのもゆる春べ**と**なりにしものを」〈万一八三五〉「神名火の山下響(とよ)み行く水に河蝦(かはづ)鳴くなり秋**と**いはむ**と**や」〈万二一六二〉 (**3**)「大君は神にしませば水鳥のすだく水沼を都**と**なしつ」〈万四二六一〉「春の野に霧立ちわたり降る雪**と**人の見るまで梅の花散る」〈万八三九〉「ただ越えのこの道にして押し照るや難波の海**と**名づけけらしも」〈万九七七〉「藤壺**と**聞こゆ」〈源氏・桐壺〉 (**4**)「わが背子を大和へやる**と**さ夜更けて暁露にわが立ちぬれし」〈万一〇五〉「うつそみの人にある吾や明日よりは二上山を弟背(いろせ)**と**わが見む」〈万一八二六〉「春されば妻を求む**と**鶯の木末を伝ひ鳴きつつもとな」〈万一八二六〉 (**5**)「岩走る垂水(たるみ)の上のさわらびの萌え出づる春**に**なりにけるかも」〈万一四一八〉「家づと**に**貝を拾ふ」〈万三七〇九〉 (**6**)「わが家にあり**と**ある人召し集めてのたまはく」〈竹取〉「生き**と**し生けるもの、いづれか歌をよまざりける」〈古今・序〉「秋風の吹き**と**吹きぬる武蔵野はなべて草場の色変はりけり」〈古今八二一〉 (**7**)「香具山**と**耳梨山**と**あひし時立ちて見に来し印南(いなみ)国原」〈万一四〉「あられうつあられ松原住吉の弟日娘(おとひをとめ)**と**見れど飽かぬかも」〈万六五〉「天地**と**長く久しく万代にかはらずあらむ行幸の宮」〈万三一五〉「言とはぬ木すら妹**と**背ありとふをただ独り子にあるが苦しさ」〈万一〇〇七〉

から　語源は名詞「から」と考えられる。「国から」「山から」「川から」「神から」などの「から」である。この「から」は、国や山や川や神の本来の性質を意味するとともに、それらの社会的な格をも意味する。「やから」「はらから」なども血筋のつながりを共有する社会的な一つの集りをいう。この血族・血筋の意から、自然のつながり、自然の成り行きの意に発展し、そこから、原因・理由を表わし(**1**)、動作の出発点(**2**)・経由地(**3**)、動作の直接つづく意、ある動作にすぐ続いていま一つの動作作用が生起する意(**4**)、手段の意(**5**)を表わすに至ったものと思われる。

(**1**)「世のなかの常のことわりかくさまに成り来にけらしすゑし種**から**」〈万三七六一〉 (**2**)「浪のおとの今朝**から**ことに聞ゆるは春のしらべやあらたまるらむ」〈古今四五六〉「今**から**いと様異にもてかしづき聞え給ふさまおろかならず」〈源氏・玉鬘〉 (**3**)「月夜よみ妹に会はむと直道(ただち)**から**われは来れども夜そ更けにける」〈万二六一八〉「霍公鳥(ほととぎす)鳴きて過ぎにし岡傍**から**秋風吹きぬ縁(よ)もあらなくに」〈万三九四六〉 (**4**)「惜しむ**から**恋しきものを白雲の立ちなむ後はなに心地せむ」〈古今三七一〉「吹く**から**に秋の草木のしをるればむべ山風を嵐と言ふらむ」〈古今二四九〉「よろづの事、もてなし**から**にこそなだらかなるものなめれ」〈源氏・篝火〉 (**5**)「これかれとふべき人徒歩(かち)**から**あるまじきもあり」〈かげろふ・下〉

より　体言またはそれと同じ資格の語を承け、空間的には、動作の経由地・起点を表わし(**1**)、時間的にも、動作の起点を表わす(**2**)。また、この用法の発展として「…するやいなや」の意に使うことがある(**3**)。また、手段や材料を示す場合があり(**4**)、物事の比較を示すこともある(**5**)。「より」は母音交替によって「ゆり」ともいい、「よ」「ゆ」の形でも用いられた。「ゆり」は、「後」という意味があるので、それが「より」の起源であろうという。

(**1**)「堀江**より**朝潮満ちに寄る木積(こつ)貝にありせばつとにせましを」〈万四三九六〉「うり食(は)めば子ども思ほゆ栗食めばましてしぬはゆ何処(いづ)**より**来たりしものそ」〈万八〇二〉「家づとに貝を拾ふと沖辺**より**寄せくる浪に衣手ぬれぬ」〈万三七〇九〉「吾妹子が屋

戸の籬を見に行かばけだし門**より**返しなむかも」〈万七七〉「中将おりて中の廊の戸**より**通りて参り給ふ」〈源氏・野分〉 (**2**)「昔**より**言ひつることの韓国の辛くも此処に別れするかも」〈万三六九五〉「神代**より**吉野の宮にあり通ひ」〈万一〇〇六〉 (**3**)「時の間の煙ともなりなんとぞ、うち見る**より**思はるる」〈徒然一〇〉 (**4**)「つぎねふ山城路を人夫(ひとつま)の馬**より**行くに己夫(おのつま)し歩(かち)**より**行けば」〈万三三一四〉 (**5**)「吾**より**も貧しき人の父母は飢ゑ寒(こ)ゆらむ」〈万八九二〉「吾妹子は常世の国に住みけらし昔見し**より**変若(をち)ましにけり」〈万六五〇〉「惟光**より**外の人はおぼつかなくのみ思ひ聞えたり」〈源氏・紅葉賀〉

にて 格助詞「に」と接続助詞「て」との複合である。奈良時代の後半から平安時代にかけて生じた。「家にてもたゆたふ命」〈万三八九六〉のごとくである。これは、動作の場所(**1**)をいうもので、動作の時・年齢(**2**)の意から進んで資格・手段・方法・材料(**3**)、原因・理由(**4**)をいうように変って行った。この語は散文に多く使われ、歌ではあまり用いない。

(**1**)「帰るべく時はなりけり都**にて**誰が手本をか吾が枕かむ」〈万四三九〉「京**にて**生れたりしをんなご」〈土佐・十二月二十七日〉「久方の雲の上**にて**みる菊は天つ星とぞあやまたれける」〈古今二六九〉 (**2**)「十二**にて**御元服し給ふ」〈源氏・桐壺〉「鶯のさへづる春は昔**にて**むつれし花の影ぞかはれる」〈源氏・少女〉 (**3**)「物恐ろしき夜のさまなめるを。宿直人**にて**侍らむ」〈源氏・若紫〉「たづね行くまぼろしもがなつて**にて**も魂のありかをそことしるべく」〈源氏・桐壺〉「かたばみ、綾の文**にて**あるも異よりはをかし」〈枕六六〉「舟**にて**渡りぬれば相模の国になりぬ」〈更級〉「女のはける足駄**にて**作れる笛には」〈徒然九〉 (**4**)「まづ明くるすなはち、これ(雪ノ山ノ有無)を大事**にて**見せにやる」〈枕八七〉「竹の中におはする**にて**知りぬ」〈竹取〉「山かげ**にて**嵐も及ばぬなめり」〈十六夜日記〉

で 「にて」の転である(nite→nte→nde→ⁿde)。平安中期頃から用いられ、鎌倉時代以後多用された。「にて」の持つ用法のうち、場所・手段・原因・状態などを表わす。

「右大臣宣命以₂右手₁、此院**で**は用ₗ左」〈御堂関白記・寛仁一・一・七〉「をのれは下臈なれば、太刀長刀(なぎなた)**で**こそ敵をばうて」〈平家二・泊瀬六代〉「同じ遊び女とならば誰もみなあのやう**で**こそありたけれ」〈平家一・祇王〉

第一類の二の2 副助詞——文中にあって体言と用言とを関係づける

まで　ばかり　のみ　さへ　など　だに　すら　し　しも　づつ

〔副助詞とは〕 下に来る用言にかかり、用言の〔甲〕の部分(一四八六頁参照)の程度や状態を修飾限定する助詞を副助詞という。例えば「花のみ咲きて」「命さへ惜しく」「直衣ばかりうち着て」「道だに知らず」「遠き里まで送りける」における「のみ」「さへ」「ばかり」「だに」「まで」のごとき助詞である。「花のみ咲きて」では、「花」は、主格の地位にある。「直衣ばかりうち着て」「道だに知らず」では、「直衣」「道」は目的格の地位にある。このように副助詞は、主格を示すところにも目的格を示すところにもつく。つまり、副助詞は、格関係には関わりがない。格には関係せずに、副助詞のついた語と一体になって、副詞と同じ資格を形成し、それによって下の用言の〔甲〕の部分を修飾限定する。つまり「花のみ」で副詞と同じ資格に立って「咲きて」の(sak-)の程度・分量を修飾し、「命さへ」で副詞と同じ資格に立って「惜し」の状態を限定する。こうした役目を果すものが副助詞である。

まで 体言または用言の連体形を承ける。格助詞「の」「に」と共に用いるときは、格助詞「の」「に」の上に位置する。「まで」は一つの時点で事が始まり、それが次第に進行して行き、ある極限的な状態に到る意を示す語であるが、程度にも用いられて、ある限度に達する意を表わす。「いづれの日までわが恋ひをらむ」とは、現在の恋の状態が、このまま、いつを限度として進行するのかを疑問に思い、嘆く意であり、「楚(しもと)取る里長(さとをさ)が声は寝屋戸まで来立ち呼ばひぬ」とあれば、憎むべき税吏の声が、次第に近づいて来て、ついに我が家の戸口に至って大声で呼ぶ意である。奈良時代の例では、「までに」として用いる場合が少なくない(**1**)。

平安時代になると、女流文学の中には、「…と思われるほどに」と訳されるような、程度を表わすものが多くなる。そして、形容詞連体形を承ける例が多い(**2**)。後に、「…にすぎない」「…だけ」と限定・確認・強調の意を表わす用法も生じた(**3**)。

(**1**)「都**まで**送り申して飛びかへるもの」〈万八七六〉「降る雪の白髪**までに**大君に仕へまつれば尊くもあるか」〈万三九二二〉「天地と久しき**までに**万代に仕へまつらむ黒酒(くろき)白酒(しろき)を」〈万四二七五〉 (**2**)「皇子のおよすげもておはする御かたち心ばへ、有難くめづらしき**まで**見え給ふを」〈源氏・桐壺〉「いと恥かしくまばゆき**まで**清らなる人にさし向かひたるよ」〈源氏・浮舟〉 (**3**)「もし間竿のいるべいときは、この弓をもって弦を下にして間(けん)をうつべい**まで**よ」〈雑兵物語・上〉

ばかり 「計り」という動詞から転成した助詞である。「はかる」という動詞は、対象の長さ・重さ・大きさがどのくらいであるかを推量し、測定し、限定する意である。従って、助詞「ばかり」にも、古くは推量の気持が含まれていた。それは、次のように動詞の終止形を承ける「ばかり」に示されている。「広瀬川袖つくばかり浅きをや心深めてわが思へるらむ」〈万一三八一〉は、単に「袖がつくほど」というのではなく、「袖がつくかつかぬかと推測されるくらいに」の意である。

「わが命の長く欲しけく偽りをよくする人を執らふばかりを」〈万二九四三〉は、「うそを上手につく人をつかまえられるほどに、自分の命が長くあって欲しい」の意であるが、「とらふばかりを」には、とらえることが可能か不可能かを推測し、さだめかねている不安・危惧を表わしている。「涙川身投ぐばかりの淵はあれど氷とけねば行くかたもなし」〈後撰四九五〉は、身投げをすればできるかもしれない(実際には氷がはっていてできない)の意である(**1**)。

これが進んでいくと、時間・時刻・場所・数量・状態などについておよその見当を意味するようになり(**2**)、ついでおよその限度を表わし、「…だけ」の意を表わすようになった(**3**)。

平安時代になって「ばかり」は多く使われるに至ったが、平安中期以後、動詞の終止形終止の位置に連体形が進出するようになって、終止形を承ける「ばかり」と、連体形を承ける「ばかり」との区別は不明確になり、推量・推測・不安などを含んだ用法は消失してしまい、連体形を承けて、程度・限度を表わすものに限られるようになった。

(**1**)「わがためは見るかひもなし忘れ草忘る**ばかり**の恋にしあらねば」〈後撰七九〇〉「女君顔はいとあかくにほひてこぼる**ばかり**の御(おほん)愛敬にて」〈源氏・澪標〉「かきくらし思ひ乱れて枕も浮きぬ**ばかり**人やりならず流し添へつつ」〈源氏・柏木〉 (**2**)「かく**ばかり**逢ふ日のまれになる人をいかがつらしと思はざるべき」〈古今四三三〉「一昨年**ばかり**よりはけざやかなる御もてなしになりにて」〈源氏・少女〉「誰**ばかり**にかはあらむ」〈源氏・夕顔〉 (**3**)「名にめでて折れる**ばかり**ぞをみなへし我落ちにきと人に語るな」〈古今二二六〉「[我ガ身ハ]消えはてて止みぬ**ばかり**か年をへて君を思ひのしるしなければ」〈後撰五一八〉「月影**ばかり**ぞ八重葎にもさはらずさし入りたる」〈源氏・桐壺〉

のみ　起源的には、連体助詞「の」と「身(み)」との複合によって成った語であろうと思われる。それは、助詞「のみ」は奈良時代に nömi の音を表わす万葉仮名で書かれており、「の身」の音と一致すること、また、「のみ」の用法から見て、「の身」つまり「それ自身」と解することが、助詞「のみ」の基本的な理解として適切だからである。つまり、「のみ」は、上に来る体言または体言相当の語について、それ以外の何ものでもないとして強調するのが古い用法である(**1**)。そこから「…だけ」と限定する用法が展開した。しかし、この「だけ」と限定する用法は、平安時代以後には「ばかり」にゆずって、「のみ」は次第に強調の意だけを表わすように用法が固定した。それは「御胸のみつとふたがりて」のような用法である。この「のみ」の用法は現代語では直訳できないもので、「…だけ」と訳しては誤りとなる(**2**)。「のみ」は起源的に「の身」と推定されることから分るように、古くは体言に密着していたので、格助詞の上に位置して「今のみのわざにはあらず」「名のみを告りて」「花のみに咲きて」のように、「のみの」「のみを」「のみに」と用いたが、平安時代になってはっきり副助詞となり、意味が強調だけに転じるにつれ、「人の心をのみ動かし」「内にのみさぶらひ給ふ」のように格助詞の下に位置するようになった。また、「のみ」の承ける語が、副詞・接続助詞などに拡大された。「のみ」は、漢文訓読体では、いわゆるク語法(「用語について」参照)を受けて、文を終止し感動を表わすことがある。これは後に「而已」「耳」で終る文の訓法として固定した(**3**)。また、後世、「…のみならず」の意を表わす用法も生れてきた(**4**)。

(**1**)「一年に七夕(なぬかのよ)**のみ**逢ふ人の」〈万二〇三二〉「たまかづら花**のみ**咲きて成らざるは誰が恋にあらめ」〈万一〇二〉「み吉野の水隈(みぐま)が菅を編まなくに刈り**のみ**刈りて乱りてむとや」〈万二八三七〉 (**2**)「玉かぎる岩垣淵の隠り**のみ**恋ひつつあるに」〈万二〇七〉「御手はいとをかしう**のみ**なりまさるものかな」〈源氏・賢木〉「何のひびきとも聞き入れ給はずいとあやしう目ざましき音なひと**のみ**聞き給ふ」〈源氏・夕顔〉 (**3**)「往の恩を報ぜむがために我れ今礼を致さく**のみ**」〈金光明最勝王経・平安初期点〉「大夫は唯征伐のたたかひし田種(なりはひ)をすらく**のみ**」〈大唐西域記四・長寛点〉「耳、ナラクノミ、マクノミ」〈名義抄〉「而已、ナラクノミ、マクノミ」〈名義抄〉 (**4**)「人の恩をかうむりて、その恩を報ぜん(報ゼヌ)**のみ**、かへって人に仇をなせば、天罰たちまち当るものなり」〈伊曾保物語・下〉

さへ　「添(そ)へ」の転と考えられる。万葉集で「共」「幷」「兼」「副」を「さへ」と読ませているのは、原義を示すものであろう(**1**)。体言・副詞などを承け、格助詞の上にも下にも位置する。「その上…まで」と現在ある作用・状態の程度が加わったり、範囲が広まったりする意を表わす(**2**)。

この助詞は、後には、単に添加・累加の意から、期待以上、予想の限度以上「…までも…である」の意となり(**3**)、さらに進んで、期待外、期待はずれという話し手の気持を表現するのに使う(**4**)。また、仮定条件を表わす文中に用いて、そのことだけで条件が満たされる意を表わす(**5**)。

(**1**)「今日のこさめに吾共(さへ)ぬれな」〈万一〇九〇〉「手にとれば袖幷(さへ)にほふ」〈万二一一五〉「袖兼(さへ)ひちてせむすべもなし」〈万二九五三〉「六月の地副(さへ)さけて」〈万一九九五〉 (**2**)「橘は実**さへ**花**さへ**その葉**さへ**枝に霜降れどいや常葉の樹」〈万一〇〇九〉「一昨日も昨日も今日も見つれども明日**さへ**見まく欲しき君かも」〈万一〇一四〉「三諸の神名火山ゆとの曇り雨は降り来ぬ雨霧(ぎ)らひ風**さへ**吹きぬ」〈万三二六八〉 (**3**)「池上に影**さへ**見えて咲き匂ふ馬酔木の花を袖に扱入(こき)れな」〈万四五一二〉「をしめども春の限りのけふのまた夕暮に**さへ**なりにけるかな」〈後撰一四一〉「まさしい太政法皇の王子をうち奉るだにあるに、凡人に**さへ**なし奉るぞあさましき」〈平家四・通乗沙汰〉 (**4**)「月夜よみ門に出でたち足占してゆく時**さへ**や妹に逢はざらむ」〈万三〇〇六〉「黄金を使ひもせず、家に**さへ**置かいで、山野の土の中に埋むることは石と同じことではないか」〈天草本伊曾保〉 (**5**)「若宮を見奉り給ふにも何にしのぶのといとど露けけれど、かかる形見**さへ**なからま

しかばとおぼし慰む」〈源氏・葵〉「咽(のど)に指を**さへ**入れずは苦しかるまじい」〈天草本伊會保〉

など　平安時代に生じた語で、「なにと」の約(nanito→nanto→nando→nado)である。「鹿児の崎といふところに、守(かみ)のはらから、また他(こと)人、これかれ酒なにと持て追ひきて」〈土佐・十二月二十七日〉のような「なにと」がもとの形である。このことからわかるように、「など」は複数を示すものではなくて、「大体のところ…である」の意である。また、「一例をあげれば」と訳してあたることが多い。例として示すのであるから、これと明確に限定するものではなく、人の言葉や物事を、ややぼんやりと示すにも使う。

「くさぐさのうるはしきかひ、石**など**多かり」〈土佐・二月四日〉「歌うたひ興じ**など**もせず」〈枕四九〉「雨**など**降りてしめやかなる夜…」〈源氏・手習〉「食物ありければ、傍なりける下種(げす)**など**いできて」〈古本説話五八〉

だに　副助詞として扱うが、係助詞に入れるべきであるという意見が有力である。

奈良時代には、「だに」のかかる用言の文節のほとんどすべてが「道だに知らず」「夕だに君が来まさざるらむ」「声だに聞かば」「今だにも妹がり行かな」「雲だにも心あらなも」「汝だに来鳴け」のように、否定・推量・仮定・意志・願望・命令で終っていて、順直な肯定の終止がない。つまり、「だに」のかかる用言の文節の終止の仕方は不確定な表現に限られていた。このように、用言の〔乙〕の部分(一四八六頁参照)に関係するという事実は、係助詞において見られるものであるから、「だに」は係助詞の役割を果しているると見るのである。また、「だに」は常に格助詞の下に来て、上に来ることはないことも、これを係助詞と見る見方の一つの材料となっている。

「だに」の意味は「…だけでも」の意で、否定の語と呼応する場合は「せめて…だけでもと願う、それも…ない」の意であり(**1**)、仮定条件と呼応する場合は、「ゆずりにゆずってせめて…だけでも…ならば」の意である(**2**)。しかし、奈良時代の例でも、右の解釈に収まらないものがある。それは、「…だけでも」と対象を取り上げていう所から、転じて「…までも」の意になるものである(**3**)。こうした「だに」の用法は、平安時代になると増加して、「かかることだにあり」などの例が多くなり、「こんなことまである」「こんなことすらある」の意である。こういう場合は、今日では、「…すら」と訳す方がよいことが多い(**4**)。

(**1**)「しらぬひ筑紫の国に泣く子なす慕ひ来まして息**だに**もいまだ休めず」〈万七九四〉「三輪山をしかも隠すか雲**だに**も情あらなも隠さふべしや」〈万一八〉「言清くいたくもな言ひそ一日**だに**君いし無くはたへがたきかも」〈万五三七〉　(**2**)「渡り守舟も設けず、橋**だに**も渡してあらばその上ゆもい行きわたらし」〈万四一二五〉　(**3**)「朝井堤(ゐで)に来鳴くかほ鳥汝**だに**も君に恋ふれや時終へず鳴く」〈万一八二三〉「馬来田(うまくだ)の嶺(ね)ろに隠り居かく**だに**も国の遠かば汝が目欲りせむ」〈万三三八三〉　(**4**)「恋しくは日長きものを今**だに**も乏しむべしや逢ふべき夜**だに**」〈万二〇一七〉「女御と**だに**いはせずなりぬるが飽かずくちをしうおぼさるれば、今一きざみの位をだにとおくらせ給ふなりけり」〈源氏・桐壺〉「よそにみやり奉りつる**だに**はづかしかりつるに」〈枕一八四〉

すら　体言または体言相当の語を承けて、その承ける語から当然予想される事態に相違する事態が下に起ることを示す。奈良時代には格助詞の上に位置したが、平安時代には格助詞の下に位置した。「巌すら行き通るべき大夫も」〈万二三八六〉とあれば、「巌」によって当然予想される事態は、それを通りぬけるなどは不可能ということである。しかるに、それをつきぬけて行くことができそうな男子というのがその意味である。「よき人の正目に見けむ〔仏ノ〕御跡すらを、我はえ見ずて石に彫りつく」〈仏足石歌〉とあれば、「諸々の菩薩が聞いた尊い釈迦の説法どころか、その人たちが直接に見たというその御足跡(くらいは見ただろうと思われるが)、それも私は見ることができず、今、その御足跡を石にほりつける」の意である。

これは「…でさえも」(**1**)の訳が現代語としてはあてられる語で、古くは「だに」「さへ」がこれに極めて近い用法をもつ。「すら」は奈良時代にはかなりの例があるが、平安時代以後は、「だに」「さへ」が多く使われて「すら」は例が極めて少ない。平安時代以後「そら」の形でも用いられた(**2**)。

(**1**)「かくしつつ遊び飲みこそ草木**すら**春は生ひつつ秋は散りゆく」〈万九九五〉「たらちねの母が園なる桑**すら**に願へば衣に着すとふものを」〈万一三五七〉「是の如き菩薩**すら**各無量無辺の劫数を経て、然て後に方二菩提の記をば受くること得べし」〈金光明最勝王経・平安初期点〉　(**2**)「いろいろの病をして行く方**そら**も覚えず」〈竹取〉「不生不滅の仏**そら**、猶愛別離苦・无去无来を離れ給はず」〈栄花・鶴の林〉「逆罪を犯せる者**そら**仏を念じ奉りて利益を蒙ること」〈今昔一ノ三八〉

し　奈良時代から平安時代にかけて使われた助詞で、鎌倉時代には固定した用法しか見えない。従来この助詞は強めを表わすとか強意の助詞とか言われている。本文では一応その解釈に従ったが、それには疑問がある。強めと言っても奈良時代の例を見ると、この助詞は係助詞「そ」のような、人に教示してやるという強めでも、「こそ」のような、逆接を予想する強調も示すものでもない。また「は」のような確信にささえられて他を排除する表現でもない。

「し」の実例を見ると、下に否定や推量、あるいは「ば」による順接の条件句を形成するものが圧倒的に多く、下を「む」「らむ」「らし」「まし」「けむ」「けらし」「べし」などの助動詞で結ぶものが目立つ(**1**)。他方、それらに対立する「たり」「なり」「つ」などの、確実な肯定的断定で結ぶ文末はほとんどない。助詞「ば」を伴って、「…し…ば」の形をとるものは、奈良時代に「し」の用例の半数、平安時代の源氏物語や枕草子では、例のほとんどすべてを占めている(**2**)。これによれば、「し」は確定的・積極的な肯定的判断を強調する語ではない。むしろ基本的には、不確実・不明であるとする話し手の判断を表明する語と考えられる。従って、話し手の遠慮・卑下・謙退の気持を表わすところがあり、話し手が判断をきめつけずに、ゆるくやわらげて、婉曲に控え目に述べる態度を表明する語と思われる。これは係助詞「こそ」が題目を積極的に提示し、その結果としてその文の末で逆接条件句を形成するのと、ちょうど裏の役目を荷うといえる。

「し」は、しばしば文末に「恨めし」「惜し」「くやし」「かなし」など話し手の感情を表わす語を伴う文の中に用いられるが(**3**)、それも、その感情を強く積極的に表明するよりも、むしろ退いて控えて感情を表白する場合に用いられるものと見るべきである。また、文末に、「大和し思ほゆ」「家し偲はゆ」など、自発の意を表わす助動詞「ゆ」を含む語の用いられることが多いが(**4**)、この場合も、「自然に思われてくる」「自然に偲ばれる」の意で、話し手の気持を自然な流れとして表現するもので、話し手の積極的・作為的な主張を提示するものではない。従って「し」の現代語訳としては「もしや…でも」「…など」の語が考えられるが、自発の助動詞「ゆ」と呼応するものなどには、現代語に適切な訳語が見当らない。現代にはこのようなやわらかな表現法が存在しないからである。

「し」は不確実・不確定の意を表わす点で係助詞「も」と根本的に共通な点がある。しかし「も」は不確実ながら、その対象や判断に執着して捨て切れずにいる趣きがある。それに対して、「し」にはそのような粘着する気持はなく、むしろ不確実ゆえに、その対象を指すだけで不確実のまま打ち置いている趣きがある。これは「し」が「こそ」と対立的な位置を占める助詞であることを示す。「し」はまた「誰しの人」のように、疑問詞を承ける点でも「こそ」と対立する。これらを考え合わせると「し」は機能の上ではむしろ係助詞の役目を果したと見るべきである。しかし、係助詞という一類は、かかって行く用言の活用形との関係で把握されたので、「し」のように、活用形と関係していないものは、係助詞と認定されていない。また、「し」は体言につくものが元来の形であったと覚しく、「し」の下に係助詞「か」「も」をつけて、「しか」「しも」の形をとり、「いっしか」「なにしか」などの副詞を作るほか、助詞「しも」を形成する。また、下に「の」「が」の格助詞を伴って、「誰しの人」「一文字だに知らぬ者しが…遊ぶ」などの形もとるが、「し」は不確定の意を持つ「誰」についてその不定であることを示し、「知らぬ者しが」においては、その者を不明扱いすることによって、見下げる気持を表わしている(**5**)。

(**1**)「吾が命**し**(モシ)真幸(まさき)くあらばまたも見む志賀の大津に寄する白浪」〈万二八八〉「わが岡の龗(おかみ)に言ひて降らしめし雪のくだけ**し**(破片デモ)そこに散りけむ」〈万一〇四〉「信濃なる千曲の川の細石(さざれいし)も君**し**踏みてば玉と拾はむ」〈万三四〇〇〉「おのれ**し**(ナド)酒をくらひつれば、はやくいなんとて」〈土佐・十二月二十七日〉 (**2**)「わが背子は物な思ほし事**し**あらば(事件デモアッタラ)火にも水にも吾無けなくに」〈万五〇六〉「風をだに恋ふるは羨(とも)し風をだに来むと**し**(来ルダロウナドト)待たば何か嘆かむ」〈万四八九〉「うらうらに照れる春日に雲雀あがり情(こころ)悲しも独り**し**おもへば」〈万四二九二〉 (**3**)「朝には海辺に漁(あさ)りし夕されば倭へ越ゆる雁**し**羨(とも)しも」〈万九五四〉「秋山の木の葉を見ては…青きをば置きてそ嘆くそこ**し**(ソノ点ナドガ)恨めし秋山我は」〈万一六〉 (**4**)「葦辺行く鴨の羽がひに霜降りて寒き夕べは大和**し**(大和ナドガ)思ほゆ」〈万六四〉「白栲の袖別るべき日を近み心にむせひねのみ**し**泣かゆ」〈万六四五〉 (**5**)「古への狭織の帯を結び垂れ誰**しの**人も君には益さじ」〈万二六二八〉「一文字をだに知らぬ者**しが**足は十文字に踏みてぞ遊ぶ」〈土佐・十二月二十四日〉

しも　副助詞「し」と係助詞「も」との複合によって成った語で、奈良時代には「し」と並んで行なわれたが、平安時代になると「し」を圧倒し、数の上では「しも」の方がはるかに多くの例を持つ。はじめ体言を承けて、それが不確実であることを示す役目を負っていたが、やがて形容詞連用形、助詞「に」「て」なども承けるように用法を拡げた。不確実の意から、卑下・謙退・譲歩の気持を表わした(**1**)。これらは下文が推量で終るものが多い。

「しも」の承ける語は助動詞「ず」「む」、助詞「を」「は」「ば」「と」などに広まり、平安時代に入ると、次第に単純な強調を表わすと見られるものも現われた(**2**)。

(**1**)「大船に梶**しも**(梶デモ)あらなむ君無しに潜(かづ)きせめやも波立たずとも」〈万一二五四〉「絶えず行く明日香の川のよどめらば故**しも**(ワケデモ)あるごと人の見まくに」〈万一三七九〉「白き紙に捨て書い給へる**しも**ぞ、中中をかしげなる」〈源氏・末摘花〉「わが屋戸の秋萩の上に置く露のいちしろく**しも**(ハッキリトナド)我恋ひめやも」〈万一二五五〉「木綿(ゆふ)たたみ田上山のさなかづら(ノヨウニ)ありさりて**しも**(長イ先ノコトデモヨイ)今ならずとも」〈万三〇七〇〉「忘れ貝拾ひ**しも**(ヒロイナドモ)せじ白珠を恋ふるをだにも形見と思はむ」〈土佐・二月四日〉 (**2**)「今日**しも**端(はし)におはしましけるかな」〈源氏・若紫〉「宿世の引く方侍めれば、をのこ**しも**なむ子細無きものは侍める」〈源氏・帚木〉「かならず**しも**あるまじきわざなり」〈土佐・二月十六日〉

づつ　平安時代になってから文献に見える語で、女流文学系の文章に見出される。もともと「一つ」「二つ」などと数える接尾語の「つ」を重ねたものらしく、分量を示す語の下について、等量に割って、順次進んで行く場合に用いる。

「お前なる人々、一人二人**づつ**失せて」〈枕三一三〉「(手紙ヲ)片端**づつ**見るに」〈源氏・帚木〉

第一類の二の3　係助詞――文中にあって体言と用言とを関係づける

は　も　こそ　なむ(なも)　ぞ(そ)　や　やも・やは　か　かも

〔係助詞とは〕　係助詞は、格助詞・副助詞と同じく、下に来る用言にかかるものである。格助詞は体言と用言〔甲〕の部分(一四八六頁参照)の事実の資格の関係、つまり主格・目的格・補格などを確実に限定する。副助詞は用言〔甲〕の部分についての分量・程度・状態を修飾限定する。この二つに対して、係助詞は、文の構成法にかかわり、かつ用言〔乙〕の部分にかかって、文の終止の種々の変化と呼応する。

〔係り結び〕　普通、係助詞は、係り結びを形成するとされ、連体形終止・已然形終止が問題にされる。しかし、「は」「も」が終止形終止を要求することもまた係り結びで、これらの総体が係り結びである。

「は」「も」の場合は、それのかかる文末には、「道は荒れにけり」「夜も更けにけり」のように普通の終止形を要求する。「ぞ(そ)」「か」「や」「なむ」の場合は、「夜ぞ更けにける」「月か経(こ)ぬる」「吾や悲しき」「夜さりなむ渡りぬる」のように文末に連体形を要求する。「こそ」の場合は「人こそ知らね」と已然形を要求する。そしてこれらの係助詞は、主格の下、修飾格の下、目的格の下のどれにでもつく。すなわち、係助詞は、格助詞が決定したような事実の資格関係には何もかかわりがない。その点では、副助詞と同様である。しかし、副助詞が用言の〔甲〕の部分に関係して、その分量・程度などを修飾限定したのに対して、係助詞は、「夜は更けにけり」「夜ぞ更けにける」の二つの表現に見るように、「更けた」という点ではその度合・程度について、何の相違もない。つまり、係助詞の相違によって、用言の〔甲〕の部分は何の影響もうけない。しかし「夜は」と「夜ぞ」との相違によって、終止の仕方には、「更けにけり」と「更けにける」との相違が生じてくる。つまり、「夜は」は普通の終止をとるに対して、「夜ぞ」は連体形終止を要求している。これは「ぞ」だけでなく、「か」「や」「なむ」に共通に見られることで、これらの係助詞のかかる活用語は、連体形で結ぶ。すなわち、係助詞は、用言の終止の仕方、つまり、用言〔乙〕の部分に大きな影響を与えるものである。また、「こそ」の係りがあれば、用言は已然形で結ぶ。

従来この係り結びの現象は、古典日本語における特殊な現象として、その結びの活用形との呼応が注目されて来た。しかし、日本語の文法的構造を考える場合に、単に、係り結びの結びの活用形の変化だけに注目するのでは、係助詞の役割の重要な一面を看過することになる。これらの係助詞には、何にかかるかだけではなくて、何を承けるかについて、重要な事実がある。

従来明確に認識されずに来たことであるが、係助詞は、疑問詞を承けるものと、疑問詞を承けないものとの二つに区分される。今、その例として、疑問詞「いつ」「いづく」「誰」と、係助詞とが、文中で占める位置を示せば次の通りである。

会ひ見しひとは**いつ**か忘れむ　〈拾遺抄五九〇〉
会はむ夜は**いつ**もあらむを　〈万七三〇〉
いつぞ今かと待つなべに　〈万一五三五〉
いつか越えいなむ　〈万三七三三〉
梅の花散らくは**いづく**　〈万八二三〉
ここにして筑紫や**いづく**　〈万五七四〉
いづくも同じ秋の夕暮　〈後拾遺三三三〉
いづくぞ真朱(まそ)掘る丘　〈万三八四三〉
いづくか寄せむ　〈万四八〇〉
会はむといふは**誰**なるか　〈万二九一六〉
吾を問ふ人や**誰**　〈万三二四〇〉
誰も遅れぬ世なれども　〈後撰一四一九〉
誰ぞこの屋の戸押そぶる　〈万三四六〇〉
誰か浮べし　〈万八四〇〉

これによれば、疑問詞は、「は」と「や」についてはそれぞれの下に来る。「も」「ぞ」「か」については疑問詞は、それぞれの上に来る。これは文法の上から重視すべき事実で、「は」「や」と「も」「ぞ」「か」とが、基本的に異なる性格を持つ証拠である。このことを考慮に加えて係助詞を分類し、その機能を見れば、それぞれの最も古い根本的性格は次表のようにまとめられる。(「し」については副助詞で扱っている。)

疑問詞を承けない		疑問詞を承ける	
は	確定的題目の提示	も	不確定的題目の提示
こそ	逆接を導く強調的提示	(し)	順接を導く強調的提示
なむ	既存の確信の披露	ぞ	新見の披露・教示
や	見込み・予断の提示	か	不明・不審であることの表明

つまり係助詞の本質は、文の構成法にかかわることである。文の構成法とは、判断文・描写文・疑問文・問いかけ文などを作る場合の基本的類型を指す。つまり、「は」「こそ」「なむ」「や」の一群と、「も」「ぞ」「か」の一群とは、文構成法の上で全く異なる役割を荷なうのである。

係助詞のうち、「は」「も」「こそ」は本来、題目を提示してその説明を下に求める役目をするものであるのに対し、「なむ」「ぞ」「や」「か」は、終助詞として使うのが本来の役目であったらしく、「なむ」は内心の確信を披露するもの、「ぞ」は新発見・新認識として表明し相手に教えるもの、「や」は見込みを提示して相手の反応を見るもの、「か」は不明・不審であることを示すものという役割分担が最古の形式であったものと思われる。

ところが、この「なむ」「ぞ」「や」「か」は文末に置かれたところから転じて、倒置によって文中に進出した。その結果、文末は連体形で終ることになったものと推定される（詳細は、各係助詞の項参照）。およそこうした全体的な見通しの上で、これらの助詞の用法をやや精しく見ることとしよう。

係助詞は文の性質を決定するが、文中に係り助詞として位置をとると共に、文末に位置をとると終助詞として働くことによって、その文が、断定・疑問・質問などを表わすことを表明する。つまり、係助詞は終助詞とは密接な関係がある。むしろ係助詞と終助詞に共通なものは起源的に同一のものと考えられる。そこで、ここには係助詞と終助詞とを併せて説くことにする。

は　疑問詞を承けない係助詞の一つ。

「は」は、提題の助詞と言われている。その承ける語を話題として提示し、また話の場を設定して下にそれについての解答・解決・説明を求める役割をする。主格に使われることが多いので、主格の助詞とする説もあるが、「は」は格には何の関係もなくて、主格にも目的格にも補格にも用いる。普通は、下は終止形で文を結ぶが、下に来る文は解答・解決・説明でありさえすれば、完全な文であることを必要としない。時には体言で終止することもある。「は」は、並立させて使うことによって、その二項を対比し、比較して叙述することを示す場合がある。

「大和**は**国のまほろば」（主格）〈記歌謡三〇〉「吾が背子**は**仮廬作らす」（主格）〈万一一〉「国原**は**煙立ち立つ、海原**は**かまめ立ち立つ」（補格）〈万二〉「わが欲りし野島**は**見せつ」（目的格）〈万一二〉「秋の野に宿り**は**すべしをみなへし名をむつまじみ旅ならなくに」（目的格）〈古今二二八〉「をとこ君**は**とく起き給ひて女君**は**さらに起き給はぬ朝あり」（主格）〈源氏・葵〉

「は」は、その承ける語を肯定し確信して提示し、下に肯定にせよ否定にせよ、明確な解決を求める役目をする。「は」は提題を明示するだけでなく、文末の解決をも確実なものとして取り立てて示す働きがある。また「は」は、一つの条件の提示となることがある（**1**）。

まれに「誰」「何」などの疑問詞を承けることがあるが、その場合を詳しく見ると、単純な疑問を示すものではなく、単に不定の時点を示すものである。

「いつ**は**しも恋ひぬ時とはあらねども」〈万二八七七〉

「みちのくはいづく**は**あれど塩釜の浦こぐ舟のつなで悲しも」〈古今一〇八八〉

はじめの例において、「いつ」は疑問の時を意味するものではなく、「特定の時」の意である。また次の古今集の歌は、「陸奥は何処（が一番美しいか）は別として、塩釜の浦こぐ舟の綱手はしみじみと心を打つ」の意で、「みちのくはいづく」全体を、その下の「は」が承けるものと考えられる（「あれど」は「別として」の意を表わすものである）（**2**）。「は」は、すでに明確である物や事を承けるという性質を持つのが原則で、不明なもの、疑問詞などは承けないのである。

係助詞「は」は、題目を提示して、文末での解決を求める機能を持っている。これが終助詞として文末に使われる場合は、奈良時代では「はも」の形をとり、あるいは「かは」「やは」などもあった。平安時代になると、「は」が単独で終助詞に使われるようになった。これは、はじめ「…であることは〔ドウシタコトカ〕」という、問責や質問の気持をこめ、相手の解答を期待する表現であったが、次第に、単純な驚き・詠嘆を表わすようになった。これが現代語で女性が「…だわ」と使う終助詞のもとである（**3**）。

（**1**）「恋ひ死なむ後**は**何せむ生ける日のためこそ妹を見まくほりすれ」〈万五六〇〉「青柳梅との花を折りかざし飲みての後**は**散りぬともよし」〈万八二一〉（**2**）「梅の花いつ**は**折らじといとはねど咲きの盛りは惜しきものなり」〈万三九〇四〉「むつ事もまだつきなくに明けぬめりいづら**は**秋のながしてふよは」〈古今一〇一五〉（**3**）「『中将のこわづくりにぞあなる、夜はまだ深からむ**は**』とて起き給ふなり」〈源氏・若菜上〉「事もなき宮仕へ人〔ノ女〕などをかたらひて、ただにもあらずなりにたる〔妊娠ノ〕ありさまなどを、『きよう（サッパリ）知らで』などもあめる**は**」〈枕（能因本）・はづかしき物〉「やまひづきて七日といふにうせたまひにし**は**」〈大鏡・為光〉

も　疑問詞を承ける係助詞の一つ。その文末は、終止形をとる。

「も」は、承ける語を不確実なものとして提示し、下にそれについての説明・叙述を導く役目をする。これも格に関係なく、主格にも目的格にも補格にも用いる。承ける語を不確実なものとして提示するばかりでなく、下文も、打消・推量・願望などの不確定な表現で終るものが多い（**1**）。

「も」は承ける語を不確実なものとして扱うので、否定の形となる時には、全面的な否定となる。「秋山に落つる黄葉（もみちば）しましくはな散りまがひそ妹があたり見む」〈万一三七〉、「しましくは家に帰りて父母に事をも告（の）らひ」〈万一七四〇〉といえば、「しましく」という語の「しばらくの間」ということを肯定し、「しばらくの間」だけでも確実に信じている気持である。しかし、「常かくし恋ふれば苦ししましくも心安めむ事計りせよ」〈万二九〇八〉とあれば、その「しばらくの間」が存在しうるのか否かを信じ得ない心持であり、「しましくも止む時もなく見てむとぞ思ふ」〈万二九二二〉とあれば、「しばらく止む」ということまで「無く」と否定している気持をいう。

このように、或ることを確実であると確信できない意味を表わす「も」の用法から、「これもあれも」と不確実なものを二つ並べる気持を表わし、「も」は並立の意味を表わしたり、類例を暗示したりするのにも用いられた(**2**)。

終助詞としては、主に奈良時代に例があって、形容詞終止形を承けるものが極めて多い。動詞終止形、あるいは否定形を承けることもあるが、これらの「も」は、用言の叙述を言い放たずに、不確定の意を添えてその表現をやわらげるものと思われる(**3**)。平安時代以後、文末にはあまり使われなくなった。

(**1**)「衣の袖は乾る時**もなし**」(主格)〈万一五九〉「龍の馬**も**今も得**てしか**ぁをによし奈良の都に行きて来**む**ため」(目的格)〈万八〇六〉「悪しけく**も**良けく**も**見**む**と大船の思ひたのむに」(補格)〈万九〇四〉 (**2**)「しろかね**も**金**も**珠**も**なにせむにまされる宝子にしかめやも」〈万八〇三〉「君が行き日長くなりぬ奈良路なる島の木立**も**神さびにけり」〈万八六七〉「人なみに我**も**作るを」〈万八九二〉 (**3**)「難波潟潮干なありそね沈みにし妹がすがたを見まく苦し**も**」〈万二二九〉「佐保山をおぼに見しかど今見れば山なつかし**も**風吹くなゆめ」〈万一三三三〉「梅の花散らまく惜しみわが園の竹の林にうぐひす鳴く**も**」〈万八二四〉「葦辺より雲居をさして行く雁のいや遠ざかる我が身悲し**も**」〈古今八一九〉

「も」mö は推量の助動詞「む」mu と子音 m を共有している。mö が不確定なこととして提示するのに対して、mu も不確実なことについての推量判断を表わすので、両者は m 音を共有する点で意味上も起源的な関係を持つものと推測することができる。なお、「も」が否定・願望・推測などを表わす名詞を承ける場合と、並立・肯定の対象を承ける場合の比率を見れば次の通りで用法の時代的変化を見ることができよう。

	否定・願望推測など	並立・肯定
万葉集	71%	29%
古今集	62	38
土佐日記	59	41
源氏物語	53	47
沙石集	53	47
平家物語(覚一本)	36	64

こそ　疑問詞を承けない係助詞の一つ。

「こそ」の係り結びは、「なむ」「ぞ」「や」「か」における連体形終止の倒置法による強調表現とはその発達の道筋を異にしている。

「こそ」と已然形との呼応の形式を発生的に理解するためには、まず、已然形という活用形が、最も古くは、「こそ」なしに已然形自身で条件句を成立させることのできる活用形であったことを知る要がある。

「妹が袖さやにも見えず…惜しけども隠ろひ来れば、天つたふ入日さし**ぬれ**、丈夫(ますをら)と思へる我もしきたへの衣の袖は通りてぬれぬ」〈万一三五〉
「家さかりいます吾妹をとどめかね山隠し**つれ**、心どもなし」〈万四七一〉
「大船を荒海(あるみ)に漕ぎ出や船**たけ**、吾が見し子らが眼見(まみ)はしるしも」〈万三六六〉

右の例の、「さしぬれ」「隠しつれ」「たけ」などの已然形は、それだけで条件句を形成していた。「入日さしぬれ」とは「入日がさしたので」、「山隠しつれ」とは「山に隠してしまったので」、「や船たけ」とは「いよいよ船を漕ぐけれど」の意であった。このように、已然形はそれだけで「…したので」という順接の条件句も、「…したけれども」という逆接の条件句も示し得た語法であった。そうした已然形の語法がある所に、上に「こそ」を投入すると次のような表現が成立した。

「大君の辺に**こそ**死なめ〔ド〕かへり見はせじと言(こ)立て」〈万四〇九四〉
「川添ひの丘辺の道ゆ昨日**こそ**吾が越え来**しか**〔ド〕一夜のみ寝たりしからに(ダケデ)峰の上の桜の花は滝の瀬ゆ落ちて流る」〈万一七五一〉

順直な表現ならば「大君の辺に死なむ」「丘辺の道を昨日越え来ぬ」とする表現において、上に強調の「こそ」が投入されると「大君の辺にこそ死ぬだろう」「昨日こそ越えた」となる。例えば、「部屋に入った。何もとらなかった」という表現に「は」を投入すると「部屋に入りはした(が)、何もとらなかった」となる。同様に、ここに「こそ」を投入すると「部屋に入りこそしたが、何もとらなかった」となる。それと同じく、この「こそ」の投入は「大君の辺にこそ死ぬだろうが、故郷を顧みたりはしない」「たった昨日山を越えたばかりなのに(一夜寝ただけで)今日は桜が散って流れている」という意味になる。

つまり「こそ」の投入は、「こそ」と已然形との協同によって逆接の既定条件句を成立させた。これが「こそ」の係り結びの最も古い用法で、万葉集の「こそ」のほとんどすべてはこの逆接の用法である。そこからやがて種々の用法が発展した。

「ひさかたの天つみ空に照る月の失せな**む**日**こそ**吾が恋やま**め**」〈万三〇〇四〉
「後瀬山のちも逢はむと思へ**こそ**死ぬべきものを今日までも生け**れ**」〈万七三九〉

はじめの例では、「照る月が失せるような日にこそ私の恋は止むだろうが」の意で、その下に「照る月が失せる日などはないのだから私の恋は止む時はない」の意をこめている。また、「後に逢いたいと思えばこそ今日まで生きているのに」と相手を責める気持をこめる用法も生じて来た。

「昨日**こそ**年ははて**しか**春霞春日の山にはや立ちにけり」〈万一八四三〉

では、「昨日年が暮れたばかりなのにもはや春霞が立った」の意である。

こうした中間的な用法を経て、「こそ…已然形」が逆接の条件句を形成することが忘れられ、単純な強調を意味する次のような形が現われた。

「此の山のいやつぎつぎに斯(か)くし**こそ**仕へまつら**め**いや遠永に」〈万四〇九八〉

「梅**こそ**ただ今はさかり**なれ**」〈枕二八〉

これらの例では、もはや逆接の条件句ということは忘れられ、「こそ」は単純な強調の辞として投入され、已然形も、普通の終止法の一変形と見なされている。この用法は奈良時代には極めて少ないが、古今集では「こそ…已然形」の係り結びの約四割に達し、枕草子では、「こそ」の係り結びの大部分が単純な強調である。しかし、源氏物語では、「こそ…已然形」の係り結びによって、文末が単純に切れず、「…のに」「…だけれど」などの意で下に続くものがかなり多い。この語法の多用によって、源氏物語の文体は、綿々と下につづくことを表わし、やや古風な、しかも粘着性のある文体を形成している。「こそ」の係り結びは鎌倉時代になると、単純な強調のように意識されることが多くなり、平家物語などでは、単純強調の用法が圧倒的多数を占めている。徒然草でも「こそ」の下の已然形が逆接の条件句を示すのは、約五パーセントにすぎない。

なむ(なも) 疑問詞を承けない係助詞の一つ。

「なむ」は奈良時代には「なも」の形で使われた。多く宣命に例があり、歌にはほとんど用いない。それは「なも」が会話体においてすでに持っている内心の確信・信念を丁寧に強調して表わす語であるために、歌の中には用いなかったからであると思われる。

「明き浄き心を以ちて仕へ奉る事によりて**なも**天つ日嗣は平らけく安くきこしめし**来る**」〈続紀宣命一三〉

「[鹿ノ]異にして奇(あや)しく麗はしく白き形を**なも**見**喜ぶる**」〈続紀宣命四六〉

右は、「平らけく安くきこしめし来る[ハ]明き浄き心を以ちて仕へ奉る事によりてなも」が順直な表現であり、「見喜ぶる[ハ]…麗はしく白き形をなも」が普通の形だったと思われる。これらの「なも」が平安時代に入ると「なむ」の形に転じた。「なも」「なむ」は、自分が考えたこと、また伝聞したことによって、すでにその通りと確信を持っているということを表わす。従って宣命では「思ふ」「聞こしめす」などという動詞と一緒に使われることが非常に多く、平安時代になると、伝聞を表わす助動詞「けり」と共に使われることが非常に多い。今昔物語で、話の最後に「…トナム語リ伝ヘタルトヤ」とあること、また「なん…ける」と呼応するものが圧倒的に多いことなどは、右の事情による。

「なむ」は従来、文末に来た場合も係助詞として説かれているが、その場合は終助詞とみる方がよい。普通は会話に使われる。源氏物語などでは、文末の「なむ」は、ほとんど「侍り」に置きかえることが出来ると言っても差支えない。つまり、「なむ」は相手を鄭重に待遇する、しかし自分自身は確信を持っている意をこめた判断辞である。その意味は、「自分は心の内で…と確かに思っている」ということを表明することである。

「なむ」は平安女流文学に多く用いられたが、鎌倉時代の軍記物などには見えなくなる。漢字ばかりで書く記録体には、もともとこの「なむ」はほとんど使われなかったようで、その文体を引きついだ軍記物では、「なむ」の表わしていたやわらかな丁寧な表現は不適当だったものと思われる。

「ゆゆしき身に侍ればかくておはしますもいまいましうかたじけなく**なむ**」〈源氏・桐壺〉「いま四五年をすぐしてこそはともかくもとのたまへば、さ**なむ**とおなじさまにのみあるを」〈源氏・若紫〉「院にもかかること**なむ**と聞こしめして」〈源氏・葵〉「あやしくよそへ聞えつべき心地**なむ**する」〈源氏・桐壺〉「これ**なむ**え保つまじくたのもしげなき方なり**ける**」〈源氏・帚木〉

ぞ(そ) 疑問詞を承ける係助詞の一つ。

この語は古くは清音であった。それは次の事情によって推定される。

一般に助詞には、清音の語から転じて語頭が濁音化するものがある。例えば「はかり」から「ばかり」、「たけ」から「だけ」が生じた如くである。「そ」もそれと同じくはじめ清音で次第に濁音「ぞ」に移ったものと思われる。古事記や日本書紀には「そ」の万葉仮名として清音「そ」の仮名「曾」などを用いるものが多く、少数ながら濁音仮名の「叙(ぞ)」「茹(ぞ)」を用いる例が見える。平安初期の行基の作と伝える「百石讃歎(ももさかさんだん)」には、「今日ソ我ガスル」とあって、ソの右肩に清む記号のつけてある古写本がある。また、院政・鎌倉期の古辞書の一つである類聚名義抄には、「何、イカニソ」(高山寺本)、「害、ナズレソ」(観智院本)などソの仮名に清点をつけたものがある。ナズレソはナンスレソ(何すれそ)の転である。そして、室町時代の日葡辞書には「Taso(誰そ)」、「Tasocaredoqi(誰そ彼時＝夕昏)」とある。これは、古い時代の「そ」が清音であった名残りかと思われる。これらによれば奈良時代にはすでに濁音化への傾向があったもので、平安時代にはおそらく普通には濁音「ぞ」となっていたのであろう。

この「ぞ」は、強く指示・指定する意を表わし(**1**)、上位の者が下位の者に強く指示するのにも使われた(**2**)。それは教示の意味になるので、漢文の講釈などでは、室町時代までこの「ぞ」が使われていた(**3**)。

また「ぞ」は、次のようにも使われた。

「うまし国**そ**。あきづ島大和の国は」〈万二〉

「相ひ飲まむ酒(き)**そ**。此の豊御酒(みき)は」〈万九七三〉

これは、普通の表現ならば「あきづ島大和の国は、うまし国そ(国デアル)」「此の豊御酒は相ひ飲まむ酒そ(酒デアル)」となる。それを強調表現にするために、右のように倒置した。ここに、「ぞ」の係り結びの起源がある。これは次のような用法に発展した。

「よそのみに君を相見て今**そくやしき**」〈万三〇〇一〉

「玉梓の君が使を待ちし夜のなごり**そ**今もいねぬ夜の**多き**」〈万二九四五〉

これも「くやしき今そ」を強調のために倒置した表現で、連体形終止の係り結びは、起源的に倒置表現であるからこそ、終結部が体言相当の連体形をとるのである。従って、係助詞の「ぞ」は、新知識・新情報として断定的に強調する意を示すものといえる。

(**1**)「ええしやごしやこはいのごふ**そ**、ああしやごしやこは嘲笑ふ**そ**」〈記歌謡九〉 (**2**)「石麿に我物申す夏痩せによしと言ふもの**そ**むなぎ取り召せ」〈万三八五三〉「剣大刀いよよ研ぐべし古へゆさやけく負ひて来にしその名**そ**」〈万四四六七〉 (**3**)「わたくしは文の方も武芸の方も、どちもかねて不足もない者でさうらうと云た**ぞ**」〈玉塵抄一〉「良い**ぞ**(yoizo)」「なん時**ぞ**(nandoqizo)」〈日葡〉

や　疑問詞を承けない係助詞の一つ。

最も古くは感動詞として、掛け声に用いられたこともある(**1**)。それが、歌謡の中でも使われ、歌の途中に投入された(**2**)。この投入の用法は、万葉集などにも見られるが、それは歌の一句としての音節数が不足のときで、一句の拍数を整えるために使われる(**3**)。

「や」は終止形の下につき文の叙述の終りに加えられた場合には、相手に質問し、問いかける気持を表わす。この場合、話し手は、単に不明・不審だから相手に疑問を投げかけるものであるよりも、自分に一つの見込ないしは予断があることが多い。「雨に降りきや」と問うとき、「降ったか降らなかったか分らない」のではなく、「降ったにちがいない」という見込・予断を持ちながら、それを相手に提示して反応を待つのである。それが「か」の不明・不審・判断不能とする表現との相違である(**4**)。問いかける気持から、命令の意を表わすこともある。これも「や」の見込・予断の表明とすることと一連の用法である(**5**)。そして、已然形の下についた場合は反語になる(**6**)。反語とは否定的に問いかえすことによって否定する表現である。結局は自分の否定的な断定を相手に押しつける語法である。また、平安時代になると、反実仮想を表わす助動詞「まし」に「や」が複合して「ましや」となる(**7**)。これも「まし」によって事実に反することを想定し、それに「や」を加えることによって自分の見込みを表明する言葉で、現代語に訳せば「…ないだろう」に当るものである。このようにして「や」は次第に「か」と共通な意味を持つようになった。しかし、全く不明・不審であるとして疑いを発する役目を持っていた「か」の強い疑問表現は奈良時代すでに次第に好まれなくなり、代って「や」が愛用されて、「や」を使うことが多くなり、平安時代になると「か」に代って、「や」が広く問いに使われる勢いとなった。「か」は疑問詞「誰」「いつ」「いづく」などと協同して使われる場合に限られるようになり、「や」が平安時代の和文には多く使われるが、これは単に不明・不審として投げ出すのではなく、「…の見込があるがどうですか」と相手に問いかける気持が濃厚である。この方が柔らかでやさしい表現とされたのであろう。しかし、世相が険悪で、強い者が弱い者を圧倒する気風の行きわたった室町末期になると口語の世界では細かく相手に持ちかけて問う「や」を使うよりも、直截的な「か」を使うことが多くなり、「や」を圧倒する勢いとなって、現在では「や」は衰え、「か」がもっぱら疑問にも質問にも使われている。

以上のように使われた「や」は、はじめ文節の切れ目ならばどこにでも入れたので、文末だけでなく、文中の句の切れ目にも入るようになり、いわゆる連体止めの係り助詞の仲間入りをする。

「ほととぎす鳴く峰(を)の上の卯の花の厭(う)き事あれ**や**君が来まさ**ぬ**」〈万一五〇一〉

これは「君が来まさぬ〔ハ〕…厭きことあれや」の倒置である。

(**1**)「中大兄、子麻呂等の入鹿が威に畏りて便旋(めぐら)ひて進まざるを見て曰はく『**咄嗟**(やあ)』とのたまふ」〈紀・皇極四年〉「その沙門を驚かし、室の戸を叩きて曰さく『**咄**(や)、大法師、起きて聞くべし』とまをして」〈霊異記下一七〉「咄、ヤア、カタラク、ヤ」〈名義抄〉 (**2**)「蘆原田の稲つき蟹の、**や**、汝(おれ)さへ嫁を得ずとて、**や**、捧げてはおろし、**や**、下しては捧げ、**や**、肱挙(かひな)をする、**や**」〈神楽歌五〇〉 (**3**)「春の野に鳴く**や**うぐひすなつけむとわが家の園に梅が花咲く」〈万八三七〉「かしこき**や**御陵(みはか)つかふる山科の鏡の山に」〈万一五五〉「沖行く**や**赤ら小船につとやらばけだし人見て抜き見むかも」〈万三八六八〉 (**4**)「なげきつつ吾が泣く涙有間山雲居たなびき雨に降りき**や**」〈万四八〇〉「三輪山をしかも隠すか雲だにも心あらなも隠さふべし**や**」〈万一八〉「天の河水底さへに照らす舟泊てし舟人妹に見えき**や**」〈万一九九六〉 (**5**)「声たえず鳴け**や**うぐひす一年に再びとだに来べき春かは」〈古今一三一〉「なほ、もて来**や**」〈源氏・夕顔〉 (**6**)「秋山に霜ふりおほひ木の葉散り年はゆくとも我忘れめ**や**」〈万三二四三〉「妹が袖別れて久(ひさ)になりぬれど一日も妹を忘れて思へ**や**」〈万三六〇四〉「六月の地さへ割(さ)けて照る日にもわが袖乾め**や**君に逢はずして」〈万一九九五〉「たかまどの峰(を)の上の宮は荒れぬとも立たしし君の御名忘れめ**や**」〈万四五〇七〉 (**7**)「まことの親の御あたりならましかばおろかには見放ち給ふともかくさまの憂きことはあら**ましや**」〈源氏・胡蝶〉「いとかく思

はましかば、月ごろも今まで心のどかならば**ましや**」〈源氏・総角〉

やも・やは(反語)「やも」は「や」に終助詞「も」の添った形で、活用語の已然形を承けて反語に使う(**1**)。多くは奈良時代に使われ、平安時代になると「やは」がこれに代って使われた(**2**)。文末の「も」が一般に用いられなくなったので「やも」が衰亡し、「やは」が代ったものである。

(**1**)「ささなみの志賀の大わだ淀むとも昔の人にまたも逢はめ**やも**」〈万三一〉「あぶり干す人もあれ**やも**家人の春雨すらを間使ひにする」〈万一六九八〉「かくしても相見るものを少くも年月経れば恋しけれ**やも**」〈万四一一八〉 (**2**)「散る花のなくにし止まるものならばわれうぐひすに劣らまし**やは**」〈古今一〇七〉「みよしのの大川のべの藤波のなみに思はばわが恋ひめ**やは**」〈古今六九九〉

か 疑問詞を承ける係助詞の一つ。

表現者自身の判断を下すことが不能であること、疑問であることを表明するのが原義。これは「や」が、話し手の見込み、あるいは予断を表明して、相手に問うのとは根本的に相違している。「か」は本来終助詞として使われるのが基本と思われるが、文節の切れ目にならば用いることができる。その際、文末は連体形で閉じる。これがいわゆる連体形どめの係り結びであるが、その由来は、次の例を見ることによって分るように、倒置に発するものである。つまり、

「倉橋の山を高み**か**夜隠りに出で来る月の光**乏しき**」〈万二九〇〉
「一つ松いく代**か**経**ぬる**」〈万一〇四二〉
「吾妹子がいかに思へ**か**ぬばたまの一夜もおちず夢にし**見ゆる**」〈万三六四七〉

は倒置によって作られた形で、これらの順直な表現は次のようになるであろう。

「夜隠りに出で来る月の光**乏しき**〔コトハ〕、倉橋の山を高み**か**(高イカラカ)」
「一つ松、経**ぬる**〔ハ〕いく代**か**」
「ぬばたまの一夜もおちず夢にし**見ゆる**〔ハ〕吾妹子がいかに思へ**か**(思ウカラカ)」

これを見れば係助詞としての「か」は、終助詞としての「か」から倒置として発達したものであることが理解されよう。これは「ぞ」などの倒置と同様のものである。

「か」は体言または活用語の連体形を承ける。活用語を承ける場合、その活用語は推量とか打消の意を伴っていることが多い(**1**)。疑問はその意味をやわらげれば概嘆になる(**2**)。また助詞「は」と重ねて「かは」とすれば意味が強められて反語になる。そして、打消の助動詞「ず」の連体形「ぬ」を承けると、「ぬか」となって、「…ないかなあ」という願望を表わすのは自然である(**3**)。

(**1**)「うけ靴を脱きつるごとく踏み脱きて行くちふ人は岩木より成りでし人**か**」〈万八〇〇〉「天の河川音さやけし彦星の秋漕ぐ船の波のさわき**か**」〈万二〇四七〉「荒雄らを来む**か**来じ**か**と飯盛りて門に出で立ち待てど来まさぬ」〈万三八六一〉「玉かつま逢はむといふは誰なる**か**逢へる時さへ面(お)かくしする」〈万二九一六〉 (**2**)「心無き雨にもある**か**人目守り乏しき妹に今日だに逢はむを」〈万三一二二〉「苦しくも降り来る雨**か**神(みわ)の崎狭野のわたりに家もあらなくに」〈万二六五〉 (**3**)「わが命も常にあら**ぬか**昔見し象(きさ)の小川を行きて見むため」〈万三三二〉「二上の山にこもれるほととぎす今も鳴か**ぬか**君に聞かせむ」〈万四〇六七〉「久方の雨も降ら**ぬか**蓮葉に渟(たま)れる水の玉に似たる見む」〈万三八三七〉

かも 複合係助詞及び終助詞。疑問詞を承ける。「か」の下に「も」を添えた助詞である。従って体言または活用語の連体形を承ける。

「も」は不確実な提示、あるいは不確実な判断を表わすのがその本質的な意味であるから、「かも」となった場合も単独の「か」の持つ疑問の意を受けつぐ(**1**)。ただし詠嘆の意を表わす助動詞「む」の已然形を承けて反語の意を表わす(**2**)。場合は、「かも」は「か」単独の場合よりもややわらげた表現のように見える(**3**)。また「ぬかも」として、願望を表わすことがあるのは、「ぬ」と「か」との複合が願望を表わすこと(前項「か」参照)を承けたもので、「ぬか」に「も」が加わった形である(**4**)。「かも」は、奈良時代には一般に使われていたが、すでに方言には「かな」という形が見えており、平安時代には「かな」に取って代られ、「かも」は古語と意識されるようになり、文章語として使われた(**5**)。

(**1**)「冬の林につむじ**かも**い巻き渡ると思ふまで」〈万一九九〉「角田(すみだ)河原に独り**かも**寝む」〈万二九八〉「この夕べ降り来る雨は彦星の早漕ぐ船の櫂の散沫(ちり)**かも**」〈万二〇五二〉「梅の花しだり柳に折りまじへ花にまつらば君に逢はむ**かも**」〈万一九〇四〉 (**2**)「橘の下吹く風のかぐはしき筑波の山を恋ひずあら**めかも**」〈万四三七一〉「春の雨はいや しき降るに梅の花いまだ咲かなくいと若み**かも**」〈万七八六〉「大船を舳(へ)ゆも艫(とも)ゆも堅めてし許曽の里人顕(あら)さ**めかも**」〈万三五五九〉「歌のさまを知り事の心を得たらむ人は、大空の月を見るがごとくに古へを仰ぎて今を恋ひざら**めかも**」〈古今・序〉 (**3**)「霞立つ長き春日をかざせれどいやなつかしき梅の花**かも**」〈万八四六〉「浦廻より漕ぎ来し船を風早み沖つみ浦にやどりする**かも**」〈万三六四六〉 (**4**)「春日なる三笠の山に月も出で**ぬかも**佐紀山に咲ける桜の花の見ゆべく」〈万一八八七〉「川の瀬の石ふみ渡りぬばたまの黒馬の来る夜は常にあら**ぬかも**」〈万三三一三〉 (**5**)「咲く花の下にかくるる人を多みありしにまさる藤の影**かも**」〈伊勢一〇一〉「すみの江の松に夜深く置く霜は神のかけたるゆふかづら**かも**」〈源氏・若菜上〉「この時にあへらむものは、これを喜び、この道を仰がむものは今をしのばざらめ**かも**」〈新古今・序〉

係り結びの消失 この連体形終止の係り結びは院政時代ごろから次第に崩壊しはじめた。何故係り結びが崩壊したかといえば、院政時代ごろから動詞・形容詞の終止形と連体形との間に混淆が起ったからである。すなわち「ぞ」「や」などの係り結びの多用によって、連体形終止の文が多く行なわれ、終止形による

終止と並行して行なわれているうちに、慣れによって、連体形終止が倒置の結果だという特殊性の意識が薄らぎ、連体形終止が普通の終止の一体と思われるようになり、それが旧来の終止形による終止よりも強い印象を与えるので好まれるようになり、普通の終止形を侵蝕するという傾向を生じた。そして鎌倉時代以後になると、終止形終止は連体形終止によって取って代られた。ということはつまり、従来の終止形が亡びたということであり、連体形が終止・連体の二つの機能を兼ねるようになったわけである。そこで、「ぞ」「か」「や」「なむ」による強調表現の目じるしであった連体形終止という形式上の特殊性、つまり表現価値がなくなってしまい、「ぞ」「か」「や」「なむ」を特別に用いて連体形で終止するという連体形終止による係り結びは口語の世界では消失し、歌の世界だけで古典語的表現法として学習されて伝えられるようになった。

しかし、「こそ」による強調表現は、口語の世界でも引きつづいて使われ、室町時代に至った。

第一類の三　接続助詞——文と文とを関係づける

ば　とも　ど　ども　ものから　ものゆゑ　ものの　ものを
つつ　ながら　て　に　を　が　で　と　み

〔接続助詞とは〕　文としての陳述に使われた活用語を承け、下に来る文との間の関係づけを行なう助詞を接続助詞という。つまり、接続助詞によって、下に来る中心的表現に対する前提条件を作るのである。接続助詞は、前の文の動作・状態と、後の文の動作・状態とが時間的に継起することを表わすものと、同時的に共存することを表わすものとがある。時間的に継起する場合は、前件と後件との間には、前件によって想定される後件が順当に展開する場合(順接)と、前件によって想定されるのとは反対の後件が展開する場合(逆接)とがある。

接続助詞のうちには、副詞から転成したと思われるもの(「と」「とも」)、格助詞から転成したと思われるもの(「が」「に」「を」)、名詞との複合から転成したと思われるもの(「ものから」「ものの」「ものゆゑ」「ものを」)などがある。それぞれ転成以前の意味や機能を本質的には受けついでいることが多い。それ故それらのもとの意味・用法をよく理解することによって、接続助詞としての機能も理解できることが多い。

ば　活用語の未然形を承ける場合と、已然形を承ける場合との二種があるが、未然形を承ける用法が先に発達したと思われる。というのは、用言の已然形は、古くは「ば」「ど」「ども」などを従えることなしに既定条件を示しうる形式だったからである(**1**)。

「ば」が未然形を承けて成立する条件句は、仮定の条件を示す(**2**)。これは「ば」が推量の助動詞「む」の連体形「む」と助詞「は」との結合「むは」の融合(mu-Fa→mFa→mba→^{m}ba)に発するものだからだと思われる。「ば」が已然形を承けて成立する条件句は既定条件を示し、「すでに…だから」という確定条件を示す場合(**3**)と、そこから転じて「…ので」という恒常の条件を示す場合(**4**)と、さらに「いつも…すると」あるいは単に「…すると」の意を表わす場合(**5**)とがある。最後の用法は、仮定の条件を示すのと大差がない用法で、やがてこの用法が多く使われ、已然形と「ば」による形が仮定条件を表わす一般的な語法となり、未然形と「ば」とによる仮定条件表現は少なくなって行った。

なお、「ば」が已然形を承けて逆接になる語法が奈良時代にあった。これは、

「秋立ちて幾日(いくか)**もあらねば**この寝ぬる朝明(あさけ)の風は手本(たもと)寒しも」〈万一五五五〉

のように、「も…ねば」の形をとるものが多い。「幾日も立っていないから」ではなく、「幾日もたっていないのに」の意である。已然形という活用形は本来、既定条件の順接でも逆接でも表わしうる形であったが(一四九七頁参照)、「幾日も」というように、上にある「も」との呼応によって、「幾日もあらね」という形でこれだけで逆接の意を表わし得たが、そこへ助詞「は」を添えて強調したのがはじめで、その「は」が濁音化したものと考えられる。上に投入された「も」は後には省かれるものもあった(**6**)。

なお、打消の助動詞の「ず」の下、または形容詞未然形の下には、従来「ば」が接続するとされて来ているが、万葉集の例などでは「恋忘れ貝取らずは行かじ」〈万三七一一〉、「慰むる心し無くは天離る夷(ひな)に一日もあるべくもあれや」〈万四一一三〉などと、すべて清音「は」の万葉仮名で書いてある。これによれば「は」は係助詞で、未然形に「ば」がついたとは見えず、連用形に「は」がついたと見る方がよい。こう考えると、形容詞未然形や「ず」の未然形は他に例がないから、この活用形は無かったことになる。平家物語などでも「もし其の咎(とが)有るべくわ、彼の身を召し進ずべきか」〈平家一・殿上闇討〉などとあり、「べくば」という形は無い。この例の「わ」は「は」の転をそのまま書いた例である。

(**1**)「天つたふ入日さし**ぬれ**、大夫(ますらを)と思へる我もしきたへの衣の袖は通りてぬれぬ」〈万一三五〉「家さかりいます吾妹をとどめかね山隠し**つれ**、心どもなし」〈万四七一〉「大船を荒海(あるみ)に漕ぎ出や船**たけ**、吾が見し子らが眼見(まみ)はしるしも」〈万一二六六〉　(**2**)「命あら**ば**逢ふこともあらむ」〈万三七四五〉「宿の山吹咲きてあら**ば**やまず通はむ」〈万四三〇三〉　(**3**)「山遠き都にしあれ**ば**さを鹿の妻呼ぶ声は羨しくもあるか」〈万二一五一〉「春なれ**ば**うべも咲きたる梅の花」〈万八三一〉　(**4**)「家にあれば笥に盛る飯を草枕旅にしあれ**ば**椎の葉にもる」〈万一四二〉「飛び立ちかねつ鳥にしあらね**ば**」〈万八九三〉　(**5**)「鳴く蟬の

声をし聞け**ば**都し思ほゆ」〈万三六一七〉「五月待つ花橘の香をかげ**ば**昔の人の袖の香ぞする」〈古今一三九〉　(**6**)「卯の花**も**いまだ咲か**ねば**ほととぎす佐保の山辺に来鳴きとよもす」〈万一四七七〉「さねし夜のいくだ**も**あら**ねば**たつか杖腰にたがねて」〈万八〇四〉「天の川浅瀬白浪たどりつつ渡りはて**ねば**明けぞしにける」〈古今一七七〉

とも　動詞型活用の終止形、形容詞型活用の連用形を承けて仮定条件を示し、下文に接続する助詞である。本来、指示する副詞の「と」と、不確実・不確定の意を表わす係助詞「も」の複合した語で、「と」が条件を指示し、それを「も」が承けて、その条件すらも不確実であることを示す。その結果、終結部が、不確定判断で終止するものである。つまり、下に肯定の普通の終止が来ることはなく、放任(**1**)とか、命令(**2**)とか、意志、欲望(**3**)、推量(**4**)、否定(**5**)などの不確定な判断で終止する。なお、「既に…しているが…していても」と既に起ってしまった事を仮定形で述べる場合に使うこともある(**6**)。この語法を修辞的仮定ということがある。

(**1**)「角の浦廻を浦なしと人こそ見らめ潟なしと人こそ見らめよしゑやし浦はなく**と**もよしゑやし潟はなく**とも**」〈万一三一〉「たまきはるわが山の上に立つ霞立つ**とも**坐(う)**とも**君がまにまに」〈万一九一二〉「白珠は人に知らえず知らず**とも**よし」〈万一〇一八〉「散りぬ**とも**香をだにのこせ梅の花こひしき時の思ひ出にせん」〈古今四八〉　(**2**)「人皆の言は絶ゆ**とも**はにしなの石井の手児が言な絶えそね」〈万三三九八〉　(**3**)「つゆ霜の消やすき我が身老いぬ**とも**またをちかへり(若返ッテ)君をし待たむ」〈万三〇四三〉「早川の瀬には立つ**とも**人に言はめやも」〈万一三八四〉「鶯のなくくら谷にうちはめて焼けは死ぬ**とも**君をし待たむ」〈万三九四一〉「玉藻刈る海女少女(あまをとめ)ども見に行かむ船かぢもがも浪高く**とも**」〈万九三六〉　(**4**)「吾が名はも千名(ちな)の五百名(いほな)に立ちぬ**とも**君が名立たば惜しみこそ泣け」〈万七三一〉「ゆきめぐり見**とも**飽かめやなきずみの船瀬の浜にしきるしらなみ」〈万九三七〉　(**5**)「千万の軍(いくさ)なり**とも**言あげせず取りて来ぬべき男とぞ思ふ」〈万九七二〉「左奈都良の岡に粟蒔きかなしきが駒はたぐ**とも**吾はそとも追はじ」〈万三四五一〉　(**6**)「ささなみの志賀の大わだ淀む**とも**昔の人にまたも逢はめやも」〈万三一〉「たとひ時移りこと去り楽しび悲しびゆきかふ**とも**このうたの文字あるをや」〈古今・序〉

ど・ども　活用語の已然形について逆接の既定条件を示す。これは、指示する副詞の「と」、またはその「と」に係助詞「も」のついた「とも」が已然形を承けて、条件を指示する用法が生じ、後にその「とも」の語頭が濁音化したものと思われる。「ど」と「ども」とのどちらが先に成立したかといえば、「ど」よりも「ども」の方が先に成立したものであろう。この助詞は承ける用言の已然形の内容を否定する文章を導くのが役目であるから、そうした否定の役目を果すには、元来、指示する副詞の「と」だけでは不足で、その下に、不確実・不確定・否定の意を表わす係助詞「も」を添える必要があったと思われるからである。それ故「ども」という濁音の語が成立した後になって、「も」が無くても逆接の条件を示しうるようになり、「ど」の形が成立したものであろう。

宣命や祝詞などに現われる、万葉集より古い形式を多く保つ上代語では「ども」が圧倒的に多く、万葉集では「ど」がやや多いが、「ども」との比は六対四程度である。平安女流文学では「ど」が圧倒的に多く用いられ、それに対して古い用法を多く伝える漢文訓読体では「ども」が多い。これらのことは「ども」が先に成立し、後に「も」が省かれて「ど」が成立したとする推測を裏づける。

「ども」は已然形によって既に成立している条件から当然次に起る順当な結果とは逆の状態を導く。つまり、

「梅の花手折りかざして遊べ**ども**あきだらぬ日は今日にしありけり」〈万八三六〉

とは、梅の花を手折りかざして遊んだという既定の条件からは、当然、満足という結果が起るはずであるのに、「ども」が介入することによってその当然の結果を否定して、「不満足な今日だ」という句を導く。「ど」は「ども」と意味は全く同様である。

「青山の峰の白雲朝にけに常に見れ**ども**めづらしわが君」〈万三七七〉「二人行け**ど**行きすぎがたき秋山をいかにか君がひとり越ゆらむ」〈万一〇六〉

ものから・ものゆゑ　「もの」と「から」「ゆゑ」との複合した助詞である。従って活用語の連体形を承ける。「から」は格助詞の「から」と起源的には同一で、「自然のつながり」の意から種々に発展し、原因・理由を示す用法を持っていた。「ゆゑ」は、もとづくところの意である。それ故、「から」も「ゆゑ」も、それだけで原因・理由を示す助詞となり得るものである。その上に加わっている「もの」とは、いわゆる「物」が原義である。「もの」とは形があり、手にふれることの出来る存在を指す語で、「こと」と対比して使われ、「こと」が時間の経過とともに変化し推移して行く出来事・行為をいうに対して、「もの」は変化せず推移しない存在を指す語である。その、変動しない存在の意から、確固として定まっている既定の事実や、避けることのできない法則とか慣習とかを指すことがあった。従って、「ものから」「ものゆゑ」と複合すれば、「…するにきまっているのだから」「必ず…とは既にきまっていることだ」「当然…するにきまっているけれど」の意を表わすのが古い用法である。「から」「ゆゑ」は順接条件も逆接条件も示しうる語なので、「ものから」「ものゆゑ」も、順接(**1**)、逆接(**2**)両方の例がある。平安時代には「ものゆゑ」は古語となり、「ものから」の方が歌などに多く使われ、「…ながら」「…だのに」の意味を表わした(**3**)。

(**1**)「わが故に思ひな痩せそ秋風の吹かむその月逢はむ**ものゆゑ**」〈万三五八六〉「親君と申すとも、かくつきなき事を仰せ給ふことと、事ゆかぬ**物ゆゑ**(ニキマッテイルノニ)大納言をそしりあひたり」〈竹取〉　(**2**)「毎年(としのは)に来鳴く**ものゆゑ**ほととぎす聞けばしのはく逢はぬ日を多み」〈万四一六八〉「玉かづら絶えぬ**ものから**さぬらくは年のわ

たりにただ一夜のみ」〈万二〇七八〉「待つ人にあらぬ**ものから**(チガウニキマッテイルガ)初雁の今朝鳴く声のめづらしきかな」〈古今二〇六〉「いつはりと思ふ**ものから**(ニキマッテイルガ)今更にたがまことをかわれはたのまむ」〈古今七一三〉 **(3)**「来めや(来ルハズハナイ)とは思ふ**ものから**日ぐらしの鳴く夕ぐれは立ち待たれつつ」〈古今七七一〉「月は有明にて光をさまれる**物から**、影さやかに見えてなかなかをかしき曙なり」〈源氏・帚木〉

ものの　「もの」と格助詞「の」との複合である。平安時代以後に使われ、活用語の連体形を承ける。「もの」は既定の事実、不動の事実をいう語であるから、「ものの」となると、「…にきまっていることだ、それが」の意から「…にきまっているが」の意となり、「…であるが」「…ながら」の意に転じた。

「うつせみの世のひとごとの繁ければ忘れぬ**ものの**離(か)れぬべらなり」〈古今七一六〉「をかしき**ものの**さすがにあはれと聞き給ふふしもあり」〈源氏・明石〉「かうなりけりと心得給ふもをかしき**ものの**、ひがおぼえもし忘れたる所もあらばいみじかるべき事とわりなうおぼし乱れぬべし」〈枕二三〉

ものを　「もの」と格助詞「を」との複合である。それゆえ、活用語の連体形を承ける。「もの」は既定の事実、または確定した事実、または一般的な法則を意味し、「を」は本来それを承認確認する意の間投助詞である。従って「ものを」が承ける用言の内容を確かなものとして承認するのが根本で、順接にも逆接にも使う。「たしかに…であるのだから」**(1)**、あるいは「たしかに…であるのに」**(2)**「たしかに…だが」「…にきまっているのに」「…にちがいないのだが」**(3)**と訳される。「ものを」は倒置によって文末におかれることもあり、詠嘆の意を含む場合がある。これは終助詞と見分けがたいので、文末に置かれた場合は終助詞とする説もある。「ものを」は奈良・平安・鎌倉時代を通じて極めて多く用いられた。

(1)「天地を照らす日月の極みなくあるべき**ものを**(ニキマッテイルカラ)何をか思はむ」〈万四四八六〉「恋ひ恋ひて逢ひたる**ものを**(ダカラ)月しあれば夜はこもるらむ(マダ夜深イダロウ)しましはあり得て」〈万六六七〉 **(2)**「かくのみにありける**ものを**猪名川の沖を深めてわが思へりける」〈万三八〇四〉「とく来ても見てまし**ものを**山城の高の槻群散りにけるかも」〈万一二七七〉 **(3)**「秋草に置く白露の(ヨウニハカナク)飽かずのみ逢ひ見る**ものを**(ノダガ)月をし待たむ」〈万四三一二〉「春の雨にありける**ものを**立ち隠れ妹が家道にこの日暮しつ」〈万一八七七〉「おろかなる事はなほまさりたる**ものを**」〈徒然四一〉

つつ　奈良時代に極めて多く用いられ、平安時代以後、次第に「ながら」に取って代られた語である。語源については多くの説があるが、首肯されるものはない。動詞型活用語の連用形を承け、主に同じ動作の反覆される意を表わす**(1)**。また、異なる動作が二つ同時に進行する意**(2)**、同じ動作が別の主体によって同時に行なわれる意**(3)**を表わす。行なわれる二つの動作が前件から当然予想されることに反する後件を導くときは、「…なのに」という逆接の接続助詞となる**(4)**。また、前件と後件とが、強い因果関係にない場合は単に前件を後件につなぐ「て」にあたると見られる場合がある**(5)**。なお、歌で、「つつ」が文末に来て、そこで歌いとめる用法がある。形式上断止の形とならず、下文が予想される状態で言いさすので、何となない余情のこもる用法である**(6)**。

(1)「しきたへの袖返し**つつ**寝る夜おちず夢には見れど」〈万三九七八〉「玉の緒のくくり寄せ**つつ**末終にゆきは分れず同じ緒にあらむ」〈万三七九〇〉 **(2)**「朝床に聞けばはろけし射水河朝漕ぎし**つつ**歌ふ船人」〈万四一五〇〉 **(3)**「人毎に折りかざし**つつ**遊べどもいやめづらしき梅の花かも」〈万八二八〉 **(4)**「はろばろに鳴くほととぎす…君が聞き**つつ**告げなくも憂し」〈万四二〇七〉「遠くあらばわびてもあらむと里近く在りと聞き**つつ**見ぬが術(すべ)なさ」〈万七五七〉 **(5)**「夜のほどろ出で**つつ**来らく度(たび)まねくなれば吾が胸たち焼くごとし」〈万七五五〉「天ざかる鄙に五年住まひ**つつ**都の風俗(てぶり)忘らえにけり」〈万八八〇〉 **(6)**「三島野に霞たなびきしかすがに昨日も今日も雪は降り**つつ**」〈万四〇七九〉「こと降らば袖さへ濡れてとほるべく降りなむ雪の空に消(け)に**つつ**」〈万二三一七〉

ながら　この語は本来、連体助詞「な」と名詞「から」との複合である。従って体言の下について副詞句を作るのが「ながら」の本来の用法である。たとえば、「飛ぶ鳥の浄見の宮に神ながら太敷きまして」〈万一六七〉のように、「神のみ心のままに」と用い、また、「奉仕(まつ)ろはぬ国を治めと皇子ながら(皇子ノ心ノママニ)任(ま)け給へば」〈万一九九〉、「牛ながら(牛車ニ牛ヲツケタママ)引き入れ」〈源氏・帚木〉、「御簾の内ながら(内ニ坐ッタママデ)宣ふ」〈源氏・夕顔〉などと「…のままで」の意に用いた。また、「涙ながら」「二人ながら」などは、涙と共に、二人共と、「ともに」の意を表わした。これらの名詞を承ける「ながら」は一説に接尾語とするが、副助詞とも考えられる。

これらはみな体言を承けて副詞句を作るが、この体言の位置に動詞の連用形つまり名詞形を用いて、「ながら」がそれを承けたとき、ここに接続助詞の「ながら」が誕生する。「…したままで」の意である**(1)**。そこから、「…しつつ」と動作の同時に進行する意を表わした**(2)**。ところが、事が同時に進行するというような、本来順接でも逆接でもない条件句は、「知らぬ顔をしつつ頼みをかける」というような、前件と後件との関係が事実の上での逆の結果となるときは、その接続助詞は逆接の意味を持つようになる。「ながら」もそれと同じく、同時進行の意から転じて逆接を表わす場合を生じた**(3)**。

動作の同時進行の意を表わすには、奈良時代には「つつ」が圧倒的に多く用いられたが、平安時代には「ながら」の使用が増加し、鎌倉時代には「つつ」と「ながら」はほぼ同様に用いられ、江戸時代には「つつ」は文章語・古語となり、「ながら」が多く使われるようになった。

(**1**)「針袋帯びつづけ**ながら**里ごとにてらさひあるけど人も咎めず」〈万四一三〇〉(**2**)「いきどほる心の内を思ひ伸べうれしび**ながら**…鳥座(とぐら)結ひすゑてぞ我が飼ふましらふの鷹」〈万四一五四〉「ふみわけてさらにや訪はむもみち葉の降りかくしたる道を見な**がら**」〈古今二八八〉(**3**)「年をへて消えぬおもひはあり**ながら**夜の袂はなほこほりけり」〈古今五九六〉「もとの品高く生れ**ながら**身は沈み位みじかくて」〈源氏・帚木〉

て　助動詞「つ」の連用形「て」の転化したものであるらしい。従って、助動詞「つ」「り」「たり」を承けることはない。しかし、奈良時代にすでに「つ」の連用形とは別のものと意識されていたろうと思われる。「て」は活用語の連用形を承け(**1**)、また副詞「かく」「さ」「など」を承けて、「かくて」「さて」「などて」などの副詞をつくる(**2**)。

「て」は動作・状態が、そこで一たん区切れることを表わす助詞で、その区切れ方は、動作・状態が継起・継続する場合(**3**)、並立する場合(**4**)、仮定を表わす場合(**5**)、順接の原因理由を示す場合(**6**)、逆接の場合(**7**)など、みな含んでいる。これは、「て」が意味的に極めて弱い助詞で、特定の条件づけをするものでない結果、前件と後件との事実関係によって、順接にも逆接にもなりうるからである。

(**1**)「大和の国は押しなべ**て**吾こそ居れ、敷きなべ**て**吾こそませ」〈万一〉「木高く**て**里はあれども」〈万四一六二〉「世の中に心つけず**て**思ふ日ぞ多き」〈万四二〇九〉(**2**)「君は来ず吾は故無く立つ波のしくしくわびし**かくて**来じとや」〈万三〇二六〉「**さて**そのふみのことばはと問ひ給へば」〈源氏・帚木〉「**などて**かくはかなき宿りはとりつるぞ」〈源氏・夕顔〉(**3**)「高山の磐根しまき**て**死なましものを」〈万八六〉「ももしきの大宮人の退り出**て**遊ぶ今夜の月の清けさ」〈万一〇七六〉(**4**)「家見れど家も見かね**て**、里見れど里も見かね**て**怪しとそこに思はく」〈万一七四〇〉「聞きしより物を思へばわが胸は破れ**て**くだけ**て**利心もなし」〈万二八九四〉(**5**)「ぬばたまの妹がほすべくあらなくにわが衣手を濡れ**て**いかにせむ」〈万三七一二〉「月易(か)へ**て**君をば見むと思へかも日も易へずして恋の繁けく」〈万三一三一〉(**6**)「思はぬに妹が笑ひを夢にみ**て**心のうちに燃えつつぞをる」〈万七一八〉「さはることあり**て**、のぼらず」〈土佐・二月十日〉(**7**)「目には見**て**手には取らえぬ月のうちの楓(かつら)のごとき妹をいかにせむ」〈万六三二〉「花咲き**て**実は成らずとも」〈万一八六〇〉

に　格助詞の「に」の転用である。従って活用語の連体形を承ける。「に」は単に、「その場合」といった意味を表わすのが本来である(**1**)から、前後の文脈によって、意味は、「…ので」「…から」という順接条件(**2**)、「…のに」「…けれども」という逆接条件(**3**)のどちらの場合もある。

(**1**)「大夫の得物矢(さつや)手插み立ち向ひ射る円方は見る**に**清潔(さや)けし」〈万六一〉「かくいひつつ行く**に**、舟君なるひと波を見て」〈土佐・一月二十一日〉(**2**)「木の間より移ろふ月の影を惜しみ徘徊(たちもとほ)る**に**さ夜更けにけり」〈万二八二一〉「雨いたう降りたる**に**、たれもふりこめられたるなるべし」〈かげろふ・上〉(**3**)「春の雨はいや頻(しき)降る**に**梅の花いまだ咲かなくいと若みかも」〈万七八六〉「待つ**に**見えず」〈かげろふ・上〉「何の証拠も無い**に**、縄をかけてよいものか」〈虎明本狂言・察化〉

を　格助詞の「を」の転用である。従って活用語の連体形を承ける。「を」は本来間投助詞であったから、接続助詞に使われた場合も、「…ので」「…から」と順接(**1**)にも、「…のに」「…けれども」と逆接(**2**)にも用いるが、逆接に使われることが多い。

(**1**)「君により言の繁き**を**ふるさとの明日香の川にみそぎしに行く」〈万六二六〉「よろしき事だにかかる別の悲しからぬはなきわざなる**を**、ましてあはれにいふかひなし」〈源氏・桐壺〉(**2**)「玉ならば手にも巻かむ**を**うつせみの世の人なれば手に巻きがたし」〈万七二九〉「見奉りてくはしく御有様も奏し侍らまほしき**を**、待ちおはすらむを、夜も更けぬべし」〈源氏・桐壺〉

が　格助詞の「が」から発展して来たものであるから、活用語の連体形を承ける。接続助詞としての用法は源氏物語などにはまだ見えず、今昔物語、大鏡などに至ってはっきりした形をとる。従って源氏物語の有名な冒頭の文章は、主格を表わす助詞と見る方がよいとされている。つまり、

「女御更衣あまたさぶらひ給ひける中に、いとやんごとなき際にはあらぬ〔者〕**が**、すぐれて時めき給ふありけり」〈源氏・桐壺〉

と見る方が語法史の上からは自然であって、「第一流の方ではなかったが」と訳すべきではなく、「第一流の方ではなくて」のようにすべきだとされている。

明らかに接続助詞と見えるのは次の如き例で、上文と下文の主語が別になったものである。

「水に押されて馬に乗りながら水に入りぬるに…落ち入りける時、巳の時ばかりなりける**が**、日も漸く暮れぬ」〈今昔一六ノ二四〉

「重光卿御むすめの腹に女君二人男君一人おはせし**が**、この君たちみな大人び給ひて」〈大鏡・道隆〉

次のような例になれば、完全に逆接の「が」の用法が生じたものと見られる。

「目出(めでた)くは書て候**が**難少少候」〈著聞二〉

「其の刀を召し出して叡覧あれば、上は鞘巻の黒くぬりたりける**が**、中は木刀(きがたな)に銀薄をぞ押したりける」〈平家一・殿上闇討〉

「おのれは風呂に唯一人あると言うた**が**、この群集は常より多いは何ごとぞ」〈天草本伊曾保〉

で　活用語の未然形を承けて打消の意を表わし、下の語句と接続させる。これは連用形に相当する役割である。平安初期から例がある。この語源についてはニ説ある。その一は「ずて」の約と見る説である。奈良時代に「旅行きに行くと知らずて母父(あもしし)に言申さずて今ぞくやしけ」〈万四三七六防人〉などの例があるの

で、「ずて」の約が「で」となったと見る。しかし、この説の「ずて」の約が「で」となるとする音韻変化の説明が類例に欠けるため、次の説がある。それは、打消の助動詞「ず」の古い連用形に「に」があり、「知らにと妹が待ちつつあらむ」〈万二二三〉などの例がある。この「に」と「て」との複合、「にて」の約であるとする説である。この説は音韻変化の説明としては適切であるが、しかし「にて」と連続して用いた例が奈良時代に見出されない弱点がある。

「かぢとり物のあはれも知ら**で**、おのれし酒をくらひつれば」〈土佐・十二月二十七日〉「君なら**で**誰にか見せむ梅の花色をも香をも知る人ぞ知る」〈古今三八〉「物も言は**で**頬杖をつきていみじうなげかしげに思ひたり」〈竹取〉

と　「とにもかくにも」などと指示する副詞の「と」と同根の語であろうと思われる。あるいは仮定を表わす接続助詞「とも」の「も」のつかなかった形とも考えられる。平安・鎌倉時代には確実な用例が極めて少ない。ある事態を指示して条件とする語で、逆接・放任などの意に使うことが多い。動詞型活用の終止形、形容詞型活用の連用形を承ける。

「異夜はあり**と**、かならず今宵は」〈かげろふ・下〉「あらしのみ吹くめる宿の花すすき穂にいでたり**と**かひやなからん」〈かげろふ・上〉「あげよう**と**まま、あげまい**と**まま、いろはぬ(カマワヌ)」〈ロドリゲス大文典〉

み　従来、接尾語として説かれている「瀬を早み」「風をいたみ」などの「み」は、その機能からみて、接続助詞と考えたい。形容詞(まれに、形容詞型活用の助動詞)の語幹につく。多く上に助詞「を」を伴い、「…のゆえに」「…なので」の意で、原因・理由をあらわす。

「いた泣かば人知りぬべ**み**、幡舎(はさ)の山の鳩の下泣きに泣く」〈紀歌謡七一〉「采女の袖吹きかへす明日香風都を遠**み**いたづらに吹く」〈万五一〉「山高**み**川雄大(とほしろ)し、野を広**み**草こそ繁き」〈万四〇一一〉「瀬を早**み**岩にせかるる滝川のわれても末に逢はむとぞ思ふ」〈詞花二二八〉

第二類　終助詞——文末にあって叙述全体を相手に持ちかける

な(禁止)　**そ**　**な**(勧誘)　**な**(詠嘆)　**なむ**(**なも**)　**ね**　**ばや**
がな　**か**　**かも**　**かな**　**かし**　**や**　**ぞ**(**そ**)　**は**　**も**　**よ**

〔終助詞とは〕　この類に属する助詞の特徴は、一つにはこれが文の終末部に位置すること、二つには、文の叙述を相手に持ちかけて、禁止したり、希望したり、誂えたり、質問したり、教示したり、念を押したりすること、三つには、自分みずから文の叙述に疑問を表明したり、あるいは慨嘆したりする気持を加えることである。つまり、文の内部の単語相互の関係には触れず、また、文の叙述の事柄の間の関係そのものにも立ち入らず、文末にあって叙述や判断を示し、あるいはその結果を、相手に持ちかけ、自分自身で疑問視したり、詠嘆したりするという点に特徴がある。

な(禁止)　禁止の副詞「な」の文末に置かれるもの(**1**)と起源的には同一である。平安時代には漢文訓読にも用い、男子の上位の者が下位の者に対して用いる禁止表現となり(**2**)、並行して行なわれた「な(副詞)…そ」が女子の用いる、また女子に対して用いる優しい禁止表現であるのと相違があった。「な」は奈良・平安時代には活用語の終止形を承けるが、院政期以後、連体形が終止形の位置に進出するにつれて連体形を承けるように変った(**3**)。

(**1**)「汝ら疑ふこと**な**とのたまふ」〈金光明最勝王経・平安初期点〉　(**2**)「大和路は雲隠りたりしかれどもわが振る袖を無礼(なめし)と思ふ**な**」〈万九六六〉「〔光源氏ガ滝口ニ〕かの尼君などの聞かむにおどろおどろしく言ふ**な**」〈源氏・夕顔〉「三位の中将、『とく言へ、あまり有心すぎてしそこなふ**な**』とのたまふ」〈枕三五〉　(**3**)「其の貸しを恨みて不覚する**な**」〈咄・昨日は今日・下〉

そ(禁止)　「な…そ」という優しい禁止の、「そ」の部分だけで禁止を表わすに至ったものである。「そ」はサ行変格活用動詞「す」の古い命令形と推定される。院政期以後に現われた。活用語の連用形を承ける。

「かく濫(みだ)りがはしくておはし**そ**」〈今昔一九ノ三〉「父の御故に命を失わむ事なげかせ給**そ**と母上をなぐさめ給へば」〈延慶本平家六・末六代〉

な(勧誘・希望・決意)　活用語の未然形を承け、一人称が主語の場合は、話し手の希望・決意(**1**)、一人称複数(**2**)・二人称(**3**)・三人称(**4**)が主語の場合には、勧誘・慫慂を表わすことが多い。その点では助動詞「む」とほとんど同じ意味を表わすが、活用はしない。おそらくこの「な」の方が古い語なのであろう。

(**1**)「露霜に衣手ぬれて今だにも妹がり行か**な**夜は更けぬとも」〈万二二五七〉「秋風は涼しくなりぬ馬並めていざ野に行か**な**萩の花見に」〈万二一〇三〉　(**2**)「梅の花咲きたる園の青柳をかづらにしつつ遊び暮さ**な**」〈万八二五〉「熟田津(にきたつ)に船乗りせむと月待てば潮もかなひぬ今は漕ぎ出で**な**」〈万八〉　(**3**)「梅の花今盛りなり思ふどちかざしにして**な**今盛りなり」〈万八二〇〉　(**4**)「道の中国つみ神は旅行きもし知らぬ君をめぐみたまは**な**」〈万三九三〇〉

な(感動・詠嘆)　活用語の終止形や助詞などを承けて、感動・詠嘆、また軽い確認の意を表わす。

「河の上(へ)のゆつ岩群に草生(む)さず常にもが**も**な常処女(とこをとめ)にて」〈万二二〉「霍公鳥(ほととぎす)棟(あふち)の枝に行きて居ば花は散らむ**な**珠と見るまで」〈万三九一三〉「花の色は移りにけり**な**いたづらに」〈古今一一三〉「うちうちに宣はせよ**な**」〈源氏・葵〉

なむ(**なも**)(希望・慫慂・誂え)　活用語の未然形を承ける。希望の「な」の下に助詞「も」の添った形である。「も」は事の成否につき、不確実・不可能視する意味を根本的に持つ助詞であるから、「なも」は率直に「な」と誂えるよりも、遠慮して不可能かと思いながら希求する意を表わす。「なむ」は「なも」の転である。この「なむ(なも)」は、係助詞の「なむ(なも)」とは全然別のものである。

「三輪山をしかも隠すか雲だにも心あら**なも**隠さふべしや」〈万一八〉「かみつけのをどのたどりが川路にも児らは逢は**なも**一人のみして」〈万三四〇五〉「吾妹子はくしろにあら**なむ**左手のわが奥の手に巻きて去なましを」〈万一七六六〉「飽かなくにまだきも月の隠るるか山の端逃げて入れずもあら**なむ**」〈古今八〇四〉「惟光、とく参ら**なむ**とおぼす」〈源氏・夕顔〉

ね(希望・誂え) 奈良時代に用いられ、活用語の未然形を承けて希求・誂えの意を表わす点では「な」と同様である。しかし、「ね」は、「刈らさね」「告らさね」「結ばさね」「漕がさね」など、尊敬・親愛の意を表わす助動詞「す」の未然形「さ」を承けるものが圧倒的に多く、他に「賜はね」「いまさね」「申さね」の形が多い。つまりこれは、「な」「なも」に比較して、相手を敬い、相手に親愛の意をこめた表現に用いられる語であったと認められる。

「戦へば我はや飢(ゑ)ぬ島つ鳥鵜飼が伴(とも)今助けに来**ね**」〈記歌謡一四〉「この見ゆる天の白雲わたつみの沖つ宮べに立ちわたりとの曇りあひて雨もたまは**ね**」〈万四一三三〉「わが背子は仮廬作らす草なくは小松が下の草を刈らさ**ね**」〈万一二〉

ばや(希望) 動詞型活用語の未然形を承けて、話し手自身の行為を表わす語について自分の希望を表わす。これは、元来、接続助詞の「ば」に、相手に働きかけて質問する意の助詞「や」が複合して一語となったものと考えられる。例えば万葉集に「衣しも多くあらなむ取りかへて着なばや君が面忘れてあらむ」〈万二八九〉とある。「着物がたくさん欲しい。次々に取りかえて着たならば憎い男の顔を忘れていられるだろう」というのが一首の意である。失恋した女が男を忘れたいと思う歌であろう。「着なばや」の「や」は文末にかかるとも見られるが、これはまた「ばや」と連続して、「着たいものだ」の意ともとれる。「や」は見込み・予断を表わすから、その意味がここにも込められている。「着物を次々に取りかえて着たいものだ。そうすれば、憎い彼の男の顔を忘れていられるだろう」となる。このように、どちらともとれる「ばや」を中間形として、願望を表わす「ばや」が平安時代に成立した。

「心あてに折ら**ばや**折らむ初霜のおきまどはせる白菊の花」〈古今二七七〉「あたら夜の月と花とを同じくはあはれ知れらん人に見せ**ばや**」〈後撰一〇三〉「そこにこそ〔手紙ヲ〕多くつどへ給ふらめ、少し見**ばや**」〈源氏・帚木〉

がな(願望) 「もがも」という終助詞が奈良時代にあったが、平安時代になると、それが「もがな」に転じた。それが後には、「も」と「がな」との結合であると一般に思われるようになったらしく、「も」と「がな」とを分離して、平安・鎌倉時代にかけては、「をがな」の形で使われた。

「〔気ノキク童ガ〕いささか主に物を言はせぬこそうらやましけれ。さらん人を**がな**使はんとこそ覚ゆれ」〈枕(能因本)・陰陽師のもとなる童〉「かの君達を**がな**つれづれなる遊びがたきになどうちおぼしけり」〈源氏・橋姫〉「馬を**がな**と願ひまどひけるほどに、この馬を見ていかにせんと」〈古本説話五八〉

か 係助詞「か」の項(一五〇〇頁)を見よ。

かも 係助詞「かも」の項(一五〇〇頁)を見よ。

かな(詠嘆) 一般には平安時代から使われた。文末の「も」が使われなくなり、それが「な」に転じた結果、「かも」が亡び、「かな」に代ったものである。

「勅して曰はく、能渟水哉、俗云よくたまれるみづ**かな**」〈常陸風土記〉「禍なる**哉**(かな)、愛子は端厳の相いましつ、何に因りてか死ぬる苦に先立ちてせめられぬる」〈金光明最勝王経・平安初期点〉「待つ人にあらぬものから初雁の今朝鳴く声のめづらしき**かな**」〈古今二〇六〉「をみなへしうしろめたくも見ゆる**かな**荒れたる宿にひとり立てれば」〈古今二三七〉

かし(強め) 平安時代以後に現われ、文の普通の終止と、命令の終止とについて、強く相手に念を押す意を表わす。話し手の心境の独白に使われることが多い(**1**)。また、相手に対する依頼の下にもつく(**2**)。

(**1**)「うち聞きにはをかしかなりと耳もとまる**かし**」〈源氏・常夏〉「らうたげなる姫君の物思へる見るに片心つく**かし**」〈源氏・螢〉「御草子に夾算さして大殿ごもりぬるもめでたし**かし**」〈枕三三〉 (**2**)「時時は老いやまさると見給ひくらべよ**かし**」〈源氏・若菜上〉「着たるものの、さまに似ぬは、ひがひがしくもあり**かし**」〈源氏・玉鬘〉

や 係助詞「や」の項(一四九九頁)を見よ。

ぞ(**そ**)(指定・教示) 係助詞の「そ」と同源の語であるから、係助詞「ぞ」の項(一四九八頁)に併せて記した。

は(詠嘆) 係助詞「は」の項(一四九六頁)を見よ。

も(詠嘆) 係助詞もの項(一四九六頁)を見よ。

よ(念押し) 「や」の母音の交替した語である。「や」が掛け声から転じて、相手に働きかけ、自分の持つ見込みをまして質問し、相手の反応に期待し、また反語として、自分の予断を相手に押しつける場合に使われるに対し、「よ」は、相手に呼びかけ、相手に念を押し、自分の考えを相手に押しつける気持の表現である(**1**)。この「よ」が上二段活用、下二段活用、サ行変格活用などの動詞の命令形の下に加わっているのも、右のような「よ」本来の意味にもとづいて、相手に命令の意を押しつける気持である。カ行変格活用「来(く)」の命令形も、平安時代中期までは「こ」だけであったが、院政期以後「よ」を追加して「こよ」の形をとるようになった(**2**)。

(**1**)「下野(しもつけ)のあその河原よ石ふまずそらゆと来(き)ぬ**よ**汝が心告(の)れ」〈万三四二五〉「今は我は死なむ**よ**吾妹逢はずして思ひ渡れば安けくもなし」〈万二八六九〉 (**2**)「疾く**来**(こ)と言ひやりたるに、今宵はえまゐるまじとて」〈枕三五〉「馬を取りて**来**(こ)**よ**とばかり言ひ懸けて、取りて来たらむをも待たず」〈今昔三五ノ一三〉

第三類　間投助詞——単に投入される

やよを

〔間投助詞とは〕　すでに述べたように、助詞は、話し手の叙述を話し相手に持ちかけて関係をつける(終助詞)か、あるいは、文中の他の語と相互に関係をつける(格助詞・副助詞・係助詞・接続助詞)か、という働きをするものである。しかし、間投助詞と呼ばれるこの類は、語の下に投入されて話し手の気分を表わし、相手に呼びかけたり、あるいは歌の音数律を整えたりする。これは語と語とを関係づけることはない。

や　掛け声が起源と考えられる。従って相手に呼びかけるに使う(**1**)。また、拍子を整えるに用いる(**2**)。

(**1**)「八千矛の神の命**や**吾が大国主汝こそは男(を)にいませば」〈記歌謡五〉「吾妹子**や**吾を忘らすな石(そ)の上(かみ)袖振る川の絶えむと思へや」〈万三〇一三〉 (**2**)「かしこき**や**神の渡りは吹く風ものどには吹かず」〈万三三三五〉「天飛ぶ**や**雁を使ひに得てしかも奈良の都に言告げやらむ」〈万三六七六〉「わが心なぐさめかねつさらしな**や**姨捨山に照る月を見て」〈古今八七八〉

よ　呼びかけに用いる。「よ」の多くは終助詞としての用法である。

「籠も**よ**み籠もちふくしも**よ**みぶくし持ち」〈万一〉「吾はも**よ**女にしあれば汝を除きて男はなし」〈記歌謡五〉「隠口(こもりく)の泊瀬小国(はつせをぐに)によばひ為(せ)すわが天皇**よ**奥床に母は寝たり外床(とこ)に父は寝たり起き立たば母知りぬべし出で行かば父知りぬべし」〈万三三一二〉「あらたまの年の経ぬれば今しはとゆめ**よ**吾が背子吾が名告らすな」〈万五九〇〉

を　承諾・承知の意の返辞「唯唯(をを)」の「を」と同源の語である。これは格助詞としての用法が最も一般化しているが、格助詞としての用法が確立する以前には、種々の用法があった。その一つが間投助詞としての用法である。

「宇治川を舟渡せ**を**と呼ばへども聞えざるらし梶の音もせず」〈万一一三八〉「うつつには逢ふ由もなしぬばたまの夜の夢に**を**つぎて見えこそ」〈万八〇七〉「生ける者遂にも死ぬるものにあればこの世なる間は楽しく**を**あらな」〈万三四九〉「ほととぎす此処に近く**を**来鳴きてよ過ぎなむ後にしるしあらめやも」〈万四四三八〉

動詞活用表

種類	行	基本形	語幹	未然	連用	終止	連体	已然	命令
四段	カ	咲く	咲(さ)	か	き	く	く	け	け
	ガ	漕ぐ	漕(こ)	が	ぎ	ぐ	ぐ	げ	げ
	サ	消す	消(け)	さ	し	す	す	せ	せ
	タ	立つ	立(た)	た	ち	つ	つ	て	て
	ハ	願ふ	願(ねが)	は	ひ	ふ	ふ	へ	へ
	バ	叫ぶ	叫(さけ)	ば	び	ぶ	ぶ	べ	べ
	マ	澄む	澄(す)	ま	み	む	む	め	め
	ラ	祈る	祈(いの)	ら	り	る	る	れ	れ
上一段	カ	着る	(着)	き	き	きる	きる	きれ	きよ
	ナ	似る	(似)	に	に	にる	にる	にれ	によ
	ハ	干る	(干)	ひ	ひ	ひる	ひる	ひれ	ひよ
	マ	見る	(見)	み	み	みる	みる	みれ	みよ
	ヤ	射る	(射)	い	い	いる	いる	いれ	いよ
	ワ	居る	(居)	ゐ	ゐ	ゐる	ゐる	ゐれ	ゐよ
上二段	カ	尽く	尽(つ)	き	き	く	くる	くれ	きよ
	ガ	過ぐ	過(す)	ぎ	ぎ	ぐ	ぐる	ぐれ	ぎよ
	タ	朽つ	朽(く)	ち	ち	つ	つる	つれ	ちよ
	ダ	閉づ	閉(と)	ぢ	ぢ	づ	づる	づれ	ぢよ
	ハ	生ふ	生(お)	ひ	ひ	ふ	ふる	ふれ	ひよ
	バ	忍ぶ	忍(しの)	び	び	ぶ	ぶる	ぶれ	びよ
	マ	恨む	恨(うら)	み	み	む	むる	むれ	みよ
	ヤ	老ゆ	老(お)	い	い	ゆ	ゆる	ゆれ	いよ
	ラ	懲る	懲(こ)	り	り	る	るる	るれ	りよ
下一段	カ	蹴る	(蹴)	け	け	ける	ける	けれ	けよ

基本助動詞活用表（接続を示す欄の「四」は四段、「サ」はサ変、「ナ」はナ変、「ラ」はラ変の略）

類	意味	語	未然	連用	終止	連体	已然	命令	接続
第一類	使役・尊敬	す	さ	し	す	す	せ	せ	未然(四・ナ・ラ)
		す	せ	せ	す	する	すれ	せよ	未然(四・ナ・ラ)
		さす	させ	させ	さす	さする	さすれ	させよ	未然(右以外)
		しむ	しめ	しめ	しむ	しむる	しむれ	しめよ	未然
	自発・可能・受身・尊敬	る	れ	れ	る	るる	るれ	れよ	未然(四・ナ・ラ)
		らる	られ	られ	らる	らるる	らるれ	られよ	未然(右以外)
		ゆ	え	え	ゆ	ゆる	ゆれ	えよ	未然(四・ナ・ラ)
		らゆ	らえ	らえ	らゆ	らゆる	らゆれ	らえよ	未然(右以外)
	尊敬	給ふ	は	ひ	ふ	ふ	へ	へ	連用
第二類	謙譲	聞ゆ	え	え	ゆ	ゆる	ゆれ	えよ	連用
		申す	さ	し	す	す	せ	せ	連用
		奉る	ら	り	る	る	れ	れ	連用
	丁寧	はべり	ら	り	り	る	れ	れ	連用
		候ふ	は	ひ	ふ	ふ	へ	へ	連用
第三類	完了・存続	つ	て	て	つ	つる	つれ	てよ	連用
		ぬ	な	に	ぬ	ぬる	ぬれ	ね	連用
		り	ら	り	り	る	れ	れ	命令(四・サ)
		たり	たら	たり	たり	たる	たれ	たれ	連用
	打消	ざり	ざら	ざり	○	ざる	ざれ	ざれ	未然
	推量	べかり	べから	べかり	○	べかる	○	○	終止(ラは連体)
		まじかり	まじから	まじかり	○	まじかる	○	○	終止(ラは連体)
		めり	○	めり	めり	める	めれ	○	終止
	打消	ず	○	ず	ず	ぬ	ね	○	未然
		じ	○	○	じ	じ	じ	○	未然

下二段															カ変	サ変		ラ変	ナ変
ア	カ	ガ	サ	ザ	タ	ダ	ナ	ハ	ハ	バ	マ	ヤ	ラ	ワ	カ	サ	ザ	ラ	ナ
得(う)	砕く	告ぐ	失す	交ず	育つ	愛づ	束ぬ	経(ふ)	憂ふ	述ぶ	求む	消ゆ	溢る	植う	来(く)	為(す)	講ず	有り	死ぬ
(得)	砕(くだ)	告(つ)	失(う)	交(ま)	育(そだ)	愛(め)	束(つか)	(経)	憂(うれ)	述(の)	求(もと)	消(き)	溢(あふ)	植(う)	(来)	(為)	講(かう)	有(あ)	死(し)
え	け	げ	せ	ぜ	て	で	ね	へ	へ	べ	め	え	れ	ゑ	こ	せ	ぜ	ら	な
え	け	げ	せ	ぜ	て	で	ね	へ	へ	べ	め	え	れ	ゑ	き	し	じ	り	に
う	く	ぐ	す	ず	つ	づ	ぬ	ふ	ふ	ぶ	む	ゆ	る	う	く	す	ず	り	ぬ
うる	くる	ぐる	する	ずる	つる	づる	ぬる	ふる	ふる	ぶる	むる	ゆる	るる	うる	くる	する	ずる	る	ぬる
うれ	くれ	ぐれ	すれ	ずれ	つれ	づれ	ぬれ	ふれ	ふれ	ぶれ	むれ	ゆれ	るれ	うれ	くれ	すれ	ずれ	れ	ぬれ
えよ	けよ	げよ	せよ	ぜよ	てよ	でよ	ねよ	へよ	へよ	べよ	めよ	えよ	れよ	ゑよ	こ(よ)	せ(よ)	ぜ(よ)	れ	ね

形容詞活用表

種類	基本形	語幹／語尾	未然	連用	終止	連体	已然	命令
ク活用	高し	高(たか)	○ から	く かり	し ○	き かる	けれ ○	○ かれ
シク活用	悲し	悲(かな)	○ しから	しく しかり	し ○	しき しかる	しけれ ○	○ しかれ

第四類											別類				
		推量							回想		指定		比況	希求	
ましじ	まじ	む	らむ	けむ	らし	まし	べし	なり	き	けり	なり	たり	ごとし	たし	まほし
○	○	○	○	○	○ ○	ませ	○	○	(せ)	(けら)	なら	たら	○	○	○
○	まじく	○	○	○	○ ○	○	べく	○	○	○	なり	たり	ごとく	たく	まほしく
ましじ	まじ	む	らむ	けむ	らし ○	まし	べし	なり	き	けり	なり	たり	ごとし	たし	まほし
ましじき	まじき	む	らむ	けむ	らし (らしき)	まし	べき	なる	し	ける	なる	たる	ごとき	たき	まほしき
○	まじけれ	め	らめ	けめ	らし ○	ましか	べけれ	なれ	しか	けれ	なれ	たれ	○	たけれ	まほしけれ
○	○	○	○	○	○ ○	○	○	○	○	○	なれ	たれ	○	○	○
終止	終止(ラは連体)	未然	終止(ラは連体)	連用	終止(ラは連体)	未然	終止(ラは連体)	終止	連用	連用	連体・体言	体言	連体 助詞「が」「の」	連用	未然

官職制度の概観

土田直鎮

日本の官職制度は、その根本は律令制度の官制に基づいているが、やはり長年の間にはいろいろな変遷があり、その全体を一律に説明することはむずかしい。そこで、主として平安時代の後半、摂関政治期から院政期あたりの状態を中心に説明しようと思う。この時期には令の官制が実質的にはかなり大きく変って来ており、しかもこの時期の制度がほぼ固定した形として後世に伝えられた。従って古文献を扱うときに、そのことをよく理解しておく必要がある。

一、総説

以下の各章を見て行けば自然にわかることではあるが、最初に、当時の官職制度の特色を幾つか列挙しておこう。

一、平安中期以後の官職制度は、基本的には令の官制に基づいているが、廃止・新設などいろいろ変遷を経た官も多く、実務にあまり関係のない地位もふえて来ており、決して令の制度そのままの形で運用されているのではない。

二、当時の官職は、これを大別すれば、適切な名称がないけれども、いわば正式の官と称すべきものと諸職とでもいうべきものとに分けられる。正式の官とは、大納言・参議というような、令制やその後の格〈きゃく〉などによって官位相当制の相当位がきめられているもので、四等官制の組織に組み込まれている。諸職は、検非違使〈けびいし〉・蔵人〈くろうど〉など、諸使・諸所の役で、これは相当位も定められておらず、原則として四等官制をとる必要もない。正式の官に任ずるのを任官、諸職を命ずるのを補職といい、両者をあわせて補任〈ぶにん〉と称する。

三、形式上はあくまでも正式の官が基本であって、職の方は原則として、正式の官を持つ者が諸職を兼ねるという形をとる。しかし実際の政務は、正式の官よりもむしろ諸職の手によって行なわれている場合が多い。

四、慣例として、身分や家柄によって、補任される官職や昇進の順序・限度などが大体限定されている。従って実務にあまり関係ないような官職では、それは単にその人の身分や家柄をあらわす標識の意味しか持っていない。

五、当時の役人は、親戚・姻戚・知友・従属関係などいろいろの筋から有力な諸家に出入りして、これと私的関係を結んでいるものが多く、その相手も一つの家とは限らず、数家に出入りしているようである。一般にそのような私的な結びつきは、官制上の上下の統属関係よりも強いのであるが、しかし表向きはあくまでも官職位階がその者の地位をあらわす尺度となる。

六、個人の行動を記す時に、例えば「左兵衛督が参内した」というように、個人をその官職名であらわすことが普通である。その場合、左兵衛督は単なる個人名の代りとして官職名を掲げているのであって、そこに記された行動はその官職とは直接関係がない、すなわち左兵衛督という役職の立場からの行動ではないことが多い。

七、当時の役人すべてを上下一括して考えてみると、次の上中下の三階級に分けることが出来るようである。すなわち、上は、若い頃から或いは大分年をとってからでも、とにかく諸司・諸国の次官以上に任ぜられる者である。中は、判官以下史生〈ししょう〉あたりまでのクラスで、これらはいくら年功を積んでも判官どまりが限度である。そして実際の業務は、多くはこのクラスが担当したと思われる。下は、その下の舎人〈とねり〉、使部〈しぶ〉など雑役の卑職である。

この上中下の中で、官職制度の説明の対象となるのはほとんど上のクラス、位で言えば五位以上、官で言えば次官以上の者に限られ、中・下級は、衛府などの特殊なものを除いてはあまり問題にされない。

八、当時の官職は、あまり実務に関係のないものと、業務(といってもほとんど儀式的ないしは形式的事務であるが)多忙なものとの差が甚だしい。多忙な官職が重んぜられるのは自然であるが、しかし、一方では官職は身分の標識とされているので、忙しいばかりが能ではなく、官職間の格差が根底にあり、その上で同格の官職では実務の伴う地位が名誉とされるのである。この官職間の格差は、長年の間に、どの程度の人がその官に任ぜられて来たかという先例の積み重ねによって、慣習的に成立したものであろう。

二、位階

律令国家の体制は、中央集権の官僚体制であるが、この官僚という身分をあらわすものは位階であり、位階を持つ者がその位階の高下に応じて官職を授けられるのである。

位階には親王・諸王・諸臣の三種のものがある。

親王の位階は一品〈いっぽん〉から四品〈しほん〉までで、それ以外は無品〈むほん〉と呼ぶ。諸王の位階は次の諸臣の位階と同じ名称であるが、従五位下以上に限られ、六位以下はない。それ以外の者は無位の諸王である。

諸臣の位階は一位〜八位と、その下に初位〈そゐ・しょゐ〉がある。三位以上は正従の二階に、四位〜八位は正従上下の四階に、初位は大少上下の四階にそれぞれ分れ、合計三十階である。

この位階は、令制では、五位以上を勅授として、六位以下の奏授などの位階と区別し、あらゆる面で五位以上を優遇するたてまえであった。平安時代以後もその伝統は続き、五位に昇ることを栄爵とか叙爵とかいって特に名誉とした。その反面、六位以下はほとんど実質的な意味がなくなり、六位(特に正六位上)が五位に進む手前の段階として残る程度で、七位以下は消滅したも同様になり、位階といえば従五位下以上だけが問題にされることになった。

五位以上では、四位と五位とでもかなりの格差があるが、三位以上は公卿(くぎょう)の中に数えられるのであるから殊に格段の差がある名誉な位階であった。人臣最高の位は正一位であるが、これは何人も生前には授けられることがなく、死後に贈られる位階とされ、事実上は従一位を最高位とする。

官僚の身分・地位の高下はこの位階によって決せられ、位階の高下に応じて官職も授けられる。位階は年功その他の功労や成績によって昇進するが、位が昇ったからといって直ちに官職も変るわけではない。また、位階は持っているが現在特に何の官職にもついていないという、いわゆる非役の者も多く、これらを散位(さんい)というのである。

三、官職

官と職との区別は総説で述べたが、職は原則として正式の官についている者が兼ねるたてまえである。そして官については、官位相当とか、四等官制とか、定員とかいういろいろな問題があるので、最初にそれらを説明しておこう。

官位相当 官は位階の高下に応じて授けられるが、どの官に大体どの程度の位階の者を任命するかという基準が、令の官位令やその後の格によって示されている。これが官位相当の原則であって、表示すれば凡そ本論の末尾(一五三二〜三頁)にかかげた表のようになる。

ただし、官位相当は大体の基準を示しただけのもので、令制施行の最初からきちんと守られてはいない。まして後年になると大きく崩れ、一般に人々の位階が高くなり過ぎていて、官はこれに釣り合わないのが普通である。例えば左右大弁は従四位上相当であるが、実際には三位の者が任ぜられることが多く、低くても正四位である。大体、この表で正従六位相当の諸官は、五位の者が任ぜられるのが実情であろう。七位の官の中にすら、大外記や諸博士のように、実際は五位のものも含まれている。このように、官位相当は次第に実際に合わなくなり、平安初期までは一部改訂も行なわれたが、その後は手も付けずに放っておかれたままのことで、この表は実際とは大分ずれているのである。

四等官制 令の官制では二官・八省以下多くの役所があるが、それらの役所にはすべて幹部職員として長官(かみ)・次官(すけ)・判官(じょう)・主典(さかん)の四階級の官が置かれていて、整然たる形をしている。これが四等官制で、その職務分担としては、長官はもちろんその役所を総管する長であり、次官は副で、長官と同じ職務である。判官は事務上の主任とでもいう地位で、主典は書記と思えばよかろう。この四等官の下に更に書記の役を勤める史生(ししょう)があって、これも一応四等官に準ずるものとして扱われた。

役所はその規模の大小や職種によって、省・職(しき)・坊・寮・司・台・府・国などさまざまの名称があり、四等官を示す字もそれぞれに異なっている。その用字を、次に掲げておこう。

四等官用字表

役所名＼四等官	長官	次官	判官	主典
神祇官	伯	副	祐	史
省	卿	輔	丞	録
職・坊	大夫	亮	進	属
寮	頭	助	允	属
司・監	正		佑	令史
署	首			令史
弾正台	尹	弼	忠	疏
近衛府	大将	中・少将	将監	将曹
兵衛府	督	佐	尉	志
衛門府	督	佐	尉	志
大宰府	帥	弐	監	典
諸国	守	介	掾	目
内侍司	尚侍	典侍	掌侍	
勘解由使	長官	次官	判官	主典

官制表

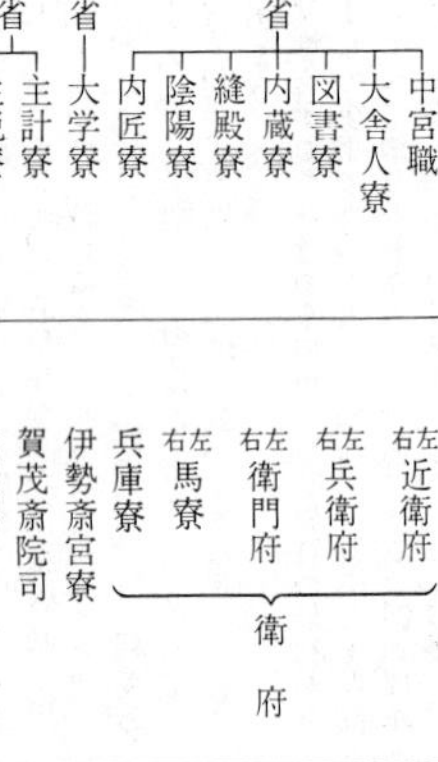
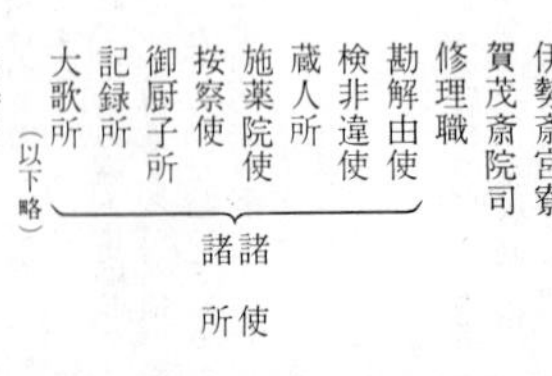

定員・権官・兼官

諸官の定員や職掌は、やはり令や格できめられている。そして大きな役所では次官以下には大少の別があったりする一方、司とか、中国・下国というような小さな所では次官が欠けている。また、侍従や博士のように相当位はあっても四等官の系列に入らない官はもちろん、四等官の下の史生や舎人も定員はきまっている。

ところが平安時代のはじめから、いろいろの官について定員外に権官〈ごんかん〉を置くようになり、次第に増加した。権官は正官と同格のもので、元来は業務の繁忙を助けるためにかりに置かれたのであるが、次第に先例として固定化した。こうして定員は事実上増加したが、しかし、権官はどの官についても勝手に置けるわけではなく、大学頭には権官がないが、内蔵寮〈くら〉では内蔵頭と共に内蔵権頭があるといった調子で、権官の置ける官はきまっている。これは結局は先例の積み重ねによる慣習である。

また、後の章で述べる年給という制度の為に、諸司諸国の判官以下は定員を無視して置かれるようになり、特に衛府と諸国で甚だしかったようである。舎人も、名ばかりの者は多かったであろうが、実際の勤務人員は定員をはるかに下回っていたと思われるが、はっきりわからない。

このように役人の数がふえる一方では、一人が数個の官職を兼ねる慣例もあり、多い者は四つも五つも兼ねるのであって、特に上級者に於ていちじるしい。これを兼官といい、特に諸国司を兼ねるのを兼国という。その沿革はともかくとして、大体は肩書のふえるのを名誉とする程度の慣習的なものが多い。ただし、兼国は経済的に大きな意味を持つことがあったであろう。

異名

官職には、たとえば摂政関白を一の人といったり、博陸〈はくりく〉と称したりするような、いろいろの異名・異称がある。これらの異名の多くは唐名〈とうみょう・からな〉と呼ばれるもので、参議を宰相、修理職を匠作という類の、中国ふうの称呼である。この唐名は、正式の公文書では使用されないが、漢詩文その他の、修飾的要素の多い文章ではしばしば用いられる。唐名は、ほとんどすべての官職について慣習的に定まっているが、その中にはあまり用いられないものも多い。

異称は位階についても存し、四位を四品〈しほん〉というような場合も少なくないが、唐名としては、従五位上を朝請大夫、従五位下を朝散大夫と称する類のものが用いられる。

次に、俗に二官八省と言われる令制諸官職の個々について説明しよう。ただし、どんな役所があったかということは官制表を見ればわかるし、その役所にどんな職員がいたかは四等官や官位相当表などから察することができる。更に、その役所が何をする所であるかという点は、令ではいろいろ具体的に定めてはあるけれども、総説でも述べたように、実際には活動していないものが多いのであるから、詳しく述べてもあまり意味がない。従って、以下の記述は、特に必要と思われるもの以外はつとめて簡略にしておこう。

神祇官　神祇・太政の二官などというと重々しく聞えるが、実際には公けの神事に従事するだけのものであり、小さい省程度の規模しかなく、行政面では太政官の管下にある。長官の神祇伯は、平安末以降、花山源氏の白川家が世襲して王号を称し、次官の大副は大中臣氏が世襲して伊勢神宮の祭主を兼ねる例である。以下の諸官も、中臣・忌部・卜部〈うら〉の諸氏が多い。なお、神祇官には卜部という職があって、陰陽寮と共に事ある度に占いをし、また、お祓などを勤める宮主〈みやじ〉という職もあった。

太政官　律令体制では、国家の全機能がこの太政官に集中していると言ってよい。この太政官の最上層にあるのがいわゆる公卿という一団で、大臣・大中納言・参議から成り、国政を審議する最高幹部会を形成する。この太政官の上にはもちろん天皇があり、摂政関白がこれに密着して天皇と共に太政官を指揮し、太政官は弁官を通じて多くの役所を支配する。そして、天皇には秘書官として蔵人が付いていて、これが天皇と摂関との間や、天皇・摂関と太政官との間の連絡に当る、というのが国政運営(といってもその多くは先例に基づいた儀式的・形式的なものであるが)の大体の姿である。以下、太政官内の諸官につき略述する。

摂政関白　一の人・一の所・摂籙〈せつろく〉・博陸〈はくろく〉・殿下〈てんが〉など、さまざまの異称・唐名がある。藤原北家、特に道長の子孫がこの地位を世襲する例となり、氏長者を兼ねる。これがいわゆる摂関家である。天皇幼少の折は摂政として代理をつとめ、成人の後は関白として天皇と共に国政をとるもので、大臣が本官であることが原則であるが、中には大臣ではなくて、単に摂政あるいは関白の職に在るだけという例もある。関白は太政官から奏上する文書をあらかじめ必ず内見するのが具体的な職務であるが、正式な関白ではないが大臣が内覧の宣旨を受けてこれとほぼ同じ仕事をする場合があって、これを内覧という。

大臣　令制では太政・左・右の三大臣があり、令外官として内大臣が平安中期以降はほぼ常置された。太政大臣は最高の官であるが、天皇の師範として天下の陰陽の気をととのえるといったような職で、具体的な仕事はなく、摂関を勤めた大臣とか、摂関家同等の高い家柄の者が任ぜられる名誉職である。唐名は大相国・相国など。太政大臣がこのように実務を離れた存在であるから、実質上は左大臣が太政官の最高位であり、一の上〈かみ〉とも称し、太政官内一切の責任者で、職務は重大且つ多忙である。左大臣が摂関の場合には、次位の右大臣が代って一の上を勤める。内大臣も職掌は同様である。以上の諸大臣は、左(右・内)丞相・左相府・左府などのように称することも多い。

大納言　大臣に次ぐ重職とされ、場合によっては大臣の職務を代行する。唐名亜相。権官も置かれ、五、六人が普通であるが、十人程になったこともある。

中納言　令外官であるが、実際は奈良時代のはじめからすでに常置されている。大納言同様の職務で、権官もあり、次第にふえて十人近くになった。唐名黄門。位階は必ず三位以上。

参議　令外官で、字の通りに朝議に参与する職。当て字で三木とも書き、唐名としては宰相が専ら用いられる。多くは三位以上であるが、四位の者もある。人数は、これだけはむやみに増減がなく、例として八人ときまっていて、権官も置かれない。この、官では参議以上、位では三位以上の一団の者を公卿というのであるが、公卿についてはさらに後の章で説明を加えることとする。

少納言　太政官の組織としては、公卿の下に少納言と左右の弁官があり、それぞれ外記〈げき〉や史を指揮することになっている。少納言は定員三名で、元来は侍従を兼ねて天皇の側近に奉仕し、奏上や下命を伝える要職であったが、蔵人が出来てからは仕事がなくなり、儀式に立ち合う程度のつまらぬ役になってしまった。

外記　少納言の下に大少外記各二人がある。これは太政官内の書記局ともいうべき要職で、権官もあり、太政官の諸行事一切の先例を調べ、記録に当り、人事関係の手続きを処理するので、地位は高くないが実質上は極めて重要な職務である。従って外記局ともいい、その上首を局務と称して五位となる例で、これを大夫外記ともいう。唐名は外史。多く清原・中原両氏が任ぜられる。

弁官　左右の弁官は、太政官と八省・衛府・諸国など管下のすべての役所との連絡に当るもので、太政官の全国統制の重要な実務機関である。令では左右の別があるが、実際には職務上の区別はなく、左右全く一体である。唐名は尚書。左右の大中少弁各一人があり、更に中少弁に一人の権官があって合計七人置かれる例で、八座七弁という言葉は、八人の参議と七人の弁とをあらわす。実務家のかなりよい家柄の者が代々任ぜられることが多く、大弁は唐名を大丞とも称し、三位の参議である例も多い。

史　弁の下の史は、左右大少史各二人の計八人で、やはり実務上は左右の別はなく、筆頭は外記と同じく五位の者で大夫史と称し、これを官務という。官務の地位は平安中期以降、小槻氏によって世襲された。太政官の下す命令の多くは、弁官を経て史の作る太政官符や官宣旨の形で出されるのである。

以上の太政官の機構では、大臣が長官、大中納言及び参議が次官、少納言・弁が判官、外記・史が主典に当る。そして、外記局と左右弁官局とを合わせて太政官三局といい、また、局務と官務とを両局と総称することもある。

八　省

八省の名称や、それぞれの管下の職〈しき〉・寮・司の名については、官制表の通りであるが、平安時代も中頃以降は、太政官は大体八省を経ずに直接諸寮司を指揮するようになって、八省はすっかり有名無実になってしまった。従ってその四等官も実務とは無関係なものが多く、中務〈なかつかさ〉卿・式部卿などは常に親王が任ぜられる全くの名誉職であり、兵部卿もその類である。他の民部・治部・刑部・大蔵・宮内の諸卿も、大ていは中納言か参議あたりの兼任で名ばかりのものにすぎない。ただし、八省の中でも格差はあって、中務・式部・民部・兵部などは、他の四省よりも上格と考えられ、大蔵・宮内が最も軽く見られていた。以下、八省とその被管の諸司の中、主なものについて略述するが、その中で学芸に関する諸職は別に諸道としてまとめて解説する方が便利なので、後回しにする。

中務省　唐名中書省。詔勅をはじめ、おもに宮中関係のことを職掌とし、本来は八省の中でも特別に地位が高かったが、後には殆ど実務はなくなった。四等官のほか、省直属の職員としては侍従・内舎人〈うとねり〉・内記・監物〈けんもつ〉などがある。侍従は唐名拾遺〈しふゐ〉。天皇に近侍する側近の官であったが、蔵人や殿上人の制が出来てからは意味もなくなり、人数も不定になった。公卿が兼任することもあるが普通は良家出身の五位である。内舎人は奈良時代には上流子弟から選ばれて天皇に近侍する栄達への第一歩であったが、後にはすっかり下落して、低い家柄の者の職となった。内記は唐名柱下〈ちうか〉。中務省の中では最も実質的な官で、大内記一人、少内記二人があり、詔勅・宣命をつくり、位記を書く役で、学者出身の文筆家が任ぜられる。監物は倉の出納を掌るもので地位は低い。中務省被管の役所としては、中宮職・内蔵寮〈くらつかさ〉・陰陽寮〈おんやうれう〉・図書寮〈づしよれう〉・縫殿寮〈ぬひどののつかさ〉・内匠寮〈たくみづかさ〉・大舎人寮などがある。

式部省　唐名吏部(李部)。礼式・文官の人事・大学を管する。式部卿が親王の名誉職であるから、次官の大輔〈たいふ〉が実質上の長官となるが、この式部大輔・少輔〈せう〉には学者出身者が任ぜられ、式部大輔が公卿である場合もあって、八省の次官の中では極めて特殊なものと言える。また、式部丞は叙位除目に必ず立ち合う関係もあって、六位ながらも八省の判官では最も格が高かった。式部省被管の役所は大学寮だけであるが、これは諸道の部で述べる。

治部省　唐名礼部。被管の役所として雅楽寮〈うたづかさ〉・玄蕃寮〈げんばれう〉・諸陵寮があり、雅楽や僧尼の得度・陵墓などを掌るが殆ど実際の活動は見られない。

民部省　唐名戸部。主計寮〈しゆけいれう〉・主税寮〈しゆぜいれう〉の二寮を管し、主計は調庸を、主税は田租や正税〈しやうぜい〉を扱うので本来は非常な重職であるが、格は高くても実務から離れたものになってしまった。

兵部省　唐名も兵部。武官の人事を扱う。格は高いが実務はないも同然で、隼人〈はやと〉を掌る隼人司があるが、これまた名ばかりのものと言ってよい。

刑部省　唐名も刑部。訴訟・裁判・断罪を掌るが、検非違使が置かれて名ばかりになった。四等官のほかに大少判事があり、明法道出身者が任ぜられるがこれも名のみである。

大蔵省　唐名大府。今日の大蔵省のような国家財政の全権を握るものではなく、調の一部や金銀貨幣・諸国貢献物を掌るだけである。織物を扱う織部司を被管とする。

宮内省　唐名工部。宮中の諸事を掌る点では中務省に似ているが、中務省が主に表立ったことを扱うのに対して、宮内省は宮廷の日常生活を管理する。ただし、実際の活動は被管の諸司を太政官あるいは蔵人所が直接指揮することが多く、省の四等官はほとんど実務に関係しない。大膳職〈だいぜんしき〉・木工寮〈もくれう〉・大炊寮〈おほひれう〉・主殿寮〈とのもれう〉・典薬寮〈てんやくれう〉・掃部寮〈かもんれう〉・内膳司〈ないぜんし〉・造酒司〈ざうしゆし〉・主水司〈もひとりのつかさ〉・采女司〈うねめづかさ〉などさまざまの諸司がある。

諸　道

諸道とは、学芸に関する諸専門各科の総称で、特定の家が特定の官職を独占する傾向が最も強い。その諸道は具体的には、式部省大学寮には紀伝〈きでん〉・明経〈みやうぎやう〉・明法〈みやうぼふ〉・算の四道があり、中務省陰陽寮では天文・暦・陰陽道が扱われ、宮内省典薬寮に医道がある。そしてそれぞれ特定の家がその教官や関係官職の主要なものを独占世襲し、やや低い関係諸職もやはりその諸家や門人たちによって占められるのである。

紀伝道　令制の大学は経書専攻の明経道を中心とするたてまえであったが、平安時代に入って、史学・文学専攻の紀伝道が断然圧倒的優位に立った。教官は文章博士〈もんじやうはかせ〉二人があり、唐名翰林学士。大江・菅原・藤原北家・南家・式家等の出身者で占められ、公卿に至る者もある。式部大少輔などは紀伝道出身者の栄職であり、大学頭・東宮学士・式部丞・大少内記なども紀伝道出身の専門の文筆家が占める地位である。学生は式部省の試験(省試)を受けて定員二十人の文章生〈もんじやうしやう〉となり、やがてその大半は諸司諸国の判官クラスに転出するが、ごく一部は文章得業生〈もんじやうとくごふしやう〉すなわち秀才に進み、対策という論文試験を経て専門学者となる。また、官職ではないが、主に紀伝道出身で天皇の教授に当る侍読〈じどく〉は、非常な名誉とされた。

明経道　経書専攻のコースで、教官には明経博士(単に博士とも大博士ともいう)一人、その下に助教二人・直講二人がある。明経道は本来は大学教科の中心だった筈であるが、紀伝道にすっかり圧倒されたため、学生の実数も仕官の情況もはっきりしない。教官は清原・中原両氏の出身者であるが、大外記などを勤めて五位止りの者も多く、昇殿も稀で、文章博士に比べて地位は低かった。他に字音を教える音博士や書博士もある。

明法道　法律専攻で、明法博士二人が教官であり、惟宗〈これむね〉氏が有名であったが、平安末から中原・坂上両氏の職となった。大少判事や検非違使の大尉〈じょう〉・志〈さかん〉などは明法道出身者の職である。

算道　算博士二人があり、三善・小槻の両氏が占める。小槻氏は史を世襲し、主計・主税二寮の頭か助は算博士の兼任であり、諸寮にいる算師ももちろんこの算道出身者の占める地位である。

天文・暦・陰陽道　この諸道は相互に密接不離の関係があるが、主に賀茂氏が暦道を、安倍氏が天文道を業とした。陰陽寮の四等官のほか、陰陽・暦・天文・漏刻博士があり、陰陽師も置かれていて、いずれもこの両氏や門人が占める。暦を作り、吉凶を占い、まじないをするなど、朝廷はもちろん、諸家の依頼も多く、実質的に活動する官であるが、せいぜい四位か五位止りで、地位は決して高いとは言えない。

医道　医薬は和気・丹波の両氏が掌り、典薬寮の四等官や侍医、医博士・針博士などの諸官や、衛府の医師など、いずれもこの両氏や門人が占めている。

以上の諸道出身者は、或いは学生を教えたり、或いは実地に腕を振ったりするのであるから決して閑職ではないけれども、紀伝道以外は最上級者でもそれ程の地位には昇り得ず、まして下級の者は諸寮司の判官・主典位がせいぜいである。従って、普通の者は何も諸道のルートによらなくても家柄次第で昇進が十分可能なわけで、特定の家の者でなければめったに諸道から出身する者はいない。

さて、次には春宮坊〈とうぐう〉・中宮職〈ちゅうぐうしき〉を説明しよう。

春宮坊　東宮の為には東宮傅〈ふ〉・東宮学士と春宮坊が置かれている。傅は大臣、時には大納言が任命され、いわば後見役である。東宮学士は二人で、紀伝道の学者から選ばれる栄職である。春宮坊には大夫〈だい〉以下の四等官があり、権官も置かれる。それぞれ精選の職とされていて、大夫・権大夫は大・中納言あたりの公卿が兼任し、亮や大少進にも家柄の良い者が選ばれる。令制では被管の役所として主膳監とか主馬署とかいう類のものが定めてあるが、これらのほかに、令外の官職として、宮中と同じく蔵人所があって蔵人四人があり、東宮昇殿の制も存した。また、帯刀〈たちはき〉三十人が警備に当ったが、これは衛府その他から武芸に長ずる者を選抜したもので、帯刀長があり、これを帯刀先生〈せんじょう〉ともいう。

中宮職　令制では中務省の下に中宮職だけが定めてあって皇后宮職の名が見えないが、これは令では太皇太后・皇太后・皇后の三后を総称して中宮と言っているからである。しかしその後、中宮の語義が変って、皇后と全く同格のものとして別に中宮が並立するようになったから、実際には中宮職のほかに皇后宮職や皇太后宮職も設けられた。いずれも大夫・権大夫以下の四等官があり、精選の職とされ、大夫・権大夫は公卿の兼任であることなど、春宮坊と同様である。そしてこれら春宮坊や三后の職の職員を宮司〈みやづかさ〉とも称した。また、これらの役所が東宮や三后の家政を掌るもので、その点では院の院庁とも同様の性格を持っているから、俗には春宮庁とか中宮庁などのように、庁の称を用いることもあり、またその下級職員を指して庁官ということもある。

斎宮寮・斎院司　皇族の未婚の女性が、伊勢神宮には斎宮〈さいぐう〉として、賀茂神社には斎院〈さいいん〉として奉仕するが、この斎宮・斎院のために置かれている役所が斎宮寮・斎院司で、共に令外官である。斎宮寮の四等官は寮であるから頭・助以下があるが、斎院司の方は長官・次官・判官・主典と称する。共に大した官ではなく、その上には斎宮・斎院とも、公卿や弁官などから任命される勅別当という職があって、これが諸事を総管したようである。また、それぞれ女官が付いていて女別当〈にょべっとう〉とか、内侍〈ないし〉とかの職もあった。

衛　府

いわゆる六衛府で、左右の近衛・兵衛・衛門府である。衛府は、令制では五衛府であるが、奈良時代以来多くの変遷があり、一時は八衛府にもなったのを整理して、平安初期以降は六衛府に固定したもので、近衛府も令外官である。

近衛府　唐名羽林。六衛府の中では最も格が高く、警衛担当区域は紫宸殿や清涼殿のあるいわゆる内裏の部分で、皇居の中心部に当る。大将〈だいしょう〉が長官であり、中少将が次官でこれを次将ともいう。判官は将監〈しょうげん〉、主典が将曹〈しょうそう〉で、すべて精選名誉の職であり、大将は左右とも大臣か大納言の上位者の兼任である。中少将は権官もあり、人数も次第に増して、ついには左右中少将各四人の十六人にもなり、更に増加する傾向があった。すべて摂関家・大臣家をはじめ、諸名家の出であることを原則とする。将監・将曹も一府で十人を越す程にもなったが、その中には楽人・舞人など、舞楽の家の者が含まれる。このように衛府と言っても儀式の際の儀仗や舞楽がおもな任務で、戦闘には何も関係しない。以上の四等官の下には、他の諸司の史生に相当する者があってこれを府生〈ふしょう〉という。さらにその下に番長〈ばんちょう〉があり、最下位が近衛という舎人である。そして将監以下の者を指して近衛官人〈かんにん〉とも呼ぶ。この判官以下を官人と呼ぶことは他の衛府や諸寮司でも同様である。近衛官人には舞楽のほかに、騎馬・射芸・相撲などにすぐれた者があり、将曹以下は院をはじめ公卿や中少将などに随身〈ずいじん〉としてそれぞれ一定数が選抜派遣された。この随身も、上毛野〈かみつけの〉・下毛野・秦〈はた〉・高麗〈こま〉など大体きまった家の者が世襲的に勤めたようである。また、内裏の門には陣という詰所があり、ここには吉上〈きちじょう〉という者が警衛に当っていたが、この吉上も番長や近衛から選ばれたらしい。天皇行幸の際の警衛はもちろん近衛府が中心となるが、輿を担ぐ駕輿丁〈かよちやう〉を監督する御輿長〈みこしのをさ〉も近衛から選抜された。近衛舎人の定員は左右各三百人となっているが、実際にはどれ位あったものかはっきりしない。

兵衛府　唐名武衛。警衛担当区域は近衛府のすぐ外周、門でいうと宣陽・陰明門より外、建春・宜秋門より内の小部分である。衛門府よりは内側を護ることになるが、衛門府は検非違使を兼ねるという重責があるので兵衛府より格が高く、兵衛府は衛府の中では最も格が低い。従ってその実際の活動も、儀式の時に佐〈すけ〉・尉〈じよう〉あたりが姿を見せる程度で殆ど大したものはなく、兵衛の舎人に至ってはどの程度の人員が働いていたものか疑わしいほど影が薄い。

衛門府　唐名金吾。また、一名を靫負〈ゆげひ〉ともいう。兵衛府の外側、美福門・郁芳門など宮城諸門の内側、つまりいわゆる大内裏を守る。また外側を守る意から、兵衛・衛門府を合わせて外衛〈とのゑ〉とも呼ぶ。検非違使の諸職はもっぱらこの衛門府から選任されるので、近衛府の次に格が高い。兵衛府同様、督は中納言・参議の兼任で、佐以下、大少尉・大少志〈さくわん〉には権官もある。四等官の下にやはり府生・番長があり、吉上もいる。舎人には門部〈かどべ〉・衛士〈ゑじ〉などがあって諸門を守った。兵衛・衛門府ともに佐には良い家柄の者が任ぜられ、大少尉以下には近衛府同様に舞人・楽人も加わる。この大少尉の人数は平安末にはどんどんふえて一府数十人にもなってしまった。六衛府の判官は相当位はすべて六位か七位であるが、中には五位になる者もあり、一般に五位の者を大夫〈たいふ〉と称したので、これらを左近大夫・衛門大夫とか、或は大夫将監・大夫尉などともいった。

馬寮　唐名典廐〈てんきう〉。左右あり、宮中の厩の馬や馬具、その馬を貢進する甲斐・信濃・上野・武蔵国の約三十箇所の牧場を管する。頭以下権官が置かれ、判官である大少允は平安末に衛府と同じく人数が激増した。これは後述する年給や成功〈じやうごう〉などの売官の対象となった為であろう。なお四等官のほかに馬医師や馬部〈めぶ〉があり、馬丁に当る居飼〈ゐかひ〉がいた。また、左右馬寮〈うめれう〉とも御監〈ごげん〉という職が頭の上に置かれていた。これはいわば別当に当り、左右寮をそれぞれ総管するもので、左近衛大将が左馬寮御監を、右近衛大将が右馬寮御監を兼ねる例であった。

以上の六衛府と左右馬寮が当時の武官の主要なものである（なお、他に兵庫寮もあるが、名ばかりのものであるから省略する）。ただし、武官といっても、これまでの説明でもわかるように文官武官の出身や経歴上の区別は何もなく、随時文官から武官に、あるいは武官から文官に遷ったり、また、両者を兼任した。しいて言えば、地方出身の武士たちが買官に当って武官を望んだという程度の差で、実質上は文武官の区別はなかったと言ってよい。

以上のほか、中央の官としては弾正台や左右京職があるが、これらは、検非違使のところで触れることとする。

四、諸使・諸所

令制に基づく諸官職の中には、実務を遠ざかった名ばかりのものも多くなった。その代りに、諸使や諸所がふえ、中でも最も有名なものが検非違使〈けびゐし〉と蔵人所である。この諸使・諸所の数は少なく、大小尊卑さまざまであるが、勘解由使〈かげゆし〉や按察使〈あぜち〉を除いては官位相当も定まって居らず、四等官制の形を取っているのも諸使の一部分だけであり、職掌や定員も多くは令や格などの根本的な法令で定められたものでないだけに、かえって実質的・機能的な場合が多く、変更も融通がきいて、便利な点があった。その一方、組織などははっきりわからないものも少なくない。これらの諸使・諸所のおもな職員は、令制諸官を本官とする者が兼ねるのを原則とするが、適材適所という面からは令制諸官よりも人選は実質的に行なうことが出来る。

勘解由使　諸使の中でこれと按察使だけが相当位もきまっていて、正式の官といえるものである。平安初期から置かれ、役人、殊に問題の多い国司の交替の際の引継書類である解由〈げゆ〉を審査するものであるが、交替事務の乱れが次第に甚だしくなるにつれて、勘解由使の仕事も形式的なものに過ぎなくなった。職員は四等官制で、長官は参議、次官は弁の兼任が多い。

検非違使　京中の取締り・訴訟・裁判・行刑など、警察・司法業務に当る重職で、諸使の中の花形であり、平安初期に設置されてから衛門府の役人の中から検非違使宣旨（略して使宣旨〈しせんじ〉）を受けてこれを兼帯する原則である。その役所を使庁とも、靫負庁ともいう。衛門府の兼帯であるから形は自然に四等官制になっていて、長官を別当という。唐名は大理。公卿で衛門督か兵衛督を兼ねている者から選ばれ、中納言であることが多い。重職であるから、容儀・才学・富貴・譜代・近習などといういろいろの面から評価して精選されるという。別当の命令は別当宣と称し、勅宣に准ずるきびしいものとされた。この検非違使別当は略して非違の別当とも、単に別当ともいい、別当という職は数多いけれども単に別当とだけいう時は専らこの検非違使別当をさす例である。次官は左右衛門佐二人ずつの四人で、家柄・人物を選び、実務はこの佐が首となって行なうことが多い。判官は衛門大尉・少尉から選ばれ、大尉は左右二人ずつ、少尉は人数不定。大尉には職掌がら明法道出身の中原・坂上家の者などが選ばれ、少尉は武士などが選ばれて追捕に当るという。検非違使の佐・尉を廷尉〈ていゐ〉といい、また、単に判官〈はうぐわん〉という時は専ら検非違使の尉をさし、その中で五位の尉は大夫判官とか大夫尉とか称する。主典に当るのはやはり衛門大少志で、これも法律の心得のある明法道出身の者を任命し、これを道志と言った。この下には衛門府生があり、また、看督長や案主がある。案主は他の衛府にもある書記役であるが、看督長は下部を率いて追捕に当ったり、牢獄を管理する役で、赤い狩衣を着ていた。これらはやはり衛門府の衛士から選抜された火長（兵士十人の長の意）が勤める役である。最下級の手先となるのは庁の下部とか放免とか呼ばれる前科者である。ずい分乱暴な無法者も多かったらしい。この検非違使の勢力は強大なもので、そのために刑部省・弾正台・京職などは実権を失ってしまった。

弾正台　唐名は霜台・憲台など。京内外を巡察し、風俗を取締り、役人の不法を摘発する役である。長官は尹で、多くは親王を任ずる名誉職であり、次官以下も大少の弼・忠・疏という独特の字を用いるが、すべて名ばかりの地位であった。

京職　左右に分れ、それぞれ左右京の行政・司法・警察を掌るが、主要な職務は検非違使に奪われてしまった。職であるから大夫以下の四等官があるが実権はない。左右京には東西の市があり、これを監督する市司が付属している。また、京内は条・坊・保に分れているが、それぞれ土地の有力者の中から条令（坊令とも）・坊長・保刀禰などの下役人が選ばれていた。

蔵人所　諸所の中で最も代表的なもので、唐名は侍中。嵯峨天皇の時に設置されてから多少の沿革があるが、要は天皇の秘書官として諸方との連絡に当り、宮中の日常生活や諸行事を切り廻す役で、平安時代には国の政治全体が、宮廷の儀式的・形式的行事を中心とする姿に変っていったから、それだけ蔵人所の職務は重要になった。最高位には別当があり、これは一の上である大臣が勤めるものである。しかし、実質上の長は蔵人頭で、四位の殿上人から精選され、殿上人の頭首として殿上の一切を指揮する。一般に最上位の者を貫首と称するが、この語は特に蔵人頭を指して用いられることが多い。この頭は二人あって、一人は近衛中将から、一人は弁官から選ばれるのを通例とし、前者を頭中将、後者を頭弁という。蔵人頭は参議に欠員があれば第一番に昇任することになっており、公卿に至る最も有望なコースである。頭の下には五位蔵人三人、六位蔵人四人があり、以上を合わせて職事という。五位蔵人は五位の殿上人の中から家柄や才能を見て精選されるが、五位蔵人で衛門佐（すなわち検非違使佐）・弁官（中少弁）を兼ねるのを三事兼帯といい、実務家として最高の名誉であった。これは太政官では弁官、諸使では検非違使、諸所では蔵人所がそれぞれ中心となって活動する機関であるから、この三つを兼ねているのは極めて職責重大且つ有能なことの証拠で、仕事は多忙を極めるけれどもそれだけに名誉とされたのである。六位蔵人は小事についての使に立ったり、殿上の雑用に従事するが、ふつうは昇殿を許されない六位でありながら昇殿して天皇に近侍するのが非常な名誉であった。六位蔵人が五位になると蔵人を止めなくてはならないが、これを蔵人の五位とか蔵人の大夫とかいう。五位蔵人とは別で、前六位蔵人で今は五位の者という意味であるから、混同してはならない。他に非蔵人という者が数人あって、これは家柄がよいがまだ六位でいる者から選んで殿上の雑用をさせたので、蔵人の見習といった格である。この下に雑色八人、所衆二十人があって雑用を勤め、また、納殿という倉の出納を掌る出納が三人、小舎人という小使が十人ほどいる。さらに武芸に長じたもの二十人を選んで滝口とし、御所の警衛に当らせたが、これは夜は宿直して警備するのであって、蔵人が宿直の滝口に名を名乗らせて奏聞する。これを宿直申とか名対面とかいうのである。

以上のほか諸使の主なものを挙げれば、按察使・防鴨河使・施薬院使・修理宮城使・造寺使など、また臨時の諸使としては奉幣使・荷前使・部領使など多くのものがあるが省略する。

次には諸所であるが、その数は非常に多い上に、組織や廃置の沿革なども、はっきりしないものが少なくない。主なものを挙げると、大歌所・楽所・内教坊・画所・作物所・御厨子所・進物所・糸所・内御書所・内竪所・記録所・侍従所・内記所・位祿所・大粮所などさまざまのものがあり、また、薬殿・酒殿・贄殿など、殿と称するものもある。

さらに、穀倉院・供御院・乳牛院・紙屋院・勧学院・奨学院・学官院など、院の名で呼ぶものもある。

以上の諸所・諸殿・諸院の類は、その職務や役所の規模はさまざまで、また、例えば供御に関しては内膳司のほかに、御厨子所・進物所・供御院などがあり、相互の関係や職務分担がはっきりわからないといった類のものも多い。しかし、一般に実際の必要上設けられたものが多いようで、職員も長官は殆どすべて別当であり、その下には、預という職があるのが通例である。別当とは、本官のほかに別に担当するという意味であるが、この職には官位相当とか、定員とかいううるさい制限がない為に、大小高下さまざまな地位について広く用いられた。また、別当は一つの役所に一人とは限らず、地位の異なる数人が別当になっているものも多い。勧学院などの別当には、公卿・弁官・六位の有官・無官というような高下さまざまの者が並んでいる。

さらに、別当は、内蔵寮・大学寮・木工寮・雅楽寮・大膳職・内膳司・修理職その他の令制諸官衙にも置かれるようになり、また、東大寺・仁和寺・東寺など、主な寺についても、僧侶の別当の外に、俗別当として公卿や弁官などが任命された。これは現実と合わなくなって来た令の官制の機能を回復する為であろうと思われ、その点では諸使・諸所の設置と同じ傾向のあらわれということができる。

五、後宮・院司・家司

後宮 後宮の制度は官制一般のように組織だったものではなく、職名や俗称・汎称の類が混在していてはっきりしない点も多い。

天皇の配偶者としては、正式には皇后があり、平安中期以降はこれと全く同格のものとして中宮が並立した。これに次ぐ格のものには女御〈にようご〉・更衣〈かうい〉があり、尙侍〈ないしのかみ〉・御匣殿〈みくしげどの〉なども天皇や東宮の配偶者の場合がある。

女御 人数は不定。位階は二位の者も下は五位の者もある。大臣以下の公卿の子女が選ばれ、大臣の女であれば皇后や中宮に立つ者も出る。また、上皇や東宮の配偶者も女御と称した。女御には宣旨が出されてなるのであるが、中には宣旨が出ないでも俗に女御と呼ばれたものもあったようである。

更衣 女御よりは少し低く、位も四位か五位程度で、公卿の子女もあるがそれ以下の家の女もある。女御に進む場合も少なくない。

尙侍 尙侍は後述する内侍司〈ないしのつかさ〉の長官で、令に定められた正式の官名であるが、次第に大臣の女が後宮に入ってこの尙侍に任ぜられ、天皇や東宮の配偶者となるように変った。内侍督と書くこともある。位は二位・三位など。

御匣殿 これは御匣殿別当の略で、御匣殿は裁縫をする所であるが、この長官である別当の職も侍妾である場合がある。

御息所〈みやすんどころ〉 以上の女御・更衣・尙侍・御匣殿など、天皇の配偶者一般を御息所とも称し、また、院・東宮の御息所もある。後には親王の妃もやはり御息所という。これらの御息所はその宮中における殿舎や私第の名を取って弘徽殿女御とか梅壺御息所とか堀川女御とか、さまざまな呼び方をした。

さて、これらの御息所のほかには、上級の侍女として女房〈にようばう〉と称する一団の人があり、その次に雑用を勤める女官〈にようくわん〉が居り、最下に下女・召使の類があるというのが大体の形である。

女房 いわゆる侍女一般の総称で、単に後宮だけではなく、院・東宮や諸宮は勿論、有力な諸家の侍女もすべて女房といわれ、格の高いものである。後宮の女房の数はわからないし、正規の役職を持つ者も持たない者もあるようであるが、それらの職名を挙げると内侍司以下、命婦〈みやうぶ〉・女蔵人〈によくらうど〉・宣旨などがある。

内侍司 令制に定められた正規の官で、天皇に近侍して奏上や宣下を伝えるのが本来の職掌である。四等官制であるが、主典を欠く。長官の尙侍が実際には侍妾であったことは既に述べたが、次官の典侍〈ないしのすけ〉は定員四人で、公卿・殿上人などの子女や、天皇の御乳母〈めのと〉などが任ぜられる。位は四位程度であるが、二位・三位に昇る者もある。判官の掌侍〈ないしのじよう〉は定員四人、他に権官が二人あるといい、単に内侍と書く時は専らこの掌侍を指すのである。このうち最古参の者を勾当内侍〈こうとうのないし〉と言い、これは清涼殿と紫宸殿とをつなぐ長橋に居たので、長橋局ともいう。

上臈・中臈・下臈 これらの女房にも上中下の三段階があって、これを上臈〈じやうらふ〉・中臈・下臈という。上臈は二位・三位の典侍や、大臣の女など、至って身分の高い者で、これに次ぐ者に小上臈というのがあり、公卿の女や、時には殿上人の女などもある。中臈は公卿より下の家柄の女で、医道・陰陽道の諸家の女も入る。命婦も中臈の女房であるという。下臈は更に低い六位クラスの家の女で、神官の女なども入る。女蔵人はこの下臈に含まれる。このように大体家柄によって上中下に分れ、それぞれ服装や勤め方に差があるのであるが、これらの女房は本名を言わず、官名・国名などの呼び名をつけていた。官名は父や夫などの官名にちなむものも多かったらしいが、大納言局・左衛門督・二位局などは上臈の呼び名、小宰相・中将・左衛門佐・少納言などは小上臈や中臈、播磨・伊勢などのいわゆる国名は中臈・下臈の呼び名である。さらに官名・国名以外の候名〈さぶらひな〉というのが下臈に用いられ、女蔵人高砂という類である。また、二条・近衛・春日など、京の路の名を付けるいわゆる小路名〈こうぢな〉は、内裏の女房にはなく、後に院や摂関家の上臈に付けられたもので、内裏では大納言を最高の呼名としたという。

女官 女房の下で、令制で定められたいわゆる後宮十二司の系統の諸役を勤めるものが多い。後宮十二司とは、内侍司以下、蔵司・殿司などから縫司に至る十二の役所をいい、蔵司ならば尙蔵・典蔵・掌蔵といった官があり、その下に女孺〈にょじゅ〉や采女〈うねめ〉がいるという組織であった。この中、内侍司だけは後にも残って女房の類に入っているが、他の十一司はほとんど元の形を失ってしまったらしい。ただ物語などに「とのもり」「かもん」「もひとり」の女官などと出て来るのは、それぞれ十二司の中の殿司・掃司・水司などの名ごりであろう。また、儀式の時に門を開閉する闈司〈ゐし〉というものも名は残っている。また、御厨子所など、御膳の下役を勤める者に、得選〈とくせん〉とか刀自〈とじ〉とかいう女官もあったが、これらは采女などから選ばれたらしい。

下女・召使 采女・女孺などは雑用を勤めるもので、或いは下級の女官に含まれるのかも知れないが一応召使としておく。采女は、元来は郡司の女から選んで宮中に奉仕させたのであるが、後にはそのような制も廃れ、どのような出身の者が何人いたのかもわからない。なお、一般に諸家の召使として、童女（わらわ）・雑仕（ぞうし）・下仕（しもづかへ）・半物（はしたもの）・長女（をさめ）など、いろいろなものがいたが、その具体的な姿はよくわからない。

院　司　上皇の御所を院といい、また、上皇でなくても院号を贈られて上皇待遇を受ける親王もあり、同じく后妃が女院となることも多い。これらの院・女院には家政処理の機関として院庁が設けられ、院司が置かれた。これらの院司はいずれも正官ではなく、本官を持つ者の兼任であり、その組織や人員も変動が多く一定しない。以下主なものを簡単に述べる。

別当　院庁の長官で、人数は一定しないが次第に増加し、公卿・殿上人などから選ばれた十人程であったのが、二十人を越すまでにもなった。そこで実質的な執務の責任者として別当の中から執事や執権が定められるようになり、また、年預（ねんよ）というものも置かれて、実務に当った。

判官代・主典代　判官代（ほうがんだい）は事務主任、主典代（しゅてんだい）は書記官のようなものであろう。数人ずつあって、判官代は多く五位・六位蔵人などである。これらの下に庁官とか官人（かんにん）とかいう下役があった。

蔵人所　院にも昇殿の制があり、また、蔵人所が置かれて蔵人・非蔵人・所衆などがあったが、内裏の蔵人所のような重要な役ではなく、雑務に従事したようである。

文殿　元来は院の文事を掌るものであったが、鎌倉時代には評定衆・開闔（かいこう）・寄人（よりうど）などの職員が文殿（ふどの）で訴訟を扱ったり、院政の政事を議したりする重要な機関となり、朝廷の記録所に類するものとなった。

その他、武者所・御随身所・召次所・進物所・細工所・御服所・別納所・御厩・北面などがある。

女院にも院庁があり、その組織はほぼ上皇の院庁と同じであるが、武者所や御随身所、蔵人所衆などは置かれず、総じて規模は小さい。また、院にも女院にも女房以下の女性が仕えていたことは後宮の条で述べた通りである。

家　司　院の家政処理の機関が院庁であるに対して、摂関家以下、三位以上の者は政所（まんどころ）を設け、家司（けいし）を置いて家政を掌らせることを認められていた。これらの家司もその組織や規模は一定しておらず、明かでない点も多いが、代表的な摂関家の家司について概述しよう。

政所　長官は別当で、十人ほどいる例もあり、執事・年預などもあった。その下に令（れい）・知家事（ちけじ）・案主（あんじゅ）・大少従（じゅう）・大少書吏（しょり）などの役がある。既に令制でも三位以上には家司を置くことが定められていて、令・従・書吏などは令制に基づく職である。別当や令は弁官を含む四位・五位あたりの者で、単に家司とも、上家司とも称し、知家事以下を下家司と称した。

蔵人所　別当があり、職事（しきじ）がいる。また、大臣等の諸家には政所のほかに侍所（さぶらひどころ）があって、別当・勾当・職事などの職員があるが、大臣が摂関になると、この侍所を改めて蔵人所とするのだという。

その他、文殿・随身所・厩・贄殿などがある。

大臣以下の諸家では、摂関家より当然規模は小さかったであろうし、組織も一定していなかったと思われる。その家司も別当などは別として、六位以下の卑職の者が多い。また、親王家にも家司があり、政所・蔵人所・侍所などがあった。親王家の別当は格が高く、勅別当として公卿が任命され、他に蔵人や弁官など数人の別当があった。

六、国　司

これまで述べて来たのはすべて在京の諸官職であるが、これを京官または内官といい、これに対して地方諸国の行政を担当する国司などの地方官を外官（げかん）と称する。国司の実態は、令制に基づくとはいいながらやはり平安中期以降は大きく姿が変っているので、最初に令制の地方行政組織を簡単に示し、その後で変化した国司の姿を述べることとする。

諸国　令制では日本全体を約六十の国に分け、諸国には中央から国司が任命派遣されて行政に当る。国司は守・介・掾・目の四等官とその下の史生・医師などで、任期は変遷があるがふつう四年となっている。国はその大きさにより大・上・中・下国の四等級に分れ、それぞれ国司の定員や相当位を異にする。国の下には郡があり、郡には在地の有力者から郡司が任命される。郡司は大領・少領・主政・主帳の四等官であるが、郡も大・上・中・下・小の五等に分れ、郡司の定員が異なる。郡司は国司と違って任期がなく、原則として終身の任であり、特定の有力な豪族が代々その地位を占める傾向が強い。郡は更に郷（最初は里）に分れ、郷長がいる。このように整然たる組織の下に行政が運営され、諸国はそれぞれ太政官に直属するが、西海道すなわち九州だけは別で、九州には大宰府が置かれて九国二島を総管する。

ところがこの組織は次第に崩れ、平安中期以降はその姿は大きく変ってしまった。すなわち、国の行政は守（若干の国では介）が受領（ずりょう）としてこれを総管し、実務は任地に目代（もくだい）を派遣して、在地の有力者から成る在庁官人を指揮して行なわせる形になり、介以下の諸官や郡司は名ばかりのものになって消えてしまったのである。以下、大宰府と諸国につき、その姿を概述する。

大宰府　長官は帥（そち）、次官は大少弐（に）、判官は大少監（げん）、主典が大少典で、他に主神（かむづかさ）・判事・博士・医師などさまざまの官も定められているが、主神以下はほとんど活動の跡が見えない。帥は原則として親王が任ぜられる名誉職で、実務には与らない。帥親王がある時には権帥は置かれずに大弐が実質上の長官であり、帥親王がいなければ権帥が長官として置かれ、大弐は欠官になる例で、権帥・大弐は同じようなものであるから、権帥を大弐と書いたり、大弐を帥と言ったりする場合もある。帥・権帥・大弐すべて唐名は都督で、権帥・大弐の任期は五年である。なお、大臣が流罪になる時は大宰権帥となるが、勿論これは特例で政務には与らない。権帥には中・大納言が、大弐には参議や二位・三位の公卿が任ぜられるのが普通である。少弐は筑前守を兼ねることが多く、大少監・大少典を府官ともいって、九州の豪族がその地位を占めるようになった。

受領 諸国の守もしくは権守で、その国の行政の実際の責任者を受領と称する。受領とは一国の政務を前任者から受け取って支配する意味であろうが、受領は一国一人に限られるから、守か権守なのが原則である。ただし、上野・常陸・上総の三国は親王任国といって、親王が守（太守と称する）に任命され、これは名ばかりで実務には関係しないから、この三国では介が受領である。従ってこの三国の介を守と書くこともある。受領以外の介以下、特に掾以下の国司は、名ばかりで現地に何の関係も持たなかったり、現地の有力者がその称を得たりする類が多くなって、実際の行政とは縁のないものになり、国司といえば専らこの受領を指すようになった。郡司も実質的にはほとんど消えてしまったらしい。

交替 受領は国内の行政・司法・軍事などすべてにわたって大きな権限を持つが、実際は徴税請負人のようなもので、中央に一定額の物を納めるのが第一の任務であった。従って国内では多くの不法をも行なって大量の財貨を集め、中央に送る物との差額を着服する者が多く、受領は一般に巨富を伴う任とされた。それだけに、すべての官職の中で受領についてだけは任期がやかましく、四年が原則で、大宰府管内と陸奥・出羽のみは五年であった。この任期を更に一、二年延ばすのを延任といい、もう一任期続けて務めるのを重任（ちょうにん）という。延任・重任は受領が財物を納めて認めてもらう場合がほとんどで、一種の売官である。任期を終えると新任者の到着を待って事務引継ぎを行ない、新任者は前任者の決算を了承すれば解由状（げゆじょう）を、納得できなければその理由を記した不与解由状を提出し、前任者は交替帰京するのであるが、交替の際には決算をめぐる争いが非常に多く、これを審査する勘解由使の仕事もとどこおる一方で、容易に決着はつかないうちにうやむやになることが多かった。帰京後は受領功過定（こうかさだめ）という公卿たちによる成績判定の会議にかけられ、きちんと物を納めたかどうかが書類審査されて、位が上がったり、また他の官職に移ったりするのであるが、この手続きも厳格に守られたとはいえない。

大介 守をまた大介（おおすけ）と称することがある。これは知行国と言って、平安末に公卿や殿上人が表むきは自分の一族や従者を守に任命し、事実上は自分自身が受領の立場で一国を支配することが行なわれたが、その知行国の守をいうものらしく、守と同じことである。

目代 受領は遙任ではないから、赴任の義務があるが、実際は任地に一寸顔を出しておいてあとはほとんど在京しているような者も多くなり、受領が任地にいない期間がふえた。従って任地の国衙は受領の留守を預かる形になるので、これを留守所という。受領は自分の代理として目代を留守所に派遣して行政を監督させたが、この目代は公けに任命されたものではなくて受領の私的な代理人であり、事務に馴れた者を選び、身分などはやかましく言わなかったらしい。目代は受領が交替すれば当然変るのである。

在庁官人 留守所には多くの在地の役人がいて行政実務に当ったが、これらを在庁官人といい、略して在庁ともいう。法令で定められたものではないから、その組織も職名も所により時期によってさまざまであるが、大判官代・判官代などという職名が多く、総検校というのもあり、これらは幹部クラスであろう。下に雑掌・書生・雑色などがあった。在庁官人は土地の豪族や有力者たちで、任期はなく、世襲的なものだったらしい。また、大帳所（だいちょうしょ）・田所（たどころ）・税所（さいしょ）など、多種多様な諸所があり、これは係とでもいうものであろう。このような在庁官人は国によっては合計百人以上もいたらしい。また、盗賊や暴徒を取り締る諸国の検非違使・押領使（おうりょうし）・追捕使（ついぶし）なども、在地の豪族から選ばれることが多かった。なお、蝦夷に対して古来、陸奥には鎮守府、出羽には秋田城があり、陸奥守が多く鎮守府将軍を兼ね、出羽介は秋田城司を兼ねて秋田城介と称したが、名ばかりのものとなった。

七、身分・待遇

官職は第一には身分によって左右された。身分としては、天皇を除いては上皇・皇親・諸臣に大別出来、諸臣は更に公卿・殿上人・地下（じげ）に分けることが出来よう。上皇やこれに准ずる院・女院については既に述べたから、皇親以下について略述する。

皇親 皇族のことで、親王と諸王がある。親王は皇子女（皇女は内親王）をいうが、生後改めて親王宣下（せんげ）を受けてから始めて親王と称する例になった。数種の名誉職につくが実際の政務には関与しない。また、現在の天皇や先帝の子の諸親王の中から適当な者が選ばれて皇太子（または皇太弟）に立つが、これは普通には東宮（春宮とも書く）と呼ばれ、位階も官職も伴わない。皇親は親王以下四世までという広範囲のもので、親王以外はすべて諸王であるが、諸王はたまに諸寮司の頭になる程度でその地位も低く、公卿には絶対になれないし、無位の王も多かったと思われ、勢力は至って小さい。

公卿　官では大臣・大中納言・参議、位では三位以上の者をいう。卿相〈けいしやう〉・上達部〈かんだちめ〉などの異名がある。最高級の地位を占める一団で、殊に大臣以下参議以上の現職にある二十人ほどの者を現任公卿といい、重要な事項はすべてこの現任公卿が審議するのであり、その勢力は大きい。公卿の中にも位は三位以上ながらまだ現任公卿になった事がない者もあり、これを非参議という。非参議には二位か三位で近衛中将を勤めている者などがよくあるが、これを二位中将・三位中将といい、摂関家の子弟などは十歳台で三位中将になり、やがて参議を越えて一挙に権中納言に任ぜられるのが普通である。

殿上人　四位・五位の者の中で、昇殿を許された者を殿上人〈てんじやうびと〉といい、雲客・雲の上人などの異称もある。昇殿とは清涼殿の南端の殿上の間に上ることで、ここに詰めて天皇に近侍し、種々の用を勤めるのであるが、天皇の近臣となるわけであるから非常な名誉とされた。殿上人の数は一定しないが、四十人位としたこともあり、多い時は百人にもなったという。殿上人は殿上の簡〈ふだ〉という木の板に名前が記されるが、失態をとがめられて昇殿を停止されることもあり、これを除籍とか、殿上の簡を削るとかいった。殿上人は天皇の近臣であるから、天皇の代替りには選び直されるし、位が上がった時にも改めて昇殿を許される手続きが必要で、一度昇殿を止められ、再び許されることを還昇〈げんじやう〉とか、還殿上〈かへりてんじやう〉とか称する。この昇殿の制は院や東宮にもあったが、その社会的地位は内〈うち〉の昇殿（内裏における昇殿）には遠く及ばない。

地下　殿上人に対して、昇殿を許されない者を総称して地下〈ぢげ〉という。四位・五位以下の地下は勿論であるが、公卿でさえ昇殿を許されない場合もあり、これを地下の上達部といった。

以上の身分に応じて、個々の家についてその家柄が大体定まり、いわゆる五摂家を始め清華（華族・英雄とも）・大臣家などいろいろの区別が出来、昇進の経路や限度などが先例によってほぼ固定するようになった。その確立は鎌倉時代以後であるが、家柄について略述する。

家柄　家柄は大きく分ければ公卿の家と、諸大夫・侍の三種に分れる。公卿の家と言っても、二十歳位で大臣になってしまう摂関家の子弟から、老年になって参議に昇る程度のものまで大きな差があり、摂家以下、羽林家・名家〈めいか〉などに至る各種があるが省略する。諸大夫とは、はっきりしないが、公卿に進む者も出るが大体は四位・五位あたりを中心とする家柄のようで、院や摂関家に仕える者も多いらしい。侍とはその下の格で、多くは有力な諸家に仕え、官は大体判官級止りが多いようである。これらの家柄の区別は必ずしも明瞭でないが、大体問題にされるのは諸大夫以上のものである。

このような位階・官職・身分に応じて、俸祿をはじめ、服装・車馬・従者など日常の儀礼の多くの面で待遇や制限が異なるが、次に経済的待遇の一種である年給と准三宮〈じゆさんぐう〉だけについて略述しよう。

年給　令制では五位以上の者に対して位田・位祿や位封〈ゐふ〉が、公卿など特定の高官に対して職田〈しきでん〉や職封〈しきふ〉が支給されることになっており、その額は高位高官ほど飛躍的に大きいものである。しかしこれらの制度は次第に崩れて規定通りの支給は困難になって来たので、その代りとして平安中期以降、年給という制度が発達した。これは毎年の叙位除目〈ぢもく〉に際し、公卿などの高級者に一定数を限って官職位階を授ける者を申請させ、こうして位や官を得た者は多額の財物を申請者である公卿など（給主〈きふしゆ〉という）に納めるもので、売官の一種である。年給の中、官（諸司諸国の判官・主典・史生など）を授けるのを年官、位（従五位下）を授けるのを年爵といい、天皇以下、地位によって差があり、大臣では毎年諸国の目一人・史生二人、参議は目一人といった具合で、親王や女御・内侍にも年給があった。なお売官の一種には成功〈じやうがう〉というのがあり、これも朝廷の費用が足りない時などに、募集に応じて多額の財物を出した者に官や位を授けるもので、造営事業や法会の時によく行なわれた。受領の重任などもこの成功に含まれるものが多い。このような年給や成功によって、特に衛府や諸国の判官以下の諸官が大幅に増し、官職の有名無実化に拍車をかけたのである。

准三宮　准三后とも、略して准后〈じゆごう〉ともいう。三宮（皇后・皇太后・太皇太后）に准じて年官年爵を給うというのが本義で、三宮には太上天皇や東宮と同額の、年に諸司の允〈じよう〉一人・諸国の目一人・史生三人と年爵一人という多額の年給が支給されることになっていた。准三宮は男女を問わずこの三宮と同額の年給を支給されるもので、非常な優遇である。しかし、後には年給の制も形だけのものになってしまい、准三宮の経済的な実質は失われたが、名誉ある地位を示す称号として存続した。

官職制度についてはなお述べるべきことも多く、更に僧官僧位や神官などにも触れる必要があるがすべて省略する。詳細は和田英松著「官職要解」や、群書類従官職部所収の「官職秘鈔」「職原鈔」以下の諸書を参照されたい。

〔〈　〉内のルビは、見出し項目に従って歴史的かなづかいとした〕

官位相当表

官職＼位階	正一位・従一位	正二位・従二位	正三位	従三位	正四位		従四位		正五位		従五位	
					上	下	上	下	上	下	上	下
神祇官								伯				大副
太政官	太政大臣	左大臣 右大臣 内大臣	大納言	中納言		参議	大弁		中弁	少弁		少納言
中務省					卿				大輔		少輔	侍従
式部省 民部省 治部省 兵部省 刑部省 大蔵省 宮内省						卿				大輔		少輔
中宮職 大膳職 京職 修理職 春宮坊					傅			中宮大夫 修理大夫 春宮大夫	大夫			東宮学士 亮
大舎人寮 図書寮 大学寮 雅楽寮 玄蕃寮 諸陵寮 主計寮 主税寮 木工寮 左右馬寮 兵庫寮											頭	文章博士
内蔵寮 縫殿寮 内匠寮 陰陽寮 大炊寮 主殿寮 典薬寮 掃部寮 斎宮寮												頭
正親司 内膳司 造酒司 市司												
隼人司 織部司 采女司 主水司 主膳監 主殿署 主馬署												
弾正台							尹			弼		
近衛府 衛門府 兵衛府				近衛大将				近衛中将	衛門督	近衛少将	兵衛督	衛門佐
大宰府				帥					大弐			少弐
鎮守府 按察使								按察使			将軍	
斎院司 勘解由使								勘解由長官				斎院長官 勘解由次官
内侍司				尚侍				典侍				掌侍
大国											守	
上国												守
中国												
下国												

少初位		大初位		従八位		正八位		従七位		正七位		従六位		正六位	
下	上	下	上	下	上	下	上	下	上	下	上	下	上	下	上
					少史	大史						少祐	大祐		少副
									少外記		大外記 少史				大史
							少内記 少録				大録		少丞		大丞 大内記
							少録				大録		少丞	大丞	
					少属	大属	大膳大属				大膳少進 京職少進	少進 大膳大進 京職大進	大進		
				少属	大属				少允 算博士 書博士	大允 助教 明法博士				助 明経博士	
			少属	大属				医師	允 陰陽師 暦博士	陰陽博士 天文博士 医博士			助	侍医	
			令史					佑 典膳							正 奉膳
		令史					佑							正	
							少疏				大疏			少忠	大忠
					衛門少志 兵衛少志	衛門大志 兵衛大志			兵衛少尉	兵衛大尉 近衛将曹	衛門少尉	衛門大尉	近衛将監	兵衛佐	
							少典	博士			大典		少監	大監	
				斎院主典				勘解由主典	斎院判官			勘解由判官	斎院次官		
				少目	大目				少掾	大掾				介	
				目					掾				介		
		目					掾							守	
	目			掾							守				

内 裏 図

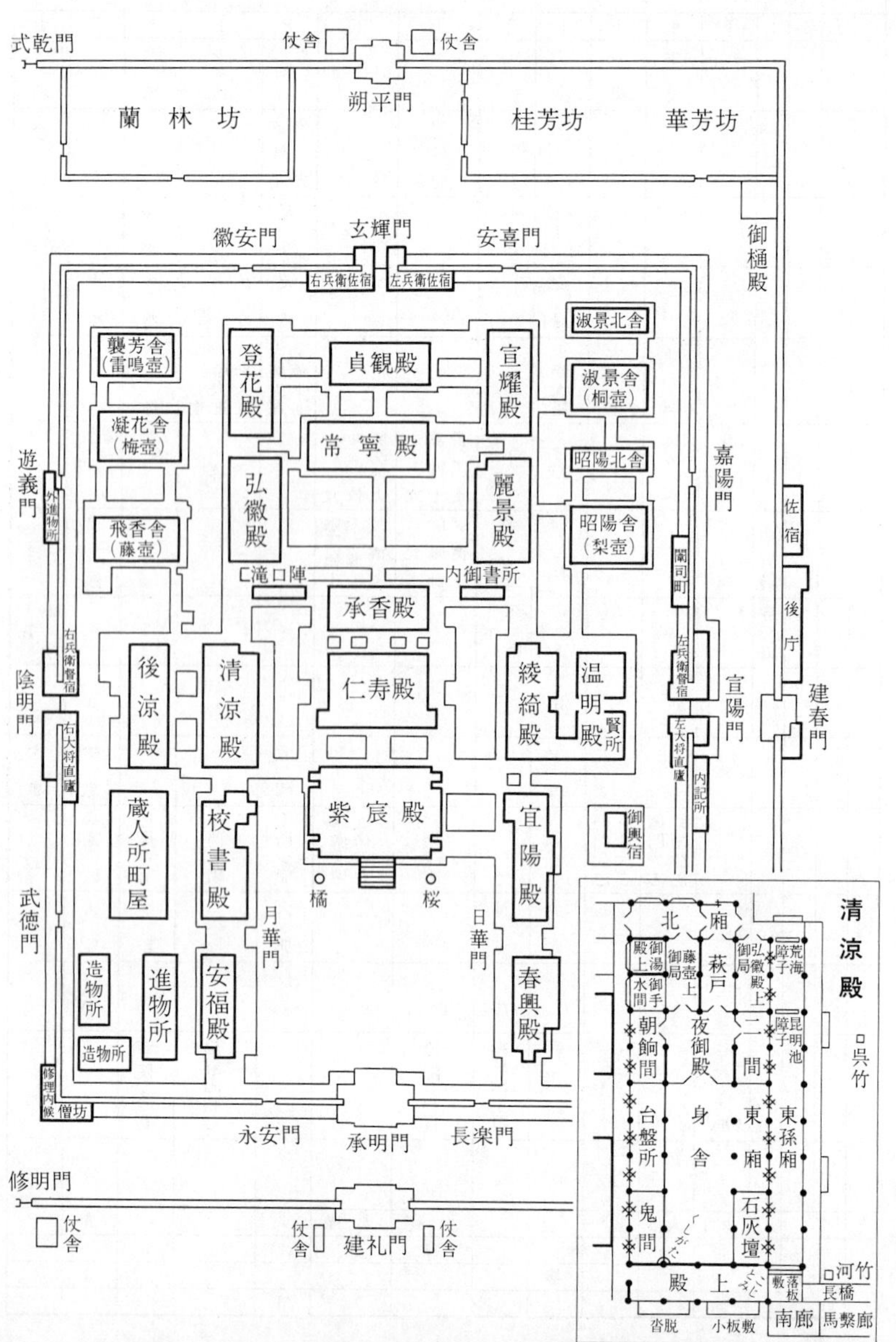

式乾門
仗舎
仗舎
朔平門
蘭 林 坊
桂芳坊
華芳坊
御樋殿
徽安門
玄輝門
安喜門
右兵衛佐宿
左兵衛佐宿
淑景北舎
襲芳舎
（雷鳴壺）
登花殿
貞観殿
宣耀殿
淑景舎
（桐壺）
凝花舎
（梅壺）
常寧殿
昭陽北舎
遊義門
外進物所
弘徽殿
麗景殿
嘉陽門
飛香舎
（藤壺）
昭陽舎
（梨壺）
佐宿
滝口陣
内御書所
闈司町
承香殿
後庁
右兵衛督宿
後涼殿
清涼殿
仁寿殿
綾綺殿
温明殿
賢所
左兵衛督宿
宣陽門
建春門
陰明門
右大将直廬
左大将直廬
内記所
蔵人所町屋
校書殿
紫宸殿
宜陽殿
御輿宿
橘
桜
武徳門
月華門
日華門
造物所
進物所
安福殿
春興殿
造物所
修理内候
僧坊
永安門
承明門
長楽門
修明門
仗舎
仗舎
仗舎
建礼門
清涼殿
北
廂
御湯殿上
藤壺上御局
萩戸
弘徽殿上御局
荒海障子
御手水間
朝餉間
夜御殿
二間
昆明池障子
呉竹
台盤所
身舎
東廂
東孫廂
鬼間
石灰壇
しきがた
とうだい
河竹
殿上
敷板
落板
長橋
沓脱
小板敷
南廊
馬繋廊

大内裏図

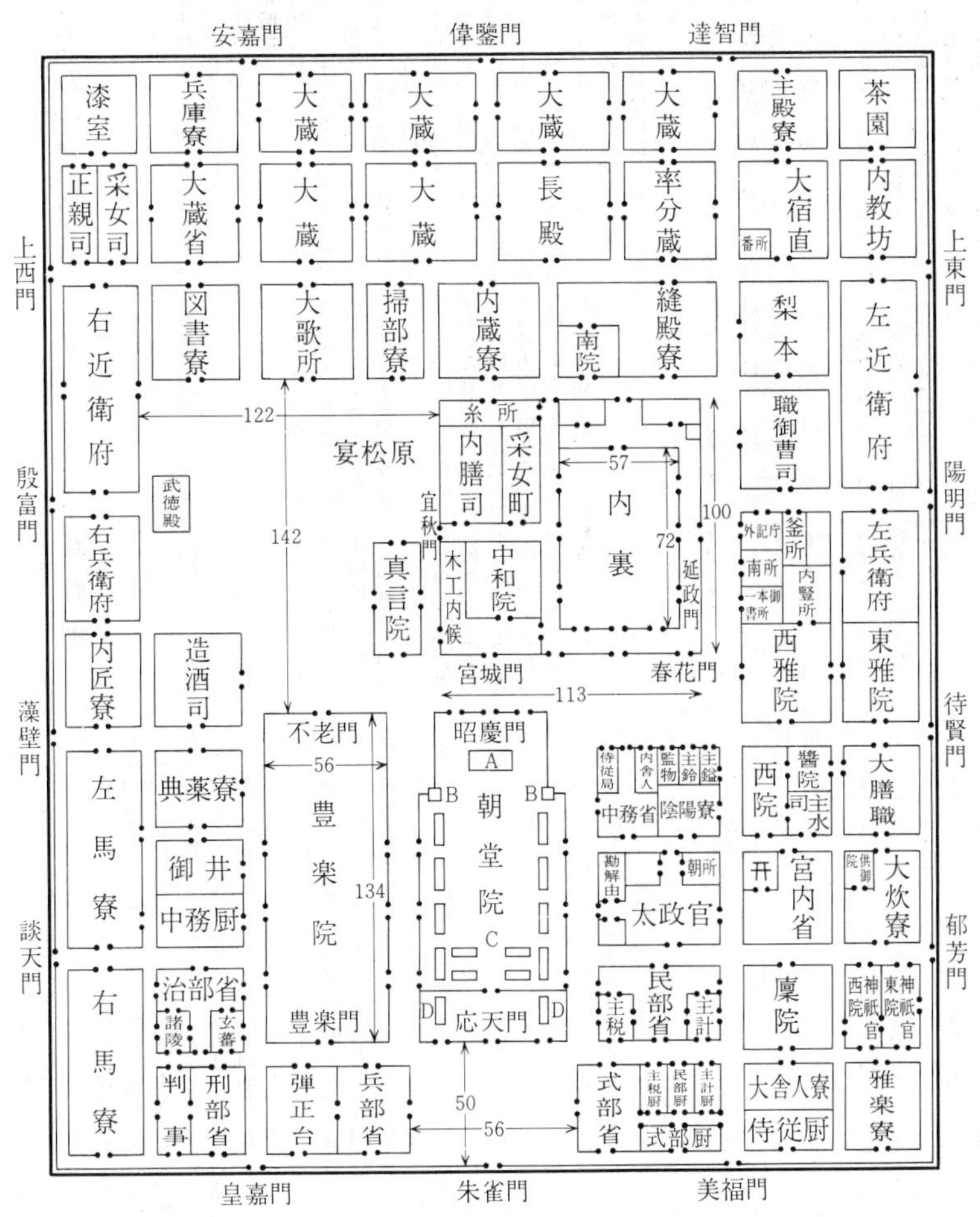

A　大極殿
B　蒼龍・白虎楼
C　十二堂院
D　朝集堂

内裏・大内裏図とも裏松光世「大内裏図考証」による．
※ ←→の数字は丈（約3メートル）

日本の時刻制度

広瀬秀雄

ある土地で、太陽が真南に来て、翌日再び真南に来るまでの時間はほとんど一定で、これを真太陽日という。

真太陽日を十二とか二十四とかに等分し、その各分画点を時点とする時刻制度を**定時法**という。

わが国で採用された定時法は十二等分法で、この十二の各区分に子、丑、寅…のように十二支名を順次あてて呼ぶことが、おそくとも天平宝字七年(七六三)の大衍暦の日本での採用によって始まったと考えられる。定時法は宮廷用時刻制度として平安朝で採用されていたが、中世ではすたれ、ただ暦法上の時刻制度として江戸時代末まで使用された。

この定時法の一分画を一辰刻(ひとき)または一時(ひとき)といい、現行の二時間に当たる。平安朝から徳川時代初期まで使われた宣明暦の規定では辰刻の始点を初刻、中点を正刻と呼び、太陽が真南に来た時を午の正刻と定める。従って午の正刻はその土地の時刻すなわちいわゆる地方真太陽時の午後〇時で、午の初刻は午前十一時、次の未の初刻は午後一時というように定まり、午からはじめて、順に未、申、酉、戌、亥、子、丑、寅、卯、辰、巳の各時点がきまる。夜半の午前〇時は子の正刻となる。

これを表に示せば次のようになる。

時	11 0	1 2	3 4	5 6	7 8	9 10	11 **0**	**1 2**	**3 4**	**5 6**	**7 8**	**9 10**
刻	初刻 正刻	初刻 正刻	初刻 正刻	初刻 正刻	初刻 正刻	初刻 正刻	初刻 正刻	初刻 正刻	初刻 正刻	初刻 正刻	初刻 正刻	初刻 正刻
	子	丑	寅	卯	辰	巳	午	未	申	酉	戌	亥

太字は午後
細字は午前

一辰刻をさらに細分する場合には、一昼夜を百刻、一刻を六分と定め、十二辰刻法と併用した。一辰刻は八刻二分に当たり、その一刻は現在の十四・四分、その一分は現在の二・四分である。また延喜式には一昼夜を四十八刻、一刻を十分とする宮廷用定時法が見えている。

一辰刻を細分する場合の刻分の呼称についても、宣明暦では初刻とか初分とかのように〇に当たる初から始めているが、初刻からではなく、一刻または一分からとなえはじめるものもあった。

このような方法とは別に、昼間と夜間とをそれぞれ独立に等分して時点を作る時刻制度があった。昼間または夜間の長さは季節によってちがう。従ってこの時刻制度の時点と一分画の時間は季節によって変動するので、このような時刻制度を**不定時法**という。

不定時法の昼夜の分界点としては、最初は観測しやすい日出、日没をとったにちがいあるまい。そして日出を卯の刻のはじまり、日没を酉の刻のはじまりとした。しかし江戸時代には夜が白みはじめる「夜明け」と、日が暮れきる直前の「日暮れ」とをそれぞれ昼夜の分界点とした。

貞享暦、宝暦暦では季節に無関係に、一日百刻制で、日出前二刻半(現在の三十六分)、日没後二刻半をそれぞれ「夜明け」「日暮れ」としたが、次の寛政暦では、太陽の俯角が七度二十一分四十秒に達する瞬間をもって「夜明け」「日暮れ」と規定した。この俯角の値は、春分・秋分の時、京都での日出前二刻半、または日没後二刻半の太陽の俯角から割り出したものである。

朝の分界点を「明け六つ」、夕方の分界点を「暮れ六つ」と呼び、昼夜をそれぞれ独立に六等分し、正午を昼の九つ、夜半を夜の九つと呼び、一分画ごとに、昼の九つの次を八つ、次を七つ、次を(暮れ)六つ、次を五つ、次を四つとした。四つの次は夜の九つであり、夜半に当たる。こうして、八つ、七つ、(明け)六つ、五つ、四つを経て昼の九つにもどることになる。この各分画を一時(ひとき)と称し、その細分は半時・四半時どまりで、それ以下は事実上必要としなかった。江戸時代に使われるようになった和時計は不定時を示すように工夫され、夜の九つを子に当て、八つ、七つ、…等に順次丑、寅…の十二支をあてはめている。

不定時法の時点と、地方真太陽時(定時法)との対応は季節によって変ってくる。次頁の表は昼間、夜間の差が大きい冬至、夏至と、その差が小さい春分、秋分についてこの対応を示したものである。日出、日没を昼夜の分界点とした場合(A)と、明け六つ、暮れ六つを分界点とした場合(B)と二様のものが示してある。

なお、夜間専用の不定時法に更点法がある。夜間を五等分して、一更から五更まで数え、各更をさらに五等分して、一点から五点まで数える方法が最も普通のものである。

むかしは時刻と時間との区別観念が確立していなかったので、時点名で時間分画全体を指すことも多いことに注意する必要がある。

時刻表

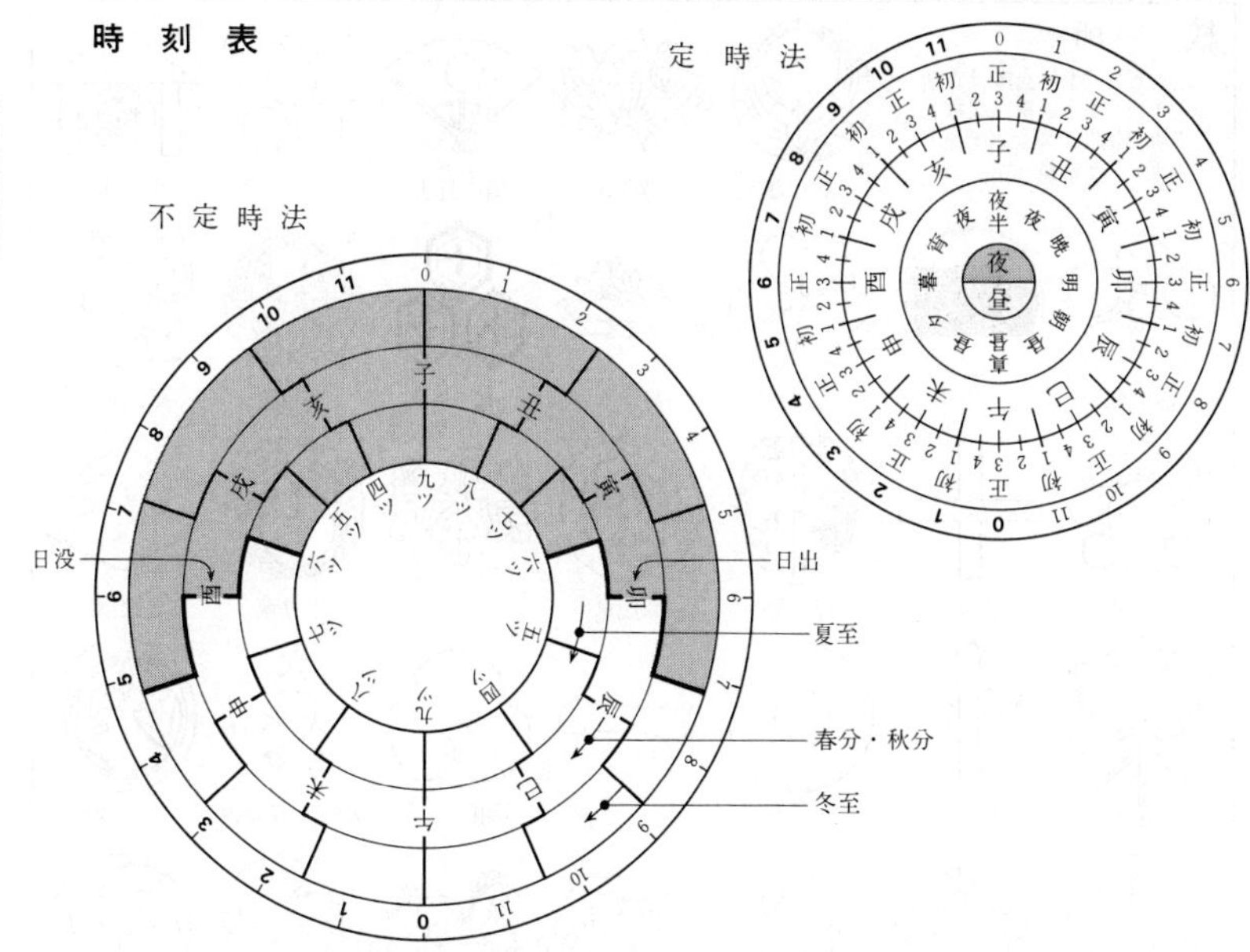

不定時法時点と地方真太陽時との対照表　細字は午前 太字は午後

A　日出日没基準　　　B　六ツ基準

時点	冬至	春・秋分	夏至	備考	時点	冬至	春・秋分	夏至	備考
	時	時	時			時	時	時	
子	0.0	0.0	0.0	夜半	九ツ	0.0	0.0	0.0	夜
丑	2.4	2.0	1.6		八ツ	2.2	1.8	1.4	
寅	4.8	4.0	3.2		七ツ	4.4	3.6	2.8	
卯	7.2	6.0	4.8	日出	明六ツ	6.6	5.4	4.2	
辰	8.8	8.0	7.2		五ツ	8.4	7.6	6.8	
巳	10.4	10.0	9.6		四ツ	10.2	9.8	9.4	
午	**0.0**	**0.0**	**0.0**	正午	九ツ	**0.0**	**0.0**	**0.0**	昼
未	**1.6**	**2.0**	**2.4**		八ツ	**1.8**	**2.2**	**2.6**	
申	**3.2**	**4.0**	**4.8**		七ツ	**3.6**	**4.4**	**5.2**	
酉	**4.8**	**6.0**	**7.2**	日没	暮六ツ	**5.4**	**6.6**	**7.8**	
戌	**7.2**	**8.0**	**8.8**		五ツ	**7.6**	**8.4**	**9.2**	
亥	**9.6**	**10.0**	**10.4**		四ツ	**9.8**	**10.2**	**10.6**	夜

紋　所

主として『本朝武鑑』(貞享三年版)『太平武鑑』(元禄五年版)『国花万葉記』(元禄十年版)などに拠った.

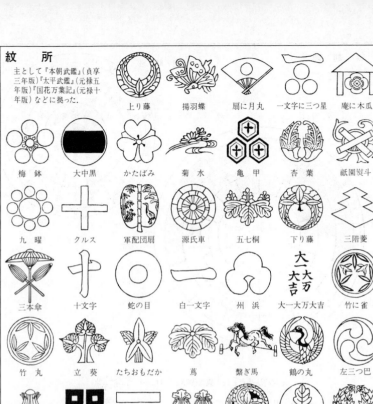

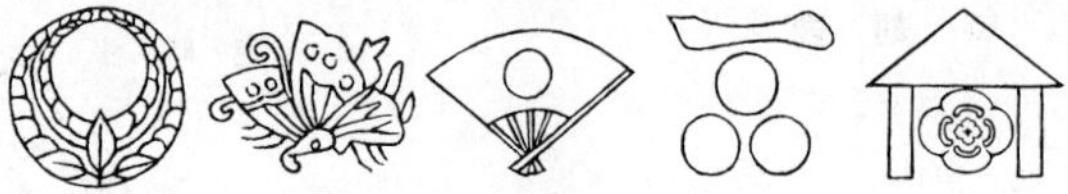

上り藤　揚羽蝶　扇に月丸　一文字に三つ星　庵に木瓜

梅　鉢　大中黒　かたばみ　菊　水　亀　甲　杏　葉　祇園熨斗

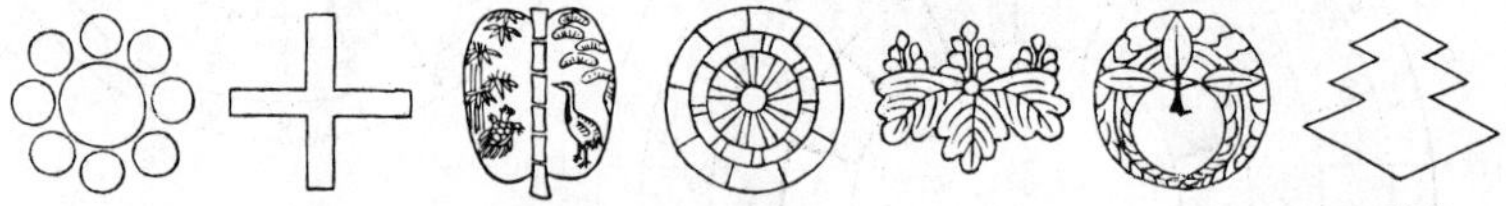

九　曜　クルス　軍配団扇　源氏車　五七桐　下り藤　三階菱

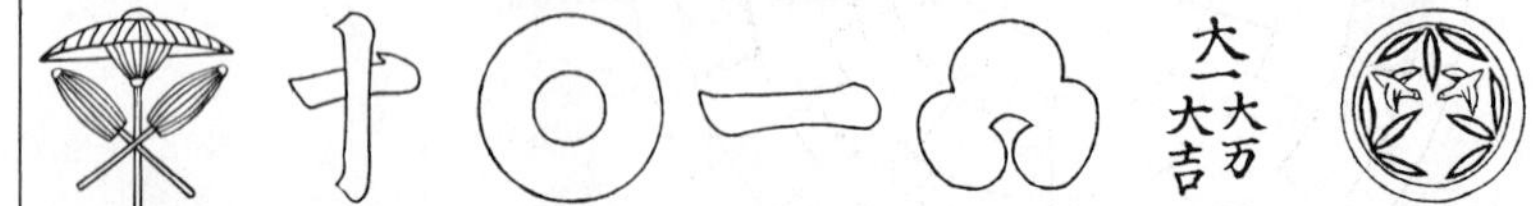

三本傘　十文字　蛇の目　白一文字　州　浜　大一大万大吉　竹に雀

竹　丸　立　葵　たちおもだか　蔦　繋ぎ馬　鶴の丸　左三つ巴

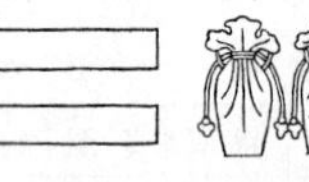

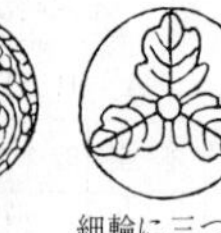

一つ板屋貝　平四つ目結　二つ引両　二つ瓶子　藤　巴　細輪に三つ柏　牡　丹

松皮菱　丸に桔梗　丸に釘抜　丸に橘　丸に違ひ鏑矢　丸に違ひ鷹の羽　丸に違ひ矢筈

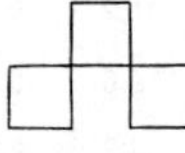
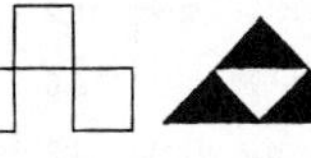

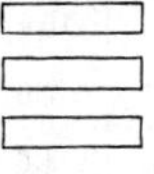
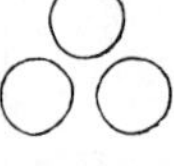
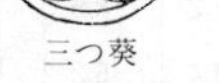
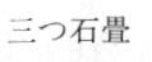

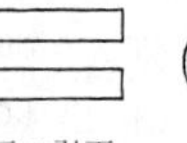

丸に卍　三つ葵　三つ石畳　三つ鱗　水　車　三つ引両　三つ星

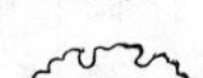

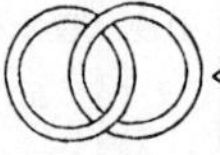
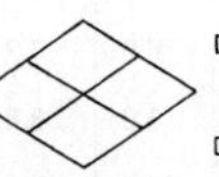
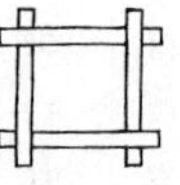

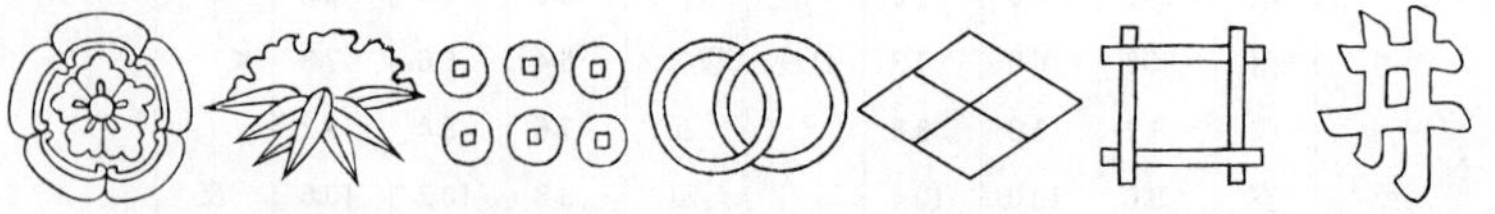

木　瓜　雪持ち笹　六文銭　輪　違　割　菱　井　筒　井文字

万葉がな要覧

上代特殊仮名遣に関係ある音節および現代かなづかいでは概ね書き分けないようになったかなの万葉がなを掲げた。

（古事記・万葉集の「・」の下の字は訓仮名を示す）

音節	推古期	古事記・万葉集	日本書紀
〔き・ぎ〕			
き ki（甲）	支岐吉	支伎岐妓吉枳棄 企・寸来杵	岐吉枳棄企耆 祇祁
ぎ gi（甲）		伎祇藝岐	伎儀蟻藝嗜
き kï（乙）	帰	奇寄綺忌紀貴 幾・木城	奇己紀気幾機 基規既
ぎ gï（乙）		疑宜義	疑擬
〔ひ・び〕			
ひ Fi（甲）	比	比必卑賓嬪臂・ 日氷負飯檜	比毗必卑避臂 譬
び bi（甲）		妣毗婢鼻	弭弥寐鼻
ひ Fï（乙）	非	非悲斐肥飛・火樋	悲彼被秘妃
び bï（乙）		備肥飛・乾	備眉媚縻
〔み〕			
み mi（甲）	弥	弥民美・三見御	弥瀰美弭寐湄
み mï（乙）	未	未味尾微・身箕	未微
〔け・げ〕			
け ke（甲）		家計奚谿鶏雞價祁 結兼険監・異来	家計鶏雞祁啓 稽
げ ge（甲）		下牙雅夏	霓
け kë（乙）	気居挙 希	気既・毛消飼（介）	気居戒開階愷 凱概概該
げ gë（乙）	義	気宜礙・削	导皚礙
〔へ・べ〕			
へ Fe（甲）	俾	敝弊幣平弁反返遍	幣弊蔽陛覇鞞
べ be（甲）		辺陛覇・重部隔 弁便別辦・部	蘗 謎
へ Fë（乙）		倍陪閇閉拝・経 臍戸	倍陪俳沛杯背 閇珮
べ bë（乙）		倍	毎
〔め〕			
め me（甲）	賣	賣咩馬面・女	賣咩迷謎綿
め më（乙）	米	米迷昧梅浼・目 眼	迷妹昧毎梅
〔こ・ご〕			
こ ko（甲）	古	古故枯姑祜高庫 侯孤・粉	古固故姑胡孤 顧
ご go（甲）		吾呉胡後虞・籠 児	吾悟呉娯誤
こ kö（乙）	己	己忌巨去居許虚 興・木	去居莒許渠據 虚挙
ご gö（乙）		其期碁凝	語御馭
〔そ・ぞ〕			
そ so（甲）	楚嗽	蘇素宗祖・十	蘇素泝
ぞ zo（甲）		俗	
そ sö（乙）		曾僧増憎則所・ 衣苑背	曾層贈所則諸 賊
ぞ zö（乙）		序叙賊存	序叙茹鋤鐏
〔と・ど〕			
と to（甲）		刀斗・礪速（土砥） 戸利	刀斗杜塗妬都 覩屠徒度渡圖
ど do（甲）		土度渡	奴怒
と tö（乙）	等止	等登澄得騰・十 鳥常迹跡（止）	等登劉鄧苔騰 縢
ど dö（乙）		抒杼特藤騰等縢	廼耐
〔の〕			
の no（甲）		努怒弩	奴努怒弩
の nö（乙）	乃	乃能・笑箆（野）	能廼
〔も〕			
も mo（甲）		毛（記）	母毛茂望梅謀 謨暮慕墓悶莽
も mö（乙）	母	母（記）	
（も mo・mö 共通）		母毛勿物方文目忘茂望門問聞畝蒙・藻哭喪裳	
〔よ〕			
よ yo（甲）		用容欲・夜	用庸遙
よ yö（乙）	余与已	余餘与豫・代世 吉四	余餘与誉預豫
〔ろ〕			
ろ ro（甲）		路漏盧楼	露漏盧楼魯
ろ rö（乙）	里	里呂侶	呂慮廬稜
〔い〕			
い i	伊夷	伊夷以異已移・射	伊以異易怡
ゐ wi	韋	韋位為謂・井猪 藍藺	韋偉位為委萎 威謂
〔え〕			
え e		亜衣依愛・榎荏	愛哀埃
ye		曳延叡要遙・兄 江吉枝柄	曳延叡
ゑ we		恵廻・咲畫	恵廻衛隈穢慧
〔お〕			
お ö	意	意憶於応隠	意憶於淤飫乙磤
を wo	乎	乎呼袁遠怨越・ 少叫男緒雄	乎弘烏鳴塢惋
〔じ〕			
じ zi	自	自士仕司時盡緇 慈	自士耳茸珥餌 児貳爾
ぢ di	遅	遅治地恥	尼泥旎膩膩
〔ず〕			
ず zu		受授殊聚・簀	受儒孺
づ du		豆頭	豆頭弩砮

歴史的かなづかい要覧

▽歴史的かなづかいが現代かなづかいと一致しない語または字音のうち、主要なものを掲げた。品詞によって区別せず、また、動詞は連用形で出した。
▽上段に現代かなづかい、中段に歴史的かなづかい、下段にその主な漢字表記を示した。和語は平がな、字音は片かなで示し、排列は現代かなづかいの五十音順とした。
▽本辞典では、従来キュウ・ギュウ・チュウ・デュウ・ニュウ・リュウと書いた字音は、院政期ころの字音かなづかいに従って、それぞれキウ・ギウ・チウ・ヂウ・ニウ・リウに統一した。「方」はハウ・ホウを、「法」はハフ・ホフを使い分けた。

あ行

あい	あひ	間合会逢相
	あゐ	藍
あいだ	あひだ	間
あえ	あへ	合和饗敢
あおい	あふひ	葵
あおぎ	あふぎ	扇仰
あおし	あをし	青蒼
あおり	あふり	障泥煽
あじさい	あぢさゐ	紫陽花
あじわい	あぢはひ	味
あずかり	あづかり	預与関
あたい	あたひ	直価値適能
あやうし	あやふし	危
あらわれ	あらはれ	顕現表
あわ	あは	粟
あわし	あはし	酣淡
あわせ	あはせ	合併袷
あわび	あはび	鮑鰒
あわれ	あはれ	哀憐
い	ゐ	井猪亥堰藺
		居坐率
イ	ヰ	位威偉違緯
		囲委萎為慰
		畏遺胃維
いい	いひ	飯言
いえ	いへ	家
いお	いほ	庵廬 五百
	いを	魚
いずこ	いづこ	何処
いずれ	いづれ	何孰
いたずら	いたづら	徒 悪戯
いたわり	いたはり	労
いつわり	いつはり	偽詐
いなか	ゐなか	田舎
いやまい	ゐやまひ	礼敬
いわ	いは	石岩磐
いわい	いはひ	祝斎
イン	ヰン	尹院員韻
うい	うひ	初
うえ	うへ	上筌
	うゑ	飢饑植
うお	うを	魚
うぐいす	うぐひす	鶯
うじ	うぢ	氏
うず	うづ	珍渦堆
うつわもの	うつはもの	器
うない	うなゐ	髻髪
うるおい	うるほひ	潤
うれい	うれひ	憂愁
うわ	うは	上表
え	へ	重
	ゑ	餌
エ	ヱ	会絵回廻恵
		衛壊穢
えい	ゑひ	酔
エイ	ヱイ	衛
えみ	ゑみ	笑
えり	ゑり	彫鑿
エン	ヱン	円垣遠猿怨
		淵宛苑園援
お	を	牡男夫尾峰
		麻緒小
オ	ヲ	汚烏乎悪
おい	おひ	笈負追生
	をひ	甥
オウ	アウ	央桜奥鶯鸚
	アフ	凹圧押
	ワウ	王往黄皇尩
		横枉
おうぎ	あふぎ	扇
おうち	あふち	樗楝
おうみ	あふみ	淡海 近江
おえ	をへ	終了
おおい	おほひ	覆被
おおし	おほし	大多
	ををし	雄
おおじ	おほぢ	大路 祖父
おおやけ	おほやけ	公
おか	をか	岡丘陸
おかし	をかし	犯侵 可笑
おがみ	をがみ	拝
おぎ	をぎ	荻
オク	ヲク	屋
おけ	をけ	麻笥桶
おこ	をこ	烏滸愚
おさ	をさ	長箴
おさなし	をさなし	幼
おさめ	をさめ	治収納修
おし	をし	鴦鴛食惜愛
おじ	おぢ	祖父懼怖
	をぢ	伯父 叔父
おしえ	をしへ	教
おち	をち	遠 彼方 変若
おとこ	をとこ	男
おどし	をどし	縅
おととい	をととひ	一昨日
おととし	をととし	一昨年
おとめ	をとめ	処女 少女
おの	をの	斧
おば	をば	姨 伯母 叔母
おみなえし	をみなへし	女郎花
おり	をり	檻折居
おわり	をはり	終畢了
オン	ヲン	温遠穏怨苑
		園

か行

カ	クヮ	火化訛靴花
		華貨和科果
		菓課顆窠過
		渦禍寡
ガ	グヮ	瓦画臥
かい	かひ	貝殻卵抱峡
		匙交買飼
カイ	クヮイ	回廻会絵灰
		怪快悔晦潰
		懐壊傀塊魁
ガイ	グヮイ	外
かいな	かひな	肱腕
かえ	かへ	交替変
かえり	かへり	返帰覆
かお	かほ	顔
かおり	かをり	香薫燻
カク	クヮク	画拡郭獲穫

現代かなづかい	歴史的かなづかい	例
かげろう	かげろふ	陽炎 蜉蝣
かじ	かぢ	梶 楫 鍛冶
かしわ	かしは	柏
かずき	かづき	被 潜
かたわら	かたはら	旁 傍 側
カツ	クヮツ	活 括 滑 濶
ガツ	グヮツ	月
かなえ	かなへ	鼎
かわ	かは	川 河 皮 革 側
かわず	かはづ	河蝦 蛙
かわや	かはや	厠
かわら	かはら	瓦 川原 河原
かわらけ	かはらけ	土器
かわり	かはり	代 替 変
カン	クヮン	完 冠 官 館 巻 関 換 喚 患 勧 歓 観 灌 款 緩 還 環 貫 慣 寛
ガン	グヮン	元 玩 頑 丸 願
きおい	きほい	競
きのう	きのふ	昨日
キュウ	キウ	九 仇 究 鳩 久 灸 臼 旧 求 救 球 弓 窮 休 丘 朽 糾 宮
	キフ	及 汲 吸 級 笈 泣 急 給
ギュウ	ギウ	牛
きょう	けふ	今日
キョウ	キャウ	兄 況 京 享 競 向 狂 強 経 敬 警 驚 香 竟 境 郷 饗 卿 慶
	ケウ	交 校 孝 教 叫 橋 嬌 矯
	ケフ	侠 狭 峡 協 脇 脅 怯
ギョウ	ギャウ	行 刑 仰 形
	ゲウ	暁 堯 僥 楽
	ゲフ	業
きわ	きは	涯 際
きわめ	きはめ	極 窮 究
くい	くひ	株 杭 食 齧
くず	くづ	屑
くずし	くづし	崩
くらい	くらひ	食 喰
	くらゐ	位
くれない	くれなゐ	紅
くわ	くは	桑 鍬
くわえ	くはへ	加 銜
くわし	くはし	委 細 麗 詳
くわだて	くはだて	企
けずり	けづり	削 梳
けわい	けはひ	化粧
けわし	けはし	険 嶮
こい	こひ	鯉 乞 請 恋
コウ	カウ	行 交 校 効 香 好 孝 考 江 巧 昂 仰 坑 向 幸 巷 耕 耗 高 更 綱 剛 講 降 庚 康 膏 膠 衡
	カフ	甲 合 閤
	クヮウ	光 広 荒 皇 黄 鉱 礦 宏 慌
	コフ	劫
ゴウ	ガウ	号 剛 豪 拷 強 毫 郷 嗷 濠 降
	ガフ	合 盒
	グヮウ	轟
	ゴフ	劫 業
こうがい	かうがい	笄
こうじ	かうじ	麹 柑子
	こうぢ	小路
こうもり	かうもり	蝙蝠
こえ	こゑ	声
こおり	こほり	郡 凍 氷
こおろぎ	こほろぎ	蟋蟀
こわし	こはし	毀 強 剛 恐
さ行		
さえ	さへ	鉏 障
さえぎり	さへぎり	遮
さえずり	さへづり	囀
さお	さを	棹 竿
さきわい	さきはひ	幸
さずけ	さづけ	授
さわ	さは	沢
さわやか	さはやか	爽
さわり	さはり	障 触
ジ	ヂ	地 治 持
しい	しひ	椎 癈 痺 強 誣
しいな	しひな	粃
しお	しほ	潮 汐 塩 入
ジキ	ヂキ	直
ジク	ヂク	竺 軸
しず	しづ	賤 鎮
しずか	しづか	静 閑
しずめ	しづめ	沈 鎮
ジツ	ヂツ	昵
シュウ	シウ	秋 修 周 州 舟 収 愁 囚 醜 臭 秀 就 蹴 袖 讐
	シフ	拾 習 執 集 襲
ジュウ	ジウ	柔 蹂 獣
	ジフ	十 什 汁 渋 拾
	ヂウ	住 重 紐
ジョ	ヂョ	女 除
ショウ	シャウ	上 井 匠 声 生 性 笙 正 政 床 庄 荘 装 青 請 昌 唱 将 尚 商 掌 章 賞 相 省 祥 詳 象 聖
	セウ	小 少 抄 肖 宵 消 召 招 昭 照 沼 詔 焦 焼
	セフ	妾 渉 捗 捷
ジョウ	ジャウ	上 情 状 成 盛 城 浄 常 譲 静
	ゼウ	擾 焼 繞 饒
	ヂャウ	丈 仗 定 掟 場 嬢 錠 醸 貞
	デウ	条 嫋
	デフ	帖 畳
ジョク	ヂョク	濁
ジン	ヂン	沈 陣 塵
ズ	ヅ	豆 図 途 徒 頭
すえ	すゑ	末 季 据 陶
すおう	すあを	素襖
すもう	すまう	相撲
せわし	せはし	忙
そい	そひ	添 副 沿
そうらい	さうらひ	候
ソウ	サウ	双 早 草 相 想 霜 争 箏 窓 巣 騒 掃 爽 倉 蒼 操 藻 曹 遭 庄 荘 装 喪 葬 捜
	サフ	挿
ゾウ	ザウ	象 像 造 蔵 臓
	ザフ	雑
た行		
たいら	たひら	平
たえ	たへ	妙 栲 勝 堪
たおやか	たをやか	嫋
たおれ	たふれ	倒
たくわえ	たくはへ	貯 蓄
たゆう	たいふ	太夫
たわけ	たはけ	戯 婬
たわぶれ	たはぶれ	戯

たわら	たはら	俵
ちいさし	ちひさし	小
チュウ	チウ	中沖忠衷虫 誅厨肘紂昼 丑紐抽冑鋳 注宙誅
チョウ	チャウ	丁庁町長腸 頂停帳聴挺
	テウ	鳥調兆逃弔 吊彫朝潮超
	テフ	帖牒蝶諜
ついえ	つひえ	弊潰費
ついに	つひに	終遂
つえ	つゑ	丈杖
つわもの	つはもの	兵
とい	とひ	樋問訪
トウ	タウ	刀到倒当堂 党逃挑唐糖 島套湯蕩盗 稲悼濤陶
	タフ	答塔踏
ドウ	ダウ	堂道導
とうげ	たうげ	峠
とうとし	たふとし	尊貴
とお	とを	十
とおし	とほし	通徹遠
とおり	とほり	通透徹
ときわ	ときは	常磐常盤
とじ	とぢ	閉綴
とのい	とのゐ	宿直

な行

ない	なひ	綯
	なゐ	地震
なえ	なへ	苗
なお	なほ	猶尚
なおし	なほし	直直衣
なりわい	なりはひ	生業
にい	にひ	新
にえ	にへ	贄
におい	にほひ	匂薫
にぎわい	にぎはひ	賑饒
ニュウ	ニウ	柔乳
	ニフ	入
ニョウ	ネウ	尿繞鐃
にわ	には	庭場
にわか	にはか	俄
ぬい	ぬひ	縫
ねじ	ねぢ	捻捩
ノウ	ナウ	悩脳嚢
	ナフ	衲納
のうし	なほし	直衣

は行

はい	はひ	灰這
はいり	はひり	入 這入
はえ	はへ	蠅
はじ	はぢ	恥愧
はらい	はらひ	払祓掃
ひきい	ひきゐ	率
ひたい	ひたひ	額
ビュウ	ビウ	謬
ヒョウ	ヒャウ	平兵評
	ヘウ	表俵票標剽
ビョウ	ビャウ	平病屏瓶
	ベウ	苗描猫廟秒
ふいごう	ふいがう	鞴
ふじ	ふぢ	藤
へつい	へつひ	竈
ホウ	ハウ	方芳放倣訪 邦包庖泡炮 抱袍飽抛
	ハフ	法
	ホフ	法
ボウ	バウ	亡忘忙茫坊 防房卯旁傍 望茅膨棒貌
	ボフ	乏
ほうき	はうき	箒
ほかい	ほかひ	寿
	ほかゐ	行器

ま行

まい	まひ	舞
まいり	まゐり	参詣
まえ	まへ	前
まずし	まづし	貧
まわり	まはり	廻回周
みお	みを	水脈澪
みさお	みさを	彩操
みず	みづ	水瑞
ミョウ	ミャウ	名命明冥
	メウ	妙苗
みょうと	めうと	妻夫婦夫
むかい	むかひ	向迎
むかえ	むかへ	向対迎
めい	めひ	姪
めおと	めをと	妻夫女夫
めしい	めしひ	盲
めずらし	めづらし	珍
モウ	マウ	亡妄盲望孟 猛網
もうけ	まうけ	設儲
もうし	まうし	申
もちい	もちひ	餅
	もちゐ	用

や行

やおら	やをら	(副詞)
やまい	やまひ	病疾
やわら	やはら	柔
ゆい	ゆひ	結
ゆう	ゆふ	夕木綿
ユウ	イウ	又友右有幽 祐遊憂優酉 猶誘郵悠雄
	イフ	邑
ゆえ	ゆゑ	故
ゆげい	ゆげひ	靫負
ゆずり	ゆづり	譲
よい	よひ	宵酔
ヨウ	エウ	夭妖幼要腰 揺遥謡耀窯
	エフ	葉
	ヤウ	羊洋陽楊様 養影栄永
ようか	やうか	八日
よそおい	よそほひ	装
よろい	よろひ	具鎧
よろず	よろづ	万
よわい	よはひ	齢

ら行

リュウ	リウ	柳龍流硫留 溜隆
	リフ	立笠粒竪
リョウ	リャウ	令梁涼諒良 両量糧領霊
	レウ	料寮了聊
	レフ	猟漁
ロウ	ラウ	老郎朗狼浪 牢労廊糧
	ラフ	蠟臘
ろうがわし	らうがはし	乱
ろうたし	らうたし	(形容詞)

わ行

わざわい	わざはひ	災禍祥
わずらい	わづらひ	煩
わらじ	わらぢ	草鞋
わらわ	わらは	童